D0432741

LE PETIT BRETON
DICTIONNAIRE SCOLAIRE

Rita Breton

Éditions HRW
Groupe Éducalivres inc.
955, rue Bergar, Laval (Québec) H7L 4Z6
Téléphone : (514) 334-8466
Télécopieur : (514) 334-8387
Internet : http://www.educalivres.com

DICTIONNAIRE SCOLAIRE

Rita Breton

Tous droits réservés
©1990 **Éditions HRW**

Il est illégal de reproduire une partie quelconque de ce livre sans l'autorisation de la maison d'édition. La reproduction de cette publication, par n'importe quel procédé, sera considérée comme une violation du copyright.

ISBN 0-03-926329-0

Dépôt légal 1er trimestre 1990
Bibliothèque nationale du Québec

Imprimé au Canada
3 4 5 6 7 8 9 G 9 8 7

Principaux collaborateurs

Équipe éditoriale
Rosanne Daoust-Doucet
Louise Chabot

Conception pédagogique
Rita Breton
Rosanne Daoust-Doucet

Équipe de rédaction
Rita Breton, rédactrice principale

ont également collaboré
Jacques Beaumont
Lise Beaumont
Fernand Brouillette
Nicole Doucet
Yvette Ferland
Mireille Garand
Marie Gervais
Huguette Jean-Brault
Roberte Legris
Denise Lemieux
Marie-Reine Marcoux
Raymonde Marcoux
François Morin
Thérèse Morin-Boissonnault
Marguerite Saint-Laurent-Lessard
Lucille Sansouci
Francine Théroux
Michel Thibert

Équipe de révision
Ghislaine Archambault
Yvette Baratte-Le Bozec
Martial Denis
Jocelyne Dorion
Lison Dubé
Johanne La Ferrière
Jean-Pierre Leroux
François Morin
Linda Tremblay

Équipe de correction
Louise Chabot
Suzanne Delisle
Viviane Houle
Louise Malette
Diane Martin
Liliane Michaud
Dolène Schmidt
Linda Tremblay

Lexicographe consultant
Société Dictionel (Jean-Claude Boulanger)

Équipe de contrôle des stéréotypes
Murielle Belley
Flavie Trudel

Conception et coordination graphiques
Danielle Ouellette

Coordination de la production
Michel Carl Perron

Maquette de la couverture
Hélène Camirand

Illustrations de la couverture
Diane Mongeau

Illustrations intérieures
Diane Bienvenue
Jocelyne Bouchard
Pierre Gosselin
Bertrand Lachance
Anne Michaud

Maquette des encarts
Nicole de Passillé

Illustrations des encarts
Diane Bienvenue
Jocelyne Bouchard
Josée Laperrière

Supervision artistique
Danielle Ouellette

Recherche photographique
Roxane Fournier

Cartographie
Raymond Damian
Luce Deschênes Damian

Présentation du dictionnaire

C'est avec fierté que nous présentons le *PETIT BRETON*, fruit d'un travail d'équipe axé sur la recherche de la qualité.

Pourquoi un autre dictionnaire?

Le *PETIT BRETON* a été conçu pour répondre au double souhait qu'ont exprimé au fil des ans de nombreux enseignants de chez nous: disposer en classe d'un dictionnaire qui présente toutes les notions rencontrées dans les matières au programme du primaire et qui, en même temps, corresponde à notre réalité culturelle.

Rédigé par des pédagogues, le présent dictionnaire a pour objectif particulier l'intégration des divers programmes d'études. Par exemple, en ce qui concerne les sciences de la nature, l'élève trouvera dans le *PETIT BRETON* certains noms de plantes ou d'animaux qu'il ne trouverait pas dans les dictionnaires courants.

En outre, le *PETIT BRETON* se veut un reflet de notre réalité culturelle, en particulier de la réalité québécoise, comme le symbolise le harfang des neiges de la couverture. Cette intention se concrétise aussi bien dans la partie langue, par le choix des mots et des phrases exemples, que dans la partie noms propres, par le choix des personnages et des lieux décrits.

Le *PETIT BRETON* convient particulièrement aux élèves de huit à quatorze ans, mais il peut évidemment être utile à tous.

Partie langue

Ouvrage scolaire reflétant notre réalité culturelle, le *PETIT BRETON* n'en est pas moins, avant tout, un dictionnaire de langue, c'est-à-dire qu'il a pour objectif premier de définir un certain nombre de mots en usage dans la langue française. Il renferme environ 25 000 entrées lexicales principales sur lesquelles peuvent se greffer des entrées secondaires telles que des locutions adverbiales, conjonctives ou prépositives, des verbes pronominaux ou des participes passés adjectifs.

Choix des mots

Les mots du dictionnaire ont été sélectionnés d'après leur fréquence d'emploi et en fonction de leur intérêt dans le cadre scolaire québécois. Les termes très techniques ont été exclus, sauf s'ils pouvaient être utiles dans les matières au programme.

Les anglicismes et les canadianismes posaient des problèmes particuliers. C'est pourquoi nous nous y attarderons un peu.

Anglicismes. Parmi les anglicismes présentés dans le *PETIT BRETON*, ceux qui constituent des emprunts anciens *(club, paquebot)* ne posaient aucun problème, car ils sont bien intégrés au français. Ils sont définis sans commentaire.

Quant aux anglicismes relativement récents *(parking, jet)*, certains d'entre eux sont controversés. La position qui a été adoptée à leur égard est la suivante: étant donné qu'un dictionnaire est d'abord un reflet de l'usage, le *PETIT BRETON* définit les anglicismes qui sont couramment employés dans divers pays de la francophonie depuis plusieurs années et dont les équivalents français, s'ils existent, ne sont pas passés dans l'usage général. Par contre, chaque fois que nous pouvions proposer à l'élève un équivalent français, nous l'avons fait au moyen d'une remarque, ou dans une phrase exemple lorsqu'il s'agissait d'une recommandation officielle de l'O.L.F. Enfin, un certain nombre d'anglicismes à éviter ont été répertoriés dans le dictionnaire, à leur rang alphabétique; il s'agit d'emprunts qui font inutilement concurrence à des mots français déjà passés dans l'usage. Ces anglicismes ne font pas l'objet de définitions; ils sont suivis d'une petite main ☞ qui renvoie l'élève à la section anglicismes et canadianismes où est indiquée la forme correcte, dans chaque cas.

Canadianismes. Le présent dictionnaire se voulant un reflet de notre réalité culturelle, on ne s'étonnera pas d'y trouver plusieurs canadianismes, qu'il s'agisse de mots désignant des réalités qui nous sont propres *(cégep, chalumeau)*, ou de sens régionaux que l'on donne ici à des termes appartenant au français universel *(bleuet, rang)*. Dans le choix des canadianismes, les principes exposés dans l'*Énoncé d'une politique linguistique relative aux québécismes*, publié par l'Office de la langue française en 1985, ont été la source de référence.

Chacune des définitions concernant les canadianismes débute par la mention «Au Canada» (parfois «Au Québec»). Ainsi, l'élève pourra faire la distinction entre ce qui appartient au français universel et ce qui est propre au parler du Québec ou du Canada.

Par ailleurs, un certain nombre de canadianismes à éviter ont été intégrés au dictionnaire, à leur rang alphabétique; il s'agit de termes qui constituent soit des archaïsmes *(abrier)*, soit des barbarismes *(chambreur)*, soit des mots patois *(achaler)*. Ces canadianismes ne font pas l'objet de définitions; comme les anglicismes à éviter, ils sont suivis d'une petite main ☞ qui renvoie l'élève à la section anglicismes et canadianismes où est indiquée la forme correcte, dans chaque cas.

Présentation des entrées

Les entrées lexicales sont classées par ordre alphabétique et traitées en caractères gras. Elles sont présentées en minuscules, pour la raison suivante: c'est sous cette forme que l'élève rencontre les mots dans les textes, à moins qu'ils soient placés au tout début d'une phrase. Cette règle n'a évidemment pas été suivie pour les termes qui s'écrivent toujours avec une majuscule initiale (par exemple, *Mach*). Quant aux mots qui peuvent prendre ou non la majuscule selon les variations de sens (par exemple, *antiquité*), ils sont présentés en minuscules, l'emploi de la majuscule faisant l'objet d'une remarque.

Pour des raisons pédagogiques, les mots appartenant à plus d'une catégorie grammaticale font l'objet d'entrées lexicales distinctes si une finale féminine ou plurielle ne s'applique pas à toutes les catégories. Ainsi, *abrasif* (n.m.) et *abrasif, ive* (adj.) font l'objet de deux entrées distinctes.

Informations suivant les entrées

Les finales féminines et plurielles des noms et des adjectifs sont fournies, s'il y a lieu (sauf pour les pluriels en *s*). Dans le cas des entrées monosyllabiques, le mot entier est écrit au féminin et au pluriel.

La catégorie grammaticale est toujours indiquée, à l'aide d'une abréviation.

Si le mot traité constitue un emprunt à une langue étrangère, son origine est précisée entre parenthèses, le plus souvent en abrégé. Ainsi, à l'entrée *achigan*, la mention (amérind.) souligne qu'il s'agit d'un mot amérindien.

Définitions et phrases exemples

Le *Petit Breton* présente le ou les sens les plus courants des mots traités, excluant les acceptions jugées trop techniques.

À l'intérieur d'un article, le triangle ▲ indique une différence importante de signification ou d'emploi. À l'aide de ce symbole, le présent dictionnaire traite séparément non seulement des mots d'origine différente qui ont la même graphie, mais aussi des mots de même origine qui sont perçus aujourd'hui comme entièrement distincts. Toutefois, cette méthode a été appliquée avec circonspection : chaque fois que les divers sens d'un mot pouvaient être reliés entre eux, elle n'a pas été utilisée.

Avant plusieurs définitions, on trouvera, en abrégé, certaines précisions renseignant sur la valeur d'emploi du terme défini, qu'il s'agisse d'un mot vieux ou vieilli (vx), d'un mot familier (fam.), d'un mot populaire (pop.), d'un mot péjoratif (péj.), d'un mot littéraire (litt.), ou encore, d'un terme employé au sens figuré (fig.).

Chacun des sens est exprimé par une **définition** simple, facile à lire, composée, dans la plupart des cas, de mots eux-mêmes traités dans le présent dictionnaire ; sinon, une explication est fournie à l'intérieur de la définition.

Dans le *Petit Breton*, certaines définitions renferment des éléments que les dictionnaires courants mettent habituellement entre parenthèses parce qu'ils ne sont pas strictement compris dans le sens du mot défini (par exemple, *caresser un animal avec la main*, dans l'un des sens du verbe *flatter*). Cette position a été adoptée dans le but de faciliter la lecture.

Il convient aussi de souligner que, pour des raisons pédagogiques, les rédacteurs ont veillé à uniformiser certaines définitions, par exemple, celles qui portent sur les nombres, les jours, les mois, les animaux.

Chaque définition est accompagnée d'une **phrase exemple** qui donne un emploi du mot traité, généralement dans un contexte canadien. Un soin spécial a été apporté aux exemples fournis, pour éviter de reproduire des schémas racistes, sexistes ou favorisant l'adoption d'attitudes discriminatoires envers quelque groupe humain que ce soit.

Synonymes, antonymes et homonymes

Le *Petit Breton* fournit un certain nombre de synonymes, d'antonymes et d'homonymes. Étant donné que les synonymes et les antonymes peuvent varier selon les différences de sens, ils sont présentés immédiatement après la définition et la phrase exemple.

Expressions figées

Se voulant un outil pédagogique aussi complet que possible, le *Petit Breton* répertorie, à l'intérieur même des articles, un certain nombre d'expressions figées, formées à partir du mot traité. Il s'agit d'expressions que les élèves sont susceptibles de rencontrer et dont le sens n'est pas toujours évident. Précédées du symbole ⁄⁄, ces expressions sont données en italique et suivies d'une courte définition.

Remarques

Le symbole **R.** annonce une ou plusieurs remarques concernant l'orthographe, la prononciation, la grammaire, etc. De telles remarques ont été ajoutées chaque fois que le terme défini pouvait présenter une difficulté pour l'élève ; c'est ainsi que sont fournies, par exemple, les formes féminines irrégulières de certains mots et les formes plurielles des mots composés.

Renvois bilatéraux

Le symbole ◇ sert à présenter un mot exprimant exactement la même réalité que le terme défini ; ainsi, à la fin de l'article consacré au mot *aï,* on trouvera : ◇ paresseux ; à l'entrée *paresseux,* on aura l'inverse.

Familles de mots

Si un mot défini dans le *PETIT BRETON* est apparenté à d'autres mots du dictionnaire par la *forme* et le *sens,* cette parenté est signalée à l'élève au moyen d'une petite main ☞. Si le mot traité est considéré comme le « chef de famille », la petite main renvoie l'élève à tous les autres mots de la même famille qui sont définis dans le *PETIT BRETON.* (Il se peut qu'il y en ait seulement un.) Par contre, s'il ne s'agit pas du chef de famille, la petite main invite l'élève à se reporter au chef. Soulignons qu'à l'intérieur d'une famille de mots, c'est le terme recouvrant le champ sémantique le plus étendu qui a été considéré comme le chef.

Encadrés

Placés entre les articles, plusieurs encadrés attirent l'attention de l'élève sur les homophones au programme, les finales des verbes conjugués aux temps simples et sur certaines particularités orthographiques rencontrées dans les familles de mots (par exemple, *po**mm**e – po**m**iculteur*).

Partie noms propres

La partie du dictionnaire consacrée aux noms propres renferme environ 1500 entrées.

Elle décrit des personnages d'autrefois et d'aujourd'hui qui se sont illustrés dans divers domaines : arts, lettres, sports, histoire, religion, écologie, politique, philanthropie. L'accent a été mis sur les personnages canadiens et, en particulier, québécois. Une attention spéciale a été accordée aux femmes, souvent laissées dans l'ombre, ainsi qu'aux personnages qui touchent le plus les enfants. En outre, des groupes autochtones ainsi que les diverses communautés culturelles du Québec ont été représentés adéquatement.

En ce qui concerne les noms géographiques, la plupart des pays sont décrits (situation, relief, climat, végétation, ressources naturelles, régime politique), de même que les régions, les villes, les montagnes et les cours d'eau les plus importants. Toutefois, certains noms étrangers ont été laissés de côté au profit de toponymes canadiens et, en particulier, québécois.

Notons que, dans l'écriture de tous ces noms de lieux, les recommandations de la Commission de toponymie du Québec ont été suivies aussi fidèlement que possible.

Aspect visuel du dictionnaire

Sur le plan de la **typographie,** la répartition du texte sur deux colonnes et la variété des caractères – non excessive – donnent à l'ensemble plus de clarté, plus de lisibilité, tout en favorisant un repérage rapide.

D'attrayantes **photos** et **illustrations** concrétisent les définitions et les descriptions. De plus, des **encarts** en couleurs et en noir et blanc attirent l'attention de l'élève ; ils présentent des thèmes tirés des programmes d'études, des sujets d'intérêt général ainsi que des œuvres d'art québécoises.

Annexes

Le *Petit Breton* comporte une série d'annexes ayant pour but de compléter l'information des utilisateurs. Ces annexes comprennent, notamment, une section expressions particulières, des tableaux de préfixes et de suffixes, une section notions grammaticales, des tableaux de conjugaisons, une liste de sigles courants ainsi qu'une section anglicismes et canadianismes.

L'annexe **expressions particulières** fournit une liste d'expressions ou de locutions toutes faites, parfois à caractère proverbial. Il s'agit surtout d'expressions imagées qui ont un sens particulier pour les usagers du français. Non exhaustive, cette liste renferme les expressions et locutions que le ministère de l'Éducation du Québec juge indispensables à l'apprentissage du français au primaire et beaucoup d'autres qui ont été sélectionnées en raison de leur fréquence d'emploi. Ces expressions sont répertoriées selon l'ordre alphabétique des mots clés ; chacune est suivie d'une définition claire et concise.

Les tableaux – non exhaustifs – des **préfixes** et des **suffixes** intéressent l'élève à la question de la formation des mots nouveaux. Pour faciliter la consultation de ces tableaux, il a été décidé de présenter tous les préfixes, d'une part, et tous les suffixes, d'autre part, par ordre alphabétique, sans faire la distinction entre les préfixes et suffixes proprement dits et les éléments grecs, latins ou français servant de préfixes et de suffixes. Ces tableaux fournissent, pour chacun des préfixes ou suffixes présentés, le ou les sens les plus courants ainsi que des exemples tirés du dictionnaire.

La section **notions grammaticales** constitue un résumé des principales notions terminales au programme du primaire.

Les **tableaux de conjugaisons** comprennent les verbes qui doivent être connus à la fin du primaire, conjugués aux temps indiqués dans le programme, ainsi que d'autres verbes et d'autres temps susceptibles d'être employés en situation d'écriture.

Les **sigles** présentés en annexe, choisis parmi ceux qui sont les plus courants au Québec, sont accompagnés des appellations officielles correspondantes. Notons que les sigles s'écrivent avec des majuscules et sans accent.

Enfin, la section **anglicismes et canadianismes** présente une liste de mots à éviter, accompagnés, dans chaque cas, de la forme proposée en remplacement. Le but de cette annexe est d'aider les élèves à améliorer leur langage ; les anglicismes et les canadianismes relevés sont ceux qui, tout en figurant dans le dictionnaire à leur rang alphabétique, ne font pas l'objet de définitions et sont suivis d'une petite main ☞ (voir plus haut). Ils ont été choisis parmi ceux qui sont les plus connus des élèves.

Nous espérons que les utilisateurs de ce dictionnaire auront autant de plaisir à le consulter que nous en avons eu à le réaliser.

Il serait prétentieux de croire qu'un tel ouvrage ne puisse être amélioré. C'est donc avec plaisir que nous recevrons tous les commentaires susceptibles de nous aider à faire du *Petit Breton* un outil pédagogique encore plus utile.

L'équipe éditoriale.

À l'élève

Quand tu cherches un mot dans le dictionnaire, soit parce que tu n'en connais pas le sens, soit parce que tu hésites sur son orthographe, tu t'attends à y trouver ce mot sans difficulté. Le *PETIT BRETON* te facilitera la tâche, car tous les mots y sont classés par ordre alphabétique.

Comme la rédaction du *PETIT BRETON* a été effectuée par des pédagogues, le langage employé est simple, à ta portée. Chaque mot est défini et utilisé dans une courte phrase qui sert d'exemple. Ainsi, tu n'auras pas besoin de l'aide d'un adulte pour comprendre les définitions.

Le *PETIT BRETON* te sera utile pour connaître les synonymes, les antonymes et les homonymes d'un mot, ainsi que les mots qui appartiennent à une même famille; il attirera ton attention sur l'orthographe et la prononciation de certains mots plus difficiles et t'évitera d'hésiter sur le pluriel des mots composés.

Le *PETIT BRETON* t'aidera aussi à ne plus confondre les homophones, à éviter les pièges de la conjugaison et de la grammaire, et à corriger ton langage. De plus, il te familiarisera avec plusieurs expressions en t'en donnant le sens.

Les nombreuses planches en couleurs et les illustrations te rendront sûrement de grands services dans tes recherches, puisque le *PETIT BRETON* tient compte des matières qui sont au programme du deuxième cycle du primaire. En particulier, certaines illustrations en couleurs te familiariseront avec des oeuvres d'art québécoises.

Enfin, la partie consacrée aux noms propres te permettra de découvrir les personnages qui ont marqué notre culture ou qui se sont illustrés en divers domaines au Québec et au Canada. Cette partie te fera aussi mieux connaître notre monde, puisqu'on y présente les pays, les villes, les régions et les cours d'eau les plus importants.

Le *PETIT BRETON* est un dictionnaire spécialement conçu pour toi. Utilise-le souvent! C'est un ami qui t'aidera à enrichir tes connaissances non seulement en français, mais aussi dans toutes les matières qui sont au programme.

Rita Breton

Comment te servir de ton dictionnaire

à prép. **1.** Indique le lieu: *Lucie demeure à Québec.* **2.** Indique le but: *Les écoliers cherchent à réussir.* **3.** Indique le temps: *Je me lève à 7 heures.* **4.** Indique la manière: *Le voleur s'enfuit à toutes jambes.* **5.** Indique la possession: *Cette bicyclette est à moi.* **6.** Introduit le complément indirect: *Le chien obéit à sa maîtresse.* **R.** Se combine avec *le* et *les* pour donner les articles contractés *au* et *aux*.

Divers sens du mot

Attention aux homophones!

Remarque sur la grammaire

a peut être remplacé par *avait*.
à ne peut pas être remplacé par *avait*.

abonnement n.m. Marché entre un fournisseur et un client pour la livraison régulière d'un produit ou l'usage d'un service en échange d'un paiement: *Je dois renouveler mon abonnement à ce journal.* SYN. souscription. ☞ abonné, abonner, désabonner, réabonnement, réabonner.

Mot

Mots de la même famille

abonner v. Prendre un abonnement pour une autre personne: *Cette revue est intéressante; j'y ai abonné mon frère.* SYN. souscrire. HOM. abonné. ☞ abonnement. **s'abonner** v.pron. Prendre un abonnement pour soi: *Ma sœur s'est abonnée à une revue scientifique.*

Phrase exemple

abonné, ée p.p. et adj. **1.** Qui a pris un abonnement: *Les lecteurs sont abonnés à une revue scientifique.* **2.** fig. et fam. Qui est habitué à quelque chose: *L'élève a subi de nombreux échecs; elle est abonnée à cette situation.*

Catégorie grammaticale

Précisions sur l'usage (sens figuré, mot familier)

abreuvoir n.m. Lieu où l'on mène boire les animaux domestiques: *Martin mène les vaches à l'abreuvoir.* **R.** N'a pas le sens de *fontaine*: l'abreuvoir est réservé aux animaux. ☞ abreuver.

Définition

Remarque corrective

abrier ☞ sect. anglicismes et canadianismes.

Mot à éviter

absorption n.f. **1.** Action d'absorber quelque chose: *Observez l'absorption de cette crème par la peau.* SYN. pénétration. ANT. rejet. **2.** Action de manger, de boire: *Il a été hospitalisé après l'absorption d'un poison.* ANT. élimination. ☞ absorber.

Mot qui a un sens équivalent (synonyme)

Mots qui ont un sens contraire (antonymes)

absor**b**er
absor**p**tion

Attention à l'orthographe!

achigan n.m. (amérind.) Poisson d'eau douce du Canada qui porte aussi le nom de «perche noire» ou «perche truitée»: *L'achigan est un beau poisson que l'on pêche aussi l'hiver.* **R.** Signifie *celui qui se débat*.

Origine du mot (mot amérindien)

afflux n.m. Arrivée soudaine d'une foule de personnes au même endroit: *Cette année, il y a eu un afflux de visiteurs au Stade olympique.* SYN. affluence. ☞ affluer. ▲ **afflux** n.m. Fait de couler abondamment vers un point, en parlant d'un liquide: *L'afflux de sang au visage se remarque immédiatement.* ☞ affluer.

Différence importante de signification (ou d'emploi)

aï n.m. (tupi) Petit mammifère de l'Amérique du Sud, aux mouvements lents, qu'on appelle communément «paresseux»: *L'aï passe une grande partie de sa vie suspendu aux branches des arbres.* **R.** Ne pas oublier le tréma: *ï.* ◇ paresseux.

Recommandation de l'Office de la langue française du Québec

Autre mot désignant la même réalité

aiguilleur n.m. Personne chargée d'un poste d'aiguillage: *L'aiguilleur travaille pour une compagnie ferroviaire.* SYN. agent. **R.** L'O.L.F. recommande *aiguilleuse* comme féminin de *aiguilleur.* Les lettres *ill* se prononcent comme dans *famille*. Ne pas oublier le *u* après le *g.* ☞ aiguiller.

Remarque sur l'orthographe

alène n.f. (all.) Poinçon effilé qui sert à percer le cuir avant de le coudre: *Le cordonnier se sert souvent de l'alène.* HOM. haleine. **R.** Aussi, *alêne.*

Mot qui se prononce de la même manière, mais qui n'a pas le même sens (homonyme)

Autre forme

algorithme n.m. (arabe) Ensemble des opérations propres à un calcul: *Quand tu veux résoudre un problème, tu utilises des algorithmes.*

Origine du mot (mot arabe)

algorithme d'addition:	4 + 7 = 11	somme ou total
algorithme de soustraction:	11 - 7 = 4	reste ou différence
algorithme de multiplication:	2 x 8 = 16	produit
algorithme de division:	16 ÷ 4 = 4	quotient

exemples d'**algorithmes**

Mot

amont n.m. Partie d'un cours d'eau située du côté de sa source: *Si je remonte le Richelieu jusqu'au lac Champlain, je vais vers l'amont.* ANT. aval. **en amont de** loc.prép. En remontant le courant: *Québec est en amont de Rivière-du-Loup.*

Locution (groupe de mots)

Finale féminine

ancestral, ale, aux adj. Qui vient des ancêtres: *La bénédiction paternelle du Jour de l'an est une coutume ancestrale.* ☞ ancêtre.

Finale plurielle

ancre n.f. Gros crochet d'acier suspendu à une chaîne, qui sert à immobiliser un navire: *En arrivant au port, les marins jettent l'ancre.* HOM. encre. ⁄⁄ *Jeter l'ancre*: Mouiller dans un port. *Lever l'ancre*: Quitter le port, appareiller. ☞ ancrer.

Expressions figées

Liste des abréviations et symboles employés dans cet ouvrage

adj.	adjectif
adv.	adverbe, adverbiale
afr.	africain
all.	allemand
alsac.	alsacien
améric.	américain
amérind.	amérindien
angl.	anglais
anglo-améric.	anglo-américain
ANT.	antonyme
art.	article
austr.	australien
autr.	autrichien
brés.	brésilien
bulg.	bulgare
catal.	catalan
chil.	chilien
conj.	conjonction, conjonctive
déf.	défini
dém.	démonstratif
Dr	docteur
égypt.	égyptien
esp.	espagnol
ex.	exemple ou exemples
f.	féminin
fam.	familier
fig.	figuré
gaul.	gaulois
guyan.	guyannais
HOM.	homonyme
hongr.	hongrois
indéf.	indéfini
interj.	interjection
interrog.	interrogatif
invar.	invariable
island.	islandais
it.	italien
jap.	japonais
jav.	javanais
lat.	latin
litt.	littéraire
loc.	locution
M.	monsieur
m.	masculin
Mgr	monseigneur
Mlle	mademoiselle
Mme	madame
malab.	malabar
n.	nom
n. de l'inv.	nom de l'inventeur
n. du sc.	nom du scientifique
néerl.	néerlandais
norv.	norvégien
n°	numéro
n^{os}	numéros
num.	numéral
p.	page ou pages
péj.	péjoratif
pers.	personnel
péruv.	péruvien
plur.	pluriel
pol.	polonais
polyn.	polynésien
pop.	populaire
port.	portugais
poss.	possessif
p.p.	participe passé
prép.	préposition, prépositive
pron.	pronom, pronominal
provenç.	provençal
R.	remarque
rel.	relatif
sing.	singulier
scand.	scandinave
suéd.	suédois
SYN.	synonyme
tibét.	tibétain
v.	verbe
vx	vieux, vieilli
youg.	yougoslave

◇	renvoi bilatéral
☞	voir
▲	différence importante de signification ou d'emploi
⁄⁄	expression(s) figée(s)

a

a n.m.invar. Première lettre de l'alphabet: *La lettre «a» est la première voyelle de l'alphabet.*

à prép. **1.** Indique le lieu: *Lucie demeure à Québec.* **2.** Indique le but: *Les écoliers cherchent à réussir.* **3.** Indique le temps: *Je me lève à 7 heures.* **4.** Indique la manière: *Le voleur s'enfuit à toutes jambes.* **5.** Indique la possession: *Cette bicyclette est à moi.* **6.** Introduit le complément indirect: *Le chien obéit à sa maîtresse.* **R.** Se combine avec *le* et *les* pour donner les articles contractés *au* et *aux*.

> **a** peut être remplacé par *avait*.
> **à** ne peut pas être remplacé par *avait*.

abaisse n.f. Pâte amincie au rouleau à pâtisserie: *Papa prépare deux abaisses pour la tarte aux bleuets.* ☞ abaisser.

abaisse-langue n.m.invar. Instrument utilisé en médecine pour abaisser la langue et examiner la gorge: *La femme médecin emploie plusieurs abaisse-langue dans une journée.* ☞ abaisser.

abaissement n.m. Action d'abaisser, de faire descendre plus bas ou de diminuer: *La météo annonce un abaissement de la température.* SYN. baisse, chute. ANT. élévation, hausse. ☞ abaisser.

abaisser v. Faire descendre quelque chose à un niveau plus bas: *Voulez-vous abaisser les stores, s'il vous plaît?* SYN. baisser. ANT. hisser, relever. ☞ abaisse, abaisse-langue, abaissement, rabaisser. **s'abaisser** v.pron. **1.** Descendre de haut en bas: *La vitre de la portière ne s'abaisse plus.* ANT. monter. **2.** S'humilier: *Les gens snobs croient s'abaisser à fréquenter les gens ordinaires.* SYN. se dévaluer, se rabaisser. ANT. s'élever, se glorifier, se valoriser.

abajoue n.f. Poche que certains animaux (rongeurs, singes) possèdent à l'intérieur des joues et qui sert de réserve à aliments: *L'écureuil transporte des glands dans ses abajoues.*

abandon n.m. Action d'abandonner quelqu'un ou quelque chose: *L'abandon des chiens inquiète beaucoup les organismes de protection des animaux.* ☞ abandonner. **à l'abandon** loc.adv. Qui est laissé sans soin, en désordre: *Le terrain du voisin est à l'abandon.*

abandonner v. **1.** Ne plus s'occuper de quelqu'un ou de quelque chose: *Michelle a abandonné son chat sur le bord de la route.* SYN. délaisser. ANT. garder. **2.** Quitter un lieu: *Après cette catastrophe écologique, les gens ont dû abandonner leurs maisons.* SYN. déserter, laisser. ANT. réintégrer. **3.** Renoncer à un projet: *Il voulait construire un garage, mais il a abandonné.* SYN. abdiquer, démissionner. ANT. continuer, persévérer. ☞ abandon. **s'abandonner** v.pron. Se laisser aller à ses sentiments, à ses goûts: *Julien s'abandonne au désespoir. Julie s'abandonne dans les bras de sa mère.* **abandonné, ée** p.p. et adj. Qui est délaissé: *Des animaux abandonnés errent dans les rues.* SYN. négligé.

abaque n.m. Appareil muni de tiges et de pièces mobiles, servant aux calculs arithmétiques: *Les écoliers se servent de l'abaque pour apprendre la numération.* SYN. boulier.

abasourdir v. **1.** Étourdir par un bruit très fort: *La musique nous abasourdit.* SYN. abrutir, assourdir. ANT. calmer. **2.** Étourdir par la surprise: *L'annonce de sa mort nous a abasourdis.* SYN. ébahir, hébéter, stupéfier. ANT. rassurer. **abasourdi, ie** p.p. et adj. **1.** Qui est étourdi par un bruit très fort: *Maman est abasourdie par le bruit de la sirène.* **2.** Qui est étourdi de surprise: *Elle le regardait d'un air abasourdi.* SYN. ébahi, hébété, stupéfait. ANT. serein.

abatis n.m. Au Canada, terrain déboisé dont on n'a pas encore enlevé les souches: *Mon père passe ses journées dans l'abatis; il arrache les souches.* HOM. abattis. ☞ abattre.

abat-jour n.m.invar. Objet qui rabat la lumière d'une lampe: *J'ai acheté de magnifiques abat-jour en soie.* ☞ abattre.

abats n.m.plur. Parties comestibles des animaux de boucherie, sauf la viande: *Le cœur, le foie, les rognons, la langue, etc., sont des abats.* SYN. abattis.

abattage n.m. **1.** Action d'abattre, de faire tomber: *L'abattage d'un arbre est toujours dangereux.* SYN. coupe. ANT. pousse. **2.** Action de tuer un animal de boucherie: *Je n'ai jamais pu assister à l'abattage d'un veau.* ☞ abattre.

abattant n.m. Pièce qu'on peut relever ou rabattre: *Il faudrait changer l'abattant de ce buffet.* ☞ abattre.

abattement n.m. État de quelqu'un qui est découragé, abattu: *La perte de son emploi l'a plongée dans un profond abattement.* SYN. découragement, dépression, désespoir. ANT. énergie, espoir, excitation. ☞ abattre.

abattis n.m.plur. Les pattes, la tête, les ailerons, le cœur, le foie, le gésier d'une volaille: *Les abattis se trouvent au comptoir des viandes.* SYN. abats. HOM. abatis.

abattoir n.m. Lieu où se fait l'abattage des animaux de boucherie (bœufs, moutons, veaux, porcs): *Un camion chargé de bœufs se dirige vers l'abattoir.* ☞ abattre.

abattre v. **1.** Faire tomber quelque chose: *Le voisin a abattu trois arbres sur son terrain.* SYN. couper, raser. ANT. planter. **2.** Tuer un animal: *Le chasseur a abattu un orignal.* SYN. assommer, tuer. **3.** Démolir une construction: *Il a fallu abattre cette maison pour construire l'école.* SYN. démolir, détruire. ANT. bâtir, construire, édifier, élever. **4.** Assassiner quelqu'un avec une arme à feu: *Le voleur a abattu la caissière.* SYN. tuer. **5.** fig. Ôter des forces physiques: *Sa maladie l'a abattu.* SYN. épuiser, fatiguer, lasser. ANT. fortifier, remonter. **6.** fig. Ôter l'espoir, la joie: *Ne te laisse pas abattre par cet échec.* SYN. atterrer, décourager, démolir. ANT. encourager, stimuler. ☞ abatis, abat-jour, abattage, abattant, abattement, abattoir, rabat, rabattre, rabattu. **s'abattre** v.pron. **1.** Tomber tout d'un coup: *L'arbre s'abattit sur le toit.* SYN. s'écraser, s'écrouler. ANT. se relever. **2.** Se mettre à tomber: *La pluie s'abat sur nous.* **abattu, ue** p.p. et adj. **1.** Qui est affaibli: *Lucie est très abattue depuis son opération.* SYN. faible, las. ANT. fort, vigoureux. **2.** Qui est triste, découragé: *Après son congédiement, mon père était très abattu.* SYN. épuisé, triste. ANT. confiant, gai.

abbaye n.f. Endroit où vivent des moines ou des religieuses: *As-tu déjà visité l'abbaye de Saint-Benoît-du-Lac?* SYN. cloître, couvent, monastère. **R.** La deuxième syllabe se prononce *bé-i*.

abbé n.m. Titre donné à un prêtre catholique: *Ce matin l'abbé Leclerc viendra en classe.* SYN. ecclésiastique. ANT. laïc.

a b c n.m.invar. Ce qu'on doit savoir en premier: *Avant d'être un traducteur professionnel, il faut apprendre l'a b c du métier.* SYN. notions, rudiments.

abcès n.m. Amas de pus formé dans une partie du corps: *Maurice avait un gros abcès à la gencive.* SYN. pustule, tumeur.

abdication n.f. Action de renoncer au pouvoir, à la couronne: *La reine a annoncé son abdication.* SYN. abandon, démission. ANT. maintien. ☞ abdiquer.

abdiquer v. Renoncer au pouvoir, à la couronne: *Le roi a abdiqué sous la menace des révolutionnaires.* SYN. démissionner, quitter. ANT. conserver, garder, rester. ☞ abdication.

abdication abdiquer

abdomen n.m. Partie inférieure du tronc de l'être humain et des mammifères: *L'abdomen est compris entre le diaphragme et le bassin.* SYN. ventre. ANT. dos. ☞ abdominal.

abdominal, ale, aux adj. Qui concerne l'abdomen: *Elle développe ses muscles abdominaux par des exercices physiques.* SYN. ventral. ANT. dorsal. ☞ abdomen.

abeille n.f. Insecte qui vit en colonie dans une ruche et qui produit le miel et la cire: *L'abeille butine pour recueillir le pollen.*

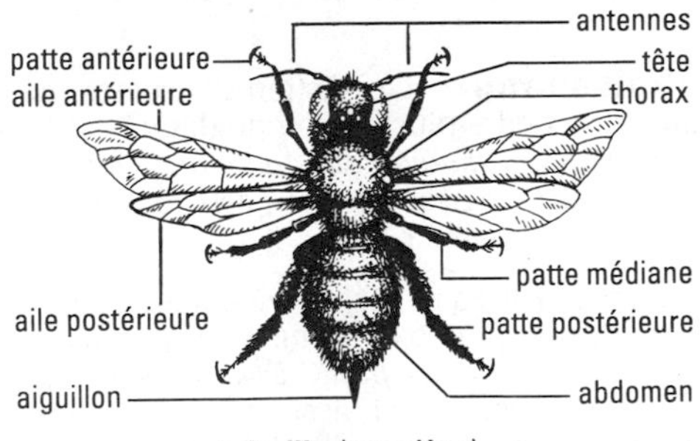

abeille (ouvrière)

aberrant, ante adj. Qui est absurde: *Laisser un enfant sans surveillance, c'est aberrant.* SYN. insensé, ridicule. ANT. intelligent, sensé. ☞ aberration.

aberration n.f. Absurdité, erreur de jugement: *C'est une aberration que de laisser les enfants jouer avec des allumettes.* SYN. égarement, folie. ANT. logique, sagesse. ☞ aberrant.

abêtir v. Rendre bête, stupide: *Ces émissions de télévision vous abêtissent.* SYN. abrutir, hébéter. ANT. éduquer, éveiller. **R.** Ne pas oublier l'accent: *ê*. ☞ bête.

abêtissant, ante adj. Qui abêtit, rend stupide: *Tu ferais mieux d'abandonner ces lectures abêtissantes.* SYN. abrutissant. **R.** Ne pas oublier l'accent: *ê*. ☞ bête.

abêtissement n.m. Action d'abêtir: *Certaines émissions télévisées contribuent à l'abêtissement de la population.* SYN. abrutissement. **R.** Ne pas oublier l'accent: *ê*. ☞ bête.

abîme n.m. Gouffre naturel d'une très grande profondeur: *L'alpiniste regardait l'abîme qui s'ouvrait sous ses pieds.* SYN. précipice. ANT. faîte, sommet. **R.** Ne pas oublier l'accent: *î*.

abîmer v. Endommager, détériorer: *L'enfant a abîmé tous ses manuels scolaires.* SYN. défraîchir. ANT. entretenir, réparer. **abîmé, ée** p.p. et adj. Qui est endommagé, détérioré: *Les livres abîmés ne servent plus à rien.* SYN. avarié, défraîchi. ANT. intact. **R.** Ne pas oublier l'accent: *î*.

abject, ecte adj. Qui inspire le mépris, le dégoût: *S'attaquer à des vieillards, quelle conduite abjecte!* SYN. dégoûtant, méprisable, répugnant, vil. ANT. digne, noble, vénérable.

abjuration n.f. Action de renoncer publiquement à une religion: *L'abjuration était très mal vue autrefois.* SYN. reniement. ANT. persévérance. ☞ abjurer.

abjurer v. Renoncer publiquement à une religion: *On tentait de convaincre les premiers chrétiens d'abjurer pour éviter le martyre.* SYN. renier. ANT. conserver. ☞ abjuration.

ablation n.f. Opération qui consiste à enlever un organe ou une tumeur: *Mon cousin a subi l'ablation d'un rein.* SYN. amputation, extraction. ANT. greffe, remplacement.

abnégation n.f. Qualité d'une personne qui se sacrifie pour les autres: *Mère Teresa fait preuve d'une grande abnégation.* SYN. dévouement, renoncement, sacrifice. ANT. attachement, égoïsme.

aboiement n.m. Cri du chien: *Les aboiements de Noiraud nous ont alertés.* SYN. jappement. ☞ aboyer.

abois n.m.plur. Cris de la bête cernée par des chiens: *Le cerf de Virginie était aux abois.* aux **abois** loc.adv. Dans une situation désespérée: *Grand-mère est aux abois; elle est malade et elle n'a personne pour s'occuper d'elle.*

abolir v. Annuler, supprimer: *La peine de mort a été abolie au Canada.* SYN. invalider, radier. ANT. adopter, conserver, maintenir. ☞ abolition.

abolition n.f. Action d'abolir une loi, une coutume: *L'abolition de la peine de mort est souvent remise en question.* SYN. annulation, disparition, suppression. ANT. adoption, conservation, maintien. ☞ abolir.

abominable adj. **1.** Qui est horrible et monstrueux: *Il vaut mieux ne pas connaître les détails d'un crime abominable.* SYN. affreux, atroce. ANT. merveilleux, plaisant. **2.** Qui est très mauvais: *Le temps est abominable; il pleut sans arrêt.* SYN. détestable, exécrable. ANT. agréable, charmant. ☞ abominablement, abomination.

abominablement adv. D'une façon abominable: *Ne me demande pas de te comprendre! Tu te conduis abominablement avec moi.* SYN. atrocement, monstrueusement. ANT. aimablement, gentiment. ☞ abominable.

abomination n.f. Chose qui inspire l'horreur: *Ce journal ne parle que de meurtres! Quelle abomination!* SYN. aversion, haine, inimitié. ANT. admiration, amour, beauté, charme. ☞ abominable.

abondamment adv. D'une manière abondante: *L'hiver dernier, il a neigé abondamment.* SYN. amplement, beaucoup. ANT. légèrement, peu. ☞ abonder.

abondance n.f. Grande quantité: *L'abondance des pommes à l'automne fait baisser les prix.* SYN. profusion. ANT. disette, pénurie, rareté. ☞ abonder. en **abondance** loc.adv. En grande quantité: *Les fleurs poussent en abondance dans les pays chauds.*

abondant, ante adj. Qui est en grande quantité: *Les chutes de neige ont été abondantes l'hiver dernier.* SYN. considérable, nombreux. ANT. rare, restreint. ☞ abonder.

abonder v. Être en grande quantité: *Les fautes abondent dans sa dictée.* SYN. foisonner. ANT. manquer. ☞ abondamment, abondance, abondant, surabondance, surabondant, surabonder.

abonné, ée n. Personne qui a pris un abonnement à un journal ou à un service: *Les abonnés du téléphone paient leur compte une fois par mois.* SYN. usager. HOM. abonner. ☞ abonnement.

abonnement n.m. Marché entre un fournisseur et un client pour la livraison régulière d'un produit ou l'usage d'un service en échange d'un paiement: *Je dois renouveler mon abonnement à ce journal.* SYN. souscription. ☞ abonné, abonner, désabonner, réabonnement, réabonner.

abonner v. Prendre un abonnement pour une autre personne: *Cette revue est intéressante; j'y ai abonné mon frère.* SYN. souscrire. HOM. abonné. ☞ abonnement. **s'abonner** v.pron. Prendre un abonnement pour soi: *Ma sœur s'est abonnée à une revue scientifique.* **abonné, ée** p.p. et adj. **1.** Qui a pris un abonnement: *Les lecteurs sont abonnés à une revue scientifique.* **2.** fig. et fam. Qui est habitué à quelque chose: *L'élève a subi de nombreux échecs; elle est abonnée à cette situation.*

abord n.m. **1.** Manière d'accueillir quelqu'un: *Le directeur de l'école est d'un abord facile; il nous met tout de suite à l'aise.* SYN. accès, approche. **2.** plur. Environs d'un lieu, alentours: *Les abords de la ville sont déboisés.* SYN. approches, voisinage. // *Au premier abord:* À première vue, dès la première rencontre. ☞ aborder. **d'abord** loc.adv. En premier lieu: *Si tu veux aller jouer, tu dois d'abord étudier tes leçons.* SYN. premièrement. ANT. après, ensuite.

abordable adj. **1.** Qui est accueillant, d'un abord facile: *La ministre est une femme abordable.* SYN. accessible, affable, bienveillant. ANT. désagréable, dur, froid, inaccessible. **2.** Qui n'est pas très cher: *J'achète des oranges: leur prix est abordable.* SYN. accessible. ANT. cher, inabordable, inaccessible. ☞ aborder.

abordage n.m. **1.** Collision de deux bateaux: *La brume épaisse a provoqué l'abordage des deux bateaux de pêche.* **2.** Opération destinée à donner l'assaut d'un navire ennemi: *Les pirates se sont lancés à l'abordage du navire marchand.* SYN. attaque. ☞ aborder.

aborder v. **1.** S'approcher de quelqu'un pour lui adresser la parole: *Une étrangère m'aborda à la sortie du métro.* SYN. accoster. ANT. éviter, fuir. **2.** Commencer à parler d'un sujet: *Demain, nous aborderons la leçon sur les vertébrés.* SYN. entamer. ANT. terminer. ☞ abord, abordable, inabordable. ▲ **aborder** v. **1.** Arriver à un rivage: *Le bateau a abordé au port dans la soirée.* SYN. accoster. ANT. quitter. **2.** Heurter accidentellement un autre bateau: *Le cargo a abordé le pétrolier, qui a pris feu aussitôt.* **3.** Se mettre bord contre bord avec un autre navire pour l'attaquer: *Les pirates ont pillé le navire après l'avoir abordé.* ☞ abordage.

aboutir v. **1.** Se terminer quelque part: *Cette rue aboutit près du fleuve.* SYN. finir. ANT. commencer. **2.** Obtenir un résultat: *L'enquête policière a finalement abouti.* SYN. réussir. ANT. échouer, rater. **3.** fig. Conduire à un but, un résultat: *Les travaux du savant ont abouti à une importante découverte.* SYN. arriver, mener. ☞ aboutissement.

aboutissement n.m. Ce à quoi aboutit une action: *La construction d'un pont est l'aboutissement de nombreuses heures de travail.* SYN. couronnement, issue, résultat. ANT. commencement, début. ☞ aboutir.

aboyer v. Crier, en parlant du chien: *Le chien du voisin aboie sans raison.* SYN. japper. ☞ aboiement, aboyeur.

aboi**e**ment abo**y**er

aboyeur, euse adj. Qui aboie: *Fido est un chien aboyeur: il réveille tout le quartier.* SYN. jappeur. ☞ aboyer.

abracadabrant, ante adj. Qui est bizarre, invraisemblable: *Hélène m'a raconté une histoire abracadabrante.* SYN. extraordinaire, incroyable. ANT. normal, ordinaire, sensé, simple, vrai.

abrasif n.m. Substance capable de nettoyer, de polir, d'user: *La poudre à récurer que tu utilises est un abrasif.*

abrasif, ive adj. Qui peut nettoyer, polir, user: *Cette poudre abrasive va détériorer ta baignoire.* SYN. nettoyant.

abrégé n.m. Résumé d'un écrit: *Martine a lu un conte; elle en a préparé un abrégé pour la classe.* SYN. condensé. ANT. développement. HOM. abréger. ☞ abréger. **en abrégé** loc.adv. En raccourci: *Elle nous a donné la teneur de son discours en abrégé.*

abréger v. **1.** Diminuer la longueur d'un écrit: *Ce texte est trop long: il faudra l'abréger.* SYN. raccourcir, résumer. ANT. ajouter, allonger, augmenter. **2.** Diminuer la durée de quelque chose: *Ma mère a dû abréger ses vacances.* SYN. écourter. **3.** Supprimer une partie des lettres d'un mot: *On abrège certains mots quand on manque d'espace.* SYN. raccourcir. HOM. abrégé. ☞ abrégé, abréviation.

abreuvement n.m. Action de faire boire des animaux domestiques: *L'abreuvement du troupeau est important pendant les journées chaudes.* ☞ abreuver.

abreuver v. **1.** Faire boire les animaux domestiques: *L'été, il faut abreuver les bêtes pour qu'elles ne meurent pas de soif.* SYN. désaltérer. **2.** fig. Accabler quelqu'un d'injures, de critiques: *Il était très en colère et l'a abreuvé d'injures.* ANT. ménager. ☞ abreuvement, abreuvoir. **s'abreuver** v.pron. Boire, en parlant d'un animal: *Les vaches viennent s'abreuver au ruisseau.*

abreuvoir n.m. Lieu où l'on mène boire les animaux domestiques: *Martin mène les vaches à l'abreuvoir.* **R.** N'a pas le sens de *fontaine*: l'abreuvoir est réservé aux animaux. ☞ abreuver.

abréviation n.f. **1.** Suppression de lettres dans un mot: *L'abréviation de boulevard est boul.* **2.** Mot qu'on a abrégé: *Il y a une liste des abréviations à la fin de la grammaire.* ☞ abréger.

abri n.m. Lieu où l'on peut se protéger du mauvais temps, du soleil, du danger: *La caverne m'a servi d'abri pendant la tempête.* SYN. asile, refuge, retraite. ☞ abribus, abriter, sans-abri. à l'**abri** loc.adv. En sûreté: *La foule s'est mise à l'abri pendant l'orage.* à l'**abri de** loc.prép. Protégé contre le mauvais temps, le soleil, le danger, etc.: *Entre chez moi, tu seras à l'abri de la grêle.* ANT. exposé.

abribus n.m. (marque déposée) Abri pour les voyageurs qui attendent l'autobus: *Des centaines d'abribus sont dispersés à travers la ville.* **R.** Le *s* se prononce. ☞ abri.

abricot n.m. et adj.invar. **1.** n.m. Fruit de l'abricotier, sucré et savoureux, à noyau, à peau et à chair jaune orangé: *Ce matin, j'ai mangé de la confiture d'abricots.* **2.** adj. invar. Qui est de la couleur jaune orangé du fruit: *Ma sœur porte une robe abricot.* ☞ abricotier.

abricotier n.m. Arbre fruitier qui produit l'abricot: *Les fleurs blanches de l'abricotier paraissent avant les feuilles.* ☞ abricot.

abrier ☞ sect. anglicismes et canadianismes.

abriter v. **1.** Mettre quelque chose ou quelqu'un à l'abri: *Elle a abrité l'enfant sous le parasol.* SYN. protéger. ANT. découvrir. **2.** Loger: *Cette maison abrite six personnes.* SYN. héberger, recevoir. ANT. renvoyer. ☞ abri. s'**abriter** v.pron. Se mettre à l'abri du mauvais temps, du soleil, du danger, etc.: *Les enfants viennent s'abriter derrière le mur.* SYN. se cacher, se garantir, se réfugier. ANT. s'exposer. **abrité, ée** p.p. et adj. Qui est protégé: *Cette terrasse en plein air est bien abritée.*

abrupt, e adj. **1.** Se dit d'une pente raide, presque verticale: *Nous avons gravi un sentier abrupt.* SYN. escarpé. ANT. plat, uni. **2.** fig. Qui est brutal, rude: *Quand on lui parle, elle nous répond d'une manière abrupte.* SYN. dur, hargneux, revêche. ANT. affable, avenant, courtois, doux. ☞ abruptement.

abruptement adv. D'une manière abrupte, brutale, rude: *Michel a refusé abruptement de m'aider.* SYN. brutalement, durement. ANT. aimablement, doucement, gentiment. ☞ abrupt.

abruti, ie n. et adj. **1.** n. Personne imbécile, sans intelligence: *Veux-tu te taire, espèce d'abruti!* SYN. étourdi, idiot. **2.** adj. fam. Qui est sot, stupide: *Ne prends pas cet air abruti quand je te parle.* SYN. ahuri, hébété. ANT. intelligent. ☞ abrutir.

abrutir v. **1.** Rendre quelqu'un stupide, incapable de penser, de sentir: *L'alcool abrutit l'être humain.* SYN. abêtir, dégrader. ANT. éveiller. **2.** Fatiguer beaucoup: *Les bruits continuels nous abrutissent.* SYN. ahurir, étourdir. ANT. calmer, reposer. ☞ abruti, abrutissant, abrutissement. s'**abrutir** v.pron. **1.** Devenir stupide: *Pierre s'abrutit à regarder des films insignifiants.* ANT. s'élever. **2.** Se fatiguer beaucoup: *Ma tante s'abrutit de travail pour oublier sa peine.* SYN. se surmener. ANT. se ménager.

abrutissant, ante adj. Qui abrutit: *Ce vacarme est vraiment abrutissant.* SYN. dégradant, fatigant, lassant. ANT. calmant, reposant. ☞ abrutir.

abrutissement n.m. Action d'abrutir ou état d'une personne qui est abrutie: *Un travail répétitif et ennuyeux mène tout droit à l'abrutissement.* SYN. abêtissement. ANT. élévation, évolution. ☞ abrutir.

abscisse n.f. Axe horizontal qui sert à fixer la position d'un point dans un plan: *L'axe horizontal est appelé « abscisse » et l'axe vertical, « ordonnée ».*

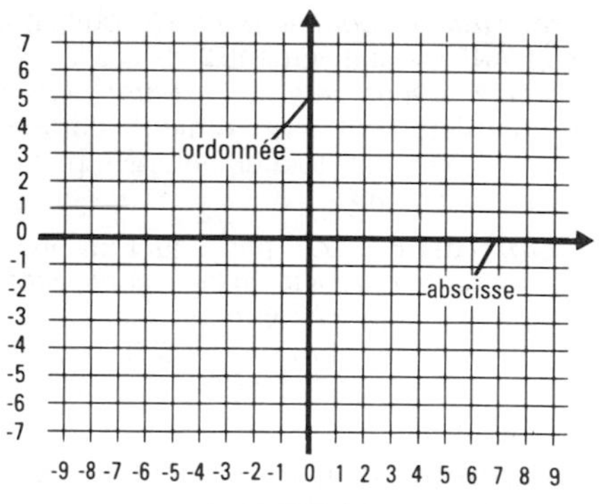

abscisse

absence n.f. **1.** Fait de ne pas être dans le lieu où l'on devrait être: *Quand Sylvie n'est pas en classe, tout le monde remarque son absence.* ANT. présence. **2.** Fait de manquer un cours, une journée de travail: *Les absences de Réal sont trop fréquentes.* ANT. assistance, présence. **3.** Fait de manquer d'une chose: *L'institutrice se plaint de l'absence de dictionnaires dans sa classe.* SYN. lacune, manque. ANT. abondance, présence. ☞ absent.

absent, ente n. et adj. **1.** n. Personne qui n'est pas dans le lieu où elle devrait être: *L'institutrice remet la liste des absents à la secrétaire.* ANT. présent. **2.** adj. Qui n'est pas dans le lieu où il devrait être: *Le directeur est absent pour la journée.* ANT. présent. **3.** adj. Qui manque, en parlant d'une chose: *Les lettres majuscules sont absentes de ton texte.* SYN. omis. **4.** adj. fig. Qui est distrait: *Olivier écoute l'instituteur d'un air absent.* SYN. rêveur. ANT. attentif. ☞ absence, absentéisme, s'absenter.

absentéisme n.m. Absence fréquente de l'école, du lieu de travail: *L'absentéisme est souvent la cause principale de l'échec scolaire.* ☞ absent.

s'absenter v.pron. S'éloigner pour un moment du lieu où l'on devrait être: *Julie doit s'absenter pour aller chez le dentiste.* SYN. s'en aller, quitter, sortir. ANT. demeurer, rester. ☞ absent.

absolu, ue adj. **1.** Qui ne comporte aucune exception: *Pendant ses cours, le professeur exige un silence absolu.* SYN. complet, intégral, total. ANT. partiel, relatif, restreint. **2.** Qui peut faire tout ce qu'il veut, en parlant d'un roi, d'un dirigeant: *Les tsars de Russie étaient des monarques absolus.* SYN. autoritaire, souverain. ANT. démocratique, libéral. ☞ absolument.

absolument adv. **1.** D'une manière absolue, sans exception: *Il faut absolument remettre ce travail avant demain.* SYN. obligatoirement. ANT. facultativement. **2.** Tout à fait: *Ce que cette enfant raconte est absolument faux.* SYN. complètement, entièrement, parfaitement, radicalement, totalement. ANT. partiellement. ☞ absolu.

absolution n.f. Acte par lequel un prêtre pardonne les péchés à la fin de la confession: *Le prêtre a donné l'absolution générale pendant la cérémonie du pardon.* SYN. acquittement, pardon, rémission. ANT. condamnation. ☞ absoudre.

absorbable adj. Que l'on peut absorber: *L'eau est facilement absorbable.* ☞ absorber.

absorbant, ante adj. **1.** Qui peut absorber un liquide: *Ce chiffon est absorbant, il retient l'eau.* ANT. imperméable. **2.** Qui occupe complètement: *Michelle fait un travail absorbant.* SYN. captivant, prenant. ANT. distrayant. ☞ absorber.

absorber v. **1.** Retenir une substance en la laissant pénétrer: *Les éponges absorbent l'eau.* SYN. aspirer, boire. **2.** Manger, boire: *Cette femme a absorbé trois verres de vin.* SYN. avaler, consommer. **3.** Occuper complètement: *Le travail absorbe beaucoup Jean-François.* SYN. accaparer, retenir. ANT. distraire, divertir. ☞ absorbable, absorbant, absorption. **s'absorber** v.pron. Avoir l'esprit entièrement occupé par quelque chose: *Rosanne s'absorbe dans son travail.* **absorbé, ée** p.p. et adj. Qui est complètement occupé par quelque chose: *Les enfants sont absorbés par leurs dessins.*

absorption n.f. **1.** Action d'absorber quelque chose: *Observez l'absorption de cette crème par la peau.* SYN. pénétration. ANT. rejet. **2.** Action de manger, de boire: *Il a été hospitalisé après l'absorption d'un poison.* ANT. élimination. ☞ absorber.

absor**b**er absor**p**tion

absoudre v. Pardonner les péchés dans le sacrement du pardon: *Le prêtre absout celui qui vient de se confesser.* ☞ absolution.

s'abstenir v.pron. **1.** Se priver volontairement de quelque chose: *Hélène s'abstient de fumer au travail.* SYN. se priver, renoncer. ANT. se permettre. **2.** Ne pas agir, ne rien faire: *Pendant le cours, abstiens-toi de tout commentaire.* SYN. éviter, se retenir. **3.** Ne pas voter: *Aux dernières élections, beaucoup de gens se sont abstenus.* SYN. se dispenser, s'exempter. ANT. participer. ☞ abstention, abstinence, abstinent.

abstention n.f. Fait de ne pas voter: *Le taux d'abstention aux élections scolaires est toujours très élevé.* ANT. action, participation. ☞ s'abstenir.

abstinence n.f. Privation volontaire de certains aliments ou de certaines boissons pour des raisons religieuses ou médicales: *Pendant le carême, les chrétiens pratiquent l'abstinence.* SYN. jeûne, sobriété. ANT. bombance, gourmandise. ☞ s'abstenir.

abstinent, ente n. et adj. **1.** n. Personne qui se prive volontairement d'alcool: *Cet homme avait un problème d'alcoolisme; maintenant, c'est un abstinent.* ANT. ivrogne. **2.** adj. Qui se prive de certains aliments ou de certaines boissons pour des raisons religieuses ou médicales: *Autrefois, les chrétiens étaient abstinents tous les vendredis.* ☞ s'abstenir.

abstraction n.f. **1.** Opération de l'esprit qui consiste à isoler mentalement un élément d'un ensemble pour mieux le considérer: *L'esprit humain est capable d'abstraction.* SYN. notion. ANT. réalité. **2.** Chose qu'on ne peut ni voir ni toucher: *Le bonheur est une abstraction.* ⁄⁄ *Faire abstraction de:* Ne pas tenir compte de. ☞ abstraire.

abstraire v. Isoler mentalement un élément d'un ensemble pour mieux le considérer: *L'être humain est capable d'abstraire et de généraliser.* SYN. séparer. ANT. généraliser. ☞ abstraction, abstrait, abstraitement. **s'abstraire** v.pron. S'isoler mentalement du lieu où l'on est pour réfléchir: *Caroline arrive à s'abstraire au milieu de cette foule.* SYN. se retirer. ANT. se grouper.

abstrait, aite adj. **1.** Qu'on ne peut ni toucher ni voir: *Ciel et gazon sont des mots concrets, tandis que peur et patience sont des mots abstraits.* SYN. immatériel, invisible. ANT. concret, visible. **2.** En parlant de l'art, qui ne représente pas d'êtres ou d'objets et qui utilise la ligne, la couleur ou la matière pour elle-même: *Picasso a fait de l'art abstrait.* ANT. figuratif. ☞ abstraire.

abstraitement adv. D'une façon abstraite: *Je ne comprends pas ce texte; l'auteur s'exprime trop abstraitement.* ANT. concrètement. ☞ abstraire.

absurde adj. Qui est contraire à la raison, qui n'a pas de sens: *Tu crois aux fantômes? C'est absurde.* SYN. déraisonnable, extravagant, illogique, insensé. ANT. fondé, intelligent, judicieux, sage, sensé. ☞ absurdement, absurdité.

absurdement adv. D'une manière absurde: *Certaines personnes se conduisent absurdement.* SYN. bêtement, stupidement. ANT. logiquement, sagement. ☞ absurde.

absurdité n.f. Action ou parole absurde: *Pour attirer l'attention du professeur, Nicolas ne cesse de dire des absurdités.* SYN. bêtise, sottise. ANT. bon sens, sagesse. ☞ absurde.

abus n.m. **1.** Usage excessif d'une chose: *L'abus de sucreries entraîne la carie dentaire.* SYN. démesure, exagération, excès. ANT. mesure, modération, retenue. **2.** Injustice, coutume mauvaise: *La société tolère beaucoup d'abus.* ☞ abuser.

abuser v. **1.** Faire un usage excessif d'une chose: *Il ne faut pas abuser des pâtisseries.* SYN. exagérer. **2.** Dépasser la mesure: *N'abuse pas de ma patience.* SYN. outrepasser. **3.** Violer: *Il a été accusé d'avoir abusé de cette jeune fille.* SYN. séduire. **4.** Tromper quelqu'un qui est trop crédule: *La vendeuse cherche à abuser la clientèle par ses belles paroles.* SYN. duper, leurrer. ANT. renseigner. ☞ abus, abusif, désabusé.

abusif, ive adj. Qui est exagéré, excessif: *Martine fait un usage abusif de l'aspirine.* SYN. démesuré, immodéré. ANT. convenable, mesuré, raisonnable, sage, sensé. ☞ abuser.

acacia n.m. Arbre ou arbrisseau à fleurs blanches ou jaunes, en grappes: *L'acacia pousse dans les régions chaudes.*

académicien, ienne n. Membre d'une académie; en particulier, membre de l'Académie française: *L'académicienne Marguerite Yourcenar fut la première femme élue à l'Académie française.* ☞ académie.

académie n.f. **1.** Réunion d'artistes, d'écrivains ou de savants qui se consacrent à l'art, à la littérature, aux sciences: *Ce sculpteur vient d'être admis à l'Académie des beaux-arts.* **2.** Réunion de quarante écrivains français qui décernent des prix littéraires et rédigent un dictionnaire (Académie française): *Marguerite Yourcenar a été admise à l'Académie française en 1980.* SYN. assemblée. **3.** Société fondée en 1944, qui se compose de vingt-quatre membres et qui a son siège à Montréal (Académie canadienne-française): *Cet auteur a été admis à l'Académie canadienne-française.* ☞ académicien, académique.

académique adj. Qui est propre à une académie et spécialement à l'Académie française: *Cette année, le discours académique a été très applaudi.* **R.** N'a pas le sens de *scolaire*. ☞ académie.

acadien, ienne n. et adj. **1.** n. Personne qui habite en Acadie: *Un Acadien, une Acadienne.* **2.** adj. Qui est de l'Acadie: *Édith Butler est une chanteuse acadienne.* **R.** On met la majuscule à *acadien* et à *acadienne* lorsqu'il s'agit du nom.

acajou, ous n.m. et adj.invar. (tupi) **1.** n.m. Arbre d'Amérique, dont le bois très dur est apprécié pour sa teinte rougeâtre: *Regarde cette chaise! Elle est en acajou.* **2.** adj.invar. D'une couleur rouge-brun: *Guy a de magnifiques cheveux acajou.*

acariâtre adj. Qui a un caractère désagréable, difficile: *Thérèse est plutôt acariâtre; elle aime contrarier les gens.* SYN. acerbe, grincheux, hargneux, querelleur. ANT. abordable, accueillant, affable, agréable, doux, gentil. **R.** Ne pas oublier l'accent: *â*.

accablant, ante adj. Qui accable, qui est difficile à supporter: *Une chaleur accablante nous empêchait de dormir.* SYN. écrasant, étouffant, lourd, suffocant. ANT. doux, léger. ☞ accabler.

accablement n.m. État d'une personne qui vit une situation difficile: *La mort de grand-père l'a plongé dans un profond accablement.* SYN. abattement, découragement, langueur. ANT. courage, énergie, vigueur. ☞ accabler.

accabler v. **1.** Faire supporter une chose pénible: *Au mois de juillet, la chaleur nous* *accablait.* SYN. écraser. ANT. soulager. **2.** Attaquer quelqu'un par la parole: *La voisine a accablé ma mère de reproches.* SYN. abreuver. ANT. réconforter. **3.** Surcharger quelqu'un de travail: *Le contremaître accable les ouvriers de travail.* ANT. décharger. ☞ accablant, accablement.

accalmie n.f. **1.** Calme passager de la tempête, du vent: *Profitons de l'accalmie pour revenir au port.* SYN. apaisement. ANT. tempête. **2.** fig. Période de répit après un état d'agitation, de bruit, de souffrance, etc.: *Les jeunes viennent de sortir; profitons de l'accalmie pour nous reposer.* SYN. apaisement, paix, tranquillité. ANT. agitation, crise.

accaparer v. **1.** Prendre quelque chose au détriment des autres: *Maryse accapare l'ordinateur; elle ne veut pas laisser sa place aux autres.* SYN. s'approprier, s'emparer, monopoliser. ANT. distribuer, partager. **2.** Retenir quelqu'un près de soi: *Olivier a accaparé sa tante pendant toute la soirée.*

accéder v. **1.** Avoir accès à un lieu: *Cet escalier nous permet d'accéder à la terrasse.* SYN. arriver, atteindre. **2.** Obtenir un poste, un emploi: *Grâce à son travail acharné, Julien a accédé à un poste important.* SYN. atteindre, parvenir. ANT. manquer, rater. **3.** Accepter: *Papa a finalement accédé à mes désirs; il m'a acheté un chat.* SYN. acquiescer, consentir. ANT. refuser, rejeter. ☞ accès, accessibilité, accessible, inaccessibilité, inaccessible.

accélérateur n.m. Dans un véhicule, pédale sur laquelle le conducteur appuie pour accélérer: *Appuie sur l'accélérateur, sinon nous serons en retard.* ☞ accélérer.

accélération n.f. **1.** Augmentation de la vitesse, en parlant d'un véhicule: *Cette voiture a des accélérations rapides.* ANT. décélération. **2.** Fait de devenir plus rapide: *L'accélération des travaux nous semble encourageante.* ANT. ralentissement. ☞ accélérer.

accélérer v. **1.** Augmenter la vitesse d'un véhicule: *Maman accélère car elle ne veut pas être en retard.* ANT. modérer, ralentir. **2.** Faire une action plus rapidement: *La fête a lieu vendredi; il faudra accélérer les préparatifs.* SYN. hâter, précipiter. ANT. retarder. **3.** Devenir plus rapide: *La peur accélère les battements du cœur.* ANT. ralentir. ☞ accélérateur, accélération, décélération, décélérer.

accent n.m. **1.** Signe placé sur une voyelle: *En français, il y a l'accent aigu, l'accent grave et l'accent circonflexe.* **2.** En musique, augmentation d'intensité des sons essentiels d'une ligne mélodique ou d'une structure rythmique: *L'accent sur cette note indique qu'il faut la jouer plus fort.* **3.** Manière de prononcer une langue: *Quand ils vont en France, les Québécois se font dire qu'ils ont un accent.* SYN. inflexion, intonation. ⁄⁄ *Mettre l'accent sur:* En parlant d'une chose, lui donner de l'importance. ☞ accentuer.

accentuer v. **1.** Mettre un accent sur une lettre: *N'oublie pas d'accentuer les lettres majuscules.* **2.** Augmenter: *Ses cheveux roux accentuent sa ressemblance avec sa mère.* SYN. intensifier. ANT. diminuer. **3.** Faire ressortir quelque chose: *Le maquillage accentue la finesse de ses traits.* SYN. augmenter. ANT. atténuer, réduire. ☞ accent.

acceptable adj. **1.** Qui peut être accepté: *Mes parents ont reçu une offre acceptable pour leur maison.* SYN. convenable, recevable, valable. ANT. inacceptable, irrecevable. **2.** Qui est satisfaisant: *Ce devoir est acceptable, mais tu peux faire beaucoup mieux.* SYN. passable. ANT. inacceptable. ☞ accepter.

acceptation n.f. Fait de donner son accord: *Pour réaliser ce projet, j'ai besoin de l'acceptation de tous.* SYN. consentement. ANT. protestation, refus. ☞ accepter.

accepter v. **1.** Prendre volontiers ce qui est offert: *Mon cousin m'a invité à son anniversaire; j'ai accepté avec plaisir.* SYN. recevoir. ANT. écarter, refuser. **2.** Admettre quelqu'un dans un groupe: *Dans notre équipe, nous n'acceptons pas les enfants impolis.* SYN. accueillir. ANT. exclure. **3.** Être d'accord, vouloir: *Josée accepte de venir chez moi après la classe.* SYN. consentir. ANT. refuser, rejeter. **4.** Tolérer, supporter: *Sylvie accepte que je fasse partie de son équipe.* SYN. endurer. ANT. repousser. ☞ acceptable, acceptation, inacceptable. **s'accepter** v.pron. Se prendre tel que l'on est: *Il faut s'accepter avec ses qualités et avec ses défauts.*

accès n.m. **1.** Crise passagère et de courte durée: *Dans ses accès de colère, cet homme brise tout.* **2.** Brusque attaque d'un mal: *Papa n'a pas dormi de la nuit: bébé a eu un accès de fièvre.* SYN. bouffée, poussée. ▲ **accès** n.m. **1.** Possibilité d'aller quelque part: *On interdit l'accès à la caverne.* SYN. entrée, ouverture. **2.** Passage, ouverture permettant d'entrer dans un lieu: *L'accès du restaurant est bloqué temporairement.* SYN. abord, entrée. ANT. issue, sortie. ⁄⁄ *Donner accès à:* Permettre de pénétrer dans un lieu, d'obtenir un emploi. ☞ accéder.

accessibilité n.f. **1.** Possibilité d'arriver à un lieu: *Les handicapés réclament l'accessibilité au métro de Montréal.* **2.** fig. Possibilité d'obtenir un emploi: *L'accessibilité des femmes aux emplois de policier, d'électricien* et de pompier est maintenant un fait reconnu. ☞ accéder.

accessible adj. **1.** Que l'on peut atteindre: *Ce lac magnifique est accessible par l'autoroute.* SYN. abordable, approchable. ANT. inabordable, inaccessible. **2.** Que l'on peut s'offrir, qui n'est pas trop cher: *Le golf n'est pas encore accessible à tout le monde.* ☞ accéder.

accès accessibilité accessible

accessoire n.m. et adj. **1.** n.m. Objet qui complète un appareil principal mais qui n'est pas indispensable: *S'il fallait acheter tous les accessoires qu'on nous offre, l'automobile coûterait une fortune.* SYN. annexe, complément. **2.** n.m. Objet qui complète une toilette: *Ma mère porte une toilette bleue et des accessoires blancs.* **3.** n.m. Objet nécessaire à un déguisement, à une pièce de théâtre: *Le comédien vérifiait les accessoires avant d'entrer en scène.* **4.** adj. Qui est moins important: *Raconte-moi ce qui s'est passé, mais ne t'arrête pas aux détails accessoires.* SYN. secondaire, superflu. ANT. essentiel, indispensable, principal. ☞ accessoiriste.

accessoiriste n. Personne qui s'occupe des accessoires au cinéma, au théâtre, à la télévision: *L'accessoiriste dispose les pièces du décor.* ☞ accessoire.

accident n.m. **1.** Événement imprévu et malheureux: *Ma tante a été blessée dans un accident de voiture.* SYN. accrochage, collision, contretemps, mésaventure, revers. **2.** Inégalité du sol: *Ce trajet n'est pas le plus facile; il y a beaucoup d'accidents de terrain.* SYN. aspérité. ANT. égalité. ⫽ *Par accident:* Qui est dû au hasard. ☞ accidenté, accidentel, accidentellement.

accidenté, ée n. et adj. **1.** n. Personne qui est victime d'un accident: *Les accidentés du travail sont de plus en plus nombreux.* SYN. victime. **2.** adj. Qui a subi des dommages dans un accident: *La cour du garage est pleine de voitures accidentées.* **3.** adj. Qui présente beaucoup d'inégalités: *Cette région montagneuse est très accidentée.* ☞ accident.

accidentel, elle adj. **1.** Qui est causé par un accident: *Sa mort est accidentelle; il est tombé du troisième étage.* SYN. imprévu. ANT. normal, régulier. **2.** Qui est imprévu, dû au hasard: *Je ne cherchais rien de précis: c'est une découverte accidentelle.* SYN. fortuit, inhabituel. ☞ accident.

accidentellement adv. **1.** De façon accidentelle: *Trois personnes ont péri accidentellement en fin de semaine.* SYN. fatalement. ANT. normalement. **2.** Par hasard: *Grand-père a retrouvé accidentellement des photos de son enfance.* SYN. fortuitement, inopinément. ☞ accident.

acclamation n.f. Cri de joie pour saluer quelqu'un, applaudissement: *Les spectateurs continuaient leurs acclamations.* SYN. ovation. ANT. désapprobation, huée. ☞ acclamer. **par acclamation** loc.adv. À l'unanimité: *La présidente a été réélue par acclamation.*

acclamer v. Saluer quelqu'un par des cris de joie: *La foule acclame le champion olympique.* SYN. applaudir, ovationner. ANT. conspuer, huer. ☞ acclamation.

acclimatable adj. Qui peut facilement être acclimaté: *Les plantes tropicales ne sont pas acclimatables au Québec.* ☞ acclimater.

acclimatation n.f. Action d'habituer des plantes ou des animaux à un nouveau climat ou milieu: *L'acclimatation des koalas au jardin zoologique est très difficile.* ☞ acclimater.

acclimater v. Habituer un être vivant à un nouveau climat ou milieu: *La botaniste essaie d'acclimater au Canada des fleurs qu'elle a rapportées d'Haïti.* SYN. accoutumer, familiariser. ANT. désaccoutumer, déshabituer, désorienter. ☞ acclimatable, acclimatation. **s'acclimater** v.pron. S'habituer à vivre dans un nouveau milieu: *Certaines personnes ont beaucoup de difficultés à s'acclimater quand elles arrivent au Québec.*

accolade n.f. **1.** Action de se serrer l'un contre l'autre à une réception officielle ou à la remise d'une décoration: *Le gouverneur général a donné l'accolade au président de la France.* SYN. embrassade, enlacement, étreinte. **2.** Signe ({) servant à réunir plusieurs lignes: *L'accolade est un signe à double courbure.* ☞ accoler.

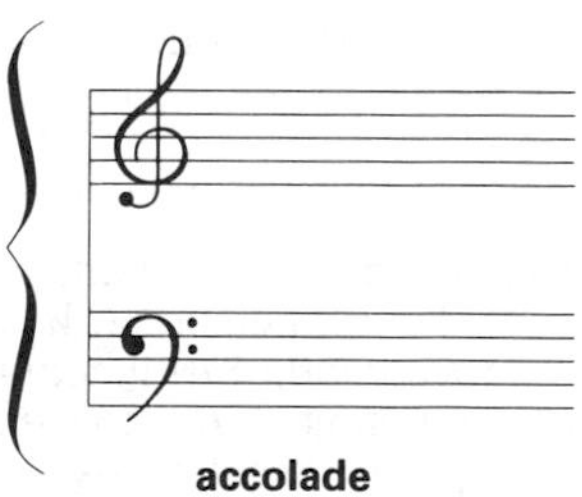

accolade

accoler v. **1.** Réunir plusieurs lignes par une accolade: *Il faut accoler ces deux lignes dans le texte que tu viens d'écrire.* SYN. joindre, unir. ANT. désunir, disjoindre. **2.** Réunir, mettre côte à côte: *Les élèves ont accolé leurs pupitres.* ☞ accolade.

accommodant, ante adj. Qui est facile à satisfaire, qui est sociable : *Le voisin est une personne accommodante; je m'entends bien avec lui.* SYN. arrangeant, bienveillant, conciliant. ANT. déplaisant, désobligeant, insociable, intraitable. ☞ accommodement.

accommodement n.m. Accord, compromis pour régler un différend : *L'arbitre leur a proposé un accommodement, et les joueuses ont repris la partie.* SYN. arrangement, entente. ANT. chicane, contestation, désaccord, querelle. ☞ accommodant.

accommoder v. Apprêter des aliments : *Marie est un grand chef; elle accommode les viandes à merveille.* SYN. arranger, préparer. **R.** N'a pas le sens de *rendre service* et d'*accueillir*.

s'**accommoder** v.pron. Se contenter de quelque chose : *En voyage, on doit parfois s'accommoder d'un lit inconfortable.* SYN. s'habituer, supporter. ANT. refuser.

accompagnateur, trice n. **1.** Personne qui accompagne ou guide d'autres personnes : *L'accompagnateur regroupe les enfants avant de commencer l'excursion.* SYN. guide, pilote. **2.** En musique, personne qui joue l'accompagnement : *Ce pianiste est l'accompagnateur de la chorale.* ☞ accompagner.

accompagnement n.m. Musique qui accompagne un chant : *L'accompagnement de guitare couvrait la voix du chanteur.* SYN. partition. ☞ accompagner.

accompagner v. **1.** Aller avec une autre personne : *Martine accompagne son grand-père au parc.* SYN. conduire, escorter, guider, protéger. ANT. abandonner, quitter. **2.** Ajouter à quelque chose : *Elle accompagne son récit de gestes comiques.* **3.** Jouer un accompagnement : *Julie chantait et Yanick l'accompagnait au piano.* SYN. soutenir. **4.** Convenir à un mets, être servi en même temps : *Le vin rouge accompagne très bien les grillades.* ☞ accompagnateur, accompagnement, raccompagner.

accompli, ie adj. Qui est parfait en son genre, en parlant d'une personne : *Ma voisine est une athlète accomplie.* SYN. incomparable. ANT. grossier, imparfait. ⁄⁄ *Devant le fait accompli :* Ce sur quoi on ne peut plus revenir. ☞ accomplir.

accomplir v. Faire complètement quelque chose : *Ces écoliers accomplissent leur tâche avec le sourire.* SYN. achever, effectuer. ANT. échouer. ☞ accompli, accomplissement. s'**accomplir** v.pron. Se réaliser : *Le souhait de Claude s'est accompli; elle ira en Floride à Noël.* SYN. arriver, se concrétiser. ANT. échouer.

accomplissement n.m. **1.** Action d'accomplir quelque chose : *L'accomplissement de ce travail a demandé beaucoup d'efforts.* SYN. achèvement, exécution. ANT. ébauche, esquisse, préparation. **2.** Action de s'accomplir : *Ma cousine voit l'accomplissement de tous ses désirs.* SYN. réalisation. ANT. échec. ☞ accomplir.

accord n.m. **1.** État de personnes qui s'entendent bien : *Le bon accord règne entre tous les membres de la famille.* SYN. entente, fraternité, harmonie. ANT. brouille, discorde, dispute. **2.** Arrangement entre deux ou plusieurs parties : *Un accord est intervenu entre la directrice et ses employés.* SYN. alliance, concorde. ANT. conflit, désaccord. **3.** Acceptation, permission de faire quelque chose : *Mes parents ont donné leur accord pour que j'aille chez toi.* SYN. approbation, consentement. ANT. opposition, refus. ⁄⁄ *D'un commun accord :* Tous du même avis. *Être d'accord :* Être du même avis. *Se mettre d'accord :* Arriver à s'entendre. ☞ accorder, désaccord. ▲ **accord** n.m. **1.** Correspondance entre des mots qui agissent l'un sur l'autre : *L'accord du verbe avec son sujet pose de sérieux problèmes aux écoliers.* **2.** Ensemble de notes de musique qui vont bien ensemble : *Dès les premiers accords, la foule se mit à applaudir.* ☞ accorder, accordeur, désaccordé.

accordéon n.m. Instrument de musique à air, composé d'un soufflet et de deux claviers : *Mon oncle Antoine joue très bien de l'accordéon.* ☞ accordéoniste. en **accordéon** loc.adv. Qui porte des plis parallèles rappelant ceux de l'accordéon : *Luc s'amuse à plier sa feuille en accordéon.*

accordéoniste n. Personne qui joue de l'accordéon : *Tante Michelle est une accordéoniste réputée.* ☞ accordéon.

accorder v. **1.** Donner son accord à quelque chose, consentir à donner quelque chose : *Mon institutrice m'a accordé la permission de sortir pendant le cours.* SYN. concéder, octroyer, permettre. **2.** Consentir à admettre quelque chose : *Je vous accorde que j'ai été un peu sévère.* SYN. concéder. **3.** Donner, attribuer : *Il ne faut pas accorder trop d'importance aux racontars.* ☞ accord. **s'accorder** v.pron. Bien s'entendre avec quelqu'un : *Julien et Nathalie s'accordent bien.* SYN. fraterniser. ANT. se disputer. ▲ **accorder** v. **1.** Faire les règles d'accord entre les mots : *N'oublie pas d'accorder l'adjectif avec le nom qu'il qualifie.* **2.** Régler un instrument de musique pour qu'il joue juste : *Il* *faudrait faire accorder le piano.* SYN. arranger. ANT. déranger, dérégler, désaccorder. ☞ accord. **s'accorder** v.pron. Être en accord avec les règles grammaticales : *Le verbe s'accorde avec son sujet.*

accordeur, euse n. Personne qui accorde les instruments de musique : *L'accordeur est venu ; notre orgue joue juste maintenant.* ☞ accord.

accostage n.m. En parlant d'un navire, manœuvre pour accoster : *L'accostage s'est très bien déroulé.* SYN. arrivée. ANT. départ. ☞ accoster.

accoster v. En parlant d'un navire, se ranger contre quelque chose : *Le navire va bientôt accoster ; préparez-vous à débarquer.* SYN. aborder, arriver. ANT. s'éloigner, reculer. ☞ accostage. ▲ **accoster** v. S'approcher de quelqu'un pour lui parler : *Un jeune garçon m'a accostée pour me demander l'heure.* ANT. fuir.

accotement n.m. Partie d'une route comprise entre la chaussée et le fossé : *Il est défendu de stationner sur l'accotement.* ☞ accoter.

accoter v. Appuyer une chose sur une autre : *Pour grimper sur le toit, accote l'échelle sur le mur.* **R.** N'a pas le sens de *vivre avec une personne sans être marié.* ☞ accotement, accotoir. **s'accoter** v.pron. S'appuyer sur quelque chose : *Le jeune garçon s'accotait à son bureau.* SYN. s'adosser.

accotoir n.m. Partie d'un fauteuil où l'on peut appuyer la tête ou les bras : *Pose ta tête sur l'accotoir et détends-toi.* SYN. accoudoir, appui. ☞ accoter.

accouchement n.m. Fait de mettre un enfant au monde : *L'accouchement s'est très bien passé : la mère et l'enfant se portent bien.* SYN. naissance. ☞ accoucher.

accoucher v. **1.** Donner naissance à un enfant : *Ma tante a accouché hier d'une belle petite fille.* SYN. enfanter. ANT. avorter. **2.** Aider une femme à mettre un enfant au monde, en parlant d'un médecin ou d'une sage-femme : *C'est le docteur Morin qui a accouché ma tante.* ☞ accouchement.

s'accouder v.pron. S'appuyer sur le coude ou sur les coudes : *Marc s'accoude sur le bord de la fenêtre pour regarder passer le défilé.* SYN. s'accoter. ☞ coude.

accoudoir n.m. Dans un véhicule, appui d'un siège, ou pièce d'une portière, sur lequel on peut s'accouder : *Les accoudoirs du fauteuil sont recouverts de dentelle.* SYN. bras. ☞ coude.

accouplement n.m. En parlant des animaux, union du mâle et de la femelle : *L'accouplement de l'âne et de la jument produit le mulet.* SYN. croisement. ☞ couple.

s'accoupler v.pron. En parlant des animaux, s'unir pour avoir des petits : *Ma chatte s'est accouplée avec un siamois ; elle aura de beaux chatons.* SYN. se croiser. ANT. désunir, séparer. ☞ couple.

accourir v. Venir en courant, en se hâtant : *Mon frère est accouru pour me féliciter.* SYN. courir. ANT. arrêter, fuir, traîner. ☞ courir.

accoutrement n.m. Habillement bizarre, étrange ou ridicule : *Je ne comprends pas qu'elle se promène dans un pareil accoutrement.* SYN. atour, défroque, déguisement. ☞ s'accoutrer.

s'accoutrer v.pron. S'habiller d'une manière ridicule : *As-tu fini de t'accoutrer ainsi ? On dirait que c'est l'Halloween tous les jours.* SYN. affubler, attifer, fagoter, nipper. ☞ accoutrement.

accoutumance n.f. **1.** Dépendance physique de plus en plus grande à l'égard d'une drogue : *L'accoutumance à l'héroïne mène souvent à la mort.* SYN. toxicomanie. ANT. affranchissement, libération. **2.** Habitude d'un médicament qui nécessite une augmentation des doses : *Le fait de prendre régulièrement des médicaments peut entraîner l'accoutumance.* ☞ accoutumer.

accoutumé, ée adj. Habituel : *Arrivez à l'heure accoutumée.* SYN. ordinaire. HOM. accoutumer. ☞ accoutumer. **à l'accoutumée** loc.adv. À l'ordinaire : *Maman est revenue de son travail à 17 heures, comme à l'accoutumée.*

accoutumer v. Habituer quelqu'un à quelque chose : *Maman veut accoutumer ses enfants à faire leur lit le matin.* SYN. familiariser. HOM. accoutumé. ☞ accoutumance, accoutumé, inaccoutumé, réaccoutumer. **s'accoutumer** v.pron. S'habituer à quelque chose ou à quelqu'un : *Les enfants vont s'accoutumer à leur nouvelle gardienne.* ANT. se déshabituer.

accroc n.m. Déchirure faite dans un tissu par un objet qui accroche : *Anne a fait un accroc dans son pantalon.* ☞ accrocher.

accrochage n.m. **1.** Action d'accrocher une chose à une autre : *Prends bien tes mesures avant de procéder à l'accrochage des tableaux.* ANT. décrochage. **2.** Action de se heurter légèrement, en parlant de deux véhicules : *Nous avons été témoins d'un accrochage sur le pont.* SYN. accident, collision. ☞ accrocher.

accroche-cœur n.m. Petite mèche de cheveux aplatie en crochet et collée sur la tempe ou le front: *Dans les années vingt, les femmes aimaient les accroche-cœurs.* SYN. frisette. **R.** Au pluriel, *accroche-cœurs.* ☞ accrocher.

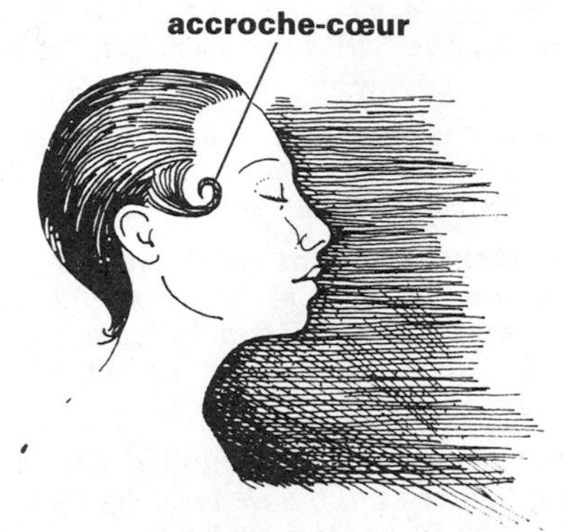

accrocher v. **1.** Suspendre quelque chose à un crochet: *Accroche ce tableau au mur de ta chambre.* SYN. pendre. ANT. décrocher, dépendre. **2.** Déchirer un tissu avec un objet pointu: *J'ai accroché mes bas dans les framboisiers.* **3.** Heurter légèrement un véhicule: *L'automobile a accroché le camion.* ANT. éviter. **4.** Retenir l'attention de quelqu'un: *Cette publicité accroche la clientèle.* ☞ accroc, accrochage, accroche-cœur, accrocheur, décrocher, raccrocher. **s'accrocher** v.pron. **1.** Se tenir solidement, se cramponner: *Accroche-toi à mon bras pour ne pas tomber.* SYN. s'agripper. ANT. lâcher. **2.** fam. Être tenace, travailler fort: *Il faut s'accrocher pour atteindre le but qu'on s'est fixé.* ANT. céder, lâcher.

accrocheur, euse adj. **1.** Qui retient l'attention: *Cette affiche est accrocheuse: on la regarde malgré soi.* **2.** fam. Qui est tenace dans ce qu'il entreprend: *Marie veut réussir; elle est très accrocheuse.* SYN. entêté, têtu. ANT. lâche. ☞ accrocher.

accroire v. Faire croire une chose fausse: *René m'a fait accroire que mes parents organisaient une fête pour moi.* SYN. duper, leurrer. ⁄⁄ *En faire accroire:* Tromper. **R.** Ne s'emploie qu'à l'infinitif dans l'expression *faire accroire*.

accroissement n.m. Fait d'augmenter: *Au Canada, l'accroissement de la population est très lent.* SYN. augmentation, grossissement, progression. ANT. diminution. ☞ accroître.

accroître v. Augmenter quelque chose, le rendre plus important: *Continue à étudier; tu vas accroître tes connaissances.* SYN. amplifier, grossir, intensifier. ANT. limiter, restreindre. **R.** Participe passé, *accru*. ☞ accroissement. **s'accroître** v.pron. Devenir plus important: *Mon impatience s'accroît à mesure que les heures passent.* SYN. croître, grandir. ANT. amoindrir, atténuer, décroître. **R.** Ne pas oublier l'accent devant le *t*: *î*.

accroissement accroître

s'accroupir v.pron. S'asseoir sur les talons: *Olivier et Colette s'accroupissent pour jouer sur le tapis du salon.*

accueil n.m. **1.** Manière de recevoir quelqu'un qui arrive: *À mon retour de voyage, ma famille m'a réservé un accueil chaleureux.* **2.** Manière de recevoir une nouvelle, une demande, etc.: *On m'a dit que ce film n'a pas reçu un accueil favorable.* SYN. traitement. ⁄⁄ *Centre d'accueil:* Établissement où l'on accueille des personnes qui ont besoin d'être soignées ou gardées en résidence protégée. **R.** Après le *c*, on écrit *ueil*. ☞ accueillir.

accueillant, ante adj. **1.** Qui fait bon accueil: *Tante Gertrude est très accueillante.* SYN. aimable, cordial, hospitalier. **2.** Où l'on est bien accueilli, qui a un aspect agréable: *Cette petite auberge de campagne entourée de fleurs me semble bien accueillante.* SYN. hospitalier. **R.** Après le *c*, on écrit *ueil*. ☞ accueillir.

accueillir v. **1.** Recevoir quelqu'un qui arrive: *Tes amis arrivent. Va les accueillir.* ANT. écarter, évincer. **2.** Recevoir une nouvelle, une demande: *L'annonce du congé a été accueillie par des cris de joie.* SYN. apprendre. ANT. rejeter. **R.** Après le *c*, on écrit *ueil*. ☞ accueil, accueillant.

acculer v. **1.** Pousser dans un endroit où il est impossible de reculer: *Pour attraper la grenouille, les filles l'avaient acculée contre le mur.* **2.** fig. Placer quelqu'un dans une situation pénible: *À cause de la concurrence, beaucoup de commerçants sont acculés à la faillite.* SYN. contraindre, forcer.

accumulateur n.m. Appareil qui emmagasine de l'énergie électrique pour la redistribuer sous forme de courant selon les besoins: *Dans une automobile, il y a une batterie d'accumulateurs qu'on appelle couramment «batterie».* ☞ accumuler.

accumulation n.f. Fait d'avoir quelque chose en grand nombre: *L'accumulation des déchets dans la cour du voisin nous déplaît beaucoup.* SYN. amas, amoncellement, entassement, quantité, tas. ANT. dispersion, éparpillement. ☞ accumuler.

accumuler v. **1.** Entasser des choses: *L'institutrice a accumulé des cahiers sur son* *bureau.* SYN. amasser, amonceler, empiler. ANT. disperser, éparpiller. **2.** Avoir en grand nombre: *Les policiers accumulent des preuves contre le malfaiteur.* SYN. grouper, rassembler, réunir. ☞ accumulateur, accumulation.

accusateur, trice n. et adj. **1.** n. Personne qui porte une accusation: *Robert se défend contre ses accusateurs.* SYN. délateur, dénonciateur, rapporteur. ANT. accusé, inculpé. **2.** adj. Qui accuse: *Toute la classe regarde Robert d'un air accusateur.* ☞ accuser.

accusation n.f. Fait de présenter quelqu'un comme coupable: *Il faut beaucoup réfléchir avant de porter une accusation.* ☞ accuser.

accusé, ée n. Personne qu'on accuse d'un crime et qu'on juge devant les tribunaux: *L'accusé a été condamné à deux ans de prison.* SYN. coupable, inculpé, prévenu. HOM. accuser. ∥ *Accusé de réception:* Avis qui informe l'expéditeur qu'on a reçu son envoi. ☞ accuser.

accuser v. **1.** Présenter quelqu'un comme coupable: *Les copains de Josée l'accusent d'avoir volé un stylo.* SYN. incriminer, inculper, reprocher. ANT. disculper, innocenter, réhabiliter. **2.** Laisser voir, révéler: *Même maquillé, son visage accuse une grande fatigue.* SYN. indiquer, montrer. ANT. cacher. HOM. accusé. ∥ *Accuser réception:* Faire savoir à l'expéditeur qu'on a reçu son envoi. ☞ accusateur, accusation, accusé, coaccusé.

acerbe adj. Qui est très agressif, blessant: *Les journaux ont fait une critique acerbe de son spectacle.* SYN. acéré, mordant, satirique. ANT. affable, aimable, bon, charmant, indulgent.

acéré, ée adj. Qui est très pointu, tranchant: *Le vautour a un bec acéré.* SYN. aigu, coupant.

acéricole adj. Qui se rapporte à l'exploitation de l'érable à sucre: *Les techniques acéricoles ont bien changé depuis cinquante ans.* ☞ acériculture.

acériculteur, trice n. Personne qui exploite une érablière: *Madame Paulin est une acéricultrice beauceronne; elle produit du sirop et de la tire d'érable.* ☞ acériculture.

acériculture n.f. Culture et exploitation de l'érable à sucre: *L'acériculture est menacée par les pluies acides, qui s'attaquent aux érables.* ☞ acéricole, acériculteur.

acéricole acériculture

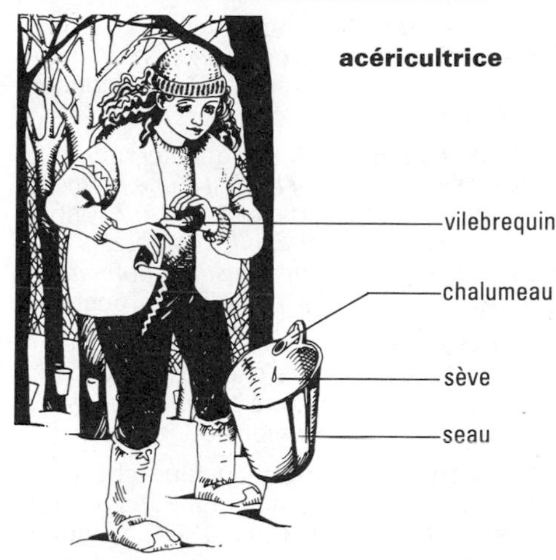

acétylène n.m. Gaz incolore, inflammable et toxique dont on se sert pour le soudage et le découpage des métaux: *La femme plombier se sert d'un chalumeau à acétylène pour souder les tuyaux.*

achalage ☞ sect. anglicismes et canadianismes.

achalandage n.m. Ensemble des clients qu'un commerce attire: *Cette épicerie a un fort achalandage; il faut dire que le service y est excellent.* SYN. clientèle. ☞ achalandé.

achalandé, ée adj. Qui a beaucoup de clients: *La boutique du fleuriste est très achalandée.* ☞ achalandage.

achalant ☞ sect. anglicismes et canadianismes.

achalanterie ☞ sect. anglicismes et canadianismes.

achaler ☞ sect. anglicismes et canadianismes.

acharné, ée adj. **1.** Qui agit avec acharnement, fureur et obstination: *Méfie-toi des membres de l'autre équipe: ce sont des adversaires acharnés.* SYN. opiniâtre. ANT. désintéressé. **2.** Où il y a de la fureur et de l'obstination: *Nous avons assisté à une lutte acharnée entre les candidates.* SYN. dur, enragé. ANT. indifférent. ☞ acharnement, s'acharner.

acharnement n.m. Ardeur furieuse et obstination dans la lutte, la poursuite de l'effort: *Au mois de juin, les élèves travaillent avec acharnement pour réussir leurs examens.* SYN. élan, fougue, opiniâtreté. ANT. mollesse. ☞ acharné.

s'acharner v.pron. **1.** Poursuivre, attaquer avec acharnement, fureur et obstination: *Le renard s'acharne sur sa proie.* ANT. céder. **2.**

Poursuivre un effort pour obtenir quelque chose: *Ma cousine s'acharne à apprendre l'allemand.* SYN. persévérer. ANT. abandonner. ☞ acharné.

achat n.m. **1.** Action d'acheter quelque chose: *Nous avons fait l'achat d'une nouvelle voiture.* SYN. acquisition. ANT. vente. **2.** Chose qu'on a achetée: *Quand elle revient des magasins, ma sœur est heureuse de nous montrer ses achats.* SYN. acquisition. ☞ acheter.

acheminement n.m. Action d'acheminer, de diriger quelque chose ou quelqu'un vers un lieu déterminé: *L'acheminement du courrier se fait par camion.* ☞ chemin.

acheminer v. Diriger quelque chose ou quelqu'un vers un lieu déterminé: *La poste a acheminé le colis vers Ottawa.* SYN. conduire. ☞ chemin. **s'acheminer** v.pron. Se diriger vers un but: *Si tu continues ainsi, tu t'achemines vers un échec.*

achetable adj. **1.** Qui peut être acheté: *Ces légumes sont achetables: ils sont frais et leur prix est raisonnable.* **2.** Qui peut être corrompu pour de l'argent: *Ce politicien est achetable; il accepte toutes les combines.* ☞ acheter.

acheter v. Se procurer une chose en payant: *J'ai acheté un bouquet de roses.* SYN. acquérir, obtenir. ANT. céder, écouler, vendre. ☞ achat, achetable, acheteur, rachat, racheter.

acheteur, euse n. **1.** Personne qui achète quelque chose: *Après les Fêtes, les acheteurs se font rares dans les magasins.* SYN. client. ANT. vendeur. **2.** Dans un grand magasin, personne qui s'occupe des achats: *Madame Tremblay est acheteuse à La Baie.* ☞ acheter.

achèvement n.m. Action de terminer une chose: *Le pont sera fermé jusqu'à l'achèvement des travaux.* SYN. fin. ANT. commencement, ébauche. ☞ achever.

achever v. **1.** Terminer une chose commencée: *Martine achève son devoir.* SYN. finir, parfaire. ANT. commencer, entreprendre. **2.** Porter à une personne ou à un animal les derniers coups qui feront mourir: *Le chien du voisin a la rage; il faut l'achever.* SYN. exécuter, tuer. ANT. épargner. ☞ achèvement, inachevé. **s'achever** v.pron. Finir, se terminer: *Profite bien de tes vacances car elles s'achèvent.* **achevé, ée** p.p. et adj. **1.** Qui est accompli, entièrement terminé: *Quand ton dessin sera achevé, viens le montrer aux amis de la classe.* ANT. inachevé. **2.** Qui est parfait en son genre: *Françoise est une actrice achevée.* SYN. accompli. ANT. imparfait.

achigan n.m. (amérind.) Poisson d'eau douce du Canada qui porte aussi le nom de «perche noire» ou «perche truitée»: *L'achigan est un beau poisson que l'on pêche aussi l'hiver.* **R.** Signifie *celui qui se débat.*

achopper v. Être arrêté par une difficulté: *Les négociations achoppèrent sur la question des salaires.* SYN. buter. ANT. éviter.

acide n.m. et adj. **1.** n.m. Substance chimique qui peut ronger le métal: *Les acides peuvent être dangereux.* **2.** adj. Dont la saveur est piquante: *Ces pommes vertes sont un peu acides.* SYN. aigre, aigrelet, sur. ANT. doux, sucré. ☞ acidité, acidulé, hyperacidité.

acidité n.f. Saveur acide, piquante: *L'acidité du citron nous fait grimacer.* SYN. âcreté. ☞ acide.

acidulé, ée adj. Qui est légèrement acide: *J'adore les bonbons acidulés.* SYN. aigrelet. ☞ acide.

acier n.m. Alliage de fer et de carbone: *L'acier est un métal très dur.* // *D'acier:* Dur comme de l'acier. ☞ aciérie.

aciérie n.f. Usine où l'on fabrique l'acier: *L'aciérie emploie deux mille ouvriers.* ☞ acier.

acier aciérie

acné n.f. Maladie de la peau qui commence à la puberté et qui est caractérisée par des boutons sur le visage: *L'acné disparaît habituellement à l'âge adulte.*

acolyte n.m.péj. Complice de quelqu'un: *Le voleur et son acolyte ont aussitôt pris la fuite.* SYN. compère. ANT. adversaire, rival.

acompte n.m. Partie d'un paiement qu'on donne à l'avance: *Quand elle a commandé son réfrigérateur, maman a versé un acompte.* **R.** Le *p* ne se prononce pas.

à-côté n.m. Élément accessoire, secondaire: *Avez-vous pensé à tous les à-côtés de la question?* **R.** Ne pas oublier l'accent: *ô*. Au pluriel, *à-côtés*.

acoustique n.f. Qualité d'un local quant à la propagation du son: *La salle de concert a une bonne acoustique.*

acquéreur n.m. Personne qui devient propriétaire, acheteur: *Madame Roy s'est portée acquéreur du tableau.* ☞ acquérir.

acquérir v. **1.** Acheter, devenir propriétaire: *Je viens d'acquérir un magnifique vase de cristal.* SYN. se procurer. ANT. vendre. **2.** Arriver à posséder une connaissance, un avantage: *En travaillant à l'hôpital, Nicolas acquiert une grande expérience comme infir-*

mier. SYN. obtenir. **3.** Avoir une valeur plus importante: *Garde ces pièces de monnaie; elles vont acquérir de la valeur.* SYN. gagner. ANT. perdre. ☞ acquéreur, acquis, acquisition.

acquiescement n.m. Accord, consentement: *Elle m'a fait un signe d'acquiescement.* SYN. acceptation, adhésion. ANT. désapprobation, opposition, refus. ☞ acquiescer.

acquiescer v. Donner son consentement, son accord: *Je lui ai demandé si elle voulait venir; elle a acquiescé aussitôt.* SYN. accepter, adhérer. ANT. désapprouver, s'opposer, refuser. **R.** Ne pas oublier la cédille devant *a* et *o*. ☞ acquiescement.

acquis n.m. **1.** Savoir, expérience que l'on a réussi à obtenir: *Marie-Ève a déjà un solide acquis en musique.* **2.** Ensemble des droits, des avantages qu'un groupe a réussi à obtenir: *Les travailleurs veulent protéger leurs acquis.* HOM. acquit. ☞ acquérir.

acquis, ise adj. **1.** Que l'on a obtenu: *Chaque être humain possède des caractères héréditaires et des caractères acquis.* ANT. héréditaire, inné, naturel. **2.** Dont on peut disposer d'une façon sûre et définitive: *Les syndiqués ne veulent pas perdre leurs droits acquis.* **3.** Qui est entièrement dévoué à quelqu'un, à une idée: *Les membres de ce parti sont tous acquis à leur chef.* ANT. hostile. HOM. acquit.

acquisition n.f. **1.** Action d'acquérir, de devenir propriétaire: *Ma sœur a fait l'acquisition d'un chalet.* SYN. achat. ANT. vente. **2.** Bien qu'on a acquis: *As-tu vu ma dernière acquisition?* SYN. achat. ☞ acquérir.

acquit n.m. Reconnaissance écrite d'un paiement: *Le marchand a remis un acquit à l'acheteur.* SYN. quittance, récépissé. HOM. acquis. ⁄⁄ *Par acquit de conscience:* Pour ne rien avoir à se reprocher. ☞ acquitter.

acquittement n.m. Action de reconnaître qu'un accusé n'est pas coupable: *Le juge a ordonné l'acquittement de l'accusé.* SYN. libération. ANT. arrestation. ☞ acquitter. ▲ **acquittement** n.m. Action de payer une somme due: *On se sent soulagé après l'acquittement de ses impôts.* SYN. paiement, règlement. ANT. dette, obligation. ☞ acquitter.

acquitter v. Déclarer un accusé non coupable: *Le juge a acquitté cet homme qu'on accusait de vol.* SYN. libérer, relâcher. ANT. condamner, punir. ☞ acquittement. ▲ **acquitter** v. Payer une somme due: *Il faut acquitter la facture avant de partir.* SYN. régler. ANT. devoir. ☞ acquit, acquittement. **s'acquitter** v.pron. **1.** Payer sa dette: *Papa s'est acquitté de sa dette envers la marchande.* SYN. solder. **2.** Accomplir un devoir, une tâche: *Marie-Ève s'est acquittée de ses fonctions avec beaucoup de sérieux.* SYN. remplir.

acre n.m. Au Canada, ancienne mesure de superficie qui valait plus de quatre mille mètres carrés: *Combien d'acres cultivez-vous?*

âcre adj. Qui irrite le goût, l'odorat, qui prend à la gorge: *Une odeur âcre sort des cheminées de la raffinerie.* SYN. acide, aigre, irritant, piquant. ANT. doux, suave, sucré. **R.** Ne pas oublier l'accent: *â*. ☞ âcreté.

âcreté n.f. Qualité d'une chose âcre: *L'âcreté de l'ammoniaque m'incommode.* SYN. acidité. ANT. douceur. **R.** Ne pas oublier l'accent: *â*. ☞ âcre.

acrobate n. Personne très agile qui exécute des exercices d'équilibre et de gymnastique souvent périlleux: *Au cirque, les acrobates impressionnent les spectateurs.* SYN. cascadeur, équilibriste, gymnaste. ☞ acrobatie, acrobatique.

acrobatie n.f. Exercice d'équilibre et de gymnastique exécuté par un acrobate: *Les spectateurs applaudissent les acrobaties de la gymnaste.* ⁄⁄ *Acrobatie aérienne:* Manœuvres difficiles ou périlleuses exécutées en avion. **R.** Le *t* se prononce *ss*. ☞ acrobate.

acrobatique adj. Qui tient de l'acrobatie: *Méfie-toi des exercices acrobatiques, ils sont dangereux quand on n'a pas assez d'expérience.* ☞ acrobate.

acrostiche n.m. Poème dans lequel la première lettre de chaque vers, lue dans le sens vertical, forme un nom: *Essaie de composer un acrostiche avec ton prénom.*

acrylique adj. Se dit d'une fibre textile synthétique: *Sur l'étiquette, on précise que le chandail est en fibre acrylique.*

acte n.m. Action humaine: *Si on se fie à tes actes, on voit que tu es une fille courageuse.* ▲ **acte** n.m. **1.** Document officiel qui constate un fait (naissance, mariage, décès, etc.): *Quand on entre à la maternelle, il faut apporter une copie de son acte de naissance.* **2.** plur. Recueil des comptes rendus des séances d'une assemblée: *Les actes du congrès sont conservés aux archives.* ⁄⁄ *Actes des apôtres:* Livre du Nouveau Testament qui relate les débuts de l'Église. ▲ **acte** n.m. Chacune des divisions d'une pièce de théâtre: *J'ai beaucoup ri au troisième acte.* SYN. épisode.

acteur, trice n. Artiste qui joue au théâtre ou au cinéma: *Les acteurs étaient épuisés après la dernière représentation.* SYN. comédien, interprète.

actif, ive adj. **1.** Qui est plein d'énergie, qui aime agir: *Pierre est un garçon actif, il n'arrête jamais.* SYN. affairé, dynamique. ANT. apathique, désœuvré, nonchalant. **2.** Qui est efficace: *Ce shampooing est très actif contre les pellicules.* ANT. inefficace, inopérant. ☞ activement, activité, inactif, inactivité.

actinie n.f. Animal marin dont le nom usuel est «anémone de mer»: *L'actinie capture ses proies à l'aide de ses nombreux tentacules venimeux.*

action n.f. **1.** Tout ce que fait une personne: *En aidant son camarade, Gilbert a fait une bonne action.* SYN. acte, activité, œuvre, travail. ANT. désœuvrement, inaction, oisiveté. **2.** Dépense d'énergie pour atteindre un but: *Maman est une femme d'action, elle n'aime pas rester inactive.* SYN. effort. **3.** Suite d'événements dans un récit, un film, etc.: *L'action se déroule dans l'espace, en l'an 2000.* **4.** Animation, événement imprévu dans un récit ou dans un film: *C'était un film d'action; il y avait des poursuites.* **5.** Fait de produire un effet: *Après quelques minutes, l'action du médicament se fait sentir.* SYN. influence. ⫽ *Mettre en action:* Mettre en marche, en parlant d'un véhicule. *Passer à l'action:* Commencer à agir. *Verbe d'action:* Verbe qui indique que l'action est faite ou subie par le sujet. ☞ actionner, inaction, interaction. ▲ **action** n.f. Titre négociable qui représente une partie du capital d'une société: *Ma mère possède des actions dans une société minière.* SYN. obligation, valeur. ☞ actionnaire.

actionnaire n. Propriétaire d'actions dans une société: *Ma mère est actionnaire dans une société minière.* SYN. associé. ☞ action.

actionner v. Faire fonctionner une machine, un mécanisme: *L'opérateur a actionné la presse, et le travail a pu commencer.* SYN. mouvoir. ANT. arrêter, freiner, immobiliser. ☞ action.

activement adv. D'une façon active, avec ardeur: *Madame Champagne s'occupe activement de politique.* SYN. ardemment, énergiquement. ANT. mollement. ☞ actif.

activer v. **1.** Hâter, accélérer l'exécution d'une action: *L'entrepreneur devra activer les travaux s'il veut terminer à temps.* SYN. presser. ANT. freiner, retarder. **2.** Faire agir plus vite: *Prends ce médicament; il active la digestion.* SYN. accélérer, stimuler. ANT. ralentir. **s'activer** v.pron. S'empresser, se hâter: *Tous les enfants s'activent pour préparer la fête.* SYN. s'affairer.

activité n.f. **1.** Qualité d'une personne qui est active, dynamique: *Madame Rousseau fait preuve d'une activité débordante.* SYN. dynamisme, empressement. ANT. apathie, inactivité. **2.** Action que l'on fait, occupation: *Essaie d'avoir des activités variées, cela te fera du bien.* ☞ actif.

actualité n.f. **1.** Ensemble des événements qui se passent à notre époque: *Ma belle-sœur s'intéresse beaucoup à l'actualité sportive.* **2.** plur. Ensemble des nouvelles, des faits du moment donnés à la radio et à la télévision: *Les actualités nous renseignent sur ce qui se passe dans le monde.* ⫽ *D'actualité:* Actuel, qui nous concerne en ce moment. ☞ actuel.

actuel, elle adj. **1.** Qui se passe en ce moment: *À l'heure actuelle, je me porte très bien.* SYN. présent. ANT. passé. **2.** Qui concerne notre époque: *La pollution est un problème actuel.* SYN. contemporain, moderne. ANT. ancien. ☞ actualité, actuellement.

actuellement adv. En ce moment, à notre époque: *Les grandes puissances discutent actuellement de la paix.* SYN. maintenant, présentement. ANT. anciennement, autrefois. ☞ actuel.

acuité n.f. **1.** Caractère de ce qui est aigu, intense: *L'acuité de la douleur faisait grimacer le pauvre vieillard.* SYN. intensité. **2.** Degré de sensibilité d'un organe des sens: *L'infirmière vérifie l'acuité visuelle et auditive des petits enfants de la maternelle.*

acupuncteur, trice n. Spécialiste de l'acupuncture: *Je suis allé chez l'acupuncteur pour soulager mes maux de dos.* **R.** Aussi, *acuponcteur.* ☞ acupuncture.

acupuncture n.f. Traitement médical qui consiste à piquer certains points précis du corps avec des aiguilles: *Pour atténuer ses migraines, Lilianne suit des traitements d'acupuncture.* **R.** Aussi, *acuponcture.* ☞ acupuncteur.

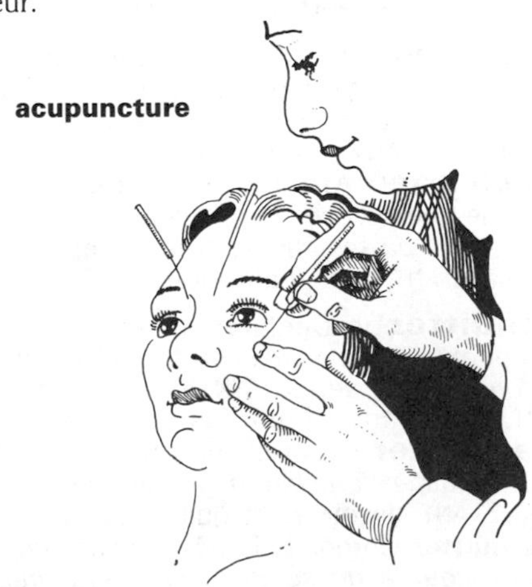
acupuncture

acutangle adj. Dont les trois angles sont aigus, en parlant d'un triangle: *Le triangle rectangle n'est pas un triangle acutangle.*

adage n.m. Formule brève, proverbe, maxime: *Les adages renferment souvent de grandes vérités.* SYN. devise, dicton, sentence.

adaptable adj. Qui peut être adapté: *Ce vêtement d'enfant est très pratique; il est adaptable à toutes les tailles.* ☞ adapter.

adaptateur n.m. Dispositif qui permet d'adapter un appareil électrique: *Quand on voyage en Europe, il faut se procurer un adaptateur pour nos appareils électriques.* ☞ adapter.

adaptation n.f. **1.** Action de s'adapter: *Occupez-vous des nouveaux élèves car l'adaptation n'est pas toujours facile.* SYN. acclimatation. ANT. inadaptation. **2.** Transposition d'une œuvre: *Ce film est l'adaptation d'une pièce de théâtre.* SYN. transformation. ☞ adapter.

adapter v. **1.** Ajuster une chose à une autre chose: *On peut adapter trois accessoires différents à ce sèche-cheveux.* ANT. séparer. **2.** Transposer une œuvre: *Ce roman a été adapté pour le cinéma.* SYN. arranger. **3.** fig. Mettre en accord: *Il est important d'adapter ses dépenses aux revenus que l'on a.* SYN. accorder. ANT. opposer. ☞ adaptable, adaptateur, adaptation, inadaptation, inadapté, réadaptation, réadapter. **s'adapter** v.pron. S'habituer à une situation nouvelle: *Les nouveaux arrivants ont parfois du mal à s'adapter à notre mode de vie.* SYN. s'acclimater.

additif n.m. Produit chimique ajouté à un aliment pour en améliorer le goût, la couleur: *La plupart des aliments en conserve contiennent des additifs.* SYN. supplément. ☞ addition.

addition n.f. **1.** Action d'ajouter une chose à une autre; chose ajoutée: *L'addition de ce paragraphe ajoute de l'intérêt au texte.* ANT. suppression. **2.** Opération permettant de calculer la somme de deux ou de plusieurs nombres: *Trouvez la somme de l'addition suivante: 56+27+15.* SYN. total. ANT. soustraction. **3.** Note que nous remet le serveur au restaurant et qui indique la somme à payer: *Attends-moi, je vais régler l'addition.* SYN. compte, facture. ☞ additif, additionnel, additionner.

additionnel, elle adj. Qui s'ajoute à quelque chose: *Le bail comporte une clause additionnelle.* ☞ addition.

additionner v. **1.** Calculer la somme, grouper en un seul nombre: *Additionne trois et huit, tu obtiendras onze.* ANT. enlever, soustraire. **2.** Ajouter une chose à une autre: *Ce jus d'orange est additionné de sucre.* ☞ addition.

adepte n. **1.** Personne qui prend parti pour une doctrine ou qui croit à une religion: *Les adeptes du christianisme sont répandus dans le monde entier.* SYN. adhérent, disciple, fidèle. ANT. adversaire, opposant. **2.** Personne qui pratique une activité ou un sport: *Claude est un adepte du ski alpin.*

adéquat, ate adj. Qui est approprié, convenable: *Se coucher tôt est une solution adéquate quand on est fatigué.* SYN. juste, pertinent.

adhérence n.f. État d'une chose qui tient fortement à une autre chose: *La vendeuse m'avait vanté l'adhérence de ces pneus.* ANT. séparation. ☞ adhérer.

adhérent, ente n. Personne qui s'inscrit à un parti, à une association, qui en devient membre: *Le nombre d'adhérents a augmenté en flèche.* SYN. adepte, associé. ANT. adversaire, dissident. ☞ adhérer.

adhérer v. Tenir fortement par un contact étroit à une surface: *Les pneus neufs adhèrent bien à la route.* SYN. coller. ANT. décoller, détacher. ☞ adhérence, adhésif. ▲ **adhérer** v. S'inscrire à un parti, à une association, en devenir membre: *Gilles a adhéré au club des Jeunes naturalistes.* ANT. démissionner. ☞ adhérent, adhésion.

adhésif, ive adj. Qui colle fermement à une surface sans que l'on ait besoin de la mouiller: *Répare ton livre avec du ruban adhésif.* ☞ adhérer.

adhésion n.f. Action d'adhérer à un parti, à une association: *L'adhésion au club nautique coûte cinquante dollars par année.* SYN. entrée. ANT. démission. ☞ adhérer.

adieu n.m. et interj. **1.** n.m. Parole que l'on dit, geste que l'on fait au moment de quitter quelqu'un: *Ma sœur nous a fait ses adieux à l'aéroport.* **2.** interj. Mot qu'on emploie pour quitter quelqu'un qu'on ne reverra plus ou qu'on ne reverra pas avant longtemps: *Adieu! Je pars!* SYN. bonjour. ⫽ *Dire adieu à:* Renoncer à.

adjacent, ente adj. Qui est voisin, proche: *La banque est adjacente à la pharmacie.* SYN. attenant, contigu. ANT. distant, éloigné.

adjectif n.m. Mot qui accompagne le nom pour le qualifier ou pour l'introduire: *Il y a donc les adjectifs qualificatifs et les adjectifs démonstratifs, possessifs, indéfinis, numéraux, interrogatifs et exclamatifs.*

adjectif, ive adj. Qui a la valeur d'un adjectif: *Dans «cette montagne est à pic», à pic est une locution adjective.*

adjoindre v. Associer une personne à une autre pour l'aider: *L'avocate a adjoint une secrétaire à sa principale collaboratrice.* SYN. joindre. ANT. enlever. ☞ adjoint.

adjoint, ointe n. Personne associée à une autre pour l'aider: *Monsieur Légaré est l'adjoint de la directrice.* SYN. aide, assistant, collaborateur. ANT. chef, directeur. **R.** Ne pas employer «assistant-directeur» pour désigner un *directeur adjoint.* ☞ adjoindre.

admettre v. **1.** Recevoir, accueillir: *André a été admis au cégep.* **2.** Laisser une personne ou un animal entrer dans un lieu: *Les chiens ne sont pas admis dans le restaurant.* ANT. exclure. **3.** Reconnaître quelque chose comme vrai: *Pierre a admis qu'il avait fait exprès.* SYN. avouer. ANT. nier. **4.** Supposer quelque chose: *Admettons que tu gagnes le gros lot, que ferais-tu?* **5.** Permettre: *Mes parents n'admettent pas que je leur parle grossièrement.* SYN. autoriser. ANT. défendre. ☞ admissible, admission, inadmissible.

administrateur, trice n. Personne qui dirige, gère une entreprise: *Les administrateurs de l'entreprise se sont réunis.* SYN. gérant. ☞ administrer.

administratif, ive adj. **1.** Qui relève de l'administration: *Le Québec est divisé en régions administratives.* **2.** Qui concerne l'administration d'une entreprise: *Monsieur Durand s'occupe des tâches administratives.* ☞ administrer.

administration n.f. **1.** Action de diriger, de gérer une entreprise, une ville, un pays: *Madame Demers est responsable de l'administration de l'usine.* SYN. gérance, gestion. **2.** Fonction visant à assurer la marche de l'ensemble des services publics: *Mon oncle a toujours travaillé dans l'Administration; c'est un fonctionnaire.* **R.** On met la majuscule à *administration* lorsqu'il s'agit de la fonction visant à assurer la marche de l'ensemble des services publics. ☞ administrer.

administrativement adv. Selon les règles administratives: *Cette décision a été prise administrativement par des fonctionnaires de l'État.* ☞ administrer.

administrer v. Diriger, gérer une entreprise, une ville, un pays: *La mairesse administre la ville.* SYN. conduire. ☞ administrateur, administratif, administration, administrativement. ▲ **administrer** v. **1.** Donner un remède à quelqu'un: *Le médecin a administré un calmant au malade.* **2.** fam. Donner une punition: *Sa mère lui a administré une correction dont il se souviendra.* SYN. flanquer.

admirable adj. Qui est très beau, remarquable: *Ce tableau est admirable; c'est un chef-d'œuvre.* SYN. magnifique, merveilleux, splendide. ANT. abominable, laid, mauvais, médiocre. ☞ admirer.

admirablement adv. D'une façon admirable, merveilleuse: *Micheline danse admirablement.* SYN. extraordinairement. ANT. médiocrement, ordinairement. ☞ admirer.

admirateur, trice n. Personne qui admire quelqu'un ou quelque chose: *Ce comédien célèbre a de nombreux admirateurs dans la salle.* ☞ admirer.

admiratif, ive adj. **1.** Qui éprouve de l'admiration: *Rita s'arrête, admirative, devant la cage des félins.* **2.** Qui montre de l'admiration: *Martin jeta un regard admiratif au jongleur.* ANT. méprisant. ☞ admirer.

admiration n.f. Sentiment éprouvé devant quelqu'un ou quelque chose que l'on trouve beau ou remarquable: *Je suis en admiration devant ce collier.* SYN. éblouissement, émerveillement, ravissement. ANT. dédain, dégoût, horreur. ☞ admirer.

admirativement adv. D'une façon admirative, avec admiration: *Quand ils assistent au défilé du père Noël, les enfants regardent admirativement tous les personnages.* ☞ admirer.

admirer v. **1.** Trouver très beau: *J'admire les couchers de soleil.* SYN. apprécier. ANT. décevoir. **2.** Trouver remarquable: *Tu admires beaucoup ta grand-mère.* SYN. estimer, vénérer. ANT. mépriser. ☞ admirable, admirablement, admirateur, admiratif, admiration, admirativement.

admissible adj. Qu'on peut admettre: *Ton comportement n'est pas admissible.* SYN. acceptable. ANT. inacceptable, inadmissible, intolérable. ☞ admettre.

admission n.f. Action d'admettre quelqu'un dans un groupe, dans une école: *Renée a fait parvenir une demande d'admission à l'université.* SYN. acceptation. ANT. exclusion, refus. ☞ admettre.

adolescence n.f. Période qui sépare l'enfance de l'âge adulte: *L'adolescence se situe entre douze et dix-huit ans environ.* ☞ adolescent.

adolescent, ente n. Jeune garçon, jeune fille à l'âge de l'adolescence: *Les adolescents aiment la musique et la danse.* ☞ adolescence.

adon ☞ sect. anglicismes et canadianismes.

adonner v. Devenir favorable, commencer

à souffler sur l'arrière du bateau dans la bonne direction, en parlant du vent : *Après avoir été contraire, le vent adonna ce soir-là.* **R.** N'a pas le sens de *coïncider*.

s'adonner v.pron. Se livrer avec ardeur à un sport, à une activité : *Maryse s'adonne à la gymnastique ; elle y consacre plusieurs heures par jour.* ANT. abandonner. **R.** N'a pas le sens de *s'accorder* et de *se trouver par hasard*.

adopter v. **1.** Prendre légalement un enfant, lui donner son nom et le traiter comme son fils ou sa fille : *Ma sœur ne peut pas avoir d'enfant ; elle veut donc en adopter un.* ANT. abandonner. **2.** Accepter quelqu'un dans son milieu : *Toute la classe a rapidement adopté Huong lorsqu'elle est arrivée.* SYN. admettre. ANT. rejeter. **3.** Approuver par un vote : *Les députés ont finalement adopté la loi sur l'immigration.* SYN. sanctionner, voter. ANT. rejeter. **4.** fig. Choisir, suivre, prendre : *Dans certaines cultures, en se mariant, la femme doit adopter les coutumes de son mari.* ANT. refuser. ☞ adoptif, adoption.

adoptif, ive adj. **1.** Qu'on a adopté : *Huong est la fille adoptive de ma sœur.* **2.** Qui a adopté une personne : *Ma sœur et mon beau-frère sont les parents adoptifs de Huong.* **3.** Qu'on a choisi pour famille ou pour pays : *Le Canada est le pays adoptif de nombreux immigrants.* ☞ adopter.

adoption n.f. **1.** Action d'adopter une personne : *Ma sœur et mon beau-frère ont donné une grande fête pour célébrer l'adoption de Luis.* **2.** Action d'approuver par un vote : *L'adoption de la loi a eu lieu hier.* SYN. approbation, sanction. ANT. refus, rejet. ⁄⁄ *D'adoption :* Qu'on a choisi et où l'on se sent chez soi. ☞ adopter.

adorable adj. Qui est charmant, très aimable : *Stéphane est un enfant adorable.* SYN. gentil, parfait. ANT. abominable, détestable, exécrable, haïssable. ☞ adorer.

adorateur, trice n. **1.** Personne qui adore une divinité : *Certains peuples de l'Antiquité étaient des adorateurs du Soleil.* SYN. contemplateur, fervent, fidèle. ANT. athée, infidèle. **2.** Personne qui admire beaucoup une autre personne : *La chanteuse est entourée d'une foule d'adorateurs.* SYN. admirateur. ☞ adorer.

adoration n.f. **1.** Action d'adorer Dieu ou une divinité : *Chez les chrétiens, l'adoration est réservée à Dieu.* SYN. dévotion, vénération. **2.** Amour très vif, très grande affection : *Frédéric est en adoration devant sa grande sœur.* SYN. admiration. ANT. mépris. ☞ adorer.

adorer v. **1.** Rendre hommage à Dieu ou à une divinité par des prières, en célébrant des cérémonies : *Les chrétiens adorent Dieu.* SYN. vénérer. ANT. blasphémer, maudire. **2.** Aimer beaucoup une autre personne : *Mélanie adore son grand-père ; elle le suit partout.* ANT. détester, haïr. **3.** fam. Aimer beaucoup quelque chose : *J'adore les framboises.* ANT. détester. ☞ adorable, adorateur, adoration.

adosser v. Appuyer de façon à mettre le dos contre quelque chose : *Adossez le classeur au mur.* SYN. accoter. **s'adosser** v.pron. S'appuyer de façon à mettre son dos contre quelque chose : *Louis s'adosse à la clôture pour se reposer quelques instants.* SYN. s'accoter. ☞ dos.

adoucir v. **1.** Rendre quelque chose plus doux : *Ce savon adoucit la peau.* SYN. soulager. ANT. irriter. **2.** fig. Rendre moins violent, plus supportable : *On dit que la musique adoucit les mœurs.* SYN. amadouer, atténuer. ANT. accentuer, aggraver. ☞ doux. **s'adoucir** v.pron. **1.** Devenir plus doux : *Grand-père est moins sévère qu'avant ; il s'adoucit.* ANT. s'aigrir. **2.** Devenir moins froid, en parlant du climat : *Le printemps est là ; le temps s'adoucit.* ANT. se refroidir.

adoucissant, ante adj. Qui calme l'irritation de la peau : *On applique de la crème adoucissante sur des mains gercées.* ANT. irritant. ☞ doux.

adoucissement n.m. Action d'adoucir, fait de s'adoucir : *Au mois d'avril on assiste à un adoucissement du temps.* ☞ doux.

adrénaline n.f. Hormone sécrétée par des glandes situées au-dessus des reins, qui agit pour nous aider à faire face aux agressions : *Quand j'ai peur, mon taux d'adrénaline monte.*

adresse n.f. Indication du nom d'une personne et de l'endroit où elle habite (numéro, rue, ville, etc.) : *N'oublie pas de bien écrire l'adresse de ta marraine sur l'enveloppe.* SYN. destination. ⁄⁄ *À l'adresse de :* À l'intention de. **R.** Ne pas confondre avec le mot anglais *address*. ▲ **adresse** n.f. **1.** Qualité d'une personne qui est habile physiquement : *L'adresse du funambule impressionne les spectateurs.* SYN. dextérité, habileté. ANT. gaucherie, maladresse. **2.** Qualité d'une personne qui sait comment s'y prendre pour obtenir ce qu'elle veut : *Quand elle veut convaincre mes parents, ma sœur fait preuve de beaucoup d'adresse.* SYN. diplomatie, doigté, finesse, habileté, ruse. ANT. maladresse. ☞ adroit.

adresser v. **1.** Envoyer à l'adresse de quelqu'un : *J'ai adressé une carte d'anniversaire à mon meilleur ami.* SYN. expédier. **2.** Dire quelque chose à quelqu'un: *Monsieur Latour a adressé des reproches à Christiane.* **s'adresser** v.pron. Parler à quelqu'un ou aller le trouver: *Pour avoir plus de renseignements sur cette maladie, adresse-toi à l'infirmière.*

adroit, oite adj. **1.** Qui est habile physiquement: *Pierre est très adroit de ses mains.* SYN. agile, souple. ANT. lourd. **2.** Qui sait comment s'y prendre pour obtenir un résultat: *Cette politicienne est adroite; elle sait ce qu'il faut dire pour s'attirer des votes.* SYN. expert, fin, habile, ingénieux, intelligent, rusé. ANT. gauche, maladroit. ☞ adresse, adroitement, maladresse, maladroit, maladroitement.

adroitement adv. D'une manière adroite: *Julienne a répondu adroitement à toutes les questions.* SYN. astucieusement, habilement. ☞ adroit.

adulte n. et adj. **1.** n. Être humain qui a terminé son adolescence: *Papa et maman sont des adultes.* **2.** adj. En parlant d'un être vivant, qui a terminé sa croissance: *Mon chat a trois ans; il est adulte.* ⫽ *Âge adulte:* Chez l'être humain, de la fin de l'adolescence au début de la vieillesse.

adultère n.m. et adj. **1.** n.m. Fait, pour une personne mariée, d'avoir des relations sexuelles avec une personne autre que son conjoint: *Le divorce a été prononcé pour cause d'adultère.* SYN. infidélité. ANT. fidélité. **2.** adj. Qui a des relations sexuelles avec quelqu'un d'autre que son conjoint: *Dans l'Évangile, il est question d'une femme adultère.* SYN. infidèle.

advenir v. Arriver, se produire brusquement, à l'improviste: *Quoi qu'il advienne, la fête aura lieu.* **R.** Ne s'emploie qu'à l'infinitif et à la troisième personne du singulier.

adverbe n.m. Mot invariable qu'on emploie pour modifier le sens d'un verbe, d'un adjectif ou d'un autre adverbe: *Dans «je marche lentement», lentement est un adverbe de manière.* ☞ adverbial, adverbialement.

adverbial, ale, aux adj. Qui joue le rôle d'un adverbe: *Dans «j'arrive tout de suite», tout de suite est une locution adverbiale.* ☞ adverbe.

adverbialement adv. À la manière d'un adverbe: *Dans «Michel chante fort», fort est un adjectif pris adverbialement.* ☞ adverbe.

adversaire n. **1.** Personne opposée à une autre dans un combat, une compétition, un conflit: *La lutte sera serrée: les deux adversaires sont de force égale.* SYN. compétiteur, ennemi, opposant, rival. ANT. aide, allié, partenaire. **2.** Personne qui est contre quelque chose: *Les adversaires du projet de loi ont manifesté devant l'hôtel de ville.* ANT. partisan.

adverse adj.litt. Auquel on est opposé: *Juste avant la fin, l'équipe adverse a réussi à marquer des points.* SYN. contraire. ANT. allié, ami.

adversité n.f.litt. Situation malheureuse, malchance: *Il faut soutenir nos amis dans l'adversité.* SYN. détresse, épreuve, revers. ANT. bonheur, chance, succès.

aération n.f. Action d'aérer un lieu, résultat de cette action: *Le système d'aération de l'école est défectueux.* SYN. ventilation. ☞ aérer.

aérer v. **1.** Faire entrer de l'air dans un lieu fermé, changer l'air: *Ouvre les fenêtres; nous allons aérer la classe pendant la récréation.* SYN. ventiler. **2.** Exposer quelque chose à l'air: *Étends les draps sur la corde à linge pour les faire aérer.* ☞ aération. **s'aérer** v.pron. Sortir pour prendre l'air: *Sors cinq minutes pour t'aérer un peu.* **aéré, ée** p.p. et adj. Où l'air circule: *Tu vas bien dormir car ta chambre est aérée.*

aérien, ienne adj. Qui est dans les airs: *Les lignes électriques sont le plus souvent aériennes.* ▲ **aérien, ienne** adj. Qui se rapporte à l'aviation: *Des millions de personnes utilisent les transports aériens chaque année.* ☞ aérodrome, aérogare, aéronaute, aéronautique, aéronaval, aéroport, aéropostal.

aérobique adj. Se dit d'une gymnastique qui accroît la quantité d'oxygène dans le sang par des mouvements rapides: *Je fais de la danse aérobique deux fois par semaine.*

aérodrome n.m. Terrain aménagé pour le décollage et l'atterrissage des avions: *L'aérodrome a dû être fermé à la suite de la tempête de neige.* ☞ aérien.

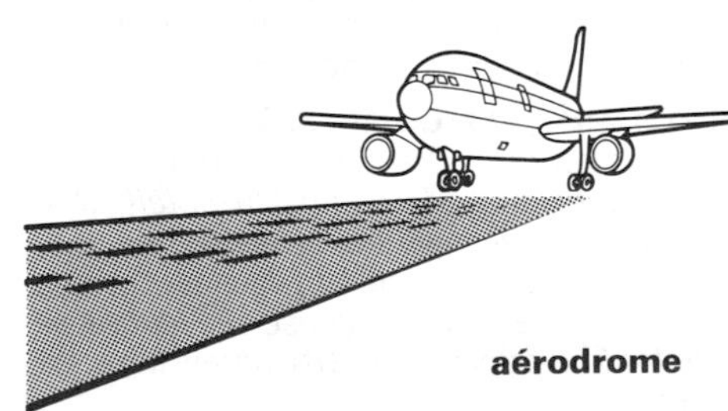

aérodrome

aérodynamique n.f. et adj. **1.** n.f. Étude des phénomènes reliés au mouvement des corps dans l'air: *Les constructeurs d'avions doivent tenir compte des lois de l'aérodynamique.* **2.** adj. Qui est conçu pour diminuer la résistance de l'air: *Les voitures de course ont des carrosseries aérodynamiques.*

aérogare n.f. **1.** Ensemble des bâtiments réservés aux passagers et aux marchandises dans un aéroport: *L'aérogare était bondée de passagers.* **2.** Dans une grande ville, gare qui assure la liaison avec l'aéroport: *À Montréal, aucune aérogare n'assure encore la liaison avec Mirabel.* ☞ aérien.

aéroglisseur n.m. Véhicule se déplaçant sans frottement grâce à un coussin d'air: *Le premier aéroglisseur a été mis en service en Angleterre, en 1959.*

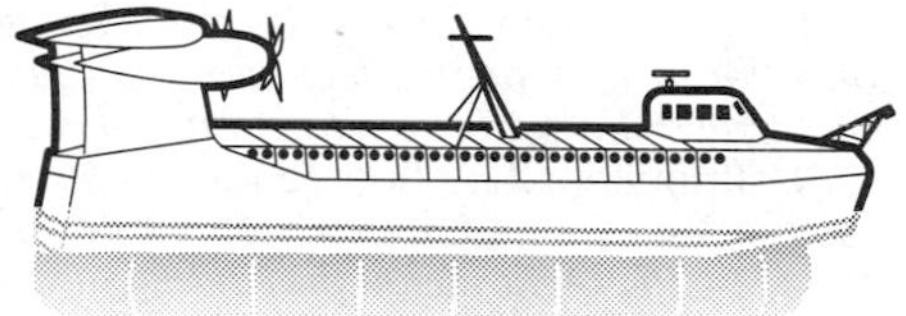

aéroglisseur

aéronaute n. Personne qui voyage en ballon, en montgolfière: *Hélène et Lucien sont des aéronautes; ils montent en montgolfière.* ☞ aérien.

aéronautique n.f. et adj. **1.** n.f. Science qui étudie la navigation aérienne et la technique de construction des avions: *L'aéronautique a beaucoup évolué ces dernières années.* SYN. aviation. **2.** adj. Qui est en rapport avec la navigation aérienne: *Au Canada, l'industrie aéronautique est très développée.* ☞ aérien.

aéronaval, ale, als adj. Qui concerne à la fois la marine et l'aviation: *Les forces aéronavales des États-Unis sont impressionnantes.* ☞ aérien.

aéroport n.m. Lieu aménagé pour répondre aux besoins du trafic aérien et qui comprend l'aérodrome, l'aérogare, les ateliers d'entretien et les hangars: *L'aéroport de Mirabel s'occupe des vols internationaux.* ☞ aérien.

aéropostal, ale, aux adj. Qui se rapporte à la poste aérienne: *Le service aéropostal assure la livraison du courrier au moyen d'avions.* ☞ aérien.

aérosol n.m. et adj.invar. **1.** n.m. Appareil qui disperse un liquide en fines gouttelettes: *Maman emploie un désodorisant en aérosol.* SYN. atomiseur. **2.** adj.invar. Qui disperse un liquide en fines gouttelettes: *Les bombes aérosol sont de plus en plus critiquées, car elles contiennent un gaz qui détruit la couche d'ozone.* **R.** Le *s* se prononce *ss*.

aérospatial, ale, aux adj. Qui appartient à la fois au domaine de l'aéronautique et au domaine de l'espace: *Les États-Unis font d'importantes recherches aérospatiales.*

aérostat n.m. Appareil qui s'élève dans les airs grâce à l'emploi d'un gaz plus léger que l'air: *Ballons et montgolfières sont des aérostats.* SYN. dirigeable. ☞ aérostier.

aérostier n.m. Personne qui pilote un aérostat: *Au festival des montgolfières, les aérostiers se retrouvent entre eux.* ☞ aérostat.

aérotechnique n.f. Technique visant l'application des lois régissant dans l'air le mouvement des appareils aériens: *L'école d'aérotechnique de Saint-Hubert forme les futurs constructeurs d'avions.* **R.** Les lettres *ch* se prononcent *k*.

aérotrain n.m. (marque déposée) Véhicule se déplaçant, grâce à un coussin d'air, sur une voie équipée d'un seul rail: *Les aérotrains peuvent atteindre des vitesses supérieures à quatre cents kilomètres par heure.*

affabilité n.f. Qualité d'une personne qui accueille les gens d'une façon aimable et qui les écoute: *Son affabilité met tout de suite les gens en confiance.* SYN. amabilité, bienveillance, courtoisie. ANT. brusquerie, impolitesse. ☞ affable.

affable adj. Qui accueille les gens d'une façon très aimable et qui les écoute: *Monsieur Plourde est un homme affable.* SYN. accueillant, aimable, courtois. ANT. brusque, désagréable, impoli. ☞ affabilité, affablement.

affablement adv. D'une manière affable: *Madame Morin nous salue affablement quand elle nous rencontre.* SYN. aimablement, gentiment, poliment. ANT. brusquement, impoliment. ☞ affable.

affaiblir v. Rendre quelqu'un faible: *La rougeole a affaibli Benoît.* SYN. anémier, dé-

aérostier

primer. ANT. fortifier, stimuler. ☞ faible. **s'affaiblir** v.pron. Devenir faible, en parlant d'une personne ou d'une chose: *Depuis quelques années, la vue de grand-père s'affaiblit.*

affaiblissement n.m. Action d'affaiblir, état d'une personne ou d'une chose qui s'affaiblit: *L'affaiblissement de sa vue l'inquiète.* SYN. baisse, déclin, diminution. ANT. renforcement. ☞ faible.

affaire n.f. **1.** Ce qu'on a à faire, ce qui nous occupe: *Ne m'attendez pas; j'ai une affaire importante à régler.* **2.** La chose dont il est question: *La construction d'un pont est souvent une affaire de gros sous.* **3.** Ce qui cause des ennuis: *Ce qui arrive à Hélène, quelle sale affaire!* **4.** Achat, marché: *L'achat de ces souliers est une bonne affaire.* **5.** plur. Ensemble des activités économiques, financières et commerciales: *Ma tante est dans les affaires.* SYN. commerce, entreprise, finance. **6.** plur. Ensemble des activités publiques: *Les fonctionnaires s'occupent des affaires de l'État.* **7.** plur. Objets personnels, vêtements: *Range tes affaires!* SYN. effets. // *Affaires extérieures:* En relation avec les pays étrangers. *Avoir affaire à quelqu'un:* Avoir à discuter avec quelqu'un. *Faire l'affaire:* Convenir, être approprié. *Femme, homme d'affaires:* Qui s'occupe d'activités économiques. ☞ affairé, s'affairer.

affairé, ée adj. Qui est ou qui a l'air très occupé: *Je n'ai pas pu discuter longtemps avec Réjean, car il était très affairé.* ANT. oisif. ☞ affaire.

s'affairer v.pron. S'occuper de quelque chose en se hâtant: *Les garçons s'affairent à suspendre les guirlandes avant l'arrivée des invités.* SYN. s'empresser. ☞ affaire.

affaissement n.m. Effondrement, état de ce qui est affaissé: *Chaque printemps, on constate un affaissement de terrain dans cette région.* SYN. dépression. ANT. élévation. ☞ s'affaisser.

s'affaisser v.pron. **1.** S'effondrer sous une charge ou sous une pression: *La route s'est affaissée en plusieurs endroits à la suite de pluies abondantes.* SYN. céder. ANT. résister. **2.** Tomber en fléchissant les genoux: *Madame Demers s'est affaissée sur le trottoir, victime d'une crise cardiaque.* SYN. s'écrouler. ANT. se relever. ☞ affaissement.

s'affaler v.pron. Se laisser tomber lourdement: *Assieds-toi doucement au lieu de t'affaler.*

affamé, ée adj. Qui a très faim, qui souffre de la faim: *Les chats ont l'air affamés.* HOM. affamer. ☞ faim.

affamer v. Faire souffrir de la faim, en privant de nourriture: *L'armée retenait les vivres et affamait la population.* HOM. affamé. ☞ faim.

affectation n.f. **1.** Action de faire semblant d'éprouver un sentiment: *Son affectation de sincérité ne trompe personne.* SYN. hypocrisie, imitation. ANT. sincérité. **2.** Manque de naturel: *Cet homme parle avec affectation; c'est agaçant à la longue.* SYN. exagération, ostentation, recherche. ANT. naturel, simplicité, sincérité. ☞ affecter. ▲ **affectation** n.f. **1.** Fait de destiner quelque chose à un usage précis: *Le ministre de l'Éducation a annoncé l'affectation de deux millions de dollars à la construction de l'école.* SYN. attribution. **2.** Action de nommer une personne à un poste, à un emploi: *L'affectation de Line à son nouveau poste a été décidée hier.* SYN. nomination. ANT. désaffectation. ☞ affecter.

affecté, ée adj. Qui n'est pas sincère ou naturel: *Ses manières affectées font rire les gens.* SYN. composé, étudié, exagéré. ANT. simple, vrai. HOM. affecter. ☞ affecter.

affecter v. Faire semblant d'éprouver un sentiment: *Quand on la réprimande, Aude affecte un air indifférent.* SYN. afficher, simuler. ☞ affectation, affecté. ▲ **affecter** v. **1.** Réserver, destiner à un usage précis: *Ce local est affecté à l'enseignement de la morale.* SYN. consacrer. **2.** Nommer à un poste, à une fonction: *On a affecté le nouvel employé au service à la clientèle.* SYN. désigner. ANT. désaffecter. ☞ affectation, désaffectation, désaffecter. ▲ **affecter** v. Attrister, peiner quelqu'un: *La mort de son oncle l'a beaucoup affecté.* SYN. affliger. ANT. consoler. HOM. affecté.

affectif, ive adj. Qui se rapporte aux sensations, aux sentiments, aux émotions chez un être humain: *Les psychologues s'intéressent à la vie affective des gens.* ☞ affectivité.

affection n.f. Sentiment d'amitié, de grande tendresse: *J'ai beaucoup d'affection pour mon parrain.* SYN. amour, attachement. ANT. aversion, haine, inimitié. ☞ affectionner, affectueusement, affectueux. ▲ **affection** n.f. Maladie: *La pneumonie est une affection pulmonaire aiguë.* SYN. mal.

affectionner v. Aimer beaucoup quelqu'un ou quelque chose: *Mon amie affectionne les couleurs vives.* SYN. chérir. ANT. détester. ☞ affection.

affectivité n.f. Ensemble des sensations, des sentiments, des émotions chez un être humain: *L'affectivité n'a rien à voir avec le raisonnement.* SYN. sensibilité. ☞ affectif.

affectueusement adv. D'une façon affectueuse: *Mon neveu m'embrasse toujours affectueusement.* SYN. tendrement. ANT. durement, froidement. ☞ affection.

affectueux, euse adj. Qui montre beaucoup d'affection, qui est plein d'affection: *Un geste affectueux fait souvent plus de bien qu'un long discours.* SYN. tendre. ANT. dur, froid, malveillant. ☞ affection.

affermir v. Rendre plus fort: *La mairesse veut affermir son pouvoir à l'hôtel de ville.* SYN. consolider, fortifier, renforcer. ANT. affaiblir, amollir, ébranler. ☞ ferme (adj.).

affermissement n.m. Fait de s'affermir, de devenir plus fort: *L'affermissement de son caractère a surpris tous ses amis.* SYN. consolidation. ANT. affaiblissement. ☞ ferme (adj.).

affichage n.m. Action de poser des affiches: *L'affichage est interdit sur les édifices publics.* ⁄⁄ *Tableau d'affichage:* Tableau où l'on inscrit les résultats dans un stade; tableau où l'on affiche les nouvelles, les travaux. ☞ affiche.

affiche n.f. Feuille imprimée, écrite ou illustrée que l'on colle sur un mur ou un panneau pour annoncer quelque chose: *Le long des routes, il y a de nombreuses affiches publicitaires.* SYN. annonce, avis, écriteau, pancarte, placard. ⁄⁄ *Être à l'affiche:* Être au programme, en parlant d'un spectacle, d'une pièce de théâtre, d'un film. ☞ affichage, afficher, affichette, affichiste.

afficher v. **1.** Annoncer par une affiche ou sur un tableau d'affichage: *On a affiché hier les résultats du match.* SYN. exposer. **2.** fig. Montrer publiquement: *La nageuse affiche sa joie après avoir gagné la médaille d'or.* ANT. masquer, taire. ☞ affiche.

affichette n.f. Petite affiche: *Le voisin a posé des affichettes sur les poteaux téléphoniques.* ☞ affiche.

affichiste n. Personne qui se spécialise dans la création d'affiches publicitaires: *Être affichiste, c'est passionnant!* ☞ affiche.

affilage n.m. Action d'affiler un outil, un instrument: *L'affilage des couteaux se fait souvent à l'aide d'une meule ou d'une pierre à aiguiser.* SYN. aiguisage. ☞ fil.

d'affilée loc.adv. À la file, sans s'arrêter: *Ma tante peut raconter plusieurs histoires d'affilée.*

affiler v. Rendre tranchant un outil, un instrument: *J'ai affilé le couteau pour qu'il coupe mieux.* SYN. aiguiser. ANT. ébrécher, émousser. ☞ fil.

s'affilier v.pron. S'inscrire à un parti, à un syndicat, à une association: *Mon père s'est affilié au Parti québécois.* SYN. adhérer.

affiloir n.m. Pierre, instrument qui sert à affiler: *Maman se sert de l'affiloir pour affiler ses couteaux.* ☞ fil.

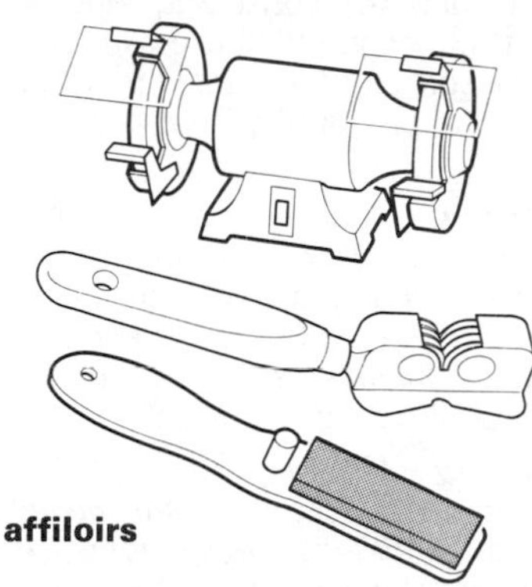

affiloirs

affinité n.f. Ressemblance de caractère, de goûts entre deux ou plusieurs personnes: *Il y a beaucoup d'affinités entre mon père et moi; nous aimons la même musique et les mêmes sports.* ANT. différence.

affirmatif, ive adj. Qui marque l'affirmation: *À la question que je lui ai posée, Maxime m'a donné une réponse affirmative.* SYN. positif. ANT. négatif. ☞ affirmer.

affirmation n.f. Action d'affirmer quelque chose, déclaration pour affirmer: *Tes affirmations peuvent causer beaucoup de tort à ton frère.* SYN. attestation, confirmation. ANT. doute, négation. ☞ affirmer.

affirmative n.f. Réponse par oui à une question, à une proposition: *Tous les enfants ont répondu par l'affirmative quand Claudette leur a demandé s'ils étaient fatigués.* ☞ affirmer.

affirmativement adv. Par l'affirmative: *Pas un seul n'a refusé; ils ont tous répondu affirmativement.* SYN. positivement. ANT. négativement. ☞ affirmer.

affirmer v. Dire d'une chose qu'elle est vraie: *J'affirme que je suis rentré chez moi à 16 heures.* SYN. assurer, attester, certifier, garantir. ANT. contester, contredire, désavouer, nier. ☞ affirmatif, affirmation, affirmative, affirmativement, réaffirmer.

affixe n.m. Petit mot invariable ou simples syllabes que l'on met au commencement ou à la fin des mots pour leur donner un sens nouveau: *Dans le mot indélicatesse «in» et «esse» sont des affixes.*

affligé, ée n. Personne qui a une grande peine, qui est abattue par le malheur: *Il faut* *consoler les affligés.* SYN. malheureux. HOM. affliger. ☞ affliger.

affligeant, ante adj. **1.** Qui est très triste: *J'ai appris que mon petit neveu était très malade; c'est une nouvelle affligeante.* SYN. attristant, désolant. ANT. consolant, réjouissant. **2.** Qui ne vaut pas grand-chose: *Ne te dérange pas pour voir ce film affligeant.* SYN. lamentable. **R.** Ne pas oublier le *e* après le *g*. ☞ affliger.

affliger v. **1.** Causer beaucoup de peine: *Veux-tu me raconter ce qui t'afflige ainsi?* SYN. attrister, navrer, peiner. ANT. consoler, égayer, réjouir. **2.** Devoir subir quelque chose ou quelqu'un: *Justine est affligée d'une mauvaise toux.* HOM. affligé. ☞ affligé, affligeant.

affluence n.f. Présence d'une foule de personnes au même endroit: *Essaie de revenir à la maison avant les heures d'affluence, c'est-à-dire avant 16 heures.* SYN. afflux. ☞ affluer.

affluent n.m. Cours d'eau qui se jette dans un autre: *La rivière Chaudière est un affluent du Saint-Laurent.*

affluer v. Arriver en grand nombre au même endroit: *Au temps des Fêtes, les acheteurs affluent dans les centres commerciaux.* SYN. accourir. ANT. fuir. ☞ affluence, afflux. ▲ **affluer** v. Couler abondamment vers un point, en parlant d'un liquide: *Quand on est en colère, le sang afflue au visage.* ☞ afflux.

afflux n.m. Arrivée soudaine d'une foule de personnes au même endroit: *Cette année, il y a eu un afflux de visiteurs au Stade olympique.* SYN. affluence. ☞ affluer. ▲ **afflux** n.m. Fait de couler abondamment vers un point, en parlant d'un liquide: *L'afflux de sang au visage se remarque immédiatement.* ☞ affluer.

affolant, ante adj. **1.** Qui affole, bouleverse: *La bombe atomique, la pollution, ce sont des sujets affolants.* SYN. bouleversant, effrayant, troublant. ANT. rassurant. **2.** fig. Qui inquiète, fait peur: *Le niveau de l'eau ne cesse de monter; c'est affolant.* ☞ affoler.

affolé, ée adj. Qui est rendu comme fou par la peur, l'inquiétude: *Le père, affolé, voulait retourner dans la maison en flammes.* HOM. affoler. ☞ affoler.

affolement n.m. État d'une personne qui est devenue comme folle sous l'effet de la peur ou de l'inquiétude: *Après l'accident, ce fut l'affolement général.* SYN. agitation, désarroi, frayeur, panique. ANT. calme, flegme, impassibilité. ☞ affoler.

affoler v. Rendre comme fou en faisant peur: *Une guêpe entra dans la classe; sa présence affola les élèves.* SYN. bouleverser, effrayer, épouvanter. ANT. calmer, rassurer. HOM. affolé. ☞ affolant, affolé, affolement. **s'affoler** v.pron. Perdre la tête, être effrayé: *Marie s'affole; elle a peur que son enfant soit blessé.*

affranchi, ie adj. **1.** Qui est devenu libre: *Les esclaves affranchis devenaient des citoyens à part entière.* **2.** fig. Qui est libéré d'une contrainte, d'un préjugé: *Cette femme a un esprit affranchi; elle ne se laisse pas arrêter par les préjugés.* ☞ affranchir.

affranchir v. **1.** Faire d'un esclave un homme libre: *Aux États-Unis, après la guerre de Sécession, les propriétaires ont dû affranchir leurs esclaves.* SYN. dégager, émanciper, libérer. ANT. asservir, assujettir. **2.** fig. Libérer quelqu'un d'une contrainte: *L'instruction nous affranchit des superstitions.* SYN. décharger. ANT. subjuguer. ☞ affranchi, affranchissement. **s'affranchir** v.pron. Se libérer d'une contrainte: *Les femmes devront s'affranchir des préjugés sociaux.* SYN. s'émanciper. ▲ **affranchir** v. Payer le prix du transport d'une lettre, d'un colis, en y collant un timbre-poste: *N'oublie pas d'affranchir suffisamment ta lettre.* SYN. timbrer. ☞ affranchissement.

affranchissement n.m. **1.** Action de rendre quelqu'un libre: *L'affranchissement des esclaves a été un grand progrès pour l'humanité.* SYN. émancipation, libération. ANT. esclavage. **2.** fig. Libération d'une contrainte, d'un préjugé: *C'est en réfléchissant beaucoup qu'elle est parvenue à l'affranchissement de son esprit.* SYN. délivrance. ☞ affranchir. ▲ **affranchissement** n.m. Paiement des frais de transport d'une lettre, d'un colis, en y collant un timbre-poste: *Connais-tu le tarif d'affranchissement d'une lettre destinée à la France?* ☞ affranchir.

affreusement adv. **1.** D'une façon affreuse: *Les passagers de l'automobile étaient affreusement brûlés.* SYN. abominablement. **2.** D'une façon extrême: *Paul est affreusement en retard à son rendez-vous.* ☞ affreux.

affreux, euse adj. **1.** Qui suscite l'horreur, le dégoût: *Le journal donnait les détails d'un crime affreux.* SYN. horrible, monstrueux, terrible. ANT. attirant, beau. **2.** Qui est très laid: *Enlève cet affreux masque!* SYN. abominable, hideux, monstrueux. ANT. agréable, beau, joli. **3.** Qui est désagréable: *Depuis une semaine, il fait un temps affreux!* SYN. détestable, vilain. ANT. agréable, superbe. ☞ affreusement.

affront n.m. Injure publique que l'on fait à quelqu'un pour l'humilier: *Madame Latour a fait un affront à monsieur Drouin; elle s'est moquée de lui devant tout le monde.* SYN. humiliation, insulte, outrage. ANT. compliment, éloge, hommage, louange.

affrontement n.m. Opposition, lutte: *L'affrontement entre les deux pays dure depuis plus d'un an.* ☞ affronter.

affronter v. **1.** Faire face à un adversaire, le braver: *Le boxeur affronte un adversaire plus lourd que lui.* SYN. défier. ANT. fuir. **2.** Aller avec courage au-devant d'une chose pénible ou dangereuse: *Au mois de février, il faut affronter les froids rigoureux.* SYN. braver. ANT. éluder, éviter. ☞ affrontement. **s'affronter** v.pron. S'opposer, entrer en lutte: *Les manifestants et les policiers se sont affrontés au cours d'une manifestation.*

affubler v.péj. Vêtir d'une manière ridicule, bizarre: *La fillette affuble son chat d'une robe à volants.* SYN. attifer, fagoter. **s'affubler** v.pron. Se vêtir d'une manière ridicule, bizarre: *Mon petit frère passe son temps à s'affubler de vêtements démodés et beaucoup trop grands pour lui.* SYN. s'accoutrer, se déguiser.

affût n.m. État d'une personne qui attend derrière un arbre, un buisson pour surprendre le gibier: *La chasseuse se met à l'affût dès l'aube.* ⫽ *Être à l'affût de:* Guetter, attendre quelque chose. **R.** Ne pas oublier l'accent: *û*.

affûtage n.m. Action d'affûter, d'aiguiser un couteau ou un outil: *L'affûtage se fait à la meule ou à la machine à affûter.* SYN. aiguisage. **R.** Ne pas oublier l'accent: *û*. ☞ affûter.

affûter v. Aiguiser un couteau, un outil: *Ta scie a besoin d'être affûtée.* **R.** Ne pas oublier l'accent: *û*. ☞ affûtage.

afghan, ane n. et adj. **1.** n. Personne qui est de l'Afghanistan: *Un Afghan, une Afghane.* **2.** adj. Qui est de l'Afghanistan: *Le peuple afghan a beaucoup souffert de la guerre.* **R.** On met la majuscule à *afghan* et à *afghane* lorsque le nom désigne une personne.

afghan n.m. Langue parlée en Afghanistan: *L'afghan est aussi appelé «pachto».* ▲ **afghan** n.m. Race de lévrier à poil long: *L'actrice se promène avec un magnifique afghan blanc.*

afin de loc.prép. (suivi de l'infinitif) Indique l'intention, le but: *Flavie va à la banque afin de retirer de l'argent.* SYN. pour.

afin que loc.conj. (suivi du subjonctif) Indique l'intention, le but: *Viens chez moi afin que je te remette ton livre.* SYN. pour.

africain, aine n. et adj. **1.** n. Personne qui est de l'Afrique: *Un Africain, une Africaine.* **2.** adj. Qui est de l'Afrique: *Le continent africain est situé au sud de l'Europe.* **R.** On met la majuscule à *africain* et à *africaine* lorsqu'il s'agit du nom.

agaçant, ante adj. Qui tombe sur les nerfs: *Arrête ce bruit agaçant!* SYN. énervant, exaspérant, irritant. ANT. agréable, calmant, plaisant. **R.** Ne pas oublier la cédille. ☞ agacer.

agacement n.m. Impatience, énervement: *Quand je l'écoute raconter toutes ces bêtises, je ne peux m'empêcher de montrer mon agacement.* SYN. irritation. ANT. calme, détente, repos. ☞ agacer.

agacer v. Rendre impatient, nerveux, irritable: *Ces bavardages m'agacent énormément.* SYN. énerver, impatienter, irriter. ANT. apaiser, calmer. **R.** Ne pas oublier la cédille devant *a* et *o*. ☞ agaçant, agacement.

agami n.m. Oiseau échassier d'Amérique du Sud, au plumage noir avec des reflets bleus et verts: *L'agami porte aussi le nom d'«oiseau-trompette» à cause de son cri.*

agate n.f. Pierre très dure, aux couleurs variées, qu'on utilise dans la fabrication d'objets décoratifs, de bijoux: *Grand-mère a une magnifique broche en agate.*

agave n.m. Plante originaire du Mexique dont les feuilles longues et charnues sont disposées en rosette: *La sève fermentée de l'agave donne la tequila.* **R.** Aussi, *agavé*.

âge n.m. **1.** Temps qui s'est écoulé depuis la naissance: *Quel âge as-tu?* **2.** Période de la vie: *Chaque âge a ses beautés et ses plaisirs.* SYN. époque. **3.** Période de l'histoire du monde: *L'âge de pierre, l'âge de bronze et l'âge de fer sont des étapes de la préhistoire, marquées par la fabrication d'objets en pierre, en bronze et en fer.* SYN. ère. ⫽ *Âge ingrat:* Puberté. *Âge mûr:* Âge adulte. *Âge tendre:* Enfance et adolescence. *Bel âge:* Jeunesse. *En bas âge:* En parlant d'un enfant, d'un bébé. *Troisième âge:* Âge de la retraite. ☞ âgé.

âgé, ée adj. **1.** Qui a tel âge: *Claude est âgé de douze ans.* **2.** Qui est vieux: *Cette femme a quatre-vingts ans; elle est âgée.* ANT. jeune. ☞ âge.

agence n.f. Établissement commercial qui sert d'intermédiaire dans différents domaines: *Si tu veux partir en vacances, adresse-toi à une agence de voyages.* SYN. bureau.

agencement n.m. Manière dont on a arrangé un ensemble: *L'agencement du salon est particulièrement réussi.* SYN. aménagement, disposition, organisation. ☞ agencer.

agencer v. Arranger un ensemble en combinant divers éléments: *Mon grand frère a beaucoup de goût pour agencer ses meubles.*

SYN. combiner, harmoniser, organiser. ANT. désorganiser, mêler. **R.** Ne pas oublier la cédille devant *a* et *o*. ☞ agencement.

agenda n.m. Carnet où l'on note jour par jour ce qu'on doit faire: *Je conserve tous mes agendas, car ils me rappellent ce que j'ai fait chaque année.*

s'agenouiller v.pron. Se mettre à genoux: *Je m'agenouille pour laver les carreaux de céramique de la salle de bain.* ANT. se relever. ☞ genou.

agenouilloir n.m. Petite planche qui sert d'appui aux genoux dans un banc d'église: *Si tu mets tes pieds sur l'agenouilloir, tu saliras tes vêtements en t'agenouillant.* ☞ genou.

agent n.m. Substance qui produit un effet, entraîne un phénomène: *La levure est un agent de fermentation.* SYN. cause, facteur. ▲ **agent** n.m. Personne qui travaille dans des services publics ou privés et qui sert d'intermédiaire entre la direction et les usagers: *Mon oncle est agent d'assurances: il sert d'intermédiaire entre l'assureur et l'assuré.* SYN. courtier, mandataire, représentant. // *Agent de bord:* Personne chargée du bien-être des passagers à bord d'un avion. *Agent de police:* Personne chargée de maintenir l'ordre dans une ville. *Agent immobilier:* Personne chargée de l'achat et de la vente d'immeubles. *Agent secret:* Personne chargée de faire de l'espionnage. **R.** Pour désigner les personnes, l'O.L.F. recommande *agente* comme féminin de *agent*.

agglomération n.f. **1.** Groupe d'habitations qui forment un village ou une ville: *Tu aperçois l'agglomération là-bas?* **2.** Ensemble que forment une ville et sa banlieue: *Saint-Hubert fait partie de l'agglomération montréalaise.*

aggloméré n.m. Matériau de construction qu'on obtient en mélangeant différentes matières (paille, liège, bois) et en les comprimant: *La voisine a acheté des panneaux d'aggloméré pour se construire un garage.*

s'agglutiner v.pron. **1.** Se coller ensemble pour former une masse compacte: *Les bonbons se sont agglutinés sous l'effet de la chaleur.* **2.** Se réunir en une masse compacte: *Les curieux s'agglutinent sur les lieux de l'accident.* SYN. se rassembler. ANT. se disperser.

aggravation n.f. Fait de devenir plus grave: *On a constaté une aggravation de la maladie.* SYN. complication. ANT. amélioration, diminution. ☞ grave.

aggraver v. **1.** Rendre plus grave, plus dangereux: *L'humidité a aggravé son rhumatisme.* SYN. empirer, envenimer. ANT. améliorer, atténuer. **2.** Rendre plus profond, plus violent: *L'ennui a aggravé son chagrin.* SYN. augmenter. ANT. adoucir. **3.** Rendre plus condamnable: *Si tu mens, tu vas aggraver ton cas.* SYN. empirer. ANT. améliorer. ☞ grave.

agile adj. **1.** Qui est souple et rapide dans ses mouvements: *Le chat est un animal agile.* SYN. alerte, léger, leste. ANT. gauche, lourd. **2.** fig. Qui comprend très vite: *Colette a l'esprit agile.* SYN. vif. ANT. lent. ☞ agilement, agilité.

agilement adv. Avec agilité: *L'écureuil sauta agilement sur une autre branche.* ANT. lourdement. ☞ agile.

agilité n.f. **1.** Qualité de ce qui est agile: *L'agilité du singe nous émerveille.* SYN. aisance, légèreté, souplesse. ANT. gaucherie, lenteur, lourdeur. **2.** Vivacité de l'esprit: *Ces enfants ont une agilité peu commune.* SYN. finesse. ☞ agile.

agir v. **1.** Faire quelque chose, passer à l'action: *Pour diminuer les infractions, la police a décidé d'agir.* SYN. intervenir, travailler. ANT. différer. **2.** Être efficace: *Ce remède agit sur la douleur.* **3.** Se conduire: *Tu as agi en écervelé!* SYN. se comporter. **s'agir** v.pron. **1.** Être question de quelque chose: *De quoi s'agit-il?* **2.** Être nécessaire, important: *Il s'agit maintenant de bien travailler.* **R.** Ne s'emploie qu'à la troisième personne du singulier.

agissements n.m.plur. Façon d'agir condamnable: *Tes agissements te feront exclure de l'école.* SYN. intrigue, machination, manigance.

agitateur, trice n. Personne qui encourage les autres à manifester, à se révolter: *Les agitateurs ont poussé la foule à attaquer les policiers.* SYN. fomentateur, instigateur, meneur. ANT. pacificateur. ☞ agiter.

agitation n.f. **1.** Mouvement irrégulier dans tous les sens: *Quand on vient de la campagne, il est difficile de s'adapter à l'agitation des grandes villes.* SYN. animation. ANT. calme. **2.** État d'une personne qui ne peut rester tranquille: *L'agitation d'un seul élève dérange toute la classe.* SYN. turbulence. ANT. repos. **3.** Mouvement de contestation qui se traduit par des grèves, des manifestations: *L'agitation sociale crée un climat désagréable.* SYN. soulèvement. ANT. paix. ☞ agiter.

agité, ée adj. **1.** Qui est plein de mouvement: *Tu as eu le sommeil agité ces derniers temps.* SYN. inquiet. ANT. calme. **2.** Qui ne peut pas rester tranquille: *André est un enfant agité.* SYN. nerveux, tourmenté. ANT. paisible. HOM. agiter. ☞ agiter.

agiter v. Remuer dans tous les sens: *Agite le*

flacon pour bien mélanger la vinaigrette. SYN. secouer. ANT. immobiliser. ☞ agitateur, agitation, agité. **s'agiter** v.pron. Faire des mouvements désordonnés, aller et venir dans tous les sens: *Élise ne cesse de s'agiter sur sa chaise.* SYN. se débattre, s'exciter. ANT. se calmer. HOM. agité.

agneau, eaux n.m. **1.** Petit de la brebis et du bélier: *La laine de l'agneau est très appréciée.* **2.** Chair de cet animal: *Papa a servi de l'agneau à mon repas d'anniversaire.* // *Être doux comme un agneau:* Avoir un caractère très doux. ☞ agneler, agnelet, agnelle.

agneler v. Mettre bas, en parlant de la brebis: *Ma brebis a agnelé hier soir.* ☞ agneau.

agnelet n.m. Petit agneau: *Les enfants n'arrêtent pas de caresser l'agnelet.* ☞ agneau.

agnelle n.f. Femelle de l'agneau: *L'agnelle se blottit contre la brebis.* ☞ agneau.

agonie n.f. Moments précédant la mort: *Le vieillard était à l'agonie.* SYN. extrémité, fin. ☞ agonisant, agoniser.

agonisant, ante n. et adj. **1.** n. Personne qui agonise: *Les infirmières se dévouent auprès des agonisants.* SYN. mourant. **2.** adj. Qui est en train de mourir: *La malade agonisante est entourée de sa famille.* SYN. mourant. ANT. naissant. ☞ agonie.

agoniser v. Être à l'agonie, à la veille de mourir: *Le blessé agonisait dans l'ambulance.* ☞ agonie.

agouti n.m. Petit rongeur de l'Amérique du Sud, qui ressemble à un cochon d'Inde à longues pattes: *L'agouti est un excellent nageur.*

agrafe n.f. **1.** Petit crochet métallique qu'on passe dans un anneau ou une bride pour fermer un vêtement: *Les agrafes de ta robe n'ont pas l'air solides.* **2.** Fil métallique recourbé qui permet d'assembler plusieurs feuilles de papier: *J'ai besoin d'agrafes pour mon agrafeuse.* **3.** Petit crochet en métal, recourbé aux deux bouts, qui sert à fermer une plaie: *Comme la plaie était très profonde, le médecin a dû poser des agrafes.* ☞ agrafer, agrafeuse.

agrafer v. **1.** Attacher un vêtement avec des agrafes: *Grand-mère a de la difficulté à agrafer sa robe.* ANT. dégrafer, détacher. **2.** Assembler en posant des agrafes: *Agrafe tes feuilles pour qu'elles soient plus faciles à transporter.* SYN. réunir. ☞ agrafe.

agrafeuse n.f. Instrument qui sert à attacher des feuilles de papier avec des agrafes: *Prête-moi l'agrafeuse, s'il te plaît.* ☞ agrafe.

agrandir v. Rendre plus grand, plus vaste: *Le gymnase est trop petit; il faudrait l'agrandir.* SYN. allonger, élargir, étendre. ANT. rapetisser, réduire. ☞ grand. **s'agrandir** v.pron. Devenir plus grand: *La ville de Laval s'agrandit sans cesse.* SYN. se développer.

agrandissement n.m. **1.** Action d'agrandir quelque chose: *Le gymnase est fermé pendant l'agrandissement de l'école.* ANT. réduction. **2.** Épreuve agrandie d'une photographie: *Pouvez-vous me faire un agrandissement de cette photo?* ANT. diminution, réduction. ☞ grand.

agréable adj. **1.** Qui fait plaisir: *Notre voyage a été très agréable.* SYN. beau, charmant, plaisant. ANT. désagréable, pénible. **2.** Que l'on écoute, que l'on voit avec plaisir: *Cette musique, ce tableau sont agréables.* ANT. déplaisant. ☞ agréablement, désagréable, désagréablement.

agréablement adv. D'une façon agréable: *J'ai été agréablement surprise de recevoir de tes nouvelles.* ANT. désagréablement. ☞ agréable.

agréer v. **1.** Accepter, recevoir favorablement: *Ta demande a été agréée.* SYN. approuver. ANT. désapprouver, refuser. **2.** Partie d'une formule de politesse à la fin d'une lettre: *Veuillez agréer, Madame, mes salutations distinguées.*

agrément n.m. Qualité qui rend agréable quelqu'un ou quelque chose: *La ville de Québec est pleine d'agrément.* SYN. attrait, charme. ANT. défaut, laideur. ☞ agrémenter, désagrément. ▲ **agrément** n.m. Consentement, permission: *Martine a agi sans l'agrément de la directrice.* SYN. accord, approbation, autorisation. ANT. désapprobation, opposition, refus.

agrémenter v. Rendre plus agréable en ajoutant des éléments: *Lucie est très drôle: elle agrémente sa conversation de mots d'esprit et de plaisanteries.* SYN. embellir, enrichir. ANT. enlaidir. ☞ agrément.

agrès n.m.plur. Appareils de gymnastique (barres fixes, barres parallèles, anneaux, cordes): *Les agrès du gymnase ont tous été remplacés.* SYN. équipement.

agresser v. Attaquer quelqu'un: *Deux voyous ont agressé ce pauvre homme à la sortie du métro.* SYN. assaillir. ☞ agression.

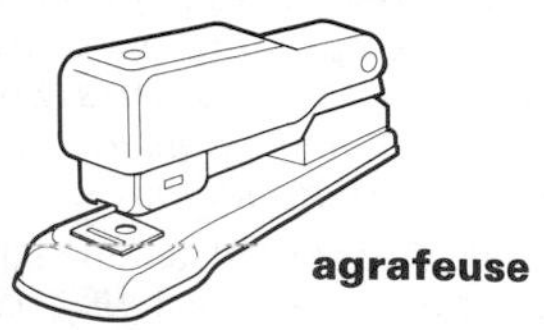

agrafeuse

agresseur n.m. Personne qui en attaque une autre : *Madame Roy a pu reconnaître son agresseur grâce au portrait-robot.* SYN. assaillant, attaquant. ☞ agression.

agressif, ive adj. Qui est porté à attaquer par des paroles ou par des gestes : *Pauline est très agressive : elle provoque les autres et recherche la bataille.* SYN. batailleur, violent. ANT. calme, doux, inoffensif, pacifique. ☞ agression.

agression n.f. Attaque violente contre une personne : *Les policiers ont arrêté une femme qu'on soupçonne coupable d'agression.* SYN. assaut. ANT. défense, riposte. ☞ agresser, agresseur, agressif, agressivement, agressivité.

agressivement adv. D'une façon agressive : *Paul répond agressivement à toutes les questions qu'on lui pose.* SYN. brutalement, violemment. ANT. calmement, doucement. ☞ agression.

agressivité n.f. Manifestations d'une personne qui a tendance à attaquer par des paroles ou des gestes : *Stéphane ne se rend pas compte que son agressivité fait fuir ses amis.* SYN. violence. ANT. calme, douceur. ☞ agression.

agricole adj. Qui se rapporte à l'agriculture : *Le tracteur et la moissonneuse sont des machines agricoles.* ☞ agriculture.

agriculteur, trice n. Personne qui cultive la terre et élève des animaux : *Les agriculteurs produisent les aliments dont nous avons besoin pour vivre.* SYN. cultivateur, fermier, paysan. ANT. citadin. ☞ agriculture.

agriculture n.f. Culture du sol ; ensemble des travaux de la ferme (culture des végétaux et élevage des animaux utiles à l'être humain) : *Au Québec, l'agriculture est surtout concentrée dans la vallée du Saint-Laurent.* ☞ agricole, agriculteur.

agricole agriculture

agripper v. Accrocher quelque chose ou quelqu'un en tenant fermement avec la main : *Bébé agrippe le collier de sa mère.* SYN. saisir. ANT. lâcher. **s'agripper** v.pron. S'accrocher en tenant fermement : *L'alpiniste s'agrippe à la corde qui le retient au-dessus du gouffre.*

agro-alimentaire adj. Qui concerne la transformation des produits agricoles utilisés comme aliments : *L'industrie agro-alimentaire prend de l'expansion au Québec.* **R.** Au pluriel, *agro-alimentaires.*

agronome n. Spécialiste en agronomie : *L'agronome donne des conseils aux agriculteurs pour améliorer le rendement des cultures.* ☞ agronomie.

agronomie n.f. Étude des problèmes biologiques, chimiques et physiques que pose l'agriculture : *Mon oncle a étudié l'agronomie à l'Université Laval.* ☞ agronome.

agrumes n.m.plur. Nom collectif qui désigne les oranges, les citrons, les mandarines, les clémentines, les pamplemousses, les limes et les limettes : *Les agrumes sont excellents pour la santé.*

aguerrir v. Habituer quelqu'un à supporter des choses pénibles : *Les sports d'hiver aguerrissent les enfants.* SYN. endurcir, entraîner. ANT. affaiblir. **s'aguerrir** v.pron. S'habituer à supporter des choses pénibles : *Ghyslaine fait de l'alpinisme pour s'aguerrir.* SYN. s'endurcir.

aux **aguets** loc.adv. En position pour guetter, pour observer : *La sentinelle était aux aguets.* **R.** Ne pas oublier le *u* après le *g*.

aguichant, ante adj. Qui attire quelqu'un par des manières provocantes : *Cet acteur est un homme très aguichant.* SYN. affolant, excitant. ANT. apaisant, réservé. **R.** Ne pas oublier le *u* après le *g*. ☞ aguicher.

aguicher v. Attirer quelqu'un par des manières provocantes : *Cesse d'aguicher cette fille puisqu'elle ne t'intéresse pas.* SYN. exciter, provoquer. ANT. calmer. **R.** Ne pas oublier le *u* après le *g*. ☞ aguichant, aguicheur.

aguicheur, euse n. et adj. **1.** n. Personne qui cherche à attirer quelqu'un par des manières provocantes : *Tu n'es qu'une aguicheuse qui aime séduire sans vouloir s'attacher.* **2.** adj. Qui attire, qui provoque : *Tes clins d'œil aguicheurs étaient un peu déplacés.* SYN. provocant. **R.** Ne pas oublier le *u* après le *g*. ☞ aguicher.

ah ! interj. **1.** Exprime, selon l'intonation, la joie, la douleur, l'admiration, la surprise : *Ah ! comme je suis content !* **2.** Sert à exprimer le rire : *Ah ! Ah ! Ah ! C'est trop drôle !*

ahuri, ie n. et adj. **1.** n. Personne stupide, idiote : *Où est l'espèce d'ahurie que j'ai croisée dans le corridor ?* SYN. abruti. **2.** adj. Qui est très surpris, abasourdi : *Ne prends pas cet air ahuri !* ☞ ahurir.

ahurir v. Faire perdre la tête à quelqu'un en le surprenant : *Martin a été ahuri en apprenant qu'il avait gagné le premier prix.* SYN. abasourdir, déconcerter, étonner. ANT. calmer, rassurer. ☞ ahuri, ahurissant, ahurissement.

ahurissant, ante adj. Qui étonne beaucoup : *Nous avons appris une nouvelle ahurissante.* SYN. déconcertant, étonnant. ☞ ahurir.

ahurissement n.m. État d'une personne ahurie, très étonnée: *Après cette victoire foudroyante, l'ahurissement était à son comble.* ☞ ahurir.

aï n.m. (tupi) Petit mammifère de l'Amérique du Sud, aux mouvements lents, qu'on appelle communément «paresseux»: *L'aï passe une grande partie de sa vie suspendu aux branches des arbres.* **R.** Ne pas oublier le tréma: *ï.* ◇ paresseux.

aide n. Personne qui en aide une autre ou qui travaille sous ses ordres: *Madame Nadeau a engagé un aide familial après la naissance de son cinquième enfant.* SYN. adjoint, assistant, auxiliaire. ⁄⁄ *Aide-comptable:* Qui travaille sous les ordres d'un comptable (des aides-comptables). ☞ aider.

aide n.f. Soutien qu'on apporte à quelqu'un: *J'ai besoin de ton aide pour finir ce travail.* SYN. appui, assistance, secours. ⁄⁄ *À l'aide!:* Au secours! ☞ aider. à **l'aide de** loc.prép. Au moyen de: *Depuis que Julie s'est cassé la jambe, elle doit se déplacer à l'aide de béquilles.*

aide-mémoire n.m.invar. Abrégé qui contient l'essentiel d'une matière ou d'un programme: *Avant l'examen, consulte ton aide-mémoire.* ☞ aider.

aider v. Assister quelqu'un dans ce qu'il fait: *Patrice va t'aider à écrire ta lettre.* SYN. collaborer, coopérer, épauler, seconder, secourir. ANT. abandonner, nuire. ☞ aide, aide-mémoire, entraide, s'entraider. **s'aider** v.pron. Se servir de quelqu'un ou de quelque chose pour rendre une action plus facile: *Maryse s'aide d'une grammaire pour vérifier son devoir de français.*

aïe! interj. Exprime la douleur: *Aïe! je me suis écorché le genou!* HOM. ail. **R.** Ne pas oublier le tréma: *ï.*

aïeul, eule n.litt. Personne qui a vécu autrefois ou qui est notre ancêtre: *Cette maison a été construite par ses aïeux.* SYN. ascendant. ANT. descendant. **R.** Le pluriel *aïeuls* ou *aïeules* désigne parfois les grands-parents, tandis que *aïeux* désigne les ancêtres. Ne pas oublier le tréma: *ï.*

aigle n.m. Grand oiseau rapace au bec crochu et aux serres puissantes: *L'aigle construit son aire dans les hautes montagnes. L'aigle glatit.* ☞ aiglon.

aiglefin n.m. Poisson de mer qui ressemble à la morue: *L'aiglefin porte une tache noire sur chaque flanc.* **R.** Ne pas employer le mot anglais «haddock» pour désigner l'*aiglefin.* Aussi, *églefin.*

aiglon, onne n. Petit de l'aigle: *L'aiglon attend dans l'aire le retour de ses parents.* ☞ aigle.

aigre adj. **1.** Qui a un goût, une odeur désagréable à cause de son acidité: *Le lait suri a un goût aigre.* SYN. acide, acidulé. ANT. sucré. **2.** Qui est vif et froid: *Habille-toi chaudement car le vent est aigre ce matin.* SYN. aigu, perçant. ANT. doux. **3.** fig. Qui est désagréable, agressif: *Mon frère prend toujours un ton aigre quand je lui demande quelque chose.* SYN. blessant, malveillant, mordant, revêche. ANT. aimable, bienveillant, charmant, tendre. **4.** fig. Qui devient agressif, s'envenime: *La discussion tourne à l'aigre entre Jean et Catherine.* ☞ aigre-doux, aigrelet, aigrement, aigreur, aigrir.

aigre-doux adj. **1.** Qui a un goût à la fois aigre et doux: *La sauce aigre-douce accompagne bien la fondue bourguignonne.* **2.** fig. Qui laisse apparaître de l'aigreur sous un air de douceur: *Mon adversaire me félicite, mais avec un sourire aigre-doux.* **R.** Au féminin, *aigre-douce.* Au pluriel, *aigres-doux, aigres-douces.* ☞ aigre.

aigrelet, ette adj. Qui est un peu aigre: *Ce vin est aigrelet.* ☞ aigre.

aigrement adv. D'une façon aigre, agressive: *Colette était de mauvaise humeur et elle répondait aigrement à son père.* ☞ aigre.

aigrette n.f. **1.** Sorte de grand héron blanc dont les plumes sont très recherchées: *L'aigrette vit au bord des étangs et des marécages.* **2.** Bouquet de plumes que certains oiseaux ont sur la tête: *Le paon a une aigrette sur la tête.* SYN. touffe. **3.** Bouquet de plumes qui orne un chapeau: *La mère de la mariée était coiffée d'un chapeau à aigrette.* SYN. panache.

aigrettes

aigreur n.f. **1.** Saveur acide de ce qui est aigre: *Je déteste l'aigreur du lait suri.* SYN.

acidité, âcreté. ANT. douceur. **2.** fig. Humeur désagréable et agressive : *Cesse de me parler avec aigreur ! Je ne t'ai rien fait.* SYN. amertume, animosité, colère. ANT. bienveillance, bonté. ☞ aigre.

aigrir v. **1.** Rendre un aliment aigre : *La chaleur aigrit le lait.* SYN. altérer, corrompre. ANT. conserver. **2.** fig. Rendre une personne irritable et agressive : *Notre bonheur, loin de lui faire plaisir, l'aigrissait davantage.* SYN. exaspérer, irriter. ANT. adoucir, calmer, consoler. ☞ aigre. **s'aigrir** v.pron. **1.** Devenir aigre : *Le vin s'aigrit si on le laisse à l'air libre.* SYN. se corrompre, surir. **2.** fig. Devenir irritable et agressif : *Son caractère s'aigrit de jour en jour.* **aigri, ie** p.p. et adj. Qui est devenu irritable et agressif après plusieurs déceptions : *Tout le monde connaît des personnes aigries ; on dirait que rien ne leur fait plaisir.* SYN. amer, irrité. ANT. calme, patient.

aigu n.m. Son le plus élevé d'un instrument ou d'une voix : *Cette chanteuse est très à l'aise dans les aigus.*

aigu, uë adj. **1.** Qui est terminé en pointe ou en tranchant : *Ne te coupe pas : cette lame est très aiguë.* SYN. acéré, piquant, pointu. **2.** Qui est très élevé, en parlant d'un son : *Leurs voix aiguës nous empêchaient de dormir.* SYN. perçant, strident. **3.** Qui est intense et vif : *La douleur était si aiguë qu'il en pleurait.* SYN. violent. // *Accent aigu :* Accent qui se place sur la lettre e (é). *Angle aigu :* Angle qui mesure moins de 90°. **R.** Au féminin, ne pas oublier le tréma : *ë.* ☞ suraigu.

aigue-marine n.f. Variété de pierre précieuse d'un bleu clair nuancé de vert : *Les aigues-marines sont très recherchées.* **R.** Au pluriel, *aigues-marines.* Ne pas oublier le *u* après le *g.*

aiguillage n.m. **1.** Action de manœuvrer une portion de rail mobile qui sert à faire passer un train d'une voie à une autre : *Le train a déraillé à cause d'une erreur d'aiguillage.* **2.** Dispositif qui permet les changements de voie : *L'aiguillage semble défectueux.* **R.** Les lettres *ill* se prononcent comme dans *famille.* Ne pas oublier le *u* après le *g.* ☞ aiguiller.

aiguillat n.m. Petit requin qui porte des épines venimeuses sur le dos : *L'aiguillat, aussi appelé « chien de mer », vit dans les mers d'Europe.* **R.** Les lettres *ill* se prononcent comme dans *famille.* Ne pas oublier le *u* après le *g.*

aiguille n.f. **1.** Petite tige d'acier pointue qui sert à coudre : *Prends une aiguille et du fil et couds la robe de ta marionnette.* **2.** Tige qui sert à tricoter : *Apporte-moi la laine et les aiguilles à tricoter.* **3.** Tige métallique pointue servant aux piqûres et aux injections : *L'infirmier enfonce l'aiguille dans le bras du malade.* **4.** Tige ou lame métallique pointue d'une balance, d'une boussole, d'une horloge : *Pour lire l'heure, regarde les aiguilles de ta montre.* **5.** Feuille étroite et pointue des conifères : *Le pin perd ses aiguilles.* **R.** Les lettres *ill* se prononcent comme dans *famille.* Ne pas oublier le *u* après le *g.*

aiguiller v. **1.** Diriger un train sur une voie, en manœuvrant un système d'aiguillage : *L'aiguilleuse aiguille le train sur la voie de gauche.* **2.** fig. Diriger quelqu'un ou quelque chose : *J'ai essayé d'aiguiller la conversation sur un sujet moins triste.* SYN. orienter. **R.** Les lettres *ill* se prononcent comme dans *famille.* Ne pas oublier le *u* après le *g.* ☞ aiguillage, aiguilleur.

aiguilleur n.m. Personne chargée d'un poste d'aiguillage : *L'aiguilleur travaille pour une compagnie ferroviaire.* SYN. agent. **R.** L'O.L.F. recommande *aiguilleuse* comme féminin de *aiguilleur.* Les lettres *ill* se prononcent comme dans *famille.* Ne pas oublier le *u* après le *g.* ☞ aiguiller.

aiguillon n.m. **1.** Dard effilé des guêpes et des abeilles : *L'aiguillon de la guêpe est situé à l'arrière de l'abdomen.* **2.** fig. Ce qui pousse à agir : *L'orgueil est un puissant aiguillon.* SYN. stimulant. **R.** Les lettres *ill* se prononcent comme dans *famille.* Ne pas oublier le *u* après le *g.* ☞ aiguillonner.

aiguillonner v. Presser à agir, stimuler : *Que faudrait-il faire pour aiguillonner cet enfant paresseux ?* SYN. animer, encourager. ANT. arrêter, calmer, modérer, retenir. **R.** Les lettres *ill* se prononcent comme dans *famille.* Ne pas oublier le *u* après le *g.* ☞ aiguillon.

aiguisage n.m. Action d'aiguiser un outil, un instrument : *L'aiguisage des couteaux est une tâche délicate.* SYN. affilage, affûtage. **R.** Ne pas oublier le *u* après le *g.* ☞ aiguiser.

aiguiser v. **1.** Rendre tranchant ou pointu un outil, un instrument : *Le couteau a besoin d'être aiguisé.* SYN. affiler, affûter, appointer. ANT. émousser. **2.** fig. Rendre plus vif, plus fort : *La bonne odeur des aliments aiguise l'appétit.* SYN. stimuler. **R.** Ne pas oublier le *u* après le *g.* ☞ aiguisage, aiguiseur, aiguisoir.

aiguiseur, euse n. Personne qui se spécialise dans l'aiguisage des outils tranchants : *L'aiguiseur se sert de la meule pour rendre les couteaux tranchants.* SYN. affileur, affûteur. **R.** Ne pas oublier le *u* après le *g.* ☞ aiguiser.

aiguisoir n.m. Outil qui sert à aiguiser : *Passe ce couteau sur l'aiguisoir.* SYN. affiloir. **R.** Ne pas oublier le *u* après le *g.* ☞ aiguiser.

aïkido n.m. (jap.) Sport de combat d'origine japonaise: *L'aïkido ressemble au judo.* **R.** Ne pas oublier le tréma: *ï.*

ail, ails n.m. Plante potagère dont le bulbe est utilisé en cuisine comme assaisonnement: *L'ail a une saveur piquante et une odeur forte.* HOM. aïe.

aile n.f. **1.** Chacun des organes du vol chez les oiseaux, les insectes et les chauves-souris: *Les ailes du papillon ont des couleurs magnifiques.* SYN. élytre. **2.** Chacune des parties d'un avion qui lui permet de se maintenir dans l'air: *Les ailes de l'avion sont pourvues d'ailerons.* **3.** Chacune des parties d'un moulin à vent: *Quand il vente, les ailes du moulin à vent tournent rapidement.* **4.** Partie de la carrosserie d'une voiture placée au-dessus de chaque roue: *Le camion a heurté l'aile gauche de l'automobile.* **5.** Partie d'un bâtiment située de chaque côté d'une partie principale: *L'hôpital a trois ailes.* HOM. elle. ☞ ailé, aileron.

ailé, ée adj. Qui a des ailes: *La cigale est un insecte ailé.* HOM. héler. ☞ aile.

aileron n.m. **1.** Bout de l'aile d'un oiseau: *J'ai acheté des ailerons de dinde.* **2.** Nageoire de quelques poissons: *Les ailerons du requin sont puissants.* **3.** Volet mobile situé à l'arrière de l'aile d'un avion, qui permet à l'appareil de virer: *De mon siège, je voyais bouger les ailerons quand la pilote amorçait un virage.* ☞ aile.

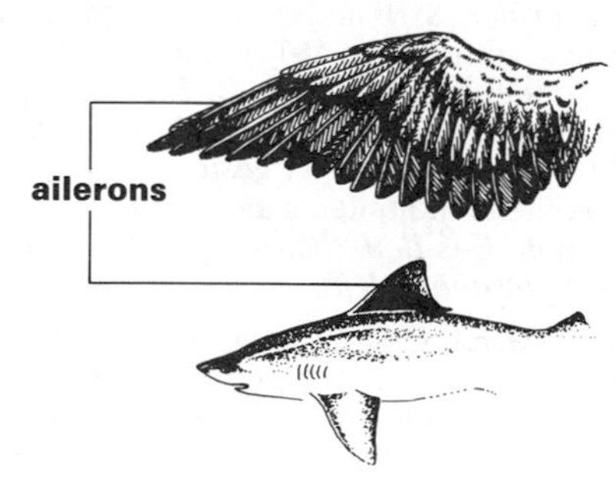

ailleurs adv. **1.** Dans un autre endroit: *Allons jouer ailleurs; il y a trop de monde ici.* **2.** D'un autre pays, d'une autre région: *Ces gens sont sûrement d'ailleurs.* **d'ailleurs** loc.adv. De plus, d'autre part: *Lise réussit très bien en classe; d'ailleurs, en voici la preuve.*

aimable adj. Qui est gentil envers les autres: *Anne est une fille aimable qui n'a que des amis.* SYN. affable, sociable. ANT. bourru, désagréable, désobligeant, haïssable. ☞ aimablement, amabilité.

aimablement adv. D'une façon aimable: *La directrice nous a aimablement reçus.* SYN. gentiment, poliment. ANT. désagréablement, impoliment, insupportablement. ☞ aimable.

aimant n.m. Morceau de métal qui a la propriété d'attirer le fer: *La magnétite est un aimant naturel; de nos jours, on utilise surtout des aimants artificiels.* ☞ aimanter.

aimant, ante adj. Qui aime naturellement son entourage: *Ce bébé est un enfant aimant.* SYN. affectueux, sensible, tendre. ANT. dur, froid, insensible. ☞ aimer.

aimanter v. Donner à un métal la propriété d'attirer le fer: *Si tu veux aimanter un clou, frotte-le sur un aimant.* ☞ aimant.

aimer v. **1.** Avoir de la tendresse et de l'affection pour quelqu'un: *Martine aime beaucoup son petit frère.* SYN. affectionner. ANT. détester. **2.** Être amoureux de quelqu'un: *Mon grand frère aime Catherine; il ne cesse de penser à elle.* SYN. adorer, chérir. **3.** Avoir du goût pour quelque chose: *Ma mère aime la lecture et la musique.* ANT. haïr. **4.** Préférer: *Sylvie aime mieux les mathématiques que le français.* ANT. exécrer. ☞ aimant (adj.), amant, amour, s'amouracher, amourette, amoureusement, amoureux, amour-propre. **s'aimer** v.pron. **1.** En parlant de deux personnes ou plus, être attachés par l'amour, l'affection: *Nous nous aimons beaucoup dans notre famille.* SYN. estimer. ANT. haïr. **2.** Se trouver bien: *Maman s'aime bien dans sa robe noire.*

aine n.f. Partie du corps située entre les cuisses et le bas-ventre: *Le joueur de hockey a reçu un coup dans l'aine.*

aîné, ée n. et adj. **1.** n. Enfant plus âgé qu'un autre dans une famille: *Ma sœur est mon aînée de trois ans.* **2.** n. Personne plus âgée qu'une autre: *Ton ami est ton aîné de deux ans.* **3.** n. Le premier enfant: *Maryse est l'aînée d'une famille de quatre enfants.* SYN. premier-né. ANT. benjamin. **4.** adj. Qui est né le premier parmi les enfants d'une même famille: *Jacques est le fils aîné des voisins.* **R.** Ne pas oublier l'accent: *î.*

ainsi adv. De cette manière: *Réfléchis avant de parler, ainsi tu n'auras pas à t'excuser.* ⁄⁄ *Ainsi soit-il:* Formule qui termine les prières. *Pour ainsi dire:* À peu près, presque. **ainsi que** loc.conj. Comme: *Ainsi que je l'avais prévu, René n'a pas terminé son travail.*

air n.m. **1.** Mélange d'azote, d'oxygène et d'autres gaz rares, qui forme l'atmosphère terrestre et que nous respirons: *Ouvrons les fenêtres pour renouveler l'air de la pièce.* **2.** L'espace occupé par ce mélange autour de la terre: *L'avion s'élève dans les airs.* SYN. atmosphère, ciel. **3.** fig. Ambiance d'un milieu: *J'avais hâte de sortir du salon: l'air était chargé d'agressivité.* SYN. atmosphère. ⁄⁄ Ar-

mée de l'air: Aviation militaire. *Au grand air:* Où l'air est pur. *En plein air:* À l'extérieur des bâtiments. *Prendre l'air:* Aller se promener. ▲ **air** n.m. **1.** Apparence d'une personne: *Trouves-tu que Félix a un drôle d'air avec ce chapeau?* SYN. allure, aspect, mine. **2.** Expression du visage, de la voix, des gestes: *Nathalie a souvent l'air triste.* SYN. mine, physionomie. **3.** Apparence: *Cette tarte a l'air délicieuse.* ⫽ *Air de famille:* Ressemblance. ▲ **air** n.m. Mélodie parfois accompagnée de paroles: *Nous allons fredonner quelques vieux airs.* HOM. aire, ère, hère.

airbus n.m. (marque déposée) Grand avion pouvant transporter de très nombreux passagers: *L'airbus peut transporter jusqu'à trois cents personnes.* **R.** Le *s* se prononce.

aire n.f. **1.** Surface réservée à un usage particulier: *L'avion se pose doucement sur l'aire d'atterrissage.* SYN. champ, zone. **2.** Mesure d'une surface: *Calculez l'aire de ce rectangle.* SYN. superficie. **3.** Nid des oiseaux de proie: *L'aigle construit son aire dans les montagnes.* HOM. air, ère, hère.

airelle n.f. **1.** Arbrisseau qui produit des baies comestibles à saveur légèrement acide: *Le bleuet est produit par l'airelle des bois ou myrtille d'Amérique.* **2.** Fruit de cet arbrisseau: *Au Canada, on connaît surtout deux variétés d'airelles: le bleuet et l'atoca.*

aisance n.f. **1.** Facilité naturelle d'accomplir une action, de parler: *Mireille patine avec beaucoup d'aisance.* SYN. assurance. ANT. difficulté, embarras. **2.** Situation de fortune qui permet une vie facile: *Ces gens vivent dans l'aisance car leur famille était riche.* SYN. abondance, opulence, richesse. ANT. gêne, indigence. ☞ aise.

aise n.f. **1.** Absence de gêne physique: *Mettez-vous à l'aise! Enlevez ce manteau.* SYN. bien-être, confort. ANT. malaise. **2.** Fortune suffisante pour bien vivre: *Mon oncle vit à l'aise en Floride.* SYN. aisance. ANT. gêne, indigence, pauvreté, privation. **3.** Absence de timidité: *Julie est à l'aise avec ses nouvelles compagnes.* ANT. gêne. **4.** plur. Confort, bien-être matériel: *Mon oncle aime ses aises.* ⫽ *Être mal à l'aise, mal à son aise:* Éprouver un sentiment de malaise. *Mettre quelqu'un à l'aise:* Faire en sorte qu'il se sente bien; qu'il ne soit pas timide. ☞ aisance, aisé, aisément, malaisé.

aisé, ée adj. **1.** Qui est facile: *Cette leçon est aisée.* ANT. difficile, malaisé, pénible. **2.** Qui a assez d'argent pour mener une vie facile: *Les parents de Robert sont aisés.* SYN. fortuné, riche. ANT. indigent, pauvre. **3.** Qui ne montre aucune gêne: *Quand il parle en public, Claude s'exprime d'un ton aisé.* SYN. naturel, simple. ANT. embarrassé. ☞ aise.

aisément adv. De façon aisée, facilement: *Les chats se déplacent aisément dans l'obscurité.* ☞ aise.

aisselle n.f. Creux situé sous le bras: *On applique le désodorisant sur toute la surface des aisselles.*

ajouré, ée adj. Qui est percé de petites ouvertures décoratives: *Ma grand-mère m'a donné une nappe ornée de broderies ajourées.* HOM. ajourer. ☞ jour.

ajourer v. Percer de petites ouvertures décoratives: *La menuisière a délicatement ajouré la balustrade du balcon.* ANT. remplir. HOM. ajouré. ☞ jour.

ajournement n.m. Renvoi à un autre jour, à plus tard: *Vu l'heure tardive, les personnes présentes ont demandé l'ajournement de la réunion.* SYN. remise. ANT. anticipation. ☞ jour.

ajourner v. Remettre à un autre jour, à plus tard: *Le maire a ajourné la réunion.* SYN. différer, retarder. ANT. anticiper. ☞ jour.

ajout n.m. Ce qu'on ajoute à quelque chose: *Demande à tes parents de ne pas faire d'ajouts à ton récit: cela se voit.* SYN. addition. ANT. soustraction. ☞ ajouter.

ajouter v. **1.** Mettre quelque chose en plus: *Ajoute un peu d'eau dans la casserole, sinon tout va brûler.* SYN. additionner, augmenter, intercaler, introduire. ANT. déduire, enlever, ôter, retrancher, soustraire. **2.** Dire quelque chose en plus: *Après s'être excusé, Martin ajouta qu'il regrettait son geste.* ☞ ajout, rajout, rajouter, surajouter. **s'ajouter** v.pron. Venir en plus: *Ces deux bâtonnets s'ajoutent à ceux que tu avais déjà.*

ajustage n.f. Opération visant à donner à une pièce la dimension qui lui permettra de s'ajuster à une autre: *L'ajustage de chacune des pièces d'un moteur est une opération délicate.* ☞ ajuster.

ajusté, ée adj. Qui est serré à la taille, en parlant d'un vêtement: *La jaquette de mon tailleur est ajustée.* HOM. ajuster. ☞ ajuster.

ajustement n.m. Action d'ajuster quelque chose: *La couturière a fait l'ajustement de ce vêtement.* SYN. adaptation, agencement, arrangement. ANT. dérangement. ☞ ajuster.

ajuster v. **1.** Adapter exactement une chose à une autre: *Il faut ajuster cette lame au couteau électrique.* ANT. déranger, dérégler. **2.** Retoucher un vêtement pour qu'il s'adapte à la taille de quelqu'un: *Ce pantalon est trop grand, il a besoin d'être ajusté.* SYN. adapter.

3. Prendre pour cible, viser: *Le chasseur ajuste son tir.* HOM. ajusté. ☞ ajustage, ajusté, ajustement, ajusteur, rajustement, rajuster. **s'ajuster** v.pron. En parlant des choses, s'adapter exactement: *Le couvercle s'ajuste mal au pot de confitures.*

ajusteur, euse n. Ouvrier qui retouche et fabrique des pièces mécaniques: *L'ajusteur fabrique une pièce de moteur.* ☞ ajuster.

akène n.m. Fruit sec à une seule graine, qui ne s'ouvre pas à maturité: *La noisette et le gland sont des akènes.*

alaise n.f. Morceau de tissu imperméable placé dans le lit d'un enfant ou d'un malade pour protéger le matelas: *J'ai mis une alaise sous le drap dans le lit de bébé.* **R.** Aussi, *alèse.*

alambic n.m. Appareil qui sert à fabriquer de l'alcool par distillation: *Son alambic sert à fabriquer du whisky.*

alarmant, ante adj. Qui inquiète beaucoup: *Les nouvelles sont alarmantes.* SYN. affolant, effrayant, inquiétant. ANT. calmant, rassurant, tranquillisant. ☞ alarme.

alarme n.f. **1.** Signal qui avertit d'un danger: *L'édifice était en feu; la concierge a donné l'alarme.* SYN. alerte. **2.** Inquiétude devant un danger: *Je vous laisse mon enfant, docteur, mais appelez-moi à la première alarme.* ☞ alarmant, alarmer, alarmiste.

alarmer v. Inquiéter beaucoup: *La maladie de grand-mère a alarmé la famille.* SYN. affoler. ANT. calmer, rassurer, tranquilliser. ☞ alarme. **s'alarmer** v.pron. S'inquiéter vivement: *Ils se sont alarmés inutilement.*

alarmiste n. et adj. **1.** n. Personne qui répand des nouvelles alarmantes: *Monsieur Bédard est un alarmiste.* SYN. pessimiste. **2.** adj. Qui répand des nouvelles alarmantes: *L'article de ce journal est alarmiste.* ☞ alarme.

albanais, aise n. et adj. **1.** n. Personne qui est de l'Albanie: *Un Albanais, une Albanaise.* **2.** adj. Qui est de l'Albanie: *Le territoire albanais est situé entre la Grèce et la Yougoslavie.* **R.** On met la majuscule à *albanais* et à *albanaise* lorsque le nom désigne une personne.

albanais n.m. Langue parlée en Albanie: *As-tu déjà entendu parler l'albanais?*

albâtre n.m. Pierre blanche dont on se sert pour fabriquer des statuettes, des vases: *Les Grecs font de magnifiques statuettes en albâtre.* **R.** Ne pas oublier l'accent: *â.*

albatros n.m. (port.) Grand oiseau marin palmipède au plumage blanc et gris: *L'albatros se nourrit de poissons, de crustacés et de calmars.* **R.** Le *s* se prononce.

album n.m. **1.** Cahier utilisé pour ranger des photos, des dessins, des coupures, des timbres: *Je range mes photos de voyage dans un album.* **2.** Livre d'illustrations: *J'ai consulté un magnifique album sur la Grèce.* **3.** Un ou plusieurs disques réunis dans une pochette cartonnée: *Son dernier album se vend bien.* **R.** Les lettres *um* se prononcent *omm.*

alcool n.m. (arabe) **1.** Liquide obtenu par la distillation de jus fermentés: *Le vin, le cognac, la bière contiennent de l'alcool.* **2.** fam. Boisson qui contient de l'alcool: *Les automobilistes ne devraient pas boire d'alcool avant de conduire.* **R.** Les deux *o* se prononcent comme un seul *o.* ☞ alcoolique, alcooliser, alcoolisme, alcootest, antialcoolique, antialcoolisme.

alcoolique n. et adj. **1.** n. Personne atteinte d'alcoolisme: *Tante Maryse est une alcoolique qui doit se faire soigner.* **2.** adj. Qui boit de l'alcool en trop grande quantité: *Cet homme est alcoolique.* SYN. buveur, intempérant. ANT. sobre, tempérant. **R.** Les deux *o* se prononcent comme un seul *o.* ☞ alcool.

alcooliser v. Ajouter de l'alcool à un liquide: *Pour obtenir un café espagnol, il faut alcooliser le café.* ☞ alcool. **s'alcooliser** v.pron.fam. Abuser des boissons alcooliques: *Cet homme s'alcoolise de plus en plus.* **alcoolisé, ée** p.p. et adj. Qui contient de l'alcool: *Le café espagnol est une boisson alcoolisée.* **R.** Les deux *o* se prononcent comme un seul *o.*

alcoolisme n.m. Maladie dont sont atteints les alcooliques: *L'alcoolisme est la cause de nombreux problèmes.* ANT. tempérance. **R.** Les deux *o* se prononcent comme un seul *o.* ☞ alcool.

alcootest n.m. (marque déposée) **1.** Appareil dans lequel on souffle et qui mesure le taux d'alcool dans l'organisme: *Les policiers ont toujours un alcootest dans leur automobile.* **2.** Épreuve qui permet de mesurer le taux d'alcool dans l'organisme: *L'automobiliste a dû subir un alcootest.* **R.** Les deux *o* se prononcent comme un seul *o.* ☞ alcool.

alcootest

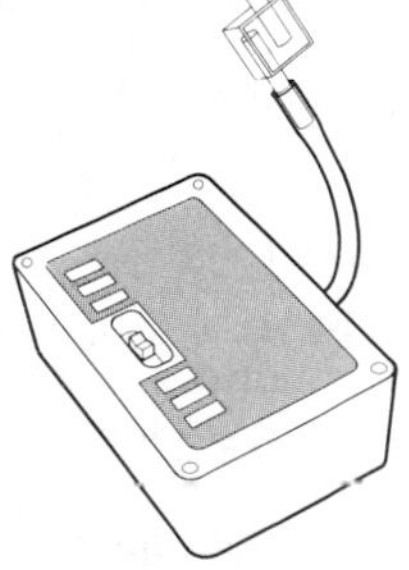

aléa n.m. (lat.) Événement imprévisible : *Il faut faire face aux aléas du métier.* SYN. hasard.

aléatoire adj. Qui est incertain, soumis au hasard : *La réussite de cette élève est tout à fait aléatoire.* SYN. douteux. ANT. assuré, certain, sûr.

alène n.f. (all.) Poinçon effilé qui sert à percer le cuir avant de le coudre : *Le cordonnier se sert souvent de l'alène.* HOM. haleine. **R.** Aussi, *alêne*.

alentour adv. Autour : *Ils admirent l'arbre de Noël et tournent alentour.* ☞ alentours.

alentours n.m.plur. Lieux qui entourent, environs : *Les alentours de l'hôtel de ville sont couverts de verdure.* ⁄⁄ *Aux alentours de :* Autour de, vers. ☞ alentour.

alerte n.f. **1.** Signal qui prévient d'un danger : *En cas d'alerte, les gens doivent se réfugier dans les abris.* SYN. alarme. **2.** Situation grave : *Mon fils a perdu connaissance ce matin ; à la moindre alerte, conduisez-le à l'hôpital.* ⁄⁄ *En état d'alerte, en alerte :* Prêt à intervenir. ☞ alerter.

alerte adj. Qui est vif, agile : *Tante Alice a quatre-vingts ans, mais elle est alerte.* SYN. éveillé, preste, rapide, vigilant. ANT. endormi, inerte, lent.

alerter v. Prévenir d'un danger : *Il faut alerter les policiers! Un vol vient d'être commis chez le dépanneur!* SYN. alarmer, avertir. ANT. calmer. ☞ alerte.

alevin n.m. Jeune poisson qui sert à peupler les rivières et les étangs : *On a peuplé d'alevins ce lac artificiel.*

alezan, ane n. et adj. **1.** n. Cheval dont la robe est de couleur fauve tirant sur le roux : *Monsieur Turgeon a acheté une belle alezane.* **2.** adj. Dont la robe est de couleur fauve : *La cavalière montait un cheval alezan.*

algèbre n.f. (arabe) Partie des mathématiques qui utilise des lettres à la place des nombres : *Voici une formule d'algèbre :* $x(y+z)=xy+xz$.

algérien, ienne n. et adj. **1.** n. Personne qui est de l'Algérie : *Un Algérien, une Algérienne.* **2.** adj. Qui est de l'Algérie : *La révolution algérienne a duré de 1954 à 1962.* **R.** On met la majuscule à *algérien* et à *algérienne* lorsqu'il s'agit du nom.

algorithme n.m. (arabe) Ensemble des opérations propres à un calcul : *Quand tu veux résoudre un problème, tu utilises des algorithmes.*

algue n.f. Plante qui pousse dans la mer, les rivières ou les lacs : *Les algues n'ont ni feuilles ni racines.* SYN. varech. **R.** Ne pas oublier le *u* après le *g*.

alias adv. (lat.) Autrement dit, autrement appelé : *Jean-Baptiste Poquelin, alias Molière.* **R.** Le *s* se prononce.

alibi n.m. (lat.) Preuve qu'une personne n'était pas sur les lieux du crime ou du délit dont on l'accuse : *L'accusée a fourni un alibi parfait.*

aliénation n.f. Perte de la raison : *L'aliénation mentale rend l'individu incapable de se conduire normalement.* SYN. démence, folie. ☞ aliéné.

aliéné, ée n. Personne qui a perdu la raison : *L'hôpital psychiatrique soigne les aliénés.* SYN. dément, déséquilibré, fou. ☞ aliénation.

alignement n.m. Fait de placer sur une ligne droite : *La fillette se concentrait sur l'alignement de ses blocs.* ☞ aligner.

aligner v. Placer en ligne droite : *Le petit garçon aligne les verres sur la tablette.* ☞ alignement. s'**aligner** v.pron. Se placer sur la même ligne : *Alignez-vous le long de la clôture.*

aliment n.m. Ce qui sert à nourrir : *Tous les êtres vivants ont besoin d'aliments pour vivre.* SYN. denrée, vivres. ☞ alimentaire, alimentation, alimenter, sous-alimentation, sous-alimenté.

alimentaire adj. Qui se rapporte à la nourriture et à l'alimentation : *Un régime alimentaire bien équilibré comprend quatre catégories d'aliments.* ☞ aliment.

alimentation n.f. Action de nourrir ou de se nourrir : *Pour être en bonne santé, il faut une bonne alimentation.* SYN. nourriture, régime. ⁄⁄ *Magasin d'alimentation :* Commerce de produits alimentaires. ☞ aliment.

alimenter v. **1.** Nourrir, fournir des aliments : *Vous pouvez alimenter ce chiot avec de la nourriture sèche.* ANT. affamer, priver, rationner. **2.** fig. Entretenir : *Ce sujet alimente bien la conversation.* ☞ aliment. s'**alimenter** v.pron. Se nourrir : *Le malade recommence à s'alimenter.*

algorithme d'addition :	4 + 7 = 11	somme ou total
algorithme de soustraction :	11 - 7 = 4	reste ou différence
algorithme de multiplication :	2 x 8 = 16	produit
algorithme de division :	16 ÷ 4 = 4	quotient

exemples d'**algorithmes**

alinéa n.m. (lat.) Dans un texte, ligne dont le premier mot est en retrait après un intervalle laissé en blanc: *N'oublie pas de faire un alinéa au début de chaque paragraphe.*

alitement n.m. Temps qu'un malade passe au lit: *L'alitement de la malade a duré trois mois.* ☞ lit.

s'**aliter** v.pron. Garder le lit à la suite d'une maladie: *Une mauvaise grippe a forcé papa à s'aliter.* SYN. se coucher. ANT. se lever. ☞ lit.

allaitement n.m. Action d'allaiter un enfant, un animal: *L'allaitement maternel est le mieux adapté aux besoins du bébé.* ☞ lait.

allaiter v. Nourrir de son lait un enfant, un animal: *La chatte allaite ses chatons.* ☞ lait.

allant n.m. Qualité d'une personne qui entreprend quelque chose avec ardeur et entrain: *Cette femme d'affaires est pleine d'allant.*

alléchant, ante adj. **1.** Qui donne envie de manger quelque chose: *Au restaurant, le comptoir regorgeait de plats alléchants.* SYN. attrayant, tentant. ANT. dégoûtant, repoussant. **2.** fig. Qui attire, est tentant: *Ton offre est alléchante.* ☞ allécher.

allécher v. **1.** Attirer quelqu'un en flattant son appétit: *J'ai été alléchée par l'odeur de la tarte aux pommes.* SYN. leurrer. ANT. éloigner, repousser. **2.** fig. Attirer, tenter quelqu'un: *Ses promesses ont alléché les clients.* SYN. tenter. ☞ alléchant.

allée n.f. Chemin bordé d'arbres, de verdure dans un parc, un jardin, un bois: *Une allée bordée de chênes mène à la maison.* SYN. avenue. HOM. aller.

allées et venues n.f.plur. Déplacements de personnes qui vont et viennent: *À quoi vous servaient toutes ces allées et venues?* SYN. démarches.

allégement n.m. Action d'alléger ce qui paraît trop lourd à porter: *On discute beaucoup de l'allégement des programmes scolaires.* ANT. alourdissement. ☞ léger.

alléger v. **1.** Rendre plus léger en enlevant une partie de sa charge: *Enlève le dictionnaire de ton sac; cela va l'alléger.* SYN. délester. ANT. alourdir, appesantir. **2.** Rendre moins pénible, calmer: *Ta présence allège ma peine.* SYN. soulager. ☞ léger.

allègre adj. Qui est vif, plein d'entrain: *L'épicier marche d'un pas allègre.* SYN. alerte, preste. ANT. lent, lourd. ☞ allégrement, allégresse.

allégrement adv. D'une manière allègre, avec entrain: *Le jour de la rentrée, les écoliers se rendent allégrement à l'école.* SYN. vivement. ANT. lentement. **R.** Aussi, *allègrement.* ☞ allègre.

allégresse n.f. Joie très vive que l'on montre publiquement: *La championne olympique a été accueillie avec allégresse.* SYN. enthousiasme. ANT. consternation, tristesse. ☞ allègre.

all**è**gre all**è**grement all**é**grement all**é**gresse

alléluia n.m. (hébreu) Acclamation qui signifie «louez Yahvé» et qui a été adoptée par l'Église dans la liturgie: *Alléluia! Rendons grâce à Dieu!*

allemand, ande n. et adj. **1.** n. Personne qui est de l'Allemagne: *Un Allemand, une Allemande.* **2.** adj. Qui est de l'Allemagne: *Le peuple allemand a donné au monde de grands musiciens.* **R.** On met la majuscule à *allemand* et à *allemande* lorsque le nom désigne une personne.

allemand n.m. Langue parlée par les Allemands: *L'allemand semble difficile à apprendre.*

aller n.m. **1.** Trajet que l'on fait en allant à un endroit déterminé: *À l'aller je me sentais très bien, mais au retour...!* **2.** Billet de train, d'avion, d'autobus qui ne comprend pas le retour: *Je voudrais un aller pour Québec, s'il vous plaît.* HOM. allée. ⁄⁄ *Un aller et retour:* Billet qui comprend l'aller et le retour.

aller v. **1.** Se déplacer d'un lieu vers un autre: *Michelle va à l'école à bicyclette.* SYN. se rendre. ANT. revenir, venir. **2.** Conduire vers un endroit: *Cette route va vers la Beauce.* SYN. mener. **3.** Se porter bien ou mal: *Comment vas-tu?* **4.** Convenir, être adapté: *Cette robe te va très bien.* **5.** En parlant d'un mécanisme, fonctionner: *Cette montre va bien.* HOM. allée. s'en **aller** v.pron. **1.** Partir vers un autre lieu: *Va-t'en puisque tu ne veux pas rester.* SYN. déguerpir. ANT. s'arrêter, rester. **2.** Disparaître, s'enlever: *Cette tache d'encre ne s'en va pas.* ANT. paraître. **3.** Mourir: *Le malade s'en est allé hier.* **R.** Se conjugue avec l'auxiliaire *être*.

allergène n.m. et adj. **1.** n.m. Substance qui déclenche une allergie: *Le pollen, la poussière, les plumes et les poils d'animaux sont des allergènes.* **2.** adj. Qui déclenche une allergie: *Il faut connaître la substance allergène qui cause le rhume des foins avant de prescrire un remède.* ☞ allergie.

allergie n.f. Réaction anormale de l'organisme à diverses substances: *Mon frère souf-*

fre d'une allergie aux poils d'animaux. ☞ allergène, allergique.

allergique adj. **1.** Qui réagit anormalement à une substance: *Anaïs est allergique au pollen.* **2.** fig. Qui ne peut supporter quelque chose: *Je suis allergique à la chicane.* ☞ allergie.

alliage n.m. Produit obtenu par le mélange de deux ou de plusieurs métaux: *Le laiton est un alliage de cuivre et de zinc.* ☞ allier.

alliance n.f. **1.** Accord entre des pays qui s'engagent à s'entraider en cas de guerre: *Le Canada et les États-Unis ont signé un traité d'alliance.* SYN. coalition, entente, pacte, union. ANT. désunion, rupture. **2.** Anneau de mariage: *Les mariés ont échangé leurs alliances.* ☞ s'allier.

allié, ée n. et adj. **1.** n. Pays uni à un autre par un traité d'alliance: *Le Canada est l'allié des États-Unis.* SYN. ami, partenaire. ANT. adversaire, ennemi. **2.** n. Personne qui apporte à une autre son aide, son appui, qui prend son parti: *Jacques est mon allié dans cette discussion.* SYN. ami. ANT. adversaire, ennemi. **3.** adj. Qui est uni à un autre pays par un traité d'alliance: *Les pays alliés ont combattu le nazisme.* ANT. ennemi. **4.** adj. Qui aide une autre personne: *Marie et Vincent sont d'un groupe allié à celui de Josée.* SYN. uni. HOM. allier. ☞ s'allier.

allier v. Mêler deux ou plusieurs métaux pour obtenir un alliage: *Les bijoutiers allient l'or et l'argent dans la fabrication des bijoux.* SYN. associer, combiner. HOM. allié. ☞ alliage.

s'allier v.pron. S'unir par un traité, un accord: *Plusieurs pays se sont alliés pour combattre le nazisme entre 1939 et 1945.* SYN. se liguer. ANT. s'opposer. ☞ alliance, allié.

alligator n.m. Grand reptile d'Amérique et de Chine, au museau large et plat: *On confond souvent le crocodile et l'alligator.*

allô! interj. (améric.) Mot qui sert d'appel dans les communications téléphoniques: *Allô! Puis-je parler à Richard, s'il vous plaît?* **R.** Ne pas oublier l'accent: *ô*.

allocation n.f. Somme versée par l'État aux chômeurs, aux mères de famille: *Maman reçoit des allocations familiales.* SYN. prestation. ☞ allouer.

allocution n.f. Discours bref et familier, prononcé par une personnalité, à l'occasion d'un événement précis: *La mairesse a prononcé une allocution télévisée.*

allongé, ée adj. **1.** Qui est étendu en longueur: *Les lévriers ont la tête allongée.* ANT. raccourci. **2.** fig. Qui montre le désappointement: *Quand Robert boude, il a la mine allongée.* SYN. long. HOM. allonger. ☞ long.

allongement n.m. **1.** Fait d'augmenter la longueur ou la durée: *L'allongement des vacances a plu à tout le monde.* SYN. prolongement. ANT. raccourcissement. **2.** Fait de devenir plus long: *As-tu remarqué l'allongement de cette tige?* ☞ long.

allonger v. **1.** Augmenter la longueur de quelque chose: *Il va bientôt falloir allonger ta robe.* SYN. étirer, rallonger. ANT. écourter, raccourcir. **2.** Tendre un membre: *Kim allonge le bras pour prendre une pomme.* SYN. avancer, étirer. HOM. allongé. ☞ long. **s'allonger** v.pron. **1.** Devenir plus long ou le paraître: *Son visage s'allonge quand elle est déçue.* **2.** Se coucher: *Mon grand frère s'allonge sur le divan.* SYN. s'étendre.

allophone n. et adj. **1.** n. Personne dont la langue maternelle n'est pas celle de la collectivité dont elle fait partie: *Les allophones sont nombreux à Montréal.* **2.** adj. Se dit d'une personne dont la langue maternelle n'est pas celle de la collectivité dans laquelle elle se trouve: *Le Québec accueille beaucoup d'immigrants allophones.* **R.** Les lettres *ph* se prononcent *f*.

allouer v. **1.** Attribuer une somme d'argent: *L'État a alloué plusieurs millions à la lutte contre la pollution.* SYN. affecter, octroyer. ANT. priver, refuser, retirer. **2.** Accorder un certain temps pour faire un travail: *Je t'alloue une heure pour finir ton devoir.* SYN. concéder, donner. ☞ allocation.

allumage n.m. **1.** Action de mettre le feu: *Marie est chargée de l'allumage du foyer.* ANT. extinction. **2.** Action d'allumer une source de lumière: *L'allumage des phares est obligatoire dans le tunnel.* ANT. extinction. **3.** Dans un moteur, dispositif qui permet au mélange d'air et d'essence de s'enflammer: *Mon automobile est équipée d'un allumage électronique.* ☞ allumer.

allume-cigare n.m. Dans une automobile, briquet servant à allumer les cigarettes, les cigares: *On ne joue pas avec l'allume-cigare.* **R.** Aussi, allume-cigares. Au pluriel, *allume-cigares*. ☞ cigare.

allumer v. **1.** Mettre le feu à quelque chose: *Grand-père allume sa pipe.* SYN. enflammer. ANT. éteindre. **2.** Rendre lumineux: *Quand il fait noir, on allume les lampes.* ANT. éteindre. **3.** Mettre en marche un appareil: *Allume le téléviseur.* ANT. éteindre. ☞ allumage, allumette, rallumer. **s'allumer** v.pron. **1.** Prendre feu: *Les allumettes mouillées ne s'allument pas.* SYN. s'enflammer. ANT. s'éteindre. **2.** Devenir lumineux: *Tous les lampadaires s'allu-*

ment en même temps. ANT. s'éteindre. **3.** Se mettre en marche: *La radio s'allume automatiquement à 7 heures.* ANT. s'éteindre.

allumette n.f. Bâtonnet de bois ou de carton dont l'extrémité s'enflamme si on la frotte: *Il est dangereux de jouer avec des allumettes.* ☞ allumer.

allure n.f. **1.** Vitesse de déplacement d'une personne ou d'un véhicule: *Sonia ralentit l'allure en abordant le virage.* **2.** Attitude, manières d'une personne: *Cet homme a une allure distinguée.* SYN. démarche, maintien. **3.** fam. Apparence d'une chose: *Ton chapeau a une drôle d'allure.* SYN. air. ⫽ *À toute allure:* À grande vitesse. *Avoir de l'allure:* Avoir de la distinction. **R.** N'a pas le sens de *bon sens.*

allusion n.f. Mot, phrase qui fait penser à quelqu'un ou à quelque chose sans en parler clairement: *Certaines allusions nous échappent.* SYN. sous-entendu.

alluvions n.f.plur. Dépôts (boues, cailloux, graviers, sables) laissés par un cours d'eau: *Après l'inondation, les terrains étaient recouverts d'alluvions.*

almanach n.m. Livre publié chaque année, qui contient un calendrier, des prévisions météorologiques et une foule de conseils: *As-tu acheté l'almanach cette année?* **R.** Les lettres *ch* ne se prononcent pas.

aloès n.m. Plante grasse des régions chaudes désertiques: *Les feuilles épaisses et charnues de l'aloès contiennent un suc très amer.* **R.** Le *s* se prononce.

aloi n.m. Qualité bonne ou mauvaise d'une chose: *Les plaisanteries ne sont pas toutes de bon aloi.*

alors adv. **1.** À ce moment-là: *Je suis arrivée en retard; mes compagnes étaient alors en récréation.* **2.** Dans ce cas-là: *L'arbitre m'a puni, alors je m'en vais.* ⫽ *Jusqu'alors:* Jusqu'à ce moment-là. **alors que** loc.conj. Au moment où, tandis que: *Nellie joue alors qu'elle devrait faire ses devoirs.*

alose n.f. Poisson de mer qui remonte les rivières au printemps pour frayer: *La chair de l'alose est délicieuse.*

alouate n.m. (guyan.) Singe d'Amérique du Sud au pelage roux: *L'alouate est aussi appelé «singe hurleur».*

alouette n.f. Petit oiseau des champs au plumage brunâtre: *L'alouette appartient à l'ordre des passereaux.*

alourdir v. Rendre plus lourd: *Cette radio va alourdir tes bagages.* SYN. appesantir. ANT. alléger. ☞ lourd. **s'alourdir** v.pron. Devenir plus lourd: *Sa démarche s'est alourdie avec les années.* SYN. engraisser, épaissir. ANT. maigrir.

alourdissement n.m. État d'une personne ou d'une chose alourdie: *Après les repas, j'éprouve toujours une sensation d'alourdissement.* ANT. allégement. ☞ lourd.

alpaga n.m. (esp.) **1.** Mammifère ruminant de l'Amérique du Sud, domestiqué pour sa toison longue et laineuse: *L'alpaga est un animal voisin du lama.* **2.** Tissu fait de laine et de soie: *Papa a une veste en alpaga.*

alphabet n.m. Ensemble des lettres qui servent à transcrire les sons d'une langue: *En français, l'alphabet compte vingt-six lettres.* **R.** Les lettres *ph* se prononcent *f.* ☞ alphabétique, alphabétiquement, alphabétisation, alphabétiser, analphabète, analphabétisme.

alphabétique adj. Qui est relatif à l'alphabet, qui suit l'ordre de l'alphabet: *Voici la liste alphabétique des noms des élèves de la classe.* **R.** Les lettres *ph* se prononcent *f.* ☞ alphabet.

alphabétiquement adv. Dans l'ordre alphabétique: *Dans un index, les mots sont classés alphabétiquement.* **R.** Les lettres *ph* se prononcent *f.* ☞ alphabet.

alphabétisation n.f. Enseignement de la lecture et de l'écriture à quelqu'un qui ne sait ni lire ni écrire: *Le gouvernement a mis sur pied un programme d'alphabétisation.* **R.** Les lettres *ph* se prononcent *f.* ☞ alphabet.

alphabétiser v. Apprendre à quelqu'un à lire et à écrire: *Même au Canada, il y a beaucoup de gens à alphabétiser.* **R.** Les lettres *ph* se prononcent *f.* ☞ alphabet.

alphanumérique adj. Qui utilise à la fois des lettres et des chiffres: *En informatique, on utilise des caractères alphanumériques.* **R.** Les lettres *ph* se prononcent *f.*

alpin, ine adj. Qui appartient aux Alpes, qui est relatif aux Alpes: *La chaîne alpine traverse six pays d'Europe.* ⫽ *Ski alpin:* Ski pratiqué sur des pistes balisées à fortes pentes. ☞ alpinisme, alpiniste.

alpinisme n.m. Sport qui consiste à grimper sur de hautes montagnes: *L'alpinisme est un sport stimulant.* SYN. escalade. ☞ alpin.

alpiniste n. Personne qui s'adonne à l'alpinisme: *Les alpinistes s'attaquent aux sommets les plus élevés de la terre.* ☞ alpin.

alsacien, ienne n. et adj. **1.** n. Personne qui habite en Alsace: *Un Alsacien, une Alsacienne.* **2.** adj. Qui est de l'Alsace: *La plaine alsacienne est jalonnée de charmants villages.* **R.** On met la majuscule à *alsacien* et à *alsacienne* lorsque le nom désigne une personne.

alsacien n.m. Dialecte parlé en Alsace et qui dérive de l'allemand: *L'alsacien s'apparente à l'allemand.*

altérable adj. Qui peut se détériorer: *Le lait est un aliment altérable.* SYN. périssable. ☞ altérer.

altération n.f. **1.** Changement défavorable de l'état normal: *On a constaté l'altération de la viande.* **2.** Modification sous l'effet de l'émotion, de la maladie, de la fatigue: *Tout le monde a remarqué l'altération de ses traits.* ☞ altérer.

altérer v. **1.** Détériorer la nature de quelque chose: *La chaleur altère le lait et la viande.* SYN. corrompre, gâter. **2.** fig. Modifier par l'émotion, la maladie, la fatigue: *La surprise altérait sa voix.* SYN. modifier. ☞ altérable, altération, inaltérable. **s'altérer** v.pron. Se détériorer: *Les couleurs s'altèrent au soleil.* ▲ **altérer** v. Donner soif: *Cette promenade en plein soleil m'a altérée.* ANT. désaltérer. ☞ désaltérant, désaltérer. **altéré, ée** p.p. et adj. **1.** Qui a soif: *Patrice a très chaud et il est altéré.* SYN. assoiffé. **2.** fig. Qui est avide: *Cette actrice est altérée de gloire.*

alternance n.f. Succession dans le même ordre d'éléments qui se répètent: *Je suis toujours émerveillé par l'alternance des saisons.* ☞ alterner.

alternatif, ive adj. Qui se produit tour à tour, qui présente une alternance: *Le pendule est doté d'un mouvement alternatif.* ☞ alterner.

alternative n.f. Choix entre deux possibilités seulement: *Mes parents m'ont placé devant l'alternative suivante: je diminue mes loisirs ou je recommence mon année.* ☞ alterner.

alternativement adv. D'une façon alternative, tour à tour: *Patricia demeure alternativement chez son père et chez sa mère.* SYN. successivement. ☞ alterner.

alterner v. Se succéder tour à tour: *Les nuits fraîches alternent avec les journées chaudes.* ☞ alternance, alternatif, alternative, alternativement.

altesse n.f. Titre qu'on donne aux princes et aux princesses: *Son Altesse Royale la reine Élisabeth est venue au Canada à plusieurs reprises.*

altier, ière adj. (it.) Qui est hautain, orgueilleux: *L'air altier du prince déplaît à ses sujets.* SYN. fier. ANT. humble.

altimètre n.m. Appareil qui sert à mesurer l'altitude: *L'altimètre indique que l'avion vole à dix mille mètres d'altitude.*

altimètre

altiste n. Personne qui joue de l'alto: *L'altiste est arrivé en retard à la répétition générale.* ☞ alto.

altitude n.f. Élévation verticale d'un point au-dessus du niveau de la mer: *Le mont Royal culmine à deux cent trente-quatre mètres d'altitude.* SYN. hauteur.

alto n.m. Instrument à cordes, de la famille du violon: *L'alto est un peu plus grand que le violon.* ☞ altiste, contralto.

altruisme n.m. Qualité d'une personne qui se dévoue pour les autres, qui pense aux autres: *Les gens qui font du bénévolat agissent par altruisme.* ANT. égoïsme. ☞ altruiste.

altruiste n. et adj. **1.** n. Personne qui fait preuve d'altruisme: *Robert est un altruiste qui consacre ses temps libres aux enfants handicapés.* ANT. égoïste. **2.** adj. Qui manifeste de l'altruisme, qui est relatif à l'altruisme: *Rendre service aux autres, c'est faire un geste altruiste.* ANT. égoïste. ☞ altruisme.

aluminerie n.f. Usine où l'on fabrique l'aluminium: *Une nouvelle aluminerie ouvrira bientôt ses portes au Québec.* ☞ aluminium.

aluminium n.m. Métal blanc, léger et malléable qu'on emploie pur ou sous forme d'alliages: *L'aluminium est utilisé en aéronautique et dans l'industrie automobile.* **R.** Les lettres *um* se prononcent *omm.* ☞ aluminerie.

alunir v. Se poser sur la Lune: *Les femmes cosmonautes vont bientôt alunir.* **R.** L'Académie française recommande plutôt *atterrir* sur la Lune. ☞ lune.

alunissage n.m. Action d'alunir: *Le premier alunissage d'une sonde soviétique a eu lieu le 3 février 1966.* **R.** L'Académie française recommande plutôt *atterrissage* sur la Lune. ☞ lune.

alvéole n.m. ou f. **1.** Cavité de cire que fait l'abeille et qui sert à recevoir du miel ou un œuf: *L'alvéole a la forme d'un hexagone.* **2.** Cavité où est implantée la dent: *L'alvéole dentaire reçoit la dent.* **3.** Cavité située à l'extrémité des bronches: *L'alvéole pulmonaire est située dans les poumons.*

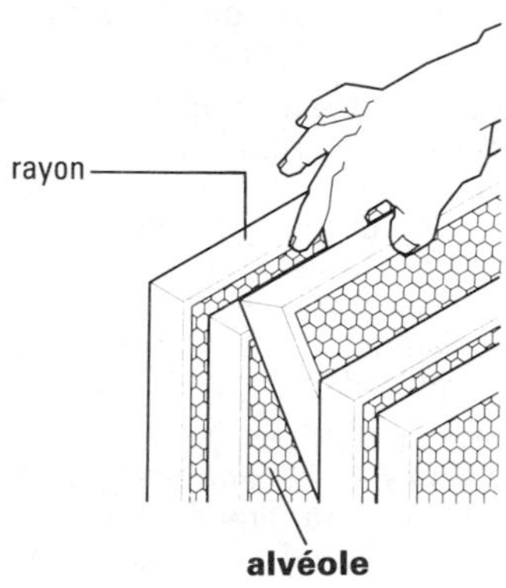

alyte n.m. Batracien terrestre qu'on appelle aussi «crapaud accoucheur»: *L'alyte porte, enroulés autour de ses pattes, les chapelets d'œufs que la femelle a pondus.*

A.M. Abréviation de la locution latine «ante meridiem», qui signifie «avant midi»: *L'avion arrivera à 8 heures A.M., heure de New York.* **R.** Pour la notation de l'heure, ne s'emploie que dans le système anglais où les heures sont comptées jusqu'à douze.

amabilité n.f. Caractère d'une personne aimable: *Madame Lemay est reconnue pour son amabilité.* SYN. affabilité, gentillesse. ANT. grossièreté, rudesse. ☞ aimable.

amadouer v. Amener quelqu'un à faire ce qu'on désire en l'enjôlant: *Martin essaie d'amadouer la surveillante pour qu'elle le laisse partir.* SYN. se concilier, gagner.

amaigrir v. Rendre maigre: *Sa longue maladie l'a amaigrie.* ☞ maigre.

amaigrissant, ante adj. Qui rend maigre, qui fait maigrir: *Paul suit un régime amaigrissant.* ☞ maigre.

amaigrissement n.m. Fait de maigrir: *L'amaigrissement ne doit pas être trop rapide.* SYN. dépérissement, étiolement. ANT. engraissement. ☞ maigre.

amandaie n.f. Lieu planté d'amandiers: *En Grèce, on peut voir de nombreuses amandaies.* ☞ amande.

amande n.f. **1.** Fruit de l'amandier dont la graine est comestible: *Les amandes entrent dans la composition de nombreux desserts.* **2.** Graine qui contient un noyau: *On appelle «amande» la graine de la cerise, de la pêche ou de l'abricot.* HOM. amende. ∥ *En amande:* Allongé en forme d'amande. ☞ amandaie, amandier.

amandier n.m. Arbre qui produit l'amande: *Les amandiers fleurissent au printemps.* ☞ amande.

amanite n.f. Champignon dont certaines espèces sont vénéneuses et même mortelles: *Il vaut mieux ne pas cueillir les amanites.*

amant n.m. Homme qui a une liaison amoureuse avec une femme à laquelle il n'est pas marié: *La romancière est photographiée avec son amant.* SYN. amoureux. ☞ aimer.

amant, ante n. Personne qui aime beaucoup quelque chose: *Linda et Louis sont de grands amants de la nature.* ☞ aimer.

amarrage n.m. Action de retenir un navire à un point fixe: *L'amarrage du bateau a duré cinq minutes.* ☞ amarre.

amarre n.f. Câble qui sert à retenir un navire à un point fixe: *Les matelots ont largué les amarres.* SYN. chaîne, cordage. ☞ amarrage, amarrer.

amarrer v. Retenir un bateau à un point fixe avec des amarres: *Les femmes de l'expédition amarrent le bateau au quai.* SYN. attacher, fixer, maintenir. ANT. démarrer. ☞ amarre.

amas n.m. Accumulation d'objets qui forment un tas: *J'aimerais que tu voies l'amas de vêtements qu'il y a dans ta chambre.* SYN. amoncellement. ☞ amasser.

amasser v. Accumuler des objets en grande quantité: *L'écureuil a amassé des glands pour l'hiver.* SYN. emmagasiner, ramasser. ANT. disperser, éparpiller. ☞ amas.

amateur n.m. et adj. **1.** n.m. Personne qui a du goût pour certaines choses: *Mon amie Régine est un amateur d'antiquités.* SYN. connaisseur. **2.** n.m. Personne qui exerce une activité par plaisir, sans en faire une profession: *Ces musiciens sont des amateurs.* **3.** adj. Qui exerce une activité par plaisir, sans en faire une profession: *Micheline est une musicienne amateur.* ANT. professionnel. **R.** L'O.L.F. recommande *amatrice* comme féminin de *amateur*. L'adjectif *amateur* n'a pas de féminin. ☞ amateurisme.

amateurisme n.m. **1.** Dans le sport, condition de l'amateur qui ne reçoit ni salaire ni prix en argent: *L'amateurisme donne le droit de participer aux Jeux olympiques.* **2.** péj. Caractère d'un travail fait avec négligence, sans application: *Ici, nous n'admettons pas l'amateurisme.* ☞ amateur.

amazone n.f. **1.** Femme qui monte à cheval: *L'amazone impressionne les spectateurs par son aisance.* **2.** Jupe longue et ample que porte une amazone: *L'amazone assure le confort de la cavalière.* ⫽ *Monter en amazone:* Monter à cheval, les deux jambes du même côté de la selle.

amazone

ambages n.f.plur. Détours, paroles ambiguës: *Je vais vous parler sans ambages.*

ambassade n.f. Lieu où réside l'ambassadeur et où sont installés ses services: *Si tu as un problème en voyage, téléphone à l'ambassade du Canada.* ☞ ambassadeur.

ambassadeur, drice n. Personne qui représente un État auprès d'un autre État: *Le Canada a nommé une nouvelle ambassadrice au Gabon.* SYN. représentant. ☞ ambassade.

ambiance n.f. **1.** Atmosphère, climat qui entoure une ou plusieurs personnes: *Dans la classe, l'ambiance est joyeuse.* **2.** fam. Atmosphère de gaieté: *À la fête, il y avait beaucoup d'ambiance.* ☞ ambiant.

ambiant, ante adj. Qui entoure, en parlant du milieu où l'on vit: *L'air ambiant est pollué par la fumée de cigarettes.* SYN. environnant. ☞ ambiance.

ambidextre adj. Qui se sert de ses deux mains avec la même habileté: *Benoît est ambidextre, il écrit aussi bien de la main gauche que de la main droite.*

ambigu, uë adj. Qu'on peut interpréter de plusieurs façons: *Je n'aime pas les réponses ambiguës.* SYN. équivoque. ANT. clair, précis. **R.** Au féminin, ne pas oublier le tréma: *ë*. ☞ ambiguïté.

ambiguïté n.f. Caractère de ce qui est ambigu: *L'ambiguïté de son message m'empêche de prendre une décision.* SYN. équivoque. ANT. clarté, précision. **R.** Ne pas oublier le tréma: *ï*. Ne pas oublier le *u* après le *g*. ☞ ambigu.

ambi**gu**
ambi**guë**
ambi**guïté**

ambitieusement adv. D'une façon ambitieuse: *Ce politicien parle ambitieusement de ses projets d'avenir.* ☞ ambition.

ambitieux, euse n. et adj. **1.** n. Personne qui a un désir très grand de richesse, de gloire: *L'ambitieux sacrifie parfois le bonheur à la réussite.* **2.** adj. Qui a un désir très grand de richesse, de gloire: *Cette femme ambitieuse est prête à tout pour réussir.* **3.** adj. Qui marque de l'ambition: *Ton projet est ambitieux. Est-il réalisable?* ☞ ambition.

ambition n.f. **1.** Désir profond, souhait: *Mon ambition est de devenir une grande chirurgienne.* **2.** Désir très grand de richesse, de gloire: *Son ambition lui fait oublier sa famille.* ☞ ambitieusement, ambitieux, ambitionner.

ambitionner v. Désirer quelque chose avec ardeur: *Le jeune ouvrier ambitionne de devenir contremaître.* ☞ ambition.

ambivalence n.f. Caractère de ce qui présente deux aspects ou deux sens contraires: *Ressentir en même temps de l'amour et de la haine pour quelqu'un, c'est de l'ambivalence.* ☞ ambivalent.

ambivalent, ente adj. Qui présente deux aspects ou deux sens contraires: *Mario éprouve des sentiments ambivalents à l'égard de son professeur.* ☞ ambivalence.

ambre n.m. **1.** Substance aromatique, ambre gris: *L'ambre gris provient des cachalots; on en extrait un parfum précieux.* **2.** Substance résineuse, ambre jaune: *L'ambre jaune est doré, dur et transparent.* ⫽ *Couleur d'ambre:* Couleur jaune doré. ☞ ambré.

ambré, ée adj. **1.** Qui a été parfumé à l'ambre gris: *Mon eau de toilette est ambrée.* **2.** Qui est doré comme l'ambre jaune: *La teinte ambrée de cette agate est magnifique.* ☞ ambre.

ambulance n.f. Véhicule servant à transporter les malades et les blessés: *L'ambulance filait vers l'hôpital le plus proche.* ☞ ambulancier.

ambulancier, ière n. Personne qui conduit une ambulance: *L'ambulancier doit faire preuve de sang-froid.* ☞ ambulance.

ambulant, ante adj. Qui se déplace d'un endroit à un autre pour exercer son métier ou sa profession: *Les vendeurs ambulants voya-*

gent beaucoup pour gagner leur vie. SYN. itinérant. ANT. stable.

âme n.f. **1.** Selon la religion, principe spirituel et immortel de l'être humain, qui sera jugé par Dieu : *Prions pour l'âme de la défunte.* SYN. esprit. ANT. corps. **2.** Cœur, pensée de l'être humain : *J'espère de toute mon âme que tu réussiras.* ANT. corps. **3.** Être vivant, habitant, personne : *Cette ville compte cinq mille âmes.* SYN. individu. // *Corps et âme :* Tout entier. *En mon âme et conscience :* Honnêtement. *Rendre l'âme :* Mourir.

améliorable adj. Qui peut être amélioré : *Ton texte est améliorable ; il suffit d'enlever les répétitions.* ☞ meilleur.

amélioration n.f. Action de rendre meilleur, d'augmenter la qualité de quelque chose : *J'ai remarqué une nette amélioration de ta conduite.* ANT. détérioration. ☞ meilleur.

améliorer v. Rendre meilleur : *Pascale a promis d'améliorer son travail scolaire.* ANT. détériorer. ☞ meilleur. **s'améliorer** v.pron. Devenir meilleur : *Si tu continues à travailler aussi bien, tes notes vont s'améliorer.*

amen adv. (hébreu) Mot qui signifie « qu'il en soit ainsi » et qui termine une prière : *Au nom du Père, du Fils et du Saint-Esprit. Amen.*

aménageable adj. Qui peut être aménagé : *Ce local n'est pas aménageable ; il est trop petit.* **R.** Ne pas oublier le *e* après le *g*. ☞ aménager.

aménagement n.m. Action d'aménager un lieu : *L'aménagement de l'usine a coûté très cher.* ☞ aménager.

aménager v. Arranger un lieu en fonction d'un usage déterminé : *Le sous-sol a été aménagé en salle de couture.* ☞ aménageable, aménagement.

amende n.f. Somme d'argent que l'on doit payer à la suite d'une faute : *Maman a payé cinquante dollars d'amende parce qu'elle avait brûlé un feu rouge.* HOM. amande.

amendement n.m. Modification, amélioration de quelque chose : *Les députés ont rejeté l'amendement proposé.* SYN. changement. ☞ amender.

amender v. Modifier, améliorer quelque chose : *L'Assemblée nationale a amendé le projet de loi.* SYN. changer, corriger. ☞ amendement.

amener v. **1.** Faire venir une personne avec soi : *Amène ton ami Steve !* SYN. emmener. **2.** Causer, occasionner : *Le chômage amène bien des problèmes.* SYN. entraîner, susciter. **3.** Faire parvenir quelque chose à destination : *L'aqueduc amène l'eau dans chaque maison.* SYN. acheminer, conduire. ☞ ramener. **s'amener** v.pron.fam. Venir, arriver : *Amène-toi ! On va jouer au ballon !*

s'amenuiser v.pron. Diminuer, devenir plus petit : *Comme il a maigri, sa taille s'est amenuisée.* ☞ menu (adj.).

amer, ère adj. **1.** Qui a un goût désagréable : *L'écorce de citron est amère.* SYN. acide, âcre, aigre. ANT. doux, sucré. **2.** fig. Qui est triste, découragé à la suite d'une déception, d'une injustice : *Mélanie est amère après tous ces échecs.* **3.** fig. Qui est dur, blessant : *Le surveillant nous a adressé d'amers reproches.* SYN. acerbe, mordant. ANT. amical, bienveillant. ☞ amèrement, amertume.

amèrement adv. Avec amertume : *Mon père est amèrement déçu de ne pas avoir reçu de vos nouvelles.* ☞ amer.

américain, aine n. et adj. **1.** n. Personne qui est de l'Amérique : *Un Américain, une Américaine.* **2.** n. Personne qui est des États-Unis : *Un Américain, une Américaine.* SYN. étasunien. **3.** adj. Qui est de l'Amérique : *Le continent américain comprend l'Amérique du Nord, l'Amérique centrale et l'Amérique du Sud.* **4.** adj. Qui est des États-Unis : *Ford et Chrysler sont des marques de voitures américaines.* SYN. étasunien. **R.** On met la majuscule à *américain* et à *américaine* lorsque le nom désigne une personne. ☞ américaniser, américanisme, amérindien.

américain n.m. Forme de l'anglais parlé aux États-Unis : *« O.K. » est une expression qui nous vient de l'américain.*

américaniser v. Donner un caractère américain à quelque chose : *En adoptant les modes et les manières de vivre des Américains, nous américanisons notre façon de penser.* ☞ américain. **s'américaniser** v.pron. Adopter les habitudes, le caractère des Américains : *Ce serait dommage que le Québec s'américanise au point de perdre son caractère français.*

américanisme n.m. Mot, expression propres à l'anglais parlé aux États-Unis : *Quand on dit « O.K. » au lieu de « d'accord », on emploie un américanisme.* ☞ américain.

amérindien, ienne n. et adj. **1.** n. Indien, Indienne d'Amérique : *Un Amérindien, une Amérindienne.* **2.** adj. Qui est relatif aux Amérindiens : *Le vocabulaire français s'est enrichi au contact des langues amérindiennes.* **R.** On met la majuscule à *amérindien* et à *amérindienne* lorsqu'il s'agit du nom. ☞ américain.

amerrir v. Se poser sur l'eau : *L'hydravion a amerri sans difficulté.* ☞ mer.

amerrissage n.m. Action de se poser sur l'eau: *L'amerrissage de la cabine spatiale a eu lieu à l'heure prévue.* ☞ mer.

amertume n.f. **1.** Goût amer: *L'amertume du café me déplaît.* SYN. acidité, âcreté, aigreur. ANT. douceur. **2.** Sentiment de tristesse, de découragement à la suite d'une déception, d'une injustice: *Son cœur est plein d'amertume.* ☞ amer.

améthyste n.f. Pierre précieuse de couleur violette: *Les améthystes sont une variété de quartz.*

ameublement n.m. Ensemble des meubles qui garnissent un logement: *Mes parents ont décidé de changer l'ameublement du salon.* SYN. mobilier. ☞ meuble (n.).

ameublir v. En parlant d'un sol, le rendre meuble, plus léger; briser les mottes: *Il faut ameublir le sol avant de l'ensemencer.* ☞ meuble (adj.).

ameublissement n.m. Action de rendre un sol plus meuble, plus léger: *L'ameublissement favorise la croissance des plantes.* ☞ meuble (adj.).

ameuter v. Rassembler des personnes pour les exciter: *L'agitatrice ameute la foule contre les policiers.* ANT. calmer, démobiliser.

ami, ie n. et adj. **1.** n. Personne qu'on aime bien: *Quand j'ai de la peine, je peux compter sur mes amis.* SYN. camarade, compagnon, copain. ANT. adversaire, ennemi. **2.** adj. Qui appartient à un ami: *Quel plaisir que d'entendre une voix amie au téléphone!* SYN. amical. ANT. ennemi, hostile. ☞ amical, amicalement, amitié, inamical.

amiable adj. Qui a lieu de gré à gré: *Essayons de faire un partage amiable.* à l'**amiable** loc.adv. Qui se fait entre deux personnes de gré à gré: *Réglons ce problème à l'amiable!*

amiante n.m. Minéral dont les fibres sont insensibles à l'action d'un feu ordinaire: *Les fibres d'amiante servent à fabriquer des tissus incombustibles.*

amical, ale, aux adj. Qui est plein d'amitié: *Il m'a salué d'un geste amical.* SYN. sympathique. ANT. hostile, malveillant. ☞ ami.

amicalement adv. D'une façon amicale: *La voisine me reçoit toujours amicalement.* ☞ ami.

amidon n.m. Substance de réserve de végétaux comme le blé, le riz, le maïs, la pomme de terre, qui se présente sous forme de granules: *Quand on mélange de l'amidon avec de l'eau chaude, on obtient de l'empois.* SYN. fécule.

amincir v. **1.** Rendre plus mince quelqu'un ou quelque chose: *Il faudrait amincir encore cette planche.* SYN. amenuiser. ANT. épaissir. **2.** Faire paraître quelqu'un plus mince: *Ton tailleur noir t'amincit beaucoup.* ANT. grossir. ☞ mince. s'**amincir** v.pron. Devenir plus fin, plus mince: *Ta bague s'amincit; tu devrais la porter chez le bijoutier.*

amincissement n.m. Action d'amincir; fait de devenir plus mince: *L'amincissement de la couche d'ozone inquiète le milieu scientifique.* ☞ mince.

amiral, aux n.m. Dans la marine militaire, officier ayant le grade le plus élevé: *L'amiral commande l'équipage.* **R.** L'O.L.F. recommande *amirale* comme féminin de *amiral*.

amitié n.f. **1.** Sentiment d'attachement, d'affection réciproque entre deux personnes: *Au cours des années, des liens d'amitié se sont tissés entre nous.* ANT. antipathie, inimitié. **2.** plur. Paroles amicales et affectueuses: *Quand vous verrez Solange, transmettez-lui mes amitiés.* ☞ ami.

ammophile n.f. Sorte de guêpe qui se sert de son aiguillon pour paralyser les chenilles dont elle nourrit ses larves: *L'ammophile se creuse des galeries dans le sable.* **R.** Les lettres *ph* se prononcent *f*.

amnésie n.f. Perte de mémoire: *L'amnésie résulte parfois d'un accident.* ☞ amnésique.

amnésique n. et adj. **1.** n. Personne qui souffre d'amnésie: *L'amnésique ne se souvient pas de ce qu'il faisait au moment de l'accident.* **2.** adj. Qui souffre d'amnésie: *Grand-mère est devenue amnésique.* ☞ amnésie.

amnistie n.f. Loi spéciale qui efface une faute, qui annule une condamnation: *L'amnistie redonne leurs droits aux citoyens qui avaient été condamnés.* SYN. grâce, pardon.

amocher v.fam. **1.** Blesser, défigurer quelqu'un: *Cette petite s'est fait amocher dans une bataille.* **2.** Abîmer, détériorer quelque chose: *Ta bicyclette est bien amochée!* s'**amocher** v.pron. Se blesser, se défigurer: *En tombant, Brian s'est gravement amoché.*

amoindrir v. Diminuer, rendre moindre: *Tes nombreux écarts de conduite ont amoindri ma patience à ton égard.* SYN. affaiblir, réduire, restreindre. ANT. accroître, augmenter. ☞ moindre. s'**amoindrir** v.pron. Diminuer, devenir moindre: *Ses forces s'amoindrissent à mesure qu'il vieillit.* SYN. décroître, faiblir. ANT. s'accroître, se développer.

amoindrissement n.m. Diminution, affaiblissement: *J'ai remarqué un amoindrisse-*

ment de la qualité des produits. SYN. réduction. ANT. accroissement, augmentation. ☞ moindre.

amollir v. Rendre mou, moins ferme: *La chaleur amollit la crème glacée.* SYN. ramollir. ANT. durcir. ☞ mou (adj.).

amonceler v. Mettre en tas, en monceau: *L'horticultrice amoncelle les tiges sèches des fleurs pour les brûler.* SYN. accumuler, amasser, entasser. ANT. disperser, éparpiller. ☞ amoncellement. **s'amonceler** v.pron. S'accumuler, s'entasser: *Il va pleuvoir: les nuages s'amoncellent.* ANT. s'éparpiller. **R.** Ne pas oublier de doubler le *l* devant un *e* muet.

amoncellement n.m. Accumulation, tas: *Un amoncellement de pneus détruisait la beauté du paysage.* SYN. entassement. ☞ amonceler.

amont n.m. Partie d'un cours d'eau située du côté de sa source: *Si je remonte le Richelieu jusqu'au lac Champlain, je vais vers l'amont.* ANT. aval. en **amont de** loc.prép. En remontant le courant: *Québec est en amont de Rivière-du-Loup.*

amorce n.f. **1.** Produit servant à attirer le poisson ou le gibier: *La trappeuse a placé des amorces pour capturer les renards.* SYN. appât. **2.** Dispositif qui déclenche l'explosion: *L'amorce a bien fonctionné puisque l'explosion a eu lieu.* **3.** Petite quantité de matière détonante entre deux rondelles de papier: *Je ne veux pas que tu utilises ce pistolet à amorces.* **4.** Commencement, début: *Les grévistes souhaitent l'amorce des négociations.* ANT. achèvement, conclusion. ☞ amorcer, désamorçage, désamorcer.

amorcer v. **1.** Mettre un appât à l'hameçon, attirer le gibier avec des amorces: *On amorce une ligne avec des vers.* SYN. appâter. **2.** Placer une amorce pour faire exploser: *La charge explosive est amorcée.* ANT. désamorcer. **3.** Commencer à faire une action: *L'automobiliste amorce un virage.* **4.** Entamer, commencer: *Les élèves ont amorcé une discussion sur la pollution.* SYN. engager. ANT. achever, terminer. **R.** Ne pas oublier la cédille devant *a* et *o*. ☞ amorce.

amorphe adj. Qui manque de caractère, d'énergie: *Les gens amorphes sont peu intéressants.* SYN. mou. ANT. énergique. **R.** Les lettres *ph* se prononcent *f*.

amortir v. Rendre moins violent: *Quand je suis tombé sur la glace, mes vêtements ont amorti ma chute.* SYN. atténuer, réduire. ANT. amplifier, augmenter. ☞ amortissement, amortisseur.

amortissement n.m. Action, manière d'amortir l'effet de quelque chose: *Les feuilles mortes ont contribué à l'amortissement de sa chute.* ☞ amortir.

amortisseur n.m. Dispositif qui sert à amortir la violence d'un choc, les secousses: *Mon automobile a de bons amortisseurs.* ☞ amortir.

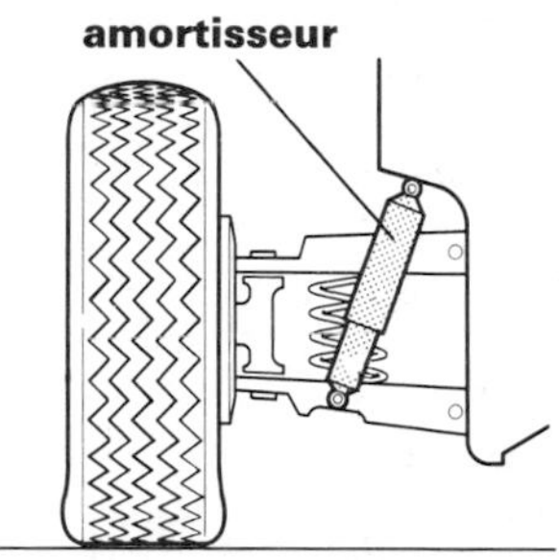

amour n.m. **1.** Affection vive pour quelqu'un ou quelque chose: *S'il y avait plus d'amour dans le monde, tout irait mieux.* SYN. amitié, sympathie. ANT. antipathie. **2.** Affection, tendresse que se portent les membres d'une famille: *Les enfants ont beaucoup d'amour pour leurs parents.* SYN. attachement, fraternité. ANT. haine, indifférence. **3.** Sentiment passionné, attirance sexuelle: *Claude et Diane ont fait un mariage d'amour.* SYN. passion. **4.** Personne qu'on aime: *Mon amour, je t'aime tant!* **5.** Goût très prononcé pour une chose: *Son amour des sports l'empêche de faire autre chose.* SYN. passion. ANT. aversion. **6.** Soin que l'on prend à faire quelque chose: *Ce menuisier travaille avec amour.* ANT. indifférence. ∥ *Faire l'amour:* Avoir des relations sexuelles. *Saison, temps des amours:* Moment où les animaux s'accouplent. ☞ aimer.

s'amouracher v.pron.péj. Tomber amoureux d'une façon soudaine et passagère: *Lionel s'amourache de toutes les filles qui le regardent.* ☞ aimer.

amourette n.f. Amour passager: *Ce n'est pas sérieux; ce n'est qu'une amourette.* SYN. béguin, flirt. ☞ aimer.

amoureusement adv. **1.** Avec amour, avec tendresse: *Grand-mère regarde amoureusement grand-père et lui sourit.* SYN. tendrement. ANT. froidement. **2.** Avec beaucoup de soin: *Julie range amoureusement ses souvenirs de voyage.* ANT. négligemment. ☞ aimer.

amoureux, euse n. et adj. **1.** n. Personne qui en aime beaucoup une autre: *Les deux amoureux ne se quittent pas.* SYN. amant, ami, bien-aimé. ANT. ennemi. **2.** n. Personne qui a un goût prononcé pour quelque chose: *So-*

phie est une amoureuse de la nature. SYN. amant. **3.** adj. Qui aime, qui montre de l'amour: *Ginette et Pierre ont échangé des regards amoureux toute la soirée.* SYN. affectueux. ANT. haineux. **4.** adj. Qui a un goût prononcé pour quelque chose: *Serge est amoureux de la musique.* SYN. épris, fou, passionné. ANT. indifférent. ☞ aimer.

amour-propre n.m. Sentiment qu'une personne a de sa valeur, de sa dignité: *Les critiques de l'entraîneur ont blessé l'amour-propre de Mélanie.* **R.** Au pluriel, *amours-propres.* ☞ aimer.

amovible adj. Qui peut être enlevé ou remis à volonté: *La doublure de son manteau est amovible.*

amphibie adj. **1.** Qui peut vivre à l'air ou dans l'eau: *Le crocodile, le crabe et la grenouille sont amphibies.* **2.** Qu'on peut utiliser dans l'eau ou sur terre: *L'armée utilise des véhicules amphibies.* **R.** Les lettres *ph* se prononcent *f.* ☞ amphibiens.

amphibiens n.m.plur. Autre nom qu'on donne aux batraciens: *La grenouille et le crapaud sont des amphibiens.* **R.** S'écrit au singulier lorsqu'il désigne un animal appartenant à cette classe. Les lettres *ph* se prononcent *f.* ☞ amphibie.

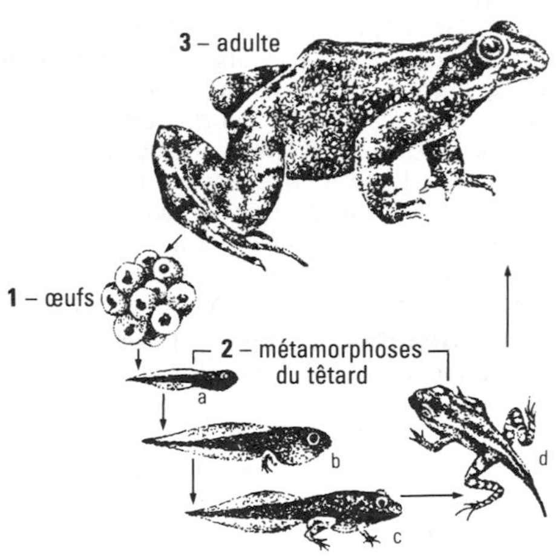

amphibiens

amphithéâtre n.m. **1.** Chez les Romains, vaste édifice circulaire à gradins destiné aux spectacles: *Les combats de gladiateurs avaient lieu dans l'amphithéâtre.* **2.** Salle de cours garnie de gradins: *Le cours d'histoire se donne dans l'amphithéâtre.* **R.** Ne pas oublier l'accent: *â.* Les lettres *ph* se prononcent *f.*

amphore n.f. Dans l'Antiquité, vase à deux anses, de forme ovoïde: *Les amphores servaient à la conservation ou au transport des denrées.* **R.** Les lettres *ph* se prononcent *f.*

ample adj. Qui est plus large, plus grand que la mesure ordinaire: *Ce manteau ample te couvrira bien.* SYN. grand. ANT. ajusté, étroit, petit. ☞ amplement, ampleur, amplificateur, amplifier.

amplement adv. D'une façon ample, plus que suffisante: *Karine lui a amplement parlé de son voyage.* SYN. abondamment, beaucoup, grandement. ANT. insuffisamment, peu. ☞ ample.

ampleur n.f. **1.** Largeur qui dépasse la mesure ordinaire: *Ta jupe a beaucoup d'ampleur.* ANT. étroitesse. **2.** Caractère important de quelque chose: *Je viens de saisir l'ampleur du problème.* SYN. extension. ANT. petitesse. ☞ ample.

amplificateur n.m. Appareil qui augmente l'intensité du son: *L'amplificateur est un élément essentiel de la chaîne acoustique.* **R.** Aussi, *ampli.* ☞ ample.

amplifier v. **1.** Augmenter, accroître: *On a besoin d'un appareil pour amplifier les sons.* ANT. amoindrir, réduire. **2.** péj. Exagérer: *Le journal a amplifié la nouvelle pour attirer les lecteurs.* ANT. réduire, simplifier. ☞ ample. **s'amplifier** v.pron. Augmenter en intensité, devenir plus important: *Loin de se calmer, la tempête s'amplifie.* ANT. diminuer.

ampoule n.f. **1.** Globe de verre destiné à l'éclairage, qui renferme un filament électrique: *Il faudrait changer l'ampoule de la lampe.* **2.** Petit tube de verre effilé qui contient un médicament liquide; son contenu: *La femme médecin recommande de prendre cette ampoule avec du lait.* **3.** Sous l'épiderme, petite poche remplie de liquide: *J'ai une ampoule au pied.* SYN. cloque.

amputation n.f. Opération chirurgicale qui consiste à couper un membre ou une partie de membre: *L'accidenté refusait l'amputation.* SYN. ablation. ☞ amputer.

amputé, ée n. Personne à qui on a coupé un membre: *Les amputés de guerre reçoivent une pension.* SYN. mutilé. HOM. amputer. ☞ amputer.

amputer v. Couper un membre ou une partie de membre au cours d'une opération chirurgicale: *On a dû lui amputer la jambe.* SYN. enlever, mutiler. ANT. conserver. HOM. amputé. ☞ amputation, amputé.

amulette n.f. Petit objet qu'on porte sur soi pour se protéger des maladies, des dangers: *Comme Yves est superstitieux, il porte une amulette au cou.* SYN. fétiche, porte-bonheur, talisman.

amusant, ante adj. Qui distrait, qui divertit : *Les enfants ont découvert un jeu amusant.* SYN. récréatif. ANT. assommant, ennuyeux, triste. ☞ amuser.

amuse-gueule n.m.invar.fam. Hors-d'œuvre (canapé, biscuit salé, petit sandwich) qu'on sert avec l'apéritif : *Les amuse-gueule sont délicieux.* ☞ amuser.

amusement n.m. Distraction, occupation qui amuse : *Pour moi, la lecture est un amusement.* SYN. délassement, divertissement. ANT. ennui. ☞ amuser.

amuser v. **1.** Distraire, divertir : *Ce jeu amuse beaucoup mes enfants.* SYN. délasser, récréer. ANT. ennuyer, fatiguer, importuner. **2.** Faire rire : *Tu m'amuses avec toutes tes histoires.* SYN. dérider, égayer, réjouir. ANT. attrister, chagriner. ☞ amusant, amuse-gueule, amusement, amuseur. **s'amuser** v.pron. **1.** Perdre son temps : *Il vaudrait mieux travailler que s'amuser.* **2.** Se distraire : *Nous nous amusons beaucoup à cette fête.*

amuseur, euse n. Personne qui amuse un public : *Les amuseurs publics se promènent dans les rues pendant le festival.* ☞ amuser.

amygdale n.f. Chacun des deux organes situés de chaque côté de la gorge : *Martin a été opéré des amygdales.* **R.** Le *g* ne se prononce pas. ☞ amygdalite.

amygdalite n.f. Inflammation des amygdales : *Ma petite sœur souffre d'une amygdalite.* **R.** Le *g* ne se prononce pas. ☞ amygdale.

an n.m. Période de douze mois : *Barbara a douze ans.* SYN. année. HOM. en. ⁄⁄ *Jour de l'an, premier de l'an :* Le premier janvier. ☞ année, annuel, annuellement, bisannuel.

anabolisant n.m. Substance qui augmente la masse musculaire et qui est parfois utilisée par les athlètes pour améliorer leurs performances : *Les anabolisants sont interdits aux athlètes qui veulent participer aux Jeux olympiques.*

anabolisant, ante adj. Qui augmente la masse musculaire : *Les substances anabolisantes causent un grand tort à la santé.*

anacarde n.m. Fruit de l'anacardier : *L'anacarde est couramment appelé « noix de cajou ».* ☞ anacardier.

anacardier n.m. Arbre qui produit l'anacarde ou noix de cajou : *L'anacardier est cultivé dans les régions chaudes d'Amérique et d'Afrique.* ☞ anacarde.

anaconda n.m. Grand serpent aquatique d'Amérique du Sud : *L'anaconda n'est pas venimeux.* ◇ eunecte.

anagramme n.f. Mot que l'on obtient en changeant l'ordre des lettres : *L'anagramme de Rita, c'est tari ou tria.*

anal, ale, aux adj. Qui est relatif à l'anus : *Certains poissons sont dotés de nageoires anales.* ☞ anus.

analgésique n.m. et adj. **1.** n.m. Substance qui supprime ou diminue la sensibilité à la douleur : *L'aspirine est un analgésique.* **2.** adj. Qui supprime ou diminue la sensibilité à la douleur : *La femme médecin prescrit des substances analgésiques aux malades qui souffrent beaucoup.*

analogie n.f. Ressemblance, rapport entre deux ou plusieurs objets : *Il y a plusieurs analogies entre ces deux romans.* SYN. correspondance, lien. ANT. différence, opposition. ☞ analogique, analogue.

analogique adj. Qui repose sur la ressemblance entre deux ou plusieurs objets : *Un dictionnaire analogique regroupe les mots en fonction des relations de sens qu'ils ont entre eux.* ☞ analogie.

analogue adj. Qui présente une ressemblance, un rapport avec un autre objet : *Ces deux récits sont analogues.* SYN. comparable, équivalent, semblable. ANT. contraire, différent, dissemblable, opposé. **R.** Ne pas oublier le *u* après le *g*. ☞ analogie.

analphabète n. et adj. **1.** n. Personne qui ne sait ni lire ni écrire : *Au Canada, on a recensé cinq millions d'analphabètes.* SYN. illettré. **2.** adj. Qui ne sait ni lire ni écrire : *Comme ce jeune homme est analphabète, il ne peut pas lire le nom des rues.* **R.** Les lettres *ph* se prononcent *f*. ☞ alphabet.

analphabétisme n.m. État de l'analphabète, ensemble des analphabètes qui vivent dans un pays : *Au Canada, le taux d'analphabétisme est de vingt pour cent.* **R.** Les lettres *ph* se prononcent *f*. ☞ alphabet.

analyse n.f. **1.** Recherche des éléments qui constituent un produit, une matière : *Après une prise de sang, on procède à l'analyse de l'échantillon en laboratoire.* SYN. décomposition, dissection, étude, examen, observation. ANT. reconstitution, réunion. **2.** Action de décomposer une phrase en propositions ou en mots : *Nous ferons l'analyse de cette phrase.* ☞ analyser.

analyser v. Rechercher les éléments qui constituent un produit, une matière : *Pour m'assurer que l'eau est potable je vais la faire analyser.* SYN. décomposer, disséquer, étudier, examiner. ANT. reconstituer, réunir. ☞ analyse.

ananas n.m. **1.** Plante cultivée dans les régions chaudes, qui produit un fruit écailleux brun-rouge : *L'ananas est originaire d'Amérique tropicale.* **2.** Fruit de cette plante : *Veux-tu une tranche d'ananas ?*

anarchie n.f. **1.** État d'un pays que personne ne dirige et où règne le désordre : *L'anarchie règne dans ce pays.* SYN. chaos, confusion. ANT. ordre, paix. **2.** Désordre, confusion dans une activité quelconque : *Pendant ce cours, les élèves font ce qu'ils veulent ; c'est l'anarchie.* SYN. chaos. ANT. discipline, ordre, paix. ☞ anarchisme, anarchiste.

anarchisme n.m. Système politique qui se fonde sur le rejet de toute autorité : *L'anarchisme rejette tout pouvoir qui impose des contraintes aux individus.* ☞ anarchie.

anarchiste n. **1.** Partisan de l'anarchisme : *Les anarchistes voudraient que tous les gouvernements du monde disparaissent.* **2.** Personne qui n'accepte pas l'autorité : *Les personnes qui vivent en marge de la société sont souvent des anarchistes.* ☞ anarchie.

anatomie n.f. Science qui étudie la forme et la structure du corps des êtres vivants : *Les étudiants en médecine suivent des cours d'anatomie.* ☞ anatomique.

anatomique adj. Qui est relatif à l'anatomie : *Les planches anatomiques illustrent les diverses parties du corps.* ☞ anatomie.

ancestral, ale, aux adj. Qui vient des ancêtres : *La bénédiction paternelle du Jour de l'an est une coutume ancestrale.* ☞ ancêtre.

ancêtre n.m. **1.** Personne dont on descend et qui a vécu avant les grands-parents : *L'ancêtre de Robert a bâti cette magnifique maison de pierres.* SYN. aïeul, ascendant. ANT. descendant. **2.** plur. Personnes qui ont vécu dans les siècles passés : *Nos ancêtres n'avaient pas la vie facile.* SYN. aïeux. ANT. contemporains. **R.** Ne pas oublier l'accent : *ê.* ☞ ancestral.

anche n.f. Dans les instruments à vent, languette mobile dont les vibrations produisent les sons : *Le hautbois a une anche double.* HOM. hanche.

anchois n.m. Petit poisson de mer voisin du hareng, qui est très commun en Méditerranée : *J'ajoute des filets d'anchois à ma salade César.*

ancien, ienne adj. **1.** Qui existe depuis longtemps : *Ces objets anciens ont leur place dans un musée.* SYN. antique, vieux. ANT. jeune, neuf, nouveau, récent. **2.** Qui n'est plus ce qu'il a été, qui n'exerce plus sa fonction : *Ma mère est une ancienne directrice d'école.* **3.** Qui a été remplacé : *L'édifice a été construit sur le site d'un ancien couvent.* SYN. âgé, vétuste. ANT. actuel. **4.** Qui a existé il y a très longtemps : *L'ancienne Grèce a vu naître de grands esprits.* SYN. antique. ANT. moderne. ☞ anciennement, ancienneté, anciens.

anciennement adv. Autrefois, il y a longtemps : *Ville-Marie est le nom qu'on donnait anciennement à Montréal.* SYN. jadis. ANT. actuellement, aujourd'hui, maintenant. ☞ ancien.

ancienneté n.f. Temps passé à travailler dans une entreprise, à exercer une fonction : *Cette enseignante a vingt ans d'ancienneté.* ☞ ancien.

anciens n.m.plur. **1.** Personnes qui ont vécu dans l'Antiquité : *Les Anciens nous ont laissé des œuvres d'art d'une beauté incomparable.* **2.** Personnes qui sont les plus âgées ou qui ont le plus d'ancienneté : *Les anciens du village se réunissent pour discuter.* **R.** On met la majuscule à *anciens* lorsqu'il s'agit de personnes qui ont vécu dans l'Antiquité. ☞ ancien.

ancre n.f. Gros crochet d'acier suspendu à une chaîne, qui sert à immobiliser un navire : *En arrivant au port, les marins jettent l'ancre.* HOM. encre. // *Jeter l'ancre :* Mouiller dans un port. *Lever l'ancre :* Quitter le port, appareiller. ☞ ancrer.

ancrer v. **1.** Retenir un navire en jetant l'ancre : *Le navire est ancré dans le port.* SYN. amarrer, attacher, mouiller. **2.** fig. Fixer solidement une idée, un sentiment : *C'est une opinion qui est ancrée dans ce milieu.* SYN. enraciner. ANT. extirper. ☞ ancre.

andouille n.f. **1.** Charcuterie faite de tripes de porc hachées et emballées dans des boyaux : *La charcutière m'a fait goûter un morceau d'andouille.* **2.** pop. Personne idiote et imbécile : *Espèce d'andouille !*

andouiller n.m. Chacune des ramifications du bois des cervidés : *Les andouillers nous renseignent sur l'âge du cerf.* SYN. corne.

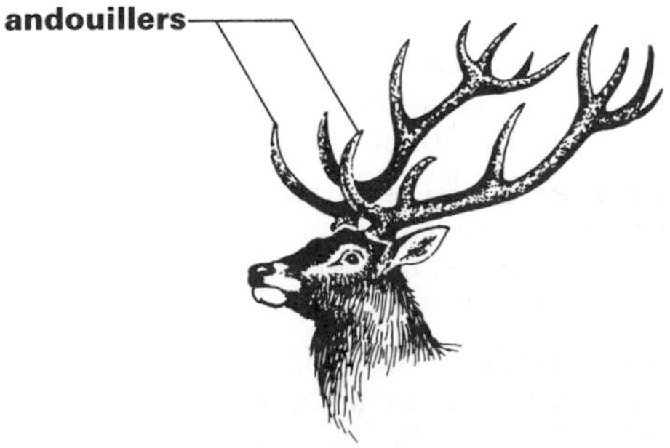

andouillers

âne n.m. Mammifère à longues oreilles, plus petit que le cheval, à la robe généralement grise, dont la femelle est l'ânesse et le petit, l'ânon: *L'âne brait dans l'enclos.* SYN. baudet, bourrique. ☞ ânesse, ânier, ânon. ▲ **âne** n.m. Personne ignorante, qui ne comprend rien: *Cesse de faire l'âne.* SYN. idiot, imbécile. **R.** Ne pas oublier l'accent: *â*. ☞ ânerie.

anéantir v. **1.** Détruire entièrement quelque chose: *L'ouragan a anéanti le village.* SYN. annihiler, démolir, raser. ANT. bâtir, construire, édifier, ériger. **2.** Décourager, épuiser quelqu'un: *La mort de ses parents l'a anéantie.* SYN. accabler, écraser. ANT. stimuler. ☞ anéantissement.

anéantissement n.m. Destruction totale: *L'anéantissement de la fusée s'est fait en quelques minutes.* SYN. disparition. ☞ anéantir.

anecdote n.f. Récit d'un petit fait curieux mais sans importance: *Laissez-moi vous raconter une anecdote.* SYN. historiette. ☞ anecdotique.

anecdotique adj. Qui s'attache aux petits faits curieux mais sans importance, qui contient des anecdotes: *Voici un récit anecdotique.* ☞ anecdote.

anémie n.f. Maladie du sang causée par une diminution des globules rouges: *La pâleur et la fatigue sont des symptômes de l'anémie.* ☞ anémier, anémique.

anémier v. Rendre anémique: *Ce régime amaigrissant l'a anémiée.* SYN. affaiblir. ANT. fortifier. ☞ anémie.

anémique adj. Qui souffre d'anémie: *Comme Pascal est anémique, il doit se faire soigner.* SYN. faible. ANT. vigoureux. ☞ anémie.

anémomètre n.m. Appareil qui sert à mesurer la vitesse du vent: *La station météorologique s'est dotée d'un nouvel anémomètre.*

anémone n.f. Plante sauvage ou cultivée dont les fleurs sont de couleurs diverses: *L'anémone des bois a des fleurs blanches ou rosées.* ⁄⁄ *Anémone de mer:* Autre nom de l'«actinie».

ânerie n.f. Parole ou acte stupide: *Il faudrait cesser de dire des âneries.* SYN. bêtise, sottise. ANT. finesse. **R.** Ne pas oublier l'accent: *â*. ☞ âne.

ânesse n.f. Femelle de l'âne: *L'ânesse allaite son ânon.* **R.** Ne pas oublier l'accent: *â*. ☞ âne.

anesthésie n.f. Suppression de la sensibilité à la douleur par l'emploi d'une substance appelée «anesthésique»: *L'anesthésie peut être générale ou locale.* ⁄⁄ *Anesthésie générale:* Qui insensibilise tout le corps. *Anesthésie locale:* Qui n'insensibilise qu'une partie du corps. ☞ anesthésier, anesthésique, anesthésiste.

anesthésier v. Insensibiliser le corps ou une partie du corps par l'emploi d'une substance anesthésique: *La dermatologue a anesthésié mon pied avant d'enlever la verrue.* ☞ anesthésie.

anesthésique n.m. et adj. **1.** n.m. Substance qui provoque l'anesthésie: *L'éther est un anesthésique.* **2.** adj. Qui provoque l'anesthésie: *Les produits anesthésiques insensibilisent le corps pendant les opérations.* ☞ anesthésie.

anesthésiste n. Médecin qui pratique l'anesthésie: *L'anesthésiste surveille la malade pendant l'opération.* ☞ anesthésie.

aneth n.m. Plante dont les feuilles et les graines sont utilisées comme assaisonnement: *J'ajoute des graines d'aneth au poisson pour lui donner plus de saveur.*

anfractuosité n.f. Creux profond et irrégulier: *Toutes sortes de plantes poussaient dans les anfractuosités du rocher.* SYN. cavité, enfoncement, trou.

ange n.m. **1.** Dans certaines religions, être spirituel qui sert d'intermédiaire entre Dieu et les êtres humains: *On représente les anges avec des ailes.* SYN. envoyé, messager. ANT. démon, diable. **2.** Personne qui semble parfaite: *Cet enfant est un ange.* ANT. démon. ⁄⁄ *Ange gardien:* Personne qui en protège une autre. ☞ angélique, angelot, archange.

angélique adj. Qui a les qualités d'un ange: *Laurence a une patience angélique.* ANT. démoniaque, diabolique. ☞ ange.

angelot n.m. Petit ange: *Dans ce tableau religieux on voit des angelots.* ☞ ange.

angélus n.m. (lat.) **1.** Prière chrétienne qui commence par le mot latin «Angelus», qui signifie «ange»: *Quand nous étions petits, nous récitions l'Angélus le matin, le midi et le soir.* **2.** Son de cloche qui sonne l'heure de cette prière: *L'angélus sonne.* **R.** On met la majuscule à *angélus* lorsqu'il s'agit de la prière. Le *s* se prononce.

angine n.f. Mal de gorge causé par une inflammation du gosier et du pharynx: *Éric souffre d'une angine.* ⁄⁄ *Angine de poitrine:* Affection du cœur qui se manifeste par des douleurs à la poitrine, accompagnées d'angoisse.

anglais, aise n. et adj. **1.** n. Personne qui est de l'Angleterre: *Un Anglais, une Anglaise.*

2. adj. Qui est de l'Angleterre : *Le peuple anglais vit sous un régime monarchique.* **R.** On met la majuscule à *anglais* et à *anglaise* lorsque le nom désigne une personne. ☞ angliciser, anglicisme, anglophone.

anglais n.m. Langue parlée en Angleterre, aux États-Unis et dans les anciennes colonies anglaises : *En général, les écoliers du Québec apprennent l'anglais à partir de la quatrième année.* ☞ angliciser, anglicisme, anglophone.

angle n.m. **1.** Figure formée par deux lignes ou deux surfaces qui se coupent : *En géométrie, on apprend à calculer la valeur des angles.* **2.** Coin, intersection : *L'école se trouve à l'angle de ces deux rues.* ☞ angulaire, anguleux, équiangle.

anglican, ane n. et adj. **1.** n. Fidèle qui appartient à l'anglicanisme : *Les anglicans ne reconnaissent pas le pape comme chef suprême de l'Église.* **2.** adj. Qui est relatif à l'anglicanisme : *Dans l'Église anglicane, on donne le nom de révérend au pasteur.* ☞ anglicanisme.

anglicanisme n.m. Religion officielle de l'Angleterre : *L'anglicanisme est apparu en Angleterre en 1534.* ☞ anglican.

angliciser v. Donner un caractère anglais à quelque chose : *Certains Québécois anglicisent leur nom quand ils vont vivre aux États-Unis.* ☞ anglais. **s'angliciser** v.pron. Prendre un caractère anglais : *Les francophones du Québec ne veulent pas que Montréal s'anglicise.*

anglicisme n.m. Mot ou expression qu'on emprunte à la langue anglaise : *« Parking » est un anglicisme.* ☞ anglais.

anglophone n. et adj. **1.** n. Personne qui est de langue anglaise : *Ma nièce est mariée à un anglophone.* **2.** adj. Qui parle l'anglais : *Les Québécois anglophones sont en minorité.* **R.** Les lettres *ph* se prononcent *f.* ☞ anglais.

angoissant, ante adj. Qui cause une très grande inquiétude : *Ma mère a reçu une nouvelle angoissante ; sa mère est gravement malade.* ANT. apaisant, calmant, tranquillisant. ☞ angoisse.

angoisse n.f. Très grande inquiétude qu'on ressent quand on est menacé : *Il entendait toutes sortes de bruits, et l'angoisse lui serrait la gorge.* SYN. anxiété. ANT. quiétude, sérénité, tranquillité. ☞ angoissant, angoissé, angoisser.

angoissé, ée adj. Qui est extrêmement inquiet : *Le voisin est angoissé depuis qu'on lui a dit que sa fille avait eu un accident.* SYN. anxieux, tourmenté. ANT. calme, tranquille. HOM. angoisser. ☞ angoisse.

angoisser v. Causer de l'angoisse à quelqu'un : *La sonnerie du téléphone l'angoisse, car elle craint toujours une mauvaise nouvelle.* SYN. inquiéter, tourmenter. ANT. apaiser, calmer, tranquilliser. HOM. angoissé. ☞ angoisse.

angora n.m. et adj. **1.** n.m. Animal (chat, chèvre, lapin) à poil long et soyeux : *Ce beau chat est un angora.* **2.** n.m. Textile fait avec ce poil : *J'ai acheté un foulard en angora.* **3.** adj. Qui a le poil long et soyeux, en parlant d'un chat, d'une chèvre ou d'un lapin : *Les lapins angoras sont élevés pour la qualité de leur poil.* **4.** adj. Qui est fabriqué avec le poil de ces animaux : *La laine angora est douce et soyeuse.*

anguille n.f. Poisson d'eau douce, au corps allongé comme celui d'un serpent : *L'anguille se reproduit dans la mer des Sargasses.* **R.** Les lettres *ill* se prononcent comme dans *famille*.

angulaire adj. Qui forme un angle : *La pierre angulaire de l'édifice porte la date de sa construction.* ☞ angle.

anguleux, euse adj. Qui est formé d'angles aigus : *Cette femme est si maigre que son visage est anguleux.* ANT. arrondi. ☞ angle.

anicroche n.f. Petit obstacle, petit ennui qui arrête : *Tout s'est passé sans anicroche.* SYN. contretemps.

ânier, ière n. Personne qui conduit un ou plusieurs ânes : *L'ânier prend bien soin de ses ânes.* **R.** Ne pas oublier l'accent : *â.* ☞ âne.

animal, aux n.m. **1.** Par opposition au végétal, être vivant doué de sensibilité et de mouvement : *L'être humain est un animal évolué.* **2.** Par opposition à l'être humain, être vivant dépourvu d'un langage articulé : *Les animaux domestiques nous rendent de grands services.* SYN. bête. **3.** Comme injure, personne stupide, grossière : *Espèce d'animal !* SYN. brute. ☞ animalerie.

animal, ale, aux adj. **1.** Qui est propre aux animaux : *L'espèce animale est distincte de l'espèce végétale.* **2.** Qui est propre aux animaux, à l'exclusion des êtres humains : *L'étude de l'anatomie animale est enrichissante.* ANT. spirituel, végétal.

animalerie n.f. Magasin qui se spécialise dans la vente de petits animaux et d'articles qui les concernent : *J'ai acheté une perruche à l'animalerie.* ☞ animal.

animateur, trice n. **1.** Personne qui présente un spectacle, une émission : *Cet animateur est très aimé du public.* **2.** Personne qui s'occupe d'un groupe, organise des activités :

Les guides écoutent attentivement leur animatrice. ☞ animer.

animation n.f. **1.** Mouvement, activité : *Il y a beaucoup d'animation dans les centres commerciaux avant Noël.* ANT. calme. **2.** Vivacité, éclat : *Mes parents ont discuté avec animation du dernier film qu'ils ont vu.* ANT. froideur. ☞ animer.

animé, ée adj. **1.** Qui est vivant : *Les animaux et les humains sont des êtres animés.* ANT. inanimé. **2.** Qui est plein de mouvement : *La rue Sainte-Catherine est très animée le samedi.* SYN. actif. ANT. paralysé. **3.** Qui est vif, éclatant : *La conversation est toujours très animée quand elle est là.* HOM. animer. // *Dessin animé :* Film dont les images sont faites d'une succession de vingt-quatre dessins donnant l'impression du mouvement. ☞ animer.

animer v. **1.** Donner du mouvement à quelque chose : *La présence de nombreux touristes a animé les rues du village.* SYN. activer, éveiller. ANT. engourdir, paralyser. **2.** Être l'animateur : *Pierrette a animé le spectacle avec beaucoup d'enthousiasme.* SYN. diriger. **3.** Mener, pousser à agir : *Carl m'en veut, c'est la jalousie qui l'anime.* ANT. retenir. HOM. animé. ☞ animateur, animation, animé, inanimé, ranimer, réanimation, réanimer. **s'animer** v.pron. **1.** Se mettre à bouger : *Dans ce film, les robots s'animent.* **2.** Devenir plein de mouvement : *Les plages s'animent l'été.* **3.** Devenir plus vif, plus éclatant : *Parlez-lui de planètes et vous le verrez s'animer.*

animosité n.f. **1.** Sentiment qui pousse à nuire à quelqu'un : *Marie-Paule entretient beaucoup d'animosité à mon égard.* SYN. antipathie, haine, inimitié. ANT. bienveillance, cordialité. **2.** Violence, agressivité dans une discussion : *J'aimerais que vous discutiez sans animosité.* SYN. emportement, véhémence. ANT. douceur, modération.

anis n.m. Plante dont la graine sert à parfumer des liqueurs, des bonbons, des mets : *Goûte ce délicieux bonbon à l'anis.* ☞ anisette.

anisette n.f. Liqueur préparée avec de la graine d'anis : *Grand-père boit un verre d'anisette tous les dimanches.* ☞ anis.

ankylose n.f. Diminution ou perte de mobilité d'une articulation : *Elle souffre d'une ankylose à la jambe droite.* SYN. paralysie. ANT. souplesse. ☞ ankyloser.

ankyloser v. Perdre la mobilité d'une articulation : *Quand la jambe est ankylosée, on rétablit la circulation du sang en bougeant.* SYN. paralyser. ☞ ankylose. **s'ankyloser** v.pron. Être frappé d'ankylose, devenir incapable de faire bouger une articulation : *Si tu restes assis sur tes jambes, tu vas t'ankyloser.*

anneau, eaux n.m. **1.** Cercle de bois, de métal qui sert à attacher ou à retenir : *Il faut faire réparer l'anneau brisé de ta chaîne.* **2.** Cercle de métal qu'on porte au doigt : *Papa porte un anneau d'or à son annulaire.* SYN. alliance, bague. **3.** plur. Cercles de métal fixés à des cordes, utilisés en gymnastique : *Philippe fait des exercices aux anneaux.* ☞ annelé, annulaire.

année n.f. **1.** Période de douze mois qui commence le 1er janvier et se termine le 31 décembre : *Cette année, ma sœur commence ses études secondaires.* **2.** Période de douze mois qui commence à un moment précis : *Samuel est né le 23 octobre ; il aura donc un an de plus à cette date chaque année.* SYN. an. **3.** Durée de douze mois : *L'auteure a mis cinq longues années à rédiger son livre.* ☞ an.

annelé, ée adj. Qui est disposé en anneaux : *Les bandes de couleur de la queue des ratons laveurs sont annelées.* ☞ anneau.

annexe n.f. et adj. **1.** n.f. Bâtiment qui s'ajoute à un bâtiment principal : *Comme il y a trop d'élèves à l'école, les commissaires parlent de construire une annexe.* **2.** n.f. Pièces, documents qui s'ajoutent à un ouvrage, à une loi : *N'oubliez pas de lire les documents en annexe.* SYN. appendice. **3.** adj. Qui s'ajoute à un bâtiment plus important : *Rendez-vous à la clinique annexe de l'hôpital.* ANT. principal. **4.** adj. Qui s'ajoute à un ouvrage, à une loi : *Je vais faire parvenir les pages annexes du manuel de mathématiques.*

annexer v. **1.** Rattacher une chose à une autre plus importante : *Le secrétaire a annexé ces documents à ton dossier.* SYN. incorporer, réunir. ANT. détacher, séparer. **2.** Rattacher un territoire ou un terrain à un autre : *Les Allemands ont annexé l'Alsace en 1940.* SYN. associer, incorporer. ANT. céder. ☞ annexion.

annexion n.f. Action d'annexer un territoire à un autre : *Les citoyens de Pointe-aux-Trembles ont voté l'annexion de leur ville à Montréal.* SYN. incorporation, rattachement. ANT. séparation. ☞ annexer.

annihiler v. Détruire entièrement, ruiner : *Cet échec a annihilé toute une année d'efforts.* SYN. anéantir, raser, supprimer. ANT. construire, édifier, ériger.

anniversaire n.m. **1.** Jour rappelant la date de naissance de quelqu'un : *Demain, c'est le douzième anniversaire de Nicole.* **2.** Date d'un événement qu'on souligne : *Le 7 septembre, Jean-Guy et Carole célèbrent leur anniversaire de mariage.*

annonce n.f. **1.** Communication par laquelle on apprend une nouvelle: *L'annonce de son départ m'a bouleversé.* **2.** Avis verbal ou écrit, destiné au public: *J'ai acheté une nouvelle automobile après avoir consulté les annonces du journal.* ∥ *Petites annonces:* Rubrique proposant toutes sortes de biens et de services. **R.** Ne pas employer «annonces classées» pour désigner les *petites annonces.* ☞ annoncer.

annoncer v. **1.** Faire connaître une nouvelle, un événement: *Je viens vous annoncer que je pars en voyage demain.* SYN. apprendre, communiquer, informer, publier. ANT. cacher, dissimuler, taire. **2.** Être le signe de quelque chose: *Les crocus annoncent la fin de l'hiver.* SYN. indiquer, marquer, signaler. ☞ annonce, annonceur. **s'annoncer** v.pron. Se présenter comme un début, bon ou mauvais: *Les vacances d'été s'annoncent bien.* **R.** Ne pas oublier la cédille devant *a* et *o*.

annonceur, euse n. **1.** Personne ou entreprise qui paie pour faire publier des annonces: *Les fabricants d'automobiles sont de bons annonceurs pour la télévision.* **2.** Personne qui présente les émissions, donne les nouvelles et annonce les émissions à la radio ou à la télévision: *L'annonceur fait la lecture des nouvelles de fin de soirée.* SYN. animateur, présentateur. **R.** L'O.L.F. recommande *annonceure* comme féminin de *annonceur.* ☞ annoncer.

annotation n.f. Note ou remarque qu'on écrit sur un texte, dans un livre: *Le professeur a écrit ses annotations sur ton devoir.* ☞ annoter.

annoter v. Écrire des notes, des remarques sur un texte, dans un livre: *On demande aux gens de ne pas annoter les livres de la bibliothèque.* ☞ annotation.

annuaire n.m. Ouvrage publié chaque année, qui contient divers renseignements: *L'annuaire téléphonique donne le nom des abonnés, leur adresse et leur numéro de téléphone.* **R.** Ne pas employer «bottin» pour désigner l'*annuaire téléphonique*. Bottin est une marque déposée en France. Ne pas confondre avec *annulaire*.

annuel, elle adj. **1.** Qui a lieu chaque année: *Nous avons assisté à la fête annuelle que mes grands-parents organisent pour leurs enfants.* **2.** Qui ne dure qu'un an: *Les plantes annuelles meurent à la fin de la saison.* ☞ an.

annuellement adv. Par an, chaque année: *Combien dépensez-vous annuellement pour vous nourrir?* ☞ an.

annulable adj. Qui peut être annulé: *Votre abonnement est annulable.* SYN. résiliable. ☞ annuler.

annulaire n.m. Quatrième doigt à partir du pouce: *Maman porte son alliance à l'annulaire de la main gauche.* **R.** Ne pas confondre avec *annuaire*. ☞ anneau.

annulation n.f. **1.** Décision d'une autorité visant à rendre un acte nul: *L'annulation du testament n'a pas plu aux héritiers.* SYN. résiliation. ANT. maintien, ratification. **2.** Action de supprimer, de décommander: *Le magasin n'a pas reçu l'annulation de votre commande.* ANT. confirmation. ☞ annuler.

annuler v. **1.** Rendre quelque chose nul, sans effet: *Comme la vendeuse n'avait pas été honnête avec moi, j'ai fait annuler le contrat.* SYN. anéantir, invalider, résilier. ANT. maintenir. **2.** Supprimer, décommander: *Stéphane devait aller chez le médecin, mais il a dû annuler son rendez-vous.* SYN. contremander. ANT. confirmer, ratifier. ☞ annulable, annulation.

anodin, ine adj. **1.** Qui est sans danger: *Myriam s'est fait une blessure anodine en tombant.* SYN. inoffensif. ANT. dangereux. **2.** Qui est insignifiant: *Je trouve ce politicien tout à fait anodin.* ANT. important.

anomalie n.f. Chose bizarre, étrange: *De la neige au mois de juin résulterait d'une anomalie du climat.* SYN. bizarrerie, étrangeté, irrégularité.

ânon n.m. **1.** Petit de l'âne et de l'ânesse: *L'ânesse protège son ânon.* SYN. bourricot. **2.** Petit âne: *On ne peut pas monter cet ânon, car il n'est pas assez robuste.* **R.** Ne pas oublier l'accent: *â*. ☞ âne.

ânonner v. Lire, parler, réciter en hésitant, avec difficulté: *Carlo n'a pas bien appris sa leçon, il ânonne en la récitant.* SYN. bredouiller. **R.** Ne pas oublier l'accent: *â*.

anonymat n.m. État d'une personne dont on ne connaît pas le nom ou d'une chose dont on ignore l'auteur: *Le mystérieux donateur veut garder l'anonymat.* ☞ anonyme.

anonyme adj. **1.** Dont on ne connaît pas le nom: *Une bienfaitrice anonyme a remis une somme d'argent à la Croix-Rouge.* SYN. inconnu. ANT. connu. **2.** Dont l'auteur est inconnu: *Rien n'est plus lâche qu'une lettre anonyme.* SYN. impersonnel. ☞ anonymat, anonymement.

anonymement adv. D'une manière anonyme: *Ces personnes ont contribué anonymement à la cause du parti.* ☞ anonyme.

anorak n.m. (inuit) Veste de sport imperméable avec ou sans capuchon: *Gaétane porte son anorak pour faire du ski.*

anorexie n.f. Perte grave de l'appétit: *L'anorexie mentale entraîne un amaigrissement considérable et peut conduire à la mort.* ANT. boulimie. ☞ anorexique.

anorexique n. et adj. **1.** n. Personne qui souffre d'anorexie, qui a perdu l'appétit: *Les anorexiques sont surtout des jeunes filles âgées de quinze à vingt ans.* ANT. boulimique. **2.** adj. Qui se rapporte à l'anorexie: *Les troubles anorexiques doivent être pris au sérieux.* ANT. boulimique. **3.** adj. Qui est atteint d'anorexie: *Les adolescentes anorexiques se trouvent toujours trop grosses.* ANT. boulimique. ☞ anorexie.

anormal, ale, aux adj. **1.** Qui est inhabituel: *Je trouve anormal que papa ne soit pas encore rentré.* SYN. étonnant. ANT. normal. **2.** Qui a des troubles mentaux: *Les enfants anormaux ont besoin d'aide et d'affection.* ANT. normal. ☞ normal.

anormalement adv. D'une manière anormale: *Je trouve qu'elle se conduit anormalement aujourd'hui.* ANT. normalement. ☞ normal.

anoure adj. Qui n'a pas de queue: *La rainette est un amphibien anoure.*

anoures n.m.plur. Amphibiens dépourvus de queue à l'âge adulte et pourvus de pattes postérieures qui les rendent aptes au saut: *Les grenouilles, les crapauds et les rainettes sont des anoures.* **R.** S'écrit au singulier lorsqu'il désigne un animal appartenant à cet ordre.

anse n.f. Partie recourbée de certains ustensiles, qui permet de les saisir: *Tiens ta tasse par l'anse, sinon tu vas te brûler.* ▲ **anse** n.f. Petite baie peu profonde, aux contours arrondis: *Pendant la tempête, le voilier s'est réfugié dans l'anse.*

antagoniste n. et adj.litt. **1.** n. Personne, groupe qui s'oppose à quelqu'un d'autre: *Les deux antagonistes en sont venues aux coups.* **2.** adj. Qui s'oppose à quelqu'un d'autre: *Les équipes antagonistes ont été mises au défi.*

d'antan loc.adv.litt. D'autrefois: *Mes grands-parents parlent avec nostalgie des hivers d'antan.*

antarctique n. et adj. **1.** n. Continent où se trouve le pôle Sud, région froide entourant le pôle Sud: *Plusieurs pays organisent des expéditions dans l'Antarctique.* ANT. Arctique. **2.** adj. Qui se rapporte au pôle Sud et aux régions qui l'environnent: *Le continent antarctique renferme sans doute de grandes richesses.* SYN. austral. ANT. arctique. **R.** On met la majuscule à *antarctique* lorsqu'il s'agit du nom. ☞ arctique.

antécédent n.m. **1.** Nom ou pronom représenté par un pronom relatif: *Dans la phrase «J'ai consolé l'enfant qui pleurait», enfant est l'antécédent du pronom relatif «qui».* **2.** plur. Actes, faits qui appartiennent à la vie passée d'une personne: *Cet accusé a de mauvais antécédents.*

antenne n.f. **1.** Chacun des organes allongés et mobiles que les insectes et les crustacés ont sur la tête: *Les antennes permettent à ces animaux de toucher et de sentir.* **2.** Conducteur métallique qui permet d'émettre ou de recevoir les ondes de radio ou de télévision: *Le voisin s'est installé une antenne sur le toit.*

antérieur, eure adj. **1.** Qui vient, dans le temps, avant autre chose: *La fondation de Québec est antérieure à celle de Montréal.* ANT. ultérieur. **2.** Qui est placé devant: *Les membres antérieurs sont ceux qui sont placés devant les membres postérieurs.* ANT. postérieur. ☞ antérieurement.

antérieurement adv. À une époque antérieure: *Le champion olympique avait antérieurement gagné deux médailles.* ANT. ultérieurement. ☞ antérieur.

anthère n.f. Partie renflée de l'étamine, qui contient le pollen: *Les anthères s'ouvrent à maturité pour laisser échapper le pollen.*

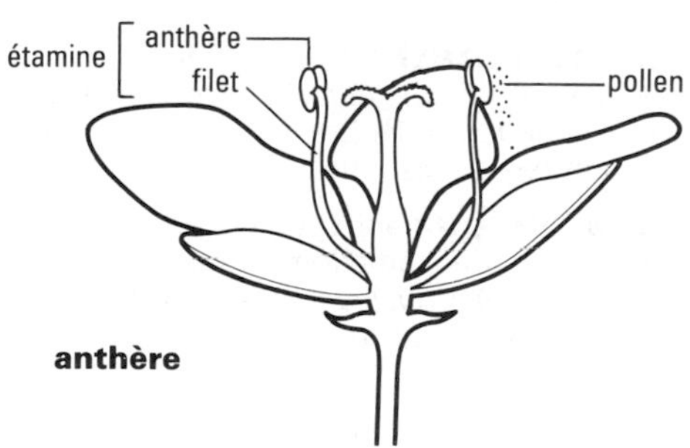

anthère

anthracite n.m. et adj.invar. **1.** n.m. Charbon qui dégage beaucoup de chaleur en brûlant: *L'anthracite brûle à peu près sans fumée.* **2.** adj. invar. Qui est gris foncé, de la couleur de l'anthracite: *Oncle Mario a un complet anthracite.*

anthropologie n.f. Ensemble des sciences qui étudient l'être humain: *L'anthropologie nous fait connaître davantage la façon de vivre des êtres humains.* ☞ anthropologique, anthropologue.

anthropologique adj. Qui se rapporte à l'étude de l'être humain: *Les recherches* *anthropologiques doivent être effectuées dans différents milieux.* ☞ anthropologie.

anthropologue n. Personne qui se spécialise dans l'étude de l'être humain: *Certaines anthropologues passionnées passent de longs mois à étudier les coutumes des sociétés primitives.* **R.** Ne pas oublier le *u* après le *g*. ☞ anthropologie.

anthropométrie n.f. Technique de mesure des parties du corps humain: *L'anthropométrie aide les policiers à identifier les criminels.* ☞ anthropométrique.

anthropométrique adj. Qui se rapporte à l'anthropométrie: *On a publié, dans les journaux, la fiche anthropométrique de cette criminelle recherchée.* ☞ anthropométrie.

antiaérien, ienne adj. Qui protège contre les attaques aériennes: *Quand une ville subit des bombardements, les gens se réfugient dans des abris antiaériens.* ☞ aérien.

antialcoolique adj. Qui combat l'abus des boissons alcooliques: *En faisant partie d'une ligue antialcoolique, ces personnes ont réussi à guérir leur maladie.* **R.** Les deux *o* se prononcent comme un seul *o*. ☞ alcool.

antialcoolisme n.m. Lutte contre l'alcoolisme: *Il faut combattre les effets et les progrès de l'alcoolisme par l'antialcoolisme.* **R.** Les deux *o* se prononcent comme un seul *o*. ☞ alcool.

antiasthmatique adj. Qui combat l'asthme: *Grégoire prend des médicaments antiasthmatiques.* **R.** Les lettres *th* ne se prononcent pas. ☞ asthme.

antiatomique adj. Qui protège contre les effets nocifs des radiations atomiques: *S'il y avait une guerre nucléaire, les gens devraient se réfugier dans des abris antiatomiques.* ☞ atome.

antibiotique n.m. Substance qui empêche la croissance de certains microbes ou qui les détruit: *Comme maman a une vilaine grippe, le médecin lui a prescrit des antibiotiques.*

antibrouillard n.m. et adj.invar. **1.** n.m. Phare qui améliore la visibilité par temps de brouillard: *Maman a fait installer des antibrouillards sur l'automobile.* **2.** adj. invar. Qui ne s'embue pas: *Elle porte des verres antibrouillard.* ☞ brouillard.

antibruit adj.invar. Qui protège contre le bruit: *Le long de l'autoroute, les ouvriers de la voirie ont installé des murs antibruit.* ☞ bruit.

anticancéreux, euse adj. Qui combat le cancer: *Ma cousine suit des traitements anticancéreux.* ANT. cancérigène. ☞ cancer.

antichambre n.f. Salle d'attente d'un bureau, d'un salon de réception ou d'un grand appartement: *Monsieur Demers attend dans l'antichambre du bureau de la députée.*

anticipation n.f. **1.** Action faite avant le moment prévu: *Papa a payé le loyer par anticipation.* **2.** Action d'imaginer à l'avance ce qui se produira plus tard: *J'adore les films et les romans d'anticipation.* SYN. imagination. ☞ anticiper.

anticipé, ée adj. Qui se fait avant le moment prévu: *Grand-mère a pris une retraite anticipée.* HOM. anticiper. ☞ anticiper.

anticiper v. **1.** Faire avant le moment prévu: *Ma mère a anticipé le paiement de notre loyer parce que nous partons en vacances.* SYN. devancer. ANT. différer. **2.** Imaginer à l'avance ce qui se produira plus tard: *La plupart des étudiants anticipent les vacances.* HOM. anticipé. ⁄⁄ *N'anticipons pas:* Ne devançons pas les faits. ☞ anticipation, anticipé.

anticoagulant n.m. Substance qui empêche le sang de se coaguler: *La femme médecin prescrit un anticoagulant au malade qui a fait une thrombose.* ☞ coaguler.

anticoagulant, ante adj. Qui empêche le sang de se coaguler: *Les substances anticoagulantes permettent de conserver le sang à l'état liquide pour les analyses de laboratoire.* ☞ coaguler.

anticonceptionnel, elle adj. Qui aide à prévenir la grossesse: *Les pilules anticonceptionnelles doivent être prescrites par le médecin.* ☞ concevoir.

anticonstitutionnel, elle adj. Qui est contraire à la constitution d'un pays: *La Cour suprême a déclaré que cette loi était anticonstitutionnelle.* ANT. constitutionnel. ☞ constitution.

anticorps n.m. Substance défensive élaborée par l'organisme pour lutter contre les microbes: *La vaccination permet à l'organisme de produire des anticorps qui le protégeront contre la maladie.*

antidémocratique adj. Qui s'oppose à la démocratie: *Si quelqu'un voulait empêcher Hassan de voter, il poserait un geste antidémocratique.* ANT. démocratique. ☞ démocratie.

antidérapant, ante adj. Qui empêche les véhicules de déraper: *Notre voiture est munie de pneus antidérapants.* ☞ déraper.

antidote n.m. Substance qui combat les effets d'un poison: *Quand une personne s'em-*

poisonne, on lui administre aussitôt un antidote. SYN. contrepoison.

antigel n.m. Produit qui empêche l'eau de geler dans les radiateurs: *Quand l'hiver arrive, les automobilistes se procurent de l'antigel.* ☞ geler.

antillais, aise n. et adj. **1.** n. Personne qui est des Antilles: *Un Antillais, une Antillaise.* **2.** adj. Qui est des Antilles: *La Jamaïque et Porto Rico sont deux îles antillaises.* **R.** On met la majuscule à *antillais* et à *antillaise* lorsqu'il s'agit du nom.

antilope n.f. Nom donné à plusieurs mammifères ruminants d'Afrique et d'Asie, qui peuvent courir très vite lorsqu'ils sont menacés: *Le gnou, la gazelle et l'oryx sont des antilopes.*

antimilitariste n. et adj. **1.** n. Personne qui s'oppose à tout ce qui est militaire: *Johanne est une antimilitariste.* ANT. militariste. **2.** adj. Qui est opposé à tout ce qui est militaire: *Le candidat aux élections a tenu des propos antimilitaristes.* ☞ militaire.

antimissile adj.invar. Qui permet de se défendre contre les missiles, de les détruire: *Les États-Unis et l'U.R.S.S. ont installé des fusées antimissile sur leur territoire.* ☞ missile.

antimite n.m. et adj. **1.** n.m. Produit qui protège les fourrures, les lainages contre les mites: *La naphtaline est un antimite à odeur pénétrante.* **2.** adj. Qui protège les fourrures, les lainages contre les mites: *La naphtaline est un produit antimite.* ☞ mite.

antinévralgique n.m. et adj. **1.** n.m. Substance qui combat la névralgie: *Ce médicament est un bon antinévralgique.* **2.** adj. Qui combat la névralgie: *La pharmacienne vend des médicaments antinévralgiques.* ☞ névralgie.

antipathie n.f. Sentiment qu'on éprouve pour une personne qui nous déplaît sans savoir exactement pourquoi: *En voyant cette femme, j'ai ressenti tout de suite de l'antipathie pour elle.* ANT. sympathie. ☞ antipathique.

antipathique adj. Qui nous déplaît sans qu'on sache exactement pourquoi: *Cet homme m'est antipathique.* ☞ antipathie.

antipode n.m. **1.** Lieu de la terre situé exactement à l'opposé d'un autre lieu: *Le pôle Nord est l'antipode du pôle Sud.* **2.** fig. Chose qui est l'opposé d'une autre, son contraire: *Le caractère de mon frère est l'antipode du mien.* // *Aux antipodes:* Très loin ou à l'opposé de quelque chose.

antipoliomyélitique adj. Qui combat la poliomyélite: *Tous les jeunes enfants reçoivent un vaccin antipoliomyélitique.* **R.** Aussi, *antipolio.* ☞ poliomyélite.

antipollution adj.invar. Qui combat la pollution: *Il est grand temps de prendre des mesures antipollution si l'on veut protéger l'environnement.* ☞ polluer.

antiquaire n. Personne qui vend des objets ou des meubles anciens: *Si tu désires acheter un vieux rouet, va chez l'antiquaire.* ☞ antique.

antique adj. **1.** Qui est très ancien: *Beaucoup de collectionneurs recherchent les meubles antiques.* SYN. démodé, suranné. ANT. moderne. **2.** Qui appartient à l'époque de la civilisation grecque ou romaine qu'on appelle l'Antiquité: *En Grèce et en Italie, on peut voir des monuments antiques.* SYN. ancien. ANT. moderne. ☞ antiquaire, antiquité.

antiquité n.f. **1.** Période de la civilisation gréco-romaine: *L'Antiquité a produit des monuments et des œuvres d'art incomparables.* **2.** plur. Meubles, objets anciens: *Quand on visite le Vieux-Québec, on peut admirer de belles antiquités.* ANT. nouveauté. **3.** Monuments, œuvres d'art qui datent de l'époque gréco-romaine: *Les musées de Grèce et d'Italie regorgent d'antiquités.* **R.** On met la majuscule à *antiquité* lorsqu'il s'agit des plus anciennes civilisations. ☞ antique.

antirabique adj. Qui combat la rage: *Les chats et les chiens doivent recevoir un vaccin antirabique.*

antireflet adj.invar. Qui empêche la formation des reflets à la surface des verres d'optique: *Je porte des lunettes antireflet.* ☞ reflet.

antirouille adj.invar. Qui protège le métal contre la rouille: *J'ai acheté de la peinture antirouille pour peindre ma clôture de fer forgé.* ☞ rouille.

antisémite n. et adj. **1.** n. Personne qui déteste les Juifs: *Hitler est sans doute l'antisémite le plus connu.* **2.** adj. Qui est malveillant, haineux envers les Juifs: *Je ne veux pas entendre de paroles antisémites dans ma classe.* ☞ antisémitisme.

antisémitisme n.m. Racisme, haine à l'égard des Juifs: *Hitler a encouragé l'antisémitisme.* ☞ antisémite.

antisepsie n.f. Ensemble des moyens utilisés pour combattre l'infection, en détruisant les microbes: *Grâce à l'antisepsie, on peut combattre facilement l'infection.* SYN. asepsie, désinfection, stérilisation. ANT. contamination. ☞ antiseptique.

antiseptique n.m. et adj. **1.** n.m. Produit qui détruit les microbes: *Le mercurochrome* est un antiseptique efficace. **2.** adj. Qui détruit les microbes: *Maman conserve des produits antiseptiques dans l'armoire à pharmacie.* ANT. septique. ☞ antisepsie.

antitétanique adj. Qui combat le tétanos: *Comme Natacha s'est blessée sur un clou rouillé, le médecin lui a injecté un sérum antitétanique.* ☞ tétanos.

antithèse n.f. Chose ou personne qui est à l'opposé d'une autre: *Pascale, qui est calme et douce, est vraiment l'antithèse de sa sœur.* SYN. contraire.

antituberculeux, euse adj. Qui combat la tuberculose: *On a recommencé à donner le vaccin antituberculeux aux petits enfants.* ☞ tuberculose.

antitussif n.m. Remède qui calme la toux: *Ce sirop contient de la codéine, un antitussif efficace.* ☞ toux.

antitussif, ive adj. Qui calme la toux: *La femme médecin m'a donné une liste de produits antitussifs.* ☞ toux.

antivariolique adj. Qui combat la variole: *Les enfants n'ont pas encore reçu leur vaccin antivariolique.* ☞ variole.

antiviral, aux n.m. Substance qui s'oppose à la multiplication d'un virus: *La médecine utilise les antiviraux pour lutter contre la rage, la poliomyélite et d'autres maladies.* ☞ virus.

antiviral, ale, aux adj. Qui s'oppose à la multiplication d'un virus: *Un vaccin antiviral protège celui qui le reçoit contre un virus spécifique.* ANT. viral. ☞ virus.

antivol n.m. et adj.invar. **1.** n.m. Dispositif qui protège contre le vol: *Si tu ne veux pas te faire voler ta bicyclette, installe un antivol sur la roue avant.* **2.** adj. invar. Qui protège contre le vol: *Mes parents m'ont recommandé de placer un cadenas antivol sur mon vélo.* ☞ vol.

antonyme n.m. Mot qui, par le sens, est opposé à un autre: *«Pauvre» et «riche» sont des antonymes.* ANT. synonyme.

antre n.m. Caverne, grotte, repaire des bêtes fauves: *Le lion se retire dans son antre.* HOM. entre.

anus n.m. Orifice du rectum par lequel on expulse les excréments: *Certaines personnes qui souffrent du cancer des intestins ont un anus artificiel.* **R.** Le *s* se prononce. ☞ anal.

anxiété n.f. État d'inquiétude, d'angoisse: *Mon neveu a vécu toute la semaine dans l'anxiété.* SYN. crainte, énervement, peur. ANT. calme, confiance, paix, sérénité, tranquillité. ☞ anxieux.

anxieusement adv. Avec anxiété: *Tes parents attendent anxieusement ton appel.* ANT. calmement, tranquillement. ☞ anxieux.

anxieux, euse n. et adj. **1.** n. Personne qui est très inquiète, angoissée: *Alain est un anxieux qui ne se détend jamais.* **2.** adj. Qui est inquiet, angoissé: *Fernande craint de ne pas réussir ses examens; elle est anxieuse.* SYN. tourmenté. ANT. calme, confiant, serein, tranquille. **3.** adj. Qui marque l'inquiétude, l'angoisse: *Le coureur jette un regard anxieux sur le tableau d'affichage pour savoir s'il a gagné la course.* ANT. calme, confiant, serein, tranquille. ☞ anxiété, anxieusement.

aorte n.f. Artère principale qui part du cœur et qui est le tronc commun de toutes les artères: *L'aorte est la première et la plus importante des artères.*

août n.m. Huitième mois de l'année: *Le mois d'août suit le mois de juillet et précède le mois de septembre.* HOM. ou, où. **R.** Ne pas oublier l'accent: *û*. Se prononce *ou* ou *out*.

apaisant, ante adj. Qui apaise: *Les policières ont rassuré l'homme en lui parlant sur un ton apaisant.* SYN. calmant. ANT. agaçant, énervant, excitant. ☞ apaiser.

apaisement n.m. Action d'apaiser, fait d'être apaisé: *Tout le monde attend avec impatience l'apaisement du vent.* ANT. déchaînement, excitation, provocation. ☞ apaiser.

apaiser v. **1.** Rendre quelqu'un plus calme, plus doux: *Claire est très en colère; essaie de l'apaiser.* SYN. calmer, détendre, pacifier, tranquilliser. ANT. agacer, énerver, inquiéter. **2.** Rendre quelque chose moins violent, moins pénible: *Un peu d'air frais a apaisé mon mal de tête.* SYN. adoucir, atténuer, modérer, tempérer. ANT. déchaîner, envenimer, raviver. ☞ apaisant, apaisement. **s'apaiser** v.pron. **1.** Redevenir calme: *Après une crise de larmes, Josée s'apaise dans les bras de son père.* **2.** Devenir moins violent: *La tempête s'apaise.*

aparté n.m. (it.) **1.** Ce que l'acteur se dit à part soi et que seuls les spectateurs sont censés entendre: *Les nombreux apartés de cette comédie font rire les spectateurs.* **2.** Conversation à l'écart dans une réunion: *Toute la classe écoute l'instituteur, sauf trois élèves qui ont un aparté.* // *En aparté:* Tout bas, de façon à ne pas être entendu.

apartheid n.m. (néerl.) En Afrique du Sud, séparation absolue de la population de race noire d'avec les Blancs: *L'apartheid est une manifestation de racisme.* SYN. discrimination, ségrégation. **R.** Les lettres *eid* se prononcent *èd*.

apathie n.f. Nonchalance, manque de réaction: *Je ne sais plus ce qu'il faut faire pour secouer l'apathie de Suzanne.* SYN. impassibilité, indifférence, indolence, insensibilité. ANT. activité, ardeur, énergie, enthousiasme, sensibilité. ☞ apathique.

apathique adj. Qui est dénué d'énergie, d'émotion: *Quel groupe apathique!* SYN. amorphe, indifférent, indolent. ANT. actif, énergique. ☞ apathie.

apatride n. Personne qui n'a pas de patrie, qui n'a pas de nationalité légale: *Beaucoup d'immigrants entrent clandestinement aux États-Unis et deviennent des apatrides.* ☞ patrie.

apercevoir v. **1.** Commencer à voir: *De l'autoroute 20, nous apercevons le mont Saint-Hilaire.* SYN. découvrir, distinguer, percevoir. **2.** Voir de façon très rapide: *Je sortais de chez moi quand je l'ai aperçue dans l'autobus.* SYN. remarquer, repérer. ☞ aperçu, inaperçu. **s'apercevoir** v.pron. Se rendre compte de quelque chose: *Lysiane vient de s'apercevoir qu'elle s'est trompée.* **R.** Ne pas oublier la cédille devant *o* et *u*.

aperçu n.m. Vue d'ensemble, court résumé: *En sciences humaines, nous avons eu un aperçu de l'administration municipale.* SYN. échantillon. **R.** Ne pas oublier la cédille. ☞ apercevoir.

apéritif n.m. Boisson le plus souvent alcoolisée que l'on prend avant le repas: *Papa sert des apéritifs aux invités.*

apesanteur n.f. Absence de pesanteur: *Dans l'espace, les cosmonautes sont en état d'apesanteur.* ☞ pesanteur.

à peu près n.m.invar. Estimation approximative: *Donnez-moi une réponse exacte et non des à peu près.* **R.** Aussi, *à-peu-près*.

à peu près loc.adv. **1.** Approximativement, environ: *Il y a à peu près une heure que l'émission est commencée.* **2.** Presque: *Ce travail est à peu près terminé.*

apeurer v. Effrayer quelqu'un, lui faire peur: *Quand j'étais petite, l'obscurité m'apeurait beaucoup.* SYN. affoler, alarmer, épouvanter, terroriser. ANT. rassurer, tranquilliser. ☞ peur. **apeuré, ée** p.p. et adj. Qui est effrayé, qui a peur: *Le chat apeuré se cache sous le lit.* SYN. affolé. ANT. tranquille.

aphone adj. Qui a perdu la voix: *Mon frère a une extinction de voix et il est complètement aphone.* **R.** Les lettres *ph* se prononcent *f*.

apicole adj. Qui se rapporte à l'élevage des abeilles: *La récolte du miel fait partie des opérations apicoles.* ☞ apiculture.

apiculteur, trice n. Personne qui pratique l'élevage des abeilles: *L'apicultrice transporte les ruches dans un champ où les fleurs abondent.* ☞ apiculture.

apiculture n.f. Élevage des abeilles en vue d'obtenir le miel et la cire: *L'apiculture se pratique près des champs de fleurs.* ☞ apicole, apiculteur.

apicole apiculture

apitoiement n.m. Fait de s'apitoyer: *Il vaudrait mieux agir que de verser des larmes d'apitoiement sur les enfants maltraités.* ☞ pitié.

apitoyer v. Attendrir, toucher de pitié: *Avec son air misérable, Sylvain cherche à apitoyer sa mère.* SYN. émouvoir. ☞ pitié. **s'apitoyer** v.pron. Éprouver, témoigner de la pitié: *Les gens s'apitoient sur les enfants qui meurent de faim.* SYN. compatir.

apitoiement apitoyer

aplanir v. Rendre une surface unie, plane: *Le menuisier a aplani sa pièce de bois.* SYN. égaliser, niveler. ☞ plan.

aplati, ie adj. Qui est moins courbé que dans l'état habituel: *Cet animal a le nez aplati.* SYN. écrasé. ☞ plat.

aplatir v. Rendre plat: *L'enfant aplatit sa pâte à modeler.* SYN. écraser. ANT. gonfler. ☞ plat. **s'aplatir** v.pron. **1.** S'humilier, s'abaisser devant quelqu'un: *Les faibles s'aplatissent souvent devant les forts.* SYN. ramper. **2.** fam. Tomber à plat ventre, par terre: *En courant, Ève s'est aplatie sur l'asphalte.* SYN. s'étaler. ANT. se redresser.

aplatissement n.m. État de ce qui est moins courbé que dans l'état habituel: *On a constaté l'aplatissement de la Terre aux pôles.* SYN. écrasement. ANT. gonflement, redressement. ☞ plat.

aplomb n.m. **1.** Position verticale d'un corps en équilibre: *Après plusieurs années, les murs de cette maison ont gardé leur aplomb.* SYN. stabilité. ANT. déséquilibre, instabilité. **2.** fig. Confiance en soi, assurance: *Cette fille parle avec beaucoup d'aplomb.* SYN. cran. ANT. crainte, doute, hésitation, incertitude. **3.** péj. Effronterie: *Quel aplomb!* SYN. culot, toupet. ANT. timidité. **d'aplomb** loc.adv. **1.** Qui est en équilibre stable: *Le gymnaste est retombé d'aplomb sur ses pieds.* **2.** fig. Qui est en bon état physique et moral: *Ces quelques jours de vacances m'ont remise d'aplomb.*

apocalypse n.f. **1.** Dernier livre du Nouveau Testament qu'on attribue à saint Jean l'évangéliste: *L'Apocalypse aurait été écrite sur l'île de Patmos, en Grèce.* **2.** Catastrophe épouvantable, fin du monde: *S'il y avait une guerre nucléaire, ce serait l'apocalypse.* **R.** On met la majuscule à *apocalypse* lorsqu'il s'agit du dernier livre du Nouveau Testament. ☞ apocalyptique.

apocalyptique adj. **1.** Qui est relatif au livre de l'Apocalypse: *Personne ne comprend vraiment les symboles apocalyptiques.* **2.** Qui est épouvantable, qui fait penser à la fin du monde: *Après le passage de la tornade, les secouristes ont découvert un paysage apocalyptique.* ☞ apocalypse.

apogée n.m. **1.** Point de l'orbite d'un astre qui effectue une rotation autour de la Terre, et où la distance de cet astre à la Terre est la plus grande: *Les astronomes observent la Lune à son apogée.* **2.** fig. Au plus haut point, au sommet: *La comédienne est à l'apogée de sa gloire.*

apostrophe n.f. Parole brusque, sans politesse: *Les deux automobilistes, énervés, se lançaient des apostrophes.* SYN. interpellation. ANT. félicitation, louange. ⁄⁄ *Mot mis en apostrophe:* Nom ou pronom mis entre virgules et qui désigne la personne à qui on s'adresse. ☞ apostropher. ▲ **apostrophe** n.f. Signe orthographique en forme de virgule qui marque l'élision d'une voyelle: *On ne met l'apostrophe à «presque» que dans presqu'île.* **R.** Les lettres *ph* se prononcent *f*.

apostropher v. Parler à quelqu'un d'une façon brusque, sans politesse: *Le voisin m'a apostrophée pour se plaindre de mon chien.* SYN. interpeller. ANT. féliciter, louanger. **R.** Les lettres *ph* se prononcent *f*. ☞ apostrophe.

apothéose n.f. **1.** Honneurs extraordinaires qu'on rend à quelqu'un: *Après avoir gagné la médaille d'or, la plongeuse Sylvie Bernier a connu l'apothéose.* SYN. triomphe. **2.** fig. Dernière partie la plus brillante d'un spectacle ou d'une fête: *Le feu d'artifice a été l'apothéose du festival.*

apôtre n.m. **1.** Chacun des douze disciples que Jésus-Christ a choisis pour annoncer l'Évangile: *Les apôtres étaient présents à la dernière Cène.* SYN. disciple. **2.** fig. Personne qui défend une idée, la fait connaître: *Cette femme s'est faite l'apôtre de l'écologie.* SYN. défenseur. ANT. adversaire, antagoniste, ennemi. **R.** Ne pas oublier l'accent: *ô*.

appalachien, ienne adj. Qui se rapporte aux Appalaches: *La Gaspésie est une région située en paysage appalachien.*

apparaître v. **1.** Devenir visible, se montrer soudain: *Après la pluie, un magnifique arc-en-ciel apparut dans toute sa splendeur.* SYN. arriver, paraître. ANT. disparaître. **2.** Se montrer sous une forme visible: *On dit que la Vierge est apparue à plusieurs reprises.* SYN. se présenter, se révéler. ANT. disparaître. **3.** fig. Avoir l'air, sembler: *Vos explications m'apparaissent franches et honnêtes.* ⁄⁄ *Il apparaît que:* Il semble clair, évident que. **R.** Ne pas oublier l'accent devant le *t*: *î*. ☞ apparemment, apparence, apparent, apparition, réapparaître, réapparition.

apparat n.m. Éclat particulier, solennel, en parlant d'un événement: *Les invités du premier ministre sont arrivés à la réception en costume d'apparat.*

appareil n.m. **1.** Instrument qui sert à un usage particulier: *J'apporte mon appareil photographique à la fête.* SYN. outil. **2.** Avion: *À l'heure prévue, l'appareil s'est posé à Mirabel.* **3.** Téléphone: *Allô, qui est à l'appareil?* **4.** Tiges métalliques servant à redresser les dents: *Valérie porte un appareil.* **5.** Ensemble des organes qui remplissent une fonction: *L'appareil respiratoire des mammifères est complexe.* SYN. système. ⁄⁄ *Appareil photo:* Appareil servant à prendre des photographies. ☞ appareillage.

appareillage n.m. Action de quitter le port, de se préparer au départ: *J'aime observer les manœuvres d'appareillage.* ANT. mouillage. ☞ appareiller. ▲ **appareillage** n.m. Ensemble des appareils et des accessoires qui servent à un usage précis: *L'électricienne a vérifié l'appareillage électrique de l'école.* ☞ appareil.

appareiller v. Quitter le port, se préparer au départ: *Le navire appareille demain matin à destination de la Guadeloupe.* ☞ appareillage. ▲ **appareiller** v. Unir deux choses pareilles : *J'ai appareillé les lampes du salon.* ANT. dépareiller. ☞ dépareillé.

apparemment adv. Selon les apparences : *Ces gens sont apparemment très riches.* SYN. vraisemblablement. ANT. effectivement. **R.** Les lettres *emment* se prononcent *amment.* ☞ apparaître.

apparence n.f. **1.** Ce que l'on voit d'une personne ou d'une chose : *La directrice est d'apparence sévère.* SYN. aspect, dehors, extérieur. ANT. intérieur. **2.** Aspect d'une chose qui diffère de la réalité : *On ne doit pas se fier aux apparences.* SYN. façade. ⁄⁄ *En apparence :* D'après ce que l'on voit. *Sauver les apparences :* Ne rien faire qui puisse nuire à sa propre réputation ou à la réputation d'une autre personne. ☞ apparaître.

apparent, ente adj. **1.** Qui est visible, évident : *Cet acteur a beau se maquiller, ses rides sont apparentes.* ANT. caché, invisible. **2.** Dont l'aspect est différent de la réalité : *Sa bonne humeur n'est qu'apparente.* ANT. véritable, vrai. ☞ apparaître.

apparenté, ée adj. Qui est parent, de la même famille : *Mon patron est apparenté à mon meilleur ami.* ☞ parent.

s'apparenter v.pron. **1.** Devenir parent par le mariage : *En me mariant, je me suis apparenté à la famille de mon épouse.* SYN. s'allier. **2.** fig. Ressembler à quelque chose : *Le goût de la clémentine s'apparente à celui de la mandarine.* ☞ parent.

apparition n.f. **1.** Action de devenir visible : *Les spectateurs attendent impatiemment l'apparition du premier char allégorique.* SYN. arrivée, venue. ANT. départ. **2.** Manifestation visible d'un être surnaturel : *L'Évangile raconte l'apparition de l'archange Gabriel à la Vierge.* SYN. révélation. ANT. disparition. **3.** Fait d'arriver quelque part, d'apparaître : *Au dernier spectacle, la vedette n'a fait qu'une courte apparition.* ☞ apparaître.

appartement n.m. Partie d'un immeuble comportant plusieurs pièces qui servent d'habitation : *Dans cet immeuble, il y a huit appartements.* SYN. logement. **R.** N'a pas le sens de *pièce.*

appartenance n.f. Fait d'appartenir à un groupe, une famille : *Pierrot est fier de son appartenance au club de hockey.* ☞ appartenir.

appartenir v. **1.** Être la propriété de quelqu'un : *Ce dictionnaire m'appartient.* **2.** Faire partie d'un groupe, d'une famille : *Le tigre et le lion appartiennent à la famille des félidés.* **3.** Être du ressort de quelqu'un : *Il appartient à l'avocate de défendre son client.* ☞ appartenance. **s'appartenir** v.pron. Être indépendant, libre : *Ce père de famille nombreuse est trop occupé pour s'appartenir.*

appât n.m. **1.** Nourriture qui sert à attirer le poisson ou le gibier : *Jeanne met un appât à l'hameçon.* SYN. amorce, leurre, piège. **2.** fig. Ce qui attire, pousse à faire quelque chose : *L'appât du gain, voilà ce qui pousse les gens à acheter des billets de loterie.* **R.** Ne pas oublier l'accent : app*â*t. ☞ appâter.

appâter v. **1.** Attirer le poisson ou le gibier avec de la nourriture : *Nous avons appâté les perdrix avec du blé.* ANT. repousser. **2.** fig. Attirer quelqu'un avec espoir de récompense : *Cet escroc appâtait ses victimes par de belles promesses.* SYN. séduire. **R.** Ne pas oublier l'accent : app*â*ter. ☞ appât.

appauvrir v. **1.** Rendre pauvre : *L'augmentation du coût de la vie a appauvri les habitants de ce pays.* ANT. enrichir. **2.** fig. Diminuer la qualité de quelque chose : *En utilisant des termes impropres, vous appauvrissez votre langue.* ANT. enrichir. ☞ pauvre. **s'appauvrir** v.pron. **1.** Devenir pauvre ou plus pauvre : *À cause des impôts et des taxes, les travailleurs s'appauvrissent.* **2.** Perdre de la qualité : *La langue française va continuer de s'appauvrir si on ne prend pas des mesures rigoureuses.*

appauvrissement n.m. **1.** Fait de devenir pauvre ou plus pauvre : *Pour lutter contre l'appauvrissement, il faudrait créer des emplois.* ANT. enrichissement. **2.** fig. Fait de perdre de la qualité : *L'appauvrissement du sang résulte d'une mauvaise alimentation.* SYN. détérioration. ANT. enrichissement. ☞ pauvre.

appel n.m. **1.** Action de faire venir quelqu'un : *J'ai entendu son appel au secours.* SYN. cri. **2.** Action d'appeler quelqu'un au téléphone : *Tu as reçu trois appels téléphoniques.* **3.** Action de nommer des personnes pour vérifier leur présence : *Au début de l'année, les enseignants font l'appel.* **4.** fig. Ce qui attire, invite : *Chez ces animaux en cage, l'appel de la liberté est irrésistible.* ⁄⁄ *Faire appel à :* Demander l'aide de quelqu'un. *Numéro d'appel :* Numéro qui est affecté à la ligne d'un abonné du téléphone. ☞ appeler.

appelé, ée n. et adj. **1.** n. Personne désignée pour faire quelque chose, pour remplir une tâche : *C'est une profession où il y a beaucoup d'appelés mais peu d'élus.* **2.** adj. Qui est désigné pour faire une chose, obligé de faire une chose : *Cette femme est appelée à devenir une physicienne célèbre.* HOM. appeler. ☞ appeler.

appeler v. **1.** Attirer l'attention de quelqu'un par un cri, un bruit: *Marie-Ève appelle son frère à grands cris.* SYN. héler, interpeller. **2.** Faire venir quelqu'un: *J'ai appelé les pompiers.* ANT. chasser, congédier, renvoyer. **3.** Donner un nom à quelqu'un ou à quelque chose: *Ma sœur appellera sa fille Karine.* SYN. baptiser, nommer. **4.** Demander quelqu'un par téléphone: *On t'appelle de Québec!* **5.** Rendre nécessaire: *Ta conduite appelle une punition sévère.* HOM. appelé. ☞ appel, appelé, appellation, rappel, rappeler. **s'appeler** v.pron. Avoir pour nom: *Comment s'appelle cet arbre?* **R.** Ne pas oublier de doubler le *l* devant un *e* muet.

appellation n.f. Nom que l'on donne à quelqu'un ou à quelque chose: *L'élan est aussi connu sous l'appellation d'orignal.* SYN. désignation, mot, vocable. ⁄⁄ *Appellation d'origine, appellation contrôlée:* Désignation qui garantit l'origine du vin. ☞ appeler.

appendice n.m. Prolongement en forme de doigt de gant du gros intestin: *L'inflammation de l'appendice exige une opération chirurgicale.* ☞ appendicite. ▲ **appendice** n.m. **1.** Ensemble des notes, des remarques placées à la fin d'un livre: *Tu devrais lire l'appendice à la fin de ce livre.* SYN. épilogue, supplément. ANT. avant-propos, introduction, préface, prologue. **2.** Nom que l'on donne aux pattes, aux antennes des insectes, des crustacés: *Les antennes sont des appendices sensoriels que les insectes et les crustacés portent à l'avant de la tête.* SYN. prolongement.

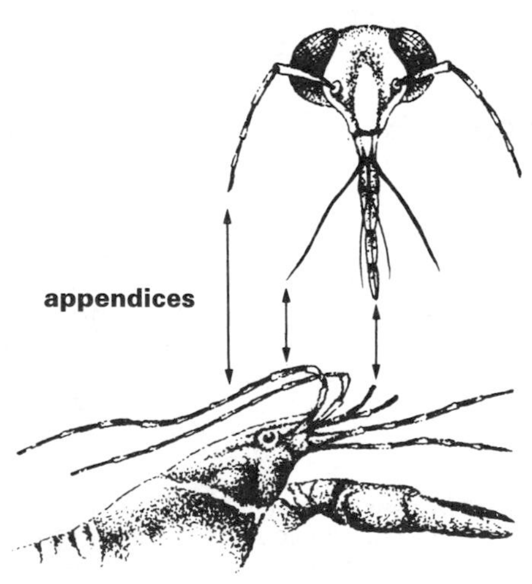

appendicite n.f. Inflammation de l'appendice: *Yolande a fait une crise d'appendicite.* ☞ appendice.

appentis n.m. Petit bâtiment adossé à un plus grand, qui sert de remise ou de hangar: *La tondeuse à gazon est remisée dans l'appentis.*

appesantir v. **1.** Rendre moins vif, moins agile: *La fatigue appesantit les pas de la coureuse.* SYN. accabler. ANT. alléger. **2.** Rendre plus lourd, plus pesant: *Le sommeil appesantit les paupières.* SYN. alourdir. ANT. alléger, décharger. ☞ peser. **s'appesantir** v.pron. Parler trop longtemps d'un sujet: *Je ne veux pas m'appesantir sur ce qui s'est passé pendant la récréation.* SYN. insister. ANT. glisser.

appétissant, ante adj. Qui donne envie de manger: *La tarte est très appétissante.* SYN. alléchant, ragoûtant. ANT. dégoûtant, rebutant, repoussant. ☞ appétit.

appétit n.m. Désir de manger: *Les enfants qui arrivent de l'école ont toujours beaucoup d'appétit.* ANT. anorexie. ⁄⁄ *Bon appétit:* Souhait qu'on adresse à quelqu'un avant le repas. ☞ appétissant.

applaudir v. Battre des mains pour montrer son admiration, son approbation ou sa joie: *En apprenant qu'ils n'avaient pas de devoir, les enfants se mirent à applaudir.* SYN. ovationner. ANT. huer, siffler. ☞ applaudissement. **s'applaudir** v.pron. Se féliciter de quelque chose: *Applaudissons-nous d'avoir gagné le match.*

applaudissement n.m. Battement des mains pour montrer son admiration, son approbation ou sa joie: *Un tonnerre d'applaudissements accueillit les musiciens.* SYN. acclamation, bravo. ANT. désapprobation, huée, sifflet. ☞ applaudir.

applicable adj. Qu'on peut appliquer: *Cette méthode est applicable dans plusieurs domaines.* ANT. inapplicable. ☞ appliquer.

applicateur n.m. et adj. **1.** n.m. Tampon, pinceau qui sert à appliquer un produit: *Nettoyez l'applicateur après avoir étendu la crème sur vos souliers.* **2.** adj. Qui sert à appliquer un produit: *Cette crème à chaussures est vendue avec un tampon applicateur.* ☞ appliquer.

application n.f. **1.** Action de mettre une chose sur une autre chose pour la recouvrir: *Le menuisier a recommandé l'application d'une couche de vernis sur les boiseries en chêne.* **2.** Fait de mettre en pratique: *L'application des règles de grammaire demande beaucoup d'attention.* ANT. négligence. **3.** Qualité d'une personne qui travaille avec soin: *Maryse travaille avec application.* SYN. attention. ANT. distraction, inapplication, inattention. ☞ appliquer.

appliqué, ée adj. Qui travaille avec soin: *Mario est un écolier appliqué.* ANT. distrait. HOM. appliquer.

appliquer v. **1.** Mettre une chose sur une autre chose pour la recouvrir: *La peintre applique une couche de peinture sur le plafond.* SYN. apposer, étendre, poser. ANT. décoller, écarter, enlever, ôter. **2.** Mettre en pratique: *Il faut appliquer les règles de grammaire.* SYN. utiliser. ANT. négliger. HOM. appliqué. ☞ applicable, applicateur, application, inapplicable, inappliqué. **s'appliquer** v.pron. **1.** Se mettre sur autre chose: *Cette lamelle de verre s'applique sur une autre.* **2.** fig. Convenir, être adapté: *Cette remarque s'applique à toute la classe.* **3.** fig. Travailler avec soin: *Samuel s'applique beaucoup.*

applicateur application appliquer

appoint n.m. **1.** Monnaie qui complète une somme: *La caissière m'a demandé de faire l'appoint, c'est-à-dire de payer le montant exact en fournissant la monnaie.* **2.** fig. Chose qu'on ajoute à une autre pour la compléter: *Ses pourboires constituent un salaire d'appoint très intéressant.* SYN. complément, supplément.

appointements n.m.plur. Salaire versé aux employés qui occupent un emploi régulier: *Les employés de bureau reçoivent leurs appointements tous les jeudis.* SYN. paye, rémunération. **R.** N'a pas le sens de *rendez-vous*.

apport n.m. Participation à une œuvre, à une action: *Les travaux de Marie Curie ont été un apport considérable à la science.* SYN. contribution. ANT. retrait. ☞ apporter.

apporter v. **1.** Porter quelque chose à l'endroit où se trouve quelqu'un: *N'oublie pas d'apporter tes disques quand tu viendras chez moi.* ANT. emporter, remporter. **2.** Manifester une qualité: *Denise apporte de l'attention à son travail.* **3.** Provoquer, causer: *L'électricité a apporté des changements importants dans nos modes de vie.* SYN. produire, susciter. **4.** fig. Annoncer, apprendre quelque chose à quelqu'un: *Je vous apporte de bonnes nouvelles.* ANT. retirer. ☞ apport.

apposer v. Poser une chose sur une autre: *Il est interdit d'apposer des affiches sur les murs de l'école.* SYN. appliquer, placer. ANT. enlever, retrancher, supprimer. ⁄⁄ *Apposer sa signature:* Signer.

apposition n.f. Mot ou groupe de mots qui explique un nom ou un pronom: *Les mots en apposition se mettent entre deux virgules.*

appréciable adj. **1.** Qui peut être évalué, mesuré: *Je ne vois aucune différence appréciable entre ces deux automobiles.* SYN. visible. ANT. inappréciable. **2.** Qui est assez important: *Ma marraine m'a donné une somme appréciable pour mon anniversaire.* ☞ apprécier.

appréciateur, trice n. Personne qui apprécie quelque chose ou quelqu'un, qui porte un jugement favorable sur quelque chose ou quelqu'un: *Cette femme est une juste appréciatrice du talent de chacun.* SYN. arbitre, juge. ☞ apprécier.

appréciation n.f. **1.** Action d'évaluer, de mesurer: *L'automobiliste a dû freiner brusquement parce que son appréciation de la distance était inexacte.* SYN. estimation, évaluation. **2.** Jugement qu'on porte sur quelqu'un ou quelque chose: *Lisez bien les appréciations que j'ai écrites sur chaque copie.* SYN. impression, observation. ☞ apprécier.

apprécier v. **1.** Évaluer, mesurer: *Un bon conducteur sait apprécier les distances.* SYN. estimer. ANT. méconnaître. **2.** Aimer quelqu'un ou quelque chose: *L'institutrice apprécie son sens de l'humour.* SYN. goûter. ANT. mépriser. ☞ appréciable, appréciateur, appréciation, inappréciable.

appréhender v. **1.** Arrêter quelqu'un: *Les policiers ont appréhendé les voleuses à la sortie de la banque.* SYN. attraper, pincer. ANT. lâcher, relâcher. **2.** Craindre quelque chose: *Maurice appréhende le résultat de ses examens.* SYN. redouter. ANT. braver, risquer. ☞ appréhension.

appréhension n.f. Fait de craindre quelque chose: *Francine se rend toujours chez le dentiste avec une certaine appréhension.* SYN. angoisse, inquiétude, peur. ANT. confiance, sérénité, tranquillité. ☞ appréhender.

apprendre v. **1.** Être informé de quelque chose: *Je viens d'apprendre que tu as gagné le premier prix du concours.* SYN. découvrir. **2.** Acquérir des connaissances, étudier: *Ma grand-mère apprend l'espagnol.* SYN. assimiler. ANT. oublier. **3.** Enseigner, montrer aux autres: *Le professeur de musique nous apprend à jouer de la flûte.* SYN. instruire. **4.** Devenir capable de faire quelque chose: *Il faut apprendre à rester calme pour ne pas déranger les autres.* **5.** Annoncer, faire savoir quelque chose: *Ma voisine m'a appris ton arrivée.* SYN. révéler. ANT. dissimuler. ☞ rapprendre.

apprenti, ie n. Personne qui apprend un métier: *L'électricien travaille avec quelques apprenties.* ☞ apprentissage.

apprentissage n.m. Fait d'apprendre: *Lundi, il commence son apprentissage dans un garage.* SYN. formation, initiation. ANT. expérience, maîtrise. ☞ apprenti.

apprêt n.m. **1.** Traitement que l'on fait subir aux cuirs et aux textiles avant de les travailler: *Il faut donner un certain apprêt au tissu avant de le travailler.* **2.** Préparation qu'on étend sur une surface à peindre: *Laisse sécher la couche d'apprêt avant de peindre le mur.* HOM. après. **R.** Ne pas oublier l'accent: *ê*.

apprêter v.litt. Préparer un mets, de la nourriture: *Marcel a apprêté ce saumon pour le souper.* SYN. cuisiner. **s'apprêter** v.pron. **1.** Se préparer à faire quelque chose: *Je m'apprêtais à partir quand le téléphone a sonné.* **2.** S'habiller, faire sa toilette: *Mes parents s'apprêtent pour le mariage de Gilles et Sylvie.* **R.** Ne pas oublier l'accent: *ê*.

apprivoisement n.m. **1.** Action d'apprivoiser un animal: *L'apprivoisement d'un renard adulte peut prendre plusieurs mois.* **2.** fig. Action d'apprivoiser quelqu'un: *L'apprivoisement de cette enfant sauvage sera long.* ☞ apprivoiser.

apprivoiser v. **1.** Rendre un animal moins farouche, moins craintif: *Annik a apprivoisé un écureuil.* SYN. dompter, dresser. ANT. effaroucher. **2.** fig. Rendre une personne plus sociable, plus docile: *Je devrais l'apprivoiser pour qu'il vienne me voir et me parler.* ANT. gêner. ☞ apprivoisement. **s'apprivoiser** v.pron. **1.** Devenir moins farouche, en parlant d'un animal: *On dit que les couguars s'apprivoisent facilement.* **2.** Devenir plus sociable, en parlant d'une personne: *Après quelques jours avec leur nouveau moniteur, les enfants s'apprivoisent lentement.*

approbateur, trice adj. Qui donne son accord, approuve quelque chose: *La secrétaire a fait un geste approbateur.* SYN. consentant, favorable. ANT. désapprobateur. ☞ approuver.

approbation n.f. **1.** Fait de donner son accord, d'approuver: *Mes parents ont donné leur approbation quand je leur ai demandé de faire partie des scouts.* SYN. acceptation, autorisation. ANT. blâme, condamnation, désapprobation. **2.** Fait de porter un jugement favorable: *La conduite de Mona est digne d'approbation.* ☞ approuver.

approchable adj. Qu'on peut aborder, fréquenter facilement: *Notre voisin n'est pas approchable; il est toujours de mauvaise humeur.* SYN. accessible. ANT. inaccessible, inapprochable. ☞ proche.

approchant, ante adj. Qui est très ressemblant, presque semblable: *J'ai oublié son nom; c'était Claude ou quelque chose d'approchant.* SYN. équivalent. ANT. différent. ☞ proche.

approche n.f. **1.** Fait de s'avancer vers quelque chose ou quelqu'un: *Mon chat se met à ronronner à mon approche.* SYN. arrivée, rencontre. ANT. départ. **2.** Fait d'être sur le point d'arriver, de se produire: *Je suis toujours heureux à l'approche de l'hiver.* SYN. arrivée, imminence. **3.** plur. Alentours, abords de quelque chose: *Aux approches de l'île, l'eau est moins claire.* // *Être difficile d'approche:* Être difficilement accessible. ☞ proche.

approcher v. **1.** Mettre près, en parlant d'une chose: *Approchez vos chaises.* SYN. avancer, rapprocher. ANT. éloigner. **2.** Avoir accès à, en parlant de quelqu'un: *Vous ne pouvez approcher Louise; elle a la rougeole.* SYN. côtoyer, fréquenter. ANT. distancer, éviter. **3.** Aborder quelqu'un, le fréquenter: *Il est très difficile d'approcher cet enfant timide.* ANT. écarter, éloigner. **4.** Être près de, arriver: *La fin de l'année approche.* **5.** fig. Être presque pareil à quelque chose: *Son travail approche de la perfection.* ☞ proche. **s'approcher** v.pron. **1.** Venir près de quelque chose: *Elle s'approche du foyer pour se réchauffer.* **2.** Venir près de quelqu'un: *Carmen s'est approchée de son parrain pour l'embrasser.* **3.** fig. Avoir de la ressemblance: *Son roman s'approche de la réalité.*

approfondir v. **1.** Rendre plus profond: *Il faudrait approfondir le fossé.* SYN. creuser. ANT. combler. **2.** Étudier, examiner davantage: *J'aimerais approfondir cette question avec vous.* SYN. analyser. ANT. ébaucher, effleurer. ☞ profond. **s'approfondir** v.pron. **1.** Devenir plus profond: *Après ce tournant, la rivière s'approfondit subitement.* **2.** Devenir plus grand: *Le mystère s'approfondit; l'inspectrice n'a aucun indice.*

approfondissement n.m. **1.** Fait de rendre plus profond: *L'approfondissement du puits durera trois jours.* SYN. creusage. **2.** Fait d'étudier, d'examiner davantage: *Ces cours ont permis l'approfondissement de mes connaissances en géographie.* SYN. enrichissement. ☞ profond.

approprier v. Adapter, conformer: *Il faut approprier son niveau de langage aux différents interlocuteurs.* **s'approprier** v.pron. S'emparer de quelque chose, le prendre: *Ma grande sœur s'est approprié mes souliers de course.* **approprié, ée** p.p. et adj. Qui convient, qui est adapté: *Range tes vêtements* *à l'endroit approprié.* SYN. convenable. ANT. impropre.

approuver v. **1.** Être du même avis: *J'approuve Danielle d'avoir dit la vérité au directeur.* ANT. désapprouver. **2.** Donner son accord: *L'Association des médecins a approuvé la vente de ce médicament.* SYN. accepter. ANT. interdire. **3.** Trouver bon quelque chose: *Les parents de Stéphane approuvent sa conduite.* SYN. apprécier. ANT. blâmer, condamner. ☞ approbateur, approbation, désapprobateur, désapprobation, désapprouver.

approvisionnement n.m. Fourniture de choses nécessaires, de provisions: *L'approvisionnement de la ville en eau potable pose de plus en plus de problèmes.* SYN. alimentation, ravitaillement. ☞ provision.

approvisionner v. Fournir de choses nécessaires, de provisions: *La cultivatrice vient approvisionner le marché du quartier.* SYN. pourvoir, ravitailler. ANT. dégarnir, vider. ☞ provision. **s'approvisionner** v.pron. Se fournir en choses nécessaires, en provisions: *Les gens s'approvisionnent en bois de chauffage pour l'hiver.* SYN. se munir.

approvisionneur, euse n. Personne qui fournit de provisions: *Ce matin, l'approvisionneur a apporté les légumes et les fruits.* SYN. fournisseur. ☞ provision.

approximatif, ive adj. Qui n'est pas exact, qui résulte d'une approximation: *Il devait y avoir mille personnes à la manifestation, mais ce nombre est approximatif.* SYN. approchant. ANT. précis, rigoureux. ☞ approximation.

approximation n.f. Estimation, évaluation approchée: *Je ne peux vous donner qu'une approximation.* ANT. exactitude, précision. ☞ approximatif, approximativement.

approximativement adv. D'une façon approximative: *Ils ont mesuré cela approximativement.* ANT. exactement, précisément. ☞ approximation.

appui n.m. **1.** Ce qui sert à supporter, soutenir: *Ce malade est si faible qu'il a besoin d'un appui pour marcher.* **2.** Aide qu'on apporte à quelqu'un: *Marguerite demande l'appui de ses compagnes pour obtenir le poste qu'elle désire.* SYN. assistance, soutien. ANT. abandon. ☞ appuyer. à l'**appui de** loc.prép. Pour prouver, soutenir quelque chose: *L'enregistrement vidéo vient à l'appui de ses accusations.*

appui-bras n.m. Dans un véhicule, support pour appuyer le bras: *Notre automobile est équipée d'un appui-bras amovible à l'avant.* SYN. accoudoir. **R.** Aussi, *appuie-bras*. Au pluriel, *appuis-bras* ou *appuie-bras*. ☞ appuyer.

appui-livres n.m. Objet de bureau qui sert à maintenir des livres les uns contre les autres: *Ce sont de beaux appuis-livres en onyx.* SYN. serre-livres. **R.** Aussi, *appuie-livres*. Au pluriel, *appuis-livres* ou *appuie-livres*. ☞ appuyer.

appui-tête n.m. Dispositif réglable d'un siège pour soutenir la tête: *En voyage, j'apprécie les appuis-tête de la voiture.* **R.** Aussi, *appuie-tête*. Au pluriel, *appuis-tête* ou *appuie-tête*. ☞ appuyer.

appuyer v. **1.** Placer une chose contre une autre lui servant d'appui: *Pour grimper sur le toit, la ramoneuse a appuyé l'échelle contre le mur.* SYN. adosser, appliquer. ANT. enlever, ôter, retirer. **2.** Exercer une pression sur une chose: *Appuie sur le bouton de droite pour mettre le moteur en marche.* ANT. lâcher. **3.** Soutenir quelqu'un: *Quelle candidate appuyez-vous aux élections?* ANT. combattre. **4.** fig. Insister fortement: *Le diététicien a appuyé sur l'importance d'une bonne alimentation.* **5.** fig. Faire reposer: *Il faut toujours appuyer ses accusations sur des preuves.* SYN. fonder. ☞ appui, appui-bras, appui-livres, appui-tête. **s'appuyer** v.pron. **1.** Se servir de quelque chose comme d'un support: *La blessée s'appuie sur ses béquilles pour marcher.* **2.** Se fier à quelqu'un: *Depuis qu'il est veuf, grand-père s'appuie sur ses enfants.* SYN. compter. **3.** Se fonder sur quelque chose: *Cette psychologue s'appuie sur sa très grande expérience.*

âpre adj. **1.** Qui est rude au goût, au toucher, à l'ouïe: *Ces fruits sauvages sont âpres.* **2.** Qui est pénible, violent: *Les deux adversaires mènent une lutte âpre pour le pouvoir.* SYN. dur. ANT. facile. ⫽ *Âpre au gain:* Avide d'argent. **R.** Ne pas oublier l'accent: *â*. ☞ âprement, âpreté.

âprement adv. D'une manière violente, farouche: *Les deux filles discutent âprement.* SYN. brutalement, durement. ANT. doucement. ☞ âpre.

après prép. et adv. **1.** prép. Plus tard par rapport à un autre événement: *Je viendrai te voir après le dîner.* ANT. avant. **2.** prép. Plus loin, au-delà de: *Le dépanneur est après la pharmacie.* ANT. avant. **3.** prép. Derrière, à la poursuite de: *Serge court après son petit frère.* **4.** prép. À un rang inférieur dans un ordre: *Le titre de duc vient après celui de prince.* **5.** adv. Plus tard par rapport à un autre événement: *Plus de dix ans après, que sont devenus les athlètes de 1976?* **6.** adv. Derrière, ensuite: *Dans ce défilé, les enfants venaient après.* HOM. apprêt. ⫽ *Après coup:* Une fois l'événement passé. *Après tout:* Finalement, en définitive. *D'après:* Selon, à l'imitation de. ci-**après** loc.adv. Un peu plus loin: *L'acheteur, ci-après nommé, s'engage à respecter les conditions du contrat.*

après-demain adv. Dans deux jours, jour qui suit demain: *Nous sommes mercredi; viens me voir après-demain, c'est-à-dire vendredi.* SYN. surlendemain. ☞ demain.

après-guerre n.m. Période qui suit une guerre: *Les après-guerres sont souvent prospères.* **R.** Au pluriel, *après-guerres.* ☞ guerre.

après-midi n.m.invar. ou n.f.invar. Partie de la journée comprise entre le midi et le soir: *Cet après-midi, nous ferons du dessin.* ANT. avant-midi.

après-rasage n.m. et adj.invar. **1.** n.m. Lotion rafraîchissante que les hommes s'appliquent sur le visage après le rasage: *N'oublie pas d'acheter de l'après-rasage pour papa.* **2.** adj.invar. Qui est appliqué sur le visage après le rasage: *Cette lotion après-rasage sent très bon.* **R.** Au pluriel, le nom s'écrit *après-rasages.* ☞ rasage.

âpreté n.f. **1.** Rudesse au goût, au toucher, à l'ouïe: *L'âpreté des fruits verts nous coupe l'appétit.* SYN. acidité, âcreté. ANT. douceur. **2.** Caractère dur, violent: *L'âpreté de ses reproches a surpris Francis.* ANT. délicatesse, modération. **R.** Ne pas oublier l'accent: *â.* ☞ âpre.

à-propos n.m.invar. Chose dite ou faite au moment et au lieu qui conviennent: *Cette fille a le sens de l'à-propos.* SYN. opportunité.

apte adj. Qui est capable de faire quelque chose: *À seize ans, Kim est apte à conduire une automobile.* ANT. inapte, incapable. ☞ aptitude, inapte, inaptitude.

aptéryx n.m. Oiseau coureur de Nouvelle-Zélande, aux ailes rudimentaires: *L'aptéryx est communément appelé «kiwi».* ◇ kiwi.

aptitude n.f. Disposition naturelle pour quelque chose: *Johanne a une grande aptitude pour la peinture.* SYN. facilité, habileté. ANT. inaptitude, incapacité. ☞ apte.

aquarelle n.f. Peinture faite sur papier avec des couleurs transparentes délayées dans l'eau: *Son aquarelle est fort réussie.* ☞ aquarelliste.

aquarelliste n. Peintre qui fait des aquarelles: *Les aquarellistes sont nombreux au Québec.* ☞ aquarelle.

aquarium n.m. **1.** Réservoir à parois de verre dans lequel on entretient des plantes et des animaux aquatiques: *J'ai acheté des poissons rouges et des tortues vertes pour mettre dans l'aquarium.* **2.** Local ou bâtiment dans lequel on peut voir une collection d'animaux aquatiques: *Dimanche dernier, nous sommes allés visiter l'aquarium de Québec.* **R.** Les lettres *um* se prononcent *omm.*

aquatique adj. **1.** Qui vit dans l'eau: *Les morues sont des animaux aquatiques.* ANT. aérien, terrestre. **2.** Qui pousse dans l'eau: *Les algues sont des plantes aquatiques.*

aqueduc n.m. Canal qui conduit l'eau d'un endroit à un autre: *Il faudra prolonger l'aqueduc jusque dans les nouveaux quartiers.*

aquilin adj. Qui est fin et recourbé comme un bec d'aigle: *Cette femme a un nez aquilin.* SYN. arqué. ANT. droit.

ara n.m. (tupi) Grand perroquet d'Amérique du Sud aux couleurs vives et à longue queue: *Le bec des aras est fort et crochu.*

ara

arabe n. et adj. **1.** n. Personne qui est de l'Arabie ou d'un autre pays musulman: *Un Arabe, une Arabe.* **2.** adj. Qui est de l'Arabie ou d'un autre pays musulman: *Certains pays arabes sont situés autour du bassin de la Méditerranée.* ⫽ *Chiffres arabes:* Chiffres utilisés dans notre numérotation (0, 1, 2, 3, 4, 5, 6, 7, 8, 9). **R.** On met la majuscule à *arabe* lorsque le nom désigne une personne.

arabe n.m. Langue parlée dans les pays arabes: *Mohammed parle l'arabe.*

arabesque n.f. **1.** Ornement formé de lignes, de feuillages et de lettres entrelacés: *Les Arabes décorent leurs mosquées d'arabesques magnifiques.* **2.** Nom d'un pas de danse: *La ballerine esquisse des arabesques.*

arable adj. Qu'on peut labourer et cultiver:

Les terres arables servent à l'agriculture. SYN. cultivable, labourable. ANT. incultivable.

arachide n.f. **1.** Plante tropicale dont les fruits (graines) se développent sous terre: *L'arachide est cultivée en Chine et en Inde.* **2.** Graine de cette plante, qu'on appelle aussi communément «cacahuète»: *Maman achète de l'huile et du beurre d'arachide à l'épicerie.*

araignée n.f. Animal invertébré à quatre paires de pattes, dont certaines espèces tissent des toiles: *L'araignée attrape les insectes et les mouches dans sa toile.*

araméen n.m. Dans l'Antiquité, langue parlée en Syrie, en Palestine et en Égypte: *Jésus parlait l'araméen.*

aratoire adj. Qui sert au labourage, aux travaux du sol: *La charrue est un instrument aratoire.* **R.** Ne pas confondre avec *oratoire*.

arbalète n.f. **1.** Arme ancienne formée d'un arc d'acier monté sur un fût et dont la corde se bande avec un ressort: *L'arbalète a été utilisée jusqu'au XVIe siècle.* **2.** Arme du même genre utilisée à la chasse ou en compétition sportive: *J'ai vu une arbalète dans un magasin d'articles de sport.*

arbitrage n.m. **1.** Action de juger qui a tort et qui a raison dans un débat, une dispute: *Travailleurs et patrons ont souvent recours à l'arbitrage.* SYN. conciliation, médiation. **2.** Action de faire appliquer les règles d'un sport, d'un jeu: *Au match de boxe, les spectateurs ont protesté contre l'erreur d'arbitrage.* SYN. médiation. ☞ arbitre.

arbitraire adj. **1.** Qui ne dépend d'aucune règle: *Certains élèves ont fait l'objet d'un classement arbitraire.* **2.** Qui dépend du bon plaisir de quelqu'un, qui ne respecte pas la loi, la justice: *Cet homme a été détenu de façon arbitraire.* SYN. despotique, tyrannique. ANT. légitime, raisonnable. ☞ arbitrairement.

arbitrairement adv. D'une façon arbitraire: *Les soldats arrêtaient arbitrairement certains manifestants.* ANT. objectivement. ☞ arbitraire.

arbitre n.m. **1.** Personne choisie pour trancher un débat, apaiser une dispute: *Olivier et Marie-Hélène ont demandé à Réjeanne d'être leur arbitre.* SYN. conciliateur, médiateur. **2.** Personne désignée pour faire appliquer les règles d'un sport, d'un jeu: *L'arbitre a donné une punition à la joueuse fautive.* **R.** L'O.L.F. recommande que le nom *arbitre* soit aussi employé au féminin. ☞ arbitrage, arbitrer.

arbitrer v. **1.** Juger qui a tort et qui a raison dans un débat, une dispute: *La surveillante a dû arbitrer une dispute entre deux élèves.* SYN. décider, trancher. **2.** Faire appliquer les règles d'un sport, d'un jeu: *Danielle et Françoise arbitrent le match de hockey.* ☞ arbitre.

arborer v. **1.** Dresser, élever: *Le premier navire qui est entré dans le port arborait le drapeau grec.* ANT. baisser. **2.** Porter de façon à être remarqué: *Étienne arbore la médaille de bonne conduite qu'il a reçue hier.* SYN. afficher, montrer. ANT. cacher. **3.** fig. Montrer, afficher: *Sandra arbore un large sourire, car elle vient de gagner la partie d'échecs.*

arboricole adj. Qui se rapporte à la culture des arbres fruitiers et des arbres d'ornement destinés aux jardins: *Les techniques arboricoles sont avancées au Québec.* ☞ arbre.

arboriculteur, trice n. Personne qui cultive des arbres fruitiers et des arbres d'ornement destinés aux jardins: *L'arboriculteur m'a vendu deux jeunes pruniers pour embellir mon terrain.* ☞ arbre.

arboriculteur

arboriculture n.f. Culture des arbres fruitiers et des arbres d'ornement destinés aux jardins: *La culture des pommiers, des pêchers, des cerisiers est appelée «arboriculture fruitière».* ☞ arbre.

arboricole arboriculture

arbre n.m. **1.** Grand végétal dont la tige ou le tronc ne porte des branches qu'à une certaine hauteur à partir du sol: *Les arbres purifient l'air que nous respirons.* **2.** Ce qui a l'apparence d'un arbre: *Il est intéressant de connaître son arbre généalogique.* ⫽ *Arbre de Noël:* Sapin qu'on décore à l'occasion de Noël. ☞ arboricole, arboriculteur, arboriculture, arbrisseau, arbuste. ▲ **arbre** n.m. Longue pièce de métal qui transmet un mouvement en tournant: *L'arbre de transmission d'une automobile transmet le mouvement du moteur aux roues.*

arbrisseau, eaux n.m. Petit arbre dont la tige porte des rameaux dès sa base: *Le lilas et l'églantier sont des arbrisseaux.* ☞ arbre.

arbuste n.m. Petit arbrisseau: *Le jeune arbuste perd ses branches basses en vieillissant.* ☞ arbre.

arc n.m. Arme formée d'une tige souple de bois ou de métal, que l'on courbe au moyen d'une corde attachée aux deux extrémités et qui sert à lancer des flèches: *Nous nous sommes fabriqué des arcs avec des branches de noisetier.* ⁄⁄ *Tir à l'arc:* Sport qui se pratique avec un arc et des flèches. ☞ archer. ▲ **arc** n.m. **1.** Portion d'une courbe: *L'arc d'un cercle est une portion définie de cercle.* **2.** Ce qui a la forme d'un arc: *L'arc des sourcils peut changer l'aspect du visage.* **3.** Courbe formée par une voûte en architecture: *Les cathédrales gothiques ont des arcs brisés.* ⁄⁄ *Arc de triomphe:* Monument en forme d'arc érigé pour célébrer une victoire. ☞ arcade, arc-boutant, arc-bouter, arceau, arc-en-ciel, arche, arqué, arquer.

arcade n.f. **1.** Partie saillante du visage audessus de l'œil, où poussent les sourcils: *L'arcade sourcilière est appelée ainsi parce qu'elle a la forme d'un arc.* **2.** plur. Ensemble de piliers ou de colonnes qui laissent entre eux une ouverture en forme d'arc: *Les aqueducs romains avaient plusieurs arcades.* ☞ arc.

arc-boutant n.m. En architecture, maçonnerie en forme d'arc destinée à soutenir de l'extérieur un mur, une voûte: *Les arcs-boutants sont visibles à l'extérieur des cathédrales gothiques.* **R.** Au pluriel, *arcs-boutants.* ☞ arc.

arc-bouter v. Soutenir un mur, une voûte au moyen d'un arc-boutant: *Les architectes devaient arc-bouter les voûtes des cathédrales gothiques pour qu'elles ne s'effondrent pas.* ☞ arc. **s'arc-bouter** v.pron. Prendre appui sur une partie du corps, en particulier sur les pieds, pour pousser quelque chose: *Les gens s'arc-boutèrent pour faire avancer la voiture en panne.*

arceau, eaux n.m. **1.** Partie d'une voûte, d'une fenêtre, d'une porte en forme d'arc: *Cette maison est vraiment différente des autres avec ses arceaux aux portes et aux fenêtres.* **2.** Ce qui a la forme d'une petite arche: *Au croquet, la balle roule sous les arceaux.* ☞ arc.

arc-en-ciel n.m. Phénomène météorologique lumineux, en forme d'arc, qui présente les couleurs du prisme et qui se produit souvent après l'orage: *Les couleurs de l'arc-en-ciel sont le violet, l'indigo, le bleu, le vert, le jaune, l'orangé et le rouge.* **R.** Au pluriel, *arcs-en-ciel.* ☞ arc.

archaïque adj. **1.** Qui est très ancien et qui ne s'emploie plus dans le français moderne: *«Roy» est la forme archaïque du mot «roi».* SYN. désuet. ANT. actuel, moderne. **2.** Qui est démodé, dont on ne fait plus usage: *La quenouille est un outil archaïque.* SYN. antique, suranné. ANT. moderne. **R.** Ne pas oublier le tréma: *ï.* Les lettres *ch* se prononcent *k.* ☞ archaïsme.

archaïsme n.m. Mot, expression qui n'est plus en usage dans le français moderne: *Le mot «grafigner» est un archaïsme.* **R.** Ne pas oublier le tréma: *ï.* Les lettres *ch* se prononcent *k.* ☞ archaïque.

archange n.m. Selon la religion, être surnaturel supérieur à l'ange: *La Bible parle des archanges Raphaël, Michel et Gabriel.* **R.** Les lettres *ch* se prononcent *k.* ☞ ange.

arche n.f. Voûte en forme d'arc, qui s'appuie sur les piles d'un pont: *Le bateau n'a pas pu passer sous l'arche du pont.* ☞ arc. ▲ **arche** n.f. Selon la Bible, vaisseau qu'utilisa Noé pour échapper au Déluge: *L'arche de Noé transportait un couple de chacun des animaux de la terre.* ⁄⁄ *Arche d'alliance:* Coffre où les Hébreux conservaient les Tables de la Loi reçues par Moïse sur le mont Sinaï.

archéologie n.f. Science qui étudie les civilisations anciennes à partir des monuments et des arts du temps passé: *L'archéologie nous fait découvrir les modes de vie des peuples anciens.* **R.** Les lettres *ch* se prononcent *k.* ☞ archéologique, archéologue.

archéologique adj. Qui se rapporte à l'archéologie: *Les fouilles archéologiques permettent de découvrir des villes anciennes.* **R.** Les lettres *ch* se prononcent *k.* ☞ archéologie.

archéologue n. Personne qui pratique l'archéologie: *Des archéologues ont découvert les tombeaux de généraux romains dans le nord de la Grèce.* **R.** Les lettres *ch* se prononcent *k.* Ne pas oublier le *u* après le *g.* ☞ archéologie.

archer n.m. **1.** Personne qui tire à l'arc: *Ces filles sont d'excellents archers.* **2.** Soldat qui, autrefois, était armé d'un arc: *Au bout des murailles, les archers lançaient leurs flèches sur les attaquants.* ☞ arc.

archet n.m. Baguette droite tendue de crins, qui sert à faire vibrer les cordes de certains instruments de musique: *La violoniste fait vibrer les cordes de son violon avec un archet.*

archevêché n.m. **1.** Territoire placé sous l'autorité d'un archevêque: *Le Québec compte plusieurs archevêchés.* **2.** Résidence d'un archevêque: *Sais-tu où est situé l'archevêché de Québec?* **R.** Ne pas oublier l'accent: archevêché. ☞ évêque.

archevêque n.m. Évêque qui a autorité sur plusieurs évêques: *L'archevêque de Montréal est le chef des évêques du territoire qu'on lui a confié.* **R.** Ne pas oublier l'accent: archevêque. ☞ évêque.

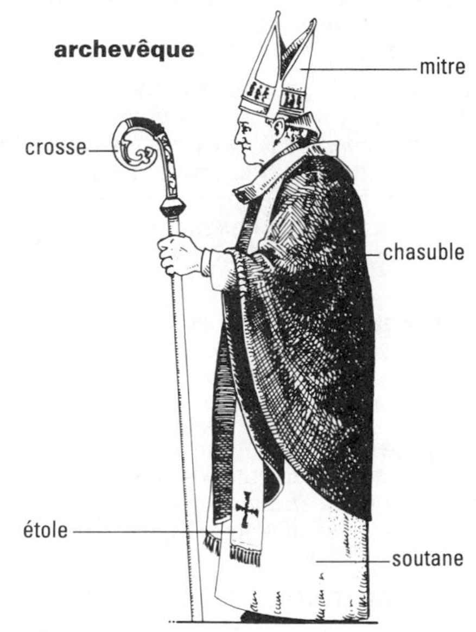

archidiocèse n.m. Diocèse d'un archevêque: *L'archidiocèse est sous l'autorité de l'archevêque.* ☞ diocèse.

archipel n.m. Groupe d'îles: *Les Mille-Îles sont un archipel du Saint-Laurent.*

architecte n.m. Personne qui crée les plans d'un édifice et qui en dirige l'exécution: *L'architecte Taillibert a conçu les plans du Stade olympique.* SYN. bâtisseur, ingénieur. **R.** L'O.L.F. recommande que le nom *architecte* soit aussi employé au féminin. ☞ architectural, architecture.

architectural, ale, aux adj. Qui se rapporte à l'architecture: *Les formes architecturales varient avec les époques.* ☞ architecte.

architecture n.f. **1.** Art de construire des édifices selon des règles déterminées: *Mon neveu étudie l'architecture à l'Université de Montréal.* **2.** Style, forme d'un édifice: *Certains édifices ont une architecture lourde et chargée.* ☞ architecte.

archives n.f.plur. **1.** Ensemble de dossiers et de documents relatifs à un État, à une famille, à une entreprise: *Pour en savoir plus long sur l'histoire de ta ville, consulte les archives municipales.* SYN. annales, mémoires. **2.** Lieu où l'on conserve ces documents: *Les Archives nationales du Québec sont situées à Montréal.* SYN. bibliothèque. ☞ archiviste.

archiviste n. Personne qui garde les archives: *Les hôpitaux engagent des archivistes pour classer les dossiers de leurs patients.* ☞ archives.

arctique n.m. et adj. **1.** n.m. Pôle Nord et régions environnantes: *L'Arctique est une région très froide, en grande partie recouverte par la banquise.* ANT. Antarctique. **2.** adj. Qui se rapporte au pôle Nord et aux régions environnantes: *Le pôle Nord est situé au-delà du cercle arctique.* SYN. boréal, septentrional. ANT. antarctique. **R.** On met la majuscule à *arctique* lorsqu'il s'agit du nom. ☞ antarctique, subarctique.

ardemment adv. Avec ardeur: *Mylaine souhaite ardemment partir en voyage avec ses parents.* SYN. fortement, vivement. ANT. faiblement. **R.** Les lettres *emment* se prononcent *amment.* ☞ ardent.

ardent, ente adj. **1.** Qui est très chaud: *Ne t'expose pas trop aux ardents rayons du soleil.* SYN. brûlant. ANT. froid. **2.** Qui brûle: *Maman a allumé le barbecue il y a dix minutes; les charbons sont ardents.* SYN. incandescent. ANT. éteint. **3.** Qui est vif, très fort: *Claudette travaille avec le désir ardent de devenir médecin.* SYN. enthousiaste, fervent. ANT. calme, indolent, nonchalant. ∥ *Chapelle ardente:* Salle où une personne décédée est exposée dans son cercueil. ☞ ardemment, ardeur.

ardeur n.f. **1.** Chaleur très vive: *Une crème solaire protégera ta peau contre l'ardeur du soleil.* SYN. force. **2.** fig. Énergie, ferveur, fougue: *Félix met beaucoup d'ardeur à son travail.* SYN. acharnement, cœur, courage, emballement. ANT. indifférence, nonchalance. ☞ ardent.

ardillon n.m. Pointe de métal au milieu d'une boucle, qui s'engage dans un trou de ceinture, de courroie: *Passe la courroie dans la boucle et introduis l'ardillon dans un trou.* **R.** Les lettres *ill* se prononcent comme dans *famille.*

ardoise n.f. **1.** Roche de couleur gris foncé qui se divise en feuillets et que l'on emploie pour couvrir les toits, les planchers: *L'entrée de sa maison est pavée d'ardoises.* **2.** Plaque mince de cette roche, sur laquelle on écrit avec une craie et qu'on nettoie après usage:

Autrefois, les écoliers écrivaient sur des ardoises.

ardu, ue adj. Qui est difficile : *Comme ce travail est ardu, il faudra que tu y mettes toute ton attention.* SYN. pénible. ANT. accessible, facile.

are n.m. Unité de mesure de superficie valant cent mètres carrés : *L'are sert à mesurer les terrains.* HOM. art.

aréna n.m. Au Canada, établissement comportant une piste de patinage sur glace entourée de gradins : *J'aime mieux patiner à l'aréna que sur une patinoire extérieure.* SYN. patinoire.

arène n.f. **1.** Dans les amphithéâtres romains, espace sablé situé au centre : *Les gladiateurs combattaient dans l'arène.* **2.** Amphithéâtre où ont lieu des courses de taureaux : *Le toréador risque sa vie dans l'arène de Mexico.* **3.** fig. Lieu où s'affrontent des idées : *L'Assemblée nationale est une arène politique.*

arête n.f. **1.** Os de la plupart des poissons : *Le hareng est un poisson délicieux, mais qui a beaucoup d'arêtes.* **2.** Ligne d'intersection de deux surfaces : *Le prisme rectangulaire a six faces et douze arêtes.* **R.** Ne pas oublier l'accent : *ê*.

argent n.m. **1.** Métal précieux blanc-gris, brillant et malléable : *On fabrique des bijoux et des couverts en argent.* **2.** Papier-monnaie et monnaie métallique : *Je n'ai plus d'argent dans mon portefeuille.* **3.** Richesse, fortune : *Ces gens ont beaucoup d'argent.* // *Argent comptant :* Argent payé immédiatement en espèces (par opposition à payé par chèque ou par carte de crédit). ☞ argenté, argenter, argenterie, argentin.

argenté, ée adj. **1.** Qui est recouvert d'une couche d'argent : *Ces couteaux sont en métal argenté.* **2.** Qui a la couleur de l'argent : *Grand-père a de magnifiques cheveux argentés.* **3.** fam. Qui possède de l'argent : *Nicole est argentée en ce moment.* HOM. argenter. ☞ argent.

argenter v. **1.** Recouvrir d'une couche d'argent : *Cette talentueuse orfèvre argente les assiettes.* **2.** fig. Donner la couleur de l'argent : *La lune qui brille argente la rivière.* HOM. argenté. ☞ argent. **s'argenter** v.pron. Devenir de la couleur de l'argent : *Malgré son jeune âge, les cheveux de maman s'argentent déjà.*

argenterie n.f. Vaisselle, ustensiles, couverts faits en argent : *Papa conserve l'argenterie dans un buffet.* ☞ argent.

argentin, ine n. et adj. **1.** n. Personne qui est de l'Argentine : *Un Argentin, une Argentine.* **2.** adj. Qui est de l'Argentine : *Le territoire argentin est cinq fois plus peuplé que le Québec.* **R.** On met la majuscule à *argentin* et à *argentine* lorsqu'il s'agit du nom.

argentin, ine adj. Qui a le son clair des pièces d'argent qui tintent : *Cette chanteuse a une voix argentine.* ☞ argent.

argile n.f. Terre imperméable qui, imbibée d'eau, devient très facile à modeler : *On utilise l'argile pour fabriquer des poteries et des briques.* ☞ argileux.

argileux, euse adj. Qui contient de l'argile, qui est constitué d'argile : *Notre maison est construite sur un sol argileux.* ☞ argile.

argot n.m. **1.** Langue des malfaiteurs, des voleurs, des voyous : *As-tu remarqué que les malfaiteurs parlent l'argot dans les films policiers ?* **2.** Ensemble de mots, d'expressions utilisés par un groupe de personnes et qu'elles sont les seules à comprendre : *Dans l'argot des jeunes, un « bollé », c'est quelqu'un d'intelligent.* SYN. jargon. ☞ argotique.

argotique adj. Qui appartient à l'argot : *Les mots et les expressions argotiques appartiennent au langage familier et ne doivent pas être employés dans un texte.* ☞ argot.

argument n.m. Ce que l'on dit pour appuyer un raisonnement : *Pour me convaincre, elle m'a apporté des arguments très valables.* SYN. preuve, raison, témoignage. ☞ argumentation, argumenter.

argumentation n.f. Ensemble des arguments utilisés pour appuyer un raisonnement : *La juge a écouté attentivement l'argumentation des deux avocats.* SYN. démonstration, exposé. ☞ argument.

argumenter v. Présenter des arguments : *La ministre et les députés argumentent l'un contre l'autre.* ☞ argument.

aride adj. **1.** Qui est privé d'humidité et où il ne pousse rien : *Les déserts sont de vastes espaces arides.* SYN. sec, stérile. ANT. fertile, riche. **2.** fig. Qui manque d'intérêt, d'attrait : *La professeure nous a présenté un sujet aride.* SYN. ennuyeux. ANT. agréable. ☞ aridité.

aridité n.f. **1.** État de ce qui est aride : *L'aridité du sol a découragé les fermiers.* SYN. sécheresse, stérilité. ANT. fertilité, richesse. **2.** Caractère de ce qui manque d'intérêt, d'attrait : *Plusieurs étudiants ont abandonné le cours à cause de l'aridité de la matière.* SYN. difficulté. ANT. attrait. ☞ aride.

aristocrate n. Membre d'une aristocratie : *Les aristocrates étaient autrefois des gens* *riches et puissants.* SYN. élite. ☞ aristocratie, aristocratique.

aristocratie n.f. Petit nombre de personnes exerçant une suprématie : *L'aristocratie jouissait de nombreux privilèges.* SYN. élite. **R.** Le deuxième *t* se prononce *ss.* ☞ aristocrate.

aristocratique adj. Qui est propre à l'aristocratie : *Cette comédienne a des manières aristocratiques.* SYN. distingué, raffiné. ☞ aristocrate.

arithmétique n.f. Partie des mathématiques qui étudie les nombres : *Stéphanie est meilleure en géométrie qu'en arithmétique.*

arlequin n.m. Personnage qui porte un costume fait de pièces triangulaires de toutes couleurs, un masque noir et un sabre de bois : *Ma marraine m'a offert un arlequin pour compléter ma collection de marionnettes.*

armateur n.m. Personne qui équipe un navire pour la pêche ou pour la navigation : *Grand-père est armateur et propriétaire d'une flotte de bateaux de croisière.* ☞ armer.

armature n.f. Ensemble des pièces rigides qui supportent la partie essentielle d'un ouvrage, d'un appareil : *L'édifice de dix étages a une armature d'acier.* SYN. charpente. ⁄⁄ *Armature de béton:* Barres et fils d'acier que l'on met dans les coffrages où l'on coule le béton. ☞ armer.

arme n.f. **1.** Instrument qui sert à attaquer ou à défendre : *Le fusil et le revolver sont des armes à feu; l'épée et le poignard, des armes blanches.* **2.** fig. Moyen d'attaquer ou de se défendre : *La patience est souvent la meilleure arme pour venir à bout des difficultés.* **3.** plur. Ensemble des emblèmes symboliques propres à une famille, à une ville : *Les armes de la ville figurent sur le drapeau municipal.* SYN. armoiries, blason. ⁄⁄ *Prendre les armes:* Se préparer au combat. *Déposer les armes:* Cesser le combat. ☞ armement, armer, armurerie, armurier, désarmant, désarmement, désarmer.

armée n.f. **1.** Ensemble des forces militaires d'un pays : *Le père de François est officier dans l'armée.* **2.** Ensemble des troupes sous les ordres d'un commandant : *L'armée ennemie a attaqué la ville à l'aube.* **3.** fig. Grande quantité : *Une armée de sauterelles a dévasté les champs de blé.* SYN. foule, multitude, troupe. HOM. armer. ⁄⁄ *Armée de l'air:* Aviation militaire. *Armée de mer:* Marine militaire.

armement n.m. Ensemble des armes d'un soldat, d'une troupe : *Les soldats canadiens doivent apprendre à se servir d'un armement moderne.* ☞ arme. ▲ **armement** n.m. Action d'équiper un navire de tout ce qui lui est nécessaire pour naviguer : *Il faut compléter l'armement de ce pétrolier avant deux semaines.* SYN. équipement. ☞ armer.

arménien, ienne n. et adj. **1.** n. Personne qui est de l'Arménie : *Un Arménien, une Arménienne.* **2.** adj. Qui est de l'Arménie : *Le peuple arménien vit surtout en U.R.S.S., mais il y a beaucoup d'Arméniens au Canada, en France et aux États-Unis.* **R.** On met la majuscule à *arménien* et à *arménienne* lorsque le nom désigne une personne.

arménien n.m. Langue parlée par les Arméniens : *L'arménien est parlé par environ six millions de personnes dans le monde.*

armer v. **1.** Donner des armes à quelqu'un : *Il en coûte des millions pour armer les soldats.* SYN. équiper. ANT. désarmer. **2.** Rendre une arme à feu prête à tirer : *La policière arme son revolver et tire sur la cible.* **3.** Tendre le ressort d'un mécanisme pour qu'il soit prêt à fonctionner : *As-tu armé ton appareil photo?* HOM. armée. ☞ arme. **s'armer** v.pron. **1.** Se procurer des armes : *Marie s'est armée pour la chasse aux canards.* **2.** fig. Se munir : *Il faut s'armer de courage, car les obstacles seront nombreux.* **armé, ée** p.p. et adj. **1.** Qui est muni d'une arme : *La voleuse étant armée, on parle d'un vol à main armée.* **2.** Qui est pourvu de moyens de défense : *Le hérisson, armé de ses piquants, a mis le chien en déroute.* ▲ **armer** v. Équiper un navire de tout ce qui lui est nécessaire pour naviguer : *L'armateur a armé ses navires pour la pêche.* SYN. gréer. ☞ armateur, armement, désarmement, désarmer. ▲ **armer** v. Renforcer par des tiges de métal : *Il faut armer le béton pour le rendre plus résistant.* ☞ armature. **armé, ée** p.p. et adj. Qui est renforcé par des tiges de métal : *Les fondations de cet édifice sont en béton armé.*

armistice n.m. Accord conclu entre les pays en guerre pour arrêter les combats : *L'armistice, qu'on fête le 11 novembre, a marqué la fin de la Première Guerre mondiale.*

armoire n.f. **1.** Meuble haut et fermé qui sert à ranger du linge, des vêtements, des provisions : *Les serviettes et les draps sont rangés dans l'armoire à linge.* **2.** Petit placard qu'on fixe au mur : *Regarde dans l'armoire à pharmacie.*

armoiries n.f.plur. Ensemble des emblèmes symboliques propres à une famille, à une ville : *Connais-tu les armoiries de ta ville?* SYN. armes.

armure n.f. Ensemble des défenses qui couvraient le corps autrefois: *La cuirasse faisait partie de l'armure.*

armurerie n.f. Magasin ou fabrique d'armes: *On voit dans l'armurerie des armes de toutes sortes.* ☞ arme.

armurier n.m. Personne qui vend ou qui fabrique des armes: *L'armurier a vendu un pistolet à cette femme.* ☞ arme.

aromate n.m. Substance végétale qui dégage un parfum agréable et qu'on utilise comme condiment: *La cannelle, le thym et le basilic sont des aromates.* SYN. assaisonnement. ☞ arôme.

aromatique adj. Qui dégage un parfum agréable: *La marjolaine et l'estragon sont des plantes aromatiques.* SYN. odorant. ANT. nauséabond, puant. ☞ arôme.

aromatiser v. Parfumer un plat, un aliment, une boisson avec une substance aromatique: *Ajoute un peu de vanille pour aromatiser la crème fouettée.* ☞ arôme.

arôme n.m. Odeur agréable que dégagent certaines plantes, certaines substances: *L'arôme du café se répandait dans toute la maison.* SYN. parfum. ANT. puanteur. **R.** Ne pas oublier l'accent: *ô*. ☞ aromate, aromatique, aromatiser.

arpège n.m. En musique, exécution successive des notes d'un accord: *La pianiste fait des arpèges.*

arpent n.m. **1.** Ancienne mesure de longueur de cinquante-huit mètres qui servait à mesurer les terrains: *Son champ de blé mesure trois arpents.* **2.** Ancienne mesure de superficie qui valait environ 3420 mètres carrés: *Cette vigne couvre cent arpents.* ☞ arpentage, arpenter, arpenteur.

arpentage n.m. Mesure de la superficie d'un terrain: *Avant de vendre ces terrains, il faut en faire l'arpentage.* ☞ arpent.

arpenter v. **1.** Mesurer la superficie d'un terrain: *Ils sont en train d'arpenter les terrains que la ville a mis en vente.* **2.** Parcourir un lieu à grands pas: *Quand je suis inquiète, j'arpente nerveusement mon bureau.* SYN. marcher. ☞ arpent.

arpenteur n.m. Personne qui mesure la superficie d'un terrain: *Madame Blais, notre arpenteur, nous a remis un document où figurent les mesures exactes de notre terrain.* SYN. géomètre. **R.** L'O.L.F. recommande *arpenteuse* comme féminin de *arpenteur*. ☞ arpent.

arqué, ée adj. Qui est courbé comme un arc: *Regarde les sourcils de Mike comme ils sont bien arqués.* SYN. convexe, voûté. ANT. droit. HOM. arquer. ☞ arc.

arquebuse n.f. Arme à feu qu'on utilisait au XVIe siècle: *L'arquebuse se portait sur l'épaule.*

arquer v. Courber quelque chose en forme d'arc: *Le forgeron chauffe la pièce de métal pour pouvoir l'arquer.* SYN. fléchir. ANT. redresser. HOM. arqué. ☞ arc. **s'arquer** v.pron. Devenir courbe comme un arc: *Les planches, en séchant, commencent à s'arquer.*

arrachage n.m. Action d'enlever une plante de terre: *L'arrachage des pommes de terre se fait à l'aide d'une arracheuse.* SYN. récolte. ANT. plantation. ☞ arracher.

arrache-clou n.m. Instrument qui sert à arracher les clous: *Tu veux me prêter l'arrache-clou?* **R.** Au pluriel, *arrache-clous*. ☞ arracher.

d'**arrache-pied** loc.adv. En faisant des efforts soutenus: *Pour gagner ce concours, il faudra travailler d'arrache-pied.* ☞ arracher.

arracher v. **1.** Enlever de terre: *Le jardinier arrache les mauvaises herbes qui envahissent le parterre.* SYN. déraciner, déterrer, extirper. ANT. enraciner, ensemencer, planter. **2.** Détacher une chose avec effort: *Il a fallu arracher les clous avant de brûler les vieilles planches.* SYN. enlever, ôter. ANT. enfoncer, fixer. **3.** Enlever de force à quelqu'un, à un animal: *Le voyou a arraché le sac à main de la pauvre femme.* SYN. ravir. **4.** Obtenir quelque chose avec difficulté: *J'ai réussi à lui arracher son secret.* SYN. soutirer. **5.** Faire quitter un lieu ou un état avec difficulté: *Il faut l'arracher à son lit tous les matins.* ☞ arrachage, arrache-clou, d'arrache-pied, arracheur, arracheuse. **s'arracher** v.pron. **1.** S'éloigner, se détacher avec difficulté d'un lieu ou d'un état: *Il n'est pas facile de s'arracher à ses habitudes.* **2.** Rechercher la compagnie de quelqu'un: *On s'arrache cette présentatrice.*

arracheur, euse n. Personne qui arrache une plante: *Les arracheurs de carottes remplacent la machine défectueuse.* ☞ arracher.

arracheuse n.f. Machine ou outil qui sert à arracher les racines, les tubercules ou les tiges: *Les cultivatrices se sont cotisées pour acheter une nouvelle arracheuse.* ☞ arracher.

arrangeable adj. **1.** Qui peut être arrangé, réparé: *Ta montre ne fonctionne plus! Elle est sûrement arrangeable.* SYN. réparable. **2.** Qui peut être arrangé, réglé: *Ce désaccord est arrangeable.* **R.** Ne pas oublier le *e* après le *g*. ☞ arranger.

arrangeant, ante adj. Qui est facilement d'accord, avec qui il est facile de s'entendre: *La directrice est une femme arrangeante.* SYN. accommodant, complaisant, conciliant. ANT.

difficile, exigeant. **R.** Ne pas oublier le *e* après le *g*. ☞ arranger.

arrangement n.m. **1.** Action de mettre des choses dans un certain ordre: *J'ai envie de recommencer l'arrangement de ma chambre.* SYN. disposition. **2.** Règlement d'un problème, d'une affaire: *Les deux opposantes ont trouvé un arrangement pour mettre fin à leur dispute.* **3.** Mesures que l'on prend pour organiser quelque chose: *L'arrangement de cette excursion s'est fait au mois de septembre.* SYN. organisation, préparatif. ☞ arranger.

arranger v. **1.** Mettre dans un certain ordre: *La fleuriste arrange les plantes dans sa vitrine.* SYN. disposer. ANT. déranger. **2.** Réparer quelque chose: *Il faudrait arranger la patte de la chaise.* ANT. briser. **3.** Régler un problème, une affaire: *Peux-tu arranger cette dispute?* ANT. envenimer. **4.** Satisfaire quelqu'un: *Il pleut, mais cela m'arrange.* SYN. convenir. ANT. déranger. **5.** Préparer, organiser quelque chose: *L'institutrice arrange une excursion pour ses élèves.* ☞ arrangeable, arrangeant, arrangement, déranger, rang, ranger. **s'arranger** v.pron. **1.** Se mettre dans un certain ordre: *Plus je réfléchis, plus mes idées s'arrangent.* SYN. s'ordonner. ANT. se brouiller. **2.** Se mettre d'accord: *Essaie de t'arranger avec ton père pour qu'il te conduise au centre sportif.* SYN. s'accorder, s'entendre. ANT. se quereller. **3.** Aller mieux: *Tu vas voir, les choses vont s'arranger.* SYN. se régler, se réparer. **4.** S'organiser: *Si tu le voulais, tu pourrais t'arranger pour arriver à l'heure.* **5.** Mettre de l'ordre dans sa toilette: *Claude est parti s'arranger.* SYN. s'habiller, se maquiller. ⁄⁄ *S'arranger de quelque chose:* Se contenter de quelque chose malgré les inconvénients.

arrestation n.f. Action d'appréhender quelqu'un: *Les policières ont procédé à l'arrestation du voleur.* ANT. délivrance, libération. ☞ arrêter.

arrêt n.m. **1.** Action de ne plus avancer: *Pendant le voyage, nous n'avons fait qu'un seul arrêt.* SYN. escale, halte. ANT. marche. **2.** Endroit où doit s'arrêter un véhicule: *L'arrêt d'autobus est situé près de l'école.* **3.** Fin d'une activité: *Les ouvrières ont fait un arrêt de travail de trois jours.* SYN. interruption, relâche. ANT. continuation, poursuite. ⁄⁄ *Mandat d'arrêt:* Ordre d'appréhender quelqu'un. *Sans arrêt:* Sans interruption. **R.** Ne pas oublier l'accent: *ê*. ☞ arrêter.

arrêté n.m. Décision d'une autorité pour faire exécuter une loi, un décret, un règlement: *L'arrêté ministériel ordonne aux grévistes de retourner au travail.* HOM. arrêter.

arrêté, ée adj. Qui est ferme, définitif: *Grand-mère a des idées bien arrêtées sur les industries polluantes.* HOM. arrêter. ☞ arrêter.

arrêter v. **1.** Empêcher d'avancer: *Le brigadier arrête les écoliers à l'intersection.* SYN. immobiliser, retenir. ANT. marcher. **2.** Interrompre le fonctionnement d'un appareil: *Arrête la machine à laver.* **3.** Faire cesser quelque chose: *L'infirmière a arrêté l'hémorragie.* SYN. bloquer, contenir, réprimer. **4.** Appréhender quelqu'un: *Les policiers ont arrêté le voleur.* SYN. capturer. ANT. relâcher. **5.** fig. Fixer, décider quelque chose: *J'ai arrêté mon choix sur cette robe.* HOM. arrêté. ☞ arrestation, arrêt, arrêté. **s'arrêter** v.pron. **1.** Cesser d'avancer: *Nous avons décidé de nous arrêter à ce restaurant.* SYN. s'attarder. ANT. poursuivre. **2.** Cesser de fonctionner: *L'horloge s'est arrêtée à 11 heures.* ANT. continuer. **3.** S'interrompre: *Quand la cloche sonne, les élèves s'arrêtent de travailler.* SYN. cesser. ANT. continuer. **4.** Fixer son attention sur quelque chose: *Ne t'arrête pas à ces détails.* SYN. insister.

arrière n.m. et adj.invar. **1.** n.m. Partie d'une chose opposée à l'avant: *L'arrière de cette automobile est encombré.* SYN. derrière. ANT. devant. **2.** n.m. Dans les sports d'équipe, joueur qui participe à la défense du but: *Les arrières de cette équipe de soccer ne sont pas très efficaces.* **3.** adj.invar. Qui est situé à l'opposé de l'avant: *Les roues arrière de l'automobile sont enfoncées dans la boue.* ⁄⁄ *Faire marche arrière:* Revenir en arrière. **en arrière** loc.adv. **1.** Vers le côté qui se trouve derrière: *Bébé penche sa tête en arrière pour regarder les nuages.* **2.** À une certaine distance derrière: *Audrey est restée en arrière.* **3.** fig. En retard: *Pierre est en arrière dans ses études.* **en arrière de** loc.prép. Derrière quelqu'un ou quelque chose: *Alain se tient en arrière de la classe.*

arriéré n.m. Dette qui n'a pas été payée: *La propriétaire nous a demandé de payer l'arriéré du loyer.*

arriéré, ée n. et adj. **1.** n. Personne dont le développement mental est retardé: *On essaie de plus en plus d'intégrer les arriérés mentaux en milieu de travail.* **2.** adj. Qui est retardé dans son développement mental: *Cette enfant arriérée a l'intelligence d'un enfant de cinq ans.* SYN. attardé. ANT. surdoué. **3.** adj. Qui n'a pas encore été payé: *Les commerçants réclament leurs dettes arriérées.* **4.** adj.péj. Qui est ancien, démodé: *Malgré son jeune âge, ce garçon a des idées arriérées.* ANT. moderne.

arrière arriéré

arrière-boutique n.f. Pièce située derrière une boutique: *L'épicier entrepose des provisions dans l'arrière-boutique.* **R.** Au pluriel, *arrière-boutiques*. ☞ boutique.

arrière-cour n.f. Petite cour située à l'arrière d'un bâtiment: *Les enfants jouent dans l'arrière-cour.* **R.** Au pluriel, *arrière-cours*. ☞ cour.

arrière-garde n.f. Troupe de soldats qui marche derrière une armée pour la protéger et la renseigner: *L'arrière-garde a repoussé l'attaque de l'ennemi.* ANT. avant-garde. **R.** Au pluriel, *arrière-gardes*. ☞ garde.

arrière-goût n.m. Goût qui reste dans la bouche après avoir bu ou mangé quelque chose: *Ce fromage laisse un arrière-goût désagréable.* **R.** Au pluriel, *arrière-goûts*. ☞ goût.

arrière-grand-mère n.f. Mère de la grand-mère ou du grand-père: *Mon arrière-grand-mère est morte depuis longtemps.* **R.** Au pluriel, *arrière-grand-mères* ou *arrière-grands-mères*. ☞ grand-mère.

arrière-grand-père n.m. Père de la grand-mère ou du grand-père: *Mes deux arrière-grands-pères ont plus de quatre-vingts ans.* **R.** Au pluriel, *arrière-grands-pères*. ☞ grand-père.

arrière-grands-parents n.m.plur. Parents de la grand-mère ou du grand-père: *Mes arrière-grands-parents maternels vivaient dans la Beauce.* ☞ grand-mère, grand-père.

arrière-pensée n.f. Pensée que l'on cache: *Claudette est trop gentille tout à coup; elle doit avoir une arrière-pensée.* **R.** Au pluriel, *arrière-pensées*. ☞ penser.

arrière-petite-fille n.f. Fille du petit-fils ou de la petite-fille: *Sur cette photo, on voit quatre générations: grand-mère, sa fille, sa petite-fille et son arrière-petite-fille.* **R.** Au pluriel, *arrière-petites-filles*. ☞ petite-fille.

arrière-petit-fils n.m. Fils du petit-fils ou de la petite-fille: *Grand-père est photographié avec son arrière-petit-fils.* **R.** Au pluriel, *arrière-petits-fils*. ☞ petit-fils.

arrière-petits-enfants n.m.plur. Enfants du petit-fils ou de la petite-fille: *Papa n'a pas vécu assez longtemps pour connaître ses arrière-petits-enfants.* ☞ petits-enfants.

arrière-plan n.m. Partie d'une photo, d'un tableau, qui semble la plus éloignée de l'œil du spectateur: *Voici le chalet de mes parents et, à l'arrière-plan, les montagnes.* ⁄⁄ *À l'arrière-plan:* Dans une position qui a moins d'importance. **R.** Au pluriel, *arrière-plans*. ☞ plan.

arrière-train n.m. Partie arrière du corps d'un animal à quatre pattes: *Le chien est assis sur son arrière-train.* **R.** Au pluriel, *arrière-trains*. ☞ train.

arrivage n.m. Arrivée de marchandises: *L'épicière attend un arrivage de légumes frais.* ☞ arriver.

arrivant, ante n. Personne qui arrive, qui vient d'arriver: *Les nouveaux arrivants se sont établis en banlieue.* ☞ arriver.

arrivé, ée adj. Qui est parvenu quelque part en premier ou en dernier: *Les premiers arrivés auront les meilleures places.* HOM. arrivée, arriver. ☞ arriver.

arrivée n.f. **1.** Action d'arriver quelque part: *Ma meilleure amie m'annonce son arrivée pour demain.* SYN. venue. ANT. départ. **2.** Moment où l'on arrive: *Connaissez-vous l'heure d'arrivée de l'avion?* **3.** fig. Moment où une chose se produit: *L'arrivée du printemps est toujours bien accueillie.* SYN. apparition, début. ANT. sortie. HOM. arrivé, arriver. ⁄⁄ *Ligne d'arrivée:* Ligne tracée sur le sol, que les participants à une compétition doivent franchir pour déterminer le gagnant. ☞ arriver.

arriver v. **1.** Parvenir au lieu où l'on voulait aller: *L'autobus devrait arriver au métro dans cinq minutes.* ANT. partir. **2.** Atteindre un certain niveau, une certaine taille: *Mon petit frère m'arrive à la taille.* **3.** Se rapprocher de quelque chose dans le temps: *Nous arrivons à Noël.* **4.** Réussir à faire quelque chose: *Claudia arrive à écrire sans fautes.* ANT. échouer. **5.** Se produire, avoir lieu: *Cet accident est arrivé hier matin.* **6.** Être possible: *Il arrive qu'il neige en octobre.* HOM. arrivé, arrivée. ⁄⁄ *Quoi qu'il arrive:* En tout cas. ☞ arrivage, arrivant, arrivé, arrivée.

arrogance n.f. Manières insolentes et méprisantes: *L'arrogance des vainqueurs est insupportable.* SYN. orgueil, suffisance. ANT. affabilité, humilité. ☞ arrogant.

arrogant, ante adj. Qui se conduit d'une manière insolente et méprisante: *Les personnes arrogantes n'ont pas beaucoup d'amis.* SYN. hautain, orgueilleux, suffisant. ANT. affable, familier, humble. ☞ arrogance.

arrondi, ie adj. Qui a une forme à peu près ronde: *Les petits de la maternelle utilisent des ciseaux à bouts arrondis.* ANT. droit, pointu. ☞ rond (adj.).

arrondir v. **1.** Donner une forme ronde à quelque chose: *Arrondis davantage le visage des personnages que tu as dessinés.* **2.** Obtenir un chiffre rond: *Comme tu me dois 7,03 $, j'arrondis la somme à 7,00 $.* **3.** Augmenter, accroître un salaire, un gain: *Ma sœur arrondit son salaire de technicienne en faisant des* *menus travaux chez les voisins.* ANT. diminuer, réduire. ☞ rond (adj.). **s'arrondir** v.pron. Devenir rond : *Ma sœur est enceinte et son ventre s'arrondit de semaine en semaine.* SYN. enfler, gonfler.

arrosage n.m. Action d'arroser : *L'arrosage du gazon est interdit pendant la canicule.* ANT. assèchement. ☞ arroser.

arrosé, ée adj. **1.** Qui reçoit beaucoup de précipitations (pluie, neige) : *L'Estrie est une région bien arrosée.* **2.** Qui est traversé par un cours d'eau ou des cours d'eau : *En regardant la carte, on se rend compte que la Côte-Nord est une région bien arrosée.* **3.** fam. Qui est accompagné de vin : *Nous avons pris un excellent repas, arrosé d'une bonne bouteille.* HOM. arroser. ☞ arroser.

arroser v. **1.** Verser de l'eau sur quelque chose ou sur quelqu'un : *La voisine vient arroser nos plantes quand nous partons en vacances.* SYN. asperger. ANT. assécher. **2.** Traverser, en parlant d'un cours d'eau : *Le Richelieu arrose la Montérégie.* **3.** Accompagner de vin en mangeant : *Nous avons arrosé le repas d'un bon bordeaux.* **4.** fam. Fêter un événement en offrant à boire : *Il faut arroser la promotion de Pierre.* HOM. arrosé. ☞ arrosage, arrosé, arroseur, arroseuse, arrosoir.

arroseur, euse n. **1.** Personne qui arrose les rues : *L'arroseur passe tous les matins.* **2.** Appareil d'arrosage : *L'arroseur automatique a fonctionné toute la nuit.* ☞ arroser.

arroseuse n.f. Véhicule utilisé pour l'arrosage des rues : *L'arroseuse passe régulièrement dans les rues de la ville pour les nettoyer.* ☞ arroser.

arrosoir n.m. Ustensile servant à l'arrosage des plantes : *Julien se sert de l'arrosoir pour arroser ses plantes d'intérieur.* ☞ arroser.

arsenal, aux n.m. **1.** Lieu où l'on construit, répare et arme les navires de guerre : *Les arsenaux emploient beaucoup d'ouvrières en temps de guerre.* **2.** Dépôt d'armes et de munitions : *L'arsenal est fortement gardé.* **3.** Grand nombre d'armes : *Chez ce bandit, la police a découvert tout un arsenal.*

arsenic n.m. Élément chimique de couleur gris fer, dont on tire un poison très violent : *L'antidote de l'arsenic est le lait.*

art n.m. **1.** Habileté et connaissance des moyens permettant de réaliser une œuvre : *Le peintre, la musicienne et le sculpteur créent des œuvres d'art.* **2.** Manière, façon de faire quelque chose : *Ton amie a l'art de plaire à tout le monde.* SYN. habileté. ANT. gaucherie, maladresse. **3.** Ensemble des techniques et des connaissances propres à un domaine particulier : *L'art culinaire, c'est plus que bien faire la cuisine.* SYN. spécialité. ANT. inhabileté. HOM. are. ⁄⁄ *Arts plastiques :* Création ou reproduction de volumes et de formes, surtout en peinture et en sculpture. *Beaux-arts :* Arts qui ont pour but la représentation du beau (peinture, sculpture, architecture, gravure, musique, danse). ☞ artiste, artistique, artistiquement, beaux-arts.

artémia n.f. Petit crustacé capable de vivre en eau salée et en eau douce : *Pendant le cours de sciences naturelles, nous avons tenté de faire éclore des œufs d'artémias.*

artère n.f. **1.** Vaisseau qui part du cœur et qui distribue le sang dans tout le corps : *Le sang circule dans les veines et les artères.* **2.** fig. Importante voie de communication dans une ville : *Les grandes artères sont très bruyantes aux heures de pointe.* ☞ artériel, artériosclérose.

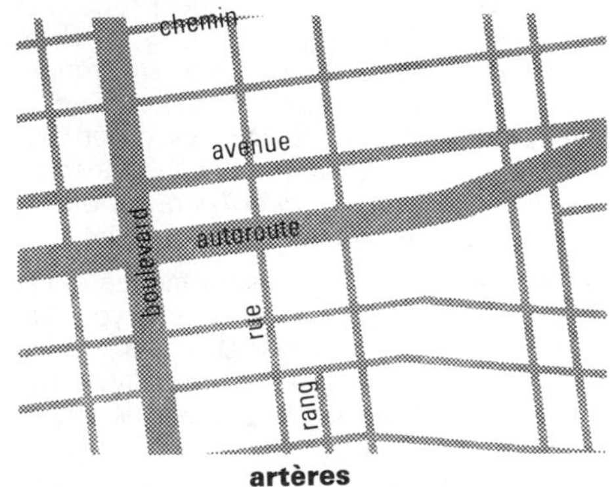

artères

artériel, ielle adj. Qui se rapporte aux artères : *La femme médecin a pris ma tension artérielle.* ☞ artère.

artériosclérose n.f. Maladie caractérisée par le durcissement progressif des artères : *L'artériosclérose est une maladie qui peut causer la mort.* ☞ artère.

arthrite n.f. Maladie qui provoque l'inflammation des articulations : *Madame Roy souffre d'arthrite.* ☞ arthritique.

arthritique adj. Qui se rapporte à l'arthrite : *Les douleurs arthritiques sont plus intenses par temps humide.* ☞ arthrite.

artichaut n.m. Légume dont on ne mange que la base des feuilles et le fond : *En entrée, on nous a servi des artichauts à la vinaigrette.* ⁄⁄ *Cœur d'artichaut :* Partie centrale de l'artichaut, la plus tendre.

article n.m. **1.** Objet en vente dans un magasin : *Cette boutique offre des articles de toilette.* **2.** Division d'un contrat, d'une loi : *L'avo-*

cat nous a expliqué l'article du Code civil qui nous intéresse. **3.** Écrit faisant l'objet d'une publication: *J'ai lu un article intéressant sur la pollution.* ∥ *À l'article de la mort:* Sur le point de mourir. ▲ **article** n.m. Petit mot que l'on place devant le nom pour le déterminer avec plus ou moins de précision: *L'article indique le genre (masculin ou féminin) et le nombre (singulier ou pluriel) du nom qui le suit.*

	Les articles	
	Singulier	Pluriel
Définis:	**le, la, l'**	**les**
Indéfinis:	**un, une**	**des**
Contractés:	**au, du**	**aux, des**

articulaire adj. Qui se rapporte aux articulations: *L'arthrite est une maladie articulaire.* ☞ articuler.

articulation n.f. Action de prononcer distinctement les sons d'une langue: *Cette jeune enfant fait des exercices d'articulation.* SYN. prononciation. ☞ articuler. ▲ **articulation** n.f. Assemblage des os et leur mode d'union, chez l'être humain et les vertébrés: *Ne fais pas craquer les articulations de tes doigts.* SYN. jointure. ☞ articuler.

articulé, ée adj. Qui est prononcé d'une façon distincte: *Tes paroles étaient bien articulées.* ☞ articuler. ▲ **articulé, ée** adj. Qui est formé de parties mobiles d'articulation: *Sa poupée a les membres articulés.* HOM. articuler. ☞ articuler.

articuler v. Prononcer d'une manière distincte: *Quand on parle, il faut articuler pour être bien compris.* HOM. articulé. ☞ articulation, articulé, inarticulé.

s'articuler v.pron. En parlant d'un os, s'unir à un autre par une articulation: *Observe comment s'articulent les os de ta main.* ANT. se désarticuler. ☞ articulaire, articulation, articulé, désarticulation, désarticuler.

artifice n.m. Ruse, stratagème: *Certaines personnes emploient de nombreux artifices pour atteindre leur but.*

artificiel, ielle adj. Qui est produit par le travail de l'être humain et non par la nature: *Voici des fleurs artificielles qui ont l'air très naturelles.* ANT. naturel. ☞ artificiellement.

artificiellement adv. D'une façon artificielle: *La crème glacée est artificiellement parfumée à la vanille.* ANT. naturellement. ☞ artificiel.

artificier n.m. Personne qui fabrique ou tire des feux d'artifice: *Les artificiers chinois ont gagné le premier prix du concours des feux d'artifice.*

artillerie n.f. **1.** Ensemble des canons et munitions appartenant à une armée: *L'artillerie a ouvert le feu sur la ville.* **2.** Partie de l'armée chargée des canons: *Ces soldats ont combattu dans l'artillerie.* **R.** Les lettres *ill* se prononcent comme dans *famille*. ☞ artilleur.

artilleur n.m. Militaire appartenant à l'artillerie: *Pendant la Deuxième Guerre mondiale, cet ancien combattant était artilleur.* **R.** Les lettres *ill* se prononcent comme dans *famille*. ☞ artillerie.

artisan, ane n. Personne qui fait un travail manuel pour son propre compte, avec l'aide de sa famille ou de quelques ouvriers: *La cordonnière est une artisane.* ☞ artisanal, artisanalement, artisanat.

artisanal, ale, aux adj. **1.** Qui se rapporte à l'artisan: *Le serrurier n'exerce plus un métier artisanal.* **2.** Qui n'est pas organisé comme l'industrie: *Ces courtepointes sont fabriquées de façon artisanale.* ☞ artisan.

artisanalement adv. D'une manière artisanale, sans avoir recours aux machines: *Cette femme vend des bijoux fabriqués artisanalement.* ☞ artisan.

artisanat n.m. Métier, travail des artisans: *L'artisanat de cette région est très apprécié.* ☞ artisan.

artiste n. **1.** Personne qui possède l'habileté et la connaissance technique lui permettant de réaliser une œuvre: *Les artistes créent des œuvres qui embellissent notre vie.* SYN. artisan. **2.** Personne qui interprète une œuvre (en musique, au théâtre): *La chanteuse Albani était une grande artiste.* SYN. acteur, comédien. ☞ art.

artistique adj. **1.** Qui se rapporte à l'art: *La peinture est une activité artistique.* **2.** Qui est fait avec art, avec goût: *Cette photographie artistique attire tous les regards.* ☞ art.

artistiquement adv. Avec art, avec goût: *Cette salle de spectacle est artistiquement décorée.* ☞ art.

arum n.m. Plante à petites fleurs groupées en épis enveloppés dans une sorte de cornet blanc ou verdâtre: *L'arum est communément appelé «pied-de-veau».* **R.** Les lettres *um* se prononcent *omm*. ◇ pied-de-veau.

as n.m. **1.** Carte à jouer marquée d'un seul point ou signe: *J'ai les quatre as dans mon jeu.* **2.** Dé à jouer, ou moitié de domino, marqué d'un seul point: *J'ai eu deux as.* **3.** fig. Personne qui excelle dans un domaine: *Mélanie est un as du ski acrobatique.* SYN. champion, phénomène, virtuose. **R.** Le *s* se prononce.

ascendance n.f. Ensemble des personnes dont on descend : *Angela est d'ascendance italienne.* ANT. descendance. ☞ descendre.

ascendant n.m. Influence qu'on a sur quelqu'un : *Sylvie a beaucoup d'ascendant sur ses camarades.* SYN. autorité.

ascendant, ante adj. Qui va en montant : *Le ballon gonflé à l'hélium suit un mouvement ascendant.*

ascenseur n.m. Appareil qui sert à monter ou à descendre des personnes d'un étage à un autre : *L'ascenseur est bloqué au quatrième étage.*

ascension n.f. **1.** Action de s'élever : *Grâce à la télévision, toute l'Amérique a pu voir l'ascension de la fusée.* SYN. montée. ANT. chute. **2.** Action de gravir une montagne : *Les alpinistes ont réussi l'ascension du mont Blanc.* ANT. descente. **3.** Élévation au ciel de Jésus-Christ ressuscité, quarante jours après Pâques : *L'Ascension est une fête religieuse.* ANT. descente. **R.** On met la majuscule à *ascension* lorsqu'il s'agit de la fête célébrée par l'Église.

asepsie n.f. **1.** Absence de microbes, de germes infectieux : *Dans les hôpitaux, l'asepsie des locaux et des instruments chirurgicaux est très importante.* SYN. désinfection. ANT. contamination. **2.** Moyens que l'on prend pour empêcher les microbes de s'introduire dans l'organisme : *L'asepsie passe par la stérilisation.* SYN. antisepsie, désinfection. ANT. contamination. ☞ aseptique, aseptisation, aseptiser.

aseptique adj. **1.** Qui est exempt de microbes : *L'infirmière couvre la plaie avec un pansement aseptique.* ANT. septique. **2.** Qui se rapporte aux moyens visant à empêcher les microbes de s'introduire dans l'organisme : *La stérilisation est un moyen aseptique.* ☞ asepsie.

aseptisation n.f. Action d'aseptiser : *L'aseptisation des pansements permet une guérison rapide des plaies.* SYN. désinfection, stérilisation. ANT. contamination. ☞ asepsie.

aseptiser v. Rendre aseptique : *Le chirurgien aseptise la plaie afin de prévenir l'infection.* SYN. désinfecter, stériliser. ANT. contaminer. ☞ asepsie.

asiatique n. et adj. **1.** n. Personne qui est de l'Asie : *Un Asiatique, une Asiatique.* **2.** adj. Qui est de l'Asie : *Le continent asiatique est le plus peuplé des cinq continents.* **R.** On met la majuscule à *asiatique* lorsqu'il s'agit du nom.

asile n.m. **1.** Lieu où l'on se réfugie : *Les victimes de l'incendie ont trouvé asile dans les écoles du voisinage.* SYN. abri. **2.** Autrefois, établissement où l'on recueillait les malades mentaux : *Les asiles d'aliénés sont désormais chose du passé.*

aspect n.m. **1.** Façon dont quelqu'un ou quelque chose se présente à la vue : *Cette région a un aspect fertile.* SYN. air, apparence. **2.** Chacun des angles sous lequel se présente une chose : *Avant de prendre une décision, il faut étudier tous les aspects de la question.* SYN. côté, face, facette.

asperge n.f. Légume dont on consomme les tiges : *Maman a acheté une botte d'asperges au marché.*

asperger v. **1.** Projeter un liquide en pluie très fine sur quelqu'un ou quelque chose : *Avec un pistolet à eau, Annick asperge son petit frère.* SYN. arroser, humecter. ANT. assécher, essuyer. **2.** fam. Mouiller par un jet d'eau : *L'automobile est passée dans une flaque d'eau et elle nous a aspergés de la tête aux pieds.* SYN. arroser.

aspérité n.f. Saillie rendant une surface inégale, raboteuse : *Les aspérités du sol rendent la marche difficile.*

asphaltage n.m. Action de revêtir d'asphalte : *L'asphaltage demande l'utilisation d'énormes rouleaux compresseurs.* **R.** Les lettres *ph* se prononcent *f.* ☞ asphalte.

asphalte n.m. Produit noirâtre à base de bitume, qui sert au revêtement des routes, des rues, des trottoirs : *La chaleur était si intense qu'elle avait ramolli l'asphalte.* **R.** Les lettres *ph* se prononcent *f.* ☞ asphaltage, asphalter.

asphalter v. Revêtir d'asphalte une route, une rue, un trottoir : *Les préposés à la voirie vont asphalter cette rue aujourd'hui.* **R.** Les lettres *ph* se prononcent *f.* ☞ asphalte.

asphyxiant, ante adj. **1.** Qui empêche de respirer, qui étouffe : *Pendant la Première Guerre mondiale, on a utilisé des gaz asphyxiants.* SYN. étouffant, irrespirable. **2.** fig. Qui est étouffant, où l'on ne peut pas s'épanouir : *L'atmosphère qui règne dans cette maison est asphyxiante.* **R.** Les lettres *ph* se prononcent *f.* ☞ asphyxie.

asphyxie n.f. État provoqué par l'arrêt de la respiration : *Cette enfant s'est étouffée avec un sac de plastique ; elle est morte par asphyxie.* SYN. étouffement, suffocation. **R.** Les lettres *ph* se prononcent *f.* ☞ asphyxiant, asphyxié, asphyxier.

asphyxié, ée n. Personne dont la respiration s'est arrêtée : *Il faut se dépêcher de* *réanimer cette asphyxiée: chaque seconde compte!* HOM. asphyxier. **R.** Les lettres *ph* se prononcent *f.* ☞ asphyxie.

asphyxier v. Causer l'arrêt de la respiration: *Il l'a étranglé presque au point de l'asphyxier.* SYN. étouffer, suffoquer. HOM. asphyxié. ☞ asphyxie. **s'asphyxier** v.pron. Cesser de respirer, s'étouffer: *Ce malheureux s'est asphyxié en respirant de l'oxyde de carbone.* **R.** Les lettres *ph* se prononcent *f.*

aspic n.m. Vipère dont la morsure est souvent mortelle: *L'aspic vit dans les broussailles, dans les régions sèches et pierreuses.* ▲ **aspic** n.m. Plat de viande ou de poisson froid recouvert de gelée: *À mon anniversaire, papa a préparé un délicieux aspic au homard.*

aspic

aspirant, ante n. Personne qui aspire à un poste, à un titre: *Diane est une aspirante sérieuse au poste de directeur.* ☞ aspirer.

aspirateur n.m. Appareil qui aspire la poussière: *Chez nous, nous avons fait installer un aspirateur central.* ☞ aspirer.

aspiration n.f. **1.** Action de faire rentrer de l'air dans les poumons; résultat de cette action: *Avant de commencer l'exercice, nous allons faire quelques aspirations.* **2.** Action d'attirer un gaz, un liquide ou de la poussière en faisant le vide: *Nous avons fait nettoyer les tapis par aspiration.* SYN. inspiration. ☞ aspirer. ▲ **aspiration** n.f. Action d'aspirer à un idéal, une situation meilleure: *L'aspiration de ce peuple à la liberté est normale après toutes ces années de dictature.* SYN. désir. ANT. découragement, indifférence. ☞ aspirer.

aspiré, ée adj. Qui se prononce avec une aspiration, qui empêche la liaison et l'élision: *Les mots «hache», «harpe» et «héron» commencent par un «h» aspiré.* HOM. aspirer. ☞ aspirer.

aspirer v. **1.** Attirer l'air dans les poumons: *Je fais de longues promenades dans la forêt et j'aspire l'air frais à pleins poumons.* SYN. inspirer. ANT. expirer. **2.** Attirer un liquide dans la bouche: *Antoine aspire son jus de pomme avec une paille.* SYN. absorber. ANT. souffler. **3.** Attirer un gaz ou un liquide en faisant le vide: *La pompe aspire l'eau du sous-sol.* SYN. pomper. ANT. refouler. ☞ aspirateur, aspiration, aspiré. ▲ **aspirer** v. Désirer fortement quelque chose: *Mes grands-parents aspirent à partir pour l'Europe.* SYN. souhaiter. ANT. renoncer. HOM. aspiré. ☞ aspirant, aspiration.

aspirine n.f. Médicament qui sert à soulager la douleur, surtout les maux de tête: *Maman conserve le flacon d'aspirines dans l'armoire à pharmacie.*

assagir v. Rendre sage: *La pénitence a assagi cet enfant dissipé.* ☞ sage. **s'assagir** v.pron. Devenir sage: *Cette enfant était insupportable. Je trouve qu'elle s'est beaucoup assagie.* SYN. se calmer, se modérer. ANT. se déchaîner.

assaillant, ante n. Personne qui attaque quelqu'un en se jetant sur lui: *Gilberte s'est défendue contre ses assaillants.* SYN. agresseur, attaquant. ANT. défenseur, protecteur. ☞ assaillir.

assaillir v. Attaquer quelqu'un en se jetant sur lui: *Ces voyous ont assailli Gilbert à la sortie de l'école.* SYN. agresser. ANT. aider, défendre, protéger. ☞ assaillant, assaut.

assainir v. Rendre sain en éliminant les impuretés: *Il faudrait assainir l'eau du lac pour que les gens puissent s'y baigner.* SYN. purifier. ANT. corrompre, vicier. ☞ sain.

assainissement n.m. Action de rendre sain en éliminant les impuretés: *Les travaux d'assainissement du marais commencent le mois prochain.* SYN. épuration. ☞ sain.

assainisseur n.m. Produit ou appareil qui rend l'air sain en éliminant les mauvaises odeurs: *On a installé un assainisseur d'air dans le local réservé aux fumeurs.* ☞ sain.

assaisonnement n.m. Ingrédient qu'on ajoute à un mets pour lui donner plus de goût: *L'huile, le vinaigre et l'ail comptent parmi les assaisonnements.* SYN. condiment, épice. ☞ assaisonner.

assaisonner v. Ajouter des ingrédients à un mets pour lui donner plus de goût: *Le sel, les épices et les fines herbes servent à assaisonner les aliments.* SYN. épicer, relever. ☞ assaisonnement.

assassin n.m. Personne qui tue volontairement quelqu'un: *Les assassins ont été jugés pour leur crime.* SYN. meurtrier, tueur. ☞ assassinat, assassiner.

assassinat n.m. Action de tuer volontairement quelqu'un: *Le jury a constaté que ce crime était en réalité un assassinat.* SYN. meurtre. ☞ assassin.

assassiner v. Tuer volontairement quelqu'un: *Cet homme et cette femme ont assas-*

siné leur victime parce qu'elle menaçait de les dénoncer à la police. ☞ assassin.

assaut n.m. **1.** Action d'attaquer quelqu'un pour s'en emparer: *Les soldats ennemis se lancent à l'assaut de la forteresse.* SYN. attaque, offensive. **2.** Attaque brutale, violente: *Les rochers du littoral subissent les assauts de la mer.* ☞ assaillir.

assèchement n.m. Action d'assécher: *L'assèchement du marais prendra au moins six mois.* SYN. drainage. ANT. irrigation. ☞ sec.

assécher v. Enlever l'eau, l'humidité, mettre à sec: *Il faudrait assécher le marais pour éliminer les moustiques.* SYN. drainer, tarir. ANT. arroser, irriguer, remplir. ☞ sec.

assèchement assécher

assemblage n.m. **1.** Action de réunir des éléments pour former un ensemble: *Le couturier a fait l'assemblage de la robe.* **2.** Union de plusieurs éléments de façon à former un tout: *Un livre est un assemblage de feuillets.* ☞ assembler.

assemblée n.f. **1.** Groupe de personnes réunies en un même lieu, dans le même but: *L'oratrice s'adresse à une nombreuse assemblée.* SYN. assistance, auditoire, rassemblement, réunion. **2.** Ensemble des députés qui forment le gouvernement: *L'Assemblée nationale vote les lois.* SYN. législature. HOM. assembler. **R.** On met la majuscule à *assemblée* lorsque le nom désigne l'ensemble des députés.

assembler v. Réunir des éléments pour former un ensemble: *Antoinette assemble les morceaux du casse-tête.* SYN. associer, rassembler. ANT. disjoindre, séparer. HOM. assemblée. ☞ assemblage, rassemblement, rassembler. **s'assembler** v.pron. Se réunir, se grouper: *La foule s'assemble sur les trottoirs pour voir passer le défilé.*

assener v. Porter un coup violent: *Quand elle est en colère, cette femme assène de grands coups de poing sur la table.* SYN. frapper. **R.** Aussi, *asséner.*

assentiment n.m. Consentement, accord: *Tu dois demander l'assentiment de tes parents avant d'acheter ce chien.* SYN. approbation. ANT. désapprobation, réprobation.

asseoir v. Poser quelqu'un sur ses fesses, le placer sur un siège: *Papa assoit bébé dans sa chaise haute.* SYN. installer. ANT. lever. ☞ assis, se rasseoir. **s'asseoir** v.pron. Se placer sur un siège, poser ses fesses sur quelque chose: *Je vous demande de vous asseoir sans faire de bruit.* ANT. se lever.

asservir v. Réduire à l'esclavage, à une grande dépendance: *Après les guerres, les peuples vaincus sont souvent asservis.* SYN. assujettir, dominer, opprimer. ANT. affranchir, libérer, relâcher. ☞ asservissement.

asservissement n.m. Action d'asservir: *Dans tous les pays et à toutes les époques, des gens se sont refusés à l'asservissement.* SYN. esclavage, servitude. ANT. affranchissement, libération. ☞ asservir.

assez adv. **1.** D'une manière suffisante ou en quantité suffisante: *J'ai assez étudié pour ce soir.* SYN. suffisamment. ANT. insuffisamment. **2.** D'une manière passable, plus qu'un peu, mais pas trop: *Ce garçon est assez sage.* SYN. passablement. ⁄⁄ *En avoir assez de:* Être fatigué de.

assidu, ue adj. **1.** Qui est toujours présent et qui travaille avec une application soutenue: *Évelyne est une élève assidue.* SYN. ponctuel, régulier. ANT. irrégulier. **2.** Qui est fait avec une application soutenue: *Ton travail assidu te vaudra certainement de belles notes.* ANT. relâché. ☞ assiduité, assidûment.

assiduité n.f. Présence régulière et application soutenue d'un élève, d'un employé: *Carlo a reçu une médaille pour souligner son assiduité au travail.* SYN. régularité. ANT. irrégularité, négligence, relâchement. ☞ assidu.

assidûment adv. D'une manière assidue: *Josette fréquente assidûment l'école.* SYN. ponctuellement, régulièrement. ANT. irrégulièrement, négligemment. **R.** Ne pas oublier l'accent: *û.* ☞ assidu.

assiégé, ée n. et adj. **1.** n. Personne qui subit un siège: *Les assiégés mouraient de faim.* ANT. assiégeant. **2.** adj. Qui subit un siège: *La ville assiégée n'offrait plus de résistance.* HOM. assiéger. ☞ assiéger.

assiégeant, ante n. et adj. **1.** n. Personne qui assiège: *Les assiégeants voulaient réduire les habitants à la famine.* **2.** adj. Qui assiège: *Les troupes assiégeantes surveillent étroitement les routes qui mènent à la ville.* **R.** Ne pas oublier le *e* après le *g.* ☞ assiéger.

assiéger v. **1.** Faire subir un siège: *L'armée ennemie a assiégé la ville pendant trois mois.* SYN. assaillir, cerner. ANT. délivrer, libérer. **2.** Venir en grand nombre dans un endroit, entourer: *Des centaines de jeunes assiègent les guichets du Forum pour obtenir de bons billets de spectacle.* SYN. assaillir. ANT. abandonner. HOM. assiégé. ☞ assiégé, assiégeant.

assiette n.f. Pièce de vaisselle servant à contenir des aliments: *Charles met les assiettes sur la table.* ⁄⁄ *Assiette anglaise:* Assortiment de viandes froides. ☞ assiettée.

assiettée n.f. Contenu d'une assiette: *Ce midi, j'ai mangé une assiettée de légumes.* ☞ assiette.

assigner v. Attribuer, faire connaître: *L'instituteur a assigné une place à chacun de ses élèves.* SYN. donner. ANT. ôter.

assimilable adj. **1.** Qu'on peut considérer comme semblable à une autre chose: *Le caïman est assimilable au crocodile.* SYN. comparable. ANT. inassimilable. **2.** Qui peut être transformé par la digestion: *Le lait est une nourriture assimilable.* **3.** Qui peut devenir semblable au groupe dans lequel il vit: *Certains peuples sont difficilement assimilables.* **4.** fig. Qui peut être appris et retenu: *Ces connaissances sont facilement assimilables pour un enfant de dix ans.* ☞ assimiler.

assimilation n.f. **1.** Action de considérer une chose comme semblable à une autre: *L'assimilation du cerf de Virginie au chevreuil est une erreur.* SYN. identification. ANT. distinction. **2.** Action de transformer par la digestion: *L'assimilation des aliments permet à l'organisme de se développer.* **3.** Action de devenir semblable au groupe dans lequel on vit: *L'assimilation des étrangers se fait lentement.* SYN. intégration. ANT. indépendance. **4.** fig. Action d'apprendre et de retenir quelque chose: *Pour favoriser l'assimilation des connaissances, il faut du calme et beaucoup d'étude.* ☞ assimiler.

assimiler v. **1.** Considérer une chose comme semblable à une autre: *Les gens ont tendance à assimiler les tomates aux légumes.* SYN. confondre. ANT. distinguer. **2.** Transformer par la digestion: *Le corps assimile les aliments.* SYN. absorber, digérer. **3.** Intégrer une personne à un groupe, la rendre semblable aux autres membres du groupe: *Les États-Unis ont assimilé des milliers d'immigrants.* ANT. séparer. **4.** fig. Apprendre quelque chose et le retenir: *Quand tu auras assimilé les règles de grammaire, tu écriras sans fautes.* ☞ assimilable, assimilation, inassimilable. **s'assimiler** v.pron. **1.** Être transformé par la digestion: *Certains aliments s'assimilent plus facilement que d'autres.* **2.** Devenir semblable au groupe dans lequel on vit: *Après plusieurs années aux États-Unis, les immigrants s'assimilent.* SYN. s'intégrer. ANT. se distinguer.

assis, ise adj. Qui est posé sur ses fesses ou sur un siège: *Quand l'autobus est en marche, les passagers doivent rester assis.* ⁄⁄ *Places assises:* Où l'on peut s'asseoir. ☞ asseoir.

assistance n.f. **1.** Ensemble des personnes présentes à quelque chose ou témoins de quelque chose: *Le spectacle a beaucoup plu à l'assistance.* SYN. assemblée, auditoire, foule, public. **2.** Aide, secours que l'on donne à quelqu'un: *On doit prêter assistance aux personnes victimes de violence.* SYN. appui, soutien. ☞ assister.

assistant, ante n. **1.** Personnes présentes à quelque chose ou témoins de quelque chose: *Les assistants applaudissaient la monologuiste.* SYN. spectateur. **2.** Personne qui en aide une autre dans son travail: *Le dentiste m'a confiée à son assistant.* SYN. adjoint, aide, auxiliaire. ⁄⁄ *Assistante sociale:* Femme qui vient en aide aux gens qui en ont besoin par l'intermédiaire d'un service social. ☞ assister.

assister v. **1.** Être présent à quelque chose ou être témoin de quelque chose: *J'ai assisté au lancement de la navette spatiale.* ANT. manquer. **2.** Aider quelqu'un dans son travail: *Trois infirmiers assistent la chirurgienne pendant l'opération.* SYN. seconder. **3.** Être près de quelqu'un qui meurt: *Mon oncle a assisté sa fille dans ses derniers moments.* SYN. accompagner, réconforter. ANT. délaisser. ☞ assistance, assistant.

association n.f. Action de s'associer dans un intérêt commun: *Ces personnes sont membres d'une association de parents.* SYN. groupe. ANT. dissociation. ☞ associer.

associativité n.f. En mathématiques, propriété qu'ont certaines opérations d'arriver toujours au même résultat, même si l'on change l'ordre dans la suite des opérations: *$5 + (6 + 3) = (5 + 6) + 3$ est un exemple d'associativité en addition.*

associé, ée n. Personne qui partage avec d'autres une activité commune: *Ce garage appartient à quatre associées qui partagent les responsabilités et les bénéfices.* SYN. partenaire. HOM. associer. ☞ associer.

associer v. **1.** Prendre quelqu'un pour associé: *Ève a associé son frère à son commerce de fruits et de légumes.* SYN. s'adjoindre. **2.** Faire le rapprochement entre deux choses: *Brigitte associe l'intelligence à la curiosité.* ANT. différencier. HOM. associé. ☞ association, associé, coassocié. **s'associer** v.pron. **1.** S'unir à une autre personne pour participer à une activité commune: *Les fils se sont associés à leur mère pour ouvrir ce magasin.* SYN. se joindre. **2.** Participer à quelque chose, y prendre part: *Je m'associe de tout cœur à votre chagrin.* SYN. s'unir. **3.** Se grouper, s'allier: *Les pays d'Europe s'associent pour faire concurrence aux États-Unis.* **4.** S'ajouter à une qualité ou à un défaut: *Chez cette femme, la bonté s'associe au courage.*

assoiffé, ée adj. **1.** Qui a soif: *Par cette chaleur, les enfants sont toujours assoiffés.* **2.** fig. Qui est avide de quelque chose: *Cette femme est assoiffée de vengeance.* HOM. assoiffer. ☞ soif.

assoiffer v. Donner soif: *La longue promenade sous le soleil m'a assoiffé.* ANT. désaltérer. HOM. assoiffé. ☞ soif.

assombrir v. **1.** Rendre sombre: *Ces rideaux assombrissent le salon.* SYN. obscurcir. ANT. éclaircir. **2.** fig. Rendre triste, inquiet, soucieux: *Cette mauvaise nouvelle a assombri ses vacances.* ANT. égayer. ☞ sombre. **s'assombrir** v.pron. **1.** Devenir sombre: *Le ciel s'assombrit. Je crois qu'il va pleuvoir.* ANT. s'éclaircir. **2.** fig. Devenir triste, inquiet, soucieux: *Son visage s'est assombri quand il a appris la nouvelle.* ANT. s'épanouir.

assombrissement n.m. **1.** Fait de devenir sombre: *L'assombrissement du ciel annonce du mauvais temps.* SYN. obscurcissement. ANT. éclaircissement. **2.** fig. Fait de devenir triste, inquiet, soucieux: *Nous avons tous remarqué l'assombrissement de son humeur.* SYN. mélancolie, tristesse. ☞ sombre.

assommant, ante adj.fam. Qui ennuie beaucoup: *Il est assommant à force de répéter les mêmes platitudes.* SYN. ennuyeux, fatigant. ANT. agréable, plaisant. ☞ assommer.

assommer v. **1.** Tuer ou étourdir une personne, un animal, en lui donnant un coup violent sur la tête: *Avec ces cailloux tu risques d'assommer quelqu'un.* SYN. abattre. **2.** fam. Ennuyer beaucoup: *Thérèse m'assomme avec ses histoires à dormir debout.* SYN. fatiguer, importuner, lasser. ☞ assommant.

assorti, ie adj. **1.** Qui vont bien ensemble: *Ce chapeau et ce manteau sont bien assortis.* **2.** Qui est composé d'éléments variés: *Le sac contient des biscuits assortis.* **3.** Qui est bien garni: *Le rayon des desserts est bien assorti.* ☞ assortir.

assortiment n.m. **1.** Collection complète de choses qui vont bien ensemble: *On a offert un assortiment de vaisselle au fiancé.* SYN. ensemble. **2.** Plat composé d'éléments variés: *Au dessert, on nous a servi un assortiment de gâteaux.* SYN. mélange, variété. **3.** Marchandises de même sorte: *Ce magasin a un bel assortiment de vêtements de sport.* SYN. lot. ☞ assortir.

assortir v. Mettre ensemble des choses qui s'accordent: *Tante Claude assortit la couleur de ses accessoires à celle de ses vêtements.* SYN. associer, harmoniser. ANT. dépareiller, désassortir. ☞ assorti, assortiment, désassorti, désassortir. **s'assortir** v.pron. S'harmoniser: *Le brun et le jaune sont deux couleurs qui s'assortissent bien.*

assoupir v. Provoquer l'engourdissement qui précède le sommeil: *Cette musique douce a assoupi bébé.* ANT. éveiller, réveiller. ☞ assoupissement. **s'assoupir** v.pron. S'endormir légèrement: *Après les repas, elle s'assoupit dans son fauteuil.* SYN. somnoler. ANT. exciter.

assoupissement n.m. État d'une personne assoupie: *Quand on voyage en train, il est difficile de résister à l'assoupissement.* SYN. somnolence. ANT. éveil. ☞ assoupir.

assouplir v. **1.** Rendre souple: *Si tu veux assouplir ton corps, il faut faire beaucoup d'exercices physiques.* **2.** fig. Rendre moins strict, moins sévère: *Le directeur a assoupli les règlements de l'école.* SYN. adoucir, atténuer, corriger. ANT. durcir. ☞ souple. **s'assouplir** v.pron. **1.** Devenir souple: *Le cuir s'assouplit quand on le traite avec certains produits.* **2.** fig. Devenir moins strict, moins sévère: *Le caractère de Monique s'assouplit à mesure qu'elle vieillit.*

assouplissement n.m. **1.** Action d'assouplir: *Commençons le cours d'éducation physique par des exercices d'assouplissement.* **2.** fig. Action de rendre moins strict, moins sévère: *L'assouplissement des règlements n'a pas plu à tout le monde.* ANT. durcissement. ☞ souple.

assourdir v. **1.** Rendre comme sourd: *Le bruit des avions m'assourdit.* SYN. étourdir. **2.** Rendre moins bruyant, moins sonore: *Les tapis assourdissent les pas.* SYN. amortir, étouffer. ANT. amplifier, augmenter. **3.** fig. Fatiguer quelqu'un par trop de bruit, de paroles: *Tu m'assourdis avec ton bavardage.* SYN. assommer, excéder. ☞ sourd.

assourdissant, ante adj. Qui rend comme sourd: *Je ne peux plus supporter ce vacarme assourdissant.* SYN. étourdissant. ANT. calmant, reposant. ☞ sourd.

assourdissement n.m. **1.** Action d'assourdir: *Je ne peux plus supporter l'assourdissement des avions près d'un aéroport.* **2.** État d'une personne assourdie: *J'étais sorti de la discothèque depuis plus d'une heure, et mon assourdissement durait encore.* **3.** Diminution du bruit, des sons: *Dans l'épais brouillard, il y avait comme un assourdissement des bruits.* SYN. amortissement. ☞ sourd.

assouvir v. **1.** Calmer complètement l'appétit: *Christiane a assouvi sa faim en mangeant une pomme.* SYN. apaiser, se rassasier. ANT. affamer. **2.** fig. Satisfaire pleinement un désir, un sentiment: *Cet homme rancunier attendait le moment d'assouvir sa vengeance.*

☞ assouvissement, inassouvi. s'**assouvir** v.pron. **1.** Se calmer complètement: *Crois-tu que sa faim va bientôt s'assouvir?* **2.** Se satisfaire pleinement: *Cette femme en veut tellement à tout le monde que je crois que sa haine ne pourra jamais s'assouvir.*

assouvissement n.m. **1.** Action d'assouvir: *L'assouvissement de sa faim lui procurait enfin un sentiment de bien-être.* SYN. satisfaction. **2.** fig. Action de satisfaire pleinement un désir, un sentiment: *Il est impossible de parvenir à l'assouvissement de tous ses désirs.* SYN. satisfaction. ☞ assouvir.

assujettir v. **1.** Soumettre à une loi, à un règlement: *Tous les Canadiens sont assujettis à l'impôt.* ANT. affranchir, libérer. **2.** Fixer pour rendre stable ou immobile: *Pour ne pas les perdre, il faudra bien assujettir les bagages sur le toit de la voiture.* SYN. attacher. ANT. dégager, délier.

assumer v. Se charger de quelque chose, s'en occuper: *Madame Beaulieu assume la fonction de directrice des finances.* SYN. endosser. ANT. se décharger, rejeter.

assurance n.f. Promesse: *Elle m'a donné l'assurance que je recevrais ma commande dans deux jours.* ☞ assurer. ▲ **assurance** n.f. Contrat qui garantit le remboursement d'une somme, en cas de vol, d'accident: *Mes parents ont pris une assurance contre le vol et l'incendie.* ☞ assurer. ▲ **assurance** n.f. Confiance en soi: *Luc parle avec beaucoup d'assurance.* SYN. aplomb. ANT. hésitation, timidité. ⁄⁄ *Perdre son assurance:* Être intimidé, décontenancé. ☞ assurer.

assuré, ée n. et adj. **1.** n. Personne protégée par un contrat d'assurance: *Les assurés paient des primes à la compagnie d'assurances.* **2.** adj. Dont on est certain, sûr: *Ce livre connaîtra un succès assuré.* **3.** adj. Qui a confiance en soi: *Brigitte a un air assuré en toutes circonstances.* HOM. assurer. ☞ assurer.

assurément adv. D'une manière certaine, sûre: *Les Nordiques gagneront assurément ce match.* SYN. certainement, sûrement. ☞ assurer.

assurer v. Affirmer une chose: *Rémi m'a assuré qu'il n'avait pas pris le stylo de Noémie.* SYN. certifier, soutenir. ANT. contester, démentir, nier. ☞ assurance, assuré. ▲ **assurer** v. Garantir par un contrat d'assurance: *Mes parents ont assuré notre maison contre le vol et l'incendie.* ☞ assurance, assuré, assureur. ▲ **assurer** v. Faire qu'une chose fonctionne: *Monsieur Leclerc assure le transport des élèves.* HOM. assuré. ☞ assurance. s'**assurer** v.pron. **1.** Devenir certain, sûr de quelque chose: *Avant de quitter la classe, assurez-vous que vous n'avez rien oublié.* SYN. vérifier. **2.** Passer un contrat d'assurance: *Les automobilistes doivent s'assurer contre les accidents.*

assureur n.m. Personne qui travaille pour une compagnie d'assurances: *L'assureur est venu à la maison faire signer le contrat d'assurance.* SYN. courtier. **R.** L'O.L.F. recommande *assureuse* comme féminin de *assureur*. ☞ assurer.

astérie n.f. Animal marin appelé communément « étoile de mer »: *L'astérie a cinq bras en étoile.*

astérisque n.m. Signe en forme d'étoile (*), indiquant ordinairement un renvoi: *L'astérisque attire l'attention du lecteur sur un mot qu'on expliquera en bas de page.*

astéroïde n.m. **1.** Petite planète invisible à l'œil nu: *La plupart des astéroïdes circulent sur des orbites situées entre celles de Mars et de Jupiter.* **2.** Petit corps céleste: *Les météores sont des astéroïdes.* **R.** Ne pas oublier le tréma: *ï.*

astéroïdes

asthmatique n. et adj. **1.** n. Personne qui souffre d'asthme: *Les asthmatiques ont parfois de la difficulté à respirer.* **2.** adj. Qui souffre d'asthme, qui est relatif à l'asthme: *Monsieur Lemieux est une personne asthmatique.* **R.** Les lettres *th* ne se prononcent pas. ☞ asthme.

asthme n.m. Maladie caractérisée par une respiration difficile: *Les crises d'asthme donnent aux malades la sensation d'étouffer.* **R.** Les lettres *th* ne se prononcent pas. ☞ antiasthmatique, asthmatique.

asticot n.m. Petit ver blanc, larve de la mouche à viande: *Les pêcheuses utilisent souvent les asticots comme appâts.*

asticoter v.fam. Agacer, énerver quelqu'un pour des bagatelles: *Si tu n'arrêtes pas de m'asticoter, je vais me fâcher.*

astiquage n.m. Action d'astiquer: *L'astiquage de ces objets de cuivre prendra bien toute une journée!* ☞ astiquer.

astiquer v. Faire briller quelque chose en le frottant: *Je viens d'astiquer la voiture.* SYN. polir. ☞ astiquage.

astrakan n.m. Fourrure à poils frisés du jeune agneau caracul: *J'ai vu un joli manteau d'astrakan dans la vitrine du fourreur.*

astral, ale, aux adj. Qui a rapport aux astres: *Beaucoup de personnes croient aux influences astrales.* ☞ astre.

astre n.m. **1.** Corps céleste visible à l'œil nu ou à l'aide d'un télescope: *Le Soleil, la Lune et les étoiles sont des astres.* **2.** Corps céleste vu sous l'angle de son influence sur les êtres humains: *D'après mon horoscope, les astres me sont favorables en ce moment.* ☞ astral.

astreignant, ante adj. Qui est pénible, qui exige beaucoup d'efforts: *Ces gens font un travail astreignant.* SYN. contraignant. ☞ astreindre.

astreindre v. Obliger quelqu'un à faire quelque chose: *On a astreint la malade à garder le lit.* SYN. contraindre, forcer. ANT. dispenser, exempter. ☞ astreignant. **s'astreindre** v.pron. S'obliger à faire quelque chose: *Cette enfant s'astreint à se coucher tôt pour être en forme le lendemain.*

astrologie n.f. Étude des astres pour déterminer leur influence sur le caractère et le destin des êtres humains: *Il y a des gens qui pensent que l'astrologie est infaillible.* ☞ astrologique, astrologue.

astrologique adj. Qui est relatif à l'astrologie: *Mon ami croit aux prédictions astrologiques.* ☞ astrologie.

astrologue n. Personne qui s'adonne à l'astrologie: *Connais-tu quelqu'un qui a déjà consulté une astrologue?* SYN. devin. **R.** Ne pas oublier le *u* après le *g*. ☞ astrologie.

astronaute n. Pilote ou passager à bord d'un vaisseau spatial: *Marc Garneau a été le premier astronaute canadien.* SYN. cosmonaute. ☞ astronautique.

astronautique n.f. Science qui a pour objet la navigation spatiale hors de l'atmosphère terrestre: *C'est grâce à l'astronautique que nous pouvons envoyer des fusées dans l'espace.* ☞ astronaute, astronef.

astronef n.m. Vaisseau spatial: *Dans les bandes dessinées, les héroïnes voyagent souvent à bord d'un astronef.* ☞ astronautique.

astronome n. Personne qui s'adonne à l'astronomie: *Les astronomes observent le ciel à l'aide de puissants télescopes.* ☞ astronomie.

astronomie n.f. Science qui étudie les astres et leur nature ainsi que la structure de l'univers: *Les Mayas avaient déjà de bonnes connaissances en astronomie.* **R.** Ne pas confondre avec *astrologie*. ☞ astronome, astronomique.

astronomique adj. **1.** Qui est relatif à l'astronomie: *L'observatoire du mont Mégantic sert aux observations astronomiques.* **2.** fig. Qui est très grand, très élevé: *On m'a demandé un prix astronomique pour ces chaussures.* SYN. exagéré. ☞ astronomie.

astuce n.f. **1.** Finesse, ruse à laquelle on recourt pour obtenir ce que l'on veut: *Comme cette fillette est pleine d'astuce, elle parvient toujours à ses fins.* SYN. stratagème. ANT. candeur, franchise. **2.** Moyen habile et ingénieux employé pour parvenir à un résultat: *J'ai trouvé une astuce pour réparer ce bibelot.* SYN. artifice. ☞ astucieusement, astucieux.

astucieusement adv. D'une manière astucieuse: *Elle a répondu astucieusement à toutes mes questions.* ☞ astuce.

astucieux, euse adj. **1.** Qui est habile, rusé: *Sam est un élève astucieux.* SYN. malin. ANT. candide, franc. **2.** Qui montre de l'habileté: *Cette réponse astucieuse ne me satisfait pas.* SYN. adroit. ☞ astuce.

asymétrie n.f. Absence de symétrie: *On peut constater l'asymétrie du visage en se regardant attentivement dans un miroir.* **R.** Le *s* se prononce *ss*. ☞ symétrie.

asymétrique adj. Qui manque de symétrie: *Voici une figure asymétrique.* ANT. symétrique. // *Barres asymétriques:* Agrès de gymnastique composés de deux barres fixées à hauteurs inégales sur des montants verticaux. **R.** Le *s* se prononce *ss*. ☞ symétrie.

atèle n.m. Singe de l'Amérique du Sud communément appelé «singe-araignée» à cause de la longueur démesurée de ses membres et de sa queue: *L'atèle vit dans les arbres et se nourrit de fruits.* HOM. attelle.

atèle

atelier n.m. **1.** Local où l'on exécute un travail manuel: *Des ouvriers et des artisanes travaillent dans des ateliers.* SYN. boutique, chantier, fabrique, manufacture. **2.** Local où travaille un artiste: *Les peintres et les sculpteurs ont leurs ateliers.* SYN. studio. **3.** Groupe de travail dans un congrès, qui discute d'un sujet commun: *Les enseignants ont participé à divers ateliers au dernier congrès de l'enseignement.*

athée n. et adj. **1.** n. Personne qui ne croit pas en Dieu: *Les athées nient l'existence de toute divinité.* SYN. incroyant. ANT. croyant. **2.** adj. Qui ne croit pas en Dieu: *Il existe dans le monde des pays athées.* **R.** Au masculin, conserve son *e* muet. ☞ athéisme.

athéisme n.m. Doctrine des athées: *Les gens qui pratiquent une religion ne comprennent pas l'athéisme.* SYN. incroyance. ANT. croyance. ☞ athée.

athlète n. **1.** Personne adroite aux exercices du corps: *Les lanceurs de javelot sont des athlètes.* **2.** Personne grande et musclée: *Jocelyne a un corps d'athlète.* ☞ athlétique, athlétisme.

athlétique adj. **1.** Qui est relatif aux athlètes: *Dans la Grèce antique, les jeux athlétiques étaient très populaires.* **2.** Qui est grand et musclé: *François a un corps athlétique.* ☞ athlète.

athlétisme n.m. Ensemble des sports individuels de base (course, gymnastique, lancer, saut): *Aux Jeux olympiques, j'ai assisté à toutes les compétitions d'athlétisme.* ☞ athlète.

atlantique n. et adj. **1.** n. Océan qui sépare l'Europe de l'Amérique: *Pour aller en France, il faut traverser l'Atlantique.* **2.** adj. Qui se rapporte à l'océan Atlantique et aux pays qui le bordent: *Les provinces atlantiques sont le Nouveau-Brunswick, la Nouvelle-Écosse, Terre-Neuve et l'Île-du-Prince-Édouard.* **R.** On met la majuscule à *atlantique* lorsqu'on parle de l'océan. ☞ transatlantique.

atlas n.m. Recueil de cartes géographiques: *Trouve dans un atlas les cartes du Québec et du Canada.* **R.** Le *s* se prononce.

atmosphère n.f. **1.** Couche d'air qui enveloppe le globe terrestre: *La navette spatiale a quitté l'atmosphère.* **2.** Couche gazeuse qui entoure certaines planètes: *La planète Vénus a une atmosphère.* **3.** fig. Ambiance, climat qui règne dans un milieu: *La fête s'est déroulée dans une atmosphère de gaieté.* **R.** Les lettres *ph* se prononcent *f*. ☞ atmosphérique.

atmosphérique adj. Qui se rapporte à l'atmosphère: *La pression atmosphérique est à la hausse.* **R.** Les lettres *ph* se prononcent *f*. ☞ atmosphère.

atoca n.m. (amérind.) Baie rouge à saveur un peu acide: *On sert de la gelée d'atoca avec la dinde.* SYN. canneberge. **R.** Aussi, *ataca.* ☞ atocatière. ◇ canneberge.

atocatière n.f. Au Canada, terrain où l'on cultive l'atoca: *On exploite les atocatières en terrain marécageux.* ☞ atoca.

atome n.m. **1.** La plus petite partie de matière: *Tous les corps sont constitués d'atomes.* SYN. particule. **2.** fig. Chose très petite: *Cette femme n'a pas un atome de méchanceté.* SYN. brin, parcelle. ☞ antiatomique, atomique.

atomique adj. Qui se rapporte aux atomes: *L'énergie atomique est libérée par la fission des atomes.* SYN. nucléaire. ⁄⁄ *Bombe atomique:* Arme destructive dont la puissance est produite par l'énergie atomique. ☞ atome.

atomiseur n.m. Petit contenant qui disperse en fines gouttelettes le liquide qu'il contient quand on presse sur le bouchon: *Ce parfum se vend aussi en atomiseur.* SYN. vaporisateur.

atours n.m.plur. Ornements, vêtements qui servent à la parure: *Le prince avait revêtu ses plus beaux atours.*

atout n.m. **1.** Aux cartes, couleur choisie qui l'emporte sur les autres: *Dans certains jeux, le pique, le cœur, le carreau et le trèfle constituent l'atout à tour de rôle.* **2.** fig. Ce qui donne un moyen de réussir: *Une grande taille est un atout quand on veut jouer au volley-ball.* SYN. avantage, privilège. ANT. handicap, préjudice.

âtre n.m. **1.** Partie de la cheminée où l'on fait le feu: *Les soirs d'hiver, nous allumons le feu dans l'âtre.* **2.** La cheminée, le foyer: *Parfois, on se couche devant l'âtre pour voir danser les flammes.* **R.** Ne pas oublier l'accent: *â.*

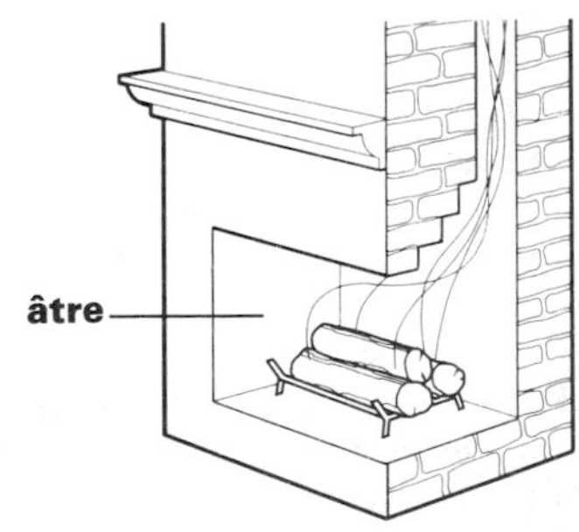

atroce adj. **1.** Qui est très cruel, horrible: *Un crime atroce a été commis.* SYN. abominable. **2.** Qui est difficile à supporter: *J'ai un mal de tête atroce.* SYN. insupportable. **3.** fam. Qui est très désagréable, très laid: *Le temps est* *atroce.* SYN. mauvais. ANT. agréable, beau. ☞ atrocement, atrocité.

atrocement adv. **1.** D'une manière atroce: *Il a été atrocement mutilé dans l'accident.* SYN. cruellement. **2.** fam. Terriblement, excessivement: *Ce cours est atrocement ennuyeux.* ☞ atroce.

atrocité n.f. **1.** Action atroce: *Tout le monde a entendu parler des atrocités commises par les Nazis.* SYN. crime, torture. **2.** Caractère d'une chose atroce: *L'atrocité de ce crime me révolte.* SYN. horreur, monstruosité. ANT. douceur. ☞ atroce.

s'attabler v.pron. Se mettre à table pour prendre un repas, pour jouer ou pour travailler: *En arrivant de l'école, les enfants s'attablent pour prendre le goûter.* ☞ table.

attachant, ante adj. Qui attire la sympathie, qui est aimable: *La brigadière est une personne très attachante.* ANT. ennuyeux. ☞ attacher.

attache n.f. **1.** Objet servant à maintenir ensemble des objets: *Une corde, une épingle, un trombone, voilà trois types d'attaches.* SYN. lien. **2.** plur. fig. Rapports d'affection ou d'habitude qui unissent à quelqu'un ou à quelque chose: *Je ne vis plus dans cette ville, mais j'y ai des attaches solides.* SYN. lien. ☞ attacher.

attaché, ée n. Personne chargée de certaines fonctions: *L'attachée de presse est chargée des relations avec le public.* HOM. attacher.

attaché, ée adj. **1.** Qui est fixé, retenu par une attache: *La prisonnière avait les mains attachées.* SYN. lié. ANT. libre. **2.** Qui est fermé par une épingle, un bouton: *Le col de cette robe se porte attaché.* HOM. attacher. ☞ attacher.

attachement n.m. Sentiment d'affection que l'on porte à quelqu'un ou à quelque chose: *La plupart des enfants ont beaucoup d'attachement pour leur animal familier.* SYN. amitié. ANT. aversion, indifférence. ☞ attacher.

attacher v. **1.** Fixer à quelque chose au moyen d'un lien: *Le cheval est attaché au pieu.* ANT. détacher. **2.** Maintenir ensemble par un lien: *Attache tes cheveux avec un ruban.* ANT. libérer. **3.** Réunir les deux bouts d'un lien: *Es-tu capable d'attacher tes lacets?* SYN. lier. ANT. délier. **4.** fig. Unir par le sentiment à quelqu'un ou à quelque chose: *De bons souvenirs m'attachent à la maison familiale.* HOM. attaché. ⁄⁄ *Attacher de l'importance à:* Juger important. ☞ attachant, attache, attaché (adj.), attachement, rattachement, rattacher. **s'attacher** v.pron. **1.** Se fermer, se fixer par un moyen quelconque: *Cette robe s'attache devant par des agrafes.* ANT. se détacher. **2.** S'appliquer à faire quelque chose: *Denis s'est attaché à perfectionner son jeu.* SYN. se préoccuper. **3.** fig. Éprouver de l'attachement pour quelqu'un ou quelque chose: *Je me suis beaucoup attaché à cette maison.*

attaquable adj. **1.** Qui peut être attaqué par l'armée: *Cette ville est attaquable du côté nord.* SYN. vulnérable. ANT. inattaquable. **2.** Qui peut être exposé aux attaques: *Le testament de grand-mère est attaquable.* SYN. annulable, contestable. ANT. inattaquable. ☞ attaquer.

attaquant, ante n. Personne qui commence un combat: *Les attaquantes étaient nombreuses et bien armées.* SYN. assaillant. ANT. défenseur. ☞ attaquer.

attaque n.f. **1.** Action d'attaquer: *L'armée ennemie est finalement passée à l'attaque.* SYN. assaut, offensive. ANT. défensive, riposte. **2.** Acte de violence commis contre quelqu'un ou quelque chose: *Une attaque à main armée a fait plusieurs victimes.* SYN. agression. ANT. défense. **3.** Accès subit d'un mal: *Gilbert a eu une attaque d'épilepsie.* SYN. crise. **4.** fig. Critiques formulées contre quelqu'un ou quelque chose: *Les attaques de l'opposition ont provoqué la colère du premier ministre.* SYN. accusation, blâme. ANT. défense. ⁄⁄ *Être d'attaque:* Être en pleine forme. ☞ attaquer.

attaquer v. **1.** Commencer un combat: *L'armée ennemie a attaqué.* SYN. assaillir. ANT. défendre. **2.** Commettre un acte de violence contre quelqu'un ou quelque chose: *Les voyous ont attaqué cette femme pour lui voler son sac.* SYN. assaillir. ANT. défendre. **3.** Détruire, endommager quelque chose: *Les mites attaquent les lainages et les fourrures.* SYN. ronger. **4.** Commencer l'exécution d'une pièce de musique: *L'orchestre attaque un air de valse.* ANT. achever. **5.** fig. Critiquer quelqu'un ou quelque chose: *Les citoyens attaquent le nouveau règlement municipal.* SYN. accuser, blâmer. ANT. défendre. ☞ attaquable, attaquant, attaque, contre-attaque, contre-attaquer, inattaquable. **s'attaquer** v.pron. **1.** S'en prendre à quelqu'un: *Ces grands garçons s'attaquent toujours aux plus petits.* **2.** Critiquer quelqu'un ou quelque chose: *Les journaux s'attaquent aux dernières déclarations de la ministre.* ANT. appuyer. **3.** Tenter de résoudre: *Je vais m'attaquer à ce problème de mathématiques.*

attardé, ée adj. **1.** Qui est en retard: *Ces voyageurs attardés avaient hâte de parvenir à destination.* **2.** Qui a des idées, des habitudes anciennes, d'un autre temps: *Ce sont des gens* *attardés qui vivent encore comme au début du siècle.* **3.** Qui est en retard dans son développement: *Ce petit est attardé.* SYN. arriéré. ANT. précoce. ☞ s'attarder.

s'attarder v.pron. **1.** Se mettre en retard: *Ne nous attardons pas, car nos parents seront inquiets.* SYN. s'arrêter, flâner, traîner. ANT. se dépêcher, se hâter. **2.** Rester quelque part plus longtemps que prévu: *Martin a dû s'attarder chez son amie.* ☞ attardé.

atteindre v. **1.** Parvenir au niveau de quelqu'un, de quelque chose: *J'essaie d'atteindre le globe terrestre, mais il est placé trop haut.* SYN. rejoindre. **2.** Parvenir à toucher, à blesser au moyen d'un projectile: *La balle de neige a atteint la fillette sur la tempe gauche.* ANT. rater. **3.** Parvenir à un lieu: *En roulant toute la nuit, nous atteindrons Gaspé tôt demain matin.* SYN. arriver. **4.** fig. Parvenir à un état, à un but: *Quand on travaille fort, on est presque sûr d'atteindre le succès.* **5.** fig. Avoir un effet nuisible sur quelqu'un: *La varicelle est une maladie qui atteint surtout les enfants.* ☞ atteint, atteinte.

atteint, einte adj. Qui est touché par une maladie: *Oncle René est atteint du cancer.* ☞ atteindre.

atteinte n.f. **1.** Effet pénible causé par une maladie: *La malade n'a pas résisté aux atteintes de la pneumonie.* SYN. accès, attaque, crise. **2.** fig. Tort, dommage causé à quelqu'un: *Cet article de journal est une atteinte à la réputation de cette sportive.* ⁄⁄ *Hors d'atteinte:* Qu'il est impossible d'attraper. *Porter atteinte à:* Nuire, causer un dommage à. ☞ atteindre.

attelage n.m. **1.** Action d'attacher un animal de trait à un véhicule: *Quand je vivais à la campagne, on me confiait l'attelage de la jument.* ANT. dételage. **2.** Objets servant à atteler: *Quand nous revenions des champs, je devais ranger l'attelage des chevaux dans la remise.* **3.** Animaux de trait attelés ensemble: *Le traîneau est tiré par un bel attelage blanc.* ☞ atteler.

atteler v. **1.** Attacher un animal de trait à un véhicule: *Le fermier a attelé ses chevaux au traîneau.* ANT. dételer. **2.** Accrocher un wagon à une locomotive: *On vient d'atteler ces wagons à la locomotive.* **R.** Ne pas oublier de doubler le *l* devant un *e* muet. ☞ attelage, dételage, dételer.

attelle n.f. Petite pièce de bois, de carton ou de métal qui sert à maintenir immobile un membre fracturé: *On a mis une attelle à mon bras cassé.* SYN. éclisse. HOM. atèle.

attenant, ante adj. En parlant d'un lieu, qui touche à un autre lieu: *Nous avons acheté la maison attenante au parc.* SYN. adjacent, contigu, voisin. ANT. distant, éloigné.

attendre v. **1.** Demeurer dans un lieu jusqu'à la venue de quelqu'un ou de quelque chose: *Katia a dit qu'elle t'attendrait devant l'école.* **2.** Compter sur la venue prochaine de quelqu'un ou de quelque chose: *J'attends une lettre de ma marraine.* SYN. espérer. **3.** En parlant d'une chose, être prêt pour quelqu'un: *Le dîner vous attend!* ☞ attendu, attente, inattendu. en **attendant** loc.adv. Jusqu'à ce que quelque chose arrive: *En attendant, j'aimerais que tu repasses tes leçons.* en **attendant de** loc.prép. (suivi d'un infinitif) Jusqu'à ce que quelque chose arrive: *En attendant de partir, vous pourriez mettre un peu d'ordre dans la classe.* en **attendant que** loc.conj. (suivi d'un subjonctif) Jusqu'à ce que quelque chose arrive: *Repassez vos leçons en attendant que la classe soit terminée.* **s'attendre** v.pron. Prévoir: *Mes parents s'attendent à ce que je réussisse mon année.* SYN. compter, espérer.

attendrir v. **1.** Rendre plus tendre: *La bouchère a attendri la viande avant de la placer dans le comptoir.* ANT. durcir. **2.** Rendre plus sensible à la pitié: *Ses pleurs ont attendri le cœur de ses parents.* SYN. apitoyer, émouvoir, toucher. ANT. endurcir. ☞ tendre. **s'attendrir** v.pron. Avoir de la pitié pour quelqu'un: *Les spectateurs s'attendrissent sur le sort des enfants affamés.* SYN. s'apitoyer.

attendrissant, ante adj. Qui attendrit: *Les oisillons qui suivent leur mère sont attendrissants.* SYN. bouleversant, émouvant, touchant. ☞ tendre.

attendrissement n.m. Action de s'attendrir, état d'une personne attendrie: *J'éprouve toujours de l'attendrissement pour les enfants malades.* SYN. apitoiement, compassion, pitié. ANT. endurcissement, froideur, insensibilité. ☞ tendre.

attendu, ue adj. Qu'on attend ou qu'on a attendu: *Cette fête est un événement attendu.* ANT. inattendu. ☞ attendre.

attentat n.m. Tentative criminelle commise contre quelqu'un: *Plusieurs présidents des États-Unis ont été victimes d'attentats.* SYN. agression, crime. ☞ attenter.

attente n.f. **1.** Fait d'attendre quelqu'un ou quelque chose: *À l'aéroport, l'attente fut longue.* ANT. départ. **2.** Fait de compter sur quelqu'un ou sur quelque chose: *Tes résultats ont répondu à mon attente.* ⁄⁄ *Contre toute attente:* Contrairement à ce qui était prévu. *Salle d'attente:* Lieu aménagé pour les gens qui attendent. ☞ attendre.

attenter v. Commettre une tentative criminelle : *Le prisonnier est accusé d'avoir attenté à la vie de sa femme.* ANT. respecter. ⁄ *Attenter à ses jours, à sa vie :* Tenter de se suicider. ☞ attentat.

attentif, ive adj. **1.** Qui prête attention à quelqu'un ou à quelque chose : *Sophie est très attentive en classe.* SYN. appliqué. ANT. distrait, étourdi. **2.** Qui témoigne de la gentillesse, de la prévenance : *Pendant ma maladie, mes parents m'ont prodigué des soins attentifs.* ANT. indifférent. ☞ attention.

attention n.f. **1.** Concentration de l'esprit sur un objet précis : *Samuel fixe son attention sur ce problème difficile.* SYN. application. ANT. distraction, inattention. **2.** plur. Marques de gentillesse, de prévenance : *Quand je suis malade, mes parents m'entourent d'attentions.* SYN. égard, sollicitude. ⁄ *Faire attention à :* Prendre garde à. ☞ attentif, attentionné, attentivement.

attentionné, ée adj. Qui est plein d'attentions pour quelqu'un : *Mes parents ont été très attentionnés pendant ma maladie.* SYN. aimable, empressé, prévenant. ☞ attention.

attentivement adv. Avec attention, en se concentrant : *Regardez attentivement la magicienne !* ANT. distraitement. ☞ attention.

atténuant, ante adj. Qui atténue, qui diminue la gravité d'une faute : *On a tenu compte de circonstances atténuantes.* ☞ atténuer.

atténuation n.f. Action d'atténuer : *Soudain, il y eut une atténuation du bruit.* SYN. diminution, réduction. ANT. aggravation, augmentation. ☞ atténuer.

atténuer v. Rendre moins grave, moins fort, moins vif : *Je vais faire une promenade dans l'espoir d'atténuer mon mal de tête.* SYN. amoindrir, apaiser, diminuer, soulager. ANT. aggraver, augmenter. ☞ atténuant, atténuation. **s'atténuer** v.pron. Devenir moins grave, moins fort, moins vif : *Les douleurs s'atténuent peu après la prise du médicament.*

atterrer v. Consterner : *Nous avons été atterrés par cette mauvaise nouvelle.* SYN. abattre, accabler, stupéfier. **R.** Ne pas confondre avec *atterrir.*

atterrir v. Se poser sur le sol : *L'avion va atterrir dans une heure.* **R.** Ne pas confondre avec *atterrer.* ☞ terre.

atterrissage n.m. Action d'atterrir : *L'avion a dû faire un atterrissage forcé.* ⁄ *Train d'atterrissage :* Partie d'un avion comprenant les roues et leurs supports, qui sert au décollage et à l'atterrissage. ☞ terre.

attestation n.f. Confirmation verbale ou écrite : *Pour s'inscrire, Jeanne a dû fournir une attestation de bonne conduite.* SYN. certificat, témoignage. ANT. contestation, désaveu. ☞ attester.

attester v. Certifier qu'une chose est vraie : *Un témoin est venu attester que l'accusée était absente ce jour-là.* SYN. confirmer, prouver, témoigner. ANT. contester, démentir, désavouer. ☞ attestation. **attesté, ée** p.p. et adj. Qui est certifié, assuré par un témoignage : *Voilà un goût attesté.* ☞ attestation.

attifer v.fam. Habiller d'une manière bizarre : *Cet homme attife ses enfants comme si c'était tous les jours l'Halloween.* SYN. accoutrer.

attirail n.m.fam. Équipement encombrant destiné à un usage précis : *La campeuse range son attirail avant de reprendre la route.*

attirance n.f. Sentiment agréable qui incite à se rapprocher de quelqu'un : *Mon frère éprouve une grande attirance pour cette fille.* ANT. répulsion. ☞ attirer.

attirant, ante adj. Qui attire : *Pour les enfants, le terrain de jeux est toujours un endroit attirant.* SYN. attrayant, séduisant. ANT. désagréable, rebutant, repoussant. ☞ attirer.

attirer v. **1.** Faire venir à soi, tirer vers soi : *Julien s'amuse à attirer les épingles avec un aimant.* ANT. repousser. **2.** Inviter un être vivant à venir vers soi : *Si tu veux attirer l'écureuil, offre-lui des noix.* ANT. chasser, éloigner. **3.** Inspirer un sentiment agréable qui incite au rapprochement : *Le dessin, la peinture, voilà ce qui m'attire !* SYN. charmer, plaire, séduire. ANT. rebuter, repousser. **4.** Occasionner : *Ses mensonges finiront par lui attirer des ennuis.* SYN. causer. ⁄ *Attirer le regard, l'attention :* Éveiller la curiosité, l'intérêt. ☞ attirance, attirant. **s'attirer** v.pron. Faire en sorte que quelque chose arrive : *Elle s'attire des ennuis en étant agressive avec les autres.*

attiser v. **1.** Rendre un peu plus vif : *Souffle un peu pour attiser le feu.* SYN. aviver, exciter, ranimer. ANT. éteindre, étouffer. **2.** fig. Rendre un sentiment plus vif : *Ton attitude insolente attise la colère du directeur.* SYN. exciter. ANT. calmer.

attitude n.f. **1.** Manière de se tenir le corps : *Essayez d'avoir une attitude naturelle.* SYN. maintien, pose, posture, tenue. **2.** Comportement : *Je n'aime pas ton attitude insolente.* SYN. air, allure, conduite, expression.

attraction n.f. **1.** Force qui attire les corps matériels : *Sur la terre, tout est soumis à l'attraction terrestre.* **2.** plur. Jeux, manèges, activités amusantes : *Nous allons au parc d'attractions.*

attrait n.m. **1.** Ce qui attire, séduit: *L'attrait de l'aventure pousse les gens à voyager.* SYN. charme, fascination. ANT. dégoût, répulsion. **2.** Fait d'être attiré: *Marcel éprouve de l'attrait pour le camping.* SYN. attirance, goût, inclination, penchant. ANT. dégoût, éloignement. ☞ attrayant.

attrape n.f. Objet utilisé pour tromper: *J'ai acheté une boîte d'attrapes pour faire rire mes invités.* ☞ attraper.

attrape-nigaud n.m. Ruse destinée à tromper les naïfs: *Cette publicité n'était qu'un attrape-nigaud!* **R.** Au pluriel, *attrape-nigauds.* ☞ attraper.

attraper v. **1.** Arriver à prendre: *Essaie d'attraper le ballon.* SYN. agripper, saisir. ANT. lâcher. **2.** Se saisir de quelqu'un après l'avoir rejoint: *Les policières ont réussi à attraper les fuyards.* ANT. relâcher. **3.** Réussir à atteindre: *Dépêche-toi si tu veux attraper l'autobus.* ANT. manquer. **4.** fam. Contracter une maladie: *J'ai attrapé la grippe.* **5.** Tromper quelqu'un par la ruse: *Émilie vous a bien attrapés.* **6.** Faire des reproches à quelqu'un: *Ses parents ont attrapé Laurent quand ils ont appris sa mauvaise conduite.* ☞ attrape, attrape-nigaud.

attrayant, ante adj. Qui a de l'attrait: *Le spectacle de marionnettes est attrayant.* SYN. agréable, attirant, plaisant. ANT. déplaisant, rebutant, repoussant. ☞ attrait.

attribuable adj. Qui peut être attribué: *Cet accident est attribuable à la négligence de la conductrice.* SYN. imputable. ☞ attribuer.

attribuer v. **1.** Accorder, donner quelque chose à quelqu'un: *On a attribué une médaille à Stéphane pour son travail bien fait.* SYN. allouer, décerner, octroyer. ANT. refuser, retirer. **2.** Considérer quelqu'un comme l'auteur de quelque chose: *Sais-tu à qui il faut attribuer l'invention du téléphone?* **3.** Considérer une chose comme la cause d'une autre: *Cette élève attribue son succès à ses longues heures d'étude.* ☞ attribuable, attribution. **s'attribuer** v.pron. Se donner, s'accorder quelque chose: *Notre chef d'équipe s'attribue tout le mérite de notre succès.*

attribut n.m. Mot ou groupe de mots qui complète le sujet du verbe «être» ou d'un autre verbe d'état: *Dans la phrase «Le renard est rusé», «rusé» est l'attribut du sujet «renard».*

Verbes d'état
demeurer
devenir, être
paraître
rester, sembler

attribution n.f. **1.** Action de donner, d'accorder quelque chose à quelqu'un: *L'attribution des rôles aura lieu après la récréation.* SYN. distribution, remise. ANT. reprise, retrait. **2.** plur. Pouvoirs, fonctions de quelqu'un: *Cela fait partie de ses attributions.* SYN. rôle. ☞ attribuer.

attristant, ante adj. Qui rend triste: *Voilà une nouvelle attristante.* SYN. désolant. ANT. consolant, réconfortant, réjouissant. ☞ triste.

attrister v. Rendre triste: *Le départ de Scott a beaucoup attristé ses compagnons et compagnes.* SYN. chagriner, peiner. ANT. consoler, réconforter, réjouir. ☞ triste. **s'attrister** v.pron. Devenir triste: *Il ne faut pas s'attrister de la défaite d'hier.* SYN. se désoler. ANT. se réjouir.

attroupement n.m. Action de s'attrouper: *L'incendie a provoqué un attroupement de curieux.* SYN. rassemblement. ANT. dispersion. ☞ troupe.

attrouper v. Assembler en troupe: *La bagarre a attroupé les passants.* SYN. ameuter, grouper, rassembler. ☞ troupe.

au, aux art. Contraction de «à le» (au) et de «à les» (aux): *Je vais au marché aux puces.* HOM. eau, haut, ho!, ô, oh!.

aubaine n.f. Avantage inespéré, chance inattendue: *J'ai profité de l'aubaine!* SYN. occasion. ANT. malchance. **R.** N'a pas le sens de *solde*, de *marchandise* qu'on offre *à rabais*.

aube n.f. **1.** Moment du jour où l'on voit les premières lueurs du soleil: *L'aube précède l'aurore.* ANT. crépuscule. **2.** fig. Commencement: *Nous sommes à l'aube du XXIe siècle.* ▲ **aube** n.f. Palette d'une roue hydraulique: *Le vieux moulin était actionné par une roue à aubes.*

aubépine n.f. Arbuste épineux, à fleurs blanches ou roses parfumées: *L'aubépine porte des fruits rouges comestibles.* ☞ épine.

auberge n.f. Hôtel-restaurant généralement situé à la campagne: *Nous arrêterons à l'auberge pour la nuit.* ☞ aubergiste.

aubergine n.f. et adj.invar. **1.** n.f. Fruit violet de forme allongée, qui est consommé comme légume: *As-tu déjà mangé des aubergines farcies?* **2.** adj. invar. De la couleur violet foncé de l'aubergine: *Jacques porte un manteau et un béret aubergine.*

aubergiste n. Personne qui tient une auberge: *La chaleureuse aubergiste nous a montré nos chambres, puis nous a servi un bon repas.* SYN. hôte, hôtelier. ☞ auberge.

auburn adj.invar. (angl.) Qui est de couleur châtain avec des reflets roux, en parlant des

Pollinisation

VENT

ANIMAL

INSECTE

HUMAIN

EAU

Oiseaux

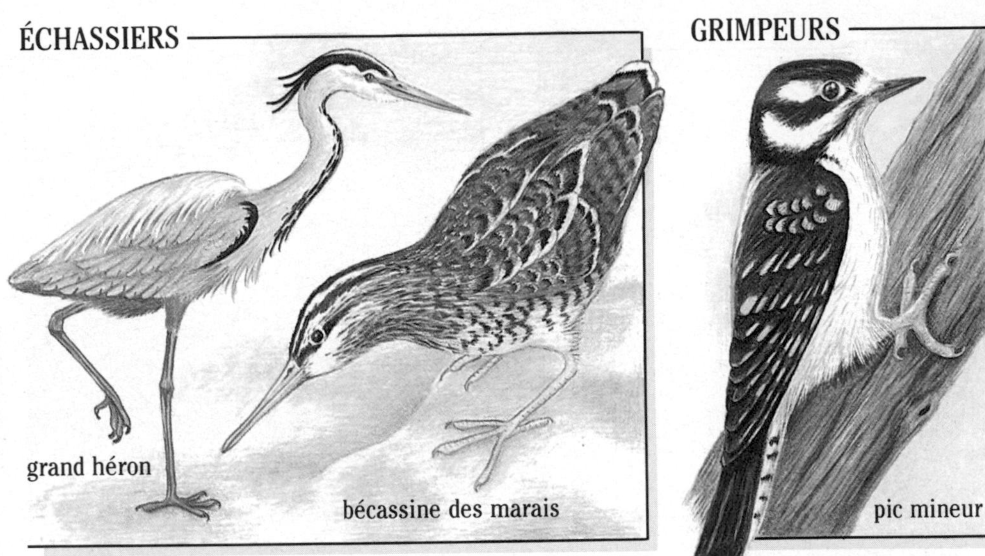

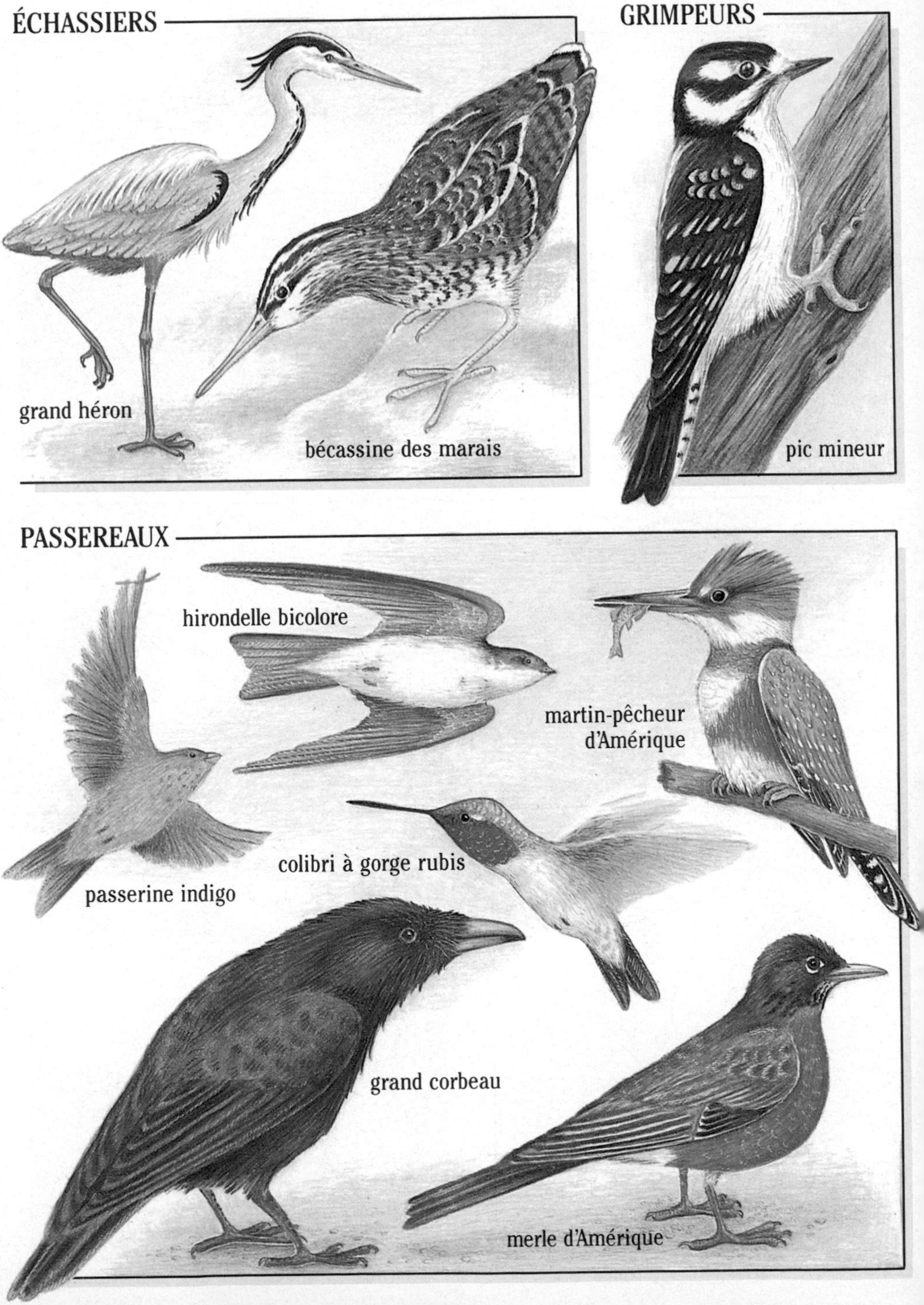
ÉCHASSIERS
grand héron
bécassine des marais
GRIMPEURS
pic mineur
PASSEREAUX
hirondelle bicolore
martin-pêcheur
d'Amérique
colibri à gorge rubis
passerine indigo
grand corbeau
merle d'Amérique

GALLINACÉS
dindon commun
coq (de Bankiva)
COLOMBINS
tourterelle triste
RAPACES
crécerelle
urubu
à tête rouge
hibou des marais
PALMIPÈDES
canard colvert
mouette rieuse
manchot bleu

Germination et croissance des plantes

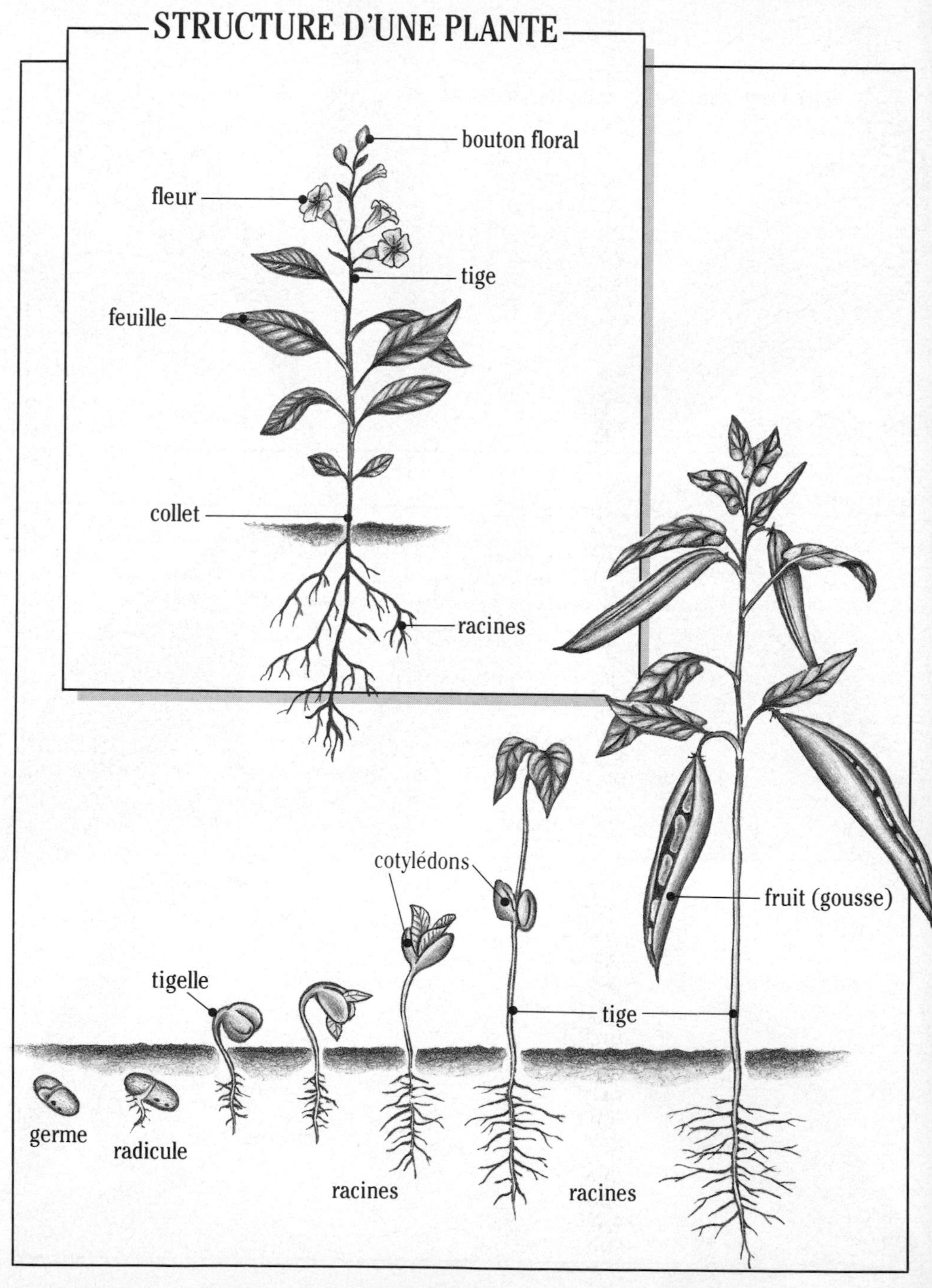

cheveux: *Diane a de magnifiques cheveux auburn.*

aucun, une adj.indéf. et pron.indéf. **1.** adj. indéf. Pas un, personne: *Il n'y a aucun élève dans la classe.* ANT. tous. **2.** pron. indéf. Pas un, personne: *Tous les garçons ont quitté la classe; aucun n'est resté en retenue.* ANT. tous. **R.** S'emploie dans une phrase négative avec *ne* sans *pas*. ☞ aucunement.

aucunement adv. En aucune façon, pas du tout: *Elle ne cherche aucunement à te nuire.* **R.** S'emploie dans une phrase négative avec *ne* sans *pas*. ☞ aucun.

audace n.f. **1.** Qualité d'une personne qui n'a pas peur du danger et des obstacles: *Les premières personnes qui se sont établies en Nouvelle-France ne manquaient pas d'audace.* SYN. bravoure, courage. ANT. lâcheté, peur. **2.** péj. Qualité d'une personne impolie, insolente: *Tu as l'audace de me contredire devant tout le monde.* SYN. culot, effronterie, impertinence, sans-gêne. ANT. réserve, respect. ☞ audacieux.

audacieux, euse adj. Qui manifeste de l'audace: *Les grands explorateurs étaient des gens audacieux.* SYN. brave, courageux, hardi. ANT. lâche, peureux, timide. ☞ audace.

audible adj. Que l'oreille peut percevoir: *Ma tante est si faible que sa voix est à peine audible.* ANT. inaudible.

audience n.f. **1.** Entrevue accordée par un personnage important: *Le pape a reçu la première ministre en audience privée.* SYN. entretien, rendez-vous. **2.** Séance d'un tribunal pendant laquelle un juge doit se prononcer sur une cause: *La juge a décidé de suspendre l'audience.*

audio-visuel n.m. Ensemble des techniques qui utilisent le son et l'image: *L'audio-visuel rend l'enseignement plus vivant et plus intéressant.* **R.** Au pluriel, *audio-visuels*. Aussi, *audiovisuel*.

audio-visuel, elle adj. Qui utilise le son et l'image: *Brian apprend le français à l'aide d'une méthode audio-visuelle.* **R.** Au pluriel, *audio-visuels*. Aussi, *audiovisuel*.

auditeur, trice n. Personne qui écoute: *Les auditeurs apprécient beaucoup le nouvel animateur.* ☞ auditoire.

auditif, ive adj. Qui se rapporte à l'audition: *France porte un appareil auditif.* ☞ audition.

audition n.f. **1.** Perception des sons, fonction du sens de l'ouïe: *L'enfant a des troubles d'audition.* **2.** Action d'entendre ou d'écouter: *Le juge a procédé à l'audition des témoins.* **3.** Séance d'essai d'un artiste devant un directeur de théâtre ou de music-hall pour obtenir un engagement: *La comédienne se présente à l'audition le cœur confiant.* ☞ auditif, auditionner, auditorium.

auditionner v. **1.** Faire une séance d'essai pour obtenir un engagement: *Le comédien a auditionné devant la directrice du théâtre.* **2.** Écouter un artiste qui fait une séance d'essai: *La directrice de théâtre a auditionné plus de cent personnes.* **R.** N'a pas le sens de *écouter* (un disque). ☞ audition.

auditoire n.m. Ensemble des personnes qui écoutent: *L'auditoire a chaudement applaudi la chanteuse célèbre.* SYN. assemblée, assistance, public. ☞ auditeur.

auditorium n.m. Salle aménagée pour les auditions musicales et théâtrales: *L'auditorium sert aussi de salle de radiodiffusion.* **R.** Les lettres *um* se prononcent *omm*. ☞ audition.

auge n.f. Bassin où vont boire ou manger les animaux domestiques: *Le porc mange dans son auge.* SYN. abreuvoir, mangeoire.

augmentation n.f. Action d'augmenter, son résultat: *Les gens se plaignent de l'augmentation des vols dans leur quartier.* SYN. accroissement, agrandissement, élévation, grossissement, hausse. ANT. baisse, diminution, réduction. ☞ augmenter.

augmenter v. **1.** Rendre plus grand (prix, salaire, hauteur, durée, longueur, volume): *Il faudrait augmenter les salaires, car les prix ne cessent de monter.* SYN. agrandir, élever, grossir, hausser. ANT. baisser, diminuer, réduire. **2.** Devenir plus grand: *La population du globe augmente chaque année.* SYN. s'accroître, croître, monter. ANT. baisser, décroître, diminuer. ☞ augmentation.

augure n.m. Signe par lequel on peut juger de la suite des événements: *Jean-Guy entre en claquant la porte; c'est de mauvais augure.* // *Être de bon, de mauvais augure:* Annoncer quelque chose de bon, de mauvais.

aujourd'hui adv. **1.** Au jour où l'on est: *Aujourd'hui, nous sommes jeudi.* ANT. demain, hier. **2.** À l'époque actuelle, de nos jours: *Aujourd'hui, les appareils électriques simplifient les tâches ménagères.*

aulnaie n.f. Terrain planté d'aulnes: *Les aulnaies se situent souvent près des cours d'eau.* **R.** Aussi, *aunaie*. ☞ aulne.

aulne n.m. Arbuste qui pousse en milieu humide: *Ma petite sœur se fabrique un arc avec une branche d'aulne.* **R.** Aussi, *aune*. ☞ aulnaie.

aumône n.f. Don que l'on fait: *Une mendiante demande l'aumône au coin de la rue.* SYN. charité, obole. ⁄⁄ *Faire l'aumône:* Donner de l'argent à qui en a besoin. **R.** Ne pas oublier l'accent: *ô*.

aumônier n.m. Prêtre qui exerce son ministère dans un hôpital, dans un collège, dans une prison, dans l'armée: *L'aumônier est venu réconforter les malades.* **R.** Ne pas oublier l'accent: *ô*.

auparavant adv. Avant un autre événement: *Nous irons nous baigner, mais auparavant il nous faut finir le ménage.*

auprès de loc.prép. **1.** À côté de: *Gisèle est restée auprès de sa mère malade.* **2.** Dans l'esprit de: *Tu passes pour un enfant poli auprès de mes parents.* **3.** En comparaison de: *Ce gâteau est délicieux, mais ce n'est rien auprès de celui que j'ai mangé la semaine dernière.*

auquel, à laquelle, auxquels, auxquelles pron.rel. et pron.interrog. **1.** pron.rel. Contraction de «à lequel»: *C'est une enfant à laquelle on s'attache rapidement.* **2.** pron.interrog. Contraction de «à lequel»: *Auquel de tes amis as-tu raconté ton aventure?* ☞ lequel.

auréole n.f. **1.** Cercle doré qui entoure la tête de Jésus, de Marie et des saints dans une illustration: *Dans ce tableau, la tête de Jésus est entourée d'une auréole dorée.* SYN. nimbe. **2.** Cercle lumineux que l'on voit autour de certains astres: *Sur cette photographie, l'auréole du soleil est très intense.* SYN. halo. **3.** Trace laissée par une tache qu'on a nettoyée: *Ce produit détache bien, mais il laisse des auréoles sur le tissu.*

auriculaire n.m. Le plus petit doigt de la main: *Kathleen s'est cassé l'auriculaire en jouant au ballon.*

aurore n.f. Lueur brillante qui suit l'aube et qui précède le lever du soleil: *Lève-toi à l'aurore pour voir les magnifiques couleurs qui annoncent le soleil.* ANT. crépuscule. ⁄⁄ *Aurore boréale:* Phénomène lumineux que l'on peut observer dans les régions de l'hémisphère Nord.

auscultation n.f. Action d'ausculter: *La femme médecin a pratiqué l'auscultation à l'aide d'un stéthoscope.* ☞ ausculter.

ausculter v. Examiner en écoutant les bruits du cœur et des poumons: *Le médecin a ausculté mon père.* ☞ auscultation.

aussi adv. et conj. **1.** adv. Terme de comparaison marquant l'égalité: *Thierry est aussi grand que Julie.* **2.** adv. De la même façon: *Tu es d'accord et moi aussi.* SYN. également. **3.** adv. En plus: *Elle parle le français et aussi l'anglais.* **4.** conj. Terme marquant un rapport de conséquence: *Claude est très méchante, aussi tout le monde la déteste.*

aussitôt adv. Au même instant, tout de suite: *Papa a appelé mon petit frère qui est arrivé aussitôt.* SYN. immédiatement. **aussitôt que** loc.conj. Dès que, juste au moment où: *Nous partirons aussitôt que l'autobus sera arrivé.*

austère adj. **1.** Qui est sévère pour soi: *Les moines mènent une vie austère, loin du monde et de ses plaisirs.* **2.** Qui est sans ornement, triste: *Cette robe noire est austère.* ☞ austérité.

austérité n.f. **1.** Caractère de ce qui est austère: *L'austérité des Carmélites nous a étonnés.* SYN. sévérité. ANT. facilité, plaisir. **2.** Caractère de ce qui est triste, sans ornement: *Personne n'apprécie l'austérité de ce monument.* SYN. rigueur. ☞ austère.

austral, ale, als adj. Qui se rapporte à l'hémisphère Sud, au sud du globe terrestre: *Les terres australes sont situées sur le continent antarctique.* ANT. boréal.

australien, enne n. et adj. **1.** n. Personne qui est de l'Australie: *Un Australien, une Australienne.* **2.** adj. Qui est de l'Australie: *La population australienne parle surtout l'anglais.* **R.** On met la majuscule à *australien* et à *australienne* lorsqu'il s'agit du nom.

autant adv. **1.** Autant que, aussi bien que, au même degré: *J'aime mon chat autant que mon chien.* **2.** Autant de, en même quantité: *Dans la classe, il y a autant de filles que de garçons.* **3.** En aussi grande quantité: *Je ne savais pas que tu avais autant de frères et de sœurs.* ⁄⁄ *D'autant plus que:* Encore plus, pour la raison que.

autel n.m. Table où l'on célèbre la messe: *Le prêtre dépose le calice et le ciboire sur l'autel.* HOM. hôtel.

auteur n.m. **1.** Personne qui rédige un ouvrage: *Antonine Maillet est l'auteur de plusieurs romans acadiens.* **2.** Personne qui compose une œuvre musicale: *Beethoven est l'auteur de neuf symphonies.* **3.** Personne qui est responsable d'une action: *Je découvrirai bien qui est l'auteur de cette farce.* HOM. hauteur. **R.** L'O.L.F. recommande *auteure* comme féminin de *auteur*. ☞ coauteur.

authenticité n.f. **1.** Caractère de ce qui est authentique, fait selon les formes légales: *Les héritiers ne peuvent contester l'authenticité du testament.* **2.** Qualité d'une œuvre qui a été vraiment faite par l'auteur auquel on l'attribue: *Des expertes ont confirmé l'authenticité du tableau.* **3.** Qualité d'un fait qui est vrai, exact: *Les historiens ne mettent pas en doute l'authenticité de ces documents.* SYN. véracité. ANT. fausseté. **4.** Qualité d'une personne, d'un sentiment sincère: *J'apprécie l'authenticité de cette femme.* ☞ authentique.

authentifier v. Rendre authentique, certifier: *La notaire a authentifié le testament en y apposant son sceau.* ☞ authentique.

authentique adj. **1.** Qui est fait dans les formes exigées par la loi: *Ce testament est authentique.* SYN. notarié. **2.** Qui a été vraiment fait par l'auteur auquel on l'attribue: *Au musée, j'ai vu d'authentiques Marcelle Ferron.* ANT. faux. **3.** Qui est vrai, exact: *Je sais que cette histoire est authentique.* SYN. certain. ANT. douteux. **4.** Qui est sincère: *Sa peine est authentique.* SYN. réel, véritable. ☞ authenticité, authentifier, authentiquement, inauthenticité, inauthentique.

authentiquement adv. D'une façon authentique: *Ces tableaux sont authentiquement l'œuvre de Picasso.* SYN. véritablement. ☞ authentique.

auto n.f. Abréviation courante de «automobile»: *Maman a acheté une auto neuve.* ☞ autobus, auto-école, automobile, automobiliste, autoroute, auto-stop, auto-stoppeur.

autobiographie n.f. Vie d'une personne écrite par elle-même: *Il y a des gens qui préfèrent écrire leur autobiographie.* ☞ biographie.

autobus n.m. Grand véhicule automobile destiné au transport en commun des personnes: *Matin et soir, l'autobus est bondé.* // *Autobus scolaire:* Au Canada, véhicule qui sert au transport des élèves de leur domicile à l'école. **R.** Le *s* se prononce. ☞ auto.

auto-caravane n.f. Véhicule automobile dont l'intérieur est aménagé de façon à servir de logement: *Pour voyager, l'auto-caravane est un moyen extraordinaire.* **R.** Au pluriel, *autos-caravanes*. L'O.L.F. recommande d'écrire *autocaravane*. ☞ caravane.

autochtone n. et adj. **1.** n. Personne originaire du territoire qu'elle habite et dont les ancêtres vivaient dans ce territoire: *Les Amérindiens et les Inuit sont des autochtones.* SYN. indigène. ANT. étranger. **2.** adj. Qui est originaire du territoire qu'il habite et dont les ancêtres vivaient dans ce territoire: *Il y a en Amérique du Nord un grand nombre de nations autochtones.* **R.** Les lettres *ch* se prononcent *k*.

autocollant n.m. Image, étiquette qui adhère à une surface sans être humectée: *Les automobilistes doivent placer un autocollant sur leur plaque d'immatriculation.* ☞ collant.

autocollant, ante adj. Qui adhère à une surface sans être humecté: *Il existe des enveloppes à rabat autocollant.* ☞ colle.

autocuiseur n.m. Appareil de cuisson qui utilise la vapeur sous pression pour cuire les aliments: *L'autocuiseur permet de réduire le temps de cuisson des aliments.* ☞ cuire.

autodéfense n.f. Action de se défendre soi-même avec les moyens dont on dispose: *Pour assurer leur autodéfense, de plus en plus de personnes apprennent le karaté.* ☞ défendre.

autodiscipline n.f. Action de se discipliner soi-même, sans contrainte extérieure: *L'autodiscipline exige une grande rigueur personnelle.* ☞ discipline.

auto-école n.f. École où l'on apprend à conduire une automobile: *Mon frère suit les cours d'une auto-école pour obtenir son permis de conduire.* **R.** Au pluriel, *auto-écoles*. ☞ auto.

autographe n.m. et adj. **1.** n.m. Signature de la main même de l'auteur: *Les enfants espèrent obtenir l'autographe de leur chanteur préféré.* **2.** adj. Qui est écrit de la main même de l'auteur: *Le musée conserve des lettres autographes de Marguerite Bourgeoys.*

automate n.m. **1.** Machine qui imite les mouvements d'un être humain ou d'un animal: *À l'époque des Fêtes, on peut voir des automates dans les vitrines de grands magasins.* **2.** fig. Être humain qui se comporte comme une machine: *Il y a des milieux où les gens travaillent comme des automates.* ☞ automatique, automatiquement.

automatique adj. **1.** Qui fonctionne seul, par des moyens mécaniques: *La plupart des grands magasins ont des portes automatiques.* **2.** Que l'on fait sans y penser: *Olivier salue tout le monde d'un geste automatique.* SYN. inconscient, machinal, spontané. ANT. conscient, intentionnel, réfléchi, volontaire. **3.** fam. Qui est inévitable: *Dès que ton petit frère entre, c'est automatique, il faut que tu le taquines.* ☞ automate.

automatiquement adv. **1.** D'une manière automatique, par des moyens mécaniques: *Dès que la nuit tombe, les lumières s'allument automatiquement.* SYN. mécaniquement. **2.** D'une manière automatique, sans y penser: *Dès qu'il entre, il salue automatiquement tout le monde.* **3.** fam. D'une manière automatique, inévitable: *Lorsque je regarde une émission intéressante, je suis automatiquement dérangée.* SYN. inévitablement. ANT. consciemment, intentionnellement, volontairement. ☞ automate.

automnal, ale, aux adj. Qui se rapporte à l'automne : *Les pluies automnales sont froides et abondantes.* ☞ automne.

automne n.m. Saison qui suit l'été et qui précède l'hiver : *L'automne commence vers le 21 septembre et prend fin vers le 21 décembre.* **R.** Le *m* ne se prononce pas. ☞ automnal.

automobile n.f. et adj. **1.** n.f. Véhicule à moteur qui se déplace de lui-même : *Les premières automobiles à vapeur ne roulaient pas très vite.* **2.** adj. Qui est muni d'un moteur et se déplace de lui-même : *Le camion, l'autobus et le tracteur sont des véhicules automobiles.* **3.** adj. Qui se rapporte aux véhicules automobiles : *L'industrie automobile se développe de plus en plus en Corée.* ☞ auto.

automobiliste n. Personne qui conduit une automobile : *Les automobilistes doivent conduire avec prudence.* SYN. chauffeur, conducteur. ☞ auto.

automoteur, trice adj. Qui est muni d'un moteur et se meut de lui-même : *Pour tondre le gazon, il serait préférable d'utiliser une tondeuse automotrice.* ☞ moteur.

autonettoyant, ante adj. Qui se nettoie en brûlant les dépôts graisseux causés par la cuisson : *Les fours autonettoyants sont de plus en plus en demande.* ☞ nettoyer.

autonome adj. **1.** Qui se gouverne par ses propres lois : *Le Canada est un pays autonome.* SYN. indépendant, libre, souverain. ANT. assujetti, dépendant, subordonné. **2.** Qui agit selon ses propres règles : *Les enfants autonomes n'ont pas besoin qu'on leur dise quoi faire.* ☞ autonomie.

autonomie n.f. Liberté de se gouverner par ses propres lois : *Le Parti québécois réclame l'autonomie du Québec.* SYN. indépendance, souveraineté. ANT. dépendance, soumission, subordination. ☞ autonome.

autoportrait n.m. Portrait d'un artiste exécuté par lui-même : *Ce tableau est un autoportrait de Vincent Van Gogh.* ☞ portrait.

autopsie n.f. Examen médical d'un cadavre, visant à déterminer la cause du décès : *Dans les morts suspectes, on procède à l'autopsie du cadavre.* SYN. dissection. ☞ autopsier.

autopsier v. Procéder à l'autopsie : *On a confié au docteur Leblanc le soin d'autopsier le cadavre.* ☞ autopsie.

autorisation n.f. **1.** Action d'autoriser : *Mes parents m'ont donné l'autorisation de rentrer plus tard.* SYN. soumission. ANT. défense, interdiction. **2.** Écrit, document par lequel on autorise : *Si tes parents sont d'accord, tu m'apporteras leur autorisation.* ☞ autoriser.

autorisé, ée adj. **1.** Qui est qualifié pour dire ou pour faire quelque chose : *La comptable est la personne autorisée à signer ce document.* **2.** Qui est permis : *Voici la liste des aliments autorisés.* HOM. autoriser. ☞ autoriser.

autoriser v. Accorder à quelqu'un la permission, le droit de faire quelque chose : *Mes parents m'ont autorisé à passer la soirée chez mon amie.* SYN. permettre. ANT. empêcher, interdire. HOM. autorisé. ☞ autorisation, autorisé.

autoritaire adj. **1.** Qui aime commander et qui en abuse : *Cette femme autoritaire s'at-*

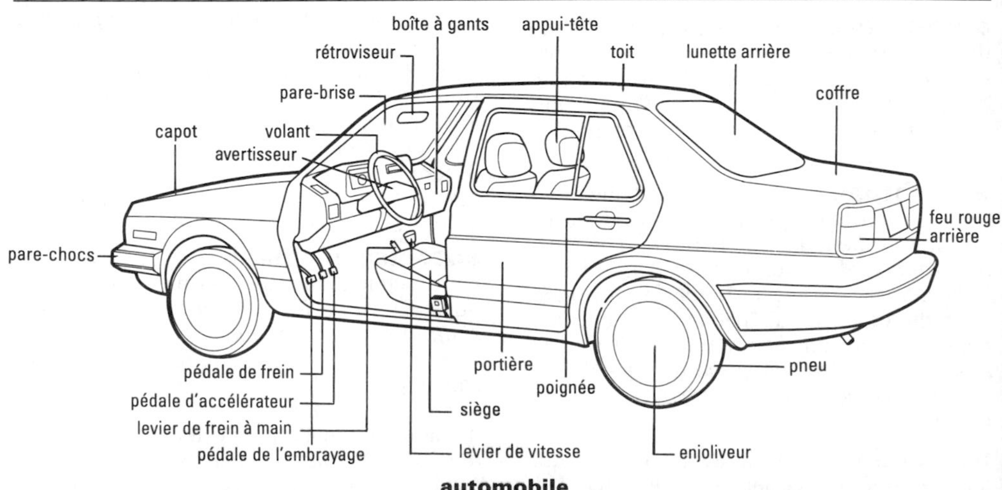

automobile

tend à ce que tout le monde lui obéisse. SYN. intransigeant. ANT. conciliant. **2.** Qui montre de l'autorité: *Le surveillant a un air autoritaire.* ☞ autorité.

autorité n.f. **1.** Droit de commander, de se faire obéir: *Dans sa classe, l'institutrice détient l'autorité.* **2.** Qualité de quelqu'un qui sait se faire obéir: *Lucie a beaucoup d'autorité sur ses amies.* SYN. ascendant, influence. **3.** plur. Personnes qui exercent l'autorité (État, Église, armée): *Les autorités religieuses ont approuvé le nouveau livre de catéchèse.* ⁄⁄ *Faire autorité:* Être considéré comme un guide sérieux, une référence. ☞ autoritaire.

autoroute n.f. Large route à deux chaussées séparées et sans croisement, qui est réservée aux véhicules automobiles: *Prenons l'autoroute pour arriver plus vite à destination.* ☞ auto.

auto-stop n.m. Fait d'arrêter une automobile pour se faire transporter gratuitement: *Bernard fait de l'auto-stop pour se rendre à Québec.* **R.** Aussi, *autostop*. ☞ auto.

auto-stoppeur, euse n. Personne qui fait de l'auto-stop: *Il y a toujours quelques auto-stoppeurs sur le bord de l'autoroute.* **R.** Au pluriel, *auto-stoppeurs, auto-stoppeuses*. ☞ auto.

autour n.m. Grand oiseau rapace, voisin de l'épervier, qui vit dans les régions tempérées: *L'autour s'attaque aux faisans, aux pigeons, aux corbeaux et aux geais.*

autour adv. Dans l'espace qui entoure: *Nous dessinons des arbres autour de la maison.* **autour de** loc.prép. **1.** En faisant le tour de: *Les gens dansent autour du feu de la Saint-Jean.* **2.** fig. Dans l'entourage de: *Je m'entends bien avec les gens qui vivent autour de moi.* **3.** fig. À peu près: *Grand-père a autour de soixante-dix ans.*

autre adj.indéf. et pron.indéf. **1.** adj.indéf. Qui est différent: *Je pensais que c'était elle, mais c'était une autre.* **2.** adj.indéf. Qui offre une ressemblance: *Ce chef d'État a des idées racistes; c'est un autre Hitler.* SYN. second. **3.** pron.indéf. Représente une personne différente de celle dont on parle: *Ces garçons sont très différents: l'un est travailleur, l'autre est paresseux.* **4.** pron.indéf. Représente une chose différente de celle dont on parle: *Mange ton morceau de gâteau et, si tu as encore faim, je t'en donnerai un autre.* **5.** pron. indéf. Représente les autres personnes: *Tu n'es pas seule dans la classe; pense un peu aux autres.* ⁄⁄ *L'autre jour:* Il y a peu de temps. *Ni l'un ni l'autre:* Aucun des deux. **R.** Au pluriel, l'expression *l'un et l'autre* devient *les uns et les autres*. ☞ autrement.

autrefois adv. Il y a longtemps, dans un temps passé: *Autrefois, les voitures étaient tirées par des chevaux.* SYN. jadis.

autrement adv. **1.** D'une manière différente: *Je vais t'expliquer autrement pour que tu comprennes.* **2.** Dans le cas contraire, sinon: *Il ne faut pas faire de bruit, autrement nous allons déranger les autres classes.* ⁄⁄ *Autrement dit:* En d'autres mots. ☞ autre.

autrichien, ienne n. et adj. **1.** n. Personne qui est de l'Autriche: *Un Autrichien, une Autrichienne.* **2.** adj. Qui est de l'Autriche: *Le territoire autrichien est situé au centre de l'Europe.* **R.** On met la majuscule à *autrichien* et à *autrichienne* lorsqu'il s'agit du nom.

autruche n.f. Oiseau coureur de grande taille, qui ne vole pas: *Les autruches vivent en bandes dans les plaines et les régions sèches d'Afrique.*

autrui pron.indéf. Les autres personnes: *Comme elle est égoïste, elle ne pense jamais à autrui.* **R.** S'emploie toujours au *singulier*.

auvent n.m. Petit toit au-dessus d'une porte, d'une fenêtre: *J'habite une maison blanche aux auvents rouges.*

auxiliaire n.m. En grammaire, formes verbales qui servent à former les temps composés: *Les verbes « être » et « avoir » sont aussi des auxiliaires.*

auxiliaire n. et adj. **1.** n. Personne qui aide quelqu'un dans son travail: *Mon frère a été un auxiliaire précieux dans la préparation de cette fête.* **2.** n. Objet, instrument qui aide: *Le dictionnaire et la grammaire sont des auxiliaires indispensables dans l'enseignement du français.* **3.** adj. Qui aide quelqu'un dans son travail: *Ma voisine est une infirmière auxiliaire.* ⁄⁄ *Moteur auxiliaire:* Moteur de dépannage sur un voilier.

avachi, ie adj. **1.** Qui est mou, déformé: *À qui appartiennent ces chaussures avachies?* **2.** fig. Qui n'a pas d'énergie: *Que peut-on faire pour intéresser ces adolescents avachis?* SYN. indolent. ☞ avachir.

avachir v. Rendre avachi, déformer: *La pluie a avachi mon chapeau.* ANT. raffermir. ☞ avachi. **s'avachir** v.pron. **1.** Devenir avachi, se déformer: *Ton sac de cuir va finir par s'avachir.* **2.** fig. Se laisser aller, perdre son énergie: *Ces enfants s'avachissent à ne rien faire.* SYN. se relâcher.

aval n.m. Côté vers lequel descend un cours d'eau: *Tous les cours d'eau coulent de l'amont vers l'aval.* **en aval de** loc.prép. En suivant le courant: *La ville de Matane est située sur le bord du Saint-Laurent, en aval de Lévis.*

avalanche n.f. **1.** Masse de neige qui se détache d'une montagne et qui emporte tout sur son passage : *Des skieuses ont été ensevelies sous l'avalanche.* **2.** fig. Grande quantité de choses : *Le politicien a dû répondre à une avalanche de questions.*

avaler v. **1.** Faire descendre quelque chose dans la gorge : *Ne mets pas ce bouton dans ta bouche, tu pourrais l'avaler.* SYN. ingurgiter. **2.** fig. et fam. Croire quelque chose sans se poser de questions : *André est naïf : on peut lui faire avaler n'importe quelle histoire.* SYN. gober. ☞ ravaler.

avance n.f. **1.** Action d'avancer : *Rien n'a pu arrêter l'avance de l'armée ennemie.* SYN. marche. ANT. repli, retraite. **2.** Espace qu'on a parcouru avant quelqu'un : *Le premier coureur a pris une avance considérable sur les autres.* ANT. retard. **3.** Somme d'argent que l'on paye avant le moment prévu : *Mon patron m'a remis une avance de cent dollars.* SYN. acompte. **4.** plur. Premières démarches effectuées pour entrer en relation avec quelqu'un : *Michel m'a fait des avances.* SYN. approche. ☞ avancer. à l'**avance** loc.adv. Avant le moment fixé pour faire quelque chose : *Achète ton billet d'avion au moins un mois à l'avance.* d'**avance** loc.adv. Avant un moment quelconque : *Je sais d'avance ce qu'il va me dire.* en **avance** loc.adv. Avant le temps qu'on avait fixé : *La réunion n'est qu'à 8 heures : vous êtes très en avance.*

avancé, ée adj. **1.** Qui est presque terminé : *Ton travail est très avancé.* **2.** Qui sait plus de choses que les autres : *Denis est très avancé pour son âge.* SYN. précoce. **3.** Dont une grande partie est passée : *La nuit est déjà très avancée.* **4.** Qui est à l'avant-garde : *Madame Morin a des idées avancées sur la société.* HOM. avancer. ☞ avancer.

avancement n.m. **1.** État de ce qui avance : *Papa est allé surveiller l'avancement des travaux.* SYN. progrès. ANT. recul. **2.** Fait d'obtenir un emploi mieux payé, un poste plus élevé : *Maman a eu de l'avancement à son travail.* SYN. promotion. ☞ avancer.

avancer v. **1.** Pousser quelque chose à l'avant : *Avance ton bureau si tu veux mieux voir au tableau.* SYN. approcher. ANT. reculer. **2.** Aller vers l'avant : *À la banque, la file est longue et les gens avancent lentement.* SYN. marcher. ANT. reculer. **3.** Faire arriver avant le moment prévu : *Nous avons avancé la réunion d'une semaine.* ANT. retarder. **4.** Indiquer une heure plus tardive que l'heure réelle : *Ma montre avance de quinze minutes.* ANT. retarder. **5.** Progresser : *Les travaux avancent. Bientôt notre maison sera terminée.* **6.** Prêter, payer avant le temps prévu : *Mon employeuse m'a avancé cent dollars.* HOM. avancé. ⁄⁄ *Avancer en âge :* Vieillir. *Avancer en grade :* Obtenir un poste plus élevé. ☞ avance, avancé, avancement. s'**avancer** v.pron. **1.** Aller en avant : *Les enfants s'avancent vers la porte de l'école.* ANT. s'éloigner. **2.** fig. Se risquer à dire, à faire quelque chose : *Ne t'avance pas trop en faisant des promesses que tu ne pourras pas tenir.* **R.** Ne pas oublier la cédille devant *a* et *o*.

avant n.m. et adj.invar. **1.** n.m. Partie qui est à l'opposé de l'arrière : *L'avant de la voiture a été endommagé dans l'accident.* ANT. arrière. **2.** n.m. Dans certains sports, chacun des joueurs placés devant les autres : *Au dernier match de basket-ball, les avants ont marqué le but décisif.* **3.** adj.invar. Qui est situé du côté opposé à l'arrière : *Les pneus avant auraient besoin d'être gonflés.* HOM. avent.

avant adv. et prép. **1.** adv. Auparavant : *Je demeure à Rimouski, mais avant je vivais à Gaspé.* SYN. antérieurement. **2.** prép. À un moment qui en précède un autre : *Ma tante est arrivée avant le dîner.* ANT. après. **3.** prép. À un endroit situé plus près qu'un autre : *La mairie, c'est le premier édifice avant le bureau de poste.* ANT. après. HOM. avent. en **avant** loc.adv. Vers le côté, le lieu qui se trouve devant : *Bébé se penche en avant.* **avant que** loc.conj. (suivi du subjonctif) À un moment qui en précède un autre : *Revenez avant qu'il ne fasse nuit.* **avant de** loc.prép. (suivi de l'infinitif) À un moment qui en précède un autre : *Téléphone-moi avant de partir pour l'école.* en **avant de** loc.prép. Position par rapport à quelqu'un ou à quelque chose : *J'étais assise en avant de lui.* SYN. devant.

avantage n.m. **1.** Ce qui représente un atout : *Jérôme a l'avantage d'être le fils du patron.* ANT. désavantage. **2.** Ce qui est profitable : *Avez-vous réfléchi aux avantages de cette situation?* SYN. bénéfice, intérêt. ANT. inconvénient. ⁄⁄ *Avoir avantage à :* Faire mieux de. *Avoir l'avantage :* Avoir le dessus dans un combat, une lutte. *Être à son avantage :* Être supérieur à ce qu'on est d'habitude. *Tirer avantage de :* Tirer profit de. ☞ avantager, avantageusement, avantageux, désavantage, désavantager, désavantageusement, désavantageux.

avantager v. **1.** Conférer un avantage à quelqu'un : *La nature l'a avantagée : elle est belle, intelligente et talentueuse.* SYN. douer, favoriser. ANT. désavantager. **2.** Faire paraître plus beau, plus élégant : *Le vert est une couleur qui avantage les roux.* ☞ avantage.

avantageusement adv. D'une manière avantageuse : *Elle m'a parlé avantageuse-*

ment du nouvel élève. SYN. favorablement. ☞ avantage.

avantageux, euse adj. **1.** Qui est profitable : *À cette épicerie, les prix sont avantageux.* SYN. intéressant. ANT. désavantageux. **2.** Qui est flatteur : *Cet homme a une idée assez avantageuse de lui-même.* SYN. favorable. ANT. défavorable. ☞ avantage.

avant-bras n.m.invar. Partie du bras qui va du coude au poignet : *Bruno s'est cassé l'avant-bras.* ☞ bras.

avant-centre n.m. Au football, au soccer, joueur placé au centre de la ligne d'attaque : *Les avant-centres de votre équipe étaient très en forme ce soir.* **R.** Au pluriel, *avant-centres*. ☞ centre.

avant-coureur adj.m. Qui précède, qui annonce un événement prochain : *On voit déjà les signes avant-coureurs du printemps.* SYN. annonciateur. **R.** Au pluriel, *avant-coureurs*. ☞ courir.

avant-dernier, ière n. et adj. **1.** n. Personne qui arrive juste avant le dernier : *Katia est l'avant-dernière de la rangée.* **2.** adj. Qui est juste avant le dernier : *Je suis arrivé à l'avant-dernière page de mon livre.* **R.** Au pluriel, *avant-derniers, avant-dernières*. ☞ dernier.

avant-garde n.f. **1.** Partie de l'armée qui marche en avant des troupes : *L'avant-garde couvre le reste de l'armée.* ANT. arrière-garde. **2.** fig. Qui est en avance sur son temps : *Ces gens ont des idées d'avant-garde.* **R.** Au pluriel, *avant-gardes*. ☞ garde.

avant-goût n.m. Première impression donnant une idée bonne ou mauvaise d'une chose à venir : *Ces belles journées ensoleillées de juin nous donnent un avant-goût de l'été.* **R.** Au pluriel, *avant-goûts*. ☞ goût.

avant-hier adv. Jour qui a immédiatement précédé hier : *Nous sommes mardi ; avant-hier, c'était dimanche.* ☞ hier.

avant-midi n.m.invar. ou n.f.invar. Au Canada, partie de la journée qui va du lever du soleil jusqu'à midi : *Les touristes arriveront au cours de l'avant-midi.* SYN. matinée. ANT. après-midi.

avant-première n.f. Réunion d'information pour présenter un film, une pièce de théâtre, un spectacle aux journalistes : *Hier avait lieu l'avant-première du spectacle de Jean Lapointe.* **R.** Au pluriel, *avant-premières*. ☞ premier.

avant-propos n.m.invar. Petit texte de présentation placé au début d'un livre : *Dans l'avant-propos, l'auteur présente son livre au lecteur.* SYN. introduction, préface. ANT. conclusion.

avant-veille n.f. Jour qui vient immédiatement avant la veille : *Nous nous sommes mis en route l'avant-veille de Noël.* **R.** Au pluriel, *avant-veilles*. ☞ veille.

avare n. et adj. **1.** n. Personne qui aime amasser de l'argent et qui a peur de le dépenser : *L'avare vit comme un pauvre.* SYN. avaricieux. ANT. dépensier, gaspilleur. **2.** adj. Qui aime amasser de l'argent et qui a peur de le dépenser : *Voilà une femme avare qui ne vit que pour son argent.* ANT. généreux. **3.** adj.fig. Qui n'est pas généreux, en paroles ou en actes : *Cette monitrice est avare de compliments.* ☞ avarice.

avarice n.f. Passion qu'a quelqu'un pour l'argent : *Son avarice la pousse à se priver des choses essentielles.* ANT. gaspillage, générosité. ☞ avare.

avarie n.f. Dommage survenu à un navire ou aux marchandises qu'il transporte : *Pendant la tempête, le navire a subi des avaries.* ☞ avarié, avarier.

avarié, ée adj. **1.** Qui est détérioré, gâté : *Ces fruits sont avariés ; il vaut mieux les jeter.* SYN. pourri. **2.** Qui a subi une avarie : *On a mis en cale sèche le navire avarié.* HOM. avarier. ☞ avarie.

avarier v. Causer une avarie : *L'eau a avarié toute la cargaison de céréales.* HOM. avarié. ☞ avarie.

avé n.m. (lat.) Prière à la Vierge : *Le petit enfant récite un avé avant de se coucher.*

avec prép. **1.** En compagnie de : *Je vais me promener avec mon amie.* ANT. sans. **2.** Au moyen de : *J'ai ouvert la porte avec une clé.* **3.** De telle manière : *Je vous attendais avec impatience.* **4.** Contre : *Elle se bat avec sa sœur.* **5.** À cause de : *Avec tout ce bruit, je suis incapable de travailler.*

aveline n.f. Variété de noisette, fruit allongé de l'avelinier : *J'ai acheté un sac d'avelines pour manger à la récréation.* ☞ avelinier.

avelinier n.m. Arbre qui produit des avelines : *L'avelinier est une variété de noisetier.* ☞ aveline. (*Voir l'illustration à la page suivante.*)

avenant, ante adj. Qui plaît par son air agréable : *Il a des manières avenantes.* SYN. affable, aimable. ANT. désagréable. **à l'avenant** loc.adv. Qui est semblable, pareil : *Le souper était un vrai désastre, et la soirée était à l'avenant.*

avenir n.m. **1.** Temps à venir : *Personne ne connaît l'avenir.* SYN. futur. ANT. passé, présent. **2.** Situation future de quelqu'un : *Il faut*

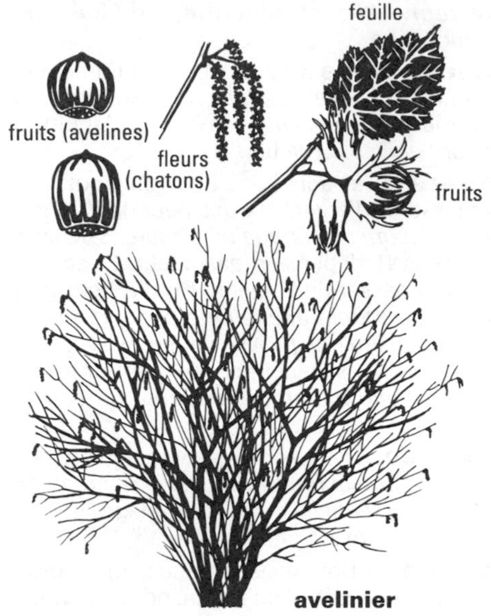

penser tout de suite à préparer ton avenir. à l'**avenir** loc.adv. À partir de tout de suite: *À l'avenir, essaie d'arriver à l'heure.* SYN. désormais, dorénavant.

avent n.m. Pour les catholiques, les quatre semaines qui précèdent la fête de Noël: *Pendant l'avent, les catholiques se préparent à fêter la naissance de Jésus.* HOM. avant.

aventure n.f. **1.** Événement imprévu, surprenant: *L'héroïne de ce film a vécu de nombreuses aventures.* **2.** Ensemble d'expériences nouvelles, risquées: *Les jeunes ont souvent le goût de l'aventure.* ⁄⁄ *Dire la bonne aventure:* Prédire l'avenir. *Roman, film d'aventures:* Roman, film d'action. ☞ s'aventurer, aventureux, aventurier, mésaventure. à l'**aventure** loc.adv. Au hasard, sans but précis: *J'aime bien partir à l'aventure.*

s'aventurer v.pron. Aller quelque part même si c'est risqué: *Il vaut mieux ne pas s'aventurer tout seul dans certains quartiers de la ville.* SYN. se risquer. ☞ aventure.

aventureux, euse adj. **1.** Qui aime l'aventure: *L'exploratrice a un esprit aventureux.* SYN. audacieux. ANT. prudent. **2.** Qui est plein d'aventures: *Dans ce film de cow-boys, le héros mène une vie aventureuse.* SYN. dangereux. **3.** Qui est plein de risques: *Quel projet aventureux!* SYN. hasardeux, risqué. ANT. sûr. ☞ aventure.

aventurier, ière n. Personne qui aime l'aventure et qui ne se laisse pas arrêter par les scrupules: *Les pirates étaient de dangereux aventuriers.* ☞ aventure.

avenue n.f. Large rue souvent bordée d'arbres: *De belles avenues traversent la ville.*

avéré, ée adj. Qui est reconnu vrai: *Le lancement du premier satellite artificiel en 1957 est un fait avéré.* SYN. certain. ANT. contestable, douteux. ☞ s'avérer.

s'avérer v.pron. Se révéler, apparaître: *Voilà un travail qui s'avère difficile.* **R.** Ne pas employer avec les adjectifs *vrai* et *faux.* ☞ avéré.

averse n.f. Pluie subite et abondante: *L'averse nous a surpris au moment où nous sortions de l'école.* SYN. ondée. ⁄⁄ *Averse de neige:* Précipitations solides, subites, abondantes et de courte durée.

aversion n.f. Répugnance, dégoût, horreur à l'égard de quelqu'un ou quelque chose: *Nancy a de l'aversion pour les gens hypocrites et menteurs.* ANT. amour.

avertir v. **1.** Informer quelqu'un, le mettre en garde: *Il faut avertir tes parents qu'un inconnu rôde dans le quartier depuis quelques jours.* SYN. aviser, prévenir. **2.** Menacer quelqu'un ou le réprimander: *Je t'avertis pour la dernière fois.* SYN. prévenir. **R.** Recommandé officiellement pour remplacer l'anglicisme «klaxonner». ☞ avertissement, avertisseur.

avertissement n.m. **1.** Action d'avertir, de mettre en garde: *Ma voisine n'a pas tenu compte de mes avertissements.* SYN. avis, conseil, recommandation. **2.** Action d'avertir, de réprimander: *On l'a punie après plusieurs avertissements.* SYN. observation, remontrance. ☞ avertir.

avertisseur n.m. **1.** Appareil destiné à avertir, disposé sur un véhicule: *L'automobiliste nerveux appuie sans cesse sur l'avertisseur.* SYN. klaxon. **2.** Appareil destiné à avertir, installé dans un endroit public: *En cas d'incendie, on fracasse la vitre de l'avertisseur pour alerter les pompiers.* SYN. signal, sonnerie. **R.** Recommandé officiellement pour remplacer l'anglicisme «klaxon». ☞ avertir.

avertisseur, euse adj. Qui avertit: *As-tu entendu la sirène avertisseuse de l'ambulance?* ☞ avertir.

aveu, eux n.m. **1.** Action d'avouer, d'admettre quelque chose de pénible à révéler: *Je vais te faire un aveu: c'est moi qui ai cassé la lampe.* SYN. confession. ANT. désaveu. **2.** plur. Reconnaissance, par un accusé, de sa culpabilité: *Les policières ont obtenu les aveux de la suspecte.* SYN. déclaration. ANT. dénégation. ☞ avouer.

aveuglant, ante adj. **1.** Qui est lumineux au point d'aveugler, d'éblouir: *Éteins cette lu-*

mière aveuglante. SYN. éblouissant. **2.** fig. Qui est évident : *Son innocence est aveuglante.* ☞ aveugle.

aveugle n. et adj. **1.** n. Personne privée de la vue : *Les aveugles sont parfois guidés par un chien.* ANT. voyant. **2.** adj. Qui est privé de la vue : *Comme elle est aveugle, je vais lui offrir mon aide pour traverser la rue.* **3.** adj. fig. Qui n'est plus capable de juger : *L'amour rend aveugle.* ANT. éclairé, lucide. **4.** adj. fig. Qui est sans limites : *Cette femme a une confiance aveugle en sa femme médecin.* SYN. illimité. ⁄⁄ *Aveugle-né, aveugle-née :* Personne qui a toujours été privée de la vue. ☞ aveuglant, aveuglement, aveuglément, aveugler, à l'aveuglette.

aveuglement n.m. Manque de jugement : *Ton aveuglement te fera commettre des bêtises.* SYN. égarement, illusion. ANT. clairvoyance, discernement. **R.** Ne pas confondre avec *aveuglément.* ☞ aveugle.

aveuglément adv. Sans réfléchir, sans juger, les yeux fermés : *Ces personnes ont suivi aveuglément les conseils du charlatan et l'ont bien regretté.* ANT. prudemment. **R.** Ne pas confondre avec *aveuglement.* ☞ aveugle.

aveugler v. **1.** Rendre aveugle, priver de la vue : *Son accident l'a aveuglé.* **2.** Troubler la vue en étant trop lumineux : *Les phares de l'automobile nous aveuglent.* **3.** fig. Priver de jugement : *La colère t'aveugle.* SYN. égarer. ☞ aveugle.

à l'**aveuglette** loc.adv. **1.** Sans voir clair, à tâtons : *Pendant la panne d'électricité, je cherchais les bougies à l'aveuglette.* **2.** fig. Au hasard : *Tu t'es lancé dans cette aventure à l'aveuglette.* ☞ aveugle.

aviateur, trice n. **1.** Personne qui pilote un avion : *L'aviatrice a posé son appareil sur la piste d'atterrissage.* **2.** Personnel navigant de l'armée de l'air : *Mon cousin Gaston est un aviateur.* ☞ avion.

aviation n.f. **1.** Tout ce qui a trait au vol d'appareils plus lourds que l'air, à l'exclusion des fusées : *Les débuts de l'aviation remontent aux premiers vols des frères Wright, en 1903.* **2.** Ensemble des avions, du personnel et des installations nécessaires à la navigation aérienne : *L'aviation commerciale s'occupe du transport des voyageurs et des marchandises.* **3.** Armée de l'air : *L'aviation militaire assure la défense du pays.* ⁄⁄ *Compagnie d'aviation :* Compagnie aérienne qui s'occupe du transport des passagers et des marchandises. *Terrain d'aviation :* Terrain de décollage et d'atterrissage. ☞ avion.

avicole adj. Qui se rapporte à l'élevage des oiseaux et des volailles : *Saint-Félix-de-Valois se trouve au cœur d'une région avicole.* ☞ aviculture.

aviculteur, trice n. Personne qui s'adonne à l'élevage des oiseaux, des volailles : *L'avicultrice nourrit ses canards, ses poulets et ses cailles.* ☞ aviculture.

avicultrice

aviculture n.f. Élevage des oiseaux, des volailles : *L'aviculture est très florissante dans certaines régions du Québec.* ☞ avicole, aviculteur.

avicole aviculture

avide adj. **1.** Qui désire fortement quelque chose : *Emmanuelle est avide d'apprendre la nouvelle.* SYN. curieux, empressé. ANT. désintéressé, indifférent. **2.** Qui montre un grand désir : *Les enfants étaient avides de bonbons.* ☞ avidement, avidité.

avidement adv. D'une manière avide, avec avidité : *L'enfant regarde avidement son gâteau d'anniversaire.* ☞ avide.

avidité n.f. Désir immodéré de posséder, de dévorer : *Cet enfant mange avec avidité.* SYN. gloutonnerie, voracité. ☞ avide.

avilir v. Rendre méprisable, faire perdre la dignité : *L'alcool et la drogue avilissent les êtres humains.* SYN. abaisser, déshonorer. ANT. élever. ☞ vil. **s'avilir** v.pron. Devenir méprisable, perdre sa dignité : *Cet enfant s'avilit en fréquentant de mauvais compagnons.* SYN. s'abaisser, se déshonorer. ANT. se valoriser. **avili, ie** p.p. et adj. Qui est devenu méprisable, qui a perdu sa dignité : *Il faudra beaucoup de temps à cette femme avilie par la drogue pour retrouver sa dignité.*

avilissant, ante adj. Qui avilit: *Sa conduite est avilissante.* SYN. dégradant, déshonorant, honteux. ANT. digne, honorable, noble. ☞ vil.

avion n.m. Appareil de navigation aérienne plus lourd que l'air, muni d'ailes et d'un moteur: *Les avions sont devenus un moyen de transport accessible à tout le monde.* ☞ aviateur, aviation, avionnerie, porte-avions.

avionnerie n.f. Au Canada, usine où l'on fabrique les avions: *Nous aimerions visiter une avionnerie.* ☞ avion.

aviron n.m. **1.** Rame qui sert à faire avancer une embarcation: *Quand je vais à la pêche avec mon père, c'est moi qui manœuvre les avirons.* **2.** Au Canada, rame légère, à long manche, des embarcations sportives: *Les rameurs manient les avirons en cadence, car ils veulent gagner la course.* SYN. pagaie. **3.** Sport du canotage: *Nathalie fait de l'aviron depuis cinq ans.*

avis n.m. **1.** Ce que l'on pense de quelqu'un ou de quelque chose: *J'aimerais connaître ton avis sur les devoirs à faire à la maison.* SYN. opinion. **2.** Ce que l'on fait savoir aux autres: *As-tu lu l'avis qui a été distribué aux parents?* SYN. annonce, communication, information, message. ⫽ *À mon avis:* Selon moi. *Être d'avis de:* Penser qu'il serait bien de. ☞ aviser.

avisé, ée adj. Qui agit après avoir réfléchi: *Marianne est une fille avisée.* SYN. prudent, réfléchi. ANT. imprudent, irréfléchi. HOM. aviser.

aviser v. Informer par un avis: *J'ai écrit à ma sœur pour l'aviser de mon arrivée prochaine.* SYN. avertir, prévenir. ☞ avis. ▲ **aviser** v.litt. Apercevoir quelque chose ou quelqu'un qu'on n'avait pas remarqué: *Je cherchais des bas quand tout à coup j'ai avisé cette magnifique paire de chaussures.* HOM. avisé. **s'aviser** v.pron. Se permettre avec audace: *Si tu t'avises de tricher, j'annule ton examen.* SYN. oser.

aviver v. **1.** Rendre plus vif, plus ardent: *Souffle sur les braises si tu veux aviver le feu.* SYN. activer, attiser. **2.** fig. Rendre plus vif, plus fort: *Ces photos avivent mes souvenirs.* SYN. ranimer, réveiller. ☞ vif.

avocado ☞ sect. anglicismes et canadianismes.

avocat, ate n. **1.** Personne inscrite à un barreau et qui représente ses clients en justice: *L'avocate a assisté son client et l'a conseillé tout au long du procès.* **2.** fig. Personne qui défend une idée, une cause: *Ces jeunes gens se font les avocats de la protection de l'environnement.* SYN. défenseur.

avocat n.m. Fruit de l'avocatier, en forme de poire, de couleur verte, dont la chair est savoureuse: *J'aime bien l'avocat à la vinaigrette.* ☞ avocatier.

avocatier n.m. Arbre des pays chauds qui produit l'avocat: *L'avocatier est un arbre originaire d'Amérique centrale.* ☞ avocat.

avoine n.f. Céréale dont les grains servent surtout à nourrir les chevaux et les volailles: *Au mois d'août, les champs d'avoine sont d'un beau blond doré.*

avoir v. **1.** Posséder: *J'ai une règle, deux crayons et une gomme à effacer.* **2.** Obtenir: *Maryse a eu son livre pour quelques sous.* SYN. se procurer. **3.** Éprouver, ressentir: *J'ai de la peine.* **4.** Mesurer: *Cette porte a deux mètres de haut.* **5.** Présenter un aspect: *Il a les cheveux blancs.* **6.** fam. Tromper: *Ce vendeur nous a bien eus!* ⫽ *Avoir à faire:* Être obligé de faire. *En avoir contre quelqu'un:* En vouloir à quelqu'un. *Il n'y a pas de quoi:* Je vous en prie. *Il y a:* Il existe. **R.** Peut aussi servir à former les temps composés. ☞ ravoir.

avoir n.m. Ensemble des biens que l'on possède: *Sa maison, c'est tout son avoir.* SYN. fortune, richesse.

avoisinant, ante adj. Qui avoisine, qui est proche: *Il faudra laisser les autos dans les rues avoisinantes.* SYN. voisin. ANT. éloigné. ☞ voisin.

avoisiner v. Être voisin, être proche de quelqu'un ou de quelque chose: *Les États-Unis avoisinent le Canada.* ☞ voisin.

avortement n.m. **1.** Expulsion naturelle ou provoquée d'un fœtus avant qu'il soit rendu à terme: *Décider de son avortement ne fut pas facile pour Manon.* **2.** fig. Échec, insuccès: *L'avortement du projet a déçu bien des gens.* ANT. réussite, succès. ☞ avorter.

avorter v. **1.** Accoucher avant terme: *Comme elle ne voulait pas un autre enfant, elle s'est fait avorter.* **2.** fig. Ne pas réussir: *Son projet a avorté.* SYN. échouer. ☞ avortement.

avouable adj. Que l'on peut reconnaître sans honte: *Mes intentions étaient avouables: j'amassais de l'argent pour venir en aide aux pauvres.* SYN. honnête. ANT. inavouable. ☞ avouer.

avouer v. **1.** Admettre quelque chose de pénible à révéler: *J'avoue mon ignorance.* SYN. confesser, reconnaître. ANT. nier. **2.** Reconnaître sa culpabilité: *L'assassin a fini par avouer son crime.* SYN. admettre, confesser, déclarer. ANT. désavouer, nier. ☞ aveu, avouable, désaveu, désavouer, inavouable, inavoué. **s'avouer** v.pron. Reconnaître qu'on a tel défaut ou telle incapacité : *Je m'avoue incapable de résoudre ce problème.*

avril n.m. Quatrième mois de l'année, qui précède mai et qui suit mars : *Selon le proverbe, en avril il ne faut pas se découvrir d'un fil.*

axe n.m. **1.** Pièce allongée autour de laquelle tourne une roue : *Vérifie bien l'axe de tes roues de bicyclette.* **2.** Ligne droite imaginaire autour de laquelle tourne un astre : *La Terre est inclinée sur son axe.* **3.** Voie de communication importante : *Pendant les vacances, les grands axes de circulation sont très congestionnés.* // *Axe de symétrie :* Droite qui sépare une figure en deux parties symétriques. ☞ axer, désaxer.

axer v. Diriger vers : *J'ai axé mes efforts sur l'aide à apporter aux enfants en difficulté d'apprentissage.* SYN. orienter. ☞ axe.

ayatollah n.m. (arabe) Titre porté par certains religieux musulmans d'un rang élevé : *L'ayatollah Khomeiny s'adressait souvent à la foule.*

aye-aye n.m. Mammifère de Madagascar à gros yeux et à longue queue, de la taille d'un chat : *L'aye-aye est un lémurien des régions tropicales.* **R.** Au pluriel, *ayes-ayes*.

azalée n.f. Arbuste cultivé pour la beauté de ses fleurs : *La fleuriste offre de magnifiques azalées pour la Saint-Valentin.*

azote n.m. Gaz incolore qui entre dans la composition de l'air que nous respirons : *L'azote est l'un des éléments fondamentaux des tissus vivants.*

aztèque adj. (mexicain) Qui se rapporte aux Aztèques, ancien peuple du Mexique : *Cette illustration présente une œuvre d'orfèvrerie aztèque.*

azur n.m. **1.** Couleur d'un beau bleu clair, couleur de la mer, couleur du ciel : *La Méditerranée est d'un magnifique bleu azur.* **2.** Le ciel, l'air : *Les oiseaux volaient dans l'azur.* // *Côte d'Azur :* Région de la France bordée par la Méditerranée. ☞ azuré.

azuré, ée adj. Qui a la couleur de l'azur : *Le bateau de croisière file sur les flots azurés de la Méditerranée.* ☞ azur.

azyme adj. Qui ne contient pas de levain : *Au temps de la pâque, les Juifs mangent du pain azyme.* // *Fête des Azymes :* Autre nom de la pâque juive. *Pain azyme :* Pain sans levain, pain dont on fait les hosties.

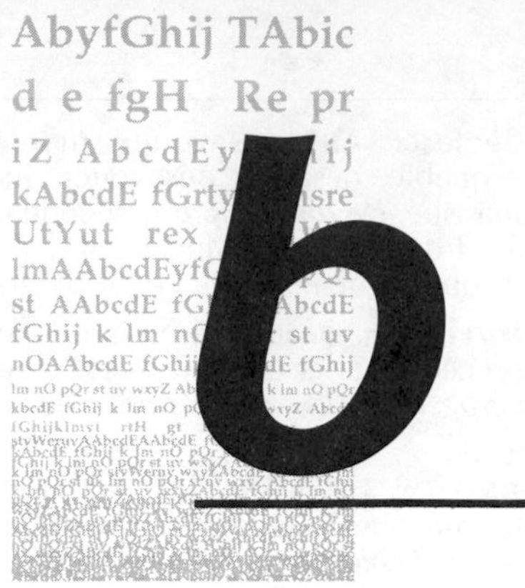

b n.m.invar. Deuxième lettre de l'alphabet : *La lettre « b » est la première consonne de l'alphabet.*

baba n.m. (pol.) Gâteau à pâte légère, arrosé d'un sirop au rhum : *Papa nous a servi des babas au rhum au dessert.*

baba adj.invar.fam. Qui est frappé d'étonnement : *Quand elle a appris la nouvelle, ma petite sœur est restée baba.*

babeurre n.m. Dans la fabrication du beurre, liquide blanc qui reste après qu'on a battu la crème : *Le babeurre, qu'on appelle parfois lait de beurre, entre dans la préparation de nombreux desserts.*

babillage n.m. Abondance de paroles sans importance : *Le babillage des petits enfants énerve souvent les grandes personnes.* SYN. bavardage. ANT. mutisme, silence. ☞ babiller.

babillard n.m.fam. Au Canada, panneau recouvert de flanelle verte ou de liège servant à afficher des avis, des mots, des messages, dans une école : *N'oubliez pas de consulter le babillard: j'y ai épinglé un article de journal très intéressant.*

babiller v. Parler beaucoup pour dire des choses sans importance : *Voulez-vous cesser de babiller et faire votre travail?* SYN. bavarder, caqueter. ANT. se taire. ☞ babillage.

babines n.f.plur. **1.** Lèvres pendantes d'animaux comme le singe, le chameau, le chien : *Le chien se préparait à attaquer, les oreilles dressées, les babines retroussées.* **2.** fam. Lèvres d'une personne : *Le gourmand s'essuie les babines.*

babiole n.f. **1.** Petit objet qui ne coûte pas cher : *Quand on fait un échange de cadeaux, on s'offre souvent des babioles.* SYN. bibelot, breloque. ANT. joyau, trésor. **2.** fig. Chose peu importante : *On dirait que tu ne t'intéresses qu'à des babioles.* SYN. bagatelle, rien.

babiroussa n.m. (malais) Sanglier de Malaisie, aux défenses recourbées chez le mâle : *Le babiroussa a la peau nue et il possède deux paires de défenses.*

bâbord n.m. (néerl.) Côté gauche d'un navire quand on regarde vers l'avant : *Regardez l'île à bâbord!* SYN. gauche. ANT. droite, tribord. **R.** Ne pas oublier l'accent : *â.* ☞ tribord.

babouche n.f. (arabe) **1.** Chaussure de cuir sans talon, qu'on porte dans les pays arabes : *Les babouches laissent l'arrière du pied découvert.* SYN. chausson. **2.** Pantoufle avec un talon qui laisse l'arrière du pied découvert : *Ma grande sœur met ses babouches au retour du travail.* SYN. mule.

babouin n.m. Singe d'Afrique à museau allongé : *Les babouins vivent en troupes nombreuses dirigées par un vieux mâle.*

bac n.m. Bateau à fond plat utilisé pour transporter les passagers, les véhicules et les marchandises d'une rive à l'autre : *Le bac nous amène de l'autre côté de la rivière.* ▲ **bac** n.m. Récipient servant à divers usages : *Mets le céleri dans le bac à légumes du réfrigérateur.* SYN. bassin, cuve. ☞ baquet. ▲ **bac** n.m.fam. Abréviation de « baccalauréat » : *Mon grand frère vient de terminer un bac en architecture.* ☞ baccalauréat.

baccalauréat n.m. Diplôme qu'on obtient à l'université : *Chantal a obtenu un baccalauréat en traduction.* SYN. bac. ☞ bac, bachelier.

babiroussa

bâche n.f. Pièce de toile épaisse et imperméable qui sert à protéger les marchandises contre les intempéries: *Recouvrons les cordes de bois d'une bâche pour qu'elles restent sèches.* **R.** Ne pas oublier l'accent: *â.* ☞ bâcher.

bachelier, ière n. Personne qui a obtenu un baccalauréat: *Chantal est maintenant bachelière.* ☞ baccalauréat.

bâcher v. Recouvrir d'une bâche: *Il faudra bâcher le camion si l'on veut que les marchandises soient à l'abri des intempéries.* ANT. découvrir. **R.** Ne pas oublier l'accent: *â.* ☞ bâche.

bacille n.m. Type de bactérie qui a la forme d'un bâtonnet: *La tuberculose et la typhoïde sont causées par des bacilles.* SYN. microbe. **R.** Les deux *l* se prononcent comme un seul *l*.

bâclage n.m. Action de faire un travail à la hâte, sans soins: *Personne n'apprécie le bâclage!* **R.** Ne pas oublier l'accent: *â.* ☞ bâcler.

bâcler v.fam. Faire un travail à la hâte, sans soins: *Prends ton temps; je ne veux pas que tu bâcles ton travail.* SYN. expédier. ANT. fignoler, soigner. **R.** Ne pas oublier l'accent: *â.* ☞ bâclage.

bacon n.m. (angl.) Lard fumé découpé en tranches minces: *J'aime le bacon servi avec des œufs au déjeuner.* **R.** Se prononce à l'anglaise.

bactérie n.f. Très petit organisme vivant qui n'appartient ni au règne végétal ni au règne animal: *Les bactéries sont des microbes.* SYN. bacille. ☞ bactériologie, bactériologique, bactériologiste.

bactériologie n.f. Partie de la microbiologie qui s'occupe des bactéries: *Les travaux de Pasteur ont contribué à l'avancement de la bactériologie.* ☞ bactérie.

bactériologique adj. Qui se rapporte à la bactériologie, l'étude des bactéries: *Des analyses bactériologiques permettent de découvrir les causes de certaines maladies.* // *Guerre bactériologique:* Guerre au cours de laquelle les bactéries sont utilisées pour contaminer l'ennemi. ☞ bactérie.

bactériologiste n. Médecin qui se spécialise en bactériologie, l'étude des bactéries: *La bactériologiste travaille dans un laboratoire avec un microscope très puissant.* ☞ bactérie.

badaud, aude n. Personne qui se laisse facilement attirer par un spectacle, un événement dans la rue: *Les badauds se bousculent autour de la jongleuse.* SYN. curieux, flâneur. **R.** Le féminin est rarement employé.

badge n.f. et n.m. (angl.) **1.** n.f. Insigne porté par les scouts, qui indique une compétence dans un domaine particulier: *Maxime porte la badge de cuisinier.* **2.** n.m. Insigne rond qui porte une inscription drôle ou un dessin: *Au début de l'année, on nous a distribué des badges où figurait la mascotte de l'école.* SYN. macaron. **3.** n.m. Document d'identité qui porte des informations codées et qui est lu par un appareil spécial: *Les travailleurs doivent présenter leur badge pour pénétrer dans la centrale nucléaire.*

badigeon n.m. Mélange de chaux, d'eau et parfois de colorant, dont on recouvre les murs: *Ces façades seraient beaucoup plus coquettes si on leur donnait un coup de badigeon.* **R.** Ne pas oublier le *e* après le *g.* ☞ badigeonner.

badigeonner v. **1.** Recouvrir les murs d'un mélange de chaux, d'eau et parfois de colorant: *Quand j'étais petite, on badigeonnait les murs de la grange une fois par année.* **2.** Recouvrir une partie du corps d'une préparation liquide: *Avant de faire une injection, l'infirmier badigeonne le bras d'iode.* **R.** Ne pas oublier le *e* après le *g.* ☞ badigeon.

badin, ine adj. Qui aime plaisanter, dire des choses drôles pour s'amuser: *Quand Édith est d'humeur badine, elle taquine tout le monde.* ☞ badinage, badiner, badinerie.

badinage n.m. Action de plaisanter, de dire des choses drôles pour s'amuser: *Avez-vous fini votre badinage?* SYN. plaisanterie. ANT. gravité, sérieux. ☞ badin.

badiner v. Plaisanter, dire des choses drôles pour s'amuser: *Samuel passe son temps à badiner.* ☞ badin.

badinerie n.f. Ce que l'on dit ou ce que l'on fait en badinant, en plaisantant: *Cesse tes badineries et réponds-moi sérieusement.* SYN. enfantillage. ☞ badin.

badminton n.m. (angl.) Jeu apparenté au tennis et qui se joue avec des raquettes et un volant: *Sylviane et Bertrand jouent au badminton.* **R.** Se prononce à l'anglaise.

bafouer v. **1.** Traiter quelqu'un d'une manière insultante et méprisante: *Personne n'a le droit de bafouer les autres.* SYN. se moquer, outrager, railler, ridiculiser. ANT. accueillir, exalter, louer. **2.** Tourner quelque chose en ridicule: *Cet élève n'arrête pas de bafouer les règlements de l'école.*

bafouillage n.m.fam. Action de parler d'une manière embarrassée: *Je n'ai rien compris à ton bafouillage.* ☞ bafouiller.

bafouiller v. Parler d'une manière embarrassée: *Quand il raconte des mensonges, Denis bafouille.* ☞ bafouillage, bafouilleur.

bafouilleur, euse n. et adj.fam. **1.** n. Personne qui parle d'une manière embarrassée: *Il faut beaucoup de patience pour écouter un bafouilleur.* **2.** adj. Qui parle d'une manière embarrassée: *Cette fille bafouilleuse a beaucoup de mal à se faire comprendre.* ☞ bafouiller.

bagage n.m. **1.** Objets que l'on emporte avec soi en voyage: *Elle a mis tout son bagage dans une seule valise.* **2.** plur. Sac, valise, malle que l'on emporte en voyage: *En arrivant à l'aéroport, il faut faire enregistrer ses bagages.* **3.** fig. Ensemble des connaissances qu'une personne possède dans un domaine: *Philippe a un important bagage musical.* HOM. baguage. ⁄⁄ *Plier bagage:* Faire ses valises, partir. ☞ bagagiste, porte-bagages.

bagagiste n.m. Employé chargé de porter les bagages dans un hôtel, une gare ou un aéroport: *Le bagagiste a porté nos valises jusqu'à la chambre.* ☞ bagage.

bagarre n.f. **1.** Querelle violente entre plusieurs personnes: *Une bagarre a éclaté dans les gradins du stade.* SYN. échauffourée, mêlée, rixe. **2.** fam. Dispute, querelle: *Cet adolescent aime la bagarre.* SYN. bataille. ☞ se bagarrer, bagarreur.

se **bagarrer** v.pron.fam. Se battre, se disputer: *La surveillante a interdit aux élèves de se bagarrer, sinon ils seront exclus de l'école.* SYN. se quereller. ☞ bagarre.

bagarreur, euse n. et adj.fam. **1.** n. Personne qui aime la bagarre: *Nathalie est une bagarreuse.* SYN. batailleur. **2.** adj. Qui aime la bagarre: *Les enfants bagarreurs sont des éléments indésirables dans une cour d'école.* ☞ bagarre.

bagatelle n.f. (it.) **1.** Somme d'argent peu importante: *J'ai obtenu cette voiture pour une bagatelle.* SYN. rien. ANT. fortune. **2.** Ironiquement, grosse somme d'argent: *Cette millionnaire a payé la bagatelle d'un million pour son yacht.* **3.** Chose peu importante: *Christian et Paul se sont boudés pour une bagatelle.* SYN. bêtise, rien.

bagnard n.m. Criminel qui était condamné au bagne: *Les bagnards étaient traités très durement.* SYN. forçat. ☞ bagne.

bagne n.m. Établissement où l'on envoyait autrefois ceux qui étaient condamnés aux travaux forcés: *Les bagnes étaient des prisons très sévères.* SYN. pénitencier. ☞ bagnard.

bagnole n.f.fam. Automobile: *As-tu vu ma nouvelle bagnole?*

bagou n.m.fam. Grande facilité de parole pour convaincre ou tromper: *Ce politicien a beaucoup de bagou.* **R.** Aussi, *bagout.*

baguage n.m. Opération qui consiste à poser une bague à la patte d'un oiseau pour l'identifier: *Le baguage des oiseaux aide à étudier les migrations.* HOM. bagage. ☞ bague.

bague n.f. **1.** Anneau que l'on porte au doigt et qui est parfois orné d'une pierre précieuse: *Nicolas nous a montré sa bague.* **2.** Anneau que l'on fixe à la patte d'un oiseau, à l'oreille d'un animal pour être capable de le reconnaître: *Pour étudier la migration des hirondelles, on fixe une bague à la patte de certaines d'entre elles.* ☞ baguage, baguier.

baguette n.f. (it.) **1.** Petit bâton mince: *Le chef d'orchestre dirige à l'aide d'une baguette.* **2.** Pain long et mince: *Achète une baguette chez la boulangère.*

baguier n.m. Petit coffret, coupe où l'on dépose des bagues, des bijoux: *Avant de se coucher, ma grande sœur dépose ses bagues dans un baguier.* ☞ bague.

bah! interj. Exprime l'insouciance, l'indifférence: *Je n'ai pas gagné? Bah! ce sera pour une autre fois.* HOM. bas.

bahut n.m. Buffet large et bas: *L'antiquaire a exposé dans sa vitrine un magnifique bahut.*

bai, baie adj. Dont la robe est brun rouge, en parlant d'un cheval: *La queue et la crinière de cette jument baie sont noires.* HOM. baie.

baie n.f. Échancrure profonde d'une côte, petit golfe: *La baie des Chaleurs est située entre la Gaspésie et le Nouveau-Brunswick.* SYN. anse. ▲ **baie** n.f. Fruit charnu qui contient des graines ou des pépins: *La groseille, le raisin et le bleuet sont des baies.* ▲ **baie** n.f. Ouverture pratiquée dans un mur pour faire une fenêtre ou une porte: *Cette maison possède de belles grandes baies vitrées.* HOM. bai.

baignade n.f. Action de se baigner: *La baignade est interdite quand l'eau d'un lac est trop polluée.* SYN. bain. ☞ baigner.

baigner v. **1.** Faire prendre un bain à quelqu'un: *La jeune maman baigne son bébé.* SYN. laver. ANT. essuyer, sécher. **2.** Mouiller: *Son visage est baigné de larmes.* SYN. inonder. **3.** Entourer un lieu de ses eaux: *L'océan Atlantique baigne les côtes de Terre-Neuve.* SYN. toucher. **4.** Être plongé et maintenu dans un liquide: *Ces cornichons baignent dans le vinaigre.* SYN. immerger. ANT. assécher. ☞ baignade, baigneur, baignoire. **se baigner** v.pron. Prendre un bain pour se laver ou pour nager: *Les enfants adorent se baigner pendant l'été.*

baigneur, euse n. Personne qui se baigne : *Les baigneurs profitent des plages de sable blanc.* SYN. nageur. ☞ baigner.

baignoire n.f. Grande cuve dans laquelle on prend un bain : *La baignoire de notre salle de bain est en porcelaine.* ☞ baigner.

bail, baux n.m. Contrat entre un propriétaire et un locataire, qui fixe la durée et le prix de la location : *Quand nous avons loué l'appartement, mes parents ont signé un bail.*

bâillement n.m. **1.** Action d'ouvrir involontairement la bouche à cause de l'ennui, de la fatigue : *J'écoute le cours, mais je n'arrive pas à retenir mes bâillements.* **2.** Fait d'être mal fermé ou légèrement entrouvert : *Par le bâillement de la porte, j'aperçois le désordre de ta chambre.* ANT. fermeture. **R.** Ne pas oublier l'accent : *â*. ☞ bâiller.

bâiller v. **1.** Ouvrir involontairement la bouche à cause de l'ennui, de la fatigue : *On voit que tu t'es couché tard; tu n'arrêtes pas de bâiller.* **2.** Être mal fermé ou légèrement entrouvert : *La fenêtre de ta chambre bâillait.* **R.** Ne pas oublier l'accent : *â*. ☞ bâillement.

bâillon n.m. Morceau de tissu que l'on met sur la bouche de quelqu'un pour l'empêcher de parler ou de crier : *Les voleuses avaient mis un bâillon sur la bouche de leur victime.* **R.** Ne pas oublier l'accent : *â*. ☞ bâillonner, débâillonner.

bâillonner v. Mettre un morceau de tissu sur la bouche de quelqu'un pour l'empêcher de parler ou de crier : *La pauvre femme n'a pas pu appeler à l'aide, car son assaillant l'avait bâillonnée.* SYN. museler. ANT. débâillonner. **R.** Ne pas oublier l'accent : *â*. ☞ bâillon.

bain n.m. **1.** Action de se plonger dans l'eau pour se laver ou pour nager : *Rien ne me détend davantage qu'un bon bain chaud.* SYN. toilette. **2.** Eau dans laquelle on se baigne : *Je vais me faire couler un bain.* ⁄⁄ *Bain de soleil :* Exposition du corps au soleil pour bronzer. *Salle de bain :* Salle où l'on peut faire sa toilette. ☞ bain-marie.

bain-marie n.m. **1.** Eau bouillante dans laquelle on plonge un récipient contenant un aliment que l'on veut faire cuire doucement : *La cuisson au bain-marie est nécessaire dans certaines préparations.* **2.** Récipient qui contient l'eau bouillante : *Je me sers du bain-marie quand je prépare une crème pâtissière.* **R.** Au pluriel, *bains-marie*. ☞ bain.

baïonnette n.f. Lame que l'on fixe au bout d'un fusil : *Les soldats se défendent parfois à la baïonnette.* **R.** Ne pas oublier le tréma : *ï*.

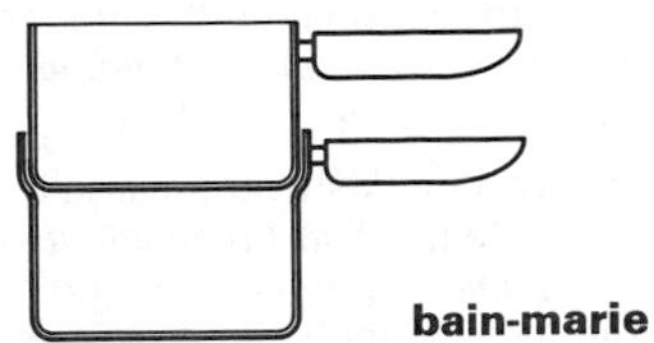

bain-marie

baisemain n.m. Geste de politesse ou de respect qui consiste à baiser la main d'une femme ou d'un souverain : *Le baisemain n'est plus à la mode.* ☞ baiser.

baiser v. Embrasser par amour, respect, affection : *Dans ce film, le héros baise la main des dames en signe de respect.* ☞ baisemain.

baiser n.m. Action d'embrasser par amour, respect, affection : *Je donne un baiser à mes parents avant d'aller dormir.* SYN. bécot, bise. ⁄⁄ *Baiser de paix :* Baiser donné en signe de réconciliation.

baisse n.f. **1.** Diminution de la hauteur, fait de descendre à un niveau plus bas : *À la radio, on a annoncé une baisse de température pour les prochains jours.* SYN. abaissement, chute. ANT. élévation, hausse, montée. **2.** Diminution de la valeur, du prix : *La baisse du prix du beurre était inattendue.* SYN. chute. ANT. augmentation. ☞ baisser.

baisser v. **1.** Mettre plus bas : *Baissons le store de la fenêtre de droite.* SYN. abaisser, descendre. ANT. élever, lever. **2.** Incliner une partie du corps vers le bas : *Baissez la tête si vous ne voulez pas heurter le plafond.* SYN. courber, pencher. **3.** Diminuer la hauteur de quelque chose : *Il faut baisser cette clôture d'au moins cinquante centimètres.* **4.** Diminuer l'intensité d'un son, d'une voix : *Baisse la voix; tu déranges tes compagnes.* ANT. monter. **5.** Vendre moins cher : *L'épicier a baissé le prix du café cette semaine.* SYN. diminuer. ANT. augmenter, majorer. **6.** S'affaiblir, diminuer : *La vue du vieillard baisse lentement.* SYN. faiblir. ⁄⁄ *Baisser la radio :* Diminuer l'intensité du son de la radio. ☞ baisse. **se baisser** v.pron. S'incliner, se pencher : *Oncle Gilbert est très grand et il doit se baisser quand il monte dans l'autobus.*

bajoue n.f. Partie inférieure de la tête de certains animaux, qui va de l'œil à la mâchoire : *Le porc et le veau ont des bajoues.*

bal, bals n.m. Réunion où l'on danse : *Ce soir, on donne un grand bal à l'occasion du carnaval.* HOM. balle. ⁄⁄ *Bal masqué :* Bal où les invités sont costumés ou masqués.

balade n.f.fam. Promenade : *Dimanche après-midi, nous avons fait une balade dans les Laurentides.* SYN. excursion, sortie, voyage. HOM. ballade. ☞ se balader, baladeur.

se balader v.pron.fam. Se promener sans but précis : *J'aime bien me balader quand il fait beau.* SYN. flâner. ☞ balade.

baladeur n.m. Poste radiocassette portatif, muni d'écouteurs : *Sandra écoute de la musique dans l'autobus grâce à son baladeur.* **R.** Recommandé officiellement pour remplacer l'anglicisme « walkman ». ☞ balade.

balafre n.f. Longue blessure faite au visage par un instrument tranchant, cicatrice laissée par cette blessure : *La chirurgie plastique pourra-t-elle faire disparaître cette balafre?* SYN. coupure, entaille, taillade. ☞ balafré, balafrer.

balafré, ée adj. Qui porte au visage une blessure ou une cicatrice faite par un instrument tranchant : *Elle a le visage balafré.* HOM. balafrer. ☞ balafre.

balafrer v. Blesser quelqu'un à la figure en lui faisant une longue entaille avec un instrument tranchant : *D'un coup d'épée, il balafra le visage de son adversaire.* SYN. couper, entailler, taillader. HOM. balafré. ☞ balafre.

balai n.m. Ustensile composé d'un long manche et d'une brosse, qui sert au nettoyage des sols : *Il faut passer le balai dans la cuisine.* HOM. ballet. ☞ balayage, balayer, balayette, balayeur, balayeuse, balayures.

balalaïka n.f. (russe) Instrument de musique à trois cordes, formé d'un long manche et d'une caisse triangulaire, d'origine russe : *As-tu déjà entendu jouer de la balalaïka?* **R.** Ne pas oublier le tréma : *ï.*

balance n.f. Instrument qui sert à déterminer la masse de quelque chose : *L'épicière a pesé le sac de raisins sur la balance.* **R.** N'a pas le sens de *pèse-personne.*

balancelle n.f. Fauteuil balançoire à plusieurs places, recouvert d'un toit, qu'on installe dans les jardins : *Venez vous asseoir dans la balancelle.* ☞ balancer.

balancelle

balancement n.m. Mouvement d'un corps qui oscille d'un côté puis de l'autre : *Les pêcheurs se sont habitués au balancement de leur barque.* ANT. immobilité, stabilité. ☞ balancer.

balancer v. Mouvoir quelque chose d'un côté puis de l'autre : *Hélène marche en balançant ses bras.* ANT. immobiliser. ☞ balancelle, balancement, balancier, balançoire. **se balancer** v.pron. **1.** S'incliner d'un côté puis de l'autre : *Si tu continues à te balancer sur ta chaise, tu vas finir par tomber.* SYN. osciller. **2.** Se servir d'une balançoire : *Les petits enfants se balancent en riant dans le parc.*

balancier n.m. **1.** Pièce mobile qui oscille d'un côté puis de l'autre, et qui sert à régulariser le mouvement d'une machine : *Observe bien le balancier de l'horloge.* **2.** Longue perche que le funambule utilise pour maintenir son équilibre : *La danseuse de corde a besoin du balancier.* ☞ balancer.

balançoire n.f. **1.** Pièce de bois ou de métal placée en équilibre sur un point d'appui et sur laquelle se balancent deux personnes placées chacune à un bout : *Luis est plus lourd que Vincent, et la balançoire penche toujours de son côté.* SYN. bascule. **2.** Siège suspendu à deux cordes, sur lequel on se balance : *Les balançoires du parc sont toujours occupées.* SYN. escarpolette. **R.** Ne pas oublier la cédille. ☞ balancer.

balancement balancer balançoire

balayage n.m. **1.** Action de balayer : *Quand tu auras fini le balayage de la cuisine, tu commenceras celui du salon.* **2.** Action d'éclaircir la chevelure en décolorant quelques mèches : *Pour Noël, ma grande sœur s'est fait faire un balayage.* ☞ balai.

balayer v. **1.** Faire le nettoyage avec un balai : *Francis balaie sa chambre.* SYN. nettoyer. ANT. salir, souiller. **2.** Enlever quelque chose avec un balai : *La concierge balaie les feuilles mortes devant l'immeuble.* SYN. ôter. **3.** fig. Chasser, pousser : *Le vent violent balaie les nuages.* **4.** fig. Parcourir toutes les parties d'un espace : *Le projecteur balayait le ciel de ses faisceaux lumineux.* ☞ balai.

balayette n.f. Petit balai à manche court : *Prends la balayette pour enlever le bran de scie sur l'établi.* ☞ balai.

balayeur, euse n. Personne qui s'occupe du balayage des rues : *Les balayeurs enlèvent les feuilles.* ☞ balai.

balayeuse n.f. Véhicule muni d'une brosse, qui nettoie les rues en les balayant : *La balayeuse est passée dans ma rue ce matin.* SYN. arroseuse. **R.** N'a pas le sens de *aspirateur.* ☞ balai.

balayures n.f.plur. Débris, ordures qu'on enlève avec un balai: *Ramasse les balayures avec la pelle à ordures.* ☞ balai.

balbutiant, ante adj. Qui parle d'une manière hésitante et peu distincte: *Quand il doit parler en public, Ricardo est tout balbutiant.* **R.** Le *t* se prononce *ss*. ☞ balbutier.

balbutiement n.m. Action de parler d'une manière hésitante et peu distincte: *As-tu compris les balbutiements du petit enfant?* **R.** Le *t* se prononce *ss*. Le *e* ne se prononce pas. ☞ balbutier.

balbutier v. **1.** Parler d'une manière hésitante et peu distincte: *Catherine balbutie quand elle parle devant la classe.* SYN. bafouiller, bredouiller. ANT. articuler. **2.** Dire en balbutiant, de façon confuse: *Jeanne a balbutié des excuses avant de se sauver à toutes jambes.* SYN. marmotter. ANT. prononcer. **R.** Le *t* se prononce *ss*. ☞ balbutiant, balbutiement.

balbuzard n.m. (angl.) Oiseau rapace qui vit au bord de l'eau et qui se nourrit de poissons: *Le balbuzard a la taille d'un petit aigle.*

balcon n.m. **1.** Plate-forme qui s'avance sur une façade et qui communique avec un appartement par une ou plusieurs ouvertures: *Les soirs d'été, les locataires de l'immeuble veillent sur leurs balcons.* **2.** Clôture qui entoure le balcon: *Luc était appuyé sur le balcon pour regarder passer les automobiles.* **3.** Dans une salle de spectacle, galerie qui s'avance au-dessus de l'orchestre: *J'ai deux places au balcon pour le concert d'Angèle Dubeau.*

baldaquin n.m. (it.) Pièce de tissu, rideau que l'on place au-dessus d'un lit ou d'un trône: *Le roi dormait dans un magnifique lit à baldaquin.*

baleine n.f. Mammifère marin de très grande taille, de l'ordre des cétacés, dont le petit est le baleineau: *La bouche de la baleine est garnie de fanons avec lesquels elle retient les petits poissons et le plancton dont elle se nourrit.* ☞ baleineau, baleinier, baleinière. ▲ **baleine** n.f. Lame ou tige flexible en métal servant à tendre un tissu: *Une des baleines de mon parapluie s'est brisée.*

baleineau, eaux n.m. Petit de la baleine: *La baleine n'a qu'un baleineau tous les deux ou trois ans.* ☞ baleine.

baleinier n.m. **1.** Navire équipé pour la chasse à la baleine: *Les baleiniers capturaient et remorquaient les baleines.* **2.** Personne qui se livre à la pêche à la baleine: *Au XIXe siècle, les baleiniers étaient nombreux sur la côte est de l'Amérique.* ☞ baleine.

baleinière n.f. **1.** Embarcation longue et légère qui servait à poursuivre les baleines: *Les chasseurs de baleines prenaient place à bord de la baleinière.* **2.** Canot long et léger dont sont équipés les gros navires: *Il y a plusieurs baleinières à bord du paquebot.* ☞ baleine.

balisage n.m. **1.** Action de poser des signaux sur une voie de communication pour indiquer la voie à suivre ou les dangers à éviter: *Le balisage de l'aérodrome a pris plusieurs jours.* **2.** Ensemble des signaux placés le long d'une voie de communication: *Le balisage permet à la navigatrice d'éviter les écueils.* ☞ balise.

balise n.f. **1.** Signal qui guide les navigateurs et les pilotes: *Des balises sont placées de chaque côté de la piste d'atterrissage.* SYN. repère. **2.** Piquet, perche, bouée qui indique la voie à suivre: *Quand la neige recouvre la route, il faut se fier aux balises pour ne pas prendre le fossé.* SYN. jalon, repère. ☞ balisage, baliser.

baliser v. Garnir de signaux une voie de communication: *Il faut baliser le chenal pour que les voiliers passent sans danger.* SYN. jalonner. ☞ balise.

baliverne n.f. Parole insignifiante: *Je n'aime pas les réunions où l'on ne dit que des balivernes.* SYN. fadaise, sornette, sottise.

ballade n.f. **1.** Petit poème composé de trois strophes ou plus: *Cette ballade a été inspirée d'une légende.* **2.** Morceau de musique inspiré par une ballade: *Chopin a composé des ballades.* HOM. balade.

ballant n.m. Balancement d'un objet, mouvement d'un côté puis de l'autre: *Le camion trop chargé a du ballant et risque de se renverser.*

ballant, ante adj. Qui se balance avec nonchalance: *Au lieu d'aider sa sœur, Victor la regardait les bras ballants.*

ballast n.m. (angl.) **1.** Pierres concassées, tassées sous les traverses d'une voie ferrée: *Les traverses prennent appui sur le ballast.* **2.** Réservoir de plongée d'un sous-marin: *Pour plonger, le sous-marin remplit son ballast d'eau de mer.* **R.** Les lettres *st* se prononcent.

balle n.f. (it.) Petite boule qui rebondit et avec laquelle on joue: *Je lance la balle sur le mur.* ☞ ballon, ballonné, ballonnement, ballonner. ▲ **balle** n.f. Projectile d'une arme à feu: *Le bandit a tiré trois balles en direction de la policière.* SYN. cartouche, plomb. ∥ *Se renvoyer la balle:* Se décharger l'un l'autre d'une responsabilité. ▲ **balle** n.f. Gros paquet de marchandises lié avec des cordes et enveloppé de toile : *Les balles de coton s'entassent sur le quai.* SYN. ballot, sac. ☞ ballot. ▲ **balle** n.f. Enveloppe des graines de céréales qui se détache au moment du battage : *Nous garderons la balle d'avoine pour l'ajouter à la nourriture des cochons.* HOM. bal. **R.** Aussi, *bale.*

ballerine n.f. (it.) **1.** Danseuse de ballet : *Geneviève veut devenir ballerine.* **2.** Chaussure légère et plate qui rappelle les chaussons de danse : *Marie-Soleil a chaussé ses ballerines.*

ballet n.m. (it.) Danse figurée exécutée sur scène par plusieurs personnes : *J'aime beaucoup le ballet pour la grâce et l'agilité des danseurs.* HOM. balai.

ballon n.m. (it.) **1.** Grosse balle dont on se sert pour jouer : *Selon les sports, il existe plusieurs sortes de ballons.* **2.** Enveloppe de caoutchouc très mince, gonflée d'air ou de gaz et qui sert souvent de décoration : *La classe est décorée de ballons de toutes les couleurs.* **3.** Appareil gonflé d'un gaz plus léger que l'air et qui peut s'élever dans l'atmosphère : *J'aimerais faire un tour de ballon.* SYN. dirigeable, montgolfière. ☞ balle.

ballonné, ée adj. Qui est gonflé comme un ballon : *Bébé a le ventre ballonné.* HOM. ballonner. ☞ balle.

ballonnement n.m. Gonflement du ventre causé par des gaz : *Quand elles mangent trop d'herbe, les vaches souffrent de ballonnement.* ☞ balle.

ballonner v. Gonfler le ventre comme un ballon : *Certains aliments ballonnent les bestiaux.* ANT. dégonfler, désenfler. HOM. ballonné. ☞ balle.

ballot n.m. Petit paquet de marchandises ou de vêtements : *Les campeuses transportent leur ballot sur leur dos.* ☞ balle.

ballottement n.m. Mouvement d'un corps qui va dans un sens puis dans l'autre : *Certaines personnes supportent mal le ballottement d'un navire.* ☞ ballotter.

ballotter v. **1.** Faire aller dans un sens puis dans l'autre : *Nous avons été bien ballottés pendant la traversée du fleuve.* SYN. agiter, balancer. **2.** Être secoué en tous sens : *Ton étui est trop grand : ton violon ballotte.* SYN. remuer. **3.** fig. Tirailler entre deux choses ou deux personnes : *Cet enfant est ballotté entre son père et sa mère.* ANT. tranquilliser. ☞ ballottement.

balluchon n.m.fam. Petit paquet d'effets personnels, enveloppé dans un morceau de tissu noué aux quatre coins : *Jacinthe a pris son balluchon et elle est partie.* **R.** Aussi, *baluchon.*

balnéaire adj. Qui se rapporte aux bains de mer : *Nous avons passé nos vacances dans une station balnéaire.*

baloné ☞ sect. anglicismes et canadianismes.

balloune ☞ sect. anglicismes et canadianismes.

balourd, ourde n. et adj. (it.) **1.** n. Personne maladroite et peu délicate : *Les balourds sont parfois des timides.* **2.** adj. Qui est maladroit et peu délicat : *Les personnes balourdes manquent de délicatesse.* SYN. gauche, lourdaud. ☞ balourdise.

balourdise n.f. **1.** Parole, geste d'une personne maladroite et peu délicate : *Il ne cesse de faire des balourdises.* SYN. ânerie, bêtise. ANT. délicatesse, finesse. **2.** Caractère d'une personne maladroite et peu délicate : *Cette femme est d'une balourdise peu commune.* ☞ balourd.

balsa n.m. (esp.) Bois très léger que l'on utilise pour la construction de modèles réduits : *Cette maquette d'avion est faite en balsa.*

balsamine n.f. Plante à fleurs jaunes, appelée aussi impatiente : *Les capsules de la balsamine éclatent dès qu'on les touche.* ◇ impatiente.

balustrade n.f. (it.) Clôture d'un balcon, d'une passerelle, d'un escalier, d'un pont, sur laquelle on peut s'appuyer : *Priscillia est appuyée sur la balustrade de l'escalier.* SYN. garde-fou, parapet, rampe. ☞ balustre.

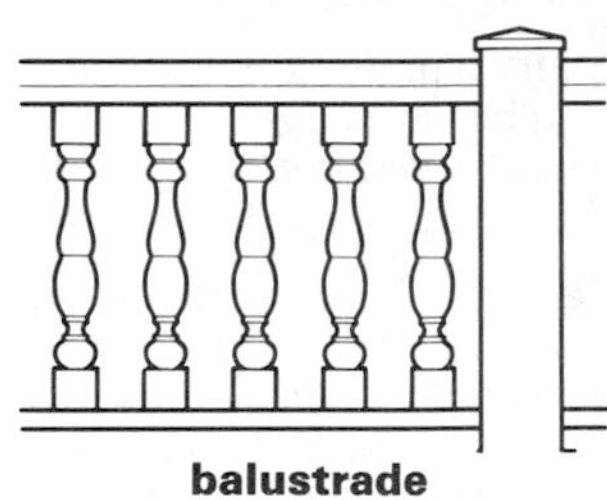

balustrade

balustre n.m. (it.) Chacune des petites colonnes renflées qui supportent un appui : *Une rangée de balustres supportant un appui forme une balustrade.* ☞ balustrade.

bambin, ine n.fam. (it.) Petit enfant : *Le bambin est venu s'asseoir sur mes genoux.* SYN. gamin. **R.** Le féminin est rarement employé.

bambou, ous n.m. (malais) Plante des pays chauds dont la tige cylindrique porte des nœuds saillants : *La pêcheuse a une canne à pêche en bambou.*

ban n.m. **1.** Applaudissements rythmés en l'honneur de quelqu'un : *À la fin du repas, il y a eu un ban pour féliciter la chef cuisinière.* **2.** Proclamation d'un mariage prochain à l'église : *On a publié les bans de mariage de Marc et Jessica.* HOM. banc.

banal, ale, als adj. Qui est ordinaire, qui manque d'originalité : *Ton cas est tout à fait banal.* SYN. commun, courant. ANT. extraordinaire, nouveau, original, remarquable. ☞ banalement, banalisation, banaliser, banalité.

banalement adv. D'une manière ordinaire, peu originale : *Cet orateur s'exprime banalement.* ☞ banal.

banalisation n.f. **1.** Fait de rendre quelque chose ordinaire, banal : *La banalisation du transport aérien a fait diminuer le prix des billets.* **2.** Suppression de tout caractère distinctif : *La banalisation des voitures de police ne fait pas l'affaire de tout le monde.* ☞ banal.

banaliser v. **1.** Rendre ordinaire, banal : *Le fait de voir tant de films violents banalise la violence.* **2.** Supprimer tout caractère distinctif : *À la Sûreté du Québec, on a banalisé de nombreuses voitures.* ☞ banal. **banalisé, ée** p.p. et adj. **1.** Qui est devenu ordinaire, banal : *La violence banalisée conduit à une augmentation des crimes.* **2.** Qui est dépourvu de tout caractère distinctif : *Les policiers utilisent parfois des voitures banalisées pour ne pas être reconnus.*

banalité n.f. **1.** Caractère de ce qui est ordinaire, banal : *Ce roman est d'une banalité déconcertante.* SYN. insignifiance, platitude. ANT. nouveauté, originalité. **2.** Paroles sans intérêt : *Nous n'avons échangé que des banalités.* ☞ banal.

banane n.f. Fruit allongé à peau jaune, groupé en grappes appelées régimes, et qui est produit par le bananier : *La banane est nutritive et savoureuse.* ☞ bananeraie, bananier.

bananeraie n.f. Lieu planté de bananiers : *Les compagnies américaines sont propriétaires de bananeraies en Amérique centrale.* ☞ banane.

bananier n.m. **1.** Plante des régions chaudes aux feuilles immenses, qui produit la banane : *Les bananiers peuvent atteindre quinze mètres de hauteur.* **2.** Navire aménagé pour le transport des bananes : *Le bananier quitte l'Amérique centrale avec son chargement.* ☞ banane.

banc n.m. Siège étroit et long, avec ou sans dossier, où plusieurs personnes peuvent s'asseoir : *Nous nous sommes allongés sur le banc du parc.* ▲ **banc** n.m. **1.** Amas de matières qui forment une couche plus ou moins horizontale : *Un banc de sable rend la navigation difficile dans ce chenal.* **2.** Grande quantité de poissons de la même espèce qui s'assemblent à certaines périodes de l'année : *Les pêcheurs suivent les bancs de poissons.* HOM. ban. ⁄ *Banc de neige :* Au Canada, amas de neige entassée par le vent.

bancaire adj. Qui se rapporte à la banque : *Mes parents ont obtenu un prêt bancaire pour acheter une maison.* ☞ banque.

bancal, ale, als adj. **1.** Qui a les jambes torses, difformes et qui boite : *Cette enfant bancale est courageuse de se déplacer malgré ses difficultés.* SYN. boiteux. **2.** En parlant d'un meuble, qui a les pieds de hauteur inégale : *Il est désagréable de manger sur une table bancale.*

bandage n.m. **1.** Bande de tissu servant à faire un pansement : *L'infirmière refait le bandage de la blessée.* **2.** Bande de métal ou de caoutchouc entourant la jante d'une roue : *Un pneu est un bandage déformable et élastique que l'on adapte à la jante d'une roue.* ☞ bande. ▲ **bandage** n.m. Action de tendre quelque chose avec effort : *Le bandage d'un arc demande une grande force musculaire.* ☞ bander.

bande n.f. **1.** Morceau de tissu, de papier plus long que large, qui sert à lier, à recouvrir, à orner quelque chose : *Ferme cette boîte de carton avec une bande de ruban adhésif.* SYN. lanière. **2.** Large rayure d'un tissu : *Des bandes bleues ornent le drapeau.* ⁄ *Bande dessinée :* Histoire racontée par une série de dessins. *Bande magnétique :* Ruban sur lequel on enregistre des sons, des images, des données informatiques. *Bande vidéo :* Bande magnétique sur laquelle on enregistre des images et des sons. ☞ bandage, bandé, bandeau, bandelette, bander, débander. ▲ **bande** n.f. Groupe de personnes qui s'unissent dans un même but : *Une bande d'amis s'en vient en chantant.* SYN. clan, troupe. ⁄ *Faire bande à part :* Ne pas vouloir faire partie d'un groupe, s'isoler. ☞ débandade, se débander. ▲ **bande** n.f. Inclinaison d'un navire sur un bord : *Le navire donne de la bande, car sa cargaison est mal répartie.*

bandé, ée adj. **1.** Qui est couvert d'un bandeau : *Pour ce jeu, tu auras les yeux bandés.* **2.** Qui est entouré d'un bandage : *Pourquoi as-tu la main bandée ?* HOM. bander. ☞ bande.

bandeau, eaux n.m. **1.** Bande étroite de tissu qui sert à entourer la tête : *Pauline porte un bandeau pour retenir ses cheveux.* SYN. serre-tête. **2.** Cheveux partagés au milieu, qui serrent les tempes dans une coiffure féminine : *Sur cette photo ancienne, la jeune fille a coiffé ses longs cheveux en bandeaux.* **3.** Morceau de tissu qu'on met devant les yeux de quelqu'un pour l'empêcher de voir : *On a mis un bandeau sur les yeux d'Édouard.* ☞ bande.

bandelette n.f. Petite bande de tissu : *Les Égyptiens enveloppaient leurs momies dans des bandelettes de lin.* ☞ bande.

bander v. **1.** Entourer une partie du corps à l'aide d'une bande que l'on serre : *Pour protéger ta cheville, il faudra la bander.* **2.** Couvrir les yeux d'un bandeau : *Avant de fusiller la condamnée, on lui a bandé les yeux.* ☞ bande. ▲ **bander** v. Tendre quelque chose avec effort : *L'archer bande son arc et tire.* ANT. détendre, relâcher. HOM. bandé. ☞ bandage, débander.

banderole n.f. (it.) **1.** Longue bande de tissu qui porte une inscription : *Les manifestantes portent des banderoles et crient des slogans.* SYN. bannière. **2.** Longue bande de tissu qui sert à décorer : *Toutes les rues sont décorées avec des banderoles pour le 150e anniversaire de la fondation de la ville.* **R.** S'écrit avec un seul *l*.

bandit n.m. (it.) **1.** Personne qui se livre à des actes criminels : *Le bandit a réussi à prendre la fuite après avoir dévalisé la banque.* SYN. gangster, malfaiteur, voleur. ANT. héros. **2.** Personne malhonnête, sans scrupules : *Ce vendeur est un bandit!* SYN. filou, requin. ☞ banditisme.

banditisme n.m. Ensemble des actes criminels commis dans une région, une ville, un pays : *Le banditisme augmente d'année en année.* SYN. criminalité. ☞ bandit.

bandoulière n.f. (esp.) Bande de cuir ou de tissu que l'on porte d'une épaule à la hanche du côté opposé pour soutenir quelque chose : *Jenny porte son appareil photographique en bandoulière.*

bandoulière

bang n.m.invar. et interj. **1.** n.m.invar. Bruit que fait un avion lorsqu'il franchit le mur du son : *Nous suivons des yeux l'avion supersonique, attentifs au bang qui ne manquera pas de se faire entendre.* **2.** interj. Exprime le bruit d'une explosion violente : *Bang! La vitre vola en éclats.*

banjo n.m. (améric.) Instrument de musique à cordes dont la caisse ronde est formée d'une peau tendue sur un cercle de bois : *Dans ce western, un joueur de banjo accompagnait les cow-boys.* ☞ banjoïste.

banjoïste n. Personne qui joue du banjo : *La banjoïste a émerveillé les spectateurs.* **R.** Ne pas oublier le tréma : *ï*. ☞ banjo.

banlieue n.f. Ensemble des localités autonomes qui entourent une grande ville et qui sont en relation étroite avec elle : *La ville de Brossard est située en banlieue de Montréal.* ☞ banlieusard.

banlieusard, arde n. Personne qui habite la banlieue : *Les banlieusards travaillent en ville, mais préfèrent le calme de la banlieue.* ☞ banlieue.

banni, ie n. et adj. **1.** n. Personne qui a été condamnée à quitter son pays avec interdiction d'y revenir : *Les bannis quitteront définitivement leur pays.* **2.** adj. Qui a été condamné à quitter son pays avec interdiction d'y revenir : *Cette femme bannie continuera à lutter pour la démocratie.* ☞ bannir.

bannière n.f. Sorte de drapeau que l'on porte aux processions : *Les marcheurs défilaient derrière leur bannière.* SYN. drapeau, étendard.

bannir v. **1.** Condamner quelqu'un à quitter son pays avec interdiction d'y revenir : *Parce qu'elle s'est opposée au régime politique de son pays, on l'en a bannie.* SYN. chasser, exiler, expulser. ANT. rapatrier, rappeler. **2.** fig. Supprimer, rejeter : *J'ai décidé de bannir le café et le thé de mon alimentation.* SYN. éviter. ANT. adopter. ☞ banni, bannissement.

bannissement n.m. Peine d'une personne qui a été condamnée à quitter son pays avec interdiction d'y revenir : *Les opposants au régime politique ont été condamnés au bannissement.* SYN. déportation, exil, expatriation. ANT. rapatriement, rappel. ☞ bannir.

banque n.f. (it.) **1.** Établissement qui reçoit de l'argent en dépôt et qui en prête : *Je dépose toutes mes économies à la banque.* **2.** Argent remis au meneur de certains jeux et qui sert à payer ceux qui gagnent : *Au casino, l'un des joueurs a fait sauter la banque.* ⁄ *Banque d'yeux, d'organes, de sang :* Service qui recueille les yeux, les organes pour faire des transplantations, et du sang pour faire des transfusions. ☞ bancaire, banquier, interbancaire.

banquet n.m. (it.) Grand repas organisé pour fêter un événement important: *Plus de deux cents invités ont pris part au banquet.* SYN. festin.

banquette n.f. **1.** Banc rembourré avec ou sans dossier: *Assieds-toi sur la banquette du piano.* **2.** Siège d'un seul morceau dans une automobile: *Les enfants sont sagement assis sur la banquette arrière.*

banquier n.m. **1.** Personne qui dirige une banque: *Je me suis adressée au banquier pour obtenir un prêt.* SYN. financier. **2.** À certains jeux, personne qui tient la banque: *Le banquier a remis mille dollars au joueur gagnant.* **R.** L'O.L.F. recommande *banquière* comme féminin de *banquier*. ☞ banque.

banquise n.f. (scand.) Dans les régions polaires, glaces flottantes qui forment une masse compacte: *Les icebergs sont souvent des fragments de banquise.*

baobab n.m. (arabe) Grand arbre d'Afrique et d'Australie dont le tronc est énorme: *Le baobab produit un fruit comestible qu'on appelle pain de singe.*

baobab

baptême n.m. Sacrement qui fait chrétienne la personne qui le reçoit: *J'ai assisté au baptême de ma nièce.* ⁄⁄ *Baptême de l'air:* Premier vol que l'on fait en avion. *Baptême du feu:* Premier combat. *Nom de baptême:* Prénom que l'on donne à la personne qui est baptisée. **R.** Le *p* ne se prononce pas. Ne pas oublier l'accent: *ê*. ☞ baptiser, baptismal, baptisme, baptistaire, baptiste, baptistère, débaptiser, rebaptiser.

baptiser v. **1.** Administrer le sacrement du baptême: *Le prêtre a baptisé ma nièce.* **2.** Donner un nom ou un surnom à quelqu'un ou à quelque chose: *Denise a baptisé sa chatte «Volubile».* ANT. débaptiser. **3.** fig. et fam. Ajouter de l'eau à du vin ou à du lait: *Ce vin est trop corsé, je vais le baptiser.* **R.** Le *p* ne se prononce pas. ☞ baptême.

baptismal, ale, aux adj. Qui se rapporte au baptême: *Les parents tiennent leur enfant sur les fonts baptismaux.* **R.** Le *p* ne se prononce pas. ☞ baptême.

baptisme n.m. Doctrine selon laquelle le baptême doit être administré par immersion complète à des adultes seulement: *Pour adhérer au baptisme, il faut croire et se repentir.* **R.** Le *p* ne se prononce pas. ☞ baptême.

baptistaire n.m. et adj. **1.** n.m. Extrait de baptême, document qui constate le baptême: *Les parents doivent apporter le baptistaire de leur enfant pour l'inscrire à l'école.* **2.** adj. Qui constate le baptême: *Après le baptême, les témoins doivent signer le registre baptistaire.* HOM. baptistère. **R.** Le *p* ne se prononce pas. ☞ baptême.

baptiste n. Adepte du baptisme, doctrine du baptême par immersion complète: *Lors de leur dernière rencontre, ces baptistes ont longuement discuté.* **R.** Le *p* ne se prononce pas. ☞ baptême.

baptistère n.m. **1.** Autrefois, bâtiment annexé à une cathédrale qui servait à l'administration du baptême: *Si vous visitez l'Italie, vous verrez peut-être le baptistère de Florence.* **2.** Chapelle d'une église qui sert à l'administration du baptême: *Toute la famille était réunie dans le baptistère pour assister au baptême de Carla.* HOM. baptistaire. **R.** Le *p* ne se prononce pas. ☞ baptême.

baquet n.m. Petite cuve de bois qui sert à différents usages: *Autrefois, on lavait le linge dans des baquets.* ☞ bac. ▲ **baquet** n.m. Siège bas et emboîtant d'une voiture de sport ou de course: *Les baquets de la voiture sont en cuir.*

bar n.m. (angl.) **1.** Endroit où l'on consomme des boissons et où les clients sont assis ou debout devant un long comptoir: *La présidente de la compagnie m'a invitée à prendre un verre dans un bar.* **2.** Comptoir où l'on sert les boissons: *Comme il n'y a plus de place dans la salle, je vais m'asseoir au bar.* ☞ barmaid, barman. ▲ **bar** n.m. Nom de différentes espèces de poissons marins: *Le bar blanc, le bar commun, le bar d'Amérique et le bar noir sont importés au Québec.* HOM. barre.

baragouin n.m.fam. **1.** Langage incorrect et difficile à comprendre: *Même en étant très attentif, je ne comprends pas son baragouin.* SYN. charabia, jargon. **2.** Langue qui paraît étrange à ceux qui ne la comprennent pas: *Dans le métro, je m'amuse à écouter le bara-*

gouin des gens. ☞ baragouinage, baragouiner, baragouineur.

baragouinage n.m.fam. Action de baragouiner, de parler une langue de façon incorrecte: *Ne te moque pas de son baragouinage.* ☞ baragouin.

baragouiner v.fam. **1.** Parler incorrectement une langue: *Greta apprend le français et en baragouine quelques mots.* **2.** Parler une langue qui paraît étrange à ceux qui ne la comprennent pas: *Je me demande ce que ces gens baragouinent.* ☞ baragouin.

baragouineur, euse n.fam. Personne qui baragouine, qui parle une langue de façon incorrecte: *Les personnes qui apprennent une langue étrangère sont toutes des baragouineuses au début.* ☞ baragouin.

baraque n.f. (esp.) **1.** Construction légère et provisoire en planches: *On a construit des baraques sur le terrain de l'exposition.* SYN. abri. **2.** Maison mal bâtie ou mal tenue: *Cette famille vit dans une baraque.* SYN. cabane. ☞ baraquement.

baraquement n.m. Ensemble de constructions légères et provisoires en planches: *Il faudra construire des baraquements pour loger les réfugiés.* ☞ baraque.

bar à salades ☞ sect. anglicismes et canadianismes.

baratin n.m.fam. Discours destiné à tromper ou à convaincre: *Ce n'est pas avec ton baratin que tu me feras changer d'idée.* SYN. boniment.

barattage n.m. Transformation de la crème en beurre dans une baratte: *Lors d'une visite dans une laiterie industrielle, nous avons assisté au barattage de la crème.* ☞ baratte.

baratte n.f. Appareil qui sert à battre la crème pour obtenir du beurre: *Dans la laiterie, j'ai vu de grandes barattes en acier inoxydable.* ☞ barattage, baratter.

baratter v. Battre la crème dans une baratte pour obtenir du beurre: *Nos ancêtres barattaient la crème de façon artisanale.* ☞ baratte.

barbant, ante adj.fam. Qui est ennuyeux: *Cette pièce de théâtre était barbante.* ☞ barber.

barbare n. et adj. **1.** n. Dans l'Antiquité, étranger pour les Grecs et les Romains; plus tard, pour les chrétiens: *Les barbares n'étaient pas appréciés dans l'Antiquité.* **2.** n. fig. Personne qui n'a aucune culture: *Ce barbare ne comprend rien aux beautés de l'art.* SYN. primitif. ANT. civilisé. **3.** adj. Qui est de mauvais goût: *Comment peux-tu aimer cette musique barbare?* **4.** adj. Qui est cruel, inhumain: *Ce crime barbare fait frémir d'horreur.* SYN. brutal. ANT. bon, doux, humain. **5.** adj. Qui est contraire à l'usage de la langue: *J'ai relevé beaucoup de termes barbares dans ce texte.* ☞ barbarie, barbarisme.

barbarie n.f. **1.** Manque de civilisation: *Il n'est pas facile de tirer certains individus de la barbarie.* SYN. grossièreté, ignorance. ANT. raffinement. **2.** Action cruelle, inhumaine: *Pour bien des gens, la peine de mort est un acte de barbarie.* SYN. brutalité, cruauté, dureté, férocité, inhumanité, sauvagerie. ANT. bonté, charité, douceur, humanité. ☞ barbare.

barbarisme n.m. Faute de langage, emploi d'un mot inexistant ou déformé: *Quand on dit « ils sontaient » au lieu de « ils étaient », on fait un barbarisme.* ☞ barbare.

barbe n.f. **1.** Poil qui pousse sur le menton, les joues et la lèvre supérieure de l'homme: *Mon grand frère commence à avoir de la barbe.* **2.** Poils des joues et du menton que les hommes laissent pousser: *Le père Noël a une longue barbe blanche.* **3.** Longs poils sous la mâchoire de certains animaux: *Il ne faut pas tirer la barbe de la chèvre.* **4.** Chacune des pointes des épis de certaines céréales: *Tu me chatouilles avec les barbes de l'orge.* ☞ barbiche, barbier, barbillon, barbote, barbu, barbue, imberbe.

barbecue n.m. (angl.) Appareil de cuisson fonctionnant au charbon de bois: *Prends garde, le barbecue est très chaud.* **R.** N'a pas le sens de *poulet rôti à la broche*, de *rôtisserie.*

barbelé, ée adj. Qui est garni de pointes: *Le terrain est entouré de fil de fer barbelé.* HOM. barbelés. ☞ barbelés.

barbelés n.m.plur. Ensemble d'ouvrages en fil de fer garni de pointes: *Les camps de concentration étaient entourés de barbelés.* HOM. barbelé. ☞ barbelé.

barber v.fam. Ennuyer quelqu'un: *Tu ne vois pas que tu la barbes avec ton histoire?* ☞ barbant. se **barber** v.pron. S'ennuyer: *Je me suis barbée à cette fête toute la soirée.*

barbet n.m. et adj. **1.** n.m. Chien à poil long et frisé: *Le barbet est un chien de chasse.* **2.** adj. Qui se rapporte aux chiens dont le poil est long et frisé: *Cette éleveuse vend des chiens barbets.*

barbiche n.f. Petite barbe en pointe qui prolonge le menton: *Oncle Alexandre est fier de sa barbiche.* ☞ barbe.

barbier n.m. Autrefois, métier de celui qui rasait la barbe: *Le barbier utilisait un rasoir à main.* ☞ barbe.

barbillon n.m. Filament charnu placé des deux côtés de la bouche de certains poissons: *La carpe a quatre barbillons autour de la bouche.* ☞ barbe.

barbotage n.m. Action de s'agiter dans l'eau: *Le barbotage des canards amuse beaucoup les enfants.* ☞ barboter.

barbote n.f. Poisson d'eau douce qui a des nageoires épineuses: *On pêche la barbote dans les îles de Sorel.* **R.** Aussi, *barbotte.* ☞ barbe.

barboter v. S'agiter dans l'eau ou dans la boue: *Surveille bébé pendant qu'il barbote dans le bain.* SYN. patauger. ☞ barbotage, barboteuse.

barboteuse n.f. Combinaison de jour pour jeunes enfants, constituée d'une blouse qui se prolonge en culotte: *Oncle Marc a offert une jolie barboteuse à ma petite sœur.* ☞ barboter.

barbouillage n.m. **1.** Écriture illisible ou dessin confus: *L'institutrice n'accepte pas le barbouillage.* SYN. gribouillage, griffonnage. **2.** Peinture de mauvaise qualité: *Ce n'est pas de la peinture, c'est du barbouillage.* ☞ barbouiller.

barbouiller v. **1.** Couvrir quelque chose d'une matière salissante: *À son premier anniversaire, bébé a barbouillé son visage de chocolat et de crème.* SYN. salir, souiller, tacher. ANT. débarbouiller, laver, nettoyer. **2.** Peindre de façon grossière: *La peintre a barbouillé mes murs.* SYN. peinturlurer. **3.** Écrire ou dessiner de façon hâtive et confuse: *Tu as barbouillé la couverture de ton cahier.* SYN. gribouiller, griffonner. ☞ barbouillage, débarbouillage, débarbouiller, débarbouillette.

barbu n.m. Personne qui a de la barbe: *Mon cousin, c'est le grand barbu au fond de la pièce.* HOM. barbue. ☞ barbe.

barbu, ue adj. Qui a de la barbe ou qui porte la barbe: *Tu as les joues barbues.* ANT. glabre. HOM. barbue. ☞ barbe.

barbue n.f. **1.** Poisson de mer d'Europe voisin du turbot: *La barbue est un poisson plat.* **2.** Poisson d'eau douce d'Amérique du Nord: *La barbue d'Amérique est différente de la barbue d'Europe.* HOM. barbu. ☞ barbe.

barda n.m.fam. (arabe) Bagage, chargement encombrant: *Les jeunes campeurs transportent leur barda sur leur dos.* **R.** N'a pas le sens de *ménage, nettoyage*.

bardane n.f. Plante qui pousse dans les lieux non cultivés et dont les fruits munis de crochets s'accrochent aux vêtements et aux poils des animaux: *Les fleurs de la bardane sont de couleur pourpre.*

bardane

barde n.f. En cuisine, mince tranche de lard dont on entoure les viandes à rôtir: *La cuisinière entoure de bardes le rôti de veau.* ☞ barder.

bardeau, eaux n.m. Petite planche mince qui sert à recouvrir les toits ou les façades et que l'on pose par rangées: *Cette vieille maison canadienne a un toit de bardeaux.* HOM. bardot.

barder v. En cuisine, entourer un morceau de viande à rôtir de minces tranches de lard: *Le cuisinier barde le rôti de bœuf avant de le mettre au four.* ☞ barde. ▲ **barder** v.fam. Devenir violent: *Ça va barder quand ses parents vont apprendre qu'elle a cassé des vitres à l'école.* **R.** Ne s'emploie qu'à la troisième personne du singulier avec le pronom *ça*.

bardot n.m. Animal qui naît de l'accouplement d'un cheval et d'une ânesse: *Le bardot ressemble au cheval, mais il possède le caractère de l'âne.* HOM. bardeau. **R.** Aussi, *bardeau*.

barème n.m. Liste qui donne le résultat de certains calculs: *Pour savoir combien d'argent elle doit à l'impôt, maman consulte un barème.*

bargain ☞ sect. anglicismes et canadianismes.

barge n.f. Embarcation à fond plat destinée au transport des marchandises: *De grandes barges transportent des marchandises sur le Saint-Laurent.*

baril n.m. **1.** Petit tonneau de bois: *Quand ils partaient en voyage sur leurs bateaux à* *voiles, nos ancêtres apportaient des barils de vin et de poudre.* **2.** Unité de mesure du pétrole : *Un baril de pétrole équivaut à cent cinquante-neuf litres.* **R.** Le *l* ne se prononce pas. ☞ barillet.

barillet n.m. **1.** Petit baril : *Le mot « barillet » est un diminutif du mot « baril ».* **2.** Cylindre d'un revolver où sont logées les cartouches : *Je ne peux plus tirer : il n'y a plus de cartouches dans le barillet.* ☞ baril.

bariolage n.m. Assemblage de couleurs diverses mal assorties : *Que penses-tu de ce bariolage ?* ☞ barioler.

bariolé, ée adj. Qui est coloré de tons vifs, variés et mal assortis : *Cette femme porte une toilette bariolée.* SYN. bigarré. ANT. uni. HOM. barioler. ☞ barioler.

barioler v. Peindre de diverses couleurs mal assorties : *Le peintre a bariolé son tableau.* SYN. bigarrer, peinturlurer. HOM. bariolé. ☞ bariolage, bariolé.

barmaid n.f. (angl.) Serveuse dans un bar : *La barmaid sert les boissons aux clients.* **R.** Au pluriel, *barmaids*. Se prononce à l'anglaise. ☞ bar.

barman n.m. (angl.) Serveur dans un bar : *Le barman connaît tous les clients du bar.* **R.** Au pluriel, *barmans*. Se prononce à l'anglaise. ☞ bar.

baromètre n.m. **1.** Instrument servant à mesurer la pression atmosphérique : *La météorologue consulte le baromètre.* **2.** fig. Ce qui permet d'apprécier les variations : *Les sondages sont les baromètres de l'opinion publique.* ☞ barométrique.

barométrique adj. Qui se rapporte au baromètre : *Les variations barométriques renseignent les météorologues sur le temps à venir.* ☞ baromètre.

baromètre barométrique

baron, onne n. Titre de noblesse entre celui de chevalier et celui de vicomte : *Madame la baronne reçoit le marquis et la duchesse.*

barque n.f. Petit bateau à rames, à voiles ou à moteur : *La barque des pêcheuses revient au quai.* SYN. embarcation. ☞ barquette.

barquette n.f. Pâtisserie en forme de barque : *J'ai acheté deux barquettes aux fraises.* ☞ barque.

barracuda n.m. Grand poisson marin très vorace pouvant atteindre plus de deux mètres de longueur : *Ces plongeuses craignent davantage le barracuda que le requin.*

barrage n.m. **1.** Action de fermer une voie, un passage au moyen de barres : *Des voitures de police forment un barrage à l'entrée de l'autoroute.* **2.** Ouvrage permettant de retenir l'eau : *Cet été, mes parents m'ont emmenée visiter le barrage Daniel-Johnson.* ☞ barre.

barre n.f. **1.** Pièce de bois, de métal, longue et étroite : *La barre de bois bloque la fenêtre coulissante.* SYN. barreau, bâton. **2.** Agrès de gymnastique : *Philippe fait des exercices aux barres fixes, aux barres verticales et aux barres asymétriques.* **3.** Trait de plume, de crayon, plus ou moins long : *Tu as oublié de mettre la barre sur la lettre « t ».* **R.** Ne pas employer pour désigner une *tablette de chocolat*. ☞ barrage, barreau, barrer, barrière, débarrer. ▲ **barre** n.f. Sur un bateau, organe de commande du gouvernail : *Aujourd'hui, c'est Anna qui tient la barre.* ☞ barrer, barreur. ▲ **barre** n.f. Dans un tribunal, endroit où les témoins sont appelés et où les avocats plaident : *La témoin est appelée à la barre.* HOM. bar. ☞ barreau.

barreau, eaux n.m. Pièce de bois, de métal, longue et étroite qui sert de clôture ou de support : *Les barreaux de la cage sont trop espacés pour garder un hamster.* ⁄⁄ *Derrière les barreaux :* En prison. ☞ barre. ▲ **barreau** n.m. **1.** Profession d'avocat : *Judith se destine au barreau.* **2.** Liste, ensemble des avocats qui exercent leur profession : *Nicole est inscrite au barreau.* ☞ barre.

barrer v. **1.** Fermer une voie à la circulation au moyen de barres ou d'obstacles : *Pendant les travaux de réparation, les ouvriers ont barré la rue.* SYN. clore. ANT. ouvrir. **2.** Marquer d'un trait : *Il faut toujours barrer la lettre « t ».* **3.** Annuler, rayer en traçant une barre : *L'instituteur a barré le dernier paragraphe de ma composition.* SYN. biffer, raturer. **4.** Empêcher quelqu'un de passer : *Richard ne peut pas sortir de la cour, car deux grands garçons lui barrent le passage.* SYN. interdire. ⁄⁄ *Barrer quelqu'un :* Faire obstacle à ses projets. **R.** N'a pas le sens de *fermer à clé*. ☞ barre. **barré, ée** p.p. et adj. **1.** Qui est fermé à la circulation par une ou plusieurs barres : *Il va falloir faire un détour, car la rue est barrée.* **2.** Qui est barré d'un trait : *Tu as bien barré tous les « t » du mot « attention ».* **3.** Qui est annulé, rayé : *J'ai barré ma première phrase.* ▲ **barrer** v. Diriger un bateau en tenant la barre : *J'aimerais bien barrer le bateau.* ☞ barre.

barrette n.f. Pince à cheveux souvent munie d'un fermoir : *Noémie retient ses cheveux à l'aide de barrettes.*

barreur, euse n. **1.** Personne qui dirige un bateau en tenant la barre : *Le barreur a réussi à* *ramener le bateau au quai malgré la tempête.* **2.** À l'aviron, personne qui rythme la cadence des rameurs: *Nous avons gagné la course grâce à notre barreuse.* ☞ barre.

barricade n.f. Entassement d'objets et de matériaux divers servant à protéger les combattants dans un combat de rue: *Les manifestants ont élevé des barricades.* ☞ barricader.

barricader v. **1.** Fermer une voie au moyen de barricades: *Des manifestantes ont barricadé la rue.* **2.** Fermer solidement une porte, une fenêtre: *Les habitants du village ont barricadé leurs portes avec des planches.* ☞ barricade. se **barricader** v.pron. **1.** Se retirer derrière une barricade: *Les habitants du village se barricadent derrière leurs fenêtres.* **2.** S'enfermer soigneusement dans un lieu: *Les manifestants se sont barricadés dans un édifice.* **3.** fig. S'enfermer dans un lieu pour ne voir personne: *Gabrielle se barricade dans sa chambre.*

barrière n.f. **1.** Assemblage de pièces de bois, de métal servant à fermer un passage: *Qui a laissé la barrière ouverte?* SYN. clôture. ANT. accès, ouverture. **2.** fig. Ce qui sépare, forme un obstacle: *L'âge peut être une barrière entre les personnes.* SYN. fossé. ANT. lien. ☞ barre.

barrique n.f. Tonneau contenant environ deux cents litres: *La vigneronne met le vin en barrique.*

barrir v. Crier, en parlant de l'éléphant ou du rhinocéros: *L'éléphant barrit.* ☞ barrissement.

barrissement n.m. Cri de l'éléphant ou du rhinocéros: *On entend le barrissement de l'éléphant de très loin.* ☞ barrir.

baryton n.m. **1.** Voix d'homme plus grave que celle du ténor et plus haute que celle de la basse: *Ce chanteur d'opéra a une belle voix de baryton.* **2.** Chanteur qui a une voix de baryton: *Le baryton a été très applaudi.*

bas n.m. **1.** Partie inférieure de quelque chose: *Le bas de ton pantalon est taché.* **2.** fig. Périodes heureuses et malheureuses: *Dans toute vie, il y a des hauts et des bas.* ⁄⁄ *De haut en bas:* Du sommet jusqu'à la base. ▲ **bas** n.m. Vêtement féminin qui recouvre le pied et la jambe et qui monte plus haut que le genou: *Maman porte des bas de nylon.* HOM. bah! **R.** N'a pas le sens de *chaussette*.

bas, basse adj. **1.** Qui est peu élevé: *Il y a une table basse au milieu du salon.* ANT. élevé, haut. **2.** Dont le niveau est faible: *La marée est basse.* **3.** Qui est baissé: *Cette fillette marche la tête basse.* **4.** Qui est grave: *Écoute bien ces notes basses.* ANT. aigu. **5.** Qui n'est pas fort: *Parle à voix basse, bébé dort.* **6.** Qui est de valeur peu élevée: *Je me suis laissé tenter par les bas prix.* SYN. infime. **7.** Qui est indigne, méprisable: *Dénoncer un compagnon, voilà un geste bas.* ⁄⁄ *Au bas mot:* En évaluant au minimum. *Enfant en bas âge:* Enfant très jeune. ☞ bassement, bassesse.

bas adv. **1.** À une faible hauteur: *Les avions volent bas quand ils s'approchent de la piste d'atterrissage.* **2.** D'une voix basse: *Maurice parle tout bas pour ne pas déranger ses voisins.* HOM. bah!. ⁄⁄ *Mettre bas:* Accoucher, en parlant des animaux supérieurs. à **bas** loc.adv. Cri de haine et d'hostilité: *Les grévistes criaient: «À bas les profiteurs!».* au **bas de** loc.prép. Dans la partie inférieure de: *Elle a écrit son nom au bas de la page.* en **bas** loc.adv. Au-dessous: *Elle loge en bas.* en **bas de** loc.prép. Au pied de: *Ne reste pas en bas de l'escalier.*

basané, ée adj. Qui est bruni par le soleil, le grand air: *À son retour de Floride, elle avait le teint basané.* SYN. bronzé. HOM. basaner. ☞ basaner.

basaner v. Donner à la peau une couleur brun foncé: *Le soleil et le grand air basanent le visage des pêcheurs.* SYN. bronzer. HOM. basané. ☞ basané.

bas-côté n.m. Partie de la route où les piétons peuvent marcher: *Comme il n'y a pas de trottoir, marchez sur le bas-côté.* **R.** Au pluriel, *bas-côtés*. Ne pas oublier l'accent: *ô*.

basculant, ante adj. Qui peut s'abaisser puis se relever comme une bascule: *Le camion a une benne basculante.* ☞ basculer.

bascule n.f. **1.** Balançoire formée d'une pièce de bois ou de métal dont l'une des extrémités s'abaisse pendant que l'autre s'élève: *Ninon et André s'amusent sur la bascule.* **2.** Instrument servant à peser les objets lourds comme les voitures, les wagons, les bagages: *On pèse le camion sur une bascule.* **3.** Pièce ou machine mobile sur un pivot qui permet des mouvements en sens opposé: *J'aime me bercer dans le fauteuil à bascule.* ☞ basculer.

basculement n.m. **1.** Action de tomber, de se renverser: *Pour éviter le basculement des pots de fleurs, place-les le long du mur.* **2.** fig. Action de passer dans le camp opposé: *Aux dernières élections, on a assisté au basculement de ce parti dans l'opposition.* ☞ basculer.

basculer v. **1.** Tomber, se renverser: *L'automobile a basculé dans le fossé.* SYN. culbuter. ANT. équilibrer, redresser. **2.** fig. Passer dans le camp opposé: *Monsieur Renaud a* *basculé dans le camp des conservateurs.* ☞ basculant, bascule, basculement.

base n.f. **1.** Partie inférieure d'un objet sur laquelle il porte : *La base de la colonne est en marbre.* SYN. pied, socle. ANT. tête. **2.** En géométrie, côté d'une figure opposé à l'angle pris pour le sommet : *Mesure la base de ce triangle.* **3.** Lieu aménagé pour les militaires : *Le soldat doit rejoindre sa base avant la nuit.* **4.** Dans un parti, un syndicat, ensemble des militants qui ne sont pas des dirigeants : *Avant de prendre une décision importante, le parti a décidé de consulter la base.* **5.** Principal ingrédient d'un mélange : *Cette boisson est à base de jus d'orange.* **6.** Commencement, fondement de quelque chose : *C'est Marie Curie qui a jeté les bases de la radiologie.* **7.** En mathématiques, nombre qui sert à définir un système de numération : *La base du système décimal est dix.* ∥ *Base de lancement :* Lieu aménagé pour le lancement des engins spatiaux. ☞ baser.

base-ball n.m.invar. (améric.) Jeu de balle très populaire en Amérique du Nord : *Deux équipes de neuf joueurs sont nécessaires pour jouer au base-ball.*

baser v. **1.** Donner un lieu de résidence à des militaires : *Ma tante, qui est militaire, est basée en Allemagne.* **2.** Fonder, appuyer sur quelque chose : *Ton accusation doit être basée sur des faits et non sur des rumeurs.* ☞ base. se **baser** v.pron. Se fonder, s'appuyer sur quelque chose : *Sur quoi te bases-tu pour porter cette accusation?*

bas-fond n.m. **1.** Partie d'un fleuve, du fond de la mer, où l'eau est peu profonde : *Le bateau risque de s'échouer sur un bas-fond.* ANT. haut-fond. **2.** Terrain bas et enfoncé par rapport aux terrains voisins : *On ne peut pas cultiver ce bas-fond marécageux.* **3.** plur.fig. Milieu où les gens vivent dans la misère et la déchéance : *Il est dangereux de se risquer dans les bas-fonds de la ville.* **R.** Au pluriel, *bas-fonds*.

basilic n.m. Plante aromatique dont les feuilles sont employées en cuisine comme condiment : *Le basilic donne un goût agréable aux recettes à base de tomate.* ▲ **basilic** n.m. Grand lézard d'Amérique du Sud, voisin de l'iguane : *Le basilic mesure environ soixante centimètres et il porte une crête dorsale qui se prolonge jusqu'à l'extrémité de sa queue.* HOM. basilique.

basilique n.f. Titre donné par le pape à certains sanctuaires : *Chaque année, mes parents se rendent à la basilique de Sainte-Anne-de-Beaupré.* HOM. basilic.

basket-ball n.m.invar. (angl.) Sport où deux équipes de cinq joueurs essaient de marquer des points en faisant entrer le ballon dans un panier suspendu dans le camp adverse : *Notre équipe de basket-ball a remporté le match.* **R.** Aussi, *basket*. ☞ basketteur.

basketteur, euse n. Personne qui joue au basket-ball : *Les basketteuses sont fatiguées après le match.* ☞ basket-ball.

basque n. et adj. **1.** n. Personne qui est du Pays Basque, région commune à la France et à l'Espagne : *Un Basque, une Basque.* **2.** adj. Qui est du Pays Basque : *Mes parents ont visité les provinces basques espagnoles.* **R.** On met la majuscule à *basque* lorsque le nom désigne une personne.

basque n.m. Langue parlée au Pays Basque : *Le basque est très différent du français.*

basque n.f. Partie rapportée d'une veste qui part de la taille et descend plus ou moins bas sur les hanches : *Le prince portait une jaquette à basques.* ∥ *Tambour de basque :* Petit tambour plat muni de disques métalliques qui rendent un son de grelots.

bas-relief n.m. Sculpture sur un fond uni dont le relief est peu marqué : *Observez les bas-reliefs de ce monument.* ANT. haut-relief. **R.** Au pluriel, *bas-reliefs*.

bas-relief

basse n.f. **1.** Voix d'homme la plus grave chez les chanteurs : *Ce chanteur a une belle voix de basse.* ANT. ténor. **2.** Chanteur qui a une voix de basse : *Ce chanteur est une basse à l'opéra.* **3.** Partie musicale la plus grave d'un morceau de musique : *Sois attentif à la basse de ce quatuor.* **4.** Instrument de musique dont le son est plus grave : *Murielle joue de la basse électrique.*

basse-cour n.f. **1.** Cour d'une ferme où l'on élève la volaille et les lapins: *Pedro arrive dans la basse-cour pour nourrir les poules, le coq et les lapins.* **2.** Volaille et lapins élevés dans une basse-cour: *Toute la basse-cour était en état de panique: un renard venait de se glisser dans l'enclos.* **R.** Au pluriel, *basses-cours.*

bassement adv. D'une façon indigne, méprisable: *Tu as agi bassement en dénonçant tes compagnons.* ANT. dignement, noblement. ☞ bas.

bassesse n.f. **1.** Manque de dignité, de fierté: *Sa bassesse me surprendra toujours.* SYN. mesquinerie, servilité. ANT. générosité, grandeur. **2.** Action indigne, méprisable: *Je ne te croyais pas capable d'une telle bassesse.* SYN. indignité, lâcheté. ANT. magnanimité, noblesse. ☞ bas.

basset n.m. Chien dont les pattes sont très courtes: *Le basset a de longues oreilles.* ▲ **basset** n.m. (it.) Clarinette basse: *Le cor de basset rend un son grave.*

bassin n.m. **1.** Récipient large, creux, de forme ovale ou ronde: *Dans chaque chambre, il y avait un bassin et un pot de porcelaine.* SYN. bassine, cuvette, vase. **2.** Plateau de balance: *Les deux bassins de la balance ne sont pas à égalité.* **3.** Pièce d'eau dans un jardin: *Les poissons rouges nagent dans le bassin.* **4.** Partie d'un port qui est limitée par les quais et les digues: *Le navire est amarré dans un bassin portuaire.* ☞ bassine, bassiner. ▲ **bassin** n.m. Région arrosée par un fleuve et ses affluents: *Trouve, sur la carte du Québec, le bassin du Saint-Laurent.* ▲ **bassin** n.m. Partie du corps située à l'extrémité du tronc qui sert d'attache aux jambes: *Elle s'est fracturé le bassin en tombant.*

bassine n.f. Bassin large et profond, en métal ou en matière plastique, qui sert à divers usages: *La bassine d'aluminium est pleine de confiture.* ☞ bassin.

bassiner v. Mouiller légèrement une partie du corps: *L'infirmière bassine le visage de l'enfant évanoui.* SYN. humecter. ☞ bassin.

basson n.m. (it.) Instrument de musique à vent en bois, à anche double, de la famille des hautbois: *Le basson forme dans l'orchestre la basse de la série des bois.* ▲ **basson** n. Personne qui joue du basson: *Le basson range son instrument dans son étui.* **R.** Aussi, *bassoniste.* ☞ contrebasson.

bastingage n.m. Barrière, garde-fou qui entoure le pont d'un navire: *Pendant la croisière, les passagers s'appuient au bastingage et regardent la mer.*

bastion n.m. Ouvrage de fortification qui forme un angle saillant: *Les bastions servaient à renforcer les remparts.*

bastonnade n.f. Série de coups de bâton: *Autrefois, les malfaiteurs recevaient la bastonnade.* ☞ bâton.

bas-ventre n.m. Partie inférieure du ventre, sous le nombril: *Frédérique se plaint de douleurs au bas-ventre.* **R.** Au pluriel, *bas-ventres.* ☞ ventre.

bataille n.f. **1.** Combat entre deux armées: *La bataille des plaines d'Abraham a eu lieu le 13 septembre 1759.* ANT. entente. **2.** Lutte entre deux ou plusieurs combattants: *Les élèves ont commencé une bataille de boules de neige.* SYN. bagarre. **3.** Jeu de cartes très simple: *Veux-tu jouer à la bataille avec moi?* **4.** fig. Lutte qu'on livre contre les autres ou contre les événements: *La vie est une longue bataille, rien n'est jamais gagné.* ⁄⁄ *Bataille navale:* Jeu qui consiste à couler les navires de la partie adverse. *Champ de bataille:* Endroit où les combats ont lieu. *Se livrer bataille:* Se battre. ☞ batailler, batailleur.

batailler v. **1.** Discuter avec chaleur pour convaincre: *La candidate à la mairie a bataillé pour convaincre ses électeurs.* **2.** fam. Lutter pour surmonter une difficulté: *La plupart des gens doivent batailler pour gagner leur vie.* ☞ bataille.

batailleur, euse n. et adj. **1.** n. Personne qui aime se battre: *Carl est un batailleur.* SYN. querelleur. **2.** adj. Qui aime se battre: *Nadine est une fille batailleuse.* ANT. conciliant, pacifique. ☞ bataille.

bataillon n.m. **1.** Unité militaire qui comprend plusieurs compagnies: *Le commandant est le chef du bataillon.* SYN. armée, troupe. **2.** fig. Grand nombre de personnes, d'animaux: *Un bataillon de mouches s'est jeté sur le morceau de viande.*

bâtard, arde n. et adj. **1.** n. Animal qui n'est pas de race pure: *Ton chien est un bâtard.* **2.** adj. Qui n'est pas de race pure: *C'est une chienne bâtarde, mais nous l'aimons quand même.* **3.** adj. fig. Qui n'est pas bien déterminé: *C'est une solution bâtarde.* **R.** Ne pas oublier l'accent: *â.*

bateau, eaux n.m. Nom général donné aux embarcations faites pour naviguer: *Les navires, les paquebots, les barques sont des bateaux.* ☞ bateau-citerne, batelier. (*Voir l'illustration à la page suivante.*)

bateau-citerne n.m. Bateau aménagé pour le transport des liquides comme le pétrole, le vin, l'eau: *Le bateau-citerne transporte du pétrole.* **R.** Au pluriel, *bateaux-citernes.* ☞ bateau.

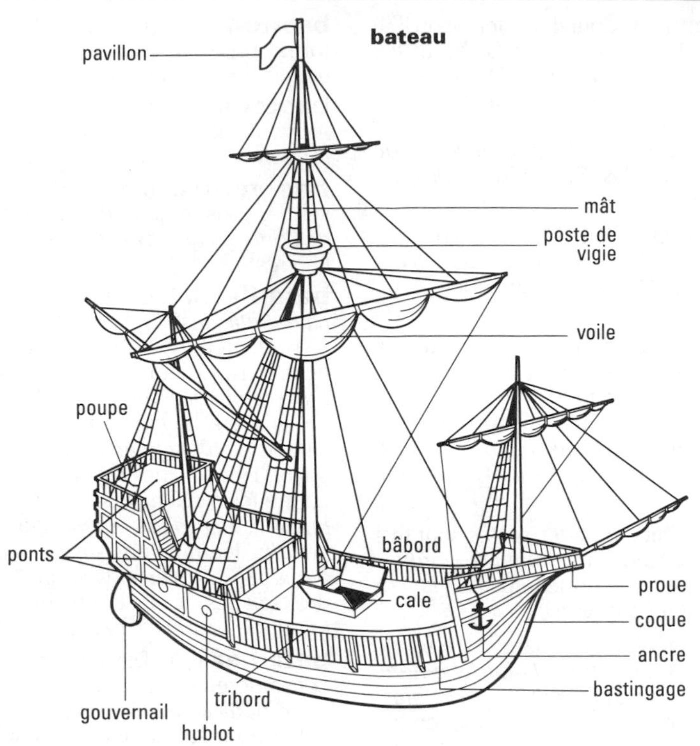

batelier, ière n. Personne qui conduit un bateau sur les cours d'eau : *Ma grand-mère est batelière sur le fleuve.* ☞ bateau.

bâti n.m. Assemblage de pièces de charpente ou de menuiserie : *Le bâti de la maison semble solide.* **R.** Ne pas oublier l'accent : *â*. ☞ bâtir.

bâti, ie adj. **1.** Se dit d'un terrain sur lequel on a construit un bâtiment : *Ce terrain est bâti.* **2.** Qui est bien fait, bien proportionné : *La gymnaste est une femme bien bâtie.* **R.** Ne pas oublier l'accent : *â*. ☞ bâtir.

batik n.m. (jav.) Tissu teint dont on a d'abord masqué certaines zones avec de la cire : *J'ai offert un tableau de batik à mon meilleur ami.*

bâtiment n.m. **1.** Ensemble des métiers et des industries qui se rapportent à la construction : *Les ouvriers du bâtiment sont en vacances les deux dernières semaines de juillet.* **2.** Toute construction servant d'abri aux humains, aux animaux ou aux choses : *Plusieurs bâtiments ont été endommagés par les vents violents.* SYN. édifice, immeuble. **3.** Bateau de dimension assez importante : *La marine a fait l'acquisition de plusieurs bâtiments de guerre.* SYN. navire, vaisseau. **R.** Ne pas oublier l'accent : *â*. ☞ bâtir.

bâtir v. **1.** Construire en assemblant des matériaux : *On a bâti cette maison en deux jours.* SYN. édifier, ériger. ANT. démolir, détruire. **2.** fig. Faire, établir : *Ce millionnaire a bâti sa fortune sur la misère des pauvres gens.* SYN. fonder. ANT. raser, ruiner. **R.** Ne pas oublier l'accent : *â*. ☞ bâti, bâtiment, bâtisse, bâtisseur, rebâtir. **se bâtir** v.pron. Se construire : *Ce quartier s'est bâti rapidement.*

bâtisse n.f. Bâtiment de grande dimension qui manque de beauté : *Je ne voudrais pas loger dans ces bâtisses.* SYN. édifice. **R.** Ne pas oublier l'accent : *â*. ☞ bâtir.

bâtisseur, euse n. Personne qui construit ou qui fait construire : *Nos ancêtres étaient de grands bâtisseurs d'églises.* ANT. démolisseur. **R.** Ne pas oublier l'accent : *â*. ☞ bâtir.

bâton n.m. **1.** Long morceau de bois que l'on peut tenir à la main : *Les enfants s'amusent à marcher avec un bâton.* **2.** Tige d'acier sur laquelle le skieur s'appuie : *Le skieur range ses skis et ses bâtons.* **3.** Objet en forme de bâton : *J'ai acheté un bâton de rouge à lèvres.* **R.** Ne pas oublier l'accent : *â*. ☞ bastonnade, bâtonnet.

bâtonnet n.m. Petit bâton : *Les écoliers apprennent à compter avec des bâtonnets.* **R.** Ne pas oublier l'accent : *â.* ☞ bâton.

batraciens n.m.plur. Classe d'animaux vertébrés amphibiens qui subissent une métamorphose : *Le crapaud et la grenouille sont des batraciens.* SYN. amphibiens. **R.** S'écrit au singulier lorsqu'il désigne un animal appartenant à cette classe.

battage n.m. **1.** Action de frapper quelque chose avec un instrument : *Le battage des tapis demande beaucoup de force.* **2.** Action de séparer les grains de céréales des tiges : *Le battage du blé se fait en automne.* **3.** fig. et fam. Publicité qui fait beaucoup de bruit : *On fait beaucoup de battage autour de ce film.* ☞ battre.

battant n.m. **1.** Pièce métallique suspendue à l'intérieur d'une cloche qui vient frapper contre les parois : *Le battant est la partie mobile qui est suspendue.* **2.** Panneau mobile d'une porte, d'une fenêtre, d'un meuble : *Ouvre les deux battants de la porte.* SYN. vantail. ☞ battre.

battant, ante adj. **1.** Qui bat très fort : *Christine est émue et elle a le cœur battant.* **2.** Qui tombe avec violence : *Tu es arrivé à la pluie battante.* **3.** Qui se referme seule, en parlant d'une porte : *Entre la cuisine et la salle à manger, il y a une porte battante.* ☞ battre.

battement n.m. **1.** Bruit ou mouvement qui se répète : *Entends-tu le battement de la porte ?* SYN. frappement, martèlement. **2.** Mouvement du cœur qui se contracte et se dilate : *La médecin écoute le battement du pouls de son patient.* SYN. pulsation. ☞ battre. ▲ **battement** n.m. Intervalle de temps : *Il y a un battement de quinze minutes entre les deux cours.*

batterie n.f. **1.** Ensemble des canons et du matériel nécessaire à leur fonctionnement : *L'armée ennemie a installé sa batterie sur la colline.* **2.** Ensemble des ustensiles de cuisine qui servent à la cuisson des aliments : *Notre batterie de cuisine est en aluminium.* **3.** Ensemble des accumulateurs qui fournissent l'électricité dans une voiture : *La batterie est à plat : l'automobile ne démarre plus.* ▲ **batterie** n.f. Ensemble des instruments à percussion d'un orchestre (tambour, cymbale, triangle) : *Comme Johanne est batteuse, elle est à la batterie.* **R.** N'a pas le sens de *pile.* ☞ batteur.

batteur n.m. Ustensile de cuisine qui sert à battre les aliments, à les mélanger : *Grand-papa fouette la crème avec le batteur électrique.* ☞ battre.

batteur, euse n. Personne qui joue de la batterie dans un orchestre : *Johanne est batteuse : elle joue du tambour.* ☞ batterie.

batteuse n.f. Machine agricole qui sert à séparer les grains de céréales des tiges : *Les agriculteurs ont acheté une moissonneuse-batteuse.* ☞ battre.

battre v. **1.** Donner des coups à une personne ou un animal : *Je t'ai vue battre le chien.* SYN. brutaliser, fouetter, frapper, maltraiter. ANT. caresser, défendre, protéger. **2.** Avoir le dessus sur quelqu'un : *Tu m'as battu aux cartes.* SYN. gagner, vaincre. ANT. capituler. ☞ battu. ▲ **battre** v. **1.** Frapper quelque chose dans un but précis : *Il faut battre le blé pour séparer les grains de la tige.* **2.** Agiter quelque chose pour mélanger : *Veux-tu battre les œufs avec le fouet ?* **3.** Frapper un instrument de musique avec des baguettes : *Cesse de battre le tambour.* **4.** Indiquer le rythme : *La chef d'orchestre bat la mesure.* **5.** Frapper, cogner contre quelque chose : *À cause du vent, les volets battent contre le mur.* **6.** Faire des mouvements répétés : *Tout le monde bat des mains.* ⁄⁄ *Battre la semelle :* Taper des pieds pour les réchauffer. *Battre son plein :* Être animé. ☞ battage, battant, battement, batteur, batteuse, battu. se **battre** v.pron. **1.** Lutter : *Les deux garçons se battent à coups de poing.* **2.** Combattre : *Mélanie se bat contre la leucémie.* **3.** fig. S'acharner contre quelque chose : *Voilà une demi-heure que tu te bats avec la serrure !* ▲ **battre** v. Parcourir pour faire des recherches ou pour explorer : *Les secouristes ont battu la forêt pour retrouver l'enfant perdue.* SYN. fouiller. ☞ battue.

battu, ue adj. **1.** Qui a reçu des coups : *Le chien battu s'est réfugié sous l'escalier.* **2.** Qui a perdu une bataille, une compétition : *La championne d'échecs est battue.* SYN. perdant. **3.** Qui a été foulé, durci : *La cave est en terre battue.* **4.** Qui a été fouetté : *Les œufs battus en neige sont sur le comptoir.* HOM. battue. ☞ battre.

battue n.f. Action de battre les buissons, les bois pour en faire sortir le gibier : *Les chasseuses ont organisé une battue dans la forêt avoisinante.* HOM. battu. ☞ battre.

batture n.f. Au Canada, portion étendue et plate d'un rivage que la marée descendante laisse à découvert: *Il y a de grandes battures dans le bas du fleuve.*

baudet n.m. Nom que l'on donne familièrement à l'âne: *Tu es chargée comme un baudet.* SYN. âne.

baudroie n.f. Poisson marin comestible dont la tête énorme est couverte d'épines et de filaments: *Il existe plus de trois cent cinquante espèces de baudroies.*

baudruche n.f. Autrefois, pellicule provenant du gros intestin du bœuf ou du mouton et dont on faisait des ballons: *Avant l'invention du caoutchouc, on fabriquait des ballons en baudruche.*

bauge n.f. **1.** Gîte de certains animaux: *Le sanglier et le cochon vivent dans des bauges.* **2.** fig. Lieu très sale: *Comment fais-tu pour vivre dans une telle bauge?*

baume n.m. **1.** Sécrétion végétale odorante employée en pharmacie et dans l'industrie: *Le baume du Canada, produit par le sapin baumier, est utilisé pour coller les lentilles optiques.* SYN. résine. **2.** Onguent pour calmer la douleur: *Je vais mettre du baume sur ta piqûre de guêpe.* SYN. liniment. ANT. poison, venin. ☞ embaumement, embaumer, embaumeur.

bavard, arde n. et adj. **1.** n. Personne qui parle beaucoup: *Cette bavarde me casse les oreilles.* SYN. parleur, pie. ANT. laconique, silencieux. **2.** n. Personne incapable de garder un secret: *Ce garçon est un grand bavard.* SYN. cancanier, commère. **3.** adj. Qui parle beaucoup: *Ces fillettes bavardes dérangent toute la classe.* SYN. loquace. ANT. muet, silencieux. **4.** adj. Qui est incapable de garder un secret: *On ne peut pas faire confiance aux personnes bavardes.* ANT. discret. ☞ bavardage, bavarder.

bavardage n.m. **1.** Action de parler beaucoup: *Roger a été puni pour bavardage.* SYN. babillage, caquetage, papotage, verbiage. ANT. mutisme, silence. **2.** Action de révéler un secret: *Cet homme est un spécialiste du bavardage.* SYN. commérage, potin, racontar. ANT. discrétion, retenue. ☞ bavard.

bavarder v. **1.** Parler beaucoup de choses peu importantes: *Il perd son temps à bavarder avec son amie.* SYN. babiller, causer, papoter. ANT. se taire. **2.** Révéler un secret: *Tu as encore bavardé!* ☞ bavard.

bave n.f. **1.** Salive qui coule de la bouche: *La bave coule sur la barboteuse de bébé.* **2.** Salive qui coule de la gueule d'un animal: *Le cheval qui a trop couru a la gueule pleine de bave.* SYN. écume. **3.** Liquide gluant sécrété par certains mollusques: *Le limaçon et l'escargot laissent des traces de bave.* ☞ baver, bavette, baveux, bavoir, bavure.

baver v. **1.** Laisser la salive couler de la bouche: *Bébé bave beaucoup ces jours-ci.* **2.** Se dit de l'encre, de la couleur qui déborde et qui nuit à la propreté d'un travail: *L'encre de mon stylo bave et tache les feuilles.* ☞ bave.

bavette n.f. **1.** Petite serviette que l'on attache autour du cou des bébés: *Avant de donner la bouillie à bébé, mets-lui une bavette.* SYN. bavoir. **2.** Partie du tablier ou de la salopette qui recouvre la poitrine: *Ce tablier a une bavette.* ☞ bave.

baveux, euse adj. Qui laisse couler la bave: *Ce chien a la gueule baveuse; il doit être malade.* ANT. net. ⁄⁄ *Omelette baveuse:* Omelette dont l'intérieur n'est pas bien cuit. ☞ bave.

bavoir n.m. Petite serviette que l'on attache autour du cou des bébés: *Maman attache un bavoir autour du cou de bébé avant les repas.* SYN. bavette. ☞ bave.

bavure n.f. **1.** Tache d'encre qui nuit à la propreté d'un dessin, d'une écriture: *Ta lettre est pleine de bavures.* SYN. tache. **2.** Erreur grossière, faute regrettable: *Dans cette enquête, les policiers ont commis plusieurs bavures.* ⁄⁄ *Sans bavure:* De façon parfaite, impeccable. ☞ bave.

bazar n.m. (persan) **1.** Marché public de certains pays d'Orient et d'Afrique du Nord: *Les touristes aiment flâner dans les bazars marocains.* SYN. souk. **2.** Magasin où l'on vend toutes sortes d'objets: *C'est au bazar que tu trouveras ce que tu cherches.* **3.** fig. et fam. Lieu, maison en désordre: *Je ne pourrais pas vivre dans ce bazar.*

bazooka n.m. (améric.) Tube en tôle ouvert aux deux extrémités qui lance des roquettes: *Dans les films de guerre, on voit parfois des bazookas.* **R.** Les deux *o* se prononcent *ou*.

beagle n.m. (angl.) Chien d'origine anglaise, à poil court et à oreilles tombantes: *Le beagle est une sorte de basset à pattes droites.* **R.** Se prononce à l'anglaise.

béant, ante adj. Qui est largement ouvert: *L'alpiniste est suspendue au-dessus d'un gouffre béant.*

béat, ate adj. Qui exprime un contentement un peu niais: *Elle nous regarde d'un air béat.* ANT. inquiet, tourmenté. **R.** Au masculin, le *t* ne se prononce pas. ☞ béatement, béatitude.

béatement adv. D'une façon qui exprime un contentement un peu niais: *Cet homme nous sourit béatement.* ☞ béat.

béatification n.f. Acte par lequel le pape déclare «bienheureuse» une personne défunte: *La béatification précède la canonisation.* ☞ béatifier.

béatifier v. Déclarer «bienheureuse» une personne défunte: *Le pape a béatifié de nombreux Québécois ces dernières années.* ☞ béatification.

béatitude n.f. Bonheur parfait: *Son visage exprime la béatitude quand elle se plonge dans un bon bain chaud.* SYN. bien-être, contentement, satisfaction. ANT. angoisse, déception, inquiétude, mélancolie, tristesse. ☞ béat.

beau n.m. **1.** Ce qui est agréable à regarder: *Il faut développer le goût du beau chez les enfants.* SYN. beauté, esthétique. ANT. laideur. **2.** Objets de bonne qualité: *Cette femme n'achète que du beau.* HOM. bot. ⁄⁄ *Faire le beau:* En parlant d'un chien, se tenir sur les pattes de derrière.

beau, belle, beaux adj. **1.** Qui est agréable à regarder ou à écouter: *Ma mère adore les beaux couchers de soleil.* SYN. joli. ANT. affreux. **2.** Qui est admirable: *Tu as fait une belle action en aidant Samuel.* ANT. ignoble. **3.** Qui est réussi: *Nous avons fait un beau voyage cet été.* SYN. enchanteur, intéressant. ANT. désagréable. **4.** Qui est considérable, gros: *Il a gagné une belle somme à la loterie.* **5.** Qui est mauvais, vilain: *Tu nous as mis dans de beaux draps avec tes mensonges.* **6.** Très: *Cette enfant est une belle égoïste.* **7.** Certain, quelconque: *Un beau jour, je me suis aperçu de mon erreur.* HOM. bot. ⁄⁄ *Avoir beau:* Essayer vainement. *Bel et bien:* Véritablement. *En faire, en dire de belles:* Faire, dire des sottises. *Le beau monde:* Les gens riches et brillants. *Le bel âge:* La jeunesse. **R.** Aussi, *bel*. S'écrit *bel* devant un nom masculin commençant par une voyelle ou un *h* muet. ☞ beauté, embellir, embellissement.

beaucoup adv. **1.** Un grand nombre: *Beaucoup de personnes ont visité cette exposition.* SYN. nombreux. ANT. aucun, nul. **2.** Énormément: *J'aime beaucoup le chocolat.* ANT. peu. **3.** Marque le renforcement d'un adjectif ou d'un adverbe: *Tu es beaucoup plus grande que ton frère.* ⁄⁄ *De beaucoup:* Exprime une différence importante.

beau-fils n.m. **1.** Mari de sa fille: *Ma fille et mon beau-fils nous ont rendu visite hier.* SYN. gendre. **2.** Fils de la personne que l'on épouse: *Mon oncle a épousé une veuve qui avait deux fils: ce sont ses beaux-fils.* **R.** Au pluriel, *beaux-fils*. Au féminin, *belle-fille*.

beau-frère n.m. **1.** Frère de la personne que l'on épouse: *Le frère de mon mari est mon beau-frère.* **2.** Mari de la sœur ou de la belle-sœur: *Le mari de ma sœur est mon beau-frère.* **R.** Au pluriel, *beaux-frères*. Au féminin, *belle-sœur*.

beau-père n.m. **1.** Père de la personne que l'on épouse: *Le père de ma femme est mon beau-père.* **2.** Second mari de la mère pour les enfants nés d'un premier mariage: *Le père de Katie est mort. Sa mère s'est remariée, Katie a donc un beau-père.* **R.** Au pluriel, *beaux-pères*. Au féminin, *belle-mère*.

beauté n.f. **1.** Qualité de ce qui est agréable à regarder ou à écouter: *J'admire la beauté des paysages d'automne.* SYN. harmonie, majesté, splendeur. **2.** Qualité d'une personne qui est belle: *Cet acteur est d'une grande beauté.* SYN. attrait, grâce. ANT. laideur. **3.** Qualité de ce qui est admirable: *Tout le monde a souligné la beauté de son geste charitable.* SYN. grandeur. ANT. indignité. **4.** plur. Belles choses d'un lieu, d'une œuvre: *Je suis émerveillé devant les beautés de la Grèce.* ⁄⁄ *Être en beauté:* Être plus beau ou plus belle que d'habitude. *Se faire une beauté:* Se maquiller, se coiffer. *Une beauté:* Une femme très belle. ☞ beau.

beaux-arts n.m.plur. La peinture, la sculpture, l'architecture et la gravure: *Ma grande sœur étudie les beaux-arts.* ☞ art.

beaux-parents n.m.plur. Le père et la mère de la personne que l'on épouse: *Les parents de mon mari sont mes beaux-parents.*

bébé n.m. et adj. **1.** n.m. Enfant très jeune: *Tante Carole berce son bébé.* **2.** n.m. Animal très jeune: *Les bébés chats ont les yeux fermés.* **3.** adj. Qui manque de maturité: *Ce garçon est resté bébé.* ⁄⁄ *Bébé-éprouvette:* Enfant qui a été conçu en laboratoire. ☞ porte-bébé.

bebite ☞ sect. anglicismes et canadianismes.

bec n.m. **1.** Bouche des oiseaux formée de deux mâchoires en corne: *Le bec des oiseaux nous renseigne sur leurs habitudes alimentaires.* **2.** Bouche des tortues, des pieuvres: *Le bec de la tortue est corné.* ☞ bec-croisé, bec-de-lièvre, becquée, becqueter. ▲ **bec** n.m. **1.** Extrémité d'un objet terminée en pointe ou effilée: *Le bec de ma plume est écarté.* **2.** Partie en pointe d'un récipient qui sert à verser les liquides: *Le bec de la théière est cassé.* ☞ bec-de-cane. ▲ **bec** n.m.fam. Baiser, bécot: *Mon filleul m'a donné un bec en recevant son cadeau.*

bécane n.f.fam. Bicyclette: *Enfourche ta bécane et viens nous rejoindre.*

bécasse n.f. Oiseau échassier au long bec, dont le petit est le bécasseau: *La bécasse a des ailes bien développées, une queue plutôt courte et un plumage brun orné de raies et de taches noires.* ☞ bécasseau, bécassine.

bécasseau, eaux n.m. **1.** Oiseau échassier au bec plus court que celui de la bécasse, qui fréquente le bord des étangs ou de la mer: *Le bécasseau se nourrit de mollusques et de crustacés.* **2.** Petit de la bécasse: *La bécasse nourrit ses bécasseaux.* ☞ bécasse.

bécassine n.f. Oiseau échassier voisin de la bécasse, mais de taille plus petite: *La bécassine a un long bec, un plumage rayé et les pattes dénudées.* ☞ bécasse.

bec-croisé n.m. Oiseau passereau dont le bec est croisé comme des lames de ciseaux: *Le bec-croisé se nourrit de graines de pins.* **R.** Au pluriel, *becs-croisés.* ☞ bec.

bec-de-cane n.m. Poignée de porte dont la forme rappelle un bec de cane: *Toutes les portes intérieures sont munies de becs-de-cane.* **R.** Au pluriel, *becs-de-cane.* ☞ bec.

bec-de-cane

bec-de-lièvre n.m. Malformation présente à la naissance, qui consiste en une fente de la lèvre supérieure: *Ma petite sœur est née avec un bec-de-lièvre.* **R.** Au pluriel, *becs-de-lièvre.* ☞ bec.

bêchage n.m. Action de retourner la terre avec une bêche: *Avant de planter des fleurs, maman fait le bêchage du parterre.* **R.** Ne pas oublier l'accent: *ê.* ☞ bêche.

béchamel n.f. (n. de l'inv.) En cuisine, sauce blanche à base de lait: *On nous a servi une béchamel avec le poisson.*

bêche n.f. Outil de jardinage formé d'un long manche et d'une lame large et tranchante: *La bêche sert à retourner la terre.* **R.** Ne pas oublier l'accent: *ê.* ☞ bêchage, bêcher.

bêcher v. Retourner la terre avec une bêche: *Papa m'a demandé de bêcher ce coin du jardin.* SYN. cultiver, labourer. **R.** Ne pas oublier l'accent: *ê.* ☞ bêche.

bécot n.m.fam. Baiser: *Donne un gros bécot à maman avant d'aller te coucher.* SYN. bec, bise. ☞ bécoter.

bécoter v.fam. Donner des bécots: *Le jeune père ne cesse de bécoter les joues fraîches de son enfant.* ☞ bécot. se **bécoter** v.pron. S'embrasser: *Les deux amoureux se bécotent sur un banc.*

becquée n.f. Quantité de nourriture qu'un oiseau prend dans son bec: *L'hirondelle donne la becquée à ses petits.* **R.** Aussi, *béquée.* ☞ bec.

becqueter v. Piquer, attraper quelque chose avec le bec: *Les pigeons commencent à becqueter les miettes de pain.* **R.** Aussi, *béqueter.* ☞ bec.

bedaine n.f.fam. Gros ventre: *Oncle Arthur a une grosse bedaine.* SYN. bedon. ☞ bedon.

bedeau, eaux n.m. Employé laïque qui s'occupe de l'entretien et de l'ordre dans une église: *Va demander au bedeau s'il veut ouvrir les portes de l'église.*

bedon n.m.fam. Gros ventre: *Il faudra te mettre au régime. Regarde ton bedon!* SYN. bedaine. ☞ bedaine, bedonnant, bedonner.

bedonnant, ante adj.fam. Qui a un gros ventre: *La femme bedonnante rit aux éclats.* ☞ bedon.

bedonner v.fam. Prendre du ventre en engraissant: *Ne bois pas trop de bière; tu vas bedonner.* ☞ bedon.

bégaiement n.m. Trouble de la parole qui consiste à répéter certaines syllabes: *La jeune orthophoniste a aidé Chloé à corriger son bégaiement.* **R.** Le *e* de la deuxième syllabe ne se prononce pas. ☞ bégayer.

bégayant, ante adj. Qui parle en répétant certaines syllabes: *Le client bégayant n'arrivait pas à se faire comprendre.* ☞ bégayer.

bégayer v. **1.** Parler avec difficulté en répétant certaines syllabes: *Thomas bégaie quand il doit parler en public.* SYN. bredouiller, hésiter. ANT. articuler. **2.** fig. S'exprimer de façon hésitante: *Caroline a bégayé des excuses.* SYN. balbutier, bredouiller. ANT. articuler. ☞ bégaiement, bégayant, bègue.

bégonia n.m. Plante originaire de l'Amérique du Sud, que l'on cultive pour ses fleurs: *Les fleurs très colorées du bégonia attirent les regards de la connaisseuse.*

bègue n. et adj. **1.** n. Personne qui bégaie: *Chloé est bègue.* **2.** adj. Qui bégaie: *Ces enfants bègues suivent des cours chez l'orthophoniste.* ☞ bégayer.

bégai**e**ment béga**y**ant béga**y**er b**è**gue

béguètement n.m. Cri de la chèvre: *Le béguètement de la chèvre m'empêche de dormir.* ☞ bégueter.

bégueter v. Crier, en parlant de la chèvre: *La chèvre béguète dans l'enclos.* ☞ béguètement.

bégu**è**tement bégu**e**ter

béguin n.m.fam. **1.** Amour passager: *Elle a le béguin pour tous les garçons qu'elle rencontre.* **2.** Personne qui fait l'objet d'un amour passager: *Il nous a présenté son béguin.*

beige n. et adj. **1.** n. Couleur brun très clair: *Laurent porte un chandail d'un beau beige.* **2.** adj. Qui est brun clair: *Patricia porte une jupe beige.*

beigne n.m. Au Canada, pâtisserie en forme d'anneau, faite de pâte sucrée qu'on fait cuire dans la friture: *Dans le temps des Fêtes, mes grands-parents préparent des beignes recouverts de sucre glace.* ☞ beignerie, beignet.

beignerie n.f. Au Canada, établissement où l'on fabrique et où l'on vend des beignes et des beignets: *Je me suis arrêté à la beignerie pour acheter une douzaine de beignets.* ☞ beigne.

beignet n.m. Pâte frite qui entoure un fruit, du poisson, un morceau de viande: *Nous avons mangé de délicieux beignets aux pommes.* **R.** L'O.L.F. recommande *beignet* pour désigner toute pâtisserie à pâte molle, trouée au centre ou fourrée d'une gelée artificielle. ☞ beigne.

bêlant, ante adj. Qui crie, en parlant du mouton et de la chèvre: *Le troupeau bêlant rentre à la bergerie.* **R.** Ne pas oublier l'accent: *ê*. ☞ bêler.

bêlement n.m. Cri du mouton et de la chèvre: *Dans l'aube matinale, on entendait le bêlement du troupeau.* **R.** Ne pas oublier l'accent: *ê*. ☞ bêler.

bêler v. Crier, en parlant du mouton et de la chèvre: *Les moutons et les chèvres bêlent.* **R.** Ne pas oublier l'accent: *ê*. ☞ bêlant, bêlement.

belette n.f. Petit mammifère carnivore au corps effilé, au pelage fauve sur le dos et plus clair sous le ventre: *La belette détruit les rongeurs nuisibles à l'agriculture.*

belge n. et adj. **1.** n. Personne qui est de la Belgique: *Un Belge, une Belge.* **2.** adj. Qui est de la Belgique: *Le territoire belge est situé au nord-est de la France.* **R.** On met la majuscule à *belge* lorsqu'il s'agit du nom.

bélier n.m. **1.** Mammifère ruminant domestique à épaisse toison laineuse, dont la femelle est la brebis et le petit, l'agneau: *Le bélier blatère.* **2.** Autrefois, machine de guerre composée d'une poutre terminée par une masse métallique ayant la forme d'une tête de bélier: *Le bélier servait à enfoncer les portes et à défoncer les murailles.*

belle-de-jour n.f. Nom usuel du liseron, dont les fleurs ne s'ouvrent que le jour: *La belle-de-jour est une plante grimpante.* **R.** Au pluriel, *belles-de-jour*. ◇ liseron.

belle-famille n.f. Famille de la personne que l'on épouse: *La famille de mon mari est ma belle-famille.* **R.** Au pluriel, *belles-familles*.

belle-fille n.f. **1.** Femme de son fils: *Mon fils et ma belle-fille viennent souvent nous voir.* SYN. bru. **2.** Fille de la personne que l'on épouse: *Mon mari avait une fille quand je l'ai épousé; sa fille est ma belle-fille.* **R.** Au pluriel, *belles-filles*. Au masculin, *beau-fils*.

belle-mère n.f. **1.** Mère de la personne que l'on épouse: *La mère de ma femme est ma belle-mère.* **2.** Seconde épouse du père pour les enfants nés d'un premier mariage: *Quand papa s'est remarié, sa femme est devenue ma belle-mère.* **R.** Au pluriel, *belles-mères*. Au masculin, *beau-père*.

belle-sœur n.f. **1.** Sœur de la personne que l'on épouse: *La sœur de mon mari est ma belle-sœur.* **2.** Femme du frère ou du beau-frère: *La femme de mon frère est ma belle-sœur.* **R.** Au pluriel, *belles-sœurs*. Au masculin, *beau-frère*.

belligérant, ante n. et adj. **1.** n. Pays qui prend part à une guerre: *Les belligérants ont intensifié leurs combats.* **2.** adj. Qui prend part à une guerre: *Les puissances belligérantes doivent se rencontrer pour négocier un cessez-le-feu.*

belliqueux, euse adj. **1.** Qui aime la guerre: *C'est un peuple belliqueux qui recherche la guerre avec ses voisins.* SYN. batailleur, guerrier. ANT. conciliant, pacifiste. **2.** fig. Qui aime la dispute, la querelle: *Mon patron* *est d'humeur belliqueuse aujourd'hui.* SYN. agressif. ANT. paisible, tranquille.

belote n.f. Jeu de cartes : *La belote se joue avec un jeu de trente-deux cartes.*

bélouga n.m. (russe) Cétacé des mers arctiques, voisin du narval : *Les bélougas mesurent de trois à quatre mètres et sont de couleur blanche.* **R.** Aussi, *béluga*.

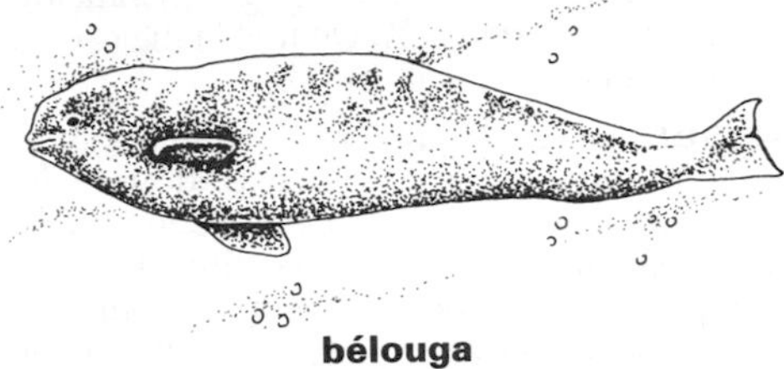

bélouga

belvédère n.m. (it.) Pavillon, ou terrasse, situé en un lieu élevé d'où l'on peut voir au loin : *Es-tu déjà allé au belvédère du mont Royal?* SYN. observatoire.

bémol n.m. et adj. (it.) **1.** n.m. En musique, signe qui abaisse d'un demi-ton la note devant laquelle il est placé : *Le bémol a la forme d'un b.* **2.** adj. Qui est abaissée d'un demi-ton, en parlant d'une note : *Voici un mi bémol.* ⫽ *Double bémol :* Signe qui abaisse la note d'un ton entier.

bénédicité n.m. (lat.) Prière que les catholiques récitent avant les repas et dont le premier mot est « Benedicite », qui veut dire « bénissez » : *Avant de manger, nous récitons le bénédicité.*

bénédiction n.f. **1.** Action que le prêtre fait quand il bénit quelqu'un ou quelque chose : *Le prêtre donne sa bénédiction aux fidèles assemblés pour la messe.* **2.** Formule qui montre que l'on approuve quelque chose : *Mes parents me donnent leur bénédiction.* SYN. approbation. ANT. réprobation. **3.** fam. Bienfait, chance : *C'est une bénédiction pour elle que cette offre d'emploi.* SYN. bonheur. ☞ bénir.

bénéfice n.m. **1.** Profit réalisé dans une vente : *J'ai fait un bon bénéfice quand j'ai vendu mon chalet.* SYN. gain. ANT. déficit, perte. **2.** Avantage : *Laissons-lui le bénéfice du doute.* SYN. faveur, privilège. ANT. préjudice. ⫽ *Au bénéfice de :* Au profit de. ☞ bénéficiaire, bénéficier.

bénéficiaire n. et adj. **1.** n. Personne qui profite d'un avantage : *Ma sœur est la seule bénéficiaire de cet héritage.* **2.** adj. Qui se rapporte au profit réalisé dans le commerce : *La commerçante a réalisé une intéressante marge bénéficiaire.* ☞ bénéfice.

bénéficier v. Profiter : *Il a bénéficié de l'argent de ses parents.* ANT. souffrir. ☞ bénéfice.

bénéfique adj. Qui est bienfaisant : *J'espère que tes vacances te seront bénéfiques.* ANT. maléfique.

bénévolat n.m. Travail qu'une personne fait gratuitement et sans y être obligée : *J'admire beaucoup les personnes qui font du bénévolat.* ☞ bénévole.

bénévole n. et adj. **1.** n. Personne qui fait quelque chose gratuitement et sans y être obligée : *Les bénévoles rendent de grands services dans les écoles et les hôpitaux.* **2.** adj. Qui est fait gratuitement et sans obligation : *L'enseignante a beaucoup apprécié votre aide bénévole.* SYN. désintéressé, gratuit. ☞ bénévolat, bénévolement.

bénévolement adv. D'une manière bénévole : *Monsieur Pelchat travaille bénévolement à l'école du quartier.* SYN. gratuitement, volontairement. ☞ bénévole.

bénin, igne adj. Qui n'est pas grave : *Le malade a appris que sa maladie était bénigne.* SYN. anodin, inoffensif. ANT. dangereux, malin, sérieux.

bénir v. **1.** Appeler la protection de Dieu sur quelqu'un : *Le prêtre bénit les nouveaux mariés.* SYN. oindre. ANT. maudire. **2.** Consacrer quelque chose par une cérémonie spéciale : *Monsieur le curé est venu bénir la nouvelle école.* **3.** Remercier Dieu de ses bienfaits : *Je bénis Dieu de m'avoir donné de bons parents.* ANT. condamner. **4.** Se féliciter de quelque chose : *Je bénis le moment où je t'ai rencontrée.* SYN. applaudir. ANT. réprouver. ☞ bénédiction, bénit, bénitier.

bénit, ite adj. Qui a reçu la bénédiction d'un prêtre au cours d'une cérémonie : *On prend l'eau bénite dans le bénitier.* **R.** Ne pas confondre *bénit* et *béni*. ☞ bénir.

bénitier n.m. Petit bassin qui contient de l'eau bénite : *Le bénitier se trouve le plus souvent à l'entrée de l'église.* ☞ bénir.

benjamin, ine n. Enfant le plus jeune de la famille : *Pierre est le benjamin de la famille.* ANT. aîné. **R.** Les lettres *en* se prononcent *in*.

benne n.f. **1.** Partie d'un camion qui peut basculer pour décharger les matériaux : *La benne est remplie de sable.* **2.** Partie d'une grue qui peut saisir et déplacer les matériaux : *La benne de la grue soulève de grandes quantités de terre.*

béquille n.f. **1.** Bâton surmonté d'un support horizontal sur lequel s'appuie un malade ou un infirme pour marcher : *Ma grande sœur marche avec des béquilles.* **2.** Support d'un véhicule à deux roues, qui le maintient debout à l'arrêt: *La motocyclette est appuyée sur sa béquille.*

ber n.m. **1.** Charpente qui supporte un bateau en construction: *Lors du lancement d'un navire à la mer, le ber glisse avec lui.* **2.** pop. Au Canada, berceau: *Le bébé dormait dans le ber ancestral.* **R.** Aussi, *bers*.

berçant, ante adj. Au Canada, qui berce: *Assieds-toi dans la chaise berçante.* **R.** Ne pas oublier la cédille. ☞ bercer.

berçante n.f. Au Canada, chaise à bascule sur laquelle on peut se balancer: *Les premières berçantes ont été fabriquées aux États-Unis.* SYN. berceuse. **R.** Ne pas oublier la cédille. ☞ bercer.

berceau, eaux n.m. **1.** Petit lit de bébé qu'on peut balancer: *Bébé dort dans son berceau.* **2.** fig. Période de la vie où un enfant dort dans un petit lit: *Dès le berceau, c'était une enfant différente des autres.* SYN. commencement. ANT. fin. **3.** fig. Lieu de naissance ou d'origine: *La Grèce est le berceau de la civilisation occidentale.* ANT. terme. ☞ bercer.

berçante berceau

bercement n.m. Mouvement de va-et-vient régulier et doux: *Le bercement du navire endort les passagers.* SYN. balancement. ☞ bercer.

bercer v. **1.** Balancer doucement et régulièrement: *Maman berce mon petit frère pour l'endormir.* ANT. immobiliser. **2.** Tromper quelqu'un par de belles paroles: *Cette fille te berce de belles promesses.* SYN. endormir, leurrer. ANT. éveiller, inquiéter, tourmenter. ☞ berçant, berçante, berceau, bercement, berceur, berceuse. se **bercer** v.pron. Entretenir des idées fausses: *C'est un rêveur qui se berce d'illusions.* SYN. s'illusionner.

berceur, euse adj. Qui berce: *J'aime le rythme berceur de la valse.* ☞ bercer.

berceuse n.f. **1.** Chanson pour endormir les enfants: *Papa chante une berceuse pour endormir ma petite sœur.* **2.** Morceau de musique au rythme lent: *Quand je veux me détendre, j'écoute une berceuse de Chopin.* **3.** Chaise à bascule sur laquelle on peut se balancer: *Dans ses loisirs, grand-père fabrique des berceuses.* SYN. berçante. ☞ bercer.

béret n.m. Coiffure souple, ronde et plate: *Le béret de Paméla est en laine rouge.*

berge n.f. Bord relevé d'un cours d'eau: *Les pêcheuses se sont installées sur la berge.* SYN. rivage, rive.

berger, ère n. Personne qui garde les moutons: *La bergère mène le troupeau de moutons dans les champs.* SYN. gardien, pâtre. ⁄⁄ *Étoile du berger:* La planète Vénus. ☞ bergerie.

berger n.m. Chien de berger: *Le berger allemand est un excellent chien policier.*

bergère n.f. Fauteuil large au dossier rembourré et au siège garni d'un coussin: *La bergère est très confortable.*

bergerie n.f. Lieu, bâtiment où l'on abrite les moutons: *Le bélier, les brebis et les agneaux sont dans la bergerie.* ☞ berger.

bergeronnette n.f. Oiseau passereau insectivore à longue queue, qui vit au bord des eaux: *Quand elle marche, la bergeronnette remue sa longue queue.* ◇ hoche-queue.

berline n.f. Automobile à quatre portes, comportant quatre glaces sur les côtés: *La berline a une carrosserie fermée et peut transporter de quatre à six personnes.*

berlingot n.m. (it.) **1.** Emballage en carton plastifié utilisé pour contenir des liquides et qui a la forme d'une pyramide: *Quand vous aurez bu votre lait, vous déposerez vos berlingots dans la poubelle.* **2.** Bonbon aux fruits ou à la menthe, qui a la forme d'une pyramide: *J'aime bien les berlingots à la menthe.*

berlue n.f.fam. Visions: *Je n'ai pas la berlue! C'est bien toi qui es revenue.*

bermuda n.m. (améric.) Short long qui descend jusqu'aux genoux: *Les bermudas sont revenus à la mode.*

bernache n.f. Variété d'oie sauvage au bec court et aux pattes noires: *La bernache du Canada est un oiseau de grande taille, aux plumes gris marron et au menton marqué d'une tache blanche.* ◇ outarde.

bernache

bernard-l'ermite n.m.invar. Crustacé qui se loge dans une coquille vide: *Le bernard-l'ermite se nourrit de plantes et de petits animaux.* **R.** Aussi, *bernard-l'hermite*. ◇ pagure.

en **berne** loc.adv. Se dit d'un pavillon, d'un

drapeau que l'on hisse à mi-mât en signe de détresse ou de deuil: *Sur les édifices publics, les drapeaux sont en berne pour souligner la mort du premier ministre.*

berner v. Tromper en ridiculisant: *Son associée m'a berné.* SYN. duper, mystifier. ANT. détromper.

besace n.f. Sac long, fendu en son milieu, et dont les extrémités forment deux poches: *Elle porte une besace de toile sur son épaule.*

besogne n.f. Travail que l'on doit faire: *Aujourd'hui, j'ai une grosse besogne à abattre.* SYN. ouvrage, tâche. ANT. délassement, détente, récréation, repos. ⁄⁄ *Abattre de la besogne:* Travailler vite, efficacement. *Aller vite en besogne:* Travailler rapidement.

besoin n.m. **1.** Ce qui est nécessaire: *Nous avons tous besoin de nourriture.* **2.** plur. Choses nécessaires à la vie: *Cette femme travaille pour subvenir aux besoins de sa famille.* **3.** plur. fam. Nécessité d'uriner, d'aller à la selle: *Je ne veux pas que le chien fasse ses besoins sur le tapis.* ⁄⁄ *Au besoin:* S'il le faut. *Avoir besoin de:* Ressentir la nécessité de. *Avoir besoin que (suivi du subj.):* Être nécessaire que, falloir que. *Être dans le besoin:* Manquer des choses nécessaires à la vie.

bestial, ale, aux adj. Qui ressemble à une bête: *Une expression bestiale se lisait sur son visage.* SYN. brutal, sauvage. ANT. délicat, raffiné. ☞ bestialement, bestialité.

bestialement adv. D'une façon qui fait penser à une bête: *Ces meurtriers se sont conduits bestialement.* ☞ bestial.

bestialité n.f. Caractère d'une personne qui se conduit comme une bête: *Je n'ai jamais vu une telle bestialité.* SYN. brutalité, grossièreté. ☞ bestial.

bestiaux n.m.plur. Ensemble des animaux d'une exploitation agricole, à l'exclusion de la volaille: *Les bœufs, les moutons et les porcs sont des bestiaux.* ☞ bétail.

bestiole n.f. Petite bête: *Il ne faut pas laisser entrer des bestioles dans la maison.* ☞ bête.

best-seller n.m. (améric.) Livre qui a eu un grand succès de librairie, qui s'est beaucoup vendu: *Ce roman est un best-seller.* **R.** Les lettres *er* se prononcent *eur*. Au pluriel, *best-sellers*.

bétail n.m. Ensemble des animaux de pâture d'une exploitation agricole: *Le gros bétail comprend les bœufs et les chevaux; le petit bétail, les moutons, les porcs et les chèvres.* **R.** Au pluriel, *bestiaux*. ☞ bestiaux.

bestiaux
bétail

bête n.f. Animal: *Les bêtes nous rendent de grands services.* ⁄⁄ *Bête de somme:* Bête (cheval, chameau, âne) qui porte les fardeaux. **R.** Ne pas oublier l'accent: *ê*. ☞ bestiole.

bête adj. **1.** Qui est stupide, imbécile: *Que cet homme est bête!* ANT. fin, futé. **2.** Qui est distrait: *Que je suis bête d'avoir oublié ton anniversaire!* **R.** Ne pas oublier l'accent: *ê*. ☞ abêtir, abêtissant, abêtissement, bêtement, bêtise.

bêtement adv. D'une façon bête: *Tu as agi bêtement en déchirant ces livres.* ⁄⁄ *Tout bêtement:* Tout simplement. **R.** Ne pas oublier l'accent: *ê*. ☞ bête.

bêtise n.f. **1.** Sottise, imbécillité: *Sa bêtise me surprendra toujours.* ANT. délicatesse, intelligence. **2.** Parole sotte: *Tu ferais mieux de te taire plutôt que de dire des bêtises.* SYN. idiotie, niaiserie. ANT. finesse, subtilité. **3.** Action imprudente ou irréfléchie: *Cette enfant ne fait que des bêtises.* **4.** Chose sans importance: *Ne me dites pas que vous vous êtes disputés pour cette bêtise?* SYN. bagatelle, enfantillage. **R.** Ne pas oublier l'accent: *ê*. ☞ bête.

béton n.m. Matériau de construction formé de sable, de gravier, de ciment et d'eau: *Les murs de cet immeuble sont en béton.* ⁄⁄ *Béton armé:* Béton renforcé par des tiges de métal. ☞ bétonnage, bétonner, bétonnière.

bétonnage n.m. **1.** Action de construire avec du béton: *Le bétonnage est très utilisé dans la construction.* **2.** Partie d'une construction faite en béton: *On terminera le bétonnage de l'immeuble dans deux jours.* ☞ béton.

bétonner v. Construire avec du béton: *Il faudra bétonner le sol de la cave.* ☞ béton.

bétonnière n.f. Machine qui sert à fabriquer le béton: *Observe la grande cuve tournante de la bétonnière.* ☞ béton.

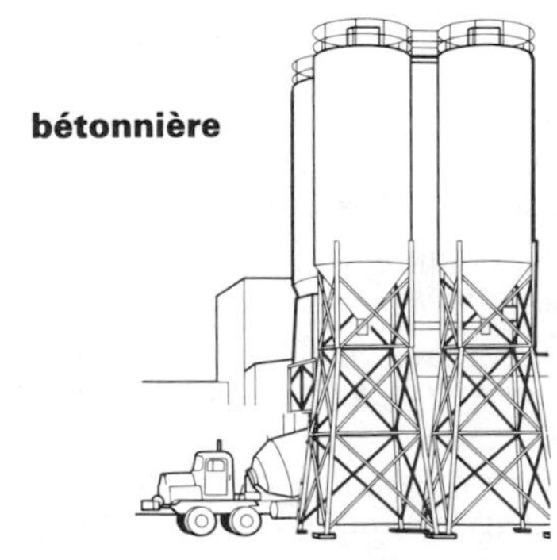
bétonnière

betterave n.f. Plante cultivée pour sa racine: *La betterave sucrière fournit le sucre; la betterave potagère est délicieuse marinée ou en salade.*

beuglement n.m. Cri du bœuf, de la vache et du veau: *À l'heure de la traite, on entend le beuglement des vaches.* SYN. meuglement. ☞ beugler.

beugler v. Crier, en parlant du bœuf, de la vache et du veau: *Le taureau n'arrête pas de beugler dans l'étable.* SYN. meugler. ☞ beuglement.

beurre n.m. **1.** Matière grasse alimentaire que l'on obtient en battant la crème du lait: *Ajoute du beurre sur tes asperges.* **2.** Substance grasse que l'on extrait de certains végétaux: *Aimes-tu le beurre d'arachide?* ☞ beurrée, beurrer, beurrerie, beurrier.

beurrée n.f.vx Tranche de pain recouverte de beurre: *Quoi de mieux qu'une bonne beurrée pour calmer l'appétit?* SYN. tartine. HOM. beurrer. **R.** *Tartine* remplace maintenant *beurrée*. ☞ beurre.

beurrer v. Recouvrir de beurre: *Veux-tu m'aider à beurrer les tranches de pain?* HOM. beurrée. ☞ beurre.

beurrerie n.f. Lieu où l'on fabrique le beurre: *Autrefois, on fabriquait le beurre dans une beurrerie.* ☞ beurre.

beurrier n.m. Récipient dans lequel on sert le beurre: *Je dépose le beurrier sur la table.* ☞ beurre.

bévue n.f. Grosse erreur commise par ignorance ou par inexpérience: *Tout le monde commet des bévues.* SYN. bêtise, étourderie, faute, gaffe, maladresse.

biais n.m. Moyen habile et indirect pour arriver à ses fins: *Ne cherche pas un biais pour ne pas faire ce travail.* SYN. détour. ☞ biaiser. **en biais** loc.adv. De façon oblique: *Coupe ta feuille en biais et non en ligne droite.*

biaiser v. **1.** Être de façon oblique, de biais: *La clôture n'est pas droite; elle biaise un peu.* **2.** fig. Prendre des moyens habiles et indirects pour arriver à ses fins: *Si tu veux quelque chose, demande-le franchement, sans biaiser.* ☞ biais.

bibelot n.m. Petit objet décoratif: *Cette femme collectionne les bibelots.* SYN. babiole.

biberon n.m. Petite bouteille munie d'une tétine, qui sert à donner le lait aux bébés: *Je crois qu'il est temps de donner le biberon au bébé.*

bibi n.m.fam. Petit chapeau de femme: *Tante Irma porte un joli bibi à plumes.*

bible n.f. **1.** Livre saint qui comprend l'Ancien et le Nouveau Testament: *La Bible est le livre sacré des chrétiens et des juifs.* **2.** Exemplaire de ce livre: *Chaque écolier a reçu une bible au début de l'année.* **3.** Ouvrage qui sert de référence, qu'on consulte souvent: *Quand j'écris, je consulte souvent la grammaire: c'est ma bible.* **R.** On met la majuscule à *bible* lorsqu'il s'agit du livre saint. ☞ biblique.

bibliographie n.f. Liste des livres, articles, textes qui ont été écrits sur un sujet: *Avant de commencer ta recherche sur les plantes, consulte la bibliographie.* SYN. catalogue, répertoire. **R.** Les lettres *ph* se prononcent *f*. ☞ bibliographique.

bibliographique adj. Qui se rapporte à la liste des livres, articles, textes qui ont été écrits sur un sujet: *Ce livre contient une notice bibliographique.* **R.** Les lettres *ph* se prononcent *f*. ☞ bibliographie.

bibliothécaire n. Personne qui s'occupe de classer et de prêter des livres dans une bibliothèque: *La bibliothécaire m'a aidé à trouver le livre que je cherchais.* **R.** S'écrit avec un *c*. ☞ bibliothèque.

bibliothèque n.f. **1.** Meuble servant à ranger les livres: *La bibliothèque de ma chambre est très bien garnie.* **2.** Bâtiment, salle où sont conservés des livres: *La bibliothèque municipale est ouverte tous les jours de la semaine.* **3.** Collection de livres: *Je voudrais bien avoir la bibliothèque de grand-mère.* ☞ bibliothécaire.

biblioth**é**caire biblioth**è**que

biblique adj. Qui se rapporte à la Bible: *Les récits bibliques intéressent beaucoup les enfants.* ☞ bible.

bicarbonate n.m. Substance acide: *On utilise le bicarbonate pour des expériences chimiques.* ⁄⁄ *Bicarbonate de soude, de sodium:* Substance employée contre les maux d'estomac.

bicentenaire n.m. et adj. **1.** n.m. Deux centième anniversaire d'un événement important: *Notre ville a fêté son bicentenaire cette année.* **2.** adj. Qui a deux cents ans: *On m'a dit que cette maison était bicentenaire.* ☞ cent.

biceps n.m. Muscle du bras: *Le lutteur a de gros biceps.* **R.** Les lettres *ps* se prononcent.

biche n.f. Mammifère ruminant de la famille des cervidés, vivant en troupeaux dans les forêts, dont le mâle est le cerf et le petit, le faon: *La biche détale au moindre bruit.*

bichon, onne n. Petit chien au poil long et soyeux : *Le bichon est un chien de petite taille, au nez court.*

bichonner v. Entourer de soins : *Elle passe des heures à bichonner sa voiture neuve.* **se bichonner** v.pron. S'arranger avec coquetterie : *Il se bichonne depuis une heure.* SYN. se pomponner.

bicolore adj. Qui a deux couleurs : *Le drapeau canadien est bicolore.* ☞ couleur.

bicoque n.f.fam. et péj. (it.) Petite maison qui n'a pas belle apparence : *Ces gens habitent une vieille bicoque.* SYN. cabane.

biculturalisme n.m. Coexistence officielle de deux cultures dans un même pays : *Au Canada, le biculturalisme est officiel.* ☞ cultiver.

biculturel, elle adj. Qui a deux cultures : *La Belgique est un pays biculturel.* ☞ cultiver.

bicyclette n.f. Véhicule à deux roues que l'on fait avancer à l'aide de pédales : *Mes parents m'ont acheté une bicyclette neuve pour mon anniversaire.* SYN. vélo.

bidet n.m. Appareil de la salle de bain qui sert à la toilette intime : *Le bidet est placé à côté du lavabo.*

bidon n.m. Récipient en métal ou en plastique servant au transport des liquides : *Mets le couvercle sur le bidon de lait.*

bidon adj.invar.fam. Qui est faux, truqué : *Ce dictateur a organisé des élections bidon.*

bidonville n.m. Dans une grande ville, quartiers de baraques, d'abris de fortune où vit une population misérable : *Des milliers de malheureux s'entassent dans des bidonvilles sans hygiène et sans eau courante.*

bielle n.f. Tige de métal articulée aux deux extrémités qui sert à transmettre le mouvement entre deux pièces mobiles : *Dans un moteur, les bielles relient les pistons au vilebrequin.*

bien n.m. **1.** Ce qui est juste : *Cet enfant est trop jeune pour faire la différence entre le bien et le mal.* **2.** Ce qui est profitable, utile : *Vos parents veulent votre bien.* SYN. bonheur, intérêt. **3.** Ce que l'on possède : *Quand il mourra, mon oncle laissera ses biens à ses héritières.* SYN. avoir, capital, fortune, héritage. ANT. pauvreté. // *Faire du bien :* Rendre service, secourir. *Mener à bien :* Achever avec succès un travail, une affaire. *Parler en bien de quelqu'un :* Dire des choses favorables au sujet de quelqu'un.

bien adj.invar. **1.** Qui est beau, satisfaisant : *Ce que tu as fait est bien.* **2.** Qui est en bonne santé : *Je me sens bien aujourd'hui.* **3.** Qui est à l'aise : *Nous sommes bien ici.* **4.** Qui a beaucoup de qualités : *Danny est un garçon bien.* **5.** Qui est distingué : *Nos voisins sont des gens bien.* // *Bel et bien :* Véritablement, sans aucun doute. *Être bien avec quelqu'un :* Être en bonne relation avec quelqu'un.

bien adv. **1.** Correctement : *Tu as bien travaillé aujourd'hui. Tu as bien agi.* SYN. convenablement. **2.** Très : *On m'a servi une soupe bien chaude.* **3.** Beaucoup : *Cette enfant nous donne bien des soucis.* **4.** Au moins : *Il y a bien une demi-heure qu'elle est partie.* **5.** Réelle-

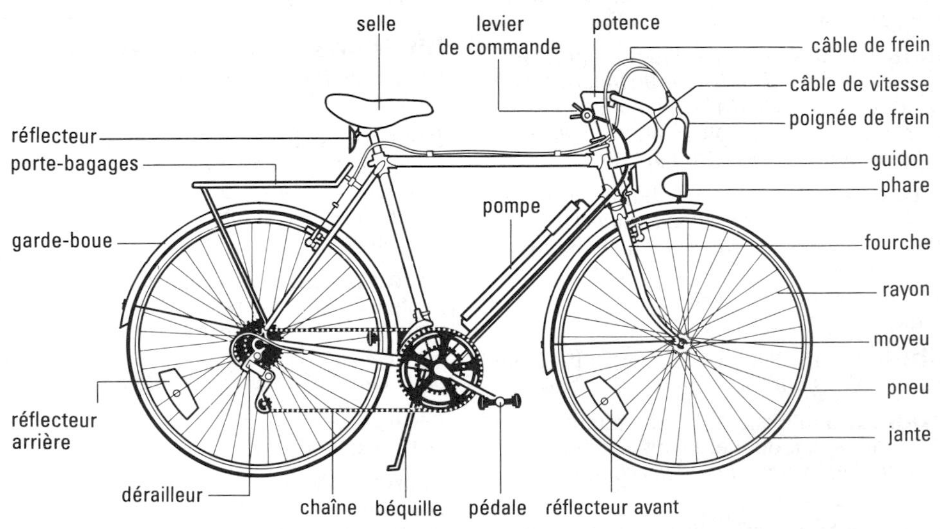

bicyclette

ment, vraiment: *Tu as bien gagné le premier prix?* **6.** Trop: *Je te trouve bien jeune pour rentrer si tard.* **7.** Volontiers: *J'irais bien me promener dans les champs.* ⁄⁄ *Aller bien:* Être en bonne santé. *Tant bien que mal:* Difficilement. **bien que** loc.conj. Malgré, quoique: *J'accepte votre proposition bien que je la trouve insatisfaisante.*

eh **bien!** interj. **1.** Marque la surprise: *Eh bien! Si je m'attendais à cela!* **2.** Marque l'interrogation: *Eh bien! Vous ne dites rien?* **3.** Marque la résignation: *Eh bien! Je n'y peux rien.*

bien-aimé, ée n. et adj. **1.** n. Personne que l'on aime d'amour: *Mon frère attend sa bien-aimée.* **2.** adj. Qui est aimé avec beaucoup d'affection: *Murielle est la fille bien-aimée de mon oncle.* **R.** Au pluriel, *bien-aimés, bien-aimées.*

bien-être n.m.invar. **1.** Sensation agréable que l'on connaît quand nos besoins physiques sont satisfaits: *Après un bon repas ou un bon bain chaud, je ressens toujours un immense bien-être.* SYN. aise, jouissance, plaisir. ANT. inquiétude, malaise. **2.** Aisance, confort: *Tous les gens devraient avoir un salaire suffisant pour leur permettre de vivre dans le bien-être.* SYN. prospérité. ANT. besoin, pauvreté, privation.

bienfaisance n.f. Action qui consiste à aider les plus démunis de la société: *Cette association de bienfaisance recueille de la nourriture pour les pauvres.* SYN. charité, générosité, humanité. ANT. malfaisance, malveillance, méchanceté. **R.** Les lettres *ai* se prononcent *e.* ☞ bienfait.

bienfaisant, ante adj. Qui fait du bien, en parlant d'une chose: *La pluie est bienfaisante pour les cultures.* SYN. salutaire. ANT. pernicieux. **R.** Les lettres *ai* se prononcent *e.* ☞ bienfait.

bienfait n.m. **1.** Avantage, utilité de quelque chose: *Tout le monde reconnaît les bienfaits de la science.* SYN. service. ANT. méfait, préjudice. **2.** Effet favorable: *Les bienfaits du traitement commencent à se faire sentir.* ☞ bienfaisance, bienfaisant, bienfaiteur.

bienfaiteur, trice n. Personne qui fait du bien: *Certains savants ont été les bienfaiteurs de l'humanité.* SYN. ami, protecteur, sauveur. ANT. ennemi. ☞ bienfait.

bien-fondé n.m. Caractère de ce qui est conforme à la raison ou au droit: *La directrice examinera le bien-fondé de ta demande.* SYN. légitimité, pertinence. **R.** Au pluriel, *bien-fondés.*

bienheureux, euse n. et adj. **1.** n. Personne dont l'Église catholique reconnaît les vertus et les mérites après sa mort: *La bienheureuse n'a pas encore le titre de sainte.* ANT. damné. **2.** n. fig. et fam. Personne qui n'a pas de soucis: *Regarde-le qui dort comme un bienheureux.* ANT. malheureux. **3.** adj. Qui est très heureux: *Ce pays bienheureux n'a jamais connu la guerre.*

biennal, ale, aux adj. **1.** Qui a lieu tous les deux ans: *J'ai visité l'exposition biennale.* SYN. bisannuel. **2.** Qui dure deux ans: *Cet emploi est biennal.*

bienséance n.f. Savoir-vivre, bonnes manières: *Autrefois, on enseignait la bienséance dans les écoles.* SYN. étiquette. ☞ bienséant.

bienséant, ante adj. Qui est convenable, poli, correct: *Quand on bâille, il est bienséant de mettre sa main devant sa bouche.* ANT. inconvenant, malséant. ☞ bienséance.

bientôt adv. Dans peu de temps: *Attends-moi! J'arriverai bientôt.* SYN. prochainement, tantôt. ⁄⁄ *À bientôt!* Formule de politesse qu'on adresse à quelqu'un qu'on quitte pour peu de temps. **R.** Ne pas oublier l'accent: *ô.*

bienveillance n.f. Bonté, indulgence envers quelqu'un: *Je compte sur votre bienveillance.* SYN. affabilité. ANT. malveillance, méchanceté. ☞ bienveillant.

bienveillant, ante adj. **1.** Qui est bon, indulgent envers quelqu'un: *Même si elle est célèbre, cette comédienne est toujours bienveillante envers les débutants.* SYN. accueillant, obligeant. ANT. désobligeant, malveillant, méchant. **2.** Qui montre de la bonté, de l'indulgence envers quelqu'un: *Le directeur m'a accueilli avec un sourire bienveillant.* SYN. affable. ANT. hostile. ☞ bienveillance.

bienvenu, ue n. et adj. **1.** n. Personne, chose que l'on accueille avec plaisir: *Tu es toujours la bienvenue.* ANT. malvenu. **2.** adj. Que l'on accueille avec plaisir: *Après un long hiver, le printemps est bienvenu.* HOM. bienvenue. ☞ bienvenue.

bienvenue n.f. Terme marquant un bon accueil: *Je vous souhaite la bienvenue.* HOM. bienvenu. **R.** N'a pas le sens de *il n'y a pas de quoi, de rien, je vous en prie.* ☞ bienvenu.

bière n.f. Boisson légèrement alcoolisée faite avec de l'orge et du houblon: *Quand il fait chaud, certains adultes boivent de la bière pour se désaltérer.* ▲ **bière** n.f. Cercueil: *On a mis le mort en bière.*

biffer v. Rayer ce qui est écrit: *Quand il va à l'épicerie, papa biffe les articles sur sa liste à mesure qu'il les achète.* SYN. barrer, raturer. ANT. ajouter, conserver.

bifteck n.m. Tranche de bœuf que l'on mange grillée : *Au restaurant, j'ai commandé un bifteck et des frites.*

bifurcation n.f. Séparation en deux en forme de fourche : *Non loin d'ici, vous verrez une bifurcation.* SYN. croisée, fourche. ANT. jonction, raccordement. ☞ bifurquer.

bifurquer v. **1.** Se séparer en deux en formant une fourche : *As-tu remarqué que la route bifurque à cet endroit?* SYN. se dédoubler. ANT. se rejoindre, se réunir. **2.** Changer de direction : *Avant d'arriver au village, l'automobile a brusquement bifurqué sur la gauche.* SYN. diverger. ☞ bifurcation.

bifurcation bifurquer

bigame n. et adj. **1.** n. Personne qui est mariée à deux personnes en même temps : *Le bigame avait deux femmes.* ANT. monogame. **2.** adj. Qui est marié à deux personnes en même temps : *Cette femme est bigame; elle a deux maris.* ANT. monogame. ☞ bigamie.

bigamie n.f. État d'une personne qui en épouse une autre tout en étant encore mariée : *La bigamie n'est pas permise au Canada.* ANT. monogamie. ☞ bigame.

bigarré, ée adj. Qui a des couleurs variées : *Ce tissu bigarré ne me plaît pas tellement.* SYN. bariolé, chamarré. ANT. uni, uniforme. HOM. bigarrer. ☞ bigarrer.

bigarrer v. Marquer de couleurs très variées qui font contraste : *Le peintre a bigarré sa toile de bleu, de rouge, de violet, de vert et d'orangé.* SYN. barioler. ANT. uniformiser. HOM. bigarré. ☞ bigarré, bigarrure.

bigarrure n.f. Assemblage de couleurs très variées : *Les bigarrures de sa chemise ne me plaisent pas.* SYN. bariolage. ☞ bigarrer.

bigorneau, eaux n.m. Petit coquillage marin qui ressemble à un escargot : *Nous avons mangé des bigorneaux.*

bigorneau

bigoudi n.m. Petit rouleau autour duquel on enroule les mèches de cheveux pour les friser : *Noëlla enroule chaque mèche de cheveux sur un bigoudi.*

bihebdomadaire adj. Qui a lieu ou qui paraît deux fois par semaine : *Cette revue bihebdomadaire paraît le lundi et le jeudi.* SYN. semi-hebdomadaire. ☞ hebdomadaire.

bijou, oux n.m. **1.** Objet de parure plus ou moins précieux : *Cette artisane fabrique de magnifiques bijoux.* SYN. joyau. ANT. bagatelle, camelote. **2.** fig. Chose très jolie fabriquée avec beaucoup de soin : *Ce meuble est un vrai bijou.* SYN. chef-d'œuvre. ☞ bijouterie, bijoutier.

bijouterie n.f. Magasin où l'on vend des bijoux : *J'ai vu une bague à diamant dans la vitrine de la bijouterie.* ☞ bijou.

bijoutier, ière n. Personne qui fabrique ou qui vend des bijoux : *La bijoutière m'a montré un collier de perles d'eau douce.* SYN. joaillier. ☞ bijou.

bikini n.m. (nom déposé) (angl.) Maillot de bain en deux pièces formé d'un soutien-gorge et d'une petite culotte : *Le bikini était très populaire dans les années soixante-dix.*

bilan n.m. **1.** Tableau représentant la situation financière d'une entreprise à une date donnée : *Le bilan est un résumé de ce que l'entreprise possède et de ce qu'elle doit.* SYN. état. **2.** État de santé d'une personne après un examen complet : *Le bilan de santé de grand-père indique qu'il souffre d'angine.* **3.** fig. Résultat d'une situation : *Les élèves ont fait le bilan de la semaine verte : ce qu'ils ont apprécié et ce qu'ils ont détesté.*

bilatéral, ale, aux adj. **1.** Qui se rapporte aux deux côtés d'un objet : *La ville a autorisé le stationnement bilatéral dans cette rue.* **2.** Qui engage les deux parties en présence : *Ces deux pays ont signé un traité bilatéral pour lutter contre les pluies acides.* SYN. conjoint, mutuel, réciproque. ANT. unilatéral. ☞ latéral.

bile n.f. Liquide amer sécrété par le foie et qui aide à la digestion : *La bile est accumulée dans la vésicule biliaire.* ☞ biliaire.

biliaire adj. Qui se rapporte à la bile : *La vésicule biliaire, où la bile s'accumule, a la forme d'un sac.* ☞ bile.

bilingue n. et adj. **1.** n. Personne qui parle deux langues : *Les bilingues possèdent parfaitement deux langues.* **2.** adj. Qui parle deux langues : *Ma mère est bilingue; elle parle couramment le français et l'italien.* **3.** adj. Qui est écrit en deux langues : *On voit de plus en plus d'affiches bilingues à Montréal.* **4.** adj. Où l'on parle deux langues : *Le Canada est un pays bilingue.* ☞ bilinguisme.

bilinguisme n.m. Utilisation de deux langues par une personne, une région, un pays: *Au Canada, le bilinguisme est reconnu officiellement par la constitution.* **R.** La lettre *u* se prononce. ☞ bilingue.

billard n.m. **1.** Jeu qui se joue avec des boules d'ivoire que l'on pousse sur une table spéciale avec un long bâton appelé queue: *Ces deux hommes font une partie de billard.* **2.** Table rectangulaire recouverte d'un tapis vert qui sert à jouer au billard: *Maman a installé un billard dans la salle de séjour.*

bille n.f. **1.** Petite boule de verre, d'acier avec laquelle les enfants jouent: *Les petits jouent aux billes dans la cour.* **2.** Boule utilisée pour jouer au billard: *Le joueur a frappé la bille rouge.* **3.** Stylo, crayon dans lequel une petite bille de métal dur est imbibée d'encre grasse: *L'écolier écrit avec un stylo à bille.* **R.** Aussi, *stylo-bille*. ▲ **bille** n.f. Pièce de bois prise dans le tronc ou dans une grosse branche: *Les billes d'érable seront débitées en planches.* SYN. billot. ☞ billot.

billet n.m. **1.** Petit carton ou petit imprimé qui donne accès quelque part: *J'ai acheté deux billets pour le spectacle de Gilles Vigneault.* SYN. ticket. **2.** Monnaie de papier: *Grand-mère m'a donné un billet de dix dollars pour que je lui achète des pommes.* **3.** Courte lettre: *Charles et Luc ont passé le cours à s'échanger des billets.* SYN. missive, mot. **4.** Papier qui atteste quelque chose: *Quand un écolier est absent, il doit apporter un billet d'absence.* SYN. avis. ⁄⁄ *Billet doux:* Message galant. *Billet vert:* Dollar. ☞ billetterie, porte-billets.

billetterie n.f. **1.** Lieu où l'on vend des billets de spectacle, de transport: *La billetterie est située près de la salle de spectacles.* **2.** Distributeur automatique de billets de banque qui fonctionne avec une carte spéciale: *Je vais à la billetterie pour retirer cinquante dollars.* ☞ billet.

billot n.m. Gros bloc de bois dont le dessus est plat: *Pose cette bûche sur le billot pour la fendre plus facilement.* SYN. bille. ☞ bille.

bimensuel, elle adj. Qui a lieu ou qui paraît deux fois par mois: *Je me suis abonnée à une revue bimensuelle.* ☞ mensuel.

bimestriel, elle adj. Qui a lieu ou qui paraît tous les deux mois: *En un an, vous aurez reçu six fois cette publication bimestrielle.*

bimoteur n.m. et adj. **1.** n.m. Avion qui a deux moteurs: *Le bimoteur a décollé sans problème.* **2.** adj. Qui a deux moteurs: *L'avion bimoteur roule sur la piste d'atterrissage.* ☞ moteur.

binage n.m. Travail qui consiste à briser les mottes de terre pour enlever les mauvaises herbes ou pour rendre le sol plus facile à cultiver: *Mes parents font le binage du potager.* ☞ biner.

bine ☞ sect. anglicismes et canadianismes.

biner v. Briser les mottes de terre pour enlever les mauvaises herbes ou pour rendre le sol plus facile à cultiver: *Avant de transplanter les rosiers, bine le sol avec une binette.* ☞ binage, binette, bineuse.

binette n.f. Outil de jardinage comportant un fer large et plat relié à un manche: *Prends la binette et viens m'aider à sarcler le jardin.* ☞ biner. ▲ **binette** n.f.pop. Visage, figure: *Ce garçon a une drôle de binette.*

bineuse n.f. Machine agricole qui sert à briser les mottes de terre dans les champs: *L'agricultrice passe la bineuse dans le champ.* ☞ biner.

bingo n.m. (améric.) Jeu de hasard que l'on joue avec des cartes et des jetons: *Le bingo aura lieu jeudi.*

biodégradable adj. Qui peut être détruit par des organismes vivants: *L'utilisation des contenants biodégradables est un moyen de lutter contre la pollution.*

biographe n. Personne qui écrit l'histoire de la vie de quelqu'un: *L'auteur d'une biographie est un biographe.* **R.** Les lettres *ph* se prononcent *f*. ☞ biographie.

biographie n.f. Récit racontant l'histoire d'une vie: *Si tu veux connaître davantage Marie Curie, tu devrais lire sa biographie.* **R.** Les lettres *ph* se prononcent *f*. ☞ autobiographie, biographe, biographique.

biographique adj. Qui se rapporte à l'histoire d'une vie: *À la fin de ce livre, il y a des renseignements biographiques.* **R.** Les lettres *ph* se prononcent *f*. ☞ biographie.

biologie n.f. Science qui étudie la vie, les êtres vivants (animaux, plantes, êtres humains): *La biologie est une science passionnante.* ☞ biologique, biologiste.

biologique adj. **1.** Qui se rapporte à la science qui étudie la vie, les êtres vivants: *Les sciences biologiques comprennent entre autres la zoologie et la botanique.* **2.** Qui ne contient pas de produits chimiques: *Cette épicerie vend des aliments biologiques.* SYN. naturel. **3.** Qui se rapporte à la vie: *Cet enfant que l'on a adopté recherche ses parents biologiques.* ☞ biologie.

biologiste n. Spécialiste de la science qui étudie la vie, les êtres vivants: *Christine veut devenir biologiste.* ☞ biologie.

bionique n.f. Science qui s'inspire des modèles fournis par les animaux et qui tente de les reproduire dans l'industrie et en électronique: *C'est en observant les chauves-souris que la bionique a mis au point le sonar.*

biopsie n.f. Prélèvement d'un petit morceau d'organe, de tumeur en vue d'un examen microscopique: *Le médecin a fait une biopsie.*

biotite n.f. Mica noir ou brun foncé: *La biotite se présente en lamelles qui se détachent facilement.*

bioxyde n.m. Oxyde qui contient deux fois plus d'oxygène que l'oxyde simple: *Le bioxyde de silicium qu'on appelle aussi silice est le principal constituant de toutes les roches.* ☞ oxyde.

bipède n.m. et adj. **1.** n.m. Être vivant qui marche sur deux pieds: *Les êtres humains sont des bipèdes.* **2.** adj. Qui marche sur deux pieds: *Les oiseaux et les kangourous sont bipèdes.* ☞ pied.

biquotidien, ienne adj. Qui a lieu ou qui se fait deux fois par jour: *La levée du courrier est biquotidienne.* ☞ quotidien.

biréacteur n.m. Avion muni de deux réacteurs: *Le biréacteur vient d'atterrir.* ☞ réagir.

bis, bise adj. D'une couleur grise tirant sur le brun: *Le pain bis renferme du son.* SYN. grisâtre. **R.** Au masculin, le *s* ne se prononce pas.

bis adv. et interj. **1.** adv. Indique qu'on a répété un numéro une seconde fois: *Elle habite au numéro 16 bis, rue Notre-Dame.* **2.** adv. Indique qu'on doit répéter un refrain, un couplet une seconde fois: *À côté du refrain, on a écrit «bis».* **3.** interj. Cri pour demander la répétition de ce qu'on vient de voir ou d'entendre: *Les spectateurs ont crié «bis» à la fin de la chanson.* **R.** Le *s* se prononce. ☞ bisser.

bisannuel, elle adj. Qui se produit tous les deux ans: *Cette exposition est bisannuelle.* SYN. biennal. ☞ an.

bisbille n.f.fam. (it.) Petite querelle sans importance: *Alain et Suzanne sont en bisbille.* ANT. accord.

biscornu, ue adj. **1.** Qui a une forme irrégulière, étrange: *Quel objet biscornu!* SYN. difforme. ANT. régulier. **2.** fig. et fam. Qui est étrange et compliqué: *Parfois, je trouve que mon frère a des idées biscornues.* SYN. extravagant. ANT. simple.

biscotte n.f. (it.) Tranche de pain grillée et séchée au four: *Veux-tu une biscotte avec de la confiture?* ☞ biscotterie.

biscotterie n.f. Lieu où l'on fabrique les biscottes: *La biscotterie emploie cent cinquante personnes.* ☞ biscotte.

biscuit n.m. Pâtisserie faite de farine, de sucre et d'ingrédients divers: *J'aime les biscuits aux amandes.* SYN. galette. ☞ biscuiterie.

biscuiterie n.f. Lieu où l'on fabrique les biscuits: *À la biscuiterie, on fabrique vingt sortes de biscuits.* ☞ biscuit.

bise n.f. Vent sec et froid qui souffle du nord ou du nord-est: *Habille-toi chaudement, car la bise souffle aujourd'hui.* ▲ **bise** n.f.fam. Baiser: *J'ai donné une grosse bise à ma filleule.* SYN. bécot. ☞ bisou.

biseau, eaux n.m. Bord d'un objet taillé en oblique: *Le miroir de la salle de bain est en biseau.* SYN. biais. ☞ biseautage, biseauter.

biseautage n.m. Taille d'un objet en oblique: *La vitrière a fait le biseautage de cette glace.* ☞ biseau.

biseauter v. Tailler un objet en oblique: *Le menuisier a biseauté les moulures.* ☞ biseau.

bison n.m. Grand bœuf sauvage dont le cou bossu est orné d'une épaisse crinière: *Autrefois, il y avait beaucoup de bisons en Amérique.*

bison

bisou, ous n.m.fam. Baiser, dans le langage des enfants: *Viens papa, que je te donne un bisou.* SYN. bécot. ☞ bise.

bisque n.f. Potage fait avec des crustacés: *As-tu déjà mangé une bisque de homard?*

bisser v. Recommencer ou faire recommencer: *La chanteuse a bissé sa chanson pour faire plaisir aux spectateurs.* SYN. répéter. ANT. cesser. ☞ bis.

bissextile adj.f. Se dit de l'année qui a trois cent soixante-six jours (le mois de février compte vingt-neuf jours) : *Les années bissextiles reviennent tous les quatre ans.*

bistouri n.m. Instrument à lame courte dont se servent les chirurgiens pour opérer : *La chirurgienne se sert de son bistouri pour faire une incision.*

bistro n.m.fam. Café, petit bar : *Il y a beaucoup de monde au bistro.* **R.** Aussi, *bistrot*.

bitume n.m. Produit brun-noir ou noir utilisé pour recouvrir les rues et les trottoirs : *Le bitume entre dans la composition de l'asphalte.* ☞ bitumineux.

bitumineux, euse adj. Qui contient du bitume, un produit brun-noir ou noir utilisé pour recouvrir les rues et les trottoirs : *Depuis plusieurs années, on parle d'exploiter les sables bitumineux de l'Alberta.* ☞ bitume.

bizarre adj. (it.) **1.** Qui est étrange, inhabituel : *C'est bizarre! Elle est partie depuis un mois et je n'ai pas encore reçu de ses nouvelles.* SYN. cocasse, rare. ANT. courant, normal, usuel. **2.** Qui est changeant, difficile à comprendre : *Cette femme a un caractère bizarre.* SYN. capricieux. ANT. ordinaire, simple. ☞ bizarrement, bizarrerie.

bizarrement adv. D'une façon bizarre, étrange : *Tu te conduis bizarrement depuis quelque temps.* SYN. curieusement, étrangement. ANT. naturellement. ☞ bizarre.

bizarrerie n.f. **1.** Caractère de ce qui est bizarre, étrange : *La bizarrerie de la mode me surprend toujours.* SYN. étrangeté, excentricité. **2.** Caractère d'une personne qui est bizarre, étrange : *Tout le monde a remarqué la bizarrerie de cet homme.* **3.** Chose ou action bizarre, étrange : *Notre belle langue est pleine de bizarreries.* SYN. anomalie. ☞ bizarre.

blablabla n.m.invar.fam. Paroles vides et mensongères : *Ne crois pas tout ce blablabla.* **R.** Aussi, *blabla*.

blafard, arde adj. **1.** Qui a une teinte pâle et sans éclat : *La lumière blafarde éclaire difficilement la pièce.* SYN. terne. ANT. éclatant. **2.** Qui est blême, pâle : *Ce garçon a le teint blafard; il est certainement malade.* SYN. livide, terreux. ANT. coloré, vermeil, vif.

blague n.f.fam. **1.** Histoire fausse ou inventée à laquelle on essaie de faire croire : *J'ai failli croire la blague qu'il m'a racontée.* SYN. mensonge. **2.** Farce, plaisanterie : *Carole est très drôle quand elle raconte des blagues.* ⫽ *Blague à part:* Sans plaisanter, pour parler sérieusement. *Sans blague!* Pour marquer le doute, l'étonnement. ☞ blaguer, blagueur.

▲ **blague** n.f. Petit sac qui contient du tabac : *Le fumeur sort sa blague et bourre sa pipe.* SYN. tabatière.

blaguer v.fam. **1.** Plaisanter : *Arrête de blaguer.* SYN. badiner. **2.** Taquiner, sans méchanceté : *Ce professeur blague ses élèves.* SYN. railler. ☞ blague.

blagueur, euse n. et adj.fam. **1.** n. Personne qui a l'habitude de plaisanter : *Hugo est un blagueur. Il passe son temps à plaisanter.* SYN. menteur. ANT. sérieux. **2.** adj. Qui a l'habitude de plaisanter : *Cette fille blagueuse est très populaire.* SYN. taquin. **3.** adj. Qui montre l'envie de plaisanter : *Quand tu me parles sur ce ton blagueur, je sais que tu n'es pas sérieuse.* SYN. taquin. ☞ blague.

blaireau, eaux n.m. **1.** Mammifère carnivore, bas sur pattes, au pelage clair sur le dos et foncé sous le ventre : *Le blaireau appartient à la même famille que l'hermine et la belette.* **2.** Gros pinceau, généralement en poil de blaireau, que l'on utilise pour savonner la barbe : *Papa utilise un blaireau pour faire mousser le savon à barbe.*

blâmable adj. Qui est critiquable, condamnable : *Quand tu voles les crayons de tes camarades, tu fais une action blâmable.* SYN. répréhensible. ANT. louable. **R.** Ne pas oublier l'accent : *â*. ☞ blâmer.

blâme n.m. **1.** Opinion défavorable qu'on porte sur quelqu'un ou sur quelque chose : *Après cette catastrophe, il fallait bien jeter le blâme sur quelqu'un.* SYN. condamnation, critique, reproche. ANT. approbation, louange. **2.** Punition, réprimande officielle : *La directrice a donné un blâme à cet élève impoli.* SYN. sanction. ANT. compliment, récompense. **R.** Ne pas oublier l'accent : *â*. ☞ blâmer.

blâmer v. **1.** Désapprouver : *Les citoyens ont blâmé le maire pour son attitude.* SYN. accuser, condamner, critiquer. ANT. approuver, encourager, féliciter. **2.** Réprimander, punir quelqu'un de façon officielle : *Cette élève a été sévèrement blâmée pour son impolitesse envers ses professeurs.* ANT. complimenter, louanger, louer. **R.** Ne pas oublier l'accent : *â*. ☞ blâmable, blâme.

blanc n.m. **1.** Couleur blanche : *Cet homme ne porte que du blanc.* **2.** Linge : *Les grands magasins annoncent les soldes de blanc.* **3.** Matière colorante : *Tu as certainement un tube de blanc dans ton atelier.* **4.** Vin blanc : *Je préfère un blanc bien frais.* **5.** Partie blanche de certaines choses : *Le blanc de l'œuf entoure le jaune.* **6.** Espace où il n'y a pas d'écriture : *J'ai laissé des blancs dans mon examen.* ⫽ *Chèque en blanc:* Chèque signé sur lequel la somme n'est pas inscrite. *Tir à blanc:* Tir avec un projectile inoffensif ou sans projectile.

blanc, blanche n. et adj. **1.** n. Personne de race blanche: *La majorité des Européens sont des Blancs.* ANT. Noir. **2.** adj. Qui a la couleur du lait, de la neige, de la craie: *La mariée porte une longue robe blanche.* SYN. lacté, laiteux. ANT. noir. **3.** adj. Qui est d'une couleur pâle, proche du blanc: *Tu as la peau blanche.* SYN. blême, pâle. ANT. coloré. **4.** adj. Qui ne porte pas d'écriture: *Prends une feuille blanche et fais-moi un dessin.* SYN. vierge. // *Nuit blanche:* Nuit passée sans dormir. *Voix blanche:* Voix sans timbre. **R.** On met la majuscule à *blanc* et à *blanche* lorsqu'il s'agit de personnes qui appartiennent à la race blanche. ☞ blanchâtre, blanche, blancheur, blanchiment, blanchir, blanchissant, blanchissement.

blanc-bec n.m. Jeune homme sans expérience: *Ce jeune blanc-bec prétend tout savoir.* SYN. ignorant, novice. ANT. expert. **R.** Au pluriel, *blancs-becs*.

blanchâtre adj. D'une couleur tirant sur le blanc: *C'est une couleur pâle, délavée, blanchâtre.* **R.** Ne pas oublier l'accent: *â*. ☞ blanc.

blanche n.f. Note de musique qui vaut deux noires: *La blanche vaut aussi la moitié d'une ronde ou quatre croches.* ☞ blanc.

blancheur n.f. Couleur blanche, qualité de ce qui est blanc: *Le lis est d'une blancheur éclatante.* ANT. noirceur. ☞ blanc.

blanchiment n.m. Action de rendre blanc: *Dans cette île grecque, les gens procèdent au blanchiment de leur maison deux fois par année.* ☞ blanc.

blanchir v. **1.** Rendre blanc: *On m'a dit que cette crème blanchit la peau.* SYN. éclaircir. ANT. noircir, salir. **2.** Recouvrir d'une matière blanche: *Le fermier blanchit les murs de sa grange à la chaux.* **3.** Devenir blanc: *Les cheveux de grand-mère blanchissent.* ☞ blanc. ▲ **blanchir** v. Rendre le linge propre: *Porte les draps à la blanchisserie pour les faire blanchir.* ANT. souiller, tacher. ☞ blanchissage, blanchisserie, blanchisseur. ▲ **blanchir** v. Démontrer l'innocence de quelqu'un: *Ce procès a blanchi l'accusée.* SYN. disculper, innocenter, justifier. ANT. accuser, inculper, ternir.

blanchissage n.m. Action de rendre le linge propre: *Le blanchissage ne se fait plus à la main comme autrefois.* ☞ blanchir.

blanchissant, ante adj. Qui devient blanc: *Debout, près de ma fenêtre, je vois naître l'aube blanchissante.* ☞ blanc.

blanchissement n.m. Fait de devenir blanc: *Le blanchissement des cheveux n'est pas toujours un signe de vieillesse.* ☞ blanc.

blanchisserie n.f. Lieu où l'on nettoie le linge: *Je porte mon linge à la blanchisserie.* ☞ blanchir.

blanchisseur, euse n. Personne qui lave et repasse le linge: *La blanchisseuse travaille à la blanchisserie.* ☞ blanchir.

blanchon n.m. Au Canada, petit du phoque, à la fourrure blanche: *Les blanchons se traînent sur la glace.*

blanc-manger n.m. Dessert fait de lait, de sucre et de gélatine, qui contient parfois des amandes: *Papa a préparé du blanc-manger pour le dessert.* **R.** Au pluriel, *blancs-mangers*.

blanquette n.f. Ragoût fait avec de la viande blanche: *Le veau, l'agneau et la volaille peuvent servir à préparer une blanquette.*

blasé, ée n. et adj. **1.** n. Personne qui ne s'intéresse plus à rien: *Cette jeune fille est une blasée.* **2.** adj. Qui ne s'intéresse plus à rien: *On dit que les gens trop riches sont souvent des gens blasés.* SYN. indifférent, insensible. ANT. enthousiaste.

blason n.m. Ensemble des signes distinctifs d'une famille noble, d'une ville, d'un pays: *Autrefois, chaque famille noble avait son blason.* SYN. armes, armoiries.

blasphémateur, trice n. et adj. **1.** n. Personne qui prononce des paroles offensantes pour la religion: *Les blasphémateurs insultent ceux qui croient en Dieu.* **2.** adj. Qui prononce des paroles offensantes pour la religion: *Cet homme blasphémateur n'a plus toute sa tête.* **R.** Les lettres *ph* se prononcent *f*. ☞ blasphème.

blasphématoire adj. Qui contient des paroles offensantes pour la religion: *Elle a tenu des propos blasphématoires.* SYN. impie, sacrilège. ANT. pieux. **R.** Les lettres *ph* se prononcent *f*. ☞ blasphème.

blasphème n.m. Parole qui offense la religion: *Quand elle est en colère, cette femme dit des blasphèmes.* SYN. juron. **R.** Les lettres *ph* se prononcent *f*. ☞ blasphémateur, blasphématoire, blasphémer.

blasphémer v. Prononcer des paroles insultantes pour la religion: *Les gens qui blasphèment manquent souvent de vocabulaire.* SYN. jurer, sacrer. **R.** Les lettres *ph* se prononcent *f*. ☞ blasphème.

blasphème blasphémer

blatérer v. Crier, en parlant du chameau et du bélier : *Près de l'oasis, on entendait blatérer les chameaux.*

blatte n.f. Insecte au corps aplati que l'on trouve surtout dans les cuisines et les dépôts : *L'endroit était malpropre et les blattes se promenaient partout.* SYN. cafard, cancrelat.

blazer n.m. Veste en tissu bleu marine ou en flanelle grise : *Les étudiantes portent un blazer orné de boutons de métal.*

blazer

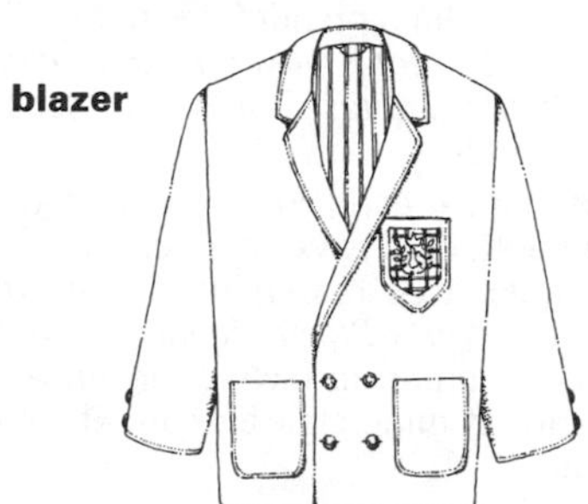

blé n.m. **1.** Plante dont les grains fournissent la farine : *Il y a beaucoup de champs de blé dans les provinces de l'Ouest.* **2.** Grain de cette plante : *Il faut moudre le blé pour obtenir de la farine.* ⫽ *Blé d'Inde :* Au Canada, maïs.

blême adj. **1.** Qui est très pâle, d'une blancheur maladive : *Cet enfant est blême.* SYN. blafard, livide, terne. ANT. coloré, empourpré, vermeil. **2.** Qui est d'un blanc terne : *Une lueur blême ne réussit pas à éclairer la pièce.* SYN. faible. ANT. éclatant. **R.** Ne pas oublier l'accent : *ê.* ☞ blêmir.

blêmir v. Devenir très pâle, blême : *Je l'ai vue tout à coup blêmir.* SYN. blanchir, pâlir. ANT. se colorer. **R.** Ne pas oublier l'accent : *ê.* ☞ blême.

blessant, ante adj. Qui fait de la peine : *Tes propos étaient blessants.* SYN. désobligeant, injurieux, offensant. ANT. aimable, conciliant. ☞ blesser.

blessé, ée n. et adj. **1.** n. Personne qui a reçu une blessure : *Dans cet accident, il y a eu trois blessés.* SYN. accidenté, mutilé. ANT. sauf. **2.** adj. Qui a reçu une blessure : *Cette femme est blessée à la tête.* **3.** adj. fig. Qui a été offensé : *Tes paroles méchantes l'ont vraiment blessée.* SYN. irrité, vexé. HOM. blesser. ☞ blesser.

blesser v. **1.** Frapper en faisant une plaie, une fracture : *Le chasseur a blessé le lion d'un coup de fusil.* SYN. estropier. **2.** Faire une blessure : *Ce morceau de vitre l'a blessé à la jambe.* SYN. écorcher, égratigner. **3.** fig. Offenser quelqu'un, lui faire de la peine : *Tu m'as blessé en riant de mes parents.* SYN. froisser, irriter, vexer. ANT. louer. **4.** fig. Causer une impression désagréable : *Cette musique trop forte me blesse les oreilles.* HOM. blessé. ☞ blessant, blessé, blessure. se **blesser** v.pron. Se faire une blessure : *Je me suis blessée en tombant dans l'escalier.*

blessure n.f. **1.** Lésion faite à une partie du corps par une arme, un objet piquant ou tranchant : *La médecin soigne les nombreuses blessures de l'enfant.* SYN. coupure, écorchure, plaie. **2.** Souffrance morale : *Tu lui as fait beaucoup de peine ; sa blessure sera longue à guérir.* SYN. affliction, chagrin, peine. ANT. consolation, joie, soulagement. ☞ blesser.

bleu, bleus n.m. **1.** Couleur bleue : *Le bleu est ma couleur préférée.* **2.** Marque laissée sur la peau après un coup : *Tu as les genoux couverts de bleus.* SYN. ecchymose, meurtrissure. **3.** Vêtement de travail en toile bleue : *La mécanicienne enfile son bleu de travail.* **4.** Fromage dont la pâte est parsemée de points et de traînées bleus. *Le bleu d'Auvergne et le gorgonzola sont de bons fromages.* **5.** Au Canada, membre du Parti conservateur : *Les bleus ont été reportés au pouvoir en novembre 1988.*

bleu, bleue, bleus adj. **1.** Qui a la couleur d'un ciel sans nuage : *Mon père a les yeux bleus.* SYN. azur. **2.** Qui est très saignant : *Cette dame a commandé un bifteck bleu.* ⫽ *Colère, peur bleue :* Très grande colère, très grande peur. *Enfant bleu :* Enfant qui a des problèmes cardiaques et dont la peau a une couleur bleue. ☞ bleuâtre, bleuir, bleuissement, bleuté.

bleuâtre adj. Qui est vaguement bleu : *Après plusieurs lavages, ton jean est devenu bleuâtre.* **R.** Ne pas oublier l'accent : *â.* ☞ bleu.

bleuet n.m. **1.** Au Canada, baie bleue de l'airelle des bois ou myrtille de l'Amérique : *La région du Lac-Saint-Jean est reconnue pour ses bleuets.* **2.** Plante à fleurs bleues très commune dans les champs de blé : *Anabelle pique des bleuets dans ses cheveux.* ☞ bleueterie, bleuetier, bleuetière.

bleueterie n.f. Au Canada, usine où l'on prépare les bleuets pour les vendre : *À la bleueterie, on trie et on emballe les bleuets.* ☞ bleuet.

bleuetier n.m. Au Canada, arbuste qui produit le bleuet : *Les bleuetiers sont chargés de bleuets.* ☞ bleuet.

bleuetière n.f. Au Canada, lieu où poussent les bleuetiers : *Tout le monde se rend à la bleuetière pour la cueillette.* ☞ bleuet.

bleuir v. **1.** Rendre bleu ou bleuâtre : *Le froid intense bleuit les mains et le visage.* **2.** Devenir bleu ou bleuâtre : *Les mains bleuissent quand on les laisse découvertes en hiver.* ☞ bleu.

bleuissement n.m. Action ou fait de devenir bleu : *Quand je l'ai aperçu, j'ai tout de suite remarqué le bleuissement de ses lèvres.* ☞ bleu.

bleuté, ée adj. Qui est légèrement bleu : *Le soleil brille et la neige a des reflets bleutés.* ☞ bleu.

blindage n.m. Ensemble des plaques d'acier qui renforcent un véhicule, un navire, une porte : *Les portes de l'abri sont protégées par un blindage.* SYN. cuirasse. ☞ blinder.

blindé n.m. Véhicule de combat (automitrailleuse, char d'assaut) protégé par des plaques d'acier : *Les blindés ont beaucoup servi pendant la guerre.* HOM. blinder. ☞ blinder.

blindé, ée adj. **1.** Qui est protégé par des plaques d'acier : *La porte blindée a résisté à l'attaque de la cambrioleuse.* **2.** fig. et fam. Qui est endurci, plus résistant : *Après avoir subi toutes ces critiques, elle est devenue blindée.* ANT. vulnérable. HOM. blinder. ☞ blinder.

blinder v. **1.** Renforcer un véhicule, un navire, une porte avec des plaques d'acier : *Les autorités ont fait blinder la porte pour plus de sécurité.* **2.** fig. Endurcir, rendre plus résistant : *Toutes ces épreuves l'ont blindé.* HOM. blindé. ☞ blindage, blindé. se **blinder** v.pron.fam. S'endurcir : *Les politiciens doivent se blinder contre les critiques.*

blizzard n.m. Vent violent et glacial, accompagné de neige : *Le blizzard a rendu la circulation très difficile.*

bloc n.m. **1.** Masse solide et pesante d'une seule pièce : *Il a sculpté cette statue dans un bloc de marbre.* **2.** Groupe de pays, de personnes qui ont les mêmes intérêts : *Le bloc des pays communistes a dénoncé l'attitude des États-Unis.* SYN. coalition. **R.** Ne pas employer *jeu de blocs* pour désigner un *jeu de construction*. ☞ bloc-moteur. ▲ **bloc** n.m. Ensemble de feuilles détachables collées les unes aux autres par un seul côté : *Prends ce bloc de papier à lettres.* SYN. bloc-notes. ☞ bloc-notes. à **bloc** loc.adv. À fond, complètement : *Il faut serrer la vis à bloc.* en **bloc** loc.adv. Tous ensemble : *Les villageois ont voté en bloc contre le projet.*

blocage n.m. **1.** Action d'empêcher quelque chose de bouger : *Le blocage des freins a failli causer un accident.* **2.** Action d'empêcher quelque chose d'augmenter : *Les travailleuses protestent contre le blocage des salaires.* ☞ bloquer.

bloc appartements ☞ sect. anglicismes et canadianismes.

bloc-moteur n.m. Ensemble que forment le moteur, l'embrayage et la boîte de vitesses : *Nous avons dû faire remplacer le bloc-moteur.* **R.** Au pluriel, *blocs-moteurs*. ☞ bloc.

bloc-notes n.m. Ensemble de feuilles détachables collées les unes aux autres sur un côté et qui servent à prendre des notes : *Il y a toujours un bloc-notes près du téléphone.* **R.** Au pluriel, *blocs-notes*. N'a pas le sens de *tablette*. ☞ bloc.

blocus n.m. (néerl.) Encerclement d'une ville, d'un port, d'un pays pour l'empêcher de communiquer avec l'extérieur : *Le blocus a duré près d'un an.* // *Blocus économique :* Mesures prises contre un pays pour empêcher toute relation commerciale avec lui. **R.** Le *s* se prononce.

blond n.m. Couleur blonde : *Tu as les cheveux d'un beau blond cendré.*

blond, onde n. et adj. **1.** n. Personne qui a les cheveux blonds : *Dans ma famille, il y a deux blonds et une rousse.* SYN. blondinet. **2.** adj. Qui est d'une couleur claire, entre le châtain clair et le doré : *Mon petit neveu a les cheveux blonds.* ☞ blondasse, blondeur, blondinet, blondir.

blondasse adj. Qui est d'un blond fade, pas très joli : *Cette femme a les cheveux blondasses.* ☞ blond.

blondeur n.f. Qualité d'une chose qui est blonde : *Elle porte du bleu pour mettre en valeur la blondeur de ses cheveux.* ☞ blond.

blondinet, ette n. Enfant ou jeune personne qui a les cheveux blonds : *Qui est ce beau blondinet?* SYN. blond. ☞ blond.

blondir v. Devenir blond : *Les cheveux de mon fils blondissent au soleil.* ANT. brunir, foncer. ☞ blond.

bloquer v. **1.** Empêcher quelque chose de bouger : *Les glaces bloquent le navire.* SYN. arrêter, entraver. ANT. dégager. **2.** Serrer très fort pour empêcher de bouger : *Le garagiste a bloqué les écrous des roues.* SYN. coincer, immobiliser, serrer. ANT. desserrer. **3.** Barrer : *Les policières ont bloqué la route pour détourner la circulation.* SYN. boucher, obstruer. ANT. débloquer, libérer. **4.** Empêcher d'augmenter : *Si vous voulez bloquer les salaires, il faudra d'abord bloquer les prix.* ☞ blocage, déblocage, débloquer.

blocage bloquer

se blottir v.pron. Se ramasser sur soi-même, en se faisant tout petit: *Le petit enfant se blottit dans les bras de son père.* SYN. se pelotonner, se tapir. ANT. s'étirer.

blouse n.f. **1.** Vêtement de travail que l'on porte pour protéger ses vêtements: *Le médecin porte une blouse blanche par-dessus ses vêtements.* SYN. sarrau. **2.** Chemisier de femme de forme ample qui se porte sur ou sous une jupe ou un pantalon: *Ma grande sœur porte une jolie blouse de soie rose.* SYN. corsage.

blouson n.m. Veste courte et ample serrée à la taille ou aux hanches: *Maman s'est acheté un blouson de cuir.*

bluff n.m. (améric.) Attitude, parole d'une personne qui cherche à impressionner les autres: *Il disait qu'il n'avait peur de rien; ce n'était que du bluff.* SYN. exagération, vantardise. ANT. sincérité. ☞ bluffer, bluffeur.

bluffer v. Chercher à impressionner les autres par son attitude, ses paroles: *Tu bluffais quand tu prétendais n'avoir peur de rien.* SYN. exagérer, se vanter. ☞ bluff.

bluffeur, euse n. et adj. **1.** n. Personne qui cherche à impressionner les autres par son attitude, ses paroles: *Cette femme n'est qu'une bluffeuse.* SYN. fanfaron, menteur, vantard. **2.** adj. Qui cherche à impressionner les autres par son attitude, ses paroles: *On ne peut pas faire confiance à cette femme bluffeuse.* SYN. fanfaron, menteur, vantard. ANT. franc, sincère. ☞ bluff.

boa n.m. **1.** Gros serpent d'Amérique du Sud, non venimeux, qui étouffe ses proies avant de les avaler: *Le boa constricteur peut mesurer quatre mètres.* **2.** Parure de plumes ou de fourrure qui rappelle la forme d'un boa: *Ginette porte un boa autour de son cou.*

bobby pin ☞ sect. anglicismes et canadianismes.

bobine n.f. Petit cylindre autour duquel on enroule du fil, de la ficelle, du ruban, un film: *Le chat joue avec la bobine de fil.* SYN. fuseau, rouleau. ☞ bobiner, débobiner, embobiner.

bobiner v. Enrouler du fil, de la ficelle, du ruban, un film sur une bobine: *Je suis en train de bobiner du fil.* ☞ bobine.

bobo n.m.fam. Dans le langage des enfants, petite blessure ou petite douleur: *Maman, j'ai un bobo au doigt!*

bobsleigh n.m. (angl.) **1.** Traîneau à plusieurs places dont on se sert pour glisser sur des pistes de glace spécialement aménagées: *Le bobsleigh descend à toute vitesse.* **2.** Sport pratiqué avec ce traîneau: *Les compétitions de bobsleigh auront lieu dans une heure.*

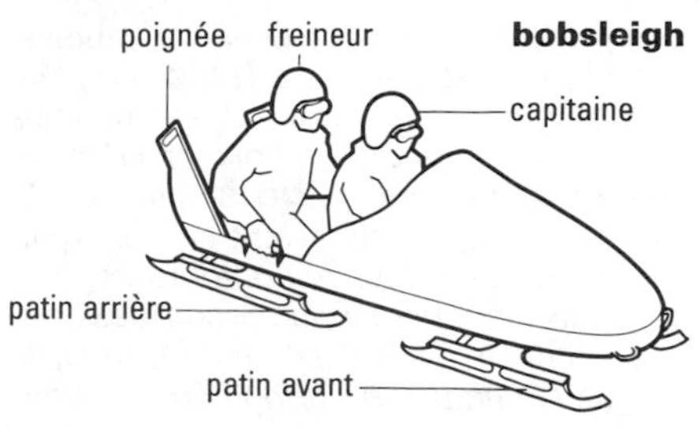

bocal, aux n.m. Récipient en verre à col très court et à large ouverture: *On conserve les marinades dans des bocaux.*

bock n.m. (all.) Grand verre à bière contenant environ un quart de litre: *Le barman sert deux bocks de bière à ses clientes.*

bœuf n.m. **1.** Mammifère ruminant de la famille des bovidés dont le mâle est le taureau, la femelle, la vache et le petit, le veau: *Le bœuf est un animal domestique.* **2.** Mâle castré de la vache: *Le bœuf ne peut pas se reproduire: on l'élève pour sa viande.* **3.** Viande de bœuf ou de vache: *Maman fait cuire un rôti de bœuf.* ☞ bouvillon, bovidés, bovin, bovinés, bovins.

bohème n. et adj. **1.** n. Personne qui ne s'en fait pas pour le lendemain: *Cette musicienne est une bohème.* SYN. fantaisiste. ANT. bourgeois, pantouflard. **2.** adj. Qui ne s'en fait pas pour le lendemain: *La plupart des artistes que je connais ont un caractère bohème.* ANT. rangé.

bohémien, ienne n. **1.** Nomades vivant dans des roulottes, qu'on croyait originaires de Bohême: *Les bohémiens passent leur vie sur les routes.* SYN. gitan, tsigane. **2.** Vagabond, personne mal vêtue et sale: *Tu as vraiment l'air d'un bohémien.*

bohème bohémien

boire v. **1.** Avaler un liquide: *Quand j'ai soif, je bois un grand verre d'eau fraîche.* SYN. se désaltérer, ingurgiter. **2.** Prendre du vin, de l'alcool en grande quantité: *Cet homme boit beaucoup.* SYN. s'enivrer, se soûler. **3.** Absorber un liquide: *Le papier essuie-tout boit l'eau.* **4.** fig. Écouter très attentivement, de façon admirative: *Quand sa grande sœur parle, Étienne boit ses paroles.* ☞ boisson, buvable, buveur, imbuvable. se **boire** v.pron. Devoir être bu: *Le vin blanc se boit très frais.*

boire n.m. Ce que l'on boit: *On leur a donné le boire et le manger.*

bois n.m. Terrain couvert d'arbres: *J'aime me promener dans les bois.* ☞ boisé, boisement, boiser, déboisement, déboiser, reboisement, reboiser, sous-bois. ▲ **bois** n.m. Matière dure fournie par le tronc et les branches des arbres : *Le chauffage au bois est redevenu populaire.* ☞ boiserie. ▲ **bois** n.m.plur. **1.** Famille des instruments à vent en bois (parfois en métal) : *La flûte, le hautbois, la clarinette, le basson et le saxophone sont des bois.* **2.** Cornes des cervidés : *Le cerf, le daim, le chevreuil, l'orignal et le caribou ont des bois.* ☞ hautbois, hautboïste.

boisé, ée adj. Qui est couvert de bois : *Il faut préserver les terrains boisés du Québec.* HOM. boiser. ☞ bois.

boisement n.m. Plantation d'arbres sur un terrain : *On a procédé au boisement de vastes étendues dénudées.* ANT. déboisement. ☞ bois.

boiser v. Planter des arbres sur un terrain : *Il faut boiser cette région si on veut éviter qu'elle se transforme en désert.* ANT. déboiser. HOM. boisé. ☞ bois.

boiserie n.f. **1.** Revêtement en bois de menuiserie : *La boiserie de fenêtre est en pin.* **2.** plur. Ouvrage de menuiserie servant à décorer l'intérieur d'un local : *Les boiseries ornent les murs et parfois les plafonds.* ☞ bois.

boisson n.f. **1.** Tout liquide qu'on peut boire (thé, café, lait, jus, eau) : *Je vais te donner une bonne boisson chaude pour te réchauffer.* **2.** Liquide qui contient de l'alcool : *Cette femme a pris de la boisson.* ☞ boire.

boîte n.f. Contenant en bois, en métal, en matière plastique, en carton, généralement muni d'un couvercle : *Le vendeur met les souliers dans une boîte.* SYN. caisse, cassette, coffre. ⁄⁄ *Boîte aux lettres :* Boîte postale ou privée où le facteur dépose le courrier. *Boîte de nuit :* Établissement ouvert la nuit où l'on peut boire et danser. *Boîte noire :* Appareil enregistreur placé à bord d'un avion. **R.** Ne pas oublier l'accent : *î*.

boiter v. **1.** Marcher avec difficulté, en inclinant le corps d'un côté plus que de l'autre : *Depuis son accident, Régine boite beaucoup.* SYN. boitiller, clopiner. **2.** fig. Manquer de logique : *Ton raisonnement boite ; tu te contredis.* SYN. clocher. ☞ boiteux, boitillant, boitillement, boitiller.

boiteux, euse n. et adj. **1.** n. Personne qui marche avec difficulté, en inclinant le corps d'un côté plus que de l'autre : *Le boiteux marche avec une canne.* SYN. bancal. **2.** adj. Qui marche avec difficulté, en inclinant le corps d'un côté plus que de l'autre : *La petite fille boiteuse se fatigue vite quand elle veut jouer avec ses compagnons.* ANT. alerte. **3.** adj. Qui manque d'aplomb, d'équilibre : *Cette chaise est boiteuse.* SYN. bancal, instable. **4.** adj. Qui manque de logique ou qui est mal construit : *Tes phrases sont boiteuses ; je ne sais pas ce que tu veux dire.* SYN. illogique. ANT. droit, juste, logique. ☞ boiter.

boîtier n.m. **1.** Boîte, coffret à compartiments : *Voici un boîtier pour ranger tes articles de couture.* **2.** Enveloppe métallique qui renferme le cadran et le mécanisme d'une montre : *Sa montre a un boîtier en or.* **3.** Enveloppe métallique qui renferme la pile électrique d'une lampe de poche : *Le boîtier de la lampe de poche est rouillé.* **R.** Ne pas oublier l'accent : *î*.

boitillant, ante adj. Qui boite légèrement : *Il se remet de son accident, mais il a la démarche boitillante.* ☞ boiter.

boitillement n.m. Action de boiter légèrement : *Son accident n'a laissé aucune trace, sauf peut-être un boitillement.* ☞ boiter.

boitiller v. Boiter légèrement : *Le chien boitille depuis qu'il s'est blessé à la patte.* ☞ boiter.

bol n.m. **1.** Récipient sans anse, servant à contenir certains liquides : *Grand-père boit son café dans un bol.* **2.** Contenu de ce récipient : *Donne un bol de lait à ton chat.* SYN. bolée. **R.** N'a pas le sens de *cuvette* (de toilette).

boléro n.m. (esp.) **1.** Danse espagnole à trois temps : *Le boléro se danse avec accompagnement de chants, de castagnettes, de guitare et de tambourin.* **2.** Petite veste courte et sans manches : *Le boléro est un vêtement d'origine espagnole.*

bolide n.m. Voiture très rapide : *Les voitures de course sont des bolides.*

bombance n.f. Festin, très bon repas : *Au banquet, les invités ont fait bombance.*

bombardement n.m. Action de lancer des bombes sur un objectif : *La ville de Londres a subi de nombreux bombardements pendant la dernière guerre.* ☞ bombe.

bombarder v. **1.** Lancer des bombes sur un objectif : *L'aviation a bombardé des quartiers résidentiels.* **2.** Lancer des objets divers sur quelqu'un ou sur quelque chose : *La fillette a été bombardée de boules de neige.* **3.** fig. et fam. Accabler quelqu'un, le harceler : *À sa sortie du Parlement, la ministre a été bombardée de questions.* ☞ bombe.

bombardier n.m. Avion équipé pour lancer des bombes : *À la vue des bombardiers, les gens se précipitent dans les abris.* ☞ bombe.

bombe n.f. **1.** Projectile creux de forme variable, rempli d'explosif: *Une bombe a complètement détruit ce quartier.* **2.** Appareil explosif muni d'un dispositif permettant de le faire éclater: *Plusieurs attentats à la bombe ont été signalés dans cette ville.* **3.** Récipient métallique contenant un liquide sous pression que l'on peut vaporiser: *Les insecticides et les désodorisants sont vendus dans des bombes.* SYN. atomiseur. ⁄⁄ *Bombe atomique:* Bombe qui utilise l'énergie nucléaire. *Faire l'effet d'une bombe:* Surprendre beaucoup. **R.** N'a pas le sens de *bouilloire.* ☞ bombardement, bombarder, bombardier.

bombé, ée adj. Qui est arrondi, renflé: *Les ongles de Colette sont bombés.* SYN. convexe, courbé. ANT. concave, creux. HOM. bomber. ☞ bomber.

bombement n.m. Renflement: *Le bombement des routes au printemps rend la circulation dangereuse.* ☞ bomber.

bomber v. **1.** Devenir arrondi, renflé: *Le mur bombe.* SYN. gondoler. ANT. creuser. **2.** Donner une forme arrondie à une partie du corps: *Les soldats défilent en bombant la poitrine.* SYN. gonfler. ANT. aplatir. HOM. bombé. ☞ bombé, bombement.

bombyx n.m.invar. Nom que l'on donne à plusieurs papillons: *Le bombyx du mûrier a pour chenille le ver à soie.*

bon n.m. **1.** Ce qui est bon: *Dans votre travail, il y a du bon.* ANT. mauvais. **2.** Personne qui fait le bien: *Les bons semblent moins nombreux que les méchants.* ANT. méchant. ⁄⁄ *Avoir du bon:* Présenter des avantages. ▲ **bon** n.m. Papier qui donne droit à quelque chose: *Ce bon d'essence me donne droit à une réduction.* HOM. bond.

bon, onne adj. **1.** Qui est satisfaisant: *Grand-mère a une bonne vue.* ANT. mauvais. **2.** Qui est bien fait: *Tu as fait du bon travail.* SYN. excellent. ANT. mauvais. **3.** Qui est agréable: *Il y a longtemps que je n'avais assisté à un aussi bon spectacle.* SYN. plaisant. ANT. mauvais. **4.** Qui est gros, intense: *Tu as attrapé une bonne grippe.* SYN. mauvais. HOM. bond. ⁄⁄ *Bon pour:* Utile dans un domaine précis. ☞ bonifier. ▲ **bon, onne** adj. **1.** Qui fait bien son travail: *Cette femme est une bonne menuisière.* ANT. mauvais. **2.** Qui est généreux, serviable: *Cet homme est très bon, car il s'occupe des plus démunis.* SYN. charitable. ANT. inhumain, méchant. **3.** Qui montre de la bonté: *En soignant l'oiseau, tu as fait une bonne action.* ANT. méchant. ⁄⁄ *Être bon en quelque chose:* Réussir en quelque chose. ☞ bonasse, bonasserie, bonnement, bonté.

bon adv. **1.** Avoir une odeur agréable: *Cette fleur sent bon.* **2.** Être doux, en parlant du temps: *Il fait bon aujourd'hui.* **3.** Être agréable: *Il fait bon rendre visite à des amis.* HOM. bond. ⁄⁄ *Tenir bon:* Ne pas se décourager. pour de **bon** loc.adv. Réellement, véritablement: *Es-tu décidé à travailler pour de bon?*

bon! interj. Marque la surprise, la satisfaction, le mécontentement: *C'est bon! Je m'en vais. Ah bon? Bon! Ça recommence!* HOM. bond.

bonasse adj.péj. Qui est trop bon: *Cette femme bonasse a peur de se faire des ennemis.* SYN. doux, faible, mou. ANT. énergique, sévère. ☞ bon.

bonasserie n.f. Caractère d'une personne qui est bonasse: *Tout le monde rit de sa bonasserie.* SYN. faiblesse, mollesse. ANT. rigidité. ☞ bon.

bonbon n.m. Petite friandise dure et sucrée: *J'ai acheté des bonbons pour l'Halloween.* ☞ bonbonnière.

bonbonne n.f. Récipient en forme de bouteille ventrue, à col étroit et court, servant à conserver des liquides: *Avec cette bonbonne d'huile, tu en auras pour longtemps.* **R.** Aussi, *bombonne.*

bonbonne

bonbonnière n.f. Petite boîte où l'on conserve les bonbons: *Grand-père a une bonbonnière en cristal sur la table du salon.* ☞ bonbon.

bond n.m. **1.** Saut: *La grenouille fait des bonds.* SYN. bondissement. **2.** Mouvement d'un objet qui rebondit: *La balle a fait plusieurs bonds.* **3.** fig. Augmentation subite: *Le prix des aliments a fait un bond la semaine dernière.* HOM. bon. ☞ bondir, bondissant, bondissement, rebondi, rebondir, rebondissement.

bonde n.f. **1.** Ouverture au fond d'une baignoire, d'un évier, permettant à l'eau de s'écouler: *La bonde de la baignoire est obstruée par des cheveux.* **2.** Bouchon servant à fermer le trou de la baignoire, de l'évier: *Tire la bonde; la baignoire déborde.* **3.** Trou pratiqué dans un tonneau pour le remplir ou le vider: *On verse le vin par la bonde.* **4.** Bouchon servant à fermer le trou pratiqué dans un tonneau: *Il faut enlever la bonde pour tirer le vin.*

bondé, ée adj. Qui est rempli au maximum: *Les wagons sont bondés aux heures de pointe.* SYN. comble, plein. ANT. vide.

bondir v. **1.** Sauter: *Le chat bondit sur la souris.* **2.** S'élancer, se précipiter: *Elle a bondi sur les lieux de l'accident.* SYN. accourir. **3.** fig. Sursauter sous le coup d'une émotion: *Il a bondi d'indignation quand on l'a accusé de vol.* ☞ bond.

bondissant, ante adj. Qui fait des sauts: *Les chèvres bondissantes disparaissent à toute vitesse.* ☞ bond.

bondissement n.m. Suite de sauts: *Les bondissements de la biche émerveillent les enfants.* SYN. bond. ☞ bond.

bon enfant adj.invar. Qui est d'une gentillesse simple: *Cette femme sans malice est très bon enfant.*

bonheur n.m. **1.** Satisfaction complète: *Ces amoureux ont l'air de connaître le bonheur.* SYN. béatitude. ANT. malheur. **2.** Chance: *Nous avons eu le bonheur de connaître cette grande artiste.* ANT. malchance. **3.** Joie, plaisir: *La vie est souvent faite de petits bonheurs.* ANT. misère. ⁄⁄ *Au petit bonheur:* N'importe comment, au hasard. ☞ porte-bonheur. **par bonheur** loc.adv. Heureusement: *Par bonheur, personne n'a été blessé.*

bonhomie n.f. Caractère d'une personne simple et bonne: *La bonhomie du père Noël lui vaut l'amour des enfants.* ANT. affectation. ☞ bonhomme.

bonhomme n.m.fam. **1.** Homme: *Un vieux bonhomme se promène avec son chien.* **2.** Figure qui représente un être humain: *Les enfants ont fait un gros bonhomme de neige.* **3.** Terme d'affection pour désigner un petit garçon: *Viens avec moi, mon petit bonhomme.* **R.** Au pluriel, *bonshommes*. Au féminin, *bonne femme*. ☞ bonhomie.

bonho**m**ie bonho**mm**e

boni n.m. **1.** Bénéfice: *Nous avions prévu une dépense de cinquante dollars, mais nous n'avons dépensé que quarante-cinq dollars; nous avons donc un boni de cinq dollars.* SYN. excédent, gain, profit. ANT. déficit. **2.** Supplément de salaire versé à un employé pour le récompenser: *À Noël, chaque employé a reçu un boni de cent dollars.* SYN. gratification, prime.

bonifier v. Rendre meilleur: *Le cultivateur bonifie ses terres en leur ajoutant de l'engrais.* SYN. améliorer. ☞ bon. **se bonifier** v.pron. **1.** Devenir meilleur: *Certains vins se bonifient en vieillissant.* ANT. se détériorer, se gâter. **2.** fig. S'améliorer: *Son caractère s'est bonifié avec le temps.*

boniment n.m. **1.** Propos habiles et trompeurs pour convaincre les clients: *N'écoute pas les boniments de cette vendeuse.* SYN. baratin. **2.** fam. Propos mensongers: *Tu m'as raconté des boniments pour ne pas être puni.* SYN. mensonge.

bonjour n.m. Mot utilisé pour saluer quelqu'un: *Bonjour! Comment allez-vous?* SYN. salut. ⁄⁄ *Simple comme bonjour:* Très simple.

bon marché adj.invar. Qui n'est pas cher: *Les oranges sont bon marché cette semaine.*

bonne n.f. Employée de maison qui fait le ménage, les courses, la cuisine et qui vit chez ses employeurs: *La bonne a préparé le dîner.* SYN. domestique, servante.

bonnement adv. Vraiment, réellement: *Cet enfant est tout bonnement charmant.* SYN. franchement, simplement. ☞ bon.

bonnet n.m. **1.** Coiffure simple et sans bord: *La nageuse porte un bonnet de bain.* **2.** Chacune des deux poches d'un soutien-gorge: *Les bonnets sont faits de dentelle.*

bonsaï n.m. (jap.) Arbre nain cultivé en pot: *Pour obtenir un bonsaï, on taille les racines et les rameaux, et on ligature les tiges.* **R.** Se prononce *bonnezaille*. Ne pas oublier le tréma: *ï*.

bon sens n.m. Sagesse, raison: *Il faut faire preuve de bon sens.* ⁄⁄ *En dépit du bon sens:* D'une manière déraisonnable.

bonsoir n.m. Mot utilisé pour saluer quelqu'un le soir: *Bonsoir! Avez-vous passé une bonne journée?* SYN. salut.

bonté n.f. **1.** Qualité d'une personne qui est bonne: *Tout le monde parle de sa bonté.* SYN. bienveillance, générosité, serviabilité. ANT. cruauté, malice, méchanceté. **2.** Amabilité: *Auriez-vous la bonté de me donner son adresse?* SYN. gentillesse, obligeance. ANT. désobligeance, malveillance. **3.** plur. Témoignage d'amabilité: *Je vous remercie de toutes vos bontés.* SYN. attention. ANT. méchanceté. ☞ bon.

bonus n.m. Réduction de la prime d'assurance automobile consentie par l'assureur à un assuré qui n'a pas déclaré d'accident: *Comme maman n'a pas eu d'accident cette année, l'assureur lui a accordé un bonus sur sa prime d'assurance.* **R.** N'a pas le sens de *boni*.

bon vivant n.m. et adj. **1.** n.m. Homme d'humeur joyeuse, qui aime le plaisir: *Mon voisin est un bon vivant.* **2.** adj. Qui est d'humeur joyeuse et qui aime le plaisir: *Cet homme est farceur et bon vivant.* **R.** Le féminin *bonne vivante* est rare.

boomerang n.m. (angl.) Arme faite d'une étroite pièce de bois dur courbée, qui peut revenir à son point de départ: *Les boomerangs étaient utilisés par les indigènes d'Australie.* **R.** Les deux *o* se prononcent *ou*.

bord n.m. **1.** Côté, limite d'un objet: *Ne remplis pas ton verre jusqu'au bord.* ANT. centre, fond, milieu. **2.** Rivage d'un cours d'eau: *Nous allons au bord de la mer.* SYN. berge, grève, littoral, rive. **3.** Partie d'un chapeau: *Papa porte un chapeau à large bord.* SYN. rebord. ⁄⁄ *Être à bord d'un véhicule:* Être à l'intérieur d'un véhicule. *Être au bord des larmes:* Être près de pleurer. *Être du bord de quelqu'un:* Être du même avis, du même parti. ☞ bordages, border, bordure, débordement, déborder.

bordages n.m.plur. Au Canada, bordure gelée des cours d'eau: *L'hiver a été rigoureux et les bordages sont épais.* ☞ bord.

bordeaux n.m.invar. et adj.invar. **1.** n.m. invar. Vin de la région de Bordeaux, en France: *Maman a ouvert une bonne bouteille de bordeaux rouge.* **2.** adj.invar. Qui est d'un rouge foncé: *Ma tante porte une jupe bordeaux.* SYN. grenat.

bordée n.f. Au Canada, chute très abondante, en parlant de la neige: *Une bordée de neige a causé la fermeture de l'aéroport.* HOM. border.

border v. **1.** S'aligner au bord de quelque chose: *De grands ormes bordent la route.* **2.** Garnir le bord de quelque chose: *Le col de sa robe est bordé de dentelle.* **3.** Replier les draps et les couvertures sous le matelas: *Papa borde mon lit pour que je reste bien au chaud.* HOM. bordée. ☞ bord.

bordure n.f. Ce qui occupe le bord de quelque chose: *Ce papier à lettres a une bordure bleue.* SYN. cadre, garniture, liséré. ☞ bord.

boréal, ale, aux adj. Qui est près du pôle Nord: *L'Arctique est une région boréale.* SYN. arctique. ANT. antarctique, austral. ⁄⁄ *Aurore boréale:* Arc lumineux qui apparaît dans les régions polaires et qu'on peut voir au Canada.

borgne n. et adj. **1.** n. Personne qui n'a plus qu'un œil: *Les borgnes ont souvent un œil artificiel.* **2.** adj. Qui n'a plus qu'un œil: *Depuis son accident, cette femme est borgne.* ☞ éborgner.

borne n.f. Pierre, poteau marquant la limite d'un terrain: *L'arpenteur a posé une borne pour délimiter son terrain.* SYN. repère. ⁄⁄ *Borne d'incendie:* Prise d'eau à l'usage des pompiers. ☞ borne-fontaine, borner. ▲ **borne** n.f. Limite: *On recule de plus en plus les bornes de la connaissance.* ⁄⁄ *Dépasser les bornes:* Dépasser les limites permises. *Sans bornes:* Sans limites. **R.** Dans ce sens, s'emploie surtout au pluriel. ☞ borné, borner.

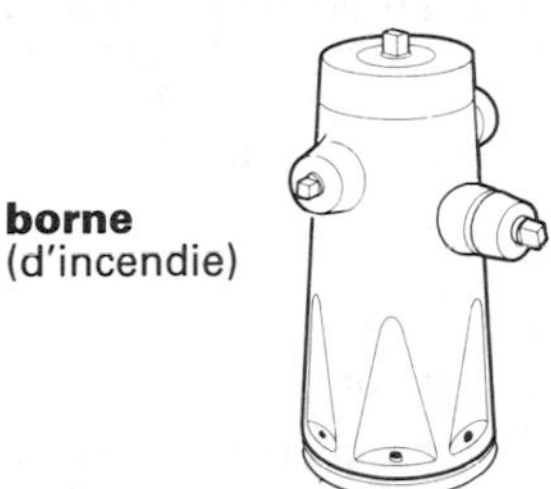

borne
(d'incendie)

borné, ée adj. **1.** Qui est limité: *Il dit que son avenir est borné.* **2.** fig. Qui a l'esprit étroit: *Elle ne comprend rien: elle a l'esprit borné.* HOM. borner. ☞ borne.

borne-fontaine n.f. Fontaine en forme de borne: *Jacinthe descend de sa bicyclette pour boire à la borne-fontaine.* **R.** Au pluriel, *bornes-fontaines.* ☞ borne.

borner v. Limiter quelque chose par une borne ou par une autre marque: *Ce bloc de ciment borne notre terrain.* SYN. délimiter. ANT. agrandir, étendre. ☞ borne. ▲ **borner** v. Limiter une chose abstraite: *Il ne faut pas borner ses recherches au strict nécessaire.* SYN. réduire. ANT. développer. HOM. borné. ☞ borne. se **borner** v.pron. Se contenter, se limiter: *Elle s'est plutôt bornée à me raconter l'essentiel.*

bosquet n.m. (it.) Petit bois, petit groupe d'arbres: *Derrière la maison, il y a un bosquet d'érables.* SYN. bouquet, massif.

bosse n.f. **1.** Enflure qui apparaît après un choc: *Je me suis fait une bosse au front en tombant.* **2.** Protubérance sur le dos de certains animaux: *Le chameau a deux bosses.* **3.** Difformité du dos: *Cette femme a une bosse entre les deux épaules.* ☞ bossu. ▲ **bosse** n.f. Petite élévation du sol: *Ce terrain est plein de creux et de bosses.* ☞ bosseler, bosselure, débosselage, débosseler, débosseleur.

bosseler v. Déformer quelque chose par des bosses: *Le pare-chocs de son automobile est tout bosselé.* SYN. cabosser. ☞ bosse.

bosselure n.f. Déformation d'une surface par des bosses: *J'ai tout de suite remarqué la bosselure de la carrosserie après la tempête de grêle.* ☞ bosse.

bossu, ue n. et adj. **1.** n. Personne qui a une bosse dans le dos: *Le bossu souffre d'une déformation de la colonne vertébrale.* **2.** adj. Qui a une bosse dans le dos: *Il ne faut pas rire des personnes bossues.* ANT. droit. ☞ bosse.

bot, ote adj. Se dit d'un pied qui est difforme: *Elle a un pied bot.* HOM. beau. **R.** Au masculin, le *t* ne se prononce pas.

botanique n.f. et adj. **1.** n.f. Science qui étudie les végétaux: *La botanique nous permet de connaître les plantes.* **2.** adj. Qui se rapporte à l'étude des végétaux: *On vient de partout visiter le Jardin botanique de Montréal.* ☞ botaniste.

botaniste n. Personne qui étudie les végétaux: *La botaniste a une grande connaissance des plantes.* ☞ botanique.

botte n.f. Chaussure qui enferme le pied et la jambe: *C'est le temps de porter nos bottes.* ☞ botter, bottier, bottillon, bottine, débotter.
▲ **botte** n.f. Ensemble de végétaux de même nature qu'on a liés: *Au marché, on peut se procurer des bottes d'asperges, de poireaux et de radis.*

botter v. **1.** Fabriquer, vendre des bottes: *C'est le cordonnier qui botte ma voisine.* **2.** fam. Donner un coup de pied à quelqu'un: *Ne recommence plus, sinon tu te feras botter le derrière!* ☞ botte. se **botter** v.pron. Se chausser de bottes: *Mon frère est trop petit pour se botter tout seul.*

bottier n.m. Personne qui fabrique et vend des chaussures et des bottes sur mesure: *Mon frère fait fabriquer ses chaussures par un bottier.* **R.** L'O.L.F. recommande *bottière* comme féminin de *bottier*. ☞ botte.

bottillon n.m. Petite botte qui couvre le pied jusqu'à la cheville: *Tes bottillons ont l'air très confortables.* ☞ botte.

bottin n.m. (marque déposée) (n. de l'inv.) Liste des abonnés au téléphone: *Les Français consultent le bottin pour trouver un numéro d'appel.* **R.** L'O.L.F. recommande *annuaire téléphonique*.

bottine n.f. Chaussure montante très ajustée: *Au début du siècle, les femmes portaient des bottines.* ☞ botte.

bouc n.m. **1.** Mammifère ruminant aux cornes arquées, au pelage fourni, dont la femelle est la chèvre et le petit, le chevreau: *Le bouc a des cornes puissantes et une barbe très développée.* **2.** fig. Petite barbe au menton: *Autrefois, beaucoup d'hommes portaient le bouc.* SYN. barbiche. ☞ bouquetin.

boucanage n.m. Action de faire sécher à la fumée les viandes ou le poisson: *Grâce au boucanage, la viande se conserve plus longtemps.* ☞ boucaner.

boucaner v. Faire sécher à la fumée les viandes ou le poisson: *On boucane le poisson pour le conserver.* SYN. fumer. ☞ boucanage.

bouchage n.m. Action de boucher une ouverture: *Le bouchage des bouteilles se fait automatiquement.* ☞ boucher (v.).

bouche n.f. **1.** Partie du visage bordée par les lèvres: *La bouche est un orifice par où passent l'air, les aliments et la voix.* **2.** Gueule de certains animaux: *La grenouille, le cheval, le chameau, le bœuf et l'éléphant ont une bouche, de même que certains poissons.* **3.** Ouverture, entrée d'un conduit: *Attends-moi à la bouche de métro Jean-Talon.* ⁄⁄ *Faire le bouche-à-bouche:* Pratiquer la respiration artificielle. *Rester bouche bée:* Rester la bouche ouverte d'admiration, de surprise. ☞ bouchée.

bouché, ée adj. **1.** Qui est fermée, en parlant d'une ouverture: *Le trou dans le mur n'est pas encore bouché.* ANT. ouvert. **2.** Qui est fermé, en parlant d'un passage: *Tu as le nez bouché depuis plusieurs jours.* ANT. débouché, dégagé. **3.** fig. Qui est lent à comprendre: *Cet enfant est bouché.* ANT. vif. HOM. bouchée, boucher. ☞ boucher (v.).

bouchée n.f. Quantité d'aliment que l'on met dans sa bouche en une fois: *Il vaut mieux manger par petites bouchées.* HOM. bouché, boucher. ☞ bouche.

boucher v. **1.** Fermer une ouverture: *Il faudra boucher la fente avec du plâtre.* SYN. clore, colmater. ANT. ouvrir. **2.** Fermer un passage: *Vous bouchez le corridor; circulez, s'il vous plaît.* SYN. obstruer. ANT. déboucher, dégager. **3.** Empêcher de voir: *Ce gros immeuble vous bouche la vue.* SYN. bloquer. HOM. bouché, bouchée. ☞ bouchage, bouché, bouche-trou, bouchon, débouchage, déboucher, déboucher, déboucher, reboucher, tire-bouchon. se **boucher** v.pron. Se fermer peu à peu: *Les tuyaux se bouchent quand on jette toutes sortes de choses dans l'évier.* SYN. s'obstruer.

boucher, ère n. Personne qui fait le commerce de la viande: *La bouchère m'a vendu un rôti de bœuf et des côtelettes de porc.* HOM. bouché, bouchée. ☞ boucherie.

boucherie n.f. **1.** Boutique où l'on vend de la viande: *La boucherie est ouverte tous les jours de la semaine.* **2.** fig. Tuerie, massacre: *Les guerres sont toujours d'effroyables boucheries.* SYN. carnage. ⁄⁄ *Animaux de boucherie:* Bœuf, mouton, porc élevés pour leur chair. *Faire boucherie:* Tuer le cochon. ☞ boucher (n.).

bouche-trou n.m. Personne ou objet dont on se sert pour combler une place vide : *J'ai servi de bouche-trou à la soirée d'hier.* **R.** Au pluriel, *bouche-trous*. ☞ boucher (v.).

bouchon n.m. **1.** Ce qui sert à fermer une bouteille, un flacon, une carafe : *Les bouteilles de vin sont fermées avec des bouchons de liège.* **2.** Accumulation de voitures qui bloquent la circulation : *Un bouchon bloque l'entrée du pont Pierre-Laporte.* **3.** Ce qui ferme un conduit : *Tu as un bouchon de cérumen dans l'oreille gauche.* **R.** N'a pas le sens de *capsule*. ☞ boucher (v.).

boucle n.f. **1.** Anneau, rectangle métallique muni d'une pointe, servant à attacher une ceinture : *Ta ceinture a une belle boucle dorée.* **2.** Objet en forme d'anneau : *Maman porte ses boucles d'oreilles en or.* SYN. bijou, ornement. **3.** Mèche de cheveux qui s'enroule : *Bébé a de belles boucles blondes.* SYN. frisette. **4.** Ce qui forme une ligne courbe qui se recoupe : *Bravo! Tu as fait une belle boucle avec ton lacet.* ☞ bouclé, boucler, bouclette, déboucler.

bouclé, ée adj. Qui s'enroule, en parlant des cheveux : *Bébé a les cheveux bouclés.* SYN. frisé. HOM. boucler. ☞ boucle.

boucler v. **1.** Fermer avec une boucle : *En automobile, les passagers doivent boucler leur ceinture de sécurité.* SYN. attacher. ANT. déboucler. **2.** S'enrouler en forme de boucle, en parlant des cheveux : *Tes cheveux bouclent naturellement.* SYN. friser. **3.** Encercler un quartier, une rue : *Pour trouver la criminelle, les policiers ont dû boucler le quartier.* SYN. cerner. HOM. bouclé. ☞ boucle.

bouclette n.f. Petite boucle : *Les cheveux courts de Sébastien forment des bouclettes soyeuses.* ☞ boucle.

bouclier n.m. Arme défensive que les soldats portaient au bras gauche pour se protéger des coups : *Les boucliers étaient faits de bois, de jonc tressé, de peau ou de métal.* SYN. écu.

bouddhisme n.m. Religion et doctrine fondées par Bouddha : *Le bouddhisme est très répandu en Inde, en Chine et au Japon.* ☞ bouddhiste.

bouddhiste n. et adj. **1.** n. Personne qui pratique le bouddhisme : *Les bouddhistes sont nombreux dans les pays d'Extrême-Orient.* **2.** adj. Qui appartient au bouddhisme : *La doctrine bouddhiste enseigne qu'il faut se libérer du désir pour atteindre la sérénité.* ☞ bouddhisme.

bouder v. **1.** Prendre une attitude maussade, renfrognée pour montrer sa mauvaise humeur : *Le petit garçon boude dans son coin.* **2.** Montrer de l'indifférence à l'égard de quelqu'un ou de quelque chose : *Martine boude ses compagnes.* ☞ bouderie, boudeur. **se bouder** v.pron. Être fâchés l'un contre l'autre : *Raymond et Sylvie se boudent depuis deux jours.*

bouderie n.f. Mauvaise humeur : *La bouderie n'arrange rien.* ☞ bouder.

boudeur, euse n. et adj. **1.** n. Personne qui a l'habitude de bouder : *Le boudeur reste seul dans son coin, l'air maussade et la mine renfrognée.* **2.** adj. Qui a l'habitude de bouder : *Les enfants boudeurs ne font du tort qu'à eux-mêmes.* ☞ bouder.

boudin n.m. **1.** Charcuterie cuite faite de sang et de graisse de porc, que l'on introduit dans un boyau : *La charcutière vend du boudin, de la saucisse et du jambon.* **2.** Longue boucle de cheveux, tournée sur elle-même en forme de rouleau : *Autrefois, maman coiffait les cheveux de ma sœur en longs boudins.* **3.** fam. Doigt court et gros : *Tu ne pourras jamais jouer du piano avec ces boudins-là!* ☞ boudiné, boudiner.

boudiné, ée adj. **1.** Qui a la forme d'un boudin, gros et court : *Cet homme a les doigts boudinés.* **2.** Qui est serré dans un vêtement trop étroit : *Depuis qu'elle a engraissé, elle a l'air boudinée dans sa robe noire.* HOM. boudiner. ☞ boudin.

boudiner v.fam. Serrer quelqu'un en faisant apparaître ses bourrelets : *Cette veste te boudine.* HOM. boudiné. ☞ boudin. **se boudiner** v.pron. Se serrer dans des vêtements trop étroits : *Il se boudine en portant des chemises trop ajustées.*

boudoir n.m. **1.** Petit salon très élégant, réservé à l'usage des dames : *Madame prend le thé avec ses amies dans le boudoir.* **2.** Biscuit de forme allongée, saupoudré de sucre : *Grand-père achète des boudoirs à l'épicerie.*

boue n.f. Mélange de terre et d'eau : *Au printemps, les enfants aiment patauger dans la boue.* SYN. gadoue. HOM. bout. ☞ boueux, éboueur.

bouée n.f. **1.** Objet flottant qui signale un danger ou qui sert de repère : *Les bouées attirent l'attention sur les écueils.* **2.** Anneau flottant qui sert à maintenir une personne à la surface de l'eau : *Les petits devraient toujours porter une bouée quand ils se baignent.* SYN. flotteur. ✐ *Bouée de sauvetage:* Anneau flottant que l'on jette à une personne tombée à l'eau ; ce qui sauve quelqu'un d'une situation critique.

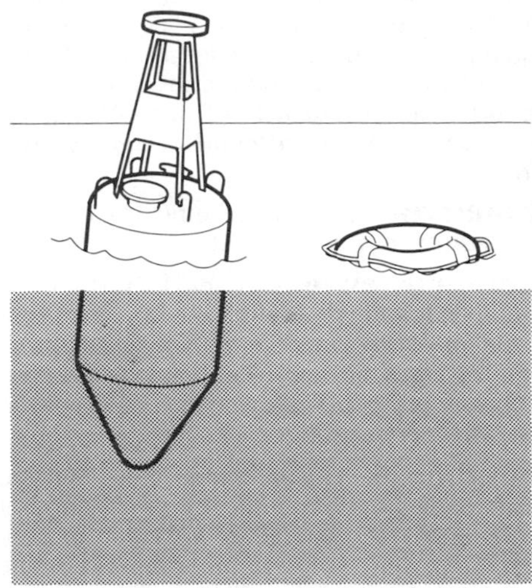

bouées

boueux, euse adj. **1.** Qui est plein de boue : *Il a plu sans arrêt et les chemins sont boueux.* **2.** Qui est taché de boue : *Enlève tes souliers boueux avant d'entrer dans la classe.* ☞ boue.

bouffant, ante adj. Qui est gonflé : *Les manches bouffantes reviennent périodiquement à la mode.* ANT. collant, plat. ☞ bouffer.

bouffe n.f.fam. **1.** Nourriture : *Ce restaurant sert de la bonne bouffe.* SYN. cuisine. **2.** Repas : *J'en ai assez de préparer la bouffe !* ☞ bouffer.

bouffée n.f. **1.** Souffle qui sort de la bouche : *Le vieux pêcheur tire de longues bouffées de sa pipe.* **2.** Souffle d'air : *Une bouffée d'air frais entre par la fenêtre.* **3.** fig. Mouvement brusque et passager : *Une bouffée de colère lui a fait perdre la tête.* SYN. accès. HOM. bouffer.

bouffer v. Être gonflé : *La coiffeuse fait bouffer mes cheveux pour leur donner du volume.* ☞ bouffant, bouffi, bouffir, bouffissure. ▲ **bouffer** v.fam. **1.** Manger : *Y a-t-il quelque chose à bouffer ?* **2.** Consommer : *Ta voiture sport bouffe beaucoup d'essence.* HOM. bouffée. ☞ bouffe.

bouffi, ie adj. **1.** Qui est enflé de façon disgracieuse : *Il a tellement pleuré qu'il a les yeux bouffis.* SYN. boursouflé, gonflé. **2.** fig. Qui est plein d'un sentiment : *Depuis qu'il a reçu un prix, cet écrivain est bouffi d'orgueil.* SYN. gonflé. ☞ bouffer.

bouffir v. Faire enfler de façon disgracieuse : *Les médicaments ont bouffi son visage.* SYN. boursoufler. ANT. maigrir. ☞ bouffer.

bouffissure n.f. Enflure disgracieuse : *La bouffissure de son visage le rend méconnaissable.* SYN. boursouflure, gonflement. ☞ bouffer.

bouffon, onne n. et adj. **1.** n. Personne qui fait rire les autres : *Christiane est une vraie bouffonne.* SYN. comique, plaisantin. **2.** n. Personnage de théâtre, de cirque, qui fait rire les spectateurs : *Polichinelle est un bouffon.* SYN. clown. **3.** n. Autrefois, personnage chargé de divertir les rois et les princes : *Le bouffon était aussi appelé le fou du roi.* **4.** adj. Qui est drôle et ridicule : *Cette émission télévisée est pleine de scènes bouffonnes.* SYN. cocasse, comique. ANT. grave, sérieux. ☞ bouffonnerie.

bouffonnerie n.f. **1.** Action, parole drôle et ridicule : *Les bouffonneries de Christian dérangent toute la classe.* SYN. farce. **2.** Caractère de ce qui est drôle et ridicule : *Les histoires de Céline sont pleines de bouffonnerie et d'exagération.* SYN. drôlerie. ANT. gravité. ☞ bouffon.

bougeoir n.m. Support pour bougie, muni d'un anneau : *Le pied du bougeoir est en forme de plateau pour recevoir la cire fondue.* **R.** Ne pas oublier le *e* après le *g*. ☞ bougie.

bougeotte n.f.fam. Incapacité de tenir en place : *Cette enfant a la bougeotte.* **R.** Ne pas oublier le *e* après le *g*. ☞ bouger.

bouger v. **1.** Remuer : *Les enfants agités bougent sans cesse.* **2.** Sortir de chez soi : *Je ne bouge plus de chez moi depuis mon accident.* ANT. se fixer. **3.** fam. Changer : *Le prix des aliments n'a pas bougé depuis un an.* **4.** fam. Déplacer quelque chose : *Je ne veux pas que tu bouges les meubles de ta chambre.* **5.** fam. Remuer une partie du corps : *Elle n'a pas bougé le petit doigt pour me venir en aide.* ☞ bougeotte. se **bouger** v.pron.fam. Se hâter : *Bouge-toi un peu, sinon nous serons en retard.*

bougie n.f. **1.** Petit bâton de cire ou de paraffine entourant une mèche qu'on allume pour éclairer : *Pierre-Étienne souffle les bougies de son gâteau d'anniversaire.* **2.** Pièce qui produit l'étincelle dans un moteur à essence : *Il faut parfois changer les bougies de la voiture.* **R.** Tend à remplacer *chandelle*. ☞ bougeoir.

bougon, onne n. et adj.fam. **1.** n. Personne qui a l'habitude de parler entre ses dents pour exprimer sa mauvaise humeur : *Je n'aime pas les bougons.* SYN. grognon. **2.** adj.

Qui a l'habitude de parler entre ses dents pour exprimer sa mauvaise humeur: *Les enfants bougons font souvent rire d'eux.* SYN. grognon. ☞ bougonnement, bougonner.

bougonnement n.m. Propos, attitude de quelqu'un qui parle entre ses dents pour exprimer sa mauvaise humeur: *Tout le monde en a assez de ton bougonnement.* ☞ bougon.

bougonner v.fam. Parler entre ses dents pour exprimer sa mauvaise humeur: *Marielle n'arrête pas de bougonner depuis qu'elle a été punie.* SYN. grogner, maugréer, murmurer. ☞ bougon.

bouillabaisse n.f. Plat de poissons à la tomate que l'on sert dans un bouillon très épicé: *La bouillabaisse est un mets savoureux et nourrissant.*

bouillant, ante adj. **1.** Qui s'agite en formant des bulles sous l'effet de la chaleur: *Le pauvre enfant s'est renversé une tasse d'eau bouillante sur les jambes.* **2.** Qui est très chaud: *Comment peux-tu boire ce café bouillant?* **3.** fig. Qui est prompt à se mettre en colère: *Jean-René a un caractère bouillant.* ☞ bouillir.

bouilli n.m. Mets composé de viande de bœuf qu'on fait bouillir avec des légumes: *Nous avons mangé un délicieux bouilli.* SYN. pot-au-feu. HOM. bouillie. ☞ bouillir.

bouillie n.f. Mélange plus ou moins liquide fait de farine et de lait: *Quand ils n'ont pas encore de dents, les bébés mangent de la bouillie.* HOM. bouilli. ⁄⁄ *En bouillie:* Complètement écrasé.

bouillir v. **1.** S'agiter en formant des bulles sous l'effet de la chaleur: *L'eau bout à cent degrés Celsius.* **2.** Faire cuire dans un liquide bouillant: *La chef cuisinière apprête son bœuf pour le pot-au-feu.* ☞ bouillant, bouilli, bouilloire, bouillotte, ébouillanter. **bouilli, ie** p.p. et adj. Que l'on a fait bouillir: *Les habitants de cette ville ne doivent boire que de l'eau bouillie.* HOM. bouillie. ▲ **bouillir** v. **1.** Être emporté par un sentiment très vif: *Cette petite fille bout d'impatience.* **2.** S'emporter: *Tes mensonges me font bouillir.* ☞ bouillant.

bouilloire n.f. Récipient en métal, muni d'un bec et d'une anse, qui sert à faire bouillir de l'eau: *Débranche la bouilloire électrique.* ☞ bouillir.

bouillon n.m. Bulle qui se forme à la surface d'un liquide en ébullition: *La soupe bout à gros bouillons.* ☞ bouillonnant, bouillonnement, bouillonner. ▲ **bouillon** n.m. Liquide dans lequel on a fait bouillir de la viande, des légumes: *Pour te réchauffer, prends un bon bouillon chaud.* ⁄⁄ *Boire un bouillon:* Avaler de l'eau en nageant.

bouillonnant, ante adj. **1.** Qui est agité, en parlant d'un liquide: *Les eaux bouillonnantes des chutes Niagara impressionnent les visiteurs.* SYN. tumultueux. **2.** fig. Qui est agité, en effervescence: *L'inventrice a des idées bouillonnantes.* ☞ bouillon.

bouillonnement n.m. **1.** Agitation d'un liquide qui forme des bouillons: *Le bouillonnement de la chute Montmorency est impressionnant.* SYN. tumulte. **2.** fig. Agitation vive et passagère: *Le bouillonnement des idées annonce de grandes inventions.* SYN. effervescence. ☞ bouillon.

bouillonner v. **1.** Agiter en formant de grosses bulles, des bouillons: *Le torrent dévale la montagne en bouillonnant.* **2.** fig. S'agiter: *Mille idées bouillonnent dans sa tête.* ☞ bouillon.

bouillotte n.f. Récipient que l'on remplit d'eau bouillante pour réchauffer un lit: *Autrefois, les gens réchauffaient leurs lits à l'aide de bouillottes.* ☞ bouillir.

boulaie n.f. Lieu planté de bouleaux: *Viens-tu avec moi observer les écureuils dans la boulaie?* HOM. boulet. ☞ bouleau.

boulanger, ère n. Personne qui fabrique et qui vend du pain: *Le boulanger vend du pain frais tous les jours de la semaine.* ☞ boulangerie.

boulanger v. Fabriquer du pain: *Autrefois, les petites filles apprenaient à boulanger en observant leur mère.*

boulangerie n.f. Boutique où l'on vend du pain: *En passant à la boulangerie, achète deux baguettes et un pain aux raisins.* ☞ boulanger.

boule n.f. **1.** Objet en forme de sphère: *Les enfants se lancent des boules de neige à la sortie de l'école.* SYN. balle. **2.** fig. et fam. Tête: *Le chagrin lui a fait perdre la boule.* ☞ boulette, boulier.

bouleau, eaux n.m. Arbre des régions froides et tempérées à écorce blanche, aux petites feuilles tremblantes et aux fleurs groupées en chatons: *Le bois du bouleau est employé en menuiserie et en papeterie.* HOM. boulot. ☞ boulaie.

boule-de-neige n.f. Autre nom de l'obier dont les fleurs blanches groupées ressemblent à des boules de neige: *Notre voisine a planté une boule-de-neige devant sa maison.* **R.** Au pluriel, *boules-de-neige.* ◇ obier. (*Voir l'illustration à la page suivante.*)

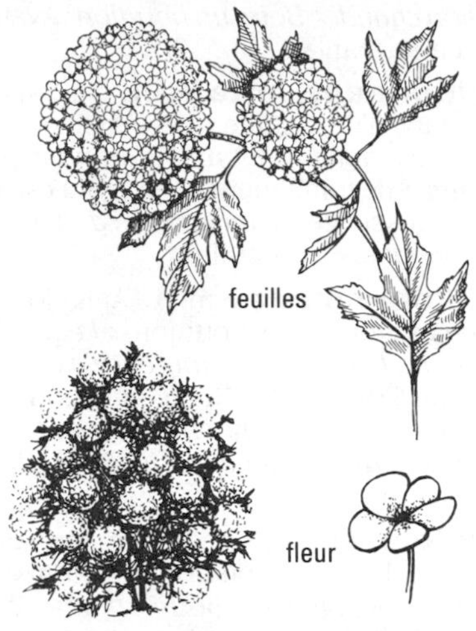

boule-de-neige

bouledogue n.m. (angl.) Chien de petite taille au museau aplati: *Le bouledogue a un corps puissant, des membres courts et écartés et une tête carrée très forte.*

boulet n.m. **1.** Autrefois, boule de métal ou de pierre dont on chargeait les canons: *Les boulets ont détruit les remparts de la ville.* **2.** Autrefois, boule de métal qu'on attachait aux pieds des bagnards, des prisonniers: *Le boulet empêchait le prisonnier de s'évader.* **3.** fig. Obligation, charge dont on ne peut se libérer: *Les dettes à payer, quel boulet!* HOM. boulaie.

boulette n.f. **1.** Petite boule faite à la main: *Qui a lancé cette boulette de papier?* **2.** Petite boule de viande hachée: *J'ajoute des boulettes à ma sauce tomate.* ☞ boule.

boulevard n.m. Rue très large, souvent plantée d'arbres: *Le boulevard Charest est une artère importante de la ville de Québec.*

bouleversant, ante adj. Qui cause une grande émotion: *Cette histoire est bouleversante.* SYN. émouvant, troublant. ☞ bouleverser.

bouleversement n.m. Très grand changement: *Il n'y a rien de plus dérangeant que le bouleversement de nos habitudes.* ANT. paix, tranquillité. ☞ bouleverser.

bouleverser v. **1.** Mettre en désordre un lieu ou une chose: *Pourquoi as-tu bouleversé ta chambre?* ANT. ranger. **2.** fig. Changer complètement quelque chose: *Cet accident a bouleversé sa vie.* SYN. perturber. **3.** fam. Causer une grande émotion: *La nouvelle de sa mort nous a tous bouleversés.* SYN. émouvoir, secouer, troubler. ANT. calmer, tranquilliser. ☞ bouleversant, bouleversement.

boulier n.m. Appareil formé de tringles sur lesquelles glissent des boules et qui sert à compter: *Autrefois, les écoliers apprenaient à compter sur des bouliers.* SYN. abaque. **R.** Aussi, *boulier compteur.* ☞ boule.

boulimie n.f. **1.** Besoin maladif d'absorber de grandes quantités de nourriture: *Les gens qui souffrent de boulimie ne peuvent s'arrêter de manger.* ANT. anorexie. **2.** fig. Grand désir de faire ou d'obtenir quelque chose: *Mon grand frère est saisi d'une boulimie de musique de jazz.* ☞ boulimique.

boulimique n. et adj. **1.** n. Personne qui a un besoin maladif d'absorber de grandes quantités de nourriture: *Les boulimiques ont besoin de soins psychiatriques.* **2.** adj. Qui se rapporte au besoin maladif d'absorber de grandes quantités de nourriture: *Cet homme a un comportement boulimique.* ☞ boulimie.

boulon n.m. Tige de métal sur laquelle se visse un écrou et qui sert à assembler deux pièces: *La mécanicienne a serré les boulons au moyen d'une clé.* ☞ boulonnage, boulonner, déboulonnage, déboulonnement, déboulonner.

boulonnage n.m. Action de fixer quelque chose au moyen de boulons: *Ce robot fait le boulonnage des pièces de la carrosserie.* ☞ boulon.

boulonner v. Fixer quelque chose au moyen de boulons: *La mécanicienne a boulonné les deux pièces métalliques.* ☞ boulon.

boulot n.m.fam. Travail, emploi: *Mon père se cherche du boulot.* HOM. bouleau.

boulot, otte n. et adj. **1.** n. Personne petite et rondelette: *Cette boulotte est un boute-en-train.* **2.** adj. Qui est petit et rondelet: *Les enfants boulots ont parfois de la difficulté à accepter leur taille.*

boum n.m. et interj. **1.** n.m. Bruit éclatant: *J'ai entendu un grand boum, puis les vitres ont volé en éclats.* **2.** interj. Bruit causé par une chute, une explosion: *Boum! Toutes les boîtes de conserve sont tombées par terre.*

bouquet n.m. **1.** Ensemble de fleurs coupées dont les tiges sont réunies: *Papa a reçu un bouquet de roses pour la fête des Pères.* SYN. gerbe. **2.** Groupe d'arbres serrés: *Dans le parc, il y a un bouquet de chênes.* SYN. bosquet. ☞ bouquetière. ▲ **bouquet** n.m. **1.** Arôme d'un vin: *Ce vin rouge a du bouquet.* **2.** Tir de nombreuses fusées à la fin d'un feu d'artifice: *As-tu vu le bouquet du feu d'artifice?* SYN. faisceau.

bouquetière n.f. Personne qui compose et qui vend des bouquets de fleurs dans les lieux publics : *La bouquetière vend des fleurs aux passants.* ☞ bouquet.

bouquetin n.m. Chèvre sauvage aux longues cornes courbes et annelées : *Le bouquetin vit dans les montagnes d'Europe.* ☞ bouc.

bouquin n.m. (néerl.) **1.** Vieux livre : *J'ai trouvé ce bouquin poussiéreux dans le grenier.* **2.** fam. Livre : *As-tu lu plusieurs bouquins ce mois-ci ?* ☞ bouquiner, bouquinerie, bouquineur, bouquiniste.

bouquiner v. **1.** Chercher des livres d'occasion : *Quand on aime bouquiner, on finit toujours par trouver des livres intéressants et bon marché.* **2.** fam. Lire : *Ma grande sœur passe de longues heures à bouquiner.* ☞ bouquin.

bouquinerie n.f. Boutique où l'on vend des livres d'occasion : *Viens-tu avec moi à la bouquinerie ?* ☞ bouquin.

bouquineur, euse n. **1.** Personne qui aime lire : *Ce garçon est un infatigable bouquineur.* SYN. liseur. **2.** Personne qui aime chercher des livres d'occasion : *Marie-Louise est une grande bouquineuse.* ☞ bouquin.

bouquiniste n. Personne qui vend des livres d'occasion : *Le bouquiniste m'a vendu ces vieux livres.* ☞ bouquin.

bourbe n.f. Boue noire et épaisse qui s'accumule au fond des étangs, des marais : *Le fond de l'étang est plein de bourbe.* SYN. vase. ☞ bourbeux, bourbier, débourber, s'embourber.

bourbeux, euse adj. Qui est rempli de bourbe, de boue : *On ne voit pas le fond de l'eau bourbeuse.* SYN. boueux, vaseux. ☞ bourbe.

bourbier n.m. **1.** Lieu rempli de bourbe : *Les pieds s'enfoncent dans le bourbier.* **2.** fig. Situation difficile : *Il ne sait pas quoi faire pour se sortir de ce bourbier.* SYN. embarras. ☞ bourbe.

bourde n.f. Grosse erreur, bêtise : *Tu n'arrêtes pas de faire des bourdes.* SYN. bévue, gaffe.

bourdon n.m. Insecte au corps couvert de poils, qui butine comme l'abeille : *Les bourdons vivent en petites colonies dans des nids souterrains.* ∥ *Faux bourdon :* Mâle de l'abeille. ▲ **bourdon** n.m. Grosse cloche dont le son est grave : *Peux-tu reconnaître le son du bourdon ?*

bourdonnant, ante adj. **1.** Qui produit un bruit sourd et régulier : *La mouche bourdonnante m'empêche de dormir.* **2.** Qui entend un son grave ne provenant pas de l'extérieur : *Michelle a les oreilles bourdonnantes.* ☞ bourdonner.

bourdonnement n.m. **1.** Bruit sourd et régulier que font certains insectes en volant : *Le bourdonnement d'une mouche m'a réveillée.* **2.** Son grave et continu d'un appareil : *J'entends le bourdonnement du moteur de l'automobile.* SYN. vrombissement. **3.** Murmure sourd et confus : *En approchant de la classe, un bourdonnement indique la présence des élèves.* **4.** Son grave qui ne provient pas de l'extérieur : *Michel souffre de bourdonnements d'oreilles.* ☞ bourdonner.

bourdonner v. **1.** Faire entendre un bruit sourd et régulier, en parlant de certains insectes : *Les abeilles bourdonnent autour des feuilles de trèfle.* **2.** Faire entendre un son grave et continu, en parlant d'un appareil : *Le moteur de l'automobile bourdonne.* SYN. ronronner, vrombir. **3.** Faire entendre un murmure sourd et confus : *La classe bourdonne d'activité.* **4.** fig. Entendre un son grave qui ne provient pas de l'extérieur : *J'ai les oreilles qui bourdonnent.* ☞ bourdonnant, bourdonnement.

bourg n.m. Gros village : *Le bourg sert de marché aux villages voisins.* HOM. bourre. ☞ bourgade.

bourgade n.f. Petit village : *Les maisons de la bourgade sont éparpillées sur un grand espace.* ☞ bourg.

bourgeois, oise n. et adj. **1.** n. Personne appartenant à la classe moyenne, qui n'exerce pas un travail manuel et dont les revenus sont élevés : *Le banquier et la femme d'affaires sont des bourgeois.* **2.** n. Autrefois, personne qui habitait un bourg : *Au Moyen Âge, les bourgeois avaient certains privilèges.* ANT. paysan. **3.** adj. Qui se rapporte aux personnes n'exerçant pas un travail manuel et ayant des revenus élevés : *Les gens de la classe moyenne ont des goûts bourgeois.* **R.** Ne pas oublier le *e* après le *g*. ☞ bourgeoisement, bourgeoisie.

bourgeoisement adv. D'une manière bourgeoise : *Les gens riches vivent bourgeoisement.* **R.** Ne pas oublier le *e* après le *g*. ☞ bourgeois.

bourgeoisie n.f. Ensemble des bourgeois : *On distingue la petite, la moyenne et la grande bourgeoisie.* **R.** Ne pas oublier le *e* après le *g*. ☞ bourgeois.

bourgeon n.m. Petite pousse renflée, contenant une feuille ou une fleur : *Les bourgeons des arbres se gonflent et s'ouvrent au printemps.* **R.** Ne pas oublier le *e* après le *g*. ☞ bourgeonnement, bourgeonner.

bourgeonnement n.m. Formation et développement des bourgeons sur une plante: *Rien n'est plus beau que le bourgeonnement des arbres au printemps.* **R.** Ne pas oublier le *e* après le *g*. ☞ bourgeon.

bourgeonner v. Former des bourgeons: *Les lilas bourgeonnent et seront bientôt en fleur.* **R.** Ne pas oublier le *e* après le *g*. ☞ bourgeon.

bourrade n.f. Poussée que l'on donne avec le poing, le coude: *Jocelyne a écarté Philippe d'une bourrade dans les côtes.*

bourrage n.m. Action de remplir complètement quelque chose: *Elle aide grand-père a faire le bourrage de sa pipe.* ⁄⁄ *Bourrage de crâne:* Acquisition de connaissances qui ne font pas appel à l'intelligence. ☞ bourrer. ▲ **bourrage** n.m. Action de bourrer, d'emplir de poils, de fibres de laine ou de tissu: *J'aide grand-mère à faire le bourrage des coussins qu'elle a cousus pour moi.* ☞ bourre.

bourrasque n.f. Coup de vent violent et de courte durée: *Une bourrasque a emporté les coussins de la balancelle.*

bourratif, ive adj.fam. Qui alourdit, qui bourre l'estomac: *Il ne faut pas manger d'aliments bourratifs avant de se mettre au lit.* ☞ bourrer.

bourre n.f. Poils, fibres de laine ou de tissu dont on remplit les coussins, les meubles: *La bourre s'échappe par une déchirure de la housse.* HOM. bourg. ☞ bourrage, bourrer, débourrer, rembourrage, rembourrer.

bourré, ée adj. **1.** Qui est plein: *Ta dictée est bourrée de fautes.* SYN. truffé. **2.** Qui est comble, bondé: *À l'heure de pointe, les wagons sont bourrés de voyageurs.* SYN. rempli. HOM. bourrer. ☞ bourrer.

bourreau, eaux n.m. **1.** Personne qui exécute les condamnés à mort: *Depuis l'abolition de la peine de mort, il n'y a plus de bourreaux au Canada.* **2.** Personne qui maltraite d'autres personnes: *Les bourreaux d'enfants sont des êtres méprisables.* ANT. victime. ⁄⁄ *Bourreau de travail:* Personne qui travaille beaucoup. *Bourreau des cœurs:* Homme qui a du succès auprès des femmes.

bourrelet n.m. **1.** Bande de caoutchouc, de feutre qui empêche l'air de passer: *Maman a installé des bourrelets autour des portes et des fenêtres.* **2.** Pli arrondi que forme la peau à certains endroits du corps: *Tante Irène est grasse et son ventre fait des bourrelets.*

bourrer v. **1.** Remplir complètement: *Grand-père bourre sa pipe de tabac.* ANT. vider. **2.** Faire trop manger: *Ne bourre pas tes petits frères de gâteaux!* **3.** fam. Alourdir l'estomac: *Le pâté à la viande est un aliment qui bourre.* ⁄⁄ *Bourrer le crâne de quelqu'un:* Essayer d'en faire accroire à quelqu'un. *Bourrer quelqu'un de coups:* Frapper quelqu'un à coups de poing. ☞ bourrage, bourratif, bourré. ▲ **bourrer** v. Emplir de poils, de fibres de laine ou de tissu: *Les ouvriers bourrent le siège du canapé.* SYN. rembourrer. HOM. bourré. ☞ bourre. se **bourrer** v.pron. Manger abondamment: *Karine se bourre de bonbons.*

bourricot n.m. (esp.) Petit âne: *Les petits enfants flattent le bourricot.* ☞ bourrique.

bourrique n.f. (esp.) **1.** Ânesse: *La bourrique avance péniblement sur un sentier abrupt.* **2.** fig. et fam. Personne entêtée et stupide: *C'est une vraie bourrique!* ☞ bourricot.

bourru, ue adj. Qui est peu aimable: *La concierge est une femme bourrue, à l'air renfrogné.* SYN. bougon, rude. ANT. affable.

bourse n.f. **1.** Petit sac dans lequel on met des pièces de monnaie: *À Noël, j'ai reçu une jolie petite bourse et une tirelire.* SYN. porte-monnaie. **2.** Somme d'argent accordée à un élève, à un étudiant ou à un chercheur pour l'aider à poursuivre ses études ou ses travaux: *L'État accorde des bourses d'études aux étudiants méritants.* **R.** N'a pas le sens de *sac à main*. ☞ boursier. ▲ **Bourse** n.f. Établissement, marché où les financiers achètent et vendent des actions, des titres: *La Bourse de Montréal est un lieu fréquenté par les gens d'affaires.* **R.** S'écrit avec une majuscule dans ce sens.

boursier, ière n. et adj. **1.** n. Élève, étudiant ou chercheur qui a obtenu une somme d'argent pour l'aider à continuer ses études ou ses travaux: *Trois boursières iront étudier en France.* **2.** adj. Qui a obtenu une somme d'argent pour l'aider à continuer ses études ou ses travaux: *L'étudiant boursier va pouvoir poursuivre ses études en médecine.* ☞ bourse. ▲ **boursier, ière** n. et adj. **1.** n. Personne qui travaille là où les financiers achètent et vendent des actions, des titres: *La boursière est une professionnelle de la Bourse.* **2.** adj. Qui se rapporte à l'établissement où les financiers achètent et vendent des actions, des titres: *Il faut surveiller de près ses opérations boursières.* ☞ bourse.

boursouflé, ée adj. Qui est gonflé par endroits: *Ton visage est tout boursouflé.* SYN. bouffi, enflé. HOM. boursoufler. ☞ boursoufler.

boursoufler v. Gonfler quelque chose par endroits: *L'humidité a fait boursoufler la peinture du plafond.* HOM. boursouflé. ☞ boursouflé, boursouflure. se **boursoufler** v.pron.

Se gonfler par endroits : *Julienne s'est brûlé la main et sa peau se boursoufle.*

boursouflure n.f. Gonflement qui apparaît par endroits sur une surface : *Le lendemain du combat, le boxeur avait des boursouflures au visage.* ☞ boursoufler.

bousculade n.f. **1.** Désordre dans une foule où les gens se poussent : *Les usagers du métro sont souvent pris dans des bousculades.* **2.** Grande agitation : *Quand la cloche sonne, c'est la bousculade dans la classe.* ☞ bousculer.

bousculer v. **1.** Heurter quelque chose en le renversant : *Elle a bousculé mes pots de géraniums.* **2.** Pousser brutalement quelqu'un : *Tu bouscules tout le monde en courant ainsi.* SYN. heurter. **3.** Faire se dépêcher quelqu'un : *Quand je fais un travail minutieux, je n'aime pas qu'on me bouscule.* SYN. presser. **4.** fig. Faire changer brusquement quelque chose : *Les nouvelles méthodes bousculent nos habitudes.* SYN. bouleverser. ☞ bousculade. **se bousculer** v.pron. **1.** Se pousser en tous sens : *Les écoliers se bousculent à la sortie de l'école.* **2.** Se suivre de façon désordonnée : *Les idées se bousculent dans ma tête.*

bouse n.f. Excrément de la vache, du bœuf : *Le champ est plein de bouses de vaches.* ☞ bousier.

bousier n.m. Insecte qui vit dans les excréments de vaches et de bœufs : *Les bousiers font des boulettes de bouse pour nourrir les larves.* ☞ bouse.

boussole n.f. (it.) Appareil contenant une aiguille aimantée mobile qui indique le nord : *Les chasseuses s'orientent à l'aide d'une boussole.*

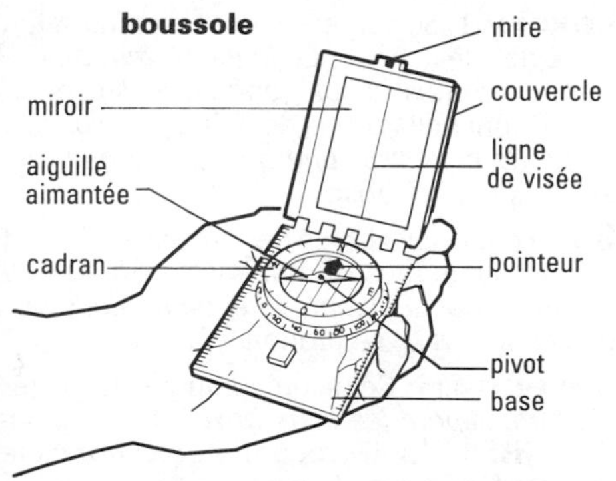

bout n.m. **1.** Extrémité d'un objet long : *Le bout du bâton est pointu.* SYN. pointe. **2.** Limite d'un espace : *Je me suis rendu jusqu'au bout de la ruelle.* SYN. fin. **3.** Fin d'une durée : *Tante Marie est partie au bout d'une semaine.* **4.** Morceau de quelque chose : *Le petit garçon s'amuse avec des bouts de bois.* **5.** Partie d'un espace : *Nous avons fait un bout de chemin ensemble.* **6.** Partie d'une durée : *Ils ne se sont pas vus depuis un bon bout de temps.* HOM. boue. ⁄⁄ *Bout à bout :* L'un à la suite de l'autre. *Bout de chou :* Petit enfant. *D'un bout à l'autre :* Du début à la fin. *Être à bout :* Être épuisé. *Pousser à bout :* Énerver, faire fâcher. *Venir à bout de :* Réussir, triompher de.

boutade n.f. Plaisanterie, mot d'esprit : *Il m'a répondu par une boutade.*

boute-en-train n.m.invar. Personne qui met de la gaieté dans une réunion, une fête : *Paul est un boute-en-train.*

bouteille n.f. **1.** Récipient à goulot étroit destiné à contenir un liquide : *Les bouteilles de vin n'ont pas toutes la même forme.* **2.** Contenu de ce récipient : *Aux fiançailles de mon frère, nous avons bu une bouteille de champagne.* **3.** Récipient métallique contenant du gaz liquide ou sous pression : *Achète une bouteille de butane.* SYN. bonbonne. ⁄⁄ *Bouteille thermos :* Bouteille isolante qui permet de garder un liquide à la même température. ☞ demi-bouteille, embouteillage, embouteiller, porte-bouteilles.

bouteur n.m. Engin sur tracteur à chenilles, muni d'une lame d'acier à l'avant : *Le bouteur est utilisé dans les travaux de terrassement.* **R.** Recommandé officiellement pour remplacer l'anglicisme « bulldozer ».

boutique n.f. Local où un commerçant, un artisan expose et vend sa marchandise : *J'ai acheté des roses à la boutique du fleuriste.* SYN. commerce, magasin. ☞ arrière-boutique, boutiquier.

boutiquier, ière n. Personne qui tient une boutique : *La boutiquière m'a montré sa marchandise.* SYN. commerçant, marchand. ☞ boutique.

bouton n.m. Bourgeon qui contient une fleur : *Les roses sont encore en boutons.* ☞ bouton-d'or. ▲ **bouton** n.m. **1.** Petite pièce de matière dure, servant à fermer un vêtement ou à le décorer : *Tu as perdu un bouton à ta blouse.* **2.** Petite pièce ronde qui sert à manœuvrer une porte, un tiroir : *Tourne le bouton de la porte pour l'ouvrir.* **3.** Pièce mobile d'un appareil électrique : *Ne joue pas avec les boutons du poste de radio.* ☞ boutonnage, boutonner, boutonnière, bouton-poussoir, bouton-pression, déboutonnage, déboutonner, reboutonner. ▲ **bouton** n.m. Petite enflure sur la peau : *Denise a un bouton sur la joue.* ☞ boutonneux.

bouton-d'or n.m. Plante à fleurs jaune doré: *La renoncule âcre est aussi appelée bouton-d'or.* **R.** Au pluriel, *boutons-d'or.* ☞ bouton.

boutonnage n.m. **1.** Action de fermer un vêtement au moyen de boutons: *Bravo! Tu as réussi le boutonnage de ta veste.* **2.** Ensemble des boutons et des boutonnières d'un vêtement: *Le boutonnage de cette robe est dans le dos.* ☞ bouton.

boutonner v. Fermer un vêtement au moyen de boutons: *Boutonne ta veste, sinon tu vas attraper froid.* SYN. attacher, fermer. ANT. déboutonner, détacher. ☞ bouton. **se boutonner** v.pron. Se fermer au moyen de boutons: *Ma robe se boutonne sur le côté.*

boutonneux, euse adj. Qui a de petites enflures sur la peau: *L'adolescent a le visage boutonneux.* ☞ bouton.

boutonnière n.f. **1.** Petite fente faite à un vêtement pour laisser passer un bouton: *La couturière termine les boutonnières de ma robe.* **2.** Petite fente au revers de la veste: *Le marié porte une fleur à la boutonnière.* ☞ bouton.

bouton-poussoir n.m. Bouton d'un appareil électrique sur lequel on appuie pour déclencher un mécanisme: *La sonnette est actionnée par un bouton-poussoir.* **R.** Au pluriel, *boutons-poussoirs.* ☞ bouton.

bouton-pression n.m. Système de fermeture composé de deux disques de métal qui s'adaptent l'un à l'autre par pression: *Le sac de Geneviève se ferme à l'aide de boutons-pression.* SYN. pression. **R.** Au pluriel, *boutons-pression.* ☞ bouton.

bouturage n.m. Multiplication des plantes par boutures: *Le bouturage des bégonias n'est pas difficile.* ☞ bouture.

bouture n.f. Petite partie d'une plante qui, mise en terre, prend racine et produit une nouvelle plante: *Place les boutures de géraniums au soleil.* ☞ bouturage, bouturer.

bouturer v. Multiplier des plantes par boutures: *Papa a demandé conseil à la fleuriste avant de bouturer son géranium.* ☞ bouture.

bouvillon n.m. Jeune bœuf qu'on a castré: *Après un an, le veau mâle castré s'appelle bouvillon.* ☞ bœuf.

bouvreuil n.m. Oiseau passereau des bois et des jardins, à tête et à ailes noires, à dos gris et à poitrail rouge: *Le bouvreuil se nourrit de fruits et de graines.*

bovidés n.m.plur. Famille de mammifères ruminants: *Le bœuf, la chèvre, le mouton, la gazelle, l'antilope et le chamois sont des bovidés.* **R.** S'écrit au singulier lorsqu'il désigne un animal appartenant à cette famille. ☞ bœuf.

bouvreuil

bovin, ine adj. **1.** Qui se rapporte au bœuf: *Ma tante se consacre à l'élevage bovin.* **2.** fig. et fam. Qui est sans expression, sans intelligence: *Certaines personnes ont un regard bovin.* ☞ bœuf.

bovinés n.m.plur. Groupe de bovidés comprenant aussi le bison, le buffle, le zébu: *Chez les bovinés, le mâle et la femelle portent des cornes.* SYN. bovins. **R.** S'écrit au singulier lorsqu'il désigne un animal appartenant à ce groupe. ☞ bœuf.

bovins n.m.plur. Bœufs, vaches, taureaux et veaux: *Les bovins font partie de la famille des bovidés.* SYN. bovinés. ☞ bœuf.

bowling n.m. (améric.) Jeu de quilles; salle où l'on pratique ce jeu: *Au lieu de dire «je vais jouer au bowling», on dira «je vais jouer aux quilles».* **R.** L'O.L.F. recommande d'utiliser les mots *jeu de quilles* (ou *quilles*) et *salle de quilles* pour remplacer l'anglicisme «bowling».

boxe n.f. (angl.) Sport de combat où les deux adversaires se frappent à coups de poing: *La boxe anglaise se pratique avec des gants spéciaux.* SYN. pugilat. ☞ boxer, boxeur.

boxer v. **1.** Se battre à coups de poing selon les règles de la boxe: *Ce jeune boxeur américain boxe dans la catégorie poids légers.* **2.** fam. Donner des coups de poing: *Tu n'as pas honte de boxer sur une plus petite que toi?* SYN. frapper. ☞ boxe.

boxer n.m. (all.) Chien de garde au poil court et fauve et au museau puissant: *Le boxer est voisin du dogue allemand et du bouledogue.* **R.** Les lettres *er* se prononcent *erre*.

boxeur n.m. Celui qui pratique la boxe: *L'arbitre sépare les deux boxeurs.* SYN. pugiliste. **R.** L'O.L.F. recommande *boxeuse* comme féminin de *boxeur.* ☞ boxe.

boyau, aux n.m. **1.** Intestin d'un animal: *La saucisse et le boudin sont faits avec des boyaux de cochon.* SYN. entrailles, tripes. **2.** Pneu d'une bicyclette de course: *La cycliste a* *dû changer un des boyaux de sa bicyclette pendant la course.* SYN. tube. **R.** N'a pas le sens de *tuyau d'arrosage*.

boycottage n.m. **1.** Suspension des relations avec une personne, un groupe, un pays: *Le boycottage des Jeux olympiques a fait beaucoup de bruit en 1984.* **2.** Refus d'acheter des marchandises d'un commerçant, d'une entreprise: *Le syndicat a organisé le boycottage des raisins de Californie.* ☞ boycotter.

boycotter v. (angl.) **1.** Cesser toute relation avec une personne, un groupe, un pays: *Le Canada boycotte l'Afrique du Sud.* **2.** Refuser d'acheter des marchandises d'un commerçant, d'une entreprise: *Les grévistes ont décidé de boycotter les produits étrangers.* ☞ boycottage, boycotteur.

boycotteur, euse n. Personne qui cesse toute relation avec une personne, un groupe, un pays ou qui refuse d'acheter des marchandises d'un commerçant, d'une entreprise: *Les boycotteurs ont fait beaucoup de tort à cette commerçante.* ☞ boycotter.

bracelet n.m. **1.** Anneau que l'on porte autour du poignet, du bras ou de la cheville: *Ma sœur porte un bracelet en or au poignet.* **2.** Pièce de cuir, d'étoffe que certains travailleurs ou sportifs portent autour du poignet: *Le joueur de tennis porte un bracelet de force pour protéger son poignet.* **3.** Élastique plat et assez large servant à tenir des choses ensemble: *Place un bracelet autour de la boîte pour que le couvercle reste bien en place.* ☞ bracelet-montre.

bracelet-montre n.m. Montre attachée au poignet par un bracelet: *Nadine a reçu un bracelet-montre pour son anniversaire.* SYN. montre-bracelet. **R.** Au pluriel, *bracelets-montres*. ☞ bracelet.

braconnage n.m. Chasse ou pêche sans permis, en dehors des saisons ou des lieux autorisés: *On les a trouvées coupables de braconnage et elles ont dû payer une forte amende.* ☞ braconner.

braconner v. Chasser ou pêcher sans permis, en dehors des saisons ou des lieux autorisés: *Les gens qui braconnent ne respectent ni les lois ni les règlements.* ☞ braconnage, braconnier.

braconnier, ière n. Personne qui chasse ou qui pêche sans permis, en dehors des saisons ou des lieux autorisés: *La garde-chasse a arrêté deux braconniers.* ☞ braconner.

brader v. Vendre des marchandises à bas prix: *La commerçante a bradé tous les articles en magasin.* ☞ braderie, bradeur.

braderie n.f. Vente publique de marchandises à bas prix: *En fin de saison, tous les commerçants de la rue organisent une braderie.* ☞ brader.

bradeur, euse n. Personne qui vend des marchandises à bas prix: *Les bradeurs étalent leurs marchandises en plein air sur de longues tables.* ☞ brader.

bradype n.m. Nom scientifique de l'aï, appelé aussi paresseux: *Le bradype est un animal qui se déplace très lentement.* ◇ aï, paresseux.

braguette n.f. Ouverture verticale sur le devant d'un pantalon: *La braguette se ferme par un boutonnage ou une fermeture à glissière.*

brahmane n.m. En Inde, membre de la caste sacerdotale: *Les brahmanes sont considérés comme des hommes divins.* ☞ brahmanique, brahmanisme.

brahmanique adj. Qui se rapporte au système social et religieux de l'Inde: *La société brahmanique est divisée en quatre groupes ou castes.* ☞ brahmane.

brahmanisme n.m. Système social et religieux de l'Inde: *Le brahmanisme est caractérisé par la suprématie des brahmanes.* ☞ brahmane.

braillard, arde n. et adj.fam. **1.** n. Personne qui crie, parle, chante ou pleure d'une voix assourdissante: *Ferme la fenêtre. Je ne veux plus entendre ces braillards.* **2.** adj. Qui crie, parle, chante ou pleure d'une voix assourdissante: *Les enfants braillards énervent les adultes.* ☞ brailler.

braille n.m. (n. de l'inv.) Alphabet en relief, à l'usage des aveugles: *Le braille permet aux aveugles de lire et d'étudier.*

braillement n.m. Cri de celui qui braille: *Qui a poussé ce braillement?* SYN. hurlement. ☞ brailler.

brailler v. **1.** Crier, parler, chanter ou pleurer d'une voix assourdissante: *Des fêtards braillaient une chanson sous ma fenêtre.* SYN. hurler. **2.** Pleurer très fort: *Quelqu'un sait-il pourquoi braille cet enfant?* ☞ braillard, braillement.

braiment n.m. Cri de l'âne: *As-tu déjà entendu le braiment de l'âne?* ☞ braire.

braire v. Crier, en parlant de l'âne: *L'âne se met à braire dans son enclos.* ☞ braiment.

braise n.f. Bois réduit en charbon, qui brûle sans faire de flammes: *Nous ferons cuire les truites sur la braise.* ☞ braiser.

braiser v. Faire cuire à feu doux, dans un récipient fermé: *La cuisinière a fait braiser un morceau de bœuf.* ☞ braise.

brakes ☞ sect. anglicismes et canadianismes.

bramement n.m. Cri du cerf et du daim: *Le bramement est le cri prolongé que poussent le cerf et le daim à la saison des amours.* ☞ bramer.

bramer v. Crier, en parlant du cerf et du daim: *À l'époque de la reproduction, le cerf et le daim brament.* ☞ bramement.

bran n.m. Partie la plus grossière du son: *Que font ces cultivateurs avec le bran?* ∥ *Bran de scie:* Sciure de bois.

brancard n.m. **1.** Civière à bras: *La secouriste participe au transport des blessés sur des brancards.* **2.** Chacune des deux pièces de bois entre lesquelles on attelle un cheval, un âne ou un mulet: *Le cheval est attelé entre les brancards de la charrette.* SYN. limon. ☞ brancardier.

brancardier n.m. Personne qui transporte les blessés sur des brancards: *Les deux brancardiers ont transporté le blessé au poste de secours.* ☞ brancard.

branchage n.m. **1.** Ensemble des branches d'un arbre: *Le branchage de l'érable est couvert de verglas.* **2.** plur. Ensemble de branches coupées: *Après avoir taillé ses arbres, le voisin devra ramasser les branchages.* ☞ branche.

branche n.f. **1.** Ramification qui pousse à partir du tronc d'un arbre: *L'écureuil a construit son nid sur la plus haute branche.* SYN. rameau. ANT. souche. **2.** Division d'un élément principal: *À la sortie du village, la route se sépare en deux branches.* SYN. partie. **3.** Partie d'une famille ayant un ancêtre commun: *Une branche de notre famille a émigré aux États-Unis au début du siècle.* SYN. lignée. **4.** Division d'une science, d'une œuvre: *La géométrie est une branche des mathématiques.* SYN. section, spécialité. ☞ branchage, branchette, branchu, ébranchage, ébranchement, ébrancher, ébranchoir.

branchement n.m. **1.** Raccordement d'un appareil électrique au circuit principal: *L'employée du téléphone effectue le branchement de notre ligne au réseau téléphonique.* ANT. débranchement. **2.** Raccordement d'un tuyau à une canalisation principale: *Le branchement d'égout relie notre maison à l'égout public.* ☞ brancher.

brancher v. **1.** Raccorder un appareil électrique à une prise de courant pour le faire fonctionner: *As-tu branché le fer à repasser?* ANT. débrancher. **2.** Raccorder un tuyau à une canalisation principale: *La plombière a branché les tuyaux de la salle de bain.* ☞ branchement, débranchement, débrancher.

branchette n.f. Petite branche: *La fillette s'amuse à casser les branchettes de l'arbuste.* ☞ branche.

branchial, ale, aux adj. Qui se rapporte à l'organe de respiration des poissons, des crustacés, des têtards, des mollusques: *Les fentes branchiales des poissons sont situées sur les côtés de la tête.* ☞ branchie.

branchie n.f. Organe de respiration des poissons, des crustacés, des têtards, des mollusques: *Tous les animaux marins possèdent des branchies.* ☞ branchial.

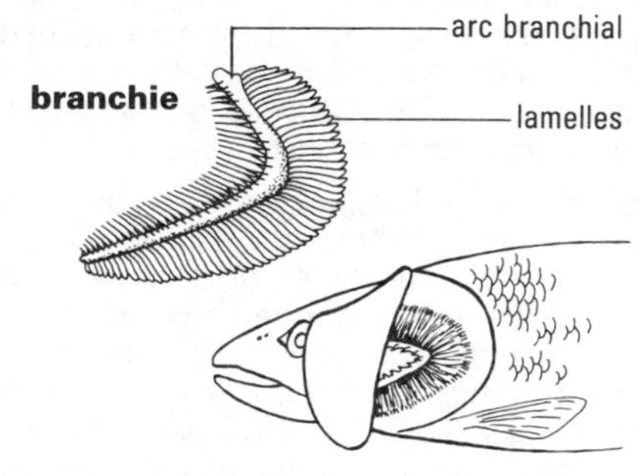

branchu, ue adj. Qui a beaucoup de branches: *Cet arbre branchu est un refuge idéal pour les oiseaux.* ☞ branche.

brandebourg n.m. (n. de lieu) Galon, broderie ornant une boutonnière: *Le brandebourg est à la fois une fermeture et un ornement.*

brandir v. **1.** Tenir en l'air d'un geste menaçant: *Le voleur brandissait son arme.* **2.** Tenir en l'air en agitant: *Les spectateurs brandissent des drapeaux de tous les pays.*

branlant, ante adj. Qui n'est pas solide, stable: *Ne t'assois pas sur la chaise branlante.* ☞ branler.

branle n.m. Premier élan que l'on donne à quelque chose: *L'entreprise a donné le branle au projet de construction.* ∥ *Mettre en branle:* Commencer quelque chose. *Se mettre en branle:* Commencer à bouger, à agir. ☞ branler.

branle-bas n.m.invar. **1.** Préparation au combat sur un navire de guerre: *Quand le capitaine crie: «Branle-bas de combat», tous les marins rejoignent leur poste.* **2.** fig. Grande agitation qui précède une action: *Avant le* *spectacle, c'était le branle-bas général dans les coulisses.*

branlement n.m. Façon de remuer d'avant en arrière, ou d'un côté à l'autre: *La vieille dame essaie de contrôler le branlement de sa tête.* ☞ branler.

branler v. **1.** Être peu solide, instable: *Il faudra enlever la dent qui branle.* **2.** Remuer d'avant en arrière, ou d'un côté à l'autre: *Pourquoi branles-tu la tête?* ☞ branlant, branle, branlement.

braque n.m. (it.) Chien de chasse à oreilles pendantes et à poil court: *Le braque s'immobilise quand il sent le gibier.*

braque adj.fam. Qui est un peu fou, écervelé: *Je crois que cet homme est braque.*

braquer v. **1.** Diriger sur quelqu'un ou sur quelque chose: *Le chasseur braque son fusil sur le cerf de Virginie.* SYN. pointer. **2.** Fixer son regard sur quelqu'un ou sur quelque chose: *Tous les regards sont braqués sur la fille.* **3.** Orienter les roues d'un véhicule dans la direction voulue: *L'automobiliste a braqué à gauche pour garer sa voiture.* **4.** fig. Amener quelqu'un à s'opposer à quelqu'un ou à quelque chose: *Cette fillette cherche à braquer toutes ses amies contre le nouvel élève.* SYN. dresser. se **braquer** v.pron. S'entêter, se buter: *Il s'est braqué quand je lui ai parlé de sa famille.*

bras n.m. **1.** Partie du membre supérieur comprise entre l'épaule et le coude: *En anatomie, le membre supérieur est séparé en deux parties: le bras et l'avant-bras.* **2.** Membre supérieur, de l'épaule à la main: *Richard s'est cassé le bras en tombant.* **3.** Personne qui travaille, qui agit: *L'industrie a besoin de bras.* SYN. travailleur. **4.** Objet dont la forme fait penser à un bras: *Les bras du fauteuil ne sont pas solides.* SYN. appui. **5.** Division d'un cours d'eau séparé par des îles: *Le fleuve Saint-Laurent forme deux bras quand il contourne l'île de Montréal.* ⫽ *À bras-le-corps:* Avec les bras et par le milieu du corps. *À bras ouverts:* Avec chaleur, avec joie. *À tour de bras:* De toute sa force. *Bras dessus, bras dessous:* En se donnant le bras. *Se croiser les bras:* Ne rien faire. ☞ avant-bras, brassard, brassée.

brasier n.m. Amas de choses qui brûlent, violent incendie: *La pompière s'approche de l'immense brasier.* SYN. feu.

brassage n.m. **1.** Fabrication de la bière: *Le brassage de la bière se fait dans une brasserie.* **2.** fig. Mélange: *Le brassage des peuples nous rend plus tolérants.* ☞ brasser.

brassard n.m. Bande d'étoffe, ruban que l'on porte au bras: *Les secouristes portent un brassard rouge.* ☞ bras.

brasse n.f. **1.** Nage sur le ventre, où bras et jambes bougent de façon symétrique: *Valérie est une championne de la brasse.* **2.** Distance parcourue par le nageur à chaque mouvement de brasse: *La championne avait six brasses d'avance sur les autres concurrentes.* ☞ brasseur.

brassée n.f. Ce que les bras peuvent contenir ou porter: *Va chercher une brassée de bois dans le hangar.* HOM. brasser. ☞ bras.

brasser v. **1.** Remuer quelque chose pour mélanger: *Brasse la pâte à gâteau avant de la verser dans les moules.* SYN. agiter, mêler. **2.** fig. Traiter de nombreuses affaires: *C'est un homme important qui brasse beaucoup d'affaires.* **3.** fig. Manier de grosses sommes d'argent: *Cette femme d'affaires brasse beaucoup d'argent.* ☞ brassage, brasseur. ▲ **brasser** v. Fabriquer de la bière: *On brasse la bière dans une brasserie.* HOM. brassée. ☞ brassage, brasserie, brasseur.

brasserie n.f. **1.** Usine où l'on fabrique de la bière: *La brasserie emploie deux mille personnes.* **2.** Restaurant où l'on sert surtout de la bière et des repas simples: *Mes parents sont allés dîner dans une brasserie.* ☞ brasser.

brasseur, euse n. Personne qui traite de nombreuses affaires financières: *Ce jeune entrepreneur est un brasseur d'affaires.* ☞ brasser. ▲ **brasseur, euse** n. Personne qui fabrique de la bière ou qui en vend en gros: *Les brasseurs canadiens ne voient pas d'un bon œil l'importation de bières étrangères.* ☞ brasser. ▲ **brasseur, euse** n. Celui ou celle qui pratique la brasse: *Les deux brasseuses nagent déjà depuis vingt minutes.* ☞ brasse.

bravade n.f. (it.) **1.** Attitude pour paraître brave: *La générale n'aime pas que ses soldats s'exposent par bravade.* **2.** Attitude insolente: *Elle veut impressionner ses camarades en défiant l'autorité; sa bravade lui coûtera cher.* ☞ brave.

brave n. et adj. **1.** n. Personne qui est très courageuse: *Les braves ne reculent pas devant le danger.* SYN. héros. ANT. lâche. **2.** adj. Qui est très courageux: *Ces femmes ont été braves devant l'ennemi.* ANT. lâche. **3.** adj. Qui est bon et honnête: *Ce sont de braves gens que vous aimerez sûrement.* ANT. malhonnête, mauvais. ☞ bravade, bravement, braver, bravoure.

bravement adv. Avec bravoure, avec courage: *Olivier s'est bravement défendu.* SYN. vaillamment. ANT. lâchement. ☞ brave.

braver v. **1.** Affronter avec courage: *Les alpinistes bravent bien des dangers pour atteindre le sommet de la montagne.* ANT. déserter, fuir. **2.** Défier quelqu'un avec insolence: *Maxime aime braver le directeur.* SYN. provoquer. ANT. respecter. **3.** Ne pas respecter quelque chose: *Certaines personnes bravent la loi.* SYN. s'opposer. ANT. obéir, se soumettre. ☞ brave.

bravo n.m. et interj. **1.** n.m. Applaudissement, félicitation: *Les comédiennes saluent l'auditoire pendant que les bravos montent de la salle.* **2.** interj. Mot dont on se sert pour applaudir, féliciter: *«Bravo!» crient les spectateurs.*

bravoure n.f. Courage: *On a remis à Nadine une médaille pour sa bravoure.* SYN. héroïsme. ANT. lâcheté. ☞ brave.

brebis n.f. Mammifère ruminant domestique, à épaisse toison laineuse, dont le mâle est le bélier et le petit, l'agneau: *La brebis, le bélier et l'agneau sont des moutons.*

brèche n.f. **1.** Ouverture faite dans un mur, une clôture, une haie, un rempart: *Les enfants ont pénétré sur le terrain par une brèche dans la clôture.* SYN. passage, trouée. **2.** Petite entaille faite sur le bord d'une assiette, d'un verre: *Il y a de petites brèches dans la porcelaine.* ☞ ébrécher.

bréchet n.m. Os saillant situé à l'avant de la poitrine de la plupart des oiseaux: *Les muscles des ailes s'insèrent sur le bréchet.*

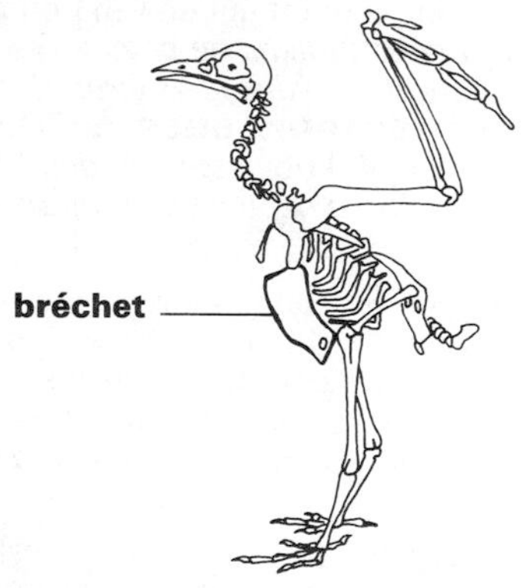

bredouillant, ante adj. Qui parle d'une manière précipitée et confuse: *Elle m'a répondu d'une voix bredouillante.* ☞ bredouiller.

bredouille adj. Qui revient sans avoir rien pris, rien obtenu: *Les chasseurs sont rentrés bredouilles.*

bredouillement n.m. Paroles précipitées et confuses: *Je n'ai rien compris à ton bredouillement.* **R.** Aussi, *bredouillage.* ☞ bredouiller.

bredouiller v. Parler d'une manière précipitée et confuse: *Quand elle est nerveuse, Martine se met à bredouiller.* SYN. bafouiller, bégayer. ANT. articuler, prononcer. ☞ bredouillant, bredouillement, bredouilleur.

bredouilleur, euse n. et adj. **1.** n. Personne qui parle de manière précipitée et confuse: *Le bredouilleur a regagné sa place la mine basse.* **2.** adj. Qui parle d'une manière précipitée et confuse: *Les personnes bredouilleuses doivent s'efforcer de parler lentement et clairement.* ☞ bredouiller.

bref, brève adj. **1.** Qui est de courte durée: *La députée a fait un bref discours après son élection.* SYN. concis, court. ANT. long. **2.** Qui est sec et tranchant: *Elle m'a répondu d'un ton bref qu'elle n'avait pas de temps à perdre.* ☞ brièvement, brièveté.

bref adv. Enfin, en résumé: *Cet enfant est charmant, enjoué, poli, travailleur. Bref, c'est un trésor!*

breloque n.f. Petit bijou qu'on attache à un bracelet: *Tante Isabelle porte un bracelet garni de breloques.*

brème n.f. Poisson d'eau douce dont le corps peut atteindre cinquante centimètres de long: *La brème d'Amérique est une espèce différente de la brème d'Europe.*

brésilien, ienne n. et adj. **1.** n. Personne qui est du Brésil: *Un Brésilien, une Brésilienne.* **2.** adj. Qui est du Brésil: *La samba est une danse brésilienne.* **R.** On met la majuscule à *brésilien* et à *brésilienne* lorsqu'il s'agit du nom.

bretelle n.f. **1.** Bande de cuir ou de tissu passée sur les épaules pour porter un objet pesant ou encombrant: *La chasseuse porte l'arme à la bretelle.* SYN. bandoulière. **2.** Portion de route qui relie une autoroute et une autre voie routière: *La voiture est entrée sur l'autoroute par la bretelle d'accès.* **3.** plur. Bandes de tissu qui retiennent aux épaules certains vêtements ou sous-vêtements: *Les bretelles du soutien-gorge sont décousues.*

breton, onne n. et adj. **1.** n. Personne qui habite la Bretagne: *Un Breton, une Bretonne.* **2.** adj. Qui est de la Bretagne: *La population bretonne atteint 2 500 000 habitants.* **R.** On met la majuscule à *breton* et à *bretonne* lorsque le nom désigne une personne.

breton n.m. Langue parlée dans l'ouest de la Bretagne: *Le breton est une langue qui a failli disparaître.*

bretzel n.m. (alsac.) Biscuit en forme de huit, saupoudré de sel et de cumin: *J'offre des bretzels à nos invités.*

breuvage n.m. Boisson d'une composition spéciale, un peu bizarre: *Le sorcier prépare un breuvage pour ensorceler les enfants.*

brevet n.m. **1.** Diplôme ou certificat qui permet d'exercer certaines fonctions: *Mon frère a obtenu son brevet d'enseignement en Europe.* SYN. grade. **2.** Document officiel qui assure à un inventeur la propriété exclusive de son invention: *Le brevet d'invention garantit que personne n'a le droit de copier l'invention décrite.* ☞ brevetable, breveté, breveter.

brevetable adj. Qui peut être protégé par un document officiel assurant à l'inventeur la propriété exclusive de son invention: *Je suis sûre que ce procédé est brevetable.* ☞ brevet.

breveté, ée adj. **1.** Qui a obtenu un diplôme ou un certificat permettant d'exercer certaines fonctions: *Les enseignantes brevetées ont eu l'autorisation permanente d'enseigner.* SYN. diplômé. **2.** Qui est protégé par un document officiel assurant à un inventeur la propriété exclusive de son invention: *Cette invention est brevetée.* HOM. breveter. ☞ brevet.

breveter v. Protéger une invention par un document officiel assurant à l'inventeur la propriété exclusive de son invention: *Il ne faut pas tarder à faire breveter une invention.* HOM. breveté. ☞ brevet.

bréviaire n.m. Livre contenant des prières que les prêtres doivent lire chaque jour: *Le curé se promène en lisant son bréviaire.*

bribes n.f.plur. **1.** Restes: *Il ne reste que des bribes de gâteau.* SYN. miettes. **2.** Fragments, éléments épars: *De temps en temps, on peut entendre des bribes de conversation.*

bric-à-brac n.m.invar. Ensemble de vieux objets de toutes sortes: *Le grenier est rempli de bric-à-brac.* SYN. vieilleries.

bricolage n.m. **1.** Petits travaux manuels: *Le bricolage est un moyen agréable de se détendre.* **2.** Réparation provisoire: *Ce bricolage ne tiendra pas le coup!* ☞ bricole.

bricole n.f. (it.) **1.** Objet sans valeur: *Il dépense tout son argent à des bricoles.* SYN. babiole. **2.** Chose sans importance: *Ne perds pas ton temps à ces bricoles.* SYN. bagatelle. ☞ bricolage, bricoler, bricoleur.

bricoler v. **1.** Faire de petits travaux manuels: *Philippe et Ève aiment bricoler.* **2.** Réparer de façon provisoire: *Maman a bricolé le grille-pain.* ☞ bricole.

bricoleur, euse n. Personne qui aime faire de petits travaux manuels: *Mon père est un bon bricoleur.* ☞ bricole.

bride n.f. **1.** Partie du harnais placée sur la tête du cheval pour le conduire: *On tient ordinairement son cheval par la bride.* **2.** Petit anneau de fil ou de tissu qui sert à retenir un bouton ou une agrafe: *Les boutons de sa robe sont retenus par des brides.* ☞ bridé, brider, débrider.

bridé, ée adj. Se dit des yeux dont les paupières sont étirées sur les côtés: *Les Chinois et les Japonais ont les yeux bridés.* HOM. brider. ☞ bride.

brider v. **1.** Mettre la bride à un cheval: *La cavalière bride son cheval.* ANT. débrider. **2.** Ficeler une volaille avant de la faire cuire: *Le cuisinier bride la dinde pour la cuisson.* SYN. attacher. ☞ bride. ▲ **brider** v. Empêcher d'agir à sa guise: *La discipline de l'école bride certains enfants.* SYN. freiner. ANT. libérer. HOM. bridé. ☞ débridé.

bridge n.m. (angl.) Jeu de cartes qui se joue à quatre avec cinquante-deux cartes: *Si nous faisions une partie de bridge?* ☞ bridger, bridgeur.

bridger v. Jouer au bridge: *Mes parents vont bridger chez leurs amis.* ☞ bridge.

bridgeur, euse n. Personne qui joue au bridge: *Ma cousine Françoise est une excellente bridgeuse.* ☞ bridge.

brie n.m. (n. de lieu) Fromage à pâte molle: *Le brie est originaire de la Brie, en France.* HOM. bris.

brièvement adv. D'une manière brève, en peu de mots: *Il nous a remerciés brièvement, puis il est parti.* SYN. succinctement. ANT. longuement. ☞ bref.

brièveté n.f. Courte durée: *La brièveté de ta visite m'a déçue.* ANT. longueur. ☞ bref.

brigade n.f. (it.) **1.** Unité militaire composée de plusieurs régiments: *La brigade aérienne a attaqué les lignes ennemies.* **2.** Groupe de policiers spécialisés dans un domaine particulier: *La brigade des stupéfiants a démantelé un réseau de drogue.* **3.** Équipe d'ouvriers: *La brigade de nettoyage a travaillé toute la nuit.* ☞ brigadier.

brigadier n.m. Officier supérieur: *Le brigadier général commande les soldats.* ⁄⁄ *Brigadier scolaire:* Au Canada, personne responsable des écoliers traversant la rue près de l'école. **R.** L'O.L.F. recommande *brigadière* comme féminin de *brigadier*. ☞ brigade.

brigand n.m. (it.) Personne qui vole à main armée et qui fait partie d'une bande: *Les brigands ont dévalisé une banque.* SYN. bandit, malfaiteur, voleur. ☞ brigandage.

brigandage n.m. Vol à main armée commis par une bande de malfaiteurs: *Les actes de brigandage se sont multipliés ces derniers mois.* ☞ brigand.

briguer v. Rechercher avec ardeur: *La comptable brigue le poste de directrice.*

brillamment adv. Avec éclat, d'une façon brillante: *Cette comédienne a brillamment joué son rôle.* ANT. médiocrement. ☞ briller.

brillance n.f. Qualité de ce qui brille: *La brillance du regard est souvent un signe d'intelligence.* SYN. éclat. ☞ briller.

brillant n.m. **1.** Diamant arrondi, taillé en plusieurs facettes: *À Noël, Marylène a reçu une montre avec des brillants.* **2.** Éclat: *Tout le monde admire le brillant de ses cheveux blonds.* SYN. lustre. ☞ briller.

brillant, ante adj. Qui a de l'éclat: *Les plumes de cet oiseau sont brillantes.* SYN. chatoyant, lustré. ANT. pâle, sombre. ☞ briller.

brill**amm**ent brill**ant**

briller v. **1.** Émettre une lumière vive: *Le soleil brille.* SYN. luire. ANT. s'obscurcir. **2.** Avoir de l'éclat: *Tes yeux brillent de plaisir.* SYN. pétiller. ANT. s'assombrir. **3.** fig. Se distinguer des autres: *Yannick a brillé à l'examen.* ☞ brillamment, brillance, brillant.

brimade n.f. Humiliation, contrariété: *Cette brimade l'humilie plus que tout.* ☞ brimer.

brimer v. Maltraiter quelqu'un en l'humiliant, en le contrariant: *Les petits ont été brimés par les grandes.* ☞ brimade.

brin n.m. **1.** Petite tige: *Elle chatouille le nez du chat avec un brin d'herbe.* **2.** Filament d'un câble ou d'un cordage: *La corde est formée de plusieurs brins.* **3.** fig. Petite quantité: *Il y a un brin de folie dans ton projet.* un **brin** loc.adv. Un petit peu: *Tu me sembles un brin effronté.*

brindille n.f. Petite branche mince et courte: *Tous les soirs, nous faisons un feu de brindilles sur la grève.*

brio n.m. (it.) Talent brillant, vivacité: *Ces musiciennes jouent avec brio.* SYN. virtuosité. ANT. maladresse.

brioche n.f. **1.** Pâtisserie légère en forme de boule: *J'aime beaucoup les brioches à la cannelle.* **2.** fig. et fam. Gros ventre: *Oncle Gérard a pris de la brioche.* ☞ brioché.

brioché, ée adj. Qui a la consistance de la brioche: *Le pain brioché est plus riche en matières grasses et en sucre que le pain ordinaire.* ☞ brioche.

brique n.f. et adj.invar. **1.** n.f. Pierre artificielle fabriquée avec de l'argile cuite: *La maçonne pose des briques sur la façade de la maison.* **2.** adj.invar. Qui est d'une couleur rougeâtre: *Fernand porte un pantalon rouge brique.* ☞ briqueterie, briquetier, briquette.

briquet n.m. Petit appareil qui produit du feu à répétition: *Le fumeur a perdu son briquet.*

briqueterie n.f. Lieu où l'on fabrique des briques: *La mère de Sylvio travaille dans une briqueterie.* ☞ brique.

briquetier n.m. Personne qui fabrique ou qui vend des briques: *Le briquetier retire les briques du four.* ☞ brique.

briquette n.f. Petite brique faite de charbon ou de tourbe, utilisée comme combustible: *Nous avons fait provision de briquettes pour alimenter le gril.* ☞ brique.

bris n.m. Destruction: *Les policiers l'ont arrêtée pour bris de clôture.* HOM. brie. **R.** S'emploie surtout dans le langage juridique. ☞ briser.

brise n.f. Petit vent agréable: *Une brise tiède me caresse le visage.*

brisé, ée adj. Qui comporte des segments de droite qui se coupent: *La ligne brisée forme des zigzags.* HOM. briser. ☞ briser.

brise-fer n.m.invar. Personne qui casse les objets les plus solides: *Pascal casse tous ses jouets; c'est un brise-fer.* ☞ briser.

brise-glace n.m.invar. Navire construit pour naviguer dans les mers arctiques: *Les brise-glace sillonnent les eaux dans le nord du Canada.* **R.** Aussi, *brise-glaces.* ☞ briser.

brise-jet n.m.invar. Embout fixé à un robinet pour diminuer la violence du jet: *Les brise-jet évitent les éclaboussures.* ☞ briser.

brise-lames n.m.invar. Construction à l'entrée d'un port, destinée à amortir le choc des vagues: *Le brise-lames protège le port contre les vagues pendant les tempêtes.* SYN. digue. ☞ briser.

brise-mottes n.m.invar. Rouleau qui écrase les mottes de terre: *Avant de semer le blé, la cultivatrice passe le brise-mottes sur la terre labourée.* ☞ briser.

briser v. Casser: *J'ai brisé la statuette de porcelaine!* ANT. réparer. ☞ bris, brisé, brise-fer, brise-glace, brise-jet, brise-lames, brise-mottes, brise-tout, briseur, brise-vent. se **briser** v.pron. **1.** Se casser: *Le miroir s'est brisé en mille morceaux.* SYN. se fracasser. **2.** Éclater en écume, déferler: *Les vagues se brisent contre la falaise.* ▲ **briser** v. **1.** Causer une grande peine: *Ton départ m'a brisé le cœur.* SYN. déchirer. ANT. réjouir. **2.** Détruire: *Ce stupide accident a brisé sa carrière.* **3.** Faire échouer: *Le gouvernement a réussi à briser la grève.* **4.** Fatiguer: *Le voyage m'a brisé.* SYN. éreinter. ANT. reposer. HOM. brisé. ☞ briseur.

brise-tout n.m.invar. Personne maladroite qui brise tout ce qu'elle touche: *Ne prête pas tes crayons à Nadine; c'est un brise-tout.* ☞ briser.

briseur, euse n. Personne qui casse quelque chose: *Ce garçon est un briseur de vitres.* ANT. réparateur. ☞ briser. ▲ **briseur, euse** n. Ouvrier qui remplace un gréviste: *Les policiers doivent accompagner les briseurs de grève pour les protéger contre les grévistes en colère.* ☞ briser.

brise-vent n.m.invar. Plantation d'arbres ou d'arbustes qui protège les plantes contre le vent: *Le brise-vent est très efficace.* ☞ briser.

britannique n. et adj. **1.** n. Personne qui est de la Grande-Bretagne: *Un Britannique, une Britannique.* **2.** adj. Qui est de la Grande-Bretagne: *Le Canada a déjà été une colonie britannique.* **R.** On met la majuscule à *britannique* lorsqu'il s'agit du nom.

broc n.m. Récipient à anse et à bec évasé qui sert à transporter des liquides: *Le broc est plein d'eau.* **R.** Le *c* ne se prononce pas.

brocante n.f. Commerce d'objets anciens, de marchandises d'occasion: *Le commerçant fait de la brocante.* ☞ brocanter.

brocanter v. Faire le commerce d'objets anciens, de marchandises d'occasion: *Elle gagne sa vie à brocanter.* ☞ brocante, brocanteur.

brocanteur, euse n. Personne qui fait le commerce d'objets anciens, de marchandises d'occasion: *Si tu cherches une carriole, va voir la brocanteuse.* SYN. antiquaire. ☞ brocanter.

brocart n.m. (it.) Étoffe de soie dans laquelle on a tissé des fils d'or ou d'argent: *Le brocart est un tissu précieux.*

brochage n.m. Assemblage, pliage et couture des feuilles d'un livre, puis collage à l'intérieur d'une couverture légère: *Le brochage des livres compte plusieurs opérations.* ANT. débrochage. ☞ brocher.

broche n.f. **1.** Bijou muni d'une épingle et d'un fermoir: *Cette broche est très jolie sur ton corsage.* **2.** Tige pointue sur laquelle on enfile une volaille ou une pièce de viande pour la faire rôtir: *Ce soir, nous ferons cuire le poulet à la broche.* **3.** Tige utilisée en chirurgie pour maintenir les os fracturés: *Le chirurgien a dû lui mettre une broche dans le fémur.* ☞ brochette, débrocher, embrochement, embrocher.

brocher v. Assembler, plier et coudre les feuilles d'un livre, puis les coller à l'intérieur d'une couverture légère: *Maintenant que le livre est imprimé, on doit le brocher.* ANT. débrocher. ☞ brochage, brocheur, brocheuse, brochure, débrochage, débrocher.

brochet n.m. Poisson d'eau douce très vorace, au museau plat et pointu et aux dents redoutables: *Le brochet peut atteindre un mètre de long et peser jusqu'à vingt kilogrammes.*

brochette n.f. **1.** Petite broche sur laquelle on enfile de petits morceaux de viande pour les faire rôtir: *Enfile les morceaux d'agneau sur les brochettes.* **2.** Petits morceaux de viande enfilés sur une petite broche: *Aimes-tu les brochettes de bœuf?* ☞ broche.

brocheur, euse n. Personne qui assemble, plie et coud les feuilles d'un livre, puis les colle à l'intérieur d'une couverture légère: *Les brocheuses empilent les livres sur le comptoir.* ☞ brocher.

brocheuse n.f. Machine qui broche les livres: *La brocheuse fonctionne mal aujourd'hui.* **R.** N'a pas le sens de *agrafeuse.* ☞ brocher.

brochure n.f. Petit ouvrage qu'on a assemblé, plié et cousu, puis qu'on a collé à l'intérieur d'une couverture légère: *Puis-je avoir cette brochure publicitaire?* ☞ brocher.

brocoli n.m. (it.) Variété de chou-fleur vert à longue tige: *Le brocoli est originaire du sud de l'Italie.*

brodequin n.m. Grosse chaussure lacée qui enveloppe la cheville et le bas de la jambe: *Les brodequins sont des chaussures robustes qu'on porte pour le travail ou pour la marche.*

broder v. **1.** Décorer une étoffe de dessins en relief exécutés avec une aiguille et du fil: *Autrefois, la plupart des femmes savaient broder.* **2.** fig. Exagérer un récit en y ajoutant des détails: *Les choses ne se sont pas passées comme cela; tu brodes!* ☞ broderie, brodeur.

broderie n.f. Dessin en relief exécuté avec une aiguille et du fil, servant à décorer une étoffe: *De magnifiques broderies ornent le devant de ta robe.* ☞ broder.

brodeur, euse n. Personne qui exécute des dessins en relief avec une aiguille et du fil pour décorer une étoffe: *À force de pratique, Victor deviendra un brodeur expert.* ☞ broder.

bronche n.f. Chacun des conduits qui amène l'air aux poumons: *Les bronches font* *suite à la trachée.* ☞ bronchiole, bronchite, bronchitique.

broncher v. Manifester sa mauvaise humeur, son désaccord: *Les élèves acceptent leur punition sans broncher.* SYN. s'opposer.

bronchiole n.f. Dernière ramification des bronches: *Les bronchioles sont de petits conduits qui pénètrent à l'intérieur des poumons.* ☞ bronche.

bronchite n.f. Inflammation des bronches et parfois des bronchioles: *La bronchite est une maladie des voies respiratoires.* ☞ bronche.

bronchitique n. et adj. **1.** n. Personne qui est atteinte de bronchite: *Les bronchitiques toussent beaucoup.* **2.** adj. Qui est atteint de bronchite: *Cette enfant bronchitique a du mal à respirer.* ☞ bronche.

bronzage n.m. Couleur brune que prend la peau sous l'effet du soleil: *On voit à ton bronzage que tu reviens de vacances.* SYN. hâle. ☞ bronzer.

bronze n.m. **1.** Alliage de cuivre et d'étain: *Dans l'Antiquité, on utilisait le bronze pour confectionner des armes et des statues.* **2.** Objet d'art en bronze: *Le musée d'Athènes renferme des bronzes d'une valeur inestimable.*

bronzer v. **1.** Brunir la peau: *Le soleil bronze le corps des vacanciers.* SYN. basaner, hâler. **2.** Devenir brune, en parlant de la peau: *Miguel bronze facilement.* ☞ bronzage. **se bronzer** v.pron. Se brunir la peau: *Les touristes passent de longues heures à se bronzer sur les plages de Floride.* **bronzé, ée** p.p. et adj. Qui est bruni par le soleil: *Elle est revenue de vacances toute bronzée.* SYN. hâlé. ANT. blanc, clair.

broquette n.f. Petit clou à tête aplatie: *Le tapissier utilise des broquettes.*

brossage n.m. Action de brosser: *Le brossage de ses cheveux l'occupe quinze minutes tous les jours.* ☞ brosse.

brosse n.f. **1.** Ustensile de nettoyage formé d'un support portant des poils plus ou moins souples: *La brosse à cheveux et la brosse à dents sont dans la salle de bain.* **2.** Pinceau plat et large: *Le peintre utilise une brosse pour étendre la couleur sur sa toile.* ⫽ *Cheveux en brosse:* Cheveux courts et droits comme les poils d'une brosse. ☞ brossage, brosser.

brosser v. **1.** Nettoyer avec une brosse: *Brosse ton manteau!* **2.** Démêler avec une brosse: *J'aime bien quand tu me brosses les cheveux.* **3.** Peindre avec une brosse: *Le peintre brosse le fond de sa toile.* **4.** fig. Décrire rapidement une situation: *La journaliste nous a brossé un tableau de ce qui se passe en Haïti.* ☞ brosse. **se brosser** v.pron. Se nettoyer avec une brosse: *Claude se brosse les dents après chaque repas.*

broue ☞ sect. anglicismes et canadianismes.

brouette n.f. Petit véhicule à une roue et à deux brancards, qui sert au transport de petites charges: *Carole pousse une brouette pleine de terre.* ☞ brouettée, brouetter.

brouettée n.f. Ce que contient une brouette: *J'ai besoin de deux brouettées de sable pour recouvrir l'allée.* HOM. brouetter. ☞ brouette.

brouetter v. Transporter dans une brouette: *Viens m'aider à brouetter cette terre.* HOM. brouettée. ☞ brouette.

brouhaha n.m. Bruit de voix confus qui s'élève dans une foule: *Les élèves sont rentrés. Quel brouhaha!* ANT. calme, silence.

brouillage n.m. Trouble dans la réception des ondes de radio, de télévision ou de radar: *On ne peut plus percevoir les ondes quand elles sont troublées par le brouillage.* ☞ brouiller.

brouillard n.m. Phénomène naturel produit par une masse de gouttelettes d'eau en suspension dans l'air: *Il y a du brouillard ce matin.* SYN. brume. ☞ antibrouillard.

brouille n.f. Mésentente, querelle: *Cette brouille a assez duré.* ANT. réconciliation. ☞ brouiller.

brouiller v. Faire cesser la bonne entente entre des personnes: *Tu as tout fait pour brouiller ces deux amies.* SYN. désunir, diviser, séparer. ANT. réconcilier, unir. ☞ brouille. **se brouiller** v.pron. Cesser de bien s'entendre avec quelqu'un: *Tu t'es brouillé avec ton amie?* ▲ **brouiller** v. **1.** Mettre en désordre, mêler: *À l'enquête, on s'est rendu compte que les pistes étaient brouillées.* ANT. démêler. **2.** Troubler, rendre moins net: *La buée brouille les glaces de l'automobile.* **3.** Troubler la réception des ondes de radio, de télévision ou de radar: *L'orage a brouillé l'émission de radio.* **4.** fig. Rendre confus: *Ses problèmes lui brouillent les idées.* SYN. embrouiller. ☞ brouillage, brouillon, débrouiller, embrouillé, embrouiller. **se brouiller** v.pron. **1.** Devenir trouble: *Ma vue se brouille.* **2.** fig. Devenir confus: *J'ai de la fièvre et tout se brouille dans ma tête.* SYN. se confondre. ANT. s'éclaircir.

brouillon n.m. Premier texte que l'on corrige avant de le mettre au propre: *As-tu fini le brouillon de ta rédaction?* ⫽ *Cahier de brouillon:* Cahier qui sert à rédiger des brouillons.

brouillon, onne n. et adj. **1.** n. Personne qui manque d'ordre: *Les brouillons manquent de méthode dans leur travail.* **2.** adj. Qui manque d'ordre: *C'est une personne brouillonne dont le travail n'est pas soigné.* ☞ brouiller.

broum! interj. Mot imitant le bruit d'un moteur: *Broum! Broum! L'automobile démarre.*

broussaille n.f. Touffe d'arbustes et de plantes épineuses qui poussent dans les terrains non cultivés: *Le sentier est envahi de broussailles.* ⁄⁄ *Cheveux, sourcils, barbe en broussaille:* Emmêlés, en désordre. **R.** S'emploie surtout au pluriel. ☞ broussailleux, débroussaillement, débroussailler, embroussaillé.

broussailleux, euse adj. **1.** Qui est couvert de broussailles: *Emmanuelle s'est écorché les jambes en traversant un terrain broussailleux.* **2.** fig. Qui est emmêlé, en désordre: *Ses cheveux broussailleux amusent les enfants.* ☞ broussaille.

brousse n.f. Dans les pays tropicaux, étendue couverte de hautes herbes et d'arbustes: *Les arbres sont peu nombreux dans la brousse.*

brouter v. Manger de l'herbe, des feuilles en les arrachant: *Les vaches broutent l'herbe du pâturage.* SYN. paître.

broutille n.f. Petit détail insignifiant: *Laissons ces broutilles! Nous avons des choses plus importantes à faire.* SYN. futilité.

brownie ☞ sect. anglicismes et canadianismes.

broyage n.m. Action d'écraser quelque chose pour le réduire en petits morceaux: *Le broyage du minerai se fait dans d'énormes broyeurs.* ☞ broyer.

broyer v. **1.** Écraser quelque chose pour le réduire en petits morceaux: *Les molaires broient les aliments.* **2.** Écraser quelqu'un ou une partie du corps: *Il a eu la main broyée.* ☞ broyage, broyeur.

broyeur n.m. Machine qui écrase quelque chose pour le réduire en très petits morceaux: *Le broyeur à déchets est installé sous l'évier de la cuisine.* ☞ broyer.

broyeur, euse adj. Qui écrase quelque chose pour le réduire en très petits morceaux: *Les insectes broyeurs se servent de leurs mandibules pour broyer les aliments.* ☞ broyer.

brrr! interj. Mot qui exprime le froid ou la peur: *Brrr! Qu'il fait froid ici!*

bru n.f.vx Épouse du fils: *Carmen est notre bru.* **R.** De nos jours, on dit *belle-fille*.

bruant n.m. Petit passereau voisin du pinson qui vit dans les champs et les jardins: *Le bruant est de la taille du moineau.*

bruine n.f. Petite pluie fine: *La bruine résulte de la condensation du brouillard.* ☞ bruiner, bruineux.

bruiner v. Tomber en petite pluie fine: *Il bruine souvent en automne.* **R.** Ne s'emploie qu'à la troisième personne du singulier. ☞ bruine.

bruineux, euse adj. Qui est chargé de petite pluie fine: *Ce matin le temps est froid et bruineux.* ☞ bruine.

bruire v. Faire entendre un bruit léger et confus: *Le vent bruit dans les arbres.* SYN. bourdonner, murmurer. **R.** Ne s'emploie qu'aux formes suivantes: il bruit, ils bruissent, il bruissait, ils bruissaient, qu'il bruisse, qu'ils bruissent, bruissant. ☞ bruissement.

bruissement n.m. Bruit léger et confus: *Entends-tu le bruissement des feuilles?* SYN. frémissement, froufrou, murmure. ANT. silence. ☞ bruire.

bruit n.m. **1.** Son perçu par l'oreille: *J'entends le bruit de tes pas.* ANT. silence. **2.** Vacarme, tapage: *Vous faites trop de bruit. Calmez-vous!* SYN. tumulte. ANT. calme. ☞ antibruit, bruitage, bruiteur. ▲ **bruit** n.m. Nouvelle qui se répand: *Le bruit court que tu iras bientôt en voyage.* SYN. rumeur. ⁄⁄ *Faire du bruit:* Avoir un grand retentissement, provoquer l'intérêt public. ☞ ébruitement, ébruiter.

bruitage n.m. Création de bruits au cinéma, au théâtre, à la radio: *Ce sont les bruiteurs qui réalisent le bruitage du film.* ☞ bruit.

bruiteur, euse n. Personne qui se spécialise dans la création de bruits au cinéma, au théâtre, à la radio: *La bruiteuse suit l'action de près.* ☞ bruit.

brûlage n.m. Destruction par le feu des herbes sèches et des broussailles: *Les riverains procèdent au brûlage des herbes au bord de la rivière.* **R.** Ne pas oublier l'accent: *û.* ☞ brûler.

brûlant, ante adj. **1.** Qui brûle, qui donne une sensation de chaleur intense: *L'enfant a le front brûlant de fièvre.* SYN. bouillant. ANT. froid, glacial. **2.** fig. Qui passionne ou qu'il est dangereux d'aborder: *C'est un sujet brûlant.* SYN. délicat, épineux. ANT. anodin. **R.** Ne pas oublier l'accent: *û.* ☞ brûler.

brûlé n.m. Odeur d'une chose qui brûle: *Ça sent le brûlé dans la maison.* SYN. roussi. HOM. brûler. **R.** Ne pas oublier l'accent: *û.* ☞ brûler.

brûlé, ée n. et adj. **1.** n. Personne qui a subi des brûlures: *On soigne les grands brûlés* *dans un hôpital de Montréal.* **2.** adj. Qui a été endommagé par le feu ou la chaleur: *Le rôti brûlé n'est pas mangeable.* HOM. brûler. **R.** Ne pas oublier l'accent: *û*. ☞ brûler.

brûlement ☞ sect. anglicismes et canadianismes.

à **brûle-pourpoint** loc.adv. D'une façon brusque et inattendue: *Elle m'a posé cette question à brûle-pourpoint.* **R.** Ne pas oublier l'accent: *û*.

brûler v. **1.** Consumer par le feu: *Le bois sec brûle bien.* **2.** Endommager par le feu, la chaleur: *Le rôti a brûlé dans le four.* **3.** Causer une sensation de brûlure: *Le plat me brûle les doigts.* **4.** Utiliser pour le chauffage, l'éclairage: *Nous avons brûlé beaucoup de bois cet hiver.* **5.** Ne pas s'arrêter à un endroit obligatoire: *L'automobiliste a brûlé le feu rouge.* **6.** Flamber: *Un grand feu brûle dans la cheminée.* **7.** Être détruit par le feu: *La maison brûle!* **8.** Éprouver un vif désir: *Je brûle d'impatience.* **9.** Être près de trouver une réponse, un objet caché: *Continue à chercher, tu brûles!* HOM. brûlé. ☞ brûlage, brûlant, brûlé, brûleur, brûlis, brûlot, brûlure. se **brûler** v.pron. Se causer une brûlure: *Je me suis brûlé en faisant la cuisine.* **R.** Ne pas oublier l'accent: *û*.

brûleur n.m. Appareil dans lequel se produit la combustion du gaz ou du mazout: *On pose la casserole sur le brûleur de la cuisinière à gaz.* **R.** Ne pas oublier l'accent: *û*. ☞ brûler.

brûlis n.m. Partie de forêt incendiée ou champ dont on a brûlé les herbes pour préparer le sol à la culture: *On pratique la culture sur brûlis en Afrique et en Asie.* **R.** Ne pas oublier l'accent: *û*. ☞ brûler.

brûlot n.m. Au Canada, petit moustique dont la piqûre provoque une sensation de brûlure suivie de démangeaison: *La piqûre du brûlot est très désagréable.* **R.** Ne pas oublier l'accent: *û*. ☞ brûler.

brûlure n.f. **1.** Blessure causée par le feu, la chaleur: *Antoinette a une vilaine brûlure à la main.* **2.** Marque laissée par quelque chose qui a brûlé: *Mes invités ont laissé des brûlures de cigarettes sur ma belle nappe.* **3.** Douleur vive comme celle d'une brûlure: *Depuis hier, j'ai des brûlures d'estomac.* **R.** Ne pas oublier l'accent: *û*. ☞ brûler.

brume n.f. **1.** Léger brouillard: *La brume matinale se dissipe lentement.* **2.** Brouillard de mer: *Au bord de la mer, par temps de brume, on entend les cornes de brume.* ☞ brumeux.

brumeux, euse adj. Qui est chargé de brume: *Le temps est brumeux ce matin.* ANT. clair. ☞ brume.

brun n.m. Couleur brune: *Le brun te va très bien.*

brun, une n. et adj. **1.** n. Personne dont les cheveux sont bruns: *Antoine est un beau brun.* **2.** adj. Qui est de couleur sombre, entre le roux et le noir: *Elle porte une jolie jupe brune.* **3.** adj. Qui est bronzé: *Il revient de vacances; il a la peau brune.* SYN. hâlé. ☞ brunante, brunâtre, brunet, brunir.

brunante n.f. Au Canada, moment de la journée où le soleil se couche: *Viens chez moi à la brunante; nous irons à la chasse aux lucioles.* SYN. crépuscule, soir. ANT. aube, aurore. ☞ brun.

brunâtre adj. Qui tire sur le brun: *Il y a des taches brunâtres sur ton pantalon.* **R.** Ne pas oublier l'accent: *â*. ☞ brun.

brunch n.m. (angl.) Au Canada, repas qui combine le déjeuner et le dîner et qui est habituellement constitué d'un buffet: *Dimanche, nous sommes invités à un brunch chez ma marraine.* **R.** L'O.L.F. recommande le mot *déjeuner-buffet* ou *déjeuner-dîner*. Au pluriel, *brunches* ou *brunchs*.

brunet, ette n. Personne qui a les cheveux bruns: *Alexandra est une jolie brunette.* ☞ brun.

brunir v. **1.** Rendre brun: *Le soleil brunit le corps des baigneurs.* **2.** Devenir brun: *La peau brunit quand on l'expose au soleil.* SYN. bronzer, hâler. ☞ brun.

brusque adj. (it.) **1.** Qui agit avec rudesse: *Ce sont des gens brusques.* SYN. bourru, brutal, dur. ANT. calme, doux. **2.** Qui est vif, sec: *La technique du yoga ne demande aucun geste brusque.* ANT. posé. ☞ brusquer, brusquerie. ▲ **brusque** adj. Qui est soudain, inattendu: *Pendant la nuit, il y a eu un changement brusque de température.* SYN. rapide. ANT. graduel. ☞ brusquement, brusquer.

brusquement adv. D'une manière soudaine, brusque: *L'automobiliste a freiné brusquement pour éviter un accident.* ANT. graduellement. ☞ brusque.

brusquer v. Traiter quelqu'un avec rudesse: *Les timides n'aiment pas qu'on les brusque.* ANT. ménager. ☞ brusque. ▲ **brusquer** v. Hâter quelque chose: *Je te demande de ne pas brusquer les choses.* ANT. ralentir. ☞ brusque.

brusquerie n.f. Rudesse, façons brusques: *Les gens n'aiment pas être traités avec brusquerie.* ANT. douceur. ☞ brusque.

brut, ute adj. **1.** Qui est encore à l'état naturel: *Le pétrole brut, le sucre brut et le diamant brut n'ont pas encore subi de transformations.* ANT. raffiné. **2.** Qui est évalué avant les déductions: *Son salaire brut est le salaire qu'elle gagnerait si elle ne payait pas d'impôts.* ANT. net. **3.** Qui comprend le poids de la marchandise et son emballage: *Cette caisse a un poids brut de cinquante kilos.* HOM. brute.

brutal, ale, aux adj. **1.** Qui est violent: *Cette enfant brutale frappe souvent ses camarades.* ANT. aimable. **2.** Qui est fait sans délicatesse: *Ta franchise brutale ne plaît pas à tout le monde.* ANT. doux. **3.** Qui est brusque et inattendu: *Le choc a été brutal.* ☞ brutalement, brutaliser, brutalité.

brutalement adv. D'une manière brutale, avec violence: *La gardienne traite brutalement les prisonnières.* ANT. aimablement, doucement. ☞ brutal.

brutaliser v. Traiter avec violence, avec brutalité: *Elle brutalise les animaux.* ☞ brutal.

brutalité n.f. **1.** Caractère d'une personne brutale: *Les manifestants se sont plaints de la brutalité des policiers.* ANT. amabilité, douceur. **2.** Caractère de ce qui est brusque et inattendu: *La brutalité de l'orage a surpris tout le monde.* ☞ brutal.

brute n.f. Personne violente, brutale: *Il maltraite ses enfants; c'est une vraie brute!* SYN. animal, bête. HOM. brut.

bruyamment adv. D'une manière bruyante: *Les enfants ont manifesté bruyamment leur désaccord.* ANT. silencieusement. ☞ bruyant.

bruyant, ante adj. **1.** Qui fait beaucoup de bruit: *Nos voisins sont très bruyants.* SYN. tapageur, turbulent. ANT. silencieux. **2.** Où il se fait beaucoup de bruit: *Comment peux-tu vivre dans un quartier aussi bruyant?* ANT. tranquille. ☞ bruyamment.

bruy**amm**ent bruy**ant**

bruyère n.f. Plante sauvage aux feuilles minuscules et aux petites fleurs roses ou violettes: *La bruyère pousse dans les sous-bois et dans les landes.*

buanderie n.f. Local où l'on fait la lessive: *La buanderie de l'hôpital est située au premier étage.* **R.** N'a pas le sens de *blanchisserie*. ☞ buandier.

buandier, ière n. Personne qui fait la lessive: *Les buandiers lavent le linge à la machine.* ☞ buanderie.

bubale n.m. Grande antilope africaine dont les cornes ont la forme d'une lyre: *Les bubales vivent en groupes et leur principal ennemi est le lion.*

buccal, ale, aux adj. Qui se rapporte à la bouche: *La cavité buccale renferme la langue et les dents.*

buccin n.m. Mollusque carnivore des côtes de l'Atlantique: *Le buccin se nourrit de crabes, de vers et de déchets d'animaux.*

bûche n.f. **1.** Morceau de bois de chauffage: *De grosses bûches d'érable brûlent dans la cheminée.* **2.** Gâteau en forme de bûche que l'on mange à l'occasion de Noël: *La bûche de Noël est la pâtisserie traditionnelle du temps des fêtes.* **R.** Ne pas oublier l'accent: *û*. ☞ bûcher (n.), bûcheron, bûchette.

bûcher v.fam. Travailler ou étudier très fort: *Cet étudiant a bûché toute la semaine pour réussir ses examens.* ANT. paresser. **R.** Ne pas oublier l'accent: *û*. ☞ bûcheur.

bûcher n.m. **1.** Amas de bois sur lequel on brûle les morts dans certains pays: *En Inde, on brûle les cadavres sur un bûcher funéraire.* **2.** Amas de bois sur lequel on brûlait autrefois les condamnés au supplice du feu: *Les personnes accusées de sorcellerie étaient brûlées sur un bûcher.* **R.** Ne pas oublier l'accent: *û*. ☞ bûche.

bûcheron, onne n. Personne dont le métier est d'abattre des arbres dans une forêt: *Les bûcherons passaient l'hiver dans les chantiers.* **R.** Ne pas oublier l'accent: *û*. ☞ bûche.

bûchette n.f. Petit morceau de bois sec: *La campeuse allume le feu avec des bûchettes.* **R.** Ne pas oublier l'accent: *û*. ☞ bûche.

bûcheur, euse n. et adj. **1.** n. Personne qui travaille ou qui étudie très fort: *Les bûcheurs n'ont pas beaucoup de loisirs.* ANT. paresseux. **2.** adj. Qui travaille ou qui étudie très fort: *Cette étudiante bûcheuse a eu d'excellents résultats.* ANT. paresseux. **R.** Ne pas oublier l'accent: *û*. ☞ bûcher (v.).

budget n.m. **1.** Ensemble des recettes et des dépenses annuelles d'un État, d'une municipalité, d'une administration: *Le ministre des Finances a présenté le budget du Québec à l'Assemblée nationale.* **2.** Ensemble des revenus et des dépenses d'une personne, d'une famille: *Mes parents ont prévu l'achat d'une automobile dans leur budget.* ☞ budgétaire.

budgétaire adj. Qui se rapporte à l'ensemble des recettes et des dépenses d'un État, d'une municipalité, d'une administration: *L'année budgétaire de cette entreprise se termine le 31 mars.* ☞ budget.

budget
budgétaire

buée n.f. Vapeur d'eau qui se condense en fines gouttelettes sur une surface froide: *Le miroir de la salle de bain est couvert de buée.* ☞ embuer.

buffet n.m. **1.** Meuble servant à ranger la vaisselle, la verrerie, l'argenterie: *Mes parents rangent le service de vaisselle en porcelaine dans le buffet de la salle à manger.* SYN. bahut. **2.** Table où l'on sert des mets et des boissons dans une réception: *Les invités se dirigent vers le buffet.* **3.** Mets et boissons que l'on sert dans une réception: *Le buffet servi au mariage était excellent.* **4.** Restaurant dans une gare: *Les voyageurs prennent un léger repas au buffet de la gare.*

buffle n.m. Mammifère ruminant d'Afrique, d'Asie et d'Europe du Sud, voisin du bœuf, dont la femelle est la bufflonne et le petit, le bufflon: *Les cornes du buffle sont aplaties.* ☞ bufflonne.

buffle

bufflon n.m. Petit du buffle et de la bufflonne: *Au zoo, j'ai photographié un bufflon nouveau-né.* **R.** Aussi, *buffletin.*

bufflonne n.f. Femelle du buffle: *Le lait de la bufflonne sert à la fabrication du fromage mozzarella.* **R.** Aussi, *bufflesse.* ☞ buffle.

buis n.m. **1.** Arbrisseau à petites feuilles luisantes toujours vertes: *Le buis ne perd jamais ses feuilles.* **2.** Bois dur et jaunâtre de cet arbrisseau: *Le buis est souvent employé en sculpture.*

buisson n.m. Touffe d'arbrisseaux ou d'arbustes sauvages: *Les écureuils se cachent dans les buissons.* ☞ buissonneux, buissonnier.

buissonneux, euse adj. Qui est couvert de touffes d'arbrisseaux ou d'arbustes sauvages: *Les chasseurs traversent un terrain buissonneux.* ☞ buisson.

buissonnier, ière adj. Qui habite dans les buissons: *Nous avons vu des lapins buissonniers.* ☞ buisson.

bulbe n.m. **1.** Organe végétal souterrain en forme d'oignon, propre à certaines plantes: *Le lis, la tulipe et la jacinthe se reproduisent grâce à leurs bulbes.* **2.** Partie renflée en forme de petit globe, propre à certaines parties du corps: *Le bulbe rachidien est situé au-dessus de la moelle épinière.* ☞ bulbeux.

bulbeux, euse adj. Qui a un organe végétal souterrain en forme d'oignon: *Le glaïeul, le narcisse et la tulipe sont des plantes bulbeuses.* ☞ bulbe.

bulgare n. et adj. **1.** n. Personne qui est de la Bulgarie: *Un Bulgare, une Bulgare.* **2.** adj. Qui est de la Bulgarie: *Le peuple bulgare compte environ neuf millions de personnes.* **R.** On met la majuscule à *bulgare* lorsque le nom désigne une personne.

bulgare n.m. Langue slave parlée en Bulgarie: *Le russe et le bulgare sont des langues de même famille.*

bulldozer n.m. (anglo-améric.) Engin sur tracteur à chenilles, muni d'une lame d'acier à l'avant: *Au lieu de dire « le bulldozer sert aux travaux de terrassement », on dira « le bouteur sert aux travaux de terrassement ».* **R.** Le mot *bouteur* est recommandé officiellement pour remplacer l'anglicisme « bulldozer ».

bulle n.f. **1.** Petite boule d'air ou de gaz qui se forme à la surface d'un liquide: *Il se forme des bulles à la surface des boissons gazeuses.* **2.** Dans une bande dessinée, espace dans lequel sont écrites les paroles ou les pensées des personnages: *As-tu lu ce qui est écrit dans les bulles?*

bulletin n.m. **1.** Information officielle communiquée au public: *Avant de partir en voyage, maman écoute le bulletin météorologique diffusé par la radio:* SYN. communiqué. **2.** Rapport scolaire sur le travail et la conduite d'un élève: *Ginette a reçu son bulletin et elle est très fière de ses notes.* **3.** Billet où l'on inscrit son vote: *Les électeurs déposent leur bulletin de vote dans l'urne.* ∥ *Bulletin d'informations:* Résumé des nouvelles de la journée à la radio ou à la télévision.

bulbe
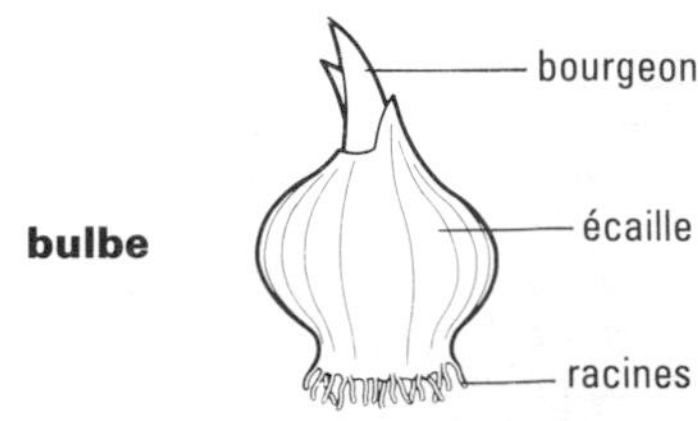

Les gens de mon pays

PUBLIPHOTO/J. Lama

Française

PUBLIPHOTO/B. Carrière

Italien

PUBLIPHOTO/M. de Loixeville

Amérindien

PUBLIPHOTO/J. Lama

Haïtienne

PUBLIPHOTO/M. Rousseau

Chinois

SYGMA/J. Pavlovsky

Portugais

PUBLIPHOTO/J.-C. Hurni

Britannique

PUBLIPHOTO/J.D.

Inuk

PUBLIPHOTO/N. Tsakalakis

Grecque

Inventions

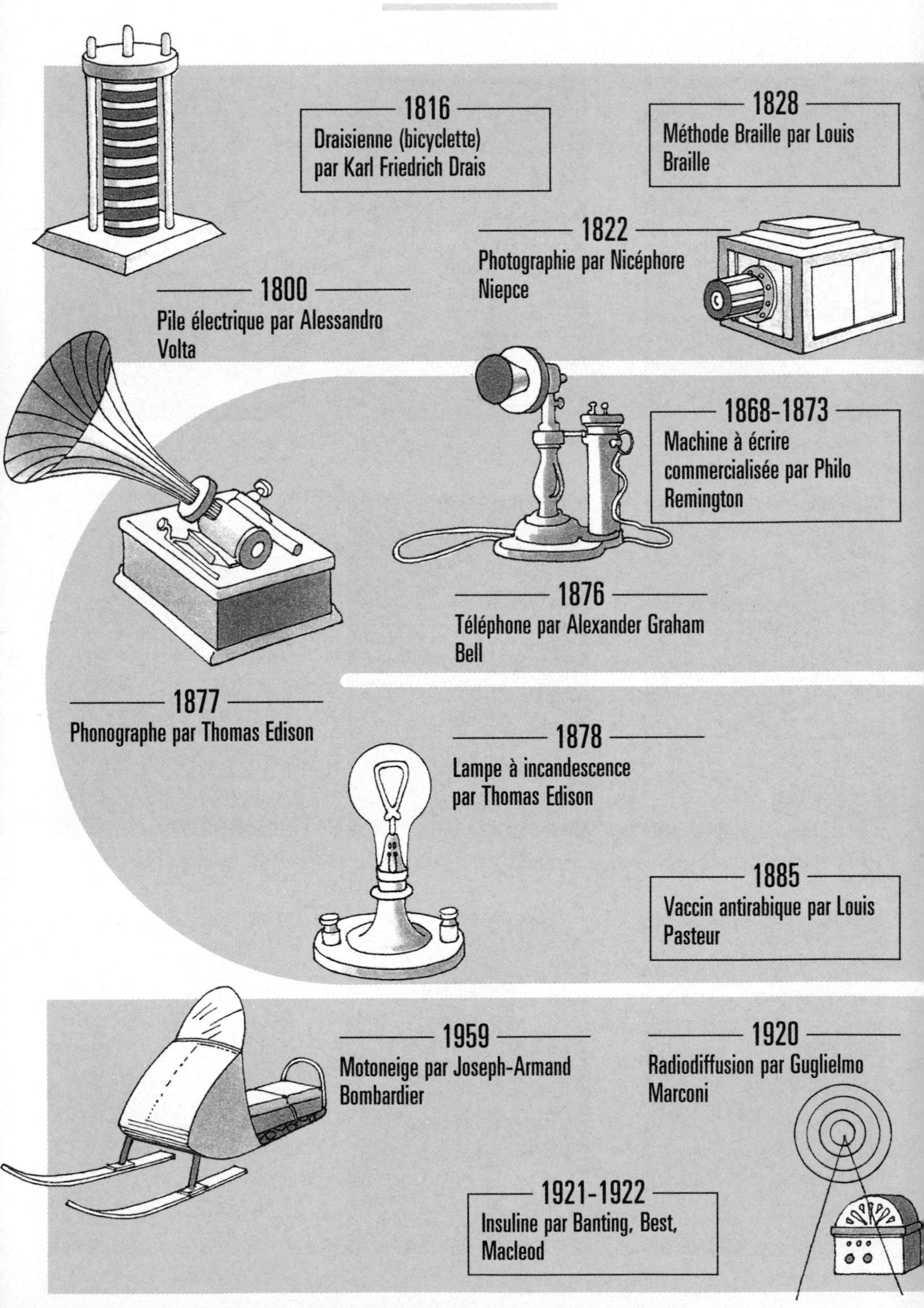

1816
Draisienne (bicyclette) par Karl Friedrich Drais
1828
Méthode Braille par Louis Braille
1822
Photographie par Nicéphore Niepce
1800
Pile électrique par Alessandro Volta
1868-1873
Machine à écrire commercialisée par Philo Remington
1876
Téléphone par Alexander Graham Bell
1877
Phonographe par Thomas Edison
1878
Lampe à incandescence par Thomas Edison
1885
Vaccin antirabique par Louis Pasteur
1959
Motoneige par Joseph-Armand Bombardier
1920
Radiodiffusion par Guglielmo Marconi
1921-1922
Insuline par Banting, Best, Macleod

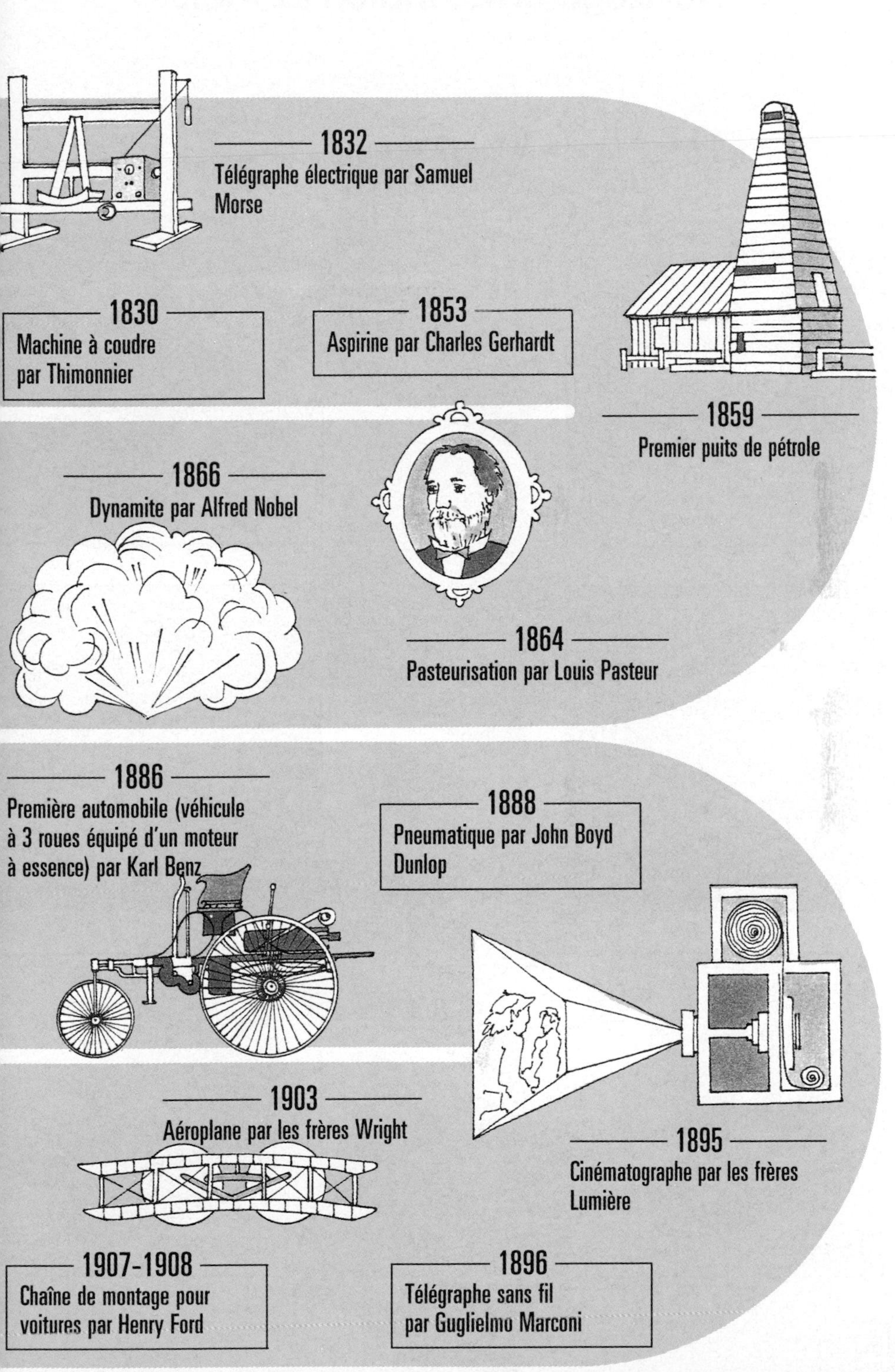
1832
Télégraphe électrique par Samuel Morse
1830
Machine à coudre par Thimonnier
1853
Aspirine par Charles Gerhardt
1859
Premier puits de pétrole
1866
Dynamite par Alfred Nobel
1864
Pasteurisation par Louis Pasteur
1886
Première automobile (véhicule à 3 roues équipé d'un moteur à essence) par Karl Benz
1888
Pneumatique par John Boyd Dunlop
1903
Aéroplane par les frères Wright
1895
Cinématographe par les frères Lumière
1907-1908
Chaîne de montage pour voitures par Henry Ford
1896
Télégraphe sans fil par Guglielmo Marconi

Héritage amérindien et inuit

bull-terrier n.m. (angl.) Chien d'origine anglaise qui est un bon chasseur de rats: *Le bull-terrier est un chien à robe blanche.* **R.** Au pluriel, *bull-terriers*.

bum ☞ sect. anglicismes et canadianismes.

bumper ☞ sect. anglicismes et canadianismes.

bungalow n.m. (angl.) **1.** En Inde, maison basse entourée de vérandas: *Les bungalows indiens sont construits en bois.* **2.** Maison moderne ne comportant qu'un seul niveau d'habitation: *Dans un bungalow, la cuisine, le salon, la salle de bain et les chambres à coucher sont au même niveau.*

bureau, eaux n.m. **1.** Table, meuble pour écrire: *Gabriel s'installe à son bureau pour faire ses devoirs.* SYN. pupitre, secrétaire. **2.** Pièce où se trouve la table de travail: *L'avocate reçoit son client dans son bureau.* SYN. cabinet, étude. ▲ **bureau, eaux** n.m. **1.** Lieu où travaillent les employés d'une entreprise ou d'une administration: *Maman se rend à son bureau tous les jours de la semaine.* **2.** Établissement ouvert au public: *Les services de la poste sont installés au bureau de poste.* SYN. service. ☞ bureaucrate, bureaucratie, bureaucratique, bureautique.

bureaucrate n. Fonctionnaire qui se prend au sérieux et qui abuse de son pouvoir sur le public: *La bureaucrate ne s'occupe pas de mon dossier.* ☞ bureau.

bureaucratie n.f. Ensemble des fonctionnaires de l'État: *On se moque souvent des lenteurs de la bureaucratie.* **R.** Le *t* se prononce *ss*. ☞ bureau.

bureaucratique adj. Qui se rapporte à l'ensemble des fonctionnaires de l'État: *Plusieurs citoyens dénoncent le pouvoir bureaucratique.* ☞ bureau.

bureautique n.f. (nom déposé) Ensemble des techniques informatiques qui facilitent les travaux de secrétariat: *La bureautique vise à automatiser les activités de bureau.* ☞ bureau.

burette n.f. **1.** Petit récipient métallique muni d'un tube long et mince, servant à verser l'huile de graissage: *Le mécanicien se sert d'une burette pour huiler certaines pièces de l'automobile.* **2.** Petit flacon à goulot rétréci, pouvant contenir l'huile ou le vinaigre: *Les burettes d'huile et de vinaigre sont sur la table.* **3.** Petit flacon destiné à contenir l'eau et le vin de la messe: *Le servant de messe présente les burettes au prêtre.*

burin n.m. (it.) Ciseau d'acier qui sert à graver le métal: *Le graveur travaille au burin.* ☞ buriné, buriner.

buriné, ée adj. Qui est gravé au burin: *La plaque de métal est burinée.* ☞ burin. ▲ **buriné, ée** adj. Qui est marqué de rides: *Cette dame âgée a le visage buriné.* HOM. buriner.

buriner v. Graver au burin: *La graveuse burine la plaque de cuivre.* ☞ burin. ▲ **buriner** v. Marquer de rides: *Le temps a buriné son visage.* HOM. buriné.

burlesque adj. (it.) Qui est drôle et ridicule: *Les films burlesques nous présentent des situations comiques et extravagantes.* SYN. bouffon, comique, loufoque. ANT. grave, tragique. ☞ burlesquement.

burlesquement adv. D'une façon burlesque, drôle et ridicule: *Les comédiens agissent burlesquement tout au long du film.* ANT. tragiquement. ☞ burlesque.

bus n.m.fam. Abréviation de «autobus»: *J'attends le bus depuis dix minutes.* **R.** On prononce *bus* comme dans auto*bus*. ☞ minibus

busard n.m. Oiseau de proie aux longues ailes et aux formes élancées: *Les busards vivent près des marais.* ☞ buse.

buse n.f. Oiseau rapace aux formes lourdes et au plumage brun taché de clair: *Les buses sont des oiseaux d'assez grande taille qui se nourrissent de rongeurs et de reptiles.* ☞ busard.

buste n.m. (it.) **1.** Partie du corps humain qui va du cou à la taille: *Redressez bien le buste.* SYN. torse, tronc. **2.** Sculpture représentant la tête et le haut de la poitrine d'un personnage: *La pianiste a placé un buste de Beethoven sur son piano.* ☞ bustier.

bustier n.m. Sous-vêtement féminin ou corsage qui couvre le buste: *Les bustiers laissent généralement les épaules découvertes.* ☞ buste.

but n.m. **1.** Point que l'on vise: *La tireuse arme son revolver et vise le but.* SYN. cible. **2.** Endroit où l'on veut arriver: *Nous sommes parvenus enfin au but de notre voyage.* SYN. objectif. ANT. départ. **3.** Dans certains sports, endroit où il faut lancer le ballon, la balle ou la rondelle: *Le ballon est entré dans les buts.* **4.** Point obtenu quand le ballon, la balle ou la rondelle atteint le but: *Notre équipe a marqué trois buts pendant le match.* **5.** fig. Intention, dessein: *Mon but est de réussir mes études.* SYN. ambition, désir. ⁄⁄ *Aller droit au but:* Ne pas faire de détours pour arriver à ses fins. *Toucher au but:* Être sur le point de réussir.

butane n.m. Gaz employé comme combustible et vendu dans des bouteilles métalliques : *La cuisinière et le réchaud fonctionnent au butane.*

buté, ée adj. **1.** Qui est entêté : *Cet enfant est buté.* **2.** Qui montre de l'entêtement : *Elle m'a regardé d'un air buté.* HOM. buter. ☞ buter.

buter v. **1.** Heurter le pied contre un obstacle : *Marie-Andrée a buté contre une pierre et elle est tombée.* **2.** fig. Se heurter à une difficulté : *Alexandre bute sur une question difficile.* ☞ butoir. ▲ **buter** v. Provoquer l'entêtement de quelqu'un : *Quand tu contredis cet homme, tu le butes et il ne veut rien entendre.* HOM. buté. ☞ buté. se **buter** v.pron. S'entêter : *Marie se bute facilement.*

butin n.m. (all.) Ce que les voleurs ou les pillards emportent : *Les voleurs se sont partagé le butin.*

butiner v. En parlant des abeilles, aller de fleur en fleur pour y recueillir le pollen : *Les abeilles butinent dans les champs en fleurs.* ☞ butineur.

butineur, euse adj. Qui va de fleur en fleur pour y recueillir le pollen : *L'abeille est un insecte butineur.* ☞ butiner.

butoir n.m. **1.** Pièce contre laquelle vient s'arrêter une porte : *Le butoir empêche la porte de heurter le mur.* **2.** Obstacle placé à l'extrémité d'une voie ferrée pour arrêter le train : *La locomotive s'arrête au butoir.* ☞ buter.

butor n.m. **1.** Oiseau des marais, voisin du héron, au plumage brun tacheté de noir : *Le cri du butor ressemble à un beuglement.* **2.** fig. Homme grossier et mal élevé : *Cet homme est un butor.*

butte n.f. **1.** Petite élévation de terrain, petite colline : *Donnons-nous rendez-vous au sommet de la butte.* SYN. monticule. ANT. creux, dépression, plaine. **2.** Élévation de terre sur laquelle on place une cible : *Les tireurs font face à la butte de tir.*

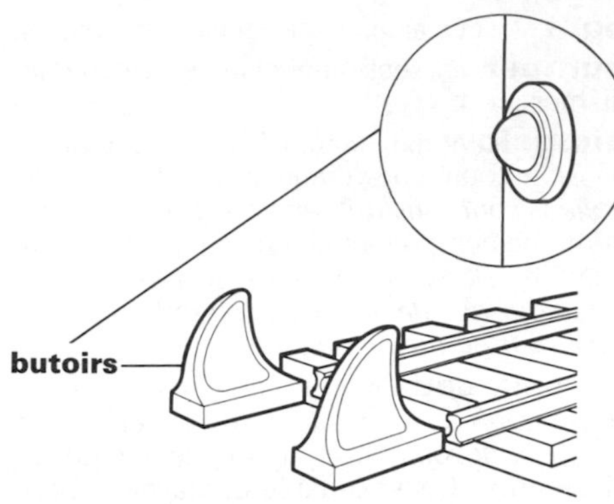

butterscotch ☞ sect. anglicismes et canadianismes.

buvable adj. **1.** Qui n'a pas un goût désagréable : *Je trouve ce vin buvable.* ANT. imbuvable. **2.** Qui doit être bu : *La femme médecin lui a prescrit des ampoules buvables.* ☞ boire.

buvard n.m. Papier qui boit l'encre : *Quand j'écris à la plume, je me sers d'un buvard pour absorber l'excès d'encre.*

buveur, euse n. **1.** Personne qui aime boire une boisson en particulier : *Serge est un buveur de lait.* **2.** Personne qui boit des boissons alcooliques : *C'est une grosse buveuse qui consomme plusieurs bouteilles de vin par jour.* ☞ boire.

bye-bye interj.fam. (angl.) Adieu, au revoir : *Bye-bye, on se reverra bientôt!* **R.** Aussi, *bye.*

AbyfGhij TAbic d e fgH Re pr

C

c n.m.invar. **1.** Troisième lettre de l'alphabet: *La lettre «c» est la deuxième consonne de l'alphabet.* **2.** Chiffre romain valant cent: *C représente le nombre cent en chiffres romains.* **R.** On met la majuscule lorsqu'il s'agit du chiffre romain.

ça pron.dém.fam. **1.** Cela, ceci, ce: *Ça ne vaut pas la peine de s'en faire comme ça. Ça ira mieux demain.* **2.** Renforce une exclamation, une interrogation, etc.: *Ça, alors! Tu lui avais tout dit! Quand ça?* **R.** Ne pas oublier la cédille.

cabale n.f. (hébreu) **1.** Ensemble d'actions secrètes menées contre quelqu'un ou quelque chose: *Ses adversaires ont monté une cabale contre lui.* SYN. complot, conspiration, intrigue. **2.** Groupe de personnes qui montent une cabale: *Une cabale s'était formée pour nuire à sa réputation.* SYN. clique. ☞ cabaler.

cabaler v.vx Organiser une cabale, en faire partie: *L'archiduc avait cabalé contre la reine.* SYN. comploter, conspirer. **R.** N'a pas le sens de *faire de la propagande politique de personne à personne en vue de faire élire un candidat.* ☞ cabale.

caban n.m. **1.** Court paletot sport à double boutonnage, muni de deux poches à rabat: *Elle se réchauffait les mains dans les poches de son caban.* **2.** Épais manteau à capuchon, porté par les marins: *Le capitaine avait relevé le capuchon de son caban.*

cabane n.f. **1.** Petite habitation faite de matériaux grossiers: *Les enfants ont trouvé une cabane de bûcherons dans la montagne.* SYN. baraque, hutte. ANT. château. **2.** Abri pour les animaux: *Maman m'a montré comment construire des cabanes d'oiseaux.* **3.** Maison d'apparence pauvre et délabrée: *Nous avons trouvé refuge dans cette cabane abandonnée.* SYN. bicoque, chaumière. ANT. hôtel, palais. ⁄⁄ *Cabane à sucre:* Au Canada, bâtiment rustique où l'on fabrique et offre les produits de l'érable. ☞ cabanon.

cabanon n.m. Petite cabane: *J'ai repeint le cabanon de bois près du lac.* **R.** N'a pas le sens de *remise*. ☞ cabane.

cabaret n.m. Établissement où l'on présente des spectacles et où les clients peuvent manger, boire et danser: *Ma mère a déjà été chanteuse de cabaret.* SYN. bistro. **R.** N'a pas le sens de *plateau* (pour servir les boissons, les pâtisseries, etc.).

cabas n.m. Panier souple servant à mettre des fruits ou sac en paille servant à faire les provisions: *Son cabas était rempli à ras bords.* **R.** Le *s* ne se prononce pas.

cabiai n.m. (tupi) Gros rongeur d'Amérique du Sud se nourrissant de végétaux et vivant près des fleuves, aussi appelé «cochon d'eau»: *Le cabiai est le plus gros de tous les rongeurs.*

cabiai

cabillaud n.m. Nom de la morue fraîche: *Les Madelinots nous ont préparé un excellent pâté de cabillaud.* **R.** Le *d* ne se prononce pas.

cabine n.f. **1.** Petite chambre, à bord d'un navire: *Le passager s'était trompé de cabine.* **2.** Local réservé aux pilotes, à bord d'un avion: *Nous avons eu la chance de visiter la cabine de pilotage.* **3.** Petit réduit où les baigneurs se changent, à la plage ou à la piscine: *Toutes les cabines de bain sont occupées.* **4.** Petite construction publique abritant un appareil téléphonique: *Il faut absolument trouver une cabine téléphonique.* **5.** Partie d'un ascenseur où se tiennent les personnes: *La ca-*

bine s'est arrêtée entre deux étages. **6.** Habitacle logeant l'équipage, dans un vaisseau spatial: *Ce vaisseau est muni d'une cabine spatiale éjectable.*

cabinet n.m. **1.** Pièce réservée au travail, à la lecture, etc.: *Elle s'est retirée dans son cabinet de travail.* SYN. bureau. **2.** Local occupé par un médecin, un avocat, etc., pour travailler et pour recevoir les clients: *Elle a agrandi son cabinet médical.* **3.** Petite salle d'eau où l'on peut faire sa toilette: *Nous avons maintenant un cabinet de toilette au rez-de-chaussée.* **4.** Toilettes: *J'avais terriblement envie et je n'arrivais pas à trouver les cabinets.* **5.** Local d'un musée ou d'une école où l'on expose des objets touchant à un domaine particulier: *N'oublie pas de visiter le cabinet des fossiles.* **R.** Dans le sens de *toilettes*, s'emploie surtout au pluriel. ▲ **cabinet** n.m. **1.** Ensemble des ministres d'un gouvernement: *Les citoyens ont élu un nouveau cabinet.* **2.** Ensemble des collaborateurs d'un ministre: *Le ministre de l'Environnement a remplacé sa chef de cabinet.* ▲ **cabinet** n.m. Meuble servant à ranger des objets précieux: *Il a hérité du cabinet d'érable de son père.* SYN. buffet.

câblage n.m. **1.** Ensemble des connexions d'un appareil électrique ou électronique: *Le câblage de la voiture est en mauvais état.* **2.** Action de poser des câbles de câblodistribution: *Le câblage des régions éloignées prendra plusieurs années.* **R.** Ne pas oublier l'accent: *â.* ☞ câble.

câble n.m. **1.** Gros cordage, ordinairement en fils d'acier: *Le câble de la grue mécanique s'est rompu.* **2.** Ensemble de fils métalliques revêtus d'une couche isolante et servant à transporter l'électricité: *Les câbles électriques sont recouverts de givre.* **3.** fam. Télévision par câble: *J'ai vu une bonne émission au câble.* **4.** fam. Télégramme transmis par câble: *Nous avons envoyé un câble à nos amis français.* **R.** Ne pas oublier l'accent: *â.* ☞ câblage, câbler, câblodistribution.

câbler v. **1.** Tordre ensemble des fils de façon à former un câble: *L'électricienne a câblé les fils avec précaution.* **2.** Relier par câbles de câblodistribution: *Dans les grandes villes, presque toutes les maisons sont câblées.* **3.** Envoyer un télégramme par câble: *Elle nous a câblé la nouvelle de son retour.* **R.** Ne pas oublier l'accent: *â.* ☞ câble.

câblodistribution n.f. Transmission d'émissions de télévision au moyen de câbles: *La compagnie de câblodistribution offre trois nouvelles chaînes.* **R.** Ne pas oublier l'accent: *â.* ☞ câble.

cabochard, arde n. et adj.fam. **1.** n. Personne ou animal qui n'en fait qu'à sa tête: *C'est une cabocharde, rien ne la fera changer d'idée.* **2.** adj. Qui n'en fait qu'à sa tête: *Ce cheval cabochard nous donne beaucoup de mal.* SYN. entêté, têtu. ☞ caboche.

caboche n.f.fam. Tête: *Il s'est frappé la caboche sur le bord de la table.* SYN. cervelle. ☞ cabochard.

cabosser v. Déformer par des bosses ou des creux: *Le fond de la cuve a été cabossé.* SYN. bosseler. **cabossé, ée** p.p. et adj. Qui est plein de bosses ou de creux: *Cette casserole cabossée m'est encore utile.*

cabot n.m.fam. Cabotin, acteur sans talent: *Ce cabot ne devrait jouer que des rôles de bouffon.* ☞ cabotin. ▲ **cabot** n.m.fam. Chien: *J'ai adopté un pauvre cabot abandonné.*

cabotage n.m. Navigation à proximité des côtes: *Sur le chalutier de mon oncle, nous avons fait du cabotage le long de la côte nord.* ☞ caboter.

caboter v. Naviguer le long des côtes: *Nous avons caboté d'un pont à l'autre.* ☞ cabotage.

cabotin, ine n. et adj. **1.** n. Acteur sans talent: *La pièce aurait été plus appréciée s'il n'y avait pas eu cette cabotine sur la scène.* **2.** n. Personne qui se donne de grands airs, qui manque de naturel: *Claude est un cabotin, il a une allure théâtrale.* SYN. cabot. **3.** adj. Qui se donne de grands airs, qui manque de naturel: *Il a l'air cabotin avec son grand chapeau.* ☞ cabot, cabotinage, cabotiner.

cabotinage n.m. Attitude, manière d'agir qui manque de naturel: *Pourquoi t'adonnes-tu à ce cabotinage chaque fois que tu la vois?* SYN. affectation. ANT. naturel, simplicité. ☞ cabotin.

cabotiner v. Agir en cabotin, manquer de naturel: *C'est agaçant de le voir cabotiner tout le temps.* ☞ cabotin.

cabrer v. **1.** Faire dresser un animal sur les pattes de derrière: *Un bon cavalier doit savoir cabrer son cheval.* ANT. coucher. **2.** Faire relever l'avant d'un avion: *Tu n'as pas cabré l'avion assez pour décoller.* se **cabrer** v.pron. **1.** Se dresser sur les pattes de derrière, en parlant d'un animal: *À la vue de l'ours, mon cheval se cabra.* **2.** fig. S'opposer à quelqu'un ou quelque chose avec un sursaut de révolte: *L'affront était trop grave, elle se cabra.* SYN. se rebiffer, se révolter. ANT. céder, se résigner.

cabri n.m. Petit du bouc et de la chèvre: *Le cabri n'arrête pas de téter depuis qu'il a retrouvé sa mère.* SYN. chevreau.

cabriole n.f. **1.** Bond léger et folâtre: *Les biches, insouciantes, faisaient des cabrioles dans la clairière.* SYN. gambade. **2.** Saut qu'on exécute en faisant un tour sur soi-même: *Les cabrioles des acrobates sur le dos des chevaux nous ont bien épatés.* SYN. culbute, pirouette. **R.** S'écrit avec un seul *l*. ☞ cabrioler.

cabrioler v. Faire des cabrioles, des bonds légers et folâtres: *Qu'il est charmant cet agneau qui cabriole autour de ses parents!* SYN. gambader. ☞ cabriole.

cabriolet n.m. **1.** Voiture légère à cheval, à deux roues et à capote mobile: *Nous avons fait un tour de cabriolet dans le Vieux-Montréal.* **2.** Automobile décapotable: *Dans son cabriolet, nous ne risquons pas d'avoir chaud sur la route.*

caca n.m.fam. Excrément: *Bébé fait caca dans son petit pot, maintenant.*

cacaber v. Crier, en parlant de la caille et de la perdrix: *Allons dans le bois écouter cacaber les perdrix.*

cacahuète n.f. (amérind.) Graine ou fruit de l'arachide: *Il a mangé quatre tartines de beurre de cacahuètes.* **R.** Aussi, *cacahouète*. Les lettres *uète* se prononcent *ouète*.

cacao n.m. (amérind.) **1.** Graine du cacaoyer, avec laquelle on fabrique le chocolat: *Les graines de cacao sont contenues dans des gousses qui poussent directement sur le tronc du cacaoyer.* **2.** Boisson chaude qu'on prépare à partir de la poudre de cacao: *Nous nous réchaufferons avec une bonne tasse de cacao.* ☞ cacaoyer, cacaoyère.

cacaoui n.m. (amérind.) Petit canard sauvage aussi appelé «harelde du Nord»: *Le cacaoui est originaire de Terre-Neuve.*

cacaoyer n.m. Arbre qui produit le cacao: *Le cacaoyer est originaire de l'Amérique du Sud.* **R.** Aussi, *cacaotier*. ☞ cacao.

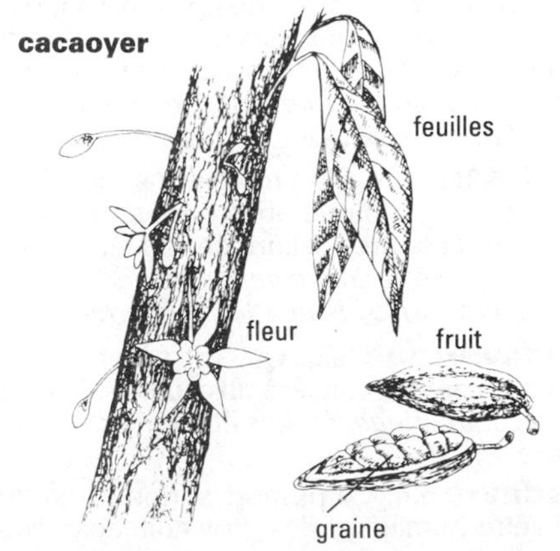

cacaoyère n.f. Lieu planté de cacaoyers: *On trouve aujourd'hui de grandes cacaoyères au Ghana et au Nigéria.* **R.** Aussi, *cacaotière*. ☞ cacao.

cacarder v. Crier, en parlant de l'oie: *J'ai entendu les oies cacarder cette nuit.*

cacatoès n.m. (malais) Perroquet grimpeur au plumage blanc et à grande huppe colorée: *Ma tante a acheté un cacatoès d'Australie.*

cacatois n.m. **1.** Petite voile située au-dessus d'une autre voile appelée «perroquet»: *Le cacatois est une voile de forme carrée.* **2.** Mât qui supporte cette voile: *Le cacatois s'est rompu pendant la tempête.*

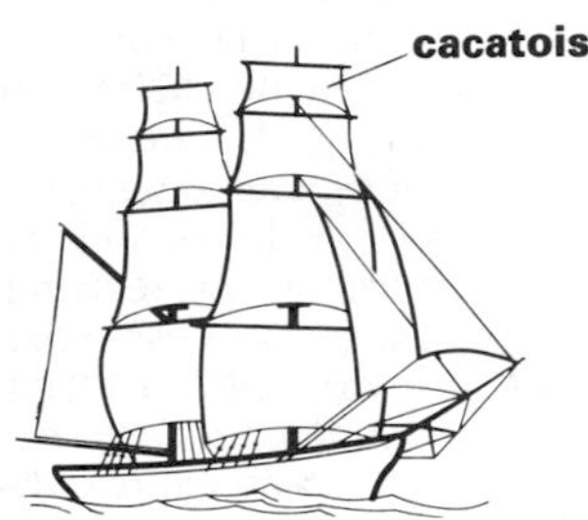

cachalot n.m. Mammifère marin semblable à la baleine, mais dont la mâchoire inférieure est munie de dents: *Le cachalot se nourrit de gros poissons.* **R.** Le *t* ne se prononce pas.

cache n.f. Cachette: *Nous avons trouvé une bonne cache pour nous protéger.* SYN. refuge. ☞ cacher.

cache n.m. Morceau de papier ou de carton servant à cacher une partie d'une surface: *L'institutrice a mis un cache sur les réponses.* ☞ cacher.

caché, ée adj. **1.** Qui est soustrait à la vue: *Nous avons joué à trouver le mot caché.* SYN. masqué. ANT. apparent, découvert. **2.** Qui existe sans qu'on le sache, qui n'est pas exprimé: *Tu as des talents cachés.* SYN. invisible. ANT. évident, visible. HOM. cacher. ☞ cacher.

cache-cache n.m.invar. Jeu où les joueurs se cachent, sauf un, qui doit trouver les autres: *Tu triches toujours quand on joue à cache-cache.* ☞ cacher.

cache-col n.m.invar. Petite écharpe que l'on porte autour du cou: *Mon père ne sort jamais au froid sans son cache-col.* ☞ cacher.

cachemire n.m. (indien) Tissu ou tricot très fin, fait avec du poil de chèvre: *Elle m'a rapporté de voyage un joli maillot de cachemire.*

cache-nez n.m.invar. Longue écharpe, le plus souvent en laine, qu'on enroule autour du cou de façon à couvrir le bas du visage: *Mettez vos cache-nez, le froid est vif.* ☞ cacher.

cache-pot n.m.invar. Enveloppe ou vase décoratif servant à cacher un pot de fleurs: *Je me suis acheté des cache-pot en osier.* ☞ cacher.

cacher v. **1.** Mettre hors de la vue: *J'ai caché les lance-pierres sous le balcon.* SYN. dissimuler. ANT. montrer. **2.** Faire obstacle à la vue: *Ce gros nuage cache le soleil.* SYN. éclipser. ANT. découvrir. **3.** Ne pas laisser paraître: *J'ai bien essayé de cacher mon embarras, mais sans succès.* SYN. voiler. ANT. avouer, manifester. HOM. caché. ⁄⁄ *Cacher son jeu:* Ne pas laisser voir son intention ou les moyens qu'on prend. ☞ cache, caché, cache-cache, cache-col, cache-nez, cache-pot, cache-radiateur, cache-sexe, cachette, cachotterie, cachottier. se **cacher** v.pron. **1.** Faire en sorte de ne pas être aperçu, se soustraire aux recherches: *Dès qu'il a vu le chien, le chat s'est caché dans le hangar.* SYN. se dérober. ANT. se manifester. **2.** Disparaître: *La montagne s'est cachée derrière les nuages.* ANT. apparaître. ⁄⁄ *Ne pas se cacher de:* Admettre volontiers que, ne pas craindre d'avouer que. *Se cacher de quelqu'un:* Cacher à quelqu'un ce que l'on fait, agir à son insu.

cache-radiateur n.m.invar. Revêtement servant à cacher un radiateur: *Vous trouverez des cache-radiateur dans chaque chambre.* ☞ cacher.

cache-sexe n.m.invar. Petite culotte de forme triangulaire: *Ce magasin vend des cache-sexe en dentelle.* ☞ cacher.

cachet n.m. **1.** Tampon, généralement en caoutchouc, servant à imprimer une marque, un nom, une raison sociale, etc.: *Je me suis fait faire un cachet à mon nom.* SYN. sceau. **2.** Empreinte faite au moyen de cet objet: *Sur ce vieux timbre, le cachet de la poste indique le 3 mai 1925.* SYN. estampille. **3.** fig. Aspect particulier, caractère pittoresque: *Cette auberge a beaucoup de cachet.* ☞ cachetage, cacheter, décacheter, recacheter. ▲ **cachet** n.m. Rémunération d'un artiste, d'un musicien: *Les vedettes du cinéma demandent des cachets très élevés.* SYN. rétribution. ▲ **cachet** n.m. Capsule ou comprimé contenant un médicament: *Il a fallu trois cachets d'aspirine pour soulager ce mal de tête.*

cachetage n.m. **1.** Action de cacheter, de fermer en collant ou de fermer avec de la cire, portant ou non un cachet: *Je n'ai pas encore terminé le cachetage des enveloppes.* **2.** Résultat de cette action: *Ce cachetage n'est pas très résistant.* ☞ cachet.

cacheter v. **1.** Marquer d'un cachet, d'un tampon: *Il faut cacheter ces formulaires à la date d'aujourd'hui.* SYN. estampiller. **2.** Fermer avec de la cire, portant ou non un cachet: *J'ai rapporté de France une bouteille de vin qui a été cachetée.* SYN. boucher. ANT. ouvrir. **3.** Fermer en collant: *N'oublie pas de cacheter ton enveloppe avant de la poster.* SYN. sceller. ANT. décacheter. **R.** Ne pas oublier de doubler le *t* devant un *e* muet. ☞ cachet.

cachette n.f. Endroit où l'on se cache, où l'on cache quelque chose: *Le lièvre est sorti de sa cachette.* SYN. refuge. ☞ cacher. en **cachette** loc.adv. En se cachant, en secret: *Les enfants ont ri en cachette.*

cachot n.m. Cellule obscure où l'on enferme un prisonnier: *Il a passé la nuit au cachot pour avoir pris part à une émeute.*

cachotterie n.f. Petit secret sans importance qu'on semble prendre très au sérieux: *Tu as un drôle d'air aujourd'hui, tu me fais encore des cachotteries.* **R.** S'écrit avec deux *t*. ☞ cacher.

cachottier, ière n. et adj. **1.** n. Personne qui aime à tenir secrètes des choses de peu d'importance: *Annie et Paul sont de petits cachottiers.* **2.** adj. Qui aime à tenir secrètes des choses de peu d'importance: *Il est à l'âge où l'on devient un peu cachottier.* **R.** S'écrit avec deux *t*. ☞ cacher.

cacophonie n.f. Ensemble de bruits désagréables, de sons confus et discordants: *Depuis qu'ils ont reçu leurs tambours et leurs trompettes, c'est une cacophonie continuelle.* SYN. tintamarre. ANT. harmonie. **R.** Les lettres *ph* se prononcent *f*. ☞ cacophonique.

cacophonique adj. Qui est dissonant, désagréable à entendre: *Au son de la cloche, les élèves se précipitèrent hors de la classe dans une agitation cacophonique.* **R.** Les lettres *ph* se prononcent *f*. ☞ cacophonie.

cactus n.m. Plante verte épineuse à grosse tige, qui croît surtout dans les régions désertiques: *Le spectacle d'un cactus en fleur est un des plus grands émerveillements que nous offre la nature.* **R.** Le *s* se prononce.

cadastre n.m. Plan représentant le découpage d'un territoire en parcelles et indiquant la valeur et le propriétaire de chacune de ces parcelles: *Le cadastre de la ville indique que notre terrain va jusqu'à la voie ferrée.*

cadavérique adj. Qui est propre au cadavre ou qui fait penser à un cadavre: *Tu as un teint cadavérique, tu dois être malade.* ☞ cadavre.

cadavre n.m. Corps mort, surtout en parlant de l'être humain et des gros animaux: *Nous* *avons enterré tristement le cadavre de notre chien.* ☞ cadavérique.

cada**vé**rique cada**vre**

cadeau, eaux n.m. Objet qu'on offre à quelqu'un, généralement à l'occasion d'un anniversaire, d'une fête, d'une cérémonie religieuse: *Viens que je te montre les cadeaux que j'ai reçus à Noël.* SYN. don, présent.

cadenas n.m. Petite serrure portative servant à fermer une porte de case, de hangar, etc., ou à attacher à un poteau une bicyclette ou tout autre objet qu'on veut protéger contre le vol: *Je ne peux pas laisser ma bicyclette là, je n'ai pas de cadenas.* SYN. verrou. **R.** Le *s* ne se prononce pas. ☞ cadenasser.

cadenasser v. Fermer au moyen d'un cadenas: *À la piscine, n'oublie pas de cadenasser la case.* SYN. verrouiller. ☞ cadenas.

cadence n.f. **1.** Rythme régulier marqué par les instruments ou la voix, en musique ou en poésie: *À partir de cette note, la cadence doit s'accélérer.* **2.** Rythme d'exécution d'une tâche répétitive, en particulier dans une usine: *La cadence de travail est trop rapide pour que l'ouvrage soit bien fait.* SYN. allure. **3.** Enchaînement d'accords qui terminent une phrase musicale: *La cadence de ce refrain me fait penser à un air de Mozart.* ⁄⁄ *En cadence:* De manière régulière. ☞ cadencé, cadencer.

cadencé, ée adj. Qui est marqué d'un rythme régulier: *Les musiciens de la fanfare marchaient au pas cadencé.* HOM. cadencer. ☞ cadence.

cadencer v. Donner un rythme régulier à: *Il faut lire ce poème en veillant à bien cadencer les vers.* SYN. rythmer. HOM. cadencé. **R.** Ne pas oublier la cédille devant *a* et *o*. ☞ cadence.

cadet, ette n. et adj. **1.** n. Enfant qui est né après l'aîné ou qui est plus jeune qu'un ou plusieurs enfants de la même famille: *Dans ma famille, c'est la cadette qui a le plus de talent pour le dessin.* SYN. benjamin. ANT. aîné. **2.** n. Personne moins âgée qu'une autre, sans lien de parenté: *Ma voisine est ma cadette de trois ans.* ANT. aîné. **3.** n. Jeune soldat en formation, dans l'armée canadienne: *Mon cousin fait partie des cadets de l'air.* **4.** adj. Qui est né après: *Mon frère cadet a les yeux pers, comme ma mère.*

cadrage n.m. Mise en place du sujet par rapport au contour de l'image, en photographie, en cinéma, en télévision: *Le cadrage de ces photos de voyage est très professionnel.* ☞ cadre.

cadran n.m. **1.** Surface circulaire portant des divisions, sur laquelle une aiguille pivotante indique l'heure, la pression, la vitesse, etc.: *Ce cadran du tableau de bord indique que nous volons à une altitude de 2000 mètres.* **2.** Dispositif servant à composer les numéros, sur un téléphone: *Nous avons remplacé notre téléphone à cadran par un nouvel appareil muni d'un clavier.* ⁄⁄ *Cadran solaire:* Surface circulaire portant des divisions et surmontée d'une tige dont l'ombre, au soleil, marque l'heure. **R.** N'a pas le sens de *horloge, réveil, réveille-matin.*

cadre n.m. **1.** Bordure en bois ou en une autre matière, qui entoure un tableau, un miroir, etc.: *Ce cadre ne va pas bien avec ce tableau.* SYN. encadrement. **2.** Assemblage de bois qui entoure une porte, une fenêtre, etc.: *Le petit s'est cogné sur le cadre de la porte.* **3.** Ensemble des tubes qui forment la charpente d'une bicyclette: *Les voleuses avaient pris les roues, la selle et le guidon; il ne restait plus que le cadre.* ☞ cadrage, cadrer, cadreur, encadré, encadrement, encadrer. ▲ **cadre** n.m. **1.** Contexte d'un événement, d'une action: *Cette histoire a pour cadre la colonisation de l'Abitibi au début du siècle.* **2.** Ce qui délimite une action, un domaine: *Dans votre composition française, il faudra veiller à rester dans le cadre du sujet.* SYN. limites. **3.** Milieu de vie, environnement physique du lieu où l'on habite: *Rien ne peut remplacer le cadre de notre petite maison de campagne.* SYN. entourage. ⁄⁄ *Dans le cadre de:* Dans le contexte de, dans les limites de. ☞ cadrer, encadré. ▲ **cadre** n.m. Personne qui occupe un poste de direction dans une entreprise: *Maman fait maintenant partie des cadres de la compagnie où elle travaille.* ☞ encadrement, encadrer.

cadrer v. Concorder: *Ta version des faits ne cadre pas avec la sienne.* SYN. s'accorder. ANT. contredire. ☞ cadre. ▲ **cadrer** v. Disposer correctement le sujet par rapport au cadre du viseur de l'appareil, en photographie, en cinéma: *La photo est ratée, je vous avais mal cadrés.* SYN. disposer. ☞ cadre.

cadreur, euse n. Opérateur de prises de vues, en cinéma et en télévision: *Le frère de Sophie est cadreur à la télévision.* SYN. cameraman. **R.** Recommandé officiellement pour remplacer l'anglicisme «cameraman». ☞ cadre.

caduc, uque adj. **1.** Qui est périmé, qui n'a plus cours: *Depuis l'entrée en vigueur de la nouvelle loi, ce règlement est caduc.* SYN. dépassé, désuet. ANT. jeune, nouveau. **2.** Se dit d'une chose qui est destinée à tomber, après avoir rempli sa fonction: *Le mélèze est un arbre à feuilles caduques.*

cafard, arde n. Personne qui dénonce sournoisement les autres, qui les rapporte aux autorités: *Méfiez-vous de lui, c'est un cafard; il ira tout raconter.* SYN. délateur, rapporteur. ☞ cafardage, cafarder.

cafard n.m. **1.** Nom usuel de la blatte, insecte nocturne au corps aplati: *Ce logement est infesté de cafards.* SYN. cancrelat. **2.** fig. Idées noires: *Laisse-moi tranquille, j'ai le cafard.* SYN. découragement, tristesse. ANT. gaieté. ☞ cafardeux.

cafardage n.m. Fait de cafarder, de rapporter: *Personne de nous ne te fera confiance, tu es trop connue pour ton cafardage.* ☞ cafard.

cafarder v. Dénoncer sournoisement: *Je veux savoir qui d'entre vous m'a cafardée.* SYN. rapporter. ☞ cafard.

cafardeux, euse adj. Qui a ou qui cause le cafard, la tristesse: *Je me sens cafardeux depuis mon échec à l'examen.* SYN. mélancolique, triste. ☞ cafard.

café n.m. (turc) **1.** Graine du caféier, que l'on grille et moud pour en faire une boisson chaude stimulante: *Le Brésil est le principal producteur de café.* **2.** Boisson préparée à partir des graines de café: *Je prends mon café sans sucre, mais avec du lait.* **3.** Moment du repas où l'on sert le café: *Nous sommes arrivés au café.* ☞ caféier, caféière, caféine, cafetière, décaféiné, décaféiner. ▲ **café** n.m. Établissement où l'on sert des repas légers et différentes boissons, principalement du café: *Après le travail, je t'attendrai au café du coin.* ☞ cafétéria, café-théâtre.

caféier n.m. Petit arbre tropical qui produit le café: *Les fleurs du caféier sont blanches et parfumées.* ☞ café.

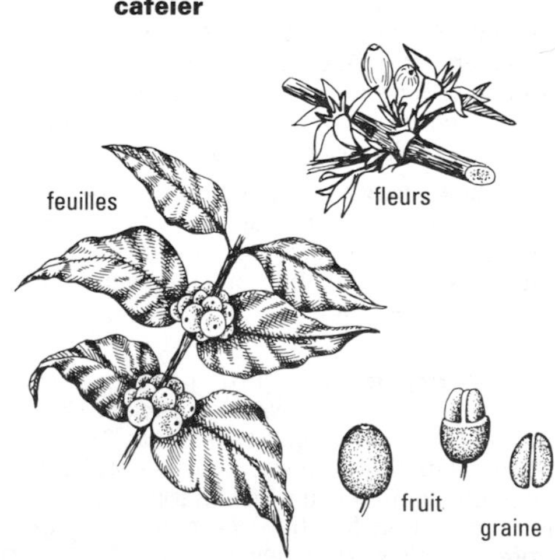

caféière n.f. Lieu planté de caféiers: *Je connais quelqu'un qui a déjà travaillé dans les caféières du Guatemala.* ☞ café.

caféine n.f. Substance stimulante contenue dans le café et le thé: *Le café noir contient beaucoup de caféine.* ☞ café.

cafetan n.m. (turc) Vêtement oriental, long et ample, de tissu léger, que les femmes mettent pour les soirées, la détente ou la plage: *Les soirs d'été, je trouve très agréable de porter un cafetan.* **R.** Aussi, *caftan.*

cafétéria n.f. (esp.) Établissement généralement situé dans un lieu de passage (centre commercial ou administratif, école, etc.), où l'on peut boire et manger, souvent en se servant soi-même: *Le menu a été amélioré à la cafétéria de l'école.* SYN. cantine. **R.** Aussi, *cafeteria.* ☞ café.

café-théâtre n.m. Café où se donnent des spectacles non traditionnels, généralement sous la forme de pièces de théâtre: *Les cafés-théâtres de Montréal connaissent maintenant un certain succès.* **R.** Au pluriel, *cafés-théâtres.* ☞ café.

cafetière n.f. Appareil servant à préparer le café: *Mon père a reçu en cadeau une belle cafetière.* ☞ café.

cafouillage n.m.fam. Fait d'agir de façon désordonnée, de mal fonctionner: *Ton cafouillage nous a mis dans le pétrin; maintenant, elle se doute de quelque chose.* ☞ cafouiller.

cafouiller v.fam. **1.** Agir de façon confuse et désordonnée: *Tu n'y arriveras jamais si tu continues à cafouiller comme ça.* **2.** Mal fonctionner: *Cet appareil a recommencé à cafouiller.* ☞ cafouillage, cafouillis.

cafouillis n.m.fam. Grande confusion: *Comment comprendre quelque chose dans le cafouillis de ses explications?* SYN. désordre. **R.** Le *s* ne se prononce pas. ☞ cafouiller.

cage n.f. **1.** Espace clos délimité par des barreaux ou du grillage, dans lequel on enferme des animaux: *Ne t'approche pas de la cage aux lions.* **2.** Espace où est placé l'escalier, espace où fonctionne l'ascenseur, dans un bâtiment: *À chaque étage de l'immeuble, l'architecte doit prévoir un espace pour la cage d'ascenseur.* ⁄⁄ *Cage thoracique:* Partie du squelette (côtes, sternum, vertèbres) qui enserre le cœur et les poumons. ☞ encager.

cageot n.m. Emballage de bois à claire-voie servant au transport des fruits et légumes: *J'ai acheté un cageot de laitues au marché.* **R.** Le *t* ne se prononce pas. Ne pas oublier le *e* après le *g*.

cagibi n.m.fam. Petite pièce, souvent sombre, servant généralement au rangement: *Va me chercher le balai dans le cagibi.* SYN. réduit.

cagneux, euse adj. Qui a les genoux rapprochés et les pieds écartés: *Ma tante qui habite à la campagne avait un vieux cheval cagneux.*

cagnotte n.f. **1.** Argent recueilli par les membres d'un groupe en vue d'une dépense en commun: *La cagnotte de la bande sera bientôt suffisante pour notre fin de semaine de camping.* **2.** Somme d'argent que l'on accumule dans certains jeux et que pourra gagner l'un des joueurs: *C'est toujours toi qui remportes la cagnotte.* **R.** S'écrit avec deux *t*.

cagoule n.f. **1.** Manteau sans manches, à capuchon ample, que portaient autrefois les moines: *Les moines ne portent plus de cagoule.* **2.** Capuchon troué à l'endroit des yeux: *Les cambrioleurs s'étaient mis une cagoule pour ne pas se faire reconnaître.* **3.** Coiffure de laine qui recouvre le visage, sauf à l'endroit des yeux et de la bouche: *Ces skieuses ont mis leur cagoule pour se protéger du froid.* **4.** Genre de passe-montagne non transformable: *Avec cette cagoule, tu n'auras pas froid aux oreilles.* **5.** Bonnet de fourrure s'attachant sous le menton et couvrant partiellement le cou: *J'ai une cagoule de la même fourrure que mon manteau.*

cahier n.m. **1.** Assemblage de feuilles de papier réunies ensemble et munies d'une couverture, dont on se sert généralement pour écrire: *J'ai conservé mon cahier d'écriture de première année.* SYN. livret. **2.** Livre contenant des exercices scolaires, dans lequel on peut répondre directement: *J'aime beaucoup travailler dans mon cahier d'activités en mathématiques.*

cahin-caha loc.adv.fam. Tant bien que mal: *Elle s'est relevée et s'est mise à marcher cahin-caha.* SYN. clopin-clopant. ANT. aisément.

cahot n.m. Saut que fait un véhicule sur une mauvaise route: *Les cahots de l'autobus me donnent la nausée.* SYN. secousse. HOM. chaos. ☞ cahotant, cahotement, cahoter, cahoteux.

cahotant, ante adj. **1.** Qui cahote, qui est ballotté: *Le vieux camion cahotant s'est finalement enlisé dans une ornière.* **2.** Qui fait cahoter: *Je n'irai pas à bicyclette sur cette route cahotante.* ☞ cahot.

cahotement n.m. Fait de cahoter, de ballotter; fait d'être cahoté, d'être ballotté: *Le cahotement de la charrette les a beaucoup amusés.* ☞ cahot.

cahoter v. **1.** Secouer, ballotter: *Les cailloux du chemin cahotaient la voiture en tous sens.* SYN. agiter, balancer. ANT. stabiliser. **2.** Être secoué, ballotté: *Ralentis un peu, la roulotte cahote trop fort.* ☞ cahot.

cahoteux, euse adj. Qui fait cahoter; qui fait éprouver des cahots, des secousses: *La municipalité a enfin décidé de réparer ce chemin cahoteux.* ☞ cahot.

caillage n.m. Fait de cailler ou de se cailler, de figer ou de se figer: *Le caillage du yogourt prend environ quatre heures.* **R.** Aussi, *caillement*. ☞ cailler.

caille n.f. Oiseau migrateur au plumage semblable à celui de la gélinotte, dont on fait maintenant l'élevage au Québec: *Papa a acheté une douzaine d'œufs de caille au marché.*

cailler v. Figer, faire prendre en caillots: *La chaleur du soleil a caillé le lait.* SYN. coaguler. ANT. liquéfier. ☞ caillage, caillot. **se cailler** v.pron. Se figer, prendre en caillots: *Le sang s'est caillé sous la blessure.* SYN. se coaguler. ANT. se liquéfier.

caillot n.m. Petite masse d'une substance liquide qui s'est figée: *Il avait un petit caillot de sang dans l'œil.* ☞ cailler.

caillou, oux n.m. Pierre de petite ou moyenne dimension: *Elles ont passé la matinée à lancer des cailloux dans la rivière.* ☞ caillouter, caillouteux.

caillouter v. Recouvrir de cailloux: *Il faudrait caillouter au plus tôt ce chemin boueux.* SYN. empierrer. ☞ caillou.

caillouteux, euse adj. Qui est rempli de cailloux: *Nous avons réussi à faire un jardin dans cette terre caillouteuse.* ☞ caillou.

caïman n.m. (esp.) Crocodile d'Amérique à museau large et court: *Le caïman est recherché pour son cuir.* **R.** Ne pas oublier le tréma: *ï*.

caïque n.m. (turc) Embarcation légère, longue et étroite, en usage dans plusieurs pays de la Méditerranée: *Ils ont réussi à se rendre à l'île en caïque.* **R.** Ne pas oublier le tréma: *ï*.

caisse n.f. Boîte de bois servant à l'emballage et au transport de marchandises: *Nous avons vu les débardeurs décharger les caisses de clémentines du Maroc.* ☞ caissette, décaisser. ▲ **caisse** n.f. Instrument de musique à percussion formé d'un cylindre sur lequel sont tendues deux peaux: *Nous nous servirons de la grosse caisse pour imiter le tonnerre.* ▲ **caisse** n.f. **1.** Coffre, tiroir ou machine à calculer servant à contenir l'argent dans un commerce: *Le supermarché s'est doté de nouvelles caisses enregistreuses.* **2.** Argent contenu dans une caisse: *La cambrioleuse s'est emparée de la caisse juste avant que l'alerte soit donnée.* **3.** Comptoir où les clients font leurs paiements, leurs versements: *Passez à la caisse avec votre bon de rabais.* **4.** Établissement financier où l'on dépose son argent pour économiser ou pour retirer des intérêts: *Je me suis ouvert un compte à la caisse d'épargne.* ☞ caissier, décaisser, encaissement, encaisser.

caissette n.f. **1.** Petite caisse: *À la prochaine réunion de la bande, n'oubliez pas de mettre votre pièce de vingt-cinq cents dans la caissette.* **2.** Petit récipient en papier servant à emballer chacun des chocolats dans une boîte ou à faire cuire des petits gâteaux dans un moule: *La caissette de mon gâteau est difficile à enlever.* ☞ caisse.

caissier, ière n. Personne qui s'occupe de la caisse, au comptoir d'un établissement: *La facture est trop élevée, la caissière a dû commettre une erreur.* ☞ caisse.

cajoler v. **1.** Caresser, traiter affectueusement: *Avant de s'endormir, elle cajole longuement son lapin en peluche.* SYN. câliner, dorloter. ANT. rudoyer. **2.** Crier, en parlant du geai: *J'ai vu un beau geai bleu qui cajolait du haut d'un pin.* ☞ cajolerie, cajoleur.

cajolerie n.f. Manières ou paroles tendres et affectueuses: *Tes cajoleries ne me feront pas changer d'idée.* SYN. câlinerie, flatterie. ANT. brusquerie. ☞ cajoler.

cajoleur, euse n. et adj. **1.** n. Personne qui cajole, qui cherche à séduire: *Ma mère dit que j'étais un petit cajoleur quand j'étais bébé.* SYN. enjôleur. **2.** adj. Qui cajole, qui flatte: *Que veux-tu de moi avec ta voix cajoleuse?* ANT. bourru. ☞ cajoler.

cajou, ous n.m. Fruit de l'anacardier dont l'amande se mange grillée: *J'ai calmé ma faim avec un gros sac de cajous salés.*

cal n.m. Durcissement de la peau des mains ou des pieds sous l'effet d'un frottement: *Le manche du marteau m'a fait plein de cals dans les mains.* SYN. callosité, cor, durillon. HOM. cale. ☞ calleux, callosité.

calamité n.f. Grand malheur qui frappe un grand nombre de personnes: *Le tremblement de terre survenu en Arménie est une terrible calamité pour ce peuple éprouvé.* SYN. cataclysme, catastrophe. ANT. bénédiction, chance.

calcaire n.m. et adj. **1.** n.m. Roche sédimentaire composée essentiellement de carbonate de calcium: *La craie est une sorte de calcaire.* **2.** adj. Qui contient du carbonate de calcium; qui contient de la chaux: *Ce terrain calcaire convient bien à la croissance de ces arbres.*

calciner v. **1.** Soumettre à une température très élevée: *Il travaille dans une usine où l'on calcine le métal.* ANT. refroidir. **2.** Brûler, faire noircir par une cuisson trop prolongée: *Papa, tes rôties sont calcinées.* SYN. carboniser.

calcite n.f. Roche cristalline de carbonate de calcium: *Regarde ce beau spécimen de calcite.* ☞ calcium.

calcium n.m. Métal blanc, mou, dont provient la chaux: *Les produits laitiers sont riches en calcium.* **R.** Les lettres *um* se prononcent *omm.* ☞ calcite, décalcification, décalcifier.

calcul n.m. **1.** Opération arithmétique: *Elle a fait des calculs compliqués et elle a obtenu ce résultat.* **2.** Évaluation, supposition: *Selon ses calculs, il gagnera la course à la dernière minute.* SYN. prévision. **3.** Ensemble de moyens employés astucieusement pour arriver à un but personnel: *Ses calculs ont été déjoués par la tournure imprévue des événements.* **R.** Dans le sens de *moyens employés pour arriver à un but*, s'emploie surtout au pluriel. ☞ calculable, calculateur, calculatrice, calculer, calculette, incalculable. ▲ **calcul** n.m. Petite pierre qui se forme dans l'organisme et cause des troubles de fonctionnement: *Ma mère s'est fait extraire des calculs de la vésicule biliaire.*

calculable adj. Qu'on peut calculer: *La hauteur de ce pylône est calculable si on mesure la longueur de son ombre.* ANT. incalculable. ☞ calcul.

calculateur n.m. Ordinateur qui effectue des calculs: *Dans les grandes entreprises, on utilise des calculateurs pour faire des calculs compliqués.* ☞ calcul.

calculateur, trice n. et adj. **1.** n. Personne qui sait effectuer des calculs: *C'est un calculateur prodigieux, il effectue mentalement des calculs très compliqués.* **2.** adj.péj. Qui prépare habilement des plans pour satisfaire ses désirs, souvent sans avoir d'égards pour autrui: *Tu es trop calculateur; je ne suis pas portée à te faire confiance.* ☞ calcul.

calculatrice n.f. Machine à calculer: *J'aurais besoin de ta calculatrice pour vérifier mon calcul.* ☞ calcul.

calculer v. **1.** Établir par calcul: *J'ai calculé combien nous coûterait notre excursion en forêt.* SYN. compter. **2.** Prévoir: *Elle calcule qu'elle en aura fini d'ici à trois semaines.* SYN. estimer. **3.** Préparer ou exécuter soigneusement, en vue d'obtenir un résultat: *Le chat, calculant ses gestes, s'approchait sournoisement de l'oiseau.* **R.** N'a pas le sens de *projeter de.* ☞ calcul.

calculette n.f. Calculatrice électronique de poche: *J'ai une calculette qui fonctionne à l'énergie lumineuse.* ☞ calcul.

cale n.f. **1.** Partie basse d'un navire où l'on entrepose la cargaison: *La cale du navire est remplie de noix de coco et d'autres produits tropicaux.* **2.** Partie d'un quai s'abaissant en pente douce et servant au chargement et au déchargement des petits bateaux: *Le bateau a été solidement amarré à la cale.* ▲ **cale** n.f. (all.) Objet qu'on place de façon à équilibrer ou à immobiliser un meuble, un véhicule, etc.: *Avant de changer la roue de la voiture, il serait prudent de mettre des cales à l'avant.* SYN. soutien, support. HOM. cal. ☞ cale-pied, caler.

calé, ée adj.fam. **1.** Qui est très savant: *Je ne savais pas que tu étais si calée en botanique.* SYN. fort. **2.** Qui est difficile, poussé: *L'institutrice nous a donné des problèmes calés à résoudre.* HOM. caler.

calèche n.f. (all.) Belle voiture à cheval, munie d'une capote à l'arrière, et d'un siège surélevé à l'avant: *Ils ont visité le Vieux-Québec en calèche, comme autrefois.*

caleçon n.m. Sous-vêtement masculin couvrant le bas du corps et pourvu de jambes plus ou moins longues: *Mets un caleçon long sous ton pantalon avant d'aller jouer au froid.* **R.** Ne pas oublier la cédille: caleçon.

calembour n.m. Jeu de mots que l'on fait avec des mots qui se prononcent de la même façon mais qui n'ont pas le même sens: *Il m'amuse avec ses calembours.*

calendrier n.m. **1.** Système de division du temps annuel en mois et en jours: *En 1582, le pape Grégoire XIII a modifié le calendrier romain pour qu'il soit plus exact.* **2.** Tableau représentant les jours et les mois de l'année: *J'ai acheté le calendrier des scouts pour le mettre dans ma chambre.* **3.** Programme de travaux, d'activités: *Le calendrier des matchs de la saison est maintenant établi.*

cale-pied n.m. Pièce qui retient le pied sur la pédale d'une bicyclette: *J'ai perdu un cale-pied de ma bicyclette.* **R.** Au pluriel, *cale-pied* ou *cale-pieds*. ☞ cale.

calepin n.m. Petit carnet: *J'ai oublié de noter dans mon calepin les leçons à étudier.*

caler v. Enfoncer dans l'eau, en parlant d'un navire, d'une embarcation: *Il faudra emporter moins de bagages, le canot cale trop.* SYN. couler. ANT. émerger, surnager. ▲ **caler** v. Rendre stable ou immobile au moyen d'une cale: *J'ai calé les pieds de la table, elle ne branlera plus.* SYN. fixer, stabiliser. ANT. ébranler. ☞ cale. ▲ **caler** v. S'arrêter, en parlant d'un moteur: *Par temps humide, le moteur de la voiture cale souvent.* SYN. s'immobiliser. ANT. repartir. HOM. calé.

calfeutrage n.m. Action de calfeutrer, de boucher les fentes d'une fenêtre ou d'une porte; résultat de cette action: *Cette année, le calfeutrage des fenêtres a été vraiment efficace.* **R.** Aussi, *calfeutrement*. ☞ calfeutrer.

calfeutrer v. Boucher les fentes d'une fenêtre ou d'une porte, afin d'empêcher le froid d'entrer: *Novembre approche, il serait temps de calfeutrer les fenêtres.* ANT. déboucher, dégager. ☞ calfeutrage. se **calfeutrer** v.pron. S'enfermer chez soi bien au chaud: *Les grands froids arrivent, nous allons nous calfeutrer.* SYN. s'isoler. ANT. sortir.

calibrage n.m. Action de calibrer, de trier selon la grosseur: *Le calibrage des œufs se fait à la machine.* ☞ calibre.

calibre n.m. **1.** Diamètre intérieur du canon d'une arme à feu ou du tube d'un canon: *Ma tante possède un vieux fusil de chasse de gros calibre.* **2.** Diamètre d'un objet sphérique: *Cette semaine, les œufs de calibre moyen sont en rabais au supermarché.* SYN. grosseur. **3.** fam. Nature, genre: *Ils sont du même calibre, ces deux-là.* **4.** fam. Importance, gravité: *Elle a commis une erreur de grand calibre en s'en prenant à moi.* ⁄⁄ *De même calibre:* De même valeur. ☞ calibrage, calibrer.

calibrer v. Trier selon la grosseur: *Je les ai aidées à calibrer les pommes du verger.* SYN. classer. ☞ calibre.

calice n.m. Vase sacré dans lequel le prêtre verse l'eau et le vin pendant la messe: *Au moment de l'offertoire, le prêtre lève le calice au bout de ses bras.* SYN. coupe. ▲ **calice** n.m. Partie de la fleur qui est formée par les sépales et qui constitue le vase de la corolle: *Ce bouton de rose n'est pas encore ouvert, on ne voit que le calice.* SYN. enveloppe.

californien, ienne n. et adj. **1.** n. Personne qui habite la Californie: *Un Californien, une Californienne.* **2.** adj. Qui est de la Californie: *En prévision de son voyage, elle a étudié l'histoire californienne.* **R.** On met la majuscule à *californien* et à *californienne* lorsqu'il s'agit du nom.

à **califourchon** loc.adv. Une jambe d'un côté, l'autre jambe de l'autre: *Elle rêvassait, assise à califourchon sur la clôture.*

câlin n.m. Geste tendre, caresse: *À l'hôpital, j'ai fait un gros câlin à mon petit frère.* **R.** Ne pas oublier l'accent: *â*.

câlin, ine n. et adj. **1.** n. Personne qui aime être traitée avec douceur, être caressée: *Mon plus jeune est un petit câlin qui aime se faire prendre.* SYN. cajoleur. ANT. brute. **2.** adj. Qui est affectueux et doux: *Elle me regardait avec de petits yeux câlins.* SYN. caressant. **R.** Ne pas oublier l'accent: *â*. ☞ câliner, câlinerie.

câliner v. (normand) Traiter avec affection, tendresse: *Quand elle revient de l'école, elle prend son petit chat pour le câliner.* SYN. cajoler, caresser, dorloter. ANT. brusquer, rudoyer. **R.** Ne pas oublier l'accent: *â*. ☞ câlin.

câlinerie n.f. Manières caressantes, affectueuses: *Mon père est bien content quand je lui fais des câlineries.* SYN. cajolerie. **R.** Ne pas oublier l'accent: *â*. ☞ câlin.

calleux, euse adj. Dont la peau est durcie par le travail, un frottement: *C'est un vieux menuisier qui a les mains toutes calleuses.* ANT. doux, lisse. ☞ cal.

calligraphe n. Personne qui pratique l'art de bien écrire les lettres: *Nous avons demandé à une calligraphe d'écrire ton poème sur un parchemin.* **R.** Les lettres *ph* se prononcent *f*. ☞ calligraphie.

calligraphie n.f. Art d'écrire avec élégance les lettres de l'alphabet: *Afin de mieux écrire, j'ai commencé à faire des exercices de calligraphie.* **R.** Les lettres *ph* se prononcent *f*. ☞ calligraphe, calligraphier.

calligraphie

calligraphier v. Écrire avec art, avec application: *Pour son anniversaire, j'ai calligraphié nos vœux dans la carte que tu avais dessinée.* **R.** Les lettres *ph* se prononcent *f*. ☞ calligraphie.

callosité n.f. Épaississement et durcissement de la peau des mains ou des pieds sous l'action d'un frottement répété: *Le travail à la bêche m'a couvert les mains de callosités.* SYN. cal, cor, durillon. ☞ cal.

calmant n.m. Remède qui a un effet calmant, apaisant: *Depuis son accident, il prend des calmants pour dormir.* SYN. tranquillisant. ANT. excitant, stimulant. ☞ calme.

calmant, ante adj. Qui a des propriétés tranquillisantes, qui soulage: *Cette musique calmante me fait beaucoup de bien.* SYN. apaisant. ANT. énervant.

calmar n.m. (it.) Mollusque marin comestible, à tentacules, dont les plus longs peuvent mesurer cinquante centimètres: *Chez mon ami portugais, j'ai mangé du calmar pour la première fois.* **R.** Aussi, *calamar*.

calme n.m. **1.** Absence d'agitation, atmosphère de paix: *J'aime le calme de ces collines enneigées.* SYN. silence. ANT. tempête. **2.** Attitude de tranquillité, de maîtrise de soi: *Gardons notre calme, tout va s'arranger.* SYN. sang-froid. ANT. émotion, nervosité.

calme adj. **1.** Qui n'est pas agitée, en parlant d'une chose: *Les jours où le lac est calme, on peut voir des poissons sauter hors de l'eau.* SYN. tranquille. **2.** Qui reste serein, maître de soi: *Elle est calme malgré tous ces tracas.* SYN. paisible. ☞ calmant, calmement, calmer.

calmement adv. Avec calme: *Je me suis promenée calmement le long de la rivière et ça m'a fait du bien.* ☞ calme.

calmer v. **1.** Rendre calme, tranquille: *Une marche dans la nature te calmera.* SYN. apaiser. ANT. agiter, exciter. **2.** Diminuer l'intensité d'une sensation désagréable: *Au milieu de la forêt, j'ai calmé ma faim avec des framboises.* ☞ calme. **se calmer** v.pron. Devenir calme, paisible: *Nous allons pouvoir sortir de la tente, l'orage s'est calmé.* SYN. s'apaiser.

calomniateur, trice n. et adj. **1.** n. Personne qui ment au sujet d'autrui: *Il a été accusé de vandalisme à cause de cette calomniatrice.* ANT. défenseur. **2.** adj. Qui accuse autrui par un mensonge: *Ces propos sont calomniateurs.* ☞ calomnie.

calomnie n.f. Mensonge qui nuit à la réputation d'une personne: *Ils ont dit que j'étais là le soir du cambriolage? Mais c'est faux! C'est une calomnie!* SYN. diffamation. ANT. éloge. ☞ calomniateur, calomnier, calomnieusement, calomnieux.

calomnier v. Attaquer la réputation de quelqu'un par des mensonges: *Tout ce que vous avez dit au sujet de ma sœur est faux, vous l'avez calomniée.* SYN. diffamer. ANT. glorifier. ☞ calomnie.

calomnieusement adv. De façon calomnieuse, en dénigrant par des mensonges: *Ils l'ont calomnieusement fait punir à leur place.* ☞ calomnie.

calomnieux, euse adj. Qui contient une calomnie, un mensonge qui nuit à la réputation de quelqu'un : *Ne dis pas de paroles calomnieuses à son sujet.* SYN. diffamatoire. ANT. élogieux. ☞ calomnie.

calorie n.f. Unité de mesure de la chaleur et de la valeur énergétique des aliments : *Ce dessert est très riche en calories, n'en prends pas trop.*

calorifère n.m.vx Appareil de chauffage central composé d'une chaudière, de tuyaux de distribution et de radiateurs : *Le calorifère est en panne et on annonce un refroidissement.* **R.** N'a pas le sens de *radiateur*.

calorifique adj. Qui produit de la chaleur, des calories : *Pour l'excursion en montagne, j'ai apporté du chocolat : c'est très calorifique.* ANT. frigorifique.

calot n.m. Petite coiffure de forme allongée, sans bord, portée par les militaires, mais aussi, si elle est en fourrure, par les civils : *Il a enfin trouvé un calot à son goût.*

calotte n.f. Petit bonnet rond en forme de dôme, sans bord ni visière, qui se porte sur le sommet de la tête : *À l'église Notre-Dame, un petit garçon avait soulevé la calotte du pape Jean-Paul II.* ⁄⁄ *Calotte du crâne :* Partie supérieure de la boîte crânienne. *Calotte glaciaire :* Masse de glace recouvrant les pôles de la Terre.

calquage n.m. Action de calquer, de reproduire sur du papier-calque, par transparence : *Je suis devenue experte en calquage.* ☞ calque.

calque n.m. Dessin obtenu par calquage : *J'aime faire des calques de mes héros de bandes dessinées.* SYN. reproduction. ANT. original. ⁄⁄ *Papier-calque :* Papier transparent sur lequel on peut reproduire un dessin placé dessous. ☞ calquage, calquer, décalcomanie, décalquage, décalque, décalquer.

calquer v. **1.** Reproduire sur du papier-calque, par transparence : *Pour mon devoir de géographie, j'ai calqué la carte du Québec.* SYN. copier. **2.** fig. Imiter exactement : *À ce sujet, il calque son point de vue sur celui de son amie.* ☞ calque.

calumet n.m. Pipe à long tuyau, utilisée par les Amérindiens : *« Fumer le calumet de paix » signifie « faire la paix », « se réconcilier ».*

calvaire n.m. **1.** Colline où Jésus-Christ fut crucifié : *Jésus a porté sa croix jusqu'au sommet du Calvaire.* **2.** Représentation peinte ou sculptée de la crucifixion de Jésus : *À l'île d'Orléans, on peut voir un très beau calvaire près du village de Saint-Laurent.* **3.** Succession d'épreuves, de souffrances : *Sa maladie a été pour elle un long calvaire.* SYN. martyre. **R.** On met la majuscule à *calvaire* lorsqu'il s'agit de la colline où le Christ a été crucifié.

calvette ☞ sect. anglicismes et canadianismes.

calvinisme n.m. Doctrine religieuse du réformateur protestant Jean Calvin : *Le calvinisme est très répandu en Suisse.* ☞ calviniste.

calviniste n. et adj. **1.** n. Personne dont la doctrine est le calvinisme, doctrine religieuse du réformateur protestant Jean Calvin : *Les calvinistes sont des protestants.* **2.** adj. Qui se rapporte au calvinisme : *La doctrine calviniste est austère.* ☞ calvinisme.

calvitie n.f. État d'une tête chauve : *Sa calvitie a commencé lorsqu'il n'avait que trente-cinq ans.* **R.** Le *t* se prononce *ss*.

camarade n. (esp.) Compagnon de classe, de travail, de sport, etc. : *Pendant la récréation, j'organiserai un combat de balles de neige avec les camarades.* SYN. copain. ANT. adversaire. ☞ camaraderie.

camaraderie n.f. Relations d'amitié, de solidarité entre camarades : *Il y a une bonne atmosphère de camaraderie dans notre classe.* ☞ camarade.

cambodgien, ienne n. et adj. **1.** n. Personne qui est du Cambodge : *Un Cambodgien, une Cambodgienne.* **2.** adj. Qui est du Cambodge : *Nous sommes allés manger dans un restaurant cambodgien.* **R.** On met la majuscule à *cambodgien* et à *cambodgienne* lorsqu'il s'agit du nom.

cambouis n.m. Huile ou graisse noircie par le frottement : *Ton pantalon est tout taché de cambouis.* **R.** Le *s* ne se prononce pas.

cambrage n.m. Action de cambrer, de courber ; fait d'être cambré, courbé : *Dans la pièce de théâtre, ton personnage doit entrer en scène avec un léger cambrage de la taille.* **R.** Aussi, *cambrement*. ☞ cambrer.

cambré, ée adj. Qui est légèrement courbé ou redressé vers l'arrière : *Pour les photographies, elle se tient toujours très cambrée.* ANT. droit. HOM. cambrer. ☞ cambrer.

cambrer v. **1.** Courber en forme d'arc : *Il faudrait cambrer la planche avant de la poser.* SYN. arquer. ANT. redresser. **2.** Redresser la taille exagérément, jusqu'à se pencher vers l'arrière : *Le danseur de flamenco cambre bien les reins.* ANT. aplatir. HOM. cambré. ☞ cambrage, cambré, cambrure. **se cambrer** v.pron. Se redresser : *Cambre-toi pour mieux garder ton équilibre en passant sur le tronc d'arbre.*

cambriolage n.m. Action de cambrioler, de voler en entrant de force dans un endroit: *Elle a été arrêtée pour cambriolage.* ☞ cambrioler.

cambrioler v. Dévaliser, en entrant de force: *Notre maison a été cambriolée pendant que nous étions en vacances.* ☞ cambriolage, cambrioleur.

cambrioleur, euse n. Personne qui cambriole, qui vole en entrant de force dans un endroit: *Le cambrioleur a dû entrer par la fenêtre du balcon, laquelle était ouverte.* SYN. voleur. ☞ cambrioler.

cambrure n.f. État de ce qui est cambré, courbé: *Après l'accident, mon pied n'a jamais retrouvé sa cambrure.* ☞ cambrer.

camée n.m. (it.) Pierre fine portant une figure en relief: *Ma grand-mère m'a donné son camée, qui est une améthyste.*

caméléon n.m. **1.** Lézard d'Afrique qui a la faculté de changer de couleur: *Le caméléon a des yeux qui bougent de l'avant vers l'arrière.* **2.** fig. Personne qui change d'opinion quand cela lui plaît: *Hier il était d'accord, aujourd'hui il ne l'est plus; un vrai caméléon!*

camélia n.m. Arbrisseau originaire de Chine, dont la fleur rappelle la rose: *Le camélia appartient à la même famille de plantes que le thé.*

camelot n.m. **1.** Marchand ambulant qui vend des marchandises de peu de valeur: *J'ai acheté cela d'un camelot qui s'était installé sur le terrain de l'exposition agricole.* **2.** Personne qui vend des journaux ou qui distribue des brochures, des dépliants, etc.: *Ma sœur est camelot pour le journal local depuis trois ans.* **R.** L'O.L.F. recommande que le nom *camelot* soit aussi employé au féminin. ☞ camelote.

camelote n.f.fam. Marchandise de peu de valeur, de mauvaise qualité: *Pas étonnant que ça ne fonctionne plus, c'est de la camelote.* **R.** S'écrit avec un seul *t*. ☞ camelot.

camembert n.m. Fromage rond, à pâte molle et à croûte blanche, fait avec du lait de vache: *Je n'avais jamais goûté à un aussi bon camembert.* **R.** Le *t* ne se prononce pas.

caméra n.f. Appareil de prises de vues, pour le cinéma et la télévision: *Ils ont fait filmer leur mariage avec une caméra vidéo.* **R.** N'a pas le sens de *appareil photo*. ☞ cameraman.

cameraman n.m. (angl.) Opérateur de prises de vues en cinéma et en télévision: *Ninon est cameraman pour une grande chaîne de télévision.* SYN. cadreur. **R.** Au pluriel, *cameramen*. Au Canada, s'écrit aussi *caméraman* et, au pluriel, *caméramans*. ☞ caméra.

camerounais, aise n. et adj. **1.** n. Personne qui est du Cameroun: *Un Camerounais, une Camerounaise.* **2.** adj. Qui est du Cameroun: *La production camerounaise d'arachides est une des plus importantes au monde.* **R.** On met la majuscule à *camerounais* et à *camerounaise* lorsqu'il s'agit du nom.

camion n.m. Gros véhicule automobile servant au transport des marchandises: *Il a fallu louer un camion à dix roues pour notre déménagement.* // *Camion-citerne:* Camion servant au transport des liquides en vrac. ☞ camionnage, camionner, camionnette, camionneur.

camionnage n.m. Transport par camion: *Il y a une compagnie de camionnage pas bien loin d'ici.* ☞ camion.

camionner v. Transporter par camion: *Les billes d'acajou ont été camionnées par cette route.* ☞ camion.

camionnette n.f. Petit camion: *Nous avons aménagé l'intérieur de notre camionnette pour pouvoir y loger en voyage.* ☞ camion.

camionneur n.m. Personne qui conduit un camion: *En dix ans, ce camionneur n'a jamais eu d'accident.* **R.** L'O.L.F. recommande *camionneuse* comme féminin de *camionneur*. ☞ camion.

camisole n.f. Sous-vêtement féminin en maille, porté à même la peau et comportant des bretelles: *Elle a passé la journée en camisole, il faisait tellement chaud.*

camomille n.f. Plante odorante qui appartient à la famille de la marguerite et avec laquelle on prépare des tisanes: *Le shampooing à la camomille a la réputation de faire blondir les cheveux.* **R.** Les lettres *ill* se prononcent comme dans *famille*.

camouflage n.m. **1.** Fait de camoufler, de dissimuler du matériel de guerre ou des troupes: *Le camouflage de ces vêtements leur a sauvé la vie.* **2.** fig. Déguisement: *Ton camouflage n'est pas très réussi; on te repère à cent mètres.* **3.** fig. Fait de cacher, de dissimuler: *Le camouflage des sentiments n'est pas à recommander.* ☞ camoufler.

camoufler v. Déguiser afin de dissimuler, de rendre méconnaissable: *Nous avions camouflé notre repaire avec des branches de sapin.* SYN. cacher. ANT. étaler, exposer. ☞ camouflage. se **camoufler** v.pron. Se cacher derrière un déguisement: *Nos ennemis se sont camouflés dans les buissons là-bas.* SYN. se dissimuler. ANT. se montrer.

camp n.m. **1.** Ensemble des installations servant au campement d'une armée: *Les troupes sont rentrées au camp avec plusieurs blessés.* **2.** Lieu où s'installent des campeurs: *Le camp des louveteaux est situé près des chutes.* HOM. quand, quant. ⁄⁄ *Camp de bûcherons:* Habitation et chantier où vivent des bûcherons. *Camp de concentration:* Camp où l'on emprisonne des personnes en temps de guerre. *Camp de vacances:* Lieu aménagé en pleine nature où l'on offre des activités de vacances à des enfants, des adultes ou des familles. *Camp forestier:* Lieu où sont regroupées les habitations et les installations servant aux travailleurs en forêt. ☞ campement, camper, campeur, camping. ▲ **camp** n.m. Groupe qui s'oppose à un autre: *La traîtresse s'est jointe au camp ennemi.*

campagnard, arde n. et adj. **1.** n. Personne qui vit à la campagne: *Ce campagnard déteste la ville.* ANT. citadin. **2.** adj. Qui vit à la campagne; qui se rapporte à la campagne: *J'ai préparé une bonne soupe campagnarde.* ☞ campagne.

campagne n.f. Région où l'on cultive la terre, à l'extérieur des villes: *En fin de semaine, nous irons à la campagne.* ☞ campagnard. ▲ **campagne** n.f. Opération de guerre, suite de manœuvres militaires: *Napoléon a été vaincu à la campagne de Waterloo.* ⁄⁄ *Campagne électorale:* Ensemble de moyens de propagande (discours, conférences de presse, etc.) qu'utilise un parti politique en période d'élections. *Campagne publicitaire:* Ensemble de moyens mis en œuvre par une agence de publicité pour faire la promotion d'un bien ou d'un service. *Faire campagne:* Déployer une activité.

campagnol n.m. Petit rongeur à queue courte et poilue, aussi appelé «rat des champs»: *Mon chat est la terreur des campagnols.*

campanule n.f. Plante des champs, dont les fleurs violettes ont la forme d'une cloche: *J'ai trouvé des campanules sur le mont Royal.*

campement n.m. Lieu où l'on campe, où l'on couche sous la tente: *Nous rentrerons au campement par le sentier qui traverse la montagne.* ☞ camp.

camper v. Coucher sous la tente en forêt, sur un terrain de camping, etc.: *Nous avons campé au parc du Mont-Tremblant.* ANT. décamper. ☞ camp. ▲ **camper** v. Représenter ou décrire avec habileté, en quelques traits: *Dans ta composition, tu as bien campé tes personnages.* SYN. fixer. se **camper** v.pron. Prendre une pose fière et hardie: *Il se campait devant l'appareil photo chaque fois que la photographe venait vers nous.* SYN. se dresser, se planter.

campeur, euse n. Personne qui fait du camping: *Les campeurs ont monté leur tente juste avant qu'il se mette à pleuvoir.* ☞ camp.

camphre n.m. Substance fortement odorante qu'on extrait du camphrier et qui sert notamment à éloigner les mites: *Je me suis mis du camphre sur les bras et le visage pour chasser les moustiques.* **R.** Les lettres *ph* se prononcent *f*. ☞ camphré, camphrier.

camphré, ée adj. Qui contient du camphre: *Ma grand-mère préparait un médicament à base d'huile camphrée.* **R.** Les lettres *ph* se prononcent *f*. ☞ camphre.

camphrier n.m. Laurier d'Extrême-Orient d'où provient le camphre: *Le camphrier est aussi appelé «laurier du Japon».* **R.** Les lettres *ph* se prononcent *f*. ☞ camphre.

camping n.m. (angl.) **1.** Activité de sport ou de vacances qui consiste à loger sous la tente en pleine nature: *Nous faisons deux semaines de camping tous les étés.* **2.** Terrain aménagé pour camper: *Vous trouverez un beau camping près de la rivière.* ☞ camp.

campus n.m. Complexe universitaire, ensemble des bâtiments et des terrains d'une université: *Nous sommes allées faire une promenade sur le campus de l'Université de Montréal.* **R.** Le *s* se prononce.

can ☞ sect. anglicismes et canadianismes.

canadianisme n.m. Mot ou tournure qu'on emploie seulement au Canada français, par exemple, «ouaouaron», «cabane à sucre», «garrocher», «s'enfarger», etc.: *Beaucoup de canadianismes viennent de l'ancien français.* ☞ canadien.

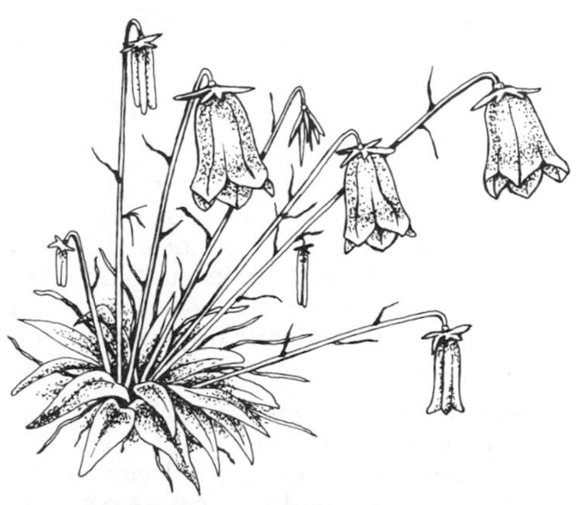

campanule

canadien, ienne n. et adj. **1.** n. Personne qui est du Canada: *Un Canadien, une Canadienne.* **2.** adj. Qui est du Canada: *La forêt canadienne est l'une des plus vastes au monde.* **R.** On met la majuscule à *canadien* et à *canadienne* lorsqu'il s'agit du nom. On écrit un *Canadien français* (sans trait d'union), le *peuple canadien-français* (avec trait d'union). ☞ canadianisme.

canadienne n.f. Manteau trois-quarts, croisé, de style sport, comportant une doublure ou un col de mouton, deux poches à rabat et une ceinture: *Cette canadienne est très légère et garde la chaleur.*

canaille n.f. et adj. **1.** n.f. Personne malhonnête et méprisable: *Méfie-toi de cette canaille.* SYN. crapule, fripouille. **2.** n.f. Enfant espiègle, insupportable: *Ah! petite canaille!* **3.** adj. Qui est coquin, vulgaire: *Cette personne a un air canaille.* ☞ canaillerie.

canaillerie n.f. **1.** Caractère d'une canaille ou d'une action de canaille: *Ce geste relève de la canaillerie.* SYN. indélicatesse, malhonnêteté. **2.** Action malhonnête: *Il n'en est pas à sa première canaillerie.* ☞ canaille.

canal, aux n.m. Voie d'eau artificielle servant à la navigation: *Le canal de Chambly est ouvert à la navigation.* ⁄⁄ *Par le canal de:* Par l'intermédiaire de. ☞ canalisable, canalisation, canaliser. ▲ **canal, aux** n.m. Conduit servant à l'évacuation de l'eau: *Ma balle est tombée dans le canal.* ☞ canalisable, canalisation, canaliser. ▲ **canal, aux** n.m. Au Canada, chaîne de télévision: *Cette émission passe au canal 2.*

canalisable adj. Qui peut être canalisé, qui peut être rendu navigable ou qui peut être acheminé dans une direction déterminée: *Cette rivière est canalisable.* ☞ canal.

canalisation n.f. **1.** Action de canaliser, de rendre navigable: *La canalisation du Saint-Laurent a été très utile.* **2.** Ensemble de conduits de distribution d'eau, de gaz, etc.: *À cause du gel, les canalisations ont éclaté.* ☞ canal.

canaliser v. **1.** Rendre un cours d'eau navigable: *La ville de Montréal a décidé de canaliser de nouveau le canal de Lachine.* **2.** Rassembler et acheminer dans une direction déterminée: *Elle canalise ses énergies dans le sport.* SYN. concentrer. ANT. disperser, éparpiller. ☞ canal.

canapé n.m. Long siège confortable à dossier, pour plusieurs personnes: *Notre nouveau canapé de salon est à l'épreuve des taches.* ☞ canapé-lit. ▲ **canapé** n.m. Tranche de pain ou craquelin garni: *À la collation, nous avons eu des canapés aux crevettes.*

canapé-lit n.m. Canapé transformable en lit: *Nous avons couché sur le canapé-lit.* **R.** Au pluriel, *canapés-lits.* ☞ canapé.

canard n.m. Oiseau à pattes palmées et à bec plat vivant à l'état sauvage ou domestique, dont la femelle est la cane et le petit, le caneton: *Nous avons vu un vol de canards sauvages.* **R.** N'a pas le sens de *bouilloire.* ☞ canardière, cane, caneton.

canarder v. Faire feu en étant soi-même à l'abri: *Les soldats embusqués canardaient les troupes qui essayaient de franchir la frontière.* SYN. chasser, tirer.

canardière n.f. **1.** Mare à canards: *Nous avons aménagé une canardière derrière la maison.* **2.** Lieu disposé pour la chasse aux canards: *La canardière renfermait des canards en pierre, pour attirer les vrais canards.* ☞ canard.

canari n.m. et adj.invar. (esp.) **1.** n.m. Serin des îles Canaries, au plumage jaune et brun olivâtre: *Mon canari se met à chanter dès le lever du soleil.* **2.** adj.invar. Qui est de la couleur de cet oiseau: *C'est une robe canari.*

cancan n.m. Bavardage, propos malveillant et souvent faux: *C'est toi qui dis des cancans sur mon compte?* SYN. raconter. ☞ cancaner, cancanier.

cancaner v. Dire des cancans: *Les voilà encore en train de cancaner au sujet de mon amie.* SYN. commérer. ANT. se taire. ☞ cancan.

cancanier, ière adj. Qui cancane, qui dit des cancans: *Quoi qu'on fasse, les gens cancaniers trouveront toujours quelque chose à dire.* ☞ cancan.

canceller v.vx Annuler un acte juridique en le biffant: *Cet acte a été cancellé.* **R.** N'a pas le sens de *annuler, décommander.*

cancer n.m. Maladie grave causée par une multiplication désordonnée de cellules: *Trop de bronzage peut provoquer le cancer de la peau.* ☞ anticancéreux, cancéreux, cancérigène, cancérologue.

cancéreux, euse n. et adj. **1.** n. Personne qui a le cancer: *On a ouvert un hôpital pour les cancéreux.* **2.** adj. Qui est de la nature du cancer: *On doit voir si la tumeur est cancéreuse.* ☞ cancer.

cancérigène adj. Qui peut causer le cancer: *La cigarette est cancérigène.* ☞ cancer.

cancérologue n. Spécialiste du cancer, des recherches sur le cancer: *Les cancérolo-*

gues sont sur la piste d'un nouveau traitement du cancer. **R.** Ne pas oublier le *u* après le *g*. ☞ cancer.

cancre n.m.fam. Élève paresseux, ignorant, qui comprend tout de travers: *Qu'elle se regarde avant de me traiter de cancre.* SYN. fainéant, nullité. ANT. as, fort.

cancrelat n.m. Nom usuel de la blatte d'Amérique, insecte nocturne au corps aplati: *Le logement que nous avons visité était infesté de cancrelats.* SYN. cafard.

candélabre n.m. Chandelier à plusieurs branches: *Chez mon ami Youssef, j'ai vu un beau candélabre à sept branches.*

candeur n.f. Qualité d'une personne innocente: *J'aimais son beau regard plein de candeur.* SYN. franchise, innocence, naïveté. ANT. dissimulation, fourberie, ruse. ☞ candide, candidement.

candi adj.m. Se dit du sucre qui a été purifié et cristallisé ou de fruits enveloppés d'un tel sucre: *Les biscuits étaient enrobés de sucre candi.*

candidat, ate n. **1.** Personne qui se présente à une élection: *Je voterai pour cette candidate.* **2.** Personne qui demande un emploi: *Pour ce poste, nous devons choisir entre trente candidats.* SYN. aspirant. **3.** Personne qui se présente à un concours: *Les candidats devront avoir entre neuf et onze ans.* SYN. aspirant. ☞ candidature.

candidature n.f. Qualité de candidat: *Ma sœur a posé sa candidature à un poste de météorologue.* ☞ candidat.

candide adj. Qui a de la candeur, qui manifeste de la candeur: *Les enfants sont candides, ils ne voient de mal nulle part.* SYN. crédule, innocent, naïf. ANT. faux, fourbe, rusé. ☞ candeur.

candidement adv. Avec candeur: *Il l'interrogeait candidement sur ses relations amicales.* ☞ candeur.

cane n.f. Oiseau à pattes palmées et à bec plat vivant à l'état sauvage ou domestique, dont le mâle est le canard et le petit, le caneton: *Nous avons fait une omelette avec des œufs de cane.* HOM. canne. **R.** S'écrit avec un seul *n*. ☞ canard.

caneton n.m. Petit du canard et de la cane: *Trois canetons ont éclos ce matin.* **R.** S'écrit avec un seul *n*. ☞ canard.

canette n.f. **1.** Petite bouteille de bière ou son contenu: *Ce bistro a un bon assortiment de canettes.* **2.** Au Canada, boîte métallique servant à contenir des jus, des boissons gazeuses ou de la bière: *Pour le pique-nique, nous apporterons des canettes de jus de légumes.* **R.** Aussi, *cannette*.

canevas n.m. **1.** Grosse toile servant de fond aux ouvrages de tapisserie à l'aiguille: *Ton canevas doit être bien tendu sur le métier.* **2.** Idées de base, grandes lignes d'un texte, d'un exposé, etc.: *Le canevas de mon exposé est prêt, il ne me reste qu'à développer.* SYN. ébauche, esquisse, plan. **R.** Le *s* final ne se prononce pas.

caniche n.m. Chien barbet à poil frisé noir, marron ou blanc: *Mon caniche se prend parfois pour un chien de garde.*

canicule n.f. Période de grande chaleur, en été: *Je supporte mal la canicule de juillet.*

canidés n.m.plur. Famille de mammifères carnivores aux pattes hautes et au museau allongé, à laquelle appartiennent le chien, le loup, le renard, etc.: *Cette vétérinaire est une spécialiste des canidés.* **R.** S'écrit au singulier lorsqu'il désigne un animal appartenant à cette famille.

canif n.m. Petit couteau de poche dont la lame est repliable dans le manche: *J'aurais besoin de ton canif pour ouvrir cette boîte de conserve.*

canin, ine adj. Qui est relatif au chien: *Le danois est l'un des plus importants représentants de la race canine.*

canine n.f. Dent pointue située entre les prémolaires et les incisives: *Regarde, la petite a enfin une canine.*

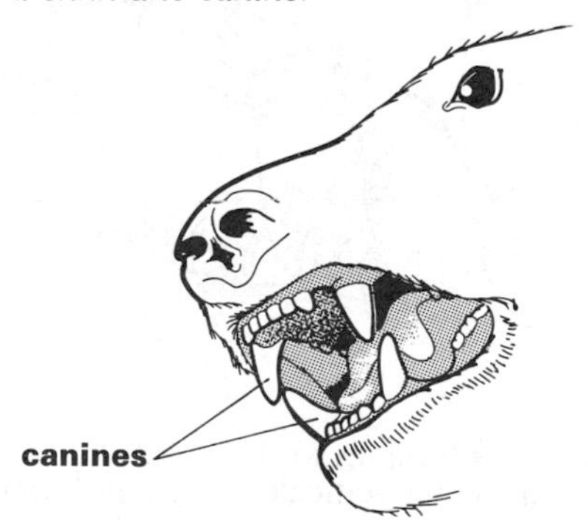

caniveau, eaux n.m. Canal ou rigole faisant partie de la chaussée d'une rue, habituellement le long du trottoir, qui sert à conduire les eaux de pluie vers l'égout: *Ma pomme est tombée dans le caniveau; elle est pleine de boue.*

canna n.m. Plante ornementale aussi appelée «balisier»: *Un massif de cannas ornait le fond du parterre.* ◇ balisier.

cannabis n.m. Plante aussi appelée

«chanvre indien» dont on extrait le haschisch, qui est une drogue produisant des hallucinations: *Elles se sont fait prendre à fumer du cannabis dans la cour de l'école.* **R.** Le *s* se prononce.

cannaie n.f. Lieu planté de cannes à sucre, de roseaux: *Les planteurs ont transformé cette forêt en cannaie.* ☞ canne.

canne n.f. **1.** Tige droite que possèdent certaines plantes: *Elle s'est taillé une flûte dans une canne de bambou.* **2.** Bâton droit, souvent à poignée recourbée, sur lequel on s'appuie en marchant: *L'aveugle a reconnu l'obstacle avec sa canne blanche.* HOM. cane. ⫽ *Canne à pêche:* Bâton flexible au bout duquel est fixée une ligne de pêche. *Canne à sucre:* Haute plante tropicale dont la sève donne le sucre de canne. *Canne blanche:* Canne d'aveugle. ☞ cannaie.

canné, ée adj. Qui est garni de cannes de rotin entrelacées: *Pour lire, je m'assois dans mon fauteuil canné.*

canneberge n.f. Arbuste à baies comestibles; cette baie rouge, à goût légèrement acide: *J'aime manger de la dinde aux canneberges.* ◇ atoca.

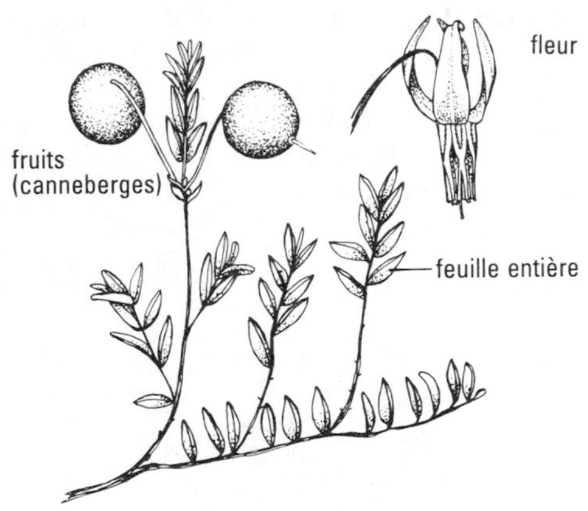

cannelé, ée adj. Qui est garni de cannelures, de moulures verticales: *L'église de ma paroisse a des colonnes cannelées.* HOM. canneler. ☞ cannelure.

canneler v. Orner de cannelures, de moulures verticales: *Le sculpteur a cannelé le socle de la statue.* HOM. cannelé. ☞ cannelure.

cannelier n.m. Variété de laurier dont l'écorce fournit la cannelle: *La récolte de l'écorce des canneliers se fait tous les deux ans.* ☞ cannelle.

cannelle n.f. Épice qu'on obtient en réduisant en poudre l'écorce du cannelier: *J'aime beaucoup la cannelle dans les tartes aux pommes.* **R.** S'écrit avec deux *l*. ☞ cannelier.

cannelier cannelle

cannelloni n.m. (it.) Pâte alimentaire en forme de cylindre, qu'on garnit d'une farce et qu'on sert nappée d'une sauce: *J'ai mangé des cannellonis au fromage.*

cannelure n.f. Moulure verticale creusée dans du bois ou de la pierre: *J'ai appris à faire des cannelures dans une colonne.* SYN. rainure. ☞ cannelé, canneler.

cannibale n. et adj. **1.** n. Primitif qui mange de la chair humaine: *L'héroïne du film a bien failli être dévorée par les cannibales.* **2.** adj. Se dit d'un animal qui mange un animal de sa propre espèce: *Certaines araignées sont cannibales.* ☞ cannibalisme.

cannibalisme n.m. Fait de manger ceux de sa propre espèce: *Le cannibalisme se pratiquait autrefois dans certaines tribus d'Afrique.* ☞ cannibale.

canoë n.m. Embarcation légère qui avance à la pagaie simple, utilisée en compétition sportive: *Ma sœur participe à la course de canoës.* **R.** L'O.L.F. recommande d'écrire *canoé*. ☞ canoéisme, canoéiste.

canoéisme n.m. Sport pratiqué par les personnes qui se servent du canoë: *Cet été, je m'initierai au canoéisme.* ☞ canoë.

canoéiste n. Personne qui pratique le canoéisme, le sport du canoë: *Les canoéistes sont prêts à commencer la descente de la rivière.* ☞ canoë.

canon n.m. **1.** Arme à feu lourde servant à lancer des obus: *Les canons de Frontenac ont fait fuir les Anglais.* **2.** Tube d'une arme à feu par lequel passe la balle: *Il possède encore une ancienne carabine à double canon.* ☞ canonnade, canonner. ▲ **canon** n.m. Composition musicale à deux ou plusieurs voix qui entonnent l'une après l'autre un même air, lequel se trouve ainsi répété par les différentes voix: *On peut faire un beau canon avec l'air de «Frère Jacques».*

canonisable adj. Qui est susceptible d'être canonisé, d'être mis au nombre des saints: *Je considère que Marie de l'Incarnation est canonisable.* ☞ canoniser.

canonisation n.f. Action de canoniser, de mettre au nombre des saints: *Le pape a annoncé la canonisation d'une religieuse libanaise.* ☞ canoniser.

canoniser v. Mettre au nombre des saints: *L'Église a canonisé Marguerite Bourgeoys.*

SYN. glorifier. ANT. maudire. ☞ canonisable, canonisation.

canonnade n.f. Échange de coups de canon, tirs répétés: *Le colonel ordonne de reprendre la canonnade.* ☞ canon.

canonner v. Tirer à coups de canon: *Il n'y a plus assez de poudre pour canonner les navires ennemis.* ☞ canon.

canot n.m. (amérind.) **1.** Toute embarcation légère sans pont, à rame, à voile ou à moteur: *Les canots de sauvetage sont arrivés juste à temps.* **2.** Embarcation légère destinée à la promenade, de type amérindien, non pontée, qui avance à la pagaie simple et qui est relevée aux deux extrémités: *Elles ont fait du canot autour des îles de Sorel.* ☞ canotable, canotage, canoter, canoteur.

canotable adj. Au Canada, se dit d'un cours d'eau où l'on peut faire du canot: *Cette rivière n'est pas canotable.* ☞ canot.

canotage n.m. Action de canoter, de faire du canot: *Le canotage est interdit à cet endroit.* ☞ canot.

canoter v. Se promener en canot, faire du canot: *Nous irons canoter demain au lac à l'Ours.* ☞ canot.

canoteur, euse n. Personne qui se promène en canot, qui fait du canot: *Les canoteurs sont priés de bien attacher leur gilet de sauvetage.* ☞ canot.

canotier n.m. Chapeau de paille rigide, de forme ovale, à calotte plate peu élevée et à bord plat: *Heureusement, mon canotier me protège du soleil.*

cantaloup n.m. Melon rond à côtes rugueuses et à chair orange foncé: *Il y a de gros cantaloups chez la marchande de fruits.* **R.** Le *p* ne se prononce pas.

cantatrice n.f. Chanteuse d'opéra: *Pierrette Alarie est l'une des plus grandes cantatrices de notre pays.* **R.** Ce nom n'ayant pas de forme masculine, on dira un *chanteur d'opéra*.

canter ☞ sect. anglicismes et canadianismes.

se **canter** ☞ sect. anglicismes et canadianismes.

cantine n.f. Service qui prépare des repas pour des personnes appartenant à un même groupe; pièce où se prennent ces repas: *La cantine de l'école offre des repas chauds tous les midis.* SYN. cafétéria.

cantique n.m. Chant religieux: *Lors de la cérémonie, la chorale a chanté un cantique de louanges.*

canton n.m. **1.** Au Canada, division cadastrale mesurant environ 16 km sur 16 km: *La région de l'Estrie était autrefois désignée sous le nom de «Cantons-de-l'Est».* **2.** Division territoriale: *En France, le canton est une subdivision de l'arrondissement.*

cantonade n.f. Coulisses, partie d'un théâtre située sur les côtés et en arrière de la scène, et qui est cachée aux spectateurs: *Autrefois, la cantonade était réservée aux spectateurs privilégiés.* ⁄⁄ *À la cantonade:* En s'adressant à quelqu'un que l'on suppose dans les coulisses. *Parler à la cantonade:* Parler en semblant ne s'adresser à personne précisément.

cantonner v. Maintenir à l'écart, dans certaines limites: *Personne n'aime à être cantonné dans un emploi sans intérêt.* se **cantonner** v.pron. **1.** S'enfermer dans un lieu: *Depuis l'échec de son projet, il se cantonne chez lui et ne reçoit personne.* SYN. s'isoler. **2.** fig. Se limiter: *Elle se cantonne dans ses études, pour se préparer aux examens.*

cantonnier n.m. Personne qui travaille à l'entretien des routes et des chemins: *«Sur la route de Berthier, il y avait un cantonnier qui cassait des tas de cailloux.»*

canular n.m.fam. Tromperie, mystification: *L'histoire de loups qu'il nous a racontée est en fait un canular.* SYN. blague, farce.

canyon n.m. (esp.) Gorge creusée par un cours d'eau dans la roche sédimentaire: *J'ai visité les canyons du Colorado, aux États-Unis.* **R.** Les lettres *yon* se prononcent *ionne*. Aussi, *cañon*, à l'espagnole.

caoutchouc n.m. (péruv.) **1.** Substance élastique et résistante provenant de la sève de certains arbres, notamment de l'hévéa: *Elle a fait éclater un ballon de caoutchouc durant le cours de français.* **2.** Manteau de pluie en tissu caoutchouté: *Le temps se gâte, il serait prudent d'apporter nos caoutchoucs.* SYN. imperméable. **3.** plur. Chaussures de caoutchouc: *Les caoutchoucs sont indispensables par ce jour de pluie.* **R.** Le *c* de la dernière syllabe ne se prononce pas. ☞ caoutchouter, caoutchouteux. (*Voir l'illustration à la page suivante.*)

caoutchouter v. Enduire de caoutchouc: *Tu ferais mieux de faire caoutchouter tes semelles.* ☞ caoutchouc.

caoutchou**c** caoutchou**t**er

caoutchouteux, euse adj. Qui a la consistance du caoutchouc: *Ces crevettes sont un peu caoutchouteuses.* ☞ caoutchouc.

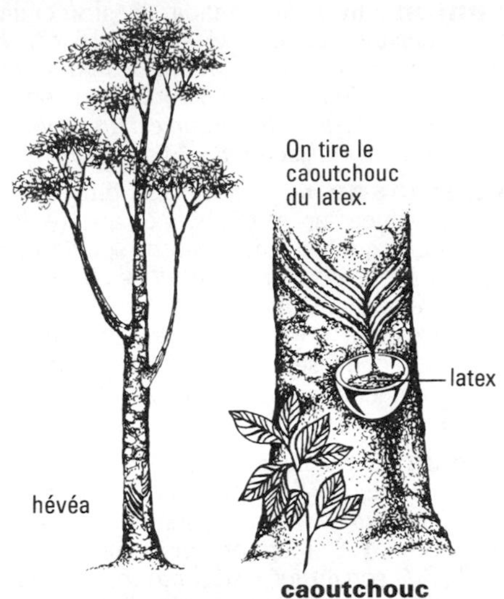

cap n.m. **1.** Pointe de terre élevée et massive qui s'avance dans une étendue d'eau: *Nous sommes allées pêcher au bout du cap.* SYN. promontoire. **2.** Direction d'un navire, d'un avion: *Nous nous sommes trompés de cap.* HOM. cape. ⫽ *Changer de cap:* Changer de direction. *Mettre le cap sur:* Se diriger vers. **R.** N'a pas le sens de *enjoliveur* (de roue).

capable adj. **1.** Qui est habile, compétent dans sa profession: *Cette entreprise cherche des ouvriers et des ouvrières capables.* ANT. incapable, incompétent. **2.** Qui a la capacité de faire quelque chose: *Je suis capable de lancer une balle de neige sur le toit de l'école.* ☞ capacité, incapable, incapacité.

capacité n.f. **1.** Contenance d'un récipient, d'un bassin, d'un réservoir, etc.: *Le réservoir de notre voiture a une capacité de soixante litres.* SYN. volume. **2.** Aptitude, force, pouvoir: *Je n'ai pas une bien grande capacité de concentration.* SYN. faculté, puissance. ANT. inaptitude, incapacité. ☞ capable.

cape n.f. Ample vêtement de dessus, sans manches, qui couvre les épaules, le corps et les bras: *La magicienne cache sûrement un tas de choses sous sa cape.* SYN. pèlerine. HOM. cap. ⫽ *De cape et d'épée:* Dont les vedettes sont des héros chevaleresques.

capelan n.m. Petit poisson de mer voisin de la morue: *Notre filet était rempli de capelans frétillants.*

capeline n.f. Chapeau de femme à grand bord circulaire, souple et plat: *Nous avons bien fait de porter nos capelines de paille.*

capharnaüm n.m. (hébreu) Lieu très encombré et en désordre: *Ma chambre est un vrai capharnaüm.* SYN. bric-à-brac. **R.** Les lettres *ph* se prononcent *f*. Ne pas oublier le tréma: *ü*.

capillaire adj. **1.** Qui se rapporte aux cheveux, à la chevelure: *Ne mets pas trop de lotion capillaire quand tu te peignes.* **2.** Qui est fin comme un cheveu: *Le bout de tes doigts est sillonné de veines capillaires.* **R.** Les deux *l* se prononcent comme un seul *l*.

capitaine n.m. **1.** Officier qui commande une compagnie dans un régiment: *Le grade de capitaine est situé entre celui de lieutenant et celui de commandant.* **2.** Officier qui commande un navire: *Le capitaine a donné l'ordre de faire escale dans ce port.* **R.** L'O.L.F. recommande que le nom *capitaine* soit aussi employé au féminin.

capital, aux n.m. **1.** Somme d'argent que l'on possède ou dépose à la banque: *J'ai en banque un capital de mille dollars qui me rapporte douze pour cent d'intérêt.* **2.** Ensemble des biens que l'on possède: *Elle a un capital considérable.* HOM. capitale. ☞ capitalisme, capitaliste.

capital, ale, aux adj. Qui est de première importance: *C'est un événement capital dans l'histoire du cinéma.* SYN. fondamental, primordial. ANT. négligeable. HOM. capitale. ⫽ *Peine capitale:* Peine de mort.

capitale n.f. Ville où est situé le gouvernement d'un pays, d'une province: *Québec est la capitale du Québec et Ottawa est la capitale du Canada.* ▲ **capitale** n.f. Majuscule d'imprimerie: *En astronomie, on met une capitale aux mots «Soleil», «Lune» et «Terre».* HOM. capital.

capitalisme n.m. Système économique dans lequel les capitaux appartiennent à des particuliers, et non à l'État: *Le capitalisme et le communisme sont deux systèmes opposés.* ☞ capital.

capitaliste n. et adj. **1.** n. Personne qui possède des capitaux et qui en tire des revenus: *Beaucoup d'Américains sont des capitalistes.* **2.** adj. Qui relève du capitalisme: *Le Canada a une économie capitaliste.* ☞ capital.

capiteux, euse adj. Qui monte à la tête, qui provoque une sensation d'ivresse: *Ce champagne est capiteux, il m'étourdit.* SYN. enivrant, excitant. ANT. apaisant.

capitonnage n.m. Rembourrage piqué par endroits: *Le capitonnage de ton fauteuil est très confortable.* ☞ capitonner.

capitonner v. Garnir d'un rembourrage piqué par endroits: *Pour bien insonoriser sa* *chambre, elle en a capitonné la porte.* ☞ capitonnage.

capitulation n.f. Fait de se rendre, de cesser toute résistance: *Ils ont hissé le drapeau blanc pour annoncer leur capitulation.* SYN. reddition, retraite. ANT. résistance. ☞ capituler.

capituler v. Cesser de combattre et s'avouer vaincu: *Victoire! Nos ennemis ont capitulé.* SYN. se rendre. ANT. résister. ☞ capitulation.

caporal, aux n.m. Militaire qui a le grade le moins élevé dans les armes à pied et dans l'aviation: *Elle est passée du grade de simple soldat à celui de caporal.* **R.** L'O.L.F. recommande *caporale* comme féminin de *caporal*.

capot n.m. Pièce de métal qui recouvre un moteur d'automobile: *La garagiste a soulevé le capot et a vérifié le niveau d'huile.*

capotage n.m. Culbute d'un véhicule: *Après un double capotage, la voiture s'est immobilisée.* ☞ capoter.

capote n.f. Grand manteau d'inspiration militaire, qui peut comporter un capuchon: *Il avait l'air d'un vrai soldat dans sa capote kaki.* ⫽ *Capote anglaise:* Condom. ▲ **capote** n.f. Couverture d'une voiture décapotable: *La pluie a cessé, tu peux replier la capote.* ☞ décapotable, décapoter.

capoter v. Se renverser, culbuter, en parlant d'un véhicule: *Sur l'autoroute, nous avons vu une voiture capoter dans le fossé.* ☞ capotage.

câpre n.f. Bouton à fleur du câprier, que l'on confit dans le vinaigre pour en faire un condiment: *Ce poisson est délicieux avec de la sauce aux câpres.* **R.** Ne pas oublier l'accent: *â*. ☞ câprier.

caprice n.m. Envie subite et passagère d'avoir ou de faire quelque chose: *Il ne faut pas répondre à tous ses caprices d'enfant gâtée.* SYN. fantaisie, lubie. ANT. raison. ☞ capricieusement, capricieux.

capricieusement adv. D'une manière capricieuse: *Il a capricieusement refusé le dessert que je lui avais préparé.* ☞ caprice.

capricieux, ieuse n. et adj. **1.** n. Personne qui a des caprices: *Les capricieux sont rarement satisfaits.* **2.** adj. Qui a des caprices: *J'ai un chat capricieux qui ne mange que ce qui lui plaît.* **3.** adj. Qui varie brusquement, qui est changeante, en parlant d'une chose: *Le temps est capricieux cet hiver, il fait mentir la météo.* SYN. irrégulier. ANT. constant. ☞ caprice.

capricorne n.m. Insecte coléoptère à très longues antennes recourbées: *C'est le plus gros capricorne que j'aie jamais vu.*

câprier n.m. Arbuste dont les boutons à fleurs sont utilisés comme condiment: *Le câprier pousse bien dans un sol rocailleux.* **R.** Ne pas oublier l'accent: *â*. ☞ câpre.

capsulage n.m. Action de fixer une capsule; résultat de cette action: *Le capsulage des bouteilles doit être parfaitement étanche.* ☞ capsule.

capsule n.f. Petit couvercle en métal qui sert à fermer une bouteille: *Je collectionne les capsules de bouteilles de jus.* ⫽ *Capsule spatiale:* Élément récupérable d'un engin spatial, où prennent place les cosmonautes. ☞ capsulage, capsuler, décapsulage, décapsuler. ▲ **capsule** n.f. Enveloppe double renfermant un médicament: *Voici un médicament en capsule pour ta sinusite.*

capsuler v. Recouvrir d'une capsule, d'un petit couvercle en métal: *Les bouteilles sont capsulées à la machine.* ANT. décapsuler. ☞ capsule.

capter v. **1.** Chercher à attirer, à obtenir et à retenir: *Elle a réussi à capter l'attention de tous les élèves.* SYN. captiver. ANT. perdre. **2.** Amener l'eau d'un cours d'eau à un point déterminé: *L'eau de cette rivière est captée dans les montagnes.* SYN. canaliser. ANT. répandre. **3.** Recevoir au moyen d'appareils de radio ou de télévision: *Je n'arrive pas à capter ma station de radio préférée.* SYN. intercepter. ANT. écarter. **4.** Recueillir une énergie pour s'en servir: *C'est un appareil qui capte les rayons solaires.* SYN. canaliser. ANT. disperser.

captif, ive n. et adj. **1.** n. Personne retenue prisonnière en temps de guerre: *Le commandant avait donné l'ordre de libérer tous les captifs.* SYN. détenu, prisonnier. **2.** adj. Qui a été retenu prisonnier en temps de guerre: *Les pays captifs avaient recouvré leur liberté.* ANT. affranchi. **3.** adj. Qui est privé de liberté: *Cet ours captif a l'air malheureux au zoo.* ANT. libre. ⫽ *Ballon captif:* Ballon retenu par un câble. ☞ captivité.

captivant, ante adj. Qui attire et retient l'attention, l'intérêt: *Je viens de terminer la lecture d'un roman captivant.* SYN. passionnant. ANT. ennuyeux. ☞ captiver.

captiver v. Intéresser vivement, passionner: *Ce film nous a captivés du début à la fin.* SYN. plaire, séduire. ANT. ennuyer. ☞ captivant.

captivité n.f. **1.** État d'une personne retenue prisonnière en temps de guerre: *Cette personne demeura en captivité jusqu'à la fin* *de la guerre.* SYN. emprisonnement. ANT. liberté. **2.** État d'une personne ou d'un animal privé de liberté : *Les moineaux ne peuvent pas vivre en captivité.* ☞ captif.

capture n.f. **1.** Action de capturer, de prendre : *La police offre une forte récompense pour la capture de cette criminelle.* SYN. arrestation. ANT. délivrance. **2.** Ce qui est capturé : *À la chasse aux insectes, j'ai fait de belles captures.* SYN. prise. ☞ capturer.

capturer v. S'emparer d'un être humain ou d'un animal : *Le lion évadé a enfin été capturé.* SYN. prendre. ANT. libérer. ☞ capture.

capuche n.f. Large bonnet muni d'une collerette qui protège les épaules : *J'aimerais une capuche à la fois chaude et légère.* ☞ capuchon, décapuchonner.

capuchon n.m. Bonnet fixé à l'encolure de certains vêtements et qui peut être enlevé : *Attache bien ton capuchon pour te protéger contre le froid.* ☞ capuche. ▲ **capuchon** n.m. Bouchon d'un stylo : *As-tu vu le capuchon de mon stylo ?*

capucin n.m. Nom usuel d'un singe d'Amérique du Sud aussi appelé « saï » : *Les capucins du zoo ont eu un petit.*

capucin, ine n. (it.) Religieux appartenant à l'ordre de Saint-François : *Il y a un monastère de capucines près de notre village.*

capucine n.f. Plante ornementale à feuilles rondes et à fleurs jaunes, rouges ou orangées ; cette fleur : *Nous avons planté des capucines dans notre boîte à fleurs.*

caquelon n.m. Poêlon assez profond dans lequel on prépare la fondue : *Mon morceau de pain est tombé dans le caquelon.*

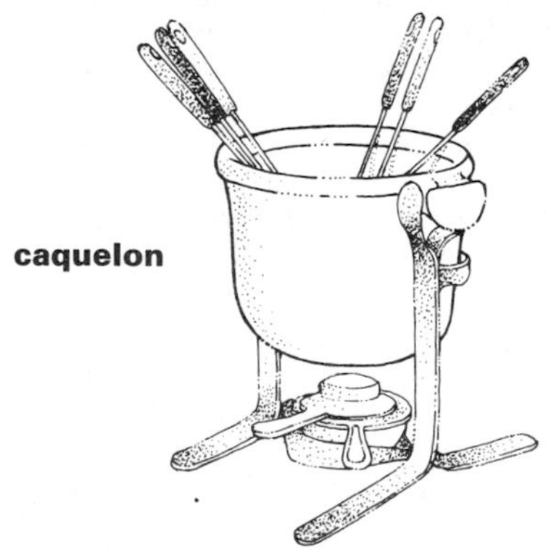

caquelon

caquet n.m. **1.** Cri de la poule au moment où elle pond : *J'ai entendu le caquet de la poule blanche.* **2.** fig. Bavardage malveillant ou ennuyeux : *Je suis fatiguée d'entendre son caquet.* SYN. commérage. ☞ caquetage, caqueter.

caquetage n.m. **1.** Action de caqueter, de pousser un cri, en parlant de la poule : *Nous avons été réveillés par le caquetage de nos poules.* **2.** Action de caqueter, de bavarder sans arrêt de façon malveillante ou ennuyeuse : *Le caquetage de ces élèves l'incommode.* SYN. bavardage. ☞ caquet.

caqueter v. **1.** Pousser son cri au moment de pondre, en parlant de la poule : *C'est notre poule noire qui caquette le plus fort.* SYN. glousser. **2.** fig. Bavarder sans arrêt de façon malveillante ou ennuyeuse : *Je ne supporte pas de les entendre caqueter ainsi.* SYN. bavarder, commérer. ANT. se taire. **R.** Ne pas oublier de doubler le *t* devant un *e* muet. ☞ caquet.

car n.m. Abréviation de « autocar » : *Nous avons pris le car pour aller à Trois-Rivières.* HOM. quart.

car conj. Mot de liaison qui sert à présenter l'explication de ce qui vient d'être dit : *J'ai hâte d'arriver à la maison, car j'ai froid aux pieds.* HOM. quart.

carabine n.f. Fusil léger à canon court : *Sa carabine de chasse était encore en bon état.*

carabiné, ée adj.fam. Qui est fort, violent : *J'ai passé la semaine au lit à cause d'une grippe carabinée.* SYN. intense. ANT. faible.

caracal, als n.m. (esp.) Lynx à oreilles noires, vivant en Afrique et dans le sud de l'Asie : *Cette zoologiste a domestiqué un petit caracal.*

caracoler v. (esp.) **1.** Faire des sauts sur place, tourner sur place, en parlant d'un cheval ou d'un cavalier : *Des chevaux caracolaient au milieu du défilé.* **2.** Avancer en sautant, en bondissant, selon une ligne irrégulière, en parlant d'une personne : *Les enfants caracolaient devant nous sur le sentier.* SYN. cabrioler, sautiller. **3.** Évoluer avec grâce et vivacité : *Des hirondelles caracolent autour de la maison.*

caractère n.m. **1.** Lettre d'imprimerie : *Ce mot est défini en gros caractères dans ton livre.* **2.** Lettre ou signe d'un système d'écriture : *Le message portait une inscription en caractères arabes.* ▲ **caractère** n.m. Signe propre à une chose, à un être, à un ensemble de choses ou d'êtres : *La capacité de voir dans la nuit est un caractère remarquable du hibou.* SYN. marque, particularité. ☞ caractériser, caractéristique. ▲ **caractère** n.m. Ensemble des traits psychologiques, des qualités et des défauts d'une personne : *Cet enfant a un caractère doux et enjoué.* SYN. personnalité, tempérament. ☞ caractériel.

caractériel, ielle n. et adj. **1.** n. Personne qui présente des troubles du caractère, de la personnalité : *Le traitement de cette caractérielle peut demander beaucoup de temps.* **2.** adj. Qui se rapporte au caractère, à la personnalité : *Je crois que mon ami a des troubles caractériels.* ☞ caractère.

caractère caractériel

caractériser v. **1.** Être le signe ou l'un des signes permettant de reconnaître une personne, un animal ou une chose : *Ce qui caractérise le chien, c'est sa fidélité envers son maître.* SYN. distinguer. **2.** Décrire quelqu'un ou quelque chose par les signes qui lui sont propres : *En donnant la définition d'un être, on se trouve à caractériser cet être.* ☞ caractère.

caractéristique n.f. et adj. **1.** n.f. Ce qui distingue, différencie : *Les principales caractéristiques de cette voiture sont la durabilité et le confort.* SYN. particularité. **2.** adj. Qui permet de reconnaître, de distinguer : *Nous entendions au loin le cri caractéristique des corneilles qui reviennent au printemps.* SYN. particulier, typique. ANT. commun, insignifiant. ☞ caractère.

caracul n.m. Fourrure d'une variété de mouton noir d'Asie centrale : *Ce magasin d'importations vend de beaux manteaux de caracul.* **R.** Aussi, *karacul*.

carafe n.f. Récipient en verre à base large et à col étroit : *J'ai mis une carafe de vin blanc au centre de la table.* ☞ carafon.

carafon n.m. Petite carafe : *Le carafon de vin est vide.* ☞ carafe.

carambolage n.m. Accident dans lequel plusieurs véhicules se sont heurtés : *Le gel a causé un carambolage spectaculaire sur l'autoroute.* ☞ caramboler.

caramboler v. (esp.) Se heurter, en parlant de plusieurs véhicules : *Un autobus et quatre voitures se sont carambolés près du viaduc.* ☞ carambolage.

caramel n.m. et adj.invar. (esp.) **1.** n.m. Produit ayant la consistance du sirop, qu'on obtient en faisant fondre et brunir du sucre à haute température : *Pour dessert, nous nous sommes fait des tartines de caramel.* **2.** n.m. Bonbon au caramel : *Je t'ai apporté un petit sac de caramels.* **3.** adj.invar. Qui est de la couleur du caramel : *Claude s'est acheté une voiture sport caramel.* ☞ caraméliser.

caraméliser v. **1.** Transformer en caramel : *Pour faire ce dessert, il faut caraméliser un peu le sucre.* **2.** Recouvrir une surface de caramel : *Je sais maintenant comment caraméliser le fond d'un moule à gâteau.* ☞ caramel.

caramel caraméliser

carapace n.f. (esp.) Enveloppe dure qui protège le corps de certains animaux : *La petite tortue rentre sa tête et ses pattes dans sa carapace.*

carassin n.m. (tchèque) Petit poisson d'eau douce dont une variété est le poisson rouge d'aquarium : *Le poisson rouge est aussi appelé « carassin doré ».*

carat n.m. (arabe) **1.** Unité de mesure de l'or : *J'ai reçu en cadeau une bague en or de dix-huit carats.* **2.** Unité de mesure de masse employée dans le commerce des diamants, des perles fines et des pierres précieuses : *Ce diamant est de deux carats.* **R.** Le *t* ne se prononce pas.

caravane n.f. (persan) Groupe de personnes qui se déplacent ensemble d'un lieu à un autre : *Une caravane de bohémiens a fait halte au bord de la rivière.* ☞ caravanier. ▲ **caravane** n.f. (angl.) Remorque aménagée pour servir de logement de camping : *Notre caravane est assez grande pour loger six personnes.* ☞ auto-caravane, caravanier.

caravanier n.m. Personne qui conduit les bêtes de somme, dans une caravane : *Le caravanier est arrivé à destination après bien des mésaventures.* ☞ caravane. ▲ **caravanier** n.m. Personne qui campe en caravane : *Cette section du terrain de camping est réservée aux caravaniers.* ☞ caravane.

carbone n.m. Substance chimique qui existe dans la nature sous diverses formes et qui se trouve dans tous les corps vivants : *Le carbone est le principal constituant du charbon.* ☞ carbonique. ▲ **carbone** n.m. Papier enduit d'une matière colorante qui se dépose sur une feuille de papier, sous la pression d'un stylo ou d'une machine à écrire : *J'ai copié le dessin avec un carbone.*

carbonique adj. Se dit d'un gaz résultant de la combinaison du carbone et de l'oxygène : *L'air que nous respirons contient du gaz carbonique.* ☞ carbone.

carbonisation n.f. Transformation d'un corps en charbon : *La carbonisation du sucre dégage une forte odeur de brûlé.* ☞ carboniser.

carboniser v. Transformer en charbon : *Mes rôties ont été carbonisées.* SYN. brûler, calciner. ☞ carbonisation.

carburant n.m. Combustible servant à alimenter les moteurs des automobiles, des camions, etc. : *Allons faire le plein de carburant à cette station-service.* ☞ carburateur, supercarburant.

carburateur n.m. Appareil servant à combiner le carburant et l'air, dans un moteur à explosion : *Le carburateur de notre voiture est brisé.* ☞ carburant.

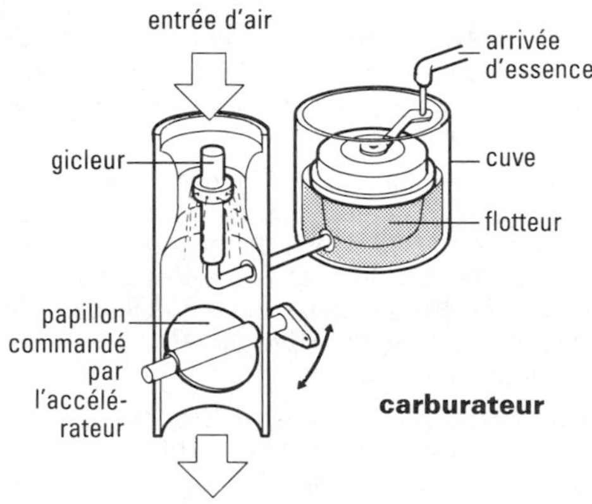

carcajou, ous n.m. (amérind.) Nom populaire du blaireau du Labrador, aussi appelé « glouton » : *Le carcajou a la réputation d'être parfois féroce.* ◇ glouton.

carcan n.m. **1.** Collier de fer par lequel on attachait autrefois un condamné à un poteau, sur une place publique : *Les criminels mis au carcan subissaient les punitions que les gens leur infligeaient.* **2.** fig. Ce qui gêne, entrave la liberté : *Elle ne supporte pas le carcan des règlements qui sont imposés dans cette école.* SYN. contrainte.

carcasse n.f. **1.** Ensemble des os qui forment la charpente d'un animal : *Je donnerai cette carcasse de dinde au chien de mon amie.* SYN. squelette. ANT. chair. **2.** Charpente d'un bateau, d'un édifice, etc. : *Nous avons trouvé au bord de la mer la carcasse d'un voilier échoué.*

carcéral, ale, aux adj. Qui a rapport à la prison, à la vie en prison : *La journaliste a fait un reportage poignant sur la vie carcérale.*

cardiaque n. et adj. **1.** n. Personne qui est atteinte d'une maladie du cœur : *Les cardiaques ne peuvent pas monter les longs escaliers du métro.* **2.** adj. Qui est cardiaque : *Camille est cardiaque et doit faire preuve de prudence.* **3.** adj. Qui se rapporte au cœur : *Je ressens une douleur dans la région cardiaque.*

cardigan n.m. Veste de laine tricotée assez fin, à manches longues, se boutonnant devant et s'arrêtant aux hanches : *Son cardigan va bien avec son pull.*

cardinal, aux n.m. Membre du clergé catholique qui participe au gouvernement de l'Église : *Le cardinal Léger a fondé une œuvre pour venir en aide aux enfants du tiers monde.* ▲ **cardinal, aux** n.m. Oiseau d'Amérique à gros bec, au plumage rouge foncé : *Des cardinaux sont venus dans la mangeoire que nous avons fabriquée.*

cardinal, ale, aux adj. **1.** Se dit des adjectifs numéraux qui expriment la quantité, et non le rang : *Dans « trois canards », « trois » est un adjectif numéral cardinal.* **2.** Se dit de chacun des quatre points principaux de la rose des vents, qui permettent de s'orienter : *Les points cardinaux sont le nord, l'est, le sud et l'ouest.*

cardiologie n.f. Partie de la médecine qui étudie le cœur et ses maladies : *Avec cette découverte, la cardiologie a fait d'immenses progrès.* ☞ cardiologue.

cardiologue n. Médecin spécialisé dans les maladies du cœur : *La cardiologue m'a dit que j'avais un petit souffle au cœur.* **R.** Ne pas oublier le *u* après le *g*. ☞ cardiologie.

cardio-vasculaire adj. Qui concerne à la fois le cœur et les vaisseaux : *Il ne peut pas faire de sport à cause d'une maladie cardio-vasculaire.* **R.** Au pluriel, *cardio-vasculaires*.

carême n.m. Période de quarante jours de préparation à Pâques, où l'on jeûne traditionnellement, dans la religion catholique : *Durant le carême, ce prêtre ne prend jamais de dessert et mange moins que d'habitude.* **R.** Ne pas oublier l'accent : *ê*. ☞ mi-carême.

carence n.f. Absence ou insuffisance d'un ou de plusieurs éléments nutritifs nécessaires à une bonne santé : *L'anémie est due à une carence en fer.*

carène n.f. Partie de la coque d'un navire qui est sous l'eau : *Le navire se remplit d'eau : la carène est percée.*

caressant, ante adj. **1.** Qui aime faire des caresses : *Elle est très caressante avec les petits animaux.* SYN. affectueux, tendre. ANT. brusque, indifférent. **2.** Qui est doux comme une caresse : *Il me demande des permissions de sa petite voix caressante.* ☞ caresse.

caresse n.f. Marque physique d'affection, attouchement tendre : *J'ai fait des caresses à ma petite sœur pour la consoler.* SYN. cajolerie, câlin. ANT. brutalité. ☞ caressant, caresser.

caresser v. Faire des caresses, donner des signes de tendresse en touchant: *Mon petit chien est venu me voir pour que je le caresse.* SYN. flatter. ANT. frapper, rudoyer. ☞ caresse.

cargaison n.f. Ensemble des marchandises transportées par un navire, un camion, un train, etc.: *Les débardeurs ont déchargé une cargaison de riz.*

cargo n.m. (angl.) Navire servant surtout au transport des marchandises: *Un cargo pétrolier a heurté un glacier dans la mer de Beaufort.*

cari n.m. (malais) **1.** Épice indienne composée de piment, de curcuma, etc.: *Le cari donne une belle couleur jaune aux pommes de terre en purée.* **2.** Mets préparé avec du cari: *Pour dîner, nous aurons un cari de volaille.* HOM. carie. **R.** Aussi, *curry*.

caribou, ous n.m. (amérind.) **1.** Renne du Canada: *Le caribou aux aguets a détecté l'odeur du loup.* **2.** Au Canada, vin additionné de whisky: *Ils ont pris un petit verre de caribou pour se réchauffer.* ◇ renne.

caricatural, ale, aux adj. Qui a la forme de la caricature: *Son texte était, en fait, une description caricaturale du professeur d'éducation physique.* SYN. comique. ☞ caricature.

caricature n.f. **1.** Dessin, peinture qui exagère certains aspects de quelqu'un ou de quelque chose, de façon comique: *Il a fait un dessin qui constitue une bonne caricature de la directrice de l'école.* **2.** Description comique par laquelle on exagère certains traits ou caractéristiques: *Ce sketch est une caricature de la vie d'une ministre.* SYN. parodie. ☞ caricatural, caricaturer, caricaturiste.

caricaturer v. Faire un dessin ou une description exagérant, de façon comique, certains aspects de quelqu'un ou de quelque chose: *Elle a caricaturé le brigadier dans le journal de l'école.* SYN. contrefaire, ridiculiser. ANT. embellir, enjoliver. ☞ caricature.

caricaturiste n. Personne qui fait des caricatures: *Tu as des dons de caricaturiste.* ☞ caricature.

carie n.f. Maladie dentaire qui détruit l'émail et l'ivoire de la dent et qui, en formant une cavité, détruit la dent peu à peu: *Je protège mes dents contre la carie avec ce dentifrice et de la soie dentaire.* HOM. cari. ☞ carié, carier.

carié, ée adj. Qui est attaqué par la carie: *J'ai une dent cariée, et cela me fait mal.* HOM. carier. ☞ carie.

carier v. Attaquer par la carie: *Une dent qui est cariée peut en carier une autre.* HOM. carié. ☞ carie. **se carier** v.pron. Être attaqué par la carie: *Tes dents vont se carier si tu n'en prends pas soin.*

carillon n.m. **1.** Instrument de musique à percussion dont les notes sont des cloches ou des tuyaux de métal: *J'ai écouté un disque de mélodies jouées au carillon.* **2.** Ensemble de cloches produisant des notes qui s'accordent: *Le carillon de l'église répandait son joyeux chant.* **3.** Horloge qui annonce les heures en sonnant ou en jouant un air: *Le carillon fit entendre le coup de minuit.* **4.** Sonnette produisant un air de carillon: *Chaque fois que mon chien entend le carillon, il court à la porte.* ☞ carillonnement, carillonner.

carillonnement n.m. Action de carillonner, de sonner; résultat de cette action: *Du haut de la colline, on entendait le carillonnement du clocher de l'église.* ☞ carillon.

carillonner v. **1.** Sonner en carillon: *Les cloches ont carillonné jusqu'au départ des nouveaux mariés.* SYN. résonner. **2.** fam. Sonner à coups répétés à la porte d'une maison: *Ces enfants ont la manie de carillonner à notre porte jusqu'à ce que nous allions ouvrir.* ☞ carillon.

carlin n.m. Petit chien à poil ras, au museau noir et écrasé: *Mon chien est un gentil petit carlin.*

carlingue n.f. (scand.) Partie d'un avion où prennent place les passagers et l'équipage: *La carlingue de ce nouveau modèle d'avion offre plus d'espace.* **R.** Ne pas oublier le *u* après le *g*.

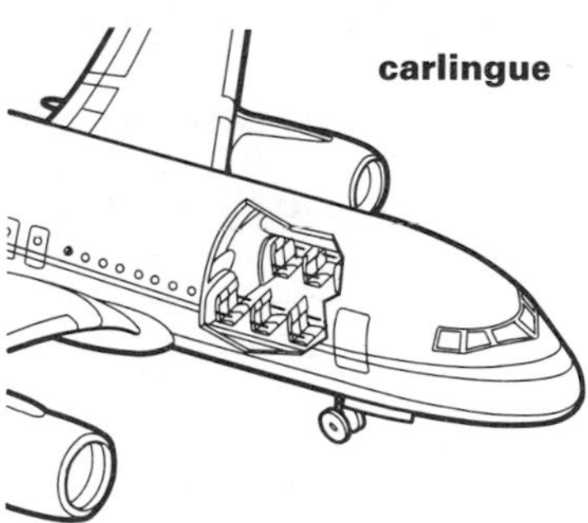

carmin n.m. et adj.invar. (arabe) **1.** n.m. Colorant ou couleur d'un rouge intense: *Le carmin de ses lèvres est rehaussé par la couleur de sa robe.* **2.** adj.invar. Qui est de la couleur du carmin: *Il portait une cravate carmin qui donnait un peu d'éclat à son teint blême.* ☞ carminé.

carminé, ée adj. Qui est d'un rouge vif: *Elle s'est mis du vernis à ongles carminé.* ☞ carmin.

carnage n.m. Tuerie sanglante: *Les loups*

ont commis un carnage dans notre poulailler. SYN. massacre.

carnassier, ière adj. Qui se nourrit de chair crue: *La nuit, des bêtes carnassières rôdent autour de la bergerie.*

carnassière n.f. Sac de chasse servant à porter le gibier: *Le chasseur est revenu bredouille, la carnassière vide.*

carnassiers n.m.plur. Ordre de mammifères à griffes se nourrissant de chair crue: *Les carnassiers tuent leurs proies avant de les dévorer.* SYN. carnivores. **R.** S'écrit au singulier lorsqu'il désigne un animal appartenant à cet ordre.

carnation n.f. Couleur, apparence de la chair d'une personne: *Elle a une peau saine, une belle carnation.*

carnaval, als n.m. Ensemble des réjouissances, des divertissements entourant la fête du Mardi gras, et s'étendant parfois du jour des Rois jusqu'au mercredi des Cendres: *Le carnaval de Québec a attiré beaucoup de monde, cette année.* ANT. austérité, recueillement. ☞ carnavalesque.

carnavalesque adj. Qui tient du carnaval: *La fête de la Saint-Jean a pris une allure carnavalesque dans la rue Saint-Denis.* ☞ carnaval.

carné, ée adj. Qui se compose de viande: *Il suit un régime carné pour remédier à son anémie.*

carnet n.m. **1.** Petit cahier de poche servant à prendre des notes, à noter des adresses, etc.: *J'ai noté ton numéro de téléphone dans mon carnet d'adresses.* SYN. calepin. **2.** Assemblage de tickets, de timbres, de formules de chèques, d'allumettes, etc., qui peuvent être détachés: *On leur a remis un carnet d'allumettes en souvenir de leur mariage.*

carnivore adj. Qui se nourrit de chair: *Les rapaces sont des oiseaux carnivores.* ⁄⁄ *Plante carnivore:* Plante qui se nourrit d'insectes.

carnivores n.m.plur. Ordre de mammifères munis de dents et d'un système digestif qui leur permettent de se nourrir de chair crue: *La belette et le loup sont des carnivores.* SYN. carnassiers. **R.** S'écrit au singulier lorsqu'il désigne un animal appartenant à cet ordre.

carotène n.m. Colorant jaune ou rouge que l'on trouve dans plusieurs végétaux, surtout dans la carotte: *Le rouge des tomates est dû au carotène qu'elles contiennent.*

carotide n.f. Chacune des deux grosses artères qui conduisent le sang vers la tête: *Elle s'est blessée au cou, près de la carotide.*

carotte n.f. **1.** Plante potagère dont les fleurs sont disposées dans un même plant: *Nous avons cueilli des fleurs séchées de carottes sauvages.* **2.** Racine de la carotte potagère, consommée comme légume: *Je ne savais pas que la soupe aux carottes pouvait être un tel délice.*

carpe n.f. Poisson d'eau douce à grandes et larges écailles: *J'ai pêché une carpe pesant presque deux kilogrammes.*

carpe n.m. Partie du squelette de la main située entre l'avant-bras et la paume: *Tu t'es fait une entorse au carpe.*

carpette n.f. (angl.) Petit tapis: *Veux-tu aller secouer la carpette de la salle de bain sur le balcon?*

carquois n.m. Étui à flèches: *Il ne reste que trois flèches dans mon carquois.*

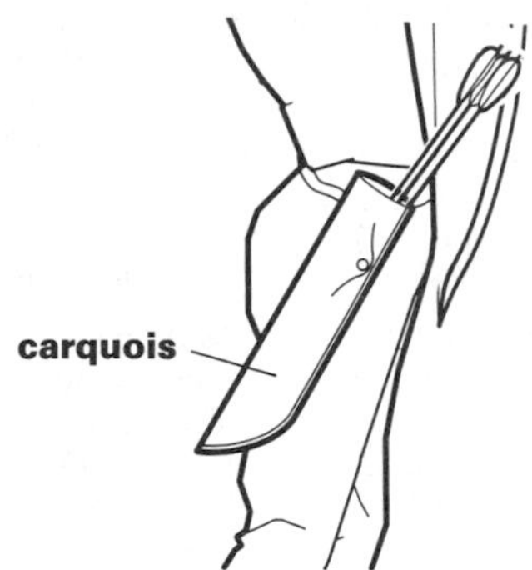

carré n.m. **1.** Figure géométrique dont les quatre angles sont droits et les quatre côtés congrus: *Il traça un carré sur le sable et y écrivit son nom.* **2.** Morceau d'étoffe de forme carrée, que l'on plie en diagonale pour le porter autour du cou ou sur la tête: *Elle portait un carré de soie de la couleur de ses yeux.* **3.** Figure, surface ayant une forme qui ressemble au carré: *Dans mon jardin, j'ai un carré de carottes et un carré de pommes de terre.* **4.** Produit d'un nombre par lui-même: *Quarante-neuf est le carré de sept (7 × 7 = 49).* ⁄⁄ *Carré au chocolat:* Petit gâteau au chocolat dont la texture se situe entre le biscuit sec et le gâteau. *Porter, élever un nombre au carré:* Multiplier un nombre par lui-même.

carré, ée adj. Qui a quatre angles droits et quatre côtés congrus: *Notre cabane a trois fenêtres carrées.* ⁄⁄ *Racine carrée d'un nombre:* Nombre qui, élevé au carré, donne ce nombre.

carreau, eaux n.m. **1.** Plaque de ciment, de faïence, de céramique, etc., servant au pavage d'une pièce ou au revêtement d'un mur: *Le sol et les murs de la salle de bain sont recouverts de carreaux de céramique.* **2.** Plaque de verre dont sont munies les fenêtres, les portes vitrées: *J'ai remplacé le carreau cassé.* ☞ carrelage, carreler, carreleur, décarreler. ▲ **carreau, eaux** n.m. **1.** Chacun des carrés qui forment le motif d'un tissu: *Il portait un veston à carreaux.* **2.** Série marquée par un losange rouge, dans un jeu de cartes: *En plus des figures, j'avais six carreaux dans mon jeu.*

carreauté ☞ sect. anglicismes et canadianismes.

carrefour n.m. Lieu où se rencontrent plusieurs voies de communication: *Un accident ralentit la circulation au carrefour des autoroutes Métropolitaine et Décarie.* SYN. croisée.

carrelage n.m. **1.** Action de carreler, de recouvrir de carreaux: *Le carrelage de la pièce a pris beaucoup de temps.* **2.** Revêtement de carreaux: *Dans notre classe, le carrelage du plafond est fait de carreaux de fibre d'amiante.* ☞ carreau.

carreler v. Recouvrir de carreaux, de pavés: *Nous avons carrelé le sous-sol avec des carreaux de vinyle.* **R.** Ne pas oublier de doubler le *l* devant un *e* muet. ☞ carreau.

carreleur n.m. Personne qui pose des carreaux de céramique, de vinyle, etc.: *Nous avons demandé à un carreleur de faire le carrelage de la salle de bain.* **R.** L'O.L.F. recommande *carreleuse* comme féminin de *carreleur.* ☞ carreau.

carrément adv. Avec franchise, directement, sans hésitation: *Elle lui a dit carrément ce qu'elle pensait de ses idées.* SYN. fermement, franchement. ANT. indirectement, timidement.

se **carrer** v.pron. S'asseoir confortablement: *Elle se carra dans son fauteuil pour lire son journal.*

carrière n.f. Lieu à ciel ouvert où l'on extrait de la pierre, de la roche, etc.: *Nous sommes allés jouer dans la carrière de sable.* SYN. mine. ▲ **carrière** n.f. Métier, profession qui présente des étapes, une progression: *Elle a entrepris une carrière d'agente immobilière.* ⁄⁄ *Faire carrière:* Réussir dans une profession.

carriole n.f. **1.** Petite charrette campagnarde, couverte, à deux roues: *À la ferme de mon oncle, nous avons fait un tour de carriole.* **2.** Au Canada, voiture d'hiver montée sur des patins et tirée par un ou plusieurs chevaux: *Pour revivre la tradition de nos ancêtres, nous sommes allés à la messe de minuit en carriole.*

carrossable adj. Où les voitures peuvent passer: *Cette route est carrossable jusqu'au prochain village.*

carrosse n.m. (it.) Ancienne voiture à chevaux, de grand luxe, à quatre roues, couverte et suspendue: *Les duchesses du carnaval sont arrivées en carrosse.* **R.** N'a pas le sens de *landau.*

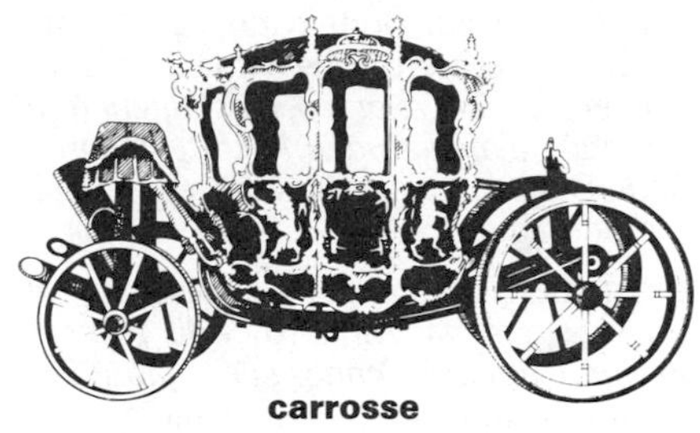

carrosse

carrosserie n.f. Enveloppe extérieure d'une voiture, d'une automobile: *Ce produit protège la carrosserie contre la rouille.* ☞ carrossier.

carrossier n.m. Spécialiste de la construction et de la réparation des carrosseries d'automobiles: *Le carrossier a très bien réparé l'aile de notre voiture.* **R.** L'O.L.F. recommande *carrossière* comme féminin de *carrossier.* ☞ carrosserie.

carrousel n.m. (it.) **1.** Parade où des cavaliers exécutent ensemble des figures: *Le défilé comprenait un carrousel très spectaculaire.* **2.** Ensemble d'objets mobiles qui décrivent des mouvements variés: *À l'aéroport municipal, j'ai assisté à un impressionnant carrousel aérien.* **R.** Les lettres *sel* se prononcent *zel.* S'écrit avec un seul *s.*

carrure n.f. Largeur du dos, d'une épaule à l'autre: *Elle avait de gros os et une forte carrure.*

cartable n.m. Sac à main ou à dos, dans lequel les écoliers mettent leurs livres et leurs effets scolaires: *J'ai oublié de mettre mon étui à crayons dans mon cartable.* **R.** N'a pas le sens de *reliure* (à anneaux).

carte n.f. **1.** Rectangle de carton ou de papier replié portant une illustration, où l'on peut écrire une lettre ou des souhaits: *Je lui ai* *envoyé une carte de bons vœux pour son anniversaire.* **2.** Petit carton portant des renseignements qui prouvent l'identité ou qui permettent d'exercer certains droits: *Pour l'excursion, n'oubliez pas d'apporter votre carte d'assurance-maladie.* **3.** Petit carton rectangulaire portant une illustration sur une face et dont on se sert dans différents jeux: *Nous avons joué aux cartes toute la soirée.* **4.** Feuillet, carton énumérant les plats offerts dans un restaurant: *Les gens aiment habituellement prendre le temps de consulter la carte avant de commander.* SYN. menu. ⁄⁄ *Carte postale:* Rectangle de carton dont l'une des faces porte une illustration et dont l'autre face sert à adresser quelques mots qu'on veut faire parvenir à quelqu'un par la poste. *Château de cartes:* Échafaudage de cartes. ☞ cartomancie, cartomancien, porte-cartes. ▲ **carte** n.f. Dessin qui représente une partie de la surface de la Terre: *Pour l'examen, l'instituteur nous a demandé de bien étudier la carte géographique du Québec.* ☞ cartographe, cartographie, cartographique.

cartésien, ienne adj. **1.** Qui se rapporte à Descartes, à ses théories: *Je dois placer ces coordonnées cartésiennes sur le plan.* **2.** Qui est clair, logique, en parlant d'une personne, d'un raisonnement: *Cette physicienne a un véritable esprit cartésien.* ANT. confus, obscur.

cartilage n.m. Tissu organique résistant et élastique présent dans certaines parties du corps: *Il s'est cassé le cartilage du nez.* **R.** S'écrit avec un seul *l*. ☞ cartilagineux.

cartilagineux, euse adj. Qui est de la nature du cartilage: *L'oreille comporte du tissu cartilagineux.* ☞ cartilage.

cartographe n. Spécialiste qui dresse et dessine les cartes de géographie: *Les cartographes dessinent leurs cartes à partir de photographies aériennes.* **R.** Les lettres *ph* se prononcent *f*. ☞ carte.

cartographie n.f. Technique de l'établissement et du dessin des cartes géographiques, routières, etc.: *Ma sœur étudie en cartographie.* **R.** Les lettres *ph* se prononcent *f*. ☞ carte.

cartographique adj. Qui relève de la cartographie: *Les nouveaux procédés cartographiques augmentent la précision des cartes.* **R.** Les lettres *ph* se prononcent *f*. ☞ carte.

cartomancie n.f. Art de prédire l'avenir en utilisant les cartes à jouer: *La cartomancie est une pratique très ancienne.* ☞ carte.

cartomancien, ienne n. Personne qui prédit l'avenir à partir des cartes à jouer: *Le cartomancien a prédit que je deviendrais très célèbre.* ☞ carte.

carton n.m. **1.** Feuille assez épaisse, faite de pâte à papier: *J'ai fait un dessin de ma maison sur un grand carton.* **2.** Boîte en carton fort: *Nous avons rangé les pièces du jeu dans des cartons à chaussures.* ⁄⁄ *Carton à dessin:* Grand portefeuille de carton servant à ranger des dessins, des plans. ☞ cartonnage, cartonner.

cartonnage n.m. Industrie de la fabrication des objets en carton: *Des entrepreneuses ont fondé une usine de cartonnage près de la rivière.* ☞ carton.

cartonner v. Garnir de carton; relier un livre en carton: *J'ai une collection de romans de Jules Verne à couverture cartonnée.* ☞ carton.

cartouche n.f. **1.** Étui contenant la charge d'une arme à feu: *Les enfants ont trouvé des cartouches de fusil dans le bois.* **2.** Boîte de paquets de cigarettes: *C'est un gros fumeur, il consomme une cartouche par semaine.* **3.** Petit étui en forme de cylindre, contenant de l'encre pour recharger un stylo: *J'ai changé la cartouche de mon stylo.* **4.** Boîtier scellé renfermant un programme informatique: *Tu recevras en cadeau deux cartouches de jeu.* ☞ cartouchière.

cartouche n.m. Emplacement réservé au titre, dans un dessin, une carte géographique: *Le titre d'une carte géographique est inscrit dans un cartouche.*

cartouchière n.f. Étui à cartouches: *Ma cartouchière est presque vide.* ☞ cartouche (n.f.).

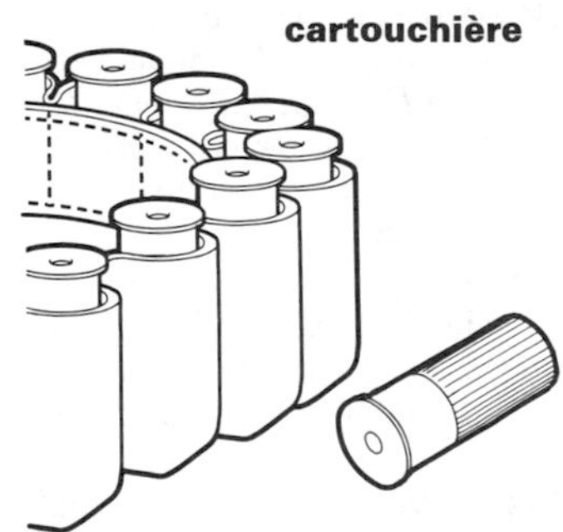
cartouchière

car wash ☞ sect. anglicismes et canadianismes.

cas n.m. Circonstance, situation: *Complète la phrase par un nom masculin ou un nom féminin, selon le cas.* ⁄⁄ *Cas de conscience:* Problème moral difficile. *En aucun cas:* En aucune façon, nullement. *En cas de:* S'il y a. *Faire grand cas de:* Accorder beaucoup d'importance à. *Ne faire aucun cas de:* N'attacher aucune importance à. en tout **cas** loc.adv. De toute façon, quoi qu'il arrive: *Il n'y aura peut-être pas beaucoup de monde; en tout cas, moi, j'y serai.* ▲ **cas** n.m. Manifestation d'une maladie: *C'est un cas grave de coqueluche.*

casanier, ière adj. Qui aime rester à la maison: *Elle ne viendra pas avec nous, elle est trop casanière.* SYN. pantouflard. ANT. bohème.

casaque n.f. (persan) **1.** Petite veste de femme, courte et droite, portée par-dessus la jupe: *Elle portait une casaque avec une ceinture de tissu.* **2.** Veste en soie de couleur vive, que portent les jockeys: *Les jockeys portaient des casaques luisantes.*

cascade n.f. Chute d'eau; succession de chutes d'eau: *Nous avons vu les saumons remonter les cascades.* ▲ **cascade** n.f. Exécution de scènes dangereuses au cinéma, d'exercices sportifs périlleux: *C'est un film d'action rempli de cascades à couper le souffle.* ☞ cascadeur.

cascadeur, euse n. Acrobate qui joue les scènes dangereuses d'un film, à la place de l'acteur: *Cette cascadeuse est une spécialiste des poursuites en voiture.* ☞ cascade.

case n.f. Habitation traditionnelle et rustique des pays chauds: *Certaines tribus africaines vivent encore dans des cases.* SYN. hutte. ▲ **case** n.f. Chacun des carrés d'une planche de jeu, d'un problème de mots croisés, etc.: *J'ai fabriqué un grand damier de cent quarante-quatre cases.* ▲ **case** n.f. **1.** Compartiment d'un casier postal: *L'adresse est: Radio-Canada, case postale 6000, Montréal (Québec) H3C 3A8.* **2.** Compartiment métallique dans le vestiaire d'une école, d'une piscine, etc.: *J'ai laissé mes chaussures de sport dans ma case.* ☞ casier.

caser v. Ranger dans un espace restreint, avec plus ou moins de difficulté: *Nous avions casé notre matériel de camping dans le porte-bagages de la voiture.* SYN. placer. ANT. déplacer.

caserne n.f. Bâtiment destiné au logement des soldats: *Notre caserne pouvait loger quarante-huit soldats.* ⁄⁄ *Être à la caserne:* Être soldat.

cashew ☞ sect. anglicismes et canadianismes.

casier n.m. **1.** Ensemble de cases: *Nous avons réservé une case au casier postal de notre bureau de poste.* **2.** Nasse, panier pour prendre les gros crustacés: *Ces pêcheurs prennent les homards avec des casiers.* ⁄⁄ *Casier judiciaire:* Registre des condamnations antérieures d'une personne. ☞ case.

casino n.m. (it.) Établissement de jeux d'argent, comprenant souvent un restaurant et une salle de spectacle: *Il s'est ruiné à fréquenter les casinos.* **R.** Le *s* se prononce *z*.

casoar n.m. (malais) Grand oiseau coureur d'Australie, qui porte sur la tête une sorte de casque osseux coloré: *Le casoar ressemble à l'autruche.*

casque n.m. (esp.) Coiffure protectrice en matière rigide que portent les motocyclistes, les ouvriers de la construction, les joueurs de hockey, les mineurs, etc.: *Cette joueuse imprudente refuse de porter un casque.* ☞ casqué. ▲ **casque** n.m. Paire d'écouteurs reliée à une chaîne stéréophonique, à un baladeur, etc.: *Le casque de mon baladeur ne tient pas sur la tête.*

casqué, ée adj. Qui est coiffé d'un casque: *Pour visiter ces cavernes, il faut être casqué.* SYN. couvert. ANT. découvert. ☞ casque.

casquette n.f. Coiffure de sport sans bord, comportant toujours une visière: *J'ai oublié ma casquette de base-ball au vestiaire.*

cassable adj. Qui peut se casser, qu'on peut casser: *Ne sers pas de jus aux enfants dans des verres cassables.* SYN. cassant, fragile. ANT. incassable. ☞ casser.

cassage n.m. Action de casser, de briser: *La dispute a dégénéré en cassage de tables et de chaises.* ☞ casser.

cassant, ante adj. **1.** Qui est fragile, qui se casse net: *Les branches sèches sont cassantes.* ANT. résistant, solide. **2.** fig. Qui dénote de la dureté, une autorité sans souplesse: *Notre ancien entraîneur nous parlait souvent sur un ton cassant.* SYN. autoritaire, tranchant. ANT. doux, indulgent. ☞ casser.

casse n.f. **1.** Fait de se casser, de se briser: *Pour éviter la casse de la vaisselle, nous l'emballerons avec beaucoup de papier.* SYN. bris. **2.** fam. Bagarre: *S'il revient dans les parages, il va y avoir de la casse.* SYN. grabuge. ☞ casser.

cassé, ée adj. Qui est brisé, rompu: *Ma voiture a eu une crevaison en passant sur une bouteille cassée.* ⁄⁄ *Blanc cassé:* Blanc légèrement teinté de crème ou de gris. *Voix cassée:* Voix faible, rauque. **R.** N'a pas le sens de *fauché*.

casse-cou n.m.invar. **1.** Endroit, passage dangereux où l'on risque de faire une chute: *Ce vieil escalier est un vrai casse-cou.* **2.** fam. Personne qui prend des risques étourdiment ou pour épater: *Elle est très audacieuse; je* *n'ai jamais vu un pareil casse-cou.* SYN. audacieux, imprudent, téméraire. ☞ casser.

casse-croûte n.m.invar. **1.** Repas léger, vite préparé et mangé: *Nous prendrons un casse-croûte dès que nous serons arrivés.* **2.** Au Canada, petit restaurant où l'on prend des repas légers: *J'ai dîné dans un casse-croûte, le long de la route.*

casse-noisettes n.m.invar. Petit instrument à deux leviers, pour casser les noisettes: *Prends garde de ne pas te pincer les doigts en te servant du casse-noisettes.* ☞ casser.

casse-noix n.m.invar. Instrument semblable au casse-noisettes pour casser les noix: *Prends un casse-noix, au lieu d'essayer de casser les noix avec tes dents.* ☞ casser.

casse-pieds n.invar. et adj.invar.fam. **1.** n. invar. Personne insupportable, dont la compagnie est désagréable: *Ce casse-pieds va encore gâcher notre soirée.* **2.** adj.invar. Qui est insupportable, en parlant d'une personne: *On m'avait bien dit qu'elles étaient casse-pieds.*

casse-pierre n.m. **1.** Outil servant à casser les pierres: *La maçonne taillait les pierres avec son casse-pierre.* **2.** Nom usuel de la pariétaire, plante qui pousse sur les murs: *Le casse-pierre est aussi appelé «perce-muraille».* **R.** Aussi, *casse-pierres*. Au pluriel, *casse-pierres*. ☞ casser. ◇ pariétaire.

casser v. **1.** Mettre en morceaux brusquement, en portant un coup, sous l'effet d'un choc, etc.: *Elle a cassé la vitre avec une balle de neige trop dure.* SYN. briser. ANT. recoller. **2.** Rompre un os: *Elle s'est cassé un bras en tombant de l'échelle.* SYN. fracturer. ANT. réparer. **3.** fam. Rendre inutilisable, mettre hors d'usage: *La dernière fois que je t'ai prêté mon baladeur, tu l'as cassé.* SYN. détériorer. **R.** N'a pas le sens de *manquer à* (une promesse), de *gâcher* (un plaisir), de *entamer* (un dollar), de *écorcher*, *mal parler* (une langue). ☞ cassable, cassage, cassant, casse, casse-cou, casse-noisettes, casse-noix, casse-pieds, casseur, cassure, incassable. ▲ **casser** v. Se rompre, se briser: *Le miroir a cassé durant le déménagement.* ☞ cassable, cassant, casse, incassable.

casserole n.f. Ustensile de cuisson de forme cylindrique, muni d'un manche: *Tu n'as pas mis assez d'eau dans la casserole pour la cuisson des pommes de terre.*

casse-tête n.m.invar. **1.** Travail compliqué, problème difficile à résoudre: *Aucun de nous n'a encore réussi à résoudre ce casse-tête.* **2.** Jeu de patience: *Le casse-tête chinois est un jeu qui exige d'être patient.* **3.** Au Canada, jeu consistant à assembler des morceaux de diverses formes: *J'ai réussi à faire toute seule un casse-tête de cinq cents morceaux.*

cassette n.f. Boîtier contenant une bande magnétique servant à enregistrer ou à écouter une émission, de la musique, etc.: *Nous avons enregistré cette émission sur une cassette.*

casseur, euse n. **1.** Personne qui tient un commerce de pièces usagées: *J'ai acheté un alternateur en bon état et à bon prix chez le casseur.* **2.** Personne qui, au cours d'une manifestation, endommage des biens publics ou privés: *Les casseuses appréhendées ont été mises à l'amende.* SYN. fanfaron. ☞ casser.

cassis n.m. Groseillier à fruits noirs: *Elle nous a fait goûter à un excellent vin de cassis.* **R.** Le *s* se prononce. ▲ **cassis** n.m. Dépression brusque du sol, sur une route, qui provoque une secousse lorsqu'on y passe en véhicule: *Des travailleurs sont en train de réparer les cassis de cette vieille route.* **R.** Le *s* ne se prononce pas.

cassonade n.f. Sucre roux, qui n'a été raffiné qu'une fois: *Pour sucrer mon gruau, je préfère la cassonade.*

cassoulet n.m. Ragoût composé de haricots et de morceaux d'agneau, d'oie ou de porc: *Une bonne odeur de cassoulet nous venait de la cuisine.*

cassure n.f. Endroit où une chose a été cassée, coupure: *L'orignal est passé par ici: la cassure de cette branche est encore fraîche.* SYN. brisure, rupture. ANT. soudure. ☞ casser.

castagnettes n.f.plur. (esp.) Petit instrument à percussion composé de deux pièces de bois creusées qu'on fait claquer l'une contre l'autre dans la main: *Une danseuse espagnole dansait le flamenco en jouant des castagnettes.*

castor n.m. **1.** Mammifère rongeur à queue plate d'Amérique du Nord et d'Europe, habitant les lieux où il y a de l'eau: *Les castors ont construit plusieurs digues le long de cette rivière.* **2.** Fourrure du castor: *Ce fourreur confectionne de très beaux manteaux de castor.*

castration n.f. Opération par laquelle on enlève certains organes nécessaires à la reproduction: *La castration a rendu mon chat paresseux et gourmand.* ☞ castrer.

castrer v. Enlever certains organes nécessaires à la reproduction: *Ma chatte a été castrée.* ☞ castration.

cataclysme n.m. Grand bouleversement

causé par un phénomène naturel (séisme, ouragan, etc.) : *Le cataclysme a causé la mort de près de mille personnes.* SYN. catastrophe, désastre.

catacombe n.f. Souterrain ayant servi de sépulture : *Les premiers chrétiens de Rome se réunissaient dans les catacombes pour prier.* **R.** S'emploie surtout au pluriel.

catalan, ane n. et adj. **1.** n. Personne qui habite la Catalogne, région du nord-est de l'Espagne : *Un Catalan, une Catalane.* **2.** adj. Qui est de la Catalogne : *Ce roman est un chef-d'œuvre de la littérature catalane.* **R.** On met la majuscule à *catalan* et à *catalane* lorsque le nom désigne une personne.

catalan n.m. Langue parlée en Catalogne, région du nord-est de l'Espagne : *En Catalogne, on parle l'espagnol et le catalan.*

catalogne n.f. Au Canada, étoffe de fabrication artisanale faite de bandes de tissu, dont on fait des couvertures et des tapis : *Il a suivi un cours de tissage de catalogne.*

catalogue n.m. Cahier comportant la liste des articles vendus par un magasin, cette liste étant souvent accompagnée de nombreux détails et d'illustrations : *J'ai consulté le catalogue pour savoir quel jouet demander pour Noël.* **R.** Ne pas oublier le *u* après le *g*. ☞ cataloguer.

cataloguer v. Inscrire, énumérer en classant selon un certain ordre : *Nous avons catalogué les minéraux que nous avions recueillis.* **R.** Ne pas oublier le *u* après le *g*. ☞ catalogue.

catamaran n.m. (angl.) Voilier à deux coques accouplées : *Des catamarans sont arrivés au port de Québec.*

cataplasme n.m. Bouillie médicinale qu'on applique, entre deux linges, sur une partie du corps : *Autrefois, on soignait la toux avec des cataplasmes.*

cataracte n.f. Chute importante des eaux d'un grand cours d'eau : *Les chutes du Niagara sont une cataracte impressionnante à contempler.* ▲ **cataracte** n.f. Maladie de l'œil qui se manifeste par l'opacité du cristallin ou de ses membranes et qui empêche de voir totalement ou partiellement : *Je me suis fait opérer d'une cataracte à l'œil gauche.*

catastrophe n.f. Grand malheur, désastre effroyable et brusque : *Une erreur d'aiguillage a provoqué une catastrophe ferroviaire entre Montréal et Ottawa.* SYN. calamité, cataclysme. ANT. bonheur, chance, succès. ⫽ *En catastrophe :* D'une manière dangereuse ; d'urgence, en toute hâte. **R.** Les lettres *ph* se prononcent *f*. ☞ catastrophique.

catastrophique adj. Qui a le caractère d'une catastrophe, d'un grand malheur : *Elle nous a raconté les événements catastrophiques qui ont marqué l'histoire de son pays.* SYN. effroyable, épouvantable. **R.** Les lettres *ph* se prononcent *f*. ☞ catastrophe.

catéchèse n.f. Enseignement de la religion chrétienne, destiné à éduquer dans la foi les écoliers et les adultes nouvellement convertis : *Mes amis et moi, nous nous sommes inscrits au cours de catéchèse.* ☞ catéchisme.

catéchisme n.m. Livre qui résume les croyances fondamentales d'une religion : *J'ai reçu un catéchisme rempli d'illustrations en couleurs.* ☞ catéchèse, catéchumène.

catéchumène n. Enfant d'âge scolaire ou adulte qu'on instruit dans la foi chrétienne pour le disposer à recevoir le baptême : *Les catéchumènes de notre école sont maintenant prêts à recevoir le baptême.* **R.** Les lettres *ch* se prononcent *k*. ☞ catéchisme.

catégorie n.f. Classe de choses de même nature, de même genre : *L'érable appartient à la catégorie des bois durs.* SYN. espèce, famille. ⫽ *Catégories grammaticales :* Catégories qui classent les mots (par exemple, verbe, nom, adjectif).

catégorique adj. Qui ne laisse aucune possibilité de doute, qui ne permet pas la discussion : *Sa réponse est catégorique : elle ne viendra pas.* SYN. formel, indiscutable. ANT. confus, évasif. ☞ catégoriquement.

catégoriquement adv. D'une manière catégorique, de façon claire et précise : *Il a catégoriquement refusé d'aller voir la directrice.* ☞ catégorique.

cathédrale n.f. Église où un évêque siège ou a siégé : *Nous avons fait visiter la cathédrale à nos amies françaises.*

cathédrale

catholicisme n.m. Religion chrétienne dans laquelle le pape représente la plus haute autorité: *Le catholicisme est la religion la plus répandue au Canada.* ☞ catholique.

catholique n. et adj. **1.** n. Personne dont la religion est le catholicisme, religion chrétienne dans laquelle le pape représente la plus haute autorité: *Certains catholiques aiment beaucoup prier la Sainte Vierge.* **2.** adj. Qui se rapporte au catholicisme: *La foi catholique enseigne que Jésus-Christ est le Seigneur.* ☞ catholicisme.

en **catimini** loc.adv. En cachette, en secret: *Ils sont entrés sur la pointe des pieds, en catimini.* SYN. discrètement.

catin n.f.fam. et vx Femme de mauvaise vie: *Ils l'ont méchamment traitée de catin.* SYN. prostituée. **R.** N'a pas le sens de *poupée*.

catiner ☞ sect. anglicismes et canadianismes.

cauchemar n.m. Mauvais rêve angoissant: *Ce film de science-fiction m'a fait faire des cauchemars.* ☞ cauchemardesque.

cauchemardesque adj. Qui produit une impression de cauchemar, de mauvais rêve: *Elle m'a raconté une histoire cauchemardesque.* ☞ cauchemar.

cauchem**ar** cauchem**ard**esque

caucus ☞ sect. anglicismes et canadianismes.

caudal, ale, aux adj. Qui se rapporte à la queue, à la partie arrière du corps d'un animal: *La nageoire caudale de la baleine est horizontale.*

causant, ante adj.fam. Qui parle volontiers, qui aime parler: *Elle n'est pas très causante, ta petite amie.* SYN. communicatif, loquace. ☞ causer.

cause n.f. Ce qui provoque une chose, ce qui est à l'origine d'une chose: *La cause de son échec à l'examen est sa mauvaise habitude de se coucher tard.* SYN. motif, raison. ANT. conséquence, effet. ⫽ *Pour cause de:* En raison de. ☞ causer. **à cause de** loc.prép. Par l'action, l'influence de: *J'ai fait cette erreur à cause de ma distraction.* ▲ **cause** n.f. Affaire qu'on plaide devant les tribunaux: *Il a trouvé une bonne avocate pour plaider sa cause.* ⫽ *Être en cause:* Être l'objet de l'affaire, du débat. *Mettre en cause:* Accuser, mêler à l'affaire. *Remettre en cause:* Remettre en question.

causer v. Être la cause de quelque chose: *Le verglas a causé de nombreux accidents sur les routes.* SYN. entraîner, occasionner, provoquer. ANT. procéder de, venir de. ☞ cause. ▲ **causer** v. S'entretenir familièrement avec quelqu'un: *Nous avons causé ensemble toute la soirée.* SYN. bavarder, parler. ANT. se taire. ☞ causant, causerie, causette, causeur, causeuse.

causerie n.f. Conférence sans prétention: *Elle a donné une causerie intéressante sur la survie en forêt.* ☞ causer.

causette n.f.fam. Conversation familière: *Viens chez moi, nous ferons un brin de causette.* SYN. babillage. ☞ causer.

causeur, euse n. et adj. **1.** n. Personne qui cause volontiers et agréablement: *C'est un fin causeur qui sait aussi écouter.* **2.** adj. Qui aime à causer: *Elle est très causeuse quand le sujet l'intéresse.* SYN. loquace. ANT. silencieux. ☞ causer.

causeuse n.f. Petit canapé à deux places: *Ils ont passé la soirée assis dans la causeuse à parler de choses et d'autres.* ☞ causer.

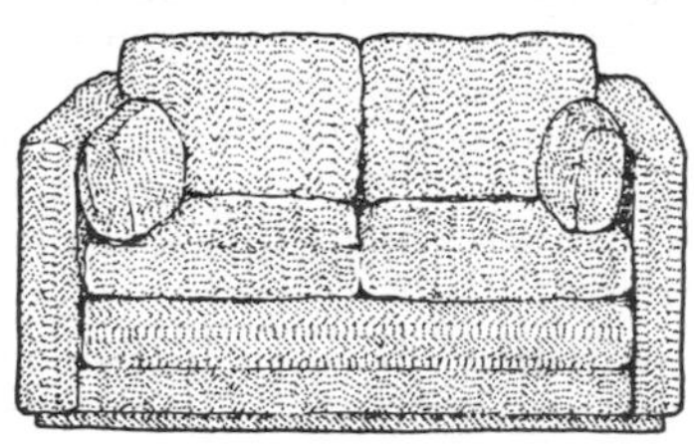

causeuse

caustique adj. **1.** Qui attaque les tissus animaux et végétaux: *L'eau de Javel est une substance caustique.* SYN. corrosif. **2.** fig. Qui est mordant dans sa moquerie: *Fais attention à ce que tu dis devant lui: il a l'esprit caustique.* SYN. moqueur, satirique.

cautériser v. Brûler une partie malade ou un tissu infecté: *Elle a cautérisé sa plaie au moyen d'un canif chauffé à la flamme.*

caution n.f. **1.** Dépôt garantissant un engagement: *Il faut verser une caution de cent dollars.* SYN. cautionnement. **2.** Garantie morale donnée par une autorité, par une personne de confiance: *Ce projet a reçu la caution de nombreux scientifiques.* ☞ cautionnement, cautionner.

cautionnement n.m. Somme d'argent servant de garantie: *Pour sa mise en liberté, le tribunal a exigé un cautionnement de quinze mille dollars.* SYN. caution. ☞ caution.

cautionner v. Approuver: *Plusieurs associations de spécialistes ont refusé de cautionner le nouveau projet de loi.* ☞ caution.

cavalcade n.f. (it.) **1.** Défilé de cavaliers: *Une calvacade panachée ouvrait la marche du défilé.* **2.** fam. Troupe agitée, bruyante, désordonnée: *Une cavalcade d'enfants descendit de l'autobus.*

cavalerie n.f. **1.** Ensemble de troupes à cheval: *Une cavalerie se lança à la poursuite des hors-la-loi.* **2.** Corps d'armée qui ne comprenait, à l'origine, que des troupes à cheval: *Il était temps que le général ordonne la charge de la cavalerie.* ☞ cavalier.

cavalier n.m. Pièce du jeu d'échecs représentant une tête de cheval, qui se déplace en «L» et qui peut sauter par-dessus les autres pièces: *J'ai mis son roi en échec avec mon cavalier.*

cavalier, ière n. **1.** Personne qui va à cheval: *La cavalière a franchi l'obstacle avec aisance.* **2.** Personne avec qui on forme un couple dans un cortège, une danse: *Je lui ai demandé d'être ma cavalière au mariage de ma sœur.* ☞ cavalerie.

cavalier, ière adj.péj. Qui dénote de l'insolence: *Je trouve qu'elle a des manières un peu trop cavalières.* SYN. brusque. ANT. respectueux. ☞ cavalièrement.

cavalièrement adv. De façon cavalière, un peu insolente: *Il leur a répondu cavalièrement qu'il ne s'intéressait pas à leurs projets.* ANT. respectueusement. ☞ cavalier (adj.).

cave n.f. Local de service situé au sous-sol d'une habitation: *J'ai sorti les pelles et les toboggans de la cave.* ∥ *De la cave au grenier:* Dans toute la maison. ☞ caveau.

caveau, eaux n.m. Petite cave ou recoin d'une cave servant traditionnellement à la conservation des légumes: *Au printemps, les pommes de terre se mettent à germer dans le caveau.* ☞ cave.

caverne n.f. Cavité naturelle creusée dans une zone rocheuse: *Nous nous sommes abritées dans une caverne pendant la nuit.* ☞ caverneux.

caverneux, euse adj. Se dit d'un son qui impressionne par son effet de profondeur: *Il nous racontait des histoires apeurantes de sa grosse voix caverneuse.* SYN. grave. ☞ caverne.

caviar n.m. (turc) Préparation d'œufs d'esturgeon: *Le menu comprenait des craquelins tartinés de caviar.*

cavité n.f. Espace vide à l'intérieur d'un corps solide: *Des oiseaux se sont fait des nids dans les cavités de la falaise.* SYN. creux.

ce pron.dém. S'emploie avec le verbe «être» pour désigner ou mettre en évidence une personne ou une chose dont on parle: *Un jour, ce sera ton tour, c'est certain.* HOM. se. ∥ *Ce faisant:* En faisant cela. *Pour ce faire:* Pour faire cela. *Sur ce:* Là-dessus, cela dit. **R.** Devient *c'* devant *est* et *était*.

ce	peut être remplacé par *cela*.
se	accompagne un verbe et peut être remplacé par *me, te, nous, vous*.

ce, cette, ces adj.dém. Sert à montrer la personne ou la chose désignée par le nom qu'il précède: *Ce brave garçon a eu pitié de cet animal poursuivi par cette bande de voyous.* HOM. se. **R.** Devient *cet* devant un mot masculin singulier (nom ou adjectif) commençant par une voyelle ou un *h* muet.

cet	peut être remplacé par *un*.
cette	peut être remplacé par *une*.
ces	peut être remplacé par *ce, cet, cette*.
ses	peut être remplacé par *mes*.

céans adv.vx Ici, dans cette maison: *«Il n'y a céans que votre fille, Sire, qui peut résoudre cette énigme», répondit la bergère.* ∥ *Le maître de céans:* Le maître de la maison.

ceci pron.dém. **1.** Désigne la chose la plus proche: *Prends ceci et donne-moi cela.* **2.** Désigne ce qui va suivre: *On doit procéder comme ceci: poser d'abord le boulon A, puis le boulon B, etc.* ∥ *Parler de ceci et de cela:* Parler de choses et d'autres.

cécité n.f. État d'une personne aveugle: *Cette maladie peut causer la cécité.*

céder v. **1.** Laisser une chose à quelqu'un: *Je lui ai cédé ma place, car il n'avait jamais fait de tour de manège.* SYN. abandonner. ANT. conserver. **2.** Transférer la propriété d'une chose à une autre personne: *Nous avons cédé une parcelle de terrain à notre voisin.* SYN. vendre. ANT. garder. ∥ *Le céder à quelqu'un:* Être inférieur à quelqu'un, se reconnaître au-dessous de lui. *Ne le céder en rien à quelqu'un:* Être l'égal de quelqu'un. ▲ **céder** v. **1.** Accepter de se plier à la volonté de quelqu'un: *Elle n'a pas cédé à nos adversaires malgré leurs menaces.* SYN. obéir. ANT. s'opposer. **2.** Se rendre, renoncer: *J'ai finalement cédé, par lassitude.* SYN. capituler. ANT. résister. **3.** Ne plus résister à la pression, à la force, en parlant de choses: *Plusieurs branches ont cédé sous le poids du verglas.* SYN. se casser.

cédille n.f. Signe qui se place sous la lettre «c» (ç) devant les voyelles «a», «o», «u», pour produire le son de «ss»: *Tu as oublié de mettre une cédille sous le «c» dans le mot «leçon».*

cédraie n.f. Terrain planté de cèdres: *En Europe, on a aménagé des cédraies dans plusieurs parcs et jardins.* ☞ cèdre.

cédrat n.m. (it.) Sorte de gros citron, fruit du cédratier: *Ce gâteau aux fruits contient du cédrat confit.* ☞ cédratier.

cédratier n.m. Arbre cultivé pour ses fruits, les cédrats: *Le cédratier est un arbre de la famille de l'oranger.* ☞ cédrat.

cèdre n.m. **1.** Grand conifère d'Asie et d'Afrique, à branches presque horizontales et en étages: *Le cèdre donne un bois qui ne pourrit pas.* **2.** Au Canada, nom donné à une espèce de thuya: *Les cèdres du Québec sont en réalité des thuyas.* ☞ cédraie, cédrière.

cédrière n.f. Au Canada, terrain planté de thuyas: *Les plus belles cédrières du Québec se trouvent dans la région d'Hemmingford.* ☞ cèdre.

cédule n.f. Acte par lequel un juge permet de convoquer un témoin d'urgence: *Une cédule permet d'abréger les délais d'un procès.* **R.** N'a pas le sens de *calendrier, horaire, programme*.

céduler ☞ sect. anglicismes et canadianismes.

cégep n.m. Au Québec, collège d'enseignement général et professionnel: *Ma sœur est inscrite en administration au cégep de Bois-de-Boulogne.* ☞ cégépien.

cégépien, ienne n. et adj. **1.** n. Au Québec, personne qui poursuit des études dans un cégep: *Des cégépiens présenteront un spectacle à l'auditorium, ce soir.* **2.** adj. Qui est propre au cégep et aux cégépiens: *Il participe beaucoup aux activités cégépiennes.* ☞ cégep.

ceinture n.f. **1.** Bande d'étoffe, de cuir ou de plastique servant à ajuster ou à orner un vêtement autour de la taille: *Ce pantalon ne se porte pas sans ceinture.* SYN. ceinturon. **2.** Taille, partie du corps où se porte la ceinture: *En traversant la rivière ici, nous aurons de l'eau jusqu'à la ceinture.* ∥ *Ceinture de sauvetage:* Dispositif qui entoure la taille et permet de se maintenir sur l'eau. *Ceinture de sécurité:* Dispositif qui retient une personne au siège d'une voiture, d'un avion, etc., en cas d'accident. *Ceinture fléchée:* Large ceinture de laine à fond rouge et à motifs en forme de flèches, portée de façon folklorique au Canada. ☞ ceinturer, ceinturon.

ceinturer v. **1.** Prendre par la taille en vue de maîtriser: *Elle l'a ceinturée par-derrière pour l'empêcher de fuir.* ANT. desserrer. **2.** Entourer: *Les bourgades amérindiennes étaient ceinturées d'une clôture de pieux.* ☞ ceinture.

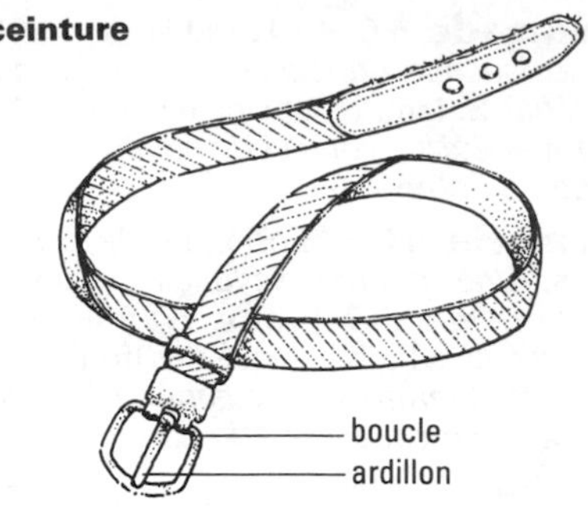

ceinturon n.m. Large et robuste ceinture de cuir ou d'étoffe, qui se porte avec les vêtements de sport: *Il attacha sa gourde au ceinturon de son jean.* ☞ ceinture.

cela pron.dém. **1.** Désigne la chose la plus éloignée: *Prends ceci et donne-moi cela.* **2.** Désigne ce qui précède: *Regarde ce signal: cela signifie que tu peux traverser la rue.*

célébrant n.m. Prêtre qui célèbre la messe: *Durant la semaine sainte, le célébrant sera l'abbé Ledoux.* ☞ célébrer.

célébration n.f. Action de célébrer, de marquer par une cérémonie: *La célébration de leur mariage a eu lieu à l'église Saint-Jean-Baptiste.* ☞ célébrer.

célèbre adj. Qui est très connu, de grande renommée: *Il a étudié la vie de tous les personnages célèbres de notre histoire.* SYN. glorieux, illustre, renommé. ANT. ignoré, inconnu, obscur. ☞ célébrité.

célébrer v. Marquer par une cérémonie, une fête: *Mes parents célèbrent demain leur dixième anniversaire de mariage.* SYN. commémorer, fêter. ANT. oublier. ☞ célébrant, célébration.

célébrité n.f. **1.** Grande réputation: *Elle a connu la célébrité grâce à son troisième roman.* SYN. popularité, renommée. ANT. obscurité, oubli. **2.** Personne célèbre: *Il compte maintenant parmi nos célébrités du monde de la musique.* SYN. vedette. ANT. inconnu. ☞ célèbre.

célèbre célébrité

céleri n.m. Plante potagère cultivée principalement pour les côtes de ses pétioles: *J'ai préparé des bâtonnets de céleri garnis de fromage à tartiner.* **R.** Le *é* se prononce *è*.

célérité n.f. Grande rapidité d'action, d'exécution: *Il faudra tout cacher avec célérité si tu entends quelqu'un arriver.* SYN. empressement, rapidité. ANT. lenteur.

céleste adj. **1.** Qui se rapporte au ciel, au firmament: *Ce soir, nous pourrons observer la voûte céleste avec notre télescope.* **2.** Qui appartient au ciel, considéré comme le séjour de Dieu, des anges et des bienheureux: *Les saints goûteront la béatitude céleste.* **3.** Qui est merveilleux, surnaturel: *Une joie céleste illumina son regard.* ⫽ *Corps céleste:* Astre, planète. ☞ ciel.

célibat n.m. État d'une personne adulte qui n'est pas mariée: *Elle ne veut pas entendre parler de mariage, elle préfère le célibat.* ☞ célibataire.

célibataire n. et adj. **1.** n. Personne qui vit dans le célibat: *C'était un célibataire qui passait son temps à écouter et à jouer de la musique de Bach.* **2.** adj. Qui n'est pas marié: *La mère de mon ami est célibataire.* ☞ célibat.

cellier n.m. Pièce fraîche et sombre aménagée pour y conserver du vin ou d'autres provisions: *Le vin que nous venons de fabriquer repose dans notre cellier.*

cellophane n.f. (marque déposée) Pellicule transparente employée pour emballer des aliments: *J'ai emballé mes sandwichs avec de la cellophane.* **R.** Les lettres *ph* se prononcent *f*.

cellulaire adj. Qui se rapporte ou appartient à la cellule, élément fondamental des organismes vivants: *Chaque cellule est limitée par une membrane appelée «membrane cellulaire».* ☞ cellule.

cellule n.f. Petite pièce isolée, où l'on est seul: *Après le souper, les prisonnières doivent retourner dans leur cellule.* SYN. cachot, chambrette. ▲ **cellule** n.f. Élément microscopique fondamental des organismes vivants: *Nous avons examiné au microscope une cellule sanguine.* ☞ cellulaire, cellulite. ▲ **cellule** n.f. Chacun des éléments qui forment la base d'un ensemble: *La famille est la cellule de la société.* SYN. noyau.

cellulite n.f. Gonflement du tissu cellulaire situé sous la peau: *Elle suit un traitement contre la cellulite.* ☞ cellule.

cellulose n.f. Substance contenue dans la membrane des cellules végétales: *L'ouate est de la cellulose à peu près pure.*

celui, celle, ceux, celles pron.dém. **1.** Remplace la personne ou la chose dont on parle: *La première chanson que j'ai apprise est celle que tu avais composée.* **2.** Avec «-ci» ou «-là», précise de qui ou de quoi on parle: *Entre ces deux morceaux de gâteau, je préfère celui-ci parce qu'il est plus gros que celui-là.*

cément n.m. Substance dure recouvrant l'ivoire de la racine des dents: *Le cément recouvre la racine comme l'émail recouvre la dent.*

cénacle n.m. Réunion d'un petit nombre d'artistes, de philosophes, etc.: *Elle fréquente un cénacle littéraire formé autour d'un jeune romancier.* SYN. cercle, club.

cendre n.f. **1.** Poudre qui reste après la combustion d'une substance organique: *Nous avons versé de l'eau sur les cendres de notre feu de camp afin d'éviter les risques d'incendie.* **2.** plur. Ce qui reste du cadavre d'une personne après son incinération: *On enferme les cendres dans une urne qu'on expose dans un columbarium.* **3.** plur. Symbole de la pénitence dans la Bible et la religion catholique: *Nous sommes allées à la cérémonie du mercredi des Cendres.* **R.** On met la majuscule à *cendres* lorsqu'il s'agit du *mercredi des Cendres*. ☞ cendré, cendreux, cendrier.

cendré, ée adj. Qui a la couleur grisâtre ou bleuâtre de la cendre: *Il a des cheveux blond cendré.* ☞ cendre.

cendreux, euse adj. Qui a l'apparence de la cendre: *Il a le visage moins cendreux depuis qu'il est en convalescence.* ☞ cendre.

cendrier n.m. Petit récipient dans lequel les personnes qui fument déposent les cendres de leur cigarette, de leur pipe: *À ce que je vois, tu ne vides pas souvent ton cendrier.* ☞ cendre.

cène n.f. **1.** Repas que Jésus-Christ prit avec ses apôtres la veille de la Passion et au cours duquel il institua l'eucharistie: *C'est au cours de la Cène que Jésus annonça qu'il allait être trahi.* **2.** Communion sous les espèces du pain et du vin, chez les protestants: *Le pasteur a célébré la sainte cène dans le nouveau temple.* **R.** On met la majuscule à *cène* lorsqu'il s'agit du dernier repas du Christ avec ses apôtres.

cenelle n.f. Baie rouge de l'aubépine et du houx: *Je me suis piqué en cueillant des cenelles.* ☞ cenellier.

cenellier n.m. Nom de l'aubépine, au Canada et dans certaines régions de France: *Il existe une trentaine de variétés de cenelliers au Canada.* **R.** Aussi, *senellier*. ☞ cenelle. ◇ aubépine.

censé, ée adj. Qui est supposé: *Tu étais censé rentrer avant 9 heures.* HOM. sensé.

censément adv. Pour ainsi dire, apparemment: *Elle était censément l'inventrice de ce nouveau procédé.*

censure n.f. **1.** Examen qu'un gouvernement fait faire des livres, des journaux, des pièces de théâtre, des films, de la publicité, avant d'en permettre la diffusion ou la représentation: *Ce film a été soumis à la censure.* SYN. critique. ANT. approbation. **2.** Personnes chargées de la censure: *La censure a interdit la diffusion de ce film à cause des nombreuses scènes de violence.* ☞ censurer.

censurer v. Interdire par censure: *Son livre a été censuré pour des raisons politiques.* SYN. blâmer, condamner. ANT. approuver. ☞ censure.

cent n.m. Nombre qui suit quatre-vingt-dix-neuf: *L'élève sait compter jusqu'à cent.* HOM. sang, sans. ∥ *À cent pour cent:* Complètement. *Pour cent:* Pour une quantité de cent unités. ▲ **cent** n.m. Unité monétaire valant un centième de dollar: *Je me suis acheté une tablette de chocolat à soixante-quinze cents.* **R.** Se prononce à l'anglaise.

cent adj.num. **1.** Dix plus quatre-vingt-dix: *Cette église est vieille de cent ans.* **2.** Un grand nombre: *Tu me l'as répété cent fois.* **3.** Centième: *J'ai lu jusqu'à la page cent.* ☞ bicentenaire, centaine, centenaire, centième, centuple, centupler, tricentenaire.

centaine n.f. **1.** Groupe de cent unités: *Il y a dix dizaines dans une centaine.* **2.** Quantité voisine de cent: *C'est un petit village d'une centaine de maisons.* ☞ cent.

centenaire n.m. Centième anniversaire: *Nous fêterons cette année le centenaire de notre municipalité.* ☞ cent.

centenaire n. et adj. **1.** n. Personne qui a cent ans: *Cette centenaire a encore une bonne santé et toute sa présence d'esprit.* **2.** adj. Qui a au moins cent ans: *Cette maison est centenaire.* ☞ cent.

centième n. et adj.num. **1.** n. Personne, animal ou chose qui occupe le centième rang: *Cette maison sera la centième que nous aurons construite.* **2.** n. Partie d'un tout séparé en cent parties égales: *Le centième de mille est cent.* **3.** adj.num. Qui vient après le quatre-vingt-dix-neuvième: *Tu es la centième visiteuse de notre exposition.* **R.** Lorsqu'il s'agit de la partie d'un tout, le nom est masculin. ☞ cent.

centigramme n.m. Unité de mesure de masse valant un centième de gramme: *Ce comprimé a une masse de deux cents centigrammes.* ☞ gramme.

centilitre n.m. Unité de mesure de volume valant un centième de litre: *Tu dois prendre trois centilitres de sirop, quatre fois par jour.* ☞ litre.

centimètre n.m. **1.** Unité de mesure de longueur valant un centième de mètre: *Mon plant de salade mesure maintenant cinq centimètres.* **2.** Ruban divisé en centimètres, servant à prendre des mesures: *J'ai mesuré ma taille avec un centimètre.* ∥ *Centimètre carré (cm^2):* Unité de mesure d'aire. *Centimètre cube (cm^3):* Unité de mesure de volume. ☞ mètre.

central n.m. Lieu où aboutissent les fils d'un réseau de communication: *Le central téléphonique de la région est situé dans cet édifice.* HOM. centrale. ☞ centre.

central, ale, aux adj. Qui est au centre: *Le Mexique est situé en Amérique centrale.* ☞ centre.

centrale n.f. Usine qui produit de l'énergie électrique: *Nous avons visité la centrale hydroélectrique de Beauharnois.* HOM. central. ☞ centre.

centralisateur, trice adj. Qui centralise le pouvoir, les services, etc.: *Ce gouvernement est très centralisateur.* ☞ centre.

centralisation n.f. Action de centraliser, de rassembler dans un même centre: *Cette spécialiste n'est pas en faveur de la centralisation des moyens de recherche.* ANT. décentralisation. ☞ centre.

centraliser v. Rassembler dans un même centre, ramener à une direction unique: *Les services gouvernementaux de la région ont été centralisés dans cet édifice.* SYN. concentrer. ANT. décentraliser. ☞ centre.

centre n.m. **1.** Point géométrique situé à égale distance de tous les points de la circonférence d'un cercle, de la surface d'une sphère: *Trace une droite passant par le centre O du cercle.* **2.** Milieu d'une surface, d'un espace quelconque: *Mon pupitre est situé au centre de la classe.* ∥ *Se croire le centre de l'univers:* Tout rapporter à soi. ☞ avant-centre, central, centrer, centrifuge, centrifugeuse, centripète, excentrique. ▲ **centre** n.m. **1.** Localité qui est le siège d'activités importantes: *Trois-Rivières est un grand centre industriel.* **2.** Organisme ou entreprise qui regroupe des services, des activités: *Il y a une exposition de dessins au centre culturel.* ∥ *Centre commercial:* Groupe de magasins de détail occupant un ensemble de bâtiments donnant sur un stationnement, dans une zone urbaine ou à proximité. *Centre d'accueil:* Établissement où l'on reçoit des personnes qui ont besoin d'être traitées ou gardées en résidence protégée. *Centre de services sociaux:* Établissement qui offre des services spécialisés de protection sociale aux personnes, aux familles ou aux groupes en difficulté. *Centre* *de ski:* Lieu pourvu d'installations élémentaires pour la pratique du ski. *Centre de villégiature:* Lieu de séjour pour les vacanciers. **R.** Ne pas employer «centre d'achats» à la place de *centre commercial.* ☞ central, centrale, centralisateur, centralisation, centraliser, décentralisateur, décentralisation, décentraliser.

centre d'achats ☞ sect. anglicismes et canadianismes.

centrer v. Disposer au centre, au milieu: *Ma machine à écrire peut centrer les titres.* ☞ centre. ▲ **centrer** v. Orienter: *J'ai essayé de centrer mon attention sur les gestes du magicien.* ☞ centre.

centrifuge adj. Qui tend à pousser loin du centre: *Dans une essoreuse à salade, c'est la force centrifuge qui sépare l'eau de la salade.* ☞ centre.

centrifugeuse n.f. Appareil électroménager servant à produire du jus de fruits ou de légumes: *La centrifugeuse donne du jus grâce à la force centrifuge.* ☞ centre.

centripète adj. Qui tend à rapprocher du centre: *Certains manèges des parcs d'attractions utilisent la force centripète.* SYN. concentrique. ANT. centrifuge. ☞ centre.

centuple n.m. Quantité cent fois plus grande: *Le centuple de dix est mille.* ⁄⁄ *Être récompensé au centuple:* Recevoir en récompense beaucoup plus que ce qu'on mérite. ☞ centre.

centupler v. **1.** Multiplier par cent, augmenter beaucoup: *Cette formule publicitaire nous a permis de centupler le nombre d'abonnements.* **2.** Être multiplié par cent: *Les recettes de la compagnie ont centuplé en vingt ans.* ☞ cent.

centurion n.m. Officier qui commandait une compagnie de cent soldats, dans la légion romaine: *Le centurion Briseradius était découragé par l'indiscipline des Gaulois.*

cep n.m. Pied de vigne: *Ce cep donne des raisins d'un goût très sucré.* ☞ cépage.

cépage n.m. Variété de vigne: *Je cultive un nouveau cépage qui donne un vin très fruité.* ☞ cep.

cependant conj. Exprime une opposition, une restriction: *Il a aimé son séjour à la colonie de vacances; cependant, il s'est ennuyé de nous.* SYN. néanmoins, toutefois. **R.** Certains grammairiens considèrent *cependant* comme un adverbe de liaison plutôt que comme une conjonction.

céramique n.f. **1.** Art de fabriquer des objets de terre cuite: *J'ai suivi des cours de céramique au centre culturel.* **2.** Matière dont sont faits les produits, dans l'art de la céramique: *Je lui ai donné en cadeau des chandeliers en céramique que j'ai fabriqués moi-même.* ☞ céramiste.

céramiste n. Artiste qui fabrique ou décore de la céramique: *Les céramistes de notre ville veulent organiser une exposition de leurs œuvres.* ☞ céramique.

cerceau, eaux n.m. Cercle de bois ou de plastique que les enfants font rouler devant eux avec un bâton: *Des enfants jouaient dans le parc avec des cerceaux.*

cercle n.m. **1.** Courbe plane dont tous les points sont situés à égale distance d'un point fixe appelé «centre»: *J'aurais besoin de ton compas pour tracer un cercle.* **2.** Objet circulaire: *La dompteuse a fait sauter les lions à travers des cercles de feu.* **3.** Groupe de personnes ou de choses placées en rond: *Une bande d'enfants formaient un cercle autour des deux adversaires.* ⁄⁄ *Cercle vicieux:* Situation sans issue. ☞ cercler, demi-cercle, encerclement, encercler. ▲ **cercle** n.m. Association de personnes qui se réunissent pour s'adonner aux activités qui les intéressent: *Je fais partie d'un cercle de jeunes naturalistes.* SYN. club, groupe. ⁄⁄ *Le cercle de famille:* Le groupe familial au grand complet.

cercler v. Garnir d'un ou de plusieurs cercles: *Les tonneaux doivent être cerclés solidement pour être étanches.* SYN. entourer. ☞ cercle.

cercueil n.m. Coffre dans lequel on enferme le corps d'une personne morte: *Les gens ont déposé des fleurs sur le cercueil avant qu'on le mette en terre.* SYN. bière. **R.** Après le *c*, on écrit *ueil.*

céréale n.f. **1.** Plante cultivée dont les grains servent à l'alimentation: *Le blé, le maïs, l'avoine, le sarrasin sont des céréales.* **2.** plur. Grains préparés que l'on mange généralement au petit déjeuner: *Je mange des céréales presque chaque matin.* ☞ céréalier.

céréalier n.m. Navire spécialisé dans le transport des grains: *Un céréalier vient de partir pour le nord de l'Afrique, où sévit une famine.* ☞ céréale.

céréalier, ière adj. Qui est relatif aux céréales: *La production céréalière du Canada a encore augmenté.* ☞ céréale.

cérébral, ale, aux n. et adj. **1.** n. Personne dont la conduite est surtout réglée par la pensée: *Les films d'amour la laissent indifférente, c'est une cérébrale.* SYN. intellectuel. **2.** adj. Qui se rapporte au cerveau, à l'intelligence: *Il est à l'hôpital à cause d'une hémorragie cérébrale.*

cérémonial, als n.m. Ensemble de règles à suivre lors d'une cérémonie: *Le déroulement de cette fête religieuse comporte un cérémonial long et compliqué.* ☞ cérémonie.

cérémonie n.f. **1.** Forme extérieure, solennité avec laquelle on célèbre une fête religieuse, un événement social, etc.: *Il y a eu de beaux chants durant la cérémonie de mariage.* SYN. célébration. **2.** plur. Excès de politesse: *Il n'est pas nécessaire de faire tant de cérémonies pour une réception amicale.* SYN. complication, formalité. ANT. naturel, simplicité. ⁄⁄ *Sans cérémonie:* Avec simplicité. ☞ cérémonial, cérémonieusement, cérémonieux.

cérémonieusement adv. De façon cérémonieuse, affectée: *Il lui baise la main cérémonieusement.* ☞ cérémonie.

cérémonieux, euse adj. Qui manque de naturel: *Elle lui parlait sur un ton cérémonieux.* SYN. affecté. ANT. simple. ☞ cérémonie.

cerf n.m. Animal ruminant à cornes ramifiées, appelées «bois»: *La femelle du cerf est la biche; leur petit est le faon.* HOM. serre. **R.** Le *f* ne se prononce pas.

cerfeuil n.m. Plante aromatique cultivée comme condiment: *Nous avons mangé un délicieux potage au cerfeuil.*

cerf-volant n.m. **1.** Montage léger de papier ou de tissu qu'on fait voler en le retenant par une ficelle: *Son cerf-volant vole plus haut que le mien.* **2.** Gros insecte coléoptère muni de pinces qui rappellent les bois du cerf: *Le cerf-volant est aussi appelé «lucane».* **R.** Le *f* ne se prononce pas. Au pluriel, *cerfs-volants*.

cerisaie n.f. Lieu planté de cerisiers: *Nous irons nous promener dans la cerisaie en fleur.* ☞ cerise.

cerise n.f. Fruit rouge, charnu, à noyau, que produit le cerisier: *J'ai cueilli un plein panier de cerises sauvages.* ⁄⁄ *Devenir rouge comme une cerise:* Rougir d'émotion, de confusion. ☞ cerisaie, cerisier.

cerisier n.m. Arbre fruitier qui produit la cerise: *Nous avons planté des cerisiers dans notre jardin.* ☞ cerise.

cerne n.m. **1.** Cercle bleuâtre qui entoure parfois les yeux, révélant ainsi la fatigue: *Tu te couches trop tard, tu as des cernes autour des yeux.* **2.** Chacune des couches concentriques d'un arbre coupé en travers: *Le nombre de cernes indique que cet arbre avait vingt ans.* **3.** Cercle formé par une tache qui a été nettoyée, sur un papier, sur une étoffe: *La tache de jus de raisin a laissé des cernes sur la nappe.* ☞ cerner.

cerné, ée adj. Qui est entouré d'un cerne, d'un cercle bleuâtre: *Je lis tellement que j'en ai les yeux cernés.* HOM. cerner. ☞ cerner.

cerner v. Entourer comme d'un cerne; entourer de façon à empêcher de fuir: *Nous cernerons le camp ennemi à la tombée de la nuit.* SYN. assiéger, encercler. ANT. libérer. HOM. cerné. ☞ cerne, cerné.

certain, aine adj. **1.** Qui se produira sûrement: *Nous n'avons rien à craindre, notre succès est certain.* SYN. assuré. ANT. incertain. **2.** Qui est absolument vrai, qui ne laisse place à aucun doute: *Je l'ai bien vu, c'est certain.* SYN. évident. ANT. douteux. **3.** Qui a une certitude, en parlant d'une personne: *Ne t'en fais pas, je suis certaine que tout ira bien.* SYN. convaincu. ANT. sceptique. ☞ certainement, certifier, certitude, incertain, incertitude.

certain, aine adj.indéf. **1.** Qui est imprécis, difficile à définir: *Il a fallu un certain temps avant que je comprenne ce qui était arrivé.* **2.** plur. Quelques-uns parmi d'autres, un certain nombre: *Certains arbres sont cultivés pour leurs fruits, d'autres, pour leur feuillage.*

certainement adv. **1.** D'une manière certaine: *Avec cette fonte rapide de la neige, la rivière va certainement déborder.* SYN. fatalement. ANT. probablement. **2.** Bien sûr, assurément : *Crois-tu que nous devrions l'emmener avec nous ? – Certainement.* SYN. évidemment. ANT. nullement. ☞ certain.

certains, aines pron.indéf.plur. Certaines personnes : *Certains prédisent que nous aurons une épidémie de grippe cet hiver.*

certes adv.litt. Assurément : *Certes, je suis fatiguée, mais j'irai quand même avec vous.* **R.** Ne pas oublier le *s*.

certificat n.m. **1.** Document signé qui affirme officiellement quelque chose : *Pour être admis aux compétitions, il faut présenter un certificat médical.* **2.** Preuve écrite qu'un élève a suivi un cours ou une série de cours et a réussi aux examens : *Ma sœur a reçu son certificat d'études secondaires.* SYN. brevet, diplôme. **R.** N'a pas le sens de *acte* (de naissance).

certifier v. Assurer qu'une chose est certaine : *Je t'avais pourtant certifié qu'elle arriverait par le train.* SYN. affirmer. ANT. contester, nier. ☞ certain.

certitude n.f. **1.** Chose certaine : *Tu t'appuies sur des suppositions, je préfère les certitudes.* SYN. évidence. ANT. incertitude. **2.** État d'esprit de la personne qui est certaine d'une chose : *Il a la certitude que tu as fait exprès.* SYN. conviction. ANT. doute. ☞ certain.

cérumen n.m. Substance jaune et cireuse qui se forme dans le conduit de l'oreille externe : *Le médecin m'a curé les oreilles : j'avais trop de cérumen.*

cerveau, eaux n.m. Masse de matière nerveuse contenue dans le crâne, qui est le siège des sensations et le support des mouvements volontaires : *L'être humain a un cerveau plus développé que celui des animaux.* ▲ **cerveau, eaux** n.m. Intelligence, ensemble des facultés mentales : *J'ai le cerveau embrouillé ce matin, car j'ai mal dormi.* SYN. esprit, tête.

cervelet n.m. Partie postérieure et inférieure de la masse cérébrale : *Le sens de l'équilibre a son siège dans le cervelet.*

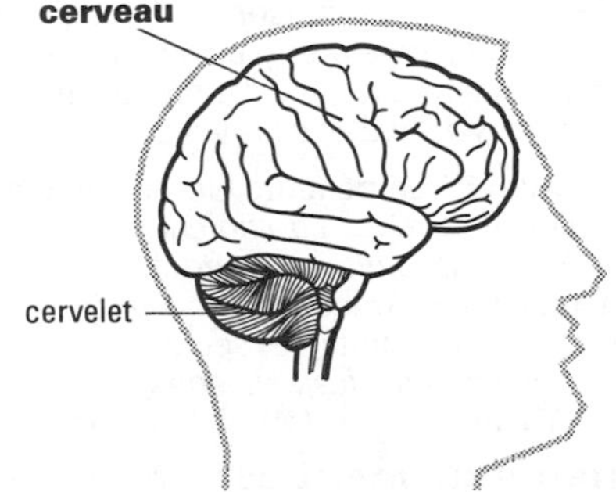

cervelle n.f. **1.** Cerveau de certains animaux de boucherie : *Pour dîner, il y avait de la cervelle de veau.* **2.** Substance du cerveau : *La cervelle est la substance du cerveau, considérée dans sa matière même.* ▲ **cervelle** n.f. Facultés intellectuelles, sans logique : *Il ne réfléchit jamais, c'est une tête sans cervelle.* SYN. jugement. ☞ écervelé.

cervelet cervelle

cervical, ale, aux adj. Qui se rapporte ou qui appartient au cou : *En tombant, il s'est déplacé une vertèbre cervicale.*

cervidés n.m.plur. Famille de ruminants portant des cornes, appelées « bois » : *Le cerf, l'orignal et le caribou sont des cervidés de nos régions.* **R.** S'écrit au singulier lorsqu'il désigne un animal appartenant à cette famille. ☞ cerf.

césarienne n.f. Opération chirurgicale par laquelle on extrait l'enfant de l'utérus de la mère lorsque l'accouchement est impossible par les voies naturelles : *Mon petit frère est né par césarienne.*

cessant, ante adj. Qui cesse, qui s'interrompt pour laisser place à une priorité : *Toutes affaires cessantes, la médecin est accourue au chevet de la malade.* ☞ cesser.

cessation n.f. Fait d'interrompre quelque chose ou de prendre fin : *La cessation de son travail l'a beaucoup affectée.* SYN. abandon, suppression. ANT. continuation, maintien. ☞ cesser.

cesse n.f. Interruption, arrêt : *Elles n'auront pas de cesse qu'il ne se fâche.* ⁄⁄ *N'avoir pas de cesse que :* Ne pas s'arrêter avant que. **R.** Ne s'emploie que dans des locutions négatives. ☞ cesser. **sans cesse** loc.adv. Sans arrêt : *Il pleut sans cesse depuis hier.* SYN. continuellement.

cesser v. **1.** Prendre fin, s'interrompre : *La pluie a cessé, nous pourrons continuer notre route.* SYN. arrêter. ANT. continuer. **2.** Mettre fin à quelque chose : *Les grévistes ont cessé le travail un peu avant midi.* SYN. arrêter, interrompre. ANT. poursuivre, prolonger. **3.** Achever, s'arrêter : *Il a cessé de parler dès qu'il l'a vue.* ⁄⁄ *Ne pas cesser de :* Continuer. ☞ cessant, cessation, cesse, cessez-le-feu, incessant.

cessez-le-feu n.m.invar. Arrêt des combats : *Les deux pays ont convenu d'un cessez-le-feu.* ☞ cesser.

cétacés n.m.plur. Ordre de mammifères marins au corps en forme de poisson et aux bras transformés en nageoires : *La baleine, le* *cachalot, le béluga et le dauphin sont des cétacés.* **R.** S'écrit au singulier lorsqu'il désigne un animal appartenant à cet ordre.

chacal, als n.m. (turc) Mammifère carnassier d'Asie et d'Afrique, semblable au renard, mais plus haut sur pattes, se nourrissant des restes de chasse des lions, des tigres, etc.: *Les chacals attendent au loin que la panthère ait terminé son repas.*

chacun pron.indéf.invar. Toute personne, qui que ce soit: *Chacun a ses idées là-dessus.*

chacun, une pron.indéf.sing. Toute personne ou toute chose prise dans un ensemble: *J'ai écouté chacune de ces cassettes plusieurs fois.*

chagrin n.m. Souffrance morale, tristesse: *Il a du chagrin depuis que ses parents ne vivent plus ensemble.* SYN. peine. ANT. gaieté, joie, plaisir. ☞ chagriner.

chagrin, ine adj.litt. Qui éprouve de la tristesse ou qui a un caractère enclin à la tristesse: *J'ai trouvé que notre amie était chagrine, ce soir; as-tu remarqué?* ANT. content, gai.

chagriner v. Causer du chagrin à quelqu'un, le rendre triste: *Sa rancune envers moi me chagrine.* SYN. attrister, peiner. ANT. contenter, réjouir. ☞ chagrin.

chahut n.m. Agitation, tapage, souvent volontaire, qui perturbe un cours, une réunion, un discours, etc.: *Les élèves qui font du chahut en classe seront punis.* SYN. charivari, désordre, vacarme. ANT. paix, silence, tranquillité. ☞ chahuter.

chahuter v. **1.** Faire du chahut, du vacarme: *Ces enfants turbulents ont chahuté durant toute la représentation.* **2.** Empêcher de parler ou d'agir en faisant du tapage, en suscitant le désordre: *Des élèves mal éduqués ont chahuté la suppléante.* ☞ chahut, chahuteur.

chahuteur, euse n. et adj. **1.** n. Personne qui fait du chahut, du vacarme: *Les chahuteurs resteront en retenue.* **2.** adj. Qui chahute, fait du vacarme: *Les élèves chahuteuses ont été mises à la porte de la classe.* ☞ chahuter.

chaîne n.f. **1.** Suite d'anneaux métalliques entrelacés, utilisée comme lien ou comme ornement: *Mon chien est très fort, il a brisé sa chaîne.* **2.** Suite d'anneaux métalliques servant à transmettre un mouvement: *La chaîne de ma bicyclette a sauté.* ☞ chaînette, chaînon, enchaînement, enchaîner. ▲ **chaîne** n.f. **1.** Ensemble d'appareils servant à reproduire de la musique enregistrée: *Notre chaîne stéréo se compose d'un lecteur à laser, d'un amplificateur et de deux haut-parleurs.* **2.** Ensemble de magasins relevant d'une même organisation: *La chaîne Provigo est une entreprise québécoise.* **3.** Ensemble d'émetteurs de télévision diffusant une même émission: *La chaîne Radio-Québec diffuse des films pour enfants durant le congé des Fêtes.* **4.** Ensemble de montagnes qui forment une ligne continue: *La chaîne des Appalaches se trouve dans la partie est de l'Amérique du Nord.* HOM. chêne ⫽ *Travail à la chaîne:* Travail répétitif. **R.** Ne pas oublier l'accent: *î.* ☞ enchaînement, enchaîner.

chaînette n.f. Petite chaîne: *La chaînette de mon bracelet s'est rompue.* **R.** Ne pas oublier l'accent: *î.* ☞ chaîne.

chaînon n.m. Anneau d'une chaîne: *Il manque un chaînon à cette chaîne.* **R.** Ne pas oublier l'accent: *î.* ☞ chaîne.

chair n.f. **1.** Substance molle du corps (muscles, peau, etc.): *Le couteau a entaillé la chair jusqu'à l'os.* **2.** Préparation de viande hachée: *Pour préparer ce plat, il faut de la chair à saucisse.* HOM. chaire, cher, chère. ⫽ *En chair et en os:* En personne. ☞ charnel, charnu, décharné, décharner.

chaire n.f. Tribune d'où un prédicateur ou un professeur parle à l'auditoire: *Autrefois, les prêtres montaient en chaire pour instruire les fidèles.* HOM. chair, cher, chère.

chaise n.f. Siège à dossier, sans bras, pour une seule personne: *Luc s'assoit bien droit sur sa chaise.* ⫽ *Chaise électrique:* Chaise électrifiée servant à l'exécution des condamnés à mort, aux États-Unis. *Chaise longue:* Siège sur lequel on peut s'étendre.

chaland n.m. Grand bateau plat servant au transport de marchandises: *Des chalands remplis de balles de foin sont passés sur la rivière.* **R.** Ne pas oublier le *d.*

châle n.m. Grande pièce de laine, de soie, dont les femmes se couvrent les épaules: *Je lui ai tricoté un châle avec de la laine d'agneau.* **R.** Ne pas oublier l'accent: *â.*

chalet n.m. Petite maison à la campagne, généralement située près d'un lac, d'un cours d'eau ou en montagne: *J'aimerais que tu viennes passer l'été avec nous au chalet.*

chaleur n.f. Température élevée d'une matière, d'un lieu, etc.: *La chaleur était étouffante dans cette salle.* ANT. froid. ☞ chaud. ▲ **chaleur** n.f. Ardeur, enthousiasme dans les propos, la conduite, les sentiments: *Elle a parlé avec chaleur des souvenirs de son enfance.* SYN. animation. ANT. indifférence.

chaleureusement adv. Avec chaleur,

enthousiasme: *Nous avons été chaleureusement accueillis par nos amis belges.* ☞ chaud.

chaleureux, euse adj. Qui est plein de vie, d'ardeur: *C'est une personne chaleureuse et toujours souriante.* SYN. enthousiaste. ANT. indifférent, insensible. ☞ chaud.

chaloupe n.f. **1.** Embarcation non pontée, à avirons ou à moteur, pour le service des navires: *Le navire est muni de quatre chaloupes de sauvetage.* **2.** Au Canada, petit bateau à rames, barque légère: *Nous nous sommes promenées en chaloupe sur la rivière.*

chalumeau, eaux n.m. **1.** Appareil qui produit un jet de flamme de température très élevée: *Il faudra ressouder la clôture avec un chalumeau.* **2.** Au Canada, tuyau court, en métal inoxydable, qui sert à diriger vers un récipient l'eau fournie par l'entaille d'un érable: *Les chalumeaux regorgent d'eau d'érable, aujourd'hui.* ▲ **chalumeau, eaux** n.m. Flûte champêtre, simple tige percée de trous: *Le chalumeau est un ancêtre de la clarinette.*

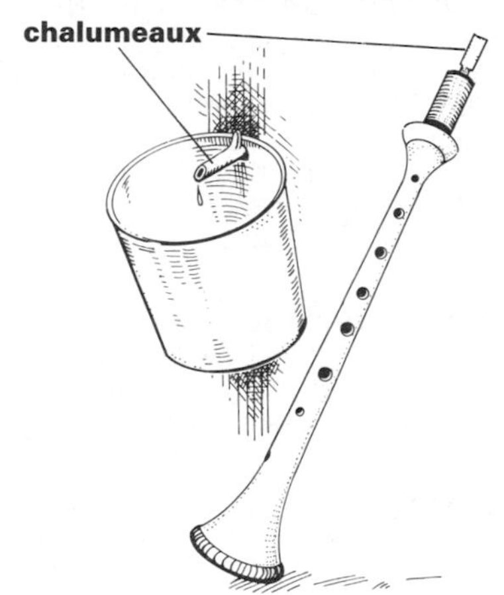

chalut n.m. Filet de pêche en forme de poche, attaché à l'arrière d'un bateau: *La pêche au chalut a été bonne aujourd'hui.* **R.** Le *t* ne se prononce pas. ☞ chalutier.

chalutier n.m. Bateau de pêche équipé pour la pêche au chalut, au filet: *Les chalutiers reviendront demain des grands bancs.* ☞ chalut.

chamade n.f.vx Batterie de tambours ou sonnerie qui annonçait l'intention de capituler, dans une ville assiégée: *La chamade annonçait que l'on avait décidé de capituler.*

se **chamailler** v.pron.fam. Se quereller avec bruit pour des riens: *Ces deux-là se chamaillent pour un oui ou pour un non.* SYN. se disputer. ANT. s'entendre. ☞ chamaillerie, chamailleur.

chamaillerie n.f.fam. Petite dispute: *Ne t'en fais pas avec ces chamailleries d'enfants.* SYN. querelle. **R.** Aussi, *chamaille.* ☞ se chamailler.

chamailleur, euse n. et adj. **1.** n. Personne qui aime à se chamailler, à se disputer pour des riens: *Les chamailleuses ont dû faire une demi-heure de retenue.* **2.** adj. Qui aime à se chamailler: *Les personnes chamailleuses se créent souvent des problèmes.* ☞ se chamailler.

chamarrer v. Garnir de décorations aux couleurs voyantes: *Son costume était chamarré de pierreries.* **R.** S'emploie surtout au participe passé. **chamarré, ée** p.p. et adj. Qui est garni de décorations aux couleurs voyantes: *Le clown portait un costume chamarré.* ANT. uni.

chambardement n.m.fam. Action de chambarder, de mettre sens dessus dessous, remue-ménage: *Le déménagement a causé tout un chambardement.* ☞ chambarder.

chambarder v.fam. Mettre sens dessus dessous, en grand désordre: *Pendant l'absence de l'institutrice, ils ont tout chambardé dans la classe.* ☞ chambardement.

chambranle n.m. Encadrement d'une porte, d'une fenêtre, d'une cheminée: *Le chambranle de la porte a été repeint.*

chambranler ☞ sect. anglicismes et canadianismes.

chambre n.f. **1.** Pièce où l'on dort: *Ma sœur et moi partageons la même chambre.* **2.** Pièce aménagée pour un usage très particulier: *Nous avons une chambre froide au sous-sol, pour conserver les aliments.* **3.** Pièce, compartiment à bord d'un navire: *À bord du navire, nous avons visité la chambre des machines.* ∥ *Chambre forte:* Pièce blindée où l'on range les objets de valeur. *Femme de chambre:* Domestique. *Garder la chambre:* Ne pas quitter sa chambre, par suite d'un mauvais état de santé; être malade. **R.** N'a pas le sens de *bureau*, de *salle*. ☞ chambrer, chambrette. ▲ **chambre** n.f. Assemblée législative, assemblée nationale, formée des députés: *À Ottawa, l'Assemblée nationale est appelée la « Chambre des communes ».* ▲ **chambre** n.f. Espace fermé, cavité, vide: *Une « chambre noire » est un espace fermé qui sert à la photographie.* ∥ *Chambre à air:* Tube circulaire que l'on remplit d'air.

chambrer v. Réchauffer du vin à la température de la pièce: *Mes parents ont* *chambré le vin rouge, pour qu'il soit meilleur.* ☞ chambre.

chambrette n.f. Petite chambre: *Tu pourras coucher dans la chambrette à côté de ma chambre.* ☞ chambre.

chambreur ☞ sect. anglicismes et canadianismes.

chameau, eaux n.m. Animal ruminant, à bosses, vivant dans les pays désertiques, dont la femelle est la chamelle et le petit, le chamelon: *Lors de notre voyage en Égypte, nous avons fait une promenade à dos de chameau.* ☞ chamelier, chamelle, chamelon.

chamelier n.m. Personne qui conduit les chameaux et en prend soin: *Au cours du voyage, nous avons rencontré un chamelier arabe qui parlait français.* ☞ chameau.

chamelle n.f. Femelle du chameau: *La chamelle allaite son chamelon.* ☞ chameau.

chamelon n.m. Petit du chameau et de la chamelle: *Au zoo, nous avons vu un chamelon nouveau-né.* ☞ chameau.

chamois n.m. Ruminant à cornes recourbées, qui vit dans les hautes montagnes d'Europe et du Moyen-Orient: *La peau du chamois sert à fabriquer des gants très souples.* **R.** Le *s* ne se prononce pas.

champ n.m. **1.** Étendue de terre cultivée ou cultivable: *J'aime la couleur des champs d'avoine.* SYN. prairie, pré. **2.** Vaste espace de terrain plat: *À Québec, les plaines d'Abraham ont déjà été un champ de bataille entre Anglais et Français.* HOM. chant. ⫽ *À travers champs:* Hors des chemins, en traversant des terres cultivées. *Champ d'aviation:* Terrain pourvu de pistes pour les avions. *Champ de tir:* Terrain où l'on s'exerce au tir. *Mourir, tomber au champ d'honneur:* Mourir à la guerre. ☞ champêtre. ▲ **champ** n.m. Domaine dans lequel s'exerce une activité, une recherche: *Cette recherche appartient au champ de la géographie.* ⫽ *À tout bout de champ:* À tout instant, à tout propos. **sur-le-champ** loc.adv. Aussitôt, immédiatement: *Nous devons partir sur-le-champ.*

champagne n.m. Vin mousseux fabriqué en France dans la région de la Champagne: *En voulant ouvrir la bouteille de champagne, j'ai fait sauter le bouchon.*

champêtre adj.litt. Qui se rapporte aux champs, à la campagne: *Les personnages de ce roman mènent une vie champêtre, loin des bruits de la ville.* SYN. rural, rustique. ANT. urbain. **R.** Ne pas oublier l'accent: *ê.* ☞ champ.

champignon n.m. Plante sans feuilles formée d'un pied surmonté d'un chapeau, qui pousse dans les endroits humides: *Ne mange pas de ce champignon, il est vénéneux et peut être mortel.* ⫽ *Pousser comme un champignon:* Pousser très vite. ☞ champignonnière.

champignonnière n.f. Endroit où l'on cultive les champignons de couche; couche de terre et de fumier préparée pour cultiver ces champignons: *Je me suis aménagé une champignonnière dans le jardin.* ☞ champignon.

champion, onne n. **1.** Personne qui défend une cause: *Cette journaliste est une championne de la protection des espèces animales menacées.* **2.** Personne qui remporte la victoire à une compétition sportive: *Il a été champion de natation à la traversée du lac Saint-Jean.* ☞ championnat.

championnat n.m. Compétition où l'on nomme un champion: *Mon amie a remporté le dernier championnat d'échecs.* **R.** S'écrit avec deux *n.* ☞ champion.

chance n.f. **1.** Hasard favorable, sort heureux: *Tu as eu de la chance de t'en tirer sans subir aucune blessure.* SYN. veine. ANT. malchance. **2.** Occasion, possibilité: *Je n'ai pas eu la chance d'aller voir son spectacle.* **3.** Probabilité: *Nous avons une chance sur deux mille de gagner le gros lot.* ⫽ *Par chance:* Par bonheur, par un heureux hasard. *Porter chance:* Porter bonheur. **R.** N'a pas le sens de *risque, danger.* ☞ chanceux, malchance, malchanceux.

chancelant, ante adj. Qui chancelle, qui penche de côté et d'autre: *Sa démarche chancelante indiquait qu'elle était très malade.* SYN. incertain. ANT. assuré, ferme. ☞ chanceler.

chanceler v. Pencher de côté et d'autre: *La toupie s'est mise à chanceler et est tombée de la table.* SYN. vaciller. ANT. s'affermir. **R.** Ne pas oublier de doubler le *l* devant un *e* muet. ☞ chancelant.

chanceux, euse adj. Qui a de la chance: *Il n'est pas chanceux, il a encore une crevaison à sa bicyclette.* ANT. malchanceux. ☞ chance.

chandail, ails n.m. Gros tricot de laine à manches longues, couvrant le torse et se passant par la tête: *Nous avons mis un chandail pour ne pas prendre froid au cours de l'excursion.*

chandelier n.m. Support pour les chandelles, les cierges, les bougies: *Ma mère fabrique des chandeliers en céramique.* SYN. bougeoir. **R.** S'écrit avec un seul *l.* ☞ chandelle.

chandelle n.f.vx Appareil d'éclairage formé d'une mèche entourée de suif: *La chandelle que l'on appelle plutôt « bougie » aujourd'hui, servait autrefois à l'éclairage des maisons.* **R.** *Bougie* tend à remplacer *chandelle* aujourd'hui, sauf dans les locutions figurées. ☞ chandelier.

chandelier chandelle

change n.m. Échange de monnaies de pays différents: *Au bureau de change, nous avons changé nos dollars canadiens contre des francs français.* ⁄⁄ *Gagner, perdre au change:* Gagner, perdre en faisant un échange. **R.** N'a pas le sens de *monnaie*. ☞ changer.

changeable adj. Qui peut être changé: *Cette mauvaise habitude n'est pas facilement changeable.* SYN. remplaçable. **R.** Ne pas oublier le *e* après le *g*. ☞ changer.

changeant, ante adj. Qui change souvent: *Mon chat est d'humeur changeante depuis quelque temps.* SYN. capricieux, instable. ANT. constant, stable. **R.** Ne pas oublier le *e* après le *g*. ☞ changer.

changement n.m. **1.** Fait de remplacer une chose par une autre, de quitter une chose pour une autre: *Prends bien note de mon changement d'adresse.* **2.** Fait de changer, de varier: *Il s'est produit un brusque changement dans la direction du vent.* SYN. variation. ANT. constance. **3.** Fait de se transformer: *Le changement d'un liquide en gaz s'appelle l'évaporation.* SYN. transformation. ANT. maintien. **4.** Chose, circonstance qui change, évolue: *Il s'est produit de grands changements dans ma vie depuis que j'ai lu ce livre.* ☞ changer.

changer v. **1.** Céder une chose en échange d'une autre: *Veux-tu changer ta pomme contre ma poire?* SYN. échanger. ANT. garder. **2.** Remplacer par une chose ou une personne de même nature: *Il change sa voiture tous les cinq ans.* SYN. renouveler. ANT. conserver. **3.** Remplacer les vêtements de quelqu'un: *Il avait joué avec de la gouache, il a fallu le changer.* **4.** Rendre autre ou différent: *J'ai changé mes projets, vu le mauvais temps.* SYN. modifier. ANT. maintenir. **5.** Transformer: *Cette bonne nouvelle a changé ma tristesse en joie.* SYN. convertir. **R.** N'a pas le sens de *encaisser* (un chèque). ☞ change, changeable, changeant, changement, changeur, inchangé, interchangeable, rechange, rechanger. se **changer** v.pron. Mettre d'autres vêtements: *Il faudra te changer avant de faire ce travail salissant.* ▲ **changer** v. Devenir autre, différent: *Je trouve que tu changes beaucoup en vieillissant.* SYN. se transformer. ☞ changeable, changeant, changement, inchangé. ▲ **changer** v. **1.** Abandonner une chose pour une autre de la même espèce: *Mon père a changé de voiture, cette année.* **2.** Échanger: *J'aimerais changer de pupitre avec toi.* ☞ changeable, changement, interchangeable, rechange, rechanger.

changeur n.m. Personne qui fait des opérations de change: *Le changeur a changé mes dollars américains en dollars canadiens.* ☞ changer.

chanson n.f. Petite composition musicale de ton populaire, sentimental ou satirique, divisée en couplets et qui se chante: *J'ai appris une nouvelle chanson à l'école.* SYN. chant. **R.** Ne pas employer « chanson thème » (d'un film, d'une émission) à la place de *indicatif musical*. ☞ chansonnette, chansonnier.

chansonnette n.f. Petite chanson amusante: *Il nous a chanté des chansonnettes qui nous ont bien fait rire.* ☞ chanson.

chansonnier, ière n. Personne qui compose des sketches, des monologues ou des chansons satiriques, et qui les présente sur des scènes (cabaret, théâtre): *Mes parents aiment beaucoup l'humour des chansonniers français.* ☞ chanson.

chant n.m. **1.** Art de chanter: *J'aimerais suivre des cours de chant.* **2.** Sons produits par la personne qui chante: *Le chant de cette personne était très agréable à entendre.* **3.** Composition musicale qui se chante: *Nous avons entendu un beau chant de Noël.* **4.** Bruit agréable, musical: *Le chant des mésanges me porte à rêver.* HOM. champ. ⁄⁄ *Au chant du coq:* Au lever du jour. ☞ chantant, chanter, chanteur, chantonnement, chantonner, chantre, inchantable, rechanter.

chantage n.m. Action d'exiger quelque chose d'une personne en la menaçant de révéler un secret ou de lui faire du tort autrement: *Tu veux me faire du chantage, mais je ne marche pas.* SYN. extorsion. ☞ maître chanteur.

chantant, ante adj. Qui est agréable à entendre, mélodieux: *J'aime t'entendre réciter cette fable de ta petite voix chantante.* SYN. musical. ANT. discordant. ☞ chant.

chantepleure n.f. Entonnoir à long tuyau, percé de nombreux trous: *Nous avons transvidé le vin à l'aide d'une chantepleure.* **R.** N'a pas le sens de *robinet*.

chanter v. **1.** Produire des sons musicaux avec la voix: *Il chantait tout bas en berçant son petit chat.* SYN. fredonner. **2.** Crier, en parlant des oiseaux, de certains insectes: *Les coqs chantent très tôt le matin.* ⁄⁄ *Faire chanter* *quelqu'un:* Exercer un chantage sur quelqu'un, exiger quelque chose de lui en le menaçant. ☞ chant. ▲ **chanter** v. Exécuter, interpréter un chant: *Chante-moi encore «À la claire fontaine»!* ☞ chant.

chanteur, euse n. Personne qui chante: *La chanteuse de ce groupe musical a une très belle voix.* **R.** S'emploie comme adjectif dans l'expression *oiseau chanteur.* ☞ chant.

chantier n.m. **1.** Lieu où l'on fait des travaux de construction: *L'accès du chantier est interdit aux visiteurs, il y a trop de risques d'accidents.* **2.** Au Canada, exploitation forestière: *Au Canada, on appelle aussi «chantier» un lieu où l'on exploite la forêt.* ⫽ *Mettre en chantier:* Commencer.

chantonnement n.m. Action de chantonner, de chanter doucement: *J'aime écouter le chantonnement de papa lorsqu'il endort ma petite sœur.* ☞ chant.

chantonner v. Chanter doucement, à mi-voix: *Pour chasser l'ennui, elle chantonnait en regardant tomber la pluie.* SYN. fredonner. ☞ chant.

chantre n.m. Personne qui chante dans un service religieux: *Mon père a déjà été chantre à la messe de minuit.* ☞ chant.

chanvre n.m. **1.** Plante à tige droite et à feuilles larges dont on extrait des fibres textiles: *Le chanvre est cultivé pour ses fibres textiles depuis l'Antiquité.* **2.** Textile tiré de la tige du chanvre: *Autrefois, les vêtements étaient souvent faits de chanvre.*

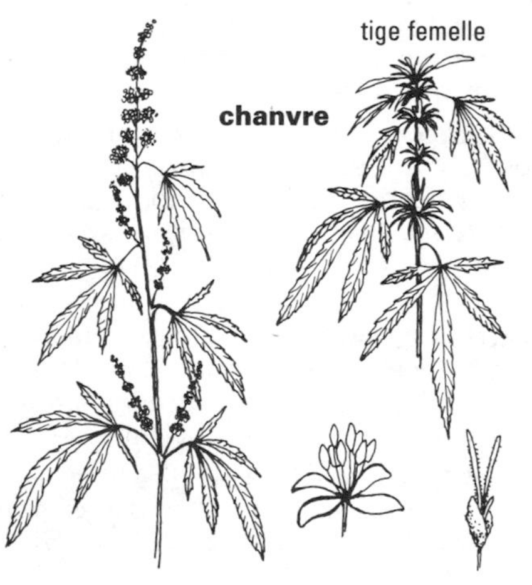

chaos n.m. Bouleversement, désordre complet: *Les travaux de rénovation mettent l'école dans le chaos.* SYN. confusion, trouble. ANT. harmonie, ordre. HOM. cahot. **R.** Les lettres *ch* se prononcent *k.* ☞ chaotique.

chaotique adj. Qui est en désordre: *Il faudra ranger cet amas chaotique de bagages.* **R.** Les lettres *ch* se prononcent *k.* ☞ chaos.

chapardage n.m.fam. Action de chaparder, de faire de petits vols: *Le chapardage des craies sera puni par une retenue.* ☞ chaparder.

chaparder v.fam. Voler une chose de peu de valeur: *Quelqu'un a encore chapardé mon crayon.* ☞ chapardage, chapardeur.

chapardeur, euse n. et adj.fam. **1.** n. Personne qui chaparde, qui fait de petits vols: *Cette petite chapardeuse a encore grimpé sur mon cerisier.* **2.** adj. Qui chaparde, qui fait de petits vols: *Ces enfants chapardeurs ont emporté tous les petits gâteaux que j'avais préparés.* ☞ chaparder.

chape n.f. Grand manteau de cérémonie que portaient autrefois les prêtres en certaines occasions: *Pour le sacre de la reine, l'évêque était revêtu d'une chape brodée d'or.*

chapeau, eaux n.m. Coiffure d'homme ou de femme comportant une calotte, avec ou sans bord: *J'ai mis une plume à mon chapeau.* ☞ chapelier, chapellerie.

chapelet n.m. **1.** Objet de dévotion formé de grains enfilés, servant à réciter des prières: *Le chapelet compte cinq dizaines de grains qui représentent les «Je vous salue Marie».* **2.** Suite de prières récitées avec un chapelet: *Mon grand-père dit qu'autrefois on récitait le chapelet tous les jours.* **3.** Succession de choses semblables ou identiques: *Un chapelet d'îlots longe la côte.*

chapelier, ière n. Personne qui fait des chapeaux ou qui en vend: *Le chapelier a fait un chapeau de feutre ajusté à mon tour de tête.* **R.** S'écrit avec un seul *l.* ☞ chapeau.

chapelle n.f. **1.** Petite église qui ne correspond pas à une paroisse: *Nous avons visité l'humble chapelle de Notre-Dame-de-Bonsecours.* **2.** Partie d'une église où se trouve un autel secondaire: *Cette chapelle est consacrée à sainte Jeanne d'Arc.*

chapellerie n.f. Commerce, confection de chapeaux: *Cette fourrure est très employée en chapellerie.* ☞ chapeau.

chapelure n.f. Pain séché et émietté que l'on saupoudre sur certains mets avant la cuisson: *Les côtelettes de porc enrobées de chapelure sont un de mes plats préférés.*

chaperon n.m. **1.** Personne qui accompagne une jeune personne dans ses sorties, pour la surveiller: *Je ne suis plus une enfant, je n'ai plus besoin d'un chaperon quand je vais au cinéma.* **2.** vx Nom qui désignait autrefois un capuchon couvrant la tête et les épaules: *Le loup s'approcha de la petite fille au chaperon rouge pour lui parler.* ☞ chaperonner.

chaperonner v. Accompagner une jeune personne en qualité de chaperon: *Ma tante s'arrange toujours pour me chaperonner à la soirée de danse.* SYN. surveiller. **R.** S'écrit avec deux *n*. ☞ chaperon.

chapiteau, eaux n.m. **1.** Partie supérieure d'une colonne: *Cette église renferme des colonnes dont les chapiteaux sont sculptés en forme de feuilles d'érable.* **2.** Tente d'un cirque: *Les gens du cirque ont monté leur chapiteau dans le parc municipal.*

chapitre n.m. **1.** Chacune des divisions d'un livre, d'un code: *J'ai lu les trois premiers chapitres de ce roman passionnant.* **2.** fig. Sujet, question dont on parle: *Nous avons assez discuté sur ce chapitre.*

chapitrer v. Réprimander: *Elle s'est fait chapitrer par le directeur de l'école.* SYN. gronder, sermonner. ANT. complimenter, féliciter.

chapon n.m. Coq qui a été castré et que l'on engraisse pour la table: *Il est déconseillé de manger souvent du chapon, celui-ci étant trop gras.*

chaque adj.indéf.invar. Se dit de tout élément d'un ensemble pris séparément: *Dans ma rue, chaque maison a une cheminée sur le côté.* **R.** Ne s'emploie pas avec un nom pluriel. N'a pas le sens de *chacun*.

char n.m. **1.** Voiture à deux roues, tirée par des chevaux, dans l'Antiquité: *Les Romains organisaient des courses de chars dans l'arène.* **2.** vx Voiture campagnarde à quatre roues, tirée par une ou plusieurs bêtes: *Nous avons vu en voyage un char à bœufs qui avançait lentement sur la route.* ⫽ *Char allégorique:* Voiture décorée pour les fêtes publiques, représentant des personnages, des scènes. *Char d'assaut:* Véhicule de guerre blindé. **R.** N'a pas le sens de *voiture*, *automobile*.

charabia n.m.fam. (esp.) Façon de parler incompréhensible: *Il a voulu m'expliquer ce qui était arrivé, mais je n'ai rien compris à son charabia.* SYN. baragouin.

charade n.f. Énigme dans laquelle il faut deviner un mot à l'aide de ses syllabes, qui ont chacune un sens complet: *Voici une charade facile: Mon premier est un rongeur (rat); mon deuxième est une note de la gamme (do); mon tout flotte (radeau).*

charançon n.m. Insecte coléoptère nuisible qui dévore les grains, les farines, le pain: *Cette vieille farine n'est plus bonne, elle est remplie de charançons.* **R.** Ne pas oublier la cédille.

charbon n.m. Combustible solide, noir et brillant, d'origine végétale, renfermant beaucoup de carbone: *Les locomotives à vapeur fonctionnaient au charbon.* ⫽ *Charbon de bois:* Produit obtenu par une combustion lente et incomplète du bois. ☞ charbonnier.

charbonnier n.m. Cargo servant au transport du charbon: *Un charbonnier vient d'accoster au quai.* ☞ charbon.

charbonnier, ière n. et adj. **1.** n. Personne qui vend du charbon: *Le métier de charbonnier est très salissant.* **2.** adj. Qui a rapport à la fabrication ou à la vente de charbon: *L'industrie charbonnière est aujourd'hui remplacée, en grande partie, par l'industrie pétrolière.* ☞ charbon.

charcuterie n.f. **1.** Préparations réalisées avec de la viande de porc (jambon, saucisson, etc.): *Pour le pique-nique, nous achèterons des saucisses, des pâtés et autres charcuteries.* **2.** Magasin où l'on vend de la charcuterie: *J'ai acheté du salami et du saucisson à la charcuterie.* ☞ charcutier.

charcutier, ière n. Personne qui prépare ou vend de la charcuterie, des préparations à base de viande de porc: *Il n'y avait plus de jambon chez la charcutière.* ☞ charcuterie.

chardon n.m. Plante à feuilles épineuses et à fleurs piquantes: *Je me suis piquée sur les chardons qui poussent le long de la clôture.*

chardonneret n.m. Petit oiseau chanteur à tête rouge: *Le chardonneret aime les graines du chardon.*

charge n.f. **1.** Ce que porte ou peut porter une personne, un animal ou un véhicule: *Tu portes une charge trop lourde sur tes épaules.* SYN. fardeau. **2.** Quantité de poudre que l'on met dans une arme à feu: *La charge d'explosifs de ces cartouches peut causer beaucoup de dégâts.* ☞ charger. ▲ **charge** n.f. Fonction à remplir: *C'est toi qui auras la charge de guider les visiteuses.* SYN. mission. ⫽ *Avoir à sa charge:* Avoir la responsabilité financière. *Être à la charge de:* Dépendre financièrement de: *Prendre en charge:* Prendre sous sa responsabilité. **R.** Ne pas employer «être en charge de» à la place de *être chargé de*, *être responsable de*. ☞ charger. ▲ **charge** n.f. Attaque subite et violente: *Les combattants ont été repoussés par les charges de l'armée ennemie.* **R.** N'a pas le sens de *prix*, *frais*. ☞ charger.

chargé, ée n. Personne qui a la responsabilité d'une mission, d'un cours, d'un projet, d'une recherche : *Ma sœur est chargée de cours à l'Université de Montréal.* HOM. charger. ☞ charger.

chargement n.m. **1.** Action de charger, de mettre des objets à transporter sur un véhicule, sur un bateau, etc. : *Le chargement de la voiture est terminé.* ANT. déchargement. **2.** Marchandises chargées pour le transport : *Le camion a vidé son chargement de terre au mauvais endroit.* SYN. charge. **3.** Action de charger, de garnir une arme à feu pour tirer : *Il faut être prudent en faisant le chargement d'une arme.* ☞ charger.

charger v. **1.** Mettre des objets à transporter sur un véhicule, sur un bateau, sur le dos d'un animal, etc. : *Nous avons fini de charger la voiture.* ANT. décharger. **2.** Mettre dans un appareil ce qui est nécessaire pour qu'il fonctionne : *Par mesure de prudence, ne charge pas ton fusil tout de suite.* **R.** N'a pas le sens de *demander un prix, facturer.* ☞ charge, chargement, chargeur, décharge, déchargement, décharger, recharge, rechargeable, recharger, surcharge, surcharger. ▲ **charger** v. **1.** Accabler : *Tu charges ta mémoire de détails inutiles.* SYN. surcharger. ANT. alléger. **2.** Confier une fonction, une mission, un travail : *Je l'ai chargé de surveiller la petite pendant que je prépare la salade.* ☞ charge, chargé, décharger. **se charger** v.pron. Prendre sur soi la responsabilité de quelqu'un ou de quelque chose : *C'est moi qui me charge de ramasser les copies des élèves.* SYN. s'occuper. ▲ **charger** v. Attaquer avec force, par une charge : *En temps de guerre, les militaires doivent charger l'ennemi.* HOM. chargé. ☞ charge.

chargeur n.m. Dispositif recevant les cartouches dans une arme à feu : *Le chargeur de mon fusil est bloqué.* ☞ charge.

chariot n.m. Appareil servant à transporter des bagages, des marchandises : *Les déménageurs ont utilisé un chariot pour sortir le congélateur.* **R.** S'écrit avec un seul *r*.

charitable adj. Qui a de la charité, de l'amour pour son prochain : *Cette personne charitable aide toujours les gens qui sont dans le besoin.* SYN. bon, généreux. ANT. égoïste, inhumain. ☞ charité.

charitablement adv. Avec charité, avec bonté : *Le vieil homme nous a charitablement accueillis chez lui pour nous réconforter.* ☞ charité.

charité n.f. Amour, bienveillance envers son prochain ; secours donné au prochain : *Je trouve que tu as manqué de charité envers lui.* SYN. humanité, indulgence. ANT. dureté, méchanceté. ⫽ *Demander la charité :* Demander l'aumône, de l'argent. *Faire la charité :* Donner de l'argent. ☞ charitable, charitablement.

charivari n.m. Bruit discordant, tumulte : *Quel charivari, on ne s'entend plus parler, ici !* SYN. tapage, vacarme.

charlatan n.m. (it.) **1.** Faux médecin, imposteur : *Ne fais pas confiance à ce charlatan qui prétend connaître des remèdes miracles.* **2.** Personne qui exploite la crédulité des gens : *Cette inventrice d'une prétendue méthode d'amaigrissement est un charlatan.* SYN. escroc, menteur. ☞ charlatanisme.

charlatanisme n.m. Pratique, comportement du charlatan, de l'imposteur : *Le charlatanisme est fréquent dans les sciences occultes.* ☞ charlatan.

charleston n.m. (angl.) Danse d'origine américaine, à la mode vers 1920 : *Elle a préparé un numéro de charleston pour le spectacle de l'école.* **R.** Se prononce à l'anglaise.

charlotte n.f. Dessert composé de fruits ou de crème, qu'on entoure de biscuits : *J'ai appris à préparer de délicieuses charlottes aux fraises.*

charmant, ante adj. Qui a beaucoup de charme, qui séduit : *Ce paysage est tout à fait charmant.* SYN. enchanteur, ravissant. ANT. laid. ☞ charme.

charme n.m. **1.** Attrait exercé par une personne, une chose : *Sa voix a un charme étrange.* **2.** plur. Attraits physiques d'une personne : *Ses charmes sont accentués par sa beauté intérieure.* ⫽ *Être sous le charme :* Subir un enchantement, être séduit. *Faire du charme :* Essayer de plaire par des manières séductrices. *Rompre le charme :* Interrompre une situation agréable, faire cesser l'illusion. ☞ charmant, charmer, charmeur.

charmer v. Séduire, plaire par son charme : *Notre instituteur nous a raconté une histoire qui nous a charmés.* SYN. captiver. ANT. déplaire. ☞ charme.

charmeur, euse n. et adj. **1.** n. Personne qui sait plaire, charmer : *Mon petit frère est un charmeur à qui personne ne résiste.* SYN. séducteur. **2.** adj. Qui séduit, qui charme : *Mon amie me regardait sans rien dire avec son sourire charmeur.* ☞ charme.

charnel, elle adj. Qui a trait à la chair, à l'instinct sexuel : *En amour, l'aspect charnel n'exclut pas l'aspect spirituel.* SYN. physique, sexuel. ANT. spirituel. ☞ chair.

charnier n.m. Lieu où l'on entasse des cadavres: *Dans les camps de concentration, on mettait les cadavres dans des charniers.*

charnière n.f. Assemblage de deux pièces de métal articulées: *Les charnières de cette vieille porte auraient besoin de lubrifiant.* ▲ **charnière** n.f. Bande de papier collant pliée, que l'on utilise pour coller les timbres-poste: *Je n'ai plus de charnières pour les timbres de ma collection.*

charnu, ue adj. **1.** Qui est bien fourni en chair, formé de chair: *Elle m'a donné un petit baiser avec ses lèvres charnues.* SYN. épais. ANT. décharné. **2.** Dont la pulpe est épaisse, en parlant d'un fruit: *Goûte à ces prunes juteuses et charnues.* ☞ chair.

charognard n.m. Autre nom du vautour, oiseau de grande taille: *Le vautour est aussi appelé «charognard», parce qu'il se nourrit de charogne.* ☞ charogne. ◇ vautour.

charogne n.f. Corps d'un animal mort: *L'hyène est un animal qui se nourrit de charogne.* ☞ charognard.

charpente n.f. Assemblage de pièces de bois ou de fer, qui soutient une construction: *Mes parents ont construit la charpente de la future remise.* ☞ charpentier. ▲ **charpente** n.f. Ensemble des os du corps, squelette: *Cette personne a une charpente imposante.*

charpentier n.m. Personne qui fait des travaux de charpente: *Le charpentier fixe solidement les solives.* **R.** L'O.L.F. recommande *charpentière* comme féminin de *charpentier.* ☞ charpente.

charpie n.f. Fils d'étoffe qui servaient anciennement à faire des pansements: *On a remplacé la charpie par le coton, la gaze.* ⁄⁄ *Mettre, réduire en charpie:* Déchiqueter, mettre en petits morceaux.

charretier, ière n. Personne qui conduit une charrette: *Le vieux charretier parlait à son cheval comme à un vieil ami.* **R.** S'écrit avec deux *r* et un seul *t.* ☞ charrette.

charrette n.f. Voiture à deux roues, qui sert au transport des fardeaux: *Nous avons pris place dans la charrette, sur le tas de foin.* **R.** S'écrit avec deux *r* et deux *t.* ☞ charretier.

charrier v. **1.** Transporter au moyen d'une charrette, d'un chariot: *J'ai passé la journée à charrier du bois en prévision des grands froids.* SYN. transporter. **2.** Transporter avec soi, en parlant d'un cours d'eau: *La rivière a charrié des algues sur la plage.* SYN. emporter, entraîner. ▲ **charrier** v.pop. Exagérer, plaisanter: *Tu charries, ce n'est pas arrivé comme cela!*

charrue n.f. Instrument agricole servant à labourer: *La charrue s'est détachée du tracteur.* **R.** N'a pas le sens de *chasse-neige.*

charte n.f. Loi fondamentale, ensemble de principes: *La Charte de la langue française est une loi destinée à protéger le français au Québec.* **R.** Dans un titre de loi, s'écrit avec une majuscule: *la Charte des droits et libertés.*

charter ☞ sect. anglicismes et canadianismes.

chas n.m. Trou d'une aiguille: *La couturière fait passer le fil dans le chas de l'aiguille.* HOM. chat.

chasse n.f. **1.** Action de chasser, de poursuivre les animaux pour les attraper ou les tuer: *Chaque année, notre voisin va à la chasse à l'orignal.* **2.** Terre réservée pour chasser le gibier: *Cette forêt est une chasse gardée.* ☞ chasser. ▲ **chasse** n.f. Poursuite, action de poursuivre: *La police s'est livrée à une chasse à l'homme pour essayer d'arrêter le voleur.* ⁄⁄ *Donner la chasse à:* Poursuivre. *Prendre en chasse:* Poursuivre. ☞ chasser. ▲ **chasse** n.f. Masse d'eau qui s'écoule rapidement pour nettoyer un conduit, dégager un chenal: *N'oublie pas d'actionner la chasse d'eau avant de quitter les toilettes.* **R.** Ne pas confondre avec *châsse.* ☞ chasser.

châsse n.f. Coffre renfermant les reliques ou le corps d'un saint: *Dans cette église, nous avons vu une châsse qui contenait le corps d'un saint.* **R.** Ne pas confondre avec *chasse.* Ne pas oublier l'accent: *â.* ☞ enchâssement, enchâsser.

chasse-neige n.m.invar. **1.** Véhicule servant à déblayer les voies de circulation enneigées: *Le chasse-neige n'est pas encore venu déblayer notre rue.* **2.** Façon de freiner, de ralentir, en skis: *J'ai appris à descendre la pente en chasse-neige.* ☞ chasser.

chasser v. Poursuivre des animaux ou des ennemis pour les attraper ou les tuer: *Le lynx chasse sa proie.* ☞ chasse, chasseur. ▲ **chasser** v. **1.** Faire partir: *Je me suis appliqué un produit pour chasser les moustiques.* SYN. déloger, expulser. ANT. accueillir, admettre. **2.** Faire disparaître, disperser: *Le vent chasse les nuages, le beau temps va revenir.* ☞ chasse, chasse-neige.

chasseur n.m. Avion de combat: *Les chasseurs ont bombardé le navire.* ☞ chasser.

chasseur, euse n. Personne qui chasse, qui poursuit le gibier: *C'est un chasseur au tir rapide et précis.* **R.** Le féminin *chasseresse* appartient à la langue poétique. ☞ chasser.

châssis n.m. **1.** Encadrement, armature d'une fenêtre, d'une porte, etc. : *Le châssis de la fenêtre est en bois traité.* **2.** Charpente de machines, de véhicules : *Le châssis de la voiture est ce qui supporte la carrosserie.* **R.** Ne pas employer « châssis » à la place de *fenêtre*. Ne pas oublier l'accent : *â*.

chaste adj. **1.** Qui fait preuve de décence, de pudeur ; conforme à la chasteté : *Il lui donna un chaste baiser.* SYN. pudique, pur. ANT. débauché, impur, indécent. **2.** Qui s'abstient des plaisirs sexuels pour se conformer à une morale ou pour suivre un idéal : *Joseph fut le chaste époux de Marie.* ☞ chastement, chasteté.

chastement adv. D'une manière chaste, conforme à la pudeur : *Elle l'embrassa chastement.* ☞ chaste.

chasteté n.f. Fait de s'abstenir des plaisirs sexuels pour se conformer à une morale ou pour suivre un idéal : *Ma sœur qui est novice prononcera bientôt ses vœux de chasteté.* SYN. continence, virginité. ANT. impureté, luxure. ☞ chaste.

chasuble n.f. **1.** Vêtement en forme de manteau sans manches à deux pans, que le prêtre porte pour célébrer la messe : *Aujourd'hui, les prêtres disent parfois la messe sans revêtir la chasuble.* **2.** Robe à encolure dégagée, sans manches, qui se porte par-dessus un corsage ou un tricot : *J'ai mis une chasuble pour être plus à l'aise.*

chat n.m. Petit mammifère carnivore, de la famille des félidés, au pelage soyeux, aux oreilles triangulaires, au museau court et arrondi, dont la femelle est la chatte et le petit, le chaton : *Mon chat est un redoutable chasseur de souris.* HOM. chas. ⁄⁄ *Chat sauvage :* Nom donné au guépard, à l'ocelot, au serval et, au Canada, au raton laveur. ☞ chaton, chatonner, chatte.

châtaigne n.f. Fruit du châtaignier, appelé « marron » en cuisine et dans la langue commerciale : *Les écureuils mangent des châtaignes.* **R.** Ne pas oublier l'accent : ch*â*taigne. ☞ châtaigneraie, châtaignier.

châtaigneraie n.f. Lieu planté de châtaigniers : *Elle a visité une châtaigneraie en fleur, au printemps.* **R.** Ne pas oublier l'accent : ch*â*taigneraie. ☞ châtaigne.

châtaignier n.m. Arbre qui produit les châtaignes : *Les châtaigniers de l'Ardèche, en France, produisent de très bons fruits.* **R.** Ne pas oublier l'accent : ch*â*taignier. ☞ châtaigne.

châtain, aine adj. **1.** Qui est de couleur brun clair, comme la châtaigne : *Mon frère a les cheveux châtains et les yeux bruns.* **2.** Qui a des cheveux châtains : *Ma sœur n'est pas vraiment blonde, elle est plutôt châtaine.* **R.** Est invariable lorsqu'il fait partie d'un adjectif composé. Ne pas oublier l'accent : ch*â*tain.

château, eaux n.m. **1.** Au Moyen Âge, demeure fortifiée : *Les châteaux du Moyen Âge étaient des châteaux forts.* **2.** Grande demeure de luxe, à la campagne : *Il y a un beau château au milieu du vignoble.* SYN. manoir. ANT. cabane. ⁄⁄ *Château d'eau :* Réservoir à eau vertical. **R.** Ne pas oublier l'accent : ch*â*teau. ☞ châtelain.

chateaubriand n.m. Tranche épaisse de filet de bœuf grillé : *Je prendrais un chateaubriand bien cuit, avec des frites.* **R.** Aussi, *châteaubriant*.

châtelain, aine n. Personne qui habite un château : *La châtelaine du vignoble où nous avons travaillé aux vendanges nous a fait visiter son château.* **R.** Ne pas oublier l'accent : ch*â*telain. ☞ château.

chat-huant n.m. Oiseau rapace qui veille, chasse pendant la nuit : *J'ai entendu, cette nuit, le cri du chat-huant.* **R.** Au pluriel, *chats-huants*.

châtier v.litt. Donner une punition pour corriger : *La traîtresse sera châtiée comme elle le mérite.* SYN. punir. ANT. récompenser. **R.** Ne pas oublier l'accent : *â*. ☞ châtiment.

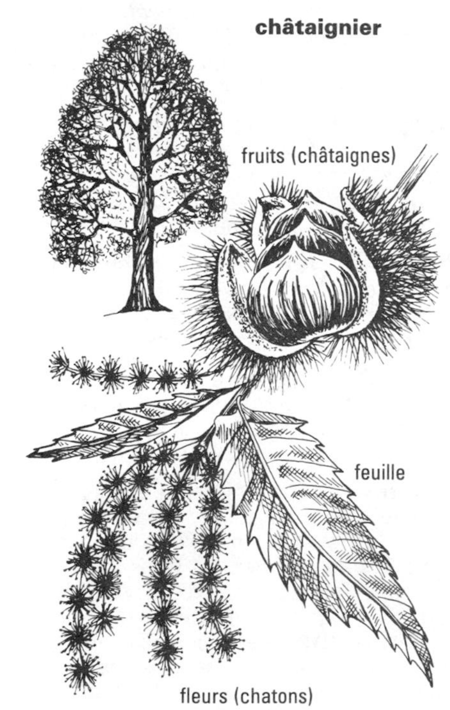

châtiment n.m. Punition sévère: *Il n'existe pas de châtiment assez grand pour un tel crime.* SYN. peine, supplice. ANT. récompense. **R.** Ne pas oublier l'accent: *â.* ☞ châtier.

chatoiement n.m. Reflet changeant d'une pierre, d'une étoffe, etc.: *Regardez le chatoiement splendide de ce diamant.* **R.** Le *e* de la deuxième syllabe ne se prononce pas. ☞ chatoyer.

chaton n.m. Petit du chat et de la chatte: *Notre chatte a eu trois chatons blancs et deux chatons noirs.* ☞ chat. ▲ **chaton** n.m. **1.** Pousse de certains arbres, souvent allongée comme la queue d'un chat: *Chaque printemps, je cueille des chatons de saule pour mon père.* **2.** Petits amas de poussière, d'aspect laineux: *Je dois passer l'aspirateur, il y a des chatons sous le lit.* ▲ **chaton** n.m. Partie d'une bague où est enchâssée une pierre précieuse ou une perle: *J'ai endommagé le chaton de ma bague et l'émeraude est tombée.*

chatonner v. Mettre bas, avoir un petit, en parlant d'une chatte: *Notre chatte a chatonné cette nuit.* ☞ chat.

chatouille n.f.fam. Toucher léger et répété qui fait généralement rire: *Pour le mettre de bonne humeur, je lui fais des chatouilles sous les pieds.* SYN. chatouillement. ☞ chatouiller.

chatouillement n.m. **1.** Action de chatouiller, sensation qui en est le résultat: *Arrête tes chatouillements, tu la fais trop rire.* SYN. chatouille. **2.** Léger picotement à certains endroits du corps: *Je sens un chatouillement dans les doigts.* ☞ chatouiller.

chatouiller v. Exciter par des touchers légers et répétés qui font rire ou tressaillir: *Mon petit frère rit aux éclats quand je le chatouille sur le ventre.* ANT. calmer. ☞ chatouille, chatouillement, chatouilleux.

chatouilleux, euse adj. **1.** Qui est sensible au chatouillement: *Mon père est très chatouilleux sous les pieds, et ma mère en profite.* SYN. sensible. **2.** fig. Qui se fâche facilement: *Il ne faut pas plaisanter sur son embonpoint, il est très chatouilleux sur ce sujet.* SYN. irritable, susceptible. ANT. paisible. ☞ chatouiller.

chatoyant, ante adj. Qui a des reflets changeants: *Ce shampooing rend mes cheveux chatoyants.* ☞ chatoyer.

chatoyer v. Changer de couleur, avoir des reflets changeants selon l'angle de la lumière: *La cantatrice portait une robe de velours qui chatoyait admirablement.* SYN. scintiller. ANT. s'assombrir. ☞ chatoiement, chatoyant.

châtrer v. Priver des organes reproducteurs: *Ma chatte a été châtrée.* **R.** Ne pas oublier l'accent: *â.*

chatte n.f. Femelle du chat: *Ma chatte a plusieurs chatons.* **R.** S'écrit avec deux *t.* ☞ chat.

chatterie n.f. **1.** Friandise délicate: *Ces petits gâteaux sont de vraies chatteries, quel délice!* SYN. gâterie. **2.** Caresse, câlinerie: *Il me fait des chatteries pour que je ne le punisse pas de sa désobéissance.* SYN. cajolerie. ANT. dureté, rudesse. ☞ chat.

chaud n.m. Chaleur: *Après le bain, tu iras te mettre au chaud près du foyer.* ANT. froid. HOM. chaux. ⁄⁄ *Avoir chaud:* Avoir une sensation de chaleur. *Il fait chaud:* Le temps est chaud. *Rester au chaud:* Rester à la chaleur.

chaud, chaude adj. **1.** Qui est d'une température supérieure à celle du corps: *Elle est arrivée de la boulangerie avec du pain encore chaud.* ANT. froid. **2.** Qui garde la chaleur: *N'oubliez pas de vous apporter des vêtements chauds.* **3.** Qui a de l'ardeur, de la passion: *C'est une chaude partisane des Nordiques.* SYN. ardent, enthousiaste. ANT. calme, indifférent. **4.** Qui est marqué par de l'animation, et même de la violence: *La discussion a été chaude, elle est partie en claquant la porte.* SYN. animé, vif. HOM. chaux. ☞ chaleur, chaleureusement, chaleureux, chaudement, chaudière, échauder.

chaudement adv. **1.** De façon à garder la chaleur: *Le mercure indique −20 °C, il faudra s'habiller chaudement.* **2.** Avec chaleur, enthousiasme: *Nous avons chaudement applaudi notre championne de natation.* SYN. chaleureusement. ANT. froidement. ☞ chaud.

chaudière n.f. **1.** Appareil qui sert à chauffer l'eau dans une installation de chauffage central: *Ce grand immeuble est équipé d'un système de chauffage central qui comprend plus d'une chaudière.* **2.** vx Grand récipient métallique utilisé pour faire chauffer, cuire ou bouillir: *Autrefois, on faisait bouillir l'eau dans les chaudières.* ☞ chaud.

chaudron n.m. Récipient métallique profond muni d'une anse mobile et servant à la cuisson des aliments: *Un chaudron est très utile pour cuire des épis de maïs.* **R.** Ne pas employer à la place de *casserole* (récipient plus petit muni d'un manche et parfois d'un couvercle). ☞ chaudronnée.

chaudronnée n.f. Contenu d'un chaudron: *Pour le réveillon de Noël, nous préparerons une chaudronnée de ragoût de boulettes.* ☞ chaudron.

chauffage n.m. **1.** Action de chauffer, de produire de la chaleur: *La maison est bien* *isolée et ne coûte pas cher de chauffage.* ANT. réfrigération. **2.** Installation servant à donner de la chaleur: *Cette maison renferme un chauffage central à air chaud.* ☞ chauffer.

chauffant, ante adj. Qui chauffe, qui produit de la chaleur: *Si on n'y prend garde, une plaque chauffante peut causer des brûlures.* ☞ chauffer.

chauffard n.m. Mauvais conducteur: *La police a arrêté un chauffard en fuite.* ☞ chauffeur.

chauffe-biberon n.m. Appareil électrique servant à chauffer les biberons: *À défaut de chauffe-biberon, j'ai pris un bol rempli d'eau chaude.* **R.** Au pluriel, *chauffe-biberons*. ☞ chauffer.

chauffe-eau n.m.invar. Appareil qui produit de l'eau chaude: *Ce chauffe-eau répond efficacement à nos besoins en eau chaude.* ☞ chauffer.

chauffer v. **1.** Rendre chaud: *Il serait temps de chauffer la soupe pour le dîner.* SYN. réchauffer. ANT. refroidir. **2.** Produire de la chaleur: *Ce poêle à combustion lente chauffe très bien.* **3.** Donner une sensation de chaleur: *Le froid chauffe les joues des patineurs.* **R.** N'a pas le sens de *conduire* (un véhicule). ☞ chauffage, chauffant, chauffe-biberon, chauffe-eau, chaufferette, chaufferie, échauffement, échauffer, inchauffable, réchaud, réchauffé, réchauffement, surchauffé, surchauffer. se **chauffer** v.pron. **1.** S'exposer à la chaleur: *Qu'il fait bon se chauffer au soleil du printemps.* **2.** Garder sa maison chaude: *Quand il fait très froid, je me chauffe au bois.*

chaufferette n.f. Petit appareil de chauffage: *Il faudrait installer une chaufferette électrique dans la véranda.* ☞ chauffer.

chaufferie n.f. Local d'un immeuble, d'une usine, d'un navire, où sont installées les chaudières: *La concierge nous a fait visiter la chaufferie de l'école.* ☞ chauffer.

chauffeur n.m. **1.** Personne qui a pour métier de conduire un véhicule: *Le chauffeur d'autobus m'a indiqué l'endroit où je devais descendre.* SYN. conducteur. **2.** Personne qui conduit une automobile: *Les bons chauffeurs font preuve de courtoisie sur la route.* SYN. automobiliste. **R.** L'O.L.F. recommande *chauffeuse* comme féminin de *chauffeur*. ☞ chauffard.

chaume n.m. **1.** Tige des plantes céréalières, qui reste sur pied après la moisson: *Nous marchions sans chaussures dans les chaumes qui nous piquaient les pieds.* **2.** Paille dont on se sert pour recouvrir le toit des maisons: *Autrefois, beaucoup de maisons avaient des toits de chaume.* ☞ chaumière, déchaumage, déchaumer, déchaumeuse.

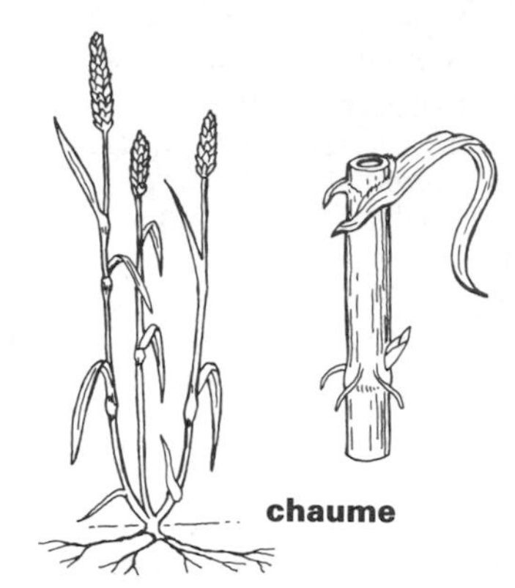
chaume

chaumière n.f. Petite maison à toiture de chaume: *Nous avons trouvé une chaumière abandonnée qui nous a servi de repaire.* ☞ chaume.

chaumière

chaussée n.f. Partie de la route utilisée pour la circulation des véhicules: *La pluie a rendu la chaussée glissante.* HOM. chausser.

chausse-pied n.m. Objet servant à faciliter l'entrée du pied dans une chaussure: *Un chausse-pied me serait utile pour chausser ces grosses bottines.* **R.** Au pluriel, *chausse-pieds*. ☞ chausser.

chausser v. **1.** Mettre des chaussures: *Luc a mis son imperméable, a chaussé ses bottes et est sorti.* ANT. déchausser. **2.** Fixer à ses pieds: *Elle a chaussé ses raquettes et est allée se promener dans le bois.* **3.** Garnir de pneus: *Il est important de bien chausser sa voiture pour la neige.* HOM. chaussée. ☞ chausse-pied, chaussette, chausson, chaussure, déchausser, rechausser. se **chausser** v.pron. Mettre des chaussures à ses pieds: *Tu t'es chaussé du mauvais pied.*

chausse-trappe n.f. **1.** Trou recouvert, dissimulant un piège: *On peut prendre des bêtes sauvages dans des chausse-trappes.* **2.** fig. Piège, ruse que l'on emploie pour tromper quelqu'un: *Faites bien attention, cette dictée* *est pleine de chausse-trappes.* **R.** Aussi, *chausse-trape*. Au pluriel, *chausse-trappes* ou *chausse-trapes*.

chaussette n.f. Vêtement en tricot qui enveloppe le pied et la cheville: *J'ai mis des chaussettes de laine pour aller patiner.* **R.** Ne pas confondre avec *bas*. ☞ chausser.

chausson n.m. Chaussure d'intérieur, souple, légère et chaude: *Nous avons écouté la télévision en pyjama et en chaussons.* SYN. pantoufle. ☞ chausser. ▲ **chausson** n.m. Pâtisserie triangulaire à pâte feuilletée, renfermant une garniture aux fruits: *J'ai dîné d'un croissant au fromage et d'un chausson aux pommes.*

chaussure n.f. Partie du vêtement qui sert à habiller, à protéger et à soutenir le pied et qui entre en contact avec le sol: *Marie-Lou apporte ses chaussures de sport pour le cours d'éducation physique.* SYN. soulier. ☞ chausser.

chauve adj. Qui n'a plus ou presque plus de cheveux: *Mon père est devenu chauve à quarante-cinq ans.* ANT. chevelu.

chauve-souris n.f. Petit mammifère ailé qui ressemble à la souris par son corps: *Hier soir, une chauve-souris est entrée par la fenêtre et a semé la panique dans la maison.* **R.** Au pluriel, *chauves-souris*.

chauvin, ine n. et adj. **1.** n. Personne qui a une admiration exagérée pour son pays: *Ce chauvin ne jure que par son pays et méprise le reste du monde.* **2.** adj. Qui manifeste un patriotisme excessif, a une admiration exagérée pour son pays: *Les journaux chauvins peuvent inciter au racisme.* SYN. fanatique. ANT. impartial. ☞ chauvinisme.

chauvinisme n.m. Patriotisme excessif et exclusif: *Ce mouvement encourage le patriotisme mais non le chauvinisme.* ☞ chauvin.

chaux n.f. Substance blanche extraite des pierres calcaires et qui entre dans la fabrication du ciment et de la craie: *Autrefois, les murs des maisons étaient couramment blanchis à la chaux.* HOM. chaud.

chavirer v. Se renverser, en parlant d'un bateau, d'une embarcation: *Notre canot a chaviré et nous sommes tout trempés.*

cheap ☞ sect. anglicismes et canadianismes.

checker ☞ sect. anglicismes et canadianismes.

check-up ☞ sect. anglicismes et canadianismes.

cheddar n.m. Fromage de lait de vache, à pâte dure, fabriqué à partir d'un procédé d'origine anglaise: *J'ai mis deux tranches de cheddar dans mon sandwich.* **R.** Ne pas dire «du fromage cheddar», mais tout simplement *du cheddar*.

chef n.m. **1.** Personne qui dirige, qui commande: *Il faut obéir au chef de la bande pour en faire partie.* SYN. maître, supérieur. ANT. second, subalterne. **2.** Cuisinier: *Julie est un grand chef.* ⁄⁄ *Chef de famille:* Personne sur qui repose la responsabilité de la famille. *Chef d'orchestre:* Personne qui dirige l'orchestre. *De son propre chef:* De sa propre initiative. *Les chefs d'une accusation:* Les points sur lesquels se fonde une accusation. **R.** L'O.L.F. recommande que le nom *chef* soit aussi employé au féminin. ☞ cheftaine. en **chef** loc.adv. En qualité de chef suprême: *Il faut demander cela au rédacteur en chef.*

chef-d'œuvre n.m. Œuvre parfaite, remarquable: *Ce dessin est un vrai chef-d'œuvre.* **R.** Au pluriel, *chefs-d'œuvre*.

chefferie n.f. Territoire sur lequel s'exerce l'autorité d'un chef de tribu: *En Afrique, la colonisation européenne a graduellement fait disparaître les chefferies.* **R.** N'a pas le sens de *direction d'un parti politique*.

cheftaine n.f. Jeune femme responsable d'un groupe de guides, de scouts: *La cheftaine a organisé une randonnée en canot pour notre groupe.* ☞ chef.

chemin n.m. **1.** Voie, route qui permet de se rendre d'un lieu à un autre: *Nous sommes passées par un chemin de terre qui traverse le bois.* **2.** Trajet à parcourir pour arriver à destination: *Ils ont déjà fait la moitié du chemin.* SYN. parcours. ⁄⁄ *Chemin de croix:* Dans les églises, les quatorze tableaux qui représentent la Passion et la crucifixion de Jésus. *Chemin faisant:* Pendant le trajet. *Passer son chemin:* Ne pas s'arrêter. *Rebrousser chemin:* Revenir sur ses pas. ☞ acheminer, cheminement, cheminer.

chemin de fer n.m. Moyen de transport qui utilise la voie ferrée: *Ce voyage en chemin de fer a duré dix heures.* SYN. train. ☞ cheminot.

cheminée n.f. **1.** Ce qui encadre le foyer d'un âtre: *Papa avait suspendu nos bas de Noël à la cheminée.* **2.** Conduit servant à évacuer la fumée: *La ramoneuse est venue nettoyer notre cheminée.* HOM. cheminer.

cheminement n.m. Action d'avancer lentement, de cheminer: *Elle regardait le cheminement de son escargot sur la vitre de l'aquarium.* ☞ chemin.

cheminer v. Avancer lentement, sans hâte : *Elle cheminait le long du ruisseau en revenant de l'école.* SYN. marcher. HOM. cheminée. ☞ chemin.

cheminot n.m. Employé du chemin de fer : *Une grève des cheminots paralyse le transport ferroviaire.* ☞ chemin de fer.

chemise n.f. Vêtement qui couvre la partie supérieure du corps : *J'ai perdu un bouton à ma chemise.* ⁄⁄ *Chemise de nuit :* Long vêtement de nuit féminin. ☞ chemisette, chemisier. ▲ **chemise** n.f. Couverture cartonnée dans laquelle on range des papiers : *J'ai rangé la chemise verte dans le classeur.*

chemisette n.f. Chemise, blouse ou corsage à manches courtes : *Le vent s'est levé et j'ai froid avec ma chemisette.* ☞ chemise.

chemisier n.m. Blouse de femme, à col, fermée par-devant : *Elle portait une jupe ample et un joli chemisier orné de dentelle.* ☞ chemise.

chemisier, ière n. Personne qui confectionne ou vend des chemises et autres vêtements apparentés : *Pour sa fête, je lui ai acheté une cravate chez la chemisière.* ☞ chemise.

chênaie n.f. Lieu planté de chênes : *Aujourd'hui, il n'y a plus de chênaies au Québec, et les chênes sont devenus rares.* **R.** Ne pas oublier l'accent : chênaie. ☞ chêne.

chenal, aux n.m. Endroit navigable d'un cours d'eau : *La ville a fait aménager un chenal pour rendre la rivière navigable entre les îles.*

chenapan n.m. Garçon malfaisant, vaurien : *Petit chenapan, attends que je t'attrape !*

chêne n.m. Grand arbre à bois dur, qui produit le gland : *Les écureuils sont attirés par les glands des chênes de ce parc.* HOM. chaîne. **R.** Ne pas oublier l'accent : chêne. ☞ chênaie, chêneau.

chêneau, eaux n.m. Jeune chêne : *Notre chêneau a commencé à produire des glands.* **R.** Ne pas oublier l'accent : chêneau. ☞ chêne.

chenet n.m. Chacune des deux pièces métalliques qui supportent les bûches dans une cheminée : *En ajoutant une bûche, je me suis brûlé le doigt sur un chenet.*

chenil n.m. Lieu où l'on garde, où l'on élève des chiens : *Ce dresseur a de beaux chiens de race dans son chenil.* ☞ chien.

chenille n.f. Larve de papillon : *Nous avons trouvé un nid de chenilles dans le pommier.* ▲ **chenille** n.f. Courroie articulée, en acier, dont sont équipés certains véhicules pour leur permettre de se déplacer sur tous les terrains : *Les chenilles du tracteur ont abîmé notre pelouse.* ☞ chenillé, chenillette.

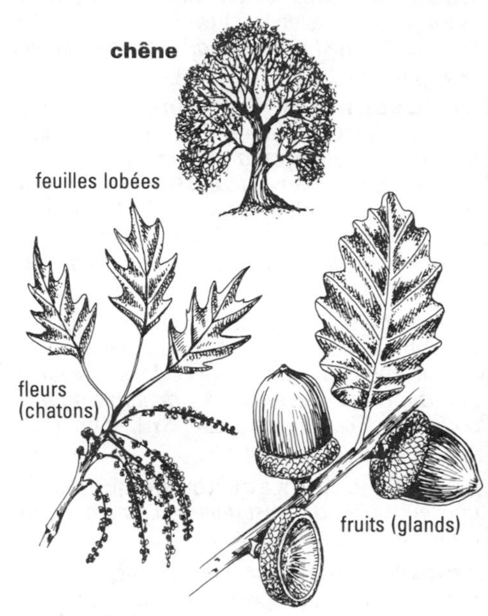

chenillé, ée adj. Qui est muni de chenilles, de courroies en acier : *Regarde les traces, un véhicule chenillé est passé par ici.* ☞ chenille.

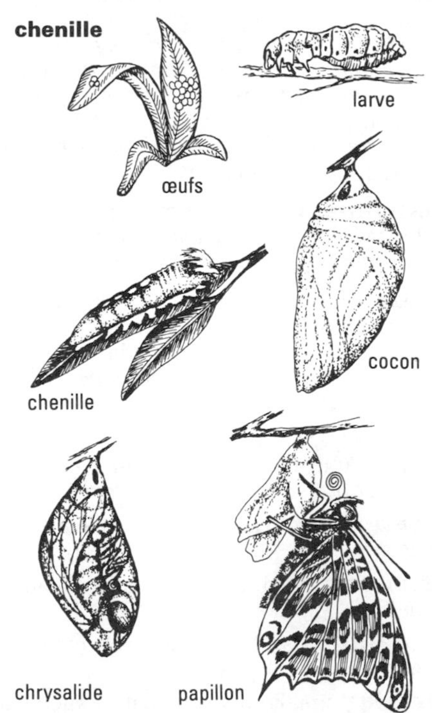

chenillette n.f. Petit véhicule chenillé: *Les chenillettes ont enfin déneigé les trottoirs.* ☞ chenille.

cheptel n.m. Ensemble de bestiaux dans une exploitation agricole: *Cette ferme laitière a un cheptel de plus de cinquante vaches.*

chèque n.m. (angl.) Écrit par lequel on paie à quelqu'un, par l'intermédiaire de la banque, la somme qu'on y inscrit: *J'ai fait un chèque de vingt dollars pour payer mon abonnement à la revue «Biosphère».* ⁄⁄ *Chèque de voyage:* Chèque qu'on peut encaisser dans un autre pays. *Chèque sans provision:* Chèque pour lequel le compte en banque ne contient pas d'argent. ☞ chéquier.

chéquier n.m. Carnet de chèques: *Il ne me reste plus de chèques dans mon chéquier.* ☞ chèque.

chèque chéquier

cher, ère adj. Qui est aimé: *Mes chères amies, j'ai une bonne nouvelle à vous apprendre.* ANT. détestable. ☞ chèrement, chéri, chérir. ▲ **cher, ère** adj. Qui coûte beaucoup d'argent: *Cette bicyclette est trop chère.* SYN. coûteux, onéreux. ANT. modique. HOM. chair, chaire, chère. ☞ chèrement, cherté, renchérir, renchérissement.

cher adv. À un prix élevé: *Fais attention à mes patins, ils coûtent cher.* HOM. chair, chaire, chère.

chercher v. **1.** Essayer de trouver, de découvrir, de retrouver: *Je cherche la solution de ce problème.* **2.** Aller prendre pour rapporter: *Je suis allé chercher de l'eau pour ceux qui ont soif.* **3.** S'efforcer: *Je cherche à comprendre ce qu'elle a voulu dire.* SYN. tâcher, tenter. ☞ chercheur, rechercher.

chercheur, euse n. **1.** Personne qui fait des recherches scientifiques: *Ces chercheuses ont découvert une nouvelle méthode de lutte contre les insectes dévastateurs.* SYN. savant, scientifique. **2.** Personne qui cherche: *Des chercheurs de trésor ont fouillé cette vieille épave.* ☞ chercher.

chère n.f. Nourriture: *Viviane aime la bonne chère.* HOM. chair, chaire, cher. ⁄⁄ *Faire bonne chère:* Prendre un bon repas, bien manger.

chèrement adv. **1.** D'une manière affectueuse: *Je t'aime chèrement et je ne t'oublierai jamais.* SYN. tendrement. **2.** fig. Au prix de grands efforts, de grands sacrifices: *L'héroïne était décidée à vendre chèrement sa vie.* ☞ cher.

chéri, ie n. et adj. **1.** n. Personne qui est aimée particulièrement: *Tu es le chéri de mon cœur.* SYN. préféré. **2.** adj. Qui est aimé tendrement: *J'ai apporté une surprise à mes parents chéris.* ☞ cher.

chérir v. Aimer beaucoup, avoir de l'affection pour: *Mon oncle décédé chérissait sa femme et ses enfants.* SYN. affectionner, aimer. ANT. détester, haïr. ☞ cher.

cherté n.f. État de ce qui est cher; prix élevé: *La cherté de la vie nous oblige à faire des sacrifices.* ☞ cher.

chérubin n.m. (hébreu) **1.** Ange: *J'aime les images représentant des chérubins.* **2.** fig. Enfant angélique, gracieux: *Ce petit chérubin me regardait de ses yeux doux et purs.* ⁄⁄ *Beau comme un chérubin:* D'une beauté enfantine.

chétif, ive adj. Qui est de faible constitution, en mauvaise santé: *À l'hôpital, nous avons vu des enfants chétifs et pâles.* SYN. rachitique. ANT. fort, robuste.

cheval, aux n.m. Grand mammifère domestique de la famille des équidés, très bien adapté à la course, dont la femelle est la jument et le petit, le poulain: *Un grand cheval blanc tirait la charrette remplie de pommes.* ⁄⁄ *Cheval d'arçons:* Appareil de gymnastique constitué d'une pièce cylindrique reposant horizontalement sur quatre pieds. ☞ chevalin, chevauchée, chevaucher. à **cheval** loc.adv. Sur un cheval: *J'irai à cheval jusqu'au village voisin.*

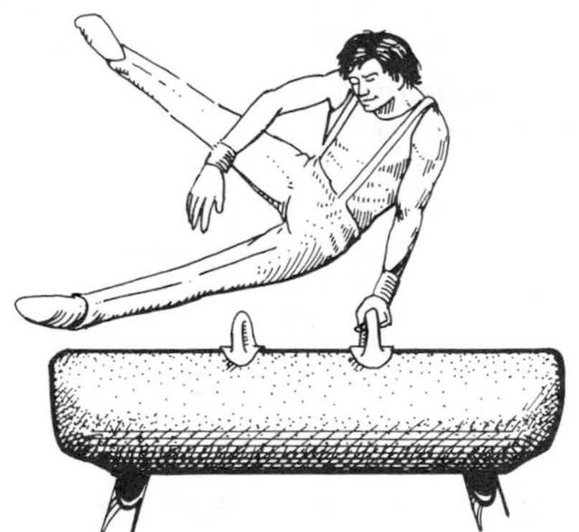

cheval d'arçons

chevaleresque adj. Qui a le caractère d'un chevalier: *Il a des qualités chevaleresques: la bravoure, la générosité et le sens de l'honneur.*

chevalerie n.f. **1.** Au Moyen Âge, classe de guerriers caractérisés par leur foi religieuse, leur idéal de courage et de loyauté: *Les chevaliers voulaient que règne la justice.* **2.** Aujourd'hui, ordre honorifique: *L'Ordre de la*

Légion d'honneur est un ordre de chevalerie. ∥ *Roman de chevalerie:* Œuvre d'imagination qui décrit les exploits des chevaliers. ☞ chevalier.

chevalet n.m. Support qui sert à tenir l'objet sur lequel on travaille: *Le peintre a installé son chevalet face à la mer.*

chevalier n.m. **1.** Au Moyen Âge, noble admis dans l'ordre de la chevalerie: *Les chevaliers s'engageaient par serment à être courageux, loyaux et bons, et à protéger les faibles.* **2.** Aujourd'hui, grade inférieur de certains ordres honorifiques: *Le grand officier a serré la main du chevalier.* ∥ *Chevalier servant:* Homme qui entoure une femme d'hommages pour lui être agréable. ☞ chevalerie.

chevalière n.f. Grosse bague à chaton plat sur lequel sont gravées des initiales: *J'ai fait graver mes initiales sur ma chevalière en or.*

chevalin, ine adj. Qui se rapporte au cheval: *Nous avons acheté de la viande de cheval dans une boucherie chevaline.* ☞ cheval.

cheval-vapeur n.m. Unité de puissance valant 746 watts: *J'ai une automobile de 45 chevaux-vapeur au frein.* **R.** Au pluriel, *chevaux-vapeur.*

chevauchant, ante adj. Qui se recouvre en partie: *Son large sourire dévoilait ses dents chevauchantes.* ☞ chevaucher.

chevauchée n.f. Course à cheval: *Après cette longue chevauchée, les cavalières avaient besoin de se rafraîchir.* SYN. cavalcade, randonnée. HOM. chevaucher. ☞ cheval.

chevauchement n.m. Fait de chevaucher, de se recouvrir partiellement: *Le chevauchement des lettres rend le texte difficile à lire.* ☞ chevaucher.

chevaucher v. **1.** Être à califourchon sur quelque chose: *Les enfants jouaient aux cow-boys en chevauchant des manches à balais.* **2.** vx Aller à cheval: *Le groupe chevauchait à travers la campagne.* ☞ cheval. ▲ **chevaucher** v. Se recouvrir partiellement: *Les parties de l'os fracturé chevauchaient.* SYN. empiéter. HOM. chevauchée. ☞ chevauchant, chevauchement.

chevelu, ue adj. Qui est garni de cheveux: *Des enfants joufflus et chevelus apparurent à la sortie.* ANT. chauve. ☞ cheveu.

chevelure n.f. Ensemble des cheveux: *J'ai la chevelure tout emmêlée à cause du vent.* ☞ cheveu.

chevet n.m. Partie du lit où l'on pose la tête: *Ses oursons de peluche étaient bien disposés au chevet de son lit.* ∥ *Être au chevet de quelqu'un:* Rester auprès de quelqu'un. *Lampe, table de chevet:* Lampe, table, à la tête du lit. *Livre de chevet:* Livre préféré qu'on lit souvent ou avant de s'endormir. ▲ **chevet** n.m. Partie d'une église qui se trouve derrière le chœur: *Des maçons réparaient les murs du chevet de l'église.*

cheveu, eux n.m. Chacun des poils de la tête: *Ma petite sœur a les cheveux roux et bouclés.* **R.** S'emploie surtout au pluriel. ☞ chevelu, chevelure, échevelé.

cheville n.f. Tige de bois destinée à tenir un assemblage ou à boucher un trou: *Pour monter le séchoir de bois, il faut insérer les chevilles dans ces trous.* ▲ **cheville** n.f. Saillie des os de l'articulation du pied; partie située entre le pied et la jambe: *Elle s'est foulé la cheville en faisant du ski.* **R.** Les lettres *ill* se prononcent comme dans *famille.*

chèvre n.f. Mammifère ruminant, aux cornes arquées, au pelage fourni dont le mâle est le bouc et le petit, le chevreau: *On élève les chèvres surtout pour leur lait dont on fait certains fromages.* ☞ chevreau, chevreter, chevrette, chevrier, chevroter.

chevreau, eaux n.m. **1.** Petit du bouc et de la chèvre: *L'instituteur nous a raconté l'histoire de la chèvre et de ses chevreaux.* **2.** Peau de chèvre ou de chevreau qui a été tannée: *J'ai égaré un de mes gants de chevreau.* ☞ chèvre.

chèvrefeuille n.m. Arbrisseau grimpant, à fleurs jaunes parfumées: *Le chèvrefeuille est enfin en fleur.*

chevreter v. Mettre bas, en parlant des chèvres: *Biquette vient de chevreter et elle allaite son chevreau.* **R.** Aussi, *chevretter.* ☞ chèvre.

chevrette n.f. Petite chèvre: *Notre chevrette était en train de brouter ces épinards du jardin.* ☞ chèvre. ▲ **chevrette** n.f. Femelle adulte du chevreuil: *La chevrette protégeait son faon.* ☞ chevreuil.

chèvre chevrette

chevreuil n.m. Mammifère assez petit de la famille des cervidés, à la robe fauve et au ventre blanchâtre, dont la femelle est la chevrette et le petit, le faon: *Le bois du chevreuil comporte rarement plus de deux cors.* ☞ chevrette, chevrotin. ▲ **chevreuil** n.m. Au Canada, cerf de Virginie: *La chasse au chevreuil est populaire au Canada.* SYN. cerf.

chevrier, ière n. Personne qui garde ou mène paître des chèvres: *Ma tante, qui est chevrière, nous a donné du fromage de chèvre.* SYN. berger. ☞ chèvre.

chevron n.m. Poutre qui soutient les lattes d'un toit: *Les maisons de Cadet Rous-*

selle n'avaient ni poutres ni chevrons. ▲ **chevron** n.m. Galon en forme de V qui orne les manches d'un uniforme : *Sur la manche de son uniforme, mon grand-père avait cousu ses chevrons de sergent.* ⁄⁄ *Tissu à chevrons :* Tissu dont le motif décoratif est en zigzag.

chevronné, ée adj. Qui a beaucoup d'expérience : *C'est une décoratrice chevronnée.*

chevrotant, ante adj. Qui chevrote, qui tremblote : *Mon grand-père me racontait ses souvenirs d'une voix chevrotante.* ANT. assuré. ☞ chevroter.

chevrotement n.m. Action de chevroter, tremblement de la voix : *Le chevrotement de ma vieille tante rend ses paroles difficiles à comprendre.* ☞ chevroter.

chevroter v. Bêler, en parlant de la chèvre : *La chèvre s'éloignait du troupeau en chevrotant.* ☞ chèvre. ▲ **chevroter** v. Chanter, parler d'une voix tremblotante : *Lorsqu'il est nerveux, sa voix chevrote.* ☞ chevrotant, chevrotement.

chevrotin n.m. Petit du chevreuil et de la chevrette : *Le chevrotin et sa mère s'amusaient dans la rivière.* SYN. faon. ☞ chevreuil.

chevrotine n.f. Balle ronde, gros plomb pour tirer le chevreuil, le gros gibier : *Le chasseur avait épuisé sa réserve de chevrotines.*

chez prép. **1.** Dans la demeure de : *Aujourd'hui je dîne chez mon amie et demain elle dînera chez moi.* **2.** Dans le pays de : *Les journaux nous informent de ce qui se passe chez les Américains.* **3.** En la personne de, dans l'esprit de : *Il n'y a aucune malice chez lui.* **4.** Dans le bureau, l'établissement de : *J'ai acheté des croissants chez le boulanger.* ⁄⁄ *Faites comme chez vous :* Soyez à l'aise, ne vous gênez pas.

chez-moi n.m.invar. L'endroit où l'on habite, le domicile personnel : *Il faudra que vous veniez visiter mon nouveau chez-moi.*

chez-soi n.m.invar. L'endroit où l'on habite, le domicile personnel : *On se repose bien dans son chez-soi.*

chialer v.pop. Pleurer : *Il a chialé comme ça toute la journée.* ANT. rire. ☞ chialeur.

chialeur, euse n. et adj.fam. **1.** n. Personne qui chiale, qui pleure facilement : *Elle m'a traité de chialeur.* **2.** adj. Qui chiale : *Ma petite sœur est très chialeuse.* ☞ chialer.

chic n.m. et adj.invar. **1.** n.m. Élégance désinvolte : *Il a beaucoup de chic avec son nouveau costume.* SYN. distinction, grâce. ANT. vulgarité. **2.** adj.invar. Qui est élégant, distingué : *Elle a mis une robe très chic pour aller à la fête.* SYN. beau. ANT. inélégant, moche. **3.** adj.invar. Qui est sympathique, gentil : *Tu es vraiment une chic fille.* SYN. aimable. ANT. antipathique, insupportable. HOM. chique.

chicane n.f. Querelle sur des détails où chacun fait preuve de mauvaise volonté : *Les chicanes entre voisins sont toujours déplaisantes.* SYN. dispute. ANT. accord, entente, harmonie. ⁄⁄ *Chercher chicane à quelqu'un :* Vouloir se quereller avec quelqu'un pour des riens. ☞ chicaner, chicaneur, chicanier.

chicaner v. **1.** Chercher querelle sans bonne raison : *Tu chicanes sur des bagatelles.* SYN. disputer. ANT. accepter. **2.** Chercher querelle à : *Je ne te chicane pas pour ton erreur, je te fais simplement une remarque.* ☞ chicane. se **chicaner** v.pron.fam. Se disputer pour des riens : *Le frère et la sœur de Claudine se chicanent continuellement.* SYN. se chamailler. ANT. s'entendre.

chicaneur, euse n. et adj. **1.** n. Personne qui aime à chicaner, à chercher querelle : *Il est difficile de s'entendre avec une chicaneuse comme toi.* SYN. chicanier. **2.** adj. Qui chicane, qui cherche querelle : *Ce garçon chicaneur n'a pas beaucoup d'amis.* SYN. chicanier. ANT. conciliant. ☞ chicane.

chicanier, ière n. et adj. **1.** n. Personne qui chicane sur la moindre chose : *Quand ma mère est fatiguée, elle est une vraie chicanière.* SYN. chicaneur. **2.** adj. Qui chicane sur la moindre chose : *Mon cousin est très chicanier.* SYN. chicaneur. ☞ chicane.

chiche adj. **1.** Qui n'aime pas dépenser ce qu'il faudrait partager : *Tu as presque tout gardé pour toi, comme tu es chiche!* SYN. avare. ANT. généreux. **2.** Qui est peu abondant, insignifiant : *Les sauveteurs ont eu une chiche récompense.* ☞ chichement.

chiche! interj.fam. Exclamation marquant le défi : *Chiche que j'en suis capable!* ⁄⁄ *Être chiche de :* Être capable de ; oser.

chiche-kebab n.m. (turc) Brochette de mouton ou d'agneau, à la façon orientale : *J'ai mangé un délicieux chiche-kebab au restaurant.* **R.** Au pluriel, *chiches-kebabs*.

chichement adv. D'une manière chiche, comme un avare : *Il nous a chichement servi quelques biscuits et de l'eau.* ☞ chiche.

chichi n.m. Manière qui manque de simplicité : *Ne fais pas tant de chichis, nous sommes entre amis.* SYN. cérémonie.

chicorée n.f. Plante potagère dont on mange les feuilles en salade : *J'ai préparé une salade de chicorée dont tu raffoleras.*

chicot n.m. **1.** Reste d'une branche ou d'un

tronc d'arbre brisé ou coupé: *L'ouragan a décimé la forêt, ne laissant que des chicots.* SYN. moignon. **2.** fam. Morceau qui reste d'une dent cariée ou brisée: *Le dentiste lui a extrait le chicot de sa molaire.* SYN. fragment.

chicoter v. Pousser son cri, en parlant de la souris: *J'ai entendu des souris chicoter dans la remise.*

chien n.m. Mammifère domestique de la famille des canidés, dont la femelle est la chienne et le petit, le chiot: *Le chien est un compagnon fidèle.* ☞ chenil, chien-loup, chienne, chiot. ▲ **chien** n.m. Pièce de certaines armes à feu qui guide celle qui permet la détonation: *Le gâchette du fusil tient le chien armé.*

chiendent n.m. Herbe vivace à racines longues et très nuisible aux cultures: *Il faut sarcler le jardin, il est plein de chiendent.* SYN. ivraie.

chien-loup n.m. Sorte de chien qui ressemble au loup: *Le berger allemand est aussi appelé «chien-loup».* **R.** Au pluriel, *chiens-loups*. ☞ chien.

chienne n.f. Femelle du chien: *La chienne prend soin de ses chiots.* ☞ chien.

chiffon n.m. **1.** Morceau de vieille étoffe souvent employé pour laver, essuyer, frotter, nettoyer: *J'ai nettoyé la table avec le chiffon.* SYN. guenille. **2.** Vêtements froissés: *Les vêtements qui traînent sur mon lit sont de vrais chiffons.* **3.** plur.fam. Vêtements féminins; objets de parure: *Chaque fois qu'elles se rencontraient, elles parlaient chiffons.* ☞ chiffonnier.

chiffonné, ée adj. Qui est froissé, fripé: *Il a repassé sa chemise chiffonnée.* HOM. chiffonner. ⁄⁄ *Figure chiffonnée:* Aux traits fatigués ou un peu irréguliers. ☞ chiffonner.

chiffonner v. Froisser, friper: *Il a chiffonné une feuille de papier et l'a lancée au panier.* ANT. défroisser, repasser. ☞ chiffonné, déchiffonner. ▲ **chiffonner** v. Chagriner, intriguer, préoccuper: *Cela me chiffonne d'être sans nouvelles de ma sœur.* HOM. chiffonné.

chiffonnier n.m. Petit meuble étroit à tiroirs superposés: *Ses vêtements étaient toujours bien rangés dans son chiffonnier.* SYN. commode.

chiffonnier, ière n. Personne qui récupère les vêtements pour les revendre ou les distribuer aux pauvres: *J'ai acheté ce veston chez le chiffonnier du coin.* ☞ chiffon.

chiffre n.m. **1.** Chacun des caractères qui représentent les nombres: *Le nombre 432 est composé de trois chiffres.* **2.** Montant ou total représenté par les chiffres: *Le nombre des victimes du séisme atteint le chiffre de 650.* ⁄⁄ *Chiffre d'affaires:* Total des ventes annuelles d'une entreprise. ☞ chiffrer. ▲ **chiffre** n.m. Code secret: *Si tu connais le chiffre, tu pourras lire ce message.* ☞ chiffrer, déchiffrable, déchiffrement, déchiffrer, indéchiffrable.

chiffrer v. **1.** Noter à l'aide de chiffres: *Il ne lui restait qu'à chiffrer les pages de son livre.* SYN. numéroter. **2.** Évaluer en chiffres: *Elle a chiffré son revenu à deux mille dollars par mois.* SYN. estimer. **3.** S'additionner, atteindre un prix élevé: *Nos dépenses commencent à chiffrer.* **4.** Transcrire un message en langage chiffré, en code: *Elle a pris la précaution de chiffrer son message.* ANT. déchiffrer. ☞ chiffre.

chignon n.m. Coiffure féminine, masse de cheveux rassemblés et torsadés sur le sommet de la tête ou sur la nuque: *Elle s'est fait un chignon pour avoir moins chaud.*

chilien, ienne n. et adj. **1.** n. Personne qui est du Chili: *Un Chilien, une Chilienne.* **2.** adj. Qui est du Chili: *J'ai appris une chanson du folklore chilien.* **R.** On met la majuscule à *chilien* et à *chilienne* lorsqu'il s'agit du nom.

chimère n.f. Monstre mythologique à tête de lion et à queue de dragon crachant des flammes: *Le héros avait réussi à vaincre la chimère.* ▲ **chimère** n.f. Idée fantaisiste, rêve irréalisable: *Tu prends tes chimères pour des réalités.* SYN. illusion, rêve, utopie. ANT. réalité. ☞ chimérique.

chimérique adj. Qui ne peut exister qu'en imagination, qui est impossible à réaliser: *Ne sois pas surpris de ton échec, ton projet était chimérique.* SYN. invraisemblable, irréalisable. ANT. réalisable, réel. ☞ chimère.

chimère chimérique

chiffonnier

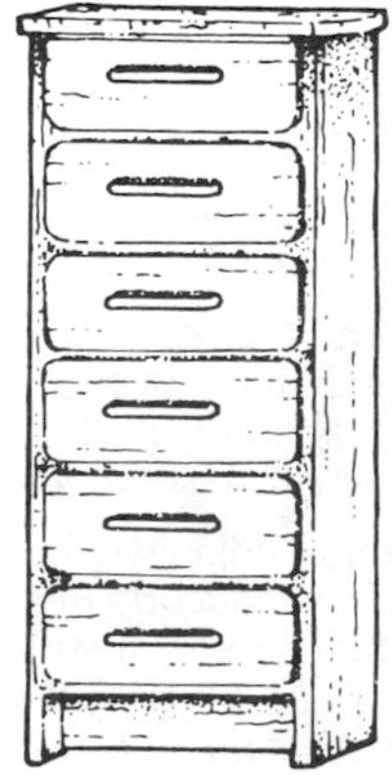

chimie n.f. Science qui étudie les propriétés des corps, leur composition, leurs transformations et leurs combinaisons: *La chimie végétale passionne cette étudiante.* ☞ chimique, chimiquement, chimiste.

chimiothérapie n.f. Traitement par des substances chimiques: *Son cancer a été guéri par la chimiothérapie.*

chimique adj. Qui est relatif à la chimie: *Ces boissons au goût de fruits sont faites avec des produits chimiques.* ☞ chimie.

chimiquement adv. D'après les formules, les procédés de la chimie: *Cette eau est chimiquement pure.* ☞ chimie.

chimiste n. Personne qui s'occupe de chimie, spécialiste de la chimie: *Les chimistes ont créé un nouveau plastique qui résiste à la chaleur.* ☞ chimie.

chimpanzé n.m. (afr.) Grand singe d'Afrique, sociable et s'apprivoisant facilement: *Les chimpanzés du jardin zoologique nous ont fait rire.*

chinchilla n.m. (esp.) Rongeur d'Amérique du Sud dont la fourrure gris perle est de grande valeur: *On élève le chinchilla pour sa fourrure remarquablement douce et légère.* **R.** Les deux *l* se prononcent comme un seul *l*.

chinois, oise n. et adj. **1.** n. Personne qui est de la Chine: *Un Chinois, une Chinoise.* **2.** adj. Qui est de la Chine: *Nous aimons beaucoup la cuisine chinoise.* **R.** On met la majuscule à *chinois* et à *chinoise* lorsque le nom désigne une personne.

chinois n.m. Langue parlée et écrite en Chine: *Le chinois est une langue difficile à apprendre.* ☞ chinoiserie.

chinoiserie n.f. Complication ennuyeuse et inutile: *Je ne comprends pas très bien toutes ces chinoiseries administratives.*

chinook n.m. (amérind.) Vent tiède des montagnes Rocheuses: *Le chinook a apporté du beau temps dans les Prairies.* **R.** Les lettres *oo* se prononcent *ou*.

chiot n.m. Jeune chien: *Les chiots sont de la même portée.* ☞ chien.

chiper v.fam. Voler: *Qui m'a chipé mon étui à crayons?* SYN. dérober.

chipie n.f.fam. Femme, fille désagréable: *Elle est toujours de mauvaise humeur, c'est une vraie chipie.* SYN. harpie.

chips n.f.plur. (angl.) Fines tranches de pommes de terre frites: *Nous avons mangé des chips en regardant le film.* **R.** L'O.L.F. recommande d'employer le mot *croustilles* pour remplacer l'anglicisme «chips».

chique n.f. Morceau de tabac que l'on mâche: *Cette vieille paysanne avait toujours une chique dans la bouche.* ☞ chiquer, chiqueur. ▲ **chique** n.f. Variété de puce des pays tropicaux dont la femelle s'introduit sous la peau: *Les chiques s'installent surtout sur les orteils.* HOM. chic. **R.** Ne pas confondre avec *tique*.

chiquenaude n.f. Petit coup qu'on donne en détendant brusquement un doigt d'abord retenu par le pouce: *Maman me donne parfois des chiquenaudes sur les oreilles pour me taquiner.* SYN. pichenette.

chiquer v. Mâcher du tabac: *Le capitaine se prépare un fort mélange de tabac à chiquer.* ☞ chique.

chiqueur, euse n. Personne qui chique: *Mon grand-père était un chiqueur impénitent.* ☞ chique.

chiromancie n.f. Art d'interpréter les lignes de la main pour décrire le caractère ou prédire l'avenir de quelqu'un: *J'ai trouvé un excellent livre expliquant la chiromancie.* **R.** Les lettres *ch* se prononcent *k*. ☞ chiromancien.

chiromancien, ienne n. Personne qui pratique la chiromancie: *Le chiromancien prédit que je vivrai longtemps.* SYN. voyant. **R.** Les lettres *ch* se prononcent *k*. ☞ chiromancie.

chiropraticien, ienne n. Personne qui pratique la chiropratique; qui soigne par manipulation: *Le chiropraticien a guéri mes maux de dos.* **R.** Les lettres *ch* se prononcent *k*. ☞ chiropratique.

chiropratique n.f. Au Canada, traitement médical par des manipulations sur diverses parties du corps, principalement la colonne vertébrale: *La chiropratique est une médecine qui a fait ses preuves.* **R.** En France, on utilise *chiropraxie* et *chiropractie*. Les lettres *ch* se prononcent *k*. ☞ chiropraticien.

chiroprati**c**ien chiroprati**qu**e

chirurgical, ale, aux adj. Qui appartient à la chirurgie, qui est relatif à la chirurgie: *Elle a subi une opération chirurgicale à la hanche.* ☞ chirurgie.

chirurgie n.f. Partie de la médecine spécialisée dans le traitement par intervention manuelle et instrumentale: *Mon père a été hospitalisé pour une chirurgie au bras.* ☞ chirurgical, chirurgien.

chirurgien n.m. Médecin spécialiste en chirurgie: *Le chirurgien m'a opéré des amyg-*

dales. ⁄⁄ *Chirurgien dentiste:* Praticien spécialisé dans les soins de la bouche et des dents. **R.** L'O.L.F. recommande *chirurgienne* comme féminin de *chirurgien.* ☞ chirurgie.

chiure n.f. Excrément d'insectes: *Les chenilles ont laissé des chiures sur les fleurs.*

chlore n.m. Gaz toxique, jaune verdâtre, d'odeur suffocante: *Le chlore est un puissant désinfectant.* HOM. clore. **R.** Les lettres *ch* se prononcent *k.* ☞ chloré, chlorure.

chloré, ée adj. Qui contient du chlore: *L'eau chlorée de la piscine nous brûlait les yeux.* **R.** Les lettres *ch* se prononcent *k.* ☞ chlore.

chloroforme n.m. Produit liquide utilisé autrefois comme anesthésique: *La malade a été endormie au chloroforme.* **R.** Les lettres *ch* se prononcent *k.* ☞ chloroformer.

chloroformer v. Anesthésier au chloroforme: *Il a fallu chloroformer cette personne pour l'intervention chirurgicale.* SYN. endormir. ANT. réveiller. **R.** Les lettres *ch* se prononcent *k.* ☞ chloroforme.

chlorophylle n.f. Matière colorante verte des plantes: *La lumière est nécessaire à la production de la chlorophylle.* **R.** Les lettres *ch* se prononcent *k.* Les lettres *ph* se prononcent *f.* Les deux *l* se prononcent comme un seul *l.*

chlorure n.m. Nom des composés du chlore: *Le chlorure de sodium, appelé aussi «sel marin», est un composé du chlore et du sodium.* **R.** Les lettres *ch* se prononcent *k.* ☞ chlore.

choc n.m. **1.** Entrée en contact, rencontre entre des corps: *Le choc des voitures a laissé des marques sur la carrosserie.* SYN. coup, heurt, secousse. **2.** Émotion brutale: *Cette triste nouvelle lui a causé un choc.* SYN. bouleversement, commotion. ☞ choquant, choquer, entrechoquement, entrechoquer.

chocolat n.m. **1.** Préparation alimentaire à base de cacao broyé avec du sucre, de la vanille ou d'autres ingrédients: *À Pâques, je lui ai offert un lapin en chocolat.* **2.** Boisson faite de poudre de chocolat ou de cacao qui a été délayée: *Prendras-tu une tasse de chocolat ou du café?* ☞ chocolaté, chocolaterie, chocolatier.

chocolaté, ée adj. Qui est aromatisé au chocolat: *Cette friandise a un petit goût chocolaté.* ☞ chocolat.

chocolaterie n.f. Fabrique ou commerce de chocolat: *Pour ta récompense, nous irons à la chocolaterie.* ☞ chocolat.

chocolatier, ière n. Personne qui fabrique ou vend du chocolat: *Cette chocolatière possède un secret de fabrication.* ☞ chocolat.

chœur n.m. Groupe de chanteurs: *Le chœur a entonné un air tiré d'un opéra de Mozart.* SYN. chorale. **R.** Les lettres *ch* se prononcent *k.* ☞ chorale, choriste. **en chœur** loc.adv. Ensemble, unanimement: *Les jours de pluie, nous nous ennuyons en chœur.* ▲ **chœur** n.m. Partie d'une église où se trouve l'autel: *Les enfants sont entrés dans le chœur pour réciter la prière avec le prêtre.* HOM. cœur. ⁄⁄ *Enfant de chœur:* Enfant qui se tient dans le chœur et qui assiste le célébrant durant la messe.

choir v. **1.** litt. Être entraîné de haut en bas: *Le vent avait fait choir le vase.* SYN. s'effondrer, tomber. **2.** fam. Abandonner, plaquer: *Malgré tes promesses, tu nous as laissé choir.* **R.** S'emploie surtout à l'infinitif.

choisi, ie adj. Qui est sélectionné pour son excellence: *J'ai lu un recueil de textes choisis de la comtesse de Ségur.* ☞ choisir.

choisir v. **1.** Faire un choix, adopter de préférence à autre chose: *Parmi les activités parascolaires, j'ai choisi le ballon sur glace et la danse.* SYN. préférer, sélectionner. ANT. s'abstenir, hésiter. **2.** Se décider, prendre parti: *À cause de la tempête, nous avons choisi de rester.* SYN. opter, trancher. ☞ choisi, choix.

choix n.m. **1.** Action de choisir, de préférer une chose à une autre: *Je pense avoir fait un bon choix en m'inscrivant à ce cours.* SYN. décision. ANT. obligation. **2.** Liberté, possibilité de choisir: *Tu as le choix entre un dessert aux fruits et un morceau de pain d'épices.* **3.** Ensemble de choses parmi lesquelles on peut choisir: *Ce magasin offre un vaste choix de jeux électroniques.* SYN. assortiment, collection, éventail, variété. ⁄⁄ *À son choix:* Comme il lui plaira. *De choix:* De prix, de qualité. ☞ choisir.

choléra n.m. Grave maladie épidémique pouvant être mortelle: *Le choléra se manifeste par des diarrhées, des vomissements et des crampes.* **R.** Les lettres *ch* se prononcent *k.*

cholestérol n.m. Substance grasse contenue dans la plupart des tissus de l'organisme: *Un taux élevé de cholestérol peut provoquer l'artériosclérose.* **R.** Les lettres *ch* se prononcent *k.*

chômage n.m. Arrêt du travail, inactivité forcée due à un manque d'emploi: *Ma mère est en chômage depuis que sa compagnie a fermé ses portes.* SYN. suspension. ANT. activité, occupation, travail. ⁄⁄ *Être au chômage:* Recevoir des indemnités de chômage. *Être en* *chômage:* Chômer. **R.** Ne pas oublier l'accent: *ô.* ☞ chômer.

chômer v. Ne pas avoir de travail, cesser le travail par manque d'ouvrage: *Les travailleurs saisonniers chôment plusieurs mois par année.* ANT. travailler. ⁄⁄ *Fête chômée:* Journée fériée au cours de laquelle on ne travaille pas. **R.** Ne pas oublier l'accent: *ô.* ☞ chômage, chômeur.

chômeur, euse n. Personne qui est involontairement sans travail: *Le nombre des chômeurs est élevé dans certaines régions du Québec.* **R.** Ne pas oublier l'accent: *ô.* ☞ chômer.

chop ☞ sect. anglicismes et canadianismes.

chope n.f. **1.** Grand verre à anse pour boire de la bière: *La table de la brasserie était recouverte de chopes vides.* **2.** Contenu d'une chope: *Il avait l'habitude de boire sa chope d'une seule traite.*

chopine n.f.fam. Bouteille contenant du vin ou du cidre: *Nous boirons quelques chopines à ta santé.*

choquant, ante adj. Qui blesse; qui est désagréable, offensant: *Le professeur n'a pas apprécié ces propos choquants.* SYN. déplacé, grossier. ANT. bienséant. ☞ choc.

choquer v. Heurter, donner un choc plus ou moins violent: *Quand les balles se choquaient, les enfants riaient.* SYN. frapper. ⁄⁄ *Choquer les verres:* Trinquer. ☞ choc. ▲ **choquer** v. Contrarier: *Ça me choque que tu en fasses toujours à ta tête.* SYN. offenser, scandaliser. ANT. charmer, plaire. ☞ choc.

chorale n.f. Groupe de personnes interprétant des œuvres vocales: *Je fais partie de la chorale de l'école.* SYN. chœur. **R.** Les lettres *ch* se prononcent *k.* ☞ chœur.

chorégraphe n. Personne qui compose des ballets, qui en règle les figures et les pas: *La chorégraphe qui a composé ce ballet a beaucoup d'imagination.* **R.** Les lettres *ch* se prononcent *k.* Les lettres *ph* se prononcent *f.* ☞ chorégraphie.

chorégraphie n.f. Art de composer, d'écrire des ballets, des figures de danse: *Cette professeure de ballet a étudié la chorégraphie à Paris.* **R.** Les lettres *ch* se prononcent *k.* Les lettres *ph* se prononcent *f.* ☞ chorégraphe.

choriste n. Personne qui chante dans un chœur: *Au récital de fin d'année, les choristes seront vêtus à la mode d'autrefois.* **R.** Les lettres *ch* se prononcent *k.* ☞ chœur.

chorus n.m. Improvisation de jazz sur un thème donné: *Un chorus de trompette a été le clou du spectacle.* ⁄⁄ *Faire chorus:* Se joindre à d'autres pour dire comme eux; être du même avis. **R.** Les lettres *ch* se prononcent *k.* Le *s* se prononce.

chose n.f. Toute réalité concrète ou abstraite qui n'est pas un être vivant: *Elle a toujours toutes sortes de choses dans les poches de son manteau.* SYN. objet. ⁄⁄ *Aller au fond des choses:* Examiner en profondeur. *Avant toute chose:* En premier lieu. *C'est déjà quelque chose:* C'est mieux que rien. *C'est la moindre des choses:* C'est le minimum, c'est presque rien. *Chaque chose en son temps:* Chaque action doit être accomplie au moment favorable. *Ne pas faire les choses à moitié:* Travailler avec soin.

chou, choux n.m. Plante potagère dont on mange les feuilles: *Le chou de Bruxelles, le chou chinois et le chou rouge sont des variétés de choux.* ⁄⁄ *Chou à la crème:* Pâtisserie légère à la crème fouettée. ☞ chou-fleur.

choucas n.m. Petite corneille vivant en bandes et qu'on rencontre surtout en Europe: *Les choucas aiment construire leurs nids dans les murailles et les clochers.*

chouchou, oute, ous n.fam. Favori: *Lison est la chouchoute de l'instituteur.* SYN. préféré. ☞ chouchouter.

chouchouter v.fam. Dorloter: *Cet enfant aime bien se faire chouchouter.* SYN. gâter. ☞ chouchou.

choucroute n.f. Mets préparé avec des choux finement tranchés et fermentés dans la saumure: *La choucroute a un goût légèrement aigre.* ⁄⁄ *Choucroute garnie:* Choucroute accompagnée de charcuterie et de pommes de terre.

chouette n.f. **1.** Oiseau rapace nocturne du genre du hibou: *On entendait la chouette qui chuintait.* **2.** fig. Femme désagréable, méchante: *Il traitait sa voisine de vieille chouette.* SYN. mégère.

chou-fleur n.m. Variété de chou dont on mange les fleurs qui forment une masse blanche: *Le chou-fleur est délicieux cru, en trempette.* **R.** Au pluriel, *choux-fleurs.* ☞ chou.

chow-chow n.m. (angl.) Chien de petite taille à pelage épais et soyeux: *Le chow-chow est originaire de Chine.* HOM. chouchou **R.** Se prononce *chou-chou* ou *chaw-chaw.* Au pluriel, *chows-chows.*

choyer v. Traiter avec douceur et affection: *Notre institutrice aime choyer ses élèves.* SYN. cajoler, gâter. ANT. rudoyer.

chrême n.m. Huile bénite employée dans

certains sacrements: *Lors du baptême, le prêtre oint le front de l'enfant avec le saint chrême.* HOM. crème. **R.** Les lettres *ch* se prononcent *k*. Ne pas oublier l'accent: *ê*.

chrétien, ienne n. et adj. **1.** n. Personne qui est de religion chrétienne, qui professe la foi en Jésus-Christ: *Pour les chrétiens, Jésus-Christ est le Fils de Dieu.* ANT. athée, infidèle. **2.** adj. Qui est de religion chrétienne; qui est relatif au christianisme: *Sa mère, qui est chrétienne, lui a enseigné la morale chrétienne.* ANT. païen. **R.** Les lettres *ch* se prononcent *k*. ☞ chrétiennement, chrétienté, christianiser, christianisme, déchristianisation, déchristianiser.

chrétiennement adv. D'une manière chrétienne: *L'Évangile enseigne ce qu'il faut faire pour vivre chrétiennement.* **R.** Les lettres *ch* se prononcent *k*. ☞ chrétien.

chrétienté n.f. Ensemble des peuples, des pays chrétiens: *Le Canada fait partie de la chrétienté.* **R.** Les lettres *ch* se prononcent *k*. ☞ chrétien.

christ n.m. **1.** Nom donné à Jésus: *Le Christ est le modèle des chrétiens.* **2.** Représentation de Jésus sur la croix: *Ce magasin d'objets de piété a de très beaux christs en ébène.* SYN. crucifix. **R.** Les lettres *ch* se prononcent *k*. S'écrit avec une majuscule lorsqu'il désigne la personne de Jésus.

christianiser v. Rendre chrétien: *On envoie des missionnaires pour christianiser les peuplades païennes.* SYN. évangéliser. **R.** Les lettres *ch* se prononcent *k*. ☞ chrétien.

christianisme n.m. Religion fondée sur l'enseignement, la personne et la vie de Jésus-Christ: *Le christianisme s'est répandu d'abord dans les pays d'Europe et du Moyen-Orient.* ANT. athéisme, paganisme. **R.** Les lettres *ch* se prononcent *k*. ☞ chrétien.

chrome n.m. Métal gris, brillant, inoxydable et très dur: *Le guidon de ma bicyclette est recouvert de chrome.* **R.** Les lettres *ch* se prononcent *k*. ☞ chromer.

chromer v. Recouvrir de chrome: *Les pare-chocs de la voiture ont été soigneusement chromés.* **R.** Les lettres *ch* se prononcent *k*. ☞ chrome.

chromosome n.m. Élément du noyau de la cellule, de forme déterminée et en nombre constant: *Les chromosomes sont porteurs des facteurs déterminant l'hérédité.* **R.** Les lettres *ch* se prononcent *k*.

chronique n.f. **1.** Recueil de faits historiques rapportés dans l'ordre de leur succession: *Il rédige une chronique du Québec, de 1837 à nos jours.* SYN. récit. **2.** Partie d'un journal consacrée à l'actualité dans un sujet particulier: *La chronique musicale est à la page vingt-quatre.* SYN. article. **R.** Les lettres *ch* se prononcent *k*. ☞ chroniqueur.

chronique adj. **1.** Se dit de maladies qui se développent lentement et qui se prolongent: *La bronchite de ma petite sœur est passée à l'état chronique.* ANT. aigu. **2.** Qui dure, qui persiste, en parlant d'une chose nuisible: *Il est difficile de trouver un emploi en période de chômage chronique.* SYN. persistant. ANT. éphémère. **R.** Les lettres *ch* se prononcent *k*. ☞ chroniquement.

chroniquement adv. D'une manière chronique, en se reproduisant régulièrement: *Quand elle est nerveuse, ses yeux clignent chroniquement.* **R.** Les lettres *ch* se prononcent *k*. ☞ chronique (adj.).

chroniqueur n.m. **1.** Journaliste qui rédige une chronique: *Le chroniqueur sportif a fait un bon compte rendu du match d'hier.* SYN. rédacteur. **2.** Auteur de chroniques historiques: *Il faut lire les grands chroniqueurs du Moyen Âge.* **R.** Les lettres *ch* se prononcent *k*. L'O.L.F. recommande *chroniqueuse* comme féminin de *chroniqueur*. ☞ chronique (n.f.).

chronologie n.f. **1.** Science de la fixation des dates des événements historiques: *La chronologie n'a pas encore pu établir avec certitude l'âge des pyramides d'Égypte.* **2.** Ordre dans lequel les événements se sont succédé dans le temps: *Cette ligne du temps illustre la chronologie des événements depuis la conquête anglaise.* **R.** Les lettres *ch* se prononcent *k*. ☞ chronologique, chronologiquement.

chronologique adj. Qui est relatif à la chronologie: *En racontant cette histoire, tu n'as pas respecté l'ordre chronologique des faits.* **R.** Les lettres *ch* se prononcent *k*. ☞ chronologie.

chronologiquement adv. D'une manière qui respecte l'ordre chronologique: *Ce livre analyse chronologiquement les œuvres de Marielle Ferron.* **R.** Les lettres *ch* se prononcent *k*. ☞ chronologie.

chronométrage n.m. Action de mesurer une durée avec précision: *C'est toi qui seras responsable du chronométrage de cette course.* **R.** Les lettres *ch* se prononcent *k*. ☞ chronomètre.

chronomètre n.m. Instrument qui mesure le temps avec précision: *Le chronomètre indique que tu as fait le parcours en 38,6 secondes.* **R.** Les lettres *ch* se prononcent *k*. ☞ chronométrage, chronométrer, chronométreur. (*Voir l'illustration à la page suivante.*)

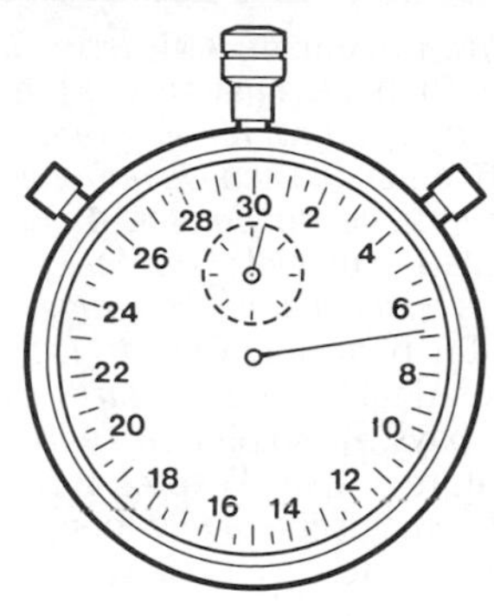

chronomètre

chronométrer v. Mesurer avec précision, à l'aide d'un chronomètre, la durée d'un événement: *Le nageur fait chronométrer ses performances.* **R.** Les lettres *ch* se prononcent *k*. ☞ chronomètre.

chronométreur, euse n. Personne chargée de mesurer la durée d'un événement, de chronométrer: *Notre chronométreuse a beaucoup d'expérience.* **R.** Les lettres *ch* se prononcent *k*. ☞ chronomètre.

chronomètre chronométreur

chrysalide n.f. Stade de la métamorphose d'un papillon: *Avec précaution, elle ramassa la chrysalide enfermée dans son cocon de soie.* SYN. nymphe. **R.** Les lettres *ch* se prononcent *k*.

chrysanthème n.m. Fleur ornementale de la même famille que la marguerite: *Notre voisine cultive de magnifiques chrysanthèmes blancs.* **R.** Les lettres *ch* se prononcent *k*.

chuchotement n.m. Action de chuchoter, de parler à voix basse; bruit de voix qui chuchotent: *Des chuchotements ont attiré l'attention de l'instituteur.* SYN. murmure. ☞ chuchoter.

chuchoter v. **1.** Parler bas, en remuant à peine les lèvres: *Qu'est-ce que vous chuchotiez toutes les deux dans le corridor?* SYN. murmurer. ANT. crier, hurler. **2.** Dire quelque chose à voix basse, parler doucement à l'oreille: *Il m'a chuchoté quelques mots à l'oreille mais je n'ai rien compris.* SYN. souffler. ☞ chuchotement, chuchoterie, chuchoteur.

chuchoterie n.f.fam. Bavardage à voix basse: *Cessez vos chuchoteries et vos manigances, ou je vais me fâcher.* ☞ chuchoter.

chuchoteur, euse n. et adj.fam. **1.** n. Personne qui chuchote, qui aime chuchoter: *J'ai entendu des chuchoteurs cachés dans la haie.* **2.** adj. Qui chuchote, qui aime chuchoter: *Les enfants chuchoteurs déconcentraient les autres.* ☞ chuchoter.

chuintement n.m. **1.** Défaut de la prononciation qui substitue le son «ch» au son «ss»: *Ton frère chuinte, le mien zézaye.* **2.** Bruit, sifflement continu, assourdi: *Assis près du feu, nous écoutions le chuintement des bûches.* ☞ chuinter.

chuinter v. Pousser son cri, en parlant de la chouette: *On pouvait entendre, le soir, chuinter la chouette derrière la maison.* SYN. huer. ▲ **chuinter** v. **1.** Faire entendre un sifflement assourdi: *Lorsque l'eau bout, la bouilloire chuinte.* **2.** Prononcer un «s» comme un «ch» ou un «z» comme un «j»: *Il lui manque une dent et ça le fait parfois chuinter.* ☞ chuintement.

chum ☞ sect. anglicismes et canadianismes.

chut! interj. Mot par lequel on demande le silence: *Chut! ta petite sœur fait sa sieste.* HOM. chute.

chute n.f. **1.** Fait de tomber: *Il a fait une chute d'au moins cinq mètres.* SYN. dégringolade. **2.** Action de prendre fin, en parlant d'un règne, d'un empire, etc.: *La chute de l'Empire romain a été causée par la corruption de ses citoyens.* SYN. décadence, défaite, ruine. ANT. ascension. **3.** Masse d'eau qui tombe d'une certaine hauteur: *Nous avons pique-niqué aux chutes Montmorency à Québec.* SYN. cascade, cataracte. **4.** Brusque diminution de valeur: *Le médecin était alarmé par la chute de sa tension.* SYN. baisse. ANT. hausse, relèvement. HOM. chut!. ⁄⁄ *Chute de pluie, de neige:* Précipitation, averse. ☞ chuter.

chuter v.fam. Tomber: *Il a chuté en glissant sur un pain de savon.* SYN. choir, tomber. ANT. se relever. ☞ chute.

ci adv. Se joint à d'autres mots pour marquer la proximité: *Cet arbre-ci pousse plus vite que celui-là.* HOM. scie, si, sis. ⁄⁄ *De-ci de-là:* De côté et d'autre. *Par-ci par-là:* En plusieurs endroits. **R.** Se joint à l'aide du trait d'union. ☞ ci-inclus, ci-joint.

ci pron.dém.fam. Abréviation de «ceci», toujours employé avec «ça»: *Comment vas-tu? Comme ci comme ça.* HOM. scie, si, sis. ⁄⁄ *Ci-gît:* Inscription funéraire signifiant «ici exposé».

cible n.f. Objet que l'on vise dans les exercices de tir: *J'ai tiré trois flèches en plein dans la cible.*

ciboire n.m. Vase liturgique dans lequel on garde les hosties consacrées: *Le prêtre a pris le ciboire et a distribué la communion aux fidèles.*

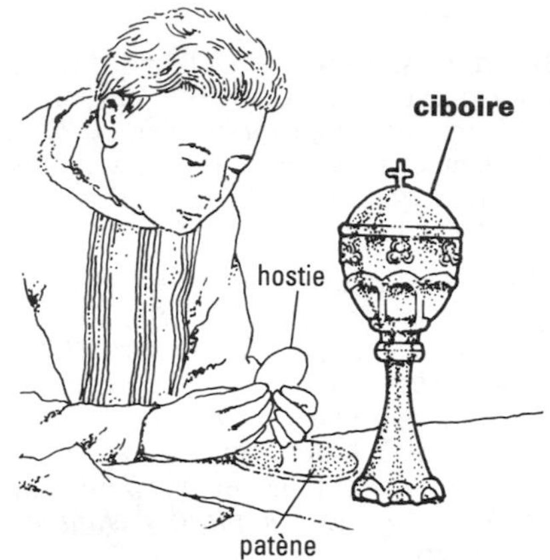

ciboulette n.f. Plante potagère à petits bulbes de la famille de l'oignon et de l'ail: *La ciboulette a un goût semblable à celui de l'échalote.*

ciboulot n.m.pop. Tête: *Elle m'a dit que je n'avais rien dans le ciboulot.*

cicatrice n.f. Marque laissée par une plaie après la guérison: *Ma blessure au doigt a laissé une cicatrice.* SYN. trace. ☞ cicatrisant, cicatrisation, cicatriser.

cicatrisant, ante adj. Qui favorise, accélère la cicatrisation, la guérison des blessures, des plaies: *J'ai appliqué sur ma plaie un onguent cicatrisant.* ☞ cicatrice.

cicatrisation n.f. Action de se cicatriser, processus par lequel les diverses lésions se réparent: *L'infirmière a dit que sa blessure était en bonne voie de cicatrisation.* ☞ cicatrice.

cicatriser v. **1.** Se fermer et guérir, en parlant d'une plaie: *Ta blessure cicatrise mieux depuis que tu te reposes.* **2.** Apaiser: *Le temps cicatrise les chagrins d'amour.* SYN. atténuer, calmer. ☞ cicatrice. se **cicatriser** v.pron. Se refermer et guérir, en parlant d'une plaie: *Ta brûlure se cicatrisera plus rapidement avec cette pommade à la vitamine E.*

cidre n.m. Boisson alcoolique obtenue par la fermentation du jus de pomme: *Ce cidre mousseux a un goût très délicat.* ☞ cidrerie.

cidrerie n.f. Lieu où l'on fabrique le cidre: *Nous avons visité une cidrerie à Rougemont.* ☞ cidre.

ciel, cieux n.m. **1.** Espace que l'on voit au-dessus de nos têtes et qui est limité par l'horizon: *J'ai examiné le ciel avec mon télescope.* SYN. firmament. ANT. terre. **2.** Paradis, séjour de Dieu, des anges et des bienheureux: *Est-ce que je pourrai revoir grand-maman au ciel?* ANT. enfer. **3.** Dieu: *Je remercie le Ciel de m'avoir protégé du danger.* **4.** En peinture, représentation du ciel: *Pourquoi peins-tu toujours des ciels pleins de nuages?* // *À ciel ouvert:* En plein air. *Ciel de lit:* Baldaquin au-dessus d'un lit. *Sous d'autres cieux:* Dans un autre pays. **R.** Au pluriel, s'écrit aussi *ciels* (en peinture et dans l'expression *ciel de lit*). On met la majuscule à *ciel* lorsqu'il s'agit de Dieu. ☞ céleste.

cierge n.m. Longue chandelle de cire à usage religieux: *Nous avons allumé un cierge et récité une prière devant la statue de la Vierge.* // *Droit comme un cierge:* Très droit, raide.

cigale n.f. Insecte vivant sur les arbres qui produit un cri strident et monotone, particulièrement au cours des journées très chaudes: *As-tu entendu le chant de la cigale?*

cigare n.m. (esp.) Rouleau de feuilles de tabac que l'on fume: *La fumée de son cigare me donnait des nausées.* ☞ allume-cigare, cigarette, cigarillo, porte-cigarettes.

cigarette n.f. Petit cylindre de papier fin rempli de tabac haché que l'on fume: *Elle s'est fait surprendre avec sa cigarette dans la cour de l'école.* ☞ cigare.

cigarillo n.m. (esp.) Petit cigare: *Mon père fume parfois des cigarillos.* **R.** Les lettres *ill* se prononcent comme dans *famille*. ☞ cigare.

cigogne n.f. Gros oiseau migrateur à long bec rouge et droit et à longues pattes: *La cigogne blanche est un symbole de chance dans plusieurs pays.*

ciguë n.f. Plante très toxique de la famille de la carotte; poison extrait de cette plante: *Dans la Grèce antique, les condamnés à mort devaient parfois boire la ciguë.* **R.** Ne pas oublier le tréma: *ë*.

ci-inclus, use adj. Qui est inclus ici, à l'intérieur: *Veuillez signer la lettre ci-incluse.* ☞ ci.

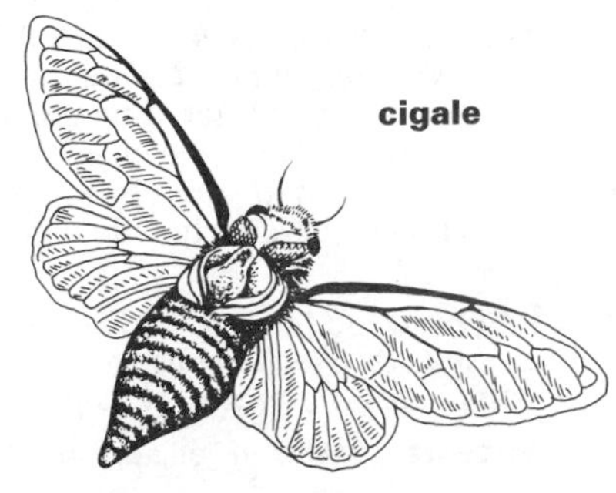

ci-inclus adv. Inclus ici, à l'intérieur (se place toujours devant le nom): *Ci-inclus les photocopies que vous avez demandées.* ☞ ci.

ci-joint adj. Qui est ajouté à ceci: *Les feuilles ci-jointes font partie de votre contrat.* ☞ ci.

ci-joint adv. Ajouté à ceci (se place toujours devant le nom): *Ci-joint la copie du contrat que vous devez signer.* ☞ ci.

cil n.m. Poil qui garnit le bord des paupières: *Ma petite sœur a de longs cils noirs.* ☞ cillement, ciller.

cillement n.m. Action de ciller, de fermer et rouvrir rapidement les yeux: *La fumée des cigarettes me causait des picotements d'yeux et des cillements.* SYN. clignotement. **R.** Les lettres *ill* se prononcent comme dans *famille*. ☞ cil.

ciller v. Fermer et ouvrir rapidement les yeux: *L'éclair de l'appareil photo m'a fait ciller.* SYN. cligner, clignoter. ANT. ouvrir. **R.** Les lettres *ill* se prononcent comme dans *famille*. ☞ cil.

cime n.f. Extrémité supérieure pointue d'un arbre, d'un rocher, d'une montagne: *Nous avons fixé une étoile lumineuse à la cime du sapin derrière la maison.* SYN. faîte, sommet. ANT. base, pied, racine. ☞ écimage, écimer.

ciment n.m. Matière solide qui, mélangée à un liquide, forme une pâte durcissant à l'air ou à l'eau: *Le ciment de ce nouveau trottoir n'est pas encore sec.* ☞ cimenter, cimenterie.

cimenter v. Recouvrir ou lier avec du ciment: *Notre voisin a cimenté les pierres de sa maison.* ☞ ciment.

cimenterie n.f. Usine où on fabrique le ciment: *Nous avons joué dans la carrière d'une cimenterie désaffectée.* ☞ ciment.

cimeterre n.m. (turc) Sabre oriental, à lame large et recourbée: *Le cimeterre est couramment appelé «coutelas».*

cimetière n.m. Lieu où l'on enterre les morts: *Nous sommes allées au cimetière déposer des fleurs sur la tombe de mon grand-père.*

ciné n.m.pop. Cinéma: *Viendrais-tu au ciné avec moi?* ☞ cinéma.

cinéaste n. Personne qui exerce une activité en rapport avec le cinéma: *Cette cinéaste a réalisé de nombreux films pour enfants.* ☞ cinéma.

ciné-club n.m. Association de personnes qui aiment le cinéma, où l'on étudie la technique, l'histoire du cinéma: *Mon frère fait partie du ciné-club de son école.* **R.** Au pluriel, *ciné-clubs*. ☞ cinéma.

cinéma n.m. Art d'enregistrer photographiquement et de projeter des vues animées, de composer des films: *Ce film est un chef-d'œuvre des premiers temps du cinéma.* // *Salle de cinéma:* Salle où l'on projette les films. ☞ ciné, cinéaste, ciné-club, cinémascope, cinémathèque, cinématographie, cinématographique, ciné-parc, cinéphile.

cinémascope n.m. (marque déposée) Procédé de projection sur un écran large, qui rétablit l'image préalablement déformée à la prise de vues: *Ce film d'aventures a été tourné en cinémascope.* ☞ cinéma.

cinémathèque n.f. Lieu où l'on conserve et projette des films: *La cinémathèque québécoise présentera cette semaine des classiques du cinéma français.* ☞ cinéma.

cinématographie n.f. Ensemble des procédés pour reproduire le mouvement par le film: *C'est grâce aux frères Lumière que la cinématographie est née.* **R.** Les lettres *ph* se prononcent *f*. ☞ cinéma.

cinématographique adj. Qui est relatif au cinéma: *Ce film est rempli de truquages cinématographiques spectaculaires.* **R.** Les lettres *ph* se prononcent *f*. ☞ cinéma.

ciné-parc n.m. Au Canada, cinéma en plein air où les spectateurs sont assis dans leur voiture: *Le ciné-parc était rempli de voitures, mais nous avons pu trouver une place.* **R.** Au pluriel, *ciné-parcs*. ☞ cinéma.

cinéphile n. Amateur et connaisseur en matière de cinéma: *Les cinéphiles étaient nombreux au Festival des films du monde, à Montréal.* **R.** Les lettres *ph* se prononcent *f*. ☞ cinéma.

cinétique adj. Qui se rapporte au mouvement: *L'énergie cinétique est l'énergie que possède un corps en mouvement.*

cinglant, ante adj. **1.** Qui cingle, qui fouette: *Nous courions sous la pluie cinglante.* ANT. caressant. **2.** fig. Qui blesse: *Pourquoi me réponds-tu sur un ton cinglant?* SYN. blessant, vexant. ANT. doux, flatteur. ☞ cingler.

cinglé, ée n. et adj.pop. **1.** n. Personne un peu folle: *As-tu vu toutes ces cinglées qui se promènent sous la pluie?* SYN. dingue, fou, timbré, toqué. **2.** adj. Qui est un peu fou, qui a l'esprit un peu dérangé: *Il faut être cinglé pour escalader cette paroi sans équipement.* SYN. dingue, toqué. HOM. cingler.

cingler v. (scand.) Naviguer dans une direction déterminée: *Le voilier cinglait droit vers les îles de la Madeleine.* ANT. s'arrêter.
▲ **cingler** v. **1.** Frapper avec une baguette,

un fouet, une corde: *La charretière cria «Hue!» et cingla son cheval.* SYN. fouetter, frapper. **2.** Fouetter, en parlant de la pluie, du vent: *La pluie cinglait la vitre de ma fenêtre.* HOM. cinglé. ☞ cinglant.

cinq n.m.invar. **1.** Nombre qui suit quatre: *Quatre plus un égalent cinq.* **2.** Carte à jouer portant le nombre cinq: *Tu as joué le cinq de trèfle.* **3.** Cinquième jour du mois: *Son départ est prévu pour le cinq.* **4.** Chiffre représentant le nombre cinq: *L'élève trace de beaux cinq.* // *Un cinq à sept:* Une réception entre 5 et 7 heures.

cinq adj.num.invar. **1.** Quatre plus un: *À Pâques, nous avons cinq jours de congé.* **2.** Cinquième: *Ouvre ton livre à la page cinq.* ☞ cinquième.

cinquantaine n.f. Groupe de cinquante unités ou quantité voisine de cinquante: *Ma bicyclette a coûté une cinquantaine de dollars.* ☞ cinquante.

cinquante n.m.invar. Nombre qui suit quarante-neuf: *Quarante plus dix égalent cinquante.*

cinquante adj.num.invar. **1.** Cinq fois dix: *Le train était formé de cinquante wagons.* **2.** Cinquantième: *J'ai lu jusqu'à la page cinquante.* ☞ cinquantaine, cinquantenaire, cinquantième.

cinquantenaire n.m. et adj. **1.** n.m. Cinquantième anniversaire: *Nous avons fêté le cinquantenaire de notre anniversaire.* **2.** adj. Qui a cinquante ans: *Cet érable est maintenant cinquantenaire.* ☞ cinquante.

cinquantième n. et adj.num. **1.** n. Personne, animal ou chose qui occupe le cinquantième rang: *Je me suis inscrit le cinquantième à l'activité de badminton.* **2.** n. Partie d'un tout divisé en cinquante parties égales: *Le cinquantième de cent est deux.* **3.** adj.num. Qui vient après le quarante-neuvième: *C'est la cinquantième fois que tu écoutes cette cassette; tu ne pourrais pas changer?* **R.** Lorsqu'il s'agit de la partie d'un tout, le nom est masculin. ☞ cinquante.

cinquième n. et adj.num. **1.** n. Personne, animal ou chose qui occupe le cinquième rang: *La skieuse canadienne est arrivée la cinquième.* **2.** n. Partie d'un tout divisé en cinq parties égales: *Nous avons mangé les quatre cinquièmes de la pizza.* **3.** adj.num. Qui vient après le quatrième: *Ma sœur est en cinquième année.* **R.** Lorsqu'il s'agit de la partie d'un tout, le nom est masculin. ☞ cinq.

cintre n.m. Barre courbée munie d'un crochet, servant à suspendre des vêtements: *J'ai mis mes chemises sur des cintres pour qu'elles ne soient pas froissées.*

cintrer v. Ajuster un vêtement à la taille, au buste: *Mes blouses auraient besoin d'être cintrées, maintenant que j'ai maigri.*

cirage n.m. **1.** Action de cirer, de faire reluire: *Le cirage des parquets est une véritable corvée.* **2.** Produit servant à rendre les cuirs brillants: *Je voudrais du cirage bleu marine pour mes souliers.* // *Noir comme du cirage:* Très noir. ☞ cire.

circoncire v. Pratiquer la circoncision sur quelqu'un: *Le médecin a recommandé de le faire circoncire.* ☞ circoncis, circoncision.

circoncis adj.m. Qui a subi la circoncision: *C'est un garçon circoncis.* ☞ circoncire.

circoncision n.f. Ablation totale ou partielle du repli de peau qui entoure le gland du pénis: *La circoncision est devenue une pratique rare, au Québec.* ☞ circoncire.

circonférence n.f. Périmètre d'un cercle: *Le tronc de ce vieil arbre a une circonférence de 1,15 mètre.*

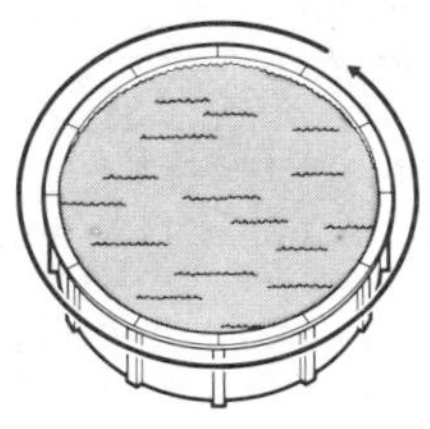

circonférence

circonflexe adj. Se dit d'un signe (ˆ) qu'on met sur une voyelle dans certains mots: *Le mot «pâte» prend un accent circonflexe sur le «a».*

circonscription n.f. Division administrative d'un territoire: *La ville de Saint-Hubert fait partie de la circonscription électorale de Taillon.* ☞ circonscrire.

circonscrire v. **1.** Établir des limites à quelque chose: *Au nord, le terrain est circonscrit par la rivière et la voie ferrée.* SYN. borner, délimiter. ANT. élargir. **2.** Empêcher de se propager, enfermer dans des limites: *Les pompiers ont réussi à circonscrire l'incendie.* SYN. limiter, restreindre. ANT. étendre. ☞ circonscription.

circonspect, ecte adj. Qui fait preuve de prudence et de discrétion, dans ses actes et dans ses paroles: *Elle n'a pas été assez circonspecte dans le choix de sa voiture.* SYN. avisé, discret, prudent, réfléchi. ANT. imprudent, léger, téméraire. ☞ circonspection.

circonspection n.f. Prudence dans la manière d'agir et de parler: *La situation est délicate, il faudra agir avec tact et circonspection.* SYN. discrétion, réserve, sagesse. ANT. imprudence, témérité. ☞ circonspect.

circonstance n.f. **1.** Particularité d'un fait, d'une action: *Dans ton récit, tu as oublié de mentionner les circonstances de temps et de lieu.* **2.** plur. Situation: *Étant donné les circonstances, il vaudrait mieux renoncer à notre projet.* ⁄⁄ *Complément de circonstance:* Complément servant à préciser les rapports de temps, de lieu, de manière, de cause, de condition. *De circonstance:* Qui est fait ou utile pour une occasion particulière. ☞ circonstanciel.

circonstanciel, ielle adj. **1.** Se dit du complément qui exprime une circonstance: *Trouve le complément circonstanciel dans les phrases suivantes.* **2.** Qui est en rapport avec les circonstances: *Lors de la réunion, le président a fait une déclaration circonstancielle.* ☞ circonstance.

circuit n.m. **1.** Distance à parcourir pour faire le tour d'un lieu: *La piste de ski de fond a cinq kilomètres de circuit.* **2.** Ensemble, suite de conducteurs électriques: *L'électricien est venu rétablir le circuit.* ⁄⁄ *Circuit fermé:* Circuit qui revient à son point de départ.

circulaire n.f. Feuillet d'information adressé à un grand nombre de destinataires: *Nous avons reçu une circulaire nous décrivant les activités du prochain carnaval.*

circulaire adj. Qui est en forme de cercle: *L'avion a décrit une trajectoire circulaire dans le ciel.* ☞ circulairement.

circulairement adv. D'une manière circulaire, en rond: *L'hirondelle descendit circulairement vers le toit de la remise.* ☞ circulaire (adj.).

circulation n.f. **1.** Double mouvement du sang qui part du cœur et y revient: *Il est allé consulter le médecin pour des problèmes de circulation artérielle.* **2.** Fait ou possibilité de se déplacer en utilisant les voies de communication: *La circulation sur le pont a été ralentie par un carambolage.* ⁄⁄ *Mettre en circulation:* Répandre, livrer au public. ☞ circuler.

circulatoire adj. Qui est relatif à la circulation du sang: *L'appareil circulatoire comprend le cœur et les vaisseaux.* ☞ circuler.

circuler v. **1.** Se déplacer en circuit fermé et spécialement se déplacer dans les vaisseaux, en parlant du sang: *Le cœur permet au sang de circuler dans l'organisme.* **2.** Se déplacer sur des voies de circulation: *Les voitures circulent rapidement sur cette route.* SYN. passer. ANT. s'arrêter, stationner. **3.** Se transmettre, se propager: *La nouvelle a circulé rapidement.* ☞ circulation, circulatoire.

cire n.f. **1.** Substance jaunâtre et molle produite par les abeilles: *Les abeilles construisent les alvéoles avec la cire qu'elles produisent.* **2.** Préparation pour l'entretien des parquets: *Nous avons le choix entre la cire en pâte et la cire liquide.* HOM. sire. ⁄⁄ *Bouchon de cire:* Cérumen. **R.** N'a pas le sens de *paraffine*. ☞ cirage, ciré, cirer, cireur, cireuse, cireux.

ciré n.m. Vêtement de tissu qui a été huilé ou plastifié, imperméable: *Chacun doit apporter un ciré pour l'excursion en canot-camping.* HOM. cirer. ☞ cire.

ciré, ée adj. Qui est enduit de cire: *Je suis tombée en glissant sur un parquet ciré.* HOM. cirer. ☞ cire.

cirer v. Enduire de cire ou de cirage, pour nettoyer, faire reluire: *Mes bottes ont une apparence dégoûtante, il faudrait que je les cire.* HOM. ciré. ☞ cire.

cireur, euse n. Personne qui fait le cirage des chaussures: *Le cireur de la gare a eu beaucoup de travail par cette journée de pluie.* ☞ cire.

cireuse n.f. Appareil électroménager qui cire les parquets: *Après avoir lavé le parquet, j'ai passé la cireuse.* ☞ cire.

cireux, euse adj. Qui a la consistance ou l'aspect de la cire: *Elle a le souffle court et le teint cireux, elle doit être malade.* ☞ cire.

cirque n.m. Sorte de théâtre circulaire où ont lieu des exhibitions, des exercices d'équitation, de domptage, d'équilibre; entreprise qui organise ce genre de spectacle: *Nous avons demandé à nos parents de nous mener au cirque.*

cirrhose n.f. Maladie du foie: *Une cirrhose est à l'origine de sa jaunisse.* **R.** Ne pas dire «cirrhose du foie».

cirrus n.m. (lat.) Nuage blanc, élevé, en flocons ou filaments: *Les cirrus annoncent du mauvais temps.* **R.** Le *s* se prononce.

cisaille n.f. Gros ciseaux servant à couper le métal, à élaguer les arbres: *J'aurais besoin d'une cisaille pour couper cette feuille de tôle.* **R.** S'emploie souvent au pluriel. ☞ ciseaux.

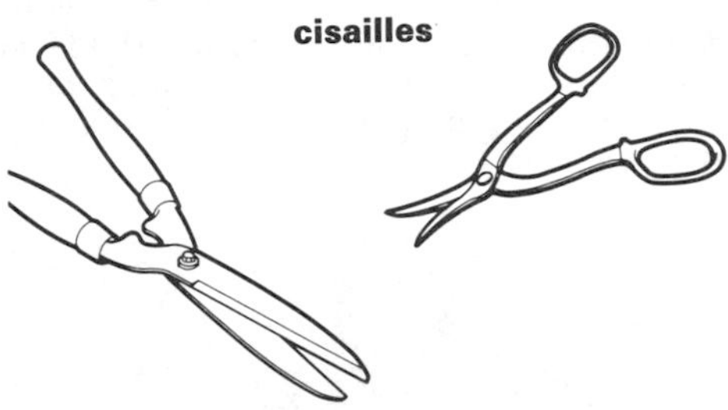

cisaillement n.m. Action de cisailler, de couper avec des cisailles; son résultat: *Après une heure de cisaillement, j'avais des ampoules à la main.* ☞ ciseaux.

cisailler v. Couper avec des cisailles: *Quelqu'un a cisaillé les fils de fer de la clôture.* ☞ ciseaux.

ciseau n.m. Outil formé d'une seule lame servant à travailler le bois, la pierre, etc.: *Le sculpteur maniait habilement le marteau et le ciseau.* SYN. burin. ☞ ciseler.

ciseaux n.m.plur. Instrument formé de deux lames tranchantes et mobiles qui s'entrecroisent: *J'ai découpé des images dans une revue avec les ciseaux que tu m'as prêtés.* ☞ cisaille, cisaillement, cisailler.

ciseler v. Sculpter finement, avec minutie, à l'aide d'un ciseau: *L'orfèvre a ciselé cette plaque commémorative avec beaucoup d'originalité.* ☞ ciseau.

citadelle n.f. (it.) Forteresse qui commandait et protégeait une ville et qu'on élevait autrefois: *Nous avons pique-niqué près des remparts de la citadelle de Québec.*

citadin, ine n. et adj. **1.** n. Habitant d'une grande ville: *L'été, les citadins aiment aller se promener à la campagne.* ANT. campagnard, paysan. **2.** adj. Qui est de la ville, qui a rapport à la ville: *Le rythme de la vie citadine ne me convient pas, j'aime mieux le calme de la campagne.* SYN. urbain. ANT. rural. ☞ cité.

citation n.f. Passage d'un texte cité rapporté tel qu'il a été écrit par son auteur: *J'ai reçu en cadeau un dictionnaire de citations.* SYN. extrait. ☞ citer.

cité n.f. **1.** Ville importante considérée sous son aspect de personne morale: *Les motos sont interdites dans les rues de cette cité commerçante.* **2.** Groupe d'immeubles ayant une même vocation: *Nous avons visité la cité universitaire de Trois-Rivières.* HOM. citer. ☞ citadin.

citer v. **1.** Rapporter ce que quelqu'un a dit ou écrit: *Dans son texte, elle a cité ce vers d'Émile Nelligan: «Ma vitre est un jardin de givre».* **2.** Désigner avec précision, mentionner: *Citez-moi trois artistes qui ont eu une influence déterminante sur la peinture au Québec.* SYN. indiquer, nommer. **3.** Donner en exemple, désigner une personne, une chose digne d'attention: *L'instituteur a cité Claude en exemple.* HOM. cité. ☞ citation.

citerne n.f. **1.** Réservoir dans lequel on recueille et conserve les eaux de pluie: *Dans ces pays chauds, il fallait installer des citernes en prévision de la saison sèche.* **2.** Cuve fermée destinée à emmagasiner des liquides: *La citerne était remplie de lait frais.*

citoyen, enne n. Individu membre d'un État, considéré du point de vue de ses devoirs et de ses droits civils et politiques: *Mon amie cambodgienne est maintenant une citoyenne canadienne.* ANT. étranger. ⁄⁄ *Accomplir son devoir de citoyen:* Voter. ☞ citoyenneté, concitoyen.

citoyenneté n.f. Statut juridique, qualité de citoyen ayant des devoirs et des droits civils et politiques: *Les immigrants qui s'établissent au Québec peuvent faire une demande en vue d'obtenir la citoyenneté canadienne.* ☞ citoyen.

citron n.m. et adj.invar. **1.** n.m. Fruit du citronnier, de forme ovoïde, de couleur jaune clair et de saveur acide: *Le citron est très riche en vitamine C.* **2.** adj.invar. Qui est de la couleur du citron: *Ces étoffes citron étaient très belles.* ⁄⁄ *Être jaune comme un citron:* Avoir le teint très jaune. ☞ citronnade, citronné, citronnier.

citronnade n.f. Boisson froide préparée avec du jus ou du sirop de citron et de l'eau sucrée: *J'ai préparé une citronnade qui nous rafraîchira.* **R.** Ne pas confondre avec *limonade*. ☞ citron.

citronné, ée adj. Qui contient du jus de citron, qui sent le citron: *Cette salade est délicieuse avec une vinaigrette citronnée.* ☞ citron.

citronnier n.m. Arbre qui produit le citron: *On peut faire de la tisane avec des fleurs de citronnier.* ☞ citron.

citrouille n.f. Espèce de courge arrondie et

volumineuse d'un jaune orangé: *À l'Halloween, des citrouilles s'illuminent dans les fenêtres.*

civet n.m. Ragoût de lièvre, de lapin ou autre gibier cuit avec du vin et des oignons: *Une ou deux fois par année, maman nous prépare un succulent civet de lapin.*

civette n.f. Mammifère à poil gris taché de noir, au corps allongé et au museau pointu, mesurant près de cinquante centimètres de longueur: *J'ai cru voir une martre, mais c'était une civette.*

civière n.f. Sorte de lit portatif parfois sur roulettes pour transporter les malades, les blessés: *On a dû transporter la skieuse blessée sur une civière.* SYN. brancard.

civil n.m. Homme qui n'est ni religieux ni militaire: *Les guerres font des victimes tant parmi les civils que parmi les militaires.* ⫽ *Dans le civil:* Dans la vie civile.

civil, ile adj. **1.** Qui n'est ni religieux ni militaire: *Lorsqu'ils sont en vêtements civils, le prêtre et le soldat ne se distinguent pas de l'homme ordinaire.* **2.** Qui concerne les citoyens, leurs rapports: *La vie civile est remplie de devoirs, d'obligations.* ⫽ *Code civil:* Législation relative à l'État et aux personnes. *Enterrement, mariage civil:* Sans cérémonie religieuse. *Guerre civile:* Lutte armée entre les citoyens d'un même État. ☞ civilement. ▲ **civil, ile** adj.litt. Qui est respectueux des rapports de la bonne société: *Dire merci est une attitude civile.* SYN. aimable, courtois, poli. ANT. effronté, grossier, impoli. ☞ civilité.

civilement adv.litt. D'une façon polie, courtoise: *Elle a salué civilement sa directrice en passant.* SYN. courtoisement, poliment. ANT. grossièrement, impoliment. ☞ civil. ▲ **civilement** adv. **1.** Sans cérémonie religieuse: *Ils ont décidé de se marier civilement.* ANT. religieusement. **2.** En droit civil: *Les parents sont civilement responsables de leurs enfants.* ☞ civil.

civilisation n.f. **1.** Ensemble des caractères propres à la vie culturelle et matérielle communs aux grandes sociétés; ensemble des acquisitions des sociétés: *Qui aujourd'hui doute encore des bienfaits de la civilisation?* SYN. évolution, progrès. ANT. barbarie, nature. **2.** Ensemble des caractères et des phénomènes sociaux porté à un très haut degré d'évolution: *La civilisation grecque est reconnue comme une des plus importantes dans l'histoire du monde occidental.* SYN. culture. ☞ civiliser.

civilisé, ée n. et adj. **1.** n. Personne qui a évolué, qui a une civilisation complexe: *À quoi distingue-t-on les civilisés des barbares?* ANT. barbare, primitif. **2.** adj. Qui est doté de civilisation, qui a intégré les développements, les progrès à son mode de vie: *Le Canada fait partie des pays civilisés.* **3.** adj. Qui est poli, correct en société: *Les manifestants se sont conduits de façon civilisée.* HOM. civiliser. ☞ civiliser.

civiliser v. **1.** Amener un peuple à un état supérieur d'évolution: *Les Grecs ont civilisé l'Occident.* SYN. éduquer, perfectionner. **2.** fam. Rendre plus poli: *Je compte sur vous pour civiliser ce grossier personnage.* ANT. abrutir. HOM. civilisé. ☞ civilisation, civilisé. se **civiliser** v.pron. S'améliorer, devenir plus poli, plus aimable, plus courtois: *Depuis qu'il est dans notre classe, cet élève se civilise.* SYN. s'améliorer, dégrossir. ANT. abrutir.

civilité n.f. **1.** vx Respect des bonnes manières: *Cet enfant fait preuve de beaucoup de civilité.* SYN. courtoisie, politesse. ANT. grossièreté, impolitesse. **2.** plur. Salutations, hommages: *Présentez mes civilités à votre mère.* ⫽ *Formule de civilité:* Titre de politesse (Monsieur, Madame, maître, docteur, etc.). ☞ civil.

civique adj. Qui est relatif au citoyen, à ses responsabilités et à ses devoirs: *Il faut faire preuve de sens civique et aller voter.* ☞ civisme.

civisme n.m. Sens civique, sens de ses responsabilités et de ses devoirs de citoyen: *Jeter ses papiers à la poubelle est une marque de civisme.* ☞ civique.

clac! interj. Mot imitant un bruit sec, un claquement: *Et clac! il lui referma la porte au nez.* HOM. claque.

clair n.m. Clarté, lumière: *Il y avait un magnifique clair de lune la nuit dernière.* ⫽ *Le plus clair de:* La plus grande partie de. *Message en clair:* En langage ordinaire, non chiffré. *Tirer une affaire au clair:* Éclaircir, élucider une affaire.

clair, claire adj. **1.** Qui est bien éclairé, où la lumière est abondante: *Grâce à cette grande fenêtre, la pièce est toujours très claire.* ANT. obscur, sombre. **2.** Dont la couleur n'est pas foncée, qui est facilement coloré: *Cette étoffe claire lui va à ravir.* **3.** Qui est peu serré, qui laisse passer la clarté: *Le tissu de ma jupe est tellement clair que je dois porter un jupon.* **4.** Qui est limpide, pur, transparent, propre: *Cette source donne une eau très claire.* ANT. embrouillé, sale, trouble. **5.** Qui est trop liquide, pas assez épais: *Cette peinture est trop claire pour faire du bon travail.* SYN. fluide. ANT. dense. **6.** Qui est pur et net, en parlant d'un son: *Cette clochette produit un* *tintement clair.* SYN. aigu. ANT. grave. **7.** Qui est facile à comprendre : *Cette explication est très claire.* SYN. précis. ANT. compliqué, embrouillé, incompréhensible. ⁄⁄ *C'est clair:* C'est précis, évident, sans ambiguïté. *Temps clair:* Sans nuage. ☞ clairement, clarification, clarifier, clarté.

clair adv. D'une manière claire, nette ; distinctivement : *Sans mes lunettes, je ne vois pas très clair.* SYN. clairement, nettement. ⁄⁄ *Parler clair:* Avec une voix nette. *Parler haut et clair:* Parler franchement, nettement. *Voir clair:* Comprendre.

clairement adv. **1.** D'une manière précise, distinctement : *Il est impossible de voir clairement la route dans ce brouillard.* SYN. nettement. **2.** D'une manière lucide, claire à l'esprit : *Doris envisageait clairement la situation.* SYN. explicitement, nettement, simplement. ANT. confusément, obscurément. ☞ clair.

clairer ☞ sect. anglicismes et canadianismes.

claire-voie n.f. Clôture à jour, qui présente des petits espaces vides : *Nous avons installé une claire-voie autour du jardin.* SYN. grillage, treillage, treillis. ⁄⁄ *À claire-voie:* Qui présente des vides, des jours. **R.** Au pluriel, *claires-voies.*

clairière n.f. Endroit dégagé, dégarni d'arbres, dans un bois ou une forêt : *Nous allons installer notre tente dans cette clairière.*

clairon n.m. **1.** Instrument à vent qui ressemble à la trompette mais qui n'a ni pistons ni clés : *Le clairon est utilisé surtout dans l'armée et dans la marine.* **2.** Personne qui sonne le clairon : *Le clairon du régiment manquait de souffle.* ☞ claironner.

claironnant, ante adj. Se dit d'une voix qui est puissante et claire : *Pierre a donné la réponse d'une voix claironnante.* ☞ claironner.

claironner v. Jouer du clairon : *Il claironnait pour annoncer le début des exercices.* ☞ clairon. ▲ **claironner** v. Annoncer, proclamer avec éclat : *Lucie claironnait sa victoire à travers la ville.* ☞ claironnant.

clairsemé, ée adj. Qui est peu serré, qui présente des espaces, une distance entre l'un et l'autre : *Dans la toundra, la végétation est clairsemée.* SYN. épars, rare. ANT. dense, épais, fourni, serré, touffu.

clairvoyance n.f. Qualité de l'esprit qui permet une vue exacte et lucide des choses, qui permet de juger avec perspicacité : *J'ai confiance en la clairvoyance de ma mère.* SYN. discernement, lucidité. ANT. aveuglement. ☞ clairvoyant.

clairvoyant, ante adj. Qui se représente les choses avec clarté, qui voit les choses d'une façon lucide : *Mon père est clairvoyant, il ne s'est pas laissé prendre au piège.* SYN. perspicace. ANT. aveugle. ☞ clairvoyance.

clamer v. Énoncer en termes violents, par des cris : *L'accusé a clamé à plusieurs reprises son innocence.* SYN. crier, hurler. ANT. taire. ☞ clameur.

clameur n.f. Tumulte, cri confus produit par plusieurs personnes assemblées : *Une immense clameur s'éleva de la foule à l'annonce des résultats.* SYN. acclamation, vacarme. ANT. silence. ☞ clamer.

clan n.m. **1.** En Écosse et en Irlande, réunion en tribu d'un certain nombre de familles : *L'entraide règne dans ce clan.* **2.** fig. Petit groupe de personnes ayant des idées, des intérêts communs : *Lors de cette discussion, notre classe s'est divisée en deux clans.* SYN. bande. ⁄⁄ *Esprit de clan:* Solidarité, dévouement un peu excessif au groupe auquel on appartient.

clandestin, ine n. et adj. **1.** n. Personne dont les activités sont secrètes, illicites : *L'immigrant sans permis de séjour est un clandestin.* **2.** adj. Qui se fait en cachette et qui est souvent défendu par la morale ou par la loi : *La police a saisi plusieurs exemplaires d'un journal clandestin.* SYN. illégal, illicite, interdit, secret. ANT. autorisé, légal, permis. ⁄⁄ *Passager clandestin:* Qui voyage, se fait transporter secrètement, sans payer. ☞ clandestinement, clandestinité.

clandestinement adv. D'une manière clandestine, en cachette : *Elles se sont réunies clandestinement pour préparer ce coup.* SYN. illégalement, secrètement. ANT. légalement, ouvertement, publiquement. ☞ clandestin.

clandestinité n.f. Situation des personnes qui vivent clandestinement, qui agissent en cachette : *Autrefois, une loi obligeait les communistes à vivre dans la clandestinité.* ☞ clandestin.

clapet n.m. **1.** Pièce mobile, soupape en forme de couvercle à charnière, qui s'ouvre et se referme au besoin : *Le clapet d'une pompe empêche le refoulement du liquide.* SYN. valve. **2.** pop. Bouche qui parle : *Ferme ton clapet, tu en as assez dit!*

clapier n.m. Cabane où l'on élève des lapins : *Il faut changer souvent la litière d'un clapier.* (*Voir l'illustration à la page suivante.*)

clapotement n.m. Bruit léger que fait l'eau lorsqu'elle est agitée : *Nous entendions le clapotement des vagues sur le bord de la plage.* **R.** Aussi, *clapotage, clapotis.* ☞ clapoter.

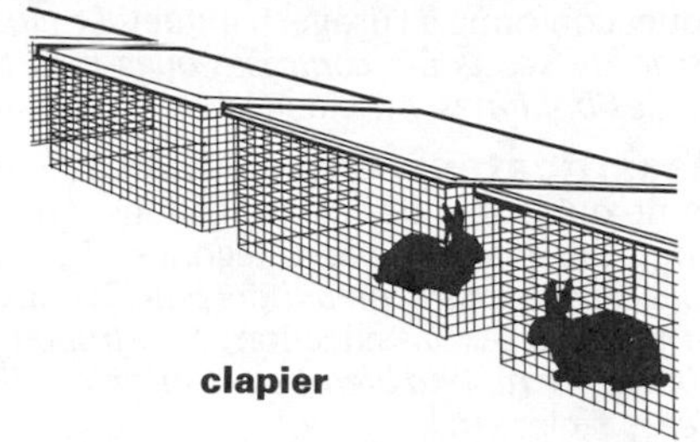

clapoter v. Produire un petit bruit, en parlant des vaguelettes qui s'entrechoquent à la surface de l'eau: *On n'entendait que la rivière qui clapotait.* ☞ clapotement.

clappement n.m. Bruit sec produit avec la langue quand on la détache brusquement du palais: *Ma mère savait bien imiter le trot du cheval par ses clappements.* ☞ clapper.

clapper v. Faire un bruit sec avec la langue en la décollant du palais: *Les enfants clappaient pour faire approcher l'écureuil.* **R.** Ne pas confondre avec *laper.* Ne peut avoir de complément d'objet. ☞ clappement.

claquage n.m. Blessure, distension d'un ligament musculaire, d'un muscle: *Ce joueur de basket-ball, victime d'un claquage au mollet, a dû abandonner la partie.* ☞ claquer.

claque n.f. Coup donné avec le plat de la main: *Son impolitesse lui a valu une claque sur la joue.* SYN. gifle, soufflet, taloche. ⁄⁄ *Figure, tête à claques:* Déplaisant, agaçant. ☞ claquer. ▲ **claque** n.f. Groupe de gens qui, au théâtre, sont payés pour applaudir et aider au succès des auteurs et des acteurs: *Sans la claque, le spectacle aurait eu moins de succès.* ☞ claquer. ▲ **claque** n.f. Au Canada, chaussure légère en caoutchouc pour protéger le soulier contre l'eau et la boue: *Il pleut aujourd'hui, mets tes claques.* HOM. clac!.

claquement n.m. Fait de produire un bruit sec et sonore; ce bruit: *Le claquement de la porte m'a fait sursauter.* ☞ claquer.

claquer v. **1.** Produire un bruit sec et sonore: *Pressée, elle faisait claquer le fouet sur le dos du cheval.* **2.** fig. et pop. Éclater, se casser: *Le câble a claqué sous le poids.* SYN. céder, se rompre. **3.** fam. Mourir: *Le pauvre vieux a claqué au cours de l'hiver.* **4.** Donner une claque à quelqu'un, le frapper avec le plat de la main: *Il a claqué sa sœur en plein visage.* SYN. frapper, gifler. **5.** fam. Épuiser, éreinter: *Ce travail m'a claqué.* SYN. fatiguer. ⁄⁄ *Claquer des dents:* Grelotter, trembler de froid. ☞ claquage, claque, claquement, claqueter, claquette. se **claquer** v.pron. **1.** Se faire un claquage, une blessure à un muscle: *Il s'est claqué un tendon en courant.* SYN. déchirer, froisser. **2.** pop. S'épuiser: *Elle se claque à vouloir tout faire seule.*

claqueter v. Crier, en parlant de la cigogne: *La cigogne claquette et craquette, la poule caquette.* SYN. craqueter. **R.** Ne pas oublier de doubler le *t* devant un *e* muet. Ne pas confondre avec *craqueter* et *caqueter.* ☞ claquer. ◇ craqueter.

claquette n.f. **1.** Petit instrument formé de deux planchettes de bois et servant à donner un signal: *Autrefois, les instituteurs se servaient d'une claquette pour donner un signal aux élèves.* **2.** plur. Lames de métal fixées au bout de la semelle et du talon d'un soulier permettant à un danseur de marquer le rythme: *La danse à claquettes est entraînante et souvent spectaculaire.* **R.** N'a pas le sens de *castagnettes.* ☞ claquer.

clarification n.f. Action de rendre une chose plus claire, plus facile à comprendre: *À la suite de cette clarification, tous ont mieux compris la situation.* SYN. éclaircissement, explication. ANT. obscurcissement. ☞ clair.

clarifier v. **1.** Rendre plus pur, débarrasser des substances étrangères: *Il est important de clarifier le sirop d'érable avant de l'embouteiller.* SYN. épurer, filtrer, purifier. ANT. troubler. **2.** fig. Rendre plus clair, plus facile à comprendre: *Ce détail a permis de clarifier la situation.* SYN. éclaircir, élucider. ANT. embrouiller, obscurcir. ☞ clair.

clarinette n.f. Instrument de musique à vent, à anche et à clés: *Cette mélodie convient bien à une clarinette.* ☞ clarinettiste.

clarinettiste n. Personne qui joue de la clarinette: *Nous avons beaucoup apprécié le solo de la clarinettiste.* ☞ clarinette.

clarté n.f. **1.** Lumière: *Il vaut mieux attendre la clarté du jour pour continuer les recherches.* ANT. obscurité, ombre, ténèbres. **2.** État, qualité de ce qui est clair, transparent, limpide: *On peut apprécier la clarté de cette eau naturelle.* SYN. limpidité, transparence. ANT. opacité. **3.** Qualité de ce qui est facile à comprendre, net, précis: *Nous aimons cette institutrice pour la clarté de ses explications.* SYN. netteté, précision. ANT. confusion. ☞ clair.

classable adj. Qu'on peut classer, placer dans un certain ordre: *Ces objets, tous différents, sont difficilement classables.* ANT. inclassable. ☞ classer.

classe n.f. **1.** Ensemble de choses, de personnes ayant des traits communs: *Ce livre s'adresse à une classe de lecteurs avertis.* SYN. catégorie. **2.** Ensemble d'individus défini en fonction de critères économiques, historiques, etc. : *La classe dirigeante veille à ses intérêts.* SYN. groupe. **3.** Chacune des grandes divisions d'un embranchement d'êtres vivants : *La classe des mammifères se subdivise en ordres, groupes, familles.* **4.** Grade, rang concernant la qualité, l'importance : *Le wagon de première classe est très confortable.* **5.** Ensemble des qualités personnelles d'un athlète : *Cet athlète est de classe internationale.* ∥ *Avoir de la classe :* Avoir du mérite, de la distinction. *De classe :* De qualité.

▲ **classe** n.f. **1.** Division des élèves selon les degrés d'études ou le nombre des enfants pour un degré donné : *Il y avait tellement d'élèves qu'on a dû les répartir en trois classes.* SYN. groupe. **2.** Ensemble des élèves qui suivent un même programme : *Ce jeune est dans la classe des débutants.* SYN. catégorie. **3.** Enseignement donné à un groupe à l'école primaire et à l'école secondaire ; durée de cet enseignement : *La classe de français commence à 9 heures.* SYN. cours. **4.** Salle où se donnent les cours : *Dans notre école, il y a une vingtaine de classes.* SYN. local. ∥ *Aller en classe, être en classe :* Aller à l'école, être à l'école. *Faire la classe :* Enseigner. *La rentrée des classes :* Le début de l'année scolaire. ☞ interclasse.

classement n.m. **1.** Action de placer en ordre ; façon dont un ensemble est classé : *Le classement des livres de notre bibliothèque facilite les recherches.* SYN. ordre, organisation, rangement. ANT. confusion, désordre. **2.** Place occupée dans une compétition : *Notre équipe a obtenu le meilleur classement.* ☞ classer.

classer v. **1.** Diviser en classes, en catégories : *Le lapin se classe dans le groupe des rongeurs.* SYN. classifier, répartir, trier. ANT. mêler. **2.** Placer dans un certain ordre, à son ordre : *Classe ces mots en ordre alphabétique.* SYN. arranger, ordonner, ranger. ANT. déclasser, mêler. ∥ *Classer une affaire :* Ranger son dossier, considérer l'affaire comme terminée. *Se classer dans, parmi :* Être au rang de. ☞ classable, classement, classeur, classificateur, classification, classifier, déclasser, reclasser.

classeur n.m. Meuble de rangement dans lequel on classe des papiers, des documents : *Le directeur a sorti mon dossier du classeur.* ☞ classer.

classicisme n.m. **1.** Ensemble des tendances qui caractérisent les grandes œuvres littéraires et artistiques de l'Antiquité et du XVIIe siècle : *Le classicisme se caractérise par la recherche de la perfection dans la forme, le respect de la mesure, le goût de l'analyse psychologique.* **2.** Caractère de ce qui est classique, conforme à l'usage, habituel : *Le classicisme de ses goûts contraste avec mes tendances bohèmes.* ANT. fantaisie. ☞ classique.

classificateur, trice n. et adj. **1.** n. Personne qui établit des classifications, qui distribue par classes, par catégories : *Le botaniste est un classificateur hors pair.* **2.** adj. Qui est relatif à la classification : *Son travail au laboratoire répond bien à sa manie classificatrice.* ☞ classer.

classification n.f. Action de regrouper par classes, par catégories ; résultat de cette action : *Il faut être attentif aux détails quand on fait des classifications.* ☞ classer.

classifier v. Regrouper par classes, par catégories : *L'institutrice nous a demandé de classifier les plantes de notre collection.* ☞ classer.

classique n.m. et adj. **1.** n.m. Auteur, ouvrage, œuvre qui peut servir de modèle, dont la valeur est reconnue : *En littérature, nous étudions les classiques français.* ANT. contemporain, moderne. **2.** n.m. Ouvrage reconnu comme excellent : *Ce film est devenu un classique en son genre.* **3.** adj. Qui appartient à l'antiquité grecque ou romaine ; qui comporte l'enseignement du grec et du latin : *Ma mère a étudié le grec et le latin au cours de ses études classiques.* ANT. moderne. **4.** adj. Qui est conforme à l'usage, à la tradition : *Pour la cérémonie, il avait revêtu un veston classique.* SYN. sobre. ANT. sport. **5.** adj.fam. Qui ne surprend pas, qui est habituel : *Le coup classique de la tarte à la crème ne nous a pas fait rire dans ce film.* SYN. banal. ANT. inusité, original. ∥ *Musique classique :* Musique de grands auteurs de la tradition musicale occidentale. ☞ classicisme, classiquement.

classiquement adv. D'une manière classique, conformément à la tradition, à l'usage : *Cette pièce de théâtre a été jouée classiquement.* ☞ classique.

clause n.f. Élément, condition, disposition particulière d'un acte juridique (contrat, testament, convention) : *Maman a bien étudié chacune des clauses de sa police d'assurance.*

claustrophobe n. et adj. **1.** n. Personne qui a une crainte exagérée de se trouver dans un espace restreint et fermé : *Un claustrophobe ne pourrait jamais devenir astronaute.* **2.** adj. Qui souffre de claustrophobie, de l'angoisse d'être enfermé : *On ignore pourquoi ma sœur est claustrophobe.* **R.** Les lettres *ph* se prononcent *f.* ☞ claustrophobie.

claustrophobie n.f. Peur, angoisse qui envahit une personne lorsqu'elle se retrouve enfermée : *Mon cousin souffre de claustropho-*

bie chaque fois qu'il prend un ascenseur. **R.** Les lettres *ph* se prononcent *f.* ☞ claustrophobe.

clavecin n.m. Instrument de musique à clavier, à son fixe et à cordes pincées: *Le clavecin a été l'un des précurseurs du piano.* ☞ claveciniste.

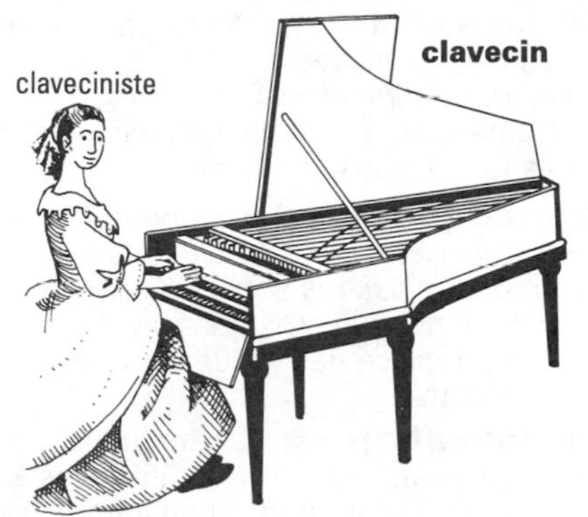

claveciniste n. Personne qui joue du clavecin: *Mélanie est une claveciniste de grand talent.* ☞ clavecin.

claves n.f.plur. Instrument à percussion composé de deux bâtonnets de bois que l'on frappe l'un sur l'autre pour produire des rythmes: *Les claves sont très utilisées dans la musique latino-américaine.*

clavicule n.f. Chacun des deux os longs de la partie avant de l'épaule, s'étendant du sternum jusqu'à l'omoplate: *Ce joueur de hockey s'est fracturé la clavicule lors d'une mise en échec.*

clavier n.m. Ensemble des touches d'un instrument de musique ou de tout appareil à touches sur lesquelles on appuie les doigts pour obtenir un son ou commander une fonction: *Le clavier d'un piano comprend quatre-vingt-huit touches: cinquante-deux blanches et trente-six noires.* ⫽ *Clavier de machine à écrire, d'ordinateur, de téléphone, de clavecin, etc.:* Ensemble des touches de ces appareils.

clé n.f. **1.** Instrument taillé servant à ouvrir ou fermer une serrure: *Sylvain a perdu les clés de sa voiture.* **2.** Ce qui donne accès: *L'argent n'est pas la clé du bonheur.* **3.** Élément qui explique, permet de comprendre: *L'enquêteur a découvert la clé du mystère.* **4.** fig. Élément qui joue un rôle capital, essentiel: *Elle occupe une position clé dans cette entreprise.* ⫽ *Fermer à clé:* Verrouiller. *Sous clé:* À l'abri. ☞ porte-clés. ▲ **clé** n.f. Signe musical placé en début de portée et qui permet d'identifier les notes: *Il existe trois clés: la clé de sol, la clé de fa et la clé d'ut, appelée aussi « clé de do ».* ▲ **clé** n.f. **1.** Outil servant à serrer ou desserrer des boulons, des écrous: *J'ai une clé à mâchoires mobiles pour réparer ma bicyclette.* **2.** Pièce mobile qui ouvre ou bouche les trous d'un instrument à vent: *Les clés de la clarinette permettent de produire les notes.* **3.** Prise par laquelle, dans certains sports, on immobilise l'adversaire: *Le judoka lui a fait une clé de bras qui l'a jeté par terre.* **R.** Aussi, *clef.*

clématite n.f. Plante grimpante qu'on retrouve souvent dans les haies: *La haie de notre voisine est envahie par la clématite.*

clémence n.f. **1.** Qualité, vertu qui porte à pardonner, à adoucir une punition, un châtiment: *Comme c'était sa première faute, mon amie a bénéficié de la clémence de sa professeure.* SYN. indulgence, miséricorde. ANT. cruauté, rigueur, sévérité. **2.** fig. Douceur du climat: *Nous avons profité de la clémence de l'hiver pour pratiquer souvent nos sports préférés.* ANT. rigueur. ☞ clément.

clément, ente adj. **1.** Qui pardonne facilement, qui ne punit pas sévèrement: *Les élèves abusent de ce professeur un peu trop clément.* SYN. bon, indulgent. ANT. sévère. **2.** fig. Température douce, agréable: *En hiver, les gens prennent des vacances dans le Sud, sous un climat plus clément que le nôtre.* ANT. rigoureux, rude. ☞ clémence.

clémentine n.f. Fruit du clémentinier, orangé, à peau fine, semblable à la mandarine: *Les clémentines du Maroc sont délicieuses.* ☞ clémentinier.

clémentinier n.m. Arbrisseau ressemblant à un oranger produisant la clémentine: *Les clémentiniers regorgent de fruits bien mûrs.* ☞ clémentine.

clenche n.f. Pièce principale du loquet d'une porte: *Il faut lever la clenche pour permettre à la porte de s'ouvrir.*

cleptomane n. et adj. **1.** n. Personne qui a une tendance maladive et incontrôlable à commettre des vols: *Je dois tout surveiller, mon voisin est un véritable cleptomane.* **2.** adj. Qui est atteint de cleptomanie: *On nous a dit qu'il était légèrement cleptomane.* **R.** Aussi, *kleptomane.* ☞ cleptomanie.

cleptomanie n.f. Tendance maladive à voler, obsédante et difficile à réprimer: *Ma voisine vole si souvent que je la crois atteinte de cleptomanie.* **R.** Aussi, *kleptomanie.* ☞ cleptomane.

clergé n.m. Ensemble des ecclésiastiques, des personnes qui sont vouées à une Église: *Tout culte, toute Église a un clergé.* ☞ clérical.

clérical, ale, aux adj. Qui se rapporte au clergé, qui est partisan des prêtres et de la politique de l'Église: *Le vicaire de notre paroisse remplit avec zèle ses fonctions cléricales.* ☞ clergé.

clic ! interj. Mot imitant un claquement sec, un déclic: *Clic! je viens de te photographier.* HOM. clique, cliques.

cliché n.m. **1.** Négatif d'une photographie: *Il choisit, parmi les clichés, celui dont il ferait tirer une copie pour son album.* **2.** fig. Idée, expression trop souvent répétée, trop souvent utilisée: *Son discours était rempli de clichés.*

client, ente n. Personne qui demande ou reçoit des biens, des services contre paiement: *Le client est insatisfait des services de son avocat.* SYN. acheteur. ANT. vendeur. ☞ clientèle.

clientèle n.f. Ensemble de clients, d'acheteurs, qui recourent aux services d'une même personne: *Ce dépanneur a une clientèle sérieuse et fidèle.* ☞ client.

clignement n.m. **1.** Action de fermer les yeux à demi pour mieux voir: *La myopie provoque le clignement de ses yeux.* **2.** Action de fermer et ouvrir rapidement les yeux: *Ses clignements chassaient les larmes de ses yeux.* SYN. cillement, clignotement. **3.** fig. et litt. Action de briller par intermittence: *Le clignement de l'étoile nous fascinait.* ☞ cligner.

cligner v. **1.** Fermer les yeux à demi pour mieux voir: *Le soleil me fait cligner des yeux.* SYN. clignoter. **2.** Fermer et rouvrir rapidement les yeux, battre des paupières: *Une poussière faisait cligner ses yeux.* SYN. ciller. ⁄⁄ *Cligner de l'œil:* Faire des clins d'œil. ☞ clignement, clignotant, clignotement, clignoter, clin d'œil.

clignotant n.m. Avertisseur lumineux d'un véhicule qui s'allume et s'éteint: *On se sert des clignotants pour indiquer la direction que va prendre l'automobile.* ☞ cligner.

clignotant, ante adj. **1.** Qui clignote, cligne coup sur coup rapidement et involontairement: *Ses yeux bleus clignotants, remplis de larmes, étaient tristes à voir.* ANT. fixe. **2.** fig. Qui scintille par intermittence: *Une lumière clignotante attire l'attention.* ☞ cligner.

clignotement n.m. **1.** Action de clignoter, de battre des paupières: *Il nous faisait signe, d'un clignotement des yeux.* SYN. cillement, clignement. **2.** fig. Action de s'éclairer et de s'éteindre par intermittence: *Le clignotement d'un feu vert à une intersection indique une priorité de passage.* ☞ cligner.

clignoter v. **1.** Fermer et ouvrir les yeux rapidement: *La fatigue nous fait souvent clignoter des yeux.* **2.** fig. S'allumer et s'éteindre, en parlant d'une lumière: *Un feu rouge qui clignote à une intersection indique un arrêt obligatoire.* ☞ cligner.

climat n.m. **1.** Ensemble des phénomènes météorologiques propres à une région (température, précipitations, saisons): *Le climat du Québec est différent de celui de la Floride.* SYN. température. **2.** fig. Atmosphère morale, conditions de la vie: *Le climat de calme qui règne dans notre classe facilite notre travail.* SYN. ambiance. ☞ climatique, climatisation, climatisé, climatiser, climatiseur.

climatique adj. Qui se rapporte au climat: *Les mauvaises conditions climatiques ont été la cause de plusieurs accidents sur la route.* ⁄⁄ *Station climatique:* Où l'on envoie certains malades à cause des vertus curatives du climat. ☞ climat.

climatisation n.f. Moyens utilisés pour créer ou maintenir des conditions déterminées de température et d'humidité dans un local; l'ensemble de ces moyens: *Cet édifice est équipé d'un système de climatisation très efficace.* ☞ climat.

climatisé, ée adj. Dont l'air est conditionné par des appareils: *Les salles de cinéma sont climatisées en été.* HOM. climatiser. **R.** N'a pas le sens de *conditionné* (air). ☞ climat.

climatiser v. Garder un lieu à une température agréable par un système qui permet de résister à des climats extrêmes: *Il est important de climatiser les gros édifices.* HOM. climatisé. ☞ climat.

climatiseur n.m. Appareil qui assure le contrôle de la température et de l'humidité d'un lieu: *Le cabinet de ma dentiste est équipé d'un climatiseur.* ☞ climat.

clin d'œil n.m. Battement de la paupière pour faire un signe discret: *Pour me montrer qu'elle avait compris, elle me fit un clin d'œil.* SYN. œillade. ⁄⁄ *En un clin d'œil:* En un temps très court. **R.** Au pluriel, *clins d'œil* ou *clins d'yeux.* ☞ cligner.

clinique n.f. et adj. **1.** n.f. Établissement privé où l'on soigne les gens: *La blessée a été soignée à la clinique.* **2.** adj. Qui se fait directement au chevet du malade, qui observe les manifestations de la maladie: *À Montréal, il existe un centre de recherches cliniques.* ⁄⁄ *Chef de clinique:* Médecin qui dirige une clinique. ☞ polyclinique.

clinquant n.m. Mauvaise imitation de pierreries, de métal précieux: *Ces bijoux ne sont que des clinquants sans valeur.*

clinquant, ante adj. Qui a trop d'éclat;

qui a un éclat voyant, vulgaire: *Les bijoux clinquants sont peu coûteux.*

clique n.f. Groupe de personnes souvent mal intentionnées qui s'unissent et se soutiennent: *Plusieurs fois le directeur a tenté de désunir cette petite clique qui nuit à l'école.* SYN. bande. HOM. clic!, cliques.

cliques n.f.plur.vx Jambes, dans la langue de certaines régions: *Le mot «cliques» a été formé d'après les onomatopées «clic!» et «clac!».* HOM. clic!, clique. ⁄⁄ *Prendre ses cliques et ses claques:* Prendre ce que l'on possède et s'en aller.

cliqueter v. Produire une série de bruits secs, en parlant d'objets sonores: *Johanne faisait cliqueter ses clés pour attirer l'attention du vendeur.* **R.** Ne pas oublier de doubler le *t* devant un *e* muet. ☞ cliquetis.

cliquetis n.m. Série de bruits secs produits par des objets sonores qui s'entrechoquent: *On entendait le cliquetis de la vaisselle.* **R.** Aussi, *cliquètement* ou *cliquettement.* ☞ cliqueter.

clitoris n.m. Petit organe de la vulve: *Le clitoris est un organe important de la sexualité féminine.* **R.** Le *s* se prononce.

clochard, arde n. Personne sans domicile et sans travail qui vit surtout dans les grandes villes: *Plusieurs organismes ont été créés pour venir en aide aux clochards de Montréal.* SYN. vagabond.

cloche n.f. **1.** Instrument métallique creux, en forme de coupe renversée, qui vibre lorsqu'on le frappe: *On entend souvent sonner les cloches de l'église.* **2.** Objet creux servant à recouvrir, à protéger: *Nous plaçons le fromage sous une cloche à fromage pour qu'il se conserve.* ⁄⁄ *Cloche à plongeur:* Dispositif qui permet de séjourner dans l'eau. ☞ clocher (n.), clochette.

cloche n.f. et adj.pop. **1.** n.f. Personne incapable, niaise: *C'est une vraie cloche, cet enfant!* **2.** adj. Qui est de mauvaise qualité, ridicule: *Sa coiffure était vraiment cloche.* **3.** adj. Qui est incapable, sans talent: *Il est vraiment cloche dans ce sport.*

à **cloche-pied** loc.adv. Sauter sur un seul pied, en tenant l'autre en l'air: *La marelle se joue en sautant à cloche-pied.* ☞ clocher (v.).

clocher v. **1.** vx Boiter: *À la suite de sa blessure, cette coureuse cloche du pied gauche.* **2.** fam. Être défectueux, aller de travers: *Il y a quelque chose qui cloche là-dedans.* ☞ à cloche-pied.

clocher n.m. Ouvrage, bâtiment élevé d'une église où sont placées les cloches: *Cette magnifique église est ornée d'un clocher à deux tours.* ⁄⁄ *Esprit de clocher:* Attachement étroit au petit cercle où l'on vit. *Querelles de clocher:* Chicanes locales. ☞ cloche, clochette.

clochette n.f. **1.** Petite cloche: *Ma chatte aime jouer avec la clochette que je lui ai donnée.* SYN. grelot, sonnette. **2.** Fleur, corolle en forme de petite cloche: *Les clochettes du muguet égayent notre jardin.* ☞ cloche.

cloison n.f. **1.** Paroi légère qui sépare les pièces d'un lieu: *Dans cette entreprise, chacun des différents services est séparé par des cloisons amovibles.* **2.** Ce qui divise l'intérieur d'une cavité, détermine des compartiments: *La cloison des fosses nasales est ce qui divise l'intérieur du nez.* ☞ cloisonnement, cloisonner, décloisonnement, décloisonner.

cloisonnement n.m. Façon dont une chose est divisée, séparée: *Le cloisonnement de ce bureau fait qu'il a l'air d'un véritable labyrinthe.* ☞ cloison.

cloisonner v. Diviser, séparer par des cloisons: *Nous avons cloisonné une partie du sous-sol pour en faire des chambres.* SYN. compartimenter. ANT. décloisonner. ☞ cloison.

cloître n.m. Monastère ou partie d'un monastère interdite aux gens de l'extérieur: *Certaines religieuses vivent dans un cloître.* **R.** Ne pas oublier l'accent: *î.* ☞ se cloîtrer.

se **cloîtrer** v.pron. S'enfermer, se retirer du reste du monde: *Certaines religieuses ont choisi de se cloîtrer pour mieux prier.* **R.** Ne pas oublier l'accent: *î.* ☞ cloître.

clopin-clopant loc.adv.fam. En boitant, en marchant avec difficulté: *Après sa chute, Gregory s'est rendu clopin-clopant à l'infirmerie.* ☞ clopiner.

clopiner v. Marcher en boitant, avec difficulté: *Mon chat, blessé à la patte, clopine depuis deux jours.* SYN. boiter, clocher. ☞ clopin-clopant.

clopinettes n.f.plur. Rien, absolument rien: *Pour toute récompense, ils ont eu des clopinettes.*

cloporte n.m. Genre de crustacé terrestre vivant sous les pierres et dans les lieux humides et sombres: *Nous avons fait fuir des centaines de cloportes en soulevant cette pierre.*

cloque n.f. **1.** Ampoule, bulle de la peau, à la suite d'une brûlure, un frottement, une maladie: *J'ai eu une énorme cloque à la main pour avoir tiré trop longtemps la corde.* **2.** Boursouflure qui se forme sous du papier peint, dans une couche de peinture, etc.: *Le tapissier a si bien posé le papier peint de ma* *chambre qu'aucune cloque ne s'y est formée.* ☞ cloquer.

cloquer v. Former des cloques, des boursouflures, en se soulevant : *À cause de l'humidité, la peinture de la porte s'est mise à cloquer.* SYN. boursoufler. ☞ cloque.

clore v. **1.** Fermer, boucher : *On nous avait demandé de clore le passage.* ANT. ouvrir. **2.** fig. Mettre un terme, une fin à quelque chose : *Pour clore la discussion, il a présenté cette preuve incontestable.* SYN. achever, arrêter, finir, terminer. ANT. commencer. HOM. chlore. ⁄⁄ *Clore la bouche, le bec à quelqu'un :* Empêcher quelqu'un de parler. ☞ clos, mi-clos.

clos n.m. Terrain cultivé et entouré de murs, de haies ou de fossés : *La chèvre avait franchi le fossé et se régalait au milieu du clos de légumes.* ☞ clore.

clos, ose adj. **1.** Qui est fermé : *La porte est close.* SYN. fermé. ANT. ouvert. **2.** Qui est terminé : *L'incident est clos.* SYN. achevé. HOM. clause. ⁄⁄ *À la nuit close :* Quand la nuit est complètement tombée. *En vase clos :* Dans un espace réduit, limité, sans contact extérieur. *Trouver porte close :* Ne trouver personne. ☞ clore.

clôture n.f. Ce qui sert à délimiter un espace et empêcher le passage : *Pour la sécurité, notre piscine est entourée d'une haute clôture.* SYN. barrière, grille, haie. ANT. ouverture. ☞ clôturer. ▲ **clôture** n.f. Action de mettre fin à une chose, de déclarer une chose terminée : *C'est le président qui annonce l'ouverture et la clôture de chaque réunion.* SYN. conclusion. ANT. commencement, début, ouverture. ⁄⁄ *Séance de clôture :* Séance finale. **R.** Ne pas oublier l'accent : ô. ☞ clôturer.

clôturer v. Entourer, fermer d'une clôture : *Notre voisine a clôturé son jardin pour le protéger.* SYN. clore. ANT. ouvrir, percer. ☞ clôture. ▲ **clôturer** v. Déclarer une chose terminée, y mettre fin : *Il était tard et nous avons décidé de clôturer les débats.* SYN. achever, clore. ANT. commencer. **R.** Ne pas oublier l'accent : ô. ☞ clôture.

clou, clous n.m. Petite tige de métal, pointue à un bout et aplatie à l'autre, servant à fixer, à assembler ou à suspendre quelque chose : *Cette planche ne tenait pas bien parce qu'il lui manquait quelques clous.* ⁄⁄ *Ça ne vaut pas un clou :* Cela ne vaut rien. *Clou de girofle :* Bouton du giroflier, en forme de clou à tête, utilisé comme épice. *Maigre comme un clou :* Très maigre. *Planter des clous :* Clouer. ☞ clouer, clouté, déclouer. ▲ **clou, clous** n.m. Furoncle, infection de la peau qui se présente sous la forme d'un amas de pus : *Pour soigner le clou sur mon avant-bras, la femme médecin a fait une petite incision.* ▲ **clou, clous** n.m. Principale attraction d'un spectacle, d'une soirée, d'une exposition, etc. : *Les équilibristes ont été le clou du spectacle.*

clouer v. Fixer, assembler, suspendre avec des clous, avec un objet pointu : *J'ai cloué ces deux planches ensemble.* ANT. déclouer. ☞ clou. ▲ **clouer** v. Immobiliser, retenir : *Cette grave maladie l'a clouée au lit.* ⁄⁄ *Être cloué, rester cloué sur place :* Rester figé. ☞ clou.

clouté, ée adj. Qui est garni de clous : *Les joueurs de base-ball portent des chaussures cloutées.* ☞ clou.

clown n.m. (angl.) Personnage de cirque très maquillé et drôlement habillé qui fait des scènes de farce : *Au cirque, les clowns font toujours rire les enfants.* SYN. bouffon, guignol, pitre. ⁄⁄ *Faire le clown :* Faire le comique, le farceur. **R.** Les lettres *own* se prononcent *oun*. Le féminin *clownesse* est peu usité. ☞ clownerie, clownesque.

clownerie n.f. Farce, pitrerie, tour de clown : *Jean-Claude n'est pas sérieux avec ses clowneries.* **R.** Les lettres *own* se prononcent *oun*. ☞ clown.

clownesque adj. Qui a rapport au clown, qui est digne d'un clown : *Elle exagère avec ses attitudes clownesques.* **R.** Les lettres *own* se prononcent *oun*. ☞ clown.

club n.m. (angl.) Regroupement de personnes qui partagent certaines activités, certains loisirs, certains sports : *Nous avons accompagné nos amis à leur club sportif.* SYN. association.

clutch ☞ sect. anglicismes et canadianismes.

coaccusé, ée n. Personne accusée avec une ou plusieurs autres : *Dans cette cause, il y avait trois coaccusées.* ☞ accuser.

coach, coaches n.m. (angl.) **1.** Entraîneur d'une équipe, d'un sportif de haut niveau : *Le coach m'a demandé de jouer au centre.* **2.** Automobile dont les dossiers avant se rabattent pour donner accès à l'arrière : *Notre nouvelle voiture est un coach.*

coagulant n.m. Substance permettant à un liquide organique de se transformer en une masse solide : *Les hémophiles n'ont pas assez de coagulants dans leur organisme.* ☞ coaguler.

coagulant, ante adj. Qui peut transformer un liquide organique (sang, lait) en une masse solide : *Une substance coagulante peut sauver la vie, dans certains cas.* ☞ coaguler.

coagulation n.f. Phénomène par lequel un liquide organique (sang, lait) se transforme en une masse solide: *C'est grâce à la coagulation qu'une blessure arrête de saigner.* ANT. liquéfaction. ☞ coaguler.

coaguler v. **1.** Transformer un liquide organique (sang, lait) en une masse solide: *Cette substance coagule le lait.* SYN. cailler, solidifier. ANT. liquéfier. **2.** Se transformer en une masse solide, en parlant d'un liquide organique: *Son sang coagule bien.* SYN. se figer, se solidifier. ANT. fondre. ☞ anticoagulant, coagulant, coagulation.

coaliser v. Unir, grouper en vue d'une action commune: *Ce projet a coalisé plusieurs personnes du quartier.* ☞ coalition. se **coaliser** v.pron. S'unir, se mettre ensemble pour faire face à une opposition ou pour défendre des intérêts communs: *Ces personnes se sont coalisées pour faire valoir leurs droits.* SYN. se grouper, se liguer. ANT. se séparer.

coalition n.f. Réunion, regroupement de personnes pour défendre des intérêts communs: *Une coalition s'est formée pour s'opposer à ce nouveau règlement.* SYN. alliance, association, ligue. ANT. discorde, rupture. ☞ coaliser.

coassement n.m. Cri de la grenouille ou du crapaud: *Au mois d'août, nous entendons le coassement des grenouilles sur le bord de l'étang.* **R.** Ne pas confondre avec *croassement.* ☞ coasser.

coasser v. Crier, en parlant de la grenouille ou du crapaud: *Le crapaud et la grenouille coassent sur les nénuphars.* **R.** Ne pas confondre avec *croasser.* ☞ coassement.

coassocié, ée n. Personne associée, unie à d'autres: *Elle a consulté sa coassociée avant de prendre une décision.* ☞ associer.

coati n.m. (brés.) Petit mammifère carnivore d'Amérique du Sud, à corps et à museau allongés: *Le coati se nourrit d'insectes et de lézards.*

coauteur n.m. Personne qui travaille avec une autre personne à une même œuvre: *J'ai fait signer les coauteurs de ce livre.* ☞ auteur.

cob n.m. Genre d'antilope d'Afrique: *Un cob court très rapidement et par bonds.* **R.** Aussi, *kob.*

cobalt n.m. Métal dur qui est employé dans différents alliages et qui donne des reflets bleutés: *Cet acier au cobalt est résistant et beau.* ⫽ *Bombe au cobalt:* Appareil médical servant au traitement de certains cancers.

cobaye n.m. **1.** Petit mammifère rongeur, aussi appelé «cochon d'Inde», que l'on utilise souvent pour des expériences de laboratoire, mais que l'on garde aussi comme animal domestique: *Julie aime beaucoup le cobaye qu'elle a reçu pour son anniversaire.* **2.** fam. Personne que l'on utilise pour expérimenter quelque chose de nouveau: *Ce chercheur a besoin de cobayes pour expérimenter un nouveau médicament.* ⫽ *Servir de cobaye:* Servir de sujet d'expérience.

cobra n.m. Serpent très venimeux: *On voit souvent le cobra se dresser au son de la flûte.*

coca n.m. Arbuste d'Amérique du Sud qui fournit la cocaïne: *Les feuilles de coca ont des propriétés stimulantes.* ☞ coca-cola, cocaïne, cocaïnomane, cocaïnomanie.

coca n.f. Substance extraite de la feuille du coca, que l'on mâche sans l'avaler: *La coca est stimulante.*

coca-cola n.m.invar. (marque déposée) Boisson gazeuse rafraîchissante: *Il se vend beaucoup de coca-cola en été.* ☞ coca.

cocagne n.f. Mot qui évoque un pays imaginaire où l'on vit dans l'insouciance et où l'on trouve tout ce que l'on veut en abondance: *Le pays de cocagne! Voilà le rêve de plusieurs.* ⫽ *Mât de cocagne:* Mât glissant au sommet duquel il faut aller chercher une récompense.

cocaïne n.f. Substance extraite des feuilles de coca, que l'on utilise en médecine pour supprimer ou atténuer la douleur: *La cocaïne est une drogue qui crée une dépendance.* **R.** Ne pas oublier le tréma: *ï.* ☞ coca.

cocaïnomane n. Personne qui fait un usage abusif de la cocaïne: *Ce cocaïnomane a dû suivre une cure de désintoxication.* **R.** Ne pas oublier le tréma: *ï.* ☞ coca.

cocaïnomanie n.f. Habitude d'abuser de la cocaïne: *Cette droguée souffre de cocaïnomanie.* **R.** Ne pas oublier le tréma: *ï.* ☞ coca.

cocarde n.f. Insigne circulaire aux couleurs d'une nation: *Notre voisin français a fixé une cocarde tricolore sur sa voiture.*

cocasse adj. Qui surprend, étonne et fait rire: *Toute la classe a ri de ce fait cocasse.* SYN. amusant, bizarre, comique, drôle. ANT. sérieux. ☞ cocasserie.

cocasserie n.f. Fait, événement cocasse, bizarre: *On se souviendra longtemps de cette cocasserie.* SYN. bouffonnerie, drôlerie. ☞ cocasse.

coccinelle n.f. Insecte rond aux couleurs vives, appelé aussi «bête à bon Dieu»: *Les coccinelles sont utiles dans un jardin, car elles chassent les insectes nuisibles.*

coche n.m. Grande voiture qui était tirée par

des chevaux et qui servait à transporter des voyageurs: *Le coche est l'ancêtre de la diligence.* ☞ cocher (n.).

coche n.f. Entaille faite dans un objet, marque servant de repère: *La table est à la bonne hauteur quand tu places les pattes à la deuxième coche.* ☞ cocher (v.).

cochenille n.f. Insecte, sorte de puceron: *Au Mexique, on tire une teinture rouge d'une espèce de cochenille.*

cocher v. Indiquer par une marque, un signe, une entaille, un trait: *Tu cocheras le nom des personnes qui nous ont donné une réponse.* ☞ coche (n.f.).

cocher n.m. Conducteur d'une voiture tirée par un ou plusieurs chevaux: *Le cocher a arrêté son cheval pour nous laisser passer.* ☞ coche (n.m.).

cochère adj.f. Qui est assez grande pour laisser passer une voiture, en parlant d'une porte: *Cette construction comprend deux portes cochères.*

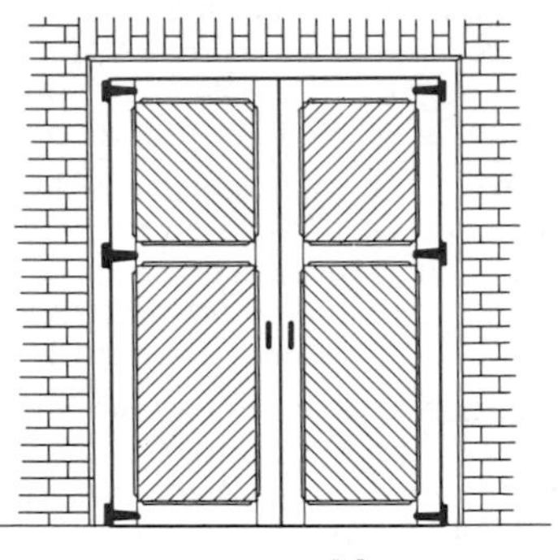

porte **cochère**

cochon n.m. **1.** Mammifère domestique omnivore, au corps épais, à la tête allongée terminée par un groin, dont la femelle est la truie et le petit, le porcelet: *Le cochon est élevé pour sa chair.* SYN. porc. **2.** Viande de cet animal: *Certains peuples ne mangent jamais de cochon.* ∥ *Cochon de lait:* Très jeune cochon encore allaité. *Cochon d'Inde:* Cobaye. ☞ cochonnet.

cochon, onne n. et adj.fam. **1.** n. Personne qui est sale, malpropre: *Si tu voyais le logement de nos voisins, ils vivent comme de vrais cochons.* SYN. salaud. **2.** adj. Qui agit mal, qui ne respecte pas les règles: *Cette joueuse de water-polo a un jeu cochon.* SYN. déloyal. ANT. loyal. **3.** adj. Qui est pornographique, obscène: *Ce cinéma présente des films cochons.* ∥ *Histoire cochonne:* Histoire osée, grivoise. ☞ cochonner, cochonnerie.

cochonner v.fam. Bâcler un travail, faire un travail de façon malpropre: *La peintre a cochonné son travail, il a fallu tout recommencer.* ☞ cochon.

cochonnerie n.f. **1.** Chose sale ou mal faite; chose sans aucune valeur: *Tu as gaspillé ton argent pour des cochonneries.* SYN. rien. **2.** pop. Parole, geste vulgaire, déplacé: *Ses propos sont déplacés, il passe son temps à dire des cochonneries.* SYN. vulgarité. ☞ cochon.

cochonnet n.m. Petit du verrat et de la truie: *Les cochonnets tout roses sont bien mignons.* SYN. goret, porcelet. ☞ cochon. ▲ **cochonnet** n.m. Petite boule qui sert de but aux joueurs de boules: *Les joueurs de pétanque doivent envoyer leur boule le plus près possible du cochonnet.* ☞ cochon.

cocker n.m. (angl.) Chien de chasse à longs poils, aux longues oreilles tombantes, qui ressemble à l'épagneul: *Bill, qui est le chien de Boule, est un cocker.* **R.** Les lettres *er* se prononcent *ère*.

cockpit n.m. (angl.) Partie d'un avion réservée aux pilotes, à l'équipage: *L'accès au cockpit est interdit aux passagers d'un avion.* **R.** Le *t* se prononce.

cocktail n.m. (anglo-améric.) **1.** Mélange de boissons alcoolisées: *Mes parents ont offert un cocktail à nos invités avant le repas.* **2.** Petite réception au cours de laquelle on sert des boissons alcoolisées et un petit goûter: *À la fin de l'année scolaire, le directeur a offert un petit cocktail aux enseignantes.* **3.** fig. Mélange: *Son spectacle était un cocktail de chansons nouvelles et anciennes.* ∥ *Cocktail Molotov:* Bouteille contenant un mélange inflammable, utilisée comme explosif. **R.** Aussi, *coquetel* (recommandation de l'O.L.F.).

coco n.m. Fruit du cocotier, recouvert d'une enveloppe dure et brune: *Le coco est aussi appelé «noix de coco».* ∥ *Lait de coco:* Liquide nourrissant extrait de la noix de coco. ☞ cocoteraie, cocotier. ▲ **coco** n.m. Œuf, dans le langage des enfants: *Ma petite sœur avait hâte de recevoir ses cocos de Pâques.* ▲ **coco** n.m. Terme qui désigne gentiment une personne: *Salut, coco!*

cocoa ☞ sect. anglicismes et canadianismes.

cocon n.m. Enveloppe dans laquelle s'enroule une chenille pour s'y transformer en papillon: *J'ai vu un magnifique papillon sortir de son cocon.*

cocorico n.m. Cri du coq: *À la campagne, le cocorico nous réveille au lever du jour.* **R.** Aussi, *coquerico*.

cocoteraie n.f. Lieu planté de cocotiers: *La Floride renferme des cocoteraies.* ☞ coco.

cocotier n.m. Arbre de la famille des palmiers, au tronc élancé, qui produit le coco: *En vacances dans le Sud, j'ai vu beaucoup de cocotiers.* ☞ coco.

cocotte n.f. Marmite, récipient muni d'un couvercle et généralement d'anses, servant à faire cuire des aliments: *Il y a quatre heures que cela cuit dans la cocotte.* ▲ **cocotte** n.f.fam. Mot qui désigne gentiment une personne de sexe féminin: *Salut, cocotte!* ▲ **cocotte** n.f. Poule, dans le langage des enfants: *« La cocotte a pondu un beau coco », disait mon petit frère.* **R.** N'a pas le sens de *cône* (fruit des conifères).

codage n.m. Fait de transformer un message ou des renseignements selon un code, en vue de les transmettre: *Le codage est important pour les services secrets d'un pays.* ANT. décodage. ☞ code.

code n.m. Ensemble des lois et des règlements qui se rapportent à une matière spéciale: *Les automobilistes doivent respecter le code de la route.* ⁄⁄ *Phares code, phares en code:* Phares de voiture de faible intensité. ▲ **code** n.m. Système de signes, de symboles qui permettent d'interpréter ou de transmettre une information: *Nous avons réussi à déchiffrer ce code secret.* ⁄⁄ *Code postal:* Au Canada, ensemble de chiffres et de lettres qui permettent d'acheminer le courrier à un endroit précis. ☞ codage, coder, codeur, décodage, décoder, décodeur, encodage, encoder, encodeur.

coder v. Transformer en code, produire un message selon un code: *Je n'ai rien compris à ce message, il a sûrement été codé.* ANT. décoder. ☞ code.

codeur n.m. Appareil, dispositif servant à transformer une information en code: *Le codeur est utilisé en informatique et en télécommunications.* ANT. décodeur. ☞ code.

codeur, euse n. Personne qui transforme des données en code, en informatique: *Nous venons d'engager une nouvelle codeuse, pour l'informatique.* ☞ code.

coéquipier, ière n. Personne qui fait partie d'une équipe avec d'autres: *J'ai fait une belle passe à ma coéquipière, et elle a marqué un but.* ☞ équipier.

cœur n.m. **1.** Organe musculaire situé entre les deux poumons, qui assure la circulation du sang dans l'organisme: *La vie cesse lorsque le cœur arrête de battre.* **2.** fam. Estomac: *J'ai mangé trop de bonbons, j'ai mal au cœur.* ▲ **cœur** n.m. Série marquée par un signe rouge, qui rappelle la forme du cœur, dans un jeu de cartes: *Il avait l'as de cœur dans son jeu.* ▲ **cœur** n.m. Siège des sensations, des émotions, des sentiments profonds: *Stéphanie aura toujours une place pour toi dans son cœur.* ⁄⁄ *Personne sans cœur:* Personne dure, insensible. ☞ sans-cœur. ▲ **cœur** n.m. Partie centrale d'une chose: *Cet édifice est situé en plein cœur de la ville.* HOM. chœur.

coexistence n.f. Fait d'être, d'exister en même temps: *La coexistence est difficile pour certains peuples.* ⁄⁄ *Coexistence pacifique:* Maintien de relations pacifiques, paisibles, entre nations ayant des régimes politiques différents. ☞ exister.

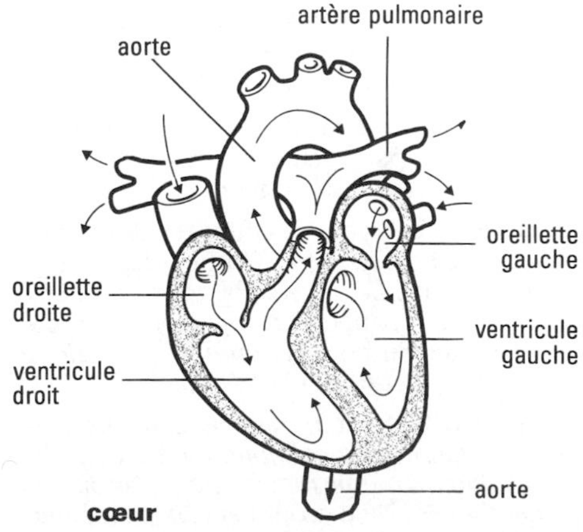

coexister v. Être, exister ensemble, en même temps, en se supportant, s'il s'agit de personnes: *Le bien et le mal coexistent en nous.* ☞ exister.

coffrage n.m. Genre de moule dans lequel on coule le béton, pour le faire prendre; action de poser ce moule: *Une fois le béton durci, les ouvriers ont pu enlever le coffrage.*

coffre n.m. **1.** Meuble en forme de caisse, à couvercle mobile, qui sert au rangement: *Maman range ses vêtements d'hiver dans un coffre de cèdre.* **2.** Espace prévu pour le rangement des bagages, dans une voiture: *La roue de secours prend beaucoup de place dans le coffre de ma voiture.* ☞ coffre-fort, coffrer, coffret.

coffre-fort n.m. Coffre, armoire métallique munie d'une serrure spéciale, qui sert à enfermer de l'argent, des objets précieux: *Toutes les banques sont munies de coffres-forts.* **R.** Au pluriel, *coffres-forts*. ☞ coffre.

coffrer v. **1.** Entourer d'un coffrage, d'une forme à béton: *Sur le chantier de construction, on a coffré les piliers de béton.* **2.** fam. Enfermer, emprisonner: *Ce bandit a été coffré par des policières.* ☞ coffre.

coffret n.m. Petit coffre: *Mes parents conservent leur testament dans un coffret.* ☞ coffre.

cognac n.m. et adj.invar. (n. de lieu) **1.** n.m. Eau-de-vie à base de raisin, qui provient de la région de Cognac, en France: *Pour la remettre de ses émotions, nous lui avons servi un peu de cognac.* **2.** adj.invar. Qui est de la couleur orangée du cognac: *J'ai acheté des accessoires cognac.*

cognassier n.m. Arbre fruitier d'Asie, qui produit le coing: *Ce cognassier est très productif, cette année.* ☞ coing.

cognée n.f. Grosse hache que l'on utilise pour abattre les arbres, pour fendre le gros bois: *Seul un bûcheron de métier peut utiliser efficacement une cognée.* HOM. cogner.

cognement n.m. Action de cogner, de frapper à coups répétés: *Ce cognement me tape sur les nerfs.* ☞ cogner.

cogner v. **1.** Frapper à coups répétés: *Quelqu'un a cogné à la porte.* SYN. heurter. **2.** Frapper quelqu'un: *Ce boxeur cogne très fort.* SYN. battre. HOM. cognée. ☞ cognement. se **cogner** v.pron. Se heurter: *Prends garde de te cogner aux meubles, c'est étroit.*

cohabitation n.f. Fait de cohabiter, de vivre ensemble: *La cohabitation de deux familles dans la même maison pose parfois des problèmes.* **R.** Ne pas oublier le *h*. ☞ habiter.

cohabiter v. Vivre ensemble dans la même maison ou sur un même territoire: *Mon chat et mon chien cohabitent très bien.* **R.** Ne pas oublier le *h*. ☞ habiter.

cohérence n.f. Qualité de ce qui se tient, harmonie sur le plan des idées: *Pour que les élèves comprennent, l'instituteur doit s'exprimer avec cohérence.* SYN. netteté. ANT. confusion, contradiction, incohérence. **R.** Ne pas oublier le *h*. ☞ cohérent.

cohérent, ente adj. Qui se tient, qui est harmonieux, sur le plan des idées: *Luce nous a lu un texte très cohérent.* SYN. logique, ordonné. ANT. désordonné, illogique, incohérent. **R.** Ne pas oublier le *h*. ☞ cohérence, cohésion, incohérence, incohérent.

cohésion n.f. Unité, union solide: *Les joueuses de hand-ball ont joué avec une grande cohésion.* **R.** Ne pas oublier le *h*. ☞ cohérent.

cohorte n.f. **1.** Groupe de soldats faisant partie de l'armée romaine, dans l'Antiquité: *Astérix et Obélix se moquent des cohortes de soldats romains.* **2.** fam. Groupe de personnes: *Il y avait une véritable cohorte d'élèves au bureau de la directrice, ce matin.* SYN. armée. **R.** Ne pas oublier le *h*.

cohue n.f. Foule bruyante et désordonnée; désordre, bousculade: *Au lendemain de Noël, les magasins sont envahis par une véritable cohue de chasseurs d'aubaines.* SYN. mêlée. **R.** Ne pas oublier le *h*.

coi, coite adj.vx Calme, tranquille, silencieux: *Pendant un concert, il faut se tenir coi.* ANT. agité. HOM. quoi. ⁄⁄ *En rester coi:* Être tellement surpris qu'on en reste muet. *Se tenir coi:* Rester immobile et muet. **R.** Aujourd'hui, s'emploie seulement en locution.

coiffe n.f. Coiffure féminine en tissu ou en dentelle, qui, aujourd'hui, se porte seulement à la campagne ou avec l'habit religieux: *Certaines religieuses portent encore une coiffe.* ☞ coiffer.

coiffer v. **1.** Couvrir la tête de quelqu'un d'une coiffure, d'un chapeau: *On a coiffé Claude d'un chapeau ancien pour le spectacle.* **2.** Placer sur sa tête: *Papa a coiffé son chapeau neuf pour cette sortie.* ☞ coiffe, coiffure, décoiffement, recoiffer. ▲ **coiffer** v. Arranger, placer les cheveux de quelqu'un: *Ma sœur s'est fait coiffer pour son bal de fin d'études.* SYN. peigner. ANT. dépeigner. ☞ coiffeur, coiffeuse, coiffure. ▲ **coiffer** v. Vaincre à la toute dernière seconde, dans une course: *Julie a coiffé la championne à la ligne d'arrivée.*

coiffeur, euse n. Personne dont le métier

est d'arranger les cheveux (coupe, shampooing, mise en plis) : *Papa va chez le coiffeur chaque mois.* ☞ coiffer.

coiffeuse n.f. Petite table de toilette, avec miroir, qui sert à se coiffer et à se maquiller : *Une brosse à cheveux et un tube de rouge se trouvaient sur la coiffeuse.* ☞ coiffer.

coiffure n.f. **1.** Ce qui sert à couvrir la tête : *En hiver, je ne sors jamais sans coiffure:* SYN. béret, bonnet, chapeau. **2.** Arrangement, coupe des cheveux : *Papa a changé de coiffure dernièrement.* ⁄⁄ *Salon de coiffure:* Endroit où l'on arrange les cheveux. ☞ coiffer.

coin n.m. **1.** Angle formé par deux lignes ou deux plans qui se coupent : *Nous avons placé la lampe dans un coin du salon.* **2.** Endroit retiré, isolé : *Nous avons passé nos vacances dans un coin tranquille.* **3.** Petit espace, partie d'un espace : *Dans notre classe, nous avons un beau petit coin de lecture.* HOM. coing. ⁄⁄ *Aller au petit coin:* Aller aux toilettes. *Regard en coin:* Regard de côté.

coincement n.m. État de ce qui est coincé, bloqué : *J'ai réglé le problème de coincement de cette porte en deux coups de rabot.* ☞ coincer.

coincer v. **1.** Empêcher quelqu'un ou quelque chose de bouger : *Impossible d'ouvrir cette fenêtre, elle a été coincée.* SYN. bloquer, immobiliser. ANT. desserrer. **2.** fig. et fam. S'arranger pour que quelqu'un ne puisse agir; mettre quelqu'un en difficulté : *Personne n'aime se faire coincer.* ☞ coincement, décoincement, décoincer.

coïncidence n.f. Fait de coïncider, d'arriver en même temps ; événements qui se produisent en même temps, tout à fait par hasard : *Quelle coïncidence que nous soyons passés au moment même où Claude sortait de la maison!* **R.** Ne pas oublier le tréma : *ï.* ☞ coïncider.

coïncider v. **1.** Arriver, se produire en même temps, au même moment : *L'anniversaire de Jean-Daniel coïncide avec la fête des Mères.* **2.** Correspondre de façon exacte, s'accorder : *Les témoignages de ces deux personnes coïncident.* **R.** Ne pas oublier le tréma : *ï.* ☞ coïncidence.

coin-coin n.m.invar. Mot imitant le cri du canard : *On entendait les coin-coin du canard.*

coing n.m. Fruit jaune du cognassier, avec lequel on fait de la confiture : *Le coing ressemble à une poire.* HOM. coin. **R.** Le *g* ne se prononce pas. ☞ cognassier.

coït n.m. Accouplement du mâle et de la femelle dans l'espèce humaine ou chez les animaux : *Par le coït, l'homme et la femme peuvent donner la vie à un nouvel être humain.* **R.** Ne pas oublier le tréma : *ï.* Se prononce *ko-it.*

col n.m. Partie du vêtement qui entoure le cou : *J'aurai trop chaud avec un pull à col roulé.* ⁄⁄ *Col blanc:* Personne qui travaille dans un bureau. *Col bleu:* Personne dont le travail est manuel. ▲ **col** n.m. Partie rétrécie de certains objets, de certains organes : *La partie étroite d'une bouteille est le col.* ▲ **col** n.m. Dépression, partie en creux qui se trouve entre deux sommets montagneux et qui offre généralement un passage : *Le col de cette montagne est aménagé en piste de ski de fond.* HOM. colle.

coléoptères n.m.plur. Ordre d'insectes à antennes, aux ailes postérieures munies de petites cornes : *Le hanneton appartient à l'ordre des coléoptères.* **R.** S'écrit au singulier quand il désigne un insecte appartenant à cet ordre.

colère n.f. État passager, violent, provoqué par le sentiment d'avoir été offensé : *Mon institutrice est sévère, mais elle se met rarement en colère.* SYN. courroux, emportement, fureur, rage. ANT. calme, douceur. ☞ coléreux, colérique.

coléreux, euse adj. Qui se met rapidement en colère : *Nous faisons attention à ce qu'on lui dit, car c'est une personne coléreuse.* SYN. colérique, emporté. ANT. calme, doux. ☞ colère.

colère col**é**reux

colérique adj. Qui est porté à la colère : *Son caractère colérique lui a souvent causé des ennuis.* SYN. coléreux, emporté. ANT. calme, doux. ☞ colère.

colibri n.m. Oiseau des régions tropicales de très petite taille, au long bec et au plumage éclatant : *Les colibris peuvent voler longtemps sur place.* ◇ oiseau-mouche.

colifichet n.m. Petit objet, petit ornement de peu de valeur : *Les colifichets sont intéressants pour leur fantaisie.* **R.** Les lettres *et* se prononcent *è.*

colimaçon n.m. Mollusque terrestre dont la coquille est arrondie : *On trouve beaucoup de colimaçons sur le bord de certaines plages.* SYN. escargot, limaçon. **R.** On emploie, de préférence, *escargot.* en **colimaçon** loc.adv. En hélice, circulaire, comme un colimaçon : *J'ai vu un escalier en colimaçon.* **R.** Ne pas oublier la cédille : colimaçon.

colin-maillard n.m. Jeu dont le but est d'attraper l'un des joueurs, les yeux bandés, et de le reconnaître: *À la récréation, plusieurs élèves jouent à colin-maillard.* **R.** Au pluriel, *colin-maillards*.

colique n.f. **1.** Violent mal de ventre, douleur abdominale: *Les bébés souffrent souvent de coliques.* **2.** fam. Diarrhée: *J'ai la colique, puis-je aller aux toilettes?* **R.** Au sens de *violent mal de ventre*, s'emploie souvent au pluriel.

colis n.m. Paquet qu'on expédie à quelqu'un: *J'ai reçu un colis par la poste.* **R.** Le *s* ne se prononce pas.

collaborateur, trice n. Personne qui travaille avec d'autres à un même projet: *La directrice de production a su s'entourer d'excellents collaborateurs.* SYN. aide, associé. ☞ collaborer.

collaboration n.f. Action de collaborer, de travailler avec d'autres personnes à un même projet: *Le directeur des finances compte sur la collaboration de tous.* SYN. aide, association, participation. ☞ collaborer.

collaborer v. Travailler avec d'autres personnes à un même projet: *Tous les joueurs ont collaboré à cette victoire.* SYN. participer. ☞ collaborateur, collaboration.

collage n.m. **1.** Action de coller ou son résultat: *Le collage des timbres laisse un mauvais goût dans la bouche.* **2.** Réunion de plusieurs éléments collés ensemble pour réaliser une composition originale, dans le domaine des arts: *Mathieu nous a émerveillés en nous présentant son collage sur le printemps.* ☞ colle.

collant n.m. **1.** Vêtement ajusté et extensible pour faire de l'exercice, du sport: *Pour son conditionnement physique, Stéphane s'est procuré un collant bleu.* SYN. maillot. **2.** Sous-vêtement féminin d'une seule pièce, composé d'une culotte et de bas: *Denise a fait une maille dans ses nouveaux collants.* **R.** Au sens de *sous-vêtement féminin*, s'emploie souvent au pluriel. ☞ colle. ▲ **collant** n.m. Ruban adhésif: *On utilise souvent du collant en arts plastiques.* ☞ colle.

collant, ante adj. **1.** Qui colle, qui adhère: *Cette gomme à mâcher est très collante.* **2.** Qui est très serré sur le corps, qui moule le corps: *Les jeans sont habituellement très collants.* SYN. ajusté, étroit, moulant. ANT. ample, large. **3.** fam. Qui est importun, dont on ne peut se débarrasser: *Cette personne m'agace, elle est vraiment collante.* ☞ colle.

collation n.f. Petit goûter, repas léger: *Je prends toujours une collation au milieu de la matinée.* ▲ **collation** n.f. Action de conférer, de donner en vertu de l'autorité que l'on a pour le faire: *La collation des grades est la cérémonie au cours de laquelle on confère des grades, à l'université.* ▲ **collation** n.f. Action de comparer entre eux des textes, des documents, pour vérifier si leurs formes concordent: *J'ai fait la collation de ces documents et je puis assurer qu'ils concordent en tous points.* **R.** Aussi, *collationnement*. ☞ collationner.

collationner v. Prendre une collation, un petit goûter: *Camille a collationné d'une tartine au beurre d'arachide.* ☞ collation. ▲ **collationner** v. Comparer entre eux des textes, des documents, pour vérifier si leurs formes concordent: *Le correcteur collationne le texte de l'épreuve typographique avec celui du texte original.* SYN. confronter. ☞ collation.

colle n.f. Substance adhésive liquide, pâteuse ou en bâton, qui sert à maintenir ensemble, de façon durable, des objets ou des surfaces: *Mon frère a réussi à réparer mon avion avec de la colle.* ☞ autocollant, collage, collant, coller, colleur, décollage, décoller, encollage, encoller, recoller. ▲ **colle** n.f.fam. Question embarrassante, difficile: *Il y avait une colle dans cet examen de mathématiques.* HOM. col.

collecte n.f. **1.** Action de recueillir des dons pour venir en aide aux autres ou pour faire un cadeau: *Les collectes de sang de la Croix-Rouge permettent de sauver des vies.* SYN. quête. **2.** Action de recueillir, de ramasser: *La collecte des ordures ménagères se fait deux fois par semaine.* ☞ collecter, collecteur.

collecter v. Recueillir des dons, de l'argent: *Nous avons collecté pour le cadeau de Pierre.* ☞ collecte.

collecteur n.m. Dispositif qui recueille ce qui était dispersé: *Une antenne de télévision est un collecteur d'ondes.* ☞ collecte.

collecteur, trice n. et adj. **1.** n. Personne chargée de recueillir des dons, de ramasser: *Marc-André était le collecteur du groupe pour cette organisation.* **2.** adj. Qui recueille, qui réunit ce qui est dispersé: *Un tuyau collecteur est un gros conduit dans lequel se déversent plusieurs conduits ou tuyaux.* ☞ collecte.

collectif, ive adj. Qui concerne ou qui comprend un ensemble de personnes: *En arts plastiques, notre instituteur nous a fait réaliser une magnifique œuvre collective.* ANT. individuel. ☞ collectivement, collectivité.

collection n.f. **1.** Accumulation d'objets ayant un intérêt artistique, scientifique, historique, ou une valeur due à leur rareté: *La collection de timbres de Chantal est intéressante et variée.* **2.** Ensemble d'ouvrages, de publications qui présentent une unité: *Ce livre a été publié dans la collection «J'ai lu».* **3.** Ensemble des modèles présentés à chaque saison par une maison de haute couture: *Cette spécialiste de la haute couture a présenté une très belle collection d'été.* ☞ collectionner, collectionneur.

collectionner v. **1.** Recueillir des objets pour en faire une collection: *Ludovic collectionne les papillons.* **2.** fam. Accumuler: *On dirait qu'elle collectionne les trophées.* ☞ collection.

collectionneur, euse n. Personne qui fait une ou plusieurs collections: *Ma tante est une collectionneuse d'objets anciens.* ☞ collection.

collectivement adv. De façon collective, ensemble: *Ils ont travaillé collectivement à cette œuvre.* ☞ collectif.

collectivité n.f. Ensemble de personnes qui composent un groupe: *Le problème de la pollution est l'affaire de toute la collectivité.* SYN. communauté, société. ANT. individualité. ☞ collectif.

collège n.m. Établissement d'enseignement: *Au Québec, le collège suit le secondaire et précède l'université.* SYN. cégep. ☞ collégial, collégien.

collégial, iale, iaux adj. **1.** Qui se rapporte à un collège: *Kim commence ses études collégiales l'an prochain.* **2.** Au Québec, se dit du cours qui est situé entre le secondaire et l'université: *Cette matière s'enseigne au cours collégial.* ☞ collège.

collégien, ienne n. Élève qui fréquente un collège: *Ces collégiens terminent leur dernière année de cégep.* ☞ collège.

collège collégial collégien

collègue n. Personne qui remplit une fonction par rapport à d'autres qui remplissent une fonction semblable: *La médecin a consulté des collègues avant d'établir son diagnostic.* SYN. confrère, consœur. **R.** Ne pas oublier le *u* après le *g*.

coller v. **1.** Fixer avec de la colle: *Carl colle des photographies dans son album.* ANT. décoller. **2.** Appuyer, placer contre: *Mon petit frère avait collé son nez à la fenêtre pour voir ce qui se passait.* ☞ colle.

collerette n.f. Petit col rond et plissé, souvent en dentelle: *Ma sœur aime bien porter sa blouse bleue à collerette blanche.*

collet n.m.vx Partie du vêtement qui se trouve autour du cou: *Cette blouse a un beau collet de dentelle.* SYN. collerette. ▲ **collet** n.m. Nœud coulant pour attraper des animaux: *La chasseuse a capturé deux lapins au collet.* ▲ **collet** n.m. Partie de la dent qui se trouve entre la racine et la couronne: *Le collet de la dent touche la gencive.*

se **colleter** v.pron. Se chamailler, se tirailler: *Ces deux-là se sont colletées durant toute la récréation.*

colleur, euse n. Personne qui a pour métier de coller: *Notre voisine est colleuse d'affiches.* ☞ colle.

colley n.m. (angl.) Race de chien à poil abondant, à tête fine et à museau allongé: *Le colley le plus populaire est Lassie.* HOM. collet. **R.** Les lettres *ey* se prononcent *è*.

collier n.m. **1.** Bijou qui se porte autour du cou: *La bijoutière m'a montré un magnifique collier de perles.* **2.** Lanière que l'on met autour du cou d'un animal pour le protéger, l'attacher ou l'atteler: *Nous avons mis à notre chat un collier qui le protège des puces.*

collimateur n.m. Appareil d'optique qui permet de viser avec précision: *Le collimateur de son fusil lui permet d'atteindre la cible à tout coup.*

colline n.f. Petite élévation de terrain arrondie, beaucoup moins haute qu'une montagne: *En hiver, nous allons souvent glisser sur cette colline.* SYN. butte.

collision n.f. Rencontre de deux objets en mouvement qui se frappent: *Une terrible collision a eu lieu sur l'autoroute.* SYN. accident, choc.

colloque n.m. Réunion organisée entre spécialistes pour discuter de certaines questions: *Le colloque sur l'enfance réunissait des psychologues, des pédiatres et des enseignants.*

colmatage n.m. Action de colmater, de boucher des trous: *Elle s'occupe du colmatage des fenêtres à l'automne, pour réduire les frais de chauffage.* SYN. calfeutrage. ☞ colmater.

colmater v. Boucher, refermer des trous, des fuites: *Nous avons réussi à colmater cette fuite d'eau.* ☞ colmatage.

colombe n.f. Oiseau, pigeon de couleur blanche: *La colombe est le symbole de la paix.*

colon n.m. Personne qui est allée s'installer sur un territoire étranger pour le développer, pour en exploiter les richesses: *Les premiers* *colons d'Amérique venaient d'Europe.* SYN. pionnier. ☞ colonie.

côlon n.m. Partie du gros intestin: *Il souffre d'une inflammation du côlon.* **R.** Ne pas oublier l'accent: *ô*.

colonel, elle n. Grade d'un officier supérieur, dans l'armée: *Le colonel a donné un ordre aux soldats du régiment.*

colonie n.f. **1.** Territoire occupé et administré par des gens d'une nation étrangère: *Plusieurs pays étaient des colonies avant de devenir indépendants.* **2.** Groupe de personnes qui forment une communauté: *La colonie artistique regroupe les artistes.* **3.** Groupe d'animaux qui vivent en commun: *Une colonie de fourmis a envahi notre sous-sol.* ⁄⁄ *Colonie de vacances:* Établissement qui accueille des enfants en vacances, à la campagne, sous la conduite de moniteurs. ☞ colon, colonisateur, colonisation, colonisé, coloniser, décolonisation, décoloniser.

colonisateur, trice n. et adj. **1.** n. Personne qui colonise, qui occupe un territoire étranger et en exploite les richesses: *Souvent, les colonisateurs se sont crus supérieurs aux colonisés.* ANT. colonisé. **2.** adj. Qui colonise, qui exploite un territoire: *Les pays colonisateurs exploitent les richesses de leurs colonies.* ☞ colonie.

colonisation n.f. Occupation d'un territoire, exploitation de ses richesses par des gens venus d'un autre pays: *C'est au XVIe siècle que débuta la colonisation de la Nouvelle-France.* ☞ colonie.

colonisé, ée n. et adj. **1.** n. Personne qui subit la colonisation: *Les colonisés avaient généralement peu de pouvoir dans leur propre pays.* ANT. colonisateur. **2.** adj. Qui subit la colonisation: *Les peuples colonisés peuvent retrouver leur indépendance.* ☞ colonie.

coloniser v. Occuper un territoire étranger pour en exploiter les richesses: *C'est en colonisant certains pays que la Grande-Bretagne a étendu son empire.* ☞ colonie.

colonnade n.f. Ensemble de colonnes disposées sur une ou plusieurs rangées: *Une colonnade traverse le grand hall de cet édifice.* **R.** S'écrit avec deux *n*. ☞ colonne.

colonne n.f. Construction verticale, habituellement cylindrique, qui supporte le haut d'un édifice: *Le Parthénon, à Athènes, est le plus bel exemple d'une structure soutenue par des colonnes.* SYN. pilier, poteau. ⁄⁄ *Colonne vertébrale:* Partie centrale du squelette des vertébrés, qui forme une tige s'étendant de la base du crâne au bas du dos. ☞ colonnade.

▲ **colonne** n.f. Sections verticales qui partagent le texte d'une page: *Cet article était écrit sur cinq colonnes.*

colorant n.m. Substance colorée qui peut servir à teindre: *Parfois, pour donner une plus belle apparence à leurs produits, les fabricants ajoutent du colorant artificiel.* ☞ couleur.

colorant, ante adj. Qui colore, qui donne une couleur: *Les shampooings colorants sont plus faciles à appliquer que les teintures.* ☞ couleur.

coloration n.f. Action de colorer; couleur: *Certaines maladies donnent une coloration particulière à la peau.* SYN. teinte. ANT. décoloration. ☞ couleur.

coloré, ée adj. **1.** Qui a de la couleur: *Au carnaval, les gens portent toujours des costumes très colorés.* ANT. pâle. **2.** fig. Qui est expressif, pittoresque: *Son allure en fait un personnage coloré.* HOM. colorer. ☞ couleur.

colorer v. Donner de la couleur: *La teinture a coloré l'eau en bleu.* SYN. teindre, teinter. ANT. décolorer. HOM. coloré. **R.** Ne pas confondre avec *colorier*. ☞ couleur.

coloriage n.m. Action de colorier, d'appliquer des couleurs sur quelque chose; résultat de cette action: *Mélanie garde en souvenir les coloriages qu'elle fait dans son album.* ☞ couleur.

colorier v. Appliquer des couleurs sur quelque chose: *Les crayons de couleur servent à colorier.* **R.** Ne pas confondre avec *colorer*. ☞ couleur.

coloris n.m. **1.** Effet obtenu par le choix, le mélange et l'usage des couleurs: *Les années ont altéré les coloris du tableau.* **2.** Couleur du visage, des fruits, des fleurs: *J'aime le coloris des pêches.* **R.** Ne pas oublier le *s*. ☞ couleur.

colossal, ale, aux adj. Qui est très grand: *Un barrage hydro-électrique est un ouvrage colossal.* SYN. énorme, gigantesque. ANT. minime. ☞ colosse.

colossalement adv. D'une façon colossale, gigantesque: *Les pays arabes sont colossalement riches grâce à leur pétrole.* SYN. immensément. ☞ colosse.

colosse n.m. Personne très grande et d'une force extraordinaire: *Ce joueur de football est un colosse.* SYN. géant. ☞ colossal, colossalement.

colportage n.m. Action de colporter, propager des nouvelles; métier de colporteur: *Ces deux commères se livrent souvent à du colportage.* ☞ colporter.

colporter v. **1.** Transporter avec soi des marchandises pour les vendre : *Cette vendeuse a colporté ses produits dans tout le quartier.* **2.** fig. et péj. Transmettre, répandre des bruits, des nouvelles : *Je ne dirai plus rien à mon ami, il passe son temps à colporter.* SYN. rapporter. ANT. taire. ☞ colportage, colporteur.

colporteur, euse n. **1.** Personne qui colporte, qui vend ses marchandises de porte en porte : *Les colporteurs viennent souvent nous déranger.* SYN. camelot. **2.** fig. Personne qui propage des nouvelles un peu partout : *Je me suis rendu compte que tu étais un colporteur de fausses nouvelles.* ☞ colporter.

colt n.m. (n. de l'inv.) Revolver tirant son nom de son inventeur : *Le colt est une arme très utilisée dans les westerns.*

columbarium n.m. Édifice où sont placées les urnes contenant les cendres des personnes qui ont été incinérées : *Un columbarium a été construit à l'entrée de ce cimetière.* **R.** Les lettres *rium* se prononcent *riomme*.

colvert n.m. Canard sauvage très répandu en Amérique du Nord : *Le colvert tire son nom de l'anneau vert qui orne son cou.* **R.** Aussi, *col-vert* et, au pluriel, *cols-verts*.

colvert

colza n.m. Plante à fleurs jaunes dont on extrait une huile comestible : *On utilise le colza pour nourrir certains animaux.*

coma n.m. Perte de conscience, de sensibilité qui s'étend sur une longue période : *Julie est dans le coma depuis son accident.* ☞ comateux.

comateux, euse adj. Qui se rapporte au coma, qui est dans le coma : *Martin est dans un état comateux, il n'a plus qu'une vie végétative.* ☞ coma.

combat n.m. **1.** Fait de se battre, lutte que se livrent deux personnes ou deux groupes de personnes : *Le combat s'est terminé à l'arrivée du directeur.* SYN. affrontement, bataille, duel. **2.** fig. Lutte d'une personne ou d'un groupe pour surmonter des difficultés : *Le combat contre la pollution sera difficile, mais il est vital.* ⫽ *Combat de boxe, de lutte :* Match de boxe organisé. *Livrer combat à quelqu'un :* Se battre contre quelqu'un. *Mettre hors de combat :* Empêcher de poursuivre la lutte, vaincre. ☞ combattre.

combatif, ive adj. Qui se bat, qui aime vaincre, qui a beaucoup d'ardeur : *Cette joueuse combative est très stimulante pour son équipe.* SYN. agressif. ANT. calme, paisible. **R.** S'écrit avec un seul *t*. ☞ combattre.

combativité n.f. Goût pour le combat, ardeur pour vaincre : *Sa combativité encourage l'équipe.* SYN. agressivité. ANT. calme, douceur. **R.** S'écrit avec un seul *t*. ☞ combattre.

combattant, ante n. et adj. **1.** n. Personne qui participe à un combat, à une guerre : *La guerre s'est terminée, faute de combattants.* SYN. soldat. **2.** n.fam. Personne qui se bat à coups de poing : *La directrice a séparé les deux combattantes et les a punies.* **3.** adj. Qui combat, qui participe à une bataille : *Les troupes combattantes se sont affrontées.* ⫽ *Anciens combattants :* Anciens soldats, combattants d'une guerre terminée, groupés en associations. ☞ combattre.

combattre v. **1.** Se battre contre quelqu'un : *Les soldats ont combattu l'ennemi et l'ont vaincu.* **2.** S'opposer à quelque chose : *Ce sont des idées qu'il faut combattre à tout prix.* SYN. réfuter. ANT. approuver. **3.** Essayer de maîtriser, d'arrêter un mal, un danger : *Les pompiers ont dû combattre l'incendie toute la nuit.* ☞ combat, combatif, combativité, combattant. ▲ **combattre** v. **1.** Livrer combat, lutter : *Camille combat de toutes ses forces pour cette cause humanitaire.* **2.** Lutter contre un mal, un danger : *Cette personne combat contre la maladie depuis plusieurs mois.* ☞ combat, combatif, combativité, combattant.

combien adv. **1.** Quel nombre : *Combien êtes-vous d'élèves dans votre classe ?* **2.** Quelle quantité (distance, prix, temps, etc.) : *Combien coûte ce chandail ?* **3.** À quel point, dans quelle mesure : *Si tu savais combien je t'aime !* SYN. comme.

combinaison n.f. **1.** Assemblage, arrangement d'éléments selon un ordre précis : *J'aime la combinaison de couleurs de cette affiche.* **2.** Arrangement de chiffres selon un ordre précis, qui permet d'ouvrir un coffre-fort : *La combinaison d'un coffre-fort doit être* *tenue secrète.* **3.** fig. Arrangements, souvent malhonnêtes, en vue d'assurer le succès d'une entreprise: *Les combinaisons plus ou moins honnêtes de cette femme d'affaires sont surveillées de près.* SYN. combine. ☞ combiner. ▲ **combinaison** n.f. Vêtement de sport ou de travail d'une seule pièce: *Sophie a revêtu sa combinaison de plongée sous-marine.* ⁄⁄ *Combinaison de femme:* Sous-vêtement féminin composé d'un haut et d'une partie remplaçant le jupon.

combine n.f.fam. Moyen habile et souvent malhonnête pour parvenir à ses fins: *Je connais une bonne combine pour gagner à ce jeu.* SYN. astuce, combinaison, truc. ☞ combiner.

combiné n.m. Partie mobile d'un téléphone, que l'on tient à l'oreille et près de la bouche pour converser avec quelqu'un: *On ne pouvait pas recevoir d'appels, car le combiné n'avait pas été remis en place correctement.* HOM. combiner. ☞ combiner.

combiner v. **1.** Assembler des éléments, souvent selon un ordre précis: *J'ai combiné ces couleurs parce que cela crée de jolis contrastes.* SYN. coder, disposer, organiser. **2.** fig. Préparer, organiser en vue d'un résultat précis: *Nous avons combiné cette stratégie pour déjouer leurs plans.* SYN. élaborer. HOM. combiné. ☞ combinaison, combine, combiné.

comble n.m. **1.** Partie la plus élevée d'un édifice, qui comporte charpente et toit: *Le grenier d'une maison est situé sous les combles.* **2.** fig. Sommet, degré extrême d'un état, d'un sentiment: *La cycliste victorieuse était au comble de la joie.* ⁄⁄ *C'est le comble:* Il ne manquait plus que cela, en parlant d'une chose désagréable. *De fond en comble:* Complètement. *Pour comble de malheur, de malchance:* Pour ajouter encore au malheur, à la malchance. **R.** Dans le sens de *partie la plus élevée d'un édifice*, s'emploie souvent au pluriel.

comble adj. Qui est complètement rempli: *Je devrai attendre l'autre autobus, celui-ci est comble.* SYN. complet, plein. ANT. vide.

combler v. **1.** Remplir, boucher: *Le concierge a comblé le trou dans la cour.* ANT. creuser, percer. **2.** Satisfaire quelqu'un pleinement, lui donner quelque chose en grande quantité: *À son mariage, Julie a été comblée de cadeaux.* ⁄⁄ *Combler un déficit:* Trouver ce qui manquait. *Combler un retard:* Rattraper le temps perdu.

combustible n.m. et adj. **1.** n.m. Produit qui peut brûler, donner de l'énergie, dégager de la chaleur (bois, charbon, mazout, essence): *Quel combustible utilisez-vous pour votre chauffage?* **2.** adj. Qui peut brûler: *Le charbon est une matière combustible.* SYN. inflammable. ANT. incombustible. ☞ combustion.

combustion n.f. Fait de brûler complètement: *La combustion d'une substance produit de la cendre.* ANT. extinction. ☞ combustible, incombustible.

comédie n.f. **1.** Pièce de théâtre qui fait rire: *Pour le spectacle de Noël, nous avons joué une comédie.* **2.** fig. Attitude fausse par laquelle on fait semblant d'avoir certains sentiments: *Ses pleurs sont de la pure comédie.* SYN. hypocrisie, tromperie. ⁄⁄ *Comédie musicale:* Spectacle, film où l'on chante et l'on danse. *Jouer la comédie:* Faire semblant d'avoir certains sentiments. ☞ comédien.

comédien, ienne n. **1.** Personne qui joue au théâtre, au cinéma ou à la télévision: *Cette comédienne a interprété plusieurs rôles.* SYN. acteur. **2.** fig. Personne qui se montre différente de ce qu'elle est: *Quel comédien! il veut nous faire croire que sa situation est désespérée.* ☞ comédie.

comédon n.m. Point noir qui bouche un pore de la peau: *Les comédons sont une cause d'acné chez les adolescents.*

comestible adj. Qui peut être mangé sans danger: *Ces champignons sont comestibles.* SYN. mangeable. ANT. immangeable, incomestible, vénéneux. ☞ comestible, incomestible.

comestibles n.m.plur. Produits alimentaires: *Andréanne est une marchande de comestibles.* SYN. vivres. ☞ comestible.

comète n.f. Astre comportant un noyau brillant qui se déplace autour du Soleil: *Regarde la queue lumineuse de la comète.*

cométique n.m. Au Canada, traîneau tiré par des chiens: *La motoneige a remplacé le cométique.*

comique n.m. et adj. **1.** n.m. Comédien qui joue habituellement des rôles drôles, légers, amusants: *Ce comique a fait rire ma mère durant tout le spectacle.* SYN. bouffon, clown, pitre. **2.** n.m. Caractère de ce qui est drôle: *Saisis-tu le comique de cette situation?* **3.** adj. Qui est drôle, qui fait rire: *J'aime les films comiques.* SYN. amusant, hilarant. ANT. sérieux, tragique, triste. ☞ comiquement.

comiquement adv. De façon comique, drôle: *Le clown nous regarda comiquement.* ☞ comique.

comité n.m. Groupe de personnes choisies parmi un groupe plus nombreux pour discuter de certains sujets, pour donner un avis: *Le comité des élèves organise des activités pour le carnaval.*

commandant, ante n. Officier supérieur qui commande, dirige, dans l'armée: *La commandante donne des ordres.* SYN. chef. ANT. inférieur, subalterne. ⁄⁄ *Commandant de bord:* Personne qui commande, qui dirige à bord d'un avion de ligne ou d'un vaisseau spatial. ☞ commander.

commande n.f. **1.** Ordre par lequel on demande de livrer une marchandise ou d'exécuter un travail: *Cette ouvrière spécialisée a reçu une commande pour des travaux d'aménagement.* **2.** Marchandise, service demandé: *La commande d'épicerie coûte cher.* ☞ commander. ▲ **commande** n.f. Élément capable de déclencher, d'arrêter, de régler un mécanisme; le mécanisme lui-même: *Veux-tu appuyer sur la commande d'arrêt?* ☞ commander.

commandement n.m. Action de commander, de donner des ordres; ordre donné: *Il obéit au commandement de sa supérieure.* SYN. instructions, prescription. ANT. obéissance, soumission. ⁄⁄ *Les dix commandements:* Les lois que Dieu donna au peuple juif. ☞ commander.

commander v. **1.** Diriger: *Le général en chef commande l'armée.* SYN. gouverner. ANT. obéir, se soumettre. **2.** Ordonner, prescrire: *On lui a commandé de partir.* ANT. défendre, interdire. ☞ commandant, commandement. ▲ **commander** v. Faire une commande pour obtenir une marchandise: *Mon père a commandé une nouvelle automobile.* ANT. décommander. ☞ commande, décommander.

commanditaire n.m. Personne ou organisme qui donne de l'argent à une entreprise ou à un groupe et qui en tire une certaine publicité: *J'ai besoin d'un commanditaire pour mon équipe de volley-ball.* ☞ commanditer.

commanditer v. Donner de l'argent à une entreprise ou à un groupe en en tirant une certaine publicité: *La caisse populaire de mon quartier a commandité une sortie de classe.* SYN. financer. ☞ commanditaire.

commando n.m. (port.) Groupe militaire peu nombreux, spécialement entraîné pour agir rapidement dans des missions spéciales: *Cette opération terroriste est l'œuvre d'un commando.*

comme conj. **1.** De la même manière que: *Il est myope comme une taupe.* **2.** Ainsi que, tel que: *Je n'ai jamais vu une splendeur comme celle-là.* **3.** De la manière que: *Ma petite sœur a réussi à lacer ses chaussures comme il faut.* **4.** Ainsi que, et: *Cette base de plein air est ouverte en été comme en hiver.* **5.** En tant que: *Comme élèves, votre tâche est d'étudier.* **6.** Parce que, puisque: *Comme tu n'étais pas là, nous sommes repartis.* **7.** Tandis que, au moment où: *Nous étions à bricoler comme il entra.* ⁄⁄ *Comme tout:* Extrêmement.

comme adv. **1.** Combien, que (indiquant l'intensité): *Comme tu t'améliores!* **2.** Comment (indiquant la manière): *Tu sais comme je suis.*

commémoratif, ive adj. Qui rappelle le souvenir d'une personne, d'un événement: *Une cérémonie commémorative ravive des souvenirs du passé.* **R.** S'écrit avec deux *m*. ☞ commémorer.

commémoration n.f. Action de commémorer, de rappeler le souvenir d'une personne ou d'un événement; cérémonie que l'on fait à cette occasion: *À la télévision, j'ai regardé une cérémonie de commémoration.* SYN. rappel. **R.** S'écrit avec deux *m*. ☞ commémorer.

commémorer v. Rappeler le souvenir d'une personne, d'un événement: *Une foule s'était rassemblée pour commémorer la mort de René Lévesque.* SYN. célébrer. ANT. oublier. ☞ commémoratif, commémoration.

commencement n.m. Fait de commencer; ce par quoi une chose commence, ce qui vient d'abord: *Nous avons manqué le commencement du film.* SYN. début. ANT. fin. ☞ commencer.

commencer v. **1.** Faire la première partie de quelque chose, entreprendre: *Il est temps de commencer ce travail.* ANT. achever, finir, terminer. **2.** Être au commencement, au début de quelque chose: *Nous commençons aujourd'hui une nouvelle année scolaire.* SYN. amorcer, démarrer. ☞ commencement, recommencement, recommencer. ▲ **commencer** v. Débuter, avoir pour origine: *L'année scolaire commence parfois à la fin d'août.* ANT. aboutir, s'achever. **R.** Ne pas oublier la cédille devant *a* et *o*.

comment n.m.invar. et adv. **1.** n.m.invar. Manière dont une chose s'est faite: *L'informaticienne cherche à trouver le pourquoi et le comment de son erreur, pour ne pas la répéter.* **2.** adv. De quelle manière: *Comment vas-tu? – Très bien, je ne sais comment te remercier de tes soins.* **3.** adv. Quoi (exprimant l'étonnement): *Comment! Tu ne manques pas d'audace!* **4.** adv. Bien sûr, assurément (exprimant l'approbation): *Comment donc! Bien sûr que tu peux.* SYN. évidemment.

commentaire n.m. **1.** Remarque, observation: *Les commentaires pertinents reçoivent un accueil positif.* **2.** péj. Jugement négatif; paroles désobligeantes: *Ma conduite a suscité des commentaires.* SYN. bavardage, commérage. ANT. éloge. ⁄⁄ *Cela se passe de commentaires:* C'est évident. **R.** Dans le sens de *paroles désobligeantes*, s'emploie surtout au pluriel. ☞ commenter.

commentateur, trice n. Personne dont la fonction est de faire des commentaires, spécialement à la radio et à la télévision: *Ce commentateur sportif est apprécié des auditeurs.* SYN. présentateur. ☞ commenter.

commenter v. Faire des observations, des remarques sur un texte ou sur des événements, dans le but d'expliquer: *Une journaliste a commenté cet événement mondial.* SYN. analyser, interpréter, présenter. ☞ commentaire, commentateur.

commérage n.m.fam. Bavardage, paroles nuisibles: *Évitons les commérages.* SYN. cancan, potin, racontar. ☞ commère.

commerçant, ante n. et adj. **1.** n. Personne dont la profession est de faire du commerce, de vendre ou d'acheter pour revendre: *Un centre commercial regroupe un grand nombre de commerçants.* SYN. marchand, négociant. ANT. client, consommateur. **2.** adj. Qui renferme plusieurs commerces, plusieurs magasins: *J'aime les boutiques de cette rue commerçante.* **R.** Ne pas oublier la cédille: commerçant. ☞ commerce.

commerce n.m. Activité qui consiste à vendre une marchandise ou à l'acheter pour la revendre; entreprise qui pratique cette activité: *Ce commerce d'objets anciens est très florissant.* SYN. négoce, trafic, transaction. ⁄⁄ *Fonds de commerce:* Ensemble des biens qui permettent à un commerçant d'exercer son activité. ☞ commerçant, commercer, commercial, commercialement, commercialisation, commercialiser. ▲ **commerce** n.m.litt. Rapport que l'on entretient avec autrui: *Les personnes de commerce agréable sont appréciées.*

commercer v. Faire du commerce, acheter et vendre des marchandises: *Le Canada commerce avec de nombreux pays.* SYN. échanger. **R.** Ne pas oublier la cédille devant *a* et *o*. ☞ commerce.

commercial ☞ sect. anglicismes et canadianismes.

commercial, iale, iaux adj. **1.** Qui se rapporte au commerce, à la vente: *Le centre commercial est situé en un lieu facilement accessible.* **2.** péj. Se dit d'une œuvre faite pour le grand public, pour rapporter beaucoup d'argent: *Cette chanson est purement commerciale.* ANT. artistique. ☞ commerce.

commercialement adv. D'une manière commerciale; du point de vue de la vente: *Cette invention pourrait être exploitée commercialement.* ☞ commerce.

commercialisation n.f. Action de commercialiser, de mettre en vente: *La commercialisation de ce produit a fait connaître l'entreprise.* ☞ commerce.

commercialiser v. Mettre en vente: *Ce nouveau produit sera bientôt commercialisé.* ☞ commerce.

commère n.f. Personne bavarde, qui répand toutes les nouvelles: *Michel est une vraie commère.* ☞ commérage, commérer.

commérer v.vx Bavarder, répandre toutes les nouvelles: *Ces individus passent leur temps à commérer.* ☞ commère.

commère commérer

commettre v. Accomplir une action malhonnête ou regrettable: *Ce chauffard a commis une faute grave.* SYN. faire. **se commettre** v.pron. Avoir des relations déshonorantes: *Cet homme s'est commis avec des criminelles.* SYN. se compromettre.

commis n.m. Personne qui travaille dans un bureau, une maison de commerce, sous la direction d'autres personnes: *Remarquez la qualité du service de ce commis.* SYN. vendeur. ANT. patron. ⁄⁄ *Commis voyageur:* Représentant de commerce, voyageur de commerce. **R.** L'O.L.F. recommande que le nom *commis* soit aussi employé au féminin.

commisération n.f. Sentiment de pitié à l'égard des malheurs des autres: *Il n'est pas suffisant d'éprouver de la commisération pour les pauvres.* SYN. attendrissement, pitié. ANT. cruauté, indifférence.

commissaire n.m. Personne qui est chargée d'une mission spéciale et temporaire; titre de certains fonctionnaires: *Le commissaire* *aux incendies fera enquête sur cette tragédie.* ⫽ *Commissaire d'école:* Personne choisie pour faire partie de l'organisme administrant les écoles d'une région, d'une ville. **R.** L'O.L.F. recommande que le nom *commissaire* soit aussi employé au féminin. ☞ commissariat.

commissariat n.m. Bureau d'un commissaire de police: *Après l'avoir arrêtée, on l'a conduite au commissariat.* ☞ commissaire.

commission n.f. **1.** Charge, mission; message dont on charge une personne: *Ma mère a une commission pour toi de la part de tes parents.* **2.** Course, action d'aller porter ou chercher une chose pour quelqu'un: *Pascale fait des commissions pour un homme âgé.* SYN. emplette. ☞ commissionnaire. ▲ **commission** n.f. Somme d'argent, pourcentage que reçoit une personne ayant agi comme intermédiaire, dans une activité de commerce: *L'agente immobilière reçoit une commission sur la vente d'une maison.* SYN. prime, rémunération. ☞ commissionnaire. ▲ **commission** n.f. Groupe de personnes choisies pour étudier une question, pour prendre des décisions: *Le gouvernement a formé une commission parlementaire.* SYN. comité. ⫽ *Commission d'enquête:* Au Canada, commission dont les membres sont nommés par le gouvernement pour étudier une question. *Commission scolaire:* Au Canada, groupe de personnes choisies pour administrer les écoles d'une région, d'une ville.

commissionnaire n. **1.** Personne chargée de faire les courses: *J'ai envoyé un commissionnaire au bureau de mon avocat.* SYN. coursier. **2.** Personne qui agit au nom d'une autre, dans une activité de commerce: *Cette femme est commissionnaire dans cette affaire.* SYN. intermédiaire. ☞ commission.

commissure n.f. Point où deux parties se joignent: *En anatomie, nous étudions les commissures du cerveau.* ⫽ *Commissures des lèvres:* Coins de la bouche.

commode n.f. Meuble de rangement, muni de tiroirs: *J'ai caché mon journal personnel dans un tiroir de la commode.* SYN. armoire, chiffonnier.

commode adj. Qui est pratique, facile d'usage: *Cet outil est commode pour le jardinage.* SYN. utile. ANT. incommode, inutilisable. ☞ commodément, commodité, incommodant, incommode, incommoder, incommodité, malcommode. ▲ **commode** adj.vx Qui est d'un caractère facile, en parlant d'une personne: *Cette personne n'est pas commode.* SYN. aimable. ANT. acariâtre. **R.** Dans le sens de *qui est d'un caractère facile*, s'emploie aujourd'hui à la forme négative.

commodément adv. D'une façon utile, pratique: *Cette maison est commodément aménagée.* ☞ commode.

commodité n.f. **1.** Qualité de ce qui est commode, facile d'usage: *Les handicapés apprécient la commodité de cette rampe d'accès.* SYN. avantage, utilité. **2.** plur. Choses qui rendent la vie plus facile: *On ne saurait se passer de toutes ces commodités.* SYN. agrément, facilité. ANT. désagrément, incommodité, inconvénient. ☞ commode.

commotion n.f. Fort ébranlement, à la suite d'un choc, d'un coup: *Il a eu une commotion cérébrale en tombant sur la glace de la patinoire.* SYN. traumatisme, trouble. ANT. apaisement. ☞ commotionner.

commotionner v. Bouleverser: *Elle a été fortement commotionnée par cet accident.* SYN. choquer, traumatiser. ANT. apaiser, calmer. ☞ commotion.

commun, une adj. **1.** Qui appartient à plusieurs: *Nous étudions dans une salle commune.* SYN. public. ANT. individuel, personnel. **2.** Qui se fait ensemble, à plusieurs: *Toute la classe a participé à ce travail commun.* SYN. collectif. **3.** Qui appartient à tous, qui concerne le plus grand nombre: *Dans l'intérêt commun, chaque élève doit parler à son tour.* SYN. général. ⫽ *En commun:* Ensemble, en communauté. *Le bien commun:* L'intérêt du plus grand nombre. *Nom commun:* Nom qui désigne tous les êtres de la même espèce. ▲ **commun, une** adj. **1.** Qui est ordinaire, courant: *C'est une pierre très commune, on en trouve partout.* SYN. banal, habituel. ANT. extraordinaire, original. **2.** Qui est vulgaire, sans raffinement: *Ses manières sont très communes.* SYN. quelconque, trivial. ANT. distingué, noble. ☞ communément.

communautaire adj. Qui concerne la vie en groupe: *Ce repas communautaire nous rapprochera les uns des autres.* ☞ communauté.

communauté n.f. **1.** Groupe de personnes qui vivent ensemble ou qui ont des intérêts communs: *Vivre en communauté exige de la discipline personnelle.* SYN. association, collectivité. ANT. solitude. **2.** Groupe de religieux qui vivent ensemble et observent une même règle: *Ce monastère abrite une nombreuse communauté.* SYN. congrégation, ordre. ☞ communautaire.

communément adv. Généralement, couramment: *Au Canada, le maïs est communément appelé «blé d'Inde».* SYN. ordinairement. ANT. exceptionnellement, rarement. ☞ commun.

communes n.f.plur. Assemblée nationale, dans un régime parlementaire britannique: *Le débat sera crucial à la Chambre des communes.* ⁄⁄ *Les Communes (avec une majuscule):* La Chambre des communes.

communiant, ante n. Personne qui communie, qui reçoit le sacrement de l'eucharistie; personne qui fait sa première communion: *Cette communiante participe à la messe avec ferveur.* ☞ communier.

communicable adj. Qu'on peut communiquer, transmettre: *Cette impression est difficilement communicable: vous comprendrez mieux lorsque vous l'aurez vous-mêmes ressentie.* ANT. incommunicable. ☞ communiquer.

communicant, ante adj. Qui communique, qui est relié: *Pendant nos vacances à l'hôtel, nous avions des chambres communicantes.* ☞ communiquer.

communicatif, ive adj. **1.** Qui se communique, qui se transmet facilement: *Sa joie de vivre est communicative.* SYN. contagieux. **2.** Qui aime à partager ses idées, ses sentiments, en parlant d'une personne: *Certaines personnes sont très communicatives, d'autres plus renfermées.* SYN. expansif. ANT. dissimulé. ☞ communiquer.

communication n.f. **1.** Action de communiquer, d'établir une relation: *Les gens sont entrés en communication directement.* SYN. correspondance. **2.** Ce qui permet de relier deux choses, deux lieux: *L'avion est un merveilleux moyen de communication.* ☞ communiquer. ▲ **communication** n.f. **1.** Action de communiquer, de transmettre quelque chose à quelqu'un: *La communication de cette nouvelle a été très rapide.* SYN. diffusion. **2.** Chose que l'on communique, que l'on transmet: *On a interrompu toutes les émissions de télévision pour permettre au ministre de faire cette importante communication.* SYN. annonce, message. ⁄⁄ *Communication téléphonique:* Transmission d'un message, conversation par téléphone. ☞ communiquer.

communier v. **1.** Recevoir le corps et le sang de Jésus par le sacrement de l'eucharistie, dans la religion catholique: *Je communie chaque dimanche à la messe.* **2.** Partager les mêmes idées, les mêmes sentiments: *Les membres de ce groupe communient dans le même idéal.* ☞ communiant, communion.

communion n.f. **1.** Fait de recevoir le sacrement de l'eucharistie, dans la religion catholique; partie de la messe où l'on reçoit ce sacrement: *La première communion est une étape importante pour le catholique.* **2.** Union des personnes qui partagent la même foi: *L'Église est la communion des croyants.* ⁄⁄ *Être en communion:* Éprouver les mêmes sentiments, avoir les mêmes idées. ☞ communier.

communiqué n.m. Information qu'un service compétent transmet au public par la voie des journaux, de la radio ou de la télévision: *Ce communiqué de presse annonce l'ouverture d'une nouvelle maison d'édition.* SYN. annonce, avis. HOM. communiquer. ☞ communiquer.

communiquer v. **1.** Faire connaître quelque chose à quelqu'un: *Le téléjournal nous communique les nouvelles les plus récentes.* SYN. dire, livrer. ANT. taire. **2.** Faire partager: *Il nous a communiqué sa ferveur.* **3.** Transmettre, en parlant d'une chose: *Le Soleil communique sa chaleur à notre planète.* ☞ communicable, communicatif, communication, communiqué, incommunicable. ▲ **communiquer** v. **1.** Être en relation, en rapport avec quelqu'un: *Nous communiquons par lettres depuis un an.* SYN. correspondre. **2.** Être reliée par un passage, en parlant d'une chose: *Dans notre maison, la cuisine et la salle à manger communiquent.* HOM. communiqué. ☞ communicant, communication.

communi**c**ation communi**qu**er

communisme n.m. Doctrine sociale et politique, système dans lequel tous les biens appartiennent à l'État et non aux individus: *Le système politique en vigueur en U.R.S.S. est le communisme.* ☞ communiste.

communiste n. et adj. **1.** n. Personne partisane du communisme, doctrine sociale et politique: *Les communistes sont peu nombreux en Amérique du Nord.* ANT. capitaliste. **2.** adj. Qui favorise le communisme; qui se rapporte au communisme: *Cuba est un pays communiste.* ☞ communisme.

commutateur n.m. Appareil qui permet de rétablir ou d'interrompre le passage du courant électrique dans un circuit: *En poussant le commutateur, j'ai vu qu'on manquait d'électricité.* SYN. interrupteur.

commutatif, ive adj. Se dit, en mathématique, d'une opération dont le résultat est le même, quel que soit l'ordre des termes : *L'addition et la multiplication sont commutatives.* ☞ commutativité.

commutativité n.f. Propriété qu'ont certaines opérations mathématiques d'aboutir à un même résultat quel que soit l'ordre des termes : *Voici des exemples de commutativité : 9 + 3 = 12, 3 + 9 = 12 ; 4 × 6 = 24, 6 × 4 = 24.* ☞ commutatif.

compact, acte adj. **1.** Qui est dense, dont les éléments sont très rapprochés : *Une foule compacte assistait à cette manifestation.* SYN. serré. **2.** Qui est peu encombrant : *Un disque compact est un disque qui a été réalisé selon une toute nouvelle technologie.*

compagne n.f. **1.** Camarade de jeu, d'école, de travail : *J'aime bien discuter avec mes compagnes de classe.* SYN. amie, collègue. ANT. adversaire, rivale. **2.** Épouse, femme qui partage la vie d'un homme : *Depuis vingt ans, Ginette est la compagne de Gilles.* **R.** Au masculin, *compagnon*. ☞ compagnon.

compagnie n.f. Fait d'être avec quelqu'un ; séjour auprès de quelqu'un : *Ta compagnie est très recherchée.* SYN. présence. ANT. absence. ⁄⁄ *Dame de compagnie :* Personne qui reste auprès d'une autre pour lui parler, s'occuper d'elle. *Être de bonne, mauvaise compagnie :* Être bien, mal élevé. *Fausser compagnie à :* Quitter. *Tenir compagnie à :* Demeurer près de : ▲ **compagnie** n.f. **1.** Groupe de personnes qui sont réunies par des statuts (textes de lois) communs : *Les compagnies d'assurances se livrent une chaude lutte.* SYN. société. **2.** Troupe théâtrale permanente : *La compagnie Jean-Duceppe présente des pièces intéressantes.* SYN. théâtre. ▲ **compagnie** n.f. Groupe militaire placé sous les ordres d'un capitaine : *Mon père commandait la 7e compagnie d'infanterie.* SYN. troupe.

compagnon n.m. **1.** Individu qui accompagne quelqu'un, qui vit en sa compagnie : *Beaucoup d'amitié se crée entre compagnons d'études.* SYN. ami, collègue. ANT. adversaire, rival. **2.** Époux, homme qui partage la vie d'une femme : *Quel merveilleux compagnon pour cette femme !* **R.** Au féminin, *compagne*. ☞ compagne.

comparable adj. Qui peut être comparé, approchant : *Cette marchandise est comparable à une autre.* ANT. incomparable. ☞ comparer.

comparaison n.f. **1.** Action de comparer, de chercher les ressemblances et les différences : *Elle nous a donné comme devoir une comparaison entre le loup et le chien.* SYN. analyse, rapprochement. **2.** Rapport que l'on établit entre deux termes, dans le langage : *« Rusé comme un renard », « clair comme du cristal » sont des comparaisons.* SYN. image, métaphore. ☞ comparer. en **comparaison de** loc.prép. Par rapport à, à côté de : *Notre érable est en santé en comparaison de celui du voisin.*

comparaître v. Se présenter devant un juge ou un tribunal, à la suite d'un ordre : *L'auteure de ce crime a avoué avant de comparaître.* **R.** Ne pas oublier l'accent devant le *t* : *î*.

comparatif n.m. Degré de comparaison des adjectifs et des adverbes, par lequel on exprime une qualité égale, inférieure ou supérieure : *L'emploi du comparatif permet des nuances.* ☞ comparer.

comparatif, ive adj. Qui fait ou qui contient une comparaison : *Cette recherche comparative me fera mieux connaître les immigrants.* ☞ comparer.

comparativement adv. Par comparaison : *Cette patineuse est rapide, comparativement à son frère.* ☞ comparer.

comparer v. **1.** Chercher les ressemblances et les différences : *En comparant nos souliers, nous avons constaté qu'ils étaient identiques.* SYN. confronter, évaluer. **2.** Rapprocher des personnes ou des choses différentes, pour montrer en quoi elles se ressemblent : *On peut comparer les élèves rapides à des lièvres.* ☞ comparable, comparaison, comparatif, comparativement, incomparable, incomparablement.

comparse n.péj. Personne qui joue un rôle insignifiant, spécialement dans un mauvais coup : *Jonathan n'est qu'un comparse dans ce mauvais coup.*

compartiment n.m. Division d'un espace pour répondre à des besoins précis : *Ce coffret à bijoux a cinq compartiments.* SYN. case. ☞ compartimenter.

compartimenter v. Séparer, diviser en plusieurs parties : *La menuisière a compartimenté le tiroir.* SYN. cloisonner. ☞ compartiment.

compas n.m. Instrument à deux branches que l'on utilise en géométrie pour tracer des cercles et mesurer la distance entre deux points : *J'ai utilisé mon compas pour construire ce triangle.* ▲ **compas** n.m. Instrument qui aide à se diriger, sur un bateau : *Le brouillard était si dense que nous avons dû naviguer au compas.* SYN. boussole. (*Voir l'illustration à la page suivante.*)

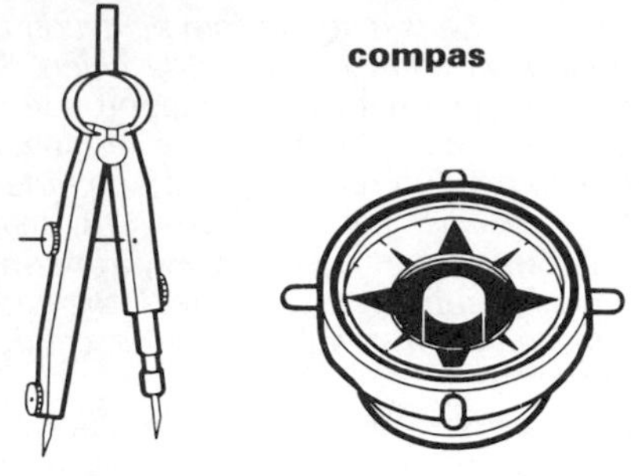
compas

compassé, ée adj. Qui manque de simplicité, de naturel : *Comment peut-on connaître vraiment une personne compassée à ce point !* SYN. affecté, guindé. ANT. naturel, simple.

compassion n.f. Sentiment de pitié à l'égard des malheurs des autres : *J'éprouve de la compassion pour ce grand malade.* SYN. commisération, pitié. ANT. cruauté, indifférence. ☞ compatir.

compatibilité n.f. État de ce qui est compatible, de ce qui peut s'accorder avec autre chose ou de ce qui peut exister en même temps : *La compatibilité de leurs caractères favorise leur entente.* ANT. incompatibilité. ☞ compatible.

compatible adj. **1.** Qui peut s'accorder avec autre chose ; qui peut exister en même temps : *Ces activités sont compatibles avec mes études.* SYN. conciliable. ANT. incompatible. **2.** Qui peut fonctionner avec un appareil d'origine différente, en informatique : *Le micro-ordinateur de l'école est compatible avec celui que nous avons à la maison.* ☞ compatibilité, incompatibilité, incompatible.

compatir v. Partager la peine de quelqu'un : *Nous compatissons à vos malheurs.* SYN. s'apitoyer, plaindre. ANT. s'endurcir. ☞ compassion, compatissant.

compatissant, ante adj. Qui est sensible aux malheurs des autres : *Ton attitude compatissante est un soutien pour cette malheureuse.* SYN. charitable. ANT. dur, insensible. ☞ compassion.

compatriote n. Personne qui vient du même pays, de la même région qu'une autre : *Accueillons chaleureusement ces compatriotes.* ☞ patrie.

compensation n.f. Action de compenser, de diminuer la gravité d'un inconvénient par un avantage ; résultat de cette action : *Cette somme d'argent qu'on m'a accordée lors de l'incendie de ma maison a été une mince compensation.* SYN. dédommagement. ANT. aggravation. ☞ compenser.

compensé, ée adj. Se dit d'une maladie ou d'un trouble qui est bien supporté par l'organisme, qui n'empêche pas un certain équilibre : *Cette maladie du cœur est bien compensée depuis qu'on a découvert un nouveau traitement.* HOM. compenser. ⁄⁄ *Semelle compensée :* Semelle qui forme avec le talon un seul bloc, à base plate. ☞ compenser.

compenser v. Neutraliser un inconvénient, en diminuer la gravité par un avantage : *Je t'offre ce petit chien pour compenser mon absence.* SYN. contrebalancer, racheter, réparer. ANT. accentuer, aggraver. HOM. compensé. ☞ compensation, compensé. **se compenser** v.pron. S'équilibrer : *Les gains et les pertes se compensent.* ANT. s'ajouter.

compère n.m. **1.** Personne qui se joint secrètement à quelqu'un pour en tromper d'autres : *Le magicien avait deux compères dans la salle.* SYN. complice. **2.** fam. et vx Compagnon, copain : *Ce compère participe à toutes mes activités.* SYN. ami, camarade.

compétence n.f. **1.** Capacité reconnue, qui donne le droit de juger ou de décider en certaines matières : *La compétence de cette architecte est incontestable.* SYN. aptitude. ANT. inaptitude, incompétence. **2.** fam. Personne qualifiée : *C'est une compétence dans le domaine de l'aéronautique.* ☞ compétent.

compétent, ente adj. Qui connaît bien une chose et est capable d'en juger : *Il est compétent dans son domaine.* SYN. expert, qualifié. ANT. incompétent. ☞ compétence, incompétence, incompétent.

compétiteur, trice n. Personne qui poursuit le même but qu'une ou plusieurs autres personnes : *Vous avez une compétitrice de taille à affronter.* SYN. adversaire. ANT. collaborateur, partenaire. ☞ compétition.

compétitif, ive adj. **1.** Qui peut supporter la concurrence, qui peut rivaliser avec d'autres : *Nos prix sont compétitifs.* **2.** Où la concurrence est possible : *Un marché compétitif favorise le consommateur.* ☞ compétition.

compétition n.f. **1.** Recherche d'un même résultat, d'un même avantage par deux ou plusieurs personnes en même temps : *La compétition était trop forte, j'ai dû abandonner.* SYN. concurrence, rivalité. **2.** Épreuve sportive entre plusieurs concurrents ou plusieurs équipes : *Notre équipe participera à la compétition de natation.* SYN. championnat. ☞ compétiteur, compétitif.

complainte n.f. **1.** vx Plainte, lamentation : *« Permettez-moi de vous adresser ma complainte », dit l'héroïne.* **2.** Chanson populaire d'un ton plaintif, sur un sujet tragique :

« Un Canadien errant » est une complainte traditionnelle bien connue. SYN. romance.

complaire v.litt. Être agréable : *Il est impossible de complaire à tous.* SYN. plaire, satisfaire. ANT. déplaire, fâcher. se **complaire** v.pron. Trouver du plaisir, de la satisfaction : *Il s'est complu dans son malheur.* SYN. se délecter, se plaire. **R.** Ne pas oublier l'accent devant le *t* : *î*.

complaisamment adv. Avec complaisance, avec amabilité ou indulgence : *Il écouta complaisamment le récit de nos malheurs.* ☞ complaisant.

complaisance n.f. **1.** Attitude bienveillante, désir de rendre service : *Annick m'a accueilli avec complaisance.* SYN. amabilité, prévenance. ANT. désobligeance, malveillance. **2.** vx Acte fait dans le but de plaire, de flatter : *Victor s'abaisse à des complaisances pour s'attirer les faveurs de Lison.* SYN. flatterie. **3.** Plaisir que l'on trouve à s'attarder à quelque chose ; satisfaction de soi, vanité : *Elle se regarde avec complaisance.* SYN. orgueil. ☞ complaisant.

complaisant, ante adj. **1.** Qui a de la complaisance, de l'amabilité envers autrui : *Ce garçon s'est montré complaisant envers sa belle-mère.* SYN. aimable, empressé, prévenant. ANT. dur. **2.** Qui a de la complaisance, de l'indulgence envers soi-même ou envers les autres : *Dominique se regarde d'un œil complaisant.* SYN. indulgent. ANT. sévère. ☞ complaisamment, complaisance.

complément n.m. **1.** Ce qu'il faut ajouter à une chose pour la compléter, l'achever : *Cette lampe est un complément de décoration.* SYN. achèvement. ANT. début. **2.** Mot ou proposition qui se rapporte à un autre mot ou à une autre proposition et qui apporte une précision : *Pour faire de l'analyse, il faut connaître les sortes de compléments.* ☞ complémentaire.

complémentaire adj. Qui complète une chose, qui ajoute ce qui manque : *Nous avons besoin d'explications complémentaires pour comprendre.* SYN. additionnel. ☞ complément.

complet n.m. Vêtement masculin composé d'une veste, d'un pantalon et, parfois, d'un gilet : *Les complets dessinés par ce couturier sont d'une coupe impeccable.* SYN. costume.

complet, ète adj. **1.** Qui contient tous les éléments, toutes les parties d'un ensemble : *La spécialiste en environnement a brossé un tableau complet de la situation.* SYN. entier. ANT. incomplet. **2.** Qui est entièrement réalisé et, quand il s'agit du temps, écoulé : *Cette employée est secrétaire du directeur depuis trois années complètes.* **3.** Qui est plein, où il n'y a plus de place : *Il faut attendre le prochain autobus, celui-ci est complet.* SYN. bondé. ☞ complètement, compléter, incomplet, incomplètement. au **complet** loc.adv. Entièrement, en totalité : *J'ai écouté ce disque au complet.*

complètement adv. De façon complète, entière : *J'ai complètement oublié ce cahier d'exercices.* SYN. entièrement. ANT. incomplètement. ☞ complet (adj.).

compléter v. Rendre complet, ajouter ce qui manque à une chose pour qu'elle soit achevée : *Il vous faut au moins deux heures pour compléter ce travail.* SYN. parfaire, terminer. ANT. commencer, diminuer. **R.** N'a pas le sens de *remplir* (une formule, un formulaire). ☞ complet (adj.). se **compléter** v.pron. Former un tout harmonieux en s'associant, en étant ensemble : *Nos caractères se complètent.*

complètement compléter

complexe n.m. Ensemble de sentiments, de traits personnels généralement inconscients : *Son complexe d'infériorité lui cause de grandes difficultés.* ⁄⁄ *Avoir des complexes* : Être timide, avoir des difficultés d'ordre psychologique. ☞ complexé. ▲ **complexe** n.m. Ensemble de bâtiments, d'installations qui tendent à un même but : *Nous avons visité le complexe universitaire de Sainte-Foy.*

complexe adj. Qui renferme plusieurs éléments, plusieurs idées : *Cette question est très complexe, elle demande d'être analysée.* ☞ complexité.

complexé, ée adj. Qui a des complexes, qui est timide, peu sûr de soi : *Cette personne complexée a de la difficulté à s'imposer.* ☞ complexe (n.).

complexité n.f. État de ce qui est complexe, de ce qui renferme plusieurs éléments, plusieurs idées : *La complexité de l'intrigue a ébloui les amateurs de fiction.* ANT. simplicité. ☞ complexe (adj.).

complication n.f. **1.** Situation complexe qui crée des difficultés imprévues : *Au moment de conclure cette affaire, une nouvelle complication s'est présentée.* SYN. embarras, ennui, problème. ANT. clarification, simplicité. **2.** plur. Phénomènes nouveaux qui apparaissent au cours d'une maladie : *La chirurgienne n'avait pas prévu ces complications.* SYN. aggravation. ⁄⁄ *Fuir, éviter les complications* : Éviter les problèmes, vivre en paix. ☞ compliquer.

complice n. et adj. **1.** n. Personne qui participe à un délit, à un crime commis par une autre personne: *L'auteur de ce vol et sa complice ont été arrêtés.* SYN. acolyte. **2.** n. Personne qui participe à la réalisation de quelque chose: *Le cavalier et son cheval sont de grands complices.* SYN. associé, compagnon. **3.** adj. Qui prend part au délit, au crime d'un autre: *Le conducteur, complice de l'attentat, est recherché par les policiers.* **4.** adj. Qui aide à la réussite, à la réalisation de quelque chose; qui est de connivence: *Les deux amis échangent des clins d'œil complices.* ☞ complicité.

complicité n.f. **1.** Fait d'être impliqué dans un crime, une action malhonnête: *Ces femmes seront accusées de complicité de vol.* SYN. connivence. **2.** Entente complète entre des personnes: *Ces copines s'entendent dans une cordiale complicité.* SYN. accord. ANT. désaccord, hostilité. ☞ complice.

compliment n.m. **1.** Mot de félicitations qu'on reçoit ou qu'on adresse à quelqu'un: *Les élèves apprécient les compliments lorsqu'ils sont mérités.* SYN. louange. ANT. blâme, reproche. **2.** Mot de politesse: *Je te fais tous mes compliments.* **3.** Discours expressif: *J'aime bien réciter des compliments.* ☞ complimenter, complimenteur.

complimenter v. Féliciter une personne: *Ma supérieure m'a complimenté sur mon travail.* SYN. louanger, louer. ANT. blâmer, injurier. ☞ compliment.

complimenteur, euse adj. Qui exagère dans les compliments: *Sophie est tellement complimenteuse qu'on peut douter de sa sincérité.* SYN. flatteur. ANT. sévère. ☞ compliment.

compliqué, ée n. et adj. **1.** n.fam. Personne qui aime les complications, qui est difficile à comprendre: *Vraiment, c'est une compliquée, cette fille-là.* ANT. simple. **2.** adj. Qui est difficile à comprendre: *Ce problème de mathématique est très compliqué.* SYN. complexe. ANT. clair, simple. **3.** adj. Dont l'assemblage est complexe, qui comporte beaucoup d'éléments difficiles à comprendre: *Il fallait être spécialiste pour réparer ce mécanisme compliqué.* SYN. complexe. ANT. simple. **4.** adj. Qui aime les complications, les difficultés: *Tu es bien compliqué!* ANT. clair, simple. HOM. compliquer. ☞ compliquer.

compliquer v. Ajouter des éléments qui sont difficiles à comprendre: *La présence de décimales complique cette division.* SYN. embrouiller, obscurcir. ANT. éclaircir, simplifier. HOM. compliqué. ☞ complication, compliqué. se **compliquer** v.pron. Rendre les choses difficiles, devenir compliqué: *Des personnes réussissent à se compliquer la vie inutilement.*

complication compliquer

complot n.m. Projet secret élaboré contre un individu, une société, un regroupement politique: *Les terroristes étaient impliqués dans ce complot.* SYN. conspiration. ☞ comploter, comploteur.

comploter v. **1.** Participer à l'élaboration d'un complot: *Ce groupe révolutionnaire complotait de renverser le gouvernement.* SYN. conspirer. **2.** fam. Manigancer: *Qu'avez-vous encore comploté?* **3.** Conspirer, intriguer: *Il fut très étonné d'apprendre qu'on complotait contre lui.* ☞ complot.

comploteur, euse n. Participant à un complot; personne qui complote: *Cette fille est une comploteuse qui met la discorde dans le clan.* ☞ complot.

comportement n.m. **1.** Façon de se conduire, de réagir: *Le comportement excentrique de cet élève dérange la classe.* SYN. attitude, conduite. **2.** Ensemble des réactions: *Nous étudions le comportement de certains animaux.* ☞ se comporter.

comporter v. **1.** Contenir implicitement, impliquer: *La pratique du ski comporte certains dangers.* SYN. inclure. ANT. exclure. **2.** Comprendre en soi: *Notre école comporte deux étages.*

se **comporter** v.pron. Se conduire d'une certaine manière: *Évelyne se comporte comme si rien ne s'était passé.* ☞ comportement.

composant n.m. **1.** Élément qui fait partie d'un tout: *L'éclairage est un composant important dans un spectacle.* **2.** Élément d'un corps chimique composé: *Les composants du chlorure de sodium sont le chlore et le sodium.* ☞ composer.

composant, ante adj. Qui entre dans la composition de quelque chose: *Les matières composantes du ciment en permettent le durcissement.* ☞ composer.

composé n.m. Terme utilisé en chimie pour représenter les corps formés de plusieurs éléments: *Le peroxyde est un composé chimique.* HOM. composer. ☞ composer.

composé, ée adj. Qui contient plusieurs éléments: *L'eau est un corps composé.* HOM. composer. ⁄⁄ *Feuille composée:* Feuille qui comporte plusieurs petites feuilles rattachées à un pétiole (queue) commun. *Fleurs composées:* Fleurs réunies sur un même axe. *Mot composé:* Union de deux ou plusieurs mots pour former une unité de sens. *Nombre composé:* Nombre qui a plus que deux facteurs. *Temps composé:* Temps formé d'un auxiliaire (avoir, être) et du participe passé du verbe. ☞ composer.

composer v. **1.** Former un ensemble, un tout, par la réunion de plusieurs éléments: *Nous avons demandé au fleuriste de composer un bouquet pour la mariée.* **2.** Entrer dans un ensemble, un tout: *De nombreuses pièces composent ce jeu de société.* SYN. constituer. ⁄⁄ *Composer un numéro de téléphone:* Téléphoner. ☞ composant, composé, compositeur, composition, décomposable, décomposer, décomposition, indécomposable. ▲ **composer** v. Créer, produire une œuvre, un ouvrage artistique, spécialement en musique: *Estelle a composé une sonate pour piano.* ☞ compositeur, composition. ▲ **composer** v. S'accorder, s'adapter à la situation, à quelqu'un: *Il faut composer avec l'attitude impolie de ce poltron.* ▲ **composer** v. Faire un exercice scolaire en vue d'un classement: *Les élèves composeront en géographie, ce matin.* HOM. composé. ☞ composition. se **composer** v.pron. Comporter, renfermer: *Ce centre commercial se compose de cent dix magasins.*

compositeur, trice n. Personne qui compose des œuvres musicales: *L'auditoire a apprécié l'œuvre de ce compositeur.* ☞ composer.

composition n.f. Façon de disposer des éléments pour former un tout: *Cette composition de fleurs décoratives attire tous les regards.* SYN. agencement, arrangement. ☞ composer. ▲ **composition** n.f. Action de créer une œuvre artistique; l'œuvre elle-même: *Cette auteure a consacré plusieurs années à la composition de son roman.* ☞ composer. ▲ **composition** n.f. Examen, épreuve scolaire, dans une matière déterminée: *Sa composition de géographie améliore sa note générale.* ☞ composer.

compost n.m. (angl.) Engrais qui contient des matières organiques et minérales: *Ce jardinier amateur n'oublie pas d'utiliser du compost pour enrichir le sol.* ☞ composter.

composter v. Modifier une terre avec du compost, de l'engrais: *Cette terre pour les cactus a été compostée.* ☞ compost. ▲ **composter** v. Perforer les billets de tout genre: métro, autobus, factures: *Les billets sont compostés selon un code.* ☞ composteur.

composteur n.m. **1.** Appareil mécanique servant à perforer les billets: *L'usage d'un composteur réduit les fraudes.* **2.** Règle à rebords sur laquelle les typographes assemblent les caractères d'imprimerie: *En imprimerie, le composteur sert à former des lignes d'égale longueur.* ☞ composter.

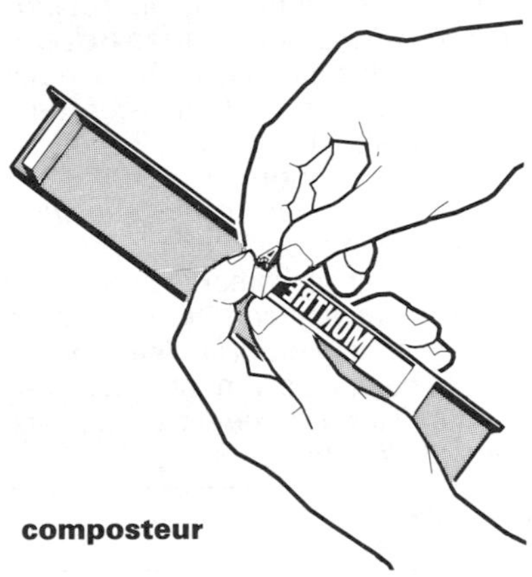

composteur

compote n.f. Entremets sucré composé de fruits cuits avec de l'eau et du sucre: *La recette de la compote de poires de mon oncle est un secret bien gardé.* **R.** S'écrit avec un seul *t.* ☞ compotier.

compotier n.m. Coupe utilisée pour servir des compotes, des fruits, etc.: *Ma mère a acheté un magnifique compotier de porcelaine.* ☞ compote.

compréhensible adj. Qui se comprend facilement: *La faiblesse de cette malade est compréhensible.* ANT. incompréhensible. ☞ comprendre.

compréhensif, ive adj. Qui comprend les autres et les excuse facilement: *Mon institutrice est très compréhensive.* SYN. indulgent, tolérant. ANT. incompréhensif, intolérant. ☞ comprendre.

compréhension n.f. **1.** Aptitude à comprendre clairement, avec intelligence: *La solution de problèmes demande la compréhension des données.* ANT. incompréhension. **2.** Capacité de comprendre les autres: *La compréhension est une qualité appréciée.* SYN. bienveillance, indulgence, tolérance. ANT. intolérance, sévérité. **3.** Possibilité d'être comprise, en parlant d'une chose: *Ce test de compréhension de lecture était très facile.* ☞ comprendre.

comprendre v. **1.** Inclure dans un ensemble: *Ce forfait de ski comprend le coucher, les repas et le remonte-pente.* SYN. comporter, englober, renfermer. ANT. exclure. **2.** Mettre dans un tout, une catégorie : *Son budget a été fait sans comprendre les frais de transport.* SYN. inclure, incorporer. ANT. omettre. **compris, ise** p.p. et adj. Qui est inclus, contenu dans quelque chose : *La taxe de vente n'est pas comprise dans le prix marqué.* y **compris** loc.prép. En y incluant (toujours placé devant le nom ou le pronom) : *J'ai tout nettoyé y compris la cuisine.* ▲ **comprendre** v. **1.** Donner un sens précis, clair, à quelque chose : *Alice a compris la division de fractions.* SYN. saisir. ANT. ignorer. **2.** Voir, saisir les causes, les motifs : *Essayez de comprendre la situation difficile de cette fille.* SYN. concevoir. ANT. méconnaître. ☞ compréhensible, compréhensif, compréhension, incompréhensible, incompréhensif, incompréhension, incompris. **compris, ise** p.p. et adj. Qu'on peut comprendre, dont le sens est saisi : *Cette attitude est comprise par tous les membres de la famille.*

compré**hension** compren**dre**

compresse n.f. Pansement de tissu fin et stérile pour couvrir une blessure : *La médecin a appliqué une compresse sur cette plaie pour la protéger.*

compresser v. Serrer, presser : *Dans l'autobus, les passagers étaient compressés.* **R.** Ne s'emploie guère que pour des corps entassés. ☞ comprimer.

compresseur n.m. et adj.m. **1.** n.m. Équipement qui sert à comprimer les gaz ou les vapeurs : *Ce compresseur coûte une fortune.* **2.** adj.m. Qui comprime, tasse : *Le rouleau compresseur est utilisé lors des travaux d'asphaltage.* ☞ comprimer.

compressible adj. **1.** Qui peut être comprimé, diminué de volume, par pression : *Les gaz sont compressibles.* ANT. incompressible. **2.** fig. Qui peut être diminué, limité : *Le budget de ce projet est compressible.* ☞ comprimer.

compression n.f. **1.** Action de comprimer, de réduire le volume d'un corps : *La pompe de bicyclette qui sert à gonfler les pneus est une pompe de compression.* ANT. décompression, dilatation, expansion. **2.** fig. Restriction, diminution forcée : *Le déficit budgétaire de cette entreprise a entraîné une compression du personnel.* SYN. réduction. ANT. augmentation. **3.** Dans un moteur, pression atteinte par l'explosion : *Il est prudent de vérifier la compression du moteur lorsqu'on achète une voiture d'occasion.* ☞ comprimer.

comprimé n.m. Produit pharmaceutique fait de poudre comprimée présenté sous forme de disque : *Le médecin a prescrit ces comprimés contre la douleur.* SYN. cachet. HOM. comprimer. ☞ comprimer.

comprimé, ée adj. **1.** Qui a été réduit de volume par la pression : *On utilise un compresseur pour obtenir de l'air comprimé.* **2.** fig. Qui est refoulé, qui n'est pas exprimé : *Un chagrin comprimé lui nouait la gorge.* HOM. comprimer. ☞ comprimer.

comprimer v. **1.** Créer une pression sur un corps afin d'en réduire le volume : *Pressez de toutes vos forces pour comprimer ce ballon.* ANT. décomprimer, dilater. **2.** fig. Refouler, réprimer des émotions, des sentiments : *Elle a réussi à comprimer sa colère.* SYN. retenir. ANT. exprimer, extérioriser. **3.** fig. Réduire, diminuer : *L'inflation nous force à comprimer nos dépenses.* SYN. restreindre. ANT. augmenter. HOM. comprimé. ☞ compresseur, compressible, compression, décompresser, décompresseur, décompression, incompressible.

compromettant, ante adj. Qui peut causer du tort à quelqu'un, nuire à sa réputation : *Il lui fallait détruire cette lettre compromettante.* ☞ compromettre.

compromettre v. Placer quelqu'un dans une situation difficile, nuisible à sa réputation : *À côtoyer des gens malhonnêtes, on risque de se compromettre.* ⁄⁄ *Compromettre sa santé :* Faire des excès nuisibles à la santé. ☞ compromettant.

compromis n.m. Accord impliquant des concessions de toutes les parties : *Les parties syndicale et patronale sont arrivées à un compromis.*

comptabilité n.f. **1.** Technique de la tenue des comptes : *Ses livres de comptabilité étaient indéchiffrables.* **2.** Service chargé des comptes : *Elle vient d'être nommée chef de la comptabilité.* **R.** Le *p* ne se prononce pas. ☞ compter.

comptable n. et adj. **1.** n. Professionnel qui fait la tenue des comptes pour des individus ou des sociétés financières commerciales : *Cette comptable s'occupe de mes déclarations d'impôt depuis cinq ans.* **2.** adj. Qui se rapporte à la comptabilité : *Ce rapport comptable de nos avoirs est significatif de notre réussite.* **R.** Le *p* ne se prononce pas. ☞ compter.

comptage n.m. Action de compter, de calculer : *Le comptage des points est parfois plus compliqué que le jeu.* **R.** Le *p* ne se prononce pas. ☞ compter.

comptant n.m. Paiement immédiat, sans terme ni crédit : *Elle a acheté sa bicyclette au comptant.* HOM. content. **R.** Le *p* ne se prononce pas. Ne s'emploie que dans l'expression *au comptant.* ☞ compter.

comptant adj.m. et adv. **1.** adj.m. Qui est payé en espèces et sur-le-champ : *Lorsque l'on paie en argent comptant, on évite les frais de crédit.* ANT. terme. **2.** adv. De façon à payer sur le moment et en espèces : *Papa règle toujours comptant les dépenses d'épicerie.* HOM. content. **R.** Le *p* ne se prononce pas. ☞ compter.

compte n.m. **1.** Action de calculer un nombre, d'évaluer une quantité ; cette quantité : *Ce mois-ci, le compte de mes dépenses était égal à celui de mes revenus.* SYN. calcul, dénombrement. **2.** fig. Explication, rapport : *Le délégué devait rendre compte de la réunion.* SYN. exposé. **3.** État de ce qui est dû ou reçu : *Il nous faut régler ce compte au plus vite.* **4.** État de l'avoir et des dettes d'un individu dans un établissement financier : *J'ai un compte à la banque.* **5.** plur. Comptabilité : *Elle était chargée de mettre un peu d'ordre dans ses livres de comptes.* HOM. comte, conte. ⁄⁄ *À bon compte :* À faible prix. *À ce compte-là :* Dans ces conditions. *Compte rendu :* Texte informatif résumant les principaux points d'une réunion, d'un livre, d'un document. *Se rendre compte :* S'apercevoir, découvrir, s'expliquer une chose. *Tenir compte :* Prendre en considération. **R.** Le *p* ne se prononce pas. ☞ compter.

compte-gouttes n.m.invar. Petit tube à capuchon de caoutchouc ou de plastique qui sert à compter les gouttes d'un liquide : *L'infirmière utilise le compte-gouttes pour doser le médicament.* **R.** Le *p* ne se prononce pas. ☞ compter.

compter v. **1.** Calculer, chiffrer : *Pour ne pas se tromper, le caissier compte deux fois la monnaie.* **2.** Évaluer, mesurer avec minutie : *Dès le début de ses vacances, Pascal comptait ses sous.* **3.** Inclure dans un ensemble, un total : *Il y avait cinq pièces, sans compter la salle de bain.* **4.** Comporter, renfermer : *La province compte plus de six millions d'habitants.* ⁄⁄ *À compter de :* À partir de tel moment. *Compter les jours, les heures :* Trouver que le temps passe lentement. *Compter pour rien :* N'avoir aucune valeur. *Compter sur :* Se fier à : *Donner sans compter :* Donner avec générosité. *Ses jours sont comptés :* Il a peu de temps à vivre. ☞ comptabilité, comptable, comptage, comptant, compte, compte-gouttes, compteur, décompte, décompter.

▲ **compter** v. Avoir l'intention de : *Étienne compte changer d'emploi dans un mois.* SYN. espérer, se proposer. HOM. comté, conter. **R.** Le *p* ne se prononce pas.

compteur n.m. Instrument qui sert à mesurer, à compter, à enregistrer des grandeurs ou des effets mécaniques : *Le relevé de mon compteur d'électricité se fait chaque mois.* HOM. conteur. ⁄⁄ *Boulier compteur :* Abaque. *Compteur de taxi :* Appareil qui calcule le prix de la course. *Compteur de vitesse d'automobile :* Indicateur de la vitesse. *Compteur Geiger, compteur à scintillations :* Instruments pouvant déceler et déterminer le degré de radioactivité. **R.** Le *p* ne se prononce pas. ☞ compter.

comptine n.f. Historiette, formule récitée ou chantée par les enfants : *« Am stram gram » est une comptine bien connue.* **R.** Le *p* ne se prononce pas.

comptoir n.m. **1.** Présentoir utilisé dans les magasins : *Le comptoir était garni de bijoux magnifiques.* **2.** Table élevée sur laquelle on sert les consommations dans un café, un bar : *J'ai pris un café au comptoir.* **3.** Établissement commercial d'une société à l'étranger : *Cette institution financière ouvre un comptoir d'escompte à Paris.* ⁄⁄ *Comptoir de vente en commun :* Activité coopérative. **R.** Le *p* ne se prononce pas.

comte n.m. Titre de noblesse : *Monsieur le comte ne sortira pas aujourd'hui.* HOM. compte, conte. **R.** Au féminin, *comtesse.* ☞ comtesse.

comté n.m. Subdivision administrative d'un territoire : *La mairesse a décidé que notre comté bénéficierait d'une subvention destinée aux loisirs.* HOM. compter, conter. **R.** N'a pas le sens de *circonscription électorale.*

comtesse n.f. Titre de noblesse : *As-tu déjà lu les livres de la comtesse de Ségur ?* **R.** Au masculin, *comte.* ☞ comte.

concassage n.m. Action de réduire des matériaux solides en miettes : *Cette cimenterie procède au concassage de la pierre.* SYN. broyage. ☞ concasser.

concasser v. Broyer, écraser une matière solide en fragments plus ou moins gros : *Le moulin à poivre sert à concasser les grains de poivre.* ☞ concassage, concasseur.

concasseur n.m. Outil mécanique utilisé pour concasser, réduire des corps solides en miettes : *Le bruit du concasseur nous assourdit.* SYN. broyeur. ☞ concasser.

concave adj. Qui forme un creux : *Dans ma chambre j'ai accroché un miroir concave.* ANT. bombé, convexe. ⁄⁄ *Polygone concave :* Polygone non convexe, celui dont la droite prolongeant l'un des côtés coupe la figure.

concave

concéder v. **1.** Accorder un droit, une faveur à quelqu'un ; céder sur un point dans une discussion : *Il a concédé que j'avais raison à son sujet.* SYN. admettre, avouer, donner. ANT. s'obstiner, refuser. **2.** Abandonner un but, un point à l'adversaire, dans les sports : *Je te concède la victoire pour cette première manche.* ANT. contester, refuser, rejeter. ☞ concession, concessionnaire.

concentration n.f. **1.** Action de rassembler en un point stratégique, en un centre : *La concentration des rayons du soleil au foyer d'une loupe peut provoquer un incendie.* SYN. convergence, réunion. ANT. dispersion. **2.** Ce qui regroupe des éléments assemblés : *L'air des grandes concentrations urbaines est souvent pollué.* SYN. agglomération, regroupement. ANT. éparpillement. **3.** Fait d'être concentré, de contenir une certaine quantité, en parlant d'une solution, d'un mélange : *Cette eau a un degré de concentration en sel très élevé.* **4.** Effort intellectuel centré sur un point précis ; son résultat : *La gymnastique exige une grande concentration.* SYN. application, attention, réflexion. ANT. détente, dissipation, distraction. ⫽ *Camp de concentration :* Camp où sont rassemblés des prisonniers, sous surveillance policière ou militaire. *Concentration économique :* Réunion d'entreprises sous une direction commune. ☞ concentrer.

concentré, ée adj. Qui contient une faible quantité de liquide, d'eau : *Ajoutez à ce bouillon concentré une quantité égale d'eau.* ⫽ *Lait concentré :* Lait dont on a retiré l'excès d'eau. ☞ concentrer. ▲ **concentré, ée** adj. Qui est replié sur lui-même par sa réflexion : *Elle était tellement concentrée sur ce problème de math qu'elle n'a pas entendu la cloche.* SYN. attentif, réfléchi. ANT. communicatif, expansif. HOM. concentrer. ☞ concentrer.

concentrer v. **1.** Rassembler en un point stratégique, en un centre, ce qui était dispersé : *La surveillante tentait de concentrer les plus jeunes dans un coin de la cour.* SYN. grouper, réunir. ANT. disséminer, éparpiller. **2.** Augmenter la quantité d'un corps dissoute dans une solution, un mélange : *La chimiste a concentré la solution jusqu'à la saturation.* ANT. diluer. **3.** Réunir, centrer des choses abstraites : *Il concentrait ses forces, son énergie, pour soulever ce poids.* SYN. contenir. ANT. distraire, éparpiller. HOM. concentré. ☞ concentration, concentré. se **concentrer** v.pron. Réfléchir sur un problème particulier, canaliser son attention : *Avec tout ce bruit, je n'arrive pas à me concentrer.*

concentrique adj. **1.** Qui a le même centre : *La spirale est une figure concentrique.* **2.** Qui se rapproche du centre : *Le faucon décrit un vol concentrique avant de s'abattre sur sa proie.* SYN. centripète. ANT. centrifuge. ☞ concentriquement.

concentriquement adv. D'une façon concentrique, vers le centre : *Les pièges ont été installés concentriquement autour de la scène.* ☞ concentrique.

conception n.f. Fait d'être conçu, de recevoir l'existence par la fécondation : *Les traits physiques de tout être sont déterminés dès sa conception.* ⫽ *L'Immaculée Conception :* La Vierge Marie, mère de Jésus, dans la religion catholique. ☞ concevoir. ▲ **conception** n.f. Manière de voir les choses ; formation d'une idée dans l'esprit : *Sa conception de l'amitié est totalement différente de la mienne.* ⫽ *Conception assistée par ordinateur :* Qui fait appel à l'ordinateur. ☞ concevoir.

concernant prép. Au sujet de : *Aucune décision n'a été prise concernant les retardataires.* ☞ concerner.

concerner v. Intéresser, toucher : *La protection de l'environnement nous concerne tous.* ☞ concernant.

concert n.m. Séance, spectacle musical : *As-tu acheté ton billet pour le concert?* ☞ concertiste.

de **concert** loc.adv. Avec entente, conjointement : *Elle avait préparé cette fête de concert avec son amie.* SYN. ensemble. ☞ concertation, concerter.

concertation n.f. Fait de s'entendre pour agir ensemble, pour prendre des décisions, en particulier dans le domaine politique : *Toute l'équipe prenait part à la période de concertation.* ☞ de concert.

concerter v. Organiser ensemble, en discutant : *Toute la classe concerte un projet d'exposition de dessins.* SYN. préméditer, préparer. ☞ de concert. se **concerter** v.pron. S'entendre sur une façon d'agir : *Il faut se concerter pour avoir les mêmes exigences.* SYN. se consulter. **concerté, ée** p.p. et adj. Qui découle d'une entente ou d'un calcul ; qui est décidé après réflexion : *Le plan concerté d'aide aux sinistrés prévoyait l'envoi de médicaments.*

concertiste n. Instrumentiste qui donne des concerts : *Il faut du talent et beaucoup de travail pour devenir bon concertiste.* ☞ concert.

concerto n.m. Composition musicale écrite dans le but de faire valoir un des instruments qui l'exécutent : *Mozart a écrit plusieurs concertos pour piano et orchestre.*

concession n.f. **1.** Action de concéder, de céder un droit, un privilège ou d'abandonner un point de discussion: *J'ai fait suffisamment de concessions.* SYN. abandon, compromis. ANT. contestation. **2.** Droit exclusif de vente donné à un intermédiaire: *Un grand nombre de restaurants McDonald's sont des concessions.* ☞ concéder.

concessionnaire n. Intermédiaire, représentant ayant reçu un droit de vente d'une marque de produit, dans une région donnée: *J'ai acheté ma voiture chez un concessionnaire.* ☞ concéder.

concevable adj. Qui est imaginable, qui peut être compris: *La tempête rend son retard facilement concevable.* ANT. inconcevable, inimaginable. ☞ concevoir.

concevoir v. **1.** Se représenter une chose, l'imaginer: *Avant de réaliser un projet, il faut le concevoir.* SYN. former, inventer, penser. **2.** Comprendre, saisir par la pensée: *Je conçois très bien que tu aies échoué à cet examen.* ☞ conception, concevable, inconcevable, préconçu. **conçu, ue** p.p. et adj. Imaginé: *Le plan de cette maison a été bien conçu.* ▲ **concevoir** v. Former un enfant en soi; être enceinte: *Cette femme désire concevoir un enfant.* SYN. engendrer. ☞ anticonceptionnel, conception.

concierge n. Personne préposée à la surveillance et à l'entretien d'un immeuble: *Dans l'immeuble où j'habite la concierge est toujours à son poste.* SYN. gardien. ☞ conciergerie.

conciergerie n.f. **1.** Ensemble des fonctions de concierge: *Il a vu une offre d'emploi pour une conciergerie.* **2.** Logement du concierge: *Pour toute information, adressez-vous à la conciergerie.* ☞ concierge.

concile n.m. Réunion de tous les évêques de l'Église catholique: *Ce dogme de foi a été discuté lors d'un concile.*

conciliable adj. Qui peut se concilier, qui est compatible: *Ce loisir est conciliable avec mes goûts.* ANT. incompatible, inconciliable. ☞ concilier.

conciliabule n.m. Entretien secret à voix basse, en chuchotant: *Les enfants tiennent un conciliabule pour préparer la fête.*

conciliant, ante adj. Qui a un esprit porté à la bonne entente; qui est prêt à faire des concessions: *L'attitude conciliante de Sophie lui amène beaucoup d'amis.* SYN. accommodant, souple, tolérant. ANT. intolérant, intraitable. ☞ concilier.

conciliateur, trice n. Personne qui joue le rôle de médiateur dans un conflit: *La conciliatrice devra prendre une décision difficile.* SYN. arbitre. ANT. diviseur. ☞ concilier.

conciliation n.f. Moyen d'accorder des personnes d'opinion divergente: *Par un effort de conciliation, on a pu éviter ce conflit de travail.* SYN. accord, arrangement, rapprochement. ANT. désaccord, opposition, séparation. ☞ concilier.

concilier v. Réunir des intérêts opposés, des opinions contraires: *Cette discussion a permis de concilier les différents intérêts.* SYN. accorder, allier. ANT. désunir, diviser, opposer. ☞ conciliable, conciliant, conciliateur, conciliation, inconciliable. **se concilier** v.pron. Obtenir la sympathie des autres: *Il s'est concilié les bonnes grâces de la ministre.* SYN. attirer, gagner. ANT. déplaire, détourner.

concis, ise adj. Qui se dit en peu de mots: *Pour garder l'attention des auditeurs, l'annonceure doit être concis.* SYN. bref, court, succinct. ANT. diffus, long. ☞ concision.

concision n.f. Qualité qui permet de s'exprimer clairement en peu de mots: *La clarté de la pensée favorise la concision des écrits.* ☞ concis.

concitoyen, yenne n. Habitant d'une même ville, d'un même village, d'une même région: *La candidate à la mairie cherchait l'appui de tous les concitoyens.* ⁄⁄ *Mes chers concitoyens:* Formule d'usage courant pour les politiciens lorsqu'ils s'adressent à leurs électeurs. ☞ citoyen.

conclave n.m. Assemblée, dans une chambre fermée, des cardinaux catholiques pour l'élection d'un pape; lieu où se tient cette assemblée: *Une fumée s'échappe du conclave qui informe les fidèles qu'un pape vient d'être élu.*

concluant, ante adj. Qui a une signification positive, qui prouve sans argument: *L'expérience est concluante, il faut continuer la recherche.* SYN. convaincant, décisif, probant. ANT. douteux, incertain. ☞ conclure.

conclure v. **1.** Terminer par un accord: *Cette affaire n'a pas été facile à conclure.* SYN. régler, résoudre. ANT. commencer, entreprendre. **2.** Déduire comme conséquence: *Que pouvons-nous conclure de cette expérience?* **3.** Donner une conclusion, une fin à un discours, un écrit: *J'ai eu beaucoup de difficulté à conclure ce récit.* ANT. introduire, préfacer. ☞ concluant, conclusion.

conclusion n.f. **1.** Action de conclure, de régler par un accord: *Nous prévoyons la conclusion des pourparlers.* SYN. arrangement. **2.** Partie qui termine un récit, un écrit: *Nous arrivons à la conclusion de ce récit.* SYN.

dénouement, fin. ANT. début, introduction. **3.** Conséquence logique qui suit un raisonnement: *J'en suis venue à la conclusion que ton idée était bonne.* ⁄⁄ *En conclusion:* En conséquence. ☞ conclure.

concombre n.m. Plante potagère consommée comme légume, en hors-d'œuvre ou en salade: *Les concombres de notre jardin sont succulents.*

concordance n.f. Harmonie des éléments en cause: *Ses actions sont en concordance avec ses idées.* SYN. accord, conformité, correspondance. ANT. contradiction, désaccord, divergence. ⁄⁄ *Concordance des temps:* Règle d'accord des temps de verbes dans les propositions. ☞ concorder.

concordant, ante adj. Qui se trouve en conformité, qui s'accorde, qui converge: *Nous avons découvert la vérité grâce à leurs aveux concordants.* SYN. conforme, correspondant. ANT. contraire, discordant, divergent, opposé. ☞ concorder.

concorde n.f. Harmonie, entente entre les personnes: *Dans cette famille, la concorde existe.* SYN. accord, paix, union. ANT. conflit, désaccord, division, mésentente. ☞ discorde.

concorder v. **1.** Correspondre, avoir un rapport de similitude: *Les dates, les heures, tout concordait.* SYN. coïncider. ANT. diverger, s'opposer. **2.** Se convenir, pouvoir s'accorder: *Ces deux-là ont des goûts qui ne concordent pas.* ANT. s'opposer. ☞ concordance, concordant, discordance, discordant.

concourir v. **1.** Participer à un concours, une compétition: *Les meilleurs élèves concourent dans cette épreuve.* SYN. lutter. **2.** Tendre à un même effet, agir dans le but d'atteindre un résultat: *Tout concourt à la réussite de l'événement.* SYN. collaborer, contribuer. ANT. contrecarrer, s'opposer. **R.** S'écrit avec un seul *r.* ☞ concours.

concours n.m. **1.** Compétition organisée dans les domaines culturel, sportif, etc.: *La cavalière se présente au concours hippique.* SYN. épreuve, match, tournoi. **2.** Épreuve mettant en compétition des candidats, pour un nombre de places limité: *Il s'est classé premier à ce concours d'admission.* SYN. examen. **3.** Fait d'aider, de collaborer à une action, un travail: *Grâce à son concours, nous avons pu terminer les travaux.* SYN. aide, appui, collaboration, coopération. ⁄⁄ *Concours de circonstances:* Coïncidence d'événements. *Prêter son concours:* Collaborer, aider. ☞ concourir.

concret, ète adj. **1.** Qui peut se percevoir par les sens ou être imaginé: *Elle a utilisé un exemple concret pour illustrer son idée.* SYN. réel, tangible. ANT. abstrait. **2.** Qui est réaliste: *Un esprit trop concret est rarement fantaisiste.* ANT. abstrait, rêveur. ☞ concrètement, concrétisation, concrétiser.

concrètement adv. D'une façon simple, facile à comprendre: *Concrètement, qu'attends-tu de moi?* SYN. pratiquement, simplement. ANT. abstraitement, théoriquement. ☞ concret.

concrétisation n.f. Fait de se concrétiser, de devenir réel, tangible: *Ce tableau est la concrétisation du talent de ce peintre.* ☞ concret.

concrétiser v. Rendre réel, tangible ce qui était abstrait, ce qui n'était qu'une idée, une notion: *Elle peut enfin concrétiser son rêve et partir en voyage.* SYN. formuler, matérialiser. ANT. abstraire, idéaliser. ☞ concret. **se concrétiser** v.pron. Devenir réel: *L'aide aux sinistrés s'est concrétisée par l'envoi de médicaments.* SYN. matérialiser, réaliser.

> concr**è**tement
> concr**é**tiser

concubinage n.m. Situation d'un homme et d'une femme vivant ensemble sans être mariés, vivant en union libre: *Le concubinage est condamné par l'Église catholique.*

concurrence n.f. Rivalité d'intérêts entraînant une compétition entre des individus et, le plus souvent, entre commerçants et industriels: *La concurrence stimule l'économie.* ANT. association, entente. ⁄⁄ *Jusqu'à concurrence de:* Jusqu'au moment où une somme en égale une autre. *Libre concurrence:* Liberté de produire ou de vendre aux conditions choisies. *Prix défiant toute concurrence:* Prix si peu élevé qu'aucun concurrent ne peut en proposer de plus bas. ☞ concurrent.

concurrencer v. Rivaliser avec quelqu'un ou quelque chose: *Ce nouveau magasin concurrence les autres commerçants par ses bas prix.* SYN. menacer. ☞ concurrent.

concurrent, ente n. et adj. **1.** n. Participant, candidat à un concours, une épreuve, une compétition: *Ce concurrent a toutes les chances de gagner.* SYN. rival. **2.** adj. Qui fait concurrence, qui est en rivalité: *Ces entreprises concurrentes se disputent la clientèle.* ☞ concurrence, concurrencer, concurrentiel.

concurrentiel, ielle adj. Qui peut entrer en concurrence, en compétition: *Le commerçant a opté pour une politique de prix concurrentielle.* SYN. compétitif. ☞ concurrent.

> concurren**c**e
> concurren**t**iel

condamnable adj. Qui mérite une condamnation: *Cet acte est hautement condamnable.* SYN. blâmable, critiquable. ANT. louable, recommandable. **R.** Le *m* ne se prononce pas. ☞ condamner.

condamnation n.f. **1.** Sentence, peine infligée par un tribunal contre l'auteur d'une infraction, d'un délit: *La condamnation de ce criminel sera exemplaire.* SYN. sanction. ANT. absolution, acquittement. **2.** Action de blâmer, de réprouver quelqu'un ou quelque chose: *Le fait de ne pas reconnaître cette artiste équivaut à une condamnation de son œuvre.* ANT. approbation, éloge. **R.** Le *m* ne se prononce pas. ☞ condamner.

condamné, ée n. et adj. **1.** n. Personne qui a fait l'objet d'une condamnation, à qui on a infligé une sentence: *La condamnée attendait la visite du prêtre.* **2.** adj. Qui a été condamné, à qui la justice a infligé une sentence: *Les individus condamnés peuvent demander une remise en liberté conditionnelle.* **3.** adj. Se dit d'un malade déclaré incurable, qui va mourir: *Les malades condamnés ont souvent droit à des services médicaux spéciaux.* SYN. inguérissable. **4.** adj. Dont l'usage a été rendu impossible: *Cette porte condamnée donnait autrefois accès au jardin.* HOM. condamner. **R.** Le *m* ne se prononce pas. ☞ condamner.

condamner v. **1.** Infliger une peine, une punition, par jugement: *Le juge a condamné cet homme à six mois de prison.* **2.** Obliger, contraindre: *Cet accident me condamne à l'inaction complète.* SYN. forcer. **3.** Désapprouver, blâmer: *La morale condamne la pornographie.* SYN. censurer, défendre, proscrire. ANT. approuver, permettre, recommander. **4.** Interdire rigoureusement: *La loi condamne la polygamie.* SYN. défendre. ANT. permettre. **5.** Critiquer fortement, blâmer, juger: *Nous avons souvent tendance à condamner les autres.* ANT. approuver, excuser. ☞ condamnable, condamnation, condamné. ▲ **condamner** v. Empêcher l'usage d'un lieu, d'un passage: *La ville veut condamner ce vieil immeuble.* SYN. barrer, fermer, murer. ☞ condamné. ▲ **condamner** v. Déclarer un malade incurable, atteint d'une maladie mortelle: *Le médecin a condamné cette malade.* HOM. condamné. **R.** Le *m* ne se prononce pas. ☞ condamné.

condensation n.f. **1.** Liquéfaction d'un gaz: *La buée qui couvre parfois les vitres est le résultat d'une condensation.* **2.** Action de condenser, de diminuer le volume et d'augmenter la densité: *Nous avons réussi nos expériences de condensation.* ANT. dilatation. ☞ condenser.

condensé n.m. Texte qui a été résumé: *Dans certaines revues, un condensé précède le texte.* HOM. condenser. ☞ condenser.

condensé, ée adj. **1.** Qui a été résumé: *C'est une histoire condensée.* **2.** Qui a été réduit de volume: *Le froid permet d'obtenir des gaz condensés.* HOM. condenser. ☞ condenser.

condenser v. **1.** Réduire à un plus petit volume: *Le brouillard se condense en fines gouttelettes.* SYN. comprimer. ANT. dilater, évaporer. **2.** fig. Résumer en gardant l'essentiel: *Un journaliste doit savoir condenser un récit.* SYN. abréger. ANT. allonger, développer. HOM. condensé. ☞ condensation, condensé.

condiment n.m. Assaisonnement qui rehausse le goût des aliments: *Quel condiment donne un goût piquant à ce plat?* SYN. épice.

condisciple n.m. Compagnon avec lequel on partage: *Nous étions condisciples au collège.*

condition n.f. **1.** Rang, position dans la société: *C'est une personne de condition supérieure.* **2.** Situation de l'être humain dans le monde: *Les œuvres de cette auteure traitent de la condition féminine.* **3.** État, manière d'être physique ou morale, selon les circonstances: *Ta condition te permet-elle un sport qui exige tant d'efforts?* SYN. forme. ▲ **condition** n.f. **1.** Clause, convention, exigence, dans un acte juridique, un contrat, etc.: *Il faut respecter les conditions pour participer au concours.* **2.** Fait préalable à un autre: *Une des premières conditions de la réussite, c'est la volonté.* **3.** plur. Climat, température: *Nous irons en excursion si les conditions climatiques le permettent.* **4.** plur. Circonstances, ensemble de faits sur lesquels repose quelque chose: *Je travaille dans d'excellentes conditions.* ☞ conditionné, conditionnel, conditionnellement, conditionnement, conditionner, inconditionnel, inconditionnellement. à **condition de** loc.prép. Selon certains événements; si: *Vous irez à cette fête à condition d'avoir terminé votre ouvrage.*

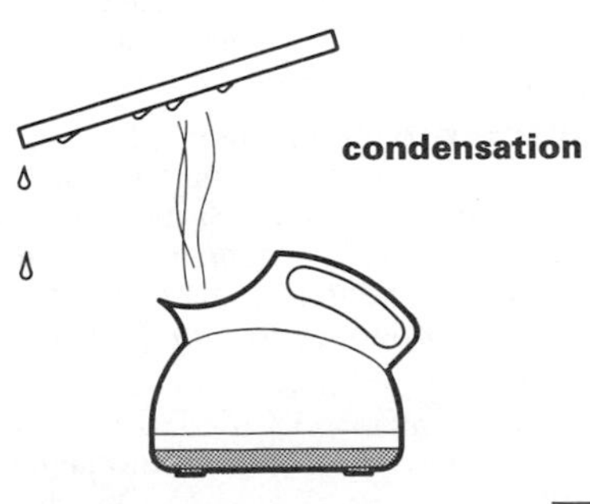
condensation

conditionné, ée adj. Qui a subi une influence, moralement ou intellectuellement; qui a été conditionné: *Le dressage des animaux de cirque entraîne l'acquisition de réflexes conditionnés.* HOM. conditionner. ⁄⁄ *Air conditionné:* Air à une température et à un degré d'humidité désirés. ☞ condition.

conditionnel n.m. Mode du verbe qui présente une action dont la réalisation dépend d'une condition: *Conjugue ces verbes au futur et au conditionnel.* ☞ condition.

conditionnel, elle adj. Qui est lié à certaines conditions: *L'offre d'achat de cette maison est conditionnelle à la vente du terrain.* ANT. formel, inconditionnel. ☞ condition.

conditionnellement adv. De façon conditionnelle, suivant certaines exigences: *Elle a accepté de me rencontrer conditionnellement à la présence d'un témoin.* ANT. inconditionnellement. ☞ condition.

conditionnement n.m. **1.** Fait de conditionner, de préparer selon les qualités demandées: *Le conditionnement d'un produit obéit à certaines règles.* **2.** Fait d'entraîner un comportement, d'influencer: *Le conditionnement du public par la télévision a été rapide.* **3.** Fait de mettre en condition, en bonne forme physique: *Je vais régulièrement à ce centre de conditionnement physique.* ☞ condition.

conditionner v. **1.** Préparer selon des qualités demandées: *On doit conditionner ce produit avant son utilisation.* SYN. traiter. **2.** Installer un nouveau comportement, entraîner à agir d'une certaine manière: *On dit souvent que certaines émissions de télévision conditionnent les jeunes à la violence.* SYN. influencer. HOM. conditionné. ☞ condition.

condoléances n.f.plur. Moyen d'exprimer à quelqu'un que l'on partage sa douleur, sa peine: *Nous irons présenter nos condoléances à cette famille éprouvée.* ⁄⁄ *Toutes mes condoléances:* Formule employée couramment lors d'un deuil.

condom n.m. (n. de l'inv.) Contraceptif masculin et moyen de protection contre les maladies transmises sexuellement: *Le condom est un préservatif relativement efficace.* **R.** S'écrit avec un *m*. Les lettres *om* se prononcent *on*.

condominium n.m. (angl.) Droit de souveraineté exercé en commun par plusieurs États sur un même pays: *Avant que ce territoire devienne indépendant, la France et l'Angleterre y exerçaient un condominium.* **R.** Les lettres *um* se prononcent *omm*. N'a pas le sens de *copropriété*.

condor n.m. (esp.) Grand oiseau rapace vivant sur les sommets des montagnes de l'Amérique du Sud: *Le condor se reconnaît à son plumage noir, à ses ailes frangées de blanc et à son bec arqué.*

conducteur n.m. Corps pouvant transmettre la chaleur, l'électricité: *La plupart des métaux sont de bons conducteurs.* ANT. isolant.

conducteur, trice n. Chauffeur d'un véhicule motorisé: *Cette conductrice prudente observe la signalisation routière.* SYN. automobiliste. ☞ conduire.

conducteur, trice adj. Qui conduit: *Des matériaux conducteurs entourés d'une gaine isolante forment les fils électriques.* ANT. isolant. ⁄⁄ *Fil conducteur:* Principe qui guide le chercheur dans une recherche.

conduire v. **1.** Accompagner quelqu'un, le mener quelque part: *Je conduis ma petite sœur à la garderie.* SYN. emmener, guider. ANT. abandonner, laisser. **2.** Diriger, mener en étant à la tête: *Il a conduit son orchestre de façon magistrale.* **3.** Aboutir, faire arriver quelque part: *Ce chemin conduit à la rivière.* **4.** Transmettre, amener d'un point à un autre: *Les canalisations conduisent l'eau à l'endroit voulu.* ▲ **conduire** v. Faire fonctionner et diriger un véhicule motorisé: *Pour acquérir de bons réflexes au volant, il faut conduire souvent.* ☞ conducteur, conduite.

se conduire v.pron. Se comporter, diriger soi-même sa manière d'être, d'agir: *Elle a une drôle de façon de se conduire en public.* ☞ conduite, inconduite.

conduit n.m. **1.** Canal par lequel se fait l'écoulement d'un liquide ou l'échappement d'un gaz: *Le gaz naturel est acheminé dans des conduits souterrains.* SYN. conduite. **2.** En anatomie, nom donné à divers canaux: *L'examen médical a révélé une infection du conduit auditif interne.* ☞ conduite.

conduite n.f. Façon de conduire un véhicule: *La conduite d'un autobus scolaire exige de l'expérience.* ☞ conduire. ▲ **conduite** n.f. Comportement, manière d'agir d'une personne: *Elle a reçu des félicitations pour sa bonne conduite.* SYN. agissement, attitude. ⁄⁄ *Écart de conduite:* Erreur ou faute morale. ☞ se conduire. ▲ **conduite** n.f. Tuyau qui amène un produit d'un point à un autre: *L'éclatement d'une conduite d'eau a causé beaucoup de dégâts.* SYN. canal, conduit, tube. ☞ conduit.

cône n.m. **1.** Solide dont la base est circulaire et qui se termine par un point au sommet: *Les arbustes de notre jardin ont été taillés en forme de cône.* **2.** Fruit de certains conifères formé d'écailles: *Le sol était recou-*

vert de cônes de pin. **R.** Ne pas oublier l'accent: *ô.* ☞ conifère, conique.

confection n.f. **1.** Industrie de fabrication en série de vêtements: *Anaïs est à la tête d'une grande maison de confection.* **2.** Action de faire, de préparer: *Ce délicieux gâteau est-il de ta confection?* ☞ confectionner.

confectionner v. Préparer soi-même: *Paul a confectionné des décorations de Noël.* SYN. exécuter, fabriquer. ☞ confection.

confédération n.f. **1.** Union de plusieurs États: *Le 1er juillet nous fêtons la Confédération canadienne.* **2.** Groupement d'associations syndicales, professionnelles, sportives, etc.: *Les associations de sport amateur ont décidé de s'unir en confédération.*

conférence n.f. **1.** Causerie, exposé public, sur un sujet précis: *J'assiste à une conférence sur l'histoire de l'art.* SYN. discours. **2.** Réunion de personnes discutant d'un sujet commun: *Ne nous dérange pas. Nous sommes en conférence.* ∥ *Conférence au sommet:* Assemblée politique. *Conférence de presse:* Informations données à la presse écrite et parlée sur un sujet d'actualité. *Salle de conférences:* Lieu de réunions. ☞ conférencier.

conférencier, ière n. Personne qui donne des conférences, qui parle en public: *Voilà un sujet en or pour cette conférencière.* SYN. orateur. ☞ conférence.

conférer v. Accorder, attribuer, par le pouvoir de l'autorité: *La générale lui a conféré une décoration pour sa bravoure.* SYN. donner. ANT. ôter, refuser, retirer.

confesser v. **1.** Déclarer ses fautes dans le sacrement du pardon: *Il faut se confesser avant de recevoir la communion.* **2.** Avouer, reconnaître quelque chose qu'on aurait préféré taire: *Mon ignorance est grande, je le confesse.* SYN. admettre, convenir, proclamer. ANT. cacher, dissimuler, taire. **3.** Dire publiquement en quoi l'on croit: *Nous confesserons notre foi en récitant ensemble le credo.* ☞ confesseur, confession, confessionnal, confessionnalité, confessionnel.

confesseur n.m. Prêtre à qui on se confesse, dans la religion catholique: *Les religieux rencontrent leur confesseur régulièrement.* ☞ confesser.

confession n.f. **1.** Action de se confesser, d'avouer ses fautes à un prêtre, dans la religion catholique: *Le curé de la paroisse a reçu ma confession.* **2.** Secret que l'on dévoile, déclaration que l'on fait (d'une faute, d'un délit, etc.): *Sans la confession de cette femme, le crime serait resté impuni.* SYN. aveu. ANT. omission. **3.** Religion, Église à laquelle on appartient: *Je suis de confession catholique.* SYN. croyance, foi. ☞ confesser.

confessionnal, aux n.m. Lieu dans une église où le prêtre entend la confession: *J'attends mon tour pour entrer dans le confessionnal.* ☞ confesser.

confessionnalité n.f. Caractère de ce qui appartient à une religion, de ce qui est confessionnel: *Il existe des écoles de différentes confessionnalités.* ☞ confesser.

confessionnel, elle adj. Qui appartient à une religion: *On se demande si les écoles du Québec doivent rester confessionnelles.* ☞ confesser.

confetti n.m. (it.) Petite rondelle de papier coloré qu'on lance dans les airs lors des fêtes populaires: *À ce mariage, tous les enfants lançaient des confettis aux nouveaux époux.*

confiance n.f. **1.** Sentiment que l'on ressent quand on sait que quelqu'un ou quelque chose ne nous décevra pas: *En toute circonstance, j'ai confiance en mon amie Paula.* SYN. assurance, foi. ANT. défiance, méfiance. **2.** Sentiment que l'on ressent lorsqu'on est sûr de ses possibilités: *Diane a confiance en elle.* SYN. assurance. ANT. crainte, doute. ∥ *En toute confiance:* Sans crainte. ☞ confiant.

confiant, ante adj. **1.** Qui témoigne de la confiance: *Annie est une fille confiante en ses amis.* ANT. défiant, méfiant. **2.** Qui a confiance en soi: *Cet élève se prépare à l'examen, confiant et calme.* SYN. sûr. ANT. craintif. ☞ confiance.

confidence n.f. Secret que l'on confie à quelqu'un: *Je ne révélerai à personne la confidence que tu m'as faite.* SYN. aveu, révélation. ANT. cachotterie. ∥ *En confidence:* Sous le sceau du secret. *Mettre quelqu'un dans la confidence:* Mettre quelqu'un dans le secret. ☞ confier.

confident, ente n. Personne à qui l'on se confie, à qui l'on dit ses pensées secrètes: *Marie est ma confidente.* ☞ confier.

confidentiel, ielle adj. Qui se dit ou se fait dans le secret: *J'ai envoyé une lettre confidentielle à la directrice du personnel.* ☞ confier.

confidentiellement adv. D'une façon confidentielle, secrètement: *Le contrat a été signé confidentiellement jeudi dernier.* ANT. ouvertement. ☞ confier.

confidence confidentiel confidentiellement

confier v. **1.** Remettre quelqu'un ou quelque chose à une personne pour qu'il en prenne bien soin : *Je te confie mon bébé pour l'après-midi.* SYN. abandonner, laisser. ANT. ôter, retirer. **2.** Dire quelque chose à quelqu'un en secret : *Marie-Andrée confie ses secrets à son frère.* ANT. cacher, dissimuler, taire. ☞ confidence, confident, confidentiel, confidentiellement. se **confier** v.pron. Faire des confidences : *Marc est un garçon qui se confie facilement.* SYN. s'épancher, se livrer. ANT. se défier, se méfier.

confiné, ée adj. Qui est enfermé : *Jean est confiné dans sa chambre depuis ce matin.* SYN. caché, isolé, renfermé, retiré. HOM. confiner. ⁄⁄ *Air confiné :* Air non renouvelé. ☞ confiner.

confinement n.m. Fait de toucher aux limites d'un pays : *Le confinement de ces deux pays facilite l'échange commercial.* ☞ confiner.

confiner v. **1.** Toucher à la frontière d'un pays : *Le Canada confine aux États-Unis.* SYN. avoisiner, borner, côtoyer. **2.** Tenir isolé, forcer à rester enfermé : *Sa maladie contagieuse l'a confiné dans sa chambre.* HOM. confiné. ☞ confiné, confinement. se **confiner** v.pron. Se garder enfermé : *Pourquoi se confiner dans la maison lorsqu'il fait beau?* SYN. se cloîtrer, s'isoler, se retirer.

confins n.m.plur. Limites, bornes d'un territoire : *L'Alaska est situé aux confins de l'Amérique du Nord.* SYN. frontière. ANT. centre, intérieur.

confire v. Imprégner les aliments dans un sirop pour les conserver : *Jean confit des fruits à l'automne.* ☞ confiserie, confiseur, confit, confiture, confiturier.

confirmand, ande n. Personne qui va recevoir le sacrement de confirmation : *L'animatrice de pastorale rencontre les confirmands ce matin.* ☞ confirmer.

confirmation n.f. **1.** Action de rendre une chose certaine : *Sylvie a reçu la confirmation de son nouveau poste.* SYN. assurance, certitude, ratification. ANT. annulation, rétractation. **2.** Sacrement catholique qui confirme, fortifie, la grâce reçue au baptême : *Seul l'évêque peut donner la confirmation.* ☞ confirmer.

confirmer v. **1.** Attester l'exactitude d'un fait, d'une nouvelle : *Le directeur a confirmé le fait.* SYN. certifier, corroborer. ANT. contredire, démentir, nier, réfuter. **2.** Rendre plus sûr, plus ferme dans ses opinions : *Elle se confirme de plus en plus dans ses idées.* SYN. encourager, raffermir. ANT. décourager, ébranler. **3.** Administrer le sacrement de confirmation : *Chaque année l'évêque vient dans notre paroisse pour confirmer les enfants.* ☞ confirmand, confirmation.

confiscable adj. Qui peut être saisi, enlevé : *Les armes à feu sont confiscables dans ce pays.* ☞ confisquer.

confiscation n.f. Peine par laquelle on enlève un bien à son propriétaire : *Les douaniers peuvent procéder à la confiscation de marchandises non déclarées.* SYN. mainmise, saisie. ANT. remise, restitution. ☞ confisquer.

confiserie n.f. **1.** Boutique où l'on conserve ou vend des sucreries : *On trouve beaucoup de bonbons importés à la confiserie de mon grand-père.* **2.** Produits sucrés que fabrique et vend le confiseur : *Marcelle adore les confiseries.* SYN. bonbon, friandise, sucrerie. ☞ confire.

confiseur, euse n. Personne qui fabrique et vend des sucreries : *Charlotte est une grande confiseuse.* ☞ confire.

confisquer v. **1.** Enlever un bien à un enfant, un écolier, pour une courte période : *Le professeur lui a confisqué son ballon.* SYN. détourner, retirer. ANT. remettre. **2.** Prendre les biens de quelqu'un au nom de l'État, du fisc : *La douanière confisque ces marchandises de contrebande.* SYN. déposséder, saisir. ANT. rendre. **3.** fig. Prendre quelque chose à quelqu'un en vue de le garder : *Le voleur lui a confisqué son téléviseur.* SYN. voler. ANT. restituer. ☞ confiscable, confiscation.

confit, ite adj. Qui est conservé dans des solutions sucrées : *Les fruits confits sont délicieux dans les gâteaux.* ☞ confire.

confiture n.f. Fruits que l'on a fait cuire avec du sucre : *Olivier se fait une tartine de confiture de fraises.* ☞ confire.

confiturier n.m. Récipient dans lequel on met les confitures : *Le confiturier de verre reposait au centre de la table.* ☞ confire.

confiturier, ière n. Personne dont le travail consiste à faire ou à vendre des confitures : *Oncle Alain est un excellent confiturier.* ☞ confire.

conflagration n.f. **1.** Conflit de grande importance, pouvant aboutir à une guerre : *Les pays tentent d'éviter la conflagration.* SYN. bouleversement. ANT. calme, paix. **2.** vx Incendie : *Une simple étincelle est à l'origine de cette conflagration.*

conflit n.m. **1.** Opposition entre deux ou plusieurs puissances : *Un conflit a éclaté entre ces deux nations.* ANT. concorde, harmonie, paix. **2.** Désaccord, opposition entre deux personnes : *Un sérieux conflit de personnalité sépare Milen et Émilie.* SYN. mésentente, opposition. ANT. accord, entente. ⁄⁄ *Conflit de travail :* Affaire, dispute opposant un groupe de salariés à un employeur.

confluence n.f. Rencontre de deux cours d'eau : *On peut voir des bélugas à la confluence de la rivière Tadoussac et du fleuve Saint-Laurent.* ☞ confluer.

confluent n.m. Endroit où deux cours d'eau se rencontrent : *Trois-Rivières est au confluent de la rivière Saint-Maurice et du fleuve Saint-Laurent.* SYN. jonction, rencontre. ANT. écartement. ☞ confluer.

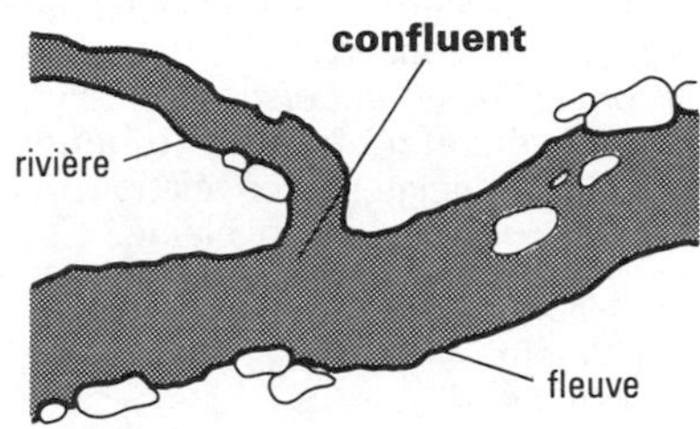

confluer v. Se rencontrer, se joindre, en parlant de cours d'eau : *Le petit ruisseau conflue avec la rivière.* ANT. diverger, s'écarter. ☞ confluence, confluent.

confondre v. Faire erreur en prenant une personne ou une chose pour une autre : *Jennifer a confondu les jumelles Amélie et Émilie.* SYN. mélanger, se tromper. ANT. distinguer, séparer. se **confondre** v.pron. Se mêler, se ressembler au point qu'il est impossible de différencier : *Dans le tumulte, toutes leurs voix se confondaient.* SYN. fusionner. ANT. discerner, se séparer.

conformation n.f. Arrangement, organisation des différentes parties d'un corps : *Mario étudie la conformation du squelette humain.* SYN. constitution, structure. ☞ conformé.

conforme adj. **1.** Qui est semblable : *Cette copie est conforme à l'original.* SYN. analogue, pareil. ANT. différent, dissemblable. **2.** Qui est adapté, qui convient à d'autres choses : *Ce travail est conforme à mes goûts.* SYN. convenable. ANT. contraire, opposé. **3.** Qui obéit aux exigences d'une règle, d'une norme : *Une pensée conforme n'est jamais suspecte.* ANT. contraire. ☞ conformément, conformer, conformiste, conformité.

conformé, ée adj. Qui a une certaine organisation naturelle, une conformation (bonne ou mauvaise) : *À sa naissance, il avait une main mal conformée.* HOM. conformer. ☞ conformation.

conformément adv. D'une façon conforme, selon : *Tu remettras ton travail conformément à la date prévue.* SYN. suivant. ANT. contrairement. ☞ conforme.

conformer v. Rendre conforme, semblable à un modèle : *Nous devons conformer nos plans aux exigences.* SYN. adapter. ANT. différencier, opposer. HOM. conformé. ☞ conforme. se **conformer** v.pron. Obéir aux règles, se comporter selon un modèle : *Martin se conforme aux règlements de l'école.* SYN. se plier, se soumettre. ANT. s'opposer, résister.

conformiste n. et adj. **1.** n. Personne qui règle sa conduite sur les usages, les coutumes : *Les conformistes respectent les traditions.* SYN. conservateur. **2.** adj. Qui respecte les usages, les coutumes : *Il a un esprit très conformiste.* SYN. conservateur. ☞ conforme.

conformité n.f. **1.** État de ce qui est conforme : *La conformité aux règlements est exigée.* SYN. adhésion, soumission. ANT. opposition. **2.** État de deux ou plusieurs choses qui se conviennent ou qui sont analogues : *La conformité de leurs goûts en fait d'excellents amis.* ☞ conforme.

confort n.m. Tout ce qui rend la vie plus agréable, commodités qui apportent le bien-être matériel : *Nous apprécions le confort moderne.* ANT. inconfort. ☞ confortable, confortablement, inconfortable, réconfort.

confortable adj. Qui procure du confort : *Ce fauteuil est très confortable.* ANT. inconfortable. ☞ confort.

confortablement adv. D'une façon confortable, propre à procurer le bien-être : *Il est confortablement installé sur le divan.* ANT. inconfortablement. ☞ confort.

confrère n.m. Celui qui appartient à une même profession, à une même société que d'autres : *Noémie est très appréciée de ses confrères.* SYN. collègue. **R.** Au féminin, *consœur.* ☞ consœur.

confrontation n.f. Action de confronter, de mettre en présence des personnes ou des choses : *La confrontation des deux accusées avec le témoin aura lieu demain.* ☞ confronter.

confronter v. **1.** Mettre des personnes en présence pour essayer de connaître la vérité, pour comparer leurs affirmations : *La juge a confronté les deux témoins.* **2.** Comparer : *Madeleine aime confronter ses idées politiques avec celles de ses amis.* ☞ confrontation.

confus, use adj. **1.** Qui est difficile à saisir, qui manque de clarté : *Je n'ai rien compris à* *cette histoire confuse.* SYN. imprécis, obscur. ANT. distinct, net, précis. **2.** Qui est gêné, par honte ou par pudeur: *Je suis confuse d'avoir commis cette erreur.* SYN. désolé, ennuyé. **3.** Dont les éléments sont difficiles à percevoir, à distinguer: *Ces bruits confus sont inquiétants.* SYN. indistinct. ANT. distinct, précis. ☞ confusément, confusion.

confusément adv. De façon confuse, imprécise, emmêlée: *Martine avait confusément empilé ses livres sur la tablette.* SYN. indistinctement, pêle-mêle, vaguement. ANT. clairement, distinctement, nettement. ☞ confus.

confusion n.f. **1.** Erreur qui consiste à confondre des personnes ou des choses: *La confusion de ces deux noms lui a fait perdre des points.* SYN. méprise. ANT. distinction. **2.** État de gêne, de honte: *Guillaume était rouge de confusion à la suite de ce malentendu.* SYN. dépit, embarras, trouble. ANT. assurance. **3.** État de ce qui est embrouillé, imprécis: *La confusion de son discours m'exaspère.* SYN. ambiguïté, méli-mélo. ANT. clarté, ordre, précision. **4.** Désordre, agitation: *Il régnait dans la foule une confusion indescriptible.* SYN. chaos. ANT. ordre. ☞ confus, confusément.

congé n.m. **1.** Permission donnée à un salarié de cesser son travail: *Papa a demandé un congé pour le mariage de son frère.* **2.** Courte période de vacances pour les élèves, les salariés, à l'occasion d'une fête: *Profitez bien de votre congé de Pâques.* ∥ *Congé de maladie, de maternité:* Congé à l'occasion de ces événements. *Congés payés:* Congés auxquels les salariés ont droit annuellement. *Donner congé:* Chasser, congédier. *Prendre congé de quelqu'un:* Quitter quelqu'un, lui dire au revoir. ☞ congédiable, congédiement, congédier.

congédiable adj. Qui peut être congédié, renvoyé: *À cause de sa négligence, cet employé est congédiable.* ☞ congé.

congédiement n.m. Invitation à partir, à quitter un emploi: *Plusieurs congédiements sont dus aux mauvaises affaires de la compagnie.* SYN. congé, renvoi. ANT. embauchage. **R.** Ne pas oublier le *e* après le *i*. ☞ congé.

congédier v. **1.** Demander à quelqu'un de partir: *J'ai dû congédier mes amis.* SYN. éconduire. ANT. accueillir, inviter. **2.** Chasser, renvoyer un salarié, un locataire: *Son patron l'a congédiée sur-le-champ.* SYN. licencier. ANT. embaucher, engager. ☞ congé.

congelable adj. Qui peut être congelé, soumis au froid: *Cet aliment est facilement congelable.* ANT. incongelable. ☞ congeler.

congélateur n.m. Appareil qui permet de congeler et de conserver des aliments: *Nous rangeons toujours la crème glacée dans le congélateur.* ☞ congeler.

congélation n.f. **1.** Action de congeler, d'exposer un produit à un froid plus grand que la réfrigération pour le conserver: *La congélation permet de conserver les aliments.* ANT. dégel. **2.** Passage d'un produit de l'état liquide à l'état solide sous l'effet d'un refroidissement: *Le point de congélation de l'eau est 0 °C.* SYN. gel, solidification. ANT. dégel, fusion, liquéfaction. ☞ congeler.

congeler v. Soumettre un produit à l'action du froid pour le faire passer à l'état solide ou encore, pour le conserver: *L'été dernier, Daniel a congelé des framboises.* SYN. geler, surgeler. ANT. dégeler, fondre, liquéfier. ☞ congelable, congélateur, congélation, décongélation, décongeler, incongelable.

cong**e**lable cong**é**lateur cong**é**lation cong**e**ler

congénère n. et adj. **1.** n. Plantes ou animaux appartenant à la même espèce; être humain considéré comme semblable aux autres: *Ce lion de cirque vit très loin de ses congénères.* **2.** adj. Qui appartiennent à la même espèce, en parlant des animaux et des plantes: *Le pissenlit et la marguerite sont des plantes congénères.*

congénital, ale, aux adj. Qui se manifeste à la naissance: *Sa malformation au pied droit est congénitale.* SYN. héréditaire, inné. ANT. acquis.

congestion n.f. Accumulation anormale de sang dans une partie du corps: *Le médecin a diagnostiqué une congestion cérébrale.* ☞ congestionner, décongestion, décongestionner.

congestionner v. **1.** Provoquer une congestion, un afflux de sang, dans une partie du corps: *La honte d'avoir menti congestionne son visage.* ANT. décongestionner. **2.** fig. Encombrer, embarrasser un lieu: *Le camion en panne congestionnait la route.* SYN. embouteiller. ANT. décongestionner, dégager. ☞ congestion. **congestionné, ée** p.p. et adj. Qui souffre de congestion, qui reçoit un afflux de sang dans une partie du corps: *Armineh a les poumons congestionnés.* ∥ *Avoir le visage congestionné:* Avoir le visage rouge.

congre n.m. Poisson de mer sans écailles appelé aussi «anguille de mer»: *On ne pêche pas de congre au Québec.*

congrégation n.f. Regroupement de prêtres, de religieux, de religieuses: *Rosanne a étudié chez les religieuses de la congrégation Notre-Dame.* SYN. communauté, ordre.

congrès n.m. Réunion de personnes qui échangent des idées, se transmettent des connaissances: *Cette femme médecin participe au congrès des médecins.* ☞ congressiste.

congressiste n. Personne qui participe à un congrès: *Tous les congressistes logent au même hôtel.* ☞ congrès.

congrès congressiste

congru, ue adj. Qui se superposent parfaitement, en parlant des figures géométriques: *Ces deux triangles sont congrus.* ☞ congruence.

congruence n.f. Qualité des figures géométriques, des angles qui se superposent parfaitement: *La congruence de ces angles est indiscutable.* ☞ congru.

conifère n.m. Arbre dont le feuillage généralement persistant est formé d'aiguilles et dont le fruit est le cône: *Le pin, le sapin, le cèdre sont des conifères.* ☞ cône.

conique adj. Qui présente la forme du cône, dont la base est circulaire et le sommet en pointe: *Un entonnoir est un instrument de forme conique.* ☞ cône.

cône conifère conique

conique

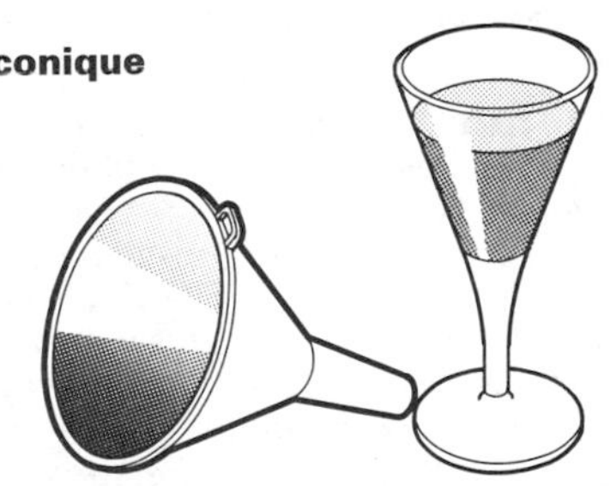

conjecture n.f. Prévision, supposition fondée sur des probabilités ou sur des apparences: *Nous avons fait des conjectures plutôt optimistes sur l'avenir.* SYN. hypothèse, pronostic. ⁄⁄ *Se perdre en conjectures:* Hésiter. **R.** Ne pas confondre avec *conjoncture*. ☞ conjecturer.

conjecturer v. Supposer, prévoir en se basant sur des apparences ou sur des probabilités: *Elle conjecturait le dénouement du récit.* SYN. présumer, soupçonner. ☞ conjecture.

conjoint, ointe n. Personne unie à une autre par les liens du mariage: *Les deux conjoints doivent signer ce contrat.* ☞ conjugal, conjugalement.

conjoint, ointe adj. Qui est uni, lié: *Nous éprouvons des problèmes conjoints.* ANT. disjoint. ⁄⁄ *Intervalle conjoint:* Intervalle qui sépare deux notes qui se suivent dans la gamme. *Note conjointe:* Note accompagnant un texte. ☞ conjointement.

conjointement adv. De manière conjointe, ensemble: *Mon père travaille conjointement avec sa sœur dans cette affaire.* ANT. séparément. ☞ conjoint (adj.).

conjonctif, ive adj. Qui sert à lier, à réunir deux mots, deux parties d'une phrase: *Une locution conjonctive introduit une proposition conjonctive.* ☞ conjonction.

conjonction n.f. **1.** Mot invariable qui sert de lien entre deux mots ou deux groupes de mots: *«Et» est une conjonction très employée.* **2.** Rencontre, rapprochement de deux ou plusieurs astres dans la même partie du ciel: *En astrologie, la conjonction des planètes est étudiée soigneusement.* ANT. opposition. ☞ conjonctif.

conjoncture n.f. Situation qui est le résultat d'un ensemble de circonstances: *La conjoncture actuelle nous incite à la prudence.* SYN. état. **R.** Ne pas confondre avec *conjecture*.

conjugable adj. Qui se conjugue: *Certains verbes ne sont pas conjugables et ne s'emploient qu'à l'infinitif.* ANT. inconjugable. ☞ conjuguer.

conjugaison n.f. Ensemble des formes que peut prendre un verbe: *Certains élèves n'aiment pas étudier les conjugaisons.* ☞ conjuguer.

conjugal, ale, aux adj. Qui se rapporte aux relations entre le mari et sa femme: *L'amour conjugal unit les époux.* SYN. matrimonial. ☞ conjoint (n.).

conjugalement adv. De façon conjugale, en tant que mari et femme: *Ils vivent conjugalement.* ☞ conjoint (n.).

conjuguer v. **1.** Dire ou écrire les formes de la conjugaison d'un verbe: *Jean doit conjuguer le verbe «aller» au futur.* **2.** Unir ou joindre en vue d'un résultat: *Elles conjuguent leurs efforts afin de réussir.* SYN. combiner. ANT. disjoindre, diviser, opposer. **R.** Ne pas oublier le *u* après le *g*. ☞ conjugable, conjugaison, inconjugable.

conjugaison
conjuguer

conjurer v. **1.** Implorer, demander avec insistance: *Aidez-moi, je vous en conjure!* SYN. prier, supplier. **2.** Éviter, écarter un danger, une menace: *Fermer les yeux n'est pas une façon de conjurer le danger.* ANT. attirer.

connaissance n.f. **1.** Ensemble de ce que l'on a appris en différents domaines: *Les connaissances de Janine en cuisine sont sommaires.* SYN. culture, notion, savoir. ANT. ignorance. **2.** Manière de comprendre, de se représenter les êtres, les choses: *Il a une connaissance intuitive des personnes qu'il rencontre.* SYN. compréhension, conscience, perception. ⁄⁄ *Avoir connaissance de:* Connaître, savoir. *Être, rester sans connaissance:* Être, rester évanoui. *Perdre connaissance:* S'évanouir. *Prendre connaissance:* S'informer sur une chose pour mieux la connaître. ☞ connaître. ▲ **connaissance** n.f. Personne que l'on a déjà rencontrée, que l'on connaît: *Ce professeur est une connaissance de mon mari.* SYN. ami, relation. ANT. inconnu. ⁄⁄ *Faire connaissance:* Rencontrer quelqu'un, établir une relation avec une personne. ☞ connaître.

connaisseur, euse n. et adj. **1.** n. Personne experte en quelque chose: *Sonia est une fine connaisseuse en peinture.* SYN. amateur. ANT. ignorant. **2.** adj. Qui se connaît à quelque chose, qui a de la compétence: *D'un coup d'œil connaisseur, il avait remarqué que le diamant était faux.* SYN. compétent. ANT. ignorant, incompétent. ☞ connaître.

connaître v. **1.** Avoir acquis des connaissances ou de l'expérience dans un certain domaine: *Mon frère connaît bien son métier.* SYN. savoir. ANT. ignorer. **2.** Être informé sur l'existence de quelqu'un ou de quelque chose: *Connais-tu l'île aux Coudres?* **3.** Avoir vécu, ressentir: *Ce malheureux connaît la faim, l'humiliation, la misère.* SYN. éprouver, expérimenter. **4.** Savoir de façon plus ou moins précise: *Je connais ce nom, je l'ai déjà entendu.* ANT. ignorer, méconnaître. **5.** Avoir: *Ce film connaît un succès fou.* ⁄⁄ *S'y connaître en:* Avoir des connaissances précises en: ☞ connaissance, connaisseur, connu, inconnu, inconnue. ▲ **connaître** v. Être en relation sociale avec quelqu'un: *La nouvelle directrice connaît déjà tout le monde.* ⁄⁄ *Se faire connaître:* Se nommer; acquérir une certaine réputation. ☞ connaissance, inconnu. **se connaître** v.pron. Avoir une idée juste de sa personnalité et de ses capacités: *Il se connaît, il s'arrêtera avant d'être malade.* ⁄⁄ *Ne plus se connaître:* Être furieux, hors de soi. **R.** Ne pas oublier l'accent devant le *t*: *î*. Participe passé, *connu*.

connecter v. Lier, unir par une connexion: *Lors d'une expérience en électricité, Léonne a eu à connecter plusieurs fils.* SYN. brancher. ANT. couper, débrancher, isoler, séparer. ☞ connexe, connexion, déconnecter, déconnexion.

connexe adj. Qui a des liens avec autre chose: *La mathématique et les sciences de la nature sont des matières connexes.* SYN. analogue. ANT. indépendant. ☞ connecter.

connexion n.f. **1.** Fait d'être connexe, d'avoir un rapport avec autre chose: *Il existe une certaine connexion entre ces événements.* SYN. affinité, analogie, liaison. **2.** Liaison d'un appareil électrique à un circuit; mise en liaison de deux ou plusieurs appareils électriques: *La connexion de l'imprimante à l'ordinateur sera faite demain.* **R.** N'a pas le sens de *relation* (avec des personnes). ☞ connecter, connexe, déconnecter, déconnexion.

connivence n.f. Complicité, entente entre deux personnes: *Leurs sourires de connivence laissaient présager le pire.*

connu n.m. Ce que l'on connaît: *Le connu est toujours plus sécurisant que l'inconnu.* ANT. inconnu. ☞ connaître.

connu, ue adj. **1.** Qui est réputé, célèbre: *Marie Curie est une physicienne bien connue.* SYN. renommé. ANT. ignoré, inconnu, obscur. **2.** Qui est su par plusieurs: *Notre directrice s'en va en juin, c'est bien connu!* SYN. évident. ANT. ignoré, inconnu. ⁄⁄ *Ni vu ni connu:* Personne n'en saura rien. ☞ connaître.

conque n.f. Coquille concave de certains mollusques: *Nous n'avons pas de conques au Québec.*

conquérant, ante n. et adj. **1.** n. Personne qui fait des conquêtes en utilisant des armes: *On ne trouve guère de conquérants de nos jours.* **2.** n. Personne qui cherche à séduire, à charmer les cœurs: *Elle s'est comportée en véritable conquérante au cours de cette soirée.* SYN. séducteur. **3.** adj. Qui veut gagner: *Mazyar a un esprit conquérant.* **4.** adj.fam. Qui est un peu prétentieux, fier: *Personne n'accorde plus d'attention à son air conquérant.* ☞ conquérir.

conquérir v. **1.** Prendre par la force: *Hitler voulait conquérir le monde.* SYN. asservir, dominer, soumettre, vaincre. ANT. abandonner, céder, perdre. **2.** fig. Séduire les cœurs; gagner une influence sur quelqu'un: *Sylvie a conquis le cœur de Jean.* SYN. charmer, envoûter. ☞ conquérant, conquête, conquis, reconquérir.

conquête n.f. **1.** Action de s'approprier, d'obtenir en luttant: *Plusieurs pays sont dans la lutte pour la conquête de l'espace.* SYN. appropriation. ANT. abandon. **2.** Pays ou chose dont on s'est rendu maître: *Cette clause est une conquête importante pour ces syndiqués.* SYN. victoire. ANT. défaite, perte. **3.** fam. Personne que l'on a conquise: *Avez-vous vu la dernière conquête d'André?* **R.** Ne pas oublier l'accent: *ê.* ☞ conquérir.

conqu**é**rir conqu**ê**te

conquis, ise adj. **1.** Qui a été vaincu: *L'armée occupait le territoire conquis.* **2.** Qui a été séduit: *Nous avons été conquis par sa gentillesse.* ANT. indifférent. ☞ conquérir.

consacré, ée adj. **1.** Qui a été dédié à Dieu: *La nouvelle église a été consacrée par l'évêque.* SYN. béni. ANT. maudit. **2.** Qui est habituel, approuvé par l'usage: *Les expressions consacrées sont parfois fautives.* HOM. consacrer. ☞ consacrer.

consacrer v. **1.** Vouer, réserver à quelque chose: *Judith consacre ses soirées à ses études.* SYN. affecter, employer. **2.** Rendre sacré en vouant à Dieu: *Au cours de la messe, le prêtre consacre l'hostie et le vin.* SYN. bénir, sacrer. ANT. profaner, violer. **3.** Rendre normal par l'usage: *Certaines occasions ont consacré le désir d'offrir des cadeaux.* SYN. affermir. ANT. abandonner. HOM. consacré. ☞ consacré, consécration. **se consacrer** v.pron. **1.** Occuper tout son temps à: *Cette institutrice s'est consacrée à ses élèves.* SYN. se dévouer. ANT. délaisser. **2.** Se donner, se vouer à Dieu: *Ce religieux s'est consacré à Dieu.*

consanguin, ine n. et adj. **1.** n. Parent du côté du père: *Le mariage entre consanguins est interdit par l'Église catholique.* **2.** adj. Se dit des frères et sœurs ayant le même père mais non la même mère: *Ma demi-sœur est une sœur consanguine.* ANT. germain. **3.** adj. Se dit des êtres qui ont un ancêtre commun, qui sont apparentés: *Le croisement consanguin peut parfois entraîner l'apparition de caractères défavorables chez les enfants.* **R.** Ne pas oublier le *u* après le *g.* ☞ consanguinité.

consanguinité n.f. **1.** Parenté du côté du père: *Le père et son fils sont liés par un premier degré de consanguinité.* **2.** Toute parenté sanguine: *Nous nous sommes trouvé un lien de consanguinité.* **R.** Le *u* se prononce. ☞ consanguin.

consciemment adv. De façon consciente, en connaissant la réalité: *Elle a pris ce risque consciemment.* ANT. inconsciemment. **R.** Les lettres *emm* se prononcent *amm.* ☞ conscience.

conscience n.f. Voix intérieure qui nous informe sur ce qui est bien et sur ce qui est mal: *La conscience de Victor lui reprochait son geste.* ⁄⁄ *Avoir bonne ou mauvaise conscience:* N'avoir rien ou avoir quelque chose à se reprocher. *Avoir la conscience en paix:* Être en paix avec soi-même. *Avoir quelque chose sur la conscience:* Se reprocher quelque chose, s'en vouloir. *Conscience professionnelle:* Grand soin apporté à l'exécution de son travail. ☞ consciencieusement, consciencieux. ▲ **conscience** n.f. Connaissance qu'une personne a de son existence et de celle du monde: *Il est nécessaire d'avoir une claire conscience de ce qui se passe.* SYN. perception. ANT. inconscience. ⁄⁄ *Avoir conscience de:* S'apercevoir de, sentir: *Perdre conscience:* S'évanouir. ☞ consciemment, conscient, inconsciemment, inconscience, inconscient.

consciencieusement adv. De façon honnête, scrupuleuse: *Élise étudie consciencieusement ce dossier.* SYN. attentivement, honnêtement, scrupuleusement. ANT. malhonnêtement. ☞ conscience.

consciencieux, ieuse adj. **1.** Qui fait preuve de sérieux, d'honnêteté, de minutie: *Alexandre est un élève consciencieux.* SYN. appliqué, honnête, minutieux. **2.** Qui est exécuté avec soin, avec honnêteté et minutie: *On ne peut critiquer ce travail consciencieux.* ☞ conscience.

conscient, ente adj. **1.** Qui a conscience des actions qu'il fait et des sentiments qu'il éprouve: *Henri est conscient de ce qu'il vient de faire.* ANT. inconscient. **2.** Dont on se rend compte, en parlant des choses: *Ses soubresauts étaient conscients mais involontaires.* ☞ conscience.

consci**emm**ent consci**e**nt

consécration n.f. **1.** Action par laquelle le prêtre consacre le pain et le vin pendant la messe: *Je me suis agenouillée pendant la consécration.* SYN. bénédiction. ANT. profanation. **2.** Fait de dédier quelque chose à Dieu: *Le prêtre consacrera la nouvelle chapelle bientôt.* SYN. bénédiction. ANT. profanation, violation. **3.** Action d'approuver officiellement, de reconnaître publiquement: *Ce concert a été la consécration de son talent.* SYN. apothéose, triomphe. ANT. défaite. ☞ consacrer.

consécutif, ive adj. **1.** Qui se suit dans le temps, dans l'espace ou selon l'ordre numérique: *Nicolas s'est levé en retard deux jours consécutifs.* **2.** Qui découle de quelque chose, qui suit quelque chose: *La faiblesse consécutive à une opération est normale.* ☞ consécutivement.

consécutivement adv. **1.** D'une façon continue, sans interruption, à la file: *Tu chanteras ces deux chansons consécutivement.* **2.** À la suite de: *Consécutivement à son échec en math, il a redoublé d'efforts.* ☞ consécutif.

conseil n.m. Recommandation donnée à quelqu'un sur ce qu'il devrait faire: *Demande un conseil à Sophie sur ce sujet.* SYN. avis, suggestion. ☞ conseiller, déconseiller. ▲ **conseil** n.m. Assemblée de personnes qui discutent, donnent leur avis et prennent des décisions: *Le conseil de classe organise une journée de ski.* ⁄⁄ *Conseil de guerre:* Tribunal militaire. *Conseil des ministres:* L'ensemble des ministres. *Conseil municipal:* L'ensemble des conseillers municipaux et du maire. ☞ conseiller (n.). ▲ **conseil** n.m. Professionnel à qui on demande un avis: *Tu devrais t'adresser à un conseil pour régler cette affaire.* SYN. conseiller. ☞ conseiller, déconseiller.

conseiller v. **1.** Donner un avis à quelqu'un, recommander: *On lui a conseillé de consulter cette avocate.* SYN. inciter, proposer, suggérer. ANT. déconseiller, dissuader. **2.** Guider quelqu'un, le diriger: *Le professeur conseillait l'étudiant dans la poursuite de ses études.* SYN. avertir, conduire, orienter. ANT. consulter, interroger. ☞ conseil.

conseiller, ère n. **1.** Personne qui donne des recommandations: *Le conseiller en orientation aide mon grand frère à choisir ses cours au cégep.* **2.** Personne qui fait partie d'un conseil: *Élodie a été élue conseillère municipale.* ☞ conseil.

consensus n.m. Entente, consentement entre plusieurs personnes: *Le consensus s'est fait rapidement entre ces étudiantes.* SYN. accord. ANT. désaccord, opposition. **R.** Le *s* final se prononce.

consentant, ante adj. Qui accepte: *Ma mère, triste mais consentante, la regardait préparer son départ.* ☞ consentir.

consentement n.m. Action d'accepter quelque chose, de donner un accord à quelqu'un: *Tu ne peux pas y aller sans le consentement de tes parents.* SYN. acceptation, approbation, permission. ANT. désaccord, opposition, refus. ☞ consentir.

consentir v. **1.** Accepter qu'une chose se fasse: *Le patron consent à augmenter mon salaire.* SYN. acquiescer, permettre. ANT. s'opposer, refuser. **2.** Accorder: *Je consens un délai de deux semaines pour ce travail.* SYN. permettre. ANT. empêcher, interdire. ☞ consentant, consentement.

conséquence n.f. Suite, résultat qu'une action entraîne: *Cette erreur a eu des conséquences graves.* SYN. effet. ANT. cause. ⁄⁄ *Sans conséquence:* Sans suite grave. ☞ conséquent, inconséquence, inconséquent. **en conséquence** loc.adv. De manière appropriée: *Il nous fallait agir en conséquence.*

conséquent, ente adj. Qui agit avec logique, avec esprit de suite: *Elisabeth est conséquente dans ses actions.* ANT. illogique, inconséquent. ☞ conséquence. **par conséquent** loc.adv. Comme suite logique: *Il est très paresseux, par conséquent ses résultats scolaires s'en ressentent.*

conservateur n.m. Substance, produit qu'on ajoute aux aliments pour en assurer la conservation: *On a trouvé un nouveau conservateur pour certains fruits en conserve.* ☞ conserver.

conservateur, trice n. et adj. **1.** n. Personne qui veut garder les idées et les habitudes acquises dans le passé: *Pierre est un conservateur peu ordinaire!* SYN. conformiste, rétrograde. ANT. révolutionnaire. **2.** n. Personne partisane ou membre d'un mouvement politique réfractaire aux innovations sociales et politiques: *Maurice Duplessis était un conservateur.* ANT. progressiste. **3.** n. Personne qui s'occupe de la surveillance de quelque chose: *La conservatrice du musée aime son travail.* **4.** adj. Qui garde ses habitudes, ses idées: *Hélène est très conservatrice dans le choix de ses vêtements.* SYN. conformiste, rétrograde. ANT. innovateur, progressiste. **5.** adj. Qui protège les aliments contre le périssement: *Ce produit conservateur est utilisé dans certaines pâtisseries.* **6.** adj. Qui se rapporte à une tendance politique dont l'esprit est réfractaire aux changements: *Il est intéressant de comparer les idées de ce journal conservateur avec celles d'un journal libéral.* ANT. progressiste. ⁄⁄ *Parti conservateur:* Parti politique canadien.

conservation n.f. Action de garder dans le même état: *Grâce au réfrigérateur, la conservation des aliments se fait plus facilement de nos jours.* SYN. préservation. ANT. altération, détérioration, perte. ⁄⁄ *Instinct de conservation:* Tendance innée à préserver sa vie lorsque celle-ci est menacée. ☞ conserver.

conservatoire n.m. École spécialisée dans l'enseignement de la musique, de la danse et des arts dramatiques: *André a étudié* *au conservatoire de musique pendant de nombreuses années.*

conserve n.f. Aliment préparé et gardé en bon état de consommation dans des contenants hermétiques : *Les conserves de tante Jeanne sont très réussies.* ⁄⁄ *Boîte de conserve :* Contenant métallique scellé dans lequel on conserve des aliments. *En conserve :* En boîte. *Mettre en conserve :* Mettre dans des pots ou des boîtes. *Musique en conserve :* Les disques. ☞ conserver. de **conserve** loc.adv. **1.** Ensemble, en compagnie de : *Les deux cyclistes allaient de conserve.* **2.** D'accord avec quelqu'un : *Dans cette affaire, elles ont agi de conserve.* **R.** Ne pas confondre avec *de concert.*

conserver v. **1.** Préserver de la destruction, du périssement : *Les denrées périssables sont conservées au froid.* SYN. garder, protéger, sauver. ANT. détruire, perdre. **2.** Garder quelqu'un ou quelque chose, ne pas s'en séparer : *Il conserve toutes ses lettres.* ANT. abandonner, dissiper, perdre. ☞ conservateur, conservation, conserve, conserverie. **conservé, ée** p.p. et adj. **1.** Qui est gardé, préservé : *Conservée dans le sel, la morue se garde longtemps.* **2.** fam. Dont l'apparence ne reflète pas l'âge : *Tes parents sont bien conservés pour leur âge.* ☞ conserver. se **conserver** v.pron. Se garder en bon état : *Les fraises se conservent quelques jours au frais.*

conserverie n.f. Usine où l'on fabrique des conserves alimentaires : *Ma tante travaille à la conserverie.* ☞ conserver.

considérable adj. **1.** Qui a une grande importance, en parlant de la grandeur, de la quantité : *Les dépenses de cette entreprise sont considérables.* SYN. énorme, important, imposant. ANT. faible, insignifiant. **2.** vx Qui est remarquable, qui attire l'attention à cause de son importance, de sa valeur : *J'occupe une position considérable.* SYN. éminent, notable. ANT. insignifiant. ☞ considérablement.

considérablement adv. De façon abondante : *Il a considérablement maigri.* SYN. beaucoup, énormément. ANT. peu. ☞ considérable.

considération n.f. **1.** Action d'examiner attentivement : *La considération que tu as apportée à mon projet m'encourage.* SYN. attention. ANT. ignorance. **2.** Égard, estime que l'on porte à une personne : *Je traite cette femme avec une grande considération.* SYN. déférence. ANT. dédain, mépris. **3.** plur. Remarques, observations : *On nous a demandé de présenter nos considérations sur le livre.* ⁄⁄ *Digne de considération :* Qui mérite d'être étudié avec attention. *Prendre en considération :* Tenir compte de : *Se perdre en considérations :* Faire des raisonnements inutiles, stériles. ☞ considérer.

considérer v. **1.** Regarder longuement et avec attention, contempler : *Grand-mère considérait avec dédain l'insecte qui se tortillait entre ses doigts.* SYN. observer. **2.** Envisager par une étude attentive : *Je considère les avantages et les désavantages de ce projet.* SYN. examiner, juger, peser. ANT. ignorer. **3.** Juger, traiter : *Je considère cet enfant comme le mien.* **4.** Apprécier, estimer : *C'est une personne que l'on considère beaucoup.* SYN. vénérer. ANT. mépriser. ☞ considération, déconsidérer, reconsidérer. **considéré, ée** p.p. et adj. Qui est estimé, apprécié : *Ce peintre est considéré par ses collègues.* ⁄⁄ *Tout bien considéré :* Après réflexion, examen.

consigne n.f. Instruction stricte donnée à quelqu'un sur ce qu'il doit exécuter : *La policière a reçu des consignes claires.* ☞ consigner. ▲ **consigne** n.f. **1.** Service d'une gare, d'un aéroport qui s'occupe de garder les bagages déposés temporairement ; endroit où sont gardés ces bagages : *J'ai confié mes bagages à la consigne.* **2.** Argent perçu en garantie du retour d'un emballage : *Le caissier avait oublié de me rembourser la consigne des bouteilles de boissons gazeuses.* ☞ consigner.

consigner v. Noter, conserver par écrit ce qu'on veut se rappeler ou transmettre à quelqu'un : *As-tu bien consigné tout ce qu'il a dit ?* SYN. écrire. ☞ consigne. ▲ **consigner** v. Priver de sortie : *L'instituteur a consigné Éric pendant la récréation.* SYN. retenir. ANT. libérer. ☞ consigne. ▲ **consigner** v. **1.** Laisser en dépôt à la consigne, dans une gare : *France est partie consigner sa valise.* SYN. déposer. ANT. déconsigner, retirer. **2.** Facturer un emballage en s'engageant à le reprendre et à rembourser la personne qui le rapportera : *L'épicière a consigné ces bouteilles d'eaux gazeuses.* ☞ consigne, déconsigner.

consistance n.f. **1.** État plus ou moins ferme d'une substance : *Cette pâte à crêpes doit avoir la consistance d'une crème épaisse.* SYN. dureté, solidité. ANT. inconsistance. **2.** fig. État de ce qui est ferme, solide : *Les arguments de cet avocat manquent de consistance.* SYN. fondement, force. ⁄⁄ *Prendre de la consistance :* Devenir solide, épais. ☞ consistant.

consistant, ante adj. **1.** Qui est ferme, solide, en parlant d'une substance : *Cette sauce est trop consistante.* SYN. cohérent, dur, ferme. ANT. inconsistant. **2.** Qui est nourrissant, abondant, copieux : *Ce petit déjeuner est très consistant.* **3.** fig. Qui est solide, que l'on peut croire : *Ses arguments sont consistants.*

SYN. fondé. ☞ consistance, inconsistance, inconsistant.

consister v. **1.** Avoir comme caractère essentiel, comme but: *Son travail consiste à monter la garde devant l'édifice du parlement fédéral.* **2.** Comprendre, comporter: *Son domaine consiste en deux bâtiments principaux et une grange solide.*

consœur n.f. Celle qui appartient à une même profession, à une même société que d'autres: *Marie est la consœur de Stéphane à la banque.* SYN. collègue. **R.** Au masculin, *confrère*. ☞ confrère.

consolable adj. Qui peut être consolé, soulagé: *Sa peine sera difficilement consolable.* ANT. inconsolable. ☞ consoler.

consolant, ante adj. Qui peut consoler, soulager: *Cette nouvelle consolante l'a apaisée.* SYN. calmant, réconfortant. ANT. attristant, désolant. ☞ consoler.

consolateur, trice n. et adj. **1.** n. Personne qui console, qui réconforte: *Maryse est souvent la consolatrice de son jeune frère Émilien.* **2.** adj. Qui console, réconforte: *Ses paroles consolatrices l'ont apaisé.* SYN. encourageant. ANT. décourageant. ☞ consoler.

consolation n.f. Réconfort apporté à la douleur, à la peine de quelqu'un: *Ses parents lui ont écrit quelques mots de consolation.* SYN. encouragement, réconfort. ANT. désespoir, désolation, tourment. ☞ consoler.

console n.f. Table décorative appuyée contre un mur: *Ma console a un dessus de marbre.* ▲ **console** n.f. Terminal d'un ordinateur, qui permet de communiquer avec l'unité centrale: *La console graphique simplifie le travail de cette élève.* ◇ terminal.

consoler v. **1.** Apaiser, réconforter une personne qui a de la peine: *Son regard tendre l'a consolée.* SYN. calmer, encourager, soulager. ANT. affliger, attrister. **2.** Alléger, rendre moins pénible: *La présence de son père a consolé un peu la douleur de Martin.* SYN. adoucir. ANT. aggraver. ☞ consolable, consolant, consolateur, consolation, inconsolable, inconsolé. **se consoler** v.pron. Arrêter de souffrir: *Simone se console en pensant à sa nouvelle voiture.* SYN. s'apaiser. ANT. se désoler.

consolidation n.f. Action d'affermir, de rendre solide: *La consolidation de ce pont est devenue nécessaire.* SYN. réparation. ☞ consolider.

consolider v. Rendre plus solide, affermir: *La maçonne consolide ce mur.* SYN. étayer, fortifier, stabiliser. ANT. ébranler, miner, saper. ☞ consolidation.

consommable adj. Qui peut être consommé, mangé: *Ces aliments sont consommables.* ☞ consommer.

consommateur, trice n. **1.** Personne qui achète et utilise des marchandises pour la satisfaction de ses besoins: *Il existe des associations de consommateurs.* SYN. acheteur, client. ANT. producteur. **2.** Personne qui prend une consommation, une boisson dans un bar ou un restaurant: *Ce restaurant peut accueillir cinquante consommateurs à la fois.* // *Consommateur averti:* Personne qui s'informe avant d'acheter. ☞ consommer.

consommation n.f. Action d'utiliser une chose: *Par temps froid, ma consommation d'électricité augmente.* SYN. usage, utilisation. ANT. production. ☞ consommer. ▲ **consommation** n.f. Boisson, rafraîchissement que l'on prend dans un restaurant ou un bar: *Fernande a payé la consommation de Julien.* ☞ consommer.

consommé n.m. Bouillon fait avec du poulet ou du bœuf: *Hugo a servi un consommé tout à fait délicieux!* HOM. consommer.

consommé, ée adj. Qui est parvenu à un degré élevé de perfection: *Cet orchestre joue avec un art consommé.* SYN. accompli, achevé. HOM. consommer.

consommer v. **1.** Manger, boire pour subsister: *Elle consomme un sandwich à la terrasse.* SYN. absorber. **2.** Utiliser comme source d'énergie ou comme matière première: *Sa voiture consomme plus d'essence que la mienne.* SYN. brûler, consumer, employer. ANT. fabriquer, produire. ☞ consommable, consommateur, consommation, inconsommable. ▲ **consommer** v. Prendre une consommation, une boisson dans un restaurant ou un bar: *Ces touristes consomment à la terrasse.* ☞ consommateur, consommation.

consonance n.f. **1.** Uniformité du son final de deux mots ou de deux phrases: *La ressemblance entre les mots «fuseau» et «ciseau» s'appelle «consonance».* SYN. rime. **2.** Suite, groupe de sons: *«Corrida» est un mot à consonance espagnole.* **R.** S'écrit avec un seul *n*.

consonne n.f. **1.** Bruit, ou groupe de bruits et de sons, produit par le passage de l'air à travers la gorge et la bouche, et que l'on transcrit par une lettre ou un groupe de lettres: *Une consonne se prononce toujours avec une voyelle.* **2.** Chacune des lettres qui représentent ces bruits: *Il y a vingt consonnes dans notre alphabet.*

conspirateur, trice n. Personne qui participe à un complot, à un projet secret formé contre quelqu'un ou quelque chose: *Les policiers ont arrêté les conspiratrices.* ☞ conspirer.

conspiration n.f. Complot, projet secret que l'on forme à plusieurs contre quelqu'un ou quelque chose: *La conspiration contre cet organisme a été découverte.* SYN. intrigue, machination. ☞ conspirer.

conspirer v. Participer avec d'autres à un projet secret formé contre quelqu'un ou quelque chose: *Ils conspirent contre le gouvernement du pays.* SYN. comploter, ourdir, tramer. ☞ conspirateur, conspiration. ▲ **conspirer** v. Tendre vers le même effet: *Tout conspire à son échec, la chance n'est pas de son côté.* SYN. concourir.

conspuer v. Injurier, manifester bruyamment et en groupe contre quelqu'un ou quelque chose: *Les syndiquées conspuent leur patron.* SYN. huer, railler, siffler. ANT. applaudir, exalter, louer, vanter.

constamment adv. De façon constante, continuelle: *Arrêtez de me déranger constamment!* SYN. fréquemment, incessamment, toujours. ANT. jamais, quelquefois, rarement. ☞ constant.

constance n.f. **1.** Qualité d'une personne qui persévère dans ses actions, ses sentiments, qui n'abandonne pas: *Elle étudie avec constance malgré ses difficultés.* SYN. fidélité, persévérance. ANT. inconstance. **2.** État de ce qui dure, qualité de ce qui ne change pas: *La constance du climat de ce pays m'enchante.* SYN. invariabilité, régularité. ANT. instabilité, variabilité. ☞ constant.

constant, ante adj. **1.** Qui est persévérant, qui n'abandonne pas: *Il est constant dans l'accomplissement de sa tâche.* SYN. assidu, obstiné. ANT. inconstant, instable. **2.** Qui est permanent, qui demeure dans l'état où il se trouve: *Ses préoccupations constantes l'ont fait vieillir.* SYN. continuel, persistant, soutenu. ANT. momentané, temporaire, variable. ☞ constamment, constance, inconstance, inconstant.

constat n.m. Procès-verbal qu'établit une personne en autorité pour décrire une situation, un fait: *L'agent a fait le constat lors de l'accident.* ⁄⁄ *Constat amiable:* Déclaration d'accident formulée par les conducteurs de deux ou plusieurs véhicules. ☞ constater.

constatation n.f. Action de constater, d'observer; fait constaté, observé: *D'après les premières constatations, le feu se serait déclaré au sous-sol de la maison.* SYN. observation. ☞ constater.

constater v. **1.** Se rendre compte de quelque chose, observer: *Julien vient de constater son erreur.* SYN. reconnaître, remarquer, voir. ANT. ignorer. **2.** Mettre par écrit ce qu'on a observé, remarqué: *La médecin a constaté le décès de cette femme.* SYN. consigner, enregistrer. ☞ constat, constatation.

constellation n.f. Groupe d'étoiles, formant une figure à laquelle on a donné un nom: *La Grande Ourse est l'une des constellations les plus connues.* ☞ constellé, consteller.

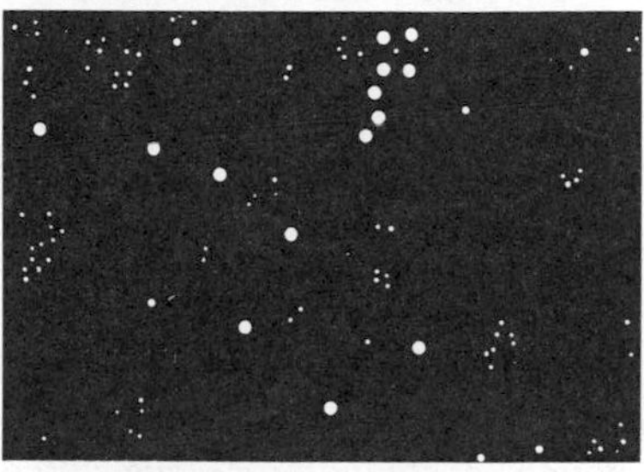

constellation

constellé, ée adj. Qui est couvert d'étoiles, d'objets brillants: *Son costume était constellé de paillettes.* SYN. émaillé, parsemé. HOM. consteller. ☞ constellation.

consteller v. Parsemer d'étoiles, couvrir de points brillants: *Sandra a constellé sa robe de fée d'étoiles d'or.* HOM. constellé. ☞ constellation.

consternation n.f. Tristesse, abattement causé par un événement malheureux: *La consternation se lisait sur leurs visages.* SYN. chagrin, désolation. ANT. gaieté, joie, sérénité. ☞ consterner.

consterner v. Plonger dans la tristesse, l'abattement: *La mort de mon chat m'a consternée.* SYN. abattre, accabler, désoler. ANT. consoler, réjouir. ☞ consternation.

constipant, ante adj. Qui cause la constipation, qui rend difficile l'évacuation des selles: *Le fromage a parfois été considéré comme un aliment constipant.* ANT. laxatif. ☞ constiper.

constipation n.f. Difficulté à évacuer les selles régulièrement: *Le jus de prune aide à prévenir la constipation.* ANT. diarrhée. ☞ constiper.

constiper v. Causer la constipation, rendre difficile l'évacuation des selles: *L'eau de riz constipe.* ☞ constipant, constipation. **constipé, ée** p.p. et adj. **1.** Qui souffre de constipation: *Le bébé est souvent constipé:* **2.** fig. et fam. Qui est anxieux, mal à l'aise: *Mathieu a toujours l'air constipé.*

constituant, ante adj. Qui constitue quelque chose, qui en fait partie: *Quels sont les éléments constituants de l'eau?* ☞ constituer.

constituer v. **1.** Contribuer, avec d'autres éléments, à former un tout: *Ces trois pièces constituent mon appartement.* SYN. composer, former. **2.** Être: *Cette lettre de Bruno constitue une réponse.* **3.** Regrouper des éléments pour former un tout: *Nicole a constitué une belle collection de voitures miniatures.* SYN. composer, faire. ANT. décomposer, défaire. ☞ constituant, constitution, reconstituer, reconstitution. **se constituer** v.pron. Se porter, se présenter en tant que: *«Se constituer prisonnier» signifie «se rendre aux autorités policières».*

constitution n.f. **1.** Action de créer, de former: *La constitution de l'équipe de baseball aura lieu en mai.* **2.** Ensemble des caractères physiques et psychologiques d'une personne: *Cette joueuse de hand-ball n'a pas une bonne constitution physique.* ☞ constituer. ▲ **constitution** n.f. Ensemble des lois qui déterminent comment un pays doit être gouverné: *Une constitution peut être révisée au besoin.* ☞ anticonstitutionnel, constitutionnel.

constitutionnel, elle adj. Qui se rapporte à une constitution, à l'organisation politique d'un pays; qui suit les règles d'une constitution: *Cette loi n'est pas constitutionnelle.* ANT. anticonstitutionnel, inconstitutionnel. ☞ constitution.

constricteur adj.m. Qui resserre, qui étouffe: *Le boa constricteur étrangle facilement sa proie.*

constructeur, trice n. Personne qui construit, qui bâtit: *Ma mère est une constructrice de maisons unifamiliales.* SYN. bâtisseur. ANT. destructeur. ☞ construire.

constructif, ive adj. **1.** Qui est capable de créer: *Son esprit est constructif.* SYN. créateur. ANT. destructeur. **2.** Qui est positif, qui est efficace sur le plan pratique: *Une critique constructive peut aider une personne à améliorer son travail.* ANT. négatif. ☞ construire.

construction n.f. **1.** Action de construire, de bâtir: *La construction de ce gratte-ciel n'est pas terminée.* SYN. édification, érection. ANT. démolition, destruction. **2.** Édifice, immeuble qui a été construit: *Je demeure dans une belle construction en pierre.* SYN. bâtiment, bâtisse, maison. **3.** Secteur d'activité où l'on travaille à construire, à bâtir: *Les maçons, les peintres et les plâtriers travaillent dans la construction.* **4.** fig. Action de construire, de composer, dans le domaine intellectuel: *La construction de ce cours a exigé beaucoup de travail.* SYN. composition. **5.** Figure construite, tracée, en géométrie: *Le triangle est une construction géométrique.* // *En construction:* Qui est en train d'être construit. *Jeu de construction:* Jeu où l'on assemble des pièces pour construire un ensemble. *Matériaux de construction:* Ensemble de tous les produits utilisés pour construire (béton, bois, brique, ciment, pierre, etc.). ☞ construire.

construire v. **1.** Bâtir en suivant un plan: *Je sais construire une cabane d'oiseaux.* SYN. édifier, élever, ériger. ANT. abattre, démolir, détruire. **2.** Composer, élaborer, dans le domaine intellectuel: *Peux-tu construire une phrase en utilisant tous ces mots?* SYN. créer, forger. ☞ constructeur, constructif, construction, reconstruire.

consul n.m. Personne qui représente son pays dans un pays étranger: *Il a été nommé consul en France.* **R.** L'O.L.F. recommande *consule* comme féminin de *consul.* ☞ consulaire, consulat.

consulaire adj. Qui se rapporte à un consulat, à une charge de consul: *Cette diplomate remplit des fonctions consulaires au Japon.* ☞ consul.

consulat n.m. Charge de consul; résidence d'un consul, bureaux qu'il dirige: *En me promenant dans cette avenue, j'ai aperçu plusieurs consulats.* ☞ consul.

consultatif, ive adj. Qui est formé pour donner des avis, mais non pour décider: *On formera un comité consultatif d'élèves du second cycle.* ANT. délibératif, souverain. ☞ consulter.

consultation n.f. **1.** Action de demander un avis, une opinion: *Une consultation populaire permet de savoir ce que pense la population.* **2.** Action de chercher des renseignements dans quelque chose: *La consultation du dictionnaire est nécessaire pour écrire correctement.* **3.** Examen d'un malade par un médecin; conseils donnés par un médecin, spécialement lors d'un examen: *La médecin a déjà donné quatre consultations ce matin.* ☞ consulter.

consulter v. **1.** Demander conseil à quelqu'un, lui demander son avis: *Mon père a consulté son médecin au sujet de ses maux de dos.* SYN. interroger. ANT. conseiller. **2.** Regarder, dans le but de trouver des renseignements, des explications: *Nous avons consulté l'horaire de ce cinéma avant de partir.* SYN. examiner, se référer à. ☞ consultatif, consultation.

consumable adj. Qui peut être détruit par le feu: *Le bois est un matériau consumable.* ☞ consumer.

consumer v. **1.** Brûler entièrement, détruire par le feu: *Le feu a consumé toute l'usine.* SYN. calciner. **2.** litt. Abattre complètement, épuiser: *La maladie la consumait.* SYN. fatiguer, ronger, user. ANT. affermir, fortifier. ☞ consumable. se **consumer** v.pron.litt. S'user, épuiser ses forces: *Il est inutile de se consumer en vaines tentatives.*

contact n.m. **1.** État ou position de corps qui se touchent: *Au contact de ses mains, mon cœur se troubla.* SYN. attouchement. ANT. éloignement. **2.** Relation entre des personnes: *Les contacts humains ne sont pas toujours faciles.* SYN. rapport. ⁄⁄ *Contact électrique:* Endroit où deux fils se touchent pour faire passer le courant. *Prendre contact:* Entrer en rapport. *Verres de contact:* Lentilles qui s'appliquent sur les yeux pour corriger la vue. ☞ contacter.

contacter v. Rencontrer, approcher: *J'ai contacté tous les parents des élèves.* ☞ contact.

contagieux, euse adj. **1.** Qui peut se transmettre à d'autres, en parlant d'une maladie: *La rougeole est une maladie contagieuse.* SYN. transmissible. ANT. intransmissible. **2.** Qui est atteint d'une maladie pouvant se transmettre à d'autres: *Cette personne est contagieuse présentement.* **3.** fig. Qui se communique facilement: *Ta bonne humeur est contagieuse.* SYN. communicable, communicatif. ANT. incommunicable. ☞ contagion.

contagion n.f. Transmission d'une maladie à une personne en santé: *On peut se défendre contre la contagion.* SYN. contamination, infection. ☞ contagieux.

contamination n.f. **1.** Envahissement d'un organisme, d'un milieu par des microbes: *Les médecins se protègent contre la contamination.* SYN. contagion, infection. ANT. immunisation. **2.** Envahissement d'un milieu par des substances polluantes: *La contamination des cours d'eau est un problème crucial.* SYN. pollution. ANT. purification. ☞ contaminer.

contaminer v. **1.** Rendre malade par l'action de microbes: *Toute la famille a été contaminée par le virus de la grippe.* SYN. infecter. ANT. guérir. **2.** Rendre dangereux, souiller par l'action de substances polluantes: *Ces déchets industriels ont contaminé l'eau de la rivière.* SYN. corrompre, polluer. ANT. assainir, purifier. ☞ contamination, décontamination, décontaminer. **contaminé, ée** p.p. et adj. Qui est infecté, rendu dangereux: *Une eau contaminée peut rendre très malade.* ☞ contaminer.

conte n.m. Histoire habituellement courte, qui raconte des aventures imaginaires: *J'aime les contes de grand-père Cailloux.* SYN. récit. HOM. compte, comte. ⁄⁄ *Conte de fées:* Récit merveilleux. ☞ conter.

contemplatif, ive adj. Qui aime la contemplation, la méditation: *Brigitte aime méditer, elle a un esprit contemplatif.* ANT. actif. ⁄⁄ *Ordre contemplatif:* Ordre religieux dont les membres se consacrent à la prière et vivent dans un cloître. ☞ contempler.

contemplation n.f. **1.** Action de contempler, d'observer attentivement et longuement, le plus souvent avec admiration: *Je suis resté en contemplation devant le paysage féerique.* **2.** Concentration de l'esprit sur des idées ou sur des pensées religieuses: *La contemplation est un état de recueillement.* SYN. méditation. ☞ contempler.

contempler v. Observer attentivement et longuement, le plus souvent avec admiration: *Du haut de la montagne, Sophie contemple la ville.* SYN. admirer, regarder. ANT. ignorer. ☞ contemplatif, contemplation.

contemporain, aine n. et adj. **1.** n. Personne qui est du même temps, de la même époque: *Les contemporains de Galilée n'ont pas tous reconnu le savant en lui.* **2.** adj. Qui est du même temps, de la même époque: *Marie Curie et Albert Einstein étaient contemporains.* **3.** adj. Qui existe actuellement, qui est de notre temps: *Les problèmes contemporains sont différents de ceux qu'ont connus nos grands-parents.* SYN. actuel, moderne, présent. ANT. ancien.

contenance n.f. Quantité que peut contenir, renfermer quelque chose; capacité: *Quelle est la contenance de ce réservoir d'essence?* SYN. contenu, mesure. ☞ contenir. ▲ **contenance** n.f. Comportement, façon de se tenir: *Sa contenance devant cette nouvelle a été très digne.* SYN. attitude, maintien. ⁄⁄ *Perdre contenance:* Perdre son calme, se troubler. *Se donner une contenance:* Se donner une attitude pour cacher son embarras. ☞ décontenancer.

contenant n.m. Ce qui contient: *J'ai mis le lait dans le contenant de deux litres.* SYN. récipient. ANT. contenu. ☞ contenir.

conteneur n.m. Caisse métallique servant au transport de marchandises: *Ce conteneur rempli de fruits arrivera à Montréal dans quelques jours.* **R.** Recommandé officiellement pour remplacer l'anglicisme «container». ☞ contenir.

contenir v. **1.** Avoir, comprendre en soi: *Cette brioche contient du blé entier et des raisins.* SYN. comporter, renfermer. **2.** Avoir telle capacité, pouvoir renfermer: *Ce bol* *contient deux litres de liquide.* SYN. tenir. **3.** Retenir dans certaines limites, empêcher d'avancer, de progresser: *Les forces policières ont su contenir les manifestants.* SYN. maintenir, maîtriser. ANT. lâcher. ☞ contenance, contenant, conteneur, contenu. se **contenir** v.pron. Maîtriser la violence d'un sentiment, son expression (surtout la colère): *Il a pu se contenir devant ces insultes.* SYN. se contrôler, se dominer. ANT. éclater. ☞ contenance, contenu, décontenancer.

content, ente adj. **1.** Qui est enchanté, ravi: *Elle est très contente de pouvoir enfin partir pour l'Europe.* ANT. attristé, ennuyé. **2.** Qui est satisfait: *Janine est contente de ses élèves.* ANT. déçu, mécontent. **3.** Qui est joyeux, de bonne humeur: *On est content lorsque tout va bien.* HOM. comptant. // *Être content de soi:* Avoir une bonne opinion de soi-même. ☞ contentement, contenter, mécontent, mécontentement, mécontenter.

contentement n.m. État d'une personne qui est satisfaite, qui ne désire rien de plus: *Le contentement de Carmen se lisait sur son visage.* SYN. satisfaction. ANT. mécontentement. ☞ content.

contenter v. Satisfaire: *Émilie a contenté son instituteur en améliorant ses résultats scolaires.* SYN. combler. ANT. attrister, contrarier, mécontenter. ☞ content. se **contenter** v.pron. Limiter ses attentes, ses désirs: *Je me contenterai de ce logement de trois pièces.* SYN. s'accommoder, s'arranger.

contenu n.m. Ce qui se trouve dans un contenant, dans un récipient: *Le contenu de cette boîte est lourd.* ANT. contenant. ☞ contenir. ▲ **contenu** n.m. Ce qu'exprime un discours, un écrit; signification: *Le contenu de ce texte est très important.* ☞ contenir.

contenu, ue adj. Se dit d'un sentiment fort que l'on maîtrise, que l'on se retient d'exprimer: *Sa voix exprimait une colère contenue.* ☞ contenir.

conter v. **1.** Raconter, pour distraire: *Grand-père aime bien conter des histoires.* SYN. dire, narrer. **2.** Dire une chose inventée, pour tromper: *Soyez honnête, vous n'allez pas nous conter cela!* HOM. compter, comté. // *Conter fleurette:* Faire la cour. *En conter à quelqu'un:* Tromper quelqu'un, lui mentir. ☞ conte, conteur.

contestable adj. Qui peut être mis en doute ou discuté: *La raison de son absence est contestable.* SYN. discutable, douteux. ANT. certain, incontestable. ☞ contester.

contestataire n. et adj. **1.** n. Personne qui conteste, qui s'oppose: *Les contestataires veulent changer ce règlement.* **2.** adj. Qui conteste, qui s'oppose: *Les étudiants contestataires ont fait la grève.* ☞ contester.

contestation n.f. **1.** Fait de s'opposer; vif désaccord: *L'adoption de cette loi entraîne beaucoup de contestation.* SYN. controverse, objection. ANT. acceptation, accord, assentiment. **2.** Attitude par laquelle on refuse les idées dominantes de la société dans laquelle on vit: *La contestation est stérile si elle ne débouche pas sur l'action.* ☞ contester.

sans **conteste** loc.adv. Sans discussion possible: *Maureen Forrester est, sans conteste, une grande cantatrice.* SYN. incontestablement. ☞ contester.

contester v. **1.** S'opposer à une chose, ne pas la trouver valable: *Marie conteste la décision de l'arbitre.* SYN. discuter, nier. ANT. approuver, reconnaître. **2.** S'opposer aux idées qui dominent la société dans laquelle on vit: *Les jeunes ont tendance à contester.* SYN. se révolter. ☞ contestable, contestataire, contestation, sans conteste, incontestable, incontestablement, incontesté.

conteur, euse n. **1.** Personne qui raconte, qui dit des contes: *Marie est une bonne conteuse d'histoires.* **2.** Personne qui écrit des contes: *Gilles Vigneault est un poète et un conteur.* HOM. compteur. ☞ conter.

contexte n.m. **1.** Texte à l'intérieur duquel se trouve un élément de la langue (mot, phrase): *Le verbe «voler» change de signification selon le contexte.* **2.** Ensemble des circonstances qui entourent un fait: *Dans le contexte social actuel, les familles nombreuses sont très rares.*

contigu, uë adj. Qui est voisin: *La cour de récréation et l'école sont contiguës.* SYN. attenant, avoisinant. ANT. distant, éloigné. **R.** Ne pas oublier le tréma au féminin: *ë.*

continent n.m. Grande étendue de terre que l'on peut parcourir sans traverser de mer: *Il est probable que les continents se déplacent lentement.* ☞ continental, intercontinental.

continental, ale, aux adj. Qui est propre aux continents: *Un climat continental connaît de grands écarts de température.* ☞ continent.

contingent n.m. Quantité prévue, déterminée: *Le libraire n'a pas livré tout son contingent de volumes.* ☞ contingentement, contingenter.

contingentement n.m. Action de contingenter, de limiter; son résultat: *Le gouvernement voit au contingentement des importations.* ☞ contingent.

contingenter v. Limiter : *Vu le manque de places, ce cégep doit contingenter l'admission.* ☞ contingent. **contingenté, ée** p.p. et adj. Qui est limité : *L'admission à la Faculté de médecine est contingentée.*

continu, ue adj. Qui est sans interruption, qui ne s'arrête pas : *Claude travaille de façon continue.* SYN. ininterrompu, suivi. ANT. discontinu. ☞ continuer.

continuation n.f. Action de continuer ; fait de continuer : *Au printemps, les ouvriers s'occuperont de la continuation de la route.* SYN. prolongement, suite. ANT. arrêt, cessation, interruption. ☞ continuer.

continuel, elle adj. Qui est constant, sans arrêt : *La pluie continuelle nous a empêchés de pique-niquer.* SYN. continu, perpétuel. ANT. momentané. ☞ continuer.

continuellement adv. D'une façon continuelle, sans arrêt : *Pierre et Denise parlent continuellement.* ☞ continuer.

continuer v. **1.** Maintenir, ne pas interrompre, dans le temps ou l'espace : *Josée a continué son travail durant plusieurs heures.* SYN. poursuivre, prolonger. ANT. abandonner, arrêter, cesser. **2.** Ne pas s'arrêter, durer : *Amusez-vous, la fête continue.* ☞ continu, continuation, continuel, continuellement, continuité, discontinu, discontinuer.

continuité n.f. Qualité de ce qui est continu, de ce qui ne s'arrête pas : *Julie assure la continuité de l'entreprise familiale.* SYN. constance, permanence. ANT. discontinuité, interruption. **R.** N'a pas le sens de *feuilleton*. ☞ continuer.

contondant, ante adj. Qui blesse sans couper, sans percer : *La meurtrière a utilisé une arme contondante.* ANT. coupant, tranchant.

contorsion n.f. Mouvement acrobatique ; mouvement anormal que l'on exécute avec certaines parties du corps : *Les contorsions de ce clown sont étonnantes.* ☞ se contorsionner, contorsionniste.

se **contorsionner** v.pron. Exécuter des contorsions, des mouvements acrobatiques ou anormaux : *Cette acrobate se contorsionne de façon spectaculaire.* ☞ contorsion.

contorsionniste n. Acrobate qui se spécialise dans les contorsions, dans les mouvements anormaux de certaines parties du corps : *Alain veut devenir contorsionniste.* ☞ contorsion.

contour n.m. Ligne qui limite extérieurement un corps : *Sylvie trace le contour de sa main au crayon noir.* SYN. bord, limite, périphérie, tour. ANT. centre, intérieur, milieu. ☞ contourner.

contourner v. Faire le tour de quelque chose : *Pour gagner la course, elle a dû contourner plusieurs obstacles.* ∥ *Contourner une difficulté :* Éviter habilement une difficulté. ☞ contour.

contraceptif n.m. Moyen, produit que l'on utilise pour empêcher la fécondation : *Le condom est un contraceptif.* ☞ contraception.

contraceptif, ive adj. Qui empêche les rapports sexuels d'aboutir à une grossesse : *Le condom et la pilule sont des moyens contraceptifs.* ☞ contraception.

contraception n.f. Ensemble des moyens employés pour empêcher la grossesse : *Il existe différentes méthodes de contraception.* ☞ contraceptif.

contracter v. S'engager à faire, à respecter par un contrat : *Ma mère a contracté une assurance contre le vol.* SYN. se lier. ANT. dissoudre, rompre. ☞ contrat. ▲ **contracter** v. **1.** Prendre, acquérir : *Bruno a contracté une mauvaise habitude.* **2.** Attraper : *Julien a contracté la rougeole.* ▲ **contracter** v. **1.** Réduire : *Le froid contracte le fer.* SYN. diminuer, raccourcir. ANT. dilater, gonfler. **2.** Tendre, raidir : *L'athlète contracte les muscles de son bras.* ANT. décontracter, détendre. ☞ contraction, décontracté, décontracter, décontraction. se **contracter** v.pron. **1.** Diminuer : *Sous l'effet du froid, les joints de métal se contractent.* ANT. se dilater. **2.** Se raidir, se durcir : *Lorsqu'elle est en colère, sa mâchoire se contracte.* ANT. se dilater.

contracteur ☞ sect. anglicismes et canadianismes.

contraction n.f. Réaction musculaire : *J'ai des contractions abdominales très douloureuses.* ☞ contracter.

contorsionniste

contradicteur, trice n. Personne qui aime à contredire, à dire le contraire de ce que dit quelqu'un: *N'aimant pas discuter, elle fuit les contradicteurs.* ☞ contredire.

contradiction n.f. Action de contredire, de s'opposer: *Mon frère aîné ne supporte pas la contradiction.* SYN. contestation, objection, opposition. ANT. accord, approbation, entente. // *Esprit de contradiction:* Disposition à s'opposer, à contredire. ☞ contredire.

contradictoire adj. Qui s'oppose, qui contredit: *Les parents et les adolescents ont souvent des idées contradictoires.* SYN. contraire, opposé. ANT. concordant, identique, semblable. ☞ contredire.

contraignant, ante adj. Qui contraint, qui fait agir contre sa volonté: *Les règlements sont parfois contraignants.* SYN. astreignant, désagréable, ennuyeux. ☞ contraindre.

contraindre v. Faire agir quelqu'un contre sa volonté: *Le froid nous a contraints à rester à la maison.* SYN. forcer. ANT. libérer, permettre. ☞ contraignant, contraint, contrainte.

contraint, ainte adj. Qui est mal à l'aise, embarrassé: *Elle avait un sourire contraint.* ☞ contraindre.

contr**aign**ant contr**aind**re contr**aint**

contrainte n.f. **1.** Force exercée contre quelqu'un pour le faire agir: *Il a agi sous la contrainte.* SYN. pression, violence. ANT. libération, liberté. **2.** Obligation créée par une situation: *Les contraintes du métier sont parfois ennuyeuses.* ☞ contraindre.

contraire n.m. et adj. **1.** n.m. Ce qui s'oppose: *François dit le contraire de ce que dit Nancy.* SYN. inverse, opposé. **2.** n.m. Mot qui a un sens opposé à un autre: *«Noir» est le contraire de «blanc».* SYN. antonyme. ANT. synonyme. **3.** adj. Qui est opposé: *Je marchais dans le sens contraire du vent.* ☞ contrairement. au **contraire** loc.adv. À l'opposé: *Robert n'est pas avare, au contraire, il est très généreux.* SYN. contrairement. au **contraire de** loc.prép. À l'opposé de: *Au contraire de ses camarades, Claude ne travaille pas.*

contrairement adv. D'une façon opposée: *Contrairement à ce que tu croyais, Mélissa est arrivée à l'heure.* ☞ contraire.

contralto n.m. Voix féminine la plus grave; celle qui a cette voix: *Cette chanteuse a une voix de contralto.* ☞ alto.

contrariant, ante adj. **1.** Qui est porté à contrarier, à s'opposer: *Louise a un esprit contrariant, elle n'est jamais d'accord.* **2.** Qui contrarie, qui cause de la déception, du mécontentement: *Le retard de Luc est très contrariant.* SYN. agaçant, ennuyeux. ANT. agréable, opportun. ☞ contrarier.

contrarier v. **1.** Déranger: *La maladie contrarie ses projets de vacances.* SYN. entraver. ANT. favoriser. **2.** Mécontenter, en s'opposant: *Chaque fois qu'il parle, il cherche à me contrarier.* SYN. agacer, blesser. ANT. contenter, réjouir. ☞ contrariant, contrariété. **contrarié, ée** p.p. et adj. **1.** Qui est chagriné, fâché: *Éliane et Daniel ont l'air contrariés.* **2.** Qui est combattu: *Leur projet est contrarié.*

contrariété n.f. Ennui, déception: *Son échec à l'examen lui a causé une vive contrariété.* SYN. déplaisir, mécontentement. ANT. joie, plaisir, satisfaction. ☞ contrarier.

contrastant, ante adj. Qui contraste, qui s'oppose d'une façon frappante: *Dans son dessin, Sandra a utilisé des couleurs contrastantes.* ☞ contraste.

contraste n.m. **1.** Opposition, différence entre deux choses: *Quel contraste entre le froid de la semaine dernière et la chaleur d'aujourd'hui!* SYN. antithèse. ANT. analogie, similitude. **2.** Variation de lumière entre les parties sombres et les parties claires de l'image, en télévision: *Berthe règle le contraste de la télévision.* ☞ contrastant, contrasté, contraster.

contrasté, ée adj. Qui présente des contrastes, des différences marquées: *Ce tableau est rempli de couleurs contrastées.* HOM. contraster. ☞ contraster.

contraster v. Être en contraste, en opposition marquée: *Les édifices modernes contrastent avec les vieilles maisons.* HOM. contrasté. ☞ contraste.

contrat n.m. Entente écrite entre deux ou plusieurs personnes: *Mon père a signé un contrat de cinq ans avec son employeur.* ☞ contracter.

contravention n.f. Amende que l'on reçoit pour avoir désobéi à une loi: *Kim roulait à une vitesse excessive; la policière lui a donné une contravention.* ☞ contrevenir.

contre n.m.invar. Ce qui est défavorable, ce qui représente des inconvénients: *Avant de prendre une décision, il faut peser le pour et le contre.*

contre prép. et adv. **1.** prép. Près de quelqu'un ou de quelque chose: *Les amoureux dansaient joue contre joue.* **2.** prép. En opposition à quelqu'un ou à quelque chose: *Ils se battent tous contre Francis.* **3.** prép. Dans le sens contraire à quelque chose, à l'opposé de quelque chose: *Bertrand a de la difficulté, il nage contre le courant.* **4.** prép. En échange de quelque chose: *Je te donne deux gommes à effacer contre un crayon.* **5.** adv. Dessus: *Pour plus de sécurité, prenez la rampe et appuyez-vous contre.* **6.** adv. En désaccord: *Vous êtes d'accord avec cette proposition? Moi, je suis contre.* // *Ci-contre:* Vis-à-vis, en regard.

contre-attaque n.f. Attaque que l'on fait pour répondre à celle de l'adversaire, riposte: *Nous avons fait une contre-attaque au basket-ball.* SYN. contre-offensive. **R.** Au pluriel, *contre-attaques*. ☞ attaquer.

contre-attaquer v. Répondre à une attaque en attaquant: *L'armée contre-attaqua sans délai.* ☞ attaquer.

contrebalancer v. Égaler: *Les pour contrebalancent les contre.* SYN. équilibrer. **R.** Ne pas oublier la cédille devant *a* et *o*. ☞ balancer.

s'en **contrebalancer** v.pron.fam. Se moquer de, se ficher de: *Sa décision, je m'en contrebalance éperdument.*

contrebande n.f. Fait d'introduire illégalement des marchandises dans un pays; les marchandises elles-mêmes: *Les douaniers ont découvert des marchandises de contrebande dissimulées dans une valise.* SYN. fraude. ☞ contrebandier.

contrebandier, ière n. Personne qui fait de la contrebande, du commerce illégal: *Les contrebandières suivent un chemin secret dans la montagne.* ☞ contrebande.

en **contrebas** loc.adv. Plus bas, à un niveau inférieur: *Du chalet, nous pouvons voir la mer en contrebas.*

contrebasse n.f. Instrument de musique à cordes et à archet, qui ressemble à un gros violon: *Frédéric joue de la contrebasse.* ☞ contrebassiste.

contrebassiste n. Personne qui joue de la contrebasse: *Maryse est contrebassiste dans l'orchestre de l'école.* ☞ contrebasse.

contrebasson n.m. Instrument de musique à vent, en bois: *Le basson et le contrebasson sont des instruments qui se ressemblent.* ☞ basson.

contrecarrer v. Faire obstacle à quelqu'un ou à quelque chose: *Le froid glacial a contrecarré mes plans de vacances.* SYN. contrarier, entraver. ANT. favoriser.

à **contrecœur** loc.adv. Avec réticence, malgré soi, contre son gré: *Shella range sa chambre à contrecœur.*

contrecoup n.m. Événement qui est la conséquence indirecte d'un autre: *Érica a la jambe dans le plâtre, elle subit le contrecoup de son imprudence.* SYN. effet, suite. ☞ coup.

contre-courant n.m. Sens contraire: *Il est difficile de nager à contre-courant.* **R.** Au pluriel, *contre-courants*. ☞ courant (n.).

contredire v. **1.** Affirmer le contraire de ce que dit quelqu'un, démentir: *Catherine n'aime pas qu'on la contredise lorsqu'elle donne son opinion.* SYN. réfuter. ANT. approuver, appuyer. **2.** S'opposer à quelque chose, aller à l'encontre de quelque chose: *Les faits ont contredit ses prévisions.* **R.** À la deuxième personne du pluriel de l'indicatif présent et de l'impératif présent, *vous contredisez*. ☞ contradicteur, contradiction, contradictoire, sans contredit.

sans **contredit** loc.adv. De façon indiscutable, sans aucun doute: *Stéphane est, sans contredit, le meilleur de son équipe.* SYN. assurément, certainement. ☞ contredire.

contrée n.f.litt. Région, pays: *Ces gens vivaient dans une contrée très fertile.* HOM. contrer.

contre-espionnage n.m. Activité qui vise à surveiller des espions: *J'ai vu un film sur le contre-espionnage.* **R.** Au pluriel, *contre-espionnages*. ☞ espion.

contrefaçon n.f. Action de reproduire malhonnêtement une œuvre ou un produit:

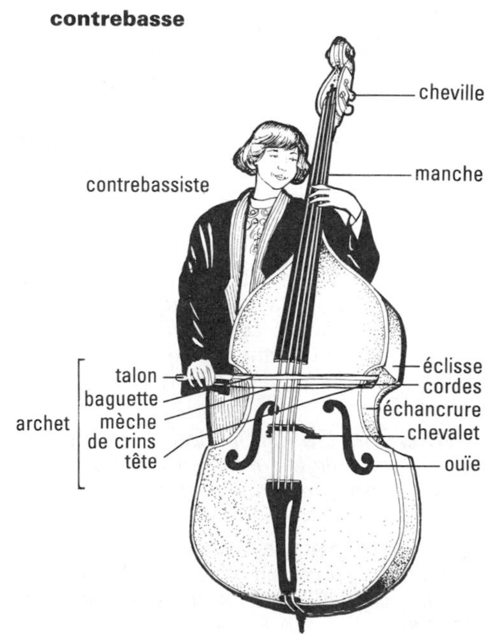

Cet homme a été condamné pour contrefaçon de billets de banque. SYN. falsification, imitation. **R.** Ne pas oublier la cédille. ☞ contrefaire.

contrefaire v. Imiter de façon frauduleuse, malhonnête : *Martine a contrefait la signature de sa mère sur son dernier relevé de notes.* ☞ contrefaçon, contrefait.

contrefait, aite adj. Qui est difforme, déformé, en parlant de quelqu'un : *Cette pauvre personne est toute contrefaite depuis son accident.* ☞ contrefaire.

contre-feu n.m. **1.** Plaque de métal placée au fond d'une cheminée : *Pour plus de sécurité, on place un contre-feu dans les cheminées.* **2.** Feu allumé pour empêcher qu'un autre feu se propage : *Pour arrêter un incendie de forêt, on fait parfois un contre-feu.* **R.** Au pluriel, *contre-feux*. ☞ feu.

contre-indication n.f. Cas où il serait dangereux d'employer un médicament, d'appliquer un traitement : *Avant d'absorber ce médicament, vous devriez vous informer des contre-indications.* **R.** Au pluriel, *contre-indications*. ☞ indiquer.

contre-indiquer v. Déconseiller un traitement ou un médicament : *La médecin m'a contre-indiqué ce médicament.* ☞ indiquer.

à **contre-jour** loc.adv. En tournant le dos à la source de lumière : *Il n'est pas facile de percevoir tous les traits d'une personne que l'on voit à contre-jour.* ☞ jour.

contremaître, esse n. Personne responsable d'un groupe de travailleurs : *Ma mère est contremaîtresse dans une usine de jouets.* SYN. chef. ANT. apprenti. **R.** Ne pas oublier l'accent : *î*.

contremarche n.f. Hauteur d'une marche d'escalier; partie qui forme cette hauteur : *Lorsqu'on installe de la moquette dans un escalier, on couvre les marches et les contremarches.* ☞ marcher.

contre-offensive n.f. Riposte par laquelle on répond à une attaque de l'adversaire, de l'ennemi : *Des milliers de soldats prirent part à la contre-offensive.* SYN. contre-attaque. **R.** Au pluriel, *contre-offensives*. ☞ offensif.

contrepartie n.f. Opinion, avis contraire : *J'ai bien écouté les arguments de Karine sur ce sujet, mais j'aimerais aussi en connaître la contrepartie.* SYN. contre-pied.

en **contrepartie** loc.adv. En échange, en revanche : *Je prête ma bicyclette à Maheva, en contrepartie elle me prête sa raquette de tennis.*

contre-pied n.m. Ce qui est le contraire de ce qu'affirme quelqu'un : *Cette candidate à la mairie prend le contre-pied de ce que dit son adversaire.* SYN. contrepartie. **R.** Au pluriel, *contre-pieds*.

contre-plaqué n.m. Matériau obtenu en collant de fines plaques de bois les unes sur les autres : *Ce meuble est fait de contre-plaqué.* **R.** Au pluriel, *contre-plaqués*. ☞ plaque.

contrepoids n.m. **1.** Poids que l'on utilise pour maintenir l'équilibre avec un autre poids : *Dans un ascenseur, il y a un contrepoids.* **2.** Ce qui équilibre : *Sa fantaisie fait contrepoids à son sens pratique.* ☞ poids.

à **contre-poil** loc.adv. Dans le sens inverse de celui des poils : *Mon chat déteste se faire caresser à contre-poil.* ☞ poil.

contrepoison n.m. Substance que l'on fait avaler pour combattre l'effet d'un poison : *Le lait est parfois recommandé comme contrepoison.* SYN. antidote. ☞ poison.

contre-proposition n.f. Proposition, offre que l'on fait pour l'opposer à une autre : *Vous n'acceptez pas ma proposition, faites-moi alors une contre-proposition.* **R.** Aussi, *contreproposition*. Au pluriel, *contre-propositions* ou *contrepropositions*. ☞ proposer.

contrer v.fam. S'opposer avec efficacité à quelqu'un ou à quelque chose : *Jean-Philippe a contré l'attaque de l'adversaire, lors du dernier match de football.* HOM. contrée.

contresens n.m. Interprétation contraire au sens véritable : *Dans ce travail de traduction, il y a beaucoup de contresens.* ☞ sens. à **contresens** loc.adv. À l'envers, dans le mauvais sens : *Cette voiture roule à contresens.*

contretemps n.m. Événement fâcheux qui s'oppose à la réalisation d'un projet : *Je n'ai pas pu assister au spectacle, j'ai eu un contretemps.* SYN. empêchement, ennui. ANT. arrangement, facilité. à **contretemps** loc.adv. Au mauvais moment : *Cette visite est arrivée à contretemps.*

contrevenant, ante n. Personne qui désobéit à une loi, à un règlement : *Les contrevenants devront payer une amende.* ☞ contrevenir.

contrevenir v. Désobéir à une loi, à un règlement : *Natacha a contrevenu aux règlements de l'école.* SYN. enfreindre, transgresser. ANT. obéir, observer, respecter. **R.** Se conjugue avec *avoir*, aux temps composés. ☞ contravention, contrevenant.

contrevent n.m. Volet extérieur qui protège une fenêtre du mauvais temps: *Les contrevents de la maison de grand-mère sont bleus.* SYN. jalousie, persienne.

contribuable n. Personne qui paie des impôts: *Les contribuables canadiens paient des impôts aux gouvernements fédéral et provincial.* ☞ contribution.

contribuer v. Collaborer, participer à un certain résultat: *Les élèves de l'école ont contribué à la réalisation de cette murale.* SYN. coopérer. ANT. s'abstenir. ☞ contribution.

contribution n.f. **1.** Part que chacun fournit en vue d'une dépense commune: *Voilà ma contribution pour le cadeau que nous offrirons.* **2.** Participation à une œuvre commune: *Louise a apporté sa contribution à l'organisation de cette fête.* SYN. apport, collaboration, concours. ANT. abstention. ☞ contribuer. ▲ **contribution** n.f. Impôt: *Les travailleurs paient des contributions à l'État.* ☞ contribuable.

contrit, ite adj. Qui marque le repentir, le regret sincère d'une faute: *Il me regardait d'un air contrit, après avoir fait cette bêtise.* SYN. chagrin, penaud. ANT. fier. ☞ contrition.

contrition n.f.litt. Regret sincère d'avoir commis une erreur, une faute: *Maryse a éprouvé une grande contrition à la suite de cette erreur.* SYN. remords, repentir. ANT. endurcissement. ☞ contrit.

contrôlable adj. Qui peut être contrôlé, vérifié: *Ses arguments sont facilement contrôlables.* SYN. vérifiable. ANT. incontrôlable, invérifiable. **R.** Ne pas oublier l'accent: *ô.* ☞ contrôle.

contrôle n.m. **1.** Vérification, inspection de pièces, de documents, etc.: *La policière fait le contrôle des pièces d'identité.* **2.** Exercice scolaire visant à vérifier les progrès des élèves, leur niveau: *Chaque semaine, l'instituteur donne un contrôle à ses élèves.* ☞ contrôlable, contrôler, contrôleur, incontrôlable. ▲ **contrôle** n.m. Maîtrise de soi: *Même à l'annonce d'une grande nouvelle, Mona garde le contrôle de ses émotions.* **R.** Ne pas oublier l'accent *ô.* ☞ contrôler, incontrôlé.

contrôler v. Soumettre à un contrôle, à une vérification: *Elle contrôle les billets des passagers à bord de l'avion.* SYN. examiner, inspecter, vérifier. ☞ contrôle. ▲ **contrôler** v. Dominer; maîtriser: *À la mort de son père, Francis a su contrôler ses émotions.* SYN. contenir. ☞ contrôle. se **contrôler** v.pron. Rester maître de soi: *Durant l'orage, Étienne a peur du tonnerre, mais il se contrôle parfaitement.* SYN. se maîtriser. **R.** Ne pas oublier l'accent: *ô.*

contrôleur, euse n. Personne chargée d'exercer un contrôle, une vérification: *Dans le train, le contrôleur nous demande de lui montrer notre billet.* // *Contrôleur de la navigation aérienne:* Personne chargée de surveiller la direction des mouvements d'un avion. **R.** Ne pas oublier l'accent: *ô.* ☞ contrôle.

contrordre n.m. Annulation d'un ordre donné précédemment: *Vous deviez faire ce travail aujourd'hui, mais il y a contrordre, vous le ferez plus tard.* ☞ ordre.

controversable adj. Qui peut être controversé, contesté: *Son opinion est controversable.* SYN. discutable. ANT. incontestable. ☞ controverse.

controverse n.f. Discussion sur un sujet: *Au Québec, la question de la langue soulève de vives controverses.* SYN. débat, polémique. ANT. entente. ☞ controversable, controversé.

controversé, ée adj. Qui donne lieu à des discussions: *Cette méthode d'éducation est controversée.* ☞ controverse.

contusion n.f. Blessure légère qui ne saigne pas, meurtrissure: *Lors de l'accident, le conducteur n'a eu que des contusions.* SYN. bleu, ecchymose. ☞ contusionner.

contusionner v. Blesser, meurtrir: *Sa chute à bicyclette lui a contusionné le genou.* ☞ contusion.

convaincant, ante adj. Qui convainc, qui persuade: *Il faut te donner raison, tu as vraiment des arguments très convaincants.* SYN. concluant, décisif, probant. ANT. discutable, négligeable. ☞ convaincre.

convaincre v. Amener à accepter, à approuver quelque chose qui est proposé: *Tu dois convaincre tes parents de te laisser aller au cinéma samedi prochain.* SYN. persuader. ANT. dissuader. ☞ convaincant, convaincu, conviction.

convaincu, ue adj. Qui est persuadé; qui est sûr de son opinion: *Alexandre est un bon élève, j'en suis convaincue.* SYN. assuré, certain. ANT. incrédule, sceptique. ☞ convaincre.

convalescence n.f. Période de temps située entre la fin d'une maladie et le retour à la santé: *À la fin de sa maladie, son médecin lui a donné un mois de convalescence.* ☞ convalescent.

convalescent, ente n. et adj. **1.** n. Personne qui est en convalescence, qui reprend ses forces: *La convalescente ira dans une maison de repos.* **2.** adj. Qui est en convalescence, qui relève de maladie: *Simon est encore convalescent, mais il va beaucoup mieux.* ☞ convalescence.

convenable adj. **1.** Qui convient, qui est approprié: *Il est important d'avoir des chaussures convenables pour le cours d'éducation physique.* SYN. adéquat. ANT. inadapté. **2.** Qui est conforme aux règles de la politesse: *Il n'est pas convenable de parler en même temps qu'une autre personne.* SYN. bienséant, correct. ANT. inconvenant, incorrect. **3.** fam. Qui est suffisant: *Mon grand frère gagne un salaire convenable.* SYN. acceptable. ANT. insuffisant. ☞ convenir.

convenablement adv. D'une manière convenable, correcte: *Lors de la visite au musée, les élèves se sont conduits convenablement.* ☞ convenir.

convenance n.f. **1.** Caractère de ce qui convient à quelqu'un, de ce qui est conforme aux besoins de quelqu'un: *Colette est très heureuse, elle a enfin trouvé une maison à sa convenance.* SYN. goût. **2.** plur. Règles de bienséance, de politesse: *Héloïse connaît les convenances; elle n'est jamais en retard à un rendez-vous.* ANT. impolitesse, inconvenance. ☞ convenir.

convenir v. **1.** Être approprié: *Les bottes de caoutchouc conviennent aux jours de pluie.* **2.** Plaire à quelqu'un, être conforme à ses goûts: *Ma mère a trouvé un emploi qui lui convient.* ⁄⁄ *Il convient:* Il faut, il est utile. ☞ convenable, convenablement, convenance, inconvenance, inconvenant. ▲ **convenir** v. **1.** Faire une entente, décider ensemble: *Nous avons convenu de nous rencontrer à 16 heures.* **2.** Reconnaître, avouer: *Je conviens de mon erreur.* ☞ convention, conventionnel, conventionnellement, disconvenir.

convention n.f. **1.** Accord signé par deux ou plusieurs personnes sur un point précis: *La convention collective des salariés de cette usine a été signée vendredi dernier.* SYN. contrat, entente. **2.** plur. Règles sur lesquelles on s'entend, dans une société: *Pour vivre harmonieusement en société, il faut respecter les conventions.* **R.** N'a pas le sens de *congrès*. ☞ convenir.

conventionnel, elle adj. **1.** Qui résulte d'une convention, d'un accord: *Les règles du code de la route sont conventionnelles.* **2.** Qui est conforme aux conventions sociales, peu personnel: *Il a des idées très conventionnelles sur ce sujet.* ☞ convenir.

conventionnellement adv. **1.** Par convention: *Le salaire de cette travailleuse syndiquée a été établi conventionnellement.* **2.** De façon conventionnelle, peu personnelle: *Elle s'habille très conventionnellement, sans originalité.* ☞ convenir.

convergence n.f. **1.** Fait de converger, de se diriger vers un même point: *Observez la convergence des deux lignes bleues sur le dessin d'Agathe.* ANT. divergence. **2.** fig. Action de tendre vers un même but: *Grâce à la convergence de nos efforts, nous résoudrons ce problème.* ☞ converger.

convergent, ente adj. Qui tend vers le même but, le même résultat: *Les expériences de ces deux chercheurs sont convergentes.* ANT. divergent. ☞ converger.

converger v. **1.** Aller vers un point commun: *Les ponts Jacques-Cartier et Victoria convergent vers Montréal.* **2.** Tendre au même résultat: *Nous ne sommes pas toujours d'accord, mais nos idées sur la réussite convergent.* SYN. se rencontrer. ANT. diverger. ☞ convergence, converger.

conversation n.f. Échange de propos entre deux ou plusieurs personnes: *Hier après-midi, j'ai eu une longue conversation avec mon ami Charles.* SYN. dialogue, entretien. ANT. mutisme, silence. ⁄⁄ *Avoir de la conversation:* Parler avec facilité, avoir des choses intéressantes à dire. ☞ converser.

converser v. Parler avec une ou plusieurs personnes d'une façon naturelle: *Christian et Véronique ont conversé un moment avant d'entrer au cinéma.* SYN. causer, s'entretenir. ANT. se taire. ☞ conversation.

conversion n.f. Fait de passer d'une religion à une autre ou de l'incroyance à la foi: *La conversion de cet homme à la religion catholique date de quelques mois.* ☞ convertir. ▲ **conversion** n.f. Fait de transformer: *Pouvez-vous faire la conversion de fractions ordinaires en fractions décimales?* ☞ convertir.

converti, ie n. et adj. **1.** n. Personne qui est passée d'une religion à une autre, considérée comme vraie: *Il n'y a pas longtemps que Martha vient à notre église; c'est une nouvelle convertie.* **2.** adj. Qui est passé d'une religion à une autre, considérée comme vraie: *J'ai rencontré un catholique converti au protestantisme.* ⁄⁄ *Prêcher un converti:* Essayer de convaincre quelqu'un qui est déjà convaincu. ☞ convertir.

convertible n.m. Meuble, appareil qui peut être transformé pour un autre usage: *Un canapé-lit est un convertible.* **R.** N'a pas le sens de *décapotable*. ☞ convertir.

convertir v. Faire changer quelqu'un de religion pour une autre, considérée comme vraie; convaincre quelqu'un d'adopter une conduite, une opinion: *Elle l'a converti à l'exercice physique.* SYN. amener, gagner, ral-

Déchets

BIODÉGRADABLES

NON BIODÉGRADABLES

Plantes

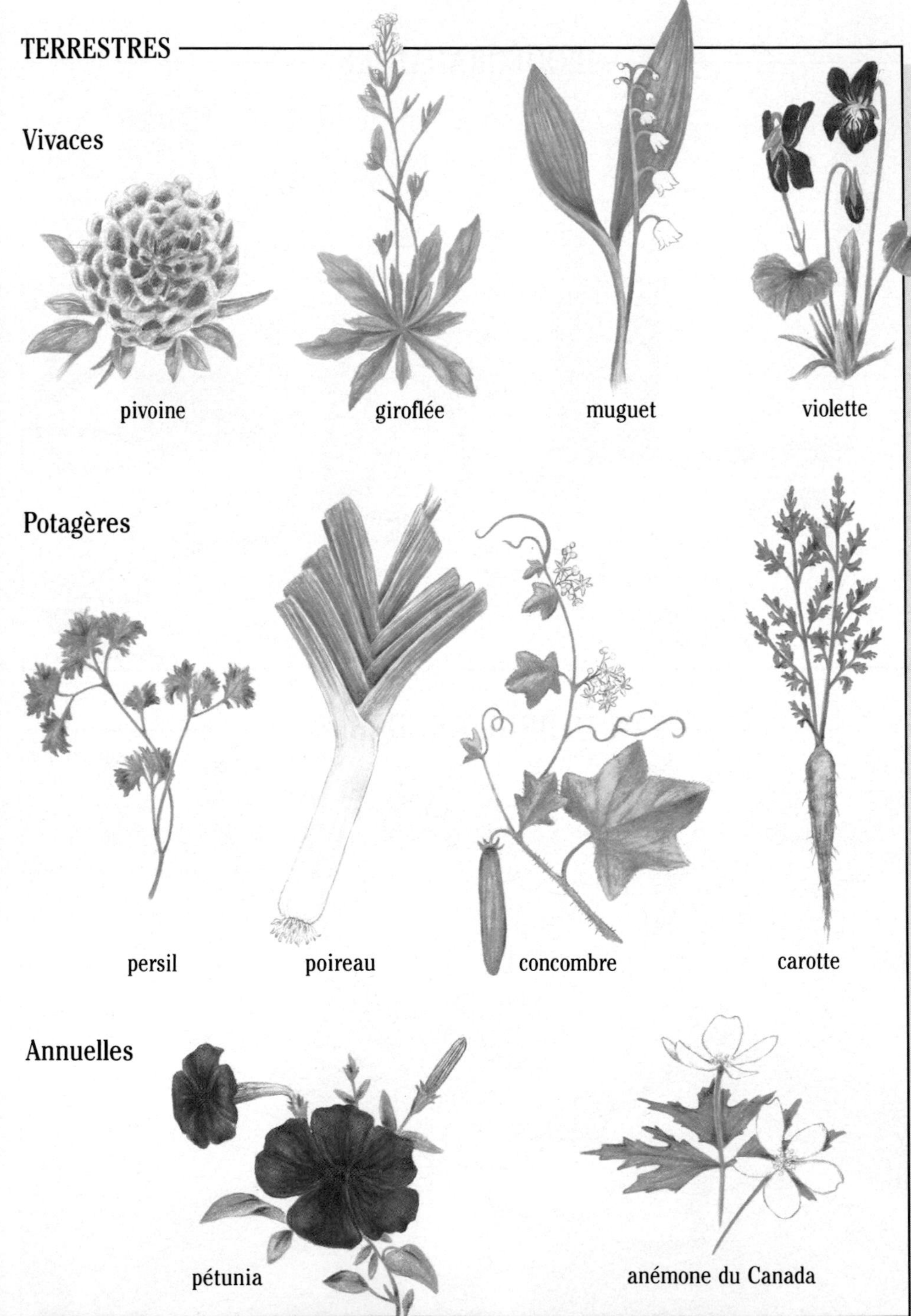
TERRESTRES
Vivaces
pivoine
giroflée
muguet
violette
Potagères
persil
poireau
concombre
carotte
Annuelles
pétunia
anémone du Canada

AQUATIQUES

algue
quenouille
lentille d'eau
nénuphar

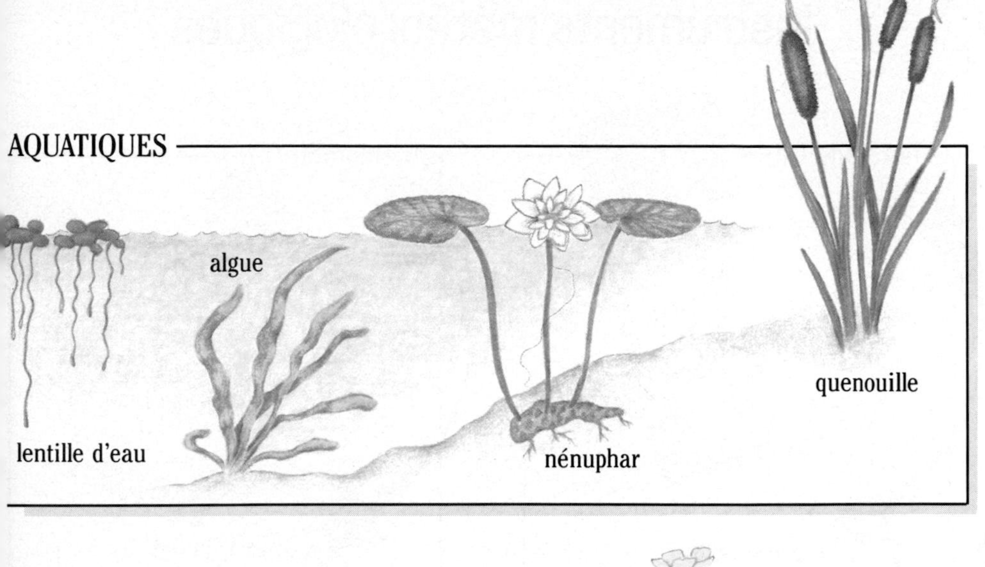

DE MON MILIEU

marguerite
pissenlit
trèfle rouge
renoncule à tête d'or
églantier
chiendent
verge d'or
iris
trille
chicorée

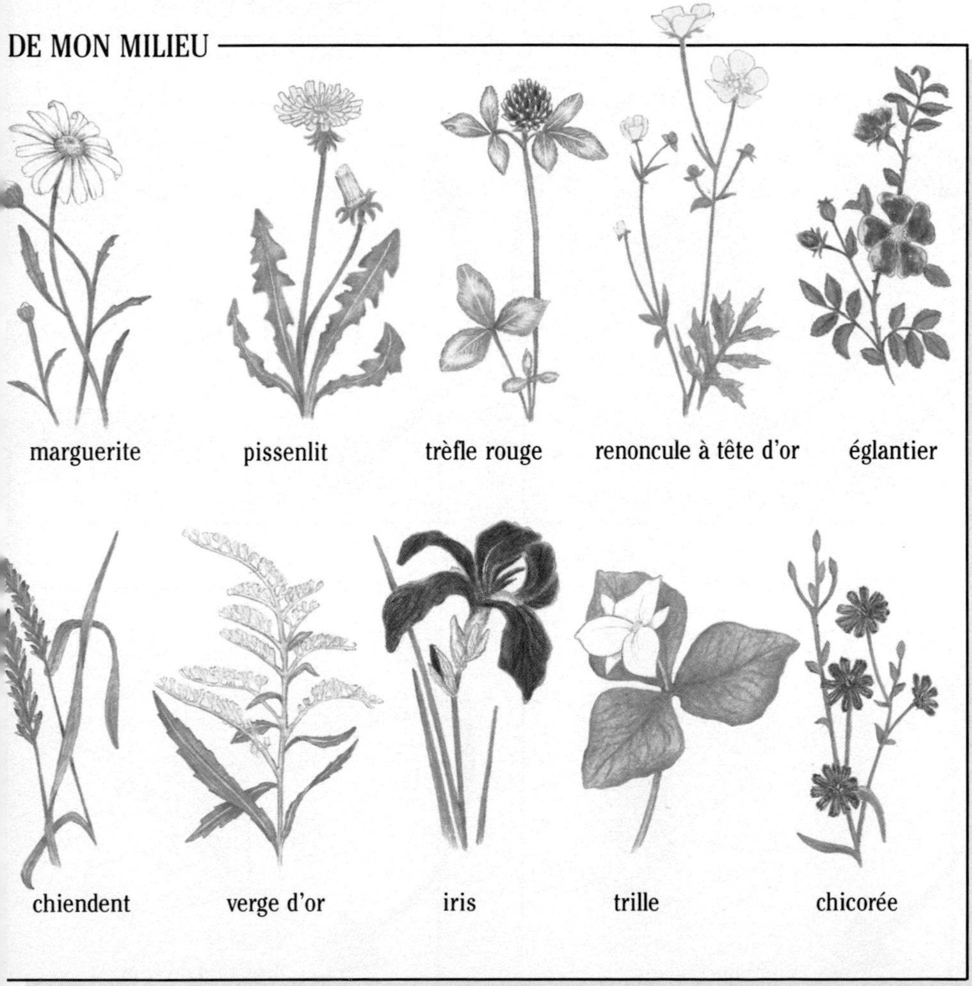

Instruments météorologiques

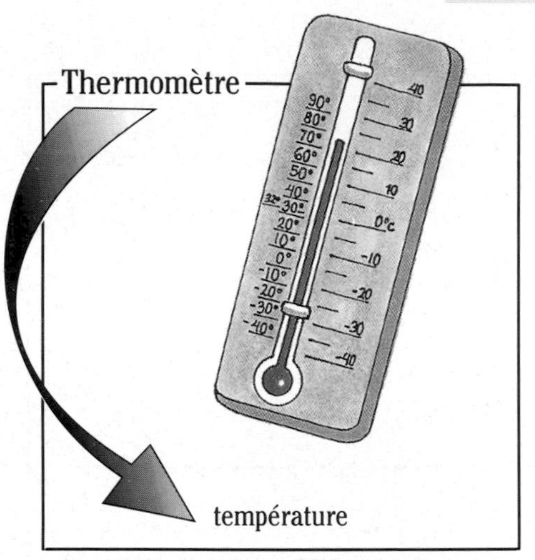

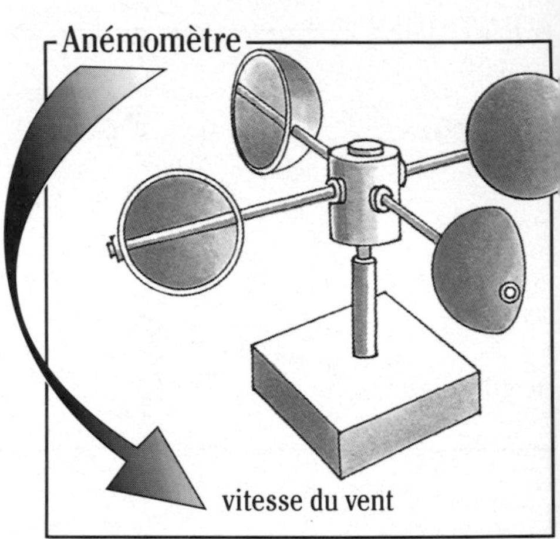

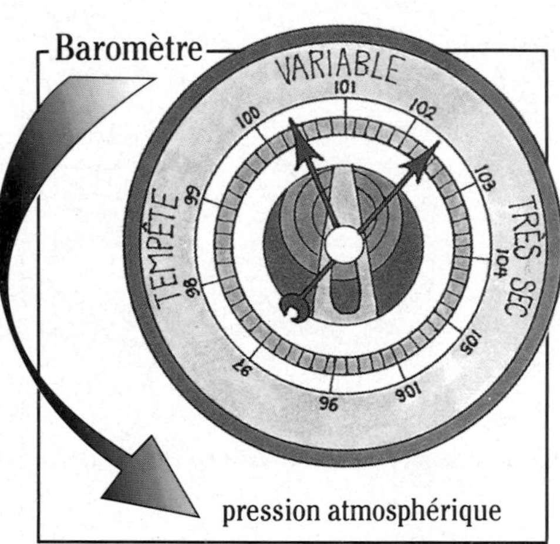

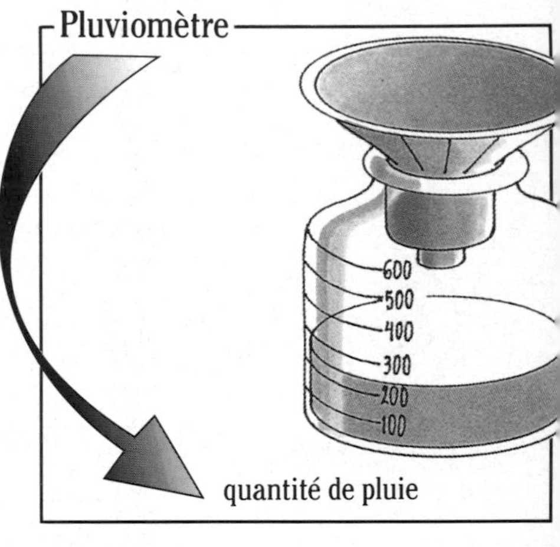

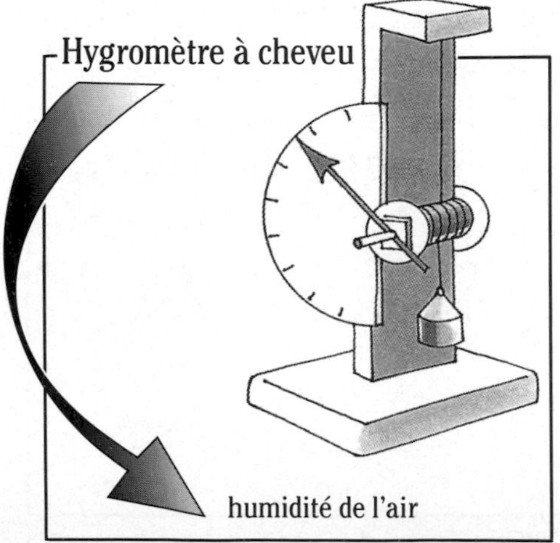

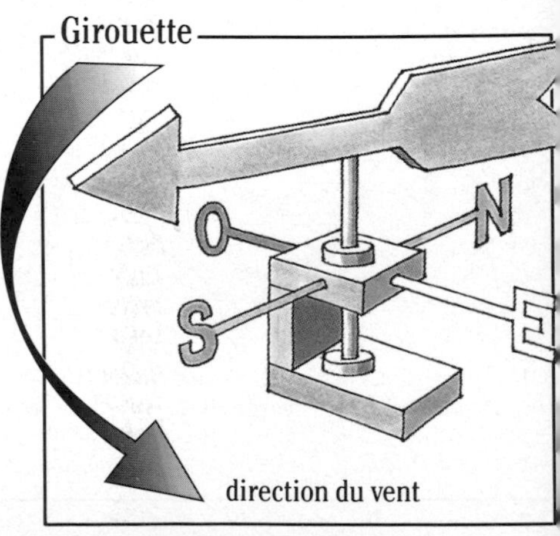

lier. ANT. détourner. ☞ conversion, converti. se **convertir** v.pron. Adopter une croyance en abandonnant ce qui est maintenant considéré comme une erreur: *Manon s'est convertie au judaïsme.* SYN. adhérer. ANT. abandonner ▲ **convertir** v. Transformer, changer: *Elle a converti son argent canadien en francs belges.* ☞ conversion, convertible.

convexe adj. **1.** Qui est courbé, arrondi à l'extérieur: *Le dos d'une cuillère est convexe.* SYN. bombé, renflé. ANT. concave. **2.** Se dit, en mathématique, d'une partie du plan ou de l'espace telle que tout segment qui a ses extrémités dans cette partie y est compris tout entier: *Cette figure est un polygone convexe.*

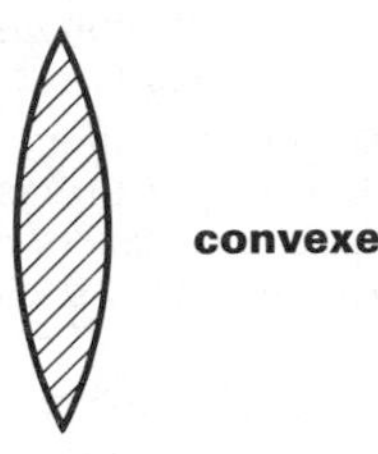

convexe

conviction n.f. **1.** Certitude basée sur des preuves: *J'ai la conviction que Julie réussira dans la vie.* SYN. assurance. ANT. doute, incertitude. **2.** Principe, opinion auxquels on croit fermement: *Mes convictions personnelles m'amènent à faire ce choix.* ∥ *Pièce à conviction:* Objet qui peut être utilisé comme élément de preuve lors d'un procès. ☞ convaincre.

convier v. **1.** litt. Inviter: *Nous sommes conviés à un mariage.* **2.** fig. Inviter avec insistance, inciter: *Le beau temps nous convie aux activités de plein air.*

convive n. Personne invitée à partager un repas avec d'autres: *Lors du souper, il y avait plusieurs convives autour de la table.* SYN. hôte, invité.

convocable adj. Qui peut être convoqué, qui peut être invité à se réunir ou à se présenter: *Cette assemblée est convocable de dix à douze fois par année.* ☞ convoquer.

convocation n.f. **1.** Action de convoquer, d'inviter à se réunir ou à se présenter: *Nous ferons une convocation pour la prochaine assemblée syndicale.* **2.** Lettre, feuille par laquelle on invite à se réunir ou à se présenter: *Vous devez présenter votre convocation à l'entrée de la salle de réunion.* ☞ convoquer.

convoi n.m. **1.** Ensemble de voitures militaires, de navires qui se déplacent sous la protection d'une escorte: *Ce convoi de troupes ralentit beaucoup la circulation.* **2.** Ensemble de wagons qui se suivent, train: *Le convoi venant d'Ottawa entre en gare.* **3.** Groupe de personnes qui composent un cortège funèbre: *Après les funérailles, le convoi se dirigera vers le cimetière de Saint-Liboire.* **4.** Groupe de personnes ou de véhicules qui circulent ensemble: *Ce convoi de réfugiés est arrivé au pays la semaine dernière.* ☞ convoyer, convoyeur.

convoiter v. Désirer vivement: *Stéphane convoite le micro-ordinateur qu'il a vu au magasin.* SYN. vouloir. ANT. dédaigner, refuser, repousser. ☞ convoitise.

convoitise n.f. Désir excessif de posséder quelque chose: *À la vue de tous ces bijoux, ses yeux brillent de convoitise.* SYN. avidité, envie. ANT. indifférence, répulsion. ☞ convoiter.

convoler v.vx Se marier: *Samedi prochain, ma sœur convolera en justes noces.*

convoquer v. **1.** Appeler à se réunir: *La première ministre convoque ses ministres à une assemblée spéciale.* **2.** Faire venir auprès de soi: *Le directeur a convoqué les parents de Jason à son bureau.* ☞ convocable, convocation.

convo**c**ation convo**qu**er

convoyer v. Accompagner pour protéger: *La police a convoyé le camion chargé de lingots d'or jusqu'à la banque.* ☞ convoi.

convoyeur n.m. Personne qui accompagne pour protéger: *L'agente de sécurité sera convoyeur lors du transfert des fonds de la banque.* ☞ convoi. ▲ **convoyeur** n.m. Transporteur automatique: *Un tapis roulant sert de convoyeur pour les marchandises qui doivent être acheminées à la porte d'expédition.* ☞ convoi.

convulser v. Agiter, tordre par des convulsions, contracter: *La douleur convulsait son visage.* SYN. crisper. ANT. apaiser, décontracter, détendre. ☞ convulsif, convulsion, convulsivement.

convulsif, ive adj. Qui est violent et involontaire comme les convulsions: *Sa nervosité lui fait faire des gestes convulsifs.* ☞ convulser.

convulsion n.f. Mouvement violent et involontaire, contraction: *Lors d'une crise d'épilepsie, le malade est agité de convulsions.* SYN. crise, secousse, spasme. ☞ convulser.

convulsivement adv. De manière convulsive, de manière violente et involontaire: *La malade s'agite convulsivement.* ☞ convulser.

coopérateur, trice n. **1.** Personne qui aide à une action commune: *Nous avons besoin de nombreux coopérateurs pour réaliser ce projet.* SYN. collaborateur. **2.** Membre d'une société coopérative: *La coopérative alimentaire du quartier cherche des coopérateurs.* **R.** Les lettres *coo* se prononcent *co-o.* ☞ coopérer.

coopératif, ive adj. **1.** Qui est prêt à aider: *Les parents ont été très coopératifs lors de l'organisation de la fête de Noël.* **2.** Qui est basé sur la coopération, la solidarité: *Dans une société coopérative, l'union fait la force.* **R.** Les lettres *coo* se prononcent *co-o.* ☞ coopérer.

coopération n.f. Action d'aider, de participer: *Pour organiser cette soirée, j'ai besoin de votre coopération.* SYN. aide, appui, collaboration, concours. **R.** Les lettres *coo* se prononcent *co-o.* ☞ coopérer.

coopérative n.f. Entreprise, groupement de personnes qui s'unissent pour acheter, vendre ou produire: *La cultivatrice vend ses produits à la coopérative du village.* **R.** Les lettres *coo* se prononcent *co-o.* ☞ coopération.

coopérer v. Travailler avec quelqu'un, collaborer: *Tous les élèves ont coopéré à la décoration du gymnase.* SYN. aider, contribuer, participer. ANT. incommoder, léser, nuire. **R.** Les lettres *coo* se prononcent *co-o.* ☞ coopérateur, coopératif, coopération, coopérative.

coordinateur, trice n. et adj. **1.** n. Personne qui coordonne, qui organise: *L'association des loisirs a engagé une coordinatrice pour planifier les activités.* **2.** adj. Qui coordonne, organise: *François travaille au bureau coordinateur des fêtes populaires de la ville.* **R.** Les lettres *coo* se prononcent *co-o.* Aussi, *coordonnateur.* ☞ coordonner.

coordination n.f. Arrangement des parties d'un tout en vue d'un résultat déterminé: *Il y a une bonne coordination entre les divers services de cette entreprise.* SYN. harmonisation, organisation, planification. ANT. confusion, incoordination. ⫽ *Conjonction de coordination:* Petit mot (et, ou, donc, or, ni, mais, car) servant à unir. **R.** Les lettres *coo* se prononcent *co-o.* ☞ coordonner.

coordonnées n.f.plur. **1.** Nombres qui déterminent la position d'un point sur une surface ou dans l'espace, par rapport à un système d'axes et de points: *Les coordonnées du point I sont (3,5).* **2.** fig. et fam. Indications, renseignements qui permettent d'entrer en contact avec quelqu'un (adresse, téléphone, etc.): *Donne-moi tes coordonnées, pour que je puisse communiquer avec toi.* HOM. coordonner. ⫽ *Coordonnées géographiques:* Couple de coordonnées (longitude et latitude) permettant de repérer un lieu sur la surface du globe. **R.** Les lettres *coo* se prononcent *co-o.* ☞ coordonner.

coordonner v. Agencer des éléments en vue d'obtenir un tout, un résultat: *Pour réaliser une chorégraphie intéressante, vous devez coordonner vos mouvements.* HOM. coordonnées. **R.** Les lettres *coo* se prononcent *co-o.* ☞ coordinateur, coordination, coordonnées.

coordi**n**ation coord**onn**er

copain n.m.fam. Personne avec qui on entretient des relations de camaraderie: *Richard et Claude sont de bons copains.* SYN. camarade. **R.** Au féminin, *copine.* ☞ copine.

copeau, eaux n.m. Petit morceau détaché d'une pièce de bois par un instrument tranchant: *Lorsque la menuisière a terminé son travail, il y avait un tas de copeaux sur le parquet.*

copiage n.m. Action de copier dans un examen ou d'imiter sans aucune originalité: *On ne tolère pas le copiage lors des examens.* ☞ copie.

copie n.f. **1.** Reproduction d'un texte, d'un écrit: *Il est important de conserver une copie de cette lettre envoyée à la directrice.* SYN. double, duplicata, photocopie. ANT. original. **2.** Reproduction d'une œuvre d'art: *Cette œuvre est une copie d'un tableau de Marc-Aurèle Fortin.* **3.** Ce sur quoi on a écrit un travail scolaire: *L'examen est terminé, apportez-moi vos copies.* SYN. devoir. ☞ copiage, copier, copieur, polycopie, polycopié, polycopier, recopier.

copier v. **1.** Reproduire fidèlement un écrit: *Pouvez-vous me copier cette recette de tarte?* SYN. transcrire. **2.** Reproduire frauduleusement, tricher: *À l'examen, il a copié sur sa voisine.* **3.** Reproduire ou chercher à imiter une œuvre d'art: *On peut apprendre en essayant de copier un tableau de maître.* **4.** Imiter, mimer: *Les enfants copient souvent leurs parents sans le vouloir.* ☞ copie.

copieur, euse n. Élève qui copie ses livres ou les travaux de ses camarades de classe: *À la fin de l'année, les copieurs verront leur examen annulé.* ☞ copie.

copieusement adv. De façon abondante: *Joëlle mange copieusement.* SYN. abondamment, beaucoup. ANT. légèrement, peu. ☞ copieux.

copieux, euse adj. Qui est abondant: *Ce restaurant sert des repas copieux.* ☞ copieusement.

copilote n. Personne qui seconde le premier pilote: *Le copilote a dû prendre les commandes de l'avion.* ☞ pilote.

copine n.f.fam. Personne avec qui l'on entretient des relations de camaraderie: *Lucie est une excellente copine.* SYN. camarade. **R.** Au masculin, *copain.* ☞ copain.

coproduction n.f. Production d'un film, d'une série télévisée par plusieurs producteurs; l'œuvre ainsi produite: *Ce film est une coproduction franco-québécoise.* ☞ produire.

copropriétaire n. Personne qui possède avec d'autres une maison, un immeuble: *Lisandre et Tristan sont copropriétaires d'une maison à la campagne.* ☞ propriété.

copropriété n.f. Droit de propriété de plusieurs personnes sur un même bien: *Ce groupe de personnes a acheté un immeuble en copropriété.* ☞ propriété.

coq n.m. **1.** Oiseau de basse-cour aux ailes courtes et arrondies, à la tête ornée d'une crête rouge, dont la femelle est la poule et le petit, le poussin: *Le coq se dresse sur ses ergots et lance un bruyant «cocorico».* **2.** fig. Celui qui est le plus admiré, séducteur: *Hugo est le coq du village.* ⁄⁄ *Coq au vin:* Plat préparé avec un coq (parfois une poule, un poulet) cuit avec du vin rouge. *Poids coq:* Catégorie de poids dans certains sports comme la boxe. ▲ **coq** n.m. Cuisinier, à bord d'un bateau: *Le père de Carla est maître coq à bord d'un bateau italien.* HOM. coque.

coq-à-l'âne n.m.invar. Changement brusque de sujet dans une conversation: *Leur conversation était remplie de coq-à-l'âne.* **R.** Ne pas oublier l'accent: *â.*

coque n.f. **1.** vx Coquille d'un œuf d'oiseau: *Norbert aime les œufs à la coque.* **2.** Enveloppe dure de certains fruits (noix, noisettes, amandes): *Les coques de noisettes ont toutes été enlevées.* **3.** Coquillage comestible que l'on trouve dans le sable, à marée basse: *Durant les vacances, nous avons cherché des coques sur le bord de la mer.* ☞ coquetier, coquetière. ▲ **coque** n.f. Partie extérieure d'un navire, qui lui permet de flotter: *La coque du bateau a besoin d'être repeinte.* SYN. carcasse, corps. HOM. coq. ☞ coqueron.

coquelicot n.m. Fleur d'un rouge vif qui pousse dans les champs, en Europe: *Aussitôt cueilli, le coquelicot se fane.*

coqueluche n.f. Maladie contagieuse, caractérisée par une toux violente: *Votre enfant est atteint de coqueluche.* ☞ coquelucheux.

coquelucheux, euse n. et adj. **1.** n. Personne atteinte de coqueluche: *Il y a beaucoup moins de coquelucheux, de nos jours.* **2.** adj. Qui se rapporte à la coqueluche; qui a la coqueluche: *Ce malade a une toux coquelucheuse.* ☞ coqueluche.

coquerelle n.f. Nom donné aux noisettes réunies par trois sur un blason: *Dans les armoiries de la ville, il y a des coquerelles.* **R.** N'a pas le sens de *blatte, cafard* ou *cancrelat.*

coqueron n.m. **1.** Compartiment d'un navire qu'on peut remplir d'eau: *On a rempli le coqueron pour améliorer la stabilité du navire.* **2.** Au Canada, logement modeste et petit: *Avant d'acheter cette maison, nous habitions un coqueron.* ☞ coque.

coquet, ette adj. **1.** Qui cherche à plaire aux personnes du sexe opposé: *Sylvain est coquet, il s'empresse auprès des demoiselles.* **2.** Qui a le goût de la toilette, le goût d'être bien mis: *Émilie a toujours été une petite fille coquette.* SYN. élégant. ANT. négligé. **3.** Qui a un aspect agréable, en parlant d'une chose: *Nous avons visité une maison très coquette.* SYN. joli. ANT. ordinaire. **4.** fam. Qui a une importance assez considérable: *Nous avons gagné la coquette somme de cinq cent mille dollars à la loterie.* SYN. rondelet. ☞ coquettement, coquetterie.

coquelicot

coquetier n.m. Petite coupe dans laquelle on place un œuf à la coque pour le manger: *J'ai reçu en cadeau un joli coquetier.* ☞ coque.

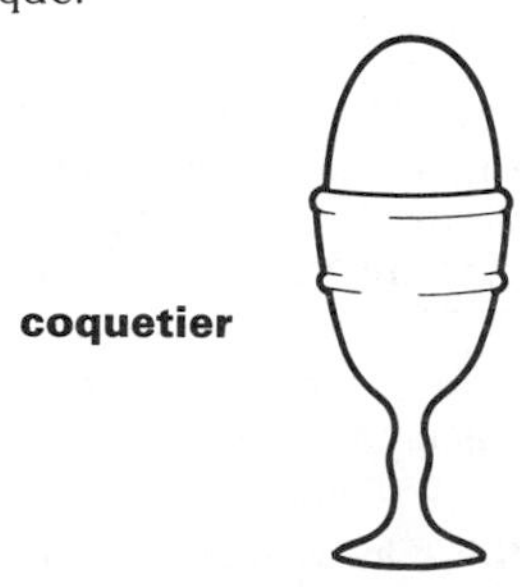
coquetier

coquetière n.f. Ustensile dans lequel on place les œufs à la coque pour les cuire: *Vous trouverez une coquetière au rayon des articles de cuisine.* ☞ coque.

coquettement adv. D'une façon coquette, agréable: *Ce chalet est coquettement meublé.* ☞ coquet.

coquetterie n.f. **1.** Goût de plaire par sa toilette, son élégance: *Par coquetterie, Magali va chez le coiffeur chaque semaine.* SYN. chic. ANT. laisser-aller, négligence. **2.** Attitude par laquelle on cherche à plaire aux personnes du sexe opposé: *Trop de coquetterie nuit à la sincérité des rapports.* ☞ coquet.

coquillage n.m. **1.** Mollusque à coquille dure vivant dans la mer: *Les huîtres et les moules sont des coquillages.* **2.** Coquille d'un mollusque: *J'ai reçu en cadeau un collier de coquillages.* ☞ coquille.

coquille n.f. Enveloppe dure qui recouvre le corps de la plupart des mollusques et de certains crustacés: *Les moules marinières sont servies dans leurs coquilles.* SYN. carapace, coque, écaille. ☞ coquillage. ▲ **coquille** n.f. **1.** Enveloppe qui recouvre les noix, les noisettes, etc.: *La coquille de cette amande est difficile à casser.* **2.** Enveloppe dure des œufs d'oiseaux: *La coquille d'un œuf de poule peut être blanche ou brune.* ▲ **coquille** n.f. Erreur typographique, lettre mise à la place d'une autre: *Dans les journaux, on trouve souvent des coquilles.*

coquin, ine n. et adj. **1.** n. Personne, surtout enfant, qui est espiègle: *Mon cousin Jonathan est un petit coquin.* SYN. farceur. **2.** n.vx Personne malhonnête: *Ce coquin ne cesse de faire des mauvais coups.* SYN. bandit, fripon. **3.** adj. Qui est espiègle: *Cette petite fille est très coquine.* SYN. malicieux, vif. ANT. posé, tranquille.

cor n.m. Instrument de musique à vent, en cuivre ou en laiton, se terminant par une partie évasée: *Grand-père joue du cor.* ☞ corniste. ▲ **cor** n.m. Épaississement de la peau sur les orteils, dû au frottement: *Je souffre d'un cor au pied.* SYN. durillon. HOM. corps.

corail, aux n.m. **1.** Animal marin des mers chaudes, à squelette calcaire: *Il y a des coraux rouges et des coraux blancs.* **2.** Matière calcaire que l'on retire du squelette de certains animaux marins des mers chaudes et que l'on utilise pour faire des bijoux: *Violaine a reçu un bracelet de corail.*

coranique adj. Qui se rapporte au Coran, le livre sacré des musulmans: *Les musulmans fréquentent l'école coranique.*

corbeau, eaux n.m. Oiseau à plumage noir, au grand bec courbé: *J'entends le croassement du corbeau perché sur la branche.* ⁄⁄ *Noir comme un corbeau:* Très noir.

corbeille n.f. Panier léger en paille, en osier ou en toute autre matière; son contenu: *Une corbeille de fleurs orne la table.* ▲ **corbeille** n.f. Balcon situé juste au-dessus de l'orchestre, dans une salle de spectacle: *Pour ce spectacle à la Place des Arts, nous étions assises à la corbeille.*

corbillard n.m. Voiture servant à transporter les morts jusqu'au cimetière: *Pour nous rendre au cimetière, nous avons suivi le corbillard.*

cordage n.m. Câble, grosse corde servant à certaines manœuvres, spécialement sur les bateaux: *On hisse la voile d'un bateau à l'aide d'un cordage.* SYN. filin. ☞ corde.

corde n.f. Assemblage de brins d'une matière textile, tordus ensemble; lien, fil de toute matière: *Nous avons attaché ces boîtes avec une corde.* ⁄⁄ *Corde à linge:* Fil sur lequel on met le linge pour le faire sécher. *Corde de bois:* Bois mesuré à la corde, représentant quatre mètres cubes. *Usé jusqu'à la corde:* Usé jusqu'à la trame du tissu, très usé. ☞ cordage, cordeau, cordée, cordelette, corder, s'encorder. ▲ **corde** n.f. **1.** Fil de soie, d'acier ou d'une autre matière, qui est tendu et qui produit des sons sur certains instruments de musique: *Le piano, le violon et la guitare sont des instruments à cordes.* **2.** fig. Ce qui vibre, ce qui est source d'émotions: *Par cette remarque, on a touché sa corde sensible.* ⁄⁄ *Cordes vocales:* Replis de la gorge, faits de muscles et de membranes, qui produisent des sons en vibrant au passage de l'air. ☞ monocorde.

cordeau, eaux n.m. Corde que l'on tend entre deux points pour tracer une ligne bien droite: *La paysagiste aligne au cordeau les arbres de l'allée du jardin.* ☞ corde.

cordée n.f. Groupe d'alpinistes attachés les uns aux autres par une corde de sécurité: *Une cordée d'alpinistes escalade la montagne.* HOM. corder. ☞ corde.

cordelette n.f. Corde fine: *On a attaché ces deux colis avec une cordelette.* ☞ corde.

corder v. **1.** Attacher avec une corde: *Vous devriez corder cette malle avant de l'expédier.* **2.** Mesurer en entourant d'une corde: *Voulez-vous corder ce bois?* HOM. cordée. ☞ corde.

cordial, iale, iaux adj. Qui vient du cœur, sympathique, chaleureux: *Nous avons reçu une invitation très cordiale.* SYN. amical, sincère. ANT. antipathique, froid, indifférent. ☞ cordialement, cordialité.

cordialement adv. De façon cordiale, chaleureuse : *Vous êtes cordialement invités à mon anniversaire.* SYN. amicalement, chaleureusement. ANT. froidement. ☞ cordial.

cordialité n.f. Attitude affectueuse, bienveillante, marquée par la simplicité : *Ce couple est d'une grande cordialité.* SYN. bonté, chaleur. ANT. froideur, hostilité. ☞ cordial.

cordon n.m. Petite corde servant à attacher, à tirer, à décorer : *Ma clé est attachée autour de mon cou par un cordon jaune.* ⁄⁄ *Cordon ombilical :* Ce qui rattache le fœtus au placenta, dans le ventre de la mère. ▲ **cordon** n.m. Rangée de choses ou de personnes : *Un cordon de policiers protégeait le premier ministre à son arrivée à Montréal.* SYN. fil, ligne.

cordon-bleu n.m. Personne qui cuisine de façon excellente : *Laurette est un véritable cordon-bleu.* **R.** Au pluriel, *cordons-bleus*.

cordonnerie n.f. **1.** Métier qui consiste à réparer les chaussures et autres objets en cuir : *Marc-André se destine à la cordonnerie.* **2.** Boutique où l'on répare les chaussures et autres objets en cuir : *J'ai fait réparer mes souliers à la cordonnerie.* ☞ cordonnier.

cordonnier, ière n. Personne qui répare les chaussures et autres objets en cuir : *La cordonnière réparera mon sac d'école.* ☞ cordonnerie.

corduroy ☞ sect. anglicismes et canadianismes.

coréen, enne n. et adj. **1.** n. Personne qui est de la Corée : *Un Coréen, une Coréenne.* **2.** adj. Qui est de la Corée : *Ce village coréen a été détruit lors d'un bombardement.* **R.** On met la majuscule à *coréen* et à *coréenne* lorsque le nom désigne une personne.

coréen n.m. Langue parlée en Corée : *Le coréen me semble très difficile à apprendre.*

corégone n.m. Genre de poissons des lacs : *Je n'ai jamais pêché un corégone.*

coreligionnaire n. Personne qui pratique la même religion qu'une autre : *Les baptistes de cette ville ont célébré l'événement entre coreligionnaires.* ☞ religion.

coriace adj. **1.** Qui est dur, difficile à couper ou à mastiquer : *Ce boucher nous a vendu un rôti coriace.* ANT. mou, tendre. **2.** fig. Qui a un caractère difficile et entêté : *Cette propriétaire est coriace ; elle ne changera pas d'idée.* SYN. obstiné, tenace. ANT. doux, souple.

coriandre n.f. Plante dont on utilise le fruit et les feuilles pour assaisonner les aliments et pour fabriquer des parfums : *Au marché Jean-Talon, j'ai acheté des feuilles de coriandre.*

cormoran n.m. Oiseau aux pattes palmées, renommé pour ses qualités de plongeur : *Dans un reportage télévisé sur le Japon, j'ai vu un cormoran qui pêchait.*

cornac n.m. Personne chargée de soigner et de conduire un éléphant : *Le cornac, perché sur son éléphant, commandait l'animal d'une voix autoritaire.*

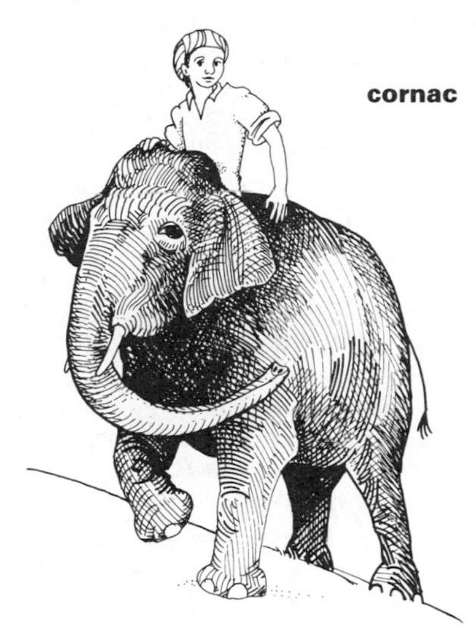
cornac

corne n.f. **1.** Partie ordinairement pointue et dure, qui pousse par paire, sur le dessus de la tête de certains animaux ruminants : *Les cornes de la girafe sont à peine visibles.* SYN. bois, ramure. **2.** Instrument sonore fabriqué à partir d'une corne d'animal dont on a coupé la pointe : *Certains chasseurs se servent d'une corne pour attirer l'animal.* ⁄⁄ *Bête à cornes :* Animal domestique portant des cornes : bœuf, vache, chèvre. *Corne d'automobile :* Klaxon. *Corne de brume :* Instrument qui émet un signal sonore utilisé sur un bateau pour signifier sa présence. ☞ corner, cornu, décorner, écorner, encorner. ▲ **corne** n.f. **1.** Partie dure qui forme le sabot de certains animaux : *La corne du pied du cheval est très épaisse.* **2.** Épaississement et durcissement de la peau le plus souvent aux endroits exposés à des frottements répétés (mains, pieds, genoux) : *La maçonne a beaucoup de corne à l'intérieur des mains.* SYN. callosité. ☞ corné. ▲ **corne** n.f. **1.** Angle, partie pointue d'une chose : *Un chapeau à trois cornes complétait son costume.* **2.** Pli que l'on fait au coin d'une page d'un volume en guise de repère : *Ce livre est marqué de plusieurs cornes.* ☞ corner, décorner.

corné, ée adj. Qui est dur comme de la corne ; qui se rapporte à la corne : *Le rhinocéros a un museau corné.* HOM. cornée, corner. ☞ corne.

cornée n.f. Partie transparente qui recouvre l'avant de l'œil : *Les verres de contact sont des lentilles qui recouvrent la cornée.* HOM. corné, corner. ☞ cornéen.

cornéen, enne adj. Qui se rapporte à la cornée, partie transparente de l'œil : *Les lentilles cornéennes permettent de corriger plusieurs problèmes visuels.* ☞ cornée.

corneille n.f. Oiseau au plumage foncé qui ressemble au corbeau, quoique plus petit : *Le cri de la corneille n'est pas très agréable à entendre.* ⁄⁄ *Bayer aux corneilles :* Perdre son temps à rêver, à regarder en l'air.

cornemuse n.f. Instrument de musique à vent composé d'un tuyau relié à un sac en cuir dans lequel on souffle et de deux ou trois tuyaux troués qui émettent des sons : *Il est impossible de confondre le son de la cornemuse avec celui d'un autre instrument.* ☞ cornemuseur.

cornemuseur, euse n. Personne qui joue de la cornemuse : *Ce cornemuseur a interprété plusieurs mélodies.* **R.** Le féminin est rarement employé. ☞ cornemuse.

corner v. **1.** Émettre des sons avec une corne ou une trompe : *On entendait les automobilistes qui cornaient à qui mieux mieux.* **2.** fig. et fam. Parler fort et répéter la même chose à plusieurs reprises : *Ma jeune sœur nous cornait dans les oreilles qu'elle avait gagné au hockey.* SYN. claironner. ANT. taire. ☞ corne. ▲ **corner** v. Plier pour former une corne, un angle : *Ma mère n'aime pas que je corne les pages de ses livres.* HOM. corné, cornée. ☞ corne.

cornet n.m. **1.** Genre de biscuit ayant la forme d'un cône dans lequel on sert des boules de crème glacée : *Les enfants raffolent ordinairement des cornets à plusieurs boules.* **2.** Contenant, objet de forme conique qui sert de récipient : *Au bureau, nous buvons l'eau dans des cornets de papier jetables.* **3.** Petit verre servant, au jeu, à agiter les dés avant de les laisser tomber sur la table : *On peut faire rouler les dés dans la main ou dans le cornet.* ▲ **cornet** n.m. Instrument de musique à vent semblable à la trompette : *Sais-tu jouer du cornet à pistons ?* ☞ cornettiste.

cornettiste n. Personne qui joue du cornet à pistons : *Deux excellentes cornettistes jouent dans ce concert.* ☞ cornet.

corniche n.f. **1.** Partie du haut d'un édifice qui avance, dépasse l'alignement vertical et qui protège de la pluie les parties plus basses ; moulure en relief sur un mur, un plafond, le haut d'un meuble : *Il faut faire réparer la corniche de la maison.* **2.** Versant ou partie d'un versant d'une montagne : *On ne pourra pas escalader cette corniche : elle est trop abrupte.*

cornichon n.m. **1.** Petit concombre que l'on conserve dans le vinaigre et qui est consommé comme condiment : *Je raffole des cornichons sucrés ; et toi ?* **2.** fam. Personne un peu niaise, facile à berner : *On s'est encore joué de toi, espèce de cornichon !*

corniste n. Personne qui sonne du cor : *Ce corniste joue dans un orchestre réputé.* ☞ cor.

cornouille n.f. Fruit comestible du cornouiller, rouge et un peu aigre : *La cornouille renferme un noyau.* ☞ cornouiller.

cornouiller n.m. Petit arbre fruitier que l'on trouve souvent dans les bois et qui produit la cornouille : *Le bois du cornouiller est extrêmement dur.* ☞ cornouille.

cornu, ue adj. **1.** Qui porte des cornes : *La vache est un animal cornu.* **2.** Qui a la forme d'une corne : *Nous avons acheté des petits pains cornus.* HOM. cornue. ☞ corne.

cornue n.f. Vase en verre dont le goulot est long et étroit, qui sert à faire chauffer des liquides, en chimie : *La vapeur qui s'échappe de cette cornue est irritante pour les yeux.* HOM. cornu.

corolle n.f. Ensemble des pétales de la fleur, souvent colorés : *La rose ouvre lentement sa corolle.*

coroner n.m. (angl.) Officier de police qui a pour fonction d'enquêter sur une mort suspecte, d'en chercher les causes et les circonstances : *La journaliste interrogeait le coroner sur les résultats de l'enquête.* **R.** Les lettres *er* se prononcent *eur*.

corporation n.f. Ensemble de personnes qui exercent la même profession : *Elle est membre de la corporation des médecins.* SYN. association, ordre.

corporel, elle adj. Qui se rapporte au corps : *L'hygiène corporelle aide à se garder en santé.* SYN. physique. ANT. spirituel. ☞ corps.

corps n.m. **1.** Ensemble des organes qui composent les êtres vivants ; partie visible des êtres humains (opposée à l'âme) : *Le corps humain est un organisme complexe.* ANT. esprit. **2.** Corps considéré sans la tête ni les membres : *Placez vos bras le long du corps.* SYN. tronc. **3.** Dépouille mortelle : *On a enterré son corps trois jours après sa mort.* ⁄⁄ *À corps perdu :* Sans prendre de repos, avec ardeur. *Corps diplomatique :* Ensemble des représentants d'un pays étranger auprès du gouvernement. *Corps et âme :* Tout entier. ☞ corporel. ▲ **corps** n.m. Toute substance, tout objet matériel ayant ses propres caractéristiques physiques: *En mécanique, on étudie le mouvement et l'équilibre des corps.* ⁄⁄ *Prendre corps:* Se préciser, se matérialiser. ☞ corpuscule. ▲ **corps** n.m. Partie principale d'un ouvrage, d'un édifice, d'un meuble: *Dans une lettre, le corps suit les préliminaires.* ▲ **corps** n.m. Ensemble de personnes qui exercent le même métier ou la même profession, qui appartiennent à une même catégorie: *Mon père fait partie du corps enseignant.* ▲ **corps** n.m. Force, épaisseur, consistance: *Cette étoffe a beaucoup de corps.* HOM. cor. **corps à corps** loc.adv. En tenant le corps d'un autre pressé contre le sien (dans une lutte): *Ils combattaient corps à corps.* ⁄⁄ *Se jeter dans le corps à corps:* Se jeter dans la bataille.

corpulence n.f. **1.** Taille, grosseur plus ou moins considérable du corps humain: *C'est une personne de forte corpulence.* **2.** Tendance à être trop gros: *Sa corpulence l'empêche de pratiquer certains sports.* SYN. embonpoint, obésité. ANT. maigreur. ☞ corpulent.

corpulent, ente adj. Qui est gros: *Mon oncle et ma tante sont tous les deux corpulents.* SYN. dodu, gras, obèse, replet. ANT. élancé, maigre, mince. ☞ corpulence.

corpuscule n.m. Très petite partie de matière; corps très petit: *Les corpuscules sont observés au microscope.* ☞ corps.

correct, ecte adj. **1.** Qui correspond aux règles, aux habitudes, aux convenances: *Il faut porter un habillement correct pour aller à l'église.* SYN. acceptable, convenable, décent. ANT. inacceptable, indécent, ridicule. **2.** Qui est exact, bon, fidèle aux règles: *Je ne connais pas la prononciation correcte de ce terme anglais.* SYN. juste, précis. ANT. incorrect, inexact. **3.** fam. Qui est acceptable, de qualité moyenne: *Ton devoir, qui n'est pas excellent, semble correct.* SYN. convenable, passable. ANT. excellent, mauvais, remarquable. ☞ correctement, incorrect, incorrectement, incorrection.

correctement adv. De façon correcte, sans erreur: *Peux-tu écrire ce mot correctement?* ☞ correct.

correcteur, trice n. **1.** Personne qui est chargée de relever les erreurs d'un texte ou d'un examen: *Les compositions seront corrigées par une équipe de correcteurs sévères.* **2.** Personne qui est chargée de corriger les erreurs d'un texte avant qu'il soit imprimé: *Cette maison d'édition emploie deux correctrices.* ☞ corriger.

correctif, ive adj. Qui a pour effet de corriger, qui a la capacité d'améliorer une situation: *La gymnastique corrective pourrait t'aider à soulager tes maux de dos.* ☞ corriger.

correction n.f. **1.** Action de corriger un devoir, un travail d'élève ou d'étudiant, un examen: *Nous allons faire la correction du devoir d'hier.* **2.** Vérification d'un texte destiné à l'imprimerie; chacune des améliorations apportées à la suite de ce contrôle: *La correction est une étape importante de l'édition.* SYN. modification, révision. **3.** Soulagement, redressement artificiel d'une déficience physique: *Les verres assurent la correction de la myopie.* **4.** Punition corporelle, coups donnés en vue de punir: *Une bonne raclée: voilà une correction dont tu te souviendras.* SYN. châtiment. ANT. récompense. ☞ corriger.

correspondance n.f. **1.** Échange de lettres entre personnes: *Depuis deux ans, j'entretiens une correspondance avec une amie mexicaine.* **2.** Liaison de deux ou plusieurs moyens de transport; coïncidence des horaires entre deux moyens de transport: *J'ai oublié de prendre mon billet de correspondance.* ☞ correspondre. ▲ **correspondance** n.f. **1.** Relation entre un élément donné et un ou plusieurs autres: *Il y a une correspondance entre l'âge d'un enfant et sa façon de s'exprimer.* SYN. liaison, rapport. ANT. rupture, séparation. **2.** Conformité, affinité: *La correspondance d'idées entre ces deux personnes explique leur amitié.* SYN. accord, ressemblance. ANT. désaccord, discordance. ☞ correspondre.

correspondant, ante n. et adj. **1.** n. Personne avec qui on est en relation par lettres ou par téléphone: *Mon correspondant est de même niveau scolaire que moi.* **2.** n. Personne représentant un journal ou une agence d'informations qui transmet de l'endroit où elle se trouve les informations sur les événements: *Nous laissons maintenant la parole à notre correspondante à Vancouver.* SYN. envoyé. **3.** adj. Qui correspond, s'harmonise: *Voici le numéro de votre chambre d'hôtel et la clé correspondante.* ☞ correspondre.

correspondre v. **1.** Être en relation avec quelqu'un par lettres ou par téléphone: *Je corresponds régulièrement avec ma grand-mère.* SYN. communiquer, écrire. **2.** Avoir des liens, des communications, en parlant de choses: *La cuisine et la salle à manger correspondent par un court corridor.* SYN. communiquer. ☞ correspondance, correspondant. ▲ **correspondre** v. S'harmoniser, être conforme: *Ce que tu me racontes ne correspond pas à ce que j'ai lu.* SYN. concorder, convenir, se rapporter. ANT. s'opposer. ☞ correspondance, correspondant.

corrida n.f. (esp.) Spectacle au cours duquel des taureaux sont mis à mort: *La corrida, appelée aussi «course de taureaux», comporte plusieurs étapes visant à exciter et à fatiguer l'animal avant la mise à mort.*

corrida

corridor n.m. Couloir qui permet de relier différentes pièces d'un même étage: *Les classes des aînés sont situées à l'extrémité du long corridor.* SYN. passage.

corrigé n.m. Écrit qui présente les solutions d'un questionnaire ou d'un exercice: *Mon enseignante n'a pas besoin d'un corrigé; elle connaît les réponses par cœur!* SYN. solution. HOM. corriger. ☞ corriger.

corriger v. **1.** Lire le travail d'un élève, relever les erreurs et y mettre une note: *L'instituteur a corrigé tous les projets d'écriture.* **2.** Réviser dans le but d'améliorer; rendre correct: *Il ne me reste qu'à corriger mon texte avant de le remettre.* SYN. rectifier, revoir. **3.** Redresser une situation; ramener quelqu'un du mal au bien: *Elle voulait me corriger de ma gourmandise.* SYN. atténuer, rectifier, réformer. ANT. détériorer, gâter, pervertir. **4.** Punir, faire subir un châtiment corporel: *Il corrigeait son cheval récalcitrant à coups de cravache.* SYN. battre. ANT. épargner, récompenser. HOM. corrigé. ☞ correcteur, correctif, correction, corrigé, incorrigible. se **corriger** v.pron. Se débarrasser, se guérir: *Mon frère s'est corrigé de sa manie de se ronger les ongles.* SYN. s'améliorer, s'amender.

corroborer v. Renforcer une idée, un propos, un fait: *Les événements corroboraient les déclarations du journaliste.* SYN. appuyer, confirmer. ANT. démentir, invalider.

corrodant, ante adj. Qui ronge, détériore progressivement à cause d'une action chimique: *L'acide est un produit corrodant qui attaque le métal.* SYN. corrosif. ☞ corroder.

corroder v. **1.** Attaquer, ronger et détruire progressivement par une action chimique: *Le sel qu'on épand sur les rues, l'hiver, corrode les carrosseries.* SYN. désagréger, miner. ANT. améliorer, conserver. **2.** Effriter, user progressivement: *L'eau corrode les rivages.* SYN. raviner. ☞ corrodant, corrosif, corrosion.

corrompre v. Gâter quelque chose, entraîner son pourrissement: *Le soleil a corrompu ce filet de sole.* SYN. avarier, contaminer, pourrir. ANT. assainir, purifier. ☞ corrompu, corruption, incorruptible. ▲ **corrompre** v. **1.** Changer en mal, gâter les mœurs: *Ce voyou est en train de corrompre tous les jeunes du quartier.* SYN. avilir, dépraver, pervertir. ANT. corriger, perfectionner. **2.** Séduire, persuader quelqu'un d'agir contre sa conscience, gagner son concours: *Une personne qui tente de corrompre un policier est passible d'une amende.* ☞ corrompu, corrupteur, corruption, incorruptible.

corrompu, ue adj. **1.** Qui est en état de décomposition, gâté: *Jette cette viande corrompue.* SYN. pourri. ANT. frais, sain. **2.** fig. Qui est dépravé, de mauvaises mœurs: *La jeunesse actuelle n'est pas plus corrompue que celle de la génération précédente.* SYN. mauvais, pervers, vil. ANT. vertueux. **3.** Qui a été acheté, qu'on a gagné à agir contre sa conscience, son devoir: *Qui aurait cru que c'était une juge corrompue?* ANT. intègre. ☞ corrompre.

corrosif n.m. Substance qui, par réaction chimique, entraîne une destruction lente et progressive: *Le nitrate d'argent est un puissant corrosif.* ☞ corroder.

corrosif, ive adj. **1.** Qui provoque la destruction lente et progressive par action chimique: *Un produit corrosif peut provoquer la rouille.* SYN. corrodant. **2.** fig. Qui attaque, détruit: *Je te déconseille de lire cette œuvre corrosive.* SYN. destructeur. ☞ corroder.

corrosion n.f. Effet produit par certaines substances sur les métaux, les surfaces: *Il existe des produits qui retardent la corrosion du métal.* SYN. désagrégation, effritement, érosion, usure. ANT. conservation. ☞ corroder.

corrupteur, trice n. et adj. **1.** n. Personne qui achète quelqu'un, qui se gagne son concours: *La corruptrice et les témoins corrompus ont été démasqués.* **2.** adj. Qui corrompt, gâte les mœurs: *Nous n'avons pas assisté à ce spectacle corrupteur.* ☞ corrompre.

corruption n.f. **1.** État de ce qui se décompose, se gâte progressivement: *Ce jambon, laissé à la chaleur, est dans un état de corruption avancée.* SYN. décomposition, pourrissement, putréfaction. ANT. assainissement, épuration, purification. **2.** Fait d'être corrompu moralement : *Certains prétendent que les casinos favorisent la corruption.* SYN. avilissement, dépravation, perversion. ANT. amélioration, vertu. **3.** Action d'amener quelqu'un à agir contre sa conscience ou son devoir : *Les criminelles sont accusées de tentative de corruption d'une policière.* ☞ corrompre.

corsage n.m. Vêtement féminin qui couvre le haut du corps, des épaules à la taille : *Le corsage de la robe est ajusté alors que la jupe est très ample.*

corsaire n.m. **1.** Vaisseau armé par des particuliers, avec l'autorisation du gouvernement, qui autrefois poursuivait et capturait les navires marchands de pays ennemis : *L'équipage du corsaire était prêt à livrer combat.* **2.** Capitaine ou marin de ce bâtiment : *On connaît les récits de plusieurs corsaires célèbres.* ⁄⁄ *Pantalon corsaire :* Pantalon moulant qui s'arrête à mi-mollet.

corsé, ée adj. **1.** Qui a beaucoup de goût, qui est fort, épicé : *Voici un café corsé dont l'arôme embaume la cuisine.* SYN. relevé. ANT. fade, léger. **2.** fig. Qui est indécent, scabreux : *On ne veut pas écouter tes histoires corsées.* HOM. corser. ☞ corser.

corselet n.m. Dans les costumes folkloriques, vêtement féminin ajusté à la taille et lacé sur la poitrine : *La danseuse porte une robe à carreaux rouges garnie d'un corselet blanc.*

corser v. **1.** Ajouter des épices à une sauce afin de lui donner plus de goût : *J'ajoute du poivre et des piments forts pour corser cette sauce.* SYN. épicer, relever. **2.** Rendre plus intrigant, plus intéressant : *L'auteure de ce roman policier a su corser l'intrigue et nous surprendre.* SYN. renforcer. ANT. modérer, tempérer. HOM. corsé. ☞ corsé. **se corser** v.pron. Devenir plus compliqué, plus intéressant : *Nous devenons plus attentifs lorsque l'histoire se corse.* ☞ corsé.

corset n.m. Sous-vêtement porté surtout par les femmes pour maintenir le ventre et la taille : *Son corset trop serré gênait ses mouvements.* ⁄⁄ *Corset orthopédique :* Appareil que le médecin conseille de porter si on souffre d'un problème à la colonne vertébrale. ☞ corsetier.

corsetier, ière n. Personne qui fait ou vend des corsets : *Le corsetier travaille en collaboration avec la femme médecin.* ☞ corset.

cortège n.m. **1.** Réunion de personnes qui en accompagnent une autre pour lui faire honneur : *Une musique joyeuse a été le signal de départ du cortège nuptial.* SYN. défilé, procession. **2.** Grand nombre de personnes qui avancent ensemble vers un même endroit à l'occasion d'une fête, d'une manifestation : *Il était impossible d'interrompre le cortège des manifestants.* SYN. défilé, procession.

cortisone n.f. Hormone qui combat l'inflammation, employée dans la fabrication de certains médicaments : *Ce traitement à la cortisone aidera à diminuer l'enflure de ton genou.*

corvée n.f. **1.** Travail que les paysans devaient accomplir gratuitement pour leur seigneur, autrefois : *Chaque année, le paysan avait plusieurs jours de corvée à fournir au seigneur.* **2.** fig. Travail astreignant, obligatoire : *Faire mes devoirs, quelle corvée !* **3.** Besogne, travail que doivent faire à tour de rôle les membres d'une communauté : *Ce n'est pas à mon tour d'être de la corvée de vaisselle.*

corvette n.f. Navire qui, autrefois, en escortait un autre : *Cette frégate est entrée au port accompagnée d'une corvette.*

coryza n.m. Nom scientifique donné au rhume de cerveau : *Le médecin a écrit dans mon dossier que j'avais un coryza.*

cosmétique n.m. et adj. **1.** n.m. Produit destiné aux soins du corps, à la toilette, à la beauté : *Tous ces cosmétiques valent une fortune.* **2.** adj. Qui se rapporte aux soins de beauté : *J'utilise une huile cosmétique pour adoucir ma peau.* ☞ cosmétologie.

cosmétologie n.f. Étude de tout ce qui se rapporte aux cosmétiques : *Cette chimiste est spécialisée en cosmétologie.* ☞ cosmétique.

cosmique adj. Qui appartient au cosmos, à l'univers : *L'espace cosmique se calcule en milliards de kilomètres.* ☞ cosmos.

cosmonaute n. Personne qui voyage dans l'espace à bord d'un véhicule spatial : *L'exploit du cosmonaute Marc Garneau me fascine.* SYN. astronaute. ☞ cosmos.

cosmopolite adj. **1.** Qui est ouvert à toutes les coutumes, aux mœurs des différents pays : *Ses goûts cosmopolites l'entraînent dans divers restaurants.* **2.** Qui est habité par des personnes du monde entier : *Montréal est une ville cosmopolite.*

cosmos n.m. Espace immense constituant l'extra-terrestre : *Aimerais-tu voyager dans le cosmos ?* **R.** Le *s* se prononce. ☞ cosmique, cosmonaute.

cosse n.f. Enveloppe qui contient les graines de certaines légumineuses : *La cosse des pois mange-tout est comestible.* **R.** Ne pas confondre avec *écorce.* ☞ écosser.

cossu, ue adj. **1.** Qui annonce, qui montre la richesse, l'aisance : *Ce quartier de la ville* *regroupe plusieurs demeures cossues.* SYN. opulent, riche. ANT. pauvre. **2.** Qui est riche, qui vit dans l'aisance: *Ce sont des commerçantes cossues.* SYN. opulent. ANT. pauvre.

costaud n.m.pop. Personne forte, vigoureuse, robuste: *Il n'est jamais malade, c'est un vrai costaud.* ANT. faible.

costaud, aude adj. Qui est fort, résistant, vigoureux: *Il faut être costaud pour soulever cette lourde caisse.* SYN. robuste. ANT. faible. **R.** Le féminin est peu usité.

costume n.m. **1.** Habillement typique d'un peuple ou d'une époque: *Connais-tu le costume national des Hollandais?* SYN. habit, vêtement. **2.** Ensemble des vêtements d'un habillement: *Ce soir, il y aura une répétition de la pièce en costume.* SYN. tenue. **3.** Ensemble pour homme comprenant un pantalon et un veston: *Pour Noël, mon père portait un costume gris fait sur mesure.* SYN. complet. ⁄⁄ *En costume d'Adam:* Nu. ☞ costumé, costumer, costumier.

costumé, ée adj. Qui porte un costume, un déguisement: *Pour aller à ce bal, il fallait être costumé.* HOM. costumer. ⁄⁄ *Bal costumé:* Bal où les invités sont costumés. ☞ costume.

costumer v. Vêtir d'un costume, d'un déguisement: *On a passé des heures à le costumer en chevalier.* HOM. costumé. ☞ costume. se **costumer** v.pron. Se déguiser, se vêtir d'un costume: *Pour l'occasion, je pense me costumer en pirate.* SYN. se travestir.

costumier, ière n. **1.** Personne qui s'occupe de la fabrication, de la vente ou de la location des costumes pour le théâtre, la télévision ou le cinéma: *La costumière a réalisé des habits magnifiques pour cette représentation.* **2.** Technicien, technicienne en charge des costumes d'un spectacle: *Le costumier avait prévu plusieurs changements de costume pour ce spectacle.* ☞ costume.

cote n.f. **1.** Valeur qu'à la Bourse on accorde aux actions et qui peut varier selon les circonstances: *À la Bourse, la cote des actions est fixée chaque jour.* SYN. cours. **2.** Popularité ou estime que se mérite une personne ou un groupe de personnes: *La cote du gouvernement est à la baisse à cause de la récente hausse des impôts.* SYN. renommée. **3.** Indice qui permet de classer et repérer des éléments: *Ce volume neuf ne parle pas de cote et ne peut être rangé dans la bibliothèque.* **4.** Estimation de la valeur que l'on accorde à un animal ou une chose: *La cote de Princesse est excellente dans la troisième course.* SYN. note. **5.** Chiffre apparaissant sur un plan, une carte, un dessin, qui indique une dimension, un niveau, etc.: *L'architecte avait inscrit toutes les cotes sur le plan.* ⁄⁄ *Avoir la cote:* Être bien vu, aimé, estimé. *Cote d'amour:* Appréciation basée sur la valeur morale, sociale. *Une cote mal taillée:* Un compromis plus ou moins satisfaisant. ☞ coter.

côte n.f. **1.** Chacun des os qui s'attache à la colonne vertébrale et au sternum: *Les humains ont douze paires de côtes.* **2.** En boucherie, partie supérieure de la côte de l'animal comprenant les muscles qui y sont liés: *Nous avons préparé des côtes de bœuf pour le souper.* **3.** Partie allongée d'une chose, qui fait saillie; nervure (d'une feuille); rayure d'un tissu: *Cette étoffe à côtes m'a coûté très cher.* ⁄⁄ *Côte à côte:* L'un près de l'autre. *Côtes flottantes:* Côtes au nombre de deux qui ne sont pas rattachées au sternum. *Se tenir les côtes:* Rire beaucoup. ☞ côtelé, côtelette. ▲ **côte** n.f. **1.** Route, chemin en pente: *Notre maison est en haut de la côte.* **2.** Pente, versant d'une colline, d'une montagne: *Les éboulements sont fréquents sur ces côtes abruptes.* SYN. coteau. ☞ coteau. ▲ **côte** n.f. Bord d'un cours d'eau, rivage: *Les côtes sablonneuses sont rares dans la région de Montréal.* **R.** Ne pas oublier l'accent: ô. ☞ côtier.

côté n.m. **1.** Partie du corps humain dans la région des côtes: *En jouant au hockey, Lyne reçoit parfois des coups de coude dans le côté.* SYN. flanc. **2.** Partie gauche ou droite du corps entier: *Je dors bien quand je suis couché sur le côté.* **3.** Partie d'une chose à gauche ou à droite: *L'église est du côté droit de la rue.* **4.** Chacune des lignes, des surfaces limitant une chose: *Le triangle est une figure à trois côtés.* **5.** Lieu ou endroit considéré comme opposé à d'autres: *La fontaine est de l'autre côté du parc.* **6.** Ligne de parenté paternelle ou maternelle: *Je n'ai que deux cousines du côté de mon père.* **7.** Façon dont les choses se présentent: *Il faut prendre la vie du bon côté.* ⁄⁄ *À côté de:* Tout près de; en comparaison de. *De tous côtés:* Partout à la fois. *Laisser de côté:* Négliger, abandonner. *Mettre de côté:* Économiser, en parlant de l'argent. **R.** Ne pas oublier l'accent: *ô*. ☞ côtoyer.

coteau, eaux n.m. **1.** Colline de petite dimension: *Notre maison est située au pied du coteau.* **2.** Versant ou pente d'une colline: *La vigne de ce coteau produit un vin de bonne qualité.* SYN. côte. **R.** S'écrit sans accent. ☞ côte.

côtelé, ée adj. Qui présente des côtés, des rayures saillantes: *Nancy ne porte que des pantalons en velours côtelé pour venir à l'école.* **R.** Ne pas oublier l'accent: *ô*. ☞ côte.

côtelette n.f. Côte des animaux de boucherie de taille moyenne comme le porc et l'agneau ainsi que la viande qui est attachée à la côte: *Aimes-tu les côtelettes d'agneau grillées?* **R.** Ne pas oublier l'accent: *ô.* ☞ côte.

coter v. **1.** Donner une note à un devoir, un exercice: *Le professeur a bien coté le travail de ton équipe.* SYN. estimer, évaluer. **2.** Identifier par une cote (un dossier, un livre, etc.), marquer d'un indice facilitant le classement et le repérage: *La bibliothécaire cotait les livres qu'elle venait de recevoir.* SYN. numéroter. **3.** Indiquer des mesures sur un plan, une carte, un dessin: *Nous avions à tracer et à coter le plan de notre chambre.* **4.** Indiquer, fixer le cours, le taux d'une monnaie, d'une marchandise: *L'agent a coté cette valeur mobilière.* **5.** Avoir un certain cours, en parlant d'une valeur, d'une marchandise: *Hier soir, l'or a coté en baisse.* ☞ cote.

côtier, ière adj. **1.** Qui a lieu le long des côtes, au bord de la mer: *La navigation côtière est importante pendant toute la saison estivale.* **2.** Qui prend sa source près des côtes: *Ce fleuve côtier traverse toute la région.* **R.** Ne pas oublier l'accent: *ô.* ☞ côte.

cotisant, ante n. et adj. **1.** n. Personne qui verse une cotisation: *L'association sportive du quartier avait besoin de cotisants.* **2.** adj. Qui cotise, qui paye une cotisation: *La présidente tient à remercier personnellement toutes les personnes cotisantes.* ☞ cotiser.

cotisation n.f. **1.** Somme d'argent que doivent verser à une organisation les personnes qui veulent profiter des avantages qu'elle promet: *Tous les paroissiens versent une cotisation pour la restauration de l'église.* SYN. contribution, quote-part. **2.** Action de cotiser ou de se cotiser: *Nous consentons volontiers à cette cotisation.* SYN. collecte. ☞ cotiser.

cotiser v. **1.** Donner de l'argent à une organisation pour profiter des avantages qu'elle offre: *J'ai oublié de cotiser au fonds de solidarité ce mois-ci.* **2.** Verser sa cotisation, payer sa part: *J'ai cotisé pour le cadeau.* ☞ cotisant, cotisation. **se cotiser** v.pron. Contribuer, participer à une collecte d'argent en vue d'une dépense commune: *Les enfants se sont cotisés pour offrir un téléviseur à leurs parents.*

coton n.m. **1.** Fibre végétale soyeuse du cotonnier: *Il faut plusieurs opérations pour que le coton brut soit transformé en fil de coton.* **2.** Fil, étoffe, fabriqué avec cette fibre: *La plupart de nos vêtements d'été sont en coton.* ⁄⁄ *Coton hydrophile:* Coton doux dont on se sert pour nettoyer les plaies. ☞ cotonnade, se cotonner, cotonneux, cotonnier.

cotonnade n.f. Tissu fait de coton, pur ou combiné à d'autres fibres: *Cette cotonnade fleurie me fera une jolie nappe.* ☞ coton.

se cotonner v.pron. Se couvrir d'une peluche, d'un duvet, en parlant d'un tissu: *Certains vêtements se cotonnent au lavage.* ☞ coton.

cotonneux, euse adj. **1.** Qui a l'apparence de flocons d'ouate: *Viens admirer ce beau ciel cotonneux!* **2.** Qui est recouvert de duvet, en parlant d'un végétal: *La pêche est un fruit cotonneux.* SYN. duveté. ☞ coton.

cotonnier n.m. Arbuste à fleurs jaunes ou roses, cultivé dans les régions chaudes, qui produit le coton: *On extrait aussi de l'huile des graines du cotonnier.* ☞ coton.

cotonnier, ière n. et adj. **1.** n. Personne qui travaille le coton: *Cette filature emploie une centaine de cotonniers.* **2.** adj. Qui se rapporte au coton: *Les producteurs de coton ont formé une coopérative cotonnière.* ☞ coton.

côtoyer v. **1.** Aller le long de quelque chose: *En côtoyant la rivière, on rencontre plusieurs insectes des marais.* SYN. longer. **2.** fig. Vivre dans l'entourage de quelqu'un: *Dans son métier, il côtoie des gens de différentes nationalités.* SYN. coudoyer, rencontrer. **3.** fig. Être près de quelque chose: *Ton costume extravagant côtoie le ridicule.* SYN. frôler. **R.** Ne pas oublier l'accent: *ô.* ☞ côté.

cottage n.m. (angl.) **1.** Petite maison de campagne de type rustique: *Nous avons loué un élégant cottage au bord de la mer.* **2.** Au Canada, maison à deux niveaux: *Mes parents souhaitent acheter un cottage en banlieue de Montréal.*

cou, cous n.m. Partie du corps qui unit la tête et le tronc chez l'humain et certains animaux: *La girafe possède un cou long et puissant.* HOM. coup, coût. ⁄⁄ *Cou d'une bouteille:* Goulot, col d'une bouteille. *Jusqu'au cou:* Complètement. *Sauter au cou de quelqu'un:* Embrasser quelqu'un. *Se casser, se rompre le cou:* Se blesser. *Tordre le cou:* Donner la mort en étranglant.

couchage n.m. **1.** Action de se coucher: *Le couchage se fera tôt ce soir car demain on part à l'aube.* **2.** Ensemble du matériel utilisé pour se coucher: *Tout le nécessaire est fourni, sauf le couchage.* ⁄⁄ *Sac de couchage:* Grand sac de tissu isolant dans lequel on couche. ☞ coucher.

couchant n.m. et adj.m. **1.** n.m. L'ouest, le côté de l'horizon où le soleil se couche: *Notre maison est exposée au couchant.* SYN. occident. ANT. est, levant, orient. **2.** adj.m. Qui se couche, qui disparaît à l'horizon, en parlant du soleil: ANT. levant. ☞ coucher.

couche n.f. **1.** Substance que l'on applique

uniformément sur une surface: *Il faut donner deux couches de vernis sur ce plancher.* **2.** Superposition d'éléments: *Nous allons étudier la composition des différentes couches de l'atmosphère.* **3.** Amas de terre et de fumier qui favorise la croissance de certains végétaux: *Les champignons se développent rapidement en couche.* **4.** Catégorie, classe: *Des gens de toutes les couches sociales s'unissent pour manifester dans la rue.* ▲ **couche** n.f. **1.** Rectangle de tissu ou de cellulose dont on couvre les fesses du bébé: *N'oublie pas de changer la couche du bébé avant de le mettre au lit.* **2.** plur. Situation d'une femme qui accouche ou qui a accouché depuis peu: *Elle a eu des couches faciles.* ⁄⁄ *Fausse-couche:* Avortement non provoqué. ☞ couche-culotte.

couché, ée adj. **1.** Qui est étendu sur un lit ou toute autre surface: *Couchée dans le foin, elle s'endormit.* **2.** Qui est penché, incliné: *Nous regardions les cèdres couchés par la violente tempête.* HOM. coucher. ☞ coucher.

couche-culotte n.f. Couche recouverte d'un enduit de plastique qui la rend imperméable: *Les couches-culottes ont facilité la tâche des parents.* **R.** Au pluriel, *couches-culottes*. ☞ couche.

coucher v. **1.** Étendre sur un lit ou quelque chose de semblable; mettre au lit: *Les secouristes couchaient le blessé sur la civière.* SYN. allonger. ANT. lever. **2.** Placer quelque chose en position horizontale: *Je t'avais demandé de coucher l'échelle le long de la clôture.* **3.** Dormir, passer la nuit: *Viens coucher chez moi, je t'invite.* SYN. gîter. **4.** S'allonger pour se reposer, pour dormir: *J'aime bien coucher dans des draps frais lavés.* **5.** fig. Inscrire, consigner par écrit: *Il nous a couchés sur son testament.* HOM. couché. ⁄⁄ *Chambre à coucher:* Pièce aménagée pour dormir. *Coucher à la belle étoile:* Coucher dehors. *Coucher avec quelqu'un:* Partager son lit, sa chambre; avoir des relations sexuelles avec quelqu'un. *Un nom à coucher dehors:* Un nom difficile à prononcer, à retenir. ☞ couchage, couchant, couché, couchette, découcher. **se coucher** v.pron. **1.** S'allonger, s'étendre, aller dormir: *Je suis fatiguée; je vais me coucher une heure ou deux.* **2.** Descendre à l'horizon, en parlant d'un astre: *Le soleil se couche tôt en janvier.* ANT. se lever. **3.** Se courber, s'incliner: *La cycliste se couchait sur les guidons de son vélo.* ⁄⁄ *Allez vous coucher!:* Laissez-moi tranquille! *Se coucher comme les poules:* Se coucher très tôt.

coucher n.m. **1.** Action de se coucher: *Au coucher des oiseaux, la forêt devient muette.* ANT. lever. **2.** Moment où le soleil disparaît à l'horizon: *Quel magnifique coucher de soleil!* SYN. crépuscule. ANT. aurore, lever.

couchette n.f. **1.** Petit lit: *J'ai dormi dans une couchette jusqu'à l'âge de deux ans.* **2.** Banquette, petit lit pouvant être rabattu, dans un compartiment de train, ou à bord d'un navire: *Il n'y avait plus de wagon-lit alors j'ai dû louer une couchette.* ☞ coucher.

couci-couça loc.adv. Plus ou moins bien, comme ci, comme ça: *Comment ça va? – Oh! couci-couça.* **R.** Ne pas oublier la cédille: couci-couça.

coucou, ous n.m. **1.** Oiseau des bois au chant caractéristique dont le dos est gris et le ventre blanc rayé de brun: *La femelle du coucou pond ses œufs dans le nid des autres oiseaux.* **2.** Pendule dont le système de sonnerie imite le chant du coucou: *Crois-tu que l'horlogère peut réparer ce coucou?* **3.** fam. Avion qui ne semble pas en parfait état: *Faut-il vraiment faire le voyage à bord de ce coucou?*

coucou interj. Mot que l'on emploie pour manifester sa présence: *Coucou, c'est moi!*

coude n.m. **1.** Articulation reliant le bras à l'avant-bras: *Patrick a reçu un violent coup de coude en jouant au soccer.* **2.** Partie de la manche d'un vêtement qui recouvre le coude: *Ta veste est percée au coude.* **3.** Angle, courbure en forme de coude: *À cet endroit, le tuyau fait un coude.* **4.** plur. Pâtes alimentaires en forme de coude: *Mon père prépare un ragoût auquel il ajoute des coudes.* ⁄⁄ *Coude à coude:* Près l'un de l'autre. *Donner un coup de coude à quelqu'un:* Pousser quelqu'un du coude pour l'avertir. *Lever le coude:* Boire beaucoup. ☞ s'accouder, accoudoir, coudé, coudoiement, coudoyer.

coudé, ée adj. Qui présente une forme de coude: *Pour joindre ces deux sections, il faut un tuyau coudé.* HOM. coudée. ☞ coude.

coudée n.f. Ancienne mesure de longueur valant environ cinquante centimètres: *Pour recouvrir ce banc, il faut au moins deux coudées de velours rouge.* HOM. coudé.

cou-de-pied n.m. Partie supérieure du pied comprise entre la cheville et les orteils: *Des souliers trop serrés peuvent causer des douleurs aux cous-de-pied.* **R.** Au pluriel, *cous-de-pied*.

coudoiement n.m. Action de coudoyer, d'être en contact: *Dans la foule, les coudoiements sont fréquents.* **R.** Ne pas oublier le *e* après le *i*. ☞ coude.

coudoyer v. **1.** Passer souvent près de quelqu'un: *Je coudoie souvent ces gens dans l'ascenseur, mais je ne les connais pas.* SYN. frôler, rencontrer. ANT. éviter, fuir. **2.** fig. Être en contact avec quelque chose: *Les cascadeuses coudoient le danger.* SYN. côtoyer. ANT. éviter, fuir. ☞ coude.

coudoiement coudoyer

coudraie n.f. Lieu planté de coudriers: *Le château s'élevait au centre de la coudraie.* ☞ coudrier.

coudre v. **1.** Fixer, à la main ou à la machine, par des points faits avec une aiguille et du fil: *Le couturier me coud un nouveau pantalon.* SYN. assembler. ANT. découdre. **2.** Fermer une blessure au moyen d'un fil, en chirurgie: *Il a fallu quatre points de suture pour coudre mon genou déchiré.* SYN. suturer. ⫽ *Dé à coudre:* Petit objet de métal qu'on met sur le bout du doigt pour se protéger lorsqu'on utilise une aiguille à coudre. *Machine à coudre:* Appareil à main, à pied ou électrique, pour coudre. ☞ cousu, couture, couturé, couturier, couturière, découdre, décousu, recoudre.

coudrier n.m. Petit arbre, aussi appelé «noisetier», qui produit des noisettes: *On attribue un certain magnétisme à la baguette de coudrier.* ☞ coudraie. ◇ noisetier.

couenne n.f. Peau du porc qui a été flambée et grattée: *La couenne du jambon est dure.*

couette n.f. Couverture épaisse garnie de duvet ou de fibre synthétique: *Je me sens bien au chaud sous ma couette.* SYN. courtepointe, couvre-pied, édredon. ▲ **couette** n.f.fam. Mèche de cheveux retenue par une bande élastique ou un ruban: *Parfois, Mélanie se fait deux couettes au-dessus des oreilles.*

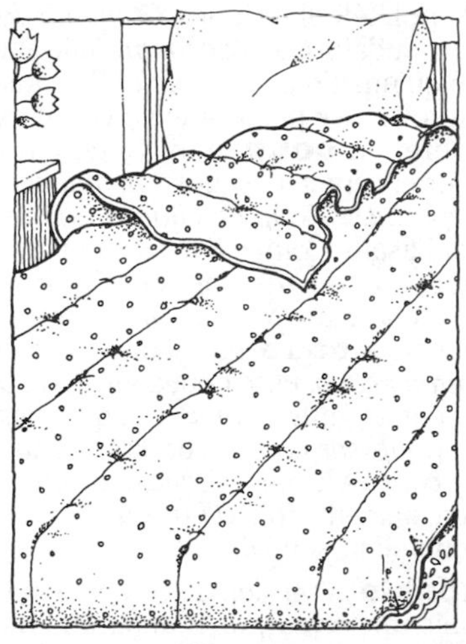

couette

couguar n.m. Autre nom du puma, mammifère carnassier répandu en Amérique, au pelage couleur jaune et sans crinière: *Je n'ai vu des couguars qu'au jardin zoologique.* **R.** Aussi, *cougouar.* ◇ puma.

couinement n.m. **1.** Cri que poussent certains animaux comme le lapin et le lièvre: *Seuls les couinements d'un rat au grenier venaient rompre le silence.* **2.** Grincement: *Le couinement de la porte nous fait sursauter.* ☞ couiner.

couiner v.fam. **1.** Pousser des cris brefs et aigus, en parlant de certains animaux: *Quand le renard parut, les lièvres se mirent à courir et à couiner.* **2.** Parler sur un ton aigu; pleurnicher: *Cesse de couiner!* **3.** Produire un grincement: *Les freins, usés, couinaient.* ☞ couinement.

coulant, ante adj. **1.** Qui glisse bien, qui coule: *Cette pâte est trop coulante, on ne peut la pétrir.* SYN. fluide, liquide. ANT. compact, solide. **2.** fig. Qui donne l'impression de se faire sans effort: *Le style coulant de cette auteure m'impressionne.* SYN. aisé. ANT. difficile. **3.** fam. Qui est indulgent, facile à satisfaire: *Parfois les parents sont plus coulants pour leurs amis que pour leurs enfants.* SYN. accommodant. ANT. dur, implacable, sévère. ⫽ *Nœud coulant:* Nœud qui forme une boucle qui se resserre quand on tire. ☞ couler.

coulée n.f. **1.** Masse de matière liquide ou en fusion, qui s'écoule: *Quand la peinture est fraîchement appliquée, on peut effacer les coulées d'un coup de pinceau.* **2.** Action de verser du métal ou du verre en fusion dans un moule: *La coulée de l'or étant faite et le métal refroidi, on put retirer le lingot du moule.* HOM. couler. ⫽ *Coulée de lave:* Flot de lave en fusion qui s'échappe d'un volcan; cette masse de lave solidifiée. ☞ couler.

couler v. **1.** Se déplacer, en parlant d'un liquide, d'un cours d'eau: *La rivière coule lentement vers le fleuve.* SYN. affluer, écouler, se répandre. **2.** Circuler, en parlant du sang: *Le sang coule dans nos veines.* **3.** Laisser passer un liquide: *Il faut fermer ce robinet; il coule.* **4.** Fuir, passer, en parlant du temps: *Comme le temps coule; j'ai déjà quarante ans.* SYN. s'écouler. **5.** Sombrer, s'enfoncer dans l'eau: *Au milieu de la tempête, le navire coula.* SYN. engloutir, se noyer. **6.** Verser un liquide ou une matière en fusion dans un moule: *On coule du béton pour refaire le trottoir.* SYN. mouler. ANT. démouler. HOM. coulée. ⫽ *Couler des jours heureux:* Avoir une vie calme et heureuse. *Faire couler beaucoup d'encre:* Faire parler ou écrire à son sujet. ☞ coulant, coulée. se **couler** v.pron. Se glisser sans bruit: *Sans éveiller mon père, ma mère* *se coula entre les draps.* SYN. se faufiler. ⁄⁄ *Se la couler douce:* Mener une vie sans souci, sans problème.

couleur n.f. **1.** Qualité de la lumière qui est absorbée et renvoyée par les objets et perçue par la vue: *Je préfère les couleurs pâles aux couleurs foncées.* **2.** Toute teinte qui s'oppose au noir, au gris et au blanc: *Autrefois, les films en couleurs n'existaient pas.* **3.** Matière qui colore, en parlant de la peinture et du dessin: *Mes tubes de couleurs sont presque vides, je ne pourrai pas compléter mon tableau aujourd'hui.* **4.** Chacune des quatre marques du jeu de cartes (trèfle, carreau, cœur ou pique): *J'ai les quatre couleurs dans mon jeu.* **5.** Teinte, coloration de la peau: *Tu as sûrement eu très peur car tu as perdu toutes tes couleurs.* **6.** fig. État d'un événement, tournure que prennent les choses selon la situation: *L'histoire prenait à la fin une couleur moins dramatique.* **7.** fig. Tendance, opinion politique qui caractérise une personne, un groupe: *Ce journal politique ne craint pas d'afficher sa couleur.* ⁄⁄ *En voir de toutes les couleurs:* Avoir des difficultés, des épreuves. *Homme ou femme de couleur:* Personne noire. ☞ bicolore, colorant, coloration, coloré, colorer, coloriage, colorier, coloris, décolorant, décoloration, décolorer, incolore, multicolore, tricolore.

couleuvre n.f. Serpent non venimeux: *Après la pluie, les enfants cherchaient les couleuvres dans le champ.*

coulis n.m. Jus que l'on obtient après avoir fait cuire des fruits, des légumes ou des viandes et les avoir tamisés: *Ce pâté arrosé d'un coulis de tomates est un pur délice.*

coulissant, ante adj. Qui glisse facilement sur des coulisses: *Ces deux classes sont séparées par des cloisons coulissantes.* ☞ coulisse.

coulisse n.f. **1.** Support muni d'une rainure pour faire glisser facilement une porte, une fenêtre ou un mur: *La menuisière a installé des fenêtres à coulisse.* **2.** Pièce comportant une rainure, une glissière: *J'ai utilisé un pied à coulisse pour mesurer ce diamètre.* ⁄⁄ *Trombone à coulisse:* Trombone dont le tube replié forme une coulisse pouvant être allongée ou raccourcie, ce qui produit des sons différents. ☞ coulissant, coulisser. ▲ **coulisse** n.f. Partie d'un théâtre en arrière ou de chaque côté de la scène que le public ne voit pas: **R.** S'emploie surtout au pluriel. ▲ **coulisse** n.f. Ourlet fait dans un vêtement, une étoffe, dans lequel on passe un cordon: *La coulisse de mon sac est décousue.* **R.** N'a pas le sens de *coulée* (de peinture). ☞ coulisser.

coulisser v. **1.** Glisser sur des coulisses: *La porte est bloquée: elle ne coulisse plus.* **2.** Garnir de coulisses, d'ourlets: *J'ai demandé à la couturière de coulisser ce rideau.* ☞ coulisse.

couloir n.m. **1.** Passage long et étroit qui permet d'aller d'une pièce à l'autre: *Monte l'escalier, traverse le couloir puis tourne à droite.* SYN. corridor. **2.** Passage étroit tracé sur une piste d'athlétisme dans lequel chaque coureur doit rester: *Le favori court habituellement dans un des couloirs du centre.* **3.** Partie d'un terrain de tennis située sur le côté et réservée pour les doubles: *Zut! Lisa a manqué son service et la balle est tombée dans le couloir.*

coup n.m. **1.** Mouvement d'un corps qui vient en frapper un autre: *En parlant, elle donne des coups de poing sur son bureau.* **2.** Action de faire subir un choc à quelqu'un dans le but de le blesser: *Les coups pleuvaient sur la victime.* **3.** Détonation d'une arme à feu: *Trois coups de fusil retentirent.* **4.** Bruit que produit un choc, un objet: *Le coup de sonnette réveilla bébé.* ⁄⁄ *Coup bas:* Coup donné au-dessous de la ceinture. *En venir aux coups, échanger des coups:* Se battre. *Tenir le coup:* Résister à la fatigue, à des attaques, à des soucis. ☞ contrecoup. ▲ **coup** n.m. **1.** Geste ou mouvement exécuté par une partie du corps: *D'un coup d'aile, l'oiseau s'envola.* **2.** Mouvement d'un objet ou d'un outil qu'on utilise: *J'ai donné un coup de balai dans l'entrée.* **3.** Mouvement soudain ou violent d'un élément du temps: *As-tu entendu ce coup de tonnerre?* **4.** Action d'une personne qui s'adonne à des jeux de hasard ou d'adresse; façon d'attaquer dans certains sports: *Il a perdu sa fortune sur un coup de dés.* ⁄⁄ *Coup de fil:* Appel téléphonique. *Coup de foudre:* Amour soudain. *Coup de main:* Aide apportée à quelqu'un. *Coup de soleil:* Brûlure de la peau provoquée par le soleil. *Coup d'œil:* Regard bref. ▲ **coup** n.m. Action pouvant comporter certains risques: *Un mauvais coup se préparait.* ⁄⁄ *Coup de chance:* Action réussie par hasard. *Coup d'État:* Révolution. *Coup de tête:* Action irraisonnée. *Coup monté:* Coup préparé à l'avance. *Être dans le coup:* Participer. ▲ **coup** n.m. Fois: *Tu as réussi du premier coup.* HOM. cou, coût. ⁄⁄ *À coup sûr:* Sûrement. *À tous coups:* Chaque fois, toujours. *Coup sur coup:* L'un après l'autre. *Du même coup:* À la même occasion. *Sur le coup:* Immédiatement. *Tout d'un coup, tout à coup:* Brusquement, soudain.

coupable n. et adj. **1.** n. Personne qui a commis une erreur, une faute, un crime: *La coupable sera condamnée à une peine exem-*

plaire. SYN. responsable. ANT. innocent. **2.** adj. Qui a commis un crime, un délit: *Il a été reconnu coupable de ce vol.* SYN. fautif, responsable. ANT. innocent. **3.** adj. Qui est mauvaise, indigne, en parlant d'une chose: *Une jalousie coupable l'envahissait.* SYN. blâmable, condamnable. ANT. louable. ☞ culpabiliser, culpabilité, déculpabiliser.

coupailler v. Couper de façon maladroite: *Ma petite sœur coupaille une feuille de papier.* ☞ couper.

coupant, ante adj. **1.** Qui coupe ou tranche facilement: *Les ciseaux neufs sont coupants.* SYN. tranchant. **2.** fig. Qui est bref et autoritaire: *La directrice s'adresse aux employés sur un ton coupant.* SYN. tranchant. ☞ couper.

coupe n.f. **1.** Verre pour boire, qui repose sur un pied; son contenu: *Voici de magnifiques coupes à champagne.* **2.** Trophée attribué à un joueur ou à une équipe lors d'une victoire dans une compétition sportive; la compétition elle-même: *Qui remportera la coupe cette année?* ▲ **coupe** n.f. **1.** Action ou manière de tailler quelque chose: *Cette revue présente les nouvelles coupes de cheveux.* **2.** Action d'abattre des arbres dans une forêt: *Les bûcherons ont deux semaines pour terminer cette coupe.* SYN. abattage. **3.** Manière dont on a taillé un vêtement avant de l'assembler: *Ton veston est de bonne coupe; il te va parfaitement.* **4.** Dessin d'un objet quand on suppose qu'il a été sectionné verticalement: *Cette architecte nous a montré un plan en coupe de la maison.* **5.** Ce qui est coupé: *Cette coupe de bois sera rentable.* **6.** Division d'un jeu de cartes en deux ou plusieurs paquets: *C'est habituellement la personne à la droite de celle qui mêle les cartes qui fait la coupe.* ☞ couper.

coupe-circuit n.m.invar. Appareil ayant pour fonction de couper le circuit électrique, particulièrement en cas de court-circuit: *Le coupe-circuit a empêché ce moteur de devenir trop chaud.* ☞ couper. ◇ fusible.

coupe-feu n.m.invar. Espace de terrain déboisé ou obstacle artificiel destiné à empêcher l'incendie de se propager, particulièrement en forêt: *Heureusement, un coupe-feu à quelques mètres de là empêcha le feu de dévaster toute cette forêt.* SYN. pare-feu. ☞ couper.

coupe-légumes n.m.invar. Instrument de cuisine servant à trancher les légumes en petits morceaux: *Dans une cuisine, le coupe-légumes est un accessoire pratique.* ☞ couper.

coupe-ongles n.m.invar. Instrument en forme de petite pince servant à couper les ongles: *En voyage, j'apporte toujours un coupe-ongles.* ☞ couper.

coupe-papier n.m.invar. Instrument à lame peu tranchante pour couper le papier, les pages d'un livre ou pour ouvrir une enveloppe: *Ma tante m'a rapporté de son voyage un magnifique coupe-papier en bois sculpté.* ☞ couper.

couper v. **1.** Séparer, tailler avec un instrument tranchant: *J'ai coupé cette pomme de terre avant de la faire cuire.* SYN. diviser, sectionner. **2.** Blesser: *Ce verre brisé m'a coupée à la main.* **3.** Être tranchant: *Ce couteau ne coupe plus très bien.* **4.** Amputer un membre, ôter un organe: *On a dû lui couper la jambe.* SYN. mutiler, retrancher. ANT. greffer. **5.** Donner une sensation de coupure: *Elle avançait malgré ce froid qui lui coupait le visage.* SYN. cingler, fouetter. **6.** Diviser un jeu de cartes en deux paquets: *C'est à ton tour de couper.* SYN. partager, séparer. ANT. joindre, réunir. ☞ coupailler, coupant, coupe, coupe-circuit, coupe-feu, coupe-légumes, coupe-ongles, coupe-papier, couperet, coupe-vent, coupon, coupure, recouper. ▲ **couper** v. **1.** Interrompre une action, un discours ou une continuité; empêcher quelque chose de passer: *Pour faire cette réparation, la plombière a coupé l'eau.* SYN. arrêter, bloquer. ANT. continuer, établir, prolonger. **2.** Arrêter, faire cesser une sensation, un phénomène: *Ces comprimés devraient couper la fièvre.* **3.** Supprimer, retrancher une partie dans un texte: *Cette lettre est trop longue; je dois couper les passages les moins importants.* SYN. enlever. **4.** Fractionner, passer au milieu de quelque chose: *Un arbre tombé nous coupait la route.* SYN. diviser, scinder, séparer. ⫽ *Couper à travers champs:* Passer par le chemin le plus court. *Couper le chemin à quelqu'un:* Passer devant quelqu'un. ☞ coupure. ▲ **couper** v. Diluer, mélanger un liquide avec un autre: *Mes parents coupent toujours le vin qu'ils servent aux enfants.* **se couper** v.pron. **1.** Se blesser: *Il s'est coupé en jouant avec son canif.* SYN. entailler. **2.** S'entrecroiser: *Des droites parallèles ne se coupent pas.* ⫽ *Se couper du monde:* S'isoler, perdre le contact.

couperet n.m. Couteau large et court dont se sert le boucher pour trancher ou hacher la viande: *La bouchère maniait adroitement le couperet et découpait la viande en petits cubes.* ☞ couper.

coupe-vent n.m.invar. **1.** Dispositif en angle aigu destiné à réduire la résistance de l'air: *La locomotive est munie d'un coupe-vent.* **2.** Vêtement dont le tissu ne laisse pas passer l'air : *Le vent est frais ce soir, je vais mettre mon coupe-vent.* ☞ couper.

couple n.f. Deux choses de même nature : *J'avais prévu rester une couple de journées chez toi.*

couple n.m. **1.** Un homme et une femme réunis par le mariage ou par des liens affectifs : *Éric et Nathalie forment un beau couple.* **2.** Mâle et femelle chez les animaux : *Un couple de pigeons roucoule sous ma fenêtre.* ☞ accouplement, accoupler.

couplet n.m. Chacune des parties d'une chanson ordinairement séparées par un refrain : *Il y a plusieurs couplets dans cette chanson.*

coupole n.f. Toit en forme de demi-sphère que l'on retrouve surtout dans les églises et les palais : *La coupole de cette cathédrale est en réparation.* SYN. dôme, voûte. ◇ dôme.

coupon n.m. Morceau d'étoffe déjà préparé pour la vente et généralement vendu en solde : *Claude a acheté un coupon pour se confectionner un pantalon.* ☞ couper.

coupon-réponse n.m. Partie détachable d'une annonce publicitaire qu'on renvoie pour recevoir des renseignements sur le produit ou pour acheter quelque chose : *As-tu bien rempli le coupon-réponse ?* **R.** Au pluriel, *coupons-réponse*.

coupure n.f. **1.** Blessure faite par un instrument coupant : *Je me suis fait une coupure au doigt en pelant les légumes.* SYN. balafre, entaille, incision, taillade. **2.** Billet de banque représentant une fraction d'un billet de valeur supérieure : *Il a échangé son billet de vingt dollars pour des coupures de deux dollars.* **3.** Arrêt, interruption du courant électrique, de l'eau ou du gaz : *Cet hiver, il y a eu plusieurs coupures de courant électrique.* ANT. conservation, maintien. **4.** Suppression d'une partie d'un film, d'un livre ou d'une pièce de théâtre : *La cinéaste a décidé d'effectuer des coupures dans son film.* SYN. retranchement. ANT. addition, ajout. ⫽ *Coupure de journal :* Article choisi et découpé dans un journal. ☞ couper.

cour n.f. Terrain découvert, limité par des bâtisses ou des clôtures, rattaché à un établissement, à une habitation : *La cour de récréation est située en arrière de l'école.* ⫽ *Côté cour* (opposé à *côté jardin*) *:* Au théâtre, côté situé à la droite des spectateurs. ☞ arrière-cour.
▲ **cour** n.f. **1.** Ensemble des personnages importants vivant près du roi ; résidence du souverain : *Toute la cour a assisté au couronnement du souverain.* **2.** Groupe de personnes qui cherchent à plaire à quelqu'un, à obtenir ses faveurs : *Cette chanteuse a une cour d'admirateurs.* ⫽ *Faire la cour à quelqu'un :* Chercher à plaire à une personne, à en obtenir des faveurs. ☞ courtisan, courtiser.
▲ **cour** n.f. Nom donné à l'ensemble des personnes qui jugent : *Cette personne sera jugée devant la cour.* SYN. tribunal. HOM. cours, court.

courage n.m. **1.** Force de caractère qui permet de traverser des difficultés, d'affronter le danger, la souffrance : *Le courage de cette personne pauvre, malade et seule est admirable.* SYN. audace, cœur, cran, énergie, vaillance. ANT. faiblesse, lâcheté. **2.** Ardeur mise dans une action, une entreprise : *Elle a entrepris ce travail avec beaucoup de courage.* SYN. énergie. ANT. faiblesse. ⫽ *Bon courage :* Souhait encourageant. *Perdre courage :* Abandonner, céder. *S'armer de courage :* Se préparer à affronter une difficulté. ☞ courageusement, courageux, décourageant, découragement, décourager, encourageant, encouragement, encourager.

courageusement adv. De façon courageuse, sans penser au danger ou à la peur : *Il accepte courageusement sa maladie.* SYN. bravement, résolument. ANT. lâchement. ☞ courage.

courageux, euse adj. **1.** Qui a du courage, du cran ; qui agit sans penser au danger, à la peur : *Cette mère courageuse retourne étudier à l'université.* SYN. décidé, déterminé, vaillant. ANT. faible, lâche, peureux. **2.** Qui montre du courage : *Son geste courageux lui a valu notre admiration.* SYN. hardi. ANT. craintif, timide. ☞ courage.

courailler v.fam. Mener une vie frivole, multiplier les conquêtes amoureuses : *À courailler comme ça, il risque d'avoir des ennuis.* ☞ courir.

couramment adv. **1.** De manière générale, habituelle : *Je prépare une liste d'expressions couramment employées.* SYN. communément, généralement, habituellement. ANT. rarement. **2.** De manière naturelle, facile, avec aisance : *Elle lit couramment depuis sa deuxième année à l'école.* SYN. aisément, facilement. ANT. difficilement. ☞ courant (adj.).

courant n.m. **1.** Mouvement plus ou moins rapide de l'eau, d'un liquide : *Notre canot descendait le courant.* **2.** Mouvement d'électricité dans un conducteur : *Cet appareil inverse le courant.* **3.** Écoulement d'un espace de temps : *Il doit me téléphoner dans le courant de la semaine.* ⫽ *Au courant :* Renseigné. *Courant d'air :* Air qui se déplace dans deux directions opposées. *Panne de courant :* Interruption du courant. ☞ contre-courant.

courant, ante adj. Qui est en cours, qui s'écoule au moment où l'on parle: *Je t'ai écrit le sept du mois courant.* ⁄⁄ *Eau courante:* Eau qui s'écoule; eau qui parvient à une habitation par des canalisations. *Main courante:* Rampe fixée au mur et parallèle à celle de l'escalier. ☞ courir. ▲ **courant, ante** adj. Qui se fait de façon habituelle, qui est ordinaire: *Écouter la télévision est une pratique très courante.* SYN. banal, commun, usuel. ANT. extraordinaire, inhabituel, rare. ⁄⁄ *Prix courant:* Prix habituel. ☞ couramment.

couramment courant

courbature n.f. Sensation de douleur ressentie à la suite d'un effort musculaire prolongé: *À la suite de sa longue randonnée en ski de fond, Élisabeth ressent des courbatures dans les jambes.* SYN. fatigue, lassitude. ☞ courbaturé, courbaturer.

courbaturé, ée adj. Qui est très fatigué, qui ressent des courbatures: *Il est courbaturé car il ne dort pas depuis deux nuits.* SYN. fourbu, moulu. ANT. dispos. HOM. courbaturer. ☞ courbature.

courbaturer v. Occasionner une grande fatigue, une douleur due à des courbatures: *Cette heure d'exercices m'a courbaturée.* SYN. fatiguer, lasser. ANT. délasser, détendre, reposer. HOM. courbaturé. ☞ courbature.

courbe n.f. et adj. **1.** n.f. Tournant d'une route: *Devant chez moi, la route fait une courbe.* **2.** n.f. Ligne qui forme un arc: *Son maquillage accentuait la courbe de ses sourcils.* **3.** n.f. Ligne, graphique qui représente l'évolution d'un phénomène: *La courbe de croissance de cet enfant est normale.* **4.** adj. Qui n'est pas droit, qui tourne sans tracer d'angle: *Trace deux lignes courbes parallèles.* ANT. droite, rectiligne. ☞ courber, courbette, courbure, recourber.

courber v. **1.** Donner une forme courbe: *Courbe ce fil de fer pour former une couronne.* SYN. arquer, arrondir, recourber. ANT. redresser. **2.** Baisser, pencher, incliner: *Elle courbait sous le poids de son sac à dos.* SYN. ployer. ANT. raidir, redresser, relever. ☞ courbe. **se courber** v.pron. S'incliner, se baisser: *À la fin du spectacle, le chanteur se courba pour saluer.* SYN. se pencher. ANT. se relever.

courbette n.f. Action de s'incliner de façon exagérée pour saluer, révérence d'une politesse trop prononcée: *Après toutes les courbettes qu'il lui a faites, elle ne pouvait pas l'ignorer.* ☞ courbe.

courbure n.f. Forme courbe de certains objets; partie courbe de quelque chose: *La courbure de ses sourcils est très prononcée.* SYN. courbe. ANT. raideur. ☞ courbe.

coureur, euse n. **1.** Personne ou animal qui est habile à la course: *La panthère est une coureuse infatigable.* **2.** Personne qui participe à un marathon, à une course sportive: *Cet athlète olympique est un coureur insurpassable.* **3.** Personne qui va d'une aventure amoureuse à une autre; personne qui fréquente régulièrement certains endroits: *C'est un coureur de brasseries invétéré.* **4.** Au Canada, chasseur, trappeur: *L'histoire de la colonisation du Québec est aussi un peu celle des coureurs des bois.* ⁄⁄ *Coureur automobile:* Coureur au volant d'une automobile. *Coureur cycliste:* Coureur à bicyclette. *Coureur de jupons:* Homme qui recherche sans cesse des aventures avec les femmes. ☞ courir.

courge n.f. Plante potagère que l'on cultive pour ses fruits volumineux consommés comme légumes; le fruit lui-même: *La citrouille est une courge.* ☞ courgette.

courgette n.f. Variété de petite courge à fruit de forme allongée; ce fruit que l'on récolte jeune: *J'aime les courgettes farcies.* ☞ courge.

courir v. **1.** Se déplacer par élans à une allure plus rapide que la marche: *Quand il fait froid, je cours pour me rendre à l'école.* ANT. arrêter, s'immobiliser. **2.** Se précipiter: *Tous les jeunes courent au spectacle de cette chanteuse populaire.* SYN. se presser. **3.** Se répandre rapidement, d'une personne à une autre, en parlant d'une nouvelle: *Le bruit court qu'elle est très malade.* SYN. circuler, se propager. **4.** Suivre son cours, s'écouler: *Comme le temps court!* SYN. continuer, passer. **5.** S'étendre le long de quelque chose, sillonner: *Le sentier court le long du ruisseau.* SYN. se prolonger. **6.** Prendre part à une épreuve de course: *As-tu déjà couru le cent mètres?* **7.** Fréquenter régulièrement; rechercher: *Ces jeunes qui courent les discothèques négligent leurs études.* SYN. hanter. ANT. éviter, fuir. ⁄⁄ *Courir le risque de, courir sa chance:* Tenter de, essayer. *Courir les filles, le jupon, les garçons:* Rechercher les aventures amoureuses, courailler. *Courir un danger:* Être exposé à un danger. *Tu peux toujours courir:* Il ne sert à rien de faire des efforts; ça ne donnera rien. ☞ accourir, avant-coureur, courailler, coureur, course, courser, coursier, couru, recourir.

courlis n.m. Oiseau échassier qui vit près de l'eau, au bec long recourbé vers le bas: *Sais-tu à quoi ressemble le chant du courlis?* **R.** Aussi, *courlieu.*

couronne n.f. **1.** Cercle en métal, souvent décoré de pierres précieuses, qui symbolise l'autorité, la puissance ou la dignité: *Sur le billet de un dollar, la reine Élizabeth ne porte pas sa couronne.* SYN. diadème. **2.** Cercle de feuilles ou de fleurs qu'on met sur la tête comme parure ou pour marquer un honneur: *Autrefois, les jeunes filles qui se mariaient portaient une couronne de fleurs d'oranger.* // *Couronne de lauriers:* Couronne que se méritaient autrefois les gagnants d'un concours, les lauréats. *Couronne d'épines:* Cercle de bois épineux que Jésus porta sur le chemin menant au Calvaire. ☞ couronné, couronnement, couronner, découronner. ▲ **couronne** n.f. **1.** Disposition de choses en anneau, en cercle: *Le fleuriste avait préparé une très belle couronne funéraire.* **2.** Partie visible de la dent; capsule métallique qui recouvre et protège cette partie: *Son sourire laissait voir trois couronnes en or.* ▲ **couronne** n.f. Unité monétaire de quelques pays d'Europe: le Danemark, l'Islande, la Norvège, la Suède et la Tchécoslovaquie: *Combien vaut un dollar canadien en couronnes danoises?*

couronné, ée adj. **1.** Qui est coiffé d'une couronne: *Toutes ces têtes couronnées affichent un air bien sérieux.* **2.** Qui a reçu un titre, un prix: *Elle vient d'être couronnée championne du monde.* HOM. couronner. ☞ couronne.

couronnement n.m. **1.** Action de placer solennellement une couronne sur la tête de quelqu'un et particulièrement la cérémonie au cours de laquelle on couronne un souverain: *Le couronnement sera suivi d'une grande fête.* SYN. sacre. ANT. abdication, déposition. **2.** fig. Aboutissement, accomplissement d'une grande entreprise: *La parution de ce volume est le couronnement de nombreux efforts.* ANT. commencement, début. **3.** Ornement au sommet d'un édifice, d'un meuble, d'un mur: *Les ouvriers réparent le couronnement de la colonne.* SYN. corniche. ☞ couronne.

couronner v. **1.** Déposer une couronne sur la tête de quelqu'un en signe de distinction, de récompense ou comme ornement: *Des enfants sont venus couronner la meilleure patineuse.* **2.** Déclarer quelqu'un souverain en posant une couronne sur sa tête: *Dans la pièce de théâtre, ma sœur couronne la reine Odile.* SYN. sacrer. ANT. découronner, détrôner. **3.** fig. Reconnaître le mérite d'un auteur, d'un ouvrage au moyen d'un prix: *Son roman a été couronné par l'Académie.* ☞ couronne. ▲ **couronner** v. **1.** litt. Constituer la partie supérieure de quelque chose; entourer comme d'une couronne: *Un feuillage d'un vert foncé couronnait l'arbre gigantesque.* **2.** fig. Achever de façon parfaite, être l'aboutissement de quelque chose: *Sa réussite aux examens couronne son application constante.* SYN. conclure, parachever, parfaire. ANT. commencer. HOM. couronné.

courrier n.m. Ensemble des lettres, colis ou journaux reçus ou expédiés par la poste: *Y a-t-il des lettres importantes dans le courrier?* // *Courrier électronique:* Message transmis à distance grâce à un système informatique. ▲ **courrier** n.m. Section ou chronique d'un journal consacrée à un domaine particulier: *J'aime lire le courrier des lecteurs dans cette revue.* // *Courrier du cœur:* Section d'un journal où les lecteurs font part de leurs problèmes et demandent conseil. ☞ courriériste.

courriériste n. Journaliste qui s'occupe d'une chronique, d'un sujet en particulier: *Jean est courriériste littéraire dans un grand journal.* // *Courriériste parlementaire:* Journaliste qui rapporte les débats lors de sessions parlementaires. ☞ courrier.

courrier courr**i**é**riste**

courroie n.f. **1.** Bande d'un tissu souple et résistant qui sert à attacher ou serrer quelque chose: *Cette malle est pleine; il faut la fermer avec une courroie.* SYN. attache, lanière. **2.** Bande souple dont les extrémités sont unies, qui sert à transmettre un mouvement dans certaines machines: *La courroie du ventilateur de l'auto est brisée.*

courroux n.m.litt. Colère, fureur: *Quand il entendit cette insulte, son courroux fut terrible.* SYN. emportement, exaspération, irritation, rage. ANT. calme, douceur, modération.

cours n.m. Mouvement de l'eau qui circule: *Le cours de la rivière Rouge est très rapide.* SYN. courant. // *Cours d'eau:* Fleuve ou rivière. *Voyage au long cours:* Longue traversée en haute mer. ▲ **cours** n.m. Suite, déroulement d'une chose dans le temps: *Le cours des saisons nous ramène l'été et sa chaleur.* SYN. enchaînement, succession, suite. ANT. interruption, rupture. // *Au cours de, en cours:* Pendant. *Suivre son cours:* Évoluer normalement. ▲ **cours** n.m. **1.** Enseignement suivi portant sur une certaine matière, donné sous forme de conférence ou de leçon; chacune des conférences ou leçons: *Aujourd'hui, le cours de sciences était emballant.* **2.** Niveau des études suivies: *Sa maladie l'a empêché de terminer son cours secondaire.* ▲ **cours** n.m. Taux ou valeur d'une marchandise qui monte ou descend selon les événements: *Le cours des ac-*

tions est fixé chaque jour à la Bourse. HOM. cour, court. ⁄⁄ *Avoir cours:* Avoir une valeur légale; être reconnu.

course n.f. **1.** Action de se déplacer en courant: *Ils se rendent à la piscine au pas de course.* **2.** Épreuve sportive, compétition basée sur la vitesse: *Julie a gagné la course d'automobiles.* ⁄⁄ *À bout de course:* Essoufflé, épuisé. *Champ de course:* Hippodrome. *Course de taureaux:* Corrida. ☞ courir.

▲ **course** n.f. **1.** Trajet, parcours: *Cette course en montagne nous a épuisés.* **2.** Achat, emplette: *J'ai des courses à faire, veux-tu m'accompagner?* SYN. commission. **3.** fig. Mouvement, trajectoire de quelque chose: *J'ai longuement étudié la course de cette comète.* ☞ courir.

courser v.fam. Suivre à la course dans le but de rattraper: *Mon chien coursait derrière la bicyclette de la voisine.* ☞ courir.

coursier n.m.litt. Cheval de tournoi à fière allure: *Voyez parader ces fiers coursiers.* ☞ courir.

coursier, ière n. Personne qui fait les courses dans une entreprise, un hôtel: *La coursière se hâte d'aller poster ces colis.* ☞ courir.

coursive n.f. Couloir étroit qui traverse un navire dans le sens de la longueur: *La cabine du capitaine est à l'extrémité de cette coursive.*

court n.m. (angl.) Terrain intérieur ou extérieur aménagé pour le tennis: *Adrienne et Jacques jouent sur le deuxième court.* HOM. cour, cours.

court, courte adj. **1.** Qui a peu d'étendue d'une extrémité à l'autre: *Les manches du chandail d'Étienne sont trop courtes.* ANT. allongé, long. **2.** Qui est bref, de courte durée: *La récréation est toujours trop courte.* ANT. long, prolongé. **3.** Qui est abrégé, concis: *Ton explication est courte mais complète.* SYN. laconique. ANT. long, diffus. **4.** fam. Qui est incomplet, insuffisant: *C'est un peu court comme argent de poche.* HOM. cour, cours. ⁄⁄ *À court terme:* Dans peu de temps. *Avoir la mémoire courte:* Oublier facilement surtout les choses qui nous déplaisent. *Avoir le souffle court:* S'essouffler facilement et rapidement. ☞ courtaud, court-vêtu, écourter, raccourci, raccourcir, raccourcissement.

court adv. D'une façon courte: *Elle s'habille trop court.* HOM. cour, cours. ⁄⁄ *Couper court à quelque chose:* Terminer, mettre fin. *Être à court de:* Ne pas avoir de, manquer de. *Tout court:* Sans rien d'autre.

courtaud, aude adj. **1.** Qui est court et plutôt gras, en parlant de l'ampleur du corps: *Il est joli mais courtaud.* **2.** Qui a eu la queue et les oreilles coupées, en parlant d'un chien ou d'un cheval: *Ce cheval courtaud est un pur-sang.* ☞ court.

court-bouillon n.m. Liquide à base d'eau, de vin blanc et d'épices dans lequel on fait mijoter de la viande ou du poisson: *Le court-bouillon se conserve longtemps au congélateur.* **R.** Au pluriel, *courts-bouillons*.

court-circuit n.m. Contact de deux ou plusieurs points de tension différente d'un circuit électrique; accident dû à ce contact (interruption de courant, incendie, etc.): *Un court-circuit est à l'origine de cet incendie.* **R.** Au pluriel, *courts-circuits*. ☞ court-circuiter.

court-circuiter v. **1.** Provoquer un court-circuit, mettre en contact des points de tension différente d'un circuit électrique: *L'inondation a court-circuité notre système électrique.* **2.** fig. et fam. Suivre une voie plus rapide et négliger les intermédiaires normaux pour atteindre un but: *Dans cette transaction, le directeur et son adjoint ont été court-circuités.* ☞ court-circuit.

courtepointe n.f. Couverture de lit piquée et ouatée faite de petits morceaux colorés cousus en suivant un modèle décoratif: *J'ai acheté cette magnifique courtepointe chez une artisane.* SYN. couette, couvre-pied, édredon.

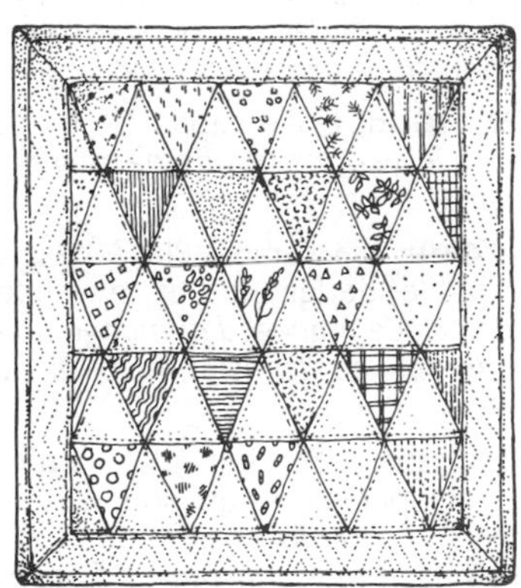

courtepointe

courtier, ière n. Personne dont le métier est de conseiller et représenter ses clients dans des opérations commerciales ou immobilières: *Une courtière rencontre mes parents pour discuter de placements d'argent.* SYN. agent, représentant.

courtisan n.m. **1.** Homme qui fait partie de la cour d'un roi, d'un prince: *Certains romans historiques nous font connaître des courti-*

sans célèbres. **2.** fig. Personne qui, par intérêt, cherche à plaire en usant de flatteries exagérées: *Il faut se méfier des courtisans.* SYN. flatteur. ☞ cour.

courtisane n.f.litt. Femme de mœurs légères qui se distingue de la prostituée par son rang social élevé, l'élégance de ses manières, etc.: *Quelques poètes ont paré les courtisanes de toutes les séductions.*

courtiser v. **1.** Faire la cour à une personne, chercher à lui plaire: *Mon père a courtisé ma mère pendant deux ans avant de l'épouser.* **2.** Flatter une personne importante dans le but d'obtenir un avantage: *La ministre de l'Environnement est très courtisée.* ☞ cour.

courtois, oise adj. Qui est poli, qui agit avec beaucoup de délicatesse, de civilité: *Ce n'est vraiment pas courtois de parler ainsi.* SYN. correct, sociable. ANT. discourtois, grossier, impoli. ☞ courtoisement, courtoisie, discourtois.

courtoisement adv. D'une manière courtoise, aimable, polie: *Cette vedette répondit courtoisement aux questions des journalistes.* SYN. aimablement, poliment. ANT. grossièrement, impoliment. ☞ courtois.

courtoisie n.f. Amabilité, politesse raffinée: *Ce marchand accueille toujours ses clients avec courtoisie.* ☞ courtois.

court-vêtu, ue adj. Qui porte un vêtement court: *Janine est parfois court-vêtue mais toujours élégante.* **R.** Ne pas oublier l'accent: *ê*. Au pluriel, *court-vêtus*. ☞ court.

couru, ue adj. Qui est apprécié, recherché: *Ce spectacle de danse moderne est très couru.* ☞ courir.

couscous n.m. (arabe) Plat à base de semoule de blé, de légumes et de viande servi avec une sauce épicée: *J'ai mangé un excellent couscous en Tunisie.* **R.** Le *s* final se prononce.

cousin, ine n. Se dit d'enfants ou de descendants de personnes qui sont des frères et des sœurs: *Les enfants de mon oncle sont mes cousins et mes cousines.* ⁄⁄ *Cousins germains:* Cousins ayant un grand-père (ou une grand-mère) commun.

coussin n.m.pop. Sac rembourré qui sert d'appui, de siège, d'ornement: *J'aime m'asseoir par terre sur des coussins.* ⁄⁄ *Coussin d'air:* Couche d'air à la base de certains véhicules leur permettant de se maintenir au-dessus du sol ou de l'eau. ☞ coussinet.

coussinet n.m. **1.** Sorte de petit coussin: *Le coussinet traîne par terre.* **2.** Pièce d'acier qui supporte le rail d'un chemin de fer: *Le coussinet du rail a été endommagé.* ☞ coussin.

cousu, ue adj. Qui est réuni par une couture: *Cette manche de manteau a été cousue.* ☞ coudre.

coût n.m. Montant, somme que l'on doit payer pour obtenir quelque chose: *Le coût élevé de ce manteau m'a fait réfléchir.* SYN. prix. HOM. cou, coup. ⁄⁄ *Coût de la vie:* Valeur estimée des biens et des services, basée sur la comparaison des revenus pendant une période donnée. **R.** Ne pas oublier l'accent: *û*. ☞ coûter.

coûtant adj.m. Qui est le coût d'une chose: *Je veux connaître le prix coûtant de ce nouveau produit.* ⁄⁄ *Au prix coûtant:* Au prix de production. *Revendre au prix coûtant:* Revendre sans bénéfice, sans profit. **R.** Ne pas oublier l'accent: *û*. Ne s'emploie que dans l'expression *prix coûtant*. ☞ coûter.

couteau, eaux n.m. **1.** Instrument formé d'une lame et d'un manche qui sert à couper, à trancher: *Tu coupes ta viande avec un couteau.* **2.** Nom de certains outils et instruments: *Je cherche mon couteau à mastiquer.* ⁄⁄ *Brouillard à couper au couteau:* Brouillard très épais, visibilité réduite. *Couteau de poche:* Petit couteau, canif. *Jouer du couteau:* Se battre. ☞ couteau-scie, coutelas, coutelier, coutellerie.

couteau-scie n.m. Couteau à lame dentelée utilisé surtout pour la viande et le pain: *Apporte-moi le couteau-scie.* **R.** Au pluriel, *couteaux-scies*. ☞ couteau.

coutelas n.m. **1.** Grand couteau à lame large et tranchante: *Ce coutelas a besoin d'être affûté.* **2.** Épée courte à un seul tranchant: *Le coutelas est l'ancêtre direct du sabre.* ☞ couteau.

coutelier, ière n. Personne qui fabrique ou vend des couteaux ou d'autres outils tranchants: *Il n'y a pas de coutelier dans ma ville.* ☞ couteau.

coutellerie n.f. **1.** Fabrication de couteaux ou d'instruments tranchants; lieu où se fait cette fabrication: *Mon frère travaille dans une coutellerie.* **2.** Ensemble des produits de coutellerie: *La salle d'opération est équipée d'une nouvelle coutellerie en instruments de chirurgie.* **R.** N'a pas le sens de *service de couverts*. ☞ couteau.

coûter v. **1.** Être vendu pour un tel prix: *Ce manteau m'a coûté très cher.* SYN. valoir. **2.** fig. Occasionner: *Ce travail m'a coûté beaucoup d'efforts.* **3.** fig. Être pénible, difficile à supporter: *Il lui en coûtait d'avouer son erreur.* ⁄⁄ *Cela pourrait vous coûter cher:* Cela pourrait vous causer des ennuis. *Coûte que coûte:* À tout prix. *Coûter la vie:* Causer la mort. **R.** Ne pas oublier l'accent: *û.* ☞ coût, coûtant, coûteusement, coûteux.

coûteusement adv. De manière coûteuse, dispendieuse: *André s'habille trop coûteusement pour ses revenus.* ANT. économiquement. **R.** Ne pas oublier l'accent: *û.* ☞ coûter.

coûteux, euse adj. **1.** Qui coûte très cher, qui entraîne de grandes dépenses: *La viande est un produit coûteux.* SYN. cher, dispendieux. ANT. économique, gratuit. **2.** fig. et litt. Qui exige des sacrifices; qui a des conséquences malheureuses, pénibles: *La démarche que je fais m'est très coûteuse.* SYN. dangereux. **R.** Ne pas oublier l'accent: *û.* ☞ coûter.

coutume n.f. **1.** Habitude, façon d'agir propre à une collectivité: *Célébrer la Saint-Jean est une vieille coutume.* SYN. tradition, usage. ANT. innovation, nouveauté. **2.** Façon habituelle d'agir propre à une personne: *C'est sa coutume de ne pas déjeuner.* SYN. habitude. ⁄⁄ *Avoir coutume de:* Avoir l'habitude de. ☞ coutumier.

coutumier, ière adj. Qui est ordinaire, habituel: *Je viens de terminer la besogne coutumière.* ANT. exceptionnel, inaccoutumé, inattendu. ☞ coutume.

couture n.f. **1.** Action, art de coudre: *Chez nous, c'est ma mère qui fait la couture.* **2.** Profession d'une personne qui confectionne des vêtements: *Mon grand frère travaille dans la couture.* **3.** Suite de points faits à la main ou à la machine pour réunir des morceaux d'étoffe, de cuir, de fourrure, etc.: *La couture de mon pantalon a cédé.* **4.** Balafre, cicatrice à la suite de points de suture: *Il a le visage marqué de coutures.* ⁄⁄ *Examiner sur toutes les coutures:* Examiner attentivement. *La haute couture:* Ensemble des grands couturiers qui créent des modèles originaux présentés chaque saison. *Maison de couture:* Entreprise de couture. ☞ coudre.

couturé, ée adj. Qui est couvert de cicatrices, en parlant du corps: *Le visage de ce boxeur est tout couturé.* ☞ coudre.

couturier n.m. Personne qui est à la tête d'une maison de couture, qui crée des modèles exclusifs; la maison de couture elle-même: *Ce grand couturier nous présente sa collection de printemps.* **R.** L'O.L.F. recommande *couturière* comme féminin de *couturier.* ☞ coudre.

couturière n.f. Femme qui retouche ou confectionne des vêtements, à son propre compte; ouvrière qui travaille dans une maison de couture: *J'ai demandé à ma couturière de raccourcir mon pantalon.* ☞ coudre.

couvée n.f. **1.** Ensemble des œufs qu'un oiseau tient au chaud sous son corps pour les faire éclore: *Les oiseaux n'aiment pas qu'une personne s'approche de leur couvée.* **2.** Ensemble des oisillons nés en même temps: *La poule traverse la cour de la ferme suivie de sa couvée.* **3.** fig. et fam. Ensemble des enfants d'une famille: *Elle était prête à tout pour protéger sa couvée.* HOM. couver. ☞ couver.

couvent n.m. **1.** Maison accueillant des religieux ou des religieuses, qui font vie commune: *Dimanche, nous irons au couvent rendre visite à ma tante, sœur Madeleine.* **2.** Autrefois, pensionnat pour jeunes filles, administré par des religieuses: *Ma mère a fait ses études au couvent.* ⁄⁄ *Entrer au couvent:* Devenir religieuse.

couver v. **1.** Abriter des œufs sous son corps pour les tenir au chaud et les faire éclore, en parlant des oiseaux: *L'hirondelle bâtit son nid, y pond ses œufs et les couve.* **2.** fig. Prodiguer des soins attentifs à quelqu'un: *Ce père vigilant couve un peu trop ses jeunes enfants.* **3.** Se préparer, demeurer invisible, secret, avant de se manifester: *Sa vengeance couvait depuis longtemps.* HOM. couvée. ⁄⁄ *Couver des yeux:* Regarder intensément, avec convoitise. *Couver une maladie:* Porter en soi les germes d'une maladie. ☞ couvée, couveuse, couvoir.

couvercle n.m. Pièce mobile qui sert à couvrir quelque chose: *Elle a fait sauter le couvercle du pot.* ☞ couvrir.

couvert n.m. **1.** Tous les accessoires, les ustensiles, la vaisselle, dont on couvre la table pour le repas: *Approche, le couvert est mis.* **2.** Ustensiles de table (couteau, fourchette, cuiller) pour une personne: *Il faut ajouter un couvert, mon amie vient souper.* ⁄⁄ *Coffret à couverts:* Service de couverts de table dans un coffret (ménagère). *Mettre, dresser le couvert:* Mettre sur la table tout ce qui est nécessaire au repas. ▲ **couvert** n.m. **1.** Lieu couvert, abri: *Le vagabond cherchait un couvert pour la nuit.* **2.** Ombre fournie par le feuillage, abri sous un groupe d'arbres: *Pour ne pas être trempée par la pluie, je me suis réfugiée sous le couvert des saules.* ⁄⁄ *À couvert de:* À l'abri de. ☞ couvrir.

couvert, erte adj. **1.** Qui porte un vêtement: *Véronique est chaudement couverte pour aller faire du ski.* ANT. découvert. **2.** Qui a sur lui quelque chose: *Il faut repeindre cette porte couverte de graffiti.* **3.** Qui est caché, dissimulé, protégé par quelqu'un: *On croit* *que cet évadé est couvert par une complice.* ⁄⁄ *Ciel couvert:* Ciel nuageux. *Parler à mots couverts:* Parler en termes voilés. *Terrain couvert:* Terrain boisé. ☞ couvrir.

couverture n.f. **1.** Ce qui forme la surface extérieure du toit d'un bâtiment: *Il a fait réparer la couverture de sa maison.* **2.** Pièce de toile servant à recouvrir, à protéger du froid, des intempéries; pièce d'étoffe placée sur les draps et qui recouvre le lit: *Je n'aime pas dormir avec ma sœur, elle prend toute la couverture.* SYN. bâche, courtepointe, couvre-lit. **3.** Partie extérieure d'un livre, d'un magazine; genre de housse recouvrant et protégeant un livre, un cahier: *L'illustration sur la couverture de cette revue me plaît.* ⁄⁄ *Couverture chauffante:* Couverture équipée d'un dispositif électrique chauffant. ☞ couvrir. ▲ **couverture** n.f. Fait de donner l'information sur un événement, pour un journaliste: *Ce journaliste a fait une excellente couverture du désastre.* ☞ couvrir. ▲ **couverture** n.f. **1.** Ce qui sert à garantir, à protéger: *Cette assurance est une bonne couverture.* **2.** Ce qui cache des activités clandestines, illégales: *Un petit commerce sert de couverture à ce trafiquant.* ☞ couvrir.

couveuse n.f. **1.** Oiseau femelle, la poule en particulier, qui couve: *Une bonne couveuse n'abandonne pas ses œufs.* **2.** Appareil d'un hôpital qui garde une température constante dans un espace fermé dans lequel on place les prématurés ou les nouveau-nés fragiles: *Il est parfois nécessaire de mettre un nouveau-né en couveuse.* ⁄⁄ *Couveuse artificielle:* Appareil où l'on fait éclore les œufs (incubateur). ☞ couver.

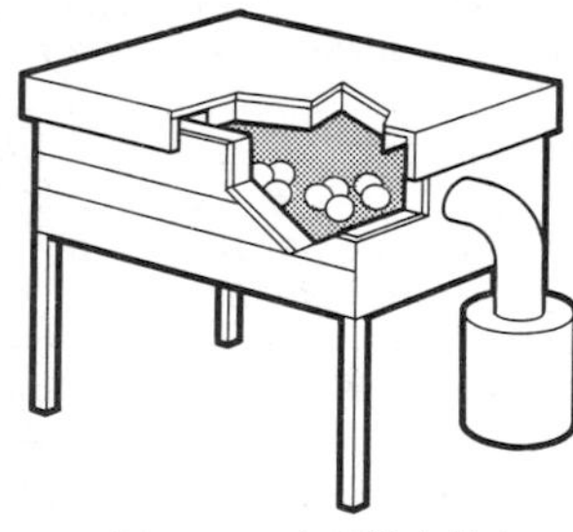

couveuse (artificielle)

couvoir n.m. Endroit, local où sont regroupés les nids des couveuses ou les incubateurs, en agriculture: *Il y a plusieurs couvoirs dans la région de Saint-Hyacinthe.* ☞ couver.

couvre-chef n.m.fam. Ce qui couvre la tête: *Comme tu es drôle, avec ton couvre-chef!* SYN. chapeau, coiffure. **R.** Au pluriel, *couvre-chefs.* ☞ couvrir.

couvre-chef

couvre-feu n.m. **1.** Signal qui indique l'heure de rentrer chez soi et, souvent même, d'éteindre toutes les lumières: *Le couvre-feu plongeait la ville dans l'obscurité complète.* **2.** Défense temporaire de sortir de chez soi après une heure déterminée: *En temps de guerre, les soldats faisaient respecter le couvre-feu.* **R.** Au pluriel, *couvre-feux.*

couvre-lit n.m. Grande pièce de tissu, couverture qui recouvre un lit: *N'oublie pas de laver le couvre-lit.* SYN. dessus-de-lit. **R.** Au pluriel, *couvre-lits.* ☞ couvrir.

couvre-livre n.m. Couverture servant à protéger un livre: *Tu trouveras des couvre-livres à la librairie.* **R.** Au pluriel, *couvre-livres.* ☞ couvrir.

couvre-pied n.m. Couverture pour orner un lit faite de deux tissus superposés, dont l'intérieur est garni de duvet ou de laine et l'extérieur piqué de motifs: *André fait de magnifiques couvre-pieds.* SYN. courtepointe. **R.** Aussi, *couvre-pieds.* Au pluriel, *couvre-pieds.* ☞ couvrir.

couvre-plat n.m. Cloche de métal qui couvre un plat pour le garder chaud: *Le serveur a échappé le couvre-plat.* **R.** Au pluriel, *couvre-plats.* ☞ couvrir.

couvreur n.m. Ouvrier qui fait ou répare des couvertures de bâtiments: *Ce couvreur est très consciencieux.* **R.** L'O.L.F. recommande *couvreuse* comme féminin de *couvreur.* ☞ couvrir.

couvrir v. **1.** Vêtir quelqu'un: *Je couvre chaudement bébé.* ANT. découvrir. **2.** Protéger quelque chose en mettant une matière dessus: *Tu devrais couvrir ton livre de lecture.* **3.** Revêtir pour cacher, masquer: *Nous couvrons le mur d'une nouvelle couche de peinture.* **4.** Combler quelqu'un de quelque chose: *On a couvert d'applaudissements le groupe de chanteurs.* **5.** Être répandu sur quelque chose: *La neige couvre le sol.* SYN. recouvrir.

ANT. découvrir. **6.** Parcourir une distance: *Il nous restait encore plusieurs kilomètres à couvrir avant la nuit.* ⁄⁄ *Couvrir la voix:* Dominer, étouffer la voix par un bruit plus élevé. *Couvrir son jeu:* Tenir ses cartes de façon que les autres joueurs ne puissent les voir. ☞ couvercle, couvert, couverture, couvre-chef, couvre-lit, couvre-livre, couvre-pied, couvre-plat, couvreur, découvert, découvrir, recouvrement, recouvrir. **se couvrir** v.pron. **1.** S'envelopper d'un vêtement: *Il fait froid, couvre-toi chaudement.* SYN. se vêtir. **2.** Se remplir, se garnir: *Le ciel se couvre de nuages.* ▲ **couvrir** v. **1.** Assurer une protection, une garantie, une couverture: *Mon assurance couvre tous les dommages causés par l'accident.* **2.** Assumer l'erreur de quelqu'un, la justifier, en prendre la responsabilité: *Ses parents refusaient de couvrir son mensonge.* **3.** Assurer l'information concernant un événement spécial, pour un journaliste: *Le journaliste est chargé de couvrir l'arrivée de l'ambassadrice.* ⁄⁄ *Couvrir quelqu'un:* Protéger quelqu'un. *Couvrir un emprunt:* Assurer la somme demandée. ☞ couvert (n.), couverture, à découvert.

cow-boy n.m. (angl.) Gardien de troupeaux de bovins, surtout dans les ranchs de l'ouest des États-Unis: *La légende de l'Ouest est remplie des exploits des cow-boys.* ⁄⁄ *Film de cow-boys:* Western. **R.** Se prononce à l'anglaise. Au pluriel, *cow-boys*.

coyote n.m. Mammifère carnivore d'Amérique, semblable au renard, aussi appelé «loup américain»: *Les hurlements des coyotes, à la tombée du jour, m'effrayaient.*

crabe n.m. (néerl.) Crustacé caractérisé par un abdomen court et une paire de grosses pinces, dont plusieurs espèces sont comestibles: *J'aime beaucoup la chair de crabe.*

crac! interj. Mot qui imite le bruit sec d'une chose dure qui se casse ou qui exprime quelque chose de soudain: *L'enfant a grimpé et crac! la branche s'est cassée.* HOM. crack, craque, krach.

crachat n.m. Matière venant des voies respiratoires et que l'on rejette par la bouche: *Il se débarrasse d'un crachat dans un mouchoir de papier.* ☞ cracher.

craché, ée adj.fam. Qui est ressemblant: *C'est le portrait tout craché de sa mère.* HOM. cracher. ☞ cracher.

cracher v. **1.** Rejeter, par la bouche, de la salive accompagnée de mucosités: *L'affiche disait: «Défense de cracher».* **2.** Faire entendre des grésillements, des crépitements: *Dès que j'entre dans le tunnel, la radio se met à cracher.* SYN. crachoter. **3.** Faire sortir, lancer de la bouche: *Il a craché le lait qu'il avait dans la bouche.* **4.** Projeter: *Le volcan crachait des laves.* **5.** fam. Donner de l'argent: *Elle a enfin accepté de cracher le montant.* HOM. craché. ⁄⁄ *Cracher en l'air:* Agir inutilement et en produisant des effets désagréables pour soi-même. *Cracher ses poumons:* Tousser fortement en rejetant aussi du sang. *Cracher sur quelqu'un:* Mépriser, insulter quelqu'un. *Stylo qui crache:* Stylo qui éclabousse. ☞ crachat, craché, crachin, crachoir, crachotement, crachoter, recracher.

crachin n.m. Pluie fine et serrée: *En ce moment, il tombe du crachin.* ☞ cracher.

crachoir n.m. Récipient servant à recevoir les crachats: *Aujourd'hui, on ne voit plus de crachoirs dans nos maisons.* ☞ cracher.

crachotement n.m. **1.** Action de crachoter, de cracher souvent et peu à la fois: *Ses crachotements énervaient ma mère.* **2.** Bruit, crépitement que produit un appareil défectueux: *Les crachotements du haut-parleur couvraient ses paroles.* ☞ cracher.

crachoter v. **1.** Cracher souvent et peu à la fois: *Une bronchite le fait crachoter.* **2.** Produire, faire entendre un crépitement, en parlant d'un appareil défectueux: *Le robinet crachotait continuellement.* SYN. cracher. **R.** Aussi, *crachouiller*. ☞ cracher.

crack n.m. (angl.) **1.** Cheval favori, dans une écurie de course: *J'ai misé sur le crack.* **2.** fam. Personne qui se distingue des autres, qui est remarquable: *C'est un crack en français.* ▲ **crack** n.m. Cocaïne cristallisée, très toxique: *Plusieurs vendeurs de crack ont été arrêtés.* HOM. crac!, craque, krach.

craie n.f. **1.** Nom donné à diverses sortes de calcaires de couleur blanchâtre et très friables: *La craie est d'origine marine.* **2.** Calcaire moulé en bâtonnets pour écrire sur un tableau, pour marquer le tissu, le bois, etc.: *La professeure utilise surtout des craies blanches.* ☞ crayeux.

crailler v. Crier, en parlant de la corneille: *La corneille craille dans l'arbre.* SYN. croasser.

craindre v. **1.** Avoir peur de quelqu'un ou de quelque chose qu'on croit dangereux ou nuisible: *L'hiver, je crains le verglas.* SYN. redouter. ANT. braver, mépriser. **2.** Manifester une sensibilité à quelque chose: *Cette plante craint le froid.* ☞ crainte, craintif, craintivement.

crainte n.f. Impression produite par quelque chose qu'on perçoit comme dangereux ou nuisible; sentiment de quelqu'un qui a peur, qui est inquiet: *La crainte d'une chute* *l'empêche de pratiquer l'alpinisme.* SYN. appréhension, trac. ANT. audace, bravoure, courage. ☞ craindre. dans la **crainte de** loc.prép. Dans la peur de : *Dans la crainte d'échouer, il a étudié toute la semaine.* de **crainte que** loc.conj. Pour ne pas que : *Elle cachait son visage de crainte qu'on ne la reconnaisse.* **R.** S'emploie toujours avec le subjonctif et souvent avec le *ne* explétif.

craintif, ive adj. **1.** Qui a peur facilement ; qui est porté à la crainte : *Les animaux sauvages sont instinctivement craintifs.* SYN. effrayé, inquiet, peureux. ANT. audacieux, brave, courageux. **2.** Qui montre, exprime de la crainte : *Il venait vers nous d'une démarche craintive.* SYN. effrayé, inquiet, peureux, timide. ANT. audacieux, brave, courageux. ☞ craindre.

craintivement adv. D'une façon craintive : *Elle s'est approchée craintivement de ce chien.* ☞ craindre.

cramoisi, ie adj. (arabe) **1.** Qui est d'une couleur rouge très foncé qui tire sur le violet : *J'ai acheté ce velours cramoisi pour recouvrir le vieux fauteuil.* **2.** Qui devient très rouge sous l'effet de la honte, de l'émotion, de l'effort, etc., en parlant du teint, de la peau : *Elle a tellement couru que son visage en est devenu cramoisi.*

crampe n.f. Contraction douloureuse, involontaire d'un ou de plusieurs muscles : *Au milieu du lac, il a ressenti une crampe au mollet.* ⁄⁄ *Crampe d'estomac :* Douleur à l'estomac due à la faim ou à la mauvaise digestion.

crampon n.m. **1.** Chacune des saillies placées sous la semelle de certains souliers de sport pour empêcher de glisser : *Le joueur de football porte des chaussures à crampons.* **2.** Pièce de métal recourbée qui sert à retenir, à saisir fermement : *Les ouvriers remplaçaient les crampons de la voie ferrée.* SYN. crochet, grappin. ⁄⁄ *Pneu à crampons :* Pneu à clous ou à dessins très protubérants qui permet une meilleure adhérence sur le sol glissant. ☞ cramponnement, cramponner.

cramponnement n.m. Action de cramponner, de se cramponner : *Cette trapéziste a une force de cramponnement incroyable.* ☞ crampon.

cramponner v. Attacher, fixer avec un crampon : *La maçonne a cramponné les pierres de ce mur pour qu'il soit solide.* ANT. arracher, détacher. ☞ crampon. se **cramponner** v.pron. **1.** S'accrocher : *La vigne grimpait le long du mur et se cramponnait aux briques.* ANT. détacher. **2.** Tenir fermement, saisir en serrant fortement : *Je me cramponne à son bras pour ne pas tomber.* ANT. lâcher, laisser. **3.** fig. Persister dans quelque chose, y être attaché : *Quand il a une idée, il s'y cramponne.* ANT. renoncer.

cran n.m. **1.** Entaille sur un vêtement, une chaussure en fabrication, qui sert de point de repère : *Lors de l'assemblage d'un vêtement, on réunit les crans.* SYN. coche, encoche. **2.** Entaille sur un corps dur qui sert à accrocher, à arrêter quelque chose : *J'ai monté de deux crans les taquets de l'étagère.* SYN. coche, encoche. **3.** fig. Degré, niveau : *Ses efforts au travail lui ont permis d'avancer d'un cran.* **4.** Trou qui sert d'arrêt dans une courroie, une bande : *J'ai serré ma ceinture de deux crans.* ⁄⁄ *Cran d'arrêt, de sûreté :* Cran qui cale la gâchette d'une arme à feu, la lame d'un couteau. *Cran de mire :* Entaille qui sert de repère, sur une arme à feu. ▲ **cran** n.m.fam. Courage, sang-froid : *Elle a eu beaucoup de cran dans cette aventure.*

crâne n.m. **1.** Ensemble des os plats qui forment le dessus de la tête : *Dans l'accident, le passager a eu une fracture du crâne.* **2.** fam. Tête : *Il a le crâne chauve.* ⁄⁄ *Bourrage de crâne :* Fait de mémoriser sans comprendre. **R.** Ne pas oublier l'accent : *â.* ☞ crânien.

crâne adj. litt. et vx Qui est fier, déterminé ; qui montre du courage : *Elle prenait un air crâne pour cacher sa peur.* ANT. peureux, poltron. **R.** Ne pas oublier l'accent : *â.* ☞ crânement, crâner, crâneur.

crânement adv.litt. De manière crâne, courageuse : *Elle fit face crânement à l'épreuve.* SYN. bravement, courageusement. ANT. peureusement. **R.** Ne pas oublier l'accent : *â.* ☞ crâne (adj.).

crâner v.fam. **1.** Faire semblant d'être brave ou courageux : *Elle crâne devant les difficultés.* SYN. fanfaronner. ANT. trembler. **2.** Prendre un air fier, vaniteux : *Il crâne parce qu'il est satisfait de sa réussite.* **R.** Ne pas oublier l'accent : *â.* ☞ crâne (adj.).

crâneur, euse n.fam. Personne qui pose à l'important ; qui prend des airs prétentieux : *C'est un crâneur de la pire espèce.* SYN. vaniteux. ANT. modeste, simple. **R.** Ne pas oublier l'accent : *â.* ☞ crâne (adj.).

crânien, ienne adj. Qui se rapporte au crâne : *La boîte crânienne renferme le cerveau.* **R.** Ne pas oublier l'accent : *â.* ☞ crâne (n.).

crapaud n.m. Amphibien insectivore à peau couverte de verrues, à tête large et au corps trapu : *J'entends le coassement du crapaud.*

crapet n.m. Au Canada, poisson d'eau douce au corps très coloré, dont les nageoires dorsales sont en partie réunies: *Un crapet-soleil et deux crapets de roche ont mordu à mon hameçon.*

crapule n.f. Personne malhonnête: *Cet individu est une crapule.* SYN. canaille, escroc. ☞ crapuleusement, crapuleux.

crapuleusement adv. De manière crapuleuse, malhonnête: *Elle a agi crapuleusement.* ☞ crapule.

crapuleux, euse adj. Qui est malhonnête, de mauvaises mœurs: *Il mène une vie crapuleuse.* ⁄⁄ *Crime crapuleux:* Crime commis par intérêt, pour voler. ☞ crapule.

craque n.f. Mensonge dans un but d'exagération, vantardise: *Monique nous a raconté des craques.* HOM. crac!, crack, krach. **R.** N'a pas le sens de *craquelure, crevasse, fissure*.

craquelé, ée adj. Qui présente une surface fendillée: *Tu peux jeter cette poterie craquelée.* HOM. craqueler. ☞ craqueler.

craqueler v. Fendiller une surface polie: *Le froid a craquelé le ciment du garage.* ANT. lisser. HOM. craquelé. ☞ craquelé, craquelure.

craquelin n.m. (néerl.) Sorte de biscuit sec qui craque sous les dents: *Prends ces craquelins avec ta soupe.*

craquelure n.f. Fissure, fendillement, du vernis, de la peinture ou de toute surface polie: *As-tu remarqué la craquelure dans ce mur?* ☞ craqueler.

craquement n.m. Bruit sec fait par un corps qui craque ou qui se brise: *Les craquements du plancher me réveillent.* ☞ craquer.

craquer v. **1.** Se briser, se déchirer en produisant un bruit sec: *La couture de son pantalon a craqué.* **2.** Émettre un bruit sec à la suite d'une pression, d'un frottement: *Le bois mort craque sous nos pas.* **3.** Avoir une défaillance physique ou mentale: *La coureuse a craqué au dernier tour.* ⁄⁄ *Faire craquer ses doigts:* Produire un craquement en tirant sur les articulations. *Plein à craquer:* Trop plein. ☞ craquement, craqueter, craquettement.

craqueter v. **1.** Faire entendre des craquements répétés: *Le bois craquette dans le foyer.* **2.** Crier, en parlant de la cigogne, de la grue: *Au jardin zoologique, j'ai entendu la grue craqueter.* **3.** Émettre un bruit avec les ailes, en parlant de la cigale: *La cigale a craqueté tout l'été.* **R.** Ne pas confondre avec *caqueter*. ☞ craquer.

craquettement n.m. **1.** Action de craqueter, d'émettre des craquements répétés: *Entends-tu le craquettement des brindilles dans le feu?* **2.** Cri de la cigogne, de la grue; bruit de la cigale: *Quand il fait chaud, on entend le craquettement de la cigale.* **R.** Aussi, *craquètement*. ☞ craquer.

crasse n.f. Couche de saleté qui se forme sur la peau, sur le linge, les objets: *Ses mains sont couvertes de crasse.* ANT. propreté. ⁄⁄ *Enlever la crasse:* Laver. ☞ crasseux, décrassage, décrasser, désencrasser, encrassement, encrasser. ▲ **crasse** n.f.fam. Indélicatesse, mauvais tour joué à quelqu'un: *Pour s'amuser, on voulait lui faire une crasse.*

crasse adj.f. Qui est grossière, qui atteint un très haut degré: *Son ignorance crasse est inexcusable.* **R.** Ne s'emploie qu'avec les mots *avarice, bêtise, ignorance, paresse*.

crasseux, euse adj. Qui est recouvert de crasse, malpropre: *J'ai lavé mes bas crasseux.* SYN. sale. ANT. net, propre. ☞ crasse.

cratère n.m. **1.** Partie supérieure creuse d'un volcan par laquelle sont projetées les matières en fusion: *Une géologue est descendue dans le cratère de ce volcan éteint.* **2.** Enfoncement produit par l'impact d'un météorite à la surface d'un astre; trou laissé dans le sol par l'explosion d'une bombe: *La surface de la Lune est couverte de cratères.* **3.** Grand vase à deux anses de l'Antiquité, dans lequel on mélangeait le vin et l'eau: *Au moment du repas, on apportait le cratère dans la salle de festin.*

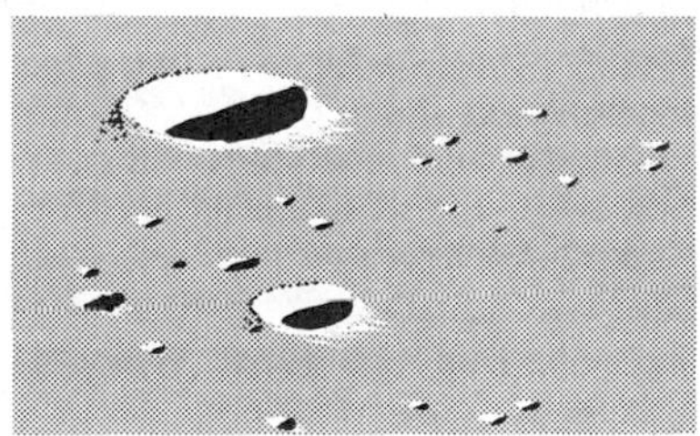

cratères

cravache n.f. Baguette mince et souple utilisée par les cavaliers pour stimuler ou corriger un cheval: *La cavalière est partie, cravache à la main.* ☞ cravacher.

cravacher v. Frapper à coups de cravache: *Le cavalier cravache sa monture.* ☞ cravache.

cravate n.f. Bande d'étoffe passée autour du cou et nouée par-devant: *Une cravate rayée complète son habillement.*

crawl n.m. (angl.) Nage rapide sur le ventre qui se caractérise par des mouvements continus et alternatifs des bras et des pieds: *Cette nageuse excelle dans le crawl.* **R.** Les lettres *awl* se prononcent *ol.* ☞ crawler, crawleur.

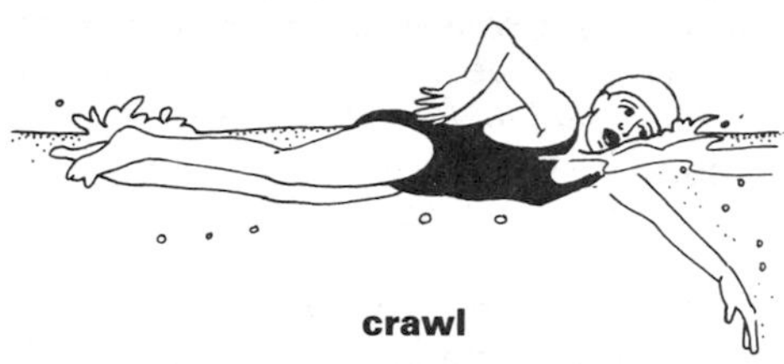
crawl

crawler v. Nager le crawl: *Il devra crawler trois longueurs de piscine.* **R.** Les lettres *awl* se prononcent *ol.* ☞ crawl.

crawleur, euse n. Personne qui nage le crawl: *Cette crawleuse semble infatigable.* **R.** Les lettres *awl* se prononcent *ol.* ☞ crawl.

crayeux, euse adj. **1.** Qui renferme de la craie: *Dans cette région, le sol est crayeux.* **2.** Qui est de même couleur que la craie: *La peau de son visage est d'un blanc crayeux.* ☞ craie.

crayon n.m. **1.** Baguette cylindrique, le plus souvent en bois, qui entoure une longue mine et qui sert à écrire, à dessiner: *Je dois tailler mon crayon.* **2.** Manière de dessiner; dessin fait au crayon: *Les crayons de cet artiste ont une très grande valeur.* ⁄⁄ *Avoir un bon coup de crayon:* Être habile à dessiner. *Crayon à bille:* Stylo à bille. *Crayon de couleur:* Crayon fait de matière colorée. ☞ crayon-feutre, crayonnage, crayonner.

crayon-feutre n.m. Sorte de stylo à encre à l'eau dont la pointe est en feutre et qu'on utilise pour colorier: *Pour colorier dans son album, il utilise ses crayons-feutres.* **R.** Au pluriel, *crayons-feutres*. ☞ crayon.

crayonnage n.m. Dessin rapide fait avec un crayon; action de crayonner: *Le crayonnage de cet enfant est un vrai gribouillage.* ☞ crayon.

crayonner v. Dessiner, écrire avec un crayon, le plus souvent d'une façon hâtive et insuffisante: *Elle crayonnait des notes dans son cahier.* ☞ crayon.

créance n.f. **1.** vx Fait de croire que quelque chose est vrai: *Il prête créance à cette vérité.* SYN. foi. ANT. méfiance. **2.** Droit qu'une personne a d'exiger quelque chose de quelqu'un, spécialement une somme d'argent: *Les créances doivent être ajoutées à l'actif d'un bilan.* ANT. dette. ☞ créancier.

créancier, ière n. Personne à qui l'on doit de l'argent: *La créancière exige son argent dans trente jours.* ANT. débiteur. ☞ créance.

créateur, trice n. et adj. **1.** n. Personne qui crée, qui invente ou qui innove dans le domaine artistique, scientifique, etc.: *Elle est la créatrice de cette sculpture.* SYN. inventeur, producteur. ANT. destructeur. **2.** adj. Qui crée, qui invente ou qui innove: *Nous étions épatés par son imagination créatrice.* ⁄⁄ *Le Créateur:* Dieu. ☞ créer.

créatif, ive adj. Qui est capable de créer, d'inventer, d'utiliser son imagination; qui favorise la création: *Cette œuvre d'imagination témoigne d'un esprit très créatif.* ☞ créer.

création n.f. **1.** Action de donner l'existence, la vie: *La création du monde s'est faite en six jours.* ANT. destruction. **2.** Action de faire, de réaliser quelque chose de nouveau, qui n'existait pas encore: *Cette entreprise a permis la création de vingt nouveaux emplois.* SYN. conception, invention. ANT. destruction. **3.** Œuvre créée, ouvrage, modèle qui n'est pas encore connu: *C'est une création d'un grand couturier.* ANT. copie, imitation. ☞ créer.

créativité n.f. Pouvoir de créer, d'inventer, d'utiliser son imagination: *Il a fait preuve de beaucoup de créativité dans ce dessin.* ☞ créer.

créature n.f. **1.** Tout être créé, par rapport au Créateur, à Dieu: *Les insectes sont des créatures de Dieu.* ANT. auteur, Dieu. **2.** Être humain, personne: *Nous sommes tous et toutes des créatures.* **3.** fam. Femme, particulièrement une belle femme: *Gédéon est attiré par les créatures.* ☞ créer.

crécelle n.f. Petit instrument de bois, souvent un jouet, composé d'une petite planche qui tourne sur une roue dentée et produit un son aigu: *Les enfants s'amusaient bruyamment avec leurs crécelles.* ⁄⁄ *Bruit de crécelle:* Bruit sec et aigu. *Voix de crécelle:* Voix désagréable.

crécerelle n.f. Petit rapace diurne, sorte de faucon à longue queue: *On trouve des crécerelles américaines dans le sud du Québec en été.*

crèche n.f. **1.** litt. et vx Mangeoire qui contient les aliments de certains bestiaux: *Les crèches de la bergerie étaient toujours remplies.* **2.** Mangeoire garnie de paille dans laquelle Jésus fut déposé, à sa naissance, dans une étable de Bethléem: *Le bœuf et l'âne réchauffaient de leur souffle Jésus endormi* *dans la crèche.* **3.** Établissement qui reçoit, dans la journée, les enfants d'âge préscolaire: *Mon petit frère adore aller à la crèche.* SYN. garderie. **R.** N'a pas le sens de *orphelinat*.

crédibilité n.f. Fait qui entraîne qu'une chose peut être crue, que quelqu'un est digne de confiance: *La crédibilité de son discours lui a valu beaucoup d'applaudissements.* ☞ crédible.

crédible adj. Qui peut être cru, qui est digne de confiance: *Son récit est parfaitement crédible.* ☞ crédibilité, incrédibilité.

crédit n.m.vx Confiance inspirée par quelqu'un ou quelque chose: *On accordait beaucoup de crédit à ses propos.* ☞ discrédit, discréditer. ▲ **crédit** n.m. **1.** Confiance dans le fait qu'une personne a les moyens de payer ses créanciers: *Depuis que je travaille régulièrement, j'ai un excellent crédit auprès des institutions bancaires.* **2.** Ensemble des sommes prévues au budget d'un organisme public en vue d'un usage déterminé: *La ville dispose d'un crédit de plusieurs millions pour la réfection des routes.* **3.** Partie d'un compte qui indique les sommes remises à quelqu'un: *Ce crédit de cent dollars portera mon compte à sept cents dollars.* ANT. débit. ⁄⁄ *À crédit:* Sans demander de paiement immédiat. *Carte de crédit:* Pièce, titre, qui permet d'acheter sans argent comptant. *Faire crédit à quelqu'un:* Accorder à quelqu'un un délai de paiement. ☞ créditer.

créditer v. Inscrire une certaine somme au crédit de quelqu'un: *Veuillez créditer mon compte de cent dollars.* ANT. débiter. ☞ crédit.

credo n.m.invar. et n.m. (lat.) **1.** n.m.invar. Symbole des apôtres renfermant les articles de base de la foi catholique: *À la messe, nous chantons le Credo.* **2.** n.m. Ensemble des principes sur lesquels on fonde ses opinions, son comportement: *Connais-tu le credo des optimistes?* SYN. règle. **R.** On met la majuscule à *credo* lorsqu'il s'agit du symbole des apôtres. Les lettres *cre* se prononcent *kré*.

crédule adj. Qui croit naïvement tout ce qu'on lui dit, qui fait confiance à ce qu'il lit ou entend: *Tu es trop crédule, cela pourrait te jouer des tours.* SYN. confiant, naïf. ANT. défiant, incrédule, sceptique. ☞ crédulité, incrédule, incrédulité.

crédulité n.f. Facilité à croire n'importe quoi: *Les charlatans abusent de la crédulité des gens.* SYN. confiance, naïveté. ANT. incrédulité, scepticisme. ☞ crédule.

créer v. **1.** Faire exister ce qui n'existait pas, donner la vie: *Dieu a créé le ciel et la terre.* ANT. anéantir, détruire. **2.** Inventer, concevoir, réaliser quelque chose qui n'existait pas: *Cet auteur a créé un nouveau genre de théâtre.* SYN. imaginer, produire. ANT. abolir, détruire, supprimer. **3.** Organiser, fonder, établir: *Le ministre a promis de créer de nouveaux emplois.* **4.** Provoquer quelque chose, en être la cause: *La vie moderne a créé de nombreux nouveaux besoins.* SYN. occasionner, susciter. ANT. supprimer. **5.** Fabriquer, mettre un nouveau produit sur le marché: *Elle vient de créer un nouveau parfum.* ☞ créateur, créatif, création, créativité, créature, recréer. **se créer** v.pron. Susciter pour soi: *Il se crée des besoins artificiels.*

crémage n.m. En chimie, séparation des particules d'un liquide dispersées dans un autre liquide: *La technicienne procédait au crémage de la solution.* **R.** N'a pas le sens de *glace* (pour les pâtisseries). Ne pas confondre avec *écrémage*.

crémaillère n.f. **1.** Tige de fer munie de crans située à l'intérieur d'une cheminée, pour y suspendre une marmite à différentes hauteurs: *Un ragoût mijotait dans la marmite accrochée à la crémaillère.* **2.** Dispositif muni de crans qui permet d'ajuster la hauteur d'éléments mobiles: *Nous avons acheté une bibliothèque à crémaillères.* ⁄⁄ *Direction à crémaillère d'une automobile:* Direction pourvue d'un système d'engrenage qui transforme le mouvement.

crémation n.f. Action de brûler les corps des personnes décédées: *La crémation de la défunte aura lieu dans deux jours.* SYN. incinération. ☞ crématoire.

crématoire n.m. et adj. **1.** n.m. Lieu où se fait la crémation, où les corps sont réduits en cendres: *Nous avons escorté la dépouille mortelle jusqu'au crématoire.* **2.** adj. Qui se rapporte à la crémation: *Les fours crématoires sont des fours destinés à réduire les corps en cendres.* ☞ crémation.

crème n.f. et adj.invar. **1.** n.f. Partie grasse dans la composition du lait qui sert à fabriquer le beurre: *Pour faire ce dessert, j'ai besoin d'une tasse de crème.* **2.** n.f. Dessert à base de lait et d'œufs, aromatisé de vanille, de chocolat, etc.: *J'aime la crème au chocolat.* **3.** n.f. Produit utilisé pour les soins de la peau, la toilette: *Pour conserver l'humidité de ma peau, j'applique une crème de nuit.* **4.** adj. invar. Qui est d'une couleur blanche, un peu jaunâtre: *Mon amie a des gants et un chapeau crème.* HOM. chrême. ⁄⁄ *Café-crème:* Café additionné de crème ou de lait. *C'est la crème des hommes:* C'est le meilleur des hommes. *Crème à raser:* Sorte de savon à barbe, en mousse. *Crème fouettée:* Crème fraîche battue vivement et épaissie. *Crème glacée:* Préparation de lait, de crème qu'on fait geler. *Tarte à la crème:* Dessert à base de lait et d'œufs. ☞ crème-dessert, crémerie, crémeux, crémier, écrémage, écrémer, écrémeuse.

crème-dessert n.f. Au Canada, dessert à base de lait, de sucre et d'huile végétale, aromatisé et coloré: *J'ai préparé une crème-dessert au goût de caramel.* **R.** Au pluriel, *crèmes-desserts*. N'a pas le sens de *pudding*. ☞ crème.

crémerie n.f. Magasin où l'on vend des produits laitiers; petit restaurant: *J'achète de la crème glacée à la crémerie.* ☞ crème.

crème crémerie

crémeux, euse adj. **1.** Qui contient beaucoup de crème: *C'est un dessert très crémeux et riche en matières grasses.* **2.** Qui a l'aspect, la consistance de la crème: *C'est un fromage crémeux.* ☞ crème.

crémier, ière n. Personne qui fait le commerce des produits laitiers: *Mélanie est la meilleure crémière de la ville.* ☞ crème.

créneau, eaux n.m. **1.** Chacune des fentes d'un rempart par où les défenseurs pouvaient tirer l'ennemi: *Autrefois, dans les châteaux, les soldats se plaçaient dans les créneaux pour tirer.* **2.** Espace libre entre deux espaces occupés, particulièrement entre deux voitures en stationnement: *Peux-tu te stationner dans ce créneau?* ☞ crénelé, créneler.

crénelé, ée adj. **1.** Qui est percé de créneaux: *Ce mur est crénelé.* **2.** Dont le bord est découpé: *La feuille de cet arbre est crénelée.* HOM. créneler. ☞ créneau.

créneler v. Tailler des crans, des découpures: *Le métallurgiste crénelle une roue pour qu'elle s'ajuste à l'engrenage.* HOM. crénelé. **R.** Ne pas oublier de doubler le *l* devant un *e* muet. ☞ créneau.

créole n. et adj. (esp.) **1.** n. Personne d'ascendance européenne, donc de race blanche, née dans les îles entre les tropiques (Antilles, Guyane): *Un Créole, une Créole.* **2.** adj. Qui appartient aux Créoles: *J'ai bien aimé la cuisine créole.* **R.** On met la majuscule à *créole* lorsque le nom désigne une personne.

créole n.m. Langue mixte résultant du contact d'une langue européenne (français, anglais, espagnol, portugais) et de langues africaines: *Le créole est devenu la langue maternelle d'une communauté.*

créosote n.f. Liquide huileux, incolore, d'odeur forte, utilisé pour la conservation du bois: *On a injecté de la créosote dans ces planches de bois.*

bois: *On a injecté de la créosote dans ces planches de bois.*

crêpage n.m. Action d'apprêter une étoffe pour en faire un crêpe: *Le crêpage d'une étoffe nécessite une technique particulière.* ☞ crêpe (n.m.). ▲ **crêpage** n.m. Action de crêper les cheveux, de les faire gonfler: *Un crêpage trop vigoureux peut abîmer les cheveux.* **R.** Ne pas oublier l'accent: *ê*. ☞ crêper.

crêpe n.f. Sorte de galette souple obtenue à partir d'un mélange de lait, de farine et d'œufs, cuit dans une poêle ou sur une plaque: *J'aime les crêpes arrosées de sirop d'érable.* **R.** Ne pas oublier l'accent: *ê*. ☞ crêperie, crêpier, crêpière.

crêpe n.m. **1.** Caoutchouc épais utilisé pour faire des semelles de chaussures: *Ses semelles de crêpe l'ont empêché de glisser.* **2.** Sorte de tissu léger pour confectionner des vêtements: *Sa robe est faite de crêpe.* ⁄⁄ *Crêpe de Chine:* Crêpe de soie à gros grain. *Porter un crêpe:* Porter un morceau de crêpe ou de tissu noir en signe de deuil. **R.** Ne pas oublier l'accent: *ê*. ☞ crêpage, crêper, crépon.

crêpelé, ée adj. Qui sont frisés à petites ondulations serrées, en parlant des cheveux: *Elle avait naturellement les cheveux crêpelés.* **R.** Ne pas oublier l'accent: *ê*. ☞ crêper.

crêper v. Peigner les cheveux par mèches, de la pointe à la racine, pour leur donner du volume: *Le coiffeur a crêpé mes cheveux.* ☞ crêpage, crêpelé, crépu, décrépage, décrêper. ▲ **crêper** v. Donner l'apparence du crêpe à une étoffe, un papier: *Pour crêper une étoffe, on lui fait subir une compression.* **R.** Ne pas oublier l'accent: *ê*. ☞ crêpe (n.m.).

crêperie n.f. Restaurant où l'on mange des crêpes, où l'on confectionne des crêpes: *Dimanche, nous irons souper à la crêperie.* **R.** Ne pas oublier l'accent: *ê*. ☞ crêpe (n.f.).

crépi n.m. Couche de ciment ou de plâtre granuleux dont on recouvre les murs: *Ces murs ont été recouverts de crépi.*

crêpier, ière n. Personne qui confectionne ou vend des crêpes: *Ce crêpier fait de bonnes crêpes.* **R.** Ne pas oublier l'accent: *ê*. ☞ crêpe (n.f.).

crêpière n.f. Appareil à plaques ou poêle peu profonde servant à cuire les crêpes: *La crêpière est assez chaude, je peux y verser la pâte.* **R.** Ne pas oublier l'accent: *ê*. ☞ crêpe (n.f.).

crépitement n.m. Fait de crépiter, d'émettre une suite de bruits secs: *Écoute le crépitement du feu.* **R.** Aussi, *crépitation*. ☞ crépiter.

crépiter v. Faire entendre une suite de bruits secs : *Le feu crépite dans la cheminée.* SYN. grésiller, pétiller. ☞ crépitement.

crépon n.m. et adj.m. **1.** n.m. Tissu de crêpe épais : *J'ai acheté deux mètres de crépon.* **2.** adj.m. Qui est gaufré, en parlant du papier : *Dans ce travail, elle utilise du papier crépon.* ☞ crêpe (n.m.).

crépu, ue adj. Qui est frisé naturellement à très fines ondulations serrées : *Sa chevelure est crépue.* SYN. crêpelé. ANT. lisse, raide. ☞ crêper.

crépuscule n.m. Lumière particulière, incertaine, qui suit le coucher du soleil jusqu'à la noirceur complète : *Mes parents veulent que je rentre au crépuscule.* ∥ *Crépuscule de la vie :* Vieillesse.

crescendo n.m.invar. et adv. (it.) **1.** n.m. invar. Suite de notes qu'on doit jouer en augmentant l'intensité sonore : *La pianiste exécute des crescendo.* ANT. diminuendo. **2.** adv. En augmentant graduellement l'intensité du son : *Ces mesures doivent être exécutées crescendo.* ☞ decrescendo.

cresson n.m. Plante qui pousse dans l'eau douce et que l'on cultive pour ses feuilles comestibles : *J'ai mangé une délicieuse salade de cresson.* ☞ cressonnière.

cressonnière n.f. Bassin rempli d'eau dans lequel on cultive le cresson : *Y a-t-il des cressonnières au Québec ?* ☞ cresson.

crête n.f. **1.** Morceau de chair rouge et dentelée que l'on trouve au sommet de la tête de certains oiseaux terrestres : *Le coq porte une crête.* **2.** Ligne de sommet d'une montagne ; sommet d'un mur, d'une construction : *Elle a atteint la crête de ce mont.* **3.** Sommet torsadé d'une vague : *On voyait le ballon monter et descendre, transporté par la crête des vagues.* ∥ *Lever la crête :* Être arrogant. **R.** Ne pas oublier l'accent : *ê*. ☞ crêté.

crêté, ée adj. Qui porte une crête : *Le coq est un oiseau crêté.* **R.** Ne pas oublier l'accent : *ê*. ☞ crête.

crétin, ine n. et adj. **1.** n. Personne atteinte d'une forme de déficience intellectuelle souvent accompagnée de modifications physiques : *Le mauvais fonctionnement de sa thyroïde a fait d'elle une crétine.* **2.** n. Personne qui est stupide, sotte : *Ne le prenez pas pour un crétin.* SYN. idiot, imbécile. ANT. malin. **3.** adj. Qui est stupide, sot : *Ce garçon est vraiment crétin.* SYN. idiot, imbécile. ANT. fin, intelligent.

cretons n.m.plur. Au Canada, mets préparé avec de la viande de porc hachée et des oignons : *J'aime manger des cretons en sandwich.*

creusage n.m. Action de creuser ; son résultat : *Cet équipement servira au creusage d'un fossé.* **R.** Aussi, *creusement*. ☞ creux.

creuser v. **1.** Rendre creux en ôtant de la matière : *Le chien creuse le sol pour enfouir son os.* SYN. évider, excaver. ANT. combler. **2.** fig. Ouvrir l'appétit, donner faim : *Cette longue randonnée m'a creusé l'estomac.* **3.** fig. Approfondir : *C'est un bon sujet mais il faut le creuser davantage.* **4.** Faire quelque chose en ôtant de la matière : *Les prisonniers avaient creusé un tunnel.* SYN. excaver, ouvrir. ANT. combler. ∥ *Creuser les reins :* Cambrer les reins. ☞ creux. se **creuser** v.pron. **1.** Devenir creux : *Ses joues se creusent.* **2.** fig. Chercher en travaillant, en réfléchissant beaucoup : *Elle se creuse la cervelle pour trouver une solution.*

creuset n.m. **1.** Récipient utilisé en chimie dans lequel on fait fondre ou calciner certaines substances : *La chimiste a placé un morceau de verre dans le creuset.* **2.** fig. Lieu où se mêlent, se joignent diverses choses : *Montréal est un creuset de cultures.*

creux n.m. **1.** Cavité, vide dans un corps : *L'écureuil logeait dans le creux d'un vieux chêne.* SYN. trou. **2.** Espace vide entre deux choses : *Il s'est faufilé dans ce creux.* SYN. enfoncement. **3.** Période d'activité ralentie : *En janvier, il y a un creux dans l'économie.* **4.** Partie concave de quelque chose : *La route est remplie de creux et de bosses.* ∥ *Avoir un creux dans l'estomac :* Avoir faim. *Le creux de la main :* Partie concave à l'intérieur de la main. *Le creux de l'estomac :* Partie du buste au-dessous du sternum. *Sonner le creux :* Produire le son d'un objet creux que l'on frappe.

creux, creuse adj. **1.** Qui est vide, totalement ou en partie, à l'intérieur : *Ce vieil arbre creux risque de tomber.* **2.** fig. Qui n'a pas de sens, qui est futile : *Tu peux garder pour toi tes discours creux.* **3.** Qui présente une concavité : *Équipé d'un râteau et d'un rouleau, le jardinier nivelait les surfaces creuses du terrain.* ∥ *Assiette creuse :* Assiette dont la profondeur permet de contenir des liquides. *Avoir l'estomac creux :* Avoir faim. *Dent creuse :* Dent trouée par la carie. *Heure, période creuse :* Période pendant laquelle les activités sont ralenties. *Son creux :* Son d'un objet creux sur lequel on frappe. **R.** N'a pas le sens de *profond*. ☞ creusage, creuser, recreuser.

crevaison n.f. Action de crever, de s'ouvrir en éclatant ; son résultat : *Il a fait une crevaison sur la route du retour.* ☞ crever.

crevant, ante adj.pop. **1.** Qui épuise, fait

mourir de fatigue: *Ce travail est crevant.* SYN. épuisant, fatigant. ANT. reposant. **2.** Qui amuse, fait éclater de rire: *Cette histoire est crevante.* SYN. amusant, drôle. ANT. triste. ☞ crever.

crevasse n.f. **1.** Fissure profonde à la surface de quelque chose: *Il y a une crevasse dans ce mur.* SYN. fente, lézarde. **2.** Gerçure de la peau: *Elle a des crevasses aux mains.* ⁄⁄ *Crevasse des glaciers:* Cassure étroite et profonde dans la glace. ☞ crevasser.

crevasser v. Faire des crevasses, produire des fentes à la surface d'une chose: *L'hiver crevasse nos routes.* SYN. craqueler, fendiller, gercer, lézarder. ☞ crevasse. **se crevasser** v.pron. Se fendiller, se fendre, se marquer de crevasses: *Lors d'un tremblement de terre, il arrive que les murs se crevassent.*

crevé, ée adj. **1.** Qui montre une déchirure, une crevaison: *Il va faire réparer son pneu crevé.* **2.** Qui est mort: *J'ai trouvé un chien crevé de froid.* **3.** fam. Qui est fatigué, épuisé: *Je suis complètement crevée après un tel effort.* HOM. crever. ☞ crever.

crève-cœur n.m.invar. Grand déplaisir accompagné de dépit: *Quel crève-cœur de devoir quitter notre village.* ☞ crever.

crever v. **1.** S'ouvrir en éclatant, sous l'effet d'une tension trop forte: *Ce nuage noir va crever sur nos têtes.* SYN. déchirer, éclater. ANT. résister. **2.** Mourir, en parlant des animaux et des plantes: *Cet animal va crever bientôt.* ANT. naître, vivre. **3.** pop. Mourir, en parlant d'une personne: *Je ne voudrais pas qu'elle crève.* ANT. naître, vivre. ⁄⁄ *Crever de chaleur:* Avoir très chaud. *Crever de faim:* Avoir très faim, être dans la misère. *Crever de rire:* Éclater de rire. ☞ crevaison, crevé. ▲ **crever** v. **1.** Faire éclater une chose tendue, déchirer: *J'ai crevé tous les ballons.* SYN. percer. **2.** Fatiguer, exténuer par un effort trop violent: *La cavalière a crevé son cheval.* SYN. épuiser. **3.** fam. Épuiser, fatiguer, en parlant d'une personne: *Ce travail me crève.* ANT. reposer. HOM. crevé. ⁄⁄ *Cela crève les yeux:* C'est évident. *Crever le cœur:* Faire de la peine. ☞ crevant, crevé, crève-cœur, increvable.

crevette n.f. Petit crustacé de mer ou d'eau douce dont plusieurs espèces sont comestibles: *La crevette prend une coloration rosée quand on la fait cuire.*

cri n.m. **1.** Son perçant émis par la voix: *Elle poussait des cris de douleur.* SYN. hurlement. ANT. murmure, silence. **2.** Paroles émises avec force, sur un ton aigu: *Heureusement, son cri de détresse fut entendu.* SYN. clameur, gémissement, vocifération. ANT. murmure, silence. **3.** Son émis par les oiseaux, les animaux, variant selon les espèces, en particulier lorsque ce cri n'a pas de nom: *As-tu entendu le cri des hirondelles?* ⁄⁄ *Le cri du cœur:* Expression spontanée, non maîtrisée d'un sentiment sincère. *Le dernier cri de la mode:* La toute dernière nouveauté de la mode. ☞ criailler, criaillerie, criant, criard, criée, crier, crieur.

criailler v. **1.** Crier beaucoup, se plaindre d'une façon agaçante, et souvent pour rien: *Cette enfant criaille et c'est désagréable.* **2.** Crier, en parlant de l'oie, du faisan, du paon, de la pintade et de la perdrix: *Un vol d'oies sauvages qui criaillaient nous a fait lever la tête.* ☞ cri.

criaillerie n.f. Cris fréquents, querelles, suite de plaintes pour des choses futiles: *Ces criailleries me dérangent.* SYN. jérémiade, lamentation. ☞ cri.

criant, ante adj. **1.** Qui fait protester, qui provoque des cris d'indignation: *Ce verdict est une injustice criante.* SYN. choquant, révoltant. **2.** Qui s'impose à l'esprit: *Il s'agit d'une vérité criante.* ☞ cri.

criard, arde adj. **1.** Qui crie d'une façon désagréable, sans motif sérieux: *C'est un garçon criard.* SYN. braillard. ANT. silencieux. **2.** Qui est aigu et désagréable à l'oreille: *Sa voix criarde est énervante.* SYN. perçant. ANT. agréable, harmonieux. **3.** Qui choque la vue: *Aimes-tu les couleurs criardes de ce papier peint?* SYN. hurlant. ANT. sobre. ☞ cri.

crible n.m. Ustensile percé de trous pour trier des objets de grosseur inégale: *À la conserverie, les pois sont passés au crible.* SYN. passoire, tamis. ☞ cribler.

cribler v. **1.** Passer au crible, tamiser, trier: *Son travail est de cribler du sable.* ANT. mélanger, mêler. **2.** Percer de trous, comme un crible; couvrir de marques: *Le corps de l'oiseau a été criblé de balles.* ☞ crible.

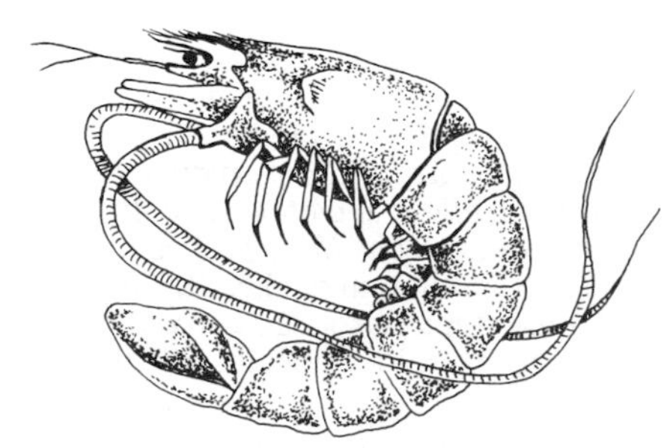

crevette

cric n.m. Appareil à manivelle servant à soulever des charges pesantes : *Elle utilise un cric d'automobile pour changer son pneu.* HOM. crique.

cric ! interj. Mot exprimant le bruit sec d'une chose qui craque, se déchire : *Cric, crac! la branche s'est cassée.* HOM. crique. **R.** Se joint le plus souvent à *crac*.

criée n.f. Vente publique aux enchères de certaines marchandises : *Il y a eu une vente de viande à la criée au marché.* HOM. crier. ☞ cri.

crier v. **1.** Pousser des cris : *Cet enfant s'est blessé, il crie de douleur.* SYN. brailler, hurler. ANT. chuchoter, murmurer. **2.** Parler très fort et avec colère : *Tu peux parler sans crier, je vais comprendre quand même.* ANT. chuchoter, murmurer. **3.** Crier, en parlant des animaux et surtout des oiseaux : *Quand le hibou crie, on dit qu'il hulule.* **4.** Émettre un bruit aigu, grincer : *Il faut réparer ces freins qui crient.* SYN. crisser. **5.** Gronder, réprimander quelqu'un d'une voix forte : *Cette institutrice crie rarement après ses élèves.* ⁄⁄ *Une porte qui crie :* Une porte qui grince. ☞ cri. ▲ **crier** v. **1.** Dire à quelqu'un d'une voix élevée : *Ces enfants impolis nous criaient des injures.* **2.** fig. Clamer, faire connaître, affirmer tout haut : *Ce n'était pas nécessaire de crier la nouvelle sur les toits.* SYN. proclamer, répandre. ANT. taire. HOM. criée. ⁄⁄ *Crier famine, crier misère :* Se plaindre de la faim, de la misère. *Crier vengeance :* Exiger, réclamer une vengeance. ☞ cri.

crieur, euse n. Personne qui annonce ce qu'elle vend, en criant : *La crieuse circule entre les gradins et vend des friandises.* ☞ cri.

crime n.m. **1.** Manquement grave à la morale ou à la loi : *J'ai triché à cet examen, est-ce un crime ?* SYN. délit, faute, méfait. ANT. bienfait. **2.** Infraction que la loi punit d'une peine infamante (et non d'une simple amende) : *Il a été condamné à dix ans de pénitencier pour son crime.* **3.** Assassinat, meurtre : *On vient de retrouver l'arme du crime.* SYN. attentat. ☞ criminalité, criminel, criminellement.

criminalité n.f. Ensemble d'actes criminels commis par un groupe donné, à une époque donnée, et considérés suivant leur fréquence et leur nature : *On s'interroge beaucoup sur la criminalité juvénile.* ☞ crime.

criminel n.m. Degré, catégorie d'un tribunal ou d'un ensemble de tribunaux : *Elle est avocate au criminel.* ☞ crime.

criminel, elle n. et adj. **1.** n. Personne coupable d'un meurtre : *Le criminel a laissé des empreintes.* SYN. assassin, meurtrier. ANT. innocent. **2.** adj. Qui est coupable d'une infraction à la morale, à la loi : *« L'alcool au volant, c'est criminel », nous avertissent les affiches.* ANT. innocent, légitime, vertueux. ☞ crime.

criminellement adv. D'une manière criminelle, contre la morale ou la loi : *Elle est criminellement responsable de l'accident.* ☞ crime.

crin n.m. **1.** Poil long et raide qui pousse sur le cou et la queue de certains animaux, surtout des chevaux : *Le garçon d'écurie brosse régulièrement le crin des chevaux.* **2.** Fibre de certains végétaux préparée pour remplacer le crin animal : *Je me frictionne au gant de crin pour activer la circulation du sang.* ☞ crinière.

crinière n.f. **1.** Ensemble des crins qui couvrent le cou de certains animaux : *Regarde la crinière du lion, elle est magnifique.* **2.** fam. Chevelure abondante : *Sa crinière brune flottait sur ses épaules.* ☞ crin.

crinoline n.f. Jupon à armature faite de cerceaux flexibles, donnant de l'ampleur à la robe : *Anciennement, les femmes portaient des robes à crinoline.*

crique n.f. (scand.) Petite baie, enfoncement du rivage : *La chaloupe s'est mise à l'abri, dans une crique.* SYN. anse. HOM. cric.

criquet n.m. Insecte herbivore, volant et sauteur, de couleur grise ou brune : *Les criquets forment des nuées pour voyager et dévastent les cultures.*

crise n.f. **1.** Changement subit, la plupart du temps décisif, au cours d'une maladie : *Après cette nouvelle crise, son état devrait s'améliorer.* ANT. accalmie, apaisement, rémission. **2.** Manifestation soudaine ou aggravation brutale d'un état de santé : *Elle a eu une crise cardiaque.* SYN. accès, attaque, poussée. ANT. accalmie, rémission. **3.** Accès bref et violent d'un état émotif : *Il a piqué une crise de nerfs.* ANT. équilibre. **4.** Période importante et difficile dans l'évolution des choses, des événements: *Plusieurs personnes se souviennent de la crise des années trente.* SYN. perturbation, trouble. ANT. épanouissement, prospérité. **5.** Manque, insuffisance: *Avec cette crise du logement, on peut s'attendre à une hausse des loyers.* ANT. abondance. ⁄⁄ *Crise économique:* Rupture d'équilibre dans l'économie.

crispant, ante adj. Qui agace ou impatiente: *Son attitude est crispante.* SYN. agaçant, énervant, irritant. ☞ crisper.

crispation n.f. **1.** Contraction musculaire involontaire, spasme nerveux: *La crispation de sa bouche est un signe de nervosité:* SYN. convulsion. ANT. détente. **2.** Contraction qui plisse, qui ride la surface de quelque chose: *Un séjour prolongé dans l'eau entraîne la crispation de la peau.* **3.** Mouvement d'impatience, d'irritation: *Tes criailleries me donnent des crispations.* ANT. détente. ☞ crisper.

crisper v. **1.** Contracter les muscles: *La douleur lui crispe le visage.* SYN. convulser. ANT. détendre. **2.** Donner un aspect ridé à la surface de certains objets: *La flamme crispe le papier.* SYN. plisser, rider. ANT. détendre. **3.** fig. et fam. Irriter, impatienter: *Tes folies me crispent.* SYN. agacer. ANT. apaiser. ☞ crispant, crispation. se **crisper** v.pron. **1.** S'irriter: *Il se crispe devant tant de violence.* ANT. s'apaiser. **2.** Se contracter soudainement, vivement: *Ses yeux se crispent.* ANT. se détendre. **3.** fig. S'agripper: *Sous l'émotion, sa main se crispait à la mienne.*

crissement n.m. Action de crisser, de produire un bruit de frottement: *On n'entendait que le crissement de la glace sous les patins.* ☞ crisser.

crisser v. Produire un bruit de frottement, en parlant d'objets durs et lisses: *Elle crisse des dents en dormant.* SYN. grincer. ☞ crissement.

cristal, aux n.m. **1.** Roche transparente et dure: *Jody a un morceau de cristal dans sa collection de roches.* **2.** Variété de verre plus pur et plus lourd que le verre ordinaire; objet fabriqué en cette matière: *Ce vase de cristal est très cher.* **3.** Substance qui se solidifie sous une forme géométrique particulière et définie: *Les cristaux de sel marin sont de forme cubique.* **4.** Chacun des éléments d'un liquide solidifié qui se déposent sur une surface: *Les élèves observent à la loupe les différentes formes des cristaux de neige.* ☞ cristallerie, cristallin (adj.), cristalliser.

cristallerie n.f. **1.** Endroit où l'on fabrique des objets en cristal; la fabrication elle-même: *Cette cristallerie est célèbre pour ses vases.* **2.** Ensemble d'objets en cristal: *Sa cristallerie vaut une petite fortune.* ☞ cristal.

cristallin n.m. Partie transparente de l'œil, en forme de loupe, en arrière de la pupille: *La myopie est due à une mauvaise courbure du cristallin.*

cristallin, ine adj. **1.** Qui est formé de cristaux: *Philippe observe une roche cristalline.* **2.** Qui est transparent et pur comme du cristal: *Je peux voir les poissons à travers l'eau cristalline de ce lac.* SYN. clair, limpide. ANT. brouillé, opaque, trouble. **3.** Qui est clair et aigu comme le son du cristal que l'on frappe: *Cette chanteuse a une voix cristalline.* SYN. légère. ANT. grave. ☞ cristal.

cristalliser v. **1.** Changer en cristaux: *Maman cristallise du sucre pour faire des bonbons.* **2.** fig. Rassembler des éléments éparpillés, stabiliser: *La peur de nous noyer a cristallisé nos énergies.* ☞ cristal. **cristallisé, ée** p.p. et adj. **1.** Qui est en petits cristaux: *Le gâteau est décoré avec du sucre cristallisé.* **2.** Qui est réuni, qui a pris forme: *Rien ne pourra effacer ces souvenirs cristallisés.* ☞ cristal.

critère n.m. Ce qui permet de porter un jugement: *Sur quels critères vous basez-vous pour juger ce travail?*

critiquable adj. Qui peut être critiqué, blâmé: *Sa conduite est critiquable.* SYN. attaquable, discutable. ANT. louable. ☞ critique.

critique n.f., n. et adj. **1.** n.f. Jugement défavorable, reproche: *Ses parents lui ont fait des critiques sur son travail.* SYN. blâme, remontrance. ANT. éloge, louange. **2.** n.f. Étude ou analyse que l'on fait d'une œuvre, afin de porter un jugement: *Carlos a fait une critique élogieuse de ce livre.* SYN. appréciation. **3.** n.f. Ensemble des personnes dont le métier est de juger, de commenter des œuvres: *Son dernier roman a été bien accueilli par la critique.* **4.** n. Personne dont le métier est de juger, de commenter des œuvres: *Ce critique de cinéma fait des commentaires très intéressants.* SYN. commentateur. **5.** adj. Qui est capable de juger, d'analyser une situation: *Michelle a un bon sens critique.* **6.** adj. Qui est porté à critiquer, à blâmer: *Ces gens sont très critiques dans leurs observations.* SYN. négatif. ANT. constructif. ☞ critiquable, critiquer, critiqueur.

critique adj. Qui est grave; qui est dangereux: *La maison flambe; les habitants sont dans une situation critique.* SYN. crucial, décisif, délicat, difficile. ANT. normal, paisible.

critiquer v. **1.** Juger de façon défavorable des personnes ou des choses, faire des reproches: *Cette élève critique sans raison.* SYN.

blâmer, contredire, désapprouver. ANT. admirer, apprécier. **2.** Faire l'analyse d'une œuvre pour en montrer les qualités et les défauts: *Samuel doit critiquer ce film.* SYN. examiner, juger. ☞ critique.

critiqueur, euse n. Personne qui a l'habitude de critiquer, de blâmer: *Ce critiqueur m'ennuie royalement.* ANT. louangeur. ☞ critique.

croassement n.m. Cri du corbeau et de la corneille: *Le croassement des corbeaux a fait fuir les hirondelles.* **R.** Ne pas confondre avec *coassement*. ☞ croasser.

croasser v. Crier, en parlant du corbeau et de la corneille: *La corneille croasse en fuyant son ennemi.* **R.** Ne pas confondre avec *coasser*. ☞ croassement.

croc n.m. Dent pointue, canine des carnivores: *Le lion déchire la viande à l'aide de ses crocs.* ▲ **croc** n.m. Instrument qui comprend un ou plusieurs crochets: *La bouchère suspend de gros morceaux de viande aux crocs de la chambre froide.* **R.** Le *c* ne se prononce pas. ☞ crochet.

croc-en-jambe n.m. Façon de faire tomber une personne en accrochant du pied l'une de ses jambes: *Une élève a fait un croc-en-jambe à Jeanne.* SYN. croche-pied. **R.** Au pluriel, *crocs-en-jambe*.

croc-en-jambe

croche n.f. Note de musique valant la moitié d'une noire: *Il y a beaucoup de croches dans cette pièce musicale.*

croche-pied n.m. Façon de faire tomber une personne en accrochant du pied l'une de ses jambes: *Michel est tombé; on lui a fait un croche-pied.* SYN. croc-en-jambe. **R.** Au pluriel, *croche-pieds*.

crochet n.m. **1.** Objet recourbé servant à suspendre quelque chose: *Mon manteau est suspendu au crochet.* **2.** Tige à bout recourbé dont on se sert pour faire du tricot: *On utilise un petit crochet pour faire de la dentelle.* **3.** Tricot fait avec une tige à bout recourbé: *J'ai fait du crochet hier.* ☞ croc. ▲ **crochet** n.m. Instrument à bout recourbé dont on se sert, à défaut de clef, pour ouvrir une serrure ou une porte: *Les serruriers utilisent souvent un crochet pour ouvrir une porte.* ☞ crochetage, crocheter. ▲ **crochet** n.m. Signe de ponctuation qui ressemble à la parenthèse et comporte des angles droits [ ]: *Les dates d'anniversaire sont inscrites entre crochets.* ▲ **crochet** n.m. Détour: *Je suis en retard, car j'ai fait un crochet pour aller à l'épicerie.* ANT. raccourci. ▲ **crochet** n.m. Coup de poing porté en pliant le bras vers l'intérieur: *Ce boxeur a un menaçant crochet de la droite.*

crochetage n.m. Action d'ouvrir une serrure ou une porte avec un crochet: *Le crochetage d'une serrure n'est pas toujours facile.* ☞ crochet.

crocheter v. Ouvrir une serrure ou une porte avec un crochet: *Il a appelé la serrurière pour crocheter la serrure de son meuble, car il a égaré sa clé.* ☞ crochet.

crochu, ue adj. Qui est recourbé, en forme de crochet: *L'aigle a un bec crochu.* SYN. arqué, courbe. ANT. droit.

crocodile n.m. **1.** Grand reptile à courtes pattes, à fortes mâchoires, qui vit dans les fleuves des régions chaudes: *Le crocodile est un animal féroce.* **2.** Peau de cet animal: *Je veux m'acheter un sac en crocodile.*

crocus n.m. Plante à bulbe qui fleurit tôt au printemps: *Le crocus est une fleur printanière.* **R.** Le *s* se prononce.

croire v. **1.** Considérer comme vrai, admettre: *Je crois ce que dit cette personne.* SYN. accepter. ANT. contester, nier. **2.** Tenir pour sincère: *Je te crois quand tu me dis que tu es mon amie.* **3.** Penser, considérer comme probable ou vraisemblable, sans en être tout à fait certain: *Je crois que je ne pourrai pas y aller.* SYN. estimer, juger, présumer. **4.** Considérer comme réel, vraisemblable ou possible: *Les jeunes enfants croient souvent aux fantômes.* **5.** Avoir confiance: *Julie croit en ses amis.* ANT. douter. **6.** Avoir la foi religieuse: *Cette personne a cru toute sa vie.* ☞ croyable, croyance, croyant, incroyable, incroyablement, incroyance, incroyant.

croisade n.f. **1.** Expédition militaire entreprise par les chrétiens d'Occident contre les musulmans, au Moyen Âge: *Les chrétiens partaient en croisade pour chasser les musulmans des lieux saints.* **2.** Période d'activité, de propagande visant à diriger l'opinion dans une lutte: *Nous organisons une croisade contre la drogue.* ☞ croisé (n.).

croisé n.m. Celui qui partait en croisade: *Au Moyen Âge, les chrétiens devenaient souvent des croisés.* HOM. croisée, croiser. ☞ croisade.

croisé, ée adj. **1.** Qui est disposé en croix: *Les bâtons croisés m'indiquent que je suis déjà passé par là.* **2.** Dont les bords se croisent, en parlant d'un vêtement: *Je me suis acheté une veste croisée.* HOM. croisée, croiser. ☞ croiser.

croisée n.f. Endroit où deux choses se croisent: *On se rencontrera à la croisée des chemins.* SYN. croisement, intersection. HOM. croisé, croiser.

croisement n.m. **1.** Action de placer en croix: *Le croisement des jambes nuit à la circulation du sang.* **2.** Endroit où deux chemins se croisent, se coupent: *Il faut toujours être prudent aux croisements.* SYN. carrefour, croisée, intersection. **3.** Rencontre de personnes ou de véhicules allant dans deux sens opposés: *La nuit, au croisement d'une autre voiture, on est parfois aveuglé par les phares.* ☞ croiser. ▲ **croisement** n.m. Reproduction par l'union de deux animaux ou de deux végétaux de races ou de catégories différentes: *Le mulet est l'animal issu du croisement de l'âne et de la jument.* SYN. hybridation, métissage. ☞ croiser.

croiser v. **1.** Mettre deux choses l'une sur l'autre, de façon à former une croix: *Julien croise souvent les jambes.* ANT. décroiser. **2.** Accoupler des animaux ou des végétaux de races différentes: *En croisant des animaux ou des plantes, on peut améliorer certaines races.* SYN. hybrider, métisser. **3.** Passer les bords d'un vêtement l'un sur l'autre: *Je croise bien ma veste lorsqu'il vente.* **4.** Traverser ou couper une rue, un chemin, une ligne: *Il faut bien regarder lorsqu'une voie ferrée croise la route.* **5.** Rencontrer, en allant en sens contraire: *J'ai croisé la directrice en allant au vestiaire.* ☞ croisé (adj.), croisement, décroiser, entrecroisement, entrecroiser. **se croiser** v.pron. **1.** Se couper, se traverser: *Ces deux chemins se croisent à angle droit.* **2.** Passer l'un près de l'autre, en allant en sens contraire; se rencontrer rapidement: *Leurs regards se sont croisés.* ▲ **croiser** v. Naviguer en divers sens: *Beaucoup de bateaux de plaisance croisent sur le fleuve.* HOM. croisé, croisée. ☞ croiseur, croisière.

croiseur n.m. Grand navire de guerre, puissamment armé et rapide: *Les croiseurs surveillent la flotte ennemie.* ☞ croiser.

croisière n.f. Voyage d'agrément, fait en bateau: *Mes parents sont partis en croisière aux Canaries.* ☞ croiser.

croissance n.f. **1.** Fait de grandir, de se développer, en parlant d'organismes vivants: *Éléonore est en pleine croissance.* SYN. développement, poussée. ANT. atrophie, décroissance. **2.** Augmentation, progression, en parlant de choses: *La croissance de la population mondiale est rapide.* SYN. accroissement. ANT. diminution. ☞ croître.

croissant n.m. Forme échancrée de la Lune lorsqu'elle croît et décroît: *Je ne vois pas toute la Lune; je n'en vois qu'un croissant.* ▲ **croissant** n.m. Pâtisserie recourbée en forme de croissant: *J'ai mangé un croissant chaud pour ma collation.* ☞ croissanterie. ▲ **croissant** n.m. Au Canada, rue en forme de demi-cercle: *Nous habitons dans un croissant.*

croissant, ante adj. Qui augmente, qui grandit: *Je sais classer des nombres en ordre croissant.* ☞ croître.

croissanterie n.f. Au Canada, restaurant où l'on consomme des mets à base de croissants garnis: *Olivier mange souvent à la croissanterie.* ☞ croissant (n.).

croître v. **1.** Se développer progressivement, grandir, en parlant d'organismes vivants: *Les chênes croissent lentement.* SYN. pousser. ANT. décroître, dégénérer, dépérir. **2.** Augmenter en nombre; devenir plus grand: *La population ne cesse de croître depuis cinq ans.* SYN. se développer, grossir. ANT. diminuer. **R.** Participe passé, *crû, crue, crus*. Ne pas oublier l'accent devant le *t* et devant les formes homonymes du verbe *croire*: *î*. ☞ croissance, croissant (adj.), décroissance, décroissant, décroître.

croix n.f. **1.** Instrument de supplice, formé d'un poteau et d'une traverse horizontale, sur lequel on attachait les condamnés pour les faire mourir: *Jésus-Christ est mort sur une croix.* **2.** Ornement qui représente une croix, spécialement celle de Jésus: *Une croix orne le mur extérieur de l'église.* **3.** Insigne en forme de croix, qui constitue une décoration: *La lieutenante a reçu la croix de guerre pour sa bravoure.* **4.** Signe graphique formé de deux traits qui se croisent: *Une croix indiquait l'endroit où se trouvait le trésor.*

croquant, ante adj. Qui fait un bruit sec, en parlant d'une chose que l'on broie avec les dents: *Cette branche de céleri est croquante.* SYN. croustillant. ☞ croquer.

croque-mitaine n.m. Personnage imaginaire dont on se sert pour effrayer les enfants: *Si tu n'obéis pas, j'appellerai le croque-mitaine.* **R.** Au pluriel, *croque-mitaines*.

croque-monsieur n.m.invar. Sorte de

sandwich chaud, grillé et garni de jambon et de fromage : *Nous avons mangé des croque-monsieur, à midi.*

croque-mort n.m.fam. Employé des pompes funèbres : *Les croque-morts transportent le cercueil jusqu'au cimetière.* **R.** Au pluriel, *croque-morts*.

croquer v. **1.** Faire un bruit sec, en parlant d'une chose que l'on broie avec les dents : *Ce concombre est frais, il croque.* SYN. craquer. **2.** Broyer avec les dents : *Tu ne dois pas croquer cette pastille.* ANT. sucer. **3.** Mordre : *Elle croque dans une pomme.* ☞ croquant, croquette, croqueur. ▲ **croquer** v. Dessiner, peindre rapidement, sur le vif : *Le peintre croque ces danseurs en quelques coups de crayon.* SYN. ébaucher, esquisser. ANT. achever. ⫽ *À croquer :* Joli à donner le goût d'en faire un croquis. ☞ croquis.

croquet n.m. (angl.) Jeu qui consiste à pousser des boules de bois sous des arceaux de fer, à l'aide d'un maillet, suivant un trajet déjà déterminé : *Nous faisons une partie de croquet tous les dimanches.*

croquette n.f. Boulette de pâte, de légumes, de viande ou de poisson, enrobée et frite dans l'huile : *Sabrina adore les croquettes de poulet.* ☞ croquer.

croqueur, euse n. et adj. **1.** n. Personne qui mange avec avidité, avec gourmandise : *Ma sœur est une croqueuse de sucreries.* **2.** adj. Qui mange avec avidité, avec gourmandise : *Ce lapin croqueur de carottes me fait bien rire.* ☞ croquer.

croquis n.m. Dessin rapide, à main levée : *Il a fait un croquis de l'école.* SYN. ébauche, esquisse. ☞ croquer.

cross-country n.m.invar. (angl.) Course à pied en terrain varié avec des obstacles : *Le cross-country est une épreuve du pentathlon moderne aux Jeux olympiques.*

crosse n.f. **1.** Bâton, recourbé au sommet, que portent les évêques, les abbés, lors de cérémonies : *La crosse est le symbole du pouvoir épiscopal des évêques.* **2.** Bâton recourbé utilisé dans certains jeux ou sports et qui sert à pousser une balle : *La golfeuse frappe la balle d'un puissant coup de crosse.* **3.** Extrémité, bout recourbé : *Les crosses de fougères sont délicieuses à manger.* **4.** Partie d'une arme à feu, située en arrière du canon, qui sert à la tenir ou à l'épauler : *Le chasseur appuie bien la crosse de sa carabine sur son épaule.* **5.** Au Canada, sport qui oppose deux équipes et qui consiste à déplacer une balle jusque dans le but adverse au moyen d'une crosse terminée par un panier en filet : *La crosse est un sport d'origine amérindienne.*

crotale n.m. Serpent américain très venimeux, dont la queue porte des anneaux qui font du bruit lorsqu'il l'agite : *Le bruit que produit le crotale lui a valu le nom de serpent à sonnette.*

crotte n.f. Excrément de certains animaux ; tout excrément solide : *Jonathan ramasse les crottes de son chien dans le gazon.* ⫽ *Crotte de chocolat :* Bonbon au chocolat garni de pâte d'amandes, de crème, etc. ☞ crottin.

crotté, ée adj.vx Qui est sali de boue : *Je dois nettoyer mes souliers, ils sont crottés.* SYN. boueux. ☞ décrottage, décrotter.

crottin n.m. Excrément du cheval, du mulet, du mouton : *On a nettoyé le crottin dans l'écurie.* ☞ crotte.

croulant, ante n. et adj. **1.** n.fam. Personne d'âge mûr : *Quelquefois, les jeunes appellent leurs parents « les croulants ».* **2.** adj. Qui menace de tomber : *Les murs croulants de cette maison sont dangereux.* ☞ crouler.

crouler v. **1.** S'écrouler, s'effondrer ou menacer de tomber : *Cette vieille grange vient de crouler.* SYN. s'affaisser. ANT. dresser, relever, résister. **2.** fig. Être détruit, réduit à rien : *La pluie a fait crouler mes projets de vacances.* SYN. ruiner. ☞ croulant. ▲ **crouler** v. Crier, en parlant de la bécasse : *La bécasse croule pour appeler ses petits.*

croupe n.f. **1.** Partie arrière arrondie de certains animaux : *Donne une tape sur la croupe du cheval pour le faire avancer.* ANT. poitrail. **2.** fam. Fesses, derrière chez l'être humain : *Le pantalon moulait une croupe opulente.* **3.** Sommet plutôt arrondi d'une colline, d'une montagne : *Il avait construit sa cabane sur la croupe de la colline.* ⫽ *En croupe :* À cheval et sur la croupe, derrière la personne en selle. ☞ croupion.

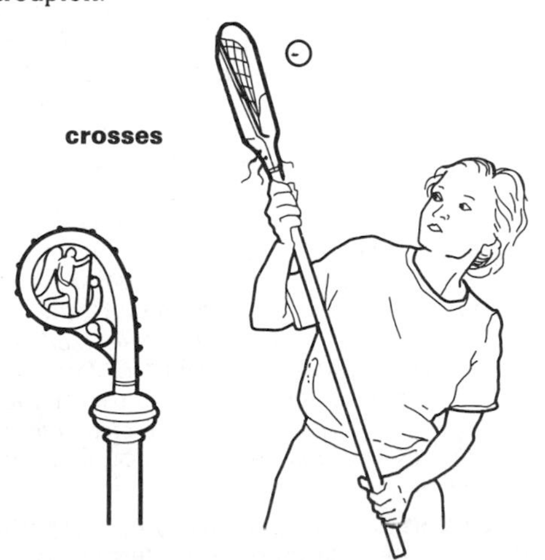

croupi, ie adj. Qui est corrompu, fétide pour être resté immobile, sans couler: *L'eau croupie de cette mare n'est pas bonne à boire.* ☞ croupir.

croupion n.m. Partie arrière du corps des oiseaux: *Le croupion des oiseaux porte les plumes de la queue.* ☞ croupe.

croupir v. **1.** Rester immobile et se corrompre, en parlant des eaux stagnantes et des matières qui s'y décomposent: *L'eau de l'étang croupit et sent mauvais.* SYN. moisir, pourrir, stagner. **2.** Rester dans un même état, être retenu, obligé à l'inactivité: *Ce prisonnier croupit en cellule.* SYN. moisir. **3.** Demeurer dans un état mauvais, méprisable: *Tout l'été, les enfants avaient croupi dans la paresse.* ☞ croupi, croupissement.

croupissement n.m. Action de croupir à cause de l'immobilité, en parlant de l'eau: *Une digue de castors a entraîné le croupissement de ces eaux.* ☞ croupir.

croustillant, ante adj. **1.** Qui croustille, craque sous la dent: *Ces biscuits sont croustillants.* SYN. croquant. **2.** Qui est amusant mais pas très convenable: *Ma tante raconte des histoires croustillantes.* SYN. grivois, léger. ANT. prude, sérieux. ☞ croustiller.

croustiller v. Croquer sous la dent, produire un bruit sec en se laissant broyer facilement: *Ces vieilles biscottes ne croustillent plus.* ☞ croustillant.

croustilles n.f.plur. Fines tranches de pommes de terre frites: *Au lieu de dire «manger des chips», on pourra dire «manger des croustilles».* **R.** Recommandé officiellement par l'O.L.F. pour remplacer l'anglicisme «chips».

croûte n.f. **1.** Partie extérieure superficielle du pain, durcie par la cuisson: *La croûte de ce pain est dorée.* ANT. mie. **2.** Pâte cuite qui entoure un pâté: *La croûte de ton pâté est très feuilletée.* **3.** Partie extérieure de certains fromages: *Ne mange pas la croûte de ce fromage.* ☞ croûton. ▲ **croûte** n.f. **1.** Plaque dure qui se forme sur une plaie: *En séchant, il se formera une croûte sur ton écorchure.* **2.** Partie superficielle durcie d'une chose, du sol: *Une croûte s'est formée sur le dessus de la terre de mon jardin.* ▲ **croûte** n.f. Mauvais tableau: *Cette peintre a peu de talent, elle ne fait que des croûtes.* ▲ **croûte** n.f.fam. Personne bornée, enfermée dans la routine, les habitudes: *Un rien dérangeait cette vieille croûte.* SYN. croûton. **R.** Ne pas oublier l'accent: *û*.

croûton n.m. **1.** Extrémité du pain, partie où il y a plus de croûte que de mie: *Dany mange toujours le croûton.* **2.** Petit morceau de pain frit ou grillé: *J'ai ajouté des croûtons à l'ail dans la salade.* **3.** Personne bornée, qui vit dans la routine: *Il refuse toujours de sortir, c'est un vrai croûton!* SYN. croûte. **R.** Ne pas oublier l'accent: *û*. ☞ croûte.

croyable adj. Qui doit ou peut être cru, en parlant des choses: *Ce que j'ai vu est à peine croyable.* SYN. imaginable, possible, vraisemblable. ANT. impensable, incroyable, invraisemblable. ☞ croire.

croyance n.f. **1.** Action de croire à l'existence ou à la vérité de quelque chose: *La croyance en une vie extra-terrestre est partagée par plusieurs personnes.* SYN. certitude, conviction. ANT. défiance, doute, scepticisme. **2.** Ce que l'on croit, en matière de religion, de philosophie, de politique: *Il faut respecter toutes les croyances.* SYN. conviction, doctrine, foi. ANT. incrédulité, incroyance, scepticisme. ☞ croire.

croyant, ante n. et adj. **1.** n. Personne qui a une conviction religieuse: *Les croyants de cette paroisse sont pieux.* SYN. fidèle. ANT. incrédule, incroyant. **2.** adj. Qui a une conviction religieuse: *Carla est croyante mais peu pratiquante.* SYN. religieux. ANT. athée, incrédule. ☞ croire.

cru n.m. **1.** Étendue de terre considérée du point de vue de sa plantation de vignes; le vin produit en cette région: *La France est réputée pour ses grands crus.* **2.** fig. Ce qui est de sa propre invention: *Ce texte est de son cru.* HOM. crue.

cru, crue adj. Qui n'est pas cuit: *Les carottes crues sont bonnes pour la santé.* ☞ crudité. ▲ **cru, crue** adj. **1.** Qui est brutal, violent, que rien n'atténue: *La lumière crue de cette lampe m'aveugle.* SYN. vif. ANT. voilé. **2.** Qui est dit sans ménagement, directement, franchement: *Elle lui a dit la vérité toute crue.* SYN. brutal, désobligeant, direct, franc. ANT. obligeant, poli. **3.** Qui est grossier, choquant: *Les plaisanteries de cette personne sont un peu trop crues pour moi.* SYN. épicé, grivois, libre. ANT. décent, distingué. HOM. crue. ☞ crudité, crûment.

cruauté n.f. **1.** Penchant ou tendance à faire souffrir: *La cruauté de ces enfants envers les oiseaux est injustifiable.* SYN. dureté, méchanceté. ANT. bonté, douceur, humanité. **2.** Action cruelle, atrocité: *La guerre permet parfois les pires cruautés.* SYN. barbarie, brutalité, crime. ANT. bonté, humanité. ⁄⁄ *Cruauté mentale:* Cruauté qui s'exerce sur le plan psychologique. ☞ cruel.

cruche n.f. **1.** Récipient pansu, à une ou deux anses, à col étroit et à bec; son contenu:

J'ai mis de l'eau dans la cruche de grès. **2.** fam. Personne stupide, niaise : *Quelle cruche ! Elle ne comprend rien à ce jeu.* SYN. bête, imbécile. ☞ cruchon.

cruchon n.m. Petite cruche ; son contenu : *Le cruchon de vin est sur la table.* ☞ cruche.

crucial, ale, aux adj. Qui est décisif, très important : *Cette année est cruciale pour mon avenir.* SYN. fondamental. ANT. négligeable, secondaire.

crucifier v. Attacher quelqu'un sur une croix et l'y laisser mourir : *Les Romains crucifiaient les condamnés.* ☞ crucifix.

crucifix n.m. Objet qui représente le Christ sur la croix : *Nous avons un très beau crucifix dans la classe.* ☞ crucifier.

cruciverbiste n. Personne qui aime faire des mots croisés : *Ma mère est une cruciverbiste.*

crudité n.f. **1.** Qualité de ce qui n'est pas cuit : *Certains estomacs supportent mal la crudité de la viande.* **2.** plur. Fruits, légumes servis et consommés crus : *Une assiette de crudités constitue une excellente collation.* **3.** Caractère de ce qui est choquant, brutal : *La crudité de cette description me dégoûte.* SYN. brutalité. ANT. délicatesse, douceur, réserve. ☞ cru.

crue n.f. Montée du niveau d'un cours d'eau, d'un lac : *Les pluies abondantes ont provoqué la crue de la rivière.* ANT. baisse, retrait. HOM. cru. ☞ décrue.

cruel, elle adj. **1.** Qui aime faire ou voir souffrir : *Ces jeunes sont cruels envers les animaux.* SYN. barbare, dur, méchant. ANT. bon, doux. **2.** Qui montre de la méchanceté, de la cruauté : *Elle lui a fait un sourire cruel lorsqu'il est tombé.* SYN. méchant, sadique. ANT. bienveillant, bon, indulgent. **3.** Qui fait souffrir moralement ou physiquement : *La mort de sa mère lui a causé une douleur cruelle.* SYN. atroce, insupportable, pénible. ANT. bienfaisant, humain. ☞ cruauté, cruellement.

cruellement adv. **1.** De manière douloureuse, pénible : *Sa maladie le fait souffrir cruellement.* SYN. affreusement, atrocement, péniblement. ANT. agréablement. **2.** De manière cruelle, méchante : *Elle traite cruellement son chat.* SYN. brutalement, durement, méchamment. ANT. doucement, tendrement. ☞ cruel.

crûment adv. D'une manière crue, dure, brutale, sans ménagement : *On lui a appris crûment la nouvelle.* SYN. brutalement, sèchement. ANT. délicatement, doucement, gentiment. ⫽ *Éclairer crûment :* Éclairer d'une lumière crue, non tamisée. **R.** Ne pas oublier l'accent : *û.* ☞ cru.

crustacés n.m.plur. Classe d'animaux invertébrés à carapace, dépourvus d'os, qui vivent dans l'eau : *Le homard, le crabe et l'écrevisse sont des crustacés.* **R.** S'écrit au singulier lorsqu'il désigne un animal appartenant à cette classe.

crypte n.f. Chapelle souterraine servant de tombeau dans certaines églises : *La crypte de cette basilique contient les corps de plusieurs martyrs.*

cubain, aine n. et adj. **1.** n. Personne qui est de Cuba : *Un Cubain, une Cubaine.* **2.** adj. Qui est de Cuba : *Les plages cubaines sont splendides.* **R.** On met la majuscule à *cubain* et à *cubaine* lorsqu'il s'agit du nom.

cube n.m. **1.** Figure géométrique dont les angles sont droits et les six faces congrues : *Antoine a construit un cube pendant le cours de géométrie.* **2.** Produit d'un nombre multiplié trois fois par lui-même : *Huit est le cube de deux et trois porté au cube égale vingt-sept.* ⫽ *Jeu de cubes :* Jeu de construction fait d'un ensemble de cubes. ☞ cubique.

cubique adj. Qui est en forme de cube : *Cette boîte cubique servira à mettre les biscuits.* ⫽ *Racine cubique d'un nombre :* Nombre qui, porté au cube, donne ce nombre. ☞ cube.

cubisme n.m. Mouvement artistique du début du XXe siècle, qui se proposait de représenter les objets sous divers aspects, à l'aide de formes géométriques : *Picasso fut un des maîtres du cubisme.*

cubitus n.m. (lat.) Le plus gros des deux os compris dans l'avant-bras : *Hélène s'est fracturé le cubitus.* **R.** Le *s* se prononce.

cueillette n.f. **1.** Action de cueillir des fruits, des légumes ou des fleurs : *La cueillette des pommes se fait surtout en septembre.* SYN. récolte. **2.** Les produits cueillis : *Nous avons eu une belle cueillette de framboises cette année.* SYN. récolte. **R.** Après le *c*, on écrit *ueil.* ☞ cueillir.

cueilleur, euse n. Personne qui cueille : *La maraîchère engage des cueilleurs pendant les récoltes.* **R.** Après le *c*, on écrit *ueil.* ☞ cueillir.

cueillir v. **1.** Détacher des fruits, des légumes ou des fleurs de la tige : *En juin, c'est le temps de cueillir des fraises.* SYN. ramasser, récolter. **2.** fam. Prendre quelqu'un au passage : *Je te cueillerai à l'arrêt d'autobus.* SYN. accueillir. **3.** fam. Se faire prendre en faute, se faire arrêter : *La cambrioleuse s'est fait cueillir* *sur les lieux de son méfait.* **R.** Après le *c*, on écrit *ueil.* ☞ cueillette, cueilleur.

cuiller n.f. **1.** Ustensile de table ou de cuisine composé d'un manche et d'une partie creuse, utilisé pour transvaser ou pour porter des aliments à la bouche: *J'ai pris une cuiller pour servir le gruau.* **2.** Contenu d'une cuiller: *La recette disait d'ajouter une cuiller à soupe de sucre.* SYN. cuillerée. **3.** Ustensile semblable à la cuiller dont on se sert dans certaines professions; accessoire de pêche fait d'une palette métallique brillante garnie d'hameçons: *Maman pêche la truite à la cuiller.* **R.** Aussi, *cuillère.* ☞ cuillerée.

cuillerée n.f. Contenu d'une cuiller: *Je dois prendre une cuillerée de sirop avant de me coucher.* **R.** Se prononce *cuill'rée* ou *cuillérée.* ☞ cuiller.

cuir n.m. Peau d'animal tannée et travaillée: *Ces souliers en cuir sont solides.* HOM. cuire. ⁄⁄ *Cuir chevelu:* La peau du crâne qui porte les cheveux.

cuirasse n.f. **1.** Partie de l'armure qui protège le dos et la poitrine: *Autrefois les cuirasses étaient en cuir.* **2.** fig. Défense, protection: *Une cuirasse d'indifférence cachait ses émotions.* **3.** Revêtement de plaques d'acier qui protège les navires: *La cuirasse renforce la coque de ce navire de guerre.* SYN. blindage. ☞ cuirassé.

cuirassé n.m. Grand navire de guerre, armé et blindé: *Les cuirassés ne font plus partie des flottes de combat.* ☞ cuirasse.

cuirassé, ée adj. **1.** Qui est recouvert d'une cuirasse, protégé par un blindage: *Le chevalier, cuirassé, ne craignait pas d'affronter l'ennemi.* **2.** fig. Qui se protège, comme par une cuirasse, qui est endurci: *Elle était cuirassée contre les moqueries.* ☞ cuirasse.

cuire v. **1.** Rendre un aliment consommable par l'action de la chaleur: *J'ai fait cuire le poulet à la broche.* **2.** Soumettre à l'action de la chaleur un objet quelconque: *J'ai acheté un four pour cuire la poterie.* ☞ autocuiseur, cuisson, cuit, recuire. ▲ **cuire** v. **1.** Devenir consommable par l'action de la chaleur: *Le ragoût doit cuire tout l'après-midi.* **2.** fig. Brûler, provoquer une sensation de brûlure: *La peau me cuit sous ce soleil.* **3.** fam. Avoir très chaud: *Je cuis sous cette tente!* HOM. cuir. ☞ cuisant.

cuisant, ante adj. **1.** Qui provoque une sensation semblable à une brûlure: *Le froid cuisant nous obligeait à rester près du feu.* SYN. mordant. ANT. doux. **2.** fig. Qui provoque une peine aiguë, qui touche douloureusement: *Ce candidat a subi une défaite cuisante.* SYN. blessant, cinglant, douloureux, vif. ANT. adoucissant, agréable. ☞ cuire.

cuisine n.f. **1.** Pièce où l'on prépare les repas: *Ça sent bon dans la cuisine.* **2.** Art, action de préparer les aliments: *André adore faire la cuisine.* **3.** Aliments préparés qu'on sert aux repas: *Je raffole de ta cuisine.* ☞ cuisiner, cuisinette, cuisinier, cuisinière, culinaire.

cuisiner v. Préparer des aliments, faire la cuisine: *Nicole cuisine très bien.* ☞ cuisine. ▲ **cuisiner** v. **1.** Préparer, apprêter un plat, un aliment: *Simon cuisine de bons petits plats.* **2.** fig. et fam. Interroger quelqu'un, chercher à lui faire avouer quelque chose: *Les détectives cuisinent la voleuse pour obtenir les noms de ses complices.*

cuisinette n.f. Coin cuisine aménagé dans une pièce: *La cuisinette est petite mais pratique.* ☞ cuisine.

cuisinier, ière n. **1.** Personne dont le métier consiste à faire la cuisine: *Le chef de ce restaurant est un bon cuisinier.* SYN. chef. **2.** Personne qui fait la cuisine: *Sylvie est une cuisinière médiocre.* ☞ cuisine.

cuisinière n.f. Appareil qui sert à cuire les aliments: *Suzanne utilise le four de sa cuisinière électrique pour la première fois.* ☞ cuisine.

cuissardes n.f.plur. Bottes qui montent haut sur la cuisse: *Tu trouveras des cuissardes dans ce magasin.* ☞ cuisse.

cuisse n.f. Partie de la jambe située entre le genou et la hanche: *David a une égratignure sur la cuisse.* ☞ cuissardes.

cuisson n.f. **1.** Action de cuire un aliment: *Pour être plus tendre, cette viande demande une cuisson prolongée.* **2.** Transformation de certaines substances par le feu, la chaleur: *La cuisson de la brique exige une chaleur très élevée.* ☞ cuire.

cuit, cuite adj. **1.** Qui a été préparé par la cuisson pour être consommé: *Les légumes sont cuits à point.* **2.** Qui a été l'objet d'une cuisson pour une certaine utilisation: *Ce vase en terre cuite est bien décoré.* ⫽ *C'est du tout cuit:* C'est gagné avant de commencer. *Être cuit:* Être pris, vaincu. ☞ cuire.

cuivre n.m. **1.** Métal très malléable, de couleur rouge-brun et bon conducteur d'électricité: *Les fils électriques sont en cuivre.* **2.** plur. Ensemble d'objets de cuisine, d'ornement, en cuivre: *Une fois par année, ma mère astiquait les cuivres.* **3.** plur. Ensemble des instruments à vent en cuivre d'un orchestre: *Une fanfare est principalement un orchestre de cuivres.* ☞ cuivré.

cuivré, ée adj. Qui est de la couleur rougeâtre du cuivre: *Les cheveux d'Isabelle ont des reflets cuivrés.* ☞ cuivre.

cul n.m. **1.** pop. Derrière: *Je suis tombé sur le cul.* SYN. croupe, fessier. **2.** Fond de certains récipients: *Le cul de la bouteille est plat.* ⫽ *Faire cul sec (en buvant):* Vider le verre d'un trait. *Lécher le cul à quelqu'un:* Flatter bassement quelqu'un. *Renverser cul par-dessus tête:* Basculer, culbuter. ☞ cul-de-sac.

culasse n.f. Partie située à l'arrière du canon d'une arme à feu: *La chasseuse charge sa carabine par la culasse.*

culbute n.f. **1.** Mouvement que l'on fait en posant la tête à terre et en lançant les jambes en l'air de façon à retomber de l'autre côté: *Marianne et Mathieu font des culbutes dans le gazon.* SYN. cabriole. **2.** Chute brusque que l'on fait à la renverse ou la tête en avant: *Martin est encore étourdi de sa culbute dans l'escalier.* SYN. dégringolade. ☞ culbuter.

culbuter v. **1.** Faire une culbute, tomber à la renverse: *Hélène a culbuté dans l'escalier et s'est cassé un bras.* SYN. basculer, dégringoler. ANT. se redresser, se relever. **2.** Faire tomber quelqu'un ou quelque chose d'une façon brusque, renverser: *En me promenant à bicyclette, j'ai culbuté un piéton.* ☞ culbute.

cul-de-sac n.m. Rue, chemin sans issue: *Cette rue est un cul-de-sac.* SYN. impasse. **R.** Au pluriel, *culs-de-sac*. ☞ cul.

culinaire adj. Qui se rapporte à la préparation des aliments: *Hélène suit des cours d'art culinaire.* ☞ cuisine.

culminant, ante adj. Qui atteint le degré le plus haut, qui domine: *C'est vers midi que le soleil semble atteindre son point culminant.* SYN. dominant. ANT. bas, inférieur. ☞ culminer.

culminer v. Atteindre le point ou le degré le plus haut: *Le mont Jacques-Cartier culmine au-dessus de la Gaspésie.* SYN. dominer, surplomber. ☞ culminant.

culot n.m. Partie inférieure d'une ampoule électrique, qui entre dans la douille: *Insère bien le culot de l'ampoule dans la douille.* ▲ **culot** n.m.fam. Audace, effronterie: *Élyse a un culot incroyable.* SYN. aplomb, toupet. ANT. retenue, timidité. ☞ culotté.

culotte n.f. **1.** Vêtement semblable au pantalon et qui s'arrête aux genoux: *Le cycliste porte une culotte verte très ajustée.* **2.** Sous-vêtement féminin couvrant le bas du tronc: *Annick porte sa culotte de dentelle.* ☞ culotter, déculotter.

culotté, ée adj.fam. Qui a du culot: *Cette personne est culottée de me dire ça.* SYN. effronté. ANT. poli, réservé, timide. HOM. culotter. ☞ culot.

culotter v. Vêtir quelqu'un d'une culotte: *Papa est en train de culotter le bébé.* ANT. déculotter. HOM. culotté. ☞ culotte. **se culotter** v.pron. Se vêtir d'une culotte: *Le roi Dagobert ne sait pas se culotter correctement.*

culpabiliser v. Donner à une personne un sentiment de culpabilité, lui faire sentir qu'elle est coupable: *Cet accident dont il est en partie responsable le culpabilise.* ANT. déculpabiliser. ☞ coupable. **se culpabiliser** v.pron. Éprouver un sentiment de culpabilité, se sentir coupable: *Tu n'as pas à te culpabiliser pour si peu.*

culpabilité n.f. **1.** État de quelqu'un qui a commis un crime ou une faute; fait d'être coupable: *Le jury a reconnu la culpabilité de ce bandit.* ANT. innocence. **2.** Sentiment par lequel on se juge coupable, qu'on le soit réellement ou non: *Georges éprouve un sentiment de culpabilité depuis l'accident.* ☞ coupable.

culte n.m. **1.** Hommage que l'on rend à Dieu, à une personne sainte ou à une divinité; cérémonie pour rendre cet hommage: *Les catholiques rendent un culte à Dieu lorsqu'ils assistent à la messe.* **2.** Cérémonie religieuse protestante: *Les protestants assistent au culte.* SYN. office. **3.** Religion, confession: *Ses convictions l'empêchent de changer de culte.* **4.** fig. Grande admiration pour quelqu'un ou quelque chose: *Cette avare voue un véritable culte à l'argent.* SYN. amour, attachement, vénération. ANT. haine, indifférence, mépris.

cultivable adj. Qu'on peut cultiver, qui est susceptible de produire des récoltes: *Les terres cultivables de l'Estrie sont fertiles.* SYN. arable. ANT. incultivable. ☞ cultiver.

cultivateur, trice n. Personne dont le métier consiste à cultiver la terre ou à exploiter une terre: *La cultivatrice récolte le maïs.* SYN. agriculteur, fermier. ☞ cultiver.

cultiver v. **1.** Travailler la terre dans le but de produire des végétaux: *Ce fermier cultive son champ.* **2.** Donner des soins à une plante dans le but d'une récolte: *Roxanne cultive des asperges.* ☞ cultivable, cultivateur, culture, inculte, incultivable, monoculture, polyculture. ▲ **cultiver** v. Former, développer par l'éducation, l'instruction: *La lecture cultive l'intelligence.* ☞ biculturalisme, biculturel, culture, culturel, culturisme, culturiste, inculte, multiculturalisme, multiculturel. **se cultiver** v.pron. S'instruire, augmenter les connaissances, améliorer son esprit: *Madeleine lit beaucoup pour se cultiver.* **cultivé, ée** p.p. et adj. **1.** Qu'on a entretenu pour faire pousser; qui est exploité par la culture: *À Noël, nous avions un sapin cultivé.* ANT. inculte. **2.** Qui a une bonne instruction générale, qui a du goût, du jugement: *Il est agréable de discuter avec cette fille cultivée.* SYN. érudit, instruit, savant. ANT. ignorant, inculte.

culture n.f. **1.** Action par laquelle on cultive la terre ou un végétal: *La région du Lac-Saint-Jean est réputée pour la culture du bleuet.* SYN. agriculture. **2.** Terrain, champ cultivé, exploité: *L'avion survolait les lacs, les routes, les cultures.* ANT. friche, jachère. ☞ cultiver. ▲ **culture** n.f. **1.** Ensemble des connaissances acquises dans un ou plusieurs domaines par une personne: *Antonio a une forte culture scientifique.* SYN. érudition, instruction, savoir. ANT. ignorance. **2.** Ensemble des caractéristiques intellectuelles d'une société, d'une civilisation: *La culture occidentale est très différente de la culture orientale.* ⁄⁄ *Culture de masse:* Culture produite et diffusée dans une société par la télévision, la grande presse, etc. *Culture physique:* Gymnastique. ☞ cultiver.

culturel, elle adj. Qui se rapporte à la culture d'une personne ou d'une société, au développement de ses caractéristiques intellectuelles: *Certaines activités favorisent les échanges culturels.* ⁄⁄ *Centre culturel:* Lieu public destiné aux activités culturelles (art, musique, spectacles). ☞ cultiver.

culturisme n.m. Gymnastique destinée à développer les muscles, surtout en volume: *Les barres, les poids et les haltères forment la base du culturisme.* ☞ cultiver.

culturiste n. et adj. **1.** n. Personne qui pratique le culturisme, gymnastique destinée à développer les muscles: *Cette culturiste doit suivre un régime alimentaire très sévère.* **2.** adj. Qui se rapporte au culturisme: *Ces méthodes culturistes sont efficaces.* ☞ cultiver.

culturiste

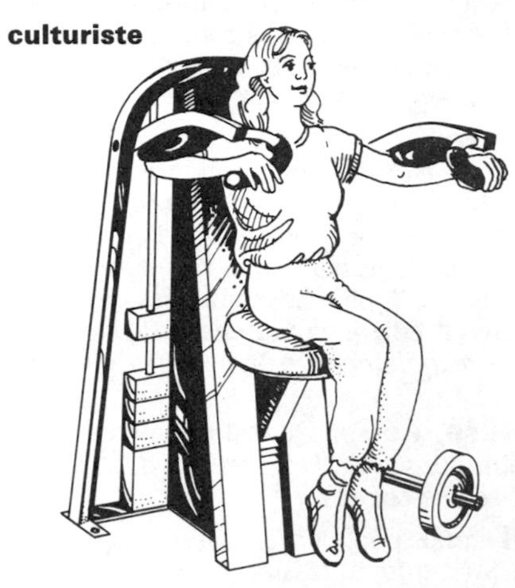

cumin n.m. Plante d'origine orientale dont les graines aromatiques sont utilisées comme assaisonnement: *Certaines liqueurs sont parfumées au cumin.*

cumul n.m. Action de cumuler, de réunir en une personne plusieurs choses différentes: *Avec le cumul de ses charges, Rolande manque de temps pour ses loisirs.* ☞ cumuler.

cumulatif, ive adj. Qui s'ajoute, qui se cumule avec: *Toutes les notes obtenues au cours de cette étape sont cumulatives.* ☞ cumuler.

cumuler v. Exercer en même temps plusieurs emplois, plusieurs fonctions; avoir à soi plusieurs titres, diplômes, etc.: *Sergio cumule les diplômes.* ANT. dissocier, séparer. ☞ cumul, cumulatif.

cumulus n.m. (lat.) Gros nuage blanc, arrondi: *Les cumulus sont des nuages de beau temps.* **R.** Le *s* se prononce.

cupide adj.litt. Qui désire de l'argent avec avidité: *Cette femme d'affaires cupide a peu de respect pour les autres.* SYN. avide, rapace. ANT. désintéressé, généreux. ☞ cupidité.

cupidité n.f. Désir avide de l'argent, des richesses: *Il a perdu de nombreux amis à cause de sa cupidité.* SYN. avidité, rapacité. ANT. désintéressement, détachement, générosité. ☞ cupide.

curable adj. Qui est guérissable: *Il vient d'apprendre que sa maladie est curable.* ANT. incurable, inguérissable. ☞ incurable, incurablement.

curaçao n.m. Liqueur faite avec des écorces d'oranges, de l'eau-de-vie et du sucre: *Curaçao est aussi le nom d'une île des Antilles.* **R.** Ne pas oublier la cédille: curaçao. Se prononce *kurasso*.

curare n.m. Substance extraite de certaines plantes dont l'effet est de paralyser et qui est parfois employée en anesthésie: *Les chasseurs des peuplades d'Amérique du Sud empoisonnent leurs flèches avec du curare.*

curateur, trice n. Personne chargée de veiller aux intérêts d'une autre personne qui en est incapable: *Ma mère a été désignée pour être la curatrice de ma jeune cousine orpheline.*

curatif, ive adj. Qui est propre à la guérison ou au traitement d'une maladie: *Ce remède curatif donne un bon résultat.*

cure n.f. **1.** Traitement médical qui dure un certain temps: *J'avais le choix entre deux cures de même valeur médicale.* **2.** Traitement propre à certaines affections, par des soins appropriés: *Une diététiste m'a recommandé cette cure d'amaigrissement.* **3.** Usage ou consommation abondante de quelque chose pour améliorer sa santé: *Le médecin m'a recommandé de faire une cure de sommeil.* SYN. régime. ⁄⁄ *N'avoir cure de:* Ne pas se soucier de. ▲ **cure** n.f. **1.** Fonction de curé: *Cet abbé a obtenu une cure dans ce village.* **2.** Maison où habite le curé: *La cure communique avec l'église par un corridor.* SYN. presbytère. ☞ curé.

curé n.m. Prêtre qui est en charge d'une paroisse: *Monsieur le curé serre la main de ses paroissiens à la porte de l'église.* HOM. curer. ☞ cure.

cure-dent n.m. Bâtonnet pointu servant à nettoyer les dents: *L'utilisation des cure-dents peut provoquer une infection des gencives.* **R.** Aussi, *cure-dents*. Au pluriel, *cure-dents*. ☞ curer.

cure-ongles n.m.invar. Instrument pointu servant à nettoyer le dessous des ongles: *Prends un cure-ongles pour enlever la terre sous tes ongles.* ☞ curer.

cure-oreille n.m. Instrument servant à nettoyer l'intérieur de l'oreille: *Pauline nettoie les oreilles du bébé avec un cure-oreille.* **R.** Au pluriel, *cure-oreilles*. ☞ curer.

cure-pipe n.m. Instrument servant à nettoyer le fourneau d'une pipe: *Je dois me procurer de nouveaux cure-pipes.* **R.** Aussi, *cure-pipes*. Au pluriel, *cure-pipes*. ☞ curer.

curer v. Nettoyer en frottant rudement une surface de manière à détacher ce qui y adhère: *Il faut régulièrement curer la fosse à fumier.* SYN. gratter, racler. ANT. encrasser, salir. **R.** Ne pas confondre avec *récurer*. ☞ cure-dent, cure-ongles, cure-oreille, cure-pipe. **se curer** v.pron. Nettoyer une partie de son corps: *Hugo a oublié de se curer les ongles.* ANT. encrasser, salir. HOM. curé.

curieusement adv. **1.** D'une façon curieuse, avec curiosité: *Les reporters interrogèrent la foule curieusement.* **2.** D'une façon bizarre, étrange: *Ma sœur se comporte curieusement.* SYN. bizarrement, drôlement, étrangement. ANT. naturellement, ordinairement. ☞ curieux.

curieux, euse n. et adj. **1.** n. Personne qui désire connaître ce qui ne la regarde pas: *Elle a lu mon courrier, c'est une curieuse.* SYN. fouineur, fureteur. **2.** n. Personne qui s'intéresse à quelque chose par curiosité, par désir d'apprendre: *L'accident a attiré beaucoup de curieux.* SYN. badaud, flâneur. **3.** adj. Qui manifeste le désir d'apprendre, de savoir: *Carlos est un enfant curieux; il désire tout connaître au sujet des bateaux.* SYN. chercheur, intéressé. ANT. désintéressé, indifférent. **4.** adj. Qui cherche à connaître quelque chose qui doit rester secret ou qui ne concerne que d'autres personnes: *Cet enfant est trop curieux, il écoute aux portes.* SYN. fouineur, fureteur, indiscret. ANT. discret. **5.** adj. Qui est étonnant, bizarre; qui attire l'attention: *Cet arbre a une forme curieuse.* SYN. étrange, surprenant. ANT. banal, commun, naturel, ordinaire. ⁄⁄ *Esprit curieux:* Qui ne manque aucune occasion de s'instruire. ☞ curieusement, curiosité.

curiosité n.f. **1.** Désir d'apprendre et de comprendre des choses nouvelles: *Sylvie regarde ce documentaire sur les chevaux avec curiosité.* SYN. appétit, intérêt. ANT. indifférence. **2.** Avidité de connaître les secrets, les affaires des autres: *La curiosité est le plus grand défaut de Maryse.* SYN. indiscrétion. ANT. discrétion, réserve, retenue. ☞ curieux. ▲ **curiosité** n.f. Chose curieuse, bizarre; chose qui suscite l'intérêt, la surprise: *Ce magasin est rempli de curiosités.* SYN. bizarrerie, nouveauté, rareté. ANT. banalité. ☞ curieux.

curling n.m. (angl.) Sport pratiqué sur la glace, qui consiste à faire glisser vers une cible un lourd palet (plaque arrondie): *Le curling est un sport d'hiver.* **R.** Se prononce à l'anglaise.

curseur n.m. **1.** Pièce mobile qu'on peut

bouger le long d'une coulisse graduée et qui fournit des indications numériques: *Le curseur de mon compas n'est pas très précis.* **2.** En informatique, marque lumineuse mobile qui indique, sur un moniteur, la position du prochain caractère: *Une touche du clavier de l'ordinateur permet de déplacer le curseur horizontalement.*

cursif, ive adj. Qui est tracé au courant du crayon: *L'écriture cursive est plus rapide que l'écriture script.*

cutané, ée adj. Qui se rapporte à la peau: *Le psoriasis et l'eczéma sont des affections cutanées.* ☞ sous-cutané.

cutex ☞ sect. anglicismes et canadianismes.

cuticule n.f. **1.** Couche de peau très mince: *Carmen repousse les cuticules autour de ses ongles.* **2.** Pellicule contenant une substance imperméable qui recouvre la tige et les feuilles des plantes: *Qui sait les dommages causés à la cuticule des plantes par les pluies acides?*

cuve n.f. **1.** Grand récipient destiné à divers usages industriels ou domestiques: *C'est dans une cuve qu'on fait fermenter le raisin.* **2.** Partie intérieure utilisable d'un appareil électroménager: *Il faut éviter de trop remplir la cuve de la machine à laver.* ☞ cuvée, cuver.

cuvée n.f. **1.** Quantité de vin que contient une cuve: *Ces bouteilles sont de la même cuvée.* **2.** Vin produit par la récolte annuelle de toute une vigne: *La cuvée de cette année sera supérieure à celle de l'an passé.* **3.** Contenu d'une cuve: *J'ai une cuvée de linge à faire sécher.* HOM. cuver. ☞ cuve.

cuver v. **1.** Fermenter dans une cuve, en parlant du raisin: *Le vin en a encore pour trois mois à cuver.* **2.** fam. Se reposer, dormir après avoir trop bu: *Il faut donner aux invités le temps de cuver avant de les laisser partir.* SYN. digérer. HOM. cuvée. ☞ cuve.

cuvette n.f. **1.** Récipient à bords évasés, peu profond, destiné à des usages domestiques: *Il lave ma chemise de soie dans la cuvette.* **2.** Partie profonde d'un lavabo ou des cabinets: *Il y a de l'eau dans la cuvette du lavabo.*

cyanure n.m. Sel résultant d'une combinaison d'hydrogène et d'un gaz toxique: *Il existe plusieurs sortes de cyanures et tous sont toxiques.*

cyclable adj. Qui est réservé aux bicyclettes: *Les automobilistes n'ont pas le droit de circuler sur la piste cyclable.* ☞ cycle.

cyclamen n.m. Plante à fleurs décoratives mauves, roses ou blanches: *Le cyclamen d'intérieur exige beaucoup de lumière.*

cycle n.m. Suite de phénomènes qui se renouvellent toujours dans le même ordre: *En sciences de la nature, nous étudions le cycle de l'eau.* ⁄⁄ *Cycle menstruel:* Chez la femme, activité périodique de l'ovaire se terminant par la menstruation, quand il n'y a pas eu fécondation. ☞ cyclique. ▲ **cycle** n.m. (angl.) Tout véhicule muni de deux ou trois roues, avec ou sans moteur: *La bicyclette, le tricycle et le vélomoteur sont des cycles.* ☞ cyclable, cyclisme, cycliste, cyclomoteur, cyclomotoriste, cyclotourisme, tricycle.

cyclique adj. Qui revient selon un cycle, qui se reproduit à intervalles réguliers: *Les saisons nous reviennent de façon cyclique.* ☞ cycle.

cyclisme n.m. Sport, pratique de la bicyclette: *Beaucoup de gens pratiquent le cyclisme en été.* ☞ cycle.

cycliste n. et adj. **1.** n. Personne qui pratique le cyclisme, qui va à bicyclette: *Cette jeune cycliste est prudente et porte toujours son casque.* **2.** adj. Qui se rapporte au cyclisme, au sport de la bicyclette: *Un vélodrome est une piste aménagée pour les courses cyclistes.* ☞ cycle.

cyclomoteur n.m. Bicyclette équipée d'un petit moteur: *Un cyclomoteur est moins puissant qu'une motocyclette.* ☞ cycle.

cyclomotoriste n. Personne qui roule en bicyclette à moteur: *Ces cyclomotoristes ont parcouru plusieurs kilomètres.* ☞ cycle.

cyclotourisme n.m. Tourisme à bicyclette: *Le cyclotourisme est populaire auprès des jeunes adultes.* ☞ cycle.

cygne n.m. Oiseau à pattes palmées, à bec large et long, aux larges ailes, au long cou flexible et à plumage blanc, à l'exception d'une espèce d'Australie qui est noire: *Le cygne est un oiseau qui vole bien, qui nage mieux encore mais qui marche lourdement et mal.* HOM. signe. ⁄⁄ *Bec de cygne:* Robinet dont la forme fait penser à un bec de cygne. *Col de cygne:* Tuyau ou tube recourbé. *Une blancheur de cygne:* Une blancheur éclatante.

cylindre n.m. **1.** Solide allongé ayant à ses deux extrémités deux cercles égaux: *Une boîte de conserve et un tuyau sont des cylindres.* **2.** Pièce d'un moteur à explosion qui a la forme d'un cylindre et dans laquelle se meut un piston: *Un moteur à huit cylindres est plus puissant qu'un moteur à six cylindres.* ☞ cylindrique.

cylindrique adj. Qui est en forme de cylindre: *Un tube de médicament est cylindrique.* ☞ cylindre.

cymbale n.f. Instrument à percussion composé de deux disques sonores de cuivre ou de bronze, légèrement coniques, que l'on frappe ensemble: *Ce retentissant coup de cymbales m'a fait sursauter.* ☞ cymbalier.

cymbalier, ière n. Personne qui bat des cymbales: *Ce musicien est le cymbalier de l'orchestre.* **R.** Aussi, *cymbaliste* (rare). ☞ cymbale.

cynique n. et adj. **1.** n. Personne qui exprime, de manière brutale et choquante, des sentiments, ou des opinions qui s'opposent aux principes moraux, aux convenances: *La conversation de ce cynique me déplaît.* SYN. effronté, impudent. ANT. conformiste. **2.** adj. Qui manifeste un mépris de la morale admise, des convenances: *L'attitude cynique de cette invitée est très déplacée.* SYN. choquant, éhonté, immoral. ANT. bienséant, timide. ☞ cyniquement, cynisme.

cyniquement adv. D'une manière cynique, au mépris de la morale et des convenances: *Il a répondu cyniquement à ma question indiscrète.* ☞ cynique.

cynisme n.m. Inclination à prendre une attitude cynique, à s'exprimer effrontément en méprisant les principes moraux et les convenances: *Quel caractère se cache derrière son cynisme?* SYN. effronterie, insolence, sans-gêne. ANT. conformisme, scrupule. ☞ cynique.

cynodrome n.m. Piste aménagée pour les courses de lévriers: *Le mot «cynodrome» est formé des éléments grecs «cyno» et «drome» qui signifient «chien» et «course».*

cyprès n.m. Conifère à feuillage persistant vert sombre, en forme de fuseau: *On retrouve des cyprès surtout dans le sud de l'Europe.*

cyprin n.m. Poisson d'eau douce, de la famille de la carpe: *Le cyprin doré est aussi appelé «poisson rouge».*

d n.m.invar. **1.** Quatrième lettre de l'alphabet: *La lettre «d» est la troisième consonne de l'alphabet.* **2.** Chiffre romain qui représente le nombre cinq cents: *Le nombre cinq cents est représenté dans certains cas par le chiffre romain D.* **R.** On met la majuscule lorsqu'il s'agit du chiffre romain.

dactylo n. Personne dont le métier est de taper à la machine à écrire: *La dactylo tape une lettre à la machine.* **R.** N'a pas le sens de *machine à écrire.* ☞ dactylographie.

dactylographie n.f. Technique d'écriture à la machine: *Ces trois étudiants apprennent la dactylographie.* ☞ dactylo, dactylographier, dactylographique.

dactylographier v. Taper à la machine à écrire: *Je dois dactylographier ce texte.* ☞ dactylographie.

dactylographique adj. Qui se rapporte à la technique d'écriture à la machine: *Les étudiants en secrétariat suivent une méthode dactylographique.* ☞ dactylographie.

dada n.m.fam. Sujet préféré ou idée fixe: *Ma sœur ne parle que de sport: c'est son dada.* SYN. manie, marotte.

dadais n.m. Garçon niais et gauche: *Ne me dis pas que tu t'intéresses à ce grand dadais?* SYN. nigaud, sot. ANT. fin, habile, spirituel.

dague n.f. Sorte de poignard à lame large et courte: *Autrefois, les hommes portaient une dague au côté droit.*

dahlia n.m. **1.** Plante ornementale à fleurs simples ou doubles: *Les fleurs du dahlia ont de belles couleurs variées.* **2.** Fleur de cette plante: *J'ai cueilli un bouquet de dahlias.*

daigner v. Bien vouloir faire quelque chose: *Elle n'a même pas daigné nous saluer.* SYN. condescendre, consentir. ANT. décliner, dédaigner, refuser.

daim n.m. **1.** Mammifère ruminant de la famille des cervidés à la robe tachetée de blanc, dont la femelle est la daine et le petit, le faon: *Le daim porte des bois larges et aplatis; il brame.* **2.** Peau de daim ou cuir imitant la peau du daim: *Rolland porte un beau veston de daim.* ☞ daine.

daine n.f. Femelle du daim: *La daine allaite son petit.* ☞ daim.

dais n.m. **1.** Ouvrage de bois ou de tissu suspendu au-dessus d'un trône, d'un autel: *Le trône du roi est placé sous un dais.* SYN. baldaquin. **2.** Pièce de tissu supportée par quatre montants, qui sert à abriter le saint sacrement dans les processions: *Pendant les processions, le prêtre porte le saint sacrement sous le dais.* SYN. baldaquin. HOM. dès.

dallage n.m. **1.** Ensemble des plaques de pierre, de marbre, de céramique, servant à recouvrir un sol: *Le dallage de la salle de bain se fendille par endroits.* SYN. carrelage, mosaïque, revêtement. **2.** Action de recouvrir un sol de pierre, de marbre, de céramique: *Les ouvriers ont commencé le dallage du centre commercial.* SYN. carrelage. ☞ dalle.

dalle n.f. **1.** Plaque de pierre, de marbre, de céramique, servant à recouvrir un sol: *Les pas des promeneurs résonnent sur les dalles de la place.* **2.** Pierre qui recouvre une tombe: *La dalle funéraire porte le nom des disparus.* ☞ dallage, daller.

daim

daller v. Recouvrir un sol de plaques de pierre, de marbre, de céramique: *La propriétaire a fait daller le hall d'entrée.* ☞ dalle.

dalmatien n.m. Chien à poil court et à robe blanche parsemée de taches noires ou brun foncé: *Les dalmatiens sont des chiens de taille moyenne.* **R.** Le *t* se prononce *ss*.

daltonien, ienne n. et adj. (n. du sc.) **1.** n. Personne atteinte d'une anomalie de la vision qui affecte la perception des couleurs: *Les daltoniens confondent le rouge et le vert.* **2.** adj. Qui est atteint d'une anomalie de la vision qui affecte la perception des couleurs: *Les personnes daltoniennes ne distinguent pas les couleurs des feux de circulation.* ☞ daltonisme.

daltonisme n.m. Anomalie de la vision qui affecte la perception des couleurs: *Le daltonisme affecte surtout les sujets de sexe masculin.* ☞ daltonien.

daman n.m. Petit mammifère herbivore d'Afrique et du Proche-Orient, qui a l'apparence d'une marmotte: *Le daman vit dans les rochers ou dans les arbres.*

damas n.m. (n. de lieu) Étoffe tissée présentant, à l'endroit, un dessin brillant sur fond mat et, à l'envers, un dessin mat sur fond brillant: *Une nappe en damas recouvre la table.* ☞ damassé.

damassé n.m. Étoffe de lin de coton tissée de façon à présenter, à l'endroit, un dessin brillant sur fond mat et, à l'envers, un dessin mat sur fond brillant: *On a recouvert les fauteuils de damassé.* ☞ damas.

damassé, ée adj. Qui est tissé de façon à présenter, à l'endroit, un dessin brillant sur fond mat et, à l'envers, un dessin mat sur fond brillant: *Des rideaux damassés pendent aux fenêtres du salon.* ☞ damas.

dame n.f. **1.** Terme poli pour désigner une femme: *Je ne connais pas cette dame.* **2.** Femme d'un rang social élevé: *La femme du premier ministre est la première dame du pays.* **3.** Femme qui accomplit certaines fonctions auprès d'une reine ou d'une princesse: *La reine est toujours accompagnée de ses dames d'honneur.* ▲ **dame** n.f. **1.** Figure d'un jeu de cartes représentant une reine: *Qui a la dame de pique?* **2.** Jeu qui se joue sur un damier avec quarante pions: *Nous ferons une partie de dames après le repas.* **3.** Au jeu de dames, pion recouvert d'un autre pion de même couleur qui peut se déplacer sur tout le damier: *Mon pion est transformé en dame.* ☞ damer, damier.

dame-jeanne n.f. Grosse bouteille de verre ou de grès servant au transport des liquides: *Une dame-jeanne peut contenir de vingt à cinquante litres de vin.* **R.** Au pluriel, *dames-jeannes*.

damer v. Au jeu de dames, transformer un pion en dame: *Tu as damé trois pions.* ⁄⁄ *Damer le pion à quelqu'un:* L'emporter sur quelqu'un. ☞ dame.

damier n.m. **1.** Plateau divisé en cent cases blanches et noires, sur lequel on joue aux dames: *Nous avons les pions, mais où est le damier?* SYN. échiquier. **2.** Surface divisée en carrés égaux de couleurs différentes: *Voilà un joli damier fait de carrés blancs et rouges.* ☞ dame.

damnation n.f. Condamnation à l'enfer: *Les chrétiens croient à la damnation éternelle pour les méchants.* SYN. châtiment, supplice. ANT. délivrance, salut. **R.** Le *m* ne se prononce pas. ☞ damner.

damné, ée n. et adj. **1.** n. Personne condamnée à l'enfer: *Les damnés souffrent éternellement.* ANT. élu. **2.** adj. Qui est condamné à l'enfer: *Les âmes damnées ne connaîtront jamais de répit.* ANT. béni. **3.** adj.fam. Qui cause des soucis: *Ce damné brouillard nous empêche de circuler.* SYN. malencontreux, satané. HOM. damner. ⁄⁄ *Âme damnée de quelqu'un:* Personne qui suit quelqu'un dans ses mauvaises actions. *Souffrir comme un damné:* Souffrir de façon horrible. **R.** Le *m* ne se prononce pas. ☞ damner.

damner v. **1.** Condamner quelqu'un à l'enfer: *Les chrétiens croient que les méchants seront damnés pour l'éternité.* SYN. châtier, maudire. ANT. délivrer, sauver. **2.** Conduire à l'enfer: *Ces crimes horribles la damneront.* HOM. damné. ⁄⁄ *Faire damner quelqu'un:* Le mettre en colère. ☞ damnation, damné. se **damner** v.pron. Mériter l'enfer par sa conduite: *Cet homme cruel se damne en faisant le mal.* **R.** Le *m* ne se prononce pas.

dan n.m. (jap.) Dans les arts martiaux japonais (judo, karaté, aïkido), chacun des dix degrés de qualification d'une ceinture noire: *Mon oncle a passé le premier dan au judo.* **R.** Le *n* se prononce.

danaïde n.f. Papillon aux ailes jaune vif à bordure noire et taches blanches: *La danaïde est un papillon de jour.* **R.** Ne pas oublier le tréma: *ï*.

dandinement n.m. Balancement gauche et nonchalant: *Le petit garçon imite le dandinement des oies.* ☞ se dandiner.

se **dandiner** v.pron. Se balancer d'une manière gauche et nonchalante: *Les canards marchent en se dandinant.* ☞ dandinement.

danger n.m. Ce qui menace la sécurité ou l'existence de quelqu'un ou de quelque chose: *Cet automobiliste est un danger public.* ⫽ *Il n'y a pas de danger:* Cela n'arrivera pas. ☞ dangereusement, dangereux.

dangereusement adv. D'une façon dangereuse: *Cette jeune femme conduit dangereusement.* ANT. calmement. ☞ danger.

dangereux, euse adj. **1.** Qui menace la sécurité ou l'existence de quelqu'un ou de quelque chose: *Cette route de campagne, tortueuse et mal éclairée, est dangereuse.* SYN. périlleux, risqué. **2.** Qui peut nuire: *Certains produits chimiques sont dangereux.* SYN. méchant, redoutable. ANT. bon, inoffensif, sûr. ☞ danger.

danois, oise n. et adj. **1.** n. Personne qui est du Danemark: *Un Danois, une Danoise.* **2.** adj. Qui est du Danemark: *Le bétail représente la plus grande partie de l'agriculture danoise.* **R.** On met la majuscule à *danois* et à *danoise* lorsque le nom désigne une personne.

danois n.m. Langue parlée au Danemark: *Le danois est une langue germanique.* ▲ **danois** n.m. Très grand chien au poil court et aux formes élancées: *Le danois est aussi appelé dogue allemand.*

dans prép. **1.** Indique le lieu: *Les écoliers montent dans l'autobus.* **2.** Indique la manière: *Ces gens vivent dans la misère.* **3.** Indique le temps: *Nous partons en voyage dans une semaine.* HOM. dent.

dans peut être remplacé par *dedans*. **d'en** sera placé *devant un verbe*.

dansant, ante adj. **1.** Qui danse: *Un chœur dansant accompagnait la vedette du spectacle.* **2.** Qui fait danser: *Nous sommes entraînés malgré nous par cette musique dansante.* **3.** Où il y a de la danse: *Mes parents sont invités à une soirée dansante.* ☞ danse.

danse n.f. **1.** Mouvements rythmés du corps, le plus souvent au son d'une musique: *Parmi les danses, j'aime bien le rock, la samba et le tango.* **2.** Mouvements rythmés de quelque chose: *J'observe la danse des flammes dans la cheminée.* HOM. dense. ⫽ *Avoir le cœur à la danse:* Être de bonne humeur. ☞ dansant, danser, danseur.

danser v. **1.** Bouger son corps avec rythme, le plus souvent au son d'une musique: *Gilbert et Catherine dansent la valse.* **2.** Bouger, remuer: *Le bouchon de liège danse sur l'eau.* ☞ danse.

danseur, euse n. **1.** Personne dont la profession est la danse: *Cette danseuse de ballet a une renommée mondiale.* **2.** Personne qui danse pour s'amuser: *Les danseurs s'agitent sur la piste de danse.* ⫽ *En danseuse:* Position d'un cycliste qui pédale debout. ☞ danse.

daphnie n.f. Petit crustacé d'eau douce, aussi appelé puce d'eau: *Les daphnies sont séchées et vendues comme aliments pour poissons.* **R.** Les lettres *ph* se prononcent *f*.

dard n.m. Organe pointu et creux de certains animaux (guêpe, abeille, scorpion, serpent): *Quand elle pique, la guêpe laisse son dard dans la peau.* ☞ darder.

darder v. Lancer avec force: *Le soleil darde ses rayons sur la plaine immobile.* ☞ dard.

dare-dare loc.adv.fam. Très rapidement: *À son appel, je suis arrivé dare-dare.* SYN. précipitamment, promptement.

darne n.f. Tranche épaisse d'un gros poisson: *La cuisinière a acheté des darnes de saumon à la poissonnerie.*

dartre n.f. Maladie de la peau caractérisée par des plaques rouges et des croûtes: *Il a des dartres sur le menton.*

date n.f. Indication du jour, du mois et de l'année d'un événement: *Quelle est ta date de naissance?* HOM. datte. ⫽ *De fraîche date:* Depuis peu de temps. *De longue date:* Depuis longtemps. *Le dernier en date:* Le plus récent. *Le premier en date:* Le plus ancien. ☞ dater, dateur.

dater v. **1.** Inscrire la date sur quelque chose: *Quand tu écris une lettre, il faut la dater.* **2.** Déterminer le moment, l'époque: *Cette archéologue essaie de dater la sculpture.* **3.** Avoir été fait ou construit à telle époque: *Cette église date du début du dix-septième siècle.* ☞ date.

dateur n.m. Appareil qui sert à indiquer ou à imprimer la date: *À la banque, le caissier se sert du dateur pour dater les documents.* ☞ date.

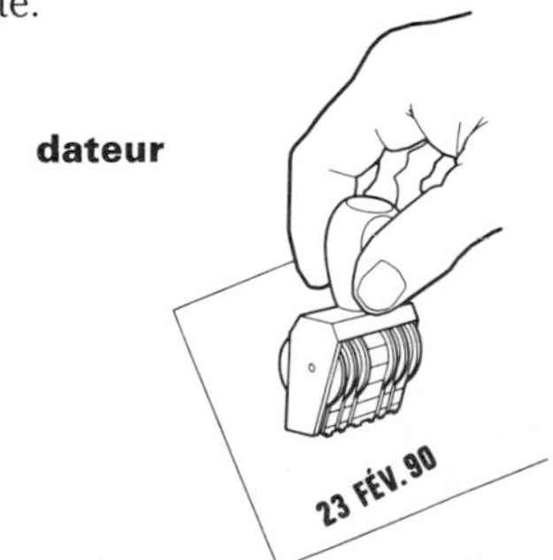

dateur, euse adj. Qui imprime la date sur quelque chose: *Le comptable a un timbre dateur sur son bureau.* ☞ date.

datte n.f. Fruit allongé à pulpe sucrée, produit par le dattier: *Les dattes ont une grande valeur nutritive.* HOM. date. ☞ dattier.

dattier n.m. Palmier des régions chaudes qui produit des dattes: *Le dattier est un arbre d'Afrique du Nord et du Moyen-Orient.* ☞ datte.

dauphin n.m. Mammifère marin carnivore aux mâchoires en forme de bec: *Le dauphin est doué d'un cerveau très développé.*

davantage adv. **1.** Plus: *Tu devrais étudier davantage.* ANT. moins. **2.** Plus longtemps: *J'aurais aimé qu'elle reste davantage.*

davier n.m. Pince à longs bras, servant à extraire les dents: *La dentiste utilise le davier.*

de prép. **1.** Indique le lieu, l'origine: *Martin sort de chez lui.* **2.** Indique le temps: *Le magasin est ouvert de 9 heures à 18 heures.* **3.** Indique la possession: *C'est le bureau de Simon.* **4.** Indique la cause: *Le petit oiseau est mort de froid.* **5.** Indique la matière: *Je porte un chandail de laine.* **6.** Indique la manière: *Elle accepte de grand cœur que nous allions chez elle.* **7.** Indique le moyen: *Je me sers de mes pinces pour couper le fil métallique.* **8.** Indique la mesure: *Ma montre retarde de dix minutes.* **9.** Indique le contenu: *Pierrot boit un grand verre de lait.* **R.** Devant une *voyelle* ou un *h* muet: *d'*; devant *le*: *du*; devant *les*: *des*.

de art.indéf. S'emploie à la place de *des* devant un adjectif: *Il y a de belles fleurs le long de l'allée.*

dé n.m. **1.** Petit cube dont chaque face est marquée de points, utilisé dans certains jeux: *Lance le dé pour savoir qui doit commencer la partie.* **2.** Petit morceau en forme de cube: *Le cuisinier coupe les légumes en dés.* ▲ **dé** n.m. Petit étui de métal servant à protéger le doigt qui pousse l'aiguille: *Le couturier enfile son dé à coudre.*

déambuler v. Marcher sans but précis: *Les jours de congé, j'aime déambuler dans les rues commerciales.* SYN. se promener.

débâcle n.f. **1.** Au printemps, rupture des glaces qui sont emportées par le courant: *La débâcle s'est produite subitement.* ANT. embâcle. **2.** Fuite en désordre, déroute: *Quand l'armée ennemie attaqua, ce fut la débâcle.* SYN. débandade. **R.** Ne pas oublier l'accent: *â*.

débâillonner v. **1.** Enlever le bâillon à quelqu'un: *Les policières ont débâillonné l'homme victime du cambriolage.* **2.** fig. Rendre la liberté d'expression à une personne, à un groupe: *Le nouveau régime s'est empressé de débâillonner la presse du pays.* **R.** Ne pas oublier l'accent: *â*. ☞ bâillon.

débalancé ☞ sect. anglicismes et canadianismes.

déballage n.m. **1.** Action de sortir un objet d'un emballage, d'une boîte, d'un colis: *Le déballage des cadeaux a occupé une bonne partie de la soirée.* ANT. emballage. **2.** fam. Confidence sans réserve: *Il a continué son déballage en me racontant tout ce qu'il avait sur le cœur.* ☞ déballer.

déballer v. **1.** Sortir un objet d'un emballage, d'une boîte, d'un colis: *Les enfants ont hâte à Noël pour déballer leurs cadeaux.* SYN. ouvrir. ANT. emballer. **2.** Exposer une marchandise: *La vendeuse itinérante déballe ses produits.* ANT. emballer. **3.** fam. Raconter, confier sans réserve: *À notre dernière rencontre, mon amie a déballé tous ses problèmes.* ANT. taire. ☞ déballage, emballage, emballer, emballeur, pré-emballé, remballage, remballer.

débandade n.f. Fuite désordonnée: *Le général impuissant assistait à la débandade de ses troupes.* SYN. débâcle, déroute. ANT. discipline. ☞ bande.

débander v. Enlever une bande, un bandage d'une partie du corps: *Le médecin a débandé la cheville blessée.* ☞ bande. ▲ **débander** v. Relâcher ce qui était tendu: *La compétitrice a débandé son arc.* ☞ bander.

se débander v.pron. S'enfuir en désordre: *L'armée s'est débandée devant l'ennemi.* SYN. se disperser. ANT. se rassembler. ☞ bande.

débaptiser v. Changer le nom de quelqu'un ou de quelque chose: *On a débaptisé le boulevard.* **R.** Le *p* ne se prononce pas. ☞ baptême.

débarbouillage n.m. Nettoyage du visage: *Il me semble que ton débarbouillage a été rapide.* ANT. barbouillage. ☞ barbouiller.

débarbouiller v. Laver le visage: *Après les repas, Christophe débarbouille le visage de bébé.* ANT. barbouiller, salir, tacher. ☞ barbouiller. **se débarbouiller** v.pron. Se laver le visage: *Nicolas se débarbouille avant de partir pour l'école.*

débarbouillette n.f. Au Canada, petite serviette de toilette carrée dont on se sert pour se laver: *Claudia se nettoie le visage avec une débarbouillette.* **R.** En France, on se sert d'un *gant de toilette*. ☞ barbouiller.

débarcadère n.m. Quai utilisé pour l'embarquement et le débarquement des voyageurs, pour le chargement et le déchargement des marchandises: *Les voyageurs attendent au débarcadère.* SYN. embarcadère. ☞ débarquer.

débarder v. Décharger les marchandises d'un navire: *En temps de grève, il n'y a personne pour débarder les marchandises.* ANT. charger. ☞ débardeur.

débardeur n.m. Maillot de corps, sans manches, à encolure ronde plus ou moins échancrée: *Où as-tu acheté ton débardeur?*

débardeur, euse n. Personne qui travaille au chargement et au déchargement des marchandises d'un navire: *Les débardeuses travaillent sur les quais.* ☞ débarder.

débarquement n.m. **1.** Action de faire sortir d'un navire des marchandises ou des passagers: *Le débarquement a duré plus d'une heure.* ANT. embarquement. **2.** Action d'une personne qui quitte un navire: *Nous voulions être présents à ton débarquement.* **3.** Opération militaire consistant à transporter à terre des troupes embarquées sur des navires de guerre: *Beaucoup de Canadiens se souviennent du débarquement en Normandie, en 1944.* ☞ débarquer.

débarquer v. **1.** Faire sortir d'un navire des marchandises ou des passagers: *La capitaine nous a débarqués sur une île grecque.* ANT. embarquer. **2.** Quitter un navire: *Les passagers ont débarqué à Halifax.* ANT. monter. **3.** fam. Arriver chez quelqu'un sans prévenir: *Toute la famille a débarqué chez moi un samedi soir.* ANT. partir. ☞ débarcadère, débarquement, embarcadère, embarcation, embarquement, embarquer, rembarquement, rembarquer.

débarras n.m. **1.** Endroit où l'on remise les objets encombrants ou inutiles: *J'ai rangé ces vieux meubles dans le débarras.* **2.** fam. Soulagement, délivrance: *Ouf! Quel débarras!* ∥ *Bon débarras:* Exclamation par laquelle on salue le départ de quelqu'un dont on avait à se plaindre. ☞ débarrasser.

débarrasser v. **1.** Enlever ce qui encombre: *Nous avons débarrassé le grenier des vieux meubles et des objets inutiles.* SYN. déblayer, dégager. ANT. embarrasser. **2.** Enlever le couvert d'une table: *Nous avions à peine fini de manger que déjà les serveurs débarrassaient.* ☞ débarras. se **débarrasser** v.pron. **1.** Se défaire de quelque chose: *Mon petit frère s'est débarrassé de ses vieux livres.* **2.** Éloigner quelqu'un: *Nous avons essayé de nous débarrasser d'elle, mais elle nous a suivis.* ANT. attirer.

débarrer v. Enlever la barre ou les barres qui fermaient une porte, une fenêtre: *Après l'ouragan, les gens débarraient les portes et les fenêtres de leurs maisons.* **R.** N'a pas le sens de *ouvrir*, de *déverrouiller*.

débat n.m. **1.** Discussion entre deux ou plusieurs personnes: *Toute la famille a écouté le débat politique télévisé.* **2.** plur. Discussions au cours d'une assemblée politique: *As-tu le compte rendu des débats parlementaires?* ☞ débattre.

débattre v. Discuter de quelque chose avec une ou plusieurs personnes: *Ces journalistes bien connues ont débattu la question du bilinguisme.* ☞ débat. se **débattre** v.pron. **1.** Lutter pour se défendre: *L'animal pris au piège se débattait de toutes ses forces.* ANT. céder. **2.** fig. Lutter pour sortir d'une situation difficile: *Cette famille se débat contre la misère.* SYN. résister.

débauche n.f. Mauvaise conduite, vice: *Ces gens vivent dans la débauche.* SYN. dévergondage. ANT. modération. ☞ débaucher.

débauché, ée n. et adj. **1.** n. Personne qui se conduit très mal, qui vit dans le vice: *Ce garçon est un débauché.* SYN. coureur. **2.** adj. Qui se conduit très mal, qui vit dans le vice: *Les personnes débauchées donnent le mauvais exemple.* SYN. dévergondé. ANT. rangé, vertueux. HOM. débaucher. ☞ débaucher.

débaucher v.fam. Détourner quelqu'un de son travail pour le distraire: *Carl passe toutes ses soirées à travailler. Samedi, son ami l'a débauché en l'invitant au cinéma.* SYN. dévergonder. ANT. moraliser. ☞ débauche, débauché. ▲ **débaucher** v. **1.** Congédier du personnel par manque de travail: *L'usine a débauché cinq cents personnes.* SYN. licencier, renvoyer. ANT. embaucher. **2.** Inciter quelqu'un à abandonner son travail: *Les grévistes cherchent à débaucher les ouvriers de cette manufacture.* HOM. débauché. ☞ embauchage, embauche, embaucher, réembaucher.

débile n. et adj. **1.** n. Personne dont l'intelligence ne s'est pas développée normalement: *Cette débile mentale est très adroite.* **2.** n.fam. Personne stupide, imbécile: *Quel débile! Il n'arrête pas de faire des sottises.* **3.** adj. Qui est très faible, chétif: *Les gens débiles ne sont pas en bonne santé.* SYN. fragile, frêle, malingre. ANT. fort, vigoureux. **4.** adj.fam. Qui est stupide, imbécile: *Ces romans sont débiles.* ☞ débilité.

débilité n.f. **1.** État de l'intelligence qui ne s'est pas développée normalement: *La débilité mentale est une insuffisance du développement intellectuel.* **2.** Très grande faiblesse: *La débilité s'observe souvent chez les enfants prématurés.* ANT. force. ☞ débile.

débiner v.fam. Dire du mal de quelqu'un: *Maxime n'arrête pas de débiner Alexandra.* SYN. dénigrer, médire. se **débiner** v.pron.fam.

S'enfuir: *J'ai besoin de ton aide et tu te débines!* SYN. se sauver.

débit n.m. **1.** Compte des sommes qu'une personne doit à une autre: *Quand une personne fait un chèque de cent dollars, la banque porte cette somme au débit de son compte.* ANT. crédit. **2.** Colonne d'un compte, où sont inscrites les sommes dues: *Quand elle fait son budget, maman inscrit les sommes qu'elle doit dans la colonne débit.* ☞ débiter, débiteur. ▲ **débit** n.m. **1.** Vente continue de marchandises au détail: *Certains articles sont d'un bon débit: ils se vendent bien.* **2.** Quantité d'eau, de gaz, d'électricité fournie pendant un temps donné: *À la fonte des neiges, le débit des cours d'eau augmente.* **3.** Façon de parler, de réciter: *Ton débit est trop rapide; essaie de parler plus lentement.* ☞ débiter.

débitable adj. Qui peut être taillé en morceaux: *Les billes de chêne sont débitables en planches.* ☞ débiter.

débitage n.m. Opération par laquelle on taille en morceaux le bois, la viande, la pierre: *Dans les carrières, on procède au débitage de la pierre.* ☞ débiter.

débiter v. Enlever une somme d'un compte, en le portant au débit: *Maman a retiré deux cents dollars au guichet automatique; la banque débitera cette somme de son compte.* ANT. créditer. ☞ débit. ▲ **débiter** v. **1.** Vendre une marchandise au détail: *Le marchand débite du vin et de la bière.* ANT. acheter, acquérir. **2.** Laisser s'écouler, produire une quantité d'eau, de gaz, d'électricité pendant un temps donné: *Cette pompe débite mille litres d'eau à l'heure.* **3.** Réciter de façon monotone: *Elle débite son poème sans aucun sentiment.* SYN. dire, énoncer. **4.** péj. Raconter à la suite: *Nicole débite des mensonges à ses parents.* ☞ débit. ▲ **débiter** v. Tailler en morceaux du bois, de la viande, de la pierre: *À la scierie, on débite les troncs d'arbres en planches.* SYN. découper. ☞ débitable, débitage.

débiteur, trice n. Personne qui doit de l'argent à quelqu'un: *J'ai prêté cinquante dollars à ma voisine: elle est ma débitrice.* ☞ débit.

déblaiement n.m. Action d'enlever ce qui encombre un endroit: *Les ouvrières n'ont pas terminé le déblaiement de la cour.* ANT. remblayage. ☞ déblayer.

déblais n.m.plur. Terres, décombres que l'on enlève: *Plusieurs tonnes de déblais ont été retirées de ce terrain.* ☞ déblayer.

déblatérer v. Dire du mal de quelqu'un ou de quelque chose, avec violence et pendant longtemps: *Depuis une heure, elle déblatère contre la directrice.* SYN. calomnier, dénigrer, médire. ANT. complimenter, féliciter, louanger, vanter.

déblayer v. Enlever ce qui encombre un endroit: *Après le tremblement de terre, il a fallu déblayer les voies de circulation.* SYN. dégager. ANT. embarrasser, encombrer, remblayer. ⁄⁄ *Déblayer le terrain:* Se débarrasser des premières difficultés. ☞ déblaiement, déblais, remblai, remblayage, remblayer.

déblaiement déblayer

déblocage n.m. **1.** Action de remettre en marche une machine ou un mécanisme: *Le mécanicien s'occupe du déblocage des freins.* ANT. blocage. **2.** Action de rendre disponible une somme d'argent: *Le déblocage des crédits permettra d'agrandir l'usine.* ☞ bloquer.

débloquer v. **1.** Remettre en marche une machine ou un mécanisme: *La mécanicienne a réussi à débloquer les freins de ma voiture.* ANT. bloquer. **2.** Rendre disponible une somme d'argent: *L'entreprise a débloqué des crédits pour acheter de nouveaux appareils.* ☞ bloquer.

déblocage débloquer

débobiner v. Dérouler ce qui était enroulé sur une bobine: *Le chat a débobiné le fil.* ANT. embobiner. ☞ bobine.

déboires n.m.plur. Déception, ennui: *Cette année, mon équipe de hockey a connu bien des déboires.* ANT. satisfaction, succès.

déboisement n.m. Action de couper les arbres qui poussent sur un terrain: *Un comité de citoyens s'oppose au déboisement de l'île.* ANT. boisement, reboisement. ☞ bois.

déboiser v. Couper les arbres qui poussent sur un terrain: *On a déboisé la montagne pour y construire des immeubles d'habitation.* ANT. boiser, reboiser. ☞ bois.

déboîtement n.m. Déplacement d'un os de son articulation: *Le déboîtement de l'épaule fait beaucoup souffrir.* SYN. luxation. **R.** Ne pas oublier l'accent: *î.* ☞ déboîter.

déboîter v. **1.** Séparer des objets qui s'emboîtent l'un dans l'autre: *La plombière a déboîté les tuyaux.* SYN. démonter, séparer. ANT. emboîter, joindre. **2.** Faire sortir un os de son articulation: *Il s'est déboîté l'épaule en tombant.* SYN. désarticuler, disloquer. ANT. remboîter, remettre. **3.** Quitter une file pour aller à côté: *L'automobile a déboîté vers la gauche et* *a heurté une borne d'incendie.* **R.** Ne pas oublier l'accent : *î.* ☞ déboîtement, emboîtable, emboîtement, emboîter, remboîter.

débonnaire adj. Qui est bon, doux : *Avec son air débonnaire, cette femme attire les enfants du quartier.* SYN. bonasse, indulgent, patient. ANT. dur, méchant, sévère.

débordant, ante adj. Qui se manifeste avec exubérance : *Sa joie est débordante.* ☞ déborder.

débordé, ée adj. **1.** Qui a trop de travail : *La couturière est débordée de travail.* ANT. inoccupé. **2.** Qui n'a plus le contrôle sur quelque chose : *Le service d'ordre est débordé par les événements.* SYN. dépassé. HOM. déborder. ☞ déborder.

débordement n.m. Fait de passer pardessus les bords : *L'embâcle a provoqué le débordement de la rivière.* ☞ déborder. ▲ **débordement** n.m. Surabondance, profusion : *Les débordements de belles paroles me laissent songeuse.* SYN. effusion, exubérance. ANT. modération, retenue. ☞ déborder.

déborder v. Passer par-dessus les bords : *Le lait déborde de la tasse.* ANT. contenir. HOM. débordé. ☞ débordé, débordement. ▲ **déborder** v. **1.** Tirer les bords d'un drap de dessous le matelas : *Tu as encore réussi à déborder ton lit.* ANT. border. **2.** Enlever la bordure ou le bord de quelque chose : *J'ai débordé mon pantalon.* ANT. border. ☞ bord. ▲ **déborder** v. Se manifester avec exubérance : *Cette femme déborde d'enthousiasme.* SYN. exploser. ANT. se calmer, se retenir. HOM. débordé. ☞ débordant, débordement. **se déborder** v.pron. Défaire les draps de son lit : *Il bouge tellement en dormant qu'il se déborde toutes les nuits.*

débosselage n.m. **1.** Action de faire disparaître les bosses de : *Le débosselage de cette pièce d'argenterie est un travail délicat.* **2.** Au Canada, action de faire disparaître les bosses d'une carrosserie : *Le débosselage de mon automobile a coûté très cher.* ☞ bosse.

débosseler v. Faire disparaître les bosses de quelque chose : *Je dois faire débosseler la portière de ma voiture.* ANT. bosseler. ☞ bosse.

débosseleur n.m. Au Canada, personne qui fait disparaître les bosses d'une carrosserie : *Le débosseleur a fait un excellent travail.* **R.** En France, *carrossier.* ☞ bosse.

débotter v. Ôter les bottes de quelqu'un : *Attends, je vais te débotter.* ANT. botter. ☞ botte. **se débotter** v.pron. Enlever ses bottes : *Les invités se débottent dans l'entrée.*

débouchage n.m. **1.** Action d'enlever le bouchon d'un flacon, d'une bouteille : *Tu t'occuperas du débouchage des bouteilles.* ANT. bouchage. **2.** Action de retirer ce qui bouche un conduit, un tuyau : *Le débouchage des tuyaux est un travail salissant.* ANT. bouchage. ☞ boucher (v.).

débouché n.m. **1.** Endroit qui permet de passer d'un lieu étroit à un lieu plus large : *L'auberge est construite au débouché de la vallée.* ANT. barrière. **2.** Moyen de vendre un produit, une marchandise : *Les fabricants québécois cherchent de nouveaux débouchés pour écouler leurs produits.* SYN. marché. **3.** fig. Carrière, profession accessible : *Le domaine de l'électronique offre de nombreux débouchés.* SYN. perspective, possibilité. ANT. impasse. HOM. déboucher. ☞ déboucher.

déboucher v. **1.** Enlever le bouchon d'un flacon, d'une bouteille : *Annie débouche la bouteille de vin.* SYN. ouvrir. ANT. boucher. **2.** Retirer ce qui bouche un conduit, un tuyau : *Maman a réussi à déboucher l'évier de la cuisine.* SYN. dégager. ANT. boucher. ☞ boucher (v.). ▲ **déboucher** v. **1.** Passer d'un lieu étroit à un lieu plus large : *Le cortège débouche sur la grande place devant l'hôtel de ville.* **2.** fig. Conduire, mener à : *Ses études universitaires ont débouché sur un diplôme en administration.* HOM. débouché. ☞ débouché.

débouchoir n.m. Instrument qui sert à retirer ce qui bouche un conduit, un tuyau : *Je n'ai heureusement pas à me servir souvent d'un débouchoir.* ☞ boucher (v.).

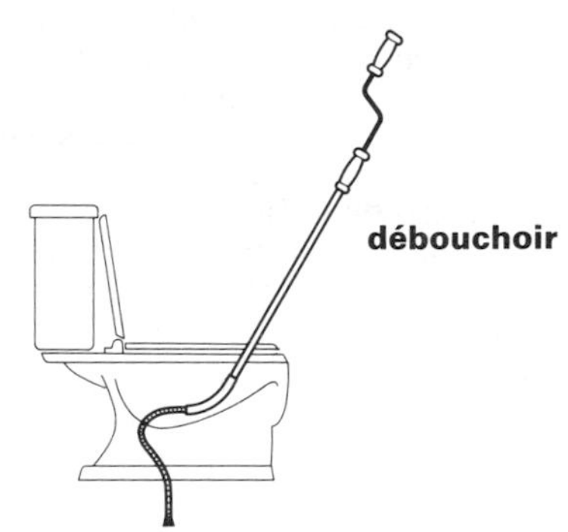

déboucler v. **1.** Ouvrir la boucle ou l'attache de quelque chose : *Si tu déboucles ta ceinture, tu seras plus à l'aise dans tes mouvements.* ANT. boucler. **2.** Défriser : *La pluie a débouclé tes cheveux.* ANT. boucler. ☞ boucle.

débouler v. **1.** Tomber en roulant : *Noël a déboulé jusqu'au bas de la pente.* **2.** Descendre très vite: *Comme elle est très pressée, elle déboule l'escalier.*

déboulonnage n.m. Action de démonter ce qui était fixé avec des boulons: *Le déboulonnage a été long, car la rouille avait endommagé les écrous.* **R.** Aussi, *déboulonnement.* ☞ boulon.

déboulonner v. Démonter ce qui était fixé avec des boulons: *L'ouvrière se sert d'une clé pour déboulonner les pièces.* ☞ boulon.

débourber v. **1.** Retirer la boue noire et épaisse d'un marais, d'un étang: *L'agricultrice a décidé de débourber l'étang qui se trouve sur sa propriété.* ANT. embourber. **2.** Retirer un véhicule d'un endroit rempli de boue noire et épaisse: *Il a fallu un tracteur pour débourber la camionnette.* ANT. embourber. ☞ bourbe.

débourrer v. Enlever ce qui remplit complètement un objet: *Le fumeur débourre sa pipe.* SYN. vider. ANT. bourrer, rembourrer. ☞ bourre.

déboursement n.m. Action de sortir une somme de son portefeuille, de payer: *Le déboursement de cette somme m'a appauvrie.* SYN. paiement. ☞ débourser.

débourser v. Sortir une somme de son portefeuille, payer: *Combien as-tu déboursé pour ce livre?* SYN. dépenser, verser. ☞ déboursement.

déboussoler v.fam. Faire perdre la tête à quelqu'un, le désorienter: *Ces événements malheureux l'ont déboussolé.*

debout adv. et interj. **1.** adv. Sur ses pieds: *Pourquoi restes-tu debout quand tu peux t'asseoir?* **2.** adv. En position verticale: *Dans la bibliothèque, les livres sont placés debout.* **3.** adv. Levé: *Il était debout à 5 heures.* **4.** adv. En bon état: *Ces maisons du XVIIe siècle sont encore debout.* **5.** interj. Ordre invitant à se lever, à partir: *Debout, tout le monde!* ⁄⁄ *Dormir debout:* Éprouver une forte envie de dormir. *Ne plus tenir debout:* Être épuisé, très ensommeillé.

déboutonnage n.m. Action d'ouvrir un vêtement en faisant sortir les boutons de leurs boutonnières: *Le déboutonnage est une opération difficile quand on a les mains engourdies.* ANT. boutonnage. ☞ bouton.

déboutonner v. Ouvrir en faisant sortir les boutons de leurs boutonnières: *La fillette a de la difficulté à déboutonner sa robe.* ANT. boutonner. ☞ bouton. **se déboutonner** v.pron. Détacher les boutons de ses vêtements: *Tu peux te déboutonner si tu as chaud.*

débraillé n.m. Tenue négligée: *Tu ne vas pas sortir dans ce débraillé?*

débraillé, ée adj. Qui a une tenue négligée: *Tes vêtements sont en désordre; tu es toute débraillée!* ☞ se débrailler.

se débrailler v.pron.fam. Se découvrir la poitrine d'une façon indécente, en déboutonnant ses vêtements: *Se débrailler peut être une façon d'attirer l'attention.* ☞ débraillé.

débranchement n.m. Action d'arrêter le fonctionnement d'un appareil électrique, en retirant les fiches métalliques d'une prise de courant: *On recommande le débranchement des appareils électriques pendant les orages.* ANT. branchement. ☞ brancher.

débrancher v. Arrêter le fonctionnement d'un appareil électrique, en retirant les fiches métalliques d'une prise de courant: *Quand l'eau bout, il faut débrancher la bouilloire.* ANT. brancher. ☞ brancher.

débrayage n.m. Action de supprimer la liaison entre le moteur et les roues d'une voiture: *Appuie sur la pédale de débrayage pour changer les vitesses.* ANT. embrayage. ☞ débrayer. ▲ **débrayage** n.m. Arrêt de travail: *Le débrayage a duré deux heures.* ☞ débrayer.

débrayer v. Supprimer la liaison entre le moteur et les roues d'une voiture: *Attention! Tu dois débrayer si tu veux changer les vitesses.* ANT. embrayer. ☞ débrayage, embrayage, embrayer. ▲ **débrayer** v.fam. Cesser de travailler: *Les ouvriers ont débrayé vers 13 heures.* ☞ débrayage.

débridé, ée adj. Qui est libéré de toute contrainte: *Julie a une imagination débridée.* SYN. déchaîné. ANT. discipliné, modéré, retenu. HOM. débrider. ☞ brider.

débrider v. **1.** Enlever la bride à un cheval: *Le cavalier débride sa monture.* **2.** Retirer les ficelles dont on a entouré une volaille avant de la faire cuire: *Il faut débrider la dinde avant de l'apporter sur la table.* HOM. débridé. ☞ bride.

débris n.m.plur. Morceaux, restes inutilisables d'une chose brisée: *Il faut ramasser les débris de verre pour ne pas risquer de se couper.* SYN. fragment.

débrochage n.m. Action d'enlever la couverture et de découdre les feuilles d'un livre: *Le débrochage des livres est confié à des mains expertes.* ANT. brochage. ☞ brocher.

débrocher v. Enlever de la broche les morceaux de viande qu'on a fait rôtir: *On peut débrocher le poulet; il est rôti à point.* ANT. embrocher. ☞ broche. ▲ **débrocher** v. Enlever la couverture et découdre les feuilles d'un livre: *Il faut débrocher le livre avant de reprendre la reliure.* ANT. brocher. ☞ brocher.

débrouillard, arde n. et adj.fam. **1.** n. Personne qui se tire facilement d'affaire: *Ce garçon est un débrouillard.* ANT. empoté, gauche. **2.** adj. Qui se tire facilement d'affaire: *Louise est bien débrouillarde.* SYN. adroit, habile. ANT. empoté, gauche. ☞ se débrouiller.

débrouillardise n.f. Qualité d'une personne qui se tire facilement d'affaire: *On l'a félicité pour sa débrouillardise.* ☞ se débrouiller.

débrouiller v. **1.** Démêler quelque chose qui est embrouillé: *Jeannine essaie de débrouiller l'écheveau de laine.* ANT. embrouiller. **2.** fig. Éclaircir, tirer au clair: *La détective a réussi à débrouiller cette affaire d'incendie.* ANT. brouiller, embrouiller. ☞ brouiller.

se **débrouiller** v.pron. Se tirer facilement d'affaire: *Les enfants doivent apprendre à se débrouiller dans la vie.* ☞ débrouillard, débrouillardise.

débroussaillement n.m. Action d'enlever les broussailles d'un terrain: *Le débroussaillement du terrain est à la charge de la propriétaire.* ☞ broussaille.

débroussailler v. **1.** Enlever les broussailles d'un terrain: *Le fermier débroussaille le sentier qui mène à l'érablière.* **2.** fig. Commencer à éclaircir un problème, une situation: *Il faudrait débroussailler la question avant de proposer des solutions.* ☞ broussaille.

débusquer v. **1.** Faire sortir le gibier de l'endroit où il se cache: *Le chien a débusqué la perdrix qui se cachait dans les buissons.* SYN. déloger. ANT. embusquer. **2.** Faire sortir quelqu'un d'un refuge: *Les policiers ont débusqué le malfaiteur qui se terrait chez des amies.* SYN. déloger. ANT. embusquer.

début n.m. **1.** Commencement: *Ce film m'a intéressée du début à la fin.* ANT. conclusion, fin. **2.** plur. Première apparition sur une scène: *Ce jeune comédien fait ses débuts au théâtre du Rideau-Vert.* **3.** plur. Période pendant laquelle on s'adonne pour la première fois à une activité quelconque: *Cette entreprise a connu des débuts difficiles.* ☞ débuter.

débutant, ante n. et adj. **1.** n. Personne qui fait ses premiers pas dans une activité, une carrière: *Ne soyez pas trop sévère avec lui: c'est un débutant.* **2.** adj. Qui fait ses premiers pas dans une activité, une carrière: *Rose-Marie est une conductrice débutante.* ☞ débuter.

débuter v. **1.** Commencer: *Le spectacle débute à 20 heures par un monologue.* ANT. achever, finir, se terminer. **2.** Commencer à exercer une activité, une carrière: *La dentiste vient d'ouvrir son cabinet; elle débute.* **R.** N'a pas de complément direct. Ne pas dire: «débuter un travail» mais plutôt *commencer un travail.* ☞ début, débutant.

décacheter v. Ouvrir une enveloppe cachetée: *On ne décachette pas les lettres qui ne nous sont pas adressées.* ANT. cacheter. **R.** Ne pas oublier de doubler le *t* devant un *e* muet. ☞ cachet.

en **deçà de** loc.prép. **1.** De ce côté-ci: *Restez en deçà de la barrière.* ANT. au-delà de. **2.** fig. Au-dessous: *Ce qu'on t'a raconté est bien en deçà de la vérité.*

décadence n.f. Diminution de grandeur, de prestige: *L'empire romain a dominé le monde avant de tomber en décadence.* SYN. déclin. ANT. croissance, épanouissement. ☞ décadent.

décadent, ente adj. Qui subit une diminution de grandeur, de prestige: *Toutes les civilisations ont fini par devenir décadentes.* ☞ décadence.

décaféiné n.m. Café dont on a enlevé partiellement la caféine: *Grand-père ne boit que du décaféiné.* HOM. décaféiner. ☞ café.

décaféiné, ée adj. Dont on a enlevé partiellement la caféine: *Le café décaféiné n'empêche pas les gens de dormir.* ☞ café.

décaféiner v. Enlever partiellement la caféine du café: *Quand on décaféine le café, on lui enlève une partie de ses substances excitantes.* HOM. décaféiné. ☞ café.

décagone n.m. Figure géométrique qui a dix angles et dix côtés: *Le professeur a dessiné un décagone régulier au tableau.*

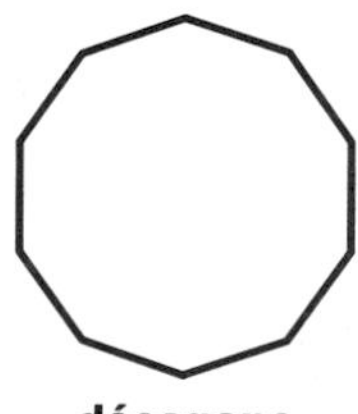

décagone

décagramme n.m. Unité de mesure de masse valant dix grammes: *J'ai acheté un décagramme de levure.* ☞ gramme.

décaisser v. **1.** Sortir quelque chose d'une caisse: *L'épicière a décaissé les boîtes de conserve.* SYN. déballer. ANT. emballer. **2.** Sortir une somme d'argent d'une caisse: *La res-*

tauratrice a décaissé mille dollars pour payer ses fournisseurs. ANT. encaisser. ☞ caisse.

décalage n.m. **1.** Écart, différence dans le temps ou dans l'espace: *Il y a un décalage de six heures entre Montréal et Paris.* **2.** fig. Écart, différence entre deux choses, deux faits: *Il y a souvent un décalage entre nos paroles et nos actes.* ANT. accord, concordance. ☞ décaler.

décalcification n.f. Diminution de la quantité de calcium contenu dans l'organisme: *La décalcification des os entraîne les fractures.* ☞ calcium.

décalcifier v. Faire perdre à un organisme une partie de son calcium: *Une mauvaise alimentation et le manque d'exercice décalcifient l'organisme.* ☞ calcium. se **décalcifier** v.pron. Perdre son calcium: *Ses os se décalcifient et deviennent très fragiles.*

décalcomanie n.f. **1.** Procédé qui permet de transposer sur un objet des images dessinées sur un papier: *Lyne décore ses cahiers par décalcomanie.* **2.** Image dessinée sur un papier, que l'on peut transposer sur un objet: *Lyne décore ses cahiers avec des décalcomanies.* ☞ calque.

décaler v. Déplacer dans le temps ou dans l'espace: *La rentrée scolaire a été décalée d'une demi-journée.* SYN. avancer, changer, reculer. ☞ décalage.

décalitre n.m. Unité de mesure de capacité valant dix litres: *La famille boit un décalitre de lait par semaine.* ☞ litre.

décalquage n.m. Action de reproduire un dessin après l'avoir calqué sur un papier transparent: *Le décalquage est le passe-temps préféré de Maribel.* ☞ calque.

décalque n.m. Reproduction d'un dessin qu'on doit d'abord calquer sur un papier transparent: *Maribel a réussi le décalque de ces dessins de fleurs.* ☞ calque.

décalquer v. Reproduire un dessin après l'avoir calqué sur un papier transparent: *Jérôme a calqué le dessin d'une fleur, qu'il a ensuite décalqué sur une toile.* ☞ calque.

décamètre n.m. Mesure de longueur valant dix mètres: *La confection des rideaux a exigé un décamètre de tissu.* ☞ mètre.

décamper v. S'enfuir à toute vitesse: *La peur les a fait décamper.* SYN. déguerpir, détaler, se sauver.

décan n.m. Division d'un signe du zodiaque: *Chaque signe du zodiaque compte trois décans.*

décantation n.f. Action de séparer un liquide des impuretés qu'il contient, en les laissant se déposer au fond du récipient: *La décantation est une étape importante de la fabrication du vin.* ☞ décanter.

décanter v. **1.** Séparer un liquide des impuretés qu'il contient, en les laissant se déposer au fond du récipient: *La vigneronne décante son vin.* **2.** fig. Éclaircir: *Laissons décanter nos idées; nous agirons ensuite.* ☞ décantation. se **décanter** v.pron. **1.** Se séparer de ses impuretés, en les laissant se déposer au fond d'un récipient: *Le vin se décante lentement.* **2.** fig. S'éclaircir: *Mes souvenirs se décantent et je comprends mieux certaines choses.*

décapage n.m. Action de débarrasser une surface de la peinture, de la rouille, du vernis, de la cire qui la recouvre: *Le décapage du parquet a donné de bons résultats.* ☞ décaper.

décapant n.m. Produit utilisé pour débarrasser une surface de la peinture, de la rouille, du vernis, de la cire qui la recouvre: *Voici un décapant efficace.* ☞ décaper.

décapement n.m. Action d'enlever la partie superficielle d'un sol ou d'une chaussée: *Les ouvriers de la voirie ont terminé le décapement de la rue.* ☞ décaper.

décaper v. Débarrasser une surface de la peinture, de la rouille, du vernis, de la cire qui la recouvre: *Maman a décapé les boiseries de chêne.* ☞ décapage, décapant. ▲ **décaper** v. Enlever la partie superficielle d'un sol ou d'une chaussée: *Les ouvrières de la voirie décapent la rue avant de la repaver.* ☞ décapement, décapeuse.

décapeuse n.f. Engin de terrassement qui enlève la partie superficielle d'un sol ou d'une chaussée: *La décapeuse est constituée d'une benne dont le fond est muni d'une lame de raclage.* ☞ décaper.

décapitation n.f. Action de couper la tête de quelqu'un: *Autrefois, les meurtriers étaient condamnés à la décapitation.* ☞ décapiter.

décapiter v. **1.** Couper la tête de quelqu'un: *Autrefois, on décapitait les condamnés à mort.* **2.** Enlever la partie supérieure d'un arbre: *Mon père a fait décapiter l'orme qui touchait les fils électriques.* SYN. écimer, étêter. **3.** fig. Priver un groupe de son chef: *Le parti a été décapité après la démission de son chef.* ☞ décapitation.

décapotable n.f. et adj. **1.** n.f. Voiture dont on peut enlever ou replier la capote: *Comme c'est agréable de rouler en décapotable!* **2.** adj. Dont on peut enlever ou replier la capote: *Les voitures décapotables sont très appréciées pendant l'été.* ☞ capote.

décapoter v. Enlever ou replier la capote d'une voiture: *Il fait beau! On décapote la voiture!* ☞ capote.

décapsulage n.m. Action d'enlever la capsule d'une bouteille: *Nous ne commencerons le décapsulage que lorsque les invités seront arrivés.* ANT. capsulage. ☞ capsule.

décapsuler v. Enlever la capsule d'une bouteille: *Christian décapsule la bouteille d'orangeade.* SYN. ouvrir. ☞ capsule.

décapsuleur n.m. Instrument servant à enlever les capsules des bouteilles: *Me prêtes-tu ton décapsuleur?* SYN. ouvre-bouteilles. ☞ capsule.

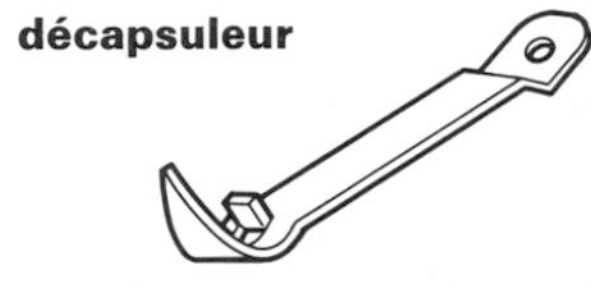

décapuchonner v. Enlever le capuchon d'un stylo, d'un tube: *Tu as décapuchonné le stylo, mais où as-tu mis le capuchon?* ☞ capuche.

décarreler v. Enlever les carreaux d'une surface: *Il faut décarreler le sol de la cuisine pour poser le linoléum.* ANT. carreler. ☞ carreau.

décathlon n.m. Compétition d'athlétisme comportant dix épreuves: *Les épreuves du décathlon se déroulent en deux journées consécutives.*

décéder v. Mourir, en parlant d'une personne: *Son père est décédé depuis deux ans.* ANT. naître. ☞ décès.

décelable adj. Qui peut être découvert: *Cette fuite de gaz était facilement décelable.* ☞ déceler.

déceler v. Découvrir ce qui était caché: *Le plombier a décelé une fuite d'eau dans la canalisation souterraine.* ☞ décelable.

décélération n.f. Diminution de la vitesse d'un corps en mouvement: *Il y a décélération quand ma voiture monte des pentes raides.* ANT. accélération. ☞ accélérer.

décélérer v. Diminuer la vitesse d'un véhicule: *L'automobiliste a décéléré à l'approche de l'intersection.* ANT. accélérer. ☞ accélérer.

décembre n.m. Douzième et dernier mois de l'année: *Le mois de décembre compte trente et un jours.*

décemment adv. D'une manière décente, convenable: *Ces femmes sont vêtues décemment.* ☞ décent.

décence n.f. **1.** Respect des convenances, modestie: *Il est vêtu avec décence.* ANT. indécence. **2.** Tact, délicatesse: *Aie au moins la décence de te taire!* SYN. réserve, retenue. ANT. effronterie. ☞ décent.

décennie n.f. Période de dix ans: *Il s'est passé beaucoup d'événements importants durant la dernière décennie.*

décent, ente adj. **1.** Qui respecte les convenances, qui est conforme à la décence: *Pour aller à l'église, on porte une tenue décente.* ANT. indécent. **2.** Qui est acceptable: *On lui a offert un salaire décent.* SYN. convenable. ☞ décemment, décence, indécence, indécent.

décentralisateur, trice n. et adj. **1.** n. Personne qui est en faveur du transfert des pouvoirs de décision et de gestion d'un organisme central à des organismes régionaux ou locaux: *Ces décentralisatrices réclament plus d'autonomie pour les régions éloignées.* **2.** adj. Qui se rapporte au transfert des pouvoirs de décision et de gestion d'un organisme central à des organismes régionaux ou locaux: *La politique décentralisatrice du gouvernement est accueillie avec enthousiasme.* ☞ centre.

décentralisation n.f. **1.** Transfert des pouvoirs de décision et de gestion d'un organisme central à des organismes régionaux ou locaux: *La décentralisation des services gouvernementaux permet de répondre aux besoins des régions éloignées.* **2.** Déplacement de services, d'industries d'un grand centre vers les régions: *La décentralisation industrielle permet de créer des emplois en dehors des grands centres.* ☞ centre.

décentraliser v. **1.** Transférer certains pouvoirs de décision et de gestion d'un organisme central à des organismes régionaux ou locaux: *On a décentralisé les services gouvernementaux.* **2.** Déplacer des services, des industries d'un grand centre vers les régions: *Les dirigeants ont décidé de décentraliser les ateliers de l'entreprise.* ☞ centre.

déception n.f. Fait d'être trompé dans ses espérances: *Son bulletin lui a causé une grande déception.* SYN. désappointement, désenchantement. ANT. contentement, satisfaction. ☞ décevoir.

décerner v. Accorder à quelqu'un une récompense, des honneurs: *Le jury a décerné le premier prix à la jeune écrivaine.* SYN. attribuer, donner.

décès n.m. Mort d'une personne: *Il ne s'est pas remis du décès de sa femme.* ANT. naissance. ☞ décéder.

décevant, ante adj. Qui trompe les espérances: *Ce voyage a été décevant.* ANT. satisfaisant. ☞ décevoir.

décevoir v. Tromper les espérances: *Cela m'a profondément déçue.* SYN. désappointer. ANT. contenter, satisfaire. ☞ déception, décevant, déçu.

déchaîné, ée adj. **1.** Qui est violent: *Les vents déchaînés arrachent les arbres et les toits des maisons.* SYN. furieux. ANT. calme. **2.** Qui est très excité: *Les élèves déchaînés n'obéissaient plus aux consignes.* HOM. déchaîner. **R.** Ne pas oublier l'accent: *î.* ☞ déchaîner.

déchaînement n.m. **1.** État de ce qui se manifeste avec violence: *Le déchaînement des flots a provoqué le naufrage du navire.* SYN. fureur. ANT. apaisement. **2.** Soulèvement: *Personne n'avait prévu ce déchaînement de violence.* ANT. apaisement. **R.** Ne pas oublier l'accent: *î.* ☞ déchaîner.

déchaîner v. Soulever, provoquer: *Ton attitude insolente a déchaîné la colère du surveillant.* ANT. apaiser. HOM. déchaîné. ☞ déchaîné, déchaînement. se **déchaîner** v.pron. **1.** Se manifester avec violence: *La tempête s'est déchaînée.* ANT. se calmer. **2.** Se mettre en colère: *Ta mère s'est déchaînée contre les vandales.* SYN. s'emporter. ANT. se calmer. **R.** Ne pas oublier l'accent: *î.*

déchanter v.fam. Être déçu, perdre ses illusions: *Notre équipe de volley-ball pensait compter facilement plusieurs buts, mais elle a vite déchanté.*

décharge n.f. **1.** Lieu où l'on dépose les déchets, les ordures: *La décharge publique est située dans une carrière désaffectée.* SYN. dépotoir. **2.** Fait de décharger une arme à feu: *La décharge a atteint l'orignal à la poitrine.* **3.** Brusque diminution d'une charge électrique: *Ne touche pas au fil: tu recevrais une décharge électrique!* ⁄⁄ *À la décharge de quelqu'un:* Pour diminuer sa responsabilité. *Témoin à décharge:* Qui témoigne en faveur de l'accusé. ☞ charger.

déchargement n.m. **1.** Action de débarrasser de son chargement un véhicule, un navire: *Nous n'avons pas encore terminé le déchargement du camion.* **2.** Action de retirer les projectiles d'une arme à feu: *Quand il revient de la chasse, le chasseur s'occupe lui-même du déchargement de son fusil.* ☞ charger.

décharger v. **1.** Débarrasser de son chargement une personne, un véhicule, un navire: *Il faut décharger le camion de déménagement.* ANT. charger, recharger. **2.** Faire partir une arme à feu: *Elle a déchargé son fusil sur le pigeon d'argile.* **3.** Enlever la charge électrique d'une pile, d'un accumulateur: *Le baladeur ne fonctionne pas quand les piles sont déchargées.* **4.** Libérer quelqu'un d'une accusation: *La juge a déchargé cet homme de l'accusation de vol qui pesait sur lui.* SYN. disculper, innocenter. ANT. accuser, condamner. **5.** fig. Enlever à quelqu'un un travail, une responsabilité: *On a déchargé l'agente d'assurances de mon dossier.* SYN. dispenser, libérer, soulager. ANT. surcharger. **6.** fig. et fam. Exprimer librement un sentiment: *Elle a déchargé sa colère sur ses enfants.* ☞ charger. se **décharger** v.pron. **1.** Se vider de sa charge électrique: *Certaines piles se déchargent plus vite que d'autres.* **2.** Se libérer d'un travail, d'une responsabilité: *Alain se décharge de son travail sur ses coéquipiers.*

décharné, ée adj. Qui est très maigre: *Le malade est décharné.* SYN. squelettique. ANT. charnu, gras. HOM. décharner. ☞ chair.

décharner v. Rendre quelqu'un très maigre: *Cette longue maladie l'a décharnée.* HOM. décharné. ☞ chair.

déchaumage n.m. Action de débarrasser un sol du chaume, après la moisson: *La cultivatrice effectue le déchaumage de ses champs de céréales.* ☞ chaume.

déchaumer v. Débarrasser un sol du chaume, après la moisson: *Le cultivateur a déchaumé le champ d'avoine.* ☞ chaume.

déchaumeuse n.f. Charrue légère servant à débarrasser un sol du chaume, après la moisson: *La déchaumeuse enterre partiellement le chaume.* ☞ chaume.

déchausser v. **1.** Enlever les chaussures de quelqu'un: *Serge déchausse sa petite sœur.* ANT. chausser. **2.** Mettre à découvert le pied, la base de quelque chose: *Les pluies abondantes ont déchaussé les rosiers.* ☞ chausser. se **déchausser** v.pron. **1.** Enlever ses chaussures: *On demande aux visiteurs de se déchausser devant le vestiaire.* **2.** En parlant d'une dent, ne pas être bien maintenue par la gencive: *J'ai une canine qui se déchausse.* **déchaussé, ée** p.p. et adj. **1.** Qui est sans chaussures: *L'enfant se promène les pieds déchaussés.* **2.** En parlant d'une dent, qui n'est pas bien maintenue par la gencive: *Les dents déchaussées ne sont plus solides.*

déchéance n.f. **1.** Diminution du rang social, abaissement: *Passer de la présidence à la direction fut pour lui une déchéance.* ANT. ascension, progrès, redressement. **2.** Perte d'un droit, d'un privilège: *L'assemblée révolutionnaire a proclamé la déchéance du roi.* SYN. disgrâce. ANT. ascension. ☞ déchoir.

déchet n.m. **1.** Restes inutilisables de quelque chose: *La poubelle est pleine de déchets.* SYN. résidu. **2.** Ce qui tombe d'une matière que l'on coupe, rogne: *Avec les déchets de laine, je ferai de la bourre pour mes coussins.* SYN. débris.

déchiffonner v. Défroisser un tissu qui est chiffonné: *Le repassage à la vapeur déchiffonne les vêtements.* SYN. défriper. ANT. chiffonner. ☞ chiffonner.

déchiffrable adj. Qui peut être lu, compris: *Ce message est déchiffrable.* ANT. indéchiffrable. ☞ chiffre.

déchiffrement n.m. Action de parvenir à lire, à comprendre une écriture ou un message chiffré: *Le déchiffrement de ce manuscrit ancien a demandé plusieurs mois de travail acharné.* ☞ chiffre.

déchiffrer v. **1.** Lire un message écrit en chiffres, en code: *L'espionne cherche à déchiffrer les messages secrets.* SYN. décoder. ANT. chiffrer. **2.** Comprendre une écriture inconnue ou peu lisible: *L'archéologue a réussi à déchiffrer l'inscription.* SYN. décoder. **3.** Lire de la musique à première vue: *Le pianiste a déchiffré le morceau de musique.* **4.** fig. Comprendre ce qui est caché ou mystérieux: *Ce détective aime déchiffrer les énigmes.* SYN. démêler, éclaircir, résoudre. ☞ chiffre.

déchiquetage n.m. Action de mettre en lambeaux, en petits morceaux: *Le chien est responsable du déchiquetage de la nappe.* ☞ déchiqueter.

déchiqueter v. Mettre en lambeaux, en petits morceaux: *Le chien a déchiqueté les chaussettes de Stéphanie.* SYN. mettre en pièces. ☞ déchiquetage. **déchiqueté, ée** p.p. et adj. Qui est mis en lambeaux, en petits morceaux: *Le coussin déchiqueté est devenu inutilisable.*

déchirant, ante adj. Qui déchire le cœur, qui émeut: *Les cris déchirants de l'orpheline arrachaient les larmes des témoins.* SYN. douloureux. ☞ déchirer.

déchirement n.m. Action de mettre en pièces, en tirant: *Le déchirement de la toile a surpris tout le monde. On la disait indéchirable.* ☞ déchirer. ▲ **déchirement** n.m. **1.** Grande douleur morale: *Quand il a quitté son pays, Juan a vécu un grand déchirement.* SYN. arrachement. **2.** fig. Division brutale d'un pays, d'un groupe: *Le Liban connaît de grands déchirements depuis plusieurs années.* SYN. trouble. ☞ déchirer.

déchirer v. **1.** Mettre en pièces, en tirant: *Benoîte a déchiré son dessin.* **2.** Faire une ouverture, un accroc: *Alexandra a déchiré le bas de sa robe.* SYN. accrocher. ANT. raccommoder, rapiécer. ☞ déchirement, déchirure, indéchirable. ▲ **déchirer** v. **1.** Causer une grande douleur morale ou physique: *Ton départ lui a déchiré le cœur.* ANT. consoler. **2.** fig. Diviser un pays, un groupe: *Leur pays est déchiré par la guerre.* ANT. pacifier, réconcilier. ☞ déchirant, déchirement. se **déchirer** v.pron. **1.** Devenir déchiré: *Ce tissu se déchire facilement.* **2.** Se faire du mal, de la peine: *Ces deux familles se déchirent depuis des années.* **3.** Se rompre les fibres d'un muscle: *La marathonienne s'est déchiré un muscle de la jambe.* **déchiré, ée** p.p. et adj. **1.** Qui est mis en pièces, qui a un accroc: *Ta chemise est déchirée.* **2.** Qui éprouve une grande douleur morale: *Mes parents ont été déchirés par mon départ.* **3.** Qui est divisé: *Le pays est déchiré par la guerre civile.*

déchirure n.f. **1.** Rupture faite dans une étoffe, en déchirant: *Antonia a fait une déchirure à son pantalon.* SYN. accroc. **2.** Rupture des fibres d'un muscle: *Le cycliste souffre d'une déchirure musculaire.* ☞ déchirer.

déchoir v. **1.** S'abaisser, tomber à un rang social inférieur: *Il croyait déchoir de son rang en se mêlant à la foule.* SYN. s'avilir. ANT. s'élever. **2.** Perdre un droit, un privilège, une autorité: *La reine a été déchue de ses privilèges.* ANT. monter. ☞ déchéance. **déchu, ue** p.p. et adj. Qui a perdu son rang, ses privilèges, son autorité: *Le prince déchu a été condamné à l'exil.* **R.** S'emploie surtout à l'infinitif et au participe passé.

déchristianisation n.f. Fait d'amener un pays, un groupe de personnes à perdre la foi chrétienne: *Il y a eu déchristianisation dans de nombreux pays communistes.* ☞ chrétien.

déchristianiser v. Amener un pays, un groupe de personnes à perdre la foi chrétienne: *Le communisme a tenté de déchristianiser de nombreux pays d'Europe et d'Asie.* ☞ chrétien. se **déchristianiser** v.pron. Être amené à perdre la foi chrétienne: *Quand ils renoncent aux valeurs chrétiennes, les gens se déchristianisent.*

décibel n.m. Unité d'intensité du son: *Une intensité de cent trente décibels donne un son qui est douloureux pour l'oreille.*

décidé, ée adj. **1.** Qui n'hésite pas à prendre une décision: *Nathalie est une fille décidée, qui sait ce qu'elle veut.* SYN. déterminé. ANT. hésitant, indécis, irrésolu. **2.** Qui est déterminé, fixé: *C'est chose décidée! Nous partons en vacances le 1er juillet.* SYN. arrêté, réglé, résolu. ANT. incertain. HOM. décider. ☞ décider.

décidément adv. D'une manière certaine, en définitive: *Décidément, cette femme est très distraite.*

décider v. **1.** Déterminer ce qu'on doit faire: *On a décidé de partir en voyage.* **2.** Convaincre quelqu'un de faire quelque chose: *J'ai décidé mon amie à suivre des cours de piano.* SYN. persuader. HOM. décidé. ☞ décidé, décisif, décision. se **décider** v.pron. **1.** Prendre une décision: *Mes parents se sont décidés à rénover la maison.* SYN. se déterminer. ANT. hésiter. **2.** Choisir, donner la préférence à quelque chose: *Elle s'est décidée après avoir longtemps hésité.* ANT. hésiter.

décigramme n.m. Unité de mesure de masse valant un dixième de gramme: *Il faut dix décigrammes pour faire un gramme.* ☞ gramme.

décilitre n.m. Unité de mesure de capacité valant un dixième de litre: *Il faut dix décilitres pour faire un litre.* ☞ litre.

décimal, ale, aux adj. **1.** Qui a pour base le nombre dix: *Dans la numération décimale, les unités vont en croissant ou en décroissant de dix en dix.* **2.** Qui a des chiffres placés à droite de la virgule: *2,75 est un nombre décimal.* HOM. décimale.

décimale n.f. Chiffre placé à droite de la virgule dans un nombre décimal: *3,75 a deux décimales: 7 et 5.* HOM. décimal.

décimer v. Faire mourir un grand nombre de personnes: *L'épidémie de grippe espagnole a décimé la population du village.* SYN. détruire, exterminer.

décimètre n.m. Unité de mesure de longueur valant un dixième de mètre: *Il faut dix décimètres pour faire un mètre.* ☞ mètre.

cm 0 1 2 3 4 5 6 7 8 9 10 11 12
dm 1

décimètre

décisif, ive adj. Qui mène à un résultat définitif: *Le match sera décisif.* SYN. déterminant. ANT. négligeable. ☞ décider.

décision n.f. **1.** Action de déterminer ce qu'on doit faire: *Mon frère a pris la décision de ne plus fumer.* SYN. résolution. **2.** Qualité d'une personne qui est ferme, déterminée: *Cet homme agit avec décision.* SYN. assurance, détermination. ANT. hésitation, indécision. ☞ décider.

déclamer v. Réciter un texte à haute voix de façon solennelle: *Le comédien déclame un poème d'Émile Nelligan.*

déclaratif, ive adj. Qui exprime un fait ou une idée: *Les verbes «annoncer», «dire», «raconter», «affirmer», «déclarer» et «expliquer» sont des verbes déclaratifs.* ☞ déclarer.

déclaration n.f. **1.** Parole ou écrit par lequel on annonce quelque chose: *La première ministre de Grande-Bretagne a fait une déclaration publique.* SYN. annonce, communication. **2.** Action de faire connaître à une administration l'existence d'un fait: *Chaque année, les contribuables doivent faire leur déclaration d'impôts.* **3.** Aveu que l'on fait à une personne que l'on aime: *Les amoureux se font des déclarations enflammées.* ☞ déclarer.

déclarer v. **1.** Faire connaître, annoncer quelque chose: *Béatrice a déclaré qu'elle ne viendrait pas à la réunion ce soir.* SYN. révéler. ANT. taire. **2.** Faire connaître à une administration l'existence de quelqu'un ou de quelque chose: *Les voyageurs doivent déclarer les marchandises qu'ils ont achetées à l'étranger.* SYN. signaler. ANT. cacher. ☞ déclaratif, déclaration. se **déclarer** v.pron. **1.** Faire connaître, exprimer quelque chose: *Les électeurs se sont déclarés contre la peine de mort.* SYN. se prononcer. **2.** Commencer à apparaître, en parlant d'un phénomène dangereux: *Une épidémie de grippe s'est déclarée.* **déclaré, ée** p.p. et adj. Qui est connu comme tel: *Cette avocate est l'adversaire déclarée de la pègre.*

déclasser v. Déranger le classement de quelque chose: *En voulant bien faire, nous avons malheureusement déclassé les fiches.* SYN. déplacer. ANT. reclasser. ☞ classer. ▲ **déclasser** v. **1.** Faire passer quelqu'un d'une catégorie supérieure à une autre qui est inférieure: *Le vainqueur de la course a été déclassé.* **2.** Faire passer quelque chose d'une catégorie supérieure à une autre qui est inférieure: *Ce restaurant a été déclassé récemment.* ☞ classer.

déclenchement n.m. **1.** Action de mettre en marche un appareil, un mécanisme: *Le déclenchement de la sirène d'alarme a ré-*

veillé tout le quartier. **2.** fig. Action de provoquer brusquement une action : *Le déclenchement de la guerre a entraîné la mobilisation générale.* ☞ déclencher.

déclencher v. **1.** Mettre en marche un appareil, un mécanisme : *C'est une passante qui a déclenché la sirène d'alarme.* SYN. actionner. **2.** fig. Provoquer brusquement une action : *La déclaration du ministre a déclenché de vives protestations.* SYN. entraîner. ANT. arrêter, empêcher. ☞ déclenchement, enclencher. se **déclencher** v.pron. **1.** Se mettre en marche : *La sonnerie s'est déclenchée pendant la nuit.* **2.** Se produire brusquement : *Dès qu'on le contrarie, la crise nerveuse se déclenche.*

déclic n.m. **1.** Mécanisme qui met en marche un appareil, un autre mécanisme : *Pour photographier, appuie sur le déclic de l'appareil-photo.* **2.** Bruit sec provoqué par la mise en marche d'un appareil, d'un mécanisme : *Le déclic de la porte signifie qu'elle est bien fermée.*

déclin n.m. **1.** Diminution de valeur, de puissance, de grandeur : *Cette grande cantatrice est sur son déclin.* ANT. épanouissement. **2.** État de ce qui s'approche de la fin : *Le déclin du jour est le moment où le jour laisse place à la nuit.* SYN. crépuscule. ANT. commencement. ☞ décliner.

décliner v. **1.** Diminuer, s'affaiblir : *Les forces de la malade déclinent rapidement.* SYN. décroître. ANT. croître, s'épanouir. **2.** S'approcher de la fin : *Le jour décline ; il fera bientôt nuit.* SYN. baisser, diminuer. ANT. progresser. ☞ déclin. ▲ **décliner** v. **1.** Refuser ce qui est proposé : *Elle a décliné mon invitation.* ANT. accepter. **2.** Rejeter, en parlant des responsabilités : *La garderie décline toute responsabilité dans cet accident.* **3.** fig. Dire, énumérer quelque chose : *Chaque élève devait décliner son nom, son prénom, son adresse et son âge.* SYN. énoncer.

décloisonnement n.m. **1.** Enlèvement des cloisons d'un local, d'un édifice : *Le décloisonnement a amélioré l'éclairage et l'aération.* ANT. cloisonnement. **2.** fig. Disparition de ce qui empêche la communication entre les personnes : *Le décloisonnement des services lui a permis d'accéder à un poste supérieur.* ☞ cloison.

décloisonner v. **1.** Enlever les cloisons d'un local, d'un édifice : *Pour agrandir la pièce, nous allons la décloisonner.* ANT. cloisonner. **2.** fig. Faire disparaître ce qui empêche la communication entre les personnes : *Il faut décloisonner les différents services de l'entreprise.* ☞ cloison.

déclouer v. Défaire ce qui était cloué : *La menuisière a décloué le cadre de la porte.* ANT. clouer. ☞ clou.

décocher v. **1.** Lancer avec un arc : *L'archer a décoché une flèche au centre de la cible.* **2.** Donner un coup de façon brusque : *Elle lui décocha un coup de poing en pleine figure.* SYN. envoyer. **3.** fig. Lancer vivement de façon malicieuse : *Cet enfant se permet de décocher des répliques désobligeantes.*

décodage n.m. Action de traduire en langage clair un message, un texte écrit en code : *Le décodage du texte a nécessité de longues heures de travail.* ☞ code.

décoder v. Traduire en langage clair un message, un texte écrit en code : *L'espion tente de décoder le message chiffré.* SYN. déchiffrer. ANT. coder. ☞ code.

décodeur n.m. Appareil servant à décoder des signaux, à recevoir certaines émissions de télévision : *Le décodeur est requis pour capter certaines chaînes.* ☞ code.

décoiffement n.m. Action de déranger la coiffure de quelqu'un : *Le décoiffement de la mariée a provoqué le rire des invités.* **R.** Aussi, *décoiffage*. ☞ coiffer.

décoiffer v. Déranger la coiffure de quelqu'un : *La pluie et le vent m'ont décoiffé.* SYN. dépeigner. ANT. recoiffer. ☞ coiffer.

décoincement n.m. Action de dégager quelque chose qui était coincé : *La chiropraticienne a procédé au décoincement d'une vertèbre.* ANT. coincement. **R.** Aussi, *décoinçage*. ☞ coincer.

décoincer v. Dégager quelque chose qui était coincé : *Papa a décoincé le tiroir du bureau.* ANT. coincer. ☞ coincer.

décollage n.m. En parlant d'un avion, action de s'envoler : *Les passagers sont priés de rester assis et d'attacher leur ceinture pendant le décollage.* ANT. atterrissage. ☞ décoller. ▲ **décollage** n.m. Action de détacher quelque chose qui était collé : *La vapeur facilitera le décollage des enveloppes.* ANT. collage. ☞ colle.

décoller v. En parlant d'un avion, s'envoler : *L'avion vient tout juste de décoller.* ANT. atterrir. ☞ décollage. ▲ **décoller** v. **1.** Détacher quelque chose qui était collé : *Le collectionneur décolle tous les timbres qu'il voit.* ANT. coller. **2.** fam. Partir, s'en aller d'un lieu : *Il n'y a pas moyen de le faire décoller du salon.* ☞ colle. se **décoller** v.pron. Se détacher : *Les enveloppes se décollent.*

décolleter v. **1.** Découvrir le cou, la gorge, les épaules : *Cette grande couturière décol-*

lette beaucoup ses mannequins cette année. **2.** Couper un vêtement de manière à ce qu'il découvre le cou : *Le couturier décollette cette robe de bal.* SYN. échancrer. **R.** Ne pas oublier de doubler le *t* devant un *e* muet. **décolleté, ée** p.p. et adj. **1.** Qui découvre le cou, la gorge, les épaules : *La chanteuse portait une robe très décolletée.* **2.** Qui porte un vêtement dont l'encolure est échancrée : *Une femme décolletée entra dans le restaurant.*

décolonisation n.f. Action de donner l'indépendance à une colonie : *La décolonisation des pays d'Afrique s'est effectuée dans les années soixante.* ☞ colonie.

décoloniser v. Donner l'indépendance à une colonie : *Ils sont nombreux les pays à avoir été décolonisés depuis cinquante ans.* ANT. coloniser. ☞ colonie.

décolorant n.m. Produit qui enlève la couleur : *Le coiffeur emploie un décolorant.* ANT. colorant. ☞ couleur.

décolorant, ante adj. Qui enlève la couleur : *L'eau de Javel est une substance décolorante.* ☞ couleur.

décoloration n.f. **1.** Perte ou affaiblissement de la couleur : *Les végétaux privés de lumière subissent une décoloration.* **2.** Opération du coiffeur qui enlève la couleur naturelle des cheveux : *Maman s'est fait faire une décoloration.* ☞ couleur.

décolorer v. **1.** Enlever, affaiblir la couleur : *Le soleil a décoloré les meubles du jardin.* ANT. colorer. **2.** Enlever la couleur des cheveux : *Patrick s'est fait décolorer les cheveux.* ANT. colorer. ☞ couleur. se **décolorer** v.pron. Perdre sa couleur : *Ces rideaux se sont décolorés au soleil.* SYN. ternir. **décoloré, ée** p.p. et adj. Qui a perdu sa couleur : *Ces femmes ont les cheveux décolorés.*

décombres n.m.plur. Ruines, débris provenant de la démolition d'un édifice : *Quelques survivants ont été retrouvés sous les décombres.*

décommander v. **1.** Annuler une commande : *Je vous prie de décommander le fauteuil.* ANT. commander. **2.** Annuler une invitation, un rendez-vous : *Si tu ne peux te présenter, il faut décommander.* ☞ commander. se **décommander** v.pron. Annuler un rendez-vous : *Il s'est décommandé au dernier moment.*

décomposable adj. Que l'on peut séparer en parties, en éléments : *Vingt est un nombre décomposable.* ☞ composer.

décomposer v. **1.** Séparer les parties, les éléments de quelque chose : *L'écolier décompose le nombre 3786.* ANT. combiner. **2.** Analyser les différentes parties d'une chose : *Les élèves décomposent la phrase en propositions.* ANT. composer. ☞ composer.

▲ **décomposer** v. **1.** Altérer des substances organiques : *La chaleur décompose les viandes.* SYN. putréfier. ANT. conserver. **2.** fig. Modifier profondément le visage, les traits de quelqu'un : *La douleur décomposait son visage.* SYN. altérer. ☞ décomposition. se **décomposer** v.pron. **1.** S'altérer, en parlant de substances organiques : *La pièce de bœuf est en train de se décomposer.* SYN. pourrir. **2.** fig. Se modifier profondément, en parlant du visage, des traits de quelqu'un : *Ses traits se décomposent sous l'effet de la peur.* **décomposé, ée** p.p. et adj. **1.** Qui est altérée, en parlant d'une substance organique : *Les substances décomposées servent à fertiliser le sol.* **2.** Qui est profondément modifié, en parlant du visage, des traits de quelqu'un : *Bouleversée par la nouvelle, elle avait le visage décomposé.*

décomposition n.f. **1.** Séparation de quelque chose en parties, en éléments : *Ces chercheuses étudient la décomposition de la lumière.* ANT. composition. **2.** Analyse des différentes parties d'une chose : *La décomposition de cette phrase en propositions n'a pas été facile.* ANT. synthèse. ☞ composer.

▲ **décomposition** n.f. **1.** Altération de substances organiques : *Le cadavre était déjà en décomposition.* SYN. putréfaction. ANT. conservation. **2.** fig. Modification profonde du visage, des traits de quelqu'un : *La décomposition de son visage montrait qu'il souffrait beaucoup.* SYN. altération. ANT. impassibilité. ☞ décomposer.

décompresser v. **1.** Faire cesser ou diminuer la compression d'un gaz, de l'air ou de la vapeur : *Quand on décompresse un gaz, on augmente son volume.* SYN. décomprimer. ANT. compresser. **2.** fam. Se détendre : *Il faut prendre le temps de décompresser !* ☞ comprimer.

décompresseur n.m. Appareil servant à ramener le gaz, l'air ou la vapeur à la pression normale : *Le décompresseur sert à réduire la pression d'un gaz.* ANT. compresseur. ☞ comprimer.

décompression n.f. **1.** Cessation ou diminution de la compression d'un gaz, de l'air ou de la vapeur : *La décompression est le passage d'une forte pression à une pression plus basse.* SYN. expansion. ANT. compression. **2.** Diminution progressive de la pression dans un caisson où travaille un plongeur, un scaphandrier : *L'accident de décompression* *est survenu parce que la plongeuse a été ramenée trop vite à la surface.* ANT. compression. ☞ comprimer.

décomprimer v. Faire cesser ou diminuer la compression d'un gaz, de l'air ou de la vapeur: *Quand on décomprime de l'air, on augmente son volume.* SYN. décompresser. ANT. comprimer. ☞ comprimer.

décompte n.m. **1.** Déduction d'une somme sur un compte que l'on paie: *Le marchand fait le décompte des cinq dollars que je lui ai déjà versés.* **2.** Décomposition d'une somme, d'un ensemble en ses éléments: *Pour savoir où va ton argent, fais le décompte de toutes tes factures.* ☞ compter.

décompter v. **1.** Déduire une somme d'un compte: *Je vais décompter cette somme du total que je vous dois.* ANT. compter. **2.** En parlant d'une horloge, sonner en désaccord avec l'heure indiquée par les aiguilles: *Cette horloge décompte; elle sonne trois coups, mais les aiguilles indiquent 6 heures.* ☞ compter.

déconcentration n.f. **1.** Transfert des pouvoirs de décision à des agents et organismes locaux soumis à l'autorité centrale: *La déconcentration des services gouvernementaux a été bien accueillie par les régions.* SYN. décentralisation. ANT. centralisation, concentration. **2.** Diminution de la concentration d'une ville, d'une région: *La déconcentration industrielle favorise la création d'emplois dans les régions éloignées.* ☞ concentrer.

déconcentrer v. **1.** Transférer des pouvoirs de décision à des agents et organismes locaux soumis à l'autorité centrale: *Le gouvernement a déconcentré ses services.* SYN. décentraliser. ANT. centraliser, concentrer. **2.** Diminuer la concentration d'une ville, d'une région: *Cette ville possède trop d'usines sur son territoire. Il faut la déconcentrer.* **3.** fig. Distraire l'attention de quelqu'un: *Le bruit de la motocyclette a déconcentré les écoliers.* ☞ concentrer. se **déconcentrer** v.pron. Se laisser distraire, cesser de se concentrer: *Philippe se déconcentre au moindre bruit.*

déconcertant, ante adj. Qui surprend, qui fait perdre contenance: *Ce garçon a une attitude déconcertante.* SYN. déroutant, embarrassant, surprenant. ANT. encourageant, rassurant. ☞ déconcerter.

déconcerter v. Embarrasser quelqu'un, lui faire perdre contenance: *Tes propos m'ont déconcertée.* SYN. décontenancer, dérouter. ANT. encourager, rassurer. ☞ déconcertant.

déconfit, ite adj. Qui est déçu, dépité: *Caroline a la mine déconfite depuis qu'elle a échoué à l'examen d'histoire.* SYN. défait. ANT. triomphant.

déconfiture n.f. Échec, défaite: *Nous pensions remporter le championnat, mais nous avons été vaincus. Quelle déconfiture!* ANT. succès, triomphe. ⁄⁄ *Être tombé en déconfiture:* Être en faillite, échouer complètement.

décongélation n.f. Action de ramener un produit congelé à une température au-dessus de zéro degré Celsius: *La décongélation est plus rapide dans un four à micro-ondes.* ANT. congélation. ☞ congeler.

décongeler v. Ramener un produit congelé à une température au-dessus de zéro degré Celsius: *Il faut faire décongeler la dinde avant de la faire cuire.* ANT. congeler. ☞ congeler.

> décong**é**lation
> décong**e**ler

décongestion n.f. Action de dégager un endroit encombré: *Tout le monde souhaite la décongestion du centre de la ville.* ☞ congestion.

décongestionner v. **1.** Faire cesser l'afflux du sang dans une partie du corps: *La malade suit un traitement visant à lui décongestionner les poumons.* ANT. congestionner. **2.** fig. Dégager un endroit encombré: *Cette rue à sens unique décongestionnera le centre de la ville.* ☞ congestion.

déconnecter v. **1.** Supprimer la liaison d'un appareil électrique à un circuit ou de deux appareils électriques entre eux: *L'électricienne a déconnecté la cuisinière.* ANT. connecter. **2.** Démonter le raccord d'une tuyauterie: *Pour déconnecter la laveuse, le plombier a démonté le raccord qui l'unissait au réservoir d'eau chaude.* **3.** fig. Couper les liens qui existent entre des personnes, des choses: *Son séjour à l'étranger l'a déconnectée de la société québécoise.* SYN. isoler. ☞ connecter.

déconnexion n.f. **1.** Action de supprimer la liaison d'un appareil électrique à un circuit ou de deux appareils électriques entre eux: *Il vaut mieux confier la déconnexion d'un appareil électrique à l'électricienne.* **2.** Action de démonter le raccord d'une tuyauterie: *Le plombier a fait la déconnexion du lave-vaisselle.* ☞ connecter.

déconseiller v. Conseiller à quelqu'un de ne pas faire quelque chose: *Mes parents m'ont déconseillé de faire de l'auto-stop.* ANT. recommander. ☞ conseil.

déconsidérer v. Faire perdre à quelqu'un l'estime et le respect des autres: *Ses men-*

songes l'ont déconsidéré auprès de ses amis. SYN. discréditer. ANT. considérer. ☞ considérer. se **déconsidérer** v.pron. Perdre le respect et l'estime des autres: *En étant malhonnête, Gabrielle se déconsidère auprès de ses camarades.*

déconsigner v. **1.** Retirer une chose mise à la consigne: *Le voyageur a déconsigné sa valise.* ANT. consigner. **2.** Rembourser le prix de la consigne d'une bouteille, d'un emballage: *L'épicière déconsigne les bouteilles de boisson gazeuse.* ANT. consigner. ☞ consigner.

décontamination n.f. Élimination ou réduction des effets d'une contamination: *Les gens ne peuvent retourner dans leurs maisons, car la décontamination n'est pas encore terminée.* ANT. contamination. ☞ contaminer.

décontaminer v. Éliminer ou réduire les effets d'une contamination: *Comme on a retrouvé des produits toxiques sur le terrain, il faudra le décontaminer.* ANT. contaminer. ☞ contaminer.

décontenancer v. Embarrasser quelqu'un, lui faire perdre contenance: *Les plaisanteries de Marcelle ont décontenancé Serge.* SYN. déconcerter, intimider. ANT. encourager, rassurer. ☞ contenance.

décontracté, ée adj. **1.** Qui est relâché, en parlant d'un muscle: *Les muscles décontractés sont un signe de détente.* SYN. détendu. ANT. contracté. **2.** Qui est détendu: *On réussit souvent mieux aux examens quand on est décontracté.* ANT. contracté. **3.** fig. et fam. Qui est à l'aise: *Ce jeune homme a une allure décontractée.* HOM. décontracter. ☞ contracter.

décontracter v. Faire cesser la contraction d'un muscle: *Rien de tel qu'un bon massage pour décontracter les muscles.* SYN. détendre. ANT. contracter. HOM. décontracté. ☞ contracter. se **décontracter** v.pron. Faire cesser la tension, l'anxiété: *Décontractez-vous!* SYN. se détendre. ANT. se crisper.

décontraction n.f. **1.** Relâchement du muscle après la contraction: *La décontraction musculaire succède à la contraction.* SYN. détente. ANT. contraction. **2.** Détente générale du corps: *Le yoga et la méditation favorisent la décontraction.* ANT. contraction. **3.** fig. Aisance: *Cette femme aborde les problèmes avec décontraction.* ☞ contracter.

déconvenue n.f. Désappointement, déception à la suite d'un insuccès, d'un contretemps: *Antoine réussit mal à cacher sa déconvenue.* ANT. réussite, triomphe.

décor n.m. **1.** Ce qui sert à embellir un lieu, un intérieur: *Le décor de cette maison victorienne est luxueux.* SYN. décoration, ornementation. **2.** Au théâtre, au cinéma, à la télévision, ensemble des éléments qui servent à représenter les lieux où se passe l'action: *Les décors de la pièce sont magnifiques.* **3.** Aspect du lieu où l'on vit, paysage: *Ce décor de bois et de montagnes est superbe.* SYN. ambiance, atmosphère, milieu. ⁄⁄ *Entrer dans le décor:* Quitter accidentellement la route, en parlant d'un véhicule. ☞ décorateur.

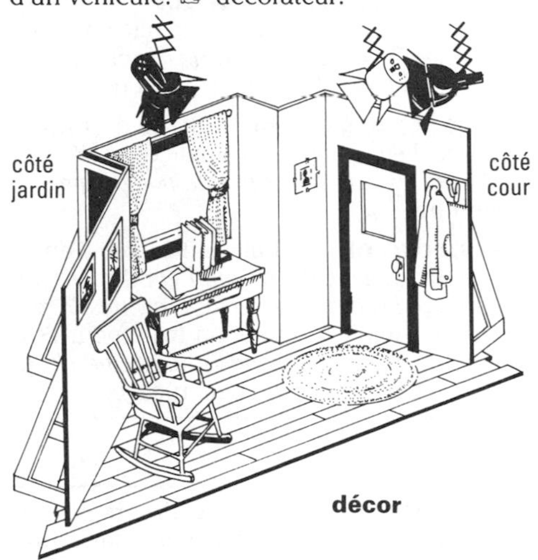

décor

décorateur, trice n. **1.** Personne dont le métier consiste à décorer des appartements, des maisons: *Le décorateur a décoré notre salon et notre salle à manger.* **2.** Personne dont le métier consiste à créer des décors de théâtre, de cinéma ou de télévision: *La décoratrice a dirigé l'exécution des décors pour ce film.* ☞ décor.

décoratif, ive adj. **1.** Qui sert à décorer: *J'ai accroché un tableau décoratif dans ma chambre.* **2.** Qui enjolive, décore bien: *Cette plante décorative orne bien le coin du salon.* ☞ décorer.

décoration n.f. **1.** Ensemble des éléments qui servent à embellir un lieu, un intérieur: *La décoration de la salle est très réussie.* SYN. embellissement. **2.** Action d'embellir un lieu, un intérieur: *À qui as-tu confié la décoration de ton bureau?* SYN. ornementation. ☞ décorer. ▲ **décoration** n.f. Insigne, médaille, ruban qu'on donne à quelqu'un pour l'honorer: *Le vieux général porte plusieurs décorations.* ☞ décorer.

décorer v. Embellir un lieu, un intérieur, en ajoutant des accessoires, des meubles: *Tante Charlotte a décoré son appartement avec goût.* SYN. agrémenter, orner. ANT. déparer. ☞

décoratif, décoration. ▲ **décorer** v. Remettre un insigne, une médaille, un ruban à quelqu'un qu'on veut honorer: *On a décoré la militaire pour sa bravoure.* ANT. dégrader, déshonorer. ☞ décoration. **décoré, ée** p.p. et adj. Qui a reçu un insigne, une médaille, un ruban: *La reine a félicité toutes les personnes qui avaient été décorées.*

décorner v. Enlever les cornes d'un animal: *L'éleveuse a décorné les jeunes bœufs.* // *Il fait un vent à décorner les bœufs:* Il vente très fort. ☞ corne. ▲ **décorner** v. Redresser le coin d'une page qui avait été plié en forme de corne: *Grand-mère décorne la page de son livre de lecture.* ANT. corner. ☞ corne.

décorticage n.m. Action d'enlever l'écorce, l'enveloppe, la carapace: *Le décorticage du riz est une opération délicate.* ☞ décortiquer.

décortiquer v. **1.** Enlever l'écorce, l'enveloppe, la carapace: *Christian et sa mère décortiquent les amandes et les crevettes.* **2.** fig. Analyser minutieusement un texte pour l'expliquer: *Le professeur décortique une chanson de Félix Leclerc.* ☞ décorticage.

décorti**c**age décorti**qu**er

décorum n.m. Ensemble des règles de bienséance qu'il faut observer dans une bonne société: *Pendant la cérémonie, les invités ont dû observer le décorum.* SYN. cérémonial, protocole. **R.** Les lettres *um* se prononcent *omm.*

découcher v. Ne pas rentrer coucher chez soi, rester absent toute une nuit: *Les parents d'André sont très inquiets, car il a découché la nuit dernière.* ☞ coucher.

découdre v. Défaire quelque chose qui est cousu: *Aide-moi à découdre l'ourlet de ton pantalon.* ANT. coudre. ☞ coudre.

découler v. Être la suite naturelle de quelque chose: *Ton succès découle de ton travail constant et soutenu.* SYN. provenir de, résulter de. ANT. causer, entraîner.

découpage n.m. **1.** Action, manière de couper en morceaux: *L'institutrice m'a confié le découpage du gâteau de fête.* **2.** Image, figure que l'on coupe avec des ciseaux en suivant les contours: *Mon petit frère aime les découpages.* // *Découpage électoral:* Division d'un pays, d'une région en circonscriptions électorales. ☞ découper.

découper v. **1.** Couper en morceaux: *Papa découpe le poulet.* SYN. charcuter, débiter. **2.** Couper avec des ciseaux, en suivant les contours d'un dessin, d'une figure: *Ma petite sœur découpe des photos d'animaux dans une revue.* **3.** Couper de façon régulière, en suivant un tracé, un contour: *Le menuisier découpe une pièce de bois avec une scie à découper.* SYN. tailler. ☞ découpage. **se découper** v.pron. Se détacher nettement sur un fond: *La croix du mont Royal se découpe sur le ciel bleu.* **découpé, ée** p.p. et adj. **1.** Qui a été coupé avec des ciseaux: *Ma sœur colle les photos découpées dans un cahier.* **2.** En parlant des feuilles, dont les bords présentent des formes en dents de scie: *Les feuilles du bouton-d'or sont très découpées.*

décourageant, ante adj. Qui fait perdre le courage, l'énergie: *Les journaux sont remplis de nouvelles décourageantes.* SYN. démoralisant. ANT. encourageant, réconfortant. **R.** Ne pas oublier le *e* après le *g.* ☞ courage.

découragement n.m. Perte du courage, de l'énergie: *Quand il a appris qu'il ne marcherait plus, il s'est laissé aller au découragement.* SYN. abattement, accablement. ANT. encouragement. ☞ courage.

décourager v. **1.** Faire perdre le courage, l'énergie: *Ne vous laissez pas décourager par la défaite.* SYN. abattre, accabler, démoraliser. ANT. encourager. **2.** Faire perdre l'envie de faire quelque chose: *L'entraîneur m'a découragé de jouer au hockey.* SYN. dissuader. ANT. encourager. **3.** Arrêter, empêcher: *Ton attitude méprisante décourage l'amitié.* ANT. encourager. ☞ courage. **se décourager** v.pron. Perdre courage: *Thierry ne se décourage pas facilement.*

découronner v. **1.** Faire perdre la couronne à un roi, à une reine: *Les révolutionnaires ont découronné le roi.* ANT. couronner. **2.** fig. Faire perdre le sommet, la cime de quelque chose: *L'ouragan a découronné des arbres centenaires.* ☞ couronne.

décousu, ue adj. **1.** Dont on a défait la couture: *Les poches de ton imperméable sont décousues.* ANT. cousu. **2.** fig. Qui n'a pas de suite logique: *Elle tenait des propos décousus.* SYN. incohérent, inconséquent. ANT. cohérent. ☞ coudre.

découvert, erte adj. **1.** Qui est nu: *Les danseuses de ballet ont les épaules découvertes.* **2.** Qui est peu boisé: *Le chalet est construit sur un terrain découvert.* ☞ couvrir. à **découvert** loc.adv. **1.** Dans une position qui n'est pas protégée: *Cette alpiniste était à découvert quand l'avalanche s'est produite.* **2.** fig. Sans dissimulation: *Je préfère agir à découvert.* SYN. clairement, ouvertement.

découverte n.f. **1.** Action de trouver ce qui était inconnu ou caché: *La découverte de la pénicilline a joué un grand rôle dans la lutte* *contre les bactéries.* **2.** Chose qui a été trouvée : *Connais-tu les grandes découvertes du XXe siècle?* ☞ découvrir. à la **découverte de** loc.adv. Dans l'intention de découvrir, d'explorer : *Christophe Colomb est parti à la découverte de terres lointaines.*

découvreur, euse n. Personne qui découvre ce qui était inconnu ou caché : *Marie Curie est la découvreuse du radium.* ☞ découvrir.

découvrir v. **1.** Enlever ce qui couvre quelqu'un ou quelque chose : *Découvre la casserole, sinon la soupe va déborder.* ANT. couvrir. **2.** Laisser voir quelque chose : *Ce tricot découvre les bras.* ANT. cacher. ☞ couvrir. ▲ **découvrir** v. **1.** Trouver ce qui était inconnu : *Jacques Cartier a découvert le Canada en 1534.* **2.** Trouver ce qui était caché : *Les enfants ont découvert une malle remplie de vieux vêtements dans le grenier.* **3.** Apercevoir quelqu'un ou quelque chose : *Du haut du mont Royal, on découvre la ville de Montréal.* ☞ découverte, découvreur, redécouvrir. **se découvrir** v.pron. **1.** Enlever ce qui nous couvre : *Au printemps, il ne faut pas se découvrir trop vite.* SYN. se dénuder, se déshabiller. **2.** S'éclaircir, se dégager : *Le ciel se découvre; il fera beau.*

décrassage n.m. Action d'enlever la saleté qui couvre la peau, le linge, les objets : *Le buandier a eu beaucoup de mal à faire le décrassage de ces draps.* **R.** Aussi, *décrassement.* ☞ crasse.

décrasser v. **1.** Enlever la saleté qui couvre la peau, le linge, les objets : *Ces articles de toilette sont très sales; il faut les décrasser.* SYN. laver, nettoyer. ANT. encrasser, salir. **2.** fig. et fam. Débarrasser quelqu'un de son ignorance : *Il faudra beaucoup de temps pour le décrasser de son ignorance.* SYN. dégrossir. ☞ crasse.

décrêpage n.m. Traitement qui consiste à rendre lisse une chevelure très frisée ou crépue : *Ce salon de coiffure est renommé pour le décrêpage.* ANT. crêpage. **R.** Ne pas oublier l'accent : *ê.* ☞ crêper.

décrêper v. **1.** Rendre lisse une chevelure très frisée ou crépue : *La coiffeuse décrêpe les cheveux de mon ami haïtien.* ANT. crêper. **2.** Rendre lisse une chevelure crêpée : *Olivia essaie de décrêper ses cheveux.* ANT. crêper. **R.** Ne pas oublier l'accent : *ê.* ☞ crêper.

décrépit, ite adj. Qui est très vieux et très faible : *La vieille dame décrépite n'attend plus que la mort.* SYN. usé. ☞ décrépitude.

décrépitude n.f.vx État de faiblesse causé par une grande vieillesse : *La décrépitude du vieillard m'arrache des larmes.* SYN. sénilité. ANT. jeunesse, vigueur. ☞ décrépit.

decrescendo n.m.invar. et adv. (it.) **1.** n.m.invar. Suite de notes qu'on exécute en diminuant progressivement l'intensité du son : *La pianiste fait un habile decrescendo.* SYN. diminuendo. ANT. crescendo. **2.** adv. En diminuant progressivement l'intensité du son : *Cette phrase musicale doit être jouée decrescendo.* ☞ crescendo.

décret n.m. Décision écrite et officielle émanant du gouvernement : *Le décret ordonne aux grévistes de rentrer immédiatement au travail.* SYN. loi, ordonnance. ☞ décréter.

décréter v. **1.** Décider officiellement par un décret : *Le Conseil des ministres a décrété la fin de la grève dans les hôpitaux.* SYN. ordonner. **2.** Décider de manière autoritaire : *Thomas a décrété qu'il ne participerait pas à l'échange de cadeaux.* ☞ décret.

décrier v.litt. Dire du mal de quelqu'un ou de quelque chose : *Cette politicienne est décriée pour ses déclarations racistes.* SYN. critiquer, dénigrer. ANT. louer, vanter.

décrire v. **1.** Représenter une personne, une chose, un événement par l'écrit ou par la parole : *Observez bien votre voisin, puis tentez de le décrire le plus parfaitement possible.* SYN. dépeindre. **2.** Tracer ou suivre une ligne courbe : *Les vautours décrivent des cercles dans le ciel.* ☞ descriptif, description, indescriptible.

décrochage n.m. Action de détacher ce qui était accroché : *Le décrochage des rideaux a pris moins de cinq minutes.* ☞ accrocher. ▲ **décrochage** n.m.fam. Fait d'abandonner une activité : *Le décrochage scolaire inquiète le ministre de l'Éducation.* SYN. abandon. ☞ décrocher.

décrocher v. **1.** Détacher ce qui était accroché : *L'électricienne décroche les fils.* ANT. accrocher. **2.** Enlever le combiné du téléphone de son support : *Veux-tu décrocher le téléphone, s'il te plaît?* ANT. raccrocher. **3.** fig. et fam. Obtenir quelque chose : *Xavier a décroché le premier prix au concours de danse.* ☞ accrocher. ▲ **décrocher** v.fam. Abandonner une activité : *C'est trop difficile, je décroche.* **R.** Ne pas employer l'expression *ouvrir la ligne.* ☞ décrochage, décrocheur.

décrocheur, euse n. Au Canada, élève qui quitte l'école avant la fin de la période de l'obligation scolaire : *Mon amie Diane est une décrocheuse qui a abandonné l'école à quatorze ans.* **R.** L'O.L.F. recommande d'utiliser le mot *décrocheur* plutôt que « drop-out ». ☞ décrocher.

décroiser v. Séparer ce qui était croisé: *Elle décroise ses jambes engourdies.* ANT. croiser. ☞ croiser.

décroissance n.f. Diminution progressive: *La décroissance de la natalité inquiète les francophones du Québec.* ANT. croissance. ☞ croître.

décroissant, ante adj. Qui va en diminuant: *Place ces nombres en ordre décroissant: du plus grand au plus petit.* ANT. croissant. ☞ croître.

décroître v. Diminuer peu à peu: *Les forces du malade décroissent de jour en jour.* SYN. baisser. ANT. augmenter, croître. **R.** Ne pas oublier l'accent: *î.* ☞ croître.

décrottage n.m. Action d'enlever la boue: *Après qu'il ait marché dans la boue, le décrottage de ses chaussures s'imposait.* SYN. nettoyage. ☞ crotté.

décrotter v. Enlever la boue: *Les enfants décrottent leurs chaussures avant d'entrer dans l'école.* SYN. nettoyer. ANT. crotter, salir. ☞ crotté.

décrue n.f. Baisse du niveau de l'eau après une crue: *Après la débâcle, la décrue ne devrait pas tarder.* ☞ crue.

déçu, ue adj. **1.** Qui n'a pas eu ce qu'il espérait: *Rien ne peut consoler cette fillette déçue.* **2.** Qui n'a pas été réalisé: *Le gymnaste ne veut pas parler de ses espoirs déçus.* **R.** Ne pas oublier la cédille. ☞ décevoir.

déculotter v. Enlever la culotte, le pantalon: *Papa déculotte mon petit frère.* ANT. culotter. ☞ culotte. se **déculotter** v.pron. Retirer sa culotte, son pantalon: *Ton pantalon est tout trempé; il faut te déculotter!*

déculpabiliser v. Supprimer chez quelqu'un le sentiment d'être coupable: *Raphaelle se sent responsable de la mort de son chien; ses parents essaient de la déculpabiliser.* ANT. culpabiliser. ☞ coupable.

décuplement n.m. **1.** Action de multiplier par dix: *De bons placements ont entraîné le décuplement de sa fortune.* **2.** Augmentation considérable: *La colère a provoqué le décuplement de ses forces.* ☞ décupler.

décupler v. **1.** Multiplier par dix: *Cet homme décuple sa fortune tous les cinq ans.* **2.** Être multiplié par dix: *Le prix des maisons a décuplé en vingt ans.* **3.** fig. Augmenter de façon considérable: *La fureur décuplait ses forces.* ☞ décuplement.

dédaignable adj. Qui mérite le dédain, le mépris: *Cette offre n'est pas dédaignable.* ANT. estimable. **R.** S'emploie surtout à la forme négative. ☞ dédain.

dédaigner v. **1.** Traiter avec dédain, avec mépris: *Ils ont dédaigné notre invitation.* SYN. refuser, rejeter. ANT. apprécier. **2.** litt. Refuser quelque chose avec mépris, avec dédain: *Ils dédaignent de jouer contre notre équipe.* ANT. daigner. ☞ dédain.

dédaigneusement adv. Avec dédain, avec mépris: *Elle a dédaigneusement haussé les épaules.* ☞ dédain.

dédaigneux, euse n. et adj. **1.** n. Personne qui éprouve du dédain, du mépris pour quelqu'un ou pour quelque chose: *Ce garçon fait le dédaigneux.* **2.** adj. Qui éprouve ou qui montre du dédain, du mépris à l'égard de quelqu'un ou de quelque chose: *Elle regarde ses adversaires d'un air dédaigneux.* SYN. hautain, méprisant. ANT. respectueux. ☞ dédain.

dédain n.m. Mépris, fait de dédaigner: *Il nous traite avec dédain, comme si nous avions la peste.* SYN. hauteur. ANT. admiration, estime, respect. ☞ dédaignable, dédaigner, dédaigneusement, dédaigneux.

dédale n.m. **1.** Lieu où l'on peut s'égarer facilement à cause de la complication des détours: *La guide nous a entraînés dans un dédale de petites rues.* SYN. labyrinthe. **2.** fig. Ensemble de choses compliquées: *L'avocate saura se retrouver dans le dédale des lois.*

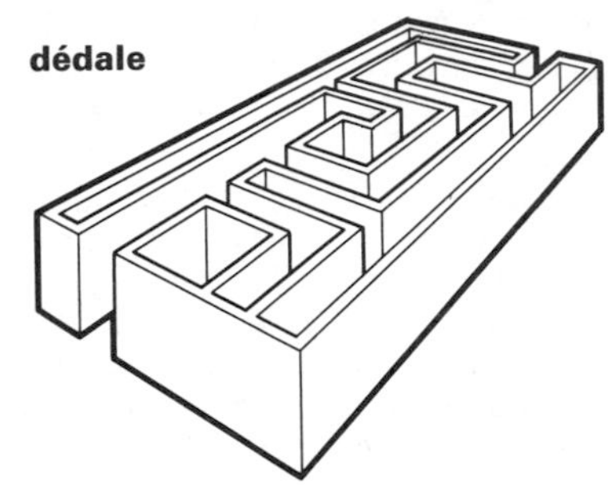

dedans n.m. Intérieur de quelque chose: *Le dedans de cette valise est recouvert de cuir.* ANT. dehors.

dedans adv. À l'intérieur: *J'ai regardé dans la boîte; il n'y avait rien dedans.* ANT. dehors. au-**dedans** loc.adv. À l'intérieur d'un lieu ou à l'intérieur de soi: *Je parais de bonne humeur, mais au-dedans je suis triste.* ANT. au-dehors. au-**dedans de** loc.prép. À l'intérieur d'un lieu ou à l'intérieur de soi: *Il ne faut pas garder de rancune au-dedans de soi.* ANT. à l'extérieur de. en **dedans** loc.adv. À l'intérieur: *Dominique marche les pieds en dedans.* ANT. en dehors. en **dedans de** loc.prép. À l'intérieur de: *La montre est en dedans de son écrin.* ANT. en dehors de. là-**dedans** loc.adv. À l'intérieur de ce lieu: *Le chat s'est caché là-dedans.*

dédicace n.f. Mots écrits sur une photo, dans un livre par un auteur ou un artiste qui en fait hommage à quelqu'un: *Le chanteur m'a envoyé sa photo avec une dédicace.* ☞ dédicacer.

dédicacer v. Écrire quelques mots sur une photo, dans un livre avant de l'offrir à quelqu'un: *L'auteure m'a dédicacé son roman.* ☞ dédicace.

dédier v. **1.** Consacrer un lieu à Dieu, à un saint: *Cette petite chapelle est dédiée à la Vierge Marie.* **2.** Offrir une œuvre à quelqu'un, en faisant imprimer son nom sur cette œuvre: *La romancière a dédié son premier roman à son fils.* **3.** fig. Consacrer, offrir: *Il a dédié toute sa vie à la science.* SYN. vouer.

se **dédire** v.pron. **1.** Dire le contraire de ce qu'on avait dit précédemment: *Elle se dédit devant la cour.* SYN. se contredire, se désavouer. ANT. confirmer, maintenir. **2.** Ne pas respecter un engagement: *Ne me dis pas que tu te dédis de ta promesse.*

dédommagement n.m. **1.** Somme que l'on offre à quelqu'un pour compenser une perte ou un dommage: *On leur a offert mille dollars en dédommagement de l'accident.* SYN. compensation, indemnité. **2.** fig. Récompense: *La réussite est le dédommagement de ses efforts.* ☞ dommage.

dédommager v. **1.** Donner à quelqu'un une somme pour compenser une perte ou un dommage: *La compagnie d'assurances a dédommagé les victimes de l'inondation.* SYN. indemniser, payer. **2.** fig. Récompenser: *Sa reconnaissance l'a dédommagé de tous les services qu'il lui avait rendus.* ☞ dommage.

dédouanement n.m. Action de faire sortir une marchandise des entrepôts de la douane, en payant les droits requis: *L'importatrice s'occupe du dédouanement des marchandises importées d'Italie.* **R.** Aussi, *dédouanage.* ☞ douane.

dédouaner v. Faire sortir une marchandise des entrepôts de la douane, en payant les droits requis: *L'importateur dédouane les parfums qu'il a fait venir de France.* ☞ douane.

dédoublement n.m. Action de partager quelque chose en deux: *Le dédoublement de la classe a permis la formation de deux groupes homogènes.* ⁄⁄ *Dédoublement de la personnalité:* État d'une personne chez qui alternent deux personnalités. ☞ double.

dédoubler v. Enlever la doublure d'un vêtement: *Maman dédouble mon imperméable.* ANT. doubler. ☞ doubler. ▲ **dédoubler** v. Partager quelque chose en deux: *La directrice a décidé de dédoubler cette classe parce qu'il y avait trop d'élèves.* SYN. diviser. ANT. doubler. ☞ double. se **dédoubler** v.pron. **1.** Se partager en deux: *Mes ongles se dédoublent.* **2.** Être à deux endroits en même temps: *J'ai tant à faire que j'aimerais pouvoir me dédoubler.* **3.** Avoir deux personnalités différentes: *Quand il se dédouble, il devient autoritaire.*

dédramatiser v. Rendre quelque chose moins dramatique: *Deux écolières se sont battues pendant la récréation; l'instituteur essaie de dédramatiser la situation.* ANT. dramatiser. ☞ drame.

déductible adj. Qu'on peut soustraire d'un total à payer: *Certaines dépenses sont déductibles de l'impôt.* ☞ déduire.

déductif, ive adj. Qui procède par raisonnement à partir de certaines données: *La méthode déductive tire une conséquence d'un raisonnement.* ☞ déduire.

déduction n.f. Soustraction d'une somme d'un total à payer: *Après déduction, tu me dois cinq dollars.* ANT. addition. ☞ déduire. ▲ **déduction** n.f. Conclusion d'un raisonnement logique: *Si mes déductions sont justes, cette enfant est une tricheuse.* ☞ déduire.

déduire v. Soustraire une somme d'un total à payer: *La marchande a déduit dix dollars.* SYN. retirer. ANT. additionner, ajouter. ☞ déductible, déduction. ▲ **déduire** v. Conclure, en suivant un raisonnement logique: *Comme tu ne me parles plus, j'en déduis que tu es fâché contre moi.* ☞ déductif, déduction.

déesse n.f. Divinité féminine: *Chez les Romains, Diane était reconnue comme la déesse de la chasse.* **R.** Au masculin, *dieu.* ☞ dieu.

défaillance n.f. **1.** Perte importante et momentanée des forces: *La coureuse a eu une défaillance au milieu du parcours.* SYN. évanouissement, faiblesse. ANT. énergie, fermeté. **2.** Défaut de fonctionnement: *Une défaillance mécanique est à l'origine de l'accident.* ANT. stabilité. **3.** Faiblesse morale, défaut: *Tous les humains ont leurs défaillances.* ANT. force. ☞ défaillir.

défaillant, ante adj. **1.** Qui est près de s'évanouir: *On a amené Sylvie à l'infirmerie: elle était pâle et défaillante.* SYN. faible. ANT. fort. **2.** Qui fait défaut: *Le témoin a une mémoire défaillante.* ANT. fort. ☞ défaillir.

défaillir v. **1.** Perdre momentanément ses forces: *J'ai cru défaillir quand j'ai vu ses blessures.* SYN. s'évanouir. ANT. se maintenir. **2.** Faire défaut, diminuer, s'affaiblir: *Sa mémoire défaille.* SYN. décliner. ANT. augmenter. **3.** litt.

Faiblir: *Elle a lutté jusqu'à la fin sans défaillir.* ☞ défaillance, défaillant.

défaire v.litt. Battre, vaincre: *Notre armée a défait les troupes ennemies.* ☞ défait, défaite, défaitisme, défaitiste. ▲ **défaire** v. **1.** Détruire une chose: *Le maçon a défait le mur de brique.* SYN. démolir. ANT. faire. **2.** Modifier l'ordre de quelque chose: *Elle a défait son lit.* **3.** Dénouer: *Papa défait sa cravate.* SYN. détacher. ANT. attacher. ☞ faire. **se défaire** v.pron. **1.** Cesser d'être fait, d'être assemblé: *La couture de ma robe se défait.* **2.** Se débarrasser de quelqu'un: *J'aimerais bien me défaire de cette cliente.* **3.** Se délivrer, se corriger: *Je lui ai conseillé de se défaire de cette vilaine habitude.* **4.** Vendre quelque chose: *Pour payer ses dettes, il a dû se défaire de son chalet.* ANT. conserver.

défait, aite adj. Qui est vaincu: *L'équipe défaite a félicité les vainqueurs.* ANT. vainqueur, victorieux. ☞ défaire. ▲ **défait, aite** adj. **1.** Qui n'est plus fait, assemblé: *Elle a les cheveux défaits.* **2.** Qui est pâle, abattu: *Il est très malade; son visage défait le trahit.* SYN. amaigri. ANT. fort. ☞ faire.

défaite n.f. **1.** Perte d'une bataille, d'une guerre: *La défaite de l'armée japonaise a signifié la fin de la guerre.* SYN. revers. ANT. victoire. **2.** Échec: *Les libéraux ont subi une défaite aux dernières élections.* SYN. revers. ANT. victoire. ☞ défaire.

défaitisme n.m. **1.** Manque de confiance dans la victoire: *La générale luttait contre le défaitisme de ses troupes.* **2.** Manque de confiance dans la réussite: *Si vous sombrez dans le défaitisme, vous ne connaîtrez jamais le succès.* SYN. pessimisme. ☞ défaire.

défaitiste n. et adj. **1.** n. Personne qui ne croit pas à la victoire, à la réussite: *Les défaitistes découragent ceux qui voudraient continuer la lutte.* SYN. pessimiste. ANT. optimiste. **2.** adj. Qui ne croit pas à la victoire, à la réussite: *Ses propos défaitistes ont découragé les joueurs.* SYN. pessimiste. ANT. optimiste. ☞ défaire.

défaufiler v. Défaire une couture provisoire: *Le couturier a défaufilé les manches de la robe.* ANT. faufiler. ☞ faufiler.

défaut n.m. **1.** Imperfection morale, mauvaise habitude: *L'hypocrisie est un vilain défaut.* SYN. faute. ANT. qualité. **2.** Imperfection physique: *Elle a un visage sans défaut.* SYN. irrégularité. ANT. perfection, régularité. **3.** Imperfection dans une matière ou un ouvrage: *Ces draps ont de légers défauts.* SYN. défectuosité. ANT. perfection. **4.** Imperfection d'une œuvre: *Les critiques ont relevé les défauts du film.* SYN. travers. ANT. mérite. **5.** Manque, absence d'une chose nécessaire: *Un défaut de mémoire peut être fatal pendant un examen.* // *Être en défaut:* Se tromper, commettre une erreur. *C'est là son moindre défaut:* Cette personne a des défauts bien plus grands. *Faire défaut:* Manquer. *Prendre en défaut:* Constater que quelqu'un se trompe. **à défaut de** loc.prép. Faute de, dans le cas d'un manque de: *À défaut de lait, je boirai du jus.*

défaveur n.f. Perte de la considération, de la faveur de quelqu'un: *L'écolière s'est attiré la défaveur des surveillantes.* SYN. défiance, discrédit. ☞ faveur.

défavorable adj. **1.** Qui n'est pas en faveur de quelqu'un: *Les membres du jury lui sont défavorables.* ANT. favorable. **2.** Qui est nuisible, mauvais: *Un temps défavorable a retardé notre excursion.* ANT. favorable. ☞ faveur.

défavorablement adv. D'une façon défavorable: *L'instituteur a été défavorablement surpris par le manque de discipline de ses élèves.* ANT. favorablement. ☞ faveur.

défavoriser v. Priver quelqu'un d'un avantage: *La mère a défavorisé son fils aîné dans le partage de ses biens.* SYN. désavantager. ANT. avantager, favoriser. ☞ faveur.

défécation n.f. Expulsion des matières fécales, des excréments: *La défécation permet à l'organisme d'éliminer ses déchets.* ☞ déféquer.

défection n.f. Abandon d'une cause, d'un parti: *Plusieurs joueuses ont fait défection.* SYN. désertion. ANT. ralliement.

défectueux, euse adj. Qui a des défauts, des imperfections: *L'appareil est défectueux.* SYN. imparfait. ANT. parfait. ☞ défectuosité.

défectuosité n.f. État de ce qui est défectueux: *Une garantie protège l'acheteur contre toute défectuosité de l'appareil.* SYN. défaut, imperfection. ☞ défectueux.

défendable adj. **1.** Qui peut être protégé, défendu: *Cette ville est défendable, car elle est entourée de murailles.* ANT. indéfendable. **2.** fig. Qui peut être justifié: *Ta conduite est défendable.* SYN. justifiable. ANT. indéfendable. ☞ défendre.

défendre v. Interdire à quelqu'un de faire quelque chose: *La médecin lui a défendu de fumer.* ANT. autoriser. ☞ défense. ▲ **défendre** v. **1.** Protéger contre une attaque en se battant: *L'ourse défend ses petits.* ANT. attaquer. **2.** Soutenir quelqu'un contre les critiques, les accusations: *L'avocat défend* *cette femme accusée de vol.* ANT. accuser. **3.** Mettre à l'abri de quelque chose: *Ces chauds vêtements vous défendent du froid.* SYN. protéger. **4.** fig. Prendre parti pour quelque chose: *Elle défend ses idées avec courage.* ☞ autodéfense, défendable, défense, défenseur, défensif, défensive, défensivement, indéfendable. se **défendre** v.pron. **1.** Résister à une attaque: *Il n'a fait que se défendre.* SYN. se battre. ANT. capituler. **2.** Chercher à se justifier, à se disculper: *Ghislaine se défend contre une accusation de vol.* **3.** Se mettre à l'abri de quelque chose: *Les campeuses trouvent épuisant de se défendre constamment des moustiques.* SYN. se protéger.

défense n.f. Fait de défendre, d'interdire: *Défense de stationner.* SYN. interdiction. ANT. autorisation. ☞ défendre. ▲ **défense** n.f. **1.** Action de protéger quelqu'un ou quelque chose en se battant: *Antoinette s'est portée à la défense de son petit frère.* SYN. secours. ANT. agression, attaque. **2.** Action de soutenir quelqu'un contre les critiques, les accusations: *L'avocate assure la défense de l'accusé.* SYN. plaidoirie. ANT. accusation. **3.** Ensemble des moyens militaires utilisés pour protéger un pays contre les attaques: *Le ministère de la Défense nationale s'occupe de la protection du territoire.* SYN. protection. **4.** Dans certains sports, ensemble des joueurs chargés de protéger les buts: *Connais-tu les joueurs de défense des Nordiques?* ⁄⁄ *Être sans défense:* Être désarmé devant les problèmes de la vie. *Légitime défense:* Situation d'une personne qui subit une agression et qui est contrainte de se défendre par la violence. ☞ défendre. ▲ **défense** n.f. Chez certains animaux, dent longue et saillante: *Les éléphants ont des défenses très convoitées.*

défenseur n.m. **1.** Personne qui défend quelqu'un ou quelque chose: *Les défenseurs étaient plus nombreux que les assaillants.* SYN. protecteur. ANT. agresseur, assaillant. **2.** Personne chargée d'assurer la défense d'un accusé devant le tribunal: *L'accusé a un bon défenseur: il sera sûrement acquitté.* SYN. avocat. ANT. accusateur. **3.** fig. Personne qui soutient un idéal, une cause: *Cette femme est le défenseur de la langue française.* SYN. champion, partisan. ANT. adversaire. ☞ défendre.

défensif, ive adj. Qui sert à se défendre, à se protéger: *Une arme défensive ne doit pas servir à attaquer.* ANT. offensif. ☞ défendre.

défensive n.f. Attitude de quelqu'un qui est prêt à se défendre: *Les policiers étaient sur la défensive.* ANT. offensive. ☞ défendre.

défensivement adv. En vue de la défensive, en se défendant: *L'armée s'organise défensivement.* ☞ défendre.

déféquer v. Expulser les matières fécales, les excréments: *Le malade est constipé: il a de la difficulté à déféquer.* ☞ défécation.

déférence n.f. Respect, marque d'égard: *Cette jeune fille traite son père avec beaucoup de déférence.* ☞ déférent.

déférent, ente adj. Qui a de la déférence, du respect: *Cet élève se montre déférent envers son enseignante.* ☞ déférence.

déferlement n.m. **1.** Action de rouler sur elles-mêmes et de se briser en écume, en parlant des vagues: *J'aime voir le déferlement des vagues sur la plage.* **2.** fig. Action de se précipiter, de se répandre avec force: *Personne n'avait prévu ce déferlement de touristes.* ☞ déferler.

déferler v. **1.** Rouler sur elles-mêmes et se briser en écume, en parlant des vagues: *Les vagues déferlent sur les rochers.* **2.** fig. Se précipiter, se répandre avec force: *Les manifestants déferlaient devant le Parlement.* ☞ déferlement.

déferrer v. Enlever le fer d'un objet ou du sabot d'un cheval: *Le maréchal-ferrant a déferré le cheval.* ANT. ferrer. ☞ fer.

défi n.m. **1.** Provocation par laquelle on dit à quelqu'un qu'il est incapable de faire quelque chose: *Je vous mets au défi de battre cette équipe.* **2.** Bravade, refus de se soumettre: *L'attitude arrogante de cet écolier est un défi à l'autorité.* SYN. provocation. ANT. soumission. ⁄⁄ *Mettre quelqu'un au défi:* Inciter quelqu'un à faire quelque chose en le provoquant. ☞ défier.

défiance n.f. Crainte d'être trompé, méfiance: *La nouvelle venue inspire la défiance.* ANT. confiance. ☞ se défier.

défiant, ante adj. Qui craint d'être trompé, qui est méfiant: *Elle est devenue défiante.* SYN. soupçonneux. ANT. confiant. ☞ se défier.

défibrage n.m. Action d'enlever les fibres d'une matière: *Le défibrage de la canne à sucre consiste à briser l'écorce des tiges.* ☞ fibre.

défibrer v. Enlever les fibres d'une matière: *Il faut défibrer le bois pour fabriquer du papier.* ☞ fibre.

déficeler v. Enlever la ficelle qui entoure un objet: *Rita déficelle le colis qu'elle a reçu par la poste.* ANT. ficeler. **R.** Ne pas oublier de doubler le *l* devant un *e* muet. ☞ ficelle.

déficience n.f. **1.** Insuffisance physique ou intellectuelle: *Certains enfants sont atteints de déficience mentale.* **2.** Faiblesse, insuffisance: *L'entraîneur m'a fait voir les déficiences de notre équipe.* ☞ déficient.

déficient, ente adj. **1.** Qui a une insuffisance physique ou intellectuelle: *Cette enfant a une intelligence déficiente.* **2.** Qui est faible, insuffisant: *Il n'arrive pas à se faire comprendre avec son vocabulaire déficient.* ☞ déficience.

déficit n.m. Excédent des dépenses sur les revenus: *Il lui faut combler un déficit de deux mille dollars.* SYN. perte. ANT. bénéfice, profit. **R.** Le *t* se prononce. ☞ déficitaire.

déficitaire adj. **1.** Dont les dépenses sont supérieures aux revenus: *Son entreprise est déficitaire.* **2.** Qui est insuffisant: *L'année dernière, la récolte des pommes a été déficitaire.* ☞ déficit.

défier v. **1.** Provoquer quelqu'un en lui disant qu'il est incapable de faire quelque chose: *Je te défie de grimper au sommet de cet arbre.* **2.** Inviter quelqu'un à combattre contre soi: *Elle m'a défié aux échecs.* **3.** Ne pas être menacé, en parlant de quelque chose: *Ce sont des prix qui défient toute concurrence.* **4.** fig. Braver, refuser de se soumettre: *La funambule défiait la mort.* ☞ défi.

se **défier** v.pron.litt. Craindre d'être trompé, se méfier: *Je me défie des gens hypocrites.* ANT. se fier. ☞ défiance, défiant.

défigurer v. **1.** Abîmer le visage de quelqu'un: *Cet accident l'a défigurée.* ANT. arranger. **2.** Enlaidir l'apparence de quelque chose: *Ces constructions en hauteur défigurent le petit village.* ANT. embellir. **3.** fig. Déformer, dénaturer: *Tu as défiguré les faits pour rendre ton histoire plus intéressante.* SYN. transformer. ANT. respecter. ☞ figure.

défilé n.m. Passage naturel très étroit entre deux collines, deux montagnes: *Dans un défilé, les gens doivent marcher à la file.* ▲ **défilé** n.m. **1.** Marche en colonne de soldats qui défilent devant un chef militaire: *J'ai assisté au défilé du 11 novembre.* **2.** Marche en file de personnes ou de voitures: *Ce grand magasin a organisé un défilé de mode.* HOM. défiler. ☞ défiler.

défiler v. **1.** Marcher en file ou en rangs: *La fanfare défile dans les rues de la ville.* ANT. arrêter. **2.** Se succéder sans arrêt: *Les visiteurs ont défilé toute la journée au Musée des beaux-arts.* ☞ défilé. ▲ **défiler** v. **1.** Enlever le fil passé dans un objet: *La bijoutière défile le collier de perles.* ANT. enfiler. **2.** Défaire un tissu fil à fil: *L'ouvrier défile les chiffons.* HOM. défilé. ☞ fil. se **défiler** v.pron.fam. Se dérober, s'esquiver: *Ils se sont tous défilés à la dernière minute.*

défini, ie adj. **1.** Qui est précis, déterminé: *Toutes les comédiennes ont un rôle bien défini.* ANT. indéfini. **2.** En parlant d'un article, qui se rapporte à un être ou à un objet bien déterminé: *« Le », « la », « les » sont des articles définis.* ☞ définir.

définir v. **1.** Donner la signification d'un mot: *Peux-tu définir le mot lorgnette?* SYN. expliquer. **2.** Expliquer de façon claire: *Je n'arrive pas à définir ce que je ressens.* SYN. préciser. ANT. embrouiller. **3.** Établir avec précision: *Il faudra définir les conditions de son retour en classe.* SYN. déterminer. ☞ défini, définissable, définition, indéfini, indéfiniment, indéfinissable.

définissable adj. **1.** Qui peut être défini: *Pour qu'on puisse les comprendre, les mots doivent être définissables.* ANT. indéfinissable. **2.** Qui peut être expliqué de façon claire: *Certaines impressions sont facilement définissables.* ANT. indéfinissable. ☞ définir.

définitif, ive adj. Qui est fixé une fois pour toutes, qu'on ne doit plus changer: *C'est définitif! Nous partons en vacances samedi.* SYN. irrévocable. ANT. provisoire. ☞ en définitive, définitivement.

définition n.f. Phrase par laquelle on donne la signification d'un mot: *Le dictionnaire donne la définition des mots.* ☞ définir.

en **définitive** loc.adv. En fin de compte, finalement: *En définitive, ils sont partis satisfaits.* ☞ définitif.

définitivement adv. D'une manière définitive, une fois pour toutes: *Ses enfants ont quitté la maison définitivement.* SYN. irrémédiablement, irrévocablement. ☞ définitif.

déflagration n.f. Explosion: *La déflagration a fait voler les vitres en éclats.*

déflecteur n.m. Petit volet mobile d'une vitre de portière d'automobile, servant à orienter l'air: *Il faudrait fermer le déflecteur.*

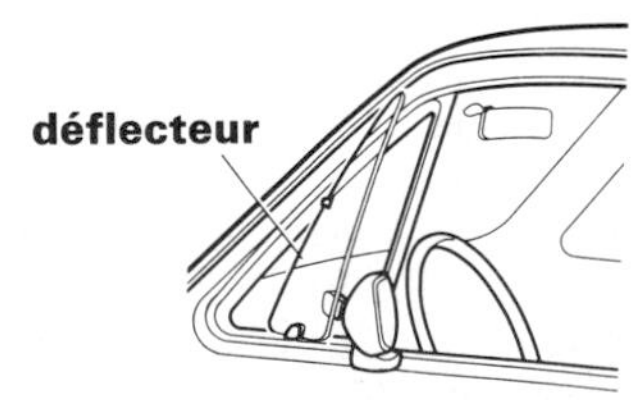

défoliant n.m. Produit chimique provoquant la chute des feuilles: *Les défoliants ont été abondamment utilisés pendant la guerre du Viêt Nam.* ☞ feuille.

défoliant, ante adj. Qui provoque la chute des feuilles: *Les substances défoliantes* *peuvent aussi causer la mort des arbres.* ☞ feuille.

défoncé, ée adj. **1.** Qui est brisé par enfoncement: *Le fauteuil rouge est défoncé.* **2.** Qui est rempli d'ornières, qui présente de grandes inégalités: *Au printemps, la plupart des routes sont défoncées.* HOM. défoncer. ☞ défoncer.

défoncer v. **1.** Briser une chose en l'enfonçant: *Les voleurs ont défoncé la porte du sous-sol.* **2.** Creuser: *Les ouvriers de la voirie défoncent la chaussée à l'aide d'excavatrices.* SYN. éventrer. HOM. défoncé. ☞ défoncé.

déformant, ante adj. Qui altère la forme de quelqu'un ou de quelque chose: *Les enfants s'amusent en se regardant dans des miroirs déformants.* ☞ déformer.

déformation n.f. **1.** Action d'altérer la forme de quelque chose: *L'arthrite provoque une déformation des mains.* **2.** fig. Reproduction inexacte: *Ce reportage est une déformation de la vérité.* ⁄⁄ *Déformation professionnelle:* Habitudes prises au travail, que l'on applique dans la vie courante. ☞ déformer.

déformer v. **1.** Altérer la forme d'une chose: *L'humidité a déformé ces planches.* ANT. redresser, reformer. **2.** Reproduire de façon inexacte: *Les journalistes déforment parfois les faits.* SYN. dénaturer. ANT. embellir. ☞ déformant, déformation, indéformable. **se déformer** v.pron. Perdre sa forme: *Mon chandail de laine s'est déformé au lavage.*

défoulement n.m. Fait de se libérer de son énergie, de se laisser aller: *Pour Christian, la danse est un défoulement.* ANT. refoulement. ☞ se défouler.

se **défouler** v.pron.fam. Libérer son énergie, se laisser aller: *Elle se défoule en jouant au tennis.* ANT. refouler. ☞ défoulement.

défraîchi, ie adj. Qui a perdu son éclat, sa fraîcheur: *Il portait un complet défraîchi.* ANT. frais, pimpant. **R.** Ne pas oublier l'accent: *î*. ☞ frais.

se **défraîchir** v.pron. Perdre son éclat, sa fraîcheur: *Ces rideaux se sont défraîchis avec les années.* **R.** Ne pas oublier l'accent: *î*. ☞ frais.

défrayer v. **1.** Payer les frais, les dépenses de quelqu'un: *Les employées de ce bureau ont été défrayées de leurs dépenses.* **2.** fig. Faire l'objet d'une conversation ou d'une chronique: *L'animatrice a défrayé la chronique ces derniers temps.* ☞ frais.

défrichage n.m. Action de débarrasser un terrain de sa végétation naturelle pour le cultiver: *Le défrichage de l'Abitibi-Témiscamingue a exigé de pénibles efforts.* **R.** Aussi, *défrichement.* ☞ friche.

défricher v. **1.** Débarrasser un terrain de sa végétation naturelle pour le cultiver: *Les premiers colons ont dû défricher de vastes étendues.* SYN. déboiser. **2.** fig. Éclaircir un domaine, un sujet avant de l'étudier à fond: *Malgré toutes les découvertes, il reste encore beaucoup à défricher.* ☞ friche.

défricheur, euse n. Personne qui débarrasse un terrain de sa végétation naturelle pour le cultiver: *Nos ancêtres étaient des défricheurs.* ☞ friche.

défriper v. Défroisser un tissu fripé: *Pour défriper ce vêtement, passe-le à la vapeur.* SYN. déchiffonner. ANT. chiffonner, friper, froisser. ☞ friper.

défriser v. **1.** Défaire les boucles d'une chevelure: *La pluie m'a défrisé.* ANT. friser. **2.** fig. et fam. Désappointer, déplaire: *Ta façon de parler me défrise.* ☞ friser.

défroissable adj. Dont on peut enlever facilement les faux plis: *En voyage, n'apportez autant que possible que des vêtements défroissables.* ☞ froisser.

défroisser v. Enlever les faux plis d'un tissu qui est froissé: *Pour défroisser ton pantalon, il faudra le repasser.* SYN. déchiffonner, défriper. ANT. chiffonner, friper, froisser. ☞ froisser.

défroncer v. Défaire les petits plis serrés d'un vêtement: *Maman a défroncé sa jupe.* ANT. froncer. ☞ froncer.

défroque n.f. Vieux vêtement qu'on ne porte plus: *Pour faire des travaux salissants, je mets une défroque.* SYN. guenille, haillon, hardes.

défroqué, ée n. et adj. **1.** n. Personne qui a quitté l'état religieux: *Cet homme est un défroqué.* **2.** adj. Qui a quitté l'état religieux: *C'est une religieuse défroquée.* HOM. défroquer. ☞ défroquer.

défroquer v. Quitter l'état religieux: *Ce prêtre a défroqué.* HOM. défroqué. ☞ défroqué.

défunt, unte n. et adj. **1.** n. Personne qui est morte: *Disons une prière à la mémoire des défunts.* ANT. vivant. **2.** adj.litt. Qui est mort: *Ma défunte mère repose dans le cimetière paroissial.* ANT. vivant.

dégagé, ée adj. **1.** Qui n'est pas encombré, qui est sans nuages: *Pour cet après-midi, on annonce un ciel dégagé.* ANT. couvert. **2.** Qui n'est pas caché: *Ses cheveux relevés, Mélanie a la nuque dégagée.* **3.** fig. Qui fait preuve d'aisance, de liberté: *Elle m'a répondu d'un ton dégagé.* ANT. gêné. HOM. dégager. ☞ dégager.

dégagement n.m. **1.** Action de libérer ce qui est emprisonné, bloqué: *Le dégagement* *des blessés a donné lieu à des scènes pénibles.* **2.** Action de débarrasser ce qui est encombré : *La programmeuse s'affaire au dégagement de son bureau.* SYN. déblaiement. **3.** Action de sortir, en parlant d'une odeur, d'un gaz : *D'où vient ce dégagement de vapeur?* SYN. échappement, émanation. **4.** Dans certains sports, action d'envoyer le ballon ou la rondelle loin de son camp : *La foule applaudit le joueur qui a réussi le dégagement du ballon.* **5.** Couloir, passage dans une habitation : *Cet édifice public ne manque pas de dégagements.* ☞ dégager.

dégager v. **1.** Libérer, délivrer de ce qui emprisonne, bloque : *On a réussi à les dégager des décombres.* **2.** Débarrasser une chose de ce qui l'encombre : *On demande aux automobilistes de dégager la voie publique pour faciliter le déneigement.* **3.** Laisser libre ou visible une partie du corps : *La mini-jupe dégage les genoux.* **4.** Laisser échapper une odeur, un gaz : *Les lilas dégagent un parfum agréable.* SYN. exhaler, répandre. **5.** Libérer quelqu'un d'une obligation : *Je te dégage de ta promesse.* **6.** Dans certains sports, envoyer le ballon ou la rondelle loin de son camp : *La joueuse de basket-ball dégage le ballon.* HOM. dégagé. ☞ dégagé, dégagement. se **dégager** v.pron. **1.** Se libérer de ce qui emprisonne, bloque : *Le lutteur a réussi à se dégager de la prise de son adversaire.* **2.** Se débarrasser de ce qui encombre : *Le ciel se dégage peu à peu.* SYN. s'éclaircir. **3.** Sortir, en parlant d'une odeur, d'un gaz : *Une odeur âcre se dégage des feuilles brûlées.* **4.** Se libérer d'une obligation : *Il se dégage de plus en plus de ses responsabilités.*

dégainer v. Tirer une épée, un pistolet de son étui, de sa gaine : *La policière n'a pas eu le temps de dégainer.* ☞ gaine.

déganter v. Enlever les gants : *La jeune femme dégante sa main gauche.* ANT. ganter. ☞ gant. se **déganter** v.pron. Enlever ses gants : *Il enleva son chapeau, puis se déganta.* ANT. se ganter.

dégarnir v. Enlever ce qui garnit, remplit quelque chose : *On a dégarni la vitrine.* SYN. vider. ANT. garnir. ☞ garnir. se **dégarnir** v.pron. **1.** Se vider : *Après la réunion, la salle se dégarnit lentement.* **2.** Perdre ses cheveux : *Son crâne se dégarnit.*

dégât n.m. Dommage, détérioration : *La grêle a fait beaucoup de dégâts dans les vergers.* ANT. réparation. ⁄⁄ *Limiter les dégâts :* Éviter le pire. **R.** Ne pas oublier l'accent : *â*.

dégazonnage n.m. Action d'enlever le gazon d'un terrain : *Le jardinier paysagiste effectue le dégazonnage du talus.* ANT. gazonnage, gazonnement. **R.** Aussi, *dégazonnement.* ☞ gazon.

dégazonner v. Enlever le gazon d'un terrain : *Nous dégazonnons une petite surface pour faire un potager.* ANT. gazonner. ☞ gazon.

dégel n.m. Fonte de la glace, de la neige : *Le dégel annonce le retour des beaux jours.* ANT. gel. ☞ geler.

dégeler v. **1.** Cesser d'être gelé : *Les rivières dégèlent au printemps.* ANT. congeler, geler. **2.** fig. Détendre quelqu'un, le mettre à l'aise : *Je n'arrive pas à dégeler cette enfant timide.* ☞ geler. se **dégeler** v.pron. Se détendre, être à l'aise : *Après quelques minutes, l'auditoire s'est dégelé.*

dégénéré, ée n. et adj. **1.** n. Personne qui est atteinte d'anomalies graves dès la naissance : *Il est parfois difficile de communiquer avec les dégénérés.* **2.** adj. Qui est atteint d'anomalies graves dès la naissance : *Les enfants dégénérés ont besoin de beaucoup de soins.* **3.** adj. Qui a perdu les qualités de sa race : *Ce chien est issu d'une race dégénérée.* HOM. dégénérer. ☞ dégénérer.

dégénérer v. **1.** Perdre les qualités de sa race : *Cette race de chevaux ne cesse de dégénérer.* SYN. déchoir. ANT. améliorer. **2.** Se transformer en quelque chose de pire : *Ce vilain rhume a dégénéré en bronchite.* HOM. dégénéré. ☞ dégénéré.

dégermer v. Enlever les germes : *Je dégerme les pommes de terre.* ☞ germe.

dégingandé, ée adj. Qui a une allure gauche, une démarche irrégulière à cause de sa grande taille : *Cet adolescent dégingandé est mal dans sa peau.* ANT. trapu.

dégivrage n.m. Action d'enlever, de faire fondre le givre qui s'est formé sur une surface : *Nous avons acheté un réfrigérateur à dégivrage automatique.* ANT. givrage. ☞ givre.

dégivrer v. Enlever, faire fondre le givre qui se forme sur une surface : *L'automobiliste dégivre le pare-brise de son automobile.* ANT. givrer. ☞ givre.

dégivreur n.m. Appareil utilisé pour enlever le givre qui s'est formé sur les vitres d'une automobile : *Le dégivreur est en marche.* ☞ givre.

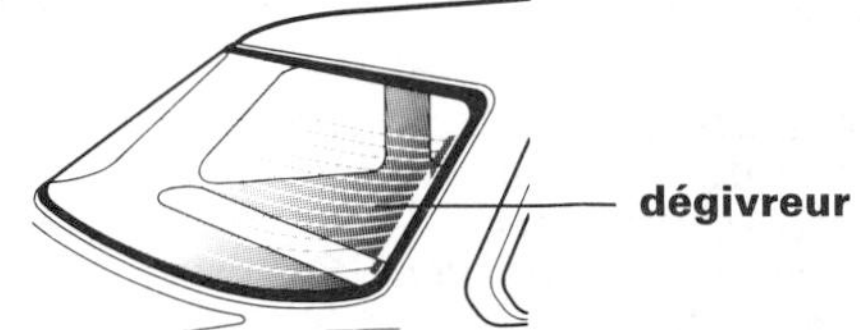

dégonflage n.m. **1.** Action d'enlever l'air, le gaz d'une chose gonflée : *Le dégonflage des pneus s'accompagne d'un petit sifflement.* **2.** fam. Fait de manquer de courage : *Quel dégonflage ! Qui aurait cru que tu abandonnerais au dernier moment ?* ☞ gonfler.

dégonfler v. **1.** Enlever l'air, le gaz d'une chose gonflée : *Après la fête, les enfants dégonflent les ballons.* ANT. gonfler. **2.** Faire disparaître l'enflure : *Des compresses d'eau froide ont fait dégonfler ses paupières.* ANT. gonfler. ☞ gonfler. **se dégonfler** v.pron. **1.** Perdre son air, son gaz : *Le pneu de ma bicyclette se dégonfle.* **2.** Perdre son enflure : *Les lèvres du boxeur se dégonflent lentement.* **3.** Manquer de courage, avoir peur : *Je n'aime pas les gens qui se dégonflent au dernier moment.* SYN. flancher. **dégonflé, ée** p.p. et adj. **1.** Qui est vidé de son air, de son gaz : *On ne roule pas sur un pneu dégonflé.* **2.** Qui manque de courage : *C'est une fille dégonflée.*

dégoulinade n.f. Trace laissée par un liquide qui coule goutte à goutte ou en filet : *Il y a des dégoulinades de peinture sur le plancher.* ☞ dégouliner.

dégouliner v. Couler goutte à goutte ou en filet : *L'eau dégouline sur les vitres.* ☞ dégoulinade.

dégourdi, ie n. et adj. **1.** n. Personne débrouillarde qui n'est pas timide : *C'est une dégourdie.* ANT. engourdi, maladroit. **2.** adj. Qui est débrouillard, qui n'est pas timide : *Voilà des enfants dégourdis.* ANT. engourdi, gauche, maladroit. ☞ dégourdir.

dégourdir v. **1.** Rendre le mouvement à ce qui est engourdi : *Frotte bien ta main pour la dégourdir.* ANT. engourdir. **2.** fig. Rendre quelqu'un moins timide : *Son séjour dans une colonie de vacances l'a dégourdie.* ☞ dégourdi, dégourdissement. **se dégourdir** v.pron. **1.** Remuer un membre qui est engourdi : *Je vais me dégourdir les jambes.* **2.** Devenir moins timide : *Elle se dégourdit en vieillissant.* ▲ **dégourdir** v. Faire chauffer légèrement un liquide : *L'eau est trop froide. Dégourdis-la un peu !*

dégourdissement n.m. Action de rendre le mouvement à ce qui est engourdi : *Le dégourdissement des doigts s'accompagne de picotements.* ANT. engourdissement. ☞ dégourdir.

dégoût n.m. **1.** Réaction de répugnance devant certains aliments : *Devant ce plat, Christiane fut prise de dégoût.* ANT. appétit. **2.** fig. Aversion que l'on éprouve pour quelqu'un ou pour quelque chose : *Rien ne peut lui faire oublier son dégoût pour le travail manuel.* SYN. haine. ANT. attrait, goût. **R.** Ne pas oublier l'accent : *û.* ☞ dégoûtant, dégoûté, dégoûter.

dégoûtant, ante n. et adj. **1.** n. Personne qui inspire la répugnance par sa grossièreté : *Cet homme est un dégoûtant.* SYN. répugnant. ANT. correct. **2.** adj. Qui inspire la répugnance, le dégoût par son apparence : *Ce plat est dégoûtant. Il me donne la nausée.* SYN. rebutant. ANT. appétissant. **3.** adj. Qui inspire la répugnance par sa laideur morale : *Cette femme a une conduite dégoûtante.* SYN. ignoble. ANT. noble. **4.** adj. Qui est très sale : *Tu ne vas pas dormir dans ces draps dégoûtants ?* SYN. malpropre. ANT. propre. **R.** Ne pas oublier l'accent : *û.* ☞ dégoût.

dégoûté, ée n. et adj. **1.** n. Personne qui se montre difficile, exigeante : *Elle fait la dégoûtée !* **2.** adj. Qui exprime du dégoût : *Il prend des airs dégoûtés dès qu'on lui parle de nourriture.* **3.** adj. Qui n'a plus le goût de faire quelque chose : *Il est dégoûté de son travail.* HOM. dégoûter, dégoutter. ⁄⁄ *Faire le dégoûté :* Faire le délicat, se montrer extrêmement exigeant. **R.** Ne pas oublier l'accent : *û.* ☞ dégoût.

dégoûter v. **1.** Inspirer la répugnance par son apparence : *Ce genre d'insecte me dégoûte.* ANT. attirer, plaire. **2.** Inspirer la répugnance par sa laideur morale : *La lâcheté et le mensonge la dégoûtent.* SYN. répugner. ANT. attirer, plaire. HOM. dégoûté, dégoutter. **R.** Ne pas oublier l'accent : *û.* ☞ dégoût.

dégoutter v. **1.** Couler goutte à goutte : *L'eau dégoutte de l'imperméable.* **2.** Laisser couler goutte à goutte : *Le linge mouillé dégoutte sur le tapis.* HOM. dégoûté, dégoûter. ☞ goutte.

dégradant, ante adj. Qui fait perdre leur dignité aux gens : *C'est là une conduite dégradante.* ☞ dégrader.

dégradation n.f. Action d'enlever son grade à un militaire : *L'officier a été condamné à la dégradation militaire.* SYN. déshonneur. ANT. réhabilitation. ☞ grade. ▲ **dégradation** n.f. **1.** Détérioration, dégât : *Ces dégradations ont été causées par des infiltrations d'eau.* ANT. amélioration, réparation. **2.** Détérioration progressive d'une situation : *La dégradation des relations avec ce pays ne fait que s'accentuer.* ☞ dégrader.

dégradé n.m. Affaiblissement d'une couleur, d'une lumière : *Quel magnifique dégradé de rose !* HOM. dégrader. ☞ dégrader.

dégrader v. Enlever son grade à un militaire : *On a dégradé la lieutenante.* ANT. honorer. ☞ grade. ▲ **dégrader** v. Faire perdre sa dignité : *L'alcoolisme dégrade les êtres hu-*

mains. SYN. avilir. ANT. réhabiliter. ☞ dégradant. se **dégrader** v.pron. Perdre sa dignité: *Elle se dégrade en prenant de la drogue.* ▲ **dégrader** v. Abîmer, détériorer: *La neige et le sel ont dégradé la chaussée.* SYN. endommager. ANT. améliorer, réparer. ☞ dégradation. se **dégrader** v.pron. S'abîmer, se détériorer: *Le vieil hôtel se dégrade faute d'entretien.* ANT. s'améliorer. ▲ **dégrader** v. Affaiblir une couleur, une lumière: *Pour peindre le ciel, cette artiste a dégradé les tons de bleu.* HOM. dégradé. ☞ dégradé.

dégrafer v. Détacher ce qui est agrafé: *Peux-tu m'aider à dégrafer ma robe?* ANT. agrafer, attacher. se **dégrafer** v.pron. Se détacher: *Ma jupe s'est dégrafée.*

dégraissage n.m. Action d'enlever les taches de graisse sur un vêtement: *J'ai confié le dégraissage de sa robe au nettoyeur.* ☞ graisse.

dégraisser v. **1.** Enlever la couche de graisse qui recouvre une viande, un bouillon: *La cuisinière dégraisse le gigot avant de le mettre au four.* **2.** Enlever les taches de graisse sur un vêtement: *Pouvez-vous dégraisser ce pantalon?* SYN. détacher, nettoyer. ANT. salir, tacher. ☞ graisse.

degré n.m. **1.** Unité de mesure de température: *L'eau gèle à zéro degré et elle bout à cent degrés Celsius.* **2.** Unité de mesure d'angle: *Un angle de cent quatre-vingts degrés est un angle plat.* **3.** Proportion d'alcool dans un liquide: *Habituellement, le vin a onze ou douze degrés d'alcool.* **4.** Chacun des échelons, des niveaux d'une organisation sociale: *Cette femme est parvenue au plus haut degré de l'échelle sociale.* SYN. rang. **5.** Intensité d'un état: *Lison a été brûlée au deuxième degré.* **6.** Chacun des sons d'une gamme par rapport à la tonique, en musique: *«Fa» est le quatrième degré de la gamme de «do».*

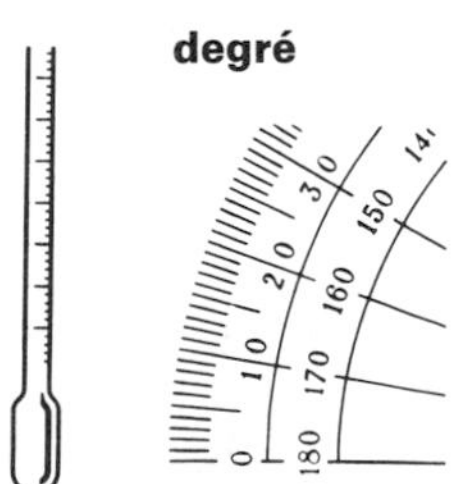

degré

dégringolade n.f.fam. **1.** Action de tomber ou de descendre rapidement: *Elle a perdu pied. Quelle dégringolade!* SYN. chute. **2.** fig. Baisse rapide: *À la Bourse, la dégringolade des cours annonce une crise de confiance.* SYN. chute. ☞ dégringoler.

dégringoler v. **1.** Tomber d'un lieu élevé: *Bruno a dégringolé du toit du garage.* **2.** fig. Descendre rapidement: *Depuis deux jours, les prix dégringolent.* ANT. remonter. ☞ dégringolade.

dégriser v. **1.** Faire cesser l'ivresse: *Seul le temps pourra la dégriser.* ANT. griser. **2.** fig. Faire perdre à quelqu'un ses illusions, son enthousiasme: *Les difficultés de la vie l'ont dégrisé.* ☞ gris. se **dégriser** v.pron. Cesser d'être ivre: *Les invités croient se dégriser en buvant du café.*

dégrossir v. **1.** Enlever le plus gros d'une matière pour lui donner une première forme: *La sculpteure dégrossit un morceau de bois.* **2.** fig. Commencer à éclaircir un problème, une situation: *Olivia dégrossit son travail de recherche.* **3.** fam. Rendre quelqu'un moins grossier, moins ignorant: *Que de travail pour dégrossir cette enfant.* ☞ grossier.

déguenillé, ée n. et adj. **1.** n. Personne vêtue de guenilles: *Ce déguenillé vit dans la pauvreté.* **2.** adj. Qui est vêtu de guenilles: *Ces enfants déguenillés attirent la pitié des passants.* **R.** Ne pas oublier le *u* après le *g.* ☞ guenille.

déguerpir v. Fuir très vite: *L'arrivée des policiers a fait déguerpir les cambrioleuses.* SYN. décamper, s'enfuir, se sauver. ANT. arriver, s'installer, rester. **R.** Ne pas oublier le *u* après le *g.*

dégueulasse n. et adj.pop. **1.** n. Personne qui inspire du dégoût, de l'aversion: *Tu as trahi ta propre sœur. Tu n'es qu'un dégueulasse!* **2.** adj. Qui est très sale: *Je ne mangerai pas dans cette vaisselle dégueulasse.* **3.** adj. Qui est dégoûtant, répugnant: *Sa conduite est dégueulasse.* **R.** Ne pas oublier le *u* après le *g.*

déguisement n.m. **1.** Action d'habiller quelqu'un de façon à ce qu'on ne le reconnaisse pas: *Le clown est passé maître dans l'art du déguisement.* **2.** Costumes, accessoires qui servent à déguiser: *Les enfants ont revêtu leurs déguisements.* **3.** fig. et litt. Action de cacher un sentiment, un état sous de fausses apparences: *Les personnes honnêtes agissent sans déguisement.* **R.** Ne pas oublier le *u* après le *g.* ☞ déguiser.

déguiser v. **1.** Habiller quelqu'un de façon à ce qu'on ne le reconnaisse pas: *Maman déguise Annabelle en sorcière.* SYN. costumer. **2.** Modifier quelque chose pour tromper: *Georges déguise sa voix au téléphone.* SYN. changer, contrefaire. **3.** fig. Cacher un sentiment, un état sous de fausses apparences: *Elle déguise sa jalousie sous des paroles flatteuses.* SYN. camoufler, dissimuler. ☞ déguisement. se **déguiser** v.pron. S'habiller de fa-

Activités économiques

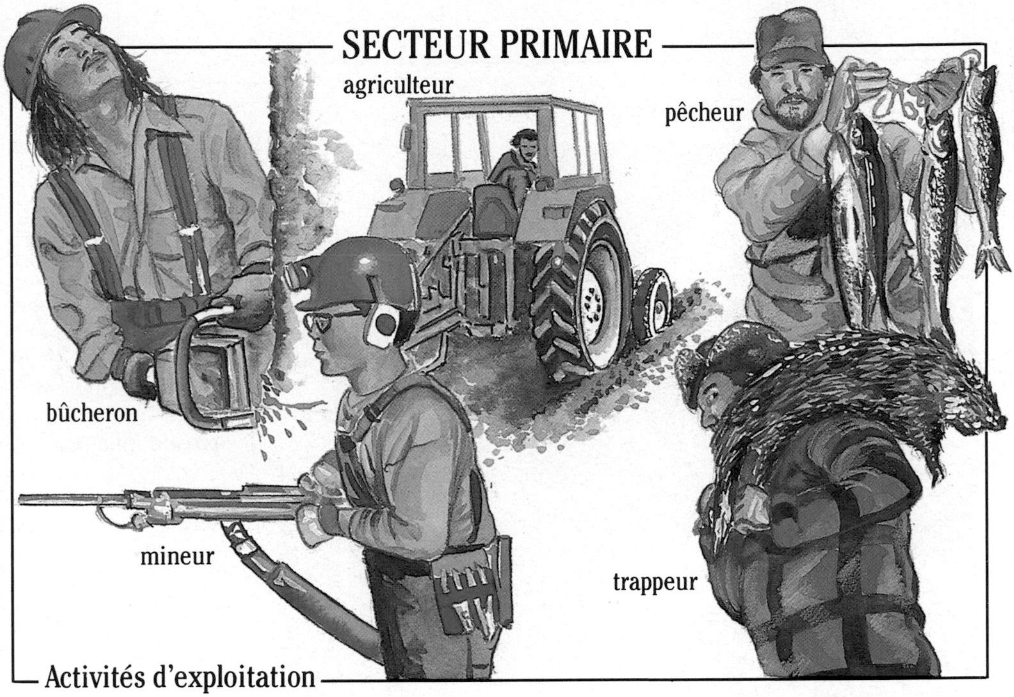

SECTEUR PRIMAIRE

agriculteur

pêcheur

bûcheron

mineur

trappeur

Activités d'exploitation

SECTEUR SECONDAIRE

imprimeur

menuisier

couturière

boulangère

Activités de transformation

Sécurité à la maison

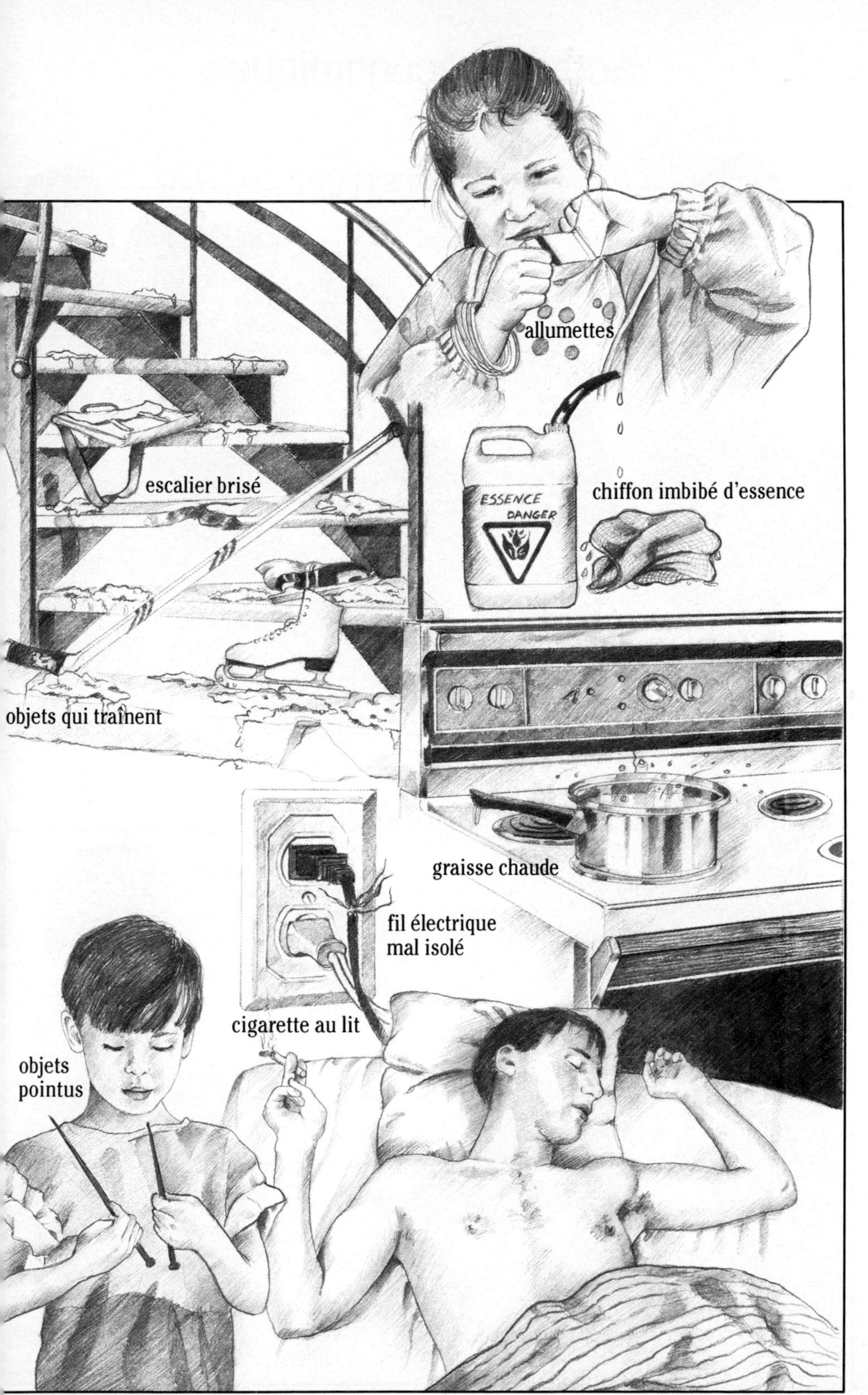

allumettes
ESSENCE
DANGER
escalier brisé
chiffon imbibé d'essence
objets qui traînent
graisse chaude
fil électrique
mal isolé
cigarette au lit
objets
pointus

Activités économiques

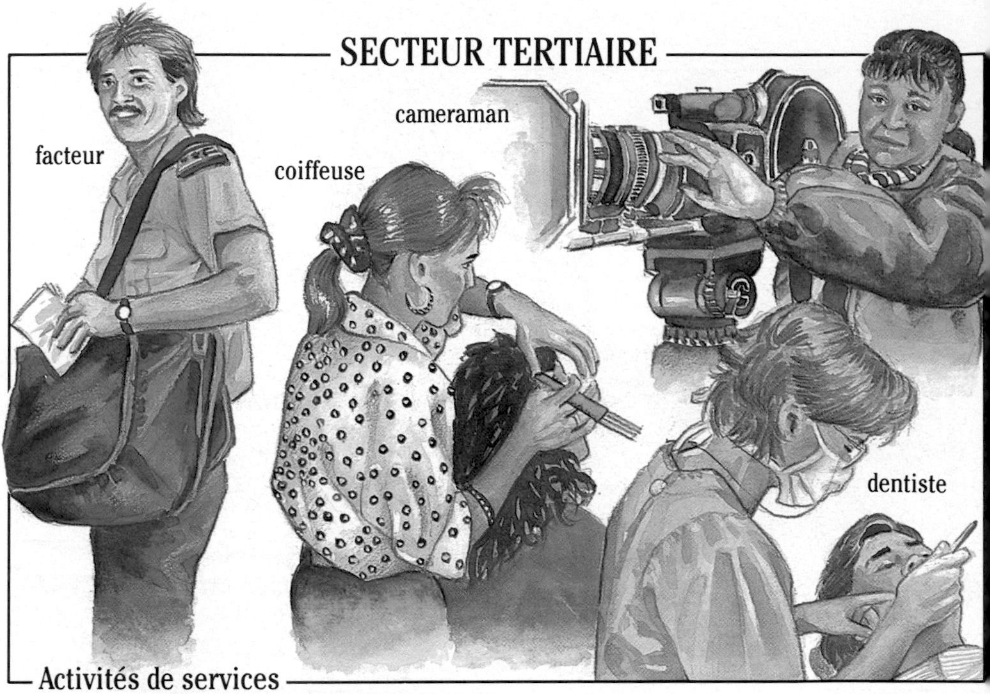

SECTEUR TERTIAIRE

cameraman

facteur

coiffeuse

dentiste

Activités de services

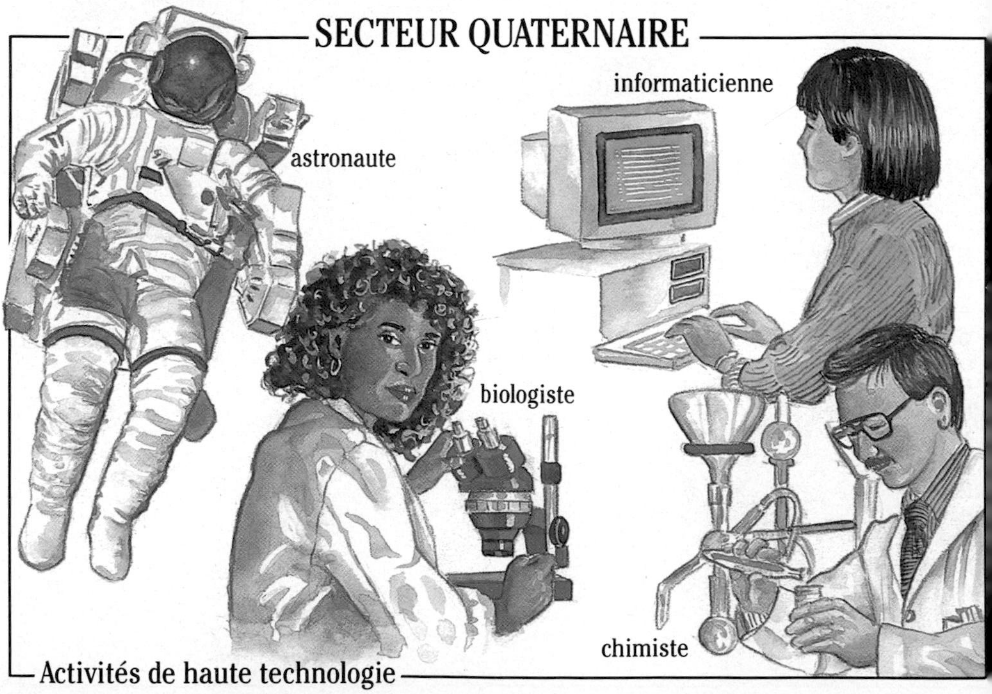

SECTEUR QUATERNAIRE

informaticienne

astronaute

biologiste

chimiste

Activités de haute technologie

çon à ne pas être reconnu : *Tous les enfants se déguisent pour la fête costumée.* **déguisé, ée** p.p. et adj. **1.** Qui est vêtu d'un déguisement : *Des enfants déguisés frappent à toutes les portes.* **2.** fig. Qui est caché sous de fausses apparences : *Sa gentillesse n'est que de l'hypocrisie déguisée.* SYN. camouflé, dissimulé. **R.** Ne pas oublier le *u* après le *g*.

dégustation n.f. Action de goûter une boisson, un aliment pour en apprécier la qualité : *Dans une dégustation de vins, les participants reconnaissent au goût l'âge et l'origine de chaque vin.* ☞ déguster.

déguster v. **1.** Goûter une boisson, un aliment pour en apprécier la qualité : *Ce fin connaisseur m'a fait déguster un excellent mousseux.* **2.** Manger ou boire avec plaisir : *Nous avons dégusté du saumon fumé et des crevettes.* **3.** fig. Beaucoup apprécier quelque chose : *Ce livre passionnant, je l'ai dégusté du début à la fin.* ☞ dégustation.

déhanchement n.m. **1.** Mouvement d'une personne qui marche en balançant les hanches : *Le déhanchement du marcheur olympique est très souple.* **2.** Posture d'un corps dont le poids repose sur une seule jambe : *Le déhanchement n'est pas très gracieux.* ☞ hanche.

se **déhancher** v.pron. **1.** Marcher en balançant les hanches : *Cette actrice marche en se déhanchant.* **2.** Faire reposer le poids du corps sur une jambe pendant que l'autre est légèrement pliée : *Il a pris l'habitude de se déhancher.* ☞ hanche. **déhanché, ée** p.p. et adj. **1.** Qui marche en balançant les hanches : *Sa démarche déhanchée est exagérée.* **2.** Qui fait reposer le poids de son corps sur une seule jambe : *Les adolescents déhanchés ont un air nonchalant.*

dehors n.m. **1.** Partie extérieure d'une chose : *Observez bien le dehors et le dedans de cette boîte.* ANT. intérieur. **2.** Apparence extérieure d'une personne : *Sous ses dehors bourrus, Nicolas cache une âme sensible.* SYN. façade.

dehors adv. À l'extérieur : *Allez jouer dehors !* ANT. dedans. ⁄⁄ *Mettre quelqu'un dehors* : Chasser quelqu'un. au-**dehors** loc.adv. À l'extérieur d'un lieu ou à l'extérieur de soi : *Il fait chaud dans la classe mais au-dehors, il gèle.* ANT. au-dedans. au-**dehors de** loc.prép. À l'extérieur d'un lieu : *Au-dehors de ce pays, les lois ne sont plus les mêmes.* ANT. au-dedans de. en **dehors** loc.adv. À l'extérieur : *Quand l'autobus roule, ne vous penchez pas en dehors.* ANT. en dedans. en **dehors de** loc.prép. À l'extérieur : *Mariette habite en dehors de la ville.* ANT. en dedans de.

déjà adv. **1.** Dès maintenant : *Elle est déjà rentrée chez elle.* **2.** À ce moment-là : *Il était déjà marié quand je l'ai connu.* **3.** Auparavant : *Je t'ai déjà dit de ne pas me déranger.* **4.** Indique l'amélioration d'un état, d'une situation : *Tu es arrivé troisième ; ce n'est déjà pas si mal.* **5.** Indique qu'on a oublié ce qu'on nous a dit précédemment : *Où allez-vous déjà ?*

déjanter v. Faire sortir un pneu du cercle sur lequel il est fixé : *Cette automobiliste déjante le pneu crevé.* ☞ jante.

déjeuner v. **1.** Prendre le repas du matin : *Il faut déjeuner avant de partir pour l'école.* **2.** Prendre le repas du midi : *J'ai déjeuné rapidement d'un sandwich au poulet et d'un yogourt.*

déjeuner n.m. **1.** Au Canada et dans certaines autres régions de la francophonie, repas du matin : *Au déjeuner, j'ai mangé une orange et des céréales.* **2.** Repas du midi : *Quand j'étais en France, j'allais souvent au restaurant pour le déjeuner.* **R.** En France, on dit *petit déjeuner* pour désigner le repas du matin et *déjeuner* pour désigner le repas du midi.

déjouer v. **1.** Faire échouer les intrigues de quelqu'un : *Audrey a déjoué les plans de ses adversaires.* **2.** Tromper : *Le prisonnier a déjoué la surveillance de ses gardiens.*

au-**delà** loc.adv. Plus loin : *La banque est un peu au-delà.* au-**delà de** loc.prép. Plus loin : *N'allez pas au-delà de ce coin de rue.*

par-**delà** loc.prép. De l'autre côté : *Les découvreurs ont voyagé par-delà les mers.*

délabrement n.m. **1.** État de ce qui est détérioré, en ruine : *Le délabrement de ce bel édifice m'attriste un peu.* **2.** fig. Mauvais état, dépérissement : *Le délabrement de sa santé inquiète sa famille.* ☞ délabré.

se **délabrer** v.pron. **1.** Se détériorer, tomber en ruine : *Depuis qu'elle est abandonnée la maison se délabre.* ANT. s'améliorer. **2.** fig. Devenir en mauvais état : *Sa santé s'est délabrée depuis un mois.* SYN. se détériorer. ANT. se rétablir. ☞ délabrement. **délabré, ée** p.p. et adj. **1.** Qui est détérioré, qui tombe en ruine : *Je n'ai jamais vu un édifice aussi délabré.* **2.** fig. Qui est en mauvais état : *Sa santé est si délabrée qu'il ne peut plus rester seul.*

délacer v. Défaire les lacets d'un soulier, d'un vêtement : *Je délace mes chaussures avant de les enlever.* ANT. lacer. HOM. délasser. ☞ lacer.

délai n.m. **1.** Temps accordé pour faire quelque chose : *Pour ce travail vous avez un délai de quinze jours.* **2.** Temps supplémentaire laissé pour faire quelque chose : *Je vous ac-*

corde un délai de trois jours. ∕∕ *Sans délai:* Tout de suite, immédiatement.

délaissé, ée adj. **1.** Se dit d'une personne qui est abandonnée, laissée seule: *Il se sent délaissé par sa famille.* ANT. entouré. **2.** Se dit d'une chose qui est abandonnée: *Ces terres délaissées ne produisent plus que des chardons.* HOM. délaisser. ☞ délaisser.

délaissement n.m. État d'une personne abandonnée, laissée seule: *Il est difficile de vivre dans la solitude et le délaissement.* SYN. abandon. ANT. aide, soutien. ☞ délaisser.

délaisser v. **1.** Abandonner quelqu'un, le laisser seul: *Tout le monde l'a délaissée.* ANT. entourer. **2.** Abandonner une chose, une activité: *On me dit que tu délaisses les sports.* HOM. délaissé. ☞ délaissé, délaissement.

délassant, ante adj. Qui fait disparaître la fatigue, qui repose: *J'ai fait une promenade délassante dans la forêt.* SYN. reposant. ANT. fatigant. ☞ las.

délassement n.m. **1.** Action de se reposer, de faire disparaître la fatigue: *J'ai besoin d'un moment de délassement à la fin de la journée.* SYN. détente, repos. ANT. fatigue. **2.** Occupation qui fait disparaître la fatigue, qui repose: *La lecture et la musique sont les délassements que je préfère.* SYN. distraction, divertissement, loisir. ANT. travail. ☞ las.

délasser v. Faire disparaître la fatigue, reposer: *Un bon bain chaud, voilà qui délasse un corps fatigué.* ANT. fatiguer. HOM. délacer. ☞ las. se **délasser** v.pron. Se reposer de ses fatigues: *Elle se délasse en écoutant de la musique.* ANT. se fatiguer.

délateur, trice n. Personne qui en dénonce une autre par jalousie, par vengeance ou par intérêt: *La délatrice craint la vengeance de ceux qu'elle a trahis.* SYN. dénonciateur. ☞ délation.

délation n.f. Dénonciation faite par jalousie, par vengeance ou par intérêt: *La délation est un acte méprisable.* ☞ délateur.

délavé, ée adj. **1.** Qui est d'une couleur pâle, affaiblie: *Il porte toujours des jeans délavés.* SYN. décoloré. **2.** Qui est imbibé d'eau: *Les pieds s'enfoncent dans le sol délavé.* SYN. détrempé. ANT. sec.

délayage n.m. **1.** Action de mélanger une substance à un liquide: *Le délayage de la chaux est une opération dangereuse.* **2.** fig. Action d'exprimer trop longuement une idée, un discours: *Tu répètes plusieurs fois les mêmes idées dans ton exposé. C'est du délayage!* SYN. verbiage. ANT. concision. ☞ délayer.

délayer v. **1.** Mélanger une substance à un liquide: *Le cuisinier délaye de la farine dans l'eau.* SYN. diluer. **2.** fig. Exprimer trop longuement une idée, un discours: *Ton idée était bonne, mais tu l'as trop délayée.* ☞ délayage.

délectable adj.litt. Qui procure un grand plaisir, qui est très agréable: *Ces pêches mûres sont tout simplement délectables.* SYN. délicieux, savoureux. ANT. mauvais. ☞ se délecter.

délectation n.f. Plaisir que procure une chose agréable: *Hélène savoure ces friandises avec délectation.* SYN. délice. ANT. dégoût. ☞ se délecter.

se **délecter** v.pron. Trouver un grand plaisir à quelque chose: *Je me délecte de cet excellent repas.* SYN. se régaler, savourer. ANT. détester. ☞ délectable, délectation.

délégation n.f. **1.** Ensemble de personnes chargées de représenter un groupe, un gouvernement: *Le directeur a reçu une délégation d'écoliers.* **2.** Transmission d'un pouvoir, d'une responsabilité à quelqu'un: *Cette employée n'approuve pas la délégation de pouvoirs.* ☞ déléguer.

délégué, ée n. et adj. **1.** n. Personne chargée de représenter un groupe, un gouvernement: *La déléguée syndicale a rencontré les enseignants après la classe.* SYN. représentant. **2.** adj. Qui est chargé de représenter un groupe, un gouvernement: *Les élèves délégués ont rencontré la directrice de l'école.* SYN. représentant. HOM. déléguer. **R.** Ne pas oublier le *u* après le *g*. ☞ déléguer.

déléguer v. **1.** Envoyer quelqu'un pour représenter un groupe, un gouvernement: *Les élèves de la classe ont délégué Geneviève à l'assemblée de parents.* SYN. mandater. **2.** Transmettre un pouvoir, une responsabilité à quelqu'un: *La directrice délègue ses responsabilités à son assistant.* HOM. délégué. ☞ délégation, délégué.

délestage n.m. **1.** Action d'enlever le lest d'un navire, d'un ballon: *Pour prendre de l'altitude, l'aérostier procède au délestage.* ANT. lestage. **2.** Coupure momentanée du courant électrique dans un secteur du réseau: *Hydro-Québec prévient ses abonnés qu'elle effectuera le délestage du secteur.* ☞ lest.

délester v. **1.** Enlever le lest d'un navire, d'un ballon: *Le navire risquait de sombrer; les marins l'ont délesté.* SYN. alléger. ANT. lester. **2.** Débarrasser d'un fardeau, d'une charge: *Dès notre arrivée, le bagagiste nous a délestés de nos valises.* SYN. décharger. **3.** Couper momentanément le courant électrique dans un secteur du réseau: *Hydro-Québec a délesté le secteur est de la ville.* **4.** fig. Voler: *Le jeune voyou l'a délesté de son portefeuille.* ☞ lest.

délibération n.f. Action de discuter avec plusieurs personnes afin de prendre une décision: *Les délibérations du conseil ont duré de longues heures.* SYN. débat, discussion. ☞ délibérer.

délibéré, ée adj. **1.** Qui est voulu, réfléchi: *Elle avait l'intention délibérée de commettre un vol.* ANT. contraint. **2.** Qui est ferme, assuré: *Elle s'adressa au directeur d'un air délibéré.* SYN. déterminé. ANT. gauche. HOM. délibérer. ∥ *De propos délibéré:* Volontairement, exprès. ☞ délibérément.

délibérément adv. **1.** Après avoir réfléchi: *Elle a accepté délibérément de venir en voyage avec moi.* SYN. consciemment. ANT. involontairement. **2.** D'une façon délibérée: *François a délibérément ignoré son adversaire.* SYN. volontairement. ANT. involontairement. ☞ délibéré.

délibérer v. **1.** Discuter avec plusieurs personnes afin de prendre une décision: *Les membres du jury délibèrent depuis plusieurs heures.* SYN. débattre. **2.** Discuter de quelque chose: *Les membres de la commission délibèrent de l'ouverture des magasins le dimanche.* HOM. délibéré. ☞ délibération.

délicat, ate adj. **1.** Qui est fin, raffiné: *La chef prépare des mets délicats.* SYN. recherché. ANT. insipide. **2.** Qui est fragile: *Claude a une santé délicate.* SYN. frêle. ANT. fort, robuste. **3.** Qui est difficile, compliqué: *La pilote exécute des manœuvres délicates.* SYN. complexe, dangereux. ANT. facile, simple. **4.** Qui est très sensible: *Mon ami Luc est très délicat; il perçoit mes moindres changements d'humeur.* ANT. indélicat. **5.** Qui montre de la sensibilité, de la délicatesse: *Je vous remercie de cette attention délicate.* SYN. prévenant. ANT. vulgaire. ☞ délicatement, délicatesse, indélicat, indélicatement, indélicatesse.

délicatement adv. **1.** Avec finesse: *Voici un collier délicatement travaillé.* SYN. finement. ANT. grossièrement. **2.** Avec douceur, avec précaution: *Simon cueille délicatement un bouquet de violettes.* ANT. brutalement. ☞ délicat.

délicatesse n.f. **1.** Raffinement: *Remarque la délicatesse des coloris de ce tableau.* SYN. finesse. **2.** Légèreté dans les gestes: *Elle a caressé le chat avec délicatesse.* SYN. douceur. ANT. brutalité. **3.** Fragilité: *As-tu remarqué la délicatesse de cette dentelle?* SYN. finesse. **4.** Sensibilité, tact: *Elle a eu la délicatesse de ne pas te contredire en public.* ANT. indélicatesse, maladresse. ☞ délicat.

délice n.m. **1.** Très grand plaisir: *Quel délice que de respirer le parfum des roses!* SYN. enchantement. ANT. horreur. **2.** Régal, mets délicieux: *Ce gâteau au chocolat est un pur délice.* ANT. horreur. ☞ délices, délicieusement, délicieux.

délices n.f.plur.litt. Plaisirs extrêmes: *Elle s'abandonne aux délices de la lecture.* ∥ *Faire ses délices de quelque chose:* Prendre un extrême plaisir à quelque chose. *Lieu de délices:* Endroit extrêmement agréable. ☞ délice.

délicieusement adv. **1.** Avec un très grand plaisir: *Elle se laissa glisser délicieusement dans l'eau parfumée du bain.* ANT. désagréablement. **2.** D'une manière délicieuse: *Cette crème fouettée est délicieusement parfumée à la vanille.* ANT. affreusement. ☞ délice.

délicieux, ieuse adj. **1.** Qui est très bon, exquis: *Les figues fraîches sont délicieuses.* SYN. délectable, savoureux. ANT. insipide. **2.** Qui est charmant: *Cette femme est délicieuse.* ANT. désagréable. **3.** Qui est très agréable: *En fin de semaine, j'ai visité un endroit délicieux.* SYN. enchanteur. ANT. désagréable. ☞ délice.

délié, ée adj. **1.** Qui n'est plus lié: *Les mains du prisonnier sont déliées.* ANT. lié. **2.** fig. Qui est très agile: *La pianiste a les doigts déliés.* HOM. délier. ∥ *Avoir la langue déliée:* Être très bavard. ☞ lier.

délier v. **1.** Détacher ce qui est lié: *Stéphanie a réussi à délier ses lacets.* SYN. délacer, dénouer. ANT. attacher, lier, nouer. **2.** fig. Faire parler quelqu'un: *Une grosse somme d'argent a délié la langue du délateur.* **3.** fig. Libérer quelqu'un d'une promesse, d'une obligation: *Je te délie de ta promesse.* HOM. délié. ☞ lier. **se délier** v.pron. **1.** Se mettre à parler: *Les langues se délient quand les gens sont à l'aise.* SYN. se desserrer. **2.** Se libérer d'une promesse, d'une obligation: *Mon ami se délie de sa promesse.* SYN. se dégager.

délimitation n.f. Action de fixer les limites: *Une commission internationale s'occupe de la délimitation des frontières.* ☞ limite.

délimiter v. **1.** Marquer les limites: *Cette haie délimite notre terrain.* SYN. limiter. **2.** fig. Définir, fixer: *Il faut délimiter les tâches de chacun des membres de la commission.* SYN. déterminer. ☞ limite.

délinquance n.f. Ensemble des délits commis, considéré sur le plan social: *La délinquance juvénile n'est pas un phénomène nouveau.* ☞ délinquant.

délinquant, ante n. et adj. **1.** n. Personne qui a commis un délit: *Ces deux délinquantes s'exposent à des poursuites judiciaires.* **2.** adj. Qui a commis un délit: *La jeunesse délin-*

quante inquiète beaucoup les parents. ☞ délinquance.

délirant, ante n. et adj. **1.** n. Personne atteinte de délire: *La délirante tenait des propos incohérents.* **2.** adj. Qui est atteint de délire: *Le malade délirant reçoit des soins psychiatriques.* **3.** adj. Qui est très enthousiaste, très agité: *La vedette reçut un accueil délirant.* SYN. exubérant. **4.** adj. Qui est déraisonnable: *Ton imagination délirante te jouera de vilains tours.* SYN. effréné, extravagant. ☞ délire.

délire n.m. **1.** Trouble mental qui porte le malade à déraisonner: *Dans son délire, il ne sait plus ce qu'il dit.* SYN. divagation. ANT. lucidité. **2.** Grande agitation, enthousiasme extrême: *La foule en délire acclamait la championne olympique.* SYN. frénésie, surexcitation. ⫽ *C'est du délire!:* Cela dépasse toute mesure. ☞ délirant, délirer.

délirer v. **1.** Tenir des propos incohérents, déraisonnables: *La malade commence à délirer.* SYN. divaguer. **2.** Être très enthousiaste, très agité: *Les gagnantes déliraient de joie.* SYN. exulter. ☞ délire.

délit n.m. Acte puni par la loi: *Le vol est un délit pouvant entraîner une peine d'emprisonnement.* SYN. crime, faute, infraction. ⫽ *En flagrant délit:* Sur le fait.

délivrance n.f. **1.** Action de rendre la liberté à quelqu'un: *Le prisonnier fête sa délivrance.* SYN. libération. ANT. captivité, détention. **2.** fig. Soulagement: *À la fin de l'année, les écoliers éprouvent un sentiment de délivrance.* ☞ délivrer. ▲ **délivrance** n.f. Action de délivrer à quelqu'un un permis, un certificat, un diplôme, un passeport, une ordonnance: *Mon grand frère attend la délivrance de son permis de conduire.* ☞ délivrer.

délivrer v. **1.** Rendre la liberté à quelqu'un: *Les policiers ont réussi à délivrer les otages.* SYN. libérer. ANT. emprisonner, enchaîner. **2.** Débarrasser quelqu'un de quelque chose: *La gardienne a délivré la prisonnière de ses menottes.* ANT. garder. ☞ délivrance. **se délivrer** v.pron. Se libérer: *Il s'est délivré de ses soucis.* SYN. se dégager. ▲ **délivrer** v. Remettre à quelqu'un un permis, un certificat, un diplôme, un passeport, une ordonnance: *Le ministère des Affaires extérieures m'a délivré un passeport.* ☞ délivrance.

déloger v. **1.** Quitter vivement son logement pour aller s'établir ailleurs: *Le locataire a délogé au petit matin.* SYN. déménager. ANT. s'installer. **2.** Faire quitter son logement à quelqu'un: *La propriétaire a délogé ces deux locataires.* SYN. expulser. **3.** Chasser une personne, un animal, du lieu qu'il occupe: *Le chasseur a délogé le renard de son terrier.* ANT. loger.

déloyal, ale, aux adj. **1.** Qui est malhonnête, traître: *C'est un adversaire déloyal à qui on ne peut faire confiance.* ANT. loyal. **2.** Qui dénote de la malhonnêteté, de la traîtrise: *Elle utilise des procédés déloyaux pour arriver à ses fins.* ANT. loyal. ☞ loyal.

déloyauté n.f. **1.** Malhonnêteté, traîtrise: *La déloyauté de cet homme m'a profondément choquée.* ANT. loyauté. **2.** Acte malhonnête, traître: *Tricher au jeu est une déloyauté.* ☞ loyal.

delphinium n.m. Plante ornementale, aux fleurs bleues, roses et blanches munies d'un éperon et aux graines toxiques, appelée communément «pied-d'alouette»: *Marina cueille un bouquet de delphiniums bleus.* ◇ pied-d'alouette.

delta n.m. **1.** Quatrième lettre de l'alphabet grec, dont la majuscule a la forme d'un triangle: *Ce planeur a des ailes en forme de delta.* **2.** Zone d'accumulation d'alluvions à l'embouchure d'un cours d'eau: *À l'endroit du delta, un fleuve se divise en plusieurs bras.*

deltaplane n.m. (nom déposé) Type de planeur très léger, servant au vol libre: *Le deltaplane est formé d'une toile tendue sur une armature triangulaire.*

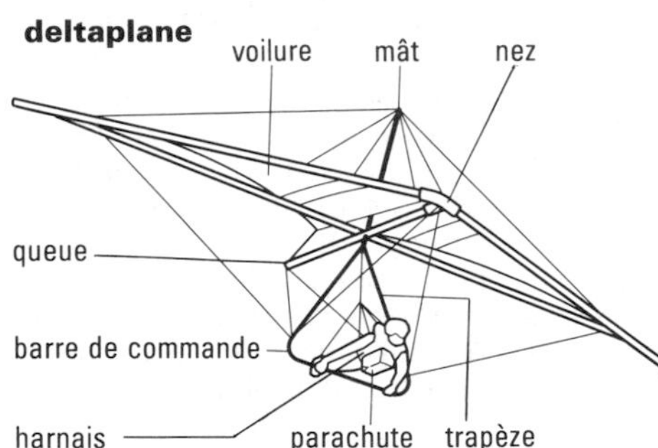

déluge n.m. **1.** Selon la Bible, envahissement de la terre par les eaux: *Noé construisit une arche pour échapper au Déluge.* ANT. sécheresse. **2.** Pluie violente qui noie tout: *C'est le déluge depuis une demi-heure!* **3.** fig. Grande quantité d'une chose: *Le gagnant fut noyé sous un déluge de compliments.* SYN. déferlement, flux. **R.** On met la majuscule à *déluge* lorsqu'il s'agit du phénomène décrit dans la Bible.

déluré, ée adj. **1.** Qui est vif, débrouillard: *Marie-Josée est une fillette délurée.* SYN. éveillé. ANT. empoté, endormi. **2.** péj. Qui est effronté: *C'est un garçon un peu trop déluré à mon goût.*

démagogie n.f. Politique consistant à flatter les passions et les préjugés d'une population pour se faire élire ou pour conserver le pouvoir: *En s'attaquant aux assistés sociaux, cette politicienne fait de la démagogie.* ☞ démagogique, démagogue.

démagogique adj. Qui consiste à flatter les passions et les préjugés d'une population: *Crois-tu que les électeurs se laisseront prendre à ces discours démagogiques?* ☞ démagogie.

démagogue n. et adj. **1.** n. Politicien, politicienne qui flatte les passions et les préjugés d'une population pour se faire élire ou pour conserver le pouvoir: *Espérons que ce démagogue sera battu aux prochaines élections.* **2.** adj. Qui flatte les passions et les préjugés d'une population pour se faire élire ou pour conserver le pouvoir: *Cette oratrice démagogue n'est pas tout à fait honnête.* **R.** Ne pas oublier le *u* après le *g*: démagogue. ☞ démagogie.

démaillage n.m. Action de défaire les mailles de quelque chose: *Le chat a joué avec tes bas: c'est ce qui a causé leur démaillage.* ☞ maille.

démailler v. Défaire les mailles de quelque chose: *Grand-mère a démaillé son tricot.* ☞ maille. se **démailler** v.pron. Se défaire, en parlant des mailles: *Mon bas s'est démaillé.*

démailloter v.vx Enlever le maillot d'un bébé: *Aussitôt rentrée, elle démaillota l'enfant.* ANT. emmailloter. ☞ maillot.

demain n.m. et adv. **1.** n.m. Jour qui suit celui où l'on est: *Demain est jour de congé.* ANT. aujourd'hui. **2.** n.m. Futur plus ou moins proche: *Le monde de demain sera-t-il meilleur que celui d'aujourd'hui?* ANT. aujourd'hui. **3.** adv. Jour qui suit celui où l'on est: *Nous sommes vendredi; demain, ce sera samedi.* ANT. aujourd'hui. **4.** adv. Plus tard: *Cet homme sera-t-il encore riche demain?* ANT. aujourd'hui. ☞ après-demain.

démancher v. **1.** Enlever le manche d'un objet: *J'ai démanché le balai pour le réparer.* ANT. emmancher. **2.** fam. Disloquer, désarticuler: *Sa chute lui a démanché l'épaule.* ☞ manche. se **démancher** v.pron. Perdre son manche: *La hache s'est démanchée.*

demande n.f. **1.** Action de faire savoir ce que l'on souhaite: *Votre demande a été acceptée.* SYN. requête. **2.** Écrit par lequel on demande quelque chose: *Avez-vous reçu ma demande d'emploi?* **3.** Acte par lequel on réclame une action en justice: *Cette femme a formé une demande en divorce.* ☞ demander.

demander v. **1.** Faire savoir ce que l'on souhaite obtenir: *Marie-Ève m'a demandé de venir chez elle.* SYN. prier. **2.** Questionner, chercher à savoir: *Roger demande à Nathalie quelle heure il est.* ANT. répondre. **3.** Exiger, nécessiter: *Ce travail demande beaucoup de patience.* **4.** Prier quelqu'un d'apporter quelque chose: *Maman demande l'addition au serveur.* SYN. réclamer. ANT. recevoir. **5.** Prier quelqu'un de venir: *On vous demande au téléphone.* SYN. appeler. **6.** Réclamer par une action en justice: *Ses parents demandent le divorce.* ANT. recevoir. ⁄⁄ *Demander quelqu'un en mariage:* Dire à quelqu'un qu'on veut l'épouser. *Ne pas demander mieux:* Accepter volontiers. ☞ demande, redemander. se **demander** v.pron. Se poser une question: *Je me demande pourquoi il est en colère.* SYN. s'interroger.

démangeaison n.f. **1.** Picotement de la peau, qui donne envie de se gratter: *Il y a des allergies qui se manifestent par des démangeaisons.* **2.** fig. et fam. Grande envie de faire quelque chose: *Il ne put résister à la démangeaison de rire de son adversaire.* **R.** Ne pas oublier le *e* après le *g*. ☞ démanger.

démanger v. Causer un picotement de la peau qui donne envie de se gratter: *Le pied me démange.* ⁄⁄ *La langue lui démange:* Il a envie de parler. ☞ démangeaison.

démantèlement n.m. **1.** Action de détruire les murailles, les fortifications: *Le démantèlement des murs de la ville a duré plusieurs jours.* **2.** fig. Action de détruire l'organisation de quelque chose: *Les services secrets ont procédé au démantèlement d'un réseau d'espionnage.* ☞ démanteler.

démanteler v. **1.** Détruire les murailles, les fortifications: *La forteresse de Louisbourg avait été démantelée.* SYN. abattre, raser. ANT. fortifier, reconstruire. **2.** fig. Détruire l'organisation de quelque chose: *La Gendarmerie royale a démantelé un réseau de distribution de drogue.* ANT. fortifier, reconstruire. ☞ démantèlement.

démant**è**lement démant**e**ler

démantibuler v.fam. Démolir un objet, le rendre inutilisable: *Guylaine a démantibulé le jouet de son frère.* SYN. casser. ANT. arranger, réparer.

démaquillant n.m. Produit qui enlève le maquillage: *Le comédien utilise un démaquillant.* ☞ maquiller.

démaquillant, ante adj. Qui enlève le maquillage: *Voici une crème démaquillante très douce.* ☞ maquiller.

démaquiller v. Enlever le maquillage: *La cantatrice démaquille ses yeux.* ANT. maquiller. ☞ maquiller. se **démaquiller** v.pron. Enlever son maquillage: *Maman se démaquille avant de se coucher.*

démarcation n.f. (esp.) **1.** Ce qui marque la limite: *Le 45e parallèle sert de démarcation entre le Canada et les États-Unis.* SYN. délimitation, frontière. **2.** fig. Séparation entre deux choses, deux domaines: *La démarcation n'est pas toujours très nette entre les partis politiques.*

démarche n.f. **1.** Manière de marcher: *Cette jeune fille a une démarche sautillante.* SYN. allure. **2.** Action entreprise pour obtenir quelque chose: *Sylvie a fait des démarches pour obtenir son permis de conduire.* SYN. intervention, sollicitation.

se **démarquer** v.pron. Se différencier de quelqu'un: *Antoine cherche à se démarquer de son jumeau.* SYN. se distinguer de. ☞ marquer.

démar**c**ation démar**qu**er

démarrage n.m. Action de commencer à rouler, de se mettre en mouvement: *L'automobiliste a eu des problèmes au démarrage.* ANT. arrêt. ☞ démarrer.

démarrer v. **1.** Commencer à rouler, se mettre en mouvement: *La voiture démarre lentement.* SYN. partir. ANT. s'arrêter. **2.** fig. Commencer à fonctionner: *Cette usine démarre: elle vient d'ouvrir ses portes.* SYN. entreprendre. ANT. achever, terminer. ☞ démarrage, démarreur, redémarrer.

démarreur n.m. Appareil qui sert à mettre en marche un moteur: *La conductrice tourne la clé de contact pour actionner le démarreur.* ☞ démarrer.

démasquer v. **1.** Enlever le masque: *Elle a réussi à démasquer son agresseur.* ANT. masquer. **2.** fig. Faire connaître quelqu'un sous son vrai jour: *Il ne sera pas facile de démasquer l'auteur de ce complot.* SYN. découvrir. ☞ masque. se **démasquer** v.pron. Se faire connaître sous son vrai jour: *La fraudeuse s'est démasquée.*

démêlage n.m. Action de séparer ce qui est emmêlé: *Le démêlage de l'écheveau de laine fut très long.* ☞ démêler. ▲ **démêlage** n.m. Action d'éclaircir une chose compliquée: *La détective a réussi le démêlage de cette énigme policière.* **R.** Aussi, *démêlement*. Ne pas oublier l'accent: *ê*. ☞ démêler.

démêlé n.m. Désaccord, dispute: *Jérôme a eu des démêlés avec ses compagnons.* SYN. querelle. ANT. accord, entente. HOM. démêler. **R.** Ne pas oublier l'accent: *ê*. ☞ démêler.

démêler v. Séparer ce qui est emmêlé: *Papa démêle les longs cheveux de ma petite sœur.* ANT. emmêler, mêler. ☞ démêlage, emmêlement, emmêler. ▲ **démêler** v. Éclaircir une chose compliquée: *L'institutrice essaie de démêler cette histoire de copiage.* SYN. débrouiller. ANT. brouiller, embrouiller. HOM. démêlé. **R.** Ne pas oublier l'accent: *ê*. ☞ démêlage, démêlé.

démembrement n.m. Action de démembrer, de séparer quelque chose en plusieurs parties: *Ma tante n'aurait pas survécu au démembrement de sa propriété.* ☞ démembrer.

démembrer v. **1.** Dépecer un animal, en séparant les membres du tronc: *Les chasseuses ont démembré le cerf de Virginie.* **2.** fig. Séparer quelque chose en plusieurs parties: *Ce domaine était immense; les héritiers l'ont démembré.* SYN. morceler. ANT. unifier. ☞ démembrement.

déménagement n.m. Action de transporter des meubles, des objets d'un logement à un autre: *Le camion de déménagement est arrivé.* ANT. emménagement. ☞ déménager.

déménager v. **1.** Transporter des objets, des meubles d'un logement à un autre: *Veux-tu m'aider à déménager mes livres?* ANT. emménager. **2.** Changer de logement: *Cette famille déménage tous les ans.* ANT. emménager. ☞ déménagement, déménageur, emménagement, emménager.

déménageur n.m. Personne dont le métier est de faire des déménagements: *Les déménageurs ont transporté nos meubles dans notre nouveau logement.* ☞ déménager.

démence n.f. **1.** Troubles mentaux graves: *Une personne atteinte de démence n'est pas responsable de ses actes.* SYN. folie. ANT. équilibre, raison. **2.** Conduite peu raisonnable, bizarre: *Jouer dehors par ce temps froid! Mais c'est de la démence!* SYN. folie. ☞ dément, démentiel.

se **démener** v.pron. **1.** S'agiter vivement, se débattre: *Le voleur se démène pour échapper aux policières.* **2.** fig. Se donner beaucoup de mal, fournir de grands efforts pour parvenir à un résultat: *Valérie s'est démenée pour obtenir ce poste.*

dément, ente n. et adj. **1.** n. Personne atteinte de démence: *Les déments ont besoin de soins psychiatriques.* SYN. aliéné, fou. **2.** adj. Qui est atteint de démence: *Les personnes démentes ont perdu contact avec la* *réalité.* SYN. aliéné, fou. **3.** adj.fam. Qui est déraisonnable : *Il a parfois des idées tout à fait démentes.* SYN. extravagant. ☞ démence.

démenti n.m. Déclaration faite pour en contredire une autre : *Les journaux viennent de publier un démenti; la nouvelle était fausse.* ANT. attestation, confirmation. ☞ démentir.

démentiel, ielle adj. **1.** Qui caractérise la démence : *Son rire démentiel nous glaça d'horreur.* **2.** Qui est extravagant, déraisonnable : *Ce projet me semble démentiel et complètement absurde.* ANT. raisonnable. ☞ démence.

démentir v. **1.** Contredire quelqu'un en soutenant qu'il ne dit pas la vérité : *Cette femme est venue démentir le témoin. Elle a dit qu'il mentait.* ANT. attester, mentir. **2.** Contredire quelque chose : *Les journaux ont démenti la nouvelle.* ANT. affirmer, confirmer. **3.** N'être pas conforme : *Vos actes démentent vos belles paroles.* SYN. contredire. ANT. appuyer, confirmer. ☞ démenti. se **démentir** v.pron. Cesser : *Sa gentillesse à mon égard ne s'est jamais démentie.*

se **démerder** v.pron.pop. Se débrouiller : *Il a fallu qu'elle se démerde pour gagner sa vie.* ☞ merde.

démériter v. Agir de manière à s'attirer le blâme, les critiques, la désapprobation de quelqu'un : *Elle n'a jamais démérité à mes yeux.* ANT. mériter. ☞ mérite.

démesure n.f. Excès, manque de mesure dans les paroles, les sentiments ou le comportement : *La démesure de son ambition lui fait vaincre bien des obstacles.* ANT. modération. ☞ mesure.

démesuré, ée adj. **1.** Qui dépasse de beaucoup la mesure normale : *Les géants ont une taille démesurée par rapport aux autres humains.* SYN. énorme, gigantesque. ANT. moyen, ordinaire, petit. **2.** Qui est excessif, exagéré : *Il a un appétit démesuré.* ANT. modéré. ☞ mesure.

démesurément adv. D'une façon démesurée : *Pinocchio avait le nez démesurément long.* SYN. exagérément, excessivement. ☞ mesure.

démettre v. Faire sortir un os de son articulation : *Le lutteur a démis le bras de son adversaire.* SYN. disloquer. ANT. replacer. ☞ remettre. se **démettre** v.pron. Faire sortir un os de son articulation : *En tombant, Myriam s'est démis l'épaule.* SYN. désarticuler. ANT. replacer. ▲ **démettre** v. Obliger quelqu'un à quitter son emploi, ses fonctions : *Le directeur de cette usine a été démis de son poste.* SYN. congédier, destituer, renvoyer. ☞ démission, démissionnaire, démissionner. se **démettre** v.pron. Quitter son emploi, démissionner : *La comptable s'est démise de ses fonctions.* SYN. abandonner.

démeubler v. Vider un local, une maison de ses meubles : *Ce chalet n'est pas habité pendant l'hiver; son propriétaire l'a démeublé.* ANT. meubler. ☞ meuble.

demeure n.f. Maison très belle ou importante : *La plupart des demeures seigneuriales étaient en pierre.* SYN. habitation, résidence. ⁄⁄ *Dernière demeure :* Tombeau, cimetière. ☞ demeurer. à **demeure** loc.adv. D'une manière permanente : *Ils s'installent à Toronto à demeure.*

demeuré, ée n. et adj. **1.** n. Personne dont l'intelligence n'est pas développée : *Ce demeuré pense comme un enfant de cinq ans.* **2.** adj. Dont l'intelligence n'est pas développée : *Si elle progresse aussi lentement, c'est qu'elle est demeurée.* HOM. demeurer.

demeurer v. **1.** Habiter : *Marie a demeuré dans ce quartier pendant trois ans.* SYN. résider. **2.** Continuer d'être dans un état, une situation : *Les enfants sont demeurés calmes, même pendant l'orage.* SYN. rester. **3.** Continuer d'être au même endroit : *Elle est demeurée dans sa chambre toute la soirée.* SYN. rester. ANT. quitter. **4.** Continuer d'exister : *Les souvenirs de notre enfance demeurent dans notre mémoire.* SYN. rester, subsister. ANT. disparaître. HOM. demeuré. ⁄⁄ *En demeurer là :* Ne pas avoir de suite. **R.** Au sens de *habiter*, se conjugue avec *avoir*; dans les autres sens, avec *être*. ☞ demeure.

demi n.m. **1.** Moitié d'une unité : *Un demi s'écrit aussi 0,5 ou ½.* ANT. entier, un. **2.** Au football, joueur qui fait la liaison avec les avants : *Mon frère est demi dans l'équipe de l'université.* **3.** Verre de bière contenant à peu près un demi-litre : *Par cette chaleur, je boirais bien un demi.*

demi, ie n. Moitié d'un objet : *Vous prenez une feuille complète ou une demie? Veux-tu un pain complet ou un demi?* ANT. entier.

demi, ie adj. **1.** Qui est la moitié d'un tout : *J'ai besoin d'un demi-litre de lait et d'une demi-douzaine d'oranges.* **2.** Qui est la moitié, ajoutée à quelque chose : *Il est deux heures et demie.* **R.** Devant un nom, toujours invariable et suivi d'un trait d'union : des *demi-litres*, une *demi-douzaine*. Après un nom, s'accorde en genre seulement : *trois ans et demi, deux bouteilles et demie.* à **demi** loc.adv. À moitié, partiellement, imparfaitement: *Cette tasse est à demi vide. Tu fais les choses à demi. Elle est à demi éveillée.* ∥ *À demi-mot:* Sans qu'il soit nécessaire de tout dire. **R.** Sans trait d'union et toujours invariable.

demiard n.m. Au Canada, mesure de capacité pour les liquides, qui équivaut à un quart de litre environ: *Le demiard, la chopine, la pinte et le gallon sont d'anciennes mesures de capacité.*

demi-bouteille n.f. Petite bouteille qui contient environ trente-sept centilitres: *Apportez-nous une demi-bouteille de vin.* **R.** Au pluriel, *demi-bouteilles.* ☞ bouteille.

demi-cercle n.m. Moitié d'un cercle limitée par le diamètre: *Un demi-cercle vaut cent quatre-vingts degrés.* **R.** Au pluriel, *demi-cercles.* ☞ cercle.

demi-douzaine n.f. Moitié d'une douzaine: *Dans une demi-douzaine de pommes, il y a six pommes.* **R.** Au pluriel, *demi-douzaines.* ☞ douze.

demi-droite n.f. Segment de droite fixé à un point, dont l'autre extrémité peut se prolonger à l'infini: *En géométrie, nous traçons des demi-droites à partir d'un point d'origine.* **R.** Au pluriel, *demi-droites.* ☞ droit.

demi-droites

demie n.f. Moitié d'une heure: *Il est déjà 7 heures: nous partons à la demie.*

demi-finale n.f. Dans les sports, épreuve qui précède la finale: *Si notre équipe remporte la demi-finale, elle pourra participer à la finale.* **R.** Au pluriel, *demi-finales.* ☞ fin.

demi-fond n.m.invar. Épreuve de moyenne distance (entre huit cents et trois mille mètres): *Les coureuses sont prêtes pour la course de demi-fond.*

demi-frère n.m. Frère par le père ou par la mère seulement: *Stéphane est mon demi-frère puisque nous sommes nés de mères différentes.* **R.** Au féminin, *demi-sœur.* Au pluriel, *demi-frères.* ☞ frère.

demi-heure n.f. Moitié d'une heure: *Une demi-heure dure trente minutes.* **R.** Au pluriel, *demi-heures.* ☞ heure.

demi-journée n.f. Moitié d'une journée: *Nous avons passé une demi-journée au centre sportif.* **R.** Au pluriel, *demi-journées.* ☞ jour.

demi-litre n.m. Moitié d'un litre: *Le demi-litre contient cinq cents millilitres.* **R.** Au pluriel, *demi-litres.* ☞ litre.

demi-mal n.m. Inconvénient, accident dont les conséquences sont moins graves que ce qu'on redoutait: *Elle s'est cassé la jambe. C'est un demi-mal! Elle aurait pu se tuer.* **R.** Au pluriel, *demi-maux.* ☞ mal.

demi-mesure n.f. Moyen insuffisant et peu efficace: *Il faudra plus que des demi-mesures pour régler ce problème.* **R.** Au pluriel, *demi-mesures.*

déminage n.m. Opération par laquelle on débarrasse un lieu des mines explosives qui y ont été placées: *Après la guerre, on a procédé au déminage de très vastes étendues.* ☞ mine.

déminer v. Débarrasser un lieu des mines explosives qui y ont été placées: *Les soldats ont déminé les routes du secteur.* ANT. miner. ☞ mine.

demi-pension n.f. Tarif hôtelier comprenant le prix de la chambre et celui d'un seul repas: *Nous avons pris la demi-pension à l'auberge pour une semaine.* **R.** Au pluriel, *demi-pensions.* ☞ pension.

demi-saison n.f. Printemps ou automne: *À l'automne, on recommence à porter des vêtements de demi-saison.* **R.** Au pluriel, *demi-saisons.* ☞ saison.

demi-sœur n.f. Sœur par le père ou par la mère seulement: *Ghislaine est la demi-sœur de Paul puisqu'elle est née du même père.* **R.** Au masculin, *demi-frère.* Au pluriel, *demi-sœurs.* ☞ sœur.

demi-sommeil n.m. État intermédiaire entre l'état de veille et le sommeil: *Elle sombre dans un demi-sommeil après les repas.* **R.** Au pluriel, *demi-sommeils.* ☞ sommeil.

démission n.f. **1.** Acte par lequel on renonce à un emploi, à une fonction: *Mon père a donné sa démission à la banque.* **2.** fig. Acte par lequel on renonce à faire quelque chose: *La travailleuse sociale déplore la démission de certains parents.* SYN. abandon, abdication. ☞ démettre.

démissionnaire n. et adj. **1.** n. Personne qui renonce à un emploi, à une fonction: *Les démissionnaires ont remis leur démission ce matin.* **2.** adj. Qui renonce à un emploi, à une fonction: *Les ministres démissionnaires ont donné une conférence de presse.* ☞ démettre.

démissionner v. **1.** Renoncer à un emploi, à une fonction: *La directrice a démissionné.* ANT. se démettre. **2.** fig. Renoncer à faire quelque chose: *Devant l'ampleur des obstacles, ils ont démissionné.* SYN. abandonner, abdiquer. ☞ démettre.

demi-tarif n.m. et adj.invar. **1.** n.m. Tarif égal à la moitié du plein tarif: *Les enfants ont des billets d'autobus à demi-tarif.* **2.** adj.invar. Dont le tarif est égal à la moitié du plein tarif: *Les billets demi-tarif sont réservés aux enfants et aux personnes âgées.* **R.** Au pluriel, *demi-tarifs*. ☞ tarif.

demi-teinte n.f. En peinture et en gravure, teinte intermédiaire entre le clair et le foncé: *Ce tableau est tout en demi-teintes.* **R.** Au pluriel, *demi-teintes*. ☞ teinte.

demi-tour n.m. Moitié d'un tour que l'on fait en pivotant sur soi-même: *Les militaires ont exécuté un demi-tour à droite, puis se sont immobilisés.* ⁄⁄ *Faire demi-tour:* Revenir sur ses pas. **R.** Au pluriel, *demi-tours*. ☞ tour.

démobilisation n.f. **1.** Action de démobiliser, rendre à la vie civile: *À la fin de la guerre, il y a eu démobilisation des soldats canadiens.* **2.** Action de démobiliser, de faire perdre le goût de défendre une cause, un parti: *Cette loi a provoqué la démobilisation d'un grand nombre de syndiqués.* ☞ mobiliser.

démobiliser v. **1.** Renvoyer à la vie civile les soldats appelés à la guerre: *Les soldats ont été démobilisés à la fin de la guerre.* ANT. mobiliser. **2.** fig. Faire perdre le goût de défendre une cause, un parti: *Cette loi antisyndicale a démobilisé un grand nombre de militants.* ☞ mobiliser.

démocrate n. et adj. **1.** n. Personne qui est en faveur du système politique dans lequel le peuple exerce le pouvoir par l'intermédiaire de représentants élus: *Les démocrates croient en l'égalité des citoyens.* **2.** n. Aux États-Unis, membre du Parti démocrate: *Les démocrates ont été défaits aux dernières élections présidentielles.* **3.** adj. Qui est en faveur du système politique dans lequel le peuple exerce le pouvoir par l'intermédiaire de représentants élus: *Les réfugiés politiques s'installent de préférence dans des pays démocrates.* ☞ démocratie.

démocratie n.f. **1.** Régime politique dans lequel le peuple exerce le pouvoir par l'intermédiaire de représentants élus: *La démocratie repose sur le respect de la liberté et de l'égalité des individus.* ANT. dictature. **2.** État organisé selon les principes de ce régime politique: *Le Canada et les États-Unis sont des démocraties.* **R.** Le *t* se prononce *ss*. ☞ antidémocratique, démocrate, démocratique, démocratiquement, démocratisation, démocratiser.

démocratique adj. Qui est conforme au régime politique dans lequel le peuple exerce le pouvoir par l'intermédiaire de représentants élus: *Nous vivons dans un pays démocratique.* ANT. antidémocratique. ⁄⁄ *Nouveau Parti démocratique:* Parti politique canadien. ☞ démocratie.

démocratiquement adv. D'une façon démocratique: *La députée a été démocratiquement élue.* ☞ démocratie.

démocratisation n.f. **1.** Action de rendre une chose accessible à tout le monde: *La démocratisation de l'enseignement a favorisé les jeunes de toutes les classes sociales.* **2.** Introduction, dans un pays, des principes et des institutions démocratiques: *Les Canadiens souhaitent la démocratisation de tous les pays du monde.* ☞ démocratie.

démocratiser v. **1.** Rendre une chose accessible à tout le monde: *La Révolution tranquille a démocratisé l'enseignement.* **2.** Introduire, dans un pays, les principes et les institutions démocratiques: *On tente de démocratiser certains pays soumis à la dictature.* ☞ démocratie.

démodé, ée adj. **1.** Qui a cessé d'être à la mode: *Cette robe est démodée.* **2.** fig. Qui est dépassé, ancien: *Tes idées sont démodées; nous ne sommes plus en 1960.* ANT. moderne. ☞ mode.

se **démoder** v.pron. Cesser d'être à la mode: *Les vêtements se démodent rapidement.* ☞ mode.

démographe n. Personne qui se spécialise dans l'étude de la démographie: *La démographe écrit un article sur le vieillissement de la population.* ☞ démographie.

démographie n.f. Science qui étudie la composition, la répartition, l'évolution des populations humaines: *La démographie nous renseigne, entre autres, sur les taux de natalité et de mortalité d'une population.* ☞ démographe, démographique.

démographique adj. Qui se rapporte à la démographie: *Les études démographiques soulignent le faible taux de natalité de la population québécoise.* ☞ démographie.

demoiselle n.f. Fille ou femme qui n'est pas mariée: *Nous regardions passer les deux vieilles demoiselles.* ⁄⁄ *Demoiselle d'honneur:* Jeune fille qui accompagne la mariée. ▲ **demoiselle** n.f. Nom usuel de la libellule, insecte à tête ronde pourvu de deux paires d'ailes transparentes: *La demoiselle vit près de l'eau et se nourrit d'insectes.* ◇ libellule.

démolir v. **1.** Détruire, abattre une construction: *On va démolir ces vieux édifices.* SYN. raser. ANT. bâtir, construire. **2.**

Mettre en pièces : *Bruno a démoli son baladeur.* SYN. briser, détruire. ANT. réparer. **3.** fam. Frapper quelqu'un avec violence : *Ce boxeur s'est fait démolir par son adversaire.* SYN. battre. **4.** fig. Ruiner la réputation de quelqu'un : *Le journaliste a démoli cette écrivaine dans son article.* ☞ démolisseur, démolition.

démolisseur, euse n. Personne, entreprise chargée de détruire une construction : *Les démolisseurs se sont attaqués à la façade de l'hôtel.* ANT. constructeur. ☞ démolir.

démolition n.f. Action de démolir une construction : *On a terminé la démolition du vieil hôpital.* SYN. destruction. ☞ démolir.

démon n.m. **1.** Ange mauvais, diable : *Au Moyen Âge, on représentait les démons avec des cornes et une queue fourchue.* **2.** Satan, le diable : *Selon la Bible, le Démon aurait tenté Ève en prenant la forme d'un serpent.* SYN. Lucifer. **3.** fig. Personne méchante : *Cet homme est un vrai démon.* **4.** fig. Enfant insupportable, turbulent : *Ne me parle pas de ce petit démon!* **R.** On met la majuscule à *démon* lorsqu'il s'agit de *Satan.* ☞ démoniaque.

démoniaque n. et adj. **1.** n. Personne qui est possédée du démon : *Dans la Bible, on parle de la guérison d'un démoniaque.* **2.** adj. Qui est possédé du démon : *Ce film nous raconte l'histoire d'une personne démoniaque.* SYN. diabolique. ANT. angélique. **3.** adj. Qui est digne du démon, malfaisant : *Cette femme a des idées démoniaques.* SYN. diabolique. ANT. angélique. ☞ démon.

démonstrateur, trice n. Personne qui explique le fonctionnement d'un appareil : *La démonstratrice a tenté de nous vendre un four à micro-ondes.* ☞ démontrer.

démonstratif, ive adj. **1.** Qui prouve, démontre quelque chose : *La professeure a des arguments démonstratifs.* SYN. convaincant, probant. ANT. confus. **2.** Qui manifeste ouvertement ses sentiments : *Juliette est très démonstrative.* SYN. communicatif, expansif, exubérant. ANT. froid, renfermé. ☞ démontrer.

démonstratif adj.m. **1.** Qualifie un adjectif qui accompagne le nom et qui montre les êtres ou les objets dont on parle : *Les adjectifs démonstratifs sont: ce, cet, cette et ces.* **2.** Qualifie un pronom qui remplace le nom d'êtres ou de choses en les montrant : *Celui, celle, cela, ceux et celles sont des pronoms démonstratifs.*

démonstration n.f. **1.** Action de démontrer comment fonctionne un appareil : *La vendeuse nous a fait une démonstration.* **2.** Action de prouver par l'expérience la vérité d'un fait, d'un raisonnement : *La professeure de sciences naturelles a fait une démonstration à ses élèves.* SYN. preuve. **3.** Manifestation de sentiments : *Ma meilleure amie m'accueille avec des démonstrations de joie.* ☞ démontrer.

démontable adj. Qu'on peut démonter, dont on peut séparer les parties : *Ces meubles sont démontables.* ANT. indémontable. ☞ monter.

démontage n.m. Action de démonter un objet, d'en séparer les parties : *Le démontage du téléviseur l'a occupée pendant toute une journée.* ☞ monter.

démonté, ée adj. Dont on a séparé les parties : *La bicyclette démontée traîne dans le sous-sol.* ☞ monter. ▲ **démonté, ée** adj. Qui est très agitée, en parlant de la mer : *Les pêcheurs ne devraient pas s'aventurer sur cette mer démontée.* SYN. houleux. ANT. calme. HOM. démonter.

démonte-pneu n.m. Levier servant à retirer un pneu de sa jante : *La mécanicienne se sert du démonte-pneu quand je fais installer les pneus d'hiver.* **R.** Au pluriel, *démonte-pneus.* ☞ monter.

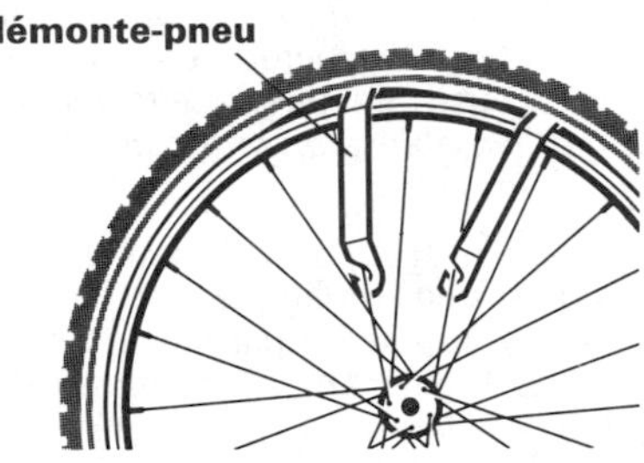

démonter v. Séparer les parties d'un objet : *Serge démonte le téléviseur.* ANT. remonter. ☞ monter. ▲ **démonter** v. **1.** Jeter quelqu'un à bas de sa monture : *La jument a démonté sa cavalière.* SYN. désarçonner. **2.** fig. Faire perdre son assurance à quelqu'un : *Mes arguments ont démonté le professeur.* SYN. déconcerter. ANT. rassurer. HOM. démonté. ☞ monter. se **démonter** v.pron. Perdre son assurance : *Il ne se démonte pas facilement.*

démontrer v. **1.** Prouver d'une manière incontestable : *Le professeur nous a démontré que ces deux fractions sont équivalentes.* **2.** Prouver par des marques extérieures : *Les gestes qu'il a faits démontrent l'affection qu'il a pour toi.* SYN. indiquer, montrer. ⁄⁄ *Ce qu'il fallait démontrer (C.Q.F.D.) :* C'était la chose à prouver. ☞ démonstrateur, démonstratif, démonstration.

démoralisant, ante adj. Qui décourage, qui fait perdre confiance en soi : *Ces nouvelles* *sont démoralisantes.* SYN. décourageant, déprimant. ANT. encourageant, réconfortant. ☞ moral.

démoralisation n.f. Action de démoraliser, découragement : *L'ennemi comptait sur la démoralisation des troupes pour remporter la victoire.* ANT. encouragement. ☞ moral.

démoraliser v. Décourager, faire perdre la confiance en soi : *Son échec l'a démoralisée.* SYN. abattre. ANT. encourager. ☞ moral. **se démoraliser** v.pron. Se décourager, perdre confiance en soi : *Ne te démoralise pas! Garde courage.* ANT. s'encourager.

démordre v. Renoncer, abandonner : *Nathalie est entêtée, elle ne veut pas démordre de son idée.* **R.** S'emploie surtout à la forme négative.

démoulage n.m. Action de démouler, de retirer une chose de son moule : *Attention de ne pas briser le gâteau pendant le démoulage.* ANT. moulage. ☞ moule.

démouler v. Retirer une chose de son moule : *Il a démoulé mon gâteau d'anniversaire.* ANT. mouler. ☞ moule.

démunir v. Priver quelqu'un d'une chose nécessaire : *La faillite l'a démuni de tous ses biens.* SYN. dépouiller. ANT. munir. ☞ munir. se **démunir** v.pron. Se dépouiller : *Elle s'est démunie de son argent.* SYN. se dessaisir. ANT. s'enrichir, se munir.

démystification n.f. Action par laquelle on détrompe un groupe qu'on a abusé par de fausses idées : *La démystification n'est jamais inutile : elle fait perdre bien des illusions.* ANT. mystification.

démystifier v. Détromper un groupe qu'on a abusé par de fausses idées : *Il faudra démystifier ce peuple trop crédule en le renseignant de façon adéquate.* ANT. mystifier. ☞ mystifier.

dénatalité n.f. Diminution du nombre de naissances dans un pays : *La dénatalité inquiète les politiciens et les démographes.* ☞ natalité.

dénaturé, ée adj. Qui est contraire à ce qui est considéré comme naturel : *Cette chatte dénaturée a abandonné ses chatons.* HOM. dénaturer. ☞ dénaturer.

dénaturer v. **1.** Altérer le goût, la saveur d'un élément : *Certains produits dénaturent le goût des viandes.* ANT. conserver. **2.** fig. Fausser le sens, déformer : *La journaliste a dénaturé les propos de la scientifique.* ANT. respecter. HOM. dénaturé. ☞ dénaturé.

déneigement n.m. Action de déneiger une voie de communication : *Le déneigement est une opération essentielle dans les villes au lendemain des tempêtes.* ☞ neige.

déneiger v. Enlever la neige sur une voie de communication : *Après la tempête, il faudra plusieurs heures pour déneiger les rues de la ville.* ☞ neige.

déniaiser v. Rendre moins niais, moins naïf : *Les voyages contribuent parfois à déniaiser.* SYN. dégourdir. ☞ niais.

dénicher v. **1.** Enlever les oiseaux ou les œufs de leur nid : *Il ne faut pas dénicher les oiseaux.* **2.** fig. Trouver après de longues recherches : *Après des semaines de démarches, elle a finalement déniché un emploi.* SYN. découvrir. ☞ nid.

dénicheur, euse n. **1.** Personne qui enlève les oiseaux ou les œufs de leur nid : *Steve est un dénicheur de moineaux.* **2.** fig. Personne habile à découvrir des objets rares : *Cette collectionneuse est une dénicheuse de bijoux anciens.* ☞ nid.

denier n.m. **1.** Ancienne monnaie romaine : *Judas reçut trente deniers pour avoir trahi son maître.* **2.** Ancienne monnaie française : *Le denier français valait $^1/_{12}$ d'un sou.* **3.** plur. Argent personnel : *Elle a payé ce meuble de ses propres deniers.* **4.** plur. Revenus de l'État : *On financera ce projet avec les deniers publics.*

dénier v. **1.** Refuser de reconnaître : *Il dénie toute responsabilité dans cet accident.* SYN. nier. ANT. avouer, confirmer. **2.** Refuser d'accorder : *On lui a dénié le droit de s'exprimer publiquement.* ANT. donner. ☞ indéniable, indéniablement.

dénigrement n.m. Action de dénigrer, de dire du mal : *Le dénigrement est une arme de lâche.* ANT. éloge, louange. ☞ dénigrer.

dénigrer v. Dire du mal de quelqu'un ou de quelque chose : *Il attaque la réputation de ses voisins en les dénigrant.* SYN. critiquer, discréditer. ANT. louer, vanter. ☞ dénigrement.

déniveler v. Rendre inégale une surface unie, provoquer une différence de niveau : *Pour favoriser l'écoulement des eaux, le jardinier a dénivelé le potager par rapport au terrain avoisinant.* ANT. niveler. ☞ niveau.

dénivellation n.f. Différence de niveau : *En région montagneuse, la dénivellation est très forte.* **R.** Aussi, *dénivellement.* ☞ niveau.

déniveler dénivellation

dénombrable adj. Qu'on peut dénombrer, compter: *Cette foule est facilement dénombrable.* ANT. innombrable. ☞ nombre.

dénombrement n.m. Action de dénombrer, de compter des êtres ou des choses: *Le dénombrement de la population permet de mettre à jour les statistiques.* SYN. recensement. ☞ nombre.

dénombrer v. Faire le compte exact: *Les observateurs n'ont pu dénombrer les manifestants.* SYN. compter. ☞ nombre.

dénominateur n.m. Terme d'une fraction placé sous la barre horizontale et qui indique en combien de parties égales l'unité a été divisée: *Dans la fraction ¾, le nombre quatre est le dénominateur.* ANT. numérateur. ⁄⁄ *Dénominateur commun:* Point commun à des choses ou à des personnes.

dénomination n.f. Nom que l'on donne à une personne ou à une chose: *Le petit du cerf et de la biche est connu sous la dénomination de faon.* SYN. appellation. ☞ nom.

dénommer v. Donner un nom à une personne ou à une chose: *Ses parents l'ont dénommée Catherine.* SYN. nommer. ☞ nom.

dénoncer v. **1.** Faire connaître un coupable à la justice: *Le témoin du vol de banque a dénoncé les coupables à la police.* SYN. signaler. ANT. cacher. **2.** Faire connaître publiquement une chose mauvaise: *Il faut dénoncer l'injustice et la malhonnêteté.* ANT. taire. **3.** Annuler, rompre un accord, un engagement: *Tu regrettes d'avoir signé ce contrat? Il faut le dénoncer sans tarder.* ANT. confirmer. ☞ dénonciateur, dénonciation.

dénonciateur, trice n. et adj. **1.** n. Personne qui fait connaître un coupable à la justice: *Le dénonciateur de cette dangereuse criminelle craint maintenant pour sa vie.* SYN. délateur. ANT. protecteur. **2.** n. Personne qui fait connaître publiquement une chose mauvaise: *La dénonciatrice de ces abus a fait son devoir de citoyenne.* **3.** adj. Qui fait connaître un coupable ou une chose mauvaise: *Cet homme a fait parvenir une lettre dénonciatrice à sa députée.* ☞ dénoncer.

dénonciation n.f. **1.** Action de dénoncer, de faire connaître un coupable à la justice: *Les policiers ont démantelé ce réseau à la suite d'une dénonciation.* SYN. délation. **2.** Action de dénoncer, de faire connaître publiquement une chose mauvaise: *Cette femme a consacré sa vie à la dénonciation de la misère dans le monde.* **3.** Annonce de la fin d'un accord, d'un engagement: *La dénonciation du traité commercial est intervenue quelques jours après sa signature.* SYN. annulation. ☞ dénoncer.

dénoter v. Indiquer, marquer par un signe: *Ses actes dénotent une grande bonté.* SYN. révéler, supposer.

dénouement n.m. **1.** Manière dont se termine une affaire compliquée: *Tout le monde a accueilli avec soulagement le dénouement de cette crise politique.* SYN. issue. **2.** Manière dont se termine un film, un roman, une pièce de théâtre: *Le dénouement de cette pièce de théâtre était imprévu.* ☞ nœud.

dénouer v. **1.** Défaire ce qui est noué: *Charles dénoue le ruban qui entoure son cadeau.* SYN. délier, détacher. ANT. lier, nouer. **2.** fig. Résoudre une affaire compliquée: *Les ministres se réunissent pour tenter de dénouer la crise sociale.* SYN. démêler. ☞ nœud. **se dénouer** v.pron. **1.** Se défaire: *Ma ceinture s'est dénouée.* SYN. se détacher. ANT. se nouer. **2.** Se résoudre: *Cette intrigue policière finira bien par se dénouer.* ANT. se nouer.

dénoyauter v. Enlever le noyau d'un fruit: *Veux-tu m'aider à dénoyauter les pêches?* ☞ noyau.

denrée n.f. **1.** Produit alimentaire destiné à la consommation: *Le pain, le lait et les fruits sont des denrées périssables.* SYN. aliment, nourriture. **2.** fig. Chose, qualité précieuse: *De nos jours, l'honnêteté est une denrée rare.*

dense adj. **1.** Qui est épais, serré: *Un brouillard dense ralentit la circulation sur l'autoroute.* ANT. raréfié. **2.** Qui est nombreux: *Une foule dense se pressait à l'entrée des magasins.* ANT. clairsemé, rare. **3.** Qui est lourd par rapport à son volume: *Le fer est plus dense que le bois.* HOM. danse. ☞ densité.

densité n.f. **1.** Qualité de ce qui est épais, serré, nombreux: *La densité du brouillard ralentissait la circulation.* SYN. épaisseur. **2.** Rapport qui existe entre la masse d'un certain volume d'un corps et la masse d'un même volume d'eau à quatre degrés Celsius: *La densité du plomb est de 11,3, ce qui veut dire que le plomb est 11,3 fois plus lourd que l'eau.* **3.** En parlant de la population, nombre moyen d'habitants au kilomètre carré: *Au Canada, la densité de la population est de trois habitants au kilomètre carré.* ☞ dense.

dent n.f. Partie pointue ou allongée de certains outils, de certains instruments: *Les dents de la scie sont très coupantes.* ⁄⁄ *En dents de scie:* En présentant des pointes aiguës et des creux. ☞ dent-de-lion, denté, dentelé, denteler, dentelure, denture, édenter.

▲ **dent** n.f. **1.** Chez les humains, organe dur implanté dans la mâchoire, qui sert à mastiquer les aliments: *L'enfant a vingt dents; l'adulte en a trente-deux.* **2.** Chez les vertébrés, organe dur et saillant qui sert à mastiquer les aliments ou à se défendre : *Les dents du chien sont appelées crocs ; celles de l'éléphant, défenses.* HOM. dam, dans. ⁄⁄ *Croquer à belles dents :* De bon appétit. *Ne pas desserrer les dents :* Ne pas parler, se taire obstinément. ☞ dentaire, dentier, dentifrice, dentiste, dentition, denture, édenté, édenter.

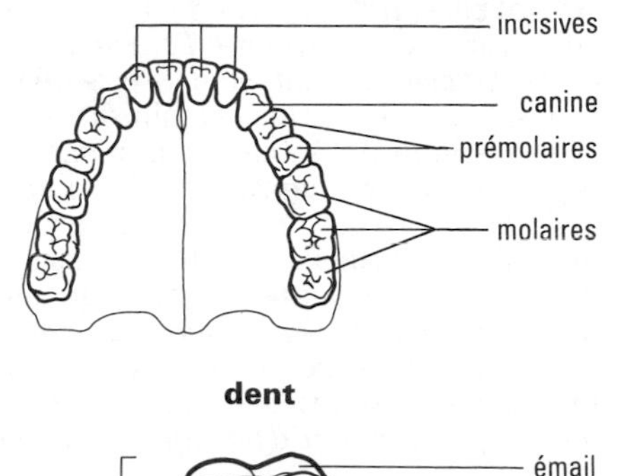

dent

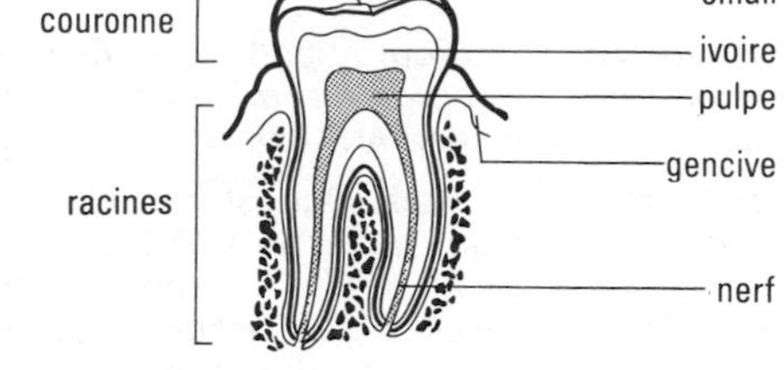

dentaire adj. Qui se rapporte aux dents : *La plaque dentaire attaque l'émail des dents et cause la carie.* ☞ dent.

dent-de-lion n.f. Autre nom du pissenlit, plante à feuilles longues et dentées et à fleurs jaunes : *Les feuilles dentées du pissenlit lui ont valu le surnom de dent-de-lion.* **R.** Au pluriel, *dents-de-lion*. ☞ dent. ◇ pissenlit.

denté, ée adj. Dont le bord a des saillies en forme de dents : *Les roues dentées commandent les engrenages.* ☞ dent.

dentelé, ée adj. Qui est découpé en forme de petites dents : *Isabelle s'amuse à reproduire les bords dentelés du timbre-poste.* ANT. lisse. HOM. denteler. ☞ dent.

denteler v. Faire des découpures en forme de petites dents : *Le couturier dentelle le bord du tissu.* HOM. dentelé. **R.** Ne pas oublier de doubler le *l* devant un *e* muet. ☞ dent.

dentelle n.f. **1.** Tissu très ajouré, constitué de fils entrelacés formant des motifs décoratifs : *La dentelle est fabriquée à l'aide d'aiguilles, de fuseaux ou de crochets.* **2.** Ce qui rappelle ce tissu par la finesse et l'aspect ajouré : *On nous a servi des petits gâteaux sur une dentelle de papier.*

dentelure n.f. Découpure en forme de dents : *En détachant le timbre, tu as brisé ses dentelures.* ☞ dent.

dentier n.m. Appareil formé de dents artificielles : *Elle porte un dentier.* ☞ dent.

dentifrice n.m. et adj. **1.** n.m. Produit servant au nettoyage des dents : *J'ai acheté un tube de dentifrice à la menthe.* **2.** adj. Qui sert à nettoyer les dents : *Cette pâte dentifrice est vraiment efficace.* ☞ dent.

dentiste n. Personne dont la profession est de soigner les dents : *La dentiste m'a félicitée pour la propreté de mes dents.* ☞ dent.

dentition n.f. Formation et pousse des dents : *La dentition de lait fait place à la dentition définitive.* ☞ dent.

denture n.f. Ensemble des dents d'une personne, d'un animal : *La denture d'un enfant comprend vingt dents.* ☞ dent. ▲ **denture** n.f. Ensemble des dents d'une roue d'engrenage, d'un outil : *La denture de la scie est rouillée.* ☞ dent.

dénudé, ée adj. **1.** Qui est nu : *La chanteuse a les épaules dénudées.* **2.** Qui est dépourvu de végétation, de feuillage : *Les arbres dénudés nous annoncent le retour de l'hiver.* HOM. dénuder. ☞ nu.

dénuder v. **1.** Mettre à nu une partie du corps : *Cette robe de bal dénude le dos et les bras.* SYN. découvrir, déshabiller. ANT. couvrir, habiller. **2.** Dépouiller de ce qui recouvre un arbre, un fil : *L'électricien dénude le fil électrique en enlevant la gaine isolante.* ANT. recouvrir. HOM. dénudé. ☞ nu. **se dénuder** v.pron. **1.** Se mettre nu, totalement ou partiellement : *Les gens se dénudent pendant l'été.* SYN. se dévêtir. ANT. se vêtir. **2.** Perdre son feuillage, en parlant d'un arbre : *C'est l'automne ! Les arbres commencent à se dénuder.* SYN. se dépouiller.

dénué, ée p.p. et adj. Qui est privé de quelque chose : *Ces gens sont dénués de bon sens.* ☞ dénuement, se dénuer.

dénuement n.m. État d'une personne qui est privée des choses nécessaires à la vie normale : *Ces moines vivent dans le dénuement.* SYN. misère, pauvreté. ANT. prospérité, richesse. ☞ dénué.

se dénuer v.pron.litt. Se priver de quelque chose : *Cet homme s'est dénué de sa fortune pour soulager la misère.* SYN. se dépouiller. ANT. se doter. ☞ dénué.

dépannage n.m. **1.** Remise en marche d'un appareil, d'un véhicule en panne : *La mécanicienne fera le dépannage de ta voiture.* **2.** fam. Service rendu à une personne en difficulté : *Mon amie est une spécialiste du dépannage.* ☞ panne.

dépanner v. **1.** Remettre en marche un appareil, un véhicule en panne : *Le mécanicien a dépanné notre automobile.* **2.** Remorquer un véhicule en panne : *La garagiste est venue nous dépanner sur le pont Champlain.* **3.** fam. Rendre service à une personne en difficulté : *Heureusement que tu m'as dépanné !* ☞ panne.

dépanneur, euse n. Personne dont le métier est de remettre en marche des appareils, des véhicules en panne : *Comme notre téléviseur ne fonctionnait plus, je l'ai confié au dépanneur pour qu'il le répare.* ☞ panne.

dépanneur n.m. Au Canada, petite épicerie ouverte au-delà des heures et jours habituels des autres établissements commerciaux : *Le dépanneur est ouvert tous les jours de la semaine.*

dépanneuse n.f. Voiture de dépannage qui remorque les véhicules en panne : *La dépanneuse est enfin arrivée.* ☞ panne.

dépanneuse

dépaqueter v. Défaire un paquet : *Aidez-moi à dépaqueter ces livres.* ANT. empaqueter. ☞ paquet.

dépareillé, ée adj. **1.** Qui est incomplet, en parlant d'un ensemble de choses semblables : *Ce service à café est dépareillé : il manque deux tasses.* ANT. complet. **2.** Qui n'est pas pareil aux autres éléments d'un ensemble, d'une paire : *Tes gants sont dépareillés.* ANT. assorti. HOM. dépareiller. **R.** N'a pas le sens de *incomparable*. ☞ dépareiller.

dépareiller v. Rendre incomplet un ensemble de choses semblables : *En cassant cette assiette, tu as dépareillé le service de vaisselle.* ANT. compléter. HOM. dépareillé. ☞ dépareillé.

déparer v. Rendre moins beau : *Cette vieille bicoque dépare le quartier.* SYN. enlaidir. ☞ parer.

départ n.m. **1.** Action de partir : *Je n'aime pas les départs.* ANT. arrivée. **2.** Action de quitter un emploi, un lieu : *Les citoyens ont exigé le départ de ce ministre.* SYN. licenciement. **3.** Lieu d'où l'on part : *Les concurrents sont rassemblés à la ligne de départ.* **4.** Commencement d'une action : *Je n'avais pas prévu cette difficulté au départ.* SYN. début. // *Être sur le départ :* Être sur le point de partir. *Faux départ :* Début raté, inutile qui doit être recommencé. *Prendre le départ :* Partir. ☞ partir.

départager v. Faire cesser l'égalité entre deux concurrents : *Il y a deux gagnants à ce concours ; un tirage au sort les départagera.*

département n.m. **1.** En France, division administrative du territoire : *Le territoire français est divisé en quatre-vingt-seize départements.* **2.** Aux États-Unis, administration placée sous la responsabilité d'un ministre : *Le département des Affaires extérieures s'occupe de la délivrance des passeports.* **3.** Regroupement d'enseignants d'une même discipline dans un établissement d'enseignement : *Adressez-vous au département de linguistique de l'Université de Montréal.* **4.** Au Canada, ministère provisoire : *La première ministre a annoncé la création d'un nouveau département d'État.*

se **départir** v.pron. Abandonner : *Elle se concentre sans jamais se départir de son calme.* SYN. renoncer. ANT. conserver.

dépassé, ée adj. **1.** Qui est démodé : *Ce sont des techniques dépassées.* SYN. périmé. ANT. nouveau. **2.** Qui ne domine plus la situation : *Cette femme est dépassée par les événements.* HOM. dépasser. ☞ dépasser.

dépassement n.m. **1.** Action de dépasser, en allant plus vite : *Le dépassement est interdit dans les virages.* **2.** Action d'aller au-delà de ses possibilités : *Le dépassement de soi, voilà le but des vrais champions.* ☞ dépasser.

dépasser v. **1.** Laisser derrière soi, doubler : *L'autobus a dépassé le camion.* SYN. devancer. **2.** Aller plus loin, franchir : *Le ballon a dépassé la limite du terrain.* **3.** Être plus grand, plus long, plus haut que quelqu'un ou quelque chose : *Sylvain dépasse Anne de cinq centimètres.* **4.** Être supérieur à quelqu'un ou à quelque chose : *Gilbert dépasse ses camarades en français.* **5.** Aller au-delà des facultés, des prévisions, des capacités : *Son succès a dépassé nos espérances.* **6.** Dérouter, étonner beaucoup : *Ton attitude me dépasse.* **7.** Être trop long : *Ton gilet dépasse un peu.* HOM. dépassé. ☞ dépassé, dépassement. se **dépasser** v.pron. **1.** Passer l'un devant l'autre : *Les deux coureuses se sont dépassées pendant tout le parcours.* **2.** Aller au-delà de ses possibilités : *Dans cette œuvre exceptionnelle, le musicien s'est dépassé.*

dépaysement n.m. **1.** Fait d'être mal à l'aise à cause d'un changement d'habitudes : *Le dépaysement de la nouvelle élève ne durera que quelques jours.* **2.** Changement agréable d'habitudes: *Ces grandes voyageuses recherchent le dépaysement.* ☞ dépayser.

dépayser v. Mettre quelqu'un mal à l'aise en changeant ses habitudes: *Ce changement d'école l'a dépaysé pour quelques jours.* SYN. dérouter, désorienter. ☞ dépaysement. **dépaysé, ée** p.p. et adj. Qui est mal à l'aise à cause d'un changement d'habitudes: *Quand il arrive chez des inconnus, Carl se sent toujours un peu dépaysé.* SYN. embarrassé, gêné. ANT. rassuré.

dépeçage n.m. **1.** Action de découper un animal en morceaux: *Le dépeçage du bœuf sera bientôt terminé.* **2.** fig. Action de partager, de séparer en parties: *Personne n'a protesté contre le dépeçage de ce territoire.* SYN. démembrement. **R.** Ne pas oublier la cédille. Aussi, *dépècement.* ☞ dépecer.

dépecer v. **1.** Découper un animal en morceaux: *La bouchère dépèce les lapins.* SYN. couper, débiter. **2.** Mettre un animal en pièces: *Le lion dépèce la gazelle.* SYN. démembrer. **3.** fig. Partager, séparer en parties: *Après la guerre, les vainqueurs ont dépecé les pays vaincus.* SYN. démembrer. ANT. réunir. ☞ dépeçage.

dépeçage dépecer

dépêche n.f. **1.** Lettre officielle concernant les affaires publiques: *Une dépêche diplomatique est parvenue au bureau du premier ministre.* **2.** Information brève transmise par un correspondant ou une agence de presse: *Nous recevons à l'instant une dépêche de notre correspondante en Israël.* SYN. message.

dépêcher v. Envoyer quelqu'un en toute hâte: *Le gouvernement canadien a dépêché son ambassadrice à la conférence internationale.* SYN. déléguer. se **dépêcher** v.pron. Se hâter: *Dépêchez-vous! Nous allons être en retard.* ANT. lambiner, traîner.

dépeigner v. Déranger la coiffure: *Le vent t'a dépeigné.* SYN. décoiffer. ☞ peigne. **dépeigné, ée** p.p. et adj. Dont les cheveux sont en désordre: *Diane est dépeignée.*

dépeindre v. Décrire: *Un témoin nous a dépeint la scène de l'accident.*

dépendance n.f. **1.** État d'une personne qui est placée sous l'autorité de quelqu'un: *Jusqu'à dix-huit ans, les enfants sont sous la dépendance des parents.* ANT. autonomie, indépendance. **2.** État d'une personne qui a un besoin pressant de drogue: *Elle ne peut plus se passer de drogue; elle est dans un état de dépendance.* SYN. esclavage. ANT. autonomie. **3.** Bâtiment, terrain qui appartient à un domaine: *L'université a plusieurs dépendances.* SYN. annexe. ☞ dépendre.

dépendant, ante adj. Qui est soumis à quelqu'un ou à quelque chose: *Cette fille est très dépendante de ses parents.* ANT. autonome, indépendant. ☞ dépendre.

dépendre v. Détacher ce qui est pendu: *Aide-moi à dépendre les rideaux et les tableaux.* SYN. décrocher. ANT. accrocher, pendre, suspendre. ☞ pendre. ▲ **dépendre** v. **1.** Être le résultat, la conséquence de quelque chose: *Ton succès dépend de tes efforts.* SYN. résulter. **2.** Être sous l'autorité de quelqu'un: *Ces employés dépendent de leur patron.* SYN. relever de. **3.** Reposer sur quelqu'un ou sur quelque chose: *Cette décision ne dépend pas d'elle.* **4.** Appartenir: *Les îles Saint-Pierre et Miquelon dépendent de la France.* ⫽ *Ça dépend:* Peut-être. ☞ dépendance, dépendant, indépendance, indépendant, indépendantiste.

dépens n.m.plur. Ce qu'on doit payer dans une affaire judiciaire, frais de justice: *Il a dû payer les dépens.* ⫽ *Apprendre à ses dépens:* Apprendre par une expérience pénible, désagréable. aux **dépens de** loc.prép. **1.** Aux frais de: *Il vit aux dépens de ses parents.* **2.** fig. Au détriment de: *Elle fume aux dépens de sa santé.* ⫽ *S'amuser, rire aux dépens de quelqu'un:* Se moquer de quelqu'un.

dépense n.f. **1.** Action de dépenser pour acheter, pour payer quelque chose: *L'achat de livres et de cahiers représente une grosse dépense au début de l'année scolaire.* ANT. économie. **2.** Consommation d'essence, d'énergie, d'électricité: *Il faudrait diminuer les dépenses d'électricité.* **3.** fig. Emploi de quelque chose: *Cet enfant fait une grande dépense d'énergie.* ⫽ *Ne pas regarder à la dépense:* Dépenser sans compter. ☞ dépenser, dépensier.

dépenser v. **1.** Employer de l'argent pour acheter, pour payer quelque chose: *Christine a dépensé tout son argent de poche.* ANT. amasser, épargner. **2.** Consommer: *Cette nouvelle voiture dépense beaucoup d'essence.* ANT. économiser. **3.** fig. Employer: *Elle dépense toute son énergie pour arriver à ses fins.* SYN. déployer. ☞ dépense. se **dépenser** v.pron. **1.** Faire des efforts: *Colette se dépense physiquement.* SYN. se fatiguer. ANT. se ménager. **2.** Se donner du mal: *Il se dépense sans compter pour ses enfants.* SYN. se démener. ANT. se ménager.

dépensier, ière n. et adj. **1.** n. Personne qui aime dépenser son argent: *Paul est un* *grand dépensier.* ANT. avare, épargnant. **2.** adj. Qui aime dépenser son argent : *Cette femme dépensière achète tout ce qu'elle aime.* ANT. avare, économe. ☞ dépense.

déperdition n.f. Perte : *Ces nouvelles fenêtres devraient éviter une déperdition de la chaleur.* ANT. augmentation.

dépérir v. **1.** S'affaiblir peu à peu : *Ces arbres dépérissent à cause des pluies acides.* ANT. s'épanouir. **2.** fig. S'acheminer vers la fin : *Cette usine dépérit et devra fermer ses portes.* SYN. péricliter. ANT. se développer. ☞ dépérissement.

dépérissement n.m. **1.** Affaiblissement : *Les botanistes ne peuvent rien contre le dépérissement de la forêt.* SYN. épuisement. ANT. épanouissement. **2.** fig. État de ce qui s'achemine vers la fin : *Cette économiste avait prévu le dépérissement de l'industrie.* SYN. déclin. ANT. essor. ☞ dépérir.

dépêtrer v. **1.** Débarrasser les pieds d'une personne ou d'un animal de ce qui l'empêche de se mouvoir : *On a réussi à dépêtrer l'animal pris au filet.* SYN. dégager. ANT. empêtrer. **2.** fig. Tirer d'embarras : *Ses parents l'ont dépêtrée d'une mauvaise situation.* SYN. sortir. **se dépêtrer** v.pron. **1.** Se dégager de ce qui entrave les mouvements : *La prisonnière a réussi à se dépêtrer de ses liens.* ANT. s'empêtrer. **2.** Se dégager d'une difficulté : *Grâce à mon avocat, j'ai réussi à me dépêtrer de ce procès.* SYN. se tirer. ANT. s'empêtrer.

dépeuplé, ée adj. Qui a perdu ses habitants : *Nous avons traversé plusieurs villages dépeuplés.* SYN. abandonné. ANT. surpeuplé. HOM. dépeupler. ☞ peuple.

dépeuplement n.m. **1.** Action de dépeupler, de dégarnir une région, un pays de ses habitants : *Le dépeuplement de cette région résulte de la fermeture des usines.* ANT. peuplement, repeuplement. **2.** Action de dépeupler, de dégarnir un lieu de ses animaux : *La construction du barrage a amené le dépeuplement de ces forêts.* ☞ peuple.

dépeupler v. **1.** Dégarnir une région ou un pays de ses habitants : *La famine a dépeuplé plusieurs pays d'Afrique.* SYN. décimer. ANT. peupler, repeupler. **2.** Dégarnir un lieu des animaux qui y vivent : *La pollution dépeuple nos lacs et nos rivières.* SYN. décimer. ANT. peupler, repeupler. ☞ peuple. **se dépeupler** v.pron. **1.** Perdre ses habitants : *Les régions éloignées se dépeuplent.* ANT. se peupler, se repeupler. **2.** Perdre ses animaux : *Les boisés situés près des autoroutes se dépeuplent.* ANT. se peupler, se repeupler.

dépilatoire adj. Qui permet de faire disparaître les poils : *Pour éliminer les poils, il existe plusieurs produits dépilatoires.* SYN. épilatoire.

dépistage n.m. **1.** Action de découvrir une personne en suivant sa piste : *Le dépistage de cette faussaire a mobilisé les enquêteurs.* **2.** Action de découvrir une maladie dès ses débuts : *Ces examens facilitent le dépistage de la malaria.* ☞ dépister.

dépister v. **1.** Découvrir un animal en suivant sa piste : *Le chasseur a dépisté l'orignal.* **2.** Découvrir une personne en suivant sa trace : *La détective a dépisté un dangereux criminel.* **3.** fig. Découvrir ce qui est caché ou peu visible : *La femme médecin a réussi à dépister le cancer avant qu'il ne soit trop tard.* SYN. déceler. ☞ dépistage. ▲ **dépister** v. **1.** Faire perdre sa piste, en parlant d'un animal : *L'ourse a réussi à dépister le chasseur.* SYN. semer. **2.** Faire perdre sa trace, en parlant d'une personne : *Ces voleurs ont dépisté la policière.* SYN. semer. ☞ dépistage.

dépit n.m. Chagrin mêlé de colère et de déception : *Il éprouve du dépit parce qu'il n'a pas été invité à la soirée.* SYN. aigreur, ressentiment. ☞ dépiter. **en dépit de** loc.prép. Malgré : *Il n'est pas allé chez le médecin, en dépit de tes conseils.* ∥ *En dépit du bon sens :* D'une façon déplorable, très mal.

dépiter v. Contrarier, décevoir : *Cet échec m'a dépité.* ANT. contenter, satisfaire. ☞ dépit. **dépité, ée** p.p. et adj. Qui est contrarié, déçu : *Laurence est dépitée parce qu'elle n'a pas gagné le premier prix.* SYN. désappointé. ANT. satisfait.

déplacé, ée adj. **1.** Qu'on a changé de place : *Le policier notait tout : les meubles déplacés, la fenêtre ouverte, les traces de pas sur le tapis du salon.* SYN. dérangé. **2.** fig. Qui est de mauvais goût : *Tes propos étaient déplacés.* SYN. choquant. ANT. opportun. **3.** fig. Qui a été obligé de quitter son pays : *Les personnes déplacées sont logées dans des camps provisoires.* HOM. déplacer. ☞ place.

déplacement n.m. **1.** Action de changer de place : *Le déplacement du bahut exige une grande force physique.* **2.** Action de changer de poste : *Le déplacement de ce fonctionnaire a désorganisé tout le service.* SYN. mutation. ANT. maintien. **3.** Action d'aller d'un lieu à un autre, de voyager : *Les longs déplacements l'épuisent.* SYN. changement. ANT. immobilité. ☞ place.

déplacer v. **1.** Changer une chose de place : *Les écoliers déplacent leurs bureaux pour travailler en équipe.* SYN. déménager. ANT. replacer. **2.** Changer une personne de poste : *On a* *déplacé trois fonctionnaires.* SYN. muter. **3.** fig. S'écarter d'un sujet, d'un problème: *Tu déplaces la question.* HOM. déplacé. ☞ place. se **déplacer** v.pron. **1.** Changer de place, en parlant des choses: *L'air froid se déplace vers nos régions.* SYN. circuler. **2.** Aller d'un lieu à un autre, voyager, en parlant des êtres vivants: *Les oiseaux se déplacent grâce à leurs ailes.*

déplaire v. **1.** Ne pas plaire: *Son air hypocrite me déplaît.* SYN. rebuter, répugner. **2.** Contrarier, choquer: *Cet enfant a tout fait pour me déplaire.* ANT. plaire. ☞ plaire. se **déplaire** v.pron. Ne pas se trouver bien: *Cette femme aime le calme et le grand air; elle se déplaît à la ville.* SYN. s'ennuyer. ANT. se complaire, se plaire.

déplaisant, ante adj. **1.** Qui ne plaît pas: *C'est une personne déplaisante.* SYN. antipathique, désagréable. ANT. agréable, plaisant. **2.** Qui est contrariant, choquant: *Je n'ai pas apprécié sa remarque déplaisante.* ANT. plaisant. ☞ plaire.

déplaisir n.m. Contrariété: *À mon grand déplaisir, je me suis rendu compte que j'avais oublié ton anniversaire.* SYN. mécontentement. ANT. plaisir, satisfaction. ☞ plaisir.

déplantage n.m. Action de déplanter, d'enlever de terre un arbre, une plante: *Le déplantage ralentit parfois la croissance des plantes.* ☞ planter.

déplanter v. **1.** Enlever de terre un arbre, une plante pour les planter ailleurs: *Maman déplante ses rosiers.* ANT. replanter. **2.** Retirer quelque chose de terre: *Pour refaire la clôture, il faut déplanter les piquets.* ANT. planter, replanter. **3.** Dégarnir un lieu de ses plantes: *À l'automne, l'horticultrice déplante les glaïeuls, les géraniums et les bégonias.* ANT. planter, replanter. ☞ planter.

déplantoir n.m. Outil en forme de truelle, servant à enlever de terre les petits végétaux: *Papa s'est servi du déplantoir pour cueillir l'ail des bois.* ☞ planter.

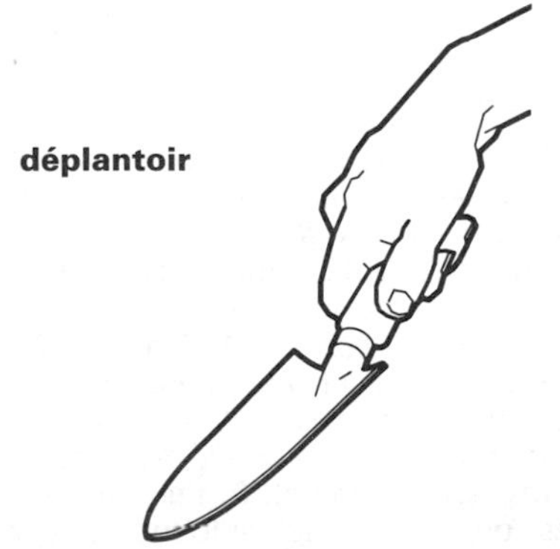
déplantoir

déplâtrage n.m. Action de déplâtrer, d'enlever le plâtre d'une surface: *Le déplâtrage a été confié à des ouvrières spécialisées.* ANT. plâtrage. **R.** Ne pas oublier l'accent: *â.* ☞ plâtre.

déplâtrer v. **1.** Enlever le plâtre d'une surface: *Il faut déplâtrer ce mur.* ANT. plâtrer. **2.** Enlever le plâtre d'une partie du corps: *Brigitte s'est fait déplâtrer le bras.* ANT. plâtrer. **R.** Ne pas oublier l'accent: *â.* ☞ plâtre.

dépliage n.m. Action de déplier, d'étendre, d'ouvrir ce qui est plié: *Prends garde de ne pas déchirer ta serviette de papier pendant le dépliage.* ANT. pliage. ☞ plier.

dépliant n.m. Imprimé formé de plusieurs feuilles pliées: *Nous recevons beaucoup de dépliants publicitaires à la maison.* ☞ plier.

dépliant, ante adj. Qui peut être déplié: *Ce lit dépliant se range facilement dans un placard.* ANT. pliant. ☞ plier.

déplier v. Étendre, ouvrir ce qui est plié: *L'automobiliste déplie sa carte routière.* ANT. plier. ☞ plier. se **déplier** v.pron. S'étendre, s'ouvrir: *Le parachute se déplie au grand soulagement des spectateurs.* SYN. se déployer. ANT. se replier.

déplissage n.m. Action de déplisser, de défaire les plis ou les faux plis: *Il a réussi le déplissage de son pantalon.* ☞ pli.

déplisser v. Défaire les plis ou les faux plis d'un vêtement, d'une étoffe: *Un léger repassage a suffi pour déplisser ma robe.* SYN. défriper, défroisser. ANT. plisser. ☞ pli. se **déplisser** v.pron. Se défroisser: *J'aime ce tissu: il se déplisse facilement.* ANT. se plisser.

déploiement n.m. **1.** Action de déployer, d'ouvrir largement ce qui est plié: *Le déploiement du drapeau a clôturé la cérémonie.* **2.** Action de disposer sur une grande étendue: *Le déploiement des forces policières a inquiété les citoyens.* **3.** Action de montrer, de manifester: *Ce déploiement de tendresse est-il sincère?* SYN. démonstration, étalage. ☞ déployer.

déplombage n.m. **1.** Action de déplomber, d'enlever le sceau de plomb d'un objet: *Le déplombage du compteur électrique indique que quelqu'un a ouvert l'appareil.* **2.** Action d'enlever le plombage d'une dent: *Le déplombage de ma dent m'a fait souffrir.* ☞ plomb.

déplomber v. **1.** Enlever le sceau de plomb d'un objet: *Déplomber les compteurs électriques est dangereux.* ANT. plomber. **2.** Enlever le plombage d'une dent: *Le dentiste m'a déplombé une dent.* ANT. plomber. ☞ plomb.

déplorable adj. **1.** Qui est triste: *Les rescapés étaient dans un état déplorable.* SYN. pitoyable. ANT. excellent. **2.** Qui est regrettable: *Un incident déplorable nous oblige à annuler la rencontre.* SYN. fâcheux. ANT. heureux. **3.** Qui est très mauvais: *La conduite de cet élève est déplorable.* SYN. blâmable. ANT. remarquable. ☞ déplorer.

déplorablement adv. D'une façon déplorable: *Elle se conduit déplorablement.* ☞ déplorer.

déplorer v. **1.** Manifester une grande douleur: *Nous déplorons la mort de notre grand-père.* SYN. pleurer sur. **2.** Regretter: *Les électeurs ont déploré le choix de ce candidat.* ANT. se réjouir. ☞ déplorable, déplorablement.

déployer v. **1.** Ouvrir, étendre largement ce qui est plié: *La marin a déployé les voiles du bateau.* ANT. plier, replier. **2.** Disposer sur une grande étendue: *Le général a déployé ses troupes autour de la ville.* **3.** fig. Montrer, manifester: *Ce pompier a déployé un grand courage.* ⫽ *Rire à gorge déployée:* Rire aux éclats. ☞ déploiement.

se **déplumer** v.pron. **1.** Perdre ses plumes: *Les oiseaux se déplument à certaines périodes de l'année.* **2.** fam. Perdre ses cheveux: *Tu commences à te déplumer?* ☞ plume.

dépoli, ie adj. Qui a perdu son poli: *Le verre dépoli est translucide.* ☞ polir.

dépolir v. Enlever le poli, l'éclat de quelque chose: *Le verrier dépolit la vitre.* ☞ polir. se **dépolir** v.pron. Perdre son poli, son éclat: *Ce miroir se dépolit facilement.*

dépolluer v. Supprimer ou réduire la pollution d'un lieu, d'un cours d'eau: *Il faudra plusieurs années pour dépolluer complètement le Saint-Laurent.* ANT. polluer. ☞ polluer.

dépollution n.f. Action de dépolluer, de supprimer ou de réduire la pollution d'un lieu, d'un cours d'eau: *La dépollution de nos cours d'eau est une question de survie.* ☞ polluer.

déportation n.f. Exil dans un lieu précis, infligé pour des raisons politiques: *La déportation des Acadiens marque un moment sombre de l'histoire du Canada.* ☞ déporter.

déporté, ée n. Personne qui a été exilée pour des raisons politiques: *Pendant la Deuxième Guerre mondiale, des milliers de déportés sont morts.* HOM. déporter. ☞ déporter.

déporter v. **1.** Exiler quelqu'un pour des raisons politiques: *Les Nazis ont déporté des millions de Juifs.* ANT. rapatrier. **2.** Dévier de sa route: *Le vent a déporté la voiture sur l'accotement.* HOM. déporté. ☞ déportation, déporté.

déposant, ante n. Personne qui témoigne en justice: *La déposante a dû prêter serment avant de témoigner.* ☞ déposer. ▲ **déposant, ante** n. Personne qui confie son argent à une banque: *Le nombre de déposants dans les Caisses populaires ne cesse d'augmenter.* ☞ déposer.

déposer v. Témoigner en justice: *Les témoins ont déposé en faveur de l'accusé.* ☞ déposant, déposition. ▲ **déposer** v. **1.** Poser ce que l'on porte: *Sandra dépose son livre sur la table.* SYN. mettre, placer. ANT. enlever. **2.** Laisser quelqu'un à un endroit: *La chauffeuse de taxi nous a déposés devant la station de métro.* ANT. prendre, reprendre. **3.** Mettre de l'argent, des valeurs en lieu sûr: *Nicole dépose toutes ses économies à la banque.* SYN. confier. ANT. retirer. **4.** fig. Remettre, adresser: *Nous avons déposé une plainte contre nos voisins.* SYN. adresser. ☞ déposant, dépositaire, dépôt. se **déposer** v.pron. Se poser sur quelque chose: *La poussière s'est déposée sur tous les meubles.* ▲ **déposer** v. En parlant d'un liquide, laisser aller au fond les particules solides qui s'y trouvent en suspension: *La liqueur d'abricot dépose.* SYN. précipiter. ☞ dépôt. ▲ **déposer** v. Dépouiller un roi, un pape de son autorité: *Les révolutionnaires ont déposé le roi.* SYN. destituer. ANT. couronner.

dépositaire n. **1.** Personne à qui l'on confie quelque chose: *J'ai confié une lettre importante à ma sœur; elle en est la dépositaire.* **2.** Commerçant chargé de vendre des marchandises pour le compte du propriétaire: *Ce magasin est le seul dépositaire de cette marque de téléviseurs.* SYN. concessionnaire. **3.** fig. Personne à qui l'on confie quelque chose: *Vous êtes le dépositaire d'un secret.* SYN. confident, gardien. ☞ déposer.

déposition n.f. Déclaration d'un témoin en justice: *Le témoin a signé sa déposition.* SYN. témoignage. ☞ déposer.

déposséder v. Priver quelqu'un de ce qu'il possède: *Sa créancière l'a dépossédé de sa maison.* SYN. dépouiller. ANT. donner, rendre. ☞ posséder.

dépôt n.m. **1.** Action de déposer quelque chose: *La cérémonie s'est terminée par le dépôt d'une gerbe de fleurs sur la tombe du soldat inconnu.* SYN. remise. **2.** Action de mettre quelque chose en lieu sûr: *Maman a fait un dépôt à la banque.* ANT. retrait. **3.** Ce qui est mis en lieu sûr: *Les dépôts bancaires sont inscrits dans un carnet.* **4.** Lieu où l'on garde quelque chose: *Où est le dépôt de marchandises?* SYN. entrepôt. **5.** Endroit où l'on gare les locomotives, les autobus: *Le dépôt* *d'autobus est situé près du parc industriel.* SYN. garage. ☞ déposer. ▲ **dépôt** n.m. Matières qui se déposent au fond d'un liquide : *Le dépôt qui se forme au fond des bouteilles de vin s'appelle la lie.* SYN. précipité. **R.** Ne pas oublier l'accent : *ô.* ☞ déposer.

dépotage n.m. Action de dépoter, de retirer une plante d'un pot : *Il ne faut pas briser les racines pendant le dépotage.* **R.** Aussi, *dépotement.* ☞ pot.

dépoter v. Retirer une plante d'un pot : *Papa dépote les bégonias pour les replanter dans le parterre.* ☞ pot.

dépotoir n.m. Endroit où l'on dépose les ordures : *Les gens jettent leurs déchets dans un dépotoir.*

dépouille n.f. **1.** Peau que l'on a enlevée à un animal : *La chasseuse montrait fièrement la dépouille d'un ours noir.* **2.** fig. et litt. Corps humain après la mort : *La famille et les amis ont accompagné la dépouille mortelle au cimetière.* SYN. cadavre. **3.** plur. Ce qu'on prend à l'ennemi après la victoire : *Les vainqueurs se sont partagé les dépouilles des vaincus.* SYN. butin. ☞ dépouiller.

dépouillement n.m. **1.** État d'une personne à qui l'on a enlevé ses biens : *Les moines tibétains s'astreignent à un dépouillement volontaire.* SYN. privation. **2.** Action de lire attentivement, d'examiner : *Le dépouillement des questionnaires a occupé trois personnes pendant une semaine.* SYN. examen. **3.** Action de compter les votes d'un scrutin : *Le dépouillement des votes n'est pas encore terminé.* ☞ dépouiller.

dépouiller v. **1.** Enlever la peau d'un animal : *Le boucher dépouille le lapin.* SYN. écorcher. **2.** Enlever ce qui couvre quelqu'un ou quelque chose : *Le vent a dépouillé les érables de leurs feuilles.* SYN. dénuder. ANT. couvrir. **3.** Enlever quelque chose à quelqu'un : *Les cambrioleuses l'ont dépouillé de toutes ses économies.* SYN. dévaliser, voler. ANT. enrichir. **4.** Lire attentivement quelque chose, l'examiner : *La notaire dépouille le courrier.* **5.** Compter les votes après un scrutin : *La scrutatrice a dépouillé les votes.* ☞ dépouille, dépouillement. se **dépouiller** v.pron. **1.** Perdre ce qui couvre : *En automne, les arbres se dépouillent de leurs feuilles.* SYN. se dénuder. ANT. se couvrir. **2.** Abandonner, renoncer : *Cette femme s'est dépouillée de ses biens en faveur de ses enfants.* SYN. se déposséder. **dépouillé, ée** p.p. et adj. **1.** Qui a perdu ses feuilles : *Les arbres dépouillés ressemblent à de grands squelettes.* SYN. dénudé. **2.** Qui est sans ornement : *Cette romancière a un style très dépouillé.* SYN. sobre.

dépourvu, ue adj. Qui est privé de quelque chose : *Ce manteau est dépourvu de boutons.* ANT. doté, muni. ☞ pourvoir. au **dépourvu** loc.adv. À l'improviste, sans que l'on soit préparé : *Votre question m'a prise au dépourvu.*

dépoussiérer v. **1.** Enlever la poussière : *Papa dépoussière les tapis à l'aide d'un aspirateur.* **2.** fig. Renouveler, rajeunir : *La réforme du Code civil a permis de dépoussiérer des lois anciennes.* ☞ poussière.

dépravé, ée n. et adj. **1.** n. Personne qui aime le mal, qui est corrompue : *Cette femme est une dépravée.* SYN. pervers, vicieux. **2.** adj. Qui aime le mal, qui est corrompu : *Ces personnes dépravées sont un mauvais exemple pour nos enfants.* SYN. perverti, vicieux. HOM. dépraver. ☞ dépraver.

dépraver v. Corrompre quelqu'un, l'amener à aimer le mal : *Ses amis l'ont dépravé.* SYN. pervertir. HOM. dépravé. ☞ dépravé.

dépréciation n.f. Diminution de valeur : *Pendant les périodes d'inflation, il faut s'attendre à une dépréciation de la monnaie.* SYN. dévalorisation. ANT. appréciation. ☞ déprécier.

déprécier v. **1.** Diminuer la valeur de quelque chose : *L'accident écologique a déprécié la valeur des maisons du secteur.* SYN. dévaloriser. ANT. apprécier. **2.** fig. Critiquer la valeur de quelque chose ou le mérite de quelqu'un : *Cet enfant jaloux déprécie le travail de ses camarades.* ANT. apprécier, louer. ☞ dépréciation. se **déprécier** v.pron. **1.** Perdre sa valeur : *Les automobiles se déprécient d'année en année.* SYN. se dévaluer. ANT. s'apprécier. **2.** Se critiquer, s'abaisser : *Il passe son temps à se déprécier.* SYN. se sous-estimer. ANT. s'estimer, se glorifier, se vanter.

se **déprendre** v.pron.litt. Se détacher de quelqu'un ou de quelque chose : *Ce fumeur a réussi à se déprendre de sa mauvaise habitude.* SYN. se débarrasser, se défaire, se dégager. ANT. conserver, garder.

dépression n.f. Enfoncement d'une surface : *L'eau s'accumule dans les dépressions du sol.* SYN. affaissement, creux. ANT. élévation, éminence, sommet. ☞ déprimer. ▲ **dépression** n.f. État mental caractérisé par de la tristesse, du découragement : *Elle fait sans doute une dépression nerveuse.* SYN. abattement, mélancolie. ANT. euphorie, exaltation, excitation. ☞ déprimer. ▲ **dépression** n.f. **1.** Diminution de la pression atmosphérique : *Une dépression centrée au sud du Québec nous apportera du temps pluvieux.* **2.** Crise économique : *Nos parents* *se souviennent de la période de dépression des années trente.* SYN. marasme, récession. ANT. prospérité.

dépressurisation n.f. Chute de la pression normale d'un avion, d'un véhicule spatial: *La dépressurisation de la navette spatiale a causé la mort de cette astronaute.* ANT. pressurisation. ☞ pressuriser.

dépressuriser v. Faire perdre la pression d'un avion, d'un véhicule spatial: *Une fissure dans le fuselage a dépressurisé l'avion.* ANT. pressuriser. ☞ pressuriser.

déprimant, ante adj. Qui décourage, qui rend triste: *Ce temps pluvieux est déprimant.* SYN. démoralisant. ANT. égayant, remontant. ☞ déprimer.

déprime n.f.fam. État de tristesse, de découragement: *Le rire est un excellent remède contre la déprime.* SYN. dépression. ANT. euphorie, exaltation. ☞ déprimer.

déprimer v. Enfoncer une surface: *Les pluies torrentielles ont déprimé les routes.* SYN. affaisser. ☞ dépression. ▲ **déprimer** v. **1.** Décourager quelqu'un, le rendre triste: *Ces mauvaises nouvelles me dépriment.* SYN. abattre. ANT. réjouir, revigorer. **2.** fam. Être découragé, triste: *Elle déprime depuis qu'elle a perdu son emploi.* SYN. se réjouir. ☞ dépression, déprimant, déprime. **déprimé, ée** p.p. et adj. Qui souffre de dépression: *Cet homme déprimé devrait consulter un médecin.* SYN. démoralisé.

depuis prép. et adv. **1.** prép. Pendant le temps qui sépare du moment dont on parle: *Il pleut depuis hier soir.* **2.** prép. À partir d'un lieu: *Le Canada s'étend depuis l'Atlantique jusqu'au Pacifique.* SYN. de, du. **3.** adv. À partir de ce moment: *Norbert est venu dimanche, mais je ne l'ai pas revu depuis.* **depuis que** loc.conj. Depuis le temps que: *Il lui téléphone tous les jours depuis qu'elle est partie.*

député n.m. Personne élue pour représenter le peuple à une assemblée législative: *À Québec, les députés siègent à l'Assemblée nationale; à Ottawa, ils se réunissent à la Chambre des communes.* SYN. parlementaire, représentant. **R.** L'O.L.F. recommande *députée* comme féminin de *député*.

déracinement n.m. **1.** Action de déraciner, d'arracher de terre avec ses racines: *L'ouragan a provoqué le déracinement des grands ormes.* SYN. arrachement. ANT. enracinement. **2.** fig. État d'une personne qui a été arrachée à son pays, à son milieu: *Les émigrants savent qu'ils vont ressentir le déracinement.* ☞ racine.

déraciner v. **1.** Arracher de terre avec ses racines: *Les vents violents ont déraciné plusieurs arbres.* SYN. abattre. ANT. enraciner, planter. **2.** fig. Faire disparaître complètement: *Seule l'éducation pourra déraciner les préjugés.* SYN. détruire, extirper. **3.** fig. Arracher quelqu'un à son pays, à son milieu: *On ne déracine pas les gens âgés.* SYN. exiler, expatrier. ANT. rapatrier. ☞ racine.

déraillement n.m. Accident qui se produit quand un train sort des rails: *Le déraillement a fait treize morts et cinquante blessés.* ☞ rail.

dérailler v. Sortir des rails: *Un train de marchandises a déraillé hier soir.* ☞ rail. ▲ **dérailler** v. **1.** fam. Parler d'une manière absurde, incohérente: *Il a trop bu; il déraille complètement.* SYN. déraisonner, divaguer. **2.** fig. Fonctionner mal: *Ma montre déraille depuis quelque temps.*

dérailleur n.m. Mécanisme permettant de faire passer la chaîne d'une bicyclette d'un pignon à un autre: *Pour changer de vitesse, on appuie sur le levier de commande du dérailleur.* ☞ rail.

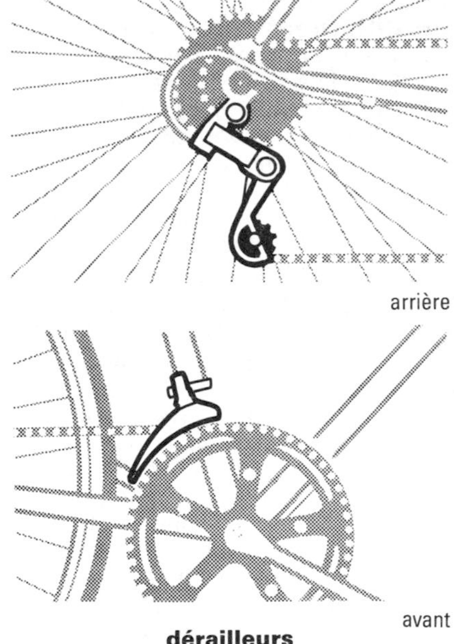

dérailleurs

déraison n.f.litt. Manque de jugement, de raison: *C'est de la déraison que de vouloir convertir tout le monde à tes idées.* SYN. démence, folie. ☞ raison.

déraisonnable adj. Qui manque de jugement, de raison: *Ta conduite est déraisonnable.* SYN. irréfléchi. ANT. raisonnable. ☞ raison.

déraisonnablement adv. D'une manière qui indique le manque de jugement, de raison: *L'écolière s'est conduite déraisonnablement.* ANT. raisonnablement. ☞ raison.

déraisonner v.litt. Dire des paroles dépourvues de jugement, de raison: *Il déraisonne; ses propos sont dénués de bon sens.* SYN. dérailler, divaguer. ANT. raisonner. ☞ raison.

dérangement n.m. **1.** Action de déranger, de mettre en désordre: *Le courant d'air a provoqué le dérangement de mes papiers.* SYN. chambardement, désorganisation. ANT. classement, ordre, rangement. **2.** Action d'importuner quelqu'un, de le gêner: *Je regrette de vous causer tout ce dérangement.* SYN. gêne, trouble. ANT. tranquillité. **3.** Dérèglement, mauvais fonctionnement: *Notre ligne téléphonique est en dérangement.* **4.** Action de se déplacer: *Le spectacle valait bien le dérangement.* SYN. déplacement. ☞ ranger.

déranger v. **1.** Déplacer ce qui était rangé, mettre en désordre: *Les livres de la bibliothèque ont été dérangés.* SYN. désorganiser. ANT. classer, ordonner, ranger. **2.** Importuner quelqu'un, le gêner: *J'espère que je ne vous dérange pas.* SYN. ennuyer. ANT. aider. **3.** Troubler la santé mentale, physique: *Le chagrin lui a dérangé l'esprit. Ce pâté de foie gras m'a dérangé l'estomac.* ☞ ranger. **se déranger** v.pron. **1.** Se déplacer: *Il s'est dérangé pour me laisser passer.* **2.** Quitter ses occupations: *Ne vous dérangez pas. Je ne fais que passer.*

dérapage n.m. Action de déraper, de glisser par perte d'adhérence, en parlant d'un véhicule: *L'automobiliste a fait un dérapage sur la route verglacée.* ☞ déraper.

déraper v. Glisser par perte d'adhérence, en parlant d'un véhicule: *Plusieurs voitures ont dérapé sur la chaussée glissante.* ☞ dérapage.

déréglé, ée adj. **1.** Dont le fonctionnement a été dérangé: *Cette horloge est déréglée.* SYN. détraqué. ANT. réglé. **2.** Qui est dérangé, perturbé: *Depuis son dernier voyage, elle a l'estomac déréglé.* **3.** Qui est démesuré: *Elle a une imagination déréglée.* SYN. débordant, désaxé, déséquilibré. ANT. raisonnable. **4.** Qui est dérangé moralement: *Ces gens mènent une vie déréglée.* SYN. débauché. ANT. ordonné, rangé, réglé. HOM. dérégler. ☞ règle.

dérèglement n.m. **1.** État de ce qui est déréglé: *Le dérèglement de ce mécanisme a retardé la production.* SYN. dérangement, détraquement. **2.** État de ce qui est dérangé, perturbé: *Tout le monde a remarqué le dérèglement des saisons depuis une dizaine d'années.* SYN. perturbation. ☞ règle.

dérégler v. **1.** Déranger le fonctionnement de quelque chose: *Elle a déréglé sa montre.* SYN. détraquer. ANT. régler. **2.** Déranger, perturber: *Le manque de sommeil et les abus de toutes sortes lui ont déréglé l'estomac.* SYN. brouiller, déséquilibrer. **3.** Déranger l'ordre moral de quelqu'un: *Ces mauvais exemples dérèglent la conduite de nos enfants.* ANT. régler. HOM. déréglé. ☞ règle.

dérèglement dérégler

dérider v. Rendre moins triste, faire rire: *Ce spectacle était drôle et il nous a déridés.* SYN. amuser, détendre, égayer, réjouir. ANT. attrister, chagriner. **se dérider** v.pron. Rire, sourire: *Elle ne se déride jamais.*

dérision n.f. **1.** Moquerie mêlée de mépris: *Ses camarades l'ont accueillie avec dérision.* SYN. dédain, ironie, raillerie. ANT. considération, estime, respect. **2.** Chose dérisoire: *Tu veux réussir sans faire d'efforts? C'est une dérision!* // *Tourner en dérision:* Se moquer de façon méprisante. ☞ dérisoire.

dérisoire adj. **1.** Qui suscite la moquerie mêlée de mépris: *C'est un concurrent dérisoire.* SYN. insignifiant, piètre. ANT. important. **2.** Qui est si bas qu'il semble ridicule: *Vous m'offrez un salaire dérisoire.* ANT. convenable, élevé. ☞ dérision.

dérivatif n.m. Ce qui distrait l'esprit des soucis, des inquiétudes: *La musique sert de dérivatif à son travail intellectuel.* SYN. distraction, diversion, divertissement.

dérivation n.f. Action de s'écarter de sa direction sous l'effet du vent, des courants: *La dérivation de l'avion aurait pu causer une catastrophe aérienne.* SYN. dérive. ☞ dériver. ▲ **dérivation** n.f. Action de détourner un cours d'eau pour lui donner une nouvelle direction: *La dérivation de la rivière Caniapiscau a permis l'aménagement hydroélectrique de la Baie-James.* ☞ dériver. ▲ **dérivation** n.f. Formation de mots nouveaux par l'ajout de préfixes et de suffixes à partir d'une racine: *«Malchance» et «chanceux» proviennent du mot «chance», par dérivation.* ☞ dériver.

dérive n.f. **1.** Déviation d'un avion, d'un navire sous l'action du vent ou des courants: *La navigatrice calcule l'angle de dérive de son appareil.* SYN. dérivation. **2.** Dispositif qui empêche un navire, un avion de s'écarter de sa route: *La dérive du voilier est placée sous sa coque.* // *Aller à la dérive:* S'écarter de sa direction. ☞ dériver.

dérivé n.m. **1.** Mot qui est formé par l'ajout d'un préfixe ou d'un suffixe à partir d'une racine: *Le nom «déroulement» est un dérivé du verbe «dérouler».* **2.** Composé chimique qui provient d'un autre: *La paraffine et la vaseline sont des dérivés du pétrole.* HOM. dériver. ☞ dériver.

dérivé, ée adj. **1.** Qui est formé par l'ajout d'un préfixe ou d'un suffixe: *«Chanceux» est un adjectif dérivé de «chance».* **2.** Qui provient d'un autre composé chimique: *Il existe sur le marché beaucoup de produits dérivés du pétrole.* HOM. dériver. ☞ dériver.

dériver v. **1.** S'écarter de sa route sous l'effet du vent, du courant: *Le voilier a dérivé vers le large.* SYN. dévier. **2.** fig. Changer de direction de manière incontrôlée: *Elle a dérivé sa colère sur ses coéquipiers.* ☞ dérivation, dérive, dériveur. ▲ **dériver** v. Détourner un cours d'eau pour lui donner une nouvelle direction: *Pour construire cette centrale électrique, on a dû dériver deux rivières.* ☞ dérivation. ▲ **dériver** v. **1.** Provenir de, tirer son origine de: *La plupart des mots français dérivent du latin ou du grec.* SYN. découler, émaner. **2.** Résulter de: *Toutes ces maladies dérivent du manque d'hygiène.* SYN. venir. ANT. causer. ☞ dérivation, dérivé. ▲ **dériver** v. Enlever les rivets d'un objet: *Le mécanicien a dérivé les deux plaques de tôle de la carrosserie.* HOM. dérivé. ☞ river.

dériveur n.m. Voilier muni d'une dérive qui l'empêche de s'écarter de sa route: *Le dériveur est une embarcation légère.* ☞ dériver.

dermatologie n.f. Partie de la médecine qui s'occupe des maladies de la peau: *La dermatologie m'intéresse.* ☞ derme.

dermatologiste n. Spécialiste des maladies de la peau: *Yan consulte une dermatologiste pour soigner son eczéma.* **R.** Aussi, *dermatologue.* ☞ derme.

derme n.m. Tissu situé sous l'épiderme et formant la couche profonde de la peau: *Le derme contient des vaisseaux et des nerfs.* ☞ dermatologie, dermatologiste.

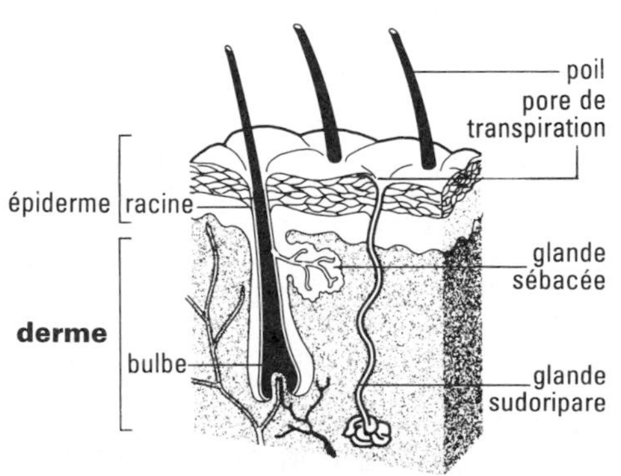

dernier, ière n. et adj. **1.** n. Personne ou chose qui vient après toutes les autres: *François est le petit dernier de la famille.* ANT. premier. **2.** adj. Qui vient après tous les autres: *Le 31 décembre est le dernier jour de l'année.* ANT. premier. **3.** adj. Qui est le plus récent: *Cette femme est habillée à la dernière mode.* SYN. nouveau. ANT. ancien. **4.** adj. Qui est le plus haut, le plus grand: *Ceci l'intéresse au dernier point.* **5.** adj. Qui est le pire: *Cette marchandise est de la dernière qualité.* ANT. premier. **6.** adj. Qui est le plus proche du temps actuel: *Elle est venue me voir la semaine dernière.* SYN. passé. ANT. prochain. ⁄⁄ *Avoir le dernier mot:* L'emporter dans une discussion. ☞ avant-dernier, dernièrement. en **dernier** loc.adv. Après tous les autres: *Le médecin m'a reçue en dernier.*

dernièrement adv. Depuis peu, récemment: *Je ne l'ai pas vu dernièrement.* ☞ dernier.

dernier-né n. Dans une famille, enfant qui est né le dernier: *Élisabeth est la dernière-née de la famille.* SYN. benjamin. ANT. aîné. **R.** Au féminin, *dernière-née.* Au pluriel, *derniers-nés, dernières-nées.* ☞ naître.

dérobade n.f. **1.** Action de se dérober, de se soustraire à une obligation, à un engagement: *Son refus de venir s'expliquer devant le directeur est une dérobade.* SYN. échappatoire, excuse, prétexte. **2.** Action de refuser de sauter un obstacle, en parlant d'un cheval: *La dérobade du cheval a coûté la victoire à son cavalier.* ☞ dérober.

dérobé, ée adj. Qui a été pris en cachette, volé: *Il était en possession d'objets dérobés.* ☞ dérober. ▲ **dérobé, ée** adj. Qui est caché, secret: *Elle est sortie par une porte dérobée.* HOM. dérober. ☞ dérober. à la **dérobée** loc.adv. En cachette, secrètement: *Le surveillant l'observe à la dérobée.* SYN. furtivement. ANT. ouvertement.

dérober v.litt. Prendre en cachette ce qui appartient à quelqu'un d'autre, voler: *Quelqu'un a dérobé le portemine de Stéphane.* ANT. rendre, restituer. ☞ dérobé. ▲ **dérober** v. **1.** Cacher, empêcher de voir: *Les montagnes nous dérobent la vue du village.* SYN. dissimuler, masquer, voiler. ANT. montrer, révéler. **2.** Soustraire à quelque chose de menaçant: *Elles ont réussi à la dérober à ses poursuivants.* SYN. enlever. ANT. affronter. **3.** fig. Obtenir quelque chose par un moyen blâmable: *C'est en écoutant à la porte qu'il a réussi à dérober le secret.* SYN. surprendre. HOM. dérobé. ☞ dérobade, dérobé. se **dérober** v.pron. **1.** Se soustraire, fuir: *Ce père se dérobe à ses responsabilités.* SYN. échapper, manquer à. ANT. faire face. **2.** Ne pas répondre : *Vous vous dérobez à nos questions.* SYN. éluder, esquiver, fuir. **3.** S'effondrer : *Il eut l'impression que le sol se dérobait sous ses pieds.* **4.** Refuser de sauter un obstacle, en parlant d'un cheval : *Devant l'obstacle, le cheval s'est dérobé.* SYN. se cabrer, se rebiffer.

dérogation n.f. Action de déroger à une loi, à une convention, à un usage : *La dérogation à une loi constitue une infraction.* SYN. désobéissance, infraction, violation. ANT. conformité, observance. ☞ déroger.

déroger v. **1.** Manquer à l'observation d'une loi, d'une convention, d'un usage : *Un bon citoyen ne doit jamais déroger à la loi.* SYN. contrevenir, désobéir, enfreindre, violer. ANT. obéir, observer. **2.** litt. Manquer à un principe : *Grand-mère croyait à l'honnêteté et elle n'a jamais dérogé à ses principes.* SYN. transgresser. ANT. respecter. ☞ dérogation.

dérouiller v. **1.** Enlever la rouille : *Que faut-il faire pour dérouiller ce canon de fusil?* ANT. rouiller. **2.** fig. Dégourdir les membres, en faisant de l'exercice : *La marche dérouille les jambes.* **3.** fig. Réveiller une faculté intellectuelle : *Apprendre un poème par cœur est un bon moyen de dérouiller sa mémoire.* ANT. rouiller. ☞ rouille.

déroulement n.m. **1.** Action de dérouler : *Le déroulement du parchemin s'est fait dans un grand silence.* SYN. déploiement. ANT. enroulement. **2.** fig. Développement d'une action dans le temps : *Je n'ai pas suivi le déroulement de cette histoire.* SYN. enchaînement, succession, suite. ANT. arrêt. ☞ dérouler.

dérouler v. **1.** Étendre ce qui est roulé : *Le marchand déroule les tapis pour que nous les admirions.* SYN. déployer, étaler. ANT. enrouler, rouler. **2.** fig. Montrer, passer en revue : *Il déroule ses souvenirs d'enfance.* SYN. évoquer, rappeler, se remémorer. ☞ déroulement. se **dérouler** v.pron. **1.** Se détendre : *Le serpent se déroule et attaque à la vitesse de l'éclair.* ANT. s'enrouler, se rouler. **2.** Avoir lieu, se passer : *La manifestation se déroulera devant le bureau de la députée.* **3.** S'enchaîner, se succéder : *Cette histoire se déroule trop vite.* ANT. s'arrêter.

déroutant, ante adj. Qui déroute : *C'est une question déroutante.* SYN. déconcertant, embarrassant. ANT. encourageant, rassurant. ☞ dérouter.

déroute n.f. **1.** Fuite en désordre d'une armée vaincue : *L'armée ennemie a été mise en déroute.* SYN. débandade, désarroi. ANT. ordre, résistance. **2.** fig. Échec, défaite : *La déroute des libéraux a surpris aux dernières élections.* SYN. insuccès, revers. ANT. succès, victoire.

dérouter v. Faire changer de route un navire, un avion : *Le contrôleur a dérouté l'avion sur un autre aéroport.* SYN. détourner. ☞ route. ▲ **dérouter** v. Déconcerter, mettre dans l'embarras : *Une question trop difficile a dérouté le candidat.* SYN. désorienter, troubler. ANT. encourager, rassurer. ☞ déroutant.

derrière n.m. **1.** Partie postérieure de quelque chose, opposée à devant : *Le derrière de l'immeuble est orienté vers le nord.* SYN. arrière. **2.** Partie postérieure du corps des humains et de certains animaux : *Kevin a glissé et est tombé sur le derrière.* SYN. fessier, siège.

derrière prép. et adv. **1.** prép. En arrière de quelque chose ou de quelqu'un : *Sophie est cachée derrière le sapin.* ANT. devant. **2.** prép. À la suite de, après : *Thérèse et Marie marchent l'une derrière l'autre.* ANT. devant. **3.** adv. En arrière : *Il est resté loin derrière.* ANT. devant. de **derrière** loc.prép. De l'arrière de : *La chatte sortit de derrière la porte.* ANT. de devant. par-**derrière** loc.adv. Par l'arrière : *On l'a attaqué par-derrière.* ANT. par-devant. par-**derrière** loc.prép. Par en arrière : *Le renard est passé par-derrière le poulailler.* ANT. par-devant.

des art. **1.** Article défini résultant de la contraction de « de les » : *Il est revenu des Pays-Bas hier matin.* **2.** Article partitif résultant de la contraction de « de les » : *Je mets des bleuets sur ma crème glacée.* **3.** Article indéfini, pluriel de « un », « une » : *Il y avait des chapeaux verts et des mouchoirs roses.* HOM. dais, dès.

dès prép. **1.** À partir de tel moment : *Dès demain, la nageuse commencera son entraînement.* **2.** À partir de tel endroit : *Dès l'entrée, j'ai senti l'odeur du pain frais.* HOM. dais, des. **dès lors** loc.adv. À partir de ce moment : *Elle mentait. Dès lors tous les soupçons se portèrent sur elle.* SYN. conséquemment, donc. **dès que** loc.conj. Aussitôt que : *Je te téléphonerai dès que je le pourrai.*

désabonner v. Faire cesser un abonnement : *Je ne veux plus recevoir cette revue. Veuillez me désabonner.* ANT. abonner. ☞ abonnement. se **désabonner** v.pron. Faire cesser son abonnement : *Ce journal ne m'intéresse plus. Je me désabonne.* ANT. s'abonner.

désabrier ☞ sect. anglicismes et canadianismes.

désabusé, ée n. et adj. **1.** n. Personne qui n'a plus d'illusions : *C'est un désabusé que plus rien n'intéresse.* SYN. déçu. ANT. enthousiaste. **2.** adj. Qui n'a plus d'illusions : *Elle regarde autour d'elle d'un air désabusé.* SYN.

déçu, désenchanté. ANT. enchanté, enthousiasmé. ☞ abuser.

désaccord n.m. **1.** État des personnes qui ne sont pas d'accord : *Ces deux amies sont en désaccord pour la première fois.* SYN. brouille, discorde, mésentente. **2.** État des choses qui ne vont pas ensemble : *J'ai remarqué un désaccord entre tes paroles et tes actes.* SYN. discordance, opposition. ANT. accord. ☞ accord.

désaccordé, ée adj. Qui n'est plus accordé, en parlant d'un instrument de musique : *Mon piano est désaccordé.* SYN. faux. ☞ accord.

désaffectation n.f. Action de désaffecter : *À la dernière réunion des commissaires, on a beaucoup parlé de la désaffectation des écoles.* ANT. affectation. ☞ affecter.

désaffecté, ée adj. Dont on a changé l'utilisation : *Ce théâtre d'été est installé dans une grange désaffectée.* ANT. affecté. HOM. désaffecter. ☞ affecter.

désaffecter v. Changer l'utilisation d'un lieu, d'un édifice : *On a désaffecté ce presbytère. Désormais, il servira de musée.* ANT. affecter. HOM. désaffecté. ☞ affecter.

désagréable adj. **1.** Qui est déplaisant : *Cette fleur a une odeur désagréable.* SYN. âcre, incommodant. ANT. agréable. **2.** Qui est désobligeant : *Thérèse est une personne désagréable.* SYN. acariâtre, insupportable. ANT. agréable. **3.** Qui est pénible : *J'ai reçu une nouvelle désagréable.* SYN. fâcheux, mauvais. ANT. agréable. ☞ agréable.

désagréablement adv. D'une manière désagréable : *Nous avons été désagréablement surpris par le mauvais temps.* SYN. fâcheusement. ANT. agréablement. ☞ agréable.

désagrégation n.f. **1.** Destruction par séparation des parties : *La désagrégation de ce béton inquiète les ingénieurs.* SYN. décomposition. ANT. cohésion, solidité. **2.** fig. Désunion : *La désagrégation de l'équipe a surpris cette observatrice.* SYN. désintégration. ANT. cohésion, unité. ☞ désagréger.

désagréger v. **1.** Détruire en séparant les éléments : *Le gel désagrège les roches.* SYN. décomposer, désintégrer. ANT. agglomérer, combiner. **2.** fig. Désunir : *Les chicanes internes ont désagrégé l'équipe.* SYN. désintégrer. ☞ désagrégation. se **désagréger** v.pron. **1.** Se décomposer : *Les pierres se désagrègent sous l'action du gel.* SYN. se désintégrer. ANT. s'agréger, se fusionner. **2.** Se désunir : *Ce groupe s'est désagrégé après le départ de son chef.* SYN. se désintégrer. ANT. s'unir.

désagrément n.m. Chose désagréable, souci : *Ce visiteur nous a causé beaucoup de désagréments.* SYN. contrariété, déplaisir, embarras, ennui. ANT. agrément. ☞ agrément.

désaltérant, ante adj. Qui calme la soif : *Certaines boissons gazeuses sont plus désaltérantes que d'autres.* SYN. rafraîchissant. ☞ altérer.

désaltérer v. Calmer la soif : *Cette eau fraîche va te désaltérer.* SYN. rafraîchir. ANT. altérer. ☞ altérer. se **désaltérer** v.pron. Calmer sa soif en buvant : *Les enfants se désaltèrent à la fontaine.* SYN. boire.

désamorçage n.m. **1.** Action de désamorcer : *On a fait appel à une spécialiste pour effectuer le désamorçage de l'obus.* ANT. amorçage. **2.** Action d'interrompre le fonctionnement d'une pompe, d'un siphon : *Le désamorçage de la pompe doit être fait avant les premières gelées.* **R.** Ne pas oublier la cédille. ☞ amorce.

désamorcer v. **1.** Enlever le dispositif qui sert à déclencher une explosion : *Les policiers ont désamorcé une bombe.* ANT. amorcer. **2.** fig. Empêcher une situation de devenir dangereuse : *Les diplomates se sont rencontrés pour désamorcer le conflit.* ANT. amorcer. **R.** Ne pas oublier la cédille devant *a* et *o*. ☞ amorce.

désamor**ç**age désamor**c**er

désappointement n.m. Déception : *Hélène essaie de cacher son désappointement en faisant des blagues.* SYN. désenchantement. ANT. satisfaction. ☞ désappointer.

désappointer v. Décevoir : *Je ne voudrais pas te désappointer, mais tes résultats scolaires sont nettement insuffisants.* SYN. chagriner, mécontenter. ANT. satisfaire. ☞ désappointement. **désappointé, ée** p.p. et adj. Qui est déçu : *Jean-Marc est désappointé : il ne pourra pas aller à la classe de neige.*

désapprobateur, trice adj. Qui n'approuve pas ou qui marque qu'on n'approuve pas : *L'institutrice m'a regardée d'un air désapprobateur.* ANT. approbateur. ☞ approuver.

désapprobation n.f. Action de désapprouver : *Les élèves ont manifesté leur désapprobation en refusant de participer aux activités.* SYN. opposition. ANT. approbation. ☞ approuver.

désapprouver v. Ne pas approuver : *Tu as triché aux examens ; je désapprouve ta conduite.* SYN. blâmer, condamner, reprocher, réprouver. ☞ approuver.

désarçonner v. **1.** Faire tomber de cheval : *Son concurrent l'a désarçonnée.* SYN. démonter. **2.** fig. Faire perdre les arguments de quelqu'un : *Sa réplique m'a désarçonné.* SYN. confondre, déconcerter, démonter. **R.** Ne pas oublier la cédille.

désarmant, ante adj. Qui adoucit quelqu'un, qui le rend moins sévère : *Il est d'une gentillesse désarmante.* ☞ arme.

désarmement n.m. Action d'enlever le matériel et l'équipage d'un navire : *Le désarmement du navire n'est pas terminé.* ANT. armement, équipement. ☞ armer. ▲ **désarmement** n.m. **1.** Action de priver de ses armes un soldat, une troupe : *La générale victorieuse a exigé le désarmement des soldats vaincus.* ANT. armement. **2.** Diminution ou suppression des armements militaires d'un pays : *Les États-Unis et l'U.R.S.S. ont participé à une conférence sur le désarmement.* ☞ arme.

désarmer v. **1.** Adoucir quelqu'un, le rendre moins sévère : *J'étais très en colère, mais son sourire m'a désarmé.* SYN. apaiser, attendrir. **2.** Renoncer à un sentiment violent : *Après toutes ces années, sa rancune ne désarme pas.* SYN. céder, fléchir. ☞ arme. ▲ **désarmer** v. Enlever le matériel et l'équipage d'un navire : *L'armateur a désarmé son navire.* SYN. déséquiper. ANT. armer. ☞ armer. ▲ **désarmer** v. **1.** Priver quelqu'un de son arme : *La policière a réussi à désarmer le malfaiteur.* ANT. armer. **2.** Diminuer ou supprimer les armements militaires d'un pays : *À la fin des hostilités, les deux pays désarmèrent en même temps.* ANT. armer. **3.** Rendre une arme à feu inoffensive en détendant son ressort de percussion : *Le chasseur désarme son fusil.* SYN. désamorcer. ANT. armer. ☞ arme.

désarroi n.m. Trouble moral qui entraîne l'anxiété, l'indécision : *Leur accident les a plongées dans un grand désarroi.* SYN. angoisse, détresse. ANT. assurance.

désarticulation n.f. **1.** Action de désarticuler : *La désarticulation de son épaule fait beaucoup souffrir Michelle.* **2.** Amputation pratiquée au niveau d'une articulation : *Le chirurgien a terminé la désarticulation de la cuisse du lutteur.* ☞ s'articuler.

désarticuler v. **1.** Faire sortir de son articulation, en parlant d'un os : *Cette chute dans l'escalier lui a désarticulé l'épaule.* SYN. déboîter, démettre, disloquer. ANT. assembler, emboîter, remettre. **2.** Amputer un membre au niveau de l'articulation : *La chirurgienne lui a désarticulé le bras.* ☞ s'articuler. **se désarticuler** v.pron. **1.** Sortir de son articulation : *Son genou s'est désarticulé.* SYN. se déboîter, se disloquer. ANT. s'emboîter. **2.** Assouplir les articulations de son corps pour être capable de plier ses membres en tous sens : *Une acrobate qui se désarticule est une contorsionniste.*

désassorti, ie adj. **1.** Qui est incomplet : *Ces verres désassortis ne conviennent pas pour une grande fête.* SYN. dépareillé. ANT. assorti. **2.** Qui ne vont pas bien ensemble : *Quel couple désassorti!* ANT. assorti. ☞ assortir.

désassortir v. Séparer des choses qui font partie d'un ensemble : *En cassant cette tasse, tu as désassorti mon service à café.* SYN. dépareiller. ANT. assortir. ☞ assortir.

désastre n.m. **1.** Catastrophe, événement très grave : *L'écrasement de l'appareil fut un désastre.* SYN. malheur. ANT. réussite, succès. **2.** Ruine : *Cette entreprise court au désastre.* SYN. banqueroute, faillite. ANT. prospérité, réussite. **3.** Échec très grand : *Ce film est un vrai désastre.* SYN. erreur, insuccès. ANT. succès. ☞ désastreux.

désastreux, euse adj. Qui est très mauvais : *Le gel a eu un effet désastreux sur la récolte d'oranges.* SYN. funeste, malheureux, néfaste. ANT. avantageux, heureux, propice. ☞ désastre.

désavantage n.m. Inconvénient, ce qui défavorise : *Le match tournait à notre désavantage.* ANT. avantage. ⁄⁄ *Être à son désavantage:* Se montrer sous un jour défavorable. ☞ avantage.

désavantager v. Défavoriser quelqu'un : *Son bégaiement le désavantage dans une discussion.* SYN. handicaper. ANT. avantager. ☞ avantage.

désavantageusement adv. D'une manière désavantageuse : *Elle m'en a parlé désavantageusement.* SYN. défavorablement. ANT. avantageusement. ☞ avantage.

désavantageux, euse adj. Qui est défavorable : *Ces conditions sont désavantageuses.* SYN. préjudiciable. ANT. avantageux. ☞ avantage.

désaveu n.m. **1.** Refus de reconnaître ce qu'on a dit ou ce qu'on a fait : *Le premier ministre a fait un désaveu public.* SYN. rétractation. ANT. affirmation, reconnaissance. **2.** Fait de désapprouver : *Cette députée a subi le désaveu des électeurs.* SYN. désapprobation. ANT. approbation. ☞ désavouer.

désavouer v. **1.** Ne pas reconnaître pour sien : *Cette femme a désavoué sa signature.* SYN. dénier, nier. ANT. confirmer, ratifier. **2.**

Revenir sur ses paroles ou sur ses actes : *Claudia a désavoué la promesse qu'elle avait faite à son amie.* SYN. renier. ANT. avouer. **3.** Désapprouver : *Tous tes amis désavouent ta conduite brutale.* SYN. blâmer, condamner, critiquer, réprouver. ANT. approuver. ☞ désaveu.

désaxer v. **1.** Faire sortir de son axe : *Le choc a été si brutal qu'il a désaxé la roue droite.* ANT. axer. **2.** fig. Faire sortir quelqu'un de son état normal : *La mort de ses parents l'a désaxée.* SYN. déséquilibrer, égarer. ANT. équilibrer. ☞ axe. **désaxé, ée** p.p. et adj. **1.** Qui est sorti de son axe : *Cette roue désaxée a causé un accident mortel.* **2.** Qui n'est plus dans son état normal : *Ce jeune homme est désaxé.* SYN. déséquilibré, égaré. ANT. équilibré.

desceller v. Briser le sceau, le cachet de quelque chose : *La notaire a descellé le testament.* SYN. décacheter, ouvrir. ANT. cacheter, sceller. ☞ sceau. ▲ **desceller** v. Arracher ce qui est solidement fixé dans la pierre : *Le prisonnier a réussi à desceller les barreaux de sa cellule.* SYN. détacher. ANT. sceller. HOM. desseller. ☞ sceller.

descendance n.f. Ensemble des personnes qui viennent d'un même ancêtre : *Pierre Tremblay, le premier Tremblay à s'établir au Canada, a eu une nombreuse descendance.* SYN. lignée, progéniture. ANT. ascendance. ☞ descendre.

descendant, ante n. et adj. **1.** n. Personne qui vient d'un ancêtre : *Avant de mourir, grand-mère avait rassemblé tous ses descendants autour d'elle.* **2.** adj. Qui descend, baisse de niveau : *J'aime me promener sur la plage à la marée descendante.* ANT. montant. ☞ descendre.

descendre v. Tirer son origine de, venir de : *Cette femme prétend qu'elle descend de Marie Rollet.* ☞ ascendance, descendance, descendant. ▲ **descendre** v. **1.** Aller vers le bas : *L'avion descend au-dessus de l'aéroport.* ANT. monter. **2.** Loger, s'installer : *Pendant notre voyage, nous sommes descendues chez tante Berthe.* ANT. partir. **3.** Baisser de niveau : *La nuit dernière, le thermomètre est descendu à dix degrés.* SYN. s'abaisser, décroître. ANT. monter. **4.** Entrer brusquement dans un lieu, en parlant des policiers : *Les policiers sont descendus dans une discothèque.* **5.** S'étendre vers le bas : *Cette robe lui descend jusqu'aux chevilles.* SYN. tomber. ANT. monter. **6.** Porter plus bas : *Nous avons descendu ces vieux meubles au sous-sol.* SYN. transporter. ANT. monter. **7.** Sortir d'un véhicule : *Elle est descendue de l'autobus au premier arrêt.* ANT. monter. **8.** fam. Aller vers le sud : *Quand vient l'hiver, les Québécois descendent en Floride.* ANT. monter. **9.** fam. Abattre : *Le chasseur a descendu une outarde en plein vol.* SYN. tuer. ☞ descendant, descente, redescendre.

descente n.f. **1.** Action de descendre : *La descente en skis est toujours plus agréable que la montée.* ANT. ascension, montée. **2.** Entrée brusque des policiers dans un endroit : *La brigade des mœurs a fait une descente à l'hôtel.* SYN. raid. **3.** Action de porter quelque chose plus bas : *La descente de ce tableau au sous-sol n'a pas été facile.* **4.** Chemin, route en pente : *L'automobiliste ralentit dans les descentes.* SYN. côte. ANT. côte, montée. **5.** Déplacement d'un organe vers le bas : *Cette femme souffre d'une descente de la vessie.* SYN. chute. ∥ *Descente de lit :* Petit tapis placé à côté d'un lit. ☞ descendre.

descendre descente

descente

descriptif, ive adj. Qui décrit, qui dit comment est faite une personne ou une chose : *L'instituteur nous a demandé d'écrire un texte descriptif sur notre animal préféré.* ☞ décrire.

description n.f. Action de décrire, de représenter une personne, une chose, un événement par l'écrit ou par la parole : *Le propriétaire du dépanneur a fourni une description détaillée de son assaillant.* SYN. portrait, signalement. ☞ décrire.

désemparé, ée adj. Qui est très troublé, décontenancé : *Tu as l'air désemparé ; que se passe-t-il ?* SYN. déconcerté, dérouté, embarrassé.

désemplir v. Cesser d'être plein : *Ce restaurant ne désemplit jamais.* **R.** S'emploie surtout à la forme négative. ☞ emplir.

désencadrer v. Enlever de son cadre : *Aide-moi à désencadrer ce tableau.* ANT. encadrer. ☞ cadre.

désenchanté, ée adj. Qui a perdu ses illusions : *Il est sorti désenchanté de l'expé-*

rience. SYN. déçu. ANT. enchanté. HOM. désenchanter. ☞ enchanter.

désenchantement n.m. État d'une personne qui a perdu ses illusions: *Sa soif de vivre a fait place au désenchantement.* SYN. déception, désillusion. ANT. enchantement, enthousiasme, joie. ☞ enchanter.

désenchanter v. Faire perdre les illusions de quelqu'un: *Tous ces échecs l'ont désenchantée.* SYN. décevoir, désappointer. ANT. enchanter, enthousiasmer. HOM. désenchanté. ☞ enchanter.

désencombrement n.m. Action de débarrasser un endroit de ce qui l'encombre: *Le désencombrement du grenier a duré trois jours.* ANT. encombrement. ☞ encombrer.

désencombrer v. Débarrasser un endroit de ce qui l'encombre: *Pourriez-vous désencombrer le garage?* ANT. encombrer. ☞ encombrer.

désencrasser v. Enlever la crasse qui recouvre quelque chose: *Il fait tremper ses salopettes pour les désencrasser.* SYN. décrasser, laver, nettoyer. ANT. encrasser. ☞ crasse.

désenfler v. Cesser d'être enflé: *Tes jambes ont enfin désenflé.* SYN. dégonfler. ANT. enfler. ☞ enfler. se **désenfler** v.pron. Cesser d'être enflé: *Ta joue s'est désenflée.* ANT. s'enfler.

désennuyer v. Distraire, divertir quelqu'un qui s'ennuie: *Ta visite m'a désennuyé.* ANT. ennuyer. ☞ ennuyer. se **désennuyer** v.pron. Se distraire, se divertir: *Rien de tel qu'un bon livre pour me désennuyer.* SYN. se délasser. ANT. s'ennuyer.

désentortiller v. Démêler ce qui est tordu à plusieurs tours: *Crois-tu avoir la patience nécessaire pour désentortiller cette ficelle?* SYN. détortiller. ANT. entortiller. ☞ entortiller.

déséquilibre n.m. **1.** Absence d'équilibre: *Ce meuble est en déséquilibre.* SYN. instabilité. **2.** fig. Manque d'équilibre mental: *Cet homme montre des signes de déséquilibre.* ☞ équilibre.

déséquilibré, ée n. et adj. **1.** n. Personne qui manque d'équilibre mental: *Cette femme est une déséquilibrée.* SYN. névrosé. ANT. équilibré. **2.** adj. Qui manque d'équilibre mental: *Les personnes déséquilibrées ont besoin de soins psychiatriques.* SYN. névrosé. ANT. équilibré. HOM. déséquilibrer. ☞ équilibre.

déséquilibrer v. **1.** Faire perdre l'équilibre: *Vous risquez de déséquilibrer l'embarcation.* ANT. équilibrer. **2.** Faire perdre l'équilibre mental à quelqu'un: *La disparition de sa fille l'a complètement déséquilibrée.* ANT. équilibrer. HOM. déséquilibré. ☞ équilibre.

désert n.m. Région très sèche marquée par la rareté de la végétation et qui est généralement inhabitée: *Le désert du Sahara est situé en Afrique.* ☞ désertification, désertique.

désert

désert, erte adj. **1.** Qui n'est pas habité: *Parfois, j'aimerais vivre sur une île déserte.* SYN. dépeuplé, inhabité. ANT. peuplé. **2.** Qui est peu fréquenté: *La rue est sombre et déserte.* ANT. passant. **3.** Qui est privé temporairement de ses habitants: *Pendant l'hiver, bien des chalets sont déserts.* SYN. abandonné, déserté, vide. ANT. habité.

déserter v. **1.** Quitter un lieu: *Pendant l'été, les citadins désertent la ville pour se reposer à la campagne.* SYN. abandonner, délaisser. ANT. rester, revenir. **2.** Quitter l'armée sans autorisation: *Pendant la guerre, plusieurs soldats ont déserté.* SYN. fuir. ANT. rallier. **3.** fig. Abandonner; renier: *Les jeunes désertent la politique.* SYN. lâcher, renier. ANT. rallier, rejoindre. ☞ déserteur, désertion.

déserteur n.m. **1.** Soldat qui quitte l'armée sans autorisation: *Les déserteurs ont été traduits devant le tribunal militaire.* SYN. fugitif, fuyard. **2.** fig. Personne qui abandonne une cause, un parti: *Les déserteurs religieux sont de plus en plus nombreux.* ANT. défenseur, fidèle. ☞ déserter.

désertification n.f. Transformation d'une région en désert: *La destruction des arbres et l'exploitation excessive des pâturages entraînent la désertification.* ☞ désert.

désertion n.f. **1.** Action de quitter l'armée sans autorisation: *Ce soldat a été trouvé coupable de désertion.* SYN. défection, évasion. **2.** fig. Action d'abandonner une cause, un parti: *La désertion de la chef de parti est mal acceptée par les membres.* SYN. abandon, reniement. ANT. fidélité, ralliement. ☞ déserter.

désertique adj. **1.** Qui a les caractéristiques du désert: *Il ne pleut presque jamais dans les régions désertiques.* SYN. aride, inculte. ANT. fertile. **2.** Qui appartient au désert: *Les plantes désertiques sont très bien adaptées à leur milieu.* ☞ désert.

désespérant, ante adj. **1.** Qui est décourageant, qui fait perdre l'espoir: *C'est une nouvelle désespérante.* SYN. désolant, navrant. ANT. consolant, encourageant. **2.** Qui est désagréable: *Quel temps désespérant!* SYN. fâcheux, mauvais, pénible. ANT. agréable, beau. ☞ désespérer.

désespéré, ée n. et adj. **1.** n. Personne réduite au désespoir: *Le désespéré s'est donné la mort.* **2.** adj. Qui est réduit au désespoir: *Cette femme est désespérée.* SYN. démoralisé. ANT. confiant, courageux. **3.** adj. Qui exprime le désespoir: *Son regard désespéré nous appelait à l'aide.* ANT. confiant, gai, heureux. **4.** adj. Qui n'offre plus d'espoir: *La blessée est dans un état désespéré.* **5.** adj. Qui est extrême: *Elle a fait des efforts désespérés pour se sortir de ce mauvais pas.* HOM. désespérer. ☞ désespérer.

désespérément adv. **1.** Avec désespoir: *Enseveli sous les décombres, l'enfant appelait désespérément à l'aide.* **2.** De toutes ses forces: *Il a lutté désespérément contre les progrès de la maladie.* ☞ désespérer.

désespérer v. **1.** Perdre l'espoir en quelque chose: *Maurice désespère de réussir ce plongeon difficile.* ANT. espérer. **2.** Décourager, décevoir: *La conduite de cette enfant désespère son institutrice.* ANT. enchanter, encourager. HOM. désespéré. ☞ désespérant, désespéré, désespérément, désespoir. se **désespérer** v.pron. Se laisser aller au désespoir: *Il ne faut pas vous désespérer.* SYN. se désoler. ANT. se consoler, se réconforter.

désespoir n.m. **1.** État d'une personne qui a perdu l'espoir: *La prisonnière a sombré dans le désespoir.* ANT. espérance. **2.** Personne ou chose qui cause un grand mécontentement: *Elle est le désespoir de ses parents.* SYN. désolation. ANT. consolation, joie. // *Être au désespoir:* Regretter beaucoup. *Faire le désespoir de quelqu'un:* Contrarier quelqu'un. ☞ désespérer. en **désespoir de cause** loc.adv. En dernier ressort et sans grand espoir de succès: *En désespoir de cause, elle a fait paraître une annonce dans les journaux.*

déshabillage n.m. Action d'enlever les vêtements: *Avez-vous terminé le déshabillage des mannequins?* ☞ habiller.

déshabiller v. Enlever les vêtements de quelqu'un: *Papa déshabille François avant de le plonger dans la baignoire.* SYN. dévêtir. ANT. habiller, vêtir. ☞ habiller. se **déshabiller** v.pron. **1.** Enlever ses vêtements: *Les baigneurs se déshabillent dans les cabines.* SYN. se dévêtir. ANT. s'habiller, se vêtir. **2.** Enlever les vêtements qu'on porte à l'extérieur: *Les élèves se déshabillent avant d'entrer en classe.*

déshabituer v. Faire perdre une habitude à quelqu'un: *Il faudrait déshabituer Fido de mâchouiller nos bas.* ANT. habituer. ☞ habitude. se **déshabituer** v.pron. Perdre une habitude: *Yoland s'est déshabitué de fumer.*

désherbage n.m. Action de désherber: *Maman a consacré deux heures au désherbage du potager.* ☞ herbe.

désherbant n.m. Produit qui fait mourir les mauvaises herbes: *On ne doit pas abuser des désherbants.* SYN. herbicide. ☞ herbe.

désherbant, ante adj. Qui fait mourir les mauvaises herbes: *Les herbicides sont des produits désherbants.* ☞ herbe.

désherber v. Arracher les mauvaises herbes: *Le jardinier désherbe les allées du parc.* ☞ herbe.

déshérité, ée n. et adj. **1.** n. Personne privée de son héritage: *La déshéritée conteste le testament de son père.* ANT. héritier. **2.** n.fig. Personne privée d'avantages ou de dons naturels: *L'association vient en aide aux pauvres et aux déshérités.* **3.** adj. Qui est privé de son héritage: *Les enfants déshérités ne comprennent pas le geste de leur père.* **4.** adj.fig. Qui est privé d'avantages ou de dons naturels: *Les populations déshéritées ont besoin de notre aide.* ANT. comblé, doué. HOM. déshériter. ☞ hériter.

déshériter v. **1.** Priver quelqu'un de son héritage: *Avant de mourir, ce père a déshérité ses enfants.* **2.** fig. Priver quelqu'un d'avantages ou de dons naturels: *La nature a déshérité ces enfants malades et infirmes.* SYN. désavantager. ANT. avantager, combler. HOM. déshérité. ☞ hériter.

déshonneur n.m. **1.** Perte de l'honneur: *Cette femme fière ne survivrait pas au déshonneur.* **2.** Ce qui cause la perte de l'honneur: *Cette criminelle est le déshonneur de sa famille.* SYN. honte. ☞ honneur.

déshonorant, ante adj. Qui fait perdre l'honneur : *Ta conduite est déshonorante.* SYN. avilissant, dégradant, honteux. ANT. digne, estimable, honorable. ☞ honneur.

déshonorer v. Ternir l'honneur de quelqu'un : *Ces fausses accusations l'ont déshonoré.* SYN. avilir, déprécier, salir. ANT. exalter, glorifier, honorer. ☞ honneur. se **déshonorer** v.pron. Perdre son honneur : *En trichant au jeu, elle s'est déshonorée devant toute la classe.* SYN. se discréditer. ANT. se glorifier.

déshumaniser v. Faire perdre à quelqu'un son caractère humain : *La robotisation déshumanise le travail.* ANT. humaniser. ☞ humain.

déshydratation n.f. **1.** Action de déshydrater, d'enlever l'eau qui entre dans la composition d'un corps : *La déshydratation est une méthode de conservation des aliments.* ANT. hydratation. **2.** Fait de perdre son eau, en parlant de la peau, de l'organisme : *Les vomissements et la diarrhée accélèrent la déshydratation.* ANT. hydratation. ☞ hydrater.

déshydraté, ée adj. **1.** Qui a perdu son eau : *Les pommes de terre déshydratées se conservent longtemps.* SYN. desséché, séché. ANT. hydraté. **2.** fam. Qui a très soif : *Après avoir fait de l'exercice, on est souvent déshydraté.* SYN. altéré, assoiffé. HOM. déshydrater. ☞ hydrater.

déshydrater v. **1.** Enlever l'eau qui entre dans la composition d'un corps : *On déshydrate les fruits et les légumes pour assurer leur conservation.* SYN. dessécher, sécher. ANT. hydrater. **2.** Faire perdre l'eau nécessaire à la peau, à l'organisme : *Cette longue maladie accompagnée de fortes fièvres a déshydraté le malade.* HOM. déshydraté. **R.** L'élément *hydr(o)* signifie *eau*. ☞ hydrater. se **déshydrater** v.pron. Perdre son eau, en parlant de la peau, de l'organisme : *Donnez-lui beaucoup de liquide, sinon elle va se déshydrater.*

désignation n.f. **1.** Action de désigner : *La désignation des marchandises sur l'étiquette facilite les achats.* SYN. indication. **2.** Action de nommer quelqu'un à un poste, à une fonction : *La désignation de l'arbitre sera connue bientôt.* SYN. choix, nomination. ANT. révocation. **3.** Action de représenter par un symbole ou par le langage : *Le mot orignal est une autre désignation de l'élan d'Amérique.* SYN. appellation. ☞ désigner.

désigner v. **1.** Montrer quelqu'un ou quelque chose pour qu'on le distingue parmi les autres : *Gaston désigne sa maison en la montrant du doigt.* SYN. indiquer. **2.** Nommer quelqu'un à un poste, à une fonction : *Colette a été désignée pour représenter la classe.* SYN. choisir, élire. **3.** Représenter par un symbole ou par le langage : *Les mots « aï » et « paresseux » désignent le même animal.* SYN. qualifier. ☞ désignation.

désillusion n.f. Perte d'une illusion, déception : *Quelle désillusion lorsqu'elle a constaté qu'elle avait des ennemis.* SYN. désappointement. ☞ illusion.

désillusionner v. Faire perdre ses illusions à quelqu'un, le décevoir : *Ses nombreux échecs l'ont désillusionné.* SYN. désappointer. ANT. illusionner. ☞ illusion.

désinfectant n.m. Produit qui désinfecte, qui détruit les germes infectieux : *L'eau de Javel et la teinture d'iode sont des désinfectants.* ☞ infecter.

désinfectant, ante adj. Qui détruit les germes infectieux : *On fait grand usage de produits désinfectants dans les hôpitaux.* ☞ infecter.

désinfecter v. Détruire les germes infectieux : *Il faut toujours désinfecter une blessure avant de mettre un pansement.* SYN. purifier, stériliser. ANT. infecter. ☞ infecter.

désinfection n.f. Destruction des germes infectieux : *La désinfection des instruments chirurgicaux est essentielle.* SYN. stérilisation. ANT. infection. ☞ infecter.

désintégration n.f. **1.** Action de désintégrer, de détruire entièrement quelque chose : *Le gel accélère la désintégration des roches.* SYN. désagrégation. **2.** Destruction du noyau d'un atome pour produire de l'énergie : *La désintégration est un processus que l'on observe en physique nucléaire.* SYN. fission. **3.** fig. Destruction de l'unité d'un groupe : *Il faut discuter et faire des compromis pour éviter la désintégration de l'équipe.* SYN. dissolution. ☞ désintégrer.

désintégrer v. **1.** Détruire entièrement quelque chose : *L'explosion a désintégré l'automobile.* SYN. désagréger. **2.** Détruire le noyau d'un atome pour produire de l'énergie : *On désintègre les atomes pour transformer la matière en énergie.* **3.** fig. Détruire l'unité d'un groupe : *Les chicanes et les rivalités ont désintégré notre équipe.* ☞ désintégration. se **désintégrer** v.pron. **1.** Se détruire entièrement : *La fusée s'est désintégrée sous les yeux horrifiés des spectateurs.* SYN. se désagréger. **2.** Se détruire pour produire de l'énergie, en parlant du noyau d'un atome : *En se désintégrant, les atomes libèrent une grande quantité d'énergie.* **3.** fig. Perdre son unité, en parlant d'un groupe : *Ce parti s'est désintégré après la défaite.* ANT. se construire, s'édifier.

désintéressé, ée adj. **1.** Qui ne pense pas à son intérêt personnel: *Ce bénévole est une personne désintéressée.* SYN. détaché, généreux. ANT. intéressé. **2.** Qui n'est pas fait par intérêt personnel: *J'ai besoin de conseils désintéressés.* SYN. impartial, objectif. ANT. intéressé. ☞ intérêt.

désintéressement n.m. Fait de ne pas penser à son intérêt personnel: *Les bénévoles agissent avec désintéressement.* SYN. détachement, dévouement, générosité. ANT. intérêt. ☞ intérêt.

se **désintéresser** v.pron. Ne plus s'intéresser à quelque chose: *Elle se désintéresse complètement de ses études.* SYN. négliger. ☞ intérêt.

désintoxication n.f. **1.** Traitement qui consiste à délivrer quelqu'un de la dépendance vis-à-vis de l'alcool, de la drogue: *Cette femme a subi une cure de désintoxication.* ANT. intoxication. **2.** Action de débarrasser son organisme des substances toxiques: *L'air pur et une bonne alimentation contribuent à la désintoxication de notre organisme.* ANT. intoxication. ☞ toxique.

désintoxiquer v. **1.** Délivrer quelqu'un d'une dépendance vis-à-vis de l'alcool, de la drogue: *Les drogués vont se faire désintoxiquer dans cet établissement.* ANT. intoxiquer. **2.** Débarrasser son organisme des substances toxiques: *Ce régime équilibré désintoxiquera ton organisme.* ☞ toxique. se **désintoxiquer** v.pron. **1.** Se délivrer d'une dépendance vis-à-vis de l'alcool, de la drogue: *Cet alcoolique s'est désintoxiqué.* **2.** Se débarrasser des substances toxiques, en parlant de l'organisme: *Ce long séjour dans la forêt a dû vous désintoxiquer?*

désinvolte adj. (it.) **1.** Qui est à l'aise, naturel dans son attitude et ses gestes: *Cette fille a une allure désinvolte.* SYN. décontracté, dégagé. ANT. maladroit. **2.** Qui manifeste de l'insolence, une grande légèreté: *Il m'a répondu d'un ton désinvolte.* SYN. effronté, insolent. ANT. sérieux. ☞ désinvolture.

désinvolture n.f. (it.) Attitude insolente: *Il agit avec désinvolture même avec son supérieur.* SYN. légèreté, sans-gêne. ANT. délicatesse, retenue, sérieux. ☞ désinvolte.

désir n.m. **1.** Envie d'avoir quelque chose: *Tous mes désirs sont satisfaits.* SYN. ambition, aspiration. ANT. dédain, indifférence. **2.** Attirance physique pour quelqu'un: *Cette jeune femme éprouve du désir pour son fiancé.* SYN. attrait, passion, penchant. ANT. mépris, répulsion. ⁄⁄ *Prendre ses désirs pour des réalités:* S'imaginer qu'il est facile de réaliser ses souhaits. ☞ désirer.

désirable adj. **1.** Que l'on a envie d'avoir: *Ce livre a toutes les qualités désirables.* SYN. souhaitable. ANT. indésirable. **2.** Qui fait naître une attirance physique: *C'est une femme désirable.* SYN. séduisant, tentant. ANT. indésirable, repoussant. ☞ désirer.

désirer v. **1.** Avoir envie de quelque chose: *Jean-Luc désire un morceau de gâteau.* SYN. aspirer à, espérer, rêver, souhaiter. ANT. dédaigner, refuser. **2.** Éprouver une attirance physique pour quelqu'un: *Il l'aime beaucoup et il la désire.* SYN. convoiter. ANT. dédaigner, mépriser. ⁄⁄ *Laisser à désirer:* Être insuffisant, imparfait. *Se faire désirer:* Se faire attendre. ☞ désir, désirable désireux.

désireux, euse adj. Qui a envie de quelque chose: *Mon institutrice est désireuse de vous rencontrer.* ANT. indifférent. ☞ désirer.

désobéir v. **1.** Ne pas obéir à quelqu'un: *L'instituteur nous a défendu de parler, mais nous lui avons désobéi.* SYN. s'opposer, résister. **2.** Ne pas se soumettre à une loi, à un règlement: *En stationnant dans un endroit interdit, cette automobiliste désobéit aux règlements.* SYN. contrevenir, déroger, enfreindre. ANT. obéir, respecter. ☞ obéir.

désobéissance n.f. **1.** Action de désobéir à quelqu'un: *On l'a privée de sortie pour la punir de sa désobéissance.* SYN. indiscipline, résistance. ANT. obéissance. **2.** Action de ne pas se soumettre à une loi, à un règlement: *Ces commerçants prêchent la désobéissance civile.* SYN. insoumission, insubordination. ANT. obéissance. ☞ obéir.

désobéissant, ante adj. Qui n'obéit pas, qui a l'habitude de ne pas obéir: *Ce sont des enfants désobéissants qui ne font jamais ce qu'on leur demande.* SYN. indiscipliné, indocile, insoumis. ANT. obéissant. ☞ obéir.

désobligeant, ante adj. Qui fait de la peine, qui déplaît: *Mario a fait une remarque désobligeante qui a vexé sa meilleure amie.* SYN. blessant, choquant, désagréable. ANT. agréable, aimable, obligeant. **R.** Ne pas oublier le *e* après le *g*. ☞ obliger.

désobliger v.litt. Faire de la peine à quelqu'un, lui déplaire: *Il m'a désobligée en refusant mon invitation.* SYN. mécontenter, peiner, vexer. ANT. obliger. ☞ obliger.

désodorisant n.m. Produit qui désodorise un lieu, une partie du corps: *J'utilise un désodorisant dans la cuisine pour masquer les odeurs de chou.* ☞ odeur.

désodorisant, ante adj. Qui supprime les mauvaises odeurs d'un lieu, d'une partie du corps: *Ce savon désodorisant est très efficace.* ☞ odeur.

désodoriser v. Supprimer les mauvaises odeurs d'un lieu, d'une partie du corps: *Ce produit parfumé désodorisera la pièce.* ☞ odeur.

désœuvré, ée n. et adj. **1.** n. Personne qui n'a rien à faire et qui ne veut pas s'occuper: *Des centaines de désœuvrés se promènent dans les rues de la ville.* SYN. inactif. ANT. actif. **2.** adj. Qui n'a rien à faire et qui ne veut pas s'occuper: *Il y a des adolescents désœuvrés qui passent leurs journées à regarder la télévision.* SYN. inoccupé, oisif. ANT. actif, occupé. ☞ désœuvrement.

désœuvrement n.m. État d'une personne qui n'a rien à faire et qui ne veut pas s'occuper: *Son désœuvrement semble la satisfaire.* SYN. inaction, oisiveté. ANT. activité, occupation. ☞ désœuvré.

désolant, ante adj. **1.** Qui cause une très grande peine: *Cette nouvelle désolante a plongé toute la famille dans la tristesse.* SYN. affligeant, navrant. ANT. consolant, réjouissant. **2.** Qui ennuie, contrarie: *C'est désolant! Tu n'es jamais à l'heure à tes rendez-vous.* SYN. contrariant, désagréable, ennuyeux. ANT. réjouissant. ☞ désoler.

désolation n.f. Abattement: *Ce tremblement de terre a plongé le pays dans la désolation.* SYN. consternation, détresse. ANT. consolation. ☞ désoler.

désolé, ée adj. **1.** Qui a une peine extrême: *Les parents désolés pleuraient à chaudes larmes.* SYN. éploré. ANT. joyeux, réjoui. **2.** Qui est ennuyé, contrarié: *Je suis désolée de ne pouvoir vous aider.* ANT. ravi. **3.** Qui est triste et inhabité: *Il n'y a pas de verdure dans cet endroit désolé.* SYN. désert. ANT. habité. HOM. désoler. ☞ désoler.

désoler v. **1.** Causer une peine extrême: *La mort de son grand-père la désole.* SYN. affliger, attrister. ANT. consoler, réjouir. **2.** Ennuyer, contrarier: *L'autobus est en retard. Cela me désole.* ANT. ravir, réjouir. HOM. désolé. ☞ désolant, désolation, désolé. se **désoler** v.pron. **1.** Avoir beaucoup de peine: *Patrick se désole de ne pouvoir venir à Noël.* ANT. se consoler. **2.** Être ennuyé, contrarié: *Elle se désole de ce contretemps.* ANT. se réjouir.

se **désolidariser** v.pron. Cesser de se sentir lié par une responsabilité ou des intérêts communs: *Je me désolidarise du groupe, car je ne suis pas d'accord avec ces principes.* SYN. abandonner, se séparer. ANT. se solidariser. ☞ solidaire.

désopilant, ante adj. Qui est très drôle, qui fait rire: *Lucien raconte des histoires désopilantes.*

désordonné, ée n. et adj. **1.** n. Personne qui manque d'ordre: *Alicia est une désordonnée.* **2.** adj. Qui manque d'ordre: *Ces enfants sont désordonnés.* ANT. ordonné, rangé. **3.** adj. Qui manque d'ordre, de coordination: *Sandra ne peut pas contrôler les mouvements désordonnés de ses membres.* **4.** adj.litt. Qui n'est pas en accord avec la morale: *Il mène une vie désordonnée.* ANT. moral, ordonné, rangé. ☞ ordre.

désordre n.m. **1.** Manque d'ordre: *La classe était en désordre après la fête.* **2.** Trouble de fonctionnement de l'organisme: *L'absorption d'eau contaminée provoque des désordres intestinaux.* SYN. dérangement. **3.** Absence d'ordre, de discipline dans un groupe: *Cet élève indiscipliné sème le désordre dans la classe.* SYN. trouble. **4.** Événements qui troublent la société: *La nuit dernière, de graves désordres ont éclaté dans un quartier de la ville.* ANT. ordre. **5.** litt. Absence de règle, de principes moraux: *Ces jeunes gens vivent dans le désordre.* ANT. ordre. **6.** fig. Manque d'organisation, de logique: *Il y a beaucoup de désordre dans tes idées.* SYN. confusion. ANT. suite. ☞ ordre.

désorganisation n.f. Destruction de l'organisation de quelque chose, désordre: *La nouvelle ministre déplore la désorganisation de son ministère.* ANT. organisation. ☞ organiser.

désorganiser v. Créer du désordre, détruire l'organisation de quelque chose: *Son arrivée a désorganisé l'équipe.* SYN. déranger, troubler. ANT. organiser. ☞ organiser.

désorienter v. **1.** Faire perdre à quelqu'un son chemin, l'égarer: *Le brouillard nous a désorientés.* ANT. orienter. **2.** Détruire l'orientation d'un appareil de visée (arme, instrument d'optique): *On a désorienté la lunette astronomique.* **3.** fig. Rendre quelqu'un hésitant, l'embarrasser: *France change d'idée à tout moment; elle désoriente tous ses amis.* SYN. déconcerter. ☞ orienter. **désorienté, ée** p.p. et adj. **1.** Qui a perdu son chemin: *Cette enfant est désorientée.* SYN. égaré. **2.** Qui est hésitant, embarrassé: *Les écoliers étaient désorientés par le changement d'attitude de leur enseignant.* SYN. dérouté.

désormais adv. À partir de maintenant: *Désormais, l'autobus scolaire passera à 8 h 30.* SYN. dorénavant.

désossement n.m. Action de désosser: *La bouchère utilise des couteaux bien tranchants pour faire le désossement.* ☞ os.

désosser v. Enlever les os d'une viande, les arêtes d'un poisson: *Papa désosse les côtelettes de porc.* ☞ os. **désossé, ée** p.p. et adj.

Dont on a enlevé les os ou les arêtes : *On nous a servi une dinde désossée et farcie.*

despote n.m. et adj. **1.** n.m. Chef d'État qui détient un pouvoir arbitraire et absolu : *Ce pays est gouverné par un despote.* SYN. dictateur, tyran. **2.** n.m.fig. Personne qui impose sa volonté à son entourage : *Cet enfant est un véritable despote.* **3.** adj. Qui impose sa volonté à son entourage : *Ce patron despote n'a pas l'estime de ses employés.* SYN. tyrannique. ANT. débonnaire, doux. ☞ despotique, despotiquement, despotisme.

despotique adj. Qui est autoritaire, tyrannique : *Les gens despotiques ne respectent pas la liberté de ceux qui les entourent.* ☞ despote.

despotiquement adv. D'une manière tyrannique, autoritaire : *Cette chef d'État gouverne despotiquement.* SYN. tyranniquement. ☞ despote.

despotisme n.m. **1.** Forme de gouvernement dans lequel une seule personne détient un pouvoir absolu et arbitraire : *Le despotisme est le contraire de la démocratie.* SYN. dictature, tyrannie. ANT. démocratie, libéralisme. **2.** fig. Autorité qui exerce une contrainte sur les autres : *Les employés n'apprécient guère le despotisme de leur employeur.* SYN. dictature, tyrannie. ANT. libéralisme. ☞ despote.

se **dessaisir** v.pron. Se séparer de quelque chose, ne pas le garder : *Mon oncle ne veut pas se dessaisir de sa collection de timbres.* SYN. céder, renoncer à. ☞ saisir.

dessaler v. Débarrasser un aliment, une matière de son sel : *Pour dessaler les harengs, on les fait tremper dans l'eau.* ANT. saler. ☞ sel.

desséchant, ante adj. **1.** Qui rend sec : *Ce vent desséchant n'est pas bon pour les peaux sensibles.* **2.** fig. Qui rend insensible : *L'égoïsme est un défaut desséchant.* ☞ sec.

dessèchement n.m. **1.** Action de dessécher : *Selon l'esthéticien, cette crème doit prévenir le dessèchement de la peau.* SYN. déshydratation. ANT. hydratation. **2.** Maigreur extrême : *Son dessèchement était prévisible.* **3.** fig. Perte de la sensibilité : *Le dessèchement de son cœur la rendait semblable à un robot.* SYN. endurcissement. ☞ sec.

dessécher v. **1.** Rendre sec : *La chaleur dessèche l'herbe et les fleurs.* ANT. humidifier, mouiller. **2.** Amaigrir : *La maladie a desséché le corps de cette femme.* SYN. décharner. **3.** fig. Rendre quelqu'un insensible : *Le chagrin lui a desséché le cœur.* SYN. endurcir. ANT. attendrir. ☞ sec. se **dessécher** v.pron. **1.** Devenir sec : *La peau se dessèche et se ride quand on l'expose trop au soleil.* SYN. se déshydrater. ANT. s'humidifier, s'hydrater. **2.** Maigrir : *On ignore pourquoi il se dessèche si rapidement.* SYN. se décharner, s'émacier. **3.** fig. Devenir insensible : *Son cœur s'est desséché.* SYN. s'endurcir. ANT. s'attendrir, s'émouvoir.

desséchant dessèchement dessécher

dessein n.m.litt. (it.) Intention, projet : *Cette nageuse nourrit de grands desseins.* HOM. dessin. à **dessein** loc.adv. Intentionnellement, volontairement : *C'est à dessein qu'elle n'a pas répondu à votre lettre.* SYN. délibérément, exprès. ANT. involontairement. à **dessein de** loc.prép. Avec l'intention de : *Il a fait cela à dessein de vous nuire.*

desseller v. Enlever la selle d'un cheval : *La cavalière desselle son cheval.* HOM. desceller. ☞ selle.

desserrage n.m. Action de desserrer : *Tu auras besoin d'un outil pour commencer le desserrage de ces vis.* ANT. serrage. ☞ serrer.

desserrer v. Relâcher ce qui est serré : *Papa desserre sa cravate.* SYN. défaire. ANT. serrer. ⁄⁄ *Desserrer les dents :* Ouvrir la bouche. *Ne pas desserrer les dents :* Refuser de parler, ne rien dire, se taire avec obstination. ☞ serrer. se **desserrer** v.pron. Devenir moins serré : *Ma ceinture se desserre.* SYN. se relâcher. ANT. se serrer.

dessert n.m. **1.** Aliment que l'on mange à la fin d'un repas : *Que voulez-vous comme dessert?* **2.** Moment du repas où l'on mange cet aliment : *Nous ne sommes pas encore arrivés au dessert.*

desserte n.f. **1.** Action d'assurer un service de transport : *Un service d'autobus assure la desserte de ces villages.* **2.** Service religieux assuré par un prêtre dans une paroisse, une cure : *Un vicaire assure la desserte de cette petite paroisse.* ☞ desservir. ▲ **desserte** n.f. Meuble où l'on dépose les plats et les couverts que l'on enlève de la table : *Diane dépose les assiettes sales sur la desserte.* SYN. dressoir.

desserte

desservir v. **1.** Assurer un service de transport: *Le train dessert toutes les petites villes de banlieue.* SYN. s'arrêter à. **2.** Conduire à un local, à une pièce: *Ce couloir dessert toutes les classes.* SYN. relier. **3.** Assurer le service religieux d'une paroisse, d'une cure: *Le nouveau curé dessert deux paroisses.* ☞ desserte. **desservi, ie** p.p. et adj. Qui est assuré d'un service de transport: *Cette ville de banlieue est bien desservie.* ▲ **desservir** v. Enlever les plats, les couverts d'une table: *Damien dessert la table à la fin du repas.* ANT. servir. ☞ servir. ▲ **desservir** v. Nuire à quelqu'un, lui faire du tort: *Sa trop grande franchise la dessert auprès de ses camarades.* ANT. aider, servir. ☞ servir. se **desservir** v.pron. Se nuire, se faire du tort: *Benoît s'est desservi par son air arrogant.*

dessin n.m. **1.** Représentation d'un objet, d'une figure sur une surface: *J'aime beaucoup les dessins d'enfants.* **2.** Art technique de la représentation d'un objet, d'une figure sur une surface: *Pauline apprend le dessin.* **3.** Contour, ligne: *Bernard s'amuse à suivre du doigt le dessin de ses veines.* SYN. tracé. **4.** Reproduction d'objets dans un but technique ou industriel: *Jacqueline fait du dessin industriel.* HOM. dessein. ⁄⁄ *Dessin animé:* Film dont les images sont faites d'une série de vingt-quatre dessins donnant l'impression du mouvement. ☞ dessiner.

dessinateur, trice n. Personne dont le métier est de faire des dessins: *Claudette est une dessinatrice humoristique, tandis que Joseph est un dessinateur industriel.* ☞ dessiner.

dessiné, ée adj. Qui est représenté par un dessin: *Cette maison dessinée est très réussie.* HOM. dessiner. ⁄⁄ *Bande dessinée:* Histoire racontée par une série de dessins. ☞ dessin.

dessiner v. **1.** Représenter un objet, une figure sur une surface: *Marcelle dessine un bouquet de fleurs.* SYN. reproduire. **2.** Faire ressortir les contours, les lignes de quelque chose: *Cette robe dessine les formes de son corps.* SYN. accentuer, accuser, souligner. ANT. dissimuler. HOM. dessiné. ☞ dessin, dessinateur, dessiné. se **dessiner** v.pron. **1.** Apparaître, commencer à être visible: *Le mont Saint-Hilaire se dessine au loin.* SYN. se détacher. ANT. s'estomper. **2.** fig. Prendre forme, se préciser: *Un projet important commence à se dessiner.*

dessoûler v.fam. **1.** Faire cesser l'ivresse: *Rien n'a pu le dessoûler.* ANT. soûler. **2.** Cesser d'être soûl: *Elle n'a pas dessoûlé depuis une semaine.* **R.** Ne pas oublier l'accent: *û*. Aussi, *dessaouler.* ☞ soûler.

dessous n.m. **1.** Partie inférieure de quelque chose: *Le dessous de la nappe est en toile.* SYN. envers. ANT. dessus. **2.** Appartement qui est situé au-dessous d'un autre: *La voisine du dessous est très bruyante.* ANT. dessus. **3.** plur. Sous-vêtements féminins: *Maman porte des dessous en dentelle.* SYN. linge, lingerie. **4.** plur.fig. Aspect caché, secret de quelque chose: *Connaissez-vous les dessous de cette affaire?* ⁄⁄ *Avoir le dessous:* Être perdant dans une discussion, dans une lutte. *Un dessous de table:* Argent que donne secrètement un acheteur à un vendeur dont il veut obtenir un avantage.

dessous adv. Dans la position d'une chose sous une autre: *Ton livre n'est pas sur le bureau; il est dessous.* SYN. sous. ANT. dessus, sur. ⁄⁄ *Sens dessus dessous:* À l'envers, en désordre. ☞ dessous-de-plat. au-**dessous** loc.adv. En bas: *J'habite le rez-de-chaussée; il n'y a personne au-dessous.* ANT. au-dessus. au-**dessous de** loc.prép. À un niveau inférieur: *Aujourd'hui, il fait dix degrés au-dessous de zéro.* SYN. en bas de. ANT. au-dessus de. ⁄⁄ *Être au-dessous de sa tâche:* Ne pas être capable, digne d'assumer une tâche. ci-**dessous** loc.adv. Plus bas: *Tu trouveras ci-dessous toutes les explications que tu désires.* ANT. ci-dessus. de **dessous** loc.prép. De sous quelque chose: *Il a retiré son dossier de dessous la pile.* en **dessous** loc.adv. Sous quelque chose: *Ne cherche pas sur le lit: regarde en dessous.* ⁄⁄ *Regarder en dessous:* Regarder sournoisement. *Rire en dessous:* Rire en cachant son rire. là-**dessous** loc.adv. Sous cela: *Il y a quelque chose de louche là-dessous.* par-**dessous** loc.adv. Sous quelque chose: *Comme la clôture était trop haute, nous sommes passées par-dessous.* par-**dessous** loc.prép. Sous quelque chose: *Le chien est passé par-dessous la clôture.*

dessous-de-plat n.m.invar. Support sur lequel on pose les plats: *Le dessous-de-plat protège la nappe contre les taches et les brûlures.* ☞ dessous.

dessus n.m. **1.** Partie supérieure de quelque chose: *Le dessus de la table est sale.* ANT. dessous. **2.** Appartement qui est situé au-dessus d'un autre: *Les voisins du dessus se couchent très tôt.* ANT. dessous. ⁄⁄ *Avoir le dessus:* Être gagnant dans une discussion, dans une lutte. *Prendre, reprendre le dessus:* Prendre, reprendre l'avantage, surmonter un état pénible.

dessus adv. Dans la position d'une chose sur une autre: *Mon bureau est libre; mets tes livres dessus.* ANT. dessous. ⁄⁄ *Mettre la main dessus:* Saisir, trouver. ☞ dessus-de-lit. au-**dessus** loc.adv. En haut: *Le salon et la cuisine* *sont au rez-de-chaussée; les chambres sont au-dessus.* au-**dessus de** loc.prép. À un niveau supérieur: *L'avion vole au-dessus des montagnes.* ci-**dessus** loc.adv. Plus haut: *Voyez ci-dessus l'adresse de l'envoyeur.* de **dessus** loc.prép. De sur quelque chose: *Lève au moins tes yeux de dessus ton livre.* en **dessus** loc.adv. Sur le dessus: *Agrafe tes feuilles et pose la couverture en dessus.* là-**dessus** loc.adv. Sur cela: *Tu peux dessiner là-dessus.* par-**dessus** loc.adv. Sur quelque chose: *Le cheval a sauté par-dessus.* par-**dessus** loc.prép. Sur quelque chose: *Le chat a sauté par-dessus la table.* ⫽ *En avoir par-dessus la tête:* En avoir assez.

dessus-de-lit n.m.invar. Grand morceau d'étoffe servant à recouvrir le lit: *Le dessus-de-lit est de la même couleur que les rideaux.* SYN. couvre-lit. ☞ dessus.

destin n.m. **1.** Puissance supérieure qui, selon certaines croyances, réglerait les événements de la vie humaine: *Beaucoup de personnes croient au destin.* SYN. destinée, fatalité, hasard. **2.** Ensemble des événements de la vie humaine qui semblent commandés par le hasard: *Cet homme a eu un destin tragique.* SYN. existence, sort. **3.** Ce qui arrivera à quelqu'un ou à quelque chose: *Quel sera le destin de ce livre?* SYN. avenir, lot. ☞ destinée.

destinataire n. Personne à qui l'on adresse un colis, une lettre: *Écrivez lisiblement l'adresse du destinataire sur l'enveloppe.* ANT. expéditeur. ☞ destiner.

destination n.f. **1.** Lieu où va quelqu'un ou quelque chose: *La journaliste part pour une destination lointaine.* ANT. origine. **2.** Emploi que l'on prévoit pour une chose: *La destination de cet immeuble est de servir de théâtre.* SYN. fin, usage, utilisation, vocation. ☞ destiner.

destinée n.f. **1.** Puissance extérieure qui, selon certaines croyances, réglerait les événements de la vie humaine: *Quand tout va mal, on accuse la destinée.* SYN. destin, sort. **2.** Ensemble des événements de la vie humaine qui semblent commandés par le hasard: *Il vaut mieux ne pas connaître sa destinée.* SYN. avenir. **3.** litt. Vie, existence: *En s'épousant, Carmen et Philippe ont uni leurs destinées.* HOM. destiner. ☞ destin.

destiner v. **1.** Attribuer quelque chose à quelqu'un: *Je destine ce disque à mon beau-frère.* **2.** Réserver quelque chose à un usage particulier: *Cet argent est destiné à l'achat de manuels scolaires.* **3.** Choisir un métier, une profession pour quelqu'un: *Son père voudrait bien la destiner à la profession d'ingénieur.* HOM. destinée. ☞ destinataire, destination. se **destiner** v.pron. Choisir un métier, une profession: *Annabelle se destine à la médecine.* SYN. se préparer à.

destituer v. Faire perdre son emploi, sa fonction à un personnage important ou à un fonctionnaire: *Le juge a été destitué de ses fonctions.* SYN. démettre, relever. ANT. nommer, réintégrer. ☞ destitution.

destitution n.f. Action de faire perdre son emploi, sa fonction à un personnage important ou à un fonctionnaire: *La destitution de cette fonctionnaire a surpris ses collègues.* SYN. congédiement, renvoi. ANT. nomination, réintégration. ☞ destituer.

destructeur, trice n. et adj. **1.** n. Personne qui détruit quelque chose: *Les peuples guerriers sont toujours de grands destructeurs.* ANT. bâtisseur, constructeur. **2.** adj. Qui détruit quelque chose: *Toutes les guerres sont destructrices.* SYN. destructif. ANT. créateur. ☞ détruire.

destructible adj. Que l'on peut détruire: *Le bois est un matériau destructible.* ANT. indestructible. ☞ détruire.

destructif, ive adj. Qui est capable de détruire: *Il est difficile d'imaginer le pouvoir destructif de la bombe atomique.* SYN. destructeur. ANT. constructif. ☞ détruire.

destruction n.f. **1.** Action de détruire une construction: *L'incendie a entraîné la destruction d'un vieux quartier de la ville.* SYN. dévastation. ANT. édification. **2.** Action d'enlever la vie à des êtres vivants: *La destruction des rats est un des objectifs du service sanitaire.* SYN. extermination. **3.** Action de faire disparaître: *La destruction de ces papiers importants a beaucoup nui à l'enquête policière.* **4.** Fait de se dégrader: *Ces monuments ont subi la destruction par le temps.* ☞ détruire.

désuet, ète adj. Qui n'est plus en usage, qui est d'une époque ancienne: *Quand une loi est désuète, il faut l'abolir.* SYN. démodé, suranné, vieillot. ANT. actuel, moderne, récent. ☞ désuétude.

désuétude n.f. Abandon d'une chose qui n'est plus en usage, qui est d'une époque ancienne: *Certaines coutumes sont tombées en désuétude.* ☞ désuet.

désu**e**t désu**é**tude

désuni, ie adj. Qui est en désaccord, qui est séparé par la mésentente: *Il faudra beaucoup d'efforts pour réconcilier cette famille désunie.* SYN. brouillé. ANT. uni. ☞ unir.

désunion n.f. Désaccord, mésentente entre des personnes qui devraient être unies: *La* *désunion règne au sein de cette famille.* SYN. discorde, division. ANT. union. ☞ unir.

désunir v. Faire cesser l'union, la bonne entente entre des personnes: *La jalousie a désuni cette famille.* SYN. brouiller, séparer. ANT. unir. ☞ unir.

détachable adj. Que l'on peut séparer d'un ensemble: *Les feuilles de ce carnet sont détachables.* ☞ détacher.

détachage n.m. Action de faire disparaître les taches: *J'ai confié le détachage de cette robe à la buandière.* SYN. nettoyage. ☞ tache.

détachant n.m. Produit qui fait disparaître les taches: *Veux-tu me donner le nom de ton détachant?* SYN. détergent, détersif. ☞ tache.

détaché, ée adj. **1.** Qui n'est plus attaché: *Tes lacets sont détachés.* SYN. défait, dénoué. **2.** Qui est indifférent: *Elle m'a répondu d'un ton détaché sans me prêter la moindre attention.* SYN. désinvolte. HOM. détacher. ∥ *Pièces détachées:* Pièces vendues séparément pour remplacer les pièces usagées d'un appareil. ☞ détacher.

détachement n.m. **1.** Indifférence d'une personne vis-à-vis de quelqu'un ou de quelque chose: *Elle nous a parlé avec détachement du départ de son fiancé.* **2.** Petit groupe de soldats chargés d'une mission spéciale: *Un détachement accompagne le convoi de marchandises.* SYN. escorte. ☞ détacher.

détacher v. Faire disparaître les taches: *J'ai réussi à détacher mon pantalon neuf.* SYN. nettoyer. ANT. tacher. ☞ tache. ▲ **détacher** v. **1.** Défaire ce qui attache: *Détache le col de ta blouse; tu respireras mieux.* ANT. attacher. **2.** Libérer quelqu'un ou quelque chose de ce qui l'attache: *Si tu détaches le chien, il arrêtera de japper.* SYN. délier. ANT. attacher. **3.** Enlever, séparer une chose d'une autre à laquelle elle est fixée: *Paul détache un à un les pétales de la marguerite.* SYN. dégager, effeuiller. **4.** Séparer un élément d'un ensemble: *On a détaché le wagon du convoi.* SYN. découper, décrocher. ANT. accrocher, attacher. **5.** Détourner, distraire: *Elle ne pouvait détacher ses yeux de la scène.* ANT. fixer. **6.** Envoyer quelqu'un au loin pour faire quelque chose: *Le gouvernement a détaché un ambassadeur pour aller à la rencontre du président de la France.* SYN. déléguer, dépêcher. **7.** Prononcer séparément chaque mot, chaque syllabe: *Elle parle en détachant bien ses mots.* SYN. articuler, séparer. HOM. détaché. ☞ détachable, détaché, détachement. se **détacher** v.pron. **1.** Ne plus être attaché: *Le chien s'est détaché.* SYN. se défaire, se dégager. ANT. s'attacher. **2.** Perdre tout sentiment pour quelqu'un: *Gabriel se détache de ses amis.* SYN. se désintéresser, s'éloigner, s'isoler. ANT. s'approcher, se grouper. **3.** Apparaître nettement, ressortir: *Le gratte-ciel se détache sur le ciel bleu.* SYN. se découper, trancher. ANT. s'estomper.

détail n.m. **1.** Élément peu important d'un ensemble: *Raconte-moi ce qui s'est passé, mais ne t'arrête pas aux détails.* SYN. particularité, vétille. **2.** fig. Énumération minutieuse des éléments d'un ensemble: *Il nous a raconté toute la scène en détail.* ∥ *C'est un détail:* C'est une chose sans importance. *En détail:* Sans rien oublier. ☞ détailler. ▲ **détail** n.m. Vente ou achat de marchandises par petites quantités: *Les épiceries sont des commerces de détail.* ANT. gros. ☞ détailler.

détaillant, ante n. Vendeur de marchandises par petites quantités: *Les deux détaillants achètent leurs marchandises chez la même grossiste.* ANT. grossiste. ☞ détailler.

détailler v. **1.** Examiner de manière approfondie: *Il me détaillait de la tête aux pieds.* **2.** fig. Énumérer minutieusement, raconter dans les détails: *Elle nous a détaillé les raisons de sa démission.* ☞ détail, détaillant. **détaillé, ée** p.p. et adj. Qui est minutieux, qui précise les moindres détails: *Claudia nous a fait un récit détaillé de son voyage en Gaspésie.* ▲ **détailler** v. Vendre des marchandises par petites quantités: *L'épicier détaille des produits alimentaires.* ☞ détail.

détaler v.fam. Partir en courant, s'enfuir: *Le petit voleur a détalé dès qu'il a aperçu le propriétaire du magasin.* SYN. décamper, filer.

détartrage n.m. Action d'enlever le tartre qui recouvre les dents, les éléments d'un appareil: *Le détartrage de la bouilloire devrait se faire régulièrement.* ☞ tartre.

détartrer v. Enlever le tartre qui recouvre les dents, les éléments d'un appareil: *La dentiste m'a détartré les dents.* ANT. entartrer. ☞ tartre.

détaxer v. Supprimer ou diminuer la taxe sur un produit: *Les produits qu'on achète dans un aéroport sont détaxés.* ANT. taxer. ☞ taxer.

détecter v. Découvrir la présence d'un objet, d'un phénomène caché: *Heureusement qu'on a détecté la fuite de gaz!* SYN. déceler, trouver. ☞ détecteur, détection.

détecteur n.m. Appareil servant à découvrir la présence d'un objet ou d'un phénomène caché: *Maman a installé un détecteur de fumée au sous-sol.* ☞ détecter.

détecteur, trice adj. Qui sert à découvrir la présence d'un objet ou d'un phénomène caché: *Une sonde détectrice a permis la découverte de mines enfouies dans les fonds marins.* ☞ détecter.

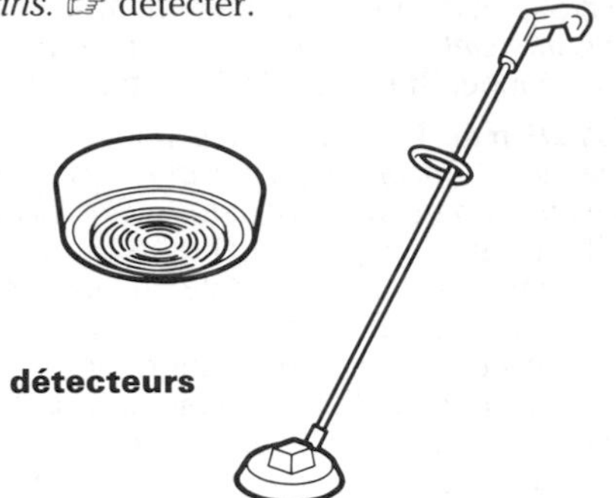

détecteurs

détection n.f. Action de découvrir la présence d'un objet ou d'un phénomène caché: *La détection des gaz toxiques a permis d'éviter une catastrophe.* ☞ détecter.

détective n.m. Personne chargée d'enquêtes policières: *Ils ont finalement confié l'affaire à un détective.*

déteindre v. **1.** Faire perdre la couleur, la teinture: *Le soleil a déteint les rideaux du salon.* SYN. décolorer. ANT. teindre. **2.** Perdre sa couleur, sa teinture: *Ton chandail rouge a déteint au lavage.* ANT. teindre. **3.** Communiquer une partie de sa couleur, de sa teinture à une autre chose: *Cette robe verte a déteint sur ma jupe blanche.* **4.** fig. Avoir de l'influence sur quelqu'un: *Il arrive souvent que les enfants insupportables déteignent sur les autres.* SYN. influencer. ☞ teindre.

dételage n.m. Action de détacher un animal qui est attelé: *Le dételage des chevaux n'a pris que quelques minutes.* ANT. attelage. ☞ atteler.

dételer v. **1.** Détacher un animal qui est attelé: *Veux-tu aider ton frère à dételer les chevaux?* ANT. atteler. **2.** fig. et fam. Cesser un travail, une activité: *Maintenant que vous n'êtes pas là, je vais pouvoir dételer.* SYN. relâcher, relaxer. ☞ atteler.

détendre v. **1.** Relâcher ce qui est tendu: *La violoniste détend les cordes de son violon.* SYN. débander. ANT. tendre. **2.** fig. Reposer, faire diminuer la tension nerveuse: *Prenez un bon bain chaud! Cela vous détendra.* SYN. décontracter. ANT. tendre. ☞ détente. **se détendre** v.pron. **1.** Se relâcher, en parlant d'une chose: *Le ressort se détend et le piège se referme.* ANT. se tendre. **2.** Se reposer, en parlant d'une personne: *Maman se détend en faisant une promenade au grand air.* SYN. se délasser, se récréer. **détendu, ue** p.p. et adj. **1.** Qui est relâchée, en parlant d'une chose: *Le câble est détendu, il ne risque plus de se rompre.* SYN. desserré. ANT. tendu. **2.** Qui est reposée, calme, en parlant d'une personne: *Tu as l'air détendu.* ANT. tendu.

détenir v. Avoir en sa possession: *La receleuse détient des bijoux volés.* ANT. donner. ☞ détenteur, détention. ▲ **détenir** v. Garder quelqu'un en prison: *Le suspect a été détenu pendant vingt-quatre heures.* SYN. retenir. ANT. libérer, relâcher. ☞ détention, détenu.

détente n.f. **1.** Fait de détendre ce qui est tendu: *La détente du ressort referma brusquement le piège.* SYN. relâchement. ANT. tension. **2.** Pour un athlète, effort musculaire vif et puissant qui produit un mouvement rapide: *D'une détente, la lanceuse projeta le javelot dans les airs.* **3.** Pièce d'une arme à feu qui fait partir le coup: *Le chasseur a appuyé sur la détente.* **4.** Repos, diminution de la tension nerveuse: *Gabriel prend un moment de détente en revenant de l'école.* SYN. relâche, relaxation, répit. ANT. contraction, tension. **5.** Diminution de la tension entre États: *Les deux grandes puissances ont adopté une politique de détente.* ☞ détendre.

détenteur, trice n. Personne qui a quelque chose en sa possession: *Le détenteur du lancer du poids ne participera pas aux prochaines olympiades.* ☞ détenir.

détention n.f. Action de détenir, d'avoir quelque chose en sa possession: *La détention d'armes illégales est punie par la loi.* ANT. don. ☞ détenir. ▲ **détention** n.f. État d'une personne qui est gardée en prison: *Cette jeune délinquante est en détention préventive.* ANT. libération. ☞ détenir.

détenu, ue n. et adj. **1.** n. Personne qui est gardée en prison: *Les détenues ont fait une grève de la faim.* SYN. prisonnier. **2.** adj. Qui est gardé en prison: *Les criminels détenus à Orsainville se plaignent de leurs conditions de détention.* SYN. prisonnier. ANT. libéré. ☞ détenir.

détergent n.m. Produit de nettoyage qui dissout les impuretés: *Papa utilise un détergent pour laver le linge.* SYN. détersif.

détergent, ente adj. Qui nettoie en dissolvant les impuretés: *Cette poudre détergente est très efficace.* SYN. détersif.

détérioration n.f. **1.** Action de détériorer, d'abîmer quelque chose: *La marchande n'était pas assurée contre la détérioration des marchandises pendant le transport.* SYN. dommage, endommagement. ANT. conservation, entretien. **2.** fig. Action de détériorer, de rendre moins bon: *La détérioration du climat social est à l'origine des émeutes et des manifestations.* SYN. dégradation. ☞ détériorer.

détériorer v. **1.** Abîmer quelque chose, le mettre en mauvais état: *Ces mauvais locataires ont détérioré leur appartement.* SYN. endommager. ANT. améliorer, entretenir. **2.** fig. Rendre moins bon, nuire: *Ces régimes amaigrissants ont détérioré sa santé.* SYN. altérer, endommager. ANT. améliorer. ☞ détérioration. se **détériorer** v.pron. **1.** S'abîmer: *Les meubles de jardin se détériorent.* SYN. se dégrader, s'user. ANT. s'améliorer. **2.** Devenir moins bon: *Les relations entre ces deux personnes se sont détériorées.* ANT. s'améliorer.

déterminable adj. Qui peut être déterminé, indiqué avec précision: *Les sacs contiennent une quantité déterminable de farine.* SYN. précis. ANT. indéterminable. ☞ déterminer.

déterminant n.m. Mot qui en détermine un autre, qui en précise le sens: *Les déterminants sont de petits mots que l'on place devant le nom pour le déterminer.* ☞ déterminer.

déterminant, ante adj. Qui est décisif: *Justine Lacoste-Beaubien a joué un rôle déterminant dans la fondation de l'hôpital Sainte-Justine.*

détermination n.f. **1.** Action de déterminer, d'indiquer avec précision: *La détermination des mobiles de ce meurtre permettra de résoudre l'affaire.* SYN. définition. ANT. imprécision, indétermination. **2.** Fait de déterminer un mot: *La détermination du nom par l'article est la relation qui existe entre ces deux mots.* ☞ déterminer. ▲ **détermination** n.f. **1.** Résultat d'une décision prise après beaucoup d'hésitation: *Sa détermination est bien arrêtée.* SYN. résolution. ANT. indétermination. **2.** Attitude d'une personne qui agit sans hésitation: *Pierre a agi avec détermination.* SYN. décision, fermeté, volonté. ANT. indétermination. ☞ déterminer.

déterminé n.m. Mot qui est déterminé, précisé par un autre: *Dans «la rue», le mot rue est le déterminé.* HOM. déterminer. ☞ déterminer.

déterminé, ée adj. Qui est indiqué avec précision: *Il devait venir à une heure déterminée.* ANT. imprécis. ☞ déterminer. ▲ **déterminé, ée** adj. Qui est décidé, qui se décide sans hésiter: *Anita est une fille déterminée: elle sait ce qu'elle veut.* ANT. hésitant, indécis, indéterminé. HOM. déterminer. ☞ déterminer.

déterminer v. **1.** Indiquer avec précision: *L'enquêteuse cherche à déterminer les causes de l'accident.* SYN. établir, préciser. **2.** Préciser le sens d'un mot: *L'article détermine le nom: il en indique le genre et le nombre.* ☞ déterminable, déterminant, détermination, déterminé, indétermination, indéterminé. ▲ **déterminer** v. **1.** Faire prendre une décision à quelqu'un: *Les amis de Josée l'ont déterminée à venir avec eux.* SYN. amener, décider, persuader. ANT. empêcher de. **2.** Être la cause, provoquer: *La décision de la Cour suprême a déterminé une vaste campagne de protestation.* SYN. causer, déclencher, occasionner. ANT. empêcher. HOM. déterminé. ☞ déterminant, détermination, déterminé, indétermination. se **déterminer** v.pron. Prendre la décision de: *Danielle s'est déterminée à reprendre ses études.* SYN. se décider à, vouloir. ANT. s'empêcher de.

déterrement n.m. Action de déterrer, de sortir de terre: *Le déterrement du cadavre s'est fait en présence des policiers.* SYN. exhumation. ANT. enterrement. ☞ terre.

déterrer v. **1.** Sortir de terre: *Les archéologues ont déterré un cercueil qu'on croyait être celui de Champlain.* ANT. enterrer. **2.** fig. Découvrir quelque chose qui était caché: *Pourquoi as-tu déterré ces vieux souvenirs?* ANT. enterrer. ☞ terre. **déterré, ée** p.p. et adj. Qui est sorti de terre: *Les cadavres déterrés seront inhumés dans un autre cimetière.* SYN. exhumé. ANT. enterré.

détersif n.m. Produit de nettoyage qui dissout les impuretés: *On utilise des détersifs pour laver le linge.* SYN. détergent.

détersif, ive adj. Qui nettoie en dissolvant les impuretés: *Cette poudre détersive est en solde cette semaine.* SYN. détergent.

détestable adj. **1.** Qui est très mauvais: *Oncle Armand était d'une humeur détestable.* SYN. exécrable, maussade. ANT. agréable. **2.** vx Qui n'est pas aimable: *Tu es une personne détestable.* SYN. haïssable. ANT. adorable. ☞ détester.

détestablement adv. D'une façon détestable: *Ce journaliste écrit détestablement.* SYN. affreusement. ANT. bien. ☞ détester.

détester v. **1.** Ne pas aimer: *Pourquoi détestes-tu ta voisine?* SYN. haïr. **2.** Ne pas être capable de supporter: *Colette déteste le bruit.* ANT. aimer. ☞ détestable, détestablement. se **détester** v.pron. Ne pas s'aimer l'un l'autre: *Ces deux enfants se détestent.* SYN. se haïr. ANT. s'adorer.

détonant, ante adj. Qui explose avec un grand bruit: *Ce mélange détonant doit être manipulé avec prudence.* ☞ détoner.

détonateur n.m. **1.** Amorce servant à faire exploser une charge, une poudre: *Le détonateur est une petite charge de poudre explosive* *servant à la mise à feu.* **2.** fig. Ce qui déclenche une action: *Cette décision maladroite a été le détonateur de la grève.* ☞ détoner.

détonation n.f. Bruit violent produit par une explosion: *Nous avons entendu une forte détonation.* ☞ détoner.

détoner v. Exploser avec un grand bruit: *Mettez-vous à l'abri. Ils vont faire détoner la dynamite.* HOM. détonner. ☞ détonant, détonateur, détonation.

détonner v. **1.** En musique, s'écarter du ton juste, chanter faux: *Je n'ose pas m'inscrire dans la chorale parce que je détonne.* **2.** fig. Produire un contraste avec autre chose: *Ce tableau moderne détonne dans cette vieille maison canadienne.* SYN. trancher. ANT. s'accorder, s'harmoniser. HOM. détoner. ☞ ton.

détordre v. Remettre dans son état primitif ce qui est tordu: *Elle détord le linge pour l'étendre sur la corde.* ANT. tordre. ☞ tordre. se **détordre** v.pron. Revenir à son état primitif: *Le câble s'est détordu.*

détortiller v. Défaire ce qui est tortillé, tordu à plusieurs tours: *Quand elle est nerveuse, Sandra tortille et détortille sans arrêt la même mèche de cheveux.* ANT. tortiller. ☞ tortiller.

détour n.m. **1.** Parcours sinueux d'une route, d'un cours d'eau: *La rivière fait mille détours avant de se jeter dans le fleuve.* SYN. méandre, sinuosité. **2.** Trajet plus long que le chemin direct: *Nous avons fait un détour pour éviter l'embouteillage.* SYN. déviation. ANT. raccourci. **3.** fig. Moyen indirect, ruse: *Ne fais pas tant de détours!* ANT. droiture, franchise. ⁄⁄ *Parler sans détour:* Parler franchement.

détourné, ée adj. **1.** Qui fait un détour: *Nous avons pris un chemin détourné pour venir jusqu'ici.* ANT. direct. **2.** fig. Qui est indirect, en parlant d'un moyen: *Elle a pris des moyens détournés pour me convaincre.* ANT. direct. **3.** fig. Qui est exprimé de façon indirecte: *On m'a fait un compliment détourné.* HOM. détourner. ☞ détourner.

détournement n.m. **1.** Action de détourner, de changer le cours, la direction: *On a arrêté l'auteure du détournement d'avion.* **2.** Action de prendre de l'argent, des marchandises qui ne nous étaient pas destinés: *Cette comptable a été condamnée pour détournement de fonds.* **3.** Séduction d'une personne de moins de dix-huit ans par une personne adulte: *Le détournement de mineur est puni par la loi.* ☞ détourner.

détourner v. **1.** Faire prendre une autre direction à quelqu'un ou à quelque chose: *Le pirate de l'air a détourné l'avion vers Cuba.* **2.** Prendre de l'argent, des marchandises qui ne nous étaient pas destinés: *Ce fonctionnaire a détourné des milliers de dollars à son profit.* **3.** Diriger vers un autre but: *Il a réussi à détourner l'attention de la surveillante.* SYN. distraire. **4.** Tourner d'un autre côté: *Elle détourne la tête pour cacher son embarras.* **5.** Écarter quelqu'un de quelque chose: *Son frère cherche à la détourner de son travail.* SYN. déranger, distraire. ANT. encourager, stimuler. HOM. détourné. ☞ détourné, détournement. se **détourner** v.pron. **1.** Se tourner d'un autre côté: *Il s'est détourné pour ne pas montrer ses larmes.* **2.** S'écarter de quelque chose: *Il s'est détourné de sa route par erreur.* SYN. s'éloigner.

détraqué, ée n. et adj. **1.** n. Personne qui a l'esprit dérangé: *Ce détraqué est inoffensif.* SYN. déséquilibré, fou, malade. **2.** adj. Qui est déréglé: *L'horloge est détraquée.* **3.** adj.fig. et fam. Qui est dérangé: *Après tous ces excès, Denis a la santé détraquée.* ANT. sain. HOM. détraquer. ☞ détraquer.

détraquement n.m. Action de se détraquer, état de ce qui est détraqué: *Le détraquement de cette horloge a été causé par un mauvais entretien.* SYN. dérèglement. ☞ détraquer.

détraquer v. **1.** Dérégler un mécanisme: *Il a détraqué son téléviseur en l'échappant.* ANT. arranger, régler, réparer. **2.** fig. et fam. Déranger l'état physique ou mental: *Ces aliments vont te détraquer l'estomac.* HOM. détraqué. ☞ détraqué, détraquement. se **détraquer** v.pron. **1.** Se dérégler: *Ma montre se détraque.* **2.** Devenir mauvais: *Le temps se détraque.* SYN. se gâter.

détremper v. Amollir en mélangeant avec un liquide: *Le maçon a détrempé le mortier.* SYN. délayer. **détrempé, ée** p.p. et adj. Qui est très mouillé et amolli: *Les roues de la voiture s'enfoncent dans la terre détrempée.*

détresse n.f. **1.** Angoisse, désarroi que l'on éprouve dans une situation difficile: *L'enfant poussait des cris de détresse.* ANT. paix, quiétude. **2.** Situation pénible: *Cette sans-abri vit dans la détresse.* SYN. dénuement, indigence, misère. ANT. bien-être, prospérité. **3.** Situation dangereuse dans laquelle se trouve un navire, un avion: *Le navire lance un signal de détresse.* ANT. sécurité. ⁄⁄ *En détresse:* En danger de faire naufrage.

détriment n.m. Dommage, tort: *La discussion a tourné à son détriment.* au **détriment de** loc.prép. En faisant du tort à: *On met l'accent sur les matières secondaires au détriment du français et des mathématiques.*

détritus n.m.invar. Débris, ordures: *Il ne faut pas jeter les détritus dans les fossés et sur le bord des routes.*

détroit n.m. Bras de mer resserré entre deux terres, qui fait communiquer deux mers: *Le détroit de Cabot, entre Terre-Neuve et l'île du Cap-Breton, relie le golfe du Saint-Laurent à l'océan Atlantique.*

détromper v. Tirer quelqu'un de l'erreur: *Je croyais que c'était jour de congé, mais on m'a détrompé.* ANT. tromper. ☞ tromper. se **détromper** v.pron. Se rendre compte de son erreur: *Tu croyais avoir fini ton travail? Détrompe-toi.*

détrôner v. **1.** Faire perdre son trône et son pouvoir à un roi: *Les révolutionnaires ont détrôné la reine de ce pays.* SYN. destituer. ANT. couronner, proclamer. **2.** fig. Remplacer, supplanter: *L'autobus et le métro ont détrôné le tramway dans les rues de Montréal.* **R.** Ne pas oublier l'accent: ô. ☞ trône.

détruire v. **1.** Défaire complètement une construction: *L'explosion a détruit cet édifice.* SYN. démolir, raser. ANT. bâtir, construire, édifier. **2.** Tuer un être vivant: *Cet insecticide détruit les perce-oreilles.* SYN. exterminer. **3.** Faire disparaître: *Pourquoi avez-vous détruit ces lettres?* **4.** fig. Supprimer, ruiner: *Cet échec a détruit tous nos espoirs.* SYN. anéantir, enlever. ☞ destructeur, destructible, destructif, destruction, indestructible. se **détruire** v.pron. **1.** Se tuer: *Le prisonnier a tenté de se détruire en avalant un poison.* SYN. se suicider. **2.** S'annuler: *Les effets de ces deux médicaments se détruisent l'un l'autre.* SYN. s'éliminer.

dette n.f. **1.** Argent que l'on doit à quelqu'un: *J'ai remboursé toutes mes dettes.* ANT. créance. **2.** fig. Devoir, obligation contractée envers quelqu'un: *Grand-mère a payé mes études; j'ai une dette de reconnaissance envers elle.* ⁄⁄ *Dette publique:* Ensemble des dettes de l'État. ☞ endettement, endetter.

deuil n.m. **1.** Grande tristesse que l'on éprouve à la mort de quelqu'un: *Le premier ministre est mort; tout le pays est en deuil.* ANT. bonheur, joie. **2.** Mort d'un parent: *Il y a eu plusieurs deuils dans sa famille.* SYN. perte. **3.** Signes extérieurs de la mort d'un proche, particulièrement les vêtements noirs: *Autrefois, les gens portaient le deuil.* ☞ endeuiller.

deux n.m.invar. **1.** Nombre qui suit un: *Un plus un égalent deux.* **2.** Carte à jouer portant le nombre deux: *Tu viens de jouer le deux de cœur.* **3.** Deuxième jour du mois: *Nous sommes le deux.* **4.** Chiffre représentant le nombre deux: *Tes deux sont mal faits.*

deux adj.num.invar. **1.** Un plus un: *La poupée a deux bras et deux jambes.* **2.** Distance très courte, temps très court: *Il habite à deux pas.* **3.** Deuxième: *Consulte le tome deux de l'encyclopédie.* ☞ deuxième, deuxièmement, deux-pièces, deux-points, deux-roues.

deuxième n. et adj.num. **1.** n. Ce qui occupe le deuxième rang: *Odile est la deuxième dans la course.* **2.** adj.num. Qui vient après le premier: *J'ai terminé le deuxième chapitre de ce livre.* ☞ deux.

deuxièmement adv. En deuxième lieu, dans une énumération: *Premièrement, vous tournez à droite; deuxièmement, vous prenez la route vers le nord.* ☞ deux.

deux-pièces n.m.invar. **1.** Vêtement féminin comprenant une jupe et une veste du même tissu: *Guylaine porte un joli deux-pièces de soie rose.* **2.** Maillot de bain formé d'un soutien-gorge et d'une petite culotte: *Plusieurs baigneuses portent un deux-pièces.* ☞ deux.

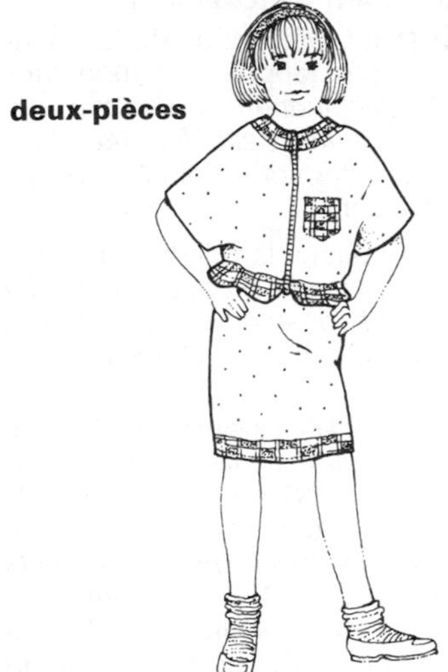
deux-pièces

deux-points n.m.invar. Signe de ponctuation formé de deux points superposés, placé devant une énumération, une explication, une citation: *On n'utilise le deux-points qu'une seule fois dans une même phrase.* ☞ deux.

deux-roues n.m.invar. Terme général qui désigne les véhicules à deux roues: *La bicyclette et la motocyclette sont des deux-roues.* ☞ deux.

dévaler v. Descendre très vite une pente, un escalier: *Simone dévale l'escalier.* SYN. dégringoler. ANT. monter.

dévaliser v. **1.** Voler à quelqu'un tous ses vêtements, tout son argent: *La passante s'est* *fait dévaliser dans un couloir du métro.* **2.** Voler tout ce qu'il y a dans un lieu: *Des cambrioleuses ont dévalisé les chalets pendant la saison morte.* SYN. cambrioler.

dévalorisation n.f. **1.** Diminution de la valeur d'un bien, de la monnaie: *La dévalorisation du pouvoir d'achat inquiète les travailleurs.* SYN. dépréciation, dévaluation. ANT. revalorisation, valorisation. **2.** fig. Perte de la valeur ou du prestige de quelqu'un ou de quelque chose: *Elle se complaît dans la dévalorisation de tous ceux qu'elle côtoie.* SYN. dénigrement. ANT. valorisation. ☞ valoir.

dévaloriser v. **1.** Diminuer la valeur d'un bien, de la monnaie: *L'inflation dévalorise la monnaie.* SYN. dévaluer. ANT. valoriser. **2.** fig. Faire perdre la valeur, le prestige de quelqu'un ou de quelque chose: *Luc cherche à dévaloriser Anny auprès de ses amis.* SYN. déprécier. ANT. apprécier, estimer. ☞ valoir. se **dévaloriser** v.pron. Perdre de la valeur: *La monnaie de ce pays se dévalorise de semaine en semaine.* SYN. se dévaluer. ANT. se revaloriser.

dévaluation n.f. Diminution de la valeur d'une monnaie par rapport aux monnaies étrangères: *La dévaluation du dollar canadien favorise le commerce avec les États-Unis.* SYN. dépréciation, dévalorisation. ANT. réévaluation. ☞ dévaluer.

dévaluer v. Diminuer la valeur de la monnaie par rapport aux monnaies étrangères: *La Banque du Canada a dévalué le dollar.* SYN. dévaloriser. ANT. réévaluer, revaloriser. ☞ dévaluation.

devancer v. **1.** Aller en avant de quelqu'un, le dépasser: *Stéphane devance les autres coureurs.* SYN. distancer. ANT. succéder, suivre. **2.** Être en avant de quelqu'un, le surpasser: *Rose a devancé ses camarades de plusieurs points à l'examen de français.* **3.** Venir avant quelqu'un ou quelque chose, le précéder: *Je voulais répondre à cette question, mais Jonathan m'a devancé.* ANT. suivre. **4.** Aller au-devant de quelque chose: *Nous n'étions pas d'accord, mais elle a devancé toutes nos objections.* SYN. prévenir, prévoir. **5.** Faire quelque chose en avance: *La locataire a devancé la date du paiement de son loyer.* SYN. anticiper. ANT. retarder. ☞ devancier.

devancier, ière n. Personne de la même profession qui en a précédé une autre: *Le biologiste marche sur les traces de son devancier, Louis Pasteur.* SYN. prédécesseur. ANT. successeur. ☞ devancer.

devant n.m. Partie qui est en avant: *Le devant de ta chemise est taché.* ⁄⁄ *Prendre les devants:* Faire quelque chose avant quelqu'un d'autre.

devant prép. et adv. **1.** prép. En avant de: *Maman a stationné sa voiture devant l'hôtel de ville.* **2.** prép. En présence de quelqu'un ou de quelque chose: *Elle a présenté son projet devant toute la classe.* **3.** adv. En avant: *L'instituteur marche devant et les élèves le suivent.* au-**devant de** loc.prép. À la rencontre de quelqu'un: *Les enfants sont allés au-devant de leurs parents pour les accueillir.* par-**devant** loc.adv. Par l'avant: *Passez par-devant; la porte d'en arrière est fermée à clé.*

devanture n.f. **1.** Façade d'un magasin, d'une boutique: *L'épicière a fait refaire la devanture de son magasin.* SYN. devant. ANT. arrière-boutique, derrière. **2.** Ce qui est exposé dans une vitrine ou à l'extérieur d'un magasin: *Les passants regardent les devantures des bijouteries.* SYN. étalage, montre, vitrine.

dévastateur, trice adj. Qui détruit tout: *Ce pays a connu plusieurs guerres dévastatrices.* SYN. destructeur. ☞ dévaster.

dévastation n.f. Destruction, ravage: *Nous sommes chanceux de ne pas avoir connu les dévastations de la guerre.* SYN. dégât. ☞ dévaster.

dévaster v. Détruire complètement les richesses d'un pays: *Les sauterelles ont dévasté toutes les récoltes de blé.* SYN. ravager, ruiner. ☞ dévastateur, dévastation.

déveine n.f.fam. Malchance: *J'ai perdu mon porte-monnaie, quelle déveine!* SYN. guigne. ANT. veine. ☞ veine.

développement n.m. Action de développer une pellicule: *La photographe termine le développement des pellicules dans la chambre noire.* ☞ développer.
▲ **développement** n.m. **1.** Croissance: *Ces jeux éducatifs favorisent le développement intellectuel des enfants.* SYN. épanouissement, progrès. ANT. régression. **2.** Progrès, amélioration: *Ces jeunes physiciennes ont contribué au développement des sciences.* SYN. essor, extension, rayonnement. ANT. déclin, régression. ⁄⁄ *Pays en voie de développement:* Pays dont l'économie n'a pas atteint le niveau des pays industrialisés. ☞ développer.
▲ **développement** n.m. Exposition détaillée: *Une composition comprend trois parties: l'introduction, le développement et la conclusion.* ☞ développer.

développer v. Faire apparaître les images sur une pellicule: *Le photographe développe les pellicules.* ☞ développement.
▲ **développer** v. Faire augmenter: *Ces jeux développent l'intelligence des tout-petits.* SYN. cultiver, éduquer, former. ☞ développe-

ment, sous-développé, sous-développement. se **développer** v.pron. **1.** S'épanouir: *Ces enfants se développent normalement.* SYN. croître, évoluer. ANT. s'atrophier. **2.** Prendre de l'importance: *Cette ville se développe de plus en plus.* SYN. s'agrandir, progresser. ANT. décliner. ▲ **développer** v. Expliquer de manière détaillée: *Si tu développais ta pensée, je comprendrais peut-être ton raisonnement.* SYN. détailler, exposer. ANT. abréger, résumer. ☞ développement. ▲ **développer** v. Étendre ce qui est plié: *Le client a développé la pièce de velours.* SYN. déployer, étaler. ANT. emballer, enrouler.

devenir v. **1.** Commencer à être ce qu'on n'était pas, passer d'un état à un autre: *Ton chien est devenu vieux.* **2.** Être dans tel état, telle situation: *Que deviennent vos résolutions?* ☞ redevenir.

dévergondage n.m. Conduite honteuse, immorale: *L'Église condamne le dévergondage.* SYN. débauche, licence, vice. ANT. austérité, mesure, sagesse. ☞ se dévergonder.

dévergondé, ée n. et adj. **1.** n. Personne qui a une conduite honteuse, immorale: *Ne me parle pas de ces dévergondés!* SYN. débauché. ANT. austère, sage. **2.** adj. Qui a une conduite honteuse, immorale: *Mes parents me mettent en garde contre les personnes dévergondées.* SYN. débauché, licencieux. ANT. austère, sage. ☞ se dévergonder.

se **dévergonder** v.pron. Avoir une conduite honteuse: *Ces jeunes gens se dévergondent au grand désespoir de leurs parents.* SYN. se débaucher. ANT. s'assagir. ☞ dévergondage, dévergondé.

déverrouillage n.m. **1.** Action de déverrouiller une porte: *À qui as-tu confié le déverrouillage des portes?* ANT. verrouillage. **2.** Action de déverrouiller un mécanisme qui était maintenu immobile: *Le déverrouillage du train d'atterrissage se fait automatiquement.* ANT. verrouillage. ☞ verrou.

déverrouiller v. **1.** Ouvrir en tirant le verrou: *La gardienne déverrouille la porte.* ANT. verrouiller. **2.** Libérer un mécanisme qui était maintenu immobile: *La pilote déverrouille le train d'atterrissage de l'avion.* ANT. verrouiller. ☞ verrou.

déversement n.m. Écoulement d'un liquide: *Le déversement de produits chimiques a pollué l'eau du lac.* ☞ déverser.

déverser v. **1.** Déposer en versant: *Le camion déverse du sel sur la chaussée glissante.* SYN. décharger, épandre, répandre. ANT. retenir. **2.** fig. Laisser sortir en grand nombre: *Le métro déverse des milliers de passagers.* ANT. retenir. **3.** fig. Répandre en abondance: *Martine a déversé sa colère sur son amie.* SYN. décharger. ANT. retenir. ☞ déversement. se **déverser** v.pron. S'écouler: *Les eaux du Richelieu se déversent dans le Saint-Laurent.* SYN. se jeter.

dévêtir v. Enlever les vêtements de quelqu'un: *L'infirmier a dévêtu le blessé.* SYN. déshabiller. ANT. vêtir. ☞ vêtir. se **dévêtir** v.pron. Enlever ses vêtements: *Elle s'est dévêtue dans la cabine d'essayage.* SYN. se déshabiller. ANT. se vêtir. **R.** Ne pas oublier l'accent: *ê*.

déviation n.f. **1.** Fait de s'écarter de sa direction: *La déviation de l'avion inquiète la contrôleuse.* SYN. dérivation. **2.** Déformation d'une partie du corps: *Angela souffre d'une déviation de la colonne vertébrale.* **3.** Route modifiée en raison de travaux, d'un danger: *Les automobilistes empruntent la déviation.* SYN. détour. **4.** fig. Écart dans la conduite, la doctrine: *Tu as toujours suivi tes principes sans déviation.* ☞ dévier.

dévider v. **1.** Mettre du fil en écheveau ou en pelote: *L'ouvrière dévide le fil de soie.* ANT. enrouler. **2.** Dérouler: *Le chat a dévidé la bobine de fil.* ANT. enrouler. ☞ dévidoir.

dévidoir n.m. **1.** Appareil sur lequel on enroule du fil: *Le fileur enroulait la laine sur le dévidoir.* **2.** Appareil sur lequel on enroule les tuyaux d'arrosage: *Après l'arrosage, nous enroulons le tuyau sur le dévidoir.* ☞ dévider.

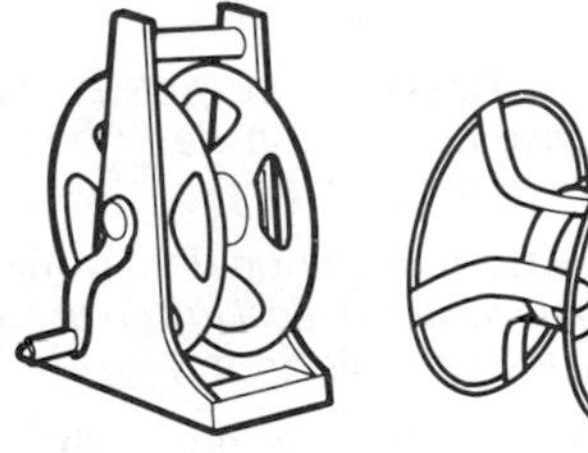

dévidoirs

dévier v. **1.** S'écarter de sa direction: *La balle a dévié après avoir heurté le mur.* SYN. bifurquer, obliquer. **2.** Modifier la direction normale de quelque chose: *La policière a dévié la circulation.* SYN. détourner. **3.** fig. S'écarter de son projet: *Rien ne me fera dévier de ma ligne de conduite.* SYN. changer, éloigner. ☞ déviation.

devin n.m.vx Personne qui prétend prédire l'avenir: *Autrefois, les gens consultaient les devins avant de faire un geste important.* ⁄⁄ *Ne pas être devin:* Ne pas être capable de prédire l'avenir. **R.** Au féminin, *devineresse.* ☞ deviner.

devinable adj. Qui peut être deviné: *Cette énigme est difficilement devinable.* SYN. prévisible. ANT. imprévisible. ☞ deviner.

deviner v. **1.** Découvrir par supposition: *Tu as deviné que c'était mon anniversaire?* **2.** Trouver la solution d'une devinette: *Les enfants s'amusent à deviner des charades.* SYN. découvrir, résoudre. ☞ devin, devinable, devinette, divination.

devinette n.f. Question amusante ou bizarre à laquelle il faut trouver la réponse: *Aimez-vous jouer aux devinettes?* SYN. charade, énigme. ☞ deviner.

devis n.m. Document indiquant la description des travaux à effectuer et l'estimation des prix: *Avant de faire construire une serre, mes parents ont demandé un devis à l'entrepreneur.*

dévisager v. Regarder le visage de quelqu'un avec insistance: *Je trouve déplaisant qu'on me dévisage.* SYN. fixer.

devise n.f. **1.** Paroles qui expriment une pensée, un mot d'ordre: *La devise du Québec est: «Je me souviens».* SYN. maxime. **2.** Brève formule qui exprime une règle de vie: *«Être honnête en toutes circonstances», voilà ma devise.* ▲ **devise** n.f. Monnaie d'un autre pays: *Le franc, la lire et la drachme sont des devises étrangères.*

dévissage n.m. Opération consistant à desserrer ce qui est vissé: *Le dévissage du bocal n'a pas été facile.* ☞ vis.

dévisser v. Desserrer ce qui est vissé: *Charles dévisse le bouchon de la bouteille.* ANT. revisser, visser. ☞ vis.

dévoilement n.m. Action de dévoiler: *Le dévoilement de la statue s'est fait en présence des journalistes.* ☞ voile (n.m.).

dévoiler v. Ôter le voile qui cache quelqu'un ou quelque chose: *La première ministre a inauguré le monument en le dévoilant.* SYN. découvrir. ANT. voiler. ☞ voile (n.m.). ▲ **dévoiler** v. Découvrir ce qui est caché ou secret: *Dominique nous a dévoilé ses intentions.* SYN. divulguer, manifester, révéler. ANT. cacher, taire. **se dévoiler** v.pron. Cesser d'être caché ou secret: *Le mystère s'est dévoilé.* SYN. apparaître, se révéler. ANT. se dissimuler.

devoir v. **1.** Être tenu de payer une somme d'argent à quelqu'un: *Je dois cinq dollars à Marie.* **2.** Avoir une obligation envers quelqu'un: *Je te dois des excuses.* **3.** Être redevable de quelque chose à quelqu'un: *Elle lui doit la vie.* **4.** Être obligé de faire quelque chose: *Je dois partir: il est tard.* **5.** Être probable: *Il doit faire chaud en Floride en ce moment.* **6.** Avoir l'intention de: *Il devait partir en voyage, mais il a changé d'idée.* // *Comme il se doit:* Comme il le faut. **se devoir** v.pron. **1.** Être tenu de se dévouer: *Cette médecin se doit à ses malades.* **2.** Avoir une obligation morale envers quelqu'un: *Tu te dois d'être poli avec tes camarades.*

devoir n.m. **1.** Ce que l'on doit faire pour obéir à la loi, à la morale: *Les citoyens ont des droits, mais ils ont aussi des devoirs.* SYN. obligation, responsabilité. ANT. droit. **2.** Travail écrit qu'un professeur fait faire à ses élèves: *Anne fait ses devoirs dans sa chambre.*

dévolu n.m. Choix fixé sur quelqu'un ou quelque chose: *Elle a jeté son dévolu sur ce tableau de Marc-Aurèle Fortin.*

dévolu, ue adj. Qui est réservé à quelqu'un: *Cette tâche lui était dévolue.*

dévorant, ante adj. **1.** Qui porte à manger en abondance: *Une faim dévorante lui tordait l'estomac.* SYN. insatiable. **2.** Qui détruit rapidement: *Un feu dévorant a ravagé la forêt.* **3.** fig. Qui est ardent: *Une jalousie dévorante le possédait.* SYN. brûlant. ☞ dévorer.

dévorer v. **1.** Manger en déchirant avec les dents: *Le lynx dévore le lièvre.* **2.** Manger avec gloutonnerie: *L'ogre dévora son repas en moins de cinq minutes.* SYN. engouffrer. **3.** fig. Lire très vite: *Marco dévore tous les livres qui lui tombent sous la main.* **4.** fig. Détruire rapidement: *Le feu a dévoré cette forêt de chênes.* SYN. consumer. **5.** fig. Tourmenter, faire souffrir: *La soif me dévore.* SYN. consumer. // *Dévorer des yeux, du regard:* Regarder avec convoitise. ☞ dévorant, dévoreur.

dévoreur, euse n. **1.** Personne qui lit très vite: *Clémence est une dévoreuse de bandes dessinées.* **2.** Machine, appareil, véhicule qui consomme beaucoup d'essence: *Cette automobile est une dévoreuse d'essence.* ☞ dévorer.

dévot, ote n. et adj. **1.** n. Personne qui est très attachée à la religion: *M. Caron est un dévot.* SYN. croyant, pratiquant. ANT. impie. **2.** adj. Qui est très attaché à la religion: *Les personnes dévotes pratiquent leur religion avec sincérité.* SYN. fervent, pieux. ANT. impie. ☞ dévotion.

dévotion n.f. **1.** Attachement à la religion: *Ces enfants sont pleins de dévotion.* SYN. ferveur. ANT. indifférence. **2.** Culte que l'on rend à un saint: *Ce peuple a une grande dévotion à saint Joseph.* ANT. impiété. **3.** fig. Très grand attachement envers quelqu'un: *Ce jeune père a une véritable dévotion pour son nouveau-*

né. ⁄ *Être à la dévotion de quelqu'un:* Être entièrement dévoué à quelqu'un. *Faire ses dévotions:* Accomplir ses devoirs religieux. ☞ dévot.

dévoué, ée adj. Qui est prêt à rendre service: *Ce sont toutes des collaboratrices dévouées.* SYN. fidèle, loyal, serviable. ANT. égoïste, indifférent. ☞ se dévouer.

dévouement n.m. **1.** Action de se sacrifier pour quelqu'un ou pour quelque chose: *Qui peut oublier le dévouement de Marguerite Bourgeoys et de Jeanne Mance?* SYN. abnégation. ANT. égoïsme. **2.** Disposition à rendre service aux autres: *Nous comptons sur votre dévouement.* SYN. bienveillance, bonté. ANT. égoïsme, indifférence. ☞ se dévouer.

se **dévouer** v.pron. Se sacrifier pour quelqu'un ou pour quelque chose: *Tu te dévoues beaucoup pour venir en aide aux sans-abri.* ⁄ *Être dévoué à quelqu'un:* Être prêt à servir quelqu'un. ☞ dévoué, dévouement.

dévoyé, ée n. et adj. **1.** n. Personne qui commet des actes condamnables: *Une bande de jeunes dévoyés scandalise les habitants du quartier.* SYN. délinquant. **2.** adj. Qui est sorti du droit chemin: *Cette jeune fille dévoyée fait partie d'une bande.* SYN. délinquant.

dextérité n.f. **1.** Habileté manuelle: *Les étudiants en médecine admirent la dextérité de cette chirurgienne.* SYN. adresse. ANT. gaucherie, maladresse. **2.** fig. Adresse de l'esprit: *Il a mené les négociations avec beaucoup de dextérité.* SYN. art, savoir-faire. ANT. maladresse.

diabète n.m. Maladie liée à la mauvaise assimilation des glucides par l'organisme et caractérisée par la présence de sucre dans le sang et dans les urines: *Le diabète se manifeste par une soif intense et une abondante élimination d'urine.* ☞ diabétique.

diabétique n. et adj. **1.** n. Personne qui est atteinte du diabète: *On traite les diabétiques à l'insuline.* **2.** adj. Qui se rapporte au diabète: *Le malade est tombé dans un coma diabétique.* **3.** adj. Qui est atteint du diabète: *Les personnes diabétiques doivent modifier leur régime alimentaire.* ☞ diabète.

diabète diabétique

diable n.m. **1.** Esprit représentant le mal: *Pour les chrétiens, le diable est l'incarnation du mal.* SYN. démon. **2.** fig. Enfant insupportable, turbulent: *Ce bambin est un vrai petit diable.* SYN. démon. ANT. ange. ⁄ *Bon diable:* Brave garçon. *Pauvre diable:* Homme malheureux. *Un grand diable:* Homme très grand. **R.** Au féminin, *diablesse.* ☞ diablerie, diablotin, diabolique, diaboliquement. ▲ **diable** n.m. Petit chariot à deux roues qui sert à transporter des fardeaux: *Pour transporter les caisses de livres, la libraire utilise un diable.*

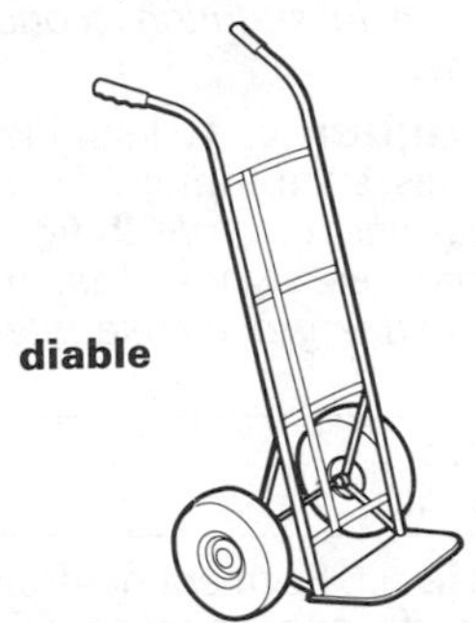

diablement adv.fam. Très: *Il a fait diablement froid ces derniers jours.* SYN. drôlement, extrêmement, terriblement.

diablerie n.f. **1.** Magie ou sorcellerie qui fait intervenir le diable: *La diablerie est un sujet en or pour cette productrice de films d'horreur.* SYN. maléfice, sortilège. **2.** Espièglerie: *Je ne peux plus supporter les diableries de cette gamine.* ☞ diable.

diablotin n.m. **1.** Petit diable: *Cette peinture ancienne représente des diablotins.* ANT. angelot. **2.** fig. Jeune enfant insupportable, espiègle: *Il vaut mieux surveiller de près ces diablotins.* SYN. luron. ANT. angelot. ☞ diable.

diabolique adj. **1.** Qui tient du diable: *On croyait que les sorciers avaient un pouvoir diabolique.* SYN. démoniaque. ANT. angélique. **2.** Qui fait penser au diable: *Un sourire diabolique éclaire le visage des méchants dans les bandes dessinées.* SYN. démoniaque, méchant. ANT. angélique. **3.** Qui est très méchant: *Les armes chimiques sont une invention diabolique.* SYN. infernal, pervers. ☞ diable.

diaboliquement adv. Avec une méchanceté diabolique: *Les comploteuses avaient diaboliquement préparé leur plan.* ☞ diable.

diacre n.m. **1.** Ministre des cultes catholique et orthodoxe qui n'a pas encore reçu la prêtrise: *Le diacre proclame l'Évangile, mais ne peut dire la messe.* **2.** Chez les protestants, laïc chargé de recueillir les aumônes, de visiter les malades, d'assister les pauvres: *Les diacres travaillent bénévolement pour le bien de la communauté.*

diadème n.m. Parure féminine, en forme de couronne, que l'on pose sur les cheveux: *La reine du Carnaval de Québec porte un diadème.*

diagnostic n.m. **1.** Identification d'une maladie par ses symptômes: *Le diagnostic a été clair: la patiente est atteinte du cancer.* **2.** fig. Prévision d'une situation par des signes: *Les économistes ont posé un diagnostic pessimiste sur la situation économique.* ☞ diagnostiquer.

diagnostiquer v. **1.** Identifier une maladie par ses symptômes: *Le médecin a diagnostiqué une rougeole.* **2.** fig. Prévoir une situation par des signes: *Les expertes ont diagnostiqué une grave crise internationale.* ☞ diagnostic.

diagnosti**c** diagnosti**qu**er

diagonale n.f. Segment de droite qui joint deux sommets non consécutifs d'un polygone: *Dans un carré ou dans un rectangle, on peut tracer deux diagonales.* ⁄⁄ *En diagonale:* En biais, obliquement. *Lire en diagonale:* Lire très rapidement en sautant des passages. ☞ diagonalement.

diagonalement adv. En diagonale: *Cette ligne traverse diagonalement le losange.* ☞ diagonale.

diagramme n.m. **1.** Représentation graphique des variations d'un phénomène: *L'infirmière consulte le diagramme de la fièvre du malade.* SYN. courbe, graphique. **2.** Dessin géométrique sommaire des parties d'un ensemble et de leur disposition les unes par rapport aux autres: *Le livre de botanique contient plusieurs diagrammes de fleurs.* SYN. schéma. **3.** En mathématiques, représentation graphique des opérations effectuées sur des ensembles: *Les diagrammes les plus utilisés sont ceux de l'arbre, de Wenn et de Carroll.*

dialecte n.m. Forme particulière, régionale d'une langue: *En France, on parle plusieurs dialectes.* SYN. parler.

dialogue n.m. **1.** Conversation entre deux personnes: *Chantal a eu un long dialogue avec son professeur de musique.* SYN. entretien. ANT. monologue. **2.** Ensemble des répliques qu'échangent les personnages d'un film, d'une pièce de théâtre, d'un récit: *Les dialogues de ce film ne sont pas très intelligents.* **R.** Ne pas oublier le *u* après le *g.* ☞ dialoguer, dialoguiste.

dialoguer v. **1.** Parler avec une autre personne: *J'aime dialoguer avec ma meilleure amie.* SYN. converser, s'entretenir. ANT. monologuer. **2.** Mettre sous forme de dialogue: *Le romancier a accepté de dialoguer son roman pour le porter à l'écran.* **R.** Ne pas oublier le *u* après le *g.* ☞ dialogue.

dialoguiste n. Personne qui compose les dialogues d'un film, d'une émission télévisée: *Le dialoguiste et la scénariste ne sont pas toujours d'accord.* **R.** Ne pas oublier le *u* après le *g.* ☞ dialogue.

dialyse n.f. En médecine, méthode consistant à débarrasser le sang des produits toxiques qu'il contient, à l'aide d'un rein artificiel: *Le malade a subi une dialyse.* ☞ dialyser, dialyseur.

dialyser v. Soumettre un malade à une dialyse: *Ses reins ne fonctionnent plus; on doit la dialyser deux fois par semaine.* ☞ dialyse.

dialyseur n.m. Appareil servant à effectuer la dialyse: *Le rein artificiel est un dialyseur.* ☞ dialyse.

diamant n.m. **1.** Pierre précieuse, généralement incolore et transparente, la plus dure et la plus brillante de toutes: *La reine porte un collier de diamants.* **2.** Instrument servant à couper le verre: *Le diamant est un outil au bout duquel est enchâssée une pointe de diamant.* **3.** fig. Ce qui brille comme un diamant: *Les diamants de la rosée étincellent au soleil.* ☞ diamantaire, diamanté.

diamantaire n. Personne qui taille ou qui vend des diamants: *Le diamantaire m'a montré de magnifiques pierres.* ☞ diamant.

diamanté, ée adj. **1.** Qui est garni de diamants: *Les bijoux diamantés brillent de tous leurs feux.* **2.** Qui est garni d'une pointe de diamant: *L'outil diamanté de la vitrière coupe facilement le verre.* ☞ diamant.

diamétralement adv. Dans le sens du diamètre: *Ces deux points sont diamétralement opposés.* ☞ diamètre.

diamètre n.m. **1.** Segment de droite qui passe au centre d'un cercle, d'une sphère: *Le diamètre sépare le cercle en deux parties égales.* **2.** Longueur du segment de droite qui passe au centre d'un objet cylindrique ou sphérique: *Quel est le diamètre de cet arbre?* ☞ diamétralement.

diam**é**tralement diam**è**tre

diapason n.m. **1.** Petit instrument d'acier en forme de fourche, qui produit la note «la» lorsqu'on le fait vibrer: *Le diapason est utilisé dans les cours de chant et de musique.* **2.** fig. Niveau des dispositions d'une personne, d'un groupe: *Robert n'est plus au diapason de son équipe.* ⁄⁄ *Se mettre au diapason de quelqu'un:* S'adapter à la manière de voir, de penser de quelqu'un.

diaphane adj. **1.** Qui laisse traverser la lumière sans laisser distinguer la forme des objets: *Cette assiette de porcelaine est diaphane.* SYN. translucide. ANT. opaque. **2.** fig. et litt. Qui est très pâle et délicat: *Les mains diaphanes de la pianiste courent sur le clavier.*

diaphragme n.m. **1.** Muscle large et mince qui sépare la poitrine de l'abdomen: *Le diaphragme joue un rôle très important dans la respiration.* **2.** Membrane vibrante de certains appareils acoustiques: *Le diaphragme du haut-parleur vibre.* **3.** Dans un appareil optique ou photographique, ouverture de diamètre réglable servant à faire entrer plus ou moins de lumière: *Le photographe règle l'ouverture du diaphragme.* **4.** Membrane transversale qui sépare les graines d'un fruit en forme de capsule: *Les graines de pavot sont séparées par des diaphragmes.*

diaporama n.m. Montage, sonorisé ou non, de diapositives: *Nous avons beaucoup aimé le diaporama sur les produits laitiers.* ☞ diapositive.

diapositive n.f. Image photographique positive qu'on projette sur un écran: *En sciences humaines, nous avons regardé des diapositives de notre région.* ☞ diaporama.

diarrhée n.f. Évacuation fréquente de selles liquides: *Bébé a la diarrhée.* ANT. constipation.

dictaphone n.m. (marque déposée) Magnétophone servant à la dictée du courrier: *La directrice de production dicte ses lettres au dictaphone.* ☞ dicter.

dictaphone

dictateur, trice n. Chef d'État qui détient tous les pouvoirs et qui gouverne de façon autoritaire: *Plusieurs pays sont gouvernés par des dictateurs.* SYN. autocrate, despote, tyran. ☞ dictature.

dictatorial, iale, iaux adj. Qui se rapporte à la dictature: *Plusieurs pays sont soumis à un régime dictatorial.* SYN. despotique, tyrannique. ANT. démocratique, libéral. ☞ dictature.

dictature n.f. Régime politique dans lequel un seul homme ou un seul parti détient tous les pouvoirs: *Il ne devrait plus y avoir de dictature dans le monde.* ANT. démocratie. ☞ dictateur, dictatorial.

dictée n.f. **1.** Action de dicter un texte, des mots: *Le secrétaire tape les lettres sous la dictée du notaire.* **2.** Exercice scolaire consistant en un texte lu par l'enseignant et que les élèves doivent écrire en respectant les règles de l'orthographe: *Johanne n'a pas eu de faute dans sa dictée.* HOM. dicter. ☞ dicter.

dicter v. Dire à haute voix et lentement des mots, un texte, pour que quelqu'un les écrive au fur et à mesure: *Je vais vous dicter une chanson de Gilles Vigneault.* ☞ dictaphone, dictée. ▲ **dicter** v. **1.** Imposer: *Le vainqueur dicte ses conditions au vaincu.* SYN. commander, prescrire. **2.** fig. Suggérer à quelqu'un ce qu'il doit dire ou faire: *On lui avait dicté ses réponses.* SYN. inspirer, souffler. HOM. dictée.

diction n.f. Manière de dire, de réciter des vers, un texte; façon d'articuler: *Natacha suit des cours de diction.* SYN. élocution.

dictionnaire n.m. Recueil de mots présentés dans un ordre convenu, qui donne des définitions et des renseignements sur la nature et le sens des mots: *Le dictionnaire est un livre indispensable.*

dicton n.m. Sentence populaire devenue proverbe: *« Un tiens vaut mieux que deux tu l'auras » est un dicton.* SYN. adage, maxime.

didacticiel n.m. Logiciel utilisé dans l'enseignement: *Bien des enseignants utilisent des didacticiels en français et en mathématiques.*

dièse n.m. En musique, signe (#) qui élève d'un demi-ton la note devant laquelle il est placé: *Il joue une sonate en « do » dièse.* ANT. bémol, naturel.

diesel n.m. (n. de l'inv.) **1.** Moteur qui fonctionne au gazole et non à l'essence: *Cette automobile est équipée d'un moteur diesel.* **2.** Véhicule équipé d'un moteur diesel: *Ces autobus sont tous des diesels.* **R.** Le premier *e* se prononce *é*.

diète n.f. **1.** Régime alimentaire prescrit par un médecin: *Le médecin lui a prescrit une diète végétale.* **2.** Privation totale ou partielle de nourriture: *Après les fêtes, beaucoup de personnes se mettent à la diète.* ☞ diététique, diététiste.

diététique n.f. et adj. **1.** n.f. Science de l'alimentation qui étudie la valeur nutritive des aliments: *La diététique nous renseigne sur ce qu'il faut manger pour être en bonne santé.* **2.** adj. Qui se rapporte à la diète: *La femme médecin lui a prescrit des aliments diététiques.* ☞ diète.

diététiste n. Au Canada, spécialiste de la diététique, de la nutrition et de l'alimentation: *La diététiste prépare des menus adaptés aux besoins de chaque personne.* **R.** En France, on utilise *diététicien, ienne.* ☞ diète.

diète diététique diététiste

dieu, dieux n.m. **1.** Être suprême, tout-puissant et éternel, créateur de toutes choses: *Selon la Bible, il n'y a qu'un seul Dieu.* **2.** Dans les religions antiques, être supérieur doué de pouvoirs et d'attributs particuliers: *Dans l'Antiquité, les Grecs adoraient six dieux et six déesses.* **3.** fig. Personne ou chose que l'on aime par-dessus tout: *L'argent est le dieu des avares.* // *À la grâce de Dieu:* Advienne que pourra. *Pour l'amour de Dieu:* Je vous en supplie. **R.** Au féminin, *déesse*. S'écrit avec une majuscule quand il désigne l'être suprême. ☞ divin, divinement, diviniser, divinité.

diffamateur, trice n. et adj. **1.** n. Personne qui attaque l'honneur, la réputation de quelqu'un: *Cette journaliste est une diffamatrice.* SYN. calomniateur. **2.** adj. Qui attaque l'honneur, la réputation de quelqu'un: *Cet homme diffamateur a eu des ennuis avec la justice.* ☞ diffamer.

diffamation n.f. **1.** Écrit ou parole qui attaque l'honneur, la réputation de quelqu'un: *Cet article de journal est une diffamation.* SYN. calomnie, insulte. ANT. éloge. **2.** Action de diffamer: *La diffamation d'un adversaire est un acte lâche et répréhensible.* SYN. calomnie. ANT. louange. ☞ diffamer.

diffamatoire adj. Qui a pour but d'attaquer l'honneur, la réputation de quelqu'un: *Elle a reconnu avoir écrit plusieurs articles diffamatoires.* SYN. calomniateur. ☞ diffamer.

diffamer v. Attaquer l'honneur, la réputation de quelqu'un: *Cette adversaire se plaît à diffamer ses adversaires.* SYN. calomnier, discréditer, salir. ANT. encenser, honorer, louer, vanter. ☞ diffamateur, diffamation, diffamatoire.

différé n.m. Émission de radio ou de télévision que l'on enregistre avant de la diffuser: *La télévision a retransmis le discours de la première ministre en différé.* HOM. différer. ☞ différer.

différé, ée adj. Qui est remis à plus tard: *Je ne crois pas que la marchande acceptera un paiement différé.* SYN. retardé. HOM. différer. ☞ différer.

différemment adv. D'une manière différente: *J'aimerais que tu agisses différemment.* SYN. autrement. ANT. identiquement, pareillement. **R.** Les lettres *emm* se prononcent *amm.* ☞ différer.

différence n.f. **1.** Ce qui distingue une chose ou une personne: *Vois-tu une différence entre ces jumelles?* ANT. ressemblance, similitude. **2.** Résultat de la soustraction de deux nombres: *La différence entre douze et quatre est huit.* ANT. somme. ☞ différer.

différencier v. Distinguer les êtres ou les choses par une différence: *Luc n'arrive pas à différencier le crocodile de l'alligator.* ANT. confondre. ☞ différer. se **différencier** v.pron. Se distinguer par une différence: *Ces deux espèces d'oiseaux se différencient par la forme de leur bec.* ANT. se rapprocher.

différend n.m. Désaccord résultant d'une différence d'opinions ou d'intérêts: *Tu es triste parce que tu as eu un différend avec ton amie.* SYN. démêlé, discussion, dispute. ANT. accord, réconciliation. HOM. différent.

différent, ente adj. **1.** Qui présente une différence par rapport à un autre être, à une autre chose: *Pierre et Lucie ont des opinions différentes sur la politique.* SYN. contraire, divergent. ANT. identique, semblable. **2.** plur. Plusieurs: *J'aurais aimé consulter différentes personnes avant de prendre une décision.* SYN. divers. ANT. un. HOM. différend. ☞ différer.

différemment différent

différer v. Être différent: *Les coutumes diffèrent d'un pays à l'autre.* SYN. se différencier, varier. ANT. se confondre, se ressembler. ☞ différemment, différence, différencier, différent. ▲ **différer** v. Remettre à plus tard: *Nous avons différé la date de notre départ.* SYN. reculer, retarder. ANT. avancer, hâter. HOM. différé. ☞ différé.

difficile adj. **1.** Qui demande des efforts: *Je ne croyais pas que ce travail était si difficile.* SYN. ardu, malaisé, pénible. ANT. agréable, aisé, facile. **2.** Qui est pénible: *Qui n'a pas connu des moments difficiles?* SYN. embarrassant. ANT. agréable, facile. **3.** Qui est exigeant: *Roland se montre difficile sur la nourriture.* SYN. capricieux. ANT. accommodant, simple. **4.** Qui n'est pas agréable à fréquenter: *Elle a un caractère difficile.* SYN. acariâtre, ombrageux. ANT. aimable, conciliant, facile. **5.** Qui présente un danger: *Nous avons emprunté une route difficile.* SYN. dangereux, périlleux. ANT. abordable, accessible. // *Être difficile à vivre:* Avoir mauvais caractère. *Faire le ou la difficile:* Être trop exigeant. ☞ difficilement, difficulté.

difficilement adv. D'une manière difficile : *Salvator s'exprime difficilement en français.* SYN. péniblement. ANT. aisément, facilement. ☞ difficile.

difficulté n.f. **1.** Ce qui rend quelque chose difficile : *Tu as de la difficulté à lire.* SYN. embarras. ANT. aisance, facilité. **2.** Chose difficile, obstacle : *Je suis prêt à surmonter toutes les difficultés.* SYN. ennui, entrave, tracas. **3.** Objection, opposition : *Elle n'a pas fait de difficultés pour m'accompagner.* SYN. contestation, obstacle, résistance. ⁄⁄ *Être en difficulté :* Se trouver dans une situation difficile. ☞ difficile.

difforme adj. Qui n'a pas une forme normale : *Ses jambes difformes sont un défaut de naissance.* SYN. anormal, contrefait. ANT. beau, régulier. ☞ difformité.

difformité n.f. Malformation du corps ou d'une partie du corps : *Mélissandre pratique l'escrime malgré la difformité de son bras.* SYN. déformation, infirmité. ANT. beauté, régularité. ☞ difforme.

diffus, use adj. **1.** Qui est répandu dans toutes les directions : *Une lumière diffuse éclaire le long corridor.* ANT. concentré. **2.** fig. Qui manque de netteté, de précision : *Le style de cet écrivain est plutôt diffus.* SYN. redondant, verbeux. ANT. bref, concis, précis.

diffuser v. **1.** Répandre dans toutes les directions : *Le lampadaire diffuse une lumière crue.* SYN. émettre. ANT. concentrer. **2.** Transmettre par la radio ou la télévision : *Le spectacle d'ouverture des Jeux olympiques a été diffusé en direct.* **3.** fig. Faire connaître au public : *Tous les journaux ont diffusé la nouvelle.* SYN. divulguer, propager, publier. ANT. cacher, taire. **4.** fig. Distribuer un livre, une publication : *Cette maison d'édition diffuse des livres d'art.* SYN. publier. ☞ diffuseur, diffusion, rediffuser.

diffuseur n.m. Personne, société qui distribue une publication, un livre : *L'Éditeur officiel est le diffuseur des publications gouvernementales.* SYN. distributeur. ☞ diffuser.

diffusion n.f. **1.** Action de transmettre par la radio ou par la télévision : *Je ne voudrais pas manquer la diffusion du concert de l'orchestre symphonique.* SYN. émission, transmission. **2.** Action de diffuser, de faire connaître au public : *La diffusion de cette nouvelle a été très rapide.* SYN. propagation. **3.** Propagation d'une substance, d'une onde, etc., dans toutes les directions : *Le verre dépoli contribue à la diffusion de la lumière.* ANT. concentration. **4.** Distribution d'une publication, d'un livre : *Les librairies assurent la diffusion d'ouvrages de référence.* ☞ diffuser.

digérer v. **1.** Assimiler les aliments qui sont transformés dans l'appareil digestif : *Armande ne digère pas les aliments trop gras.* ANT. rejeter. **2.** fig. Assimiler par l'intelligence : *Il faut prendre le temps de digérer ses connaissances.* **3.** fam. Supporter patiemment quelque chose de désagréable : *Je n'ai pas encore digéré tes injures.* ☞ digestible, digestif, digestion, indigeste, indigestion.

digestible adj. Qui peut être facilement digéré : *Le yogourt est un aliment très digestible.* ANT. indigeste. ☞ digérer.

digestif n.m. Liqueur, alcool pris après le repas, qui est censé aider à la digestion : *Après le souper, on nous a offert le digestif.* ☞ digérer.

digestif, ive adj. **1.** Qui sert à la digestion : *Les aliments se transforment dans l'appareil digestif.* **2.** Qui se rapporte à la digestion : *Souffrez-vous de troubles digestifs ?* ☞ digérer.

digestion n.f. Transformation des aliments dans l'appareil digestif : *La bile joue un grand rôle dans la digestion.* ANT. indigestion. ☞ digérer.

digital, ale, aux adj. Qui a rapport aux doigts : *Les empreintes digitales ont permis d'identifier la criminelle.* **R.** N'a pas le sens de *affichage numérique*.

digne adj. **1.** Qui mérite quelque chose : *Cette œuvre musicale est digne d'éloges.* ANT. indigne. **2.** Qui est en accord avec quelqu'un ou quelque chose : *Voilà un tableau qui est digne d'un grand peintre.* ANT. indigne. **3.** Qui est grave, réservé dans ses manières : *La gouverneure générale a toujours l'air digne.* SYN. imposant, noble, respectable. ANT. indigne. ☞ dignement, dignitaire, dignité, indigne, indignement, indignité.

dignement adv. Avec dignité : *Il a traversé dignement la foule qui l'insultait.* SYN. honorablement, noblement. ANT. indignement. ☞ digne.

dignitaire n.m. Personne qui occupe une fonction importante, un haut rang : *Les cardinaux sont des dignitaires de l'Église.* ☞ digne.

dignité n.f. **1.** Respect dû à quelqu'un : *La torture est une atteinte à la dignité humaine.* SYN. grandeur. ANT. bassesse. **2.** Respect de soi-même : *En se donnant en spectacle, ces gens manquent de dignité.* SYN. fierté, noblesse, réserve. ANT. avilissement, bassesse, familiarité. **3.** Attitude grave et réservée : *Ses manières empreintes de dignité imposent le* *respect.* SYN. majesté, solennité. ANT. bassesse, indignité, vulgarité. **4.** Fonction importante, haut rang: *Mgr Grégoire a été élevé à la dignité de cardinal.* ☞ digne.

digression n.f. Développement qui s'écarte du sujet: *Je ne te suis plus, tu fais trop de digressions.*

digue n.f. **1.** Ouvrage destiné à contenir les eaux: *On a construit une digue le long du port.* ANT. ouverture, passage. **2.** fig. Ce qui retient une force, un mouvement: *Sa colère a rompu la digue du savoir-vivre.* ☞ endiguer.

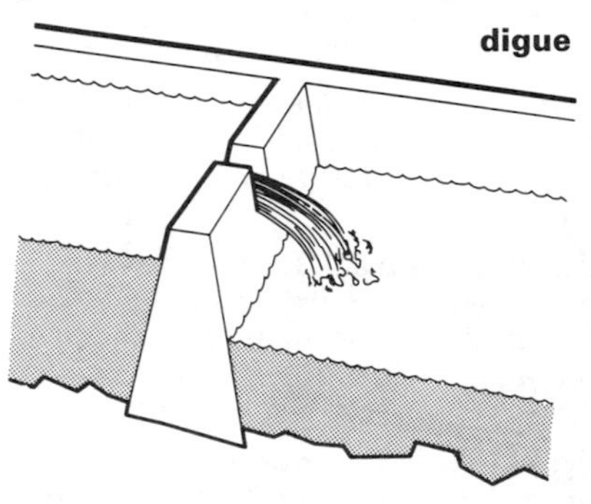

dilapidateur, trice n. et adj. **1.** n. Personne qui gaspille, qui dépense follement: *On a accusé la mairesse d'être la dilapidatrice des finances publiques.* SYN. dissipateur. ANT. amasseur. **2.** adj. Qui gaspille, qui dépense follement: *Les gens dilapidateurs ne devraient jamais être nommés trésoriers.* SYN. dépensier, prodigue. ANT. avare, économe. ☞ dilapider.

dilapidation n.f. Action de dilapider, de gaspiller: *La dilapidation de son héritage a été très rapide.* SYN. dissipation. ANT. accumulation, conservation, économie. ☞ dilapider.

dilapider v. **1.** Gaspiller, dépenser follement: *Il ne lui a fallu que quelques mois pour dilapider son héritage.* SYN. dissiper. ANT. accumuler, amasser, économiser. **2.** fig. Gaspiller, gâcher: *Il dilapide son temps et son énergie à faire des choses inutiles.* SYN. dépenser. ANT. économiser, épargner. ☞ dilapidateur, dilapidation.

dilatable adj. Qui peut être dilaté, augmenté de volume: *Les gaz sont des corps dilatables.* ☞ dilater.

dilatation n.f. **1.** Augmentation du volume d'un corps: *La chaleur provoque la dilatation des gaz et des métaux.* SYN. distension. ANT. contraction. **2.** Agrandissement de l'ouverture d'un organe: *Seule la dilatation de ses pupilles trahissait son état.* ANT. contraction, rétrécissement. ☞ dilater.

dilater v. **1.** Augmenter le volume de quelque chose: *La chaleur dilate le métal.* ANT. contracter. **2.** Agrandir l'ouverture d'un organe: *La peur dilatait ses pupilles.* ANT. contracter, rétrécir. **3.** fig. Épanouir, remplir d'un sentiment agréable: *La joie dilate le cœur.* SYN. réjouir. ANT. contracter. ⫽ *Dilater la rate:* Faire rire. ☞ dilatable, dilatation. **se dilater** v.pron. **1.** Augmenter de volume: *Savais-tu que les rails se dilatent sous l'action de la chaleur?* ANT. se contracter. **2.** S'agrandir: *Tes narines se dilatent quand tu respires le parfum des jacinthes.* ANT. se rétrécir. **3.** fig. S'épanouir: *Le cœur des petits enfants se dilatait de joie devant tant de merveilles.* SYN. se réjouir.

dilemme n.m. Obligation de choisir entre deux partis contraires comportant chacun des désavantages: *Avouer son méfait et être puni ou ne rien dire et laisser condamner une innocente! Quel affreux dilemme!*

diligence n.f. Voiture à chevaux servant au transport des voyageurs: *Autrefois, les gens voyageaient en diligence.* ▲ **diligence** n.f.litt. Empressement dans l'exécution d'une tâche: *Il travaille avec diligence.* SYN. célérité. ANT. apathie, lenteur. ⫽ *Faire diligence:* Faire vite. ☞ diligent.

diligent, ente adj.litt. Qui montre de l'empressement dans l'exécution d'une tâche: *Une fonctionnaire diligente m'a donné tous les renseignements que je désirais.* SYN. actif, empressé, expéditif. ANT. lent, négligent, paresseux. ☞ diligence.

diluant n.m. Liquide qui sert à diluer la peinture, le vernis: *L'essence de térébenthine est un diluant.* ☞ diluer.

diluer v. **1.** Ajouter un liquide à une substance: *Le sirop est trop épais: il faut y ajouter de l'eau pour le diluer.* ANT. condenser. **2.** fig. Affaiblir: *Tu as trop dilué tes idées dans ce texte.* SYN. atténuer. ANT. accentuer, condenser, renforcer. ☞ diluant, dilution.

dilution n.f. **1.** Action de diluer un liquide: *La dilution du vernis le rend moins épais.* **2.** Produit dilué: *La malade avale une dilution de sirop.* ☞ diluer.

diluvien, ienne adj. **1.** Qui se rapporte au déluge: *Noé a vécu à l'époque diluvienne.* **2.** Qui est très abondant, comme le déluge: *Des pluies diluviennes se sont abattues sur la région.* SYN. torrentiel.

dimanche n.m. Jour de la semaine qui précède lundi et qui suit samedi: *Le dimanche est consacré au repos.* ⫽ *Habits du dimanche:* Vêtements soignés. *Joueur, chauffeur, peintre* *du dimanche:* Joueur, chauffeur, peintre amateur ou inexpérimenté. ☞ s'endimancher.

dîme n.f. Impôt prélevé par l'Église: *Chaque année, les catholiques paient la dîme à leur paroisse.* **R.** Ne pas oublier l'accent: *î*.

dimension n.f. **1.** Chacune des grandeurs permettant d'évaluer des figures et des solides (largeur, longueur, hauteur ou profondeur): *Quelles sont les dimensions de la classe?* **2.** Grandeur mesurable d'un corps: *Tu as reçu un paquet de petite dimension par la poste.* SYN. format, taille. **3.** fig. Importance: *Je ne peux pas excuser une erreur de cette dimension.* SYN. gravité. **4.** fig. Aspect significatif de quelque chose: *La crise du pétrole a pris des dimensions internationales.* SYN. proportion.

diminué, ée adj. **1.** Qui est devenu moins grand: *Le personnel diminué de l'hôpital doit répondre aux besoins des malades.* SYN. réduit. **2.** Qui est affaibli, amoindri: *Depuis sa maladie, elle est très diminuée.* HOM. diminuer. ☞ diminuer.

diminuendo n.m. et adv. (it.) **1.** n.m. Suite de notes qu'on doit jouer en diminuant graduellement l'intensité du son: *Le pianiste fait un diminuendo.* SYN. decrescendo. ANT. crescendo. **2.** adv. En diminuant graduellement l'intensité du son: *L'orchestre joue diminuendo.*

diminuer v. **1.** Réduire, rendre plus petit: *La fillette diminue la largeur de sa feuille.* SYN. rapetisser. ANT. agrandir, augmenter. **2.** Rendre moins grand, moins important: *Nous avons installé un détecteur de fumée pour diminuer les risques d'incendie.* SYN. amoindrir. ANT. accroître, augmenter. **3.** Rabaisser, déprécier quelqu'un: *On dirait que tu prends plaisir à diminuer tes compagnes.* SYN. dévaloriser, humilier. ANT. valoriser. **4.** Devenir moins grand, moins intense: *En automne, les jours diminuent.* SYN. décroître, raccourcir. ANT. allonger, augmenter, croître. HOM. diminué. ☞ diminué, diminutif, diminution.

diminutif n.m. **1.** Mot nouveau formé par l'ajout d'un suffixe diminutif: *«Maisonnette» est le diminutif de «maison».* **2.** Nom propre formé par l'ajout d'un suffixe diminutif: *«Charlot» est le diminutif de «Charles».* ☞ diminuer.

diminutif, ive adj. Qui donne une idée de petitesse: *Les éléments «et» et «ette» sont des suffixes diminutifs.* ☞ diminuer.

diminution n.f. **1.** Réduction, baisse: *La diminution du prix des légumes avantage les consommateurs.* SYN. rabais. ANT. augmentation. **2.** Réduction des mailles d'un tricot: *Je tricote un chandail et je fais des diminutions aux emmanchures.* ANT. augmentation. ☞ diminuer.

dinde n.f. **1.** Femelle du dindon: *À Noël, nous avons mangé de la dinde farcie.* **2.** fig. Femme ou fille stupide: *Quelle dinde! Elle n'a rien dans la tête.* ☞ dindon, dindonneau.

dindon n.m. **1.** Grand oiseau de basse-cour, originaire d'Amérique, dont la femelle est la dinde et le petit, le dindonneau: *Le dindon glougloute et se pavane.* **2.** Oiseau des forêts d'Amérique du Nord: *Les dindons sauvages ont un plumage très coloré.* ☞ dinde.

dindonneau, eaux n.m. Petit de la dinde et du dindon: *Les dindonneaux sont élevés dans la basse-cour.* ☞ dinde.

dîner v. **1.** Au Canada et dans certaines autres régions de la francophonie, prendre le repas du midi: *À 11 h 30, les étudiants vont dîner à la cafétéria.* **2.** Prendre le repas du soir: *Venez dîner à 20 heures.* **R.** Ne pas oublier l'accent: *î*. ☞ dînette, dîneur.

dîner n.m. **1.** Au Canada et dans certaines autres régions de la francophonie, repas du midi: *Les bureaux sont fermés pendant l'heure du dîner.* **2.** Repas du soir: *Le dîner aux chandelles a été très réussi.* **R.** Ne pas oublier l'accent: *î*.

dînette n.f. **1.** Petit repas que les enfants font pour s'amuser: *À la maternelle, les enfants jouent à la dînette.* **2.** Service de table miniature servant de jouet aux enfants: *La dînette de poupée est disposée sur la petite table.* **R.** N'a pas le sens de *petite cuisine*. Ne pas oublier l'accent: *î*. ☞ dîner.

dîneur, euse n. Personne qui prend part à un dîner: *Les dîneurs prennent leur repas sur la terrasse.* **R.** Ne pas oublier l'accent: *î*. ☞ dîner.

dingo n.m. Chien sauvage d'Australie au pelage brun-roux: *Les dingos chassent en meutes et se nourrissent de marsupiaux.*

dingue n. et adj.fam. **1.** n. Fou: *À en juger par son comportement, c'est un dingue.* SYN. cinglé. **2.** adj. Qui est bizarre, fou: *J'ai assisté à un spectacle dingue.*

dinosaure n.m. Animal préhistorique géant: *Les raisons de la disparition des dinosaures restent encore mystérieuses.*

diocésain, aine n. et adj. **1.** n. Fidèle qui fait partie d'un diocèse: *L'évêque s'adresse à ses diocésains.* **2.** adj. Qui se rapporte au diocèse: *Les œuvres diocésaines sont sous la responsabilité de l'évêque.* ☞ diocèse.

diocèse n.m. Territoire de l'Église catholique, placé sous la juridiction d'un évêque:

L'évêque d'Amos rencontre les prêtres de son diocèse. ☞ archidiocèse, diocésain.

diocésain
diocèse

dioxyde n.m. Oxyde qui contient deux fois plus d'oxygène que l'oxyde simple: *Le dioxyde de carbone est aussi appelé gaz carbonique.* ☞ oxyde.

diphtérie n.f. Maladie contagieuse caractérisée par la formation de fausses membranes sur le larynx et le pharynx, provoquant des étouffements: *Tous les enfants sont vaccinés contre la diphtérie.* ☞ diphtérique.

diphtérique n. et adj. **1.** n. Personne atteinte de diphtérie: *Les diphtériques souffrent d'asphyxie.* **2.** adj. Qui se rapporte à la diphtérie: *Le bacille diphtérique se développe dans la gorge.* ☞ diphtérie.

diplomate n. et adj. **1.** n. Personne chargée de représenter son pays à l'étranger: *Ces diplomates canadiennes représentent le Canada dans les négociations internationales.* SYN. ambassadeur, émissaire, négociateur. **2.** n. fig. Personne qui fait preuve de tact dans ses relations avec les autres: *C'est un vrai diplomate: il peut réconcilier les pires ennemis.* **3.** adj. Qui fait preuve de tact, d'habileté dans ses relations avec les autres: *Si tu es diplomate, tu réussiras sans doute à convaincre tes amies.* SYN. avisé, circonspect, habile, subtil. ANT. maladroit. ☞ diplomatie.

diplomatie n.f. **1.** Ce qui concerne les relations entre les États: *Si un différend survient entre deux pays, c'est la diplomatie qui se charge de le régler.* **2.** Carrière de diplomate, ensemble des diplomates: *Louis se destine à la diplomatie.* **3.** fig. Tact, habileté dans les relations avec les autres: *Tu as manqué de diplomatie en faisant cette remarque désagréable.* SYN. finesse, subtilité. ANT. maladresse. **R.** Le *t* se prononce *ss.* ☞ diplomate, diplomatique, diplomatiquement.

diplomatique adj. **1.** Qui se rapporte à la diplomatie: *Le Canada entretient des relations diplomatiques avec la plupart des États étrangers.* **2.** fig. Qui est plein d'habileté, de tact: *Tu aurais intérêt à employer un langage plus diplomatique.* SYN. fin, habile, subtil. ANT. maladroit. ☞ diplomatie.

diplomatiquement adv. **1.** Par la diplomatie: *Cet incident a été réglé diplomatiquement.* **2.** Avec habileté, avec diplomatie: *Elle a répondu diplomatiquement à toutes mes questions.* SYN. adroitement, habilement, subtilement. ANT. maladroitement. ☞ diplomatie.

diplôme n.m. Document par lequel une autorité compétente atteste qu'une personne a achevé avec succès un programme d'études: *Ginette a obtenu son diplôme d'études collégiales.* **R.** Ne pas oublier l'accent: *ô.* ☞ diplômé.

diplômé, ée n. et adj. **1.** n. Personne qui a obtenu un diplôme: *Camille est un diplômé de l'Université de Montréal.* **2.** adj. Qui a obtenu un diplôme: *Bernadette est diplômée en théologie depuis un an.* **R.** Ne pas oublier l'accent: *ô.* ☞ diplôme.

dire v. **1.** Exprimer par la parole ou par l'écrit: *Avez-vous quelque chose à dire?* SYN. communiquer, déclarer. ANT. cacher. **2.** Ordonner: *Je lui ai dit de partir.* SYN. commander, enjoindre, prescrire. ANT. interdire. **3.** Affirmer: *Cela ne se passera pas comme cela: c'est moi qui vous le dis.* SYN. assurer, certifier. **4.** Révéler: *Chloé m'a dit un secret.* SYN. confier, dévoiler. ANT. omettre, taire. **5.** Signifier: *Que veut dire ce mot anglais?* **6.** Lire, réciter: *Antoine dit un poème devant la classe.* SYN. débiter, déclamer. **7.** Raconter: *Je vais vous dire ce qui est arrivé.* SYN. narrer, rapporter. ANT. taire. **8.** Juger, penser: *Que diriez-vous d'un bon gâteau au chocolat?* **9.** fig. Faire connaître par des marques extérieures: *Son silence en dit long.* SYN. exprimer. ANT. dissimuler. ⁄⁄ *Autrement dit:* En d'autres mots. *Avoir son mot à dire:* Avoir le droit d'intervenir. *À vrai dire:* Pour parler franchement. *Cela va sans dire:* C'est évident. *C'est beaucoup dire:* C'est exagéré. *Sans mot dire:* Sans parler, en silence. ☞ diseur, dit. se **dire** v.pron. Dire à soi-même: *Je me suis dit qu'il fallait que je parte.* c'est-à-**dire** loc.conj. **1.** Introduit une précision: *Ma petite sœur a un an, c'est-à-dire douze mois.* **2.** Introduit une explication: *Le dragon est un animal mythique, c'est-à-dire légendaire.* c'est-à-**dire que** loc.conj. **1.** En conséquence: *Il a neigé toute la nuit, c'est-à-dire qu'il faudra sortir les pelles.* **2.** Introduit une explication, une rectification: *On m'a dit que tu étais musicienne. — C'est-à-dire que j'étudie pour le devenir.*

dire n.m. Ce qu'une personne dit: *Au dire du témoin, le conducteur était en état d'ivresse.*

direct n.m. **1.** En boxe, coup droit porté à l'adversaire: *Le boxeur a reçu un direct à la mâchoire.* **2.** S'utilise dans l'expression «en direct» pour désigner une émission de radio ou de télévision que l'on diffuse immédiatement, sans l'avoir enregistrée au préalable: *Le spectacle a été transmis en direct.*

direct, ecte adj. **1.** Qui est en ligne droite, qui ne fait pas de détour: *L'autoroute 20 est une voie directe entre Québec et Montréal.* ANT. détourné. **2.** Qui mène d'un lieu à un autre sans correspondance: *Un vol direct m'a* *menée de Montréal à Athènes.* **3.** Qui est sans intermédiaire : *L'ambassade est en contact direct avec le bureau du premier ministre.* **4.** fig. Qui est franc, sans détour : *J'aime ton langage direct.* ∥ *Complément direct :* Complément rattaché au verbe sans l'intermédiaire d'une préposition. ☞ directement, indirect, indirectement.

directement adv. **1.** En droite ligne, sans détour : *Papa est rentré directement à la maison.* **2.** Sans intermédiaire : *Adressez-vous directement au propriétaire.* ANT. indirectement. ☞ direct.

directeur, trice n. et adj. **1.** n. Personne qui dirige : *Le directeur vous recevra dans quelques minutes.* SYN. chef, dirigeant, patron, responsable. **2.** adj. Qui dirige : *Quelle est l'idée directrice de ton récit ?* ☞ diriger.

direction n.f. **1.** Action de diriger, d'être le chef : *J'aime bien travailler sous la direction d'un patron compréhensif.* SYN. autorité, commandement, conduite. **2.** Fonction de directeur : *Elle a été nommée à la direction de l'entreprise.* SYN. tête. **3.** Ensemble des personnes qui dirigent : *Les bureaux de la direction sont situés au deuxième étage.* SYN. administration. ☞ diriger.

directive n.f. Indication qu'une autorité donne aux personnes qu'elle dirige : *Avant de partir en voyage, la directrice du personnel nous a donné ses directives.* SYN. instruction, ordre. **R.** S'emploie surtout au pluriel. ☞ diriger.

dirigeable n.m. et adj. **1.** n.m. Ballon de forme allongée, muni d'hélices et d'un système de direction : *Le dirigeable est rempli d'un gaz plus léger que l'air.* **2.** adj. Qui peut être dirigé : *Le ballon dirigeable est propulsé par un ou plusieurs moteurs.* ANT. libre. **R.** Ne pas oublier le *e* après le *g*. ☞ diriger.

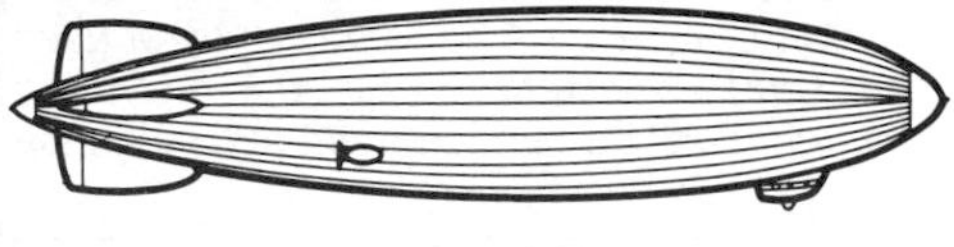

dirigeable

dirigeant, ante n. et adj. **1.** n. Personne qui dirige : *Une dirigeante du parti s'est adressée aux militants.* SYN. chef, directeur, meneur, responsable. **2.** adj. Qui dirige : *Les classes dirigeantes ont beaucoup d'influence.* **R.** Ne pas oublier le *e* après le *g*. ☞ diriger.

diriger v. Mener, être le chef : *Madame Louise Roy dirige la Société de transport de la communauté urbaine de Montréal.* SYN. administrer, régir. ANT. obéir, suivre. ☞ directeur, direction, directive, dirigeant. ▲ **diriger** v. **1.** Faire aller dans une direction : *La capitaine dirige son voilier vers le port.* SYN. acheminer, guider, orienter. **2.** Envoyer : *L'entreprise a dirigé les colis vers Malartic.* **3.** Orienter : *L'écolière dirige son regard vers la porte.* SYN. porter, tourner. ANT. détourner. ☞ dirigeable. **se diriger** v.pron. Aller dans une direction : *Elle se dirige vers l'entrée du cinéma.* SYN. s'avancer.

discernable adj. Qui peut être discerné : *La planète Vénus est parfois discernable à l'œil nu.* ANT. indiscernable. ☞ discerner.

discernement n.m. Faculté de juger clairement les choses : *Tu n'as pas réfléchi : tu as agi sans discernement.* SYN. jugement, réflexion. ANT. confusion. ☞ discerner.

discerner v. **1.** Reconnaître, distinguer : *Je discerne un animal derrière la haie.* SYN. identifier, percevoir. ANT. confondre. **2.** fig. Faire la différence entre deux ou plusieurs choses : *Cette enfant discerne très bien les couleurs.* SYN. différencier, saisir. ANT. confondre, mêler. **3.** fig. Découvrir : *Es-tu capable de discerner les erreurs dans le texte ?* SYN. repérer, trouver. ☞ discernable, discernement, indiscernable.

disciple n.m. Personne qui reçoit l'enseignement d'un maître : *Les disciples de Jésus ont été les premiers chrétiens.* SYN. adepte, partisan. ANT. antagoniste, opposant.

disciplinaire adj. Qui se rapporte à la discipline d'un établissement, d'une assemblée : *Des mesures disciplinaires seront prises contre les contrevenants.* ☞ discipline.

disciplinairement adv. Selon les règles de la discipline : *Le fonctionnaire a été suspendu disciplinairement.* ☞ discipline.

discipline n.f. Matière d'enseignement : *Dans quelle discipline réussis-tu le mieux ?* ▲ **discipline** n.f. **1.** Ensemble des règles de conduite qui sont destinées à faire régner l'ordre : *La discipline règne dans cette classe.* SYN. règlement. ANT. désordre, indiscipline. **2.** Règle de conduite que l'on s'impose : *Il faut beaucoup de discipline pour devenir danseur de ballet.* ☞ autodiscipline, disciplinaire, disciplinairement, discipliné, discipliner, indiscipline, indiscipliné.

discipliné, ée adj. Qui obéit aux règles de discipline : *Cet écolier est discipliné : il respecte les règlements de l'école.* SYN. obéissant. ANT. indiscipliné. HOM. discipliner. ☞ discipline.

discipliner v. **1.** Donner le sens de l'ordre, de l'obéissance à quelqu'un : *Cette enseignante a réussi à discipliner sa classe.* **2.**

Exercer un contrôle sur quelque chose: *Crois-tu qu'il pourra discipliner son imagination?* HOM. discipliné. ☞ discipline.

disconnecter ☞ sect. anglicismes et canadianismes.

discontinu, ue adj. **1.** Qui n'est pas continu: *Cette ligne est discontinue: elle est formée de parties séparées.* **2.** Qui n'est pas continuel: *Un bruit discontinu est un bruit qui cesse et qui reprend.* SYN. intermittent. ANT. continu. ☞ continuer.

discontinuer v. **1.** Cesser pour un temps: *Qu'allons-nous faire? La tempête n'a pas discontinué depuis hier.* ANT. continuer. **2.** litt. Ne pas continuer ce qui est commencé: *Je vous prierais de discontinuer vos visites.* SYN. arrêter, suspendre. ⁄⁄ *Sans discontinuer:* Sans s'arrêter. ☞ continuer.

disconvenir v.litt. Ne pas convenir: *Ce mot n'est pas juste, je n'en disconviens pas.* SYN. nier. ANT. avouer, reconnaître. **R.** S'emploie à la forme négative. ☞ convenir.

discordance n.f. Défaut d'accord, d'harmonie entre des choses: *Ma vue est choquée par la discordance des couleurs de ce tableau.* ANT. concordance. ☞ concorder.

discordant, ante adj. Qui manque d'accord, d'harmonie: *Ce n'est pas une chorale, mais un ensemble de voix discordantes.* ANT. concordant. ☞ concorder.

discorde n.f.litt. Vive opposition, profond désaccord entre deux ou plusieurs personnes: *Pourquoi viens-tu semer la discorde dans notre équipe?* SYN. dissension. ANT. accord, concorde, harmonie. ☞ concorde.

discothèque n.f. **1.** Établissement où l'on peut écouter des disques et danser: *Les jeunes adultes aiment bien fréquenter les discothèques.* **2.** Collection de disques: *Mes parents ont une discothèque bien garnie.* ☞ disque.

discoureur, euse n. Personne qui aime à parler longuement sur un sujet: *La discoureuse n'en finissait plus de parler de cinéma.* ☞ discours.

discourir v. Parler longuement sur un sujet: *Quand elle se met à discourir sur la politique, Mireille est intarissable.* ☞ discours.

discours n.m. **1.** Paroles prononcées en public sur un sujet donné: *La ministre a prononcé un discours devant les étudiants.* SYN. allocution, conférence. **2.** Paroles: *Assez de discours, passons à l'action!* ☞ discoureur, discourir.

discourtois, oise adj. Qui manque de courtoisie, de politesse: *Même si tu es énervé, ce n'est pas une raison pour être discourtois.* SYN. grossier, impoli. ANT. courtois, poli. ☞ courtois.

discrédit n.m. Perte ou diminution de la confiance, de l'estime dont jouissait une personne: *En étant malhonnête, ce ministre a jeté le discrédit sur tous les politiciens.* SYN. défaveur. ANT. considération, crédit, faveur. ☞ crédit.

discréditer v. Faire perdre à quelqu'un la confiance, l'estime dont il jouissait: *En racontant des mensonges sur mon compte, tu m'as discréditée auprès de mes amies.* SYN. dénigrer, déprécier. ANT. vanter. ☞ crédit. **se discréditer** v.pron. Perdre la confiance, l'estime des autres: *Ton attitude insolente te discrédite.*

discret, ète adj. **1.** Qui est très réservé dans ses paroles et dans ses actes: *Patricia est trop discrète pour se mêler des affaires d'autrui.* SYN. circonspect, délicat. ANT. indélicat. **2.** Qui est capable de garder un secret: *Je me confie à toi parce que tu es discret.* ANT. indiscret. **3.** Qui n'attire pas l'attention: *Fais-moi un signe discret quand tu voudras partir.* ANT. voyant. ☞ discrètement, discrétion, indiscret, indiscrètement, indiscrétion.

discrètement adv. D'une manière discrète, qui n'attire pas l'attention: *Elle m'a salué discrètement avant de partir.* ANT. indiscrètement. ☞ discret.

discrétion n.f. **1.** Attitude de quelqu'un qui est réservé dans ses paroles et dans ses actes: *Il ne voulait pas surprendre notre conversation, il s'est retiré par discrétion.* SYN. délicatesse, réserve. ANT. indélicatesse, indiscrétion, sans-gêne. **2.** Qualité de quelqu'un qui est capable de garder un secret: *Je sais que je peux compter sur ta discrétion.* ☞ discret. ▲ **discrétion** n.f.vx Pouvoir de décider selon son bon sens: *À ce buffet, vous pouvez vous servir à discrétion.* ⁄⁄ *Être à la discrétion de quelqu'un:* Être entièrement dépendant de quelqu'un.

discr**e**t discr**è**tement discr**é**tion

discrimination n.f.litt. Fait de traiter différemment une personne ou un groupe par rapport aux autres: *Le sexisme et le racisme sont des exemples de discrimination.* SYN. ségrégation. ANT. égalité. ⁄⁄ *Discrimination raciale:* Distinction basée sur la race des personnes. ☞ discriminer.

discriminatoire adj. Qui établit une distinction entre des personnes: *Cette entreprise a commis une injustice en prenant des mesures discriminatoires à l'égard d'une employée.* ☞ discriminer.

discriminer v. Établir une distinction entre des personnes ou des choses: *On n'a pas le droit de discriminer les gens à cause de la couleur de leur peau.* SYN. distinguer, séparer. ANT. unir. ☞ discrimination, discriminatoire.

disculper v. Prouver l'innocence de quelqu'un: *Ton témoignage a disculpé Claude d'une accusation de vol.* SYN. blanchir, innocenter, justifier. ANT. accuser, incriminer, inculper. se **disculper** v.pron. Se justifier: *N'essaie pas de te disculper; plusieurs personnes t'ont vu.* SYN. s'excuser. ANT. s'accuser.

discussion n.f. **1.** Examen minutieux d'une question: *La discussion du projet s'est poursuivie pendant plusieurs jours.* **2.** Contestation, remise en question: *L'adoption du projet ne s'est pas faite sans discussion.* ANT. acceptation. **3.** Échange d'idées, d'opinions sur un sujet: *Toute la classe a pris part à la discussion.* SYN. débat, délibération. **4.** Dispute, différend: *Elles ne se parlent plus depuis leur violente discussion.* ANT. accord, entente. ☞ discuter.

discutable adj. **1.** Qui est contestable: *L'existence des martiens est discutable.* ANT. évident, incontestable, indiscutable. **2.** Qui est critiquable: *C'est une remarque d'un goût discutable.* SYN. douteux. ANT. assuré, certain. ☞ discuter.

discuté, ée adj. Qui est critiqué: *La réincarnation est une croyance très discutée.* SYN. controversé. ANT. indiscuté. HOM. discuter. ☞ discuter.

discuter v. **1.** Examiner le pour et le contre d'une question: *Mes parents ont discuté les clauses du bail.* SYN. analyser, considérer. **2.** Remettre en question, contester: *Ses ordres ne se discutent pas.* SYN. critiquer. ANT. accepter, admettre. **3.** Échanger des idées, des opinions sur un sujet: *J'aime bien discuter avec mes amis.* SYN. bavarder. HOM. discuté. ☞ discussion, discutable, discuté, indiscutable, indiscutablement, indiscuté, rediscuter. se **discuter** v.pron. Être remis en question: *Cette décision n'est pas définitive: elle peut se discuter.*

disette n.f. Manque de vivres, d'aliments: *De mauvaises récoltes ont occasionné la disette.* SYN. famine, pénurie. ANT. abondance.

diseur, euse n. **1.** Personne qui dit des choses d'un genre particulier: *As-tu déjà consulté un diseur de bonne aventure?* SYN. devin. **2.** Personne qui récite: *La comédienne est une excellente diseuse.* ☞ dire.

disgrâce n.f. (it.) Perte de la faveur d'une personne dont on dépend: *La courtisane est tombée en disgrâce.* **R.** Ne pas oublier l'accent: *â.* ☞ disgracié, disgracier.

disgracié, ée adj. (it.) Qui n'a plus la faveur de son protecteur: *Le ministre disgracié fut chassé de la cour du roi.* ☞ disgrâce. ▲ **disgracié, ée** adj. Qui est privé de beauté: *L'enfant a été disgraciée par la nature.* HOM. disgracier. ☞ disgracieux.

disgracier v. Retirer à quelqu'un la faveur qu'on lui accordait: *Le dictateur a disgracié un de ses ministres.* SYN. destituer, renvoyer. ANT. favoriser, protéger. HOM. disgracié. ☞ disgrâce.

disgracieux, ieuse adj. (it.) Qui n'a pas de grâce, de beauté: *Le chameau est un animal disgracieux.* ANT. gracieux. ☞ disgracié.

disjoindre v. Séparer ce qui est joint: *Le temps a disjoint les pierres du mur.* SYN. désunir. ANT. joindre. ☞ disjoint, disjoncteur. se **disjoindre** v.pron. Se séparer: *Les lattes du parquet commencent à se disjoindre.*

disjoint, ointe adj. Qui n'est plus joint: *Les briques disjointes de la cheminée risquaient de tomber.* ☞ disjoindre.

disjoin**dre** disjoin**t**

disjoncteur n.m. Interrupteur automatique de courant électrique: *Le disjoncteur coupe le courant quand celui-ci devient trop fort.* ☞ disjoindre.

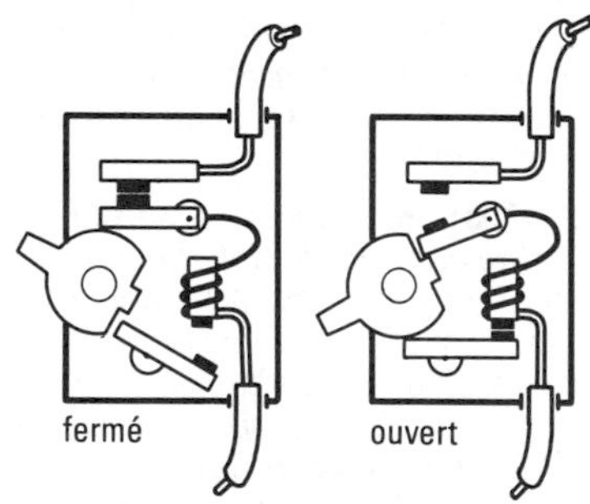

disjoncteur

dislocation n.f. **1.** Déplacement anormal d'un os: *La dislocation de son bras le fait beaucoup souffrir.* SYN. déboîtement, désarticulation, luxation. ANT. jonction, union. **2.** Séparation violente des parties d'un ensemble: *Le choc a provoqué la dislocation de la voiture.* **3.** fig. Séparation d'un ensemble: *La* *dislocation de la manifestation s'est faite dans le calme.* ANT. assemblée. ☞ disloquer.

disloquer v. **1.** Faire sortir un os de son articulation: *Le coup lui a disloqué l'épaule.* SYN. déboîter, démettre, désarticuler, luxer. ANT. joindre, unir. **2.** Séparer violemment les parties d'un ensemble: *Le choc a été si violent qu'il a disloqué la bicyclette.* **3.** fig. Séparer un ensemble: *Les policiers ont disloqué la manifestation devant le Parlement.* SYN. dissoudre. ANT. assembler, unifier. ☞ dislocation. **se disloquer** v.pron. **1.** Sortir de son articulation, en parlant d'un os: *L'ouvrière s'est disloqué le poignet.* **2.** Se séparer violemment: *La raquette s'est disloquée sous le choc de la balle.* **3.** fig. Se séparer: *Le cortège s'est disloqué à la sortie du cimetière.*

dislocation disloquer

disparaître v. **1.** Cesser d'être visible: *L'automobile disparaît au tournant de la route.* ANT. apparaître, paraître. **2.** Partir: *Les parents de Martin sont inquiets: il a disparu depuis une semaine.* ANT. reparaître. **3.** Être perdu, égaré: *Mon stylo a disparu.* **4.** Mourir: *Toute sa famille a disparu.* **5.** Ne plus exister: *La mode des crinolines a disparu depuis longtemps.* SYN. passer. ANT. demeurer. ⁄⁄ *Faire disparaître quelqu'un:* Tuer quelqu'un. **R.** Ne pas oublier l'accent devant le *t*: *î.* ☞ disparition, disparu.

disparate adj. Qui manque d'harmonie: *Il porte des vêtements disparates.* SYN. discordant. ANT. assorti.

disparité n.f. Grande différence entre deux êtres, deux choses que l'on compare: *Quand on compare le salaire des hommes et des femmes, on constate encore une grande disparité.* SYN. contraste, inégalité. ANT. égalité, parité. ☞ parité.

disparition n.f. **1.** Fait de ne plus être visible: *La disparition du soleil à l'horizon est un phénomène naturel.* ANT. apparition. **2.** Fait de partir d'un lieu: *La disparition de cette adolescente remonte à plusieurs jours.* **3.** Fait de mourir: *Nous avons appris avec tristesse la disparition de Félix Leclerc.* SYN. mort. ANT. naissance. **4.** Fait de ne plus exister: *La disparition de coutumes anciennes me rend un peu triste.* ANT. conservation. **5.** Fait d'être perdu, égaré: *Robert vient de constater la disparition de son porte-monnaie.* SYN. perte. ☞ disparaître.

disparu, ue n. et adj. **1.** n. Personne qui est morte ou qui est considérée comme morte: *Le deux novembre, les catholiques prient pour leurs disparus.* SYN. défunt, mort. ANT. vivant. **2.** adj. Qui n'est plus visible: *L'enfant cherchait dans le ciel la trace de l'avion disparu.* **3.** adj. Qui n'existe plus: *Cette civilisation disparue nous a laissé de magnifiques monuments.* SYN. passé. ANT. actuel. **4.** adj. Qui est considéré comme mort: *Plusieurs personnes sont portées disparues.* ANT. vivant. ☞ disparaître.

dispendieusement adv. D'une façon dispendieuse: *Ces gens vivent dispendieusement.* ANT. économiquement. ☞ dispendieux.

dispendieux, ieuse adj. Qui occasionne de grandes dépenses: *Cet homme a des goûts dispendieux.* SYN. cher, coûteux, onéreux. ANT. économique. ☞ dispendieusement.

dispense n.f. Autorisation spéciale accordée par une autorité de ne pas faire une chose obligatoire: *Elle a obtenu une dispense pour être exemptée des examens de fin d'année.* SYN. exemption. ANT. obligation. ☞ dispenser.

dispenser v.litt. Distribuer, accorder en abondance: *L'entraîneuse dispense ses conseils aux joueuses.* SYN. donner, prodiguer. ▲ **dispenser** v. Autoriser quelqu'un à ne pas faire une chose obligatoire: *On l'a dispensé des cours d'éducation physique.* SYN. exempter. ANT. astreindre, forcer, obliger. ☞ dispense, indispensable, indispensablement. **se dispenser** v.pron. Se permettre de ne pas faire une chose obligatoire: *Tu ne peux pas te dispenser de faire tes devoirs.* SYN. se soustraire. ANT. se contraindre, s'obliger.

disperser v. **1.** Répandre, éparpiller: *Le vent a dispersé les feuilles mortes.* SYN. disséminer. ANT. assembler, rassembler. **2.** Aller dans des endroits divers, séparer: *Les outardes ont été dispersées par le coup de feu.* SYN. disséminer. ANT. rassembler, réunir. **3.** fig. Ne pas se concentrer sur un point: *Tu aurais de meilleurs résultats si tu ne dispersais pas tes efforts.* ☞ dispersion. **se disperser** v.pron. **1.** S'en aller en divers endroits: *Les spectateurs se dispersent après le défilé.* **2.** fig. Avoir trop d'occupations, d'activités en même temps: *Tu entreprends trop de choses à la fois: tu te disperses.*

dispersion n.f. **1.** Éparpillement: *J'ai fermé la fenêtre pour éviter la dispersion des feuilles.* ANT. réunion. **2.** Fait d'être séparé: *La dispersion des manifestants s'est faite dans le calme.* SYN. séparation. ANT. rassemblement. **3.** fig. Manque de concentration: *Évite la dispersion de tes forces.* ☞ disperser.

disponibilité n.f. **1.** État d'une personne qui est momentanément déchargée de ses fonctions: *Cette année, plusieurs enseignants sont en disponibilité.* ANT. indisponibilité. **2.** Fait pour quelqu'un d'être libre, de s'intéresser à tout: *Sa disponibilité d'esprit la rend* *ouverte à toutes les nouvelles expériences.* ☞ disponible.

disponible adj. **1.** Qui est libre, en parlant de choses: *Cet appartement sera disponible dans un mois.* SYN. inoccupé, vacant. ANT. occupé. **2.** Qui est déchargé momentanément de ses fonctions: *La fonctionnaire disponible demeure à l'emploi de l'État.* ANT. actif. **3.** Qui est libre, qui s'intéresse à tout: *Il est toujours disponible quand on a besoin de lui.* ANT. occupé. ☞ disponibilité, indisponibilité, indisponible.

dispos, ose adj. Qui est en forme pour agir: *Ce matin, je me sens frais et dispos.* SYN. alerte. ANT. abattu, fatigué, lourd.

disposable ☞ sect. anglicismes et canadianismes.

disposé, ée adj. **1.** Qui est arrangé de telle ou telle façon: *Les bibelots sont disposés en ligne sur les tablettes.* SYN. placé. **2.** Qui est préparé à quelque chose: *Denise est disposée à te rendre service.* SYN. prêt. **3.** Qui a des sentiments favorables ou défavorables envers quelqu'un: *Toute la classe était mal disposée à l'égard de Dominique.* HOM. disposer. ⫽ *Être bien, mal disposé:* Être de bonne, de mauvaise humeur. ☞ disposer.

disposer v. **1.** Arranger de telle ou telle façon: *Les pupitres sont disposés en rangées.* SYN. placer, répartir. **2.** Préparer quelqu'un à quelque chose: *Il faut les disposer à la possibilité d'un échec.* **3.** Pouvoir se servir de quelque chose: *Tu peux disposer de tous les livres de la bibliothèque.* SYN. user, utiliser. **4.** Faire ce qu'on veut de quelqu'un: *Les peuples ont le droit de disposer d'eux-mêmes.* HOM. disposé. ☞ disposé, dispositif, disposition. se **disposer** v.pron. Se préparer: *Je me disposais à te téléphoner.*

dispositif n.m. Arrangement des pièces d'un appareil; le mécanisme lui-même: *Un dispositif de commande permet d'ouvrir les portes du garage à distance.* ☞ disposer.

disposition n.f. **1.** Manière dont sont arrangées les choses: *Il faut changer la disposition des meubles du salon.* SYN. arrangement, ordre. **2.** Fait de pouvoir se servir de quelque chose: *Élise a un micro-ordinateur à sa disposition.* SYN. service, usage. **3.** Fait d'être au service de quelqu'un: *Si vous avez besoin de moi, je suis à votre disposition.* SYN. disponibilité. **4.** Tendance, penchant: *Il a une disposition à l'étourderie.* SYN. prédisposition. **5.** Clause d'un contrat, d'un testament: *Il est plus prudent de lire toutes les dispositions d'un contrat avant de le signer.* SYN. stipulation. **6.** plur. Sentiments favorables ou défavorables à l'égard de quelqu'un: *Le jury était dans de bonnes dispositions à l'égard de l'accusée.* SYN. intention. **7.** plur. Aptitudes à faire quelque chose: *Mireille a de grandes dispositions pour les sports.* SYN. don, qualité, talent. **8.** plur. Précautions que l'on prend avant de faire quelque chose: *Avez-vous pris toutes vos dispositions avant de partir en excursion?* SYN. mesure. ☞ disposer.

disproportion n.f. Trop grande différence entre deux ou plusieurs choses: *Il y a une disproportion de richesses entre les pays industrialisés et les pays en voie de développement.* SYN. disparité, inégalité. ANT. égalité, parité, proportion. ☞ proportion.

disproportionné, ée adj. Qui manque de proportion: *La punition qu'il a reçue était disproportionnée par rapport à sa faute.* ☞ proportion.

dispute n.f. Querelle, échange violent de paroles: *Pendant la récréation, une dispute a éclaté entre plusieurs écoliers.* SYN. chicane, conflit, différend. ANT. accord, entente, harmonie. ☞ disputer.

disputer v.fam. **1.** Gronder quelqu'un, le réprimander: *Isabelle s'est fait disputer par sa mère.* **2.** Participer à un match, à une compétition pour remporter la victoire: *Les Canadiens ont disputé un match contre les Nordiques.* **3.** Lutter pour obtenir ou conserver quelque chose: *La championne dispute la victoire à ses adversaires.* ☞ dispute. se **disputer** v.pron. **1.** Se quereller: *Martin et France se disputent sans arrêt.* SYN. se chamailler. ANT. s'accorder, s'entendre. **2.** Être disputé, en parlant d'un match, d'une compétition: *Le match s'est disputé au Colisée de Québec.* **3.** Lutter pour obtenir ou conserver quelque chose: *Les écureuils se disputent une poignée d'arachides.*

disquaire n. Personne qui vend des disques: *La disquaire m'a vendu un disque de Gilles Vigneault.* ☞ disque.

disqualification n.f. Exclusion d'un concurrent à une épreuve sportive pour infraction au règlement: *Tous les journaux ont parlé de la disqualification de la coureuse olympique.* ☞ qualifier.

disqualifier v. **1.** Exclure un concurrent d'une épreuve sportive pour infraction au règlement: *Le boxeur a été disqualifié.* ANT. qualifier. **2.** fig. Faire perdre à quelqu'un l'estime, la confiance dont il jouissait: *Cet acte malhonnête t'a disqualifiée aux yeux de tes camarades.* SYN. déshonorer, discréditer. ☞ qualifier.

disque n.m. **1.** Plaque circulaire de matière

plastique sur laquelle sont enregistrés des sons: *Ton chanteur préféré vient d'enregistrer un nouveau disque.* SYN. enregistrement, microsillon. **2.** Support circulaire pour la mise en mémoire des données informatiques: *Les disques magnétiques comprennent les disques rigides et les disques souples.* **3.** Plaque pesante que lancent les athlètes: *L'athlète pivote sur lui-même et lance le disque.* **4.** Cartilage élastique qui sépare deux vertèbres: *Le déplacement d'un disque cause une hernie discale.* **5.** Objet de forme ronde dont on se sert au hockey: *Le joueur de hockey lance le disque dans le but.* // *Disque compact:* Disque de petite taille à codage numérique lu par un système optique. ☞ discothèque, disquaire.

disquette n.f. Disque souple servant à la mise en mémoire des données informatiques: *Simon insère la disquette dans le lecteur.*

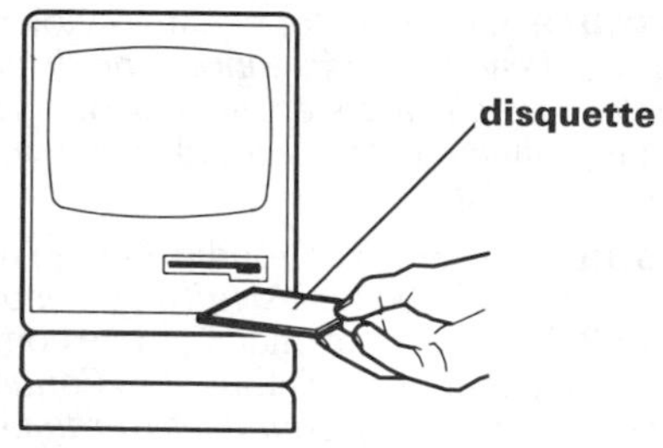

dissection n.f. Action de disséquer, de séparer les parties d'une plante, d'un être vivant pour en faire l'examen: *L'étudiante en médecine fait une dissection.* ☞ disséquer.

dissemblable adj. Qui n'est pas semblable: *Ce sont des jumeaux, mais ils sont dissemblables.* SYN. différent. ☞ semblable.

dissémination n.f. **1.** Dispersion, éparpillement: *La dissémination des graines favorise la survie des espèces végétales.* **2.** Dispersion: *La dissémination des habitants sur ce vaste territoire ne favorise pas la communication.* ☞ disséminer.

disséminer v. **1.** Disperser, éparpiller: *Le vent a disséminé les graines de pissenlits.* SYN. répandre. ANT. rassembler. **2.** Disperser: *Le général a disséminé ses troupes dans la campagne.* SYN. envoyer. ANT. grouper, rassembler, réunir. ☞ dissémination.

dissension n.f. Désaccord profond, vive opposition de sentiments, d'opinions, d'intérêts: *De profondes dissensions risquent de détruire l'unité du parti.* SYN. conflit. ANT. accord, concorde, entente.

disséquer v. **1.** Séparer les parties d'une plante, d'un être vivant pour en faire l'examen: *Au cours de sciences naturelles, nous avons disséqué une grenouille.* **2.** fig. Analyser minutieusement: *Il a lu tous les livres de cette romancière: il a disséqué son œuvre.* SYN. éplucher, examiner. ☞ dissection.

dissec**tion** dissé**quer**

dissidence n.f. **1.** Action ou état de ceux qui ne reconnaissent plus l'autorité d'un parti politique, d'un syndicat, d'un gouvernement: *La députée est en dissidence avec son parti.* SYN. divergence, révolte. ANT. accord, concorde, conformisme, union. **2.** Groupe de dissidents: *La déléguée syndicale a rallié la dissidence.* ☞ dissident.

dissident, ente n. et adj. **1.** n. Personne qui ne reconnaît plus l'autorité d'un parti politique, d'un syndicat, d'un gouvernement: *Plusieurs dissidents ont été exilés.* ANT. adepte. **2.** adj. Qui ne reconnaît plus l'autorité d'un parti politique, d'un syndicat, d'un gouvernement: *Les membres dissidents se sont regroupés pour dénoncer le gouvernement.* ANT. orthodoxe. ☞ dissidence.

dissimulateur, trice n. et adj. **1.** n. Personne qui ne laisse pas voir ses intentions, ses sentiments: *Ne lui faites pas confiance: c'est un dissimulateur.* **2.** adj. Qui ne laisse pas voir ses intentions, ses sentiments: *Les personnes dissimulatrices ne sont pas dignes de confiance.* ANT. franc, sincère. ☞ dissimuler.

dissimulation n.f. Comportement de quelqu'un qui ne laisse pas voir ses intentions, ses sentiments: *Les personnes hypocrites agissent avec dissimulation.* ANT. franchise, sincérité. ☞ dissimuler.

dissimulé, ée adj. **1.** Qui est caché: *C'est une cicatrice bien dissimulée.* **2.** Qui ne laisse pas voir ses intentions, ses sentiments: *Cette enfant a un caractère dissimulé.* SYN. renfermé, secret, sournois. ANT. franc, ouvert, sincère. HOM. dissimuler. ☞ dissimuler.

dissimuler v. **1.** Ne pas laisser voir ses intentions, ses sentiments: *Valérie dissimule son malaise derrière des pitreries.* SYN. masquer, voiler. ANT. montrer. **2.** Ne pas laisser voir une chose concrète: *Au bal du mardi gras, les invités dissimulent leur visage derrière un masque.* SYN. cacher, voiler. ANT. exhiber, montrer. **3.** Rendre moins apparent: *Le maquillage dissimule les défauts du visage.* SYN. atténuer. ANT. exhiber, montrer. HOM. dissimulé. ☞ dissimulateur, dissimulation, dissimulé. se **dissimuler** v.pron. **1.** Se cacher, en parlant d'un être vivant: *Le petit garçon se dissimule derrière la porte de la cuisine.* **2.** Se cacher, en parlant d'une intention, d'un sentiment: *La haine est un sentiment qui se dissi-*

mule mal. **3.** Refuser de voir quelque chose: *Il se dissimule les difficultés de son projet.*

dissipation n.f. **1.** Fait de disparaître en se dispersant: *La dissipation de la brume a permis aux automobilistes de rouler en toute sécurité.* **2.** Action de dissiper ses biens, de dépenser follement: *Après la dissipation de sa fortune, il est tombé dans une grande pauvreté.* SYN. dilapidation. ANT. économie. ☞ dissiper. ▲ **dissipation** n.f. Manque d'attention, indiscipline: *L'instituteur ne peut plus supporter la dissipation de ses élèves.* SYN. turbulence. ANT. application. ☞ dissiper.

dissipé, ée adj. Qui est inattentif, indiscipliné: *Les élèves dissipés seront privés de récréation.* SYN. indocile, turbulent. ANT. sage. HOM. dissiper. ☞ dissiper.

dissiper v. **1.** Faire disparaître en dispersant: *Le soleil dissipe le brouillard.* SYN. chasser. ANT. accumuler. **2.** Dépenser follement: *La gagnante de la loterie a dissipé sa fortune en moins d'un an.* SYN. dilapider, gaspiller. ANT. accumuler, économiser. **3.** fig. Faire cesser: *Ta franchise a dissipé mes craintes.* SYN. éliminer. ☞ dissipation. se **dissiper** v.pron. **1.** Disparaître en se dispersant: *Les nuages se sont dissipés.* **2.** fig. Cesser: *Le malaise que je ressentais s'est dissipé.* ▲ **dissiper** v. Distraire quelqu'un en le portant à l'indiscipline: *Nadia dissipe ses camarades.* HOM. dissipé. ☞ dissipation, dissipé. se **dissiper** v.pron. Être turbulent, indiscipliné: *Les élèves se dissipent pendant le cours de musique.*

dissociable adj. Qui peut être dissocié, séparé: *Ces deux éléments sont dissociables.* ANT. indissociable. ☞ dissocier.

dissociation n.f. Séparation: *La dissociation de ces deux questions a facilité notre travail.* ANT. association. ☞ dissocier.

dissocier v. Séparer ce qui était lié ou réuni: *La juge a décidé de dissocier les deux causes, de les traiter séparément.* ANT. associer, réunir. ☞ dissociable, dissociation, indissociable.

dissolution n.f. **1.** Action de dissoudre ou de se dissoudre: *Aurèle observe la dissolution du sel dans l'eau.* SYN. décomposition. **2.** Action de mettre fin légalement: *Personne n'avait prévu la dissolution de ce parti.* SYN. disparition. **3.** Procédure par laquelle on met fin au mandat d'une assemblée élue, avant le terme légal: *La dissolution du Parlement a précédé de peu le déclenchement des élections.* ☞ dissoudre.

dissolvant n.m. Produit servant à enlever le vernis à ongles: *Ma sœur a acheté un flacon de dissolvant.* ☞ dissoudre.

dissolvant, ante adj. Qui a la propriété de dissoudre: *Ce produit dissolvant fait fondre le vernis.* ☞ dissoudre.

dissoudre v. **1.** Amener un corps à former un mélange homogène avec un liquide: *Le café dissout les cubes de sucre.* SYN. liquéfier. ANT. cristalliser. **2.** Mettre légalement fin à: *Les tribunaux ont le pouvoir de dissoudre un mariage.* SYN. annuler. ANT. ratifier, valider. **3.** Mettre fin au mandat d'une assemblée élue: *Le lieutenant-gouverneur a dissous l'Assemblée nationale sur l'avis de la première ministre.* ANT. convoquer, réunir. ☞ dissolution, dissolvant, indissoluble. se **dissoudre** v.pron. Se mélanger à un liquide de façon homogène: *Le comprimé d'aspirine se dissout dans l'eau.*

dissuader v. Faire renoncer quelqu'un à un projet, à une résolution: *Nicole a dissuadé José de sortir par ce temps froid.* SYN. déconseiller, décourager, détourner. ANT. persuader. ☞ dissuasif, dissuasion.

dissuasif, ive adj. **1.** Qui a pour but de faire renoncer un ennemi à attaquer: *Les armes nucléaires devaient avoir un effet dissuasif.* ANT. persuasif. **2.** Qui a pour but de faire renoncer quelqu'un à un projet, à une résolution: *Dans la lutte contre le crime, il semble qu'il n'existe pas de peines dissuasives.* ☞ dissuader.

dissuasion n.f. **1.** Action de dissuader, de faire renoncer quelqu'un à un projet, à une résolution: *J'ai employé tous les moyens de dissuasion possibles pour la faire changer d'avis.* ANT. persuasion. **2.** Action menée par un État en vue de faire renoncer un ennemi à attaquer: *La possession d'armes nucléaires est une force de dissuasion.* ANT. persuasion. ☞ dissuader.

dissymétrie n.f. Défaut de symétrie: *Le guide nous a fait remarquer la dissymétrie de la façade.* SYN. asymétrie. ☞ symétrie.

dissymétrique adj. Qui a un défaut de symétrie: *Pourrais-tu dessiner une figure dissymétrique?* SYN. asymétrique. ANT. symétrique. ☞ symétrie.

distance n.f. **1.** Espace, longueur qui sépare deux lieux, deux choses: *Quelle distance y a-t-il entre ta maison et l'école?* **2.** Intervalle de temps entre deux moments: *Ces deux tableaux ont été peints à cinq ans de distance.* **3.** Espace à parcourir dans une épreuve sportive: *Cette coureuse est meilleure sur une distance de cinq cents mètres.* SYN. parcours, trajet. **4.** fig. Différence de rang, de valeur entre des personnes ou des choses: *Il ne devrait pas y avoir de distance entre les êtres humains.* SYN. disparité, inégalité. ANT. égalité, parité. ⁄⁄ *À distance:* En étant éloigné. *Garder ses distances:* Éviter toute familiarité. *Tenir quelqu'un à distance:* Éviter toute relation avec quelqu'un, l'empêcher d'approcher. ☞ distancer, distant, équidistant.

distancer v. **1.** Dépasser, prendre de l'avance: *Le cycliste a distancé les autres concurrents de cent mètres.* SYN. devancer. **2.** fig. Surpasser: *Dimitri distance ses camarades en orthographe.* ☞ distance.

distant, ante adj. **1.** Qui est séparé par une certaine distance: *Ces deux villes sont distantes de cent kilomètres.* SYN. éloigné. ANT. proche, voisin. **2.** fig. Qui est réservé, froid avec les autres: *Les personnes distantes ne se lient pas facilement.* ANT. affable, aimable, familier. ☞ distance.

distendre v. Augmenter les dimensions d'un objet en le soumettant à une forte tension: *Micheline s'amuse à distendre le ressort.* SYN. étirer, tendre. ANT. détendre, relâcher. ☞ distension. se **distendre** v.pron. **1.** S'étirer: *Sa joue est enflée: la peau s'est distendue.* **2.** Se relâcher, devenir moins serré: *Les liens de la prisonnière se sont distendus.* SYN. se desserrer. ANT. se serrer.

distension n.f. **1.** Augmentation de volume sous l'effet d'une tension: *Les gaz intestinaux provoquent la distension de l'abdomen.* SYN. gonflement. ANT. contraction. **2.** Relâchement, étirement d'un lien: *Le chien s'est échappé à cause de la distension de la courroie qui le retenait.* ANT. resserrement, tension. ☞ distendre.

distillation n.f. **1.** Opération consistant à faire bouillir un liquide dans un alambic de façon à séparer l'alcool du reste: *Le rhum est obtenu par distillation du jus de canne à sucre ou de mélasses.* **2.** Opération consistant à faire bouillir un liquide de façon à séparer les éléments qui entrent dans sa composition: *L'essence est un produit de la distillation du pétrole brut.* ☞ distiller.

distiller v. **1.** Faire bouillir un liquide dans un alambic de façon à séparer l'alcool du reste: *On fabrique le cognac en distillant du vin.* **2.** Faire bouillir un liquide de façon à séparer les éléments qui entrent dans sa composition: *On distille l'eau pour la purifier.* SYN. épurer. **3.** Laisser couler goutte à goutte: *Le sapin distille la résine.* SYN. dégoutter, sécréter. **4.** fig. Répandre peu à peu: *Sa conversation distille l'ennui.* ☞ distillation, distillerie.

distillerie n.f. Endroit où l'on fabrique des alcools et des liqueurs alcooliques: *Dans cette distillerie, on fabrique de la vodka.* ☞ distiller.

distinct, incte adj. **1.** Qui est différent, qu'on ne peut pas confondre avec autre chose: *La tulipe et la rose sont des fleurs bien distinctes.* ANT. analogue, identique. **2.** Qui se perçoit nettement par la vue, l'ouïe, l'esprit: *L'orignal a laissé des pistes distinctes sur le sol.* SYN. clair, visible. ANT. confus, indistinct. **R.** Au masculin, les lettres *ct* se prononcent ou non. ☞ distinguer.

distinctement adv. D'une manière distincte: *J'ai entendu distinctement le bruit d'une explosion.* SYN. clairement, nettement. ANT. confusément, indistinctement. ☞ distinguer.

distinctif, ive adj. Qui permet de distinguer, de reconnaître: *Les joueuses de handball de chaque équipe portent des chandails distinctifs.* SYN. caractéristique. ☞ distinguer.

distinction n.f. **1.** Action de distinguer, de faire une différence entre deux choses, deux personnes: *Bien des gens ne font pas la distinction entre les champignons vénéneux et ceux qui ne le sont pas.* ANT. confusion. **2.** Différence entre deux personnes, deux choses: *L'argent, la naissance, l'instruction ne devraient pas créer de distinctions entre les personnes.* SYN. discrimination. **3.** Marque d'honneur qui souligne le mérite de quelqu'un: *Cette chercheuse a reçu une distinction honorifique.* SYN. décoration. **4.** Élégance, raffinement dans la tenue et les manières: *Monsieur Cardin a beaucoup de distinction.* SYN. classe. ANT. vulgarité. ☞ distinguer.

distingué, ée adj. **1.** Qui est élégant, raffiné dans sa tenue et ses manières: *La directrice de cette école est une femme distinguée.* ANT. vulgaire. **2.** litt. Qui est remarquable par son mérite, son rang: *Émile Nelligan a été l'un des poètes les plus distingués du siècle.* SYN. célèbre, éminent. ANT. médiocre, ordinaire. **3.** litt. Dans une formule de politesse, qui est remarquable, spécial: *Je vous prie de croire, Madame, à mes sentiments distingués.* HOM. distinguer. ☞ distinguer.

distinguer v. **1.** Faire une différence entre des personnes ou des choses: *Cet enfant ne sait pas distinguer un nom d'un adjectif.* SYN. différencier. ANT. confondre. **2.** Rendre différent, reconnaissable: *Son accent le distingue des autres.* SYN. caractériser. ANT. identifier. **3.** Percevoir nettement quelque chose ou quelqu'un: *On distingue déjà le village au loin.* SYN. apercevoir, discerner. **4.** Remarquer quelqu'un, le trouver supérieur aux autres: *Elle avait tant de talent en dessin que sa professeure l'a tout de suite distinguée.* ANT. confondre. HOM. distingué. ☞ distinct, distinctement, distinctif, distinction, distingué. se

distinguer v.pron. **1.** Être différent de quelqu'un ou de quelque chose: *Le léopard se distingue du couguar par son pelage tacheté.* SYN. se différencier. ANT. se confondre. **2.** Se faire remarquer: *Emmanuel se distingue en patinage artistique.* SYN. s'illustrer, se signaler. **3.** Être perçu, se remarquer: *Les chats noirs se distinguent mal dans l'obscurité.* SYN. se reconnaître. ANT. se confondre.

distraction n.f. **1.** Manque d'attention: *Elle a mis sa jupe à l'envers par distraction.* SYN. inattention. ANT. application. **2.** Action commise par manque d'attention: *Ses distractions fréquentes amusent beaucoup ses camarades.* SYN. bévue, étourderie. ANT. application, concentration. **3.** Détente, délassement: *Régis est fatigué: il lui faudrait un peu de distraction.* SYN. amusement. **4.** Occupation qui apporte la détente, le délassement: *Les jeux de société et la lecture sont ses distractions préférées.* SYN. divertissement, passe-temps. ☞ distraire.

distraire v. **1.** Détourner l'attention de quelqu'un, le déranger: *Ne me parle pas quand je travaille: tu me distrais.* SYN. importuner. **2.** Amuser, faire passer le temps agréablement: *Il faudrait des jeux pour distraire les invités.* SYN. divertir, récréer. ANT. ennuyer, lasser. ☞ distraction, distrait, distraitement, distrayant.
se **distraire** v.pron. S'amuser: *Il faut se distraire de temps en temps.* SYN. se récréer. ANT. s'ennuyer.

distrait, aite n. et adj. **1.** n. Personne qui n'est pas attentive à ce qu'elle dit ou à ce qu'elle fait: *Philippe est un grand distrait.* SYN. étourdi. **2.** adj. Qui n'est pas attentif à ce qu'il dit ou à ce qu'il fait: *Elle est si distraite qu'elle oublie ses affaires un peu partout.* SYN. inattentif, irréfléchi. ANT. réfléchi. **3.** adj. Qui montre un manque d'attention: *Je lui parlais, mais il m'écoutait d'une oreille distraite.* SYN. absent. ANT. attentif. ☞ distraire.

distraitement adv. D'une manière distraite: *Elle feuillette distraitement le journal.* SYN. superficiellement. ANT. attentivement. ☞ distraire.

distrayant, ante adj. Qui distrait, fait passer le temps agréablement: *Je te conseille ce livre: il est très distrayant.* SYN. amusant, délassant. ANT. ennuyeux. ☞ distraire.

distraire distrayant

distribuer v. **1.** Répartir entre plusieurs personnes: *Cette association de bienfaisance a distribué des paniers de Noël aux familles pauvres.* SYN. dispenser, donner. ANT. accaparer, recueillir. **2.** Répartir dans plusieurs endroits: *Ces conduites distribuent l'eau dans toute la ville.* SYN. amener, conduire. ANT. recueillir, retenir. **3.** Donner au hasard et en grande quantité: *La candidate a distribué des poignées de main.* SYN. prodiguer. **4.** Répartir un film dans les salles de cinéma: *Le film sera bientôt distribué dans tous les cinémas de la ville.* **5.** Attribuer un rôle à chacun des comédiens d'un film, d'une pièce de théâtre: *Le metteur en scène a distribué les rôles de la pièce.* SYN. assigner. ☞ distributeur, distribution, distributivité, redistribuer, redistribution.

distributeur, trice n. et adj. **1.** n. Personne qui distribue quelque chose: *Mon oncle est distributeur de dépliants.* **2.** n. Personne qui assure la distribution d'un film: *La distributrice de films a rencontré tous les directeurs des cinémas.* **3.** n. Appareil qui distribue quelque chose: *Le distributeur automatique de boissons gazeuses ne fonctionne pas.* **4.** adj. Qui distribue quelque chose: *La banque a installé un appareil distributeur de billets.* **R.** Pour désigner l'appareil distributeur, on dit *distributeur* ou *distributrice*. ☞ distribuer.

distribution n.f. **1.** Action de répartir entre plusieurs personnes: *La factrice assure la distribution du courrier dans ma rue.* SYN. répartition. ANT. cueillette, ramassage. **2.** Action de répartir en plusieurs endroits: *Hydro-Québec s'occupe de la distribution de l'électricité.* SYN. diffusion. ANT. concentration. **3.** Attribution des rôles d'une pièce de théâtre, d'un film; ensemble des comédiens: *La distribution de ce film comprend plusieurs comédiennes québécoises.* **4.** Répartition d'un film dans les salles de cinéma: *On n'a pas encore commencé la distribution de ce film au Québec.* ☞ distribuer.

distributivité n.f. En mathématiques, propriété rattachée à deux opérations simultanées qui donnent un résultat semblable: *Voici un exemple de distributivité:* $4 \times (3+5) = (4 \times 3) + (4 \times 5)$. ☞ distribuer.

district n.m. Division territoriale, administrative, d'étendue variable: *Saint-Hubert fait partie du district judiciaire de Longueuil.*

dit, dite adj. Qui est surnommé: *Emma Lajeunesse, dite Albani, fut une grande cantatrice.* ☞ dire.

diurétique n.m. et adj. **1.** n.m. Médicament, aliment ou boisson qui augmente la sécrétion d'urine: *Le thé et le fenouil sont des diurétiques.* **2.** adj. Qui augmente la sécrétion d'urine: *Le médecin lui a prescrit un médicament diurétique.*

diurne adj. **1.** Qui se montre le jour: *Les animaux diurnes sont actifs pendant le jour.*

ANT. nocturne. **2.** Qui se fait pendant le jour: *Cette entrepreneuse en construction ne fait que des travaux diurnes.* ANT. nocturne.

divagation n.f. Propos incohérents: *Personne ne prêtait attention à ses divagations.* SYN. élucubration. ☞ divaguer.

divaguer v. Dire n'importe quoi, tenir des propos incohérents: *Cet homme divague: il ne sait plus ce qu'il dit.* SYN. délirer, déraisonner. ☞ divagation.

divan n.m. Long siège sans dossier ni bras pouvant servir de lit: *Le divan est généralement garni de coussins.*

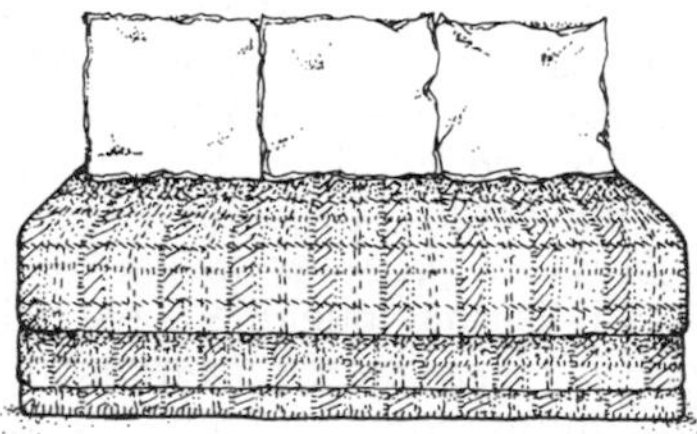

divan

divergence n.f. **1.** État de ce qui diverge, s'écarte de plus en plus: *Si tu pars du sommet, tu observeras la divergence des deux côtés de cet angle.* SYN. écartement. ANT. convergence. **2.** fig. Désaccord: *Leur divergence d'opinions ne nuit pas à leur amitié.* SYN. opposition. ANT. accord, concordance. ☞ diverger.

divergent, ente adj. **1.** Qui va en s'écartant de plus en plus: *Les côtés d'un angle sont divergents.* ANT. convergent. **2.** fig. Qui est en désaccord: *Ces deux témoins nous ont donné une interprétation divergente de l'incident.* SYN. différent, opposé. ANT. concordant. ☞ diverger.

diverger v. **1.** S'écarter de plus en plus l'un de l'autre: *À la sortie du village, les deux routes divergent.* SYN. s'éloigner. ANT. converger, se rapprocher. **2.** fig. Être en désaccord: *Nos opinions divergent sur cette question.* SYN. se contredire, s'opposer. ANT. s'accorder, correspondre. ☞ divergence, divergent.

divers, erse adj. **1.** Qui a des aspects différents: *Ce pays est très divers.* **2.** plur. Qui sont différents: *Ce serait intéressant de chercher les divers sens du mot «crochet».* **3.** plur. Plusieurs: *Nous avons consulté diverses personnes avant de prendre une décision.* ⁄⁄ *Faits divers:* Rubrique sous laquelle on groupe les accidents, les crimes, les vols. ☞ diversement, diversifier, diversité.

diversement adv. De plusieurs façons différentes: *Les élèves ont réagi diversement à l'annulation du cours d'anglais.* SYN. différemment. ANT. identiquement. ☞ divers.

diversifier v. Rendre divers, faire varier: *Il faudrait diversifier vos lectures, lire autre chose que des bandes dessinées.* ANT. unifier. ☞ divers. se **diversifier** v.pron. Devenir plus varié: *Les possibilités qu'offrent les micro-ordinateurs se sont beaucoup diversifiées.*

diversité n.f. Caractère de ce qui est varié: *Montréal est une ville intéressante à cause de la diversité de ses groupes ethniques.* ☞ divers.

divertir v. Amuser, distraire: *Au cirque, les clowns nous ont bien divertis.* SYN. égayer. ANT. ennuyer. ☞ divertissant, divertissement. se **divertir** v.pron. S'amuser, se distraire: *Après avoir bien travaillé, il est bon de se divertir.* SYN. se récréer. ANT. s'ennuyer.

divertissant, ante adj. Qui est amusant, distrayant: *Nous avons assisté à un spectacle divertissant.* SYN. délassant. ANT. ennuyeux. ☞ divertir.

divertissement n.m. **1.** Action de se divertir, de s'amuser: *Il joue aux échecs pour son divertissement personnel.* SYN. agrément, plaisir. ANT. ennui, travail. **2.** Moyen de se divertir, de s'amuser: *Le ski, la natation et la danse sont ses divertissements préférés.* SYN. délassement, distraction, passe-temps. ANT. ennui, tracas. ☞ divertir.

dividende n.m. **1.** En mathématiques, nombre que l'on divise par un autre appelé diviseur: *Dans «14 ÷ 2», le nombre 14 est le dividende.* **2.** Part des bénéfices d'une société, versée périodiquement aux actionnaires: *Cette année, les actionnaires de cette entreprise ont touché des dividendes importants.* SYN. ristourne. ☞ diviser.

divin, ine adj. **1.** Qui se rapporte à Dieu ou aux dieux: *Les chrétiens croient en la divine providence.* **2.** Que l'on doit à Dieu, à un dieu: *Pour les chrétiens, Jésus-Christ est le divin Sauveur.* **3.** Qui est parfait, merveilleux: *Mozart a composé de la musique divine.* ☞ dieu.

divination n.f. **1.** Art de prévoir l'avenir, de connaître ce qui est caché: *Les Grecs de l'Antiquité avaient recours à la divination pour tenter de connaître l'avenir.* **2.** Faculté de prévoir, de deviner: *Il avait pressenti l'accident: c'est de la divination.* SYN. clairvoyance. ☞ deviner.

divinement adv. À la perfection, de façon divine: *Cette cantatrice chante divinement.* SYN. parfaitement. ANT. mal. ☞ dieu.

diviniser v. **1.** Mettre au rang des dieux: *Dans l'Antiquité, on divinisait les héros.* SYN.

déifier. **2.** fig. Attribuer une grande valeur à quelqu'un ou à quelque chose: *Les êtres humains ont divinisé l'argent.* SYN. exalter, glorifier. ANT. avilir, rabaisser. ☞ dieu.

divinité n.f. **1.** Nature de Dieu: *Certaines religions ne reconnaissent pas la divinité de Jésus-Christ.* ANT. humanité. **2.** Être divin, dieu ou déesse: *Les divinités grecques étaient au nombre de douze.* **3.** fig. Chose ou personne que l'on adore: *Dans notre monde matérialiste, l'argent est devenu une divinité.* SYN. dieu. ☞ dieu.

diviser v. **1.** Partager en plusieurs parties: *Guylaine a divisé son gâteau d'anniversaire en huit morceaux.* SYN. couper, sectionner, séparer. ANT. réunir, unifier. **2.** Chercher combien de fois un nombre est contenu dans un autre: *Si l'on divise 135 par 5, on obtient 27.* **3.** Désunir, mettre en désaccord: *Le problème de la langue divise les Canadiens.* SYN. brouiller, opposer. ANT. rapprocher, réconcilier. ☞ dividende, diviseur, divisibilité, divisible, division, subdiviser, subdivision. **se diviser** v.pron. **1.** Se partager en plusieurs parties: *L'année se divise en douze mois.* **2.** Être divisible par un nombre: *125 se divise par 5.* **3.** Être en désaccord: *Les élèves se sont divisés sur la question des devoirs.*

diviseur n.m. En mathématiques, nombre par lequel on en divise un autre: *Dans «80 ÷ 4», le diviseur est 4.* ☞ diviser.

divisibilité n.f. Propriété qu'a un nombre de se diviser par un autre sans laisser de reste: *Au cours de mathématiques, nous avons parlé de la divisibilité des nombres.* ☞ diviser.

divisible adj. Qui peut être divisé par un autre nombre sans laisser de reste: *Un nombre entier est divisible par deux si le chiffre des unités est pair.* ☞ diviser.

division n.f. **1.** Action de diviser, de partager en plusieurs parties: *La division du Québec en districts judiciaires facilite l'administration de la justice.* SYN. séparation. ANT. réunion. **2.** En mathématiques, opération consistant à trouver combien de fois un nombre est contenu dans un autre: *La division est le contraire de la multiplication.* **3.** Trait qui divise un thermomètre, une règle, un instrument gradué: *Chaque division du thermomètre correspond à un degré.* SYN. graduation. **4.** fig. Désaccord, désunion: *Un problème d'héritage a semé la division dans cette famille.* SYN. discorde, scission. ANT. accord, union. ☞ diviser. ▲ **division** n.f. **1.** Grande unité militaire qui réunit des régiments d'armes différentes et des services sous les ordres d'un général: *La générale commande une division blindée.* **2.** Chacun des groupes d'élèves issus d'une classe trop nombreuse pour être confiée à un seul enseignant: *Dédoubler une classe signifie en faire deux divisions.*

divorce n.m. **1.** Rupture du mariage civil, prononcée par un tribunal: *Mes parents ont demandé le divorce.* SYN. séparation. **2.** fig. Désaccord, opposition: *Il y a souvent divorce entre nos intentions et nos actes.* SYN. contradiction, divergence. ANT. accord. ☞ divorcé, divorcer.

divorcé, ée n. et adj. **1.** n. Personne dont le mariage a été rompu par un divorce: *Il y a de plus en plus de divorcés.* **2.** adj. Qui a été séparé par un divorce: *Les parents divorcés de Ninon sont restés en bons termes.* HOM. divorcer. ☞ divorce.

divorcer v. Rompre légalement son mariage par un divorce: *Les parents de Francis ont décidé de divorcer.* SYN. se séparer. ANT. se marier, s'unir. HOM. divorcé. ☞ divorce.

divulgation n.f. Action de divulguer, de rendre public ce qui était ignoré ou mal connu: *La divulgation d'un accord secret entre ces deux pays a failli provoquer un incident diplomatique.* SYN. publication, révélation. ☞ divulguer.

divulguer v. Rendre public ce qui était ignoré ou mal connu: *Le ministre a divulgué des secrets d'État.* SYN. dévoiler, révéler. ANT. cacher, taire. ☞ divulgation.

dix n.m.invar. **1.** Nombre qui suit neuf: *Neuf plus un égalent dix.* **2.** Carte à jouer portant le nombre dix: *Tu as joué le dix de carreau?* **3.** Dixième jour du mois: *Nous irons le dix.*

dix adj.num.invar. **1.** Neuf plus un: *J'ai dix doigts et dix orteils.* **2.** Dixième: *Ouvrez votre livre à la page dix.* ⁄⁄ *Répéter, recommencer dix fois la même chose:* Répéter, recommencer un grand nombre de fois la même chose. ☞ dix-huit, dix-huitième, dixième, dixièmement, dix-neuf, dix-neuvième, dix-sept, dix-septième, dizaine.

dix-huit n.m.invar. **1.** Nombre qui suit dix-sept: *Dix-sept plus un égalent dix-huit.* **2.** Dix-huitième jour du mois: *Nous avons rendez-vous le dix-huit.* ☞ dix.

dix-huit adj.num.invar. **1.** Dix plus huit: *Elle a dix-huit ans.* **2.** Dix-huitième: *Lisez la page dix-huit.* ☞ dix.

dix-huitième n. et adj.num. **1.** n. Personne, animal ou chose qui occupe le dix-huitième rang: *Thérèse est la dix-huitième sur la liste d'élèves.* **2.** n. Partie d'un tout divisé en dix-huit parties égales: *Le dix-huitième de trente-six est deux.* **3.** adj.num. Qui vient après le dix-septième: *Cette skieuse est au dix-huitième rang.* **R.** Lorsqu'il s'agit de la partie d'un tout, le nom est masculin. ☞ dix.

dixième n. et adj.num. **1.** n. Personne, animal ou chose qui occupe le dixième rang: *Marcel est le dixième de cette rangée.* **2.** n. Partie d'un tout divisé en dix parties égales: *Le dixième de vingt est deux.* **3.** adj.num. Qui vient après le neuvième: *Vous êtes placés dans la dixième rangée.* **R.** Lorsqu'il s'agit de la partie d'un tout, le nom est masculin. ☞ dix.

dixièmement adv. En dixième lieu dans une énumération: *Dixièmement, allez vous coucher.* ☞ dix.

dix-neuf n.m.invar. **1.** Nombre qui suit dix-huit: *Treize plus six font dix-neuf.* **2.** Dix-neuvième jour du mois: *J'ai rendez-vous chez le dentiste le dix-neuf.* ☞ dix.

dix-neuf adj.num.invar. **1.** Dix plus neuf: *Mon grand-frère a dix-neuf ans.* **2.** Dix-neuvième: *Regarde l'illustration à la page dix-neuf.* ☞ dix.

dix-neuvième n. et adj.num. **1.** n. Personne, animal ou chose qui occupe le dix-neuvième rang: *C'est le dix-neuvième de sa classe.* **2.** n. Partie d'un tout divisé en dix-neuf parties égales: *Le dix-neuvième de cinquante-sept est trois.* **3.** adj.num. Qui vient après le dix-huitième: *Elle habite au dix-neuvième étage.* **R.** Lorsqu'il s'agit de la partie d'un tout, le nom est masculin. ☞ dix.

dix-sept n.m.invar. **1.** Nombre qui suit seize: *Dix-sept est un nombre impair.* **2.** Dix-septième jour du mois: *Elle devrait revenir le dix-sept.* ☞ dix.

dix-sept adj.num.invar. **1.** Dix plus sept: *Il y a dix-sept billes dans mon sac.* **2.** Dix-septième: *J'ai trouvé une photo à la page dix-sept de mon livre.* ☞ dix.

dix-septième n. et adj.num. **1.** n. Personne, animal ou chose qui occupe le dix-septième rang: *Elle est la dix-septième sur ma liste d'invités.* **2.** n. Partie d'un tout divisé en dix-sept parties égales: *Le dix-septième de quatre-vingt-cinq est cinq.* **3.** adj.num. Qui vient après le seizième: *Il est arrivé au bord de la mer le dix-septième jour de ses vacances.* **R.** Lorsqu'il s'agit de la partie d'un tout, le nom est masculin. ☞ dix.

dizaine n.f. **1.** Groupe de dix unités: *Cent dizaines forment un millier.* **2.** Quantité voisine de dix: *Cela s'est passé il y a une dizaine d'années.* ☞ dix.

do n.m.invar. Note de musique: *« Do » est la première note de la gamme de « do ».* SYN. ut. HOM. dos.

docile adj. **1.** Qui obéit facilement: *Marie est une enfant docile.* SYN. obéissant. ANT. indocile. **2.** Qui se coiffe facilement: *Elle a des cheveux dociles.* ☞ docilement, docilité, indocile, indocilité.

docilement adv. Avec docilité: *Le chien m'a suivi docilement.* ☞ docile.

docilité n.f. Obéissance, soumission: *Il fait tout ce qu'on lui demande avec docilité.* ANT. indocilité. ☞ docile.

docteur n.m. Personne qui possède le titre de docteur en médecine et qui soigne les malades: *Lorsqu'on est malade, on consulte un docteur.* SYN. médecin. ▲ **docteur** n.m. **1.** Personne qui possède un doctorat, le grade universitaire le plus élevé: *Monsieur Dionne est docteur en droit.* **2.** Dans la religion juive, personne savante qui interprète et enseigne la loi judaïque: *Les docteurs de la loi sont des spécialistes de la Torah.* **3.** Dans la religion catholique, théologien remarquable qui a enseigné les dogmes du christianisme: *Saint Augustin est un des docteurs de l'Église.* **R.** L'O.L.F. recommande *docteure* comme féminin de *docteur.* ☞ doctorat.

doctorat n.m. Grade universitaire le plus élevé: *Lise a obtenu un doctorat en chimie.* ☞ docteur.

doctrine n.f. Ensemble des opinions, des principes adoptés par une religion, un système politique: *Les deux philosophes débattaient un point de doctrine.* SYN. enseignement. ☞ endoctrinement, endoctriner.

document n.m. **1.** Écrit servant d'information, de preuve: *Les extraits de naissance, les contrats de mariage et les testaments sont des documents importants.* SYN. papier. **2.** Objet servant de témoignage, de preuve: *Les photographies et les films servent parfois de documents pendant les procès.* ☞ documentaire, documentation, documenter, porte-documents.

documentaire n.m. et adj. **1.** n.m. Film instructif visant à faire connaître un pays, une personne, un animal: *Nous avons vu un excellent documentaire sur les baleines.* **2.** adj. Qui a la valeur d'un document: *Les enfants ont beaucoup apprécié le film documentaire sur Haïti.* ☞ document.

documentation n.f. **1.** Ensemble des documents portant sur un sujet, une question: *Avant d'écrire son livre, l'historien a réuni une riche documentation.* **2.** Recherche de documents pour appuyer un travail, un récit: *Il lui a fallu trois mois pour terminer ce travail de documentation.* ☞ document.

documenter v. Fournir des documents,

des renseignements à quelqu'un: *Les livres d'histoire m'ont bien documenté sur la vie de Cléopâtre.* SYN. informer, renseigner. ☞ document. se **documenter** v.pron. Rechercher des documents, des renseignements: *La lecture est le meilleur moyen de se documenter sur un sujet.* SYN. s'instruire, se renseigner. **documenté, ée** p.p. et adj. **1.** Qui est appuyé par des documents: *Ton travail de recherche est solidement documenté.* **2.** Qui est bien informé: *Émilie est bien documentée sur les tortues.*

dodécagone n.m. Figure géométrique qui a douze côtés et douze angles: *La pierre qu'il a trouvée avait la forme d'un dodécagone.*

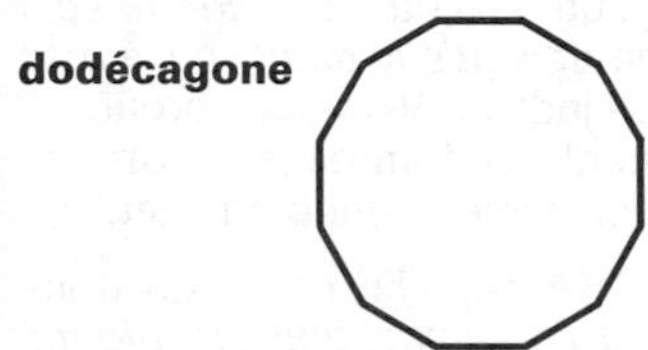

dodo n.m. **1.** Sommeil, dans le langage des enfants: *Il est temps d'aller faire un beau dodo.* **2.** Lit, dans le langage des enfants: *À cette heure-ci, tous les enfants sont au dodo.* ⁄⁄ *Faire dodo:* Dormir.

dodu, ue adj. Qui est bien gras: *Nous avons dégusté un poulet dodu.* SYN. grassouillet. ANT. maigre, malingre.

dogme n.m. Vérité fondamentale et incontestable d'une religion: *Pour faire partie d'une religion, il faut en accepter les dogmes.* SYN. croyance.

dogue n.m. Chien de garde trapu aux mâchoires puissantes, à grosse tête et au museau aplati: *Le dogue anglais et le dogue allemand sont des chiens de garde.*

doigt n.m. **1.** Chacune des cinq parties articulées qui terminent la main de l'être humain: *Les cinq doigts de la main sont: le pouce, l'index, le majeur, l'annulaire et l'auriculaire.* **2.** Chacune des parties articulées de la main du singe, des pattes et des pieds de certains animaux: *Les grenouilles ont les doigts palmés.* **3.** Chacune des parties d'un gant qui recouvrent les doigts: *Les doigts de tes gants sont percés.* ⁄⁄ *À deux doigts de:* Très près. *Doigt de pied:* Orteil. ☞ doigté. ▲ **doigt** n.m. Mesure approximative équivalant à l'épaisseur d'un doigt: *Donnez-moi un doigt de vin, pas plus.*

doigté n.m. **1.** En musique, manière de placer les doigts dans l'exécution d'un morceau: *Cette pianiste a un excellent doigté.* **2.** Habileté des doigts: *Un bon doigté est très important en chirurgie.* **3.** fig. Habileté, tact: *Elle a mené cette affaire avec beaucoup de doigté.* SYN. diplomatie, savoir-faire. ☞ doigt.

dollar n.m. Unité monétaire de plusieurs pays, divisée en 100 cents: *On utilise des dollars au Canada, aux États-Unis et en Australie.*

dolmen n.m. (breton) Monument préhistorique formé d'une pierre plate horizontale reposant sur des blocs de pierre verticaux: *Les dolmens formaient les parois d'une chambre funéraire.*

domaine n.m. **1.** Terre, bien que possède un propriétaire: *Cet homme possède un immense domaine dans les Laurentides.* SYN. propriété. **2.** Biens de l'État: *Les routes et les cours d'eau appartiennent au domaine public.* **3.** Lieu où une personne, un animal se sent à l'aise: *Les jours de pluie, le grenier était le domaine des enfants.* **4.** fig. Secteur couvert par une science, un art, un sujet, une idée: *Le domaine de la science nous réserve encore bien des surprises.* SYN. champ. **5.** fig. Ensemble des connaissances, compétence de quelqu'un: *L'électronique, c'est son domaine.* SYN. matière, spécialité. ⁄⁄ *Dans tous les domaines:* Dans toutes les matières, sur tous les points.

dôme n.m. **1.** Toit élevé de forme arrondie surmontant certains édifices: *L'oratoire Saint-Joseph est surmonté d'un dôme.* SYN. coupole. **2.** litt. Ce qui a l'aspect d'un dôme: *Un dôme de verdure nous protégeait des rayons brûlants du soleil.* **R.** Ne pas oublier l'accent: ô.

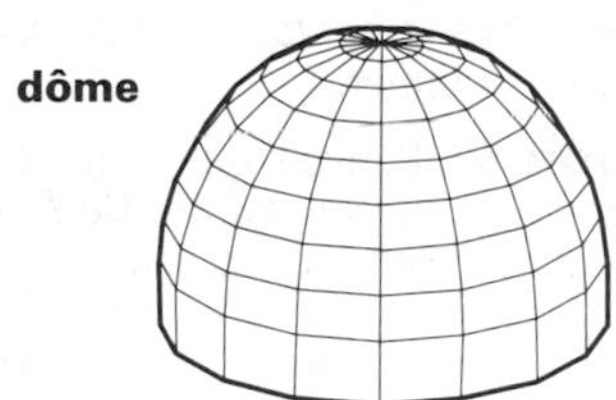

domestication n.f. Transformation d'un animal sauvage en animal domestique: *On croit que la domestication du chat aurait commencé en Égypte.* SYN. apprivoisement. ☞ domestique.

domestique n. Personne chargée de l'entretien de la maison, du service auprès d'un employeur: *Les gens riches ont souvent des domestiques.* SYN. servante, serviteur. ANT. maître, patron.

domestique adj. Qui se rapporte à la maison, au ménage: *Tous les membres de la famille participent aux travaux domestiques.*

▲ **domestique** adj. Qui vit auprès de l'être humain, qui est apprivoisé depuis longtemps: *Le chien, le bœuf, le cheval et la poule sont des animaux domestiques.* ANT. sauvage. ☞ domestication, domestiquer.

domestiquer v. Apprivoiser un animal sauvage: *L'être humain a domestiqué le cheval il y a longtemps.* ☞ domestique.

domestication domestiquer

domicile n.m. Lieu où l'on habite ordinairement: *Elle m'a rendu visite à mon domicile.* SYN. demeure, résidence. ⁄⁄ *À domicile:* Dans la demeure de quelqu'un. *Personne sans domicile:* Vagabond. ☞ domicilié.

domicilié, ée adj. Qui a un domicile, un lieu ordinaire d'habitation quelque part: *Jacqueline est domiciliée au 205, rue Tardivel.* ☞ domicile.

dominant, ante adj. **1.** Qui exerce son pouvoir sur d'autres: *Les pays dominants cherchent à imposer leur volonté aux autres.* **2.** Qui l'emporte parmi d'autres: *La douceur et la patience sont les traits dominants de son caractère.* SYN. déterminant, principal. ANT. accessoire, secondaire. **3.** Qui occupe une position plus élevée par rapport à autre chose: *Le château Frontenac occupe un site dominant à Québec.* SYN. culminant, éminent. ☞ dominer.

dominateur, trice n. et adj. **1.** n. Personne ou pays qui aime à dominer les autres: *Les tyrans, les dictateurs sont toujours de grands dominateurs.* SYN. despote, oppresseur. ANT. esclave, serviteur. **2.** adj. Qui aime à dominer les autres: *Chantal a un caractère dominateur.* ☞ dominer.

domination n.f. Pouvoir que l'on exerce sur un territoire ou sur un peuple: *De 1763 à 1867, les Canadiens ont vécu sous la domination de la Grande-Bretagne.* SYN. autorité, suprématie. ANT. indépendance, liberté, obéissance. ☞ dominer.

dominer v. **1.** Exercer son pouvoir sur un territoire, sur un peuple: *Hitler rêvait de dominer le monde.* SYN. régner sur. ANT. se soumettre. **2.** Être le plus fort: *La judoka domine nettement son adversaire.* SYN. l'emporter sur. ANT. céder, fléchir, plier. **3.** Être le plus nombreux: *Dans cette assemblée, les femmes dominent largement.* **4.** Être plus élevé par rapport à autre chose: *Le mont Royal domine la ville de Montréal.* SYN. surplomber. **5.** fig. Maîtriser quelque chose: *Elle a réussi à dominer sa colère.* SYN. contenir. ANT. succomber. ⁄⁄ *Dominer la situation:* Être maître de la situation. ☞ dominant, dominateur, dominer. se **dominer** v.pron. Se maîtriser: *Sa joie est si intense qu'il ne se domine plus.*

dominical, ale, aux adj. **1.** Qui appartient au Seigneur: *Nous allons réciter le Notre Père, l'oraison dominicale.* **2.** Qui se rapporte au dimanche: *Les écoliers profitent du repos dominical.*

domino n.m. Chacune des petites plaques divisées en deux cases portant de zéro à six points: *Dans un jeu de dominos, il y a vingt-huit dominos.*

dommage n.m. **1.** Dégât matériel causé à quelque chose: *Pendant le transport, les marchandises ont subi de grands dommages.* SYN. détérioration. ANT. avantage. **2.** Ce qui cause du tort à quelqu'un: *La cour l'a condamnée à réparer le dommage qu'elle avait causé à sa victime.* SYN. préjudice. ANT. gain, profit. ☞ dédommagement, dédommager, dommageable, endommagement, endommager.

dommageable adj. Qui cause du dommage: *La gelée est dommageable aux plantations.* SYN. nuisible, préjudiciable. ANT. profitable, utile. **R.** Ne pas oublier le *e* après le *g*. ☞ dommage.

dompter v. **1.** Dresser un animal, l'habituer à obéir: *Cette femme sait dompter les ours.* **2.** Soumettre à son autorité par la force, une personne ou un groupe de personnes: *Ces adolescentes n'ont jamais obéi à personne: ce sera difficile de les dompter.* SYN. discipliner. **3.** fig. Maîtriser un sentiment: *Cet homme n'a pas appris à dompter ses passions.* SYN. vaincre. **4.** fig. Maîtriser les forces de la nature: *La construction du barrage a permis de dompter les eaux.* SYN. dominer. **R.** Le *p* ne se prononce pas. ☞ dompteur, indomptable, indompté.

dompteur, euse n. Personne qui dompte des animaux sauvages: *Le dompteur de tigres s'est fait attaquer pendant le spectacle.* ☞ dompter.

don n.m. **1.** Action de donner quelque chose à quelqu'un: *Mon parrain m'a fait don de sa collection de timbres.* SYN. cadeau, présent. **2.** Ce qu'on donne à quelqu'un: *La Croix-Rouge a reçu plusieurs dons en argent pour les victimes du sinistre.* SYN. aumône, offrande. **3.** fig. Avantage naturel, talent: *Ce garçon a un don pour la peinture.* SYN. aptitude, capacité, disposition, facilité. HOM. dont. ☞ donner.

donateur, trice n. Personne qui fait un don à une œuvre: *Centraide remercie cette généreuse donatrice.* ☞ donner.

donc conj. **1.** Introduit la conséquence de ce qui précède: *Il est venu te voir: il n'est donc* *pas fâché.* **2.** Reprend un récit après une interruption : *Nous disions donc que la prochaine réunion aura lieu à 19 heures.* **3.** Renforce une interrogation, un ordre : *Qu'avez-vous donc?* **4.** Marque la surprise, le doute : *Allons donc, cela ne se peut pas.*

donjon n.m. Tour la plus haute et la plus importante d'un château fort : *En cas d'assaut, le seigneur et sa famille se réfugiaient dans le donjon.*

don Juan n.m. Grand séducteur : *C'est un don Juan, toujours à la recherche de nouvelles conquêtes.* **R.** Au pluriel, *don Juans*.

donné, ée adj. **1.** Qui a été donné, accordé : *La gagnante a reçu une automobile donnée par le concessionnaire.* SYN. offert. ANT. reçu. **2.** Qui est fixé, déterminé : *Pouvez-vous résoudre ces équations en un temps donné?* HOM. donnée, donner. ☞ donner. étant **donné** loc.prép. En raison de : *Étant donné la gravité de la situation, ne perdons pas de temps à discuter.* étant **donné que** loc.conj. Puisque : *Étant donné qu'il pleut sans arrêt, nous devons annuler l'excursion.* **R.** Est toujours suivi de l'indicatif.

donnée n.f. **1.** Élément qui sert de base à un raisonnement, à une recherche : *Les chercheurs doivent s'appuyer sur des données exactes.* **2.** En informatique, représentation conventionnelle d'une information : *J'aimerais consulter la banque de données.* HOM. donné, donner. ☞ donner.

donner v. **1.** Faire don de quelque chose à quelqu'un : *Elle a donné tous ses biens à ses enfants.* SYN. abandonner, léguer. ANT. garder, recevoir, revendiquer. **2.** Confier quelque chose en échange d'un service : *J'ai donné une robe au nettoyeur.* SYN. remettre. **3.** Céder une chose en échange d'une autre : *La marchande m'a donné un sac de pommes pour deux dollars.* SYN. fournir. ANT. recevoir. **4.** Payer : *Combien donnez-vous à votre livreuse de journaux?* ANT. demander, réclamer. **5.** Offrir quelque chose à quelqu'un : *Veux-tu donner une chaise à notre visiteuse?* SYN. présenter, procurer. ANT. enlever, retirer. **6.** Communiquer, fournir un renseignement : *Il n'a pas voulu me donner son numéro de téléphone.* ANT. demander, réclamer. **7.** Attribuer : *Ses parents lui ont donné le nom de Marjolaine.* ANT. recevoir. **8.** Être la cause de : *Ce travail me donne bien du souci.* SYN. causer. ANT. enlever. **9.** Produire : *Ce rosier donne de magnifiques fleurs roses.* **10.** Avoir accès, être situé : *Cette porte donne sur la ruelle.* HOM. donné, donnée. ⁄⁄ *Donnant donnant :* Rien pour rien ; on donne mais à condition de recevoir en retour. *Donner la mort :* Tuer. *Donner la vie :* Devenir parents. *Donner sa parole :* Promettre quelque chose. ☞ don, donateur, donné, donnée, donneur, redonner. se **donner** v.pron. **1.** Se dévouer : *Elle s'est entièrement donnée à son travail.* SYN. se consacrer, se vouer. ANT. se soustraire. **2.** Se faire à soi-même : *Il se donne beaucoup de mal.* **3.** Échanger : *Les deux diplomates se donnent une poignée de main.* ⁄⁄ *Se donner du bon temps :* S'amuser beaucoup. *S'en donner à cœur joie :* S'amuser beaucoup.

donneur, euse n. Personne qui donne quelque chose : *La Croix-Rouge lance un appel à tous les donneurs de sang.* ☞ donner.

don Quichotte n.m. Homme généreux et naïf qui prétend réparer toutes les injustices : *N'essayez pas de jouer les don Quichottes!* **R.** Au pluriel, *don Quichottes*.

dont pron.rel. **1.** De qui : *Madame Genest est une professeure dont je me souviens.* **2.** De quoi : *La femme médecin a diagnostiqué le mal dont il souffre.* HOM. don.

dopage n.m. Emploi de stimulants : *Le dopage est strictement interdit par les règlements.* ☞ doper.

dopant n.m. Produit qui stimule, excite un être humain ou un animal : *L'haltérophile a pris un dopant avant l'épreuve du championnat.* ☞ doper.

dopant, ante adj. Qui stimule, excite un être humain ou un animal : *Cette boisson a des effets dopants.*

doper v. Faire prendre un stimulant à un être humain ou à un animal avant une épreuve sportive ou un examen : *Le médecin est accusé d'avoir dopé cette athlète pour améliorer sa performance.* ☞ dopage, dopant. se **doper** v.pron. Prendre un stimulant : *L'étudiante s'est dopée avant le dernier examen.*

dorade n.f. Poisson de mer aux reflets dorés ou argentés : *La dorade est un poisson très estimé en cuisine.* **R.** Aussi, *daurade*.

doré n.m. Poisson d'eau douce à chair très estimée : *Le pêcheur a capturé un doré jaune et un doré noir.* HOM. dorer.

doré, ée adj. **1.** Qui est recouvert d'une mince couche d'or ou d'un métal jaune : *Son blazer a des boutons dorés.* **2.** Qui a la couleur de l'or : *Des guirlandes dorées sont suspendues au plafond.* HOM. dorer. ☞ dorer.

dorénavant adv. À partir de maintenant : *Dorénavant, je remettrai tous mes travaux à temps.* SYN. désormais.

dorer v. **1.** Recouvrir quelque chose d'une mince couche d'or : *On a doré les tranches de* *cette Bible.* **2.** Donner une couleur dorée à quelque chose: *Le soleil dore la peau des baigneurs.* SYN. bronzer. HOM. doré. ☞ doré (adj.), dorure, redorer. **se dorer** v.pron. Bronzer: *Les vacanciers se dorent au soleil.*

dorloter v. Entourer quelqu'un de soins attentifs et de tendresse: *Quand on est malade, on aime bien se faire dorloter.* **se dorloter** v.pron. Être aux petits soins pour soi-même: *C'est parfois bon de se dorloter après une dure semaine de travail.*

dormance n.f. État d'inactivité biologique des graines et des bourgeons, qui se traduit par l'arrêt temporaire du développement: *Pendant l'hiver, les graines et les bourgeons sont en dormance.* ☞ dormir.

dormant, ante adj. Qui reste immobile: *Les eaux dormantes des étangs attirent les insectes.* SYN. stagnant. ANT. courant, mobile. ☞ dormir.

dormeur, euse n. **1.** Personne qui dort: *Attention de ne pas réveiller les dormeurs.* **2.** Personne qui aime à dormir: *C'est une grande dormeuse: elle passerait ses journées au lit.* ☞ dormir.

dormir v. **1.** Être plongé dans le sommeil: *Combien d'heures as-tu dormi la nuit dernière?* **2.** fig. Être inactif: *Ce n'est pas le moment de dormir.* **3.** fig. Ne pas être employé: *Des milliers de livres dorment sur les tablettes.* **4.** fig. Être sans mouvement: *Rien ne bouge, toute la maison dort.* ☞ dormance, dormant, dormeur, dortoir, endormant, endormi, endormir, rendormir.

dorsal, ale, aux adj. Qui se rapporte au dos: *Certains poissons n'ont pas de nageoires dorsales.* ⁄⁄ *Épine dorsale:* Colonne vertébrale.

dortoir n.m. Grande salle où couchent plusieurs personnes: *À la colonie de vacances, tous les enfants couchaient dans un dortoir.* ⁄⁄ *Ville-dortoir, banlieue-dortoir:* Où les gens retournent le soir après avoir passé la journée à travailler à l'extérieur. ☞ dormir.

dorure n.f. **1.** Mince couche d'or qui recouvre quelque chose: *La dorure de la statue s'est écaillée.* **2.** Action de recouvrir quelque chose d'une mince couche d'or: *C'est une spécialiste de la dorure sur porcelaine.* ☞ dorer.

doryphore n.m. Insecte jaune aux ailes antérieures rayées de noir, causant de grands ravages aux plants de pommes de terre: *Le doryphore et sa larve dévorent les feuilles des pommes de terre.*

dos n.m. **1.** Partie du corps de l'être humain qui s'étend des épaules aux reins: *Daniel est couché sur le dos.* **2.** Partie supérieure du corps d'un animal: *La fillette monte sur le dos du cheval.* **3.** Dossier d'un siège: *Appuie-toi au dos de la chaise.* **4.** Partie d'un vêtement couvrant le dos: *Sa robe a des boutons dans le dos.* **5.** Partie supérieure et bombée d'une chose: *Elle s'est brûlé le dos de la main.* **6.** Envers d'une feuille écrite: *Son nom et son adresse sont écrits au dos du chèque.* SYN. verso. ANT. recto. **7.** Partie d'un livre opposée à la tranche: *Le titre est écrit sur le dos du livre.* **8.** Partie opposée au tranchant: *Le dos d'un couteau n'est jamais coupant.* ANT. lame. HOM. do. ⁄⁄ *À dos de cheval, d'âne:* Sur le dos d'un cheval, d'un âne. *Dos à dos:* Dos contre dos. ☞ adosser, dos d'âne, dossard, dossier.

dosage n.m. **1.** Détermination de la quantité d'un médicament qui doit être prise en une seule fois: *Le dosage des remèdes est confié aux pharmaciens.* **2.** Détermination de la quantité des ingrédients qui entrent dans un mélange: *Quand on invente une nouvelle recette, on surveille le dosage des ingrédients.* **3.** fig. Fait de mélanger différents éléments: *Sa personnalité était un dosage de douceur et de fermeté.* ☞ dose.

dos d'âne n.m.invar. Élévation ou bosse placée en travers de la chaussée: *L'automobiliste prudent ralentit avant le dos d'âne.* ☞ dos.

dose n.f. **1.** Quantité d'un médicament qui doit être prise en une seule fois: *Ne dépassez pas la dose prescrite.* SYN. posologie. **2.** Quantité de ce qui entre dans un mélange: *Quelle est la dose de beurre dans ce gâteau?* SYN. proportion. **3.** fig. Quantité quelconque: *Elle a mis une petite dose de méchanceté dans ses propos.* SYN. pointe. ☞ dosage, doser.

doser v. **1.** Mesurer la quantité d'un médicament qui doit être prise en une seule fois: *La pharmacienne m'a recommandé de doser soigneusement ce remède.* **2.** Mesurer la quantité des ingrédients qui entrent dans un mélange: *Je crois que le cuisinier a mal dosé la farine.* **3.** fig. Se servir de quelque chose dans de justes proportions: *Il n'a jamais su doser ses moqueries.* ☞ dose.

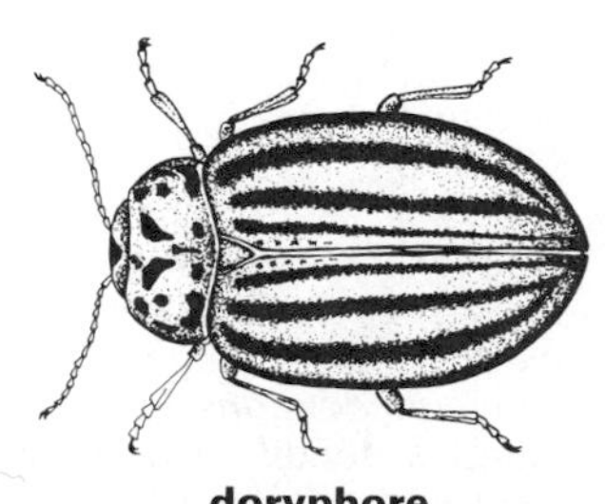

doryphore

dossard n.m. Carré de tissu marqué d'un numéro que portent sur le dos les coureurs ou les joueurs d'une équipe: *Daniel porte le dossard numéro neuf.* ☞ dos.

dossier n.m. Partie d'un siège contre laquelle on appuie le dos: *Le dossier de la chaise est en bois.* ☞ dos. ▲ **dossier** n.m. **1.** Ensemble des documents se rapportant à un sujet ou à une personne: *La secrétaire consulte le dossier de l'élève.* **2.** Chemise dans laquelle sont rangés ces documents: *Il faudra ajouter les cartes d'absences à chacun des dossiers.*

dot n.f. Autrefois, biens qu'une femme apportait en se mariant ou lorsqu'elle entrait au couvent: *Les jeunes filles riches pouvaient compter sur une grosse dot.* ☞ doter.

doter v. Donner des biens à sa fille à l'occasion de son mariage ou de son entrée au couvent: *Autrefois, les parents dotaient leurs filles.* ☞ dot. ▲ **doter** v. **1.** Fournir en équipement: *Cette usine est dotée de robots.* SYN. équiper. **2.** fig. Pourvoir d'une qualité: *La nature l'a doté d'un solide bon sens.* SYN. gratifier.

douane n.f. **1.** Administration publique chargée de recueillir les taxes imposées sur les marchandises qui entrent dans un pays ou qui en sortent: *Quand on voyage à l'étranger, il faut se soumettre aux formalités de la douane.* **2.** Bureau où est établie cette administration: *Tous les voyageurs doivent passer à la douane.* **3.** Taxe recueillie par la douane: *As-tu payé la douane sur ces marchandises importées?* ☞ dédouanage, dédouaner, douanier.

douanier, ière n. et adj. **1.** n. Personne qui travaille à la douane: *La douanière a fouillé mes bagages.* **2.** adj. Qui se rapporte à la douane: *Plusieurs pays voudraient uniformiser leurs tarifs douaniers.* ☞ douane.

doublage n.m. **1.** Action de doubler un vêtement, d'en garnir l'intérieur d'une autre étoffe: *La couturière a procédé au doublage de mon imperméable.* **2.** Remplacement de la bande sonore originale d'un film par un enregistrement dans une langue différente: *Le doublage de ce film n'est pas très réussi.* **3.** Remplacement d'un acteur ou d'une actrice: *Le doublage du comédien a été confié à un cascadeur.* ☞ doubler.

double n.m. **1.** Quantité qui a été multipliée par deux: *Vingt est le double de dix.* ANT. demi, moitié. **2.** Copie d'une chose: *Heureusement, j'avais un double de la clé.* SYN. duplicata. ANT. original. **3.** Partie de tennis ou de ping-pong opposant deux équipes de deux joueurs: *Ces joueuses disputent un double dames.* **4.** fig. Personne qui ressemble à une autre: *Son jumeau, c'est son double.*

double adj. **1.** Qui est répété deux fois: *Dans le mot «messe», il y a une consonne double.* **2.** Qui est fait de deux choses identiques: *Cette valise a un double fond.* ANT. simple. **3.** Qui est multiplié par deux: *Ce n'est pas juste: il reçoit un double salaire pour le même travail.* ANT. demi. **4.** fig. Qui a deux aspects dont un seul est connu: *Elle n'est pas franche: elle joue un double jeu.* // *À double sens:* Qui a deux significations. *En double:* En deux exemplaires. *Faire double emploi:* Être inutile. *Voir double:* Voir deux choses plutôt qu'une. ☞ dédoublement, dédoubler, doublement (adv.), doubler, doubleur, redoublant, redoublement, redoubler.

doublement n.m. Action de doubler: *Observez le doublement de la consonne «t» dans le mot dette.* ANT. dédoublement. ☞ doubler.

doublement adv. Pour deux raisons, de deux manières: *Elle mérite doublement d'être félicitée.* ☞ double.

doubler v. **1.** Multiplier par deux: *Cette femme d'affaires a doublé son capital.* **2.** Être multiplié par deux: *Le prix des automobiles a doublé depuis cinq ans.* **3.** Mettre en double: *La tricoteuse a doublé sa laine pour la rendre plus résistante.* ANT. dédoubler. ☞ double. ▲ **doubler** v. Garnir l'intérieur d'un vêtement d'une autre étoffe: *Le couturier a doublé mon manteau d'hiver.* ☞ dédoubler, doublage, doublure. ▲ **doubler** v. Dépasser un autre véhicule: *L'accident s'est produit lorsque la voiture a doublé le camion.* ☞ doublement (n.m.). ▲ **doubler** v. **1.** Remplacer la bande sonore originale d'un film par un enregistrement dans une langue différente: *Ce sont des comédiens québécois qui ont doublé ce film américain.* **2.** Remplacer un acteur ou une actrice: *La cascadeuse double la comédienne dans les scènes dangereuses.* ☞ doublage, doublure.

doubleur, euse n. Au Canada, élève qui redouble une classe: *Un orthopédagogue vient en aide aux doubleurs.* ☞ double.

doublure n.f. Étoffe qui garnit l'intérieur d'un vêtement: *Je peux enlever la doublure de mon manteau.* ☞ doubler. ▲ **doublure** n.f. Personne qui remplace un acteur ou une actrice: *La comédienne ne peut pas jouer ce soir; sa doublure la remplacera.* ☞ doubler.

douceâtre adj. Qui a une douceur fade:

Ces fruits ont un goût douceâtre. **R.** Ne pas oublier le *e* après le *c*. Ne pas oublier l'accent : *â*. ☞ doux.

doucement adv. **1.** Sans faire de bruit : *Elle a refermé la porte doucement.* SYN. délicatement. ANT. bruyamment. **2.** Lentement : *Nous avancions tout doucement pour ne pas tomber.* ANT. rapidement. **3.** Peu à peu : *La température descend doucement.* SYN. graduellement, lentement. ANT. vite. **4.** Assez mal : *Ce mois-ci, les affaires vont doucement.* SYN. médiocrement. ANT. bien. ☞ doux. ▲ **doucement** adv. Avec douceur : *Parlez-lui doucement, il vous écoutera.* SYN. délicatement. ANT. brusquement, rudement. ☞ doux.

doucereux, euse adj. **1.** Qui a une douceur fade : *Ce vin doucereux me donne mal au cœur.* **2.** fig. Qui est d'une douceur exagérée, hypocrite : *Je me méfie beaucoup de ses airs doucereux.* SYN. sournois. ANT. agressif. ☞ doux.

douceur n.f. **1.** Qualité de ce qui est agréable au goût : *L'apiculteur m'a vanté la douceur de son miel.* SYN. saveur. ANT. acidité, âcreté. **2.** Qualité de ce qui est agréable aux autres sens : *Ce pays est connu pour la douceur de son climat.* **3.** Sentiment agréable, plaisir calme et modéré : *Maman me parle souvent de la douceur de vivre de son enfance.* **4.** plur. Friandises : *Hugo m'a offert des douceurs à la Saint-Valentin.* ☞ doux. ▲ **douceur** n.f. Qualité d'une personne qui est douce, conciliante : *Toute la classe apprécie Réal pour la douceur de son caractère.* SYN. délicatesse. ANT. rudesse. ⁄⁄ *En douceur :* Doucement. ☞ doux.

douche n.f. **1.** Jet d'eau qui arrose le corps : *Tous les matins, Sophie prend sa douche.* **2.** Installation permettant de prendre une douche : *Papa a installé une douche au sous-sol.* **3.** fig. Grande déception : *Miguel n'avait pas prévu cet échec. Quelle douche pour lui !* SYN. désappointement. **4.** fam. Averse, liquide qui arrose quelqu'un : *L'orage m'a surprise, et j'ai pris une bonne douche.* ☞ doucher.

doucher v. **1.** Donner une douche à quelqu'un : *Veux-tu doucher Sylvain avant de le mettre au lit ?* **2.** fam. Recevoir une averse : *L'orage nous a douchés.* SYN. mouiller, tremper. ANT. sécher. **3.** fig. Décevoir beaucoup : *Cet échec l'a douchée.* ☞ douche. **se doucher** v.pron. Prendre une douche : *Les joueuses se douchent après le match.*

doué, ée adj. **1.** Qui possède quelque chose naturellement : *Pauline est douée d'un bon sens de l'humour.* ANT. dépourvu. **2.** Qui a des aptitudes, des talents : *Dimitri est doué pour la danse.* HOM. douer. ☞ douer.

douer v. Pourvoir d'un avantage, d'une qualité : *La nature t'a douée d'une bonne mémoire.* SYN. doter, gratifier. ANT. défavoriser. HOM. doué. ☞ doué, surdoué.

douille n.f. **1.** Partie creuse qui sert à adapter un outil, un instrument à un manche : *La douille de la pelle est rouillée.* **2.** Pièce métallique creuse à l'extrémité d'un fil électrique, dans laquelle on fixe une ampoule : *Julie visse l'ampoule dans la douille.* **3.** Cylindre creux qui contient la charge de poudre d'une cartouche : *La douille de la cartouche contient une poudre explosive.*

douillet, ette adj. **1.** Qui est doux et moelleux : *Bébé s'est endormi dans un lit douillet.* ANT. dur, rude. **2.** Qui est confortable : *Elle aime bien vivre dans un appartement douillet.* ANT. austère. **3.** Qui est très sensible à la moindre douleur : *Gilbert est un garçon douillet.* SYN. délicat. ANT. endurant. ☞ douillette, douillettement.

douillette n.f. Robe de chambre matelassée pour dames : *Maman porte une douillette blanc et bleu.* **R.** N'a pas le sens de *édredon*. ☞ douillet.

douillettement adv. **1.** Très confortablement : *Nous étions douillettement couchés dans un grand lit de plumes.* **2.** D'une façon douillette : *Les enfants qui sont élevés trop douillettement manquent de courage.* ☞ douillet.

douleur n.f. **1.** Sensation pénible ressentie dans une partie du corps : *Diane ressent de vives douleurs à la poitrine.* ANT. plaisir. **2.** Souffrance morale, chagrin : *Ils ont eu la douleur de perdre leur mère.* SYN. épreuve, tristesse. ANT. bonheur, joie, plaisir. ☞ douloureusement, douloureux, endolorir, indolore.

douloureusement adv. D'une façon douloureuse : *Elle a été douloureusement éprouvée par la mort de son mari.* ANT. agréablement, joyeusement. ☞ douleur.

douloureux, euse adj. **1.** Qui cause de la douleur : *Ses migraines sont très douloureuses.* ANT. agréable. **2.** Qui est traversé par la douleur : *Les coureurs ont les jambes douloureuses.* **3.** Qui est pénible, triste : *Personne n'aime se rappeler les souvenirs douloureux.* ANT. agréable, gai, heureux. **4.** Qui exprime de la tristesse, du chagrin : *Je ne peux pas oublier le regard douloureux du chien blessé.* ANT. gai, joyeux. ☞ douleur.

doute n.m. **1.** Hésitation à croire quelque chose : *Dis-moi ce qui est arrivé ; ne me laisse pas dans le doute.* SYN. incertitude, perplexité. ANT. certitude, conviction. **2.** Manque de confiance en quelqu'un ou en quelque chose :

J'ai des doutes sur son honnêteté. SYN. appréhension, crainte, soupçon. ANT. assurance, évidence. ⁄⁄ *Sans aucun doute:* Certainement. *Sans doute:* Probablement. ☞ douter.

douter v. **1.** Ne pas être certain de quelque chose: *Je doute du succès de ses démarches.* ANT. admettre, croire. **2.** Ne pas avoir confiance en quelqu'un ou en quelque chose: *Comment as-tu pu douter de ta meilleure amie?* SYN. se défier, se méfier. ⁄⁄ *Ne douter de rien:* Être très sûr de soi. ☞ doute, douteux. **se douter** v.pron. S'attendre à quelque chose, pressentir: *Je me doutais bien qu'il me rendrait visite bientôt.* SYN. supposer.

douteux, euse adj. **1.** Qui n'est pas certain: *Il est douteux qu'on te laisse partir avant la fin des cours.* ANT. assuré, probable. **2.** Qui n'a pas été vérifié: *L'origine de certaines traditions est douteuse.* SYN. équivoque, incertain. ANT. certain, évident, incontestable. **3.** Qui est d'une qualité contestable: *Ces plaisanteries sont d'un goût douteux.* SYN. louche, mauvais. ANT. bon. **4.** Qui est malpropre: *Tes vêtements sont d'une propreté douteuse.* ANT. net. **5.** Qui n'est pas très frais: *Ce rôti de veau est douteux.* **6.** Qui éveille la méfiance: *Danielle fréquente des amis douteux.* SYN. louche, suspect. ANT. franc, sûr. ☞ douter.

doux, douce adj. **1.** Qui a une saveur agréable: *Rien n'est plus doux que le sirop d'érable.* ANT. acide, aigre, amer, piquant. **2.** Qui est agréable au toucher: *Bébé a la peau douce.* ANT. rude. **3.** Qui est agréable à la vue: *Une douce lumière baigne la forêt.* SYN. pâle, tamisé. ANT. fort. **4.** Qui est agréable à l'oreille: *Je me repose en écoutant de la musique douce.* SYN. harmonieux, mélodieux. ANT. bruyant, criard. **5.** Qui n'est ni trop froid ni trop chaud: *Une douce brise me caresse le visage.* SYN. clément, tempéré. ANT. violent. **6.** Qui est agréable à l'odorat: *Le doux parfum des fleurs imprègne l'air de la campagne.* SYN. suave. ANT. violent. **7.** Qui n'est pas trop raide: *Pour ses débuts, le skieur a choisi une pente douce.* ANT. abrupt, escarpé. **8.** Qui plaît au cœur, à l'esprit: *Nous nous sommes rappelé de doux souvenirs.* SYN. agréable, attendrissant. ANT. pénible. ⁄⁄ *Eau douce:* Eau non salée des rivières, des lacs. ☞ adoucir, adoucissant, adoucissement, douceâtre, doucement, douceur, radoucir, radoucissement. ▲ **doux, douce** adj. **1.** Qui est gentil, conciliant: *Diane est une fille douce.* SYN. bienveillant, débonnaire, docile. ANT. agressif, cruel, violent. **2.** Qui exprime la douceur: *Qui peut résister au doux sourire d'un enfant?* ANT. dur. ⁄⁄ *En douce:* Sans se faire remarquer. ☞ adoucir, doucement, doucereux, douceur, radoucir, radoucissement.

douzaine n.f. **1.** Réunion de douze objets de même nature: *Tu as acheté une douzaine d'œufs.* **2.** Quantité voisine de douze: *Nous avons parlé à une douzaine de personnes.* ☞ douze.

douze n.m.invar. **1.** Nombre qui suit onze: *Deux fois six font douze.* **2.** Douzième jour du mois: *Elle a promis de me téléphoner le douze.*

douze adj.num.invar. **1.** Onze plus un: *Il y a douze mois dans une année.* **2.** Douzième: *Consulte le numéro douze de cette encyclopédie.* ☞ demi-douzaine, douzaine, douzième.

douzième n. et adj.num. **1.** n. Personne, animal ou chose qui occupe le douzième rang: *Elle est arrivée la douzième au saut en hauteur.* **2.** n. Partie d'un tout divisé en douze parties égales: *Un douzième des candidats a échoué à l'examen.* **3.** adj.num. Qui vient après le onzième: *Décembre est le douzième mois de l'année.* **R.** Lorsqu'il s'agit de la partie d'un tout, le nom est masculin. ☞ douze.

doyen, enne n. **1.** Personne qui administre une faculté dans une université: *Les doyens sont en réunion.* **2.** Personne la plus ancienne d'un groupe: *La doyenne du Sénat a accordé une entrevue à la journaliste.* **3.** Personne la plus âgée: *Monsieur Rhéaume est le doyen du village: il a cent ans.* SYN. aîné.

drachme n.f. (grec) Unité monétaire de la Grèce: *Les Grecs paient leurs achats avec des drachmes.*

draconien, ienne adj. Qui est excessivement sévère: *Le gouvernement a eu recours à des mesures draconiennes pour mater la rébellion.* SYN. rigoureux, strict. ANT. doux, indulgent.

dragage n.m. **1.** Nettoyage du fond des cours d'eau à la drague: *Le dragage consiste à enlever le sable, le gravier et la vase déposés au fond de l'eau.* **2.** Opération consistant à rechercher et à détruire les mines au fond des cours d'eau: *Le dragage des mines n'est pas encore terminé dans le golfe.* ☞ drague.

dragée n.f. Bonbon fait d'une amande enrobée de sucre durci: *À la naissance de Maribel, ses parents nous ont offert des dragées.* SYN. friandise, sucrerie.

dragon n.m. **1.** Animal imaginaire représenté avec des ailes, des griffes de lion et une queue de serpent: *Dans les contes pour enfants, le dragon protège souvent un trésor.* **2.** Dans la religion chrétienne, symbole du démon: *Cette statue représente saint Michel terrassant le dragon.* **3.** fig. Gardien vigilant: *La concierge de l'immeuble est un dragon.*

dragonne n.f. Courroie d'un bâton de ski, d'un parapluie, d'un appareil photographique, que l'on passe au poignet: *La dragonne de mon parapluie est cassée.*

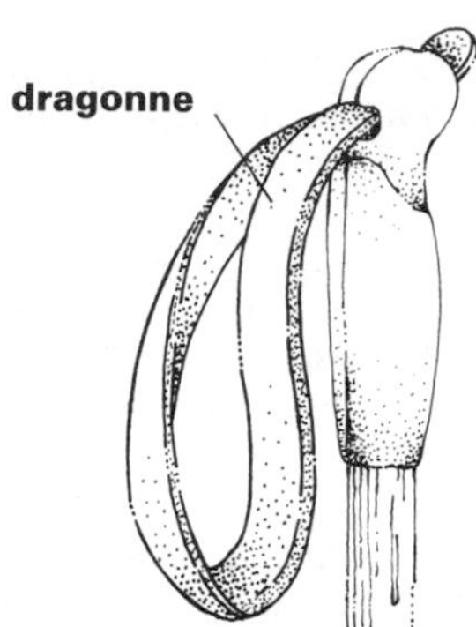

drague n.f. **1.** Engin mécanique servant à enlever le sable, le gravier et la vase au fond d'un cours d'eau: *La drague est un engin de terrassement installé sur un navire.* **2.** Dispositif mécanique servant à rechercher et à détruire les mines au fond des cours d'eau: *La drague pour mines sous-marines est entrée dans le chenal.* **3.** Filet de pêche en forme de poche, muni d'un manche servant à ramasser les huîtres, les moules: *La pêcheuse utilise sa drague le long de la côte.* **R.** Ne pas oublier le *u* après le *g*. ☞ dragage, draguer, dragueur.

draguer v. **1.** Enlever le sable, le gravier et la vase au fond d'un cours d'eau à l'aide d'une drague: *On va draguer cette rivière.* SYN. nettoyer. **2.** Rechercher et détruire les mines au fond d'un cours d'eau à l'aide d'une drague: *Les autorités militaires ont fait draguer ce détroit miné par l'ennemi.* **3.** Pêcher des huîtres, des moules à la drague: *Les pêcheuses draguent depuis plusieurs heures.* **R.** Ne pas oublier le *u* après le *g*. ☞ drague.

dragueur n.m. **1.** Bateau sur lequel est installée une drague: *Le dragueur creuse le canal.* **2.** Navire servant à rechercher et à détruire les mines au fond d'un cours d'eau: *Le dragueur de mines est un navire spécialement aménagé pour le dragage des mines sous-marines.* **3.** Pêcheur à la drague: *Les dragueurs d'huîtres reviennent au port.* **R.** Ne pas oublier le *u* après le *g*. ☞ drague.

drain n.m. **1.** Tube souple qu'on place dans certaines plaies pour favoriser l'écoulement d'un liquide: *Le médecin a placé un drain dans la plaie.* **2.** Conduit souterrain servant à l'écoulement des eaux d'un terrain trop humide: *Les propriétaires doivent faire installer un drain sur leurs terrains.* ☞ drainer.

drainage n.m. **1.** Opération destinée à favoriser l'écoulement d'un liquide de l'organisme par un drain: *Le drainage de la plaie a accéléré la cicatrisation.* **2.** Opération destinée à favoriser l'écoulement des eaux d'un terrain trop humide au moyen de drains ou de fossés: *La municipalité a entrepris les travaux de drainage du marais.* SYN. assèchement. ANT. irrigation. ☞ drainer.

drainer v. **1.** Placer un tube souple dans une plaie pour favoriser l'écoulement d'un liquide: *La femme médecin a drainé la plaie du malade.* **2.** Débarrasser un terrain trop humide de son excès d'eau: *Il faudrait drainer ce terrain avant de construire.* SYN. assécher. ANT. irriguer. **3.** fig. Attirer, rassembler: *Le festival de jazz de Montréal draine beaucoup de visiteurs.* SYN. amener. ANT. chasser, éloigner. ☞ drain, drainage.

dramatique n.f. et adj. **1.** n.f. Pièce de théâtre destinée à la télévision: *Radio-Canada nous a présenté une dramatique.* **2.** adj. Qui se rapporte au théâtre: *Les comédiens suivent des cours d'art dramatique.* **3.** adj. Qui écrit pour le théâtre: *Les amateurs de théâtre aiment beaucoup cet auteur dramatique.* **4.** adj. Qui est émouvant pour le spectateur: *Mes parents préfèrent les films dramatiques aux films comiques.* SYN. poignant. ANT. comique. **5.** adj.fig. Qui est très grave, terrible: *Les survivants du tremblement de terre sont dans une situation dramatique.* SYN. tragique. ANT. comique. ☞ drame.

dramatiquement adv. D'une façon dramatique: *Cette prise d'otages s'est terminée dramatiquement.* SYN. tragiquement. ANT. comiquement. ☞ drame.

dramatiser v. **1.** Présenter un récit de façon dramatique, tragique: *Ce récit a été dramatisé pour les besoins du film.* **2.** Exagérer la gravité ou l'importance d'un événement: *Il ne faut pas dramatiser la situation.* SYN. amplifier. ANT. atténuer, minimiser. ☞ drame.

dramaturge n. Personne qui écrit des pièces de théâtre: *Cette dramaturge a écrit plusieurs pièces à succès.* ☞ drame.

drame n.m. **1.** Pièce de théâtre d'un caractère grave, tragique: *Mes parents sont allés voir un drame au théâtre du Nouveau-Monde.* ANT. comédie. **2.** fig. Événement grave, terrible: *Un drame affreux a plongé les habitants de cette petite ville dans la tristesse.* SYN. calamité, cataclysme, catastrophe. ANT. chance, succès. ⁄⁄ *Faire un drame de quelque chose:* Exagérer la gravité ou l'importance de quelque chose. *Tourner au drame:* Devenir grave. ☞ dramatique, dramatiquement, dramatiser, dramaturge.

drap n.m. **1.** Grande pièce de tissu dont on garnit le lit et qui sert à isoler le corps du matelas ou des couvertures: *Une paire de draps comprend un drap-housse et un drap de dessus.* **2.** Étoffe de laine dont les fibres sont feutrées: *Cet homme porte un complet de drap marine.* ⫽ *Drap-housse:* Drap de dessous servant à emboîter le matelas. ☞ drapé, draper, draperie.

drapé n.m. Ensemble de plis souples et harmonieux que forme l'étoffe d'un vêtement: *Cette robe a un beau drapé.* HOM. draper. ☞ drap.

drapeau n.m. **1.** Pièce d'étoffe portant l'emblème et les couleurs d'une nation, d'un groupe: *Le drapeau québécois est orné de fleurs de lis.* SYN. étendard, pavillon. **2.** Pièce d'étoffe servant de signal: *On a abaissé le drapeau pour marquer le départ de la course.* ☞ porte-drapeau.

draper v. **1.** Habiller quelqu'un d'un vêtement ample qui retombe en plis harmonieux: *La couturière a drapé le mannequin dans un grand morceau de soie rose.* SYN. recouvrir, revêtir. **2.** Former des plis souples et harmonieux dans une étoffe, un vêtement: *Il a drapé le rideau sur le côté de la fenêtre.* HOM. drapé. ☞ drap. se **draper** v.pron. S'envelopper dans un vêtement ample qui retombe en plis harmonieux: *Avant de partir au bal, elle s'est drapée dans une longue cape de velours.* **drapé, ée** p.p. et adj. Qui est formé de plis souples et harmonieux: *Elle porte une magnifique robe à l'encolure drapée.*

draperie n.f. Grand morceau de tissu destiné à orner les fenêtres, qui retombe en plis harmonieux: *Des draperies de velours ornent les fenêtres de sa chambre.* ☞ drap.

drave n.f. Au Canada, transport du bois par flottage sur les cours d'eau: *Grand-père m'a raconté qu'il avait fait de la drave sur la rivière Chaudière.* ☞ draver, draveur.

draver v. Au Canada, transporter le bois par flottage: *Tous les hommes des environs sont partis draver.* ☞ drave.

draveur n.m. Au Canada, personne qui dispose et conduit le bois flotté: *Les draveurs sautent d'une bille à l'autre et risquent souvent leur vie.* ☞ drave.

dressage n.m. Action de dresser un animal pour l'habituer à faire ce qu'on lui demande: *Le dressage des animaux de cirque demande beaucoup de temps et de patience.* SYN. domptage. ☞ dresser. ▲ **dressage** n.m. Action d'installer quelque chose, en le faisant tenir droit: *Le dressage de la tente s'est fait en un temps record.* SYN. montage. ☞ dresser.

dresser v. Habituer un animal à obéir, à faire ce qu'on lui demande: *La dompteuse dresse ses tigres à sauter dans un anneau de feu.* SYN. dompter, mater. ☞ dressage, dresseur. se **dresser** v.pron. Pouvoir être dressé, en parlant d'un animal: *On m'a dit que les panthères se dressaient difficilement.* ▲ **dresser** v. **1.** Tenir droit, de façon verticale: *Quand on le siffle, Fido dresse les oreilles.* SYN. lever, redresser. ANT. baisser. **2.** Installer quelque chose en le faisant tenir droit: *Les campeuses ont dressé la tente près du lac.* SYN. élever, ériger, monter. ANT. démonter. **3.** Établir avec soin: *L'institutrice a dressé la liste de tous ses élèves.* **4.** fig. Mettre en opposition, en parlant des personnes: *Pierre a réussi à dresser tous les élèves contre Guillaume.* SYN. exciter. ⫽ *Dresser l'oreille:* Devenir attentif. ☞ dressage, dressoir. se **dresser** v.pron. **1.** Se mettre droit: *La petite fille s'est dressée sur la pointe des pieds.* SYN. se hausser. **2.** Être droit: *Le clocher de l'église se dresse au-dessus des toits.* SYN. s'élever. **3.** fig. Manifester son opposition: *Toute la population s'est dressée contre la politicienne malhonnête.* SYN. s'insurger, s'opposer. ANT. se soumettre. **4.** fig. S'élever: *Mille obstacles se dressent sur la route des chercheurs.*

dresseur, euse n. Personne qui dresse les animaux: *Le dresseur de chiens nous a montré ce qu'il pouvait faire avec ses bêtes.* SYN. dompteur. ☞ dresser.

dressoir n.m. Étagère ancienne servant à exposer des pièces de vaisselle: *Le service de table en porcelaine était rangé sur les tablettes du dressoir.* ☞ dresser.

dribbler v. (angl.) **1.** Dans divers sports, courir en poussant devant soi le ballon, du pied ou de la main, sans en perdre le contrôle: *La joueuse arrive en dribblant.* **2.** Dépasser un adversaire, en contrôlant le ballon: *Steve a réussi à dribbler un joueur de l'équipe adverse.*

drill n.m. Grand singe d'Afrique occidentale, proche voisin du mandrill: *La face noire du drill est entourée d'une collerette blanche.* HOM. drille. **R.** Les lettres *ill* se prononcent comme dans *famille*.

drille n.m. Joyeux compagnon: *On ne s'ennuie pas avec lui; c'est un joyeux drille.* SYN. luron. HOM. drill. **R.** Les lettres *ill* se prononcent comme dans *famille*.

dring interj. Mot qui évoque le bruit d'une sonnette: *Dring, dring! On sonne à la porte.*

drogue n.f. **1.** Substance toxique agissant sur le système nerveux et dont l'usage entraîne une dépendance: *La cocaïne, la morphine et* *l'héroïne sont des drogues.* SYN. stupéfiant. **2.** Médicament peu utile ou mauvais: *On comprend mal que cette drogue soit encore sur le marché.* ☞ drogué, droguer.

drogué, ée n. et adj. **1.** n. Personne intoxiquée par l'usage de drogues: *Les drogués ont besoin d'aide pour se désintoxiquer.* **2.** adj. Qui est intoxiqué par l'usage de drogues: *Cet hôpital vient en aide aux personnes droguées.* HOM. droguer. ☞ drogue.

droguer v. **1.** Faire prendre trop de médicaments à une personne: *Il ne se rend pas compte qu'on le drogue avec toutes ces pilules.* **2.** Faire prendre de la drogue: *Ils ont drogué le chien pour l'empêcher de japper.* HOM. drogué. ☞ drogue. se **droguer** v.pron. **1.** Prendre trop de médicaments: *Tu détruis ta santé en te droguant avec tous ces remèdes.* **2.** Prendre de la drogue: *Elle est devenue une vraie loque humaine depuis qu'elle se drogue.*

droit n.m. **1.** Ce qu'on peut exiger: *Au Canada, l'éducation est un droit.* SYN. liberté, pouvoir. **2.** Ce qui est permis par la loi ou un règlement: *À dix-huit ans, tu auras le droit de voter.* SYN. autorisation, permission. **3.** Taxe: *Pour importer cette voiture étrangère, elle a dû payer les droits de douane.* SYN. impôt. ⫽ *À bon droit:* Avec raison. *Avoir droit à:* Pouvoir exiger quelque chose. *Être dans son droit:* Avoir raison. ▲ **droit** n.m. **1.** Ensemble des lois en vigueur dans un État: *Le droit canadien ressemble beaucoup au droit anglais.* SYN. législation. **2.** Science qui étudie ces lois: *Gilberte étudie à la faculté de droit.*

droit, droite adj. **1.** Qui n'est pas courbe: *Cette route est très droite.* SYN. rectiligne. **2.** Qui va d'un point à un autre sans dévier: *Tracez une ligne droite sur votre feuille.* SYN. rectiligne. ANT. brisé, courbe. **3.** Qui est vertical: *Le mur de la classe n'est pas droit.* ANT. horizontal, penché. **4.** Se dit d'un angle formé par deux droites perpendiculaires: *Un angle droit mesure quatre-vingt-dix degrés.* ☞ demi-droite, droite. ▲ **droit, droite** adj. Qui est honnête: *Ma voisine est une femme simple et droite.* SYN. juste, loyal, sincère. ANT. déloyal, hypocrite. ☞ droiture. ▲ **droit, droite** adj. Qui est du côté opposé à celui du cœur: *La plupart des élèves écrivent de la main droite.* ANT. gauche. ☞ droite, droitier.

droit adv. **1.** En ligne droite: *La cabine téléphonique est droit devant toi.* **2.** Directement: *Je vais aller droit au but.* **3.** fig. De façon honnête: *Depuis sa libération, cet ancien prisonnier marche droit.*

droite n.f. En géométrie, segment qui se prolonge indéfiniment des deux côtés: *Roger trace une droite au tableau.* ☞ droit. ▲ **droite** n.f. **1.** Côté droit du corps: *Je voudrais m'asseoir à ta droite.* ANT. gauche. **2.** Main droite: *On lui apprend à distinguer sa droite de sa gauche.* ANT. gauche. **3.** Côté droit d'un chemin: *L'automobiliste garde la droite.* ANT. gauche. **4.** Partis politiques conservateurs: *C'est un politicien de droite.* ANT. gauche. ☞ droit.

droitier, ière n. et adj. **1.** n. Personne qui se sert habituellement de la main droite: *Anne-Marie est une droitière.* ANT. gaucher. **2.** adj. Qui se sert habituellement de la main droite: *La plupart de mes amis sont droitiers.* ANT. gaucher. ☞ droit.

droiture n.f. Qualité d'une personne honnête: *Je lui fais entièrement confiance, car je connais sa droiture.* SYN. franchise, honnêteté, loyauté. ANT. déloyauté, malhonnêteté. ☞ droit.

drôle adj. **1.** Qui fait rire: *Cette histoire est très drôle.* SYN. amusant, comique. ANT. sérieux, triste. **2.** Qui est étonnant, bizarre: *Tu as parfois de drôles d'idées.* SYN. étrange, original, surprenant. ANT. normal, ordinaire, simple. **3.** Qui est fameux: *Il a une drôle de patience pour endurer cette polissonne.* ⫽ *Se sentir tout drôle:* Ne pas se sentir comme d'habitude. **R.** Ne pas oublier l'accent: *ô.* ☞ drôlement, drôlerie.

drôlement adv. **1.** D'une façon drôle, bizarre: *Tu te conduis drôlement depuis quelques jours.* SYN. bizarrement, curieusement. ANT. normalement, sérieusement. **2.** fam. Extrêmement: *Il a fait drôlement chaud l'été dernier.* ANT. peu. **3.** fam. Très: *Tu sais que ta grande sœur est drôlement jolie?* **R.** Ne pas oublier l'accent: *ô.* ☞ drôle.

drôlerie n.f. **1.** Caractère de ce qui est drôle, amusant: *Ta composition est pleine d'humour et de drôlerie.* ANT. tristesse. **2.** Parole ou action drôle: *Elle dérange toute la classe avec ses drôleries.* SYN. bouffonnerie, plaisanterie. **R.** Ne pas oublier l'accent: *ô.* ☞ drôle.

dromadaire n.m. Mammifère à une seule bosse, voisin du chameau, utilisé comme monture en Afrique et en Arabie: *Un dromadaire peut survivre plusieurs semaines sans avaler une seule goutte de liquide.*

drop-out ☞ sect. anglicismes et canadianismes.

drosophile n.f. Petite mouche de couleur rougeâtre qu'on appelle communément mouche du vinaigre: *La drosophile est attirée par le vinaigre et les fruits fermentés.*

dru, ue adj. Qui est épais et touffu: *La ré-*

colte sera bonne: les blés sont drus. SYN. abondant, serré, touffu. ANT. clairsemé, rare.

dru adv. D'une manière serrée et en grande quantité: *La pluie tombe dru.*

druide n.m. Nom donné aux anciens prêtres gaulois ou celtes: *Le druide cueillait le gui avec une faucille d'or.*

du, de la, des art. **1.** Article défini résultant de la contraction de «de» et de «le»: *Il vient du Bas-du-Fleuve.* **2.** Article qui s'emploie devant les noms de choses qu'on ne peut compter: *Veux-tu du dessert?* HOM. dû. **R.** *Du* et *de la* deviennent *de l'* devant une voyelle ou un *h* muet.

dû n.m. Ce que l'on doit à quelqu'un: *Le livreur de journaux a réclamé son dû.* HOM. du. **R.** Ne pas oublier l'accent: *û*.

dû, due adj. **1.** Que l'on doit à quelqu'un: *Je vous ai payé la somme due.* SYN. dette. ANT. indu. **2.** Qui est causé par: *Cet accident est dû à une négligence.* SYN. attribuable, imputable. HOM. du. **R.** Ne pas oublier l'accent au masculin: *û*. ☞ dûment, indu, indûment.

duc n.m. Nom de trois variétés de hiboux qui portent sur la tête deux aigrettes en forme d'oreilles de chat: *Le grand duc d'Amérique est le plus gros et le plus répandu des hiboux.* ▲ **duc** n.m. Souverain d'un duché: *Le duc d'Orléans était le frère du roi de France.* **R.** Au féminin, *duchesse*. ☞ duché, duchesse.

duché n.m. Territoire appartenant à un duc ou à une duchesse: *Autrefois, la France comprenait de nombreux duchés.* ☞ duc.

grand **duc**

duchesse n.f. Souveraine d'un duché ou femme d'un duc: *La duchesse de Bretagne apporta en dot la Bretagne à la France.* ☞ duc.

duel n.m. Combat entre deux personnes dont l'une exige de l'autre la réparation d'un affront par les armes: *Autrefois, les questions d'honneur se réglaient en duel.* ☞ duelliste.

duelliste n. Personne qui se bat en duel: *Le duelliste est une fine lame.* ☞ duel.

duettiste n. Personne qui joue ou qui chante avec une autre personne dans un duo: *Les duettistes ont été très applaudies.* ☞ duo.

dugon n.m. Mammifère marin, au corps massif, vivant sur les côtes de l'océan Indien: *Le dugon se nourrit d'herbes aquatiques et peut atteindre trois mètres de long.* **R.** Aussi, *dugong*.

dulcinée n.f. Femme qui est aimée d'un homme: *Tous les soirs, Roméo allait rejoindre sa dulcinée.* SYN. bien-aimée.

dûment adv. Selon les formes prescrites: *Ce fait a été dûment constaté par de nombreux témoins.* ANT. indûment. **R.** Ne pas oublier l'accent: *û*. ☞ dû (adj.).

dune n.f. Colline de sable accumulé par le vent, sur le bord de la mer ou dans les déserts: *Les dunes peuvent atteindre plusieurs dizaines de mètres de hauteur.*

duo n.m. Composition musicale pour deux voix ou deux instruments: *Jacques et Sandrine ont chanté un duo.* ☞ duettiste.

dupe n.f. et adj. **1.** n.f. Personne que l'on peut tromper facilement: *Il a été la dupe de ce marchand malhonnête.* SYN. victime. **2.** adj. Que l'on peut tromper facilement: *Elle essaie de me voler, mais je ne suis pas dupe.* SYN. crédule, naïf, niais. ANT. astucieux, habile. ☞ duper.

duper v.litt. Tromper quelqu'un: *Leurs promesses sont exagérées: ne te laisse pas duper.* SYN. berner, leurrer, rouler. ANT. détromper. ☞ dupe.

duplex n.m. (améric.) **1.** Au Canada, maison comprenant deux logements superposés, généralement pourvus d'entrées distinctes: *Ce duplex est habité par deux familles.* **2.** Appartement ayant deux niveaux d'habitation réunis par un escalier intérieur: *Mes parents et moi vivons dans un duplex.*

duplicata n.m.invar. Double, copie d'un acte, d'un document: *On lui a remis un duplicata de son diplôme.*

duplicité n.f. Caractère d'une personne qui ne se montre pas sous son vrai jour: *Personne ne lui fait plus confiance: sa duplicité va la perdre.* SYN. fausseté, hypocrisie. ANT. droiture, franchise.

duquel, de laquelle, desquels, desquelles pron.rel. et pron.interrog. **1.** pron.rel. Contraction de la préposition «de» et du pronom relatif «lequel»: *Le livre duquel j'ai tiré ces renseignements est très intéressant.* SYN. dont. **2.** pron.interrog. Contraction de la préposition «de» et du pronom interrogatif «lequel»: *Voici deux outils. Duquel as-tu besoin maintenant?* ☞ lequel.

dur n.m. Ce qui est résistant, dur: *Le dur et le mou expriment la résistance au toucher.* HOM. dure. ☞ durcir, durcissement, dure, durement, dureté, durillon, endurci, endurcir, endurcissement.

dur, dure n. Personne qui n'a peur de rien: *Ne le provoque pas: c'est un dur.* HOM. dure. ⁄ *Un dur à cuire:* Personne qui ne recule devant rien. ☞ durcir, durcissement, dure, durement, dureté, durillon, endurci, endurcir, endurcissement.

dur, dure adj. **1.** Qui n'est pas tendre: *Le granit est une roche dure.* SYN. résistant, solide. ANT. fragile. **2.** Qui n'est pas mou: *Nous avons dormi sur un lit dur.* SYN. ferme. ANT. moelleux, mou. **3.** Qui offre une résistance: *Cette porte est dure à ouvrir.* SYN. difficile. ANT. facile. **4.** Qui est difficile: *Je ne suis pas capable de résoudre ces problèmes: ils sont trop durs.* ANT. facile. **5.** Qui est pénible à supporter: *L'année dernière, l'hiver a été dur.* SYN. froid, rigoureux, rude. ANT. agréable, doux. ⁄ *Eau dure:* Qui ne forme pas de mousse avec le savon. *Œuf dur:* Dont le blanc et le jaune sont devenus solides par suite de la cuisson. ☞ durcir, durcissement, dure, dureté, durillon, endurci, endurcir. ▲ **dur, dure** adj. **1.** Qui manque de cœur, de bonté: *Son jugement est très dur.* SYN. impitoyable, sévère. ANT. bon, tendre. **2.** Qui est désagréable, sans harmonie: *Je ne m'habitue pas aux traits durs de son visage.* ANT. doux. **3.** Qui n'accepte aucune discipline: *Cette enfant est très dure.* SYN. indocile. ANT. docile. ☞ durcir, durcissement, durement, dureté, endurci, endurcir, endurcissement.

dur adv. **1.** Avec énergie: *Cyrille travaille dur pour réussir.* SYN. énergiquement, sérieusement. **2.** Avec force: *Le soleil tape dur aujourd'hui.*

durable adj. Qui peut durer longtemps: *Nous espérons tous que la paix sera durable.* SYN. permanent, stable. ANT. momentané, provisoire, temporaire. ☞ durer.

durablement adv. Pour longtemps, de façon durable: *Elle espérait travailler durablement à la préparation du nouveau vaccin.* ☞ durer.

durant prép. Pendant: *Je l'ai revue durant les vacances de Noël.* ⁄ *Parler une heure durant:* Pendant une heure entière.

durcir v. **1.** Rendre dur: *La sécheresse a durci le sol.* SYN. solidifier. ANT. amollir. **2.** Donner une apparence dure: *Ce maquillage durcit les traits de son visage.* SYN. accentuer. ANT. adoucir. **3.** Devenir dur: *Le plâtre durcit en séchant.* **4.** fig. Rendre moins sensible: *Elle s'efforce de durcir son cœur, mais elle n'y parvient pas toujours.* SYN. endurcir. ANT. attendrir. **5.** fig. Rendre plus ferme: *Elles ont durci leur position depuis notre dernière rencontre.* ☞ dur. se **durcir** v.pron. **1.** Devenir dur: *La terre glaise se durcit rapidement.* **2.** Devenir plus accentué: *Les traits de son visage se durcissent avec les années.*

durcissement n.m. **1.** Action de durcir ou de se durcir: *Le durcissement de la pâte se produit pendant la cuisson.* ANT. amollissement. **2.** fig. Fait de devenir plus ferme, plus intransigeant: *On a constaté un durcissement de leur attitude à notre égard.* ANT. assouplissement. ☞ dur.

dure n.f. Terre nue: *Les coureurs des bois couchaient souvent sur la dure.* HOM. dur. ☞ dur.

durée n.f. Espace de temps que dure une action, une chose: *Le pont est fermé à la circulation pendant toute la durée des travaux.* SYN. période. HOM. durer. ☞ durer.

durement adv. **1.** D'une façon dure, sévère: *Ces enfants ont été élevés durement.* ANT. doucement, gentiment. **2.** Avec dureté: *J'ignore pourquoi on lui a répondu durement.* ANT. doucement, gentiment. **3.** D'une façon pénible à supporter: *Ils ont été durement éprouvés par la mort de leur fils.* ANT. doucement. ☞ dur.

durer v. **1.** Avoir une durée de: *La récréation a duré une demi-heure.* ANT. cesser, se terminer. **2.** Se prolonger: *Il fait trop beau: cela ne durera pas.* SYN. continuer, se maintenir. ANT. s'arrêter, cesser. **3.** Résister aux effets du temps: *L'œuvre des grands peintres durera toujours.* SYN. se perpétuer. ANT. disparaître, passer. **4.** Résister à l'usure: *Ces bottes étaient de bonne qualité: elles ont duré trois ans.* HOM. durée. ☞ durable, durablement, durée.

dureté n.f. **1.** Qualité de ce qui est dur,

résistant: *Cette pierre n'a pas la dureté du marbre.* SYN. consistance, solidité. ANT. mollesse, tendreté. **2.** Qualité de ce qui est pénible à supporter: *Elle ne peut plus supporter la dureté de nos hivers.* SYN. rigueur. ANT. douceur. **3.** Qualité de ce qui est sans harmonie: *Rien ne peut atténuer la dureté de ses traits.* SYN. méchanceté, rudesse. ANT. bonté, douceur. **4.** Manque de cœur, de bonté: *Elle m'a traité avec dureté.* SYN. brutalité, sévérité. ANT. gentillesse, indulgence, tendresse. ☞ dur.

durillon n.m. Épaississement de la peau, formé aux pieds et aux mains par suite de frottements répétés: *À force de courir pieds nus, il a des durillons sur la plante des pieds.* SYN. cal, callosité. ☞ dur.

duvet n.m. **1.** Plume douce et légère des oisillons: *As-tu déjà caressé le duvet d'un poussin?* **2.** Plume légère qui couvre le ventre et le dessous des ailes des oiseaux adultes: *Mon oreiller est en duvet de canard.* **3.** Sac de couchage bourré de duvet, de plumes, de fibres synthétiques: *Les campeurs se glissent dans leur duvet.* **4.** Poil doux et fin qui pousse sur le corps humain: *Un doux duvet blond couvre les bras du bambin.* **5.** Poil fin et court qui pousse sur certaines plantes, certains fruits: *Les pêches sont recouvertes de duvet.* ☞ duveté, duveteux.

duveté, ée adj. Qui est couvert de poils fins et courts appelés duvet: *Certaines personnes n'aiment pas la peau duvetée des pêches.* SYN. velouté. ☞ duvet.

duveteux, euse adj. **1.** Qui a beaucoup de duvet: *Les pêches sont duveteuses.* **2.** Qui a l'apparence du duvet: *La jeune enfant a les cheveux duveteux.* ☞ duvet.

dynamique adj. Qui manifeste beaucoup d'entrain, d'énergie: *Patricia est une fille dynamique.* SYN. actif, entreprenant. ANT. apathique. ☞ dynamiquement, dynamisme.

dynamiquement adv. Avec dynamisme, énergie: *Elle a entrepris dynamiquement des études en architecture.* ☞ dynamique.

dynamisme n.m. Entrain, énergie: *Toute ma famille admire le dynamisme de Paul.* SYN. vitalité. ANT. mollesse, passivité. ☞ dynamique.

dynamitage n.m. Action de faire sauter à la dynamite: *Ce film de guerre nous montre le dynamitage d'un pont.* ☞ dynamite.

dynamite n.f. Explosif très puissant: *On utilise la dynamite surtout pour les travaux publics.* ☞ dynamitage, dynamiter.

dynamiter v. Faire sauter à la dynamite, faire usage de dynamite: *Pour creuser un tunnel dans la montagne, il faudra dynamiter.* ☞ dynamite.

dynamo n.f. Machine qui transforme l'énergie mécanique en énergie électrique: *La dynamo d'une automobile produit le courant nécessaire aux appareils de l'équipement électrique.*

dynastie n.f. **1.** Suite des souverains d'une même famille qui ont régné sur un pays: *Le dernier tsar de Russie appartenait à la dynastie des Romanov.* SYN. descendance, lignée. **2.** Suite de personnes célèbres dans une même famille: *Cette personne est issue d'une dynastie de financiers.* SYN. lignée. ☞ dynastique.

dynastique adj. Qui se rapporte à une dynastie: *La mort de l'héritière du trône a soulevé des problèmes dynastiques.* ☞ dynastie.

dysenterie n.f. Maladie infectieuse provoquant des douleurs abdominales et une diarrhée grave: *Le malade souffre de dysenterie.*

dyslexie n.f. Difficulté d'apprentissage de la lecture: *René a de la difficulté à reproduire le langage écrit: il est atteint de dyslexie.* ☞ dyslexique.

dyslexique n. et adj. **1.** n. Personne qui a des difficultés d'apprentissage de la lecture: *Renée est une dyslexique.* **2.** adj. Qui éprouve des difficultés d'apprentissage de la lecture: *Une orthopédagogue s'occupe des enfants dyslexiques.* ☞ dyslexie.

e n.m.invar. Cinquième lettre de l'alphabet: *La lettre « e » est la deuxième voyelle de l'alphabet.*

eau, eaux n.f. **1.** Liquide transparent, sans saveur ni odeur, très répandu dans la nature: *Nous avons bu de l'eau de la source pour nous désaltérer.* **2.** Solution dans laquelle entre de l'eau: *Il faudra laver cette chemise à l'eau de Javel.* **3.** Étendue ou masse plus ou moins grande de ce liquide: *J'ai marché au bord de l'eau.* HOM. au, haut, ho!, oh!. ⁄⁄ *Eau bénite:* Eau consacrée par un prêtre. *Eau de Pâques:* Eau de source ou de ruisseau qu'on recueille le matin de Pâques et qui est censée avoir des effets curatifs. *Eau d'érable:* Au Canada, sève sucrée de l'érable. *Eau douce:* Eau de lac ou de rivière. *Eau minérale:* Eau riche en minéraux dissous. *Prendre l'eau:* Être perméable.

eau-de-vie n.f. Alcool très fort: *Il m'a offert un petit verre d'eau-de-vie de poire.* **R.** Au pluriel, *eaux-de-vie*.

ébahir v. Frapper d'étonnement: *La nouvelle, inattendue, nous a ébahis.* SYN. abasourdir, stupéfier. ANT. calmer, rassurer. ☞ ébahissement.

ébahissement n.m. Étonnement extrême: *Elle n'est pas encore revenue de son ébahissement.* SYN. stupéfaction, stupeur, surprise. ANT. calme, sérénité. ☞ ébahir.

ébats n.m.plur.litt. Jeux folâtres, mouvements joyeux: *Les enfants ont pris leurs ébats dans la nature.* ⁄⁄ *Prendre ses ébats:* Remuer, bouger beaucoup en s'amusant. ☞ s'ébattre.

s'ébattre v.pron.litt. Se divertir en remuant beaucoup: *Les grives et les pinsons s'ébattaient sous le soleil du printemps.* SYN. folâtrer. ANT. se calmer, se reposer. ☞ ébats.

ébauche n.f. **1.** Tentative, première version d'une œuvre: *Je n'ai pas encore terminé mon tableau, ce n'est qu'une ébauche.* SYN. croquis, essai, étude, projet. **2.** Commencement: *Quand je lui ai proposé mon plan, j'ai cru voir l'ébauche d'un geste de refus.* SYN. esquisse. ☞ ébaucher.

ébaucher v. **1.** Faire l'ébauche d'un ouvrage, lui donner sa première forme: *J'ai ébauché un dessin de mon école.* SYN. dessiner, esquisser. ANT. achever, finir. **2.** Commencer à faire: *Quand je l'ai saluée, elle a ébauché un sourire.* SYN. esquisser. ANT. terminer. ☞ ébauche.

ébène n.f. Bois de l'ébénier: *L'ébène est un bois noir et dur très précieux.* ☞ ébénier.

ébénier n.m. Arbre des régions équatoriales qui fournit l'ébène: *On trouve certaines espèces d'ébéniers en Afrique du Nord et en Asie.* ☞ ébène.

ébéniste n.m. Artisan qui fabrique des meubles de luxe: *Cette armoire est l'œuvre d'un ébéniste réputé.* SYN. menuisier. **R.** L'O.L.F. recommande que le nom *ébéniste* soit aussi employé au féminin. ☞ ébénisterie.

ébénisterie n.f. Fabrication des meubles de grande qualité: *En ébénisterie, on se sert des bois durs et précieux, comme le chêne, le palissandre et l'ébène.* ☞ ébéniste.

ébène éb**é**nier éb**é**niste éb**é**nisterie

éberlué, ée adj. Qui est très étonné: *Elle resta la bouche ouverte, sans mot dire, éberluée.*

éblouir v. **1.** Aveugler par une lumière trop forte: *J'ai été ébloui par les phares de la voiture que nous avons croisée.* **2.** Frapper d'admiration: *Ce spectacle nous a éblouis.* SYN. émerveiller, enchanter. ANT. déplaire, désenchanter. **3.** Impressionner: *Je me suis laissé éblouir par ses manières affables.* ☞ éblouissant, éblouissement.

éblouissant, ante adj. **1.** Qui éblouit, fascine: *Elles ont exécuté un numéro d'acro-*

batie éblouissant. SYN. brillant. ANT. terne. **2.** Qui éblouit, aveugle: *Cette lumière est trop éblouissante, je ne vois plus très bien.* ☞ éblouir.

éblouissement n.m. **1.** Trouble momentané de la vue, causé par une lumière trop brutale: *À la sortie de la caverne, nous avons eu un éblouissement en arrivant au soleil.* SYN. aveuglement. **2.** Enchantement: *Je n'oublierai jamais l'éblouissement que m'a causé ce concert.* SYN. émerveillement, fascination. ANT. déplaisir, désenchantement. ☞ éblouir.

éborgner v. Rendre borgne, enlever l'usage d'un œil: *Tu as failli éborgner ta copine avec ta balle de neige durcie.* ☞ borgne.

éboueur n.m. Personne chargée d'enlever les ordures ménagères: *Il faudrait sortir les ordures, les éboueurs vont bientôt passer.* ☞ boue.

ébouillanter v. Passer à l'eau bouillante: *Pour peler les tomates, il faut d'abord les ébouillanter.* SYN. blanchir, échauder. ANT. congeler, refroidir. ☞ bouillir. **s'ébouillanter** v.pron. Se brûler avec un liquide bouillant: *J'ai failli m'ébouillanter avec mon thé.*

éboulement n.m. Chute de pierres, de terre, de matériaux: *Il s'est produit un éboulement dans la mine.* SYN. affaissement, écroulement, effondrement. ☞ s'ébouler.

s'ébouler v.pron. S'affaisser en se répandant: *Le fort que nous avons construit s'est éboulé.* SYN. s'écrouler, s'effondrer. ANT. se fortifier, se redresser. ☞ éboulement, éboulis.

éboulis n.m. Amas de pierres, de matériaux éboulés: *Nous avons trouvé des antiquités sous les éboulis de briques de la maison abandonnée.* **R.** Le *s* ne se prononce pas. ☞ s'ébouler.

ébouriffage n.m. Action de mettre les cheveux en désordre: *Ce shampooing donne du corps aux cheveux et prévient l'ébouriffage.* ☞ ébouriffer.

ébouriffer v. Mettre les cheveux en désordre: *Fais attention, tu vas m'ébouriffer.* SYN. dépeigner, écheveler, hérisser. ANT. peigner. ☞ ébouriffage. **ébouriffé, ée** p.p. et adj. Dont les cheveux sont en désordre: *Elle m'a ébouriffé pour se moquer de mon air sérieux.*

ébranchage n.m. Action d'enlever les branches: *Autrefois, l'ébranchage des billes se faisait à la hache.* SYN. élagage, émondage. **R.** Aussi, *ébranchement.* ☞ branche.

ébrancher v. Enlever les branches: *Pour faire le feu, nous avons ébranché un sapin mort.* SYN. élaguer, émonder, tailler. ☞ branche.

ébranchoir n.m. Serpe fixée à une perche, qui sert à ébrancher: *Nous avons taillé les pommiers avec un ébranchoir.* ☞ branche.

ébranlement n.m. Vibration produite par une secousse: *Le séisme a causé un léger ébranlement dans la maison.* SYN. mouvement, oscillation. ANT. immobilité, stabilité. ☞ ébranler.

ébranler v. **1.** Secouer fortement: *Le vrombissement de la locomotive a ébranlé les vitres.* SYN. agiter. **2.** Affaiblir, rendre moins sûr: *Cet échec a ébranlé ma confiance en moi.* SYN. compromettre, saper. ANT. confirmer, consolider, raffermir. ☞ ébranlement, inébranlable. **s'ébranler** v.pron. Se mettre en marche: *La fanfare s'ébranla au son des trompettes et des tambours.* ANT. s'arrêter.

ébrécher v. Endommager en faisant une brèche, une entaille: *Tu as ébréché mon canif en voulant forcer la serrure.* SYN. détériorer. ☞ brèche.

ébréchure n.f. Brèche sur un objet: *Le verre avait une ébréchure et je l'ai jeté par mesure de prudence.* ☞ brèche.

ébriété n.f. État d'une personne ivre: *Elle a conduit en état d'ébriété et s'est vu retirer son permis.* SYN. ivresse. ANT. sobriété.

s'ébrouer v.pron. **1.** Souffler bruyamment en secouant la tête, en parlant du cheval: *Le cheval s'ébroua, nous avertissant ainsi d'un danger.* **2.** Se secouer en sortant de l'eau: *Le chien s'ébroua et alla se sécher au soleil.*

ébruitement n.m. Fait de rendre public: *L'ébruitement de ce secret était prévisible.* ☞ bruit.

ébruiter v. Rendre public: *Tu m'avais promis de ne pas ébruiter la nouvelle.* SYN. divulguer, répandre. ANT. cacher, dissimuler, taire. ☞ bruit. **s'ébruiter** v.pron. Se répandre: *Son secret s'est vite ébruité.* SYN. se propager.

ébullition n.f. État d'un liquide qui bout: *Il faut porter l'eau à ébullition avant d'y mettre les pâtes.* SYN. bouillonnement. ⁄⁄ *Point d'ébullition:* Température à laquelle un liquide passe à l'état gazeux. **R.** Les deux *l* se prononcent comme un seul *l*.

écaillage n.m. **1.** Action de se détacher par petits morceaux: *L'écaillage de cette peinture est dû à la chaleur du soleil.* **2.** Action de dépouiller de ses écailles: *Papa n'aime pas faire l'écaillage du poisson.* ☞ écaille.

écaille n.f. **1.** Plaque dure qui recouvre le corps de certains animaux: *La carpe est un poisson à écailles.* **2.** Matière cornée qui recouvre la carapace de la tortue: *Igor a une pipe en écaille.* **3.** Chacune des valves de certains mollusques: *Elle fabrique des bibelots* *avec des écailles de palourdes.* SYN. coquille. **R.** Ne pas confondre avec *écale.* ☞ écaillage, écailler, écailleux, écaillure.

écailler v. **1.** Dépouiller de ses écailles: *Ce poisson est difficile à écailler.* **2.** Ouvrir en séparant les écailles: *Ce canif est pratique pour écailler les huîtres.* **R.** Ne pas confondre avec *écaler.* ☞ écaille. **s'écailler** v.pron. Tomber par plaques: *Le vernis s'écaille à cause de l'humidité du bois.*

écailleux, euse adj. **1.** Qui est couvert d'écailles: *On ne pêche ici que des poissons écailleux.* **2.** Qui se détache par écailles: *C'était une vieille maison à la peinture écailleuse.* ☞ écaille.

écaillure n.f. Partie qui s'est détachée d'une surface: *Après avoir gratté le mur, il faudra balayer les écaillures.* ☞ écaille.

écale n.f. Enveloppe dure des noix et des amandes: *L'écureuil enlève l'écale des cacahuètes avec ses dents tranchantes.* **R.** Ne pas confondre avec *écaille.* ☞ écaler.

écaler v. Enlever l'écale d'une noix ou la coquille d'un œuf dur: *Il est plus facile d'écaler les œufs quand ils sont encore chauds.* SYN. décortiquer. **R.** Ne pas confondre avec *écailler.* ☞ écale.

écarlate adj. (persan) Qui est rouge vif: *Le cardinal est un oiseau au plumage écarlate.* SYN. cramoisi.

écarquiller v. Ouvrir de façon démesurée: *Il était tellement étonné qu'il écarquillait les yeux.* SYN. écarter. ANT. fermer. **R.** Les lettres *ill* se prononcent comme dans *famille.*

écart n.m. **1.** Différence mesurable entre deux choses, deux personnes: *Il y a un écart de vingt points entre ton dernier résultat et celui-ci.* SYN. variation. ANT. concordance. **2.** Action de s'éloigner d'une direction, d'un parcours: *La boussole indique que nous avons fait un écart vers l'est.* SYN. déviation. ANT. rapprochement. **3.** fig. Action de s'éloigner d'une règle morale, d'usages sociaux: *Il commet fréquemment des écarts de langage.* ⁄⁄ *Grand écart:* Écartement des jambes de façon qu'elles touchent le sol sur toute leur longueur. ☞ écarter. **à l'écart** loc.adv. Dans un endroit éloigné: *Elle restait à l'écart, sans parler.* **à l'écart de** loc.prép. À une certaine distance de: *Le restaurant est à l'écart du village.*

écarté, ée adj. Qui est éloigné: *Nous ne pensions jamais trouver une station-service dans ce lieu écarté.* SYN. isolé, retiré. ANT. fréquenté. HOM. écarter. **R.** N'a pas le sens de *égaré.* ☞ écarter.

écartèlement n.m. **1.** Supplice ancien qui consistait à séparer du tronc les bras et les jambes en les attachant à quatre chevaux: *L'écartèlement était réservé à ceux qui commettaient des crimes graves.* **2.** fig. Déchirement moral, conflit intérieur: *Mon écartèlement entre mes obligations et mes désirs actuels m'est très pénible.* SYN. tiraillement. ☞ écarteler.

écarteler v. **1.** Déchirer une personne en quatre en attachant ses membres à quatre chevaux: *Pour écarteler un condamné, on attachait ses membres à quatre chevaux.* **2.** fig. Déchirer, tirailler: *Je suis écartelée entre l'obligation d'aller à l'école et mon désir de jouer au parc.* ☞ écartèlement.

écartement n.m. **1.** Action d'éloigner: *L'écartement de l'index et du majeur est un signe de paix.* ANT. rapprochement. **2.** Distance entre deux choses: *On a augmenté l'écartement des roues pour accroître la stabilité.* SYN. écart. ANT. rapprochement. ☞ écarter.

écarter v. **1.** Éloigner deux choses en augmentant la distance entre elles: *Écartez les bras, bombez le torse et faites une pirouette.* SYN. disjoindre, ouvrir, séparer. ANT. rapprocher, réunir. **2.** Mettre ou tenir à distance: *J'ai écarté les boîtes qui obstruaient le passage.* SYN. éloigner. ANT. rapprocher. **3.** Exclure, éliminer: *L'escrimeuse a été écartée en demi-finale.* SYN. évincer. ANT. admettre, choisir. HOM. écarté. **R.** N'a pas le sens de *égarer.* ☞ écart, écarté, écartement. **s'écarter** v.pron. Se détourner, s'éloigner: *Tu t'écartes du sujet de la conversation.* SYN. dévier. ANT. se rapprocher. **R.** N'a pas le sens de *s'égarer.*

écartiller ☞ sect. anglicismes et canadianismes.

ecchymose n.f. Marque bleue laissée sur la peau à la suite d'un choc: *La balle de neige m'a fait une ecchymose sur le menton.* **R.** Les lettres *ecchy* se prononcent *éki.*

ecclésiastique n.m. et adj. **1.** n.m. Membre du clergé: *Les prêtres, les évêques et les cardinaux sont des ecclésiastiques.* **2.** adj. Qui se rapporte à l'Église et au clergé: *La paroisse et le diocèse sont des divisions ecclésiastiques.*

écervelé, ée n. et adj. **1.** n. Personne qui est irréfléchie: *Elle se conduit comme une écervelée.* SYN. hurluberlu. ANT. sage. **2.** adj. Qui est étourdi, sans jugement: *Ce garçon écervelé s'est collé les doigts sur la peinture fraîche.* SYN. évaporé, léger. ANT. équilibré, prudent, sérieux. ☞ cervelle.

échafaud n.m. Estrade servant à l'exécution par pendaison ou décapitation: *Le condamné monta à l'échafaud en tremblant.* **R.** S'écrit avec un seul *f*.

échafaudage n.m. **1.** Charpente temporaire que dressent les ouvriers de la construction et de la rénovation: *La peintre est montée dans un échafaudage pour repeindre la façade.* **2.** Amas d'objets posés les uns sur les autres: *Son bureau était surmonté d'un échafaudage de livres.* SYN. amoncellement, entassement, pile. **R.** S'écrit avec un seul *f*. ☞ échafauder.

échafauder v. Préparer en assemblant des éléments fragiles ou compliqués: *Au lieu d'échafauder de grands projets, nous ferions mieux de nous mettre au travail.* **R.** S'écrit avec un seul *f*. ☞ échafaudage.

échalote n.f. Plante potagère de la famille de l'oignon: *J'ai préparé une salade avec de l'échalote.* **R.** S'écrit avec un seul *t*.

échancré, ée adj. Qui est ouvert au bas du cou: *Il a mis un chandail à encolure échancrée.* SYN. décolleté. ANT. montant. HOM. échancrer. ☞ échancrer.

échancrer v. Découper en creux: *Pour faire ce bricolage, il faut échancrer une feuille de papier avec une petite paire de ciseaux.* SYN. tailler. ANT. joindre, unir. HOM. échancré. ☞ échancré, échancrure.

échancrure n.f. Partie échancrée, creusée au bord: *Elle portait une blouse décolletée à longue échancrure.* ☞ échancrer.

échange n.m. Action de donner une chose et d'en obtenir une autre en retour: *Mon amie collectionne aussi les minéraux et nous faisons des échanges.* ☞ échanger. en **échange** loc.adv. En retour: *Tu as donné beaucoup de ton temps, mais tu n'as rien reçu en échange.* en **échange de** loc.prép. Pour remplacer: *J'ai reçu une bague en échange de ma loyauté.*

échangeable adj. Qui peut être échangé: *Cet article acheté à rabais n'est pas échangeable.* SYN. changeable, remplaçable. ANT. inéchangeable. **R.** Ne pas oublier le *e* après le *g*. ☞ échanger.

échanger v. **1.** Donner une chose et en obtenir une autre en retour: *J'ai échangé ma bicyclette contre la sienne.* SYN. changer, troquer. ANT. conserver, garder. **2.** Adresser et recevoir en retour: *Mon amie et moi avons échangé des lettres pendant son séjour à l'étranger.* **R.** Ne pas oublier le *e* devant *a* et *o*. N'a pas le sens de *encaisser*. ☞ échange, échangeable, échangeur.

échangeur n.m. Intersection de routes ou d'autoroutes ne comportant aucun croisement à niveau: *Cet échangeur relie deux autoroutes.* ☞ échanger.

échantillon n.m. Petite quantité qui permet de donner une idée d'un produit: *Nous avons reçu par la poste des échantillons d'un nouveau shampooing.* SYN. spécimen. **R.** Les lettres *ill* se prononcent comme dans *famille*. ☞ échantillonnage, échantillonner.

échantillonnage n.m. Série d'échantillons, de petites quantités qui permettent de donner une idée d'un produit: *Le marchand nous a présenté un échantillonnage de couleurs pour notre tapis du salon.* **R.** Les lettres *ill* se prononcent comme dans *famille*. ☞ échantillon.

échantillonner v. **1.** Choisir des personnes en vue d'un sondage: *Nous avons été échantillonnés pour un sondage sur les élèves doués.* **2.** Prélever, choisir des échantillons de produits: *La vendeuse a échantillonné ses produits les plus intéressants pour ses clients.* **R.** Les lettres *ill* se prononcent comme dans *famille*. ☞ échantillon.

échappatoire n.f. Moyen détourné de se tirer d'affaire: *Tu inventes des échappatoires pour ne pas venir avec nous.* SYN. excuse, prétexte. ☞ échapper.

échappée n.f. **1.** Espace étroit ouvert à la vue ou au passage: *Ce sentier escarpé mène à une échappée sur l'estuaire du Saguenay.* **2.** Action de distancer des concurrents, en sport: *Notre championne a réussi une échappée remarquable.* SYN. dégagement. HOM. échapper. ☞ échapper.

échappement n.m. Expulsion des gaz brûlés d'un moteur: *Ne restons pas près du tuyau d'échappement de la voiture, l'air y est malsain.* ☞ échapper.

échapper v. **1.** Se dérober à la surveillance de quelqu'un: *Un dangereux individu a échappé à la police.* SYN. s'esquiver, se sauver. **2.** Ne pas être atteint par quelque chose: *Elle a échappé à l'épidémie de coqueluche.* SYN. se préserver, se soustraire. ANT. subir. **3.** Glisser des mains: *À cause de l'humidité, le pot de jus m'a échappé des mains.* **4.** Être oublié, hors de l'esprit: *Je cherche un synonyme, mais il m'échappe.* **5.** Être dit ou fait involontairement: *Excuse-moi, cette parole m'a échappé.* **6.** Ne pas être remarqué, ne pas être perçu par les sens: *Cette faute d'orthographe a échappé à mon attention.* **7.** Ne pas être compris: *Le sens de la question lui a échappé.* **8.** Au Canada, laisser tomber par mégarde: *J'ai échappé ma clef dans la neige.* HOM. échappée. ☞ échappatoire, échappée, échappement. **s'échapper** v.pron. **1.** S'enfuir: *Le* *papillon que j'avais capturé s'est échappé.* SYN. se sauver. ANT. rester. **2.** Se répandre à l'extérieur: *J'ai trouvé la crevaison par où l'air s'échappe de mon pneu.* SYN. sortir. ANT. entrer.

écharde n.f. Fragment pointu introduit accidentellement sous la peau: *Je me suis fait une écharde au doigt en transportant cette planche.*

écharpe n.f. **1.** Rectangle de tissu ou de tricot qu'on porte autour du cou pour se protéger du froid: *Enroule bien ton écharpe de laine pour te protéger le bas du visage.* **2.** Bandage soutenant le bras: *Elle est revenue de sa sortie de ski avec un bras en écharpe.*

écharper v. Mettre en pièces, massacrer: *Le dictateur déchu a failli se faire écharper par la foule.* SYN. blesser, lyncher, mutiler.

échasse n.f. Chacun des deux longs bâtons munis d'un appui pour le pied et avec lesquels on peut se déplacer à une certaine hauteur par rapport au sol: *À la fête de fin d'année, Sylvie était montée sur des échasses.* ⁄⁄ *Être monté sur des échasses:* Avoir de longues jambes.

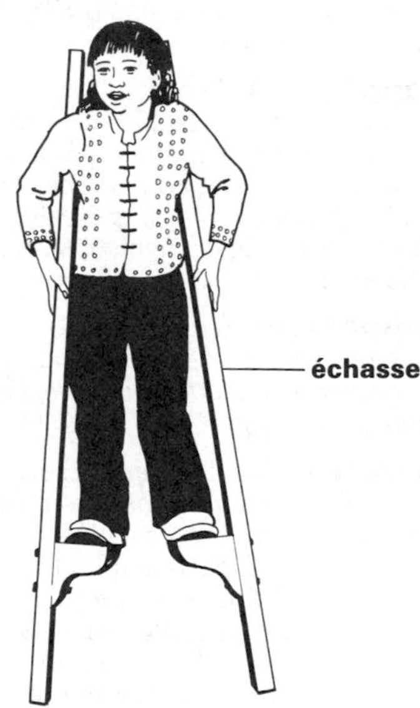

échassiers n.m.plur. Ordre d'oiseaux des marais caractérisés par leurs longues pattes: *Les échassiers sont des oiseaux aquatiques.* **R.** S'écrit au singulier lorsqu'il désigne un animal appartenant à cet ordre.

échauder v. **1.** Passer à l'eau chaude: *Il faut échauder les tomates avant de les peler.* SYN. blanchir, ébouillanter. ANT. refroidir. **2.** Brûler avec un liquide très chaud: *Lorsque j'étais enfant, je me suis échaudé avec un bouillon de légumes.* SYN. s'ébouillanter. ☞ chaud.

échauffement n.m. **1.** Fait de s'échauffer, de rendre chaud progressivement: *Ce frottement a entraîné l'échauffement du pneu.* ANT. refroidissement. **2.** Action d'échauffer les muscles: *Nous commençons le cours d'éducation physique par des exercices d'échauffement.* SYN. réchauffement. ANT. refroidissement. ☞ chauffer.

échauffer v. Rendre chaud progressivement: *Au printemps, le soleil échauffe la terre dans les champs.* SYN. réchauffer. ANT. refroidir. ☞ chauffer. **s'échauffer** v.pron. **1.** Entraîner ses muscles, les préparer à accomplir un effort: *Les joueurs s'échauffaient avant le début du match.* SYN. se réchauffer. ANT. se refroidir. **2.** fig. S'emporter, se passionner pendant une conversation: *Elle s'échauffe toujours quand on parle de ce sujet.* SYN. s'enflammer, s'impatienter, s'irriter. ANT. se calmer.

échauffourée n.f. Bagarre de courte durée: *La réunion s'est terminée par une échauffourée entre ces virulentes adversaires.* SYN. bataille, escarmouche, mêlée, rixe.

échéance n.f. Date à laquelle se termine un délai pour payer quelque chose, remplir une obligation: *L'échéance pour la remise de notre travail de recherche a été fixée au 30 avril.* SYN. expiration, terme. ⁄⁄ *À brève échéance:* Dans peu de temps. *À longue échéance:* Après une longue période. ☞ échéant.

échéant, ante adj. Qui sera à échéance bientôt: *La date échéante du concours est le dernier jour de juin.* ⁄⁄ *Le cas échéant:* Si l'occasion se présente. ☞ échéance.

échec n.m. Fait de ne pas réussir: *J'ai eu un échec en mathématiques, mais je me reprendrai au prochain examen.* SYN. insuccès. ANT. réussite, succès. ⁄⁄ *Essuyer un échec:* Subir un échec. *Faire échec à:* Empêcher de réussir. *Tenir quelqu'un en échec:* Empêcher quelqu'un d'avoir l'avantage.

échecs n.m.plur. (persan) Jeu de stratégie qui se joue avec un échiquier et deux séries de seize pièces de valeurs diverses: *Ma sœur m'a montré à jouer aux échecs.* ⁄⁄ *Échec et mat:* Coup qui assure le gain d'une partie. **R.** S'écrit au singulier dans *échec et mat*. ☞ échiquier.

échelle n.f. **1.** Objet formé de deux montants verticaux réunis par des échelons: *J'ai dû prendre une échelle pour aller chercher mon chat dans l'arbre.* **2.** fig. Suite de degrés, succession de niveaux différents: *Nous n'avons pas la même échelle de valeurs.* **3.** Série de divisions sur un instrument de mesure: *L'échelle de ce thermomètre est en degrés Celsius.* SYN. graduation. **4.** Ligne graduée sur une carte, qui indique le rapport entre une longueur sur la carte et la longueur dans la réalité: *L'échelle de cette carte est 1/200 000, donc 1 cm équivaut à 200 000 cm, c'est-à-dire 2 km.* SYN. rapport. ⁄⁄ *À l'échelle de:* À la mesure de. *Échelle de Beaufort:* Graduation servant à indiquer la force du vent. *Échelle de Richter:* Graduation servant à indiquer l'intensité d'un tremblement de terre. *Sur une grande échelle:* Dans de grandes proportions, de grandes dimensions. ☞ échelon, échelonnement, échelonner.

échelon n.m. **1.** Barreau d'une échelle: *Il faut faire attention en descendant de l'échelle, car il manque un échelon.* SYN. marche. **2.** Degré d'une hiérarchie en milieu de travail: *Elle a gravi un échelon et occupe maintenant un poste de direction.* SYN. grade, niveau. ☞ échelle.

échelonnement n.m. Action d'échelonner, de répartir dans l'espace ou le temps: *L'échelonnement des paiements de son micro-ordinateur s'étend sur deux ans.* ☞ échelle.

échelonner v. Répartir dans l'espace ou le temps: *Nous avons décidé d'échelonner nos paiements sur une période de cinq ans.* SYN. distribuer, étaler. ANT. concentrer, unifier. ☞ échelle. **s'échelonner** v.pron. Se répartir dans l'espace ou le temps: *Les travaux de rénovation s'échelonneront jusqu'au mois de décembre.* SYN. s'espacer, s'étaler. ANT. se concentrer.

écheveau, eaux n.m. **1.** Assemblage de fils roulés en cercle et attachés par un fil: *Prends cet écheveau de laine et roule-le en pelote.* **2.** fig. Situation embrouillée: *Nous avons essayé de démêler l'écheveau de son récit, mais sans succès.* SYN. complication, confusion, dédale.

échevelé, ée adj. **1.** Qui a les cheveux en désordre: *Le grand vent l'a complètement échevelé.* **2.** fig. Qui est désordonné: *Cette histoire qu'on m'a racontée était complètement échevelée.* ☞ cheveu.

échidné n.m. Mammifère ovipare au corps couvert de piquants et au museau pointu: *L'échidné est insectivore et vit en Australie.* **R.** Les lettres *ch* se prononcent *k*.

échine n.f. Colonne vertébrale de l'être humain et de certains animaux: *Papa plia l'échine pour que je puisse l'embrasser.*

s'échiner v.pron. Se donner du mal pour faire quelque chose: *Nous nous sommes échinées à ramasser du bois.* SYN. s'épuiser, s'éreinter. ANT. se délasser, se reposer.

échinodermes n.m.plur. Catégorie d'animaux marins invertébrés: *L'oursin et l'étoile de mer font partie des échinodermes.* **R.** Les lettres *ch* se prononcent *k*. S'écrit au singulier lorsqu'il désigne un animal appartenant à cette catégorie.

échiquier n.m. Damier du jeu d'échecs: *L'échiquier est un quadrillage de soixante-quatre cases.* ☞ échecs.

écho n.m. Répétition d'un son produite par sa réflexion sur un obstacle: *Dans la montagne, les enfants s'amusent à écouter l'écho de leurs cris.* SYN. résonance. HOM. écot. ⁄⁄ *Sans écho:* Sans réponse favorable. *Se faire l'écho de:* Propager. ☞ échographie. ▲ **écho** n.m. Ce qui est répété de personne à personne; petite nouvelle annoncée par un journal: *As-tu un écho de ce que les louveteaux ont décidé à la dernière réunion?* SYN. bruit, information, nouvelle. **R.** Les lettres *ch* se prononcent *k*. ☞ échotier.

échographie n.f. Méthode d'observation à l'intérieur du corps au moyen d'ultrasons: *Ma mère attend un garçon; c'est ce qu'a révélé l'échographie.* **R.** Les lettres *ch* se prononcent *k*. Les lettres *ph* se prononcent *f*. ☞ écho.

échoir v.litt. Être attribué par le hasard à quelqu'un: *Il m'est échu une malchance dont je me remettrai difficilement.* SYN. advenir.

échoppe n.f. Boutique en matériau léger: *L'artisan était très affairé dans son échoppe.* ▲ **échoppe** n.f. Outil à pointe taillée en biseau, utilisé par le graveur, l'orfèvre: *Travailler avec une échoppe demande beaucoup d'attention et de précision.*

échotier n.m. Journaliste qui rédige les échos, les petites nouvelles: *L'échotier a rapporté une anecdote amusante au sujet de cette artiste.* **R.** Les lettres *ch* se prononcent *k*. ☞ écho.

échouer v. **1.** Toucher le fond ou être jeté sur la côte, en parlant d'un bateau: *À cause de la tempête, un navire a échoué dans l'anse.* **2.** Pousser un bateau sur la côte pour l'immobiliser: *Il a fallu échouer notre voilier pour y faire des réparations.* ANT. renflouer. **3.** fig. S'arrêter dans un lieu qu'on n'a pas choisi: *Nous avons échoué dans un restaurant sordide.* **s'échouer** v.pron. Toucher le fond, en parlant d'un bateau: *Plusieurs bateaux se sont échoués dans le fleuve Saint-Laurent.* SYN. s'ensabler. ▲ **échouer** v. **1.** Ne pas atteindre son but: *Malgré tous nos efforts, nous avons échoué.* ANT. gagner, réussir. **2.** Ne pas avoir un résultat suffisant à un examen: *Les élèves qui ont échoué pourront se reprendre la semaine prochaine.* **3.** Ne pas réussir, ne pas aboutir: *Toutes mes tentatives de le convaincre ont échoué.* SYN. avorter, manquer, rater.

écimage n.m. Action d'écimer, d'enlever la cime d'un arbre, d'une plante: *L'écimage de la haie a pris une journée de travail.* SYN. étêtage. ☞ cime.

écimer v. Enlever la cime d'un arbre, d'une plante: *Il faut écimer les épinards pour qu'ils ne montent pas en graine.* SYN. étêter. ☞ cime.

éclaboussement n.m. Action d'éclabousser, de faire rejaillir un liquide: *L'éclaboussement des vagues contre le rocher nous rafraîchissait.* ☞ éclabousser.

éclabousser v. Faire rejaillir un liquide salissant: *L'autobus a éclaboussé les gens qui attendaient à l'arrêt.* SYN. arroser, asperger, salir. ☞ éclaboussement, éclaboussure.

éclaboussure n.f. Jet de liquide salissant: *Ma cuillère est tombée dans ma soupe et j'ai des éclaboussures sur ma chemise.* ☞ éclabousser.

éclair n.m. **1.** Lumière vive provoquée par l'électricité atmosphérique pendant un orage: *J'ai vu un éclair, il pleuvra bientôt.* **2.** Lueur éclatante produite par un flash: *L'acteur est apparu sous les éclairs des photographes.* // *Avec la rapidité de l'éclair:* Très rapidement. ▲ **éclair** n.m. Pâtisserie allongée, fourrée de crème et glacée: *Pour le dessert, ce sera des éclairs au chocolat.*

éclairage n.m. Action ou manière d'éclairer, de répandre de la lumière: *Pour lire sans se fatiguer les yeux, il faut un bon éclairage.* ☞ éclairer.

éclairant, ante adj. Qui éclaire, aide à comprendre: *L'institutrice m'a donné des explications éclairantes.* ☞ éclairer.

éclaircie n.f. Dégagement partiel et momentané d'un ciel nuageux: *L'éclaircie annonce peut-être le retour du beau temps.* ☞ éclaircir.

éclaircir v. **1.** Rendre plus clair: *Ajoute un peu de gouache blanche pour éclaircir ce bleu.* SYN. diluer, étendre. ANT. épaissir. **2.** Rendre moins épais, moins serré, moins dense: *Elle s'est fait éclaircir un peu les cheveux pour avoir moins chaud cet été.* SYN. dégager, tailler. ANT. épaissir. **3.** fig. Rendre plus compréhensible: *Pourriez-vous éclaircir cette notion de physique?* SYN. clarifier, débrouiller, démêler. ANT. embrouiller, mêler. ☞ éclaircie, éclaircissement. **s'éclaircir** v.pron. fig. Dégager, rendre plus clair: *Le climat politique s'est éclairci avec le départ de cette ministre.*

éclaircissement n.m. Explication qui rend une chose plus compréhensible: *J'aurais besoin d'éclaircissements sur l'accord des adjectifs de couleur.* ☞ éclaircir.

éclairé, ée adj. Qui a de l'instruction, du jugement: *Ma mère est une conseillère éclairée qui m'aide beaucoup à régler mes problèmes.* SYN. cultivé, instruit, sage. ANT. écervelé, ignorant. HOM. éclairer. ☞ éclairer.

éclairer v. **1.** Répandre de la lumière sur ou dans quelque chose: *J'ai acheté une autre lampe pour mieux éclairer ma chambre.* SYN. illuminer. ANT. assombrir, obscurcir. **2.** Rendre clair, facile à comprendre: *Mon amie a éclairé pour moi ce problème de mathématiques.* SYN. débrouiller. ANT. embrouiller, emmêler. HOM. éclairé. ☞ éclairage, éclairant, éclairé. **s'éclairer** v.pron. Devenir clair, compréhensible: *Avec lui, les problèmes les plus embrouillés finissent par s'éclairer.* SYN. se simplifier. ANT. se compliquer.

éclaireur, euse n. Membre d'une troupe de scouts: *Mon frère fait partie de la troupe des éclaireurs de notre paroisse.*

éclat n.m. Morceau d'une chose brisée: *Quand la vitre a cassé, j'ai reçu un éclat de verre sur le menton.* SYN. brisure, débris. // *Voler en éclats:* Se briser en petits morceaux. ☞ éclater. ▲ **éclat** n.m. **1.** Bruit soudain de ce qui éclate: *Quand il entra dans la classe, on entendit des éclats de rire.* **2.** Lumière vive, scintillement: *L'éclat de la neige est parfois aveuglant dans le Grand Nord.* SYN. clarté. ANT. noirceur. **3.** Vivacité, fraîcheur: *Je m'emplis les yeux de l'éclat de ces lilas.* **4.** fig. Scandale: *Ce livre a fait tout un éclat.* // *Action,* *coup d'éclat:* Action, coup spectaculaire. *Rire aux éclats:* Rire très fort. ☞ éclater.

éclatant, ante adj. **1.** Qui est très brillant, lumineux: *Il paraît que ce dentifrice donne aux dents une blancheur éclatante.* SYN. étincelant. ANT. fade, terne. **2.** Qui est remarquable, spectaculaire: *Le Canadien a encore remporté une victoire éclatante.* SYN. retentissant. ANT. modeste. **3.** Qui fait beaucoup de bruit: *Nous entendons le son éclatant de la fanfare.* SYN. retentissant. **4.** Qui est radieux: *Ces enfants sont d'une éclatante beauté.* SYN. resplendissant. ☞ éclater.

éclatement n.m. **1.** Fait d'éclater, de se rompre: *L'éclatement du pneu de ma bicyclette m'a fait tomber dans le fossé.* SYN. crevaison. **2.** fig. Division d'un groupe humain en éléments nouveaux: *Les innombrables conflits à l'intérieur du parti ont entraîné son éclatement.* SYN. rupture. ANT. rassemblement, réunion. ☞ éclater.

éclater v. **1.** Se rompre bruyamment, avec violence: *Il a fait éclater un ballon de caoutchouc dans la classe et il a été puni.* SYN. crever, péter. **2.** Se diviser en plusieurs éléments: *Le parti a éclaté en trois nouveaux groupes.* SYN. se scinder, se séparer. ☞ éclat, éclatement. ▲ **éclater** v. **1.** Retentir soudainement: *Dès la fin de la chanson, les applaudissements éclatèrent.* SYN. résonner. ANT. se taire. **2.** Commencer brusquement: *Un incendie a éclaté dans l'entrepôt près de l'école.* SYN. se déclarer. **3.** Apparaître de façon évidente: *Quand il apprit la nouvelle, le bonheur éclata sur son visage.* SYN. rayonner. ⁄⁄ *Éclater de rire:* Se mettre à rire soudainement. ☞ éclat, éclatant.

éclipse n.f. **1.** Disparition apparente et passagère d'un astre: *Il se produit une éclipse de Soleil lorsque la Lune passe devant celui-ci.* SYN. obscurcissement. ANT. réapparition. **2.** fig. Disparition momentanée: *Cette chanteuse est remontée sur la scène après une éclipse de deux ans.* SYN. absence. ANT. présence. ☞ éclipser.

éclipser v. Surpasser en popularité, en prestige, en mérite: *Cette coureuse de marathon a éclipsé toutes ses concurrentes.* SYN. dépasser, surclasser. ☞ éclipse. **s'éclipser** v.pron. S'en aller furtivement, sans se faire voir: *Nous nous sommes éclipsées avant la fin du cours.* SYN. s'enfuir, s'esquiver, se retirer.

éclisse n.f. **1.** Éclat de bois allongé: *J'ai nettoyé l'établi et j'ai gardé les éclisses pour faire du feu dans la cheminée.* **2.** Plaque de bois, bandage de carton qu'on met le long d'un membre fracturé pour soutenir les os: *Sohail a deux éclisses à sa jambe gauche.* SYN. attelle. ☞ éclisser.

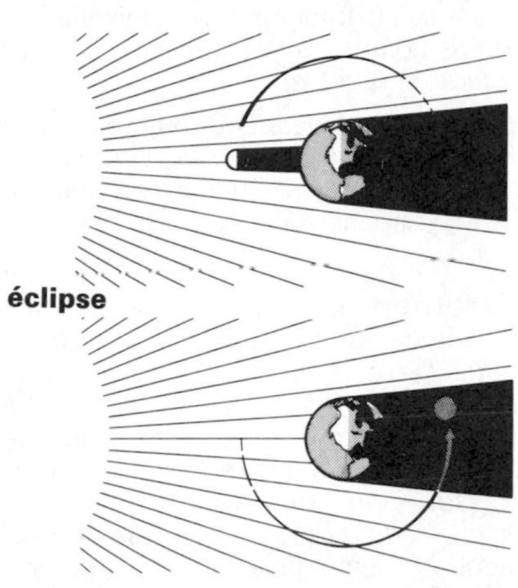
éclipse

éclisser v. Fixer un membre fracturé au moyen d'éclisses: *Je lui ai éclissé le bras en attendant que les infirmiers lui fassent un plâtre.* ☞ éclisse.

éclopé, ée n. et adj. **1.** n. Personne qui marche difficilement à cause d'un accident, d'une blessure: *Nous sommes revenus de l'excursion avec une demi-douzaine d'éclopés.* SYN. mutilé. **2.** adj. Qui marche difficilement à cause d'un accident, d'une blessure: *Ces campeuses éclopées se sont bien juré d'être prudentes à l'avenir.* SYN. estropié. ANT. sauf, valide.

éclore v. S'ouvrir, en parlant d'un œuf ou d'une fleur: *Deux œufs ont éclos ce matin, et les petits poussins piaillaient.* **R.** À la troisième personne du singulier de l'indicatif présent, s'écrit *éclot* ou *éclôt*. ☞ éclosion.

éclosion n.f. **1.** Action d'éclore, de s'ouvrir: *L'éclosion des fleurs a été hâtive cette année.* SYN. épanouissement, floraison. ANT. dépérissement, flétrissement. **2.** fig. Naissance, apparition: *La lecture favorise l'éclosion de la réflexion.* ☞ éclore.

écluse n.f. Ouvrage muni de portes, sur un cours d'eau, qui permet aux bateaux de franchir une dénivellation: *Nous avons visité les écluses de Chambly.* ☞ éclusier.

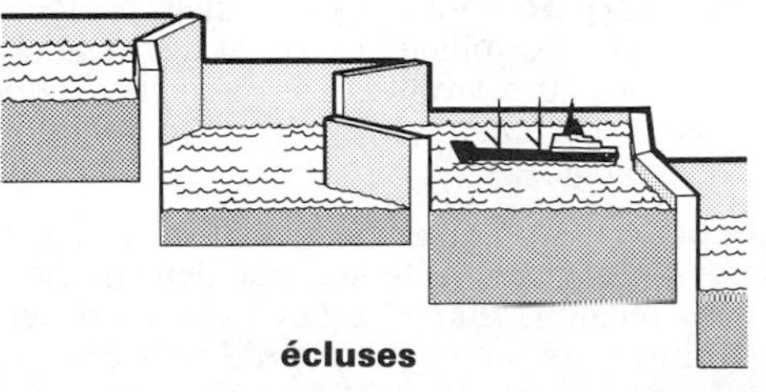
écluses

éclusier, ière n. Personne qui assure la manœuvre d'une écluse, ouvrage qui permet aux bateaux de franchir une dénivellation: *L'éclusière nous a fait visiter sa cabine de commande.* ☞ écluse.

écœurant, ante adj. Qui soulève le cœur, inspire le dégoût: *Une odeur écœurante sortait de la poubelle.* SYN. fétide, infect, nauséabond. ANT. appétissant, enivrant, suave. ☞ écœurer.

écœurement n.m. **1.** État d'une personne qui a envie de vomir: *Cette mauvaise odeur provoque l'écœurement.* SYN. haut-le-cœur, nausée. **2.** Dégoût, répugnance: *Je ressens de l'écœurement devant tant de malhonnêteté.* **3.** État d'une personne découragée: *Après avoir essayé sans succès pendant si longtemps, elle céda à l'écœurement.* SYN. découragement. ANT. enthousiasme. ☞ écœurer.

écœurer v. **1.** Donner envie de vomir: *L'odeur de l'essence m'a écœuré.* **2.** Causer du dégoût: *Ses manières grossières m'écœurent.* SYN. dégoûter, répugner. ANT. allécher, attirer. **3.** Démoraliser profondément: *Ça m'écœure de voir que tous mes efforts n'ont servi à rien.* SYN. abattre, décourager. ANT. encourager, enthousiasmer. **R.** N'a pas le sens de *embêter.* ☞ écœurant, écœurement.

école n.f. **1.** Établissement d'éducation et d'enseignement: *Ma petite sœur a hâte d'aller à l'école.* **2.** Ensemble des élèves et du personnel d'un établissement d'enseignement: *Toute l'école a assisté à la pièce de théâtre de fin d'année.* **3.** Groupe ou suite de personnes qui partagent une même tendance: *Au musée, j'ai admiré des tableaux de l'école impressionniste.* ☞ écolier.

écolier, ière n. Élève qui fait des études primaires: *Notre école compte plus de cinq cents écoliers.* ⁄⁄ *Le chemin des écoliers:* Le chemin le plus long, qui permet de prendre son temps, de flâner. ☞ école.

écologie n.f. Étude des milieux de vie et des relations entre les êtres vivants et leur milieu: *L'écologie montre à quel point les êtres animés sont dépendants des végétaux.* ☞ écologique, écologiste.

écologique adj. Qui est relatif à l'écologie, à l'étude des milieux de vie et des relations entre les êtres vivants et leur milieu: *L'équilibre écologique est menacé par la pollution.* ☞ écologie.

écologiste n. Personne qui est spécialiste de l'écologie, de l'étude des milieux de vie et des relations entre les êtres vivants et leur milieu: *Les écologistes prédisent que les pluies acides détruiront notre faune et notre flore.* ☞ écologie.

éconduire v. Repousser, refuser de recevoir: *J'ai voulu présenter mon projet à la mairesse, mais elle m'a éconduit.* SYN. congédier, renvoyer. ANT. accueillir.

économe n. Personne chargée des finances dans une communauté religieuse: *L'économe gère les biens de sa communauté.* ☞ économie.

économe adj. Qui dépense le moins possible: *C'est beau d'être économe, mais il ne faut pas être avare.* SYN. ménager. ANT. dépensier, prodigue. ☞ économie.

économie n.f. **1.** Science qui étudie les phénomènes de production, de distribution et de consommation des biens et services dans la société: *La loi de l'offre et de la demande est une des lois fondamentales de l'économie.* **2.** Activité économique d'un pays, d'une collectivité: *L'économie du Canada s'est améliorée cette année.* ☞ économe (n.), économique, économiquement, économiste. ▲ **économie** n.f. **1.** Attitude d'une personne qui réduit ses dépenses: *L'économie n'est pas l'avarice.* ANT. gaspillage, prodigalité. **2.** plur. Somme d'argent qu'on met de côté: *Je me suis fait des économies en tondant des pelouses.* SYN. épargne. ANT. dépense. ☞ économe (adj.), économique, économiquement, économiser.

économique adj. Qui est relatif à l'économie, à l'étude des phénomènes de production, de distribution et de consommation des biens et services dans la société: *La création de cette usine a amélioré la situation économique de la région.* ☞ économie. ▲ **économique** adj. Qui limite les dépenses, qui coûte peu: *La pomme de terre est un aliment sain et économique.* SYN. avantageux. ANT. coûteux. ☞ économie.

économiquement adv. Du point de vue de l'économie: *Le pays est économiquement avantagé par cette nouvelle mesure.* ⁄⁄ *Économiquement faible:* Qui a des ressources insuffisantes. ☞ économie. ▲ **économiquement** adv. En dépensant peu: *Ils ont décidé de s'établir à la campagne et de vivre économiquement des produits de leur terre.* ☞ économie.

économiser v. **1.** Dépenser modérément: *Économise tes forces, tu en auras besoin pour gravir la colline.* SYN. ménager. ANT. gaspiller. **2.** Mettre de l'argent de côté: *En économisant la moitié de mon allocation hebdomadaire, je* *pourrai m'acheter une bicyclette cet été.* SYN. amasser, épargner. ANT. dilapider, gaspiller. ☞ économie.

économiste n. Personne spécialisée en économie: *J'ai entendu une économiste parler à la radio de l'augmentation du taux de chômage.* ☞ économie.

écoper v.fam. **1.** Recevoir un châtiment: *La cambrioleuse a écopé de deux ans de prison.* **2.** Recevoir des coups, des semonces: *C'est lui qui a eu l'idée de cette mauvaise plaisanterie, mais c'est son copain qui a écopé.*

écorce n.f. **1.** Enveloppe de l'arbre: *Je lui ai écrit un message sur une écorce de bouleau.* **2.** Enveloppe épaisse de certains fruits: *Ce gâteau aux fruits contient de l'écorce d'orange confite.* ⫽ *Écorce terrestre:* Couche extérieure du globe terrestre. ☞ écorcer.

écorcer v. Ôter l'écorce d'un arbre ou d'un fruit: *J'ai de la difficulté à écorcer mon orange.* SYN. peler. **R.** Ne pas oublier la cédille devant *a* et *o*. ☞ écorce.

écorcher v. **1.** Dépouiller un animal de sa peau: *Le braconnier écorcha le lièvre et le mit dans la marmite.* **2.** Blesser légèrement en entamant la peau: *Je me suis écorché un doigt en cueillant des framboises.* SYN. déchirer, égratigner, érafler. ⫽ *Écorcher le français:* Mal parler le français. *Écorcher les oreilles:* Être désagréable à entendre, en parlant de la prononciation, de la voix, de cris. ☞ écorchure.

écorchure n.f. Déchirure superficielle de la peau: *Elle s'est fait une écorchure à la main en ramassant du bois.* SYN. égratignure, éraflure. ☞ écorcher.

écorner v. Endommager les coins de quelque chose: *Les livres qui n'avaient pas été recouverts ont été écornés.* ☞ écornure.
▲ **écorner** v. Ôter les cornes d'un animal: *Nos vaches ont été écornées.* ☞ corne.

écornifler v.fam. Se procurer quelque chose aux dépens des autres: *Elle a le don de s'inviter à dîner et d'écornifler régulièrement un repas.* ☞ écornifleur.

écornifleur, euse n. Personne qui se procure quelque chose aux dépens des autres: *Cet écornifleur s'est organisé pour rester à souper.* SYN. parasite, pique-assiette. ☞ écornifler.

écornure n.f. Fragment d'une chose dont on a endommagé les coins: *Il lui a lancé une écornure de sa gomme à effacer.* SYN. ébréchure. ☞ écorner.

écossais, aise n. et adj. **1.** n. Personne qui est de l'Écosse: *Un Écossais, une Écossaise.* **2.** adj. Qui est de l'Écosse: *Elle portait une jupe écossaise.* **R.** On met la majuscule à *écossais* et à *écossaise* lorsque le nom désigne une personne.

écossais n.m. Tissu de fils de laine formant des carreaux de couleurs différentes: *Ce kilt est fait dans un très bel écossais.*
▲ **écossais** n.m. Langue parlée dans certaines parties de l'Écosse: *L'écossais n'est pas la principale langue de l'Écosse.*

écosser v. Dépouiller de sa cosse, de son enveloppe: *Ce sont des pois mange-tout, tu n'as pas besoin de les écosser.* ☞ cosse.

écot n.m. Montant d'argent que chacun des convives doit donner pour un repas à frais communs: *La serveuse a apporté l'addition: tout le monde a payé son écot.* SYN. cotisation, quote-part. HOM. écho.

écoulement n.m. Mouvement d'un liquide qui s'écoule: *J'ai creusé une rigole autour de la tente pour permettre l'écoulement des eaux de pluie.* SYN. déversement, évacuation. ANT. rétention. ☞ s'écouler.
▲ **écoulement** n.m. Possibilité ou action d'écouler, de vendre une marchandise: *L'écoulement de ce produit a été rapide.* SYN. vente. ☞ écouler.

écouler v. Vendre une marchandise: *La marchande a décidé de réduire les prix pour écouler son stock de vêtements d'hiver.* SYN. débiter. ANT. acheter, garder. ☞ écoulement.

s'écouler v.pron. **1.** S'évacuer en coulant: *L'eau qui s'écoule du toit a fini par creuser une rigole dans le jardin.* SYN. se déverser, se répandre. **2.** Passer, en parlant du temps: *L'année scolaire s'est écoulée plus vite que je m'y attendais.* ☞ écoulement.

écourter v. Diminuer la durée de quelque chose: *Nous avons décidé d'écourter notre séjour à la plage à cause du mauvais temps.* SYN. abréger, raccourcir. ANT. allonger, prolonger. ☞ court (adj.).

écoute n.f. Action d'écouter une émission ou une communication téléphonique: *Restez à l'écoute pour le dernier épisode de la série.* ⫽ *Être aux écoutes:* Être aux aguets. ☞ écouter.

écouter v. **1.** Prêter l'oreille attentivement: *J'étais distrait et je n'ai pas écouté les explications de l'institutrice.* **2.** Suivre les conseils, les ordres de quelqu'un: *Si tu m'avais écoutée, tu n'aurais pas eu d'ennuis.* SYN. obéir. ANT. désobéir. ☞ écoute, écouteur. **s'écouter** v.pron. Suivre ses impulsions: *Si je m'écoutais, je lui dirais deux mots à celui-là.* ⫽ *S'écouter parler:* Parler avec éloquence, en s'admirant.

écouteur n.m. Élément d'un récepteur téléphonique ou radiophonique qu'on applique sur l'oreille pour écouter : *Grâce à mes écouteurs, je peux écouter ma musique sans déranger les autres.* ☞ écouter.

écoutille n.f. (esp.) Ouverture rectangulaire, sur le pont d'un navire, qui permet d'accéder aux étages inférieurs : *Cette écoutille est réservée au personnel du bord.* **R.** Les lettres *ill* se prononcent comme dans *famille*.

écrabouillage n.m. Action d'écrabouiller, d'écraser : *L'écrabouillage de sa pomme sous la roue de la voiture l'a privé de sa collation.* **R.** Aussi, *écrabouillement*. ☞ écrabouiller.

écrabouiller v.fam. Écraser, réduire en bouillie : *Par mégarde, j'ai écrabouillé une chenille.* ☞ écrabouillage.

écran n.m. **1.** Objet interposé qui empêche de voir : *La magicienne est disparue derrière un écran de fumée.* SYN. rideau. **2.** Surface sur laquelle on projette des images : *Le concierge de l'école a installé un écran pour la projection d'un film.* ⁄⁄ *Le petit écran :* La télévision.

écrasant, ante adj. Qui accable : *La chaleur a été écrasante durant la deuxième semaine de juillet.* ☞ écraser.

écrasé, ée adj. **1.** Qui est broyé sous l'action d'une forte pression : *Contre la diarrhée, la médecin recommande les bananes écrasées.* **2.** Qui est très aplati : *Les bouledogues ont un museau écrasé.* HOM. écraser. ☞ écraser.

écrasement n.m. **1.** Action d'écraser ou de s'écraser, par un choc violent : *L'écrasement de l'avion a fait douze morts.* **2.** Destruction complète, anéantissement de l'adversaire : *L'écrasement de l'ennemi a coûté cher en vies humaines.* ☞ écraser.

écraser v. **1.** Réduire en bouillie, en pâte, en purée, par une forte compression : *J'écrase les pommes de terre avec ma fourchette et j'ajoute un peu de beurre.* SYN. broyer, piler. **2.** Renverser un être humain, un animal, avec un véhicule, et passer dessus : *Mon chien a failli se faire écraser par un camion.* **3.** Vaincre complètement : *Mon équipe favorite a écrasé l'adversaire par une victoire de 6 à 1.* SYN. surclasser. **4.** Imposer une charge excessive à quelqu'un, peser lourdement sur quelqu'un ou quelque chose : *Pour punir la classe, l'instituteur nous a écrasés de devoirs.* SYN. accabler, surcharger. ANT. décharger. **5.** Faire paraître petit ou bas : *Cet imprimé t'écrase un peu.* HOM. écrasé. ☞ écrasant, écrasé, écrasement. **s'écraser** v.pron. S'aplatir par un choc : *Un avion s'est écrasé au sol dans les Territoires du Nord-Ouest.*

écrémage n.m. Action d'écrémer, d'enlever la crème : *L'écrémage permet de réduire la quantité de gras dans le lait.* ☞ crème.

écrémer v. Retirer la crème : *Le lait à 2 % de matières grasses est du lait qu'on a partiellement écrémé.* ☞ crème.

écrémeuse n.f. Appareil servant à écrémer, à dépouiller le lait de la crème qu'il contient : *Lors de la visite de la laiterie, on vous a expliqué le fonctionnement de l'écrémeuse.* ☞ crème.

écrevisse n.f. Crustacé d'eau douce, semblable au homard : *Les écrevisses se déplacent en reculant.*

s'écrier v.pron. Dire en criant : *À la fin du match, elles se sont écriées : « Bravo ! Nous avons gagné ! ».* SYN. s'exclamer.

écrin n.m. Coffret où l'on range des objets précieux : *Maman a rangé son collier de perles dans un écrin.*

écrire v. **1.** Former des mots, des phrases, en traçant des lettres : *Mon petit frère est capable d'écrire son nom et son adresse.* SYN. calligraphier. **2.** Laisser une trace, en parlant d'un instrument destiné à l'écriture : *Mon crayon écrit mal.* **3.** Informer par une lettre : *Mon grand-père m'a écrit qu'il avait hâte de me revoir.* **4.** Composer une œuvre littéraire, un ouvrage scientifique, etc. : *Mon père a écrit un livre sur les plantes ornementales.* SYN. rédiger. ☞ écrit, écriteau, écriture, écrivain, récrire.

écrit n.m. Livre, document, texte, ouvrage : *Les premiers écrits de cette romancière ont été publiés après sa mort.* SYN. œuvre, production, titre. ☞ écrire. **par écrit** loc.adv. Sur le papier : *Voulez-vous me donner des précisions par écrit ?*

écrit, ite adj. Qui est noté, représenté par l'écriture : *Explique le sens des mots écrits au tableau.* ☞ écrire.

écriteau, eaux n.m. Plaque portant une inscription destinée à informer le public : *Dans la fenêtre de la maison, un écriteau indiquait qu'elle était à louer.* SYN. affiche, annonce, pancarte. ☞ écrire.

écriture n.f. **1.** Système de signes permettant d'écrire : *Les caractères de l'écriture égyptienne étaient des dessins.* **2.** Manière de former les lettres : *L'institutrice m'a dit que j'avais une belle écriture.* **3.** Livres saints : *L'Écriture sainte relate, entre autres, la vie de Jésus.* **R.** On met la majuscule à *écriture* lorsqu'il s'agit des livres saints. ☞ écrire.

écrivain n.m. Personne qui écrit des livres : *Ce grand écrivain a écrit des romans d'aven-*

tures pour les jeunes. SYN. auteur. **R.** L'O.L.F. recommande *écrivaine* comme féminin de *écrivain.* ☞ écrire.

écrou, ous n.m. Pièce métallique percée d'un trou cylindrique pour recevoir un boulon: *J'ai bien serré l'écrou qui tient le support de ta bicyclette.*

écrouer v. Mettre en prison: *Il s'est fait écrouer pour avoir négligé de payer ses contraventions.* SYN. emprisonner, incarcérer. ANT. libérer.

écroulement n.m. Fait de s'écrouler, de s'affaisser: *Un petit coup de vent a causé l'écroulement de mon château de cartes.* SYN. chute, effondrement. ☞ s'écrouler.

s'écrouler v.pron. **1.** Tomber en s'affaissant brusquement: *Notre fort de neige s'est écroulé.* SYN. s'abattre, crouler. ANT. s'élever. **2.** fig. Subir une fin brutale: *Quand nous avons appris cette nouvelle, nos rêves se sont écroulés.* SYN. s'effondrer. ANT. se ranimer. ☞ écroulement. **écroulé, ée** p.p. et adj. Qui s'est affaissé: *La maison écroulée n'était plus que ruines.*

écroûter v. Débarrasser de sa croûte: *Pour la préparation de ces petits sandwichs, c'est moi qui ai écroûté le pain.* **R.** Ne pas oublier l'accent: *û.* ☞ croûte.

écru, ue adj. Qui n'a pas été blanchi: *J'ai confectionné des coussins avec de la toile écrue et de la bourre de coton.*

écu n.m. Ancienne unité monétaire française: *J'ai un cousin collectionneur de monnaies qui possède un écu de 1779.*

écueil n.m. **1.** Rocher ou amoncellement de roches à fleur d'eau, qui présente un danger pour la navigation: *La coque du navire s'est endommagée en heurtant un écueil.* SYN. récif. **2.** fig. Obstacle qui met en danger: *L'héroïne a dû éviter bien des écueils pour remplir sa mission.* SYN. difficulté, inconvénient. **R.** Après le *c*, on écrit *ueil.*

écuelle n.f. Assiette creuse sans rebord; contenu de cette assiette: *Pour le camping, n'oubliez pas d'apporter vos gourdes et vos écuelles.*

éculé, ée adj. **1.** Dont le talon est déformé par l'usage: *Tu devrais jeter tes vieilles chaussures éculées et t'en acheter d'autres.* **2.** fig. Qui a perdu son sens, sa fraîcheur, pour avoir trop servi: *Elle fait des plaisanteries éculées qui ne font plus rire personne.* SYN. défraîchi, usé. ANT. neuf, original.

écumage n.m. Action d'écumer, d'enlever l'écume: *On procède à l'écumage des confitures avant de les mettre en pots.* ☞ écume.

écumant, ante adj. **1.** Qui est couvert de bave: *Le taureau, furieux, avait la gueule écumante.* **2.** Qui produit de l'écume, une mousse blanchâtre: *Nous avons joué dans les vagues écumantes au bord de la mer.* ☞ écume.

écume n.f. **1.** Mousse blanchâtre qui se forme à la surface de l'eau agitée: *À la mer, de l'écume se forme sur les vagues.* **2.** Bave mousseuse: *Les chiens qui ont la rage ont de l'écume autour de la gueule.* ☞ écumage, écumant, écumer, écumoire.

écumer v. **1.** Ôter l'écume, la mousse qui se forme à la surface d'un liquide: *Elle a écumé le vin avant de le verser dans des bouteilles.* **2.** Sécréter une bave mousseuse: *Épuisé, le cheval écumait sous la chaleur écrasante du soleil.* SYN. baver. ☞ écume.

écumoire n.f. Ustensile servant à écumer, à enlever la mousse: *Cette écumoire sert à écumer le sirop d'érable.* ☞ écume.

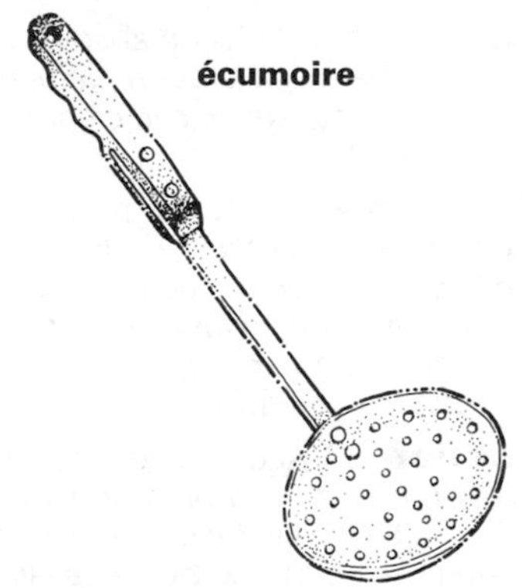

écureuil n.m. Mammifère rongeur à la queue longue, vivant dans les arbres: *Nous irons au parc donner des cacahuètes aux écureuils.*

écurie n.f. Bâtiment où on loge les chevaux: *Cette écurie abrite douze chevaux.*

écusson n.m. Insigne en étoffe cousu sur un uniforme: *Les élèves qui fréquentent cette école privée portent un écusson sur leur veston.* SYN. emblème.

écuyer, ère n. **1.** Personne qui sait bien monter à cheval: *Ma mère est une bonne écuyère.* SYN. cavalier. **2.** Personne qui fait des acrobaties équestres dans un cirque: *Les écuyers ont exécuté un numéro sensationnel.*

eczéma n.m. Maladie de la peau qui se manifeste par des rougeurs: *L'eczéma s'accompagne de démangeaisons.* **R.** Les lettres *ecz* se prononcent *egz.*

éden n.m. (hébreu) **1.** Lieu où se situe le paradis terrestre, dans la Bible: *Avant le péché originel, Adam et Ève vivaient dans le jardin d'Éden.* **2.** litt. Lieu enchanteur: *Ce coin de campagne est un éden.* SYN. paradis. **R.** On met la majuscule à *éden* lorsqu'il s'agit du paradis terrestre mentionné dans la Bible.

édenté, ée adj. Qui a perdu ses dents, en partie ou en totalité: *Mon petit frère perd ses dents de lait, il est à demi édenté.* HOM. édenter, édentés. ☞ dent.

édenter v. Casser les dents d'un outil, d'un instrument: *Tu as édenté mon peigne en essayant de te décoller les cheveux.* HOM. édenté, édentés. ☞ dent.

édentés n.m.plur. Ordre de mammifères dépourvus de dents ou à dentition réduite: *Le paresseux, le tatou et le fourmilier sont des édentés.* HOM. édenté, édenter. **R.** S'écrit au singulier lorsqu'il désigne un animal appartenant à cet ordre. ☞ dent.

édicter v. Établir de façon absolue: *La direction de l'école a édicté des règlements très stricts concernant l'usage de la cigarette.* SYN. décréter, promulguer.

édifiant, ante adj. **1.** Qui porte à mener une vie vertueuse: *L'œuvre de Naomi Bronstein est édifiante pour beaucoup de gens.* SYN. exemplaire. ANT. scandaleux. **2.** Qui est très instructif: *Elle m'a fait hier des révélations édifiantes!* ☞ édifier.

édification n.f. Action d'édifier, de bâtir: *L'édification de cet hôtel ultramoderne prendra trois ans.* SYN. construction, érection. ANT. destruction. ☞ édifier. ▲ **édification** n.f. Action d'édifier, d'amener à la piété: *Le curé prononce des sermons remplis de ferveur pour l'édification de ses fidèles.* ANT. corruption. ☞ édifier.

édifice n.m. Bâtiment imposant: *Une fois terminé, cet édifice aura trente étages.* SYN. bâtisse, construction. ☞ édifier.

édifier v. Bâtir une construction assez élevée ou assez imposante: *De grands immeubles à bureaux ont été édifiés récemment dans le centre de la ville.* SYN. construire, élever. ANT. abattre, démolir, raser. ☞ édification, édifice. ▲ **édifier** v. Porter à la vertu, à la piété, par le bon exemple et la prédication: *La vie du frère André a édifié beaucoup de jeunes personnes.* ANT. corrompre, scandaliser. ☞ édifiant, édification.

éditer v. Faire imprimer un livre et le mettre en vente: *Cette maison d'édition édite des livres pour enfants.* SYN. lancer, publier. ☞ éditeur, édition, rééditer, réédition.

éditeur, trice n. Personne ou société qui publie et vend des livres: *Quel est l'éditeur du livre dont tu m'as parlé?* ☞ éditer.

édition n.f. **1.** Impression et diffusion d'un livre: *Ma mère travaille dans une maison d'édition.* **2.** Ensemble des exemplaires d'un livre, qui ont été édités en une seule fois: *La première édition de ce livre est épuisée, mais on en annonce une deuxième pour bientôt.* SYN. impression, tirage. ☞ éditer.

éditorial, iaux n.m. Article qui exprime l'opinion officielle d'un journal: *Dans son éditorial d'aujourd'hui, ce journal prend position contre le nouveau projet de loi.* ☞ éditorialiste.

éditorialiste n. Personne qui rédige des éditoriaux, des articles qui expriment l'opinion officielle d'un journal: *Cette éditorialiste exprime clairement ses réflexions.* ☞ éditorial.

édredon n.m. (island.) Couvre-pied de duvet: *Avec cet édredon, tu n'auras pas froid cette nuit.*

éducable adj. Qui est apte à être éduqué: *Les animaux ne sont pas éducables.* ANT. inéducable. ☞ éduquer.

éducateur, trice n. Personne qui éduque les enfants: *Notre professeure de musique est une merveilleuse éducatrice.* ☞ éduquer.

éducatif, ive adj. **1.** Qui vise l'éducation ou qui est propre à éduquer: *En classe, nous avons fait des jeux éducatifs.* **2.** Qui concerne l'éducation: *Ma mère dit que le système éducatif s'est amélioré depuis le temps de son enfance.* ☞ éduquer.

éducation n.f. **1.** Développement des qualités physiques, intellectuelles et morales d'une personne: *Notre instituteur veille soigneusement à notre éducation.* SYN. formation. **2.** Connaissance et application des bons usages de la vie en société: *Cette fille ne sait pas se conduire, elle manque d'éducation.* SYN. distinction, politesse, savoir-vivre. ANT. grossièreté, impolitesse. ⁄⁄ *Éducation permanente:* Projet d'éducation qui a pour but la formation et le développement de la personne à toutes les étapes de la vie. *Éducation physique:* Ensemble des exercices et des sports favorisant le développement du corps. ☞ éduquer.

éduquer v. Former par l'éducation, par le développement des qualités physiques, intellectuelles et morales d'une personne: *C'est tout un art que d'éduquer les enfants.* ⁄⁄ *Bien, mal éduqué:* Qui a, qui n'a pas d'éducation. ☞ éducable, éducateur, éducatif, éducation, inéducable, rééducation, rééduquer.

effaçable adj. Qui peut être effacé, supprimé: *J'ai un stylo à encre effaçable.* ANT. ineffaçable. **R.** Ne pas oublier la cédille. ☞ effacer.

efface ☞ sect. anglicismes et canadianismes.

effacé, ée adj. **1.** Qui est aplati ou peu saillant: *Il avait le nez aquilin et le front effacé.* ANT. saillant. **2.** Qui a peu d'éclat: *Elle choisit pour sa toile des couleurs effacées.* ANT. éclatant. **3.** Qui se conduit avec discrétion, se tient à l'écart: *C'est une personne effacée et taciturne.* SYN. humble, modeste. ANT. arrogant, prétentieux. HOM. effacer. ☞ effacer.

effacement n.m. **1.** Action d'effacer, de faire disparaître: *Les effacements répétés finissent par user le papier.* **2.** Attitude effacée: *Son effacement est causé par sa timidité.* ☞ effacer.

effacer v. **1.** Faire disparaître une chose qui était marquée: *On m'a demandé d'effacer ce qui était écrit au tableau.* SYN. enlever, supprimer. ANT. ajouter, écrire. **2.** fig. Oublier: *Effaçons le passé et repartons à neuf.* HOM. effacé. ☞ effaçable, effacé, effacement, ineffaçable. **s'effacer** v.pron. **1.** Disparaître plus ou moins: *L'inscription sur le monument s'efface avec les années.* **2.** fig. S'oublier: *Les années passent et la plupart des souvenirs s'effacent.* **3.** Se placer de côté pour libérer le passage: *Nous nous sommes effacés pour laisser passer les coureurs.* SYN. se dérober, se retirer. **R.** Ne pas oublier la cédille devant *a* et *o*.

effarant, ante adj. Qui effare, trouble, stupéfie: *Elle a une imagination effarante.* SYN. étonnant, prodigieux, stupéfiant, troublant. ☞ effarer.

effaré, ée adj. **1.** Qui éprouve un grand trouble mêlé de peur: *J'ai été effarée par la hardiesse de ses sombres desseins.* SYN. stupéfait. **2.** Dont l'attitude trahit la peur: *Ton air effaré disait tout.* HOM. effarer. ☞ effarer.

effarement n.m. État d'une personne effarée, troublée: *La nouvelle de sa disparition nous a plongés dans l'effarement.* ☞ effarer.

effarer v. Causer un étonnement mêlé de crainte: *Cette bouleversante nouvelle m'a effarée.* SYN. affoler, effrayer, stupéfier. ANT. calmer, rassurer. HOM. effaré. ☞ effarant, effaré, effarement.

effarouchement n.m. État d'une personne effarouchée, effrayée: *Son immobilité et son mutisme laissaient deviner son effarouchement.* SYN. crainte, épouvante, peur. ANT. assurance, confiance. ☞ effaroucher.

effaroucher v. **1.** Faire fuir un animal en l'effrayant: *Ne t'approche pas de l'écureuil, tu vas l'effaroucher.* SYN. apeurer, éloigner. ANT. apprivoiser, calmer. **2.** Causer de la crainte ou de la défiance: *Cet enfant timide a été effarouché par ta grosse voix.* SYN. épouvanter, troubler. ANT. rassurer, tranquilliser. ☞ effarouchement.

effectif n.m. Nombre réel des individus qui font partie d'un groupe: *L'effectif de mon école est de trois cent douze élèves.*

effectif, ive adj. Qui existe réellement, qui a un effet réel: *Plusieurs idées trouvées par le conseil des élèves sont devenues des mesures effectives.* SYN. concret, efficace, tangible. ANT. chimérique, fictif, irréel.

effectivement adv. **1.** De manière réelle, effective: *Contrairement à ce que tu crois, nous avons effectivement vu quelque chose de brillant dans le ciel.* SYN. réellement. **2.** En effet: *Effectivement, tu avais raison: ces nuages annonçaient de la pluie.*

effectuer v. Faire, exécuter: *Nous avons appris à effectuer des divisions.* SYN. accomplir, réaliser.

efféminé, ée adj. Qui a une apparence ou des manières semblables à celles qu'on attribue généralement aux femmes: *Les préjugés à l'égard des gens aux manières efféminées sont tenaces.* SYN. délicat, féminin. ANT. énergique, mâle, viril.

effervescence n.f. **1.** Bouillonnement d'un liquide produit par un dégagement de gaz: *Le bicarbonate de soude mélangé à de l'eau produit de l'effervescence.* **2.** fig. Agitation, émotion vive: *La classe était en pleine effervescence aujourd'hui à cause du congé de Pâques.* SYN. excitation. ANT. calme, tranquillité. ☞ effervescent.

effervescent, ente adj. **1.** Qui est en effervescence, bouillonnant: *J'ai pris une boisson effervescente pour faciliter ma digestion.* **2.** fig. Qui est agité, ému fortement: *La foule effervescente criait des slogans.* ☞ effervescence.

effet n.m. **1.** Résultat d'une cause: *La succession des saisons est l'effet de la translation de la Terre autour du Soleil.* SYN. conséquence, suite. ANT. cause. **2.** Action d'un médicament: *Ce sirop contre la toux a un effet prolongé.* SYN. réaction. **3.** Impression produite sur une personne: *Sa remarque a eu un effet comique et tous se sont mis à rire.* SYN. résultat. **4.** plur. Vêtements et articles personnels: *J'ai rangé mes effets dans ta valise.* // *À cet effet:* À cette fin. *Effets spéciaux:* Procédés, truquages cinématographiques. *Faire de l'ef-*

fet: Produire une vive impression. *Faire l'effet de:* Avoir l'apparence de. *Prendre effet:* Devenir applicable. *Sous l'effet de:* Sous l'action de. en **effet** loc.adv. Effectivement, vraiment: *En effet, elle est absente depuis deux jours.*

effeuillement n.m. Chute des feuilles: *L'effeuillement des arbres a commencé tôt cette saison.* **R.** Aussi, *effeuillaison.* ☞ feuille.

effeuiller v. **1.** Dépouiller de ses feuilles: *J'ai effeuillé la rhubarbe, puis je l'ai coupée en petits bouts.* **2.** Dépouiller de ses pétales: *Il effeuillait la marguerite en disant: «Elle m'aime un peu, beaucoup, passionnément, à la folie, pas du tout.»* ☞ feuille.

efficace adj. **1.** Qui produit le résultat attendu: *L'aspirine est généralement efficace pour soulager les maux de tête.* SYN. bon, effectif. ANT. impuissant, inefficace, inopérant. **2.** Dont l'activité, le travail, aboutit à des résultats utiles: *Mon ami est un organisateur efficace.* SYN. capable, compétent. ANT. incapable, incompétent. ☞ efficacement, efficacité, inefficace, inefficacement, inefficacité.

efficacement adv. D'une manière efficace: *Cet onguent soulage efficacement la douleur due aux coups de soleil.* ☞ efficace.

efficacité n.f. Qualité d'une personne, d'une chose, qui produit le résultat attendu: *L'efficacité de cet appareil ménager est reconnue.* ☞ efficace.

efficience n.f. (angl.) Capacité de rendement: *Ton efficience physique à la course de vitesse s'est grandement améliorée.* ☞ efficient.

efficient, ente adj. (angl.) Qui donne un bon rendement, qui est efficace: *Notre équipe de volley-ball est composée de joueuses efficientes.* ☞ efficience.

effigie n.f. Représentation, image d'une personne sur une pièce de monnaie, une médaille: *J'ai une ancienne pièce de monnaie à l'effigie de George VI.* SYN. portrait. ⁄⁄ *Brûler quelqu'un en effigie:* Brûler un mannequin représentant quelqu'un, en signe de haine.

effilé n.m. Ensemble des fils non tissés qui garnissent le bord d'un vêtement: *Elle portait un beau châle orné d'un long effilé.* SYN. frange. HOM. effiler. ☞ effiler.

effilé, ée adj. Qui est mince et allongé: *Ma grande sœur a des doigts effilés.* SYN. élancé, svelte. ANT. épais, gros, large. HOM. effiler. ☞ effiler.

effiler v. Défaire fil à fil un tissu: *J'ai effilé le bord de la nappe pour faire une frange.* ☞ effilé (n.), effilochage, effilocher. ▲ **effiler** v. Rendre mince et allongé: *J'ai un taille-crayons qui effile bien les crayons.* SYN. aiguiser. HOM. effilé. **R.** Ne pas confondre avec *affiler.* ☞ effilé (adj.).

effilochage n.m. Action d'effilocher, de réduire en bourre ou en ouate: *L'effilochage des chiffons est une façon de récupérer utilement les fibres textiles.* ☞ effiler.

effilocher v. Effiler pour réduire en bourre, en ouate: *Il effiloche les vieux vêtements pour rembourrer des coussins.* ☞ effiler. **s'effilocher** v.pron. Se défaire fil à fil par suite de l'usure: *Mon blouson en jean s'effiloche aux poignets.*

efflanqué, ée adj. Qui est grand et maigre: *Ce garçon efflanqué est en sixième année.* ANT. charnu, dodu.

effleurement n.m. Action d'effleurer, de toucher à peine: *L'effleurement de ses lèvres sur ma joue m'avait fait rougir d'émotion.* SYN. frôlement. ☞ effleurer.

effleurer v. **1.** Toucher à peine: *Je ne lui ai pas fait mal, je l'ai seulement effleuré.* SYN. frôler, raser. **2.** Examiner superficiellement, sommairement: *Les membres n'ont qu'effleuré le sujet à la fin de la rencontre.* **3.** Venir à l'esprit: *Cette idée ne nous avait jamais effleurées.* **R.** Ne pas confondre avec *affleurer.* ☞ effleurement.

effluve n.m. Émanation qui se dégage des êtres vivants, des aliments: *Au mois de mai, qu'il est doux de humer les effluves des pommiers en fleur.* SYN. exhalaison, vapeur. **R.** S'emploie surtout au pluriel.

effondré, ée adj. **1.** Qui a croulé sous l'effet d'un poids ou du temps: *Nous nous sommes réfugiées dans une vieille grange au toit effondré.* **2.** Qui est très abattu: *Son échec l'a démoralisé; il est effondré.* SYN. désespéré. ☞ s'effondrer.

effondrement n.m. **1.** Fait de s'effondrer, de crouler sous le poids: *L'effondrement du mur a été causé par un bref tremblement de terre.* SYN. écroulement. **2.** Anéantissement brutal: *Une révolution provoque l'effondrement d'un régime.* SYN. renversement. **3.** Abattement profond: *Après ce dur coup, il faudra l'aider à sortir de son effondrement.* SYN. découragement, prostration. ANT. exaltation, joie. ☞ s'effondrer.

s'effondrer v.pron. **1.** Crouler sous le poids: *Le vieux pont de bois s'est effondré.* SYN. s'affaisser, s'écrouler. ANT. résister. **2.** Tomber comme une masse, en parlant d'une personne: *Il eut une faiblesse et s'effondra sur le canapé.* SYN. s'affaisser, crouler. ANT. se dresser, se relever. **3.** fig. Perdre soudainement toute énergie morale à cause d'un gros chagrin, d'une émotion trop forte : *Apprenant qu'elle était atteinte d'une maladie incurable, elle s'effondra.* SYN. céder, se décourager. **4.** fig. Être brusquement anéanti : *Cette dictature s'est effondrée.* ☞ effondré, effondrement.

s'efforcer v.pron. Faire des efforts, tenter de faire quelque chose : *Je me suis efforcée de lui faire comprendre qu'il avait tort.* SYN. s'ingénier, tâcher. ANT. abandonner, renoncer. **R.** Ne pas oublier la cédille devant *a* et *o*.

effort n.m. Déploiement d'énergie, physique ou intellectuelle, pour vaincre une résistance, atteindre un but déterminé : *Je sais bien que ce problème est difficile à résoudre, mais fais un effort.* ∥ *Faire tous ses efforts :* Faire tout son possible. *La loi du moindre effort :* La facilité, la paresse.

effraction n.f. Bris d'une clôture, d'une serrure, etc. : *La cambrioleuse a pénétré dans la maison par effraction.*

effraie n.f. Chouette au plumage clair et aux yeux entourés d'une collerette de plumes : *L'effraie est un rapace nocturne qui se nourrit de rongeurs.*

effraie

effranger v. Effiler sur les bords, défaire fil à fil, de manière à former une frange : *J'ai effrangé le bas de ma jupe en coton.* ☞ frange.

effrayant, ante adj. **1.** Qui épouvante, remplit de frayeur : *Pendant ma maladie, j'ai fait des cauchemars effrayants.* SYN. affreux, atroce, terrifiant. ANT. charmant, rassurant, séduisant. **2.** fam. Qui est extraordinaire, étonnant : *Les enfants ont mangé avec un appétit effrayant.* SYN. formidable. ☞ effrayer.

effrayer v. Frapper d'une grande peur : *Ce cri étrange dans la nuit effraya tous les campeurs.* SYN. affoler, alarmer, épouvanter. ANT. apaiser, rassurer. ☞ effrayant, effroi, effroyable, effroyablement. **s'effrayer** v.pron. Ressentir une grande peur : *Les oiseaux s'effraient au moindre bruit.* SYN. s'affoler. ANT. se rassurer.

effréné, ée adj. **1.** Qui est sans retenue, très rapide : *Il a fallu travailler à un rythme effréné pour terminer à temps.* SYN. déchaîné. ANT. modéré. **2.** Qui est exagéré, excessif : *Les élèves se sont livrés à un gaspillage effréné de papier, de gouache et de carton.* SYN. démesuré. ANT. mesuré.

effritement n.m. Fait de s'effriter, de se réduire en miettes : *L'effritement de la brique est dû à l'humidité.* SYN. désagrégation. ☞ effriter.

effriter v. Réduire en miettes, en poussière : *Nous avons effrité du pain sec pour faire de la chapelure.* ☞ effritement. **s'effriter** v.pron. Se désagréger peu à peu, se défaire progressivement en petits morceaux : *J'ai une dent cariée qui s'effrite.*

effroi n.m.litt. Frayeur, terreur : *Les bombardements aériens ont semé la panique et l'effroi.* SYN. affolement, effarement, peur. ANT. assurance, sécurité, sérénité. ☞ effrayer.

effronté, ée n. et adj. **1.** n. Personne qui agit avec une grande insolence : *Cette petite effrontée mériterait une bonne gifle.* SYN. impertinent, insolent. ANT. timide. **2.** adj. Qui agit avec une grande insolence : *L'institutrice a fini par se mettre en colère contre cet élève effronté.* SYN. grossier, insolent. ANT. poli, réservé. ☞ effrontément, effronterie.

effrontément adv. D'une manière effrontée, insolente : *Cet élève polisson lui a répondu effrontément.* SYN. impoliment, insolemment. ANT. poliment. ☞ effronté.

effronterie n.f. Attitude d'une personne effrontée, insolente : *Elle a été punie à cause de son effronterie avec le directeur.* SYN. grossièreté, impolitesse, insolence, sans-gêne. ANT. politesse, réserve. ☞ effronté.

effroyable adj. Qui inspire de l'effroi, de la terreur : *La bête sanguinaire ouvrit sa gueule effroyable.* SYN. affreux, atroce, horrible. ANT. charmant, magnifique. ☞ effrayer.

effroi effroyable

effroyablement adv. D'une manière effroyable, horrible : *Les victimes de la collision ferroviaire se lamentaient effroyablement.* SYN. atrocement, terriblement. ANT. magnifiquement. ☞ effrayer.

effusion n.f. Manifestation sincère d'un sentiment de tendresse, d'affection : *Le moment des adieux a été marqué par d'émouvantes effusions.* SYN. élan, épanchement. ANT. froideur, indifférence. ∥ *Sans effusion de sang :* Sans que le sang soit versé. **R.** Ne pas confondre avec *infusion*.

s'égailler v.pron. Se disperser, en parlant de personnes ou d'animaux: *Sorties de l'étable, les vaches s'égaillaient dans les prés.* SYN. se dissiper, s'éparpiller. ANT. se grouper, se masser, se rassembler. **R.** Ne pas confondre avec *s'égayer*.

égal, ale, aux n. et adj. **1.** n. Personne égale en droit, par nature, par la condition: *La femme est l'égale de l'homme.* **2.** adj. Qui a les mêmes droits, la même valeur: *Tous les êtres humains sont égaux devant Dieu.* SYN. identique, pareil. ANT. différent. **3.** adj. Qui est de même dimension, de même qualité, de même quantité, de même valeur: *Ces bâtons de hockey sont de prix différents mais de qualité égale.* SYN. équivalent. ANT. inégal. **4.** adj. Qui est toujours le même: *De ma fenêtre, j'entends le bruit égal des pas sur le trottoir.* ⁄⁄ *Ça m'est égal:* Cela me laisse indifférent. *D'égal à égal:* Sur un pied d'égalité. *N'avoir d'égal que:* N'être égalé que par. *Sans égal:* Sans pareil, incomparable. ☞ égalable, également, égaler, égalisateur, égalisation, égaliser, égalitaire, égalité, inégal, inégalable, inégalé, inégalement, inégalité. à l'**égal de** loc.prép. Autant que: *Tu aimes le cinéma à l'égal de la lecture.*

égalable adj. Qui peut être égalé en qualité, en valeur, en force: *Il a réussi un exploit difficilement égalable.* SYN. comparable. ANT. incomparable, inégalable. ☞ égal.

également adv. **1.** D'une manière égale, au même degré: *Nous avons partagé également ma tablette de chocolat.* ANT. inégalement. **2.** Aussi: *Si tu as réussi, nous réussirons également.* SYN. pareillement. ☞ égal.

égaler v. **1.** Être égal en qualité, en valeur, en force: *À force de m'entraîner, j'ai réussi à l'égaler en rapidité.* SYN. équivaloir. ANT. dépasser, surpasser. **2.** Être égal en quantité: *Un mètre égale cent centimètres.* SYN. valoir. ☞ égal.

égalisateur, trice adj. Qui égalise, qui porte au même niveau: *Mon équipe favorite vient de marquer un but égalisateur.* ☞ égal.

égalisation n.f. Action d'égaliser, d'aplanir; son résultat: *L'égalisation du terrain de base-ball est terminée.* ☞ égal.

égaliser v. **1.** Rendre égal, équilibrer: *Cette nouvelle loi vise à égaliser les salaires.* ANT. déséquilibrer, différencier. **2.** Aplanir, mettre de niveau: *J'ai bien égalisé mon terrain avant de semer.* ☞ égal.

égalitaire adj. Qui vise à l'égalité sociale: *Le gouvernement a promis d'entreprendre des réformes égalitaires.* ☞ égal.

égalité n.f. **1.** Qualité de ce qui est égal, équivalent: *Les deux concurrentes ont le même nombre de points, elles sont à égalité.* SYN. parité. **2.** Qualité de ce qui est constant, permanent: *L'infirmier a constaté l'égalité du pouls de la patiente.* SYN. régularité, uniformité. ANT. irrégularité. **3.** Qualité de ce qui est uni, régulier: *L'égalité du terrain est essentielle pour la pratique de ce sport.* ANT. inégalité. ☞ égal. à **égalité de** loc.prép. En supposant une quantité égale: *À égalité de mérite, il est difficile de faire un choix.*

égard n.m. **1.** Considération, respect: *Je suis restée ici par égard pour toi.* ANT. indifférence, mépris. **2.** plur. Marques d'estime: *Cette personne m'a traitée avec beaucoup d'égards.* SYN. gentillesse, prévenance. ANT. grossièreté, impolitesse. ⁄⁄ *À tous égards:* Sous tous les rapports, à tous les points de vue. *Avoir égard à:* Avoir de la considération pour. *Sans égard pour:* En ne tenant pas compte de. à cet **égard** loc.adv. De ce point de vue: *Le concert a eu lieu en plein air: à cet égard, l'après-midi a été réussi.* à l'**égard de** loc.prép. Pour ce qui concerne quelque chose ou quelqu'un: *Il s'est toujours bien conduit à l'égard de ses parents.* eu **égard à** loc.prép. En tenant compte de quelque chose: *Eu égard à ses mérites, j'ai décidé de lui faire confiance.*

égaré, ée adj. Qui a perdu son chemin: *Nous avons ramené à ses parents une enfant égarée.* HOM. égarer. ☞ égarer.

égarement n.m.litt. Accès de folie, écart de conduite dénotant un dérèglement de l'esprit: *Dans un moment d'égarement, il jeta ses cahiers au vent.* SYN. affolement. ☞ égarer.

égarer v. Perdre momentanément: *Je ne trouve plus mon baladeur, j'ai dû l'égarer.* HOM. égaré. ☞ égaré, égarement. s'**égarer** v.pron. **1.** Se perdre en chemin: *Nous nous étions égarés dans le bois.* ANT. se retrouver. **2.** fig. Sortir du bon sens, divaguer: *Tes réflexions étaient logiques jusqu'à maintenant, mais là tu t'égares.* SYN. dévier, se tromper.

égayer v. **1.** Faire rire: *Elle a égayé tout le monde avec une chanson drôle.* SYN. amuser, dérider. ANT. attrister, chagriner, ennuyer. **2.** Rendre agréable, mettre de la gaieté: *Les décorations que nous avons posées égaient notre classe.* ☞ gai. s'**égayer** v.pron. S'amuser: *Nous nous sommes égayés à ce pique-nique.* **R.** Ne pas confondre avec *s'égailler*.

égide n.f.litt. Protection offerte par une personne, une loi, une autorité: *L'exposition a été organisée sous l'égide du gouvernement.* **R.** S'emploie surtout dans l'expression *sous l'égide de*.

églantier n.m. Rosier sauvage: *Avec les fruits de l'églantier, on prépare une tisane au goût délicat.* ☞ églantine.

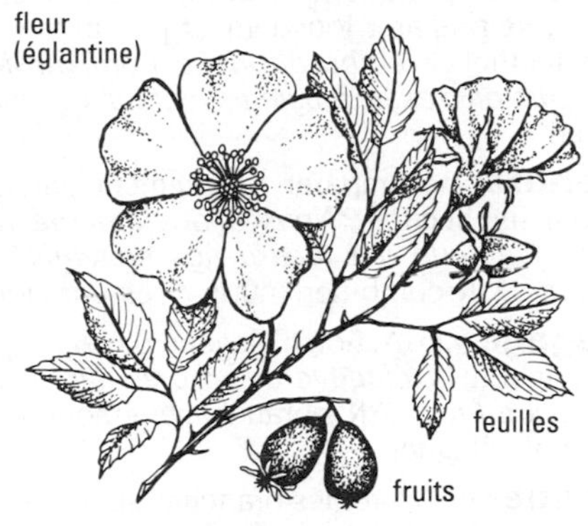

églantier

églantine n.f. Fleur de l'églantier: *J'ai voulu te cueillir une églantine, mais je m'y suis piqué.* ☞ églantier.

église n.f. Édifice où les chrétiens se rassemblent pour le culte et les cérémonies religieuses: *L'église de ma paroisse a deux clochers.* SYN. temple. ▲ **Église** n.f. Ensemble des fidèles d'une religion chrétienne: *Lorsqu'on a reçu le baptême, on fait partie de l'Église.* SYN. chrétienté. **R.** S'écrit avec une majuscule dans ce sens.

égocentrique n. et adj. **1.** n. Personne qui a tendance à tout centrer sur elle-même, à se prendre pour le centre de tout: *Elle se donne beaucoup d'importance, c'est une égocentrique.* SYN. égoïste, individualiste. **2.** adj. Qui a tendance à tout centrer sur soi, à se prendre pour le centre de tout: *Il est trop égocentrique pour s'intéresser sincèrement aux autres.* ANT. altruiste, généreux. ☞ égocentrisme.

égocentrisme n.m. Tendance à se prendre pour le centre de tout: *Son égocentrisme est agaçant, un peu d'humilité lui ferait du bien.* SYN. égoïsme, individualisme. ANT. altruisme. ☞ égocentrique.

égoïne n.f. Scie à main: *Ce bois tendre se coupe bien avec une égoïne.* **R.** Ne pas oublier le tréma: *ï.*

égoïsme n.m. Tendance à ne rechercher que son plaisir et son intérêt, sans se soucier des autres: *Son égoïsme l'empêche d'avoir de vrais amis.* SYN. égocentrisme, individualisme. ANT. altruisme, désintéressement, générosité. **R.** Ne pas oublier le tréma: *ï.* ☞ égoïste, égoïstement.

égoïste n. et adj. **1.** n. Personne qui ne recherche que son plaisir et son intérêt, sans penser aux autres: *Cette égoïste n'aide jamais les autres, elle ne pense qu'à s'amuser.* SYN. sans-cœur. ANT. altruiste. **2.** adj. Qui ne recherche que son plaisir et son intérêt, sans penser aux autres: *C'est un garçon égoïste, il ne pense jamais à faire plaisir aux autres.* SYN. égocentrique, individualiste. ANT. altruiste, désintéressé, généreux. **R.** Ne pas oublier le tréma: *ï.* ☞ égoïsme.

égoïstement adv. De manière égoïste, sans penser aux autres: *Elle a égoïstement refusé de partager sa boîte de chocolats avec nous.* **R.** Ne pas oublier le tréma: *ï.* ☞ égoïsme.

égorger v. Tuer en coupant la gorge: *Nous avons vu comment l'éleveur égorge les porcs.*

s'**égosiller** v.pron. Crier ou parler fort assez longtemps: *Je me suis égosillée à lui faire comprendre que sa musique était trop forte.* SYN. s'époumoner. **R.** Les lettres *ill* se prononcent comme dans *famille*.

égout n.m. Canalisation souterraine servant à l'évacuation des eaux usées et des eaux de pluie: *Tous les printemps, cet égout déborde dans la rue.* ⁄⁄ *Bouche d'égout:* Orifice sur le bord de la chaussée, servant à l'écoulement des eaux. ☞ égoutier.

égoutier n.m. Personne qui travaille à l'entretien des égouts: *Les égoutiers sont venus déboucher l'égout devant notre maison.* ☞ égout.

égouttage n.m. Action d'égoutter ou fait de s'égoutter, de laisser écouler l'eau goutte à goutte: *L'égouttage des épinards prendra quelques minutes.* **R.** Aussi, *égouttement*. ☞ égoutter.

égoutter v. Débarrasser une chose de son eau en la faisant écouler goutte à goutte: *Après avoir lavé la laitue, il faudra l'égoutter.* ☞ égouttage, égouttoir. s'**égoutter** v.pron. **1.** Tomber goutte à goutte: *L'eau s'égouttait de la voiture, qui venait de sortir du lave-autos.* **2.** Perdre son eau goutte à goutte: *J'ai étendu mon tricot sur la corde pour qu'il s'égoutte.*

égouttoir n.m. Objet servant à égoutter quelque chose: *J'ai déposé mes bottes dans l'égouttoir.* ☞ égoutter.

égratigner v. **1.** Déchirer la peau en surface: *Mon chat m'a égratigné l'épaule.* SYN. écorcher, érafler. **2.** Rayer, endommager légèrement: *Mon disque a été égratigné.* ☞ égratignure.

égratignure n.f. **1.** Blessure superficielle de la peau: *Je me suis fait une égratignure en* *passant par-dessus la clôture.* SYN. écorchure, éraflure. **2.** Dégradation légère d'un objet: *J'ai remarqué une égratignure sur la commode.* ☞ égratigner.

égrenage n.m. Action d'égrener, d'ôter les grains: *L'égrenage du maïs se fait avec cette machine.* **R.** Aussi, *égrènement.* ☞ égrener.

égrener v. Ôter les grains du maïs, du raisin, etc.: *Autrefois, on égrenait le blé en le battant.* ⁄⁄ *Égrener un chapelet:* Réciter le chapelet en faisant passer les grains entre les doigts. ☞ égrenage. **s'égrener** v.pron. **1.** Se détacher, en parlant des grains de quelque chose: *L'épi de maïs s'égrenait dans l'assiette.* **2.** Se séparer ou se placer à distance l'un de l'autre: *Les voitures s'égrenaient sur l'autoroute.*

égyptien, ienne n. et adj. **1.** n. Personne qui est de l'Égypte: *Un Égyptien, une Égyptienne.* **2.** adj. Qui est de l'Égypte: *Les pyramides égyptiennes constituent encore une énigme.* **R.** On met la majuscule à *égyptien* et à *égyptienne* lorsque le nom désigne une personne.

égyptien n.m. Dialecte arabe parlé en Égypte et au Soudan: *Tous les Égyptiens ne parlent pas l'égyptien.*

eh ! interj. **1.** Exclamation qui marque l'admiration, la surprise: *Eh! tu ne m'avais pas dit ça.* **2.** Exclamation qui sert à interpeller quelqu'un: *Eh! reviens.* **3.** Exclamation qui renforce le mot suivant: *Eh oui! tu avais vu juste.* HOM. et, hé !. ⁄⁄ *Eh bien!:* Introduit une conclusion, marque la surprise.

éhonté, ée adj. **1.** Qui n'a pas honte: *C'est un menteur éhonté, il ment comme il respire.* SYN. cynique, effronté. **2.** Qui est scandaleux: *Si elle a gagné, c'est à cause de leur tricherie éhontée.* SYN. ignoble, indigne. ☞ honte.

eider n.m. (island.) Canard marin des pays scandinaves, qui fournit un duvet très recherché: *L'eider bâtit son nid avec du duvet qu'il arrache de sa poitrine.* **R.** Se prononce *édère*.

éjaculation n.f. Action d'éjaculer, d'éjecter du sperme: *À chaque éjaculation, des millions de spermatozoïdes sont projetés hors des testicules.* ☞ éjaculer.

éjaculer v. Éjecter le sperme: *Pour faire un bébé, papa doit éjaculer dans le vagin de maman.* ☞ éjaculation.

éjectable adj. Qui peut être éjecté, projeté au dehors: *Cet avion de combat est muni de sièges éjectables.* ☞ éjecter.

éjecter v. Projeter au dehors: *Le tuyau d'échappement éjectait une épaisse fumée blanche.* ☞ éjectable.

élaboration n.f. **1.** Production d'une substance nouvelle dans un organisme vivant: *L'élaboration de la sève dans les érables augmente au printemps.* **2.** fig. Action d'élaborer, de préparer longuement par un travail intellectuel: *L'élaboration de notre projet d'excursion a exigé plusieurs réunions.* ☞ élaborer.

élaborer v. Préparer longuement par un travail intellectuel: *Nous avons élaboré un plan d'attaque qui mettra nos ennemis en déroute.* SYN. combiner, mûrir. ☞ élaboration.

élagage n.m. Action d'élaguer, d'ôter ce qui est superflu: *L'élagage des arbres demande du savoir-faire.* SYN. ébranchage, émondage, taille. ☞ élaguer.

élaguer v. **1.** Ôter les branches superflues: *J'ai élagué mon érable et son feuillage est plus uniforme.* SYN. ébrancher, émonder, tailler. **2.** fig. Débarrasser de ses détails inutiles: *Ta composition est intéressante, mais il faudrait l'élaguer.* **R.** Ne pas oublier le *u* après le *g*. ☞ élagage.

élan n.m. **1.** Mouvement vers l'avant d'un être humain ou d'un animal: *L'écureuil prit son élan et sauta dans l'arbre voisin.* SYN. essor. **2.** fig. Mouvement intérieur ardent, impulsif: *Dans un élan d'enthousiasme, nous nous sommes mis à crier.* SYN. poussée, transport. ☞ s'élancer. ▲ **élan** n.m. Cerf des pays du Nord: *Au Canada, l'élan d'Amérique est aussi appelé «orignal».*

élan

élancé, ée adj. Qui est mince et long: *Il avait un menton carré et un nez élancé.* SYN. effilé, fin. ANT. gros, trapu. HOM. élancer. ☞ s'élancer.

élancement n.m. Douleur subite et vive: *J'ai des élancements dans la tête depuis que je suis tombé.* ☞ élancer.

élancer v. Qui cause une douleur subite et vive: *Ma blessure élance, je vais prendre le médicament qui m'a été prescrit.* HOM. élancé. **R.** Ne pas oublier la cédille devant *a* et *o*. ☞ élancement.

s'élancer v.pron. Se jeter en avant avec force: *Je me suis élancée à son secours.* SYN. se précipiter, se ruer. **R.** Ne pas oublier la cédille devant *a* et *o*. ☞ élan, élancé.

élargir v. **1.** Rendre plus large: *J'ai élargi mon pantalon, car j'ai pris du poids.* SYN. agrandir. ANT. diminuer, rétrécir. **2.** Faire paraître plus large: *Ce blouson t'élargit un peu les épaules.* ANT. rétrécir. **3.** Donner plus d'ampleur: *Ce livre très instructif a élargi mes connaissances.* SYN. accroître, augmenter, étendre. ANT. borner, restreindre. ☞ large. **s'élargir** v.pron. Devenir plus large: *À partir de Québec, le fleuve s'élargit.* SYN. s'agrandir. ANT. se resserrer, se rétrécir.

élargissement n.m. Action ou fait de s'élargir, de devenir plus large: *Des ouvriers travaillent à l'élargissement de cette route.* SYN. agrandissement, développement. ANT. rétrécissement. ☞ large.

élasticité n.f. **1.** Propriété qu'ont certains corps de reprendre leur forme et leur volume lorsqu'on enlève ce qui les déformait: *L'élasticité du caoutchouc est remarquable.* **2.** Grande souplesse dans le mouvement: *Le chat s'approchait à pas feutrés, avec élasticité.* ANT. rigidité. **3.** fig. Aptitude à se soumettre, à s'adapter: *Pour travailler en équipe, il faut faire preuve d'élasticité.* SYN. souplesse. ☞ élastique.

élastique n.m. et adj. **1.** n.m. Ruban ou lien circulaire en caoutchouc: *Elle s'est noué les cheveux avec un élastique.* **2.** adj. Qui a de l'élasticité, qui reprend sa forme après avoir été étiré: *Cette jupe se porte avec une ceinture élastique.* SYN. extensible. ANT. rigide. ☞ élasticité.

élasti**c**ité élasti**qu**e

électeur, trice n. Personne qui a le droit de vote à une élection: *Les électeurs doivent se rendre au bureau de vote entre 9 heures et 22 heures.* SYN. votant. ☞ élire.

élection n.f. Choix, nomination d'une personne par un vote: *Elle s'est portée candidate à la présidence aux élections scolaires.* ⁄⁄ *Terre, patrie d'élection*: Terre, patrie que l'on choisit. ☞ élire.

électoral, ale, aux adj. Qui concerne les élections, la nomination d'une personne par un vote: *As-tu vérifié si ton nom figure sur la liste électorale?* ☞ élire.

électorat n.m. Ensemble des électeurs, des personnes qui votent: *L'électorat a été nombreux aux dernières élections.* ☞ élire.

électricien, ienne n. Personne spécialisée dans l'installation et la réparation de matériel et de circuits électriques: *L'électricienne est venue réparer le système électrique.* ☞ électricité.

électricité n.f. **1.** Forme d'énergie servant à l'éclairage, au fonctionnement de nombreux appareils domestiques et industriels: *Grâce à ses cours d'eau, le Québec est un grand producteur d'électricité.* **2.** fig. Nervosité, excitation: *Il y a de l'électricité dans l'air aujourd'hui.* ☞ électricien, électrification, électrifier, électrique, électriquement, électrisant, électriser.

électrification n.f. Action de fournir de l'énergie électrique: *L'électrification des campagnes a pris plusieurs années.* ☞ électricité.

électrifier v. **1.** Faire fonctionner à l'énergie électrique: *Ce réseau ferroviaire a été récemment électrifié.* **2.** Pourvoir d'énergie électrique: *On a électrifié le nouvel immeuble.* ☞ électricité.

électrique adj. **1.** Qui se rapporte à l'électricité, forme d'énergie servant à l'éclairage et au fonctionnement d'appareils divers: *Nous avons visité une centrale électrique.* **2.** Qui fonctionne à l'électricité: *La perceuse électrique est plus bruyante que le vilebrequin.* ☞ électricité.

électriquement adv. De manière électrique, à l'électricité: *Ce magnétophone portatif fonctionne aussi électriquement.* ☞ électricité.

électrisant, ante adj. Qui provoque un grand enthousiasme: *Elle a enflammé son public par son style électrisant.* ☞ électricité.

électriser v. Remplir d'ardeur, d'exaltation: *Ton discours électoral a électrisé l'assistance.* SYN. enflammer, exalter, transporter. ANT. abattre, décourager. ☞ électricité.

électro-aimant n.m. Aimant fonctionnant à l'électricité: *Cette grue soulève les carcasses de voitures au moyen d'un électro-aimant.* **R.** Au pluriel, *électro-aimants*.

électrocardiogramme n.m. Tracé que l'on obtient à l'aide d'un appareil servant à explorer l'activité électrique du cœur: *L'électrocardiogramme permet de diagnostiquer des troubles cardiaques.*

électrocuter v. (anglo-améric.) Tuer ou blesser par une décharge électrique : *Ne grimpe pas dans ce pylône, tu vas t'électrocuter.* ☞ électrocution.

électrocution n.f. (anglo-améric.) Fait de s'électrocuter, de tuer ou de blesser par une décharge électrique : *Ce symbole sur le panneau devant la clôture avertit qu'il y a danger d'électrocution.* ☞ électrocuter.

électroménager n.m. Appareil ménager qui fonctionne à l'électricité : *L'aspirateur, le grille-pain et la cuisinière sont des électroménagers.*

électroménager, ère adj. Qui fonctionne à l'électricité, en parlant d'un appareil ménager : *Les appareils électroménagers allègent les tâches domestiques.*

électron n.m. Particule chargée d'électricité négative, qui gravite autour du noyau de l'atome : *L'électron est un des plus importants éléments de la matière.* ☞ électronicien, électronique.

électronicien, ienne n. Personne spécialisée en électronique : *Elle poursuit des études pour devenir électronicienne.* ☞ électron.

électronique n.f. et adj. **1.** n.f. Partie de la physique et de la technique qui étudie et applique les phénomènes mettant en œuvre les électrons : *Il étudie l'électronique dans ses temps libres.* **2.** adj. Qui fonctionne au moyen de dispositifs qui se rapportent à l'électronique : *À mon anniversaire, j'ai reçu un jeu électronique.* ☞ électron.

électrophone n.m. Appareil composé d'un lecteur de disques ou de cassettes, d'un amplificateur et de haut-parleurs, qui sert à reproduire des enregistrements sur disques ou sur cassettes : *Notre électrophone est une chaîne stéréo avec lecteur au laser.* **R.** Les lettres *ph* se prononcent *f*.

élégamment adv. D'une manière élégante, avec raffinement : *Dans son exposé, elle a élégamment exprimé son point de vue sur cette question.* ☞ élégant.

élégance n.f. **1.** Grâce, distinction dans l'habillement, la parure, les manières : *Cette animatrice s'habille avec élégance.* SYN. chic, classe. ANT. inélégance, vulgarité. **2.** Raffinement, délicatesse, grâce harmonieuse dans l'expression : *Les personnes instruites et cultivées savent parler avec élégance.* SYN. aisance, harmonie. ANT. grossièreté, vulgarité. ☞ élégant.

élégant, ante adj. **1.** Qui a de l'élégance, du chic : *Elle m'a trouvé élégant dans mon complet neuf.* SYN. beau, coquet, distingué. ANT. commun, inélégant, vulgaire. **2.** Qui a du raffinement dans l'expression : *Cet auteur écrit dans un style élégant.* **3.** Qui a une forme et un aspect gracieux : *Que de travail il y a dans cette reliure élégante!* ☞ élégamment, élégance, inélégance, inélégant.

élément n.m. **1.** Milieu de vie naturel d'un animal : *L'eau dormante est l'élément naturel de la grenouille.* SYN. habitat. **2.** Milieu social habituel, entourage familier : *Dans son équipe de volley-ball, Martin se sent totalement dans son élément.* SYN. cadre, décor. **3.** Corps chimique simple : *L'hydrogène, l'oxygène, le carbone, le chlore, l'or et le fer sont des éléments chimiques.* **4.** Chacune des parties dont la réunion forme un tout : *Les éléments de cette radio sont fabriqués en Corée.* SYN. composante, morceau, partie. **5.** Chacun des êtres ou des objets qui appartiennent à un ensemble : *Les nombres un, deux et trois sont des éléments de l'ensemble des nombres naturels.* **6.** Personne faisant partie d'un groupe : *Cette année, il y a beaucoup de bons éléments dans notre classe.* SYN. sujet. // *Les quatre éléments :* La terre, l'eau, l'air et le feu. ☞ élémentaire.

élémentaire adj. **1.** Qui est fondamental, de base : *Les particules élémentaires sont l'électron, le proton et le neutron.* SYN. essentiel. **2.** Qui est très simple, rudimentaire : *C'est une politesse élémentaire que de répondre quand on vous salue.* SYN. primaire. ☞ élément. ▲ **élémentaire** adj. Qui concerne les notions de base d'une science, d'un art : *Mon frère m'a prêté un livre de physique élémentaire.* SYN. facile, simple. ANT. complexe, supérieur. ☞ éléments.

éléments n.m.plur. **1.** Notions de base d'une science, d'une technique : *À l'école, nous avons étudié quelques éléments d'écologie.* SYN. rudiments. **2.** Les forces naturelles : *Le vent, la mer, la pluie sont des éléments de la nature.* ☞ élémentaire.

éléphant n.m. Mammifère herbivore portant une trompe et des défenses, dont le petit est l'éléphanteau : *L'éléphant est le plus gros animal terrestre.* // *Éléphant de mer :* Phoque énorme à trompe. *Un éléphant :* Une personne très grosse, à la démarche pesante. **R.** Le mot *éléphante* est rarement employé. Les lettres *ph* se prononcent *f*. ☞ éléphanteau.

éléphanteau, eaux n.m. Petit de l'éléphant : *L'éléphanteau ne porte pas de défenses.* **R.** Les lettres *ph* se prononcent *f*. ☞ éléphant.

élevage n.m. Production et entretien des animaux domestiques : *Nous avons commencé à faire l'élevage des lapins.* ☞ élever.

élévateur n.m. Appareil qui élève des charges : *Ma mère travaille comme opératrice d'élévateur.* **R.** N'a pas le sens de *ascenseur.* ☞ élever.

élévation n.f. **1.** Opération qui consiste à élever, à mettre plus haut : *L'élévation du drapeau au mât de notre école a été marquée par une joyeuse cérémonie.* SYN. ascension, montée. ANT. descente. **2.** Fait de s'élever, de monter plus haut : *L'élévation du niveau de la mer pourrait être due à la fonte des glaces polaires.* SYN. hausse. ANT. abaissement. **3.** fig. Fait de s'élever à un rang supérieur : *Son élévation à un poste plus important lui a monté à la tête.* SYN. ascension. **4.** Moment de la messe où le prêtre élève l'hostie : *Au moment de l'élévation, les fidèles baissent la tête.* **5.** Terrain élevé : *Nous avions construit notre fort de neige sur une petite élévation pour mieux voir venir les ennemis.* SYN. altitude, éminence. ANT. dénivellation. ☞ élever.

élève n. Jeune ou adulte qui poursuit des études : *Notre école compte près de six cents élèves.*

élevé, ée adj. **1.** Qui est à une certaine hauteur : *Cette colline est la plus élevée de la région.* SYN. haut. ANT. bas. **2.** Qui atteint un haut degré : *Tu demandes un prix trop élevé pour ta bicyclette.* **3.** litt. Qui a de la grandeur morale, de la noblesse : *Avec elle, le ton de la conversation est toujours élevé et serein.* ☞ élever. ▲ **élevé, ée** adj. Éduqué : *Une personne bien élevée sait remercier lorsqu'on lui rend un service.* HOM. élever. **R.** Dans le sens de *éduqué*, ne s'emploie que dans les expressions *bien élevé* et *mal élevé.* ☞ élever.

élever v. **1.** Mettre plus haut, à un niveau supérieur : *J'ai élevé la voiture avec un cric pour changer le pneu.* SYN. hisser, lever, soulever. ANT. abaisser, descendre. **2.** Construire, dresser : *Après la guerre, la ville a fait élever un monument à la mémoire des soldats morts au combat.* SYN. bâtir, édifier, ériger. **3.** fig. Porter à un rang supérieur dans une hiérarchie : *Mon grand-père avait été élevé au grade de lieutenant.* SYN. ennoblir. ANT. déchoir, dégrader. ⁄⁄ *Élever la voix :* Parler plus fort. ☞ élévateur, élévation, élevé, surélever. ▲ **élever** v. Assurer le développement physique, moral et intellectuel des enfants : *Élever des enfants demande de la patience et de l'amour.* SYN. éduquer, former. ☞ élevé. ▲ **élever** v. Nourrir, soigner et entretenir des animaux domestiques ou utiles : *Mon père se propose d'élever des abeilles.* HOM. élevé. ☞ élevage, éleveur. **s'élever** v.pron. **1.** Devenir plus grand, plus intense, plus fort, plus haut : *La température s'est élevée de dix degrés depuis ce matin.* SYN. accroître, augmenter. ANT. s'abaisser, diminuer. **2.** Atteindre une certaine hauteur, un certain niveau : *Cette antenne de radio s'élève jusqu'à quinze mètres au sommet de l'édifice.* **3.** Se faire entendre : *À la fin de la réunion, des cris se sont élevés au fond de la salle.* **4.** Parvenir à un rang supérieur : *J'en ai assez, il faut que je m'élève au-dessus de ma condition.*

éleveur, euse n. Personne qui élève des animaux : *Cette éleveuse de chevaux a de très belles bêtes.* ☞ élever.

élider v. Supprimer la voyelle finale d'un mot devant un mot commençant par une voyelle ou un « h » muet : *Dans « l'amour », on élide le « e » de « le ».* ☞ élision.

éligibilité n.f. Capacité légale d'être élu : *L'éligibilité d'un candidat dépend de plusieurs conditions.* ANT. inéligibilité. ☞ élire.

éligible adj. Qui peut être élu : *Cette candidate éligible s'est engagée à observer les lois électorales.* **R.** N'a pas le sens de *admissible.* ☞ élire.

élimer v. User un vêtement, une étoffe par l'usage : *J'avais porté le même jean pendant deux mois, ce qui l'avait élimé.*

élimination n.f. **1.** Fait d'exclure ou fait d'être éliminé, écarté, rejeté : *L'élimination de ce coureur olympique a surpris beaucoup de monde.* **2.** Rejet hors de l'organisme : *La transpiration contribue à l'élimination des toxines.* ☞ éliminer.

éliminatoire n.f. et adj. **1.** n.f. Épreuve sportive destinée à éliminer les participants les moins qualifiés : *Les éliminatoires de patinage artistique commenceront demain à la patinoire du complexe sportif.* **2.** adj. Qui élimine, qui exclut à la suite d'un choix : *Pour s'inscrire à ce concours, il faut d'abord passer une épreuve éliminatoire.* ☞ éliminer.

éliminer v. **1.** Exclure d'un groupe, d'un ensemble, à la suite d'un choix : *Notre équipe a été éliminée en demi-finale.* SYN. évincer. **2.** Faire sortir de l'organisme des déchets, des toxines : *Quand je suis tendu, j'élimine mal, je deviens constipé.* **3.** Supprimer, faire disparaître : *Pour réaliser notre projet, il a fallu éliminer bien des obstacles.* SYN. écarter. ☞ élimination, éliminatoire.

élire v. Nommer par un vote : *Martine a été élue présidente de la classe.* SYN. choisir, désigner. ANT. éliminer, rejeter. ⁄⁄ *Élire domicile :* S'établir à un endroit pour y habiter. ☞ électeur, élection, électoral, électorat, éligibilité, éligible, élu, inéligibilité, inéligible, préélectoral, réélection, réélire.

élision n.f. Suppression de la voyelle finale d'un mot devant un mot commençant par une voyelle ou un « h » muet : *Dans « j'arrive », il y a élision du « e » de « je ».* ☞ élider.

élite n.f. Ensemble des personnes qui se distinguent par leurs qualités, leur culture, leurs valeurs dans un groupe : *Elle fait partie de l'élite intellectuelle de l'école.* SYN. crème, gratin. ANT. lie, rebut. ⁄⁄ *D'élite :* Distingué, supérieur, éminent.

élixir n.m. (arabe) **1.** Médicament liquide à usage interne, composé d'alcool et d'autres substances : *Ce sirop est un excellent élixir contre la toux.* **2.** Boisson magique : *Certaines personnes recherchent l'élixir de longue vie.*

elle, elles pron.pers. Pronom personnel féminin de la troisième personne, employé comme sujet ou complément : *Elle m'a parlé d'elle et de son enfance.* HOM. aile.

> Avec **elle**, aux *temps simples*, les verbes se terminent par :
> **d** : elle prend
> **a** : elle a
> **t** : elle veut
> **e** : elle aime
> Avec **elles**, aux *temps simples*, les verbes se terminent par :
> **ent** : elles aiment
> **ont** : elles ont, elles feront

ellipse n.f. Suppression d'un ou de plusieurs mots dans une phrase : *Dans la phrase « À chacun son métier », il y a ellipse du verbe.* ☞ elliptique. ▲ **ellipse** n.f. Courbe plane fermée qui a la forme d'un rond légèrement allongé : *Le chiffre « 0 » a la forme d'une ellipse.* ☞ elliptique.

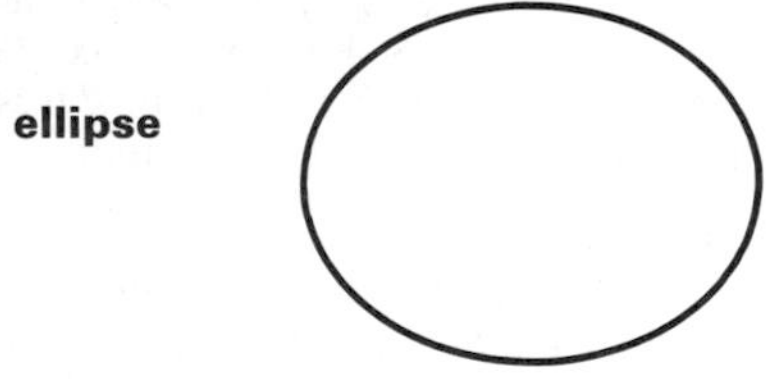

elliptique adj. Qui comporte une ellipse, une suppression d'un ou de plusieurs mots : *Beaucoup de proverbes sont des phrases elliptiques, par exemple : « À cœur vaillant rien d'impossible. »* ☞ ellipse. ▲ **elliptique** adj. Qui a la forme d'une ellipse, d'un rond légèrement allongé : *La Terre décrit une orbite elliptique autour du Soleil.* ☞ ellipse.

élocution n.f. Manière de s'exprimer oralement : *Ma sœur a un défaut d'élocution : elle bégaie.* SYN. articulation, prononciation. **R.** Ne pas confondre avec *allocution*.

éloge n.m. Paroles ou discours de louanges : *Nous avons été comblés d'éloges par notre directeur.* SYN. compliment, félicitation. ANT. blâme, critique, reproche. ⁄⁄ *C'est tout à son éloge :* C'est tout à son honneur. *Faire l'éloge de quelqu'un :* Louer quelqu'un. ☞ élogieusement, élogieux.

élogieusement adv. D'une manière flatteuse : *Il parle toujours de lui élogieusement et avec admiration.* ☞ éloge.

élogieux, ieuse adj. Qui est rempli d'éloges, de louanges : *Il a prononcé un discours élogieux en l'honneur de cette chercheuse.* SYN. flatteur, louangeur. ANT. critique, injurieux. ☞ éloge.

éloigné, ée adj. **1.** Qui est loin dans le temps : *À une époque éloignée, ces peuplades sont arrivées en Amérique par le détroit de Béring.* SYN. ancien, lointain. ANT. rapproché, récent. **2.** Qui est loin dans l'espace : *Sans mes lunettes, je distingue mal les objets éloignés.* SYN. distant, lointain. ANT. proche, voisin. **3.** fig. Qui est différent : *C'est là un récit bien éloigné de la vérité.* HOM. éloigner. ⁄⁄ *Cousin, parent éloigné :* Personne avec qui l'on a des liens de parenté indirects. ☞ loin.

éloignement n.m. **1.** Fait d'être éloigné dans l'espace : *À cause de son éloignement, cette région reçoit les journaux avec plusieurs heures de retard.* SYN. distance. ANT. rapprochement, voisinage. **2.** Fait d'être éloigné dans le temps : *Avec l'éloignement, ces événements historiques prennent des proportions moins importantes.* **3.** fig. Fait de se tenir à l'écart : *Son éloignement de ce groupe lui a fait le plus grand bien.* ☞ loin.

éloigner v. **1.** Mettre à une certaine distance, loin : *J'ai éloigné le gâteau de la cuisinière pour qu'il refroidisse plus vite.* SYN. distancer, écarter. ANT. approcher, rapprocher. **2.** fig. Écarter, détourner quelqu'un : *Ce que tu lui as dit l'a éloigné de toi.* HOM. éloigné. ☞ loin. **s'éloigner** v.pron. **1.** Se mettre plus loin, aller plus loin : *Elle s'est éloignée de l'arbre dès qu'elle a vu le nid de guêpes.* **2.** fig. Se détourner de quelque chose, se détacher de quelqu'un : *Attention, nous nous éloignons du sujet.*

élongation n.f. Étirement accidentel d'un muscle, d'un nerf, d'un tendon : *En s'exerçant aux barres asymétriques, elle s'est fait une élongation.* ☞ long.

éloquemment adv. D'une manière éloquente, avec facilité pour bien s'exprimer : *Elle a éloquemment défendu sa cause devant la direction.* **R.** Les lettres *emment* se prononcent *amment.* ☞ éloquent.

éloquence n.f. **1.** Art de parler, de s'exprimer en public : *Elle possédait une éloquence naturelle.* SYN. facilité, verve. **2.** Qualité de ce qui est expressif, significatif : *Sa tenue témoignait avec éloquence du peu de souci qu'il avait de bien paraître.* ☞ éloquent.

éloquent, ente adj. **1.** Qui possède l'art de bien parler : *C'est une conférencière éloquente, qui choisit toujours le terme juste et forme des phrases élégantes.* SYN. entraînant, persuasif. ANT. endormant, ennuyeux. **2.** Qui est expressif, révélateur : *Les résultats de notre sondage sont éloquents : 85 % des élèves ne lisent que des bandes dessinées.* SYN. parlant. ☞ éloquemment, éloquence.

élu, ue n. et adj. **1.** n. Personne qui a été désignée par une élection : *Après l'élection, cette élue a prononcé une brève allocution.* **2.** n. Personne choisie par amour : *Il est l'élu de mon cœur.* **3.** adj. Qui a été désigné par une élection : *Les candidats élus se sont réunis pour tenir conseil.* ☞ élire.

élucidation n.f. Action d'élucider, de rendre clair : *C'est cet indice, de prime abord négligeable, qui a permis l'élucidation de cette affaire.* SYN. éclaircissement. ANT. obscurcissement. ☞ élucider.

élucider v. Rendre clair un problème, une question obscure, un mystère : *Cet habile détective a encore réussi à élucider cette énigme policière.* SYN. clarifier, éclaircir. ANT. embrouiller, obscurcir. ☞ élucidation.

élucubration n.f. Réflexion dénuée de sens, discours extravagant : *Tes théories ne tiennent pas debout, ce sont des élucubrations.*

éluder v. Éviter habilement quelque chose d'embarrassant : *Elle a éludé cette question embarrassante en changeant le sujet de la conversation.* SYN. esquiver. ANT. affronter.

élytre n.m. Aile dure et cornée de certains insectes, qui ne sert pas à voler mais à protéger les ailes véritables : *Les enfants s'amusent à compter les points noirs sur les élytres des coccinelles.*

émacié, ée adj. Qui est très amaigri : *Son visage émacié faisait pitié à voir.* ANT. bouffi, gras. ☞ s'émacier.

s'émacier v.pron. Devenir très maigre : *Cette jeune femme anorexique s'émaciait de jour en jour.* ☞ émacié.

émail, aux n.m. **1.** Substance vitreuse qu'on fait fondre à four chaud pour recouvrir des objets d'art ou d'artisanat : *J'ai recouvert cette plaque d'interrupteur d'un émail coloré imitant le marbre.* **2.** Substance dure et blanche qui recouvre les dents : *Ce dentifrice au fluorure renforce l'émail des dents.* **3.** plur. Objets d'art ou d'artisanat recouverts d'émail : *Mon père m'a appris à faire des émaux sur cuivre.* ☞ émaillage, émailler, émaillerie, émailleur.

émaillage n.m. Opération qui consiste à émailler, à recouvrir d'émail : *L'émaillage de ton pendentif est très réussi.* ☞ émail.

émailler v. **1.** Recouvrir d'émail : *Ce ne sera pas facile d'émailler d'aussi petites boucles d'oreilles.* **2.** fig. Parsemer d'ornements divers : *J'ai émaillé ma composition de citations de cette poète québécoise.* ☞ émail.

émaillerie n.f. Art de fabriquer des émaux : *Je suis des cours d'émaillerie au centre culturel.* ☞ émail.

émailleur, euse n. Personne qui fabrique des émaux : *Cette émailleuse expose ses œuvres dans une galerie d'art.* ☞ émail.

émanation n.f. Dégagement, émission d'effluves, d'odeurs, provenant de certains corps : *Le gouvernement a adopté une loi visant à réduire les émanations toxiques des usines.* ☞ émaner.

émancipation n.f. Fait d'affranchir ou de s'affranchir d'une domination, de conquérir son indépendance : *Marie Gérin-Lajoie a participé activement à l'émancipation de la femme au Canada.* SYN. libération. ANT. asservissement, soumission, tutelle. ☞ émanciper.

émanciper v. Rendre libre, affranchir : *Ces révolutionnaires espéraient renverser la dictature et émanciper le peuple.* SYN. délivrer, libérer. ANT. asservir, soumettre. ☞ émancipation. **s'émanciper** v.pron. S'affranchir, conquérir son indépendance : *Mon frère ne voulait plus dépendre de nos parents, il a décidé de s'émanciper.*

émaner v. **1.** Se dégager d'un corps ou d'un objet : *Le parfum qui émane de ces fleurs m'enivre et me porte à rêver.* SYN. s'exhaler. **2.** Provenir, tirer son origine : *Cette mise en garde émane de la direction de l'école.* ☞ émanation.

embâcle n.m. Amoncellement de glaces qui obstruent un cours d'eau : *En hiver, la rivière n'est pas navigable à cause des embâcles.* SYN. obstruction. ANT. débâcle. **R.** Ne pas oublier l'accent : *â.* ☞ débâcle.

emballage n.m. **1.** Opération qui consiste à emballer, à mettre dans une enveloppe qui protège : *Papa a commencé l'emballage de nos cadeaux de Noël.* SYN. empaquetage. ANT. déballage. **2.** Boîte, sac, contenant de plastique, bouteille ou toute autre chose qui sert à emballer: *La municipalité a entrepris une campagne de récupération des emballages de verre.* **R.** Les deux *l* se prononcent comme un seul *l*. ☞ déballer.

emballement n.m. Fait de s'emballer, de s'enthousiasmer: *Ses emballements ne durent jamais bien longtemps.* **R.** Les deux *l* se prononcent comme un seul *l*. ☞ emballer.

emballer v. Mettre dans un emballage, dans une enveloppe qui protège: *Les clémentines sont emballées dans des sacs de plastique au supermarché.* SYN. empaqueter. ANT. déballer. ☞ déballer. ▲ **emballer** v. Remplir d'enthousiasme, d'admiration: *Ce récit d'aventures nous a emballées.* SYN. enchanter, ravir. ANT. dégoûter, ennuyer. ☞ emballement. **s'emballer** v.pron. Se laisser emporter par l'enthousiasme, la colère, l'impatience: *Ne t'emballe pas, je n'ai pas dit ça pour te vexer.* SYN. s'enflammer, s'enthousiasmer, se passionner. ANT. désenchanter, refroidir. ⁄⁄ *Le moteur s'emballe:* Le moteur prend un régime de marche trop rapide. **R.** Les deux *l* se prononcent comme un seul *l*.

emballeur, euse n. Personne dont le métier est d'emballer, d'empaqueter des marchandises: *Au supermarché, l'emballeur met les œufs dans un contenant pour les protéger.* **R.** Les deux *l* se prononcent comme un seul *l*. ☞ déballer.

embarcadère n.m. Lieu aménagé pour permettre l'embarquement et le débarquement des passagers et des marchandises, dans un port: *Le bateau n'est pas à la veille de partir, il y a encore des voyageurs sur l'embarcadère.* SYN. débarcadère, jetée, quai. ☞ débarquer.

embarcation n.f. Terme servant à désigner tous les petits bateaux: *Je prends toujours une bouée de sauvetage lorsque je monte à bord d'une embarcation.* SYN. barque, canot. ☞ débarquer.

embardée n.f. Écart brusque et dangereux d'un véhicule: *En traversant le parc des Laurentides, nous avons fait une embardée pour éviter un orignal.*

embargo n.m. (esp.) Interdiction provisoire de laisser partir un navire ou d'exporter certaines marchandises: *Le gouvernement a mis l'embargo sur le blé jusqu'à ce que la sécheresse soit terminée.*

embarquement n.m. Opération qui consiste à embarquer, à faire monter à bord d'un moyen de transport ou à s'embarquer, à monter à bord d'un moyen de transport: *Au moment de l'embarquement, elles ne cessaient plus de se faire des adieux.* ANT. débarquement. ☞ débarquer.

embarquer v. **1.** Faire monter à bord d'un moyen de transport, surtout un navire, un avion ou un train: *Les travailleurs du port étaient en train d'embarquer les marchandises.* SYN. charger. ANT. débarquer, décharger. **2.** Monter à bord d'un bateau, d'un train, d'un avion: *En embarquant dans le canot, il a perdu l'équilibre et est tombé à l'eau.* ANT. débarquer. **R.** N'a pas le sens de *monter* (dans une voiture, un autobus). ☞ débarquer. **s'embarquer** v.pron. **1.** Monter à bord d'un bateau: *À Saint-Jean, nous nous sommes embarquées pour les îles de la Madeleine.* **2.** fig. S'engager dans une affaire difficile: *Tu t'es embarquée dans des projets très risqués.* SYN. s'aventurer, se lancer.

embar**c**ation embar**qu**er

embarras n.m. **1.** Sentiment de gêne, d'incertitude, de contrariété: *Il ne put dissimuler son embarras lorsqu'elle lui posa cette question.* SYN. confusion, malaise, trouble. ANT. aisance, assurance. **2.** Situation gênante, difficile, ennuyeuse: *Son retour précipité me met dans l'embarras.* SYN. gêne, tracas. **3.** Obstacle, ennui: *S'il continue à nous causer des embarras, nous en parlerons à notre institutrice.* SYN. complication, difficulté. ⁄⁄ *Faire des embarras:* Faire des manières, manquer de simplicité. *N'avoir que l'embarras du choix:* Avoir beaucoup de choix. **R.** Le *s* ne se prononce pas. ☞ embarrasser.

embarrassant, ante adj. **1.** Qui embarrasse, met dans une situation difficile: *Nous lui avons posé une question embarrassante et il n'a pas pu y répondre.* SYN. délicat, ennuyeux. **2.** Qui prend trop de place, gêne le passage: *J'ai enlevé du corridor cette chaise embarrassante.* SYN. encombrant, gênant. ☞ embarrasser.

embarrassé, ée adj. Qui éprouve ou manifeste de l'embarras, de la gêne: *Elle était visiblement très embarrassée par ce changement de décision.* SYN. ennuyé. HOM. embarrasser. ☞ embarrasser.

embarrasser v. (esp.) **1.** Gêner le passage, encombrer: *Mes articles de camping embarrassaient l'escalier; je les ai rangés.* SYN. obstruer. **2.** Gêner les mouvements: *Embarrassé par mes paquets, je n'arrivais pas à introduire la clef dans la serrure.* SYN. entraver. **3.** Mettre dans l'embarras, dans une situation difficile: *Ça m'embarrasse de devoir refuser son invitation.* SYN. embêter, gêner, importuner. HOM. embarrassé. ☞ embarras, embarrassant, embarrassé. **s'embarrasser** v.pron. **1.** S'encombrer : *À cause des fausses prévisions météorologiques, je me suis embarrassée de ce parapluie.* **2.** Se soucier : *Elle n'est pas du genre à s'embarrasser de scrupules.* **3.** fig. S'empêtrer : *Il s'embarrassa dans ses mensonges et se mit à bafouiller.*

embauchage n.m. Opération qui consiste à embaucher, à engager un ouvrier : *L'embauchage de mon père à l'usine va nous permettre de redresser notre situation financière.* ☞ débaucher.

embauche n.f. Possibilité d'embauchage, de travail : *Avec l'arrivée des bateaux, il y a maintenant de l'embauche au port.* ☞ débaucher.

embaucher v. Engager un ouvrier pour un travail : *Cette manufacture l'a embauchée comme ouvrière spécialisée.* SYN. employer. ANT. congédier, licencier, renvoyer. ☞ débaucher.

embauchoir n.m. Instrument qu'on introduit dans une chaussure pour lui garder sa forme : *Au magasin de chaussures, on met un embauchoir dans les chaussures exposées dans la vitrine.*

embaumement n.m. Opération qui consiste à embaumer, à traiter un cadavre de façon à retarder sa putréfaction : *L'embaumement des cadavres les fait se dessécher et empêche leur corruption.* ☞ baume.

embaumer v. Traiter un cadavre de façon à retarder sa putréfaction : *On embaume les morts avant de les exposer au salon mortuaire.* ☞ baume. ▲ **embaumer** v. **1.** Remplir d'une bonne odeur : *La cuisson du pain embaumait la maison.* SYN. parfumer. ANT. empester. **2.** Répandre un parfum : *L'air était bon et les lilas embaumaient.* ANT. puer.

embaumeur n.m. Personne qui a comme métier d'embaumer les morts, de traiter les cadavres de façon à retarder leur putréfaction : *Le corps du défunt a été envoyé chez l'embaumeur.* **R.** L'O.L.F. recommande *embaumeuse* comme féminin de *embaumeur.* ☞ baume.

embellir v. **1.** Rendre beau ou plus beau : *Ces nouveaux volets aux fenêtres embellissent la maison.* SYN. décorer, enjoliver, orner, parer. ANT. déparer, enlaidir. **2.** Devenir beau ou plus beau : *Ce garçon a embelli depuis la dernière fois que je l'ai vu.* ANT. enlaidir. **R.** Les deux *l* se prononcent comme un seul *l.* ☞ beau.

embellissement n.m. **1.** Manière d'embellir, de rendre plus beau : *La ville a entrepris un programme d'embellissement de notre quartier.* ANT. enlaidissement. **2.** Décoration, élément qui embellit : *J'ai apporté de nombreux embellissements à ma chambre.* SYN. ornement. **R.** Les deux *l* se prononcent comme un seul *l.* ☞ beau.

emberlificoter v.fam. Embrouiller quelqu'un pour le tromper, lui tendre un piège : *Il a essayé de m'emberlificoter avec son histoire saugrenue.* SYN. embobiner. ☞ emberlificoteur. **s'emberlificoter** v.pron.fam. S'empêtrer, s'embrouiller : *Elle s'est emberlificotée dans ses explications.*

emberlificoteur, euse n. Personne qui cherche à emberlificoter les autres, à leur tendre un piège : *Méfie-toi de cette coquine d'emberlificoteuse.* ☞ emberlificoter.

embêtant, ante adj.fam. Qui est ennuyeux, contrariant : *J'ai manqué mon autobus, c'est embêtant.* **R.** Ne pas oublier l'accent : *ê.* ☞ embêter.

embêtement n.m.fam. Chose qui cause du souci, des ennuis : *Elle n'arrête pas de me créer des embêtements avec ses coups idiots.* **R.** Ne pas oublier l'accent : *ê.* ☞ embêter.

embêter v.fam. Ennuyer vivement : *Cesse de me raconter tes salades, tu m'embêtes !* SYN. agacer, embarrasser, énerver. ☞ embêtant, embêtement. **s'embêter** v.pron. S'ennuyer, ne pas savoir quoi faire : *Ne reste pas là à t'embêter, viens avec nous.* **R.** Ne pas oublier l'accent : *ê.*

d'emblée loc.adv. Sans difficulté, du premier coup : *La ministre a accepté d'emblée notre proposition.* SYN. aussitôt.

emblématique adj. Qui constitue un emblème, une figure symbolique : *Le lis blanc est la fleur emblématique du Québec.* ☞ emblème.

emblème n.m. Symbole représentant une notion abstraite, un pays, un événement historique : *Le castor est l'emblème du Canada.* ☞ emblématique.

emblématique emblème

embobiner v. Enrouler autour d'une bobine : *Avec ma machine à coudre, je peux embobiner du fil.* ☞ bobine. ▲ **embobiner** v.fam. Séduire par de beaux discours : *Tu t'es fait embobiner par ce beau parleur.* SYN. emberlificoter.

emboîtable adj. Qui peut s'emboîter, s'assembler : *En mathématiques, nous nous servons souvent de cubes emboîtables.* **R.** Ne pas oublier l'accent : *î.* ☞ déboîter.

emboîtement n.m. Assemblage de deux pièces qui entrent l'une dans l'autre : *Ces pièces de charpente sont fixées les unes aux* *autres par des emboîtements.* **R.** Ne pas oublier l'accent : *î.* ☞ déboîter.

emboîter v. Assembler en faisant entrer des choses l'une dans l'autre : *Les pièces de ce jeu de construction sont faciles à emboîter.* ANT. déboîter. ⁄⁄ *Emboîter le pas à quelqu'un :* Suivre quelqu'un pas à pas, de près. ☞ déboîter. **s'emboîter** v.pron. Prendre place l'un dans l'autre : *Ces poupées s'emboîtent les unes dans les autres.* **R.** Ne pas oublier l'accent : *î.*

embolie n.f. Obstruction soudaine d'un vaisseau sanguin : *Ma grand-mère est morte d'une embolie.*

embonpoint n.m. État d'une personne un peu grasse : *Son embonpoint le tracasse beaucoup.* SYN. corpulence. ANT. maigreur. ⁄⁄ *Prendre de l'embonpoint :* Engraisser.

emboucher v. Porter à sa bouche un instrument à vent : *Les clarinettistes embouchèrent leurs instruments.* ⁄⁄ *Être mal embouché :* N'avoir que des grossièretés à la bouche. ☞ bouche.

embouchure n.f. Endroit où un cours d'eau se jette dans la mer, dans un lac : *Le village de Tadoussac est situé à l'embouchure de la rivière Saguenay.* ▲ **embouchure** n.f. Partie d'un instrument à vent qu'on porte à la bouche : *Il est difficile de bien appliquer la bouche contre l'embouchure d'un hautbois.* ☞ bouche.

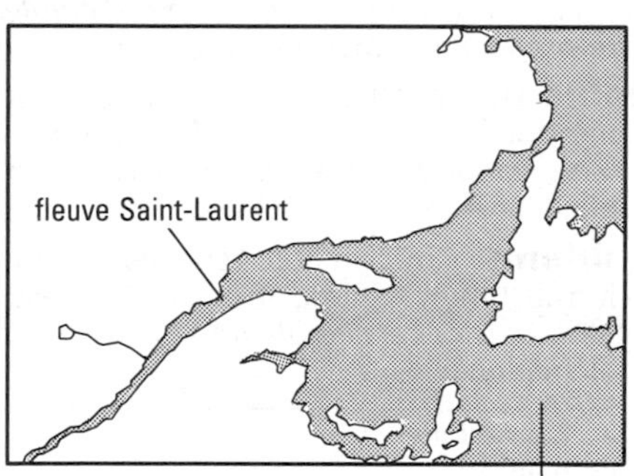

embouchure

s'embourber v.pron. S'enfoncer dans la boue : *Ne passons pas par ce sentier, nos bicyclettes vont s'embourber.* SYN. s'enliser. ☞ bourbe.

embout n.m. Garniture, élément qui se place au bout de divers objets, comme un parapluie, une canne, un crayon : *Je me suis acheté des crayons à embout gomme pour effacer mes erreurs.*

embouteillage n.m. Mise en bouteilles : *L'embouteillage se fait plus rapidement avec ce nouvel appareil.* ☞ bouteille.

▲ **embouteillage** n.m. Encombrement de la circulation : *Aux heures d'affluence, il y a toujours un embouteillage sur ce pont.* ☞ embouteiller.

embouteiller v. Mettre en bouteilles : *Ce vin importé de France est embouteillé au Québec.* ☞ bouteille. ▲ **embouteiller** v. Obstruer une voie de communication : *Un accrochage entre deux camions a embouteillé l'autoroute ce matin.* ☞ embouteillage.

emboutir v. Enfoncer par un heurt violent : *En reculant, ce véhicule a embouti l'aile de ma voiture.* ☞ emboutissage.

emboutissage n.m. Heurt d'un véhicule qui en frappe un autre : *Le carambolage a causé plusieurs emboutissages.* ☞ emboutir.

embranchement n.m. Point de jonction de deux routes : *Il y a eu un accident à l'embranchement de l'autoroute 10 et de la route 410.* SYN. bifurcation, carrefour, croisement. ▲ **embranchement** n.m. Division principale du règne animal ou du règne végétal : *Le chien appartient à l'embranchement des vertébrés.*

embrasement n.m.litt. Fait d'embraser, d'être embrasé, de prendre feu : *L'embrasement de la remise répandit une vive lueur et nous réveilla en sursaut.* ☞ embraser.

embraser v. **1.** litt. Incendier : *Le feu a embrasé la grange en quelques minutes.* SYN. brûler, enflammer. **2.** litt. Illuminer : *Les feux du soleil couchant embrasaient l'horizon.* **3.** fig. Remplir de passion : *Le cœur embrasé par l'amour, elle prêchait la paix entre les peuples.* SYN. exalter, exciter. ☞ embrasement. **s'embraser** v.pron. Prendre feu : *La forêt surchauffée s'embrasa soudainement.*

embrassade n.f. Accolade, action de personnes qui s'embrassent : *Après de longues embrassades, ils se séparèrent sur le quai de la gare.* ☞ embrasser.

embrasser v. **1.** Serrer quelqu'un dans ses bras, lui donner un baiser : *Papa m'embrasse toujours à mon départ pour l'école.* SYN. enlacer, étreindre. **2.** fig. Voir dans son ensemble : *Du haut de cet arbre, j'embrassais du regard les collines et la vallée.* **3.** fig. Adopter, choisir : *Sylvie a embrassé la cause de la protection des animaux.* SYN. épouser. ANT. rejeter, repousser. ☞ embrassade, embrasseur. **s'embrasser** v.pron. Se donner des baisers : *Les deux amoureux s'embrassaient sur la bouche.* SYN. se bécoter.

embrasseur, euse n. Personne qui a la manie d'embrasser, de donner des baisers : *Cet enfant est un petit embrasseur infatigable.* ☞ embrasser.

embrasure n.f. Ouverture d'une porte, d'une fenêtre: *Je restais dans l'embrasure de la porte, ne sachant pas si je devais entrer.*

embrayage n.m. **1.** Opération qui consiste à embrayer, à mettre en liaison le moteur et l'arbre de transmission d'un véhicule: *L'embrayage se fait avec le pied gauche.* ANT. débrayage. **2.** Mécanisme permettant d'embrayer: *La pédale de l'embrayage est celle qui se trouve à gauche dans une voiture.* ☞ débrayer.

embrayer v. Mettre en liaison le moteur et l'arbre de transmission pour faire tourner les roues d'une voiture: *Avec une transmission automatique, on n'a pas besoin de débrayer et d'embrayer pour changer de vitesse.* ANT. débrayer. ⁄⁄ *Embrayer sur quelque chose:* Commencer à parler de quelque chose. ☞ débrayer.

embrochement n.m. Action d'embrocher, de mettre en broche une pièce de viande: *Je me charge de l'embrochement des cubes d'agneau pour les souvlakis.* ☞ broche.

embrocher v. Mettre en broche une volaille, une pièce de viande pour la faire cuire: *Nous avons embroché deux porcelets pour le méchoui.* ANT. débrocher. ☞ broche.

embrouillé, ée adj. Qui est compliqué et confus: *Je n'arrive plus à trouver le fil de cette histoire embrouillée.* ANT. clair, simple. HOM. embrouiller. ☞ brouiller.

embrouiller v. Rendre plus compliqué: *Je te remercie de tes explications, mais elles ne font qu'embrouiller le problème.* SYN. brouiller, compliquer, enchevêtrer. ANT. débrouiller, démêler, éclaircir. HOM. embrouillé. ☞ brouiller. **s'embrouiller** v.pron. S'emmêler: *Il y a erreur, j'ai dû m'embrouiller dans mes calculs.* SYN. s'empêtrer. ANT. se débrouiller, se démêler. ⁄⁄ *Ni vu ni connu je t'embrouille:* Se dit d'une façon de tromper une personne en l'embrouillant.

embroussaillé, ée adj. **1.** Qui est recouvert de broussailles, de végétation touffue: *Notre balle est tombée dans ce champ embroussaillé et nous ne la retrouvons plus.* **2.** fig. Qui est emmêlé: *Elle est arrivée à l'école les cheveux tout embroussaillés.* ☞ broussaille.

embrun n.m. (provenç.) Gouttelettes très fines produites par les vagues qui se brisent: *Sur le bord du quai, nous recevions au visage des embruns glacés.* **R.** S'emploie surtout au pluriel.

embryon n.m. **1.** Organisme en voie de développement: *Le bébé dans le ventre de maman est encore tout petit, c'est un embryon.* SYN. germe. **2.** fig. Chose inachevée: *Laissez-moi y réfléchir, ce n'est qu'un embryon d'idée pour le moment.* SYN. ébauche, esquisse.

embûches n.f.plur. Pièges, difficultés, obstacles: *Notre excursion a été marquée par toutes sortes d'embûches.* **R.** Ne pas oublier l'accent: *û*.

embuer v. Couvrir d'une buée: *Elle avait les yeux embués par les larmes.* ☞ buée. **s'embuer** v.pron. Se couvrir d'une buée: *Quand je prends ma douche, la fenêtre de la salle de bain s'embue.*

embuscade n.f. (it.) Manœuvre par laquelle on se cache pour attaquer par surprise: *Cachons-nous ici, c'est un bon endroit pour tendre une embuscade.* ☞ embusquer.

embusquer v. (it.) Cacher pour attaquer l'ennemi par surprise: *Le colonel nous avait embusqués dans des buissons de chèvrefeuille.* ☞ embuscade. **s'embusquer** v.pron. Se mettre en embuscade, se cacher pour attaquer par surprise: *J'ai vu nos ennemis s'embusquer derrière le hangar.*

> embus**c**ade
> embus**qu**er

éméché, ée adj.fam. Qui est légèrement ivre: *Elles avaient fêté un peu trop et elles avaient l'air éméchées.* SYN. gai.

émeraude n.f. et adj.invar. **1.** n.f. Pierre précieuse de teinte verte: *Elle a reçu en cadeau une bague surmontée d'une belle émeraude.* **2.** adj.invar. Couleur qui rappelle celle de l'émeraude: *Ta chemise émeraude ira bien avec ce pantalon.*

émerger v. **1.** Surgir de l'eau: *J'ai vu émerger un petit poisson au bord du quai.* ANT. s'enfoncer. **2.** fig. Apparaître, se manifester: *Soudain, une solution inespérée émergea dans son esprit.*

émeri n.m. Abrasif fait de roche réduite en poudre: *On ponce le bois avec du papier d'émeri.* ⁄⁄ *Bouché à l'émeri:* Borné, stupide.

émérite adj. Qui a une compétence, une habileté remarquable: *Cette nageuse est une crawleuse émérite.* SYN. chevronné, supérieur. ANT. apprenti, novice.

émerveillement n.m. Fait d'être émerveillé, rempli d'une vive admiration: *L'étude de la nature lui cause sans cesse de l'émerveillement.* SYN. enchantement. ANT. déception. ☞ émerveiller.

émerveiller v. Remplir d'une très vive admiration: *Ces contes et légendes m'ont émerveillé du début à la fin.* SYN. enchanter, ravir.

ANT. décevoir. ☞ émerveillement. **s'émerveiller** v.pron. Éprouver un étonnement agréable, de l'enchantement: *Cette enfant s'émerveille de tout.* SYN. s'emballer, s'enthousiasmer.

émetteur n.m. Poste d'émission d'ondes transportant des messages, des sons et des images: *Ma sœur s'est construit un émetteur radio à ondes courtes.* ANT. récepteur. ☞ émettre.

émetteur, trice adj. Qui émet des sons, des signaux, des images: *La station émettrice de Radio-Canada est située sur cette colline.* ANT. récepteur. ☞ émettre.

émettre v. **1.** Produire des sons, des ondes, des vibrations, des radiations: *Ce détecteur de fumée émet un signal d'alarme très aigu.* **2.** Exprimer un avis, des vœux: *Elle a émis une opinion favorable à notre projet.* **3.** Mettre en circulation: *Le ministère des Postes a émis une série de timbres sur les animaux en voie de disparition.* **R.** N'a pas le sens de *délivrer* (un permis, un passeport), de *publier* (un communiqué), de *donner* (un ordre), de *lancer* (un mandat), de *rendre* (une décision). ☞ émetteur, émission.

émeu, eus n.m. Oiseau d'Australie apparenté à l'autruche: *Les émeus sont des oiseaux coureurs, incapables de voler.* **R.** Aussi, *émou* et, au pluriel, *émous*.

émeute n.f. Soulèvement populaire spontané: *La manifestation a donné lieu à des émeutes qui ont fait deux morts et trente blessés.* SYN. agitation. ☞ émeutier.

émeutier, ière n. Personne qui provoque une émeute, un soulèvement ou y participe: *Les forces de l'ordre ont arrêté une douzaine d'émeutiers.* ☞ émeute.

émiettement n.m. Opération qui consiste à réduire en miettes ou fait de s'émietter: *L'émiettement de craquelins donne une chapelure délicieuse.* ☞ miette.

émietter v. **1.** Réduire en miettes, en petits fragments: *Un vieux monsieur émiettait du pain sec pour les pigeons.* **2.** fig. Éparpiller: *À aller dans tous les sens, tu émiettes tes énergies.* ☞ miette.

émigrant, ante n. Personne qui émigre, qui quitte son pays, sa région: *Plusieurs émigrants quittent le Québec pour aller vivre en Ontario.* ANT. immigrant. **R.** Ne pas confondre avec *immigrant*. ☞ émigrer.

émigration n.f. Action d'émigrer, de quitter son pays, sa région: *Au début du siècle, il y a eu, au Québec, beaucoup d'émigration vers les États-Unis.* SYN. expatriation, migration. ANT. immigration. **R.** Ne pas confondre avec *immigration*. ☞ émigrer.

émigré, ée n. et adj. **1.** n. Personne qui a émigré, a quitté son pays pour s'établir à l'étranger: *Dans ma parenté, il y a plusieurs émigrés qui vivent actuellement aux États-Unis.* SYN. expatrié. ANT. immigré. **2.** adj. Qui a émigré, a quitté son pays pour s'établir à l'étranger: *Il y a beaucoup de travailleurs émigrés au Québec.* HOM. émigrer. **R.** Ne pas confondre avec *immigré*. ☞ émigrer.

émigrer v. Quitter son pays pour s'établir à l'étranger: *Mes parents songent à émigrer en France.* SYN. s'expatrier. ANT. immigrer. HOM. émigré. **R.** Ne pas confondre avec *immigrer*. ☞ émigrant, émigration, émigré, immigrant, immigration, immigré, immigrer.

émincé n.m. Tranche de viande très mince: *Nous nous sommes régalés d'un émincé de dinde aux champignons.* HOM. émincer. ☞ mince.

émincer v. Couper en tranches fines: *J'ai émincé des oignons pour garnir les hambourgeois.* HOM. émincé. **R.** Ne pas oublier la cédille devant *a* et *o*. ☞ mince.

éminemment adv. Extrêmement: *C'est une personne éminemment instruite.* SYN. parfaitement, supérieurement. **R.** Les lettres *emment* se prononcent *amment*. ☞ éminent.

éminence n.f. **1.** Élévation de terrain: *Nous ferons construire notre maison sur cette éminence.* SYN. butte, colline, monticule. ANT. cavité, creux, dépression. **2.** Titre honorifique réservé aux cardinaux: *Son Éminence le cardinal Léger a fondé plusieurs organismes de charité.* **R.** Ne pas confondre avec *imminence*. On met la majuscule à *éminence* lorsqu'il s'agit du titre honorifique. (*Voir l'illustration à la page suivante*.)

éminent, ente adj. Qui est d'ordre supérieur, tout à fait remarquable: *Ce chansonnier occupe une place éminente dans l'histoire* *musicale du Québec.* SYN. illustre, insigne. ANT. inférieur, médiocre. ☞ éminemment.

éminence

émir n.m. (arabe) Titre de divers chefs musulmans: *On a réservé un accueil fastueux à cet émir.* ☞ émirat.

émirat n.m. État gouverné par un émir, un souverain musulman: *Le Koweït est un puissant émirat d'Arabie.* ☞ émir.

émissaire n.m. Personne chargée d'une mission plus ou moins secrète: *Madame Roy a été envoyée par l'O.N.U. comme émissaire de paix au Moyen-Orient.* SYN. agent, ambassadeur, délégué, envoyé. ⫽ *Bouc émissaire:* Personne que l'on charge des torts des autres.

émission n.f. **1.** Production de radiations, d'ondes: *On a déjà détecté des émissions radioactives autour de cette centrale nucléaire.* **2.** Partie d'une programmation radiophonique ou télévisée: *Cette série télévisée est mon émission préférée.* **3.** Mise en circulation de monnaies, de timbres, d'obligations: *Depuis l'émission des nouvelles pièces de un dollar, il les collectionne.* ☞ émettre.

émir

emmagasinage n.m. Fait, action d'emmagasiner, de mettre en magasin, en entrepôt: *L'emmagasinage du blé permet de faire face aux années où la production est insuffisante.* SYN. entreposage. ☞ magasin.

emmagasiner v. **1.** Mettre en magasin, en entrepôt: *À l'automne, on emmagasine les pommes dans des entrepôts frigorifiques.* SYN. entreposer. **2.** fig. Garder à la mémoire: *Durant le voyage, j'ai emmagasiné de précieux souvenirs.* SYN. enregistrer. ANT. oublier. ☞ magasin.

emmaillotement n.m. Manière, action d'emmailloter, d'envelopper étroitement: *L'emmaillotement de sa main blessée lui a fait du bien.* ☞ maillot.

emmailloter v. Envelopper étroitement avec des vêtements, une étoffe: *J'ai emmailloté le cou et la tête de ma petite sœur dans une chaude couverture.* SYN. couvrir. ANT. découvrir, démailloter. ☞ maillot.

emmanchement n.m. Manière, action d'emmancher, de fixer un manche, ou résultat de cette action: *Il y a du jeu dans l'emmanchement de cette hache.* ☞ manche.

emmancher v. Ajuster sur un manche, fixer dans un support: *Tu as mal emmanché le rouleau à peinture.* ☞ manche.

emmanchure n.f. Chacune des ouvertures d'un vêtement où se montent les manches: *Cette blouse est garnie de dentelle aux emmanchures.* SYN. entournure. ☞ manche.

emmêlement n.m. Action ou fait d'être emmêlé, en désordre: *Ce shampooing prévient l'emmêlement des cheveux.* **R.** Ne pas oublier l'accent: *ê.* ☞ démêler.

emmêler v. Mettre en désordre en enchevêtrant: *Mon chat a emmêlé la ficelle.* SYN. embrouiller, enchevêtrer, mêler. ANT. débrouiller, démêler. **R.** Ne pas oublier l'accent: *ê.* ☞ démêler.

emménagement n.m. Opération qui consiste à emménager, à s'installer dans un nouveau logement: *Notre emménagement ne s'est pas fait sans difficulté.* ANT. déménagement. **R.** Ne pas confondre avec *aménagement.* ☞ déménager.

emménager v. S'installer dans un nouveau logement: *Nous venons juste d'emménager dans notre nouvel appartement.* SYN. s'établir, s'installer. ANT. déménager. **R.** Ne pas confondre avec *aménager.* ☞ déménager.

emmener v. **1.** Faire aller avec soi du lieu où l'on est vers un autre lieu: *J'ai emmené mon chien à l'école.* **2.** Transporter en menant loin du lieu où l'on est: *Voici le train qui nous emmènera à Ottawa.* SYN. conduire. **R.** Ne pas confondre avec *amener*. N'a pas le sens de *apporter*.

emmerdant, ante adj.fam. Qui est ennuyeux, contrariant: *C'est emmerdant, je vais encore être en retard à l'école.* SYN. embêtant. ☞ merde.

emmerdement n.m.fam. Ennui, embêtement: *Ce n'est vraiment pas le temps d'avoir des emmerdements avec la voiture.* ☞ merde.

emmerder v.fam. Ennuyer, agacer: *Ça m'emmerde d'être obligée de remettre ce rendez-vous.* SYN. embêter, énerver. ANT. amuser. ☞ merde. **s'emmerder** v.pron.fam. S'ennuyer: *On s'est emmerdées royalement à cette soirée de danse.* SYN. s'embêter. ANT. se désennuyer, se distraire.

emmerdeur, euse n.fam. Personne importune, qui cause des ennuis: *Elle a fait la gaffe d'inviter à la fête cet emmerdeur professionnel.* ☞ merde.

emmitoufler v. Envelopper soigneusement dans des vêtements chauds: *Papa a emmitouflé le bébé pour lui faire prendre un peu d'air frais.* SYN. couvrir. ANT. découvrir. **s'emmitoufler** v.pron. Se couvrir chaudement: *Le campeur s'est emmitouflé dans un sac de couchage.* SYN. s'envelopper. ANT. se découvrir. **R.** S'écrit avec un seul *f*.

emmurer v. Enfermer avec un mur ou comme avec un mur: *Des enfants ont été emmurés dans la grotte par une avalanche de neige.* ☞ mur.

émoi n.m. **1.** litt. Agitation: *L'incendie de cet entrepôt a mis tout le quartier en émoi.* SYN. effervescence. ANT. calme, sérénité. **2.** Trouble des sentiments: *Ses joues rouges et les trémolos dans sa voix trahissaient son émoi.* SYN. émotion. ANT. indifférence, impassibilité.

émondage n.m. Opération qui consiste à émonder, à couper les branches superflues: *Il serait temps de commencer l'émondage des poiriers.* SYN. ébranchage, élagage, taille. ☞ émonder.

émonder v. Couper les branches superflues d'un arbre: *Il faudra émonder ces pommiers pour qu'ils produisent plus de fruits.* SYN. ébrancher, élaguer, tailler. ☞ émondage, émondeur, émondoir.

émondeur, euse n. Personne qui émonde, qui coupe les branches superflues des arbres: *Les émondeurs municipaux sont venus travailler dans les érables de notre rue.* ☞ émonder.

émondoir n.m. Outil servant à émonder, à tailler les branches des arbres: *Cet émondoir à pommiers est muni d'une longue perche.* ☞ émonder.

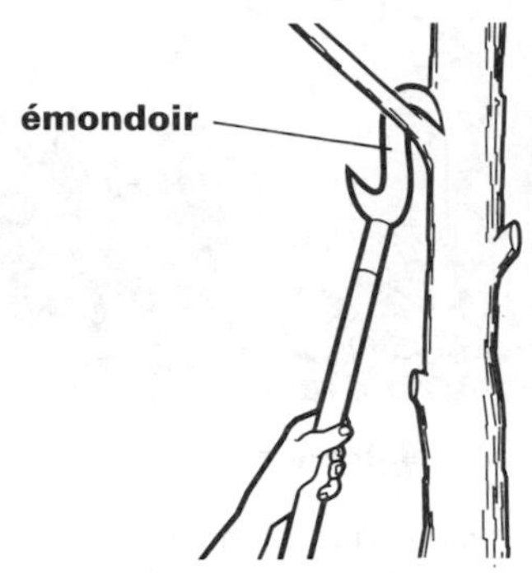

émotif, ive n. et adj. **1.** n. Personne qui ressent facilement de l'émotion, qui est sensible: *Je suis une grande émotive, les films tragiques me bouleversent toujours.* ANT. insensible. **2.** adj. Qui ressent facilement de l'émotion, qui est sensible: *C'est un garçon très émotif; la moindre histoire triste le fait pleurer.* SYN. impressionnable. ANT. apathique, froid. ☞ émouvoir.

émotion n.f. État affectif causé par un sentiment intense, comme la peur, la colère, la joie: *Ce film d'aventures nous a fait éprouver de fortes émotions.* SYN. émoi, transe, trouble. ANT. apathie, calme, indifférence. ☞ émouvoir.

émotivité n.f. Caractère d'une personne émotive, sensible: *Il est parvenu à mieux maîtriser son émotivité.* SYN. sensibilité. ANT. insensibilité. ☞ émouvoir.

émoudre v. Aiguiser avec une meule: *Cette lame vient tout juste d'être émoulue.* ⫽ *Frais émoulu:* Sorti depuis peu d'une école.

émousser v. **1.** Rendre moins tranchant: *J'ai émoussé mon sécateur sur les barbelés de la clôture en coupant la haie.* SYN. épointer. ANT. aiguiser. **2.** fig. Rendre moins vif, atténuer un sentiment: *Ses paroles choquantes ont émoussé mon admiration pour elle.* SYN. affaiblir, diminuer. ANT. augmenter. **s'émousser** v.pron. Devenir moins vif, plus atténué: *Avec le temps, mes souvenirs se sont émoussés.*

émoustillant, ante adj. Qui émoustille, rend joyeux: *Ce verre de cidre était plutôt émoustillant.* SYN. enivrant, excitant. ANT. apaisant, calmant. **R.** Les lettres *ill* se prononcent comme dans *famille*. ☞ émoustiller.

émoustiller v. Rendre gai, exciter: *Le punch au rhum commençait à nous émoustiller.* SYN. agiter, réjouir. ANT. calmer, refroidir.

R. Les lettres *ill* se prononcent comme dans *famille*. ☞ émoustillant.

émouvant, ante adj. Qui émeut, trouble: *L'histoire de sa vie est très émouvante.* SYN. attendrissant, pathétique, saisissant, touchant. ANT. banal, froid, quelconque. ☞ émouvoir.

émouvoir v. Provoquer une émotion chez quelqu'un, le troubler: *Ce roman d'amitié m'a vivement émue.* SYN. bouleverser, impressionner, remuer, toucher. ☞ émotif, émotion, émotivité, émouvant, ému. **s'émouvoir** v.pron. Ressentir une émotion, être bouleversé: *Il s'émeut à la moindre provocation.* SYN. s'attendrir, se troubler. ANT. se calmer, se durcir.

empaillage n.m. Opération qui consiste à empailler, à bourrer un animal de paille: *Ce livre explique quelques techniques d'empaillage.* ☞ paille.

empailler v. Bourrer de paille un animal mort: *Le musée des sciences naturelles a fait empailler des oiseaux.* ⁄⁄ *Air empaillé:* Air empoté, peu dégourdi. ☞ paille. **empaillé, ée** p.p. et adj. Qui est bourré de paille, en parlant d'un animal mort: *Ce musée renferme plusieurs oiseaux empaillés.*

empailleur, euse n. Personne qui empaille des animaux, qui les bourre de paille: *Le geai bleu que nous avons trouvé mort a été envoyé chez une empailleuse.* ☞ paille.

empaquetage n.m. Opération qui consiste à empaqueter, à mettre en paquet: *L'empaquetage de la vaisselle n'est même pas commencé et nous déménageons demain.* SYN. emballage. ANT. déballage. ☞ paquet.

empaqueter v. Mettre en paquet: *J'ai empaqueté ses cassettes pour les lui envoyer par la poste.* SYN. emballer. ANT. déballer. **R.** Ne pas oublier de doubler le *t* devant un *e* muet. ☞ paquet.

empaqueteur, euse n. Personne qui fait des paquets, remplit des boîtes: *L'empaqueteuse travaille avec soin afin de ne pas briser les verres.* ☞ paquet.

s'emparer v.pron. **1.** Prendre quelque chose par la force ou simplement sans autorisation: *Des gamines se sont emparées de ma bicyclette.* **2.** Se rendre maître de quelqu'un: *Elles se sont emparées du traître et lui ont fait subir un interrogatoire.* **3.** Envahir, en parlant d'un sentiment, d'une émotion: *Une grande tristesse s'est emparée de nous quand nous avons appris le départ de notre directrice.* **4.** Se saisir vivement de quelque chose pour l'utiliser: *Elle s'est emparée du ballon et a marqué un but.*

empâté, ée adj. Qui a pris trop d'embonpoint: *Il a un profil empâté depuis qu'il ne fait plus de sport.* **R.** Ne pas oublier l'accent: *â*. ☞ s'empâter.

s'empâter v.pron. Devenir bouffi, grossir: *Les traits de son visage s'étaient empâtés.* SYN. épaissir. ANT. amaigrir. **R.** Ne pas oublier l'accent: *â*. ☞ empâté.

empêchement n.m. Obstacle, contretemps: *Je n'ai pas pu assister à la réunion à cause d'un empêchement de dernière minute.* SYN. complication, ennui. **R.** Ne pas oublier l'accent: *ê*. ☞ empêcher.

empêcher v. Mettre dans l'impossibilité de faire quelque chose: *Le mauvais temps nous empêche d'aller jouer dehors.* ANT. permettre. ⁄⁄ *N'empêche:* Ce n'est pas une raison. *N'empêche que, il n'empêche que:* Malgré cela, cependant. ☞ empêchement. **s'empêcher** v.pron. Se retenir de faire quelque chose: *Je n'ai pu m'empêcher de rire.* **R.** Ne pas oublier l'accent: *ê*.

empeigne n.f. Partie d'une chaussure qui recouvre le dessus du pied: *J'ai des chaussures à empeigne trouée pour empêcher la transpiration des pieds.*

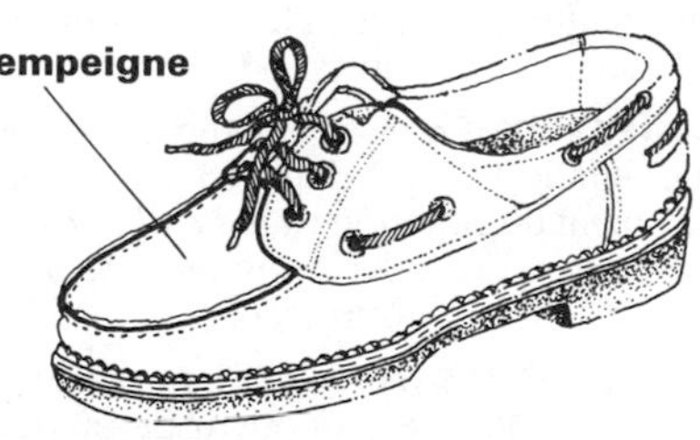

empennage n.m. Surfaces placées à l'arrière des ailes ou de la queue d'un avion, et servant à lui donner de la stabilité: *L'empennage de ces avions est muni d'un gouvernail de direction.*

empereur n.m. Chef suprême de certains États appelés «empires»: *Napoléon Ier fut empereur des Français de 1804 à 1815.* **R.** Au féminin, *impératrice.* ☞ empire, impératrice.

empesage n.m. Opération consistant à empeser, à enduire d'empois un tissu: *Ma grand-mère a déjà travaillé dans un atelier d'empesage.* ☞ empeser.

empesé, ée adj. **1.** Qu'on a rendu rigide au moyen d'un empois: *Au début du siècle, les cols empesés étaient à la mode.* **2.** fig. Qui est raide, dépourvu de naturel: *Elle se tenait tou-*

jours très droite, avec un air empesé. SYN. compassé. ANT. aisé. HOM. empeser. ☞ empeser.

empeser v. Enduire un tissu d'empois: *Autrefois, on empesait les cols des chemises.* HOM. empesé. ☞ empesage, empesé, empois.

empester v. Empuantir: *N'oublie pas de sortir les ordures, elles empestent la cuisine.* ANT. embaumer, parfumer.

empêtrer v. Engager dans une situation embarrassante: *Tes manigances vont encore nous empêtrer dans une sale affaire.* ANT. dégager, dépêtrer. **s'empêtrer** v.pron. **1.** S'embarrasser dans quelque chose: *Je me suis empêtré dans mes bagages et je suis tombé.* **2.** S'embrouiller: *Il s'est empêtré dans un exposé sur les insectes.* **R.** Ne pas oublier l'accent: *ê*.

emphase n.f. Exagération pompeuse dans le ton, les mots: *Il parlait avec emphase pour se montrer très savant et cultivé.* SYN. affectation. ANT. modération, naturel, simplicité. **R.** Les lettres *ph* se prononcent *f*. N'a pas le sens de *accent, insistance*. ☞ emphatique.

emphatique adj. Qui est plein d'emphase, d'exagération pompeuse dans le ton, les mots: *Quand elle parle de choses sérieuses, elle le fait toujours sur un ton emphatique.* SYN. pompeux, ronflant, solennel. ANT. modeste, naturel, simple. **R.** Les lettres *ph* se prononcent *f*. ☞ emphase.

emphysème n.m. Gonflement produit par une infiltration de gaz dans le tissu cellulaire, notamment du poumon: *Il a été obligé d'arrêter de fumer à cause de son emphysème.* **R.** Les lettres *ph* se prononcent *f*.

empierrement n.m. Opération qui consiste à empierrer, à couvrir de pierres un chemin, un fossé: *L'empierrement de cette route doit être refait chaque année.* ☞ pierre.

empierrer v. Couvrir de pierres un chemin, un fossé: *Les ouvriers sont en train d'empierrer ce vieux chemin de terre.* ☞ pierre.

empiétement n.m. Action ou résultat d'empiéter, de déborder sur quelque chose: *L'empiétement de cette affiche sur la mienne cache les renseignements qui y sont indiqués.* ☞ empiéter.

empiéter v. Déborder sur quelque chose: *La roue arrière droite de la voiture empiète sur le trottoir.* SYN. chevaucher. ☞ empiétement.

s'empiffrer v.pron.fam. Manger à l'excès, gloutonnement: *À le voir s'empiffrer comme ça, on dirait qu'il n'a pas mangé depuis trois jours.* SYN. se bourrer, se gaver, se gorger. ANT. se priver, se restreindre.

empilage n.m. Manière, action d'empiler, de mettre en pile: *L'empilage du courrier sur son bureau indiquait combien elle était débordée de travail.* **R.** Aussi, *empilement*. ☞ pile.

empiler v. Entasser, mettre en pile: *Veux-tu empiler les assiettes et les ranger dans l'armoire?* ☞ pile. **s'empiler** v.pron. S'entasser, s'accumuler: *Par négligence, j'ai laissé la vaisselle s'empiler dans l'évier.* SYN. s'amasser, s'amonceler.

empire n.m. **1.** Ensemble d'États soumis à l'autorité d'un empereur: *L'empire de Napoléon Ier était très étendu.* **2.** Ensemble de territoires colonisés par une puissance: *L'Angleterre et l'Espagne possédaient de puissants empires coloniaux en Amérique.* **3.** litt. Domination, autorité: *Elle a beaucoup d'empire sur elle-même.* SYN. ascendant, emprise, maîtrise. ANT. servitude, soumission. // *Agir sous l'empire de la colère:* Faire quelque chose parce qu'on est très fâché. *Être sous l'empire de quelque chose:* Être sous l'influence, la domination de quelque chose. *Pas pour un empire:* Pour rien au monde. ☞ empereur, impératrice.

empirer v. Devenir pire, plus grave: *Non seulement elle ne guérit pas, mais son mal empire.* SYN. s'aggraver, augmenter, s'envenimer. ANT. s'améliorer. ☞ pire.

emplacement n.m. Lieu qui est ou qui a été destiné ou réservé à quelque chose: *Notre nouvelle école sera construite sur cet emplacement.* SYN. endroit, site, terrain.

emplâtre n.m. Préparation médicamenteuse, adhésive et pâteuse, qu'on applique sur la peau: *L'emplâtre sert souvent à traiter des maladies de la peau.* **R.** Ne pas oublier l'accent: *â*.

emplette n.f. Achat de marchandises d'usage courant: *J'ai commencé à faire des emplettes en vue de la réception.* SYN. course.

emplir v. **1.** litt. Remplir, rendre plein: *Nous emplîmes nos verres et bûmes à notre succès.* ANT. vider. **2.** litt. Occuper, envahir: *Les enfants, turbulents et enjoués, emplissaient de nouveau la cour de l'école.* **3.** fig. Combler, satisfaire pleinement: *Ta carte de Noël m'a empli de joie.* ☞ désemplir. **s'emplir** v.pron. Se remplir: *Lentement, le canot s'emplissait d'eau.* **empli, ie** p.p. et adj. Qui est rempli, plein: *Les verres sont à moitié emplis.*

emploi n.m. **1.** Manière ou action de se servir de quelque chose: *L'emploi d'herbicides pollue la nature.* SYN. usage, utilisation. **2.** Travail payé: *J'ai trouvé un emploi d'été au dépanneur.* SYN. fonction, occupation, poste, situation. ∥ *Avoir le physique de l'emploi:* Avoir l'air de ce qu'on fait. *Emploi du temps:* Horaire. *Faire double emploi:* Répéter inutilement. *Mode d'emploi:* Notice expliquant la façon de se servir de quelque chose. *Offre d'emploi:* Annonce qui offre un travail rémunéré. ☞ employer.

employé, ée n. Personne dont le travail rémunéré est surtout d'ordre intellectuel: *Andréa est employée de bureau dans une compagnie d'assurances.* ANT. employeur. HOM. employer. **R.** N'a pas le sens de *salarié.* ☞ employer.

employer v. **1.** Utiliser: *Elle s'exprime toujours en employant les termes justes.* **2.** Faire travailler quelqu'un pour son compte en le payant: *Le jardinier a accepté de m'employer pour l'été.* SYN. embaucher, engager, occuper. HOM. employé. ☞ emploi, employé, employeur, inemployé, remployer. **s'employer** v.pron. **1.** S'efforcer, s'occuper: *Je me suis employé à lui expliquer cette règle de grammaire.* SYN. s'appliquer. **2.** Être utilisé: *Ce mot s'emploie beaucoup dans cette région.*

employeur, euse n. Personne qui emploie, embauche des salariés: *Mon père a rencontré son employeuse pour parler d'une augmentation de salaire.* SYN. patron. ANT. employé. ☞ employer.

emplo**i** emplo**y**er emplo**y**eur

empocher v. Recevoir de l'argent: *J'ai empoché ma paye de vacances.* SYN. encaisser. ANT. débourser. ☞ rempocher.

empoignade n.f. Discussion violente: *Il y a eu une empoignade dans la classe.* SYN. altercation, bagarre, dispute. ANT. accord, entente, réconciliation. **R.** Les lettres *poi* se prononcent *pwa.* ☞ empoigner.

empoigner v. **1.** Saisir en serrant avec la main: *J'ai empoigné ma pelle et je me suis mise à pelleter.* ANT. lâcher. **2.** fig. Émouvoir profondément: *Ce drame émouvant nous a tous empoignés.* ANT. ennuyer. ☞ empoignade. **s'empoigner** v.pron. Se quereller: *Elles se sont empoignées dans le corridor.* SYN. se chamailler, se colleter. **R.** Les lettres *poi* se prononcent *pwa.*

empois n.m. Produit servant à l'empesage, à donner au linge une certaine raideur: *Autrefois, on se servait souvent d'un empois pour donner de la raideur aux vêtements.* SYN. amidon. **R.** Le *s* ne se prononce pas. ☞ empeser.

empoisonnant, ante adj.fam. Qui est ennuyeux, très déplaisant: *C'est empoisonnant de l'entendre toujours revenir sur le même sujet.* SYN. embêtant. ☞ poison.

empoisonnement n.m. **1.** Introduction dans l'organisme d'une substance pouvant causer la mort ou altérer la santé: *Elle a été malade à cause d'un empoisonnement alimentaire.* SYN. intoxication. **2.** fam. Embêtement: *Vraiment, je n'ai que des empoisonnements aujourd'hui.* SYN. ennui. ☞ poison.

empoisonner v. Faire mourir ou rendre malade par l'absorption d'un poison: *Cette araignée empoisonne sa proie avant de la manger.* SYN. intoxiquer. ☞ poison. ▲ **empoisonner** v. **1.** Remplir d'une odeur infecte: *Les déchets de l'abattoir empoisonnent le quartier.* SYN. empester, empuantir. **2.** fig. Rendre pénible: *Il pensait à tous les tracas qui lui empoisonnaient la vie.* ☞ poison. **s'empoisonner** v.pron. Absorber du poison: *Il s'est empoisonné en mangeant des amanites vénéneuses.* SYN. s'intoxiquer. **empoisonné, ée** p.p. et adj. **1.** Qui est infecté de poison: *La sorcière lui remit un fruit empoisonné.* SYN. intoxiqué. **2.** litt. Qui est méchant: *Il lui tint des propos empoisonnés.*

empoisonneur, euse n. **1.** Personne qui prépare un poison ou qui commet un meurtre en administrant un poison: *Cette reine dépravée alla voir un empoisonneur pour se débarrasser d'une rivale.* **2.** fam. Personne qui dérange, qui importune: *Je ne veux pas voir cette empoisonneuse, dis-lui que je ne suis pas là.* ☞ poison.

emporté, ée adj. Qui se met en colère facilement: *Malgré son tempérament emporté, c'est un bien brave garçon.* SYN. irritable, vif, violent. ANT. calme, doux, placide. HOM. emporter. ☞ s'emporter.

emportement n.m. Mouvement violent de colère: *J'ai eu un moment d'emportement et je l'ai giflé.* ANT. calme, sang-froid. ☞ s'emporter.

emporte-pièce n.m.invar. Instrument servant à découper des pièces d'un seul coup dans une matière ou un matériau: *Pour faire ces biscuits, je me sers d'un emporte-pièce.*

emporter v. **1.** Prendre une chose avec soi et la porter ailleurs: *N'oublie pas d'emporter tes livres en partant.* ANT. rapporter. **2.** Enlever avec violence: *L'ouragan a emporté le toit de plusieurs maisons.* SYN. arracher, balayer, détruire. **3.** fig. Entraîner avec force: *Jean était emporté par la joie de revoir Sylvie.* SYN. exciter. ANT. calmer. HOM. emporté. **R.** Ne pas confondre avec *apporter.*

s'emporter v.pron. Se mettre en colère: *Mais voyons! ne t'emporte pas pour si peu.* ☞ emporté, emportement.

empoté, ée n. et adj.fam. **1.** n. Personne qui est maladroite: *Quelle empotée! Encore une assiette de cassée!* **2.** adj. Qui est maladroit, peu dégourdi: *Il est trop empoté pour manipuler un marteau.* ANT. adroit.

empourprer v.litt. Colorer de rouge: *Le vent frais avait empourpré ses joues.* SYN. rougir. ☞ pourpre. **s'empourprer** v.pron. Devenir rouge: *Son visage s'empourpra de colère.* **empourpré, ée** p.p. et adj. Qui est de couleur pourpre, rouge vif: *Ses joues deviennent empourprées sous l'effet de la honte.*

empoussiérer v. Couvrir de poussière: *Le balayage du sous-sol l'avait empoussiérée des pieds à la tête.* ANT. dépoussiérer. ☞ poussière.

empreint, einte adj.litt. Qui est marqué d'un sentiment, qui exprime une émotion: *Il dormait profondément, le visage empreint de sérénité.*

empreinte n.f. **1.** Marque en creux ou en relief: *Nous avons joué à faire des empreintes de pas sur le sable.* SYN. trace. **2.** fig. Marque durable: *Sa première institutrice l'a marqué de son empreinte.* SYN. influence. ⁄⁄ *Empreintes digitales:* Traces laissées par les sillons de la peau des doigts.

empressé, ée adj. Qui est plein de zèle, de dévouement: *L'infirmier empressé aidait la malade à s'étendre.* SYN. complaisant. ANT. indifférent. ☞ s'empresser.

empressement n.m. **1.** Action de s'empresser auprès de quelqu'un: *Son empressement auprès des élèves était exemplaire.* SYN. ardeur, soin, zèle. ANT. apathie, froideur, indifférence. **2.** Hâte: *Plusieurs mains se levèrent avec empressement.* SYN. célérité, vivacité. ANT. flegme, lenteur. ☞ s'empresser.

s'empresser v.pron. **1.** Agir avec ardeur, avec zèle à l'égard de quelqu'un: *Le vendeur s'empressait auprès d'une cliente exigeante.* **2.** Se hâter de dire ou de faire quelque chose: *Au signal de la récréation, les enfants s'empressèrent de sortir.* ☞ empressé, empressement.

emprise n.f. Domination morale ou intellectuelle: *Cette enfant a beaucoup d'emprise sur ses pairs.* SYN. autorité, influence.

emprisonnement n.m. Opération qui consiste à mettre en prison ou fait d'être en prison: *Il a purgé une peine d'emprisonnement de deux ans.* SYN. détention, incarcération, réclusion. ANT. libération, liberté. ☞ prison.

emprisonner v. **1.** Mettre en prison: *Elle a été emprisonnée au pénitencier.* SYN. incarcérer, séquestrer. ANT. libérer, relâcher. **2.** fig. Enserrer, tenir à l'étroit: *Mon écharpe m'emprisonne le cou et me gêne dans mes mouvements.* SYN. comprimer, serrer. ANT. dégager. ☞ prison.

emprunt n.m. **1.** Opération qui consiste à emprunter, à obtenir une somme d'argent en guise de prêt: *Pierre a fait un emprunt pour acheter sa voiture neuve.* **2.** fig. Reproduction ou imitation dans une œuvre: *Le sujet de ce volume est un emprunt à l'actualité.* ⁄⁄ *D'emprunt:* Faux, qui ne nous appartient pas. ☞ emprunter.

emprunté, ée adj. Qui manque de réel, de naturel, qui est maladroit: *Ce garçon a l'air emprunté avec ses manières bizarres.* SYN. embarrassé, gauche. ANT. dégourdi, naturel. HOM. emprunter.

emprunter v. **1.** Obtenir en prêt, se faire prêter quelque chose: *Louise devra emprunter des livres à la bibliothèque.* ANT. rendre. **2.** Prendre une route, une voie: *Pour vous rendre à Québec, empruntez l'autoroute 20.* **3.** Prendre de quelqu'un, de quelque chose et utiliser: *Cet auteur a emprunté le thème de son histoire à Anne Hébert.* HOM. emprunté. ☞ emprunt, emprunteur, remprunter.

emprunteur, euse n. Personne qui emprunte, qui se fait prêter quelque chose: *Selon les critères de la banque, elle est une emprunteuse qui rembourse bien.* ANT. prêteur. ☞ emprunter.

empuantir v. Remplir d'une odeur nauséabonde, infecte: *Ces fruits gâtés vont empuantir le réfrigérateur.* SYN. empester. ANT. embaumer. ☞ puer.

ému, ue adj. Qui est en proie à une émotion vive: *Elle devint émue à la pensée de ces tristes souvenirs.* ANT. froid, impassible, indifférent. ☞ émouvoir.

émulation n.f. Sentiment qui porte à égaler quelqu'un ou à le surpasser: *Il y a, entre ces élèves, non pas de la rivalité mais une saine émulation.* SYN. concurrence.

en adv. Se place devant un verbe pour marquer le lieu d'où l'on vient: *Je ne veux pas aller à la bibliothèque, j'en reviens.* HOM. an.

en prép. Se place avant un nom, un adjectif neutre, un adverbe, un participe présent, pour marquer le lieu, le moment, la durée, la manière d'être, etc.: *Des souvenirs me reviennent en mémoire.* HOM. an.

en pron.pers. Pronom personnel de la troisième personne, qui remplace un nom de chose complément; signifie «de lui», «de cela»: *Cette soirée, je m'en souviendrai longtemps.* HOM. an.

d'en	se place *devant un verbe.*
dans	peut être remplacé par *dedans.*
s'en	se place *devant un verbe.*
sans	peut être remplacé par *privé de.*

encadré n.m. Partie d'un texte mise en valeur par un cadre: *Les encadrés du dictionnaire aideront à éviter certains pièges.* HOM. encadrer. ☞ cadre.

encadrement n.m. Opération qui consiste à orner d'un cadre: *La photographe a fait l'encadrement de ma photo préférée.* ☞ cadre. ▲ **encadrement** n.m. Ensemble des personnes qui ont la responsabilité d'un groupe: *Ce groupe d'élèves a besoin d'un solide encadrement.* ⁄⁄ *Personnel d'encadrement:* Les cadres d'une compagnie, d'une armée, d'une collectivité. ☞ cadre.

encadrer v. **1.** Mettre dans un cadre: *Le peintre a encadré sa dernière toile.* ANT. désencadrer. **2.** Entourer à la manière d'un cadre afin de mettre en valeur: *Encadre les verbes dans ce texte.* **3.** Entourer quelqu'un afin de le surveiller ou de le protéger: *Quand la présidente se déplace, plusieurs gardes l'encadrent.* ☞ cadre. ▲ **encadrer** v. Assurer un rôle de direction auprès de quelqu'un: *Le directeur devra encadrer ce groupe agité.* HOM. encadré. ☞ cadre. **encadré, ée** p.p. et adj. Qui est bien dirigé: *Ces employés sont bien encadrés par la direction.*

encadreur, euse n. Personne dont le travail est d'exécuter et de poser des cadres: *Cet encadreur fait un travail de qualité.* ☞ cadre.

encager v. **1.** Mettre en cage, en parlant d'un oiseau ou d'une bête: *Maman encage sa perruche.* **2.** fig. Enfermer, mettre en prison: *On a dû encager ce dangereux criminel.* ☞ cage.

encaissable adj. Qui peut être encaissé: *Ce chèque est encaissable à compter de demain.* ☞ encaisser.

encaissé, ée adj. Qui est resserré entre des rebords escarpés: *Cette route est étroitement encaissée.* HOM. encaisser. ☞ encaisser.

encaissement n.m. Emballage, action de mettre en caisse: *Il a fait l'encaissement de ces marchandises.* ☞ caisse. ▲ **encaissement** n.m. Opération qui consiste à encaisser, à toucher de l'argent: *Venez à la banque pour l'encaissement de votre salaire.* ☞ encaisser.

encaisser v. Mettre en caisse: *La pomicultrice encaisse ses pommes.* ☞ caisse. ▲ **encaisser** v. Resserrer, border des deux côtés: *D'énormes rochers encaissent la route sinueuse.* ☞ encaissé. ▲ **encaisser** v. **1.** Toucher de l'argent en paiement: *J'encaisse mon salaire tous les jeudis.* **2.** fig. et fam. Subir, supporter des coups, des reproches: *Il encaisse le blâme sans broncher.* **3.** fig. et fam. Supporter, apprécier: *Elle ne peut encaisser les hypocrites et les menteurs.* HOM. encaissé. ☞ encaissable, encaissement.

à l'encan loc.adv.litt. En vente au plus offrant, aux enchères: *J'ai acheté cette lampe à l'encan.*

encart n.m. Feuille supplémentaire, non reliée, que l'on insère dans un journal ou une revue: *As-tu vu cet encart publicitaire?*

en-cas n.m.invar.vx **1.** Personne ou chose dont on pourrait avoir besoin: *Ce jeune pourrait être un bon en-cas si l'on a besoin d'aide.* **2.** Repas léger qu'on garde en cas de besoin: *Apporte-toi un en-cas, on ne sait jamais.*

encastrement n.m. **1.** Manière, action d'encastrer, d'emboîter: *L'encastrement du four dans le mur en facilite l'accès.* **2.** Entaille dans une pièce conçue pour recevoir une autre pièce: *Elle a fait un encastrement dans la planche de bois.* ☞ encastrer.

encastrer v. (it.) Loger dans une cavité prévue à cet effet: *Encastrons maintenant le coffre-fort dans le creux du mur.* SYN. ajuster, emboîter, enchâsser. ANT. déboîter. ☞ encastrement. **s'encastrer** v.pron. S'ajuster parfaitement: *La baignoire s'encastre dans l'espace qui lui était destiné.* **encastré, ée** p.p. et adj. Qui est placé à l'intérieur d'un mur ou d'une ouverture: *La salle de bain est dotée d'un éclairage encastré.*

encaustique n.f. Sorte de pâte à base de cire et d'essence utilisée pour faire briller les meubles, les parquets: *La concierge a acheté de l'encaustique.* ☞ encaustiquer.

encaustiquer v. Enduire d'encaustique, de pâte pour faire briller les parquets, les meubles: *Le concierge de l'immeuble a encaustiqué les planchers.* SYN. cirer. ☞ encaustique.

enceinte n.f. **1.** Ce qui entoure, à la manière d'une clôture et dont l'entrée est interdite: *Il est défendu de traverser l'enceinte de cet édifice gouvernemental.* SYN. enclos. **2.** Salle plus ou moins vaste et fermée: *Elle a visité l'enceinte de cette église.* ⁄⁄ *Enceinte acoustique:* Ensemble composé de haut-parleurs et d'un filtre.

enceinte adj.f. Qui est en état de grossesse: *Ma tante est enceinte de trois mois.*

encens n.m. Substance aromatique qui dégage, en brûlant, une odeur agréable: *Pierre a fait brûler un bâton d'encens.* **R.** Le *s* ne se prononce pas. ☞ encenser, encensoir.

encenser v. **1.** Honorer en brûlant de l'encens, en faisant balancer un encensoir: *Le prêtre encensera la dépouille mortelle.* **2.** fig. Flatter, louanger: *Il ne cesse d'encenser sa supérieure afin d'obtenir une promotion.* ☞ encens.

encensoir n.m. Contenant retenu par des chaînettes, dans lequel on dépose l'encens à brûler: *Le prêtre se déplace en agitant l'encensoir.* ☞ encens.

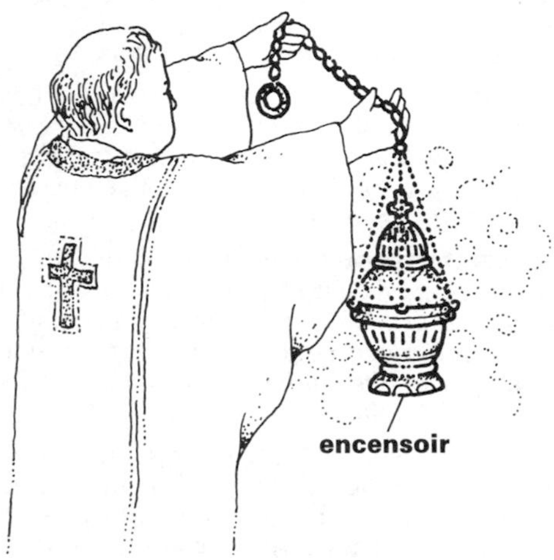

encéphale n.m. Ensemble des centres nerveux de la tête comprenant le cerveau, le cervelet et le tronc cérébral: *Il a subi un examen de l'encéphale.* **R.** Les lettres *ph* se prononcent *f.*

encerclement n.m. (all.) Opération qui consiste à entourer étroitement, fait d'être entouré étroitement: *La police a procédé à l'encerclement de cet édifice.* ☞ cercle.

encercler v. (all.) **1.** Cerner de toutes parts: *Les renards étaient encerclés par des chiens de chasse.* **2.** Entourer d'une ligne en forme de cercle: *Tu dois encercler la bonne réponse.* ☞ cercle. **encerclé, ée** p.p. et adj. Qui est cerné de toutes parts: *Les troupes encerclées durent capituler.*

enchaînement n.m. Action d'enchaîner, d'attacher avec une chaîne: *Les bœufs ont été enchaînés.* ☞ chaîne. ▲ **enchaînement** n.m. **1.** Suite de choses qui se déroulent dans un certain ordre: *Il a de l'enchaînement dans les idées.* **2.** Accords musicaux qui se succèdent: *La chef d'orchestre suit attentivement l'enchaînement.* **3.** Manière d'enchaîner, de formuler les idées d'un texte: *L'enchaînement logique de son exposé nous incite à l'appuyer dans ses revendications.* **R.** Ne pas oublier l'accent: *î.* ☞ chaîne.

enchaîner v. **1.** Attacher avec une chaîne: *On a enchaîné les pieds du prisonnier pour l'amener au tribunal.* SYN. immobiliser, retenir. ANT. déchaîner, détacher, libérer. **2.** fig. Soumettre, asservir, priver de liberté: *Il y a des pays qui en enchaînent d'autres en abusant de leur puissance.* SYN. assujettir. **3.** fig. Lier: *Tous ces souvenirs m'enchaînent à toi.* SYN. attacher. ☞ chaîne. ▲ **enchaîner** v. **1.** Unir, coordonner par une succession logique: *Essaie d'enchaîner tes idées plus logiquement.* ANT. mêler. **2.** Ne pas laisser la conversation s'interrompre: *Elle enchaîna en parlant des nouveaux modèles de voitures.* SYN. poursuivre. ☞ chaîne. **s'enchaîner** v.pron. Lier par un rapport de dépendance: *Ton raisonnement s'enchaîne bien.* **R.** Ne pas oublier l'accent: *î.*

enchanté, ée adj. **1.** Qui est sous l'emprise d'un pouvoir magique: *Cette lampe est enchantée.* **2.** Qui est ravi, heureux: *Je suis enchantée de te revoir.* ANT. déçu, désenchanté, malheureux. HOM. enchanter. ☞ enchanter.

enchantement n.m. **1.** Opération magique: *Dans ce conte, les enfants ont subi l'enchantement d'une magicienne.* SYN. charme, ensorcellement, envoûtement. **2.** État d'une personne qui est enchantée, ravie: *C'est avec enchantement qu'il t'a revu.* SYN. bonheur, ravissement. ANT. désenchantement. **3.** Chose qui cause de la joie, du plaisir: *Cette sortie fut un vrai enchantement.* SYN. émerveillement. ANT. déception. ⁄⁄ *Comme par enchantement:* Comme par magie. ☞ enchanter.

enchanter v. **1.** Soumettre à une action magique: *Cette flûte a été enchantée.* SYN. ensorceler. **2.** Remplir d'une joie, d'un plaisir: *Cette promenade dans le bois nous a enchantés.* SYN. ravir, réjouir. ANT. décevoir, ennuyer. HOM. enchanté. ☞ désenchanté, désenchantement, désenchanter, enchanté, enchantement, enchanteur.

enchanteur, teresse n. et adj. **1.** n. Personne qui fait des enchantements, des opérations magiques: *Merlin était un enchanteur.* SYN. magicien, sorcier. **2.** n.fig. Personne qui a beaucoup de charme: *Cette chanteuse est une véritable enchanteresse.* **3.** adj. Qui est très beau, agréable à regarder: *Ce paysage est tout à fait enchanteur pour les yeux.* SYN. charmant, ravissant. ANT. déplaisant, désagréable. ☞ enchanter.

enchâssement n.m. Opération qui consiste à enchâsser, à mettre en monture: *L'enchâssement de cette pierre précieuse a été difficile.* SYN. encastrement. **R.** Ne pas oublier l'accent: *â.* ☞ châsse.

enchâsser v. **1.** Mettre dans une monture: *Une orfèvre a enchâssé ce diamant.* SYN. sertir. **2.** Encadrer, placer dans une ouverture: *Le menuisier devra enchâsser cette fenêtre.* SYN. encastrer. **3.** litt. Insérer: *Le fait d'enchâsser des citations dans votre discours ne le rendra pas meilleur.* **R.** Ne pas oublier l'accent: *â*. ☞ châsse.

enchère n.f. **1.** Offre d'achat supérieure, dans une vente publique: *L'enchère la plus élevée a été de sept cents dollars.* **2.** Demande plus grande que celle de l'adversaire, dans certains jeux de cartes: *Les enchères ajoutent de l'intérêt au bridge.* ⁄⁄ *Pousser les enchères:* Faire monter les prix. *Vente aux enchères:* Vente publique au plus offrant. ☞ enchérir.

enchérir v. **1.** Mettre une enchère, une offre supérieure sur quelque chose: *Un acheteur hésitait à enchérir sur ce prix.* **2.** fig. Ajouter à ce qui a déjà été dit ou fait: *Son témoignage viendra enchérir ce qui a été entendu.* SYN. dépasser. ANT. amoindrir. ☞ enchère, surenchère.

enchevêtrement n.m. **1.** Fait, action d'enchevêtrer, d'être enchevêtré, mêlé: *L'enchevêtrement de ses pensées était tel qu'elle ne sut que répondre.* SYN. embrouillement. ANT. clarté. **2.** fig. Confusion, complication: *Pour arriver à cette plage, il faut suivre un enchevêtrement de ruelles.* **R.** Ne pas oublier l'accent: *ê*. ☞ enchevêtrer.

enchevêtrer v. Emmêler, brouiller de façon désordonnée: *Le chat a enchevêtré les brins de laine.* SYN. embrouiller. ANT. débrouiller, démêler. ☞ enchevêtrement. **s'enchevêtrer** v.pron. S'embrouiller, se mêler: *Des algues s'enchevêtrent autour de l'hélice de son moteur.* SYN. s'emmêler. ANT. se démêler. **enchevêtré, ée** p.p. et adj. Qui est mêlé, embrouillé, emmêlé: *Ses cheveux enchevêtrés lui donnent un air espiègle.* **R.** Ne pas oublier l'accent: *ê*.

enchifrené, ée adj. Qui est enrhumé: *Il a le nez enchifrené, on le comprend difficilement.* **R.** S'écrit avec un seul *f*.

enclencher v. **1.** Faire fonctionner un mécanisme en faisant intervenir plusieurs pièces: *Elle a enclenché le mécanisme d'ouverture de la porte.* **2.** fig. Commencer, faire démarrer: *Cette affaire est bien enclenchée.* ☞ déclencher. **s'enclencher** v.pron. Se mettre en marche, démarrer: *Les poursuites judiciaires s'enclencheront bientôt.*

enclin, ine adj. Qui est porté, par un penchant naturel, à quelque chose, à faire quelque chose: *Elle est encline à la colère.* SYN. disposé.

enclos n.m. **1.** Espace de terrain délimité par une clôture: *Les animaux sont dans l'enclos.* SYN. clos, enceinte. **2.** Clôture: *J'ai fermé l'enclos des brebis.* **R.** Le *s* ne se prononce pas.

enclume n.f. Bloc d'acier utilisé par le forgeron pour travailler le fer: *Le forgeron battait le fer sur l'enclume.* ▲ **enclume** n.f. Osselet de l'oreille interne: *L'oreille interne se compose de trois osselets: le marteau, l'enclume, l'étrier.*

encoche n.f. Petite entaille, découpure: *Il y a une encoche dans cette planche de bois.* SYN. coche, rainure. ☞ encocher.

encocher v. Marquer un objet d'une encoche, d'une entaille: *La menuisière a encoché cette pièce de bois.* ☞ encoche.

encodage n.m. Action d'encoder, de produire un message encodé, selon un système de signes: *Quand l'encodage sera terminé, le message sera introduit dans l'ordinateur.* ANT. décodage. ☞ code.

encoder v. Produire un message selon un code particulier, au moyen de divers types de signaux: *La télégraphiste encode le message à envoyer.* SYN. coder. ANT. décoder. ☞ code.

encodeur n.m. Matériel spécialisé servant à encoder, à produire un message: *Cet encodeur transforme les phrases en messages codés.* ANT. décodeur. ☞ code.

encoignure n.f. Angle formé par la rencontre de deux murs: *Patrick a peint les encoignures de sa chambre.* SYN. coin. **R.** Les lettres *coi* se prononcent *ko* ou *kwa*.

encollage n.m. Action ou résultat d'encoller, de couvrir de colle: *L'encollage du papier peint se fait au moyen de cette machine.* **R.** Les deux *l* se prononcent comme un seul *l*. ☞ colle.

encoller v. Enduire de colle, de gomme: *Il faudra encoller ces coupures de journaux.* ⁄⁄ *Encoller un livre:* Rendre un livre plus résistant. **R.** Les deux *l* se prononcent comme un seul *l*. ☞ colle.

encolure n.f. **1.** Partie du corps du cheval et de certains animaux, qui va de la tête au poitrail: *Lucie flatte l'encolure de son cheval.* **2.** Ouverture du col d'un vêtement: *La dentelle a été posée à l'encolure de sa blouse.* **3.** Cou d'un homme: *C'était un homme de forte encolure.* **4.** Mesure du tour du cou, pointure du col: *Il a mal choisi l'encolure de sa chemise.* **R.** S'écrit avec un seul *l*.

encombrant, ante adj. Qui prend beaucoup de place: *Ce colis est très encombrant.* SYN. embarrassant, gênant. ☞ encombrer.

sans encombre loc.adv. Sans rencontrer de difficulté: *Elle a effectué ce voyage sans encombre.*

encombrement n.m. État de ce qui est encombré, embarrassé: *L'encombrement du marché public rend la circulation difficile.* SYN. engorgement. ANT. désencombrement. ☞ encombrer.

encombrer v. **1.** Remplir en s'entassant sans ordre, en gênant l'usage d'une chose: *Des piles de feuilles encombraient la table de la cuisine.* SYN. embarrasser. ANT. désencombrer. **2.** fig. Remplir à l'excès, gêner: *Sors de mon bureau, tu m'encombres!* ☞ désencombrement, désencombrer, encombrant, encombrement. **s'encombrer** v.pron. S'embarrasser: *En voyage, Paul s'encombrait de nombreux bagages.*

à l'encontre de loc.prép. Contre quelque chose, à l'opposé de quelque chose: *Les idées défendues par cette auteure vont à l'encontre de mes convictions.*

s'encorder v.pron. S'attacher avec une même corde, en parlant des alpinistes: *Ces alpinistes devront s'encorder pour escalader la montagne.* ☞ corde.

encore adv. **1.** De façon continue: *Le magasin est encore ouvert.* **2.** De façon répétitive: *Il ment encore.* **3.** De façon à marquer le renforcement: *Il fait encore plus chaud qu'hier.* **4.** De façon à marquer la restriction, la réserve: *Si encore tu étais à l'heure!* **R.** Aussi, *encor* (en poésie).

encorner v. Blesser à coups de cornes: *Ce bœuf a encorné le fermier.* ☞ corne.

encornet n.m. Mollusque également connu sous l'appellation de «calmar»: *Les nageoires de l'encornet sont triangulaires.* ◇ calmar.

encourageant, ante adj. Qui donne du courage, de l'espoir: *Cette nouvelle est encourageante.* SYN. réconfortant, stimulant. ANT. décourageant. **R.** Ne pas oublier le *e* après le *g*. ☞ courage.

encouragement n.m. Action de donner du courage, de l'espoir: *La marathonienne redouble d'énergie sous les encouragements de la foule.* SYN. aide, appui, stimulant. ANT. découragement. ☞ courage.

encourager v. **1.** Donner du courage, de l'espoir: *Notre ville encourage l'implantation de nouvelles industries:* SYN. favoriser, soutenir, stimuler. ANT. décourager, nuire. **2.** Aider le développement d'une personne ou d'un organisme par des récompenses ou des subventions: *Cette bourse a été créée pour encourager les jeunes auteurs.* ☞ courage.

encourir v.litt. S'exposer à quelque chose de fâcheux, de désagréable: *Les syndicats encourent une forte sanction en encourageant cette grève illégale.* **R.** N'a pas le sens de *engager* (des frais).

encrassement n.m. Fait de s'encrasser, de se salir: *Ces enfants ne se soucient guère de l'encrassement de leurs ongles.* ☞ crasse.

encrasser v. Salir en recouvrant d'un dépôt de crasse, de saletés diverses: *La poussière de la route a encrassé ses vêtements.* ANT. décrasser, désencrasser. ☞ crasse. **s'encrasser** v.pron. Se couvrir de crasse, de saletés diverses: *Il faut nettoyer régulièrement ce moteur, sinon il s'encrasse et ne fonctionne plus.* **encrassé, ée** p.p. et adj. Qui est couvert de crasse, de saletés diverses: *Ses ongles encrassés de terre indiquaient qu'elle arrivait du jardin.*

encre n.f. **1.** Préparation colorée, liquide ou en pâte, qui est utilisée pour écrire: *Ce stylo contient de l'encre rouge.* **2.** Liquide noir que certains mollusques projettent: *Quand elle est en danger, la pieuvre émet une encre qui lui permet de cacher sa fuite.* HOM. ancre. ⁄⁄ *Encre de Chine:* Encre noire utilisée pour le dessin. *Noir comme de l'encre:* Très noir. *Une nuit d'encre:* Une nuit très noire. ☞ encrer, encreur, encrier.

encrer v. Enduire d'encre: *Elle devra encrer ce tampon.* HOM. ancrer. ☞ encre.

encreur adj.m. Qui sert à encrer, à enduire d'encre: *Le rouleau encreur de la presse d'imprimerie est rempli d'encre bleue.* ☞ encre.

encrier n.m. **1.** Petit contenant servant à recevoir de l'encre: *La plume et l'encrier ont été remplacés par le stylo à bille.* **2.** Réservoir qui alimente les rouleaux d'une presse d'imprimerie: *L'encrier est à sec; il faut l'emplir.* ☞ encre.

encyclique n.f. Lettre envoyée par le pape à tous les évêques et se rapportant à un problème d'actualité: *Mgr Grégoire a reçu une encyclique du pape Jean-Paul II.*

encyclopédie n.f. Ouvrage où l'on expose, dans un certain ordre, des connaissances générales ou spécifiques à un domaine: *J'ai reçu en cadeau une encyclopédie des oiseaux du Québec.* ☞ encyclopédique.

encyclopédique adj. **1.** Qui se rapporte à l'encyclopédie, qui touche à l'ensemble des connaissances: *Je désire m'acheter un dictionnaire encyclopédique.* **2.** fig. Qui possède de nombreuses connaissances: *Cette professeure a un esprit encyclopédique.* ☞ encyclopédie.

endémie n.f. Présence habituelle d'une maladie dans une région déterminée et à des époques particulières : *Certaines endémies, comme la peste et le choléra, ne sortent pas de leur milieu d'origine.* ☞ endémique.

endémique adj. **1.** Qui présente les caractères de l'endémie, maladie particulière à un pays : *Une fièvre endémique sévit dans cette région.* ANT. momentané, sporadique. **2.** fig. Qui a lieu constamment dans un pays ou une région : *Le chômage est endémique dans certaines régions du Québec.* ☞ endémie.

endettement n.m. Fait de s'endetter, de se charger de dettes : *Leur endettement est considérable depuis qu'ils ont acheté cette maison.* ☞ dette.

endetter v. Charger de dettes : *Ce voyage l'a endettée.* ☞ dette. **s'endetter** v.pron. Se charger de dettes : *Il s'est endetté en achetant cette voiture.*

endeuiller v. Plonger dans le deuil, remplir de tristesse : *La mort de Félix Leclerc a endeuillé tout le Québec.* SYN. attrister, chagriner, consterner. ANT. consoler, égayer, réjouir. ☞ deuil.

endiablé, ée adj. **1.** Qui ne cesse de s'agiter, comme s'il avait le diable au corps : *Cet enfant endiablé dérange les invités.* SYN. impétueux. ANT. calme. **2.** Qui est très vif, très rapide : *Une musique endiablée animait la foule.* SYN. effréné. ANT. lent.

endiguer v. **1.** Contenir au moyen de digues : *On a endigué la rivière pour construire une écluse.* **2.** fig. Retenir, faire obstacle : *Les policiers tentaient d'endiguer la foule venue pour manifester.* SYN. bloquer, contenir, gêner. ANT. libérer. **R.** Ne pas oublier le *u* après le *g*. ☞ digue.

s'endimancher v.pron. Revêtir des vêtements du dimanche, s'habiller d'une manière plus soignée que d'habitude : *Toute la famille s'endimanchait pour rendre visite aux grands-parents.* ☞ dimanche. **endimanché, ée** p.p. et adj. Qui porte des vêtements plus soignés que d'habitude : *As-tu vu comme elle est endimanchée ce soir?* ⁄⁄ *Avoir un air endimanché* : Ne pas être à l'aise dans des vêtements portés rarement.

endive n.f. Pousse blanche d'une variété de chicorée, que l'on mange en salade ou comme légume : *J'ai mangé des endives braisées.* ⁄⁄ *Être pâle comme une endive :* Être blanc, très pâle.

endoctrinement n.m. Action, manière d'instruire quelqu'un pour lui imposer une doctrine, un point de vue : *La télévision peut parfois devenir un puissant moyen d'endoctrinement.* ☞ doctrine.

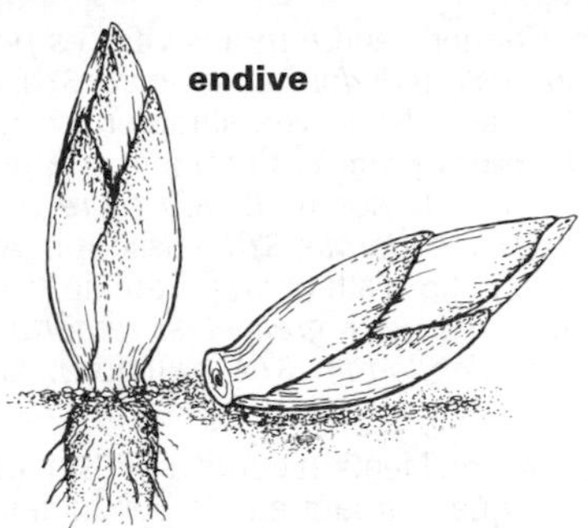

endoctriner v. Imposer une doctrine, un point de vue à quelqu'un : *Cette habile politicienne endoctrine les membres de son parti.* ☞ doctrine.

endolorir v. Rendre douloureux : *La blessure endolorit sa jambe.* ANT. soulager. ☞ douleur. **endolori, ie** p.p. et adj. Qui est envahi par la douleur, qui fait mal : *Ses muscles sont endoloris par l'effort.*

endommagé, ée adj. Qui a subi des dommages : *Le garagiste a remorqué la voiture endommagée.* ANT. intact. HOM. endommager. ☞ dommage.

endommagement n.m. Action d'endommager, de causer du dommage ; résultat de cette action : *L'endommagement du sous-sol a été causé par l'inondation.* ☞ dommage.

endommager v. Causer du dommage, mettre en mauvais état : *La tempête a endommagé notre embarcation.* SYN. abîmer, détériorer. ANT. réparer. HOM. endommagé. ☞ dommage.

endormant, ante adj. Qui ennuie beaucoup et qui donne envie de dormir : *Ce spectacle est endormant.* SYN. assommant, ennuyeux. ANT. captivant, intéressant, passionnant. ☞ dormir.

endormi, ie adj. **1.** Qui dort : *Rien ne pouvait déranger mon père profondément endormi dans son fauteuil.* **2.** Qui est calme, où tout semble dormir : *Il se promenait seul dans la campagne endormie.* **3.** fam. Qui est indolent, qui évite de faire des efforts : *Cet élève endormi est difficile à stimuler.* SYN. apathique, fainéant, oisif. ANT. actif, énergique, travaillant. ☞ dormir.

endormir v. **1.** Faire dormir un être animé, l'amener au sommeil d'une manière naturelle : *La mère endort son bébé dans ses bras.* ANT. éveiller, réveiller. **2.** Faire dormir un être animé, l'amener au sommeil d'une manière artificielle : *On doit l'endormir avant de l'opérer.* ANT. réveiller. **3.** Ennuyer au point de donner envie de dormir : *Sa conférence m'a endormi.* SYN. assommer. ANT. captiver, intéresser.

4. fig. Calmer, rendre moins vif: *Tes paroles apaisantes ont endormi ma peine.* SYN. adoucir, atténuer. ANT. aviver, stimuler. ☞ dormir. **s'endormir** v.pron. **1.** Commencer à dormir, glisser dans le sommeil: *Ma mère a de la difficulté à s'endormir.* SYN. s'assoupir. ANT. se réveiller. **2.** fig. S'atténuer, perdre de sa force: *Avec le temps, les regrets et les remords finissent par s'endormir.* SYN. s'affaiblir. ANT. se renforcer.

endos n.m. Mention écrite au dos d'un titre, d'un chèque, par laquelle le bénéficiaire initial donne l'ordre de payer une autre personne: *La caissière vérifie toujours l'endos du chèque.* **R.** Le *s* ne se prononce pas. N'a pas le sens de *dos*, *verso*. ☞ endosser.

endossement n.m. Action d'endosser, de transmettre des titres ou de l'argent au moyen de l'endos: *Ce chèque n'a pu être encaissé faute d'endossement.* ☞ endosser.

endosser v. **1.** Porter, mettre sur son dos: *Frileuse, elle endossa sa robe de chambre.* SYN. revêtir. **2.** Prendre, accepter la responsabilité de quelque chose: *Elle endossa toutes les conséquences de sa négligence.* SYN. assumer. ⫽ *Endosser la soutane:* Devenir prêtre. *Endosser l'uniforme:* Entrer dans l'armée. ▲ **endosser** v. Procéder à l'endossement d'un chèque ou d'un titre: *Je dois aller à la banque pour endosser ce dépôt à terme.* ☞ endos, endossement, endosseur.

endosseur n.m. Personne qui endosse un billet, un chèque, etc., qui signe au verso de façon qu'une autre personne puisse s'en faire payer le montant: *L'endosseur n'a pas signé ce chèque: je ne peux pas l'encaisser.* ☞ endosser.

endroit n.m. **1.** Partie d'un espace, lieu déterminé: *Ils se réunissent toujours au même endroit.* SYN. place. **2.** Localité, ville: *Les gens de l'endroit la connaissent bien.* **3.** Partie déterminée d'une chose ou du corps: *À quel endroit as-tu des démangeaisons?* **4.** Passage d'un livre, d'un texte: *À cet endroit, l'histoire est confuse.* ⫽ *Le petit endroit:* Les toilettes. **par endroits** loc.adv. À différents endroits, ici et là: *Ce livre contient, par endroits, quelques descriptions très longues.* ▲ **endroit** n.m. Côté fait pour être vu, dans un objet à deux faces: *Une immense poche était cousue sur l'endroit de la chemise.* **à l'endroit** loc.adv. Du bon côté: *J'ai remis mon chandail à l'endroit.* **à l'endroit de** loc.prép.litt. À l'égard de, envers: *Il a toujours une attitude très polie à l'endroit de ses patrons.*

enduire v. Recouvrir d'une matière plus ou moins liquide: *Pour bronzer, elle enduit son corps de crème solaire.* ☞ enduit.

enduit n.m. Produit que l'on applique sur une surface, un mur, pour protéger, pour garnir ou pour égaliser: *La maçonne a préparé un enduit de ciment qu'elle a ensuite étendu sur le mur.* ☞ enduire.

endurable adj. Qu'on peut endurer, supporter: *Cette douleur est endurable.* SYN. supportable, tolérable. ANT. insupportable, intolérable. ☞ endurer.

endurance n.f. Aptitude à résister aux fatigues physiques et morales, à la souffrance: *La course exige beaucoup d'endurance.* SYN. force, résistance. ANT. faiblesse, fragilité. ⫽ *Épreuve d'endurance:* Compétition sportive sur une longue distance. ☞ endurer.

endurant, ante adj. Qui a de l'endurance, de la résistance: *Cet athlète est endurant.* SYN. fort, résistant, robuste. ANT. délicat, fragile. ☞ endurer.

endurci, ie adj. **1.** Qui est devenu insensible moralement: *Il a le cœur endurci par les malheurs.* **2.** Qui, avec le temps, a pris une habitude, s'est figé dans une opinion, une occupation: *C'est une célibataire endurcie.* SYN. incorrigible, invétéré. **3.** Qui est devenu résistant par l'habitude: *Ses mains endurcies au froid pouvaient rester très longtemps dans l'eau glacée.* ☞ dur.

endurcir v. **1.** Rendre plus résistant, moins sensible à la douleur: *Ces deux mois passés au grand air l'ont endurci au froid.* **2.** Rendre moins sensible moralement: *Tous ces malheurs et ces échecs ont endurci son cœur.* SYN. dessécher. ANT. attendrir. **3.** Rendre dur: *Le froid endurcit le sol.* ANT. amollir. ☞ dur. **s'endurcir** v.pron. Devenir dur, insensible: *Son cœur s'est endurci à la souffrance.* SYN. s'aguerrir. ANT. s'amollir, s'attendrir.

endurcissement n.m. Fait de s'endurcir, de devenir insensible moralement: *L'endurcissement aux malheurs n'a pas amoindri sa compassion pour les autres.* SYN. dessèchement. ANT. attendrissement. ☞ dur.

endurer v. Supporter ce qui est pénible: *Ce mal de dents est difficile à endurer.* SYN. tolérer. ☞ endurable, endurance, endurant.

énergétique n.f. et adj. **1.** n.f. Science qui étudie les manifestations de l'énergie: *L'énergétique traite de la production et de l'utilisation des différentes formes de l'énergie.* **2.** adj. Qui se rapporte à l'énergie sous toutes ses formes: *Les ressources énergétiques d'un pays ne sont pas illimitées.* ⫽ *Aliment énergétique:* Aliment qui fournit beaucoup d'énergie à l'organisme. ☞ énergie.

énergie n.f. **1.** Dynamisme, fermeté dans l'action, qui entraîne l'efficacité: *Nous devons combattre la pollution avec énergie.* SYN. force, vigueur, volonté. ANT. faiblesse, indolence, mollesse. **2.** Vigueur dans la manière de s'exprimer: *L'énergie de ce tableau se sent à travers les coloris.* **3.** Force physique: *Je me sens pleine d'énergie ce matin.* SYN. vigueur, vitalité. ☞ énergique, énergiquement. ▲ **énergie** n.f. Force qui est capable de produire du travail, de la chaleur, du mouvement: *On trouve plusieurs formes d'énergie: électrique, nucléaire, chimique, mécanique, solaire, atomique, etc.* ⁄⁄ *Sources d'énergie:* Ensemble des matières premières ou des phénomènes naturels utilisés pour produire de la chaleur, du mouvement, du travail. ☞ énergétique.

énergique adj. **1.** Qui est actif, efficace: *Ce remède est énergique contre la toux.* ANT. inefficace. **2.** Qui a de la volonté, de la fermeté: *C'est une personne énergique.* SYN. dynamique, ferme, résolu. ANT. faible, indolent, timide. **3.** Qui est fort, puissant, vigoureux: *Il enfonça la porte d'un coup de pied énergique.* ANT. faible. **4.** Qui indique de l'énergie, de la fermeté: *La situation exige une intervention énergique des autorités.* SYN. ferme. ☞ énergie.

énergiquement adv. D'une manière énergique, avec force: *Elle a protesté énergiquement contre cette mesure.* SYN. fermement. ANT. timidement. ☞ énergie.

énergumène n. Personne qui est dans une grande excitation et qui s'agite beaucoup pour exprimer sa joie ou sa fureur: *Une bande d'énergumènes couraient dans la rue en vociférant.*

énervant, ante adj. Qui agace les nerfs, qui exaspère: *Cette musique est énervante.* SYN. agaçant, exaspérant, irritant. ANT. apaisant, calmant, reposant. ☞ nerf.

énervé, ée n. et adj. **1.** n. Personne qui est dans un état de nervosité, d'excitation inhabituelle: *En classe, elle dérange les autres: quelle énervée!* **2.** adj. Qui est dans un état de nervosité, d'excitation inhabituelle: *Il était très énervé à la pensée de cet examen.* SYN. agité, nerveux. ANT. calme. **3.** adj. Qui marque l'énervement, l'agacement: *Des petits rires énervés fusaient de temps à autre.* HOM. énerver. ☞ nerf.

énervement n.m. État d'une personne énervée, excitée: *Dans mon énervement, j'ai complètement oublié notre rendez-vous.* SYN. agitation, excitation, nervosité. ANT. calme. ☞ nerf.

énerver v. Agacer, irriter en provoquant de la nervosité: *Les mouches énervent mon cheval.* SYN. impatienter. ANT. calmer, détendre. HOM. énervé. ☞ nerf. **s'énerver** v.pron. Devenir nerveux, s'impatienter: *Restons calmes, ne nous énervons pas.* ANT. se calmer.

enfance n.f. **1.** Période de la vie située entre la naissance et l'adolescence: *Elle a eu une enfance heureuse.* ANT. vieillesse. **2.** Ensemble des enfants, considérés comme une collectivité: *Cet organisme s'occupe de l'enfance délinquante.* **3.** fig. Commencement, première période d'une chose: *Au XVᵉ siècle, la médecine était une science encore dans son enfance.* ⁄⁄ *La petite enfance:* Période allant de la naissance aux premiers pas. *Retomber en enfance:* Devenir sénile. ☞ enfant.

enfant n. **1.** Personne très jeune, dans la période de l'enfance: *C'est un enfant docile et agréable.* ANT. adulte, vieillard. **2.** Fils ou fille: *Mes parents ont eu quatre enfants: deux garçons et deux filles.* ANT. parent. **3.** Personne originaire d'un pays, d'un milieu: *C'était une enfant des ruelles qui n'avait peur de rien.* ⁄⁄ *C'est un jeu d'enfant:* C'est très facile. *Enfant de chœur:* Personne qui sert le prêtre pendant les offices religieux. *L'enfant prodigue:* L'enfant que l'on accueille avec joie à son retour au foyer qu'il avait abandonné. *Un enfant gâté:* Personne qui a l'habitude de voir satisfaire ses caprices. ☞ enfance, enfanter, enfantillage, enfantin.

enfanter v. **1.** Mettre un enfant au monde, donner naissance: *Cette femme a enfanté dans la douleur.* SYN. accoucher. **2.** litt. Créer, produire: *Le Québec a enfanté de grands artistes.* ☞ enfant.

enfantillage n.m. Parole, action peu sérieuse qui convient surtout à un enfant: *Tu ferais mieux de cesser tes enfantillages et de te remettre au travail.* **R.** Les lettres *ill* se prononcent comme dans *famille.* ☞ enfant.

enfantin, ine adj. **1.** Qui se rapporte à l'enfant, à l'enfance: *Ce sont des jeux enfantins.* SYN. puéril. ANT. sénile. **2.** Qui est facile, peu compliqué: *La réparation de cet appareil est d'une simplicité enfantine.* SYN. élémentaire. ANT. difficile. ☞ enfant.

s'enfarger ☞ sect. anglicismes et canadianismes.

enfariné, ée adj. Qui est couvert de farine, de poudre blanche: *Regarde le pierrot au visage enfariné.* HOM. enfariner. ☞ farine.

enfariner v.vx Couvrir, enrober de farine: *Il faut enfariner ton moule avant d'y déposer la pâte.* SYN. fariner. HOM. enfariné. ☞ farine.

enfer n.m. **1.** Lieu destiné aux âmes des personnes qui ont beaucoup péché, selon la religion chrétienne : *Le curé parlait des peines de l'enfer.* ANT. ciel, paradis. **2.** fig. Lieu, occasion de souffrances : *Sa vie est devenue un véritable enfer.* ANT. paradis. ⫽ *D'enfer :* Épouvantable, horrible, infernal. **R.** Le *r* se prononce.

enfermer v. **1.** Mettre dans un lieu d'où on ne peut sortir : *Paul a enfermé son chien dans une cage.* SYN. emprisonner. ANT. délivrer, libérer. **2.** Mettre en sûreté, dans un lieu fermé : *Elle enferme ses papiers importants dans le coffre-fort.* **3.** Entourer de toutes parts : *De hauts peupliers enferment ce domaine.* SYN. clore, environner. ☞ renfermer. **s'enfermer** v.pron. **1.** S'installer dans un endroit isolé : *Luc s'est enfermé dans sa chambre.* SYN. se barricader, se cloîtrer, se confiner. **2.** fig. Rester avec obstination dans une attitude, un état : *Elle s'enferme dans un silence opiniâtre et refuse de révéler le nom de ses complices.* SYN. se confiner.

s'enferrer v.pron. **1.** Se prendre à l'hameçon, en parlant d'un poisson : *Le poisson s'enferre à l'hameçon de la pêcheuse.* **2.** fig. Se laisser prendre à ses propres pièges, à ses propres mensonges : *En voulant expliquer son retard, il s'enferrait dans ses mensonges.* SYN. s'embrouiller, s'empêtrer.

enfilade n.f. Ensemble de choses placées les unes à la suite des autres : *Les chaises étaient placées en enfilade dans le corridor.* ☞ enfiler.

enfilage n.m. Action de passer un fil dans quelque chose : *L'enfilage des perles du collier est terminé.* ☞ enfiler.

enfiler v. **1.** Passer un fil à travers quelque chose : *Papa enfile l'aiguille puis coud le bouton à ma veste.* **2.** fam. Revêtir rapidement un vêtement : *En entendant l'alarme, la pompière a enfilé son uniforme.* **3.** S'engager dans une voie : *Le chien pourchassé par les enfants enfila une ruelle et disparut.* ☞ enfilade, enfilage.

enfin adv. **1.** Sert à marquer la fin d'une longue attente : *Elle a enfin terminé son devoir.* ANT. déjà. **2.** Sert à conclure, à présenter le dernier élément d'une énumération : *Tu traces ton modèle, tu le découpes et enfin tu le décores.* **3.** Sert à tirer une conclusion : *Nous devions partir en excursion, mais on annonce un orage : enfin, nous verrons.*

enflammé, ée adj. **1.** Qui est en flamme : *Le lion saute à travers un cerceau enflammé.* ANT. éteint. **2.** Qui est rempli d'ardeur, de passion, d'enthousiasme : *Son discours enflammé fut bien accueilli par ses partisans.* ANT. froid. **3.** Qui est en état d'inflammation : *Il faut désinfecter ma coupure enflammée.* HOM. enflammer. ☞ flamme.

enflammer v. **1.** Mettre en flamme, allumer : *Yvonne n'arrive pas à enflammer ce bois humide.* ANT. éteindre. **2.** Mettre dans un état d'inflammation : *En grattant tes piqûres d'insectes, tu risques de les enflammer.* SYN. irriter. **3.** Remplir d'ardeur, de passion, d'enthousiasme : *Le politicien enflamme ses partisans par son discours plein de promesses.* SYN. exalter. ANT. calmer. HOM. enflammé. ☞ flamme. **s'enflammer** v.pron. **1.** Prendre feu : *L'essence s'enflamma, entraînant l'explosion du réservoir.* ANT. s'éteindre. **2.** S'animer, s'enthousiasmer : *Marguerite s'enflamme en présentant son exposé sur les bélugas.* ANT. se calmer.

enflé, ée adj. Qui a anormalement augmenté de volume : *Ma cheville enflée me fait mal.* SYN. bouffi, boursouflé. HOM. enfler. ☞ enfler.

enfler v. **1.** Causer l'enflure d'une partie du corps : *Les chaussures trop serrées lui enflent les pieds.* ANT. désenfler. **2.** Donner plus de force à un son, à un bruit : *Le courage enflait sa voix.* **3.** Grossir, augmenter anormalement de volume : *Ses mains gelées enflaient rapidement.* ANT. désenfler. HOM. enflé. ☞ désenfler, enflé, enflure.

enflure n.f. Gonflement anormal d'un organe, d'une partie du corps, à la suite d'une maladie, d'un choc, d'un accident musculaire : *On m'a recommandé des compresses froides pour faire diminuer l'enflure de mon genou.* SYN. boursouflure, œdème. ☞ enfler.

enfoncé, ée adj. **1.** Qui est brisé, à la suite d'un coup, d'une poussée brusque : *La porte enfoncée indiquait qu'un voleur était passé par là.* **2.** Qui est reculé, qui rentre à l'intérieur du corps, du visage : *Les joues creuses et les yeux enfoncés de cette malade trahissaient la gravité de son état.* ANT. saillant. **3.** Qui est absorbé par une activité : *Il est si enfoncé dans ses réflexions qu'il n'entend rien.* **4.** Qui pénètre profondément dans quelque chose : *Il me fallait retirer cette épine enfoncée dans mon doigt.* HOM. enfoncer. ☞ enfoncer.

enfoncement n.m. Partie en retrait, située vers le fond : *Dans l'enfoncement de cette porte, nous étions à l'abri de la pluie.* SYN. renfoncement. ANT. saillie. ☞ enfoncer.

enfoncer v. **1.** Faire pénétrer plus profondément, planter : *Une menuisière enfonçait les clous d'un coup ferme.* ANT. arracher. **2.** Briser par un coup, une poussée brusque : *Les enfants du voisinage ont enfoncé ma clôture.* SYN. défoncer, forcer. **3.** Couler, aller vers le fond : *Nous enfoncions dans la vase jusqu'aux chevilles.* ANT. remonter. **4.** fig. Entraîner dans une situation pénible : *Sa passion* *pour le jeu l'a enfoncé dans la misère.* HOM. enfoncé. ⁄⁄ *Enfoncer son chapeau sur sa tête:* Mettre son chapeau de telle façon que la tête y entre profondément. ☞ enfoncé, enfoncement. **s'enfoncer** v.pron. **1.** Couler, descendre vers le fond: *Notre chaloupe s'enfonçait rapidement.* SYN. s'enliser, sombrer. **2.** Pénétrer profondément: *La pelle s'enfonce facilement dans le sable.* **3.** Pénétrer en avançant, s'aventurer plus loin: *Les vacancières se sont enfoncées dans les bois.* **4.** fig. Se consacrer à quelque chose qui absorbe complètement: *Je m'enfonçais dans la lecture de cette aventure palpitante.* SYN. se plonger. **R.** Ne pas oublier la cédille devant *a* et *o*.

enfouir v. **1.** Mettre ou cacher en terre, après avoir creusé le sol: *Le chien a enfoui son os près de l'arbre.* SYN. enterrer. ANT. déterrer. **2.** Placer sous d'autres objets: *J'ai enfoui les pommes de terre sous les tisons pour les faire cuire.* ANT. sortir. **3.** Enfoncer une partie du corps dans une chose molle ou creuse: *Charles enfouit son visage dans l'oreiller quand il pleure.* ☞ enfouissement. **s'enfouir** v.pron. Se blottir, se tapir: *Certains poissons s'enfouissent dans la vase.* **enfoui, ie** p.p. et adj. **1.** Qui est sous terre: *Les oiseaux picoraient, à la recherche de graines enfouies dans le sol.* **2.** Qui est placé sous d'autres objets: *J'ai retrouvé ta lettre enfouie sous d'autres papiers.*

enfouissement n.m. Action de mettre sous terre: *Au printemps, il faut s'occuper de l'enfouissement des graines.* ☞ enfouir.

enfourcher v. S'installer à califourchon sur un cheval, une bicyclette: *Après la classe, Éloïse et ses copains enfourchent leurs bicyclettes.*

enfourner v. Mettre dans un four: *L'artisane a enfourné plusieurs morceaux de poterie.* ☞ four. ▲ **enfourner** v.fam. Manger rapidement et gloutonnement: *Il enfourna deux gros morceaux de pizza.*

enfreindre v.litt. Ne pas respecter un règlement, une loi, un engagement: *Enfreindre la loi amène des sanctions.* SYN. désobéir, transgresser, violer. ANT. obéir, observer.

s'enfuir v.pron. **1.** Partir précipitamment: *Après son méfait, il s'est enfui à vive allure.* SYN. décamper, déguerpir, détaler, s'évader, fuir. ANT. demeurer, rester. **2.** fig. Disparaître peu à peu, s'écouler: *L'été s'enfuit et avec lui les plaisirs des vacances.* SYN. s'envoler, fuir. ANT. rester.

enfumer v. **1.** Remplir de fumée: *Ces visiteurs ont enfumé toute la maison.* **2.** Déranger par la fumée: *Voudriez-vous éteindre votre cigare? Vous m'enfumez.* ⁄⁄ *Enfumer une ruche:* Neutraliser les abeilles en envoyant de la fumée. ☞ fumer.

engageant, ante adj. Qui plaît, qui attire: *Le sourire engageant de Sylvie m'a donné envie de faire plus ample connaissance avec elle.* SYN. attirant, séduisant. ANT. désagréable, rébarbatif, repoussant. **R.** Ne pas oublier le *e* après le *g*: engageant. ☞ engager.

engagement n.m. **1.** Promesse verbale ou écrite de faire une chose: *Cette locataire respecte l'engagement pris avec son propriétaire.* **2.** Contrat par lequel certaines personnes louent leurs services, s'engagent à faire quelque chose: *Cette comédienne a un engagement pour une série télévisée.* ☞ engager. ▲ **engagement** n.m. **1.** Action d'introduire une chose dans un endroit difficile et étroit: *Ce lubrifiant facilitera l'engagement de la clé dans la serrure.* SYN. insertion, introduction. ANT. dégagement, extraction. **2.** Action de commencer: *On attend toujours l'engagement des pourparlers entre ces deux puissances ennemies.* SYN. commencement, début. ANT. conclusion, fin. **3.** Action de mettre en œuvre quelque chose: *La réalisation de notre projet exige l'engagement de fonds plus élevés.* SYN. investissement. **4.** Attitude de l'artiste, de l'intellectuel qui met son œuvre au service d'une cause (sociale, politique, écologique, etc.): *Cette chanteuse a manifesté son engagement pour la protection de la nature.* **5.** Action de se diriger dans une voie: *La panne s'est produite après l'engagement du métro dans le tunnel.* **6.** Affrontement bref et localisé: *De nombreux engagements ont opposé les miliciens et les maquisards.* SYN. échauffourée. ☞ engager.

engager v. **1.** Prendre à son service, embaucher: *La directrice du personnel de l'hôtel vient d'engager des serveurs.* ANT. licencier, renvoyer. **2.** Donner en garantie: *Il a engagé son honneur dans cette affaire.* **3.** Lier par une promesse, une obligation: *Ce contrat engage le fournisseur à assurer l'entretien de l'appareil pour une période de deux ans.* **4.** Mettre des valeurs en garantie: *Parce qu'elle manquait d'argent, cette femme a engagé ce magnifique bijou.* ☞ engagement, réengagement, réengager. ▲ **engager** v. **1.** Enfoncer, introduire dans un endroit difficile ou étroit: *J'ai du mal à engager la disquette dans le lecteur.* ANT. dégager. **2.** fig. Commencer: *Le syndicat vient d'engager les négociations avec l'employeur.* SYN. entamer. ANT. terminer. **3.** Faire entrer, entraîner dans quelque chose qui crée une obligation: *Nous avons engagé de gros capitaux dans cette entreprise.* ANT. retirer. **4.** Mettre quelqu'un dans l'obligation de prendre parti: *Nos écrits nous engagent.* **5.**

Diriger dans une voie: *La cavalière a engagé son cheval dans cette allée.* **6.** Inviter, inciter: *Ces magnifiques étalages engagent les passants à acheter.* ANT. dissuader. ☞ engageant, engagement. **s'engager** v.pron. **1.** Promettre: *Cet homme s'est engagé à remettre la marchandise volée.* **2.** Signer un engagement dans l'armée; entrer au service de quelqu'un: *Cette jeune femme s'est engagée pour deux ans dans la marine.* SYN. s'enrôler. **3.** Se diriger dans une voie: *L'automobile venait de s'engager dans cette rue quand l'accident s'est produit.* **4.** Commencer: *La discussion s'est engagée dès la fin de l'exposé.* **5.** S'aventurer: *Je ne m'engage jamais à la légère dans une affaire.* **6.** Prendre parti, se mettre au service d'une cause: *De nombreux artistes s'engagent dans des causes sociales.* **engagé, ée** p.p. et adj. Qui est au service d'une cause: *Les textes de cette auteure engagée m'intéressent beaucoup.*

engazonnement n.m. Action d'engazonner, de semer du gazon: *L'engazonnement du terrain a été fait par une paysagiste.* ☞ gazon.

engazonner v.vx Garnir de gazon, d'herbe fine: *Au printemps, Danièle engazonnera son terrain.* SYN. gazonner. ☞ gazon.

engelure n.f. Enflure douloureuse causée par le froid, qui atteint surtout les mains, les pieds, le nez, les oreilles: *La skieuse avait des engelures aux mains et aux oreilles.*

engendrer v. **1.** Faire naître, procréer: *Germaine et Robert ont engendré quatre beaux enfants.* **2.** fig. Provoquer, causer, avoir pour effet: *Sa paresse engendre des conflits avec son employeuse.* SYN. créer, entraîner.

engin n.m. **1.** Appareil ou instrument destiné à divers usages: *Les missiles sont des engins de guerre.* **2.** Objet bizarre qu'on ne peut ou qu'on ne veut pas nommer: *Qu'est-ce que c'est que cet engin que tu caches dans tes poches?* SYN. machin, truc.

englober v. **1.** Joindre à un ensemble qui existe déjà: *La comptable a englobé tous les différents comptes en un seul.* SYN. annexer, réunir. ANT. séparer. **2.** Réunir en un tout; considérer plusieurs personnes ou plusieurs choses comme une catégorie unique: *Les remarques de l'instituteur englobaient tous les élèves.*

engloutir v. **1.** Avaler très vite, en grande quantité: *Le chien a englouti sa viande en quelques minutes.* SYN. dévorer, engouffrer, ingurgiter. **2.** fig. Dépenser de façon rapide, gaspiller: *En une année, il avait englouti la fortune de sa mère.* SYN. dilapider, dissiper, engouffrer. ANT. accumuler, économiser, épargner. **3.** Faire disparaître dans un abîme: *Le village a été englouti par un tremblement de terre.* **s'engloutir** v.pron. Disparaître en s'enfonçant dans les profondeurs de l'eau, de la terre: *Le navire s'est englouti dans la mer.*

engluer v. **1.** Couvrir de glu ou d'une matière gluante, collante: *En engluant le tronc des arbres, on protège ceux-ci contre les chenilles.* **2.** Prendre à la glu: *Cette matière visqueuse sert à engluer des oiseaux.* ☞ glu.

engorgement n.m. État d'un conduit, d'un passage obstrué, encombré: *L'engorgement de l'égout nous a causé beaucoup de dommages matériels.* ☞ engorger.

engorger v. **1.** Obstruer, boucher par l'accumulation de matières: *Les feuilles séchées ont engorgé la gouttière.* ANT. déboucher. **2.** Encombrer une voie de communication: *Le flot des voitures engorge l'autoroute.* ☞ engorgement. **s'engorger** v.pron. Se boucher: *Ce drain s'engorge facilement.*

engouement n.m. Emballement, passion excessive et soudaine, la plupart du temps de courte durée, pour quelqu'un ou quelque chose: *Depuis qu'il fréquente une gymnaste, il s'est pris d'un engouement extraordinaire pour l'exercice physique.* SYN. enthousiasme, toquade. ANT. désenchantement. **R.** Le *e* de la deuxième syllabe ne se prononce pas. ☞ s'engouer.

s'engouer v.pron. S'emballer, se passionner de façon excessive et passagère pour quelqu'un ou quelque chose: *Les adolescents se sont engoués de cette chanteuse de rock.* SYN. s'enticher, se toquer. ANT. se dégoûter. ☞ engouement.

engouffrer v. **1.** fam. Manger comme un glouton: *Stéphane engouffre son dessert préféré.* SYN. engloutir, ingurgiter. **2.** fig. Dépenser au complet une grosse somme d'argent: *Aimée a engouffré son héritage dans l'achat de sa maison.* SYN. dilapider, dissiper, engloutir. ANT. accumuler, amasser, épargner. **s'engouffrer** v.pron. Pénétrer rapidement et brusquement dans une ouverture, un passage: *Les piétons effrayés par le violent orage s'engouffraient dans le restaurant.*

engoulevent n.m. Oiseau qui chasse la nuit, en volant le bec grand ouvert pour avaler les insectes: *L'engoulevent a un plumage brun-roux.*

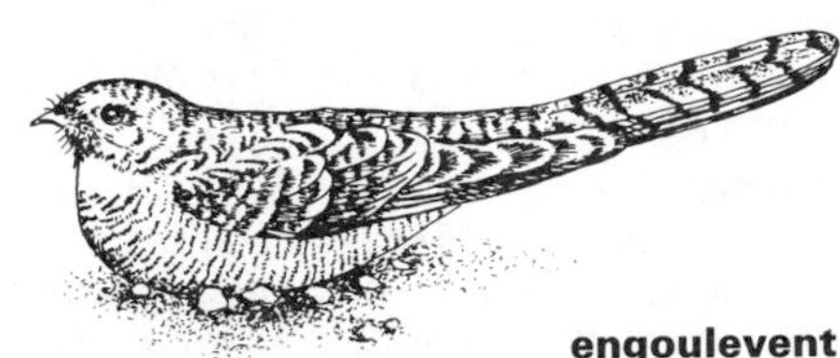

engoulevent

Structure d'un arbre

PARTIES DE L'ARBRE

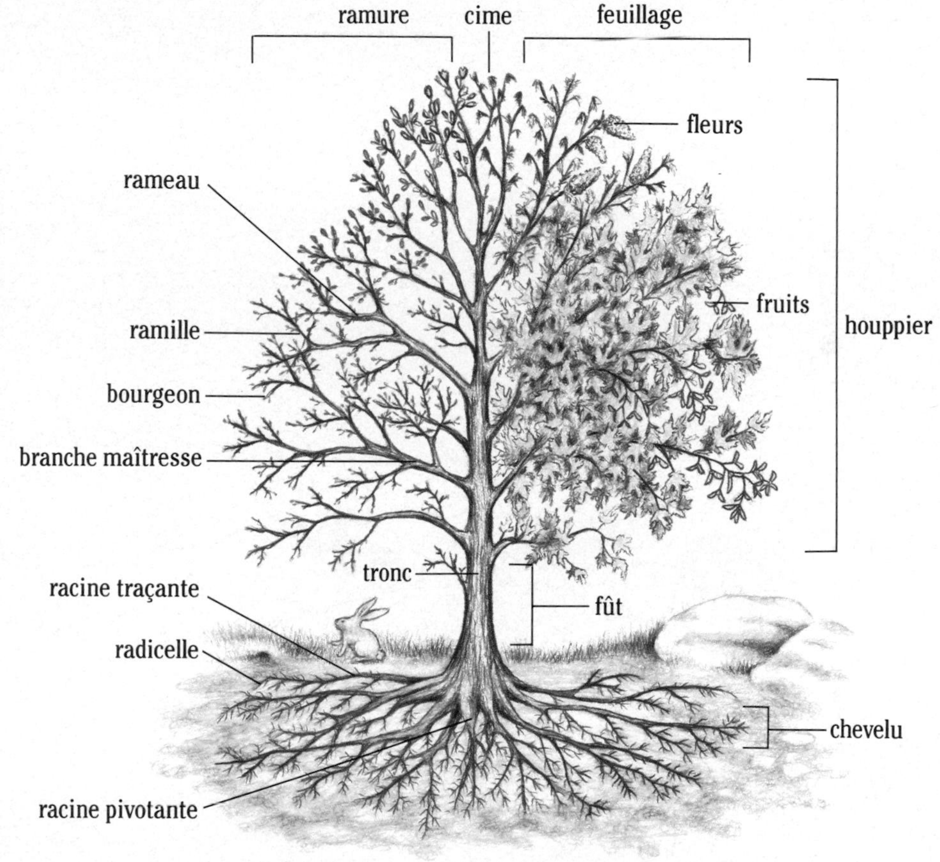

ramure
cime
feuillage
fleurs
rameau
fruits
houppier
ramille
bourgeon
branche maîtresse
tronc
fût
racine traçante
radicelle
chevelu
racine pivotante

SOUCHE

rejet

COUPE TRANSVERSALE DU TRONC

écorce
liber
aubier
cambium
rayon médullaire
cerne
moelle
bois de cœur

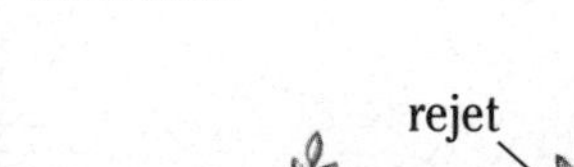

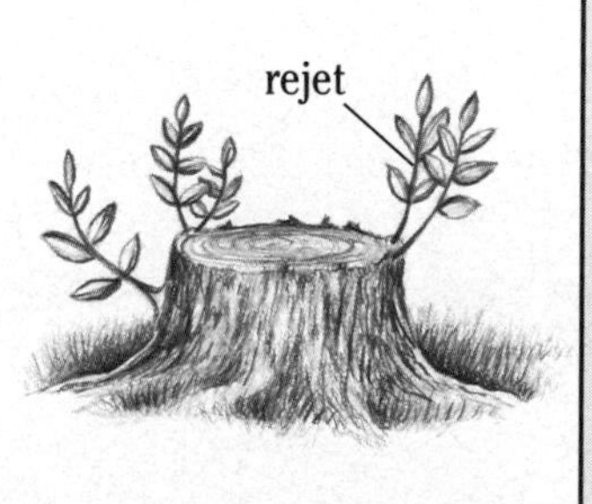

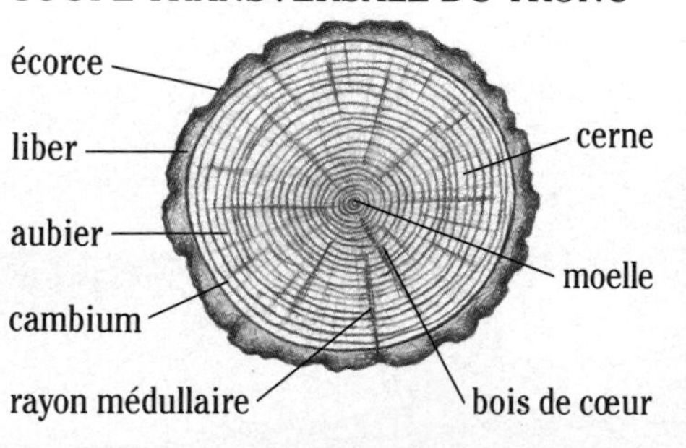

Ressources naturelles

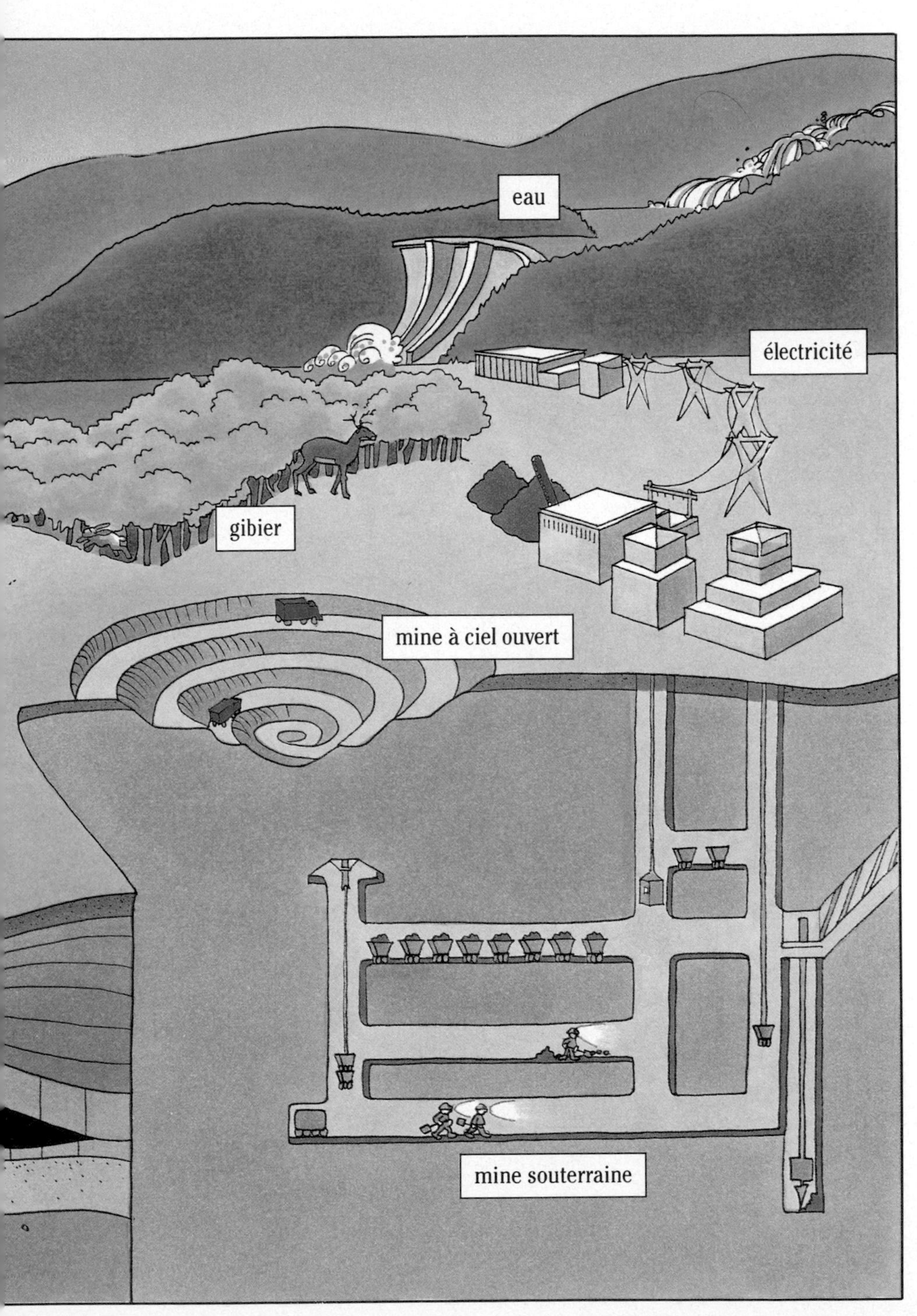
eau
électricité
gibier
mine à ciel ouvert
mine souterraine

Nos traditions

ANC/C-1121

Une noce d'autrefois par E.J. Massicotte

La bénédiction du Jour de l'An par E.J. Massicotte

ANC/C-1113

Les sucres par E.J. Massicotte

Une épluchette de blé d'Inde par E.J. Massicotte

ANC/C-1122

Le Mardi gras à la campagne par E.J. Massicotte

Le retour de la messe de minuit par E.J. Massicotte

engourdir v. **1.** Rendre un membre, le corps, insensible et difficile à bouger: *Le froid engourdit mes orteils.* SYN. paralyser. ANT. dégourdir. **2.** Diminuer le mouvement, ôter l'envie de bouger, de réagir: *Après la journée de plein air, la chaleur du feu m'engourdissait.* SYN. endormir. ANT. raviver, réveiller. **3.** fig. Ralentir l'activité de quelque chose, rendre moins vif: *Le temps engourdira ton chagrin.* SYN. adoucir, atténuer. ANT. exciter, revigorer. ☞ dégourdir. **s'engourdir** v.pron. **1.** Devenir insensible et difficile à bouger, en parlant d'un membre, du corps: *Mes jambes vont s'engourdir si je reste trop longtemps dans cette position.* SYN. se figer. **2.** Être ralenti dans ses fonctions, son activité: *L'hiver, toute la nature s'engourdit.* SYN. s'endormir. **engourdi, ie** p.p. et adj. **1.** Qui est devenu insensible et difficile à bouger, en parlant d'un membre, du corps: *Mes mains engourdies ne pouvaient exécuter ce travail de précision.* **2.** Qui a perdu de sa capacité, qui est ralenti dans ses fonctions: *Son esprit engourdi par la paresse refusait de comprendre.*

engourdissement n.m. État d'un membre, du corps, qui s'est engourdi, qui est devenu insensible et difficile à bouger: *Avec ce froid, Isabelle devait bouger sans arrêt pour éviter l'engourdissement.* ☞ dégourdir.

engrais n.m. Substance organique, minérale ou chimique que l'on mêle au sol pour le fertiliser: *Le fumier est un engrais organique.* ☞ engraisser.

engraissement n.m. Action de faire grossir un animal; son résultat: *L'engraissement des volailles est devenu chose courante.* ☞ graisse.

engraisser v. **1.** Faire grossir un animal: *Il engraisse ses oies en les gavant.* ANT. amaigrir. **2.** Devenir gras, prendre du poids: *Germain mange trop, il engraisse beaucoup.* SYN. grossir. ANT. maigrir. ☞ graisse. ▲ **engraisser** v. Fertiliser à l'aide d'un engrais: *Hélène engraisse la terre de son jardin.* SYN. fumer. ☞ engrais.

engrangement n.m. Action de mettre une récolte dans la grange: *L'engrangement de la récolte de blé a pris plusieurs jours.* ☞ grange.

engranger v. **1.** Placer une récolte dans la grange: *La récolte que nous avons engrangée sera utilisée cet hiver.* **2.** fig. Emmagasiner, accumuler: *Tous ces renseignements que j'engrange me serviront plus tard.* ☞ grange.

engrenage n.m. **1.** Système composé de roues dont les dents se croisent pour entraîner un mouvement: *Les roues de cet engrenage s'ajustent parfaitement.* **2.** fig. Succession d'événements ou d'actes qui nous entraînent de façon irrésistible: *Elle ne pouvait se soustraire à l'engrenage du jeu.* ☞ engrener.

engrenage

engrener v. Faire entrer les pièces d'un engrenage les unes dans les autres: *Il ne restait plus qu'à engrener les roues pour que le mécanisme fonctionne.* ☞ engrenage.

engueulade n.f.pop. Action d'engueuler quelqu'un, de l'accabler de reproches: *Quelle engueulade elles ont eue!* **R.** Ne pas oublier le *u* après le *g*. ☞ engueuler.

engueuler v.pop. Faire des reproches violents à quelqu'un, le réprimander grossièrement: *Il engueulait le voisin chaque fois que le chien jappait.* ☞ engueulade. **s'engueuler** v.pron.fam. Se disputer violemment et bruyamment avec quelqu'un: *Ils s'engueulaient devant toute la classe.* SYN. s'invectiver. **R.** Ne pas oublier le *u* après le *g*.

enguirlander v. Garnir de guirlandes: *Nous avons enguirlandé le salon pour cette fête.* ☞ guirlande. ▲ **enguirlander** v.fam. Engueuler, faire des reproches sévères: *Si ma sœur apprend que j'ai perdu sa bague, elle va m'enguirlander!* **R.** Ne pas oublier le *u* après le *g*.

enhardir v. Rendre hardi, donner de la confiance en soi: *Plusieurs réussites successives ont enhardi l'investisseuse.* SYN. encourager. ANT. décourager, effrayer. ☞ hardi. **s'enhardir** v.pron. Devenir hardi, acquérir de l'assurance: *Il s'enhardit jusqu'à prendre la parole en public.*

énième n. et adj. **1.** n. Mot qui indique un ordre, un rang indéterminé mais très grand: *Je vais attendre longtemps: je suis la énième sur la liste.* **2.** adj. Qui est d'ordre ou de rang indéterminé mais très grand: *Elle me répète pour la énième fois le trajet pour me rendre chez elle.* **R.** Aussi, *nième*. *Énième* et *nième* se prononcent *ènième*.

énigmatique adj. **1.** Qui renferme une énigme, qui n'est pas clair: *Elle m'adressa un sourire énigmatique.* SYN. ambigu, équivoque, indéchiffrable. ANT. clair, évident, net. **2.** Dont le comportement est étrange, mystérieux: *Quel personnage énigmatique!* ☞ énigme.

énigme n.f. **1.** Jeu intellectuel où l'on doit deviner une chose d'après une description faite en termes mystérieux, ambigus: *J'aime déchiffrer des énigmes.* SYN. charade, devinette. **2.** Chose ou personne mystérieuse, difficile à comprendre: *Cet accident demeure une énigme.* SYN. ambiguïté, mystère, problème. ANT. évidence. ⁄⁄ *Parler par énigmes:* Parler d'une façon obscure, remplie de sous-entendus. ☞ énigmatique.

enivrant, ante adj. **1.** vx Qui rend ivre: *Le vin est enivrant.* **2.** fig. Qui excite, qui remplit d'extase: *Des odeurs enivrantes s'exhalaient de la forêt encore humide de la rosée du matin.* SYN. grisant, troublant. ☞ ivre.

enivrement n.m. **1.** vx État d'une personne qui est ivre: *L'enivrement le rend bavard.* SYN. ébriété, ivresse. ANT. sobriété. **2.** Sorte d'extase, d'excitation semblable aux premiers effets de l'ivresse: *Dans l'enivrement de la victoire, on oublie les difficultés qu'on a dû traverser.* SYN. exaltation, griserie, transport. ANT. froideur, indifférence. ☞ ivre.

enivrer v. **1.** Rendre ivre: *Certaines personnes sont faciles à enivrer.* SYN. griser, soûler. ANT. dégriser. **2.** Remplir d'une sorte d'extase semblable aux premiers effets de l'ivresse: *Son gain à la loterie l'a enivré.* SYN. exalter, griser, transporter, troubler. ANT. dégriser. ☞ ivre. **s'enivrer** v.pron. **1.** Se mettre en état d'ivresse: *Il n'a pas l'habitude de s'enivrer.* SYN. se soûler. **2.** fig. Être rempli d'extase, d'émotions agréables et parfois confuses: *Je m'enivrais des parfums légers du printemps.*

enjambée n.f. **1.** Grand pas: *Il franchit le jardin en quelques enjambées.* **2.** Distance parcourue par un pas allongé: *C'est à trois enjambées d'ici.* HOM. enjamber. ⁄⁄ *D'une enjambée:* En enjambant en une seule fois. ☞ enjamber.

enjamber v. Passer par-dessus un obstacle en faisant un grand pas: *Elle était trop petite pour enjamber le ruisseau; nous avons dû la prendre dans nos bras.* HOM. enjambée. ☞ enjambée.

enjeu, eux n.m. **1.** Somme d'argent ou objet que chacun des joueurs risque au début d'une partie et qui ira au gagnant: *Malheureusement, j'ai perdu mon enjeu.* SYN. mise. **2.** Ce que l'on peut perdre ou gagner dans une compétition: *L'enjeu du tournoi d'échecs est le titre de champion de l'école.*

enjoindre v.litt. Ordonner, imposer: *On m'enjoignit de me présenter au palais de justice.* SYN. commander, prescrire.

enjôler v. Tromper par des compliments, des paroles flatteuses: *Dans la fable, le renard a enjôlé le corbeau.* SYN. entortiller, séduire. **R.** Ne pas oublier l'accent: *ô.* ☞ enjôleur.

enjôleur, euse n. et adj. **1.** n. Personne qui enjôle, qui séduit: *Ne te laisse pas séduire par cet enjôleur.* SYN. séducteur. **2.** adj. Qui enjôle, qui séduit: *Il était difficile de résister à son sourire enjôleur.* SYN. charmeur, séduisant. **R.** Ne pas oublier l'accent: *ô.* ☞ enjôler.

enjolivement n.m. **1.** Décoration, parure qui rend plus joli: *En guise d'enjolivement, j'ai mis une grosse fleur à mon chapeau.* **2.** Ajout de détails plus ou moins vrais en vue d'agrémenter: *Il décrit l'événement avec des enjolivements.* **R.** Aussi, *enjolivure.* ☞ joli.

enjoliver v. **1.** Décorer, rendre plus joli: *Une allée d'arbustes enjolive le parterre.* SYN. agrémenter, embellir, orner. ANT. enlaidir. **2.** Embellir en ajoutant des détails plus ou moins vrais: *Marcelle enjolive son histoire de nouveaux détails chaque fois qu'elle la raconte.* SYN. agrémenter. ☞ joli.

enjoliveur n.m. Pièce de métal qui recouvre le milieu d'une roue d'automobile: *Les enjoliveurs de cette voiture de sport sont superbes.* ☞ joli.

enjoué, ée adj. Qui est porté à être gai, de bonne humeur, souriant: *Karine est une copine enjouée.* SYN. jovial, rieur. ANT. chagrin, maussade, morose, triste. ☞ enjouement.

enjouement n.m. Bonne humeur, gaieté: *Une atmosphère d'enjouement flottait dans l'air en ce jour de fête.* SYN. entrain. ANT. tristesse. **R.** Le *e* de la deuxième syllabe ne se prononce pas. ☞ enjoué.

enlacement n.m. Fait de serrer une personne dans ses bras: *L'enlacement est un geste d'affection.* SYN. étreinte. ☞ enlacer.

enlacer v. **1.** Serrer une personne dans ses bras ou passer un bras autour de sa taille: *Lorsqu'il est arrivé, grand-père m'a enlacée.* SYN. étreindre. **2.** Passer autour d'une chose: *Le lierre enlace le rosier.* SYN. s'enrouler. ☞ enlacement. **s'enlacer** v.pron. **1.** Se prendre dans les bras l'un et l'autre ou se passer un bras autour de la taille: *Les amoureux s'enlaçaient en dansant.* **2.** S'entrecroiser, s'entrelacer: *Les rubans de son chapeau s'enlaçaient.* **R.** Ne pas oublier la cédille devant *a* et *o.* **enlacé, ée** p.p. et adj. **1.** Qui s'étreint ou se tient par la taille: *Nous marchions lentement, tendrement enlacés.* **2.** Qui est passé l'un autour de l'autre, qui est entrecroisé: *Les branches enlacées des grands arbres formaient une sorte de dôme.*

enlaidir v. **1.** Rendre laid: *Ces nouvelles constructions enlaidissent le paysage.* SYN. défigurer, déparer. ANT. embellir, enjoliver, orner. **2.** Devenir laid: *Sa nouvelle coiffure l'enlaidit.* ANT. embellir. ☞ laid.

enlaidissement n.m. Action ou fait de devenir laid: *Cette loi contre l'affichage publicitaire a pour but d'empêcher l'enlaidissement du paysage.* ANT. embellissement. ☞ laid.

enlèvement n.m. **1.** Action d'enlever, de prendre avec soi des objets: *L'enlèvement des ordures ménagères se fera tous les jeudis.* **2.** Action d'enlever une personne, de l'emmener et de la retenir contre son gré: *On recherche encore les auteurs de l'enlèvement de cette riche héritière.* SYN. kidnapping, rapt. ☞ enlever.

enlever v. **1.** Faire qu'une chose ne soit plus à la même place: *J'aimerais enlever ce fauteuil du salon.* SYN. ôter, retirer. ANT. laisser. **2.** Faire disparaître, supprimer: *Comment ferez-vous pour enlever cette tache?* SYN. éliminer, retrancher. ANT. ajouter, laisser. **3.** Ôter, retirer ce qui couvre: *Les enfants enlèvent leurs chaussures sales avant d'entrer dans la maison.* ANT. garder. **4.** Faire perdre, retirer à une personne ce qu'elle a ou ce qu'elle espère: *La juge lui a enlevé la garde de ses enfants.* ANT. laisser. **5.** Priver une personne de quelque chose qui se rapporte à l'esprit, à la pensée: *Cette nouvelle m'a enlevé tout espoir.* ANT. laisser. **6.** Emporter avec soi: *Les déménageurs sont venus enlever les meubles.* **7.** Emmener et retenir une personne contre son gré: *On a enlevé le directeur de la banque et on demande une rançon.* SYN. kidnapper, ravir. ☞ enlèvement.

enlisement n.m. Fait de s'enliser, de s'enfoncer: *Vous avez été témoin de l'enlisement du camion de M. Durand.* ☞ enliser.

enliser v. Enfoncer dans la boue, le sable mouvant: *Elle a enlisé sa jeep dans ce terrain marécageux.* SYN. embourber. ANT. débourber. ☞ enlisement. **s'enliser** v.pron. **1.** S'enfoncer dans un sol mouvant: *La voiture de Mario s'est enlisée dans la boue.* SYN. s'embourber. **2.** fig. Ne plus progresser, stagner: *Faute d'indices, l'enquête s'enlisait.* SYN. piétiner.

ennéagone n.m. et adj. **1.** n.m. Figure géométrique qui a neuf côtés et neuf angles: *Notre piscine a la forme d'un ennéagone.* **2.** adj. Qui a neuf côtés et neuf angles: *J'ai dessiné une figure ennéagone.* **R.** Les lettres *enné* se prononcent *éné* ou *ènné*.

enneigé, ée adj. Qui est couvert de neige: *La route menant à Sutton est enneigée.* ☞ neige.

enneigement n.m. État d'un endroit enneigé; hauteur de la neige sur un terrain: *Chaque jour, en hiver, les stations de ski nous renseignent sur l'enneigement des pistes.* ☞ neige.

ennemi, ie n. et adj. **1.** n. Personne qui déteste quelqu'un et qui tente de lui nuire: *Mieux vaut l'avoir de notre côté: elle pourrait devenir une ennemie implacable.* SYN. adversaire, rival. ANT. allié, ami, compagnon. **2.** n. Personne qui déteste quelque chose, qui s'y oppose: *Cette grande ennemie de l'injustice défend avec ardeur les droits de la personne.* SYN. adversaire. ANT. partisan. **3.** n. Chose qu'une personne ou un groupe juge défavorable, contraire à son bien: *La paresse est ma pire ennemie.* **4.** adj. Qui se détestent et tentent de se nuire, en parlant de personnes ou de groupes: *Les familles de Roméo et de Juliette étaient des familles ennemies.* ANT. ami. **5.** adj. Qui déteste quelque chose, qui s'y oppose: *Serge est ennemi de l'alcool.* ⫽ *Ennemi public:* Malfaiteur jugé dangereux pour la société. ▲ **ennemi, ie** n. et adj. **1.** n. Groupe de personnes contre lesquelles on est en guerre; leur pays, leur armée: *L'ennemi attaque nos troupes.* ANT. allié. **2.** adj. Qui s'oppose, qui est en guerre: *La France et l'Angleterre ont déjà été des nations ennemies.* ANT. allié. ⫽ *Passer à l'ennemi:* Déserter. *Tomber entre les mains de l'ennemi:* Être fait prisonnier. **R.** Se prononce *ènnmi*.

ennoblir v. Rendre noble, donner de la grandeur morale à quelqu'un, à quelque chose: *Cette action courageuse l'a ennoblie.* ANT. avilir. ☞ noble.

s'ennuager v.pron. Se couvrir de nuages: *Le ciel s'ennuage.* ☞ nuage.

ennui n.m. **1.** Désagrément, contrariété: *Il a des ennuis de santé.* SYN. embarras, embêtement, problème, souci. ANT. agrément, satisfaction. **2.** Absence d'intérêt, sentiment de vide produit par l'inaction ou par quelque chose d'ennuyeux: *Ce spectacle est à mourir d'ennui.* SYN. lassitude. ☞ ennuyer.

ennuyé, ée adj. Qui est préoccupé, contrarié: *Je suis très ennuyé par son absence.* SYN. indisposé. HOM. ennuyer. ☞ ennuyer.

ennuyer v. **1.** Causer du souci, de la contrariété: *Cela m'ennuierait de devoir annuler notre rendez-vous.* SYN. contrarier, inquiéter, tracasser. **2.** Importuner, embêter: *Elle nous ennuie avec ses histoires abracadabrantes.* SYN. agacer, énerver, fatiguer. ANT. amuser, distraire, divertir. **3.** Remplir d'ennui, ne pas intéresser: *Ce documentaire était sans intérêt, il a ennuyé tous les élèves.* SYN. fatiguer, lasser. ANT. amuser, désennuyer. HOM. ennuyé. ☞ désennuyer, ennui, ennuyé, ennuyeux.

s'ennuyer v.pron. **1.** Souffrir de l'absence d'une personne: *J'ai hâte de te revoir, je m'ennuie de toi.* **2.** Éprouver de l'ennui, perdre tout intérêt ou avoir un sentiment de vide: *Je ne m'ennuie pas quand je suis avec mes amis.* SYN. s'embêter.

ennuyeux, euse adj. **1.** Qui cause de la contrariété, du souci, du désagrément: *C'est ennuyeux que vous ne puissiez pas assister à la fête.* SYN. embêtant, fâcheux, gênant. ANT. agréable, plaisant. **2.** Qui ennuie, qui ne suscite aucun intérêt, en parlant de quelqu'un ou de quelque chose: *Ce film est mortellement ennuyeux.* SYN. assommant, endormant, monotone. ANT. amusant, intéressant. ☞ ennuyer.

ennui ennuyer ennuyeux

énoncé n.m. Suite de mots par lesquels un problème, un règlement, etc., est exprimé: *Lisez attentivement l'énoncé du problème.* SYN. formulation. HOM. énoncer. ☞ énoncer.

énoncer v. Exprimer, oralement ou par écrit, en termes précis: *L'enseignante énonce les données du problème.* SYN. exposer, formuler. HOM. énoncé. **R.** Ne pas oublier la cédille devant *a* et *o*. ☞ énoncé.

enorgueillir v. Rendre orgueilleux, fier: *Les succès de ses élèves l'enorgueillissent.* ANT. humilier. ☞ orgueil. **s'enorgueillir** v.pron. Tirer fierté de quelque chose: *L'entraîneur s'enorgueillit de la victoire de son équipe.* **R.** Après le *g*, on écrit *ueil.*

énorme adj. **1.** Qui est très grand, très gros; dont les dimensions sont considérables: *Les dinosaures étaient des animaux énormes.* SYN. gigantesque, immense. ANT. menu, petit. **2.** Qui surpasse la quantité ou l'importance habituelle: *Il y a une énorme concentration de chevreuils dans cette région.* SYN. extraordinaire, formidable. ANT. insignifiant, minime, ordinaire. ☞ énormément, énormité.

énormément adv. Vraiment beaucoup: *Il a dépensé énormément d'argent.* ☞ énorme.

énormité n.f. **1.** Caractère de ce qui est énorme, d'une grandeur, d'une importance considérable: *L'énormité de ce travail ne te découragera pas, j'espère.* SYN. ampleur. **2.** Sottise, erreur énorme; parole, action extravagante: *Le texte de Sylvain est plein d'énormités.* ☞ énorme.

s'enquérir v.pron. Se renseigner, s'informer: *Elle s'est enquis du prix de votre maison.*

enquête n.f. **1.** Procédure qui permet d'établir la vérité par l'audition de témoins et l'accumulation d'informations: *La commission d'enquête sur l'enseignement a entendu quatre témoins hier.* **2.** Étape d'une procédure judiciaire qui comporte les interrogatoires: *L'inspecteur conduit l'enquête adroitement.* **3.** Recherche méthodique s'appuyant sur des témoignages, des faits, des documents: *J'irai moi-même faire ma petite enquête.* SYN. investigation. **4.** Étude d'une question, souvent d'intérêt public, qui s'appuie sur les témoignages de certaines personnes: *On vient de publier les résultats d'une enquête sur les valeurs des jeunes.* SYN. sondage. **R.** Ne pas oublier l'accent: *ê.* ☞ enquêter, enquêteur.

enquêter v. Faire une enquête, chercher des renseignements, tenter d'établir la vérité: *On enquête pour découvrir l'auteur de ce déversement de matières polluantes.* **R.** Ne pas oublier l'accent: *ê.* ☞ enquête.

enquêteur, euse n. et adj. **1.** n. Personne chargée de mener une enquête: *Une enquêteuse s'occupe d'éclaircir cette affaire embrouillée.* **2.** adj. Qui est chargé de mener une enquête: *Les témoins répondaient aux questions du juge enquêteur.* **R.** Ne pas oublier l'accent: *ê.* ☞ enquête.

enraciné, ée adj. **1.** Qui est solidement fixé par ses racines: *Le propriétaire veut couper cet érable enraciné depuis trente ans.* **2.** fig. Qui est ancré profondément dans l'esprit, dans les habitudes: *Son goût de l'aventure bien enraciné la rend imprudente.* HOM. enraciner. ☞ racine.

enraciner v. **1.** Faire prendre racine à une plante, à un arbre: *La pépiniériste a mis un engrais pour enraciner cet arbre.* **2.** fig. Ancrer profondément dans l'esprit, dans les habitudes: *Les superstitions ont enraciné certains comportements bizarres.* HOM. enraciné. ☞ racine. **s'enraciner** v.pron. **1.** Prendre racine: *Certaines plantes s'enracinent sur les rochers.* **2.** fig. Se fixer, s'implanter dans l'esprit, dans les habitudes: *Une haine implacable s'est enracinée en elle.* SYN. s'incruster.

enragé, ée n. et adj. **1.** n.fam. Personne passionnée par quelque chose: *Julien est un enragé de ski alpin.* **2.** adj.fam. Qui est passionné par quelque chose: *Elle est enragée de musique.* **3.** adj. Qui est furieux, fou de colère: *Il devient enragé quand on le contredit.* **4.** adj. Qui est atteint de la rage: *On ne peut garder un chien enragé.* HOM. enrager. ☞ rage.

enrageant, ante adj. Qui est énervant, qui fait ressentir de la colère: *Ton attitude nonchalante est enrageante.* SYN. exaspérant, irritant. **R.** Ne pas oublier le *e* après le *g.* ☞ rage.

enrager v. Ressentir un chagrin mêlé de colère: *J'enrage devant cette situation sans issue.* SYN. rager. ANT. apaiser, calmer. HOM. enragé. ⫽ *Faire enrager quelqu'un:* Agacer, exaspérer quelqu'un. ☞ rage.

enrayage n.m. Fait de s'enrayer, de se bloquer accidentellement: *L'enrayage de mon fusil de chasse m'a fait perdre une belle prise.* ☞ enrayer.

enrayement n.m. Fait d'arrêter une progression: *La vaccination obligatoire des élèves a été la principale mesure d'enrayement de l'épidémie de rougeole.* **R.** Aussi, *enraiement.* ☞ enrayer.

enrayer v. **1.** Bloquer accidentellement: *Une accumulation de poussière a enrayé le système d'alarme.* ANT. débloquer. **2.** Arrêter une progression: *Ces mesures énergiques ont pour but d'enrayer l'inflation.* SYN. juguler. ☞ enrayage, enrayement. **s'enrayer** v.pron. Se coincer, se bloquer accidentellement, en parlant d'une arme, d'un mécanisme: *Cette poulie s'enraye au moindre grain de sable.*

enregistrement n.m. **1.** Inscription officielle ou privée de contrats ou d'actes légaux: *L'enregistrement de la naissance de tout citoyen est obligatoire.* **2.** Action, manière de fixer, de conserver et de reproduire des sons, des images à l'aide de techniques et d'appareils divers: *On a procédé à l'enregistrement d'une émission de télévision à mon école.* **3.** Son ou image enregistrés; manière dont ils sont enregistrés: *J'ai un bon enregistrement de ma chanteuse préférée.* ⫽ *Enregistrement des bagages:* Opération par laquelle on consigne les bagages dont les voyageurs ne conservent pas la garde. **R.** N'a pas le sens de *certificat d'immatriculation.* ☞ enregistrer.

enregistrer v. **1.** Inscrire sur un registre officiel, privé ou public: *Le contrat de vente a été enregistré hier.* **2.** Rapporter par écrit, noter: *Chaque année, on enregistre de nouveaux mots dans le dictionnaire.* SYN. consigner. **3.** fig. Garder dans sa mémoire, prendre bonne note de quelque chose: *Les élèves enregistrent les explications.* **4.** Inscrire ou faire inscrire le dépôt de quelque chose: *Nous devons faire enregistrer nos bagages au moins une heure avant le départ de l'avion.* SYN. consigner. **5.** Observer, constater: *On enregistre de fortes variations barométriques.* **6.** Transcrire et fixer des informations, un phénomène à étudier, à l'aide de divers appareils techniques: *L'appareil enregistre les pulsations de son cœur.* **7.** Fixer un son, une image sur un disque, un film, une bande magnétique, afin de les conserver et de les reproduire: *Le matériel technique servant à enregistrer est de plus en plus perfectionné.* **8.** Produire des sons, des images qui seront fixés et conservés: *Ce chanteur aimerait enregistrer un disque.* **R.** N'a pas le sens de *recommander* (une lettre). ☞ enregistrement, enregistreur.

enregistreur n.m. Appareil qui sert à enregistrer, à transcrire et à fixer des informations, un phénomène à étudier: *L'enregistreur de vol, appelé aussi « boîte noire », fournit de précieuses informations sur les conditions du vol.* ☞ enregistrer.

enregistreur, euse adj. Qui sert à enregistrer un phénomène, une somme, un son: *Le tiroir de la caisse enregistreuse était coincé.* ☞ enregistrer.

enrhumé, ée adj. Qui a attrapé un rhume: *Vous devriez vous soigner, vous avez l'air enrhumé.* HOM. enrhumer. ☞ rhume.

enrhumer v. Causer le rhume: *Un simple courant d'air suffit à l'enrhumer.* HOM. enrhumé. ☞ rhume. **s'enrhumer** v.pron. Attraper un rhume: *Je me suis enrhumée à cause d'un refroidissement.*

enrichi, ie adj. **1.** Qui est devenu riche; qui est riche depuis peu de temps: *Cette gagnante enrichie par la chance continue de parier.* **2.** Dont les constituants ont été augmentés: *Le sol enrichi de mon jardin produira de bons légumes.* ☞ riche.

enrichir v. **1.** Rendre quelqu'un riche ou augmenter sa richesse: *La vente de ces terrains a enrichi leurs propriétaires.* ANT. appauvrir. **2.** fig. Augmenter la valeur, l'importance de quelque chose en y ajoutant un élément précieux ou nouveau: *Il a enrichi sa collection de bijoux d'une pierre précieuse.* **3.** fig. Augmenter, élever à un plus haut niveau: *La lecture enrichit l'esprit.* **4.** Modifier, traiter une substance en augmentant ses constituants: *La pâtissière enrichit sa pâte.* ☞ riche. **s'enrichir** v.pron. Devenir riche ou augmenter ses richesses: *Son seul but dans la vie est de s'enrichir toujours davantage.* ANT. s'appauvrir.

enrichissant, ante adj. Qui apporte de l'enrichissement à l'esprit: *Cette conférence a été enrichissante.* SYN. instructif. ANT. abêtissant. ☞ riche.

enrichissement n.m. **1.** Fait de s'enrichir, de faire fortune: *Son enrichissement provient de la découverte d'un gisement de pétrole.* ANT. appauvrissement, ruine. **2.** Élément qui enrichit, qui augmente la valeur, l'importance: *Les œuvres de cette peintre sont un enrichissement pour le musée.* ANT. perte, ruine. ☞ riche.

enrobage n.m. Couche qui enrobe, qui enveloppe un produit: *Ces raisins secs ont un* *délicieux enrobage au yogourt.* **R.** Aussi, *enrobement.* ☞ enrober.

enrober v. **1.** Recouvrir un produit d'une enveloppe, d'une couche qui protège, qui cache : *J'ai enrobé moi-même ces fruits en les glaçant.* **2.** fig. Arranger, déguiser dans le but de dissimuler ou d'adoucir : *Les politiciens ont l'art d'enrober leurs déclarations publiques.* SYN. enjoliver, travestir. ☞ enrobage.

enrôlement n.m. Action d'engager ou de s'engager dans l'armée : *Son enrôlement dans l'armée de l'air a surpris tous ses amis.* SYN. engagement. **R.** Ne pas oublier l'accent : *ô*. ☞ enrôler.

enrôler v. **1.** Engager dans l'armée : *Il est déjà arrivé qu'on enrôle des hommes contre leur gré.* SYN. recruter. ANT. licencier. **2.** fig. Convaincre d'entrer dans un groupe, un parti : *Ce parti politique cherche à enrôler de nouveaux membres.* SYN. recruter. ANT. bannir, exclure, proscrire. ☞ enrôlement. **s'enrôler** v.pron. S'engager librement dans l'armée : *Son seul désir était de s'enrôler dans la marine.* **R.** Ne pas oublier l'accent : *ô*.

enroué, ée adj. Qui est devenu rauque, qui produit des sons voilés, peu clairs : *Il a répondu au téléphone d'une voix enrouée.* ☞ s'enrouer.

enrouement n.m. Changement dans la voix causé par une inflammation du larynx : *Son enrouement est passager, elle retrouvera vite sa voix claire.* **R.** Le *e* de la deuxième syllabe ne se prononce pas. ☞ s'enrouer.

s'enrouer v.pron. Devenir enroué, rauque : *Si tu cries trop, ta voix va s'enrouer.* ANT. s'éclaircir. ☞ enroué, enrouement.

enroulement n.m. **1.** Motif de décoration qui s'enroule en spirale : *Les délicats enroulements dessinés sur cette toile produisent un bel effet.* **2.** Disposition d'une chose qui est enroulée sur elle-même ou autour d'une autre chose : *L'enroulement des feuilles de certaines plantes indique qu'elles sont atteintes d'une maladie.* ☞ enrouler.

enrouler v. **1.** Disposer une chose en la roulant sur elle-même : *Le matelot enroulait le cordage.* ANT. dérouler. **2.** Disposer autour de quelque chose ou sur quelque chose en roulant : *J'enroule le tuyau d'arrosage sur le dévidoir.* ANT. dérouler. ☞ enroulement. **s'enrouler** v.pron. **1.** Être disposé en rouleau, en spirale : *Ses cheveux s'enroulaient en boucles souples.* **2.** S'envelopper en roulant autour de soi : *Nicole s'enroule dans son sac de couchage.*

enrubanner v. Décorer de rubans : *Je lui ai demandé d'enrubanner la boîte de chocolats.* ☞ ruban.

ensablement n.m. Accumulation de sable due à l'eau ou au vent ; état d'un lieu recouvert par cette accumulation : *L'ensablement de la baie nuit à la navigation.* ☞ sable.

s'ensabler v.pron. **1.** S'échouer, s'engloutir dans le sable : *Le moteur de notre bateau s'est ensablé.* SYN. s'enliser. **2.** Se remplir de sable : *La baie s'ensable graduellement.* ☞ sable.

ensanglanter v. **1.** Souiller de sang par une guerre, un meurtre : *La guerre a ensanglanté le pays.* **2.** Tacher de sang : *La blessure a ensanglanté sa chemise.* ☞ sang.

enseignant, ante n. et adj. **1.** n. Personne dont le métier est d'enseigner, de transmettre à d'autres des connaissances : *Cette enseignante donne des leçons particulières de français.* **2.** adj. Qui se rapporte à l'enseignement, à l'art de transmettre des connaissances aux autres : *Les instituteurs et les institutrices font partie du corps enseignant.* ☞ enseigner.

enseigne n.f. Panneau qui porte un symbole ou une inscription et qui signale un commerce, un établissement : *Au loin, nous avons reconnu l'enseigne d'une fromagerie.* SYN. pancarte.

enseignement n.m. **1.** Action d'enseigner ; art, manière de transmettre des connaissances, d'instruire un élève : *Il y a plusieurs méthodes d'enseignement.* **2.** Chacun des niveaux et des domaines de l'organisation scolaire : *Notre système d'éducation comporte plusieurs ordres d'enseignement général : le primaire, le secondaire, le collégial et l'universitaire.* **3.** Carrière de l'enseignant : *J'ai décidé d'entrer dans l'enseignement.* **4.** Leçon donnée par les événements, les expériences : *J'ai tiré des enseignements de cette aventure.* ⁄⁄ *Enseignement privé :* Enseignement donné dans un établissement qui ne dépend pas de l'État. *Enseignement public :* Enseignement donné dans un établissement qui dépend de l'État. ☞ enseigner.

enseigner v. **1.** Donner l'instruction, transmettre des connaissances à un ou plusieurs élèves : *Cet enseignant maîtrise bien la matière qu'il enseigne.* **2.** Apprendre, montrer : *Cet incident leur a quand même enseigné qu'il fallait agir avec prudence.* ☞ enseignant, enseignement.

ensemble n.m. **1.** Réunion de personnes ou de choses : *Cet ensemble vocal est connu mondialement.* SYN. groupe. **2.** Réunion totale des éléments d'un tout : *Pour bien connaître* *cette écrivaine, il faut lire l'ensemble de son œuvre.* **3.** Pièces assorties d'un habillement, d'un mobilier: *Les ensembles de sport sont à la mode.* **4.** Unité résultant de la synchronisation, de la concordance de divers éléments: *Les danseurs évoluaient avec un ensemble parfait.* **5.** Réunion d'éléments ou de nombres possédant certaines propriétés et qui peuvent avoir entre eux certaines relations: *L'intersection de deux ensembles signifie que des éléments sont communs à ces deux ensembles.* ∥ *Vue d'ensemble:* Vue globale. ☞ sous-ensemble. dans l'**ensemble** loc.adv. En général: *Il y a eu quelques petits imprévus mais, dans l'ensemble, le voyage s'est bien passé.*

ensemble adv. **1.** Collectivement, de concert: *Nous travaillons ensemble à ce projet.* SYN. conjointement. ANT. individuellement, isolément. **2.** Collectivement et en même temps: *Chantons tous ensemble.*

ensemencement n.m. Action de semer des graines: *L'ensemencement du jardin se fait tôt au printemps.* ☞ semer.

ensemencer v. Semer, mettre des graines en terre: *L'agricultrice a ensemencé le champ de maïs.* **R.** Ne pas oublier la cédille devant *a* et *o*. ☞ semer.

enserrer v. Entourer en serrant très près: *Un bandage lui enserrait la tête.*

ensevelir v. **1.** litt. Mettre un corps au tombeau ou l'envelopper d'un linceul: *On ensevelissait les pharaons dans les pyramides.* SYN. enterrer. **2.** Faire disparaître en recouvrant entièrement: *Une avalanche a enseveli notre chalet.* SYN. enfouir, engloutir. ☞ ensevelissement. s'**ensevelir** v.pron. S'enfoncer dans un sentiment, s'isoler: *Gino s'est enseveli dans une tristesse profonde.*

ensevelissement n.m. **1.** litt. Action d'ensevelir, de mettre un corps au tombeau: *Nous n'avons pas assisté à l'ensevelissement de la défunte.* SYN. enterrement. **2.** Fait d'être enfoui, recouvert: *La récupération des déchets serait préférable à leur ensevelissement.* SYN. enfouissement. ☞ ensevelir.

ensilage n.m. Conservation des produits végétaux par entreposage dans des silos: *Les cultivateurs procèdent à l'ensilage du maïs à la fin de l'été.* ☞ silo.

ensiler v. Mettre des produits végétaux dans des silos, dans le but de les conserver: *Il faut ensiler le fourrage dont se nourrira le bétail pendant l'hiver.* ☞ silo.

ensoleillement n.m. État d'un endroit où il y a beaucoup de soleil; temps pendant lequel un endroit reçoit la lumière du soleil: *L'ensoleillement de cette pièce entraîne une économie d'électricité.* ☞ soleil.

ensoleiller v. **1.** Remplir de la lumière du soleil, éclairer par les rayons du soleil: *Aucun rayon n'ensoleille cette pièce.* SYN. illuminer. ANT. assombrir, ombrager. **2.** fig. Remplir de joie, de bonheur: *Les enfants ensoleillent la vie de leurs parents.* SYN. illuminer. ANT. attrister, ombrager. ☞ soleil. **ensoleillé, ée** p.p. et adj. Qui est rempli de soleil, exposé au soleil: *Nous avons pleinement profité de cette journée ensoleillée.*

ensommeillé, ée adj. Qui est encore sous l'influence du sommeil: *Très souvent, Paula arrivait à l'école encore tout ensommeillée.* SYN. somnolent. ☞ sommeil.

ensorcelant, ante adj. Qui est fascinant, envoûtant: *Son sourire ensorcelant m'a tout de suite séduite.* SYN. ensorceleur, séduisant. ☞ ensorceler.

ensorceler v. **1.** Jeter un sort sur quelqu'un, livrer à une influence magique: *Ce livre raconte l'histoire de deux enfants qu'une sorcière avait ensorcelés.* SYN. envoûter. **2.** fig. Captiver, charmer: *Avec ses belles paroles, elle l'avait ensorcelé.* SYN. fasciner, séduire. **R.** Ne pas oublier de doubler le *l* devant un *e* muet. ☞ ensorcelant, ensorceleur, ensorcellement.

ensorceleur, euse n. et adj. **1.** n. Personne qui séduit, qui charme irrésistiblement: *Comment résister à cet ensorceleur?* **2.** adj. Qui séduit, qui charme irrésistiblement: *Ce chanteur a une voix ensorceleuse.* SYN. ensorcelant. ☞ ensorceler.

ensorcellement n.m. **1.** Action d'ensorceler, de jeter un sort sur quelqu'un; état d'une personne sur qui on a jeté un sort: *Une bonne fée a mis fin à l'ensorcellement du prince.* SYN. enchantement, envoûtement. **2.** fig. Séduction, fascination: *Il subit l'ensorcellement de sa charmante épouse.* SYN. charme, envoûtement. ☞ ensorceler.

ensorcelant ensorceler ensorcellement

ensuite adv. **1.** Plus tard, par la suite: *Hachons les légumes, nous les ferons cuire ensuite.* **2.** Derrière en suivant: *Il y avait d'abord la fanfare, venait ensuite la troupe des majorettes.* **3.** En second lieu: *Le travail d'abord, le plaisir ensuite.*

s'**ensuivre** v.pron. Survenir comme effet naturel ou comme conséquence logique: *Il craignait la maladie et toutes les difficultés* *qui s'ensuivent.* SYN. résulter. **R.** S'emploie seulement à l'infinitif et à la troisième personne du singulier ou du pluriel.

entacher v. Salir moralement : *Cette mauvaise action entache sa réputation.* SYN. ternir. ☞ tache.

entaille n.f. **1.** Coupure profonde dans les chairs : *La médecin doit soigner cette entaille au pied.* SYN. taillade. **2.** Coupure, encoche qui enlève de la matière et laisse une marque ; cette marque : *On a fait une entaille dans le tronc du pommier afin de greffer une branche.* ☞ entailler.

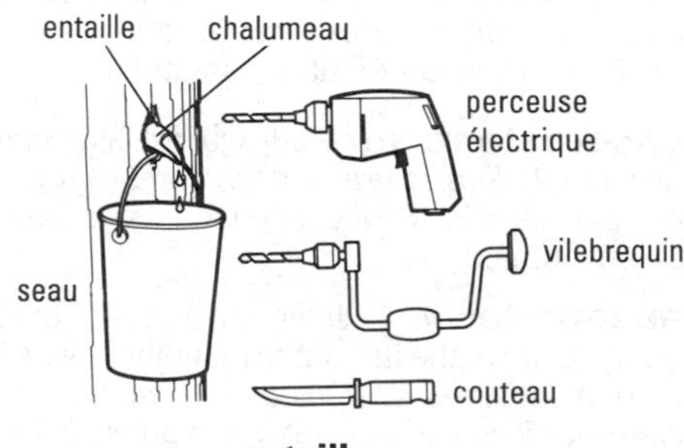

entaille

entailler v. **1.** Blesser, couper : *Une branche lui a entaillé la joue.* **2.** Faire une entaille, une encoche dans quelque chose : *Le bûcheron entaille le tronc de l'arbre.* ☞ entaille. **s'entailler** v.pron. Se couper, se taillader : *Il s'est entaillé un doigt en coupant la viande.*

entamer v. **1.** Couper, enlever un premier morceau dans quelque chose qui était entier : *Cette gourmande a entamé le gâteau.* **2.** Couper en faisant une incision : *Ce coup de hache lui a entamé la chair.* SYN. entailler, inciser. **3.** Pénétrer dans une matière, abîmer : *La rouille entame le fer qui n'a pas été protégé.* SYN. attaquer, ronger. ▲ **entamer** v. Commencer, amorcer : *Les deux nations viennent d'entamer les pourparlers.* SYN. entreprendre. ANT. achever.

entartrer v. Couvrir de tartre : *Le calcaire entartre la bouilloire.* ANT. détartrer. ☞ tartre.

entassement n.m. **1.** Action d'entasser, de mettre en tas ; choses qui sont entassées : *Un entassement de boîtes devant la porte du garage en obstruait l'accès.* SYN. accumulation, amas. ANT. dispersion, éparpillement. **2.** Fait de s'entasser, de se serrer en grand nombre dans un espace étroit : *L'entassement des passagers dans l'autobus est désagréable.* ☞ entasser.

entasser v. **1.** Réunir en tas, souvent sans ordre : *J'ai la mauvaise habitude d'entasser mes vêtements dans ma garde-robe.* SYN. empiler. ANT. disperser, éparpiller. **2.** Grouper, serrer dans un endroit trop étroit : *On a entassé vingt personnes dans le bureau.* SYN. tasser. **3.** Économiser, épargner : *Ce commerçant avare entasse son argent.* SYN. accumuler, amasser. ANT. dépenser, prodiguer. **4.** Accumuler, multiplier à l'excès : *Cet ouvrage qui entasse les citations cherche à éblouir le lecteur.* ☞ entassement. **s'entasser** v.pron. **1.** Être en tas, souvent sans ordre : *Toutes sortes de papiers s'entassaient dans son tiroir.* **2.** Se serrer dans un endroit trop étroit : *Les invités s'entassent dans le salon trop petit.*

entendeur n.m.vx Personne qui entend, qui comprend bien ou mal : *Un bon entendeur sait profiter de l'expérience des autres.* ⁄⁄ *À bon entendeur, salut :* Que celui qui comprend sache en tirer profit. ☞ entendre.

entendre v. **1.** Percevoir, saisir les sons par l'ouïe : *J'ai entendu son pas dans l'escalier.* **2.** Saisir plus ou moins bien par l'ouïe : *J'entends mal, il y a trop de bruit ici.* **3.** litt. Prêter une oreille attentive, écouter attentivement : *Il faut entendre leurs raisons avant de les punir.* **4.** Écouter : *Quel plaisir d'entendre cette artiste lyrique.* ⁄⁄ *À l'entendre :* Si on l'écoute. *Entendre raison :* Approuver ce qui est raisonnable, juste. *Faire entendre raison à quelqu'un :* Convaincre quelqu'un. ☞ malentendant, réentendre. ▲ **entendre** v. **1.** litt. Saisir par l'intelligence, comprendre : *J'entends très bien ce que tu veux dire.* **2.** Vouloir dire, donner un sens : *Qu'entends-tu par là ?* **3.** Vouloir, désirer : *Fais comme tu l'entends.* **4.** Exiger : *J'entends qu'on exécute mes ordres.* ⁄⁄ *Laisser entendre :* Insinuer. ☞ entendeur, entendu, entente, mésentente. **s'entendre** v.pron. **1.** Être saisi par l'ouïe : *Le bruit de l'éboulement s'entendit de très loin.* **2.** Être habile, avoir des connaissances dans une chose : *Elle s'entend en affaires comme personne.* **3.** Se mettre d'accord : *Ces associés se sont finalement entendus.* ⁄⁄ *S'entendre avec quelqu'un :* S'accorder avec quelqu'un. *S'y entendre :* Être expert en la matière.

entendu, ue adj. **1.** Qui est convenu, décidé : *Nous partageons la tâche, c'est un fait entendu.* SYN. établi. **2.** Qui indique la complicité, la ruse et la finesse : *À son air entendu, j'ai compris qu'elle m'encouragerait.* SYN. complice. ⁄⁄ *Entendu ! :* D'accord ! ☞ entendre. bien **entendu** loc.adv. Évidemment, naturellement : *Bien entendu, nous comptons sur votre présence à cette soirée.*

entente n.f. **1.** Fait de s'entendre, de se mettre d'accord ; son résultat : *L'entente est conclue entre les deux grandes nations.* SYN.

accord, pacte. ANT. conflit, désaccord. **2.** Relation agréable, amicale, entre des personnes : *L'entente règne dans ce secrétariat.* SYN. concorde, harmonie, union. ANT. dispute, mésentente, zizanie. ☞ entendre.

enterrement n.m. **1.** Action d'enterrer un corps, de descendre un cercueil en terre : *Tout le monde était triste lors de l'enterrement de mon ami.* SYN. ensevelissement, inhumation. ANT. déterrement, exhumation. **2.** Ensemble des cérémonies qui ont lieu avant et après la mise en terre : *Pierre doit aller à l'enterrement d'une cousine éloignée.* SYN. funérailles, obsèques. ∥ *Avoir une mine, une tête d'enterrement:* Avoir l'air triste. ☞ terre.

enterrer v. **1.** Mettre un corps en terre : *Ma tante a été enterrée auprès des siens.* SYN. ensevelir, inhumer. ANT. déterrer, exhumer. **2.** fig. Abandonner, oublier : *L'histoire de ce crime a été enterrée définitivement.* ☞ terre. ▲ **enterrer** v. **1.** Enfouir dans la terre : *Fido a enterré son os dans le jardin.* ANT. déterrer. **2.** Recouvrir entièrement : *La voiture a été enterrée par l'avalanche.* SYN. engloutir, ensevelir. ☞ terre. **s'enterrer** v.pron. S'isoler, se retirer : *S'enterrer chez elle ne dissipera pas sa tristesse.*

en-tête n.m. Inscription dans la partie supérieure d'un document, d'une lettre d'affaires : *En en-tête de la lettre, on pouvait lire le nom de l'expéditeur.* **R.** Au pluriel, *en-têtes*. Ne pas oublier l'accent : *ê*.

entêté, ée n. et adj. **1.** n. Personne têtue, obstinée : *Toutes nos tentatives pour la convaincre ont échoué ; quelle entêtée !* **2.** adj. Qui est têtu, obstiné : *Sylvain est si entêté qu'on ne peut jamais le faire changer d'avis.* SYN. opiniâtre. ANT. changeant, influençable, souple. HOM. entêter. **R.** Ne pas oublier l'accent : *ê*. ☞ s'entêter.

entêtement n.m. **1.** Fait de persister dans une attitude, une volonté, refus de céder : *Aucun argument ne pouvait venir à bout de son entêtement.* SYN. obstination, opiniâtreté, ténacité. ANT. docilité, souplesse. **2.** Caractère d'une personne têtue, obstinée : *Il est d'un entêtement exaspérant.* **R.** Ne pas oublier l'accent : *ê*. ☞ s'entêter.

s'entêter v.pron. Refuser de céder, persister dans une attitude, une volonté : *Comment faire entendre raison à un enfant qui s'entête ?* SYN. se buter, s'obstiner. **R.** Ne pas oublier l'accent : *ê*. ☞ entêté, entêtement.

enthousiasmant, ante adj. Qui provoque l'enthousiasme, la joie : *Cette architecte travaille sur un projet enthousiasmant.* ☞ enthousiasme.

enthousiasme n.m. **1.** Sentiment de joie, de ravissement, qui se manifeste par une sorte d'excitation joyeuse : *Ses parents sont surpris de son enthousiasme inhabituel.* SYN. emballement, exaltation. ANT. apathie, indifférence. **2.** Émotion qui porte à l'admiration : *Le spectacle a soulevé l'enthousiasme de la foule.* SYN. emballement, engouement. ANT. froideur, indifférence. ☞ enthousiasmant, enthousiasmer, enthousiaste.

enthousiasmer v. Remplir d'enthousiasme, causer un sentiment de joie, de ravissement, d'admiration : *L'idée de ce voyage nous a enthousiasmées.* SYN. emballer, enchanter. ANT. dégoûter, désenchanter. ☞ enthousiasme. **s'enthousiasmer** v.pron. S'emballer, s'enflammer : *Il s'enthousiasme pour un rien.* SYN. s'exalter, se passionner. **enthousiasmé, ée** p.p. et adj. Qui indique la joie, le ravissement : *Il regarde le spectacle avec des yeux enthousiasmés.*

enthousiaste adj. Qui éprouve ou qui indique de l'enthousiasme, du ravissement : *Le public enthousiaste rappelait l'artiste.* SYN. chaleureux, exalté. ANT. blasé, désabusé, froid. ☞ enthousiasme.

s'enticher v.pron. Développer rapidement un goût exagéré pour quelqu'un ou quelque chose : *Ma voisine s'est entichée des oiseaux et passe des heures à les observer.* SYN. s'amouracher, s'engouer, s'éprendre, se passionner. ANT. se dégoûter, se détacher.

entier n.m. **1.** Totalité d'une chose : *Il faut voir le spectacle dans son entier pour l'apprécier.* **2.** Nombre qui n'est pas fractionné : *L'entier est une notion importante en mathématique.* **en entier** loc.adv. Complètement : *J'ai regardé le film en entier.*

entier, ière adj. **1.** Qui est complet : *La mort de John Kennedy a secoué le monde entier.* **2.** Qui n'est pas fractionné, en parlant d'un nombre : *Huit est un nombre entier.* **3.** Qui est total, parfait, plein : *J'ai une entière confiance en son diagnostic.* ☞ entièrement. ▲ **entier, ière** adj. Qui a un caractère absolu, total, catégorique : *Les fanatiques réagissent d'une manière entière à la critique.*

entièrement adv. D'une manière entière, complète : *Le feu a entièrement détruit la maison.* SYN. complètement, totalement. ANT. incomplètement, partiellement. ☞ entier.

entomologie n.f. Science qui a pour but l'étude des insectes : *L'entomologie est une science qui fait partie de la zoologie.* ☞ entomologique, entomologiste.

entomologique adj. Qui se rapporte à l'entomologie, l'étude des insectes : *Cette* *scientifique a entrepris une recherche entomologique importante.* ☞ entomologie.

entomologiste n. Personne qui étudie les insectes : *L'entomologiste observe les insectes et étudie leurs comportements.* ☞ entomologie.

entonner v. Commencer à chanter les premières notes d'une chanson, d'un air connu : *Les invités ont entonné, sur l'air de la chanson de Gilles Vigneault, « Mon cher papa, c'est à ton tour... ».*

entonnoir n.m. Ustensile de forme conique utilisé pour verser un liquide dans un contenant à petite ouverture : *J'ai utilisé un entonnoir pour verser ce sirop bouillant dans la bouteille.* ⫽ *En entonnoir :* En forme d'entonnoir.

entorse n.f. **1.** Blessure douloureuse à une articulation : *Au cours d'éducation physique, Aline s'est fait une entorse à la cheville.* SYN. foulure, luxation. **2.** fig. Manquement, désobéissance : *J'ai fait une entorse à mon régime en mangeant ce gâteau.*

entortillement n.m. Fait de s'entortiller, de s'enrouler autour d'une chose ; état d'une chose qui est entortillée : *L'entortillement de la vigne autour du treillis est du plus bel effet.* SYN. enlacement. **R.** Les lettres *ill* se prononcent comme dans *famille*. ☞ entortiller.

entortiller v. **1.** Envelopper un objet en tortillant quelque chose autour : *On a entortillé ces bonbons dans des papillotes.* ANT. désentortiller. **2.** fig. Séduire par la ruse, persuader par des paroles trompeuses : *Cette habile conférencière sait entortiller son auditoire.* SYN. emberlificoter. **3.** fig. Embrouiller des paroles, des explications, des phrases par des tournures obscures et compliquées : *Il est vraiment doué pour entortiller ses phrases !* SYN. compliquer. ANT. simplifier. ☞ désentortiller, entortillement. **entortillé, ée** p.p. et adj. Qui est obscur et compliqué : *Elle n'a pas cru à ces explications entortillées.* SYN. embrouillé. ANT. clair. **R.** Les lettres *ill* se prononcent comme dans *famille*.

entour n.m.litt. Voisinage, environnement proche : *Les entours boisés de notre maison accueillaient une multitude d'oiseaux.* **R.** S'emploie surtout au pluriel. **à l'entour** loc.adv. Tout autour : *Les champs à l'entour étaient recouverts de neige.* **à l'entour de** loc.prép. Tout autour de : *Les pigeons voletaient à l'entour du clocher.*

entourage n.m. Groupe de personnes vivant près de nous : *Plusieurs personnes de mon entourage ont accepté de m'aider lors de mon déménagement.* SYN. milieu, voisinage. ☞ entourer.

entourer v. **1.** Disposer autour de quelqu'un ou de quelque chose : *Un règlement municipal nous oblige à entourer la piscine d'une clôture.* SYN. ceinturer, clôturer. **2.** Être autour de quelque chose de manière à l'enfermer : *Une haie de cèdres entoure cette résidence.* SYN. encadrer, encercler. **3.** fig. Combler, remplir : *Le mystère entoure cette histoire.* **4.** Cerner, encercler : *Les pompiers entourent l'édifice en flammes.* ▲ **entourer** v. Consoler, aider quelqu'un : *Ses amis l'entourent pour lui faire oublier sa peine.* SYN. réconforter. ANT. abandonner, négliger. **s'entourer** v.pron. Mettre, réunir autour de soi : *La mairesse a su s'entourer de conseillers compétents.* ☞ entourage.

entourloupette n.f.fam. Plaisanterie, mauvais tour que l'on joue à quelqu'un : *Son meilleur ami lui a fait une entourloupette.*

entournure n.f. Partie du vêtement qui fait le tour du bras, là où la manche est cousue : *La couturière devra refaire les entournures trop grandes de ce manteau.*

entracte n.m. Interruption qui sépare les parties d'un spectacle : *Les lumières clignotent pour nous avertir que l'entracte est terminé.* SYN. interlude, intermède, pause.

entraide n.f. Aide mutuelle, réciproque, collaboration entre des personnes ou des organismes : *Des comités d'entraide ont été formés pour secourir les victimes du désastre.* SYN. assistance, secours. ☞ aider.

s'entraider v.pron. Se rendre service mutuellement : *Dans ce quartier, les gens s'entraident.* SYN. s'aider, se soutenir. ANT. se combattre, se nuire. ☞ aider.

entrailles n.f.plur. **1.** Ensemble des organes situés dans l'abdomen : *Dans l'Antiquité, les devins romains prédisaient l'avenir en examinant les entrailles d'animaux sacrifiés.* **2.** litt. Organes féminins où le fœtus se développe : *Ma mère a senti le fœtus s'agiter dans ses entrailles.* **3.** fig. et litt. Partie la plus profonde, la plus intime d'une chose : *Une masse de matières en fusion s'échappe des entrailles du volcan.*

entrain n.m. **1.** Gaieté, bonne humeur : *Son entrain stimule son entourage.* SYN. enthousiasme, fougue, vie. ANT. apathie, inertie, tristesse. **2.** Vivacité, enthousiasme, dans les actions, les paroles : *La discussion manque d'entrain.* SYN. ardeur, dynamisme, énergie.

entraînant, ante adj. Qui incite à la gaieté, qui stimule : *Cet air entraînant donne le goût de danser.* **R.** Ne pas oublier l'accent : *î*. ☞ entraîner.

entraînement n.m. **1.** Période importante de préparation à la compétition: *Les séances d'entraînement exigent beaucoup de discipline personnelle.* **2.** Préparation méthodique ou apprentissage par l'expérience, l'habitude: *Avec un peu d'entraînement, tu écriras rapidement.* ☞ entraîner. ▲ **entraînement** n.m. Force qui pousse irrésistiblement à agir: *Elle cède volontiers à ses entraînements pour le jeu.* SYN. élan, impulsion. **R.** Ne pas oublier l'accent: *î.* ☞ entraîner.

entraîner v. Préparer une personne, une équipe, un animal à une compétition; faire acquérir, par des exercices, les qualités requises: *Mon institutrice entraîne une équipe de basket-ball qui représentera notre école.* ☞ entraînement, entraîneur. ▲ **entraîner** v. **1.** Emporter avec vigueur: *Le courant entraînait les nageurs vers le large.* SYN. charrier. ANT. arrêter, freiner, retenir. **2.** Conduire quelqu'un, le mener: *Elle entraîne son partenaire dans une danse endiablée.* SYN. emmener. ANT. retenir. **3.** fig. Pousser à agir: *Ne sachant plus quoi faire, je me suis laissée entraîner par les événements.* SYN. emporter, mener. ANT. arrêter, freiner, retenir. **4.** Attirer quelqu'un par une pression morale ou par la persuasion: *Ses camarades voulaient l'entraîner dans leur folle équipée.* SYN. amener, décider, engager. ANT. empêcher, retenir. **5.** Provoquer, avoir pour effet certain: *Sa paresse risque d'entraîner de graves conséquences.* SYN. causer, occasionner, produire. ☞ entraînant, entraînement. **s'entraîner** v.pron. Se préparer à une performance, s'exercer: *Cette athlète doit s'entraîner plusieurs heures chaque jour.* **R.** Ne pas oublier l'accent: *î.*

entraîneur, euse n. Personne qui prépare une autre personne, une équipe, un animal à une performance sportive: *L'entraîneuse de l'équipe fête la victoire avec les joueurs.* **R.** Ne pas oublier l'accent: *î.* ☞ entraîner.

entrave n.f. **1.** Attache mise aux pieds d'animaux ou de prisonniers pour les empêcher de fuir ou pour ralentir leur marche: *Avec une entrave aux pieds, le prisonnier ne peut s'échapper.* **2.** fig. Obstacle, empêchement: *Cette loi injuste est une entrave à la liberté d'expression.* ANT. libération, liberté. ☞ entraver.

entraver v. **1.** Mettre une entrave, fixer aux pieds une attache pour empêcher la fuite ou pour ralentir la marche: *On a entravé ce cheval fougueux.* **2.** fig. Gêner, empêcher la réalisation d'une chose: *Son incompétence entrave la bonne marche du projet.* ☞ entrave.

entre prép. **1.** Dans l'espace qui sépare deux personnes, deux choses: *Il y a plus de deux cents kilomètres entre Montréal et Québec.* **2.** Dans le temps qui sépare deux dates, deux périodes, deux événements: *Nous avons rendez-vous entre 2 et 3 heures.* **3.** Indique un état intermédiaire: *J'hésitais entre deux solutions.* ▲ **entre** prép. **1.** Exprime un lien entre deux personnes, deux animaux, deux choses: *Ces élèves parlent entre eux.* **2.** Exprime une comparaison: *Quelle ressemblance vois-tu entre le cheval et le zèbre?* **3.** Exprime des relations diverses entre personnes, et particulièrement une relation sentimentale: *Qu'y a-t-il entre Nicole et Marcel?* ▲ **entre** prép. **1.** Parmi: *Lequel d'entre nous organisera la fête?* **2.** Indique une relation dans un groupe de personnes, un cercle fermé: *Ce secret doit rester entre nous.* HOM. antre. ⁄⁄ *Entre autres:* Parmi d'autres choses.

entrebâillement n.m. Ouverture minime: *On nous observait par l'entrebâillement de la porte.* **R.** Ne pas oublier l'accent: *â.* ☞ entrebâiller.

entrebâiller v. Ouvrir un peu: *Comme personne ne répondait au coup de sonnette, j'entrebâillai la porte et appelai.* SYN. entrouvrir. ANT. fermer. ☞ entrebâillement. **entrebâillé, ée** p.p. et adj. Qui est un peu ouvert: *La pluie entrait par la fenêtre entrebâillée.* **R.** Ne pas oublier l'accent: *â.*

entrechat n.m. Pas de danse où les pieds battent en l'air l'un contre l'autre: *Le danseur s'exerce à faire des entrechats.*

entrechoquement n.m. Choc de plusieurs choses ou personnes qui se frappent: *L'entrechoquement des verres produit une musique légère.* ☞ choc.

entrechoquer v. Frapper l'un contre l'autre: *Les buveurs entrechoquaient leurs verres.* ☞ choc. **s'entrechoquer** v.pron. Se frapper l'un contre l'autre: *Dans la caisse, les bouteilles s'entrechoquent.*

entrecôte n.f. Tranche de bœuf coupée entre les côtes: *Préférez-vous votre entrecôte bien cuite?* **R.** Ne pas oublier l'accent: *ô.*

entrecouper v. Interrompre par moments, par intervalles: *J'entrecoupais mon récit de sanglots et de longs silences.* SYN. entremêler. **entrecoupé, ée** p.p. et adj. Qui est interrompu: *Son exposé entrecoupé de commentaires personnels fut très intéressant.* ANT. continu.

entrecroisement n.m. Disposition de ce qui est entrecroisé, croisé plusieurs fois: *L'entrecroisement des lattes de cette chaise forme un joli motif.* SYN. entrelacement. ☞ croiser.

entrecroiser v. Croiser ensemble plusieurs fois: *Le vannier entrecroise des brins* *d'osier pour tresser un panier.* SYN. entrelacer. ☞ croiser. **entrecroisé, ée** p.p. et adj. Qui est croisé plusieurs fois : *Cette feuille est couverte de lignes entrecroisées.*

entrée n.f. **1.** Action d'entrer, de passer de l'extérieur à l'intérieur : *Ton entrée a été remarquée.* ANT. sortie. **2.** Opération par laquelle des informations sont introduites dans un ordinateur : *Une erreur s'est glissée lors de l'entrée des données.* **3.** Accès à un lieu, à un spectacle : *As-tu ton billet d'entrée ?* ☞ entrer. ▲ **entrée** n.f. **1.** Endroit par où l'on entre dans un lieu : *L'entrée de la caverne était obstruée par des pierres.* ANT. sortie. **2.** Pièce d'une maison, d'un appartement qui communique avec l'extérieur : *Laisse tes bottes dans l'entrée.* SYN. hall, vestibule. ☞ entrer. ▲ **entrée** n.f. **1.** Mets que l'on sert avant le plat principal d'un repas : *Il a servi un vol-au-vent en entrée.* **2.** Chacun des mots d'un dictionnaire qui sont imprimés en caractère gras et qui font l'objet d'une définition : *Ce dictionnaire comporte plus de 25 000 entrées.* HOM. entrer. ☞ entrer.

sur ces entrefaites loc.adv. À ce moment-là : *Nous nous préparions à partir, mais elle est arrivée sur ces entrefaites.*

entrefilet n.m. Court article dans un journal : *Lis cet entrefilet, tu seras étonné.*

entregent n.m. Habileté à bien se conduire avec les gens, à nouer des relations : *Cette présidente a beaucoup d'entregent.* SYN. savoir-faire, tact. ANT. gaucherie, maladresse.

entrejambe n.m. Partie d'un pantalon ou d'une culotte située entre les jambes : *L'entrejambe de ta tenue de neige est déchiré.* **R.** Aussi, *entre-jambe, entrejambes, entre-jambes*. Au pluriel, *entrejambes* ou *entre-jambes*. ☞ jambe.

entrelacement n.m. Action d'entrelacer, d'enlacer l'un dans l'autre ; son résultat : *L'entrelacement de ces branches formait une couronne.* SYN. entrecroisement. ☞ entrelacer.

entrelacer v. Enlacer, passer l'un dans l'autre : *Elle entrelace ces rubans pour former une guirlande.* SYN. entrecroiser, tisser, tresser. ANT. délacer, délier. ☞ entrelacement. **s'entrelacer** v.pron. S'enlacer l'un dans l'autre, s'enchevêtrer : *Les vignes s'entrelaçaient en grimpant le long de la clôture.* SYN. s'entrecroiser, s'entremêler. **R.** Ne pas oublier la cédille devant *a* et *o*. **entrelacé, ée** p.p. et adj. Qui est enlacé l'un dans l'autre : *Il était difficile de se frayer un chemin dans toutes ces branches entrelacées.*

entrelardé, ée adj. Qui est mêlé de gras et de maigre, en parlant d'un morceau de viande : *La chair de ce gigot entrelardé est tendre et juteuse.* HOM. entrelarder. ☞ lard.

entrelarder v. Ajouter du lard à une viande : *Avant de cuire cette pièce de bœuf, il faut l'entrelarder.* HOM. entrelardé. ☞ lard.

entremêler v. **1.** Mêler des choses entre elles : *Dans son parterre, elle a entremêlé des rosiers et des lilas.* **2.** Mettre des éléments différents dans quelque chose : *Afin d'égayer les auditeurs, j'entremêlais mon discours de plaisanteries.* ☞ mêler. **s'entremêler** v.pron. Se mélanger : *J'aime les histoires où toutes sortes d'aventures s'entremêlent.* **R.** Ne pas oublier l'accent : *ê*.

entremets n.m. Mets, souvent sucré, que l'on sert après le plat principal et quelquefois comme dessert : *L'entremets était une compote de pommes.*

entremise n.f. Action d'intervenir pour rapprocher des personnes : *Grâce à son entremise, la querelle cessa rapidement.* SYN. intervention, médiation. ⫽ *Par l'entremise de :* Par l'intermédiaire de.

entrepont n.m. Étage compris entre deux ponts d'un navire : *Sa cabine était située dans l'entrepont.* ☞ pont.

entreposage n.m. Action de mettre des marchandises en entrepôt : *Les frais d'entreposage pour ces marchandises périssables sont élevés.* ☞ entreposer.

entreposer v. Mettre dans un entrepôt : *Il entrepose ses meubles pendant son séjour à l'étranger.* ☞ entreposage, entrepôt.

entrepôt n.m. Bâtiment où sont laissées des marchandises pour un temps limité : *Dans cette rue, plusieurs entrepôts sont à louer.* **R.** Ne pas oublier l'accent : *ô*. ☞ entreposer.

entreprenant, ante adj. Qui est audacieux, qui aime tenter, essayer : *Cette femme est active et entreprenante.* SYN. hardi, osé. ANT. hésitant, timide.

entreprendre v. Commencer à faire quelque chose : *J'ai entrepris l'étude de l'espagnol.* ANT. terminer. ☞ entreprise.

entrepreneur, euse n. **1.** Personne responsable de l'exécution d'un travail, particulièrement par un contrat d'entreprise : *Ma marraine est entrepreneuse de menuiserie.* **2.** Personne qui dirige une entreprise pour son compte : *Ces petits entrepreneurs ont reçu une subvention.* ☞ entreprise.

entreprise n.f. Travail qu'on se propose d'exécuter : *Je te souhaite bonne chance dans ton entreprise.* SYN. œuvre, ouvrage, projet. ☞ entreprendre. ▲ **entreprise** n.f. Organisation, affaire commerciale ou industrielle: *Nous avons investi beaucoup de temps et d'argent dans notre entreprise agricole.* SYN. commerce, industrie. ⁄⁄ *Chef d'entreprise:* Entrepreneur, patron. ☞ entrepreneur.

entrer v. **1.** Passer de l'extérieur à l'intérieur: *Frappe avant d'entrer.* SYN. s'introduire, pénétrer. ANT. sortir. **2.** Être accepté dans un établissement: *Il entrera à l'hôpital demain.* **3.** Débuter dans une profession; commencer à faire partie d'un groupe: *Je prévois entrer dans l'enseignement l'an prochain.* ANT. abandonner, démissionner. **4.** Commencer une nouvelle période, une nouvelle carrière: *En septembre, j'entrerai en première secondaire.* ANT. terminer. **5.** Passer dans un nouvel état: *L'eau entre en ébullition à 100 °C.* **6.** fam. Percuter, heurter: *Sa voiture est entrée dans un arbre.* ⁄⁄ *Entrer dans le détail:* Examiner attentivement. *Entrer en religion:* Se faire religieux. ☞ entrée. ▲ **entrer** v. **1.** Faire partie de la composition de quelque chose: *Deux œufs entrent dans cette crème.* **2.** Être inclus dans quelque chose: *Il n'entrait pas dans mes intentions de partir si tôt.* **R.** Se conjugue avec l'auxiliaire *être.* ▲ **entrer** v. **1.** Introduire: *Il m'a fallu quatre heures pour entrer ces données dans l'ordinateur.* **2.** Faire pénétrer: *Nous avons entré ce meuble par la fenêtre.* HOM. entrée. **R.** Se conjugue avec l'auxiliaire *avoir.* ☞ entrée.

entresol n.m. Demi-étage d'un immeuble, situé entre le rez-de-chaussée et le premier étage: *Sa chambre est située dans l'entresol.*

entre-temps adv. Pendant ce temps: *Entre-temps, le téléphone sonnait.* **R.** Aussi, *entre temps.*

entretenir v. **1.** Garder dans un bon état: *Elle entretient son restaurant.* SYN. conserver. ANT. négliger. **2.** Faire durer dans le même état: *Il faut entretenir le feu.* SYN. maintenir, prolonger. **3.** Donner à quelqu'un ce qui lui est nécessaire pour vivre: *Cette mère entretient ses jeunes enfants.* ☞ entretien. ▲ **entretenir** v. Parler à quelqu'un de quelque chose: *Il nous entretenait sans cesse de ses projets de voyage.* ☞ entretien. **s'entretenir** v.pron. Discuter avec quelqu'un: *Le journaliste s'entretient avec la ministre.* SYN. causer, converser, parler.

entretien n.m. **1.** Action de prendre soin d'une chose pour la maintenir dans le même état: *Louise veille à l'entretien de sa voiture.* **2.** Ce qui est nécessaire au bien-être d'une personne ou d'un groupe: *Tant que Julien étudiera à l'université, sa mère paiera son entretien.* ☞ entretenir. ▲ **entretien** n.m. Conversation suivie entre deux ou plusieurs personnes; sujet de cette conversation: *Le directeur a accordé un entretien à la présidente de ma classe.* SYN. discussion, entrevue. ☞ entretenir.

s'entretuer v.pron. Se donner la mort l'un l'autre ou les uns les autres: *Les soldats des deux camps s'entretuent.* ☞ tuer.

entrevoir v. **1.** Voir de façon incomplète, imprécise: *Je t'ai entrevue à la réunion.* SYN. apercevoir. **2.** Avoir une idée imprécise d'une chose actuelle ou future: *Je commence à entrevoir les difficultés reliées à ce projet.* SYN. deviner, soupçonner.

entrevue n.f. Rencontre entre deux ou plusieurs personnes qui ont à discuter: *Le ministre a eu une entrevue avec la responsable de ce programme d'aide aux entreprises.* SYN. entretien, interview.

entrouvrir v. Ouvrir un peu: *Entrouvre la fenêtre, l'air est si bon.* SYN. entrebâiller. ANT. fermer. ☞ ouvrir. **s'entrouvrir** v.pron. S'ouvrir légèrement: *Poussée par la patte du chat, la porte s'entrouvrit.* SYN. s'entrebâiller. ANT. se fermer. **entrouvert, erte** p.p. et adj. Qui est légèrement ouvert: *Les mouches entraient par la fenêtre entrouverte.*

énumération n.f. Action d'énumérer, de citer une à une les parties d'un tout; liste de ce que l'on énumère: *Voici l'énumération des objets volés.* ☞ énumérer.

énumérer v. Nommer une à une, oralement ou par écrit, les parties d'un tout: *Peux-tu énumérer les dix provinces canadiennes?* ☞ énumération.

envahir v. **1.** Pénétrer par la force dans un territoire et l'occuper: *L'armée envahit la ville.* SYN. prendre. ANT. capituler, céder, quitter. **2.** Se répandre en grand nombre: *Les pissenlits envahissent mon parterre.* SYN. couvrir, infester, remplir. **3.** Occuper en entier, remplir: *Un groupe d'enfants tapageurs ont envahi la salle.* **4.** Occuper complètement l'esprit de quelqu'un: *Soudain, la peur l'envahit.* ☞ envahissant, envahissement, envahisseur.

envahissant, ante adj. **1.** Qui est porté à envahir, à se répandre: *La menthe est une plante envahissante.* **2.** Qui est importun, indiscret: *Nous avons des amis très envahissants.* ☞ envahir.

envahissement n.m. **1.** Action d'envahir, de pénétrer par la force dans un territoire et de l'occuper: *L'envahissement de cette région par l'armée eut lieu pendant la nuit.* SYN. invasion, occupation. ANT. libération. **2.** Fait d'envahir, de se répandre, de remplir: *Son caractère le protège contre l'envahissement de la tristesse.* ☞ envahir.

envahisseur n.m. Ennemi qui occupe un territoire : *L'armée a réussi à chasser les envahisseurs.* SYN. occupant. ☞ envahir.

enveloppe n.f. **1.** Feuille de papier pliée et collée en forme de pochette, destinée à contenir un message : *N'oublie pas de cacheter ton enveloppe.* **2.** Chose souple qui sert à entourer, à protéger : *La pelure sert d'enveloppe protectrice à la banane.* ☞ envelopper.

envelopper v. **1.** Entourer complètement d'une matière souple : *J'ai enveloppé ce bibelot dans du papier de soie.* SYN. couvrir, emballer. ANT. déballer, développer. **2.** Entourer de toutes parts : *La noirceur enveloppe le village.* ☞ enveloppe. **s'envelopper** v.pron. Se couvrir complètement : *Elle s'enveloppa dans son grand manteau avant d'affronter le froid.* SYN. s'emmitoufler. ANT. se découvrir.

envenimement n.m. Action d'envenimer, de s'infecter : *L'envenimement de ses brûlures a nécessité des soins spéciaux.* ☞ envenimer.

envenimer v. **1.** Provoquer l'infection, rendre plus difficile à guérir : *Tu envenimes ta plaie en jouant dans la boue.* SYN. enflammer, infecter, irriter. ANT. désinfecter, soigner. **2.** Rendre plus pénible, plus violent : *Sa présence envenima les discussions.* SYN. aggraver, attiser. ANT. apaiser, calmer. ☞ envenimement. **s'envenimer** v.pron. **1.** S'irriter, s'infecter : *Sa blessure s'envenime.* **2.** S'aggraver : *Le conflit s'envenimait malgré toutes les tentatives de négociation.* **envenimé, ée** p.p. et adj. **1.** Qui est atteint par l'infection : *On a appliqué une pommade sur sa plaie envenimée.* **2.** fig. Qui est plein de malveillance : *Ses propos envenimés ont choqué l'auditoire.* SYN. acerbe, fielleux, sarcastique.

envergure n.f. Mesure comprise entre les extrémités des ailes d'un avion ou d'un oiseau : *L'aigle est un oiseau de grande envergure.* ▲ **envergure** n.f. **1.** Ouverture de l'intelligence, de la volonté ; capacité de comprendre beaucoup de choses : *Ma tante est une femme de grande envergure.* **2.** Importance, ampleur d'une action, d'un projet : *Son entreprise a pris de l'envergure.*

envers n.m. Côté d'une chose qui n'est pas celui que l'on voit ordinairement : *L'envers de ce tissu est rugueux.* SYN. revers, verso. ANT. endroit, recto. **R.** S'emploie toujours au singulier. **à l'envers** loc.adv. **1.** Du mauvais côté : *Tu as mis ton chandail à l'envers.* **2.** En désordre, pêle-mêle : *Ta chambre est à l'envers.* **3.** Dans le mauvais sens : *Notre jeu consistait à dire nos noms à l'envers.*

envers prép. Pour, à l'égard de quelqu'un : *Il fait preuve de patience envers les enfants.* // *Envers et contre tous :* Malgré l'opposition générale.

enviable adj. Qui suscite l'envie : *Elle occupe un poste enviable dans cette entreprise.* SYN. désirable, souhaitable. ANT. indésirable. ☞ envie.

envie n.f. **1.** Sentiment de tristesse, d'irritation, de désir à la vue du bonheur, des biens ou de la réussite des autres : *Il lui était impossible de réprimer son envie devant le succès éclatant de Marc-André.* SYN. jalousie. ANT. charité, désintéressement. **2.** Désir soudain de posséder ou de faire quelque chose : *J'ai envie d'une bonne pizza.* SYN. goût. ANT. dégoût, répulsion. **3.** Besoin que l'on éprouve dans son corps : *J'eus soudain envie de rire.* ☞ enviable, envier, envieux.

envier v. **1.** Éprouver de l'envie envers quelqu'un, désirer ses biens ou vouloir être à sa place : *Je t'envie d'avoir une bonne mémoire.* **2.** Éprouver de l'envie envers quelque chose, convoiter : *J'envie son travail qui lui permet de voyager.* // *N'avoir rien à envier à personne :* Ne rien désirer de plus, être comblé. ☞ envie.

envieux, euse n. et adj. **1.** n. Personne qui éprouve de l'envie : *Ne l'écoute pas : c'est un envieux.* **2.** adj. Qui éprouve de l'envie : *Son esprit envieux est très désagréable.* SYN. jaloux. ANT. désintéressé, indifférent. **3.** adj. Qui exprime de l'envie : *Elle lui lance des regards envieux.* SYN. jaloux. ANT. désintéressé, indifférent. ☞ envie.

environ adv. À peu près : *Il y a environ deux cents élèves dans notre école.* SYN. approximativement. ANT. exactement, précisément. HOM. environs.

environnant, ante adj. Qui est voisin, qui environne : *Allons pique-niquer dans le bois environnant.* SYN. proche. ANT. éloigné, lointain. ☞ environner.

environnement n.m. **1.** Entourage habituel dans la vie de quelqu'un : *L'environnement familial influence notre développement.* **2.** Ensemble des conditions naturelles ou artificielles qui agissent sur les organismes vivants et sur leurs activités : *La pollution détruit notre environnement.* ☞ environner.

environner v. Être autour, entourer : *Une montagne environne ce patelin.* SYN. encadrer. ☞ environnant, environnement. **s'environner** v.pron. S'entourer, réunir autour de soi : *Cette femme d'affaires s'environne de collaborateurs compétents.*

environs n.m.plur. Lieux voisins : *Les environs de la ville sont généralement moins pollués que la ville elle-même.* SYN. alentours.

HOM. environ. aux **environs de** loc.prép. **1.** Vers, un peu avant, un peu après: *Viens aux environs de 7 heures.* **2.** Près d'un endroit: *Les citoyens ont entrepris de nettoyer le boisé aux environs de la ville.*

envisageable adj. Qui peut être imaginé, considéré comme possible: *L'achat de cette voiture n'est pas envisageable.* SYN. concevable, imaginable, pensable. ANT. impensable, inconcevable, inimaginable. **R.** Ne pas oublier le *e* après le *g*. ☞ envisager.

envisager v. **1.** Examiner, considérer sous un certain aspect: *Avant de prendre une décision, envisageons toutes les solutions.* SYN. regarder, voir. **2.** Prévoir, imaginer une chose comme possible: *Il n'est pas nécessaire d'envisager le pire.* **3.** Avoir l'intention de faire ou de dire: *Nous envisageons de déménager à Amos.* SYN. penser, projeter. ☞ envisageable.

envoi n.m. **1.** Action d'envoyer, d'expédier: *L'envoi des orchidées africaines s'est fait par avion.* SYN. expédition. **2.** Chose que l'on expédie: *Elle recevra ton envoi demain.* // *Coup d'envoi:* Mise au jeu du ballon qui marque le début d'un match. *Donner le coup d'envoi:* Donner le signal du début d'une action. ☞ envoyer.

envol n.m. **1.** Action, fait de quitter le sol, de décoller: *L'avion s'engageait sur la piste d'envol.* ANT. atterrissage. **2.** Action de prendre son vol, de s'envoler: *Effrayés, les pigeons ont pris leur envol.* ☞ vol.

envolée n.f. **1.** Action de s'envoler: *Je regardais avec nostalgie l'envolée des feuilles mortes.* **2.** fig. Élan, inspiration, en poésie et dans le discours: *Son envolée oratoire lui valut de longs applaudissements.* **R.** N'a pas le sens de *vol* (d'un avion). ☞ vol.

s'envoler v.pron. **1.** S'élever, prendre son vol: *Les hirondelles s'envolent à tire-d'aile.* **2.** Décoller, quitter le sol: *Dans un bruit assourdissant, l'avion s'envola.* ANT. atterrir, se poser. **3.** Passer, s'écouler rapidement: *Comme le temps s'envole!* **4.** Être emporté, balayé par le vent: *Il y eut un courant d'air et tous les papiers s'envolèrent.* **5.** fig. et fam. Disparaître soudainement: *Je ne trouve plus mon livre; il n'a pas pu s'envoler!* ☞ vol.

envoûtant, ante adj. Qui captive, fascine: *Je lis une histoire envoûtante.* SYN. captivant. ANT. ennuyeux. **R.** Ne pas oublier l'accent: *û*. ☞ envoûter.

envoûtement n.m. **1.** Action d'envoûter, de chercher, par une pratique magique, à exercer une action maléfique sur quelqu'un: *Les adeptes du culte vaudou croient en l'envoûtement.* SYN. sortilège. **2.** fig. Action d'envoûter, de charmer; état d'une personne qui est séduite, charmée: *Frédérick subissait l'envoûtement de cette chanteuse.* SYN. charme. **R.** Ne pas oublier l'accent: *û*. ☞ envoûter.

envoûter v. **1.** Faire subir un effet magique à une personne en se servant d'une image ou d'une figurine qui la représente: *Dans ce film, une prêtresse envoûtait ses ennemis.* SYN. ensorceler. **2.** fig. Séduire, charmer: *Dès les premiers instants, elle l'a envoûté.* SYN. fasciner. **R.** Ne pas oublier l'accent: *û*. ☞ envoûtant, envoûtement.

envoyé, ée n. Personne qu'on a dépêchée en mission quelque part: *L'envoyée du gouvernement sera ici sous peu.* SYN. agent, ambassadeur, délégué. HOM. envoyer. ☞ envoyer.

envoyer v. **1.** Faire aller quelqu'un quelque part: *Je l'ai envoyé au cinéma.* **2.** Faire aller quelqu'un quelque part pour faire quelque chose: *On voulait l'envoyer en mission en Amérique du Sud.* SYN. dépêcher, détacher. ☞ envoyé. ▲ **envoyer** v. **1.** Faire parvenir, expédier quelque chose: *Grand-mère nous envoie des sucreries qu'elle a confectionnées.* **2.** Jeter, lancer: *Il envoya sa flèche directement sur la cible.* SYN. darder, projeter. HOM. envoyé. ☞ envoi, envoyeur.

envoyeur, euse n. Personne qui envoie, qui expédie: *L'envoyeur n'a pas écrit son nom sur la lettre que j'ai reçue.* SYN. expéditeur. ☞ envoyer.

enzyme n.f. Substance qui favorise certaines réactions chimiques: *Dans la salive, certaines enzymes accélèrent le processus de la digestion.* **R.** S'emploie aussi au masculin.

éolienne n.f. Appareil qui se sert du vent pour produire de l'énergie: *Une éolienne permet de produire de l'énergie à bon marché.*

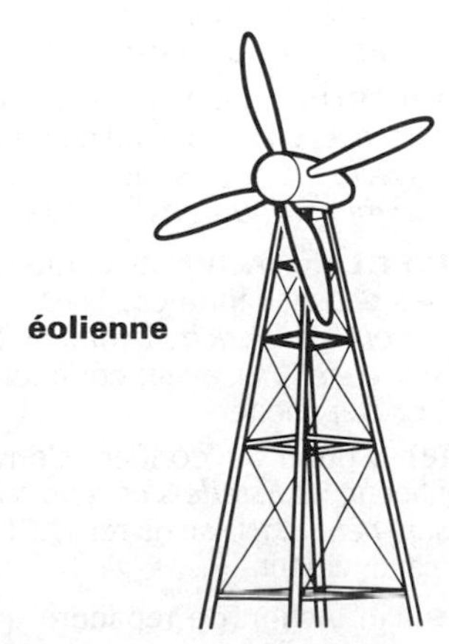

éolienne

épagneul, eule n. (esp.) Chien de chasse à poils longs et soyeux et à oreilles pendantes: *Le cocker et le setter sont des variétés d'épagneuls.*

épais, aisse adj. **1.** Qui a de l'épaisseur, qui est gros: *Les dictionnaires sont généralement des livres épais.* SYN. volumineux. ANT. fin, mince. **2.** Qui est consistant: *La sauce est trop épaisse.* SYN. pâteux. ANT. clair, fluide. **3.** Qui est fourni, serré: *Gabrielle a la chevelure épaisse.* SYN. dense. ANT. clair, clairsemé. **4.** Qui est dense, compact: *Une épaisse fumée s'échappait de la cheminée.* **5.** fig. Qui manque de finesse, qui est lent, lourd, en parlant de quelqu'un ou de quelque chose: *Ils ont un esprit si épais qu'ils ne comprennent rien à tes histoires.* SYN. grossier. ANT. subtil, vif. ☞ épaisseur, épaissir, épaississement.

épaisseur n.f. **1.** Troisième dimension d'un solide, après la longueur et la largeur: *Cette boîte a six centimètres d'épaisseur.* **2.** Caractère de ce qui est épais, massif: *L'épaisseur de ce cuir permet d'en faire une ceinture résistante.* ANT. finesse, minceur. **3.** État de ce qui est consistant: *Cette soupe a l'épaisseur que je désirais.* **4.** État de ce qui est fourni, serré: *L'épaisseur du feuillage nous protégeait de la pluie.* **5.** État de ce qui est dense, compact: *Nous sommes partis malgré l'épaisseur du brouillard.* ☞ épais.

épaissir v. **1.** Rendre plus consistant, plus épais: *J'ai épaissi ma sauce, car elle était trop claire.* ANT. diluer, éclaircir. **2.** Devenir consistant: *Dans cette recette, on doit arrêter de battre la crème dès qu'elle commence à épaissir.* SYN. prendre. ANT. se liquéfier. **3.** Perdre sa minceur: *Il est normal d'épaissir en vieillissant.* SYN. grossir. ANT. s'amincir, maigrir. ☞ épais. **s'épaissir** v.pron. **1.** Perdre sa minceur: *En vieillissant, M. Latour voit sa taille s'épaissir.* SYN. grossir. ANT. s'affiner, s'amincir. **2.** Devenir plus serré, plus dense ou plus consistant: *Plus on approchait du foyer de l'incendie, plus la fumée s'épaississait.*

épaississement n.m. Fait de devenir épais en consistance, en densité ou en dimension: *L'épaississement de la sauce commencera dès les premiers bouillons.* ☞ épais.

épanchement n.m. Action de confier ses sentiments, ses pensées intimes: *Yves a été surpris de recevoir les épanchements de Rita, elle qui est si secrète.* SYN. aveu, confidence. ANT. réserve. ☞ s'épancher.

s'épancher v.pron. Se confier, s'ouvrir, faire des confidences: *Estelle s'est épanchée auprès de son père.* SYN. se livrer. ANT. se fermer. ☞ épanchement.

épandage n.m. Action de répandre quelque chose sur le sol: *L'épandage du fumier se fera demain.* ☞ épandre.

épandeur n.m. Machine servant à étendre les engrais, le fumier: *L'épandeur facilite le travail des agriculteurs.* ☞ épandre.

épandeuse n.f. Engin de travaux publics servant à étendre sur le sol des matériaux liquides ou pâteux: *L'épandeuse étalait l'asphalte qui était ensuite aplani par le rouleau.* ☞ épandre.

épandre v. Étaler, étendre quelque chose en le dispersant: *On a épandu de l'engrais dans le champ.* ☞ épandage, épandeur, épandeuse.

épanouir v. **1.** Ouvrir, faire ouvrir une fleur en déployant les pétales: *Le soleil épanouit les roses.* ANT. fermer. **2.** Provoquer le développement complet des possibilités: *Sa nouvelle vie l'épanouit.* ANT. étouffer, oppresser. **3.** fig. Donner une expression de bonheur, de joie: *L'amour épanouit son visage.* SYN. dérider, réjouir. ANT. assombrir. ☞ épanouissement. **s'épanouir** v.pron. **1.** S'ouvrir, éclore: *Les tulipes s'épanouissent sous l'action du soleil.* ANT. se faner, se fermer, se flétrir. **2.** Devenir joyeux, radieux, détendu: *En apprenant la nouvelle, son visage s'est épanoui.* SYN. s'égayer, se réjouir. ANT. s'assombrir, s'attrister. **3.** fig. Se développer entièrement dans toutes ses possibilités: *Sa beauté s'épanouit de jour en jour!* ANT. s'étioler. ☞ épanouissement.

épanouissement n.m. **1.** Fait de s'ouvrir, en parlant des pétales d'une fleur: *J'aime mon jardin lorsque les roses ont atteint leur plein épanouissement.* SYN. éclosion, floraison. ANT. dépérissement, étiolement. **2.** Fait de devenir joyeux, radieux, détendu: *L'épanouissement de ses traits valait bien des mots.* **3.** Développement de toutes les possibilités: *Les voyages contribuent à l'épanouissement de la jeunesse.* ANT. dépérissement, étiolement. ☞ épanouir.

épargnant, ante n. Personne qui met de l'argent de côté, qui économise: *Les épargnants sont heureux d'apprendre que les taux d'intérêt augmentent.* ☞ épargner.

épargne n.f. **1.** Fait de dépenser moins que ce que l'on a, de mettre de l'argent en réserve: *L'épargne n'est pas facile de nos jours.* SYN. économie. ANT. consommation, dépense. **2.** Argent économisé: *Mes épargnes, que je dépose à la banque, me rapportent des intérêts.* SYN. économie, réserve. **3.** fig. Modération dans l'utilisation de quelque chose: *Cette invention représente une véritable épargne de temps.* ANT. gaspillage, prodigalité. ☞ épargner.

épargner v. **1.** Économiser: *L'argent qu'il a épargné lui servira à acheter une nouvelle voiture.* SYN. accumuler, ménager. ANT. dépenser. **2.** Utiliser avec mesure, de manière à conserver une réserve: *On n'a pas épargné le sucre dans ce dessert.* SYN. ménager. ANT. gaspiller. **3.** Éviter quelque chose à quelqu'un: *Épargne-moi ces explications superflues.* ANT. imposer. **4.** fig. Employer avec modération: *Elle n'épargne pas ses efforts, elle en use sans compter pour atteindre son but.* SYN. ménager. ☞ épargnant, épargne. ▲ **épargner** v. **1.** Traiter quelqu'un avec indulgence: *Il n'a épargné personne dans ses critiques.* SYN. ménager. ANT. accabler. **2.** Laisser en vie: *Heureusement, les otages ont été épargnés.* SYN. sauver. ANT. supprimer, tuer.

éparpillement n.m. Action de disperser, de répandre; fait de se disperser, de se répandre: *Comment peux-tu te comprendre dans un tel éparpillement de papiers?* SYN. désordre, dispersion. **R.** Les lettres *ill* se prononcent comme dans *famille*. ☞ éparpiller.

éparpiller v. **1.** Répandre un peu partout: *Il éparpillait ses feuilles sur le plancher.* SYN. disperser, étendre. ANT. grouper, rassembler. **2.** Répartir, distribuer irrégulièrement: *On a éparpillé les gardiens dans l'immeuble.* ANT. concentrer. ☞ éparpillement. **s'éparpiller** v.pron. **1.** S'étendre, se disperser: *Nous tentions d'attraper ces plumes qui s'éparpillaient au vent.* ANT. se rassembler, se réunir. **2.** Se séparer: *Sitôt la cloche sonnée, les enfants s'éparpillent dans la rue.* SYN. se disperser. ANT. se rassembler, se réunir. **3.** Se partager entre plusieurs activités, passer d'une idée à une autre: *J'ai tendance à m'éparpiller dans mes lectures: je lis plusieurs livres à la fois et je les termine rarement.* SYN. papillonner. ANT. se concentrer. **R.** Les lettres *ill* se prononcent comme dans *famille*.

épars, arse adj. Qui est dispersé, éparpillé: *Le chien se chargeait de rassembler les bêtes éparses.*

épatant, ante adj.fam. Qui est agréable, formidable: *Quel film épatant!* ☞ épater.

épaté, ée adj. Qui est aplati, élargi à la base: *Elle a les yeux bleus et le nez épaté.* ☞ épatement. ▲ **épaté, ée** adj.fam. Qui est surpris, étonné: *Elle était épatée par le spectacle de la funambule.* SYN. ébahi, stupéfait. HOM. épater. ☞ épater.

épatement n.m. État de ce qui est élargi à la base, court et large: *L'épatement du nez est une caractéristique des bull-terriers.* ☞ épaté. ▲ **épatement** n.m.fam. État d'une personne étonnée, surprise: *L'épatement se lisait sur son visage.* ☞ épater.

épater v.fam. Étonner, surprendre: *Voici une nouvelle qui devrait t'épater.* HOM. épaté. ☞ épatant, épaté, épatement.

épaulard n.m. Mammifère marin vorace ressemblant au marsouin: *L'épaulard peut mesurer jusqu'à neuf mètres de longueur.* ◇ orque.

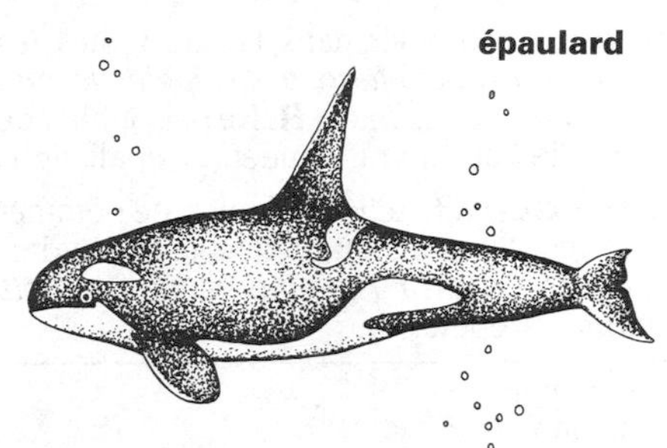

épaule n.f. **1.** Partie du corps qui rattache le bras au thorax: *J'ai mal à l'épaule gauche.* **2.** Haut de la patte avant d'un quadrupède; cette partie découpée pour la consommation: *Nous mangerons de l'épaule d'agneau dimanche.* ⫽ *Être large d'épaules:* Être bien bâti, solide, fort. *Hausser les épaules:* Démontrer son mépris ou son indifférence en soulevant les épaules. ☞ épauler, épaulette.

épauler v. Accoter sur son épaule: *Avant de tirer, la chasseuse épaule son fusil.* ☞ épaule. ▲ **épauler** v. Aider quelqu'un, lui apporter un soutien: *Sylvie a épaulé René dans cette affaire.* SYN. assister, soutenir. ANT. nuire.

épaulette n.f. **1.** Ornement que le militaire porte sur les épaules: *Ce colonel a des épaulettes en argent.* **2.** Bretelle délicate qui retient un vêtement aux épaules: *Natacha a brisé une épaulette de sa robe blanche.* **3.** Rembourrage fixé aux épaules d'un vêtement: *Le tailleur a ajouté des épaulettes à cette veste.* ☞ épaule.

épave n.f. **1.** Bateau naufragé, objet abandonné en mer ou rejeté sur le rivage: *La plage est couverte d'épaves.* **2.** fig. Personne que les malheurs ont entraînée dans un état de misère, qui ne trouve plus sa place dans la société: *J'étais si désemparée que je me sentais telle une épave.* SYN. loque.

épée n.f. Arme faite d'une longue lame d'acier pointue terminée par une poignée munie d'une garde: *L'épée se portait à gauche, dans un fourreau suspendu à un ceinturon.*

épeiche n.f. Oiseau grimpeur du genre pic, à plumage blanc, noir et rouge, vivant dans les régions montagneuses: *L'épeiche se nourrit d'insectes qu'elle dégage des troncs d'arbres au moyen de son bec dur et droit.* ☞ épeichette.

épeichette n.f. Petit pic à plumage noir et blanc ayant une longueur maximale de quinze centimètres : *Dans sa collection, Éric a plusieurs photos d'épeichettes.* ☞ épeiche.

épeire n.f. Araignée qui construit de grandes toiles à réseaux concentriques dans les jardins et dans les bois : *L'épeire tisse sa toile pour capturer les moucherons.*

épeler v. Nommer dans l'ordre toutes les lettres d'un mot : *Mario a su épeler le mot « rhinocéros » sans faute.* **R.** Ne pas oublier de doubler le *l* devant un *e* muet. ☞ épellation.

épellation n.f. Action d'épeler, de nommer toutes les lettres d'un mot dans le bon ordre : *Émilie doit réussir l'épellation de dix mots demain.* ☞ épeler.

épeler épellation

épépiner v. Enlever les pépins d'un fruit : *Robert épépine les pommes avant d'en faire de la compote.* ☞ pépin.

éperdu, ue adj. **1.** Qui est profondément troublé par une émotion violente : *Éperdue de joie, elle sautait et dansait.* SYN. affolé, agité, égaré. ANT. calme, paisible. **2.** Qui est vivement ressenti, en parlant d'un sentiment : *J'ai un besoin éperdu d'amour.* SYN. ardent, intense. ANT. faible. ☞ éperdument.

éperdument adv. De manière éperdue, follement : *Il est éperdument amoureux.* ☞ éperdu.

éperlan n.m. Petit poisson de mer à chair délicate : *Hier, nous avons mangé des éperlans.*

éperon n.m. **1.** Pièce de métal fixée au talon de la botte du cavalier, qui sert à piquer les flancs du cheval : *Le cavalier excite sa monture à coups d'éperon.* **2.** Ongle du chien, du coq : *Se sentant attaqué, le coq sortit ses éperons.* **3.** Pièce de matériau solide placée à la pointe d'un navire : *Il faut remplacer l'éperon de ce navire.* ☞ éperonner.

éperonner v. **1.** Piquer les flancs du cheval avec l'éperon : *La cavalière éperonna son cheval qui partit au galop.* **2.** fig. Animer, stimuler : *Il courait à toutes jambes; la peur l'éperonnait.* SYN. aiguillonner. ANT. calmer. ☞ éperon.

épervier n.m. Oiseau de proie, de la taille d'un pigeon, qui vit dans les bois : *L'épervier chasse les petits oiseaux.* ▲ **épervier** n.m. Filet de pêche en forme de cône : *La pêcheuse jette son épervier près du rivage pour prendre des petits poissons.*

éphélides n.f.plur. Petites taches brunâtres que l'on trouve sur le visage, les bras, les épaules, couramment appelées « taches de rousseur » : *Alex a des éphélides au visage et sur les bras.* **R.** Les lettres *ph* se prononcent *f*.

éphémère n.m. Insecte qui, une fois adulte, ne vit que quelques jours, mais dont les larves vivent deux à trois ans : *L'éphémère ressemble à une libellule et vit surtout au bord de l'eau.* **R.** Les lettres *ph* se prononcent *f*.

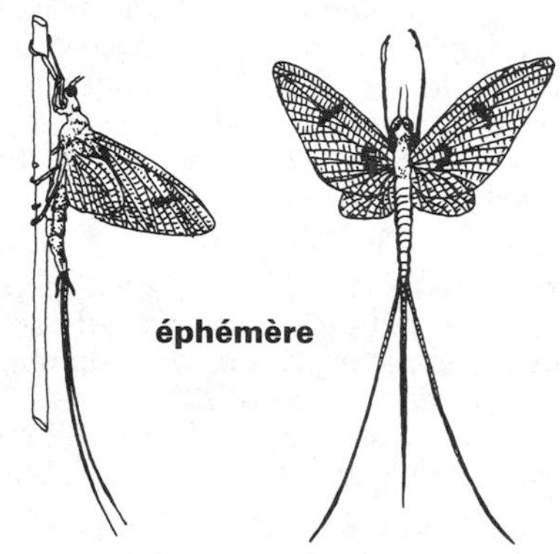

éphémère

éphémère adj. Qui ne dure pas longtemps : *Son exaltation a été éphémère.* SYN. passager, temporaire. ANT. durable, permanent. **R.** Les lettres *ph* se prononcent *f*.

éphéméride n.f. **1.** Calendrier dont on enlève une page chaque jour : *Ma supérieure a une éphéméride sur son bureau.* **2.** Liste énumérant les événements qui se sont produits le même jour de l'année à différentes époques : *J'ai lu l'éphéméride du 14 juillet.* **R.** Les lettres *ph* se prononcent *f*.

épi n.m. Groupe de grains serrés qui sont placés au bout de la tige de certaines céréales : *Elle a coupé plusieurs épis de blé.* ▲ **épi** n.m. Mèche de cheveux rebelles qui poussent en sens contraire des autres : *Elle a un épi qui rend son toupet difficile à coiffer.*

épice n.f. Substance végétale qui donne du goût aux aliments : *J'aime particulièrement les biscuits aux épices.* ⁄⁄ *Boîte à épices :* Contenant dans lequel on conserve des épices. ☞ épicé, épicer.

épicé, ée adj. **1.** Qui est assaisonné avec des épices : *La cuisine mexicaine est reconnue pour être très épicée.* SYN. relevé. ANT. fade. **2.** fig. Qui contient des détails hardis, grivois : *Ses histoires épicées faisaient rire tout le monde.* SYN. salé. HOM. épicer. ☞ épice.

épicéa n.m. Arbre qui ressemble beaucoup au sapin : *Nous avions un épicéa comme arbre de Noël.* ◇ épinette. (*Voir l'illustration à la page suivante.*)

épicéa

épicentre n.m. Point de la surface de la terre où un séisme a été le plus fort: *La région de Charlevoix a été l'épicentre de plusieurs tremblements de terre.*

épicer v. Assaisonner avec des épices afin de donner du goût: *Elle a trop épicé sa sauce aux tomates.* HOM. épicé. **R.** Ne pas oublier la cédille devant *a* et *o*. ☞ épice.

épicerie n.f. **1.** Magasin, commerce de l'épicier: *Je passerai à l'épicerie acheter du café.* **2.** Ensemble des marchandises alimentaires vendues par l'épicier: *Je range l'épicerie dans le placard.* ☞ épicier.

épicier, ière n. Personne qui vend des produits alimentaires: *L'épicier de mon quartier vend de beaux légumes.* ☞ épicerie.

épidémie n.f. **1.** Apparition simultanée d'un grand nombre de cas d'une maladie contagieuse dans une région donnée, ou augmentation rapide de ces cas: *On a dû fermer l'école à cause d'une épidémie de scarlatine.* **2.** fig. Ce qui atteint un grand nombre de personnes en s'étendant: *Cette nouvelle coiffure, c'est une véritable épidémie!* SYN. contagion, mode. ☞ épidémique.

épidémique adj. **1.** Qui se répand très vite: *Cette maladie épidémique touche de nombreux enfants.* **2.** fig. Qui atteint un grand nombre de personnes par une sorte d'entraînement: *Le rire est souvent épidémique.* SYN. contagieux. ☞ épidémie.

épiderme n.m. Surface extérieure de la peau: *Jacques achète une crème pour protéger son épiderme du soleil.*

épier v. **1.** Surveiller en cachette, guetter: *Mon frère ne cesse de nous épier quand mes amis viennent à la maison.* SYN. espionner. **2.** Observer attentivement dans le but de découvrir: *Retenant mon souffle, j'épiais les bruits qui venaient du sous-sol.*

épierrer v. Enlever les pierres d'un terrain: *Il faut épierrer le jardin avant de semer.* ANT. empierrer. ☞ pierre.

épilation n.f. Action d'enlever les poils: *Cette esthéticienne fait des épilations à la cire.* ☞ épiler.

épilatoire adj. Qui sert à enlever les poils: *On trouve des crèmes épilatoires à la pharmacie.* SYN. dépilatoire. ☞ épiler.

épilepsie n.f. Maladie nerveuse qui se caractérise par des crises convulsives et qui s'accompagne parfois de perte de connaissance: *Depuis son grave accident, elle fait parfois des crises d'épilepsie.* ☞ épileptique.

épileptique n. et adj. **1.** n. Personne qui est atteinte d'épilepsie: *Les épileptiques peuvent réduire la fréquence des crises par des médicaments.* **2.** adj. Qui est atteint d'épilepsie: *On croyait autrefois que les personnes épileptiques étaient possédées du démon.* **3.** adj. Qui se rapporte à l'épilepsie: *Mon chien a eu des convulsions épileptiques.* ☞ épilepsie.

épilepsie épileptique

épiler v. Enlever les poils d'une partie du corps: *Ma sœur épile ses sourcils.* ☞ épilation, épilatoire.

épilogue n.m. **1.** Conclusion d'un roman, où l'auteur raconte des faits qui ont eu lieu après la fin de l'action principale: *L'épilogue raconte la plus touchante partie de cette histoire.* **2.** fig. Fin, dénouement d'une affaire compliquée: *On ne connaît l'épilogue de cette aventure qu'à la fin du film.* **R.** Ne pas oublier le *u* après le *g*.

épinard n.m. **1.** Plante dont les feuilles vert foncé sont comestibles: *L'épinard pousse bien dans ce sol fertile.* **2.** plur. Feuilles de l'épinard: *Je préfère les épinards crus.*

épine n.f. **1.** Piquant, aiguille que portent certaines plantes: *Attention aux épines du cactus.* **2.** Piquant de certains animaux: *Certains poissons portent des épines sur le dos.* ⁄⁄ *Couronne d'épines:* Couronne portée par Jésus-Christ, faite de branches épineuses. *Épine dorsale:* Colonne vertébrale. ☞ épinette, épineux.

épinette n.f. Au Canada, nom donné à l'épicéa, conifère voisin du sapin: *La tordeuse détruit nos épinettes.* ⁄⁄ *Bière d'épinette:* Boisson gazeuse faite à partir de l'écorce d'épinette qu'on fait fermenter dans de l'eau et du sucre. ☞ épine. ◇ épicéa. ▲ **épinette** n.f. Ancien instrument de musique à clavier, plus petit qu'un clavecin: *Le son de l'épinette est clair et cristallin.*

épineux, euse adj. **1.** Qui est couvert d'épines ou de piquants: *Méfie-toi: c'est un arbuste épineux.* **2.** fig. Qui est embarrassant, rempli de difficultés: *Voilà une question épineuse; je ne sais que dire.* SYN. compliqué, délicat. ANT. facile, simple. ☞ épine.

épingle n.f. Petite tige métallique dont une extrémité est pointue et l'autre garnie d'une tête, qui sert à fixer quelque chose: *Fixe la rose à ton corsage à l'aide de cette épingle.* ∥ *Épingle à cheveux:* Épingle à deux branches pour retenir les cheveux. *Épingle à linge:* Petite pince en plastique ou en bois pour fixer le linge sur une corde. *Épingle de sûreté:* Épingle qui se ferme. *Virage en épingle à cheveux:* Virage brusque et très serré. ☞ épingler.

épingler v. **1.** Fixer avec des épingles: *J'ai épinglé mon message sur le tableau d'affichage.* **2.** fig. et fam. Arrêter quelqu'un: *On l'a épinglé à sa sortie du magasin.* ∥ *Se faire épingler:* Se faire prendre. ☞ épingle.

épinière adj.f. Qui appartient à l'épine dorsale: *La moelle épinière et l'encéphale composent le système nerveux.* **R.** Ne s'emploie que dans l'expression *moelle épinière*.

épique adj. Qui raconte en vers les exploits d'un héros: *Les poèmes épiques sont parfois difficiles à comprendre.*

épiscopal, ale, aux adj. Qui appartient à l'évêque: *La résidence de l'évêque s'appelle le palais épiscopal.* ☞ épiscopat.

épiscopat n.m. **1.** Ensemble des évêques: *L'épiscopat canadien sera représenté à Rome à l'occasion de cette réunion.* **2.** Fonction d'évêque: *Ce prêtre a été appelé à l'épiscopat.* ☞ épiscopal.

épiscope n.m. Appareil de projection qui reproduit les images par réflexion: *La conférencière présente le plan de son discours à l'épiscope.*

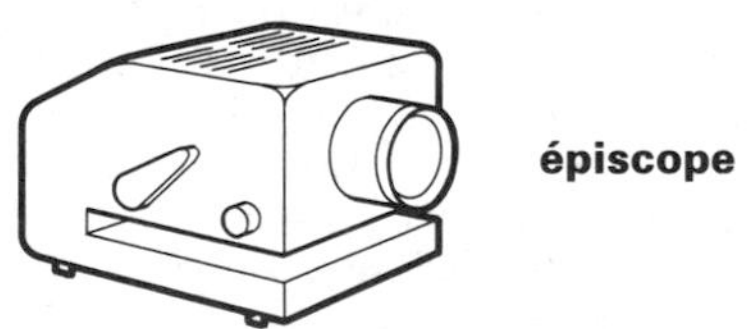

épiscope

épisode n.m. **1.** Fait secondaire appartenant à un ensemble: *Ces deux années en Afrique ne constituent qu'un épisode de sa vie aventureuse.* SYN. circonstance, incident, péripétie. **2.** Partie d'un ouvrage, d'un film: *Ce film sera présenté à la télévision en épisodes d'une heure chacun.* ☞ épisodique, épisodiquement.

épisodique adj. Qui a lieu de temps en temps: *Colette me téléphone de façon épisodique.* ☞ épisode.

épisodiquement adv. De manière épisodique, de temps en temps: *Il rend visite à ses parents épisodiquement.* ☞ épisode.

épitaphe n.f. Inscription qu'on lit sur un tombeau: *Sur une épitaphe, on peut lire habituellement les dates de naissance et de mort du défunt.* **R.** Les lettres *ph* se prononcent *f*.

épithète n.f. Mot ou groupe de mots que l'on ajoute à un nom ou un pronom pour le qualifier: *Dans la phrase «Voici une grosse valise», «grosse» est une épithète de «valise».*

épître n.f. **1.** Chacune des lettres écrites par certains disciples de Jésus aux premiers chrétiens: *Saint Paul a écrit plusieurs épîtres.* **2.** Partie de la messe où l'épître est lue: *J'étais en retard à la messe: je suis arrivé à l'épître.* **R.** Ne pas oublier l'accent: *î*.

éploré, ée adj. Qui a beaucoup de chagrin, qui est en pleurs: *Ce visage éploré m'attriste.* SYN. désolé, larmoyant, triste. ANT. joyeux, riant.

épluchage n.m. **1.** Action d'éplucher, d'enlever la pelure d'un fruit ou d'un légume: *L'épluchage des pommes nous a pris beaucoup de temps.* **2.** fig. Examen attentif de quelque chose: *Ma mère fait l'épluchage des dépenses du voyage.* ☞ éplucher.

éplucher v. **1.** Couper ou gratter pour enlever la pelure ou les parties non comestibles d'un fruit ou d'un légume: *Aide-moi à éplucher ces carottes.* SYN. peler. **2.** Examiner attentivement afin de découvrir toutes les erreurs: *La correctrice épluchera ton manuscrit.* ☞ épluchage, épluchette, éplucheur, épluchure.

épluchette n.f. Au Canada, fête au cours de laquelle on épluche et on mange des épis de maïs: *Nous organisons une épluchette de blé d'Inde au mois d'août.* ☞ éplucher.

éplucheur n.m. Instrument qui sert à éplucher: *Au restaurant, on s'est équipé d'un éplucheur électrique.* ☞ éplucher.

épluchure n.f. Ce qu'on enlève à un fruit ou un légume en l'épluchant: *J'ai jeté les épluchures d'oranges à la poubelle.* SYN. pelure. ☞ éplucher.

épointer v. User ou casser le bout d'un outil ou d'un instrument: *Jacynthe a épointé son crayon à mine.* ☞ pointe.

éponge n.f. Animal marin de forme irrégulière, dont le squelette est poreux: *Les pê-*

cheurs grattent les fonds marins pour recueillir les éponges. ▲ **éponge** n.f. Substance légère et poreuse qui forme le squelette d'un animal marin, l'éponge, et qui a la propriété d'absorber les liquides; objet fait de cette substance, employé à divers usages domestiques: *Éric essuie avec une éponge le jus qu'il a renversé.* ⁄⁄ *Tissu éponge:* Tissu dont les fils absorbent l'eau. ☞ épongeage, éponger.

épongeage n.m. Action d'essuyer un liquide avec une éponge ou un chiffon: *L'épongeage du plancher se fit rapidement.* **R.** Ne pas oublier le *e* après le *g*: épongeage. ☞ éponge.

éponger v. **1.** Essuyer un liquide avec une éponge ou un chiffon: *Marie-Ève a épongé le lait qu'elle avait renversé sur son bureau.* SYN. étancher. **2.** Essuyer, sécher avec une éponge ou un tissu absorbant: *J'avais si chaud qu'à tout moment je devais éponger mon front couvert de sueur.* ☞ éponge. **s'éponger** v.pron. Essuyer son front, son visage avec un tissu: *Elsa s'éponge avec son mouchoir.*

épopée n.f. Récit poétique qui glorifie un héros ou un grand événement et où se mêlent l'irréel et le réel, la légende et l'histoire: *Des poètes de l'Antiquité nous ont laissé des épopées qui sont devenues des classiques.*

époque n.f. **1.** Période de l'histoire marquée par des personnes ou des événements importants: *Chaque époque a ses styles, ses modes, ses préoccupations.* **2.** Période marquée par un fait, un événement: *L'an dernier, à cette époque, nous étions en vacances.* SYN. date, moment.

s'époumoner v.pron. Crier très fort: *Dans cette discothèque, les gens s'époumonent pour se faire entendre.*

épouser v. Se marier avec quelqu'un: *Luc épousera Linda en juillet.* ANT. divorcer, répudier, se séparer. ☞ époux. ▲ **épouser** v. **1.** S'adapter parfaitement à quelque chose: *Les cuissards de cyclisme sont des culottes qui épousent les formes du corps.* SYN. mouler, suivre. **2.** fig. Partager, adopter avec ardeur: *Sonia épouse entièrement les idées de cette association d'aide aux détenus.* SYN. s'attacher, soutenir. ANT. combattre.

époussetage n.m. Action d'ôter la poussière: *Les meubles et les bibelots avaient besoin d'un bon époussetage.* ☞ épousseter.

épousseter v. Nettoyer, en enlevant la poussière: *Je déteste épousseter les meubles du salon.* **R.** Ne pas oublier de doubler le *t* devant un *e* muet. ☞ époussetage.

époustouflant, ante adj.fam. Qui étonne, surprend: *Il resta bouche bée à l'annonce de cette nouvelle époustouflante.* SYN. étonnant, extraordinaire, stupéfiant. ANT. banal, normal, ordinaire. ☞ époustoufler.

époustoufler v.fam. Surprendre, étonner, épater: *Ce film a époustouflé les spectateurs.* SYN. ébahir, stupéfier. ☞ époustouflant.

épouvantable adj. **1.** Qui cause une grande peur, qui est terrifiant: *La nuit dernière, j'ai fait un rêve épouvantable.* SYN. effrayant, effroyable. ANT. agréable, calmant, rassurant. **2.** Qui est très mauvais, très désagréable: *Il fait un temps épouvantable, impossible de sortir!* SYN. affreux. ANT. agréable. **3.** Qui est très inquiétant: *Quelle mine épouvantable tu as ce matin!* ANT. rassurant. **4.** Qui est violent, excessif: *La vitrine vola en éclats dans un fracas épouvantable.* SYN. terrible. ☞ épouvante.

épouvantablement adv. **1.** D'une manière épouvantable: *Cette blessure la faisait épouvantablement souffrir.* SYN. effroyablement, horriblement. **2.** D'une manière extrême: *Il a épouvantablement maigri.* SYN. excessivement, terriblement. ☞ épouvante.

épouvantail, ails n.m. **1.** Mannequin habillé de vieux vêtements, placé dans les champs pour faire peur aux oiseaux et les empêcher ainsi de manger les graines: *La fermière installe un épouvantail au milieu de son potager.* **2.** fig. Personne très laide ou habillée de façon ridicule: *Tu as l'air d'un épouvantail dans cet accoutrement!* ☞ épouvante.

épouvante n.f. Grande peur, souvent paralysante, causée par quelque chose d'inhabituel, de dangereux: *En entendant ce bruit étrange, nous sommes restés glacés d'épouvante.* SYN. frayeur, horreur, panique, terreur. ⁄⁄ *Film d'épouvante:* Film qui fait éprouver aux spectateurs des peurs violentes. ☞ épouvantable, épouvantablement, épouvantail, épouvanter.

épouvanter v. **1.** Effrayer, faire peur: *Les guerres atomiques épouvantent les humains.* SYN. affoler, terrifier, terroriser. ANT. enhardir, rassurer. **2.** Angoisser, inquiéter: *L'idée de voyager en avion l'épouvantait.* ANT. rassurer. **3.** Stupéfier, impressionner: *J'ai été épouvanté par les images de ce film.* SYN. ahurir, étonner. ☞ épouvante. **épouvanté, ée** p.p. et adj. Qui est rempli d'épouvante, effrayé: *Épouvantée, elle recula de quelques pas puis s'enfuit.*

époux, ouse n. Personne unie à une autre par les liens du mariage: *Carmen a pris Alain pour époux.* SYN. conjoint. ⁄⁄ *Les époux:* Le mari et la femme. ☞ épouser.

s'éprendre v.pron. **1.** Devenir amoureux de quelqu'un: *Huguette s'est éprise de Vincent dès leur première rencontre.* SYN. s'amouracher. **2.** Être emporté par un sentiment, une passion: *Il s'est épris de liberté et a décidé de partir en voyage.* **3.** Commencer à aimer quelque chose: *Elle s'est éprise de ses études en zoologie.* ☞ épris.

épreuve n.f. **1.** Souffrance, malheur qui frappe une personne: *Elle a eu une vie remplie d'épreuves qu'elle a toujours surmontées avec courage.* SYN. difficulté, peine. ANT. bonheur, joie, plaisir. **2.** Essai, expérience que l'on fait dans le but de juger la valeur, la qualité de quelqu'un ou de quelque chose: *L'épreuve de résistance est positive: on peut mettre ce produit sur le marché.* SYN. test. **3.** Acte qu'on impose à quelqu'un pour connaître sa valeur, sa compétence et pour le classer: *Plusieurs élèves ont raté l'épreuve de français.* **4.** Compétition sportive: *L'épreuve de patinage artistique aura lieu demain.* // *À l'épreuve de:* Capable de résister à. *À toute épreuve:* Inébranlable, résistant. *Mettre à l'épreuve:* Éprouver, tester. ☞ éprouver. ▲ **épreuve** n.f. **1.** Image photographique: *De l'épreuve négative, on peut tirer un nombre indéfini d'images.* **2.** Texte imprimé d'un manuscrit, tel qu'il sort la première fois: *La correctrice inscrit sur l'épreuve les changements, les corrections à exécuter.*

épris, ise adj. Qui est très attaché à quelqu'un; qui est passionné de quelque chose: *Yves est très épris de Nathalie.* SYN. amoureux. ☞ s'éprendre.

éprouvant, ante adj. Qui est pénible à supporter: *Cette discussion a été éprouvante pour tous les participants.* ☞ éprouver.

éprouver v. **1.** Avoir une sensation, ressentir: *J'éprouve beaucoup de plaisir à souper avec toi.* **2.** Vérifier la valeur de quelque chose ou de quelqu'un: *On a éprouvé l'efficacité de ce médicament.* SYN. expérimenter, tester. **3.** Faire souffrir, rendre malheureux: *La guerre a fortement éprouvé ce peuple.* **4.** Subir un dommage, une action nuisible: *L'entreprise éprouve certaines difficultés financières.* ☞ épreuve, éprouvant.

éprouvette n.f. Tube de verre fermé à l'un des bouts, utilisé dans diverses expériences: *Lucie verse de l'eau colorée dans deux éprouvettes.*

épuisable adj. Qui peut être épuisé, utilisé jusqu'à ce qu'il ne reste plus rien: *On sait maintenant que les ressources naturelles sont épuisables.* ANT. inépuisable, intarissable. ☞ épuiser.

épuisant, ante adj. Qui fatigue terriblement: *Ce voyage épuisant l'a rendu malade.* SYN. éreintant, fatigant. ANT. reposant. ☞ épuiser.

épuisé, ée adj. **1.** Qui est très fatigué, à bout de forces: *L'enfant épuisée s'endormit tout de suite.* SYN. éreinté, fourbu. **2.** Qui est totalement vendu: *Ce merveilleux roman est épuisé.* **3.** Qui a été utilisé jusqu'à ce qu'il ne reste plus rien, qui ne peut plus produire: *La source est épuisée.* HOM. épuiser. ☞ épuiser.

épuisement n.m. **1.** Action d'épuiser, d'utiliser complètement; état de ce qui est épuisé: *Nous vendons jusqu'à épuisement de la marchandise.* **2.** Fatigue extrême, faiblesse: *Après la course, elle était dans un état d'épuisement total.* SYN. abattement, accablement. ANT. épanouissement, force, vigueur. ☞ épuiser.

épuiser v. **1.** Fatiguer énormément, affaiblir: *La journée en plein air a épuisé les enfants.* SYN. exténuer, lasser. ANT. délasser, reposer. **2.** Agacer, importuner, fatiguer: *Arrête d'argumenter, tu m'épuises!* SYN. accabler, ennuyer, exaspérer. ANT. amuser, divertir, plaire. **3.** Utiliser entièrement, vider complètement de son contenu: *Ils ont épuisé les provisions d'eau.* SYN. consommer, dépenser, tarir. ANT. conserver. **4.** User jusqu'au bout, en totalité: *Ces enfants épuisent la patience de leurs parents.* HOM. épuisé. ☞ épuisable, épuisant, épuisé, épuisement, inépuisable, inépuisablement. **s'épuiser** v.pron. **1.** S'affaiblir: *Ses forces s'épuisaient peu à peu.* SYN. s'atténuer. **2.** Se fatiguer: *Tu vas t'épuiser à force de courir.* SYN. s'exténuer.

épuisette n.f. Petit filet de pêche qui a la forme d'une poche et qui est fixé au bout d'un manche: *Avec l'épuisette, Léa retire les poissons de l'aquarium.*

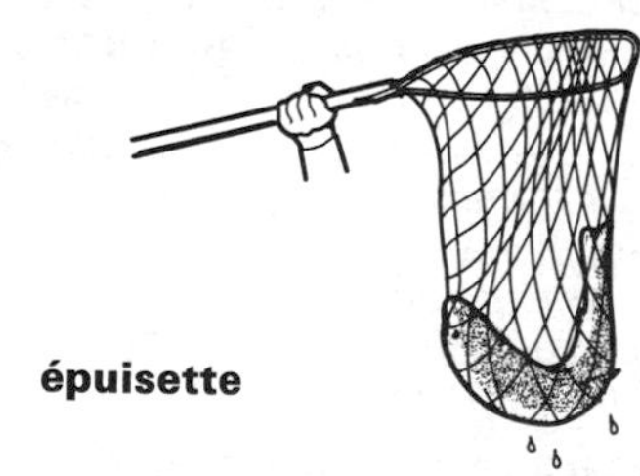

épuisette

épuration n.f. Action de purifier quelque chose: *On a commencé l'épuration du lac.* SYN. assainissement, nettoyage. ANT. corruption, pollution. ☞ pur. ▲ **épuration** n.f. Action d'exclure, de chasser les personnes indésirables: *L'épuration du parti s'est faite avant le début de la campagne électorale.* ☞ épurer.

épurer v. Rendre pur ce qui était sale, souillé, débarrasser des éléments étrangers: *L'eau de la rivière a été épurée.* SYN. assainir, clarifier, nettoyer, purifier. ANT. polluer, salir, souiller. ☞ pur. ▲ **épurer** v. Exclure, chasser les personnes indésirables: *Avant que la discussion commence, on a épuré l'assemblée.*

équarrir v. **1.** Rendre carré, tailler à angles droits: *On équarrit les troncs d'arbres avant d'en tirer des planches.* **2.** Dépecer, découper un animal en quartiers: *Un nombre incroyable d'animaux sont équarris chaque jour.* ☞ équarrissage.

équarrissage n.m. **1.** Action d'équarrir, de tailler à angles droits: *Mon oncle a travaillé toute la journée à l'équarrissage des poutres.* **2.** Dépeçage d'animaux pour en tirer les os, la peau, les graisses: *L'équarrissage des chevaux se fait à l'abattoir.* **R.** Aussi, *équarrissement.* ☞ équarrir.

équateur n.m. Cercle imaginaire qui sépare la Terre en deux hémisphères: *Nous regarderons sur le globe terrestre où est situé l'équateur.* **R.** Les lettres *qua* se prononcent *kwa.* ☞ équatorial, subéquatorial.

équation n.f. Formule mathématique qui établit une relation entre deux quantités en tenant compte des variables: *Nous apprendrons bientôt à résoudre une équation à deux inconnues.* **R.** Les lettres *qua* se prononcent *kwa.*

équatorial, iale, iaux adj. Qui se rapporte à l'équateur, aux régions comprises dans la zone de l'équateur: *Lorsque l'hiver arrive, plusieurs personnes rêvent d'un climat équatorial.* **R.** Les lettres *qua* se prononcent *kwa.* ☞ équateur.

équerre n.f. **1.** Instrument ayant la forme d'un triangle rectangle et servant à tracer des angles droits: *La menuisière utilise une équerre pour s'assurer qu'elle coupera la planche à angle droit.* **2.** Pièce de métal en forme de L ou de T qui sert à rendre les assemblages plus solides: *Deux équerres soutiennent cette tablette.* ⁄⁄ *À l'équerre:* À angle droit. **d'équerre** loc.adv. À angle droit: *Ces deux planches sont parfaitement d'équerre.*

équestre adj. Qui se rapporte à l'équitation, à l'art de monter à cheval: *Nous allons assister à des exercices équestres.* ⁄⁄ *Figure, statue équestre:* Figure, statue qui représente une personne à cheval. ☞ équitation.

équeutage n.m. Action d'équeuter, d'enlever la queue des fruits: *L'équeutage des fraises nous a occupés toute la matinée.* ☞ queue.

équeuter v. Enlever la queue d'un fruit: *Pour faire des confitures, on doit d'abord équeuter les fruits.* ☞ queue.

équiangle adj. Dont les angles sont égaux: *Un triangle équilatéral est également équiangle.* **R.** Les lettres *qui* se prononcent *kui.* ☞ angle.

équidés n.m.plur. Famille de mammifères dont les pattes sont terminées par un seul doigt: *L'âne, le cheval, le zèbre et l'onagre appartiennent à la famille des équidés.* **R.** S'écrit au singulier lorsqu'il désigne un animal appartenant à cette famille. Les lettres *qui* se prononcent *ki* ou *kui.*

équidistant, ante adj. Qui est à égale distance d'un point donné: *Les points d'une circonférence sont équidistants du centre.* **R.** Les lettres *qui* se prononcent *kui.* ☞ distance.

équilatéral, ale, aux adj. Dont les côtés sont égaux: *Trouvez le périmètre de ce triangle équilatéral.* **R.** Les lettres *qui* se prononcent *kui.*

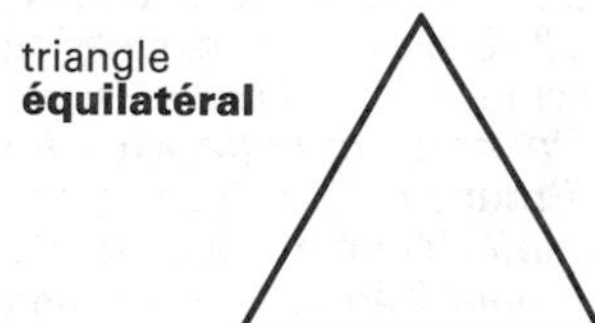

équilibre n.m. **1.** Position stable qui permet à quelqu'un ou à quelque chose de ne pas tomber: *Les personnes qui ont le vertige ont peur de perdre l'équilibre.* SYN. aplomb, stabilité. ANT. instabilité. **2.** État d'une personne raisonnable, calme, pondérée, qui s'adapte harmonieusement aux exigences de la vie: *Cette personne a beaucoup de talent, mais elle manque d'équilibre.* ANT. déséquilibre. ☞ déséquilibre, déséquilibré, déséquilibrer, équilibre, équilibré, équilibriste, rééquilibrer.

équilibré, ée adj. **1.** Qui est calme, raisonnable, en harmonie avec son entourage: *Je me fie au jugement de cette personne équilibrée.* SYN. posé, sage, sensé. ANT. déséquilibré. **2.** Qui est en équilibre, bien réparti: *La cargaison du navire est bien équilibrée.* ANT. boiteux, instable. HOM. équilibrer. ☞ équilibre.

équilibrer v. **1.** Mettre en équilibre, assurer la stabilité en opposant une force à une autre: *On a mis cette lourde charge à gauche afin d'équilibrer l'embarcation.* SYN. contrebalancer. ANT. déséquilibrer. **2.** Stabiliser: *Il faut éviter les folles dépenses pour équilibrer son budget.* ANT. déséquilibrer. HOM. équilibré. ☞ équilibre. **s'équilibrer** v.pron. S'équivaloir, se contrebalancer: *Cette semaine, mes revenus et mes dépenses s'équilibrent.*

équilibriste n. Acrobate qui présente des tours d'adresse et d'équilibre: *Cette équilibriste a fait le tour du monde avec le cirque.* ☞ équilibre.

équinoxe n.m. Chacun des deux moments de l'année où la durée du jour égale la durée de la nuit, phénomène dû au passage du Soleil par l'équateur: *L'équinoxe de printemps se produit le 21 mars et l'équinoxe d'automne, le 23 septembre.*

équipage n.m. **1.** Personnel d'un navire, d'un avion; ensemble des personnes qui assurent la manœuvre d'un engin blindé ou autre: *Tout l'équipage est à bord.* **2.** Voiture du maître, avec les chevaux qui la tirent et le personnel qui en est responsable: *Avant l'invention de l'automobile, les nobles se promenaient en équipage.*

équipe n.f. **1.** Groupe de personnes qui ont une tâche commune à accomplir: *La chef d'équipe répartit le travail de la journée entre les ouvriers.* **2.** Groupe de personnes qui partagent les mêmes loisirs: *Quelle équipe nous formons! On nous appelle «les inséparables».* **3.** Groupe de personnes qui s'adonnent, en nombre déterminé, à un sport: *Cette équipe de base-ball gagne tous les matchs.* ⁄⁄ *Esprit d'équipe:* Esprit qui règne dans un groupe dont les membres collaborent en parfaite harmonie. ☞ coéquipier, équipier.

équipée n.f. **1.** Aventure, action entreprise avec légèreté: *Cette petite équipée a eu des conséquences graves pour Gaston.* SYN. escapade, frasque, fredaine. **2.** Promenade en totale liberté: *Je me rappelle nos équipées du dimanche, en famille.* SYN. randonnée, sortie. HOM. équiper.

équipement n.m. Matériel nécessaire à une activité précise ou au fonctionnement de quelque chose: *Pour aller à la pêche, j'ai besoin d'un équipement spécial.* SYN. attirail. ☞ équiper.

équiper v. Munir, pourvoir de ce qui est nécessaire à une activité: *J'ai enfin équipé mon bureau d'un micro-ordinateur et d'un photocopieur.* ANT. démunir. HOM. équipée. ☞ équipement. **s'équiper** v.pron. Se munir de ce qui est nécessaire à une activité: *Maude vient de s'équiper d'un sac et d'excellentes crosses de golf.* ANT. se démunir. **équipé, ée** p.p. et adj. Qui est pourvu du matériel nécessaire: *Il est agréable de travailler dans cette cuisine tout équipée.*

équipier, ière n. Personne qui est membre d'une équipe: *Les équipières travaillaient avec acharnement pour réussir leur projet.* SYN. coéquipier. ☞ équipe.

équipotent adj.m. Qui ont la même puissance, en parlant d'ensembles en mathématique: *Ces ensembles sont équipotents.* **R.** Les lettres *qui* se prononcent *kui*.

équitable adj. Qui agit selon un sens naturel de la justice; qui est conforme à l'idée de justice: *La cour a rendu un jugement équitable.* SYN. impartial, intègre. ANT. arbitraire, injuste, partial. ☞ équité.

équitablement adv. D'une manière équitable, impartiale: *Les biens seront partagés équitablement entre les enfants.* SYN. impartialement. ANT. arbitrairement, injustement. ☞ équité.

équitation n.f. Art de monter à cheval; sport qui consiste à monter à cheval: *Samedi, nous irons peut-être faire de l'équitation.* ☞ équestre.

équité n.f. **1.** Qualité qui consiste à agir en respectant les droits de chacun, à être juste: *Son esprit d'équité l'a fait choisir pour mener les négociations.* SYN. droiture, impartialité, justice. ANT. injustice, partialité. **2.** Justice naturelle qui ne s'appuie pas sur la loi; caractère de ce qui est conforme à cette justice: *L'équité de ce partage ne fait aucun doute.* SYN. impartialité. ANT. injustice, partialité. ⁄⁄ *En toute équité:* En toute justice. ☞ équitable, équitablement.

équivalence n.f. Égalité, valeur identique de deux éléments: *L'équivalence de leur adresse au tennis rendra ce match intéressant.* ⁄⁄ *Équivalence de diplômes:* Correspondance admise officiellement entre certains diplômes. ☞ équivaloir.

équivalent n.m. Ce qui est de même valeur, de même importance qu'une autre chose: *La recette disait de verser une tasse d'eau et l'équivalent en lait.* ☞ équivaloir.

équivalent, ente adj. Qui est égal; dont la quantité est de même valeur: *Nous avons eu des portions équivalentes du gâteau.* SYN. identique. ANT. différent, inégal. ☞ équivaloir.

équivaloir v. **1.** Avoir la même valeur en quantité: *Un kilomètre équivaut à mille mètres.* SYN. égaler. **2.** Avoir la même fonction, le même effet qu'autre chose: *Son hésitation à répondre équivalait à un refus.* SYN. égaler, signifier. ☞ équivalence, équivalent.

équivoque n.f. et adj. **1.** n.f. Caractère de ce qui entraîne l'ambiguïté, la confusion: *Sa déclaration était sans équivoque.* SYN. malentendu. **2.** n.f. Situation qui laisse dans l'incertitude: *Il importait de dissiper cette équivoque.*

SYN. ambiguïté, malentendu. **3.** adj. Qui est ambigu, obscur : *Votre réponse équivoque ne m'explique pas votre conduite.* ANT. catégorique, clair, précis. **4.** adj. Qui peut s'expliquer de plusieurs façons : *Ce fait équivoque nous laisse perplexes.* ANT. net, précis. **5.** adj.péj. Qui est louche, douteux : *Comment faire confiance à cette femme au passé équivoque ?* SYN. suspect.

érable n.m. **1.** Arbre des forêts tempérées, dont le fruit est muni d'une aile et dont on utilise le bois en ébénisterie : *Il y a plusieurs espèces d'érables, dont l'érable du Canada qui fournit une sève sucrée.* **2.** Bois de l'érable utilisé en ébénisterie : *Ce bureau en érable est très lourd.* ⁄⁄ *Érable à sucre :* Érable du Canada dont on recueille la sève qui, une fois bouillie, donne un sucre comestible. *Produits de l'érable :* Produits fabriqués à partir de l'érable à sucre, soit le sirop, le sucre, le beurre d'érable et la tire. ☞ érablière.

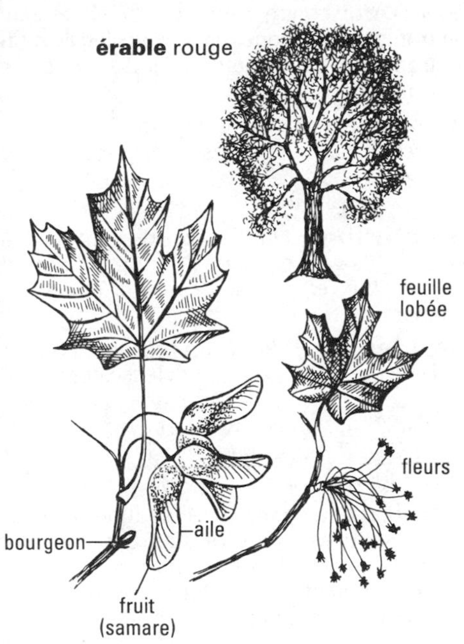

érablière n.f. Lieu planté d'érables et spécialement, au Québec, lieu planté d'érables à sucre qui sont exploités pour l'industrie des produits de l'érable : *Dans l'érablière de grand-père, des tuyaux serpentent d'un érable à l'autre et amènent la sève dans un grand réservoir.* ⁄⁄ *Sucrerie d'érablière :* Au Canada, cabane à sucre. ☞ érable.

érafler v. **1.** Égratigner, écorcher légèrement la peau : *Les branches ont éraflé ses jambes.* **2.** Rayer, abîmer : *Il a involontairement éraflé le mur avec son outil.* ☞ éraflure.

éraflure n.f. **1.** Légère déchirure de la peau, entaille superficielle : *On a désinfecté les éraflures sur son bras.* SYN. écorchure, égratignure. **2.** Rayure, déchirure sur quelque chose : *La peinture de son automobile est couverte d'éraflures.* SYN. égratignure. ☞ érafler.

éraillé, ée adj. **1.** Qui est rauque, qui produit des sons voilés, en parlant de la voix : *Ce matin, Sophie a la voix éraillée.* SYN. enroué. ANT. clair. **2.** Qui présente des éraflures, des déchirures superficielles : *Le cuir qui recouvre le fauteuil est tout éraillé par l'usure.* HOM. érailler. ⁄⁄ *Des yeux éraillés :* Des yeux dont la paupière est renversée. ☞ érailler.

éraillement n.m. **1.** Fait d'être éraillée, de produire des sons voilés, en parlant de la voix : *L'éraillement de sa voix est désagréable.* **2.** Fait d'être éraflé, déchiré superficiellement, en parlant d'un tissu, d'une surface : *Une chaleur trop intense contribue à l'éraillement de certains tissus.* ☞ érailler.

érailler v. **1.** Écorcher, rayer superficiellement : *Le dossier de la chaise a éraillé le mur.* SYN. érafler. **2.** Rendre rauque, enrouer : *Fumer éraille la voix.* HOM. éraillé. ☞ éraillé, éraillement. **s'érailler** v.pron. **1.** Devenir rauque : *Il a tellement crié que sa voix s'est éraillée.* **2.** Se déchirer superficiellement : *Ce vieux cuir commence à s'érailler.*

ère n.f. **1.** Période de temps assez longue qui commence à un point déterminé : *L'ère chrétienne a commencé avec la naissance de Jésus-Christ.* SYN. époque. **2.** Période marquée par certains faits, certains changements : *Nous vivons à l'ère de l'informatique.* HOM. air, aire, hère.

érection n.f.litt. Action de construire, d'élever un monument : *Le projet d'érection d'un monument au centre du parc a été approuvé par le conseil municipal.* SYN. construction, élévation. ANT. démolition. ☞ ériger. ▲ **érection** n.f. Gonflement, durcissement de certains tissus ou organes du corps : *Nous avons parlé de l'érection dans notre cours de sexualité.*

éreintant, ante adj. Qui épuise, qui fatigue : *Rita a entrepris un travail éreintant.* SYN. crevant, épuisant, esquintant, fatigant. ANT. reposant. ☞ éreinter.

éreinté, ée adj. Qui est très fatigué : *Les voyageurs descendaient de l'autobus, complètement éreintés après un si long trajet.* SYN. crevé, fourbu, las. ANT. reposé. HOM. éreinter. ☞ éreinter.

éreintement n.m. Critique sévère faite dans l'intention de nuire : *L'article paru* *dans le journal ce matin est un véritable éreintement de cette artiste.* ☞ éreinter. ▲ **éreintement** n.m. Épuisement total: *Cette personne a travaillé jusqu'à l'éreintement.* ☞ éreinter.

éreinter v. **1.** Épuiser, briser de fatigue: *La course a éreinté Julie.* SYN. crever, esquinter, exténuer, harasser. ANT. délasser, reposer. **2.** fig. Critiquer sévèrement de manière à nuire à quelqu'un: *La politicienne a éreinté ses adversaires devant ses électeurs.* SYN. démolir, esquinter. ANT. louer, vanter. HOM. éreinté. ☞ éreintant, éreinté, éreintement.

ergot n.m. Ongle, pointe de corne derrière la patte de certains animaux: *Le coq a sorti ses ergots pour se défendre.*

ergoter v. Redire sur des riens, contester, discuter sur des points sans importance: *Il a la fâcheuse manie d'ergoter.* SYN. chicaner. ANT. admettre, consentir, se résigner. ☞ ergoteur.

ergoteur, euse n. et adj. **1.** n. Personne qui aime discuter sur des riens: *Cette personne est une ergoteuse connue.* SYN. chicaneur. **2.** adj. Qui aime discuter sur des riens: *Fuyez les gens ergoteurs!* ☞ ergoter.

ériger v. **1.** Dresser à la verticale: *On a érigé un monument en l'honneur du fondateur de la ville.* SYN. élever. ANT. démolir, détruire. **2.** Construire en donnant un caractère solennel: *Une archéologue a découvert les ruines d'un temple qui avait été érigé par une civilisation disparue.* SYN. bâtir. ☞ érection. **s'ériger** v.pron. Se donner un rôle: *Cette personne s'érige parfois en moralisateur.*

ermite n.m. **1.** Religieux qui vit seul dans un endroit éloigné et désert: *Les ermites aiment être seuls pour prier et méditer.* **2.** fig. Personne qui vit en solitaire, qui évite de fréquenter le monde: *Pendant une année, j'ai vécu en ermite dans une petite maison de campagne.*

éroder v. User, ronger par frottement: *Cette pierre a été érodée par l'eau.* ☞ érosion.

érosion n.f. Usure de l'écorce de la terre par l'action des eaux, de la pluie, du vent: *L'érosion des sols menace l'agriculture.* SYN. corrosion, dégradation, effritement. ☞ éroder.

érotique adj. Qui se rapporte à l'amour sexuel, à la sexualité: *Ce roman d'amour comporte des passages érotiques.* ☞ érotisme.

érotisme n.m. Goût prononcé pour les choses sexuelles; caractère de ce qui excite l'instinct sexuel: *Ce film a su conjuguer la tendresse et l'érotisme.* ☞ érotique.

errant, ante adj. **1.** Qui va au hasard, qui n'a pas de domicile: *Ce chien errant est malade.* SYN. égaré, perdu. ANT. sédentaire. **2.** Qui est vague, fugitif: *Son regard errant exprimait une profonde mélancolie.* ☞ errer.

errer v. **1.** Marcher sans but précis, aller à l'aventure: *Elle erre dans le quartier sans se presser.* SYN. flâner, rôder, vagabonder. **2.** fig. Flotter, parcourir d'une façon fugitive: *Ce sourire qui errait sur ses lèvres en disait long sur ses intentions.* **3.** vx et litt. S'éloigner de la vérité: *Il erre quand il parle d'économie, mais quand il est question d'écologie, il ne se trompe jamais.* SYN. se tromper. ☞ errant.

erreur n.f. **1.** Faute, chose inexacte: *Léonie a fait plusieurs erreurs de calcul.* SYN. inexactitude. **2.** Maladresse: *Lui parler de son récent échec, c'était une erreur.* SYN. bêtise, bévue, méprise. **3.** État d'une personne qui se trompe: *Ce renseignement m'a induit en erreur.* ⫽ *Erreur judiciaire:* Condamnation prononcée à tort contre un innocent. *Faire erreur:* Se tromper. ☞ erroné. par **erreur** loc.adv. En se trompant, par mégarde: *J'ai pris cet autobus par erreur.*

erroné, ée adj. Qui comporte des erreurs, qui est inexact: *Les adresses erronées seront corrigées sous peu.* SYN. fautif, faux. ANT. exact, vrai. ☞ erreur.

éructation n.f.litt. Renvoi bruyant, par la bouche, de gaz venant de l'estomac: *Un bruit d'éructation emplit le silence.* SYN. rot. ☞ éructer.

éructer v.litt. **1.** Renvoyer bruyamment, par la bouche, des gaz venant de l'estomac: *À demi consciente, la patiente éructa et se rendormit.* **2.** fig. Lancer, proférer avec violence: *En colère, il éructa une masse d'injures.* ☞ éructation.

érudit, ite n. et adj. **1.** n. Personne qui a des connaissances approfondies dans un domaine: *J'aimerais devenir une érudite.* ANT. ignare, ignorant. **2.** adj. Qui est instruit, qui a des connaissances approfondies dans un domaine: *Notre professeur est très érudit et nous apprend beaucoup de choses.* SYN. cultivé, savant. ANT. ignorant. ☞ érudition.

érudition n.f. Savoir approfondi dans un domaine particulier: *L'érudition de ma professeure de sciences est considérable.* SYN. culture, instruction, science. ANT. ignorance. ☞ érudit.

éruption n.f. **1.** Apparition soudaine de boutons, de rougeurs sur la peau: *Jacques est absent de l'école, il a une éruption de boutons.* SYN. poussée. **2.** État d'un volcan qui laisse jaillir de la lave et autres matières volcaniques: *Chaque année, plusieurs volcans entrent en éruption.* **R.** Ne pas confondre avec *irruption.*

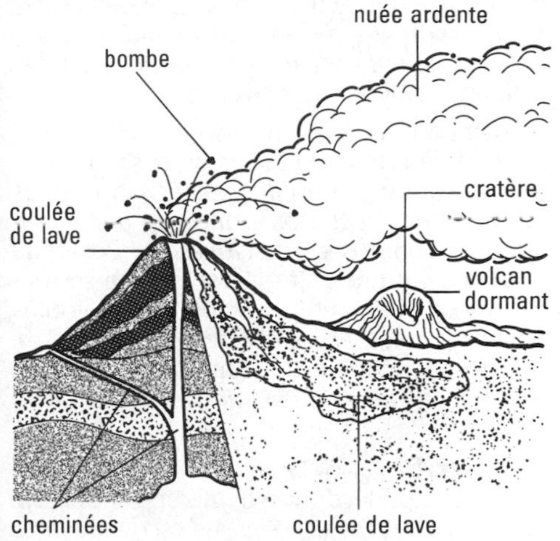

éruption volcanique

escabeau, eaux n.m. Genre de petite échelle portative et pliante utilisée dans les maisons: *Je me sers de l'escabeau pour atteindre la dernière tablette de l'armoire.*

escadre n.f. (it.) Ensemble d'avions ou de navires de guerre qui combattent ensemble: *L'escadre aérienne est de retour à la base.* ☞ escadrille.

escadrille n.f. (esp.) Groupe d'avions de combat commandé par un officier: *L'escadrille de bombardement attendait l'ordre de décoller.* **R.** Les lettres *ill* se prononcent comme dans *famille.* ☞ escadre.

escadron n.m. (it.) Unité de combat de la cavalerie, de l'armée blindée ou de l'armée de l'air: *Le capitaine ira rejoindre son escadron sous peu.* SYN. bataillon, troupe.

escalade n.f. Action de grimper, de monter à un endroit difficile: *Il faudra plusieurs semaines pour faire l'escalade de cette montagne.* SYN. ascension, montée. ANT. descente. ☞ escalader. ▲ **escalade** n.f. Montée rapide d'un phénomène: *L'escalade des prix des maisons surprend les consommateurs.* SYN. essor.

escalader v. **1.** Gravir, monter: *Cette alpiniste escalade une paroi abrupte.* SYN. grimper. ANT. descendre. **2.** Franchir, passer pardessus un obstacle: *Escalader cette barrière fut un jeu d'enfant.* ☞ escalade.

escale n.f. (it.) **1.** Lieu permettant de se reposer au cours d'un voyage: *Nous sommes arrivées à l'escale vers 7 heures.* **2.** Action de s'arrêter à un endroit au cours d'un voyage: *Nous ferons escale à Québec pour nous ravitailler.* SYN. halte, relâche. ∥ *Vol sans escale:* Vol direct.

escalier n.m. Ensemble de marches successives qui permettent de monter ou de descendre: *Cet escalier mène au grenier.* ∥ *Escalier roulant, mécanique:* Escalier mobile qui permet de monter ou de descendre sans marcher.

escalope n.f. Tranche fine de viande blanche ou de poisson qu'on apprête de différentes façons: *Pour le souper, nous mangerons des escalopes de veau.*

escamotable adj. Qui peut être replié, rentré de façon à disparaître complètement: *Mon canapé contient un lit escamotable.* ☞ escamoter.

escamotage n.m. **1.** Action de faire disparaître par un tour habile qui échappe à la vue: *Par un tour d'escamotage, le lapin est disparu.* SYN. passe-passe. **2.** Action de voler, de dérober de manière subtile: *L'escamotage des documents secrets est resté inexpliqué.* SYN. cambriolage, vol. **3.** Action de replier, de faire rentrer une partie saillante d'un objet: *Le mécanisme d'escamotage du train d'atterrissage de l'avion est défectueux.* **4.** fig. Action d'éviter habilement, d'éluder une question, un sujet: *L'escamotage de la question de la dépollution du Saint-Laurent a choqué les citoyens.* ☞ escamoter.

escamoter v. **1.** Faire disparaître quelque chose habilement par un tour que personne ne voit: *La magicienne a escamoté un mouchoir de soie.* **2.** Dérober de manière subtile: *Pendant son voyage, on lui a escamoté son passeport.* SYN. subtiliser. **3.** Replier, faire rentrer une partie saillante d'un objet: *Les panneaux de la table ont été escamotés.* **4.** Effacer, cacher à la vue: *Une brume épaisse escamotait la montagne.* **5.** fig. Éviter habilement, éluder une question, un sujet: *Ce politicien a escamoté un aspect de la question des subventions aux garderies.* ☞ escamotable, escamotage.

escampette n.f. Fuite rapide: *En m'apercevant, il prit la poudre d'escampette.* **R.** Aujourd'hui, ne s'emploie plus que dans l'expression *prendre la poudre d'escampette.*

escapade n.f. (it.) Action de fuir en échappant à une surveillance, de se soustraire à ses obligations: *Ces étudiants ont été punis pour leur escapade.* SYN. équipée, fredaine, fugue.

escargot n.m. Mollusque terrestre herbivore, à coquille arrondie en forme de spirale, qui se déplace en rampant sur un pied aplati et charnu: *Certains escargots sont des plus recherchés pour la cuisine.* SYN. colimaçon, limaçon. ⁄⁄ *Avancer, marcher comme un escargot:* Avancer très lentement.

escarmouche n.f. **1.** Combat de courte durée entre des détachements de deux armées: *Personne n'a été tué dans l'escarmouche.* SYN. accrochage, échauffourée. **2.** fig. Petite lutte, querelle qui conduit à une dispute plus importante: *J'ai été témoin d'une escarmouche entre ces voisines.*

escarpé, ée adj. Qui est abrupt, en pente raide, difficile d'accès: *Ces rives escarpées sont inabordables.* ANT. accessible, facile. ☞ escarpement.

escarpement n.m. Versant en pente raide d'une montagne, d'une falaise; pente abrupte d'un obstacle: *L'escarpement de cette montagne la rend inaccessible.* ☞ escarpé.

escarpin n.m. (it.) Soulier à semelle mince découvert sur le dessus du pied: *Rosane a mis ses escarpins noirs.*

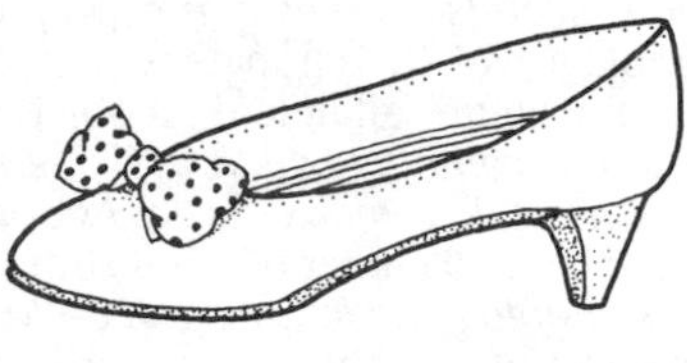

escarpin

escarpolette n.f. Planche suspendue par des cordes, servant de siège pour se balancer: *Elle a suspendu l'escarpolette à la branche du vieux chêne.* SYN. balançoire.

escient n.m. Connaissance, conscience de ce que l'on fait; discernement: *Il agit toujours à bon escient, mais parle souvent à mauvais escient.* **R.** Ne s'emploie que dans les expressions *à bon escient, à mauvais escient.*

s'esclaffer v.pron. Partir d'un éclat de rire bruyant: *Il s'esclaffe pour des riens.* SYN. pouffer.

esclandre n.m. Scène violente qui cause un scandale ou qui est causée par un fait scandaleux: *On n'oubliera jamais l'esclandre provoqué par cet employé.* SYN. éclat, querelle, tapage. ⁄⁄ *Faire de l'esclandre:* Faire du scandale, causer du désordre.

esclavage n.m. **1.** État d'un esclave, d'une personne qui n'est pas libre, qui dépend d'un maître: *La plupart des ancêtres des Noirs américains ont vécu dans l'esclavage.* SYN. asservissement. ANT. affranchissement, autonomie. **2.** Situation des personnes qui sont totalement soumises, dominées par une autorité: *Ce peuple lutte contre toute forme d'esclavage.* SYN. oppression, servitude. ANT. indépendance, liberté. **3.** État des personnes à qui une chose, une activité laisse peu de liberté: *Mon travail est devenu un véritable esclavage: je n'ai plus de temps pour me distraire.* SYN. contrainte. ☞ esclave.

esclave n. **1.** Personne privée de liberté, qui dépend d'un maître et reste sous sa domination absolue: *Il semble que les pyramides égyptiennes ont été construites par une main-d'œuvre composée d'esclaves.* **2.** Personne dominée par une autre; personne qui se soumet volontairement, par amour, aux volontés d'une autre: *Il est l'esclave de ses enfants.* SYN. pantin. **3.** Personne soumise à quelque chose: *Ces jeunes sont des esclaves de la drogue.* ☞ esclavage.

escogriffe n.m. Homme de grande taille, disproportionné, dont la démarche ne semble pas naturelle: *Qui est ce grand escogriffe avec qui tu parlais?*

escompte n.m. Réduction du prix consentie par le vendeur à l'acheteur: *On m'a accordé un escompte de dix pour cent parce que j'achetais tout le lot et que je payais comptant.* SYN. rabais, remise, ristourne. **R.** Le *p* ne se prononce pas.

escompter v. Compter sur quelque chose, espérer: *Elle escompte une augmentation de salaire en juillet prochain.* SYN. attendre, prévoir. ANT. craindre. **R.** Le *p* ne se prononce pas.

escorte n.f. (it.) **1.** Groupe de personnes qui accompagnent quelqu'un pour lui faire honneur: *Une brillante escorte accompagne la ministre dans ses déplacements.* SYN. cortège, suite. **2.** Troupe, souvent armée, qui accompagne quelqu'un ou quelque chose pour le surveiller, le protéger: *Cinq gardes lui servaient d'escorte.* SYN. garde. ⁄⁄ *Être sous bonne escorte:* Être sous bonne garde. *Faire escorte:* Accompagner. *Navire d'escorte:* Navire de guerre chargé d'accompagner un navire de transport pour le protéger. ☞ escorter, escorteur.

escorter v. Accompagner pour surveiller, faire honneur ou protéger: *La prisonnière a été escortée par deux surveillantes.* ☞ escorte.

escorteur n.m. Navire de guerre spécialement équipé pour la protection des navires marchands et pour la lutte contre les sous-marins: *La corvette et la frégate sont des escorteurs.* ☞ escorte.

escouade n.f. Troupe, groupe de personnes qui ont été entraînées pour une fonction particulière: *En cas d'émeute, on fait appel à une escouade spéciale.*

escrime n.f. Sport opposant deux personnes à l'épée, au sabre ou au fleuret: *Nicolas pratique l'escrime depuis plusieurs années.* ☞ escrimeur.

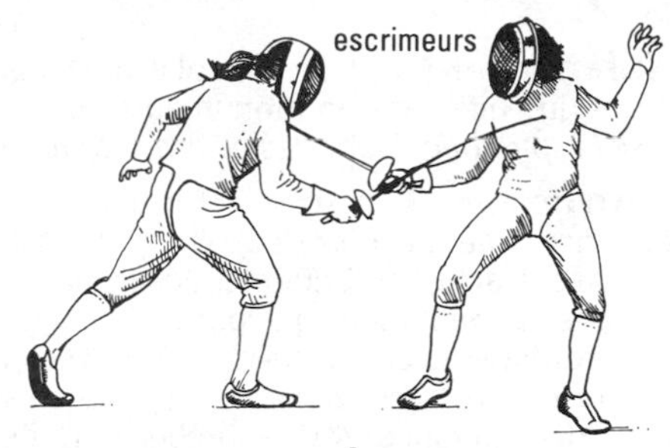

escrime

s'escrimer v.pron. Mettre beaucoup d'efforts pour faire quelque chose: *Elle s'escrime à transporter ces pierres.* SYN. s'acharner, s'appliquer, s'efforcer, s'évertuer.

escrimeur, euse n. Personne qui pratique l'escrime, qui manie l'épée, le sabre ou le fleuret: *Cette escrimeuse est souple, agile et rapide.* ☞ escrime.

escroc n.m. (it.) Personne qui déjoue les gens de façon malhonnête dans le but de leur prendre de l'argent: *Cet homme est un escroc reconnu.* SYN. canaille, filou, fripon, fripouille. ☞ escroquer, escroquerie.

escroquer v. Obtenir quelque chose de quelqu'un de façon malhonnête, en le trompant: *Elle a escroqué plusieurs milliers de dollars à sa locataire.* SYN. dérober, extorquer, soutirer, voler. ☞ escroc.

escro**c** escro**qu**er

escroquerie n.f. Action par laquelle on s'approprie malhonnêtement l'argent des autres; son résultat: *L'accusation d'escroquerie qui pèse sur lui semble justifiée.* SYN. fraude, vol. ☞ escroc.

espace n.m. **1.** Place, lieu occupé par quelque chose; surface déterminée: *Le meuble ancien occupe beaucoup d'espace.* SYN. distance, superficie. **2.** Étendue dans laquelle se meuvent les planètes, les étoiles, le Soleil: *Les planètes gravitent autour du Soleil, dans l'espace.* SYN. ciel. **3.** Distance entre deux objets, deux lignes, deux points: *Il n'y a pas d'espace entre mon lit et le mur.* SYN. écart, espacement, intervalle. **4.** Étendue de temps, durée: *La mode a beaucoup changé en l'espace de quelques années.* // *Conquête de l'espace:* Découverte de l'espace, du cosmos. *Espace vert:* Jardin, parc dans les villes. ☞ espacement, espacer.

espacement n.m. Distance entre des choses qui ont entre elles un intervalle: *L'espacement des barreaux des lits de bébés doit être très petit.* ☞ espace.

espacer v. **1.** Séparer par un intervalle de temps: *Marc va beaucoup mieux: il a décidé d'espacer ses visites chez sa psychologue.* SYN. échelonner. ANT. rapprocher. **2.** Laisser une distance entre des choses: *Elle a espacé ses tableaux de façon à remplir le mur.* SYN. distancer, éloigner. ANT. rapprocher, serrer. ☞ espace. **s'espacer** v.pron. **1.** Devenir distant: *Plus on s'éloignait de la ville, plus les maisons s'espaçaient.* **2.** Devenir de plus en plus rare: *Peu à peu, ses pleurs s'espacèrent.* **R.** Ne pas oublier la cédille devant *a* et *o*. **espacé, ée** p.p. et adj. **1.** Qui est séparé par un espace, un intervalle: *Des arbres régulièrement espacés bordaient l'allée.* **2.** Qui est séparé par un intervalle de temps: *Ses visites devenaient de plus en plus espacées.*

espadon n.m. (it.) Grand poisson de mer qui possède une mâchoire supérieure allongée en forme d'épée: *La pêche à l'espadon se pratique en haute mer.*

espadrille n.f. Chaussure à semelle de corde et à dessus en toile: *Les espadrilles se portaient couramment dans le sud de la France.* **R.** Les lettres *ill* se prononcent comme dans *famille*. N'a pas le sens de *chaussure de tennis*, *chaussure de basket*, *chaussure d'entraînement*.

espagnol, ole n. et adj. **1.** n. Personne qui est de l'Espagne: *Un Espagnol, une Espagnole.* **2.** adj. Qui est de l'Espagne: *J'aime beaucoup la musique espagnole.* **R.** On met la majuscule à *espagnol* et à *espagnole* lorsque le nom désigne une personne.

espagnol n.m. Langue parlée en Espagne et dans d'autres régions d'Amérique: *Je suis des cours d'espagnol en vue de mon voyage en Espagne.*

espagnolette n.f. Mécanisme d'ouverture et de fermeture d'une fenêtre, manœuvré par une poignée: *Les fenêtres de ma maison se ferment avec des espagnolettes.*

espèce n.f. Catégorie d'êtres vivants, animaux et végétaux, qui ont des caractères communs: *Le renard et l'ours ne sont pas de la même espèce.* // *L'espèce humaine:* L'ensemble des êtres humains. ▲ **espèce** n.f. **1.** Catégorie de choses de même nature: *J'ai acheté plusieurs espèces de verres.* SYN. sorte. **2.** Personne ou objet mal défini qui ressemble à un autre : *Elle m'a donné une espèce de carte avec des figures bizarres des deux côtés.* **3.** péj. Sert à donner plus de force à une injure : *Espèce d'imbécile! que fais-tu?*

espèces n.f.plur. Billets de banque ou pièces de monnaie; argent liquide : *Cette commerçante refuse les chèques et les cartes de crédit : on doit payer en espèces.* ▲ **espèces** n.f.plur. Le pain et le vin du sacrement de la communion, qui représentent le corps et le sang du Christ : *Nous avons communié sous les deux espèces.*

espérance n.f. Sentiment qui porte à croire que ce que l'on désire peut se réaliser : *Ce succès a dépassé mes espérances.* SYN. confiance, croyance, espoir. ANT. désespoir. ⫽ *Contre toute espérance :* Alors qu'il semblait impossible d'espérer. *Espérance de vie :* Durée moyenne de la vie humaine dans un groupe donné, calculée par la statistique. ☞ espérer.

espérer v. **1.** Souhaiter la réalisation de ce que l'on désire : *Il espère visiter l'Europe.* SYN. escompter. ANT. désespérer. **2.** Aimer à croire, à penser : *J'espère que ta santé est bonne.* **3.** Avoir confiance : *Il faut espérer en l'avenir.* SYN. croire. ANT. craindre, désespérer. ☞ espérance, espoir, inespéré.

espiègle n. et adj. (néerl.) **1.** n. Personne qui aime jouer des tours sans méchanceté : *Que faites-vous, bande d'espiègles?* **2.** adj. Qui aime jouer des tours sans méchanceté : *Cet enfant espiègle est connu de tout le voisinage.* SYN. coquin, malin, turbulent. ANT. posé, tranquille. ☞ espièglerie.

espièglerie n.f. Tour, malice, farce d'une personne qui veut taquiner : *Ce ne sont que des espiègleries d'enfants.* SYN. diablerie, gaminerie. ☞ espiègle.

espion, onne n. (it.) Personne chargée de recueillir des renseignements secrets pour une autre personne ou pour un pays étranger : *Cette espionne est chargée de la suivre continuellement.* ☞ contre-espionnage, espionnage, espionner.

espionnage n.m. Activité des espions, des personnes chargées de recueillir des renseignements secrets pour une autre personne ou pour un pays : *L'espionnage est un crime contre l'État et, dans certains pays, il est punissable de mort.* ⫽ *Espionnage industriel :* Recherche de renseignements sur les produits industriels et les secrets de fabrication d'un concurrent. *Service d'espionnage :* Organisation secrète existant dans presque tous les pays, qui a pour fonction de découvrir les secrets des autres pays. ☞ espion.

espionner v. **1.** Épier les paroles, les actes de quelqu'un dans le but de blâmer, de nuire : *Je savais que derrière le rideau quelqu'un nous espionnait.* SYN. guetter, observer. **2.** Surveiller dans le but de découvrir des secrets : *De nos jours, on peut espionner les bases militaires ennemies à partir de satellites.* ☞ espion.

esplanade n.f. (it.) Terrain plat aménagé devant un édifice ou un monument : *J'ai traversé l'esplanade avant d'arriver au château.*

espoir n.m. **1.** Fait d'attendre avec confiance : *Elle a espoir de guérir.* SYN. assurance, espérance. ANT. crainte, désespoir, inquiétude. **2.** Sentiment qui porte à attendre avec confiance : *La nouvelle d'une légère amélioration de son état nous a remplis d'espoir.* SYN. espérance. ANT. appréhension, désespoir, inquiétude. **3.** Personne qui a des chances de réussir dans un domaine particulier : *Cette plongeuse a été un espoir olympique canadien.* ☞ espérer.

esprit n.m. **1.** Âme, intelligence qui rend capable de penser : *L'être humain a un corps et un esprit.* **2.** Être invisible, âme d'un mort qui revient parmi les vivants : *On raconte que cette maison est hantée par un esprit.* SYN. fantôme, revenant. **3.** Humour : *J'aime parler avec elle, car elle a beaucoup d'esprit.* SYN. ironie, malice. ANT. bêtise. **4.** Manière de se comporter, de penser : *André a un esprit de sacrifice.* ⫽ *Faire de l'esprit :* Dire des choses drôles, faire des jeux de mots. *Perdre l'esprit :* Perdre la raison. *Présence d'esprit :* Aptitude à réagir vite devant une situation. *Reprendre ses esprits :* Reprendre connaissance, reprendre son calme.

esquif n.m.litt. (it.) Embarcation légère : *Elles se baladent en esquif sur le lac.*

esquimau, aude, aux n. et adj. **1.** n. Personne qui est du Groenland et des terres arctiques de l'Amérique : *Un Esquimau, une Esquimaude.* SYN. Inuk. **2.** adj. Qui se rapporte aux personnes du Groenland et des terres arctiques de l'Amérique : *Joëlle a acheté une sculpture esquimaude.* SYN. inuit. **R.** On met la majuscule à *esquimau* et à *esquimaude* lorsqu'il s'agit du nom.

esquimau, aux n.m. (marque déposée) **1.** Friandise à base de crème glacée, généralement enrobée, que l'on tient par un bâton : *Nous nous sommes rafraîchis en dégustant un esquimau.* **2.** Tout ensemble d'hiver pour enfants : *Ma petite sœur a revêtu son esquimau toute seule.*

esquintant, ante adj.fam. Qui fatigue beaucoup : *J'ai fait un voyage esquintant.* SYN.

épuisant, éreintant, cxténuant. ANT. délassant, reposant. ☞ esquinter.

esquinter v. **1.** Fatiguer beaucoup: *Cette randonnée en montagne m'a esquintée.* SYN. épuiser, éreinter, exténuer. ANT. délasser, reposer. **2.** fam. Abîmer; blesser: *Il a esquinté sa bicyclette dans cet accident.* SYN. amocher, détériorer, endommager. ANT. améliorer, réparer. **3.** fig. Critiquer: *La critique a esquinté son dernier roman.* SYN. éreinter. ☞ esquintant.

esquisse n.f. (it.) **1.** Dessin du projet d'une œuvre, qui guidera l'artiste au moment de l'exécution de l'ouvrage définitif: *J'ai vu beaucoup d'esquisses faites par le peintre Chagall lors de ma visite au Musée des beaux-arts.* SYN. croquis, ébauche, essai, schéma. ANT. accomplissement, achèvement. **2.** Plan sommaire d'une œuvre littéraire: *L'auteure a complété l'esquisse de son roman.* SYN. canevas, idée. ANT. accomplissement. **3.** fig. Action de commencer à faire: *L'esquisse d'un sourire indiqua que sa bouderie était terminée.* SYN. ébauche. ☞ esquisser.

esquisser v. **1.** Faire les lignes les plus importantes d'un dessin: *Cette peintre esquisse un paysage en un rien de temps.* SYN. crayonner, dessiner, ébaucher. ANT. accomplir, achever. **2.** Écrire le plan d'une œuvre littéraire: *Il a passé l'été à esquisser son roman policier.* SYN. amorcer. ANT. accomplir, achever. **3.** fig. Amorcer, commencer à faire: *En me regardant, elle esquissa un sourire.* SYN. ébaucher. ☞ esquisse.

esquive n.f. Action d'éviter un coup grâce à un mouvement rapide du corps: *Grâce à son esquive, ce boxeur s'est évité une blessure certaine.* ☞ esquiver.

esquiver v. (it.) **1.** Éviter un coup en se déplaçant rapidement: *Il esquiva un coup de poing de son adversaire.* SYN. parer. ANT. recevoir. **2.** Se soustraire aux choses embarrassantes: *Très sûr d'elle, elle esquiva les questions indiscrètes du journaliste.* SYN. éluder, escamoter, éviter. ANT. accepter. ☞ esquive. **s'esquiver** v.pron. Se retirer sans être vu: *J'ai voulu m'esquiver, mais déjà Charles m'avait vu.* SYN. se dérober, s'éclipser, s'évader. ANT. s'approcher, rester.

essai n.m. **1.** Action d'éprouver, de vérifier les qualités de quelque chose ou de quelqu'un: *Lucie a fait l'essai de la motocyclette avant de l'acheter.* SYN. test. **2.** Action d'agir, d'essayer, sans être sûr du résultat: *Son essai de réconciliation avec Mélanie s'est avéré inutile.* SYN. effort, tentative. **3.** Tentative, au football, pour franchir une certaine distance: *Au football canadien, trois essais sont prévus pour franchir trois cents mètres ou plus.* ⫽ *Mettre à l'essai:* Éprouver. ☞ essayer. ▲ **essai** n.m. Livre dans lequel l'auteur exprime ses idées sur un sujet sans l'épuiser: *J'ai lu un essai philosophique.*

essaim n.m. **1.** Groupe d'abeilles qui délaissent une ruche surpeuplée pour aller s'installer ailleurs: *Un essaim d'abeilles s'est arrêté dans notre arbre l'été dernier.* SYN. multitude, nuée. **2.** Groupe d'insectes volant ensemble: *Un essaim de mouches tournoyait autour du cheval.* SYN. nuée. **3.** fig. Groupe nombreux de personnes, d'animaux, de choses qui bougent, se déplacent: *Un essaim d'adolescents entourait le groupe rock.* SYN. bande, multitude, troupe, troupeau. ☞ essaimage, essaimer.

essaim

essaimage n.m. Déplacement d'un groupe d'abeilles qui quittent la ruche pour aller s'installer ailleurs: *Ces abeilles vont bientôt commencer leur essaimage.* ☞ essaim.

essaimer v. Quitter la ruche en groupe pour aller s'établir ailleurs: *Les abeilles et les guêpes essaiment lorsque la ruche est surpeuplée.* ANT. demeurer, rester. **R.** Se prononce *éssémé.* ☞ essaim.

essayage n.m. Action d'essayer un vêtement pour vérifier s'il nous convient bien: *Aujourd'hui, Renée ira chez le couturier pour l'essayage de sa nouvelle robe.* ⫽ *Cabine d'essayage:* Petit local, dans un magasin, où les clients peuvent essayer les vêtements. ☞ essayer.

essayer v. **1.** Éprouver une chose pour en connaître la valeur: *Papa a essayé la voiture d'occasion avant de l'acheter.* SYN. vérifier. **2.** Mettre un vêtement pour voir s'il va bien: *Gilles essaie un nouveau paletot.* **3.** Utiliser quelque chose pour la première fois sans être sûr du résultat: *Elle essaie une nouvelle recette de gâteau.* SYN. expérimenter. **4.** Utiliser les services de quelqu'un pour la première fois pour voir s'ils répondent à nos attentes: *Jean-Bernard essaie un nouveau coiffeur.* **5.** Utiliser quelque chose pour la première fois pour voir si l'on peut l'adopter: *Nous essayons un nouveau vin.* **6.** Tenter quelque chose, faire des efforts dans un but précis: *J'ai essayé de les convaincre, mais sans résultat.* SYN. tâcher. ☞ essai, essayage, essayeur, réessayage, réessayer. **s'essayer** v.pron. Éprouver ses capacités de faire quelque chose: *Je veux m'essayer à la course à pied l'été prochain.* SYN. se hasarder, se risquer, tenter.

essayeur, euse n. **1.** Personne qui s'occupe de faire essayer des vêtements aux clients: *L'essayeur m'a apporté deux autres robes.* **2.** Personne chargée de procéder à des essais, et spécialement de soumettre les véhicules à des tests: *L'essayeuse vérifie ce nouveau véhicule.* ☞ essayer.

essence n.f. **1.** Liquide provenant du pétrole brut, très odorant, inflammable, qui s'évapore facilement: *Paula met de l'essence dans sa voiture.* SYN. carburant. **2.** Liquide tiré de certaines plantes: *Jean m'a offert de l'essence de rose.* SYN. extrait. ▲ **essence** n.f. Espèce d'un arbre: *L'horticultrice a un grand choix d'essences.*

essentiel n.m. Aspect le plus important: *Tu oublies l'essentiel de l'histoire.* SYN. principal. ANT. détail. **R.** Le *t* se prononce *s*. ☞ essentiellement.

essentiel, elle adj. **1.** Qui est indispensable, important, primordial: *La qualité essentielle pour ce travail est l'honnêteté.* SYN. fondamental, principal. ANT. accessoire, inutile, négligeable. **2.** Qui importe plus qu'autre chose, qui est très important: *Nous devons connaître les principes essentiels de cette théorie.* SYN. principal. ANT. secondaire. **R.** Le *t* se prononce *s*. ☞ essentiellement.

essentiellement adv. Avant tout, absolument: *Elle achète essentiellement des produits québécois.* SYN. principalement. **R.** Le *t* se prononce *s*. ☞ essentiel.

esseulé, ée adj. Qui est isolé, sans compagnie: *Je me sens esseulée dans ce nouveau pays.* ☞ seul.

essieu, eux n.m. Pièce placée sous un véhicule, dont les extrémités entrent dans le centre des roues: *L'essieu de la charrette s'est brisé.*

essor n.m. **1.** Élan, envol: *La mouette prit son essor et s'envola au-dessus de la mer.* SYN. envolée, vol, volée. ANT. atterrissage. **2.** Développement, croissance: *L'informatique a pris un essor prodigieux.* SYN. expansion, extension, impulsion. ANT. baisse, déclin, stagnation.

essorage n.m. Action d'extraire l'eau: *L'essorage à la main de ce chandail de laine ne se fait pas sans peine.* ☞ essorer.

essorer v. **1.** Tordre, faire sortir l'eau d'un vêtement: *Annie essore sa jupe.* **2.** Secouer pour enlever l'eau: *Il faut laver et essorer la salade.* ☞ essorage, essoreuse.

essoreuse n.f. **1.** Appareil destiné à enlever l'eau imprégnée dans le linge: *Pierre s'est acheté une machine à laver à essoreuse.* **2.** Ustensile de cuisine fait d'une cuve dans laquelle tourne un panier percé de trous, utilisé pour égoutter la salade: *Je fais tourner la salade dans l'essoreuse pour la débarrasser de son eau.* ☞ essorer.

essouchement n.m. Action de débarrasser un terrain des souches qui restent après avoir coupé les arbres: *L'essouchement de ce terrain est loin d'être terminé.* ☞ souche.

essoucher v. Enlever les souches d'un terrain après avoir coupé les arbres: *Pauline et Jean essouchent leur terrain avant de construire leur chalet.* ☞ souche.

essoufflement n.m. Respiration courte et difficile; état d'une personne qui est à bout de souffle: *Après la course, l'essoufflement de Nadir l'empêchait de parler.* SYN. suffocation. ☞ souffler.

essouffler v. Faire perdre le souffle, mettre hors d'haleine: *L'ascension de cette côte abrupte a essoufflé Christiane.* ☞ souffler. **s'essouffler** v.pron. Perdre son souffle: *Il s'essouffle à rien.* SYN. suffoquer. **essoufflé, ée** p.p. et adj. Qui est à bout de souffle: *L'enfant tout essoufflé se repose avant de continuer sa course.*

essuie-glace n.m. Appareil muni d'une lame de caoutchouc servant à essuyer le pare-brise d'une automobile: *Lorsqu'il pleut, nous faisons fonctionner les essuie-glaces.* **R.** Au pluriel, *essuie-glaces*. ☞ essuyer.

essuie-main n.m. Linge dont on se sert pour s'essuyer les mains: *L'essuie-main est placé près du lavabo.* SYN. serviette. **R.** Aussi, *essuie-mains*. Au pluriel, *essuie-main* ou *essuie-mains*. ☞ essuyer.

essuie-tout n.m.invar. Papier absorbant, résistant, utilisé à divers usages: *Avec un essuie-tout, j'ai épongé l'eau répandue sur le comptoir.* ☞ essuyer.

essuyage n.m. Action d'essuyer, de sécher en frottant avec un linge: *J'ai besoin d'aide* *pour faire l'essuyage de la vaisselle.* ☞ essuyer.

essuyer v. **1.** Sécher en frottant avec un linge: *Virginie et Guillaume ont essuyé la vaisselle.* ANT. humecter, mouiller. **2.** Frotter pour enlever la poussière: *En faisant le ménage, j'ai essuyé la commode avec un chiffon.* SYN. épousseter. ANT. salir, souiller. **3.** fig. Subir quelque chose de pénible, de désagréable: *À cause de sa mauvaise conduite, elle a dû essuyer les reproches de ses parents.* SYN. endurer, supporter. ☞ essuie-glace, essuie-main, essuie-tout, essuyage.

est n.m.invar. et adj.invar. **1.** n.m.invar. Point cardinal opposé à l'ouest; côté où le soleil se lève: *Le Québec est à l'est de l'Ontario.* SYN. orient. ANT. occident, ouest. **2.** n.m.invar. Partie d'un pays, d'une région qui est située à l'est: *On appelle «pays de l'Est» les pays socialistes de l'Europe orientale.* SYN. Orient. ANT. Occident, Ouest. **3.** adj.invar. Qui est situé à l'est: *La côte est des États-Unis est bordée par l'océan Atlantique.* SYN. oriental. ANT. occidental, ouest. **R.** S'écrit avec une majuscule lorsqu'il s'agit de la partie d'un pays, d'une région.

estacade n.f. (it.) Barrage formé de pieux: *Une estacade ferme l'entrée de la rivière.* SYN. digue, jetée.

estampe n.f. Image imprimée sur du papier à l'aide d'une planche de bois ou de métal gravée: *Cette estampe représente une scène d'hiver.* SYN. figure, gravure, vignette.

estampillage n.m. Action d'estampiller, de marquer un produit pour garantir son authenticité: *Cette commis est affectée aujourd'hui à l'estampillage de la marchandise.* **R.** Les lettres *ill* se prononcent comme dans *famille.* ☞ estampille.

estampille n.f. (esp.) Marque appliquée sur un objet ou un produit pour attester son origine ou son authenticité: *Cette poterie porte l'estampille de l'artisane qui l'a fabriquée: ce n'est pas une imitation.* SYN. cachet, empreinte, oblitération, sceau. **R.** Les lettres *ill* se prononcent comme dans *famille.* ☞ estampillage, estampiller.

estampiller v. Marquer d'un sceau, d'une estampille: *On estampille la plupart des produits manufacturés avant de les mettre sur le marché.* SYN. poinçonner, timbrer. **R.** Les lettres *ill* se prononcent comme dans *famille.* ☞ estampille.

esthéticien, ienne n. Personne dont la profession consiste à donner des soins de beauté: *Brian est un excellent esthéticien.* ☞ esthétique.

esthétique n.f. et adj. **1.** n.f. Science du beau et de la beauté dans la nature et dans l'art; manière de concevoir le beau: *L'esthétique est une branche de la philosophie qui s'interroge sur le beau.* **2.** n.f. Beauté d'une forme: *Admirez l'esthétique de cette nouvelle construction.* SYN. harmonie. **3.** adj. Qui présente une certaine beauté: *La forme de son visage est très esthétique.* SYN. beau, harmonieux. ANT. inesthétique. ⁄⁄ *Chirurgie esthétique:* Intervention chirurgicale visant à embellir les formes du corps ou du visage. ☞ esthéticien, esthétiquement, inesthétique.

esthétiquement adv. D'une manière esthétique: *Les meubles du salon sont esthétiquement disposés.* ☞ esthétique.

estimable adj. **1.** Qui est respectable, digne d'estime: *Mes parents sont des gens très estimables.* SYN. honorable, recommandable. ANT. indigne, méprisable, vil. **2.** Qui a une certaine valeur, une certaine qualité, sans être remarquable: *Ce n'est pas un chef-d'œuvre, mais cet ouvrage estimable mérite d'être lu.* ☞ estimer.

estimation n.f. **1.** Action d'estimer, de déterminer le prix, la valeur d'une chose: *Le paysagiste a fait une estimation des travaux d'aménagement.* SYN. évaluation. **2.** Action d'évaluer, de calculer une grandeur, une quantité: *On a fait une estimation approximative du nombre de personnes présentes à la réunion.* SYN. calcul, évaluation. ☞ estimer.

estime n.f. Respect, opinion favorable au sujet de quelqu'un ou de quelque chose: *Les employés ont beaucoup d'estime pour leur directrice.* SYN. considération, déférence, égard. ANT. dédain, mépris. ☞ estimer.

estimé, ée adj. **1.** Qui jouit de la considération, du respect des autres: *C'est une enseignante très estimée.* **2.** Qui est apprécié: *Le cadeau qu'il lui a offert fut estimé.* HOM. estimer. ☞ estimer.

estimer v. **1.** Déterminer la valeur, le prix d'un objet: *L'experte estime ce tableau à cinq mille dollars.* SYN. coter, évaluer. **2.** Calculer de façon approximative: *J'estime à 1,5 km la distance entre la maison et l'école.* SYN. évaluer. ☞ estimation, inestimable, sous-estimer, surestimation, surestimer. **estimé, ée** p.p. et adj. Dont la valeur a été fixée ou calculée approximativement: *On a volé un tableau estimé à deux millions de dollars.* ▲ **estimer** v. Avoir une bonne opinion de quelqu'un; apprécier quelque chose: *Ces élèves estiment beaucoup leur professeur.* SYN. aimer, considérer. ANT. déprécier, mépriser. ☞ estimable, estimé. ▲ **estimer** v. Penser, considérer: *J'estime que tu pourrais avoir* *de meilleurs résultats.* SYN. croire, juger, présumer. HOM. estimé. **s'estimer** v.pron. **1.** Avoir une haute opinion de soi : *Cette dame s'estime trop.* **2.** Se croire, se considérer : *Estimons-nous chanceux que l'accident n'ait pas fait de victimes.*

estival, ale, aux adj. Qui est propre à l'été : *Beaucoup de jeunes cherchent un travail estival.* ANT. hivernal. ☞ été.

estivant, ante n. Personne qui passe ses vacances dans un endroit de villégiature : *Pendant l'été, les estivants sont très nombreux dans le comté de Charlevoix.* ☞ été.

estomac n.m. **1.** Organe situé entre l'œsophage et l'intestin et dans lequel se fait une partie de la digestion : *Une partie de la transformation des aliments se fait dans l'estomac.* **2.** Partie du corps située dans la région de l'estomac : *Un violent coup dans le creux de l'estomac m'a coupé le souffle.* ⁄⁄ *Brûlure d'estomac :* Douleur à l'estomac semblable à la douleur causée par une brûlure.

estomaquer v.fam. Étonner par quelque chose de choquant : *Cette nouvelle a estomaqué tout le monde.* SYN. scandaliser. **R.** S'emploie surtout à l'infinitif et aux temps composés.

estompage n.m. Action d'estomper, d'étendre avec une estompe sur un dessin les traits de crayon, de fusain, de pastel : *La peintre fait l'estompage des arbres sur son tableau.* ☞ estomper.

estompe n.f. (néerl.) Outil servant à étendre le crayon, le fusain, le pastel sur un dessin : *J'ai adouci les contours de mon dessin avec l'estompe.* ☞ estomper.

estomper v. **1.** Adoucir un dessin en étalant le crayon, le fusain ou le pastel avec l'estompe : *L'artiste estompe les traits de son personnage.* ANT. accentuer, accuser. **2.** Voiler, rendre plus flou : *La brume estompe le paysage.* ANT. préciser. ☞ estompage, estompe. **s'estomper** v.pron. **1.** Devenir flou, se voiler : *La prairie s'estompait dans le brouillard.* ANT. se détacher. **2.** fig. Devenir moins fort, moins violent, en parlant d'un souvenir, d'un sentiment : *La colère finit par s'estomper.* SYN. s'atténuer, s'effacer. ANT. augmenter.

estrade n.f. (it.) Petit plancher un peu plus haut que le sol, destiné à recevoir des chaises, un bureau, etc. : *Les gagnantes montent sur l'estrade pour recevoir leur prix.* SYN. tribune.

estragon n.m. Plante dont la tige et les feuilles sont utilisées comme condiment ; ce condiment : *Je raffole du poulet à l'estragon.*

estropié, ée n. et adj. **1.** n. Personne blessée, privée de l'usage d'un ou de plusieurs de ses membres : *L'accident a fait de moi un estropié.* SYN. impotent, infirme, invalide. **2.** adj. Qui est blessé, privé de l'usage d'un ou de plusieurs de ses membres : *Par suite d'une longue maladie, Ève est devenue estropiée.* SYN. impotent, infirme, invalide. ANT. valide. HOM. estropier. ☞ estropier.

estropier v. (it.) **1.** Blesser, rendre handicapé, invalide : *Cette chute dans l'escalier l'a estropié.* **2.** fig. Déformer un texte, des paroles, au point d'en modifier le sens, d'en gâter la beauté : *Tu as estropié son message.* HOM. estropié. ☞ estropié. **s'estropier** v.pron. Se blesser : *Attention ! En tombant de l'arbre, tu pourrais t'estropier.*

estuaire n.m. Embouchure d'un fleuve, formant une sorte de golfe où se font sentir les marées : *Le bateau remonte l'estuaire du Saint-Laurent.*

esturgeon n.m. Gros poisson pouvant atteindre jusqu'à six mètres de long, qui vit dans la mer mais qui pond ses œufs dans le fleuve : *Les œufs d'esturgeon servent à la préparation du caviar.* **R.** Ne pas oublier le *e* après le *g.*

étable n.f. Bâtiment où logent les vaches, les bestiaux : *La fermière se rend à l'étable pour traire les vaches.*

établi n.m. Table de travail très solide, des menuisiers, des tailleurs, etc. : *Le menuisier répare le coffre sur son établi.*

établir v. **1.** Installer, poser d'une manière stable : *On établira une estrade pour le spectacle.* SYN. construire, édifier, fonder. ANT. détruire. **2.** Instituer, mettre en application : *Le gouvernement a établi un nouvel impôt.* SYN. fonder, instaurer, organiser. ANT. abolir, renverser. **3.** Fonder de manière stable et durable : *Les excellents services offerts par cette entreprise contribuent à établir sa réputation.* SYN. édifier. **4.** Mettre sur pied, organiser : *Vous devez établir la liste des invités.* **5.** Démontrer la réalité d'un fait, donner des arguments, des preuves solides : *L'avocat doit éta-*

estragon

blir l'innocence de sa cliente. SYN. prouver. **6.** Nouer des relations, des liens : *Cette association cherche à établir des liens avec la population.* ANT. abolir. ☞ établissement. **s'établir** v.pron. **1.** S'installer, fixer son commerce, sa demeure : *Une nouvelle compagnie d'assurances vient de s'établir à Montréal.* ANT. partir. **2.** S'instaurer : *Certaines modes s'établissent sans difficulté.* **établi, ie** p.p. et adj. **1.** Qui est solide, stable, enraciné : *Cette entreprise a une réputation bien établie.* **2.** Qui est en vigueur, en place : *Il est difficile de s'opposer aux coutumes établies.*

établissement n.m. **1.** Action d'établir, d'installer : *L'établissement de cette usine dans la région a permis la création de nombreux emplois.* SYN. création. ANT. destruction. **2.** Installation servant au fonctionnement d'une entreprise ; l'entreprise elle-même : *Cet établissement commercial est très rentable.* ⁄⁄ *Établissement hospitalier :* Hôpital. *Établissement scolaire :* École. ☞ établir.

étage n.m. Espace compris entre deux planchers successifs d'un bâtiment : *Nous habitons un immeuble de dix étages.* ▲ **étage** n.m. Chacun des niveaux d'un objet formé de parties superposées : *Papa a cuisiné un gâteau à trois étages.* ☞ étager, étagère.

étager v. Disposer par étages, superposer : *Pour ménager l'espace, on a étagé la marchandise dans l'entrepôt.* ☞ étage. **s'étager** v.pron. Être disposé en rangs superposés, s'échelonner : *Les petites maisons s'étageaient sur la colline.* **étagé, ée** p.p. et adj. Qui est disposé par étages : *Les sièges étagés des salles de cinéma permettent aux spectateurs de mieux voir l'écran.*

étagère n.f. **1.** Meuble formé de plusieurs tablettes superposées fixées à des montants : *Nous avons fabriqué une étagère pour ranger les livres.* **2.** Planche fixée horizontalement sur un mur : *Les bibelots sont placés sur une étagère.* ☞ étage.

étain n.m. **1.** Métal gris servant à la fabrication de divers objets : *Certaines personnes aiment boire leur vin dans une coupe en étain.* **2.** Pièce, objet en étain : *À la maison, nous avons une collection d'étains anciens.* HOM. éteint.

étal, als n.m. **1.** Table sur laquelle les marchands disposent leurs produits dans un marché : *La maraîchère place ses légumes sur un étal.* **2.** Table sur laquelle le boucher débite la viande : *La bouchère prépare un rôti de bœuf sur son étal.* **R.** Aussi, au pluriel, *étaux*.

étalage n.m. **1.** Ensemble de marchandises exposées : *L'étalage des jouets attire toujours les jeunes enfants.* **2.** Lieu où l'on expose des marchandises : *Dans les grands magasins, on décore les étalages à l'approche de Noël.* SYN. devanture, vitrine. **3.** Action de montrer avec orgueil et vanité : *Je n'aime pas cet étalage de luxe.* SYN. démonstration, déploiement, exhibition. ⁄⁄ *Faire étalage de :* Exhiber. ☞ étaler.

étalager v. Mettre en étalage, en vitrine : *Nous avons fini d'étalager les foulards.* ☞ étaler.

étalagiste n. Personne dont le métier consiste à disposer les étalages aux vitrines des magasins : *L'étalagiste a monté une vitrine superbe.* ☞ étaler.

étalement n.m. Action d'étaler, de répartir : *Nous apprécions l'étalement des congés durant l'année scolaire.* SYN. échelonnement. ☞ étaler.

étaler v. **1.** Exposer des produits pour la vente : *Le marchand étale ses fleurs au marché.* **2.** péj. Montrer, exhiber avec orgueil et vanité : *Elle prend plaisir à étaler ses connaissances.* SYN. afficher. ANT. cacher, dissimuler. ☞ étalage, étalager, étalagiste. ▲ **étaler** v. Répartir sur une longue période : *On a étalé les paiements de la maison sur plusieurs années.* SYN. échelonner. ☞ étalement. ▲ **étaler** v. **1.** Disposer des objets les uns à côté des autres : *Nous avons étalé les photos sur la table pour mieux les voir.* SYN. éparpiller, étendre. ANT. empiler, entasser, ramasser. **2.** Étendre une couche fine d'une substance sur une surface : *J'étale du beurre sur ma tranche de pain.* SYN. appliquer, épandre. **3.** fam. Faire tomber quelqu'un : *D'un violent coup de poing, il a étalé son adversaire.* **s'étaler** v.pron. **1.** S'échelonner, s'étendre dans le temps : *Nos paiements s'étalent sur six mois.* SYN. se répartir. **2.** S'étendre, s'appliquer sur une surface : *Le beurre dur s'étale difficilement.* **3.** fam. Prendre toute la place : *Elle s'étale dans le fauteuil.* **4.** fam. Tomber : *Dès qu'ils posaient le pied sur la surface glacée, la plupart des passants s'étalaient de tout leur long.* **étalé, ée** p.p. et adj. Qui est réparti dans le temps : *Les paiements étalés sur une longue période m'aident à équilibrer mon budget.*

étalon n.m. Cheval mâle, qui n'a pas été castré, servant à la reproduction : *Cette éleveuse possède de magnifiques étalons arabes dans son haras.* ▲ **étalon** n.m. Objet, instrument qui sert d'unité de mesure : *Cette barre me servira d'étalon pour mesurer la hauteur de ces tables.*

étamine n.f. **1.** Tissu mince et léger : *Sa robe est en étamine de laine.* **2.** Tissu lâche qui sert à filtrer : *Vous devez passer ce bouil-*

lon à l'étamine. ▲ **étamine** n.f. Organe mâle des plantes à fleurs, qui produit le pollen: *Les étamines de la marguerite sont jaunes.*

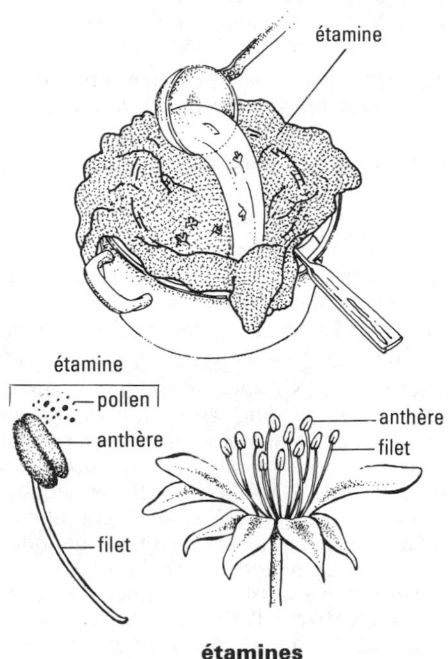

étamines

étampe n.f. Outil qui sert à produire des empreintes sur les métaux: *Le forgeron utilise une étampe pour marquer la pièce de fer.* **R.** N'a pas le sens de *cachet*, *tampon*, *timbre*.

étamper v. Travailler en utilisant une étampe: *Le forgeron étampe à froid ce métal.* **R.** N'a pas le sens de *marquer*, *estampiller*, *timbrer*, *tamponner*.

étanche adj. Qui ne laisse pas passer les fluides, les liquides: *Le vin est transporté dans des tonneaux étanches.* SYN. imperméable. ANT. perméable. ☞ étanchéité, étancher.

étanchéité n.f. Caractère de ce qui est étanche, hermétique, imperméable: *L'étanchéité de cette montre vous permet de la porter même pour nager.* SYN. imperméabilité. ANT. perméabilité. ☞ étanche.

étancher v. Arrêter l'écoulement d'un liquide: *J'ai étanché le sang de sa blessure.* SYN. assécher, éponger. ANT. humecter, mouiller, tremper. ⫽ *Étancher sa soif:* Se désaltérer. ▲ **étancher** v. Rendre étanche, imperméable: *On a étanché cette barque en y appliquant une couche de goudron.* ☞ étanche.

étang n.m. Étendue d'eau généralement petite et peu profonde: *Nous irons pêcher dans l'étang près du chalet.* SYN. marais.

étape n.f. **1.** Lieu où l'on s'arrête au cours d'un voyage pour se reposer: *Nous arriverons à l'étape dans une heure.* SYN. arrêt, escale, halte. ANT. marche, reprise. **2.** Distance parcourue ou à parcourir entre deux arrêts; épreuve sportive consistant à franchir cette distance: *Chaque jour, les coureurs devront faire une étape de vingt kilomètres.* SYN. parcours, trajet. **3.** fig. Période, phase: *L'année scolaire est divisée en quatre étapes.* ⫽ *Brûler les étapes:* Aller plus vite que prévu. *Faire étape:* S'arrêter.

étasunien, ienne n. et adj. **1.** n. Personne qui est des États-Unis: *Un Étasunien, une Étasunienne.* SYN. Américain. **2.** adj. Qui est des États-Unis: *J'aime aller en vacances sur les plages étasuniennes.* SYN. américain. **R.** Aussi, *états-unien*. On met la majuscule à *étasunien* et à *étasunienne* lorsqu'il s'agit du nom.

état n.m. **1.** Manière d'être d'une personne: *Son état de santé s'est amélioré.* SYN. condition. **2.** Manière d'être d'une chose: *Ma voiture n'est pas en très bon état.* **3.** Aspect sous lequel se présente une substance: *L'eau passe de l'état liquide à l'état solide à 0 °C.* **4.** Écrit qui rend compte d'une situation à un moment précis: *Nous vous ferons parvenir votre état de compte.* ⫽ *État d'âme:* Disposition des sentiments. *État d'esprit:* Disposition particulière de l'esprit. *Être dans tous ses états:* Être énervé, affolé. *Être en état de, hors d'état de:* Être en mesure de, ne pas être en mesure de; être capable de, être incapable de. *Faire état de:* Mentionner, tenir compte de. *Verbe d'état:* Verbe qui exprime que le sujet est dans un état donné (*être*, *paraître*, *sembler*, etc.). ▲ **état** n.m. **1.** Métier, profession: *Elle est avocate de son état.* **2.** Ensemble des caractéristiques d'une personne au regard de la loi civile: *En mon état de parent, j'avais droit à une exemption d'impôts.* ⫽ *État civil:* Ensemble des qualités et des droits civils d'une personne (nom, âge, nationalité, etc.); service chargé des actes de l'état civil. ▲ **état** n.m. **1.** vx Forme de gouvernement: *Le XVIIe siècle français a connu l'état monarchique.* **2.** Ensemble politique formé d'un territoire délimité, d'une popularité et d'une autorité: *Le Canada est un État démocratique.* SYN. nation, pays, puissance. **3.** Ensemble des services et des pouvoirs publics d'une nation: *Nous payons des impôts à l'État.* SYN. gouvernement. ⫽ *Chef d'État:* Personne qui exerce l'autorité souveraine dans un pays. *Coup d'État:* Conquête ou tentative de conquête du pouvoir par des moyens illégaux. *Homme* *d'État:* Personne qui a une charge, un rôle dans un gouvernement. *Raison d'État:* Considération d'ordre public qu'on utilise pour justifier une action. *Secret d'État:* Information dont la révélation est passible de sanctions parce qu'elle peut nuire à l'État. **R.** On met la majuscule à *état* lorsqu'il s'agit d'un ensemble politique ou de l'ensemble des services et des pouvoirs publics d'un pays.

état-major n.m. **1.** Groupe d'officiers qui aident un chef dans l'exercice de son commandement: *La générale a convoqué son état-major.* **2.** Ensemble des collaborateurs d'un chef ou des personnages importants d'un groupe: *L'état-major du parti se réunit mardi.* SYN. direction. **R.** Au pluriel, *états-majors*.

étau, aux n.m. Instrument formé de deux mâchoires qu'on rapproche à volonté, de façon à tenir solidement la pièce que l'on veut travailler: *On a placé la clef dans l'étau afin de la limer.*

étayer v. **1.** Soutenir par des poutres, par des pièces de charpente: *Le mur menaçait de s'effondrer, il a fallu l'étayer.* SYN. appuyer, consolider, renforcer. ANT. ébranler, miner. **2.** fig. Appuyer, soutenir: *J'ai dû étayer mon exposé par des faits.*

et cetera loc.adv. (lat.) Et le reste: *L'abréviation de «et cetera» est «etc.».* **R.** Aussi, *et cætera*. Est rarement écrit en toutes lettres. Se prononce *ètcétéra*.

été n.m. Saison qui suit le printemps et qui précède l'automne: *L'été commence vers le 21 juin et se termine vers le 22 septembre.* ☞ estival, estivant.

éteindre v. **1.** Faire cesser de brûler: *Les pompiers ont éteint le feu.* SYN. arrêter, étouffer. ANT. allumer, attiser. **2.** Faire cesser d'éclairer: *Voulez-vous éteindre la lampe du salon?* ANT. allumer, ouvrir. **3.** Faire cesser de fonctionner un appareil: *As-tu éteint le téléviseur?* SYN. fermer. ANT. allumer, ouvrir. **4.** Faire cesser d'exister, diminuer, atténuer une sensation, un sentiment: *Le chagrin éteint sa joie de vivre.* SYN. amoindrir. ANT. aviver. **s'éteindre** v.pron. **1.** Cesser de brûler: *Tu as laissé le feu s'éteindre!* ANT. s'allumer. **2.** fig. Perdre de la vivacité, de l'intensité: *Les sons diminuèrent puis s'éteignirent.* **3.** Mourir: *Ma tante s'est éteinte à l'âge de soixante-deux ans.*

éteint, einte adj. **1.** Qui ne brûle plus, qui n'éclaire plus: *Cette voiture circule tous phares éteints.* **2.** fig. Qui a perdu son éclat: *Son regard éteint laissait deviner une grande tristesse.* HOM. étain. ⁄⁄ *Voix éteinte:* Voix si faible qu'on peut à peine l'entendre.

éteindre éteint

étendage n.m. Action d'étendre du linge: *Je me charge de l'étendage des vêtements mouillés.* ☞ étendre.

étendard n.m. **1.** Drapeau de guerre, drapeau d'un régiment de cavalerie: *L'étendard flottait au-dessus du fort.* SYN. bannière. **2.** fig. Signe de ralliement, symbole d'une cause pour laquelle on lutte: *Nous avons combattu sous l'étendard de la liberté.*

étendoir n.m. Corde ou dispositif pour étendre le linge: *J'ai placé mes vêtements humides sur l'étendoir.* ☞ étendre.

étendre v. **1.** Allonger un membre, une partie du corps: *J'étends le bras pour prendre le téléphone.* SYN. étirer. ANT. contracter. **2.** Déplier, placer en long et en large: *Aide-moi à étendre ce drap pour le faire sécher.* SYN. déployer, étaler. ANT. plier, rouler. **3.** Coucher quelqu'un de tout son long: *Il est blessé, vous devez l'étendre sur la civière pour le transporter.* **4.** Appliquer une couche de matière pour recouvrir une surface: *J'étends du beurre d'arachide sur ma tranche de pain.* SYN. étaler. **5.** Agrandir, augmenter: *Ce pays cherche à étendre son influence sur les autres nations.* SYN. développer. ANT. diminuer, limiter. ☞ étendage, étendoir, étendu, étendue. **s'étendre** v.pron. **1.** Se coucher: *Elle était fatiguée: elle est allée s'étendre.* SYN. s'allonger. **2.** Avoir une certaine étendue: *La mer s'étend à perte de vue.* SYN. s'étirer. **3.** fig. Prendre de l'ampleur, se développer: *Si l'épidémie s'étend, l'école devra fermer ses portes.* SYN. s'accroître, se répandre. ⁄⁄ *S'étendre sur un sujet:* Développer longuement un sujet.

étendu, ue adj. **1.** Qui a été étendu ou qui s'est étendu: *Le linge étendu sur la corde séchera rapidement.* **2.** Qui a une grande étendue: *Près du chalet, nous avons un lac très étendu.* SYN. spacieux, vaste. ANT. borné, petit, réduit. **3.** fig. Qui est vaste: *Ces personnes ont un vocabulaire très étendu.* ANT. borné, limité, réduit. HOM. étendue. ☞ étendre.

étendue n.f. **1.** Espace occupé par quelque chose: *Le Canada est un pays d'une grande étendue.* SYN. dimension, superficie, surface. **2.** Importance: *L'incendie a causé des dégâts d'une grande étendue.* SYN. ampleur, proportion. HOM. étendu. ☞ étendre.

éternel n.m. **1.** Ce qui a une valeur d'éternité, ce qui n'aura pas de fin: *Certaines personnes sont en quête de l'éternel.* **2.** Dieu: *À la messe, nous louons l'Éternel.* **R.** On met la majuscule à *éternel* lorsqu'il s'agit de *Dieu*. ☞ éternité.

éternel, elle adj. **1.** Qui n'a pas eu de commencement et n'aura pas de fin: *L'être humain n'est pas éternel.* **2.** Qui doit durer très longtemps: *Tu lui dois une reconnaissance éternelle.* SYN. perpétuel. ANT. momentané, passager, temporaire. **3.** Qui ne semble pas vouloir se terminer: *Je suis fatiguée de ses éternelles discussions.* SYN. interminable. ANT. éphémère. **4.** Qui est continuellement associé à quelqu'un ou à quelque chose: *Il porte son éternel imperméable.* SYN. inséparable. ⁄ *Le sommeil, le repos éternel:* La mort. ☞ éternité.

éternellement adv. Sans cesse, toujours: *Allez-vous écouter cette musique éternellement?* SYN. indéfiniment. ☞ éternité.

éterniser v. Faire durer: *Il est inutile d'éterniser cette discussion.* SYN. prolonger. ANT. abréger. ☞ éternité. **s'éterniser** v.pron. **1.** Durer très longtemps: *Cette guerre qui s'éternise a déjà fait beaucoup de victimes.* SYN. se prolonger. ANT. s'abréger. **2.** fam. Rester trop longtemps chez quelqu'un, dans un lieu: *Je ne veux pas m'éterniser dans ce restaurant.* SYN. s'attarder, demeurer, flâner.

éternité n.f. **1.** Durée n'ayant ni commencement ni fin: *L'idée de l'éternité est difficile à imaginer.* **2.** Durée ayant un commencement mais pas de fin: *Les chrétiens croient à l'éternité après la mort.* **3.** Temps très long: *Je t'attends depuis une éternité.* ANT. brièveté. ⁄ *Pour l'éternité:* Pour toujours. ☞ éternel, éternellement, éterniser.

éternuement n.m. Expiration brusque et bruyante d'air par le nez et la bouche: *«Atchoum» est une interjection évoquant un bruit d'éternuement.* **R.** Le *e* de la troisième syllabe ne se prononce pas. ☞ éternuer.

éternuer v. Rejeter de l'air par le nez et la bouche avec un bruit spécial: *La coutume d'adresser une sorte de salutation aux personnes qui éternuent se retrouve chez la plupart des peuples.* ⁄ *Poudre à éternuer:* Substance poivrée pour provoquer l'éternuement. ☞ éternuement.

étêtage n.m. Opération par laquelle on coupe la tête des arbres: *Vous devez faire l'étêtage des jeunes arbres avant de les transplanter.* SYN. écimage. **R.** Aussi, *étêtement*. Ne pas oublier l'accent: *ê*. ☞ tête.

étêter v. Couper la tête d'un arbre, d'un petit animal, d'un objet: *J'ai étêté les truites avant de les faire cuire.* **R.** Ne pas oublier l'accent: *ê*. ☞ tête.

éther n.m. Liquide incolore à odeur forte, qui s'évapore facilement, utilisé en médecine comme désinfectant ou comme anesthésique: *L'infirmier a désinfecté la blessure de la patiente avec de l'éther.* **R.** Le *r* se prononce.

éthiopien, ienne n. et adj. **1.** n. Personne qui est de l'Éthiopie: *Un Éthiopien, une Éthiopienne.* **2.** adj. Qui est de l'Éthiopie: *La capitale éthiopienne est Addis-Abeba.* **R.** On met la majuscule à *éthiopien* et à *éthiopienne* lorsqu'il s'agit du nom.

ethnie n.f. (grec) Ensemble de personnes ayant des caractères communs, comme la langue et la culture: *Dans notre école, il y a des élèves de différentes ethnies.* ☞ ethnique, ethnologie, ethnologique, ethnologue.

ethnique adj. Qui se rapporte à l'ethnie, aux groupes humains qui ont des caractères communs: *Dans la ville de Montréal, on compte plusieurs minorités ethniques.* ☞ ethnie.

ethnologie n.f. (grec) Étude de faits et de documents concernant les divers groupes humains: *Ce professeur est un spécialiste en ethnologie.* ☞ ethnie.

ethnologique adj. Qui se rapporte à l'ethnologie, à l'étude des groupes humains: *Des recherches ethnologiques ont été entreprises sur les Asiatiques.* ☞ ethnie.

ethnologue n. Personne qui s'occupe d'ethnologie, qui étudie les divers groupes humains: *J'ai rencontré une ethnologue spécialiste des civilisations africaines.* **R.** Ne pas oublier le *u* après le *g*. ☞ ethnie.

étincelant, ante adj. **1.** Qui étincelle, qui brille: *Le soleil est étincelant aujourd'hui.* SYN. luisant, rutilant, scintillant. ANT. banal, éteint, mat, obscur, terne. **2.** fig. Qui est luisant, vif: *Son regard étincelant de colère traduisait la gravité de la situation.* ANT. éteint, terne. ☞ étinceler.

étinceler v. **1.** Briller, scintiller: *La rivière étincelle au clair de lune.* SYN. luire, miroiter. **2.** fig. Prendre de l'éclat: *Ses yeux étincelaient de joie.* ANT. s'assombrir, s'éteindre. **R.** Ne pas oublier de doubler le *l* devant un *e* muet. ☞ étincelant, étincellement.

étincelle n.f. **1.** Parcelle de feu qui se détache d'un corps qui brûle ou qui jaillit du frottement de deux corps: *Prenez garde aux étincelles lorsque vous allumez un feu.* SYN. flammèche. **2.** fig. Lueur: *Une étincelle de génie lui permit de trouver la solution de l'énigme.* SYN. éclair. ⁄ *Étincelle électrique:* Éclair qui jaillit en pétillant lorsque se produit un court-circuit.

étincellement n.m. Fait d'étinceler, lueur de ce qui étincelle: *Après une tempête de neige, le soleil allume un étincellement de* *flocons de neige sur la montagne.* SYN. scintillement. ☞ étinceler.

étincelant étinceler étincelle étincellement

étiolement n.m. **1.** Action de priver une plante de lumière; son résultat: *L'étiolement de cette plante a fait pâlir son feuillage.* SYN. dépérissement. **2.** Fait de dépérir, de s'affaiblir; état d'une personne pâle et chétive: *L'étiolement de cet enfant est dû à une carence alimentaire.* SYN. affaiblissement, dépérissement. **3.** fig. Appauvrissement: *L'étiolement de l'esprit se produit graduellement et fait suite à un manque d'activités intellectuelles.* SYN. déclin. ☞ étioler.

étioler v. **1.** Rendre un végétal grêle et pâle en le privant de lumière ou d'air: *L'obscurité étiole les plantes de la maison.* ANT. développer, épanouir. **2.** Affaiblir, rendre chétif et pâle: *Le manque de grand air et une mauvaise alimentation étiolent les enfants.* ANT. fortifier. ☞ étiolement. **s'étioler** v.pron. **1.** S'affaiblir, devenir chétif: *Par manque d'exercice et de grand air, beaucoup de jeunes s'étiolent.* SYN. s'anémier, dépérir. ANT. se développer, s'épanouir. **2.** S'appauvrir, se dégrader, s'arrêter dans son développement: *La mémoire s'étiole dans l'inaction.* ANT. se développer, s'épanouir. **étiolé, ée** p.p. et adj. Qui est grêle et pâle, en parlant d'une plante: *Nous avons soigné le géranium étiolé.*

étiquetage n.m. Action de marquer d'une étiquette: *Nous avons fait l'étiquetage de tous les pots de confitures.* ☞ étiquette.

étiqueter v. **1.** Marquer d'une étiquette afin de distinguer les objets: *On a étiqueté tous les nouveaux bocaux.* **2.** fig. Classer, cataloguer: *Une seule mauvaise action a suffi pour qu'on l'étiquette comme indésirable.* **R.** Ne pas oublier de doubler le *t* devant un *e* muet. ☞ étiquette. **étiqueté, ée** p.p. et adj. Qui est marqué d'une étiquette: *Tous les vêtements étiquetés en rouge sont en réduction.*

étiquette n.f. **1.** Petit papier ou carton que l'on fixe à un objet pour en indiquer la nature, le contenu, le prix: *Il est important de lire les étiquettes avant d'acheter un produit.* **2.** fig. Marque distinctive qui permet de classer, de cataloguer une personne: *Ces personnes se battent pour une même cause mais sous des étiquettes différentes.* ☞ étiquetage, étiqueter. ▲ **étiquette** n.f. Ensemble de cérémonies, de règles en usage dans une réception officielle, en présence d'un grand personnage: *L'étiquette impose des règles qu'il faut observer.* SYN. cérémonial, protocole.

étiqueter étiquette

étirement n.m. Action de s'étirer, d'étendre ses membres: *Avant la compétition, la gymnaste fait des étirements.* ☞ étirer.

étirer v. Allonger en tirant: *Pour fixer cet élastique autour de ces documents, je l'étire.* SYN. distendre, étendre. ANT. contracter, resserrer. ☞ étirement. **s'étirer** v.pron. Étendre ses membres: *Chaque matin, en s'éveillant, elle s'étire avant de sortir de son lit.* SYN. se détendre. ANT. se blottir, se ramasser.

étoffe n.f. Nom général des tissus utilisés pour fabriquer des vêtements ou recouvrir des meubles: *J'ai choisi une étoffe de laine pour me faire un manteau.* ▲ **étoffe** n.f. **1.** Matière d'une œuvre littéraire, d'un film, d'un discours: *Ce roman manque d'étoffe.* **2.** Nature, qualité, aptitude de quelqu'un: *Je sens en moi l'étoffe d'un héros.* ⁄⁄ *Avoir de l'étoffe:* Avoir de grandes qualités. ☞ étoffer.

étoffer v. Enrichir, développer en fournissant une matière plus abondante: *Tu dois apprendre à étoffer tes compositions.* ANT. appauvrir. ☞ étoffe. **s'étoffer** v.pron. Prendre de la carrure par le sport: *Amélie s'étoffe depuis qu'elle pratique le tennis.* ANT. maigrir. **étoffé, ée** p.p. et adj. Qui est riche, abondant: *Cet exposé est étoffé de nombreux exemples.*

étoile n.f. Tout astre qui brille dans le ciel, sauf la Lune et le Soleil; point qui brille dans le ciel, la nuit: *Le soir, j'aime bien regarder les étoiles dans le ciel.* ⁄⁄ *À la belle étoile:* En plein air, la nuit. *Étoile filante:* Météorite qui fait un trait de lumière en passant dans l'atmosphère. *Étoile polaire:* Étoile qui indique le nord. ☞ étoilé. ▲ **étoile** n.f. Astre considéré comme pouvant influencer la destinée de quelqu'un: *J'ai confiance en mon étoile.* ▲ **étoile** n.f. **1.** Objet qui rappelle la forme sous laquelle on se représente les étoiles: *Certains pays ont des étoiles pour emblèmes.* **2.** Décoration en forme d'étoile: *Nous décorons le sapin de Noël avec des étoiles.* **3.** Indice de classement qu'on attribue à certains restaurants ou hôtels: *Durant nos vacances, nous avons dormi dans des hôtels trois étoiles.* ⁄⁄ *Étoile de mer:* Astérie. ▲ **étoile** n.f. Artiste célèbre: *Charlie Chaplin était une étoile du cinéma muet.* SYN. vedette. (*Voir l'illustration à la page suivante.*)

étoilé, ée adj. Qui est rempli d'étoiles: *Lorsqu'il n'y a pas de nuage le soir, à la campagne, nous pouvons admirer le ciel étoilé.* ⁄⁄

La bannière étoilée: Le drapeau des États-Unis. ☞ étoile.

étoile de mer

étole n.f. **1.** Bande d'étoffe portée au cou par l'évêque, le prêtre, lors de certaines célébrations liturgiques: *Le prêtre qui distribue la communion porte une étole.* **2.** Bande de fourrure que l'on porte sur les épaules: *Grand-mère a une étole de vison.*

étonnant, ante adj. **1.** Qui surprend: *Je viens d'apprendre une nouvelle étonnante.* SYN. ahurissant, extraordinaire, stupéfiant, surprenant. ANT. banal, courant, insignifiant, ordinaire. **2.** Qui est extraordinaire, remarquable: *Je lis actuellement un livre étonnant.* SYN. fantastique, formidable, merveilleux. ANT. insignifiant, ordinaire. ☞ étonner.

étonnement n.m. Surprise causée par quelque chose d'inattendu, d'extraordinaire: *À son grand étonnement, la médecin voyait son patient se rétablir rapidement.* SYN. ahurissement, ébahissement, stupéfaction. ANT. indifférence. ☞ étonner.

étonner v. Causer de la surprise à quelqu'un: *Son absence étonne son institutrice.* SYN. ahurir, renverser, stupéfier, surprendre. ☞ étonnant, étonnement. **s'étonner** v.pron. Être surpris: *Je m'étonne de ce qu'il ne soit pas venu.*

étouffant, ante adj. Qui fait qu'on respire difficilement: *La fumée rend l'atmosphère de cette pièce étouffante.* SYN. suffocant. ANT. frais, vif. ⁄⁄ *Chaleur étouffante:* Chaleur lourde, intense. ☞ étouffer.

à l'étouffée loc.adv. À la vapeur: *Maman prépare un bœuf à l'étouffée.* SYN. à l'étuvée.

étouffement n.m. **1.** Action d'étouffer quelqu'un, de le priver d'air; fait d'être étouffé: *L'enquête du coroner a conclu à un étouffement par noyade.* SYN. asphyxie. **2.** Difficulté à respirer: *À cause de son asthme, elle a parfois des crises d'étouffements.* SYN. suffocation. ☞ étouffer.

étouffer v. **1.** Faire mourir en empêchant de respirer: *L'assassin a étouffé sa victime avec un oreiller.* SYN. asphyxier. **2.** Gêner la respiration: *La chaleur de cette salle m'étouffe.* SYN. oppresser, suffoquer. **3.** Arrêter la combustion: *On a étouffé le feu.* SYN. éteindre. ANT. allumer, ranimer. **4.** Respirer difficilement: *J'étouffe dans cette salle bondée.* **5.** fig. Empêcher de se faire entendre, rendre moins fort: *Le tapis étouffe le bruit des pas.* SYN. amortir, assourdir. ANT. amplifier, intensifier. **6.** fig. Empêcher d'éclater, de se développer: *Les dirigeants de l'entreprise veulent étouffer ce scandale.* SYN. enrayer, juguler, mater. ANT. attiser, encourager. **7.** fig. Faire taire, contenir: *Je devais étouffer mes sanglots.* SYN. refouler, réprimer. ANT. libérer. **8.** fig. Être mal à l'aise, éprouver une sensation d'oppression: *J'étouffais dans ce travail qui ne me laissait aucune autonomie.* ☞ étouffant, étouffement. **s'étouffer** v.pron. Perdre la respiration: *Elle a failli s'étouffer en mangeant une noix.* SYN. suffoquer. **étouffé, ée** p.p. et adj. **1.** Qui a cessé de respirer, qui est mort par manque d'air: *On a trouvé l'enfant étouffé par son oreiller.* **2.** Qui est faible, atténué, en parlant d'un bruit: *Des petits rires étouffés fusaient du fond de la classe.*

étourderie n.f. **1.** Action faite par une personne qui ne réfléchit pas avant d'agir: *Ranger le lait dans le four, quelle étourderie!* SYN. bévue, distraction, méprise. **2.** Caractère d'une personne qui ne réfléchit pas avant d'agir: *Il écrit avec étourderie: voilà pourquoi il commet des erreurs.* SYN. distraction, inattention, irréflexion. ANT. attention, pondération, réflexion. ☞ étourdi.

étourdi, ie n. et adj. **1.** n. Personne distraite, qui ne réfléchit pas avant d'agir: *Cet étourdi n'avait pas fermé sa fenêtre et il a plu.*

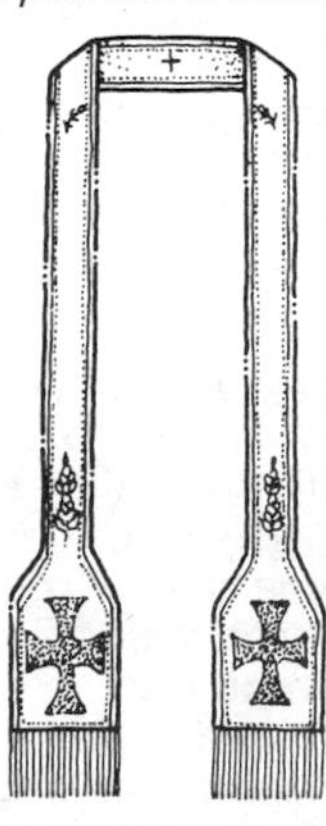

étole

SYN. écervelé, insouciant. ANT. sage. **2.** adj. Qui est distrait, qui ne réfléchit pas avant d'agir : *Maryse est peut-être étourdie, mais elle a bon cœur.* SYN. inattentif, irréfléchi, léger. ANT. posé, prudent, réfléchi, sage. ☞ étourderie, étourdiment.

étourdiment adv. D'une manière distraite, irréfléchie : *Élise s'est précipitée étourdiment dans la rue et a failli se faire heurter par un véhicule.* SYN. imprudemment. ☞ étourdi.

étourdir v. **1.** Faire presque perdre connaissance, affecter de façon soudaine la vue, l'ouïe et le sens de l'orientation : *Cette chute de cheval m'a étourdi.* SYN. abrutir, assommer. ANT. exciter, réveiller. **2.** Causer un état semblable à l'ivresse ou au vertige : *Le champagne m'étourdit.* SYN. enivrer, griser. **3.** Fatiguer, déranger par le bruit ou les paroles : *Cette musique de discothèque l'étourdit.* SYN. incommoder. ☞ étourdissant, étourdissement. **s'étourdir** v.pron. Perdre conscience de la réalité, de soi-même : *Tu veux t'étourdir pour oublier ta peine d'amour.* SYN. se distraire, se griser.

étourdissant, ante adj. **1.** Qui étourdit, qui dérange par son bruit : *Les cris de victoire produisaient un vacarme étourdissant.* SYN. assourdissant, fatigant. ANT. calmant, reposant. **2.** fig. Qui crée un éblouissement par son caractère exceptionnel : *Dans ses spectacles, cette chanteuse porte des toilettes étourdissantes.* SYN. éblouissant, étonnant. ANT. banal. ☞ étourdir.

étourdissement n.m. **1.** Trouble passager qui se manifeste par une impression de tournoiement, d'engourdissement : *Un léger étourdissement le fit chanceler.* SYN. vertige. **2.** État d'une personne qui éprouve une sensation de griserie, d'ivresse : *L'étourdissement que cause le succès est souvent de courte durée.* ☞ étourdir.

étourneau, eaux n.m. Petit oiseau insectivore et frugivore à plumage foncé tacheté de blanc, à bec long, pointu et aplati à l'extrémité : *Les étourneaux volent en bandes.*

étourneau

étrange adj. Qui n'est pas ordinaire ; qui surprend : *En vérité, c'est une nouvelle étrange.* SYN. bizarre, curieux, étonnant, insolite. ANT. banal, commun, habituel, normal. ☞ étrangement, étrangeté.

étrangement adv. D'une manière bizarre, inhabituelle : *Elle m'a souri étrangement.* SYN. bizarrement, curieusement, drôlement. ☞ étrange.

étranger n.m. Pays qui n'est pas celui dont on est citoyen : *Chaque jour, les journaux nous donnent des nouvelles de l'étranger.*

étranger, ère n. et adj. **1.** n. Personne dont la nationalité est différente de celle du pays dont on parle : *Chaque année, de nombreux étrangers demandent la citoyenneté canadienne.* SYN. immigrant. ANT. autochtone. **2.** n. Personne qu'on ne connaît pas ou avec laquelle on n'a rien en commun : *Un étranger déambulait dans les rues du village.* SYN. inconnu. **3.** adj. Qui est d'un autre pays, d'un autre groupe social : *J'aimerais étudier les langues étrangères.* ANT. autochtone. **4.** adj. Qui se rapporte aux relations avec les autres pays : *Il lit tout ce qui concerne la politique étrangère du gouvernement.* SYN. extérieur. ANT. national. **5.** adj. Qui n'appartient pas à un groupe social ou familial ou qui est jugé tel : *Elle se sentait étrangère dans cette réunion.* **6.** adj. Que l'on ne connaît pas, qui n'est pas familier : *Ce visage m'est tout à fait étranger.* SYN. inconnu. ANT. connu, familier. ⁄ *Corps étranger :* Chose qui se trouve accidentellement dans l'organisme et que l'on doit enlever.

étrangeté n.f. **1.** Bizarrerie, originalité : *L'étrangeté de ta nouvelle coiffure me surprend.* ANT. banalité. **2.** litt. Action, chose étrange, bizarre : *Il y avait beaucoup d'étrangetés dans ce film.* SYN. bizarrerie. ANT. banalité. ☞ étrange.

étranglement n.m. **1.** vx Arrêt de la respiration dû à un serrement au cou : *Certains animaux tuent leur proie par étranglement.* SYN. étouffement, suffocation. **2.** État de ce qui est très rétréci en un point ; endroit resserré : *Il y a un étranglement entre le thorax et l'abdomen de certains insectes.* SYN. rétrécissement. ANT. élargissement. **3.** Fait de se resserrer, en parlant d'un organe, de la gorge : *L'étranglement de sa voix trahissait son chagrin.* ☞ étrangler.

étrangler v. **1.** Priver de respiration en serrant le cou jusqu'à provoquer ou non la mort : *Dans ce film, le bandit étrangle sa victime.* SYN. asphyxier, étouffer. ANT. ranimer. **2.** Resserrer afin de diminuer la grandeur : *Sa ceinture lui étrangle la taille.* SYN. serrer. ANT.

desserrer. **3.** Contracter la gorge, gêner la respiration de quelqu'un: *L'émotion l'étranglait.* ☞ étranglement, étrangleur. **s'étrangler** v.pron. Ne plus pouvoir respirer: *Lorraine s'étrangla en avalant une bille.* SYN. s'étouffer. **étranglé, ée** p.p. et adj. **1.** Qui est resserré, trop serré: *Il a la taille étranglée par un pantalon trop petit.* **2.** Qui est gênée par une contraction de la gorge, en parlant de la voix: *D'une voix étranglée, je demandai à boire.*

étrangleur, euse n. Personne qui étrangle: *On ne découvre l'identité de l'étrangleuse qu'à la fin du film.* ☞ étrangler.

être n.m. **1.** Tout ce qui existe et qui est animé: *Les humains et les animaux sont des êtres vivants.* **2.** Individu, personne: *Cet homme est un être détestable.* HOM. hêtre. ⁄⁄ *L'Être suprême, l'Être tout-puissant:* Dieu. **R.** Ne pas oublier l'accent: *ê.*

être v. **1.** Exister, vivre, en parlant des personnes: *C'est le philosophe et savant français René Descartes qui a dit: «Je pense, donc je suis.»* **2.** Exister, avoir une réalité, en parlant des choses: *Dieu a dit: «Que la lumière soit», et la lumière fut.* **3.** Verbe impersonnel signifiant «il y a»: *Il n'est rien d'aussi beau qu'une aurore boréale.* **4.** Verbe impersonnel indiquant un moment dans le temps: *Il est midi: il est temps de dîner.* ⁄⁄ *N'être plus:* Être mort. ▲ **être** v. **1.** Se porter, aller: *Comment es-tu ce matin?* **2.** Demeurer, se trouver dans un lieu: *Je serai chez moi demain.* **3.** Se situer, se trouver à un certain temps: *Nous sommes le 20 juin; dans trois jours, les écoliers seront en vacances.* **4.** Aller, se rendre: *J'ai été à Paris l'an dernier.* **5.** Appartenir: *Ce livre est à moi.* **6.** Avoir pour origine: *Je suis de Montréal; et toi, d'où es-tu?* **7.** Participer, faire partie: *Serez-vous de la fête?* **8.** Ne pas avoir: *Je ne peux vous accompagner au restaurant, je suis sans le sou.* ⁄⁄ *Comme si de rien n'était:* Sans avoir l'air de participer, avec indifférence. *Être ailleurs:* Avoir l'esprit absent. *Être pour ou contre quelque chose:* Adhérer ou ne pas adhérer à quelque chose. *N'être pas sans savoir quelque chose:* Ne pas ignorer quelque chose. ▲ **être** v. Verbe qui sert à relier l'attribut au sujet: *Je suis vivante et en pleine forme.* ▲ **être** v. **1.** Verbe auxiliaire servant à former la forme passive de certains verbes: *L'enfant fut mordu par un chien errant.* **2.** Verbe auxiliaire servant à former les temps composés de certains verbes: *Elle est partie tôt.* **3.** Verbe auxiliaire servant à former les temps composés des verbes pronominaux: *Elle s'est foulé une cheville et s'est blessée à la main.* ▲ **être** v. **1.** Verbe servant à présenter une personne ou une chose ou à rappeler ce dont il a été question: *Ce sont des personnes souples; c'est pour cette raison qu'elles occupent ce poste.* **2.** Verbe servant à annoncer ce qui suit: *C'est moi qui le dis: vous viendrez demain.* HOM. hêtre. ⁄⁄ *Est-ce que:* Formule interrogative. *N'est-ce pas?:* Formule par laquelle on demande l'adhésion d'un interlocuteur, du lecteur, etc. **R.** S'emploie toujours à la troisième personne du singulier ou du pluriel avec le pronom *ce* ou *c'* quand il sert à présenter une personne ou une chose ou à annoncer ce qui suit. À l'infinitif, ne pas oublier l'accent: *ê.*

c'est	peut être remplacé par *cela est.*
À **s'est**,	on peut ajouter *lui-même* ou *elle-même.*

étreindre v. **1.** Entourer avec ses membres en serrant fortement: *Karine courut vers Pascal et l'étreignit contre son cœur.* SYN. empoigner, enlacer, saisir. ANT. desserrer, lâcher, relâcher. **2.** Tourmenter, oppresser: *Une indicible angoisse étreignait le cœur de Francis.* ☞ étreinte.

étreinte n.f. Action de prendre dans ses bras; pression ainsi exercée: *Je ne sentais plus que cette longue et douce étreinte.* SYN. embrassement, enlacement. ☞ étreindre.

étrein**dre**
étrein**te**

étrenne n.f. Cadeau donné généralement à l'occasion de Noël ou du premier janvier: *Voici ce que j'ai eu pour étrenne: un micro-ordinateur.* **R.** S'emploie surtout au pluriel.

étrenner v. Employer pour la première fois: *Comme ton costume est élégant: l'étrennes-tu?*

étrier n.m. **1.** Genre d'anneau en métal placé de chaque côté de la selle du cheval pour soutenir le pied du cavalier: *La cavalière met le pied à l'étrier et monte en selle.* **2.** Partie de la fixation d'un ski, servant à immobiliser l'avant de la chaussure: *Les étriers doivent être solides et de bonne qualité.*

étriqué, ée adj. **1.** Qui est trop serré, trop étroit, en parlant d'un vêtement: *Elle a l'air misérable dans son manteau étriqué.* ANT. ample, flottant, large. **2.** fig. Qui est limité, mesquin: *Ces personnes à l'esprit étriqué font preuve d'intolérance.* SYN. borné, étroit.

étroit, oite adj. **1.** Qui n'est pas large: *Cette route est étroite.* **2.** Qui est petit, de peu d'étendue: *Les enfants s'entassaient dans la chambre étroite.* SYN. exigu, restreint. ANT. grand, spacieux, vaste. **3.** fig. Qui est intime: *Depuis leur enfance, une amitié étroite les unissait.* **4.** péj. Qui n'a pas de compréhension, qui est borné: *Il a l'esprit étroit; il n'acceptera pas.* SYN. étriqué. ANT. compréhensif, ouvert. ☞ étroitement, étroitesse, irrétrécissable, rétréci, rétrécir, rétrécissement. **à l'étroit** loc.adv. **1.** Dans un espace restreint, trop petit: *Cette famille est logée bien à l'étroit.* **2.** fig. Sans luxe, dans la gêne: *En période de chômage, les gens vivent souvent à l'étroit.*

étroitement adv. **1.** En serrant de très près: *Les amoureux se tenaient étroitement enlacés.* **2.** fig. Par un lien étroit, intimement: *Ce père et sa fille sont étroitement unis.* **3.** De près: *On nous surveillait étroitement.* ☞ étroit.

étroitesse n.f. **1.** Caractère de ce qui est peu large: *L'étroitesse de ce pont est une cause d'accident.* ANT. ampleur, largeur. **2.** Caractère de ce qui a peu d'étendue: *L'étroitesse de la salle nous oblige à limiter le nombre d'invités.* ANT. ampleur, largeur. **3.** Caractère de ce qui est limité, borné: *On n'a pas tendance à se confier à des personnes qui font preuve d'étroitesse d'esprit.* ANT. ouverture. ☞ étroit.

étron n.m. Matière fécale de l'être humain et de certains animaux: *Les étrons de chiens ne doivent pas être laissés sur le trottoir.* SYN. crotte.

étude n.f. **1.** Travail de l'esprit qui cherche à comprendre; effort intellectuel dans le but d'apprendre, d'acquérir de nouvelles connaissances: *Ton ardeur à l'étude est admirable.* **2.** Effort de l'esprit dirigé vers l'observation et la compréhension des êtres, des choses, des événements: *La zoologie est une branche des sciences naturelles qui se consacre à l'étude des animaux.* **3.** Examen, évaluation: *Ce projet de loi sera mis à l'étude.* **4.** plur. Série de travaux, d'exercices à la base de l'instruction: *Je voulais abandonner mes études, mais mes parents m'en ont dissuadé.* **5.** Lieu où des élèves étudient en dehors des heures de cours: *Il faisait tous ses devoirs à l'étude.* **6.** Composition artistique qui constitue un essai, un exercice: *Je répète au piano une étude de Chopin.* ⁄⁄ *Faire ses études:* Parcourir les divers degrés de l'enseignement scolaire. ☞ étudiant, étudié, étudier. ▲ **étude** n.f. **1.** Local où travaille un notaire, un avocat, un huissier: *Les héritiers se sont rendus à l'étude du notaire pour la lecture du testament.* **2.** Charge du notaire, de l'avocat, avec ses clients: *Cette avocate a cédé son étude à une consœur.*

étudiant, ante n. et adj. **1.** n. Personne qui suit des cours à l'université: *Cette étudiante sera diplômée en avril.* **2.** adj. Qui se rapporte aux étudiants, à ce qu'ils organisent, à leurs activités: *La vie étudiante a ses bons côtés.* **R.** Ne pas confondre avec *écolier, élève, collégien.* ☞ étude.

étudié, ée adj. **1.** Qui a été préparé avec attention: *Le ministre a prononcé un discours étudié.* **2.** Qui n'est pas naturel, qui est produit volontairement: *Cette personne a des gestes étudiés qui la font paraître pédante.* HOM. étudier. ⁄⁄ *Prix étudié:* Prix relativement bas. ☞ étude.

étudier v. **1.** Chercher à apprendre, à acquérir des connaissances: *J'étudie la musique depuis cinq ans.* **2.** Examiner avec attention avant d'agir: *Nous étudierons ta proposition.* SYN. considérer. ANT. ignorer, négliger. **3.** Observer, analyser: *Nous voulons étudier la réaction chimique de ces produits.* **4.** Examiner, traiter un sujet: *La botanique étudie les végétaux.* HOM. étudié. ☞ étude. **s'étudier** v.pron. **1.** S'analyser soi-même: *Il faut s'étudier si on veut améliorer son caractère.* SYN. s'observer. ANT. s'ignorer. **2.** S'observer mutuellement: *Les deux adversaires s'étudient avant d'engager le combat.*

étui n.m. Boîte ou enveloppe dont la forme est adaptée à l'objet ou aux objets qu'elle contient: *Mon père cherche son étui à lunettes.*

étuve n.f. Appareil destiné à désinfecter, dessécher ou stériliser par une chaleur intense: *On se sert d'une étuve pour dessécher les raisins.* ☞ à l'étuvée.

à l'étuvée loc.adv. À la vapeur: *Les légumes cuits à l'étuvée sont excellents pour la santé.* SYN. à l'étouffée. ☞ étuve.

étymologie n.f. (grec) **1.** Science qui traite de l'origine, de l'évolution des mots: *L'étymologie nous apprend qu'un grand nombre de mots français viennent du latin.* **2.** Origine des mots: *J'ai consulté un dictionnaire qui donne l'étymologie des mots.* SYN. racine, source. ⁄⁄ *Étymologie populaire:* Procédé par lequel une personne rattache spontanément et fautivement un mot à un autre. ☞ étymologique, étymologiquement, étymologiste.

étymologique adj. Qui se rapporte à l'étymologie, à l'étude de l'origine des mots: *Il existe des dictionnaires étymologiques.* ☞ étymologie.

étymologiquement adv. D'une manière conforme à l'étymologie, à l'origine des mots: *Étymologiquement, le mot «choucroute» ne dérive pas des mots «chou» et «croûte» mais d'un mot allemand qui signifie «herbe sure».* ☞ étymologie.

étymologiste n. Personne qui étudie l'étymologie, l'origine des mots: *Cette étymo-*

logiste a fait une recherche minutieuse sur les mots d'origine allemande. ☞ étymologie.

eucalyptus n.m. Arbre originaire d'Australie, dont les feuilles dégagent une odeur forte: *Le koala se nourrit de feuilles d'eucalyptus.* **R.** Le *s* se prononce.

eucharistie n.f. Sacrement par lequel, selon la doctrine chrétienne, le pain et le vin consacrés deviennent le sang de Jésus-Christ; les espèces elles-mêmes: *Carmélia se prépare pour le sacrement de l'eucharistie.* SYN. communion. **R.** Les lettres *ch* se prononcent *k*. ☞ eucharistique.

eucharistique adj. Qui se rapporte à l'eucharistie, au sacrement de la communion: *Le pain et le vin sont les espèces eucharistiques.* **R.** Les lettres *ch* se prononcent *k*. ☞ eucharistie.

euh! interj. Mot qui exprime un doute, une hésitation, une surprise: *Me prêtes-tu ton baladeur? – Euh! j'hésite.* SYN. heu! HOM. eux, heu!

eunecte n.m. Sorte de reptile aquatique, aussi appelé «anaconda», qui vit en Amérique tropicale: *L'eunecte n'est pas un serpent venimeux.* ◇ anaconda.

euphémisme n.m. Expression qui en remplace une autre que l'on juge trop directe: *Par euphémisme, on dit «il s'est éteint» plutôt que «il est mort».* SYN. adoucissement. **R.** Les lettres *ph* se prononcent *f*.

euphorie n.f. Sentiment de joie, de bien-être, de satisfaction: *Les élèves entrèrent en euphorie quand la cloche annonça le début des vacances.* SYN. bonheur, contentement. ANT. angoisse, chagrin, douleur, tristesse. **R.** Les lettres *ph* se prononcent *f*. ☞ euphorique, euphorisant.

euphorique adj. **1.** Qui provoque l'euphorie, la sensation de joie, de bien-être: *Le vin est euphorique.* SYN. euphorisant. **2.** Qui appartient à l'euphorie, à la sensation de joie, de bien-être; qui exprime cette sensation: *Cette musique me fait rêver et m'entraîne dans un état euphorique.* **R.** Les lettres *ph* se prononcent *f*. ☞ euphorie.

euphorisant n.m. Médicament qui combat les états dépressifs en procurant un sentiment de bien-être: *Quand on prend des euphorisants pendant une longue période, on risque d'en devenir dépendant.* SYN. tranquillisant. **R.** Les lettres *ph* se prononcent *f*. ☞ euphorie.

euphorisant, ante adj. Qui provoque l'euphorie, la joie, le bien-être: *Après la victoire, l'atmosphère est euphorisante dans le vestiaire des joueuses.* SYN. euphorique. **R.** Les lettres *ph* se prononcent *f*. ☞ euphorie.

eurêka! interj. (grec) Mot qu'on emploie lorsqu'on a trouvé une idée, une solution: *Eurêka! je sais ce que nous allons faire!* **R.** Signifie *j'ai trouvé*. La lettre *ê* se prononce *é*. Ne pas oublier l'accent: *ê*.

européen, éenne n. et adj. **1.** n. Personne qui est de l'Europe: *Un Européen, une Européenne.* **2.** adj. Qui est de l'Europe: *Le continent européen est rattaché à l'Asie.* **R.** On met la majuscule à *européen* et à *européenne* lorsqu'il s'agit du nom.

euthanasie n.f. Usage de méthodes qui permettent de hâter ou de provoquer la mort chez des malades incurables afin de mettre fin à leurs souffrances: *La loi canadienne ne permet pas aux médecins de pratiquer l'euthanasie.*

eux pron.pers. **1.** Pronom personnel masculin de la troisième personne du pluriel, employé comme sujet: *Eux, comme d'habitude, étaient en retard.* **2.** Pronom personnel masculin de la troisième personne du pluriel, employé comme complément: *Mes parents sont très ouverts; je peux me confier à eux.* HOM. euh!, heu! **R.** Est le pluriel de *lui*.

évacuation n.f. **1.** Action d'évacuer, de quitter en masse un lieu par ordre ou par obligation: *Lors de l'incendie, il n'y a pas eu de panique et l'évacuation de l'école a été rapide.* SYN. sortie. ANT. entrée, envahissement. **2.** Action d'évacuer, de faire partir des personnes d'un lieu: *L'évacuation des malades est prévue pour demain.* SYN. renvoi. ANT. admission, entrée. ☞ évacuer.

évacuer v. **1.** Faire quitter un lieu en masse à cause d'un danger ou d'une interdiction: *Par suite d'un désastre écologique, on a dû évacuer la population de cette ville.* **2.** Quitter en masse un lieu par ordre ou par obligation: *Lors de l'explosion, tous les occupants ont évacué l'immeuble.* SYN. abandonner, sortir. **3.** Se retirer d'un pays ou d'une ville qu'on occupe militairement: *L'armée évacua la ville.* SYN. abandonner. ANT. envahir. **4.** Vider, faire sortir un liquide d'un lieu: *Cette conduite permet d'évacuer l'eau du réservoir.* SYN. vidanger. ANT. emplir, remplir. ☞ évacuation.

évadé, ée n. et adj. **1.** n. Personne qui s'enfuit, qui s'échappe d'un endroit où elle était retenue: *L'évadé fut repris dès le lendemain.* SYN. fugitif. **2.** adj. Qui s'enfuit, qui s'échappe: *La prisonnière évadée a fui aux États-Unis.* SYN. fugitif. ☞ s'évader.

s'évader v.pron. **1.** S'échapper, s'enfuir d'un endroit où l'on était retenu: *À la faveur* *de la nuit, l'otage réussit à s'évader.* SYN. fuir, se sauver. **2.** fig. Fuir volontairement une réalité: *Le rêve lui permet de s'évader.* SYN. se libérer, se soustraire. ☞ évadé, évasion.

évaluable adj. Que l'on peut évaluer, calculer: *La fortune de cette famille est-elle évaluable?* SYN. calculable. ANT. incalculable. ☞ évaluer.

évaluation n.f. **1.** Action d'évaluer, de déterminer la valeur, le prix de quelque chose: *Après l'accident, des experts ont procédé à l'évaluation du montant des frais de réparation.* SYN. calcul, estimation. **2.** Valeur ou quantité évaluée, calculée: *Ton évaluation de ce meuble antique est exacte.* ☞ évaluer.

évaluer v. **1.** Fixer, déterminer le prix, la valeur de quelque chose: *Ma mère a fait évaluer son collier de perles.* SYN. calculer, estimer. **2.** Fixer approximativement, sans mesurer: *Évalue la hauteur de la classe.* SYN. apprécier, estimer. ☞ évaluable, évaluation, réévaluation, réévaluer.

évangélique adj. **1.** Qui se rapporte à l'Évangile: *Les textes évangéliques rapportent les enseignements de Jésus-Christ.* **2.** Qui appartient à une religion protestante qui se base essentiellement sur les enseignements des Évangiles: *Plusieurs Églises réformées portent l'appellation d'Églises évangéliques.* ☞ évangile.

évangéliser v. Faire connaître l'Évangile: *Les missionnaires ont évangélisé les Amérindiens.* ☞ évangile.

évangéliste n.m. **1.** Disciple de Jésus qui a écrit un des Évangiles: *Saint Jean est un évangéliste.* **2.** Prédicateur laïque de certaines Églises protestantes: *J'ai écouté un évangéliste à la télévision dimanche dernier.* ☞ évangile.

évangile n.m. **1.** Message, enseignement de Jésus-Christ: *Au début de la colonisation, des missionnaires sont venus au Canada pour répandre l'Évangile parmi les peuples amérindiens.* **2.** Chacun des livres de la Bible où sont rapportés la vie et l'enseignement de Jésus-Christ: *Les Évangiles sont au nombre de quatre.* **3.** Texte des Évangiles qu'on lit à la messe: *Le prêtre a commenté l'évangile du jour.* **4.** fig. Document de base auquel on se réfère et qui sert de fondement à une croyance, à une doctrine: *Ce livre était son évangile politique.* ⁄⁄ *Parole d'évangile:* Chose certaine, indiscutable. **R.** S'écrit avec une majuscule lorsqu'il désigne le livre enseignant la doctrine de Jésus-Christ ou lorsqu'il désigne la doctrine elle-même. ☞ évangélique, évangéliser, évangéliste.

évangélistes

s'évanouir v.pron. **1.** Perdre connaissance: *J'ai cru m'évanouir de douleur.* SYN. défaillir. **2.** Disparaître soudain: *Au réveil, le rêve s'évanouit.* SYN. se dissiper, s'envoler. ANT. apparaître. ☞ évanouissement.

évanouissement n.m. Fait de perdre connaissance: *Son évanouissement, dû à la fatigue, fut de courte durée.* SYN. syncope. ANT. réveil. ☞ s'évanouir.

évaporable adj. Qui peut s'évaporer, partir en vapeur: *Le parfum de ce flacon est évaporable.* ☞ s'évaporer.

évaporation n.f. Transformation d'un liquide en vapeur: *La rosée a disparu par évaporation, sous l'action de la chaleur du soleil.* SYN. vaporisation. ANT. condensation. ☞ s'évaporer.

évaporé, ée n. et adj. **1.** n. Personne étourdie, légère, qui ne s'occupe que de futilités: *Elle est parfois insouciante, mais ne la traitez pas d'évaporée.* **2.** adj. Qui a un caractère étourdi, léger: *Ce garçon évaporé se préoccupe davantage de la mode que de ses études.* SYN. dissipé, écervelé. ANT. grave, posé, sérieux. **R.** N'a pas le sens de *concentré* (liquide réduit par évaporation).

s'évaporer v.pron. **1.** Se changer en vapeur: *L'eau de la bouilloire s'évapore.* SYN. se vaporiser. **2.** fig. et fam. Disparaître rapidement: *Quand il entendit le chien japper, mon chat s'évapora.* SYN. s'éclipser, s'envoler. ☞ évaporable, évaporation.

évasé, ée adj. Qui a une ouverture large, qui va en s'élargissant: *Ce pot à fleurs évasé peut contenir toutes ces roses.* ANT. rétréci. HOM. évaser. ☞ évaser.

évaser v. Agrandir, élargir à l'ouverture: *Il faut évaser davantage ce tuyau pour que l'autre s'y adapte.* ANT. rétrécir. HOM. évasé. ☞ évasé. **s'évaser** v.pron. S'ouvrir grandement à une extrémité; aller en s'élargissant: *Ces manches qui s'évasent sont très incommodes.* ANT. se rétrécir.

évasif, ive adj. Qui manque de précision, qui cherche à se dérober à une question: *Il ne répondit pas; il ne fit qu'un geste évasif.* SYN. équivoque, vague. ANT. catégorique, clair, net, précis. ☞ évasivement.

évasion n.f. **1.** Action de s'enfuir d'un lieu où on est retenu: *Il y a eu une tentative d'évasion à la prison hier soir.* SYN. détention, emprisonnement. **2.** fig. Changement, divertissement: *Nous avons tous besoin, à certains moments, de quelques heures d'évasion.* SYN. distraction. ☞ évadé, s'évader.

évasivement adv. D'une façon évasive, imprécise: *Elle a répondu évasivement aux questions de sa mère.* SYN. vaguement. ANT. catégoriquement, franchement. ☞ évasif.

évêché n.m. **1.** Bâtisse où réside l'évêque: *Je n'ai jamais visité l'évêché de Saint-Jean.* **2.** Territoire dépendant de l'autorité de l'évêque: *Il y a plusieurs évêchés au Québec.* SYN. diocèse. **R.** Ne pas oublier l'accent: *ê*. ☞ évêque. ◇ diocèse.

éveil n.m. **1.** Fait de sortir du sommeil, de l'engourdissement: *L'éveil de la nature se fait au printemps.* SYN. réveil. **2.** Action de sensibiliser quelqu'un à quelque chose: *Ces exercices favorisent l'éveil des enfants à la lecture.* **3.** Fait d'apparaître, de se manifester pour la première fois, en parlant d'une faculté, d'un sentiment: *Ces jouets éducatifs stimulent l'éveil de l'imagination.* // *Donner l'éveil:* Mettre en garde, attirer l'attention. *Être en éveil:* Être attentif, vigilant. ☞ éveiller.

éveillé, ée adj. **1.** Qui ne dort pas: *Cette pensée m'a tenue éveillée jusqu'à l'aube.* **2.** Qui est plein de vie: *Cette enfant est très éveillée.* SYN. dégourdi, ouvert, vif. ANT. apathique, indolent. HOM. éveiller. ☞ éveiller.

éveiller v. **1.** litt. Tirer du sommeil: *Parlons moins fort: il ne faudrait pas l'éveiller.* SYN. réveiller. ANT. endormir. **2.** Faire apparaître une idée, un sentiment: *Le titre de ce volume éveilla mon intérêt.* SYN. exciter, susciter. ANT. paralyser, ralentir. **3.** Stimuler, développer: *On dit que l'étude des mathématiques éveille l'intelligence et donne de la méthode.* HOM. éveillé. ☞ éveil, éveillé. **s'éveiller** v.pron. **1.** Sortir du sommeil: *Le chat s'éveille au moindre mouvement.* SYN. se réveiller. ANT. s'endormir. **2.** Entrer en activité, s'épanouir: *La nature s'éveille au printemps.* **3.** Apparaître, se manifester: *Son imagination s'éveille peu à peu.* **4.** Éprouver pour la première fois: *Ces adolescents s'éveillent à l'amour.*

événement n.m. Ce qui se produit; fait important: *C'est un événement désastreux.* SYN. cas, éventualité, incident. **R.** Les lettres *vé* se prononcent *vè*. Aussi, *évènement*.

évent n.m. Narine située sur le dessus de la tête chez les cétacés: *La baleine rejette de la vapeur par ses évents.*

éventail, ails n.m. **1.** Petit objet de papier ou de tissu ajusté à une monture, qu'on agite pour se rafraîchir: *La danseuse japonaise agite un éventail.* **2.** fig. Choix étendu d'articles d'une même catégorie: *Tout un éventail de statuettes s'étalaient devant les touristes.*

éventaire n.m. Étalage de marchandises en plein air: *Au marché, l'éventaire de ce marchand de fruits est magnifique.* SYN. devanture, étal.

éventé, ée adj. Qui a perdu son goût, son parfum au contact de l'air: *J'ai jeté mon parfum éventé.* HOM. éventer. ☞ éventer. ▲ **éventé, ée** adj. Qui a été découvert, qui n'est plus un secret: *Ton tour de magie est éventé.* SYN. connu. ANT. caché, dissimulé. ☞ éventer.

éventer v. **1.** Agiter l'air pour rafraîchir: *Le tableau montrait une dame allongée entourée de gens qui l'éventaient.* **2.** Soumettre au vent, à l'air: *Il aurait dû éventer ses vêtements pour les débarrasser de l'odeur de la naphtaline.* HOM. éventé. ☞ éventé. **s'éventer** v.pron. **1.** Se rafraîchir en agitant l'air: *La chaleur étant terrible, il ne travaillait pas, il s'éventait.* **2.** Perdre sa saveur, son odeur au contact de l'air: *Je prends soin de bien fermer ce flacon, car le produit s'évente rapidement.* ▲ **éventer** v.fig. Découvrir: *Le complot a été éventé.* ☞ éventé.

éventrer v. **1.** Ouvrir le ventre en déchirant: *D'un coup de patte puissant, la lionne éventra la gazelle.* **2.** Ouvrir quelque chose en le défonçant : *Il éventra le matelas, croyant y trouver de l'argent.*

éventualité n.f. **1.** Caractère de ce qui peut ou non se produire : *Dans l'éventualité d'un incendie, il faut prévoir une sortie de secours.* SYN. cas, hypothèse, possibilité. **2.** Fait, événement qui peut se produire à l'occasion d'une action : *Il faut parer à toute éventualité avant de se lancer dans cette affaire.* SYN. possibilité. ☞ éventuel.

éventuel, elle adj. Qui est possible mais incertain : *Je refusais de sortir, dans l'attente d'un éventuel appel.* SYN. hypothétique, imprévu. ANT. certain, inévitable, prévu. ☞ éventualité, éventuellement.

éventuellement adv. De manière éventuelle, selon les circonstances : *Si, éventuellement, tu obtiens ce poste, tu auras besoin d'une automobile.* ☞ éventuel.

évêque n.m. Prêtre de l'ordre le plus élevé dans l'Église catholique, qui a la responsabilité d'un diocèse : *L'évêque est nommé par le pape.* **R.** Ne pas oublier l'accent : *ê*. ☞ archevêché, archevêque, évêché.

s'évertuer v.pron. Faire beaucoup d'efforts, s'appliquer : *Elle s'évertuait à faire parler son perroquet.* SYN. s'efforcer, s'escrimer. ANT. abandonner, désespérer, renoncer.

évidemment adv. Assurément, certainement : *Tu viendras ? – Évidemment !* SYN. naturellement. **R.** Les lettres *emment* se prononcent *amment*. ☞ évident.

évidence n.f. Caractère de ce qui est certain, de ce qui n'a pas besoin de preuve : *Elle est plus grande que moi : c'est l'évidence même.* SYN. certitude, réalité. ANT. doute, incertitude. ⁄⁄ *Mettre en évidence :* Exposer aux regards ; mettre en relief, souligner. *Se mettre en évidence :* Se faire remarquer, s'exposer aux regards. ☞ évident. de toute **évidence** loc.adv. Certainement, sûrement : *De toute évidence, nous avons oublié un ingrédient de la recette.*

évident, ente adj. Qui est certain, incontestable : *L'avocate présenta la preuve évidente de mon innocence.* SYN. flagrant, indéniable, indiscutable, manifeste, palpable. ANT. contestable, douteux, incertain. ☞ évidemment, évidence.

évider v. Pratiquer un espace vide dans un objet en enlevant la matière qui le remplit : *Pour préparer des piments farcis, il faut d'abord les évider.* ANT. boucher, combler.

évier n.m. Cuve placée dans une cuisine sous un robinet et par laquelle l'eau peut s'écouler : *Paul lave les légumes dans l'évier.*

évincer v. Écarter quelqu'un, par intrigue, d'une place, d'une affaire : *Elle évinça ses concurrents et fut élue présidente.* SYN. chasser, éliminer. ANT. admettre, inviter. **R.** Ne pas oublier la cédille devant *a* et *o*.

évitable adj. Qui peut être évité : *C'était un accident facilement évitable.* ANT. inévitable. ☞ éviter.

éviter v. **1.** Échapper à quelque chose de dangereux ou de désagréable : *Elle évita de justesse une balle de neige.* SYN. esquiver, parer. **2.** Faire en sorte de ne pas rencontrer quelqu'un : *Elle voulait éviter à tout prix son voisin bavard.* SYN. fuir. **3.** Se soustraire, se dérober : *Tous les moyens sont bons pour éviter cette corvée.* SYN. fuir. **4.** Se garder de faire quelque chose : *J'évite de manger des sucreries.* SYN. s'empêcher. **5.** Décharger, délivrer quelqu'un de quelque chose : *Elle évita à son père la corvée de nettoyer la cheminée.* SYN. dispenser. ☞ évitable, inévitable, inévitablement.

évocateur, trice adj. Qui a le pouvoir de rappeler, qui permet des associations d'idées : *Les mots « voyage » et « vacances » sont très évocateurs.* ☞ évoquer.

évocation n.f. Action de rappeler quelque chose à la mémoire, de faire naître dans l'esprit : *L'évocation de ce mauvais rêve me donne encore des frissons.* SYN. rappel, souvenir. ☞ évoquer.

évolué, ée adj. **1.** Qui a atteint un certain degré de développement, qui est à l'avant-garde du progrès : *Ce peuple évolué rejette la discrimination.* ANT. primitif. **2.** Qui a l'esprit ouvert ; qui a atteint un certain degré de culture : *Ma grand-mère est une personne évoluée et très adaptée à notre époque.* HOM. évoluer. ☞ évoluer.

évoluer v. **1.** Changer progressivement, en parlant de quelqu'un ou de quelque chose : *Le domaine de l'informatique a beaucoup évolué depuis quelques années.* SYN. progresser, se transformer. ANT. piétiner, régresser. **2.** Exécuter des mouvements précis et ordonnés : *La nageuse évoluait rapidement.* HOM. évolué. ☞ évolué, évolution.

évolution n.f. **1.** Changement lent mais graduel et continuel : *L'histoire nous renseigne sur l'évolution des sociétés.* SYN. développement, progression, transformation. ANT. permanence, régression. **2.** Changement subi par une espèce vivante au cours des siècles : *On prétend que l'espèce humaine est l'aboutissement d'une évolution.* ANT. régression. **3.** plur. Ensemble de mouvements variés exécutés avec précision : *Les évolutions de ces gracieux danseurs me fascinent.* ☞ évoluer.

évoquer v. **1.** Faire penser, rappeler à la mémoire: *Le nom de ce pays évoque d'heureux souvenirs.* SYN. remémorer, susciter. ANT. effacer. **2.** Rendre présent à l'esprit: *Lors de la discussion, nous avons évoqué le problème de la pollution.* ANT. écarter, éloigner, repousser. ☞ évocateur, évocation.

évocation évoquer

exact, exacte adj. Qui est juste, qui correspond à la vérité: *Ton calcul est-il exact?* SYN. correct, juste, précis. ANT. faux, imprécis, incorrect, inexact. **R.** Au masculin, les lettres *ct* se prononcent ou non. ☞ exactement, exactitude, inexact, inexactement, inexactitude.

exactement adv. De manière exacte, précise: *J'ai compté exactement cent deux plantes chez Janine.* ☞ exact.

exactitude n.f. **1.** Qualité d'une personne qui est toujours à l'heure: *Notre professeur est d'une parfaite exactitude.* SYN. ponctualité. ANT. inexactitude. **2.** Caractère de ce qui est exact, de ce qui correspond à la vérité: *As-tu vérifié l'exactitude de tes réponses?* SYN. justesse, précision, véracité. ANT. erreur, faute, imprécision. ☞ exact.

ex æquo loc.adv. (lat.) À égalité, sur le même rang: *Ils sont tous les deux ex œquo à la fin du tournoi.* **R.** Se prononce *ègzéko*.

exagération n.f. **1.** Action d'exagérer, d'amplifier; propos exagéré, grossi: *Ses histoires sont toujours remplies d'exagérations.* SYN. amplification, vantardise. **2.** Caractère de ce qui est exagéré, de ce qui dépasse la normale: *Tu as payé ce chandail soixante-quinze dollars? Quelle exagération!* ☞ exagérer.

exagéré, ée adj. **1.** Qui est grossi, amplifié: *Il fait un récit exagéré de son accident.* ANT. faible, insuffisant, modéré. **2.** Qui est excessif, qui dépasse la mesure: *Le développement exagéré des muscles entraîne parfois des problèmes de santé.* ANT. insuffisant. HOM. exagérer. ☞ exagérer.

exagérément adv. D'une façon exagérée, qui dépasse la mesure: *Je ne veux pas vous retenir exagérément.* ☞ exagérer.

exagérer v. **1.** Parler de quelque chose en dépassant la vérité, en amplifiant son importance: *Elle exagère quand elle raconte ses exploits au soccer.* SYN. amplifier, charger, grossir. ANT. atténuer, minimiser. **2.** Abuser: *Tu exagères! Tu parles au téléphone depuis quarante minutes!* **3.** Amplifier, accentuer à l'excès: *Tu exagères toujours tes qualités.* ANT. amoindrir, atténuer. **4.** Grossir jusqu'à dépasser la normale: *On a exagéré l'éclairage dans ce spectacle.* ANT. modérer. HOM. exagéré. ☞ exagération, exagéré, exagérément. **s'exagérer** v.pron. Donner trop d'importance à quelque chose, grossir dans son imagination: *Tu t'exagères les dangers de ce sport.*

exaltant, ante adj. Qui provoque de l'exaltation, qui passionne: *Cette lecture est exaltante.* SYN. enthousiasmant, passionnant. ANT. déprimant. ☞ exalter.

exaltation n.f. Surexcitation de l'esprit allant jusqu'à l'euphorie: *Il parlait de son idole avec exaltation.* SYN. emballement, enthousiasme, transport. ANT. calme, impassibilité, indifférence. ☞ exalter.

exalté, ée n. et adj. **1.** n. Personne dont l'enthousiasme est presque fanatique: *C'est une exaltée de la musique rock.* **2.** adj. Qui est enthousiaste, passionné: *La foule exaltée applaudissait le discours de l'orateur.* **3.** adj. Qui indique de l'exaltation, qui est très intense: *Ce tableau exprime l'imagination exaltée du peintre.* HOM. exalter. ☞ exalter.

exalter v. **1.** Enthousiasmer, enflammer: *Cette musique m'exalte.* SYN. enivrer, passionner, transporter. ANT. calmer. **2.** Porter un sentiment à un haut niveau d'intensité: *Sa réussite a exalté sa fierté.* SYN. animer, exciter. ANT. adoucir, éteindre. HOM. exalté. ☞ exaltant, exaltation, exalté. **s'exalter** v.pron. S'enthousiasmer, s'enflammer: *Son esprit s'exaltait dans l'attente de l'événement.* SYN. se soulever. ANT. se calmer.

examen n.m. **1.** Action d'étudier, d'observer avec attention: *Seul un examen approfondi de la question pourra nous orienter dans notre décision.* SYN. appréciation, étude, investigation. **2.** Épreuve ou série d'épreuves qu'on fait subir à un candidat afin d'évaluer ses aptitudes, ses connaissances: *L'élève a réussi cet examen difficile.* ⁄⁄ *Examen de conscience:* Réflexion sur sa propre conduite. *Examen médical:* Ensemble des observations faites par un médecin pour apprécier l'état de santé d'une personne. ☞ examinateur, examiner, réexamen, réexaminer.

examinateur, trice n. Personne qui fait passer un examen, une épreuve à un candidat: *Ma sœur est examinatrice pour une école de conduite.* ☞ examen.

examiner v. **1.** Observer attentivement, minutieusement: *La policière examine mon permis de conduire.* SYN. contrôler, étudier, vérifier. ANT. négliger. **2.** Faire subir un examen et spécialement un examen médical: *Son état est peut-être grave, on l'examine depuis deux heures.* ☞ examen. **s'examiner** v.pron. Se regarder attentivement: *Il s'examine dans le miroir.*

exaspérant, ante adj. Qui agace, qui irrite à l'excès: *Ce bruit est exaspérant.* SYN. agaçant, énervant, excédant, irritant. ANT. apaisant, calmant. ☞ exaspérer.

exaspération n.f. État de colère, d'irritation violente: *Son exaspération devant l'injustice était sans bornes.* SYN. agacement, énervement. ANT. calme, douceur, patience. ☞ exaspérer.

exaspérer v. Agacer, irriter à l'excès: *À vouloir toujours tout décider, elle exaspère ses camarades.* SYN. énerver, excéder, impatienter. ANT. apaiser, calmer. ☞ exaspérant, exaspération. **s'exaspérer** v.pron. S'irriter: *Tu t'exaspères pour des détails.* SYN. s'impatienter. ANT. se calmer. **exaspéré, ée** p.p. et adj. Qui est irrité, en colère: *La foule exaspérée s'adonnait à des actes de vandalisme.*

exaucement n.m. Action d'exaucer, de satisfaire une demande, un vœu: *Elle part demain pour l'Afrique: c'est l'exaucement de son rêve.* ☞ exaucer.

exaucer v. Combler, satisfaire une personne en lui accordant ce qu'elle demande; accueillir une demande de façon favorable: *Tes vœux ont été exaucés.* ANT. refuser, rejeter, repousser. **R.** Ne pas oublier la cédille devant *a* et *o*. ☞ exaucement.

excavateur n.m. (angl.) Machine de terrassement servant à creuser le sol: *Il en coûte cent dollars par heure pour la location de cet excavateur.* **R.** Aussi, *excavatrice*. ☞ excaver.

excavation n.f. Grand creux fait dans le sol, dans la terre: *On a découvert dans la montagne plusieurs excavations qui ont peut-être été creusées par des météorites.* ☞ excaver.

excaver v. Creuser dans le sol: *L'entrepreneuse doit excaver avant de construire.* ☞ excavateur, excavation.

excaver

excédant, ante adj. Qui fatigue en irritant, qui importune fortement: *Ses visites inattendues sont excédantes.* SYN. exaspérant. HOM. excédent. ☞ excéder.

excédent n.m. Ce qui est en plus de la quantité déterminée: *Tu voyages avec un excédent de bagages.* SYN. surcharge, surcroît, surplus. ANT. déficit, insuffisance, manque. HOM. excédant. ☞ excéder.

excédentaire adj. Qui est en excédent, en surplus: *On cherche un marché pour écouler la production excédentaire de blé.* ☞ excéder.

excéder v. Dépasser une limite déterminée en quantité, en prix, en durée: *Les rénovations à la maison n'excéderont pas mille dollars.* ☞ excédent, excédentaire. ▲ **excéder** v. Exaspérer, fatiguer en agaçant: *Ton comportement excède ton institutrice.* SYN. énerver, irriter. ANT. ravir, réjouir. ☞ excédant. **excédé, ée** p.p. et adj. Qui est irrité; qui indique l'irritation: *À son air excédé, nous avons compris qu'il valait mieux nous calmer.* SYN. exaspéré. ANT. calme, ravi, serein.

excellence n.f. **1.** Caractère de perfection, de qualité, de valeur supérieure qu'une personne ou une chose a en son genre: *L'excellence de ce restaurant est reconnue.* SYN. supériorité. ANT. infériorité, médiocrité. **2.** Titre donné aux ambassadeurs, aux évêques, aux archevêques: *Nous avons demandé à Son Excellence de nous accorder un entretien.* ⁄⁄ *Prix d'excellence:* Prix décerné, à la fin d'une année scolaire, au meilleur élève. **R.** On met la majuscule à *excellence* lorsqu'il s'agit du titre. ☞ exceller. **par excellence** loc.adv. Au plus haut point, d'une façon caractéristique: *Mon chien est le gardien par excellence.*

excellent, ente adj. Qui est parfait, supérieur dans son genre: *Le spectacle fut excellent.* SYN. admirable, merveilleux. ANT. détestable, mauvais, médiocre. ☞ exceller.

exceller v. **1.** Être supérieur, excellent, au-dessus de la moyenne: *Cet élève excelle en mathématiques.* SYN. briller, se distinguer. **2.** Arriver, réussir parfaitement à faire quelque chose: *J'excelle à raconter des histoires aux jeunes enfants.* ☞ excellence, excellent.

excentricité n.f. **1.** Manière d'être, d'agir qui ne ressemble pas à celle de la majorité des gens: *L'excentricité de ce jeune nous surprend toujours.* SYN. extravagance, originalité. ANT. banalité. **2.** Acte extravagant, qui sort de l'ordinaire: *Ses excentricités lui coûtent cher.* SYN. bizarrerie, extravagance. ☞ excentrique.

excentrique n. et adj. **1.** n. Personne dont la manière d'être, d'agir ne ressemble pas à celle de la majorité des gens: *Cet excentrique cherche à attirer l'attention.* SYN. original. **2.** n. Caractère de ce qui est bizarre, extravagant: *Ce film mêlait l'excentrique et l'insolite.* SYN. bizarrerie, extravagance. **3.** adj. Qui diffère des usages courants, qui n'agit pas comme la majorité des gens: *Julie porte toujours des vêtements excentriques.* SYN. bizarre, extravagant, original. ANT. banal, ordinaire. ☞ excentricité, excentriquement.

excentrique adj. Qui est éloigné du centre : *Nous habitons dans un quartier excentrique.* ANT. central. ☞ centre.

excentriquement adv. D'une manière excentrique, bizarre : *Tu te conduis excentriquement.* SYN. bizarrement. ANT. banalement. ☞ excentrique.

excepté prép. À l'exception de (toujours placé devant le nom, le pronom ou l'adjectif) : *Tous les enfants étaient présents, excepté Chantal et Marc qui étaient malades.* SYN. sauf. HOM. excepter. ☞ excepter. **excepté que** loc.conj. Si ce n'est que : *Le voyage a été agréable excepté que nous avons eu une crevaison près de Rimouski.*

excepté, ée adj. Qui est non compris dans un groupe, un ensemble : *Tous sont invités, ta sœur exceptée.* ANT. inclus. HOM. excepter. ☞ excepter.

excepter v. Ne pas inclure dans un groupe ou dans un ensemble : *Si on excepte cette pomme, tous les fruits contenus dans ce panier sont des agrumes.* SYN. exclure, négliger. ANT. comprendre, englober. HOM. excepté. ☞ excepté, exception, exceptionnel, exceptionnellement.

exception n.f. **1.** Action d'excepter, de ne pas inclure dans un groupe ou dans un ensemble : *Tous les élèves, sans exception, ont assisté à la pièce de théâtre.* SYN. restriction. **2.** Cas particulier, en dehors du général, du commun : *Cette règle de grammaire comporte une exception.* ∥ *Faire exception :* Échapper à la règle. ☞ excepter. **à l'exception de** loc.prép. Sauf : *J'ai rangé mes livres sur l'étagère, à l'exception de ceux-ci que je dois rapporter à la bibliothèque.* SYN. excepté.

exceptionnel, elle adj. **1.** Qui n'est pas courant, pas habituel : *Ce congé est exceptionnel.* SYN. occasionnel, rare. ANT. commun, normal, régulier. **2.** Qui se distingue par sa réussite, son mérite : *C'est une élève exceptionnelle.* SYN. remarquable, supérieur. ANT. normal, ordinaire. ☞ excepter.

exceptionnellement adv. De manière exceptionnelle, hors de l'ordinaire : *Le mois de mars a été exceptionnellement chaud cette année.* ☞ excepter.

excès n.m. **1.** Ce qui dépasse une quantité, surplus : *Ce mélange a laissé un excès d'eau.* **2.** Ce qui dépasse les bornes ordinaires ou convenables : *Le policier lui a donné une contravention pour un excès de vitesse.* **3.** Chose, action qui dépasse la limite ordinaire ou permise : *La médecin me recommande de ne pas commettre d'excès.* SYN. abus. ∥ *Avec excès :* Sans mesure. *Excès de langage :* Paroles peu courtoises, injurieuses. *Excès de pouvoir :* Action dépassant la compétence d'une autorité. *Excès de table :* Abus de nourriture et de boisson. *Sans excès :* Modérément. ☞ excessif, excessivement. **à l'excès** loc.adv. Excessivement, trop : *Le problème a été simplifié à l'excès.* SYN. exagérément.

excessif, ive adj. **1.** Qui est en quantité trop grande, qui dépasse la limite ordinaire ou permise : *Cette chaleur excessive m'incommode.* SYN. exagéré, extrême, terrible. ANT. moyen, normal. **2.** Qui ne peut se modérer, qui pousse les choses à l'extrême : *La nature excessive de certaines personnes les porte à l'imprudence.* ANT. modéré. ☞ excès.

excessivement adv. D'une manière exagérée, qui dépasse la normale : *Il n'est pas bon de manger excessivement.* SYN. exagérément, trop. ANT. assez, peu. ☞ excès.

excision n.f. Action d'enlever au moyen d'un instrument tranchant une petite partie d'organe ou de tissu : *On a fait l'excision de sa verrue.*

excitable adj. Qui est facile à s'exciter, à s'énerver : *La faim ou la fatigue rend les enfants excitables.* SYN. irritable, nerveux, susceptible. ANT. impassible, imperturbable. ☞ exciter.

excitant n.m. Substance qui excite le système nerveux, qui augmente son activité : *Le café est un excitant.* SYN. remontant, tonique. ANT. calmant, sédatif. ☞ exciter.

excitant, ante adj. **1.** Qui excite, qui éveille des sensations, des émotions : *En classe, nous avons fait une lecture excitante.* SYN. émouvant, enivrant, troublant. ANT. adoucissant, apaisant, calmant. **2.** Qui excite le système nerveux, qui stimule l'organisme : *Certaines boissons sont excitantes.* SYN. stimulant. ANT. calmant. ☞ exciter.

excitation n.f. Agitation vive, énervement ; état d'une personne excitée : *La veille de Noël, les enfants sont dans un état de grande excitation.* SYN. exaltation. ANT. apaisement, calme, tranquillité. ☞ exciter.

excité, ée n. et adj. **1.** n. Personne qui est dans un état de vive agitation : *Que fait ici cette bande d'excitées ?* SYN. énervé. **2.** adj. Qui est dans un état de vive agitation : *Louis est parfois excité et ne tient pas en place.* SYN. agité, énervé, nerveux. ANT. calme, tranquille. HOM. exciter. ☞ exciter.

exciter v. **1.** Provoquer une réaction, un sentiment, stimuler : *Tous ces secrets excitent ma curiosité.* SYN. animer, éveiller, susciter. ANT. empêcher, étouffer, refouler. **2.** Aviver, rendre plus intense un sentiment, une sensation: *Ma remarque excita sa colère.* SYN. activer, stimuler. ANT. calmer, étouffer. **3.** Rendre nerveux, mettre dans un état de tension: *Les jeunes excitaient le chien avec un bâton.* SYN. émouvoir, énerver. ANT. apaiser, calmer. HOM. excité. ⫽ *Exciter l'appétit:* Donner la faim, faire venir l'eau à la bouche. ☞ excitable, excitant, excitation, excité, surexcitation, surexcité, surexciter. **s'exciter** v.pron. **1.** S'énerver, perdre la maîtrise de soi-même: *Le chien s'excite dès qu'il aperçoit un chat.* SYN. s'emballer, s'irriter. ANT. se calmer. **2.** fam. Prendre un vif intérêt à quelque chose: *Il s'excitait sur cette histoire stupide.* SYN. se passionner.

exclamatif, ive adj. Qui exprime une exclamation: *Dans la phrase: «Comme c'est joli!», «comme» est un adverbe ayant une valeur exclamative.* ⫽ *Phrase exclamative:* Phrase marquant une exclamation. ☞ s'exclamer.

exclamation n.f. Cri, paroles soudaines et spontanées qui expriment une émotion, un sentiment: *Tous poussaient des exclamations devant la féerie des décors de Noël.* ⫽ *Point d'exclamation:* Signe de ponctuation noté «!» qui suit toujours une exclamation, une interjection ou une phrase exclamative. ☞ s'exclamer.

s'exclamer v.pron. Pousser des exclamations, des cris soudains et spontanés pour exprimer une émotion, un sentiment: *Quel malheur! s'exclama ma voisine.* SYN. s'écrier. ☞ exclamatif, exclamation.

exclu, ue adj. **1.** Qui a été renvoyé, refusé: *Elle est exclue de l'équipe.* **2.** Qu'on refuse d'envisager, qui est hors de question: *Ta suggestion est exclue.* **3.** Qui n'est pas compté dans un ensemble, dans une énumération: *Vous irez jusqu'à la page vingt exclue.* ANT. inclus. ☞ exclure.

exclure v. **1.** Renvoyer, expulser: *Je dois t'exclure de l'équipe de hockey pour ta mauvaise conduite.* SYN. bannir, chasser, rejeter. ANT. admettre, garder. **2.** Ne pas employer, rejeter: *J'exclus les friandises de mon régime.* **3.** Être inconciliable avec une autre chose qui existe déjà ou qui peut exister: *Son refus d'écouter mes arguments exclut toute possibilité de réconciliation.* SYN. interdire. **4.** Ne pas compter quelque chose dans un ensemble: *Tu peux exclure du total l'argent que je t'ai déjà remis.* ANT. inclure. ☞ exclu, exclusif, exclusion, exclusivement, exclusivité. **s'exclure** v.pron. S'opposer, se repousser, en parlant de choses inconciliables: *L'amour et l'amitié ne s'excluent pas.*

exclusif, ive adj. **1.** Qui ne permet pas le partage; qui est le privilège d'une seule personne, qui lui appartient: *Elle a des droits exclusifs sur son invention.* **2.** Qui a tendance à repousser ce qui est étranger: *L'amour est souvent exclusif.* ANT. ouvert, tolérant. ⫽ *Modèle exclusif:* Qui est produit, vendu par seulement une firme. ☞ exclure.

exclusion n.f. Action de chasser, d'expulser quelqu'un d'un endroit: *Le conseil a décidé l'exclusion de ce membre.* SYN. expulsion, renvoi. ANT. admission, réintégration. ☞ exclure. **à l'exclusion de** loc.prép. En excluant, excepté: *Je peux manger de tout, à l'exclusion des produits laitiers.* SYN. sauf.

exclusivement adv. **1.** En exceptant toute autre chose: *Martin s'intéresse exclusivement aux romans policiers.* SYN. seulement, uniquement. **2.** En ne comptant pas: *Le magasin sera fermé jusqu'au 28 avril exclusivement.* ANT. inclusivement. ☞ exclure.

exclusivité n.f. **1.** Droit, privilège qu'on ne peut partager, qui n'appartient qu'à une seule personne ou à un seul groupe: *L'entreprise a l'exclusivité de cette marque.* **2.** Produit, film qui est vendu par une seule firme: *Ce costume est une exclusivité: je l'ai payé très cher.* **3.** Information donnée par un journal qui a seul le droit de l'exploiter: *Le journal a l'exclusivité de ce reportage.* ☞ exclure.

excommunication n.f. Peine infligée par l'Église, par laquelle une personne est exclue de l'ensemble des fidèles: *Une sentence d'excommunication a été prononcée contre elle par l'évêque.* ☞ excommunier.

excommunier v. Punir en retranchant de l'Église catholique: *Au cours de l'histoire, plusieurs personnes ont été excommuniées parce qu'elles s'étaient révoltées contre l'Église.* ☞ excommunication.

excrément n.m. Matière solide évacuée du corps et particulièrement les résidus solides venant de la digestion et éliminés par le rectum: *Les excréments de ton chien doivent être ramassés.* SYN. excrétion. **R.** S'emploie surtout au pluriel. ☞ excréter, excrétion.

excréter v. Évacuer en rejetant du corps par les voies naturelles: *À l'hôpital, on fait l'analyse des matières que les patients excrètent.* ☞ excrément.

excrétion n.f. **1.** Fonction de l'organisme qui assure le rejet des déchets: *Tous les organismes sont dotés d'appareils permettant l'excrétion des substances inutiles.* SYN. élimination. **2.** plur. Substances rejetées par l'organisme: *L'urine et la sueur sont des excrétions.* ☞ excrément.

excroissance n.f. Tumeur superficielle et bénigne qui se forme sur la peau d'une personne, sur le corps d'un animal ou sur un végétal: *J'ai remarqué une excroissance à ton cou.*

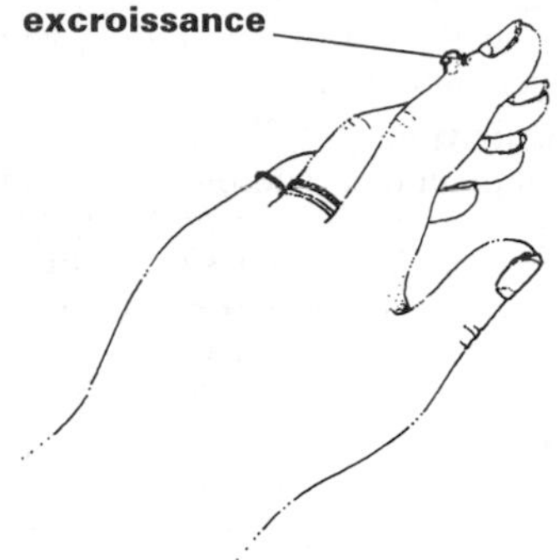

excursion n.f. Longue promenade ou voyage pour le plaisir ou l'exploration: *Profite bien de cette excursion en forêt.* SYN. balade, randonnée. ☞ excursionner, excursionniste.

excursionner v. Faire une excursion, une promenade: *Je veux excursionner avec le groupe.* ☞ excursion.

excursionniste n. Personne qui fait une excursion: *Lorsqu'elle part en forêt, cette excursionniste prend toujours sa boussole.* ☞ excursion.

excusable adj. Qui peut être excusé, pardonné: *Cette faute est excusable, vu son jeune âge.* SYN. pardonnable. ANT. impardonnable, inexcusable. ☞ excuser.

excuse n.f. **1.** Raison que l'on donne pour se défendre, pour expliquer une faute: *Son erreur est sans excuse.* SYN. défense, justification, motif. ANT. blâme, reproche. **2.** Raison que l'on donne pour se dérober à une obligation: *Elle s'est trouvé une bonne excuse pour ne pas nous accompagner.* SYN. dérobade, prétexte. **3.** Motif qui justifie le retard ou l'absence d'un élève ou le fait qu'il n'a pas fait ses devoirs: *Les élèves doivent apporter un mot d'excuse à l'école.* **4.** plur. Expression orale ou écrite du regret d'avoir offensé quelqu'un ou d'avoir commis une faute: *Il a été grossier envers ses parents et il a dû leur présenter des excuses.* ☞ excuser.

excuser v. **1.** Trouver une excuse, un motif à quelqu'un pour justifier une erreur commise: *Le professeur excuse Diane pour sa conduite.* SYN. défendre, disculper. ANT. accuser, blâmer, condamner, inculper. **2.** Pardonner, tolérer une faute commise: *Ces parents tolérants excusent toujours les tours pendables de leurs enfants.* SYN. absoudre, décharger. ANT. incriminer, reprocher. **3.** Servir d'excuse: *Rien ne peut excuser cette conduite impolie.* ANT. blâmer, reprocher. **4.** Dégager quelqu'un d'une obligation en acceptant son motif: *J'ai demandé qu'on m'excuse et qu'on remette notre entretien à un autre jour.* ☞ excusable, excuse, inexcusable. **s'excuser** v.pron. Présenter ses excuses: *Je me suis excusé de l'avoir blessé par mes paroles.*

exécrable adj. Qui est extrêmement mauvais: *Je te déconseille ce restaurant: la nourriture y est exécrable.* SYN. dégoûtant, infect. ANT. bon, excellent, parfait. **R.** Le *x* se prononce *gz* ou *ks*. ☞ exécrer.

exécrer v. Avoir de l'aversion, un profond dégoût pour quelqu'un ou quelque chose: *J'exècre l'odeur de l'essence.* SYN. détester. ANT. adorer, aimer, chérir. **R.** Le *x* se prononce *gz* ou *ks*. ☞ exécrable.

exécutable adj. Qui peut être exécuté, réalisé: *Ce plan est facilement exécutable.* SYN. réalisable. ANT. impossible, inexécutable. ☞ exécuter.

exécutant, ante n. Personne dont le devoir est d'exécuter des ordres reçus: *Dans ce bureau d'ingénieurs, il est un exécutant.* SYN. exécuteur, réalisateur. ☞ exécuter. ▲ **exécutant, ante** n. Musicien qui joue sa partie dans un ensemble musical: *L'orchestre compte cinquante exécutants.* ☞ exécuter.

exécuter v. **1.** Accomplir, réaliser un projet; obéir à un ordre: *La policière ne fait qu'exécuter les ordres reçus.* SYN. effectuer. **2.** Faire, achever un ouvrage: *Marie a exécuté un tableau remarquable.* **3.** Faire un mouvement ou un ensemble de mouvements prévu: *La patineuse et son partenaire ont exécuté des acrobaties incroyables.* ☞ exécutable, exécutant, exécution, inexécutable. ▲ **exécuter** v. Faire en sorte qu'une loi, un règlement, un traité, etc., soit observé: *Par cette décision, le tribunal a, comme il se doit, exécuté la Loi sur la protection de la jeunesse.* ☞ exécuteur, exécutif, exécution. ▲ **exécuter** v. **1.** Faire mourir quelqu'un à la suite d'une décision de justice: *Le bourreau a exécuté le condamné.* **2.** Faire mourir sans jugement, pour se venger ou pour d'autres raisons: *Les terroristes menaçaient d'exécuter les otages.* SYN. supprimer. ☞ exécuteur, exécution ▲ **exécuter** v. Jouer, interpréter une pièce musicale: *Le violoniste exécutera une de ses dernières œuvres.* ☞ exécutant, exécution.

s'exécuter v.pron. Se décider, se résoudre à faire quelque chose de désagréable: *J'avais demandé aux enfants de faire le ménage: ils ont fini par s'exécuter, mais en rechignant.*

exécuteur, trice n. Personne qui se charge de la mise à mort d'un condamné:

Anciennement, on appelait le bourreau l'exécuteur des hautes œuvres. SYN. bourreau. ☞ exécuter. ▲ **exécuteur, trice** n. Personne qui exécute, qui fait appliquer une loi, un règlement, un contrat, etc.: *Il est l'exécuteur de cette convention.* ⁄⁄ *Exécuteur testamentaire:* Personne désignée par l'auteur d'un testament pour assurer l'accomplissement de ses dernières volontés. ☞ exécuter.

exécutif n.m. Institution, groupe de personnes, qui a le pouvoir d'appliquer les lois: *L'exécutif de la ville s'est réuni hier pour étudier la proposition.* ☞ exécuter.

exécutif, ive adj. Qui se rapporte à l'application des lois: *Le rôle du pouvoir législatif est de décider des lois; celui du pouvoir exécutif est de voir à leur mise en application.* ☞ exécuter.

exécution n.f. **1.** Action, manière de réaliser un ouvrage d'après un plan, une règle: *L'exécution des travaux a été reportée à plus tard.* SYN. réalisation. **2.** Action d'accomplir quelque chose, de passer à l'action: *Il a fallu beaucoup de temps pour passer du plan à l'exécution.* SYN. accomplissement, réalisation. ⁄⁄ *Mettre à exécution:* Commencer à faire ce qui était prévu, mettre en pratique. ☞ exécuter. ▲ **exécution** n.f. Mise à mort d'un condamné: *Cette condamnée a été graciée; son exécution n'aura pas lieu.* ☞ exécuter. ▲ **exécution** n.f. Action, manière d'interpréter une pièce musicale: *L'exécution de cette symphonie a été brillante.* SYN. interprétation. ☞ exécuter.

exemplaire n.m. **1.** Chacune des copies semblables, faites en série, d'un livre, d'un imprimé, d'un tableau, d'une photographie: *Notre bibliothèque compte trois exemplaires de ce livre de la comtesse de Ségur.* **2.** Spécimen d'une espèce animale, végétale ou minérale: *Je n'ai qu'un seul exemplaire de cette plante rare.*

exemplaire adj. **1.** Qui peut servir d'exemple, de modèle: *Sa conduite est exemplaire.* SYN. édifiant, irréprochable, parfait. ANT. imparfait, mauvais, scandaleux. **2.** Qui doit servir d'avertissement: *On lui a infligé un châtiment exemplaire.* ANT. léger. ☞ exemple.

exemplairement adv. D'une manière exemplaire, parfaite, qui peut servir d'exemple: *Cette femme vit exemplairement.* ☞ exemple.

exemple n.m. **1.** Façon de faire qui peut être imitée: *Sa force de caractère est un exemple pour tous.* SYN. leçon, modèle. **2.** Personne dont la conduite mérite d'être imitée: *Ce professeur est un exemple pour Sylvie.* SYN. modèle. **3.** Punition, châtiment qui peut servir d'avertissement: *Que cela te serve d'exemple!* SYN. leçon. **4.** Chose, cas particulier qui prouve, qui illustre ce qu'on veut démontrer: *Les exemples nous aident à mieux comprendre.* ☞ exemplaire, exemplairement. à l'**exemple de** loc.prép. Pour imiter, à l'instar: *Il veut être électricien, à l'exemple de sa mère.* SYN. comme. par **exemple** loc.adv. Sert à confirmer, à illustrer par un exemple ce qui vient d'être dit: *Certaines inventions, par exemple le téléphone, apportent de grands changements dans la société.* ⁄⁄ *Par exemple!:* Interjection qui marque la surprise, l'étonnement.

exempt, empte adj. **1.** Qui n'est pas soumis à une charge, à une responsabilité, à une obligation: *Les revenus annuels de cette étudiante sont très bas; elle sera exempte d'impôts.* SYN. libéré. **2.** Qui est dépourvu de quelque chose: *Ton devoir est exempt d'erreurs. Bravo!* **R.** Se prononce *ègzen.* ☞ exempter, exemption.

exempter v. **1.** Libérer, dispenser quelqu'un d'une charge, d'une obligation: *On l'a exemptée de gymnastique à cause de son entorse.* ANT. assujettir, contraindre, obliger. **2.** Mettre à l'abri de quelque chose: *Une bonne alimentation et des exercices physiques quotidiens l'exemptaient de la maladie.* SYN. préserver. ☞ exempt. s'**exempter** v.pron. Se dispenser, ne pas faire: *Tu aurais pu t'exempter de dire de telles bêtises.* SYN. éviter. **R.** Le *p* ne se prononce pas.

exemption n.f. Dispense d'une charge, d'une responsabilité, d'une obligation: *Les contribuables ont droit à des exemptions d'impôts pour les personnes à charge.* SYN. exonération. ANT. assujettissement, contrainte. **R.** Le *p* se prononce. ☞ exempt.

exercé, ée adj. Qui est devenu habile par l'exercice: *Son oreille exercée perçoit les fausses notes.* HOM. exercer. ☞ exercer.

exercer v. **1.** Entraîner, faire travailler afin de développer une aptitude ou de contracter une habitude: *Julie exerce sa mémoire; chaque jour, elle apprend par cœur une nouvelle strophe de ce long poème.* **2.** Soumettre à un entraînement, former: *On exerce les soldats à marcher au pas.* SYN. façonner, habituer. **3.** litt. Soumettre à une épreuve: *Certaines situations difficiles exercent notre jugement.* HOM. exercé. ☞ exercice. ▲ **exercer** v. **1.** Mettre en usage; faire usage de quelque chose; faire agir quelque chose sur autre chose ou sur quelqu'un: *La lune exerce une influence sur les marées.* **2.** Pratiquer une profession, remplir une charge, des fonctions: *Elle exerce la médecine à Longueuil depuis plusieurs années.* **s'exercer** v.pron. S'entraîner: *Elle s'exerce régulièrement au hautbois.* **R.** Ne pas oublier la cédille devant *a* et *o*.

exercice n.m. **1.** Activité destinée à former, à exercer quelqu'un dans un domaine particulier: *J'ai terminé mes exercices d'assouplissement.* **2.** Devoir, travail scolaire à exécuter, qui fait suite à un cours, une leçon: *Cette élève travaillante s'applique à un exercice de grammaire difficile.* **3.** Séance d'entraînement militaire pratique: *Les recrues se rendent à l'exercice.* **4.** Activité physique, gymnastique: *Pour rester en bonne santé, il faut faire de l'exercice régulièrement.* ☞ exercer. ▲ **exercice** n.m. Fait de pratiquer un métier, une profession: *L'exercice de la médecine exige une grande disponibilité d'esprit et de temps.* ☞ exercer. ▲ **exercice** n.m. Période comprise entre deux inventaires, deux budgets: *Elle a remis au comptable son bilan de fin d'exercice.*

exerciseur n.m. (angl.) Appareil de gymnastique qui permet de faire travailler les muscles: *Ce salon de santé possède deux exerciseurs.* ☞ exercer.

exhalaison n.f. Gaz ou odeur qui s'exhale, qui se dégage d'un corps: *Je respirais les exhalaisons du jardin en fleurs.* SYN. effluve, émanation. **R.** Le *x* se prononce *gz*. Ne pas confondre avec *exhalation*. ☞ exhaler.

exhalation n.f. Action d'exhaler, de rejeter l'air chargé de vapeur lors de l'expiration: *L'exhalation se fait par la peau ou par les poumons.* ANT. inhalation. **R.** Ne pas confondre avec *exhalaison*. ☞ exhaler.

exhaler v. **1.** Dégager de soi, répandre des odeurs, des vapeurs: *On dit que par temps très chaud, les canaux de Venise exhalent une odeur fétide.* **2.** Laisser échapper un souffle, un son, de sa gorge, de sa bouche: *Le mourant exhale son dernier soupir.* SYN. pousser, rendre. **3.** Rejeter, en expirant, de l'air chargé de vapeur: *Son haleine, et même sa peau, exhalait l'alcool.* ANT. aspirer, inhaler. **4.** fig. et litt. Exprimer, manifester un sentiment: *Les enfants exhalent leur mauvaise humeur en boudant ou en chicanant sur des riens.* ANT. aspirer, inhaler. ☞ exhalaison, exhalation. **s'exhaler** v.pron. Se répandre dans l'atmosphère: *Des parfums suaves s'exhalaient de la forêt.* **R.** Le *x* se prononce *gz*.

exhaustif, ive adj. Qui traite à fond un sujet, une matière, sans rien oublier: *Cette bibliographie exhaustive devrait vous aider dans votre travail de recherche.* SYN. complet. ANT. incomplet.

exhiber v. **1.** Présenter un document important, une pièce officielle, en justice ou devant une autorité: *L'avocat a exhibé une preuve au juge.* SYN. produire. **2.** Montrer, présenter au public quelque chose de spectaculaire: *Au cirque, on a exhibé des chiens savants qui ont fait rire l'assistance.* **3.** Montrer de façon provocante ou exagérée dans le but de mettre en valeur: *Pour m'impressionner, il ne cesse d'exhiber son savoir.* SYN. afficher, étaler. ANT. cacher, dissimuler. ☞ exhibition, exhibitionnisme, exhibitionniste. **s'exhiber** v.pron. S'afficher, se montrer en public de façon provocante ou exagérée: *Elle n'aime pas s'exhiber sur la plage.* ANT. se cacher, se dissimuler. **R.** Le *x* se prononce *gz*.

exhibition n.f. **1.** Action de montrer, et particulièrement de présenter au public des choses spectaculaires: *La magicienne a donné une exhibition époustouflante.* SYN. présentation, représentation. **2.** Démonstration exagérée: *L'exhibition de tout ce luxe était presque indécente.* SYN. étalage. **R.** Le *x* se prononce *gz*. ☞ exhiber.

exhibitionnisme n.m. Tendance maladive qui pousse certaines personnes à se dévêtir et à montrer leurs organes génitaux: *Cette personne a été arrêtée pour exhibitionnisme.* **R.** Le *x* se prononce *gz*. ☞ exhiber.

exhibitionniste n. et adj. **1.** n. Personne atteinte d'exhibitionnisme, qui aime se montrer nue: *On dit qu'un exhibitionniste circule dans le quartier.* **2.** adj. Qui dénote une tendance à aimer se montrer nu: *Son penchant exhibitionniste se manifeste occasionnellement.* **R.** Le *x* se prononce *gz*. ☞ exhiber.

exhortation n.f. **1.** Discours, paroles pour encourager, pour persuader: *Les exhortations de Sophie m'ont décidée à poursuivre mes études.* **2.** Sermon d'un prêtre pour inviter à la dévotion, à la pratique: *Les fidèles ont été touchés par les exhortations du prédicateur.* **R.** Le *x* se prononce *gz*. ☞ exhorter.

exhorter v. Tenter par des paroles, des discours, de persuader quelqu'un de faire quelque chose: *Son père l'exhorte à se taire.* SYN. encourager, inciter, inviter. ANT. décourager, dissuader. **R.** Le *x* se prononce *gz*. ☞ exhortation.

exhumation n.f. Action d'exhumer, de déterrer: *Le coroner a demandé l'exhumation du corps, parce qu'il a décidé de reprendre l'enquête.* ANT. enfouissement, inhumation. **R.** Le *x* se prononce *gz*. ☞ inhumer.

exhumer v. **1.** Retirer, sortir un cadavre de la terre: *On l'a exhumé pour faire une autopsie.* SYN. déterrer. ANT. ensevelir, enterrer, inhumer. **2.** Sortir du sol quelque chose qui était enfoui: *Les fouilles minutieuses ont permis* *d'exhumer les ruines d'une vieille muraille.* ANT. enfouir, enterrer. **3.** fig. Sortir de l'oubli, rappeler: *J'ai exhumé ces vieilles lettres du fond d'un tiroir.* **R.** Le *x* se prononce *gz.* ☞ inhumer.

exigeant, ante adj. **1.** Qui est difficile à satisfaire, à contenter: *Cette personne est exigeante.* SYN. intraitable, strict. ANT. accommodant, arrangeant. **2.** Qui demande beaucoup de qualités, de persévérance: *Le patinage artistique est une discipline exigeante.* SYN. difficile, dur. ANT. facile. **R.** Ne pas oublier le *e* après le *g.* ☞ exiger.

exigence n.f. **1.** Ce qui est commandé par les circonstances, obligation: *Je m'adapterai aux exigences de la situation.* **2.** Ce qu'une personne ou un groupe de personnes exige, demande, réclame des autres: *Les exigences de mon institutrice sont très élevées.* **3.** Caractère d'une personne difficile à contenter: *Ces enfants sont d'une exigence agaçante.* **4.** Ce qui est imposé par un règlement, par une convention, etc.: *Je connais bien les exigences de l'école et je m'y soumets.* SYN. contrainte, impératif, règle. ☞ exiger.

exiger v. **1.** Demander de façon soutenue, réclamer en priorité: *La cliente est en droit d'exiger le respect de la garantie donnée par le fabricant.* SYN. réclamer, revendiquer. **2.** Demander comme nécessaire pour l'obtention d'un emploi: *Ce poste exige des qualités particulières.* **3.** Rendre obligatoire, indispensable: *Les événements exigent d'agir rapidement.* SYN. imposer, nécessiter, obliger. **4.** Commander, ordonner: *J'exige que vous reveniez immédiatement.* ☞ exigeant, exigence.

exigu, uë adj. Qui est d'une dimension insuffisante: *Ce local exigu est mal éclairé et malpropre.* SYN. étroit, petit, restreint. ANT. grand, vaste. **R.** Au féminin, ne pas oublier le tréma: *ë.* ☞ exiguïté.

exiguïté n.f. Caractère de ce qui est de dimension insuffisante, de petite étendue: *L'exiguïté du local le rend difficile à louer.* **R.** Ne pas oublier le tréma: *ï.* ☞ exigu.

exigu exiguë exiguïté

exil n.m. Obligation pour une personne de vivre en dehors de son pays; situation d'une personne exilée: *Elle peut revenir au Canada, son exil est terminé.* SYN. bannissement, expatriation, expulsion. ANT. rapatriement, retour. ⁄⁄ *Exil volontaire:* Exil qu'on s'impose en raison des circonstances. ☞ exilé, exiler.

exilé, ée n. et adj. **1.** n. Personne qui vit en exil, qui est obligée de vivre dans un autre pays: *L'exilé pourrait revenir bientôt.* SYN. expatrié. **2.** adj. Qui vit en exil, qui est obligé de vivre dans un autre pays: *Cette personne exilée souffre d'être loin des siens.* SYN. expatrié. **3.** adj. Qui vit retiré très loin: *La missionnaire exilée pourra réintégrer sa mission.* HOM. exiler. ☞ exil.

exiler v. **1.** Expulser une personne de son pays, l'envoyer en exil: *On a exilé Paula de son pays parce qu'elle avait dirigé la révolution.* SYN. bannir, déporter, expatrier. ANT. rapatrier, rappeler. **2.** Éloigner une personne d'un lieu et lui défendre d'y revenir: *Lucky Luke exila le charlatan de Daisy Town, couvert de plumes et de goudron.* SYN. chasser. ANT. rappeler. HOM. exilé. ☞ exil. **s'exiler** v.pron. Quitter volontairement son pays: *Cette Canadienne s'est exilée aux États-Unis.* SYN. fuir. ANT. demeurer, rester.

existant, ante adj. **1.** Qui existe, qui a une réalité: *Une chose à laquelle on pense n'est pas nécessairement une chose existante.* SYN. réel. ANT. irréel. **2.** Qui existe actuellement, présentement: *Les règlements municipaux existants ne permettent pas le genre de construction que vous proposez.* ☞ exister.

existence n.f. **1.** Fait d'exister, d'être en réalité: *Plusieurs s'interrogent sur l'existence des extraterrestres.* **2.** Durée de ce qui existe: *Notre organisation fêtera bientôt ses cinq années d'existence.* **3.** Vie et mode de vie: *Pourquoi se compliquer inutilement l'existence?* ☞ exister.

exist**ant** exist**ence**

exister v. **1.** Être actuellement, avoir une réalité: *Je me demande si Dieu existe.* **2.** Avoir cours, subsister: *Cette coutume existe depuis très longtemps.* **3.** Se trouver, se rencontrer quelque part: *Cette variété de fleurs n'existe qu'en Asie.* **4.** Vivre, être en vie: *Je me battrai pour la justice tant que j'existerai.* **5.** Revêtir de l'importance, compter: *Seules les richesses existent pour ces personnes.* **6.** Verbe impersonnel signifiant «il y a»: *Il existe sûrement une solution à ton problème.* ☞ coexistence, coexister, existant, existence, inexistant.

exode n.m. **1.** Émigration en masse d'un peuple: *Au début du siècle, une crise économique provoqua l'exode des Canadiens vers les États-Unis.* SYN. fuite, migration. ANT. immigration, venue. **2.** Départ en foule: *Chaque hiver, on assiste à l'exode des Québécois vers le sud.* ⁄⁄ *Exode de capitaux:* Mouvement des capitaux vers l'étranger. *Exode rural:* Migration définitive des habitants des campagnes vers les villes.

exonération n.f. Action d'exonérer, de décharger quelqu'un de quelque chose de coûteux: *Certains contribuables ont droit à des exonérations fiscales.* SYN. déduction, exemption, immunité, remise. ANT. surcharge, surtaxe. ☞ exonérer.

exonérer v. Dégager, en totalité ou en partie, quelqu'un ou quelque chose d'une charge financière, d'une taxe: *On a exonéré cet étudiant des frais d'inscription.* SYN. affranchir, dispenser, exempter, libérer. ANT. surcharger, surtaxer. ☞ exonération. **exonéré, ée** p.p. et adj. Qui est dispensé des droits de douane: *Les marchandises exonérées ont été vérifiées.*

exorbitant, ante adj. Qui est excessif, qui dépasse la mesure: *On demande un prix exorbitant pour cette maison.* SYN. démesuré, exagéré. ANT. modéré, modique.

exorbité, ée adj. Qui sont grands ouverts de peur, d'étonnement, qui semblent sortir de leurs orbites, en parlant des yeux: *Les yeux exorbités de frayeur, nous regardions l'énorme araignée qui pendait au bout de son fil.* **R.** S'emploie surtout dans l'expression *yeux exorbités*. ☞ orbite.

exorciser v. Chasser les démons au moyen d'une pratique religieuse: *Jésus avait le pouvoir d'exorciser.* ☞ exorcisme, exorciste.

exorcisme n.m. Pratique religieuse par laquelle on chasse les démons: *L'exorcisme est une pratique qui existe dans les Églises chrétiennes.* ☞ exorciser.

exorciste n. Personne qui a le pouvoir de chasser les démons au moyen d'une pratique religieuse: *Les exorcistes peuvent éloigner les démons en priant.* ☞ exorciser.

exotique adj. Qui vient de pays lointains, qui n'appartient pas aux civilisations de l'Occident: *J'ai acheté cette épice dans une boutique de produits exotiques.*

expansif, ive adj. Qui aime se confier, qui communique facilement et longuement ses sentiments: *Martin est d'un naturel enjoué et expansif.* SYN. communicatif, démonstratif, ouvert. ANT. renfermé, réservé, timide. // *Une joie expansive:* Une joie débordante.

expansion n.f. **1.** Action de s'agrandir, d'occuper plus de place dans le monde en se développant: *L'expansion économique d'un pays favorise la création d'emplois.* SYN. croissance, essor. ANT. régression, stagnation. **2.** Dilatation d'un corps, augmentation de son volume ou de sa surface: *La plupart des corps entrent en expansion sous l'effet de la chaleur.* SYN. dilatation. ANT. compression, contraction.

expatriation n.f. Action de quitter volontairement sa patrie ou d'en être expulsé: *En temps de guerre, beaucoup de gens choisissent l'expatriation.* SYN. exil. ANT. rapatriement. ☞ patrie.

expatrié, ée n. et adj. **1.** n. Personne qui vit hors de sa patrie par choix ou par obligation: *Les parents de mon amie sont des expatriés.* SYN. exilé. **2.** adj. Qui vit hors de son pays par choix ou par obligation: *Le pays a rappelé tous les opposants politiques expatriés.* SYN. exilé. ANT. rapatrié. ☞ patrie.

s'**expatrier** v.pron. Quitter sa patrie pour vivre ailleurs: *Beaucoup de personnes s'expatrient pour des raisons économiques.* SYN. émigrer, s'exiler. ☞ patrie.

expectative n.f.litt. Attente fondée sur des possibilités, des promesses: *Carla est dans l'expectative d'une réponse de cet employeur.* SYN. espérance, espoir.

expectorant, ante adj. Qui aide à cracher, à rejeter les sécrétions provenant des voies respiratoires: *Ce sirop expectorant est très efficace.*

expédient n.m. **1.** Moyen adroit qui permet de résoudre une difficulté et d'arriver à ses fins: *Nous cherchions un expédient pour échapper à cette corvée.* **2.** péj. Moyen qui permet de résoudre une difficulté, de se tirer d'embarras momentanément: *On a souvent eu recours à des expédients pour tenter de*

remédier au problème des déchets toxiques. ⁄⁄ *Vivre d'expédients:* Devoir recourir à des moyens discutables pour vivre.

expédier v. Faire quelque chose très rapidement pour s'en débarrasser: *Les élèves qui expédient leurs travaux doivent souvent les recommencer.* SYN. bâcler. ANT. fignoler, soigner. ⁄⁄ *Expédier quelqu'un:* En finir au plus vite avec quelqu'un pour s'en débarrasser. ☞ expéditif, expéditivement. ▲ **expédier** v. **1.** Envoyer: *Il lui expédie un colis par la poste.* ANT. recevoir. **2.** fam. Faire partir quelqu'un au loin pour s'en débarrasser: *On voulait l'expédier dans quelque région éloignée.* ⁄⁄ *Expédier quelqu'un dans l'autre monde:* Tuer quelqu'un. ☞ expéditeur, expédition, réexpédier, réexpédition.

expéditeur, trice n. et adj. **1.** n. Personne qui envoie quelque chose: *L'expéditrice de ce colis est tante Rose.* SYN. envoyeur. ANT. destinataire. **2.** adj. Qui envoie quelque chose: *Le colis a été confié à une compagnie expéditrice.* ☞ expédier.

expéditif, ive adj. **1.** Qui accomplit rapidement un travail, une affaire: *Cette personne est expéditive, elle règle vite ses affaires.* SYN. diligent, prompt. ANT. lent, traînard. **2.** Qui permet d'accomplir rapidement et efficacement un travail, une affaire: *C'est le moyen le plus expéditif mais aussi le plus sûr que j'ai trouvé.* SYN. court. ANT. lent. ☞ expédier.

expédition n.f. **1.** Action d'envoyer quelque chose à un destinataire: *L'expédition des automobiles japonaises se fait par bateau.* ANT. réception. **2.** Chose envoyée: *Nous n'avons pas reçu vos dernières expéditions.* SYN. envoi. ☞ expédier. ▲ **expédition** n.f. Voyage de recherche ou d'exploration: *Cette expédition scientifique dans le Grand Nord a été organisée avec soin.*

expéditivement adv. De façon expéditive, rapide: *Ce directeur mène ses affaires expéditivement.* SYN. promptement, rapidement. ANT. lentement. ☞ expédier.

expérience n.f. **1.** Connaissance que l'on acquiert par la pratique ou l'habitude: *La pilote d'avion a beaucoup d'expérience.* SYN. savoir, science. ANT. ignorance, inexpérience. **2.** Essai, tentative: *Je me suis fait friser, mais c'est une expérience que je ne recommencerai plus: je préfère mes cheveux raides.* ☞ expérimenté, inexpérience, inexpérimenté. ▲ **expérience** n.f. Opération scientifique qui consiste à provoquer un phénomène pour l'étudier, l'analyser: *En sciences de la nature, nous faisons des expériences.* SYN. expérimentation, test. ☞ expérimental, expérimentation, expérimenter.

expérimental, ale, aux adj. **1.** Qui est fondé sur l'expérience, sur l'étude des phénomènes: *La physique est une science expérimentale.* **2.** Qui représente une expérience, qui vise à étudier les réactions, les qualités: *Ce médicament est encore au stade expérimental: on ne le trouve pas actuellement sur le marché.* ⁄⁄ *À titre expérimental:* Pour en faire l'essai, l'expérience. ☞ expérience.

expérimentation n.f. Fait de mener des expériences scientifiques: *L'expérimentation a prouvé que ce produit est cancérigène.* ☞ expérience.

expérimenté, ée adj. Qui a de l'expérience, qui est formé par l'habitude ou la pratique: *Paul est un skieur expérimenté.* SYN. chevronné, expert, habile. ANT. apprenti, débutant, inexpérimenté. HOM. expérimenter. ☞ expérience.

expérimenter v. Connaître par expérience: *Il est difficile de comprendre la peur des hauteurs si on ne l'a jamais expérimentée.* ▲ **expérimenter** v. Mettre à l'essai pour étudier, observer, juger: *Dans les laboratoires, on expérimente sans cesse de nouveaux produits.* SYN. éprouver, essayer, tester. HOM. expérimenté. ☞ expérience.

expert n.m. **1.** Personne qui a une grande habileté, beaucoup de connaissances dans un domaine: *Sylvain est un expert en aéronautique.* SYN. connaisseur. ANT. amateur. **2.** Spécialiste chargé d'examiner, de constater, d'apprécier un fait: *Les membres du jury écoutent attentivement l'avis des experts.* **R.** L'O.L.F. recommande *experte* comme féminin de *expert.* ☞ expertise.

expert, erte adj. Qui est habile, expérimenté: *Jaklin est experte en comptabilité.* SYN. adroit, capable, compétent. ANT. incapable, incompétent.

expertise n.f. Constatation, estimation faite par un spécialiste, par un expert: *On a soumis cet objet d'art à une expertise pour s'assurer de son authenticité.* ☞ expert (n.m.).

expiable adj. Qu'on peut expier, réparer par la pénitence: *Cette faute sans gravité est facilement expiable.* ANT. inexpiable. ☞ expier.

expiation n.f. Châtiment ou peine pour réparer une faute: *On lui a infligé une punition sévère en expiation de sa faute.* SYN. réparation. ANT. récompense. ☞ expier.

expier v. Réparer une faute en subissant une peine: *Les criminels expient leurs crimes en prison.* ☞ expiable, expiation, inexpiable.

expirant, ante adj. **1.** Qui est mourant: *La médecin assiste la malade expirante.* **2.** fig. Qui prend fin, qui s'achève: *On tente de relever cette industrie expirante.* ⫽ *Une voix expirante:* Une voix qui se fait à peine entendre. ☞ expirer.

expiration n.f. Action de chasser des poumons l'air qu'on a inspiré: *L'inspiration et l'expiration sont des mouvements qui se font automatiquement.* ANT. inspiration. ☞ inspirer. ▲ **expiration** n.f. Moment où une chose expire, fin d'un délai: *Nous pouvons lire la date d'expiration d'un produit sur l'emballage.* SYN. échéance. ☞ expirer.

expirer v. Chasser de ses poumons l'air qu'on a inspiré: *Pour relaxer, je prends une bonne inspiration, puis j'expire lentement.* SYN. souffler. ANT. aspirer, inspirer. ☞ inspirer. ▲ **expirer** v. **1.** Arriver à la fin d'un temps convenu: *Mon abonnement à cette revue expire dans deux mois.* SYN. cesser, se terminer. ANT. commencer, débuter. **2.** Mourir: *Mon oncle a expiré pendant la nuit.* SYN. s'éteindre. ANT. naître. **3.** fig. Prendre fin, s'affaiblir jusqu'à disparaître: *Les bruits expirèrent et chacun s'endormit.* ☞ expirant, expiration.

explicable adj. Qui peut être expliqué: *La croissance d'une plante est un phénomène explicable.* SYN. compréhensible. ANT. incompréhensible, inexplicable. ☞ expliquer.

explicatif, ive adj. Qui explique, qui donne des explications, des instructions: *Lis bien la note explicative qui indique comment se servir de cet appareil.* ☞ expliquer.

explication n.f. **1.** Ce que l'on dit pour aider à faire comprendre quelque chose: *Francis a de la difficulté en mathématiques; Gertrude lui donnera des explications.* **2.** Raison, cause: *Quelle est l'explication de ton retard?* SYN. motif. **3.** Éclaircissement, mise au point concernant les intentions, la conduite de quelqu'un: *Je n'ai pas d'explication à te donner, fais ce que je te demande.* **4.** Discussion, querelle avec quelqu'un concernant sa conduite: *J'aurai une explication avec toi au sujet de ton retard d'hier.* ☞ expliquer.

explicite adj. **1.** Qui est clair et précis, qui ne laisse aucun doute: *Elle a exprimé ses exigences en termes explicites.* SYN. formel, net. ANT. confus, équivoque, évasif, implicite. **2.** Qui s'exprime clairement, sans ambiguïté: *Le conférencier a été très explicite.* SYN. clair, formel, net, précis. ANT. évasif. ☞ explicitement, expliciter, implicite, implicitement.

explicitement adv. D'une manière explicite, claire, précise: *Donne-moi tes conditions explicitement.* SYN. clairement, précisément. ANT. implicitement, vaguement. ☞ explicite.

expliciter v. Rendre plus clair, plus précis: *Tu expliciteras ton point de vue à la réunion du comité.* ☞ explicite.

expliquer v. **1.** Faire comprendre, faire connaître quelque chose à quelqu'un en donnant des détails: *Kevin explique toutes les étapes de son projet.* SYN. exposer, exprimer. ANT. compliquer, embrouiller. **2.** Donner la raison, la cause: *La pollution de ce lac explique la disparition des truites.* SYN. justifier, motiver. **3.** Rendre plus clair quelque chose qui semble obscur; donner des indications: *J'ai dû me faire expliquer les règles de ce jeu.* SYN. commenter, montrer. ANT. obscurcir. ☞ explicable, explicatif, explication, inexplicable, inexplicablement, inexpliqué. **s'expliquer** v.pron. **1.** Donner son opinion, des précisions: *Je m'explique sur ce que je viens de dire.* **2.** Avoir une discussion: *Nous nous expliquerons au sujet de ce malentendu.* **3.** Saisir, comprendre la raison de quelque chose: *Je m'explique mal sa présence ici.* **4.** Devenir, être compréhensible: *Son accident ne s'explique que par une imprudence.*

exploit n.m. Action remarquable, geste d'éclat: *Ce jeune homme a réussi tout un exploit en sauvant deux enfants des flammes.*

exploitable adj. Qui peut être exploité: *Une fois défrichée, cette terre sera exploitable.* ANT. inexploitable. ☞ exploiter. ▲ **exploitable** adj. Dont on peut abuser: *Les personnes naïves sont souvent facilement exploitables.* ☞ exploiter.

exploitation n.f. **1.** Action d'exploiter, de mettre en valeur dans le but d'en tirer un profit: *L'exploitation de ce commerce rapporte beaucoup à son propriétaire.* **2.** Bien qu'on met en valeur et dont on tire profit; lieu où se fait cette mise en valeur: *Elle dirige une exploitation agricole très prospère.* ☞ exploiter. ▲ **exploitation** n.f. Action d'abuser de quelqu'un ou de quelque chose et d'en tirer profit: *Ce philosophe s'est élevé contre l'exploitation de la classe ouvrière.* ☞ exploiter.

exploité, ée n. et adj. **1.** n. Personne dont on abuse pour en tirer un profit injuste: *La première mission des syndicats est de défendre les exploités contre les exploiteurs.* ANT. exploiteur. **2.** adj. Qui est utilisé pour le profit et, spécialement, qui est mal payé: *Les travailleurs exploités revendiquent de meilleures conditions de travail.* ☞ exploiter.

exploité, ée adj. Qui est mis en valeur: *Cette mine exploitée depuis de nombreuses années a rapporté beaucoup à sa propriétaire.* ANT. inexploité. HOM. exploiter. ☞ exploiter.

exploiter v. **1.** Faire valoir une chose, en tirer profit: *Exploiter un domaine agricole demande beaucoup de travail.* **2.** Utiliser de façon avantageuse: *Il faut savoir exploiter ses talents.* ☞ exploitable, exploitation, exploité, inexploitable, inexploité. ▲ **exploiter** v. Profiter de façon abusive de la faiblesse, de la bonne volonté de quelqu'un; faire travailler quelqu'un en le payant mal: *La publicité exploite la crédulité du public.* HOM. exploité. ☞ exploitable, exploitation, exploité, exploiteur.

exploiteur, euse n.péj. Personne qui abuse d'une situation ou d'une personne: *Il est toujours à demander qu'on lui rende service; ce n'est qu'un vil exploiteur.* SYN. profiteur. ANT. exploité. ☞ exploiter.

explorateur, trice n. Personne qui parcourt un territoire peu connu pour l'étudier: *Cette exploratrice est partie en expédition en Antarctique.* ☞ explorer.

exploration n.f. Action d'explorer un pays lointain: *C'est au cours d'une exploration qu'Alexander Mackenzie a découvert un fleuve qui porte aujourd'hui son nom.* SYN. expédition, voyage. ☞ explorer.

explorer v. **1.** Parcourir un endroit inconnu en l'étudiant: *Cette spéléologue explore une grotte qu'elle vient de découvrir.* **2.** Parcourir un endroit en cherchant, en examinant: *Jacques a exploré tous les recoins de la maison pour trouver sa souris blanche.* **3.** Étudier les différents aspects d'une question, d'un texte: *L'entreprise explore toutes les possibilités de l'échange proposé.* ☞ explorateur, exploration, inexploré.

exploser v. **1.** Faire explosion, éclater avec bruit et en faisant des dégâts: *Une spécialiste a désamorcé une bombe qui risquait d'exploser.* SYN. détoner, sauter. **2.** fig. S'exprimer de façon brusque et violente, en parlant de sentiments: *À l'annonce d'un congé imprévu, la joie des enfants explose.* SYN. éclater. ☞ explosif, explosion.

explosif n.m. Produit pouvant exploser, éclater: *Le plastic et la dynamite sont des explosifs.* ☞ exploser.

explosif, ive adj. **1.** Qui peut exploser: *Il est très dangereux de jouer avec des matières explosives.* **2.** fig. Qui est tendu, critique: *Les relations explosives de ces deux nations risquent de déclencher la guerre.* **3.** fig. Qui est important et qui arrive soudainement: *Les progrès explosifs de cette entreprise en ont surpris plusieurs.* ⁄⁄ *Tempérament explosif:* Tempérament sujet aux colères brusques. ☞ exploser.

explosion n.f. **1.** Éclatement violent, accompagné d'un grand bruit: *L'explosion du camion-citerne a causé la mort de deux personnes.* SYN. déflagration, détonation. **2.** fig. Manifestation soudaine et vive: *La fin de l'année scolaire est marquée par une explosion de joie.* SYN. débordement. **3.** fig. Croissance soudaine et remarquable: *Les années d'après-guerre ont été marquées par une explosion démographique.* ☞ exploser.

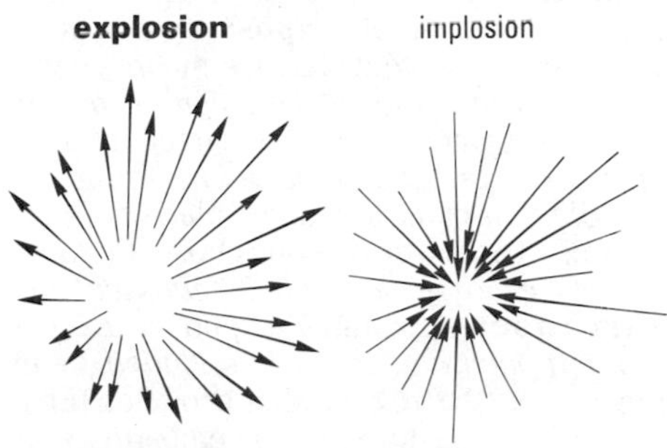

exportable adj. Qui peut être exporté, envoyé en dehors du pays: *Le Canada produit beaucoup de matières exportables.* ☞ exporter.

exportateur, trice n. et adj. **1.** n. Personne qui exporte: *La politique du libre-échange a satisfait plusieurs exportateurs.* **2.** adj. Qui exporte: *Le Canada est un des principaux pays exportateurs de bois.* ☞ exporter.

exportation n.f. **1.** Action de vendre, d'envoyer des marchandises à l'extérieur du pays: *L'exportation est nécessaire à l'économie d'un pays.* SYN. expédition. ANT. importation. **2.** Produit qui est envoyé ou vendu à l'étranger: *Les exportations du Canada sont nombreuses.* ☞ exporter.

exporter v. Envoyer, vendre à l'étranger: *Le Honduras exporte une partie de sa production de fruits.* ANT. importer. ☞ exportable, exportateur, exportation, importateur, importation, importer, réexportation, réexporter, réimportation, réimporter.

exposant n.m. Chiffre ou lettre qui exprime la puissance à laquelle un nombre est élevé: *Dans 2^4, le chiffre quatre est l'exposant: il indique que le nombre deux doit être multiplié quatre fois par lui-même.*

exposant, ante n. Personne qui expose ses œuvres ou ses produits: *Il y a de nombreux exposants au Salon de l'automobile.* ☞ exposer.

exposé n.m. Petit discours, compte rendu sur un sujet précis et qui a pour but d'informer: *Je dois préparer un exposé sur la pollution.* HOM. exposer. ☞ exposer.

exposer v. **1.** Placer, présenter de façon à mettre en vue: *Le Musée des beaux-arts expose beaucoup d'œuvres d'artistes canadiens.* SYN. étaler, exhiber. ANT. cacher, dissimuler. **2.** Placer dans une direction: *Il faut exposer une maison au sud si l'on veut qu'il y entre plus de soleil.* SYN. orienter. ANT. détourner. **3.** Placer pour soumettre à l'action de quelque chose: *Ma mère expose ses plantes à la lumière.* SYN. tourner. ANT. détourner. ☞ exposant, exposition. **exposé, ée** p.p. et adj. **1.** Qui est présenté de façon à mettre en vue: *J'ai obtenu le catalogue des œuvres exposées.* **2.** Qui est placé dans une direction: *Cette pièce exposée au sud me permet de profiter du soleil du midi.* **3.** Qui est placé pour être soumis à l'action de quelque chose: *Certaines plantes exposées au soleil fleurissent vite.* ▲ **exposer** v. Exprimer, expliquer: *Expose-moi ton point de vue sur la pollution.* ☞ exposé. ▲ **exposer** v. Mettre quelqu'un en danger ou dans une situation embarrassante: *Par son étourderie, il expose ses camarades au danger.* ANT. défendre, protéger. HOM. exposé. **s'exposer** v.pron. Se mettre en danger ou dans une situation embarrassante: *Par sa paresse, cette élève s'expose à un échec.* SYN. encourir, risquer. ANT. s'éviter.

exposition n.f. **1.** Action de placer, de mettre en vue pour le public: *À l'école, il y aura une exposition de collections de macarons.* SYN. étalage, exhibition, présentation. ANT. dissimulation. **2.** Orientation de quelque chose par rapport à une direction: *Une exposition au nord n'est pas l'idéal pour un potager.* **3.** Fait de soumettre à l'action de quelque chose: *Une exposition prolongée au soleil peut provoquer une insolation.* ☞ exposer.

exprès n.m. et adj.invar. **1.** n.m. Envoi qui porte la mention «exprès» et qui est distribué rapidement: *J'ai reçu cet exprès ce matin.* **2.** adj.invar. Qui est distribué rapidement, avant l'heure de la distribution ordinaire: *J'ai reçu sa réponse par lettre exprès.* HOM. express. **R.** Le *s* se prononce.

exprès, esse adj. Qui exprime clairement la volonté d'une personne ou d'un groupe de personnes: *Nous avons reçu la défense expresse de jouer avec le feu!* SYN. explicite, formel. HOM. express. **R.** Le *s* se prononce. ☞ expressément.

exprès adv. Avec une intention spéciale: *Ce gâteau a été confectionné exprès pour toi.* SYN. délibérément, intentionnellement, volontairement. ANT. involontairement. ⁄⁄ *Faire exprès:* Faire de façon intentionnelle. **R.** Le *s* ne se prononce pas.

express n.m.invar. et adj.invar. (angl.) **1.** n.m.invar. Train ou autobus qui va rapidement à destination: *L'express fait peu d'arrêts.* **2.** adj.invar. Qui assure un service rapide; qui permet de se déplacer rapidement: *Même si l'on emprunte une voie express, on doit respecter la limite de vitesse.* ▲ **express** n.m.invar. et adj.invar. (it.) **1.** n.m.invar. Café plus ou moins concentré fait à la vapeur à l'aide d'un percolateur: *Anthony aime bien boire un express après le dîner.* **2.** adj.invar. Qui est fait à la vapeur, à l'aide d'un percolateur, en parlant du café: *Je prendrais un café express, s'il vous plaît.* HOM. exprès.

expressément adv. **1.** De manière formelle, précise: *Au musée, il est expressément défendu de toucher aux œuvres d'art.* **2.** Avec une idée, une intention spéciale et bien précise: *Cette salle de bains est expressément conçue pour les personnes handicapées.* ☞ exprès (adj.).

expressif, ive adj. **1.** Qui exprime bien une pensée ou une émotion: *Dans ses yeux expressifs, je peux voir sa déception.* SYN. éloquent. ANT. inexpressif, insignifiant. **2.** Qui montre beaucoup de vivacité, d'expression: *Son visage expressif attirait la sympathie.* ANT. inexpressif. ☞ exprimer.

expression n.f. **1.** Fait d'exprimer, de faire connaître par la parole: *L'étude de la langue développe nos moyens d'expression.* **2.** Manière de parler; mot ou groupe de mots ayant un sens précis et particulier: *«Avoir la langue bien pendue» est une expression imagée qui signifie «être bavard».* SYN. locution, tour, tournure. **3.** Formule mathématique qui sert à représenter une valeur: *Une expression algébrique est un ensemble de lettres et de nombres liés par des signes d'opération.* **4.** Apparence du visage ou du corps sous l'effet d'une émotion, d'un sentiment: *On pouvait deviner sa joie à l'expression de son visage.* **5.** Ensemble de signes extérieurs qui manifestent une émotion, un sentiment, un désir: *La soif est l'expression d'un besoin.* SYN. manifestation. ⁄⁄ *Réduire quelque chose à sa plus simple expression:* Ramener à peu de chose ou même supprimer totalement. *Réduire une fraction à sa plus simple expression:* Trouver une fraction égale et ayant les termes les plus simples possible. ☞ exprimer.

exprimable adj. Qui peut être exprimé, qu'on peut faire connaître: *La joie est un sentiment facilement exprimable.* ANT. inexprimable. ☞ exprimer.

exprimer v. **1.** Faire connaître une idée, un sentiment par le geste, par la parole ou par l'art: *À travers son art, le peintre peut exprimer ses sentiments.* SYN. extérioriser, manifester, signifier. **2.** Servir à noter, à définir: *Le kilogramme exprime une mesure de masse ou de poids.* ☞ expressif, expression, exprimable, inexpressif, inexprimable, inexprimé. **s'exprimer** v.pron. **1.** Faire connaître ses idées, ses pensées, ses sentiments par le langage, le geste ou l'art: *Haidy s'exprime très bien en français.* SYN. parler. ANT. se taire. **2.** Être exprimé, se dire: *Notre peur ne pouvait s'exprimer.*

expropriation n.f. Opération par laquelle on prend à quelqu'un, lorsque l'utilité publique l'exige, sa propriété ou son terrain en échange d'une indemnité: *L'expropriation de notre voisin nous a causé beaucoup de peine.* ☞ exproprier.

exproprié, ée n. et adj. **1.** n. Personne qui est l'objet d'une expropriation, qu'on dépossède légalement de sa propriété, à des fins d'utilité publique, en échange d'une indemnité: *Cette expropriée était mécontente de quitter sa maison.* **2.** adj. Qui est l'objet d'une expropriation: *Cette agricultrice expropriée n'est pas satisfaite de l'indemnité qu'on lui offre.* HOM. exproprier. ☞ exproprier.

exproprier v. Prendre légalement et pour des fins d'utilité publique une propriété ou un terrain à quelqu'un, en échange d'une indemnité: *Le gouvernement exproprie les cultivateurs pour construire un aéroport.* HOM. exproprié. ☞ expropriation, exproprié.

expulsé, ée n. et adj. **1.** n. Personne qui est chassée d'un lieu où elle est établie: *Cette expulsée aura de la difficulté à se trouver un autre logement.* **2.** adj. Qui est chassé d'un lieu par une décision de l'autorité ou par la force: *Le dictateur expulsé se cherche un pays d'exil.* HOM. expulser. ☞ expulser.

expulser v. **1.** Chasser une personne d'un endroit où elle est établie: *On a expulsé une espionne qui tentait de s'approprier des secrets d'État.* SYN. bannir. ANT. accueillir, admettre, recevoir. **2.** Renvoyer, faire sortir une personne d'une façon violente et autoritaire: *On a expulsé de la salle ce groupe qui manifestait bruyamment.* SYN. évacuer, exclure. ANT. accueillir, admettre, recevoir. **3.** Éliminer, faire sortir quelque chose de l'organisme: *Les êtres vivants sont dotés d'appareils permettant d'expulser les déchets.* SYN. évacuer. ANT. retenir. HOM. expulsé. ☞ expulsé, expulsion.

expulsion n.f. **1.** Action d'expulser, de chasser quelqu'un d'un endroit: *Les policiers ont procédé à l'expulsion des batailleurs.* SYN. renvoi. ANT. accueil, admission. **2.** Action de faire sortir de l'organisme: *L'expulsion du placenta qui nourrissait le fœtus se produit peu après l'accouchement.* SYN. élimination, évacuation. ☞ expulser.

exquis, ise adj. **1.** Qui est bon, délicieux: *Je te recommande ce mets exquis.* SYN. excellent, savoureux, succulent. ANT. fade, insipide, mauvais. **2.** Qui est charmant, adorable: *Cet enfant est exquis avec son chapeau de marin.* SYN. beau, gracieux, mignon. ANT. horrible, laid, odieux. **3.** Qui est raffiné, délicat: *Ces jeunes sont d'une simplicité exquise.* SYN. charmant. ANT. commun, désagréable, détestable. **4.** Qui est d'un certain charme: *Je me souviendrai de cette journée exquise en ta compagnie.* SYN. charmant. ANT. désagréable, ordinaire.

exsangue adj. **1.** Qui a perdu beaucoup de sang, en parlant d'une personne ou d'une partie de son corps: *L'ambulancière a vite traité le blessé exsangue.* **2.** Qui est pâle, blême: *Lorsqu'on perd connaissance, on a le visage exsangue.* SYN. cadavérique, livide. ANT. coloré. **R.** Ne pas oublier le *u* après le *g*. Le *x* se prononce *ks* ou *gz*.

extase n.f. État d'exaltation, de plaisir extrême provoqué par une joie, une admiration intense qui fait oublier tout autre sentiment: *En extase, ma cousine ne pouvait détourner son regard de la scène où venait d'apparaître le chanteur.* SYN. émerveillement, enivrement, ravissement. ⁄⁄ *Être en extase devant quelqu'un ou quelque chose:* Être dans un état d'admiration extrême. ☞ s'extasier.

s'extasier v.pron. Montrer son admiration, son émerveillement: *Paul s'extasie devant la finesse de cette dentelle.* SYN. s'emballer, se pâmer. ANT. décrier, désapprouver. ☞ extase. **extasié, ée** p.p. et adj. **1.** Qui est en extase, dans un état d'exaltation, de plaisir extrême: *Nous étions extasiés devant ce spectacle.* SYN. admiratif, enchanté. **2.** Qui indique de l'extase, de l'admiration: *Il jetait des regards extasiés sur tous les manèges.* SYN. admiratif, ravi.

extensible adj. Qui peut être étiré: *Les maillots de bain sont taillés dans un tissu extensible.* ANT. inextensible. ☞ extension.

extension n.f. **1.** Action par laquelle quelque chose prend une plus grande dimension: *Leur intervention rapide a empêché l'extension de l'incendie.* SYN. accroissement, développement, expansion. ANT. diminution. **2.** Action d'étendre, d'allonger; mouvement par lequel on étend un membre: *Le matin, je fais des mouvements d'extension pour me dégourdir.* SYN. allongement, déploiement, étirement. ANT. contraction. **R.** N'a pas le sens de *poste* (téléphonique), de *prolongation* (d'une période), de *rallonge* (électrique). ☞ extensible, inextensible.

exténuant, ante adj. Qui est très fatigant, épuisant: *Ce travail est exténuant.* SYN. crevant, éreintant. ANT. délassant, facile, reposant. ☞ exténuer.

exténuation n.f. Épuisement, affaiblissement: *Ma mère a trop travaillé, elle est dans un état d'exténuation.* SYN. fatigue. ☞ exténuer.

exténuer v. Rendre extrêmement faible en épuisant les forces: *Ce match de hockey a exténué Bianca.* SYN. épuiser, éreinter, fatiguer. ANT. reposer. ☞ exténuant, exténuation. **s'exténuer** v.pron. S'épuiser, se fatiguer beaucoup: *Mon père s'exténue à bêcher le jardin.* SYN. s'éreinter. ANT. se reposer. **exténué, ée** p.p. et adj. **1.** Qui est dans un état d'épuisement, d'affaiblissement: *Exténuée, elle est tombée profondément endormie.* SYN. épuisé, fourbu. **2.** Qui indique un état d'épuisement, d'affaiblissement: *À son air exténué, j'ai compris que je devais le laisser se reposer.* SYN. abattu, fatigué.

extérieur n.m. **1.** Dehors de quelque chose; partie visible: *L'extérieur de la boîte est bleu et l'intérieur est blanc.* ANT. dedans, intérieur. **2.** Pays étrangers: *Les relations avec l'extérieur sont très favorables ces temps-ci.* **3.** Aspect, apparence, allure d'une personne: *Derrière son extérieur rude se cache un cœur tendre.* **4.** Lieu qui est situé en dehors de quelque chose: *Attends-moi à l'extérieur.* **à l'extérieur de** loc.prép. Au-dehors de: *Mon chien s'affole dès qu'il est à l'extérieur de la maison.*

extérieur, eure adj. **1.** Qui est en dehors d'un lieu donné: *La cloison trop mince ne pouvait arrêter les bruits extérieurs.* ANT. intérieur. **2.** Qui est dans un lieu ouvert: *On arrivait dans la cour par un escalier extérieur.* ANT. intérieur. **3.** Qui est visible, en contact avec l'air, en parlant d'une partie d'un corps: *Claude nettoie la surface extérieure de la casserole.* SYN. externe. ANT. interne. **4.** Qui concerne les pays étrangers: *Le commerce extérieur favorise l'économie d'un pays.* ANT. interne. **5.** Qui existe en dehors de nous: *Certaines lectures nous renseignent sur le monde extérieur.* **6.** Qui est apparent, qui se voit du dehors: *On ne peut pas toujours croire aux signes extérieurs de la richesse.* SYN. manifeste. ANT. caché. ☞ extérieurement, intérieur, intérieurement.

extérieurement adv. **1.** En dehors, à l'extérieur: *Extérieurement, cette maison est bien entretenue.* ANT. intérieurement. **2.** En apparence: *Marie a l'air d'être heureuse, extérieurement.* SYN. apparemment. ANT. intérieurement. ☞ extérieur.

exterminateur, trice n. et adj. **1.** n. Personne qui extermine, qui tue des êtres animés en très grand nombre ou en totalité: *Ces militaires ne voulaient pas être des exterminateurs.* **2.** adj. Qui extermine, qui tue des êtres animés en très grand nombre ou en totalité: *La guerre engendra une fureur exterminatrice.* ⁄⁄ *L'ange exterminateur:* L'ange qui, dans la Bible, était chargé de porter la mort parmi les Égyptiens qui persécutaient les Hébreux. ☞ exterminer.

extermination n.f. Action de détruire, de faire périr totalement; son résultat: *Des guerres d'extermination ont opposé certains peuples au cours de l'histoire.* SYN. destruction. ☞ exterminer.

exterminer v. Détruire totalement, anéantir: *Cette spécialiste nous a recommandé ce produit pour exterminer les fourmis à la maison.* SYN. supprimer, tuer. ANT. conserver, préserver, sauver. ☞ exterminateur, extermination. **s'exterminer** v.pron.fam. S'épuiser, se fatiguer: *Hélène s'extermine à pelleter l'entrée du garage.* SYN. s'éreinter, s'esquinter, s'exténuer. ANT. se reposer. **exterminé, ée** p.p. et adj. Qui est anéanti, détruit: *Nous n'avions plus à nous inquiéter: les rats étaient exterminés.*

externat n.m. **1.** École qui ne reçoit que des externes, qui n'offre pas de pension: *Mon cousin enseigne dans un externat.* ANT. internat. **2.** Fonction d'externe dans un hôpital; concours qui permet d'y accéder: *Elle a passé son externat et elle travaille maintenant à l'hôpital.* ANT. internat. ☞ externe.

externe n. **1.** Élève qui suit des cours dans une école mais qui n'y loge pas: *Les externes reçoivent le même enseignement que les internes.* ANT. interne, pensionnaire. **2.** Personne qui étudie en médecine et qui assiste les internes dans leurs tâches dans un hôpital: *Émilie remplit des fonctions d'externe dans le service de gérontologie.* ANT. interne. ☞ externat, internat, interne.

externe adj. Qui est à l'extérieur, en dehors: *La paroi externe de la cuve est fêlée.* SYN. extérieur. ANT. intérieur, interne. ⁄⁄ *Médicament à usage externe:* Médicament à ne pas avaler. ☞ interne.

extincteur n.m. Appareil servant à éteindre un début d'incendie: *Notre extincteur contient une substance chimique qui peut éteindre tous les genres d'incendies.* ☞ extinction. (*Voir l'illustration à la page suivante.*)

extinction n.f. **1.** Action d'éteindre: *Les pompiers restent sur place jusqu'à l'extinction du feu.* SYN. cessation, fin. ANT. allumage, embrasement. **2.** Disparition: *Le béluga est en voie d'extinction.* ANT. accroissement, développement, propagation. ⁄⁄ *Extinction de voix:* Perte momentanée de la voix. ☞ extincteur.

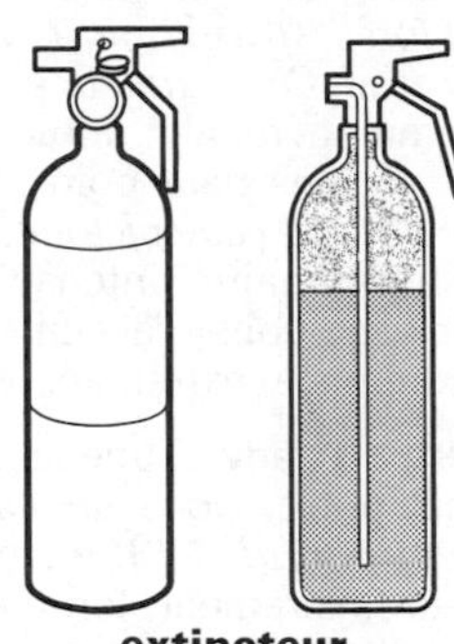

extincteur

extirpation n.f. Fait d'arracher, d'enlever: *L'extirpation des mauvaises herbes dans le potager m'a pris toute la matinée.* ☞ extirper.

extirper v. **1.** Arracher, enlever une plante avec ses racines: *Maman extirpe les mauvaises herbes du jardin.* SYN. déraciner, détruire, ôter, sarcler. ANT. enraciner, fixer, planter. **2.** fam. Faire sortir quelqu'un ou quelque chose avec difficulté: *Il n'est pas facile d'extirper Charles de son lit le matin.* SYN. arracher, tirer. **3.** fam. Obtenir avec difficulté: *On n'a pas réussi à lui extirper le renseignement.* SYN. arracher, tirer. ☞ extirpation. **s'extirper** v.pron. S'extraire, sortir d'un endroit avec peine: *Après plusieurs essais, Mélanie s'extirpa enfin de ce profond fossé.*

extorquer v. Obtenir quelque chose par la force, la menace ou la ruse: *Il a trompé ses clients en leur extorquant de grosses sommes d'argent.* SYN. soutirer, tirer, voler. ☞ extorqueur, extorsion.

extorqueur, euse n. Personne qui obtient quelque chose par la force, la menace ou la ruse: *Une extorqueuse a réussi à obtenir la signature de mon oncle.* ☞ extorquer.

extorsion n.f. Action d'obtenir quelque chose par la force, la menace ou la ruse: *Cet escroc a été arrêté pour extorsion de fonds.* ☞ extorquer.

extra n.m.invar. **1.** Ce que l'on fait d'extraordinaire, qui est en dehors des habitudes; chose en supplément: *Lorsqu'on a des invités, on fait des extra.* **2.** Personne de service supplémentaire, engagée pour peu de temps: *À l'occasion de cette réception, le restaurant a engagé plusieurs extra.*

extra adj.invar.fam. Qui est de qualité supérieure, extraordinaire: *Ces chocolats faits à la maison sont extra.*

extracteur n.m. Appareil servant à retirer une chose du lieu où elle est enfoncée ou à séparer une substance du composé dont elle fait partie: *En chirurgie, l'extracteur sert à retirer des corps étrangers de l'organisme.* **R.** N'a pas le sens de *centrifugeuse* (pour le jus de fruits ou de légumes).

extraction n.f. **1.** Action de retirer une chose d'où elle est enfouie ou enfoncée: *Les mineurs font l'extraction du charbon de la mine.* SYN. extirpation. **2.** Action de retirer, d'arracher de l'organisme: *L'infirmier procède à l'extraction d'une écharde dans le doigt de mon ami.* **3.** Action de séparer une substance d'un produit: *Ce pressoir est idéal pour l'extraction du jus d'orange.* ⁄⁄ *Extraction de la racine carrée, de la racine cubique d'un nombre:* Calcul de la racine carrée, de la racine cubique d'un nombre. ☞ extraire.

extra-fin, fine adj. **1.** Très petit: *J'aime les petits pois extra-fins.* **2.** D'une qualité supérieure: *On m'a offert des chocolats extra-fins.* **R.** Au pluriel, *extra-fins*, *extra-fines*. Aussi, *extrafin*. ☞ fin (adj.).

extra-fort, forte adj. **1.** Se dit d'un produit d'une qualité supérieure à la qualité dite «forte»: *Pour notre réception, nous avons acheté de la moutarde extra-forte.* **2.** Très fort, très résistant: *Pour le cours d'arts plastiques, il nous faut du carton extra-fort.* **R.** Au pluriel, *extra-forts*, *extra-fortes*. Aussi, *extrafort*. ☞ fort.

extraire v. **1.** Retirer une chose d'où elle est enfouie ou enfoncée: *On extrait du charbon de cette mine.* SYN. dégager, extirper. **2.** Arracher, enlever de l'organisme: *La dentiste m'a extrait une dent hier.* SYN. extirper, retirer. **3.** Séparer une substance d'un produit: *On peut extraire de l'huile des arachides.* SYN. tirer. ANT. ajouter. **4.** Tirer d'un livre, d'un texte: *Je veux extraire quelques poèmes de ce livre pour vous les faire lire.* SYN. détacher, relever. ANT. ajouter. **5.** Faire sortir quelqu'un d'un endroit étroit: *Il n'a pas été facile de l'extraire de l'automobile après l'accident.* SYN. extirper. ANT. enfermer. **6.** Calculer: *Extraire les entiers contenus dans un nombre fractionnaire, c'est déterminer combien de fois ce nombre contient l'unité.* ☞ extraction, extrait. **s'extraire** v.pron.fam. Sortir difficilement d'un endroit: *Elle s'extrait péniblement du fauteuil.* SYN. s'extirper.

extrait n.m. **1.** Produit tiré d'une substance: *L'extrait de vanille sert souvent à aromatiser les gâteaux.* SYN. essence. **2.** Passage tiré d'un texte, d'un livre, d'un film: *Pendant le cours d'enseignement religieux, nous lisons des extraits de la Bible.* SYN. bribe, citation, fragment. ⫽ *Extrait de naissance, de baptême:* Copie conforme faite d'après les registres de l'état civil. ☞ extraire.

extraordinaire adj. **1.** Qui est hors de l'ordinaire, inhabituel: *Le gouvernement a adopté des mesures extraordinaires pour lutter contre l'inflation.* SYN. exceptionnel, inusité, spécial. ANT. habituel, normal, ordinaire. **2.** Qui surprend par son caractère bizarre, insolite: *C'est tout de même extraordinaire, cette aventure!* SYN. curieux, étonnant, étrange, incroyable, invraisemblable. ANT. banal, commun, ordinaire, quelconque. **3.** Qui est remarquable, exceptionnel en son genre: *Ce paysage est d'une beauté extraordinaire.* SYN. admirable, prodigieux, sublime. ANT. banal, ordinaire, quelconque. **4.** Qui est très grand, qui a du génie: *Ce peintre est extraordinaire.* SYN. prodigieux, remarquable. ANT. insignifiant, ordinaire, quelconque. **5.** fam. Qui est très bon, fameux: *Cette émission n'est vraiment pas extraordinaire.* SYN. formidable. ANT. mauvais, ordinaire. ☞ ordinaire.

extraordinairement adv. D'une manière exceptionnelle, remarquable: *Cette grande musicienne joue extraordinairement bien.* SYN. exceptionnellement, singulièrement. ☞ ordinaire.

extraterrestre n. et adj. **1.** n. Habitant, créature qui vient d'une autre planète que la Terre: *Nous pouvons voir des extraterrestres dans les films de science-fiction.* **2.** adj. Qui est extérieur à la Terre ou à l'atmosphère terrestre: *Les comètes se déplacent dans l'espace extraterrestre.* **R.** Aussi, *extra-terrestre.* ☞ terre.

extravagance n.f. **1.** État d'une personne déraisonnable, bizarre; caractère de ce qui est extravagant, bizarre, déraisonnable: *Rien n'expliquait l'extravagance de son comportement.* SYN. absurdité, bizarrerie. ANT. mesure, raison. **2.** Action, parole ou idée déraisonnable, bizarre: *Cette personne choque par ses extravagances.* SYN. absurdité, bizarrerie, excentricité. ☞ extravagant.

extravagant, ante adj. Qui va à l'encontre du bon sens, qui est en même temps bizarre et déraisonnable: *Patricia a parfois des idées extravagantes.* SYN. excentrique, excessif, grotesque. ANT. modéré, normal, raisonnable, sage. ☞ extravagance.

extrême n.m. **1.** Situation opposée, contraire: *Il a des sautes d'humeur brutales, il passe d'un extrême à l'autre.* **2.** plur. Limites les plus éloignées d'une chose: *Il est souvent difficile de choisir entre les extrêmes.* à l'**extrême** loc.adv. Au plus haut point, à la dernière limite: *Le coureur tend les muscles de ses jambes à l'extrême au moment du départ.* **R.** Ne pas oublier l'accent: *ê.*

extrême adj. **1.** Qui est le plus éloigné, tout à fait au bout: *Notre chalet est à l'extrême limite de la forêt.* SYN. ultime. **2.** Qui est sans mesure, excessif: *Cette chaleur extrême m'exténue.* SYN. immodéré. ANT. faible, modéré. **3.** litt. Qui est au plus haut point: *Quelle joie extrême me procure cette victoire.* SYN. exceptionnel, extraordinaire, intense. ANT. ordinaire. **R.** Ne pas oublier l'accent: *ê.* ☞ extrêmement, extrémiste, extrémité.

extrêmement adv. D'une façon extrême, au plus haut point: *Nous avons eu un été extrêmement chaud.* SYN. exceptionnellement, extraordinairement, terriblement, très. ANT. faiblement, légèrement, peu. **R.** Ne pas oublier l'accent: *ê.* ☞ extrême.

extrême-onction n.f. Sacrement de l'Église catholique destiné aux fidèles qui sont à l'article de la mort: *Le prêtre est venu administrer l'extrême-onction à cette personne agonisante.* **R.** Ne pas oublier l'accent: *ê.* Au pluriel, *extrêmes-onctions.*

extrémiste n. et adj. **1.** n. Personne qui a des opinions, des idées extrêmes: *Les extrémistes recourent souvent à des moyens violents.* **2.** adj. Qui est extrême, immodéré: *Les idées extrémistes de ces gens me font peur.* ☞ extrême.

extrémité n.f. **1.** Partie qui termine une chose: *Elle mâche l'extrémité de son crayon.* SYN. bout, fin. ANT. centre, milieu. **2.** Action extrême; excès de violence: *Je me demande ce qui l'a portée à une telle extrémité.* ANT. mesure. **3.** plur. Les pieds et les mains: *Les personnes qui fument ont souvent les extrémités plus froides que les autres parties du corps.* ⫽ *Être à la dernière extrémité:* Être près de mourir. *Être réduit à la dernière extrémité:* Être très misérable. ☞ extrême.

extrême extrémité

exubérance n.f. **1.** Abondance de quelque chose: *L'exubérance de la végétation est un des signes de l'été.* SYN. profusion. ANT. indigence, pénurie. **2.** Débordement de vivacité qui se manifeste dans le comportement: *Monique manifeste sa joie avec exubérance.* ANT. réserve, retenue. **3.** Action exubérante, qui traduit une grande vivacité: *L'annonce de cette heureuse nouvelle provoqua un déchaînement d'exubérances.* ☞ exubérant.

exubérant, ante adj. **1.** Qui est très abondant, riche: *Ce pays est reconnu pour sa végétation exubérante.* SYN. luxuriant, surabondant. ANT. pauvre. **2.** Qui manifeste ses sentiments bruyamment, vivement : *Martin est exubérant.* SYN. communicatif, démonstratif, expansif. ANT. calme, discret, réservé. ☞ exubérance.

exulter v. Déborder de joie : *Ma camarade et moi exultons, car nous avons gagné le premier prix.* SYN. jubiler. ANT. se désespérer, se désoler.

eye-liner n.m. (angl.) Liquide de couleur foncée, servant à souligner le bord des paupières : *Me prêterais-tu un peu d'eye-liner pour me maquiller les yeux?* **R.** Au pluriel, *eye-liners*.

eyra n.m. Petit mammifère carnivore de l'Amérique du Sud, voisin du puma : *La longueur de l'eyra, de la tête à la pointe de la queue, n'excède pas un mètre.* **R.** Se prononce *éra*.

f n.m.invar. Sixième lettre de l'alphabet: *La lettre «f» est la quatrième consonne de l'alphabet.*

fa n.m.invar. Note de musique: *«Fa» est la quatrième note de la gamme de «do».* HOM. fat.

fable n.f. **1.** Court récit généralement en vers, d'où l'on tire une moralité, une leçon pratique: *Qui ne connaît pas les «Fables» de La Fontaine?* SYN. conte. **2.** litt. Récit, mensonge, histoire inventée de toutes pièces: *Il ne faut pas croire toutes les fables qu'on raconte à son sujet.* SYN. imagination, invention. ANT. vérité. ☞ fabuleusement, fabuleux, fabuliste. ▲ **fable** n.f. Personne qui est l'objet de propos moqueurs: *Tu es la fable de la classe.* SYN. risée.

fabricant, ante n. **1.** Propriétaire d'une entreprise où l'on fabrique des produits commerciaux: *Madame Leclerc est une fabricante de portes et de fenêtres.* **2.** Personne qui fabrique elle-même ou fait fabriquer des produits commerciaux dans le but de les vendre: *Monsieur Roy est un fabricant de jouets pour enfants.* SYN. artisan. **R.** S'écrit avec un *c*. ☞ fabriquer.

fabrication n.f. **1.** Art ou action de fabriquer quelque chose: *Il y a un défaut de fabrication dans ce tapis.* SYN. confection, production. ANT. destruction. **2.** Confection d'un objet destiné à tromper: *On l'a arrêtée pour fabrication de faux papiers d'identité.* SYN. production. ANT. destruction. **3.** Invention, chose inventée: *Il est spécialisé dans la fabrication de fausses nouvelles.* ☞ fabriquer.

fabrique n.f. **1.** Établissement industriel de moyenne importance où l'on produit des objets finis: *Nous avons visité une fabrique de meubles.* SYN. usine. **2.** vx Façon dont une chose est fabriquée: *Cette robe est de bonne fabrique.* SYN. fabrication. **3.** fig. De sa façon, de son invention: *Mario et Léa jouent une pièce mimée de leur fabrique.* ⁄⁄ *Marque de fabrique:* Marque apposée par le fabricant. ☞ fabriquer. ▲ **fabrique** n.f. Groupe de clercs et de laïcs chargés de l'administration des biens d'une église: *La fabrique s'occupe de l'entretien de l'église, du presbytère, du cimetière, etc.*

fabriquer v. **1.** Confectionner quelque chose, un objet en particulier, à partir d'une matière première: *Cette entreprise fabrique des outils.* SYN. manufacturer. ANT. détruire. **2.** Élaborer, faire une chose, de manière à tromper: *Ces personnes fabriquaient de la fausse monnaie.* SYN. forger. **3.** fig. Inventer: *Je ne te crois pas! Tu as fabriqué un mensonge.* **4.** fam. Faire: *Qu'est-ce que tu fabriques dans ta chambre?* ☞ fabricant, fabrication, fabrique, préfabriqué.

fabri**c**ant fabri**c**ation fabri**qu**er

fabuleusement adv. D'une manière fabuleuse, incroyable: *Cette jeune héritière est fabuleusement riche.* SYN. extrêmement, prodigieusement. ☞ fable.

fabuleux, euse adj. **1.** Qui est extraordinaire, incroyable: *Elle a vécu des aventures fabuleuses.* SYN. fantastique, prodigieux. **2.** Qui est énorme: *Le souverain de ce pays possède une fortune fabuleuse.* SYN. considérable. **3.** litt. Qui appartient à la légende, à l'imagination: *Le dragon et la licorne sont des animaux fabuleux.* SYN. légendaire. ANT. historique, réel. ☞ fable.

fabuliste n. (esp.) Personne qui compose des fables: *Le fabuliste Jean de La Fontaine vécut de 1621 à 1695.* ☞ fable.

façade n.f. (it.) **1.** Côté d'un bâtiment où se trouve l'entrée principale: *La façade de l'école donne sur la rue.* SYN. devant, devanture. ANT. derrière. **2.** fig. Apparence: *Elle a l'air gentille, mais ce n'est qu'une façade.* ANT. réalité. **R.** Ne pas oublier la cédille.

face n.f. **1.** Visage : *En courant, elle est tombée la face contre terre.* **2.** Côté d'une médaille, d'une monnaie qui porte une figure : *Antonio et Carole jouent à pile ou face.* ANT. pile, revers. **3.** Chacun des côtés d'une chose : *As-tu écouté l'autre face du disque ?* **4.** Chacune des surfaces planes qui limitent un solide : *Le cube a six faces.* SYN. côté. **5.** fig. Aspect d'une chose : *Nous avons examiné la question sous toutes ses faces.* ⁄⁄ *Faire face à quelqu'un :* Être tourné du côté de quelqu'un. ☞ facette, facial. de **face** loc.adv. Du côté où l'on voit toute la figure ou le devant de quelque chose : *De notre point d'observation, on voit le musée de face.* en **face** loc.adv. Par-devant : *Elle m'a regardé bien en face.* en **face de** loc.prép. Vis-à-vis de quelqu'un ou de quelque chose, devant quelqu'un ou quelque chose : *L'école est en face de l'église.* **face à** loc.prép. En faisant face à quelqu'un ou à quelque chose, vis-à-vis de quelqu'un ou de quelque chose : *Cette chambre est face à la mer.* **face à face** loc.adv. L'un en face de l'autre : *Tu t'es retrouvée face à face avec un ami d'enfance.*

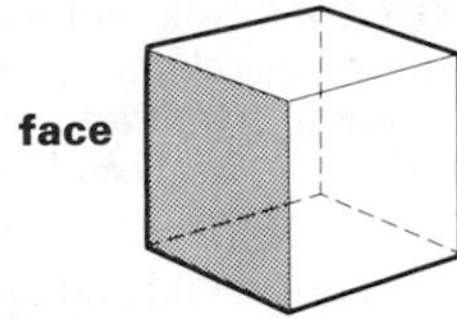

face à face n.m.invar. Débat public organisé entre deux personnalités, le plus souvent sur un sujet politique : *Nous avons regardé un face à face télévisé entre deux politiciens.* **R.** Aussi, *face-à-face*.

facétie n.f. Plaisanterie, farce : *Lucien nous fait rire avec ses facéties.* SYN. bouffonnerie, drôlerie. **R.** Le *t* se prononce *ss*. ☞ facétieux.

facétieux, euse n. et adj. **1.** n. Personne qui aime à faire des plaisanteries : *Catherine est une petite facétieuse.* SYN. farceur, moqueur. **2.** adj. Qui aime à faire des plaisanteries : *Cet homme facétieux met beaucoup de gaieté dans une réunion.* SYN. comique, drôle. ANT. sérieux. **R.** Le *t* se prononce *ss*. ☞ facétie.

facette n.f. **1.** Chacune des petites faces d'un objet qui en compte plusieurs : *Regarde un diamant à la loupe, tu verras chacune de ses facettes.* **2.** fig. Chacun des aspects présentés : *Nous n'avons pas encore vu toutes les facettes de sa personnalité.* ☞ face.

fâché, ée adj. **1.** Qui est en colère : *Pourquoi es-tu fâchée contre moi ?* SYN. mécontent. ANT. content. **2.** Qui est désolé, contrarié : *Je suis très fâché d'être en retard.* SYN. navré. ANT. satisfait. HOM. fâcher. **R.** Ne pas oublier l'accent : *â*. ☞ fâcher.

fâcher v. Mettre en colère : *Arrête de tricher, tu vas fâcher tes camarades de jeux.* SYN. exaspérer, irriter, mécontenter. ANT. adoucir, calmer. HOM. fâché. ☞ fâché, fâcheusement, fâcheux. se **fâcher** v.pron. **1.** Se mettre en colère : *Fernand s'est fâché contre sa petite sœur.* SYN. s'emporter, s'irriter. ANT. se calmer. **2.** Se brouiller : *Elle ne voit plus Henri depuis qu'elle s'est fâchée avec lui.* SYN. rompre. ANT. se réconcilier. **R.** Ne pas oublier l'accent : *â*.

fâcheusement adv. D'une manière fâcheuse, désagréable : *La sortie culturelle a été fâcheusement annulée à la dernière minute.* ANT. heureusement. **R.** Ne pas oublier l'accent : *â*. ☞ fâcher.

fâcheux, euse adj. **1.** Qui amène des conséquences désagréables : *Un fâcheux contretemps nous a obligés à annuler notre voyage.* SYN. embêtant, ennuyeux. ANT. agréable. **2.** Qui cause du déplaisir ou de la souffrance : *Il vient d'apprendre une fâcheuse nouvelle.* SYN. mauvais. ANT. heureux. **R.** Ne pas oublier l'accent : *â*. ☞ fâcher.

facial, ale, als adj. Qui se rapporte à la face : *Après son accident, elle a dû subir une chirurgie faciale.* **R.** Au pluriel, s'écrit aussi *faciaux*. ☞ face.

facile adj. **1.** Qui se fait sans effort : *L'institutrice nous a fait lire un texte facile.* SYN. aisé. ANT. difficile. **2.** Qui est conciliant : *Tout le monde s'entend bien avec Gilles : il a un caractère facile.* SYN. accommodant. ANT. exigeant, malcommode. **3.** péj. Qui n'a exigé aucun effort, aucune recherche : *Cette humoriste a fait des plaisanteries faciles.* SYN. simple. ☞ facilement, facilité, faciliter.

facilement adv. **1.** Aisément, sans effort : *Elle a trouvé facilement la solution du problème.* ANT. difficilement. **2.** Pour peu de choses : *Ne le provoque pas, il se fâche facilement.* ☞ facile.

facilité n.f. **1.** Qualité de ce qui se fait sans effort : *Il a réussi ce gâteau avec facilité.* SYN. aisance. ANT. difficulté. **2.** Aptitude à faire quelque chose sans effort : *Elle a une grande facilité à parler en public.* SYN. habileté. ANT. inaptitude. **3.** Moyen qui permet d'obtenir, de faire quelque chose sans effort : *On leur a procuré toutes les facilités de transport.* ANT. obstacle. **4.** plur. Conditions avantageuses pour effectuer un paiement : *Le vendeur nous a consenti des facilités de paiement.* HOM. faciliter. **R.** Dans le sens de *moyen qui permet d'obtenir*, de *faire quelque chose sans effort*, s'emploie surtout au pluriel. ☞ facile.

faciliter v. (it.) Rendre quelque chose facile ou plus facile : *Tes explications ont facilité* *mon travail.* SYN. simplifier. ANT. compliquer. HOM. facilité. ☞ facile.

façon n.f. **1.** Manière d'agir, de faire: *Je n'aime pas la façon dont tu traites les animaux.* **2.** plur. Manières de quelqu'un, comportement: *Je n'aime pas ses façons: elle est trop familière.* SYN. agissements. **3.** plur. Manifestations de politesse excessive: *Ne fais pas tant de façons pour accepter mon invitation.* SYN. cérémonies. ⫽ *C'est une façon de parler:* Il ne faut pas le prendre au pied de la lettre. *C'est une façon de voir:* C'est un point de vue. *De la belle façon:* Remarquablement. à la **façon de** loc.prép. Comme: *J'écris à la façon d'une grande auteure.* de **façon à** loc.prép. De manière à: *Elle s'est installée au premier rang de façon à être vue de tous.* de **façon que** loc.conj. Pour que: *Hâtez-vous de façon que tout soit prêt pour recevoir nos invités.* **R.** Aussi, *de telle façon que.* de toute **façon** loc.adv. Quoi qu'il en soit: *De toute façon, je n'y serai pas.* en aucune **façon** loc.adv. Pas du tout: *Comprenez-vous ce que je dis? En aucune façon.* SYN. nullement. sans **façon** loc.adv. Sans cérémonie: *Venez ce soir, ce sera sans façon.* **R.** Aussi, *sans façons.* ▲ **façon** n.f. Travail, main-d'œuvre: *Comme j'ai fourni le tissu au tailleur, je n'ai eu que la façon à payer.* SYN. exécution. **R.** Ne pas oublier la cédille. ☞ façonner.

façonner v. **1.** Travailler une matière pour lui donner une forme: *L'orfèvre façonne de l'or pour en faire des bijoux.* SYN. modeler. **2.** Fabriquer: *La serrurière a façonné une clé devant moi.* **3.** litt. Former quelqu'un par l'éducation, l'expérience: *Ces années d'études ont façonné son esprit.* SYN. éduquer. ANT. déformer. **R.** Ne pas oublier la cédille. ☞ façon, malfaçon, refaçonner.

facteur n.m. Fabricant d'orgues, de pianos: *Émile est un facteur d'instruments à clavier.* **R.** L'O.L.F. recommande *factrice* comme féminin de *facteur.* ☞ facture. ▲ **facteur** n.m. **1.** Chacun des éléments contribuant à un résultat: *Le travail assidu est un facteur de succès.* **2.** Chacun des termes d'une multiplication: *Dans 8×3=24, 8 et 3 sont les facteurs de 24.* ⫽ *Facteur commun:* Terme qui divise exactement plusieurs nombres. *Facteur premier:* Chacun des termes résultant de la décomposition d'un nombre entier en un produit de nombres premiers.

facteur, trice n. Personne qui distribue le courrier envoyé par la poste: *La factrice m'a remis une lettre recommandée.*

factice adj. **1.** Qui est faux, artificiel: *Dans ce rôle, le comédien portait une barbe factice.* ANT. authentique. **2.** fig. Qui est forcé, qui n'est pas naturel: *Elle fait mine de s'amuser, mais je sais bien que c'est une gaieté factice.* SYN. affecté. ANT. sincère, vrai. ☞ facticement.

facticement adv. D'une manière factice, artificielle: *Le fait d'agir facticement entraîne des malentendus.* ☞ factice.

faction n.f. Groupe, parti qui mène une action subversive à l'intérieur d'un groupe plus important: *Ce pays est déchiré par des factions qui veulent renverser le gouvernement.* SYN. complot, conspiration. ▲ **faction** n.f. Service de garde ou de surveillance dont on charge un militaire: *Il y a toujours un soldat en faction devant la Citadelle de Québec.* ☞ factionnaire.

factionnaire n.m. Soldat qui monte la garde: *Un factionnaire nous a interdit l'entrée de la caserne.* SYN. sentinelle. ☞ faction.

facture n.f. Manière dont est réalisée une œuvre de création: *Ce tableau est d'une facture remarquable.* SYN. style. ▲ **facture** n.f. Fabrication des instruments de musique: *La facture d'un piano est une grande tâche.* ☞ facteur. ▲ **facture** n.f. Note qui indique le prix à payer pour des marchandises vendues ou des services rendus: *Maman a réglé les factures du téléphone et de l'électricité.* SYN. compte. ☞ facturer.

facturer v. Porter une marchandise, un service sur une facture: *J'ai acheté une calculatrice, mais elle n'a pas été facturée.* ☞ facture.

facultatif, ive adj. Qui n'est pas obligatoire: *J'ai décidé de ne pas faire ce travail, car il est facultatif.* ☞ faculté.

facultativement adv. D'une manière facultative, qui n'est pas obligatoire: *Vous pouvez répondre facultativement à la première ou à la deuxième question.* ANT. obligatoirement. ☞ faculté.

faculté n.f. **1.** litt. Possibilité, droit de faire quelque chose: *Tes parents t'ont laissé la faculté de choisir ce que tu voulais.* SYN. liberté. ANT. impossibilité. **2.** Aptitude, capacité: *Elle a une grande faculté d'adaptation.* ANT. inaptitude, incapacité. ☞ facultatif, facultativement. ▲ **faculté** n.f. Partie d'une université où se donne un enseignement spécifique; corps de professeurs qui sont chargés de cet enseignement: *Une université comprend plusieurs facultés, dont celles de droit et de médecine.*

fadaise n.f. Propos stupide, insignifiant: *Il n'a pas cessé de dire des fadaises.* SYN. niaiserie, platitude. ANT. finesse.

fade adj. **1.** Qui n'a pas de goût, de saveur: *Je n'aime pas cette soupe: elle est trop fade.* SYN.

insipide. ANT. épicé, relevé. **2.** Qui est terne, sans éclat: *Les couleurs fades de ce tableau n'attirent pas le regard.* SYN. pâle. ANT. brillant. **3.** fig. Qui est sans intérêt, sans originalité: *Comment peux-tu aimer le style fade de cette romancière?* SYN. ennuyeux, monotone. ANT. intéressant, vivant. ☞ fadeur.

fadeur n.f. **1.** Caractère de ce qui est fade, sans goût: *Plusieurs clients ont souligné la fadeur de la sauce.* ANT. saveur. **2.** fig. Caractère de ce qui est sans intérêt, sans originalité: *Je ne m'habituerai jamais à la fadeur de sa conversation.* ANT. piquant. ☞ fade.

fagot n.m. Assemblage de petites branches servant à faire du feu: *Le soir, sur la grève, nous allumions le feu avec un fagot.* ☞ fagoter.

fagoter v.fam. Habiller sans goût: *Ce garçon est toujours mal fagoté.* SYN. accoutrer, affubler. ▲ **fagoter** v.vx Mettre en fagots, assembler des petites branches pour faire du feu: *Je suis en train de fagoter du bois mort.* ☞ fagot.

faible n.m. Préférence, penchant: *Il a toujours eu un faible pour les gâteaux au chocolat.* SYN. goût. ANT. répulsion.

faible n. et adj. **1.** n. Personne qui est sans défense, dépourvue de ressources: *La loi devrait protéger les faibles et les pauvres.* **2.** n. Personne qui manque d'énergie, de fermeté: *Elle se laisse facilement influencer: c'est une faible.* SYN. mou. ANT. fort. **3.** adj. Qui manque d'énergie, de fermeté: *Il est trop faible avec ses enfants.* SYN. bonasse, mou. ANT. énergique, ferme. **4.** adj. Qui manque de force physique ou morale: *Après son opération, Marc était très faible.* SYN. anémique, fragile. ANT. fort, robuste. **5.** adj. Qui manque de capacités intellectuelles: *Dominique est faible en français.* SYN. médiocre. ANT. talentueux. **6.** adj. Qui manque de solidité: *Ne monte pas sur cette planche: elle est trop faible pour supporter ton poids.* **7.** adj. Qui manque d'intensité: *Une faible lumière éclairait le sous-sol.* SYN. insuffisant. ANT. considérable. **8.** adj. Qui manque de force, de puissance: *Tu as la vue faible: tu devrais porter des lunettes.* SYN. déficient. **9.** adj. Qui a peu de valeur: *Ton travail de recherche est faible.* **10.** adj. Qui est peu considérable: *Ces familles ont de faibles revenus.* ANT. énorme. ⫽ *Faible d'esprit:* Personne dont les facultés intellectuelles sont peu développées ou amoindries. *Point faible d'une personne:* Ce qu'une personne a de moins fort, de moins résistant. ☞ affaiblir, affaiblissement, faiblement, faiblesse, faiblir.

faiblement adv. **1.** D'une manière faible, avec peine: *Elles ont résisté faiblement, puis elles ont abandonné la lutte.* SYN. mollement. ANT. énergiquement. **2.** À peine: *Cette ampoule éclaire faiblement l'escalier.* SYN. peu. ANT. beaucoup. ☞ faible.

faiblesse n.f. **1.** Manque de force, de vigueur physique: *Il s'évanouit souvent: sa faiblesse inquiète ses parents.* SYN. anémie, fatigue. **2.** Manque de capacité dans le domaine intellectuel: *Tu as une faiblesse en mathématiques: il faudrait travailler davantage.* SYN. déficience. ANT. talent. **3.** Manque d'énergie, de fermeté: *Il se laisse entraîner par faiblesse de caractère.* SYN. mollesse. **4.** Manque de solidité: *La faiblesse de la poutre n'avait pas été décelée à temps.* **5.** Manque de force, de puissance: *La faiblesse de sa voix me surprend toujours.* SYN. fragilité. **6.** Manque d'importance: *La faiblesse de leurs ressources les condamne à la pauvreté.* SYN. insignifiance. **7.** Manque de qualité, point faible: *Les critiques ont souligné les faiblesses du film.* SYN. défaut, lacune. **8.** Côté faible de quelqu'un: *Tous les humains ont leurs faiblesses.* SYN. défaut. ⫽ *Avoir une faiblesse:* S'évanouir. ☞ faible.

faiblir v. **1.** Perdre de ses forces physiques: *La malade faiblit de jour en jour.* SYN. baisser, décliner. ANT. se fortifier. **2.** Perdre de son ardeur: *Tu sembles avoir peur! Ton courage faiblirait-il?* SYN. fléchir. ANT. s'affermir. **3.** Perdre de sa solidité: *La branche a faibli sous le poids du couguar.* SYN. céder. ANT. résister. **4.** Perdre de son intensité: *La tempête s'achève, car le vent faiblit.* SYN. diminuer. ANT. augmenter. **5.** Perdre de sa fermeté: *L'instituteur a faibli devant les pleurs de Marco.* SYN. céder, plier. ANT. résister. **6.** Perdre de sa puissance: *Sa voix faiblit: la timidité l'empêche de continuer son exposé.* ANT. s'affermir. ☞ faible.

faïence n.f. Poterie recouverte de vernis ou d'émail: *Cette soupière est en faïence.* **R.** Ne pas oublier le tréma: ï.

faille n.f. Cassure de l'écorce terrestre accompagnée d'un déplacement des blocs séparés: *Après un tremblement de terre, il se produit souvent des failles et des effondrements.* SYN. fissure. ▲ **faille** n.f. Point faible, défaut: *Votre plan comporte plusieurs failles.* ▲ **faille** n.f. Tissu de soie à gros grain: *On pourrait utiliser la faille pour confectionner ce voile.*

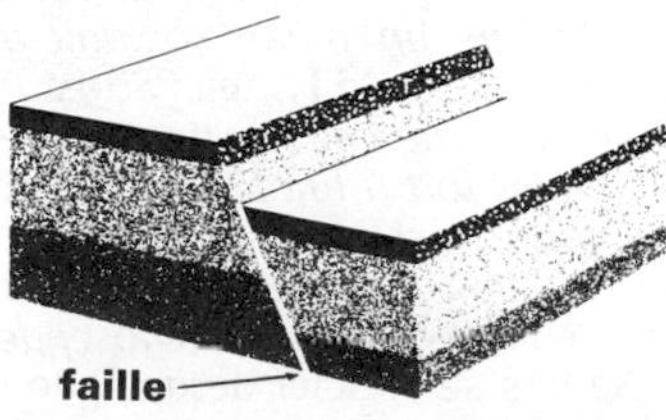

faillir v. **1.** Être sur le point de faire quelque chose : *Murielle a failli tomber, mais elle s'est retenue à temps.* **2.** litt. Ne pas tenir une promesse, un engagement : *Il a failli à sa promesse de ne pas fumer.* ANT. persévérer.

faillite n.f. **1.** Situation d'un commerçant ou d'une entreprise qui ne peut plus payer ses dettes : *Cette commerçante a fait faillite.* ANT. prospérité. **2.** fig. Échec, insuccès : *Même si c'est décourageant, nous devons admettre la faillite de notre projet.* ANT. réussite, succès.

faim n.f. **1.** Sensation provoquée par le besoin de nourriture : *Viens manger, je sais que tu as faim.* **2.** Sous-alimentation : *Il faudrait trouver une solution aux problèmes de la faim dans le monde.* **3.** fig. Très grand désir : *Cet enfant a faim de tendresse.* SYN. besoin. HOM. fin. ⫽ *Crever de faim :* Manquer du nécessaire. ☞ affamer.

faine n.f. Fruit du hêtre qui contient une huile comestible : *Le hêtre produit des faines.* **R.** Aussi, *faîne*.

fainéant, ante n. et adj. **1.** n. Personne qui ne veut rien faire : *Ces fainéants n'ont même pas le cœur de préparer leurs repas.* SYN. nonchalant, paresseux. ANT. travailleur. **2.** adj. Qui ne veut rien faire : *Cette fillette fainéante fait le désespoir de ses parents.* SYN. désœuvré, nonchalant, oisif. ANT. actif, laborieux. ☞ fainéanter, fainéantise.

fainéanter v. Ne rien faire : *Quand je les vois fainéanter, cela me met en colère.* SYN. paresser. ☞ fainéant.

fainéantise n.f. Paresse : *Ses échecs scolaires sont dus à sa fainéantise.* SYN. inaction, oisiveté. ANT. activité, labeur, travail. ☞ fainéant.

faire v. **1.** Fabriquer : *L'ébéniste fait des meubles.* SYN. construire. **2.** Pratiquer : *Sophie fait du tennis et Maxime, du piano.* **3.** Exécuter : *J'ai fait tous mes devoirs.* **4.** Arranger quelque chose comme il faut : *Je dois faire ma chambre avant d'aller au cinéma.* **5.** Causer, provoquer : *Cette machine fait du bruit.* **6.** Parcourir : *Nous avons fait six kilomètres à pied.* **7.** Constituer : *Ces enfants font une bonne équipe.* SYN. composer, former. **8.** Donner tel titre, telle qualité : *Je vous fais juge de la situation.* **9.** Paraître : *Cette personne fait jeune pour son âge.* **10.** Avoir tel poids, telle mesure : *Je fais un mètre soixante-quinze.* SYN. mesurer, peser. **11.** Agir : *Soyez à votre aise, faites comme chez vous.* SYN. se comporter. ⫽ *Avoir fort à faire :* Être très occupé. *Ce faisant :* En agissant ainsi. *Faire une drôle de tête :* Avoir l'air surpris, décontenancé. *N'avoir que faire de quelque chose, de quelqu'un :* Ne pas se soucier de quelque chose, de quelqu'un. ☞ défaire, défait, faisable, infaisable, redéfaire, refaire, réfection. ▲ **faire** v. **1.** Être la cause de quelque chose : *Ces propos lui ont fait hausser les épaules.* **2.** Inciter quelqu'un à accomplir telle action : *Ce projet a pour but de faire lire les élèves.* ⫽ *Ne faire que :* N'avoir pas d'autre activité que celle qui est exprimée par le verbe. *Ne faire que de :* Venir à peine de faire quelque chose. ▲ **faire** v. Se substitue, dans une phrase, à un verbe déjà énoncé : *Je t'en prie, ne parle pas comme tu le fais.* ▲ **faire** v. S'emploie avec un sujet impersonnel pour exprimer les conditions atmosphériques ou l'ambiance : *Qu'il fait bon se retrouver ensemble au chalet, même s'il ne fait pas très beau dehors !* HOM. fer. **se faire** v.pron. **1.** Se former, se transformer : *Ce vin se fait très lentement.* **2.** Devenir : *Cette marchandise se fait rare.* **3.** Former en soi : *Je m'étais fait des illusions en croyant réussir sans effort.* ⫽ *Se faire à quelque chose, à quelqu'un :* S'habituer à quelque chose, à quelqu'un. *Se faire du mauvais sang, s'en faire :* Se tourmenter.

faire-part n.m.invar. Lettre imprimée annonçant une nouvelle : *Nous avons reçu un faire-part nous annonçant le mariage de Gilles et de Sylvie.*

faisable adj. Qui peut se faire : *Ce projet est faisable.* SYN. possible, réalisable. ANT. impossible, infaisable. **R.** Les lettres *ai* se prononcent *e*. ☞ faire.

faisan n.m. Oiseau originaire d'Asie, au plumage coloré, à longue queue et à chair très estimée, dont la femelle est la faisane et le petit, le faisandeau : *Le faisan, la faisane et le faisandeau criaillent.* ☞ faisandeau, faisane. ▲ **faisan** n.m.fam. Individu malhonnête, escroc : *Ces personnes sont des faisans !*

faisandeau n.m. Jeune faisan : *Le faisandeau est le petit du faisan et de la faisane.* **R.** Aussi, *faisanneau*. ☞ faisan.

faisane n.f. Femelle du faisan : *Le petit de la faisane s'appelle « faisandeau ».* ☞ faisan.

faisceau n.m. **1.** Réunion de choses semblables, de forme allongée, liées ensemble : *Après avoir taillé les arbustes, elle a lié les branches en faisceau.* **2.** Ensemble de rayons lumineux venant d'une même source : *Une mouffette est apparue dans le faisceau des phares.* **3.** fig. Ensemble de choses abstraites rassemblées : *Elle a réuni un faisceau d'arguments pour convaincre ses parents.*

fait n.m. **1.** Action de faire : *Le fait de pleurer ne réparera pas le mal que tu as fait.* **2.** Événement : *Elle nous a résumé les faits.* **3.** Réalité : *Il faut juger sur des faits et non sur des suppo-*

sitions. ANT. illusion. ✐ *Fait accompli:* Situation sur laquelle il n'y a pas à revenir. *Faits divers:* Nouvelles peu importantes. *Faits et gestes de quelqu'un:* Ensemble des actions de quelqu'un. *Hauts faits:* Exploits. *Voies de fait:* Coups, violence. au **fait** loc.adv. À propos: *Au fait, connaissez-vous la dernière nouvelle?* en **fait** loc.adv. En réalité: *En fait, je ne lui ai pas demandé la permission de sortir.* tout à **fait** loc.adv. Entièrement: *Elle est tout à fait remise de sa grippe.* SYN. complètement.

faîte n.m. **1.** Partie la plus haute de quelque chose d'élevé: *Elle a grimpé sur le faîte de la maison.* SYN. sommet. ANT. base. **2.** fig. Le plus haut point: *Ce comédien est au faîte de sa gloire.* SYN. apogée. ANT. minimum. HOM. fête. **R.** Ne pas oublier l'accent: *î.*

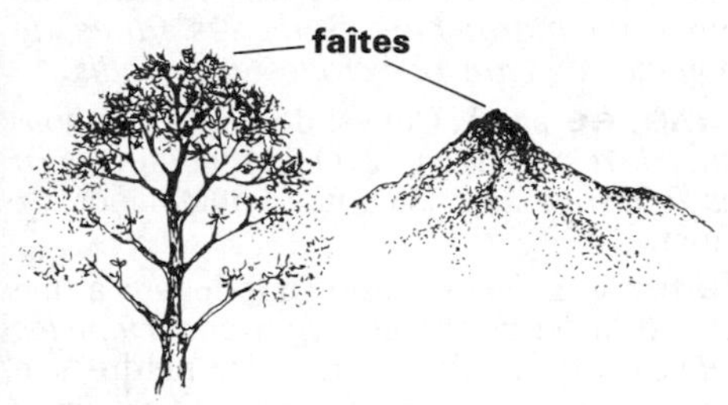

fait-tout n.m.invar. Grand récipient à deux anses muni d'un couvercle, dans lequel on fait cuire des aliments: *Un bouilli mijote dans le fait-tout.* **R.** Aussi, *faitout.* Au pluriel, *fait-tout* ou *faitouts.*

fakir n.m. (arabe) Personne qui présente en public toutes sortes de tours: *Quand il s'est couché sur un lit de clous, le fakir nous a beaucoup impressionnés.*

falaise n.f. Côte abrupte dont la formation est due à l'érosion de la mer: *La baigneuse a plongé du haut de la falaise.*

fallacieux, euse adj.litt. Qui est trompeur, mensonger: *Ne crois pas tous les arguments fallacieux de cette vendeuse.* SYN. faux. ANT. franc, sincère.

falloir v. **1.** Être nécessaire: *Il est tard: il faut que je parte.* **2.** Avoir besoin: *Il me faut dix dollars pour mes dépenses de la semaine.* **3.** Être juste, à propos: *Tu as l'art de ne dire que ce qu'il faut.* s'en **falloir** v.pron. Manquer: *Il s'en est fallu de peu que j'aie un accident.* **R.** Ne s'emploie qu'à la troisième personne du singulier.

falsificateur, trice n. Personne qui modifie quelque chose en vue de tromper: *Le falsificateur a imité ma signature sur ces documents.* SYN. faussaire, fraudeur. ☞ falsifier.

falsification n.f. Modification apportée à quelque chose en vue de tromper: *La falsification d'un passeport lui a permis de quitter le pays.* ☞ falsifier.

falsifier v. Modifier en vue de tromper: *Sur ce chèque, la date et la signature ont été falsifiées.* SYN. altérer, contrefaire. ☞ falsificateur, falsification.

famélique adj. Qui est très maigre parce qu'il ne mange pas à sa faim: *Des chiens faméliques erraient dans les ruelles à la recherche de nourriture.* SYN. affamé, miséreux. ANT. comblé, rassasié.

fameux, euse adj. **1.** Qui est célèbre, renommé: *La Beauce est une région fameuse pour ses produits de l'érable.* ANT. ignoré, inconnu. **2.** Dont on a beaucoup parlé: *Te souviens-tu du fameux jour où nous nous sommes rencontrés?* SYN. mémorable. **3.** Qui est remarquable en son genre: *Ce garçon est un fameux menteur.* **4.** Qui est excellent: *Ces pâtisseries sont fameuses.* ANT. mauvais.

familial, ale, aux adj. Qui se rapporte à la famille: *Cette réunion familiale a été très heureuse.* HOM. familiale. ✐ *Allocations familiales:* Argent que l'État donne aux personnes qui ont des enfants. *Maladie familiale:* Maladie héréditaire qui atteint plusieurs membres d'une même famille. ☞ famille.

familiale n.f. Voiture automobile conçue pour admettre de six à neuf passagers: *Mes parents se sont acheté une familiale.* HOM. familial.

familiariser v. Accoutumer, habituer à quelque chose: *L'entraîneuse nous familiarise avec l'équipement avant de commencer les exercices de poids et haltères.* ☞ familier. se **familiariser** v.pron. **1.** S'habituer à quelque chose: *Des élèves du primaire se familiarisent avec l'anglais.* **2.** Devenir familier avec les gens: *La petite enfant se familiarise avec son nouveau gardien.* SYN. s'apprivoiser.

familiarité n.f. **1.** Grande intimité entre des personnes qui se connaissent bien: *Depuis que nous habitons ensemble, nous vivons dans une grande familiarité.* ANT. réserve. **2.** Manière simple de se comporter: *Ces deux amies se parlent avec familiarité.* SYN. liberté. ANT. retenue. **3.** plur. Manières trop familières, trop libres: *Certains élèves se permettent des familiarités avec leur professeur.* SYN. grossièretés. ☞ familier.

familier n.m. **1.** Personne qui est très amie, très intime avec quelqu'un: *Cet homme est un familier de grand-père.* SYN. ami, intime. **2.** Personne qui fréquente régulièrement un lieu: *Ce sont des familiers du club de golf.* SYN. habitué. ANT. étranger.

familier, ière adj. **1.** Qui est bien connu: *Cette voix m'est familière.* ANT. étranger. **2.** Dont on a l'habitude: *L'utilisation de l'ordinateur leur est devenue familière.* SYN. aisé, facile. **3.** Qui est employé couramment: *On utilise souvent dans nos conversations des mots familiers.* **4.** Qui est trop libre, qui manque de déférence: *Tes manières familières déplaisent à ton enseignante.* SYN. grossier. ANT. respectueux. ☞ familiariser, familiarité, familièrement.

familièrement adv. D'une manière familière, simple: *Nous avons causé familièrement de choses et d'autres.* SYN. simplement. ☞ familier.

famille n.f. **1.** Ensemble formé du père, de la mère et des enfants: *La famille Ouellet vit sur cette rue.* **2.** Ensemble des enfants: *Les parents doivent s'occuper de leur famille.* **3.** Ensemble des personnes qui sont parentes entre elles: *Cette fête de famille regroupait plus de cent personnes.* **4.** Ensemble d'animaux ou de végétaux qui ont des caractères communs: *Le cheval et l'âne appartiennent à la même famille.* **5.** Ensemble de mots issus d'une racine commune: *Les mots «mère», «maternel», «marraine» et «maternité» sont de la même famille.* ⁄⁄ *Air de famille:* Ressemblance entre des personnes de même sang. *Être en famille:* Être réunis entre membres d'une même famille. *Famille d'accueil:* Qui s'occupe des personnes placées par un centre des services sociaux. ☞ familial.

famine n.f. Manque total de nourriture par lequel une population meurt de faim: *Ces dernières années, l'Éthiopie a connu de terribles famines.* SYN. disette, misère. ANT. abondance. ⁄⁄ *Salaire de famine:* Qui ne donne pas de quoi vivre.

fan ☞ sect. anglicismes et canadianismes.

fanal, aux n.m. (it.) **1.** Grosse lanterne employée sur un bateau ou sur un véhicule pour servir de signal: *Les bateaux de pêche rentrent au port: j'aperçois leurs fanaux.* **2.** Lanterne: *Autrefois, les gens utilisaient un fanal pour se déplacer dans la nuit.*

fanatique n. et adj. **1.** n. Personne qui est passionnée à l'excès pour une religion, une doctrine, une opinion: *Les fanatiques sont prêts à tout pour imposer leurs idées.* **2.** n. Personne qui a une très grande admiration pour quelqu'un ou quelque chose: *Lisette est une fanatique du hockey.* SYN. partisan. **3.** adj. Qui est passionné à l'excès pour une religion, une doctrine, une opinion: *Des terroristes fanatiques ont semé la terreur dans ce pays.* SYN. exalté. ANT. sceptique. **4.** adj. Qui a une grande admiration pour quelqu'un ou quelque chose: *La plupart des clubs de hockey professionnels ont des partisans fanatiques.* SYN. enthousiaste. ANT. indifférent. ☞ fanatiquement, fanatisme.

fanatiquement adv. D'une manière fanatique, excessive: *Elles sont fanatiquement dévouées à leur chef.* SYN. excessivement. ☞ fanatique.

fanatisme n.m. **1.** Passion excessive pour une religion, une doctrine, une opinion: *Le fanatisme est toujours dangereux; il pousse à des excès de toutes sortes.* ANT. tiédeur. **2.** Très grande admiration pour quelqu'un ou quelque chose: *Le fanatisme des partisans des Canadiens me fait sourire.* ☞ fanatique.

fane n.f. Tiges et feuilles de certaines plantes potagères dont une autre partie est consommée: *La maraîchère brûle les fanes de pommes de terre, de carottes et de radis.*

fané, ée adj. **1.** Qui est desséché: *Le bouquet de roses est fané.* **2.** Qui est défraîchi: *Tu as le visage fané.* ANT. frais. HOM. faner. ☞ faner.

faner v. **1.** Faire perdre sa fraîcheur à une plante, la dessécher: *Le vent chaud a fané les tulipes.* SYN. flétrir. **2.** litt. Faire perdre son éclat à quelque chose, défraîchir: *Le soleil a fané la couleur de ces étoffes.* SYN. décolorer, ternir. ANT. rafraîchir. HOM. fané. ☞ fané. **se faner** v.pron. **1.** Perdre sa fraîcheur: *Les roses se fanent rapidement quand on les expose au soleil.* SYN. se dessécher, se flétrir. ANT. s'épanouir. **2.** Perdre son éclat: *Sa beauté s'est fanée avec l'âge.* SYN. se défraîchir. ▲ **faner** v. Retourner l'herbe fraîchement coupée pour qu'elle sèche: *La cultivatrice fane de la luzerne.*

fanfare n.f. Orchestre composé de cuivres; musiciens de cet orchestre: *La fanfare a défilé dans les rues en jouant des airs entraînants.*

fanfaron, onne n. et adj. (esp.) **1.** n. Personne qui se vante de sa bravoure, de ses exploits réels ou imaginaires: *C'est un fanfaron! À l'entendre, on croirait qu'il n'a peur de rien.* SYN. crâneur, fier-à-bras, vantard. **2.** adj. Qui se vante de sa bravoure, de ses exploits réels ou imaginaires: *Cette fille fanfaronne est la risée de tous!* ANT. modeste. **3.** adj. Qui montre une apparence de bravoure: *Son attitude fanfaronne devant le danger ne nous a pas impressionnées.* ANT. timide. ☞ fanfaronnade.

fanfaronnade n.f. Actes, paroles de fanfaron, vantardise: *Cesse tes fanfaronnades, personne ne te croit.* ANT. modestie. ☞ fanfaron.

fanfreluche n.f. Ornement léger, de peu de valeur: *Je déteste cette robe: elle a trop de fanfreluches.*

Le corps humain

APPAREIL DIGESTIF

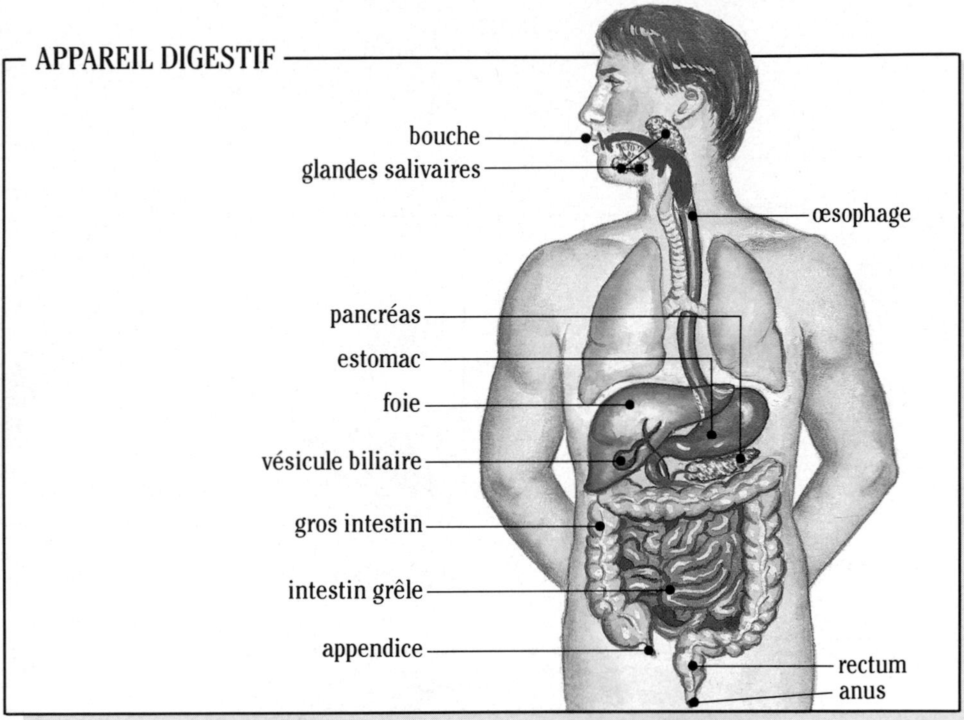

bouche
glandes salivaires
œsophage
pancréas
estomac
foie
vésicule biliaire
gros intestin
intestin grêle
appendice
rectum
anus

APPAREIL RESPIRATOIRE

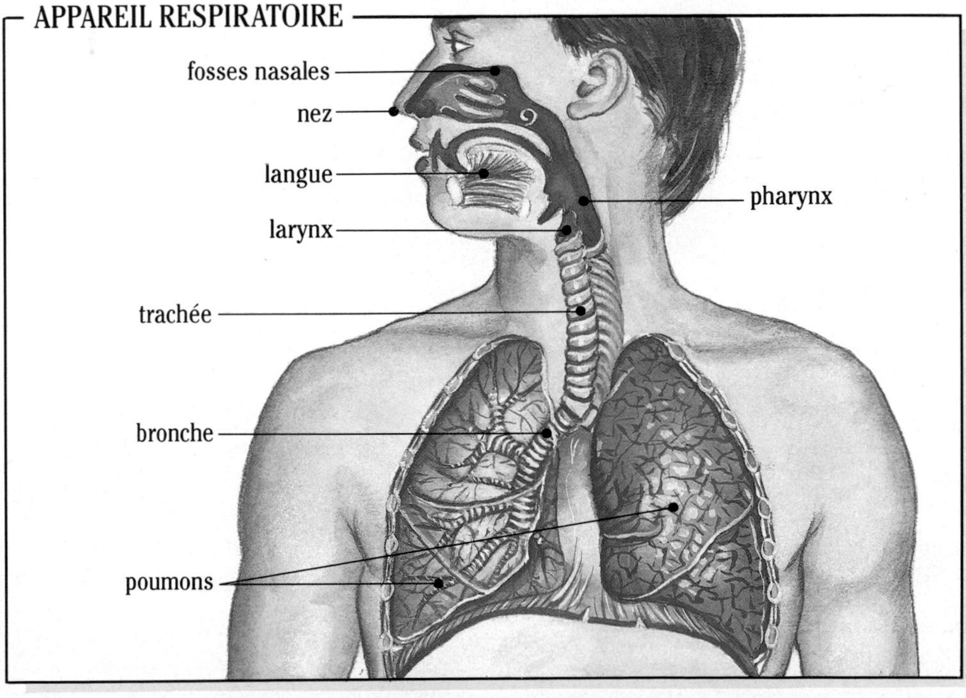

fosses nasales
nez
langue
pharynx
larynx
trachée
bronche
poumons

Oiseaux

bec fort, gros et conique
3 doigts devant
1 doigt derrière

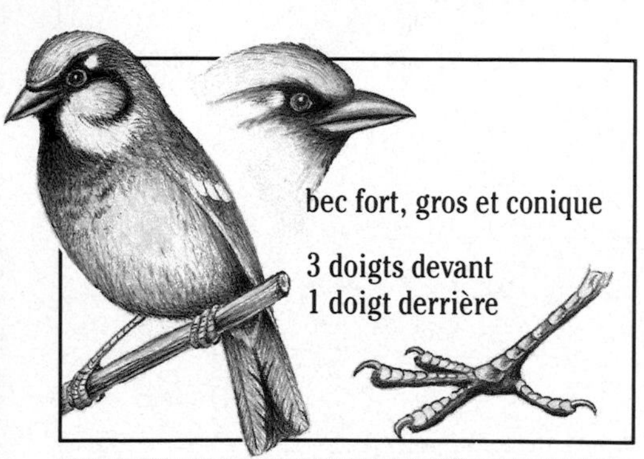

Moineau (passereau)

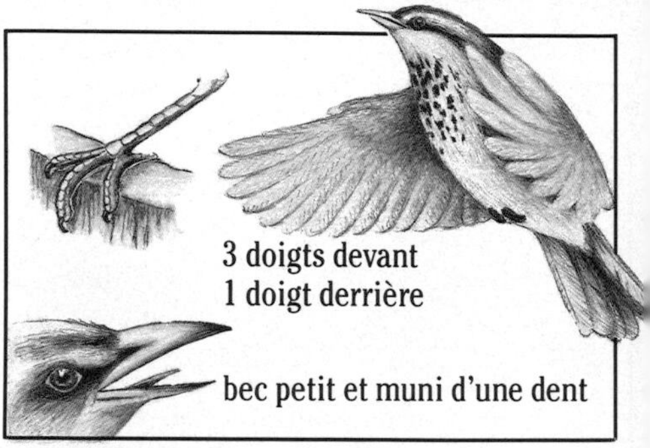
3 doigts devant
1 doigt derrière
bec petit et muni d'une dent

Fauvette (passereau)

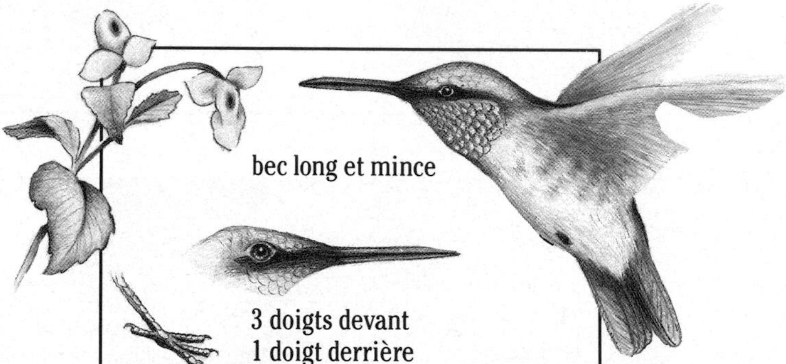
bec long et mince
3 doigts devant
1 doigt derrière

Colibri (passereau)

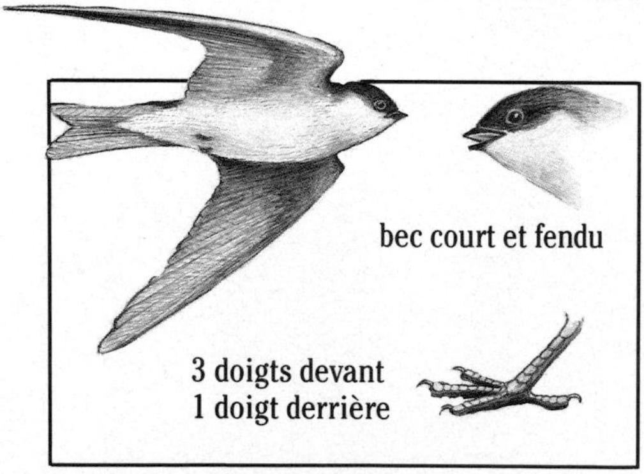
bec court et fendu
3 doigts devant
1 doigt derrière

Hirondelle (passereau)

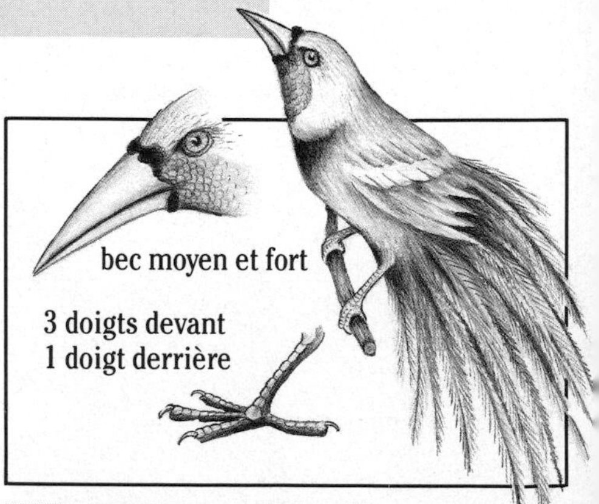
bec moyen et fort
3 doigts devant
1 doigt derrière

Paradisier (passereau)

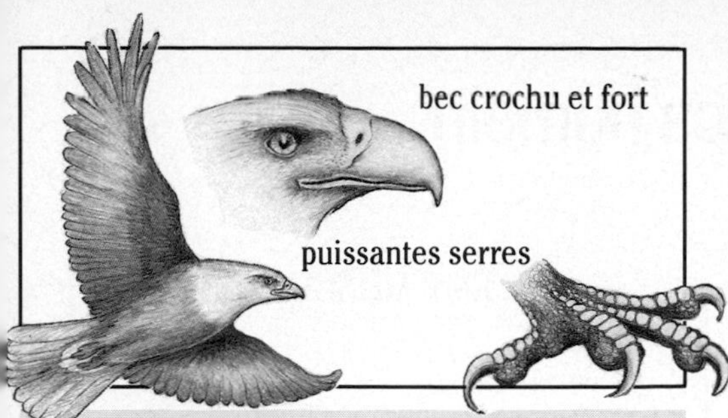

Aigle royal (rapace)

Autruche (coureur)

Grue (échassier)

Sarcelle à ailes vertes (palmipède)

Coucou (grimpeur)

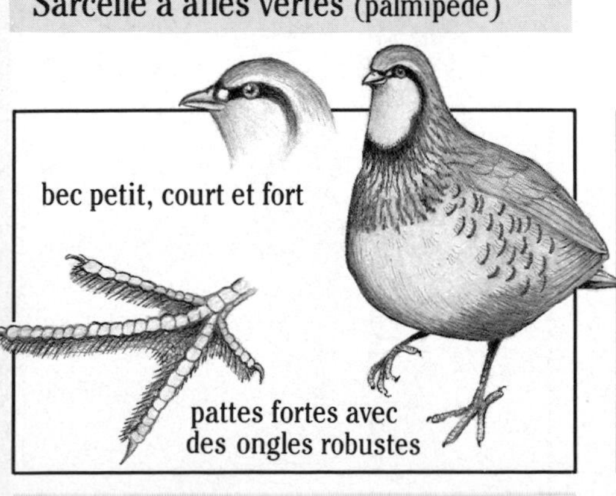

Perdrix (gallinacée)

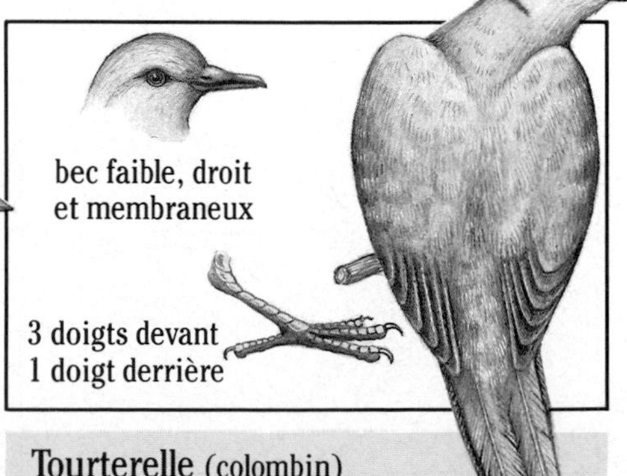

Tourterelle (colombin)

Le corps humain

SYSTÈME CIRCULATOIRE

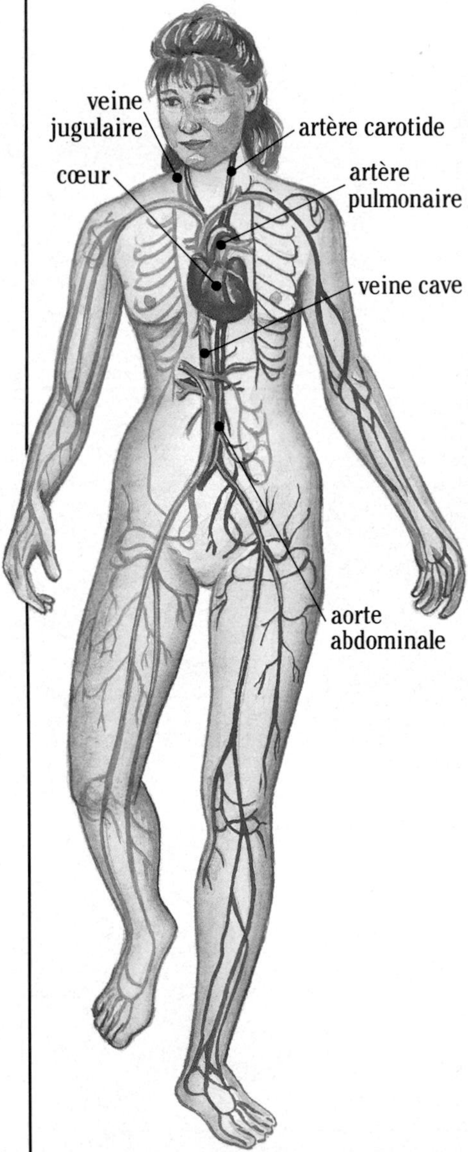

veine jugulaire
artère carotide
cœur
artère pulmonaire
veine cave
aorte abdominale

SYSTÈME MUSCULAIRE

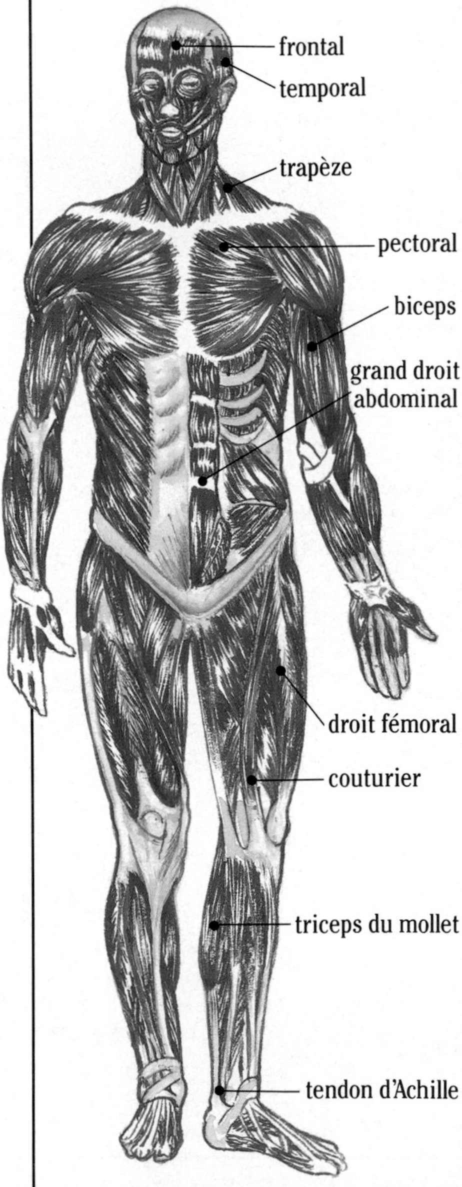

frontal
temporal
trapèze
pectoral
biceps
grand droit abdominal
droit fémoral
couturier
triceps du mollet
tendon d'Achille

fanion n.m. Petit drapeau : *Sa chambre est décorée de fanions.*

fanon n.m. **1.** Repli de la peau qui pend sous le cou de certains animaux : *L'iguane commun est pourvu d'un fanon et il est coiffé d'une crête.* **2.** Chacune des lames de corne qui garnissent la bouche de certains cétacés, dont la baleine : *Les fanons de la baleine servent à filtrer le plancton dont elle se nourrit.*

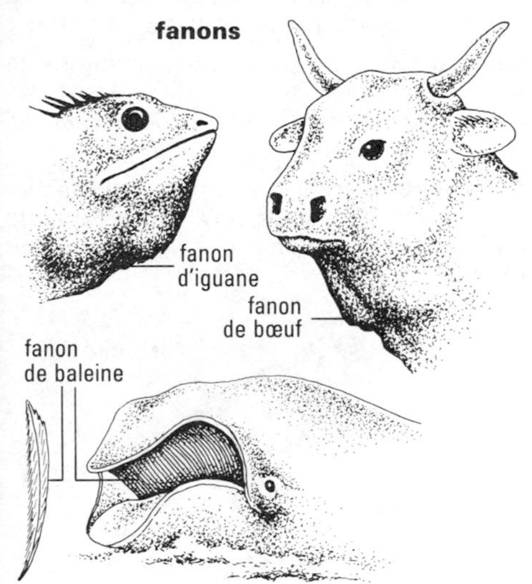

fantaisie n.f. **1.** Imagination libre et créatrice : *Quand elle dessine, Mélanie donne libre cours à sa fantaisie.* ANT. raison. **2.** Originalité amusante dans la conduite : *Cet homme est plein de fantaisie.* ANT. banalité. **3.** Caprice, goût passager : *Ne t'imagine pas que je vais me plier à toutes tes fantaisies.* SYN. extravagance. ANT. nécessité. **4.** Tendance à agir par caprice et selon son humeur : *Elle a agi selon sa fantaisie.* SYN. goût, volonté. **5.** Objet sans valeur qui plaît par son originalité : *Je lui ai offert des bijoux de fantaisie.* ☞ fantaisiste.

fantaisiste n. et adj. **1.** n. Artiste de music-hall qui imite, chante, raconte des histoires : *Le spectacle de cette fantaisiste a beaucoup de succès.* **2.** n. Personne qui vit à sa guise, selon sa fantaisie : *Dorothée est une fantaisiste qui n'obéit qu'aux caprices de son imagination.* **3.** adj. Qui vit à sa guise, selon sa fantaisie : *Ce garçon est un peu fantaisiste.* ANT. sérieux. **4.** adj. Qui n'est pas sérieux : *Crois-tu vraiment que je vais croire cette information fantaisiste?* ANT. réel, vrai. ☞ fantaisie.

fantasque adj. (it.) Qui est capricieux, changeant : *Cet homme est fantasque : on ne peut prévoir son comportement.* ANT. raisonnable.

fantassin n.m. (it.) Soldat d'infanterie : *Les fantassins sont des soldats qui combattent à pied.*

fantastique n.m. et adj. **1.** n.m. Ce qui est irréel, ce qui est le fruit de l'imagination : *Plusieurs livres font une large place au fantastique.* **2.** adj. Qui est né de l'imagination : *Des créatures fantastiques peuplent les rêves des enfants.* SYN. fantaisiste, imaginaire. ANT. réel. **3.** adj. Qui est extraordinaire : *Tu as toujours des idées fantastiques.* SYN. incroyable. ANT. banal, ordinaire. ☞ fantastiquement.

fantastiquement adv. Extraordinairement : *Elle est fantastiquement riche.* ☞ fantastique.

fantomatique adj. Qui est semblable à un fantôme : *Au clair de lune, l'arbre dépouillé avait un aspect fantomatique.* ☞ fantôme.

fantôme n.m. **1.** Apparition d'une personne morte : *Dans ce film, un fantôme apparaît aux habitants du château.* SYN. revenant. **2.** Personne ou chose du passé à laquelle on pense sans arrêt : *Les fantômes du passé peuvent empoisonner l'existence.* SYN. spectre, vision. **R.** Ne pas oublier l'accent : *ô*. ☞ fantomatique.

fant**o**matique fant**ô**me

faon n.m. Petit du cerf et de la biche, du daim et de la daine, du chevreuil et de la chevrette : *Le faon a un pelage tacheté.* **R.** Le *o* ne se prononce pas.

farandole n.f. (provenç.) Danse exécutée par une file de danseurs qui se tiennent par la main : *Prenons-nous la main, et dansons la farandole.*

farce n.f. Mélange de viande, d'épices et de légumes hachés très fin dont on garnit l'intérieur d'une volaille, d'un poisson, d'un légume : *Papa a déposé la farce à l'intérieur de la dinde.* ☞ farci, farcir. ▲ **farce** n.f. **1.** Petite pièce comique : *Molière a écrit plusieurs farces.* SYN. comédie. ANT. tragédie. **2.** Bon tour que l'on joue à quelqu'un : *Le premier avril, les élèves aiment faire des farces à leur professeur.* SYN. plaisanterie. **3.** Objet vendu dans le commerce servant à jouer des tours : *Au magasin de farces et attrapes, j'ai acheté des cuillers qui fondent dans le café.* ☞ farceur.

farceur, euse n. et adj. **1.** n. Personne qui fait rire par ses histoires drôles : *C'est une farceuse : elle ne parle jamais sérieusement.* SYN. blagueur. **2.** adj. Qui fait rire par ses histoires drôles : *On l'invite à toutes les fêtes car il est très farceur.* ANT. sérieux. ☞ farce.

farci, ie adj. **1.** Qui est rempli d'un mélange de viande, d'épices et de légumes hachés très fin: *La chef nous a servi des tomates farcies.* **2.** fig. et péj. Qui est rempli, surchargé: *Ta dictée est farcie d'erreurs.* SYN. plein. ☞ farce.

farcir v. **1.** Remplir d'un mélange de viande, d'épices et de légumes hachés très fin: *Aide-moi à farcir le poulet.* **2.** fig. et péj. Remplir, surcharger: *Tu as farci ton récit de mots incorrects.* ☞ farce.

fard n.m. **1.** Produit de maquillage destiné à rehausser l'éclat du teint: *Elle applique du fard rosé sur ses joues.* **2.** fig. et vx Feinte, dissimulation, embellissement de la vérité: *N'hésite pas à me parler sans fard, franchement.* HOM. fart, phare. ☞ farder.

fardeau, eaux n.m. (arabe) **1.** Charge lourde qu'il faut lever ou transporter: *Tu ne devrais pas porter ce fardeau sur tes épaules.* **2.** fig. Chose pénible à supporter: *Pour certaines personnes, la solitude devient vite un fardeau.* SYN. poids. ☞ fardier.

farder v. **1.** Mettre du fard à quelqu'un: *Le maquilleur farde la comédienne.* SYN. maquiller. ANT. démaquiller. **2.** fig. Dissimuler pour embellir: *J'ai l'impression que tu fardes la vérité.* ☞ fard. **se farder** v.pron. Se mettre du fard: *Elle se farde trop: ce n'est pas joli.* SYN. se maquiller. ANT. se démaquiller.

fardier n.m. Voiture à roues très basses servant au transport des fardeaux très lourds: *Le fardier transporte des blocs de pierre.* ☞ fardeau.

fardoches n.f.plur. Au Canada, broussailles: *Les enfants s'aventurent dans les fardoches à la recherche de fruits sauvages.*

farfadet n.m. (provenç.) Esprit follet, lutin vif et léger: *Dans cette légende, les farfadets viennent en aide aux petits enfants.*

farfelu, ue adj.fam. Qui est bizarre, un peu fou: *C'est un original qui a des idées farfelues.*

farfouiller v.fam. Fouiller en bouleversant tout: *Caroline farfouille dans tes tiroirs.* SYN. fureter. ANT. classer, ranger.

farine n.f. **1.** Poudre obtenue par l'écrasement de certaines graines de céréales ou de divers autres végétaux: *Ce pain est fait de farine de blé entier.* **2.** Poudre obtenue par l'écrasement de certaines graines ou plantes, comme les fèves, les pois, le soja: *En broyant les pommes de terre, on obtient une sorte de farine appelée fécule.* ☞ enfariner, fariner, farineux.

fariner v. Couvrir d'une légère couche de farine: *Le pâtissier farine la pâte à tarte avant de l'amincir au rouleau.* ☞ farine.

farineux n.m. Végétal alimentaire pouvant fournir une farine: *Les haricots et les pois sont des farineux.* ☞ farine.

farineux, euse adj. **1.** Qui contient de la farine ou de la fécule: *Les lentilles et les pommes de terre sont des aliments farineux.* **2.** Qui a le goût ou la consistance de la farine: *Les pommes de terre farineuses s'émiettent quand elles sont cuites.* **3.** Qui est couvert de farine: *La boulangère démoule de gros pains dorés à la croûte encore farineuse.* ☞ farine.

farlouche n.f. Au Canada, garniture de tarte faite de raisins secs et de mélasse: *Ma mère aime beaucoup les tartes à la farlouche.* **R.** Aussi, *ferlouche*.

farlouse n.f. Petit oiseau passereau au plumage jaune rayé de brun: *La farlouse porte aussi le nom de «pipit des prés» et «pipit farlouse».*

farniente n.m. (it.) Inaction, oisiveté agréable: *Les vacances sont des périodes idéales pour le farniente.*

farouche adj. **1.** Qui prend la fuite quand on l'approche: *L'écureuil est un animal farouche.* SYN. indompté, sauvage. **2.** Qui n'aime pas la compagnie des autres personnes: *Cet enfant farouche reste toujours seul dans son coin.* SYN. insociable. ANT. affable, sociable. **3.** Qui est violent, sauvage: *Une haine farouche oppose ces deux ennemies.* SYN. cruel. ANT. humain. **4.** Qui est acharné, tenace: *La jeune femme opposa une farouche résistance à ses assaillants.* ☞ farouchement.

farouchement adv. D'une manière farouche, violente: *Elle s'est farouchement opposée à ce règlement injuste.* SYN. violemment. ☞ farouche.

fart n.m. (norv.) Cire dont on enduit la semelle des skis pour les rendre plus glissants: *Le fart empêche les skis de coller à la neige.* HOM. fard, phare. **R.** Le *t* peut se prononcer ou non. ☞ fartage, farter.

fartage n.m. Opération consistant à enduire la semelle des skis d'une cire pour les rendre plus glissants; résultat de cette opération : *Nancy vient de terminer le fartage de ses skis.* ☞ fart.

farter v. Enduire la semelle des skis d'une cire qui les rend plus glissants : *Les skieurs fartent leurs skis.* ☞ fart.

fascicule n.m. Ensemble de feuilles, de cahiers formant une partie d'un ouvrage publié par fragments : *Cette encyclopédie culinaire se vend par fascicules.*

fascinant, ante adj. Qui charme, qui attire de façon irrésistible : *Les papillons sont des insectes fascinants.* SYN. charmant. ☞ fasciner.

fascination n.f. **1.** Envoûtement, action de fasciner, d'immobiliser par la puissance du regard : *L'hypnotiseuse a un pouvoir de fascination.* **2.** fig. Charme, attrait irrésistible : *L'Inde exerce une véritable fascination sur ce voyageur.* SYN. enchantement, séduction. ANT. aversion, répugnance. ☞ fasciner.

fasciner v. **1.** Immobiliser par la puissance du regard : *On dit que le serpent fascine sa proie.* SYN. hypnotiser. **2.** fig. Charmer, attirer de façon irrésistible : *L'arbre de Noël fascinait le petit Alexandre.* SYN. séduire. ANT. dégoûter, déplaire. ☞ fascinant, fascination.

fascisme n.m. (it.) **1.** Régime totalitaire établi en Italie de 1922 à 1945 : *Benito Mussolini instaura le fascisme en Italie.* **2.** Doctrine visant à établir un régime totalitaire dans un pays : *Les citoyens de pays démocratiques craignent le fascisme.* **R.** Les lettres *sc* se prononcent *ch* ou *ss*. ☞ fasciste.

fasciste n. et adj. (it.) **1.** n. Personne qui est en faveur d'un régime totalitaire : *Les fascistes ne croient pas à la démocratie.* **2.** adj. Qui se rapporte au fascisme : *Les idées fascistes et démocratiques s'opposent.* **R.** Les lettres *sc* se prononcent *ch* ou *ss*. ☞ fascisme.

faste n.m. Déploiement de luxe : *Les spectateurs étaient éblouis par le faste de ce mariage royal.* SYN. splendeur. ANT. simplicité. ☞ fastueusement, fastueux.

faste adj. Qui est heureux, favorable : *C'est un jour faste pour Anne-Marie : elle vient d'être acceptée à l'université.* ANT. néfaste.

fastidieusement adv. D'une manière fastidieuse, ennuyeuse : *Elle a répété fastidieusement la leçon qu'elle avait apprise.* ☞ fastidieux.

fastidieux, euse adj. Qui est ennuyeux, monotone : *On m'a confié un travail fastidieux.* ANT. amusant, intéressant. ☞ fastidieusement.

fastueusement adv. D'une manière luxueuse : *Les invités ont été reçus fastueusement au palais royal.* ANT. simplement. ☞ faste.

fastueux, euse adj. Qui est luxueux : *Ce millionnaire vit dans un décor fastueux.* SYN. riche, somptueux. ANT. pauvre, simple. ☞ faste.

fat n.m. et adj.m. **1.** n.m. Personnage vaniteux et prétentieux : *Ce fat ne se rend pas compte qu'il est ridicule.* SYN. fanfaron. **2.** adj. m. Qui est vaniteux et prétentieux : *Ce garçon fat n'a pas d'amis.* SYN. arrogant. ANT. humble, modeste, réservé. HOM. fa. **R.** Le *t* peut se prononcer ou non. ☞ fatuité.

fatal, ale, als adj. **1.** Qui est inévitable : *Elle n'étudiait jamais, son échec était fatal.* ANT. évitable. **2.** Qui cause la mort : *Un accident fatal s'est produit sur l'autoroute : tous les passagers ont perdu la vie.* SYN. malheureux, mortel. ANT. heureux. **3.** Qui a des effets désastreux : *Cette erreur lui a été fatale : elle n'a pas réussi à se classer pour la finale.* SYN. néfaste, nuisible. ANT. favorable. ☞ fatalement, fatalisme, fataliste, fatalité, fatidique.

fatalement adv. Inévitablement : *Cet accident devait fatalement arriver : ils étaient trop imprudents.* ☞ fatal.

fatalisme n.m. Attitude des personnes qui croient que tous les événements sont fixés à l'avance par le destin : *Elle a accepté cette épreuve avec fatalisme.* ☞ fatal.

fataliste n. et adj. **1.** n. Personne qui croit que tous les événements sont fixés à l'avance par le destin : *Les fatalistes croient qu'ils ne peuvent rien faire pour changer leur destin.* **2.** adj. Qui croit que tous les événements sont fixés à l'avance par le destin : *Cet homme est devenu fataliste en vieillissant.* ☞ fatal.

fatalité n.f. **1.** Force surnaturelle qui semble fixer d'avance tous les événements : *Il devait périr dans cet incendie : c'était la fatalité.* SYN. destin, sort. ANT. volonté. **2.** Concours de circonstances fâcheuses : *Par quelle fatalité a-t-elle pris l'avion qui devait s'écraser ?* SYN. malédiction, malheur. ANT. chance, veine. ☞ fatal.

fatidique adj. Qui semble marqué par le destin : *Ils n'ont pas oublié la date fatidique qui a marqué le début de la guerre.* ☞ fatal.

fatigable adj. Qui se fatigue facilement : *Ces enfants sont peu résistants : ils sont vite fatigables.* ANT. infatigable. ☞ fatigue.

fatigant, ante adj. **1.** Qui cause de la fatigue : *Nous avons fait un voyage fatigant.* SYN. épuisant, exténuant. ANT. reposant. **2.** Qui est ennuyeux, lassant : *Cesse de te plaindre, tu es fatigant !* ANT. agréable. ☞ fatigue.

fatigue n.f. **1.** Sensation pénible qui accompagne un effort excessif, un travail intense : *Elle a trop travaillé, elle est morte de fatigue.* SYN. épuisement, lassitude. ANT. délassement. **2.** plur. Ce qui cause cette sensation pénible : *Il se remet à peine des fatigues du voyage.* SYN. surmenage. ANT. détente, repos. **R.** Ne pas oublier le *u* après le *g*. ☞ fatigable, fatigant, fatigué, fatiguer, infatigable, infatigablement.

fatigué, ée adj. **1.** Qui éprouve de la fatigue : *Les joueuses fatiguées se reposent après le match.* SYN. épuisé. ANT. dispos. **2.** Qui montre de la fatigue : *Tu devrais te reposer, tu as les traits fatigués.* SYN. tiré. **3.** Qui ne peut plus supporter quelque chose ou quelqu'un : *Je suis fatiguée de t'entendre crier.* SYN. las. **4.** fig. Qui est défraîchi, usé : *Ces souliers sont fatigués : tu devrais les jeter.* ANT. neuf. HOM. fatiguer. **R.** Ne pas oublier le *u* après le *g*. ☞ fatigue.

fatiguer v. **1.** Causer de la fatigue à quelqu'un : *Cette longue promenade m'a beaucoup fatigué.* SYN. épuiser, exténuer. ANT. reposer. **2.** Causer de la fatigue à un organe : *Le bruit fatigue les oreilles.* **3.** Ennuyer, importuner : *Tu me fatigues avec toutes tes questions.* SYN. lasser. ANT. intéresser. **4.** Supporter un trop grand effort : *Il y a un navire qui fatigue parce que la mer est trop agitée.* HOM. fatigué. ☞ fatigue. se **fatiguer** v.pron. **1.** Se donner de la fatigue : *Repose-toi, tu te fatigues trop.* SYN. s'exténuer. ANT. se reposer. **2.** Ne plus pouvoir supporter quelque chose ou quelqu'un : *Elle s'est vite fatiguée de ces jouets ridicules.* SYN. se lasser. **3.** fam. Faire des efforts inutiles : *Ne te fatigue pas à m'expliquer, j'ai tout compris.* **R.** Ne pas oublier le *u* après le *g*.

fatras n.m. **1.** Amas confus de choses sans valeur : *Ta balle était cachée sous un fatras de vieux journaux.* **2.** fig. Ensemble confus d'idées, de paroles, d'écrits : *Son esprit est encombré d'un fatras de préjugés.* **R.** Le *s* ne se prononce pas.

fatuité n.f. Vanité, prétention : *Cette femme est pleine de fatuité.* SYN. suffisance. ANT. modestie, simplicité. ☞ fat.

faubourg n.m. **1.** Partie d'une ville située en dehors de ses limites : *Autrefois, les faubourgs étaient situés en dehors des remparts de la ville.* **2.** Quartier éloigné du centre de la ville : *De nos jours, les faubourgs correspondent à la banlieue.* SYN. banlieue. ANT. centre.

fauchage n.m. Action de faucher, de couper à la faux : *Le fermier a commencé le fauchage de ce pré.* ☞ faucher.

fauché, ée n. et adj.fam. **1.** n. Personne qui n'a plus d'argent : *Personne n'a d'argent? Vous êtes tous des fauchés alors!* **2.** adj. Qui n'a plus d'argent : *Je voudrais bien t'aider, mais je suis fauchée.* HOM. faucher.

faucher v. **1.** Couper avec une faux ou une faucheuse : *La fermière a fauché le foin de ce champ.* **2.** Faire tomber, renverser : *Ces deux enfants ont été fauchés par une automobile.* ANT. relever. ☞ fauchage, faucheur, faucheuse. ▲ **faucher** v.fam. Voler : *On m'a fauché ma bicyclette.* HOM. fauché.

faucheur, euse n. Personne qui fauche, qui coupe à la faux l'herbe, les céréales : *Le faucheur coupe l'herbe le long de la clôture avec une faux.* ☞ faucher.

faucheuse n.f. Machine agricole servant à faucher, à couper l'herbe, les céréales : *La faucheuse laisse derrière elle un tapis odorant d'herbe coupée.* ☞ faucher.

faucille n.f. Instrument tranchant formé d'une lame d'acier en demi-cercle fixée à une poignée de bois : *Autrefois, on se servait de la faucille pour couper l'herbe et les céréales.* **R.** Les lettres *ill* se prononcent comme dans *famille*.

faucon n.m. Oiseau rapace diurne, puissant et rapide, au bec court et crochu, dont le petit est le fauconneau : *Le gerfaut, le hobereau et le pèlerin sont des faucons.* ⫽ *Chasse au faucon :* Chasse avec un faucon apprivoisé et dressé. ☞ fauconneau.

fauconneau, eaux n.m. Jeune faucon : *Les fauconneaux ont une vue extrêmement perçante.* ☞ faucon.

faufil n.m. Fil utilisé pour faufiler, pour coudre : *La couturière coud provisoirement les manches de la robe avec un faufil.* ☞ faufiler.

faufilage n.m. Fait de faufiler, de coudre de façon provisoire : *Le faufilage permet d'assembler provisoirement les parties d'un vêtement.* ☞ faufiler.

faufiler v. Coudre à grands points pour assembler provisoirement les parties d'un ouvrage : *Avant de coudre le pantalon, papa a faufilé les différentes parties.* ☞ défaufiler, faufil, faufilage.

se **faufiler** v.pron. Se glisser adroitement sans être aperçu : *Martin a réussi à se faufiler entre les files d'attente.* SYN. s'immiscer, s'introduire.

faune n.f. Ensemble des animaux qui vivent dans une région, un milieu de vie déterminé : *Danielle s'intéresse beaucoup à la faune du Canada.* ☞ faunique.

faunique adj. Qui se rapporte aux animaux vivant dans une région, un milieu de vie déterminé: *Les régions fauniques de l'Amérique sont menacées par la pollution.* ☞ faune.

faussaire n. Personne qui fabrique un faux: *Cette faussaire fabrique de faux billets de banque.* ☞ faux.

faussement adv. **1.** Injustement, à tort: *Il a été faussement accusé de vol.* **2.** D'une manière hypocrite, simulée: *Il s'est excusé avec un air faussement repenti.* ☞ faux.

fausser v. **1.** Rendre faux, inexact: *Une erreur a faussé le résultat de ce calcul.* SYN. altérer, falsifier. **2.** Déformer un objet, un mécanisme par une trop grande pression: *En heurtant le trottoir, tu as faussé la roue avant de ta bicyclette.* SYN. forcer, tordre. ANT. redresser. **3.** Faire perdre la justesse, l'exactitude de quelque chose: *La jalousie que tu lui portes fausse ton jugement.* SYN. déformer, dénaturer. ANT. rétablir. HOM. fossé. ☞ faux.

fausset n.m. Voix aiguë appelée aussi «voix de tête»: *Ce chanteur a une voix de fausset.* ANT. basse.

fausseté n.f. **1.** Caractère de ce qui est faux, inexact: *Il n'a pas été facile de démontrer la fausseté de l'accusation.* SYN. inexactitude. ANT. authenticité, exactitude. **2.** Hypocrisie, manque de franchise: *Elle a l'air franche, mais je la soupçonne de fausseté.* SYN. mensonge. ANT. sincérité. ☞ faux.

faute n.f. **1.** Mauvaise action: *Elle a commis une faute en trichant aux examens.* SYN. irrégularité, manquement. **2.** Erreur: *Tu as fait cinq fautes d'orthographe dans ton devoir.* **3.** Maladresse: *Même s'il est nouveau, on ne lui passera aucune faute.* SYN. négligence. **4.** Responsabilité dans un acte: *Elle est en retard, mais ce n'est pas sa faute.* ⫽ *Prendre, surprendre quelqu'un en faute:* Surprendre quelqu'un au moment où il commet une mauvaise action. ☞ fautif, fautivement. ▲ **faute** n.f.litt. Manque: *Elle ne s'est pas fait faute de critiquer ton travail.* **faute de** loc.prép. Par manque de: *Il n'est pas encore venu nous voir, faute de temps.* ⫽ *Faute de mieux:* Si l'on ne dispose de rien de mieux. **sans faute** loc.adv. À coup sûr: *Je viendrai à 9 heures sans faute.*

fauteuil n.m. Siège à dossier et à bras, pour une seule personne: *Assoyez-vous dans le fauteuil.*

fautif, ive n. et adj. **1.** n. Personne qui a commis une faute: *Je voudrais bien savoir qui est le fautif dans cette histoire.* SYN. coupable. **2.** adj. Qui a commis une faute: *Même s'il n'a rien fait, cet enfant se sent toujours fautif.* SYN. coupable. ANT. innocent. **3.** adj. Qui comporte des fautes, des erreurs: *Vous m'avez remis une liste fautive.* SYN. erroné. ANT. exact. ☞ faute.

fautivement adv. D'une manière fautive, par erreur: *L'institutrice a écrit fautivement ton nom sur la liste des absents.* ☞ faute.

fauve n.m. et adj. **1.** n.m. Mammifère carnivore sauvage comme le lion, le tigre, la panthère: *Les grands fauves sont des animaux impressionnants.* **2.** adj. Qui est un mammifère carnivore sauvage: *La dompteuse a dressé trois bêtes fauves.* SYN. féroce, sauvage. ☞ fauverie. ▲ **fauve** n.m. et adj. **1.** n.m. Couleur jaune tirant sur le roux: *Le fauve est une couleur d'automne.* **2.** adj. Qui est d'une couleur jaune tirant sur le roux: *Le lion a un pelage fauve.* ☞ fauvisme.

fauverie n.f. Lieu où vivent les fauves dans un jardin zoologique: *Quand il arrive au jardin zoologique, Serge se dirige tout de suite vers la fauverie.* ☞ fauve.

fauvette n.f. Petit oiseau passereau vivant dans les buissons, à plumage fauve ou grisâtre et au chant agréable: *Les fauvettes ont le bec effilé et pointu et elles sont insectivores.*

fauvette

fauvisme n.m. Tendance de la peinture française au début du XXe siècle, qui cherchait à donner aux objets une couleur nette: *Le fauvisme avait une préférence pour le jaune et le rouge.* ☞ fauve.

faux n.f. Instrument tranchant formé d'une lame d'acier recourbée fixée au bout d'un long manche, qui sert à couper l'herbe et les céréales: *Avec sa faux, le fermier coupe l'herbe le long du fossé.*

faux n.m. et adv. **1.** n.m. Ce qui n'est pas vrai: *Comment veux-tu que je distingue le vrai du faux dans tout ce qu'elle a raconté?* **2.** n.m.

Modification d'un écrit, d'un document en vue de tromper: *Ce passeport est un faux.* **3.** n.m. Imitation frauduleuse d'une œuvre d'art: *Elle croyait avoir acheté un Borduas, mais ce n'était qu'un faux.* **4.** adv. De façon fausse: *La chanteuse détonne: elle chante faux.* ANT. juste. à **faux** loc.adv. À tort, injustement: *Cette personne a été accusée à faux.*

faux, fausse adj. **1.** Qui n'est pas vrai: *Tu m'as menti! Je sais maintenant que tout ce que tu m'as raconté est faux.* ANT. juste. **2.** Qui n'est pas exact, pas juste: *Ton addition est fausse: tu t'es trompé en calculant.* SYN. erroné, inexact. **3.** Qui n'est pas justifié: *Il y a eu un appel à la bombe, mais c'était une fausse alerte.* **4.** Qui n'est pas original, authentique: *Ils ont été arrêtés pour fabrication de fausse monnaie.* **5.** Qui n'est pas naturel: *La comédienne porte de faux cils et de faux ongles.* SYN. postiche. ANT. réel. **6.** Qui ressemble à un objet sans en avoir la fonction: *De fausses fenêtres décorent la façade.* **7.** Qui n'est pas correct, normal: *J'ai fait un faux mouvement et je suis tombée.* **8.** Qui est hypocrite: *Méfie-toi de lui: il a un regard faux.* ANT. franc. **9.** Qui n'est pas dans le ton juste: *Le pianiste a joué plusieurs fausses notes.* **10.** Qui est simulé: *Il trompe tout le monde avec sa fausse modestie.* ☞ faussaire, faussement, fausser, fausseté.

faux-fuyant n.m. Moyen détourné pour éviter de s'expliquer, de se prononcer, de se décider: *Ce n'est pas la peine de chercher des faux-fuyants, car je ne te croirai pas.* SYN. échappatoire, excuse, prétexte. **R.** Au pluriel, *faux-fuyants*.

faux-monnayeur n.m. Personne qui fabrique de la fausse monnaie: *Les policiers ont arrêté un réseau de faux-monnayeurs.* **R.** Au pluriel, *faux-monnayeurs*. ☞ monnaie.

faux-semblant n.m. Apparence trompeuse: *Elle a trompé tout le monde sous des faux-semblants d'honnêteté.* **R.** Au pluriel, *faux-semblants*.

faveur n.f. **1.** Bienveillance, protection dont bénéficie quelqu'un: *Il a eu cet emploi grâce à la faveur du patron.* SYN. aide. ANT. malveillance. **2.** Décision indulgente qui avantage quelqu'un: *On t'a accordé une faveur en t'acceptant à cette école.* SYN. privilège. ANT. préjudice. **3.** Popularité dont jouit quelqu'un: *Cette politicienne a gagné la faveur des électeurs.* SYN. considération. ANT. discrédit. **4.** plur. Marques d'amour données par une femme à un homme: *Tu as refusé ses faveurs.* ☞ défaveur, défavorable, défavorablement, défavoriser, favorable, favorablement, favori, favoriser, favoritisme. à la **faveur de** loc.prép. En profitant de quelque chose: *La prisonnière s'est évadée à la faveur de la nuit.* en **faveur de** loc.prép. Au profit de quelqu'un, dans l'intérêt de quelqu'un: *La directrice est intervenue en faveur de Nicolas.*

favorable adj. **1.** Qui est avantageux, bon pour quelqu'un ou pour quelque chose: *Elle a attendu le moment favorable pour leur demander une permission.* SYN. convenable, propice. ANT. défavorable. **2.** Qui est bien disposé à l'égard de quelqu'un ou de quelque chose: *Mes parents sont favorables à l'organisation d'une fête.* SYN. sympathique. ANT. hostile. ☞ faveur.

favorablement adv. D'une manière favorable: *Mes amies ont favorablement accueilli ma suggestion.* ☞ faveur.

favori, ite n. et adj. (it.) **1.** n. Personne qui a la préférence de quelqu'un: *Ce chanteur est mon favori.* SYN. chouchou. **2.** n. Concurrent, équipe qui a le plus de chances de gagner une compétition: *La favorite a pris la tête de la course.* **3.** adj. Qui a la préférence de quelqu'un: *Le tennis est son sport favori.* SYN. préféré. **4.** adj. Qui a le plus de chances de gagner une compétition: *Le cheval favori n'a pas terminé au premier rang.* ☞ faveur.

favoris n.m.plur. Touffe de barbe qu'on laisse pousser de chaque côté du visage: *Cet homme porte des favoris.*

favoriser v. **1.** Aider, avantager quelqu'un: *Quand la classe a dû choisir un représentant, Daniel a favorisé son ami.* SYN. soutenir. ANT. défavoriser. **2.** Contribuer au développement de quelque chose: *Le traité de libre-échange favorise le commerce entre le Canada et les États-Unis.* ANT. entraver, freiner. **3.** Faciliter: *L'obscurité a favorisé l'évasion de ces trois prisonniers.* ANT. empêcher. ☞ faveur.

favoritisme n.m. Tendance à accorder des avantages par faveur, sans tenir compte du mérite ou de la justice: *Elle ne méritait pas le premier prix. On le lui a accordé par favoritisme.* ☞ faveur.

fébrile adj. **1.** Qui a rapport à la fièvre, qui a de la fièvre: *Il vaudrait mieux la mettre au lit, car elle est fébrile.* SYN. fiévreux. **2.** Qui manifeste une grande agitation: *Elle attend avec une impatience fébrile le résultat de son examen.* SYN. nerveux. ☞ fébrilement, fébrilité.

fébrilement adv. D'une façon fébrile, agitée: *Il tourne fébrilement les pages du journal.* SYN. nerveusement. ☞ fébrile.

fébrilité n.f. Grande agitation, nervosité: *Il arpente le corridor de l'hôpital avec fébrilité.* ☞ fébrile.

fécond, onde adj. **1.** Qui peut se reproduire : *Le mulet n'est pas fécond.* SYN. fertile. ANT. stérile. **2.** Qui a beaucoup de petits : *Ma chatte a eu six petits : elle est très féconde.* SYN. prolifique. ANT. infertile. **3.** fig. Qui produit beaucoup : *Cette romancière féconde a déjà écrit dix romans.* SYN. productif. ANT. infécond. **4.** fig. Qui est plein de quelque chose : *Ce fut une journée féconde en événements de toutes sortes.* SYN. abondant. ANT. pauvre. ☞ fécondation, féconder, fécondité, infécond, infécondité.

fécondation n.f. Transformation d'un ovule, d'un œuf en embryon : *Neuf mois après la fécondation, un bébé vient au monde.* // *Fécondation in vitro :* Fécondation obtenue en laboratoire, hors de l'organisme maternel. ☞ fécond.

féconder v. **1.** Transformer un ovule, un œuf en embryon : *Le spermatozoïde féconde l'ovule.* **2.** Rendre une femme enceinte, une femelle en état de gestation : *Le mâle féconde la femelle.* **3.** Rendre fertile : *La pluie a fécondé les champs.* SYN. fertiliser. ☞ fécond.

fécondité n.f. **1.** Aptitude à se reproduire : *Grâce à leur fécondité, les êtres vivants peuvent se reproduire.* ANT. infécondité, stérilité. **2.** Fait d'avoir beaucoup d'enfants : *Il y a plusieurs années, les Québécoises étaient célèbres pour leur fécondité.* **3.** Fertilité, abondance : *La fécondité de ce terrain est remarquable.* SYN. productivité. ANT. aridité, sécheresse. **4.** fig. Richesse, abondance : *Tout le monde remarque la fécondité de son imagination.* ANT. pauvreté. ☞ fécond.

fécule n.f. Sorte de farine composée d'amidon que l'on extrait de certains organes végétaux, comme les pommes de terre et le manioc : *Maman a épaissi la sauce avec un peu de fécule.* ☞ féculent.

féculent n.m. Graine, fruit, tubercule qui contient une sorte de farine appelée « fécule » : *Les pommes de terre et les haricots sont des féculents.* ☞ fécule.

féculent, ente adj. Qui contient une sorte de farine appelée « fécule » : *Les lentilles sont des aliments féculents.* ☞ fécule.

fédéral n.m. Gouvernement central d'un État fédéral : *Au Canada, nous avons deux ordres de gouvernement : le fédéral et le provincial.* ☞ fédération.

fédéral, ale, aux adj. **1.** Qui se rapporte au groupement de plusieurs États en un État unique : *Le Canada est un État fédéral composé de dix provinces et de deux territoires.* **2.** Qui se rapporte au gouvernement central d'un État fédéral : *Aux élections fédérales, les citoyens ont élu le premier ministre du Canada.* ☞ fédération.

fédéralisme n.m. Système politique dans lequel le gouvernement central partage des pouvoirs avec les États ou les provinces qui composent l'État fédéral : *Le fédéralisme canadien est souvent remis en cause.* ☞ fédération.

fédéraliste n. et adj. **1.** n. Personne qui est en faveur du système fédéral : *Cette politicienne est une fédéraliste convaincue.* **2.** adj. Qui se rapporte au système fédéral : *Les députés fédéraux défendent la doctrine fédéraliste.* ☞ fédération.

fédération n.f. **1.** Groupement de plusieurs États en un État unique : *Le Canada est une fédération de dix provinces et de deux territoires.* SYN. union. **2.** Groupement de plusieurs sociétés, plusieurs syndicats, plusieurs clubs : *Plusieurs syndicats se sont unis pour former une fédération.* SYN. association. ☞ fédéral, fédéralisme, fédéraliste.

fée n.f. **1.** Être imaginaire, de sexe féminin, qui a des pouvoirs surnaturels : *La fée donna un coup de baguette et la citrouille se changea en carrosse.* **2.** fig. Femme remarquable par ses qualités : *Cette personne est une vraie fée !* ☞ féerie, féerique.

féerie n.f. **1.** Monde fantastique des fées : *La féerie occupait une grande place dans mes rêves d'enfant.* **2.** fig. Spectacle merveilleux : *Le défilé du carnaval était une vraie féerie.* ANT. laideur. **R.** Le deuxième *e* peut se prononcer *é* ou rester muet. ☞ fée.

féerique adj. **1.** Qui tient de la féerie, qui appartient au monde des fées : *Ce personnage n'est pas réel, il appartient à ce beau monde féerique.* **2.** Qui est merveilleux, très beau : *Le feu d'artifice était un spectacle féerique.* **R.** Le deuxième *e* peut se prononcer *é* ou rester muet. ☞ fée.

feindre v. Simuler un sentiment, une qualité que l'on n'a pas dans le but de tromper : *Quand elle a aperçu les invités à son anniversaire, elle a feint l'étonnement.* ☞ feint.

feint, feinte adj. Qui n'est pas sincère, qui est artificiel : *Je me demande si sa douleur est réelle ou bien feinte.* ☞ feindre.

feinte n.f. **1.** Coup simulé pour tromper l'adversaire : *Le footballeur a fait une feinte.* **2.** fig. et fam. Attrape, ruse : *Tu m'as fait une feinte et je t'ai cru.*

feldspath n.m. (all.) Minéral à structure en lamelles, à éclat vitreux de faible coloration : *Les feldspaths entrent dans la composition de certaines pâtes céramiques.*

fêlé, ée adj. **1.** Qui présente une fêlure, une cassure: *Il vaudrait mieux jeter ces verres fêlés.* **2.** fam. Qui est un peu fou: *Non mais, tu as le cerveau fêlé!* HOM. fêler. **R.** Ne pas oublier l'accent: *ê.* ☞ fêler.

fêler v. Fendre un objet cassant sans que les parties se séparent: *Le choc a fêlé le vase.* HOM. fêlé. ☞ fêlé, fêlure. **se fêler** v.pron. Se fendre sans que les parties se séparent: *En tombant sur le sol, l'assiette s'est fêlée.* **R.** Ne pas oublier l'accent: *ê.*

félicitations n.f.plur. **1.** Compliments adressés à quelqu'un à l'occasion d'un succès, d'un événement heureux: *Tu as réussi cet examen difficile. Toutes mes félicitations!* ANT. critiques. **2.** Éloges, louanges: *Il a reçu des félicitations pour le beau travail qu'il a fait.* ANT. blâmes. ☞ féliciter.

féliciter v. **1.** Dire à quelqu'un qu'on partage sa joie à l'occasion d'un succès, d'un événement heureux: *Les invités félicitent les jeunes mariés.* ANT. critiquer. **2.** Complimenter quelqu'un: *Le directeur a félicité Mireille pour son travail impeccable.* ☞ félicitations. **se féliciter** v.pron. **1.** Se réjouir de quelque chose: *Toute l'équipe se félicitait du succès de Jonathan.* ANT. déplorer. **2.** S'approuver soi-même: *Je me félicite d'avoir gardé mon calme.* SYN. se louer. ANT. se reprocher.

félidés n.m.plur. Famille de mammifères carnivores dont le chat est le type: *Le lynx, l'ocelot, le puma, le jaguar et le tigre sont des félidés.* **R.** S'écrit au singulier lorsqu'il désigne un animal appartenant à cette famille. ☞ félin.

félin n.m. Mammifère carnivore du type chat: *Le lion est un félin.* ☞ félidés.

félin, ine adj. **1.** Qui ressemble au chat: *La panthère appartient à la race féline.* **2.** fig. Qui a la souplesse et la grâce du chat: *Cette ballerine a une grâce féline.* ☞ félidés.

fêlure n.f. Fente d'une chose fêlée: *La carafe en verre taillé a une fêlure.* SYN. cassure, fissure. **R.** Ne pas oublier l'accent: *ê.* ☞ fêler.

femelle n.f. et adj. **1.** n.f. Animal du sexe qui reproduit l'espèce après fécondation: *La brebis est la femelle du bélier.* **2.** adj. Qui est propre à être fécondé chez les animaux et les plantes: *Mon canari femelle chante à gorge déployée.*

féminin n.m. Genre grammatical qui s'oppose au masculin: *Le féminin de «marchand» est «marchande».* ☞ féminisation.

féminin, ine adj. **1.** Qui est propre à la femme: *Une voix féminine te demande au téléphone.* ANT. masculin. **2.** Qui se rapporte aux femmes: *Les revendications féminines ont fait évoluer la société québécoise.* ANT. masculin. **3.** Qui se compose de femmes: *L'équipe féminine de basket-ball s'est classée pour la finale.* ANT. masculin. **4.** Qui évoque la femme: *Cet homme a des manières féminines.* SYN. efféminé. ANT. masculin. **5.** Qui appartient au genre opposé à masculin: *«Cigogne» est un nom féminin.* ☞ féminisme, féministe, féminité.

féminisation n.f. **1.** Action de donner un caractère féminin; résultat de cette action: *On assiste à une féminisation de la main-d'œuvre dans ce domaine d'emploi.* **2.** Action par laquelle on fait passer un mot du genre masculin au genre féminin; résultat de cette action: *L'Académie française a procédé à la féminisation du mot «entrecôte», jusque-là masculin.* **3.** Action par laquelle on donne un équivalent féminin à un mot masculin; résultat de cette action: *L'O.L.F. favorise la féminisation des noms de titres et de fonctions.* ☞ féminin.

féminisme n.m. Doctrine qui a pour objet l'amélioration et l'extension du rôle et des droits des femmes dans la société: *Le féminisme croit à l'égalité des hommes et des femmes.* ☞ féminin.

féministe n. et adj. **1.** n. Personne qui est en faveur du féminisme, qui travaille à l'amélioration et à l'extension des droits des femmes dans la société: *Les féministes veulent améliorer la condition des femmes dans la société.* **2.** adj. Qui se rapporte au féminisme: *Le mouvement féministe regroupe toutes les personnes qui réclament des droits égaux pour les femmes.* ☞ féminin.

féminité n.f. Ensemble des caractères qui sont considérés traditionnellement comme féminins, comme propres à la femme: *On a longtemps cru, à tort, que le charme et la douceur étaient des signes de féminité.* ANT. masculinité. ☞ féminin.

femme n.f. **1.** Être humain du sexe féminin: *Dans cette assemblée, il y a autant de femmes que d'hommes.* ANT. homme. **2.** Être humain adulte du sexe féminin: *Ce n'est plus une adolescente, c'est une femme.* **3.** Épouse: *La femme de monsieur Genest est venue me voir.* ANT. époux. ⁄⁄ *Femme d'affaires:* Femme qui s'occupe d'activités économiques, financières ou commerciales. *Femme de ménage:* Personne employée pour faire le ménage dans une maison, un bureau, etc. **R.** Le premier *e* se prononce *a*. Au masculin, *homme.* ☞ femmelette.

fé**min**ité fe**mme**

femmelette n.f. **1.** vx Femme faible, sans force: *Ne me prenez pas pour une femmelette!* **2.** Homme faible, craintif: *Il n'a pas d'énergie, c'est une femmelette.* **R.** Le premier *e* se prononce *a.* ☞ femme.

fémur n.m. Os long de la cuisse: *Le fémur est le plus fort de tous les os du corps.*

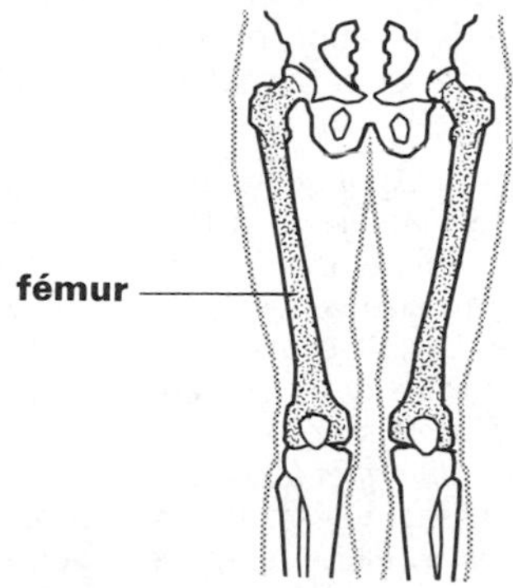

fenaison n.f. Coupe et récolte des foins: *Toute la famille travaille aux champs pendant le temps de la fenaison.*

fendillement n.m. Fait de se fendiller, de faire des petites fissures à quelque chose: *Le fendillement du sol est causé par la sécheresse.* ☞ fendre.

fendiller v. Faire de petites fissures à quelque chose: *Le froid intense des derniers jours a fendillé ces pierres.* SYN. crevasser. ☞ fendre. se **fendiller** v.pron. Se couvrir de petites fissures: *Il n'a pas plu depuis longtemps: le sol se fendille.* SYN. se crevasser.

fendre v. **1.** Couper quelque chose dans le sens de la longueur: *Dominique fend une bûche avec une hache.* ANT. assembler. **2.** Se faire un chemin à travers quelque chose: *Les gardes du corps de la ministre ont dû fendre la foule pour lui permettre de quitter les lieux.* SYN. écarter. **3.** fig. Faire beaucoup de chagrin: *Je ne peux pas le voir souffrir: cela me fend le cœur.* SYN. briser, déchirer. ⁄⁄ *Geler à pierre fendre:* Geler si fort que la pierre se fend. ☞ fendillement, fendiller, fendre, fente, refendre. se **fendre** v.pron. **1.** S'ouvrir, se couvrir de fissures: *La porte de l'armoire s'est fendue.* SYN. se crevasser. ANT. réunir. **2.** fig. Se briser: *Son cœur battait très fort et se fendait de chagrin.*

fendu, ue adj. **1.** Qui est coupé dans le sens de la longueur: *Apporte une brassée de bois fendu.* **2.** Qui présente une fente: *Cette jupe est fendue sur le côté.* SYN. ouvert. **3.** Qui présente une entaille: *En tombant, elle a eu la lèvre fendue.* **4.** Qui est ouvert en longueur: *Elle avait la bouche fendue jusqu'aux oreilles.* ☞ fendre.

fenêtre n.f. (lat.) **1.** Ouverture pratiquée dans un mur pour laisser entrer l'air et la lumière: *Il y a quatre fenêtres dans la classe.* **2.** Cadre vitré mobile qui ferme cette ouverture: *J'ai fermé la fenêtre pour couper le courant d'air.* ⁄⁄ *Enveloppe à fenêtre:* Enveloppe dans laquelle on a découpé un rectangle permettant de voir l'adresse écrite sur la lettre. **R.** Ne pas oublier l'accent: *ê.* ☞ porte-fenêtre.

fenil n.m. Lieu où l'on entasse le foin: *En entrant dans le fenil, on respire l'odeur du foin coupé.* **R.** Le *l* peut se prononcer ou non.

fennec n.m. (arabe) Mammifère carnivore d'Afrique, aux longues oreilles, qu'on appelle aussi «renard des sables»: *Le fennec est un animal nocturne qui se nourrit de rongeurs, de reptiles et d'insectes.*

fenouil n.m. Plante aromatique utilisée comme légume ou comme épice: *Papa nous a préparé un délicieux plat de poisson au fenouil.*

fente n.f. **1.** Fissure à la surface de quelque chose: *L'écorce terrestre est parsemée de fentes.* SYN. crevasse. **2.** Ouverture longue et étroite pratiquée dans quelque chose: *Gilles glisse l'enveloppe dans la fente de la boîte aux lettres.* ☞ fendre.

fer n.m. **1.** Métal gris-blanc: *Le fer est très utilisé dans l'industrie sous forme d'alliages, d'aciers et de fontes.* **2.** Objet, instrument en fer ou en acier, muni d'une poignée, qui une fois chaud sert à repasser le linge: *Daniel repasse sa chemise avec un fer à repasser.* **3.** Partie métallique tranchante d'une arme ou d'un outil: *Le fer du harpon transperça le corps de la baleine.* **4.** Pièce de métal en forme de U qui sert à garnir les sabots des chevaux: *Le cheval a perdu un de ses fers.* **5.** Petit morceau de métal servant à renforcer les bouts de la semelle d'une chaussure: *La cordonnière a posé des fers à mes bottes.* **6.** fig. Ce qui est robuste, solide: *Elle a une santé de fer.* SYN. fort, résistant. HOM. faire. ⁄⁄ *En fer à*

cheval: En forme de demi-cercle. *Fer à friser:* Instrument servant à friser les cheveux. *Fer à souder:* Instrument utilisé pour faire fondre de la soudure. *Fer à vapeur:* Fer à repasser muni d'un réservoir d'eau permettant d'humidifier le tissu. ☞ déferrer, ferrage, ferraille, ferrailleur, ferré, ferrer, ferreux, ferrure.

fer-blanc n.m. Tôle d'acier recouverte d'une mince couche d'étain: *Elle a rangé les biscuits dans une boîte en fer-blanc.* **R.** Au pluriel, *fers-blancs*.

férié, ée adj. Qui est chômé: *Noël et le premier janvier sont des jours fériés.* ANT. ouvrable.

ferme n.f. **1.** Exploitation agricole: *J'aimerais passer mes vacances dans une ferme.* **2.** Bâtiments de cette exploitation agricole: *Les vaches rentrent à la ferme pour la traite du soir.* ☞ fermette, fermier.

ferme adj. **1.** Qui est consistant sans être trop dur: *Les tomates sont fermes: elles ne sont pas trop mûres.* ANT. mou. **2.** Qui est solide: *Katy n'a qu'un an, mais elle est déjà ferme sur ses pieds.* ANT. chancelant, vacillant. **3.** Qui est assuré, décidé: *Jean récite ses leçons d'une voix ferme.* ANT. hésitant. **4.** fig. Qui fait preuve d'autorité: *Cette mère de famille est très ferme avec ses enfants.* SYN. énergique, tenace. ANT. faible. **5.** fig. Qui est définitif: *Quand on a fait un achat ferme, on ne peut revenir en arrière.* ⁄⁄ *De pied ferme:* Sans reculer. *Terre ferme:* Sol du rivage, du continent. ☞ affermir, affermissement, fermement, fermeté, raffermir, raffermissement.

ferme adv. **1.** Avec vigueur: *Nous avons discuté ferme et nous les avons convaincus.* SYN. intensément. **2.** Beaucoup: *Il a travaillé ferme pour obtenir ce résultat.*

fermé, ée adj. **1.** Qui n'est pas ouvert: *Tu ne peux pas entrer, la porte est fermée à clé.* **2.** En géométrie, qui limite une surface: *Le cercle est une courbe fermée.* **3.** Qui ne laisse rien transparaître: *Je ne peux pas savoir ce qu'il pense: il a le visage fermé.* **4.** Qui est insensible à, inaccessible: *Elle a le cœur fermé à la pitié.* ANT. sensible. **5.** fig. Qui n'est pas facile d'accès: *Ils font partie d'un club fermé.* HOM. fermer. ☞ fermer.

fermement adv. **1.** Solidement: *Dany tient fermement la tasse dans ses mains.* **2.** Avec assurance: *Elle a fermement exprimé son opinion.* **3.** Avec conviction: *Nous croyons fermement que tu remporteras la victoire.* ☞ ferme.

ferment n.m. **1.** Substance qui provoque la fermentation: *La levure est un ferment.* SYN. levain. **2.** fig. Ce qui provoque ou entretient une idée, un sentiment: *Ce règlement injuste fut un ferment de discorde.* ☞ fermenter.

fermentation n.f. Transformation d'une substance organique sous l'action d'un ferment ou d'une bactérie: *Le yogourt est un produit de la fermentation du lait.* ☞ fermenter.

fermenter v. Se transformer sous l'action d'un ferment ou d'une bactérie: *Le jus de raisin fermente et se transforme en vin.* ☞ ferment, fermentation.

fermer v. **1.** Appliquer un objet sur une ouverture de manière à la boucher: *Marie-Claire ferme la fenêtre et la porte.* ANT. ouvrir. **2.** Clore ce qui est ouvert, en rabattant la porte, le couvercle: *La voyageuse ferme sa valise.* **3.** Réunir les parties de quelque chose de manière à ne plus laisser d'ouverture: *Bébé est très fatigué: il ferme les yeux.* **4.** Interdire l'accès, le passage: *Les frontières de ce pays sont fermées.* **5.** Faire cesser le fonctionnement de quelque chose: *Ferme la radio quand tu seras dans la cuisine.* SYN. arrêter. **6.** Replier: *Fermez vos livres et vos cahiers.* **7.** Ne pas être ouvert: *La plupart des magasins ferment le dimanche.* **8.** Pouvoir être fermé: *La porte de la classe ferme mal.* HOM. fermé. ⁄⁄ *Fermer la marche:* Marcher le dernier. ☞ fermé, fermeture, fermoir, refermer. **se fermer** v.pron. **1.** Devenir fermé: *J'ai bloqué la porte car elle se ferme toute seule.* **2.** Pouvoir être fermé: *Cette blouse se ferme dans le dos.* **3.** Refuser l'accès à quelqu'un ou à quelque chose: *Plusieurs pays se ferment à l'immigration.* ANT. s'ouvrir.

fermeté n.f. **1.** État de ce qui est consistant: *Ce fromage a de la fermeté.* ANT. mollesse. **2.** État de ce qui est solide: *Avant de construire une maison, il faut s'assurer de la fermeté du sol.* **3.** État de ce qui est assuré, décidé: *La fermeté du geste compte beaucoup lors d'une opération chirurgicale.* SYN. assurance, détermination. ANT. faiblesse. **4.** Énergie morale, courage: *J'admire sa fermeté de caractère.* SYN. force, sang-froid. ANT. indécision. **5.** Autorité: *Ils élèvent leurs enfants avec fermeté.* ☞ ferme.

fermette n.f. Petite ferme: *Elle a acheté une fermette dans l'Estrie.* ☞ ferme.

fermeture n.f. **1.** Dispositif servant à fermer: *La fermeture de ma jupe s'est coincée.* **2.** État de ce qui est fermé: *La pancarte indique les heures de fermeture du magasin.* ANT. ouverture. ⁄⁄ *Fermeture éclair:* Fermeture à glissière formée de deux rubans dentelés dont les dents s'emboîtent au moyen d'un curseur. ☞ fermer.

fermier, ière n. et adj. **1.** n. Personne qui cultive la terre, qui vit sur une ferme: *La fermière travaille dans les champs.* SYN. cultivateur. **2.** adj. Qui est relatif à la ferme: *Vous pouvez dès maintenant acheter plusieurs produits fermiers.* ☞ ferme.

fermoir n.m. Attache ou agrafe qui permet de fermer un collier, un sac, un livre: *Le fermoir de son sac à main est doré.* ☞ fermer.

féroce adj. **1.** Qui est cruel par nature: *Une bête féroce a dévoré la pauvre gazelle.* SYN. sauvage. **2.** Qui est sans pitié, cruel: *Une gardienne féroce maltraitait les prisonnières.* SYN. impitoyable, inhumain. ANT. doux, inoffensif. **3.** Qui est très dur, méchant: *Cette caricature est féroce.* **4.** Qui est très grand, qui est d'un degré extrême: *Cet enfant a un appétit féroce.* ☞ férocement, férocité.

férocement adv. D'une manière féroce, cruelle: *Le chien m'a mordu férocement.* SYN. cruellement. ☞ féroce.

férocité n.f. **1.** Cruauté naturelle d'un animal: *Les humains craignent le tigre pour sa férocité.* ANT. douceur. **2.** Caractère cruel de quelqu'un: *Ce dictateur a réprimé la révolte des citoyens avec férocité.* SYN. dureté. ANT. bonté. **3.** Très grande violence: *J'ai été choquée par la férocité du combat entre ces deux adversaires.* SYN. brutalité. ☞ féroce.

ferrage n.m. **1.** Opération qui consiste à poser des fers aux sabots d'un cheval: *Le ferrage des chevaux était confié au maréchal-ferrant.* **2.** Opération qui consiste à garnir un objet de pièces de métal pour le renforcer: *Le ferrage de la roue prolongera la durée de celle-ci.* ☞ fer.

ferraille n.f. **1.** Vieux morceaux de fer inutilisables: *Il y a un tas de ferraille dans la cour du voisin.* **2.** Commerce de vieux métaux: *Tu peux mettre cet engin à la ferraille.* ⁄⁄ *Bruit de ferraille:* Bruit sourd et confus d'objets en métal que l'on frappe. ☞ fer.

ferrailleur n.m. Personne qui fait le commerce de la ferraille: *Le ferrailleur récupère et vend les vieux morceaux de fer inutilisables.* ☞ fer.

ferré, ée adj. **1.** Qui est garni de fer: *Tes souliers ferrés risquent d'endommager le linoléum.* **2.** Qui se rapporte au chemin de fer: *Le train roule sur la voie ferrée.* ☞ fer. ▲ **ferré, ée** adj.fam. Qui a beaucoup de connaissances sur un sujet: *Donald est très ferré en histoire.* SYN. fort, instruit. ANT. ignorant. HOM. ferrer.

ferrer v. **1.** Garnir un objet de fer: *Le cordonnier a ferré les talons de mes souliers.* **2.** Clouer des fers aux sabots des chevaux, des bœufs, des ânes, des mulets: *La cavalière a fait ferrer son cheval.* ☞ fer. ▲ **ferrer** v. Accrocher un poisson à l'hameçon en donnant une légère secousse à la ligne: *Regarde! Ces personnes sont en train de ferrer des poissons.* HOM. ferré. ☞ fer.

ferreux, euse adj. Qui contient du fer: *Le cuivre et le bronze sont des métaux non ferreux.* ☞ fer.

ferroviaire adj. (it.) Qui se rapporte aux chemins de fer: *Connais-tu le nom d'une compagnie ferroviaire?*

ferrure n.f. **1.** Garniture de fer ou de métal: *Les ferrures de la porte sont rouillées.* **2.** Manière de ferrer les chevaux, les ânes, les mulets, les bœufs: *Le maréchal-ferrant s'y connaît dans la ferrure des chevaux.* ☞ fer.

fertile adj. **1.** Qui donne des récoltes abondantes: *Les terres de la vallée du Richelieu sont très fertiles.* SYN. productif. ANT. aride, inculte. **2.** Qui est capable de procréer: *Cette femelle est très fertile.* **3.** fig. Qui produit en grande quantité: *Ce fut une année fertile en événements heureux.* SYN. fécond. ANT. pauvre. **4.** fig. Qui est très inventif: *Louise a une imagination fertile.* ANT. infertile. ☞ fertilisable, fertilisant, fertilisation, fertiliser, fertilité, infertile.

fertilisable adj. Qui peut être fertilisé, rendu productif: *Ces champs sont fertilisables.* ☞ fertile.

fertilisant n.m. Produit qui rend une terre productive: *Les engrais sont des fertilisants.* ☞ fertile.

fertilisant, ante adj. Qui rend le sol productif: *Les produits fertilisants améliorent la nutrition des végétaux.* ☞ fertile.

fertilisation n.f. Opération visant à rendre un sol productif: *Les engrais servent à la fertilisation du sol.* ANT. épuisement. ☞ fertile.

fertiliser v. Rendre un sol productif: *Les cendres et le fumier fertilisent la terre.* SYN. améliorer. ANT. épuiser. ☞ fertile.

fertilité n.f. **1.** Qualité d'un sol qui donne des récoltes abondantes: *On peut améliorer la fertilité du sol en y ajoutant des engrais.* SYN. fécondité. ANT. aridité, stérilité. **2.** fig. Grande abondance: *Il faut une grande fertilité d'imagination pour écrire des contes.* SYN. richesse. ANT. pauvreté. ☞ fertile.

féru, ue adj. Qui est passionné de quelque chose ou de quelqu'un: *Cette étudiante est férue de sciences naturelles.* SYN. épris.

fervent, ente n. et adj. **1.** n. Personne qui aime beaucoup quelqu'un ou quelque chose: *Ma mère est une fervente du cinéma.* SYN.

admirateur, fanatique. **2.** adj. Qui est passionné, enthousiaste : *C'est un de vos fervents admirateurs.* ANT. froid, indifférent. **3.** adj. Qui est rempli de ferveur, de piété : *Avant de se coucher, elle adresse au ciel une fervente prière.* SYN. dévot. ☞ ferveur.

ferveur n.f. **1.** Dévotion, grande piété : *Ce garçon prie avec ferveur pour la guérison de sa petite sœur.* ANT. indifférence. **2.** Enthousiasme, ardeur : *Cette grande compositrice a mis beaucoup de ferveur dans ses œuvres.* ANT. froideur. ☞ fervent.

fesse n.f. Chacune des deux parties charnues du derrière de l'être humain et de certains animaux : *David a glissé et il est tombé sur les fesses.* ☞ fessée, fesser, fessier.

fessée n.f. Coups donnés sur les fesses : *Claudia a reçu une bonne fessée.* HOM. fesser. ☞ fesse.

fesser v. Donner des coups sur les fesses : *Même si tu le fesses, cela ne le rendra pas plus obéissant.* SYN. battre, frapper. HOM. fessée. ☞ fesse.

fessier n.m.fam. Ensemble des deux fesses, derrière : *Assieds-toi sur ton fessier.* ☞ fesse.

fessier, ière adj. Qui se rapporte aux fesses : *La région fessière occupe la partie arrière de la hanche.* ☞ fesse.

festin n.m. (it.) **1.** Repas de fête au menu soigné : *Ils ont préparé un festin en l'honneur des nouveaux mariés.* SYN. banquet. **2.** fig. Excellent repas : *Ton repas était un véritable festin !* ☞ festoyer.

festival, als n.m. **1.** Manifestation musicale : *Le Festival international de jazz de Montréal a beaucoup de succès.* **2.** Série de représentations consacrées aux œuvres d'un art ou d'un artiste : *Ce film a été très remarqué au Festival des films du monde.* ☞ festivalier.

festivalier, ière n. et adj. **1.** n. Personne qui assiste à un festival : *Les festivaliers étaient nombreux et enthousiastes.* **2.** adj. Qui se rapporte à un festival : *L'été est la saison festivalière par excellence.* ☞ festival.

festivités n.f.plur. Fêtes, réjouissances : *De nombreuses festivités ont marqué la célébration du 250e anniversaire de la ville.*

feston n.m. (it.) **1.** Ornement fait de guirlandes de fleurs et de feuilles suspendues en forme d'arc : *Les murs de la salle de bal étaient décorés de festons.* **2.** En couture, bordure brodée et dentelée : *Le col de cette blouse est bordé de festons.* ☞ festonner.

festonner v. **1.** Orner de guirlandes de fleurs et de feuilles suspendues en forme d'arc : *Les organisateurs de la fête ont festonné les murs de la grande salle.* **2.** Orner d'une bordure brodée et dentelée : *Tamara festonne une nappe et des napperons.* ☞ feston.

festoyer v. Participer à une fête, à un festin : *Aux noces d'or de mes grands-parents, plus de deux cents invités ont festoyé ensemble.* ☞ festin.

fêtard, arde n.fam. et péj. Personne qui aime faire la fête : *Les fêtards ont fait du vacarme pendant toute la nuit.* **R.** Ne pas oublier l'accent : *ê*. Le féminin est rarement employé. ☞ fête.

fête n.f. **1.** Jour consacré à célébrer un événement religieux ou civil : *Le 24 juin est la fête nationale des Québécois ; Pâques est une fête religieuse.* SYN. célébration. **2.** Réjouissances organisées en l'honneur de quelqu'un ou de quelque chose : *À la Saint-Valentin, les enfants ont participé à une fête à l'école.* SYN. festivités. **3.** Jour de la fête du saint dont on porte le nom : *Le 6 décembre, il faudrait souhaiter « Bonne fête » à tous les Nicolas, puisque c'est la fête de saint Nicolas.* SYN. commémoration. HOM. faîte. ⁄⁄ *Air de fête :* Air gai. **R.** Ne pas oublier l'accent : *ê*. N'a pas le sens de *anniversaire*. ☞ fêtard, fêter.

fêter v. **1.** Marquer, célébrer par une fête : *Les enfants ont fêté l'anniversaire de mariage de leurs parents.* **2.** Accueillir chaleureusement quelqu'un : *Toute la classe a fêté Étienne quand il est revenu après une longue absence.* **R.** Ne pas oublier l'accent : *ê*. ☞ fête.

fétiche n.m. Objet auquel on attribue des pouvoirs magiques et bénéfiques : *Elle ne se sépare jamais de son petit éléphant en ivoire : c'est son fétiche.* SYN. amulette, porte-bonheur.

fétide adj. Qui dégage une odeur répugnante : *L'eau des marais dégage une odeur fétide.* SYN. malodorant, nauséabond, puant.

fétu n.m. Brin de paille : *Si tu sors par ce vent, tu seras emporté comme un fétu.*

feu, feux n.m. **1.** Dégagement de chaleur, de lumière et de flammes produit par la combustion du bois, du charbon et d'autres corps : *Il ne faut pas jouer avec le feu.* **2.** Matières rassemblées et allumées pour produire de la chaleur, de la lumière et des flammes : *Les gens font une ronde autour du feu de la Saint-Jean.* SYN. brasier, foyer. **3.** Incendie : *Appelez les pompiers : le feu s'est attaqué à la maison.* **4.** Source de chaleur pour la cuisson des aliments : *Faites mijoter la crème de poireaux à feu doux.* SYN. combustion. **5.** Allumette, briquet : *Quelqu'un a-t-il du feu pour allumer ma cigarette ?* ⁄⁄ *Feu de* *camp:* Feu allumé dans un camp, autour duquel on danse et on chante. *Feu de joie:* Feu allumé en plein air à l'occasion d'une fête, d'une réjouissance. ☞ contre-feu. ▲ **feu, feux** n.m. Décharge d'une arme ; tir, combat : *L'armée a reçu l'ordre de faire feu.* ⁄⁄ *Arme à feu:* Pistolet, mitrailleuse, fusil, etc. *Coup de feu:* Décharge d'une arme à feu. ▲ **feu, feux** n.m. **1.** Signal lumineux pour régler la circulation routière: *L'automobiliste a brûlé un feu rouge.* **2.** Lumière, éclairage: *Les artistes font leurs numéros sous les feux des projecteurs.* **3.** Signal lumineux d'un véhicule, d'un navire, etc. : *Pour signaler qu'elle est en panne, l'automobiliste a allumé les feux clignotants.* ⁄⁄ *Feux de circulation:* Feux vert, jaune et rouge qui règlent la circulation routière. ▲ **feu, feux** n.m. Sensation de très grande chaleur: *Quand elle est en colère, le feu lui monte au visage.*

feuillage n.m. **1.** Ensemble des feuilles d'un arbre, d'une plante de grande taille: *En automne, les érables et les bouleaux perdent leur feuillage.* SYN. verdure. **2.** Branches coupées couvertes de feuilles: *Les campeurs se sont fait un lit de feuillage.* ☞ feuille.

feuillaison n.f. Renouvellement annuel des feuilles : *Le printemps est arrivé quand on remarque les premiers indices de la feuillaison.* ☞ feuille.

feuille n.f. Partie d'un végétal, généralement plate et verte, par laquelle la plante respire : *En automne, les feuilles des érables deviennent multicolores.* ⁄⁄ *Feuilles mortes:* Feuilles qui tombent parce qu'elles manquent de sève. ☞ défoliant, effeuillaison, effeuiller, feuillage, feuillaison, feuillu, unifolié. ▲ **feuille** n.f. **1.** Morceau de papier d'une certaine grandeur: *Reproduis ton dessin sur une feuille blanche.* **2.** Plaque mince d'une matière quelconque: *La menuisière a acheté cinq feuilles de contreplaqué.* ☞ feuillet, feuilleté, feuilleter, feuilleton.

feuillet n.m. Feuille d'un livre ou d'un cahier utilisée sur les deux faces : *Cédric tourne les feuillets de son livre.* ☞ feuille.

feuilleté n.m. Aliment fait de pâte feuilletée, de minces feuilles de pâte superposées: *Le vol-au-vent et le millefeuille sont des feuilletés.* HOM. feuilleter. ☞ feuille.

feuilleté, ée adj. **1.** Qui est fait de lames minces superposées : *Le mica a une structure feuilletée.* **2.** Qui est fait de minces feuilles de pâte superposées: *Le millefeuille est fait de pâte feuilletée.* HOM. feuilleter. ☞ feuille.

feuilleter v. Tourner les pages d'un livre, d'un cahier, en les regardant rapidement et un peu au hasard: *Viviane feuillette une revue.* SYN. parcourir. ☞ feuille. ▲ **feuilleter** v. Travailler la pâte pour obtenir de la pâte feuilletée, de minces feuilles de pâte superposées : *Je trouve qu'il est difficile de feuilleter la pâte!* HOM. feuilleté. **R.** Ne pas oublier de doubler le *t* devant un *e* muet. ☞ feuille.

feuilleton n.m. Histoire présentée en épisodes, par fragments dans un journal, à la radio, à la télévision : *Les feuilletons télévisés sont très populaires au Québec.* ⁄⁄ *Roman-feuilleton:* Roman publié par fragments dans un journal. ☞ feuille.

feuillu n.m. Arbre qui porte des feuilles, par opposition aux conifères : *Le chêne, le hêtre et l'orme sont des feuillus.* ☞ feuille.

feuillu, ue adj. **1.** Qui porte des feuilles : *Le sapin n'est pas un arbre feuillu.* **2.** Qui a beaucoup de feuilles : *Le chêne est très feuillu cette année.* SYN. touffu. ☞ feuille.

feulement n.m. **1.** Cri du tigre: *Le feulement du tigre sème la terreur dans le troupeau d'antilopes.* **2.** Grognement du chat en colère : *N'approche pas du chat quand il fait entendre son feulement.* ☞ feuler.

feuler v. **1.** Crier, en parlant du tigre : *Le tigre feule pour éloigner un ennemi.* **2.** Grogner, en parlant d'un chat: *Le chat feule: il vient d'apercevoir un autre chat sur son territoire.* ☞ feulement.

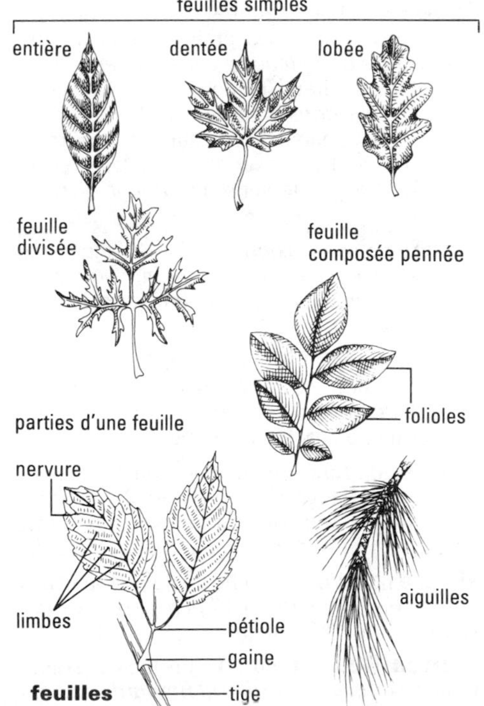

feutre n.m. **1.** Étoffe non tissée et épaisse faite de laine ou de poil qu'on presse et qu'on colle : *Roger a mis des semelles de feutre dans ses bottes.* **2.** Chapeau de feutre : *Le maire était coiffé d'un feutre gris.* **3.** Crayon, stylo dont la pointe est faite de feutre ou de nylon : *Lucie dessine une pancarte avec un feutre rouge.* **R.** Aussi, *crayon feutre* ou *crayon-feutre.* ☞ feutré, feutrer, feutrine.

feutré, ée adj. **1.** Qui est garni de feutre : *La selle feutrée est très confortable.* **2.** Qui a l'apparence du feutre : *Ce lainage feutré n'est plus portable : il a rétréci au lavage.* **3.** fig. Qui est amorti, étouffé : *Pour ne pas réveiller ses parents, Grégoire marche à pas feutrés dans la cuisine.* HOM. feutrer. ☞ feutre.

feutrer v. **1.** Garnir de feutre, d'une étoffe faite de laine ou de poil : *La cavalière a fait feutrer une selle.* **2.** Donner l'apparence du feutre : *Un lavage en eau chaude fait feutrer les lainages.* **3.** fig. Amortir, étouffer un bruit, un son : *La neige feutre le bruit de nos pas.* HOM. feutré. ☞ feutre. se **feutrer** v.pron. Prendre l'apparence du feutre, en parlant des lainages : *Mon chandail de laine s'est feutré au lavage.*

feutrine n.f. Feutre mince, léger, qu'on utilise en couture ou en décoration : *Les élèves découpent des bas de Noël dans de la feutrine.* ☞ feutre.

fève n.f. **1.** Plante annuelle, voisine du haricot, cultivée pour ses graines comestibles : *Les graines de la fève se consomment vertes ou sèches.* **2.** Graine de cette plante : *Pascal a trouvé la fève dans la galette des Rois.* ⁄⁄ *Fèves au lard :* Au Canada, plat de haricots secs cuits au four à petit feu, avec de la mélasse et du lard. **R.** N'a pas le sens de *haricot* (vert ou jaune).

février n.m. Deuxième mois de l'année : *Le mois de février compte vingt-huit jours les années ordinaires et vingt-neuf jours les années bissextiles.*

fi ! interj.vx Mot qui exprime le dédain, le mépris : *Fi donc ! Que ce plat est dégoûtant !* ⁄⁄ *Faire fi de quelque chose :* Mépriser quelque chose, ne pas en tenir compte.

fiable adj. **1.** En qui on peut avoir confiance : *Sandra est une gardienne fiable.* **2.** Qui offre des garanties de fonctionnement, qui fonctionne bien : *Cette machine à laver est fiable.*

fiacre n.m. Voiture à cheval qu'on louait à la course ou à l'heure : *Les fiacres sont les ancêtres de nos taxis actuels.*

fiançailles n.f.plur. **1.** Promesse solennelle de mariage : *Martine et Bernard nous ont annoncé leurs fiançailles.* **2.** Temps qui s'écoule entre cette promesse et le mariage : *Ils ont été séparés au début de leurs fiançailles.* **R.** Ne pas oublier la cédille. ☞ fiancé.

fiancé, ée n. Personne qui s'est engagée à épouser quelqu'un : *Les deux fiancés se marieront dans six mois.* HOM. fiancer. ☞ fiançailles, fiancer.

fiancer v. Promettre en mariage : *Autrefois, les parents pouvaient fiancer leurs enfants sans leur consentement.* HOM. fiancé. ☞ fiancé. se **fiancer** v.pron. S'engager à épouser : *Louise et Angelo se sont fiancés à Pâques.*

fiasco n.m. (it.) Échec complet : *Ce film est un fiasco.* SYN. insuccès. ANT. réussite, succès, triomphe.

fibre n.f. **1.** Filament ou cellule allongée qui se trouve dans certaines substances comme la viande, le bois, les muscles : *La fibre de bois sert à la fabrication du carton et du papier.* **2.** Substance formée de filaments, d'origine naturelle ou non, susceptible d'être filée ou tissée : *La laine est une fibre textile d'origine animale tandis que le coton est d'origine végétale.* **3.** fig. Disposition à éprouver certains sentiments : *Ce discours fait vibrer la fibre patriotique des Québécois.* SYN. sentiment. ⁄⁄ *Fibre de verre :* Filament utilisé dans l'isolation thermique. *Fibre optique :* Cylindre de très petit diamètre utilisé en télécommunication. *Fibre synthétique :* Nylon, orlon, polyester, tergal. ☞ défibrage, fibreux.

fibreux, euse adj. Qui contient des fibres : *On nous a servi de la viande fibreuse.* ☞ fibre.

fibrome n.m. Tumeur sans gravité formée de tissu fibreux : *Tante Huguette s'est fait opérer d'un fibrome.*

ficelage n.m. Action de ficeler ; son résultat : *Le ficelage de ce colis est bien fait.* ☞ ficelle.

ficelé, ée adj. Qu'on a attaché avec une ficelle : *Le rôti est bien ficelé : tu peux le mettre au four.* HOM. ficeler. ☞ ficelle.

ficeler v. Attacher avec une ficelle : *Danny m'a aidé à ficeler le paquet.* ANT. défaire, déficeler. HOM. ficelé. **R.** Ne pas oublier de doubler le *l* devant un *e* muet. ☞ ficelle.

ficelle n.f. Corde très mince : *J'attacherai ce colis avec de la ficelle.* ☞ déficeler, ficelage, ficelé, ficeler.

fiche n.f. Morceau de carton, feuille cartonnée servant à noter des renseignements en vue d'un classement : *Je note sur des fiches les renseignements qui me serviront dans ma recherche.* ☞ ficher, fichier. ▲ **fiche** n.f. Pièce amovible formée de tiges métalliques qu'on enfonce dans les douilles d'une prise de courant: *Gaétan enfonce la fiche dans la prise électrique.*

ficher v. **1.** Inscrire quelque chose sur une fiche: *Le bibliothécaire a fiché les renseignements concernant tous les livres.* SYN. noter. **2.** Inscrire le nom d'une personne dans un fichier pour la surveiller: *La policière a fiché les membres de ce groupe.* ☞ fiche. ▲ **ficher** v. Enfoncer quelque chose par la pointe: *Cathy a fiché un clou dans le mur.* SYN. clouer, planter. ANT. arracher, déclouer. ▲ **ficher** v.fam. **1.** Faire: *La journée a été longue: je n'ai rien fichu de la journée.* **2.** Mettre: *Si tu n'arrêtes pas, je vais te ficher à la porte.* **3.** Donner: *Elle a osé me ficher une gifle.* ⁄⁄ *Fiche le camp:* Va-t'en. *Fiche-moi la paix:* Laisse-moi tranquille. se **ficher** v.pron.fam. Se moquer: *Je me fiche pas mal de ce que tu penses de moi.* ANT. s'intéresser. ⁄⁄ *Je m'en fiche:* Cela m'est égal. **R.** Participe passé, *fichu.*

fichier n.m. **1.** Boîte, meuble contenant des fiches: *N'oublie pas de refermer le couvercle de mon fichier.* **2.** Ensemble de fiches: *Consulte le fichier de la bibliothèque.* ☞ fiche.

fichu n.m. Morceau d'étoffe triangulaire dont les femmes se couvrent la tête ou les épaules: *Ces vieilles femmes portent un fichu noir sur la tête.* SYN. châle.

fichu, ue adj.fam. **1.** Qui est désagréable: *Tu as un fichu caractère.* SYN. détestable. **2.** Qui est en mauvais état: *Ma bicyclette est fichue.* SYN. perdu. **3.** Qui est capable de faire quelque chose: *Il n'est pas fichu de se débrouiller tout seul.* ⁄⁄ *Mal fichu:* Souffrant, un peu malade.

fictif, ive adj. Qui est imaginaire, inventé: *Les personnages de ce film sont fictifs: ils n'ont jamais existé.* SYN. fabuleux. ANT. effectif, réel. ☞ fiction, fictivement.

fiction n.f. **1.** Fait imaginé, inventé: *On dit souvent que la réalité dépasse la fiction.* SYN. mensonge. ANT. vérité. **2.** En littérature, création de l'imagination: *Les contes et les romans sont des œuvres de fiction.* SYN. invention. ANT. réalité. ☞ fictif.

fictivement adv. D'une façon fictive, imaginaire: *Elle nous a décrit fictivement la vie sur la planète Mars.* ☞ fictif.

fidèle n. **1.** Personne qui pratique une religion: *Les fidèles se rendent à la messe.* SYN. croyant. ANT. incroyant. **2.** Personne qui montre de la fidélité, un attachement constant: *Les fidèles du gouvernement lui ont accordé un autre mandat.* SYN. partisan. **3.** Personne qui fait habituellement ses achats à un endroit: *C'est une fidèle des centres commerciaux.* SYN. client.

fidèle adj. **1.** Qui ne manque pas à ses engagements: *Les membres du parti sont restés fidèles à leur chef.* SYN. dévoué, loyal. ANT. déloyal, infidèle. **2.** Dont les sentiments ne changent pas: *Sylvain est un ami fidèle.* SYN. sincère, sûr, vrai. ANT. inconstant, infidèle. **3.** Qui est constant dans sa vie de couple: *Il est fidèle à sa femme.* **4.** Qui est exact, vrai: *Elle m'a fait un récit fidèle de ce qui est arrivé.* SYN. conforme. ANT. incorrect, inexact. ⁄⁄ *Mémoire fidèle:* Mémoire qui retient avec exactitude. ☞ fidèlement, fidélité, infidèle, infidèlement, infidélité.

fidèlement adv. **1.** D'une manière fidèle, loyale: *Ses ministres l'ont servie fidèlement.* SYN. loyalement. **2.** D'une manière fidèle, exacte: *Michelle a traduit fidèlement ce texte.* SYN. exactement, scrupuleusement. ☞ fidèle.

fidélité n.f. **1.** Qualité d'une personne qui ne manque pas à ses engagements: *Il ne faut jamais manquer de fidélité à ses promesses.* **2.** Attachement constant: *La fidélité d'un ami est un cadeau précieux.* SYN. dévouement. ANT. inconstance, infidélité. **3.** Qualité d'une personne qui est constante dans sa vie de couple: *Elle fait preuve de fidélité à l'endroit de son mari.* **4.** Exactitude, vérité: *Je doute de la fidélité de ce récit.* SYN. véracité. ANT. inexactitude, mensonge. ⁄⁄ *Haute fidélité:* Radio, télévision, électrophone qui reproduit fidèlement les sons ou les images. ☞ fidèle.

fid**è**le fid**è**lement fid**é**lité

fieffé, ée adj. Qui a un vice ou un défaut au dernier degré: *Cette fillette est une fieffée menteuse.*

fiel n.m. **1.** Bile de certains animaux: *Le fiel est un liquide amer qui se trouve dans le foie des volailles et des animaux de boucherie.* **2.** fig. Méchanceté, animosité: *Ses commentaires étaient pleins de fiel.* SYN. aigreur. ANT. bienveillance, bonté. ☞ fielleux.

fielleux, euse adj. Qui est plein de méchanceté, d'animosité: *N'écoute pas ces paroles fielleuses.* SYN. haineux, méchant. ANT. bienveillant. ☞ fiel.

fiente n.f. Excrément des oiseaux: *Les fientes des pigeons détériorent les monuments.*

se **fier** v.pron. Avoir confiance en quelqu'un ou en quelque chose: *On peut se fier à Dolorès: c'est une fille franche.* SYN. s'abandonner. ANT. se défier, se méfier.

fier, fière adj. **1.** Qui est hautain, méprisant: *Sa fortune la rend fière et orgueilleuse.*

SYN. arrogant, prétentieux. ANT. affable, modeste. **2.** Qui a de la dignité : *Il n'acceptera pas ton argent: il est trop fier pour cela.* **3.** Qui est satisfait, heureux : *Tes parents sont fiers de leurs enfants.* SYN. content. ANT. honteux. **4.** Qui montre de la fierté, de la noblesse : *Son allure fière impose le respect.* SYN. digne, distingué. ANT. vulgaire. ☞ fier-à-bras, fièrement, fierté.

fier-à-bras n.m. Personne qui n'a pas le courage qu'elle prétend avoir : *Ce fier-à-bras ne fait peur à personne.* SYN. fanfaron, vantard. **R.** Au pluriel, *fiers-à-bras* ou *fier-à-bras*. ☞ fier.

fièrement adv. **1.** D'une manière fière, hautaine : *Il nous regarde fièrement comme s'il était un grand seigneur.* **2.** D'une manière fière, digne : *Elle a refusé fièrement cette offre malhonnête.* ☞ fier.

fierté n.f. **1.** Attitude hautaine, méprisante : *Elle leur a répondu avec fierté qu'elle n'avait pas besoin d'eux.* SYN. hauteur, orgueil. ANT. humilité. **2.** Sentiment très fort de la dignité : *Ces insultes ont blessé sa fierté.* SYN. amour-propre, orgueil. ANT. modestie. **3.** Satisfaction : *Michel tire une grande fierté de ses succès scolaires.* SYN. contentement. ANT. honte. ☞ fier.

fier fièrement fierté

fiesta n.f.fam. (esp.) Fête : *Nos voisines ont organisé une petite fiesta entre amies.*

fièvre n.f. **1.** Élévation anormale de la température du corps, au-dessus de 37 °C environ : *Bébé est malade: il a de la fièvre.* SYN. température. **2.** fig. État d'agitation : *Dans la fièvre du départ, tu as oublié ton portefeuille sur la table.* SYN. excitation. ANT. calme, indifférence. **3.** fig. Très grand désir : *Johanne est prise d'une fièvre de dessiner.* SYN. passion. ANT. indifférence. ☞ fiévreusement, fiévreux.

fiévreusement adv. D'une manière fiévreuse, agitée : *Édith attend fiévreusement le retour de ses parents.* SYN. fébrilement. ANT. calmement. ☞ fièvre.

fiévreux, euse adj. **1.** Qui a de la fièvre : *Benoît est fiévreux: il n'ira pas en classe aujourd'hui.* SYN. brûlant. **2.** Qui indique de la fièvre : *Le malade a les yeux fiévreux.* **3.** fig. Qui est agité : *Une activité fiévreuse règne dans la classe avant le congé de Noël.* SYN. fébrile. ANT. calme. **4.** fig. Qui est inquiet, angoissé : *Son esprit fiévreux doutait de tout.* SYN. tourmenté. ANT. serein. ☞ fièvre.

fièvre fiévreusement fiévreux

fifre n.m. **1.** Petite flûte en bois au son aigu : *Le fifre était utilisé dans les fanfares militaires.* **2.** Joueur de cet instrument : *Les fifres précédaient les tambours dans la fanfare.*

figer v. **1.** Épaissir, rendre solide par le froid : *Le froid a figé l'huile dans le moteur.* SYN. solidifier. ANT. fondre. **2.** fig. Immobiliser quelqu'un ou une expression du visage : *La surprise les a figés sur place.* SYN. paralyser. ANT. animer. **se figer** v.pron. **1.** S'épaissir, se solidifier : *La sauce s'est figée dans l'assiette.* ANT. se liquéfier. **2.** S'immobiliser dans une attitude ou un état : *Quand elle l'a aperçu, son sourire s'est figé.* **figé, ée** p.p. et adj. Dont on ne peut changer les mots, en parlant d'une locution ou d'une expression : *« Tout à fait » est une locution figée.*

fignolage n.m. Action de fignoler, de faire avec un soin minutieux : *Elle a consacré plusieurs heures au fignolage de ce dessin.* SYN. perfectionnement. ANT. bâclage. ☞ fignoler.

fignoler v.fam. Faire avec un soin minutieux : *Son texte sera sans doute parfait: il l'a fignolé pendant des heures.* SYN. perfectionner. ANT. bâcler. ☞ fignolage.

figue n.f. Fruit comestible du figuier : *La figue est un fruit charnu vert ou violacé que l'on consomme frais ou séché.* **R.** Ne pas oublier le *u* après le *g*. ☞ figuier.

figuier n.m. Arbre fruitier des pays chauds, qui produit la figue : *Il y a beaucoup de figuiers en Grèce et en Turquie.* **R.** Ne pas oublier le *u* après le *g*. ☞ figue.

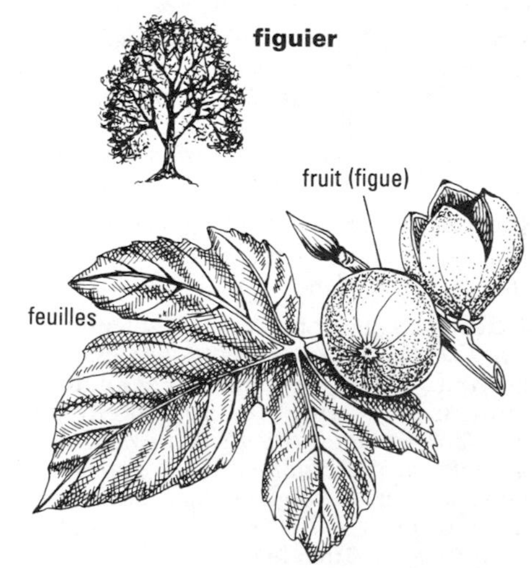

figurant, ante n. **1.** Personnage, au théâtre et au cinéma, qui joue un rôle peu important et généralement muet : *On a engagé des centaines de figurants pour le tournage de ce film.* **2.** Personne qui assiste à une réunion, à une conférence, sans y participer de manière active : *On l'a invité à cette réunion, mais il n'était que figurant.* ☞ figuration, figurer.

figuratif, ive adj. Qui représente les choses sous leur forme réelle : *Tu préfères l'art figuratif à l'art abstrait.* ☞ figure.

figuration n.f. **1.** Métier, rôle de figurant : *Elle a fait beaucoup de figuration avant d'obtenir un rôle important.* **2.** Ensemble des figurants d'un film, d'une pièce de théâtre : *Faites venir la figuration pour le tournage de cette scène.* ☞ figurant.

figure n.f. **1.** Visage : *Tu as la figure sale.* **2.** Mine, air : *Elle a fait une drôle de figure quand elle a appris la nouvelle.* SYN. expression. **3.** Personnalité importante : *Marie Gérin-Lajoie est une figure importante de la lutte féministe au Québec.* SYN. personnage. ⁄⁄ *Faire bonne, mauvaise figure :* Être, ne pas être à la hauteur de ce qu'on attend de vous. *Faire figure de :* Avoir l'apparence de. ☞ défigurer. ▲ **figure** n.f. **1.** Illustration, dessin : *Regarde la figure qui accompagne le texte.* **2.** Volume, surface, ligne, point, en géométrie : *Un point, une courbe, un carré et un prisme sont des figures.* **3.** Roi, dame et valet, au jeu de cartes : *Tu as deux figures dans ton jeu.* **4.** Combinaison de pas, de mouvements d'un danseur, d'un patineur : *La patineuse fait des figures imposées.* ☞ figuratif, figurer. ▲ **figure** n.f. Forme particulière de l'expression de la pensée par le langage : *« Il est doux comme un agneau » est une figure.* ☞ figuré.

figuré n.m. Sens imagé d'un mot : *Certains mots sont employés au figuré.* ANT. propre. HOM. figurer. ☞ figure.

figuré, ée adj. Qui est imagé, en parlant du sens d'un mot : *Dans « Elle boit ses paroles », le verbe « boire » a un sens figuré.* ANT. propre. HOM. figurer. ☞ figure.

figurer v. **1.** Représenter sous une forme visible : *Sur cette carte, les traits hachurés figurent les voies ferrées.* **2.** Être le symbole de quelque chose : *La colombe figure la paix.* SYN. symboliser. HOM. figuré. ☞ figure. **se figurer** v.pron. S'imaginer, se représenter par l'imagination : *Didier se figure qu'il réussira sans faire d'efforts.* SYN. croire, penser. ▲ **figurer** v. Jouer un rôle de figurant : *Marc-André a figuré dans ce film.* ☞ figurant. ▲ **figurer** v. Se trouver, apparaître : *Ton nom ne figure pas sur la liste des élèves.*

figurine n.f. Très petite statue : *La crèche de Noël est ornée de figurines en terre cuite.*

fil n.m. **1.** Brin long et fin d'une matière textile : *Tu as tiré un fil dans ta jupe.* **2.** Métal étiré en un long brin mince : *La clôture est faite de fils de fer.* **3.** Conducteur électrique fait d'un ou de plusieurs brins métalliques : *Le fil du téléphone est coupé.* **4.** Matière produite et filée par certains animaux (araignée, ver à soie) : *Le hangar est plein de fils d'araignée.* **5.** fig. Suite, enchaînement : *Elle a perdu le fil de ses idées.* ⁄⁄ *Coup de fil :* Coup de téléphone. *Donner du fil à retordre à quelqu'un :* Causer des difficultés à quelqu'un. *Ne tenir qu'à un fil :* Être fragile, sur le point de se briser. ☞ filature, filer, filiforme. ▲ **fil** n.m. Partie coupante d'un instrument, d'une arme : *Ne passe pas ton doigt sur le fil du rasoir, sinon tu risquerais de te couper.* SYN. tranchant. HOM. file. ☞ affilage, affiler, affiloir.

filament n.m. **1.** Élément fin et allongé de matière animale ou végétale : *Des filaments de moisissures parsèment ce fromage.* **2.** Fil conducteur extrêmement fin, dans une ampoule électrique : *Le filament de l'ampoule est rendu lumineux par le passage du courant.*

filandreux, euse adj. **1.** Qui est rempli de fibres longues et dures : *Je ne peux pas manger cette viande filandreuse.* **2.** fig. Qui est interminable, confus : *Je n'ai rien compris à ses explications filandreuses.* ANT. clair, concis.

filant, ante adj. Qui coule doucement sans se diviser en gouttes : *Faites cuire le sirop jusqu'à ce qu'il soit filant.* ⁄⁄ *Étoile filante :* Météorite dont le passage dans l'atmosphère terrestre s'accompagne d'une traînée lumineuse. *Pouls filant :* Pouls très faible. ☞ filer.

filature n.f. **1.** Ensemble des opérations qui transforment les matières textiles en fils : *La filature du coton comprend plusieurs opérations.* **2.** Usine où l'on transforme les matières textiles en fils : *Monsieur Dionne travaille dans une filature.* ☞ fil. ▲ **filature** n.f. Action de filer, de suivre quelqu'un discrètement pour le surveiller : *La policière a pris le suspect en filature.* ☞ filer.

file n.f. Suite de personnes ou de choses placées l'une derrière l'autre : *Une file d'acheteurs se pressent à la porte du magasin.* SYN. ligne, rangée. HOM. fil. ⁄⁄ *Chef de file :* Celui qui est à la tête d'un groupe, d'une entreprise. **à la file** loc.adv. L'un derrière l'autre : *Les petits de la maternelle se suivent à la file.* **en file** loc.adv. L'un derrière l'autre : *Mettez-vous en file devant la porte.*

filer v. **1.** Transformer une matière textile en

fil : *Le rouet servait à filer la laine, le chanvre ou le lin.* **2.** Sécréter un fil, en parlant de l'araignée et du ver à soie : *L'araignée file sa toile.* SYN. tisser. **3.** Étirer du verre en fil : *Le verrier a filé du verre devant nous.* ☞ fil. ▲ **filer** v. Suivre quelqu'un discrètement pour le surveiller : *Le policier a filé la contrebandière pendant une semaine avant de l'arrêter.* SYN. épier. ☞ filature. ▲ **filer** v. **1.** Couler doucement sans se diviser en gouttes : *Le sirop d'érable file.* **2.** Aller droit devant soi ; aller vite : *L'automobile file à toute allure.* SYN. foncer. **3.** Se défaire : *Ton bas de nylon a filé.* **4.** S'en aller très vite, en parlant d'une chose : *Ce garçon est dépensier : l'argent lui file entre les doigts.* SYN. glisser. **5.** fam. Se retirer en toute hâte : *Je t'ai assez vu. File !* SYN. déguerpir. ⁄⁄ *Le temps file :* Le temps passe vite. ☞ filant.

filet n.m. **1.** Tissu à larges mailles servant à capturer des animaux : *La pêcheuse répare ses filets.* **2.** Ouvrage à mailles serrées servant à envelopper, à tenir ou à retenir quelque chose : *Si tu vas à l'épicerie, apporte ton filet à provisions.* **3.** Réseau de fils qui sépare une table, un terrain en deux dans certains sports : *La balle de tennis doit passer au-dessus du filet.* **4.** Tissu de mailles tendu par précaution sous des acrobates : *Cette acrobate n'accepte pas de travailler sans filet.* ▲ **filet** n.m. **1.** Morceau de viande très tendre pris sur le dos de certains animaux : *Ce soir nous mangeons un filet de bœuf grillé.* **2.** Morceau de chair pris de chaque côté de l'arête d'un poisson : *Ce filet de sole est délicieux.* ▲ **filet** n.m. Écoulement fin et continu d'un liquide, d'un gaz : *Un filet d'eau s'échappe du robinet.* ⁄⁄ *Filet de voix :* Voix très faible, à peine audible. ▲ **filet** n.m. Rainure faite en spirale d'une vis, d'un boulon, d'un écrou : *Les filets de la vis mordent dans le bois.*

filial, ale, aux adj. Qui est éprouvé par un enfant à l'égard de ses parents : *Ces enfants ont beaucoup d'amour filial pour leurs parents.* HOM. filiale. ☞ filialement.

filiale n.f. Société contrôlée et dirigée par une société plus importante appelée « société-mère » : *Cette entreprise canadienne est une filiale d'une entreprise américaine.* HOM. filial.

filialement adv. D'une manière filiale : *Alain aime filialement son oncle André.* ☞ filial.

filière n.f. Suite de formalités à remplir, d'étapes à franchir avant de parvenir à un résultat : *Si tu veux devenir présidente, tu devras suivre la filière habituelle.* SYN. canal. **R.** N'a pas le sens de *classeur*.

filiforme adj. **1.** Qui est mince comme un fil : *Ces insectes ont les pattes filiformes.* ANT. gros. **2.** fam. Qui est très mince : *Olive a les jambes filiformes.* ANT. gros. ☞ fil.

filigrane n.m. **1.** Ouvrage d'orfèvrerie fait de fils d'or ou d'argent entrelacés et soudés : *J'ai vu au musée un magnifique bracelet exécuté en filigrane d'or.* **2.** Dessin, marque ou ligne se trouvant dans l'épaisseur d'un papier et qui peut se voir par transparence : *Les billets de banque ont des dessins en filigrane.*

filin n.m. Cordage employé à bord d'un bateau : *La matelot enroule le filin.*

fille n.f. **1.** Être humain de sexe féminin considéré par rapport à ses parents : *Pauline et Réjean ont un fils et deux filles.* **2.** Enfant ou jeune personne de sexe féminin : *Christine est une fille.* ⁄⁄ *Jeune fille :* Adolescente. **R.** Au masculin, *fils* et *garçon*. ☞ arrière-petite-fille, fillette, petite-fille.

fillette n.f. Petite fille : *Les fillettes de deuxième année jouent au ballon.* ☞ fille.

filleul, eule n. Personne dont on est le parrain ou la marraine : *J'ai tenu Yanick sur les fonts baptismaux : c'est mon filleul.*

film n.m. **1.** Pellicule sur laquelle on enregistre des images photographiques ou cinématographiques : *N'oublie pas de mettre un film dans ton appareil photo.* **2.** Œuvre cinématographique que l'on a enregistrée sur film : *Anouk préfère les films d'aventures aux films de guerre.* **3.** fig. Ensemble des événements qui se suivent : *En un éclair, elle a revu tout le film de sa vie.* SYN. déroulement. ☞ filmer, microfilm, microfilmer.

filmer v. Enregistrer sur film : *Mes parents ont filmé le mariage de ma sœur.* SYN. tourner. ☞ film.

filon n.m. **1.** Masse longue et étroite de minéraux solides contenue entre des couches de nature différente : *On a découvert un filon de cuivre dans ce terrain.* SYN. veine. **2.** fig. Moyen, source de réussite : *Ce chanteur exploite le filon comique.*

filou, ous n.m. Voleur adroit et rusé, tricheur : *Ce filou n'a jamais remis les livres qu'il avait empruntés.*

fils n.m. Être humain de sexe masculin considéré par rapport à ses parents : *Gilles est le fils d'une pharmacienne et d'un enseignant.* SYN. garçon. ⁄⁄ *Fils à papa :* Fils qui profite de la situation de son père. *Fils de Dieu :* Jésus-Christ. *Fils de famille :* Jeune homme appartenant à une famille riche. **R.** Au féminin, *fille*. ☞ arrière-petit-fils, petit-fils.

filtrage n.m. **1.** Action de filtrer un liquide : *Le filtrage du vin élimine les impuretés.* **2.** fig.

Contrôle sévère: *Le filtrage de l'information relève de la censure.* ☞ filtre.

filtre n.m. **1.** Appareil à travers lequel on fait passer un liquide pour le débarrasser de ses particules solides: *As-tu acheté des filtres à café?* **2.** Appareil servant à débarrasser l'air, l'essence ou l'huile de ses impuretés: *La mécanicienne a remplacé le filtre à essence du moteur.* **3.** Tampon poreux placé au bout d'une cigarette pour retenir en partie la nicotine et les goudrons du tabac: *Le fumeur achète des cigarettes à bout filtre.* ⁄⁄ *Café-filtre:* Café préparé au moyen d'un filtre. ☞ filtrage, filtrer.

filtrer v. **1.** Faire passer à travers un filtre: *Il faut filtrer l'eau pour la rendre potable.* SYN. épurer, purifier. ANT. corrompre. **2.** Passer à travers un filtre: *Ce café met beaucoup de temps à filtrer.* SYN. couler. **3.** Pénétrer: *L'eau a filtré à travers le mur.* **4.** fig. Soumettre à un contrôle sévère: *Le service d'ordre filtre les arrivants au palais de justice.* **5.** fig. Être connu en dépit des obstacles: *La nouvelle a commencé à filtrer.* ☞ filtre.

fin n.f. **1.** Moment où quelque chose se termine: *Avez-vous hâte à la fin de l'année scolaire?* ANT. commencement, début. **2.** Dernière partie: *Je n'ai pas aimé la fin de ce film.* SYN. dénouement. ANT. début. **3.** Mort: *On aurait dit qu'il sentait venir sa fin.* SYN. décès. ANT. naissance. **4.** Arrêt, cessation d'un sentiment, d'un phénomène: *C'est la fin d'une grande amitié.* SYN. disparition. ANT. commencement. **5.** But que l'on veut atteindre: *Elle est arrivée à ses fins.* SYN. objectif. ⁄⁄ *En fin de compte:* En résumé. *Fin de semaine:* Au Canada, période qui s'étend du vendredi soir au dimanche soir. *Mener à bonne fin:* Réussir. *Mettre fin à quelque chose:* Faire cesser, terminer quelque chose. *Prendre fin:* Cesser. *Tirer, toucher à sa fin:* S'épuiser, prendre fin. ☞ demi-finale, final, finale, finalement, finaliste. ▲ **fin** n.f. But que l'on veut atteindre: *Elle est arrivée à ses fins.* SYN. objectif. HOM. faim. **à la fin** loc.adv. Finalement: *À la fin, j'ai reconnu mon erreur.*

fin, fine adj. Qui est de la meilleure qualité: *On m'a offert un service de porcelaine fine.* ▲ **fin, fine** adj. **1.** Qui est très sensible: *Je ne savais pas que tu avais l'oreille si fine.* **2.** Qui montre une intelligence subtile: *Ses plaisanteries sont toujours fines et délicates.* SYN. spirituel. ANT. stupide. **3.** Qui est rusé, habile: *Roxanne se croit plus fine que les autres.* SYN. malin. **4.** Qui est excellent dans un domaine: *C'est un fin gourmet.* **5.** Au Canada, qui est aimable, gentil: *Louis n'est pas très fin depuis quelques jours.* ☞ finement, finesse. ▲ **fin, fine** adj. **1.** Qui est très petit: *Armande fait couler le sable fin entre ses doigts.* ANT. gros. **2.** Qui est très aigu: *Je t'ai donné un stylo à pointe fine.* **3.** Qui est très mince: *Les danseuses ont la taille fine.* SYN. menu. ANT. lourd. **4.** Qui est très délicat: *Cet enfant a les traits fins.* HOM. faim. ☞ extra-fin, finement, finesse.

final, ale, aux adj. Qui est à la fin: *Une phrase se termine par un point final.* ANT. initial. HOM. finale. **R.** Aussi, au pluriel, *finals*. Le pluriel *finaux* tend à remplacer *finals*. ☞ fin.

finale n.f. Dernière épreuve d'une série sportive qui désigne le vainqueur: *Notre club participera-t-il à la finale de la ligue?* ☞ fin. ▲ **finale** n.f. Dernière syllabe ou dernière lettre d'un mot: *Dans «orme», la finale est muette.* HOM. final. ☞ fin.

finalement adv. **1.** À la fin, pour finir: *Vous vous êtes finalement décidées: il était temps!* **2.** En fin de compte: *Cette décision, finalement, ne change rien à nos projets.* ☞ fin.

finaliste n. Concurrent ou équipe sportive qui participe à une finale: *Les deux grandes finalistes du tournoi de tennis se détendent avant la partie.* ☞ fin.

finance n.f. **1.** Grosses affaires d'argent: *Madame Beaulieu s'occupe de finance.* **2.** fam. Ensemble des personnes qui font de grosses affaires d'argent: *La haute finance contrôle l'économie du pays.* **3.** plur. fam. Argent dont dispose quelqu'un: *Mes finances ne vont pas bien.* **4.** plur. Argent qui entre dans les coffres de l'État et en sort: *Le ministre des Finances a présenté son budget pour cette année.* ☞ financement, financer, financier, financièrement.

financement n.m. Action de fournir de l'argent à une entreprise, à un service public: *L'État a assuré le financement de cette entreprise.* ☞ finance.

financer v. **1.** Fournir de l'argent à une entreprise, à un service public: *Cette femme d'affaires a financé la construction d'un centre commercial.* ANT. refuser. **2.** fam. Payer: *Commandez ce que vous voulez, c'est moi qui finance.* ☞ finance.

financier n.m. Personne qui s'occupe de finance, qui fait de grosses affaires d'argent: *Les financiers sont des spécialistes des opérations boursières et bancaires.* **R.** L'O.L.F. recommande *financière* comme féminin de *financier*. ☞ finance.

financier, ière adj. **1.** Qui se rapporte à la finance, aux grosses affaires d'argent: *Les opérations financières sont souvent très complexes.* **2.** Qui se rapporte à l'argent de l'État: *Les citoyens critiquent la politique fi-*

nancière du gouvernement. **3.** Qui se rapporte à l'argent: *Ce père de famille a des problèmes financiers.* ☞ finance.

financièrement adv. **1.** Au point de vue financier: *Cette entreprise est financièrement prospère.* **2.** fam. En ce qui concerne l'argent: *Je ne peux pas me plaindre car financièrement, tout va bien.* ☞ finance.

finaud, aude n. et adj. **1.** n. Personne rusée sous une apparence simple: *La petite finaude m'a bien eu avec son air innocent.* **2.** adj. Qui est rusé sous une apparence simple: *Ce garçon finaud a plus d'un tour dans son sac.* SYN. futé, malin. ANT. maladroit, malhabile.

finement adv. **1.** De manière fine, délicate: *Ces boucles d'oreilles sont finement travaillées.* SYN. adroitement. **2.** De manière fine, habile: *Il a finement expliqué son point de vue.* SYN. habilement. ☞ fin.

finesse n.f. **1.** Aptitude à saisir les moindres sons, les moindres parfums, les moindres images, etc.: *La finesse de son oreille est peu commune: elle entend les sons les plus faibles.* **2.** Aptitude à comprendre les moindres nuances de pensée ou de sentiment: *Cette femme est très intelligente: elle a une telle finesse d'esprit.* **3.** Chose difficile à comprendre: *Tu es trop jeune pour connaître toutes les finesses de la langue française.* SYN. subtilité. **R.** Dans le sens de *chose difficile à comprendre*, s'emploie surtout au pluriel. ☞ fin. ▲ **finesse** n.f. **1.** Qualité de ce qui est fin, léger: *Ce fil de soie est d'une finesse incroyable.* **2.** Qualité de ce qui est délicat: *Le peintre a tenté de reproduire la finesse des traits de son modèle.* SYN. délicatesse. ANT. épaisseur. **3.** Qualité de ce qui est travaillé avec délicatesse: *J'admire la finesse de cette broderie.* ☞ fin.

finette n.f. Tissu de coton dont l'envers est pelucheux: *Les draps de finette nous gardent bien au chaud pendant l'hiver.*

fini n.m. **1.** Ce qui a des limites: *Pour comprendre l'infini, il nous faut essayer d'imaginer le fini.* ANT. infini. **2.** Qualité de ce qui est soigneusement achevé: *Le fini de ces meubles est remarquable.* ☞ finir.

finir v. **1.** Faire jusqu'à la fin: *Tu pourras sortir quand tu auras fini ton travail.* SYN. achever, terminer. ANT. commencer. **2.** Manger ou boire complètement: *Je n'avais pas soif, je n'ai pas fini mon verre de lait.* SYN. vider. **3.** Faire cesser: *J'ai hâte que vous finissiez vos bavardages.* SYN. arrêter. ANT. commencer. **4.** Se terminer: *Notre bail finit à la fin de juin.* ANT. débuter. **5.** Mourir: *Elle a fini dans un accident.* ANT. naître. **6.** Arriver à un résultat: *Je finirai bien par découvrir ton secret.* ⁄⁄ *En finir avec:* En arriver à une solution. ☞ finissant, finition. **fini, ie** p.p. et adj. **1.** Qui est terminé: *Mon devoir est fini.* **2.** Qui est usé au physique comme au moral: *C'est un homme fini.* **3.** Dont la finition est très soignée: *Ces vêtements sont bien finis.* ANT. imparfait. **4.** Se dit d'un ensemble qui a un nombre limité d'éléments, en mathématiques: *L'ensemble contient cinq éléments: c'est un ensemble fini.* **5.** Qui a des limites: *On a peine à imaginer que l'univers n'est pas fini.* SYN. limité. ANT. infini. ⁄⁄ *Produit fini:* Produit qui a subi plusieurs transformations et qui est prêt à être mis sur le marché.

finissant, ante adj. Qui est en train de finir: *Les enfants profitent des dernières journées chaudes de l'automne finissant.* **R.** L'O.L.F. recommande *sortant* et *sortante* pour désigner un élève ou une élève qui termine un programme d'études. ☞ finir.

finition n.f. **1.** Ensemble des opérations qui termine la fabrication d'un objet: *La menuisière fait les travaux de finition.* **2.** Caractère de ce qui est soigneusement achevé: *La finition de cette voiture laisse à désirer.* **3.** plur. Derniers travaux: *Votre complet n'est pas encore terminé car le tailleur fait les finitions.* ☞ finir.

finlandais, aise n. et adj. **1.** n. Personne qui est de la Finlande: *Un Finlandais, une Finlandaise.* **2.** adj. Qui est de la Finlande: *Le territoire finlandais est situé entre la Suède et l'U.R.S.S.* **R.** On met la majuscule à *finlandais* et à *finlandaise* lorsqu'il s'agit du nom.

finnois, oise n. et adj. **1.** n. Personne qui appartient à un groupe linguistique habitant principalement la Finlande: *Un Finnois, une Finnoise.* **2.** adj. Qui appartient à un groupe linguistique habitant principalement la Finlande: *La culture finnoise est très vivante en Finlande.* **R.** On met la majuscule à *finnois* et à *finnoise* lorsque le nom désigne une personne.

finnois n.m. Langue parlée principalement en Finlande: *Les Finlandais parlent le finnois et le suédois.*

fiole n.f. **1.** Petite bouteille de verre à col étroit: *Plusieurs fioles de médicaments garnissent les tablettes de la pharmacie.* SYN. ampoule, flacon. **2.** fam. Tête: *Ce garçon a une drôle de fiole.*

fion n.m.fam. Dernière main donnée à un travail: *Elle a donné le coup de fion à ce dessin.*

fioriture n.f. (it.) Ornement: *Il y a trop de*

fioritures dans ce dessin. **R.** S'emploie surtout au pluriel.

firmament n.m.litt. Voûte du ciel: *Les étoiles brillent au firmament.*

firme n.f. Entreprise industrielle ou commerciale: *Une grande firme coréenne est venue s'installer au Québec.*

fisc n.m. Administration chargée des impôts: *Les contribuables doivent payer leurs impôts au fisc.* **R.** Les lettres *s* et *c* se prononcent. ☞ fiscal, fiscalité.

fiscal, ale, aux adj. Qui se rapporte à l'impôt: *Le gouvernement a modifié sa politique fiscale.* ☞ fisc.

fiscalité n.f. Ensemble des lois qui concernent l'impôt: *Le gouvernement a promis une réforme de la fiscalité.* ☞ fisc.

fission n.f. Division du noyau d'un atome lourd en deux ou plusieurs fragments: *La fission d'un noyau d'uranium libère une énorme quantité d'énergie.*

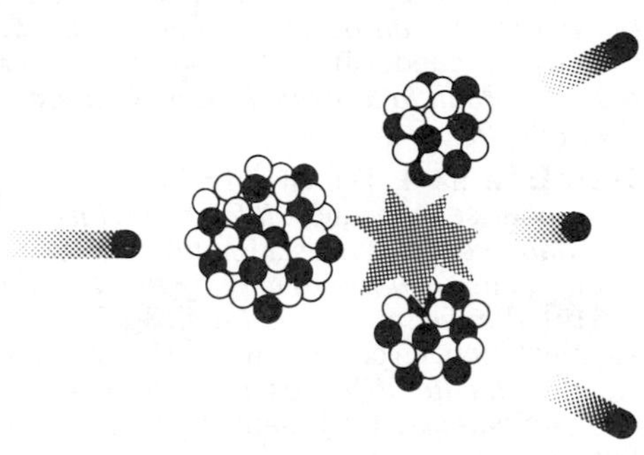

fission

fissure n.f. **1.** Petite fente: *Il y a une fissure dans le plafond de ma chambre.* SYN. crevasse, lézarde. **2.** fig. Brèche, coupure: *Ils ne se parlent plus? Y aurait-il une fissure dans leur amitié?* ☞ fissurer.

fissurer v. Faire de petites fentes sur quelque chose: *Le tremblement de terre a fissuré les murs des édifices.* SYN. crevasser, fendre. ☞ fissure. se **fissurer** v.pron. Se couvrir de petites fentes: *Lorsque j'ai planté le clou, le mur s'est fissuré.* **fissuré, ée** p.p. et adj. Qui présente des fissures: *Le mur de la classe est fissuré.*

fiston n.m.fam. Fils: *Dis donc, fiston, tu viens avec ta mère?*

fixatif n.m. **1.** Préparation liquide qui sert à fixer un fusain ou un pastel sur le papier: *Chung vaporise du fixatif sur son dessin au pastel.* **2.** Produit qui permet de fixer une coiffure: *Marie-Chantal vaporise le fixatif sur ses cheveux fraîchement coiffés.* ☞ fixer.

fixation n.f. **1.** Action de fixer, de faire tenir solidement: *La fixation du poteau dans la terre est rendue difficile par la grande sécheresse.* **2.** Attache servant à fixer: *As-tu vérifié les fixations de tes skis?* **3.** Action de déterminer de manière précise: *Nous nous sommes entendus sur la fixation d'une heure pour la prochaine réunion.* ☞ fixer.

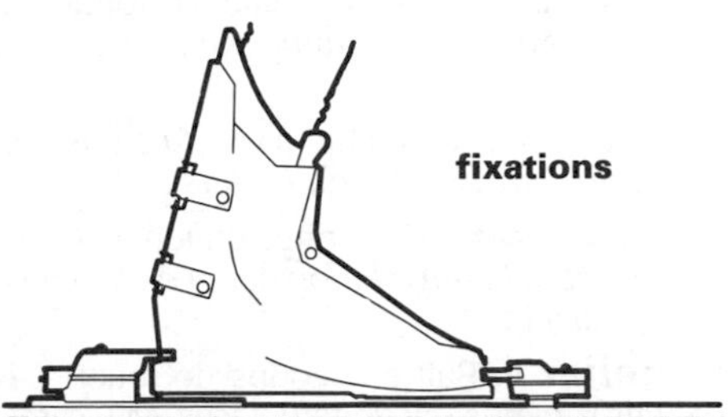

fixations

fixe adj. **1.** Qui reste à la même place: *Les sièges de cinéma sont fixes.* SYN. immobile. **2.** Qui ne change pas: *On a installé un feu fixe au coin de la rue.* SYN. permanent. ANT. temporaire. **3.** Qui est déterminé d'une façon précise: *Nous mangeons toujours à heure fixe.* ANT. variable. **4.** Qui est assuré, régulier: *Ma mère a un revenu fixe.* ANT. incertain. // *Au beau fixe:* Beau temps durable. *Idée fixe:* Idée obsédante dont l'esprit ne peut se détacher. *Regard fixe:* Regard immobile, qui fixe quelque chose. ☞ fixer.

fixement adv. D'une manière fixe, en parlant du regard: *Elle m'a regardé fixement, puis elle est sortie.* ☞ fixer.

fixer v. **1.** Attacher, immobiliser: *On a fixé la carte géographique avec quatre punaises.* ANT. déplacer, détacher. **2.** Regarder quelqu'un avec insistance: *Pourquoi me fixes-tu ainsi?* **3.** Garder ses yeux immobiles sur quelque chose: *Il fixe le plafond en réfléchissant.* **4.** Empêcher un dessin de s'effacer en vaporisant un fixatif: *Danielle a fixé son dessin au pastel.* **5.** fig. Appliquer son esprit: *Il n'est pas capable de fixer son attention sur les règles de grammaire.* ANT. détourner. **6.** fig. Renseigner: *Pourriez-vous me fixer sur vos projets de vacances?* **7.** fig. Déterminer de façon précise: *Nous avons fixé la date de ton prochain rendez-vous chez le dentiste.* ANT. changer. ☞ fixatif, fixation, fixe, fixement, fixité. se **fixer** v.pron. **1.** S'installer de façon permanente: *Mon frère s'est fixé à Papineauville.* **2.** Décider de façon définitive: *Mon choix s'est fixé sur ce chandail de laine.* **fixé, ée** p.p. et adj. Qui est décidé: *Pour son prochain voyage, Laurence n'est pas encore fixée.*

fixité n.f. État d'un regard fixe, immobile : *La fixité de ses yeux m'effrayait.* ☞ fixer.

fjord n.m. (norv.) Golfe profond et étroit bordé de falaises élevées : *Les fjords sont très nombreux en Norvège.* **R.** Le *j* se prononce *i*.

flac ! interj. Mot imitant le bruit de l'eau qui tombe ou de ce qui tombe dans l'eau : *Flac ! La petite fille saute dans un trou d'eau.* HOM. flaque.

flacon n.m. Petite bouteille de forme variable : *Ce flacon de parfum est en verre taillé.* SYN. fiole.

fla-fla n.m. Façon, chichi : *Ne fais pas tant de fla-flas !* **R.** Au pluriel, *fla-flas*.

flagellation n.f. Supplice du fouet : *Jésus-Christ a subi la flagellation avant d'être crucifié.* ☞ flageller.

flageller v. Battre à coups de fouet : *Les soldats romains ont flagellé Jésus.* ANT. caresser. ☞ flagellation.

flageolant, ante adj. Qui tremble de peur, de fatigue, de faiblesse : *Christos avait les jambes flageolantes à la fin de la course.* SYN. chancelant. **R.** Ne pas oublier le *e* après le *g*. ☞ flageoler.

flageoler v. Trembler de peur, de fatigue, de faiblesse : *Il a eu si peur que ses jambes flageolent.* SYN. chanceler. **R.** Ne pas oublier le *e* après le *g*. ☞ flageolant.

flageolet n.m. Flûte à bec percée de six trous : *Le flageolet fait partie de la famille des flûtes à bec.* ▲ **flageolet** n.m. Variété de petit haricot au goût fin : *On nous a servi un gigot d'agneau aux flageolets.* **R.** Ne pas oublier le *e* après le *g*.

flagrant, ante adj. **1.** Qui est évident, qu'on ne peut nier : *Cette arbitre a commis une injustice flagrante.* SYN. visible. ANT. douteux, incertain. **2.** Qui est commis sous les yeux de la personne qui le constate : *La cambrioleuse a été prise en flagrant délit.*

flair n.m. **1.** Odorat du chien : *Ce chien de chasse a du flair.* **2.** fig. Aptitude à prévoir, à deviner : *La policière a du flair : elle a deviné que ce promeneur préparait un mauvais coup.* SYN. intuition, perspicacité. ANT. aveuglement. ☞ flairer.

flairer v. **1.** Sentir : *Le chien a flairé le gibier.* **2.** fig. Deviner, pressentir : *Je flaire un danger.* SYN. soupçonner. ☞ flair.

flamand, ande n. et adj. **1.** n. Personne qui habite la Flandre : *Un Flamand, une Flamande.* **2.** adj. Qui est de la Flandre : *Anvers est une ville flamande.* HOM. flamant. **R.** On met la majuscule à *flamand* et à *flamande* lorsque le nom désigne une personne.

flamand n.m. Ensemble des dialectes néerlandais parlés en Belgique : *Plus de la moitié des Belges parlent le flamand.* HOM. flamant.

flamant n.m. Oiseau échassier de grande taille, au plumage généralement rose, aux pattes palmées et au long cou souple : *Les flamants vivent au bord des cours d'eau.* HOM. flamand.

flambant, ante adj. Qui brûle avec des flammes : *Le charbon flambant brûle en produisant une longue flamme.* ☞ flamber.

flambant adv.fam. Qui est tout neuf : *Elle s'est acheté une voiture flambant neuve.*

flambé, ée adj. Que l'on a arrosé d'alcool et auquel on a mis le feu : *Les crêpes flambées sont délicieuses.* HOM. flambée, flamber. ☞ flamber.

flambeau, eaux n.m. **1.** Torche enduite de cire ou de résine pour éclairer : *Mes parents ont participé à un défilé aux flambeaux.* **2.** Chandelier, candélabre : *Un grand flambeau d'argent ornait la table de la salle à manger du château.*

flambée n.f. **1.** Feu vif et bref que l'on allume pour se réchauffer : *Il fait froid, faisons une flambée.* **2.** Manifestation brusque et de courte durée : *On a observé une flambée de terrorisme au cours de l'été.* **3.** Rapide augmentation, en ce qui concerne les prix, les valeurs : *La flambée des prix inquiète les consommateurs.* HOM. flambé, flamber. ☞ flamber.

flamber v. **1.** Brûler en produisant des flammes : *Les bûches d'érable flambent dans la cheminée.* ANT. éteindre. **2.** Passer à la flamme : *Le fermier a plumé les poulets, puis les a flambés pour les débarrasser de leur duvet.* **3.** Arroser un aliment d'alcool que l'on fait brûler : *La cuisinière a fait flamber les tranches d'ananas avant de les servir sur de la crème glacée.* **4.** fig. Dépenser sans compter : *Il a flambé son héritage en trois mois.* HOM. flambé, flambée. ☞ flambant, flambé, flambée.

flamboiement n.m. **1.** Éclat de ce qui jette une flamme très vive : *Le flamboiement de l'incendie était visible à des kilomètres à la ronde.* **2.** Éclat de ce qui jette une vive lumière : *Les yeux ne peuvent supporter le flamboiement du soleil.* **R.** Ne pas oublier le *e* après le *i*. ☞ flamboyer.

flamboyant, ante adj. **1.** Qui jette une vive lumière : *Le soleil flamboyant annonçait* *une magnifique journée d'été.* SYN. brillant, éclatant. ANT. sombre. **2.** Qui brille comme une flamme: *Ses yeux étaient flamboyants de haine.* SYN. ardent. ☞ flamboyer.

flamboyer v. **1.** Jeter une flamme très vive: *Tous les voisins regardaient l'incendie flamboyer.* SYN. brûler, flamber. **2.** Briller comme une flamme: *Les plaques d'acier flamboient au soleil.* ☞ flamboiement, flamboyant.

flamboiement flamboyer

flamenco n.m. et adj. (esp.) **1.** n.m. Musique, danse, chant populaire de l'Andalousie, communauté de l'Espagne: *As-tu déjà assisté à un spectacle de flamenco?* **2.** adj. Qui se rapporte à la musique, à la danse et au chant populaire de l'Andalousie, communauté de l'Espagne: *J'aime beaucoup la musique flamenco.* **R.** Le *n* se prononce.

flamenco

flamme n.f. **1.** Phénomène lumineux produit par une matière qui brûle: *Ne t'approche pas trop des flammes, tu pourrais te brûler.* SYN. feu. **2.** Éclat très vif: *La flamme de son regard dénote une très grande intelligence.* **3.** fig. Ardeur, enthousiasme: *Mon ami parle avec flamme de son nouveau projet.* ANT. calme, indifférence. **4.** fig. et litt. Passion amoureuse: *L'amoureux a enfin déclaré sa flamme à l'élue de son cœur.* ANT. froideur. ⁄⁄ *En flammes:* En feu. ☞ enflammer, flammèche, inflammable, inflammation, ininflammable.

flammèche n.f. Parcelle de matière enflammée qui s'élève d'un feu: *Les flammèches ont brûlé le tapis devant le foyer.* ☞ flamme.

flan n.m. Crème à base de lait, d'œufs et de farine que l'on fait cuire au four: *Kevin a préparé un flan pour dessert.* HOM. flanc.

flanc n.m. **1.** Chacun des côtés du corps de l'être humain et de certains animaux: *Le chien est couché sur le flanc.* **2.** Côté d'une chose: *Les chèvres grimpent aux flancs des montagnes.* HOM. flan. à **flanc de** loc.prép. Sur la pente: *Cette maison est bâtie à flanc de colline.*

flancher v.fam. **1.** Faiblir, céder: *Le cœur de la malade a flanché.* **2.** Manquer de courage au dernier moment: *Tu es près de la victoire, ce n'est pas le moment de flancher.*

flanelle n.f. Tissu léger de laine, doux et pelucheux: *Andrée porte un pantalon de flanelle.*

flanellette ☞ sect. anglicismes et canadianismes.

flâner v. **1.** Se promener sans se presser, pour le plaisir de regarder autour de soi: *Quel plaisir de flâner dans les rues par un beau soir d'été!* SYN. se balader, musarder. **2.** Perdre son temps au travail: *J'aimerais que tu finisses ce travail sans flâner.* SYN. traîner. **R.** Ne pas oublier l'accent: *â*. ☞ flânerie, flâneur.

flânerie n.f. Promenade sans hâte et sans but précis: *Tes innombrables flâneries t'ont mené dans tous les quartiers de la ville.* **R.** Ne pas oublier l'accent: *â*. ☞ flâner.

flâneur, euse n. et adj. **1.** n. Personne qui se promène sans se presser, pour le plaisir de regarder autour d'elle: *Félix Leclerc a écrit « Le Calepin d'un flâneur ».* **2.** adj. Qui aime à ne rien faire: *Cette enfant est trop flâneuse: elle a beaucoup de retard sur les autres élèves.* SYN. oisif. ANT. actif. **R.** Ne pas oublier l'accent: *â*. ☞ flâner.

flanquer v. **1.** Être sur le côté de quelque chose: *Deux pavillons flanquent le bâtiment principal de l'université.* **2.** Accompagner: *La première ministre est toujours flanquée de ses gardes du corps.* SYN. entourer. ▲ **flanquer** v.fam. **1.** Lancer brusquement: *Elle a flanqué tous ses livres par terre.* SYN. envoyer, jeter. **2.** Renvoyer, congédier: *Sa supérieure l'a flanqué à la porte.* ANT. accueillir, admettre. **3.** Donner: *Tu m'as flanqué la frousse avec tes histoires de monstres.* **4.** Donner avec force: *Elle m'a flanqué une gifle.* **se flanquer** v.pron.fam. Tomber: *Antoine s'est flanqué par terre.*

flaque n.f. Petite mare: *Après la pluie, la cour de récréation est couverte de flaques d'eau.* HOM. flac!

flash, es n.m. (angl.) **1.** Lampe servant à prendre une photographie grâce à une émission de lumière brève et intense: *Lorsque la lumière baisse, je munis mon appareil photo d'un flash.* **2.** Scène de courte durée, au cinéma, à la télévision: *J'ai vu plusieurs flashes publicitaires ce soir à la télévision.*

flashlight ☞ sect. anglicismes et canadianismes.

flasque n.f. Petite bouteille plate: *Il transporte toujours une flasque de whisky dans la poche de son veston.*

flasque adj. Qui est mou, sans fermeté: *Depuis qu'il a maigri, cet homme a les chairs flasques.* ANT. dur, ferme.

flat ☞ sect. anglicismes et canadianismes.

flatter v. **1.** Caresser un animal avec la main: *Le chat ronronne quand on le flatte.* ANT. battre. **2.** Complimenter avec excès pour plaire: *N'essaie pas de me flatter: dis-moi plutôt la vérité.* SYN. encenser. ANT. blâmer. **3.** Faire plaisir, toucher: *Votre confiance me flatte.* **4.** Embellir: *Cette photographie la flatte: elle la fait paraître plus belle que la réalité.* SYN. avantager. ANT. défavoriser, enlaidir. **5.** Encourager un défaut, une manie: *Votre attitude permissive flatte sa paresse.* SYN. favoriser. ANT. empêcher. **6.** Charmer, être agréable: *Cette douce musique flatte nos oreilles.* ☞ flatterie, flatteur, flatteusement. **se flatter** v.pron. **1.** Se vanter: *Elle se flatte de son exploit aux échecs.* ANT. se reprocher. **2.** Se croire assuré: *Il se flatte de parcourir cette distance en trente minutes.* SYN. prétendre.

flatterie n.f. Compliment faux ou exagéré que l'on adresse pour plaire: *Méfiez-vous des flatteries.* SYN. courbette, louange. ANT. blâme, critique. ☞ flatter.

flatteur, euse n. et adj. **1.** n. Personne qui fait des compliments faux ou exagérés: *Les vedettes sont entourées de flatteurs.* SYN. louangeur. ANT. critiqueur. **2.** adj. Qui complimente avec excès: *Ces personnes flatteuses ne sont pas sincères.* SYN. enjôleur. **3.** adj. Qui est agréable, élogieux: *L'instituteur a fait une appréciation flatteuse de ses élèves.* ANT. déplaisant, désagréable. **4.** adj. Qui embellit: *Ce portrait est flatteur.* SYN. avantageux. ☞ flatter.

flatteusement adv. D'une façon flatteuse, avantageuse: *Tous les critiques ont flatteusement décrit le spectacle de cette artiste.* ☞ flatter.

fléau, aux n.m. **1.** Grand malheur qui s'abat sur un peuple: *La guerre est un terrible fléau.* SYN. catastrophe, désastre. ANT. bienfait, faveur. **2.** Personne, chose nuisible: *Il faut protéger les adolescents contre le fléau de la drogue.* SYN. calamité. ANT. bénédiction.

▲ **fléau, aux** n.m. **1.** Ancien instrument formé de deux bâtons reliés par des courroies qui sert à battre les céréales: *Les fermiers battaient le blé avec les fléaux.* **2.** Tige horizontale d'une balance qui supporte les plateaux: *Les plateaux sont suspendus aux extrémités du fléau.*

flèche n.f. **1.** Projectile formé d'une tige de bois munie d'une pointe qu'on lance avec un arc ou une arbalète: *Christiane a tiré une flèche au centre de la cible.* **2.** Signe en forme de flèche qui indique un sens, une direction à suivre: *Si vous suivez les flèches, vous trouverez la sortie.* **3.** Partie effilée d'un clocher, d'une tour: *On aperçoit au loin la flèche de la cathédrale.* **4.** fig. Réflexion blessante, critique: *Elle te lance des flèches pour te forcer à réagir.* ☞ fléché, flécher, fléchette.

fléché, ée adj. **1.** Qui est orné de flèches: *Les danseurs de folklore québécois portent des ceintures fléchées.* **2.** Qui est indiqué par des flèches: *Les visiteurs suivent le parcours fléché.* HOM. flécher. ☞ flèche.

flécher v. Marquer de flèches pour indiquer la route à suivre: *Les organisateurs du marathon ont fléché le parcours.* HOM. fléché. ☞ flèche.

fléchette n.f. Petite flèche qu'on lance à la main sur une cible: *À Noël, Noémie a reçu un jeu de fléchettes.* ☞ flèche.

flèche fléché flécher fléchette

fléchir v. **1.** Plier: *Pour s'agenouiller, il faut fléchir les genoux.* SYN. ployer. ANT. dresser. **2.** Se courber: *La branche commence à fléchir: tu ferais mieux de descendre.* **3.** fig. Baisser, diminuer: *Le prix des légumes a fléchi pendant l'été.* ANT. augmenter, monter. **4.** fig. Attendrir, faire céder: *Victor essaie de fléchir ses parents pour obtenir la permission de se coucher plus tard.* SYN. ébranler. **5.** fig. Faiblir: *Ses résolutions fléchissent à mesure que le temps passe.* ANT. endurcir. ☞ fléchissement, flexibilité, flexible, flexion, inflexible, inflexiblement.

fléchissement n.m. **1.** Action de fléchir, de plier: *Après son accident, le fléchissement du genou droit lui était très pénible.* **2.** fig. Baisse, diminution: *Le fléchissement des prix a avantagé les consommateurs.* **3.** fig. Affaiblissement: *Le fléchissement de la volonté entraîne une diminution des efforts.* ☞ fléchir.

flegmatique n. et adj. **1.** n. Personne calme qui contrôle ses émotions: *Jean-Guy est un flegmatique: il ne s'énerve pas facile-*

ment. **2.** adj. Qui est calme, qui contrôle ses émotions : *Marie-Rose est une personne flegmatique.* SYN. impassible. ANT. émotif, enthousiaste, exubérant. ☞ flegme.

flegmatiquement adv. Avec calme, avec sang-froid : *Il a réagi flegmatiquement à l'annonce de cette mauvaise nouvelle.* ☞ flegme.

flegme n.m. Calme, sang-froid : *Même quand tout va mal, Aline ne perd jamais son flegme.* SYN. placidité. ANT. emportement, enthousiasme, excitation. ☞ flegmatique, flegmatiquement.

flétan n.m. Grand poisson plat des mers froides : *Le flétan a une chair blanche et délicate, son foie est très riche en vitamines.*

flétrir v. **1.** Faire perdre sa fraîcheur, son éclat, ses couleurs à une plante : *Le soleil trop ardent a flétri les tulipes.* SYN. faner. ANT. épanouir. **2.** litt. Faire perdre sa fraîcheur, son éclat à un visage : *L'âge et la maladie ont flétri le visage de cet homme.* SYN. rider, sécher. ANT. épanouir. **3.** fig. et litt. Avilir, souiller : *Le succès l'a flétrie.* SYN. corrompre. ☞ flétrissure. se **flétrir** v.pron. Se faner : *Quel dommage! Les roses se sont flétries rapidement.* ANT. s'épanouir. **flétri, ie** p.p. et adj. **1.** Qui est fané : *Les fleurs flétries perdent doucement leurs pétales.* ANT. frais. **2.** litt. Qui est ridé : *Sa peau flétrie trahissait son âge.* ANT. lisse.

flétrissure n.f. **1.** Détérioration de la fraîcheur, de l'éclat, des couleurs d'une plante : *La flétrissure des plantes privées d'eau est un phénomène naturel.* SYN. dessèchement. ANT. épanouissement. **2.** litt. Détérioration de la fraîcheur, de l'éclat d'un visage : *Le maquillage n'arrive pas à dissimuler les flétrissures de l'âge.* **3.** litt. Atteinte grave à la réputation : *Un scandale financier a flétri le nom de cet homme.* SYN. déshonneur. ☞ flétrir.

fleur n.f. **1.** Partie colorée et souvent parfumée d'une plante qui donne la graine ou le fruit : *Les pommiers sont en fleur.* **2.** Plante qui produit des fleurs : *Des pots de fleurs s'alignent sur le bord des fenêtres.* **3.** Objet, dessin représentant une fleur : *Le drapeau québécois est orné de fleurs de lis.* **4.** plur.fig. Louanges, compliments qu'on adresse : *Ses amies l'ont couvert de fleurs.* SYN. éloges. **5.** fig. Ce qu'il y a de meilleur : *Ces personnes sont la fine fleur de la société.* SYN. crème, élite. ☞ fleurette, fleuri, fleurir, fleuriste, floraison, floral, floralies, florissant. à **fleur de** loc.prép. Presque au même niveau : *L'embarcation a heurté les rochers à fleur d'eau.* // *À fleur de peau :* Très sensible.

fleurdelisé n.m. Drapeau du Québec orné de fleurs de lis : *Le fleurdelisé est le drapeau officiel de la province de Québec.*

fleurdelisé

fleur

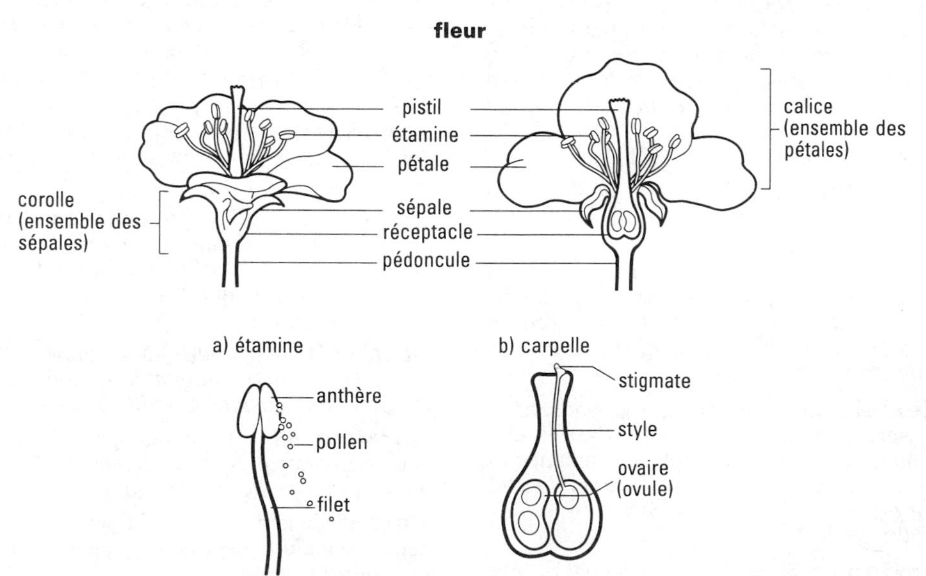

fleurdelisé, ée adj. Qui est orné de fleurs de lis: *Le drapeau fleurdelisé flotte sur les édifices publics du Québec.*

fleuret n.m. Épée fine et légère, sans tranchant, dont on se sert à l'escrime: *L'escrimeur a touché son adversaire avec la pointe de son fleuret.*

fleurette n.f. Petite fleur: *Robert a cueilli un bouquet de fleurettes.* ☞ fleur.

fleuri, ie adj. **1.** Qui est couvert de fleurs: *Les lilas fleuris embaument le jardin.* **2.** Qui est orné de fleurs: *La table est couverte d'une nappe fleurie.* ☞ fleur.

fleurir v. **1.** Produire des fleurs: *Les jacinthes et les crocus fleurissent tôt le printemps.* SYN. éclore, s'épanouir. ANT. se faner, se flétrir. **2.** Orner de fleurs ou d'une fleur: *Les visiteurs ont fleuri la chambre de la nouvelle maman.* SYN. embellir. ANT. enlaidir. **3.** Mettre une fleur au corsage ou à la boutonnière: *Pour notre soirée au théâtre, Lucille m'a fleuri.* ☞ fleur.

fleuriste n. **1.** Personne qui cultive des fleurs pour les vendre ou qui en fait le commerce: *À la Saint-Valentin, le fleuriste fait des affaires d'or.* **2.** Personne qui fabrique ou qui vend des fleurs artificielles: *La fleuriste vend des fleurs de soie.* ☞ fleur.

fleuron n.m. **1.** Ornement d'une couronne en forme de fleur: *La couronne royale est ornée de fleurons.* **2.** fig. Ce qu'il y a de plus remarquable, de meilleur: *Ce tableau de Jean-Paul Lemieux est le plus beau fleuron de sa collection.*

fleuve n.m. **1.** Cours d'eau important, aux nombreux affluents, qui se jette dans la mer: *Le fleuve Saint-Laurent se jette dans l'océan Atlantique.* **2.** Masse importante de matière en mouvement: *Un fleuve de boue a submergé le petit village.* ⁄⁄ *Fleuve côtier:* Fleuve dont la source est près des côtes. ☞ fluvial.

flexibilité n.f. **1.** Caractère de ce qui est flexible, souple: *La flexibilité de l'osier en fait un matériau idéal pour la confection des paniers.* **2.** fig. Caractère de ce qui peut s'adapter facilement aux circonstances particulières: *Le syndicat réclame la flexibilité des horaires pour ses membres.* SYN. souplesse. ANT. rigidité. ☞ fléchir.

flexible adj. **1.** Qui plie facilement sans se casser: *Le roseau est une plante flexible.* SYN. souple. **2.** fig. Qui s'adapte facilement aux circonstances particulières: *Ces travailleuses ont des horaires flexibles.* SYN. souple. ANT. rigide. ☞ fléchir.

flexion n.f. Mouvement par lequel on plie une chose: *Avant de commencer ses exercices, la gymnaste fait plusieurs flexions des jambes.* SYN. fléchissement. ANT. extension. ☞ fléchir.

flibustier n.m. Pirate de la mer des Antilles: *Autrefois, les flibustiers dévastaient les possessions espagnoles en Amérique.* SYN. corsaire.

flic n.m.fam. Agent de police: *En apercevant les flics, la petite voleuse a pris la fuite.*

flic flac interj.fam. Mot qui imite un claquement, le bruit d'un liquide qui s'égoutte: *Flic, flac, l'eau dégoutte du robinet.*

flirt n.m. (angl.) **1.** Relation amoureuse passagère et peu sérieuse: *Nadine a un flirt avec Bruno.* SYN. amourette. **2.** Personne avec qui l'on flirte: *Il vous a présenté Isabelle: c'est son dernier flirt.* SYN. amoureux. ☞ flirter, flirteur.

flirter v. (angl.) **1.** Avoir une relation amoureuse passagère et peu sérieuse: *Ils ne sont pas amoureux l'un de l'autre; ils ne font que flirter.* **2.** fig. Se rapprocher d'un adversaire politique: *Cette députée flirte avec l'opposition.* ☞ flirt.

flirteur, euse n. et adj. **1.** n. Personne qui aime à flirter: *Cette jeune fille n'est qu'une flirteuse.* **2.** adj. Qui aime à flirter: *Ce garçon flirteur ne s'attache pas aux filles qu'il rencontre.* ☞ flirt.

floc! interj. Mot imitant le bruit d'un corps qui tombe dans l'eau: *Floc! la chaussure lancée du premier étage tomba dans la piscine.*

flocon n.m. **1.** Petite touffe de laine, de coton: *Des flocons de laine jonchent le sol de la filature.* **2.** Petite masse légère de neige: *De gros flocons de neige voltigent dans l'air.* **3.** Petites lamelles de grains de céréales: *Danielle mange des flocons d'avoine.* ☞ floconneux.

floconneux, euse adj. Qui ressemble à des flocons: *L'avion traverse de gros nuages floconneux.* ☞ flocon.

floraison n.f. **1.** Épanouissement des fleurs: *Les arbres fruitiers sont en pleine floraison.* **2.** Moment où les fleurs s'épanouissent: *C'est le printemps et la floraison approche.* ☞ fleur.

floral, ale, aux adj. Qui se rapporte aux fleurs: *Le Jardin botanique de Montréal a organisé une exposition florale.* ☞ fleur.

floralies n.f.plur. Grande exposition de fleurs: *Aux floralies, nous avons pu admirer de nombreuses fleurs exotiques.* ☞ fleur.

flore n.f. Ensemble des plantes qui poussent dans une région, un pays: *Les élèves étudient la flore du Québec.*

florissant, ante adj. **1.** Qui est prospère, riche : *Ces derniers mois, cette commerçante a fait des affaires florissantes.* ANT. pauvre. **2.** Qui est très bon : *Malgré ses quatre-vingt-dix ans, cette femme a une santé florissante.* **3.** Qui indique une bonne santé : *Ces sportifs ont une mine florissante.* ☞ fleur.

flot n.m. **1.** Grande quantité de matière liquide ou semi-liquide qui s'écoule : *Un flot de lave s'échappe de la bouche du volcan.* SYN. torrent. **2.** fig. Grande quantité de personnes ou de choses : *Un flot de voyageurs arrive à l'aérogare.* SYN. foule, multitude. **3.** plur. Eaux en mouvement, vagues : *Pour ne pas périr, les marins se jetèrent dans les flots.* ⁄⁄ *Navire à flot :* Qui a assez d'eau pour flotter.

flottage n.m. Transport du bois que l'on fait flotter sur les cours d'eau : *Autrefois, on transportait le bois par flottage : c'est ce qu'on appelait la drave.* ☞ flotter.

flottant, ante adj. **1.** Qui flotte sur un liquide : *Les glaces flottantes suivent le courant de la rivière.* **2.** Qui flotte dans l'air : *Des nuages flottants dérivent au gré du vent.* **3.** Qui est souple et ample : *Marie-Ève porte une robe flottante.* **4.** fig. Qui est incertain dans ses décisions, ses idées : *Cet enfant a un esprit flottant.* SYN. indécis. ANT. résolu, sûr. ☞ flotter.

flotte n.f. **1.** Groupe de navires qui naviguent ensemble : *La flotte fut dispersée par la tempête.* **2.** Ensemble des navires de guerre d'un pays : *L'amiral commande la flotte de guerre.* **3.** Ensemble des navires de commerce d'un pays : *La flotte de commerce de ce pays comprend plusieurs pétroliers.* **4.** Ensemble des avions d'un pays, d'une société : *Air Canada renouvelle sa flotte aérienne.* ☞ flottille.

flottement n.m. **1.** État d'un objet qui flotte dans l'air : *Le vent est léger : on le voit au flottement du drapeau.* SYN. agitation. ANT. immobilité. **2.** fig. Moment d'incertitude, d'hésitation : *Un flottement s'est produit dans l'assemblée à la fin du spectacle.* ☞ flotter.

flotter v. **1.** Rester à la surface d'un liquide : *Le bouchon de liège flotte sur le ruisseau.* SYN. surnager. ANT. couler, s'enfoncer. **2.** Bouger au gré du vent : *Ses longs cheveux flottaient au vent.* SYN. onduler. **3.** Être suspendu dans l'air : *Une odeur d'encens flottait dans l'église.* **4.** Être souple et ample : *Ses vêtements flottent autour de lui.* **5.** Porter un vêtement trop large pour soi : *Depuis qu'elle a été malade, elle flotte dans sa robe.* **6.** Errer : *Un sourire flotte sur les lèvres de Steve.* ⁄⁄ *Flotter du bois :* Faire transporter le bois par flottage sur un cours d'eau. ☞ flottage, flottant, flottement, flotteur.

flotteur n.m. **1.** Professionnel employé au flottage du bois : *Les flotteurs font le transport du bois sur les cours d'eau.* SYN. draveur. **2.** Objet léger capable de flotter à la surface d'un liquide : *La pêcheuse observe le flotteur de sa ligne.* **3.** Élément d'un hydravion qui lui permet de se poser sur l'eau : *Les flotteurs d'un hydravion sont placés sous les ailes de l'appareil.* ☞ flotter.

flottille n.f. **1.** Réunion de petits bateaux : *Une flottille de pêche s'éloigne du port.* **2.** Formation d'avions de combat : *La flottille a ouvert le feu sur l'ennemi.* ☞ flotte.

flou, floue adj. **1.** Dont le contour n'est pas net : *Cette photographie est floue : tu as dû bouger en la prenant.* SYN. indistinct. ANT. clair. **2.** fig. Qui est imprécis, vague : *Leurs idées me paraissent plutôt floues.* ANT. précis.

fluctuant, ante adj. **1.** Qui varie continuellement : *Les taux d'intérêt sont fluctuants.* SYN. instable. ANT. invariable. **2.** Qui change d'idée, qui est indécis : *Angela est très fluctuante dans ses opinions.* SYN. inconstant. ANT. ferme. ☞ fluctuation.

fluctuation n.f. Variation continuelle, changement : *Il est parfois difficile de suivre les fluctuations de l'opinion publique.* ☞ fluctuant, fluctuer.

fluctuer v. Varier continuellement, changer : *Le prix de l'or fluctue.* ☞ fluctuation.

fluet, ette adj. **1.** Qui est mince et d'apparence délicate : *Ses jambes fluettes semblaient toujours sur le point de casser.* SYN. frêle, grêle. ANT. épais, gros. **2.** Qui est faible : *Il m'a remercié d'une voix fluette.* ANT. fort.

fluide n.m. **1.** Corps liquide ou gazeux qui adopte la forme de son contenant : *Les gaz et les liquides sont des fluides.* **2.** Force mystérieuse que posséderaient certaines personnes ou certains objets : *On dit que ce médium a du fluide.* SYN. influence. ☞ fluidité.

fluide adj. **1.** Qui coule facilement, qui n'est pas trop épais : *Cette huile est très fluide.* ANT. épais. **2.** fig. Qui est régulière, en parlant de la circulation : *Il n'y a pas d'embouteillages ce soir, la circulation est fluide.* ☞ fluidité.

fluidité n.f. **1.** État de ce qui coule facilement : *La cuisinière vérifie la fluidité de la crème.* ANT. consistance. **2.** État d'une circulation qui est régulière : *La fluidité de la circulation sur l'autoroute surprend les usagers.* ☞ fluide.

fluor n.m. Gaz jaune-vert, d'odeur irritante, très dangereux à respirer : *On dit que le fluor peut prévenir les caries dentaires.* ☞ fluoration.

fluoration n.f. Addition de fluor à l'eau destinée à la consommation: *Selon certains dentistes, la fluoration de l'eau préviendrait les caries dentaires.* ☞ fluor.

fluorescence n.f. Propriété que possèdent certains corps d'émettre de la lumière sous l'effet d'un rayonnement: *La fluorescence cesse dès qu'il n'y a plus de rayonnement.* ☞ fluorescent.

fluorescent, ente adj. Qui devient lumineux sous l'effet d'un rayonnement: *Un tube fluorescent éclaire la cuisine.* ☞ fluorescence.

flûte n.f. **1.** Instrument à vent, en bois ou en métal, formé d'un tube creux percé de plusieurs trous, ou de tubes d'inégales longueurs: *Yvan joue de la flûte.* **2.** Verre à pied, haut et étroit: *Notre hôte a servi le champagne dans des flûtes.* ⫽ *Flûte à bec:* Flûte droite, en bois ou en matière plastique, avec une embouchure en forme de bec. *Flûte de Pan:* Flûte formée de tuyaux d'inégales longueurs sur lesquels on promène les lèvres. *Flûte traversière:* Flûte en bois ou en métal, formée d'un long tuyau démontable en trois parties, dont l'embouchure est percée sur le côté. **R.** Ne pas oublier l'accent: *û.* ☞ flûtiste.

flûtiste n. Personne qui joue de la flûte: *Rita est flûtiste.* **R.** Ne pas oublier l'accent: *û.* ☞ flûte.

fluvial, ale, aux adj. Qui se rapporte aux fleuves, aux rivières: *La navigation fluviale est très importante dans notre pays.* ☞ fleuve.

flux n.m. **1.** Marée montante: *J'aime observer le flux et le reflux de la mer.* ANT. reflux. **2.** Grande quantité: *Le député a dû faire face à un flux de protestations.* SYN. abondance, profusion.

foam ☞ sect. anglicismes et canadianismes.

fœtus n.m.invar. Produit de la conception qui est encore dans l'utérus de sa mère, mais qui a déjà les formes de son espèce: *Chez l'être humain, on parle de fœtus à partir du troisième mois de grossesse.* SYN. embryon. **R.** Les lettres *œ* se prononcent *é*. Le *s* se prononce.

foi n.f. **1.** Croyance en Dieu, en une religion: *Tous les croyants ont la foi.* **2.** Doctrine d'une religion: *Ces personnes professent la foi chrétienne.* **3.** Confiance en quelqu'un ou en quelque chose: *Ce témoin est digne de foi. J'ai foi en lui.* ANT. méfiance. HOM. foie, fois. ⫽ *Bonne foi:* Sincérité, franchise, loyauté. *Faire foi:* Prouver. *Foi du charbonnier:* Conviction absolue et naïve. *Mauvaise foi:* Manque de franchise, déloyauté. *N'avoir ni foi ni loi:* N'avoir ni religion ni morale. *Profession de foi:* Cérémonie à laquelle participent les jeunes catholiques pour affirmer leur croyance en la doctrine de l'Église.

foie n.m. **1.** Organe situé dans la partie supérieure droite de l'abdomen, qui sécrète la bile et qui joue un grand rôle dans la digestion et la formation du sang: *Le foie est le plus gros de tous les viscères.* **2.** Foie de certains animaux: *Hier soir, nous avons mangé du foie de veau.* HOM. foi, fois. ⫽ *Foie gras:* Foie de canard ou d'oie.

foin n.m. **1.** Herbe fauchée et séchée pour la nourriture du bétail: *Pendant l'hiver, les vaches mangent du foin.* **2.** Poils soyeux qui garnissent le fond de l'artichaut: *On ne mange pas le foin de l'artichaut.* **3.** plur. Herbe sur pied destinée à être fauchée: *La fermière et sa famille travaillent très fort pendant la saison des foins.* ⫽ *Faire les foins:* Couper et ramasser les foins. *Rhume des foins:* Allergie qui revient périodiquement à l'époque de la floraison des graminées.

foire n.f. **1.** Grand marché public: *Les fermiers vont vendre leurs produits agricoles à la foire.* **2.** Exposition commerciale périodique: *Les foires du livre connaissent au Québec un grand succès.* **3.** Fête foraine: *Les enfants se sont beaucoup amusés à la foire.*

foirer v.fam. **1.** Échouer: *Cette affaire a foiré.* SYN. rater. ANT. réussir. **2.** Tourner sans s'enfoncer, en parlant d'une vis: *Ces vis ne sont plus bonnes: elles foirent.*

fois n.f. **1.** Moment, occasion où un fait se produit ou se reproduit: *C'est la deuxième fois que tu me téléphones aujourd'hui.* **2.** Marque la multiplication ou la division: *Trois fois six*

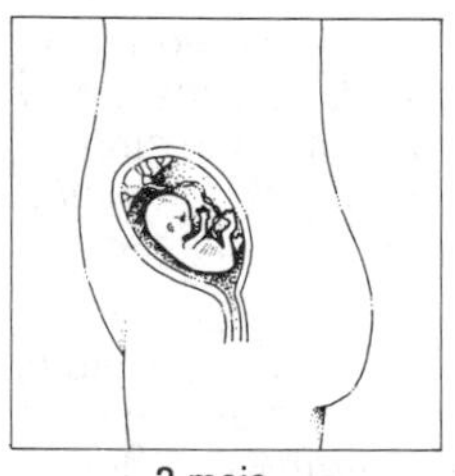
3 mois

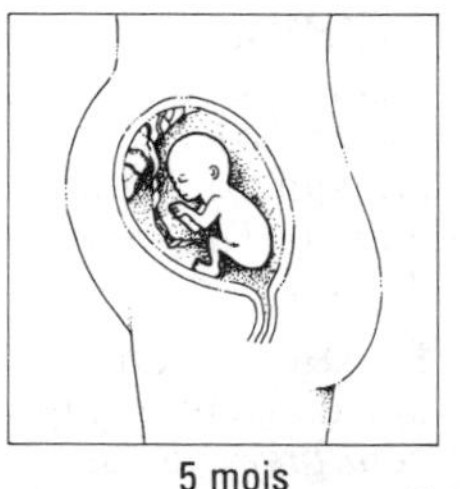
5 mois

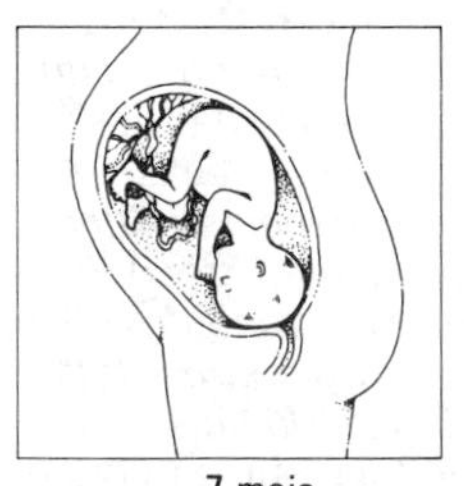
7 mois

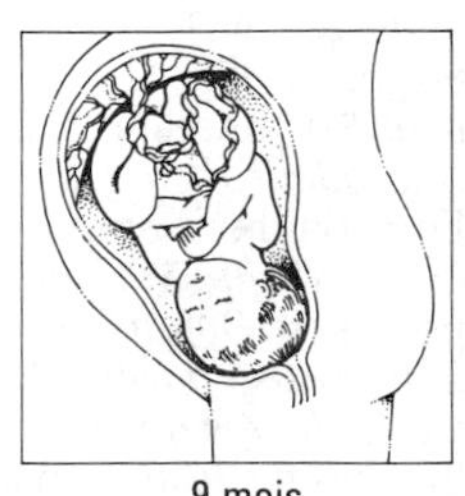
9 mois

fœtus

font dix-huit. HOM. foi, foie. ⁄⁄ *Une fois pour toutes:* De façon définitive. à la **fois** loc.adv. En même temps: *Cette fillette est à la fois timide et entreprenante.* une **fois que** loc.conj. Dès que, lorsque: *Une fois qu'il s'est décidé, on ne peut plus l'arrêter.*

foison n.f.vx Très grande quantité: *Des foisons d'outardes s'envolent vers les pays chauds.* ☞ foisonnement, foisonner. à **foison** loc.adv. En grande quantité: *Il y a de la nourriture à foison.* SYN. abondamment. ANT. peu.

foisonnement n.m. Abondance: *Le foisonnement des mauvaises herbes inquiète la maraîchère.* ☞ foison.

foisonner v. **1.** Être en abondance: *Les lièvres foisonnent dans la forêt.* SYN. abonder, pulluler. ANT. manquer. **2.** Être pourvu en abondance: *Le lac foisonne de truites.* SYN. regorger. ☞ foison.

folâtre adj. Qui entraîne au jeu, à la plaisanterie: *Aujourd'hui, Tania était d'humeur folâtre.* SYN. amusant, espiègle, gai. ANT. sérieux, triste. **R.** Ne pas oublier l'accent: *â.* ☞ folâtrer.

folâtrer v. Jouer, s'amuser librement: *Après le pique-nique, les enfants ont folâtré dans l'herbe.* **R.** Ne pas oublier l'accent: *â.* ☞ folâtre.

folie n.f. **1.** Trouble mental: *Cet homme a sombré dans la folie.* SYN. démence. **2.** Conduite déraisonnable, manque de jugement: *Tu ne sortiras pas nu-pieds dans la neige! C'est de la folie!* SYN. absurdité. ANT. sagesse. **3.** Idée, parole, acte déraisonnable: *Cesse de dire des folies.* SYN. bêtise, sottise. **4.** Dépenses excessives: *Ma marraine a fait des folies pour m'offrir ce cadeau.* SYN. extravagance. ⁄⁄ *À la folie:* Extrêmement, passionnément. **R.** Dans le sens de *trouble mental*, on emploie plutôt *maladie mentale* dans le domaine médical. ☞ fou.

folklore n.m. **1.** Ensemble des traditions, légendes, chansons, fêtes d'un pays, d'une région: *Aïda s'intéresse au folklore québécois.* **2.** fig. Aspect pittoresque mais sans grande importance: *Certaines réunions politiques sont teintées de folklore.* ☞ folklorique, folkloriste.

folklorique adj. **1.** Qui se rapporte au folklore: *Les danseurs portent des costumes folkloriques.* **2.** fig. Qui est pittoresque mais peu important: *Certaines vedettes de la télévision ont des manières folkloriques.* ☞ folklore.

folkloriste n. Personne qui étudie le folklore: *La folkloriste connaît bien les danses, les légendes et les fêtes du Québec.* ☞ folklore.

folklore

follement adv. **1.** D'une manière folle, excessive: *Elle est follement amoureuse de cet homme.* SYN. excessivement. **2.** Beaucoup: *Nous nous sommes follement amusées à cette fête.* SYN. extrêmement. ☞ fou.

follet, ette adj. **1.** Qui est léger et irrégulier, en parlant du poil ou de la barbe: *Cet adolescent n'a pas encore de barbe; il a quelques poils follets au menton.* **2.** Qui est légère et fugitive, en parlant d'une flamme qui apparaît parfois au-dessus de certains terrains: *Les enfants disent qu'ils ont vu des feux follets au-dessus du marécage.*

fomentateur, trice n. Personne qui provoque ou entretient des actions, des sentiments néfastes: *Les fomentateurs ont poussé le peuple à la révolte.* ☞ fomenter.

fomenter v. Provoquer ou entretenir des actions, des sentiments néfastes: *Ces agitatrices ont fomenté des troubles dans leur pays.* SYN. envenimer, soulever. ANT. apaiser, calmer, pacifier. ☞ fomentateur.

foncé, ée adj. Qui est d'une couleur sombre: *Murielle porte un chandail vert foncé.* ANT. clair, pâle. HOM. foncer. ☞ foncer.

foncer v. **1.** Devenir plus sombre: *On dirait que tes cheveux ont foncé pendant l'hiver.* ANT. pâlir. **2.** Rendre plus sombre: *Tu devrais foncer le bleu de ton ciel.* ☞ foncé. ▲ **foncer** v. **1.** Se précipiter avec violence: *Le bœuf a foncé sur le fermier.* SYN. attaquer. ANT. éviter. **2.** fam. Aller très vite: *Le coureur fonce droit devant lui.* SYN. filer. ANT. flâner, lambiner. HOM. foncé. ☞ fonceur.

fonceur, euse n. et adj. **1.** n. Personne qui n'hésite pas à aller de l'avant: *Marie est audacieuse, c'est une fonceuse.* **2.** adj. Qui n'hésite pas à aller de l'avant: *Pierre est un garçon fonceur.* SYN. dynamique. ANT. craintif. ☞ foncer.

foncier, ière adj. **1.** Qui est constitué par une terre ou par un bâtiment: *Une propriété foncière peut être un immeuble ou simplement un terrain.* **2.** Qui possède une terre ou un bâtiment: *Mes parents sont des propriétaires fonciers.* **3.** Qui se rapporte à une terre ou à un bâtiment: *Tous les propriétaires payent des taxes foncières.* **4.** fig. Qui est au fond du caractère de quelqu'un: *Charles est d'une bonté foncière.* ☞ foncièrement.

foncièrement adv. Profondément, par nature: *Cette femme est foncièrement malhonnête.* ☞ foncier.

fonction n.f. **1.** Profession, métier: *Johanne exerce la fonction de notaire.* **2.** Rôle exercé dans un travail: *La présidente s'acquitte de ses fonctions.* SYN. devoir, mission. **3.** Rôle d'une chose dans un ensemble: *La fonction des reins est de filtrer les déchets de l'organisme.* **4.** Rôle d'un mot dans une phrase, dans un groupe de mots: *Dans la phrase «L'oiseau siffle sur la branche», oiseau remplit la fonction de sujet du verbe.* ⁄⁄ *Être en fonction:* Être en activité. *Faire fonction de:* Jouer le rôle de. *Fonction publique:* Ensemble des fonctionnaires. ☞ fonctionnaire, fonctionnel. en **fonction de** loc.prép. En rapport avec: *Son salaire varie en fonction de ses responsabilités.*

fonctionnaire n. Personne qui travaille dans une administration publique: *Les employés de l'État sont des fonctionnaires.* SYN. agent. ☞ fonction.

fonctionnel, elle adj. **1.** Qui se rapporte aux fonctions des organes du corps: *Les troubles fonctionnels d'un organe ne sont pas dus à une blessure.* **2.** Qui est bien adapté à sa fonction: *Ces meubles sont très fonctionnels: ils sont pratiques avant tout.* ☞ fonction.

fonctionnement n.m. Manière dont une chose fonctionne: *Camille nous a expliqué le fonctionnement de l'ordinateur.* SYN. marche. ☞ fonctionner.

fonctionner v. Accomplir une fonction, marcher: *Notre téléviseur fonctionne bien.* ANT. s'arrêter. ☞ fonctionnement.

fond n.m. **1.** Partie la plus creuse: *Le sucre s'est déposé au fond de la tasse.* SYN. bas. ANT. dessus. **2.** Partie solide qui est en dessous de l'eau: *Le trésor repose au fond de la mer.* SYN. creux. ANT. surface. **3.** Hauteur, profondeur de l'eau: *Ne plonge pas ici, il n'y a pas assez de fond.* **4.** Partie la plus éloignée de l'entrée, de l'ouverture: *Dino est assis au fond de la classe.* **5.** Partie d'un vêtement éloignée des bords: *Tu as encore déchiré ton fond de culotte.* **6.** Surface sur laquelle se détachent des motifs, des dessins: *Dans sa chambre, il a posé un papier peint à fleurs bleues sur fond blanc.* **7.** Contenu, idées d'une œuvre: *Dans une rédaction, il faut soigner le fond autant que la forme.* SYN. sujet. ANT. forme. **8.** Ce qu'il y a de plus important: *Elle aime bien aller au fond des choses.* **9.** Partie la plus intime, la plus cachée: *Il nous a découvert le fond de son cœur.* **10.** fig. Point le plus bas: *Ces gens ont touché le fond du désespoir.* HOM. fonds, fonts. ⁄⁄ *Course de fond:* Course effectuée sur un long parcours (5000 m à 10 000 m). *Du fond du cœur:* Très sincèrement. *Fond de teint:* Crème colorée que l'on applique sur le visage comme maquillage. *Ski de fond:* Ski qui se pratique sur des parcours de faible dénivellation. ☞ demi-fond, fondeur. à **fond** loc.adv. Entièrement: *Nous avons étudié ce problème à fond.* au **fond** loc.adv. En réalité: *On l'a critiqué, mais au fond il avait raison.* dans le **fond** loc.adv.fam. En réalité: *Dans le fond, tu n'es pas fâché que l'école soit terminée.* de **fond en comble** loc.adv. Complètement: *Cette vieille maison a été détruite de fond en comble.*

fondamental, ale, aux adj. Qui est le plus important: *Le respect des droits des humains est un principe fondamental en démocratie.* SYN. essentiel, vital. ANT. négligeable, secondaire. ☞ fondamentalement.

fondamentalement adv. D'une manière fondamentale, essentielle: *La démocratie et la dictature sont des régimes fondamentalement opposés.* SYN. essentiellement, totalement. ☞ fondamental.

fondant n.m. Préparation à base de sucre utilisée pour la confection des bonbons ou pour la garniture des gâteaux: *Papa a recouvert les petits gâteaux de fondant à l'érable.* ☞ fondre.

fondant, ante adj. **1.** Qui fond: *Les routes sont recouvertes de neige fondante.* **2.** Qui se dissout dans la bouche: *Cette poire est très juteuse: elle est fondante.* ☞ fondre.

fondateur, trice n. et adj. **1.** n. Personne qui fonde, qui construit une ville, une œuvre: *Justine Lacoste-Beaubien est la fondatrice de l'hôpital Sainte-Justine.* **2.** adj. Qui fonde: *Les membres fondateurs de ce parti sont tous morts.* ☞ fonder.

fondation n.f. **1.** Action de fonder une ville, un pays, une institution: *La fondation de Québec date de 1608.* **2.** Création d'une œuvre d'intérêt public ou d'utilité sociale: *La fondation Lucie-Bruneau s'occupe des personnes handicapées.* **3.** Ensemble des parties qui supportent une construction: *On a creusé les fondations du nouveau centre d'accueil.* SYN.

base, fondement. **R.** Dans le sens de *ensemble des parties qui supportent une construction*, s'emploie surtout au pluriel. ☞ fonder.

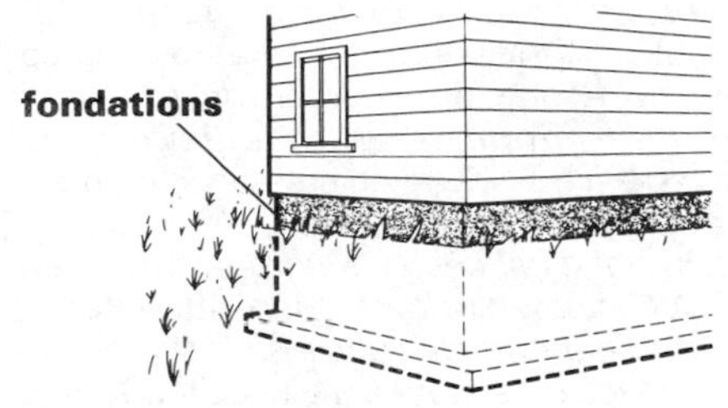

fondé de pouvoir, ée n. Personne qui est autorisée à agir au nom d'une autre personne ou d'une société: *Nous avons rencontré la fondée de pouvoir de l'entreprise.* ☞ fonder.

fondement n.m. **1.** Élément essentiel, principe général qui sert de base: *Samuel de Champlain a jeté les fondements d'une société française en Amérique.* SYN. principe. **2.** Raison, motif qui justifie quelque chose: *Cette nouvelle est sans fondement.* ☞ fonder.

fonder v. **1.** Créer, établir une ville, une institution: *C'est Jeanne Mance qui a fondé l'Hôtel-Dieu de Montréal.* ANT. détruire. **2.** Appuyer sur des raisons, des preuves: *Elle fonde ses soupçons sur des faits précis.* SYN. justifier. ⁄⁄ *Fonder un foyer:* Se marier. ☞ fondateur, fondation, fondé de pouvoir, fondement. se **fonder** v.pron. S'appuyer sur des raisons, des preuves: *Sur quoi te fondes-tu pour porter une telle accusation?* **fondé, ée** p.p. et adj. Qui est appuyé sur des raisons, des preuves: *Vos reproches me semblent fondés.* SYN. légitime, raisonnable.

fonderie n.f. Usine où l'on fond les métaux: *Dans une fonderie, on fabrique des objets en coulant du métal en fusion dans des moules.* ☞ fondre.

fondeur n.m. Personne qui travaille dans une fonderie: *Le fondeur verse le métal en fusion dans les moules.* **R.** L'O.L.F. recommande *fondeuse* comme féminin de *fondeur.* ☞ fondre.

fondeur, euse n. Personne qui fait du ski de fond: *La fondeuse a parcouru dix kilomètres dans la journée.* ☞ fond.

fondre v. **1.** Amener à l'état liquide sous l'action de la chaleur: *Le bijoutier fond de l'or et de l'argent pour fabriquer des bijoux.* SYN. liquéfier. ANT. figer. **2.** Passer de l'état solide à l'état liquide sous l'action de la chaleur: *Il fait très chaud: la neige a fondu au soleil.* ANT. congeler. **3.** Se dissoudre: *Tu ne vois plus le sucre parce qu'il a fondu dans le café.* **4.** Fabriquer avec du métal fondu que l'on coule dans un moule: *Savez-vous qui a fondu ces cloches?* **5.** Se précipiter avec violence: *Le grand duc fond sur l'écureuil.* SYN. s'abattre, s'élancer. **6.** fam. Maigrir: *Elle a beaucoup fondu pendant sa maladie.* ANT. grossir. **7.** fig. Combiner, mêler de manière à former un tout: *La peintre a fondu ses couleurs de façon très harmonieuse.* ANT. séparer. **8.** fig. Disparaître rapidement: *Toutes ses économies ont fondu en quelques mois.* ANT. augmenter. **9.** fig. Atteindre quelqu'un: *Depuis un an, bien des malheurs ont fondu sur lui.* **10.** fig. S'attendrir subitement: *Elle fond devant tant de générosité.* ☞ fondant, fonderie, fondeur, fondu, fonte. se **fondre** v.pron. **1.** Se combiner: *Ces deux sociétés se sont fondues en une seule.* SYN. s'unir. ANT. se séparer. **2.** Disparaître: *Sa silhouette s'est fondue dans le brouillard.* SYN. se dissiper.

fondrière n.f. Trou rempli d'eau ou de boue dans un chemin défoncé: *Les automobilistes roulent lentement pour éviter les fondrières.*

fonds n.m.invar. Argent: *Cette association a besoin de fonds pour continuer ses œuvres charitables.* SYN. capital. HOM. fond, fonts. ⁄⁄ *Être en fonds:* Avoir de l'argent. *Fonds de commerce:* Ensemble des marchandises, des biens mobiliers, de la clientèle d'un commerce.

fondu, ue adj. **1.** Qui est devenu liquide: *Les cuisses de grenouilles sont servies avec du beurre à l'ail fondu.* **2.** Qui passe d'un ton à un autre par mélange: *Ces couleurs fondues sont très jolies.* HOM. fondue. ☞ fondre.

fondue n.f. Plat de fromage fondu et de vin blanc dans lequel on trempe de petits morceaux de pain: *La fondue est un mets d'origine suisse.* HOM. fondu. ⁄⁄ *Fondue bourguignonne:* Morceaux de viande de bœuf qu'on fait cuire dans de l'huile bouillante et qu'on mange avec différentes sauces. *Fondue chinoise:* Tranches très fines de bœuf qu'on fait cuire dans un bouillon et qu'on mange avec différentes sauces.

fongicide n.m. et adj. **1.** n.m. Substance qui détruit les champignons parasites: *La cultivatrice vaporise un fongicide sur ses plants de pommes de terre.* **2.** adj. Qui détruit les champignons parasites: *Les produits fongicides combattent les maladies des plantes.*

fontaine n.f. Construction d'où sort de l'eau amenée par canalisation, généralement pourvue d'un bassin: *Les élèves vont boire à la fontaine.*

fonte n.f. **1.** Fait de fondre, de passer à l'état

liquide par l'effet de la chaleur: *La fonte des neiges a causé de nombreuses inondations.* **2.** Fabrication avec du métal en fusion que l'on coule dans un moule: *J'aimerais assister à la fonte d'une statue.* ☞ fondre. ▲ **fonte** n.f. Alliage de fer et de carbone: *Ce chaudron est très lourd car il est en fonte.*

fonts n.m.plur. Bassin posé sur un support contenant l'eau du baptême: *Le parrain et la marraine ont tenu leur filleule sur les fonts baptismaux.* HOM. fond, fonds.

football n.m. (angl.) **1.** Sport dans lequel vingt-deux joueurs partagés en deux équipes s'efforcent de faire pénétrer un ballon ovale dans les buts adverses: *Aux États-Unis, une équipe de football comprend onze joueurs.* **2.** Sport européen dans lequel vingt-deux joueurs partagés en deux équipes s'efforcent de faire pénétrer un ballon rond dans les buts adverses sans se servir de leurs mains: *Une partie de football dure quatre-vingt-dix minutes.* SYN. soccer. ☞ footballeur.

footballeur, euse n. (angl.) Personne qui joue au football: *Les footballeurs canadiens peuvent utiliser leurs mains et leurs pieds pour faire pénétrer le ballon dans les buts adverses.* ☞ football.

forage n.m. **1.** Action de forer, de percer un trou dans une matière dure à l'aide d'un outil appelé «foret»: *L'ouvrière utilise une perceuse électrique pour le forage d'une pièce métallique.* **2.** Action de forer, de creuser mécaniquement un trou, une cavité: *La plateforme de forage sert à exploiter les gisements de pétrole sous-marins.* ☞ forer.

forain, aine n. et adj. **1.** n. Personne qui vend des marchandises dans les foires et dans les marchés: *Ces foraines offrent leurs marchandises aux personnes qui fréquentent la foire.* **2.** n. Personne qui organise des distractions dans une foire: *Les forains ont installé leurs manèges sur la place publique.* **3.** adj. Qui vend des marchandises dans les foires et dans les marchés: *Les marchands forains n'ont pas de magasins qui leur appartiennent.* **4.** adj. Qui se rapporte à la foire: *Une fête foraine est une fête publique où l'on retrouve des manèges et différentes attractions.*

forçat n.m. Homme condamné aux galères ou aux travaux forcés, autrefois: *Les forçats étaient condamnés au bagne.* SYN. bagnard. ⁄⁄ *Travailler comme un forçat:* Travailler très dur. **R.** Ne pas oublier la cédille.

force n.f. **1.** Vigueur physique: *Cette athlète a beaucoup de force dans les jambes.* SYN. solidité. ANT. faiblesse. **2.** Volonté, courage: *Cette réfugiée a une grande force de caractère.* SYN. énergie. **3.** Niveau, degré d'aptitudes intellectuelles ou d'habileté: *Ces deux joueuses de tennis ne sont pas de la même force.* **4.** plur. Ensemble d'énergies personnelles: *Il faut ménager tes forces si tu veux terminer la course.* ⁄⁄ *De toutes ses forces:* Le plus fort possible. ☞ fort (adj.). **à force de** loc.prép. Avec beaucoup de: *À force de travail, il a terminé premier en mathématiques.* ▲ **force** n.f. **1.** Degré de puissance d'un élément physique (vent, courant, son): *La force du courant a fait dévier la barque.* SYN. intensité. ANT. faiblesse. **2.** Degré d'efficacité: *La pharmacienne a beaucoup insisté sur la force de ce médicament.* ANT. inefficacité. **3.** Puissance, pouvoir: *On constate facilement la force de ce parti politique.* SYN. vigueur. ANT. faiblesse. **4.** Intensité: *Ses actes prouvent bien la force de son désir.* SYN. violence. **5.** plur. Ensemble des armées: *Les forces armées canadiennes assurent la défense du territoire.* ⁄⁄ *Force de frappe:* Moyens militaires modernes destinés à écraser rapidement l'ennemi. *Forces de l'ordre:* La police. ☞ fort (adj.). ▲ **force** n.f. **1.** Contrainte, violence: *Il a fallu employer la force pour désarmer le bandit.* **2.** Autorité: *Ces règlements ont force de loi.* ⁄⁄ *Cas de force majeure:* Événement imprévisible et inévitable. *De gré ou de force:* Volontairement ou par contrainte. *Par la force des choses:* Obligatoirement. **de force** loc.adv. En employant la contrainte, la violence: *Je ne voulais pas lui remettre le ballon: il l'a pris de force.* ▲ **force** n.f. Ce qui nous pousse à agir d'une certaine manière: *Il n'a pas réfléchi: il a fait cela par la force de l'habitude.* ☞ fort (adj.).

forcé, ée adj. **1.** Qui est obligatoire: *L'avion en feu a dû faire un atterrissage forcé.* SYN. nécessaire. ANT. facultatif. **2.** Qui n'est pas naturel: *Cet homme a un sourire forcé.* **3.** fam. Qui est inévitable: *Quand on ne travaille pas, on échoue. C'est forcé!* HOM. forcer. ⁄⁄ *Travaux forcés:* Travaux très pénibles auxquels étaient condamnés certains criminels. ☞ forcément.

forcément adv. Inévitablement: *Si je ne me lève pas, j'arriverai forcément en retard.* SYN. nécessairement. ☞ forcé.

forcené, ée n. et adj. **1.** n. Personne qui est folle de colère: *Cette forcenée a ouvert le feu sur les passants.* **2.** adj. Qui est fou de colère: *Cet homme forcené a offert une résistance farouche aux policiers.* SYN. furieux. ANT. calme. **3.** adj. Qui est d'une violence extrême: *Ses cris forcenés ont réveillé tout le quartier.* SYN. désespéré. **4.** adj. Qui est acharné: *Monsieur Rousseau est un travailleur forcené.*

forcer v. **1.** Obliger à faire: *Mes amis m'ont forcée à venir avec eux.* **2.** Ouvrir, enfoncer de force : *La cambrioleuse a forcé la porte de la maison.* ANT. fermer. **3.** Imposer un trop grand effort : *Tu ne devrais pas forcer ta voix comme tu le fais.* **4.** Fournir un très grand effort physique : *La cycliste a terminé la course sans forcer.* **5.** Dépasser ce qui est permis : *Je crois que tu as forcé la dose de ce médicament.* SYN. exagérer. ANT. modérer. **6.** Supporter un trop grand effort : *Cette charnière force trop : elle va finir par céder.* **7.** Déformer par une interprétation abusive : *Il a tendance à forcer la vérité.* **8.** fig. Entrer chez quelqu'un sans son consentement : *Je lui avais pourtant dit que j'étais occupée, mais elle a forcé ma porte.* HOM. forcé. se **forcer** v.pron. S'obliger à faire : *Je me suis forcée à avaler cette bouillie peu appétissante.* SYN. se contraindre.

forcir v. Devenir plus fort, plus robuste : *Cette enfant a forci pendant les vacances.* ☞ fort.

foreman ☞ sect. anglicismes et canadianismes.

forer v. **1.** Percer un trou dans une matière dure avec un foret : *Le menuisier a foré une planche à l'aide d'un vilebrequin.* ANT. boucher. **2.** Creuser mécaniquement un trou, une cavité : *Pour trouver du pétrole, il faudra forer un puits à cet endroit.* ANT. combler. ☞ forage, foret, foreur, foreuse.

foresterie n.f. Ensemble des activités qui concernent la forêt : *L'exploitation et la conservation des forêts relèvent de la foresterie.* ☞ forêt.

forestier, ière n. et adj. **1.** n. Personne qui travaille dans une forêt du domaine public : *La forestière est chargée de surveiller un secteur de la forêt.* **2.** adj. Qui travaille dans une forêt du domaine public : *Dominique veut devenir garde forestier.* **3.** adj. Qui se rapporte à la forêt : *Nos régions forestières sont menacées par les pluies acides.* ☞ forêt.

foret n.m. Outil de métal servant à percer des trous dans le bois ou dans les métaux : *La perceuse électrique fonctionne avec un foret.* HOM. forêt. ☞ forer.

forêt n.f. **1.** Grande étendue de terrain couverte d'arbres ; ensemble des arbres qui y poussent : *Beaucoup d'animaux sauvages vivent dans la forêt.* SYN. bois. **2.** fig. Grande quantité de choses hautes et élancées : *Une forêt de mâts s'élèvent dans le port.* SYN. multitude. HOM. foret. **R.** Ne pas oublier l'accent : *ê*. ☞ foresterie, forestier.

foreur n.m. Personne qui creuse des trous de mine, spécialiste du forage : *Le foreur a commencé le forage du puits de pétrole.* **R.** L'O.L.F. recommande *foreuse* comme féminin de *foreur*. ☞ forer.

foreuse n.f. **1.** Outil servant à percer des trous dans une matière dure : *Maman utilise une foreuse pour percer un trou dans la plaque de métal.* SYN. perceuse. **2.** Machine servant à percer les roches, le sol : *La foreuse est destinée au forage des puits à faible profondeur.* SYN. perforatrice. ☞ forer.

forfait n.m.litt. Crime abominable : *Cette criminelle a commis bien des forfaits.* SYN. faute. ▲ **forfait** n.m. Contrat dans lequel le prix d'une marchandise ou d'un service est fixé à l'avance : *La graphiste travaille à forfait.* ☞ forfaitaire.

forfaitaire adj. Dont le prix est fixé à l'avance par un contrat : *On m'a demandé un prix forfaitaire pour ce voyage.* ☞ forfait.

forficule n.m. Insecte plat, allongé, aussi appelé « perce-oreille », dont l'abdomen est terminé par une paire de pinces : *Le forficule vit sous les pierres et dans les fruits.* ◇ perce-oreille.

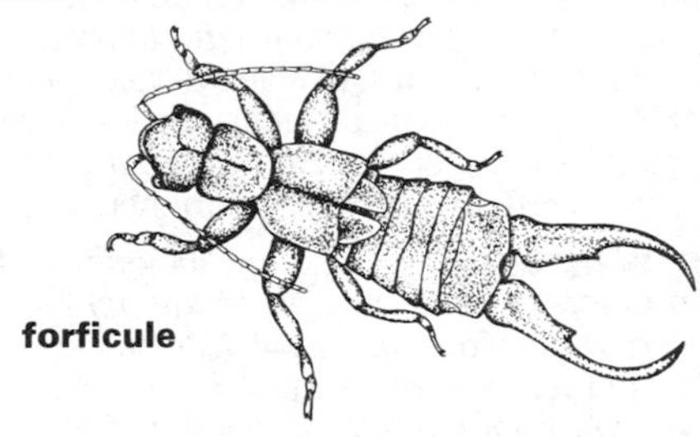

forge n.f. Atelier où l'on travaille les métaux : *La forgeronne et le maréchal-ferrant travaillent dans une forge.* ☞ forger, forgeron.

forger v. **1.** Travailler, en le chauffant, un métal pour lui donner une certaine forme : *Le forgeron a chauffé la barre de métal, puis a forgé un fer à cheval.* SYN. façonner. **2.** fig. Inventer, imaginer, fabriquer : *Elle a forgé une excuse pour ne pas venir avec nous.* ☞ forge.
forgé, ée p.p. et adj. **1.** Qui a été travaillé, façonné : *La clôture qui borde le terrain est en fer forgé.* **2.** fig. Qui est inventé : *Ne crois pas cette histoire : elle est forgée de toutes pièces.*

forgeron n.m. Personne qui travaille le fer au marteau après l'avoir fait chauffer : *Le forgeron donne une forme à la barre de métal rougie au feu.* **R.** L'O.L.F. recommande *forgeronne* comme féminin de *forgeron*. ☞ forge.

se **formaliser** v.pron. Être choqué par un manquement au savoir-vivre, à la politesse : *Je ne lui ai pas téléphoné avant de venir ; j'espère qu'il ne s'en formalisera pas.* SYN. s'offusquer, se vexer. ANT. acquiescer, agréer, se réjouir.

formalité n.f. **1.** Opération obligatoire pour qu'un acte soit valide : *Pour obtenir ton* *passeport, tu dois remplir certaines formalités.* SYN. procédure. **2.** Règle de conduite imposée par les convenances: *Elle n'aime pas les grandes réceptions: toutes ces formalités l'ennuient.* SYN. cérémonie. **3.** Acte de peu d'importance ou qui ne présente aucune difficulté: *Tu dois passer en entrevue, mais ce n'est qu'une simple formalité.* ☞ forme.

format n.m. Dimension d'un objet: *Cette photo a un format de neuf centimètres sur sept centimètres.*

formatage n.m. Action de formater, de préparer un support informatique à recevoir des données: *Le formatage des disquettes est une opération simple.* ☞ formater.

formater v. Préparer un support informatique à recevoir des données: *J'espère que tu n'as pas oublié de formater ta disquette.* ☞ formatage.

formateur, trice n. et adj. **1.** n. Personne chargée d'assurer la formation de futurs professionnels: *Ce formateur est très apprécié de ses étudiants.* **2.** adj. Qui aide à développer les aptitudes, les facultés intellectuelles et morales: *Ces exercices de français sont très formateurs.* ANT. destructeur. ☞ former.

formation n.f. **1.** Création, élaboration: *La formation de certains mots se fait par l'ajout de préfixes ou de suffixes.* ANT. destruction. **2.** Groupement de personnes: *Les formations syndicales ont participé à une manifestation.* SYN. organisation. **3.** Ensemble des éléments qui forment une troupe, une escadre: *Une formation aérienne survole les territoires occupés.* SYN. équipe, groupe. **4.** Disposition prise par une troupe, une flotte, un groupe d'avions: *Les navires de guerre prennent leur formation de combat.* ☞ former. ▲ **formation** n.f. Éducation, instruction: *Ces élèves ont reçu une solide formation musicale.* ☞ former.

forme n.f. **1.** Aspect extérieur, ensemble des contours d'un être, d'un objet: *La table de la salle à manger a une forme rectangulaire.* SYN. figure. **2.** Manière dont une chose se présente qui ne change pas sa nature: *Jean-Charles doit prendre ce médicament sous forme de cachets.* **3.** plur. Contours du corps humain: *Cette robe moule les formes.* // *Prendre forme:* Se dessiner, commencer à avoir un aspect reconnaissable. ☞ informe. ▲ **forme** n.f. **1.** Aspect sous lequel une phrase, un mot se présente: *La phrase «Je ne suis pas malade» est à la forme négative.* **2.** Manière dont une pensée, une idée est exprimée: *Il faudrait soigner la forme de ta composition; les phrases sont mal construites.* ANT. contenu, fond. **3.** Manière particulière et variable dont quelque chose se présente: *On exploite différentes formes de l'énergie.* ☞ formel, formellement. ▲ **forme** n.f. **1.** Façon d'agir selon les règles établies: *Le vendeur aborde les clients en respectant la forme habituelle.* **2.** plur. Manières courtoises, conformes aux règles de la politesse: *Cette personne manque de formes.* SYN. savoir-vivre. // *En bonne et due forme:* Selon les règles. *Pour la forme:* Par unique respect des usages, pour sauver les apparences. ☞ se formaliser, formalité. ▲ **forme** n.f. Condition physique d'une personne, d'un animal: *Yves est dans une forme excellente.* // *Être en forme, en pleine forme:* Être frais et dispos. ▲ **forme** n.f. **1.** Moule, modèle servant à la fabrication de certains produits, de certains objets: *La cordonnière fabrique un soulier sur une forme.* **2.** Moule creux: *Le fromager utilise des formes à fromage.*

formé, ée adj. **1.** Qui a pris sa forme: *Les épis de maïs sont déjà formés.* **2.** Qui a atteint son plein développement: *Ces personnes ont un jugement bien formé.* HOM. former. ☞ former.

formel, elle adj. **1.** Qui est catégorique, clairement formulé: *Ses parents lui ont donné l'ordre formel de ne pas parler aux étrangers.* SYN. clair, précis. ANT. ambigu, douteux. **2.** Qui est fait pour la forme, par simple respect des usages: *Ses excuses étaient purement formelles; il n'en pensait pas un mot.* ☞ forme.

formellement adv. D'une manière formelle, catégorique: *Il est formellement interdit de fumer dans les classes.* SYN. catégoriquement, rigoureusement. ☞ forme.

former v. **1.** Concevoir dans son esprit, imaginer: *Nous avons formé le projet de visiter ces lieux historiques.* **2.** Créer quelque chose en organisant ses éléments: *La première ministre a formé son gouvernement.* **3.** Être la cause de quelque chose: *Je lançais des cailloux qui formaient de petits cercles sur la surface de l'eau.* ☞ formation. ▲ **former** v. **1.** Composer, constituer un ensemble: *Ces fillettes forment la troupe de danseuses.* **2.** Présenter une certaine forme, un certain aspect: *La route forme un lacet en zigzag.* SYN. dessiner. **3.** Donner une forme déterminée: *Ma petite sœur a du mal à former ses lettres.* ANT. déformer. ☞ formation, formé. ▲ **former** v. **1.** Éduquer, instruire, développer une aptitude: *Dans cette école, on forme de futurs techniciens en électronique.* **2.** Façonner l'esprit ou le caractère: *Toutes ces épreuves ont formé son caractère.* HOM. formé. ☞ formateur, formation. **se former** v.pron. **1.** Se développer: *Les bourgeons se forment sur les branches des arbres.* SYN. se constituer. **2.**

Se créer sous une certaine forme: *Les chatons se forment dans le ventre de leur mère.* **3.** Se disposer d'une certaine façon: *Les soldats se sont formés en ordre de bataille.* **4.** S'instruire: *Cette femme s'est formée en lisant beaucoup.*

formidable adj. **1.** Qui est très grande, en parlant de la taille, de la force, de la puissance: *Arlette a une volonté formidable.* SYN. considérable, extraordinaire. ANT. faible. **2.** fam. Qui est excellent, remarquable: *Je viens de voir un film formidable.* SYN. sensationnel. ANT. mauvais. ☞ formidablement.

formidablement adv.fam. Énormément: *Nous nous sommes formidablement amusés.* SYN. beaucoup. ☞ formidable.

formol n.m. Liquide à odeur très forte employé comme désinfectant: *Le formol est utilisé pour la stérilisation des instruments chirurgicaux et la désinfection des locaux.*

formulaire n.m. Formule comportant des questions et sur laquelle la personne intéressée doit inscrire ses réponses: *Si vous désirez obtenir une carte d'assurance-maladie, vous devez remplir un formulaire.* SYN. questionnaire. ☞ formule.

formulation n.f. Manière dont quelque chose est exprimé: *Je ne comprends pas ta question; ta formulation est maladroite.* ☞ formule.

formule n.f. **1.** Expression consacrée par l'usage: *« Je vous en prie » est une formule de politesse.* **2.** Ensemble des paroles rituelles qui doivent être prononcées dans certaines occasions et qui déterminent un résultat: *L'apprenti sorcier prononça la formule magique et... rien ne se produisit.* ☞ formulation, formuler. ▲ **formule** n.f. **1.** Ensemble de nombres et de lettres qui indiquent la composition d'un corps chimique: *H_2O est la formule chimique de l'eau.* **2.** Écriture symbolique qui représente une relation ou une opération mathématique: *$P = (L + l) \times 2$ est la formule pour trouver le périmètre d'un rectangle.* **3.** Solution, manière de procéder: *Il a trouvé la bonne formule pour se faire des amis.* SYN. méthode, procédé. **4.** Feuille de papier imprimée contenant quelques indications et des espaces laissés en blanc où l'on peut écrire: *Ma grande sœur a rempli une formule de demande d'emploi.* SYN. formulaire. **5.** Expression courte et claire d'une idée: *Les formules publicitaires attirent souvent notre attention.* ⁄⁄ *Formule toute faite:* Cliché. ☞ formulaire, formulation, formuler.

formuler v. **1.** Exprimer avec des mots: *Essaie de formuler ta question de façon plus précise.* SYN. émettre, exposer. ANT. cacher, taire. **2.** Exprimer d'une façon claire et précise, à la manière d'une formule: *La défectuosité de l'appareil nous oblige à formuler une réclamation.* ☞ formule.

fort n.m. Ouvrage militaire destiné à protéger un lieu: *As-tu déjà visité le fort Chambly?* ☞ forteresse, fortin. ▲ **fort** n.m. **1.** Personne qui a la force, la puissance, l'argent: *Il faut souvent protéger le faible contre le fort.* ANT. faible. **2.** Personne qui a une grande force morale: *C'est un fort, rien ne peut le décourager.*

fort, forte adj. **1.** Qui est robuste, vigoureux: *Louis Cyr était un homme fort.* SYN. solide. ANT. faible, fragile, malingre. **2.** Qui est gros: *Ce garçon est un peu fort pour sa taille.* SYN. corpulent. ANT. mince. **3.** Qui est doué, habile: *Déborah est très forte en mathématiques.* ANT. faible, ignorant. **4.** Qui a de l'influence, du pouvoir: *Il est fort grâce à son argent.* SYN. influent, puissant. **5.** Qui est efficace, qui agit avec force: *Ce remède est trop fort pour être administré aux enfants.* ☞ force, fortement, renforcement, renforcer, renfort. ▲ **fort, forte** adj. **1.** Qui est résistant, solide: *Utilise cette colle forte.* ANT. fragile. **2.** Qui est capable de résister aux attaques: *Ces personnes déposent leurs papiers importants dans la chambre forte de la banque.* **3.** Qui est capable de résister aux tentations, qui a une grande force morale: *Cette femme a été très forte dans l'épreuve.* SYN. ferme. ☞ extra-fort, force, fortement, renforcement, renforcer, renfort. ▲ **fort, forte** adj. **1.** Qui affecte le goût, l'odorat de façon violente: *Ce café est trop fort.* ANT. faible, léger. **2.** Dont l'intensité affecte les sens: *Mon amie m'a appelée d'une voix forte.* ANT. faible, léger. **3.** Qui dépasse la mesure et qui est difficile à croire: *Ton histoire est un peu forte.* SYN. exagéré, invraisemblable. **4.** Qui est plus important que la moyenne en intensité, en quantité: *Des vents forts accompagnés de fortes chutes de neige sont prévus pour demain.* SYN. considérable, violent. ⁄⁄ *À plus forte raison:* Avec d'autant plus de raisons. ☞ force, fortement, renforcement, renforcer, renfort.

fort adv. **1.** Avec force: *Maman m'a serré fort dans ses bras.* SYN. fortement. **2.** Avec intensité: *Le vent souffle très fort.* SYN. violemment. **3.** Beaucoup: *Je doute fort que vous arriviez à me convaincre.* ANT. peu. **4.** Très: *Ce garçon est fort sympathique.* SYN. bien. ANT. peu. ⁄⁄ *Sentir fort:* Dégager une odeur violente. *Y aller fort:* Exagérer.

forte n.m.invar. et adv. (it.) **1.** n.m.invar. Passage, en musique, que l'on doit jouer fort: *La* *pianiste a joué un forte.* ANT. piano. **2.** adv. Fort : *Les musiciens ont joué forte.* ANT. piano. **R.** Le *e* se prononce *é*. ☞ fortissimo.

fortement adv. **1.** Avec force : *Elle a serré fortement le nœud.* SYN. fort, vigoureusement. ANT. faiblement. **2.** Très : *Tu sembles fortement intéressé par notre projet.* SYN. fort. ANT. peu. **3.** Vivement : *Mes amis m'ont fortement encouragée pendant le match.* ☞ fort (adj.).

forteresse n.f. **1.** Lieu muni d'ouvrages militaires organisé pour défendre une ville, un territoire : *La forteresse de Louisbourg a été construite sur l'île du Cap-Breton.* **2.** fig. Ce qui résiste aux influences extérieures : *Il faudra s'attaquer à une vraie forteresse de préjugés.* ☞ fort (n.).

fortifiant n.m. Aliment, médicament qui donne des forces : *La médecin m'a prescrit des fortifiants.* SYN. tonique. ☞ fortifier.

fortifiant, ante adj. Qui donne des forces : *Si tu veux reprendre des forces, il faudra manger des aliments fortifiants.* SYN. réconfortant, stimulant. ☞ fortifier.

fortification n.f. **1.** Action de fortifier un lieu, de l'entourer d'ouvrages militaires : *Dès le début du XVIIe siècle, les Français travaillaient à la fortification de Québec.* **2.** plur. Ensemble des ouvrages militaires destinés à protéger une ville, un territoire : *Si tu visites Québec, tu pourras admirer ses fortifications.* ☞ fortifier.

fortifier v. **1.** Donner plus de force physique à quelqu'un ou à quelque chose : *Une bonne alimentation et de l'exercice au grand air fortifient la santé.* SYN. développer, rétablir. ANT. affaiblir. **2.** fig. Rendre plus solide : *Le temps a fortifié notre amitié.* SYN. consolider, renforcer. ANT. ruiner. ☞ fortifiant.
▲ **fortifier** v. Munir d'ouvrages militaires dans le but de protéger, de défendre : *Les Français décidèrent de fortifier Québec pour défendre la ville contre les Anglais.* ☞ fortification.

fortin n.m. Petit fort : *Pour échapper à leurs ennemies, elles se réfugièrent dans un fortin.* ☞ fort (n.).

fortissimo n.m.invar. et adv. (it.) **1.** n.m. invar. Passage de musique joué très fort : *Ce morceau de musique s'achève par un fortissimo.* ANT. pianissimo. **2.** adv. Très fort : *Ce passage doit être joué fortissimo.* ANT. pianissimo. ☞ forte.

fortuit, uite adj. Qui arrive par hasard : *En me promenant, j'ai fait une rencontre fortuite.* SYN. accidentel, imprévu, inattendu. ANT. attendu, prévisible. ☞ fortuitement.

fortuitement adv. Par hasard : *Nous les avons rencontrés fortuitement.* SYN. accidentellement. ☞ fortuit.

fortune n.f. **1.** Ensemble des biens, des richesses que possède quelqu'un : *Sa maison, c'est sa seule fortune.* SYN. avoir. ANT. misère. **2.** Grande richesse : *Cet homme est milliardaire; il possède de la fortune.* ANT. pauvreté. ⁄⁄ *Faire fortune :* Devenir très riche. ☞ fortuné.
▲ **fortune** n.f. **1.** Hasard heureux ou malheureux : *Elle a eu la bonne fortune de vous rencontrer.* SYN. chance. **2.** vx Chance favorable : *Ces personnes ont beaucoup de talent mais peu de fortune.* ANT. infortune, malchance. ⁄⁄ *De fortune :* Improvisé, rudimentaire. *Revers de fortune :* Perte d'argent, changement brusque et fâcheux dans la situation de quelqu'un. ☞ infortune.

fortuné, ée adj. Qui a beaucoup d'argent : *Les résidents de ce quartier cossu sont fortunés.* SYN. aisé, riche. ANT. misérable, pauvre. ☞ fortune.

forum n.m. (lat.) **1.** Place où se tenaient, dans l'antiquité romaine, les assemblées publiques : *Le forum était le centre de la vie politique, économique et religieuse de la ville.* **2.** Réunion de personnes qui discutent d'une question, d'un sujet : *Nous avons participé à un forum sur la protection de l'environnement.* SYN. colloque. **R.** Les lettres *um* se prononcent *omm*.

fosse n.f. **1.** Trou creusé pour enterrer un mort : *On a descendu le cercueil dans la fosse.* **2.** Trou creusé dans le sol et aménagé pour contenir quelque chose : *L'éleveuse de porcs a dû creuser une fosse à purin sur son terrain.* **3.** Cavité naturelle de certaines parties du corps : *L'air pénètre dans les fosses nasales par les narines avant de passer dans les poumons.* ⁄⁄ *Fosse aux lions, aux ours :* Lieu où les lions, les ours sont gardés en captivité, dans un jardin zoologique. *Fosse commune :* Tranchée creusée dans un cimetière pour recevoir plusieurs cercueils. *Fosse d'aisances, fosse septique :* Trou creusé dans le sol servant à recueillir les excréments. *Fosse d'orchestre :* Emplacement de l'orchestre dans une salle de spectacles, en bas de la scène. *Fosse océanique :* Dépression très profonde dans le fond des océans. ☞ fossoyeur.

fossé n.m. **1.** Fosse creusée en long dans le sol pour permettre l'écoulement des eaux, pour séparer des terrains : *Il y a un fossé de chaque côté de la route.* SYN. rigole, tranchée. **2.** fig. Ce qui sépare profondément deux personnes ou deux groupes : *Depuis leur dernière querelle, un fossé s'est creusé entre eux.* SYN. abîme, séparation. HOM. fausser.

fossette n.f. Petit creux du menton ou des joues: *Alain a une fossette au menton.*

fossile n.m. et adj. **1.** n.m. Reste ou empreinte d'animal ou de plante ayant vécu il y a très longtemps, conservé dans des pierres: *Ce musée possède une importante collection de fossiles.* **2.** adj. Qui est réduit à l'état de fossile, dont les restes, les empreintes ont été conservés dans des pierres: *On a retrouvé un animal fossile dans ce terrain.* ⁄⁄ *Combustibles fossiles:* Houille, pétrole, gaz naturel. ☞ fossiliser.

fossiliser v. Amener à l'état de fossile: *La nature a fossilisé ces animaux.* SYN. pétrifier. ☞ fossile. se **fossiliser** v.pron. Devenir fossile: *Ces plantes se sont fossilisées au cours des siècles.* SYN. se pétrifier.

fossoyeur, euse n. Personne qui creuse les fosses pour enterrer les morts dans un cimetière: *Après le départ de la famille du défunt, le fossoyeur a comblé la fosse.* ☞ fosse.

fou, fous n.m. **1.** Pièce du jeu d'échecs qui circule en diagonale: *La joueuse a déplacé son fou de quatre cases.* **2.** Bouffon chargé autrefois d'amuser les rois, les princes: *Le fou du roi portait un bonnet à clochettes.* ▲ **fou, fous** n.m. Grand oiseau marin blanc qui niche sur les rochers au large des côtes d'Europe et du Canada, nommé ainsi à cause de son comportement: *On a dénombré cinq espèces de fous en Amérique du Nord: l'espèce commune est le fou de Bassan.*

fou de Bassan

fou, folle, fous, folles n. et adj. **1.** n.vx Personne qui est atteinte de troubles mentaux, qui a perdu la raison: *Autrefois, les fous étaient enfermés dans des asiles.* SYN. aliéné, dément. **2.** n. Personne qui a un comportement bizarre, déraisonnable: *Ce jeune fou fait le désespoir de ses parents.* SYN. écervelé. **3.** adj.vx Qui est atteint de troubles mentaux, qui a perdu la raison: *Cette femme est devenue folle après la mort de son enfant.* SYN. dément. **4.** adj. Qui a un comportement bizarre, déraisonnable: *Il faut être fou pour sortir dans cette tempête.* ANT. raisonnable. **5.** adj. Qui est hors de son état normal: *Elle était folle de colère en en apercevant les dégâts.* ANT. calme. **6.** adj. Qui indique la folie, la déraison: *Cet homme a un regard fou.* **7.** adj. Qui est contraire à la raison: *Se baigner dans le lac en plein hiver? Quelle idée folle!* SYN. bizarre, extravagant. ANT. sensé. ☞ folie. ▲ **fou, folle, fous, folles** n. et adj. **1.** n. Personne qui aime quelque chose d'une manière excessive: *Andrée est une folle de la motocyclette.* SYN. fanatique, mordu. **2.** n. Personne très gaie et très agitée: *Les enfants ont fait les fous toute la soirée.* **3.** adj. Qui aime quelque chose d'une manière excessive: *Georges est fou de ce groupe rock.* SYN. mordu. **4.** adj. Qui est très gai et très agité: *Ce jeune chien devient fou dès qu'on lui montre une balle.* ANT. calme. **5.** adj. Dont le mouvement est irrégulier et incontrôlable: *Ma boussole ne me sert plus: l'aiguille est folle.* **6.** adj. Qui est énorme, excessif: *Cette maison lui a coûté un prix fou.* ⁄⁄ *Fou rire:* Rire qu'on ne peut contrôler. *Herbes folles:* Herbes qui poussent en abondance, un peu partout. *Mèches folles:* Mèches de cheveux légères qui bougent sur le front, les joues. *Roue, poulie folle:* Roue, poulie qui tourne à vide. **R.** L'adjectif *fou* devient *fol* devant un nom masculin commençant par une voyelle ou un *h* muet. ☞ folie, follement.

foudre n.f. **1.** Décharge électrique accompagnée d'éclairs et de tonnerre qui se produit par temps d'orage: *La foudre est tombée sur le clocher de l'église.* **2.** plur. Colère, reproches: *En désobéissant, tu t'es attiré les foudres de tes parents.* ☞ foudroyer.

foudroyant, ante adj. **1.** Qui est rapide et violent comme la foudre: *Le succès de ce groupe a été foudroyant.* SYN. fulgurant. **2.** Qui cause une mort soudaine: *Elle a eu une crise cardiaque foudroyante.* SYN. mortel. ☞ foudroyer.

foudroyer v. Frapper par la foudre ou par une décharge électrique: *Cet arbre a été foudroyé pendant l'orage.* ☞ foudre. ▲ **foudroyer** v. **1.** Tuer soudainement: *Une crise cardiaque l'a foudroyé tôt ce matin.* SYN. terrasser. **2.** fig. Anéantir, abattre moralement: *La nouvelle de sa mort a foudroyé tous ses amis.* SYN. consterner, désoler, terrasser. ANT. consoler, réconforter. ☞ foudroyant.

fouet n.m. **1.** Instrument fait d'une lanière de cuir ou d'une corde fixée au bout d'un manche: *Le dompteur fait claquer son fouet devant les tigres.* **2.** Correction infligée avec cet instrument: *Autrefois, on donnait le fouet aux élèves désobéissants ou indociles.* **3.** fig. Stimulation, impulsion vive: *Ce médicament devrait donner un coup de fouet à votre organisme.* ☞ fouetter. ▲ **fouet** n.m. Ustensile de cuisine servant à battre les œufs, les sauces: *Le cuisinier bat les blancs d'œufs avec un fouet électrique.* SYN. batteur. ☞ fouetter.

fouetter v. **1.** Donner des coups de fouet: *Autrefois, il arrivait qu'on fouette les prisonniers jusqu'au sang.* SYN. flageller. **2.** Frapper, comme avec un fouet: *La pluie froide nous fouettait le visage.* SYN. cingler. **3.** fig. Stimuler, exciter: *Cette remarque a fouetté son orgueil.* ANT. empêcher, réprimer. ☞ fouet. ▲ **fouetter** v. Battre, agiter vivement avec un instrument: *Papa fouette la crème.* ☞ fouet. **fouetté, ée** p.p. et adj. Qui a été battu vivement avec un instrument: *Aimes-tu la crème fouettée?*

fougeraie n.f. Lieu planté de fougères: *Marica se promène dans la fougeraie.* ☞ fougère.

fougère n.f. Plante sans fleurs ni graines, à feuilles très découpées et de taille élevée qui pousse dans les bois et dans les lieux non cultivés: *Les feuilles des jeunes fougères sont souvent enroulées en crosse.* ☞ fougeraie.

fougue n.f. Ardeur, enthousiasme: *Patricia est pleine de fougue.* SYN. entrain, impétuosité. ANT. calme, flegme, retenue. **R.** Ne pas oublier le *u* après le *g*. ☞ fougueusement, fougueux.

fougueusement adv. Avec fougue, avec ardeur: *Il s'est défendu fougueusement.* **R.** Ne pas oublier le *u* après le *g*. ☞ fougue.

fougueux, euse adj. Qui est plein de fougue, d'ardeur: *Ce cheval fougueux n'est pas une bonne monture pour toi.* SYN. impétueux. ANT. calme. **R.** Ne pas oublier le *u* après le *g*. ☞ fougue.

fouille n.f. **1.** Action de fouiller, d'explorer minutieusement pour trouver quelque chose de caché: *Tous les passagers de cet avion ont dû se soumettre à la fouille.* **2.** plur. Travaux entrepris par les archéologues pour découvrir des vestiges, des ruines ensevelies: *Les archéologues font des fouilles dans le Vieux-Québec.* ☞ fouiller.

fouiller v. **1.** Explorer soigneusement pour trouver ce que l'on cherche: *La douanière a fouillé les bagages à la recherche de drogues.* SYN. examiner, inspecter. **2.** Creuser le sol pour chercher des vestiges, des ruines ensevelies: *Cette archéologue fouille le sol minutieusement et couche par couche.* **3.** Faire un trou dans le sol: *La taupe est un animal qui fouille pour trouver sa nourriture.* SYN. fouir. **4.** Chercher une chose en bouleversant tout ce qui peut la cacher: *Je n'aime pas qu'on fouille dans mes tiroirs.* SYN. farfouiller, fureter. **5.** fig. Examiner, chercher ce qu'on a oublié: *Elle a beau fouiller dans sa mémoire, elle ne peut se rappeler son nom.* ⁄⁄ *Fouiller quelqu'un:* Chercher ce que peut cacher quelqu'un dans ses poches, ses vêtements, sur son corps. ☞ fouille, fouilleur, fouilleuse. **se fouiller** v.pron. Chercher dans ses vêtements, dans ses poches: *Je me fouillais dans l'espoir de trouver quelque argent oublié.*

fouilleur, euse n. **1.** Personne qui aime fouiller: *Mon oncle est un fouilleur de vieux manuscrits.* **2.** Personne qui pratique des fouilles archéologiques: *Une équipe de fouilleurs vient d'arriver et s'affaire à délimiter la zone des fouilles.* ☞ fouiller.

fouilleuse n.f. Femme chargée de fouiller les femmes dans les services de police ou de douane: *La fouilleuse s'est occupée de la femme soupçonnée de contrebande.* ☞ fouiller.

fouillis n.m.fam. Accumulation d'objets réunis pêle-mêle: *Ta chambre est un vrai fouillis.* SYN. désordre.

fouine n.f. **1.** Mammifère carnivore, au corps mince, au museau allongé, au pelage gris-brun qui vit dans les bois: *La fouine s'attaque aux volailles pendant la nuit.* **2.** fig. Personne indiscrète, curieuse: *Quelle fouine! Tu n'en sauras pas davantage.* ⁄⁄ *Visage, tête de fouine:* Air rusé et sournois. ☞ fouiner, fouineur.

fouiner v.fam. Chercher de manière indiscrète dans les affaires des autres: *Je n'aime pas qu'on vienne fouiner dans mes affaires.* SYN. fouiller, fureter. ☞ fouine.

fouineur, euse n. et adj.fam. **1.** n. Personne qui cherche indiscrètement, qui fouine partout: *Ne ramène plus ce petit fouineur à la maison.* SYN. fureteur. **2.** adj. Qui est indiscret: *Son regard fouineur s'attachait aux moindres détails de la pièce.* SYN. curieux, fureteur. ANT. discret. ☞ fouine.

fouir v. Creuser la terre, surtout en parlant d'un animal: *Les taupes fouissent le sol à la recherche de nourriture.* SYN. fouiller. ☞ fouisseur.

fouisseur n.m. Animal ou insecte qui creuse la terre avec beaucoup de facilité: *La taupe et la marmotte sont des fouisseurs.* ☞ fouir.

fouisseur, euse adj. Qui creuse la terre avec beaucoup de facilité: *Les fourmis sont des insectes fouisseurs.* ⁄⁄ *Pattes fouisseuses:* Pattes courtes et musclées en forme de pelles que possèdent divers animaux fouisseurs. ☞ fouir.

foulard n.m. Morceau de tissu léger que l'on porte autour du cou ou sur la tête: *Isa-*

belle porte un foulard de soie sur sa robe. SYN. écharpe.

foule n.f. **1.** Grand nombre de personnes réunies au même endroit : *La foule acclamait les joueurs de hockey.* **2.** Grand nombre de personnes ou de choses de même nature : *Cet article contient une foule de renseignements sur ta chanteuse préférée.* SYN. masse, multitude. en **foule** loc.adv. En grand nombre : *Venez en foule ! Nous vous accueillerons avec plaisir.*

foulée n.f. **1.** Manière de prendre appui sur le sol pour un coureur à pied ou un cheval : *Jacqueline court d'une foulée souple.* **2.** Longueur de l'enjambée d'un coureur : *En quelques foulées, je rejoignis le peloton de tête.* HOM. fouler.

fouler v. **1.** Presser quelque chose avec les mains, les pieds, un outil : *Des dizaines de pieds foulent le raisin dans la grande cuve.* SYN. écraser. **2.** litt. Marcher sur un sol : *Après plus de vingt ans passés au Canada, Mahmoud foulait enfin le sol natal.* HOM. foulée.

se **fouler** v.pron. Se faire une foulure, une entorse : *Charles s'est foulé la cheville.* ☞ foulure.

foulque n.f. Oiseau échassier au plumage sombre vivant près des marais, des lacs et des étangs : *La foulque est un oiseau aquatique aux habitudes nocturnes apparentée à la poule d'eau et au râle.*

foulure n.f. Légère entorse : *Noémie s'est fait une foulure au poignet.* ☞ se fouler.

four n.m. **1.** Partie fermée d'une cuisinière ou appareil indépendant où l'on fait cuire ou réchauffer les aliments : *Bruno a mis le rôti dans le four.* **2.** Ouvrage de maçonnerie qui sert à la cuisson du pain, de la pâtisserie : *La boulangère a retiré les pains bien dorés du four.* **3.** Appareil dans lequel on chauffe une matière pour lui faire subir des transformations physiques ou chimiques : *La porcelaine, la poterie, la brique sont cuites au four.* ☞ enfourner, fournée.

fourbe n. et adj. **1.** n. Personne qui trompe les autres en faisant semblant d'être honnête : *Méfiez-vous de lui, c'est un fourbe.* SYN. imposteur, menteur. **2.** adj. Qui trompe les autres en faisant semblant d'être honnête : *Cette femme est fourbe et menteuse.* SYN. hypocrite, sournois. ANT. loyal, sincère. ☞ fourberie.

fourberie n.f. Disposition à tromper les autres en faisant semblant d'être honnête : *Je ne lui pardonnerai jamais sa fourberie.* SYN. hypocrisie, sournoiserie. ANT. franchise, loyauté. ☞ fourbe.

fourbu, ue adj. Qui est très fatigué : *Après avoir travaillé toute la journée, les enfants sont fourbus.* SYN. épuisé. ANT. frais, reposé.

fourche n.f. Instrument à long manche muni de deux ou plusieurs dents servant à divers travaux agricoles : *La fermière remue le foin à l'aide d'une fourche.* ☞ fourchon.

▲ **fourche** n.f. **1.** Partie de l'arbre où les grosses branches se séparent du tronc : *L'écureuil a fait son nid sur la fourche de l'érable.* **2.** Endroit où un chemin se divise en deux ou plusieurs directions : *Quand vous arriverez à la fourche, tournez à droite.* SYN. bifurcation, carrefour. **3.** Partie du cadre d'une bicyclette ou d'une motocyclette où sont fixés la roue avant et le guidon : *La fourche de la bicyclette est formée de deux tubes parallèles.* **4.** fam. Angle formé par les jambes ; partie d'un pantalon où les jambes se séparent : *Tu as encore déchiré ton pantalon dans la fourche.* ☞ fourchu.

fourcher v. **1.** vx Se diviser en deux ou plusieurs branches, en plusieurs directions : *La route fourchait et je ne savais plus par où je devais aller.* **2.** fig. et fam. Dire un mot à la place d'un autre par méprise : *La langue m'a fourché et tout le monde a bien ri.* ☞ fourche.

fourchette n.f. Ustensile de table à trois ou quatre dents qui sert à piquer la nourriture : *Gabrielle met les couteaux et les fourchettes sur la table.*

fourchon n.m. Chacune des dents d'une fourche ou d'une fourchette : *Le fourchon a cassé en heurtant la pierre.* ☞ fourche.

fourchu, ue adj. Qui se sépare à la façon d'une fourche : *Il est facile de grimper à cet arbre fourchu.* ⁄⁄ *Menton fourchu :* Menton qui a un sillon prononcé en son milieu. *Pied fourchu :* Pied fendu des ruminants. ☞ fourche.

fourgon n.m. Wagon incorporé à un train de voyageurs servant au transport des bagages, du courrier : *Nos bagages sont dans le fourgon.* ⁄⁄ *Fourgon à bestiaux :* Véhicule à claire-voie servant au transport des chevaux et des animaux de boucherie. *Fourgon funéraire :* Corbillard automobile. ☞ fourgonnette.

fourgonnette n.f. Petit camion automobile qui s'ouvre par l'arrière : *La fourgonnette est une petite voiture commerciale servant au transport des marchandises.* ☞ fourgon.

fourmi n.f. **1.** Petit insecte vivant en colonies dans des fourmilières où se trouvent des reines et de nombreuses ouvrières : *Les fourmis appartiennent au même ordre que les abeilles et les guêpes.* **2.** Représentation de petitesse : *De là-haut, on voyait les gens comme des fourmis.* **3.** fig. Personne travailleuse et économe: *Elle travaille sans arrêt, c'est une fourmi.* ☞ fourmilier, fourmilière.

fourmilier n.m. Mammifère qui capture les fourmis et les termites avec sa longue langue collante: *Il existe trois espèces de fourmiliers dont la plus connue est le grand fourmilier appelé aussi «tamanoir».* ☞ fourmi.

fourmilière n.f. **1.** Lieu où vivent les fourmis: *La fourmilière comprend des galeries et des loges pour la ponte, les provisions et le repos.* **2.** fig. Lieu où vivent et s'agitent beaucoup de personnes: *Certaines villes sont des vraies fourmilières.* ☞ fourmi.

fourmillement n.m. **1.** Mouvement d'une multitude d'êtres qui s'agitent en tous sens: *J'aime observer le fourmillement des baigneurs sur la plage.* **2.** fig. Très grand nombre: *Il faudrait mettre de l'ordre dans ce fourmillement d'idées.* SYN. multitude. ☞ fourmiller. ▲ **fourmillement** n.m. Sensation de picotement comparable à la sensation que procureraient des fourmis se promenant sur la peau: *Dolorès a des fourmillements dans les doigts.* ☞ fourmi.

fourmiller v. **1.** S'agiter en grand nombre: *Les guêpes fourmillent sur les pots de confitures.* SYN. pulluler. **2.** Être en grand nombre: *Les fautes de grammaire fourmillent dans ta rédaction.* SYN. abonder. **3.** Être le siège d'une sensation de picotement: *Le pied gauche me fourmille.* SYN. démanger. **4.** Contenir en grand nombre des êtres, des choses qui bougent: *Cette rue commerciale fourmille de passants.* SYN. grouiller. ☞ fourmillement.

fournaise n.f. **1.** Lieu où il fait extrêmement chaud: *En été, cette pièce est une fournaise.* **2.** Feu très violent: *Les pompiers n'ont pu pénétrer dans la fournaise pour sauver les locataires de l'immeuble.*

fourneau, eaux n.m. **1.** Sorte de four dans lequel on fait fondre ou calciner à feu violent certaines substances: *Un feu ardent, attisé par le soufflet, brûle dans le fourneau de forge.* **2.** Appareil de cuisson à bois, à charbon ou à gaz: *La soupe mijote sur le fourneau à gaz.* ⫽ *Haut fourneau:* Grand four à cuve où l'on fait fondre le minerai de fer. **R.** N'a pas le sens de *four*. ▲ **fourneau, eaux** n.m. Partie d'une pipe où brûle le tabac: *Le fumeur remplit le fourneau de sa pipe d'un tabac blond et odorant.*

fournée n.f. **1.** Quantité de pains, de pièces céramiques, de briques, etc., que l'on fait cuire en même temps dans un four: *Le boulanger a fait trois fournées aujourd'hui.* **2.** fig. et fam. Ensemble de personnes nommées à la fois aux mêmes fonctions ou qui accomplissent quelque chose en même temps: *Une nouvelle fournée d'élèves entrent chaque année à la polyvalente.* ☞ four.

fourni, ie adj. **1.** Où il y a des marchandises en abondance: *Ce magasin est bien fourni en produits importés.* SYN. rempli. ANT. pauvre, vide. **2.** Qui est épais, abondant: *Cet homme a la barbe fournie.* ANT. clairsemé, rare. ☞ fournir.

fournir v. **1.** Procurer ce qui est nécessaire, approvisionner: *L'école fournit les manuels*

fourmis

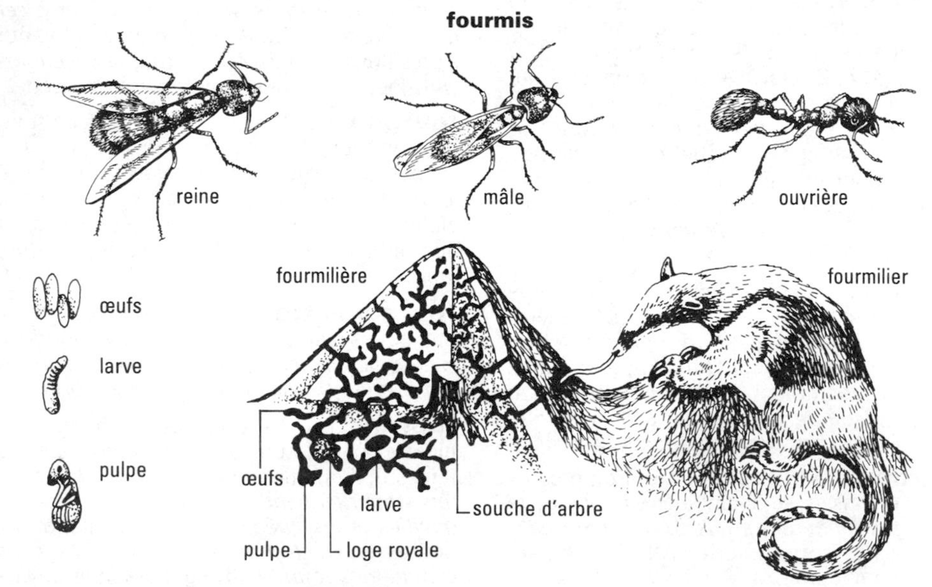

scolaires à ses élèves. ANT. ôter, priver. **2.** Vendre: *Cette poissonnerie fournit des fruits de mer et du poisson frais à ses clients.* **3.** Donner quelque chose qui est demandé: *Je vous fournirai tous les renseignements dont vous avez besoin.* **4.** Produire: *Cette érablière fournit un sirop d'une qualité remarquable.* **5.** fig. Faire, accomplir: *Ces écoliers ont fourni un gros effort pour réussir leur année.* ☞ fourni, fournisseur, fourniture. se **fournir** v.pron. S'approvisionner: *Mes parents se fournissent à l'épicerie du quartier.*

fournisseur, euse n. Personne qui fournit des marchandises à un particulier ou à une entreprise: *Nous ne sommes plus satisfaites du service; nous allons changer de fournisseuse.* SYN. commerçant. ☞ fournir.

fourniture n.f. **1.** Action de fournir quelque chose: *Cette société assure la fourniture du mazout pendant l'hiver.* SYN. approvisionnement. **2.** plur. Objets qui sont fournis: *Cette librairie vend toutes les fournitures nécessaires pour l'école ou le bureau.* **3.** plur. Matériel, accessoires nécessaires à l'exécution d'un travail et que l'artisan fournit: *La couturière m'a demandé trente dollars pour les fournitures: fil, tissu et boutons.* ☞ fournir.

fourrage n.m. Plantes qui servent de nourriture au bétail: *La fermière donne du fourrage à ses vaches.* ☞ fourrager (adj.).

fourrager v. **1.** Fouiller, chercher en mettant du désordre: *Émilien fourrage dans son tiroir à la recherche de sa ceinture.* SYN. fureter. **2.** Mettre en désordre en remuant: *Quand vas-tu cesser de fourrager ces papiers?*

fourrager, ère adj. Qui donne du fourrage; qui est propre à être utilisé comme nourriture pour le bétail: *Le foin et la luzerne sont des plantes fourragères.* **R.** Le masculin est rarement employé. ☞ fourrage.

fourré n.m. Endroit touffu d'un bois où se trouvent des arbustes à branches basses, des broussailles: *La perdrix s'est réfugiée dans un fourré.* SYN. buisson. HOM. fourrer.

fourreau, eaux n.m. **1.** Enveloppe de forme allongée qui sert à protéger un objet de même forme: *J'ai mis mon parapluie dans son fourreau.* SYN. étui, gaine. **2.** Robe très ajustée qui moule le corps: *Ma grande sœur porte un fourreau de lainage blanc.*

fourrer v. **1.** Garnir, doubler de fourrure: *Le couturier a fourré ce paletot avec du mouton.* **2.** Remplir de crème, de garniture: *Maman a fourré le gâteau avec une crème au chocolat.* ☞ fourreur, fourrure. **fourré, ée** p.p. et adj. **1.** Qui est garni de fourrure: *Rolande porte des gants fourrés.* **2.** Qui est rempli de crème, de garniture: *J'ai acheté des petits gâteaux fourrés à la crème.* ▲ **fourrer** v. **1.** Faire entrer, introduire: *Gaston fourre ses mains dans ses poches.* ANT. enlever. **2.** Faire entrer sans ordre ou de manière brusque: *Elle a fourré tous ses livres dans son bureau.* SYN. flanquer. **3.** fam. Placer, mettre, déposer sans soin: *Où as-tu fourré ton stylo?* HOM. fourré. ☞ fourre-tout. se **fourrer** v.pron. **1.** Se placer, s'introduire: *Les enfants se sont fourrés sous les couvertures.* **2.** S'engager avec fougue: *Il s'est fourré dans une sale affaire.*

fourre-tout n.m.invar.fam. Lieu, sac, meuble où l'on met toutes sortes de choses: *Mélanie a entassé quelques vêtements dans un fourre-tout.* ☞ fourrer.

fourreur n.m. Personne qui fabrique et qui vend des vêtements de fourrure: *J'ai vu de magnifiques manteaux de vison dans la boutique du fourreur.* ☞ fourrer.

fourrière n.f. **1.** Lieu où l'on garde les animaux errants: *Tu as perdu ton chien? Es-tu allé voir à la fourrière?* **2.** Lieu où l'on garde les véhicules saisis et retenus par la police: *Les automobiles stationnées aux endroits interdits ont été remorquées à la fourrière.*

fourrure n.f. **1.** Poil fin et touffu de certains animaux: *La fourrure du lynx est mouchetée de gris, de brun et de jaunâtre.* SYN. pelage. **2.** Peau d'animal avec ses poils, préparée pour doubler, garnir ou servir de vêtement: *Le manteau de Gino a un col de fourrure.* ☞ fourrer.

fourvoyer v. Détourner du bon chemin, égarer: *En nous indiquant la mauvaise direction, ce passant nous a fourvoyés.* ANT. guider. se **fourvoyer** v.pron. **1.** S'égarer: *Il est facile de se fourvoyer lorsqu'on visite une ville étrangère.* SYN. se perdre. ANT. se retrouver. **2.** fig. Se tromper: *Tu t'es fourvoyée en choisissant cette réponse.*

foutaise n.f.fam. Chose sans importance, sans intérêt: *Ne prends pas cette histoire au sérieux, c'est de la foutaise!* ☞ foutre.

foutre v.pop. **1.** Faire: *Tu n'as rien foutu de la journée.* SYN. ficher. **2.** Donner, flanquer: *Elle m'a foutu une gifle dont je me souviendrai longtemps.* SYN. ficher. **3.** Mettre: *Si tu ne changes pas d'attitude, je vais te foutre à la porte.* SYN. ficher. ⁄⁄ *Foutre le camp:* S'en aller. ☞ foutaise, foutu. se **foutre** v.pron.pop. **1.** Se mettre, se jeter: *Elle voulait se foutre dans la piscine avec ses vêtements.* **2.** Se moquer, être indifférent: *Je me fous de ce que tu penses de moi.* SYN. se ficher.

foutu, ue adj.pop. **1.** Qui est détestable: *Ce garçon a un foutu caractère.* **2.** Qui est perdu, condamné: *Il n'y a plus rien à faire: elle est* *foutue.* **3.** Qui est dans un certain état, bon ou mauvais : *Ton travail est mal foutu.* **4.** Qui est capable de faire quelque chose : *Il n'est pas foutu de réussir cet examen.* ☞ foutre.

fox-terrier n.m. (angl.) Chien terrier d'origine anglaise à poils blancs avec des taches noires ou fauves : *Le fox-terrier est un chien très nerveux et courageux.* **R.** Au pluriel, *fox-terriers*.

foyer n.m. **1.** Espace aménagé dans une maison pour y faire du feu ; le feu lui-même : *Les soirs d'hiver, toute la famille se réunit devant le foyer.* SYN. âtre. **2.** Partie fermée d'un appareil de chauffage où le combustible brûle : *La technicienne a inspecté le foyer de la chaudière.* ▲ **foyer** n.m. **1.** Lieu où habite une famille ; la famille elle-même : *Le soir, toute la famille rentre au foyer.* SYN. domicile, maison, résidence. **2.** Local servant de lieu de réunion ou d'habitation à certaines personnes : *Ghislaine demeure dans un foyer d'étudiants.* SYN. centre. **3.** Endroit d'un théâtre où les spectateurs peuvent se rendre pendant les entractes : *En attendant la reprise du spectacle, les spectateurs se réunissent au foyer.* ⁄⁄ *Fonder un foyer :* Se marier. ▲ **foyer** n.m. **1.** Point d'où se répand la chaleur, la lumière : *Le soleil est un gigantesque foyer d'énergie.* SYN. source. **2.** Point où se dirigent des rayons lumineux : *Papa porte des verres à double foyer.* **3.** fig. Lieu d'origine, point principal, d'où provient quelque chose : *Une pompière a réussi à localiser le foyer d'incendie.*

fracas n.m. Bruit violent : *Les verres se sont brisés avec fracas.* ☞ fracassant, fracasser.

fracassant, ante adj. **1.** Qui fait beaucoup de bruit : *Le bruit fracassant du tonnerre nous a brusquement réveillés.* **2.** fig. Qui fait un très grand effet : *Tous les journaux ont publié la déclaration fracassante de la ministre.* ☞ fracas.

fracasser v. Briser avec violence : *La balle a fracassé la fenêtre du salon.* SYN. casser. ☞ fracas. se **fracasser** v.pron. Se briser avec violence : *Le bateau s'est fracassé contre la falaise.*

fraction n.f. **1.** Partie d'un tout : *Une fraction importante des membres ont accepté le projet.* SYN. part, portion. ANT. totalité. **2.** Symbole formé d'un numérateur et d'un dénominateur, séparés par une barre, qui indique quel nombre de parties égales de l'unité on considère : *Dans la fraction ¾, 3 est le numérateur et 4 est le dénominateur.* ANT. entier. ⁄⁄ *Fraction décimale :* Fraction dont le dénominateur est une puissance de 10. *Fraction de seconde :* Temps très court. ☞ fractionnaire, fractionner.

fractionnaire adj. Qui est écrit sous la forme d'une fraction : *½ est un nombre fractionnaire ; 9/2 est une expression fractionnaire.* ☞ fraction.

fractionner v. Diviser en parties, en fractions : *Le propriétaire a fractionné son domaine en cinq parcelles.* SYN. partager, sectionner. ☞ fraction. se **fractionner** v.pron. Se diviser : *La classe s'est fractionnée en quatre équipes.*

fracture n.f. Cassure, rupture violente d'un os : *Le blessé souffre d'une fracture du tibia.* ☞ fracturer.

fracturer v. **1.** Casser un os : *Le coup lui a fracturé la mâchoire.* **2.** Briser, forcer : *Les voleurs ont fracturé le coffre-fort.* ☞ fracture. se **fracturer** v.pron. Se blesser en se cassant un os : *En tombant, la skieuse s'est fracturé une côte.*

fragile adj. **1.** Qui se casse facilement : *Cette carafe en verre soufflé est très fragile.* SYN. cassant. ANT. incassable, résistant. **2.** Qui n'a pas une bonne santé : *Patrice est fragile : il est souvent malade.* SYN. faible. ANT. fort, robuste. **3.** Qui n'est pas solide, qu'il est facile de troubler : *Leur bonheur est fragile : un rien peut le détruire.* SYN. éphémère, instable. ANT. éternel, stable. ☞ fragilité.

fragilité n.f. **1.** Facilité à se casser : *Cette assiette en porcelaine est d'une grande fragilité.* ANT. résistance. **2.** Manque de santé : *La fragilité de cette convalescente inquiète les médecins.* SYN. faiblesse. ANT. force, robustesse. **3.** Manque de solidité, caractère éphémère de quelque chose : *Il ne faut jamais perdre de vue la fragilité de la gloire.* SYN. instabilité. ANT. stabilité. ☞ fragile.

fragment n.m. **1.** Morceau d'une chose cassée : *Christiane recolle les fragments de la statue.* SYN. débris. ANT. ensemble. **2.** Petite partie : *Tu ne connais que des fragments de vérité.* SYN. miette, parcelle. ANT. totalité, tout. **3.** fig. Partie extraite d'une œuvre, d'un texte : *Elle m'a lu quelques fragments de sa lettre.* SYN. extrait, passage. ANT. ensemble, tout. ☞ fragmentaire, fragmenter.

fragmentaire adj. Qui est partiel, incomplet : *Je ne peux vous fournir qu'une documentation fragmentaire.* ANT. complet, entier, total. ☞ fragment.

fragmenter v. Séparer, diviser en fragments : *Le sculpteur a fragmenté le bloc de marbre.* SYN. morceler. ANT. rassembler, réunir. ☞ fragment.

frai n.m. **1.** Ponte des œufs par la femelle des poissons : *Il est interdit de pêcher pendant la* *saison du frai.* SYN. reproduction. **2.** Œufs fécondés des poissons et des batraciens: *La grenouille vient déposer son frai au bord de l'étang.* **3.** Très jeune poisson qui sert à peupler un étang, une rivière, un vivier: *Nous n'avons pêché que du frai.* HOM. frais, fret. ☞ frayer.

fraîchement adv. **1.** Depuis peu de temps: *Ces tapis ont été fraîchement nettoyés.* SYN. récemment. ANT. anciennement. **2.** fig. Avec froideur: *Le maire a été fraîchement accueilli par la foule.* SYN. froidement. ANT. chaleureusement, chaudement. **R.** Ne pas oublier l'accent: *î.* ☞ frais.

fraîcheur n.f. **1.** Caractère de ce qui est rafraîchissant; température légèrement froide: *J'aime beaucoup la fraîcheur des journées printanières.* ANT. chaleur. **2.** fig. Froideur, manque d'empressement, de cordialité: *La fraîcheur de son accueil m'a beaucoup peiné.* ANT. chaleur. ☞ frais. ▲ **fraîcheur** n.f. **1.** Qualité d'un produit qui n'a pas eu le temps de se gâter: *L'odeur d'un poisson nous en dit long sur sa fraîcheur.* **2.** Qualité de ce qui a gardé son éclat: *On ne peut qu'admirer la fraîcheur de son teint.* **R.** Ne pas oublier l'accent: *î.* ☞ frais.

fraîchir v. Devenir plus fraîche, en parlant de la température: *Nous ne sommes qu'en septembre et déjà le temps fraîchit.* **R.** Ne pas oublier l'accent: *î.* ☞ frais.

frais n.m. **1.** Air légèrement froid: *Que dirais-tu de prendre le frais sur le balcon?* ANT. chaleur. **2.** Endroit où l'air est légèrement froid: *Il est préférable de garder le lait et le beurre au frais.* HOM. frai, fret.

frais n.m.plur. Dépenses occasionnées par un bien, un service: *Nous avons fait beaucoup de frais pour rénover notre maison.* ANT. économie, épargne. HOM. frai, fret. ⫽ *À grands frais:* En faisant beaucoup de dépenses. *À peu de frais:* De façon économique. *Appel à frais virés:* Appel téléphonique payé par le destinataire. *En être pour ses frais:* Ne rien obtenir en échange de ses dépenses. *Faire les frais de quelque chose:* Assumer une dépense; être la personne qui paie. *Se mettre en frais:* Dépenser plus que de coutume.

frais, fraîche adj. **1.** Qui est légèrement froid: *J'ai pris un chandail, le vent est frais ce soir.* SYN. frisquet, tiède. ANT. chaud. **2.** fig. Qui est plein de froideur, qui manque d'empressement, de cordialité: *Son accueil a été plutôt frais.* SYN. froid. ANT. chaleureux, cordial. ☞ fraîchement, fraîcheur, fraîchir, rafraîchi, rafraîchir, rafraîchissant, rafraîchissement. ▲ **frais, fraîche** adj. **1.** Qui vient de se produire: *Je vous apporte des nouvelles fraîches.* SYN. neuf, récent. ANT. passé, vieux. **2.** Qui n'a pas eu le temps de se gâter: *Ces œufs sont frais: tu peux les acheter.* ANT. avarié. **3.** Qui a gardé son éclat: *Christiane a le teint frais.* SYN. brillant, éclatant. ANT. blême, défraîchi. **4.** Qui n'a pas eu le temps de sécher: *Je viens de signer ce document; l'encre est encore fraîche.* **5.** Qui n'a pas été préparé pour la conservation: *En été, les légumes frais sont bien meilleurs que les légumes en conserve.* **6.** Qui est en bon état, qui a l'air neuf: *Cet habit n'est plus très frais, il faudrait le porter à la teinturerie.* **7.** fig. Qui fait naître une illusion de pureté, de jeunesse: *J'aime bien le frais et délicat parfum du muguet.* HOM. frai, fret. ⫽ *Être frais et dispos:* Avoir toute sa vitalité, ne pas être fatigué. **R.** Ne pas oublier l'accent au féminin: *î.* ☞ défraîchi, se défraîchir, fraîchement, fraîcheur, rafraîchir, rafraîchissant, rafraîchissement.

frais adv. Légèrement froid: *Il fait frais ce soir.* ▲ **frais** adv. Depuis peu de temps, récemment: *Ces roses sont fraîches cueillies.* SYN. fraîchement. **R.** Dans le sens de *récemment*, s'accorde avec l'adjectif ou le participe qui le suit.

fraise n.f. **1.** Fruit rouge du fraisier: *Pour dessert, nous avons une tarte aux fraises.* **2.** pop. Figure, tête: *Quelle drôle de fraise ils ont!* ⫽ *Aller aux fraises:* Aller cueillir des fraises. ☞ fraiseraie, fraisier. ▲ **fraise** n.f. **1.** Petit outil d'acier servant à élargir l'orifice d'un trou percé dans le métal ou dans le bois: *La fraise tourne à très grande vitesse et ronge le métal rapidement.* **2.** Instrument muni de dents tranchantes servant à enlever les parties cariées d'une dent ou à percer des trous dans un os: *La dentiste creuse la dent cariée avec la fraise.* ☞ fraiser, fraiseur, fraiseuse. ▲ **fraise** n.f. Grande collerette composée de volants de mousseline ou de dentelle que l'on portait autrefois: *La reine Élisabeth Ire portait une fraise autour du cou.*

fraiser v. **1.** Élargir l'orifice d'un trou avec une fraise pour y insérer une vis ou tout autre objet: *L'ouvrier a fraisé les trous dans la pièce de métal pour y loger des vis.* **2.** Façonner, travailler les métaux à froid: *L'ouvrière fraise le bloc de métal: elle y creuse une rainure tout en polissant le dessus et les côtés.* ☞ fraise.

fraiseraie n.f. Lieu planté de fraisiers: *Nous irons cueillir des fraises dans la fraiseraie.* **R.** Aussi, *fraisière.* ☞ fraise.

fraiseur, euse n. Personne qui travaille le métal à froid à l'aide d'une machine à fraiser appelée «fraiseuse»: *Cette usine métallurgique emploie plusieurs fraiseurs.* ☞ fraise.

fraiseuse n.f. Machine-outil qui sert à travailler des métaux à froid: *La fraiseuse sert à façonner des pièces de métal.* ☞ fraise.

fraisier n.m. Plante rampante vivace qui existe à l'état sauvage ou que l'on cultive et qui produit des fraises: *Le champ était couvert des petites fleurs blanches des fraisiers.* ☞ fraise.

framboise n.f. Fruit rouge du framboisier, formé de nombreux petits grains: *Veux-tu de la confiture de framboises avec tes rôties?* ☞ framboisier.

framboisier n.m. Arbrisseau sauvage ou cultivé, voisin de la ronce, qui produit les framboises: *Le framboisier est un arbrisseau épineux.* ☞ framboise.

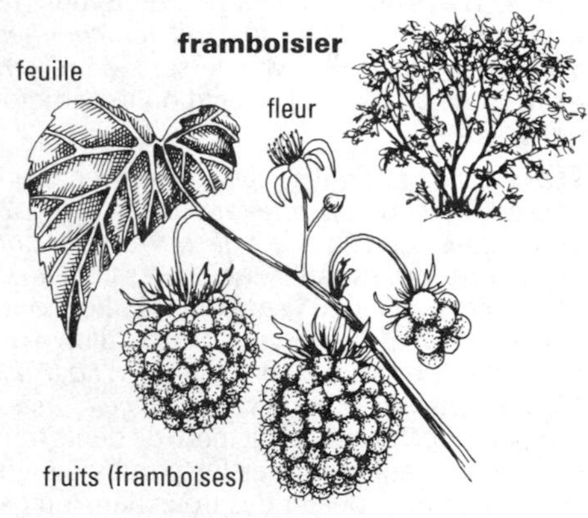

franc n.m. Unité monétaire de la France, de la Belgique, de la Suisse, du Luxembourg et de certains pays d'Afrique: *Si tu voyages en France, il te faudra changer tes dollars contre des francs.*

franc, franche adj. **1.** Qui dit la vérité, qui ne dissimule rien: *Lise est une fille franche.* SYN. honnête, sincère. ANT. hypocrite, menteur, sournois. **2.** Qui indique la franchise, la sincérité: *Je lui ai fait confiance parce qu'il a le regard franc.* SYN. droit, limpide. ANT. hypocrite, louche. **3.** Qui est sans mélange: *Dans ce tableau, la peintre n'a utilisé que des couleurs franches.* SYN. pur. **4.** Qui est net, précis: *J'aime les situations franches.* ANT. confus, trouble. ⁄⁄ *Jouer franc jeu avec quelqu'un:* Être loyal envers quelqu'un, agir sans intention cachée. ☞ franchement, franchise, franc-jeu.

▲ **franc, franche** adj. **1.** Qui est libre d'agir à sa guise: *Il n'aime pas son emploi car il n'a pas les coudées franches.* **2.** Qui n'est pas soumis au paiement d'une taxe: *Dans une boutique franche, on peut acheter des marchandises qui ne sont pas taxées.* ⁄⁄ *Franc de port:* Franco. ☞ franchise.

français, aise n. et adj. **1.** n. Personne qui est de la France: *Un Français, une Française.* **2.** adj. Qui est de la France: *Paris et Marseille sont des villes françaises.* **3.** adj. Qui se rapporte à la langue française: *La grammaire française donne l'ensemble des règles qu'il faut suivre pour parler et pour écrire correctement le français.* **R.** Ne pas oublier la cédille. On met la majuscule à *français* et à *française* lorsque le nom désigne une personne. ☞ francisation, franciser, francophone, francophonie.

français n.m. Langue parlée en France, en Belgique, en Suisse, au Québec et dans certains autres pays de civilisation française: *Le français est la langue officielle du Québec.* **R.** Ne pas oublier la cédille.

franchement adv. **1.** Avec sincérité, sans dissimulation: *Nous nous sommes parlé franchement.* SYN. loyalement, sincèrement. ANT. hypocritement. **2.** Sans hésitation: *Le cheval a franchement sauté par-dessus l'obstacle.* SYN. carrément, résolument. **3.** Nettement: *Tous les électeurs se sont franchement prononcés en faveur de la mairesse.* ANT. timidement. **4.** Vraiment, très: *Ce film est franchement mauvais.* SYN. indiscutablement. ☞ franc (adj.).

franchir v. **1.** Passer, traverser en sautant ou par un autre moyen: *D'un bond, Carmen a franchi le fossé.* SYN. enjamber. **2.** Traverser, parcourir d'un bout à l'autre: *Les automobilistes franchissent le pont au ralenti.* **3.** Passer une limite: *Pendant la nuit, une dizaine de réfugiés ont franchi la frontière canadienne.* SYN. dépasser. **4.** fig. Surmonter, ne pas reculer devant une difficulté: *Elle a dû franchir bien des difficultés.* ☞ franchissable, franchissement, infranchissable.

franchise n.f. Qualité d'une personne qui dit la vérité, qui ne dissimule rien: *Tu aurais pu mentir, mais tu ne l'as pas fait: j'admire ta franchise.* SYN. loyauté, sincérité. ANT. dissimulation, hypocrisie. ☞ franc (adj.).

▲ **franchise** n.f. **1.** Exemption de taxes, d'impôts ou de droits de douane: *Certaines lettres bénéficient de la franchise postale: elles peuvent circuler sans timbre.* SYN. dispense. **2.** En assurance, montant, part d'un dommage qui est à la charge de l'assuré: *Cette assurance-automobile prévoit une franchise de cinq cents dollars en cas d'accident.* ⁄⁄ *Commerce en franchise:* Commerce dont le propriétaire est lié par contrat à une marque et à ses produits. ☞ franc (adj.).

franchissable adj. Que l'on peut franchir, traverser : *Ce ruisseau semble facilement franchissable.* ANT. infranchissable. ☞ franchir.

franchissement n.m. Action de franchir, de traverser : *Le franchissement de ce fossé n'a pas été facile.* ☞ franchir.

francisation n.f. Action de franciser, de donner une forme française à un mot étranger ; fait d'être francisé : *De nombreux utilisateurs de micro-ordinateurs souhaitent la francisation des termes anglais.* ☞ français.

franciser v. **1.** Donner une forme française à un mot étranger : *Le mot anglais « gas-oil » a été francisé en « gazole ».* **2.** Donner un caractère français à quelque chose : *Mon séjour à Paris a contribué à franciser mes habitudes alimentaires.* ☞ français. **francisé, ée** p.p. et adj. Qui a reçu une forme française, en parlant d'un mot étranger : *Les mots italiens francisés prennent la marque du pluriel.*

franc-jeu n.m. et adj.invar. **1.** n.m. Comportement loyal dans les jeux, les sports, les affaires : *Ces deux adversaires ont fait preuve de franc-jeu.* **2.** adj.invar. Qui a un comportement loyal dans les jeux, les sports, les affaires : *Ils respectent les règles du jeu : ils sont franc-jeu.* **R.** Au pluriel, le nom s'écrit *francs-jeux.* ☞ franc (adj.).

franco adv. (it.) Sans frais de transport pour le destinataire, franc de port : *Ces marchandises ont été expédiées franco.*

francophone n. et adj. **1.** n. Personne dont la langue maternelle ou la langue d'usage est le français : *Les francophones forment la majorité de la population québécoise.* **2.** adj. Dont la langue maternelle ou la langue d'usage est le français : *De nombreux Canadiens francophones veulent faire respecter leurs droits en matière de langue.* **3.** adj. Où l'on parle le français : *La Belgique et la Suisse sont des pays francophones.* ☞ français.

francophonie n.f. Ensemble des peuples qui parlent le français : *Les Québécois, les Acadiens et les Haïtiens font partie de la francophonie.* ☞ français.

franc-parler n.m. Absence de contrainte dans ses propos : *Mélanie a son franc-parler : elle dit toujours ce qu'elle pense.* **R.** Au pluriel, *francs-parlers.*

franc-tireur n.m. **1.** Combattant qui ne fait pas partie d'une armée régulière : *Pendant la guerre, des francs-tireurs ont attaqué l'armée ennemie.* **2.** fig. Personne qui agit d'une façon indépendante, sans observer la discipline d'un groupe : *Il fait toujours bande à part ; il agit en franc-tireur.* **R.** Au pluriel, *francs-tireurs.*

frange n.f. **1.** Bordure de fils qui pendent servant d'ornement à une robe, une écharpe, une tenture : *Les franges du tapis sont en soie.* **2.** Cheveux coupés en ligne droite qui retombent sur le front : *Françoise ne veut pas faire couper sa frange.* ☞ effranger.

à la bonne **franquette** loc.adv. Sans cérémonie : *Nous sommes entre amis, nous mangerons à la bonne franquette.* SYN. simplement.

frappant, ante adj. Qui fait une forte impression : *La ressemblance entre ces deux personnes est frappante.* SYN. impressionnant, saisissant. ANT. faible. ☞ frapper.

frappe n.f. **1.** Action, manière de taper un texte à la machine à écrire : *La dactylo a fait plusieurs fautes de frappe dans cette lettre.* **2.** Style, qualité de l'attaque d'un boxeur ; manière de frapper un ballon, une balle : *La frappe de ce boxeur est impressionnante.* ⫽ *Force de frappe :* Ensemble des moyens militaires modernes destinés à écraser rapidement l'ennemi. ☞ frapper.

frapper v. **1.** Donner un ou plusieurs coups : *On a frappé à la porte.* SYN. cogner, heurter. **2.** Battre, porter un ou des coups : *D'impatience, il frappait le sol du pied.* ANT. défendre. **3.** Venir toucher, atteindre : *La balle a frappé le joueur à la poitrine.* SYN. heurter. **4.** Tomber sur quelqu'un ou quelque chose : *La lumière du soleil frappe sur l'aquarium.* **5.** Marquer des monnaies, des médailles au moyen d'un dessin en relief : *On a frappé une nouvelle pièce de un dollar.* ⫽ *Frapper à toutes les portes :* Faire appel à de nombreuses personnes. ☞ frappe. ▲ **frapper** v. **1.** Atteindre d'un mal : *Un grand malheur a frappé cette famille.* ANT. épargner. **2.** Faire une forte impression : *Elle a frappé tout le monde par son grand talent.* SYN. étonner, impressionner, surprendre. **3.** Soumettre à une taxe, à un impôt : *Une nouvelle taxe frappe tous les vins importés.* ☞ frappant. ▲ **frapper** v. Refroidir au réfrigérateur ou en plongeant dans la glace : *L'hôtesse a frappé le champagne avant de le servir.*

frasil n.m. **1.** Au Canada, pellicule formée par la glace qui commence à prendre : *Depuis hier, il y a un peu de frasil sur la rivière.* **2.** Au Canada, fragments de glace flottant à la surface d'un cours d'eau : *Le frasil est entraîné par le courant.* **R.** Le *l* se prononce ou non.

frasque n.f. Écart de conduite : *Les adultes oublient facilement leurs frasques de jeunesse.* SYN. fredaine.

fraternel, elle adj. **1.** Qui se rapporte aux relations entre frères ou entre frères et sœurs :

Il y a beaucoup d'amour fraternel dans cette famille. **2.** Qui rappelle l'affection que l'on se porte entre frères et sœurs : *En aidant les sans-abri, vous avez posé un geste fraternel.* SYN. amical, cordial. ☞ fraternellement, fraterniser, fraternité.

fraternellement adv. Comme des frères : *Sylviane et Luc ont partagé fraternellement leur collation.* ☞ fraternel.

fraterniser v. **1.** Manifester des sentiments de fraternité, de sympathie : *Elles ont fraternisé dès leur première rencontre.* SYN. sympathiser. ANT. se haïr. **2.** Se réconcilier : *Les deux adversaires ont décidé de fraterniser.* ANT. se brouiller. ☞ fraternel.

fraternité n.f. **1.** Lien d'amitié, de solidarité entre des êtres humains ; sentiment de ce lien : *Dans un élan de fraternité, les Québécois sont venus en aide aux victimes du tremblement de terre en Arménie.* **2.** Lien particulier entre des personnes qui crée des rapports fraternels : *Une réelle fraternité unit ces personnes luttant pour la même cause.* SYN. camaraderie. ☞ fraternel.

fraude n.f. Tricherie, falsification punie par la loi : *En faisant une fausse déclaration de ses revenus, elle s'est rendue coupable de fraude fiscale.* SYN. escroquerie, supercherie. ANT. droiture, franchise, loyauté. ☞ frauder, fraudeur, frauduleusement, frauduleux. **en fraude** loc.adv. En contrevenant à la loi, aux règlements : *Ces vins français ont été introduits en fraude au Canada.*

frauder v. **1.** Commettre une fraude, un délit en vue de tromper : *Ces contribuables ont fraudé le fisc de plusieurs milliers de dollars.* **2.** Tricher : *L'instituteur s'est aperçu que certains élèves avaient fraudé à l'examen.* ☞ fraude.

fraudeur, euse n. Personne qui fraude, qui triche : *Le tribunal a imposé de lourdes amendes aux fraudeurs.* SYN. falsificateur. ☞ fraude.

frauduleusement adv. En contrevenant à la loi, aux règlements : *Des cigarettes importées frauduleusement ont été saisies par la police.* ☞ fraude.

frauduleux, euse adj. Qui est marqué par la fraude, la supercherie et contraire à la loi : *Cette politicienne a pris des moyens frauduleux pour se faire élire.* ☞ fraude.

frayer v. **1.** Déposer ses œufs, pour un poisson femelle ; les féconder, en parlant du mâle : *Le saumon est un poisson de mer qui va frayer en eau douce.* **2.** fig. Entretenir des relations familières et régulières : *C'est une fille réservée qui fraie peu avec ses camarades.* SYN. côtoyer. ANT. fuir. ☞ frai, frayère. ▲ **frayer** v. Tracer, ouvrir un chemin en supprimant les obstacles : *Le chasse-neige a frayé un passage aux automobilistes.* ANT. obstruer. **se frayer** v.pron. Se tracer un chemin en écartant les obstacles : *Elle a réussi à se frayer un chemin à travers la foule.*

frayère n.f. Lieu où les poissons pondent leurs œufs et les fécondent : *Pour se rendre aux frayères, le saumon parcourt des distances considérables.* ☞ frayer.

frayeur n.f. Peur très grande, généralement passagère : *Qu'est-ce qui a bien pu lui causer cette frayeur ?* SYN. effroi, terreur. ANT. assurance, sérénité.

fredaine n.f. Écart de conduite sans gravité : *Ne me racontez pas vos fredaines !* SYN. frasque.

fredonner v. Chanter une mélodie à mi-voix sans ouvrir la bouche : *Marie-Claude fredonne en faisant ses devoirs.* SYN. chantonner.

freezer ☞ sect. anglicismes et canadianismes.

frégate n.f. **1.** Ancien bateau de guerre à trois mâts : *La frégate ne portait jamais plus de soixante canons.* **2.** Bateau de guerre moderne et rapide, équipé d'engins pouvant combattre les sous-marins, qui sert d'escorte aux porte-avions : *La frégate est un navire intermédiaire entre la corvette et le croiseur.* ▲ **frégate** n.f. Oiseau des mers tropicales, aux grandes ailes fines et au bec long et crochu : *Les frégates possèdent un sac gonflable rouge vif sous leur bec.*

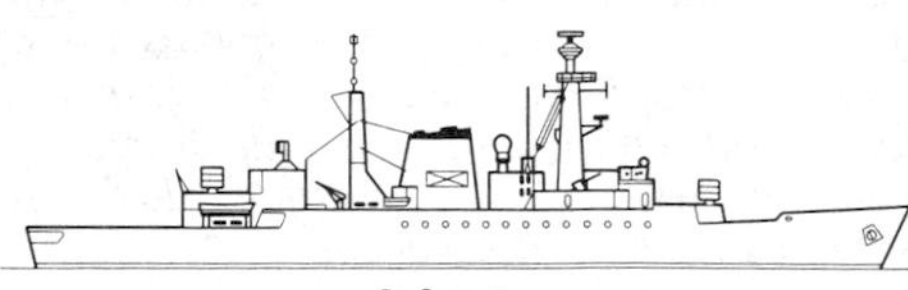

frégate

frein n.m. **1.** Dispositif servant à ralentir ou à arrêter un mécanisme en mouvement, un véhicule : *La conductrice a appuyé sur la pédale de frein.* ANT. accélérateur. **2.** fig. Ce qui ralentit le développement de quelque chose, ce qui agit comme un obstacle : *Arlette a mis un frein à ses dépenses.* ☞ freinage, freiner.

freinage n.m. Action de freiner, d'arrêter le mouvement d'un mécanisme, d'un véhicule : *Avant de partir en voyage, assurez-vous que le dispositif de freinage de votre automobile est en bon état.* ANT. accélération. ☞ frein.

freiner v. **1.** Ralentir, arrêter un mouvement au moyen de freins : *L'automobiliste n'a pas* *eu le temps de freiner.* ANT. accélérer. **2.** Ralentir dans son mouvement: *Le mauvais temps a freiné les coureurs.* SYN. gêner. ANT. encourager, stimuler. **3.** fig. Empêcher d'évoluer, de se développer: *Il faudrait adopter des mesures sévères pour freiner l'inflation.* SYN. enrayer, modérer. ANT. encourager. ☞ frein.

frelaté, ée adj. Qui n'est pas pur, qui a été modifié par l'addition de substances étrangères: *Il est illégal de vendre de l'alcool frelaté.* HOM. frelater. ☞ frelater.

frelater v. Modifier une substance, la falsifier en y ajoutant des substances étrangères: *Ce producteur a frelaté son vin.* HOM. frelaté. ☞ frelaté.

frêle adj. **1.** Qui a l'air fragile: *Cette petite fille est frêle.* SYN. délicat. ANT. fort, gros. **2.** Qui manque de force, de vitalité: *Ses frêles épaules ne pouvaient supporter ce fardeau.* SYN. fragile. ANT. robuste. **R.** Ne pas oublier l'accent: *ê*.

frelon n.m. Grosse guêpe rousse et jaune à corselet noir, dont la piqûre très douloureuse peut être dangereuse: *Les frelons sont les ennemis des abeilles: ils les attaquent, les tuent et volent leur miel.*

freluquet n.m. Jeune homme léger, vaniteux: *Ce freluquet s'est permis de me donner des conseils.*

frémir v. **1.** Remuer doucement, frissonner en produisant un son léger: *Le feuillage des arbres frémit au vent.* SYN. bruire. **2.** Être sur le point de bouillir, en parlant d'un liquide: *Dans la casserole, l'eau frémissait doucement.* **3.** Trembler de peur, de froid, d'émotion: *J'ai eu si peur, j'en frémis encore!* SYN. frissonner. ☞ frémissant, frémissement.

frémissant, ante adj. **1.** Qui remue, qui vibre en produisant un son léger: *L'abeille aux ailes frémissantes décrivait des cercles autour de ma tête.* **2.** Qui est troublé par l'émotion: *Il est encore frémissant de colère.* SYN. vibrant. **3.** Qui est sur le point de bouillir, en parlant d'un liquide: *J'ai retiré le lait frémissant du feu avant qu'il bouille.* ☞ frémir.

frémissement n.m. **1.** Faible agitation qui produit un son léger: *Rien ne vient troubler le silence, sauf un léger frémissement des feuilles.* SYN. bruissement, murmure. **2.** Léger tremblement dû à l'émotion: *Le frémissement de ses lèvres trahissait son chagrin.* **3.** Léger mouvement dans un liquide qui est sur le point de bouillir: *Retirez la casserole du feu dès que vous observerez le frémissement du lait.* ☞ frémir.

frênaie n.f. Lieu planté de frênes: *Carmen se promène dans la frênaie.* **R.** Ne pas oublier l'accent: *ê*. ☞ frêne.

frêne n.m. **1.** Arbre à bois clair, dur, souple et résistant: *Le frêne a une écorce grisâtre et lisse et il produit des samares.* **2.** Bois de cet arbre: *Ces outils ont des manches de frêne.* **R.** Ne pas oublier l'accent: *ê*. ☞ frênaie.

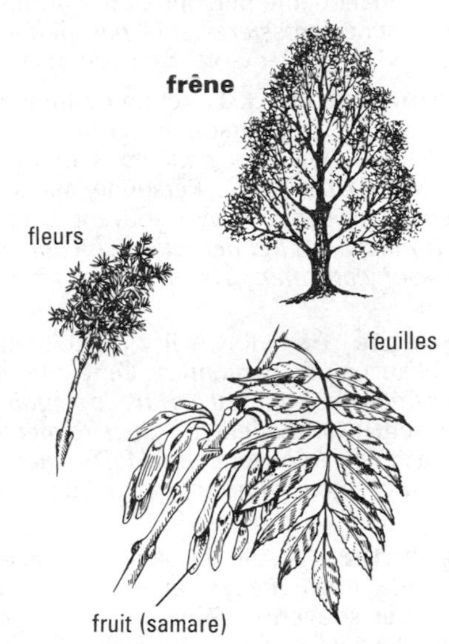

frénésie n.f. **1.** Grande excitation qui mène aux pires excès: *Rien ne pouvait contenir la frénésie de la foule en colère.* SYN. fièvre. ANT. calme, modération. **2.** Ardeur, enthousiasme: *Les spectateurs ont applaudi avec frénésie.* ANT. mesure, retenue. ☞ frénétique, frénétiquement.

frénétique adj. Qui manifeste une grande excitation: *Des applaudissements frénétiques ont accueilli la chanteuse populaire.* SYN. délirant. ☞ frénésie.

frénétiquement adv. Avec une grande excitation: *Les spectateurs applaudissaient frénétiquement.* ☞ frénésie.

fréquemment adv. Souvent: *Ma meilleure amie me téléphone fréquemment.* ANT. rarement. **R.** Les lettres *emment* se prononcent *amment*. ☞ fréquent.

fréquence n.f. **1.** Caractère de ce qui se reproduit périodiquement: *La fréquence de tes absences inquiète ton institutrice.* SYN. répétition. ANT. rareté. **2.** En sciences, nombre de cycles identiques d'un phénomène par seconde: *En Amérique du Nord, la fréquence du courant alternatif est de soixante cycles par seconde.* ☞ fréquent.

fréquent, ente adj. **1.** Qui se produit souvent: *Dans ce pays, les tremblements de terre* *sont fréquents.* SYN. nombreux. **2.** Qui est commun, courant: *C'est une situation fréquente pendant les vacances d'été.* SYN. habituel. ANT. rare. **3.** Qui se répète: *Je fais un fréquent usage du dictionnaire.* ☞ fréquemment, fréquence.

fréquentable adj. Que l'on peut fréquenter, en parlant d'une personne ou d'un lieu: *Ces personnes grossières sont peu fréquentables.* ANT. infréquentable. ☞ fréquenter.

fréquentation n.f. **1.** Action de fréquenter un endroit, une personne: *La fréquentation des bibliothèques peut nous apporter beaucoup de plaisir.* **2.** Personne que l'on fréquente, que l'on rencontre souvent: *Quand on a de mauvaises fréquentations, on finit par se laisser entraîner.* SYN. relation. ☞ fréquenter.

fréquenté, ée adj. Où il y a habituellement beaucoup de personnes: *Ce restaurant est très fréquenté pendant les fins de semaine.* ANT. désert. HOM. fréquenter. ⁄⁄ *Bien fréquenté:* Où il y a des gens convenables. *Mal fréquenté:* Où il y a des gens peu recommandables. ☞ fréquenter.

fréquenter v. **1.** Aller souvent dans un endroit: *Gilles fréquente les centres sportifs.* **2.** Rencontrer souvent quelqu'un: *Marie fréquente la petite voisine.* ANT. éviter. **3.** Voir souvent pour des raisons sentimentales: *Antoine fréquente cette jeune fille depuis plus d'un an.* HOM. fréquenté. ☞ fréquentable, fréquentation, fréquenté, infréquentable. se **fréquenter** v.pron. Se rencontrer souvent: *Luc et Carl ne se fréquentent plus depuis que Luc est déménagé.*

frère n.m. **1.** Celui qui a le même père et la même mère qu'une autre personne: *Geneviève a deux frères.* **2.** Titre des membres de certains ordres religieux: *Mon père a fait ses études chez les frères des Écoles chrétiennes.* **3.** Celui avec lequel on est uni par des liens d'amitié, d'intérêt, d'opinion: *Je le connais depuis mon enfance: c'est un frère pour moi.* SYN. ami, camarade. **4.** Être humain considéré comme faisant partie d'une grande famille: *Que la vie serait agréable si les êtres humains prenaient conscience qu'ils sont tous frères.* SYN. ami, camarade. ⁄⁄ *Faux frère:* Celui qui trahit ses amis, ses associés. *Frère d'armes:* Compagnon de guerre. **R.** Au féminin, *sœur.* ☞ demi-frère, frérot.

frérot n.m.fam. Petit frère: *Alors, frérot, tout va bien?* ☞ frère.

fresque n.f. **1.** Peinture murale faite à l'aide de couleurs délayées à l'eau appliquées sur une couche de mortier frais: *Michel-Ange a exécuté les fresques de la chapelle Sixtine.* **2.** Vaste peinture murale: *Les murs de ce restaurant sont décorés de fresques.* **3.** fig. Œuvre littéraire décrivant une époque, une société: *Cette grande romancière a laissé une fresque détaillée des mœurs de son époque.*

fret n.m. **1.** Prix à payer pour le transport des marchandises par air, par mer ou par route: *L'expéditrice a payé le fret.* **2.** Cargaison d'un navire, chargement d'un avion ou d'un camion: *En arrivant au port, le navire a déchargé son fret.* HOM. frai, frais. **R.** Se prononce *frè.*

frétillant, ante adj. **1.** Qui remue par petits mouvements rapides: *Herbert observe les poissons frétillants.* ANT. immobile. **2.** Qui s'agite d'une façon vive et gaie: *Virginie est toute frétillante de joie.* SYN. remuant. ANT. paisible, tranquille. ☞ frétiller.

frétillement n.m. **1.** Mouvement de ce qui remue de façon rapide: *Fido est tout excité: le frétillement de sa queue nous le confirme.* **2.** Agitation vive et gaie: *Les enfants ne peuvent pas contrôler leur frétillement à l'approche des vacances.* ☞ frétiller.

frétiller v. **1.** Remuer par petits mouvements rapides: *Le chien a aperçu son maître: il frétille de la queue.* **2.** S'agiter d'une façon vive et gaie: *La veille de Noël, les enfants frétillent d'impatience.* SYN. se trémousser. ☞ frétillant, frétiller.

fretin n.m. **1.** Petit poisson que le pêcheur rejette à l'eau: *Le pêcheur a rejeté le fretin à la mer.* **2.** Personne ou chose de peu d'importance: *L'enquêteuse recherchait la chef de la bande mais elle n'a mis la main que sur le menu fretin.* SYN. rebut. ANT. trésor.

freux n.m. Oiseau voisin du corbeau, à bec étroit et à la face dégarnie de plumes: *Le freux est un oiseau commun en Europe où il se rend utile en détruisant les insectes et autres petits animaux nuisibles.*

friabilité n.f. Caractère de ce qui peut être réduit en petits morceaux, en poudre: *En quatrième année, les écoliers observent la friabilité de certaines roches.* ☞ friable.

friable adj. Qui peut être réduit en petits morceaux, en poudre: *Le graphite et la craie sont très friables.* ☞ friabilité.

friand n.m. **1.** Petit pâté feuilleté garni de viande hachée ou de chair à saucisse: *La charcutière vend des friands tout chauds.* **2.** Petit gâteau sucré en pâte d'amandes: *Pour dessert, nous avons eu des friands.*

friand, ande adj. **1.** Qui aime beaucoup un aliment: *Les chats sont friands de poisson.* SYN. gourmand. **2.** fig. Qui recherche et aime quelque chose: *Ce garçon est friand de tout ce qui est nouveau.* ☞ friandise.

friandise n.f. Petite pâtisserie, confiserie: *N'oublie pas de te brosser les dents après avoir mangé des friandises.* SYN. bonbon, sucrerie. ☞ friand.

fricassée n.f. Ragoût fait de morceaux de poulet ou de lapin cuits dans une sauce: *Papa a préparé une fricassée de poulet.*

friche n.f. Terrain non cultivé: *Cette femme a acheté de longues friches pour y construire des maisons.* ☞ défrichage, défricher, défricheur. en **friche** loc.adv. À l'abandon: *Ce terrain est laissé en friche depuis plusieurs années.*

friction n.f. Action de frotter vigoureusement une partie du corps: *Pour calmer ses douleurs à la jambe, l'infirmier lui a fait une friction.* ☞ frictionner. ▲ **friction** n.f. **1.** Résistance au mouvement qui se produit lorsque deux surfaces sont en contact l'une avec l'autre: *L'huile à moteur diminue la friction en lubrifiant les pièces mobiles.* SYN. frottement. **2.** fig. Désaccord entre des personnes: *Il y a souvent des frictions entre ces deux hommes.*

frictionner v. Frotter vigoureusement une partie du corps, une personne: *Maman m'a frictionné avec de l'huile d'amande douce.* ☞ friction. se **frictionner** v.pron. Se frotter vigoureusement: *Après le bain, maman s'est frictionnée avec un gant de crin.*

frigo n.m.fam. Réfrigérateur: *As-tu remis le lait au frigo?* ☞ frigorifier.

frigorifier v. Soumettre au froid pour conserver: *On a frigorifié les morceaux de viande et les poissons.* SYN. congeler, réfrigérer. ☞ frigo, frigorifique.

frigorifique adj. **1.** Qui sert à produire du froid: *Le réfrigérateur et le congélateur sont des appareils frigorifiques.* SYN. réfrigérant. ANT. calorifique. **2.** Qui est équipé d'un système qui produit du froid: *La viande est transportée dans des camions frigorifiques.* ☞ frigorifier.

frileusement adv. D'une manière frileuse qui montre qu'on est sensible au froid: *La vieille dame s'emmitoufle frileusement dans son châle.* ☞ frileux.

frileux, euse adj. **1.** Qui craint beaucoup le froid, qui est sensible au froid: *Kenny n'aime pas l'hiver car il est frileux.* **2.** Qui montre qu'on est sensible au froid: *Le chat se blottit d'une manière frileuse près du radiateur.* ☞ frileusement.

frimas n.m.litt. Brouillard froid et épais qui se transforme en glace en tombant: *Ce matin, la terre était couverte de frimas.* SYN. givre.

frime n.f.fam. Apparence trompeuse, simulation: *On la croirait malade, mais ce n'est que de la frime.* SYN. comédie. ANT. vérité.

frimousse n.f.fam. Visage d'enfant: *Les petits de la maternelle ont des frimousses rieuses.* SYN. minois.

fringale n.f.fam. **1.** Faim subite et pressante: *Je dois absolument manger! J'ai une de ces fringales!* SYN. appétit. **2.** fig. Désir violent et irrésistible: *Quand arrive le printemps, ma tante a toujours une fringale de voyage.* SYN. envie. ANT. indifférence.

fringant, ante adj. **1.** Qui est vif et toujours en mouvement, en parlant d'un cheval: *Tiens solidement les rênes car ce cheval est fringant.* SYN. fougueux. ANT. lourd. **2.** Qui est vive, de belle humeur et élégante, en parlant d'une personne: *Ce jeune homme est très fringant.* SYN. alerte. ANT. inélégant, lourd.

friper v. **1.** Froisser: *Tu as fripé ton pantalon.* SYN. chiffonner. ANT. défroisser, presser, repasser. **2.** Rider: *La misère a fripé son visage.* SYN. flétrir. ☞ défriper.

friperie n.f. **1.** Vêtements usagés: *On raconte que ce chanteur ne s'habille qu'avec des friperies.* **2.** Commerce de vêtements usagés: *On trouve parfois de beaux vêtements anciens à la friperie.* ☞ fripier.

fripier, ière n. Personne qui fait le commerce des vêtements usagés: *J'aime bien regarder les vieux vêtements dans la boutique de la fripière.* ☞ friperie.

fripon, onne n. et adj.fam. **1.** n. Enfant malicieux, espiègle: *Tu m'as encore joué un tour, petite friponne!* SYN. coquin, polisson. **2.** adj. Qui montre une malice un peu provocante: *Quand tu me regardes d'un air fripon, je sais que tu prépares un tour pendable.* SYN. espiègle, polisson.

fripouille n.f.fam. Personne malhonnête, sans scrupules: *Cette fripouille est capable de tout, même de voler ses propres parents.* SYN. canaille, crapule, escroc.

frire v. Cuire dans de l'huile ou de la graisse bouillante: *Verse l'huile dans la friteuse, nous allons faire frire les beignets.* **R.** S'emploie surtout à l'infinitif et au participe passé. ☞ frit, frite, friterie, friteuse, friture.

frisage n.m. Action de friser les cheveux: *C'est toujours le même coiffeur qui s'occupe du frisage de mes cheveux.* ☞ friser.

frise n.f. **1.** Ornement d'architecture situé au-dessus de la corniche d'un bâtiment: *De magnifiques frises ornaient les temples grecs.* **2.** Bordure décorative formant une bande continue autour d'un mur, d'un meuble, d'une cheminée, etc.: *Une frise de papier peint décore les murs de la salle à manger.*

frise

friser v. **1.** Mettre en boucles: *La coiffeuse a frisé ses cheveux.* SYN. boucler. ANT. déboucler, défriser. **2.** Être ou devenir frisé, bouclé: *Tes cheveux frisent naturellement.* SYN. onduler. ANT. défriser. ☞ défriser, frisage, frisette, frisottant, frisotter. **frisé, ée** p.p. et adj. **1.** Qui forme des boucles: *Jacques a les cheveux frisés.* SYN. bouclé. ANT. plat, raide. **2.** Dont les cheveux forment des boucles: *Sonia est frisée comme un mouton.* ANT. plat, raide. **3.** Dont les feuilles sont finement dentelées et ondulées: *Maman achète de la laitue frisée.* ▲ **friser** v. **1.** Frôler, effleurer: *La balle de base-ball a frisé la tête de l'arbitre.* SYN. raser. ANT. s'éloigner. **2.** fig. Approcher, être très près de quelque chose: *Cette femme doit bien friser la quarantaine.*

frisette n.f. Petite boucle de cheveux frisés: *Bébé a des frisettes dans le cou.* ☞ friser.

frisottant, ante adj. Qui frise en petites boucles serrées: *Ses cheveux courts et frisottants lui donnent un air espiègle.* **R.** Aussi, *frisotté.* ☞ friser.

frisotter v. **1.** Friser en petites boucles serrées: *Quand il est nerveux, il frisotte les poils de sa barbe.* **2.** Être frisé en petites boucles serrées: *Quand le temps est humide, mes cheveux frisottent.* ☞ friser.

frisquet, ette adj. Qui est un peu froid: *Le vent est frisquet ce matin.* SYN. frais.

frisson n.m. **1.** Tremblement involontaire et irrégulier dû au froid ou à la fièvre: *Charles ne se sent pas bien: il est secoué de frissons.* **2.** Mouvement involontaire qui accompagne une émotion: *Quand on me parle de la torture, un frisson d'horreur m'envahit.* SYN. frémissement. ☞ frissonnant, frissonnement, frissonner.

frissonnant, ante adj. Qui tremble légèrement sous l'effet de la fièvre, du froid ou d'une émotion: *Elle était frissonnante de fièvre.* ☞ frisson.

frissonnement n.m.litt. **1.** Léger frisson causé par une émotion: *Il ne put réprimer un frissonnement de dégoût.* **2.** Léger tremblement: *Le frissonnement des feuilles du tremble berce mon sommeil.* SYN. frémissement. ☞ frisson.

frissonner v. **1.** Avoir des frissons: *Il faut te soigner, tu frissonnes de fièvre.* SYN. grelotter, trembler. **2.** Trembler légèrement sous l'effet d'une émotion: *Ce film me fait frissonner de peur.* SYN. frémir, tressaillir. **3.** litt. S'agiter légèrement: *L'herbe frissonne sous le vent léger.* SYN. frémir. ☞ frisson.

frit, frite adj. Qui est cuit dans l'huile ou la graisse bouillante: *La plupart des enfants aiment les pommes de terre frites.* ☞ frire.

frite n.f. Petit morceau allongé de pomme de terre que l'on fait cuire dans l'huile bouillante: *Robert a commandé un bifteck grillé avec des frites.* **R.** S'emploie surtout au pluriel. ☞ frire.

friterie n.f. Endroit où l'on prépare et vend des frites: *Pendant l'été, il y a de nombreuses friteries le long des routes.* ☞ frire.

friteuse n.f. Récipient muni d'un couvercle et d'un égouttoir qui sert à frire les aliments: *Isabelle a branché la friteuse électrique.* ☞ frire.

friture n.f. **1.** Action, manière de frire un aliment: *Dans notre famille, nous préférons la friture à l'huile.* **2.** Huile, graisse servant à frire les aliments: *Steve plonge les bâtonnets de pommes de terre dans la friture.* **3.** Aliment frit: *Que diriez-vous de manger une friture d'éperlans?* ☞ frire.

frivole adj. **1.** Qui est peu sérieux, peu important: *Ces propos frivoles m'ennuient.* SYN. futile, insignifiant. ANT. grave. **2.** Qui ne s'intéresse qu'aux choses sans importance, qui traite à la légère les choses sérieuses: *Cet adolescent frivole ne s'intéresse qu'à la mode.* SYN. étourdi, léger. ANT. réfléchi, sérieux. ☞ frivolement, frivolité.

frivolement adv. D'une manière frivole, peu sérieuse: *Ils discutent frivolement de choses et d'autres.* ☞ frivole.

frivolité n.f. **1.** Caractère d'une personne frivole, peu sérieuse: *En vieillissant, elle n'a rien perdu de sa frivolité.* SYN. légèreté. ANT. gravité, sérieux. **2.** Chose peu sérieuse, peu importante: *Il gaspille sa vie en frivolités de toutes sortes.* SYN. bagatelle, futilité. **3.** plur. Petits articles de parure, de mode, de fantaisie: *Cette boutique a un bel étalage de frivolités.* ☞ frivole.

froid n.m. **1.** Température basse: *Aïda n'aime pas le froid.* ANT. chaleur. **2.** litt. Absence, diminution d'amitié, d'affection dans les relations avec les autres: *Depuis la semaine dernière, il y a un froid entre ces deux garçons.* ⁄⁄ *Attraper, prendre froid:* S'enrhumer. *Avoir froid:* Avoir une sensation de froid. *Être en froid avec quelqu'un:* Être en mauvais termes avec quelqu'un. *Il fait froid:* Le temps est froid.

froid, froide adj. **1.** Dont la température est basse: *Je ne peux pas me baigner dans cette eau froide.* SYN. frais, glacial. ANT. brûlant, chaud, tiède. **2.** Qui est refroidi: *Si tu ne viens pas maintenant, la soupe sera froide.* ANT. brûlant, chaud. **3.** fig. Qui est calme, qui a du sang-froid: *Elle est restée froide devant le danger.* ANT. fougueux. **4.** fig. Qui manque de chaleur humaine; qui dénote de l'indifférence et même de l'hostilité: *Cette femme froide n'a versé aucune larme quand on lui a appris la catastrophe.* SYN. distant, sévère. ANT. chaleureux. ⁄⁄ *Couleurs froides:* Couleurs plus proches du bleu que du rouge. *Viandes froides:* Viandes préparées pour être mangées froides. ☞ froidement, froideur, froidure, refroidir, refroidissement. à **froid** loc.adv. **1.** Sans chauffer: *Certains métaux sont forgés à froid.* **2.** fig. Sans émotion apparente: *Elle parle à froid de son futur mariage.*

froidement adv. **1.** D'une manière froide, sans empressement: *La voisine m'a accueillie froidement.* SYN. fraîchement. **2.** D'une manière calme et lucide: *Mes parents ont examiné froidement la situation.* SYN. calmement. **3.** D'une manière insensible, sans se poser de problèmes de conscience: *Le jeune garçon acheva froidement la pauvre bête blessée.* ☞ froid.

froideur n.f. **1.** Manque de chaleur, d'empressement, de cordialité: *Serge a reçu ses anciens compagnons avec froideur.* SYN. fraîcheur, indifférence, réserve. ANT. ardeur, effusion. **2.** Absence de sensibilité, d'émotivité: *Son apparente froideur cache peut-être un cœur trop sensible.* SYN. impassibilité, indifférence. ☞ froid.

froidure n.f.vx Grand froid de l'hiver, saison froide: *Il faut de bons vêtements chauds pour affronter la froidure.* ☞ froid.

froissable adj. Qui se froisse facilement: *Le tissu de cette jupe est très froissable.* ANT. infroissable. ☞ froisser.

froissant, ante adj. Qui offense, qui blesse quelqu'un dans son amour-propre: *Tu aurais pu retenir cette remarque froissante.* SYN. choquant, vexant. ANT. flatteur. ☞ froisser.

froissement n.m. **1.** Action de froisser du papier, du tissu; son résultat: *Le froissement du papier s'accompagne toujours d'un petit bruit confus.* **2.** Bruit produit par ce qui est froissé: *Elle déballe son cadeau; j'entends le froissement du papier de soie.* **3.** Blessure causée par un choc ou une trop forte pression: *Cette coureuse n'a pu terminer la course à cause d'un froissement de muscle.* SYN. claquage. **4.** fig. Ce qui blesse l'amour-propre de quelqu'un: *Tous ces petits froissements ont fini par détruire leur amitié.* SYN. friction. ☞ froisser.

froisser v. **1.** Chiffonner, faire prendre des faux plis: *Si tu restes assis trop longtemps, tu vas froisser ton pantalon.* SYN. friper. ANT. défriper, défroisser, repasser. **2.** fig. Offenser, blesser quelqu'un dans son amour-propre: *Cette remarque désobligeante a froissé Marcelle.* SYN. indisposer, vexer. ANT. flatter. ☞ défroissable, défroisser, froissable, froissant, froissement, infroissable. se **froisser** v.pron. **1.** Se chiffonner: *La soie et le lin se froissent facilement.* **2.** Meurtrir, blesser par un choc ou une trop forte pression: *L'athlète s'est froissé un muscle.* SYN. se claquer. **3.** fig. S'offenser, être blessé dans son amour-propre: *Christophe se froisse pour un rien.* SYN. se vexer.

frôlement n.m. **1.** Contact léger et rapide d'un objet contre un autre: *Le frôlement de la plume sur la plante de ses pieds suffit à le faire rire aux éclats.* **2.** Bruit léger produit par le contact léger et rapide d'un objet contre un autre: *Entends-tu le frôlement de sa robe de taffetas quand elle se déplace?* SYN. frémissement, froissement, frou-frou. **R.** Ne pas oublier l'accent: ô. ☞ frôler.

frôler v. **1.** Toucher légèrement en passant: *En jouant aux cartes, sa main a frôlé la mienne.* SYN. effleurer. ANT. éviter. **2.** Passer très près de quelqu'un ou de quelque chose: *L'hélicoptère a frôlé le toit de la maison.* SYN. raser. **3.** fig. Échapper de justesse: *Ce jour-là, sur l'autoroute, nous avons frôlé la mort.* **R.** Ne pas oublier l'accent: ô. ☞ frôlement.

fromage n.m. Aliment fait de lait caillé: *Le cheddar et le camembert sont des fromages.* ⁄⁄ *Fromage de tête:* Pâté fait de morceaux de tête de porc pris en gelée. ☞ fromager, fromagerie.

fromager n.m. Grand arbre tropical à bois blanc et tendre dont les fruits fournissent une fibre végétale légère, le kapok: *Les graines du fromager fournissent une huile utilisée dans certaines industries.* SYN. kapokier.

fromager, ère n. et adj. **1.** n. Personne qui fabrique ou qui vend du fromage: *J'ai acheté un brie et un roquefort chez la fromagère.* **2.** adj. Qui se rapporte au fromage: *L'industrie fromagère se porte bien au Québec.* ☞ fromage.

fromagerie n.f. Endroit où l'on fabrique, où l'on vend des fromages: *Notre épicière s'approvisionne en fromages dans cette fromagerie.* ☞ fromage.

froment n.m. Blé, grain de blé : *Le pain à la farine de froment est plus facile à digérer que le pain de seigle.*

fronce n.f. Chacun des plis courts et serrés obtenus en tirant sur un fil que l'on a glissé dans le tissu : *Maryse porte une jupe à fronces.* ☞ froncer.

froncement n.m. Action de froncer, de plisser les sourcils en les rapprochant : *Un froncement de sourcils est souvent plus efficace qu'un long discours.* ☞ froncer.

froncer v. **1.** Plisser, faire des petits plis qui resserrent : *Le couturier a froncé cette robe à la taille.* **2.** Plisser en contractant les sourcils : *Quand Odette fronce les sourcils, je sais qu'elle est de mauvaise humeur.* **R.** Ne pas oublier la cédille devant *a* et *o*. ☞ défroncer, fronce, froncement.

frondaison n.f. **1.** Apparition du feuillage des arbres : *Rien n'est plus beau que l'époque de la frondaison.* **2.** Feuillage des arbres : *La jeune frondaison des érables forme une voûte au-dessus de nos têtes.*

fronde n.f. **1.** Arme formée d'une poche de cuir attachée à deux lanières et dans laquelle on place une pierre ou une balle : *L'homme fit tournoyer sa fronde, puis lança une pierre.* **2.** Jouet d'enfant, différent de la fronde véritable, formé d'une fourche et d'une bande de caoutchouc : *Il n'est pas permis d'apporter une fronde à l'école.* SYN. lance-pierres.

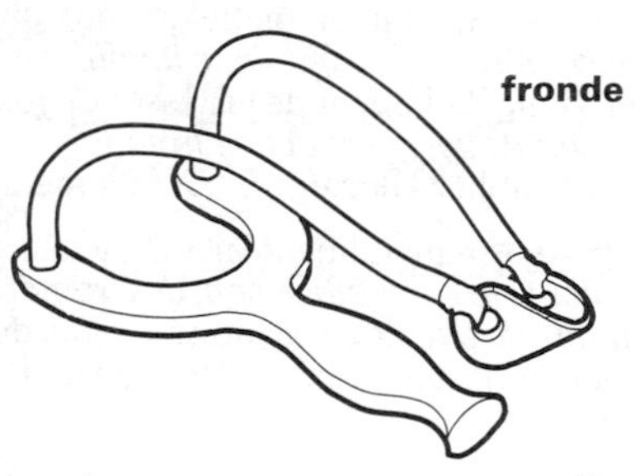

fronde

frondeur, euse n. et adj. **1.** n. Personne qui critique avec insolence l'autorité, les règlements : *La directrice a fait venir les frondeurs dans son bureau.* **2.** adj. Qui est porté à la critique, à l'impertinence : *Marie-Josée a un esprit frondeur.* SYN. moqueur, railleur. ANT. respectueux.

front n.m. **1.** Partie du visage comprise entre les sourcils et la racine des cheveux : *Luc a le front bombé.* **2.** fig. Audace, hardiesse : *Tu as le front de venir chez moi après m'avoir insulté!* SYN. culot, effronterie. ANT. retenue, timidité. ☞ frontal. ▲ **front** n.m. **1.** Zone de combat face à l'ennemi : *Pendant la guerre, plusieurs soldats sont morts au front.* **2.** Alliance entre des parties, des syndicats, etc., qui s'accordent sur un programme commun : *Les syndicats ont décidé de former un front commun.* SYN. ligue. **3.** En météorologie, ligne de démarcation entre deux masses d'air d'origine et de température différentes : *On appelle «front», la frontière entre une masse d'air froid et une masse d'air chaud.* ∥ *Front de mer :* Avenue en bordure de la mer. **de front** loc.adv. **1.** Par-devant : *Les deux automobiles se sont heurtées de front.* **2.** Côte à côte : *Les cyclistes roulaient de front sur la piste.* **3.** fig. D'une manière directe : *Il vaut mieux aborder ce problème de front.* SYN. carrément, ouvertement. **4.** fig. En même temps : *Elle mène plusieurs affaires de front.* SYN. ensemble. ANT. séparément.

frontal, ale, aux adj. **1.** Qui se rapporte au front : *En tombant, elle s'est fracturé l'os frontal.* **2.** Qui se produit de face, par-devant : *Une collision frontale entre deux automobiles a fait trois blessés.* ☞ front.

frontalier, ière n. et adj. **1.** n. Personne qui habite une région proche d'une frontière : *Les Montréalais ne sont pas des frontaliers.* **2.** adj. Qui est situé à la frontière : *L'Estrie est une région frontalière.* ☞ frontière.

frontière n.f. **1.** Limite séparant deux pays, deux territoires : *Quand nous allons aux États-Unis, nous devons traverser la frontière.* **2.** fig. Séparation : *On ne sait plus où est la frontière entre le comique et le ridicule.* ☞ frontalier.

fronton n.m. Ornement vertical, généralement de forme triangulaire, qui surmonte la façade d'un édifice : *Le fronton est situé au-dessus de l'entrée principale de l'édifice.*

frottage n.m. Action de frotter : *Le frottage des parquets exige une grande dépense d'énergie.* ☞ frotter.

frottement n.m. **1.** Action de deux corps qui sont en contact et dont l'un se déplace par rapport à l'autre : *Quand tu frottes deux pierres l'une contre l'autre, on entend un bruit de frottement.* SYN. friction. **2.** Force qui s'oppose au glissement d'un corps sur un autre : *L'huile diminue le frottement qui se produit entre deux pièces en mouvement.* SYN. friction. **3.** fig. Friction, mésentente : *Il y a eu des frottements entre ces deux personnes autoritaires.* ☞ frotter.

frotter v. **1.** Passer à plusieurs reprises un objet sur un autre en appuyant : *La fumeuse a frotté l'allumette contre le côté de la boîte.* SYN. gratter. **2.** Faire un mouvement de va-et-vient pour nettoyer, rendre plus brillant : *Fernande frotte les casseroles avec un tampon à récurer.*

SYN. astiquer. **3.** Passer la main sur une partie du corps en appuyant: *Je vais te frotter le dos pour te détendre.* SYN. frictionner, masser. **4.** Produire un frottement, en parlant d'un corps qui glisse mal sur un autre: *La porte frotte contre le parquet en s'ouvrant.* ANT. glisser. ☞ frottage, frottement, frotteur. se **frotter** v.pron. **1.** Frotter, frictionner son corps: *Elle se frotte les jambes avec une crème adoucissante.* **2.** Toucher, caresser quelqu'un avec son corps: *Le chien, content de me voir, se frottait à mes jambes.* **3.** S'attaquer à quelqu'un, le provoquer: *Ne te frotte pas trop à lui, sinon tu pourrais le regretter.*

frotteur, euse n. Personne qui frotte les planchers, les parquets: *Tout reluit chez lui, car c'est un frotteur.* ☞ frotter.

frou-frou n.m. **1.** Léger bruit produit par le frôlement ou le froissement des étoffes, des feuilles, des plumes: *Les belles dames passaient dans un frou-frou de satin.* **2.** plur. Ornements de tissu d'un vêtement féminin: *Cette robe a trop de frous-frous.* **R.** Aussi, *froufrou.* Au pluriel, *frous-frous* ou *froufrous.* ☞ froufroutant, froufrouter.

froufroutant, ante adj. Qui produit un frou-frou, un bruit léger: *La danseuse porte une robe froufroutante.* ☞ frou-frou.

froufrouter v. Faire un bruit léger, un frou-frou: *Quand elle marche, sa robe de taffetas froufroute.* ☞ frou-frou.

froussard, arde n. et adj.pop. **1.** n. Personne peureuse, poltronne: *Ils se vantent beaucoup, mais ce ne sont que des froussards.* ANT. brave. **2.** adj. Qui est peureux, poltron: *Henriette est froussarde.* ANT. brave. ☞ frousse.

frousse n.f.pop. Peur: *Ce gros chien m'a flanqué une de ces frousses!* ☞ froussard.

fructification n.f. **1.** Formation des fruits: *Le printemps est la saison de la fructification.* **2.** Ensemble des fruits portés par un végétal: *Ce grand pin a une belle fructification.* ☞ fruit.

fructifier v. **1.** Produire des fruits, en parlant d'une plante; produire des récoltes, en parlant d'une terre: *Ce prunier fructifie tardivement.* **2.** fig. Produire des bénéfices, des résultats profitables: *La banquière m'a donné des conseils pour faire fructifier mon argent.* SYN. rapporter. ☞ fruit.

fructueusement adv. D'une manière fructueuse, profitable: *Il a placé fructueusement son argent.* ☞ fruit.

fructueux, euse adj. **1.** Qui donne des résultats avantageux: *Elle s'est enrichie en faisant des opérations financières fructueuses.* SYN. profitable, rentable. ANT. improductif, infructueux. **2.** Qui est utile, profitable: *Tu as beaucoup travaillé et tes efforts ont été fructueux.* SYN. fécond. ANT. stérile, vain. ☞ fruit.

frugal, ale, aux adj. **1.** Qui est composé d'aliments simples et peu abondants: *Il n'a pas beaucoup d'appétit: il se contente d'un repas frugal.* **2.** Qui se contente d'une nourriture simple et peu abondante: *Ces personnes frugales sont en bonne santé.* SYN. sobre. ANT. glouton, vorace. ⁄⁄ *Vie frugale:* Vie simple, sans luxe. ☞ frugalement, frugalité.

frugalement adv. De façon frugale, simple: *Elles vivent frugalement et s'en portent très bien.* ☞ frugal.

frugalité n.f. **1.** Qualité de ce qui est frugal, simple: *Ils m'ont invité en s'excusant de la frugalité de leur repas.* SYN. simplicité. ANT. surabondance. **2.** Qualité d'une personne qui se contente d'une nourriture simple et peu abondante: *La frugalité de ces gens les a mis à l'abri des maladies cardiaques.* SYN. modération, sobriété. ANT. abus, gaspillage. ☞ frugal.

frugivore n. et adj. **1.** n. Animal qui se nourrit de fruits: *Le singe est un frugivore.* **2.** adj. Qui se nourrit de fruits: *L'ours est un animal frugivore.* ☞ fruit.

fruit n.m. **1.** Organe contenant des graines produites par une plante: *La samare, l'akène et le cône du pin sont des fruits.* **2.** Production végétale qui succède à la fleur: *La citrouille, la tomate et la groseille sont des fruits.* **3.** Produit d'un arbre fruitier: *La pêche, la poire et la prune sont des fruits.* **4.** plur. Produits, récoltes en général, servant à l'alimentation: *Certains peuples vivent des fruits de la chasse et de la pêche.* ⁄⁄ *Fruits de mer:* Ensemble des crustacés, mollusques comestibles. ☞ fructification, fructifier, frugivore, fruité, fruiterie, fruitier. ▲ **fruit** n.m. Résultat, avantage, conséquence de quelque chose: *Ce livre est le fruit d'un travail acharné.* SYN. produit, récompense. ☞ fructueusement, fructueux, infructueux.

fruité, ée adj. Qui a un goût, une odeur de fruit frais: *On nous a servi un vin fruité.* ☞ fruit.

fruiterie n.f. Endroit où l'on vend des fruits et parfois des légumes et des produits laitiers: *J'ai acheté ce panier de pêches à la fruiterie.* ☞ fruit.

fruitier, ière n. et adj. **1.** n. Personne qui tient un commerce de fruits: *Le fruitier m'a vendu un melon et un ananas.* **2.** adj. Qui produit des fruits comestibles: *Le pommier et le prunier sont des arbres fruitiers.* ☞ fruit.

frusques n.f.plur.pop. Vêtements de mauvaise qualité, de peu de valeur: *Pourquoi gardes-tu ces vieilles frusques?* SYN. hardes, nippes.

fruste adj. Qui manque de finesse, de raffinement: *Ses manières frustes me choquent.* SYN. grossier, rude. ANT. fin, raffiné.

frustrant, ante adj. Qui déçoit, qui prive d'une satisfaction: *Il n'a pas voulu me recevoir; c'est frustrant!* SYN. décevant. ANT. satisfaisant. ☞ frustrer.

frustration n.f. Action de priver quelqu'un d'une satisfaction; état d'une personne frustrée, déçue: *Je comprends sa frustration! C'est ta meilleure amie et tu ne l'as pas invitée à ton anniversaire.* ☞ frustrer.

frustrer v. **1.** Priver une personne d'une satisfaction, la décevoir dans ses attentes: *J'ai frustré les espérances de mes parents en abandonnant l'école.* SYN. désappointer, tromper. ANT. combler, gratifier. **2.** Mettre dans un état de frustration, de déception: *Son échec l'a frustré.* SYN. décevoir, désappointer. ANT. combler, satisfaire. ☞ frustrant, frustration.

fuchsia n.m. et adj.invar. **1.** n.m. Arbrisseau à fleurs pourpres ou roses en forme de clochettes pendantes souvent cultivé comme ornement: *Pour la fête des mères, nous avons offert un fuchsia à maman.* **2.** adj.invar. Qui est de couleur pourpre comme les fleurs du fuchsia: *Cette blouse fuchsia te va à ravir.* **R.** Les lettres *chs* se prononcent *ch* ou *ks*.

fudge n.m. (améric.) Au Canada, sucrerie comportant habituellement du chocolat, qui se présente en carrés: *J'ai mangé du fudge pour dessert.*

fugitif, ive n. et adj. **1.** n. Personne qui s'est enfuie: *Les policiers ont retrouvé le fugitif.* SYN. déserteur, évadé, fuyard. **2.** adj. Qui s'est enfui, qui est en fuite: *Les prisonnières fugitives ont réussi à traverser la frontière américaine.* **3.** adj.fig. Qui dure peu de temps: *Ce ne fut qu'un plaisir fugitif.* SYN. bref, court, éphémère, passager. ANT. permanent, stable, tenace. ☞ fuir.

fugitivement adv. D'une façon fugitive, brève: *Une lueur de tristesse passa fugitivement dans son regard.* ☞ fuir.

fugue n.f. Action de s'enfuir de son domicile pendant une courte période: *Cette adolescente a fait une fugue.* SYN. escapade, fuite. ☞ fuguer, fugueur. ▲ **fugue** n.f. Composition musicale dans laquelle un thème et ses imitations successives forment plusieurs parties qui semblent se fuir et se poursuivre: *Jean-Sébastien Bach a composé des fugues.* **R.** Ne pas oublier le *u* après le *g*.

fuguer v.fam. S'enfuir de son domicile pendant une courte période: *Ce n'est pas la première fois que cet enfant fugue.* **R.** Ne pas oublier le *u* après le *g*. ☞ fugue.

fugueur, euse n. et adj. **1.** n. Personne qui s'enfuit de son domicile pour une courte période: *La travailleuse sociale a rencontré le jeune fugueur.* **2.** adj. Qui s'enfuit de son domicile pour une courte période: *Chloé est une adolescente fugueuse.* **R.** Ne pas oublier le *u* après le *g*. ☞ fugue.

führer n.m. (all.) Titre porté par Adolf Hitler à partir de 1934: *Les discours du führer soulevaient la passion de la foule.* HOM. fureur. **R.** Signifie «chef». Ne pas oublier le tréma: *ü*. Se prononce *fureur*.

fuir v. **1.** S'éloigner en toute hâte pour échapper à un danger, à une menace: *L'écureuil fuit à mon approche.* SYN. s'enfuir, partir. ANT. affronter, demeurer, rester. **2.** Chercher à éviter quelqu'un ou quelque chose: *Je n'aime pas cette fille: je la fuis comme la peste.* ANT. affronter, rechercher. **3.** S'éloigner, s'écouler par un mouvement rapide: *Nous roulions si vite que les arbres qui bordaient la route semblaient fuir.* **4.** fig. Passer rapidement: *Les vacances et les beaux jours de l'été ont fui.* ANT. durer. ☞ fugitif, fugitivement, fuite, fuyant, fuyard. ▲ **fuir** v. **1.** S'échapper par une fissure, un trou: *L'eau fuit de la casserole.* SYN. couler, s'écouler. **2.** Laisser échapper son contenu par une fissure, un trou: *Le robinet de la baignoire fuit.* SYN. couler, s'écouler. ☞ fuite.

fuir fuyant

fuite n.f. **1.** Action de fuir, de s'éloigner en toute hâte d'un danger, d'une menace: *En apercevant la chasseuse, l'orignal a pris la fuite.* **2.** Action de s'éloigner, en parlant de quelque chose: *La fuite des nuages nous annonce le retour du beau temps.* **3.** fig. Écoulement rapide du temps: *En vieillissant, on devient plus sensible à la fuite du temps.* **4.** fig. Action de se soustraire à quelque chose de pénible: *La fuite devant ses obligations finira par nuire à sa réputation.* SYN. dérobade, excuse. ⫽ *Délit de fuite:* Infraction commise par un conducteur de véhicule qui s'enfuit après avoir causé un accident. ☞ fuir. ▲ **fuite** n.f. **1.** Écoulement par une fissure, un trou: *Une fuite de gaz est à l'origine de l'explosion.* SYN. perte. ANT. conservation. **2.** Fissure, trou par où s'échappe un liquide, un gaz: *Il y a une fuite dans la bouilloire.* **3.** fig. Indiscrétion, communication de documents secrets: *La journaliste a été mise au courant de ce projet grâce à des fuites.* ☞ fuir.

fulgurant, ante adj. **1.** Qui produit une lueur vive et rapide comme l'éclair: *Une clarté fulgurante nous aveugla momentanément.* SYN. brillant, éclatant. **2.** Qui est rapide comme l'éclair: *Les recherches médicales ont fait des progrès fulgurants.* **3.** Qui frappe soudainement l'esprit: *Une idée fulgurante lui traversa l'esprit.* ⁄⁄ *Douleur fulgurante:* Douleur très vive et de courte durée.

fulminant, ante adj. **1.** Qui est dans une très grande colère et qui menace les autres: *Tous les employés fuyaient leur directrice fulminante.* **2.** Qui exprime une grande colère, qui est chargé de menaces: *Il nous lance des regards fulminants.* SYN. menaçant. **3.** Qui peut exploser avec un bruit très fort: *Ce produit fulminant peut détoner sous l'influence de la chaleur.* SYN. détonant, explosif. ☞ fulminer.

fulminer v. **1.** S'emporter violemment en menaçant les autres: *Le voisin fulmine encore contre sa fille.* SYN. tempêter. ANT. se calmer, se maîtriser. **2.** Formuler avec violence: *Elle fulmine des menaces contre la livreuse de journaux.* SYN. lancer, prononcer. **3.** Exploser, en parlant de certains produits: *Ce produit fulmine par l'effet d'un choc.* SYN. détoner. ☞ fulminant.

fumant, ante adj. **1.** Qui dégage de la fumée: *Les pompiers arrosent les cendres fumantes.* **2.** Qui dégage de la vapeur: *On lui a servi un potage fumant.* ☞ fumer.

fumé, ée adj. **1.** Qui a été exposé à la fumée pour assurer la conservation: *Le saumon fumé est délicieux.* **2.** Qui est de couleur foncée: *Quand il fait soleil, on porte des verres fumés.* HOM. fumée, fumer. ☞ fumer.

fumée n.f. **1.** Produit gazeux s'échappant d'un corps qui brûle: *Une épaisse fumée noire s'élève du brasier.* **2.** Vapeur qui s'échappe d'un liquide chaud: *La fumée monte au-dessus des tasses de café chaud.* HOM. fumé, fumer. ☞ fumer.

fumer v. **1.** Dégager de la fumée: *Les feuilles mortes fument en brûlant.* **2.** Dégager de la vapeur: *La soupe bouillante fume dans nos assiettes.* ☞ enfumer, fumant, fumée. ▲ **fumer** v. Exposer à la fumée pour assurer la conservation: *On peut fumer les harengs et les jambons.* ☞ fumé. ▲ **fumer** v. Brûler du tabac en aspirant la fumée par la bouche: *Grand-père fume le cigare.* ☞ fumée, fumeur, non-fumeur. ▲ **fumer** v. Répandre du fumier ou des engrais sur une terre pour la fertiliser: *Le fermier a fumé ce champ.* HOM. fumé, fumée. ☞ fumier.

fumet n.m. **1.** Odeur agréable qui se dégage de certaines viandes pendant ou après la cuisson: *Le fumet du rôti nous met l'eau à la bouche.* **2.** Parfum qui se dégage d'un vin: *Ce vin rouge a un fumet particulier.* **3.** Sauce faite de jus de viande ou de poisson: *Le fumet sert à corser les sauces.*

fumeur, euse n. Personne qui a l'habitude de fumer du tabac ou d'autres substances: *Les fumeurs nuisent à leur santé et à celle des autres.* ANT. non-fumeur. ☞ fumer.

fumier n.m. Mélange de paille et d'excréments d'animaux utilisé comme engrais: *La cultivatrice a épandu du fumier sur ses champs.* ☞ fumer.

fumiste n. et adj.fam. **1.** n. Personne peu sérieuse sur qui on ne peut compter: *Il n'a pas respecté sa promesse, quel fumiste!* SYN. farceur. **2.** adj. Qui est peu sérieux, sur qui on ne peut compter: *Elle est un peu fumiste: je ne crois pas tout ce qu'elle dit.* SYN. fantaisiste. ANT. sérieux. ☞ fumisterie.

fumisterie n.f.fam. Action, chose peu sérieuse: *Ce beau projet n'était qu'une vaste fumisterie.* SYN. farce, plaisanterie. ☞ fumiste.

funambule n. Acrobate qui marche, danse sur une corde tendue à grande hauteur au-dessus du sol: *Maryse retient son souffle en regardant la funambule.*

funèbre adj. **1.** Qui se rapporte aux funérailles: *Le cortège funèbre se dirige vers le cimetière.* **2.** fig. Qui est triste, qui fait penser à la mort: *Un silence funèbre règne dans la classe.* SYN. lugubre. ANT. gai. ⁄⁄ *Service des pompes funèbres:* Entreprise qui s'occupe de l'organisation des funérailles.

funérailles n.f.plur. Ensemble des cérémonies qui sont accomplies en l'honneur d'un mort: *Des milliers de personnes assistaient aux funérailles de René Lévesque.* SYN. obsèques. ☞ funéraire.

funèbre funérailles

funéraire adj. Qui se rapporte aux funérailles, à la sépulture, aux tombes: *L'urne funéraire contient les cendres d'un mort.* ⁄⁄ *Salon funéraire:* Établissement où le mort est embaumé, placé dans un cercueil et exposé dans un salon réservé à la famille et aux amis du défunt. ☞ funérailles.

funeste adj. **1.** litt. Qui cause la mort, le malheur: *Un funeste accident l'a emportée alors qu'elle était dans la fleur de l'âge.* SYN.

fatal, mortel. **2.** Qui entraîne de graves conséquences: *Il n'aurait pas dû suivre ce conseil funeste.* SYN. déplorable, nuisible, regrettable. ANT. bon, favorable, salutaire. **3.** Qui nuit, qui est contraire à quelque chose: *On a rejeté ce projet funeste aux intérêts de la population.* SYN. nuisible. ANT. favorable.

funiculaire n.m. Sorte de train tiré par des câbles, installé sur une voie en forte pente: *Le funiculaire du Vieux-Québec relie la Basse-Ville à la terrasse Dufferin.*

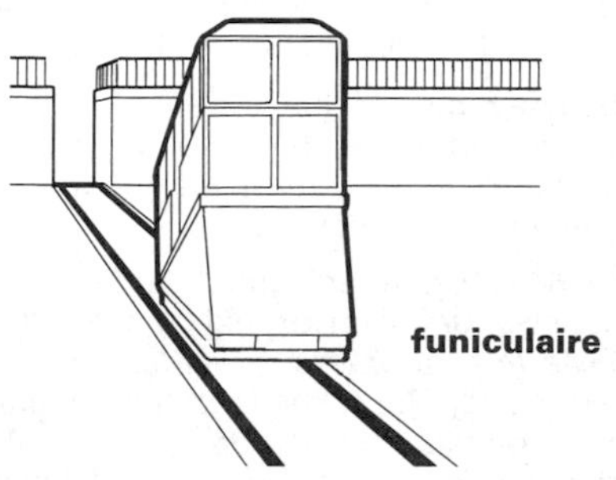

funiculaire

furet n.m. **1.** Petit mammifère carnivore, au corps allongé, au pelage blanc jaunâtre et aux yeux rouges, servant à chasser le lapin: *Le furet est plus petit que le putois.* **2.** fig. Personne curieuse qui cherche partout pour découvrir quelque chose: *Quel furet! Il voudrait bien connaître notre secret.* ☞ furetage, fureter, fureteur. ▲ **furet** n.m. Jeu de société dans lequel les participants assis en cercle se passent rapidement un objet, appelé le «furet», tandis qu'un autre joueur, qui se tient au centre du cercle, doit deviner dans quelle main se trouve l'objet: *Quand nous jouons au furet, nous chantons: «Il court, il court le furet...».*

furetage n.m. **1.** Chasse au lapin qu'on pratique avec un furet: *Le furetage consiste à faire sortir les lapins de leurs terriers en y introduisant un furet qu'on a pris soin de museler.* **2.** Action de fureter, de chercher partout pour essayer de découvrir quelque chose: *Au lieu de recourir au furetage, tu devrais me dire ce que tu cherches.* ☞ furet.

au **fur et à mesure** loc.adv. À mesure: *Passe-moi les outils; je vais les ranger au fur et à mesure.* au **fur et à mesure de** loc.prép. À mesure de: *Je t'aiderai au fur et à mesure de tes difficultés.* au **fur et à mesure que** loc.conj. À mesure que: *Les obstacles se multipliaient au fur et à mesure que nous avancions.*

fureter v. **1.** Chasser le lapin avec un furet: *Les chasseurs sont partis fureter dans la forêt.* **2.** Chercher partout pour essayer de découvrir quelque chose: *Je l'ai surprise en train de fureter dans mes affaires.* SYN. fouiller, fouiner. ☞ furet.

fureteur, euse n. et adj. **1.** n. Personne qui cherche partout pour essayer de découvrir quelque chose: *Les fureteurs ne sont jamais appréciés de leurs camarades.* SYN. fouineur. **2.** adj. Qui cherche partout pour essayer de découvrir quelque chose: *Ses yeux fureteurs sont toujours en mouvement.* SYN. curieux, fouineur. ☞ furet.

fureur n.f. **1.** Colère violente: *En lui mentant ainsi, tu l'as mis en fureur.* SYN. furie, violence. ANT. calme. **2.** Très grande violence: *La fureur des flots a provoqué le naufrage du navire.* SYN. agitation. ANT. calme, modération. HOM. führer. ☞ furibond, furie, furieusement, furieux.

furibond, onde adj. **1.** Qui est très en colère, au point d'en être comique: *Tu aurais dû rentrer chez toi plus tôt: ta mère est furibonde.* SYN. furieux. ANT. calme. **2.** Qui indique une violente colère: *Il nous regardait en roulant des yeux furibonds.* SYN. furieux. ☞ fureur.

furie n.f. **1.** Très grande colère se manifestant par des actes de violence: *La lionne en furie tentait de protéger ses petits.* SYN. rage. ANT. calme, douceur. **2.** Très grande violence: *Nul n'osait s'aventurer sur la mer en furie.* SYN. agitation. ☞ fureur.

furieusement adv. Avec fureur, avec violence: *Une meute de loups a furieusement attaqué le troupeau de chevreuils.* ☞ fureur.

furieux, euse adj. **1.** Qui est dans une violente colère: *Gaston est furieux contre toi.* SYN. furibond. **2.** Qui indique une violente colère: *Elle me lançait des regards furieux.* SYN. furibond. ANT. doux. **3.** Qui est d'une grande violence: *Un vent furieux a déraciné plusieurs arbres.* SYN. déchaîné, violent. ANT. calme, paisible. ☞ fureur.

furoncle n.m. Abcès fermé, volumineux et très douloureux qui se forme autour d'un poil: *Daniel a des furoncles sur la nuque.* SYN. clou.

furtif, ive adj. Qui se fait en cachette et rapidement pour échapper à l'attention: *Pendant l'examen, le tricheur lançait des regards furtifs sur la feuille de son voisin.* SYN. discret, dissimulé, rapide. ANT. ostensible. ☞ furtivement.

furtivement adv. D'une manière furtive, en cachette et rapidement: *Elle m'a souri furtivement avant de quitter la pièce.* ☞ furtif.

fusain n.m. **1.** Arbrisseau ornemental, à feuilles luisantes et à fruits rouges, souvent cultivé pour former des haies: *Une haie de* *fusains entoure le terrain.* **2.** Baguette de charbon faite avec le bois du fusain : *Louis dessine au fusain.* **3.** Dessin exécuté à l'aide de cette baguette de charbon : *La professeure d'arts plastiques a exposé les fusains de ses élèves.*

fuse ☞ sect. anglicismes et canadianismes.

fuseau, eaux n.m. **1.** Petit instrument de bois renflé au milieu et se terminant en pointe aux deux extrémités, qui servait à filer à la quenouille : *Le fuseau servait à tordre et à enrouler le fil.* **2.** Petit instrument de forme semblable servant à faire de la dentelle : *Cette femme fait de la dentelle aux fuseaux.* ∥ *En fuseau :* De forme allongée, au centre légèrement renflé et aux extrémités fines. *Fuseau horaire :* Chacune des vingt-quatre divisions imaginaires tracées à la surface de la Terre et à l'intérieur de laquelle l'heure est la même. ☞ fuselé, fuseler. ▲ **fuseau, eaux** n.m. Pantalon de sport dont les jambes vont en se rétrécissant vers le bas jusqu'à la cheville : *Le skieur porte un fuseau noir.*

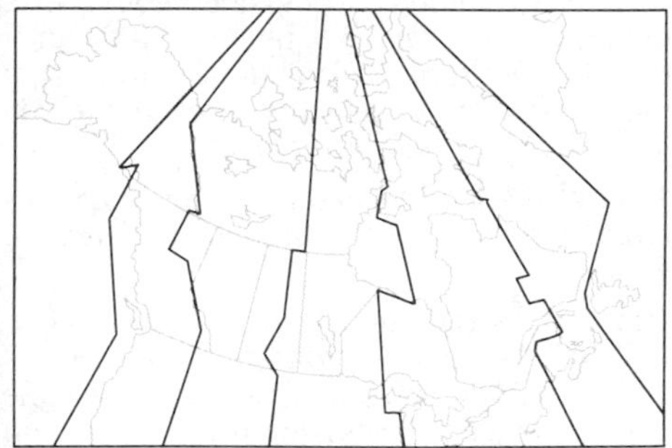

fuseaux horaires

fusée n.f. **1.** Pièce d'artifice formée d'un tube contenant de la poudre et une préparation lumineuse qui éclate en projetant des étincelles de toutes les couleurs : *Pendant le feu d'artifice, des centaines de fusées ont explosé dans les airs.* **2.** Véhicule spatial muni d'un moteur à réaction : *Les astronautes ont pris place à bord de la fusée.* **3.** Engin militaire : *L'ennemi a lancé une fusée nucléaire.* SYN. missile. HOM. fuser.

fuselage n.m. Partie principale d'un avion en forme de fuseau à laquelle sont fixées les ailes : *La cabine de pilotage et les sièges des passagers sont situés dans le fuselage de l'avion.*

fuselé, ée adj. Qui est de forme allongée avec un léger renflement au centre évoquant la forme d'un fuseau : *Ses doigts fuselés semblaient courir sur le clavier du piano.* HOM. fuseler. ☞ fuseau.

fuseler v. Donner la forme d'un fuseau à quelque chose : *Quand on fuselle un engin volant, on lui permet de se déplacer plus rapidement dans l'air.* HOM. fuselé. **R.** Ne pas oublier de doubler le *l* devant un *e* muet. ☞ fuseau.

fuser v. **1.** Jaillir avec force : *Un jet de vapeur fuse du radiateur d'automobile.* **2.** Couler, se répandre en fondant : *Ces bougies fusent beaucoup trop vite.* **3.** Se faire entendre subitement et bruyamment : *Quand elle apparut, déguisée en martienne, les rires fusèrent de toutes parts.* SYN. jaillir, retentir. HOM. fusée.

fusible n.m. Dispositif placé dans un circuit électrique pour le protéger contre une trop forte intensité de courant : *Le fusible coupe le courant en fondant.*

fusil n.m. **1.** Arme à feu portative à long canon utilisée à la guerre ou à la chasse : *Le chasseur a braqué son fusil sur la pauvre bête.* **2.** Personne qui tire au fusil : *Tante Marguerite est un bon fusil.* ☞ fusillade, fusiller. ▲ **fusil** n.m. Tige d'acier munie d'un manche servant à aiguiser les couteaux : *Le cuisinier aiguise ses couteaux sur le fusil.*

fusillade n.f. **1.** Décharge de plusieurs fusils en même temps : *Le prisonnier a été condamné à la fusillade.* **2.** Échange de coups de feu ; combat à coups de fusil : *Une fusillade a éclaté dans une ruelle.* ☞ fusil.

fusiller v. **1.** Tuer un condamné à coups de fusil : *Les soldats ont fusillé l'espionne.* SYN. exécuter. **2.** fig. et fam. Lancer un regard dur, rempli de colère : *Elle m'a fusillé du regard avant de claquer la porte.* ☞ fusil.

fusion n.f. **1.** Passage d'un corps solide à l'état liquide sous l'action de la chaleur : *Le métal en fusion est coulé dans des moules.* SYN. liquéfaction. **2.** En physique nucléaire, union de plusieurs atomes légers en un atome plus lourd qui se produit à très haute température et qui dégage beaucoup d'énergie : *Le principe de la fusion nucléaire a permis la fabrication de la bombe à hydrogène.* **3.** fig. Union, combinaison d'éléments distincts en un seul ensemble : *La fusion de ces deux équipes n'a pas fait l'affaire des joueuses.* SYN. fusionnement, mélange, réunion. ANT. séparation. ☞ fusionnement, fusionner.

fusil

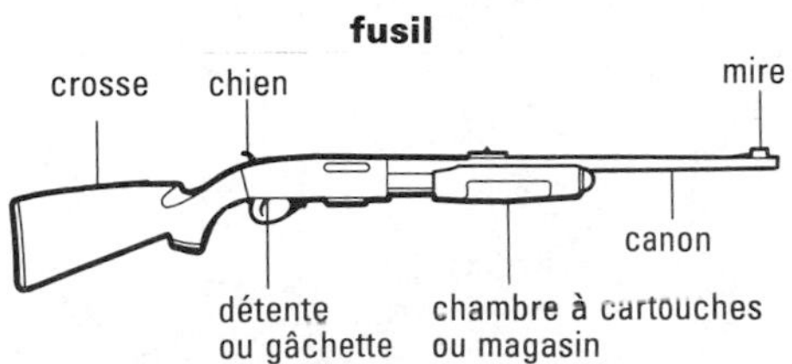

fusionnement n.m. Action de fusionner, de s'unir en un seul ensemble, en parlant d'éléments distincts : *Le fusionnement de ces deux partis a surpris la population.* SYN. fusion. ☞ fusion.

fusionner v. **1.** Unir des éléments distincts en un seul ensemble : *Le conseil d'administration a décidé de fusionner ces deux entreprises.* SYN. grouper, réunir. ANT. diviser, séparer. **2.** S'unir en un seul ensemble : *Des bruits circulent que cette entreprise fusionnerait avec sa concurrente.* SYN. s'unifier. ANT. désunir. ☞ fusion.

fût n.m. **1.** Partie du tronc d'un arbre dépourvue de branches : *Ces arbres centenaires ont d'énormes fûts.* **2.** Partie d'une colonne qui va de la base au chapiteau : *Des moulures verticales sont creusées sur le fût de cette colonne.* **3.** Monture de bois servant de support à une arme, à un instrument : *Le canon du fusil est monté sur le fût.* ▲ **fût** n.m. Tonneau : *On a mis le cognac dans des fûts de chêne.* SYN. baril. **R.** Ne pas oublier l'accent : *û*.

futaie n.f. Forêt composée de grands arbres aux troncs dépourvus de branches : *Il faudrait protéger cette futaie d'ormes.*

futé, ée n. et adj. **1.** n. Personne qui est pleine de malice, de finesse : *Marie-Chantal est une petite futée.* ANT. nigaud. **2.** adj. Qui est plein de malice, de finesse : *Ce garçon est vraiment très futé.* SYN. débrouillard, malin, rusé. ANT. bête, nigaud.

futile adj. **1.** Qui est sans importance : *Leurs conversations futiles m'ennuient.* SYN. insignifiant. ANT. grave, important. **2.** Qui ne s'intéresse qu'à des choses sans importance : *Si tu n'étais pas si futile, tu t'occuperais d'autres choses que de la mode.* SYN. frivole, léger. ANT. grave, sérieux. ☞ futilement, futilité.

futilement adv. D'une manière futile : *Je ne comprends pas qu'on puisse vivre aussi futilement.* ☞ futile.

futilité n.f. **1.** Caractère de ce qui est sans importance : *La futilité de ses objections est navrante.* SYN. insignifiance, légèreté. ANT. gravité. **2.** Chose sans importance : *Comment peux-tu t'intéresser à toutes ces futilités ?* SYN. bagatelle, enfantillage. ☞ futile.

futur n.m. **1.** Temps qui vient après le présent, avenir : *Certaines personnes voudraient bien connaître le futur.* ANT. passé. **2.** Temps, forme d'un verbe qui indique que l'état ou l'action se situe dans l'avenir : *Dans la phrase « Je partirai demain », le verbe « partir » est au futur.* ⁄⁄ *Futur antérieur :* Temps de l'indicatif qui indique qu'un fait sera accompli ou existera avant un autre fait futur. *Futur simple :* Temps de l'indicatif qui indique que le fait aura lieu ou existera plus tard, après le moment où l'on parle.

futur, ure adj. **1.** Qui est à venir : *Les générations futures devront se préoccuper davantage de la pollution que les générations précédentes ne l'ont fait.* SYN. ultérieur. ANT. antérieur. **2.** Qui sera tel dans un avenir plus ou moins proche : *Cette jeune athlète est une future championne olympique.*

futuriste adj. Qui essaie de représenter les temps futurs : *Ce bâtiment a une architecture futuriste.*

fuyant, ante adj. **1.** Qui est insaisissable, qui fuit : *Ce regard fuyant ne m'inspire pas confiance.* SYN. évasif. **2.** Qui forme une ligne courbe et inclinée vers l'arrière : *Il a le menton fuyant.* ☞ fuir.

fuyard, arde n. **1.** Personne qui s'enfuit : *On ne sait toujours pas où se cache la fuyarde.* SYN. fugitif. **2.** Soldat qui s'enfuit au lieu de combattre : *La générale a ordonné de rattraper les fuyards.* SYN. fugitif. ☞ fuir.

g n.m.invar. Septième lettre de l'alphabet: *La lettre «g» est la cinquième consonne de l'alphabet.*

gabardine n.f. (esp.) **1.** Étoffe légère, de laine ou de coton, au tissage serré: *Ce pantalon de gabardine vaut cher.* **2.** Vêtement de pluie fait de cette étoffe: *J'ai apporté ma gabardine au cas où il pleuvrait.*

gabarit n.m. (provenç.) **1.** Instrument de mesure servant à vérifier la forme, les dimensions: *Ce gabarit te permet de vérifier si tu as scié la planche de la bonne longueur.* **2.** Dimension réglementée: *Ce camion a un gabarit de chargement de dix tonnes.*

gâchage n.m. Action de gâcher, de gaspiller: *Il regrette le gâchage de son talent durant sa jeunesse.* **R.** Ne pas oublier l'accent: *â.* ☞ gâcher.

gâche n.f. Pièce métallique en forme de boîtier, fixée au cadre de la porte, et dans laquelle s'engage une pièce mobile de la serrure appelée «pêne»: *Lorsque le pêne s'engage dans la gâche, il immobilise la porte.* **R.** Ne pas oublier l'accent: *â.*

gâcher v. Délayer du plâtre, du ciment avec de l'eau: *Je me sers d'une truelle pour gâcher le plâtre.* ▲ **gâcher** v. **1.** Faire un travail sans aucun soin: *Tu gâches la besogne au lieu de t'appliquer.* SYN. bâcler. **2.** Gaspiller: *J'ai gâché mon pinceau avec cette colle.* SYN. abîmer. ANT. améliorer. **3.** Rendre moins agréable, gâter: *Cette mauvaise nouvelle a gâché notre journée.* **R.** Ne pas oublier l'accent: *â.* ☞ gâchage, gâcheur, gâchis.

gâchette n.f. Mécanisme d'un fusil relié à la détente et commandant le départ du coup: *On appuie sur la détente pour actionner la gâchette.* **R.** Ne pas oublier l'accent: *â.*

gâcheur, euse n. et adj. **1.** n. Personne qui gâche, gaspille: *Petit gâcheur de papier, tu me coûtes cher!* **2.** adj. Qui gâche, gaspille: *J'ai encore raté l'occasion: que je suis gâcheuse!* **R.** Ne pas oublier l'accent: *â.* ☞ gâcher.

gâchis n.m. Désordre, dégât, accompagné de gaspillage: *Elles ont essayé de faire un gâteau et n'ont réussi qu'à faire un beau gâchis dans la cuisine.* **R.** Ne pas oublier l'accent: *â.* ☞ gâcher.

gadget n.m. (améric.) Petit objet nouveau et amusant, plus ou moins utile: *Elle a inventé un gadget pour équeuter les fraises.* SYN. machin, truc. **R.** Se prononce à l'anglaise.

gadoue n.f. Terre détrempée: *Elle est entrée dans la maison avec ses chaussures pleines de gadoue.* **R.** Ne pas oublier le *e*.

gaffe n.f. (provenç.) Perche munie d'un fer crochu et d'une pointe: *Les flotteurs de bois ont dégagé les billes avec leurs gaffes.* ☞ gaffer. ▲ **gaffe** n.f.fam. Action ou parole maladroite: *Sa pire gaffe a été de renverser un pot de gouache sur ma robe.* SYN. bévue, impair, maladresse. ANT. finesse, subtilité. ☞ gaffer, gaffeur.

gaffer v. Attraper en utilisant une gaffe: *J'ai réussi à gaffer un gros poisson.* ☞ gaffe. ▲ **gaffer** v.fam. Faire une gaffe, commettre une maladresse: *Je crois que j'ai gaffé en lui révélant notre secret.* ☞ gaffe.

gaffeur, euse n.fam. et adj.fam. **1.** n.fam. Personne qui est maladroite: *Ce gaffeur de Jean-Pierre a laissé échapper la douzaine d'œufs.* **2.** adj.fam. Qui est maladroit: *Cette personne est gaffeuse.* ☞ gaffe.

gag n.m. (angl.) Effet comique, situation drôle: *Cette comédie était remplie de gags irrésistibles.* **R.** Se prononce *gague*.

gage n.m. **1.** Preuve, garantie: *Nous lui avons offert un bouquet de roses en gage de reconnaissance.* **2.** Objet qu'une personne doit donner ou punition qu'elle doit subir, lorsqu'elle commet une faute dans un jeu: *Ton gage sera de nous faire rire avec une histoire drôle.* **3.** plur.vx Salaire donné aux domestiques: *On lui a donné ses gages hier soir.* ⁄⁄ *Être aux gages de quelqu'un:* Être au service de quelqu'un. *Prêteur sur gages:* Personne qui prête de l'argent en échange d'un objet de valeur mis en garantie. *Tueur à gages:* Homme payé pour commettre un assassinat.

gager v. **1.** Croire, penser: *Je gage qu'il a encore oublié de fermer la porte.* SYN. affirmer. **2.** vx Parier: *Je gage dix dollars que le Canadien va finir en tête du classement.* SYN. miser. ☞ gageure.

gageure n.f. **1.** Projet presque irréalisable: *Avec le peu de moyens dont nous disposions, notre projet de journal d'école était une gageure.* **2.** vx Pari: *Nous avons fait une gageure et j'ai perdu.* **R.** Les lettres *eu* se prononcent *u*. Ne pas oublier le *e* après le *g*: gageure. ☞ gager.

gagnant, ante n. et adj. **1.** n. Personne qui gagne, dans une rivalité ou un tirage: *Le gagnant est celui qui totalise les premiers cinq cents points.* SYN. vainqueur. **2.** adj. Qui gagne ou a gagné: *Le billet gagnant a été acheté au Québec.* ANT. perdant. ☞ gagner.

gagne-pain n.m.invar. Travail qui permet de gagner sa vie: *Son gagne-pain est la menuiserie.* SYN. emploi. ☞ gagner.

gagne-petit n.m.invar. Personne dont le métier rapporte peu: *Dans ma région, il y a beaucoup de gagne-petit qui travaillent dur.* ☞ gagner.

gagner v. **1.** Obtenir par le travail: *Je gagne vingt dollars par semaine en distribuant le journal.* SYN. retirer, toucher. **2.** Obtenir par le hasard: *Nous avons gagné cent dollars à la loterie.* SYN. encaisser, ramasser. ANT. perdre. ☞ gagnant, gagne-pain, gagne-petit, gagneur, gain, regagner. ▲ **gagner** v. Remporter une victoire: *Avec un bon esprit d'équipe, nous gagnerons ce match.* ⁄⁄ *Gagner du terrain:* S'étendre. *Gagner du terrain sur quelqu'un:* Distancer un poursuivant ou se rapprocher d'une personne que l'on poursuit. ☞ gagnant, gagneur, gain. ▲ **gagner** v. **1.** Atteindre, toucher: *Nous avons gagné la rive à la nage.* **2.** Envahir, en parlant d'une chose: *La fatigue finit par nous gagner et nous dûmes nous coucher.* ☞ regagner. ▲ **gagner** v. **1.** Avoir avantage: *Cette chanteuse gagnerait à être mieux connue.* **2.** Obtenir un avantage: *J'ai gagné d'aller au cinéma.* **3.** Se développer, s'améliorer: *Ce jeune pianiste a beaucoup gagné en virtuosité.* ⁄⁄ *Gagner du temps:* Disposer d'un avantage en ce qui a trait au temps. ☞ gain.

gagneur, euse n. Personne qui a l'habitude ou la volonté de gagner, dans une rivalité ou un tirage: *Elle est énergique et audacieuse, elle a un tempérament de gagneuse.* ☞ gagner.

gai, gaie adj. **1.** Qui est d'humeur joyeuse: *Quand il fait beau, cet enfant est gai comme un pinson.* SYN. jovial, rieur. ANT. triste. **2.** Qui inspire la bonne humeur, la joie de vivre: *Elle chantait des chansons gaies et entraînantes.* SYN. amusant, comique, drôle. ANT. ennuyeux. HOM. gué. ☞ égayer, gaiement, gaieté.

gaiement adv. De façon gaie, avec entrain: *Après la pluie, nous avons gaiement repris notre route.* SYN. joyeusement. ANT. tristement. **R.** Le *e* de la première syllabe ne se prononce pas. ☞ gai.

gaieté n.f. Bonne humeur, joie de vivre: *Le printemps met de la gaieté dans les cœurs.* SYN. entrain, satisfaction. ANT. chagrin, ennui, mélancolie. ⁄⁄ *De gaieté de cœur:* Volontiers. **R.** Le *e* ne se prononce pas. ☞ gai.

gaillard n.m. Logement ou poste qui s'élève sur le pont d'un bateau: *Le capitaine est dans le gaillard.*

gaillard, arde n. et adj. **1.** n. Personne qui est vigoureuse: *Le lanceur de notre équipe est un solide gaillard au lancer rapide.* SYN. costaud. **2.** adj. Qui est plein de vigueur, en bonne santé: *Mon grand-père est encore très gaillard.* SYN. alerte, allègre, vaillant. ANT. chétif, faible. **3.** adj. Qui est d'une gaieté qui manque de tenue: *Les campeuses se sont mises à chanter des chansons gaillardes autour du feu.* SYN. grivois, libre. ANT. respectueux, sérieux. ☞ gaillardement, ragaillardir.

gaillardement adv. De manière gaillarde, avec vigueur: *Elles gravirent gaillardement la route qui menait dans les montagnes.* ☞ gaillard.

gain n.m. Chose que l'on gagne: *En revendant ma bicyclette, j'ai fait un gain de dix dollars.* SYN. bénéfice, profit. ANT. dépense, perte. ⁄⁄ *Céder à l'appât du gain:* Céder au désir de s'enrichir. *Gain de temps:* Économie de temps. *Obtenir gain de cause:* L'emporter dans un procès. ☞ gagner.

gaine n.f. **1.** Enveloppe qui protège ou recouvre: *Mon poignard a dû sortir de sa gaine sans que je m'en aperçoive.* SYN. étui, fourreau. **2.** Corset souple destiné à galber la taille et les hanches: *De nos jours, bien peu de femmes portent une gaine.* ☞ dégainer, gainer.

gainer v. Recouvrir d'une gaine, d'une enveloppe qui protège ou recouvre: *Ces câbles électriques sont gainés de matière plastique.* ☞ gaine.

gala n.m. (esp.) Grande fête officielle: *Nous sommes invités à un gala donné à l'occasion du centenaire de notre quartier.* SYN. cérémonie, réception. ⁄⁄ *De gala:* Qui est de mise dans les grandes occasions.

galamment adv. De manière délicate, polie, aimable: *Elle a galamment répondu à mon invitation.* ☞ galant.

galant n.m. et adj.m. **1.** n.m. Homme qui est empressé auprès des femmes, qui aime leur faire la cour: *Cette jeune fille a plusieurs galants.* SYN. cavalier. **2.** adj.m. Se dit d'un homme qui est empressé auprès des femmes, d'un homme qui est poli, délicat avec les femmes: *Il s'est montré très galant avec elle.* SYN. courtois, prévenant. ANT. gauche, grossier. ☞ galamment, galanterie.

galant, ante adj.litt. Qui a trait aux relations sentimentales: *Je ne serai pas libre ce soir: j'ai un rendez-vous galant.*

galanterie n.f. **1.** Courtoisie à l'égard des femmes: *Il a des manières rudes qui manquent de galanterie.* SYN. délicatesse, politesse, respect. ANT. brutalité, dureté, grossièreté. **2.** Parole flatteuse adressée à une femme: *Il a passé la soirée à lui dire des galanteries.* SYN. coquetterie, séduction. ☞ galant.

galantine n.f. Sorte de pâté de porc, de volaille ou de veau que l'on fait refroidir dans sa gelée: *Nous avons acheté une galantine de poulet à la charcuterie.*

galaxie n.f. **1.** Ensemble d'étoiles, de gaz et de poussières réunis par gravitation: *Il faut utiliser un télescope pour observer les galaxies.* **2.** Ensemble dans lequel est situé notre système solaire: *La trace de la Galaxie dans le ciel est la Voie lactée.* **R.** On met la majuscule à *galaxie* lorsqu'il s'agit de la Voie lactée.

galbe n.m. Contour harmonieux, gracieux: *Elle a des hanches d'un beau galbe.* SYN. forme, ligne. ☞ galbé, galber.

galbé, ée adj. Qui présente une courbe gracieuse: *C'est un bel enfant au visage bien galbé.* HOM. galber. ☞ galbe.

galber v. Donner du galbe, donner un contour harmonieux à quelque chose: *La pratique du ballet lui a galbé les jambes.* HOM. galbé. ☞ galbe.

gale n.f. **1.** Maladie de la peau causée par un insecte microscopique: *La gale est caractérisée par des vésicules et de vives démangeaisons.* **2.** Maladie des végétaux caractérisée par des rugosités: *Notre pommier est atteint de la gale.* ☞ galeux.

galène n.f. Minéral formé par la combinaison naturelle du plomb et du soufre: *La galène est le principal minerai de plomb.*

galère n.f. (catal.) **1.** Bateau à voiles et à rames, utilisé anciennement: *Les galères ont existé jusqu'au XVIIIe siècle.* **2.** fam. Condition désagréable, misérable: *Ce métier, c'est une galère.* ☞ galérien.

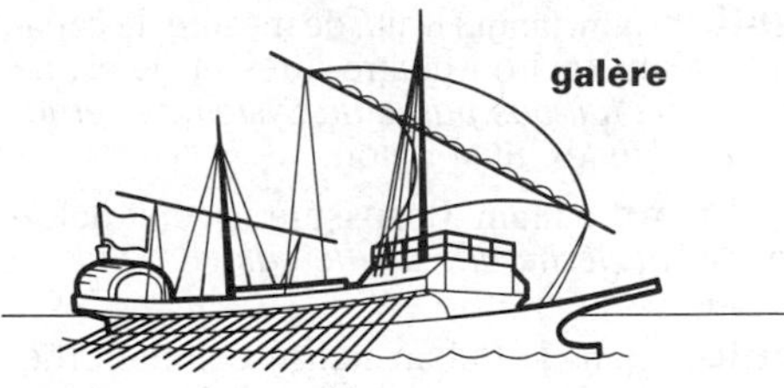

galerie n.f. (it.) **1.** Large passage couvert à l'extérieur ou à l'intérieur d'un bâtiment: *Les chambres de cet hôtel communiquent entre elles par une galerie extérieure.* **2.** Couloir souterrain: *Des enfants sont allés jouer dans les galeries de la mine abandonnée.* **3.** Grande salle longue d'un palais: *Nous nous étions égarées dans les galeries du château.* **4.** Balcon à plusieurs rangs, dans une salle de spectacle: *Nous avons réservé des places dans la galerie.* ⁄⁄ *Galerie d'art:* Lieu où l'on expose et vend des œuvres d'art. *Galerie marchande:* Espace couvert sur lequel s'ouvrent des commerces.

galérien n.m. Personne qui était condamnée à ramer sur les galères, anciennement: *Les galériens étaient traités durement.* ☞ galère.

galère galérien

galet n.m. Caillou poli et arrondi des bords de mer: *Les enfants se sont amusés à ramasser des galets sur la plage.*

galette n.f. **1.** Gâteau plat, de forme ronde: *Cette galette de riz se cuit au four.* **2.** Crêpe de sarrasin ou de maïs: *J'ai appris à préparer les galettes de sarrasin.*

galeux, euse adj. Qui a la gale, une maladie de la peau: *Nous avons trouvé un chien galeux et nous l'avons fait soigner.* SYN. lépreux. ANT. sain. ☞ gale.

galion n.m. Grand navire de guerre ou de commerce des Espagnols: *Les marchands espagnols transportaient leurs marchandises à bord de galions.*

galipette n.f.fam. Culbute: *Nous avons fait des galipettes sur la pelouse.* SYN. gambade, pirouette.

gallicisme n.m. Construction ou emploi propre à la langue française: *L'expression « il fait froid » est un gallicisme.*

gallinacés n.m.plur. Ordre d'oiseaux au vol lourd, qui comprend la poule, la dinde, la gélinotte: *La caille et le faisan sont des gallinacés.* **R.** S'écrit au singulier lorsqu'il désigne un oiseau appartenant à cet ordre.

gallon n.m. (angl.) Unité de mesure de capacité valant environ quatre litres et demi: *Le gallon ne fait pas partie du Système international d'unités.* HOM. galon.

galoche n.f.fam. Chaussure usée et déformée: *J'ai pêché une vieille galoche dans le fleuve.*

galon n.m. **1.** Ruban utilisé comme ornement d'un vêtement, de rideaux: *Ce costume folklorique est bordé d'un galon.* **2.** Signe distinctif des grades militaires: *Son uniforme portait des galons de lieutenant.* **3.** Au Canada, ruban gradué pour mesurer: *J'ai mesuré mon tour de taille avec un galon.* HOM. gallon. ☞ galonner.

galonner v. Orner d'un galon: *Elle a galonné le bord de sa jupe.* ☞ galon.

galop n.m. Allure la plus rapide du cheval: *Les cavalières sont arrivées au galop.* // *Au galop:* Très vite. **R.** Le *p* ne se prononce pas. ☞ galopade, galoper, galopeur.

galopade n.f. Course précipitée: *Nous avons entendu un bruit de galopade dans la ruelle.* ☞ galop.

galoper v. **1.** Aller au galop: *Le zèbre galopait à en perdre haleine.* **2.** fig. Aller très vite: *Ses doigts galopaient sur le piano.* ☞ galop.

galopeur, euse n. et adj. **1.** n. Personne qui galope, qui conduit un cheval à vive allure: *Un des galopeurs était tombé de son cheval.* **2.** adj. Qui galope, va très vite: *Elle avait une imagination galopeuse.* ☞ galop.

galopin, ine n.fam. Gamin, garnement: *Cette petite galopine a cassé ma vitre.*

galvaniser v. Exciter, animer d'un enthousiasme soudain: *Bravo! ton discours a galvanisé l'assistance.* SYN. électriser, soulever. ANT. abattre, déprimer. ▲ **galvaniser** v. Recouvrir d'une couche de métal pour empêcher la rouille: *J'ai fait galvaniser mes outils.* **galvanisé, ée** p.p. et adj. Qui est recouvert d'une mince couche de zinc, empêchant la rouille: *La remise est en tôle galvanisée.*

galvauder v. Altérer par un mauvais usage: *Il a négligemment galvaudé sa renommée de champion nageur.* SYN. gaspiller, perdre. ANT. revaloriser.

gambade n.f. Cabriole, saut de joie: *Les enfants exprimèrent leur joie en faisant des gambades dans l'herbe.* SYN. culbute, galipette. ☞ gambader.

gambader v. Faire des gambades, sauter de joie: *Les enfants chantaient en gambadant.* SYN. bondir, danser. ☞ gambade.

game ☞ sect. anglicismes et canadianismes.

gamelle n.f. (it.) Écuelle métallique, à couvercle, servant à cuire, à réchauffer, à transporter des aliments: *En camping, chacun devra apporter sa gamelle.*

gamin, ine n. et adj. **1.** n. Enfant ou jeune adolescent: *Tous les gamins du quartier étaient présents à la fête.* ANT. adulte. **2.** adj. Qui est espiègle et enfantin: *À treize ans, elle avait encore un petit air gamin.* SYN. mutin. ANT. sérieux. ☞ gaminerie.

gaminerie n.f. Parole, acte, manière d'être du gamin: *Il se faisait remarquer par ses gamineries.* SYN. enfantillage. ☞ gamin.

gamique ☞ sect. anglicismes et canadianismes.

gamme n.f. **1.** Suite de sons dans un système musical: *Je fais mes gammes au piano.* **2.** Série d'éléments classés par degré, par nature: *Ces peintures sont offertes dans une gamme de couleurs.*

gang n.m. (angl.) Bande de malfaiteurs: *La police a arrêté un gang de trafiquants.* HOM. gangue. **R.** Le deuxième *g* se prononce. ☞ gangster, gangstérisme.

ganglion n.m. Petit renflement qui se forme sous la peau à l'endroit de certains vaisseaux: *La médecin a dit que j'avais des ganglions dans le cou.*

gangrène n.f. **1.** Destruction et pourriture de la chair dues à l'infection: *Une plaie grave que l'on soigne mal peut entraîner la gangrène.* **2.** fig. Ce qui corrompt: *Le terrorisme est une gangrène qui compromet les efforts de paix.* SYN. corruption, destruction. ☞ gangrener, gangreneux.

gangrener v. Corrompre, pervertir: *La violence gangrène les grandes villes.* SYN. vicier. ☞ gangrène. **se gangrener** v.pron. Être attaqué par la gangrène: *Sa jambe s'est gangrenée à la suite d'une blessure mal soignée.* **gangrené, ée** p.p. et adj. Qui est attaqué par la gangrène: *Son doigt gangrené lui fait mal.*

gangreneux, euse adj. Qui est de la nature de la gangrène: *Elle est à l'hôpital à cause d'une plaie gangreneuse.* ☞ gangrène.

gangster n.m. (angl.) Malfaiteur appartenant à une bande: *La banque a été dévalisée par trois gangsters armés.* SYN. bandit, crapule, malfaiteur. **R.** Les lettres *er* se prononcent *ère.* ☞ gang.

gangstérisme n.m. Banditisme: *Le gangstérisme a diminué cette année dans la ville de Montréal.* ☞ gang.

gangue n.f. (all.) **1.** Substance terreuse qui entoure un minerai, une pierre précieuse: *Les cristaux que nous avons ramassés sont encore dans leur gangue.* **2.** fig. Enveloppe: *Débarrasse-toi le cœur de la gangue de la rancune.* HOM. gang.

ganse n.f. Cordonnet ou ruban servant à border: *Le col de sa robe est orné d'une ganse de soie.* ☞ ganser.

ganser v. Garnir d'une ganse, d'un ruban: *Il a recousu son pantalon et l'a gansé.* ☞ ganse.

gant n.m. Partie de l'habillement qui épouse la forme de la main et couvre chaque doigt séparément: *J'ai reçu en cadeau des gants de cuir doublés de mouton.* ∥ *Gant de boxe:* Gant rembourré, à pouce séparé, pour la boxe. *Gant de crin:* Moufle de tricot servant à frictionner le corps. *Gant de toilette:* Débarbouillette de tissu éponge en forme de poche. ☞ déganter, ganter, gantier.

ganter v. Habiller de gants: *Les enfants sont difficiles à ganter à cause de leurs petites mains.* ☞ gant. **se ganter** v.pron. Mettre, se procurer des gants: *Je me suis gantée pour faire du ski.* ANT. se déganter. **ganté, ée** p.p. et adj. Qui porte des gants: *Des individus gantés et masqués ont dévalisé la banque.*

gantier, ière n. Personne qui fabrique ou vend des gants: *Je me suis acheté des gants chauds et souples chez la gantière.* ☞ gant.

garage n.m. **1.** Lieu servant d'abri aux véhicules: *Nous habitons près d'un garage d'autobus.* **2.** Établissement où l'on répare et entretient les voitures: *La voiture est au garage pour une mise au point.* ☞ garagiste.

garagiste n. Personne qui tient un garage: *La garagiste m'a aidé à gonfler les pneus de ma bicyclette.* ☞ garage.

garant n.m. Garantie: *Pour elle, l'amour du métier est le garant de la compétence.* ☞ garantie, garantir.

garant, ante n. Personne qui prend une responsabilité, qui est responsable: *Il se porte garant de la qualité du résultat.* ☞ garantie, garantir.

garantie n.f. **1.** Engagement que prend une entreprise ou un établissement de réparer ou de remplacer un article en cas de défectuosité: *Ma bicyclette a une garantie de deux ans.* **2.** Ce qui assure qu'un contrat sera respecté, qu'un travail sera effectué: *Sa longue expérience est une garantie de la qualité de son travail.* ☞ garant.

garantir v. **1.** Assurer qu'un travail sera exécuté, qu'une dette sera payée: *Le remboursement de son emprunt est garanti par sa mère.* SYN. promettre. **2.** S'engager à réparer ou à remplacer en cas de défaut: *Ce fabricant d'automobiles garantit ses véhicules contre la rouille pour cinq ans.* **3.** Donner pour certain: *Elle me garantit que ses renseignements sont exacts.* SYN. affirmer, certifier. ANT. douter, nier. ☞ garant. **garanti, ie** p.p. et adj. Qui assure de la qualité, du bon fonctionnement: *J'ai acheté une voiture d'occasion garantie un an.* ▲ **garantir** v. Mettre à l'abri: *Cette crème solaire me garantit des coups de soleil.* SYN. protéger. ANT. exposer. ☞ garant.

garce n.f.fam. Femme ou fille désagréable et vulgaire: *Être traitée de garce, quelle insulte!* SYN. chipie.

garçon n.m. **1.** Enfant de sexe masculin: *Ma tante a accouché d'un garçon.* **2.** Jeune homme: *Elle commence à s'intéresser aux garçons.* **3.** vx Célibataire: *Il a trente ans et il est encore garçon.* ☞ garçonnet, garçonnière. ▲ **garçon** n.m. **1.** Employé qui travaille comme aide dans un magasin, un bureau: *Mon frère travaille comme garçon de courses dans un bureau d'avocats.* **2.** Serveur dans un restaurant, un hôtel: *Le garçon de café nous avait servies avec diligence.* **R.** Ne pas oublier la cédille.

garçonnet n.m. Petit garçon: *Un garçonnet en larmes cherchait sa mère dans le grand magasin.* **R.** Ne pas oublier la cédille. ☞ garçon.

garçonnière n.f. Petit appartement pour une personne seule: *Ma sœur s'est loué une garçonnière pour poursuivre ses études à Montréal.* **R.** Ne pas oublier la cédille. ☞ garçon.

garde n.f. et n.m. **1.** n.f. Action de surveiller pour préserver: *Notre enseignant m'a chargée de la garde des sommes d'argent recueillies.* **2.** n.f. Action de veiller sur un être vivant pour le protéger ou pour l'empêcher de nuire: *C'est mon père qui a la garde de ma petite sœur.* **3.** n.f. Action de surveiller un bien pour le défendre: *Mon chien s'occupe avec vigilance de la garde de notre maison.* SYN. protection. **4.** n.f. Action de se mettre en position de défense pour éviter un coup, un danger: *Mettez-vous en garde!* **5.** n.f. Femme chargée de veiller sur un malade: *La garde m'a apporté un calmant.* **6.** n.m. Personne chargée de surveiller: *Alice est garde forestier dans un parc provincial.* ∥ *Être de garde:* Être affecté à un poste de garde. *Mettre sous bonne garde:* Bien protéger, bien surveiller. *Monter la garde:* Être de faction. *Prendre garde:* Faire attention. **R.** L'O.L.F. recommande que le nom *garde* soit aussi employé au féminin au sens de *personne chargée de surveiller.* ☞ garde-barrière, garde-chasse, garde-malade, garde-pêche.

garde n.f. Groupe de personnes chargées de protéger quelqu'un ou de surveiller quelque chose : *Entourée de sa garde personnelle, la reine d'Angleterre a visité la capitale canadienne.* ☞ arrière-garde, avant-garde. ▲ **garde** n.f. Partie d'une épée, d'un sabre qui protège la main : *L'épée magique s'enfonça dans le cocher jusqu'à la garde.*

garde-barrière n. Personne qui surveille un passage à niveau : *La garde-barrière s'assure qu'aucun véhicule n'obstrue le passage du train.* **R.** Au pluriel, *gardes-barrières*. ☞ garde.

garde-boue n.m.invar. Pièce placée audessus des roues d'une bicyclette : *Ma bicyclette n'a pas de garde-boue et mon pantalon est tout sale.* ☞ garder.

garde-chasse n.m. Personne chargée de la protection du gibier : *Les gardes-chasse ont arrêté une braconnière.* **R.** Au pluriel, *gardes-chasse* ou *gardes-chasses*. L'O.L.F. recommande que le nom *garde-chasse* soit aussi employé au féminin. ☞ garde.

garde-corps n.m.invar. Barrière d'un balcon, d'une terrasse : *Ma mère a posé un grillage pour empêcher mon petit frère de grimper sur le garde-corps.* SYN. garde-fou. ☞ garder.

garde-côte n.m. Petit bateau servant à la surveillance de la pêche côtière : *À la vue du garde-côte, les braconniers se dépêchèrent de regagner la rive.* **R.** Au pluriel, *garde-côtes*. ☞ garder.

garde-feu n.m.invar. Grille que l'on place devant le foyer d'une cheminée : *Le garde-feu empêche les tisons de rouler sur le tapis du salon.* ☞ garder.

garde-fou n.m. Barrière pour empêcher les gens de tomber : *Nous regardions la mer, appuyés sur le garde-fou du quai.* SYN. garde-corps. **R.** Au pluriel, *garde-fous*. ☞ garder.

garde-malade n. Personne qui veille sur les malades et leur donne les soins élémentaires : *Le garde-malade m'a aidé à marcher pour aller aux toilettes.* **R.** Au pluriel, *gardes-malades*. ☞ garde.

garde-manger n.m.invar. Placard ou grande armoire servant à ranger et à conserver les aliments : *Le garde-manger était rempli de boîtes de biscuits et de pots de confitures.* ☞ garder.

garde-meuble n.m. Local où l'on peut entreposer des meubles pour quelque temps : *Nous avons entreposé nos meubles antiques au garde-meuble.* **R.** Au pluriel, *garde-meuble* ou *garde-meubles*. ☞ garder.

gardénia n.m. (n. du sc.) **1.** Arbuste décoratif à fleurs blanches et odorantes : *Le gardénia est de la même famille que le caféier.* **2.** Fleur de cet arbuste : *Les gardénias sont ses fleurs préférées.*

garde-pêche n.m. Agent chargé de surveiller la pêche : *Les gardes-pêche ont arrêté un chalutier étranger qui pêchait près de nos côtes.* **R.** Au pluriel, *gardes-pêche*. L'O.L.F. recommande que le nom *garde-pêche*, utilisé dans ce sens, soit aussi employé au féminin. ☞ garde.

garde-pêche n.m.invar. Petit bateau servant à la surveillance de la pêche côtière : *Les garde-pêche longent les côtes canadiennes pour empêcher les bateaux étrangers de pêcher dans nos eaux.* ☞ garder.

garder v. **1.** Veiller sur une personne ou un animal : *C'est mon grand frère qui gardera les enfants ce soir.* SYN. surveiller. ANT. abandonner. **2.** Surveiller pour empêcher de fuir : *Les pirates de l'air gardaient leurs otages jour et nuit.* SYN. détenir, séquestrer. ANT. libérer. **3.** Rester dans un lieu pour le surveiller : *Mon petit chien gardera la maison pendant notre absence.* SYN. protéger. ANT. négliger. **4.** Ne pas quitter un lieu : *La médecin m'a ordonné de garder la chambre.* **5.** Protéger de quelque danger : *Ces vêtements chauds te garderont du froid.* ⁄⁄ *Garder l'œil sur quelqu'un ou quelque chose :* Surveiller quelqu'un ou quelque chose. ☞ garde-boue, garde-corps, garde-côte, garde-feu, garde-fou, garde-pêche, garderie. ▲ **garder** v. **1.** Préserver du dépérissement : *Les aliments surgelés doivent être gardés au congélateur.* **2.** Ne pas jeter : *J'ai gardé ma correspondance au cas où j'en aurais besoin.* SYN. conserver. ANT. détruire. **3.** Continuer de porter sur soi : *Je garde ma tuque, car il fait encore froid.* **4.** Retenir quelqu'un avec soi : *Grand-maman m'a gardé à souper.* **5.** Ne pas faire connaître : *Promets-moi de garder le secret.* **6.** Continuer à avoir : *Elle a gardé son calme malgré l'urgence de la situation.* ☞ garde-manger, garde-meuble. ▲ **garder** v. Mettre de côté : *Nous t'avons gardé une part du gâteau.* SYN. réserver. ▲ **garder** v. Observer soigneusement : *Les élèves ont gentiment gardé le silence durant la cérémonie.* se **garder** v.pron. **1.** Se conserver : *Le yogourt se garde longtemps au réfrigérateur.* **2.** S'abstenir : *Garde-toi d'en parler à ceux qui ne sont pas concernés.*

garderie n.f. Lieu où l'on garde des enfants

pendant la journée: *Ma petite sœur va à la garderie trois jours par semaine.* ⁄⁄ *Halte-garderie:* Garderie accueillant des enfants pour une durée limitée. ☞ garder.

garde-robe n.f. **1.** Placard où l'on suspend les vêtements: *J'ai mis mon pantalon dans la garde-robe.* SYN. penderie. **2.** Ensemble des vêtements d'une personne: *Il faudrait que je renouvelle ma garde-robe d'été.* **R.** Au pluriel, *garde-robes*.

gardien, ienne n. et adj. **1.** n. Personne chargée de garder, de surveiller: *Maman a appelé la gardienne pour faire garder le bébé.* **2.** adj. Qui protège: *Son ange gardien lui apparut en songe.*

gare n.f. Ensemble des bâtiments et installations où se font l'embarquement et le débarquement des voyageurs et des marchandises, dans le transport ferroviaire ou routier: *Le train entrera en gare à 18 heures.* SYN. station.

gare! interj. Mot utilisé pour mettre en garde: *Gare à toi si tu fais encore mal à mon frère!* ⁄⁄ *Sans crier gare:* Sans avertir.

garenne n.f. et n.m. **1.** n.f. Endroit boisé où les animaux vivent à l'état sauvage: *J'ai observé les terriers de la garenne.* **2.** n.m. Lapin de garenne: *Les garennes sont nombreux dans cette clairière.*

garer v. **1.** Mettre dans un garage: *Nous avons garé les bicyclettes pour l'hiver.* SYN. ranger. **2.** Stationner: *J'ai dû garer ma voiture dans la rue voisine.* se **garer** v.pron. **1.** Se stationner: *Il s'est garé dans une zone interdite.* **2.** Éviter: *Je me suis garée des coups avec mon sac d'écolier.*

se **gargariser** v.pron. **1.** Se rincer la gorge et la bouche: *Je me gargarise avec un rince-bouche qui combat la plaque dentaire.* **2.** fig. Se délecter: *Il se gargarise des félicitations qu'il a reçues.* ☞ gargarisme.

gargarisme n.m. Médicament liquide avec lequel on se gargarise: *J'ai besoin d'un gargarisme pour soulager mon mal de gorge.* ☞ se gargariser.

gargote n.f.péj. Restaurant où l'on mange mal: *Le seul restaurant encore ouvert était une gargote où les frites dégoulinaient de graisse.*

gargouille n.f. Partie saillante d'une gouttière, souvent sculptée de formes bizarres: *Les gargouilles crachaient les eaux tombées sur le toit de la cathédrale.* ☞ gargouiller.

gargouillement n.m. **1.** Bruit de l'eau qui circule dans un conduit, qui tombe d'une gouttière: *Les gargouillements de la fontaine ont dérangé mon sommeil.* SYN. glouglou. **2.** Bruit d'estomac, d'entrailles: *J'ai des gargouillements à cause de mon énervement.* **R.** Aussi, *gargouillis*. ☞ gargouiller.

gargouiller v. Faire entendre des gargouillements: *Excusez-moi, j'ai l'estomac qui gargouille.* SYN. glouglouter. ☞ gargouille, gargouillement.

garnement n.m. Enfant agité, insupportable: *Ce garnement a encore barbouillé le dessus de la table.* SYN. gamin.

garnir v. **1.** Pourvoir des éléments nécessaires ou appropriés: *J'ai garni ma chambre de meubles neufs.* **2.** Pourvoir d'ornements: *Elle avait garni ses cheveux d'un ruban léger.* SYN. agrémenter. ANT. dégarnir. **3.** Remplir: *Des livres très intéressants garnissent les rayons de notre bibliothèque scolaire.* SYN. occuper. ANT. vider. ☞ dégarnir, garniture, regarnir. **garni, ie** p.p. et adj. Qui est bien approvisionné, rempli: *Son portefeuille bien garni n'impressionne personne.*

garnison n.f. Troupe de soldats stationnée dans une ville: *Mon frère est en garnison à Farnham.*

garniture n.f. **1.** Ce qui sert à orner: *J'ai ajouté des garnitures à mes rideaux.* SYN. parure. **2.** Ce qui accompagne un mets, remplit un plat: *J'ai commandé une pizza avec garniture végétarienne.* ☞ garnir.

garrocher ☞ sect. anglicismes et canadianismes.

garrot n.m. Partie du corps des grands quadrupèdes, située au-dessus de l'épaule: *Ce cheval a un garrot long et musclé.* ▲ **garrot** n.m. **1.** Morceau de bois court, passé dans une corde, que l'on tord pour tendre la corde: *J'ai posé des garrots aux tendeurs de la tente.* **2.** Lien servant à comprimer un membre blessé pour empêcher l'écoulement du sang: *Nous lui avons fait un garrot au poignet avec un morceau de tissu.* ☞ garrottage, garrotter.

garrottage n.m. Action de garrotter, d'attacher solidement ou résultat de cette action: *Le garrottage de sa jambe aurait dû être fait plus tôt.* ☞ garrot.

garrotter v. Attacher solidement une personne, un animal: *Le veau a été rapidement garrotté.* ANT. délivrer, libérer. ☞ garrot.

gars n.m.fam. Garçon, jeune homme: *C'était un gars bien sympathique.*

gaspareau, eaux n.m. Au Canada, espèce de hareng du golfe du Saint-Laurent et des provinces de l'Atlantique: *Le gaspareau n'a pas aussi bon goût que le hareng commun.*

gaspillage n.m. Action de gaspiller, de dépenser inutilement : *Toutes ces lampes allumées pour rien, c'est du gaspillage d'électricité.* SYN. prodigalité. ANT. économie, épargne. ☞ gaspiller.

gaspiller v. Dépenser, consommer sans raison, inutilement : *Ne gaspille pas tes économies en achetant des bonbons.* SYN. prodiguer. ANT. économiser, épargner. ☞ gaspillage, gaspilleur.

gaspilleur, euse n. et adj. **1.** n. Personne qui gaspille : *C'est un petit gaspilleur de crayons : il s'amuse à les tailler pour rien.* **2.** adj. Qui gaspille, qui dépense inutilement : *Ma petite sœur est très gaspilleuse, car elle jette des feuilles de papier à peine utilisées.* SYN. prodigue. ANT. avare, économe. ☞ gaspiller.

gastrique adj. Qui est relatif à l'estomac : *J'ai des douleurs gastriques.*

gastrite n.f. Inflammation de la membrane de l'estomac, qui se manifeste habituellement par une indigestion : *Je suis resté à la maison à cause d'une gastrite.*

gastro-entérite n.f. Inflammation de l'estomac et des intestins, qui se manifeste par des indigestions et de la diarrhée : *Ma gastro-entérite a duré cinq jours.* **R.** Au pluriel, *gastro-entérites*.

gastronome n. Personne qui aime la bonne cuisine : *Ma mère est une fine gastronome qui adore les bons restaurants.* SYN. gourmet. ☞ gastronomie.

gastronomie n.f. Art de la bonne cuisine : *La gastronomie française est très raffinée.* ☞ gastronome, gastronomique.

gastronomique adj. Qui appartient à la gastronomie, qui se conforme à l'art de bien manger : *Nous avons pris un repas gastronomique dans un grand restaurant.* ☞ gastronomie.

gâteau, eaux n.m. Pâtisserie dont l'élément de base est une pâte que l'on fait lever au four : *Pour mon anniversaire, maman a préparé un gâteau aux carottes.* **R.** Ne pas oublier l'accent : *â*.

gâteau adj.invar.fam. Qui gâte les enfants : *J'ai une grand-maman gâteau qui nous prépare souvent du sucre à la crème.* **R.** Ne pas oublier l'accent : *â*.

gâter v. **1.** Faire pourrir : *La chaleur a gâté les oranges.* SYN. altérer, avarier. ANT. conserver. **2.** Enlaidir : *Cette cabane gâte le paysage.* SYN. défigurer. ANT. embellir, enjoliver. **3.** Endommager en tachant : *Il a gâté sa chemise avec de la gouache.* SYN. salir. ANT. nettoyer. **se gâter** v.pron. **1.** Pourrir : *La viande s'est gâtée à cause de la panne du réfrigérateur.* **2.** Se détériorer : *Le temps se gâte, nous devrions rentrer.* **gâté, ée** p.p. et adj. Qui se détériore en pourrissant : *Cette dent gâtée me fait souffrir.* ▲ **gâter** v. **1.** Combler de cadeaux : *Nos parents nous ont gâtés à Noël.* **2.** Traiter avec trop d'indulgence : *Tu gâtes trop tes enfants ; tu devrais être plus ferme avec eux.* SYN. choyer. ANT. maltraiter. **R.** Ne pas oublier l'accent : *â*. ☞ gâterie.

gâterie n.f. Petit cadeau, friandise : *Ma grand-mère nous apporte toujours des gâteries lorsqu'elle vient en visite.* **R.** Ne pas oublier l'accent : *â*. ☞ gâter.

gâteux, euse n. et adj. **1.** n. Personne dont l'intelligence est affaiblie par l'âge, la maladie ou un sentiment violent : *Cette gâteuse se réjouit de voir des enfants.* **2.** adj. Dont l'intelligence est affaiblie par l'âge, la maladie ou un sentiment violent : *À cause de sa maladie, mon grand-père devient gâteux.* **R.** Ne pas oublier l'accent : *â*.

gauche n.f. Le côté gauche, la main gauche : *Au bout du couloir, tourne à ta gauche et tu trouveras ma classe.* ANT. droite. ☞ gaucher. ▲ **gauche** n.f. En politique, ensemble de ceux qui sont favorables aux mesures sociales et progressistes : *Ce parti politique est un parti de gauche.*

gauche adj. Qui est du côté opposé au côté droit : *Dans une voiture, le volant est situé du côté gauche.* ANT. droit. ☞ gaucher. ▲ **gauche** adj. Qui n'est pas droit, qui est déformé : *Cette planche est gauche.* SYN. tordu. ☞ gauchir, gauchissement. ▲ **gauche** adj. Qui est maladroit : *Elle est très gauche : tout lui échappe des mains.* SYN. malhabile. ANT. adroit, habile. ☞ gauchement, gaucherie.

gauchement adv. Maladroitement : *Excusez-moi, j'ai gauchement renversé mon verre de jus.* SYN. malhabilement. ANT. adroitement, habilement. ☞ gauche.

gaucher, ère n. et adj. **1.** n. Personne qui se sert habituellement de sa main gauche : *Il y a moins de gauchers que de droitiers.* ANT. droitier. **2.** adj. Qui se sert habituellement de sa main gauche pour écrire, lancer, dessiner : *Ma sœur est gauchère.* ANT. droitier. ☞ gauche.

gaucherie n.f. Manque d'aisance, maladresse dans les gestes : *À cause de ta gaucherie, j'ai une tache sur mon pantalon.* SYN. bévue. ANT. adresse, grâce. ☞ gauche.

gauchir v. Perdre sa forme, subir une déviation : *Le manche du balai a gauchi.* SYN. courber. ANT. redresser. ☞ gauche. ▲ **gauchir** v.

1. Faire perdre sa forme: *L'humidité a gauchi la porte de la remise.* SYN. tordre. **2.** fig. Déformer le sens, fausser: *Ton exposé gauchit les faits.* ☞ gauche.

gauchissement n.m. Déformation: *Le gauchissement de cette poutre a fait pencher la maison.* ☞ gauche.

gaucho n.m. (esp.) Gardien de troupeaux d'Amérique du Sud: *Les gauchos font paître le bétail dans les pampas.*

gaufre n.f. Pâtisserie que l'on cuit entre deux plaques: *Pour déjeuner, nous avons mangé des gaufres garnies de fraises.* **R.** S'écrit avec un seul *f.* ☞ gaufrerie, gaufrette, gaufrier.

gaufrer v. Imprimer des motifs en relief ou en creux: *Ces cylindres servent à gaufrer le papier.* **R.** S'écrit avec un seul *f.*

gaufrerie n.f. Au Canada, établissement de restauration où l'on fabrique et vend des gaufres: *Nous avons pris un goûter à la gaufrerie.* **R.** S'écrit avec un seul *f.* ☞ gaufre.

gaufrette n.f. Petit biscuit croustillant, gaufré et fourré de crème: *Elles sont délicieuses, ces gaufrettes au chocolat.* **R.** S'écrit avec un seul *f.* ☞ gaufre.

gaufrier n.m. Moule double utilisé pour faire cuire les gaufres: *Cette gaufre vient juste de sortir du gaufrier: elle est encore très chaude.* **R.** S'écrit avec un seul *f.* ☞ gaufre.

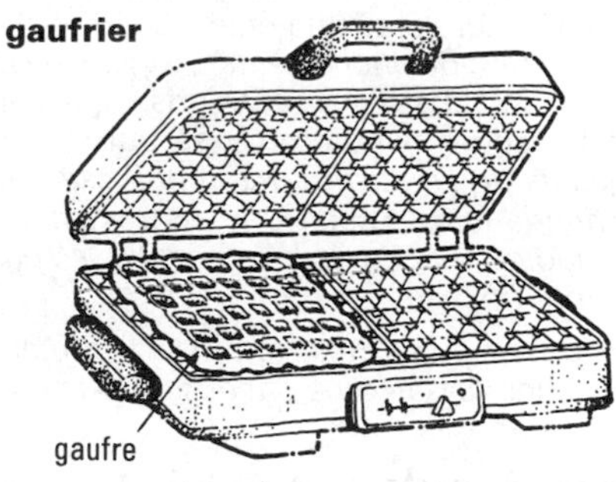

gaulage n.m. Action de gauler, de faire tomber des fruits, des noix avec une gaule: *Le gaulage des noix est une pratique courante en France.* ☞ gaule.

gaule n.f. **1.** Longue perche: *Nous avons cueilli des cerises avec une gaule.* **2.** Canne à pêche: *J'ai une gaule longue et souple pour pêcher à la mouche.* ☞ gaulage, gauler.

gauler v. Faire tomber des fruits, des noix en frappant les branches d'un arbre avec une gaule: *Avec cette grande perche, nous pourrons gauler des noisettes.* ☞ gaule.

gaulois, oise n. et adj. **1.** n. Personne qui était de la Gaule, nom donné dans l'Antiquité aux régions comprises entre le Rhin, les Alpes, la Méditerranée, les Pyrénées et l'Atlantique: *Un Gaulois, une Gauloise.* **2.** adj. Qui était de la Gaule: *Le mot «arpent» est d'origine gauloise.* **R.** On met la majuscule à *gaulois* et à *gauloise* lorsque le nom désigne une personne.

gaulois n.m. Langue parlée par les Gaulois: *Plusieurs mots français viennent du gaulois.*

gavage n.m. Action de gaver, de faire manger de force: *Elle trouve que le gavage des oies est une pratique barbare.* ☞ gaver.

gaver v. Faire manger de force, à l'excès: *Aide-la à manger, mais ne la gave pas.* SYN. bourrer, gorger. ANT. priver. ☞ gavage. **se gaver** v.pron. Se bourrer: *Les enfants se sont gavés de biscuits.*

gavial, ials n.m. (hindi) Sorte de crocodile au museau long et étroit: *On trouve des gavials principalement en Inde.*

gayal, als n.m. (hindi) Bœuf à bosses d'Asie du Sud-Est: *Le gayal est un animal semi-domestique.*

gaz n.m.invar. **1.** Substance qui a la consistance de l'air: *L'air que nous respirons est un mélange de gaz.* **2.** Combustible gazeux servant au chauffage: *Notre maison est chauffée au gaz naturel.* **3.** Corps chimique gazeux employé comme arme: *Les manifestants ont été dispersés au moyen de gaz lacrymogènes.* **4.** Mélange gazeux utilisé dans un moteur à explosion: *Le gaz d'échappement des véhicules est toxique.* HOM. gaze. ⁄⁄ *À pleins gaz:* À pleine puissance. *Chambre à gaz:* Pièce où l'on exécute des condamnés à mort au moyen d'un gaz toxique. *Mettre les gaz:* Accélérer. **R.** N'a pas le sens de *essence.* ☞ gazé, gazéifier, gazer, gazeux, gazoduc.

gaze n.f. (hébreu) Tissu de coton léger et transparent dont on fait des pansements, des bandages: *J'ai mis une compresse de gaze sur sa plaie.* SYN. mousseline. HOM. gaz.

gazé, ée n. et adj. **1.** n. Personne qui a subi les effets d'un gaz de combat: *Les gazés gisent sur le sol.* **2.** adj. Qui a été intoxiqué par un gaz: *Les personnes gazées tentent de s'enfuir.* HOM. gazer. ☞ gaz.

gazéifier v. **1.** Faire passer un corps à l'état de gaz: *Cette entreprise gazéifie de la houille.* **2.** Rendre un liquide pétillant en y ajoutant du gaz carbonique: *Cette eau minérale est gazéifiée pour faciliter la digestion.* ☞ gaz. **se gazéifier** v.pron. Passer à l'état de gaz: *La neige carbonique se gazéifie à la température de la* *pièce.* **gazéifié, ée** p.p. et adj. Qui est rendu pétillant : *J'ai commandé une boisson gazéifiée.*

gazelle n.f. (arabe) Sorte d'antilope d'Afrique et d'Asie : *Les gazelles sont des animaux rapides et gracieux.*

gazer v. **1.** Faire subir les effets d'un gaz de combat : *Les troupes ont gazé la frontière pour débusquer les maquisards.* **2.** fam. Aller à toute vitesse, à pleins gaz : *Il faudra gazer si on veut arriver à temps.* HOM. gazé. **R.** N'a pas le sens de *faire le plein d'essence.* ☞ gaz.

gazeux, euse adj. **1.** Qui a la nature du gaz : *L'air est un mélange gazeux.* ANT. liquide, solide. **2.** Qui contient du gaz carbonique : *Le soda mousse est une boisson gazeuse.* ☞ gaz.

gazoduc n.m. Canalisation servant au transport du gaz naturel : *Ce gazoduc s'étend sur une distance d'environ mille kilomètres.* ☞ gaz.

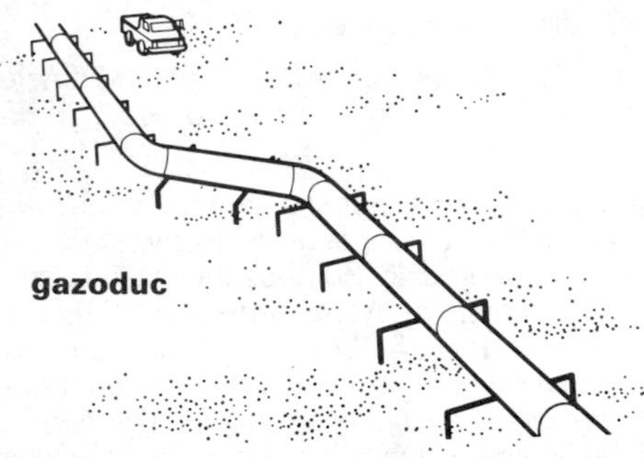

gazole n.m. Liquide pétrolier utilisé comme carburant dans les moteurs diesel : *Ma voiture ne fonctionne qu'au gazole.* **R.** Recommandé officiellement pour remplacer l'anglicisme « gas-oil ».

gazon n.m. **1.** Herbe courte et dense : *Le gazon de votre pelouse est très vert.* **2.** Terrain couvert de gazon : *Il est interdit de marcher sur le gazon.* SYN. pelouse, verdure. ☞ dégazonnage, dégazonner, engazonnement, engazonner, gazonné, gazonnement, gazonner.

gazonné, ée adj. Qui est couvert de gazon : *Nous avons pique-niqué dans la partie gazonnée de la halte routière.* HOM. gazonner. ☞ gazon.

gazonnement n.m. Action de couvrir de gazon : *Le gazonnement de la cour s'est fait juste avant l'été.* **R.** Aussi, *gazonnage.* ☞ gazon.

gazonner v. Recouvrir de gazon : *Nous gazonnerons le parterre au milieu du printemps.* HOM. gazonné. ☞ gazon.

gazouillant, ante adj. Qui gazouille, qui produit un son léger et doux : *Un ruisseau gazouillant coulait à nos pieds.* ☞ gazouiller.

gazouillement n.m. Action de gazouiller, de produire un son léger et doux : *Des pinsons faisaient entendre leur gazouillement cristallin.* SYN. gazouillis, ramage. ☞ gazouiller.

gazouiller v. **1.** Produire un chant ou un son léger et doux : *Les oiseaux gazouillaient dans l'air frais du matin.* SYN. bruire, murmurer. **2.** Faire entendre de petits sons à peine articulés, en parlant d'un bébé : *Mon petit frère exprime sa bonne humeur en gazouillant.* ☞ gazouillant, gazouillement, gazouilleur, gazouillis.

gazouilleur, euse adj. Qui gazouille, qui produit un son léger et doux : *Ma petite sœur est très gazouilleuse après avoir bien mangé.* ☞ gazouiller.

gazouillis n.m. Action de gazouiller ; ensemble confus de gazouillements : *Nous avons été réveillées par le gazouillis des hirondelles.* SYN. gazouillement, ramage. ☞ gazouiller.

geai n.m. Passereau de la famille du corbeau, remarquable par son plumage bigarré : *Le geai bleu est un des plus beaux oiseaux du Canada.* HOM. jais, jet. **R.** Se prononce *jè.*

géant, ante n. et adj. **1.** n. Personne qui est de très grande taille : *Une géante d'un mètre quatre-vingts entra dans la pièce.* SYN. colosse. ANT. nain, petit. **2.** n.fig. Personne qui est remarquable par son génie, sa virtuosité, son héroïsme : *Beethoven était un géant de la musique.* **3.** n.fig. Pays, entreprise qui surpasse les autres par sa force, sa puissance : *Les géants de l'industrie automobile se font une chaude lutte.* **4.** adj. Qui est très grand : *Les séquoias sont des arbres géants.* // *À pas de géant :* Très vite.

gecko n.m. (malais) Lézard insectivore des pays chauds : *Les geckos ont des doigts pourvus de ventouses.*

geignard, arde n. et adj.fam. **1.** n. Personne qui se plaint sans cesse : *Tu n'es qu'un gros geignard!* **2.** adj. Qui se lamente pour rien : *Cette enfant geignarde n'est pas facile à garder.* ☞ geindre.

geignement n.m. Plainte inarticulée : *J'ai été réveillé par les geignements de mon petit frère qui faisait un mauvais rêve.* SYN. gémissement, lamentation. ☞ geindre.

geindre v. **1.** Pousser des gémissements d'une voix faible : *La malade geignait dans son lit.* **2.** fam. Se lamenter sans raison sérieuse : *Cesse de geindre pour si peu de* *choses.* SYN. se plaindre. ☞ geignard, geignement.

gel n.m. **1.** Période de gelée : *Il y aura risque de gel cette nuit.* **2.** Congélation de l'eau : *Le gel fait éclater les pierres.* SYN. glace. ANT. dégel. ☞ geler. ▲ **gel** n.m. Substance ayant l'apparence de la colle, de la gelée : *Il se met du gel dans les cheveux.* ☞ gelée.

gélatine n.f. Substance ayant la consistance d'une gelée : *J'aime la gélatine qui recouvre le pâté de foie gras.* ☞ gélatineux.

gélatineux, euse adj. Qui a la consistance de la gélatine, d'une gelée : *Refroidi, le bouillon de poulet devient gélatineux.* ☞ gélatine.

gelé, ée adj. **1.** Qui est transformé en glace : *Nous avons patiné sur le lac gelé.* **2.** Qui a très froid, qui est très froid : *Pauvre petit, il a les pieds gelés.* HOM. gelée, geler. ☞ geler.

gelée n.f. Abaissement de la température de l'air à une valeur égale ou inférieure au point de congélation de l'eau : *La gelée a causé des dégâts dans nos pommiers.* SYN. froid, gel, glace. ☞ geler. ▲ **gelée** n.f. **1.** Substance d'origine animale qui s'est solidifiée en se refroidissant : *Je me suis fait un sandwich à la gelée de veau.* **2.** Jus de fruits cuits avec du sucre, qui s'est solidifié en se refroidissant : *Nous avons acheté de la gelée de pomme chez la pomicultrice.* HOM. gelé, geler.

geler v. **1.** Transformer en glace, rendre solide par le froid : *L'hiver québécois gèle profondément le sol.* **2.** Détériorer par un très grand froid : *Les nuits froides de mai ont gelé les bourgeons des arbres.* **3.** Se transformer en glace : *L'étang a gelé cette nuit.* SYN. figer. ANT. dégeler, fondre. **4.** Souffrir du froid : *Ce courant d'air me fait geler.* SYN. grelotter. ANT. suer, transpirer. HOM. gelé, gelée. ⫽ *Geler à pierre fendre :* Faire très froid. ☞ antigel, dégel, dégeler, gel, gelé, gelée, regel, regeler, surgelé, surgeler. se **geler** v.pron. Avoir très froid : *Tu vas te geler si tu restes dehors.*

gélinotte n.f. Oiseau de l'ordre des gallinacés à plumage roux, vivant dans les bois : *La gélinotte huppée est un gibier recherché.*

gélule n.f. Capsule gélatineuse contenant un médicament, des vitamines : *Je prends tous les jours de l'huile de foie de morue en gélules.*

géminé, ée adj. Qui est disposé par deux, par paire : *Les fleurs du chèvrefeuille du Canada sont géminées.*

gémir v. **1.** Faire entendre des sons plaintifs pour exprimer sa douleur : *Le petit chien gémissait à cause du froid.* SYN. geindre. **2.** Se plaindre en paroles : *Au lieu de gémir sur tes malheurs, viens t'amuser avec nous.* SYN. se lamenter. ☞ gémissant, gémissement.

gémissant, ante adj. Qui gémit, qui fait entendre des sons plaintifs : *Le petit garçon parlait d'une voix gémissante.* ☞ gémir.

gémissement n.m. **1.** Cri plaintif exprimant la douleur : *À l'hôpital, j'entendais des gémissements dans la chambre d'en face.* SYN. geignement. **2.** Son qui évoque la peine, la tristesse : *Le gémissement du vent nous remplissait de mélancolie.* SYN. lamentation. ☞ gémir.

gemme n.f. et adj. **1.** n.f. Pierre précieuse : *C'est la plus grosse gemme que j'ai jamais vue.* **2.** adj. Se dit du sel que l'on tire du sous-sol : *Le sel que l'on emploie couramment est du sel gemme.* ☞ gemmologie, gemmologiste.

gemmologie n.f. Science qui a pour objet l'étude des gemmes, des pierres précieuses : *Je m'intéresse beaucoup à la gemmologie.* ☞ gemme.

gemmologiste n. Personne qui est spécialiste des pierres précieuses : *La gemmologiste a évalué cette émeraude à deux mille dollars.* ☞ gemme.

gênant, ante adj. Qui gêne, qui met mal à l'aise : *C'est gênant de perdre son dentier devant tout le monde.* SYN. ennuyeux, fâcheux. ANT. agréable, commode. **R.** Ne pas oublier l'accent : *ê.* ☞ gêne.

gencive n.f. Muqueuse qui entoure la base des dents : *Cette vieille brosse à dents me fait saigner des gencives.*

gendarme n.m. Militaire qui remplit les fonctions de policier : *Elle a été arrêtée par des gendarmes à cheval.* ☞ gendarmerie.

gélinotte huppée

gendarmerie n.f. Corps militaire chargé de maintenir l'ordre et la paix, en France : *Il est dans la gendarmerie depuis vingt-cinq ans.* ∥ *Gendarmerie royale du Canada :* Au Canada, corps de police placé sous l'autorité du gouverneur général. ☞ gendarme.

gendre n.m. Mari de la fille, par rapport aux parents de celle-ci : *Maman s'entend bien avec son gendre.* SYN. beau-fils. **R.** Au féminin, *bru*.

gène n.m. Élément de la cellule qui transporte l'hérédité : *La couleur de nos yeux et celle de nos cheveux sont transmises par des gènes.* HOM. gêne. ☞ généticien, génétique.

gêne n.f. **1.** Malaise physique lors de l'accomplissement d'un geste, d'une fonction : *Elle a de la gêne à respirer à cause de l'herbe à poux.* SYN. difficulté. ANT. aise, facilité. **2.** Embarras que l'on éprouve quand on se sent mal à l'aise : *Il avait trop bu et cela nous causait de la gêne.* SYN. ennui, inconvénient. ANT. assurance. **3.** Manque d'argent : *Depuis qu'il chôme, il vit dans la gêne.* SYN. pauvreté, privation. ANT. aisance, bien-être, opulence. HOM. gène. **R.** Ne pas oublier l'accent : *ê*. ☞ gênant, gêner, gêneur, sans-gêne.

généalogie n.f. **1.** Ensemble des ancêtres de quelqu'un : *Dans ma généalogie, j'ai un ancêtre qui venait de Bretagne.* SYN. ascendance, famille. **2.** Science qui étudie l'origine et la descendance des familles : *La généalogie permet de connaître l'histoire de chacune des familles canadiennes-françaises d'Amérique.* ☞ généalogique, généalogiste.

généalogique adj. Qui se rapporte à la généalogie : *J'ai fait dresser l'arbre généalogique de notre famille.* ☞ généalogie.

généalogiste n. Personne qui dresse les généalogies : *La généalogiste a dû consulter beaucoup d'archives pour accomplir son travail.* ☞ généalogie.

gêner v. **1.** Mettre mal à l'aise physiquement : *La fumée de votre cigarette me gêne.* SYN. déranger, incommoder. ANT. accommoder. **2.** Mettre mal à l'aise moralement : *Tu l'as gêné avec tes questions indiscrètes.* SYN. intimider, troubler. ANT. libérer, soulager. **3.** Rendre difficile : *J'ai ramassé les jouets qui gênaient le passage.* SYN. empêcher, encombrer, obstruer. ANT. dégager. ☞ gêne. **se gêner** v.pron. S'imposer une contrainte : *Il ne s'est pas gêné pour lui dire sa façon de penser.* **R.** Ne pas oublier l'accent : *ê*.

général, aux n.m. Officier de très haut grade : *Mon arrière-grand-père était général de brigade.* **R.** L'O.L.F. recommande *générale* comme féminin de *général*. ☞ générale.

général, ale, aux adj. **1.** Qui est commun à l'ensemble, à la totalité : *Une caractéristique générale des peintures de Van Gogh est la luminosité des couleurs.* **2.** Qui concerne la majeure partie ou la totalité d'un groupe, d'un ensemble : *En règle générale, les chauffeurs d'autobus refusent de faire la grève.* **3.** Qui réunit tout l'ensemble : *La championne a reçu son prix sous les acclamations générales.* HOM. générale. ∥ *En général :* Dans la plupart des cas. ☞ générale, généralement, généralisation, généraliser, généraliste, généralité.

générale n.f. Femme d'un général : *Madame la générale a été invitée à prononcer un discours.* ☞ général (n.). ▲ **générale** n.f. Dernière répétition théâtrale avant la première représentation : *La générale aura lieu samedi prochain.* ☞ général (adj.).

généralement adv. De façon générale : *On admet généralement que les chiens sont plus intelligents que les chats.* SYN. habituellement, ordinairement. ANT. jamais, rarement. ☞ général (adj.).

généralisation n.f. Action de généraliser, d'appliquer à tout un ensemble, de se généraliser : *La généralisation de la crise économique a obligé le gouvernement à prendre des mesures sévères.* SYN. développement, extension. ☞ général (adj.).

généraliser v. **1.** Appliquer à tout un ensemble de personnes : *La direction a décidé de généraliser l'accès à la bibliothèque à l'heure du dîner.* SYN. étendre. ANT. limiter, restreindre. **2.** Conclure en étendant un cas à plusieurs situations : *On généralise en disant que tous les enfants aiment le fromage.* ☞ général (adj.). **se généraliser** v.pron. S'étendre à l'ensemble : *Son cancer s'est généralisé.* **généralisé, ée** p.p. et adj. Qui touche, s'applique à l'ensemble ou à la majorité : *Cette crise généralisée influence les marchés boursiers.*

généraliste n. et adj. **1.** n. Médecin qui pratique la médecine générale : *Pour mon otite, devrais-je aller voir un spécialiste ou un généraliste ?* **2.** adj. Qui pratique la médecine générale : *Je suis allé voir une médecin généraliste.* ☞ général (adj.).

généralité n.f. **1.** Caractère de ce qui est général : *Grâce à sa généralité, cette théorie rend compte de tous les phénomènes écologiques.* **2.** plur. Idées générales, banalités : *Ton exposé ne contient que des généralités, il y faudrait plus de détails.* ☞ général (adj.).

générateur, trice adj. Qui engendre, produit : *Le progrès technologique est générateur de changements.* ☞ génération.

génération n.f. **1.** Ensemble des personnes qui sont nées à chacun des degrés de descendance: *Lors des noces d'or de mes grands-parents, les trois générations étaient présentes.* SYN. postérité. **2.** Ensemble des personnes qui sont nées à peu près à la même époque: *Ma mère est de la génération des années soixante.* ▲ **génération** n.f. Action d'engendrer; action de créer: *La génération d'une œuvre exige talent et patience.* ☞ générateur, génératrice.

génératrice n.f. Machine qui produit de l'énergie électrique: *Durant la panne d'électricité, l'école a été éclairée grâce aux génératrices situées dans le sous-sol.* ☞ génération.

généreusement adv. De façon généreuse: *Le public a généreusement contribué à la campagne de financement.* ☞ généreux.

généreux, euse adj. **1.** Qui donne volontiers, largement: *Lors de la collecte de fonds, les gens se sont montrés très généreux.* SYN. charitable, prodigue. ANT. avare, égoïste. **2.** Qui est rempli des plus nobles sentiments (courage, dévouement): *Elle avait le cœur vaillant et l'âme généreuse.* SYN. élevé, grand. ANT. cruel, cupide, mesquin, vil. **3.** litt. Qui produit beaucoup: *La terre généreuse leur donnait chaque année le pain dont ils avaient besoin.* SYN. fécond, fertile, productif. ANT. aride, pauvre, stérile. ☞ généreusement, générosité.

générique n.m. Partie d'un film ou d'une émission qui indique les noms de ceux qui ont travaillé à sa réalisation: *Le nom de cette actrice figurait au début du générique.*

générique adj. Qui appartient à un genre, à une catégorie: *Le mot «vêtement» est un terme générique.* ANT. spécifique.

générosité n.f. (lat.) **1.** Qualité d'une personne ou d'une action généreuse: *La générosité de son geste est exemplaire.* SYN. bonté, charité. ANT. avarice, cupidité. **2.** Tendance à donner sans compter: *Ta générosité te ruinera.* SYN. altruisme. ANT. égoïsme, mesquinerie. ☞ généreux.

généticien, ienne n. Personne qui est spécialiste de la génétique: *Ma mère est généticienne dans un laboratoire de recherches médicales.* ☞ gène.

génétique n.f. et adj. **1.** n.f. Science qui a pour objet l'étude de l'hérédité: *La génétique s'intéresse à la transmission des gènes des parents aux enfants.* **2.** adj. Qui a rapport à l'hérédité, aux gènes: *Cette nouvelle espèce d'insectes résulte d'une mutation génétique.* ☞ gène.

genette n.f. (arabe) Mammifère carnivore du sud de l'Europe et du nord de l'Afrique: *Les genettes chassent la nuit et se nourrissent de petits animaux.*

gêneur, euse n. Personne qui gêne, qui met mal à l'aise: *Quand ce gêneur arrive, tout le monde veut partir.* **R.** Ne pas oublier l'accent: *ê.* ☞ gêne.

genévrier n.m. Petit conifère qui produit des genièvres: *Le genévrier ne perd pas ses feuilles à l'automne.* ☞ genièvre.

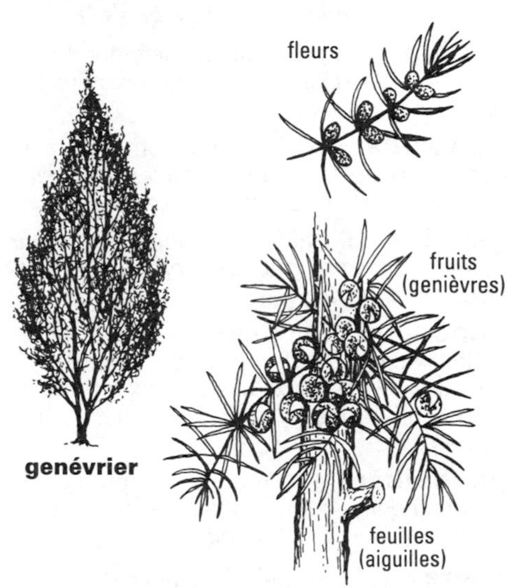

génial, ale, aux adj. **1.** Qui a du génie: *Cette jeune écrivaine est géniale.* SYN. ingénieux. ANT. médiocre. **2.** Qui porte la marque du génie: *Cette invention géniale va révolutionner l'industrie automobile.* SYN. formidable. ANT. ordinaire. **3.** fam. Qui est sensationnel, épatant: *Ton idée est géniale.* SYN. lumineux. ANT. commun. ☞ génie.

génialement adv. De façon géniale, formidable: *Cette symphonie a été génialement interprétée par l'Orchestre symphonique de Montréal.* SYN. magistralement. ANT. médiocrement. ☞ génie.

génie n.m. Personnage surnaturel, bon ou mauvais: *Un génie avait été emprisonné dans la lampe d'Aladin.* SYN. esprit, lutin. ▲ **génie** n.m. **1.** Faculté créatrice naturellement supérieure: *Cette jeune fille a le génie poétique.* SYN. don, talent. ANT. inaptitude, incapacité. **2.** Personne supérieurement douée dans une discipline artistique, littéraire, scientifique: *Mozart était un des plus hauts génies de la musique.* ANT. médiocrité, nullité. ☞ génial, génialement. **de génie** loc.prép. Portant la marque du génie ou ayant du génie: *C'est une* *invention de génie!* ▲ **génie** n.m. Art de l'ingénieur: *Ma sœur étudie en génie civil.*

genièvre n.m. **1.** Nom commun du genévrier: *La tisane de genièvre a un goût agréable.* **2.** Fruit du genévrier, petite baie violette très parfumée: *Les genièvres sont utilisés dans la préparation de divers mets.* **3.** Eau-de-vie à base de céréales et de baies de genièvre: *Mon père soigne ses rhumes en prenant un grog au genièvre.* ☞ genévrier.

génisse n.f. Jeune vache qui n'a pas encore eu de veau: *J'adore le foie de génisse.*

génital, ale, aux adj. Qui se rapporte à la reproduction sexuée: *Les organes génitaux de la femme sont internes.*

génocide n.m. Extermination systématique d'un peuple: *Une conférencière est venue nous parler du génocide des Arméniens.*

génoise n.f. Gâteau à pâte légère: *Pour mon anniversaire, maman a préparé une génoise au chocolat.*

genou, oux n.m. Articulation de la jambe et de la cuisse: *Je me suis éraflé un genou en tombant.* ∥ *À genoux:* Les genoux à terre. ☞ s'agenouiller, agenouilloir, genouillère, génuflexion.

genouillère n.f. Ce qui sert à protéger le genou: *Pour jouer au hockey, il faut mettre des genouillères.* ☞ genou.

genre n.m. **1.** Ensemble d'espèces animales ou végétales ayant un ou plusieurs caractères communs: *Le chien et le loup sont deux espèces différentes qui appartiennent au même genre.* SYN. embranchement, race. **2.** Catégorie littéraire, artistique: *Le genre poétique est moins populaire que le genre romanesque.* SYN. forme. ▲ **genre** n.m. Catégorie grammaticale marquant l'appartenance au masculin ou au féminin: *Le mot «pétale» est du genre masculin.* ▲ **genre** n.m. **1.** Espèce, sorte: *Ce genre de coiffure te va très bien.* SYN. style. **2.** Façons d'être, de se vêtir: *Je n'aime pas son genre.* ∥ *Du même genre:* De même sorte. *En tout genre:* De toutes sortes. *Genre de vie:* Façon de vivre.

gens n.m.plur. **1.** Personnes en nombre indéterminé: *Les gens de mon quartier sont fiers de la propreté de leurs rues.* SYN. habitant. **2.** Groupe de personnes exerçant une même profession: *Les gens d'affaires ont émis leurs opinions sur le libre-échange.* ∥ *Jeunes gens:* Jeunes filles et garçons célibataires. **R.** Est féminin dans le cas où un adjectif épithète le précède immédiatement.

gentiane n.f. Plante des montagnes à fleurs jaunes, bleues ou violettes: *La racine de la gentiane sert à préparer une boisson délicieuse.* **R.** La lettre *t* se prononce *ss*.

gentil, ille adj. Qui est agréable, aimable, sans méchanceté: *Les enfants ont été très gentils avec le petit chat abandonné.* SYN. délicat. ANT. désagréable, dur. ☞ gentillesse, gentiment.

gentilé n.m. Nom des habitants d'un lieu: *Le gentilé des habitants de Québec ou du Québec est «Québécois».*

gentilhomme n.m.litt. Homme distingué, à l'esprit noble et aux bonnes manières: *Notre voisin est un gentilhomme.* **R.** Au pluriel, *gentilshommes*. Au pluriel, se prononce *jentizomme*.

gentillesse n.f. **1.** Qualité d'une personne gentille: *La gentillesse de ce garçon lui attire beaucoup d'amis.* SYN. complaisance, délicatesse. ANT. grossièreté, insolence, rudesse. **2.** Parole ou action pleine de gentillesse: *Nous avons remercié notre enseignante pour toutes les gentillesses qu'elle a eues pour nous.* SYN. attention, prévenance. ANT. dureté, méchanceté. ☞ gentil.

gentiment adv. De façon aimable: *Elle m'a gentiment offert de porter mon sac.* ☞ gentil.

génuflexion n.f. Flexion du ou des genoux en signe d'adoration, de respect: *À l'église, Stéphanie fait toujours une génuflexion en sortant de son banc.* ☞ genou.

géographe n. Personne qui est spécialiste de la géographie: *Ma cousine veut devenir géographe.* **R.** Les lettres *ph* se prononcent *f*. ☞ géographie.

géographie n.f. **1.** Science qui étudie les phénomènes naturels et humains qui se produisent à la surface de la terre: *La géographie nous fait connaître les pays du monde entier.* **2.** Ensemble des caractères d'une région, du point de vue physique et humain: *La géographie du Canada est très variée.* **R.** Les lettres *ph* se prononcent *f*. ☞ géographe, géographique.

géographique adj. Qui se rapporte à la géographie: *As-tu une carte géographique du Québec?* **R.** Les lettres *ph* se prononcent *f*. ☞ géographie.

géologie n.f. Science qui étudie la structure et la formation des éléments qui constituent l'écorce terrestre: *La géologie permet d'expliquer la formation des montagnes.* ☞ géologique, géologue.

géologique adj. Qui se rapporte à la géologie: *La formation de l'écorce terrestre se divise en cinq grandes périodes géologiques.* ☞ géologie.

géologue n. Personne qui est spécialiste de la géologie: *Une équipe de géologues a étudié le sous-sol de la région.* **R.** Ne pas oublier le *u* après le *g*: géologue. ☞ géologie.

géomètre n. **1.** Personne qui est spécialiste de la géométrie: *Euclide était un grand géomètre.* **2.** Personne qui relève des plans de terrains: *Une géomètre a pris des mesures sur l'emplacement où sera érigé le nouvel immeuble.* ☞ géométrie.

géomètre n.m. Papillon dont la chenille se déplace en se pliant et en se dépliant: *La chenille du géomètre n'a des pattes qu'aux deux extrémités de son corps.*

géométrie n.f. Science mathématique qui étudie les lignes, les surfaces, les volumes: *En géométrie, nous avons appris qu'un rectangle est un parallélogramme.* ☞ géomètre (n.), géométrique.

géométrique adj. **1.** Qui se rapporte à la géométrie: *Le triangle, le cercle et le carré sont des figures géométriques.* **2.** Qui est régulier, symétrique: *En arts plastiques, nous avons fait des dessins géométriques.* ☞ géométrie.

gérance n.f. Fonction de gérant: *Mon père a reçu la gérance de cette entreprise.* SYN. administration, gestion. ☞ gérer.

géranium n.m. Plante sauvage dont le fruit, une fois desséché, s'ouvre en lançant les graines avec force: *Le géranium ornemental n'appartient pas à la même famille que le géranium sauvage.* **R.** Les lettres *um* se prononcent *omme*.

gérant, ante n. Personne qui administre un immeuble, un établissement, une succursale d'entreprise pour le compte d'autrui: *Ma mère est gérante d'entreprise.* **R.** N'a pas le sens de *directeur* (de personnel, de banque, de magasin), de *chef* (de personnel, de service), de *imprésario*. ☞ gérer.

gerbe n.f. Faisceau d'épis, de fleurs: *Voici une gerbe de fleurs que nous avons cueillies pour toi.* SYN. bouquet.

gerbille n.f. Petit rongeur d'Afrique et d'Asie, apparenté à la gerboise: *Les gerbilles sont nocturnes.*

gerboise n.f. (arabe) Petit rongeur aux longues pattes postérieures: *La gerboise est une sorte de souris sauteuse.*

gercer v. **1.** Faire de petites crevasses: *Le froid nous gerçait les mains.* SYN. crevasser, fendiller. **2.** Se couvrir de petites crevasses: *L'hiver, mes lèvres gercent au moindre froid.* ☞ gerçure. se **gercer** v.pron. Se couvrir de petites crevasses: *Après la pluie, la terre argileuse se gerce au soleil.* **R.** Le *c* prend une cédille devant *a* et *o*. **gercé, ée** p.p. et adj. Qui est couvert de petites crevasses: *Mes lèvres gercées me font souffrir.*

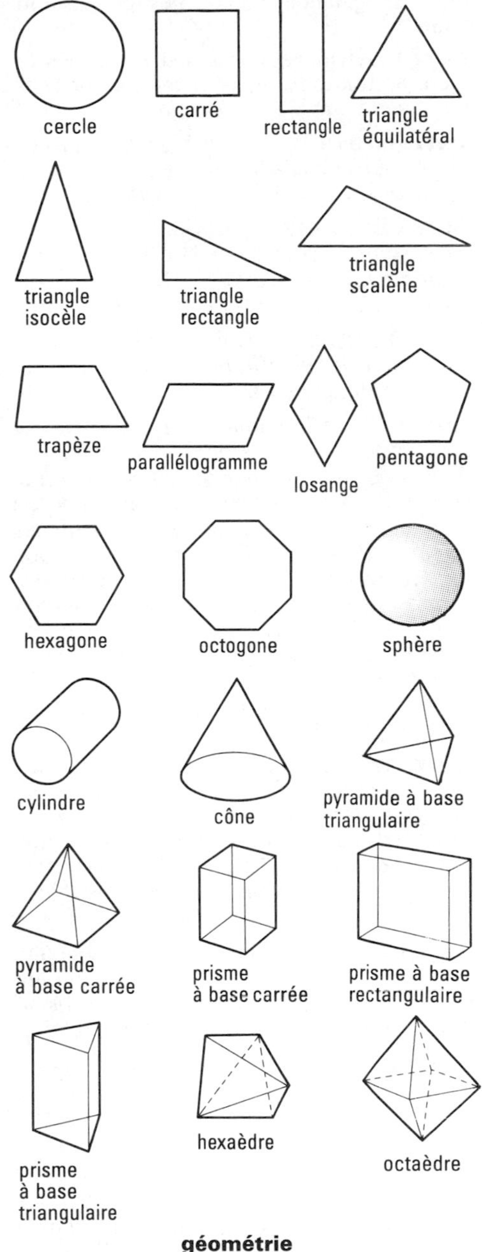

géométrie

gerçure n.f. Petite crevasse de la peau: *J'ai des gerçures sur les mains.* **R.** Ne pas oublier la cédille. ☞ gercer.

gérer v. Administrer: *Cette femme d'affaires gère bien son entreprise.* SYN. diriger, mener, régir. ☞ gérance, gérant, gestion, gestionnaire.

gerfaut n.m. Faucon à petite tête, des régions arctiques : *L'hiver, on peut voir des gerfauts n'importe où au Canada.*

gériatrie n.f. Partie de la médecine qui étudie et traite les maladies des personnes âgées : *Ce médecin se spécialise en gériatrie.*

germain, aine adj. Qui est né du frère ou de la sœur du père ou de la mère : *Je te présente mon cousin germain.* **R.** Ne s'emploie qu'avec les mots *cousin* et *cousine*.

germanique adj. Qui est de l'Allemagne : *Beaucoup de mots français viennent de la langue germanique.*

germe n.m. **1.** Partie de la graine qui se développe pour former la plante : *Quand on ouvre une graine de haricot, on peut y voir le germe.* **2.** Première pousse d'une graine ou d'un tubercule : *Il y a de longs germes sur ces pommes de terre.* **3.** Organisme microscopique pouvant provoquer une maladie : *Des germes infectieux ont contaminé le réservoir d'eau.* **4.** fig. Élément qui est à l'origine de quelque chose : *Ce sujet de discussion est un germe de discorde dans notre groupe.* ⁄⁄ *En germe :* Prêt à se développer. ☞ dégermer, germer, germination.

germer v. **1.** Développer son germe : *Les pommes de terre ont germé.* **2.** fig. Se développer : *Une idée lumineuse germa dans son esprit.* SYN. naître. ANT. étouffer. ☞ germe.
germé, ée p.p. et adj. Dont le germe est développé : *Les fèves germées accompagnent bien le bœuf.*

germination n.f. Premier développement du germe dans une graine, un tubercule, un bulbe : *La germination marque la fin de la croissance de la plante mère.* ☞ germe.

gérontologie n.f. Science qui étudie les phénomènes de vieillissement : *Mon père a une maîtrise en gérontologie.* ☞ gérontologue.

gérontologue n. Personne qui est spécialiste de la gérontologie : *Plusieurs gérontologues travaillent dans ce centre d'accueil pour les personnes âgées.* **R.** Ne pas oublier le *u* après le *g* : gérontologue. ☞ gérontologie.

gésier n.m. Partie très musclée de l'estomac des oiseaux : *Le gésier contient souvent de petits cailloux qui servent à broyer les aliments.*

gésir v.litt. **1.** Être étendu sans mouvement : *L'enfant blessé gisait sur le trottoir.* **2.** Être enterré : *Sur sa tombe, on pouvait lire : « Ci-gît Isidora Labâche, née en 1825 et morte en 1905. »* **R.** Ne s'emploie qu'à l'indicatif présent et imparfait et qu'au participe présent.

gestation n.f. État d'une femelle qui porte un petit : *Chez l'éléphant, la durée de la gestation est de vingt et un mois.*

geste n.m. **1.** Mouvement de la main, des bras, de la tête : *Il exprima son refus par un geste de la main.* SYN. signe. ANT. inertie. **2.** fig. Action : *Mélanie a fait un beau geste en offrant son jouet favori à cet enfant malade.* ⁄⁄ *Les faits et gestes :* La conduite. ☞ gesticulation, gesticuler.

geste n.f. Grand poème épique du Moyen Âge : *La geste de Roland est remplie de scènes d'héroïsme.*

gesticulation n.f. Action de gesticuler, de faire de grands gestes : *Sa gesticulation commençait à m'énerver.* ☞ geste (n.m.).

gesticuler v. Faire de grands gestes : *Nous avions beau gesticuler au bord de la route, personne ne s'arrêtait pour nous venir en aide.* ☞ geste (n.m.).

gestion n.f. Action ou manière d'administrer une entreprise : *On lui a confié la gestion du budget de l'entreprise.* SYN. direction, organisation. ☞ gérer.

gestionnaire n. Personne qui administre les affaires d'une entreprise : *Les gestionnaires de la compagnie se réuniront vendredi.* ☞ gérer.

geyser n.m. (island.) Source d'eau chaude qui jaillit du sol : *Certains geysers projettent un puissant jet d'eau tous les jours à la même heure.* **R.** Se prononce *jèzerre*.

ghanéen, enne n. et adj. **1.** n. Personne qui habite le Ghana : *Un Ghanéen, une Ghanéenne.* **2.** adj. Qui est du Ghana : *La production de cacao tient une place importante dans l'économie ghanéenne.* **R.** On met la majuscule à *ghanéen* et à *ghanéenne* lorsqu'il s'agit du nom.

ghetto n.m. (it.) **1.** Quartier où les Juifs étaient obligés de résider : *Les Juifs de Varsovie vivaient dans un ghetto.* **2.** Lieu où une minorité ethnique vit à l'écart du reste de la société : *Il y a des ghettos dans toutes les grandes villes.* **3.** fig. Groupe replié sur lui-même, vivant une situation de ségrégation : *Il faut que ces jeunes artistes sortent de leur ghetto culturel.* **R.** Les lettres *ghe* se prononcent *guè* ou *gué*.

gibbon n.m. (indien) Singe d'Asie à longs bras : *Les gibbons n'ont pas de queue.* **R.** S'écrit avec deux *b*.

gibecière n.f. **1.** Sac dans lequel le chasseur met le gibier: *Sa gibecière était remplie de canards.* SYN. carnassière. **2.** Sac porté sur l'épaule: *Je mets mes livres d'école dans ma gibecière en cuir.*

gibelotte n.f. **1.** Fricassée au vin blanc: *Nous avons mangé du lapin en gibelotte.* **2.** Plat se composant de légumes et de morceaux de poisson bouillis: *Dominique a préparé une délicieuse gibelotte.*

gibet n.m. Potence pour la pendaison des condamnés à mort: *La criminelle monta au gibet.* SYN. échafaud.

gibier n.m. **1.** Ensemble des animaux que l'on prend à la chasse: *L'île d'Anticosti abonde en gibier.* **2.** Chair du gibier: *J'aime manger du gibier.* ⁄⁄ *Gros gibier:* Caribou, cerf, orignal. *Petit gibier:* Lièvre, perdrix. ☞ giboyeux.

giboulée n.f. Pluie soudaine, mêlée de neige ou de grêle: *Il y a habituellement des giboulées en mars et en avril.*

giboyeux, euse adj. Qui est abondant en gibier: *Le Québec possède de grandes forêts giboyeuses.* ☞ gibier.

giclée n.f. Jet de liquide: *La voiture nous a éclaboussés d'une giclée de boue neigeuse.* HOM. gicler. ☞ gicler.

giclement n.m. Fait de gicler, de jaillir: *Le giclement de l'eau indiquait l'emplacement de la fissure.* ☞ gicler.

gicler v. Jaillir, en parlant d'un liquide: *Le lave-glace gicle sur le pare-brise.* HOM. giclée. ☞ giclée, giclement, gicleur.

gicleur n.m. Petit orifice dans un carburateur, servant à doser l'arrivée d'essence: *Le gicleur était bouché.* ☞ gicler.

gifle n.f. Coup donné sur la joue avec le plat ou le revers de la main: *Elle lui a donné la gifle qu'il méritait.* SYN. taloche, tape. ANT. caresse. ☞ gifler.

gifler v. Frapper d'une gifle: *Elle a été giflée à cause de son impolitesse.* SYN. taper. ANT. caresser. ☞ gifle.

gigantesque adj. (it.) **1.** Qui est extrêmement grand par rapport à l'être humain: *Les pyramides d'Égypte sont des monuments gigantesques.* SYN. géant, monumental. ANT. minime, minuscule, petit. **2.** fig. Qui dépasse la commune mesure: *La dépollution du Saint-Laurent est une entreprise gigantesque.* SYN. fantastique, formidable, prodigieux. ANT. médiocre, ordinaire. ☞ gigantisme.

gigantisme n.m. Développement d'un organisme au-delà des proportions normales: *On observe plusieurs cas de gigantisme chez les plantes.* ANT. nanisme. ☞ gigantesque.

gigogne adj. Qui est formé de parties qui s'emboîtent les unes dans les autres: *Mon petit frère a un jeu de barils gigognes.*

gigot n.m. Cuisse de mouton, d'agneau, préparée pour la table: *Nous nous sommes régalés d'un gigot d'agneau de printemps.*

gigoter v.fam. Agiter ses bras et ses jambes: *Quand bébé a fini de manger, il gigote dans sa chaise haute.*

gigue n.f. Danse folklorique ancienne, d'un mouvement vif et gai, marquée par des tapements de pieds: *La gigue est d'origine écossaise et irlandaise.* **R.** Ne pas oublier le *u* après le *g*: gigue.

gilet n.m. **1.** Vêtement masculin sans manches qui se porte sous le veston d'un complet: *Le gilet se porte boutonné, contrairement au veston.* **2.** Vêtement féminin sans manches qui se porte sur un chemisier ou sous la jaquette d'un tailleur: *Ton gilet va très bien avec cette jupe.* **3.** Vêtement avec ou sans manches, qui se porte sur une chemise ou sur la peau: *Ces gilets de coton sont doux et chauds.* ⁄⁄ *Gilet de laine:* Tricot de laine boutonné sur le devant, avec ou sans manches. *Gilet de sauvetage:* Accessoire qui permet à une personne de se maintenir à la surface de l'eau.

gin n.m. (angl.) Eau-de-vie à base de genièvre: *Ce punch aux fruits contient du gin.* **R.** Se prononce à l'anglaise.

gingembre n.m. Plante herbacée d'Asie dont la racine est employée comme épice: *J'ai préparé un gâteau au gingembre.*

gingivite n.f. Inflammation des gencives: *Les caries peuvent causer des gingivites.*

ginseng n.m. (chinois) Plante du genre du panais, dont la racine possède des vertus toniques: *Le ginseng est riche en vitamines.* **R.** Les lettres *seng* se prononcent *sangue*.

girafe n.f. (it.) Grand mammifère ruminant d'Afrique, à cou très long et à pelage roux, dont le petit est le girafeau: *Les girafes peuvent brouter les feuilles des arbres hauts de six mètres.* ☞ girafeau.

girafeau, eaux n.m. Petit de la girafe: *Le girafeau naît après avoir passé un an et deux mois dans le ventre de sa mère.* **R.** Aussi, *girafon*. ☞ girafe.

giratoire adj. Qui se dit d'un mouvement circulaire autour d'un centre: *Le sens giratoire des aiguilles d'une montre est toujours le même.* SYN. rotatif.

girofle n.m. Bouton desséché des fleurs du giroflier, employé comme épice: *J'ai ajouté du clou de girofle moulu à la viande à tourtières.* ☞ giroflier.

giroflée n.f. Plante herbacée cultivée pour la beauté et le parfum de ses fleurs: *La giroflée est de la même famille que la moutarde.*

giroflier n.m. Arbre d'Indonésie qui produit le girofle: *L'huile du giroflier est utilisée en parfumerie.* ☞ girofle.

giron n.m. **1.** Partie du corps qui s'étend de la ceinture aux genoux, en position assise: *Le petit enfant dormait dans le giron de sa mère.* **2.** litt. Milieu qui offre une protection, un refuge: *Cette jeune fille a décidé de quitter le giron familial.*

girouette n.f. **1.** Appareil placé sur un toit, un mât, pour indiquer la direction du vent: *La girouette du clocher indique que le vent souffle de l'ouest.* **2.** fig. Personne qui change souvent d'opinion: *Cette girouette ne garde pas longtemps la même idée.* SYN. pantin.

gisement n.m. Masse de matière naturelle exploitable: *On trouve encore des gisements de cuivre en Abitibi.* SYN. filon, minerai.

gitan, ane n. et adj. (esp.) **1.** n. Bohémien, bohémienne d'Espagne: *Les gitans ont conservé des traditions très anciennes.* **2.** adj. Qui appartient aux gitans: *La musique gitane est très émouvante.*

gîte n.m. **1.** Abri du gibier: *Le lièvre s'était réfugié dans son gîte.* SYN. antre, caverne, repaire, tanière. **2.** litt. Lieu où l'on peut se loger: *Nous rentrâmes au gîte après une journée fort mouvementée.* SYN. demeure, habitation, maison. // *Offrir le gîte et le couvert:* Offrir le logement et la nourriture. **R.** Ne pas oublier l'accent: *î*. ☞ gîter.

gîte n.f. Inclinaison d'un navire, due au vent ou à un accident: *Le bateau donnait de la gîte.* SYN. bande. **R.** Ne pas oublier l'accent: *î*. ☞ gîter.

gîter v. **1.** Avoir son gîte, son abri: *Le lièvre gîte dans la forêt.* **2.** litt. Avoir son refuge: *Il gîta quelques semaines dans une maison abandonnée.* SYN. demeurer, habiter, loger. **3.** Donner de la gîte, s'incliner, en parlant d'un bateau: *Le navire gîtait dangereusement.* **R.** Ne pas oublier l'accent: *î*. ☞ gîte.

givrage n.m. Formation de givre sur une surface, dans un mécanisme: *Le givrage de la serrure empêche d'ouvrir la porte.* ☞ givre.

givre n.m. Fine couche de glace formée par la congélation de la rosée ou de la brume: *La vitre était recouverte de givre.* SYN. frimas, gelée. ☞ dégivrage, dégivrer, dégivreur, givrage, givré, givrer.

givré, ée adj. **1.** Qui est couvert de givre: *Les arbres givrés s'entrechoquaient au vent.* **2.** Qui est fourré de glace au sucre, en parlant d'un fruit: *Pour le dessert, il y avait des oranges givrées.* HOM. givrer. ☞ givre.

givrer v. **1.** Couvrir de givre: *La nuit avait givré les vitres.* **2.** Couvrir d'une couche de sucre: *Le café espagnol se boit dans un verre dont le bord a été givré.* HOM. givré. ☞ givre.

glabre adj. Qui est sans barbe: *C'était un jeune homme au visage fin et glabre.* SYN. imberbe. ANT. barbu, poilu.

glaçage n.m. **1.** Action de glacer, de recouvrir d'une couche de sucre: *Le glaçage des éclairs au chocolat est terminé.* **2.** Garniture à gâteau ayant une apparence glacée: *J'ai pré-*

paré un glaçage au chocolat. **R.** Ne pas oublier la cédille. ☞ glace.

glaçant, ante adj. Qui paralyse par sa froideur: *Son regard glaçant m'empêche de terminer ma phrase.* SYN. froid, glacial. **R.** Ne pas oublier la cédille. ☞ glace.

glace n.f. **1.** Eau congelée: *Le lac était couvert de glace.* **2.** Crème glacée: *Au comptoir laitier, nous avons pris une glace aux bleuets.* **3.** Préparation sucrée dont on garnit un gâteau: *Le gâteau était recouvert d'une délicieuse glace à l'érable.* ⁄⁄ *Pont de glace:* Au Canada, chemin de glace qui se forme sur un cours d'eau et qui est utilisé pour passer d'une rive à l'autre. ☞ glaçage, glaçant, glacer, glaciaire, glacial, glacialement, glaciel, glacier, glacière, glaçon. ▲ **glace** n.f. **1.** Miroir: *Il s'est peigné devant la glace pendant une heure.* **2.** Vitre mobile d'un véhicule: *Lève un peu la glace, l'air est trop vif.*

glacer v. **1.** Pénétrer d'un froid vif: *Le vent me glace les mains et le visage.* SYN. engourdir, geler. ANT. chauffer, réchauffer. **2.** Donner un fini brillant: *On utilise ce procédé pour glacer le papier.* SYN. lustrer. **3.** Recouvrir d'une couche de sucre transparente: *Nous avons glacé ces beignets.* **4.** fig. Remplir d'effroi: *Le grincement de la porte derrière eux les glaça d'horreur.* SYN. figer. ANT. rassurer, réconforter. **5.** fig. Paralyser par sa froideur: *Ses manières me glacent.* SYN. intimider. ANT. encourager, stimuler. **R.** Le *c* prend une cédille devant *a* et *o*. ☞ glace.

glaciaire adj. Qui est relatif aux glaciers: *La calotte glaciaire diminue à cause de l'élévation de la température sur le globe.* HOM. glacière. ⁄⁄ *Périodes glaciaires:* Périodes géologiques durant lesquelles ont existé de grandes étendues glaciaires. ☞ glace.

glacial, ale, als adj. **1.** Qui est très froid: *Le vent était glacial.* ANT. brûlant, chaud. **2.** fig. Qui paralyse par sa froideur: *Elle lui jeta un regard glacial.* SYN. dur, hautain. ANT. chaleureux, sympathique. **R.** Aussi, au pluriel, *glaciaux*. ☞ glace.

glacialement adv. De façon glaciale: *Il répondit glacialement qu'il ne viendrait pas avec nous.* ☞ glace.

glaciel, elle n.m. et adj. **1.** n.m. Au Canada, ensemble de glaces flottantes: *Le glaciel de cette rivière diminue chaque année.* **2.** adj. Au Canada, qui se rapporte aux glaces flottantes: *Cette scientifique étudie les phénomènes glaciels.* ☞ glace.

glacier n.m. Nappe de glace qui descend des montagnes: *Nous avons vu un reportage sur les glaciers des montagnes Rocheuses.* ☞ glace.

glacier, ière n. Personne qui prépare et vend de la crème glacée: *Cette glacière offre de délicieuses glaces à l'érable.* ☞ glace.

glacière n.f. Caisse à parois isolantes que l'on refroidit avec de la glace pour conserver des aliments: *Lorsque nous allons en pique-nique, nous transportons les aliments dans une glacière.* HOM. glaciaire. ☞ glace.

glaçon n.m. **1.** Morceau de glace: *Un long glaçon pointu est tombé du toit.* **2.** Petit cube de glace: *J'ai mis beaucoup de glaçons dans la citronnade.* **3.** fig. et fam. Personne distante et froide: *C'est un vrai glaçon!* **R.** Ne pas oublier la cédille. ☞ glace.

glaçure n.f. (all.) Substance vitreuse que l'on applique sur certaines poteries pour les imperméabiliser: *La porcelaine est recouverte d'une glaçure incolore.* **R.** Ne pas oublier la cédille.

gladiateur n.m. Homme qui combattait dans les jeux du cirque, à Rome: *Les gladiateurs devaient parfois se battre contre des bêtes féroces.*

glaïeul n.m. Plante ornementale à bulbe, cultivée pour ses fleurs de couleurs variées: *Le glaïeul est de la même famille que l'iris.* **R.** Ne pas oublier le tréma: *ï*.

glaise n.f. Terre très argileuse: *La glaise collait à nos semelles.* ☞ glaiseux.

glaiseux, euse adj. Qui contient de la glaise: *Le long de cette rivière, le sol est glaiseux.* ☞ glaise.

glaive n.m. Ancienne épée à deux tranchants: *Les soldats romains portaient un glaive à la ceinture.*

gland n.m. **1.** Fruit du chêne qui renferme une graine farineuse comestible: *Les écureuils raffolent des glands.* **2.** Extrémité du pénis: *Son gland est douloureux.* **3.** Ornement ayant la forme d'un gland: *Les rideaux sont garnis de glands blancs.*

glande n.f. Organe qui produit une sécrétion: *Le foie, le rein, les testicules, la thyroïde, les seins sont des glandes.*

glaner v. **1.** Ramasser les épis qui n'ont pas été moissonnés: *Autrefois, les paysans pauvres allaient glaner les champs des seigneurs.* SYN. cueillir. ANT. disperser, jeter, semer. **2.** fig. Recueillir çà et là pour employer utilement: *J'ai glané des citations pour enrichir mon texte.* SYN. puiser.

glapir v. **1.** Pousser un cri bref et aigu, en parlant du chacal, du petit chien, de l'épervier, du lapin ou du renard: *Nous entendions glapir non loin de nous.* **2.** Crier d'une voix aigre: *À force de glapir des injures, tu as perdu la voix.* ☞ glapissant, glapissement.

glapissant, ante adj. Qui glapit, pousse un cri: *Elle criait d'une voix glapissante.* ☞ glapir.

glapissement n.m. Cri aigu et bref d'un animal ou d'une personne: *La douleur lui arracha un glapissement.* ☞ glapir.

glas n.m. Tintement d'une cloche d'église pour annoncer des funérailles: *Après la messe, on sonna le glas pendant un quart d'heure.*

glatir v. Crier, en parlant de l'aigle: *L'aigle glatissait du haut des airs.*

glauque adj. Qui est d'un vert bleuâtre: *La marée remontait, apportant ses eaux glauques.*

glissade n.f. Mouvement que l'on fait en glissant: *J'ai fait une glissade sur le trottoir.* **R.** N'a pas le sens de *glissoire*. ☞ glisser.

glissant, ante adj. **1.** Qui peut faire glisser, tomber: *La piste cyclable était glissante à cause de la pluie.* **2.** Qui glisse facilement des mains: *La grenouille était glissante, elle m'a échappé des mains.* ☞ glisser.

glissement n.m. **1.** Action de glisser ou mouvement de ce qui glisse: *Le glissement de la courroie est dû à son usure.* **2.** fig. Action de changer, de se modifier lentement: *On observe un glissement de l'opinion publique depuis quelques mois.* ⁄⁄ *Glissement de terrain:* Déplacement d'une masse de terrain sous l'effet de la pesanteur. ☞ glisser.

glisser v. **1.** Se déplacer d'un mouvement continu sur une surface lisse: *Les enfants glissent sur les pentes avec leurs luges.* **2.** Tomber ou risquer de tomber en dérapant: *J'ai glissé dans la baignoire.* **3.** Avancer comme en glissant: *La couleuvre glissait sur l'eau.* **4.** Échapper accidentellement: *Mon cornet de crème glacée m'a glissé des mains.* **5.** Toucher avec légèreté: *Ses petits doigts glissaient sur les touches du piano.* **6.** fig. Ne pas toucher: *Tes injures glissent sur moi.* **7.** Introduire par une ouverture étroite: *Il glissa sa main dans sa poche.* **8.** Introduire adroitement ou furtivement: *J'ai glissé la clé sous la porte.* ⁄⁄ *Glisser un mot:* Dire, faire connaître. ☞ glissade, glissant, glissement, glissière, glissoire. **se glisser** v.pron. **1.** Se frayer un chemin, pénétrer adroitement: *Mon chat s'est glissé à travers la haie.* **2.** S'introduire malencontreusement: *Des fautes se sont glissées dans ma composition.*

glissière n.f. Rainure dans laquelle glisse une autre pièce: *La glissière de la fenêtre était remplie de glace.* ⁄⁄ *Fermeture à glissière:* Fermeture dont les dents entrent les unes dans les autres à l'aide d'un curseur. *Glissière de sécurité:* Bande métallique disposée horizontalement en bordure d'une route pour retenir les véhicules qui quittent la voie. ☞ glisser.

glissoire n.f. **1.** Surface glacée sur laquelle on s'amuse à glisser: *La glissoire était très achalandée.* **2.** Construction en pente sur laquelle les enfants s'amusent à glisser: *Les ouvrières ont installé deux nouvelles glissoires au parc.* ☞ glisser.

global, ale, aux adj. Qui concerne un ensemble: *Ces rénovations ont amélioré l'aspect global de la maison.* SYN. entier, total. ANT. partiel. ☞ globalement.

globalement adv. D'une façon globale, dans l'ensemble: *Prises globalement, ses idées étaient bonnes.* ☞ global.

globe n.m. **1.** Corps sphérique: *Le dôme de cette église est surmonté d'un globe de cuivre.* SYN. boule, sphère. **2.** Cloche de verre qui protège une horloge, un bibelot: *La sculpture de jade était recouverte d'un globe.* **3.** Sphère de verre d'un plafonnier: *Les globes sont vite redevenus poussiéreux.* **4.** La terre: *Cette journaliste a parcouru le globe en quête de reportages.* ⁄⁄ *Globe terrestre:* Sphère sur laquelle est dessinée une carte de la Terre. ☞ globule, globuleux.

globe-trotter n.m. (angl.) Personne qui parcourt le monde: *Ce globe-trotter a fait le tour du monde.* **R.** Au pluriel, *globe-trotters*. Les lettres *er* se prononcent *eur* ou *ère*.

globule n.m. Élément sphérique contenu dans les liquides organiques: *Le sang contient des globules blancs et des globules rouges.* ☞ globe.

globuleux, euse adj. Dont le globe est très saillant, en parlant des yeux: *Les crapauds ont des yeux globuleux.* ☞ globe.

gloire n.f. Grande renommée: *La gloire de cette vedette est internationale.* SYN. célébrité, popularité, prestige. ANT. déshonneur, infamie, obscurité. ⁄⁄ *À la gloire de quelqu'un:* En l'honneur de quelqu'un. *Rendre gloire à quelqu'un:* Rendre un hommage de respect. *Se faire gloire de quelque chose:* Se vanter de quelque chose. ☞ glorieusement, glorieux, glorifier, gloriole.

gloria n.m.invar. Prière que l'on récite à la messe à la gloire de Dieu: *La chorale a chanté un magnifique gloria.*

glorieusement adv. De façon glorieuse: *Notre équipe a glorieusement remporté la victoire.* ☞ gloire.

glorieux, euse adj. **1.** Qui procure de la gloire : *Son exploit glorieux l'a rendue célèbre dans le monde entier.* SYN. honorable, populaire. ANT. déshonorant, méprisable. **2.** Qui est plein de gloire : *J'ai lu un livre sur nos glorieux ancêtres de Nouvelle-France.* SYN. célèbre, illustre. ANT. ignoré, modeste, obscur. ☞ gloire.

glorifier v. Rendre gloire : *Cette œuvre musicale glorifie la fraternité humaine.* SYN. célébrer, exalter, louer. ANT. avilir, humilier, rabaisser. ☞ gloire. **se glorifier** v.pron. Se faire gloire de quelque chose : *Elle se glorifie d'être arrivée la première.*

gloriole n.f. Vanité, vaine gloire : *Il a essayé de se montrer brave afin d'en tirer quelque gloriole.* ANT. humilité, simplicité. ☞ gloire.

glouglou, ous n.m. **1.** Cri de la dinde et du dindon : *On entendait le glouglou du dindon dans la basse-cour.* **2.** fam. Bruit d'une bouteille qui se vide : *Lorsqu'elle a bu, sa bouteille faisait des glouglous.* ☞ glouglouter.

glouglouter v. **1.** Crier, en parlant du dindon : *Un dindon s'avança en glougloutant.* **2.** fam. Produire un glouglou : *L'évier glougloute quand il se vide.* ☞ glouglou.

gloussement n.m. **1.** Cri de la poule : *Les gloussements des poules redoublèrent à la vue du chat.* **2.** Petits rires étouffés : *On entendit un gloussement à l'arrière de la classe.* ☞ glousser.

glousser v. **1.** Pousser un gloussement : *Les poules gloussaient pour appeler leurs poussins.* **2.** Rire en faisant entendre de petits cris : *Elle gloussait chaque fois qu'elle repensait à cette histoire.* ☞ gloussement.

glouton, onne n. et adj. **1.** n. Personne qui mange avidement : *Ces petits gloutons ont déjà terminé leurs portions.* SYN. goinfre, gourmand. **2.** adj. Qui mange avidement : *Tu as été très gloutonne ; c'est pour ça que tu as mal au ventre.* SYN. insatiable, vorace. ANT. frugal, sobre. ☞ gloutonnement, gloutonnerie.

gloutonnement adv. De façon gloutonne, gourmande : *Ils ont gloutonnement vidé leurs assiettes.* ☞ glouton.

gloutonnerie n.f. Défaut du glouton : *Sa gloutonnerie m'empêche de l'amener au restaurant.* ☞ glouton.

glu n.f. Matière végétale collante : *La mouche s'est prise dans la glu.* ☞ engluer, gluant.

gluant, ante adj. Qui est collant : *L'araignée tisse sa toile avec des fils gluants.* ☞ glu.

glucide n.m. Composant de la matière vivante : *Les glucides sont communément appelés les « sucres ».*

glucose n.m. Sucre contenu dans le miel et certains fruits : *Le sirop de maïs est fait avec du glucose.*

gluten n.m. Substance visqueuse présente dans la farine des céréales : *La farine de blé est riche en gluten.*

glycémie n.f. Présence de glucose dans le sang : *Son taux de glycémie est anormalement élevé.* ☞ hyperglycémie, hypoglycémie.

glycérine n.f. Liquide incolore, sirupeux et sucré extrait des corps gras : *Je prends des pastilles à la glycérine pour mon mal de gorge.*

glycine n.f. Arbuste grimpant à grappes de fleurs mauves odorantes : *La glycine est originaire de Chine.*

gnocchi n.m. (it.) Boulette à base de pommes de terre et de semoule : *Les gnocchis se mangent avec du beurre et du parmesan.* **R.** Au pluriel, *gnocchis* ou *gnocchi*. Les lettres *cchi* se prononcent *ki*.

gnome n.m. Petit génie des contes de fées, laid et contrefait : *Selon la légende, les gnomes habitent dans des troncs d'arbres.* SYN. esprit. ANT. colosse, géant. **R.** Les lettres *gn* se prononcent séparément.

gnou, gnous n.m. (afr.) Mammifère d'Afrique à tête épaisse et poilue, et à grosses cornes : *La tête du gnou ressemble à celle d'un taureau et son corps, à celui d'une antilope.* **R.** Les lettres *gn* se prononcent séparément.

tout de go loc.adv.fam. Sans préparation : *Il a abordé la question tout de go.* SYN. directement, librement.

goal ☞ sect. anglicismes et canadianismes.

goaler ☞ sect. anglicismes et canadianismes.

goaleur ☞ sect. anglicismes et canadianismes.

gobelet n.m. Récipient pour boire, sans pied ni anse : *Nous avons servi du jus dans des gobelets de carton.* SYN. godet, timbale.

gobe-mouche n.m. Oiseau insectivore américain : *Les gobe-mouches attrapent les insectes au vol.* **R.** Au pluriel, *gobe-mouches*. ☞ gober.

gober v. **1.** Avaler tout rond, sans mâcher : *J'ai gobé un œuf cru.* SYN. engouffrer, ingurgiter. **2.** fig. et fam. Croire avec naïveté : *Elle gobe tout ce qu'elle lui raconte.* ☞ gobe-mouche, gobeur.

goberge n.f. Poisson marin des côtes de l'Atlantique et de la Manche : *En France, la goberge est appelée « colin noir ».*

gobeur, euse n.fam. Personne qui croit naïvement ce qu'on lui dit: *Ces gobeurs ne se sont pas aperçus qu'il leur a raconté des histoires.* SYN. naïf. ☞ gober.

godasse n.f.fam. Chaussure: *J'ai laissé mes godasses pleines de boue à la porte de la maison.*

godendart n.m. Au Canada, grosse scie qui se manie à deux, pour abattre les arbres et débiter les troncs en billes: *Nous avons scié cet arbre avec un godendart.* **R.** Aussi, *godendard.*

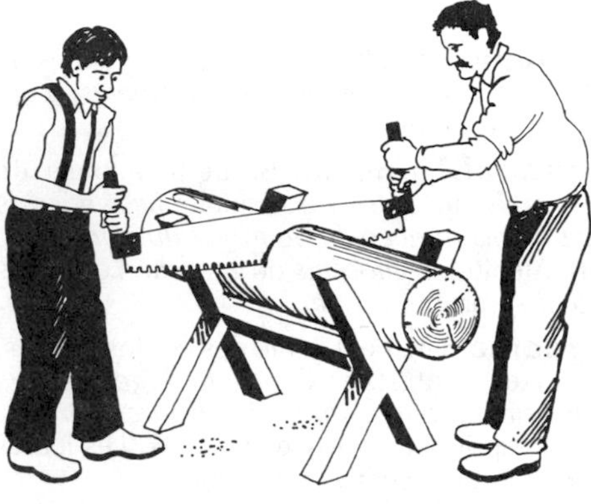

godendart

godet n.m. (néerl.) **1.** Petit gobelet: *Les enfants ont bu du lait dans des godets de plastique.* SYN. timbale. **2.** Auge d'une roue hydraulique: *Le ruisseau se remit à couler dans les godets du moulin.* **3.** Gros pli d'un vêtement: *Elle a mis sa jupe à godets.*

godille n.f. **1.** Aviron placé à l'arrière d'une embarcation: *La gondole se conduit au moyen d'une godille.* **2.** Enchaînement de virages courts pour ralentir la descente à skis: *J'ai dû faire plusieurs godilles en descendant cette pente raide.* ☞ godiller.

godiller v. **1.** Conduire une embarcation avec une godille: *La gondolière godillait doucement.* **2.** Descendre en godille, à skis: *Nous avons godillé à mi-chemin de la piste.* ☞ godille.

goéland n.m. (breton) Oiseau de mer à pattes palmées, voisin de la mouette: *Le goéland se nourrit principalement de poisson.*

goélette n.f. Voilier à deux mâts: *Une goélette vient d'accoster au quai.*

goémon n.m. (breton) Algues marines que l'on utilise comme engrais: *À marée basse, l'air est rempli de l'odeur des goémons.*

goglu n.m. Au Canada, petit oiseau passereau, au chant mélodieux: *Nous avons trouvé un nid de goglus dans les herbes hautes.*

à **gogo** loc.adv.fam. Abondamment, à volonté: *Il a toujours tout eu à gogo.*

goguenard, arde adj. Qui est railleur, insolent: *Elle lui fit un sourire goguenard.* SYN. narquois. ANT. grave, sérieux. **R.** Ne pas oublier le *u* après le *g*: goguenard. ☞ goguenardise.

goguenardise n.f. Raillerie: *Il lui répondit avec sa goguenardise habituelle.* SYN. moquerie, plaisanterie. **R.** Ne pas oublier le *u* après le *g*: goguenardise. ☞ goguenard.

goinfre n.m. et adj. **1.** n.m. Glouton malpropre: *Fais attention, tu manges comme un goinfre.* SYN. gourmand. **2.** adj. Qui mange avec excès et malproprement: *Les enfants ont été très goinfres au restaurant.* SYN. glouton, insatiable, vorace. ANT. frugal, sobre. ☞ se goinfrer, goinfrerie.

se **goinfrer** v.pron.fam. Manger gloutonnement et malproprement: *Ils ont profité du banquet de noces pour se goinfrer.* SYN. s'empiffrer, se gaver. ☞ goinfre.

goinfrerie n.f. Manière de manger du goinfre: *Sa goinfrerie m'a coupé l'appétit.* ☞ goinfre.

goitre n.m. Grosseur au cou, due à une tumeur de la glande thyroïde: *Le goitre est causé par une carence en iode.* ☞ goitreux.

goitreux, euse n. et adj. **1.** n. Personne qui est atteinte d'un goitre: *Le nombre des goitreux est élevé dans les régions montagneuses.* **2.** adj. Qui est de la nature du goitre: *Elle avait un gonflement goitreux au cou.* ☞ goitre.

golf n.m. (angl.) Sport consistant à envoyer une petite balle dans les trous d'un terrain parsemé d'obstacles: *Il y a un tournoi de golf à la télévision aujourd'hui.* HOM. golfe ☞ golfeur.

golfe n.m. Très vaste baie: *Nous avons navigué dans le golfe du Saint-Laurent.* SYN. estuaire. ANT. cap, pointe, presqu'île. HOM. golf.

golfeur, euse n. Personne qui pratique le golf: *Ma mère est une golfeuse émérite.* ☞ golf.

gomme n.f. Substance visqueuse et transparente qui suinte de l'écorce du pin, de l'épinette: *J'ai les doigts tout collés de gomme de pin.* ⁄⁄ *Gomme à effacer:* Petit bloc de caoutchouc servant à effacer les traits de crayon. *Gomme à mâcher:* Boule de gomme aromatisée que l'on mâche pour se rafraîchir l'haleine. ☞ gommer.

gommer v. **1.** Enduire de gomme, de colle: *Voudrais-tu gommer le verso de ces éti-*

quettes? **2.** Effacer au moyen d'une gomme: *Mon nom a été gommé sur mon cahier.* ☞ gomme.

gond n.m. Pièce métallique sur laquelle tourne une penture: *Il manque un gond à cette porte.* SYN. charnière.

gondolage n.m. Action de gondoler ou fait de se gondoler, de se bomber: *Le gondolage de ces planches est causé par l'humidité.* **R.** Aussi, *gondolement.* ☞ gondoler.

gondole n.f. (it.) Barque plate et longue à un seul aviron, placé à l'arrière: *Nous avons fait une promenade en gondole à travers la ville de Venise.* ☞ gondolier.

gondoler v. Être déformé, courbé: *Le toit de cette vieille maison gondole.* ANT. aplatir, redresser. ☞ gondolage. se **gondoler** v.pron. Se bomber, se courber: *Les planches se sont gondolées sous la pluie.*

gondolier, ière n. Personne qui conduit une gondole: *Le gondolier nous a conduites à travers les canaux de Venise.* ☞ gondole.

gonflage n.m. Action de gonfler, de faire enfler: *Le gonflage des ballons à l'hélium s'est fait très rapidement.* SYN. dilatation, gonflement. ANT. dégonflage. ☞ gonfler.

gonflant, ante adj. Qui a du volume: *Cette coiffure gonflante te va bien.* ☞ gonfler.

gonflé, ée adj.fam. Qui a du culot: *Elles sont gonflées, ces deux-là!* HOM. gonfler. ☞ gonfler.

gonflement n.m. **1.** État de ce qui a augmenté de volume: *Le gonflement de ses paupières révélait sa fatigue.* SYN. dilatation, enflure. ANT. contraction. **2.** fig. Augmentation exagérée: *Le gonflement du prix des maisons nous oblige à demeurer locataires.* SYN. inflation. ANT. diminution. ☞ gonfler.

gonfler v. **1.** Faire enfler en remplissant d'air: *J'ai bien gonflé les pneus de ma bicyclette.* SYN. dilater. ANT. comprimer, contracter, dégonfler. **2.** Faire augmenter de volume, d'importance: *La fonte des neiges a gonflé la rivière.* ANT. vider. **3.** Exagérer volontairement: *Les médias ont gonflé l'importance de cet événement.* SYN. amplifier, grossir. ANT. amoindrir, diminuer. **4.** Devenir enflé: *Son œil a gonflé à la suite du coup.* SYN. bouffir, boursoufler. ANT. désenfler. HOM. gonflé. ☞ dégonflage, dégonfler, gonflage, gonflant, gonflé, gonflement, gonfleur, regonflement, regonfler. se **gonfler** v.pron. **1.** Augmenter de volume: *Ma cheville s'est gonflée à cause d'une entorse.* **2.** fig. Se remplir d'un sentiment: *Son cœur se gonfle de rage.* **gonflé, ée** p.p. et adj. Qui est grossi, exagéré: *Ces prix gonflés choquent les consommateurs.*

gonfleur n.m. Appareil servant à gonfler: *Je suis en train de gonfler mon matelas pneumatique avec un gonfleur.* ☞ gonfler.

gong n.m. (malais) **1.** Instrument de musique à percussion, composé d'un disque de métal suspendu, sur lequel on frappe avec une baguette: *Les vibrations du gong emplissaient la salle.* **2.** Instrument utilisé pour donner un signal: *Le gong annonça le début du match.* **R.** Se prononce *gon* ou *gongue*.

goret n.m. **1.** Petit du porc et de la truie: *Une dizaine de gorets entourent la truie.* SYN. cochonnet, porcelet. **2.** Petit porc: *Les gorets se roulent dans la boue.*

gorge n.f. **1.** Partie antérieure du cou: *Cette cravate me serre la gorge.* **2.** Région intérieure du cou située entre la bouche et l'œsophage: *J'ai un vilain mal de gorge.* **3.** litt. Seins de la femme: *C'était une jeune fille à la gorge délicate.* ☞ gorgée, gorger. ▲ **gorge** n.f. **1.** Vallée étroite et profonde aux versants rocheux escarpés: *Un torrent coulait au fond de la gorge.* **2.** Partie creuse d'un objet: *La corde passe dans la gorge de la poulie.*

gorgée n.f. Quantité de liquide qu'on avale en une seule fois: *Il vida son verre en trois gorgées.* HOM. gorger. ☞ gorge.

gorger v. **1.** Faire trop manger: *Tu l'as gorgé de bonbons.* SYN. bourrer, empiffrer, gaver. ANT. priver. **2.** Remplir complètement: *Les pluies du printemps ont gorgé les terres.* SYN. saturer. **3.** fig. Combler, fournir en abondance: *Ce voyage m'a gorgée de beaux souvenirs.* HOM. gorgée. ☞ gorge. se **gorger** v.pron. Se remplir: *Au printemps, les érables se gorgent de sève.*

gorgonzola n.m. (it.) Fromage italien au lait de vache, proche du roquefort: *Nous avons dégusté des craquelins garnis de gorgonzola.*

gorille n.m. **1.** Singe africain de grande taille: *Le gorille est le plus grand et le plus fort de tous les primates.* **2.** fig. et fam. Personne qui veille sur une autre personne: *La présidente accompagnée de ses deux gorilles fit son entrée.*

gosier n.m. (gaul.) Arrière-gorge: *Une arête de poisson lui est restée prise dans le gosier.*

gosse n.fam. Enfant: *Il s'est marié et a eu trois gosses.* SYN. môme.

gothique n.m., n.f. et adj. **1.** n.m. Art gothique: *Le gothique est apparu au XIIe siècle en Europe.* **2.** n.f. Écriture gothique: *Ce texte a été typographié en gothique.* **3.** adj. Qui est du style architectural utilisant des ogives: *En France, plusieurs cathédrales sont de style gothique.*

gouache n.f. (it.) **1.** Peinture à l'eau : *J'ai peint le ciel de mon dessin avec de la gouache violette.* **2.** Dessin fait à la gouache : *Il y a une exposition de gouaches dans la grande salle.*

goudron n.m. (arabe) Substance épaisse et noire provenant de matières végétales ou minérales : *Le toit est recouvert de goudron.* ☞ goudronnage, goudronner, goudronneuse.

goudronnage n.m. Action de goudronner, de recouvrir de goudron : *Le goudronnage du toit a pris trois jours.* ☞ goudron.

goudronner v. Recouvrir de goudron : *Ils ont goudronné les fondations pour les imperméabiliser.* ☞ goudron. **goudronné, ée** p.p. et adj. Qui est recouvert de goudron : *Cette route goudronnée est peu utilisée par les cyclistes.*

goudronneuse n.f. Machine à goudronner : *La goudronneuse est en panne.* ☞ goudron.

gouffre n.m. **1.** Trou vertical très profond : *La municipalité a fait installer un garde-corps au bord du gouffre.* SYN. abîme, précipice. **2.** fig. Ce qui paraît insondable, terrible : *Ils tombèrent dans le gouffre de la misère.* **3.** fig. Ce qui engloutit beaucoup d'argent : *Cette maison à rénover est un véritable gouffre.* SYN. ruine.

goujat n.m. Homme grossier : *Elle m'a traité de goujat.*

goulet n.m. Passage resserré entre une étendue d'eau intérieure et la mer libre : *Les gros navires ne peuvent pas passer par ce goulet.*

goulot n.m. Col étroit d'une bouteille, d'un vase : *Le bouchon est resté coincé dans le goulot.*

goulu, ue n. et adj. **1.** n. Personne qui mange beaucoup : *Ce goulu a mangé tous les beignets.* SYN. glouton, goinfre, gourmand. **2.** adj. Qui mange beaucoup et avec avidité : *Andréa est gourmande ; elle est même goulue.* SYN. insatiable, vorace. ☞ goulûment.

goulûment adv. De façon goulue, avec avidité : *Elle a goulûment avalé sa soupe.* **R.** Ne pas oublier l'accent : *û.* ☞ goulu.

goupille n.f. Cheville métallique servant à assembler deux pièces : *Les roues de la voiturette sont retenues à l'essieu par des goupilles.* **R.** Les lettres *ill* se prononcent comme dans *famille*.

goupillon n.m. **1.** Instrument liturgique pour asperger d'eau bénite : *Le prêtre asperge l'assemblée avec son goupillon.* **2.** Brosse longue et étroite munie d'un long manche : *Je nettoie une vieille bouteille avec un goupillon.*

gourd, gourde adj. Qui est engourdi par le froid : *J'ai de la difficulté à attacher mon bouton, parce que j'ai les doigts gourds.* SYN. gauche, perclus. ANT. agile, dégourdi.

gourde n.f. Petit bidon portatif, souvent employé pour la randonnée : *Nous avons trouvé une source, nous pourrons y remplir nos gourdes.* SYN. bouteille, flacon. ▲ **gourde** n.f. (esp.) Unité monétaire d'Haïti : *Le symbole de la gourde est G.*

gourde n.f. et adj.fam. **1.** n.f. Personne niaise et maladroite : *Quelle gourde ! Il a tout gâché le travail !* **2.** adj. Qui est niais et maladroit : *Elle est un peu gourde.*

gourdin n.m. (it.) Gros bâton servant à frapper : *Elle a réussi à assommer ce chien enragé avec un gourdin.* SYN. massue, matraque.

gourgane n.f. Au Canada, graine de la fève de marais : *Au Lac-Saint-Jean, on prépare une délicieuse soupe aux gourganes.*

gourmand, ande n. et adj. **1.** n. Personne qui aime trop la bonne nourriture : *Gros gourmand, tu as mangé tout le gâteau.* **2.** adj. Qui aime trop manger : *Les gens gourmands font souvent de l'embonpoint.* ANT. frugal, sobre. **R.** Ne pas confondre avec *gourmet*. ☞ gourmandise.

gourmandise n.f. Défaut du gourmand, de celui qui aime trop la bonne nourriture : *Ton mal de ventre t'a puni de ta gourmandise.* ☞ gourmand.

gourmet n.m. Personne qui sait apprécier la bonne cuisine : *Il a des goûts raffinés, c'est un fin gourmet.* SYN. connaisseur, dégustateur. **R.** Ne pas confondre avec *gourmand*.

gourmette n.f. Bracelet à maillons plats : *Elle portait une gourmette en or au poignet.*

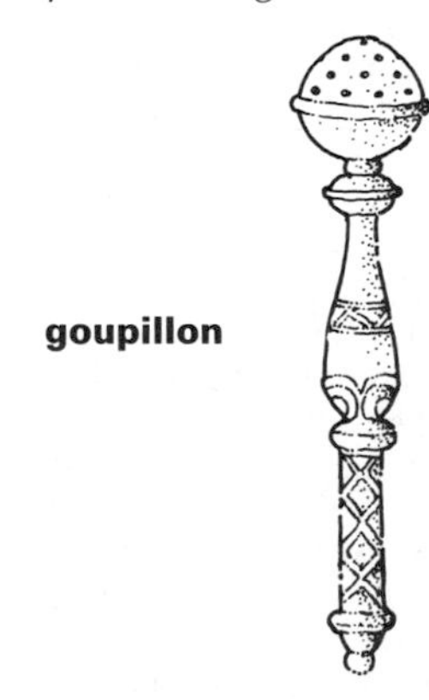

goupillon

gousse n.f. **1.** Enveloppe, de forme allongée, qui renferme des graines : *Les pois* *mange-tout se mangent avec la gousse.* SYN. cosse. **2.** Partie de tête d'ail: *J'ai mis trois gousses d'ail dans la sauce à spaghetti.*

gousset n.m. Petite poche de gilet ou de pantalon: *J'ai mis mes billets d'autobus dans le gousset de mon jean.*

goût n.m. **1.** Sens par lequel on perçoit les saveurs des aliments: *La langue est l'organe du goût.* **2.** Saveur: *Le citron a un goût acide.* **3.** Envie, désir: *J'ai le goût du travail bien fait.* ⁄⁄ *Être au goût de:* Plaire à. *Prendre goût à:* Se mettre à apprécier. ☞ arrière-goût, avant-goût, gustatif. ▲ **goût** n.m. **1.** Sens du beau, de l'esthétique: *Elle a beaucoup de goût en musique; elle sait reconnaître la belle musique.* **2.** plur. Préférences: *Nous avons les mêmes goûts, elle et moi.* **R.** Ne pas oublier l'accent: *û.*

goûter v. **1.** Apprécier la saveur d'un aliment, d'une boisson: *Goûte cette tisane, tu verras comme elle est douce.* SYN. déguster, essayer. **2.** fig. Éprouver du plaisir, jouir de quelque chose: *Nous goûtions le silence et le calme de cette vaste prairie.* SYN. savourer. **3.** fig. Apprécier, estimer: *Je ne goûte pas ce genre de spectacle.* ANT. détester, haïr. ▲ **goûter** v. **1.** Prendre un peu d'un aliment ou d'une boisson pour connaître son goût: *Il goûta à la soupe pour voir si elle était assez salée.* **2.** Manger ou boire pour la première fois: *As-tu goûté de ce plat? C'est un vrai délice.* ▲ **goûter** v. Faire une collation dans l'après-midi: *Nous avons goûté à 15 heures.* **R.** Ne pas oublier l'accent: *û.*

goûter n.m. Petit repas d'après-midi: *Au goûter, les enfants ont mangé des poires et du fromage.* SYN. collation. **R.** Ne pas oublier l'accent: *û.*

goutte n.f. **1.** Petite quantité de liquide de forme arrondie: *Des gouttes de pluie tombaient du feuillage des arbres.* **2.** Petite quantité d'une boisson: *Je prendrais bien une goutte de café.* ☞ dégoutter, goutte-à-goutte, gouttelette. ▲ **goutte** n.f. Maladie qui cause des douleurs aux articulations: *Par temps humide, sa goutte le fait souffrir.*

goutte-à-goutte n.m.invar. **1.** Appareil médical qui permet de faire passer lentement un liquide dans les veines: *Un goutte-à-goutte est installé auprès de chaque lit de l'hôpital.* **2.** Introduction lente et continue d'un liquide dans un organisme: *À l'hôpital, j'ai été au goutte-à-goutte pendant trois jours.* ☞ goutte.

gouttelette n.f. Petite goutte: *Les vagues se brisaient en mille gouttelettes rafraîchissantes.* ☞ goutte.

gouttière n.f. Petit canal demi-cylindrique bordant un toit et servant à évacuer les eaux de pluie: *La gouttière est percée à cet endroit.*

gouvernable adj. Que l'on peut gouverner: *Ce peuple épris de liberté est difficilement gouvernable.* ANT. ingouvernable. ☞ gouverner.

gouvernail, ails n.m. Surface plane manœuvrable, servant à diriger un bateau: *Le gouvernail s'est pris dans des algues.* SYN. barre, roue, timon. ☞ gouverner.

gouvernant, ante adj. Qui possède le pouvoir politique: *Le parti gouvernant a perdu beaucoup de sa popularité.* SYN. dirigeant. ☞ gouverner.

gouvernante n.f. Femme qui est chargée du soin et de l'éducation d'un ou de plusieurs enfants: *La gouvernante a amené les enfants au musée.* SYN. nourrice, nurse.

gouvernants n.m.plur. Personnes qui exercent le pouvoir politique: *Les gouvernants jouissent d'un niveau de vie relativement élevé.* ANT. gouvernés. ☞ gouverner.

gouvernement n.m. Ensemble des personnes qui possèdent le pouvoir de gouverner, de diriger politiquement un pays: *Le gouvernement a mis sur pied un programme d'aide aux familles nombreuses.* SYN. administration, autorité. ANT. opposition. ☞ gouverner.

gouvernemental, ale, aux adj. Qui est relatif au gouvernement: *Cette décision gouvernementale a pour but de réduire l'inflation.* SYN. ministériel. ☞ gouverner.

gouverner v. **1.** Diriger au moyen d'un gouvernail: *Le capitaine gouvernait lui-même le navire.* SYN. conduire, piloter. **2.** Diriger politiquement un pays: *Ce parti politique a gouverné le pays pendant douze ans.* SYN. administrer, conduire. HOM. gouvernés. ☞ gouvernable, gouvernail, gouvernant, gouvernants, gouvernement, gouvernemental, gouvernés, gouverneur, ingouvernable, intergouvernemental, lieutenant-gouverneur.

gouvernés n.m.plur. Ensemble des personnes qui sont soumises à un pouvoir politique: *Les gouvernés considèrent les hausses d'impôts comme excessives.* ANT. gouvernants. HOM. gouverner. ☞ gouverner.

gouverneur n.m. Personne qui représente le roi ou la reine, au Canada: *Jeanne Sauvé a été nommée gouverneur général du Canada en 1984.* **R.** L'O.L.F. recommande *gouverneure* comme féminin de *gouverneur*. ☞ gouverner.

goyave n.f. (esp.) Fruit tropical, produit par le goyavier: *Ce jus de fruits contient du jus de goyave.* **R.** Se prononce *go-yave*. ☞ goyavier.

goyavier n.m. Arbre fruitier d'Amérique tropicale, qui produit la goyave: *Dans les Caraïbes, on trouve des plantations de goyaviers.* **R.** Se prononce *go-yavier*. ☞ goyave.

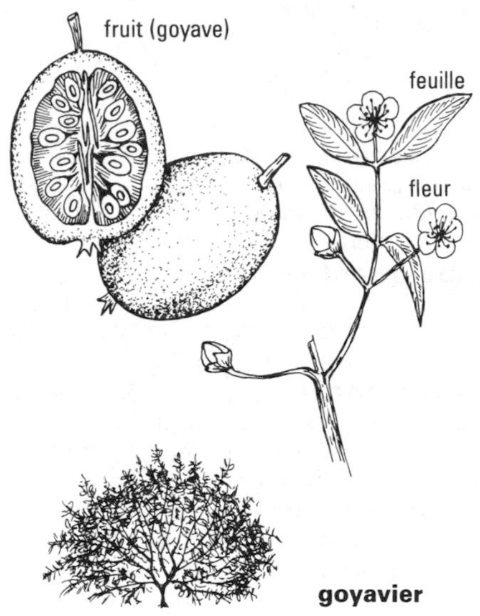

goyavier

grabat n.m.litt. Lit misérable: *Le malade se retourna dans son grabat.*

grabuge n.m.fam. Querelle bruyante: *Il y a eu du grabuge au cours de l'assemblée politique.* SYN. désordre, dispute. ANT. entente, harmonie, tranquillité.

grâce n.f. **1.** Faveur que l'on accorde librement: *Le roi accorda au jeune berger la grâce demandée.* SYN. don, secours, service. ANT. dette, obligation. **2.** Remise de peine: *Le peuple demanda grâce pour le prisonnier.* SYN. miséricorde, pardon, rémission. ANT. condamnation, disgrâce. **3.** Aide de Dieu: *Par la grâce divine, ce pécheur impénitent devint un grand saint.* **4.** Remerciement pour une faveur accordée: *Rendons grâce au Ciel pour ses bienfaits.* SYN. reconnaissance. ANT. ingratitude. ⫽ *Action de grâce, action de grâces:* Témoignage de reconnaissance; prière de gratitude envers Dieu. *Coup de grâce:* Coup fatal. *De bonne grâce, de mauvaise grâce:* Avec bonne volonté, avec mauvaise volonté. *De grâce:* Par pitié. *Demander grâce:* Implorer le pardon. ☞ gracier, gracieusement, gracieuseté, gracieux. **grâce à** loc.prép. Par l'action heureuse de quelqu'un ou de quelque chose: *J'ai réussi grâce à tes conseils.* ▲ **grâce** n.f. Élégance naturelle: *La ballerine dansait avec une grâce inégalée.* SYN. aisance, beauté, charme, chic. ANT. laideur, lourdeur. **R.** Ne pas oublier l'accent: *â*. ☞ gracieusement, gracieux.

gracier v. Accorder une remise ou une diminution de peine à un condamné: *La condamnée a été graciée quelques heures avant le moment prévu pour son exécution.* ☞ grâce.

gracieusement adv. **1.** De manière gracieuse, aimable: *Elle a gracieusement accepté de nous aider.* SYN. aimablement. **2.** Gratuitement: *Ce service vous est gracieusement offert par votre épicier.* **3.** Avec grâce, élégance: *Ce couple danse gracieusement.* ☞ grâce.

gracieuseté n.f. **1.** Amabilité: *On lui a fait mille gracieusetés.* **2.** vx Cadeau ou service offert gratuitement: *Cet appareil est une gracieuseté de votre fournisseuse.* SYN. don. ☞ grâce.

gracieux, ieuse adj. **1.** Qui est aimable et souriant: *Son abord est peu gracieux.* **2.** Qui est accordé gratuitement: *Son aide gracieuse nous a été indispensable.* SYN. bénévole. **3.** Qui a de la grâce, de l'élégance: *Il avait une démarche gracieuse.* SYN. élégant. ANT. disgracieux, inélégant. ☞ grâce.

gracile adj. Qui est mince et délicat: *C'était un jeune garçon au corps gracile.* SYN. élancé, menu. ANT. épais, trapu. ☞ gracilité.

gracilité n.f.litt. Minceur délicate: *Elle avait gardé sa gracilité enfantine.* ANT. grosseur, robustesse. ☞ gracile.

gradation n.f. Progression par degrés successifs, le plus souvent vers le haut: *Les élèves n'ont pas trop senti la gradation des difficultés.* **R.** Ne pas confondre avec *graduation*.

grade n.m. **1.** Échelon de la hiérarchie militaire: *Élisabeth a le grade de lieutenant dans l'armée de terre.* SYN. titre. **2.** Rang dans la hiérarchie des diplômes universitaires: *Le premier grade universitaire est le baccalauréat.* ⁄ *Monter en grade:* Avoir une promotion. ☞ dégrader. ▲ **grade** n.m. Unité de mesure dans la graduation, en centièmes, d'une circonférence: *Le symbole du grade est «gr».*

gradin n.m. (it.) Chacun des bancs disposés en étages, dans un amphithéâtre, un stade: *Les gradins étaient remplis de spectateurs.*

graduation n.f. **1.** Action de diviser par degrés: *J'ai terminé la graduation de mon éprouvette.* **2.** Ensemble des divisions d'un instrument de mesure: *La graduation de cette règle est métrique.* **R.** N'a pas le sens de *collation des grades*, de *cérémonie de remise des diplômes*, de *fête de fin d'études*. Ne pas confondre avec *gradation*. ☞ graduer.

gradué, ée adj. **1.** Qui est divisé en degrés: *Les degrés Celsius forment une échelle graduée pour mesurer la température.* **2.** Qui est progressif: *Nos exercices de grammaire sont gradués.* HOM. graduer. **R.** N'a pas le sens de *diplômé*. ☞ graduer.

graduel, elle adj. Qui progresse par degrés: *On prévoit un réchauffement graduel en matinée.* SYN. progressif. ANT. brusque, soudain, subit. ☞ graduer.

graduellement adv. De manière graduée, progressive: *Nous passons graduellement de l'hiver à l'été.* SYN. progressivement. ANT. brusquement, soudainement, subitement. ☞ graduer.

graduer v. **1.** Augmenter graduellement, par degrés: *La difficulté de ces exercices a été graduée.* **2.** Diviser par degrés: *Ce thermomètre est gradué en degrés Celsius.* HOM. gradué. ☞ graduation, gradué, graduel, graduellement.

graffiti n.m.plur. (it.) Inscriptions faites à la main sur un mur: *Il y a des graffiti sur les murs de l'école.*

grain n.m. **1.** Fruit des céréales: *Ce gâteau contient des grains de riz.* **2.** Graine de certaines plantes: *Les grains de haricot ont germé.* **3.** Chacun des fruits d'une grappe: *J'ai donné des grains de raisin à ma petite sœur.* **4.** Corps très petit: *J'ai un grain de sable dans l'œil.* **5.** Texture d'une surface: *Le grain de ce cuir est très fin.* ⁄ *Grain de beauté:* Petite tache brune sur la peau. *Un grain de:* Une petite quantité de. ☞ granule, granulé, granuleux. ▲ **grain** n.m. Coup de vent très violent: *Le grain a failli faire chavirer le voilier.*

graine n.f. Semence d'une plante à fleurs: *Nous avons planté des graines de tournesol.* ☞ granivore.

graissage n.m. Action de lubrifier, de rendre glissant: *Cette porte de garage aurait besoin d'un bon graissage.* ☞ graisse.

graisse n.f. **1.** Matière grasse contenue dans le corps humain et dans le corps des mammifères: *Il fait des exercices physiques pour perdre sa graisse.* **2.** Matière grasse d'origine végétale ou animale, utilisée en cuisine: *Le saindoux est de la graisse de porc.* **3.** Matière grasse utilisée pour lubrifier: *La chaîne de ma bicyclette manque de graisse.* ☞ dégraissage, dégraisser, engraissement, engraisser, graissage, graisser, graisseux.

graisser v. **1.** Enduire de graisse: *J'ai graissé la serrure pour qu'elle s'ouvre mieux.* SYN. huiler, lubrifier. ANT. dégraisser. **2.** Tacher de graisse: *J'ai graissé mon gilet avec ma tartine de beurre.* SYN. salir, souiller. ANT. nettoyer, purifier. ☞ graisse.

graisseux, euse adj. **1.** Qui est enduit de graisse: *Ce gel capillaire me rend les cheveux graisseux.* SYN. gras. ANT. sec. **2.** Qui est taché de graisse: *Ce pantalon graisseux n'est plus portable.* SYN. souillé. ANT. propre. ☞ graisse.

graminées n.f.plur. Famille de plantes dont les fleurs, très petites, sont groupées en épis: *Le blé, l'avoine, le seigle et le maïs sont des graminées.* **R.** S'écrit au singulier lorsqu'il désigne une plante appartenant à cette famille.

grammaire n.f. Ensemble des structures et des règles d'une langue: *Ton texte est rempli de fautes de grammaire.* ☞ grammairien, grammatical, grammaticalement.

grammairien, ienne n. Personne qui est spécialiste de la grammaire: *Cette grammairienne a écrit un dictionnaire des difficultés de la langue française.* ☞ grammaire.

grammatical, ale, aux adj. **1.** Qui se rapporte à la grammaire: *Cette règle grammaticale est difficile à apprendre.* **2.** Qui est conforme aux règles de la grammaire: *Ta phrase n'est pas grammaticale.* ☞ grammaire.

grammaticalement adv. Conformément aux règles de la grammaire: *Récris cette phrase grammaticalement.* ☞ grammaire.

gramme n.m. Unité de mesure de masse valant un millième de kilogramme: *Ce colis pèse six cents grammes.*

grand, grande n., adj. et adv. **1.** n. Personne adulte: *Ce film plaît autant aux grands qu'aux petits.* **2.** n. Enfant plus âgé: *La cour des enfants de la maternelle est séparée de celle des grands.* **3.** adj. Qui est de taille élevée: *Ma mère est grande.* ANT. petit. **4.** adj. Qui dépasse la moyenne par ses dimensions: *Le Canada est un grand pays.* SYN. étendu, vaste. **5.** adj. Qui dépasse la moyenne en quantité, en intensité, en puissance: *Une grande foule s'était massée le long du défilé.* **6.** adj. Qui est plus âgé, en parlant d'un enfant: *Quand je serai grande, je pourrai me trouver un emploi d'été.* **7.** adj. Qui a atteint la taille adulte: *Quand je serai grand, je me marierai avec toi.* **8.** adj. Qui est important, marquant: *Ce livre relate les grands événements de l'histoire du Canada.* ANT. anodin. **9.** adj. Qui se distingue par ses qualités, son talent, sa valeur: *Émile Nelligan était un grand poète.* SYN. illustre. ANT. médiocre. **10.** adv. Largement, au maximum: *Les fenêtres de la classe étaient grandes ouvertes.* **R.** Employé comme adverbe, s'accorde avec l'adjectif ou le participe qui le suit. ☞ agrandir, agrandissement, grand-chose, grandement, grandeur, grandir, grandissant. à **grand-peine** loc.adv. Avec grande difficulté: *Nous sommes arrivés à grand-peine au campement.*

grand-chose pron.indéf. Pronom qui s'emploie avec une négation pour signifier «peu de chose, presque rien»: *Ce livre ne vaut pas grand-chose.* ☞ grand.

grandement adv. **1.** En abondance: *Nous avions grandement de quoi subsister jusqu'à la fin de l'hiver.* SYN. amplement. ANT. peu. **2.** De façon considérable: *La directrice a grandement contribué à la réussite de notre entreprise.* SYN. beaucoup. **3.** Dans des proportions qui sortent de l'ordinaire: *Nous sommes grandement logés dans une maison de douze pièces.* ANT. petitement. **4.** Avec grandeur, sur le plan moral: *Elle a agi grandement en pardonnant aux personnes qui lui ont fait du tort.* SYN. noblement. ANT. bassement. ☞ grand.

grandeur n.f. **1.** Dimension: *La grandeur de la salle à manger permet d'accueillir douze convives.* **2.** Importance, puissance: *La grandeur du danger ne l'effrayait pas.* SYN. ampleur, intensité. **3.** Noblesse: *Cette œuvre musicale est empreinte de grandeur.* SYN. force, majesté. ANT. bassesse. ⁄⁄ *Grandeur d'âme:* Générosité. *Grandeur nature:* Selon les dimensions réelles. ☞ grand.

grandiose adj. (it.) Qui impressionne par sa grandeur physique ou morale: *Du haut de ces montagnes, un paysage grandiose s'offre à la vue.* SYN. imposant, majestueux. ANT. banal, ordinaire.

grandir v. Devenir plus grand: *Cet enfant a bien grandi depuis l'an passé.* SYN. croître. ANT. décroître. ☞ grand. ▲ **grandir** v. **1.** Rendre plus grand: *Ces talons hauts te grandissent avantageusement.* ANT. diminuer. **2.** fig. Rendre plus grand, plus digne: *Ton geste de générosité te grandit à mes yeux.* ☞ grand.

grandissant, ante adj. Qui grandit peu à peu: *Leur amour grandissant les aida à supporter cette épreuve.* ☞ grand.

grand-maman n.f. Grand-mère, dans le langage enfantin: *Grand-maman, voudrais-tu jouer aux cartes avec moi?* **R.** Au pluriel, *grands-mamans* ou *grand-mamans*. ☞ grand-mère.

grand-mère n.f. Mère du père ou de la mère: *Notre grand-mère habite à la campagne.* **R.** Au pluriel, *grands-mères* ou *grand-mères.* ☞ arrière-grand-mère, arrière-grands-parents, grand-maman, grands-parents.

grand-oncle n.m. Frère du grand-père ou de la grand-mère: *Mon grand-oncle se passionne pour la peinture.* **R.** Au pluriel, *grands-oncles*. ☞ arrière-grand-oncle.

grand-papa n.m. Grand-père, dans le langage enfantin: *Grand-papa, viens te promener avec nous.* **R.** Au pluriel, *grands-papas*. ☞ grand-père.

grand-père n.m. Père du père ou de la mère: *Mes deux grands-pères sont encore vivants.* **R.** Au pluriel, *grands-pères*. ☞ arrière-grand-père, arrière-grands-parents, grand-papa, grands-parents.

grands-parents n.m.plur. Le grand-père et la grand-mère: *Je suis allé rendre visite à mes grands-parents.* ☞ grand-mère, grand-père.

grand-tante n.f. Sœur du grand-père ou de la grand-mère: *Ma grand-tante est partie avec ma grand-mère.* **R.** Au pluriel, *grands-tantes* ou *grand-tantes*. ☞ arrière-grand-tante.

grange n.f. Bâtiment de ferme où l'on conserve les récoltes: *Nous avons joué à cache-cache dans la grange.* ☞ engrangement, engranger.

granit n.m. (it.) Roche dure formée de grains de quartz, de feldspath et de mica: *Le socle de cette statue est en granit.* **R.** Aussi, *granite*. ☞ granitique.

granitique adj. Qui est de la nature du granit, roche dure: *Le relief de cette région est granitique.* ☞ granit.

granivore n. et adj. **1.** n. Animal qui se nourrit de graines: *Le spermophile est un granivore.* **2.** adj. Qui se nourrit de graines: *Le moineau est un oiseau granivore.* ☞ graine.

granule n.m. **1.** Petit grain: *Je viens d'acheter de nouvelles céréales en granules.* **2.** Petite pilule: *Ce médicament est administré sous forme de granules.* ☞ grain.

granulé n.m. Préparation pharmaceutique composée de petits grains: *Ce granulé est efficace contre les maux d'estomac.* ☞ grain.

granulé, ée adj. Qui est formé de petits grains: *Pour préparer ce dessert, il faut du sucre granulé.* ☞ grain.

granuleux, euse adj. Qui est composé de petits grains: *La terre de notre jardin est granuleuse.* ANT. compact, lisse. ☞ grain.

graphie n.f. Façon d'écrire un mot ou un énoncé: *Certains mots ont une double graphie: par exemple, «chevreter» et «chevretter».* **R.** Les lettres *ph* se prononcent *f.* ☞ graphique, graphiquement, graphiste, graphologie, graphologique, graphologue.

graphique n.m. et adj. **1.** n.m. Représentation à l'aide de lignes, de points, de chiffres: *Ce graphique représente les variations de température durant le mois de juillet.* SYN. diagramme, tracé. **2.** adj. Qui représente par des lignes, par des dessins, par l'écriture: *Les lettres de l'alphabet sont des signes graphiques.* **R.** Les lettres *ph* se prononcent *f.* ☞ graphie.

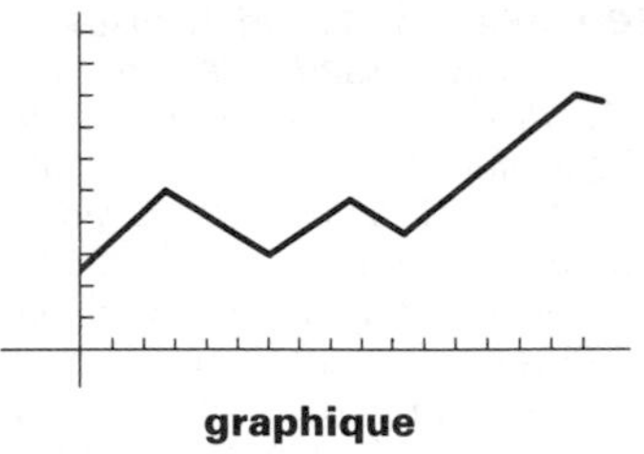

graphique

graphiquement adv. Au moyen de signes ou de procédés graphiques: *Représente graphiquement le nombre de garçons et de filles de ta classe.* **R.** Les lettres *ph* se prononcent *f.* ☞ graphie.

graphiste n. Personne qui se spécialise dans les arts graphiques: *Ma sœur est graphiste dans une agence de publicité.* **R.** Les lettres *ph* se prononcent *f.* ☞ graphie.

graphite n.m. Variété de carbone naturel gris-noir, tendre et friable: *Les mines des crayons sont du graphite.* **R.** Les lettres *ph* se prononcent *f.*

graphologie n.f. Étude de l'écriture des personnes: *Selon la graphologie, notre écriture est un reflet de notre personnalité.* **R.** Les lettres *ph* se prononcent *f.* ☞ graphie.

graphologique adj. Qui est relatif à la graphologie, étude de l'écriture des personnes: *L'analyse graphologique de ton écriture révèle que tu as beaucoup de volonté.* **R.** Les lettres *ph* se prononcent *f.* ☞ graphie.

graphologue n. Personne qui se spécialise en graphologie, étude de l'écriture des personnes: *La graphologue m'a dit que j'étais un garçon rêveur et renfermé.* **R.** Les lettres *ph* se prononcent *f.* Ne pas oublier le *u* après le *g*: graphologue. ☞ graphie.

grappe n.f. Assemblage de fleurs ou de fruits dans un arbre, un arbuste, une plante herbacée: *Nous avons cueilli des grappes de raisin dans la vigne.* ☞ grappiller, grappillon.

grappiller v. **1.** Prendre quelques fruits çà et là: *Nous nous promenions dans les champs, grappillant des framboises et des bleuets.* SYN. cueillir, glaner, ramasser. ANT. disperser, jeter. **2.** Recueillir au hasard: *J'ai grappillé des renseignements intéressants pour notre travail de recherche.* ☞ grappe.

grappillon n.m. Petite grappe ou partie d'une grappe: *J'ai mangé quelques grappillons de raisin.* ☞ grappe.

grappin n.m. Crochet de fer attaché à une corde: *Elles ont grimpé sur le toit à l'aide d'un grappin.*

gras n.m. Partie grasse d'une viande: *J'ai enlevé le gras autour du jambon.*

gras, grasse adj. **1.** Qui est formé de graisse: *Le beurre, la margarine et le saindoux sont des matières grasses.* **2.** Qui contient de la graisse: *Les aliments gras sont riches en calories.* ANT. maigre. **3.** Qui a beaucoup de graisse dans son corps: *Je suis trop grasse, j'ai décidé de faire du sport pour maigrir.* SYN. charnu, replet. ANT. décharné, maigre. **4.** Qui est enduit, couvert de graisse ou d'une substance qui évoque la graisse: *Je commence à avoir les cheveux gras.* SYN. gluant, graisseux, onctueux. ANT. sec. // *Caractères gras:* Caractères épais en imprimerie. *Crayon gras:* Crayon à mine tendre. *Plante grasse:* Plante à feuilles épaisses et charnues. *Toux grasse:* Toux accompagnée d'épaisses mucosités. ☞ grassement, grassouillet.

gras adv. D'une manière grasse, épaisse: *Il tousse gras depuis quelques jours.*

grassement adv. De façon généreuse, abondante: *Ils ont été grassement payés.* SYN. abondamment, copieusement. ANT. chichement. ☞ gras.

grassouillet, ette adj.fam. Qui est un peu gras: *Il se trouve gras, mais il est seulement grassouillet.* ☞ gras.

gratification n.f. Somme d'argent versée en plus du salaire dû: *À Noël, ma mère a reçu une gratification de cinq cents dollars.* SYN. boni, prime. ANT. amende, retenue. ☞ gratifier.

gratifier v. Accorder un avantage, une faveur: *Notre enseignante nous a gratifiés d'un congé de devoirs.* SYN. donner, octroyer. ANT. enlever, ôter, retrancher. ☞ gratification.

gratin n.m. Croûte de chapelure et de fromage dont on recouvre un mets cuit au four: *Le plat de résistance était des macaronis au gratin.* ☞ gratiné, gratinée, gratiner.

gratiné, ée adj. Qui est recouvert de gratin, croûte de chapelure et de fromage: *On nous a servi un délicieux plat de pommes de terre gratinées.* HOM. gratinée, gratiner. ☞ gratin.

gratinée n.f. Soupe à l'oignon gratinée: *Comme entrée, il y avait une gratinée au vin blanc.* HOM. gratiné, gratiner. ☞ gratin.

gratiner v. Cuire au gratin, avec de la chapelure et du fromage: *J'ai fait gratiner le chou-fleur.* HOM. gratiné, gratinée. ☞ gratin.

gratis adj. et adv. **1.** adj. Qui est gratuit: *J'ai eu deux billets gratis pour le théâtre.* **2.** adv. Sans qu'il en coûte un sou: *Nous sommes allés au parc d'attractions gratis.* SYN. gratuitement. **R.** Le *s* se prononce.

gratitude n.f. Sentiment de reconnaissance pour un service rendu: *J'éprouve beaucoup de gratitude pour tout ce qu'il a fait pour moi.* ANT. ingratitude.

grattage n.m. Action de gratter, de frotter fortement pour enlever: *Le grattage du vernis est terminé.* ☞ gratter.

gratte n.f. Outil servant à sarcler: *J'ai arraché le chiendent du jardin avec la gratte.* **R.** N'a pas le sens de *chasse-neige*. ☞ gratter.

gratte-ciel n.m.invar. Immeuble très haut, à très nombreux étages: *Nous avons vu la ville du haut de ce gratte-ciel.*

grattement n.m. Bruit produit en grattant: *J'ai entendu un grattement dans le mur; c'est peut-être une souris.* ☞ gratter.

gratte-papier n.m.invar.fam. et péj. Modeste employé de bureau: *Le gratte-papier nous a mal renseignés.*

gratte-pieds n.m.invar. Sorte de tapis à mailles métalliques, sur lequel on gratte ses semelles en entrant dans un bâtiment: *Le gratte-pieds était couvert de boue neigeuse.* ☞ gratter.

gratter v. **1.** Frotter fortement pour enlever: *J'ai gratté la vieille peinture avant de repeindre la porte.* **2.** Frotter avec les ongles là où l'on sent une démangeaison: *Il me gratta la tête.* **3.** Frotter les ongles ou les griffes sur une surface: *Le chat gratte à la porte pour entrer.* ☞ grattage, gratte, grattement, gratte-pieds, grattoir. se **gratter** v.pron. Frotter fortement là où l'on sent une démangeaison: *Depuis qu'elle est revenue du chalet, elle n'arrête pas de se gratter.*

grattoir n.m. Instrument servant à gratter, à frotter fortement pour enlever: *J'ai gratté la peinture sur les vitres avec un grattoir à lame.* ☞ gratter.

gratuit, uite adj. **1.** Qui ne coûte rien: *Pour assister à ce spectacle, l'entrée est gratuite.* ANT. payant. **2.** Qui n'a pas de raison, de fondement: *Ton affirmation est purement gratuite.* SYN. arbitraire, injustifié. ANT. fondé. ☞ gratuité, gratuitement.

gratuité n.f. Caractère de ce qui est gratuit, de ce qui ne coûte rien: *Grâce à la gratuité des soins médicaux, ses nombreuses consultations ne lui ont rien coûté.* ☞ gratuit.

gratuitement adv. **1.** De manière gratuite, sans payer ou sans faire payer: *Nous avons pris le train gratuitement.* SYN. gratis. **2.** De façon arbitraire, sans raison, sans preuve: *Tu l'accuses gratuitement.* ☞ gratuit.

gravats n.m.plur. Débris provenant d'une démolition: *J'ai mis les gravats dans des boîtes.*

grave n.m. et adj. **1.** n.m. Registre des sons graves: *Sa voix passe facilement du grave à l'aigu.* **2.** adj. Qui est bas dans le registre musical: *Cette mélodie triste se termine sur un «do» grave.* ANT. aigu, clair. **3.** adj. Qui est sérieux: *Son air grave m'inquiète.* SYN. digne, solennel. ANT. frivole, léger. **4.** adj. Qui a de l'importance: *J'ai une grave décision à prendre.* ANT. futile. **5.** adj. Qui peut avoir des suites fâcheuses: *Son accident n'a pas été grave.* SYN. alarmant, inquiétant. ANT. anodin, bénin. ⫽ *Accent grave:* Accent qui se met sur le *e* de plusieurs mots pour en changer le son, et sur les voyelles *a* et *u* pour distinguer certains mots de leurs homonymes. ☞ gravement, gravité.

gravement adv. **1.** De façon sérieuse, avec dignité: *Il parlait gravement de ses nombreux soucis.* **2.** De façon importante, dangereuse: *Elle est gravement malade.* SYN. grièvement, sérieusement. ANT. légèrement. ☞ grave.

graver v. **1.** Tracer en creux: *Des signes à demi effacés étaient gravés dans la pierre.* SYN. incruster, sculpter. **2.** fig. Fixer dans la mémoire: *J'ai gravé ces doux souvenirs dans ma mémoire.* SYN. enregistrer, imprimer. ANT. effacer, oublier. ☞ graveur, gravure.

graveur, euse n. Personne dont la profession est de graver, de tracer en creux: *Ma mère est graveuse de métier.* ☞ graver.

gravier n.m. Ensemble de petits cailloux dont on recouvre les allées et les chemins:

L'entrée de notre garage est recouverte de gravier. ☞ gravillon.

gravillon n.m. Gravier fin : *Il faudrait que je change le gravillon de mon aquarium.* ☞ gravier.

gravir v. Monter avec effort : *Nous avons gravi cette montagne en trois jours.* SYN. escalader, grimper. ANT. descendre.

gravitation n.f. Phénomène physique par lequel deux corps s'attirent : *La loi de la gravitation a été formulée par Isaac Newton.* ☞ gravité.

gravité n.f. **1.** Caractère de ce qui a de l'importance : *Tous les élèves étaient conscients de la gravité du sujet.* ANT. banalité, légèreté. **2.** Caractère de ce qui peut avoir des conséquences graves : *La gravité de sa maladie nous inquiète beaucoup.* SYN. danger, sérieux. **3.** Caractère d'un son musical bas : *Je n'arrive pas à chanter cette note à cause de sa gravité.* ☞ grave. ▲ **gravité** n.f. Forme d'attraction que la Terre exerce sur les objets, la matière : *C'est la gravité qui fait qu'un objet lancé en l'air retombe toujours sur le sol.* HOM. graviter. ☞ gravitation, graviter.

graviter v. Tourner autour, selon les lois de la gravitation : *La Lune gravite autour de la Terre.* HOM. gravité. ☞ gravité.

gravure n.f. **1.** Art de graver, de tracer en creux : *J'ai suivi des cours de gravure sur bois.* **2.** Reproduction d'un tableau ou d'un dessin : *J'ai mis des gravures sur les murs de ma chambre.* SYN. illustration. **3.** Illustration de livre : *Mon livre de lecture est rempli de gravures en couleurs.* ☞ graver.

gré n.m. Goût, convenance : *Je trouve ce livre à mon gré.* ⁄⁄ *Au gré de :* Selon la volonté de. *Contre son gré :* Contre sa volonté. *De bon gré :* De bon cœur. *De son plein gré :* Sans contrainte. *Savoir gré :* Être reconnaissant. **R.** S'emploie seulement dans des expressions.

grèbe n.m. Oiseau aquatique au plumage blanc argenté : *Le grèbe se construit un nid flottant.*

grec n. et adj. **1.** n. Personne qui est de la Grèce : *Un Grec, une Grecque.* **2.** adj. Qui est de la Grèce : *Les îles grecques sont très touristiques.* **R.** Au féminin, *grecque*. On met la majuscule à *grec* et à *grecque* lorsque le nom désigne une personne.

grec n.m. Langue parlée en Grèce : *Le grec ancien est à l'origine de plusieurs mots français.*

gredin, ine n. (néerl.) **1.** Personne qui est malhonnête : *Ce gredin passe pour un honnête homme.* SYN. bandit, coquin, malfaiteur. **2.** Fripon : *Petite gredine! Attends que je t'attrape!* SYN. chenapan, gamin, garnement.

gréement n.m. Ensemble du matériel nécessaire à la navigation : *Le gréement se compose de cordages, de poulies, etc.* **R.** Se prononce *grément.* ☞ gréer.

gréer v. (scand.) Garnir un navire de son gréement, du matériel nécessaire à la navigation : *Votre voilier est bien gréé.* ☞ gréement.

greffe n.m. Bureau où l'on garde des documents juridiques : *Le greffe municipal possède une copie de cet acte de vente.* ☞ greffier.

greffe n.f. **1.** Opération par laquelle on implante sur un arbre fruitier une partie d'un autre arbre fruitier : *Ce pommier aurait besoin d'une greffe.* **2.** Opération chirurgicale par laquelle on transfère sur une personne des parties prélevées sur elle-même ou sur une autre personne : *Elle a subi une greffe du rein.* SYN. transplantation. ANT. amputation. ☞ greffer, greffon.

greffer v. Soumettre à l'opération de la greffe : *Nous avons greffé notre poirier.* ☞ greffe (n.f.). **se greffer** v.pron. S'ajouter à quelque chose : *Ce nouvel objectif s'est greffé sur le projet initial.*

greffier, ière n. Personne qui est chargée de diriger un greffe : *La greffière de la Cour municipale a rassemblé tous les documents nécessaires au procès.* ☞ greffe (n.m.).

greffon n.m. Partie d'un végétal greffée sur une autre : *Les greffons que nous avons implantés sur le pommier ont fleuri.* ☞ greffe (n.f.).

grégaire adj. Qui vit en troupeaux : *Le bœuf est un animal grégaire.*

grège adj. **1.** Qui est brut : *La soie grège s'obtient par le dévidage du cocon.* **2.** Qui est beige clair, tirant sur le gris : *Je porterai ma jupe et mes souliers grèges demain.*

grêle n.f. Précipitation de grains de glace: *La grêle a abîmé les fleurs du jardin.* **R.** Ne pas oublier l'accent: *ê*. ☞ grêler, grêlon.

grêle adj. Qui est long et mince: *C'était un grand adolescent aux jambes grêles.* SYN. élancé, gracile, menu. **R.** Ne pas oublier l'accent: *ê*.

grêler v. Tomber, en parlant de la grêle: *Il grêle; mettons-nous à l'abri.* **R.** Ne pas oublier l'accent: *ê*. Ne s'emploie qu'à la troisième personne du singulier. ☞ grêle (n.f.).

grêlon n.m. Grain de grêle: *Il est tombé des grêlons gros comme des œufs.* **R.** Ne pas oublier l'accent: *ê*. ☞ grêle (n.f.).

grelot n.m. Sonnette formée d'une boule métallique creuse contenant une bille de métal qui la fait résonner lorsqu'on l'agite: *Il a reçu en cadeau un ourson en peluche avec un collier de grelots.*

grelottement n.m. Fait de grelotter, de trembler de froid: *J'ai renversé un peu de café à cause de mon grelottement.* ☞ grelotter.

grelotter v. Trembler de froid: *Les enfants grelottent, il faudrait rentrer.* SYN. frissonner, geler. ANT. suer, transpirer. ☞ grelottement.

grenade n.f. Projectile explosif qui peut se lancer à la main: *Une grenade a fait sauter le véhicule de patrouille.* ☞ grenadier. ▲ **grenade** n.f. Fruit du grenadier, de la grosseur d'une orange, renfermant de nombreux pépins: *La grenade ressemble à une pomme.* ☞ grenadier, grenadine.

grenadier n.m. Arbre des régions tropicales et subtropicales, qui produit la grenade: *Le grenadier est aussi cultivé pour ses fleurs d'un rouge vif.* ☞ grenade. ▲ **grenadier** n.m. Soldat spécialisé dans le lancement des grenades, projectiles explosifs: *Les grenadiers se tenaient prêts à l'attaque.* ☞ grenade.

grenadine n.f. Sirop de jus de grenade: *Je prendrais bien une boisson aromatisée à la grenadine.* ☞ grenade.

grenaille n.f. Métal réduit en grains: *C'était un ancien fusil chargé de grenaille de plomb.*

grenat n.m. et adj.invar. **1.** n.m. Pierre précieuse de couleur rouge: *Il portait une bague ornée d'un grenat.* **2.** adj.invar. Qui est d'une couleur rouge sombre: *Un ruban grenat ornait son chapeau.*

grenier n.m. Étage supérieur d'une maison, sous les combles: *Le grenier était rempli de vieux objets entassés.*

grenouille n.f. Batracien sauteur et nageur qui vit dans les étangs et au bord des lacs: *Il faut protéger les grenouilles: elles nous débarrassent des moustiques.*

grenu, ue adj. Dont la surface présente des petits grains: *J'ai choisi un sac à main en cuir grenu.*

grès n.m. **1.** Roche formée de grains de sable réunis par un ciment naturel: *Le grès est employé dans la construction et le pavage.* **2.** Matière très dure dont on fait des poteries: *Un vase en grès ornait la table.*

grésil n.m. Petite grêle d'hiver: *La neige s'est changée en grésil.* ☞ grésiller.

grésillement n.m. Crépitement léger: *Elle s'endormit en écoutant le grésillement du feu dans la cheminée.* ☞ grésiller.

grésiller v. Tomber, en parlant du grésil: *Il a grésillé ce matin.* SYN. grêler. ☞ grésil. ▲ **grésiller** v. Produire de petits crépitements: *Le bifteck grésillait dans la poêle.* ☞ grésillement.

grève n.f. Rivage couvert de sable et de gravier: *Les enfants ont joué toute la journée sur la grève.* SYN. plage. ▲ **grève** n.f. Cessation collective du travail, décidée volontairement par des salariés: *Les ouvrières ont fait la grève pour obtenir un meilleur salaire.* SYN. débrayage. ⫽ *Faire la grève:* Refuser de travailler. ☞ gréviste.

grever v. Soumettre à des charges financières, à des servitudes: *Ces dépenses grèvent le budget de nos activités parascolaires.* SYN. alourdir, surcharger. ANT. alléger, décharger.

gréviste n. Personne qui participe à une grève, à une cessation volontaire et collective du travail: *Les grévistes ont décidé de reprendre le travail.* ☞ grève.

grève gréviste

gribouillage n.m. Dessin confus, écriture illisible: *L'enseignante m'a dit que mon devoir n'était qu'un gribouillage.* SYN. griffonnage. **R.** Aussi, *gribouillis*. ☞ gribouiller.

gribouiller v. (néerl.) Écrire de manière confuse, informe: *Des graffiti avaient été gribouillés sur les murs de l'école.* SYN. barbouiller, griffonner. ANT. calligraphier. ☞ gribouillage, gribouilleur.

gribouilleur, euse n. Personne qui gribouille, qui écrit de manière confuse: *Quel gribouilleur a pu écrire cette inscription illisible?* ☞ gribouiller.

grief n.m. Motif de plainte: *J'ai exprimé mes griefs à la directrice au sujet de ce camarade de classe insupportable.* SYN. blâme, reproche. ANT. satisfaction. ⫽ *Faire grief:* Reprocher.

grièvement adv. De façon grave, en parlant de blessures: *Le cycliste était grièvement blessé.* SYN. sérieusement. ANT. légèrement.

griffade n.f. Coup de griffe: *Mon chat lui a donné une griffade.* ☞ griffe.

griffe n.f. **1.** Ongle crochu et pointu de certains animaux: *Nous avons coupé les griffes de notre chat.* **2.** Signature, marque: *Son imperméable portait la griffe d'un grand couturier.* ☞ griffade, griffer, griffeur, griffu, griffure.

griffer v. Donner un coup de griffe ou d'ongle: *Il m'a griffé au visage.* SYN. égratigner, érafler. ☞ griffe.

griffeur, euse adj. Qui griffe, qui donne des coups de griffe: *Mon chat est très griffeur.* ☞ griffe.

griffon n.m. **1.** Animal fabuleux de la mythologie: *Le griffon était un lion ailé à tête d'aigle.* **2.** Chien à poil long et rude: *Plusieurs variétés de griffons sont des chiens de chasse.*

griffonnage n.m. Action de griffonner, d'écrire à la hâte ou résultat de cette action: *Qu'est-ce que c'est que ce griffonnage incompréhensible?* SYN. barbouillage, gribouillage. ☞ griffonner.

griffonner v. Écrire à la hâte, d'une manière confuse: *L'instituteur a saisi le message que mon amie m'avait griffonné.* SYN. gribouiller. ANT. calligraphier. ☞ griffonnage.

griffu, ue adj. Qui est armé de griffes ou d'ongles pointus: *C'était un chat bien griffu qui n'aimait pas se faire déranger.* ☞ griffe.

griffure n.f. Marque laissée par un coup de griffe: *Ma chatte m'a fait une griffure au bras.* SYN. égratignure. ☞ griffe.

grignotement n.m. Action de grignoter, de manger en rongeant: *J'ai entendu un bruit de grignotement dans la cuisine.* ☞ grignoter.

grignoter v. Manger en rongeant: *L'écureuil grignotait les noisettes.* ☞ grignotement, grignoteur.

grignoteur, euse n. Personne qui aime grignoter, qui mange en rongeant: *La petite grignoteuse s'est encore fait prendre la main dans le sac de biscuits.* ☞ grignoter.

gril n.m. Ustensile de cuisine servant à faire cuire à feu vif des aliments: *Nous avons fait cuire les hambourgeois sur un gril au charbon de bois.* ☞ griller.

grillade n.f. Viande grillée: *Pour le pique-nique, nous avons fait des grillades.* ☞ griller.

grilladerie n.f. Au Canada, restaurant où l'on sert des grillades: *Nous avons dîné à la grilladerie.* ☞ griller.

grillage n.m. **1.** Treillis métallique servant à obstruer une ouverture: *Le grillage du soupirail s'est déplacé.* **2.** Treillis métallique servant de clôture: *La cour de mon école est entourée d'un grillage.* SYN. treillage. ☞ grille.

▲ **grillage** n.m. Action de griller, de faire rôtir: *On a mis au point un nouveau procédé de grillage du café.* ☞ griller.

grillager v. Munir d'un grillage, d'un treillis métallique: *Le directeur a fait grillager cette fenêtre pour la protéger des balles et des ballons.* ☞ grille.

grille n.f. **1.** Assemblage de barreaux entrecroisés: *Les fenêtres de la prison étaient munies de grilles de fer.* **2.** Clôture métallique ouvragée: *Les peintres ont repeint la grille du parc.* **3.** Tableau quadrillé: *J'ai fini de remplir ma grille d'évaluation personnelle.* ☞ grillage, grillager.

grille-pain n.m.invar. Appareil servant à griller le pain: *Ce grille-pain émet un signal sonore lorsque les rôties sont prêtes.* ☞ griller.

griller v. **1.** Faire rôtir: *Pour le souper, papa fait griller des saucisses au four.* **2.** Faire trop cuire, brûler: *Tes rôties sont en train de griller.* **3.** Mettre ou devenir hors d'usage, en parlant d'une lampe, d'une ampoule ou d'un moteur: *L'ampoule vient de griller.* ☞ gril, grillade, grilladerie, grillage, grille-pain.

grillon n.m. Petit insecte sauteur qui fait entendre un bruit strident: *Je me suis endormie en écoutant le chant du grillon.*

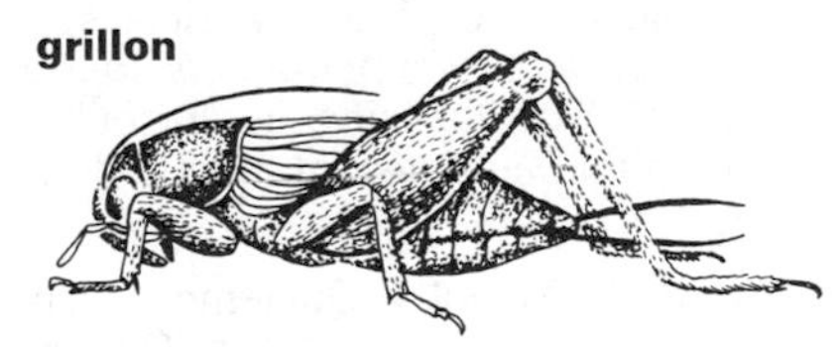
grillon

grimaçant, ante adj. Qui grimace, contorsionne son visage: *Son visage grimaçant exprimait sa douleur.* **R.** Ne pas oublier la cédille. ☞ grimace.

grimace n.f. Contorsion du visage, faite volontairement ou non: *Elle se moquait de moi et me faisait des grimaces.* ☞ grimaçant, grimacer.

grimacer v. Faire des grimaces: *Il goûta la soupe aux épinards et grimaça.* **R.** Ne pas oublier la cédille devant *a* et *o*. ☞ grimace.

grimage n.m. Maquillage pour la scène, le cinéma: *Des gouttes de sueur perlaient à travers son grimage.* ☞ grimer.

grimer v. Maquiller en vue d'un spectacle, d'un film, d'une émission de télévision : *Avant de passer en studio, la maquilleuse a grimé l'animateur.* ☞ grimage. se **grimer** v.pron. Se maquiller en vue d'un spectacle, d'un film : *La comédienne était en train de se grimer.*

grimoire n.m. Livre de sorcellerie rempli de formules mystérieuses : *Les petits lutins s'étaient emparés du grimoire de la sorcière.*

grimpant, ante adj. Qui s'agrippe à un mur, à une clôture ou à un arbre, en parlant des plantes : *Le liseron est une plante grimpante.* ☞ grimper.

grimper v. **1.** Monter en s'agrippant : *Les enfants ont grimpé à l'arbre.* ANT. descendre. **2.** Monter sur un lieu élevé : *Demain matin, nous grimperons au sommet de cette montagne.* SYN. escalader. ANT. dévaler. **3.** fam. Augmenter rapidement : *Les prix ont grimpé depuis quelques mois.* ANT. baisser, diminuer. ☞ grimpant, grimpereau, grimpeur, grimpeurs, regrimper.

grimpereau, eaux n.m. Oiseau qui ressemble à un petit moineau et qui grimpe le long des arbres : *Le grimpereau se nourrit des insectes qu'il trouve sous l'écorce des arbres.* ☞ grimper.

grimpeur, euse n. et adj. **1.** n. Personne ou animal qui grimpe, qui monte en s'agrippant : *Le perroquet est un grimpeur.* **2.** adj. Qui grimpe, qui monte en s'agrippant : *Ma petite sœur est très grimpeuse.* ☞ grimper.

grimpeurs n.m.plur. Ordre d'oiseaux qui regroupe plusieurs espèces arboricoles : *Les pics, les coucous et les perroquets sont des grimpeurs.* **R.** S'écrit au singulier lorsqu'il désigne un animal appartenant à cet ordre. ☞ grimper.

grinçant, ante adj. **1.** Qui grince, qui produit un son strident, désagréable : *On entendait la poulie grinçante de la corde à linge.* **2.** fig. Qui raille froidement, avec aigreur : *Son humour grinçant me déplaît au plus haut point.* **R.** Ne pas oublier la cédille. ☞ grincer.

grincement n.m. Bruit désagréable produit par un frottement : *J'entends un grincement lorsque j'applique les freins.* SYN. crissement. ☞ grincer.

grincer v. Produire par frottement un son désagréable : *La vieille porte grinçait chaque fois qu'on l'ouvrait.* SYN. crier, crisser. ∕∕ *Grincer des dents :* Frotter les dents les unes contre les autres. **R.** Ne pas oublier la cédille devant *a* et *o*. ☞ grinçant, grincement.

grincheux, euse n. et adj. **1.** n. Personne grincheuse, qui se plaint sans cesse : *Cette grande grincheuse n'est jamais contente.* **2.** adj. Qui se plaint ou critique sans cesse : *Il devient grincheux en vieillissant.* SYN. acariâtre, hargneux.

gringalet n.m.péj. Homme maigre et chétif : *Ce gringalet ne m'impressionne pas.*

grippal, ale, aux adj. Qui est propre à la grippe : *Son état grippal s'améliore.* ☞ grippe.

grippe n.f. Maladie contagieuse caractérisée par de la fièvre, des maux de tête et des écoulements du nez : *Elle a attrapé la grippe et elle garde le lit.* ∕∕ *Prendre en grippe quelqu'un ou quelque chose :* Avoir une aversion soudaine contre quelqu'un ou quelque chose. ☞ grippal, grippé.

grippé, ée adj. Qui est atteint de la grippe : *Je ne peux pas sortir, je suis grippé.* ☞ grippe.

grippe-sou n.m.fam. Personne qui est avare : *Ce vieux grippe-sou ne donnerait même pas une bouchée de pain à un mendiant.* **R.** Au pluriel, *grippe-sou* ou *grippe-sous*.

gris n.m. Couleur entre le blanc et le noir : *Le gris de ta jupe va bien avec ta blouse.*

gris, grise adj. Qui est d'une couleur entre le blanc et le noir : *Ces nuages gris annoncent de la pluie.* ☞ grisaille, grisâtre, grisonnant, grisonnement, grisonner. ▲ **gris, grise** adj. Qui est soûl : *Le vin l'avait rendue un peu grise.* SYN. gai, ivre. ☞ dégriser, grisant, griser, griserie.

grisaille n.f. Atmosphère monotone : *La grisaille quotidienne commençait à lui peser.* SYN. ennui. ANT. éclat, fraîcheur. ☞ gris.

grisant, ante adj. Qui exalte, surexcite : *L'air grisant de la montagne nous portait à rire pour des riens.* ☞ gris.

grisâtre adj. Qui tire sur le gris : *Ses cheveux avaient des reflets grisâtres.* **R.** Ne pas oublier l'accent : *â*. ☞ gris.

griser v. **1.** Rendre légèrement ivre : *Le cidre et la bière l'avaient grisé.* SYN. enivrer. ANT. dégriser. **2.** Mettre dans un état d'excitation : *L'air vif de la mer nous grisait.* SYN. enthousiasmer, étourdir. ANT. calmer, refroidir. ☞ gris.

griserie n.f. Excitation qui fait perdre un peu la tête : *La griserie du succès lui fait perdre son naturel aimable.* SYN. exaltation, ivresse. ☞ gris.

griset n.m. Requin gris de la Méditerranée : *Le griset peut mesurer jusqu'à quatre mètres de longueur.*

grisonnant, ante adj. Qui grisonne :

C'était une bonne vieille dame à la chevelure grisonnante. ☞ gris.

grisonnement n.m. Fait de grisonner, de devenir gris, en parlant des cheveux: *Cette lotion capillaire a la réputation d'atténuer le grisonnement.* ☞ gris.

grisonner v. Devenir gris, en parlant des cheveux; commencer à avoir les cheveux gris: *Papa grisonne.* ☞ gris.

grisou, ous n.m. Gaz inflammable qui se dégage des mines de charbon: *Mélangé à l'air, le grisou explose au contact d'une flamme.*

grive n.f. Oiseau au plumage blanc et brun, voisin du merle: *Un couple de grives a fait son nid dans la niche que j'ai construite.*

grivois, oise adj. Qui est d'une gaieté hardie, un peu osée: *Une copine m'a appris une chanson grivoise.* SYN. gaillard, libre. ANT. honnête, prude. ☞ grivoiserie.

grivoiserie n.f. Parole grivoise, hardie: *J'étais un peu gêné de l'entendre dire tant de grivoiseries.* ☞ grivois.

grizzli n.m. (angl.) Grand ours brun du Nord-Ouest canadien: *Les grizzlis ont la réputation d'être féroces.* **R.** Aussi, *grizzly*.

grocerie ☞ sect. anglicismes et canadianismes.

grog n.m. (angl.) Boisson chaude alcoolisée: *Marie soigne ses maux de gorge en prenant un grog au gin et au citron.* **R.** Se prononce *grogue*.

groggy adj. (angl.) Qui est étourdi par des coups de poing, la fatigue, un choc moral: *Le boxeur était groggy, il titubait.* SYN. sonné.

grognement n.m. **1.** Cri de l'ours et du porc: *Le grizzli pousse un grognement effrayant.* **2.** Son ou parole indistincte exprimant la protestation, le refus, l'insatisfaction: *Mon idée ne lui a pas plu: elle m'a répondu par un grognement.* SYN. bougonnement. ☞ grogner

grogner v. **1.** Crier, en parlant de l'ours et du porc: *Les cochons grognaient dans la porcherie.* **2.** Exprimer son mécontentement par un bruit sourd: *Il s'est finalement mis à travailler, mais en grognant.* SYN. bougonner, maugréer. ☞ grognement, grognon.

grognon, onne n. et adj. **1.** n. Personne qui a l'habitude de grogner, souvent de mauvaise humeur: *C'est un grognon, il bougonne tout le temps.* SYN. râleur. **2.** adj. Qui a l'habitude de grogner, qui est souvent de mauvaise humeur: *Ne la taquine pas: elle est un peu grognonne ce matin.* SYN. acariâtre. ANT. affable, satisfait. **R.** S'emploie surtout au masculin. ☞ grogner.

groin n.m. Museau du porc: *Les cochons plongeaient avidement leur groin dans l'auge pleine.*

grommeler v. (néerl.) **1.** Se plaindre ou protester en murmurant: *On l'entendait grommeler dans sa chambre, où il était en pénitence.* SYN. bougonner, grogner. **2.** Dire en grommelant: *Elle a été punie pour avoir grommelé des insultes à l'enseignant.* **R.** Ne pas oublier de doubler le *l* devant un *e* muet. ☞ grommellement.

grommellement n.m. Action de grommeler, de se plaindre en murmurant: *Elle fit entendre un grommellement de protestation.* SYN. bougonnement, grognement. ☞ grommeler.

grondant, ante adj. Qui gronde, qui fait entendre un bruit sourd: *Nous étions arrivés au pied de chutes grondantes qui nous impressionnèrent beaucoup.* ☞ gronder.

grondement n.m. Bruit sourd, prolongé et grave: *Le grondement des vagues était inquiétant.* ANT. gazouillis, murmure. ☞ gronder.

gronder v. **1.** Faire entendre un grondement, un bruit sourd: *J'ai entendu le tonnerre gronder au loin.* **2.** Réprimander une personne, le plus souvent un enfant: *Je me suis fait gronder parce que je suis rentré trop tard à la maison.* SYN. disputer. ANT. féliciter, louer. **3.** Être sur le point d'éclater: *La colère gronde dans la population.* ☞ grondant, grondement, gronderie, grondeur.

gronderie n.f. Réprimande: *Il est très sensible aux gronderies.* ☞ gronder.

grondeur, euse adj. Qui réprimande: *Maman m'a parlé sur un ton grondeur.* ANT. affable, aimable. ☞ gronder.

gros n.m. Vente ou achat en grandes quantités: *Nous avons acheté des patins à glace pour toute la classe au prix de gros.* ☞ grossiste.

gros, grosse n., adj. et adj.f. **1.** n. Personne grosse, corpulente: *Obélix déteste se faire appeler le gros.* ANT. gringalet. **2.** adj. Qui dépasse les dimensions habituelles, en parlant d'une chose: *Mes parents ont acheté un gros piano.* **3.** adj. Qui est plus corpulente que la moyenne, en parlant d'une personne: *Le curé Labelle était un très gros homme.* SYN. énorme, obèse. ANT. chétif, mince, svelte. **4.** adj. Qui est important, considérable: *On prévoit une grosse tempête de neige.* SYN. violent. ANT. léger. **5.** adj. Qui a des effets importants, remarquables: *J'ai attrapé un gros rhume.* **6.**

adj. Qui manque de délicatesse, de finesse: *Elle a de gros traits.* **7.** adj.f. vx et litt. Enceinte: *Elle devint grosse quelques semaines après son mariage.* ☞ grossesse, grosseur, grossir, grossissant, grossissement, regrossir.

gros adv. **1.** Beaucoup: *Elle gagne gros, mais elle travaille sans cesse.* ANT. peu. **2.** En grosses lettres: *Tu écris un peu trop gros.*

gros-bec n.m. Oiseau au bec court, gros et dur: *Le gros-bec se nourrit de graines.* **R.** Au pluriel, *gros-becs*.

groseille n.f. Fruit du groseillier: *Je me suis fait une tartine de confiture de groseilles.* ☞ groseillier.

groseillier n.m. Arbre fruitier, qui produit les groseilles: *Au Canada, le groseillier rouge est communément appelé «gadelier».* **R.** Ne pas oublier le *i* après les deux *l*. ☞ groseille.

grosse n.f. Quantité équivalant à douze douzaines: *L'épicière a commandé une grosse de boîtes de jus de pomme.*

grossesse n.f. État d'une femme enceinte: *Dans les derniers mois de sa grossesse, elle avait souvent mal aux reins.* SYN. maternité. ☞ gros.

grosseur n.f. **1.** État d'une personne grosse: *Il était d'une grosseur maladive.* SYN. embonpoint, obésité. ANT. maigreur, minceur. **2.** Volume, taille: *J'ai mangé une pomme de la grosseur d'un pamplemousse.* **3.** Enflure: *Elle a une grosseur au poignet.* SYN. excroissance, gonflement. ☞ gros.

grossier, ière adj. **1.** Qui est rude, peu délicat: *Ce vêtement à l'étoffe grossière est inconfortable.* SYN. brut, commun. ANT. raffiné. **2.** Qui est fait sans soin, de façon rudimentaire: *C'est un travail grossier, qui manque d'application.* SYN. imparfait, vague. ANT. parfait, précis. **3.** Qui manque de grâce: *Malgré ses traits grossiers, il a un certain charme.* SYN. épais, lourd. ANT. délicat, fin. **4.** Qui manque de politesse, de culture: *Ce garçon grossier a des manières choquantes.* SYN. effronté, impertinent. ANT. cultivé, distingué. ☞ dégrossir, grossièrement, grossièreté.

grossièrement adv. De façon grossière: *Il m'adressa si grossièrement la parole que je ne lui répondis pas.* SYN. impoliment. ANT. poliment. ☞ grossier.

grossièreté n.f. **1.** Caractère d'une personne grossière: *Elle est d'une grossièreté inacceptable.* SYN. brutalité, rudesse, sans-gêne. ANT. délicatesse, politesse, savoir-vivre. **2.** Parole grossière: *Où as-tu appris à dire de telles grossièretés?* SYN. impolitesse, insolence, insulte. ANT. amabilité. ☞ grossier.

grossir v. **1.** Devenir gros ou plus gros: *J'ai grossi durant les vacances.* SYN. engraisser. ANT. amincir, maigrir. **2.** Devenir plus considérable: *Le bruit grossissait à mesure que le train approchait.* SYN. augmenter, croître. ANT. décroître, diminuer. **3.** Faire paraître plus gros: *Une loupe grossit les objets qu'on regarde.* **4.** Faire paraître plus important, exagérer: *Les journaux et la télévision ont grossi l'affaire.* SYN. amplifier. ANT. amoindrir, minimiser. ☞ gros.

grossissant, ante adj. Qui fait paraître plus gros: *Il porte des verres grossissants.* ☞ gros.

grossissement n.m. **1.** Fait de devenir gros ou plus gros: *Son grossissement des dernières semaines l'ennuie beaucoup.* SYN. engraissement. ANT. amaigrissement. **2.** Exagération: *Le grossissement de ce scandale a provoqué la démission du ministre.* SYN. amplification. ANT. amoindrissement, diminution. **3.** Accroissement apparent: *J'ai observé des bactéries dans mon microscope à fort grossissement.* ☞ gros.

grossiste n. Intermédiaire entre le producteur et le détaillant: *Le grossiste en fruits et légumes a vendu tout son stock à cette chaîne d'alimentation.* ANT. détaillant. ☞ gros (n.m.).

grosso modo loc.adv. En gros, sans s'occuper des détails, à peu près: *Je lui ai expliqué grosso modo le fonctionnement d'un ordinateur.* ANT. exactement, précisément.

grotesque adj. (it.) Qui est risible et extravagant: *Elle a fait un portrait grotesque de notre enseignante.* SYN. burlesque, comique, ridicule. ANT. convenable, normal. ☞ grotesquement.

grotesquement adv. D'une manière grotesque, extravagante: *Il était grotesquement vêtu.* SYN. burlesquement, ridiculement. ANT. convenablement, normalement. ☞ grotesque.

grotte n.f. Cavité naturelle ou artificielle

creusée dans le roc: *Pendant l'orage, nous nous sommes abritées dans la grotte.* SYN. antre, caverne.

grouillant, ante adj. **1.** Qui grouille, qui bouge: *La classe était grouillante aujourd'hui.* SYN. remuant. ANT. immobile. **2.** Qui grouille, qui pullule, qui fourmille: *Les rues étaient grouillantes de gens qui fêtaient.* ANT. désert. ☞ grouiller.

grouillement n.m. Mouvement de ce qui grouille, de ce qui s'agite: *Dans les concerts en plein air, le grouillement de l'assistance m'agace.* SYN. fourmillement. ANT. calme. ☞ grouiller.

grouiller v. **1.** S'agiter en masse confuse: *Les chenilles grouillaient dans leur nid.* SYN. bouger, remuer. **2.** Être plein d'éléments, personnes ou animaux, qui s'agitent: *Le centre commercial grouillait de monde.* SYN. fourmiller. ☞ grouillant, grouillement.

se **grouiller** v.pron.fam. Se dépêcher: *Grouille-toi, tu vas être en retard.*

groupe n.m. **1.** Réunion de personnes en un même endroit: *Des groupes d'élèves bavardaient dans la cour.* **2.** Ensemble de personnes appartenant à une troupe, à une association: *Ce chanteur fait partie d'un groupe rock.* **3.** Ensemble de personnes ayant des caractéristiques communes: *Il y a plusieurs groupes ethniques dans mon quartier.* **4.** Ensemble de choses: *Un archipel est un groupe d'îles.* ☞ groupement, grouper, regroupement, regrouper, sous-groupe.

groupement n.m. **1.** Action de grouper, de mettre ensemble ou fait d'être groupé: *Cette activité exige le groupement des élèves en équipes de deux.* SYN. rassemblement. ANT. dispersion. **2.** Organisation politique, sociale, professionnelle, syndicale ou autre: *C'est un groupement politique influent.* SYN. association. ☞ groupe.

grouper v. Mettre ensemble: *Je forme des ensembles en groupant des bâtonnets par dix.* SYN. réunir. ANT. disperser, diviser, séparer. ☞ groupe. se **grouper** v.pron. Se mettre ensemble: *Les élèves se sont groupés en équipes de deux.*

grouse n.f. (angl.) Oiseau des régions arctiques et des montagnes, ressemblant au coq: *La grouse est aussi appelée «lagopède» d'Écosse.*

gruau, aux n.m. **1.** Grains de céréales décortiqués et moulus grossièrement: *Nous avons apporté en camping un gros sac de gruau d'avoine.* **2.** Partie la plus fine de la farine: *Ce pain de gruau a la consistance d'un gâteau.* **3.** Bouillie de grains d'avoine décortiqués: *Son déjeuner préféré se compose d'un bol de gruau et d'une tasse de chocolat.* ▲ **gruau, aux** n.m. Petit de la grue: *Le nid abritait trois gruaux.* **R.** Aussi, *gruon*. ☞ grue.

grue n.f. Gros oiseau échassier, qui migre par bandes: *Les grues s'arrêtent dans cette île au retour du printemps.* ☞ gruau. ▲ **grue** n.f. Appareil de levage et de manutention: *La grue monte le ciment au sommet de l'immeuble en construction.* ☞ grutier.

gruger v. **1.** vx Briser avec les dents, ronger progressivement: *Mon hamster a grugé la porte de sa cage.* SYN. rogner. **2.** fig. et litt. Dépouiller de son bien: *Ce comptable grugeait son employeuse.* SYN. duper, voler. ANT. prodiguer, restituer.

grumeau, eaux n.m. Petite boule coagulée dans une sauce, une pâte: *J'ai réussi à faire une sauce blanche sans grumeaux.* ☞ se grumeler, grumeleux.

se **grumeler** v.pron. Former des grumeaux: *La semoule de blé s'est grumelée en cuisant.* **R.** Ne pas oublier de doubler le *l* devant un *e* muet. ☞ grumeau.

grumeleux, euse adj. Qui présente des grumeaux: *Ta pâte à crêpes est trop grumeleuse.* ☞ grumeau.

grutier n.m. Ouvrier qui manœuvre une grue: *Mon père a été grutier pour la construction de cet édifice.* **R.** L'O.L.F. recommande *grutière* comme féminin de *grutier*. ☞ grue.

gruyère n.m. Fromage suisse, à trous: *Cette quiche se prépare avec du gruyère râpé.*

guanaco n.m. (esp.) Lama sauvage d'Amérique du Sud: *Le guanaco est probablement l'ancêtre du lama domestique.* **R.** Ne pas oublier le *u* après le *g*. Les lettres *gua* se prononcent *goua*.

gué n.m. Endroit où l'on peut traverser un cours d'eau à pied: *Nous avons traversé la rivière à gué.* SYN. passage. HOM. gai. **R.** Ne pas oublier le *u* après le *g*. ☞ guéable.

guéable adj. Qu'on peut traverser à gué, sans perdre pied, en parlant d'un cours d'eau: *La rivière est guéable en amont.* **R.** Ne pas oublier le *u* après le *g*. ☞ gué.

guenille n.f. Vêtement en lambeaux: *J'ai jeté ces guenilles, elles n'étaient plus portables.* SYN. haillon, loque. **R.** Ne pas oublier le *u* après le *g*. S'emploie surtout au pluriel. ☞ déguenillé.

guenon n.f. Mammifère primate, à face nue, au cerveau développé, aux pieds et aux mains terminés par des ongles et pouvant saisir des objets. *La guenon est la femelle du singe.* **R.** Ne pas oublier le *u* après le *g*.

guépard n.m. (it.) Mammifère carnivore d'Afrique et d'Asie, voisin de la panthère: *Le guépard est un coureur très rapide: il peut atteindre cent kilomètres par heure.* **R.** Ne pas oublier le *u* après le *g*.

guêpe n.f. Insecte appartenant au même ordre que l'abeille et la mouche, dont la femelle est pourvue d'un aiguillon: *Elle s'est fait piquer par une guêpe.* **R.** Ne pas oublier le *u* après le *g*. Ne pas oublier l'accent: *ê*. ☞ guêpier.

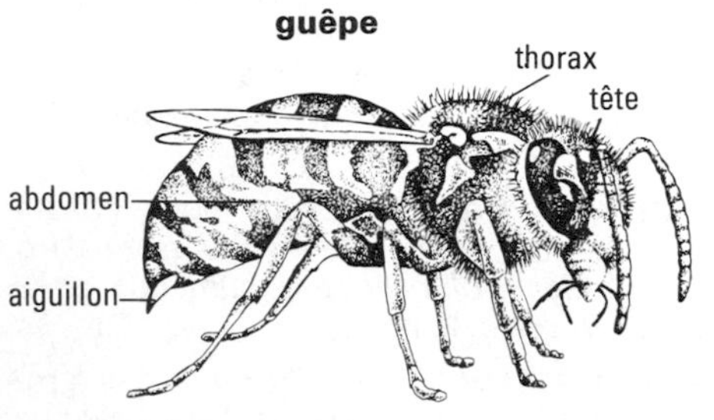

guêpier n.m. **1.** Nid de guêpes: *Ne va pas jouer près de cet arbre, il y a un guêpier.* **2.** fig. Situation difficile, dont on ne peut sortir sans ennuis: *En acceptant de collaborer à ce projet, je me suis fourré dans un guêpier.* SYN. danger, piège. **R.** Ne pas oublier le *u* après le *g*. Ne pas oublier l'accent: *ê*. ☞ guêpe.

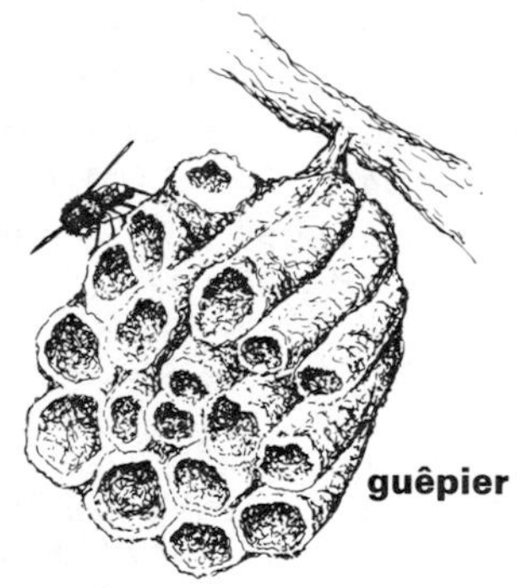

guère adv. Peu, pas beaucoup: *Il n'a guère le goût de travailler aujourd'hui.* HOM. guerre. **R.** Ne pas oublier le *u* après le *g*. S'emploie généralement avec *ne*.

guéri, ie adj. Qui est rétabli d'un mal, physique ou moral: *Ma petite sœur est enfin guérie de son gros rhume.* **R.** Ne pas oublier le *u* après le *g*. ☞ guérir.

guéridon n.m. Petite table ronde à un seul pied: *Nous mettrons cette plante sur le guéridon du salon.* **R.** Ne pas oublier le *u* après le *g*.

guérilla n.f. (esp.) Guerre de harcèlement, de petites attaques menées par des petits groupes de combattants: *Elle a quitté son pays à cause de la guérilla.* **R.** Ne pas oublier le *u* après le *g*. ☞ guérillero.

guérillero n.m. (esp.) Combattant de guérilla: *Les guérilleros les ont forcés à fuir.* **R.** Ne pas oublier le *u* après le *g*. ☞ guérilla.

guérir v. **1.** Redonner la santé à un malade ou un blessé: *La médecin a guéri mon père.* SYN. rétablir, sauver. **2.** Délivrer d'une maladie: *Ton médicament m'a guérie de mon rhume.* SYN. débarrasser. ANT. aggraver. **3.** Recouvrer la santé: *La malade a guéri rapidement.* **4.** Cesser, en parlant d'une maladie: *Ma grippe a mis longtemps à guérir.* ☞ guéri, guérison, guérissable, guérisseur, inguérissable. se **guérir** v.pron. **1.** Se délivrer d'un mal physique: *Je me suis guérie de ma foulure en prenant du repos.* **2.** Se corriger d'une mauvaise habitude ou d'un mal moral: *Il s'est guéri de l'habitude de fumer.* SYN. se corriger. **R.** Ne pas oublier le *u* après le *g*.

guérison n.f. Disparition d'un mal, physique ou moral: *Sa guérison est complète.* SYN. rétablissement. ANT. aggravation. **R.** Ne pas oublier le *u* après le *g*. ☞ guérir.

guérissable adj. Qui peut être guéri: *Cette maladie est facilement guérissable.* SYN. curable. ANT. incurable, inguérissable. **R.** Ne pas oublier le *u* après le *g*. ☞ guérir.

guérisseur, euse n. Personne qui guérit ou prétend guérir par la prière ou des moyens inconnus de la médecine: *Le frère André était un grand guérisseur.* **R.** Ne pas oublier le *u* après le *g*. ☞ guérir.

guérite n.f. Abri d'une sentinelle, d'un préposé au stationnement, d'un gardien: *Le préposé au stationnement n'était pas dans la guérite.* **R.** Ne pas oublier le *u* après le *g*.

guerre n.f. **1.** Conflit armé entre des pays: *Dans la première moitié du XXe siècle, il y a eu deux guerres mondiales.* SYN. bataille. ANT. paix. **2.** Épreuve de force, lutte, par des moyens économiques, politiques ou psychologiques: *Les États-Unis et l'Union soviétique se font la guerre pour la première place dans le domaine spatial.* SYN. combat. ANT. entente. HOM. guère. ⫽ *De bonne guerre:* D'une façon loyale. *Guerre civile:* Conflit armé entre citoyens d'un même groupe. **R.** Ne pas oublier le *u* après le *g*. ☞ après-guerre, guerrier, guerroyer.

guerrier, ière n. et adj. **1.** n. Personne qui fait la guerre: *Les Amérindiens étaient des guerriers courageux.* SYN. combattant. ANT. pacifiste. **2.** adj. Qui aime la guerre: *Les conflits étaient fréquents entre ces tribus guerrières.* SYN. belliqueux. ANT. pacifique, paisible. **3.**

adj.litt. Qui a trait à la guerre : *Les militaires se donnèrent du courage en entonnant un chant guerrier.* SYN. martial. **R.** Ne pas oublier le *u* après le *g*. ☞ guerre.

guerroyer v.litt. Faire la guerre : *Les Français et les Anglais ont guerroyé entre eux à plusieurs reprises au cours de l'histoire.* SYN. combattre. **R.** Ne pas oublier le *u* après le *g*. ☞ guerre.

guet n.m. Action de guetter, d'épier pour surprendre : *Une gardienne faisait le guet à l'entrée de l'immeuble.* **R.** Ne pas oublier le *u* après le *g*. ☞ guetter.

guet-apens n.m. Embuscade, piège : *La policière était tombée dans un guet-apens.* SYN. attaque, attentat, embûche. **R.** Au pluriel, *guets-apens*. Ne pas oublier le *u* après le *g*. Le *t* se prononce.

guêtre n.f. Sorte d'enveloppe qui recouvre la jambe et le dessus de la chaussure : *Elle a mis ses guêtres en cuir pour faire de l'équitation.* SYN. jambière. **R.** Ne pas oublier l'accent : *ê*. Ne pas oublier le *u* après le *g*.

guetter v. **1.** Épier pour surprendre : *Mon chat guette les moineaux.* SYN. observer. **2.** Attendre avec impatience : *La voleuse guettait l'occasion favorable.* SYN. surveiller. **3.** Faire peser une menace sur quelqu'un : *Le sommeil guettait la conductrice épuisée.* **R.** Ne pas oublier le *u* après le *g*. ☞ guet, guetteur.

guetteur n.m. Personne qui guette, qui épie : *À la vue de l'ennemi, le guetteur donne l'alerte.* SYN. veilleur. **R.** L'O.L.F. recommande *guetteuse* comme féminin de *guetteur*. Ne pas oublier le *u* après le *g*. ☞ guetter.

gueulard, arde n. et adj.pop. **1.** n. Personne qui parle fort et beaucoup : *Cette grande gueularde parle toujours mais ne fait rien.* SYN. braillard. **2.** adj. Qui parle fort et beaucoup : *Ces gars-là sont plus gueulards que travailleurs.* **R.** Ne pas oublier le *u* après le *g*. ☞ gueule.

gueule n.f. **1.** Bouche des animaux carnassiers : *La dompteuse entra sa tête dans la gueule du lion.* **2.** pop. Bouche de l'être humain : *Ferme ta gueule !* **3.** pop. Aspect, allure : *Ta voiture a de la gueule.* **4.** pop. Visage, figure : *Il a une belle gueule, il est séduisant.* ⁄⁄ *Grande gueule :* Personne très bavarde. *Se jeter dans la gueule du loup :* Se mettre en danger. **R.** Ne pas oublier le *u* après le *g*. ☞ gueulard, gueuler.

gueule-de-loup n.f. Nom populaire du muflier : *Les fleurs de la gueule-de-loup ressemblent à un mufle de loup.* **R.** Ne pas oublier le *u* après le *g*. Au pluriel, *gueules-de-loup*. ◇ muflier.

gueuler v.pop. **1.** Crier, se plaindre en parlant très fort, chanter à tue-tête : *Des jeunes sont passés sous ma fenêtre en gueulant au beau milieu de la nuit.* **2.** Dire en criant : *Le patron lui a gueulé un dernier avertissement.* **R.** Ne pas oublier le *u* après le *g*. ☞ gueule.

gueuleton n.m.pop. Repas abondant et gai pris entre amis ou en famille : *Nous avons pris un bon gueuleton au restaurant.* **R.** Ne pas oublier le *u* après le *g*.

gui n.m. Plante parasite qui croît sur les branches de certains arbres : *Le gui est considéré comme une plante médicinale de première importance.* **R.** Ne pas oublier le *u* après le *g*.

guiches n.f.plur. Mèches de cheveux frisés sur le front : *Ses guiches châtain clair lui donnent beaucoup de charme.* SYN. accroche-cœur. **R.** Ne pas oublier le *u* après le *g*.

guichet n.m. (scand.) Comptoir ou petite ouverture de comptoir dans une banque, un bureau de poste ou un endroit commercial : *Une grande file attendait devant les guichets du cinéma.* **R.** Ne pas oublier le *u* après le *g*. ☞ guichetier.

guichetier, ière n. Personne qui est préposée à un guichet : *Je crois que le guichetier m'a remis trop de monnaie.* **R.** Ne pas oublier le *u* après le *g*. ☞ guichet.

guidage n.m. Action de guider, d'accompagner : *Des tours de contrôle assurent le guidage des avions au décollage et à l'atterrissage.* **R.** Ne pas oublier le *u* après le *g*. ☞ guide (n.).

guide n. et n.m. **1.** n. Personne qui guide, qui fait visiter : *La guide qui nous a fait visiter le musée nous a bien renseignés.* **2.** n.m. Recueil de renseignements pratiques : *Ce guide touristique est très complet.* **R.** Ne pas oublier le *u* après le *g*. ☞ guidage, guider.

guide n.f. Lanière de cuir attachée au mors d'un cheval attelé : *Tiens bien les guides.* **R.** S'emploie surtout au pluriel. ▲ **guide** n.f. Jeune fille faisant partie d'une section féminine de scoutisme : *Les guides ont organisé une exposition pour recueillir des fonds.* **R.** Ne pas oublier le *u* après le *g*.

guider v. **1.** Accompagner en montrant le chemin : *Il a eu la gentillesse de nous guider jusqu'à la sortie.* SYN. conduire, piloter. ANT. perdre. **2.** Indiquer la voie, aider à reconnaître le chemin : *Quelle était cette étoile mystérieuse qui guida les Rois mages ?* SYN. diriger. ANT. égarer. **3.** Diriger, conseiller : *J'aurais besoin d'être guidé dans le choix de mes cours.* SYN. éclairer, orienter. ANT. aveugler, berner, tromper. **R.** Ne pas oublier le *u* après le *g*. ☞ guide.

guidon n.m. (it.) Tube métallique, muni de deux poignées, qui sert à diriger une bicyclette : *Les poignées de freins sont fixées au guidon de ma bicyclette.* **R.** Ne pas oublier le *u* après le *g*.

guigne n.f.fam. Malchance persistante : *Quelle guigne ! Tout va mal aujourd'hui.* SYN. adversité. ANT. chance, veine. **R.** Ne pas oublier le *u* après le *g* : guigne.

guigner v. **1.** Regarder du coin de l'œil, avec envie : *Les enfants guignaient le dernier morceau de gâteau.* SYN. lorgner, reluquer. **2.** fig. Désirer fortement : *Elle guigne le poste de relationniste.* SYN. convoiter, envier. ANT. mépriser, refuser. **R.** Ne pas oublier le *u* après le *g* : guigner.

guignol n.m. **1.** Marionnette sans fils, animée par un opérateur : *Je vais fabriquer de petits guignols pour amuser les enfants.* SYN. pantin. **2.** Théâtre de marionnettes : *Le guignol donne une représentation cet après-midi.* **3.** Personne comique malgré elle : *Elle nous faisait rire sans s'en rendre compte, c'est un vrai guignol.* **R.** Ne pas oublier le *u* après le *g* : guignol.

guignolée n.f. Au Canada, quête à l''intention des pauvres, qui se pratique quelques jours avant Noël : *Les louveteaux ont vaillamment participé à la guignolée.* **R.** Ne pas oublier le *u* après le *g* : guignolée.

guili-guili n.m.invar.fam. Chatouillement : *Ma petite sœur aime que je lui fasse des guili-guili.* **R.** Ne pas oublier le *u* après le *g*.

guillemet n.m. Signe typographique double (« ») qui sert à isoler un mot, une citation ou des paroles rapportées : *Dans ce texte, les mots populaires sont écrits entre guillemets.* **R.** Ne pas oublier le *u* après le *g*. S'emploie presque toujours au pluriel.

guilleret, ette adj. Qui est vif et joyeux : *Je me sens toute guillerette aujourd'hui.* SYN. éveillé, fringant. ANT. triste. **R.** Ne pas oublier le *u* après le *g*.

guillotine n.f. (n. de l'inv.) Instrument servant à décapiter : *La guillotine a été employée en France jusqu'en 1981.* **R.** Ne pas oublier le *u* après le *g*. ☞ guillotiner.

guillotiner v. Décapiter au moyen de la guillotine : *Le roi de France Louis XVI a été guillotiné le 21 janvier 1793.* **R.** Ne pas oublier le *u* après le *g*. ☞ guillotine.

guimauve n.f. **1.** Plante médicinale à fleurs blanc rosé et à feuilles en forme de cœur : *La guimauve peut servir à faire des infusions.* **2.** Confiserie spongieuse qu'on fabriquait autrefois à partir de racines de guimauves : *Les enfants adorent faire griller des guimauves autour d'un feu de camp.* **R.** Ne pas oublier le *u* après le *g*.

guimbarde n.f. **1.** Vieille voiture : *La guimbarde montait la côte en pétaradant.* **2.** Instrument de musique pourvu d'un ressort d'acier qu'on fait vibrer : *Nous avons dansé au son du violon, des cuillers et de la guimbarde.* **R.** Ne pas oublier le *u* après le *g*.

guindé, ée adj. Qui manque de naturel dans son maintien, son langage : *Il nous a reçus avec un air guindé.* SYN. affecté, étudié, maniéré. ANT. aisé, naturel, simple. HOM. guinder. **R.** Ne pas oublier le *u* après le *g*.

guinder v. Lever avec une grue, une poulie : *J'ai guindé la poutre avec un palan.* ANT. abaisser. HOM. guindé. **R.** Ne pas oublier le *u* après le *g*.

guinéen, enne n. et adj. **1.** n. Personne qui est de la Guinée : *Un Guinéen, une Guinéenne.* **2.** adj. Qui est de la Guinée : *En 1989, la population guinéenne était mâle à 80 %.* **R.** On met la majuscule à *guinéen* et à *guinéenne* lorsqu'il s'agit du nom. Ne pas oublier le *u* après le *g*.

de **guingois** loc.adv.fam. et litt. De travers : *Ce panneau indicateur est de guingois.* ANT. droit. **R.** Ne pas oublier le *u* après le *g* : guingois.

guirlande n.f. (it.) Cordon ornemental de fleurs, de papier de couleur, qu'on laisse pendre ou qu'on enroule en couronne : *Nous avons décoré la classe avec des guirlandes de Noël.* **R.** Ne pas oublier le *u* après le *g*. ☞ enguirlander.

guise n.f. Manière, façon : *Chacun fera à sa guise, mais devra réussir.* // *En guise de :* À la place de. **R.** Ne pas oublier le *u* après le *g*.

guitare n.f. Instrument de musique à cordes pincées : *Le chanteur s'accompagnait à la guitare.* **R.** Ne pas oublier le *u* après le *g*. ☞ guitariste.

guitariste n. Personne qui joue de la guitare : *Ce guitariste sait jouer le flamenco.* **R.** Ne pas oublier le *u* après le *g*. ☞ guitare.

guppy n.m. Poisson d'aquarium vivipare, aux couleurs vives, dont il existe de nombreuses variétés : *Le guppy mâle est plus petit que la femelle.*

gustatif, ive adj. Qui a rapport au goût : *La langue est couverte de papilles gustatives.* ☞ goût.

guttural, ale, aux adj. Qui est émis par le gosier : *Il parlait lentement, d'une voix grave et gutturale.*

gymnase n.m. Salle où l'on peut pratiquer des exercices sportifs : *Le match de volley-ball se tiendra dans le gymnase de l'école.* ☞ gymnastique.

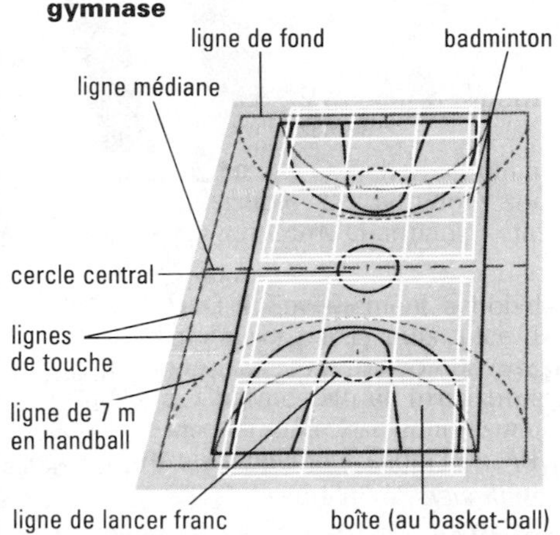

gymnaste n. Personne qui pratique la gymnastique : *Ce gymnaste excelle aux barres parallèles.* ☞ gymnastique.

gymnastique n.f. **1.** Ensemble d'exercices physiques permettant de fortifier et d'assouplir le corps : *Je me sens en meilleure forme depuis que je pratique la gymnastique.* **2.** Effort intellectuel, de réflexion : *Ses problèmes de mathématiques lui faisaient faire une bonne gymnastique d'esprit.* ☞ gymnase, gymnaste.

gymnote n.m. Anguille électrique : *Le gymnote paralyse ses proies au moyen de fortes décharges électriques.*

gynécologie n.f. Spécialité de la médecine qui s'occupe de l'organisme de la femme et de son appareil génital : *Ma médecin est spécialisée en gynécologie.* ☞ gynécologique, gynécologue.

gynécologique adj. Qui est propre à la gynécologie, à la spécialité médicale consacrée à l'organisme féminin : *Ma mère est allée chez son médecin pour un examen gynécologique.* ☞ gynécologie.

gynécologue n. Personne qui se spécialise en gynécologie : *La gynécologue lui a donné un médicament pour les menstruations douloureuses.* **R.** Ne pas oublier le *u* après le *g* : gynécolog*u*e. ☞ gynécologie.

gypaète n.m. Oiseau de proie diurne, se nourrissant de charognes : *Le gypaète vit dans les hautes montagnes.*

gypse n.m. Roche sédimentaire que l'on chauffe pour obtenir le plâtre : *Les rénovatrices ont refait les murs avec des panneaux de gypse.*

h n.m.invar. Huitième lettre de l'alphabet: *La lettre «h» est la sixième consonne de l'alphabet.*

ha! interj. Mot que l'on répète pour exprimer le rire: *Ha! ha! ha! mon chat s'est empêtré dans sa pelote de laine!* HOM. à, ah!. **R.** Le *h* est aspiré, ce qui empêche la liaison et l'élision.

habile adj. **1.** Qui fait quelque chose avec adresse: *Ma sœur est une dessinatrice habile.* SYN. adroit, capable. ANT. gauche, malhabile. **2.** Qui est fait avec adresse: *Ils ont remporté la victoire par une mise habile.* SYN. astucieux, rusé. ANT. naïf. ☞ habilement, habileté, malhabile, malhabilement.

habilement adv. De façon habile, avec intelligence: *Tu as habilement résolu le problème.* ANT. maladroitement. ☞ habile.

habileté n.f. **1.** Qualité d'une personne habile: *Son habileté au piano est remarquable.* SYN. aptitude, brio. **2.** Qualité de ce qui est fait habilement, avec adresse: *Elle a déjoué le gardien de but grâce à l'habileté de son jeu.* SYN. finesse, ingéniosité. ANT. maladresse. ☞ habile.

habiliter v. Rendre légalement apte à faire un acte juridique: *J'ai été habilitée à signer les chèques de votre petite entreprise.*

habillable adj. Qui peut être habillé, pourvu de vêtements: *À cause de sa taille, il est difficilement habillable.* ☞ habiller.

habillage n.m. Action d'habiller ou de s'habiller: *Les mannequins passaient tour à tour au salon d'habillage.* ANT. déshabillage. ☞ habiller.

habillé, ée adj. **1.** Qui est vêtu, couvert de vêtements: *Les enfants se sont couchés tout habillés.* ANT. nu. **2.** Qui est dans une tenue élégante: *À la remise des diplômes, tout le monde était très habillé.* SYN. chic. **3.** Qui convient à une cérémonie: *Cet ensemble fait très habillé.* **4.** Qui oblige à avoir une tenue de cérémonie: *Le récital sera suivi d'une soirée habillée.* HOM. habiller. ☞ habiller.

habillement n.m. **1.** Action d'habiller, de s'habiller: *Mes parents me donnent une allocation pour mes dépenses d'habillement.* **2.** Tenue vestimentaire: *Elle portait un curieux habillement.* ☞ habiller.

habiller v. **1.** Couvrir de vêtements: *Aide-moi à habiller les enfants.* SYN. revêtir. ANT. déshabiller, dévêtir. **2.** Pourvoir de vêtements: *J'ai habillé Jean-François pour l'école.* SYN. vêtir. HOM. habillé. ☞ déshabillage, déshabiller, habillable, habillage, habillé, habillement, habilleur, habit, rhabillage, rhabiller.
s'habiller v.pron. **1.** Mettre ses vêtements: *Habille-toi vite, tu vas être en retard.* **2.** Se pourvoir de vêtements: *Gilles s'habille dans les grands magasins.* **3.** Se déguiser: *Elle s'est habillée en extra-terrestre.* **4.** Porter tel vêtement, telle couleur: *J'aime m'habiller en bleu.*

habilleur, euse n. Personne chargée de l'habillement des comédiens: *Nous avons besoin d'un habilleur pour notre pièce de théâtre.* ☞ habiller.

habit n.m. **1.** Tenue vestimentaire particulière: *La cavalière est très à l'aise dans son habit de cheval.* **2.** Tenue de cérémonie masculine: *Le chef d'orchestre portait un habit.* **3.** plur. Ensemble des vêtements de dessus: *Mettez-vous à l'aise, enlevez vos habits.* **R.** N'a pas le sens de *complet*. ☞ habiller.

habitable adj. Qui peut être habité: *Nous cherchons un logement habitable pour une famille nombreuse.* ANT. inhabitable. ☞ habiter.

habitacle n.m. **1.** Partie d'un véhicule où les passagers sont assis: *L'habitacle de ce modèle de voiture est spacieux.* **2.** Partie d'un avion réservée à l'équipage: *L'éclairage faible de l'habitacle permet aux pilotes de mieux voir à l'extérieur quand il fait nuit.*

habitant, ante n. **1.** Personne qui réside dans un lieu: *Le Canada compte vingt-cinq* *millions d'habitants.* **2.** Au Canada, paysan, cultivateur: *Ma grand-mère connaît tous les habitants de cette région.* ☞ habiter.

habitat n.m. **1.** Milieu de vie d'une population animale ou végétale: *Les rivières sont l'habitat du castor.* **2.** Milieu organisé et peuplé par l'être humain: *L'habitat urbain regroupe une grande partie de la population.* **3.** Ensemble des conditions d'habitation: *Au cours de l'histoire, l'être humain a constamment cherché à améliorer son habitat.* ☞ habiter.

habitation n.f. **1.** Fait d'habiter, de demeurer dans une maison: *Les conditions d'habitation se sont améliorées dans les villes canadiennes.* **2.** Lieu où l'on habite: *Dans ma rue, les habitations sont en rangées.* SYN. demeure, domicile. ⁄⁄ *Habitation à loyer modique, H.L.M.:* Au Canada, habitation dont le prix de location est peu élevé. ☞ habiter.

habité, ée adj. Qui est occupé par des habitants: *Nous sommes allées faire du camping loin des régions habitées.* ANT. désert. HOM. habiter. ☞ habiter.

habiter v. **1.** Avoir sa demeure en un endroit: *Il habite à Alma.* SYN. résider, vivre. **2.** Occuper une habitation: *J'habite une jolie petite maison.* **3.** Occuper un lieu, en parlant des animaux: *Des fauvettes habitent notre pommier.* **4.** fig. Hanter, occuper l'esprit: *Ces pensées l'habitent depuis longtemps.* HOM. habité. ☞ cohabitation, cohabiter, habitable, habitant, habitat, habitation, habité, inhabitable, inhabité.

habitude n.f. **1.** Façon d'agir usuelle: *Tu devrais corriger cette mauvaise habitude.* SYN. manie, pli. **2.** Coutume d'une collectivité: *En immigrant, j'ai dû m'adapter aux habitudes de mon pays d'adoption.* SYN. mœurs. **3.** Aptitude acquise par l'usage: *J'ai l'habitude des enfants.* SYN. expérience. ANT. inexpérience. ⁄⁄ *Par habitude:* Machinalement. *Suivant son habitude:* Comme à l'ordinaire. ☞ déshabituer, habitué, habituel, habituellement, habituer, inhabituel, réhabituer. **d'habitude** loc.adv. De façon ordinaire, habituelle: *D'habitude, je me lève tôt.*

habitué, ée n. Personne qui fréquente habituellement un lieu: *Cette boulangerie a de nombreux habitués dans le quartier.* HOM. habituer. ☞ habitude.

habituel, elle adj. **1.** Qui est passé à l'état d'habitude, qui est devenu courant: *Elle faisait sa promenade habituelle avec son petit chien.* SYN. coutumier, machinal. ANT. accidentel, exceptionnel. **2.** Qui est normal, constant: *Je ne me sens pas dans mon état habituel.* ☞ habitude.

habituellement adv. De façon ordinaire, habituelle: *Les enfants sont habituellement couchés à cette heure-là.* SYN. généralement, normalement. ANT. accidentellement, rarement. ☞ habitude.

habituer v. Donner une habitude, accoutumer: *J'ai habitué les enfants à se brosser les dents après chaque repas.* SYN. entraîner, former. HOM. habitué. ☞ habitude. **s'habituer** v.pron. Prendre une habitude, s'accoutumer: *On s'habitue à tout.*

hache n.f. Outil formé d'un manche et d'un fer tranchant, qui sert à couper: *J'ai abattu cet arbre mort avec une hache.* **R.** Le *h* est aspiré, ce qui empêche la liaison et l'élision. ☞ hachette.

haché, ée adj. **1.** Qui est coupé en petits morceaux: *La tourtière est aujourd'hui un mets à base de porc haché.* **2.** fig. Qui est saccadé: *Les phrases hachées de son discours ont touché le public.* HOM. hacher. **R.** Le *h* est aspiré, ce qui empêche la liaison et l'élision. ☞ hacher.

hache-légumes n.m.invar. Hachoir à légumes: *J'ai coupé le chou avec le hache-légumes.* **R.** Le *h* est aspiré, ce qui empêche la liaison et l'élision. ☞ hacher.

hacher v. **1.** Couper en petits morceaux: *Fais attention à tes doigts en hachant le céleri.* **2.** Détruire en brisant en petits morceaux: *La grêle a haché notre laitue.* **3.** fig. Interrompre, entrecouper: *Les rires hachaient son discours.* HOM. haché. **R.** Le *h* est aspiré, ce qui empêche la liaison et l'élision. ☞ haché, hache-légumes, hache-viande, hachis, hachoir.

hachette n.f. Petite hache: *J'ai apporté une hachette de camping.* **R.** Le *h* est aspiré, ce qui empêche la liaison et l'élision. ☞ hache.

hache-viande n.m.invar. Hachoir à viande: *Je lui ai montré comment passer le jambon au hache-viande.* **R.** Le *h* est aspiré, ce qui empêche la liaison et l'élision. ☞ hacher.

hachis n.m. Mets à base de petits morceaux de viande et de légumes cuits dans une sauce: *L'arôme du hachis au bœuf nous mettait en appétit.* **R.** Le *h* est aspiré, ce qui empêche la liaison et l'élision. ☞ hacher.

hachoir n.m. Ustensile ou appareil servant à couper en menus morceaux: *Ce hachoir réglable peut couper très fin.* **R.** Le *h* est aspiré, ce qui empêche la liaison et l'élision. ☞ hacher.

hachure n.f. Trait parallèle qui sert à ombrer une partie d'un dessin: *Les hachures per-*

mettent de représenter les dimensions d'un objet dans un dessin. SYN. raie, rayure. **R.** Le *h* est aspiré, ce qui empêche la liaison et l'élision. ☞ hachurer.

hachurer v. Couvrir de hachures, de raies: *Hachure la plage de l'intersection des ensembles A et B.* ☞ hachure. **hachuré, ée** p.p. et adj. Qui est couvert de hachures: *La partie hachurée de cette carte indique un gouffre.* **R.** Le *h* est aspiré, ce qui empêche la liaison et l'élision.

hagard, arde adj. Qui a l'air bouleversé: *À son visage hagard, je sus qu'il était arrivé quelque chose de grave.* ANT. calme, serein. **R.** Le *h* est aspiré, ce qui empêche la liaison et l'élision.

haie n.f. **1.** Bordure d'arbustes: *Notre terrain est limité au nord par une haie de chèvrefeuilles.* **2.** Obstacle que des coureurs doivent enjamber: *Cette athlète excelle à la course de haies.* **3.** fig. Personnes placées en file le long d'une voie: *Une haie d'honneur se forma au passage de l'illustre scientifique.* **R.** Le *h* est aspiré, ce qui empêche la liaison et l'élision.

haie

haillon n.m. (all.) Vêtement en lambeaux: *Un clochard vêtu de haillons était couché sur un banc du parc.* SYN. guenille, hardes, loque. **R.** Le *h* est aspiré, ce qui empêche la liaison et l'élision.

haine n.f. Sentiment violent d'hostilité ou d'aversion: *J'éprouve de la haine pour celle qui a fait du mal à mon chien.* SYN. inimitié. ANT. amour, attachement, sympathie. **R.** Le *h* est aspiré, ce qui empêche la liaison et l'élision. ☞ haïr.

haineusement adv. De manière haineuse, qui exprime la haine: *Ils ont répondu haineusement à notre message de paix.* **R.** Le *h* est aspiré, ce qui empêche la liaison et l'élision. ☞ haïr.

haineux, euse adj. **1.** Qui est naturellement porté à haïr, à détester: *Cette femme haineuse prépare sa vengeance.* ANT. affectueux, tendre. **2.** Qui exprime la haine, la malveillance: *Le cambrioleur appréhendé regardait la policière avec un visage haineux.* ANT. bienveillant. **3.** Qui est inspiré par la haine: *Ces sentiments haineux te nuiront.* **R.** Le *h* est aspiré, ce qui empêche la liaison et l'élision. ☞ haïr.

haïr v. Avoir quelqu'un ou quelque chose en haine, détester: *Je hais le mensonge.* ANT. aimer, chérir. **R.** Ne pas oublier le tréma: *ï*. Ne prend pas le tréma à l'indicatif présent singulier et à l'impératif singulier. Le *h* est aspiré, ce qui empêche la liaison et l'élision. ☞ haine, haineusement, haineux, haïssable.

haïssable adj. Qui mérite d'être haï, détesté: *L'hypocrisie est haïssable.* SYN. abominable, méprisable. ANT. aimable, attirant. **R.** Ne pas oublier le tréma: *ï*. Le *h* est aspiré, ce qui empêche la liaison et l'élision. ☞ haïr.

haïtien, ienne n. et adj. **1.** n. Personne qui est d'Haïti: *Un Haïtien, une Haïtienne.* **2.** adj. Qui est d'Haïti: *Nous avons dansé au son d'une musique haïtienne.* **R.** Ne pas oublier le tréma: *ï*. On met la majuscule à *haïtien* et à *haïtienne* lorsqu'il s'agit du nom.

halage n.m. Action de remorquer un bateau: *Le halage se faisait autrefois au moyen de chevaux.* **R.** Le *h* est aspiré, ce qui empêche la liaison et l'élision. ☞ haler.

hâle n.m. Couleur brune que prend la peau sous l'effet du soleil et du grand air: *Les enfants ont pris un beau hâle à la colonie de vacances.* SYN. bronzage. HOM. hall. **R.** Ne pas oublier l'accent: *â*. Le *h* est aspiré, ce qui empêche la liaison et l'élision. ☞ hâler.

haleine n.f. **1.** Air qui sort des poumons pendant l'expiration: *Le café donne une haleine fétide.* **2.** Respiration, souffle: *Cachée derrière la porte, elle retenait son haleine.* **3.** Temps entre deux respirations: *Le petit chien a l'haleine courte.* HOM. alène. ⁄⁄ *Hors d'haleine:* Essoufflé. *Reprendre haleine:* Retrouver son souffle. à perdre **haleine** loc.adv. Au point de manquer de souffle: *J'ai couru à perdre haleine pour te rejoindre.*

haler v. **1.** Remorquer un bateau au moyen d'un câble tiré du rivage: *Les voiliers sont halés le long de ce canal.* ANT. pousser. **2.** Tirer en utilisant une corde: *Nous avons halé les bouées à bord.* HOM. allée, aller, hâler. **R.** Le *h* est aspiré, ce qui empêche la liaison et l'élision. ☞ halage.

hâler v. Rendre la peau brune, en parlant de l'air, du soleil: *Le soleil et l'air marin ont hâlé* *sa peau.* SYN. bronzer, brunir. ANT. blanchir. ☞ hâle. **hâlé, ée** p.p. et adj. Dont la peau est brune à cause du soleil et de l'air: *Elles sont revenues de vacances avec un teint hâlé.* HOM. allée, aller, haller. **R.** Ne pas oublier l'accent: *â*. Le *h* est aspiré, ce qui empêche la liaison et l'élision.

haletant, ante adj. Qui respire avec difficulté: *Un petit chien à la respiration haletante s'arrêta devant nous.* ANT. alerte, dispos. **R.** Le *h* est aspiré, ce qui empêche la liaison et l'élision. ☞ haleter.

halètement n.m. Respiration saccadée, précipitée: *Son halètement trahissait son émotion:* HOM. allaitement. **R.** Le *h* est aspiré, ce qui empêche la liaison et l'élision. ☞ haleter.

hal**e**tant hal**è**tement

haleter v. Respirer rapidement, être hors d'haleine: *J'avais trop couru, je haletais.* **R.** Le *h* est aspiré, ce qui empêche la liaison et l'élision. ☞ haletant, halètement.

hall n.m. (angl.) Grand vestibule: *Je t'attendrai dans le hall de l'hôtel.* SYN. entrée. HOM. hâle. **R.** Le *h* est aspiré, ce qui empêche la liaison et l'élision.

halle n.f. **1.** Emplacement couvert où se tient un marché de gros: *La halle au blé attire beaucoup de clients.* **2.** plur. Grande place où se tient un marché de produits alimentaires: *Nous irons faire provision de fruits aux halles.* **R.** Le *h* est aspiré, ce qui empêche la liaison et l'élision.

hallebarde n.f. (all.) Ancienne arme à longue hampe, munie d'un fer pointu d'un côté et tranchant de l'autre: *La porte était flanquée de deux gardes armés de hallebardes.* **R.** Le *h* est aspiré, ce qui empêche la liaison et l'élision.

hallucinant, ante adj. Qui étonne vivement, au point de faire douter de ses sens: *La ressemblance entre eux est hallucinante.* SYN. extraordinaire. ANT. ordinaire. ☞ hallucination.

hallucination n.f. Perception par les sens d'images ou de sons irréels: *La consommation de drogue peut provoquer des hallucinations.* SYN. illusion, vision. ANT. réalité, vérité. ☞ hallucinant, halluciné, halluciner.

halluciné, ée n. et adj. **1.** n. Personne qui a des hallucinations, des visions: *Cet halluciné prend ses visions pour des réalités.* SYN. visionnaire. **2.** adj. Qui a des hallucinations, des visions: *Les tableaux de cette peintre hallucinée ont quelque chose d'inquiétant.* SYN. illuminé. ANT. réaliste. HOM. halluciner. ☞ hallucination.

halluciner v. Produire des hallucinations, des obsessions: *Le claquement des volets sous les bourrasques du vent m'hallucinait dans mon demi-sommeil.* HOM. halluciné. ☞ hallucination.

halo n.m. Couronne lumineuse imprécise: *Un halo entourait la pleine lune.* HOM. allô! **R.** Le *h* est aspiré, ce qui empêche la liaison et l'élision.

halogène n.m. et adj. **1.** n.m. Nom commun des éléments de la famille du chlore: *Le fluor, le chlore et l'iode sont des halogènes.* **2.** adj. Qui fonctionne avec un halogène: *Les lampes halogènes produisent un éclairage naturel.*

halte n.f. (all.) **1.** Moment d'arrêt pour se reposer, au cours d'un déplacement: *Au milieu de l'excursion, nous avons fait une halte près d'une source.* ANT. marche. **2.** Espace aménagé en bordure d'une route afin de permettre aux automobilistes de prendre du repos: *Nous arrêterons à cette halte pour piqueniquer.* SYN. escale, relais. **R.** Le *h* est aspiré, ce qui empêche la liaison et l'élision.

haltère n.m. Instrument de gymnastique formé de deux masses métalliques réunies par une barre: *Mon grand frère est capable de soulever ses haltères.* // *Poids et haltères:* Sport qui consiste à soulever des haltères lourds, en exécutant certains mouvements. ☞ haltérophile, haltérophilie.

haltérophile n. Personne qui pratique l'haltérophilie: *Les haltérophiles doivent veiller à garder leur équilibre lorsqu'ils soulèvent des haltères.* ☞ haltère.

haltérophilie n.f. Sport qui consiste à soulever des poids et haltères: *Nous avons fait des exercices d'haltérophilie au gymnase.* ☞ haltère.

haltérophilie

hamac n.m. (esp.) Toile ou filet suspendu par ses deux extrémités, et dans lequel on peut se reposer: *J'ai installé un hamac entre deux arbres et j'y ai fait une sieste.* **R.** Le *c* se prononce. Le *h* est aspiré, ce qui empêche la liaison et l'élision.

hamburger n.m. (améric.) Galette de bœuf haché servie dans un petit pain: *J'ai mangé un hamburger au fromage et des frites.* **R.** Le *h* est aspiré, ce qui empêche la liaison et l'élision. L'O.L.F. a proposé la forme française *hambourgeois*.

hameau, eaux n.m. Groupement isolé de quelques maisons, en milieu rural: *Un joli hameau se nichait au creux du vallon.* **R.** Le *h* est aspiré, ce qui empêche la liaison et l'élision.

hameçon n.m. Petit crochet que l'on met au bout d'une ligne pour prendre du poisson: *J'ai garni mon hameçon d'un ver.* **R.** Ne pas oublier la cédille.

hampe n.f. Long manche de bois qui supporte un fer de lance, un drapeau, une croix: *Pour le défilé de la Saint-Jean, nous avons orné notre fenêtre d'un drapeau soutenu par une hampe.* **R.** Le *h* est aspiré, ce qui empêche la liaison et l'élision.

hamster n.m. (all.) Petit rongeur nuisible d'Europe, qui peut s'apprivoiser comme animal d'agrément: *Mon petit hamster aime beaucoup les carottes.* **R.** Les lettres *er* se prononcent *err*. Le *h* est aspiré, ce qui empêche la liaison et l'élision.

han! interj. Mot lancé lorsqu'on fait un effort soudain: *«Han!», faisait-elle à chaque coup de hache.* HOM. an, en. **R.** Le *h* est aspiré, ce qui empêche la liaison et l'élision.

hanche n.f. (all.) Chacun des deux côtés du corps entre la taille et les cuisses: *J'ai fermé la porte d'un coup de hanche.* HOM. anche. **R.** Le *h* est aspiré, ce qui empêche la liaison et l'élision. ☞ déhanchement, se déhancher.

handball n.m. (all.) Sport d'équipe où les joueurs ne peuvent toucher au ballon qu'avec les mains: *Une équipe de handball se compose de sept joueurs.* **R.** Aussi, *hand-ball*. Le *h* est aspiré, ce qui empêche la liaison et l'élision. ☞ handballeur.

handballeur, euse n. Personne qui joue au handball: *Ma sœur est une handballeuse fameuse.* **R.** Le *h* est aspiré, ce qui empêche la liaison et l'élision. ☞ handball.

handicap n.m. (angl.) Désavantage, infirmité que l'on doit supporter: *Son strabisme est son seul handicap.* ANT. avantage. **R.** Le *p* se prononce. Le *h* est aspiré, ce qui empêche la liaison et l'élision. ☞ handicapé, handicaper.

handicapé, ée n. et adj. **1.** n. Personne qui souffre de déficience physique ou mentale: *Les handicapés physiques aimeraient avoir une meilleure accessibilité aux lieux et aux transports publics.* SYN. infirme, invalide. **2.** adj. Qui souffre de déficience physique ou mentale: *Elle est restée handicapée à la suite de son accident.* HOM. handicaper. **R.** Le *h* est aspiré, ce qui empêche la liaison et l'élision. ☞ handicap.

handicaper v. Désavantager, défavoriser: *Il est handicapé par son manque de connaissances en informatique.* ANT. avantager, douer, favoriser. HOM. handicapé. **R.** Le *h* est aspiré, ce qui empêche la liaison et l'élision. ☞ handicap.

hangar n.m. Construction servant à abriter diverses marchandises: *Tu rangeras le chariot dans le hangar.* SYN. abri, remise. **R.** Le *h* est aspiré, ce qui empêche la liaison et l'élision.

hanneton n.m. Insecte coléoptère au vol lourd, qui abonde au printemps: *Le hanneton est herbivore et nuisible à l'agriculture.* **R.** Le *h* est aspiré, ce qui empêche la liaison et l'élision.

hanter v. (scand.) **1.** Fréquenter un lieu, en parlant des esprits: *La légende prétend que ce manoir était hanté par un spectre.* SYN. habiter, peupler. ANT. fuir. **2.** Occuper l'esprit de façon obsédante: *Des remords le hantaient.* SYN. poursuivre. ANT. éloigner. ☞ hantise.
hanté, ée p.p. et adj. Qui est visité par des esprits, en parlant d'un lieu: *Cette maison hantée nous fait peur.* **R.** Le *h* est aspiré, ce qui empêche la liaison et l'élision.

hantise n.f. Idée, sentiment qui obsède l'esprit: *Cette criminelle avait la hantise de son méfait.* SYN. peur, vision. **R.** Le *h* est aspiré, ce qui empêche la liaison et l'élision. ☞ hanter.

happer v. (néerl.) **1.** Prendre, attraper brusquement avec la gueule: *Le requin happa sa proie.* SYN. agripper. ANT. lâcher, laisser. **2.** Saisir soudainement et avec violence: *Sa main a été happée par la machine.* **R.** Le *h* est aspiré, ce qui empêche la liaison et l'élision.

hara-kiri n.m. (jap.) Suicide traditionnel au Japon: *Le hara-kiri est un suicide fait par sens de l'honneur.* ⁄⁄ *Faire hara-kiri:* Se suicider. **R.** Au pluriel, *hara-kiris*. Le *h* est aspiré, ce qui empêche la liaison et l'élision.

harangue n.f. **1.** Discours prononcé devant un groupe de personnes: *Sa harangue a été courte et violente.* **2.** Discours pompeux, ennuyeux et interminable: *L'assistance avait* *hâte de voir la fin de cette harangue.* **R.** Ne pas oublier le *u* après le *g*. Le *h* est aspiré, ce qui empêche la liaison et l'élision. ☞ haranguer.

haranguer v. **1.** Prononcer un discours devant un groupe de personnes : *On haranguait la foule réunie dans le parc.* **2.** Faire de pompeux discours, de longues remontrances : *Le conférencier nous a harangués pendant une bonne heure.* **R.** Ne pas oublier le *u* après le *g*. Le *h* est aspiré, ce qui empêche la liaison et l'élision. ☞ harangue.

haras n.m. (scand.) Établissement où l'on élève des chevaux : *Ce haras possède trente étalons et douze juments.* **R.** Le *s* ne se prononce pas. Le *h* est aspiré, ce qui empêche la liaison et l'élision.

harassant, ante adj. Qui est très fatigant : *Ce travail de terrassement a été harassant.* SYN. lassant. ANT. reposant. **R.** Le *h* est aspiré, ce qui empêche la liaison et l'élision. ☞ harasser.

harasser v. Écraser de fatigue, lasser : *Cette randonnée nous a harassées.* ANT. délasser, reposer. **R.** Le *h* est aspiré, ce qui empêche la liaison et l'élision. ☞ harassant.

harcelant, ante adj. Qui harcèle, qui importune : *J'ai été réveillée par le son harcelant de la sirène.* **R.** Le *h* est aspiré, ce qui empêche la liaison et l'élision. ☞ harceler.

harcèlement n.m. Action de harceler, de provoquer : *Dans cette entreprise, on ne tolère pas le harcèlement sexuel et on le punit sévèrement.* **R.** Le *h* est aspiré, ce qui empêche la liaison et l'élision. ☞ harceler.

harc**e**lant harc**è**lement

harceler v. **1.** Soumettre à de petites attaques répétées : *Les soldats harcèlent les troupes ennemies.* SYN. provoquer. ANT. aider, apaiser. **2.** fig. Soumettre à des critiques, à des vexations continuelles : *La conférencière a été harcelée de questions.* SYN. importuner, presser. ANT. soulager. **R.** Le *h* est aspiré, ce qui empêche la liaison et l'élision. ☞ harcelant, harcèlement.

harde n.f. Troupeau de bêtes sauvages : *Une harde de caribous a traversé la rivière.* HOM. hardes. **R.** Le *h* est aspiré, ce qui empêche la liaison et l'élision. Ne pas confondre avec *horde*.

hardes n.f.plur.péj. Vêtements très usés, très pauvres, guenilles : *La clocharde tenait sous son bras un paquet de vieilles hardes.* SYN. haillon, loque. HOM. harde. **R.** Le *h* est aspiré, ce qui empêche la liaison et l'élision.

hardi, ie adj. **1.** Qui montre de l'audace, de l'intrépidité : *Des exploratrices hardies se sont aventurées dans ces régions sauvages.* SYN. brave, courageux, intrépide. ANT. craintif, lâche, peureux, timide. **2.** Qui est nouveau, original : *Ses idées hardies ont surpris le conseil d'administration.* ANT. banal. ⫽ *Hardi !* : Courage ! **R.** Le *h* est aspiré, ce qui empêche la liaison et l'élision. ☞ enhardir, hardiesse, hardiment.

hardiesse n.f.litt. Qualité de quelqu'un ou de quelque chose de courageux, d'audacieux : *La hardiesse de ses projets me stupéfie.* SYN. bravoure, détermination. ANT. crainte, lâcheté, peur. ☞ hardi. ▲ **hardiesse** n.f. Action ou parole effrontée, insolente : *Il a indisposé les convives par ses hardiesses.* **R.** Le *h* est aspiré, ce qui empêche la liaison et l'élision. ☞ hardi.

hardiment adv. De façon courageuse, hardie : *Il a bravé hardiment tous les dangers.* ANT. craintivement, timidement. **R.** Le *h* est aspiré, ce qui empêche la liaison et l'élision. ☞ hardi.

harem n.m. (arabe) **1.** Appartement réservé aux femmes, chez les musulmans : *Les quatre femmes du sultan étaient dans leur harem.* **2.** Ensemble des femmes habitant un harem : *L'émir fit appeler son harem.* **R.** Le *h* est aspiré, ce qui empêche la liaison et l'élision.

hareng n.m. Poisson marin à ventre argenté, vivant en bancs immenses : *Nous avons dîné d'une boîte de harengs fumés.* **R.** Le *g* ne se prononce pas. Le *h* est aspiré, ce qui empêche la liaison et l'élision.

harfang n.m. (suéd.) Chouette blanche nordique, de grande taille, dont l'envergure peut atteindre un mètre quatre-vingts : *Le harfang des neiges est l'animal emblématique du Québec.* **R.** Le *g* ne se prononce pas. Le *h* est aspiré, ce qui empêche la liaison et l'élision.

harfang des neiges

hargne n.f. Mauvaise humeur se traduisant par un comportement ou des propos agressifs: *Elle répéta avec hargne qu'elle en avait assez.* **R.** Le *h* est aspiré, ce qui empêche la liaison et l'élision. ☞ hargneusement, hargneux.

hargneusement adv. De façon hargneuse, acariâtre: *Pourquoi me réponds-tu hargneusement?* SYN. rageusement. ANT. aimablement, doucement. **R.** Le *h* est aspiré, ce qui empêche la liaison et l'élision. ☞ hargne.

hargneux, euse adj. **1.** Qui est plein de hargne, de colère: *Ses paroles hargneuses m'ont irritée.* SYN. mécontent, morose. ANT. aimable, courtois, souriant. **2.** Qui exprime de la hargne, de la colère: *Son ton hargneux me dérange.* SYN. acerbe. **R.** Le *h* est aspiré, ce qui empêche la liaison et l'élision. ☞ hargne.

haricot n.m. **1.** Plante légumineuse à gousses et à grains comestibles: *Le haricot était cultivé par les Amérindiens.* **2.** Graine, fraîche ou sèche, du haricot: *J'adore les haricots rouges.* **R.** Le *h* est aspiré, ce qui empêche la liaison et l'élision.

harle n.m. Canard plongeur des mers du Nord: *Le harle est appelé «bec-scie» au Canada.* **R.** Le *h* est aspiré, ce qui empêche la liaison et l'élision.

harmonica n.m. Petit instrument de musique composé de lamelles métalliques que l'on fait vibrer en soufflant: *La musicienne jouait de l'harmonica en s'accompagnant à la guitare.* ☞ harmoniciste.

harmoniciste n. Personne qui joue de l'harmonica: *L'harmoniciste marquait la cadence en tapant du pied.* ☞ harmonica.

harmonie n.f. **1.** Combinaison de sons agréable à l'oreille: *La chorale chantait les finales avec harmonie.* ANT. cacophonie. **2.** Science de l'emploi et de la combinaison des sons musicaux: *Étienne étudie l'harmonie au conservatoire.* ☞ harmonieux, harmonisation, harmoniser. ▲ **harmonie** n.f. **1.** Accord entre les parties d'un tout: *J'aime beaucoup l'harmonie des couleurs dans ton dessin.* SYN. combinaison. ANT. discordance. **2.** litt. Accord de sentiments, d'idées: *L'harmonie régnait dans la classe.* SYN. concorde, entente, paix, union. ANT. discorde, mésentente. ☞ harmonieusement, harmonieux, harmonisation, harmoniser.

harmonieusement adv. De façon harmonieuse, agréable: *Tu as harmonieusement combiné les couleurs dans ton tableau.* SYN. esthétiquement. ☞ harmonie.

harmonieux, euse adj. **1.** Qui est agréable à entendre: *Cette annonceuse a une voix douce et harmonieuse.* SYN. musical. ANT. criard, discordant. **2.** Qui produit des sons agréables: *La flûte est un instrument harmonieux.* ☞ harmonie. ▲ **harmonieux, euse** adj. Qui produit de l'harmonie par la relation qui existe entre les parties: *C'est un enfant au visage délicat et harmonieux.* SYN. beau, esthétique. ANT. disproportionné, laid. ☞ harmonie.

harmonisation n.f. Action d'harmoniser ou résultat de cette action: *Au récital de la chorale, l'harmonisation des voix était parfaite.* ☞ harmonie.

harmoniser v. Ajouter un accompagnement à une mélodie: *J'ai composé une mélodie; il me reste seulement à l'harmoniser.* SYN. arranger, orchestrer. ANT. détonner. ☞ harmonie. ▲ **harmoniser** v. Mettre en harmonie, accorder: *Nous avons réussi à harmoniser nos différents points de vue.* SYN. concilier. ANT. diviser, opposer. ☞ harmonie. **s'harmoniser** v.pron. Être en harmonie, en accord: *Cette gravure s'harmonise bien avec les murs de ta chambre.*

harmonium n.m. Instrument de musique à vent, composé d'un clavier et d'une soufflerie, comme l'orgue, et de anches libres, comme l'accordéon: *L'église du village possède encore un harmonium en bon état.* **R.** Les lettres *um* se prononcent *omm*.

harnachement n.m. **1.** Action de harnacher, de mettre le harnais à un cheval: *Je te charge du harnachement des chevaux.* **2.** Ensemble des pièces d'un harnais: *Le harnachement du cheval est neuf.* **3.** Vêtement encombrant, incommode: *Le scaphandrier était empêtré dans son harnachement.* **R.** Le *h* est aspiré, ce qui empêche la liaison et l'élision. ☞ harnais.

harnacher v. Mettre le harnais à un cheval: *As-tu bien harnaché ton cheval?* **R.** N'a pas le sens de *aménager un cours d'eau.* ☞ harnais. **se harnacher** v. Se vêtir, s'équiper lourdement: *L'alpiniste s'était harnachée, elle était prête à partir.* **harnaché, ée** p.p. et adj. Qui porte un harnais: *Ce cheval est richement harnaché.* **R.** Le *h* est aspiré, ce qui empêche la liaison et l'élision.

harnais n.m. (scand.) **1.** Ensemble des pièces qui composent l'équipement d'un cheval: *J'ai installé le harnais après avoir brossé le cheval.* **2.** Ensemble de sangles destinées à amortir le choc, en cas de chute: *Ces laveuses de vitres sont équipées de harnais.* **R.** Le *h* est aspiré, ce qui empêche la liaison et l'élision. ☞ harnachement, harnacher.

harpe n.f. (all.) Instrument de musique à cordes pincées, composé d'un cadre triangulaire et de cordes de longueur inégale: *La* *harpe comporte une quarantaine de cordes.* **R.** Le *h* est aspiré, ce qui empêche la liaison et l'élision. ☞ harpiste.

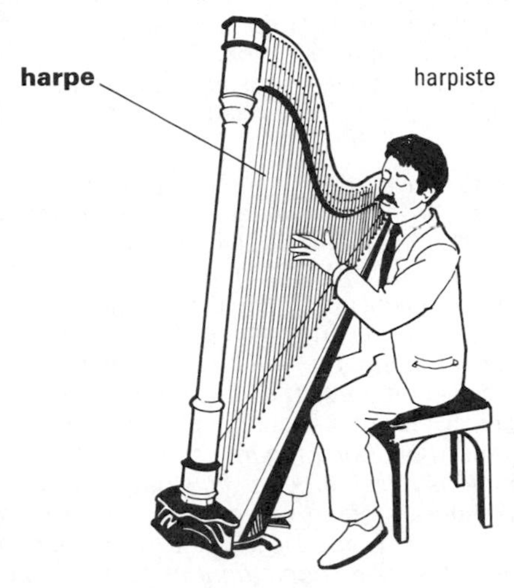

harpie n.f. **1.** Monstre ayant un corps d'oiseau et une tête de femme : *Selon la légende, la Harpie possédait des griffes acérées.* SYN. chipie, mégère. **2.** fig. Femme méchante et acariâtre : *C'est une vraie harpie, elle refuse de nous remettre notre ballon.* **3.** Oiseau de proie d'Amérique du Sud : *La harpie et le faucon font partie de la même famille.* **R.** On met la majuscule à *harpie* lorsqu'il s'agit du monstre. Le *h* est aspiré, ce qui empêche la liaison et l'élision.

harpiste n. Personne qui joue de la harpe : *Le harpiste a brillamment interprété ce concerto.* **R.** Le *h* est aspiré, ce qui empêche la liaison et l'élision. ☞ harpe.

harpon n.m. Gros dard relié à une ligne, qui sert à la pêche aux gros poissons et à la chasse à la baleine : *Le baleinier était armé d'un puissant canon à harpon.* **R.** Le *h* est aspiré, ce qui empêche la liaison et l'élision. ☞ harponnage, harponner, harponneur.

harponnage n.m. Action de harponner, d'accrocher avec un harpon : *Cette pêcheuse avait l'expérience du harponnage.* **R.** Aussi, *harponnement.* Le *h* est aspiré, ce qui empêche la liaison et l'élision. ☞ harpon.

harponner v. **1.** Atteindre avec un harpon : *L'épaulard avait été mortellement harponné.* SYN. accrocher. **2.** fig. et fam. Arrêter brutalement : *Le cambrioleur a été harponné à sa sortie de l'immeuble.* SYN. saisir. ANT. relâcher. **R.** Le *h* est aspiré, ce qui empêche la liaison et l'élision. ☞ harpon.

harponneur n.m. Pêcheur qui lance le harpon : *Le harponneur a raté la cible.* **R.** Le *h* est aspiré, ce qui empêche la liaison et l'élision. ☞ harpon.

hasard n.m. (arabe) **1.** Événement imprévu et imprévisible : *Cette rencontre est un hasard extraordinaire.* SYN. coïncidence. **2.** Ce à quoi on attribue la cause des événements imprévisibles, indépendants de notre volonté : *Jusqu'à maintenant, le hasard a joué en notre faveur.* SYN. destin, sort. ⁄⁄ *Jeu de hasard :* Jeu où l'habileté et la stratégie n'ont aucune part. ☞ hasarder, hasardeux. à tout **hasard** loc.adv. De façon à envisager ou à attendre tous les événements possibles : *Elle a décidé de venir à tout hasard.* au **hasard** loc.adv. De manière indéterminée : *Il tirait des cailloux au hasard.* au **hasard de** loc.prép. Selon des circonstances inattendues : *Au hasard des rencontres, elle se fait de nouveaux amis.* par **hasard** loc.adv. De façon accidentelle, imprévue : *Ils se sont revus par hasard.* **R.** Le *h* est aspiré, ce qui empêche la liaison et l'élision.

hasarder v. **1.** Entreprendre quelque chose en courant le risque d'échouer : *Je suis prête à hasarder cette démarche.* SYN. oser. ANT. éviter. **2.** Exposer une idée, une opinion en courant le risque d'un refus : *Permettez-moi de hasarder une hypothèse.* SYN. avancer, émettre. ANT. retenir. ☞ hasard. **hasardé, ée** p.p. et adj. Qui n'est pas sûr, qui peut échouer : *Cette démarche hasardée ne me plaît pas beaucoup.* se **hasarder** v.pron. **1.** Se risquer à faire quelque chose : *Guillaume se hasarda à lui faire remarquer son erreur.* **2.** Aller dans un endroit dangereux : *Il n'est pas prudent de se hasarder sur ce vieux pont.* **R.** Le *h* est aspiré, ce qui empêche la liaison et l'élision.

hasardeux, euse adj. Qui comporte un risque, un danger : *Elle trouve ce projet trop hasardeux.* SYN. aventureux, dangereux. ANT. sûr. **R.** Le *h* est aspiré, ce qui empêche la liaison et l'élision. ☞ hasard.

haschisch n.m. (arabe) Résine du chanvre indien, qui se mâche ou se fume et qui provoque des hallucinations : *Le haschisch est une drogue psychédélique.* **R.** Aussi, *hachisch* ou *haschich*. Le *h* est aspiré, ce qui empêche la liaison et l'élision.

hase n.f. (all.) Petit mammifère rongeur, voisin du lapin, très rapide à la course, dont le mâle est le lièvre et le petit, le levraut : *La hase protège ses levrauts.* **R.** Le *h* est aspiré, ce qui empêche la liaison et l'élision.

hâte n.f. Grande promptitude à faire quelque chose : *Nous avons hâte que les vacances arrivent.* SYN. empressement. ANT. lenteur. ⁄⁄ *Sans hâte :* En prenant son temps. ☞ hâter, hâtif, hâtivement. à la **hâte** loc.adv. De façon précipitée, peu soignée : *C'est un travail fait à la hâte.* en **hâte** loc.adv. De façon rapide : *J'ai mangé ma tartine en hâte.* **R.** Ne pas oublier l'accent : *â*. Le *h* est aspiré, ce qui empêche la liaison et l'élision.

hâter v. **1.** Rendre plus rapide : *Pour terminer aujourd'hui, il faudrait hâter notre rythme de travail.* SYN. accélérer. ANT. ralentir. **2.** Faire arriver plus tôt que prévu : *Elle a été obligée de hâter son départ.* SYN. avancer, précipiter. ANT. remettre, retarder. ☞ hâte. se **hâter** v.pron. Se dépêcher : *Hâtons-nous de rentrer : il va pleuvoir.* **R.** Ne pas oublier l'accent : *â*. Le *h* est aspiré, ce qui empêche la liaison et l'élision.

hâtif, ive adj. **1.** Qui vient avant le temps : *Le printemps a été hâtif cette année.* SYN. précoce, prématuré. ANT. tardif. **2.** Qui est fait trop vite : *Ce travail a été forcément hâtif.* **R.** Ne pas oublier l'accent : *â*. Le *h* est aspiré, ce qui empêche la liaison et l'élision. ☞ hâte.

hâtivement adv. De façon hâtive, rapide : *Nous sommes hâtivement revenus de voyage.* SYN. rapidement. ANT. lentement. **R.** Ne pas oublier l'accent : *â*. Le *h* est aspiré, ce qui empêche la liaison et l'élision. ☞ hâte.

hauban n.m. (scand.) Cordage servant à maintenir un mât : *Le mât du voilier était retenu par six haubans.* **R.** Le *h* est aspiré, ce qui empêche la liaison et l'élision.

hausse n.f. Augmentation d'une valeur numérique : *La température est en hausse.* SYN. accroissement, élévation. ANT. baisse. **R.** Le *h* est aspiré, ce qui empêche la liaison et l'élision. ☞ hausser.

haussement n.m. Action de hausser, d'élever : *Elle répondit par un haussement d'épaules.* **R.** Le *h* est aspiré, ce qui empêche la liaison et l'élision. ☞ hausser.

hausser v. **1.** Rendre plus haut : *Nous avons haussé le garde-corps du ballon.* SYN. remonter. ANT. baisser. **2.** Mettre à un niveau plus élevé : *Il haussa les épaules en signe d'indifférence.* SYN. lever. ANT. abaisser. ☞ haussement. se **hausser** v.pron. Se dresser, s'élever : *Je me hausse sur la pointe des pieds pour mieux voir le défilé.* ▲ **hausser** v. **1.** Augmenter : *La sécheresse a fait hausser le prix des légumes.* SYN. accroître, majorer. ANT. baisser, descendre. **2.** Donner plus d'intensité à quelque chose : *Elle hausse la voix pour mieux se faire entendre.* SYN. amplifier. ANT. diminuer. **R.** Le *h* est aspiré, ce qui empêche la liaison et l'élision. ☞ hausse.

haut, haute adj. **1.** Qui est à une grande distance du sol : *Ces pommes sont trop hautes, je ne peux pas les cueillir.* **2.** Qui a une grande dimension dans le sens vertical : *Nous avons gravi une haute montagne.* **3.** Qui est à son niveau le plus élevé : *La rivière est haute à cette époque de l'année.* **4.** Qui est très grand, de degré supérieur : *Cet avion est équipé d'appareils de haute précision.* ⁄⁄ *À voix haute :* En parlant fort. **R.** Le *h* est aspiré, ce qui empêche la liaison et l'élision. ☞ haut, hautement, hauteur.

haut n.m. et adv. **1.** n.m. Dimension verticale d'une chose : *Le peuplier a douze mètres de haut.* **2.** n.m. Partie haute d'une chose : *Il ressemble à sa mère par le haut de son visage.* **3.** n.m. Vêtement qui couvre le torse, par opposition à la jupe et au pantalon : *Ce haut ira bien avec ton pantalon.* **4.** adv. À une grande distance par rapport au sol : *La grenouille a sauté haut.* **5.** adv. Antérieurement, à un moment reculé : *Pour comprendre cette évolution, remontons plus haut dans l'histoire.* **6.** adv. De manière à se faire entendre : *Je lui ai parlé haut et fort.* **7.** adv. De façon aiguë, en parlant des notes : *Elle chante haut et clair.* de **haut** loc.adv. **1.** De façon sereine : *Je vois les choses de haut.* **2.** De façon arrogante : *Vous prenez cela de haut.* en **haut** loc.adv. À un endroit plus haut ou à l'endroit le plus haut : *J'habite en haut.* en **haut de** loc.prép. Dans la partie supérieure de quelque chose : *Mon livre est en haut de la bibliothèque.* **R.** Le *h* est aspiré, ce qui empêche la liaison et l'élision.

hautain, aine adj. Qui montre de l'orgueil, de l'arrogance : *Ses manières hautaines me déplaisent.* SYN. altier, fier. ANT. humble, modeste, simple. **R.** Le *h* est aspiré, ce qui empêche la liaison et l'élision.

hautbois n.m. Instrument de musique à vent, à anche double : *Le hautbois est un instrument difficile.* **R.** Le *h* est aspiré, ce qui empêche la liaison et l'élision. ☞ hautboïste.

hautboïste n. Personne qui joue du hautbois : *Ces excellentes hautboïstes ont joué un duo remarquable.* **R.** Ne pas oublier le tréma : *ï*. Le *h* est aspiré, ce qui empêche la liaison et l'élision. ☞ hautbois.

haut-de-forme n.m. Chapeau classique dont la calotte est formée d'un haut cylindre : *Le haut-de-forme est aujourd'hui un chapeau de cérémonie.* **R.** Au pluriel, *hauts-de-forme*. Le *h* est aspiré, ce qui empêche la liaison et l'élision.

haute-fidélité n.f. (angl.) Ensemble des techniques visant une reproduction sonore très fidèle : *La haute-fidélité est très importante pour les mélomanes.* **R.** Au pluriel, *hautes-fidélités*. Employé comme adjectif, est toujours invariable. Le *h* est aspiré, ce qui empêche la liaison et l'élision.

hautement adv. **1.** De façon supérieure: *Ce sont des appareils hautement perfectionnés.* **2.** De manière à se faire entendre, à voix haute: *Elle lui a dit hautement ce qu'elle pensait de lui.* **R.** Le *h* est aspiré, ce qui empêche la liaison et l'élision. ☞ haut.

hauteur n.f. **1.** Dimension d'un corps dans le sens vertical: *La hauteur des immeubles nous a impressionnés.* **2.** Position plus ou moins élevée d'un corps: *Au volley-ball, la hauteur du filet n'était pas réglementaire.* **3.** Lieu élevé: *Il habite dans les hauteurs du village.* ☞ haut. à la **hauteur de** loc.prép. Au même niveau qu'une autre chose: *La pancarte est à la hauteur des yeux.* ▲ **hauteur** n.f. Élévation morale: *La hauteur de ses sentiments est bien connue.* **R.** Le *h* est aspiré, ce qui empêche la liaison et l'élision. ☞ haut.

haut-fond n.m. Élévation du fond de la mer ou d'un cours d'eau: *À cet endroit du fleuve, des hauts-fonds rendent la navigation très risquée.* **R.** Au pluriel, *hauts-fonds*. Le *h* est aspiré, ce qui empêche la liaison et l'élision.

haut fourneau n.m. Fourneau où l'on fait fondre le minerai de fer: *Les hauts fourneaux de l'usine crachent leur fumée dans le ciel.* **R.** Aussi, *haut-fourneau*. Au pluriel, *hauts fourneaux* ou *hauts-fourneaux*. Le *h* est aspiré, ce qui empêche la liaison et l'élision. ☞ fourneau.

haut-le-cœur n.m.invar. **1.** Soulèvement de l'estomac: *Ce long trajet en autocar m'a donné des haut-le-cœur.* SYN. nausée. **2.** fig. Sentiment de dégoût: *La vulgarité provoquait en lui des haut-le-cœur.* SYN. répulsion. **R.** Le *h* est aspiré, ce qui empêche la liaison et l'élision.

haut-le-corps n.m.invar. Brusque mouvement du corps sous l'effet de la surprise ou de la colère: *Elle ne peut réprimer un haut-le-corps.* SYN. sursaut. **R.** Le *h* est aspiré, ce qui empêche la liaison et l'élision.

haut-parleur n.m. Appareil qui transforme le courant électrique en ondes sonores: *Nous avons installé un haut-parleur à chaque coin du salon.* **R.** Au pluriel, *haut-parleurs*. Le *h* est aspiré, ce qui empêche la liaison et l'élision.

haut-relief n.m. Ouvrage de sculpture dont les figures en relief sont presque complètement détachées du fond: *Dans cette église, les stations du chemin de croix sont des hauts-reliefs.* ANT. bas-relief. **R.** Au pluriel, *hauts-reliefs*. Le *h* est aspiré, ce qui empêche la liaison et l'élision.

havre n.m. (néerl.) **1.** Port bien abrité, pouvant accueillir des navires de faible tonnage: *Les voiliers sont rentrés au havre.* **2.** litt. Lieu où l'on se sent à l'abri, en sûreté: *Ce petit village est un havre de paix.* SYN. refuge. **R.** Le *h* est aspiré, ce qui empêche la liaison et l'élision.

havresac n.m. (all.) Sac à dos des excursionnistes, des chasseurs: *Les campeurs portaient des havresacs bien remplis.* **R.** Le *h* est aspiré, ce qui empêche la liaison et l'élision.

hawaïen, enne n. et adj. **1.** n. Personne qui est des îles Hawaï: *Un Hawaïen, une Hawaïenne.* **2.** adj. Qui est des îles Hawaï: *Le climat hawaïen est l'un des plus agréables au monde.* **R.** Ne pas oublier le tréma: *ï*. On met la majuscule à *hawaïen* et à *hawaïenne* lorsqu'il s'agit du nom.

hayon n.m. Porte s'ouvrant de bas en haut à l'arrière d'une voiture: *Le hayon de la voiture est resté ouvert.* **R.** Le *h* est aspiré, ce qui empêche la liaison et l'élision.

hé! interj. Mot servant à appeler une ou des personnes: *Hé! attendez-moi!* HOM. eh!, et. **R.** Le *h* est aspiré, ce qui empêche la liaison et l'élision.

hebdomadaire n.m. et adj. **1.** n.m. Publication qui paraît chaque semaine: *Je me suis abonnée à cet hebdomadaire.* **2.** adj. Qui s'étend sur une semaine: *Je reçois un salaire hebdomadaire.* **3.** adj. Qui a lieu une fois par semaine: *Aujourd'hui, maman a son congé hebdomadaire.* ☞ bihebdomadaire, hebdomadairement.

hebdomadairement adv. De façon régulière, une fois par semaine: *Maman me donne une allocation hebdomadairement.* ☞ hebdomadaire.

hébergement n.m. Action d'héberger, de loger: *Les frais d'hébergement ont été minimes.* ☞ héberger.

héberger v. Recevoir chez soi: *Cet été, nous hébergerons des amis français en visite au Québec.* SYN. accueillir, loger. ANT. chasser, renvoyer. ☞ hébergement.

hébété, ée adj. Qui est devenu stupide, sans réaction: *Sylvain me regardait, l'air hébété.* ANT. dégourdi, éveillé. HOM. hébéter. ☞ hébéter.

hébétement n.m. État d'une personne hébétée, troublée: *La douleur l'avait fait sombrer dans un hébétement complet.* SYN. abrutissement. ANT. éveil. **R.** Aussi, *hébétude*. ☞ hébéter.

hébéter v. Faire perdre toute intelligence et toute volonté: *L'alcool l'avait hébétée.* SYN. engourdir. ANT. éveiller, réveiller. HOM. hébété. ☞ hébété, hébétement.

hébraïque adj. **1.** Qui appartient aux Hébreux: *L'alphabet hébraïque compte vingt-deux lettres.* **2.** Qui se rapporte à la civilisation des Hébreux: *J'ai visité l'université hébraïque de Jérusalem.* **R.** Aussi, *hébreu*. Au pluriel, *hébreux*. Ne pas oublier le tréma: *ï*. ☞ hébreu.

hébreu, eux n.m. et adj.m. **1.** n.m. Nom que portait le peuple juif: *Un Hébreu.* **2.** adj.m. Qui se rapporte aux Hébreux: *J'ai lu un texte hébreu.* **R.** On met la majuscule à *hébreu* lorsque le nom désigne une personne. Au féminin, l'adjectif est *hébraïque* (en parlant des choses) et *juive* (en parlant des personnes). ☞ hébraïque.

hébreu n.m. Langue hébraïque: *L'hébreu est la langue officielle de l'État d'Israël.*

hécatombe n.f. Massacre d'un grand nombre de personnes ou d'animaux: *Les guerres sont de véritables hécatombes.* SYN. carnage, extermination, tuerie.

hectare n.m. Unité de mesure de superficie valant cent acres: *Un hectare est équivalent à dix mille mètres carrés.*

hectogramme n.m. Unité de mesure de masse valant cent grammes: *Il y a dix hectogrammes dans un kilogramme.* ☞ gramme.

hectolitre n.m. Unité de mesure de capacité valant cent litres: *Ce réservoir contient un hectolitre de mazout.* ☞ litre.

hectomètre n.m. Unité de mesure de longueur valant cent mètres: *Il y a dix hectomètres dans un kilomètre.* ☞ mètre.

hein! interj.fam. Mot qui marque l'interrogation ou la surprise: *Hein? qui t'a dit ça?* **R.** Le *h* est aspiré, ce qui empêche la liaison et l'élision.

hélas! interj. Mot marquant la douleur, le regret, la plainte: *Hélas! nous sommes arrivées trop tard.* **R.** Le *s* se prononce. Le *h* est aspiré, ce qui empêche la liaison et l'élision.

héler v. (angl.) Appeler de loin: *Je vais héler un taxi.* HOM. ailé. **R.** Le *h* est aspiré, ce qui empêche la liaison et l'élision.

hélianthe n.m. Grande plante herbacée dont la fleur tourne pour suivre le soleil: *Le tournesol est un hélianthe.*

hélice n.f. Appareil de traction ou de propulsion formé de pales tournant autour d'un axe: *J'ai vu un gros hélicoptère à deux hélices.*

hélicon n.m. Instrument de musique à vent, composé d'une embouchure, de pistons et d'un tube conique en spirale, que l'on peut porter autour du corps: *L'hélicon a un son grave.*

hélicoptère n.m. Appareil de navigation aérienne sans ailes, soutenu et mû par des hélices: *Les naufragés ont été secourus par un hélicoptère.* ☞ héliport, héliportage, héliporté.

héliport n.m. Aéroport pour hélicoptères: *Notre municipalité est pourvue d'un petit héliport.* ☞ hélicoptère.

héliportage n.m. Transport par hélicoptère: *Une entreprise d'héliportage s'est installée près de l'aéroport.* ☞ hélicoptère.

héliporté, ée adj. Qui est transporté par hélicoptère: *Le matériel d'exploration sera héliporté prochainement.* ☞ hélicoptère.

hélium n.m. Gaz très léger, présent en petite quantité dans l'air: *Maman nous a acheté des ballons gonflés à l'hélium.* **R.** Les lettres *um* se prononcent *omm*.

hem! interj. Mot marquant le doute: *Hem! je pense qu'il exagère un peu.* **R.** Le *h* est aspiré, ce qui empêche la liaison et l'élision.

hématite n.f. Minerai de fer de couleur rouge ou brune: *L'hématite est très recherchée.*

hématome n.m. Accumulation de sang sous la peau, à la suite d'un coup, d'un choc: *Elle s'est fait un hématome à la jambe en jouant au hockey.*

hémione n.m. Mammifère ongulé d'Asie, qui ressemble au cheval et à l'âne: *L'hémione est un animal sauvage.*

hémisphère n.m. **1.** Chacune des deux moitiés du globe terrestre, séparées par l'équateur: *Le Canada est situé dans l'hémisphère Nord.* **2.** Chacune des deux moitiés du cerveau: *Les hémisphères du cerveau sont liés l'un à l'autre.* **R.** Les lettres *ph* se prononcent *f*. ☞ hémisphérique.

hémisphérique adj. Qui a la forme d'une demi-sphère: *C'était un chapeau de paille à calotte hémisphérique.* **R.** Les lettres *ph* se prononcent *f*. ☞ hémisphère.

hémisphère hémisphérique

hémophile n. et adj. **1.** n. Personne atteinte d'hémophilie, dont le sang se coagule difficilement: *Cet hémophile suit un traitement contre les risques d'hémorragie.* **2.** adj. Qui est atteint d'hémophilie: *Les enfants hémophiles doivent éviter les jeux où ils risquent de se blesser.* **R.** Les lettres *ph* se prononcent *f*. ☞ hémophilie.

hémophilie n.f. Maladie caractérisée par le retard ou l'absence de coagulation du sang: *Chez les personnes atteintes d'hémophilie, les blessures peuvent causer de graves hé-*

morragies. **R.** Les lettres *ph* se prononcent *f.* ☞ hémophile.

hémorragie n.f. **1.** Écoulement de sang hors d'un vaisseau sanguin: *Sa blessure a provoqué une grave hémorragie.* **2.** fig. Perte importante de vies humaines: *Cette guerre a causé une hémorragie.* **3.** fig. Perte de choses: *L'hémorragie de capitaux doit cesser.*

hémorroïde n.f. Varice qui se forme à l'anus: *Ce médicament soulage les hémorroïdes.* **R.** Ne pas oublier le tréma: *ï.* S'emploie surtout au pluriel.

hendécagone n.m. Figure géométrique qui a onze côtés et onze angles: *La pièce de un dollar canadien est un hendécagone.*

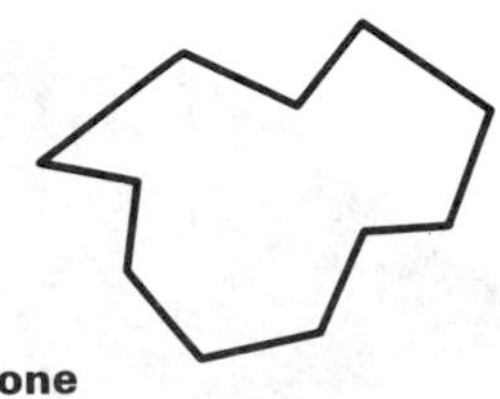

hendécagone

henné n.m. (arabe) **1.** Arbuste du Moyen-Orient, dont les feuilles donnent une poudre rouge ou jaune: *Le henné est une plante cultivée.* **2.** Poudre fournie par le henné, utilisée pour teindre les cheveux et les ongles: *J'utilise un shampooing au henné.* **R.** Le *h* est aspiré, ce qui empêche la liaison et l'élision.

hennir v. Crier, en parlant du cheval: *Quand mon cheval a peur, il hennit.* **R.** Le *h* est aspiré, ce qui empêche la liaison et l'élision. ☞ hennissement.

hennissement n.m. Cri du cheval: *La jument poussa un long hennissement.* **R.** Le *h* est aspiré, ce qui empêche la liaison et l'élision. ☞ hennir.

hep! interj. Mot servant à appeler: *Hep! vous oubliez votre parapluie!* **R.** Le *h* est aspiré, ce qui empêche la liaison et l'élision.

hépatique n. et adj. **1.** n. Personne qui souffre du foie: *Dans cet hôpital, on soigne les hépatiques.* **2.** adj. Qui est relatif au foie: *Il a des insuffisances hépatiques.* **3.** adj. Qui souffre du foie: *Elle est hépatique.*

hépatite n.f. Inflammation du foie: *Danièle souffre d'une hépatite virale.*

heptagonal, ale, aux adj. Qui a la forme d'un heptagone, qui a sept côtés et sept angles: *J'ai une médaille heptagonale.* ☞ heptagone.

heptagone n.m. Figure géométrique qui a sept côtés et sept angles: *Il est difficile de tracer un heptagone régulier.* ☞ heptagonal.

herbacé, ée adj. Qui est de la nature de l'herbe: *La marguerite est une plante herbacée.* ☞ herbe.

herbage n.m. **1.** Herbe qui pousse dans les prés: *La chèvre broute les herbages.* **2.** Pré dont l'herbe est consommée par le bétail: *J'ai mené les vaches à l'herbage.* ☞ herbe.

herbe n.f. **1.** Plante non ligneuse dont la tige et les feuilles meurent chaque année: *Les herbes repoussent dans les champs.* **2.** Ensemble des plantes herbacées: *Nous avons fait un pique-nique sur l'herbe.* // *Fines herbes:* Herbes aromatiques utilisées pour faire la cuisine. *Mauvaise herbe:* Herbe nuisible aux cultures. ☞ désherbage, désherbant, désherber, herbacé, herbage, herbeux, herbicide, herbier, herbivore, herbivores, herborisation, herboriser.

herbeux, euse adj. Qui est couvert d'herbe: *Je me suis couché sur une butte herbeuse.* ☞ herbe.

herbicide n.m. et adj. **1.** n.m. Produit qui détruit les mauvaises herbes: *L'usage d'herbicides pollue l'environnement.* **2.** adj. Qui détruit les mauvaises herbes: *Ces produits herbicides sont polluants.* ☞ herbe.

herbier n.m. Collection de plantes desséchées, collées sur des cartons: *Son herbier contient des plantes rares, notamment le chardon de Mingan.* ☞ herbe.

herbivore adj. Qui se nourrit de végétaux: *L'orignal est un animal herbivore.* ☞ herbe.

herbivores n.m.plur. Famille de mammifères qui se nourrissent de végétaux: *Les herbivores n'ont pas de canines.* **R.** S'écrit au singulier lorsqu'il désigne un animal appartenant à cette famille. ☞ herbe.

herborisation n.f. Action d'herboriser, de recueillir des plantes: *Nous allons en excursion d'herborisation.* ☞ herbe.

herboriser v. Recueillir des plantes dans la nature en vue de les étudier: *J'ai une sœur botaniste qui m'emmène souvent herboriser.* ☞ herbe.

hercule n.m. Homme très fort: *C'est un vrai hercule.* ☞ herculéen.

heptagone

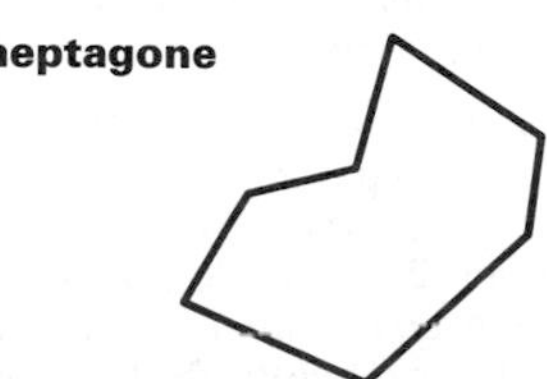

herculéen, éenne adj. Qui est doué d'une très grande force physique: *Louis Cyr avait une force herculéenne.* ☞ hercule.

hère n.m. Homme misérable: *Nous avons eu pitié de ce pauvre hère et l'avons hébergé pour la nuit.* HOM. air, aire, ère. **R.** Le *h* est aspiré, ce qui empêche la liaison et l'élision.

héréditaire adj. Qui est transmis par hérédité, des parents aux enfants: *Elle souffre d'une maladie héréditaire.* ANT. acquis. ☞ hérédité.

héréditairement adv. De façon héréditaire, en passant des parents aux enfants: *Les enfants ont conservé héréditairement le nez retroussé de leur mère.* ☞ hérédité.

hérédité n.f. **1.** Transmission des caractères génétiques d'une personne à ses descendants: *Cette maladie se transmet par hérédité.* **2.** Ensemble des caractères héréditaires: *Ces chiens de race ont une bonne hérédité.* ☞ héréditaire, héréditairement.

hérésie n.f. **1.** Doctrine religieuse contraire aux principes d'une religion: *La doctrine de Luther était considérée comme une hérésie.* **2.** Théorie jugée contraire aux opinions généralement admises: *Cette théorie est une hérésie scientifique.* ☞ hérétique.

hérétique n. et adj. **1.** n. Personne qui soutient une hérésie: *Beaucoup d'hérétiques ont été condamnés au bûcher vers la fin du Moyen Âge.* **2.** adj. Qui s'écarte de ce qui est généralement admis: *Il enseignait une doctrine hérétique.* **3.** adj. Qui professe une hérésie: *Elle fait une recherche sur une auteure hérétique.* ☞ hérésie.

hérissé, ée adj. **1.** Qui sont dressés, en parlant des cheveux, des poils ou des plumes: *Mon chat avait le poil hérissé.* ANT. lisse, plat. **2.** Qui est recouvert ou muni d'objets rudes, pointus: *J'ai mis le pied sur une planche hérissée de clous.* ANT. lisse, uni. **3.** fig. Qui est susceptible, rude: *Tu as un caractère hérissé.* SYN. hargneux. ANT. aimable. HOM. hérisser. **R.** Le *h* est aspiré, ce qui empêche la liaison et l'élision. ☞ hérisser.

hérissement n.m. Action de hérisser ou fait d'être hérissé, d'être dressé: *Le hérissement en boule du porc-épic est son moyen de défense.* **R.** Le *h* est aspiré, ce qui empêche la liaison et l'élision. ☞ hérisser.

hérisser v. **1.** Dresser ou faire dresser les poils ou les plumes, en parlant des animaux: *Le coq hérissa ses plumes.* SYN. rebrousser, relever. ANT. lisser. **2.** Munir de pointes, d'aiguilles: *Elle repoussa le loup avec un gourdin qu'elle avait hérissé de clous.* **3.** fig. Inspirer de l'irritation: *Ses manières me hérissent.* SYN. horripiler. ANT. apaiser, calmer. HOM. hérissé. ☞ hérissé, hérissement. **se hérisser** v.pron. **1.** Se dresser, en parlant des poils, des plumes: *Le porc-épic se hérisse lorsqu'il y a du danger.* **2.** Exprimer son opposition, sa colère: *Je me hérisse quand je l'entends parler ainsi.* **R.** Le *h* est aspiré, ce qui empêche la liaison et l'élision.

hérisson n.m. **1.** Petit mammifère au dos recouvert de piquants: *Mon chien s'est attaqué à un hérisson et il a maintenant le museau plein de piquants.* **2.** fig. Personne d'un caractère difficile: *Avec ce hérisson, il faut faire attention à ce qu'on dit.* **R.** Le *h* est aspiré, ce qui empêche la liaison et l'élision.

hérisson

héritage n.m. **1.** Ensemble des biens transmis par succession: *L'héritage a été équitablement partagé entre les trois enfants.* SYN. legs. **2.** fig. Ce qui est transmis comme par succession: *L'héritage culturel du Québec doit être conservé.* SYN. patrimoine. ☞ hériter.

hériter v. **1.** Recevoir par voie de succession: *J'ai hérité de la collection de timbres de ma tante.* **2.** litt. Recevoir par voie d'héritage: *Pierre a hérité de sa mère un chalet à la campagne.* SYN. acquérir. ANT. léguer. **3.** fig. Recevoir par hérédité: *Il a hérité de son père une voix très musicale.* ☞ déshérité, déshériter, héritage, héritier.

héritier, ière n. Personne qui reçoit un héritage: *Les héritières ont vendu la maison de leurs parents.* ☞ hériter.

hermétique adj. Qui ferme parfaitement, de façon étanche: *Les fenêtres de la maison sont hermétiques.* ☞ hermétiquement.
▲ **hermétique** adj. Qui est difficile à comprendre: *Je trouve ce livre très hermétique.* SYN. impénétrable, obscur. ANT. clair, compréhensible.

hermétiquement adv. De façon hermétique, étanche: *J'ai hermétiquement refermé le bocal.* ☞ hermétique.

hermine n.f. **1.** Mammifère carnivore voisin de la belette et dont la fourrure est très recherchée: *Le pelage de l'hermine devient blanc l'hiver.* **2.** Fourrure de cet animal: *Je possède un beau manteau d'hermine.*

herniaire adj. Qui est relatif à une hernie: *Il s'est fait un bandage herniaire.* **R.** Le *h* est aspiré, ce qui empêche la liaison et l'élision. ☞ hernie.

hernie n.f. Tumeur molle formée par un organe sorti de sa cavité naturelle: *Il a une hernie lombaire.* **R.** Le *h* est aspiré, ce qui empêche la liaison et l'élision. ☞ herniaire, hernieux.

hernieux, euse adj. Qui est atteint d'une hernie: *Elle est hernieuse depuis son accident.* **R.** Le *h* est aspiré, ce qui empêche la liaison et l'élision. ☞ hernie.

héroïne n.f. **1.** Personne qui se distingue par son courage ou ses exploits: *Madeleine de Verchères est une héroïne québécoise.* **2.** Personnage principal d'un récit, d'un film: *L'héroïne de ce récit est une femme connue.* **R.** Au masculin, *héros*. ☞ héroïque, héroïquement, héroïsme. ▲ **héroïne** n.f. (all.) Stupéfiant dérivé de la morphine: *L'héroïne engendre très rapidement un état de dépendance.* **R.** Ne pas oublier le tréma: *ï*. ☞ héroïnomane.

héroïnomane n. Personne intoxiquée par l'héroïne: *Cette héroïnomane subit une cure de désintoxication.* SYN. drogué. **R.** Ne pas oublier le tréma: *ï*. ☞ héroïne.

héroïque adj. **1.** Qui fait preuve d'héroïsme, qui est courageux: *Il a été sauvé par cette femme héroïque.* SYN. brave, intrépide. ANT. lâche. **2.** Qui est digne d'un héros: *Ils ont mené un combat héroïque.* SYN. épique. **R.** Ne pas oublier le tréma: *ï*. ☞ héroïne, héros.

héroïquement adv. De façon héroïque, courageusement: *Elle se sont conduites héroïquement.* SYN. bravement. ANT. lâchement. **R.** Ne pas oublier le tréma: *ï*. ☞ héroïne, héros.

héroïsme n.m. Courage exceptionnel: *Leur héroïsme est exemplaire.* SYN. bravoure. ANT. lâcheté. **R.** Ne pas oublier le tréma: *ï*. ☞ héroïne, héros.

héron n.m. Grand oiseau échassier à long bec et à long cou: *Le héron est un oiseau migrateur.* **R.** Le *h* est aspiré, ce qui empêche la liaison et l'élision.

héros n.m. **1.** Personne qui se distingue par son courage ou ses exploits: *En lui sauvant la vie, il est devenu un véritable héros.* **2.** Personnage principal d'un récit, d'un film: *Le héros du film partait à la recherche d'une cité engloutie.* **R.** Au féminin, *héroïne*. Le *h* est aspiré, ce qui empêche la liaison et l'élision. ☞ héroïque, héroïquement, héroïsme.

herpès n.m. Maladie de peau caractérisée par une sensation de brûlure et une éruption de petits boutons: *J'ai une poussée d'herpès autour des lèvres.* **R.** Le *s* se prononce.

hersage n.m. Action de herser, d'ameublir la terre: *Nous ferons le hersage aujourd'hui.* **R.** Le *h* est aspiré, ce qui empêche la liaison et l'élision. ☞ herse.

herse n.f. Instrument agricole servant à travailler le sol en surface: *J'ai attaché la herse au tracteur.* **R.** Le *h* est aspiré, ce qui empêche la liaison et l'élision. ☞ hersage, herser.

herser v. Passer sur le sol l'instrument agricole qui porte le nom de « herse »: *Nous avons hersé ce champ en deux jours.* **R.** Le *h* est aspiré, ce qui empêche la liaison et l'élision. ☞ herse.

hésitant, ante n. et adj. **1.** n. Personne qui hésite, qui est indécise: *Il faudrait convaincre les hésitants de venir nous rejoindre.* **2.** adj. Qui hésite, qui est indécis: *Il se montre très hésitant.* SYN. incertain, irrésolu. ANT. assuré, certain, décidé. **3.** adj. Qui marque l'hésitation, qui est mal assuré: *Elle m'a donné une réponse hésitante.* SYN. douteux. ANT. ferme, résolu. ☞ hésiter.

hésitation n.f. Fait d'hésiter, d'être dans l'incertitude: *Elle est partie sans hésitation.* SYN. doute, indécision. ANT. assurance, détermination. ☞ hésiter.

hésiter v. **1.** Être dans un état d'incertitude: *Il a finalement accepté après avoir longtemps hésité.* ANT. décider. **2.** Marquer de l'indécision, être mal assuré: *Il avança en hésitant.* ☞ hésitant, hésitation.

hétéroclite adj. Qui est fait d'un mélange d'éléments différents et mal assortis: *Le marché aux puces était rempli d'objets hétéroclites.* SYN. disparate, divers, hétérogène. ANT. semblable, similaire.

hétérogène adj. Qui est formé d'éléments de nature différente : *Notre classe est hétérogène.* SYN. disparate, divers, hétéroclite. ANT. homogène, semblable, similaire.

hétérosexualité n.f. Sexualité de la personne qui éprouve de l'attirance sexuelle pour le sexe opposé : *L'hétérosexualité est plus répandue que l'homosexualité.* ANT. homosexualité.

hétérosexuel, elle n. et adj. **1.** n. Personne qui éprouve de l'attirance sexuelle pour le sexe opposé : *Ces hétérosexuels vivent une relation de couple.* **2.** adj. Qui éprouve de l'attirance sexuelle pour le sexe opposé : *La plupart des êtres humains sont hétérosexuels.*

hêtraie n.f. Lieu planté de hêtres : *Cette hêtraie est très fréquentée par les cerfs.* **R.** Ne pas oublier l'accent : *ê*. Le *h* est aspiré, ce qui empêche la liaison et l'élision. ☞ hêtre.

hêtre n.m. Grand arbre forestier à feuilles ovales dont les fruits sont les faînes : *Le hêtre appartient à la famille du châtaignier et du chêne.* HOM. être. **R.** Ne pas oublier l'accent : *ê*. Le *h* est aspiré, ce qui empêche la liaison et l'élision. ☞ hêtraie.

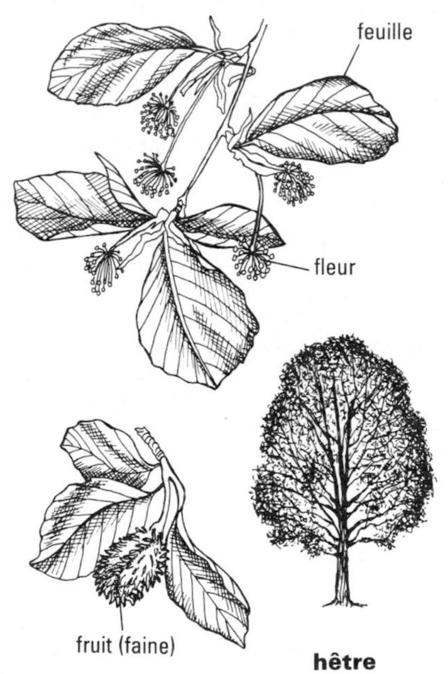

hêtre

heu ! interj. Mot marquant l'embarras, l'hésitation, le doute : *Heu! je crois qu'elle reviendra demain.* HOM. eux. **R.** Le *h* est aspiré, ce qui empêche la liaison et l'élision.

heure n.f. **1.** Unité de mesure de temps valant soixante minutes : *Une journée compte vingt-quatre heures.* **2.** Moment précis de la journée : *Il est 15 heures.* **3.** Moment plus ou moins précis de la journée : *Je serai de retour vers l'heure du souper.* HOM. heurt. ◆ *À l'heure :* À temps. *À toute heure :* À tout moment. *D'heure en heure :* À mesure que le temps passe. *D'une heure à l'autre :* D'un moment à l'autre. *Pour l'heure :* Pour le moment. *Sur l'heure :* Tout de suite. ☞ demi-heure, horaire. **à la bonne heure** loc.adv. Voilà qui est bien, c'est parfait : *À la bonne heure, la température s'annonce belle pour la journée.* **à l'heure qu'il est** loc.adv. À l'heure actuelle : *À l'heure qu'il est, nous ne pouvons les rejoindre.*

heureusement adv. **1.** D'une manière heureuse, favorable : *L'affaire s'est conclue heureusement.* SYN. avantageusement. ANT. malheureusement. **2.** De manière agréable : *Les éléments du décor sont heureusement agencés.* SYN. bien. ANT. mal. **3.** Par bonheur : *Heureusement, la station-service était encore ouverte.* ☞ heureux.

heureux, euse adj. **1.** Qui jouit du bonheur : *Elles sont heureuses depuis qu'elles se sont retrouvées.* SYN. bienheureux. ANT. malheureux. **2.** Qui exprime le bonheur : *Je regardais jouer l'enfant au visage heureux.* SYN. radieux. ANT. mécontent, triste. **3.** Qui est rempli de bonheur : *Il trouve malgré tout que sa vie a été heureuse.* SYN. prospère. ANT. banal, désolant, raté. **4.** Qui est favorisé par le sort : *Elle s'estime heureuse d'être encore en vie.* SYN. chanceux. ANT. malchanceux. **5.** Qui est favorable : *Par un heureux hasard, il venait tout juste d'arriver.* SYN. avantageux. ANT. déplorable. ☞ heureusement.

heurt n.m. **1.** Fait de heurter, de cogner, ou résultat de cette action : *Le heurt des deux trains a produit un vacarme effrayant.* SYN. accrochage, choc, impact. **2.** fig. Opposition vive, désaccord brutal : *Les négociations se sont déroulées sans heurts.* SYN. friction. ANT. conciliation. HOM. heure. **R.** Le *h* est aspiré, ce qui empêche la liaison et l'élision. ☞ heurter.

heurter v. **1.** Entrer brusquement en contact avec quelqu'un ou quelque chose : *La voiture a heurté un piéton.* SYN. accrocher, percuter. ANT. éviter. **2.** fig. Contrarier de façon choquante : *Cette nouvelle théorie heurte l'opinion générale.* SYN. blesser, offenser, vexer. ANT. contenter, plaire. ☞ heurt, heurtoir. **se heurter** v.pron. Rencontrer une difficulté, un obstacle : *Je me heurte constamment à son incompréhension.* **R.** Le *h* est aspiré, ce qui empêche la liaison et l'élision.

heurtoir n.m. Marteau de porte, à charnière, dont on se sert pour frapper : *Le heurtoir* *a l'avantage de n'être jamais en panne.* **R.** Le *h* est aspiré, ce qui empêche la liaison et l'élision. ☞ heurter.

hévéa n.m. (péruv.) Arbre originaire d'Amérique du Sud, dont le latex donne le caoutchouc: *Aujourd'hui, l'hévéa est principalement cultivé en Asie du Sud-Est.*

hexagonal, ale, aux adj. Qui a la forme d'un hexagone, qui a six côtés et six angles: *Les alvéoles des abeilles sont hexagonales.* ☞ hexagone.

hexagone n.m. Figure géométrique qui a six côtés et six angles: *La France a la forme d'un hexagone.* ☞ hexagonal.

hi! interj. Mot exprimant le rire ou, parfois, les pleurs: *Hi! hi! hi! j'ai gagné!* HOM. y. **R.** Le *h* est aspiré, ce qui empêche la liaison et l'élision.

hiatus n.m. (lat.) Succession de deux voyelles prononcées à l'intérieur d'un mot ou entre deux mots: *Dans le mot «théâtre», il y a un hiatus: les deux voyelles «é» et «a» se suivent.* ANT. continuité, liaison. **R.** Le *s* se prononce.

hibernant, ante adj. Qui hiberne, qui passe l'hiver dans une situation d'engourdissement: *La marmotte et le hérisson sont des animaux hibernants.* ☞ hiberner.

hibernation n.f. **1.** État de vie ralentie dans lequel certains mammifères passent l'hiver: *Au plus froid de l'hiver, les écureuils sont en hibernation.* **2.** fig. Inaction: *Pendant les vacances, je suis en état d'hibernation intellectuelle.* ☞ hiberner.

hiberner v. Passer l'hiver en état d'hibernation, dans une situation d'engourdissement: *Chez l'ours, la femelle hiberne plus longtemps que le mâle.* **R.** Ne pas confondre avec *hiverner.* ☞ hibernant, hibernation.

hibiscus n.m. Arbuste tropical à belles fleurs, dont il existe plusieurs variétés ornementales: *L'hibiscus est de la même famille que la guimauve.* **R.** Le *s* se prononce.

hibou, oux n.m. **1.** Oiseau de proie nocturne, à aigrettes et à face ronde: *Les hiboux se nourrissent principalement de petits rongeurs.* **2.** fam. et péj. Homme solitaire et peu aimable: *Notre voisin est un vieux hibou.* **R.** Le *h* est aspiré, ce qui empêche la liaison et l'élision.

hic n.m.invar.fam. Point difficile, problème délicat: *Le hic, c'est que je n'ai pas apporté de parapluie.* SYN. nœud, obstacle. **R.** Le *h* est aspiré, ce qui empêche la liaison et l'élision.

hideur n.f. Laideur extrême: *Ces peintures représentent les hideurs de la guerre.* SYN. horreur. ANT. beauté. **R.** Le *h* est aspiré, ce qui empêche la liaison et l'élision. ☞ hideux.

hideusement adv. De façon hideuse, horrible: *Le salon était hideusement décoré.* **R.** Le *h* est aspiré, ce qui empêche la liaison et l'élision. ☞ hideux.

hideux, euse adj. Qui est d'une laideur repoussante: *La sorcière avait changé la princesse en bête hideuse.* SYN. ignoble, laid, répugnant. ANT. beau. **R.** Le *h* est aspiré, ce qui empêche la liaison et l'élision. ☞ hideur, hideusement.

hier adv. Jour qui précède immédiatement celui où l'on est: *Hier, c'était lundi, donc aujourd'hui nous sommes mardi.* ☞ avant-hier.

hiérarchie n.f. **1.** Organisation sociale où les membres sont reliés entre eux par des rapports de subordination: *Dans la hiérarchie de l'armée, le général est le chef le plus important.* SYN. échelle, filière, ordre. ANT. anarchie. **2.** Ensemble d'éléments organisés par ordre d'importance: *Dans la hiérarchie des valeurs d'une société, le respect de l'autre doit figurer en bonne place.* SYN. classement, classification. **R.** Le *h* est aspiré, ce qui empêche la liaison et l'élision. ☞ hiérarchique, hiérarchiquement.

hiérarchique adj. Qui est relatif à la hiérarchie, au rang: *Elle doit remettre un rapport à son supérieur hiérarchique.* ANT. égalitaire. **R.** Le *h* est aspiré, ce qui empêche la liaison et l'élision. ☞ hiérarchie.

hiérarchiquement adv. De façon hiérarchique, ordonnée: *La colonelle est hiérarchiquement supérieure au lieutenant.* **R.** Le *h* est aspiré, ce qui empêche la liaison et l'élision. ☞ hiérarchie.

hiéroglyphe n.m. **1.** Chacun des signes de l'ancienne écriture égyptienne: *Une archéologue travaille au déchiffrage des hiéroglyphes trouvés dans un tombeau.* **2.** fig. Écriture illisible: *Il n'est pas facile de lire les hiéroglyphes de cette ordonnance.* **R.** Les lettres *ph* se prononcent *f*.

hiéroglyphes

hi-han interj. Mot évoquant le cri de l'âne: *«Hi-han! hi-han!» criait l'âne.* **R.** Le *h* est aspiré, ce qui empêche la liaison et l'élision.

hilarant, ante adj. Qui provoque le rire: *Ce film contient des scènes hilarantes.* SYN. amusant, comique. ANT. triste. ☞ hilare.

hilare adj. Qui montre une gaieté extrême: *Les clowns ont exécuté leur numéro devant un public hilare.* SYN. gai. ANT. maussade, renfrogné. ☞ hilarant, hilarité.

hilarité n.f. Accès de gaieté, explosion de rires: *Ses histoires invraisemblables ont provoqué l'hilarité générale.* ANT. chagrin, tristesse. ☞ hilare.

hindi n.m. et adj. **1.** n.m. Langue parlée en Inde: *L'hindi est l'une des principales langues de l'Inde.* **2.** adj. Qui appartient à l'hindi, qui vient de l'hindi: *La littérature hindi s'enseigne dans cette faculté.* **R.** Devant *hindi*, l'élision et la liaison peuvent se faire ou non. L'adjectif est invariable en genre.

hindou, oue, ous n. et adj. **1.** n. Personne dont la religion est l'hindouisme, principale religion de l'Inde: *Les hindous croient en plusieurs dieux.* **2.** adj. Qui se rapporte à l'hindouisme: *Les prêtres hindous sont appelés «brahmanes».* ☞ hindouisme.

hindouisme n.m. Religion de la grande majorité des hindous, qui comprend différentes tendances et qui a donné naissance à plusieurs sectes: *Je connais plusieurs personnes qui pratiquent l'hindouisme.* ☞ hindou.

hippie n. et adj. (améric.) **1.** n. Jeunes gens qui, dans les années soixante et soixante-dix, rejetaient la société de consommation et prônaient la vie en communauté: *Les hippies prêchaient la non-violence et le partage.* ANT. bourgeois. **2.** adj. Qui est propre aux hippies: *La musique hippie était très populaire dans les années soixante-dix.* **R.** Aussi, *hippy*. Au pluriel, *hippies*. Le *h* est aspiré, ce qui empêche la liaison et l'élision.

hippique adj. Qui est relatif aux chevaux: *La dresseuse de chevaux a donné un numéro hippique saisissant.* ☞ hippisme.

hippisme n.m. Ensemble des sports pratiqués à cheval: *Nous sommes des adeptes de l'hippisme.* ☞ hippique.

hippocampe n.m. Petit poisson marin dont la tête rappelle celle du cheval: *L'hippocampe nage en position verticale.*

hippodrome n.m. Terrain où se pratiquent les sports hippiques, champ de courses: *Ces amateurs de courses de chevaux vont à l'hippodrome chaque semaine.*

hippopotame n.m. **1.** Gros mammifère africain, herbivore, qui vit dans les fleuves: *L'hippopotame peut peser quatre tonnes.* **2.** fam. Personne obèse: *Si tu ne fais pas attention, tu auras bientôt l'air d'un hippopotame!*

hippocampes

hirondelle n.f. Oiseau migrateur à queue fourchue et au vol élégant: *L'hirondelle se nourrit d'insectes.*

hirsute adj. Qui a les cheveux en désordre: *La tête hirsute, les yeux gonflés de sommeil, Sonia vient de se lever.* SYN. échevelé, hérissé.

hisser v. (all.) Faire monter, élever, souvent avec effort: *Ils ont hissé le seau de goudron sur la couverture.* ANT. descendre. se **hisser** v.pron. S'élever avec effort: *Cette alpiniste se hisse vers le sommet de la montagne.* **R.** Le *h* est aspiré, ce qui empêche la liaison et l'élision.

histogramme n.m. Graphique composé de rectangles, de barres, dont les hauteurs représentent des quantités: *J'ai tracé un histogramme représentant les quantités de pluie tombée à chaque mois de l'année.*

histoire n.f. **1.** Science qui étudie le passé de l'humanité: *L'histoire emploie aujourd'hui des méthodes nouvelles.* **2.** Récit des événements de la vie d'un peuple, d'un individu: *Elle connaît en détail l'histoire du Canada.* SYN. biographie. **3.** Étude scientifique d'une évolution: *L'histoire de la musique est passionnante.* ☞ historien, historique, historiquement, préhistoire, préhistorique. ▲ **histoire** n.f. **1.** Récit d'événements réels ou imaginaires: *Papa me raconte souvent une histoire avant le coucher.* SYN. anecdote, conte. **2.** Récit inventé, visant à tromper: *Tout ça, ce sont des histoires.* SYN. blague, mensonge. **3.** Aventure particulière: *Il m'est arrivé une drôle d'histoire.* SYN. incident. **4.** Succession d'événements fâcheux: *Ne t'en mêle pas, tu vas t'attirer des histoires.* SYN. complication, embarras, ennui. ☞ historiette.

historien, ienne n. Personne qui étudie l'histoire, qui écrit des ouvrages d'histoire: *Des historiens ont étudié les coutumes amérindiennes.* ☞ histoire.

historiette n.f. Récit d'une petite aventure plaisante: *Notre livre de lecture contient des historiettes amusantes.* ☞ histoire.

historique n.m. et adj. **1.** n.m. Exposé chronologique des faits entourant un événement, un sujet particulier: *Elle nous a fait l'historique de la ceinture fléchée.* SYN. narration, récit. **2.** adj. Qui est relatif à l'histoire: *Ces actes notariés sont des documents historiques.* SYN. authentique. ANT. faux. **3.** adj. Qui a vraiment existé: *Madeleine de Verchères est un personnage historique.* ANT. légendaire. **4.** adj. Qui traite un sujet emprunté à l'histoire: *Ce roman historique raconte la colonisation de l'Abitibi.* **5.** adj. Qui est digne d'être conservé par l'histoire: *Ce jour est une date historique.* SYN. mémorable. ANT. insignifiant. **6.** adj. Qui présente un intérêt pour l'histoire: *Cette maison traditionnelle est un monument historique.* SYN. remarquable. ☞ histoire.

historiquement adv. D'une manière historique, du point de vue de l'histoire: *Ce fait est historiquement exact.* ☞ histoire.

hiver n.m. Saison qui suit l'automne et qui précède le printemps: *L'hiver commence vers le vingt et un décembre et se termine vers le vingt et un mars.* ☞ hivernage, hivernal, hivernant, hiverner.

hivernage n.m. **1.** Temps de relâche des navires pendant la mauvaise saison: *Les bateaux sont en hivernage au port.* **2.** Séjour des bestiaux à l'étable pendant l'hiver: *Il est temps de mettre les vaches en hivernage.* **3.** Labour qu'on fait avant l'hiver: *J'ai préparé la herse pour l'hivernage.* ☞ hiver.

hivernal, ale, aux adj. Qui est relatif à l'hiver: *Nous aimons beaucoup les jeux hivernaux.* ANT. estival. ☞ hiver.

hivernant, ante n. Personne qui séjourne en un lieu pendant l'hiver: *Les hivernants ont été nombreux dans les centres de ski.* ANT. estivant. ☞ hiver.

hiverner v. **1.** Passer l'hiver à l'abri: *Les cerfs hivernent dans cette pinède.* **2.** Passer l'hiver en un lieu: *Les troupes ont hiverné à la base militaire.* **R.** Ne pas confondre avec *hiberner*. ☞ hiver.

ho! interj. Interjection servant à appeler ou marquant la surprise, l'admiration ou l'indignation: *Ho! quel beau dessin!* HOM. au, eau, haut, ô, oh!. **R.** Le *h* est aspiré, ce qui empêche la liaison et l'élision.

hobby n.m. (angl.) Passe-temps: *Son hobby est de collectionner les timbres.* SYN. dada. **R.** Au pluriel, *hobbies*. Le *h* est aspiré, ce qui empêche la liaison et l'élision. Pour éviter cet anglicisme, on pourra employer plutôt *passe-temps, violon d'Ingres*.

hobereau, eaux n.m. Petit oiseau de proie semblable au faucon: *Les hobereaux ont un plumage gris-bleu.* **R.** Le *h* est aspiré, ce qui empêche la liaison et l'élision.

hocco n.m. (guyan.) Oiseau ventriloque d'Amérique du Sud, de la famille du coq: *On utilise le hocco dans les basses-cours pour garder les autres volailles.* **R.** Le *h* est aspiré, ce qui empêche la liaison et l'élision.

hochement n.m. Action de hocher la tête, de la remuer de haut en bas ou de droite à gauche: *Elle répondit par un hochement.* **R.** Le *h* est aspiré, ce qui empêche la liaison et l'élision. ☞ hocher.

hoche-queue n.m. Un des noms de la bergeronnette, oiseau qui vit au bord des eaux et dans le voisinage des troupeaux: *Le hoche-queue remue continuellement la queue.* **R.** Aussi, *hochequeue*. Au pluriel, *hoche-queues* ou *hochequeues*. Le *h* est aspiré, ce qui empêche la liaison et l'élision. ◇ bergeronnette.

hocher v. Secouer la tête de haut en bas ou de droite à gauche: *Il hocha la tête en signe d'approbation.* SYN. bouger, remuer. **R.** Le *h* est aspiré, ce qui empêche la liaison et l'élision. ☞ hochement.

hochet n.m. Jouet de bébé, qui fait entendre un son quand on le secoue: *J'ai acheté un hochet à ma petite sœur.* **R.** Le *h* est aspiré, ce qui empêche la liaison et l'élision.

hockey n.m. (angl.) Sport d'équipe qui se joue généralement sur glace: *Le hockey sur glace est le sport national du Canada.* HOM. hoquet. **R.** Les lettres *ey* se prononcent *è*. Le *h* est aspiré, ce qui empêche la liaison et l'élision. ☞ hockeyeur.

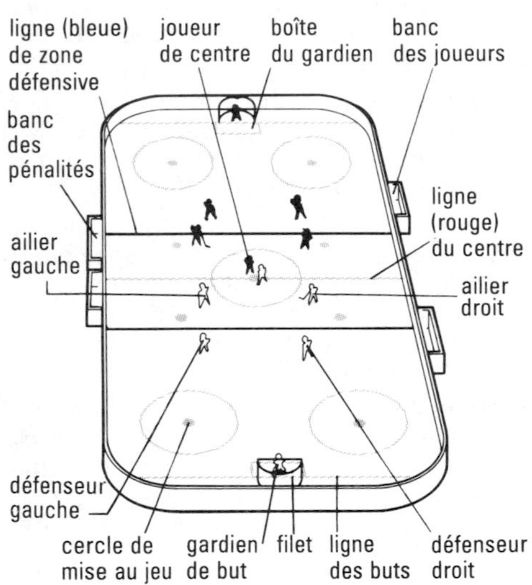

hockey

hockeyeur, euse n. Personne qui joue au hockey: *Il rêve de devenir un hockeyeur professionnel.* **R.** Le *h* est aspiré, ce qui empêche la liaison et l'élision. ☞ hockey.

holà ! n.m.invar. et interj. **1.** n.m.invar. Fin, arrêt, bon ordre: *Il est urgent de mettre le holà à tes dépenses folles.* **2.** interj. Mot servant à appeler, à modérer ou à arrêter: *Holà ! ne nous énervons pas !* **R.** Le *h* est aspiré, ce qui empêche la liaison et l'élision.

hold-up n.m.invar. (améric.) Attaque à main armée, dans un endroit public, en vue de s'emparer de quelque chose: *Plusieurs banques ont maintenant un système de protection contre les hold-up.* **R.** Le *h* est aspiré, ce qui empêche la liaison et l'élision. Pour éviter cet anglicisme, on pourra employer plutôt *attaque à main armée, vol à main armée.*

hollandais, aise n. et adj. **1.** n. Personne qui est de la Hollande: *Un Hollandais, une Hollandaise.* **2.** adj. Qui est de la Hollande: *Van Gogh était un peintre hollandais.* **R.** On met la majuscule à *hollandais* et à *hollandaise* lorsque le nom désigne une personne. Le *h* est aspiré, ce qui empêche la liaison et l'élision.

hollandais n.m. Langue parlée en Hollande: *Tu as vraiment du talent pour les langues: après avoir appris l'anglais et l'italien, tu t'attaques maintenant au hollandais.* **R.** Le *h* est aspiré, ce qui empêche la liaison et l'élision.

hologramme n.m. Image photographique qui donne l'impression d'avoir trois dimensions lorsqu'elle est illuminée par des faisceaux lasers: *Mes parents nous ont emmenés visiter une exposition d'hologrammes.* ☞ holographie.

holographie n.f. Méthode de photographie qui permet de projeter dans l'espace des images à trois dimensions, grâce à des faisceaux lasers: *L'holographie permet de resti-*

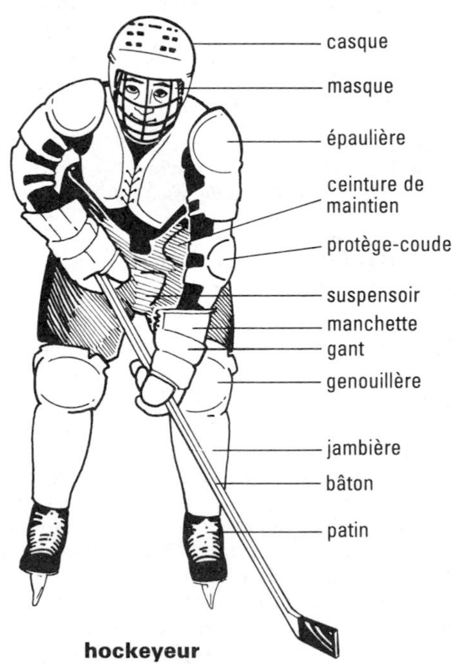

hockeyeur

tuer le relief des objets. **R.** Les lettres *ph* se prononcent *f.* ☞ hologramme.

holothurie n.f. Animal marin au corps allongé, aussi appelé «concombre de mer»: *L'holothurie est un échinoderme, comme l'étoile de mer.* **R.** Le *h* est aspiré, ce qui empêche la liaison et l'élision.

homard n.m. Crustacé marin à grosses pinces et à chair très estimée: *La pêche aux homards a été bonne.* ⁄⁄ *Être rouge comme un homard:* Être très rouge, comme un homard après la cuisson. **R.** Le *h* est aspiré, ce qui empêche la liaison et l'élision.

homélie n.f. **1.** Discours fait sur la religion, principalement sur l'Évangile: *Cette homélie de Pâques a été très émouvante.* **2.** péj. Discours ennuyeux et moralisateur: *J'en ai assez de subir tes homélies continuelles!*

homéopathe n. et adj. **1.** n. Personne qui pratique l'homéopathie, méthode thérapeutique: *Il est allé consulter une homéopathe.* **2.** adj. Qui pratique l'homéopathie, méthode thérapeutique: *Pour régler ton problème, tu devrais peut-être aller consulter un médecin homéopathe.* ☞ homéopathie.

homéopathie n.f. Méthode thérapeutique qui traite les maladies en administrant à très petites doses des substances capables de provoquer les symptômes de ces maladies: *En homéopathie, certains poisons, comme l'arsenic, sont employés à très petites doses comme remèdes.* ☞ homéopathe, homéopathique.

homéopathique adj. Qui est relatif à l'homéopathie, méthode thérapeutique: *Elle suit un traitement homéopathique.* ☞ homéopathie.

homicide n.m. et adj. **1.** n.m. Action de tuer un être humain: *Le jury a prononcé un verdict d'homicide involontaire.* SYN. assassinat. **2.** adj. Qui cause la mort d'une ou de plusieurs personnes: *Cette guerre homicide a fait beaucoup de victimes.* SYN. meurtrier.

hommage n.m. **1.** Marque d'estime, de vénération: *Ce récital est donné en hommage à nos enseignantes.* **2.** plur. Salutations, compliments adressés à quelqu'un: *Je vous présente mes hommages.* ⁄⁄ *Faire hommage de quelque chose:* Donner, offrir quelque chose. *Rendre hommage à quelqu'un, à quelque chose:* Témoigner du respect à quelqu'un, à quelque chose.

homme n.m. **1.** Être intelligent, incluant l'homme et la femme: *L'homme appartient à l'espèce la plus évoluée de la terre.* **2.** L'espèce humaine en général: *Tout homme a des droits et des devoirs.* SYN. individu, personne. ☞ humain, humainement, humanité, humanoïde, surhomme, surhumain. ▲ **homme** n.m. Être humain de sexe masculin: *Dans ce groupe, il y a autant d'hommes que de femmes.* **R.** Au féminin, *femme.* ☞ homme-grenouille, homme-orchestre. ▲ **homme** n.m. Individu dépendant d'une autorité: *La commandante et ses hommes ont repoussé l'ennemi.*

homme-grenouille n.m. Plongeur équipé d'un appareil pour la respiration qui le rend apte à faire certains travaux sous l'eau: *Des hommes-grenouilles ont découvert sous l'eau l'épave d'un ancien navire.* **R.** Au pluriel, *hommes-grenouilles.* Tend à être remplacé par *plongeur, plongeuse.* ☞ homme.

homme-orchestre n.m. **1.** Musicien ambulant qui joue en même temps de plusieurs instruments: *Dans le métro, un homme-orchestre jouait de l'harmonica, de la guitare et des percussions.* **2.** fig. Personne qui a des compétences variées: *Cette administratrice est un homme-orchestre.* **R.** Au pluriel, *hommes-orchestres.* ☞ homme.

homogène adj. Qui possède des éléments de même nature ou assemblés de façon uniforme: *Il faut bien mélanger les ingrédients pour obtenir une consistance homogène.* SYN. uniforme. ANT. hétérogène. ☞ homogénéisation, homogénéisé, homogénéiser, homogénéité.

homogénéisation n.f. Action de rendre homogène, uniforme: *L'homogénéisation du lait empêche la crème de se séparer.* ☞ homogène.

homogénéisé, ée adj. Qui a subi l'homogénéisation, qu'on a rendu uniforme: *Le lait vendu dans les épiceries est du lait homogénéisé.* HOM. homogénéiser. ☞ homogène.

homogénéiser v. Rendre homogène, uniforme: *Cet appareil sert à homogénéiser le lait.* HOM. homogénéisé. ☞ homogène.

homogénéité n.f. Caractère de ce qui est homogène, uniforme: *Le vinaigre fait perdre au lait son homogénéité.* ☞ homogène.

homogène homogénéité

homologue n. et adj. **1.** n. Personne qui exerce une fonction correspondante, équivalente: *La ministre des Affaires extérieures a rencontré son homologue belge.* **2.** adj. Qui correspond, qui est équivalent dans un ensemble différent: *Le grade de colonel est homologue à celui de capitaine de vaisseau.* SYN. semblable, similaire. ANT. différent, distinct. **R.** Ne pas oublier le *u* après le *g.*

homologuer v. **1.** Confirmer officiellement un acte juridique afin de permettre son exécution: *La juge a homologué le testament.* SYN. sanctionner. ANT. annuler. **2.** Reconnaître officiellement un record, une performance après vérification: *Le jury a homologué le record du skieur.* SYN. ratifier, valider. ANT. invalider, révoquer. **R.** Ne pas oublier le *u* après le *g*.

homonyme n.m. et adj. **1.** n.m. Mot de même prononciation qu'un autre, mais de sens différent: *Le nom «verre» est un homonyme de l'adjectif «vert».* **2.** adj. Qui se rapporte aux mots qui ont des prononciations identiques, mais des sens différents: *«Paire» et «père» sont des noms homonymes.*

homophone n.m. et adj. **1.** n.m. Mot qui a la même prononciation qu'un autre, mais dont l'orthographe et le sens sont différents: *«C'est» est un homophone de «ces».* **2.** adj. Qui se rapporte aux mots qui ont la même prononciation: *«Pain» et «pin» sont des mots homophones.* **R.** Les lettres *ph* se prononcent *f*.

homosexualité n.f. Sexualité des personnes qui éprouvent une attirance sexuelle pour une personne de leur sexe: *Le journal a publié une enquête sur l'homosexualité dans les grandes villes américaines.* ☞ homosexuel.

homosexuel, elle n. et adj. **1.** n. Personne qui éprouve une attirance sexuelle pour une personne de son sexe: *Les homosexuels sont souvent victimes de discrimination.* ANT. hétérosexuel. **2.** adj. Qui éprouve une attirance sexuelle pour une personne de son sexe: *Elle a un ami homosexuel.* **3.** adj. Qui est relatif à l'homosexualité: *Elle a des tendances homosexuelles.* ☞ homosexualité.

hongrois, oise n. et adj. **1.** n. Personne qui est de la Hongrie: *Un Hongrois, une Hongroise.* **2.** adj. Qui est de la Hongrie: *J'adore écouter de la musique hongroise.* **R.** On met la majuscule à *hongrois* et à *hongroise* lorsque le nom désigne une personne. Le *h* est aspiré, ce qui empêche la liaison et l'élision.

hongrois n.m. Langue parlée en Hongrie: *Ma tante a épousé un homme qui parle le hongrois.* **R.** Le *h* est aspiré, ce qui empêche la liaison et l'élision.

honnête adj. **1.** Qui est conforme aux règles de la morale, de la vertu: *C'est un garçon honnête et digne de confiance.* SYN. intègre, loyal. ANT. malhonnête. **2.** Qui est convenable, satisfaisant: *Elle a vendu sa maison à un prix honnête.* SYN. acceptable, suffisant. **R.** Ne pas oublier l'accent: *ê*. ☞ honnêtement, honnêteté, malhonnête, malhonnêtement, malhonnêteté.

honnêtement adv. D'une manière honnête, loyale: *Elle avoue honnêtement avoir négligé de faire ses devoirs.* SYN. franchement. ANT. malhonnêtement. **R.** Ne pas oublier l'accent: *ê*. ☞ honnête.

honnêteté n.f. Qualité d'une personne ou d'une conduite honnête: *Elle a été récompensée pour son honnêteté.* SYN. droiture, intégrité. ANT. malhonnêteté. **R.** Ne pas oublier l'accent: *ê*. ☞ honnête.

honneur n.m. **1.** Dignité morale qui naît de la fierté vis-à-vis de soi et des autres: *Aux éliminatoires, nous défendrons l'honneur de notre équipe.* SYN. réputation. ANT. honte. **2.** Considération accordée au mérite, au talent: *Notre championne s'en est tirée avec honneur.* SYN. gloire. ANT. déshonneur. **3.** plur. Témoignages de respect, d'admiration: *Nous avons accueilli nos invités avec tous les honneurs qui leur étaient dus.* SYN. égards. // *En l'honneur de quelqu'un:* En vue de rendre hommage à quelqu'un. *Être en honneur:* Être estimé, admiré. *Être l'honneur de quelqu'un:* Être une source d'honneur, d'admiration pour quelqu'un. *Faire honneur à quelqu'un, à quelque chose:* Être une source de fierté pour quelqu'un, rester fidèle à quelque chose. ☞ déshonneur, déshonorant, déshonorer, honorabilité, honorable, honorablement, honorer, honorifique.

honorabilité n.f. Qualité d'une personne honorable, respectable: *Cette femme est d'une parfaite honorabilité.* ☞ honneur.

honorable adj. **1.** Qui est digne d'estime, de respect: *Malgré les potins des voisins, cette famille est honorable.* **2.** Qui fait honneur, qui attire le respect: *Il a accompli une action honorable en accueillant cet étranger.* ☞ honneur.

honneur honorable

honorablement adv. De façon honorable, respectable: *Ils ont honorablement décidé d'oublier leurs vieilles querelles.* ☞ honneur.

honoraire adj. Qui porte un titre honorifique, sans exercer de fonction correspondante: *Notre professeure d'arts plastiques est membre honoraire de notre association.*

honoraires n.m.plur. Rémunération de la personne qui exerce une profession libérale: *Elle a versé les honoraires dus à son avocat.*

honorer v. **1.** Mettre en honneur: *Cette cérémonie honore les talents de nos jeunes artistes.* SYN. glorifier. ANT. abaisser, déshonorer. **2.** Procurer de l'honneur, de la considéra-

Machines simples

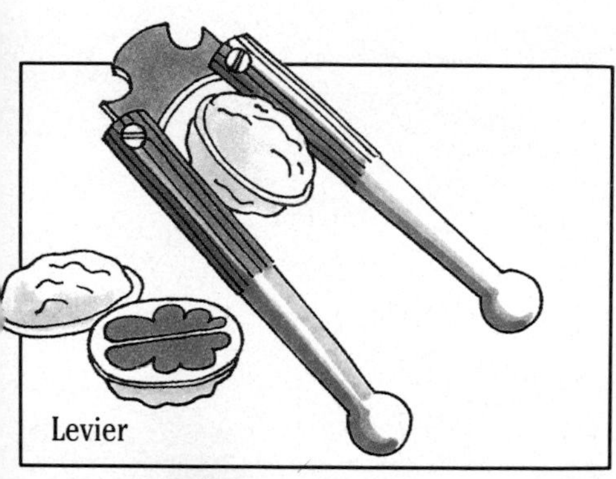
Levier

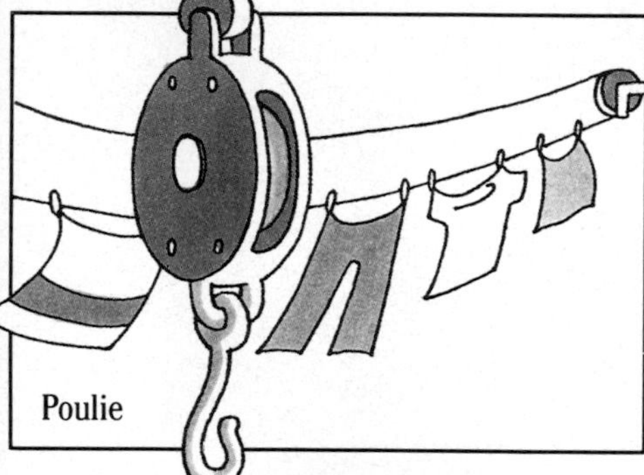
Poulie

Plan incliné

Balance à ressort

Balance commerciale

Balance à fléau

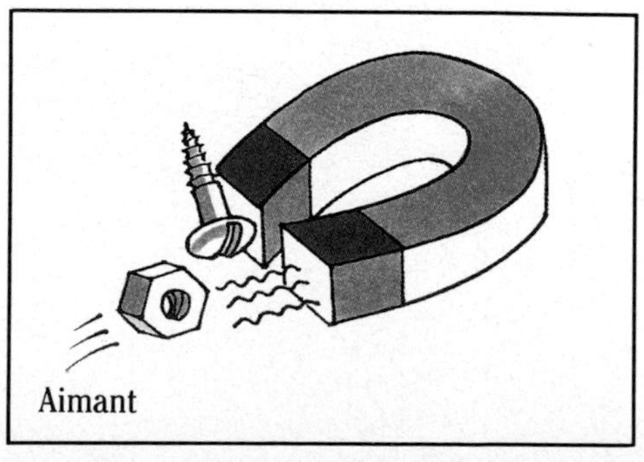
Aimant

Poissons du Canada

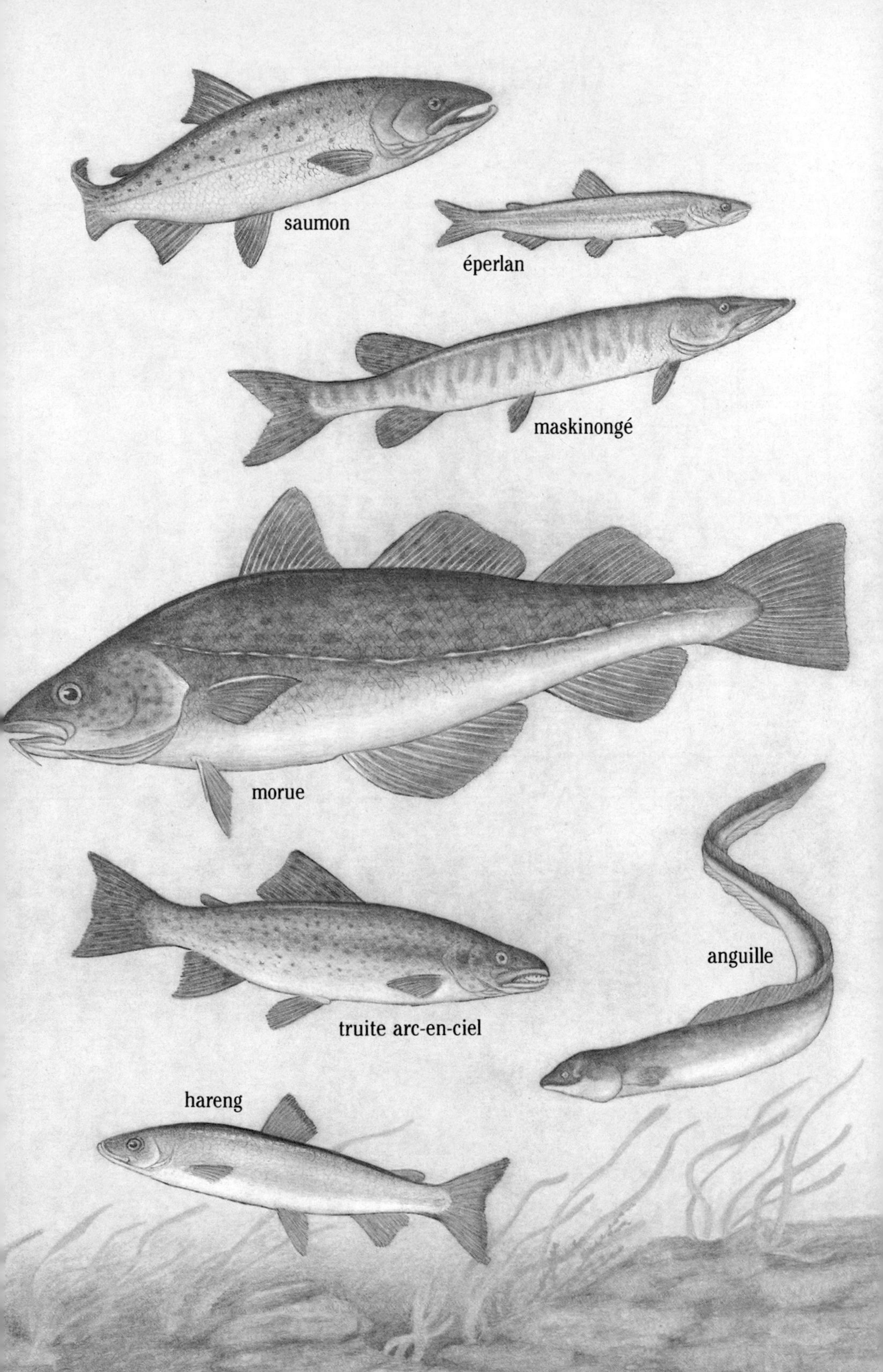
saumon
éperlan
maskinongé
morue
anguille
truite arc-en-ciel
hareng

Circuits électriques

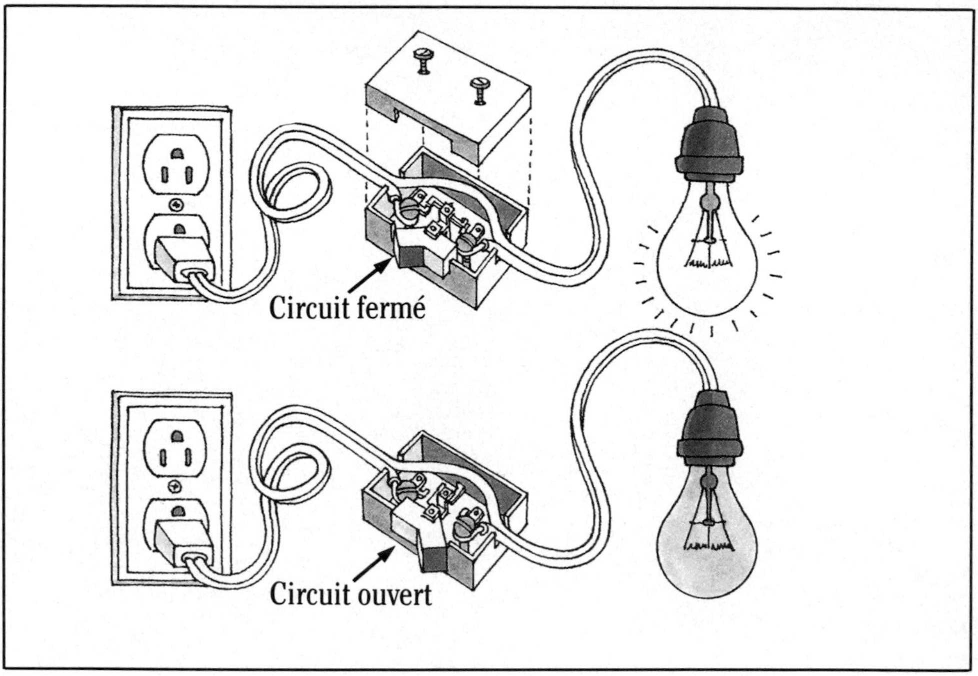

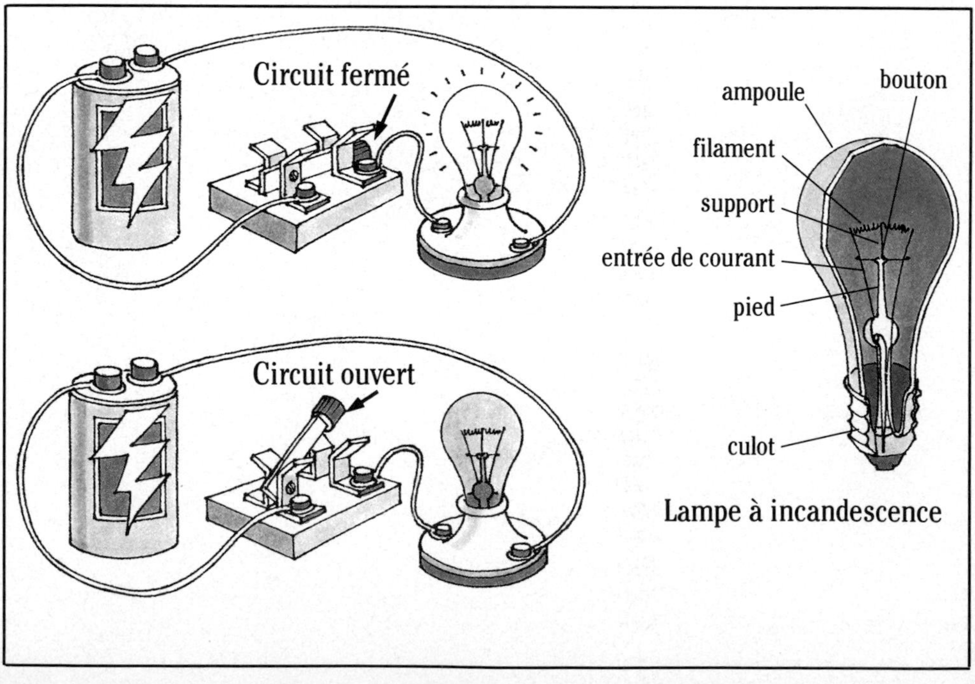

Circuit fermé

Circuit ouvert

Circuit fermé

Circuit ouvert

ampoule

bouton

filament

support

entrée de courant

pied

culot

Lampe à incandescence

tion : *Honore ton père et ta mère.* SYN. estimer, respecter, vénérer. ANT. mépriser. ☞ honneur. **s'honorer** v.pron. Être fier de quelque chose : *Notre école s'honore de sa collection de minéraux.*

honorifique adj. Qui procure des honneurs, de la considération : *Les finalistes ont reçu une distinction honorifique.* ☞ honneur.

honte n.f. **1.** Déshonneur qui engendre un sentiment d'humiliation : *À sa grande honte, il a échoué en français.* **2.** Action qui provoque un sentiment d'humiliation : *Ce plagiat est une honte.* // *Avoir honte de quelqu'un, de quelque chose :* Être gêné de quelqu'un, de quelque chose. *Faire honte à quelqu'un :* Être un sujet de honte pour quelqu'un. **R.** Le *h* est aspiré, ce qui empêche la liaison et l'élision. ☞ éhonté, honteusement, honteux.

honteusement adv. D'une façon honteuse, humiliante : *Il a honteusement abusé de ma confiance en lui.* **R.** Le *h* est aspiré, ce qui empêche la liaison et l'élision. ☞ honte.

honteux, euse adj. **1.** Qui cause de la honte, de l'humiliation : *C'est une honteuse trahison.* SYN. ignoble, méprisable. ANT. digne, honorable, louable. **2.** Qui éprouve de la honte, du déshonneur : *Je me sens honteuse de lui avoir menti.* SYN. penaud. ANT. courageux. **R.** Le *h* est aspiré, ce qui empêche la liaison et l'élision. ☞ honte.

hood ☞ sect. anglicismes et canadianismes.

hop ! interj. Mot servant à marquer un mouvement soudain, une action rapide : *La grenouille m'a glissé des mains et hop! elle a plongé.* **R.** Le *h* est aspiré, ce qui empêche la liaison et l'élision.

hôpital, aux n.m. Établissement où l'on effectue les soins médicaux et chirurgicaux, de même que les accouchements : *Mon amie est à l'hôpital à cause d'une appendicite.* **R.** Ne pas oublier l'accent : *ô*. ☞ hospitalier, hospitalisation, hospitaliser.

hoquet n.m. Contraction brusque et involontaire du diaphragme, accompagnée d'un appel d'air sonore : *Excusez-moi, j'ai le hoquet.* HOM. hockey. **R.** Le *h* est aspiré, ce qui empêche la liaison et l'élision. ☞ hoqueter.

hoqueter v. **1.** Avoir le hoquet, être pris d'une contraction brusque et involontaire du diaphragme : *C'est difficile de parler en hoquetant.* **2.** Être secoué d'un mouvement qui rappelle le hoquet : *Le moteur de la motoneige hoquette.* **R.** Ne pas oublier de doubler le *t* devant un *e* muet. Le *h* est aspiré, ce qui empêche la liaison et l'élision. ☞ hoquet.

horaire n.m. et adj. **1.** n.m. Ensemble des heures de départ, de passage et d'arrivée d'un service de transport : *L'horaire de mon autobus a été modifié.* **2.** n.m. Répartition des heures de travail, de cours, d'ouverture : *J'ai un horaire de cours très chargé le mercredi.* **3.** adj. Qui est relatif aux heures : *Au signal horaire, il sera exactement midi.* **4.** adj. Qui est d'une durée d'une heure : *Son salaire horaire a été augmenté.* ☞ heure.

horde n.f. Troupe ou groupe de personnes qui commettent des ravages : *Une horde de pillards avait fait main basse sur le château.* **R.** Le *h* est aspiré, ce qui empêche la liaison et l'élision. Ne pas confondre avec *harde*.

horizon n.m. **1.** Limite circulaire de la vue, où la terre et le ciel semblent se toucher : *Le soleil se lève à l'horizon.* **2.** fig. Champ de pensée ou d'action : *Cette série télévisée m'a ouvert de nouveaux horizons.*

horizontal, ale, aux adj. Qui est parallèle à l'horizon ou qui est perpendiculaire à une direction qui représente la verticale : *J'ai un maillot à rayures horizontales.* ☞ horizontale, horizontalement, horizontalité.

horizontale n.f. Ligne qui est parallèle à l'horizon ou qui est perpendiculaire à une direction qui représente la verticale : *La portée musicale se compose de cinq horizontales.* ☞ horizontal. **à l'horizontale** loc.adv. Dans une position horizontale : *Pour faire cet exercice, je dois placer mes bras à l'horizontale.*

horizontalement adv. Parallèlement à l'horizon ou perpendiculairement à une direction qui représente la verticale : *La montgolfière se déplaçait horizontalement.* ANT. verticalement. ☞ horizontal.

horizontalité n.f. État de ce qui est parallèle à l'horizon ou perpendiculaire à une direction qui représente la verticale : *Une parfaite horizontalité du balcon empêcherait l'écoulement des eaux de pluie.* ☞ horizontal.

horloge n.f. Appareil fixe qui indique l'heure par des aiguilles et des chiffres : *L'horloge de la salle à manger sonne les heures et les demi-heures.* ☞ horloger, horlogerie.

horloger, ère n. et adj. **1.** n. Personne qui fabrique, répare ou vend des horloges, des montres, des pendules : *J'ai fait réparer ma montre chez l'horlogère.* **2.** adj. Qui est relatif à l'horlogerie, art de faire, de réparer ou de vendre des instruments destinés à la mesure du temps : *Cette invention a révolutionné l'industrie horlogère.* ☞ horloge.

horlogerie n.f. Industrie et commerce des horloges, des montres, des pendules : *Il travaille dans l'horlogerie.* ☞ horloge.

hormis prép.litt. Sauf, excepté : *Hormis les jours de pluie, nous passons notre temps à la plage.* **R.** Le *h* est aspiré, ce qui empêche la liaison et l'élision.

hormonal, ale, aux adj. Qui est relatif aux hormones : *Ses troubles de croissance sont dus à une insuffisance hormonale.* ☞ hormone.

hormone n.f. Substance produite par une glande et exerçant une action sur le fonctionnement d'un organe ou de l'organisme : *À l'âge adulte, le corps cesse de produire des hormones de croissance.* ☞ hormonal.

horoscope n.m. Ensemble des prédictions faites au sujet d'une personne d'après les données astrologiques de sa date de naissance : *D'après mon horoscope, je me marierai après trente ans.*

horreur n.f. Sentiment de dégoût, d'épouvante causé par l'idée ou la vue d'une chose qui répugne ou qui fait peur : *La seule évocation de la violence le remplit d'horreur.* ⫽ *Avoir horreur de quelqu'un ou de quelque chose:* Éprouver une vive aversion pour quelqu'un ou quelque chose. *Avoir quelqu'un ou quelque chose en horreur:* Ne pas pouvoir supporter quelqu'un ou quelque chose. *Faire horreur:* Répugner, dégoûter. ☞ horrible, horriblement, horrifier. ▲ **horreur** n.f. **1.** Caractère de ce qui inspire de la répulsion, de l'effroi : *L'horreur des actes de terrorisme est révoltante.* **2.** Chose ou acte horrible : *Cette peinture moderne est une horreur.* **3.** plur. Actes atroces : *Mon amie libanaise a connu les horreurs de la guerre.* **4.** plur. Paroles obscènes, grossières : *Comment peux-tu dire de telles horreurs à son sujet?* ☞ horrible, horriblement, horrifier.

horrible adj. **1.** Qui remplit d'horreur, d'épouvante : *Ce film contient des scènes horribles.* SYN. affreux, atroce. ANT. agréable. **2.** Qui est très mauvais, très laid : *Il faisait un temps horrible.* SYN. abominable. ANT. beau. **3.** Qui est extrêmement désagréable : *J'ai une soif horrible.* ☞ horreur.

horriblement adv. De façon horrible, abominable : *Sa blessure le fait horriblement souffrir.* SYN. atrocement. ANT. agréablement. ☞ horreur.

horrifier v. Remplir d'horreur, d'épouvante : *Cette histoire a de quoi horrifier les plus braves.* ANT. charmer. ☞ horreur. **horrifié, ée** p.p. et adj. Qui est très effrayé : *Les enfants regardaient la scène d'un air horrifié.*

horripilant, ante adj. Qui horripile, qui agace : *Ses manières sont horripilantes.* SYN. énervant, exaspérant. ANT. reposant. ☞ horripiler.

horripiler v.fam. Provoquer de l'agacement, de l'exaspération : *Il m'horripile avec ses vantardises continuelles.* SYN. impatienter. ANT. calmer, reposer. ☞ horripilant.

hors prép. En dehors de : *C'est un modèle de voiture hors série.* HOM. or. **hors de** loc.prép. **1.** À l'extérieur de quelque chose : *Les élèves s'élancèrent hors de la classe.* **2.** En dehors de la portée, de l'action : *La blessée est maintenant hors de danger.* ⫽ *Hors de combat:* Qui n'est plus en état de combattre. *Hors de prix:* D'un prix trop élevé. *Hors d'état de nuire:* Qui ne peut plus nuire. *Hors d'usage:* Qui ne peut être utilisé. **R.** Le *h* est aspiré, ce qui empêche la liaison et l'élision.

hors-bord n.m.invar. Petite embarcation propulsée par un moteur fixé à l'arrière, à l'extérieur du bord : *Nous avons fait une promenade en hors-bord.* **R.** Le *h* est aspiré, ce qui empêche la liaison et l'élision.

hors-concours n.m.invar. Personne qui ne peut participer à un concours à cause de sa supériorité : *Ce hors-concours a donné un numéro de patinage éblouissant.* **R.** Le *h* est aspiré, ce qui empêche la liaison et l'élision.

hors-d'œuvre n.m.invar. Plat que l'on sert au début du repas : *Comme hors-d'œuvre, nous avons pris des crudités.* **R.** Le *h* est aspiré, ce qui empêche la liaison et l'élision.

hors-jeu n.m.invar. Faute commise par un joueur dans un sport d'équipe : *Il a commis un hors-jeu.* **R.** Le *h* est aspiré, ce qui empêche la liaison et l'élision.

hors-la-loi n.m.invar. Personne qui désobéit à la loi : *La policière a arrêté un dangereux hors-la-loi.* **R.** Le *h* est aspiré, ce qui empêche la liaison et l'élision.

hortensia n.m. Arbrisseau ornemental à fleurs blanches, roses ou bleues, groupées en grosses boules : *L'hortensia des jardins est originaire du Japon et de la Chine.*

horticole adj. Qui est relatif à la culture des légumes et des plantes ornementales : *Le jardin botanique possède plusieurs variétés horticoles de tulipes.* ☞ horticulture.

horticulteur, trice n. Personne qui s'occupe de la culture des légumes et des plantes ornementales : *L'horticultrice m'a donné des conseils pour cultiver mon jardin.* SYN. jardinier. ☞ horticulture.

horticulture n.f. Culture des légumes et des plantes ornementales : *Yves suit des cours d'horticulture.* ☞ horticole, horticulteur.

horticole horticulture

hosanna n.m. (hébreu) Chant de joie: *La chorale a chanté un bel hosanna.*

hospice n.m. Foyer pour personnes âgées, démunies ou malades: *Cet hospice accueille les personnes itinérantes.*

hospitalier, ière adj. Qui pratique l'hospitalité, qui accueille avec bienveillance: *Ma mère est très hospitalière.* SYN. accueillant, charitable. ANT. hostile, inhospitalier. ☞ hospitalité, inhospitalier. ▲ **hospitalier, ière** adj. Qui est relatif aux hôpitaux: *Cette ville possède de bons services hospitaliers.* ☞ hôpital.

hôpital hospitalier

hospitalisation n.f. Admission et séjour dans un hôpital: *Son hospitalisation a duré deux semaines.* ☞ hôpital.

hospitaliser v. Admettre dans un hôpital: *Le médecin décida de l'hospitaliser d'urgence.* ☞ hôpital.

hospitalité n.f. **1.** Action de recevoir quelqu'un chez soi, de l'héberger gratuitement: *Nous avons offert l'hospitalité à des voyageuses égarées.* **2.** Caractère d'une personne qui accueille ses hôtes avec bienveillance et cordialité: *L'hospitalité des gens de la campagne est bien connue.* ☞ hospitalier.

hostie n.f. Pain consacré par le prêtre pendant la messe: *À la communion, le prêtre dépose une hostie dans les mains de chaque communiant.*

hostile adj. **1.** Qui est ennemi, qui agit en ennemi: *Un chien hostile et menaçant me bloque le passage.* SYN. malveillant. ANT. accueillant, ami. **2.** Qui témoigne de l'antipathie, de la malveillance, de l'agressivité: *Danièle me jeta un regard hostile, puis se détourna.* SYN. froid. ANT. amical, bienveillant, chaleureux. **3.** Qui est opposé à quelqu'un ou à quelque chose: *Ils sont hostiles à notre projet.* SYN. défavorable. ☞ hostilement, hostilité.

hostilement adv. De façon hostile, agressive: *Un gamin me regardait hostilement.* ☞ hostile.

hostilité n.f. **1.** Sentiment d'antipathie, d'opposition: *Il ressent de l'hostilité envers sa collègue de travail.* SYN. malveillance. ANT. amitié, bienveillance. **2.** plur. Opérations de guerre: *Les hostilités ont repris entre les deux pays.* SYN. combat. ☞ hostile.

hot-dog n.m. (améric.) Pain fendu dans le sens de la longueur et fourré d'une saucisse fumée garnie de condiments comme la moutarde et la relish: *J'ai mangé deux hot-dogs grillés.* **R.** Au pluriel, *hot-dogs*. Le *h* est aspiré, ce qui empêche la liaison et l'élision.

hôte n.m. Personne qui reçoit quelqu'un chez elle: *Notre hôte nous a hébergées avec hospitalité.* **R.** Au féminin, *hôtesse.* ☞ hôtesse. ▲ **hôte** n. Personne qui est reçue chez quelqu'un: *J'ai servi des rafraîchissements à nos hôtes.* SYN. convive, invité. **R.** Ne pas oublier l'accent: *ô.*

hôtel n.m. Établissement où l'on peut louer une chambre ou un appartement à la journée: *Nous avons passé la nuit dans un hôtel au bord de la mer.* HOM. autel. ⁄⁄ *Hôtel de ville:* Édifice où siège un gouvernement municipal. **R.** Ne pas oublier l'accent: *ô.* ☞ hôtelier, hôtellerie.

hôtelier, ière n. et adj. **1.** n. Personne qui tient un hôtel, endroit où l'on peut louer une chambre ou un appartement à la journée: *L'hôtelière m'a remis les clefs de la chambre.* **2.** adj. Qui se rapporte aux hôtels: *J'ai eu ma formation à l'école hôtelière.* **R.** Ne pas oublier l'accent: *ô.* ☞ hôtel.

hôtellerie n.f. Ensemble de la profession hôtelière: *Il travaille dans l'hôtellerie.* **R.** Ne pas oublier l'accent: *ô.* ☞ hôtel.

hôtelier hôtellerie

hôtesse n.f. Femme qui reçoit quelqu'un chez elle: *Notre hôtesse nous a hébergés avec hospitalité.* **R.** Au masculin, *hôte.* ☞ hôte. ▲ **hôtesse** n.f. **1.** Femme chargée d'accueillir les visiteurs dans des lieux publics ou privés: *Ma mère travaille comme hôtesse au Salon de l'habitation.* **2.** Femme chargée d'assurer le confort et la sécurité des passagers à bord d'un avion: *L'hôtesse est en train de servir les repas des passagers.* **R.** Ne pas oublier l'accent: *ô.*

hotte n.f. Grand panier qui se porte sur le dos: *La hotte du père Noël était remplie de cadeaux.* ▲ **hotte** n.f. Appareil servant à évacuer l'air chargé de vapeurs grasses dans une cuisine: *Maman a fait installer une hotte au-dessus de la cuisinière.* **R.** Le *h* est aspiré, ce qui empêche la liaison et l'élision.

hou! interj. Mot servant à faire peur, à faire honte, à railler: *«Hou!» criait la foule à l'équipe étrangère.* HOM. août, houe, houx, ou, où. **R.** Le *h* est aspiré, ce qui empêche la liaison et l'élision.

houblon n.m. (néerl.) Plante grimpante dont on emploie les fleurs pour aromatiser la bière: *Le houblon peut atteindre une hauteur de cinq mètres.* **R.** Le *h* est aspiré, ce qui empêche la liaison et l'élision. ☞ houblonnière.

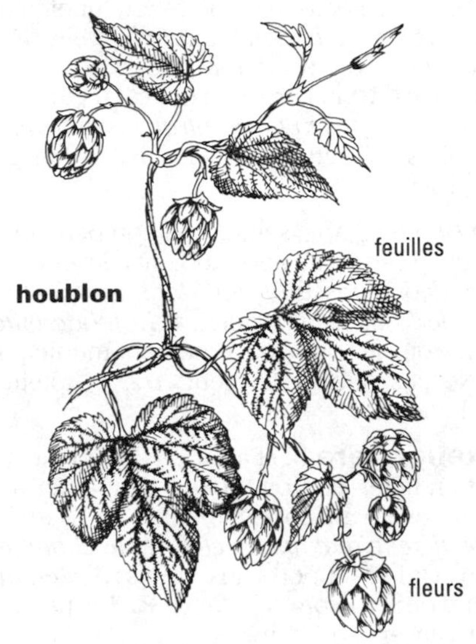

houblonnière n.f. Champ de houblon qui produit des fleurs dont on se sert pour aromatiser la bière: *On installe les houblonnières dans des sols riches et abrités du vent.* **R.** Le *h* est aspiré, ce qui empêche la liaison et l'élision. ☞ houblon.

houe n.f. Pioche à fer large et recourbé, dont on se sert pour labourer la terre: *J'ai labouré mon jardin à la houe.* HOM. août, hou!, houx, ou, où. **R.** Le *h* est aspiré, ce qui empêche la liaison et l'élision.

houille n.f. Combustible minéral solide, noir et brillant, qui constitue une importante source d'énergie: *La houille provient de végétaux décomposés.* **R.** Le *h* est aspiré, ce qui empêche la liaison et l'élision. ☞ houiller, houillère.

houiller, ère adj. **1.** Qui renferme un combustible qu'on appelle «houille»: *Les géologues ont découvert un vaste terrain houiller.* **2.** Qui est relatif à la houille: *L'industrie houillère a connu son essor au XIXe siècle.* **R.** Le *h* est aspiré, ce qui empêche la liaison et l'élision. ☞ houille.

houillère n.f. Mine qui renferme un combustible qu'on appelle «houille»: *On trouve de grandes houillères dans l'Ouest canadien.* **R.** Le *h* est aspiré, ce qui empêche la liaison et l'élision. ☞ houille.

houle n.f. Mouvement ondulatoire des eaux de la mer: *Le voilier était balancé par la houle.* SYN. flot, roulis. ANT. calme. **R.** Le *h* est aspiré, ce qui empêche la liaison et l'élision. ☞ houleux.

houlette n.f. Bâton de berger: *La bergère rassemblait ses bêtes avec sa houlette.* ⁄⁄ *Être sous la houlette de quelqu'un:* Être sous la conduite de quelqu'un. **R.** Le *h* est aspiré, ce qui empêche la liaison et l'élision.

houleux, euse adj. **1.** Qui est agité par la houle, par le mouvement ondulatoire des eaux de la mer: *La mer est très houleuse aujourd'hui.* SYN. tumultueux. ANT. calme, paisible. **2.** fig. Qui est agité, troublé: *Cette salle est houleuse, il faudrait tenter de calmer la foule.* **R.** Le *h* est aspiré, ce qui empêche la liaison et l'élision. ☞ houle.

houp! interj. Mot marquant un saut ou un mouvement vif: *Houp! Ils se sont échappés comme des lapins.* HOM. houppe. **R.** Le *h* est aspiré, ce qui empêche la liaison et l'élision.

houppe n.f. **1.** Touffe de brins de duvet, de laine, de soie: *Sa tuque est surmontée d'une houppe.* **2.** Touffe de cheveux sur la tête: *Il avait une houppe difficile à coiffer.* HOM. houp! **R.** Le *h* est aspiré, ce qui empêche la liaison et l'élision. ☞ houppette.

houppette n.f. Petite houppe ou touffe de cheveux: *Elle avait la tête hérissée d'une houppette.* ☞ houppe. ▲ **houppette** n.f. Petit tampon dont on se sert pour se poudrer: *Grand-maman se poudrait avec sa houppette.* **R.** Le *h* est aspiré, ce qui empêche la liaison et l'élision. ☞ houppe.

hourra n.m. et interj. **1.** n.m. Cri d'enthousiasme: *De la rue, on pouvait entendre les hourras provenant du stade.* **2.** interj. Mot servant à exprimer son enthousiasme, à acclamer: *Hourra! nous avons réussi!* SYN. bravo! **R.** Le *h* est aspiré, ce qui empêche la liaison et l'élision.

houspiller v. Faire de vifs reproches à quelqu'un: *Il s'est fait houspiller copieusement.* SYN. gronder, réprimander. ANT. féliciter, louer. **R.** Le *h* est aspiré, ce qui empêche la liaison et l'élision. ☞ houspilleur.

houspilleur, euse n. Personne qui a l'habitude de houspiller, de faire des reproches aux autres: *Cette houspilleuse lui a encore tombé dessus.* **R.** Le *h* est aspiré, ce qui empêche la liaison et l'élision. ☞ houspiller.

houssaie n.f. Lieu planté de houx, d'arbustes à feuilles bordées de piquants: *Elle s'est piqué les mains dans la houssaie.* **R.** Le *h* est aspiré, ce qui empêche la liaison et l'élision. ☞ houx.

housse n.f. Enveloppe qui sert à recouvrir et à protéger certains objets comme des meubles, des vêtements : *Les banquettes de la voiture sont recouvertes d'une housse lavable à la machine.* **R.** Le *h* est aspiré, ce qui empêche la liaison et l'élision.

houx n.m. Arbuste à feuilles luisantes et persistantes, bordées de piquants : *Les fruits du houx sont de petites baies d'un beau rouge.* HOM. août, hou !, houe, ou, où. **R.** Le *h* est aspiré, ce qui empêche la liaison et l'élision. ☞ houssaie.

huard n.m. Au Canada, nom vulgaire d'un oiseau qui porte le nom de « plongeon arctique » : *Les huards ont un plumage noir et blanc et un bec pointu.* **R.** Aussi, *huart*. Le *h* est aspiré, ce qui empêche la liaison et l'élision.

hublot n.m. **1.** Petite fenêtre ronde d'un navire, d'un avion : *Je regardais la mer par le hublot.* **2.** Partie vitrée de la porte d'une cuisinière, d'un sèche-linge : *Je surveille la cuisson des biscuits à travers le hublot.* **R.** Le *h* est aspiré, ce qui empêche la liaison et l'élision.

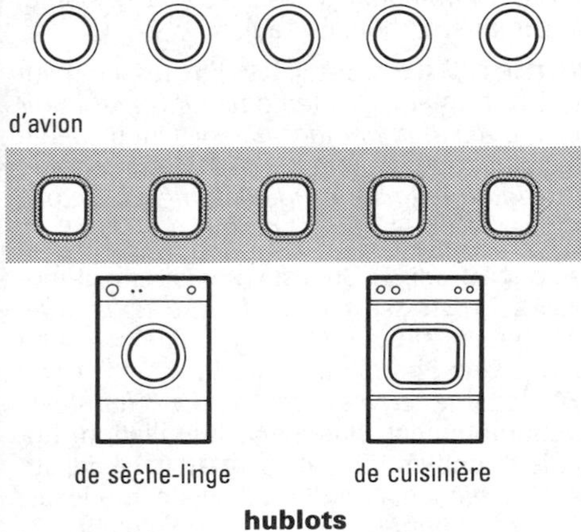

hublots

huche n.f. Coffre de bois rectangulaire à couvercle plat utilisé pour ranger le pain : *Il n'y a plus de pain dans la huche.* **R.** Le *h* est aspiré, ce qui empêche la liaison et l'élision.

hue ! interj. Mot servant à faire avancer un cheval : *Le charretier criait : « Hue ! hue ! ».* **R.** Le *h* est aspiré, ce qui empêche la liaison et l'élision.

huée n.f. Cri d'hostilité, de réprobation : *Le ministre a été accueilli par les huées de la foule.* SYN. sifflet, tollé. ANT. applaudissement, hourra. HOM. huer. **R.** S'emploie surtout au pluriel. Le *h* est aspiré, ce qui empêche la liaison et l'élision. ☞ huer.

huer v. Pousser des cris d'hostilité contre quelqu'un : *Cette arbitre s'est fait huer par les spectateurs.* SYN. siffler. ANT. applaudir, ovationner. HOM. huée. **R.** Le *h* est aspiré, ce qui empêche la liaison et l'élision. ☞ huée.

huilage n.m. Action d'enduire d'huile, d'une substance grasse liquide, d'origine animale, végétale ou minérale : *Chantale est chargée de l'huilage des machines de l'usine.* ☞ huile.

huile n.f. Substance grasse liquide, d'origine animale, végétale ou minérale : *J'ai préparé une vinaigrette à l'huile de tournesol.* **R.** N'a pas le sens de *mazout*. ☞ huilage, huiler, huileux, huilier.

huiler v. Lubrifier avec une substance grasse, avec de l'huile : *Tu devrais huiler la chaîne de ta bicyclette.* SYN. frotter, graisser. ANT. dégraisser. ☞ huile.

huileux, euse adj. **1.** Qui contient de l'huile : *Le garagiste est tombé dans une flaque huileuse.* **2.** Qui est ou semble imbibé d'huile : *Ces frites sont huileuses.* ☞ huile.

huilier n.m. Ustensile de table formé de deux flacons, un pour l'huile et un pour le vinaigre : *Passe-moi l'huilier.* ☞ huile.

huis n.m.vx Porte d'une maison : *Quelqu'un a frappé à l'huis.* // *À huis clos :* Toutes portes fermées, en interdisant l'accès au public.

huissier n.m. Personne chargée de mettre à exécution les décisions de la justice : *L'huissier est venu lui porter un avis de comparaître.* **R.** L'O.L.F. recommande *huissière* comme féminin de *huissier*.

huit n.m.invar. **1.** Nombre qui suit sept : *Sept plus un égalent huit.* **2.** Carte à jouer portant le nombre huit : *J'ai un huit de trèfle.* **3.** Huitième jour du mois : *Son anniversaire est le huit.* **4.** Chiffre représentant le nombre huit : *J'ai dessiné un beau huit sur son gâteau.* **R.** Le *h* est aspiré, ce qui empêche la liaison et l'élision, sauf dans les composés.

huit adj.num.invar. **1.** Sept plus un : *Les panneaux d'arrêt ont huit côtés.* **2.** Huitième : *Luc, peux-tu ouvrir ton dictionnaire à la page huit ?* **R.** Le *h* est aspiré, ce qui empêche la liaison et l'élision, sauf dans les composés et lorsque le mot *huit* suit le mot *page*. ☞ huitaine, huitième, huitièmement.

huitaine n.f. **1.** Groupe de huit unités : *Trois huitaines égalent vingt-quatre.* **2.** Quantité voisine de huit : *Le dompteur était seul dans la cage avec une huitaine de lions.* **3.** Ensemble de huit jours consécutifs : *Nous partirons dans une huitaine.* **R.** Le *h* est aspiré, ce qui empêche la liaison et l'élision. ☞ huit.

huitième n. et adj.num. **1.** n. Personne, animal ou chose qui occupe le huitième rang: *Elle est la huitième de la première rangée.* **2.** n. Partie d'un tout divisé en huit parties égales: *Le huitième de quarante est cinq.* **3.** adj.num. Qui vient après le septième: *Nous étions assis dans le huitième wagon.* **R.** Lorsqu'il s'agit de la partie d'un tout, le nom est masculin. Le *h* est aspiré, ce qui empêche la liaison et l'élision, sauf dans les composés. ☞ huit.

huitièmement adv. En huitième lieu dans une énumération: *Huitièmement, battre les œufs.* **R.** Le *h* est aspiré, ce qui empêche la liaison et l'élision. ☞ huit.

huître n.f. Mollusque comestible dont une variété donne des perles: *Je sais comment écailler des huîtres.* **R.** Ne pas oublier l'accent: *î.* ☞ huîtrier, huîtrière.

huîtrier n.m. Grand oiseau qui se nourrit de mollusques: *L'huîtrier est pourvu d'un long bec rouge.* **R.** Ne pas oublier l'accent: *î.* ☞ huître.

huîtrier, ière adj. Qui est relatif aux huîtres, à ce mollusque comestible dont une variété donne des perles: *L'industrie huîtrière est importante dans l'économie des provinces de l'Atlantique.* **R.** Ne pas oublier l'accent: *î.* ☞ huître.

huîtrière n.f. Parc où l'on fait l'élevage des huîtres, de ce mollusque comestible dont une variété donne des perles: *La pêcheuse nous a indiqué l'emplacement d'une grande huîtrière.* **R.** Ne pas oublier l'accent: *î.* ☞ huître.

hululement n.m. Cri des oiseaux de nuit: *As-tu entendu le hululement de la chouette?* **R.** Aussi, *ululement.* Le *h* est aspiré, ce qui empêche la liaison et l'élision. ☞ hululer.

hululer v. Crier, en parlant des oiseaux de nuit: *Le hibou hulule.* **R.** Aussi, *ululer.* Le *h* est aspiré, ce qui empêche la liaison et l'élision. ☞ hululement.

hum! interj. Mot marquant le doute, la réticence: *Hum! je réfléchirai à ta proposition.* **R.** Le *h* est aspiré, ce qui empêche la liaison et l'élision.

humain n.m. Personne, individu: *Les humains habitent toutes les régions de la terre.* ☞ homme.

humain, aine adj. Qui est propre à l'homme, en tant qu'espèce: *Les inventions de l'intelligence humaine sont innombrables.* ☞ homme. ▲ **humain, aine** adj. Qui est compatissant, compréhensif: *Cette policière a été très humaine avec nous.* SYN. bienveillant. ANT. brutal, dur, violent. ☞ déshumaniser, humainement, humaniser, humanitaire, humanité, inhumain, inhumainement, inhumanité.

humainement adv. En tant qu'être humain, suivant les capacités de l'être humain: *C'est humainement impossible.* ☞ homme. ▲ **humainement** adv. Avec humanité, avec bonté: *La prisonnière a été traitée humainement.* ☞ humain (adj.).

humaniser v. Rendre plus humain, plus clément: *Cette entreprise a veillé à humaniser les conditions de travail.* ☞ humain (adj.). s'**humaniser** v.pron. Devenir plus humain, plus sociable: *Ce chef d'entreprise s'humanise en vieillissant.*

humanitaire adj. Qui vise au bien de l'humanité, qui cherche à améliorer la condition des êtres humains: *Ce gouvernement a fait preuve de sentiments humanitaires.* ☞ humain (adj.).

humanité n.f. **1.** Ensemble des êtres humains: *Cette série télévisée retrace l'histoire de l'humanité.* **2.** Nature humaine: *Cette « vie de Jésus » nous fait ressentir l'humanité du Christ.* ☞ homme. ▲ **humanité** n.f. Sentiment de bienveillance, de compassion: *Elle a agi avec humanité envers eux.* SYN. bonté, sensibilité. ☞ humain (adj.).

humanoïde n. et adj. **1.** n. Être ressemblant à l'être humain: *Les témoins affirment avoir aperçu des humanoïdes.* **2.** adj. Qui présente des caractères humains: *Un être humanoïde descendit de la soucoupe volante.* **R.** Ne pas oublier le tréma: *ï.* ☞ homme.

humble adj. **1.** Qui est volontairement modeste: *Malgré ses succès, il est resté humble.* SYN. effacé, simple. ANT. fier, hautain. **2.** Qui marque de l'humilité, de l'effacement: *Cette comédienne célèbre a des manières humbles.* ☞ humblement, humiliant, humiliation, humilié, humilier, humilité. ▲ **humble** adj.litt. **1.** Qui est de condition sociale modeste: *C'était un humble menuisier.* ANT. célèbre. **2.** Qui est sans éclat, sans prétention: *Elle habite dans un humble quartier de la ville.* SYN. modeste. ANT. riche, splendide. ☞ humblement.

humblement adv. Avec humilité ou d'une manière modeste: *Elle lui a humblement demandé pardon.* ☞ humble.

humectage n.m. Action d'humecter, de mouiller un peu: *Je me charge de l'humectage des timbres.* ☞ humecter.

humecter v. Rendre humide, mouiller légèrement: *J'ai humecté mon pantalon avant de le repasser.* ANT. sécher. ☞ humectage. s'**humecter** v.pron. Se mouiller: *Ses yeux s'humectèrent après avoir appris la nouvelle.*

humer v. Aspirer par le nez en respirant ou pour sentir : *Je humais le parfum des lilas.* SYN. flairer. **R.** Le *h* est aspiré, ce qui empêche la liaison et l'élision.

humérus n.m. (lat.) Os du bras, qui va de l'épaule au coude : *Elle s'est fait une fracture à l'humérus.* **R.** Le *s* se prononce.

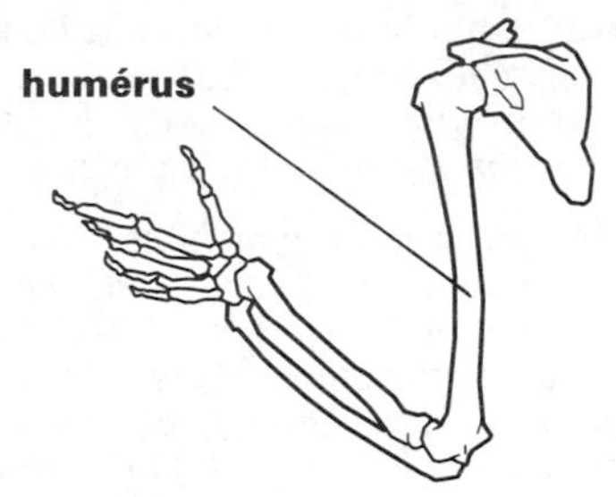

humeur n.f. **1.** Ensemble des tendances principales du caractère : *Ma sœur est d'humeur chagrine.* SYN. tempérament. **2.** État momentané de l'affectivité : *Il change d'idée selon son humeur.* SYN. caprice, fantaisie, impulsion. ⫽ *Être de bonne humeur :* Être gai, plein d'entrain. *Être de mauvaise humeur :* Être triste, irritable. *Ne pas être d'humeur à faire quelque chose :* Ne pas être disposé à faire quelque chose.

humide adj. Qui est imprégné d'eau, chargé de vapeur : *Mon pantalon est encore humide.* SYN. mouillé. ANT. sec. ☞ humidificateur, humidification, humidifier, humidité.

humidificateur n.m. Appareil servant à accroître ou à maintenir le degré d'humidité de l'air : *Notre logement est trop sec, il nous faut un humidificateur.* ☞ humide.

humidification n.f. Action d'humidifier, de charger de vapeur d'eau : *Pour soulager ma toux, le médecin recommande l'humidification de ma chambre.* ☞ humide.

humidifier v. Rendre humide, charger de vapeur d'eau : *Le fonctionnement de la laveuse humidifie l'air de la salle de lavage.* ANT. assécher, sécher. ☞ humide.

humidité n.f. **1.** État de ce qui est humide, chargé d'eau, de vapeur : *Cette lotion pour la peau sèche rétablit l'humidité naturelle des mains.* **2.** Eau contenue dans l'air sous forme de vapeur : *La serviette sur la corde n'est pas encore sèche à cause de l'humidité.* ☞ humide.

humiliant, ante adj. Qui humilie, qui mortifie : *Mon équipe a subi une défaite humiliante.* SYN. avilissant. ANT. exaltant. ☞ humble.

humiliation n.f. **1.** Situation qui humilie, qui blesse l'amour-propre : *Elle a réussi malgré de nombreuses humiliations.* SYN. affront. ANT. louange **2.** Sentiment résultant du fait d'être humilié : *Il rougissait d'humiliation.* SYN. honte. ☞ humble.

humilié, ée adj. Qui a subi une humiliation, une situation honteuse : *J'étais humiliée par sa conduite indigne.* HOM. humilier. ☞ humble.

humilier v. Abaisser en faisant paraître indigne, méprisable : *Son échec aux examens l'humilie cruellement.* SYN. avilir. ANT. élever, exalter, glorifier. HOM. humilié. ☞ humble. **s'humilier** v.pron. Se faire humble, s'abaisser : *L'âne s'humilia devant le roi des animaux.*

humilité n.f. Attitude de la personne humble, effacée : *Il se tait par humilité.* SYN. modestie. ANT. arrogance, orgueil, vanité. ⫽ *En toute humilité :* Aussi humblement que possible. ☞ humble.

humoriste n. et adj. **1.** n. Personne qui a de l'humour, qui cherche à mettre en valeur les aspects plaisants et inhabituels de la réalité : *Cette humoriste nous a beaucoup fait rire.* SYN. amuseur, farceur. **2.** adj. Qui a de l'humour : *J'aime les écrivains humoristes.* SYN. comique. ANT. sérieux. ☞ humour.

humoristique adj. **1.** Qui s'exprime avec humour, en mettant en valeur les aspects plaisants et inhabituels de la réalité : *Cette caricaturiste est très humoristique.* **2.** Qui est empreint d'humour : *André parle souvent sur un ton humoristique.* SYN. comique. ANT. sérieux. ☞ humour.

humour n.m. Forme d'esprit qui consiste à faire ressortir le caractère ridicule, absurde ou plaisant de certains aspects de la vie : *Cette romancière a raconté sa vie avec beaucoup d'humour.* SYN. esprit, gaieté, ironie. ANT. sérieux. ⫽ *Avoir le sens de l'humour :* Savoir s'exprimer avec humour et accepter les plaisanteries. ☞ humoriste, humoristique.

hum**o**ristique hum**ou**r

humus n.m. (lat.) Terre noirâtre résultant de la décomposition de déchets végétaux et animaux : *L'humus des sous-bois constitue un excellent engrais.* **R.** Le *s* se prononce.

hunier n.m. Voile carrée des anciens navires : *Le hunier était situé immédiatement au-dessus des basses voiles.* **R.** Le *h* est aspiré, ce qui empêche la liaison et l'élision.

huppe n.f. **1.** Touffe de plumes que certains oiseaux ont sur la tête : *Le cardinal porte une huppe.* SYN. houppe. **2.** Oiseau de la grosseur d'un merle qui a une touffe de plumes remarquable sur la tête: *La huppe a un bec fin et pointu.* **R.** Le *h* est aspiré, ce qui empêche la liaison et l'élision. ☞ huppé.

huppé, ée adj. Qui porte une huppe, une touffe de plumes sur la tête: *Nous avons vu une alouette huppée.* ☞ huppe. ▲ **huppé, ée** adj.fam. Qui est de haut rang, riche: *Cette école privée est réservée aux gens huppés.* **R.** Le *h* est aspiré, ce qui empêche la liaison et l'élision.

hurlant, ante adj. **1.** Qui hurle, qui fait entendre des cris retentissants: *Les champions ont été acclamés par une foule hurlante.* **2.** Qui produit un effet violent: *Je n'aime pas les couleurs que tu as choisies, elles sont trop hurlantes.* SYN. criard. **R.** Le *h* est aspiré, ce qui empêche la liaison et l'élision. ☞ hurler.

hurlement n.m. **1.** Cri de certains animaux, comme le loup et le chien: *J'ai été réveillée par les hurlements du chien.* **2.** Cri prolongé que fait entendre l'être humain pour exprimer sa douleur, sa colère: *Il poussait des hurlements de rage.* **R.** Le *h* est aspiré, ce qui empêche la liaison et l'élision. ☞ hurler.

hurler v. **1.** Faire entendre des hurlements, des cris retentissants: *J'ai entendu des coyotes hurler.* **2.** Pousser des cris sous l'effet de la douleur, de la peur: *La gamine hurlait de douleur après son accident.* **3.** Chanter, dire, prononcer en criant très fort: *Les spectateurs du match hurlaient des chants d'encouragement.* **4.** fig. Produire un effet de contraste violent: *Ces vêtements sont mal agencés, leurs couleurs hurlent.* **R.** Le *h* est aspiré, ce qui empêche la liaison et l'élision. ☞ hurlant, hurlement, hurleur.

hurleur, euse n. et adj. **1.** n. Personne qui hurle, qui pousse des cris retentissants: *Ces hurleurs me cassent les oreilles.* **2.** adj. Qui hurle, qui fait entendre des cris discordants: *J'ai fait taire ces enfants hurleurs.* **R.** Le *h* est aspiré, ce qui empêche la liaison et l'élision. ☞ hurler.

hurleur n.m. Singe d'Amérique du Sud dont les hurlements s'entendent de très loin: *Le hurleur est aussi appelé «alouate».* **R.** Le *h* est aspiré, ce qui empêche la liaison et l'élision. ☞ hurler. ◇ alouate.

hurluberlu, ue n. et adj.fam. **1.** n. Personne extravagante, étourdie: *Qu'est-ce que c'est que cet hurluberlu?* SYN. écervelé. ANT. sage. **2.** adj. Qui est extravagant, étourdi: *Elle est un peu hurluberlue.*

hutte n.f. Abri ou habitation rudimentaire fait de branchages, de paille: *Lors de notre voyage au Pérou, nous avons logé quelques jours dans une hutte de paille.* SYN. cabane, case. HOM. ut. **R.** Le *h* est aspiré, ce qui empêche la liaison et l'élision.

hyacinthe n.f. Pierre fine dont la couleur varie du brun orangé au rouge: *L'hyacinthe est une variété de zircon.*

hybridation n.f. Croisement entre deux individus (animaux ou plantes) de races ou d'espèces différentes: *Cette variété de roses a été obtenue par hybridation:* ☞ hybride.

hybride n.m. et adj. **1.** n.m. Animal ou végétal résultant d'un croisement: *Le mulet est un hybride de l'âne et de la jument.* **2.** adj. Qui est le résultat d'un croisement: *Le bardot est un animal hybride.* **3.** adj. Qui est composé d'éléments de nature différente: *Le sphinx est une créature mythologique hybride.* **4.** adj. Qui est formé de mots composés d'éléments empruntés à des langues différentes: *Le mot «bigame» est hybride: «bis» vient du latin et «game» vient du grec.* ☞ hybridation, hybrider.

hybrider v. Effectuer l'hybridation, croisement naturel ou artificiel: *On a obtenu la pomme-poire en hybridant un pommier et un poirier.* ☞ hybride.

hydratant, ante n.m. et adj. **1.** n.m. Lotion qui rend à l'épiderme sa teneur en eau: *Cet hydratant est très efficace sur ma peau.* **2.** adj. Qui hydrate l'épiderme, qui lui restitue sa teneur en eau: *J'aurais besoin d'une crème hydratante.* ☞ hydrater.

hydratation n.f. Introduction d'eau dans les tissus, l'organisme: *Cette lotion pour les mains favorise l'hydratation de la peau.* ANT. déshydratation. ☞ hydrater.

hydrater v. Redonner à la peau sa teneur en eau: *Ce savon nettoie en hydratant l'épiderme.* ANT. déshydrater. ☞ déshydratation, déshydraté, déshydrater, hydratant, hydratation.

hydraulique n.f. et adj. **1.** n.f. Science et technique des liquides en mouvement: *La construction des barrages repose sur des principes d'hydraulique.* **2.** adj. Qui utilise l'énergie de l'eau: *Nous avons visité un barrage hydraulique.*

hydravion n.m. Avion conçu pour décoller sur l'eau et s'y poser: *Plusieurs régions du Nouveau-Québec ne peuvent être atteintes que par hydravion. (Voir l'illustration à la page suivante.)*

hydrocarbure n.m. Composé contenant seulement du carbone et de l'hydrogène: *Le* *pétrole et le gaz naturel sont des hydrocarbures.*

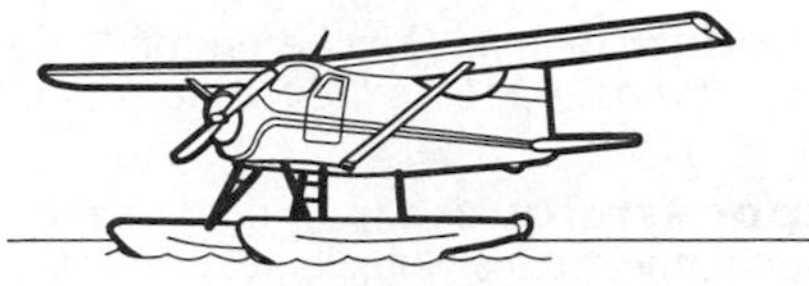

hydravion

hydroélectricité n.f. Énergie électrique produite par un cours d'eau, une chute: *L'hydroélectricité est une des principales ressources naturelles du Québec.* **R.** Aussi, *hydro-électricité.* ☞ hydroélectrique.

hydroélectrique adj. Qui est relatif à l'hydroélectricité ou à l'énergie produite par un cours d'eau: *Nous sommes déjà allés à la centrale hydroélectrique de Manicouagan.* **R.** Aussi, *hydro-électrique.* ☞ hydroélectricité.

hydrogène n.m. Gaz incolore, inodore, sans saveur, qui forme de l'eau en se combinant avec l'oxygène: *L'hydrogène est le gaz le plus léger qu'on connaisse.*

hydroglisseur n.m. Bateau à fond plat conçu pour glisser sur l'eau: *L'hydroglisseur est propulsé par une hélice ou un réacteur.*

hydrographe n. Personne qui est spécialiste en hydrographie, dans cette partie de la géographie physique qui traite des mers, des lacs et des cours d'eau: *Ma mère est hydrographe à la Commission de toponymie.* **R.** Les lettres *ph* se prononcent *f.* ☞ hydrographie.

hydrographie n.f. **1.** Partie de la géographie physique qui traite des mers, des lacs et des cours d'eau: *Mon livre de géographie contient un chapitre sur l'hydrographie.* **2.** Ensemble des cours d'eau et des lacs d'une région, d'un pays: *Le Québec est remarquable par son hydrographie.* **R.** Les lettres *ph* se prononcent *f.* ☞ hydrographe, hydrographique.

hydrographique adj. Qui concerne l'hydrographie, la partie de la géographie physique qui traite des mers, des lacs et des cours d'eau: *J'ai consulté la carte hydrographique du Saguenay–Lac-Saint-Jean.* **R.** Les lettres *ph* se prononcent *f.* ☞ hydrographie.

hydrophile adj. Qui absorbe les liquides: *Je lui ai fait un pansement avec du coton hydrophile.* **R.** Les lettres *ph* se prononcent *f.*

hyène n.f. Mammifère carnivore d'Afrique et d'Asie qui se nourrit surtout de charognes: *L'hyène ne s'attaque qu'aux animaux blessés.* **R.** Devant *hyène*, l'élision peut se faire ou non.

hygiène n.f. Ensemble des principes et des pratiques qui visent à préserver ou à améliorer la santé: *L'instituteur nous apprend à avoir de bonnes habitudes d'hygiène.* ☞ hygiénique, hygiéniquement, hygiéniste.

hygiénique adj. **1.** Qui a trait à l'hygiène, à la propreté, aux soins de la santé: *Maman m'envoie acheter des serviettes hygiéniques.* **2.** Qui est favorable à la santé: *Grand-papa fait tous les jours sa promenade hygiénique.* SYN. sain. ANT. malsain. ☞ hygiène.

hygiéniquement adv. Conformément aux principes de l'hygiène, à la propreté: *Ces aliments sont préparés hygiéniquement.* ☞ hygiène.

hygiéniste n. Personne qui est spécialiste de l'hygiène, des soins de la santé: *Une hygiéniste dentaire a détartré mes dents.* ☞ hygiène.

hygiène hygiénique hygiéniste

hygromètre n.m. Appareil qui sert à mesurer le degré d'humidité de l'air: *Pour mesurer le degré d'humidité de l'air de la maison, nous avons installé un hygromètre.*

hymne n.m. et n.f. **1.** n.m. Chant ou poème à la gloire d'une personne ou d'une chose: *Félix Leclerc a composé un hymne au printemps.* **2.** n.m. Chant solennel en l'honneur de la patrie: *Notre hymne national est « Ô Canada ».* **3.** n.f. Chant chrétien à la louange de Dieu: *Le chœur a entonné une hymne ancienne.* SYN. cantique, psaume.

hyperacidité n.f. Sécrétion excessive, notamment de sucs gastriques: *Quand elle est nerveuse, elle fait de l'hyperacidité.* ☞ acide.

hyperactif, ive adj. Qui a une activité supérieure à la normale: *La personne hyperactive a besoin de dépenser beaucoup d'énergie.* ☞ hyperactivité.

hyperactivité n.f. Activité supérieure à la normale: *Son hyperactivité est évidente: rien ne l'arrête de bouger.* ☞ hyperactif.

hyperglycémie n.f. Excès de glucose, de sucre dans le sang: *Les diabétiques font de l'hyperglycémie.* ANT. hypoglycémie. ☞ glycémie.

hypermétrope n. et adj. **1.** n. Personne atteinte d'hypermétropie, trouble de la vision dû à un défaut du globe oculaire: *Les hypermétropes distinguent mal des objets rapprochés.* ANT. myope. **2.** adj. Qui est atteint d'hypermétropie: *Réjean est hypermétrope.* ☞ hypermétropie.

hypermétropie n.f. Trouble de la vision

dû à un défaut du globe oculaire: *Annie porte des verres correcteurs pour corriger son hypermétropie.* ANT. myopie. ☞ hypermétrope.

hypernerveux, euse n. et adj. **1.** n. Personne excessivement nerveuse: *Les hypernerveux ont souvent des ulcères d'estomac.* **2.** adj. Qui est d'une nervosité excessive: *Carole est hypernerveuse.* ☞ nerf.

hypersensible n. et adj. **1.** n. Personne qui est d'une sensibilité extrême: *Cette poète est une hypersensible.* **2.** adj. Qui est d'une sensibilité extrême: *Van Gogh était un être hypersensible.* ☞ sensible.

hypnose n.f. État de sommeil provoqué par des manœuvres de suggestion ou des médicaments: *Le patient a été interrogé sous hypnose.* ☞ hypnotique, hypnotiser, hypnotiseur, hypnotisme.

hypnotique n.m. et adj. **1.** n.m. Médicament qui provoque l'hypnose, un état de sommeil: *La psychiatre a utilisé des hypnotiques.* **2.** adj. Qui provoque l'hypnose: *On a fait prendre au malade un médicament hypnotique.* **3.** adj. Qui est relatif à l'hypnose: *Le sujet était plongé dans un profond sommeil hypnotique.* ☞ hypnose.

hypnotiser v. **1.** Soumettre à l'hypnose, à un sommeil provoqué: *Le médecin a hypnotisé la malade.* **2.** fig. Fasciner, occuper l'esprit: *Je suis complètement hypnotisée par la personnalité de cet homme.* ☞ hypnose.

hypnotiseur, euse n. Personne qui hypnotise, qui endort artificiellement: *L'hypnotiseuse a présenté un numéro d'hypnose très impressionnant.* ☞ hypnose.

hypnotisme n.m. Ensemble des procédés psychologiques permettant de provoquer un sommeil artificiel: *Des psychothérapeutes ont parfois recours à l'hypnotisme.* ☞ hypnose.

hypocrisie n.f. **1.** Défaut qui consiste à déguiser ses véritables sentiments: *Elle a agi avec hypocrisie.* SYN. fausseté, fourberie. ANT. droiture, franchise. **2.** Caractère de ce qui est hypocrite, faux: *L'hypocrisie de son attitude m'irrite.* SYN. duplicité. ANT. loyauté, sincérité. ☞ hypocrite.

hypocrite n. et adj. **1.** n. Personne qui déguise ses sentiments: *Je ne fais pas confiance à cet hypocrite.* SYN. fourbe. **2.** adj. Qui agit avec hypocrisie, avec fausseté: *Ces politiciens hypocrites me déçoivent.* SYN. sournois. ANT. franc, loyal. **3.** adj. Qui dénote de l'hypocrisie, de la fausseté: *Elle m'a fait un sourire hypocrite.* SYN. faux, menteur. ANT. cordial, sincère. ☞ hypocrisie, hypocritement.

hypocritement adv. De façon hypocrite, sournoise: *Le renard s'approcha hypocritement du corbeau.* ANT. franchement. ☞ hypocrite.

hypoderme n.m. Couche profonde de la peau: *L'hypoderme est situé sous le derme.* ☞ derme.

hypodermique adj. Qui est relatif à l'hypoderme, qui est sous la peau: *Les tissus hypodermiques sont riches en cellules graisseuses.* ☞ derme.

hypoglycémie n.f. Insuffisance de glucose, de sucre dans le sang: *Elle se sent faible à cause de son hypoglycémie.* ANT. hyperglycémie. ☞ glycémie.

hypophyse n.f. Glande qui sécrète de nombreuses hormones, notamment l'hormone de croissance: *L'hypophyse est située dans la tête, à la base du cerveau.* **R.** Les lettres *ph* se prononcent *f*.

hypothécable adj. Qui peut être hypothéqué, qui peut servir de bien affecté à la garantie d'une dette: *Notre chalet est hypothécable.* ☞ hypothèque.

hypothécaire adj. Qui est relatif à l'hypothèque, au droit accordé à un créancier sur un immeuble en garantie du paiement de la dette: *Nos versements hypothécaires sont échelonnés sur vingt ans.* ☞ hypothèque.

hypothèque n.f. **1.** Droit accordé à un créancier sur un immeuble en garantie du paiement de la dette: *La caisse nous a prêté trente mille dollars sur hypothèque.* **2.** fig. Obstacle qui entrave l'accomplissement de quelque chose: *Cette guerre constitue une lourde hypothèque qui empêche le développement de ce pays.* ☞ hypothécable, hypothécaire, hypothéquer.

hypothéquer v. **1.** Mettre une hypothèque sur un bien pour recevoir un prêt: *Il a hypothéqué sa terre.* **2.** fig. Engager, lier: *En agissant de cette façon, tu hypothèques ton avenir.* ☞ hypothèque.

hypoth**éc**able hypoth**éc**aire hypoth**èqu**e hypoth**équ**er

hypothèse n.f. **1.** Proposition qui n'est pas encore vérifiée: *Cette expérience de chimie me permettra de vérifier mon hypothèse.* ANT. certitude. **2.** Supposition que l'on fait pour expliquer ou prévoir des faits, des événements: *Je crois qu'il faut envisager l'hypothèse d'un accident.* SYN. éventualité, possibilité. ANT. évidence, preuve. ⁄⁄ *En toute hypothèse:* Quoi qu'il arrive. ☞ hypothétique.

hypothétique adj. **1.** Qui n'est qu'une hypothèse, qu'une supposition : *J'ai une idée, mais elle est purement hypothétique.* ANT. certain, évident. **2.** Qui n'est pas certain : *L'amélioration de son état de santé est hypothétique.* SYN. incertain. ANT. sûr. ☞ hypothèse.

hypothèse hypothétique

hystérectomie n.f. Opération chirurgicale par laquelle on enlève l'utérus, organe génital interne de la femme : *La mère de Sébastien a subi une hystérectomie, l'an dernier.*

hystérie n.f. **1.** Névrose caractérisée entre autres par des manifestations de délire, des comportements angoissés : *Sébastien a de fréquentes crises d'hystérie.* **2.** fig. Excitation extrême, poussée jusqu'au délire : *L'assistance était frappée d'hystérie.* ⁄⁄ *C'est de l'hystérie :* C'est de la folie. ☞ hystérique.

hystérique n. et adj. **1.** n. Personne atteinte d'hystérie, de troubles affectifs et émotionnels : *Les hystériques sont des malades souffrant de conflits psychologiques.* **2.** adj. Qui est atteint d'hystérie : *Mon amie est hystérique.* **3.** adj. Qui est dans un état d'hystérie, qui manifeste de l'hystérie : *La foule était devenue hystérique.* ☞ hystérie.

i

i n.m.invar. **1.** Neuvième lettre de l'alphabet: *La lettre «i» est la troisième voyelle de l'alphabet.* **2.** Chiffre romain valant un: *Dans le système de numération romain, III représente le nombre trois.* HOM. hi!, y. **R.** On met la majuscule lorsqu'il s'agit du chiffre romain.

ibis n.m. Oiseau échassier à long bec mince fortement recourbé, vivant en Afrique et en Amérique: *L'ibis se nourrit de grenouilles, d'insectes, de mollusques et de crustacés.* **R.** Le *s* se prononce.

ibis

iceberg n.m. (angl.) Masse de glace qui flotte après s'être détachée de la banquise: *Seule une toute petite partie de l'iceberg émerge de l'eau.* **R.** Se prononce à l'anglaise ou *isbèrg*. Le *g* se prononce.

ici adv. **1.** Dans le lieu où l'on se trouve: *Il fait plus chaud ici que dans la chambre.* ANT. ailleurs, là. **2.** À cet endroit: *Mets ton manteau ici.* **3.** À l'endroit que l'on indique: *L'auteur utilise ici un mot dont tu ignores la signification.* ⫽ *D'ici:* De ce pays, de cet endroit. *Par ici:* Par cet endroit, dans cette direction. **ici-bas** loc.adv. Sur la terre: *Ici-bas, rien n'est parfait.* ▲ **ici** adv. Dans un certain temps, à partir du moment présent: *D'ici à mercredi, j'aurai le temps de terminer ce travail.* ⫽ *D'ici peu:* Dans peu de temps. *Jusqu'ici:* Jusqu'à présent.

icône n.f. Dans la religion orthodoxe, peinture du Christ, de la Vierge ou des saints exécutée sur un panneau de bois: *En Grèce et en Russie, les églises sont décorées de magnifiques icônes.* **R.** Ne pas oublier l'accent: *ô*.

idéal, als n.m. **1.** Ce que l'on perçoit comme étant ce qu'il y a de mieux, de plus parfait: *L'idéal, ce serait que tout le monde soit heureux.* ANT. réalité. **2.** But élevé que l'on voudrait bien atteindre: *Mère Teresa a un idéal: soulager la misère dans le monde.* **R.** Au pluriel, s'écrit aussi *idéaux*.

icône

idéal, ale, als adj. **1.** Qui est conçu dans l'esprit mais qui n'existe pas dans la réalité: *Dans un monde idéal, il n'y aurait pas de guerres, pas de violence.* SYN. imaginaire. ANT. réel. **2.** Qui est aussi parfait qu'il est possible d'imaginer: *Chacun a sa propre conception de la beauté idéale.* SYN. rêvé. ANT. imparfait. **3.** fam. Qui est parfait: *José est le compagnon de voyage idéal.* SYN. rêvé. ANT. imparfait. **R.** Au pluriel, s'écrit aussi *idéaux*. ☞ idéalement, idéaliser, idéalisme, idéaliste.

idéalement adv. D'une façon idéale : *Idéalement, nous aurions dû avoir du beau temps pendant toute la durée de nos vacances.* ☞ idéal.

idéaliser v. Représenter sous une forme idéale, embellir : *Ce père idéalise ses enfants : il ne les voit pas sous leur vrai jour.* ANT. enlaidir, rabaisser. ☞ idéal.

idéalisme n.m. **1.** Système de pensée selon lequel la réalité est sous la dépendance de l'esprit : *L'idéalisme s'oppose au matérialisme.* **2.** Attitude d'esprit de la personne qui donne beaucoup d'importance à l'idéal, au sentiment : *Son idéalisme est à toute épreuve : rien ne lui fait perdre la foi en son idéal.* ☞ idéal.

idéaliste n. et adj. **1.** n. Personne qui place la réalité sous la dépendance de l'esprit ; personne qui donne beaucoup d'importance à l'idéal, au sentiment : *C'est un idéaliste, il rêve d'améliorer le monde.* **2.** adj. Qui place la réalité sous la dépendance de l'esprit ; qui donne beaucoup d'importance à l'idéal, au sentiment : *Elle a des vues très idéalistes ; elle ne tient peut-être pas assez compte de la réalité.* ☞ idéal.

idée n.f. **1.** Chose que l'on pense, que l'on se représente et qui correspond à un mot, une phrase : *Claire a parfois des idées tristes.* **2.** Aperçu : *Je voudrais te donner une idée de ce qu'est un désert.* **3.** Inspiration : *Cette grande romancière ne manque pas d'idées.* **4.** Opinion, façon de juger les choses : *Mes parents n'ont pas les mêmes idées politiques.* **5.** Intention, projet : *Elle voulait venir chez moi, mais elle a changé d'idée.* SYN. plan. ▲ **idée** n.f. Esprit qui crée les pensées, qui élabore les idées : *Je ne peux m'enlever cela de l'idée.* **R.** Ne s'emploie qu'au singulier dans ce sens.

identification n.f. **1.** Fait de se rendre identique à quelqu'un d'autre : *L'identification de la comédienne à son personnage est troublante.* **2.** Fait de considérer quelque chose comme identique à autre chose : *L'identification de ce pays au terrorisme a gravement terni sa réputation.* SYN. assimilation, rapprochement. ☞ identique. ▲ **identification** n.f. Action d'identifier quelqu'un, de pouvoir dire qui il est : *On a procédé à l'identification des victimes de la catastrophe aérienne.* **R.** N'a pas le sens de *pièce d'identité*. ☞ identité.

identifier v. **1.** Confondre, considérer comme identique à une autre chose : *Certaines personnes identifient le bonheur à l'argent.* SYN. assimiler. ANT. différencier, distinguer. **2.** Reconnaître, déterminer la nature de quelque chose : *Je n'arrive pas à identifier cette odeur.* ☞ identique. **s'identifier** v.pron. Se confondre, se rendre identique à quelqu'un d'autre : *Dans ce film, l'acteur s'identifie à son personnage de façon presque parfaite.* **R.** N'a pas le sens de *se nommer, donner son identité*. ▲ **identifier** v. Trouver l'identité d'une personne ou d'une chose, pouvoir dire qui est cette personne, à qui appartient cette chose : *Grâce à de nombreux témoins, on a pu identifier le conducteur ivre.* ☞ identité.

identique adj. Qui est parfaitement semblable à quelqu'un ou à quelque chose : *Ces deux tables sont identiques.* SYN. pareil. ANT. contraire, différent, opposé. ☞ identification, identifier, identiquement, identité.

identiquement adv. D'une façon identique, parfaitement semblable : *Les deux accidents sont survenus identiquement.* ANT. différemment. ☞ identique.

identité n.f. Caractère de ce qui est parfaitement semblable à autre chose : *Christian et Joëlle ont une identité de goûts : ils aiment les mêmes choses.* SYN. similitude. ANT. différence. ☞ identique. ▲ **identité** n.f. Ensemble des éléments qui permettent de reconnaître une personne parmi toutes les autres (nom et prénom, date de naissance, adresse) : *On ne connaît pas encore l'identité des victimes de l'accident.* ⁄⁄ *Pièce d'identité :* Document officiel prouvant l'identité d'une personne. ☞ identification, identifier.

idiot, idiote n. et adj. **1.** n. Personne qui est dépourvue d'intelligence, de bon sens : *On dirait que tu me prends pour une idiote !* SYN. crétin, imbécile. **2.** adj. Qui est dépourvu d'intelligence, de bon sens : *Tes réflexions idiotes n'intéressent personne.* SYN. stupide. ANT. intelligent. ☞ idiotement, idiotie.

idiotement adv. D'une façon idiote, stupide : *Tu as vraiment agi idiotement en refusant cette proposition.* ☞ idiot.

idiotie n.f. **1.** Manque d'intelligence, de bon sens : *Nous avons vu un film d'une idiotie désolante.* SYN. stupidité. **2.** Action, parole idiote : *Il n'a pas cessé de dire des idioties depuis le début de la réunion.* SYN. bêtise. **R.** Le *t* se prononce *ss*. ☞ idiot.

idolâtre n. et adj. **1.** n. Personne qui adore l'image ou la statue d'une divinité : *Les idolâtres se prosternent devant les statues de leurs dieux.* **2.** adj. Qui adore l'image ou la statue d'une divinité : *Les peuples idolâtres élevaient des temples à leurs dieux.* **3.** adj. Qui aime passionnément : *Ces parents sont idolâtres de leur fils unique.* **R.** Ne pas oublier l'accent : *â*. ☞ idole.

idolâtrer v. Aimer passionnément, en vouant une sorte de culte : *Cet homme idolâtre* *sa femme.* SYN. adorer. ANT. haïr. **R.** Ne pas oublier l'accent : *â.* ☞ idole.

idolâtrie n.f. **1.** Adoration de l'image ou de la statue d'une divinité : *La religion chrétienne condamne l'idolâtrie.* **2.** Amour passionné, admiration extrême : *L'amour que ce peuple porte à son président va jusqu'à l'idolâtrie.* SYN. adoration, passion. ANT. haine. **R.** Ne pas oublier l'accent : *â.* ☞ idole.

idole n.f. **1.** Image, statue représentant une divinité qu'on adore comme si c'était la divinité elle-même : *Pour les premiers chrétiens, les statues des dieux romains étaient des idoles.* **2.** Personne que l'on aime et que l'on admire passionnément, en particulier une vedette de la chanson : *Cette chanteuse est l'idole des adolescents.* ☞ idolâtre, idolâtrer, idolâtrie.

idylle n.f. Amour tendre plein de confiance et de simplicité : *Il y a une idylle entre Alain et Rosita.* SYN. amourette. **R.** Les deux *l* se prononcent comme un seul *l.*

idyllique adj. Qui est merveilleux, idéal : *À l'entendre, on croirait qu'elle a passé des moments idylliques à la campagne.* **R.** Les deux *l* se prononcent comme un seul *l.*

if n.m. Arbre au feuillage toujours vert et aux fruits rouges souvent cultivé et taillé pour servir d'ornement dans les jardins : *L'if est un conifère qui peut atteindre quinze mètres de hauteur.*

igloo n.m. (inuit) Habitation construite par les Inuit avec des blocs de neige ou de glace : *L'igloo a la forme d'une coupole.* **R.** Aussi, *iglou.*

igname n.f. Plante grimpante des régions chaudes cultivée pour ses longs tubercules à chair farineuse ; le tubercule comestible de cette plante : *On cultive les ignames dans les régions tropicales.*

ignare n. et adj. **1.** n. Personne qui n'a ni instruction ni culture : *Cet ignare a voulu me donner des conseils!* SYN. ignorant. ANT. savant. **2.** adj. Qui n'a ni instruction ni culture : *Comment peut-on être aussi ignare au XXe siècle?* SYN. ignorant, inculte. ANT. instruit.

ignifuge n.m. et adj. **1.** n.m. Produit qui rend ininflammables les objets qui brûlent naturellement : *On a imprégné le bois d'un ignifuge efficace.* **2.** adj. Qui rend ininflammables les objets qui brûlent naturellement : *Les substances ignifuges empêchent toute combustion et diminuent les risques d'incendie.* **R.** Les lettres *igni* se prononcent *igueni.* ☞ ignifuger.

ignifuger v. Enduire ou imprégner un objet d'un produit qui le rend ininflammable ou peu inflammable : *On a ignifugé ces tissus.* **R.** Les lettres *igni* se prononcent *igueni.* ☞ ignifuge.

ignoble adj. **1.** Qui est méprisable, répugnant : *C'est un ignoble individu! Il est capable des pires actions.* SYN. abject, infâme. ANT. noble. **2.** Qui est très laid ou très sale : *Dix personnes s'entassaient dans ce taudis ignoble.* SYN. dégoûtant, répugnant. ANT. beau, propre. ☞ ignoblement.

ignoblement adv. D'une façon ignoble, méprisable : *Elle se conduit ignoblement avec ses parents.* ☞ ignoble.

ignorance n.f. **1.** État de celui qui ne sait pas, qui ne connaît pas quelque chose : *Elle nous a tenus dans l'ignorance de ses projets.* ANT. connaissance. **2.** Manque d'instruction, de connaissances : *Avec tous les moyens qui sont à notre disposition, l'ignorance est inexcusable.* ANT. culture, savoir. ☞ ignorer.

ignorant, ante n. et adj. **1.** n. Personne qui manque d'instruction, de connaissances : *On ne peut pas discuter avec elle; c'est une ignorante.* SYN. ignare, illettré. **2.** adj. Qui manque d'instruction, de connaissances : *Il est ignorant parce qu'il n'a pas voulu s'instruire.* SYN. ignare, inculte. ANT. cultivé, instruit, savant. **3.** adj. Qui ne sait pas quelque chose, qui manque de connaissances ou de pratique dans un certain domaine : *Souleymane est encore ignorant en ce qui concerne les coutumes québécoises.* ANT. averti. ⁄⁄ *Être ignorant de :* Ne pas être au courant, informé de. *Faire l'ignorant :* Faire semblant de ne pas savoir quelque chose. ☞ ignorer.

ignoré, ée adj. **1.** Qui n'est pas connu : *Les causes de l'incendie sont encore ignorées.* SYN. inconnu, obscur. **2.** Qui n'est pas reconnu selon son talent, qui est méconnu : *Cette grande chanteuse était ignorée de la plupart de ses compatriotes.* SYN. inconnu. ANT. célèbre. HOM. ignorer. ☞ ignorer.

ignorer v. **1.** Ne pas savoir : *J'ignore pourquoi il est en colère contre moi.* ANT. savoir. **2.** Ne pas avoir l'expérience de quelque chose : *Ces enfants ignorent le mensonge.* ANT. connaître, pratiquer. HOM. ignoré. ⁄⁄ *Ignorer quelqu'un :* Faire comme si quelqu'un n'existait pas ; le méconnaître. ☞ ignorance, ignorant, ignoré. **s'ignorer** v.pron. Ne pas connaître sa vraie nature : *Ton frère est un comique qui s'ignore.*

iguane n.m. (esp.) Reptile d'Amérique du Sud au dos muni d'une crête d'écailles pointues et au cou pourvu d'un large fanon : *L'iguane ressemble à un grand lézard; il peut* *mesurer jusqu'à deux mètres.* **R.** Les lettres *gu* se prononcent *gou*.

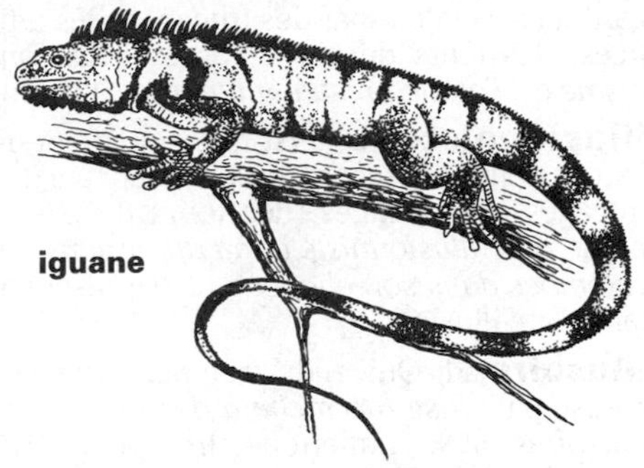
iguane

il, ils pron.pers. **1.** Pronom personnel masculin de la troisième personne, employé comme sujet pour représenter un nom masculin de personne ou de chose: *Michel est malade, il ne viendra pas en classe.* **2.** plur. Désigne des personnes indéterminées qu'on ne veut pas nommer: *Ils ont encore augmenté les taxes.* HOM. île.

> Avec **il**, aux *temps simples*, les verbes se terminent par:
> **d**: il prend
> **a**: il a
> **t**: il veut
> **e**: il aime
>
> Avec **ils**, aux *temps simples*, les verbes se terminent par:
> **ent**: ils aiment
> **ont**: ils ont, ils feront

il pron.pers. Pronom personnel neutre de la troisième personne servant à introduire les verbes impersonnels: *On nous avait prédit qu'il ferait beau, mais il pleut.* HOM. île.

île n.f. Étendue de terre complètement entourée d'eau: *La ville de Montréal est construite sur une île.* HOM. il. **R.** Ne pas oublier l'accent: *î.* ☞ îlot, presqu'île.

illégal, ale, aux adj. Qui est contraire à la loi: *En conduisant son véhicule sans permis, elle a commis un acte illégal.* ANT. légal. ☞ légal.

illégalement adv. D'une façon illégale, contraire à la loi: *Cet homme a exercé illégalement la médecine.* ANT. légalement. ☞ légal.

illégalité n.f. **1.** Caractère de ce qui est contraire à la loi: *Cette citoyenne veut prouver l'illégalité de ces règlements municipaux.* ANT. légalité. **2.** Acte contraire à la loi: *Plusieurs illégalités ont été commises au cours de cette enquête.* SYN. abus. ☞ légal.

illégitime adj. **1.** Qui n'est pas justifié: *Tu voudrais un traitement de faveur? C'est une demande illégitime.* SYN. irrégulier. ANT. fondé, légitime. **2.** Qui ne répond pas à la loi, à la règle morale: *Leurs actes illégitimes les obligent à vivre dans la clandestinité.* SYN. illicite, irrégulier. ANT. légitime, régulier. ☞ légitime.

illégitimement adv. D'une façon illégitime, non justifiée: *Vous réclamez illégitimement cette somme.* ANT. légitimement. ☞ légitime.

illettré, ée n. et adj. **1.** n. Personne qui ne sait ni lire ni écrire ou qui est partiellement incapable de lire et d'écrire: *Le nombre des illettrés semble augmenter au Québec depuis quelques années.* SYN. analphabète. **2.** adj. Qui ne sait ni lire ni écrire ou qui est partiellement incapable de lire et d'écrire: *Ces personnes illettrées ont beaucoup de difficulté à se trouver un emploi.* SYN. analphabète. ☞ lettres.

illicite adj. Qui est interdit par la loi ou par la morale: *Elles se sont enrichies par des moyens illicites.* SYN. illégal, prohibé. ANT. licite. ☞ licite.

illicitement adv. D'une façon illicite, illégale: *Il a fait illicitement le commerce de l'alcool.* ☞ licite.

illico adv.fam. (lat.) Immédiatement: *Nous devons partir illico.* SYN. aussitôt.

illimité, ée adj. **1.** Qui n'a pas de limites: *On dit que la fortune de ce sultan est illimitée.* SYN. immense, incalculable. ANT. limité. **2.** Qui n'est pas fixe, déterminée, en parlant d'une grandeur, d'une durée: *Elle est en congé pour une durée illimitée.* SYN. indéfini, indéterminé. ☞ limite.

illisibilité n.f. Caractère de ce qui est impossible à lire: *L'éditrice a refusé le manuscrit à cause de son illisibilité.* ANT. lisibilité. ☞ lire.

illisible adj. **1.** Qui est impossible à lire: *Ton écriture est illisible.* SYN. indéchiffrable. ANT. lisible. **2.** Qui est insupportable à lire: *Ces petits romans populaires sont illisibles.* ☞ lire.

illisiblement adv. D'une façon illisible, impossible à lire: *Ce travail est écrit illisiblement.* ANT. lisiblement. ☞ lire.

illogique adj. Qui n'est pas logique, dont le raisonnement est obscur, incohérent: *L'organisation illogique de ton texte fait qu'on a de la difficulté à comprendre ce que tu cherches à prouver.* SYN. absurde. ANT. cohérent. ☞ logique.

illogiquement adv. D'une façon illogique, absurde: *Ça ne sert à rien de discuter avec lui quand il raisonne illogiquement.* ANT. logiquement. ☞ logique.

illumination n.f. **1.** Action d'éclairer d'une lumière très intense; résultat de cette action: *L'illumination de ce monument est assurée par des projecteurs.* SYN. éclairage. ANT. obscurcissement. **2.** plur. Ensemble des lumières en vue d'une fête: *Les illuminations de Noël mettent beaucoup de joie dans les cœurs.* ☞ illuminer. ▲ **illumination** n.f. Inspiration, idée soudaine: *Elle a eu une illumination qui lui a apporté la solution à son problème.* ☞ illuminé.

illuminé, ée n. et adj. **1.** n. Personne qui a des visions, qui se croit inspirée par Dieu: *Je ne fais pas confiance à ces illuminés.* SYN. visionnaire. **2.** adj. Qui a des visions, qui se croit inspiré par Dieu: *Elle croit pouvoir prédire la date exacte de la fin du monde; elle est vraiment illuminée.* HOM. illuminer. ☞ illumination.

illuminé, ée adj. Qui est éclairé par une lumière très intense ou par de nombreuses lumières: *La scène du théâtre est tout illuminée.* ANT. sombre. HOM. illuminer. ☞ illuminer.

illuminer v. **1.** Éclairer d'une lumière très intense: *Le feu d'artifice illumine le ciel pendant quelques secondes.* SYN. embraser. ANT. obscurcir. **2.** Orner de lumières: *À Noël, beaucoup de gens illuminent leur sapin.* **3.** Donner de l'éclat: *Un sourire radieux illumine son visage.* SYN. embellir. ANT. assombrir. HOM. illuminé. ☞ illumination, illuminé. **s'illuminer** v.pron. Prendre de l'éclat: *Ses yeux s'illuminent de joie en voyant tous ses amis.*

illusion n.f. **1.** Interprétation fausse d'une sensation que l'on a éprouvée: *Dans le désert, il est facile d'être victime d'une illusion visuelle.* ANT. réalité. **2.** Apparence trompeuse sans rapport avec la réalité: *Ce robot donne l'illusion d'être vivant.* **3.** Idée fausse à laquelle on croit parce qu'elle nous fait plaisir: *Elle n'a pas encore perdu toutes ses illusions.* SYN. rêve, utopie. ANT. désillusion, vérité. // *Illusion d'optique:* Erreur de perception qui peut être expliquée par les lois de l'optique. *Se faire des illusions:* Se faire des idées, se tromper. ☞ désillusion, désillusionner, illusionner, illusionnisme, illusionniste, illusoire, illusoirement.

illusionner v. Tromper, causer des illusions: *La distance nous illusionne sur la forme des objets.* ☞ illusion. **s'illusionner** v.pron. Se tromper, se faire des illusions: *Elle s'illusionne sur ses chances de succès dans la chanson.* SYN. se leurrer.

illusionnisme n.m. Art de tromper le regard du spectateur par des trucages, des artifices, des tours de passe-passe: *L'illusionnisme est l'art du prestidigitateur.* ☞ illusion.

illusionniste n. Personne qui pratique l'art de tromper le regard du spectateur par des trucages, des artifices, des tours de passe-passe: *Une illusionniste a fait apparaître des colombes dans son chapeau.* SYN. prestidigitateur. ☞ illusion.

illusoire adj. Qui tend à tromper; qui ne se réalise pas: *Il se raccroche à des promesses illusoires.* SYN. chimérique, trompeur. ANT. réel, sûr. ☞ illusion.

illusoirement adv. D'une manière illusoire, trompeuse: *Nous nous étions mis à espérer, illusoirement, son retour.* ☞ illusion.

illustrateur, trice n. Artiste qui exécute des dessins à l'intérieur du texte d'un ouvrage: *Catherine et Jean travaillent comme illustrateurs dans une maison d'édition.* ☞ illustrer.

illustration n.f. **1.** Action d'illustrer, de rendre plus clair par des explications, des exemples: *Cet exemple est une illustration de la règle que je viens de vous enseigner.* **2.** Figure ornant le texte d'un ouvrage: *Ce manuel scolaire renferme de très belles illustrations.* ☞ illustrer.

illustre adj. Qui est très connu à cause de son mérite, de ses qualités: *Emma Lajeunesse, dite Albani, est une cantatrice québécoise illustre.* SYN. célèbre. ANT. ignoré, obscur. ☞ illustrer.

illustré n.m. Journal, revue qui comporte de nombreuses illustrations accompagnées de courts textes: *Rose-Marie feuillette un illustré.* HOM. illustrer. ☞ illustrer.

illustré, ée adj. Qui est orné de dessins, de photos, de gravures: *Didier lit un journal illustré.* HOM. illustrer. ☞ illustrer.

illustrer v. Orner un ouvrage de dessins, de photos, de gravures: *Danny a illustré son travail de recherche.* ☞ illustrateur, illustration, illustré. ▲ **illustrer** v. Rendre plus clair par des explications, des exemples: *Quand on veut faire comprendre une notion difficile, il est préférable de l'illustrer par des exemples concrets.* SYN. éclairer, expliquer. ANT. embrouiller, obscurcir. ☞ illustration. ▲ **illustrer** v.litt. Rendre illustre, célèbre: *Anne Hébert est une femme de lettres qui illustre le Québec.* ANT. déshonorer. HOM. illustré. ☞ illustre. **s'illustrer** v.pron.litt. Se rendre célèbre: *Armand Frappier s'est illustré* *par ses travaux sur les vaccins.* SYN. se distinguer.

îlot n.m. Île très petite : *Il y a un îlot au milieu de la rivière.* ☞ île. ▲ **îlot** n.m. **1.** Espace isolé au milieu d'un ensemble plus vaste : *Les citadins veulent conserver les derniers îlots de verdure qui égaient la ville.* **2.** fig. Petit groupe isolé : *L'armée n'a pu venir à bout de cet îlot de résistance.* **3.** Groupe de maisons, d'immeubles entouré de rues : *Ici et là, des îlots de vieilles maisons existent encore.* **R.** Ne pas oublier l'accent : *î*.

image n.f. **1.** Reproduction d'une chose, d'une personne par le dessin, la photographie, la gravure : *Chloé ne sait pas encore lire : elle regarde les images de son livre.* SYN. dessin, illustration. **2.** Reproduction inversée d'une chose, d'une personne qui se réfléchit : *Bébé est tout étonné de voir son image dans le miroir.* SYN. reflet. **3.** Ce qui apparaît sur un écran de cinéma ou de télévision : *Les images de ce téléviseur ne sont pas très nettes.* ▲ **image** n.f. **1.** Représentation d'une personne, d'une chose à partir d'une ressemblance établie par l'imagination : *Virginie est l'image de sa mère.* SYN. portrait. **2.** Ce qui fait penser à quelque chose : *Cette femme d'affaires est l'image même de la réussite.* SYN. symbole. **3.** Comparaison, métaphore : *La phrase « Les perles de rosée brillent au soleil » contient une image.* ☞ imagé. ▲ **image** n.f. **1.** Représentation qui se fait dans l'esprit à partir de quelque chose que l'on connaît ou d'une impression : *Ces documents te donneront une image plus précise du pays.* SYN. idée. **2.** Vision intérieure : *L'image qu'il a de lui-même est fausse.* **3.** Souvenir : *Le vieillard évoque souvent les images de son enfance.* // *Image de marque :* Représentation d'un produit, d'une entreprise, d'une personne.

imagé, ée adj. Qui comporte des images, des comparaisons : *Ce poète a un style très imagé.* ☞ image.

imaginable adj. Qu'on peut imaginer : *Au début du siècle, les voyages sur la Lune étaient difficilement imaginables.* SYN. concevable. ANT. inconcevable, inimaginable. ☞ imaginer.

imaginaire n.m. et adj. **1.** n.m. Création, produit de l'imagination : *Peut-on la blâmer de préférer l'imaginaire au réel ?* ANT. réalité. **2.** adj. Qui n'existe que dans l'imagination, qui n'est pas réel : *Les fées, les lutins, les ogres sont des personnages imaginaires.* SYN. fabuleux, fictif, irréel, légendaire. ANT. véritable, vrai. **3.** adj. Qui n'existe que dans sa propre imagination : *Sa maladie était imaginaire.* SYN. fictif. ANT. effectif. ☞ imaginer.

imaginatif, ive n. et adj. **1.** n. Personne qui a beaucoup d'imagination : *Samuel est un grand imaginatif.* **2.** adj. Qui a beaucoup d'imagination : *Quand on écrit des contes, on doit avoir un esprit imaginatif.* ☞ imaginer.

imagination n.f. **1.** Faculté de se représenter des images dans l'esprit : *Cette catastrophe a frappé l'imagination de Maurice.* **2.** Faculté de créer, d'inventer des choses, des images nouvelles : *Cette romancière a une imagination fertile.* SYN. créativité. **3.** Chose que quelqu'un imagine ; chose extravagante : *Ne crois pas ce qu'il raconte : ce sont de pures imaginations.* **R.** Ne s'emploie qu'au singulier lorsqu'il s'agit de la faculté. ☞ imaginer.

imaginé, ée adj. Qui est inventé : *C'est un récit imaginé de toutes pièces.* ANT. vrai. HOM. imaginer. ☞ imaginer.

imaginer v. **1.** Se représenter dans l'esprit : *Quand il fait froid, j'imagine une plage ensoleillée dans les îles grecques.* SYN. concevoir, envisager. **2.** Penser, supposer : *Elle n'est pas encore là ; j'imagine qu'elle a oublié notre rendez-vous.* SYN. croire. **3.** Inventer, créer : *C'est Claude-Henri Grignon qui a imaginé le personnage de Séraphin.* HOM. imaginé. ☞ imaginable, imaginaire, imaginatif, imagination, imaginé, inimaginable. **s'imaginer** v.pron. **1.** Se représenter dans l'esprit : *Je m'imaginais facilement ce que pouvait être la vie dans ce pays.* **2.** Se figurer, croire à tort : *Cette enfant gâtée s'imagine que tout le monde est à son service.*

iman n.m. (arabe) Chef de prière dans une mosquée : *L'iman s'est adressé à ses fidèles.* **R.** Aussi, *imam*.

imbattable adj. **1.** Qu'on ne peut battre, surpasser : *Geneviève est imbattable en français.* SYN. insurpassable, invincible. **2.** Qui est très avantageux : *On offre ces marchandises à des prix imbattables.* ☞ battre.

imbécile n. et adj. **1.** n. Personne qui n'est pas intelligente : *Cette imbécile ne comprend jamais rien.* SYN. crétin, idiot. **2.** adj. Qui n'est pas intelligent, qui parle ou agit bêtement : *Il faut être imbécile pour agir de cette façon.* SYN. idiot. ☞ imbécilement, imbécillité.

imbécilement adv. D'une façon imbécile, idiote : *Vous avez agi imbécilement en détruisant ce nid d'oiseau.* ☞ imbécile.

imbécillité n.f. **1.** Manque d'intelligence : *Son imbécillité est consternante.* SYN. bêtise, idiotie, stupidité. **2.** Acte, parole, idée sotte, imbécile : *Au lieu de dire des imbécillités, tu ferais mieux de te taire.* SYN. bêtise, idiotie, niaiserie, sottise. **R.** Les deux *l* se prononcent comme un seul *l*. ☞ imbécile.

imbécile
imbécilement
imbécillité

imberbe adj. Qui n'a pas de barbe: *À quinze ans, ce garçon est encore imberbe.* SYN. glabre. ANT. barbu. ☞ barbe.

imbiber v. Mouiller, imprégner d'eau, de liquide: *Quand elle prend son bain, Marcelle s'amuse à imbiber l'éponge.* SYN. tremper. ANT. assécher, sécher. **s'imbiber** v.pron. S'imprégner d'eau, de liquide: *L'essuie-tout s'est imbibé de lait.* ANT. dessécher.

imbrication n.f. **1.** Manière dont sont disposées des choses qui se recouvrent en partie, comme les tuiles d'un toit: *As-tu déjà observé l'imbrication des écailles d'un poisson?* SYN. chevauchement. **2.** fig. Manière dont les choses sont étroitement liées: *L'imbrication de ces deux intrigues rend le roman palpitant.* ☞ imbriquer.

imbriqué, ée adj. **1.** Qui est recouvert en partie par une autre chose, comme les tuiles d'un toit: *Les bardeaux de cèdre qui recouvrent le toit sont imbriqués.* **2.** fig. Qui est étroitement lié, en parlant de quelque chose: *On ne peut séparer ces deux événements car ils sont imbriqués.* HOM. imbriquer. ☞ imbriquer.

imbriquer v. Disposer des objets de sorte qu'ils se recouvrent en partie, comme les tuiles d'un toit: *La couvreuse imbrique les ardoises sur le toit.* HOM. imbriqué. ☞ imbrication, imbriqué. **s'imbriquer** v.pron. **1.** Se recouvrir en partie, comme les tuiles d'un toit, se chevaucher: *Les écailles des poissons s'imbriquent.* SYN. s'emboîter. **2.** fig. Être étroitement lié: *Les problèmes de pauvreté et de santé s'imbriquent.*

imbrication
imbriqué
imbriquer

imbroglio n.m. (it.) Situation confuse, affaire embrouillée: *Il faudra beaucoup de temps pour démêler cet imbroglio.* SYN. confusion, mélange.

imbu, ue adj.péj. Qui est rempli d'un sentiment, d'une opinion: *Ces personnes sont imbues de préjugés.* SYN. plein. ⁄⁄ *Être imbu de soi-même, de sa supériorité:* Se croire supérieur aux autres.

imbuvable adj. Qu'on ne peut pas boire; qui est désagréable au goût: *L'eau du robinet est imbuvable.* ANT. buvable. ☞ boire.

imitable adj. Qu'on peut imiter: *Ton écriture est facilement imitable.* ANT. inimitable. ☞ imiter.

imitateur, trice n. et adj. **1.** n. Personne qui imite les gestes, le comportement des autres: *Les enfants sont souvent d'excellents imitateurs de leurs parents.* ANT. inventeur. **2.** n. Artiste de variétés qui imite la voix et les gestes des personnalités politiques, des autres artistes: *Cette imitatrice est très populaire au Québec.* **3.** adj. Qui imite les autres: *Le singe est un animal imitateur.* ☞ imiter.

imitation n.f. **1.** Action d'imiter; son résultat: *Cet artiste a fait rire la salle avec son imitation d'un homme politique.* SYN. caricature, parodie. **2.** Œuvre imitée d'un modèle, copie: *Ces tableaux n'ont aucune valeur; ce sont des imitations de peintures célèbres.* SYN. plagiat. ANT. création, original. **3.** Matière, objet qui imite une matière ou un objet plus précieux: *Ce n'est pas de la fourrure, mais une imitation de renard.* SYN. contrefaçon. ☞ imiter.

imiter v. **1.** Reproduire ce qu'on voit, ce qu'on entend: *Les petits enfants aiment imiter les cris des animaux.* SYN. mimer, singer. **2.** Faire comme une autre personne: *Quelqu'un s'est mis à applaudir et tout le monde l'a imité.* ANT. innover. **3.** Prendre pour modèle: *Nathalie cherche à imiter sa grande sœur.* SYN. copier. **4.** Copier, essayer de reproduire exactement: *Pourquoi as-tu imité la signature de ton père?* SYN. contrefaire. **5.** Ressembler à quelque chose d'autre: *Ces fleurs de soie imitent les fleurs naturelles de façon étonnante.* ☞ imitable, imitateur, imitation, inimitable.

immaculé, ée adj. Qui n'a pas la moindre tache; qui est parfaitement blanc: *La neige qui tombe est d'une blancheur immaculée.* ⁄⁄ *Immaculée Conception:* La Sainte Vierge. ☞ maculer.

immangeable adj. Qui n'est pas bon à manger: *La soupe, trop salée, était immangeable.* ANT. mangeable. **R.** Ne pas oublier le *e* après le *g*. ☞ manger.

immanquable adj. **1.** Qui ne peut manquer d'arriver, qui est inévitable: *Chaque fois qu'ils se rencontrent, ils se disputent; c'est immanquable.* SYN. fatal. ANT. évitable. **2.** Qui ne peut manquer de réussir, d'atteindre son but: *La gentillesse est un moyen immanquable pour se faire des amis.* SYN. infaillible. ANT. douteux, incertain. ☞ manquer.

immanquablement adv. D'une façon infaillible, sûrement: *Quoi que vous disiez, il arrivera immanquablement en retard.* ☞ manquer.

immatériel, elle adj. Qui n'est pas formé de matière, qui n'a pas de corps: *Dieu, l'âme, les anges sont immatériels.* SYN. spirituel. ANT. charnel, matériel. ☞ matière.

immatriculation n.f. Action d'inscrire sur un registre public le nom et le numéro d'une personne, d'un animal ou d'une chose pour permettre de l'identifier: *Une plaque d'immatriculation est une plaque de métal sur laquelle est inscrit un numéro identifiant un véhicule.* ☞ matricule.

plaque d'**immatriculation**

immatriculer v. Inscrire sur un registre public le nom et le numéro d'une personne, d'un animal ou d'une chose pour permettre de l'identifier: *L'automobiliste a fait immatriculer sa voiture au Québec.* ☞ matricule.

immature adj. **1.** Qui n'a pas atteint la maturité nécessaire pour se reproduire, en parlant d'un animal: *Un poisson immature ne peut pas frayer.* **2.** Qui manque de maturité intellectuelle ou affective, en parlant d'une personne: *Dans quelques années, ces adolescents immatures seront devenus des adultes.* ☞ maturité.

immaturité n.f. Absence de maturité biologique, intellectuelle ou affective: *Je ne peux pas lui confier des responsabilités à cause de son immaturité.* ANT. maturité. ☞ maturité.

immédiat n.m. Moment présent ou avenir très proche: *Nous n'avons pas besoin de vos services dans l'immédiat.*

immédiat, ate adj. **1.** Qui est en rapport direct, qui suit ou qui précède sans intermédiaire: *Le Canada et le Mexique sont les voisins immédiats des États-Unis.* ANT. distant, éloigné. **2.** Qui se produit tout de suite: *Prenez ce médicament: le soulagement sera immédiat.* SYN. instantané. ☞ immédiatement.

immédiatement adv. **1.** Tout de suite avant ou après: *Notre maison est située immédiatement à côté de l'école.* SYN. directement. **2.** À l'instant même, tout de suite: *Pars immédiatement, sinon tu manqueras ton autobus.* SYN. aussitôt, instantanément. ANT. tardivement. ☞ immédiat.

immémorial, ale, aux adj. Qui remonte à une époque si lointaine qu'on en a oublié l'origine: *Certaines coutumes sont immémoriales.*

immense adj. **1.** Qui est très vaste, en parlant d'une étendue, de dimensions: *Le Canada est un pays immense.* SYN. grand. ANT. minuscule, petit. **2.** Qui est très grand, considérable, en parlant de la quantité, de la force, de la valeur: *Une foule immense se pressait devant les portes de la cathédrale.* SYN. énorme, gigantesque. ANT. infime. ☞ immensément, immensité.

immensément adv. Extrêmement: *Cet armateur est immensément riche.* SYN. énormément. ☞ immense.

immensité n.f. **1.** Étendue si vaste qu'on peut difficilement la mesurer: *Quand on voyage en bateau, on se sent tout petit devant l'immensité de l'océan.* **2.** Caractère de ce qui est immense, considérable: *L'immensité de la tâche ne l'a pas découragée.* ☞ immense.

immense immensément immensité

immerger v. Plonger dans un liquide et particulièrement dans la mer: *Pour construire cette digue, on a dû immerger ces blocs de béton.* ☞ immersion. **s'immerger** v.pron. Se plonger dans un liquide, dans la mer: *Le sous-marin s'immerge lentement.* **immergé, ée** p.p. et adj. Qui est plongé dans un liquide, dans la mer: *À la crue des eaux, ces îles sont immergées.*

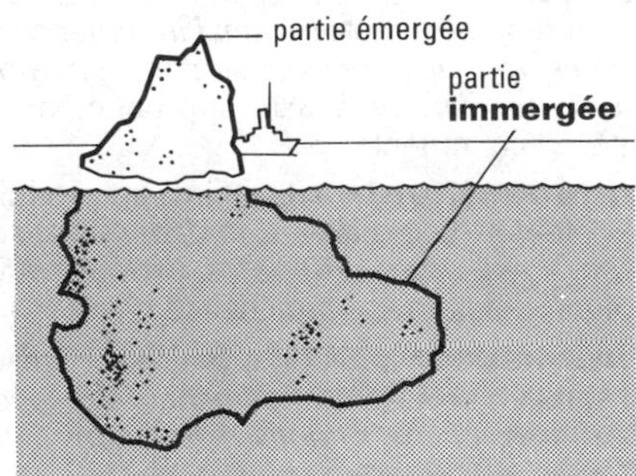

immérité, ée adj. Qui n'est pas mérité: *Elle a exigé des excuses pour ces reproches immérités.* SYN. injuste. ☞ mérite.

immersion n.f. Action d'immerger, de plonger dans un liquide, dans la mer: *Cette semaine, on a procédé à l'immersion d'un câble téléphonique.* ☞ immerger.

immeuble n.m. Grand bâtiment à plusieurs étages: *Nous habitons un appartement dans cet immeuble de dix étages.* ☞ immobilier.

immeuble n.m. et adj. **1.** n.m. Bien qui ne peut pas être déplacé ou que la loi considère tel: *L'héritage se composait de meubles et* *d'immeubles.* ANT. meuble. **2.** adj. Qui ne peut pas être déplacé: *Le sol et les bâtiments sont des biens immeubles.* ANT. meuble. ☞ meuble.

immigrant, ante n. Personne qui entre dans un pays étranger au sien pour s'y établir: *Cette immigrante a eu beaucoup de difficulté à s'adapter à l'hiver québécois.* ANT. autochtone, émigrant. **R.** Ne pas confondre avec *émigrant*. ☞ émigrer.

immigration n.f. Entrée dans un pays d'étrangers qui viennent s'y établir: *L'immigration augmente la population d'un pays.* ANT. émigration. **R.** Ne pas confondre avec *émigration*. ☞ émigrer.

immigré, ée n. et adj. **1.** n. Personne qui est venue de l'étranger pour s'établir dans un nouveau pays: *Après quelques années, les immigrés qui le désirent peuvent devenir citoyens canadiens.* ANT. émigré. **2.** adj. Qui est venu de l'étranger pour s'établir dans un nouveau pays: *Les travailleurs immigrés n'ont pas toujours la vie facile.* HOM. immigrer. **R.** Ne pas confondre avec *émigré*. ☞ émigrer.

immigrer v. Venir s'établir dans un pays étranger au sien: *Chaque année, des milliers de personnes de tous les pays immigrent au Canada.* ANT. émigrer. HOM. immigré. **R.** Ne pas confondre avec *émigrer*. ☞ émigrer.

imminence n.f. Caractère de ce qui va se produire très bientôt: *Devant l'imminence du danger, tous les citoyens se sont unis pour combattre l'ennemi.* SYN. approche, proximité. ☞ imminent.

imminent, ente adj. Qui va se produire très bientôt: *Elle a donné sa démission: son départ est imminent.* SYN. proche. ANT. éloigné, lointain. ☞ imminence.

s'immiscer v.pron. Intervenir sans raison ou sans en avoir le droit: *Quand on respecte les autres, on ne s'immisce pas dans leurs affaires.* ANT. s'abstenir.

immobile adj. **1.** Qui ne bouge pas: *Pour ne pas être découvert, Gino restait immobile derrière la porte.* SYN. fixe. ANT. mobile. **2.** Que rien ne fait bouger, en parlant des choses: *Rien ne venait troubler la surface immobile de l'eau.* ANT. mouvant. ☞ mobile.

immobilier n.m. Ensemble des professions qui concernent la vente et la location des immeubles: *Madame Saint-Laurent travaille dans l'immobilier.* ☞ immeuble.

immobilier, ière adj. Qui se rapporte à un immeuble ou à des immeubles: *Nous voulions vendre notre maison: nous avons consulté une agence immobilière.* ☞ immeuble. ▲ **immobilier, ière** adj. Qui est immeuble, qui ne peut pas être déplacé; qui est composé de biens ne pouvant pas être déplacés: *Cette femme possède beaucoup de biens immobiliers.* ☞ mobilier (adj.).

immobilisation n.f. Action de rendre immobile; fait d'être immobile: *Il ne faut jamais descendre d'un véhicule avant son immobilisation complète.* ☞ mobile.

immobiliser v. Rendre immobile, garder dans l'immobilité ou l'inactivité: *Le médecin a immobilisé le bras cassé en le mettant dans le plâtre.* SYN. arrêter, fixer. ANT. agiter, bouger, mouvoir. ☞ mobile. **s'immobiliser** v.pron. Devenir immobile, s'arrêter: *L'automobile s'est immobilisée brusquement.* ANT. bouger, remuer.

immobilité n.f. État d'une personne, d'une chose qui est immobile: *La malade supporte mal son immobilité totale.* SYN. inactivité. ANT. mobilité, mouvement. ☞ mobile.

immodéré, ée adj. Qui dépasse la mesure, la normale: *L'usage immodéré de l'alcool a détruit sa santé.* SYN. démesuré, excessif. ANT. modéré. ☞ modérer.

immodérément adv. D'une manière immodérée, avec excès: *Il dépense immodérément.* SYN. démesurément, excessivement. ANT. modérément. ☞ modérer.

immolation n.f.litt. Action d'immoler, de tuer pour offrir en sacrifice à une divinité: *L'immolation des animaux servait à attirer les faveurs des dieux et des déesses.* ☞ immoler.

immoler v. Tuer pour offrir en sacrifice à une divinité: *Autrefois, les Grecs et les Romains immolaient des animaux.* SYN. sacrifier. ☞ immolation. **s'immoler** v.pron. Offrir sa vie en sacrifice: *Dans ce pays, un étudiant s'est immolé par le feu pour protester contre la dictature.*

immonde adj. **1.** Qui est d'une saleté repoussante: *On ne peut pas laisser des humains vivre dans ce taudis immonde.* SYN. dégoûtant, sale. ANT. propre, pur. **2.** Qui est dégoûtant, qui choque la conscience: *Ce crime immonde a révolté les citoyens.* SYN. ignoble. ANT. noble.

immondices n.f.plur. Ordures, déchets: *Pendant la grève des éboueurs, des tas d'immondices jonchaient les trottoirs.*

immoral, ale, aux adj. **1.** Qui est contraire à la morale, en parlant d'une chose: *La présentation de ce film immoral devrait être interdite.* ANT. moral. **2.** Qui agit contrairement à la morale, qui est sans mœurs: *Cet homme immoral a une conduite répréhensible.* SYN. corrompu, débauché. ANT. honnête, vertueux. ☞ moral.

immoralement adv. D'une façon immorale: *Elle a agi immoralement.* ANT. moralement. ☞ moral.

immoralité n.f. Caractère d'une personne ou d'une chose qui est immorale: *Je te déconseille ce livre pour son immoralité.* SYN. corruption, vice. ANT. moralité, vertu. ☞ moral.

immortaliser v. Faire en sorte que le souvenir de quelqu'un ou de quelque chose survive éternellement: *De nombreuses œuvres ont immortalisé le nom de ce compositeur.* SYN. perpétuer. ☞ mourir. **s'immortaliser** v.pron. Faire en sorte que son souvenir survive éternellement: *Jean de La Fontaine s'est immortalisé par ses «Fables».*

immortalité n.f. **1.** Qualité, état d'une personne ou d'une chose qui ne meurt pas: *La plupart des religions croient à l'immortalité de l'âme.* **2.** litt. Qualité de ce qui survit éternellement dans la mémoire des êtres humains: *Les œuvres de cette grande peintre entreront sûrement dans l'immortalité.* ☞ mourir.

immortel, elle adj. **1.** Qui ne meurt pas: *On nous enseigne que l'âme est immortelle.* SYN. impérissable. ANT. mortel. **2.** Qui survit éternellement dans la mémoire des êtres humains: *L'immortel auteur du poème «le Vaisseau d'or» s'appelait Émile Nelligan.* **3.** Dont on ne peut imaginer la fin: *Tous les êtres humains voudraient vivre un amour immortel.* SYN. éternel, perpétuel. ANT. éphémère, passager, temporaire. HOM. immortelle. ☞ mourir.

immortelle n.f. Nom courant de plusieurs plantes dont les fleurs conservent leur aspect même quand elles sont desséchées: *On m'a offert un bouquet d'immortelles.* HOM. immortel. ☞ mourir.

immuable adj. Qui change peu; qui dure longtemps: *Pendant toute sa vie, il est resté immuable dans ses convictions.* SYN. constant, durable, inaltérable, invariable. ANT. changeant, variable. ☞ immuablement.

immuablement adv. D'une façon immuable, qui change peu: *Il se lève immuablement à la même heure depuis dix ans.* SYN. constamment, invariablement. ☞ immuable.

immunisant, ante adj. Qui met une personne ou un animal à l'abri d'une maladie infectieuse: *On ne remet plus en doute l'action immunisante des vaccins.* ☞ immunité.

immunisation n.f. Processus par lequel un être vivant est mis à l'abri d'une maladie infectieuse; son résultat: *La vaccination est un procédé d'immunisation très courant.* ☞ immunité.

immuniser v. **1.** Préserver contre une maladie infectieuse: *Le fait d'avoir déjà eu la rougeole immunise contre cette maladie.* SYN. protéger. ANT. contaminer. **2.** fig. Mettre quelqu'un à l'abri d'un mal, d'un risque: *Cette mauvaise expérience l'a immunisée contre la passion du jeu.* SYN. protéger. ANT. exposer. ☞ immunité.

immunité n.f. État d'un organisme qui a été mis à l'abri d'une maladie infectieuse: *L'immunité peut être provoquée par la vaccination.* ☞ immunisant, immunisation, immuniser. ▲ **immunité** n.f. Privilège accordé par la loi à certaines personnes: *Grâce à l'immunité diplomatique, les diplomates étrangers échappent à la juridiction des pays où ils résident.* SYN. protection. ⫽ *Immunité parlementaire:* Privilège accordé aux députés et aux ministres qui leur assure une protection contre les actions judiciaires.

impact n.m. **1.** Collision, choc: *La force de l'impact a été si grande que les deux automobiles sont complètement démolies.* **2.** Effet produit par une action forte, brutale: *L'impact de ses révélations a été terrible.* ⫽ *Point d'impact:* Endroit où un projectile vient frapper; trace qu'il laisse.

impair n.m. Maladresse, bévue qui peut choquer ou causer du tort: *Yolande est malheureuse: elle vient de commettre un impair.* SYN. gaffe.

impair, aire adj. Qu'on ne peut pas diviser par deux: *Sept est un nombre impair.* ANT. pair. ☞ pair.

impala n.m. Antilope de taille moyenne vivant en grands troupeaux en Afrique du Sud et en Afrique de l'Ouest: *L'impala mâle porte de magnifiques cornes annelées en forme de lyre.* **R.** Les lettres *im* se prononcent *imm*.

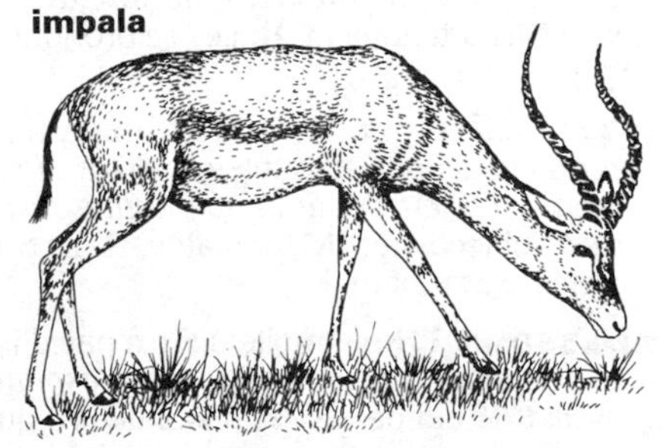
impala

impalpable adj. Qu'on ne peut pas sentir au toucher à cause de sa finesse: *Une poussière impalpable pénétrait par toutes les ouvertures.* SYN. insaisissable. ANT. palpable, saisissable. ☞ palper.

imparable adj. Qu'il est impossible de parer, d'éviter: *Le boxeur s'est affaissé après avoir reçu un coup imparable de son adversaire.* ☞ parer.

impardonnable adj. Qui ne mérite pas d'être pardonné, excusé: *Tu as laissé ton petit frère sans surveillance? Ta négligence est impardonnable.* SYN. inexcusable. ANT. excusable, pardonnable. ☞ pardon.

imparfait n.m. Temps du verbe qui indique qu'une action est en train de se dérouler dans le passé: *Dans la phrase: «Lorsqu'elle jouait au hockey, Annick portait un casque protecteur», les verbes «jouer» et «porter» sont à l'imparfait de l'indicatif.*

imparfait, aite adj. **1.** Qui n'est pas complet, achevé: *Elle a une connaissance imparfaite du français.* SYN. inachevé, incomplet, insuffisant. ANT. parfait. **2.** Qui a des défauts, des imperfections: *Ces draps sont imparfaits.* ANT. parfait. ☞ parfait.

imparfaitement adv. D'une façon imparfaite: *Igor est au Québec depuis six mois; il connaît encore imparfaitement notre pays.* SYN. incomplètement, insuffisamment. ANT. parfaitement. ☞ parfait.

impartageable adj. Qu'on ne peut pas partager: *Ce minuscule gâteau est impartageable.* ANT. partageable. **R.** Ne pas oublier le *e* après le *g*. ☞ partage.

impartial, ale, aux adj. Qui n'a pas de parti pris, qui est neutre, juste: *Un des membres du jury n'a pas été impartial, car il connaissait plusieurs participantes à la compétition.* SYN. intègre, objectif. ANT. injuste, partial, subjectif. **R.** Le *t* se prononce *ss*. ☞ partial.

impartialement adv. D'une façon impartiale, juste: *J'aimerais que vous choisissiez impartialement le meilleur dessin de la classe.* ANT. partialement. **R.** Le *t* se prononce *ss*. ☞ partial.

impartialité n.f. Fait d'être impartial, juste; qualité d'une personne impartiale: *Personne n'a mis en doute l'impartialité de la juge.* SYN. objectivité. ANT. partialité. **R.** Le *t* se prononce *ss*. ☞ partial.

impasse n.f. **1.** Rue, ruelle qui n'a pas d'issue: *Ne t'engage pas dans cette rue; c'est une impasse.* SYN. cul-de-sac. **2.** fig. Situation qui ne présente pas d'issue favorable: *Les négociations ne progressent plus, elles sont dans une impasse.*

impassibilité n.f. Qualité d'une personne qui ne laisse voir aucune émotion, aucun sentiment: *Tout le monde l'attaquait, mais Noémie gardait son impassibilité.* SYN. calme, sang-froid. ANT. agitation, énervement, excitation. ☞ impassible.

impassible adj. Qui ne laisse voir aucune émotion, aucun sentiment: *Adrien gardait un air impassible pendant que l'instituteur le réprimandait.* SYN. calme, impénétrable, imperturbable, indifférent. ANT. agité, énervé. ☞ impassibilité.

impatiemment adv. Avec impatience: *Nous attendons tous impatiemment le retour du printemps.* **R.** Les lettres *emment* se prononcent *amment*. ☞ patience.

impatience n.f. **1.** Manque de patience; incapacité habituelle de patienter, de se contrôler: *L'impatience des enfants dérange souvent les adultes.* SYN. énervement, précipitation. ANT. calme. **2.** Incapacité de supporter quelqu'un ou quelque chose: *Jacques montre des signes d'impatience quand on lui reproche quelque chose.* SYN. agacement, exaspération. ANT. patience. **3.** Incapacité d'attendre calmement quelqu'un ou quelque chose: *Elle attendait ton retour avec impatience.* ANT. patience. ☞ patience.

impatient, ente n. et adj. **1.** n. Personne qui manque de patience: *Cette jeune impatiente voudrait que ses désirs se réalisent tout de suite.* **2.** adj. Qui est incapable de patienter, de se contrôler: *Ne soyez pas si impatients! Nous partons dans une demi-heure.* SYN. nerveux. ANT. calme, patient. **3.** adj. Qui désire avec empressement: *Maryse est impatiente de vous rencontrer.* SYN. avide, désireux. ☞ patience.

impatiente n.f. Plante, appelée aussi «balsamine», dont le fruit s'ouvre brusquement au moindre contact en projetant ses graines: *Les impatientes se cultivent facilement et produisent de belles grandes fleurs.* ◇ balsamine.

impatiente

impatienter v. Faire perdre patience à quelqu'un: *Son bavardage incessant impatiente ses compagnons.* SYN. agacer, énerver.

ANT. calmer. ☞ patience. **s'impatienter** v.pron. Perdre patience, montrer de l'impatience : *Il n'aime pas attendre, il s'impatiente très vite.* SYN. s'emporter, s'énerver. ANT. se calmer, patienter.

impayé n.m. Dette, effet qui n'a pas été payé : *À la fin de chaque mois, l'épicier procède au recouvrement des impayés.* ☞ payer.

impayé, ée adj. Qui n'a pas été payé : *La marchande nous a demandé d'acquitter nos factures impayées.* ☞ payer.

impeccable adj. **1.** Qui est sans défaut, en parlant de quelque chose : *Elle a eu la meilleure note, car son travail était impeccable.* SYN. irréprochable, parfait. ANT. défectueux. **2.** Qui est d'une propreté parfaite, en parlant de quelqu'un ou de quelque chose : *Ces enfants portent toujours des vêtements impeccables.* ☞ impeccablement.

impeccablement adv. D'une façon impeccable, sans défaut : *Il est toujours coiffé impeccablement.* ☞ impeccable.

impénétrable adj. **1.** Qu'il est impossible de pénétrer, de traverser : *Personne ne peut s'aventurer dans cette forêt impénétrable.* SYN. inaccessible. ANT. accessible. **2.** Qui ne laisse rien voir de ses pensées, de ses sentiments : *On ne sait jamais ce qu'elle pense : elle est impénétrable.* SYN. fermé, impassible. ANT. ouvert. **3.** fig. Qu'il est difficile ou impossible d'expliquer, de comprendre : *Il essaie de résoudre une énigme impénétrable.* SYN. incompréhensible, inexplicable. ANT. pénétrable. ☞ pénétrer.

impénitence n.f. État d'une personne qui refuse de se repentir de ses fautes : *Saint Paul vivait dans l'impénitence avant de se convertir.* ANT. contrition, pénitence, repentir. ☞ pénitence.

impénitent, ente adj. **1.** Qui ne se repent pas de ses fautes : *La pécheresse impénitente ne regrette pas ses erreurs.* ANT. contrit, pénitent, repenti. **2.** Qui ne veut pas renoncer à une habitude : *Ce garçon est un menteur impénitent.* SYN. endurci, incorrigible, invétéré. ☞ pénitence.

impensable adj. Qui est difficile ou impossible à imaginer ; qu'on a du mal à concevoir : *Il est impensable que tu abandonnes ton emploi.* SYN. inconcevable, incroyable, inimaginable. ANT. pensable. ☞ penser.

impératif n.m. Mode du verbe qui exprime un ordre, un conseil ou un souhait : *« Va, allons, allez » est le présent de l'impératif du verbe « aller ».* ▲ **impératif** n.m. Exigence dans un domaine quelconque : *Certaines personnes se croient obligées d'obéir aux impératifs de la mode.*

impératif, ive adj. **1.** Qui exprime, impose un ordre : *Nul ne peut se soustraire à ces consignes impératives.* SYN. catégorique. **2.** Qui manifeste de l'autorité : *D'un geste impératif, elle m'a congédié.* SYN. autoritaire, impérieux. ANT. humble, timide. **3.** Qui s'impose d'une manière obligatoire, comme une nécessité : *Il est impératif de freiner la détérioration de la couche d'ozone.* SYN. impérieux. ANT. inutile. ☞ impérativement.

impérativement adv. D'une façon impérative, obligatoire : *Vous devez impérativement vous présenter à l'heure aux examens.* ☞ impératif.

impératrice n.f. Épouse d'un empereur ou femme qui gouverne un empire : *La reine Victoria d'Angleterre était aussi l'impératrice des Indes.* **R.** Au masculin, *empereur*. ☞ empire.

imperceptible adj. **1.** Que l'on ne peut saisir par les sens à cause de sa petitesse ou de son peu d'intensité : *L'odorat des animaux capte des odeurs qui sont imperceptibles pour l'être humain.* ANT. perceptible. **2.** Qui échappe à l'attention, que l'esprit a du mal à saisir : *Il y a des nuances souvent imperceptibles entre les sens de certains mots.* SYN. invisible. ANT. manifeste, visible. **3.** Qui est de peu d'importance : *Elle a fait des progrès imperceptibles mais bien réels.* ANT. considérable. ☞ percevoir.

imperceptiblement adv. D'une façon imperceptible, à peine visible : *Son attitude a changé imperceptiblement pendant la soirée.* ANT. fortement. ☞ percevoir.

imperfection n.f. **1.** État d'une personne ou d'une chose qui n'est pas parfaite : *L'imperfection de notre intelligence nous empêche de comprendre bien des choses.* SYN. faiblesse. ANT. perfection. **2.** Ce qui rend quelqu'un ou quelque chose imparfait ; défaut : *J'ai découvert plusieurs imperfections dans ce travail.* ANT. qualité. ☞ perfection.

impérial, ale, aux adj. Qui se rapporte à un empereur ou à son empire : *Napoléon Bonaparte a reçu la couronne impériale.*

impérialisme n.m. Politique d'un État qui cherche à étendre sa domination sur d'autres États : *De nos jours, on parle beaucoup plus d'impérialisme économique que d'impérialisme politique.* ☞ impérialiste.

impérialiste n. et adj. **1.** n. Personne qui favorise, qui soutient l'impérialisme, la politique d'un État qui cherche à étendre sa domination sur d'autres États : *Les impérialistes respectent peu l'autonomie des autres pays.*

2. adj. Qui soutient l'impérialisme: *Certains pays d'Europe ont été des pays impérialistes au siècle dernier.* ☞ impérialisme.

impérieusement adv. D'une façon impérieuse, autoritaire: *La directrice lui a ordonné impérieusement de s'excuser.* ☞ impérieux.

impérieux, euse adj. **1.** Qui est autoritaire: *D'un ton impérieux, il a ordonné à l'enfant de se taire.* SYN. impératif. ANT. humble, soumis. **2.** fig. Qui est pressant, auquel on ne peut résister: *Des besoins impérieux l'ont forcée à quitter la classe.* SYN. impératif, irrésistible, pressant. ANT. facultatif, libre. ☞ impérieusement.

impérissable adj. **1.** Qui ne peut périr: *Rien n'est impérissable dans notre monde matériel.* SYN. immortel. ANT. périssable. **2.** Qui dure très longtemps: *Félix Leclerc nous a laissé un souvenir impérissable.* SYN. durable. ANT. éphémère, périssable. ☞ périr.

imperméabiliser v. Rendre une matière, un tissu, imperméable à l'eau, aux liquides: *Ce produit a imperméabilisé mes chaussures.* ☞ perméable.

imperméabilité n.f. Caractère de ce qui ne laisse pas passer l'eau, les liquides: *L'imperméabilité de l'argile n'est plus à démontrer.* ANT. perméabilité. ☞ perméable.

imperméable n.m. et adj. **1.** n.m. Vêtement de pluie en tissu imperméabilisé: *Prends ton imperméable, il commence à pleuvoir.* **2.** adj. Qui ne laisse pas passer l'eau, les liquides: *Une toile imperméable recouvre le chargement du camion.* ANT. perméable. **3.** adj.fig. Qui ne se laisse pas toucher par les sentiments, les idées: *Cette fille est absolument imperméable à la pitié.* SYN. indifférent, insensible. ANT. sensible. ☞ perméable.

impersonnel, elle adj. **1.** Qui n'appartient pas à une personne; qui n'est pas destiné à une personne en particulier: *Tout le monde sait que la loi est impersonnelle.* ANT. personnel. **2.** Qui n'a pas de caractère personnel, qui est peu original: *Je déteste les décors impersonnels.* SYN. banal, neutre. // *Modes impersonnels:* Modes qui n'ont pas de personnes grammaticales comme l'infinitif et le participe. *Phrase impersonnelle:* Phrase dans laquelle le vrai sujet, placé après le verbe, est remplacé par le pronom «il». *Verbe impersonnel:* Verbe qui ne s'emploie qu'à la troisième personne du singulier et dont le sujet ne représente personne. ☞ personne.

impersonnellement adv. **1.** D'une façon impersonnelle, neutre: *L'hôte nous a souri impersonnellement, puis il s'est adressé à d'autres personnes.* **2.** Comme verbe impersonnel: *Dans «Il était une fois», le verbe «être» est employé impersonnellement.* ☞ personne.

impertinemment adv. D'une façon impertinente, impolie: *Il a répondu impertinemment à son institutrice.* SYN. impoliment. ANT. poliment. **R.** Les lettres *emment* se prononcent *amment*. ☞ impertinent.

impertinence n.f. **1.** Manque de respect, de politesse: *Cet élève donne le mauvais exemple aux autres en se conduisant avec impertinence.* SYN. effronterie. **2.** Action, parole qui indique un manque de respect, de politesse: *Elle a dû s'excuser parce qu'elle avait dit des impertinences au surveillant.* SYN. insolence. ☞ impertinent.

impertinent, ente n. et adj. **1.** n. Personne qui manque de respect, de politesse: *Cet impertinent a été mis à la porte de l'école.* SYN. impoli. **2.** adj. Qui manque de respect, de politesse, en parlant de quelqu'un: *Cette fillette impertinente est mal vue de ses camarades.* SYN. effronté, impoli. ANT. poli, respectueux. **3.** adj. Qui traduit le manque de respect, de politesse, en parlant de quelque chose: *Ses réponses impertinentes ne font plus rire personne.* SYN. insolent. ANT. convenable, correct. ☞ impertinemment, impertinence.

imperturbabilité n.f. Caractère, état d'une personne que rien ne peut troubler, ébranler: *Il affronte les situations les plus énervantes sans se départir de son imperturbabilité.* SYN. calme, impassibilité. ANT. agitation. ☞ imperturbable.

imperturbable adj. Que rien ne peut troubler, ébranler: *Tous s'énervent, sauf Josiane qui demeure imperturbable.* SYN. calme, impassible, inébranlable. ANT. agité, changeant, ému. ☞ imperturbabilité, imperturbablement.

imperturbablement adv. D'une façon imperturbable, sans se troubler ni s'émouvoir: *Malgré les cris et les protestations, la députée a poursuivi imperturbablement son discours.* SYN. calmement. ☞ imperturbable.

impétigo n.m. Maladie contagieuse de la peau qui se caractérise par la formation de petites vésicules se transformant en croûte jaunâtre et épaisse: *L'impétigo affecte surtout le visage et le cuir chevelu.*

impétueusement adv.litt. D'une façon impétueuse, ardente, vive: *Elle s'est lancée impétueusement dans la bataille.* ☞ impétueux.

impétueux, euse adj. **1.** litt. Qui est animé d'un mouvement violent et rapide: *Le torrent impétueux emportait tout sur son pas-*

sage. SYN. déchaîné, fort, tumultueux. ANT. calme. **2.** Qui a un comportement, un caractère vif, ardent: *Cette jeune fille impétueuse ne se laisse pas arrêter par les difficultés.* SYN. fougueux. ANT. calme, indifférent, nonchalant. ☞ impétueusement, impétuosité.

impétuosité n.f.litt. Caractère de ce qui est impétueux, vif, fougueux: *Certaines personnes jugent sévèrement l'impétuosité de la jeunesse.* SYN. ardeur, violence, vivacité. ANT. calme, mollesse. ☞ impétueux.

impie n. et adj. **1.** n. Personne qui méprise la religion: *Les impies ne respectent pas les croyances religieuses des autres.* SYN. blasphémateur. ANT. croyant. **2.** adj. Qui manifeste du mépris envers la religion, en parlant de quelqu'un: *Les athées ne sont pas nécessairement des personnes impies.* ANT. croyant, pieux. **3.** adj. Qui indique le mépris de la religion, en parlant de quelque chose: *Ses paroles impies ont choqué l'assistance.* SYN. blasphématoire. ANT. religieux. ☞ pieux.

impiété n.f.litt. **1.** Caractère d'une personne impie; mépris pour la religion: *L'impiété de cette femme a scandalisé l'aumônier.* ANT. piété. **2.** Acte, parole méprisante pour la religion: *Tu ferais mieux de te taire plutôt que de dire des impiétés.* SYN. blasphème. ☞ pieux.

impitoyable adj. **1.** Qui est sans pitié: *Il était devant un ennemi impitoyable.* SYN. cruel, inhumain. ANT. charitable, indulgent. **2.** Qui ne manifeste aucune indulgence, en parlant de quelqu'un ou de quelque chose: *Les observatrices impitoyables ont relevé toutes les erreurs de la gymnaste.* SYN. implacable, insensible, sévère. ANT. bienveillant, indulgent, sensible. ☞ pitié.

impitoyablement adv. D'une façon impitoyable, sans pitié: *Le tricheur a été impitoyablement puni.* ☞ pitié.

implacable adj. **1.** litt. Dont on ne peut apaiser la violence, la dureté: *Il lui portait une haine implacable qui dura toute sa vie.* SYN. impitoyable. ANT. indulgent. **2.** Qu'il est impossible de modifier; à quoi on ne peut échapper: *La logique implacable de sa démonstration nous a ébahis.* SYN. fatal, inéluctable, irrésistible. ⁄⁄ *Soleil implacable:* Soleil très fort. ☞ implacablement.

implacablement adv. D'une façon implacable, sans en apaiser la violence ou la dureté: *Quand l'occasion s'est présentée, elle s'est vengée implacablement.* ☞ implacable.

implantation n.f. Action d'implanter, de s'implanter quelque part: *L'implantation d'une usine dans cette région a été bien accueillie.* ☞ implanter.

implanter v. **1.** Installer, établir quelque part: *Il faudrait implanter des usines dans les régions éloignées.* ANT. arracher. **2.** Introduire, fixer: *Cette campagne publicitaire cherche à implanter une nouvelle mode.* SYN. ancrer, enraciner. ☞ implantation. **s'implanter** v.pron. S'installer, s'établir, se fixer: *Est-il vrai que les mauvaises habitudes s'implantent plus facilement que les bonnes?* SYN. s'enraciner.

implication n.f. **1.** État de quelqu'un qui est mêlé à une affaire fâcheuse; participation: *Son implication dans cette fraude n'a pas été prouvée.* **2.** plur. Conséquences inévitables, attendues: *Il faut tenir compte de toutes les implications de cette décision.* ☞ impliquer.

implicite adj. Qui est contenu dans une proposition, un fait, sans être exprimé en termes précis mais qui découle naturellement: *Cette condition était contenue dans le contrat d'une manière implicite.* ANT. explicite. ☞ explicite.

implicitement adv. D'une façon implicite, sans être exprimé clairement: *Nous nous sommes regardées et nous avons convenu implicitement de ne rien dire aux autres.* ANT. explicitement. ☞ explicite.

impliquer v. **1.** Mêler quelqu'un à une affaire fâcheuse, le compromettre: *Cet homme d'affaires est impliqué dans un procès pour fraude.* ANT. exclure. **2.** Contenir de façon implicite, avoir pour conséquence: *Le mot «amour» implique une foule d'idées.* SYN. comporter, entraîner. **3.** Signifier, entraîner comme conséquence logique: *Ton refus de faire des compromis implique que tu devras te séparer du groupe.* SYN. supposer. ☞ implication.

implorant, ante adj.litt. Qui implore, supplie: *D'une voix implorante, elle demande au jury d'avoir pitié d'elle.* SYN. suppliant. ☞ implorer.

implorer v. Demander quelque chose en suppliant humblement; demander une faveur, une aide avec insistance: *Le jeune voleur implorait le pardon de ses parents.* SYN. réclamer, solliciter. ANT. refuser, repousser. ☞ implorant.

impoli, ie n. et adj. **1.** n. Personne qui manque de politesse: *Tu ne sais pas vivre en société! Tu n'es qu'une impolie.* SYN. goujat, impertinent. **2.** adj. Qui manque de politesse, en parlant de quelqu'un: *Ce garçon impoli devra rester en retenue après la classe.* SYN. grossier, irrespectueux. ANT. correct, poli, respectueux. **3.** adj. Qui traduit un manque de politesse, en parlant de quelque chose: *Il est* *très impoli d'entrer chez les gens sans frapper.* SYN. inconvenant, incorrect. ANT. correct, poli. ☞ poli.

impoliment adv. D'une façon impolie, incorrecte : *Il s'est conduit impoliment envers les invités.* SYN. grossièrement. ANT. poliment. ☞ poli.

impolitesse n.f. **1.** Manque de politesse : *Ton impolitesse est devenue insupportable.* SYN. effronterie, grossièreté, impertinence, sans-gêne. ANT. politesse, savoir-vivre. **2.** Parole, action impolie, incorrecte, grossière : *Le directeur a averti les élèves qu'il ne voulait entendre aucune impolitesse dans l'école.* SYN. impertinence, insolence. ☞ poli.

impondérable n.m. et adj. **1.** n.m. Élément difficile à prévoir, à évaluer, mais qui peut avoir des conséquences importantes : *Une élection n'est jamais gagnée d'avance : il y a tant d'impondérables !* **2.** adj. Qui est difficile à prévoir, à évaluer : *Des facteurs impondérables ont fait échouer ce projet.*

impopulaire adj. **1.** Qui ne plaît pas à la population : *Cette députée impopulaire ne se représentera pas aux élections.* ANT. populaire. **2.** Qui est mal vu : *Ses manières prétentieuses l'ont rendu impopulaire parmi ses confrères.* ANT. populaire. ☞ populaire.

impopularité n.f. Caractère de ce qui ne plaît pas à la population : *L'impopularité de ce gouvernement grandit de jour en jour.* ANT. popularité. ☞ populaire.

importable adj. Que l'on peut importer, faire venir de pays étrangers : *Les douanières ont confisqué ces marchandises qui n'étaient pas importables.* ☞ exporter. ▲ **importable** adj. Que l'on ne peut plus porter, en parlant d'un vêtement : *Ce chandail taché de peinture est importable.* ANT. portable. ☞ porter.

importance n.f. **1.** Caractère de ce qui est important, de ce qui est d'un grand intérêt ; valeur que l'on prête à quelque chose : *Mes parents attachent une grande importance à mes résultats scolaires.* SYN. prix. **2.** Caractère de ce qui est considérable par la quantité, la valeur, le nombre : *Elle ne semble pas consciente de l'importance de la somme que je lui ai confiée.* **3.** Autorité, influence de quelqu'un découlant de sa situation sociale, de ses responsabilités : *Nul ne conteste l'importance des artistes dans notre société.* SYN. prestige. ANT. insignifiance. ⫽ *D'importance :* Important, de taille. ☞ important.

important n.m. Point essentiel ; ce qui présente de l'intérêt pour quelqu'un : *L'important, c'est d'être heureux dans la vie.* ANT. accessoire.

important, ante adj. **1.** Qui est d'un grand intérêt, qui peut avoir de grandes conséquences : *La ministre des Finances doit prendre une décision importante.* SYN. grave. ANT. futile, négligeable. **2.** Qui est considérable par la quantité, la valeur, le nombre : *Une partie importante de la population est en faveur de cette loi.* ANT. insignifiant. ☞ importance. ▲ **important, ante** adj. Qui a de l'importance par sa situation, qui a de l'influence, de l'autorité : *D'importants personnages seront présents lors de l'inauguration de cette école.* SYN. influent, puissant. ANT. insignifiant, ordinaire. ⫽ *Se donner des airs importants :* Tenter de s'avantager, agir comme un grand personnage. ☞ importance.

importateur, trice n. et adj. **1.** n. Personne qui fait venir des marchandises de pays étrangers : *L'importatrice a reçu une cargaison d'ananas en provenance des Philippines.* ANT. exportateur. **2.** adj. Qui fait venir des marchandises de pays étrangers : *Le Canada est un pays importateur de pétrole.* ANT. exportateur. ☞ exporter.

importation n.f. **1.** Action d'importer, de faire venir des marchandises de pays étrangers : *L'importation de voitures étrangères fait beaucoup de tort aux fabricants de voitures américaines.* ANT. exportation. **2.** plur. Marchandises qu'on fait venir de l'étranger : *Ces chaussures sont des importations italiennes.* ANT. exportations. **3.** fig. Action d'introduire un usage, une mode, des idées dans un pays : *L'importation de la musique américaine réjouit de nombreux adolescents.* ANT. exportation. ☞ exporter.

importer v. **1.** Faire venir des marchandises de pays étrangers : *Le Canada importe des fruits et des légumes.* ANT. exporter. **2.** fig. Introduire un usage, une mode, des idées dans un pays : *L'Halloween est une fête qu'on a importée des États-Unis.* ANT. exporter. ☞ exporter. ▲ **importer** v. **1.** Avoir de l'importance, offrir de l'intérêt pour quelqu'un : *Ton opinion m'importe peu.* SYN. intéresser. **2.** Être important, nécessaire : *Il importe que tu réfléchisses avant de prendre une décision.* ⫽ *N'importe quel, quelle :* Personne, chose quelconque. *N'importe qui, n'importe quoi :* Personne, chose quelconque. *Peu importe, qu'importe :* Cela n'a pas d'importance. **R.** Ne se conjugue qu'à l'infinitif et à la troisième personne du singulier et du pluriel. **n'importe comment** loc.adv. D'une manière quelconque : *Vous avez rempli ce formulaire n'importe comment.* **n'importe où** loc.adv. Dans un lieu quelconque : *J'irais n'importe où, pourvu que je parte d'ici.* **n'importe quand** loc.adv. À un moment quelconque : *Venez* *n'importe quand! Nous vous attendrons.*

importun, une n. et adj. **1.** n. Personne qui dérange, qui ennuie par sa présence ou sa conduite: *Il a fallu me débarrasser de ces importuns.* SYN. gêneur. **2.** adj.litt. Qui dérange, qui ennuie par sa présence ou sa conduite: *Elle ne se rend pas compte combien elle est importune.* SYN. indiscret. ANT. discret. **3.** adj.litt. Qui dérange, qui arrive mal à propos, en parlant de quelque chose: *Tu ennuies tes camarades avec tes questions importunes.* SYN. agaçant, embêtant, inopportun. ANT. agréable, opportun. ☞ importuner.

importuner v.litt. **1.** Déranger, ennuyer par une présence ou une conduite hors de propos: *Ces grands garçons importunaient les petits de la maternelle.* ANT. amuser, divertir. **2.** Gêner, incommoder: *Tout ce bruit m'importune.* ☞ importun.

imposable adj. Qui est soumis à l'impôt: *Maman a calculé son revenu imposable.* ☞ imposer.

imposant, ante adj. **1.** Qui impose le respect, l'admiration: *La gouverneure générale a un air imposant.* SYN. noble, solennel. ANT. insignifiant. **2.** Qui impressionne par le nombre, la quantité: *Un service d'ordre imposant devait prévenir toute manifestation pendant la visite du président américain.* SYN. considérable, impressionnant. ANT. insignifiant, petit, ridicule. ☞ imposer.

imposer v. Soumettre une personne ou une marchandise à l'impôt: *Le gouvernement impose les travailleurs.* SYN. taxer. ☞ imposable, imposition, impôt. **imposé, ée** p.p. et adj. Qui est soumise à l'impôt, en parlant d'une marchandise: *L'alcool et les cigarettes sont des marchandises imposées.* // *Prix imposé:* Prix qui doit être strictement respecté. ▲ **imposer** v. **1.** Obliger à faire, à subir; ordonner quelque chose de pénible: *Il nous a imposé le silence pendant la récréation.* SYN. commander. ANT. dispenser. **2.** Faire accepter quelque chose par une contrainte morale: *Peu à peu, elle a réussi à imposer son point de vue.* **3.** Faire accepter quelqu'un par force, par autorité: *Nous n'avons pas choisi notre chef; il nous a été imposé.* // *En imposer à quelqu'un:* Inspirer le respect, l'admiration. ☞ imposant. **s'imposer** v.pron. **1.** S'obliger à quelque chose: *Pour devenir une bonne nageuse, elle s'impose beaucoup de sacrifices.* **2.** Être indispensable, obligatoire: *Des mesures de sécurité s'imposent dans les aéroports.* **3.** Se faire accepter de force: *Personne ne voulait de lui, mais il a su s'imposer.* **4.** Se faire reconnaître par sa valeur, ses qualités: *Virginie aura vite fait de s'imposer par son talent d'organisatrice.* ▲ **imposer** v. Poser les mains sur quelqu'un pour le bénir ou pour lui conférer un sacrement: *L'évêque impose les mains sur la tête des confirmands.* ☞ imposition.

imposition n.f. Action de faire payer des impôts; procédé qui fixe la matière soumise à l'impôt: *Cette année, les taux d'imposition ont été modifiés.* ☞ imposer. ▲ **imposition** n.f. Action d'imposer les mains sur la tête de quelqu'un: *Les apôtres ont fait des guérisons par l'imposition des mains sur les malades.* ☞ imposer.

impossibilité n.f. **1.** Caractère de ce qui est impossible: *Le blessé est dans l'impossibilité de marcher tout seul.* SYN. incapacité. ANT. possibilité. **2.** Chose impossible: *Je n'arriverai jamais à faire ce travail; c'est une impossibilité.* ANT. possibilité. ☞ possible.

impossible n.m. et adj. **1.** n.m. Ce qui ne peut pas se faire: *On demande parfois l'impossible à nos enfants.* ANT. possible. **2.** adj. Qui ne peut pas se faire: *Je ne peux pas recommencer ce travail en si peu de temps, c'est impossible.* SYN. irréalisable. ANT. possible, réalisable. **3.** adj. Qui est difficile à faire, à supporter, à imaginer: *Ces migraines constantes me rendent la vie impossible.* ANT. facile. **4.** adj. Qui est insupportable, en parlant de quelqu'un: *Je ne veux pas garder ces deux enfants; ils sont impossibles.* ANT. supportable. ☞ possible.

imposteur n.m. Personne qui abuse de la confiance des autres par de fausses apparences, des mensonges: *Il se faisait passer pour un médecin, mais ce n'était qu'un imposteur.* SYN. charlatan, menteur. ☞ imposture.

imposture n.f.litt. Mensonge, tromperie d'une personne qui se fait passer pour ce qu'elle n'est pas: *L'imposture de cette fripouille a été dénoncée.* ANT. franchise, sincérité. ☞ imposteur.

impôt n.m. Ensemble des sommes d'argent prélevées par l'État pour subvenir aux dépenses publiques: *Une fois l'an, les contribuables canadiens doivent faire le calcul de leur impôt sur le revenu.* SYN. taxe. // *Impôt direct:* Impôt calculé sur les revenus des contribuables. *Impôt indirect:* Taxe comprise dans le prix des marchandises. **R.** Ne pas oublier l'accent: ô. ☞ imposer.

imp**o**ser imp**ô**t

impotence n.f. État d'une personne qui ne peut plus bouger ou qui le peut difficilement: *Malgré son impotence, elle tente de mener une vie active et normale.* ☞ impotent.

impotent, ente n. et adj. **1.** n. Personne qui ne peut plus se déplacer ou qui le peut difficilement: *On fabrique beaucoup d'appareils orthopédiques pour venir en aide aux impotents.* SYN. infirme, invalide. **2.** adj. Qui ne peut plus se déplacer ou qui le peut difficilement: *Une grave maladie l'a rendu impotent.* SYN. invalide. ANT. valide. ☞ impotence.

impraticable adj. Où l'on ne peut passer: *Les pluies printanières et le dégel ont rendu cette route impraticable.* ANT. praticable. ☞ praticable. ▲ **impraticable** adj. Que l'on ne peut réaliser: *C'est un projet intéressant, mais il est impraticable.* SYN. impossible, irréalisable. ANT. possible. ☞ pratiquer.

imprécis, ise adj. Qui manque de précision, de clarté: *Tu m'as donné des renseignements imprécis.* SYN. flou, vague. ANT. net, précis. ☞ précis.

imprécision n.f. Caractère de ce qui manque de précision, de clarté: *L'imprécision de ses souvenirs rendait son témoignage confus.* SYN. vague. ANT. netteté. ☞ précis.

imprégnation n.f. **1.** Pénétration d'un liquide dans un corps: *L'imprégnation des bois par certaines résines permet de les conserver.* **2.** fig. Pénétration d'une idée, d'une influence dans l'esprit: *L'imprégnation de son esprit par les préjugés ne s'est pas faite en un seul jour.* ☞ imprégner.

imprégner v. **1.** Faire pénétrer un liquide, une odeur dans un corps: *On a imprégné de teinture cette étoffe de coton.* SYN. imbiber. **2.** fig. Pénétrer profondément dans l'esprit: *Son éducation l'a imprégné de croyances religieuses.* SYN. influencer. ☞ imprégnation. **s'imprégner** v.pron. **1.** Se pénétrer d'un liquide, d'une odeur: *L'éponge s'imprègne d'eau facilement.* SYN. s'imbiber. **2.** fig. Se laisser pénétrer d'une idée, d'une influence: *Quand elle lit, elle cherche toujours à s'imprégner de l'idée de l'auteur.*

imprenable adj. Qui ne peut être pris, qui résiste aux attaques: *La forteresse de Louisbourg était réputée imprenable.* ☞ prendre.

impresario n.m. (it.) Personne qui s'occupe des engagements d'un artiste et de l'organisation des spectacles: *Si vous voulez engager cette chanteuse, il faudra téléphoner à son impresario.* **R.** Le *e* se prononce *é*. Le *s* se prononce *ss*.

impression n.f. Action d'imprimer; reproduction d'un texte, d'un dessin par l'imprimerie: *La qualité d'impression de cette revue est remarquable.* ☞ imprimer. ▲ **impression** n.f. **1.** Effet produit dans l'esprit, le cœur de quelqu'un: *Le film a produit une forte impression sur les spectateurs.* **2.** Sentiment, sensation que l'on éprouve à un premier contact: *Il se fie trop à ses impressions.* ⫽ *Avoir l'impression:* Croire, s'imaginer. *Donner l'impression:* Paraître, sembler. *Faire bonne, mauvaise impression:* Faire naître un sentiment favorable ou défavorable. *Faire impression:* Attirer vivement l'attention. ☞ impressionnable, impressionnant, impressionner.

impressionnable adj. Qui est facile à impressionner: *Cet enfant impressionnable ne devrait pas regarder des films d'horreur.* SYN. émotif, sensible. ANT. indifférent, insensible. ☞ impression.

impressionnant, ante adj. **1.** Qui produit une grande impression, qui étonne: *Le Cirque du soleil nous a présenté un spectacle impressionnant.* SYN. émouvant, étonnant. ANT. insignifiant. **2.** Qui est très grande, imposante, en parlant d'une quantité: *Une somme impressionnante a été volée.* SYN. considérable, énorme. ANT. faible, insignifiant. ☞ impression.

impressionner v. **1.** Faire une grande impression: *Le courage de cette femme m'impressionne.* SYN. émouvoir, frapper, toucher. **2.** Influencer, intimider: *Ne vous laissez pas impressionner par ces menaces.* SYN. bouleverser, troubler. ☞ impression.

impressionnisme n.m. Style artistique qui cherche à exprimer des expressions fugitives plutôt que l'aspect stable des choses: *L'impressionnisme est une tendance en art qui se manifesta à la fin du XIX*[e] *siècle.* ☞ impressionniste.

impressionniste n. et adj. **1.** n. Peintre, écrivain qui se rattache à l'impressionnisme, à une tendance en art qui cherche à exprimer des impressions fugitives: *Paul Cézanne et Claude Monet étaient des impressionnistes.* **2.** adj. Qui se rapporte à l'impressionnisme, qui traduit des impressions: *Les enfants nous ont fait un récit impressionniste de l'événement.* ☞ impressionnisme.

imprévisible adj. Que l'on ne peut prévoir: *Cette tempête de neige était imprévisible.* SYN. inattendu. ANT. prévisible. ☞ prévoir.

imprévoyance n.f. Caractère d'une personne qui ne prévoit pas ce qui peut arriver; action imprévoyante: *Il a fait preuve d'imprévoyance en refusant de s'assurer contre le vol.* SYN. étourderie, insouciance. ANT. prévoyance. ☞ prévoir.

imprévoyant, ante n. et adj. **1.** n. Personne qui ne prévoit pas ce qui peut arriver: *Les imprévoyants sont souvent pris au dé-*

pourvu. SYN. étourdi, insouciant. **2.** adj. Qui ne prévoit pas ce qui peut arriver : *Tu as été imprévoyante en ne prenant pas ton imperméable ce matin.* SYN. étourdi, insouciant, irréfléchi. ANT. prévoyant. ☞ prévoir.

imprévu n.m. Ce que l'on n'a pas prévu ; ce qui se produit alors qu'on ne s'y attend pas : *Lors de son voyage, il a dû faire face à de nombreux imprévus.* ☞ prévoir.

imprévu, ue adj. Qu'on n'a pas prévu, qui se produit alors qu'on ne s'y attend pas : *Une visite imprévue m'oblige à annuler notre rendez-vous.* SYN. inattendu, soudain. ANT. attendu. ☞ prévoir.

imprimable adj. Que l'on peut imprimer, qui le mérite : *Nous croyons que ce livre est imprimable.* ☞ imprimer.

imprimante n.f. Appareil de sortie d'un ordinateur qui imprime sur papier les textes, les résultats d'un traitement : *Papa hésitait entre une imprimante à laser et une imprimante à jets d'encre.* ☞ imprimer.

imprimé n.m. **1.** Impression ou reproduction sur papier : *La bibliothèque municipale conserve les imprimés dans ce local.* SYN. brochure, journal, livre. ANT. manuscrit. **2.** Feuille, formule imprimée : *Pour faire sa déclaration d'impôts, Jacqueline a rempli lisiblement un imprimé.* **3.** Tissu imprimé : *Claudia a choisi un bel imprimé à fleurs pour les rideaux de sa chambre.* HOM. imprimer. ☞ imprimer.

imprimé, ée adj. **1.** Qui est orné de motifs, de dessins reproduits par impression : *Elle porte une robe de mousseline imprimée.* **2.** Qui est reproduit par l'imprimerie : *Ce grand hôtel fournit du papier à en-tête imprimé à ses clients.* ANT. manuscrit. HOM. imprimer. ☞ imprimer.

imprimer v. **1.** Reproduire un dessin, des couleurs sur du papier ou du tissu par la pression d'une surface sur une autre : *On a imprimé des fleurs sur ce tissu.* **2.** Reproduire par l'imprimerie : *On a imprimé cinq cents exemplaires de ce recueil de poèmes.* **3.** Faire, laisser une marque, une trace par pression : *La promeneuse solitaire a imprimé la forme de ses pieds sur le sable.* SYN. graver. ANT. effacer, supprimer. ☞ impression, imprimable, imprimante, imprimé, imprimerie, imprimeur, réimpression, réimprimer. ▲ **imprimer** v. Transmettre un mouvement à quelque chose : *Pour que l'horloge fonctionne, il faut imprimer un mouvement de va-et-vient au balancier.* HOM. imprimé.

imprimerie n.f. **1.** Ensemble des techniques qui permettent la reproduction d'un texte par impression : *Vers 1440, Gutenberg mit au point le procédé d'imprimerie à caractères mobiles.* **2.** Établissement où l'on imprime des livres, des journaux, des affiches, etc. : *Madame Poulin travaille dans une imprimerie.* ☞ imprimer.

imprimeur n.m. Personne qui possède, dirige ou travaille dans une imprimerie : *Monsieur Poulin est un imprimeur.* ☞ imprimer.

improbabilité n.f. Caractère de ce qui a peu de chances de se produire : *Nous sommes tous convaincus de l'improbabilité de sa victoire.* ANT. probabilité. ☞ probable.

improbable adj. Qui a peu de chances de se produire : *Avec cette tempête, il est improbable qu'il se soit aventuré sur les routes.* SYN. douteux. ANT. probable. ☞ probable.

improductif, ive n. et adj. **1.** n. Personne qui ne participe pas à la production de biens : *Toutes les personnes qui travaillent dans le secteur tertiaire sont des improductifs.* **2.** adj. Qui ne participe pas à la production de biens : *Dans une entreprise, les personnes qui ont une fonction de direction font partie du personnel improductif.* ANT. productif. **3.** adj. Qui ne produit rien : *Ces terres rocailleuses sont improductives.* SYN. infertile. ANT. fertile, productif. ☞ produire.

imprononçable adj. Que l'on ne peut prononcer : *Certains mots étrangers nous semblent imprononçables.* ANT. prononçable. **R.** Ne pas oublier la cédille. ☞ prononcer.

impropre adj. **1.** Qui n'exprime pas exactement la pensée : *Je n'ai pas compris ton message, car tu as utilisé des mots impropres.* SYN. inexact. ANT. exact, propre. **2.** Qui ne convient pas à un usage quelconque : *Ces céréales sont impropres à la consommation.* ANT. propre. ☞ propre.

improprement adv. D'une façon impropre, inexacte : *Un landau est parfois improprement appelé « carrosse ».* ANT. proprement. ☞ propre.

impropriété n.f. **1.** Caractère d'un mot, d'une expression qui n'exprime pas exactement la pensée : *L'impropriété de certains termes n'est pas toujours évidente : il faut alors consulter le dictionnaire.* **2.** Emploi impropre, fautif d'un mot entraînant un contresens : *La phrase « Les risques que cette fête soit un succès sont élevés » est un exemple d'impropriété.* ☞ propre.

improvisateur, trice n. Personne qui improvise, qui compose un discours, un texte, une pièce musicale sans préparation : *Joël a un grand talent d'improvisateur.* ☞ improviser.

improvisation n.f. **1.** Action d'improviser, de composer sans préparation un discours, un texte, un morceau de musique: *Cette comédienne est très douée pour l'improvisation.* **2.** Texte, discours, morceau de musique, etc., que l'on a improvisé: *La pianiste nous a joué une courte improvisation de jazz.* ☞ improviser.

improviser v. **1.** Composer au fur et à mesure, sans préparation, un discours, un texte, un morceau de musique: *Elle a improvisé un discours très intéressant.* ANT. préparer. **2.** Organiser à la hâte: *Papa a dû improviser un souper pour Pascal et ses amis.* **3.** Placer quelqu'un dans une fonction à laquelle il n'est pas préparé: *On l'a improvisée arbitre pour ce match entre amies.* ☞ improvisateur, improvisation. **s'improviser** v.pron. S'établir dans une fonction sans y être préparé: *On ne s'improvise pas astronaute.*

à **l'improviste** loc.adv. (it.) De manière imprévue, inattendue: *Elles sont arrivées chez moi à l'improviste.* SYN. inopinément, subitement.

imprudemment adv. D'une façon imprudente, téméraire: *Cette motocycliste conduit imprudemment.* ANT. prudemment. **R.** Les lettres *emment* se prononcent *amment.* ☞ prudent.

imprudence n.f. **1.** Manque de prudence, de prévoyance: *Tu traverses la rue sans regarder! Ton imprudence peut avoir des conséquences dramatiques.* SYN. hardiesse. **2.** Caractère d'une action imprudente, irréfléchie, téméraire: *Ses parents lui ont fait remarquer l'imprudence de sa conduite.* SYN. légèreté. ANT. prudence, sagesse. **3.** Action imprudente, irréfléchie, téméraire: *La plupart des incendies de forêt sont dus à des imprudences.* SYN. étourderie, maladresse. ☞ prudent.

imprudent, ente n. et adj. **1.** n. Personne qui agit sans se préoccuper du danger ou des conséquences de ses actes: *Chaque année, des imprudents se font heurter par une automobile en sortant de la cour de l'école.* SYN. écervelé. **2.** adj. Qui manque de prudence, qui fait preuve d'étourderie, d'inattention, en parlant de quelqu'un: *Cet automobiliste imprudent a failli mourir dans un accident.* SYN. audacieux, aventureux, téméraire. ANT. prudent. **3.** adj. Qui indique le manque de prudence, de sagesse, en parlant de quelque chose: *Elle a été sévèrement blâmée pour sa conduite imprudente.* SYN. dangereux, hasardeux. ANT. prudent. ☞ prudent.

impubliable adj. Que l'on ne peut publier, faire connaître au public: *Ce livre était si mal écrit qu'il était impubliable.* ANT. publiable. ☞ publier.

impudique adj. Qui blesse la pudeur, qui est indécent, en parlant de quelqu'un ou de quelque chose: *On l'a arrêté parce qu'il avait posé des gestes impudiques en public.* SYN. impur, obscène. ANT. chaste, pudique. ☞ pudeur.

impuissance n.f. **1.** Manque de moyens, de force pour faire quelque chose: *La vétérinaire ne peut pas guérir mon chien: elle a reconnu son impuissance.* SYN. incapacité. ANT. capacité, puissance. **2.** Caractère de ce qui est impuissant, insuffisant: *Elles ont vite constaté l'impuissance de leurs efforts.* SYN. faiblesse, insuffisance. ANT. efficacité, force. ☞ puissant.

impuissant, ante adj. **1.** Qui n'a pas les moyens, la force pour faire quelque chose: *Les médecins se sentaient impuissants devant cette maladie.* ANT. puissant. **2.** Qui n'a pas d'effet: *Les efforts des sauveteurs ont été impuissants à dégager toutes les victimes.* SYN. inefficace. ANT. efficace. ☞ puissant.

impulsif, ive n. et adj. **1.** n. Personne qui agit selon ses impulsions, sans réfléchir, sans se retenir: *Cet enfant est un impulsif qui regrette souvent ses paroles et ses gestes.* **2.** adj. Qui agit selon ses impulsions, sans réfléchir, sans se retenir: *Cette femme impulsive a décidé soudainement de partir en voyage.* SYN. emporté, fougueux. ANT. calme, réfléchi. **3.** adj. Qui répond à une impulsion, qui n'est ni réfléchi ni retenu: *Sa réaction a été impulsive: elle a donné sa démission.* ANT. réfléchi. ☞ impulsion.

impulsion n.f. **1.** Action ou fait de pousser pour transmettre un mouvement à quelque chose: *Pour déplacer la boule de billard, il faut lui donner une impulsion.* SYN. poussée. **2.** Essor, animation qu'on donne à une activité, à une entreprise pour augmenter son développement ou son dynamisme: *Cette nouvelle campagne de publicité a donné une impulsion au tourisme.* ANT. barrière, frein. **3.** Force, penchant qui pousse quelqu'un à faire quelque chose et, plus particulièrement, force soudaine qu'on ne peut retenir, qui pousse à agir: *Il ne faut pas prendre de décisions sous l'impulsion de la colère.* SYN. influence. ☞ impulsif, impulsivement.

impulsivement adv. D'une façon impulsive, sans réfléchir, sans se retenir: *Lors de l'accident, il s'est porté impulsivement au secours des victimes.* ☞ impulsion.

impunément adv. **1.** Sans subir de punition: *Elle croyait pouvoir voler impunément,* *mais elle a été condamnée sévèrement.* **2.** Sans inconvénient, sans dommage pour soi: *On ne peut pas impunément abuser de sa santé.* ☞ punir.

impuni, ie adj. Qui ne reçoit pas de punition: *Peu de crimes restent impunis.* ANT. puni. ☞ punir.

impunité n.f. Absence de punition: *Elle trichait régulièrement, car elle était assurée de l'impunité.* ☞ punir.

impur, ure adj. **1.** Qui est modifié, gâté par des matières étrangères: *Ne bois pas cette eau impure: tu pourrais être malade.* SYN. malpropre, sale. ANT. clair, pur. **2.** Qui est contraire à la chasteté, qui est indécent, en parlant de quelqu'un ou de quelque chose: *Je n'aime pas les gestes impurs de cette danse.* SYN. impudique. ANT. pur. **3.** litt. Qui est mauvais selon la morale: *Les cœurs impurs ont parfois besoin de se confier.* SYN. indigne, infâme. ANT. digne, honnête. **4.** Dont le contact est vu comme un péché, selon l'Ancien Testament; qui est souillé pour avoir commis des actes défendus: *Dans la religion juive, le porc est un animal impur.* ☞ pur.

impureté n.f. **1.** Caractère de ce qui n'est pas pur, de ce qui est corrompu par des matières étrangères: *L'impureté de l'air que nous respirons occasionne de nombreuses maladies.* SYN. saleté. ANT. pureté, salubrité. **2.** Ce qui altère, souille quelque chose: *Il faut filtrer l'eau pour la débarrasser de ses impuretés.* SYN. saleté. **3.** Caractère de ce qui choque la pudeur: *L'impureté de leur conversation me scandalise.* ☞ pur.

imputable adj. Qui peut ou doit être attribué: *Cet accident est imputable à la négligence.* ☞ imputer.

imputer v. Attribuer la responsabilité de quelque chose: *On a imputé ce crime à une personne innocente.* ☞ imputable.

imputrescible adj. Qui ne peut pas pourrir: *Le teck est un bois imputrescible.* SYN. incorruptible. ANT. putrescible. ☞ putréfier.

inabordable adj. **1.** Où l'on ne peut aborder: *Cette île est inabordable à cause de ses rives escarpées.* SYN. inaccessible. ANT. abordable, accessible. **2.** Qu'il est difficile d'approcher, d'atteindre, en parlant de quelqu'un ou de quelque chose: *Depuis qu'elle est ministre, cette femme est inabordable.* SYN. inaccessible. ANT. accessible. **3.** Qui est d'un prix très élevé: *Cette semaine, le brocoli et les asperges sont inabordables.* SYN. cher, coûteux. ANT. abordable. ☞ aborder.

inacceptable adj. Que l'on ne peut accepter, approuver: *Vos conditions sont inacceptables.* SYN. inadmissible. ANT. acceptable. ☞ accepter.

inaccessibilité n.f. État de ce qui est inaccessible, difficile à approcher, à atteindre, en parlant de quelqu'un ou de quelque chose: *L'inaccessibilité de cette île stimule l'imagination de l'aventurière.* ANT. accessibilité. ☞ accéder.

inaccessible adj. **1.** Dont l'accès est impossible: *Le sommet de cette montagne est inaccessible.* SYN. inabordable. ANT. abordable, accessible. **2.** Que l'on ne peut approcher, qu'il est impossible de rencontrer: *Pendant ses vacances, le premier ministre est inaccessible.* SYN. inabordable. ANT. accessible. **3.** Que l'on ne peut atteindre: *Vous vous êtes fixé un but si élevé qu'il est inaccessible.* ANT. accessible. ☞ accéder.

▲ **inaccessible** adj. Qui ne se laisse pas toucher par un sentiment, une façon de penser: *Cet enfant est inaccessible à la jalousie.* SYN. insensible. ANT. sensible.

inaccoutumé, ée adj. Qui n'a pas coutume de se faire, qui est inhabituel: *Un silence inaccoutumé régnait dans la classe.* SYN. inhabituel. ANT. habituel. ☞ accoutumer.

inachevé, ée adj. Qui n'est pas achevé, terminé: *Le peintre a laissé plusieurs tableaux inachevés.* SYN. incomplet. ANT. complet. ☞ achever.

inactif, ive n. et adj. **1.** n. Personne qui n'exerce pas d'emploi, qui n'a pas d'activité professionnelle: *Une augmentation du taux de chômage indique une augmentation du nombre des inactifs.* **2.** adj. Qui n'exerce pas d'emploi: *Depuis son accident de travail, ma mère est inactive.* SYN. désœuvré. **3.** adj. Qui n'a pas d'activité, qui ne fait rien: *Les enfants ne peuvent rester longtemps inactifs.* SYN. inoccupé, oisif. ANT. occupé. **4.** adj. Qui n'a pas d'effet: *Ce remède s'est révélé inactif contre la grippe.* SYN. inefficace. ANT. efficace. ☞ actif.

inaction n.f. Absence d'action, de travail, d'occupation: *Ces enfants pleins de vie ne peuvent supporter l'inaction.* SYN. inactivité, oisiveté. ☞ action.

inactivité n.f. Absence d'activité; situation de quelqu'un qui n'a pas d'occupation: *Après quelques semaines d'inactivité, elle est prête à reprendre le travail.* SYN. inaction. ☞ actif.

inadaptation n.f. Manque d'adaptation, difficulté à s'habituer à une situation: *Beaucoup d'enfants souffrent de leur inadaptation au milieu scolaire.* ☞ adapter.

inadapté, ée n. et adj. **1.** n. Personne qui est incapable de s'adapter, de s'habituer à son milieu, à la vie sociale : *La psychologue s'occupe des inadaptés.* **2.** adj. Qui est incapable de s'adapter, de s'habituer à son milieu, à la vie sociale : *Les enfants inadaptés ont besoin d'aide.* **3.** adj. Qui n'est pas adapté, qui ne convient pas : *Ces méthodes anciennes sont inadaptées à la vie moderne.* ☞ adapter.

inadmissible adj. Que l'on ne peut admettre, accepter : *Cette attitude impolie est inadmissible.* SYN. inacceptable, intolérable. ANT. acceptable, admissible. ☞ admettre.

inadvertance n.f. Manque d'attention dû à une distraction ; faute qui en résulte : *L'inadvertance est un fait accidentel; l'inattention est souvent un défaut habituel.* SYN. inattention. par **inadvertance** loc.adv. Par inattention, par mégarde : *J'ai oublié de payer mes achats, par inadvertance.*

inaltérable adj. **1.** Qui ne peut s'abîmer, qui garde ses qualités : *L'or est un métal inaltérable à l'air et à l'eau.* ANT. altérable. **2.** Que rien ne peut changer, qui est immuable : *Sa patience inaltérable nous impressionne.* SYN. constant, stable. ANT. changeant, instable. ☞ altérer.

inamical, ale, aux adj. Qui n'est pas amical, qui est malveillant : *On dirait qu'elle m'en veut! Elle me regarde d'un air inamical.* SYN. hostile. ☞ ami.

inanimé, ée adj. **1.** Qui, par définition, n'a pas de vie : *Les pierres, les métaux sont des choses inanimées.* ANT. animé, vivant. **2.** Qui a perdu la vie ou qui a perdu connaissance : *Quand je l'ai trouvé, il gisait inanimé sur le sol.* SYN. immobile, inerte. ANT. conscient. ☞ animer.

inanition n.f. Épuisement causé par la privation de nourriture : *La pauvre bête tombe d'inanition.* SYN. faiblesse.

inaperçu, ue adj. Qui n'est pas remarqué : *Son clin d'œil discret est resté inaperçu.* // *Passer inaperçu :* Ne pas être remarqué, échapper aux regards. **R.** Ne pas oublier la cédille. ☞ apercevoir.

inapplicable adj. Qui ne peut être appliqué, mis en pratique : *Il faudra modifier cette loi, car elle est inapplicable.* ANT. applicable. ☞ appliquer.

inappliqué, ée adj. Qui manque d'application, d'attention, de zèle : *Cette écolière inappliquée a beaucoup de difficulté en classe.* SYN. inattentif. ANT. appliqué, attentif. ☞ appliquer. ▲ **inappliqué, ée** adj. Qui n'a pas été appliqué, mis en pratique : *Ces règlements sont restés inappliqués.* ☞ appliquer.

inapplicable inappli**qué**

inappréciable adj. **1.** Qui est d'une grande valeur, très précieux : *Elle m'a rendu des services inappréciables.* SYN. inestimable. ANT. médiocre. **2.** Qu'il est difficile de déterminer, de juger : *Une nuance inappréciable différencie ces deux couleurs.* ANT. appréciable. ☞ apprécier.

inapte adj. Qui est incapable de faire quelque chose, qui manque d'aptitude : *On l'a déclaré inapte à l'enseignement.* ANT. apte, capable. ☞ apte.

inaptitude n.f. Incapacité à faire quelque chose, manque d'aptitude : *Son patron a reconnu son inaptitude à faire ce travail.* ☞ apte.

inarticulé, ée adj. Qui n'est pas prononcé avec netteté : *Il n'est pas possible de comprendre ces mots inarticulés.* ANT. articulé, clair. ☞ articuler.

inassimilable adj. **1.** Que l'organisme ne peut assimiler, digérer : *Ces substances sont inassimilables par l'organisme.* ANT. assimilable. **2.** Que l'intelligence ne peut assimiler, comprendre : *Ces connaissances sont inassimilables pour un enfant de cet âge.* ANT. assimilable. **3.** Qui ne peut s'intégrer dans une communauté : *Certains immigrés sont inassimilables.* ANT. assimilable. ☞ assimiler.

inassouvi, ie adj.litt. Qui n'est pas satisfait, apaisé : *Après toutes ces années, sa vengeance restait inassouvie.* SYN. insatisfait. ☞ assouvir.

inattaquable adj. **1.** Qu'on ne peut attaquer avec quelque succès : *L'ennemi dut s'avouer vaincu devant cette forteresse inattaquable.* ANT. attaquable. **2.** Qu'on ne peut critiquer, suspecter : *La réputation de cet homme d'affaires est inattaquable.* SYN. irréprochable. ANT. attaquable, critiquable, douteux. ☞ attaquer.

inattendu, ue adj. À quoi l'on ne s'attendait pas ; qui surprend : *Nous avons reçu une nouvelle inattendue.* SYN. imprévu, inopiné. ANT. attendu, banal. ☞ attendre.

inattentif, ive adj. Qui ne prête pas attention, qui est distrait : *L'écolier inattentif n'a rien compris aux explications de l'institutrice.* SYN. étourdi, léger. ANT. appliqué, attentif. ☞ attention.

inattention n.f. Manque d'attention, de concentration : *Tes fautes d'orthographe sont dues à l'inattention.* SYN. distraction, irréflexion. ANT. application. ☞ attention.

inaudible adj. **1.** Qu'il est impossible ou difficile d'entendre: *Ses paroles étaient inaudibles dans tout ce bruit.* ANT. audible. **2.** Qui est trop mauvais pour être écouté: *Cette musique est inaudible.* ☞ audible.

inaugural, ale, aux adj. Qui se rapporte à une inauguration, à une cérémonie d'ouverture: *C'est le ministre de l'Éducation qui a prononcé le discours inaugural du congrès.* ☞ inaugurer.

inauguration n.f. **1.** Cérémonie officielle qui précède la mise en service d'un édifice, d'un pont, la mise en place d'un monument, l'ouverture d'une exposition: *L'inauguration de la nouvelle station de métro aura lieu demain.* ANT. fermeture. **2.** fig. Commencement: *Le renversement de ce dictateur marque l'inauguration d'une ère nouvelle.* SYN. début. ANT. fin. ☞ inaugurer.

inaugurer v. **1.** Marquer par une cérémonie officielle, ouvrir au public une exposition, une route, un édifice, un monument: *La mairesse doit inaugurer demain la nouvelle bibliothèque municipale.* **2.** Mettre en pratique pour la première fois: *La directrice de l'usine veut inaugurer une nouvelle méthode de fabrication.* ANT. continuer, poursuivre. **3.** Marquer le commencement, le début de quelque chose: *L'élection d'un gouvernement démocratique inaugurait une ère de liberté.* ANT. terminer. ☞ inaugural, inauguration.

inauthenticité n.f. Manque d'authenticité; caractère de ce qui n'émane pas réellement de l'auteur: *Une experte a confirmé l'inauthenticité de ce tableau.* ANT. authenticité. ☞ authentique.

inauthentique adj. Qui n'est pas authentique, qui est faux, contrefait: *Ce tableau attribué à Van Gogh est inauthentique.* ☞ authentique.

inauthenticité inauthentique

inavouable adj. Que l'on ne peut avouer, qui est honteux: *Cette fille a des intentions inavouables.* ANT. avouable. ☞ avouer.

inavoué, ée adj. **1.** Qu'on ne s'avoue pas à soi-même: *Ils éprouvaient l'un pour l'autre un sentiment encore inavoué.* SYN. secret. ANT. connu. **2.** Qui est caché, secret: *Cette personne vit dans le remords d'un crime inavoué.* ANT. connu. ☞ avouer.

inca adj.invar. Qui se rapporte à la puissance politique qui domina le Pérou du milieu du XVᵉ siècle à 1532: *Il y a eu à Montréal une exposition sur la civilisation inca.*

incalculable adj. **1.** Qu'il est impossible de calculer: *Le nombre de fourmis dans une fourmilière est incalculable.* SYN. énorme, innombrable. ANT. calculable. **2.** Dont il est impossible ou difficile d'évaluer l'importance: *Cette décision aura des conséquences incalculables.* SYN. considérable. ANT. négligeable, ordinaire. ☞ calcul.

incandescence n.f. État d'un corps qui est rendu lumineux par une chaleur intense: *Dans une lampe à incandescence, le filament chauffé à blanc est devenu lumineux.* ☞ incandescent.

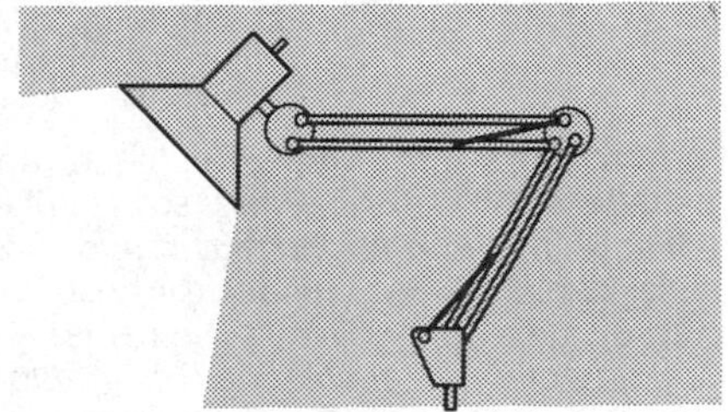
incandescence

incandescent, ente adj. Qui est rendu lumineux par une chaleur intense; qui est chauffé au rouge vif: *Virginie remue les braises incandescentes.* SYN. ardent. ANT. éteint, froid. ☞ incandescence.

incantation n.f. Formule magique visant à produire un charme, un sortilège; les paroles de la formule: *Le sorcier récitait des incantations.* ☞ incantatoire.

incantatoire adj. Qui se rapporte à l'incantation, à des paroles magiques servant à produire un charme, un sortilège: *Une formule incantatoire devait transformer le garçon en loup-garou.* ☞ incantation.

incapable n. et adj. **1.** n. Personne qui n'a pas l'aptitude, la capacité ou l'adresse nécessaire pour faire un travail, une activité: *Elle ne fera jamais rien de bon: c'est une incapable.* **2.** adj. Qui n'a pas l'aptitude, la capacité ou l'adresse nécessaire pour faire un travail, une activité: *Ces gouvernants incapables mènent le pays à la ruine.* SYN. inapte, incompétent, maladroit. ANT. apte, capable, habile. **3.** adj. Qui n'est pas capable de faire quelque chose: *Ma petite sœur est incapable de nager.* ☞ capable.

incapacité n.f. **1.** État d'une personne qui est incapable, par nature ou par accident, de faire quelque chose: *Je suis dans l'incapacité de vous fournir ce renseignement.* SYN. impossibilité. ANT. capacité. **2.** Manque de capacité, incompétence, inaptitude: *Cette directrice a reconnu son incapacité.* ANT. aptitude, compétence. **3.** État d'une personne qui est devenue incapable de travailler à la suite d'une blessure ou d'une maladie : *La Commission de la santé et de la sécurité du travail a reconnu l'incapacité permanente de ce travailleur.* ANT. capacité. ☞ capable.

incarcération n.f. Emprisonnement : *La juge a ordonné l'incarcération de ce voleur.* ANT. liberté. ☞ incarcérer.

incarcérer v. Mettre en prison : *La criminelle a été incarcérée.* SYN. emprisonner. ANT. libérer. ☞ incarcération.

incarnat, ate adj. Qui est d'un rouge clair et vif : *Danièle porte une robe de velours incarnat.*

incarnation n.f. **1.** Acte par lequel une divinité prend un corps de chair ; son résultat : *Ce dieu grec a eu plusieurs incarnations.* **2.** Pour les chrétiens, union en Jésus-Christ de la nature divine avec une nature humaine : *Les chrétiens croient au mystère de l'Incarnation.* **3.** Représentation, image : *Cette femme est l'incarnation de la bonté.* **R.** On met la majuscule à *incarnation* lorsqu'il s'agit du mystère chrétien. ☞ incarner.

incarné adj.m. Qui s'enfonce dans la chair, en parlant d'un ongle : *Cet ongle incarné me fait beaucoup souffrir.* HOM. incarner.

incarner v. **1.** Revêtir d'un corps de chair, d'une forme humaine : *Cette œuvre romanesque présente des dieux qui sont incarnés sous la forme d'hommes et de femmes.* **2.** Représenter en soi une réalité abstraite : *Les juges incarnent la justice.* **3.** Représenter un personnage à la scène, à l'écran : *Jean Lapointe a incarné Maurice Duplessis dans ce film.* SYN. interpréter, jouer. HOM. incarné. ☞ incarnation, réincarnation, réincarner. **s'incarner** v.pron. Prendre un corps de chair, en parlant d'une divinité, d'un esprit : *Pour les chrétiens, le Fils de Dieu s'est incarné en Jésus-Christ.* **incarné, ée** p.p. et adj. **1.** Qui a pris un corps de chair : *Jésus-Christ est le Verbe incarné.* **2.** Qui est représenté sous une forme matérielle, qui réalise dans sa personne : *Ce dictateur est la méchanceté incarnée.*

incartade n.f. Écart de conduite pas très grave : *On ne compte plus les incartades de cet enfant espiègle.* SYN. caprice, extravagance.

incassable adj. Qu'on ne peut pas casser ; qui est difficile à casser : *Bébé s'amuse avec des jouets incassables.* SYN. solide. ANT. cassable, fragile. ☞ casser.

incendiaire n. et adj. **1.** n. Personne qui allume volontairement un incendie : *La détective est sur la piste de l'incendiaire qui a provoqué plusieurs incendies dans ce quartier.* SYN. pyromane. **2.** adj. Qui est destiné à causer un incendie : *Une malfaitrice a lancé un projectile incendiaire dans la vitrine de ce commerce.* **3.** adj.fig. Qui est de nature à enflammer les esprits, à stimuler la révolte : *La chef des rebelles a tenu des propos incendiaires.* ☞ incendie.

incendie n.m. Grand feu qui se propage et qui cause des dégâts importants : *Les pompiers ont réussi à maîtriser l'incendie qui a ravagé plusieurs immeubles.* SYN. sinistre. ☞ incendiaire, incendier.

incendier v. **1.** Détruire par le feu, mettre en feu : *Cette forêt a été incendiée par des campeuses imprudentes.* SYN. brûler. **2.** Éclairer d'une lueur très vive : *Le soleil couchant incendie l'horizon.* SYN. embraser. **3.** fig. Exciter : *Cette histoire avait incendié l'imagination des enfants.* SYN. exalter. ☞ incendie.

incertain, aine adj. **1.** Qui n'est pas certain, assuré, déterminé : *Dans les jeux de hasard, le résultat est toujours incertain.* SYN. douteux. **2.** Dont la forme n'est pas nette : *La surveillante a aperçu une silhouette aux contours incertains.* SYN. imprécis, vague. ANT. clair. **3.** Qui est dans le doute, qui hésite : *Tu sembles incertain de ce qu'il faut faire pour résoudre ce problème.* SYN. hésitant, indécis. ANT. décidé, résolu. ∥ *Pas incertains, démarche incertaine :* Pas mal assurés, hésitants. *Temps incertain :* Temps variable qui peut tourner au beau ou à la pluie. ☞ certain.

incertitude n.f. **1.** Caractère de ce qui est incertain, de ce qu'on ne peut prévoir : *L'incertitude de notre avenir ne doit pas nous empêcher de vivre le présent.* SYN. insécurité. ANT. certitude. **2.** Chose qu'on ne peut prévoir : *L'avenir de l'humanité est rempli d'incertitudes.* ANT. certitude. **3.** État d'une personne qui est dans le doute, qui hésite : *Elle ne sait pas quel métier choisir : elle est dans l'incertitude.* SYN. doute, hésitation, inquiétude. ANT. fermeté. ☞ certain.

incessamment adv. Au plus tôt, très prochainement : *Les travaux de rénovation doivent commencer incessamment.* SYN. bientôt.

incessant, ante adj. Qui ne cesse pas, qui dure sans s'arrêter : *Un bruit incessant nous empêche de dormir.* SYN. continu, ininterrompu. ANT. discontinu. ☞ cesser.

incess**amm**ent incess**ant**

inceste n.m. Relations sexuelles entre très proches parents : *Dans certains cas, l'inceste est passible de poursuites judiciaires.* ☞ incestueux.

incestueux, euse adj. Qui est coupable d'inceste; qui constitue un inceste: *Le père incestueux a été condamné à la prison.* ☞ inceste.

inchangé, ée adj. Qui n'a pas subi de changement: *Son état de santé est demeuré inchangé.* ☞ changer.

inchantable adj. Qui est impossible ou trop difficile à chanter: *Cette partie vocale est inchantable.* ☞ chant.

inchauffable adj. Qui est impossible ou difficile à chauffer: *Ces immenses châteaux sont inchauffables.* ☞ chauffer.

inchavirable adj. Qui ne peut chavirer: *Nous sommes en sécurité dans cette chaloupe, car elle est inchavirable.* ☞ chavirer.

incidemment adv. Par hasard, sans y attacher une grande importance: *Nous avons incidemment parlé de ce projet pendant la récréation.* **R.** Les lettres *emment* se prononcent *amment*.

incidence n.f. Conséquence, effet: *Le mauvais temps a eu une incidence sur le prix des fruits et des légumes.* SYN. influence.

incident n.m. **1.** Petit événement fâcheux, mais peu important; petite difficulté imprévue: *Un incident a retardé la présentation du spectacle.* **2.** Petit événement peu important qui peut entraîner de graves conséquences: *Un incident de frontière a mis tous les diplomates en alerte.*

incinérateur n.m. Appareil qui sert à incinérer, à réduire en cendres les déchets, les ordures: *L'incinérateur fonctionne plusieurs heures par jour pour détruire tous les déchets.* ☞ incinérer.

incinération n.f. **1.** Action d'incinérer, de réduire en cendres: *Après le ramassage des ordures, on procède à leur incinération.* **2.** Action de réduire en cendres un cadavre: *L'incinération du corps aura lieu immédiatement après les obsèques.* SYN. crémation. ☞ incinérer.

incinérer v. **1.** Réduire en cendres, brûler: *On a incinéré les ordures ménagères.* **2.** Faire brûler un cadavre: *Ma tante a été incinérée ainsi qu'elle l'avait demandé avant sa mort.* ☞ incinérateur, incinération.

inciser v. Couper, fendre avec un instrument tranchant: *La chirurgienne a incisé la peau avec un bistouri.* ☞ incision.

incisif, ive adj. Qui est mordant, qui blesse: *Elle a fait une critique incisive de ce restaurant.* SYN. acerbe. ANT. doux, indulgent.

incision n.f. Coupure, fente faite avec un instrument tranchant: *On pratique une incision dans l'écorce de l'hévéa pour recueillir le latex.* SYN. entaille. ☞ inciser.

incisive n.f. Dent aplatie et tranchante située sur le devant de la mâchoire: *L'être humain a huit incisives qui sont encadrées par les canines.*

incitatif, ive adj. Qui incite, qui pousse à faire quelque chose: *Le gouvernement a pris des mesures incitatives pour faire diminuer la consommation de l'électricité.* ☞ inciter.

incitation n.f. Action d'inciter, de pousser quelqu'un à faire quelque chose; ce qui incite: *Ce film de guerre est une véritable incitation à la violence.* SYN. encouragement, instigation, provocation. ANT. apaisement. ☞ inciter.

inciter v. **1.** Pousser, entraîner quelqu'un à faire quelque chose: *Elle m'a incité à me présenter à cette audition.* SYN. encourager, inviter. ANT. détourner, empêcher. **2.** Mener, pousser à un sentiment, un comportement: *Ses propos m'incitent à croire en son innocence.* ☞ incitatif, incitation.

inclassable adj. Qu'on ne peut classer, définir: *Cette œuvre est inclassable: on ne peut pas la rattacher à un genre connu.* ANT. classable. ☞ classer.

inclinable adj. Qu'on peut incliner: *Les chaises de jardin ont un dossier inclinable.* ☞ incliner.

inclinaison n.f. **1.** État de ce qui est incliné, oblique par rapport à l'horizon: *L'inclinaison du toit empêche la neige de s'y accumuler.* **2.** Action de pencher; position penchée: *Vous remarquerez l'inclinaison de la tête de la statue.* ☞ incliner.

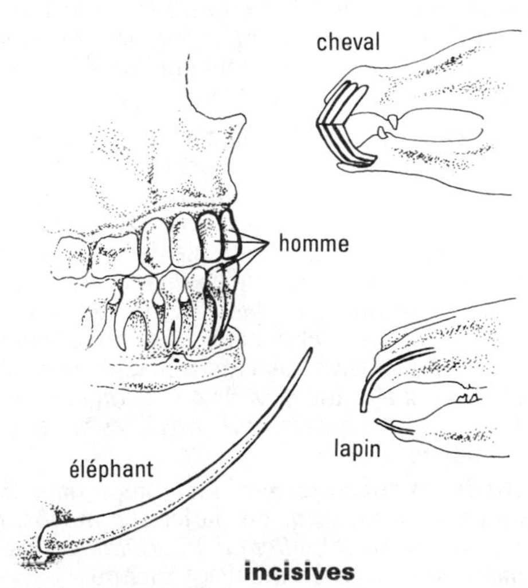

incisives

inclination n.f. Action de pencher la tête en signe de respect ou de consentement : *Je lui ai demandé s'il venait avec nous. Il m'a répondu d'une inclination de tête.* ☞ incliner. ▲ **inclination** n.f. Penchant naturel, goût pour quelque chose : *Si elle suit ses inclinations, Sonia deviendra chimiste.* SYN. désir. ANT. aversion, répugnance. ☞ incliner.

incliner v. Rendre oblique, pencher : *Mon petit frère incline doucement la bouteille et verse la boisson gazeuse dans les verres.* ANT. redresser, relever. ☞ inclinable, inclinaison, inclination. **s'incliner** v.pron. **1.** Se pencher, se courber : *À la fin de son spectacle, le chanteur s'est incliné plusieurs fois devant son public.* ANT. se redresser. **2.** Être en position oblique par rapport à l'horizon : *Il faudra redresser ce poteau : il s'incline de plus en plus.* **incliné, ée** p.p. et adj. Qui est penché : *L'écriture de Mathieu est très inclinée.* ▲ **incliner** v. **1.** Inciter, pousser à quelque chose : *Son attitude insolente m'incline à la sévérité.* **2.** Être porté à quelque chose : *J'incline à croire que tu dis la vérité.* ☞ inclination. **s'incliner** v.pron. S'avouer vaincu : *Nous avons dû nous incliner devant l'équipe adverse.* SYN. céder, se résigner. ANT. résister.

inclure v. **1.** Mettre, introduire dans, en parlant de quelque chose : *N'oubliez pas d'inclure cette lettre dans votre envoi.* SYN. insérer. ANT. exclure. **2.** fig. Comprendre, comporter : *Ce jeu de construction n'inclut pas le moteur.* SYN. contenir. ANT. excepter, exclure. ☞ inclus, inclusion, inclusivement.

inclus, use adj. **1.** Qui est compris, contenu dans quelque chose : *La taxe est incluse dans le prix de la bouteille de vin.* ANT. exclu. **2.** En mathématiques, se dit d'un ensemble dont tous les éléments sont éléments d'un autre ensemble : *Pour indiquer que l'ensemble A est inclus dans l'ensemble B, on écrit* $A \subset B$. ⁄⁄ *Dent incluse :* Dent enfouie dans l'os de la mâchoire. ☞ inclure.

inclusion n.f. **1.** Action d'inclure, de mettre quelque chose dans une autre chose : *L'inclusion d'une clause dans un contrat nécessite l'accord des deux parties.* ANT. exclusion. **2.** État d'une dent qui est enfouie dans l'os de la mâchoire : *L'inclusion de sa dent a nécessité une intervention chirurgicale.* **3.** En mathématiques, rapport entre deux ensembles dont tous les éléments de l'un sont entièrement compris dans l'autre : *Dans* $A \subset B$, *on indique l'inclusion de l'ensemble A dans l'ensemble B.* ☞ inclure.

inclusivement adv. En comprenant la chose dont on vient de parler : *Le magasin sera fermé du 1er juillet au 15 août inclusivement.* ANT. exclusivement. ☞ inclure.

incognito n.m. et adv. (it.) **1.** n.m. Situation d'une personne qui ne veut pas être reconnue : *Il est difficile de garder l'incognito quand on est une vedette de cinéma.* **2.** adv. Sans se faire reconnaître : *La ministre a réussi à voyager incognito.*

incohérence n.f. **1.** Caractère de ce qui manque de suite, de lien logique, d'unité : *Te rends-tu compte de l'incohérence de ton raisonnement ?* ANT. cohérence. **2.** Parole, action, idée qui manque de suite, de lien logique, d'unité : *Le témoignage de l'accusée est plein d'incohérences.* ☞ cohérent.

incohérent, ente adj. Qui manque de suite, de lien logique, d'unité : *Je crois qu'il a l'esprit dérangé : ses paroles sont incohérentes.* SYN. absurde, illogique. ANT. cohérent. ☞ cohérent.

incolore adj. Qui n'a pas de couleur : *Claudine applique du vernis incolore sur ses ongles.* ANT. coloré. ☞ couleur.

incomber v. Être imposée, en parlant d'une charge, d'une obligation : *La décoration de l'arbre de Noël vous incombe.* SYN. appartenir, revenir. **R.** Ne s'emploie qu'à la troisième personne du singulier et du pluriel.

incombustible adj. Qui ne brûle pas : *L'amiante est un matériau incombustible.* ANT. combustible. ☞ combustion.

incomestible adj. Qui ne peut être mangé : *Certains champignons sont incomestibles.* ANT. comestible. ☞ comestible.

incommodant, ante adj. Qui cause un malaise, qui indispose : *L'odeur du cigare est incommodante.* SYN. désagréable, gênant. ANT. agréable. ☞ commode.

incommode adj. **1.** Qui n'est pas pratique à l'usage : *Cet outil est incommode.* SYN. embarrassant, encombrant. ANT. commode. **2.** litt. Qui est désagréable, qui gêne : *J'étais dans une position très incommode pour réparer le tuyau.* SYN. inconfortable. ANT. agréable, confortable. ☞ commode.

incommoder v. Causer un malaise, indisposer : *Elle ne se sent pas bien : la chaleur l'incommode.* SYN. fatiguer, gêner. ☞ commode.

incommodité n.f. **1.** litt. Malaise, désagrément causé par quelque chose qui incommode : *Il est difficile d'accepter l'incommodité d'un environnement bruyant.* SYN. ennui, inconvénient. ANT. agrément. **2.** Caractère de ce qui n'est pas pratique à l'usage : *Cet appartement est d'une grande incommodité.* ANT. commodité, confort. ☞ commode.

incommunicable adj. **1.** Qui ne peut être

confié, exprimé : *Le garçon ressentait une angoisse incommunicable.* SYN. inexprimable. ANT. communicable. **2.** Qui ne peut être mis en relation, qui n'a aucun rapport avec : *Est-il vrai que la jeunesse et la vieillesse sont deux mondes incommunicables ?* ☞ communiquer.

incomparable adj. Qui est sans pareil, inégalable, remarquable : *Ces pierres précieuses sont d'une beauté incomparable.* ANT. comparable. ☞ comparer.

incomparablement adv. D'une manière unique, sans comparaison possible : *Elle est incomparablement plus adroite que ses frères.* ☞ comparer.

incompatibilité n.f. **1.** Impossibilité de s'accorder, de s'entendre avec quelqu'un à cause de différences profondes : *Il y a entre ces deux élèves une incompatibilité de caractère.* SYN. opposition. ANT. compatibilité. **2.** Différence qui fait que des choses ne peuvent être associées, ne peuvent exister ensemble : *Il y a une incompatibilité entre l'honnêteté et l'hypocrisie.* ⁄⁄ *Incompatibilité sanguine :* État de deux personnes dont le sang de l'une ne peut être transfusé à l'autre. ☞ compatible.

incompatible adj. Qui ne peut s'accorder, s'unir avec autre chose : *Les médicaments et les boissons alcooliques sont en général incompatibles.* SYN. contradictoire, inconciliable, opposé. ANT. compatible. ☞ compatible.

incompétence n.f. Manque d'habileté ou de connaissances nécessaires pour faire quelque chose : *Elle a reconnu son incompétence en musique.* SYN. ignorance, incapacité. ANT. aptitude, compétence. ☞ compétent.

incompétent, ente adj. Qui n'a pas l'habileté ou les connaissances suffisantes pour faire quelque chose : *Je me suis vite rendu compte qu'il était incompétent en informatique.* SYN. ignorant, incapable. ANT. compétent. ☞ compétent.

incomplet, ète adj. Auquel il manque quelque chose : *Vous m'avez remis une liste incomplète : il y manque plusieurs noms.* SYN. fragmentaire, partiel. ANT. complet. ☞ complet.

incomplètement adv. D'une façon incomplète, partielle : *Il ne peut pas sortir, car il est incomplètement guéri de sa rougeole.* ANT. complètement. ☞ complet.

incompréhensible adj. **1.** Qui est impossible ou très difficile à comprendre ; dont l'esprit saisit difficilement le sens : *On nous a fait lire un texte incompréhensible.* SYN. inconcevable, inintelligible. ANT. clair, compréhensible. **2.** Dont la conduite, les propos sont inexplicables, étranges : *Cette femme est incompréhensible.* SYN. bizarre, déconcertant. ANT. compréhensible, normal. **R.** Ne pas confondre avec *incompréhensif.* ☞ comprendre.

incompréhensif, ive adj. Qui ne comprend pas les autres, qui ne cherche pas à les comprendre : *Ces enfants disent que leurs parents sont incompréhensifs.* ANT. compréhensif. **R.** Ne pas confondre avec *incompréhensible.* ☞ comprendre.

incompréhension n.f. Incapacité ou refus de comprendre, d'estimer, quelqu'un ou quelque chose : *Cette fillette souffre de l'incompréhension de ses camarades.* ANT. compréhension. ☞ comprendre.

incompressible adj. **1.** Qui ne diminue pas de volume sous l'effet de la pression : *Aucun corps matériel n'est absolument incompressible.* ANT. compressible. **2.** fig. Qui est difficile à réduire : *Les dépenses de cette famille sont incompressibles.* ANT. compressible. ☞ comprimer.

incompris, ise n. et adj. **1.** n. Personne qui n'est pas ou ne se croit pas appréciée à sa juste valeur : *Il se plaît à jouer les incompris.* **2.** adj. Qui n'est pas apprécié à sa juste valeur : *Marc-Aurèle Fortin fut un peintre incompris pendant sa vie.* ☞ comprendre.

inconcevable adj. Qui est impossible ou difficile à comprendre, à imaginer, à croire : *Il est inconcevable qu'il soit si imprudent.* SYN. impensable, incompréhensible, incroyable, surprenant. ANT. compréhensible, concevable. ☞ concevoir.

inconciliable adj. Qui ne peut être accordé avec autre chose, qui ne s'harmonise pas : *Martine et Johanne ont des goûts inconciliables.* SYN. incompatible, opposé. ANT. conciliable. ☞ concilier.

inconditionnel, elle n. et adj. **1.** n. Personne qui prend parti sans réserve pour quelqu'un ou pour quelque chose : *Ce sont des inconditionnels des Nordiques.* **2.** adj. Qui prend parti sans réserve pour quelqu'un ou pour quelque chose : *La première ministre a été accueillie avec enthousiasme par des partisans inconditionnels.* **3.** adj. Qui ne dépend d'aucune condition : *Nous lui avons promis un appui inconditionnel.* ANT. conditionnel. ☞ condition.

inconditionnellement adv. D'une façon inconditionnelle, qui ne dépend d'aucune condition : *Elle s'attend à ce que ses amis la soutiennent inconditionnellement.* ANT. conditionnellement. ☞ condition.

inconduite n.f. Conduite condamnable sur le plan moral : *Son inconduite a provoqué un scandale.* ☞ se conduire.

inconfort n.m. Manque de confort : *Il est difficile de s'habituer à l'inconfort d'un logement sans salle de bains.* ☞ confort.

inconfortable adj. **1.** Qui manque de confort : *Ce fauteuil est très inconfortable.* ANT. confortable. **2.** fig. Qui est embarrassant, gênant, délicat : *Votre déclaration m'a mise dans une situation inconfortable.* ☞ confort.

incongelable adj. Qui ne peut être congelé : *Peu de produits sont incongelables.* ANT. congelable. ☞ congeler.

inconjugable adj. Qu'on ne peut conjuguer : *Le verbe « quérir » est inconjugable : il ne s'emploie qu'à l'infinitif.* ANT. conjugable. ☞ conjuguer.

inconnu n.m. Ce qu'on ne connaît pas, ce qui reste ignoré, mystérieux : *Bien des gens ont peur de l'inconnu.* ANT. connu. HOM. inconnue. ☞ connaître.

inconnu, ue n. et adj. **1.** n. Personne que l'on ne connaît pas, dont on n'a jamais fait connaissance : *Il ne faut jamais faire confiance aux inconnus.* **2.** adj. Que l'on ne connaît pas, dont on ignore l'identité : *Cette personne m'est complètement inconnue.* SYN. étranger. **3.** adj. Dont on ne connaît pas l'existence ou la nature : *Une archéologue a découvert les vestiges d'une civilisation inconnue.* ANT. connu. **4.** adj. Qu'on n'a jamais éprouvé : *Un sentiment inconnu s'empara d'elle.* SYN. nouveau. ANT. familier. **5.** adj. Qui n'est pas célèbre : *Pendant le cours de français, on nous a parlé d'un auteur encore inconnu.* SYN. obscur. ANT. connu, renommé. ☞ connaître.

inconnue n.f. **1.** En mathématiques, quantité que l'on cherche dans une équation : *L'équation $x + 4 = 7$ est une équation à une inconnue.* **2.** Élément inconnu, ignoré, d'une question, d'une situation : *Il y a beaucoup d'inconnues dans ce projet.* HOM. inconnu. ☞ connaître.

inconsciemment adv. D'une manière inconsciente, sans s'en rendre compte : *Inconsciemment, je m'étais habituée à sa présence.* SYN. machinalement. ANT. consciemment, volontairement. **R.** Les lettres *emment* se prononcent *amment*. ☞ conscience.

inconscience n.f. **1.** Absence permanente ou temporaire de la conscience, de la lucidité : *Le blessé a sombré dans l'inconscience.* ANT. connaissance. **2.** État d'une personne qui ne se rend pas compte de la gravité de ses actes ; manque de jugement, de discernement : *Jouer avec des matières explosives, c'est de l'inconscience.* SYN. folie, irréflexion. ☞ conscience.

inconscient n.m. Ensemble des phénomènes qui échappent entièrement à la conscience ; partie de l'esprit, de la pensée qui échappe à la connaissance : *Les rêves sont des manifestations de l'inconscient.* ☞ conscience.

inconscient, ente n. et adj. **1.** n. Personne qui ne se rend pas compte de la gravité de ses actes, qui agit sans réfléchir : *C'est un inconscient ! Il a failli se noyer et il trouve cela drôle.* **2.** adj. Qui ne se rend pas compte de la gravité de ses actes, qui fait preuve d'insouciance : *Il faut être inconscient pour s'aventurer sur le lac sans gilet de sauvetage.* ANT. conscient. **3.** adj. Qui a perdu connaissance : *Elle est restée inconsciente quelques minutes.* ANT. conscient. **4.** adj. Dont on n'est pas conscient, qui se produit d'une façon automatique ou spontanée : *Nous faisons tous des gestes inconscients.* SYN. instinctif, machinal. ANT. intentionnel, voulu. ☞ conscience.

inconséquence n.f. **1.** Manque de suite dans les idées, manque de réflexion dans les actes : *Tu as agi avec inconséquence en te lançant dans cette aventure.* SYN. étourderie, inattention, irréflexion. ANT. conséquence, logique. **2.** Parole, action illogique ou irréfléchie : *Il y a beaucoup d'inconséquences dans sa conduite.* SYN. absurdité. ☞ conséquence.

inconséquent, ente adj. **1.** Qui n'a pas de suite dans les idées, qui parle ou agit à la légère : *Quelle fille inconséquente ! Elle décide quelque chose, mais elle fait le contraire.* SYN. étourdi, irréfléchi. ANT. conséquent, réfléchi. **2.** Qui montre un manque de logique, de réflexion : *Le comportement de Claude est inconséquent.* SYN. absurde. ANT. réfléchi. ☞ conséquence.

inconsidéré, ée adj. Qui indique un manque de réflexion : *Cette remarque inconsidérée a blessé profondément ton ami.* SYN. irréfléchi, maladroit. ANT. circonspect, prudent, réfléchi.

inconsistance n.f. **1.** Manque de fermeté, de solidité : *L'inconsistance de la pâte désole la cuisinière.* ANT. consistance. **2.** Manque de stabilité, de cohérence, de logique : *Devant l'inconsistance des preuves, le juge a déclaré la prévenue non coupable.* SYN. fragilité. ANT. consistance. ☞ consistant.

inconsistant, ante adj. **1.** Qui manque de fermeté, de solidité : *Continue de fouetter la crème : elle est encore inconsistante.* ANT. consistant. **2.** Qui manque de stabilité, de cohérence, de logique, en parlant de quelqu'un ou de quelque chose : *Cette femme a un* *caractère inconsistant.* SYN. changeant, inconstant. ANT. ferme, immuable. ☞ consistant.

inconsolable adj. Qui ne peut être consolé, réconforté : *Elle est inconsolable depuis la mort de sa grand-mère.* SYN. désespéré. ANT. consolable. ☞ consoler.

inconsolé, ée adj. Qui n'est pas consolé : *La douleur inconsolée de ces parents nous attristait.* ☞ consoler.

inconsommable adj. Qui ne peut être consommé : *Cette viande avariée est inconsommable.* SYN. immangeable. ANT. consommable. ☞ consommer.

inconstance n.f. Tendance à changer facilement d'opinion, de sentiment, de conduite : *Beaucoup d'artistes déplorent l'inconstance du public.* SYN. caprice, instabilité, mobilité. ANT. constance, stabilité. ☞ constant.

inconstant, ante adj. Qui change facilement d'opinion, de sentiment, de conduite : *Gérard est inconstant dans ses idées.* SYN. changeant, instable. ANT. constant, stable. ☞ constant.

inconstitutionnel, elle adj. Qui est en contradiction avec la constitution, avec les lois fondamentales d'un État : *La Cour suprême a jugé que cette loi était inconstitutionnelle.* ANT. constitutionnel. ☞ constitution.

incontestable adj. Qu'on ne peut mettre en doute, qui est certain : *Les citoyens ont aujourd'hui des droits incontestables.* SYN. évident, indéniable, indiscutable. ANT. contestable, discutable, douteux. ☞ contester.

incontestablement adv. D'une façon incontestable, qu'on ne peut mettre en doute : *Cette romancière a incontestablement beaucoup de succès.* SYN. assurément, certainement, indéniablement. ANT. peut-être. ☞ contester.

incontesté, ée adj. Qu'on ne met pas en doute : *Cet homme est le chef incontesté de cette bande de malfaiteurs.* SYN. indiscuté, reconnu. ANT. discuté. ☞ contester.

incontrôlable adj. Qu'on ne peut contrôler, vérifier : *Il faudra la croire sur parole, car ses affirmations sont incontrôlables.* SYN. invérifiable. ANT. contrôlable. **R.** N'a pas le sens de *imprévisible*, de *imprévu*. Ne pas oublier l'accent : ô. ☞ contrôle.

incontrôlé, ée adj. **1.** Qui n'est pas contrôlé, vérifié : *Des nouvelles incontrôlées circulent depuis ce matin.* **2.** Qui échappe au contrôle, à l'autorité d'un chef : *Un groupe incontrôlé de manifestants s'est livré à des actes de violence.* **R.** Ne pas oublier l'accent : ô. ☞ contrôle.

inconvenance n.f. **1.** Caractère de ce qui est contraire aux usages, aux règles du savoir-vivre, de la bienséance : *Je te croyais mieux éduqué ! Tu as agi avec une inconvenance choquante.* SYN. cynisme, effronterie, impertinence, incorrection. ANT. convenance. **2.** Parole, action qui est contraire aux usages, aux règles du savoir-vivre, de la bienséance : *Elle s'amuse à dire des inconvenances pour choquer ses parents.* SYN. grossièreté, impolitesse. ANT. politesse. ☞ convenir.

inconvenant, ante adj. **1.** Qui est contraire aux usages, aux règles du savoir-vivre, de la bienséance : *Tes propos inconvenants ont choqué mes invités.* SYN. déplacé, grossier, indécent. ANT. convenable, décent, poli. **2.** Qui se conduit contrairement aux usages, aux règles du savoir-vivre, de la bienséance : *Ces enfants inconvenants dérangent les passagers.* SYN. grossier, incorrect. ANT. correct, poli. ☞ convenir.

inconvénient n.m. **1.** Conséquence fâcheuse que peut comporter une action, une situation : *C'est toi qui subiras les inconvénients de ta paresse.* ANT. agrément. **2.** Désavantage, défaut : *Dans chaque situation, il y a des avantages et des inconvénients.* ANT. avantage, qualité. **3.** Objection, empêchement : *Si tu n'y vois pas d'inconvénient, je resterai quelques jours.*

incorporation n.f. **1.** Action d'incorporer, de bien mêler une substance à une autre de façon à former un mélange homogène : *La cuisinière a opéré l'incorporation de la vanille à la pâte à gâteau.* ANT. séparation. **2.** Action d'incorporer, d'intégrer un élément dans un ensemble : *L'incorporation de ces immigrants à la communauté québécoise se fera lentement.* SYN. assimilation, intégration, réunion. ANT. exclusion, séparation. ☞ incorporer.

incorporer v. **1.** Bien mêler une substance à une autre de façon à former un mélange homogène : *Le cuisinier incorpore peu à peu les œufs à la pâte à choux.* SYN. mélanger. ANT. séparer. **2.** Faire entrer, intégrer un élément dans un ensemble : *L'auteure a essayé d'incorporer ce chapitre dans son livre.* SYN. insérer, introduire. ANT. éliminer, retrancher. ☞ incorporation.

incorrect, ecte adj. **1.** Qui ne respecte pas les règles, qui est mal fait, qui contient des erreurs : *Ta phrase est incorrecte au point de vue grammatical.* SYN. fautif. ANT. correct. **2.** Qui ne respecte pas les règles de la politesse, de la bienséance, en parlant de quelqu'un ou de quelque chose : *Tu as été incorrecte avec le* concierge. *J'exige que tu t'excuses.* SYN. grossier, impoli. ANT. correct. ☞ correct.

incorrectement adv. **1.** D'une façon incorrecte, en faisant des erreurs: *Ce visiteur parle incorrectement le français.* SYN. mal. ANT. bien, correctement. **2.** D'une façon incorrecte, contraire aux règles de la politesse, de la bienséance: *Martin s'est conduit incorrectement avec les invités.* ANT. bien, correctement. ☞ correct.

incorrection n.f. **1.** Expression incorrecte, faute: *L'institutrice a relevé plusieurs incorrections dans ton devoir de français.* **2.** Manquement aux usages, aux règles de la politesse, de la bienséance: *Son incorrection en affaires lui a fait perdre de nombreux clients.* SYN. inconvenance. ANT. courtoisie, délicatesse, politesse. **3.** Parole ou action incorrecte: *En te moquant de son accent, tu as fait preuve d'une grande incorrection.* SYN. grossièreté, impolitesse. ANT. politesse. ☞ correct.

incorrigible adj. **1.** Qui ne peut être corrigé, qui continue dans ses erreurs, ses défauts: *Grégory est un incorrigible bavard.* SYN. entêté. **2.** Qui subsiste, qui demeure chez quelqu'un, en parlant d'un défaut, d'une erreur: *Son incorrigible gourmandise lui a fait prendre beaucoup de poids.* ☞ corriger.

incorruptible adj. **1.** Qui ne peut se corrompre, se décomposer: *On a traité ce bois pour le rendre incorruptible à l'humidité.* SYN. imputrescible, inaltérable. ANT. putrescible. **2.** Qui ne se laisse pas entraîner à agir contre sa conscience, son devoir: *Les politiciens devraient être incorruptibles.* SYN. honnête, intègre. ANT. corrompu. ☞ corrompre.

incrédibilité n.f. Caractère de ce qui est incroyable: *On l'a traité de menteur à cause de l'incrédibilité de son récit.* ANT. crédibilité, vraisemblance. ☞ crédible.

incrédule n. et adj. **1.** n. Personne qui ne croit pas ou qui met en doute les croyances religieuses: *L'apôtre Thomas était un incrédule.* ANT. croyant. **2.** n. Personne qui se refuse à croire quelque chose ou qui ne se laisse pas facilement convaincre: *Ses révélations n'ont pas réussi à convaincre les incrédules.* ANT. naïf. **3.** adj. Qui ne croit pas ou qui met en doute les croyances religieuses: *Son esprit incrédule avait choqué les croyants réunis.* **4.** adj. Qui ne se laisse pas facilement convaincre: *Les histoires de fantômes et d'extraterrestres la laissent incrédule.* SYN. sceptique. ANT. crédule, naïf. **5.** adj. Qui indique le doute, la défiance: *Quand il a eu fini de parler, sa mère a hoché la tête d'un air incrédule.* ☞ crédule.

incrédulité n.f. **1.** Manque de croyance religieuse, de foi: *Jésus s'est adressé à ses disciples et il leur a reproché leur incrédulité.* SYN. incroyance. **2.** État d'une personne qui ne se laisse pas facilement convaincre: *Tes arguments devront être solides si tu veux vaincre leur incrédulité.* SYN. défiance, doute, scepticisme. ANT. crédulité. ☞ crédule.

increvable adj. **1.** Qui ne peut pas être crevé: *On m'a dit que ces pneus étaient increvables.* **2.** fig. et pop. Qui ne se fatigue pas: *Elle a patiné toute la journée, elle est increvable.* SYN. infatigable. ☞ crever.

incriminer v. Rendre responsable d'une action blâmable: *Vous n'avez aucune preuve, vous l'incriminez à tort.* SYN. accuser, blâmer, suspecter. ANT. disculper, justifier.

incroyable adj. **1.** Qu'il est impossible ou difficile de croire: *Elle nous a raconté une histoire incroyable.* SYN. étonnant, étrange, surprenant. ANT. croyable, vraisemblable. **2.** Qui est extraordinaire, peu commun: *Il gagne tous les premiers prix! Il a une chance incroyable.* SYN. extraordinaire, fantastique, inimaginable. ANT. insignifiant, ordinaire. **3.** Dont la conduite étrange suscite l'étonnement: *Ces personnes sont incroyables avec leur curiosité.* SYN. bizarre. ☞ croire.

incroyablement adv. D'une façon incroyable, extraordinaire: *Ghislain est incroyablement doué pour le patin artistique.* SYN. excessivement. ☞ croire.

incroyance n.f. Absence de foi; état d'une personne qui n'a pas de croyance religieuse: *Ces personnes qui vivent dans l'incroyance ne croient en aucun dieu.* SYN. athéisme, incrédulité. ☞ croire.

incroyant, ante n. et adj. **1.** n. Personne qui n'a pas la foi: *Beaucoup d'incroyants respectent la foi des autres.* SYN. athée. ANT. croyant. **2.** adj. Qui n'a pas la foi: *Le fait qu'il soit incroyant n'affecte pas notre amitié.* SYN. incrédule. ANT. dévot, fidèle. ☞ croire.

incrustation n.f. **1.** Action d'incruster, d'insérer des fragments de matière dans une surface creusée pour l'orner: *La décoration de cette table a été faite par incrustation.* **2.** Ornement incrusté: *Des incrustations de nacre ornent ce coffre à bijoux.* **3.** Dépôt de matière minérale laissé par une eau calcaire: *L'incrustation des conduites d'eau est due au calcaire.* ☞ incruster.

incruster v. **1.** Insérer des fragments de matière dans une surface creusée pour l'orner: *Ce trône est incrusté de pierres précieuses.* **2.** Couvrir d'un dépôt de matière minérale qui forme une croûte: *Le calcaire a* *incrusté l'intérieur de la bouilloire.* ☞ incrustation. s'**incruster** v.pron. **1.** Adhérer fortement à la surface d'une chose, s'y enfoncer: *Les coquillages se sont incrustés dans le rocher.* **2.** Se couvrir d'un dépôt de matière minérale: *Après quelques années, les tuyaux s'incrustent de calcaire.* **3.** fig. S'installer, imposer sa présence: *Ces gens se sont incrustés chez moi pendant toute la durée des vacances.*

incubateur n.m. **1.** Appareil servant à couver artificiellement les œufs de poule, d'oie, de canard: *On a placé les œufs dans l'incubateur.* SYN. couveuse. **2.** Appareil à température constante où l'on place les nouveau-nés fragiles et les prématurés: *Ce bébé prématuré est resté un mois dans l'incubateur.* SYN. couveuse. ☞ incubation.

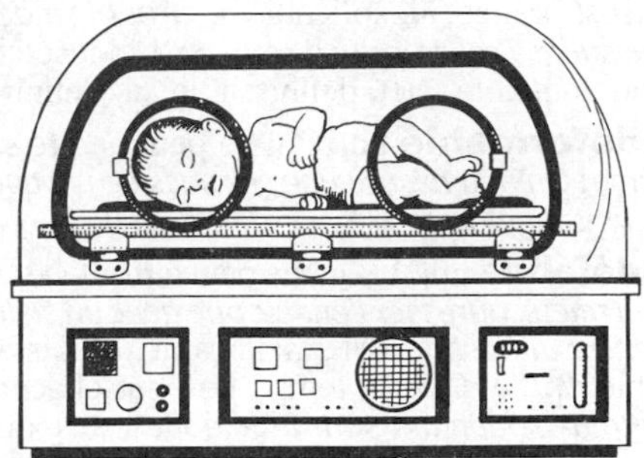

incubateur

incubation n.f. **1.** Période pendant laquelle l'embryon se développe dans l'œuf: *Les œufs de poule éclosent après une incubation de vingt et un jours.* **2.** Temps qui s'écoule entre la pénétration d'un microbe dans l'organisme et l'apparition des premiers symptômes de la maladie: *La période d'incubation de la rougeole est de une à deux semaines.* ☞ incubateur.

inculpation n.f. Accusation officielle d'un crime ou d'un délit portée contre quelqu'un: *Il a été arrêté sous l'inculpation de vol à main armée.* ☞ inculper.

inculpé, ée n. et adj. **1.** n. Personne qui est accusée officiellement d'un crime ou d'un délit: *L'inculpée devra rester en prison jusqu'à la tenue de son procès.* **2.** adj. Qui est accusé officiellement d'un crime ou d'un délit: *Les personnes inculpées ont été laissées en liberté provisoire.* HOM. inculper. ☞ inculper.

inculper v. Accuser officiellement quelqu'un d'un crime ou d'un délit: *Cette femme a été inculpée de meurtre.* ANT. disculper, excuser. HOM. inculpé. ☞ inculpation, inculpé.

inculquer v. Enseigner, imprimer dans l'esprit de façon durable: *Ses parents lui ont inculqué de bonnes manières.*

inculte adj. **1.** Qui n'est pas cultivé, qui est en friche: *Les broussailles ont envahi ce terrain inculte.* ANT. fertile, productif. **2.** Qui est mal entretenu, peu soigné: *Sa barbe et ses cheveux incultes lui donnaient une allure négligée.* SYN. hirsute. ☞ cultiver. ▲ **inculte** adj. Qui est ignorant, qui n'a pas de culture intellectuelle: *Il est impossible de discuter avec lui: il est si inculte!* SYN. ignare. ANT. cultivé, savant. ☞ cultiver.

incultivable adj. Qui ne peut être cultivé: *Ces terres arides sont incultivables: elles ne produiront rien malgré nos efforts.* ANT. arable, cultivable. ☞ cultiver.

incurable n. et adj. **1.** n. Personne qui ne peut être guérie: *Ces incurables reçoivent des soins particuliers.* **2.** adj. Qui ne peut être guéri: *Elle est atteinte d'une maladie incurable.* SYN. inguérissable. ANT. curable, guérissable. **3.** adj.fig. Dont on ne peut se corriger: *Il est d'une incurable paresse.* SYN. incorrigible. ☞ curable.

incurablement adv. **1.** D'une façon incurable, sans guérison possible: *Cet homme est incurablement malade.* **2.** fig. D'une façon incurable, sans qu'on puisse se corriger: *Elle est incurablement menteuse.* ☞ curable.

incursion n.f. **1.** Invasion de courte durée d'un groupe armé dans un pays ennemi: *Un groupe de terroristes ont fait une incursion dans le village près de la frontière.* SYN. attaque. **2.** Entrée brusque et considérée importune: *Tu as fait une incursion dans ma chambre et cela m'a dérangée.* SYN. irruption. **3.** fig. Fait de s'intéresser momentanément à un domaine qui n'est pas le sien: *Cette chimiste fait des incursions dans le domaine de la littérature.*

incurver v. Courber: *Le forgeron chauffe la barre de métal pour pouvoir l'incurver.* ANT. redresser. s'**incurver** v.pron. Prendre une forme courbe: *Cette poutre s'est incurvée sous l'effet de l'humidité.* ANT. se redresser. **incurvé, ée** p.p. et adj. Qui a une forme courbe: *Les cornes du bison sont incurvées.* ANT. droit.

indécence n.f. **1.** Caractère de ce qui est contraire à la décence, de ce qui choque les bonnes mœurs: *L'indécence de sa tenue a indigné tous les invités.* ANT. décence, modestie, pudeur. **2.** Caractère de ce qui est choquant, démesuré, déplacé: *Vivre dans un pareil luxe, cela frise l'indécence.* **3.** Action, parole contraire à la décence, aux bonnes mœurs: *On l'a expulsée de la réunion parce qu'elle n'arrêtait pas de dire des indécences.* ☞ décent.

indécent, ente adj. **1.** Qui est contraire à la décence, aux bonnes mœurs; impudique: *Cette posture est indécente.* SYN. choquant, inconvenant. ANT. convenable, modeste, pudique. **2.** Qui choque par son excès, par sa démesure: *Elle a gagné trois fois à la loterie! C'est indécent!* ☞ décent.

indéchiffrable adj. **1.** Qu'on ne peut déchiffrer, traduire en clair: *L'espionne a reçu un message codé indéchiffrable.* ANT. déchiffrable. **2.** Qui est très difficile à lire: *Cette écriture est indéchiffrable.* SYN. illisible. ANT. lisible. **3.** fig. Qu'on ne peut comprendre, deviner: *Je ne sais pas ce qu'il pense: son visage est tellement indéchiffrable.* SYN. énigmatique, incompréhensible, obscur. ANT. clair. ☞ chiffre.

indéchirable adj. Qui ne peut être déchiré: *Les meubles sont recouverts de tissu indéchirable.* ☞ déchirer.

indécis, ise n. et adj. **1.** n. Personne qui a du mal à prendre une décision, à faire un choix: *Il ne s'est pas encore décidé? Cela ne me surprend pas, car c'est un véritable indécis.* **2.** adj. Qui a du mal à prendre une décision, à faire un choix: *Elle est encore indécise quant à la destination de ses vacances.* SYN. hésitant. ANT. décidé, résolu. **3.** adj. Qui n'est pas décidé, qui est incertain, en parlant de quelque chose: *Jusqu'à la dernière minute la victoire de notre équipe était indécise.* SYN. douteux. ANT. déterminé. **4.** adj. Qui est difficile à distinguer, à reconnaître, qui est imprécis: *À travers le brouillard, nous distinguons des formes indécises.* SYN. flou, indistinct. ANT. précis. ☞ indécision.

indécision n.f. Caractère d'une personne qui a du mal à prendre une décision, à faire un choix: *Les explications de la vendeuse ont mis fin à mon indécision.* SYN. doute, hésitation, incertitude. ANT. assurance, détermination, résolution. ☞ indécis.

indécomposable adj. Qui ne peut être décomposé, séparé en éléments: *L'oxygène est un corps simple indécomposable.* ANT. décomposable. ☞ composer.

indéfendable adj. **1.** Qu'on ne peut défendre contre l'ennemi: *Les citoyens fuyaient la ville indéfendable.* ANT. défendable. **2.** Qu'on ne peut soutenir, justifier: *Le racisme et le sexisme sont des attitudes indéfendables.* SYN. insoutenable. ANT. défendable, justifiable. ☞ défendre.

indéfini, ie adj. **1.** Dont on ne peut préciser les limites, la fin: *Un nombre indéfini de personnes assistait à la cérémonie.* SYN. illimité, infini. ANT. limité. **2.** Qu'on ne peut définir, préciser: *En regardant ces photos anciennes, elle a été envahie d'une tristesse indéfinie.* SYN. imprécis, vague. ANT. défini, déterminé. **3.** En grammaire, qui se rapporte à une personne ou un objet indéterminé: *« Un », « une », « des » sont des articles indéfinis.* ANT. défini. ☞ définir.

indéfiniment adv. D'une façon indéfinie, sans fin: *Même s'il est très compréhensif, ton professeur ne pourra pas t'excuser indéfiniment.* SYN. éternellement. ☞ définir.

indéfinissable adj. **1.** Dont on ne peut donner la définition: *Certains mots abstraits paraissent indéfinissables.* ANT. définissable. **2.** Qu'on ne peut reconnaître de manière précise: *Un parfum indéfinissable flotte dans l'air.* SYN. imprécis, incertain. ANT. précis. **3.** Qui est étrange, inexplicable: *Un trouble indéfinissable s'est emparé de moi.* SYN. indescriptible, indicible. ANT. définissable. ☞ définir.

indéformable adj. Qui ne peut perdre sa forme: *On m'a assuré que ces sacs de voyage étaient indéformables.* ☞ déformer.

indélébile adj. **1.** Qui ne peut être effacé: *Il vaut mieux adresser l'enveloppe avec un stylo à encre indélébile.* SYN. ineffaçable. ANT. effaçable. **2.** fig. Que le temps ne peut effacer: *Certains souvenirs sont indélébiles.* SYN. durable, indestructible, perpétuel. ANT. destructible, éphémère, passager.

indélicat, ate adj. **1.** Qui manque de délicatesse morale, de tact: *Il n'est pas agréable de recevoir des gens indélicats chez soi.* SYN. grossier. ANT. délicat. **2.** Qui est malhonnête: *Cette avocate est indélicate avec ses clients.* ANT. honnête. ☞ délicat.

indélicatement adv. **1.** D'une manière indélicate, sans tact: *Tu t'es conduit indélicatement en ne remerciant pas notre hôtesse.* ANT. délicatement. **2.** Malhonnêtement: *Cet entrepreneur agit indélicatement en affaires.* ANT. honnêtement. ☞ délicat.

indélicatesse n.f. **1.** Manque de délicatesse morale, de tact: *Tout le monde la fuit à cause de son indélicatesse.* SYN. grossièreté, impolitesse. **2.** Acte, procédé malhonnête: *Ce n'est pas la première fois que ce marchand commet des indélicatesses.* ☞ délicat.

indémaillable n.m. et adj. **1.** n.m. Tricot dont les mailles ne peuvent se défaire: *Les vêtements en indémaillable sont très pratiques.* **2.** adj. Dont les mailles ne peuvent se défaire: *Anaïs porte des collants indémaillables.* ☞ maille.

indemne adj. Qui n'a subi aucun dommage, aucune blessure: *Les passagers de la voiture sont sortis indemnes de l'accident.*

indemnisable adj. Qui peut ou doit être indemnisé, remboursé pour compenser des pertes, des frais: *Toutes les victimes de la catastrophe écologique sont indemnisables.* ☞ indemnité.

indemnisation n.f. Action de verser une somme d'argent à quelqu'un pour compenser des pertes, des frais: *Le gouvernement provincial se charge de l'indemnisation des sinistrés.* ☞ indemnité.

indemniser v. Verser une somme d'argent pour compenser des pertes, des frais: *Après l'incendie, la compagnie d'assurances a indemnisé les locataires.* ☞ indemnité.

indemnité n.f. **1.** Somme d'argent versée à quelqu'un en réparation d'un dommage: *Quand l'entreprise a licencié ces travailleuses, elle a dû leur verser une indemnité.* SYN. compensation, dédommagement. **2.** Somme d'argent versée à quelqu'un pour compenser certains frais: *Les représentants de commerce touchent des indemnités de déplacement.* SYN. allocation. ☞ indemnisable, indemnisation, indemniser.

indémontable adj. Qu'on ne peut démonter, défaire: *Les meubles indémontables sont difficiles à ranger.* ANT. démontable. ☞ monter.

indéniable adj. Qu'on ne peut refuser de reconnaître ou dont on ne peut prouver la fausseté: *Pour condamner quelqu'un, il faut des preuves indéniables.* SYN. certain, évident, incontestable. ANT. douteux. ☞ dénier.

indéniablement adv. D'une façon indéniable, incontestable: *Sandra a indéniablement beaucoup de talent en architecture.* SYN. incontestablement. ☞ dénier.

indépendamment adv.vx D'une façon indépendante: *Elle aime vivre indépendamment.* ☞ dépendre. **indépendamment de** loc.prép. **1.** Sans tenir compte de: *Indépendamment de cette petite grippe, sa santé est excellente.* **2.** En plus de: *Indépendamment de ses études, il joue du violon et fait beaucoup de sport.*

indépendance n.f. **1.** État d'une personne qui ne dépend d'aucune autorité, qui subvient à ses besoins matériels, qui est libre: *Elle veut conserver son indépendance et elle a raison.* SYN. liberté. ANT. dépendance. **2.** Caractère d'une personne qui n'accepte pas l'autorité, les contraintes, les règles établies: *On lui reproche souvent son indépendance d'esprit.* SYN. indocilité. ANT. dépendance. **3.** Situation d'un pays, d'un groupe, qui n'est pas sous l'autorité d'un autre: *Haïti a proclamé son indépendance en 1804.* SYN. autonomie. ☞ dépendre. ▲ **indépendance** n.f. Absence de rapport, de relation, entre plusieurs choses: *Les météorologues ont tenté de démontrer l'indépendance de ces deux phénomènes.* ANT. connexion. ☞ dépendre.

indépendant, ante adj. **1.** Qui ne dépend d'aucune autorité, qui est libre, autonome: *Véronique est une femme indépendante.* ANT. dépendant. **2.** Qui n'accepte pas l'autorité, les contraintes: *Martin a un caractère très indépendant: il ne veut être soumis à personne.* SYN. indocile, insoumis. ANT. soumis. **3.** Qui n'est pas sous l'autorité d'un pays, d'un groupe: *Le Québec n'est pas un État indépendant: c'est une province rattachée au Canada.* SYN. autonome. ⫽ *Travailleur indépendant:* Travailleur qui n'est pas soumis à un employeur. ☞ dépendre. ▲ **indépendant, ante** adj. **1.** Qui n'a pas de rapport avec autre chose: *Pour des raisons indépendantes de ma volonté, j'ai dû annuler notre rendez-vous.* ANT. connexe. **2.** Qui a une entrée particulière, en parlant d'un logement ou d'une pièce: *Ce logement situé au sous-sol est indépendant du reste de la maison.* ⫽ *Proposition indépendante:* Proposition qui ne dépend d'aucune autre. ☞ dépendre.

indépendantiste n. et adj. **1.** n. Personne qui est en faveur de l'indépendance politique: *Les indépendantistes ont manifesté devant le parlement de Québec.* **2.** adj. Qui est en faveur de l'indépendance politique: *Le Parti québécois est un parti indépendantiste.* ☞ dépendre.

indescriptible adj. Qu'on ne peut décrire, exprimer avec précision: *Ma chambre est dans un désordre indescriptible.* SYN. indicible, inexprimable. ☞ décrire.

indésirable n. et adj. **1.** n. Personne dont on ne désire pas la présence dans un pays, dans un groupe: *Les indésirables devront retourner dans leur pays.* **2.** adj. Dont on ne désire pas la présence dans un pays, dans un groupe: *Quelques personnes indésirables avaient réussi à se faufiler dans la salle et huaient les conférenciers.*

indestructible adj. **1.** Qui ne peut être détruit: *Cette forteresse paraissait indestructible.* **2.** Qui dure très longtemps: *Ils étaient convaincus que leur amitié était indestructible.* SYN. indissoluble. ANT. fragile. ☞ détruire.

indétermination n.f. **1.** Caractère de ce qui n'est pas déterminé, fixé avec précision: *Certains mots présentent une indétermination de sens pouvant entraîner une mauvaise interprétation du message.* SYN. confusion, imprécision. **2.** État d'une personne qui hésite, qui prend difficilement une décision: *Elle hésite encore: elle est dans l'indétermination.* SYN. doute, incertitude. ANT. détermination. ☞ déterminer.

indéterminé, ée adj. Qui n'est pas déterminé, fixé avec précision: *On a remis la réunion à une date indéterminée.* SYN. confus, imprécis, indéfini. ANT. défini, précis. ☞ déterminer.

index n.m. Doigt de la main situé entre le pouce et le majeur: *Il tient sa feuille entre le pouce et l'index.* ▲ **index** n.m. Table alphabétique de sujets traités, de noms cités dans un ouvrage, accompagnée de références permettant de les retrouver: *À la fin de la grammaire, il y a un index des règles traitées dans le manuel.*

Index général

Abréviations, 180
Accents, 163
Accord
de l'adjectif qualificatif, 73
avec des noms de genre différent, 74
du participe passé avec *avoir*, 125
du participe passé avec *être*, 126
du verbe avec le nom sujet, 22

index

indexation n.f. Action de relier le changement d'une valeur, d'un prix, d'un salaire, d'un loyer à une autre valeur prise comme élément de référence: *Les retraités réclament l'indexation de leur pension sur le coût de la vie.* ☞ indexer.

indexer v. Relier le changement d'une valeur, d'un prix, d'un salaire, d'un loyer à une autre valeur prise comme élément de référence: *On a indexé les salaires sur le coût de la vie.* ☞ indexation.

indicateur n.m. **1.** Livre, brochure qui contient des renseignements: *Pour te retrouver facilement dans une ville étrangère, consulte l'indicateur des rues.* SYN. guide. **2.** Instrument de mesure qui sert à fournir des indications sur un phénomène: *Cette automobiliste prudente consulte régulièrement l'indicateur de vitesse.* ☞ indiquer.

indicateur, trice n. Personne qui renseigne la police en échange d'argent, de privilèges: *Grâce aux dénonciations de l'indicatrice, les trafiquants de drogue ont été arrêtés.* SYN. dénonciateur, mouchard. ☞ indiquer.

indicateur, trice adj. Qui sert à indiquer: *À l'aéroport, un tableau indicateur renseigne les passagers sur les arrivées et les départs des avions.* ☞ indiquer.

indicatif n.m. En grammaire, mode du verbe qui exprime la réalisation d'une action ou d'un état d'une manière certaine: *L'imparfait et le futur simple sont des temps de l'indicatif.* ▲ **indicatif** n.m. **1.** Musique qui annonce le début d'une émission de radio ou de télévision: *Viens vite, Stéphanie! C'est l'indicatif de Passe-Partout.* **2.** Groupe de lettres et de chiffres servant à identifier un poste émetteur: *Connais-tu l'indicatif d'appel de ce poste radiophonique?* **3.** Ensemble de chiffres sélectionnant une zone téléphonique: *L'indicatif régional de Québec est le 418.* ☞ indiquer.

indicatif, ive adj. Qui indique: *La fièvre est souvent le signe indicatif d'une maladie.* ☞ indiquer.

indication n.f. **1.** Action d'indiquer, de montrer de manière précise: *Ce panneau porte l'indication de travaux à un kilomètre d'ici.* **2.** Signe, indice: *Le tremblement de sa voix est une indication de sa timidité.* **3.** Renseignement, directive: *Grâce à vos indications, j'ai pu me rendre à New York sans me tromper.* ☞ indiquer.

indice n.m. Signe apparent qui indique qu'une chose existe probablement: *Plusieurs indices laissent croire qu'une crise économique s'amorce.* SYN. indication. ▲ **indice** n.m. Nombre qui sert à exprimer un rapport entre deux grandeurs; rapport entre deux valeurs d'une grandeur qui varie dans le temps: *Le salaire des travailleurs devrait être établi en fonction de l'indice du coût de la vie.*

indicible adj.litt. Qu'on ne peut exprimer: *La jeune mère éprouve une joie indicible à tenir son nouveau-né dans ses bras.* SYN. indescriptible, inexprimable.

indien, ienne n. et adj. **1.** n. Personne qui est de l'Inde: *Un Indien, une Indienne.* **2.** n. Nom donné par les navigateurs européens du XVe siècle aux autochtones d'Amérique: *On appelle désormais «Amérindiens» ceux que les Européens avaient nommés «Indiens d'Amérique».* SYN. Amérindien. **3.** adj. Qui est de l'Inde: *Le territoire indien a la forme d'un vaste triangle.* ⁄⁄ *À la file indienne:* En se suivant un à un. *Été des Indiens ou été indien:* Au Canada, période de très beau temps, en automne. **R.** On met la majuscule à *indien* et à *indienne* lorsqu'il s'agit du nom.

indifféremment adv. Sans faire de différence: *Pascal se sert indifféremment de sa main droite ou de sa main gauche pour écrire et pour dessiner.* SYN. indistinctement. **R.** Les lettres *emment* se prononcent *amment.* ☞ indifférent.

indifférence n.f. **1.** État d'une personne que rien ne touche, qui ne manifeste aucune émotion: *Son indifférence est parfois troublante.* SYN. apathie, insensibilité. ANT. sensibilité. **2.** Détachement, manque d'intérêt envers une chose, un événement: *Ces personnes ne montrent que de l'indifférence pour la politique.* SYN. dédain. **3.** Absence d'intérêt envers quelqu'un, envers toutes les personnes; absence d'amour: *L'indifférence de son entourage le chagrinait.* SYN. froideur. ☞ indifférent.

indifférent, ente n. et adj. **1.** n. Personne que rien ne touche, qui ne manifeste aucun intérêt, aucune émotion: *N'essaie pas de l'attendrir, c'est une indifférente.* **2.** adj. Que rien ni personne ne touche, qui ne manifeste aucun intérêt, aucune émotion: *Beaucoup de gens sont indifférents à la misère des autres.* SYN. froid, insensible. ANT. sensible. **3.** adj. Qui présente un intérêt égal, qui est sans importance, d'un côté comme de l'autre: *Aller à la plage ou en pique-nique, cela m'est indifférent.* **4.** adj. Qui n'a aucun intérêt, aucune importance: *Les sports lui sont indifférents.* ANT. important. ☞ indifféremment, indifférence, indifférer.

indifférer v.fam. Laisser indifférent: *Quoi que vous décidiez, cela m'indiffère.* **R.** Ne s'emploie qu'avec un pronom complément. ☞ indifférent.

indigence n.f. **1.** État d'une personne qui est très pauvre, qui est privée des choses les plus nécessaires: *Cette famille vit dans l'indigence.* SYN. besoin, misère, pauvreté. ANT. abondance, richesse. **2.** fig. Grande pauvreté de l'esprit: *L'indigence de leurs pensées me désole.* SYN. faiblesse. ☞ indigent.

indigène n. et adj.vx **1.** n. Personne qui est née dans le pays qu'elle habite: *Les indigènes ont accueilli les visiteurs étrangers.* SYN. autochtone. ANT. étranger, immigré. **2.** adj. Qui est né dans le pays qu'il habite: *Cette entreprise utilise la main-d'œuvre indigène.* SYN. autochtone. ANT. étranger, immigré. **3.** adj. Qui vit ou qui pousse naturellement dans une région, en parlant d'un animal ou d'une plante: *Le grand liseron est une plante indigène du Québec.*

indigent, ente n. et adj. **1.** n. Personne qui est très pauvre, qui est privée des choses les plus nécessaires: *Plusieurs organismes charitables viennent en aide aux indigents.* **2.** adj. Qui est très pauvre, qui est privé des choses les plus nécessaires: *Ces bénévoles se dévouent auprès des personnes indigentes.* SYN. nécessiteux. ANT. fortuné, riche. **3.** adj.fig. Qui est nettement insuffisant: *À son âge, ce n'est pas normal d'avoir un vocabulaire aussi indigent.* SYN. pauvre. ☞ indigence.

indigeste adj. **1.** Qui est difficile à digérer: *On nous a servi une nourriture indigeste.* SYN. lourd. ANT. léger. **2.** fig. Qui est confus, embrouillé et, par conséquent, difficile à assimiler: *Je n'ai pu terminer ce livre indigeste.* ☞ digérer.

indigestion n.f. **1.** Indisposition causée par une mauvaise digestion et aboutissant en général au vomissement: *Elle avait trop mangé et elle a eu une indigestion.* **2.** fig. Dégoût de quelque chose dont on a abusé: *J'ai vu dix films cette semaine. Je crois que j'ai une indigestion de cinéma.* ☞ digérer.

indignation n.f. Sentiment de colère ou de révolte suscité par une injustice, un outrage: *Johanne ne peut supporter la cruauté: elle en frémit d'indignation.* ☞ indigner.

indigne adj. **1.** Qui ne mérite pas quelque chose: *Je me rends compte qu'ils sont indignes de notre amitié.* ANT. digne. **2.** Qui ne convient pas, n'est pas à la hauteur de quelqu'un: *Cette mauvaise conduite est indigne de vous.* ANT. digne. **3.** Qui est méprisable, condamnable: *En trahissant ton ami, tu as commis un acte indigne.* SYN. déshonorant, inqualifiable, révoltant, scandaleux. ANT. convenable. ☞ digne.

indigné, ée adj. **1.** Qui éprouve de la colère, de la révolte: *Elle est indignée de tant d'ingratitude.* **2.** Qui indique la colère, la révolte: *Son regard indigné foudroyait l'accusateur.* HOM. indigner. ☞ indigner.

indignement adv. D'une façon indigne, condamnable: *Vous devriez avoir honte: vous l'avez indignement trompée.* ANT. dignement. ☞ digne.

indigner v. Provoquer la colère, la révolte de quelqu'un: *L'attitude injuste de la surveillante a indigné les écoliers.* SYN. exaspérer, irriter, révolter, scandaliser. ANT. apaiser, calmer. HOM. indigné. ☞ indignation, indigné. **s'indigner** v.pron. Se fâcher, se révolter: *Il s'indigne contre l'injustice et la malhonnêteté.* SYN. s'emporter, s'irriter, s'offenser. ANT. s'enthousiasmer.

indignité n.f. **1.** Caractère de ce qui est indigne, méprisable: *L'indignité de sa conduite a scandalisé ses camarades.* SYN. bassesse, méchanceté. ANT. dignité. **2.** Acte indigne, méprisable: *Ces élèves ont triché lors de l'examen: c'est une indignité.* SYN. honte. ANT. honneur. ☞ digne.

indigo n.m. et adj.invar. (esp.) **1.** n.m. Couleur bleu foncé à reflets violets: *L'indigo est une couleur de l'arc-en-ciel, qui se trouve* *entre le bleu et le violet.* **2.** adj.invar. Qui est d'une couleur bleu foncé à reflets violets : *Fernand porte un chandail indigo.*

indiqué, ée adj. **1.** Qui convient, qui est approprié, en parlant d'un médicament, d'un traitement : *C'est un remède indiqué dans les cas d'allergie.* ANT. contre-indiqué. **2.** Qui est fixé, convenu : *À l'heure indiquée, elle m'attendait devant la station de métro.* **3.** fig. Qui convient, qui est adéquat, opportun : *Je crois qu'il n'est pas indiqué de la déranger pendant la réunion.* SYN. convenable. HOM. indiquer. ☞ indiquer.

indiquer v. **1.** Montrer de manière précise : *Ma montre indique 9 heures.* SYN. désigner, signaler. ANT. cacher. **2.** Faire connaître, renseigner : *Pouvez-vous m'indiquer un bon restaurant non loin d'ici?* SYN. apprendre, dire. ANT. taire. **3.** Être le signe, révéler : *Ces traces dans la neige indiquent la présence de chats dans le quartier.* SYN. annoncer, signaler, trahir. ANT. cacher, dissimuler, voiler. HOM. indiqué. ☞ contre-indiqué, contre-indiquer, indicateur, indicatif, indication, indiqué.

indic**a**tion indi**qu**er

indirect, ecte adj. **1.** Qui ne va pas droit au but, qui fait des détours : *Il est en retard parce qu'il a pris un chemin indirect.* SYN. détourné. ANT. direct. **2.** Qui comporte un ou des intermédiaires, qui ne s'exerce pas directement : *Cette sécheresse a des conséquences indirectes sur notre alimentation.* ANT. direct. **3.** En grammaire, qui est rattaché indirectement au verbe à l'aide d'une préposition : *Dans la phrase « Elle parle à son frère », le mot « frère » est un complément d'objet indirect.* **4.** fig. Qui n'est pas exprimé franchement : *Ses critiques indirectes m'ont blessée quand même.* ⁄⁄ *Éclairage indirect :* Qui éclaire les murs, le plafond. *Interrogation indirecte :* Question amenée par des verbes comme demander, dire, ignorer, savoir et exprimée dans une proposition subordonnée. ☞ direct.

indirectement adv. D'une façon indirecte, détournée : *Ces compliments s'adressaient indirectement à toi.* ANT. directement. ☞ direct.

indiscernable adj. **1.** Qu'on ne peut distinguer d'une autre chose de même nature : *Ces deux vases sont indiscernables l'un de l'autre.* SYN. identique. ANT. distinct. **2.** Qu'on ne peut reconnaître, voir précisément : *Certains mots ont des nuances de sens indiscernables.* SYN. insaisissable. ANT. discernable. ☞ discerner.

indiscipline n.f. Manque de discipline, désobéissance : *On l'a renvoyée du collège en raison de son indiscipline.* SYN. dissipation, insubordination. ANT. obéissance. ☞ discipline.

indiscipliné, ée adj. **1.** Qui manque de discipline : *Les élèves indisciplinés seront gardés en retenue.* SYN. désobéissant, indocile, insoumis, insubordonné. ANT. discipliné, docile, obéissant, soumis. **2.** fig. Qu'on a du mal à peigner, en parlant des cheveux : *Ses cheveux indisciplinés lui faisaient perdre du temps à tous les matins.* ☞ discipline.

indiscret, ète n. et adj. **1.** n. Personne qui s'intéresse à ce qui ne la regarde pas, qui manque de tact, de réserve dans ses relations avec les autres : *Tu peux tout me raconter, nous sommes à l'abri des indiscrets.* SYN. bavard, curieux, importun. **2.** adj. Qui s'intéresse à ce qui ne le regarde pas, qui manque de tact, de réserve dans ses relations avec les autres : *Ce garçon indiscret écoute aux portes.* SYN. curieux. ANT. discret. **3.** adj. Qui ne sait pas garder un secret : *Un confident indiscret m'a rapporté votre conversation.* SYN. bavard. ANT. discret. ☞ discret.

indiscrètement adv. **1.** D'une façon indiscrète, curieuse : *Elle m'a interrogé indiscrètement sur ma vie privée.* ANT. discrètement. **2.** D'une façon indiscrète, en révélant ce qu'on devrait taire : *Il a révélé indiscrètement mon secret.* **3.** Sans discrétion, sans retenue : *L'amitié ne te donne pas le droit d'agir indiscrètement.* ☞ discret.

indiscrétion n.f. **1.** Défaut de quelqu'un qui ne sait pas garder un secret : *Son indiscrétion lui a fait perdre toutes ses amies.* ANT. discrétion. **2.** Fait de révéler un secret, de dévoiler ce qui devrait rester caché : *Les indiscrétions des journalistes ont fait beaucoup de tort à cette politicienne.* SYN. bavardage. **3.** Manque de discrétion, de retenue, dans ses rapports avec les autres : *L'indiscrétion de nos voisins est insupportable.* SYN. curiosité. ANT. réserve, retenue. **4.** Caractère de ce qui est indiscret : *Elle ne se rendait pas compte de l'indiscrétion de ses questions.* ☞ discret.

indiscr**e**t indiscr**è**tement indiscr**é**tion

indiscutable adj. Qu'on ne peut mettre en doute : *Le talent de cet artiste est indiscutable.* SYN. certain, évident, incontestable, manifeste. ANT. discutable, douteux. ☞ discuter.

indiscutablement adv. D'une façon indiscutable, certaine : *Elle est indiscutablement la meilleure joueuse de son équipe.* SYN. certainement. ☞ discuter.

indiscuté, ée adj. Qui n'est pas mis en doute : *Sa supériorité indiscutée lui donne le droit de diriger le groupe.* SYN. incontesté, reconnu. ANT. discuté. ☞ discuter.

indispensable n.m. et adj. **1.** n.m. Ce qui est essentiel, absolument nécessaire : *Quand ils voyagent, ils n'apportent que l'indispensable avec eux.* ANT. superflu. **2.** adj. Qui est absolument nécessaire, dont on ne peut se passer : *Les livres sont indispensables dans une classe.* SYN. essentiel, obligatoire, utile. ANT. inutile, superflu. ⁄⁄ *Faire l'indispensable :* Faire ce qu'il faut. ☞ dispenser.

indispensablement adv. D'une façon indispensable, nécessaire : *Tu devras indispensablement porter des vêtements chauds en montagne.* ☞ dispenser.

indisponibilité n.f. **1.** État d'une chose dont on ne peut disposer, dont on n'a pas l'usage : *Les locataires se plaignent de l'indisponibilité des logements convenables.* ANT. disponibilité. **2.** État d'une personne qui n'est pas libre de s'adonner à un travail, à une occupation : *On m'a confirmé l'indisponibilité de ce fonctionnaire.* ANT. disponibilité. ☞ disponible.

indisponible adj. **1.** Dont on ne peut pas disposer, dont on n'a pas l'usage : *Ce local est occupé, il est indisponible pour l'instant.* ANT. disponible. **2.** Qui n'est pas libre de s'adonner à un travail, à une occupation : *Cette fonctionnaire est indisponible en ce moment.* ANT. disponible. ☞ disponible.

indisposé, ée adj. Qui souffre d'un léger malaise : *Ce n'est rien de grave, il n'est qu'indisposé par la chaleur.* SYN. fatigué. ANT. dispos, reposé. HOM. indisposer. ☞ indisposer.

indisposer v. **1.** Causer un léger malaise physique : *L'odeur du cigare indispose les non-fumeurs.* SYN. incommoder. ANT. soulager. **2.** Rendre mécontent, déplaire : *Son attitude arrogante a indisposé tout le monde.* SYN. énerver, fâcher, froisser, importuner. ANT. contenter, plaire. HOM. indisposé. ☞ indisposé, indisposition.

indisposition n.f. Léger malaise : *Son indisposition n'a duré que quelques minutes.* ☞ indisposer.

indissociable adj. Qu'on ne peut séparer : *Ces deux problèmes sont indissociables.* ANT. dissociable. ☞ dissocier.

indissoluble adj. Qui ne peut être défait, désuni : *Selon la religion catholique, le mariage est indissoluble.* SYN. indestructible, perpétuel. ☞ dissoudre.

indistinct, incte adj. Qui est imprécis, confus, que l'on reconnaît difficilement : *Des bruits indistincts me parviennent à travers la cloison.* SYN. flou, vague. ANT. clair, distinct, précis. **R.** Au masculin, les lettres *ct* se prononcent ou non. ☞ distinguer.

indistinctement adv. **1.** D'une façon indistincte, confuse : *Le voilier apparaît indistinctement à travers la brume.* SYN. confusément. ANT. clairement. **2.** Sans faire de différence : *Carl aime indistinctement tous les animaux.* SYN. indifféremment. ☞ distinguer.

individu n.m. **1.** Être humain, personne : *Dans une société démocratique, tous les individus sont égaux.* SYN. personne. **2.** péj. Personne quelconque : *Je ne connais pas cet individu.* SYN. type. **3.** Chaque être vivant d'une espèce animale ou végétale qui a une existence propre : *Une fourmilière se compose de milliers d'individus.* ☞ individualiser, individualisme, individualiste, individualité, individuel, individuellement.

individualiser v. **1.** Rendre individuel, propre à une personne, en adaptant, en attribuant à l'individu : *Croyez-vous qu'il soit possible d'individualiser l'enseignement?* ANT. généraliser. **2.** Rendre distinct des autres par des caractères individuels : *Ce sont les qualités et les défauts qui individualisent les êtres.* SYN. caractériser, distinguer. ☞ individu. **s'individualiser** v.pron. Se distinguer des autres par des caractères individuels : *Le style de cette romancière s'individualise de plus en plus.*

individualisme n.m. Tendance à considérer que l'individu est plus important que le groupe ; tendance à agir seul, de façon non conformiste : *Son individualisme est tel qu'on ne peut l'amener à travailler en équipe.* SYN. indépendance. ☞ individu.

individualiste n. et adj. **1.** n. Personne qui favorise l'initiative et la réflexion individuelle, qui favorise l'indépendance : *Béatrice n'aime pas le travail en équipe : c'est une individualiste.* **2.** adj. Qui favorise l'initiative et la réflexion individuelle, qui favorise l'indépendance : *Les adolescents sont souvent individualistes.* ☞ individu.

individualité n.f. **1.** Ensemble des caractères qui distinguent une personne d'une autre : *Tous ces artistes ont appris les mêmes techniques et pourtant, chacun a son individualité.* SYN. originalité, particularité. **2.** Personne qui se distingue fortement des autres par sa forte personnalité : *C'est une forte individualité.* ☞ individu.

individuel, elle adj. **1.** Qui appartient à un individu : *Il faut tenir compte des qualités* *individuelles de chaque enfant.* SYN. distinct, personnel, propre. ANT. collectif, commun. **2.** Qui concerne une seule personne: *Chaque écolier a sa fiche individuelle.* SYN. particulier, singulier. ANT. général. ☞ individu.

individuellement adv. Séparément, à part: *Il fallait se présenter individuellement au bureau de la directrice.* ANT. collectivement, ensemble. ☞ individu.

indocile adj. Qui refuse d'obéir, de se laisser diriger: *Le gardien ne sait que faire de cette enfant indocile.* SYN. désobéissant, dissipé, indiscipliné, rebelle. ANT. docile, obéissant, soumis. ☞ docile.

indocilité n.f. Caractère d'une personne qui refuse d'obéir, de se laisser diriger: *Son indocilité n'a fait que s'accentuer avec l'âge.* SYN. désobéissance, entêtement, indépendance, indiscipline. ANT. docilité, obéissance, soumission. ☞ docile.

indolemment adv. D'une façon indolente, nonchalante: *Il s'est levé indolemment de son fauteuil.* SYN. nonchalamment. **R.** Les lettres *emment* se prononcent *amment.* ☞ indolent.

indolence n.f. Tendance à la mollesse, à la nonchalance: *Son indolence me désespère.* SYN. insouciance, paresse. ANT. ardeur, empressement, vivacité. ☞ indolent.

indolent, ente adj. **1.** Qui évite de faire des efforts, qui est un peu fainéant: *Cette élève indolente devra reprendre ses cours.* SYN. apathique, insouciant, paresseux. ANT. actif, alerte, énergique. **2.** Qui indique la mollesse, la nonchalance: *Sa démarche indolente trahit son caractère nonchalant.* SYN. nonchalant. ANT. énergique, vif. ☞ indolemment, indolence.

indolore adj. Qui ne provoque pas de douleur: *Ne crains rien, cette piqûre est indolore.* ANT. douloureux, sensible. ☞ douleur.

indomptable adj. **1.** Qu'on ne peut pas dompter: *Le centre équestre ne peut pas garder ce cheval indomptable.* ANT. docile. **2.** fig. Dont on ne peut pas venir à bout, qui est difficile à maîtriser: *Cette femme a fait preuve d'une volonté indomptable.* SYN. inflexible, invincible. ANT. lâche, mou. **R.** Le *p* ne se prononce pas. ☞ dompter.

indompté, ée adj. **1.** Qui n'est pas encore dompté: *Les chevaux indomptés sont gardés dans un enclos à part.* SYN. farouche, fougueux. ANT. soumis. **2.** fig. Qu'on ne peut réprimer, empêcher de se manifester: *Son orgueil indompté lui a valu bien des ennuis.* **R.** Le *p* ne se prononce pas. ☞ dompter.

indonésien, enne n. et adj. **1.** n. Personne qui est de l'Indonésie: *Un Indonésien, une Indonésienne.* **2.** adj. Qui est de l'Indonésie: *Les îles indonésiennes sont situées entre l'océan Indien et l'océan Pacifique.* **R.** On met la majuscule à *indonésien* et à *indonésienne* lorsqu'il s'agit du nom.

indri n.m. Genre de lémurien de Madagascar qui vit dans les arbres: *L'indri est un singe agile qui se nourrit de fruits.*

indu, ue adj. Qui est contraire à l'usage, aux convenances: *Ils sont arrivés à une heure indue.* SYN. anormal. ANT. normal, régulier. **R.** S'emploie surtout dans l'expression *heure indue.* ☞ dû.

inductif, ive adj. Qui procède à partir de cas particuliers pour aller à la loi générale: *La méthode inductive joue un grand rôle dans la recherche scientifique.* ANT. déductif. ☞ induire.

induction n.f. Opération de l'esprit qui part de cas particuliers pour aller à la loi générale: *Les scientifiques raisonnent souvent par induction.* SYN. généralisation. ANT. déduction. ☞ induire.

induire v. **1.** vx Inciter, encourager à faire quelque chose: *C'est sa grande sœur qui l'a induit à mal faire.* SYN. conduire, inviter, pousser. **2.** Trouver par l'induction, en partant de cas particuliers pour aller à la loi générale: *Que pouvez-vous induire de ces observations?* SYN. conclure. ANT. déduire. ⁄⁄ *Induire en erreur:* Tromper, berner. ☞ inductif, induction.

indulgence n.f. Facilité à pardonner les fautes: *Le juge a fait preuve d'une grande indulgence envers la jeune accusée.* SYN. bienveillance, bonté, clémence, tolérance. ANT. rigueur, sévérité. ☞ indulgent.

indulgent, ente adj. **1.** Qui pardonne facilement les fautes: *Le directeur est un homme indulgent.* SYN. bienveillant, généreux, patient. ANT. dur, impitoyable, inexorable, sévère. **2.** Qui indique la facilité à pardonner les fautes: *Son regard indulgent m'a fait comprendre que je n'avais rien à craindre.* SYN. bienveillant. ANT. sévère. ☞ indulgence.

indûment adv. D'une façon indue, à tort: *Tu as gardé indûment ce livre qui appartient à la bibliothèque de l'école.* SYN. injustement. ANT. dûment, justement. **R.** Ne pas oublier l'accent: *û.* ☞ dû.

industrialisation n.f. **1.** Action d'organiser à la manière d'une industrie: *L'emploi de machines agricoles a accéléré l'industrialisation de l'agriculture.* **2.** Action d'implanter des établissements industriels dans une région, dans un pays: *Les années soixante sont marquées par l'industrialisation massive du Québec.* ☞ industrie.

industrialiser v. **1.** Organiser à la manière d'une industrie: *Industrialiser l'agriculture, c'est la mécaniser et augmenter ainsi la production.* **2.** Implanter des établissements industriels dans une région, dans un pays: *Il faudrait industrialiser davantage les régions éloignées.* ☞ industrie. **s'industrialiser** v.pron. S'équiper en établissements industriels: *De nombreuses régions souhaitent s'industrialiser.* **industrialisé, ée** p.p. et adj. Qui est équipé d'industries: *Les pays occidentaux sont des pays industrialisés.*

industrie n.f. **1.** Ensemble des activités économiques qui exploitent les richesses minérales et les sources d'énergie et qui transforment les matières premières en produits fabriqués: *Il faudrait développer l'industrie dans les pays sous-développés.* **2.** Chacun des secteurs de ces activités économiques; entreprise industrielle: *L'industrie du textile est menacée par le libre-échange.* ☞ industrialisation, industrialiser, industriel, industriellement.

industriel n.m. Propriétaire d'une entreprise industrielle; chef d'industrie: *La mairesse a rencontré les industriels de la région.* **R.** L'O.L.F. recommande *industrielle* comme féminin de *industriel*. ☞ industrie.

industriel, elle adj. **1.** Qui se rapporte à l'industrie: *Au Québec, l'activité industrielle est surtout concentrée dans la région de Montréal.* **2.** Qui se rapporte à un lieu où sont implantées des usines: *L'usine de produits chimiques est située dans la zone industrielle.* **3.** Qui est produit par l'industrie; qui emploie les méthodes de l'industrie: *Le pain que nous achetons chez l'épicier est souvent produit par une boulangerie industrielle.* ⫽ *En quantité industrielle:* En très grande quantité. *Révolution industrielle:* Période historique débutant au XVIIIe siècle marquée par l'industrialisation. ☞ industrie.

industriellement adv. **1.** Par les moyens de l'industrie: *Ces vêtements sont produits industriellement.* **2.** Concernant l'industrie: *Ce pays est industriellement défavorisé.* ☞ industrie.

inébranlable adj. **1.** Qu'on ne peut ébranler, qui reste solide, fixe: *Les colonnes de ce temple sont inébranlables.* ANT. fragile. **2.** Qu'on ne peut abattre, décourager: *Leur courage était inébranlable.* SYN. ferme. ANT. influençable. **3.** Qu'on ne peut faire changer d'avis: *Il est inutile d'essayer de le convaincre, il est inébranlable dans sa décision.* SYN. déterminé, inflexible, tenace. ANT. changeant, inconstant. ☞ ébranler.

inéchangeable adj. Qui ne peut être échangé: *La vendeuse a bien précisé que les maillots de bain étaient inéchangeables.* ANT. échangeable. **R.** Ne pas oublier le *e* après le *g*. ☞ échanger.

inédit n.m. **1.** Ouvrage qui n'a jamais été publié: *On a trouvé, après la mort de cette auteure, une importante quantité d'inédits.* **2.** Ce qui est nouveau: *Pour intéresser le public, il nous faut de l'inédit.* ANT. connu. **R.** S'emploie toujours précédé de *de* ou *d'*.

inédit, ite adj. **1.** Qui n'a pas été publié: *Les œuvres de cet auteur sont restées inédites.* **2.** Qui est nouveau: *La chanteuse viendra nous présenter un spectacle inédit.* SYN. original. ANT. connu.

inéducable adj. Qu'on ne peut éduquer: *On croirait parfois que le public est inéducable.* ANT. éducable. ☞ éduquer.

ineffable adj. Qu'on ne peut exprimer par des paroles, en parlant de choses agréables: *Quand elle a vu le père Noël, Josée a ressenti une joie ineffable.* SYN. indescriptible, indicible, inexprimable.

ineffaçable adj. **1.** litt. Qui ne peut être effacé: *Les soucis ont gravé sur son front une empreinte ineffaçable.* SYN. indélébile. ANT. effaçable. **2.** fig. Qu'on ne peut détruire, qui ne peut disparaître: *Je garde de lui un souvenir ineffaçable.* SYN. impérissable, indestructible. ANT. passager. **R.** Ne pas oublier la cédille. ☞ effacer.

inefficace adj. Qui ne produit pas l'effet désiré: *Ce remède contre la grippe est inefficace.* SYN. inopérant, inutile, stérile. ANT. actif, efficace, utile. ☞ efficace.

inefficacement adv. D'une façon inefficace, sans résultat: *Elle est intervenue inefficacement en ma faveur.* ANT. efficacement. ☞ efficace.

inefficacité n.f. Caractère de ce qui est inefficace, de ce qui ne produit pas l'effet désiré: *La malade était convaincue de l'inefficacité du traitement.* ANT. efficacité, utilité. ☞ efficace.

inégal, ale, aux adj. **1.** Qui n'est pas égal; dont la quantité, la nature, la qualité ou la mesure est différente dans plusieurs objets considérés: *Le triangle scalène a trois côtés inégaux.* ANT. identique, pareil. **2.** Dont les éléments ou participants ne sont pas égaux: *C'est un combat inégal: l'un des boxeurs est beaucoup plus lourd que l'autre.* ☞ égal.

▲ **inégal, ale, aux** adj. **1.** Qui n'est pas

uni : *Au printemps, la surface des routes est souvent inégale.* SYN. raboteux. ANT. égal, lisse. **2.** Qui n'est pas régulier : *Bébé a la fièvre et son pouls est inégal.* SYN. irrégulier. ANT. uniforme. **3.** Qui est tantôt bon, tantôt mauvais : *Le jeu de ces comédiens est inégal.* ANT. soutenu. **4.** Qui est changeant : *Simon a un caractère inégal : on ne sait jamais d'avance comment il réagira.* SYN. capricieux. ANT. constant, invariable. ☞ égal.

inégalable adj. Qui ne peut être égalé : *Les sculptures de Michel-Ange sont d'une beauté inégalable.* SYN. incomparable. ANT. égalable. ☞ égal.

inégalé, ée adj. Qui n'a pas été égalé : *Le talent de cette imitatrice est resté inégalé jusqu'à présent.* ☞ égal.

inégalement adv. D'une façon inégale : *À sa mort, les biens de cette femme ont été inégalement partagés entre ses enfants.* ANT. également. ☞ égal.

inégalité n.f. **1.** Caractère de ce qui est inégal, différent : *L'inégalité des salaires entre les hommes et les femmes est une situation injuste.* SYN. différence, disparité. ANT. égalité, uniformité. **2.** En mathématiques, expression dans laquelle on compare deux quantités inégales : *Les signes ≠, < et > servent à exprimer l'inégalité.* ☞ égal. ▲ **inégalité** n.f. **1.** Caractère de ce qui n'est pas égal, uniforme : *L'inégalité de la route rend la randonnée désagréable.* SYN. aspérité. ANT. uniformité. **2.** Caractère de ce qui n'est pas régulier, constant : *L'inégalité du pouls de ce malade inquiète la femme médecin.* SYN. irrégularité, variation. ANT. régularité. ☞ égal.

inélégance n.f. **1.** Manque d'élégance, de distinction, de bon goût : *L'inélégance de sa toilette a suscité des commentaires moqueurs.* **2.** Manque de délicatesse, de savoir-vivre : *On lui a fait remarquer l'inélégance de ce procédé.* ANT. élégance. ☞ élégant.

inélégant, ante adj. **1.** Qui manque d'élégance, de distinction, de bon goût : *Une mise inélégante fait toujours mauvaise impression.* SYN. vulgaire. ANT. chic, distingué, élégant. **2.** Qui manque de délicatesse, de savoir-vivre : *Votre conduite inélégante a déplu à vos camarades.* SYN. discourtois. ANT. délicat, distingué, élégant. ☞ élégant.

inéligibilité n.f. État d'une personne qui n'a pas les qualités nécessaires pour être élue et spécialement être élue député : *La directrice des élections a reconnu l'inéligibilité de cette candidate.* ANT. éligibilité. ☞ élire.

inéligible adj. Qui n'a pas les qualités nécessaires pour être élu et spécialement être élu député : *Sa récente condamnation pour fraude le rend inéligible.* ANT. éligible. ☞ élire.

inéluctable adj. Qu'on ne peut éviter, que rien ne peut empêcher : *La mort est le destin inéluctable de tous les êtres vivants.* SYN. immanquable, inévitable. ANT. évitable, incertain. ☞ inéluctablement.

inéluctablement adv. D'une manière inéluctable, inévitable : *Qu'on le veuille ou non, tous les êtres humains vieillissent inéluctablement.* SYN. infailliblement. ☞ inéluctable.

inemployé, ée adj. Qui n'est pas employé, utilisé, en parlant de quelque chose : *La création d'une usine permettrait d'exploiter ces ressources naturelles inemployées.* SYN. inutilisé. ☞ employer.

inépuisable adj. **1.** Qu'on ne peut épuiser, en parlant de quelque chose : *Les livres sont une source inépuisable de renseignements.* SYN. intarissable. ANT. épuisable. **2.** Qui n'arrête pas de parler : *Elle est inépuisable quand elle parle de ses voyages.* SYN. intarissable. ☞ épuiser.

inépuisablement adv. D'une façon inépuisable, sans fin : *Il parle inépuisablement de ses projets.* ☞ épuiser.

inerte adj. **1.** Qui n'a pas d'activité, de mouvement propre : *Les minéraux sont de la matière inerte.* SYN. inanimé. ANT. animé. **2.** Qui est immobile, sans mouvement : *La blessée inerte était allongée sur la chaussée.* SYN. inanimé. ANT. alerte, animé. **3.** fig. Qui n'a pas de réaction : *Elle assistait, inerte, à l'incendie de sa maison.* SYN. apathique, indifférent, insensible. ANT. énergique. ☞ inertie.

inertie n.f. Manque d'activité, d'énergie intellectuelle ou morale : *Ses parents voudraient bien le voir sortir de son inertie.* SYN. apathie, inaction, paresse. ANT. activité, entrain. **R.** Le *t* se prononce *ss*. ☞ inerte.

inespéré, ée adj. Que l'on n'espérait pas, en parlant d'un événement heureux : *Ce livre a connu un succès inespéré.* SYN. imprévu, inattendu. ANT. déplorable. ☞ espérer.

inesthétique adj. Qui choque le goût du beau : *Certains édifices modernes sont inesthétiques.* SYN. laid. ANT. esthétique. ☞ esthétique.

inestimable adj. **1.** Qui est d'une valeur si grande qu'on ne peut l'estimer : *Ces œuvres d'art ont une valeur inestimable.* SYN. inappréciable. ANT. estimable. **2.** fig. Qu'on ne saurait trop apprécier : *L'honnêteté est une qualité inestimable.* SYN. précieux. ANT. estimable. ☞ estimer.

inévitable n.m. et adj. **1.** n.m. Ce qu'on ne peut éviter: *Elle ne peut se résigner à accepter l'inévitable.* **2.** adj. Qu'on ne peut éviter: *À cette vitesse folle, l'accident était inévitable.* SYN. fatal, immanquable, inéluctable. ANT. éventuel, évitable. **3.** adj. Qui est toujours présent et qu'il faut subir: *Il nous a rendu visite avec son inévitable chien.* SYN. habituel, inséparable. ☞ éviter.

inévitablement adv. D'une manière inévitable, sans qu'on puisse l'éviter: *Cela devait inévitablement arriver.* SYN. forcément, nécessairement. ☞ éviter.

inexact, acte adj. **1.** Qui est faux, qui contient des erreurs: *Les renseignements que tu m'as donnés étaient inexacts.* SYN. erroné, faux, incorrect. ANT. exact. **2.** Qui n'arrive pas à l'heure: *Elle est toujours inexacte à nos rendez-vous.* ANT. ponctuel. **R.** Le *x* se prononce *gz*. Au masculin, les lettres *ct* se prononcent ou non. ☞ exact.

inexactement adv. D'une façon inexacte, erronée: *La journaliste a rapporté inexactement les propos du ministre.* ANT. exactement. **R.** Le *x* se prononce *gz*. ☞ exact.

inexactitude n.f. **1.** Manque de justesse, de précision; caractère de ce qui est inexact, erroné: *L'inexactitude de ce calcul a faussé tous les résultats.* SYN. erreur. ANT. exactitude, précision. **2.** Erreur: *J'ai relevé plusieurs inexactitudes dans cet article de journal.* SYN. faute. **3.** Manque de ponctualité: *Il a perdu son emploi à cause de son inexactitude.* ANT. exactitude. **R.** Le *x* se prononce *gz*. ☞ exact.

inexcusable adj. Qu'on ne peut excuser, pardonner: *Votre négligence est inexcusable.* SYN. impardonnable, injustifiable. ANT. excusable, pardonnable. **R.** Le *x* se prononce *ks*. ☞ excuser.

inexécutable adj. Qu'on ne peut exécuter: *Les plans de cet architecte sont inexécutables.* ANT. exécutable. **R.** Le *x* se prononce *gz*. ☞ exécuter.

inexistant, ante adj. **1.** Qui n'existe pas, qui n'a pas de réalité: *Les légendes et les rêves appartiennent à des mondes inexistants.* SYN. absent, irréel. ANT. existant, réel. **2.** fam. Qui n'a pas de valeur; qui n'est pas efficace: *L'aide apportée aux sinistrés est inexistante.* SYN. nul. **R.** Le *x* se prononce *gz*. ☞ exister.

inexorable adj. **1.** Qui est sans pitié, qui ne cède pas aux prières: *La juge s'est montrée inexorable.* SYN. impitoyable, inflexible. ANT. clément, indulgent. **2.** Dont on ne peut atténuer la sévérité, la dureté: *Dans certains pays, les lois sont inexorables.* SYN. rigoureux, sévère. **3.** À quoi l'on ne peut échapper, se soustraire: *Les humains se désolent de l'inexorable fuite du temps.* SYN. implacable. **R.** Le *x* se prononce *gz*.

inexpérience n.f. Manque d'expérience: *Son inexpérience lui a fait commettre bien des erreurs.* SYN. ignorance, incapacité. ANT. habileté. **R.** Le *x* se prononce *ks*. ☞ expérience.

inexpérimenté, ée adj. **1.** Qui n'a pas d'expérience: *Ce conducteur inexpérimenté a failli causer un accident.* SYN. ignorant, maladroit. ANT. expérimenté, expert. **2.** Que l'on n'a pas essayé: *Les enseignants hésitent à adopter une méthode nouvelle encore inexpérimentée.* SYN. neuf. **R.** Le *x* se prononce *ks*. ☞ expérience.

inexpiable adj. **1.** Qui ne peut être expié, dont on doit subir les conséquences fâcheuses: *Ce crime affreux est inexpiable.* ANT. expiable. **2.** Qu'on ne peut faire cesser: *Ces deux pays se livrent une guerre inexpiable.* **R.** Le *x* se prononce *ks*. ☞ expier.

inexplicable adj. **1.** Qui est impossible ou difficile à expliquer: *La disparition du tableau est inexplicable.* SYN. incompréhensible, mystérieux. ANT. clair, explicable. **2.** Qui paraît bizarre, étrange: *Son comportement est inexplicable.* **R.** Le *x* se prononce *ks*. ☞ expliquer.

inexplicablement adv. D'une manière inexplicable, difficile à expliquer: *Notre barque s'était inexplicablement renversée.* **R.** Le *x* se prononce *ks*. ☞ expliquer.

inexpliqué, ée adj. Qui n'a pas reçu d'explication: *Certains phénomènes restent inexpliqués.* SYN. mystérieux. **R.** Le *x* se prononce *ks*. ☞ expliquer.

inexpli**c**able inexpli**c**ablement inexpli**qu**é

inexploitable adj. Qu'on ne peut exploiter, dont on ne peut tirer parti: *Ce gisement situé sous la mer est inexploitable.* ANT. exploitable. **R.** Le *x* se prononce *ks*. ☞ exploiter.

inexploité, ée adj. Qui n'est pas exploité: *Les ressources naturelles inexploitées sont de plus en plus rares.* **R.** Le *x* se prononce *ks*. ☞ exploiter.

inexploré, ée adj. Que l'on n'a pas exploré: *Il reste peu d'endroits inexplorés sur notre planète.* SYN. ignoré, inconnu. **R.** Le *x* se prononce *ks*. ☞ explorer.

inexpressif, ive adj. **1.** Qui est dépourvu d'expression, de vivacité: *Son visage inexpressif ne montrait aucun sentiment.* SYN. terne, vague. ANT. expressif. **2.** Qui n'exprime pas bien ce qu'on veut faire entendre: *Le sujet* *de ce roman est intéressant, mais le style est terne et inexpressif.* SYN. froid. ANT. expressif. **R.** Le *x* se prononce *ks*. ☞ exprimer.

inexprimable adj. Qui est impossible ou difficile à exprimer, à décrire: *Un bonheur inexprimable illuminait son visage.* SYN. indescriptible, indicible, ineffable. ANT. exprimable. **R.** Le *x* se prononce *ks*. ☞ exprimer.

inexprimé, ée adj. Qui n'est pas exprimé: *Sa pensée est pleine de reproches inexprimés.* **R.** Le *x* se prononce *ks*. ☞ exprimer.

inextensible adj. Qui ne peut être étiré, allongé: *Son pantalon est fait d'un tissu inextensible.* ANT. élastique, extensible. **R.** Le *x* se prononce *ks*. ☞ extension.

in extremis loc.adv. (lat.) **1.** À l'article de la mort: *Elle a fait son testament in extremis.* **2.** Au dernier moment: *Il a pu prendre son avion in extremis.*

inextricable adj. **1.** Que l'on ne peut démêler, séparer: *Un enchevêtrement inextricable de lianes barrait la route de l'exploratrice.* **2.** Dont on ne peut sortir: *Véronique était prise dans un embouteillage inextricable.* **3.** Qui est très embrouillé, complexe: *Cette affaire semble inextricable.* SYN. embrouillé, indéchiffrable. ANT. clair, net. **R.** Le *x* se prononce *ks*. ☞ inextricablement.

inextricablement adv. D'une façon inextricable, impossible à démêler: *Dans la boîte à couture il y avait une boule de fils inextricablement emmêlés.* **R.** Le *x* se prononce *ks*. ☞ inextricable.

infaillibilité n.f. **1.** Caractère d'une personne qui ne peut se tromper: *Les catholiques reconnaissent l'infaillibilité du pape quand il se prononce sur une doctrine de l'Église.* **2.** Caractère de ce qui est sûr de réussir: *Je vous garantis l'infaillibilité de ce procédé.* ☞ faillible.

infaillible adj. **1.** Qui ne peut se tromper, qui ne commet pas d'erreur: *Elle nous donne des conseils comme si elle était infaillible.* **2.** Qui est sûr: *Il se fiait beaucoup à son instinct infaillible.* ANT. incertain. ☞ faillible.
▲ **infaillible** adj. Qui ne trompe pas, qui réussit à tout coup: *Ce remède contre les maux de tête est infaillible.* ANT. douteux, inefficace. ☞ faillible.

infailliblement adv. D'une manière infaillible, certaine: *Voilà ce qui arriverait infailliblement si tu ne suivais pas le mode d'emploi.* SYN. immanquablement, inéluctablement, sûrement. ☞ faillible.

infaisable adj. Qui ne peut être fait: *Ce travail lui paraissait infaisable: il n'était que difficile.* SYN. impossible. ANT. faisable, possible. **R.** Les lettres *ai* se prononcent *e*. ☞ faire.

infamant, ante adj. Qui nuit à la réputation, à l'honneur: *Elle a dû se défendre contre une accusation infamante.* SYN. déshonorant, honteux. ANT. glorieux, honorable. ☞ infâme.

infâme adj. **1.** litt. Qui est honteux, ignoble: *Le trafic de la drogue est un commerce infâme.* SYN. dégradant, indigne. ANT. glorieux, honorable. **2.** Qui provoque un sentiment de dégoût: *Le pauvre homme habitait un logement infâme.* SYN. malpropre, répugnant, sale. **3.** Qui est odieux, méprisable, en parlant de quelqu'un ou de quelque chose: *D'infâmes individus s'attaquent parfois aux vieillards pour les dévaliser.* SYN. détestable. ANT. noble. **R.** Ne pas oublier l'accent: *â*. ☞ infamant, infamie.

infamie n.f. litt. **1.** Caractère d'une personne ou d'une chose odieuse, ignoble: *L'infamie de ce crime a provoqué la colère de la population.* ANT. noblesse. **2.** Action honteuse, vile; parole injurieuse pouvant nuire à la réputation: *Pour obtenir ce poste, elle est prête à commettre bien des infamies.* ☞ infâme.

infamant infâme infamie

infanterie n.f. **1.** Autrefois, ensemble des soldats qui combattaient à pied: *L'infanterie était formée des valets des chevaliers.* **2.** De nos jours, corps de l'armée chargé de conquérir, d'occuper et de défendre un terrain: *Claudine est fantassin: elle fait partie d'un régiment d'infanterie.*

infantile adj. **1.** Qui se rapporte aux enfants en bas âge: *Un pédiatre est un spécialiste des maladies infantiles.* **2.** Qui est digne d'un enfant; en ce qui concerne le niveau intellectuel et affectif: *Tu devrais avoir honte de ton comportement infantile.* SYN. enfantin, puéril. ANT. sérieux.

infarctus n.m. Lésion d'un tissu, d'un organe, causée par l'obstruction de l'artère qui assure son irrigation: *Madame Simard est cardiaque: elle a eu un infarctus.* **R.** Se prononce *in-farktuss*.

infatigable adj. Qui ne se fatigue pas facilement: *Sonia est une nageuse infatigable.* SYN. increvable, inlassable, résistant. ☞ fatigue.

infatigablement adv. Sans se fatiguer: *Pendant son entraînement, le gymnaste recommence infatigablement les mêmes mouvements.* SYN. inlassablement. ☞ fatigue.

infécond, onde adj. **1.** litt. Qui n'est pas fertile, qui ne produit rien : *Ils ont abandonné la culture de ces terres infécondes.* SYN. aride, infertile. **2.** litt. Qui ne se reproduit pas, qui est stérile : *Notre chatte est inféconde : elle n'aura pas de chatons.* ANT. fécond. **3.** Qui ne produit rien ; qui manque d'idées, d'imagination : *Pour un écrivain, rien n'est pire que d'avoir un esprit infécond.* SYN. infertile. ANT. fécond. ☞ fécond.

infécondité n.f. **1.** Caractère de ce qui est infertile ou stérile : *L'infécondité est l'incapacité pour un organisme vivant, animal ou végétal, de se reproduire.* SYN. stérilité. ANT. fécondité. **2.** fig. Caractère de ce qui ne produit rien : *Après de nombreuses expériences, on a admis l'infécondité de cette théorie.* ☞ fécond.

infect, ecte adj. **1.** Qui a une apparence, une odeur ou un goût repoussant : *Une odeur infecte montait des égouts à ciel ouvert.* SYN. malodorant, puant, répugnant. ANT. agréable. **2.** Qui est très mauvais : *Personne ne pourrait me forcer à avaler cette nourriture infecte.* ANT. bon. **3.** Qui provoque le dégoût moral : *C'est un personnage infect.* SYN. abject, ignoble, répugnant. ANT. digne, noble. ☞ infecter, infection.

infecter v. Transmettre des germes qui peuvent causer une maladie, une infection : *Fais attention de ne pas infecter ta plaie.* SYN. contaminer, envenimer. ANT. désinfecter. ☞ désinfectant, désinfecter, désinfection, infecter, infectieux, infection, réinfecter, réinfection. **s'infecter** v.pron. Être atteint par l'infection : *Ne joue pas dans l'eau sale : ta plaie risque de s'infecter.* ▲ **infecter** v. Imprégner d'odeurs, de vapeurs dangereuses, malsaines : *Cette usine de produits chimiques infecte tout le quartier.* SYN. empester, polluer. ANT. purifier. **R.** Ne pas confondre avec *infester*. ☞ infect.

infectieux, euse adj. **1.** Qui cause, qui communique l'infection : *L'hygiène et la prévention nous protègent des germes infectieux.* **2.** Qui s'accompagne d'infection : *La rougeole et la scarlatine sont des maladies infectieuses.* **R.** Le *t* se prononce *ss*. ☞ infecter.

infection n.f. Pénétration dans l'organisme de germes qui peuvent causer une maladie ; troubles qui résultent de cette pénétration : *Dans les hôpitaux, toutes les précautions sont prises pour éviter l'infection.* SYN. contagion, contamination. ANT. désinfection. ☞ infecter. ▲ **infection** n.f. Grande puanteur : *Jette cette viande avariée : c'est une véritable infection !* ANT. arôme, parfum. ☞ infect.

inférence n.f. Opération logique par laquelle on admet une vérité à cause de son lien avec une autre vérité : *En sciences de la nature, il faut souvent faire des inférences.* SYN. déduction. ☞ inférer.

inférer v. Tirer une conséquence d'un fait : *D'après vos propos, j'en infère que ce projet est réalisable.* SYN. conclure, déduire. ☞ inférence.

inférieur, eure n. et adj. **1.** n. Personne qui par son rang social est située au-dessus d'une autre : *Il n'est pas agréable d'être traité comme un inférieur.* SYN. subalterne, subordonné. ANT. supérieur. **2.** adj. Qui est au-dessous, en bas : *Les jambes sont les membres inférieurs.* ANT. supérieur. **3.** adj. Qui est moins grand en quantité, en valeur, en importance : *J'ai acheté ces patins en solde : leur prix était inférieur au prix normal.* SYN. moindre. ANT. supérieur. **4.** adj. Qui est plus petit que : *Cinq est inférieur à huit.* ANT. supérieur. ☞ infériorité.

infériorité n.f. **1.** État de ce qui est inférieur, moindre, en importance, en quantité, en valeur, en rang, en mérite : *Leur infériorité en nombre leur a fait perdre la partie.* ANT. supériorité. **2.** Ce qui rend inférieur : *Cet enfant a une infériorité intellectuelle.* SYN. faiblesse. ANT. force. ⁄⁄ *Sentiment, complexe d'infériorité :* Impression pénible d'être inférieur aux autres, tendance à se sous-estimer. ☞ inférieur.

infernal, ale, aux adj. **1.** Qui se rapporte à l'enfer : *Satan et les démons sont des puissances infernales.* ANT. angélique, céleste. **2.** Qui est très mauvais, digne de l'enfer : *La sorcière était d'une méchanceté infernale.* SYN. diabolique. ANT. divin. **3.** Qui est terrible, qui dépasse la mesure ordinaire : *La coureuse automobile conduit à une allure infernale.* **4.** fam. Qui est insupportable : *Cet enfant gâté est infernal.* ANT. aimable, charmant.

infertile adj. **1.** Qui n'est pas fertile ; qui ne produit pas de végétation utile : *On ne peut pratiquer l'agriculture dans cette région infertile.* SYN. infécond. **2.** fig. Qui ne produit rien : *Tu ne peux inventer une courte histoire ? Quelle imagination infertile !* SYN. infécond, stérile. ANT. fertile. ☞ fertile.

infester v. **1.** Envahir un lieu en grand nombre, en parlant d'animaux ou de plantes nuisibles : *Pendant l'été, les maringouins et les mouches noires infestent les Laurentides.* ANT. fuir, quitter. **2.** Ravager par des actes de violence : *La campagne était peu sûre car les malfaiteurs infestaient les routes.* SYN. attaquer, envahir, piller. ANT. défendre, protéger, respecter. **3.** Envahir un organisme, en parlant de parasites : *La propreté est une bonne façon* *d'empêcher que les poux nous infestent la tête.* **R.** Ne pas confondre avec *infecter*.

infidèle n. et adj.vx **1.** n. Personne qui n'a pas la foi religieuse considérée comme vraie: *Au Moyen Âge, les chrétiens considéraient les musulmans comme des infidèles.* **2.** adj. Qui n'a pas la foi religieuse considérée comme vraie: *Les musulmans ont fait la guerre aux peuples infidèles.* ☞ fidèle.

infidèle adj. **1.** Dont les sentiments changent: *Je me rends compte maintenant que c'était une amie infidèle.* SYN. inconstant. ANT. fidèle. **2.** Qui manque à ses engagements: *Il n'a pas tenu ses promesses, il a été infidèle à sa parole.* SYN. déloyal. ANT. fidèle, honnête, loyal. **3.** Qui est inexact: *Le témoin a fait un récit infidèle de l'accident.* ANT. exact, fidèle. ☞ fidèle.

infidèlement adv. D'une façon infidèle, inexacte: *Tu as rapporté infidèlement mes propos.* SYN. inexactement. ANT. fidèlement. ☞ fidèle.

infidélité n.f. **1.** Manque de fidélité, de constance dans les sentiments: *Elle n'a pas pu lui pardonner son infidélité.* SYN. inconstance. **2.** Manque de loyauté, de fidélité à ses engagements: *L'infidélité à la parole donnée est inexcusable.* SYN. déloyauté, manquement. ANT. honnêteté, sincérité. **3.** Manque d'exactitude: *Il y a beaucoup d'infidélités dans cette traduction.* SYN. erreur, inexactitude. ☞ fidèle.

infid**è**le infid**è**lement infid**é**lité

infiltration n.f. **1.** Action de s'infiltrer; pénétration lente d'un liquide à travers les pores d'un corps solide: *Il y a plusieurs infiltrations d'eau dans les murs du sous-sol.* **2.** Action de pénétrer dans l'esprit de quelqu'un; action de se glisser, de s'introduire quelque part: *L'infiltration de ce gang par des agents de la gendarmerie a permis son démantèlement.* ☞ s'infiltrer.

s'infiltrer v.pron. **1.** Pénétrer peu à peu à travers les interstices d'un corps: *Une fissure a permis à l'eau de s'infiltrer dans le sous-sol.* **2.** Se glisser, s'introduire quelque part sans être remarqué: *Une espionne a réussi à s'infiltrer dans cette ambassade.* SYN. s'introduire. ☞ infiltration.

infime adj. Qui est très petit: *La Terre occupe une partie infime de l'univers.* SYN. minime, minuscule. ANT. immense.

infini n.m. **1.** Ce qui est sans limites ou que l'on suppose sans limites: *L'infini de l'espace m'émerveille.* SYN. immensité. **2.** En mathématiques, quantité qui grandit autant qu'on le veut: *L'infini est représenté par le symbole ∞.* **à l'infini** loc.adv. **1.** Sans fin, sans limites: *Cette droite peut être prolongée à l'infini.* **2.** Indéfiniment: *On pourrait discuter à l'infini des problèmes de pollution. Il vaudrait mieux les résoudre.*

infini, ie adj. **1.** Qui est sans limites: *On dit que l'espace est infini.* SYN. illimité. ANT. limité. **2.** Qui est très grand, qui semble sans limites: *Elle m'a écouté avec une patience infinie.* SYN. immense, incalculable. ANT. limité. ∥ *Ensemble infini:* Ensemble dont le nombre d'éléments est illimité. ☞ infiniment, infinité.

infiniment adv. Extrêmement: *Je vous suis infiniment reconnaissant de m'avoir aidé.* SYN. énormément, immensément. ANT. passablement, peu. ☞ infini.

infinité n.f. **1.** Très grande quantité: *On m'a posé une infinité de questions.* **2.** Caractère de ce qui paraît sans bornes: *L'aumônier nous parle de l'infinité de la bonté divine.* ☞ infini.

infinitif n.m. Nom du verbe qui n'est pas conjugué, qui n'est pas marqué par le nombre ni par la personne: *Dans un dictionnaire, les verbes sont donnés à l'infinitif.*

infinitif, ive adj. Dont le verbe est à l'infinitif: *Certains verbes comme voir, regarder, entendre peuvent être suivis d'une proposition infinitive.*

infirme n. et adj. **1.** n. Personne qui ne jouit pas de toutes ses fonctions physiques: *Cette association vient en aide aux infirmes.* SYN. impotent, invalide. **2.** adj. Qui ne jouit pas de toutes ses fonctions physiques: *Chaque année, des milliers de personnes deviennent infirmes à la suite d'un accident.* SYN. impotent, invalide. ANT. valide. ☞ infirmité.

infirmerie n.f. Local d'une école, d'une entreprise où l'on soigne les personnes atteintes de malaises passagers ou victimes d'accidents sans gravité: *On a transporté l'ouvrière à l'infirmerie de l'usine.* ☞ infirmier.

infirmier, ière n. et adj. **1.** n. Personne dont la profession est de soigner les malades sous la direction des médecins: *L'infirmier a refait le pansement du blessé.* **2.** adj. Qui se rapporte aux infirmiers et aux infirmières, aux soins dispensés: *Le cours en techniques infirmières prévoit un stage en milieu hospitalier.* ☞ infirmerie.

infirmité n.f. État d'une personne qui ne jouit pas de toutes ses fonctions physiques: *Son infirmité ne l'empêche pas d'aller à l'école et de mener une vie normale.* SYN. handicap, impotence, invalidité. ANT. force, santé. ☞ infirme.

inflammable adj. Qui s'enflamme facilement: *L'essence est très inflammable.* ANT. ininflammable. ☞ flamme.

inflammation n.f. Réaction de l'organisme provoquée par des microbes, des produits chimiques, qui se traduit par un gonflement douloureux accompagné de rougeur: *L'otite est une inflammation de l'oreille.* ☞ flamme. ▲ **inflammation** n.f. Action de s'enflammer, en parlant de matières combustibles: *L'inflammation de la nappe de pétrole a été instantanée.* ☞ flamme.

inflation n.f. Phénomène économique caractérisé par une hausse des prix et une dépréciation de la monnaie: *Le gouvernement tente de combattre l'inflation.*

inflexible adj. **1.** Que rien ne peut faire céder, qui résiste aux émotions, aux prières: *Elles ont tout essayé pour la convaincre, mais elle est demeurée inflexible.* SYN. ferme, impitoyable, implacable. ANT. flexible, influençable, souple. **2.** Que rien ne peut ébranler, qui ne cède pas, en parlant de quelque chose: *Sa volonté inflexible lui a permis de passer à travers toutes les difficultés.* SYN. inébranlable. ANT. flexible. ☞ fléchir.

inflexiblement adv. D'une façon inflexible, sans céder: *Il est demeuré inflexiblement attaché à sa première décision.* ☞ fléchir.

infliger v. **1.** Donner, appliquer une peine pour une faute, une infraction: *Le policier lui a infligé une amende pour avoir dépassé la limite de vitesse.* ANT. épargner. **2.** Faire subir quelque chose de pénible: *Elle lui a infligé un affront devant tous les invités.* ANT. épargner. ⁄⁄ *Infliger sa présence:* Imposer sa présence. **R.** Ne pas confondre avec *affliger*.

inflorescence n.f. Manière dont sont groupées les fleurs d'une plante; groupe de fleurs ainsi formé: *Les grappes et les épis sont des types d'inflorescence.*

influençable adj. Qui se laisse facilement influencer, entraîner: *J'espère qu'il a de bons amis car il est influençable.* ANT. inflexible, têtu. **R.** Ne pas oublier la cédille. ☞ influence.

influence n.f. **1.** Action qu'une chose exerce sur quelqu'un ou sur quelque chose: *Plusieurs personnes agissent sous l'influence de la colère.* SYN. effet, emprise. **2.** Action qu'une personne exerce sur une autre: *Martine a beaucoup d'influence sur sa petite sœur.* SYN. ascendant, persuasion. **3.** Pouvoir social ou politique d'une personne qui conduit les autres à se ranger à son avis: *Le ministre a usé de son influence en faveur de l'adoption de ce projet de loi.* SYN. autorité, prestige. **4.** Action morale, intellectuelle: *On sent dans son style l'influence des classiques.* ☞ influençable, influencer, influent, influer.

influencer v. Agir sur, exercer une influence sur quelque chose: *Sa mauvaise conduite a influencé ses camarades.* SYN. entraîner. ☞ influence.

influençable influence influencer

influent, ente adj. Qui a de l'influence, de l'autorité, du pouvoir: *Cette politicienne est très influente.* ☞ influence.

influer v. Exercer sur une personne ou sur une chose une action qui tend à la modifier: *L'éducation que l'on reçoit influe sur le reste de notre vie.* SYN. influencer. ☞ influence.

informateur, trice n. **1.** Personne qui recueille des informations: *Les grandes chaînes de télévision ont des informateurs dans tous les pays du monde.* **2.** Personne qui renseigne les policiers sur les agissements des malfaiteurs: *La police a des informateurs dans tous les milieux.* SYN. indicateur, mouchard. ☞ informer.

informaticien, ienne n. Personne qui est spécialiste en informatique: *L'informaticienne essaie d'améliorer l'efficacité de ce logiciel.* ☞ informatique.

informatif, ive adj. Qui informe, renseigne: *Notre institutrice nous a demandé d'écrire un texte informatif sur les abeilles.* ☞ informer.

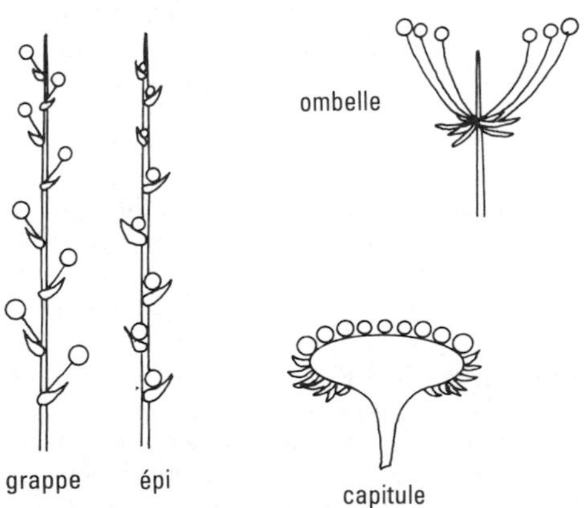

inflorescence

information n.f. **1.** Action de s'informer, de se renseigner: *La première ministre a entrepris un voyage d'information.* **2.** Renseignement qu'on a sur quelqu'un ou sur quelque chose: *Une journaliste a obtenu des informations confidentielles.* **3.** Renseignement, fait, événement porté à la connaissance d'une personne ou du public: *L'annonceure nous a communiqué une information de dernière heure.* SYN. nouvelle. **4.** plur. Émission de radio ou de télévision qui donne les nouvelles du jour: *Mes parents écoutent les informations de 18 heures.* ☞ informer. ▲ **information** n.f. Élément de connaissance qui peut être codé et ensuite conservé, traité ou transmis: *Les ordinateurs servent au traitement de l'information.* ☞ informer.

informatique n.f. et adj. **1.** n.f. Théorie et technique du traitement automatique de l'information à l'aide de programmes mis en œuvre sur ordinateurs: *L'informatique a permis la suppression de certaines opérations longues et fastidieuses.* **2.** adj. Qui se rapporte à cette science et à cette technique: *Un système informatique comprend un ordinateur et les éléments qui lui sont rattachés.* ☞ informaticien, informatisation, informatiser.

informatisation n.f. Action d'informatiser, d'organiser par des méthodes informatiques: *L'informatisation des banques devrait améliorer le service à la clientèle et réduire les erreurs.* ☞ informatique.

informatiser v. Traiter, organiser à l'aide de moyens informatiques: *La commission scolaire a décidé d'informatiser le calcul de la paye.* ☞ informatique.

informe adj. **1.** Qui n'a pas de forme déterminée, reconnaissable: *La bicyclette accidentée n'était plus qu'une masse informe.* **2.** Qui n'est pas suffisamment formé, pensé: *Tu n'oserais pas présenter ce brouillon informe à ton professeur?* SYN. grossier, imparfait. **3.** Qui est laid, en parlant de quelque chose: *Une sculpture informe se dressait devant l'hôtel de ville.* SYN. disgracieux. ANT. gracieux. ☞ forme.

informé, ée adj. Qui a des informations, des renseignements: *Dans les milieux bien informés, on nous assure qu'il y aura des élections avant l'automne.* HOM. informer. ☞ informer.

informer v. **1.** Faire savoir, mettre au courant: *Elle m'a informé de son départ prochain.* SYN. annoncer, apprendre, aviser, prévenir. **2.** Transmettre des informations, renseigner: *Les journalistes ont le devoir d'informer le public.* HOM. informé. ☞ informateur, informatif, information, informé. **s'informer** v.pron. **1.** Se mettre au courant: *Les élèves de la classe se sont informés de ta santé.* SYN. s'enquérir. **2.** Recueillir des renseignements: *Je veux m'informer avant de prendre une décision.*

infortune n.f.litt. Malheur, malchance: *Pour comble d'infortune, elle s'est fait voler son automobile.* ANT. bonheur, chance, fortune. ⁄⁄ *Compagnon d'infortune:* Personne qui supporte les mêmes malheurs. ☞ fortune.

infraction n.f. Violation d'une loi, d'un règlement: *L'automobiliste a commis une infraction au code de la route.* SYN. dérogation, manquement. ANT. observation, respect.

infranchissable adj. **1.** Qu'on ne peut franchir: *Ces murs garnis de barbelés sont infranchissables.* ANT. franchissable. **2.** fig. Qu'on ne peut surmonter: *Il s'est heurté à des difficultés infranchissables.* SYN. insurmontable. ☞ franchir.

infrarouge n.m. et adj. **1.** n.m. Dans le spectre solaire, radiations invisibles comprises entre la lumière visible et les micro-ondes: *L'infrarouge est utilisé pour le chauffage et la photographie aérienne et spatiale.* **2.** adj. Se dit d'une radiation invisible comprise entre la lumière visible et les micro-ondes: *Les rayons infrarouges sont utilisés pour calmer les douleurs rhumatismales.*

infréquentable adj. Qu'on ne peut fréquenter: *Ces enfants mal élevés sont infréquentables.* ANT. fréquentable. ☞ fréquenter.

infroissable adj. Qui ne se froisse pas: *Les vêtements en tissu infroissable sont très pratiques en voyage.* ANT. froissable. ☞ froisser.

infructueux, euse adj. Qui ne donne pas de résultat: *Nous avons fait notre possible, mais nos efforts sont restés infructueux.* SYN. inutile, vain. ANT. fructueux. ☞ fruit.

infus, use adj.litt. Que l'on possède naturellement: *Ce musicien a un talent infus.* SYN. inné, naturel. ANT. acquis. ⁄⁄ *Science infuse:* Science, connaissances qu'Adam avait reçues de Dieu.

infuser v. **1.** Laisser tremper une substance dans un liquide bouillant pour que celui-ci en prenne l'arôme: *Laisse infuser le thé encore un peu avant de le servir.* SYN. macérer. **2.** fig. Communiquer, faire pénétrer: *Tes paroles ont infusé le doute dans mon esprit.* SYN. introduire. ANT. enlever. ☞ infusion. **infusé, ée** p.p. et adj. Qui a pris l'arôme d'une substance trempée dans l'eau bouillante: *On m'a servi une tisane de tilleul bien chaude et bien infusée.*

infusion n.f. **1.** Action de laisser tremper une substance dans l'eau bouillante afin d'en extraire l'arôme: *Les tisanes et le thé se font par infusion.* **2.** Liquide dans lequel on a laissé tremper une plante aromatique: *Rosanne m'a offert une infusion de camomille.* ☞ infuser.

s'ingénier v.pron. S'efforcer, se donner beaucoup de peine pour faire quelque chose: *Quand je lui rends visite, ma marraine s'ingénie à me faire plaisir.* SYN. s'appliquer, s'évertuer. ANT. négliger. ☞ ingénieux.

ingénierie n.f. Ensemble d'études portant sur un projet industriel: *L'ingénierie envisage tous les aspects d'un projet: techniques, économiques, financiers, sociaux.* ☞ ingénieur.

ingénieur n.m. Personne ayant reçu une formation scientifique et technique, qui peut diriger certains travaux et participer à des recherches: *Roseline a obtenu un poste d'ingénieur électricien.* **R.** L'O.L.F. recommande *ingénieure* comme féminin de *ingénieur.* ☞ ingénierie.

ingénieusement adv. D'une façon ingénieuse, habile: *Il a ingénieusement réparé sa bicyclette.* SYN. habilement. ☞ ingénieux.

ingénieux, euse adj. **1.** Qui est habile, qui a l'esprit inventif: *Cette femme ingénieuse trouve toujours des solutions pratiques.* SYN. adroit, astucieux. ANT. malhabile. **2.** Qui marque de l'adresse, de l'imagination: *Un mécanisme ingénieux ouvre et ferme les portes à distance.* ☞ s'ingénier, ingénieusement, ingéniosité.

ingéniosité n.f. **1.** Qualité de quelqu'un qui a l'esprit inventif: *Son ingéniosité lui permet de trouver des solutions à tous les problèmes.* SYN. adresse, habileté. **2.** Caractère de ce qui montre de l'adresse inventive: *Ce mécanisme est une merveille d'ingéniosité.* ☞ ingénieux.

ingérence n.f. Action de s'ingérer, d'intervenir sans en avoir le droit: *Ce pays a averti ses voisins qu'il ne tolérerait pas d'ingérence dans sa politique intérieure.* SYN. intervention, intrusion. ☞ s'ingérer.

ingérer v. Introduire par la bouche: *La malade a ingéré un médicament.* SYN. absorber, avaler. ANT. vomir. ☞ ingestion.

s'ingérer v.pron. Se mêler de quelque chose sans en avoir le droit: *Je vous prierais de ne pas vous ingérer dans nos affaires de famille.* SYN. s'immiscer. ☞ ingérence.

ingestion n.f. Action d'ingérer, d'introduire par la bouche: *Il est préférable de ne pas conduire après l'ingestion de ce médicament.* ☞ ingérer.

ingouvernable adj. Qu'on ne peut gouverner: *Ce groupe contestataire est ingouvernable.* ANT. gouvernable. ☞ gouverner.

ingrat, ate n. et adj. **1.** n. Personne qui n'a pas de reconnaissance: *Quel ingrat! Je lui ai rendu service et il ne m'a pas remercié.* **2.** adj. Qui n'a pas de reconnaissance: *Ces personnes ingrates ne méritent pas qu'on les aide.* ANT. reconnaissant. **3.** adj. Qui ne donne pas satisfaction, qui ne compense pas l'effort, la peine qu'il coûte: *Elle s'épuise à faire un travail ingrat.* SYN. décevant, pénible. ANT. satisfaisant. **4.** adj. Qui est disgracieux: *Un éclatant sourire faisait oublier son visage ingrat.* SYN. désagréable, laid. ANT. avenant, plaisant. // *Âge ingrat:* Période de la puberté. ☞ ingratitude.

ingratitude n.f. Manque de reconnaissance: *Ses bienfaiteurs ne lui ont pas pardonné son ingratitude.* ANT. gratitude. ☞ ingrat.

ingrédient n.m. Élément qui entre dans la composition d'un mélange: *Je ne peux préparer ce mets, il me manque des ingrédients.*

inguérissable adj. Qui ne peut être guéri: *Certaines maladies sont encore inguérissables.* SYN. incurable. ANT. guérissable. **R.** Ne pas oublier le *u* après le *g.* ☞ guérir.

ingurgiter v. **1.** Avaler rapidement et en grande quantité: *Il a failli s'étouffer en ingurgitant trois morceaux de gâteau en cinq minutes.* SYN. engloutir, engouffrer. ANT. régurgiter. **2.** fig. Acquérir beaucoup de connaissances en peu de temps mais sans les intégrer à sa vie intellectuelle: *Il a ingurgité tout le programme juste avant l'examen.*

inhabitable adj. Qui ne peut être habité ou qui l'est difficilement: *Ces vieilles maisons sans confort sont inhabitables.* ANT. habitable. ☞ habiter.

inhabité, ée adj. Qui n'est pas habité: *Depuis la mort de mes parents, la maison familiale est inhabitée.* SYN. inoccupé, vacant. ANT. occupé. ☞ habiter.

inhabituel, elle adj. Qui n'est pas habituel: *Il règne dans la classe un silence inhabituel.* SYN. anormal, inaccoutumé. ANT. normal. ☞ habitude.

inhalation n.f. **1.** Action d'absorber un gaz, une vapeur par les voies respiratoires: *L'inhalation de chloroforme provoque l'anesthésie.* **2.** Aspiration par le nez de vapeurs médicamenteuses qui désinfectent, décongestionnent: *Pour soigner mon rhume, la médecin m'a recommandé de faire des inhalations.* ☞ inhaler.

inhaler v. Absorber un gaz, une vapeur par les voies respiratoires: *On a dû le transporter* *à l'hôpital parce qu'il avait inhalé des vapeurs nocives.* ANT. exhaler. ☞ inhalation.

inhospitalier, ière adj. **1.** Qui n'est pas accueillant: *Ce peuple inhospitalier n'aime pas les touristes.* SYN. farouche, sauvage. ANT. hospitalier. **2.** Qui n'offre pas des conditions favorables à l'être humain, en parlant de quelque chose: *Cette terre désertique, battue par les vents, est vraiment inhospitalière.* ANT. accueillant. ☞ hospitalier.

inhumain, aine adj. **1.** Qui ne semble pas appartenir à un être humain: *Un hurlement inhumain nous glaça d'horreur.* SYN. terrible. **2.** Qui est très pénible: *Travailler par une telle chaleur! C'est inhumain!* **3.** Qui est cruel, sans pitié: *La torture est un traitement inhumain.* SYN. atroce, barbare. ANT. humain. ☞ humain.

inhumainement adv.litt. D'une façon inhumaine, cruelle: *Le réfugié avoue avoir été persécuté et traité inhumainement dans son pays.* SYN. cruellement. ANT. humainement. ☞ humain.

inhumanité n.f.litt. Caractère d'une personne ou d'une chose inhumaine, cruelle: *Pendant les guerres, il se commet toujours des actes d'inhumanité.* SYN. brutalité, cruauté. ANT. humanité. ☞ humain.

inhumation n.f. Enterrement d'un corps humain avec les cérémonies d'usage: *L'inhumation a eu lieu en présence de la famille et des amis du défunt.* SYN. ensevelissement. ANT. déterrement, exhumation. ☞ inhumer.

inhumer v. Enterrer un corps humain avec les cérémonies d'usage: *On l'a inhumée dans le cimetière paroissial.* SYN. ensevelir. ANT. déterrer, exhumer. ☞ exhumation, exhumer, inhumation.

inimaginable adj. Qu'on ne peut imaginer, qui dépasse tout ce qu'on pourrait imaginer: *Marco Polo, ce grand voyageur italien, a vécu des aventures inimaginables.* SYN. inconcevable, incroyable. ANT. imaginable. ☞ imaginer.

inimitable adj. Qui ne peut être imité: *Cette grande pianiste a un style inimitable.* ANT. imitable. ☞ imiter.

inimitié n.f. Hostilité, haine: *Son caractère arrogant lui a valu l'inimitié de ses camarades.* SYN. animosité, aversion. ANT. affection, amitié, sympathie.

ininflammable adj. Qui ne peut s'enflammer: *Ces jouets d'enfants sont faits de matériaux ininflammables.* ANT. inflammable. ☞ flamme.

inintelligence n.f. Manque d'intelligence, de compréhension: *On a fait preuve d'inintelligence en partant malgré la tempête.* SYN. stupidité. ☞ intelligence.

inintelligent, ente adj. Qui manque d'intelligence, de compréhension: *Il ne comprend jamais rien: il est vraiment inintelligent.* SYN. stupide. ANT. intelligent. ☞ intelligence.

inintelligible adj. **1.** Qu'on ne peut comprendre, dont le sens échappe à l'intelligence: *L'oratrice a prononcé un discours inintelligible.* SYN. incompréhensible, obscur. ANT. intelligible. **2.** Qu'on ne peut entendre distinctement, en parlant d'une voix: *À cause de son mal de gorge, sa voix est inintelligible.* ☞ intelligible.

inintéressant, ante adj. Qui n'offre aucun intérêt: *Ce film inintéressant n'est pas resté longtemps à l'affiche.* ANT. intéressant. ☞ intérêt.

ininterrompu, ue adj. Qui est continu: *Une file ininterrompue de voitures suivait la limousine des mariés.* SYN. incessant. ANT. discontinu. ☞ interrompre.

initial, ale, aux adj. **1.** Qui est au début de quelque chose: *Les architectes ont dû modifier les plans initiaux.* SYN. original. ANT. final. **2.** Qui commence un mot: *Dans le mot « autobus », la lettre initiale est « a ».* ANT. dernier, final. HOM. initiale. **R.** Le *t* se prononce *ss.* ☞ initiale, initialement.

initiale n.f. Première lettre d'un nom propre: *Après avoir lu la lettre, la présidente l'a signée de ses initiales.* HOM. initial. **R.** Le *t* se prononce *ss.* ☞ initial.

initialement adv. Au début: *Initialement, nous voulions passer nos vacances en Gaspésie.* **R.** Le *t* se prononce *ss.* ☞ initial.

initiation n.f. **1.** Action d'enseigner ou de commencer à apprendre les premières notions d'un art, d'une science, d'une activité: *On leur a donné des cours d'initiation à l'informatique.* SYN. apprentissage, entraînement. **2.** Cérémonie d'accueil dans un groupe, une société secrète: *Quand ils entrent à l'université, les nouveaux étudiants doivent se soumettre à des rites d'initiation.* **R.** Les *t* se prononcent *ss.* ☞ initier.

initiative n.f. **1.** Action de quelqu'un qui propose ou organise le premier quelque chose: *Elle a pris l'initiative d'organiser cette fête.* SYN. décision. **2.** Qualité d'une personne qui n'a pas peur d'entreprendre, d'oser: *Pour obtenir ce poste, les candidats devront faire preuve d'initiative.* **R.** Les lettres *tia* se prononcent *ssia.*

initié, ée n. Personne qui connaît bien un art, une spécialité, une question: *Ce livre de* *poésie ne s'adresse qu'aux initiés.* ANT. profane. HOM. initier. **R.** Le *t* se prononce *ss.* ☞ initier.

initier v. **1.** Enseigner les notions élémentaires d'un art, d'une science, d'une activité: *Mes parents m'ont initié très jeune aux échecs.* **2.** Admettre au sein d'un groupe, d'une société secrète: *Dans cette secte, un prêtre est chargé d'initier les fidèles.* HOM. initié. **R.** Le *t* se prononce *ss.* ☞ initiation, initié. **s'initier** v.pron. Commencer à apprendre les premières notions d'un art, d'une science, d'une activité: *Valérie s'est initiée à la planche à voile pendant ses vacances.* SYN. s'instruire.

injectable adj. Qui doit être administré par injection: *Cette solution injectable sera administrée au malade.* ☞ injecter.

injecter v. **1.** Introduire un liquide dans un corps: *On lui a injecté du sérum dans les veines.* **2.** Faire pénétrer un liquide par pression dans un matériau: *Des ouvrières ont injecté du ciment dans les murs du sous-sol.* SYN. introduire. **3.** Fournir de l'argent en très grande quantité à une entreprise, à un secteur de l'économie: *Le gouvernement injectera plusieurs millions dans l'économie de cette région.* ☞ injectable, injection.

injection n.f. **1.** Introduction d'un liquide dans un corps à l'aide d'une seringue ou d'un autre instrument: *L'infirmier lui a fait une injection intraveineuse.* SYN. piqûre. **2.** Produit que l'on introduit dans l'organisme: *Ces ampoules contiennent plusieurs injections de pénicilline.* **3.** Pénétration d'un liquide par pression dans un matériau: *Le bois sera préservé par une injection de créosote.* **4.** Apport massif d'argent dans une activité, une entreprise: *L'injection de plusieurs milliers de dollars empêchera la fermeture de cette usine.* ⁄⁄ *Moteur à injection:* Moteur dont l'alimentation en carburant est assurée par un dispositif souvent électronique. **R.** Ne pas confondre avec *injonction.* ☞ injecter.

injonction n.f. Ordre d'obéir sous peine de sanctions: *La juge a émis une injonction ordonnant aux travailleurs de retourner immédiatement au travail.* SYN. sommation. **R.** Ne pas confondre avec *injection.*

injouable adj. Se dit d'une œuvre dramatique qui ne peut être jouée, interprétée: *La pièce est injouable avec la scène dont nous disposons.* ANT. jouable. ☞ jouer.

injure n.f. **1.** Parole blessante, offensante: *Il accablait son ennemie d'injures.* SYN. insulte. ANT. compliment, louange. **2.** litt. Affront, offense grave: *Elle m'a fait l'injure de ne pas m'inviter à son mariage.* SYN. outrage. ⁄⁄ *Faire injure à quelqu'un:* Offenser quelqu'un. ☞ injurier, injurieux.

injurier v. Offenser par des paroles blessantes: *Elle m'a injurié en me traitant de voleur.* SYN. insulter. ANT. complimenter, louer. ☞ injure.

injurieux, euse adj. Qui est blessant, offensant: *Vous pourriez regretter vos paroles injurieuses.* SYN. insultant. ANT. élogieux, respectueux. ☞ injure.

injuste n.m. et adj. **1.** n.m. Ce qui est contraire à la justice: *Il n'est pas toujours facile de faire la différence entre le juste et l'injuste.* ANT. juste. **2.** adj. Qui est contraire à la justice: *Cette punition est injuste.* SYN. arbitraire, immérité. ANT. équitable. **3.** adj. Qui n'agit pas avec justice: *Le professeur a été injuste avec Caroline.* SYN. partial. ANT. juste. ☞ juste.

injustement adv. D'une façon injuste, contraire à la justice: *Samuel a été injustement puni.* ANT. justement. ☞ juste.

injustice n.f. **1.** Manque de justice: *Il faudrait se révolter davantage contre l'injustice.* ANT. équité. **2.** Action, décision injuste: *Elle a été victime d'une terrible injustice.* ☞ juste.

injustifiable adj. Qu'on ne peut justifier, défendre: *Votre conduite est injustifiable.* SYN. indéfendable, inexcusable. ANT. défendable, excusable, justifiable. ☞ justifier.

injustifié, ée adj. Qui n'est pas justifié, motivé: *Vos nombreuses absences sont injustifiées.* ☞ justifier.

inlassable adj. Qui ne se fatigue pas: *Avec une patience inlassable, il a recommencé ses explications.* SYN. infatigable. ☞ las.

inlassablement adv. D'une manière inlassable, sans se fatiguer: *Mes parents me répètent inlassablement d'être prudente.* SYN. infatigablement. ☞ las.

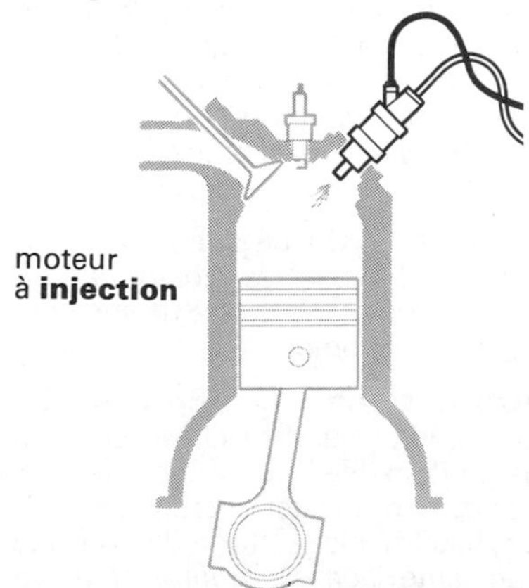

moteur à **injection**

inné, ée adj. Que l'on a dès la naissance: *Mozart avait un don inné pour la musique.* SYN. infus, naturel. ANT. acquis.

innocemment adv. Sans vouloir mal faire: *Il a innocemment ouvert la porte de la cage et le canari s'est échappé.* **R.** Les lettres *emment* se prononcent *amment.* ☞ innocent.

innocence n.f. **1.** État d'une personne qui n'est pas coupable: *Après un long procès, son innocence a été reconnue.* ANT. culpabilité. **2.** État d'une personne qui ignore le mal, qui est sans malice: *J'envie l'innocence des petits enfants.* SYN. candeur, pureté. **3.** État d'une personne qui est trop naïve, trop crédule: *Ce filou a abusé de l'innocence de sa victime.* SYN. crédulité, naïveté. ANT. malice. ⁄⁄ *En toute innocence:* En toute simplicité. ☞ innocent.

innocent, ente n. et adj. **1.** n. Personne qui n'est pas coupable: *Réfléchissez bien! Vous pourriez condamner un innocent.* **2.** n. Personne qui est trop naïve, trop crédule: *Il croit tout ce qu'on lui dit, le pauvre innocent!* **3.** adj. Qui n'est pas coupable: *Le jury a reconnu qu'elle était innocente du crime dont on l'accusait.* **4.** adj. Qui est trop naïf, trop crédule: *Y a-t-il des gens assez innocents pour croire de telles superstitions?* ANT. averti, rusé. **5.** adj. Qui ignore le mal, qui est sans malice: *Les petits enfants ont une âme innocente.* SYN. candide, pur. ANT. impur, malfaisant. **6.** adj. Qui subit quelque chose sans en être responsable: *La fusillade a fait d'innocentes victimes.* **7.** adj. Qui n'est pas blâmable, répréhensible: *Elles s'amusent à des jeux bien innocents.* ⁄⁄ *Faire l'innocent:* Prendre la contenance de celui qui n'est pas coupable. ☞ innocemment, innocence, innocenter.

innocenter v. **1.** Déclarer quelqu'un non coupable: *Le juge l'a innocenté faute de preuves.* SYN. disculper. ANT. accuser, condamner, inculper. **2.** Prouver l'innocence de quelqu'un: *Ce témoignage a innocenté l'accusée.* SYN. réhabiliter. ANT. condamner. **3.** Excuser, justifier: *Quelle que soit sa conduite, ses parents l'innocentent toujours.* SYN. absoudre, pardonner. ANT. blâmer, reprocher. ☞ innocent.

innombrable adj. Qui ne peut se compter, qui est très nombreux: *Des étoiles innombrables brillaient dans le ciel.* SYN. incalculable. ANT. rare. ☞ nombre.

innovateur, trice n. et adj. **1.** n. Personne qui introduit quelque chose de nouveau dans un domaine: *La société a besoin d'innovateurs.* SYN. créateur, promoteur. **2.** adj. Qui introduit quelque chose de nouveau dans un domaine: *Son esprit innovateur lui sera très utile dans l'industrie.* SYN. créateur. ANT. routinier. ☞ innover.

innovation n.f. **1.** Action d'introduire quelque chose de nouveau dans un domaine: *L'innovation dans le domaine de la mode demande beaucoup de créativité.* SYN. changement. ANT. coutume, routine, tradition. **2.** Nouveauté introduite: *Cette revue nous renseigne sur les dernières innovations techniques.* SYN. création, découverte, invention. ☞ innover.

innover v. Introduire quelque chose de nouveau dans un domaine: *Cette jeune peintre innove en art.* SYN. changer, créer, inventer. ANT. conserver, copier, imiter. ☞ innovateur, innovation.

inobservable adj. **1.** Qui ne peut être observé: *L'éclipse sera inobservable dans cette région.* ANT. observable. **2.** Qui ne peut être exécuté: *Vos ordres sont inobservables.* ☞ observer.

inoccupé, ée adj. **1.** Qui est vide, vacant; où il n'y a personne: *Ce logement est inoccupé depuis un mois.* SYN. inhabité. ANT. habité, occupé. **2.** Qui ne fait rien, qui n'a pas d'occupation: *Rose est une fille active: elle déteste être inoccupée.* SYN. désœuvré, oisif. ANT. actif, affairé, occupé. ☞ occuper.

inoculation n.f. Introduction dans l'organisme des germes d'une maladie: *L'inoculation peut être volontaire, par un vaccin, ou accidentelle, par une blessure.* SYN. vaccination. ☞ inoculer.

inoculer v. **1.** Introduire dans l'organisme par inoculation les germes d'une maladie: *On a inoculé au cobaye un produit que l'on croit cancérigène et on observe sa réaction.* SYN. vacciner. **2.** fig. Communiquer, transmettre un sentiment, une idée: *Elle lui a inoculé la passion du jeu.* ☞ inoculation.

inodore adj. Qui est sans odeur: *Ces fleurs inodores ne m'intéressent pas.* ANT. odorant. ☞ odeur.

inoffensif, ive adj. **1.** Qui ne fait de mal à personne, qui n'est pas dangereux: *Danny m'assure que son chien est inoffensif.* ANT. nuisible. **2.** Qui ne présente aucun danger: *Ce remède fait à partir de produits naturels est inoffensif.* SYN. anodin. ANT. dangereux.

inondable adj. Qui peut être inondé, recouvert par les eaux: *Il est souvent interdit de construire une maison dans une zone inondable.* ☞ inonder.

inondation n.f. **1.** Débordement des eaux qui recouvrent le terrain environnant: *L'inondation a été causée par des pluies abon-*

dantes. ANT. assèchement. **2.** Eaux qui recouvrent un lieu, un terrain: *L'inondation couvre toutes les terres situées le long de la rivière.* **3.** Grande quantité d'eau dans un local: *Quand il fait sa toilette, il y a toujours une inondation dans la salle de bain.* **4.** fig. Arrivée massive de quelque chose: *C'est une inondation de produits étrangers.* SYN. invasion. ☞ inonder.

inondé, ée n. et adj. **1.** n. Personne qui a subi une inondation: *Les inondés recevront de l'aide du gouvernement.* **2.** adj. Qui a subi une inondation: *Les personnes inondées ont subi de lourdes pertes.* **3.** adj. Qui est recouvert d'eau: *On circulait en chaloupe dans les rues inondées.* HOM. inonder. ☞ inonder.

inonder v. **1.** Recouvrir d'eau un lieu, un terrain: *La rivière Chaudière a inondé les terres avoisinantes.* SYN. submerger. ANT. assécher. **2.** Mouiller en abondance: *Tu as encore inondé la salle de bain.* **3.** Envahir: *Une foule nombreuse a inondé le parc Lafontaine.* **4.** fig. Remplir: *La joie inondait son cœur.* HOM. inondé. ☞ inondable, inondation, inondé.

inopérable adj. Qui ne peut être opéré: *Tant qu'elle n'aura pas repris des forces, cette malade sera inopérable.* ANT. opérable. ☞ opérer.

inopérant, ante adj. Qui est sans effet: *Ce remède est resté inopérant.* SYN. inefficace. ANT. efficace, opérant. ☞ opérer.

inopiné, ée adj. Qui arrive alors qu'on ne s'y attend pas: *L'arrivée inopinée des propriétaires a dérangé la cambrioleuse.* SYN. imprévu, inattendu. ANT. attendu. ☞ inopinément.

inopinément adv. À l'improviste: *Mes amies sont arrivées inopinément.* ☞ inopiné.

inopportun, une adj. Qui arrive à un moment qui ne convient pas: *Votre demande est inopportune.* SYN. déplacé, importun. ANT. opportun. ☞ opportun.

inorganisable adj. Qu'on ne peut organiser: *La conférence de presse était inorganisable.* ANT. organisable. ☞ organiser.

inoubliable adj. Qu'on ne peut oublier, dont on garde le souvenir: *Elles ont fait un voyage inoubliable.* SYN. mémorable. ☞ oubli.

inouï, ïe adj. Qui est extraordinaire, incroyable: *Les deux trains se sont heurtés avec une violence inouïe.* SYN. étonnant. ANT. commun, ordinaire. **R.** Ne pas oublier le tréma: *ï*.

inoxydable n.m. et adj. **1.** n.m. Métal qui ne rouille pas, qui ne s'oxyde pas: *Ces couverts sont en inoxydable.* **2.** adj. Qui ne rouille pas, qui ne s'oxyde pas: *J'ai acheté une casserole en acier inoxydable.* ANT. oxydable. **R.** Le *x* se prononce *ks*. ☞ oxyde.

input ☞ sect. anglicismes et canadianismes.

inqualifiable adj. Qui est si blâmable qu'on manque de mots pour le qualifier: *Sa conduite inqualifiable a choqué tous ses camarades.* SYN. indigne. ANT. digne. ☞ qualifier.

inquiet, ète n. et adj. **1.** n. Personne qui éprouve de la crainte, de l'incertitude, de l'anxiété: *Il vit dans la crainte: c'est un éternel inquiet.* SYN. anxieux. ANT. insouciant. **2.** adj. Qui éprouve de la crainte, de l'incertitude, de l'anxiété: *Tes parents sont inquiets quand tu rentres en retard.* SYN. anxieux, soucieux, tourmenté. ANT. calme, insouciant, tranquille. **3.** adj. Qui marque la crainte, l'incertitude, l'anxiété: *Son air inquiet démentait ses paroles optimistes.* SYN. préoccupé, soucieux. ANT. confiant, serein. ☞ inquiétant, inquiéter, inquiétude.

inquiétant, ante adj. Qui cause de l'inquiétude, de l'anxiété: *Je trouve que la situation est inquiétante.* SYN. alarmant, angoissant. ANT. apaisant, calmant, rassurant. ☞ inquiet.

inquiéter v. **1.** Rendre inquiet, anxieux: *Son retard m'inquiète.* SYN. alarmer, tourmenter, tracasser. ANT. calmer, rassurer, tranquilliser. **2.** Harceler, menacer d'une sanction: *Les douaniers ne m'ont pas inquiétée quand j'ai traversé la frontière.* ☞ inquiet. **s'inquiéter** v.pron. **1.** Se faire du souci, s'alarmer: *Je vous assure qu'il n'y a pas de quoi s'inquiéter.* SYN. se soucier, se tracasser. ANT. se calmer, se tranquilliser. **2.** Prendre soin, s'informer de quelque chose: *Nul ne s'inquiétait de savoir si je voulais jouer.* SYN. se préoccuper.

inquiétude n.f. **1.** État pénible causé par la crainte, l'incertitude, l'indécision: *Il ressent une vive inquiétude en traversant ce vieux pont branlant.* SYN. affolement, angoisse, anxiété. ANT. calme, paix, tranquillité. **2.** Crainte, souci: *J'ai des inquiétudes au sujet de mon examen.* SYN. peur. ☞ inquiet.

inquiet inqui**é**tant inqui**é**ter inqui**é**tude

insaisissable adj. **1.** Qu'on ne peut attraper: *Les policiers lancent un avis de recherche pour capturer ce fugitif insaisissable.* **2.** Qu'on ne peut comprendre, percevoir nettement: *Ces jumelles se ressemblent tellement que la* *différence est insaisissable.* SYN. imperceptible, insensible. ANT. saisissable, sensible. **3.** Qui ne peut être saisi par la justice : *Une partie de son salaire est insaisissable.* ANT. saisissable. ☞ saisir.

insalubre adj. Qui n'est pas favorable à la santé : *On devrait interdire la location des logements insalubres.* SYN. malsain. ANT. salubre. ☞ salubre.

insalubrité n.f. État de ce qui n'est pas favorable à la santé : *Cette région est inhabitable à cause de l'insalubrité du climat.* ANT. salubrité. ☞ salubre.

insanité n.f. **1.** Caractère de ce qui est déraisonnable, de ce qui manque de bon sens : *L'insanité de ses remarques nous a tous déconcertés.* SYN. déraison, folie. ANT. sagesse. **2.** Action, parole déraisonnable, insensée : *Comment peut-on dire de telles insanités?* SYN. bêtise, sottise, stupidité.

insatiable adj. **1.** Qui ne peut être rassasié, qui reste affamé : *Elle mange sans arrêt! On dirait qu'elle est insatiable.* **2.** Qu'on ne peut satisfaire : *La curiosité de cette chercheuse est insatiable.* SYN. insatisfait. ANT. satisfait. **R.** Le *t* se prononce *ss*.

insatisfaction n.f. État d'une personne qui n'est pas satisfaite, qui n'a pas ce qu'elle veut : *La cliente déçue a manifesté son insatisfaction.* SYN. mécontentement. ANT. contentement, satisfaction. ☞ satisfaire.

insatisfait, aite n. et adj. **1.** n. Personne qui n'est pas satisfaite, qui n'a pas ce qu'elle veut : *Cet éternel insatisfait exige trop de la vie, de son entourage.* SYN. mécontent. **2.** adj. Qui n'est pas satisfait, qui n'a pas ce qu'il veut : *Elle est insatisfaite de son travail.* SYN. mécontent. ANT. content, ravi. **3.** adj. Qui n'a pas été satisfait, assouvi : *Ma curiosité est restée insatisfaite.* SYN. inassouvi. ☞ satisfaire.

inscription n.f. **1.** Action d'inscrire, d'enregistrer quelqu'un ou quelque chose sur une liste : *C'est en février que se font les inscriptions des enfants à la maternelle.* SYN. enregistrement. **2.** Ensemble des caractères gravés sur une matière dure afin de conserver le souvenir de quelque chose : *Sur ce vieux monument, l'inscription était à peine lisible.* **3.** Ce qui est écrit quelque part : *Les murs du métro sont couverts d'inscriptions.* SYN. graffiti. **4.** Renseignement, courte indication écrite : *As-tu lu l'inscription sur ce poteau indicateur?* ☞ inscrire.

inscrire v. **1.** Écrire, noter ce qu'on ne veut pas oublier : *Pierre a inscrit les numéros de téléphone de ses amis sur son carnet.* **2.** Mettre sur une liste : *Les parents doivent inscrire leurs enfants à l'école.* **3.** Écrire, graver sur une matière dure : *Les amoureux inscrivent leurs initiales sur le tronc des arbres.* **4.** Tracer dans l'intérieur d'une figure une autre figure : *L'institutrice m'a demandé d'inscrire un triangle dans un cercle.* ☞ inscription, inscrit, réinscription, réinscrire. **s'inscrire** v.pron. **1.** Mettre ou faire mettre son nom sur un registre, une liste : *Le voyageur s'est inscrit à l'hôtel sous un faux nom.* SYN. s'enregistrer. **2.** Se faire admettre dans un établissement, un parti, un groupe : *Gilles veut s'inscrire au cours de yoga.* **3.** fig. Prendre place, se situer : *Ce projet s'inscrit dans le cadre d'une vaste recherche sur les batraciens.* SYN. s'insérer. **inscrit, ite** p.p. et adj. **1.** Dont le nom est mis sur une liste : *Toutes les personnes inscrites au cours de poterie doivent se présenter demain soir.* **2.** Dont les sommets touchent à la circonférence et dont les côtés sont à l'intérieur du cercle, en parlant d'un polygone : *Ce carré est inscrit dans un cercle.* // *Angle inscrit :* Angle dont le sommet se trouve sur une circonférence coupée par les côtés. *Cercle inscrit dans un polygone :* Cercle qui touche à chaque côté du polygone.

inscrit, ite n. Personne dont le nom est écrit dans la liste d'un groupe qui est reconnu par la loi : *Aux dernières élections, plusieurs inscrits n'ont pas voté.* ☞ inscrire.

insecte n.m. Petit animal invertébré qui subit des métamorphoses, dont le corps séparé en trois parties est muni de six pattes et le plus souvent d'ailes : *On dit qu'il y a plus d'un million d'espèces d'insectes.* ☞ insecticide, insectivore, insectivores.

insecticide n.m. et adj. **1.** n.m. Produit utilisé pour détruire les insectes : *L'agricultrice a répandu de l'insecticide sur ses champs de légumes.* **2.** adj. Qui détruit les insectes : *Cette poudre insecticide tue les pucerons, les fourmis et les chenilles.* ☞ insecte.

insectivore adj. Qui se nourrit surtout d'insectes : *Le lézard et l'hirondelle sont des animaux insectivores.* ☞ insecte.

insectivores n.m.plur. Ordre de mammifères qui se nourrissent surtout d'insectes : *Le hérisson, la taupe et la musaraigne sont des insectivores.* **R.** S'écrit au singulier lorsqu'il désigne un animal appartenant à cet ordre. ☞ insecte.

insécurité n.f. **1.** Manque de sécurité, de tranquillité d'esprit : *Ces réfugiés politiques vivent dans l'insécurité.* **2.** Caractère de ce qui est peu sûr, de ce qui présente un danger : *L'insécurité de la région fait fuir les touristes.* ANT. sécurité. ☞ sécurité.

insémination n.f. Introduction de sperme dans les voies génitales femelles : *L'insémination artificielle est une technique de fécondation très utilisée dans l'élevage des bovins.* ☞ inséminer.

inséminer v. Féconder par l'insémination artificielle, technique qui permet d'introduire dans les voies génitales femelles du sperme prélevé sur un mâle : *Le médecin a inséminé cette femme qui ne pouvait concevoir naturellement.* ☞ insémination.

insensé, ée n. et adj. **1.** n.vx Personne qui a perdu la raison : *Cette insensée croyait qu'elle pouvait s'envoler comme les oiseaux.* SYN. fou. **2.** adj.vx Qui a perdu la raison : *Cet homme insensé voyait des microbes partout.* SYN. fou. ANT. raisonnable. **3.** adj. Qui est contraire au bon sens : *Ton projet est insensé.* SYN. absurde, ridicule. ANT. sensé. ☞ sens.

insensibiliser v. Rendre insensible à la douleur : *La dentiste a insensibilisé le nerf avant d'extraire la dent.* SYN. anesthésier, engourdir. ☞ sensible.

insensibilité n.f. **1.** Absence de sensibilité physique, sorte d'engourdissement d'un nerf, d'un organe, du corps qui fait qu'on ne ressent pas de sensations : *Avec l'anesthésie, on obtient l'insensibilité à la douleur.* **2.** Indifférence, absence de sentiment : *Je ne peux pas comprendre ton insensibilité devant la souffrance des autres.* SYN. détachement, froideur. ANT. compassion, sensibilité. ☞ sensible.

insensible adj. **1.** Qui ne ressent pas les sensations habituelles, normales : *Ses mains sont insensibles au froid.* ANT. sensible. **2.** Qui est indifférent, qui éprouve peu de sentiments, peu d'émotions : *Elle est restée insensible à nos supplications.* SYN. froid. ANT. impressionnable, sensible. ☞ sensible. ▲ **insensible** adj. **1.** Qui est difficile à remarquer, à percevoir : *Le pouls de ce malade est insensible.* SYN. imperceptible. ANT. notable, perceptible. **2.** Qui est peu important mais régulier et continu : *Le passage insensible d'un ton à un autre faisait du tableau un chef-d'œuvre.* ☞ sensible.

insensiblement adv. Peu à peu : *Dès le mois de janvier, les jours allongent insensiblement.* SYN. graduellement. ☞ sensible.

inséparable n. et adj. **1.** n. Personne qui est toujours avec une autre : *Anne et Guylaine sont deux inséparables.* **2.** adj. Qui est toujours avec quelqu'un : *Ces deux amis sont inséparables.* **3.** adj. Qu'on ne peut séparer, en parlant de quelque chose : *Le dépérissement des forêts du Québec est inséparable du problème de la pollution.* ANT. séparable. ☞ séparer.

inséparablement adv. D'une façon inséparable : *Ces deux pièces sont inséparablement unies.* ☞ séparer.

insérable adj. Qu'on peut insérer, introduire dans quelque chose : *Ce paragraphe est facilement insérable dans ton texte.* ☞ insérer.

insérer v. **1.** Introduire, placer parmi d'autres choses : *L'assureur a inséré une nouvelle clause dans notre contrat.* SYN. ajouter, annexer, incorporer. ANT. retrancher. **2.** Mettre dans, faire entrer : *Mon travail consiste à insérer ces billets dans les enveloppes.* SYN. ajouter, incorporer. ANT. ôter, retirer. ☞ insérable, insertion, réinsérer, réinsertion. **s'insérer** v.pron. **1.** S'attacher à quelque chose : *Les muscles s'insèrent sur les os.* **2.** S'intégrer : *La nouvelle élève n'a pas eu de difficulté à s'insérer parmi les autres.* **3.** Prendre place, se rattacher : *Ce règlement s'insère dans une politique de protection de l'environnement.* SYN. s'inscrire.

insertion n.f. **1.** Introduction d'une chose dans une autre de façon qu'elle en fasse partie : *L'insertion d'une annonce dans le journal a été très profitable pour notre commerce.* **2.** Fait de s'attacher sur quelque chose ; mode d'attache d'un organe sur un autre : *Le botaniste observe l'insertion des feuilles de l'érable sur la tige.* **3.** Intégration d'une personne ou d'un groupe dans un milieu social différent : *L'insertion de Mathieu dans sa nouvelle école s'est faite sans problème.* ☞ insérer.

insidieux, euse adj. **1.** Qui constitue un piège, qui tend à tromper : *L'avocate procédait de manière habile mais insidieuse.* SYN. trompeur. ANT. droit, honnête. **2.** Qui est plus grave qu'il ne paraît au début, en parlant d'une maladie : *Une maladie insidieuse la minait et lui prenait son énergie.* SYN. sournois.

insigne n.m. **1.** Marque distinctive d'un grade, d'une fonction : *Ce militaire porte un insigne de lieutenant.* SYN. décoration, emblème. **2.** Signe distinctif des membres d'un groupe : *Michelle porte l'insigne de son club sportif.* SYN. badge.

insigne adj.litt. Qui est remarquable : *On lui a fait un honneur insigne en lui décernant cette décoration.* ANT. insignifiant, ordinaire.

insignifiance n.f. Caractère de ce qui est sans importance, sans valeur, sans intérêt : *Je ne m'habituerai jamais à l'insignifiance de leurs conversations.* SYN. médiocrité. ☞ insignifiant.

insignifiant, ante adj. **1.** Qui a peu d'importance, peu de valeur, peu d'intérêt : *Ne t'ar-*

rête pas à ces détails insignifiants. SYN. infime, négligeable. ANT. important, intéressant. **2.** Qui manque de personnalité : *Ce garçon est insignifiant.* SYN. quelconque. ANT. remarquable. ☞ insignifiance.

insinuation n.f. Ce qu'on laisse entendre sans le dire clairement : *Tes insinuations lui ont fait beaucoup de tort.* SYN. allusion, sous-entendu. ☞ insinuer.

insinuer v. Laisser entendre d'une manière détournée sans dire clairement : *On a insinué que tu avais triché aux examens.* SYN. suggérer. ☞ insinuation.

s'insinuer v.pron. **1.** vx Pénétrer doucement : *L'eau s'insinuait dans les fissures du plancher.* SYN. s'infiltrer. **2.** litt. Pénétrer peu à peu : *Le doute s'est insinué dans mon esprit.* **3.** S'introduire habilement quelque part, auprès de quelqu'un : *Déborah voudrait bien s'insinuer dans notre groupe.* SYN. se faufiler, se glisser. ⁄⁄ *S'insinuer dans les bonnes grâces, dans la confiance de quelqu'un :* Réussir à obtenir les bonnes grâces, la confiance de quelqu'un.

insipide adj. **1.** Qui n'a pas de goût, de saveur : *On nous a servi une nourriture insipide.* SYN. fade. ANT. savoureux. **2.** fig. Qui est sans intérêt, sans agrément : *Cette conversation insipide m'a beaucoup ennuyée.* SYN. ennuyeux. ANT. divertissant, intéressant.

insistance n.f. Action de demander quelque chose avec ténacité, avec persévérance : *Valérie a réclamé son jouet avec insistance.* SYN. obstination. ⁄⁄ *Regarder quelqu'un avec insistance :* Regarder quelqu'un avec indiscrétion. ☞ insister.

insistant, ante adj. Qui insiste, qui montre de la ténacité, de la persévérance : *Émile m'a suppliée d'un ton insistant.* SYN. pressant. ☞ insister.

insister v. **1.** Demander quelque chose avec ténacité, avec persévérance : *Il a insisté pour que sa fille soit inscrite à notre école.* SYN. réclamer. **2.** Mettre l'accent sur, souligner quelque chose avec force : *L'institutrice insiste beaucoup sur les règles de grammaire.* **3.** fam. Persister, continuer de faire : *J'avais commencé à jouer au tennis mais, vu ma maladresse, je n'ai pas insisté.* SYN. persévérer. ANT. renoncer. ☞ insistance, insistant.

insociable adj. Qui n'aime pas la vie en société, qui ne recherche pas la compagnie des autres : *Elle est devenue très insociable depuis la mort de son mari.* SYN. farouche, sauvage. ANT. accommodant, aimable, sociable. ☞ sociable.

insolation n.f. Malaise assez grave causé par l'exposition prolongée au soleil : *Le baigneur a attrapé une insolation.*

insolemment adv. D'une manière insolente, effrontée : *Tu as répondu insolemment à cette personne.* **R.** Les lettres *emment* se prononcent *amment.* ☞ insolent.

insolence n.f. **1.** Manque de respect, effronterie : *Son insolence est insupportable.* SYN. arrogance, irrespect. ANT. déférence, politesse. **2.** Parole, action insolente, insultante : *L'instituteur l'a avertie qu'il ne supporterait pas ses insolences.* SYN. impertinence, injure, insulte. ☞ insolent.

insolent, ente n. et adj. **1.** n. Personne dont le manque de respect est insultant : *Cet insolent a dû s'excuser publiquement.* SYN. effronté. **2.** adj. Dont le manque de respect est insultant : *Cet élève insolent mériterait une bonne punition.* SYN. grossier, impertinent, impoli. ANT. poli, respectueux. **3.** adj. Qui montre un manque de respect insultant : *Elle a répondu à sa mère d'un ton insolent.* SYN. impertinent. **4.** adj. Qui, à cause de son caractère extraordinaire, apparaît comme un défi, une provocation pour les autres personnes : *Christian a une chance insolente.* SYN. indécent, inouï. ANT. ordinaire. ☞ insolemment, insolence.

insolite n.m. et adj. **1.** n.m. Ce qui surprend par son caractère bizarre, étrange et contraire aux habitudes : *L'insolite et les histoires fantastiques sont inséparables.* **2.** adj. Qui est bizarre, étrange, contraire aux habitudes et qui surprend : *Son habillement est plutôt insolite pour cette saison.* SYN. inaccoutumé, inhabituel. ANT. accoutumé, familier, normal.

insoluble adj. **1.** Qui ne peut se dissoudre, se désagréger : *L'huile et la résine sont insolubles dans l'eau.* ANT. soluble. **2.** Qu'on ne peut résoudre : *C'est un problème insoluble.* ANT. soluble. ☞ solution.

insolvable adj. Qui ne peut payer ses dettes : *Cet homme est insolvable et la banque ne peut lui consentir un prêt.* ANT. solvable. ☞ solvable.

insomniaque n. et adj. **1.** n. Personne qui souffre d'insomnie, qui a de la difficulté à s'endormir ou à dormir suffisamment : *Maman est une insomniaque.* **2.** adj. Qui souffre d'insomnie, qui a de la difficulté à s'endormir ou à dormir suffisamment : *Les personnes insomniaques sont souvent très nerveuses et irritables.* ☞ insomnie.

insomnie n.f. Difficulté à s'endormir ou à dormir suffisamment : *Quand Serge est nerveux, il a des insomnies.* ☞ insomniaque.

insondable adj. **1.** Dont on ne peut toucher le fond: *Nul ne sait ce qui vit dans les fonds insondables de la mer.* **2.** fig. Qu'on ne peut comprendre, expliquer: *On ne comprendra sans doute jamais tous les mystères insondables de l'âme humaine.* SYN. impénétrable, incompréhensible. ANT. compréhensible. ☞ sonde.

insonore adj. Qui étouffe les sons, les bruits: *Le liège et le caoutchouc sont des matériaux insonores.* ANT. sonore. ☞ son.

insonorisation n.f. Action d'insonoriser, de rendre un local plus silencieux en garnissant ses murs de matériaux isolants; résultat de cette action: *L'insonorisation de cette pièce est parfaite.* ☞ son.

insonoriser v. Rendre un local plus silencieux en garnissant ses murs de matériaux isolants: *Il est nécessaire d'insonoriser les studios d'enregistrement.* ☞ son.

insouciance n.f. Caractère d'une personne qui ne se soucie de rien: *Pourrons-nous un jour vivre dans l'insouciance?* SYN. détachement, indifférence, indolence. ANT. curiosité, inquiétude, intérêt. ☞ souci.

insouciant, ante n. et adj. **1.** n. Personne qui ne se soucie de rien: *Cette insouciante dit n'importe quoi.* ANT. inquiet. **2.** adj. Qui ne se soucie de rien: *Il est si insouciant qu'il est resté sous la pluie froide sans craindre d'être malade.* SYN. indifférent. ANT. soucieux. **3.** adj. Qui ne se soucie pas de quelque chose: *Samantha est insouciante du danger.* SYN. imprévoyant. ANT. inquiet. **4.** adj. Qui montre que l'on ne se soucie de rien: *Ces personnes mènent une vie insouciante.* SYN. frivole, nonchalant. ANT. inquiet. ☞ souci.

insoumis, ise adj. Qui refuse de se soumettre à l'autorité: *Les contrées insoumises refusaient de reconnaître l'autorité du roi.* SYN. indiscipliné, insubordonné, rebelle, révolté. ANT. docile, soumis. ☞ soumettre.

insoumission n.f. Caractère d'une personne qui refuse de se soumettre à l'autorité: *Coupable d'insoumission, le soldat a été condamné à trois jours de cachot.* SYN. désobéissance, indiscipline, rébellion, révolte. ☞ soumettre.

insoupçonnable adj. Qui est au-dessus de tout soupçon: *On ne peut l'accuser de vol car elle est d'une honnêteté insoupçonnable.* ANT. suspect. **R.** Ne pas oublier la cédille. ☞ soupçon.

insoupçonné, ée adj. Qui n'est pas soupçonné, dont l'existence n'est pas pressentie: *Ces tombeaux anciens renferment des richesses insoupçonnées.* **R.** Ne pas oublier la cédille. ☞ soupçon.

insoutenable adj. **1.** Qu'on ne peut soutenir, défendre, justifier: *La théorie raciste est insoutenable.* SYN. inadmissible, injustifiable. ANT. admissible, défendable, soutenable. **2.** Qu'on ne peut supporter, endurer: *Le marteau-piqueur fait un bruit insoutenable.* SYN. insupportable. ANT. supportable, tolérable. ☞ soutenir.

inspecter v. **1.** Examiner avec soin dans le but de surveiller, de contrôler: *Une architecte vient inspecter tous les jours la progression des travaux.* **2.** Examiner avec attention: *Avant d'acheter cette maison, mes parents en ont inspecté chaque recoin.* SYN. scruter. ☞ inspecteur, inspection.

inspecteur, trice n. Personne chargée de surveiller, de contrôler: *Une inspectrice est venue vérifier la propreté de ce restaurant.* SYN. contrôleur. ⁄⁄ *Inspecteur de police:* Policier en civil chargé de faire des enquêtes. ☞ inspecter.

inspection n.f. Examen attentif dans le but de surveiller, de contrôler: *C'est en faisant l'inspection des bagages que la douanière a découvert la drogue.* ☞ inspecter.

inspirant, ante adj. Qui est susceptible d'inspirer, de faire naître des idées, des sentiments: *Tu pourrais sans doute trouver des exemples plus inspirants.* ☞ inspirer.

inspirateur, trice n. **1.** Personne qui anime, qui dirige une action: *Cette femme était l'inspiratrice d'un complot.* SYN. instigateur. **2.** Auteur, œuvre qui inspire quelqu'un, qui sert de modèle: *Félix Leclerc a été l'inspirateur de nombreux chansonniers.* ☞ inspirer.

inspiration n.f. Action par laquelle l'air pénètre dans les poumons: *L'inspiration est immédiatement suivie par l'expiration.* SYN. aspiration. ANT. expiration. ☞ inspirer. ▲ **inspiration** n.f. **1.** Faculté créatrice des artistes, des chercheurs: *La romancière cherche l'inspiration qui lui fera écrire un chef-d'œuvre.* **2.** Idée qui vient soudain à l'esprit: *Tu as eu l'heureuse inspiration de venir à ma rencontre.* **3.** Action de conseiller quelque chose à quelqu'un; influence exercée: *Elle a agi sous l'inspiration de son frère.* SYN. conseil, suggestion. ☞ inspirer.

inspirer v. Faire pénétrer l'air dans ses poumons: *«Inspirez profondément» dit la médecin à son patient.* ANT. expirer. ☞ expiration, expirer, inspiration. ▲ **inspirer** v. **1.** Donner des idées, stimuler l'imagination: *Les paysages de Charlevoix ont inspiré de nombreux* *peintres.* **2.** Faire naître un sentiment, une pensée, un comportement: *Cette jeune fille inspire la confiance.* SYN. donner. ☞ inspirant, inspirateur, inspiration. **s'inspirer** v.pron. Prendre des idées, des exemples: *Le romancier s'est inspiré d'un fait vécu.*

instabilité n.f. **1.** Manque d'équilibre, de stabilité: *L'instabilité de ce meuble le rend dangereux.* **2.** Caractère de ce qui change continuellement, de ce qui n'est pas permanent: *On ne peut faire de budget étant donné l'instabilité des prix.* ANT. stabilité. **3.** Caractère de ce qui change de place, de lieu: *L'instabilité de certains groupes de travailleurs peut être attribuée à de mauvaises conditions de travail.* SYN. mobilité. **4.** Caractère d'une personne qui change constamment d'humeur, de comportement: *L'instabilité de son caractère lui crée de nombreux ennuis.* SYN. inconstance. ANT. constance, stabilité. ☞ stable.

instable n. et adj. **1.** n. Personne qui change constamment d'humeur, de comportement: *Benoît est un instable: il ne peut supporter la discipline scolaire.* **2.** adj. Qui change constamment d'humeur, de comportement: *Il faut beaucoup de patience pour vivre avec une personne instable.* SYN. capricieux, changeant. ANT. constant, stable. **3.** adj. Qui ne tient pas bien en équilibre: *Ne t'assois pas sur ce fauteuil instable.* SYN. branlant. ANT. solide. **4.** adj. Qui est changeant, variable: *Le temps est instable aujourd'hui.* ANT. fixe, invariable. **5.** adj. Qui change de place, de lieu: *Les nomades sont des populations instables.* **6.** adj. Qui n'est pas durable: *La paix entre ces deux pays est encore bien instable.* ANT. permanent. ☞ stable.

installateur, trice n. Personne qui s'occupe de l'installation d'un appareil: *L'installateur de la baignoire n'a pas bien fait son travail.* ☞ installer.

installation n.f. **1.** Action d'installer quelqu'un ou de s'installer dans un logement: *Maryse a organisé une grande fête pour célébrer son installation.* **2.** Manière dont on est installé: *Nous déménagerons bientôt! Ce n'est qu'une installation provisoire.* **3.** Action de mettre en place: *L'installation de l'électricité devrait être terminée dans quelques jours.* SYN. aménagement, pose. **4.** Ensemble des appareils qu'on a installés en vue d'un usage précis: *Les installations sanitaires ont besoin d'être réparées.* SYN. équipement. ☞ installer.

installer v. **1.** Mettre quelqu'un dans un endroit; placer de façon déterminée: *Les infirmiers ont installé la malade dans son lit.* **2.** Loger: *Madame Roy a installé sa famille dans un nouveau logement.* SYN. caser. ANT. déloger. **3.** Mettre quelque chose en place: *Yanick a fait installer le téléphone dans sa chambre.* SYN. arranger, disposer, poser. **4.** Aménager: *Christian n'a pas fini d'installer son appartement.* ☞ installateur, installation, réinstaller. **s'installer** v.pron. **1.** Se mettre à un endroit déterminé: *Diane s'installe confortablement sur le canapé pour regarder la télévision.* **2.** Se loger, établir sa résidence: *Mes voisins ont décidé de s'installer à Trois-Rivières.* **3.** fig. S'établir de façon durable: *Depuis vingt ans, ce pays s'est installé dans la guerre.*

instamment adv. D'une façon pressante, avec force: *Il m'a priée instamment de lui venir en aide.* ☞ instant (adj.).

instant n.m. Moment très court: *Je vous demande de patienter un instant.* ANT. éternité. ☞ instantané, instantanément. à chaque **instant** loc.adv. Continuellement, très souvent: *Elle pense à vous à chaque instant.* à l'**instant** loc.adv. Tout de suite: *Je dois sortir mais je reviens à l'instant.* SYN. aussitôt. dans un **instant** loc.adv. Bientôt: *Dans un instant, nous vous dévoilerons le nom du gagnant.* en un **instant** loc.adv. Rapidement, très vite: *Tout s'est passé en un instant.* par **instants** loc.adv. Par moments, de temps à autre: *Anaïs se décourage par instants.* pour l'**instant** loc.adv. Pour le moment: *Pour l'instant, nous sommes satisfaits de notre micro-ordinateur.*

instant, ante adj.litt. Qui est pressant: *Il n'a pas tenu compte de mes demandes instantes.* SYN. urgent. ☞ instamment.

instantané n.m. Photographie obtenue avec un temps d'exposition très court: *Jocelyne a pris plusieurs instantanés des dauphins en spectacle.* ☞ instant (n.).

instantané, ée adj. **1.** Qui ne dure qu'un instant: *La lueur instantanée mais très intense de la lampe-éclair nous a aveuglés.* SYN. bref. ANT. durable, long. **2.** Qui se produit en un instant: *Sa mort fut instantanée.* SYN. immédiat, subit. ANT. lent. ∥ *Photographie instantanée:* Photographie obtenue après un temps d'exposition très court. ☞ instant (n.).

instantanément adv. Tout de suite, immédiatement: *Un chien bien dressé obéit instantanément à son maître.* SYN. aussitôt. ANT. lentement, progressivement. ☞ instant (n.).

à l'**instar de** loc.prép. À la manière de, de même que: *Je me suis fait coiffer, à l'instar de ma vedette préférée.* SYN. comme.

instaurer v. Instituer, établir pour la première fois: *On veut instaurer de nouvelles habitudes parmi les consommateurs.* SYN. fonder. ANT. abolir, détruire, renverser.

instigateur, trice n. Personne qui pousse, qui incite quelqu'un à faire quelque chose: *On a arrêté l'instigateur de ce crime.* SYN. inspirateur, provocateur. ☞ instigation.

instigation n.f. Action de pousser quelqu'un à faire quelque chose: *Elle a obéi aux instigations de sa chef.* SYN. incitation. ⁄⁄ *À l'instigation de quelqu'un:* Sous l'influence, sur les conseils de quelqu'un. ☞ instigateur.

instinct n.m. **1.** Tendance naturelle, commune à tous les êtres vivants: *Tous les êtres vivants ont un instinct de conservation qui les pousse à se protéger du danger.* **2.** Tendance naturelle et irréfléchie propre à une personne: *Il faut apprendre à diriger ses instincts.* **3.** Don, aptitude naturelle: *Elle a l'instinct des affaires.* SYN. sens, talent. **4.** Intuition: *Il a eu raison de faire confiance à son instinct.* SYN. inspiration. ☞ instinctif, instinctivement. **d'instinct** loc.adv. D'une façon naturelle et spontanée: *D'instinct, elle a trouvé les mots pour le consoler.* **R.** Les lettres *ct* ne se prononcent pas.

instinctif, ive n. et adj. **1.** n. Personne qui agit sans réfléchir, en suivant son instinct: *Il faut se méfier des instinctifs.* **2.** adj. Qui agit sans réfléchir, en suivant son instinct: *Les personnes instinctives agissent sous l'impulsion du moment.* ANT. réfléchi. **3.** adj. Qui est fait sans réfléchir: *Elle s'est protégé le visage d'un geste instinctif.* SYN. inconscient, involontaire, machinal. ANT. conscient, volontaire. ☞ instinct.

instinctivement adv. D'une manière instinctive, sans réfléchir: *En voyant les flammes, elle a reculé instinctivement.* SYN. spontanément. ☞ instinct.

instituer v. Établir quelque chose de nouveau de manière durable: *L'Académie canadienne-française a été instituée en 1944.* SYN. ériger, fonder, former, instaurer. ANT. abolir, supprimer. ☞ institution.

institut n.m. **1.** Nom de certains établissements de recherche scientifique ou d'enseignement: *L'Institut Armand-Frappier est reconnu pour ses recherches en bactériologie.* **2.** Établissement où l'on donne des soins: *Lison a ouvert un institut de beauté.*

instituteur, trice n. Personne chargée de l'enseignement général dans une école primaire: *Annie aime beaucoup son instituteur.* SYN. enseignant.

institution n.f. **1.** Action d'instituer, d'établir quelque chose: *L'institution des Jeux olympiques modernes date de 1896.* SYN. création, établissement. **2.** Ce qui est institué (règle, usage, organisme): *L'éducation, le mariage, la famille sont des institutions.* **3.** plur. Ensemble des structures ou organisations sociales établies par la loi ou la coutume: *Les Canadiens veulent conserver leurs institutions démocratiques.* ☞ instituer.
▲ **institution** n.f. Établissement d'enseignement privé: *Cette institution est spécialisée dans l'enseignement des langues.*

instructeur n.m. Celui qui est chargé de l'instruction des nouveaux soldats: *Les recrues doivent obéir à leur instructeur.* **R.** N'a pas le sens de *moniteur, entraîneur.* L'O.L.F. recommande *instructrice* comme féminin de *instructeur.* ☞ instruire.

instructif, ive adj. Qui instruit, renseigne, en parlant de quelque chose: *Grand-père a plusieurs livres instructifs dans sa bibliothèque.* SYN. éducatif. ☞ instruire.

instruction n.f. **1.** Action de transmettre des connaissances: *Au Québec, l'instruction est obligatoire jusqu'à seize ans.* SYN. éducation, enseignement. **2.** Culture, ensemble des connaissances d'une personne: *Cette universitaire a une solide instruction.* SYN. érudition. **3.** plur. Ordres, explications pour mener à bien une affaire: *Avant son départ, madame Latour a donné des instructions précises à son secrétaire.* SYN. consignes, directives, ordres. **4.** plur. Mode d'emploi d'un produit, d'un appareil: *Les utilisateurs de l'appareil doivent se conformer aux instructions du fabricant.* SYN. directives, explications. ☞ instruire.

instruire v. **1.** Transmettre des connaissances: *Les enseignants doivent instruire leurs élèves.* SYN. éduquer, enseigner, former. **2.** Mettre au courant de quelque chose: *On ne nous a pas instruits de vos intentions.* SYN. avertir, aviser, informer, renseigner. ☞ instructeur, instructif, instruction, instruit. **s'instruire** v.pron. Acquérir des connaissances, de l'expérience: *On peut s'instruire à tout âge.* SYN. se cultiver.

instruit, ite adj. Qui a beaucoup de connaissances: *Ma voisine est une femme très instruite.* SYN. cultivé, érudit. ANT. ignorant, illettré. ☞ instruire.

instrument n.m. **1.** Objet fabriqué servant à faire un travail, une opération: *Le bistouri est un instrument de chirurgie.* SYN. appareil, outil. **2.** fig. Personne ou chose servant à atteindre un résultat; moyen: *Elle a été l'instrument de son succès.* ☞ instrumentiste.
▲ **instrument** n.m. Objet fabriqué servant à faire de la musique: *De quel instrument joues-tu?* ⁄⁄ *Instrument à anche:* Instrument à vent muni d'une languette mobile dont les vibrations produisent le son. *Instrument à clavier:* Instrument muni de touches sur les-

quelles on appuie les doigts pour obtenir les sons. *Instrument à cordes:* Instrument muni de cordes qu'il faut pincer ou frotter pour obtenir un son. *Instrument à percussion:* Instrument qui produit un son quand on le frappe. *Instrument à vent:* Instrument dont le son est produit par le souffle. ☞ instrumental, instrumentiste.

instrumental, ale, aux adj. Qui s'exécute avec des instruments de musique: *Je préfère la musique instrumentale à la musique vocale.* ☞ instrument.

instrumentiste n. Personne qui passe les instruments au chirurgien pendant une opération: *L'instrumentiste a présenté la pince au chirurgien.* ☞ instrument. ▲ **instrumentiste** n. Personne qui joue d'un instrument de musique: *Pascal et Isabelle sont instrumentistes et font partie d'un quatuor.* ☞ instrument.

insubmersible adj. Qui ne peut couler, enfoncer dans l'eau: *Les rescapés ont pris place à bord d'un canot insubmersible.* ANT. submersible. ☞ submerger.

insubordination n.f. Refus d'obéir, de se soumettre: *Cette élève fait preuve d'insubordination.* SYN. désobéissance, indiscipline. ANT. obéissance, soumission. ☞ subordonner.

insubordonné, ée adj. Qui refuse d'obéir, de se soumettre: *Les élèves insubordonnés n'accompagneront pas les autres lors de l'excursion.* SYN. désobéissant, indiscipliné, insoumis. ANT. obéissant, soumis. ☞ subordonner.

insuccès n.m. Manque de succès, de réussite: *Elle ne s'est pas remise de son insuccès aux examens.* SYN. échec. ☞ succès.

à l'**insu de** loc.prép. **1.** Sans que la personne concernée le sache: *Elle a quitté la maison à l'insu de ses parents.* **2.** Sans en avoir conscience: *On m'avait confié un secret et je l'ai trahi à mon insu.* SYN. inconsciemment.

insuffisamment adv. D'une façon insuffisante, qui ne suffit pas: *Tu ne peux pas réussir car tu travailles insuffisamment.* ANT. assez, suffisamment. ☞ suffire.

insuffisance n.f. **1.** Caractère de ce qui est insuffisant, de ce qui ne suffit pas: *Les grévistes protestaient contre l'insuffisance de leurs salaires.* SYN. carence, manque. ANT. abondance, excès. **2.** Déficience d'un organe, d'une glande: *Ma tante souffre d'insuffisance cardiaque.* **3.** Incapacité, inaptitude: *Je dois reconnaître mon insuffisance pour ce genre de travail.* ANT. aptitude. **4.** plur. Lacune, manque: *Maurice a de graves insuffisances en français.* ☞ suffire.

insuffisant, ante adj. **1.** Qui ne suffit pas: *Tu ne peux lire ici: l'éclairage est insuffisant.* ANT. abondant, excessif, suffisant. **2.** Qui manque de talent, d'aptitudes: *On l'a jugé insuffisant pour le poste de directeur.* SYN. inapte. ANT. capable. ☞ suffire.

insuffler v. **1.** Faire pénétrer de l'air, un gaz en soufflant: *La secouriste a insufflé de l'air dans les poumons de l'asphyxié.* **2.** fig. Transmettre, donner: *Vos bonnes paroles m'ont insufflé du courage.* SYN. inspirer.

insulaire n. et adj. **1.** n. Personne qui vit sur une île: *Les habitants de l'île d'Orléans sont des insulaires.* **2.** adj. Qui vit sur une île: *La population insulaire nous a accueillis chaleureusement.* ANT. continental. **3.** adj. Qui se rapporte à une île, aux îles: *L'administration insulaire tente de promouvoir le tourisme.* ANT. continental.

insuline n.f. Hormone sécrétée par le pancréas et utilisée dans le traitement du diabète: *Le diabétique a reçu une injection d'insuline.*

insultant, ante adj. Qui insulte, qui offense: *Tu n'as pas le droit de faire des remarques aussi insultantes.* SYN. injurieux, offensant, outrageant. ☞ insulter.

insulte n.f. **1.** Acte ou parole qui offense, qui blesse: *Les insultes sont les arguments des lâches.* SYN. affront, injure, insolence. **2.** Offense, outrage: *Votre conduite déraisonnable est une insulte au bon sens.* SYN. atteinte. ☞ insulter.

insulté, ée n. et adj. **1.** n. Personne qui a reçu une insulte: *L'insulté exige des excuses.* SYN. offensé. ANT. offenseur. **2.** adj. Qui a reçu une insulte: *La fillette insultée refusait de pardonner cet affront.* SYN. offensé. HOM. insulter. ☞ insulter.

insulter v. **1.** Blesser par des paroles ou des actions offensantes, outrageantes: *Jean était très en colère et a insulté le vendeur.* SYN. injurier. **2.** Constituer une offense contre quelque chose: *Vos paroles grossières insultent la pudeur.* SYN. outrager. HOM. insulté. ☞ insultant, insulte, insulté.

insupportable adj. **1.** Qu'on ne peut pas supporter: *Une rage de dents provoque une douleur insupportable.* SYN. atroce, intolérable. ANT. endurable, supportable, tolérable. **2.** Qui est très désagréable: *Cette musique est insupportable:* SYN. infernal, irritant. ANT. supportable. **3.** Qui est agaçant, exaspérant, en parlant de quelqu'un: *Cet enfant est insupportable.* SYN. désagréable. ANT. agréable, aimable. ☞ supporter.

insupportablement adv. D'une façon insupportable, désagréable : *Ce film est insupportablement long.* ☞ supporter.

s'insurger v.pron. **1.** Se révolter, se dresser contre une autorité, un pouvoir : *Le peuple s'est insurgé contre le dictateur.* SYN. se soulever. ANT. se soumettre. **2.** Manifester son désaccord : *Les parents s'insurgent contre cette décision injuste.* SYN. protester. ☞ insurrection.

insurmontable adj. **1.** Qu'on ne peut surmonter : *Un obstacle insurmontable leur barrait la route.* SYN. infranchissable. ANT. surmontable. **2.** Qu'on ne peut maîtriser, contenir, en parlant d'un sentiment, d'une émotion : *Elle éprouva tout à coup une angoisse insurmontable.* ☞ surmonter.

insurpassable adj. Qu'on ne peut surpasser : *Cette sculpture est d'une perfection insurpassable.* ☞ surpasser.

insurrection n.f. Révolte visant à renverser le pouvoir établi : *Des agitatrices poussaient le peuple à l'insurrection.* SYN. émeute, soulèvement. ANT. soumission. ☞ s'insurger.

intact, acte adj. **1.** Qui n'a subi aucun dommage : *Après plusieurs siècles, le temple de marbre était intact.* SYN. indemne, sauf. ANT. blessé, endommagé. **2.** Qui n'a pas été touché, dont on n'a rien enlevé : *Quand on m'a remis mon porte-monnaie, j'ai constaté que la somme était intacte.* SYN. entier. ANT. incomplet, partiel. **3.** fig. Qui est sans tache, qui n'a subi aucune atteinte : *Malgré toutes les calomnies, sa réputation est restée intacte.* SYN. sauf. **R.** Les lettres *ct* se prononcent.

intarissable adj. **1.** Qui ne s'épuise pas, qui ne cesse de couler : *Dans une oasis, une source intarissable est un trésor.* SYN. abondant, inépuisable. ANT. pauvre. **2.** fig. Qui ne s'arrête pas de parler : *Quand elle parle de science-fiction, Ariane est intarissable.* SYN. inépuisable. ANT. silencieux. ☞ tarir.

intégral, ale, aux adj. Qui est entier, complet : *La ville exige le paiement intégral des taxes municipales.* ANT. incomplet, partiel. ☞ intégralement.

intégralement adv. Au complet, en totalité : *Pendant le cours de français, nous avons lu ce texte intégralement.* SYN. complètement. ☞ intégral.

intégration n.f. **1.** Incorporation de nouveaux éléments dans un ensemble : *L'intégration de cette nouvelle scène dans la pièce n'a pas plu aux spectateurs.* **2.** Assimilation d'une personne, d'un groupe à une communauté : *L'intégration de ces immigrants a été très facile.* SYN. insertion. ☞ intégrer.

intègre adj. Qui est très honnête : *Tout le monde le respecte car c'est un homme intègre.* SYN. incorruptible, juste. ANT. corrompu, malhonnête. ☞ intégrité.

intégrer v. Faire entrer, inclure dans un ensemble : *L'auteur a décidé d'intégrer un nouveau chapitre à son livre.* SYN. incorporer. ☞ intégration. **s'intégrer** v.pron. S'assimiler complètement à un groupe : *La nouvelle venue s'est bien intégrée à la classe.*

intégrité n.f. Qualité d'une personne honnête : *Personne n'a pu mettre en doute l'intégrité de la juge.* SYN. honnêteté. ANT. malhonnêteté. ☞ intègre. ▲ **intégrité** n.f. État d'une chose qui est entière, complète, intacte : *Les citoyens de ce pays veulent conserver l'intégrité de leur territoire.*

intègre intégrité

intellectuel, elle n. et adj. **1.** n. Personne dont les principales occupations exigent une activité de l'esprit : *Les savants et les chercheurs sont des intellectuels.* ANT. manuel. **2.** adj. Qui exige une activité de l'esprit : *Le travail intellectuel nécessite une bonne capacité d'abstraction.* ANT. corporel, manuel. **3.** adj. Qui se rapporte à l'intelligence : *L'étude demande un grand effort intellectuel.* SYN. mental. ANT. corporel. **4.** adj. Qui aime beaucoup les choses de l'esprit : *Sophie est très intellectuelle.* ANT. matériel. ☞ intellectuellement.

intellectuellement adv. Sur le plan de l'intelligence : *Renée est intellectuellement supérieure aux enfants de son âge.* ☞ intellectuel.

intelligence n.f. **1.** Faculté de comprendre, de connaître, de réfléchir : *L'intelligence distingue les êtres humains des animaux.* SYN. raison. ANT. bêtise. **2.** Aptitude à comprendre facilement, à s'adapter à une situation : *Hugo a fait preuve de beaucoup d'intelligence dans ses travaux.* SYN. discernement, finesse. ANT. incompréhension, inintelligence, stupidité. **3.** Personne intelligente : *Marie Curie était une intelligence remarquable.* ⁄⁄ *Intelligence artificielle :* Intelligence humaine qui est simulée par une machine. ☞ inintelligence, inintelligent, intelligent. ▲ **intelligence** n.f. **1.** Complicité, connivence : *Pendant que tu parlais, Marlène et Jérémie se faisaient des signes d'intelligence.* ANT. hostilité. **2.** plur. Complicités, relations secrètes entre personnes de camps opposés : *Ce soldat entretenait des intelligences avec l'ennemi.* ⁄⁄ *Vivre en bonne intelligence avec quelqu'un :* S'entendre, s'accorder avec quelqu'un. *Vivre en mauvaise intelligence avec* *quelqu'un:* Ne pas s'entendre, ne pas s'accorder avec quelqu'un.

intelligent, ente adj. **1.** Qui a la faculté de comprendre, de connaître, de réfléchir: *L'être humain est intelligent.* SYN. pensant, raisonnable. ANT. inintelligent. **2.** Qui comprend facilement, qui s'adapte bien aux situations: *Christophe est un garçon très intelligent.* SYN. débrouillard, perspicace. ANT. idiot, sot, stupide. **3.** Qui montre de l'intelligence: *Tu as fait un choix intelligent.* ANT. idiot, sot, stupide. ☞ intelligence.

intelligible adj. **1.** Qui est facile à comprendre: *Ce texte est parfaitement intelligible pour un enfant de ton âge.* SYN. compréhensible. ANT. incompréhensible, inintelligible, obscur. **2.** Qu'on peut entendre distinctement: *L'oratrice parlait à haute et intelligible voix.* SYN. distinct, précis. ANT. inintelligible. ☞ inintelligible, intelligiblement.

intelligiblement adv. D'une façon intelligible, clairement: *Les bons orateurs s'expriment intelligiblement.* ANT. obscurément. ☞ intelligible.

intempérance n.f. Manque de retenue dans le boire et le manger: *Son intempérance lui a ruiné la santé.* SYN. gloutonnerie, ivrognerie. ANT. frugalité, mesure, sobriété, tempérance. ☞ tempérance.

intempérant, ante n. et adj. **1.** n. Personne qui manque de retenue dans le boire et le manger: *Monsieur Michaud est un intempérant: il abuse régulièrement des boissons alcooliques.* SYN. glouton, ivrogne. ANT. tempérant. **2.** adj. Qui manque de retenue dans le boire et le manger: *Les personnes intempérantes abusent des plaisirs de la table.* SYN. glouton, ivrogne. ANT. sobre, tempérant. ☞ tempérance.

intempéries n.f.plur. Mauvais temps: *Les écoles étaient fermées à cause des intempéries.*

intenable adj. **1.** Qu'on ne peut tenir, défendre militairement: *Les soldats ont vite compris que cette place était intenable.* **2.** Qu'on ne peut supporter: *En plein soleil, il fait une chaleur intenable.* SYN. intolérable. ANT. endurable. **3.** fam. Qu'on ne peut faire tenir tranquille: *Ces enfants mal élevés sont intenables.* SYN. désagréable, insupportable, turbulent. ANT. supportable. ☞ tenir.

intendant n.m. Autrefois, représentant du roi chargé d'administrer la police, la justice et les finances d'une province: *Gilles Hocquart fut intendant de la Nouvelle-France de 1731 à 1748.*

intendant, ante n. Personne chargée d'administrer les biens d'un riche particulier ou d'une collectivité: *Une intendante gère cet immense domaine.*

intense adj. **1.** Qui est très grand, très vif, extrême: *Il fait un froid intense ce matin.* SYN. excessif, violent. ANT. faible, léger. **2.** Qui dépasse la mesure ordinaire: *Un bonheur intense illuminait son regard.* SYN. démesuré. ☞ intensément, intensif, intensification, intensifier, intensité, intensivement.

intensément adv. D'une façon intense: *Le jeune enfant regardait intensément le spectacle de marionnettes.* ☞ intense.

intensif, ive adj. **1.** Qui demande des efforts soutenus: *La skieuse se livre à un entraînement intensif.* **2.** Qui utilise des moyens importants afin d'augmenter l'effet, le rendement: *Les membres du parti ont investi beaucoup de temps et d'argent dans cette campagne électorale intensive.* ⫽ *Culture intensive:* Culture qui obtient des rendements élevés par unité de surface. ☞ intense.

intensification n.f. Action de rendre plus intense ou de devenir plus intense: *Les employeurs souhaitent une intensification de la production.* SYN. augmentation. ☞ intense.

intensifier v. Rendre plus intense, augmenter: *Si tu veux obtenir la première place, il faudra intensifier tes efforts.* ANT. diminuer. ☞ intense. **s'intensifier** v.pron. Devenir plus intense: *La lutte contre la drogue s'intensifie.* SYN. s'accroître. ANT. diminuer.

intensité n.f. **1.** Degré de force, de puissance, d'énergie: *L'intensité de la tempête a forcé les voyageurs à rebrousser chemin.* SYN. violence. ANT. faiblesse. **2.** Caractère de ce qui est intense: *Tous les critiques ont souligné l'intensité dramatique de ce film.* ☞ intense.

intensivement adv. D'une façon intensive, sans ménager ni les efforts ni les moyens: *Les étudiants se préparent intensivement aux examens.* ☞ intense.

intention n.f. **1.** Dessein, projet: *Mon intention est d'aller au bord de la mer et de me reposer.* SYN. idée. **2.** But: *Ce résultat va au-delà de mes intentions.* SYN. objectif. **3.** Motif, mobile: *C'est l'intention qui compte.* ⫽ *Avoir l'intention de:* Se proposer, vouloir. ☞ intentionné, intentionnel, intentionnellement, malintentionné. **à l'intention de** loc.prép. Pour: *Nous avons préparé une fête à l'intention de mes grands-parents.* **dans l'intention de** loc.prép. En vue de, dans le but de: *J'ai acheté cette vieille bicyclette dans l'intention de la réparer.*

intentionné, ée adj. Qui a des intentions, des dispositions d'esprit, bonnes ou mauvaises, à l'égard de quelqu'un : *Une amie bien intentionnée m'a offert de l'aide.* **R.** S'emploie seulement dans les expressions *bien intentionné, mal intentionné.* ☞ intention.

intentionnel, elle adj. Qui est fait exprès, volontairement : *Hier soir, tu as laissé ton livre à l'école : c'était un oubli intentionnel.* SYN. délibéré, volontaire, voulu. ANT. automatique, involontaire. ☞ intention.

intentionnellement adv. Exprès, volontairement : *Tu m'as dérangé intentionnellement.* ☞ intention.

interaction n.f. Influence, action réciproque de deux phénomènes, de deux personnes : *Deux personnes vivant ensemble s'influencent l'une l'autre ; on dit qu'elles sont en interaction.* ☞ action.

interbancaire adj. Qui concerne les relations, les accords entre les banques : *Une carte interbancaire est une carte de crédit acceptée par différentes banques.* ☞ banque.

intercalaire n.m. et adj. **1.** n.m. Feuillet, fiche, carte qu'on place entre d'autres choses de même nature : *Dans le fichier de la bibliothèque, les fiches sont séparées par des intercalaires.* **2.** adj. Qu'on place entre d'autres choses de même nature : *J'ai besoin de feuilles intercalaires pour séparer mes notes de cours.* ☞ intercaler.

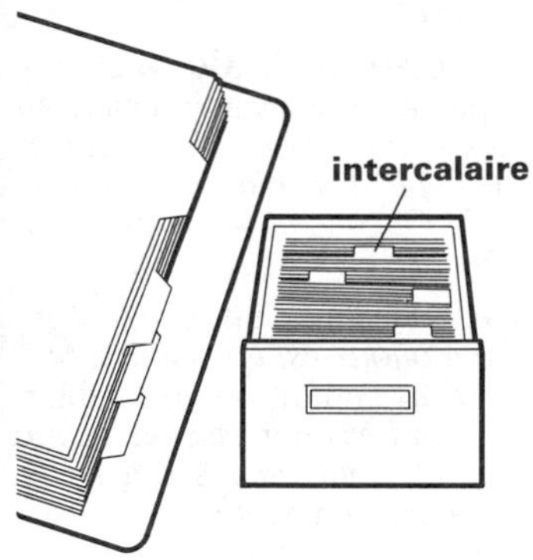

intercaler v. Introduire dans un ensemble, entre deux autres choses : *Mélanie a intercalé des cartons de couleur dans son fichier.* SYN. insérer. ANT. enlever, ôter, retrancher. ☞ intercalaire. **s'intercaler** v.pron. Se placer entre deux choses : *Un camion est venu s'intercaler dans la file des voitures.*

intercéder v. Intervenir en faveur de quelqu'un : *J'ai intercédé pour toi auprès de tes parents afin qu'ils t'accordent cette permission.* ☞ intercession.

intercepter v. **1.** Saisir au passage une chose destinée à quelqu'un d'autre : *L'institutrice a intercepté le message que je voulais faire parvenir à mon ami.* ANT. livrer, rendre. **2.** Arrêter, interrompre dans sa marche, dans son cours : *Les stores interceptent les rayons du soleil.* **3.** Arrêter, empêcher quelqu'un, un véhicule d'atteindre sa destination : *La policière a intercepté le voleur.* **4.** S'emparer d'un ballon, d'une balle au cours d'une passe entre deux adversaires, dans certains sports : *Le joueur s'élance et intercepte le ballon.* ☞ interception.

interception n.f. **1.** Action de s'emparer d'une chose destinée à quelqu'un d'autre ; résultat de cette action : *L'interception du ballon a donné l'avantage à l'équipe adverse.* **2.** Arrêt : *L'interception des rayons solaires par les nuages est un phénomène facilement observable.* ☞ intercepter.

intercession n.f.litt. Action d'intercéder, d'intervenir en faveur de quelqu'un : *Elle a obtenu ce travail grâce à l'intercession de son oncle.* SYN. intervention. ☞ intercéder.

interchangeable adj. **1.** Qu'on peut mettre à la place les uns des autres, en parlant d'objets semblables : *Les pneus de notre voiture sont interchangeables.* **2.** Qu'on peut remplacer les unes par les autres, en parlant de personnes : *Les ministres de ce gouvernement sont interchangeables.* **R.** Ne pas oublier le *e* après le *g*. ☞ changer.

interclasse n.m. Court intervalle qui sépare deux heures de classe, pendant lequel les élèves ne quittent pas la salle : *Les élèves profitent de l'interclasse pour se délasser un peu.* SYN. récréation. ☞ classe.

intercontinental, ale, aux adj. Qui relie deux continents ou qui a lieu entre eux : *Air France est une ligne aérienne intercontinentale.* ☞ continent.

interdiction n.f. Action d'interdire, de défendre quelque chose à quelqu'un : *Il a fumé malgré l'interdiction de son médecin.* SYN. défense. ANT. autorisation, consentement, permission. ☞ interdire.

interdire v. **1.** Défendre quelque chose à quelqu'un : *On nous interdit de courir dans les corridors de l'école.* SYN. prohiber, proscrire. ANT. autoriser, permettre. **2.** Empêcher : *La discrétion m'interdit de révéler le résultat de nos discussions.* ANT. approuver. ☞ interdiction, interdit.

interdit n.m. **1.** Ordre venant d'un groupe social ou religieux qui défend un acte, un comportement : *Les juifs et les musulmans ne peuvent consommer de la viande de porc à cause d'un interdit.* **2.** Condamnation, interdiction judiciaire qui met quelqu'un à l'écart d'un groupe: *Le gouvernement vient de lever l'interdit visant certains groupes d'immigrants.* ☞ interdire.

interdit, ite adj. **1.** Qui est défendu: *Le stationnement est interdit sur cette rue.* ANT. autorisé. **2.** Qui est l'objet d'un interdit, d'une interdiction judiciaire: *Il est interdit de séjour.* ☞ interdire. ▲ **interdit, ite** adj. Qui est très étonné, déconcerté: *Quand elle a appris qu'elle avait gagné le gros lot, elle est demeurée interdite.* SYN. ahuri, stupéfait. ANT. calme, indifférent.

intéressant, ante n. et adj. **1.** n. Personne qui cherche à attirer l'attention: *Elle a fait l'intéressante toute la soirée.* **2.** adj. Qui retient l'attention: *Il y a plusieurs films intéressants à l'affiche.* SYN. captivant, passionnant. ANT. ennuyeux, inintéressant, insignifiant. **3.** adj. Qui inspire de l'intérêt, de la sympathie: *J'ai rencontré des personnes très intéressantes à cette réunion.* SYN. attachant, plaisant, remarquable. ANT. ennuyeux. ☞ intérêt. ▲ **intéressant, ante** adj. Qui est avantageux: *La vendeuse m'a fait un prix intéressant.* ANT. désavantageux. ☞ intérêt.

intéressé, ée n. et adj. **1.** n. Personne qui est concernée par quelque chose: *Nous ne pouvons prendre de décision avant d'avoir consulté tous les intéressés.* **2.** adj. Qui est concerné par quelque chose: *Les parties intéressées ont été convoquées à l'assemblée.* **3.** adj. Qui ne pense qu'à son intérêt personnel: *Céline est une femme intéressée.* ANT. désintéressé, généreux. **4.** adj. Qui est fait par intérêt, dans l'espoir d'un avantage personnel: *Il t'a rendu un service intéressé.* ANT. désintéressé. HOM. intéresser. ☞ intérêt.

intéresser v. **1.** Avoir de l'importance pour quelqu'un: *Cette réunion intéresse tous les parents qui ont un enfant à la maternelle.* SYN. concerner. **2.** Retenir l'attention de quelqu'un: *Les livres sur les animaux intéressent beaucoup les enfants.* SYN. captiver, passionner. ANT. ennuyer. **3.** Inspirer de l'intérêt, de la sympathie: *Le sort des espèces menacées commence à intéresser le public.* SYN. toucher. HOM. intéressé. ☞ intérêt. **s'intéresser** v.pron. Prendre intérêt à quelque chose: *Cynthia s'intéresse aux avions et aux fusées.* SYN. aimer. ANT. se désintéresser. ▲ **intéresser** v. Faire participer quelqu'un aux profits d'une entreprise: *On a tenté d'intéresser tous les employés dans cette affaire.* ☞ intérêt.

intérêt n.m. **1.** Attention favorable, bienveillante, envers quelqu'un: *Louisette témoigne de l'intérêt à ses compagnes.* SYN. bienveillance, sollicitude. ANT. indifférence. **2.** Attention suscitée par la curiosité ou par une chose jugée importante: *Cet instituteur sait éveiller l'intérêt de ses élèves.* ANT. indifférence. **3.** Qualité de ce qui retient l'attention: *Cette découverte est d'un grand intérêt pour la science.* SYN. importance. ANT. insignifiance. ☞ désintéressé, se désintéresser, inintéressant, intéressant, intéressé, intéresser. ▲ **intérêt** n.m. **1.** Ce qui est utile, avantageux pour quelqu'un: *Elle a agi dans l'intérêt de sa famille.* **2.** Recherche de ce qui est avantageux pour soi: *Méfie-toi des gens qui agissent par intérêt.* ⫽ *Conflit d'intérêts:* Conflit résultant d'intérêts, d'intentions contradictoires. ☞ désintéressé, désintéressement, intéressé, intéresser. ▲ **intérêt** n.m. **1.** Somme que l'emprunteur paie au prêteur en plus de l'argent emprunté: *À la fin de l'année, je devrai rembourser la somme empruntée plus les intérêts.* **2.** plur. Somme d'argent qu'une personne a dans une affaire: *Ma sœur a des intérêts dans une compagnie minière.* **R.** Ne pas oublier l'accent: *ê.*

intér**e**ssant intér**e**sser intér**ê**t

interférence n.f. **1.** Rencontre d'ondes lumineuses ou sonores de même nature et de même direction: *Les interférences sonores font grésiller ma radio.* **2.** Intervention contradictoire: *Il y a souvent interférence entre le politique et le social.*

intergouvernemental, ale, aux adj. Qui concerne plusieurs gouvernements: *Au Québec, le délégué aux Affaires intergouvernementales s'occupe des relations entre le gouvernement du Québec et les autres gouvernements canadiens.* ☞ gouverner.

intérieur n.m. **1.** Dedans d'une chose: *L'intérieur du coffre à bijoux est en velours.* ANT. dehors, extérieur. **2.** Endroit où l'on habite: *Les nouveaux locataires ont passé beaucoup de temps à décorer leur intérieur.* SYN. foyer. **3.** Lieu qui se trouve dans un bâtiment, qui est à l'abri: *Attends-moi à l'intérieur.* ⫽ *Homme, femme d'intérieur:* Personne qui aime tenir sa maison ou qui aime rester près des siens. *Robe, veste d'intérieur:* Vêtement confortable que l'on porte chez soi. ☞ extérieur. **à l'intérieur de** loc.prép. Au-dedans de: *Regarde à l'intérieur de la boîte, tu trouveras une surprise.*

intérieur, eure adj. **1.** Qui est au-dedans: *Tu as mis tes clés dans la poche intérieure de ton veston.* ANT. extérieur. **2.** Qui concerne un pays: *Kim s'intéresse à la politique intérieure du Canada.* ANT. extérieur. **3.** Qui se passe dans l'esprit: *Il ne nous parle jamais de sa vie intérieure.* ☞ extérieur.

Végétation

PUBLIPHOTO/J. Cabanon

Savane

PUBLIPHOTO/P. Baeza

Steppe

PUBLIPHOTO/P. Groulx

Prairie

PUBLIPHOTO/M. Bourque

Toundra

Forêt mixte

PUBLIPHOTO/A. Cornu

Taïga

Pollution

DE L'EAU

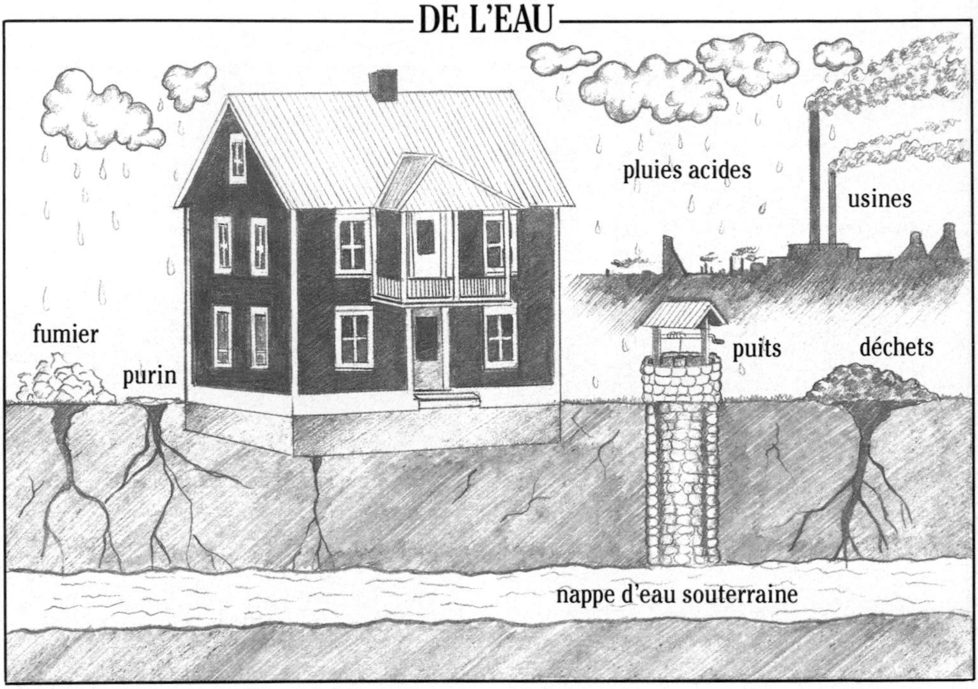
pluies acides
usines
fumier
purin
puits
déchets
nappe d'eau souterraine

DE L'AIR

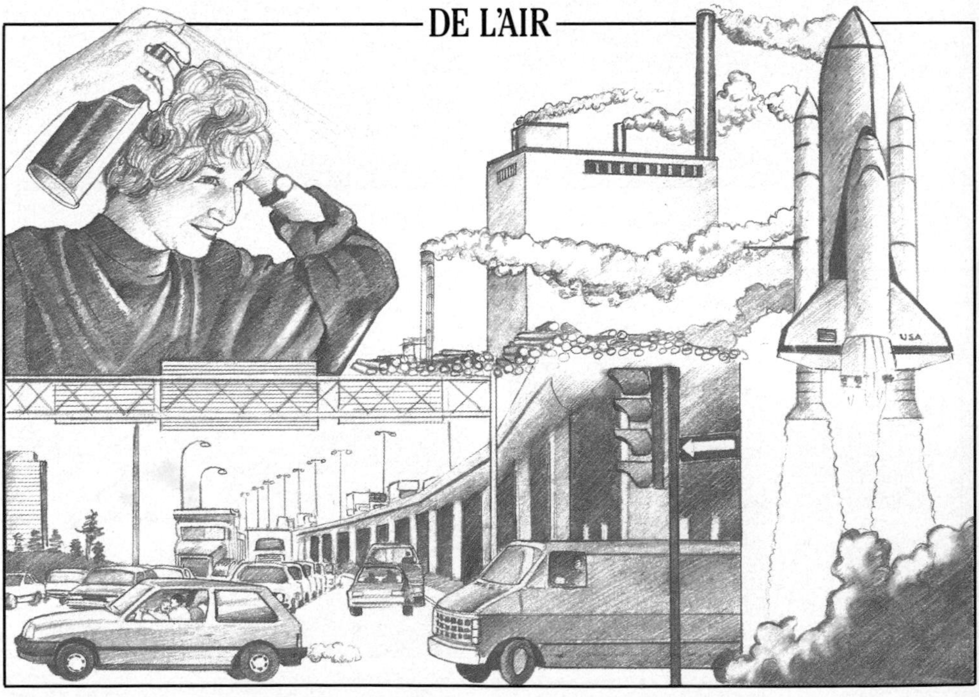
USA

DU SOL

PAR LE BRUIT

Minéraux

Soufre

Calcite

Obsidienne

Granit

Chalcopyrite

Galène

Marbre

Or

Grenat

Amiante

Quartz

intérieurement adv. **1.** Au-dedans: *Toutes les pommes que j'ai cueillies sont gâtées intérieurement.* ANT. extérieurement. **2.** Dans l'esprit: *Elle souriait, mais intérieurement elle bouillait de colère.* ANT. ouvertement. ☞ extérieur.

intérim n.m. (lat.) Temps pendant lequel une fonction vacante est exercée par une autre personne que le titulaire: *Pendant l'absence de la présidente, le vice-président assure l'intérim.* SYN. supplćance. ⁄⁄ *Par intérim:* Provisoirement. **R.** Le *m* se prononce. ☞ intérimaire.

intérimaire n. et adj. **1.** n. Personne qui exerce provisoirement une fonction en l'absence du titulaire: *Une intérimaire remplace la secrétaire de l'école.* SYN. suppléant. **2.** adj. Qui exerce provisoirement une fonction en l'absence du titulaire: *Le directeur intérimaire a rencontré le personnel de l'école.* **3.** adj. Qui se rapporte à une fonction provisoire: *Cette orthopédagogue exerce une fonction intérimaire.* ANT. permanent. ☞ intérim.

interjection n.f. Mot invariable qui exprime un sentiment, un ordre, une attitude: *«Hourra!», «bravo!», «chut!» sont des interjections.*

interligne n.m. **1.** Espace séparant deux lignes écrites ou imprimées: *Ce texte est facile à lire car il est tapé à double interligne.* **2.** Espace entre deux lignes d'une portée musicale: *Les notes «fa, la, do, mi» se placent dans les interlignes.* ☞ ligne.

interligner v. **1.** Écrire dans les espaces compris entre deux lignes écrites ou imprimées: *L'écolier a interligné un mot dans son devoir.* **2.** Séparer deux lignes écrites ou imprimées par un espace: *La typographe interligne la composition de ce texte.* ☞ ligne.

interlocuteur, trice n. **1.** Personne qui parle avec une autre: *Lucien écoute attentivement son interlocutrice.* **2.** Personne avec laquelle on peut engager des négociations: *Les terroristes cherchent un interlocuteur valable.*

interloquer v. Rendre stupéfait, décontenancer: *Cette brusque explosion de colère nous a interloqués.*

interlude n.m. **1.** Court divertissement destiné à faire patienter le téléspectateur entre deux émissions ou pendant une coupure imprévue: *Il y a eu un interlude entre les informations et le match de hockey.* **2.** Courte pièce musicale entre deux autres plus importantes: *Les musiciennes ont joué un interlude.*

intermède n.m. **1.** Divertissement entre les parties d'un spectacle, les actes d'une pièce de théâtre: *Les spectateurs ont eu droit à un intermède musical entre les actes de la pièce.* SYN. entracte. **2.** Interruption d'une activité: *Cette semaine de vacances a été un intermède agréable.* SYN. entracte.

intermédiaire n., n.m. et adj. **1.** n. Personne qui sert de lien entre deux personnes, deux groupes: *Elle a servi d'intermédiaire entre les grévistes et le gouvernement.* SYN. médiateur. **2.** n. Personne qui, dans un échange commercial, se trouve entre le producteur et le consommateur: *On ne peut acheter ce produit directement de l'usine: il faut passer par un intermédiaire.* SYN. représentant. **3.** n.m. État moyen; ce qui est entre deux choses: *Il importe de trouver un intermédiaire entre les extrêmes.* **4.** adj. Qui se trouve entre deux, qui tient le milieu: *Une solution intermédiaire a été adoptée et elle devrait satisfaire tous les membres.* ⁄⁄ *Sans intermédiaire:* Directement. **par l'intermédiaire de** loc.prép. Par l'entremise de: *J'ai appris cette nouvelle par l'intermédiaire d'une journaliste.*

interminable adj. Qui ne semble pas avoir de fin: *Les derniers jours de classe nous semblent interminables.* SYN. long. ANT. bref, court. ☞ terminer.

interminablement adv. Très longtemps: *Ces deux amis parlent interminablement au téléphone.* ☞ terminer.

intermittence n.f. Caractère de ce qui s'arrête et qui recommence par intervalles: *L'intermittence du signal lumineux inquiète l'automobiliste.* ANT. continuité. ⁄⁄ *Par intermittence:* Par moments, irrégulièrement. ☞ intermittent.

intermittent, ente adj. Qui s'arrête et qui recommence par intervalles: *Aujourd'hui, on nous annonce des pluies intermittentes.* SYN. discontinu, irrégulier. ANT. continu, régulier. ☞ intermittence.

internat n.m. **1.** École où les élèves sont logés et nourris: *Marie-Chantal est élève dans un internat.* SYN. pensionnat. ANT. externat. **2.** Concours qui donne le titre d'interne à celui ou à celle qui étudie en médecine: *Pierre a passé l'internat: il peut maintenant exercer des responsabilités dans l'hôpital.* ANT. externat. **3.** Fonction d'interne dans un hôpital; durée de cette fonction: *Anaïs vient de terminer son internat.* ANT. externat. ☞ externe.

international, ale, aux adj. Qui a lieu entre les nations; qui concerne les relations des nations entre elles: *L'O.N.U. est une organisation internationale dont le siège est à New York.* SYN. mondial. ☞ nation.

interne n. **1.** Élève qui est logé et nourri dans l'école qu'il fréquente: *Les internes de* *l'école se couchent à 22 heures.* SYN. pensionnaire. ANT. externe. **2.** Étudiant en médecine qui a été reçu au concours de l'internat et qui exerce des responsabilités dans un hôpital: *Les internes de l'hôpital font leur travail sous la surveillance des médecins.* ANT. externe. ☞ externe.

interne adj. **1.** Qui est à l'intérieur du corps: *La blessée a fait une hémorragie interne.* ANT. externe. **2.** Qui est en dedans, qui est tourné vers l'intérieur: *Les parois internes de la cuve devraient être nettoyées.* ANT. externe. ☞ externe.

interné, ée n. et adj. **1.** n. Personne qui est enfermée dans un hôpital psychiatrique: *Les internés ne peuvent sortir de l'hôpital.* **2.** adj. Qui est enfermé dans un hôpital psychiatrique: *Les malades internés avaient le droit de recevoir des visiteurs.* HOM. interner. ☞ interner.

internement n.m. Placement d'une personne atteinte de maladie mentale dans un hôpital psychiatrique: *Son internement a duré plusieurs mois.* ☞ interner.

interner v. Enfermer dans un hôpital psychiatrique: *La médecin a décidé d'interner cette aliénée.* HOM. interné. ☞ interné, internement.

interpellation n.f. **1.** Action d'adresser brusquement la parole à quelqu'un: *Son interpellation m'a surprise, puis choquée.* SYN. apostrophe. **2.** Ordre donné à quelqu'un de dire ou de faire quelque chose lors d'une opération de police: *Sur l'interpellation des policiers, une dizaine de manifestants ont dû donner leur identité.* **3.** Demande d'explications adressée par un membre du Parlement au gouvernement pendant une séance publique: *La première ministre a répondu à une interpellation du chef de l'opposition.* ☞ interpeller.

interpeller v. **1.** Adresser brusquement la parole à quelqu'un pour lui demander quelque chose, pour l'insulter: *Je n'aime pas qu'on m'interpelle dans la rue.* SYN. apostropher. ANT. riposter. **2.** Vérifier l'identité d'un suspect en lui posant des questions: *La policière a interpellé le jeune homme qu'elle soupçonnait de vol.* SYN. interroger, questionner. ANT. répondre. **3.** Demander des explications au gouvernement pendant une séance publique: *La députée a interpellé le ministre des Finances sur le budget.* ☞ interpellation.

interphone n.m. (nom déposé) Téléphone à haut-parleur permettant les communications à l'intérieur d'un même bâtiment: *La directrice s'adresse aux élèves par l'interphone.*

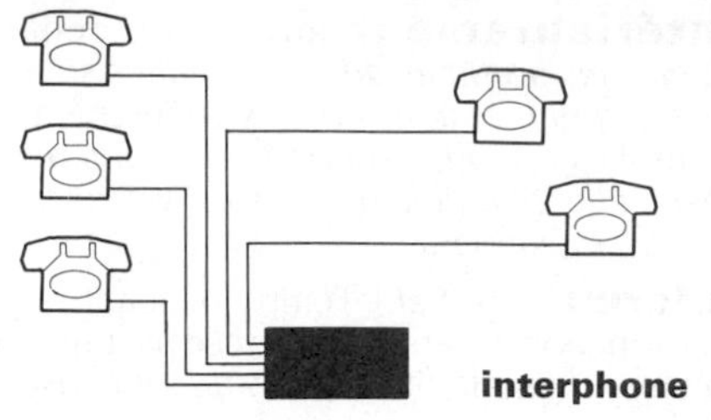
interphone

interplanétaire adj. Qui est ou qui se fait entre les planètes: *Mélissa rêve de voyages interplanétaires.* ☞ planète.

interposé, ée adj. Qui agit à la place de quelqu'un, qui sert d'intermédiaire: *Ils ont conclu ce marché par personnes interposées.* HOM. interposer. ☞ interposer.

interposer v. **1.** Placer entre deux choses: *Il faudra interposer un mur antibruit entre l'autoroute et les quartiers résidentiels.* ANT. enlever, retrancher. **2.** fig. Faire intervenir entre deux personnes, deux groupes: *L'arbitre a interposé son autorité entre les deux adversaires.* HOM. interposé. ☞ interposé. **s'interposer** v.pron. **1.** Se placer entre deux choses: *Une éclipse de Soleil se produit lorsque la Lune s'interpose entre la Terre et le Soleil.* **2.** Intervenir entre deux personnes, deux groupes: *J'ai dû m'interposer entre ces deux batailleuses pour mettre fin à leur querelle.*

interprétation n.f. **1.** Explication d'une chose: *La professeure nous a donné une interprétation nouvelle de ce poème.* **2.** Sens qu'on donne à quelque chose: *Les nombreux témoins donnaient tous une interprétation différente des faits.* **3.** Traduction orale d'un discours, d'une conversation; son résultat: *Nous pouvions suivre le discours du président chinois car l'interprétation était simultanée.* **4.** Façon dont un rôle, un morceau de musique est joué: *On a souligné la remarquable interprétation de ce personnage par Geneviève Bujold.* SYN. jeu. ☞ interpréter.

interprète n. **1.** Personne qui explique le sens d'un texte, d'un rêve: *Cette femme est une interprète du Nouveau Testament.* **2.** Personne qui traduit oralement un discours, une conversation: *Grâce à une interprète, nous avons pu comprendre le discours du premier ministre japonais.* SYN. traducteur. **3.** Personne qui est chargée de faire connaître les sentiments, les intentions d'une autre: *Alex a accepté d'être l'interprète de tous les élèves de la classe auprès du petit malade.* SYN. intermédiaire, porte-parole. **4.** Personne qui joue un rôle, un morceau de musique: *Jean Lapointe était l'interprète du rôle de Maurice Duplessis.* ☞ interpréter.

interpréter v. **1.** Expliquer, rendre plus clair : *Cet homme prétend qu'il peut interpréter les rêves.* **2.** Donner un sens à quelque chose : *Je ne savais pas comment interpréter ton silence.* SYN. comprendre, expliquer. **3.** Traduire oralement un discours, une conversation : *Le discours de la première ministre britannique a été interprété en français.* **4.** Jouer un rôle, un morceau de musique : *Guy Sanche a interprété le rôle de Bobino pendant de nombreuses années.* SYN. exécuter, incarner. ☞ interprétation, interprète.

interprétation interprète interpréter

interrogateur, trice n. et adj. **1.** n. Personne qui fait subir une interrogation à un élève, à un candidat : *Dominique tentait de répondre correctement aux questions de l'interrogatrice.* SYN. examinateur. **2.** adj. Qui semble poser une question : *Tous les élèves regardaient l'institutrice d'un air interrogateur.* ☞ interroger.

interrogatif, ive adj. **1.** Qui pose une question ; qui sert à questionner : *« Qui », « que », « quoi » sont des pronoms interrogatifs.* **2.** Qui marque l'interrogation : *Parfois les questions sont indirectes et seule l'intonation interrogative permet de savoir qu'il faut répondre.* ☞ interroger.

interrogation n.f. **1.** Action d'interroger ; question, demande : *Il y a beaucoup d'interrogations dans ton regard.* ANT. réponse. **2.** Ensemble des questions que l'on pose à un élève, à un candidat : *Les candidats à ce poste devront répondre à une interrogation écrite.* SYN. épreuve, examen. **3.** Phrase qui pose une question : *« Avez-vous faim ? » est une interrogation directe. « Je me demande si vous avez faim » est une interrogation indirecte.* ⁄⁄ *Point d'interrogation :* Signe de ponctuation qui se place à la fin d'une phrase interrogative directe. ☞ interroger.

interrogativement adv. D'une façon interrogative, qui pose une question : *Gina regardait interrogativement son grand-père.* ☞ interroger.

interrogatoire n.m. Ensemble des questions que l'on pose à un inculpé, à un suspect, à un témoin au cours d'une enquête : *La prévenue a subi un long interrogatoire.* ☞ interroger.

interroger v. **1.** Poser des questions à quelqu'un : *J'ai interrogé le vendeur pour connaître les heures d'ouverture du magasin.* SYN. consulter, questionner. ANT. répondre. **2.** fig. Examiner avec attention dans le but de découvrir une réponse aux questions qu'on se pose : *Christian interroge le ciel pour savoir s'il fera beau demain.* SYN. sonder. ☞ interrogateur, interrogatif, interrogation, interrogativement, interrogatoire. **s'interroger** v.pron. Se poser des questions, réfléchir : *Aude s'interroge sur son avenir.*

interrompre v. **1.** Arrêter, faire cesser une continuité : *On a interrompu un circuit électrique pour procéder à des réparations.* ANT. recommencer. **2.** Empêcher quelqu'un de continuer un travail, une activité : *Les enfants m'interrompent continuellement dans mon travail.* SYN. déranger. **3.** Couper la parole à quelqu'un : *Je déteste qu'on m'interrompe quand je parle.* ☞ ininterrompu, interrupteur, interruption. **s'interrompre** v.pron. **1.** Cesser de faire quelque chose : *Elle s'interrompit d'étudier pour répondre au téléphone.* **2.** S'arrêter de parler : *La conférencière s'est interrompue au milieu d'une phrase.* **3.** Être arrêté : *Quand je m'approche d'eux, leur conversation s'interrompt.* SYN. s'arrêter.

interrupteur n.m. Appareil, dispositif qui sert à interrompre ou à rétablir le passage du courant électrique dans un circuit : *Pour éteindre la lumière, il te suffit d'appuyer sur l'interrupteur.* SYN. commutateur. ☞ interrompre.

interruption n.f. **1.** Arrêt, coupure : *L'interruption de l'émission télévisée est due à des problèmes techniques.* ANT. reprise, rétablissement. **2.** Action de couper la parole à quelqu'un ; paroles, cris visant à cette action : *Le discours du ministre a été troublé par de bruyantes interruptions.* ⁄⁄ *Sans interruption :* Sans arrêt. ☞ interrompre.

intersection n.f. **1.** Endroit où deux routes, deux rues se croisent : *N'oublie pas de faire l'arrêt obligatoire à l'intersection des deux rues.* SYN. croisement. **2.** Rencontre de deux lignes, de deux surfaces, de deux volumes qui se coupent : *Le point d'intersection est celui où deux lignes se coupent.* **3.** En mathématiques, ensemble des éléments qui appartiennent à deux ensembles à la fois : *Le symbole de l'intersection est ∩ et il s'énonce « inter ».*

intersidéral, ale, aux adj. Qui est situé entre les astres : *Il est difficile d'imaginer l'immensité des espaces intersidéraux.*

interstellaire adj. Qui est situé entre les étoiles : *La matière interstellaire est l'ensemble des gaz et des poussières qui existent entre les étoiles de notre galaxie.*

interstice n.m. Très petit espace vide entre les parties d'un tout ou entre différents corps :

La poussière s'accumule dans les interstices du parquet. SYN. fente.

interurbain n.m. Appel téléphonique entre deux villes ; service qui assure l'acheminement de l'appel : *Les interurbains coûtent beaucoup moins cher la fin de semaine.* ☞ urbain.

interurbain, aine adj. Qui relie deux ou plusieurs villes, spécialement en parlant des communications téléphoniques : *Ma grande sœur a fait un appel interurbain.* ☞ urbain.

intervalle n.m. **1.** Distance, espace d'une chose à une autre : *Papa a transplanté les fleurs à intervalles réguliers.* **2.** Espace de temps qui sépare deux faits, deux événements, deux dates : *Il y a un intervalle d'une heure entre les deux spectacles.* SYN. période. // *Dans l'intervalle :* Entre-temps. par **intervalles** loc.adv. De temps à autre : *Les pannes de courant se produisent par intervalles.*

intervenir v. **1.** Avoir lieu, se produire : *Un accord est intervenu entre le gouvernement et les infirmières et infirmiers.* **2.** Prendre part volontairement à une action pour modifier le cours des événements ou pour parler en faveur de quelqu'un : *De nombreux parents ont décidé d'intervenir dans le débat sur la violence à la télévision.* SYN. intercéder. ANT. s'abstenir. **3.** Entrer en action : *Les policiers étaient prêts à intervenir à tout moment.* SYN. agir. **4.** Jouer un rôle, agir : *La volonté n'intervient pas dans les rêves.* **5.** Faire une opération chirurgicale : *La chirurgienne a décidé d'intervenir pour enrayer la progression de la maladie.* SYN. opérer. **R.** Se conjugue avec l'auxiliaire *être*. ☞ intervention.

intervention n.f. **1.** Action d'intervenir dans une discussion, un débat : *L'intervention du chef de l'opposition a été très remarquée.* SYN. appui. ANT. abstention. **2.** Action d'intervenir dans une situation : *L'intervention rapide des pompiers a permis de maîtriser facilement l'incendie.* SYN. aide. **3.** Action d'intervenir en faveur de quelqu'un : *Sans votre intervention, je n'aurais jamais obtenu ce poste.* SYN. intercession. ANT. indifférence. **4.** Envoi de forces armées dans un pays étranger : *Les pays démocratiques ont condamné l'intervention militaire en Hongrie.* ANT. neutralité. **5.** Action, rôle de quelque chose : *Il n'y a aucune intervention de la volonté dans les rêves.* **6.** Opération chirurgicale : *Oncle Henri a subi une intervention chirurgicale.* ☞ intervenir.

intervertir v. Changer l'ordre naturel ou habituel des choses : *Quelqu'un a interverti les fiches dans le classeur et on ne s'y retrouve plus.* SYN. déplacer, déranger, permuter. ANT. replacer.

interview n.f. (angl.) Entrevue avec une personne pour l'interroger sur sa vie, ses idées, ses projets dans le but de publier l'entretien ou de l'analyser : *Le champion olympique Gaétan Boucher a accordé une interview à cette journaliste.* **R.** Les lettres *ew* se prononcent *ou*. ☞ interviewer.

interviewer v. Interroger quelqu'un sur sa vie, ses idées, ses projets au cours d'une interview : *La journaliste a interviewé madame Thérèse Lavoie-Roux.* **R.** Les lettres *viewer* se prononcent *viouvé*. ☞ interview.

intestin n.m. Partie du tube digestif comprise entre l'estomac et l'anus, qui joue un rôle essentiel dans les phénomènes de la digestion : *L'intestin est séparé en deux parties : l'intestin grêle et le gros intestin.* ☞ intestinal.

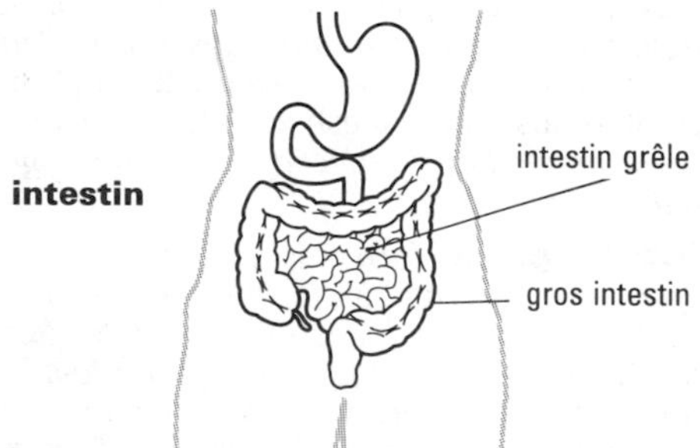

intestinal, ale, aux adj. Qui se rapporte aux intestins : *Sylvain souffre de douleurs intestinales.* ☞ intestin.

intime n. et adj. **1.** n. Personne avec laquelle on est très lié : *Jean-Paul a organisé une réunion entre intimes.* SYN. ami. **2.** adj. À qui on est très uni : *Lisette est mon amie intime.* SYN. inséparable. **3.** adj. Qui se passe entre amis, entre personnes qui se connaissent bien : *Mes parents ont été invités à une soirée intime.* **4.** adj. Qui est tout à fait privé, personnel : *Il faut respecter la vie intime des gens.* ANT. public. **5.** adj. Qui existe au plus profond d'un être : *J'ai la conviction intime que vous me cachez quelque chose.* ☞ intimement, intimité.

intimement adv. **1.** Étroitement : *Philippe et Brenda sont intimement liés.* **2.** Profondément : *Elle est intimement persuadée que cet homme est innocent.* ☞ intime.

intimer v. Déclarer avec autorité : *Elle m'a intimé l'ordre de sortir immédiatement de la salle.* SYN. commander, enjoindre, ordonner.

intimidant, ante adj. Qui remplit de gêne, de confusion : *Parler devant la classe est une situation intimidante.* ☞ intimider.

intimidation n.f. Menace, pression, chantage : *Lucie use d'intimidation pour soutirer de* *l'argent aux petits de la maternelle.* ☞ intimider.

intimider v. **1.** Remplir de gêne, de timidité: *Ta grand-mère m'intimide.* SYN. gêner, troubler. ANT. rassurer. **2.** Remplir de peur, effrayer: *Si tu crois m'intimider avec tes menaces, tu te trompes.* ANT. encourager, rassurer. ☞ intimidant, intimidation.

intimité n.f. **1.** Relations étroites et familières: *Il y a une grande intimité entre ces deux frères.* SYN. amitié. **2.** Vie privée: *Il faut tout faire pour préserver notre intimité.* **3.** Agrément, confort d'un endroit où l'on se sent à l'aise: *Après une journée de travail, j'apprécie l'intimité de mon appartement.* **4.** Caractère de ce qui se tient, se déroule avec les intimes; le privé: *La cérémonie aura lieu dans la plus stricte intimité.* **5.** litt. Caractère de ce qui est profond, secret: *Dans l'intimité de sa conscience, il sait qu'il a mal agi.* ☞ intime.

intituler v. Donner un titre à un livre, un film, un poème: *Comment as-tu intitulé ce poème?* SYN. titrer. **s'intituler** v.pron. Avoir pour titre: *Ce film s'intitule «La guerre des tuques».*

intolérable adj. **1.** Qu'on ne peut supporter: *Elle a fait une crise d'appendicite: la douleur était intolérable.* SYN. atroce, insupportable. ANT. supportable. **2.** Qu'on ne peut accepter: *Il est intolérable qu'un seul enfant dérange toute une classe.* SYN. inacceptable, inadmissible. ANT. tolérable. ☞ tolérer.

intolérance n.f. Attitude agressive envers ceux qui ont des comportements ou des idées qui nous déplaisent: *Quand on ne respecte pas les croyances religieuses des autres, on fait preuve d'intolérance.* SYN. intransigeance. ANT. compréhension, indulgence, tolérance. ☞ tolérer.

intolérant, ante n. et adj. **1.** n. Personne qui a une attitude agressive envers ceux qui ont des comportements ou des idées qui lui déplaisent: *Les intolérants croient qu'ils détiennent seuls la vérité.* **2.** adj. Qui a une attitude agressive envers ceux qui ont des comportements ou des idées qui lui déplaisent: *Ces personnes intolérantes sont bien à plaindre.* SYN. intransigeant. ANT. compréhensif, tolérant. ☞ tolérer.

intonation n.f. Ton de la voix que l'on prend en parlant, en lisant: *Rosita a une voix aux intonations chantantes.* SYN. accent.

intoxication n.f. **1.** Empoisonnement: *Toute la famille a été hospitalisée à la suite d'une intoxication alimentaire.* **2.** fig. Influence sur les esprits de façon à faire perdre tout sens critique: *L'intoxication par la publicité est très efficace.* **R.** Le *x* se prononce *ks*. ☞ toxique.

intoxiqué, ée n. **1.** Personne qui est sous l'effet d'un produit toxique: *On a transporté les intoxiqués à l'hôpital.* **2.** Personne qui fait régulièrement usage d'une drogue, d'un stupéfiant: *Ces intoxiqués ont décidé de suivre une cure de désintoxication.* HOM. intoxiquer. **R.** Le *x* se prononce *ks*. ☞ toxique.

intoxiquer v. **1.** Empoisonner par des substances toxiques: *Le gaz qui s'échappait de l'appareil défectueux nous intoxiquait sans que nous nous en rendions compte.* ANT. désintoxiquer. **2.** fig. Influencer en faisant perdre tout sens critique: *Il n'y a rien de tel que la propagande pour intoxiquer les esprits.* HOM. intoxiqué. **R.** Le *x* se prononce *ks*. ☞ toxique. **s'intoxiquer** v.pron. S'empoisonner par des substances toxiques: *Elle fume trop: son organisme s'intoxique lentement.* ANT. se désintoxiquer, se purifier.

intraduisible adj. Qu'on ne peut traduire: *Certaines expressions anglaises sont intraduisibles en français.* ANT. traduisible. ☞ traduire.

intraitable adj. Qui ne veut pas changer d'avis, qui refuse tout compromis: *Il n'accepte aucun retard: il est intraitable sur ce point.* SYN. impitoyable, inébranlable, intransigeant. ANT. accommodant, conciliant. ☞ traiter.

intramusculaire adj. Qui se fait dans un muscle: *La femme médecin lui a fait une injection intramusculaire.* ☞ muscle.

intransigeance n.f. Caractère d'une personne qui ne fait aucune concession: *Les employés détestent l'intransigeance de leur patron.* ANT. souplesse. **R.** Ne pas oublier le *e* après le *g*. ☞ transiger.

intransigeant, ante n. et adj. **1.** n. Personne qui ne fait aucune concession: *Ça ne sert à rien de discuter avec lui, c'est un intransigeant.* **2.** adj. Qui ne fait aucune concession: *Quand elle a pris une décision, elle se montre intransigeante.* SYN. intolérant, intraitable. ANT. accommodant, souple. **R.** Ne pas oublier le *e* après le *g*. ☞ transiger.

intransitif n.m. Verbe qui ne peut avoir de complément direct ou indirect: *Les verbes «paraître», «dormir», «mourir» sont des intransitifs.* ☞ transitif.

intransitif, ive adj. Qui ne peut avoir de complément direct ou indirect, en parlant d'un verbe: *Les verbes d'état sont toujours intransitifs.* ANT. transitif. ☞ transitif.

intransmissible adj. Qui ne peut se transmettre: *Certaines maladies sont intransmissibles.* ANT. transmissible. ☞ transmettre.

intransportable adj. Qui ne peut être transporté: *Elle était si gravement blessée qu'elle était intransportable.* ANT. transportable. ☞ transporter.

intraveineux, euse adj. Qui se fait dans une veine: *On lui a fait une piqûre intraveineuse.* ☞ veine.

intrépide adj. **1.** Qui n'a pas peur du danger: *Gilles Villeneuve était un homme intrépide.* SYN. audacieux, courageux, hardi. ANT. craintif, peureux. **2.** Qui ne se laisse pas arrêter par les obstacles: *L'intrépide exploratrice est partie en expédition en Antarctique.* SYN. vaillant, valeureux. ANT. lâche. ☞ intrépidement, intrépidité.

intrépidement adv. Courageusement, hardiment: *Une alpiniste grimpait intrépidement le long de la paroi rocheuse.* ☞ intrépide.

intrépidité n.f. Caractère d'une personne qui n'a pas peur du danger: *Grâce à l'intrépidité des pompiers, tous les locataires ont eu la vie sauve.* SYN. courage, hardiesse. ANT. lâcheté. ☞ intrépide.

intrigant, ante n. et adj. **1.** n. Personne qui se sert d'actions secrètes ou déloyales pour arriver à ses fins: *Méfie-toi d'elle, c'est une intrigante.* SYN. rusé. **2.** adj. Qui se sert d'actions secrètes ou déloyales pour arriver à ses fins: *Ce député intrigant ferait tout pour devenir ministre.* SYN. rusé. ANT. franc, loyal. ☞ intrigue.

intrigue n.f. **1.** Action secrète ou déloyale visant à obtenir quelque chose ou à nuire à quelqu'un: *La chef du parti a réussi à déjouer les intrigues qui se tramaient contre elle.* SYN. complot, machination. ANT. franchise, loyauté. **2.** Ensemble des faits et des actions qui forment le sujet d'un roman, d'une pièce de théâtre, d'un film: *Je n'ai pas très bien compris l'intrigue compliquée de ce film.* SYN. action, scénario. **3.** Liaison amoureuse secrète et passagère: *On dit qu'il a eu une intrigue avec la voisine.* SYN. aventure. **R.** Ne pas oublier le *u* après le *g*. ☞ intrigant, intriguer.

intriguer v. **1.** Recourir à des actions secrètes ou déloyales pour arriver à ses fins: *Elle a intrigué pour obtenir le poste de présidente.* SYN. comploter, manigancer, manœuvrer. **2.** Piquer la curiosité: *Vos chuchotements m'intriguent.* ☞ intrigue. **intrigué, ée** p.p. et adj. Qui est piqué par la curiosité; qui semble ne pas comprendre: *Son air intrigué nous a fait rire.* **R.** Ne pas oublier le *u* après le *g*.

introduction n.f. **1.** Action de faire entrer quelqu'un dans un lieu: *Le réceptionniste était chargé de l'introduction des visiteurs.* ANT. sortie. **2.** Action de faire entrer une chose dans une autre: *Après l'opération, le médecin a procédé à l'introduction d'une sonde dans la plaie du malade.* **3.** Action de faire adopter quelque chose: *L'introduction de nouvelles idées plaît toujours à la jeunesse.* SYN. adoption. ⫽ *Lettre d'introduction:* Lettre par laquelle on recommande une autre personne. ☞ introduire. ▲ **introduction** n.f. **1.** Court texte explicatif placé au début d'un ouvrage: *Tu devrais lire l'introduction de ce livre.* SYN. préface. ANT. conclusion. **2.** Entrée en matière d'une composition, d'un exposé: *L'introduction a pour but de présenter le sujet de ta composition.* ANT. conclusion. **3.** Ce qui sert de préparation à une science: *Ce cours est une introduction à l'astronomie.*

introduire v. **1.** Faire entrer quelqu'un dans un lieu: *La secrétaire a introduit le visiteur dans le bureau de la directrice.* ANT. chasser, renvoyer. **2.** Faire entrer une chose dans une autre: *Pascale introduit la clé dans la serrure de la porte.* SYN. enfoncer, engager. ANT. enlever. **3.** Faire adopter quelque chose: *C'est ce couturier qui a introduit la mode de la mini-jupe.* SYN. implanter. **4.** Mettre parmi d'autres choses: *Je dois introduire un épisode dans ce récit.* SYN. insérer. ☞ introduction, réintroduction, réintroduire. **s'introduire** v.pron. Entrer, pénétrer: *Les cambrioleurs ont réussi à s'introduire dans la banque.* SYN. se glisser. ANT. s'éloigner.

introuvable adj. **1.** Qu'on ne peut trouver ou qu'on n'arrive pas à trouver: *J'ai beau chercher mes gants, ils sont introuvables.* **2.** Qui est très difficile à trouver: *Ces meubles anciens sont introuvables de nos jours.* SYN. rare. ☞ trouver.

intrus, use n. Personne qui s'introduit quelque part sans y être invitée: *Que vient faire cette intruse dans ma maison?* SYN. importun, indésirable. ☞ intrusion.

intrusion n.f. **1.** Action de s'introduire quelque part sans y être invité: *Son intrusion dans notre groupe a été jugée assez indiscrète.* **2.** Action d'intervenir dans un domaine, sans en avoir le droit et sans être qualifié pour le faire: *L'intrusion de ces soi-disant spécialistes dans la gestion de l'entreprise a déplu à la direction.* ☞ intrus.

intuitif, ive n. et adj. **1.** n. Personne qui a de l'intuition, qui devine les choses: *Dimitri est un intuitif.* **2.** adj. Qui devine les choses, qui a du flair: *Les personnes intuitives ont la faculté de prévoir ce qui va se produire.* **3.** adj. Que l'on a par intuition, sans l'aide du raisonnement: *Certains phénomènes n'ont pas besoin d'être expliqués car on les comprend de façon intuitive.* ☞ intuition.

intuition n.f. **1.** Connaissance immédiate d'une chose sans l'aide du raisonnement: *La sensibilité est une forme d'intuition.* **2.** Pressentiment: *Son intuition ne l'avait pas trompée: l'accident s'est produit.* // *Avoir de l'intuition:* Deviner les choses, avoir du flair. ☞ intuitif, intuitivement.

intuitivement adv. Par intuition, sans l'aide du raisonnement: *Elle a répondu intuitivement et elle avait la bonne réponse.* ☞ intuition.

inuit n.plur. et adj.invar. **1.** n.plur. Personnes originaires des terres arctiques de l'Amérique et du Groenland: *Un Inuk, des Inuit.* SYN. esquimaux. **2.** adj.invar. Qui se rapporte aux Inuit: *J'ai acheté une sculpture inuit.* **R.** On met la majuscule à *inuit* lorsqu'il s'agit du nom pluriel dont le singulier est *Inuk*. Le *t* se prononce.

inuktitut n.m.invar. Langue parlée par les Inuit: *Lors de mon séjour au Groenland, j'ai appris quelques mots d'inuktitut.* **R.** Le *t* se prononce.

inusable adj. Qui ne s'use pas; qui dure très longtemps: *Ces chaussures, je les porte depuis deux ans: elles sont inusables!* ☞ user.

inusité, ée adj. **1.** Qui n'est pas habituel: *Un événement inusité s'est produit ce matin.* SYN. inhabituel, rare. ANT. courant. **2.** Qui n'est pas très employé, qui n'est pas courant, en parlant de l'usage de certains mots, de conjugaisons: *L'imparfait du subjonctif est une forme inusitée dans le langage courant.* SYN. rare. ANT. usité. ☞ usité.

inutile n., n.m. et adj. **1.** n. Personne qui ne rend pas de services: *Vous feriez mieux de renvoyer les inutiles.* **2.** n.m. Chose, objet qui ne sert à rien: *Cette boutique vend du superflu et de l'inutile.* **3.** adj. Qui ne rend pas de services ou dont l'activité est peu avantageuse pour les autres: *Je me sentais inutile dans cette équipe.* ANT. utile. **4.** adj. Qui ne sert à rien, en parlant de quelque chose: *Son bureau est plein d'objets inutiles.* ANT. indispensable, utile. ☞ utile.

inutilement adv. Pour rien, en vain: *Tu as fait ce travail inutilement.* ANT. utilement. ☞ utile.

inutilisable adj. Qui ne peut être utilisé: *Cette vieille bouilloire rouillée est inutilisable.* ANT. utilisable. ☞ utiliser.

inutilisé, ée adj. Qu'on n'utilise pas: *L'atelier de mon père est rempli d'outils inutilisés.* SYN. inemployé. ☞ utiliser.

inutilité n.f. Manque d'utilité; caractère de ce qui est peu profitable, peu avantageux: *Elle ne se rend pas compte de l'inutilité de ses efforts.* ☞ utile.

invaincu, ue adj. Qui n'a jamais été vaincu: *Cette championne olympique est restée invaincue jusqu'à présent: faut-il en conclure qu'elle est invincible?* ☞ vaincre.

invalidation n.f. Action de rendre nul, non valable: *L'invalidation du contrat de vente n'a pas plu à la vendeuse.* ANT. validation. ☞ valide.

invalide n. et adj. **1.** n. Personne qui ne peut pas mener une vie active en raison de ses blessures, de ses infirmités ou de sa mauvaise santé: *Madame Caron est une invalide du travail.* SYN. impotent. **2.** adj. Qui ne peut pas mener une vie active en raison de ses blessures, de ses infirmités ou de sa mauvaise santé: *Les travailleurs invalides reçoivent une pension.* SYN. impotent. ANT. valide. ☞ valide.

invalider v. **1.** Rendre nul, non valable: *Le juge a invalidé l'élection de cette députée.* SYN. annuler. ANT. confirmer, valider. **2.** Rendre invalide, impotent: *Un accident de ski a invalidé Luc.* ☞ valide.

invalidité n.f. État d'une personne qui ne peut pas mener une vie active en raison de ses blessures, de ses infirmités ou de sa mauvaise santé: *Les médecins ont confirmé son incapacité totale: une pension d'invalidité lui sera versée.* ☞ valide.

invariable adj. **1.** Qui n'est pas modifié par les rapports grammaticaux, en parlant d'un mot: *Les adverbes, les prépositions et les conjonctions sont des mots invariables.* ANT. variable. **2.** Qui ne change pas: *Certains phénomènes sont invariables: par exemple, l'ordre des saisons.* SYN. constant, fixe. ANT. changeant. ☞ varier.

invariablement adv. Toujours: *Jean-Philippe est invariablement en retard à ses rendez-vous.* ANT. jamais. ☞ varier.

invasion n.f. **1.** Irruption massive d'une armée dans un pays: *Les habitants de ce pays n'ont pu résister à l'invasion ennemie.* ANT. retraite. **2.** Arrivée soudaine et massive d'animaux, d'insectes nuisibles: *Une invasion de sauterelles a ravagé les récoltes.* SYN. envahissement. **3.** fig. Entrée soudaine et massive dans un lieu: *L'invasion des touristes dans la ville de Québec a été profitable aux commerçants.*

invective n.f. Suite de paroles violentes et injurieuses: *Quand elle est en colère, elle accable tout le monde d'invectives.* SYN. injure. ANT. louange. ☞ invectiver.

invectiver v. Dire des paroles violentes et injurieuses: *Le mauvais conducteur invecti-*

vait les autres automobilistes. SYN. injurier. ANT. louanger. ☞ invective.

invendable adj. Qu'on ne peut vendre : *Ces fruits et ces légumes pourris sont invendables.* ANT. vendable. ☞ vendre.

invendu n.m. Marchandise qui n'a pas été vendue : *Une fois par semaine le commerçant remettait les invendus au fournisseur.* ☞ vendre.

invendu, ue adj. Qui n'a pas été vendu : *Les marchandises invendues seront mises en solde.* ☞ vendre.

inventaire n.m. **1.** Liste détaillée des biens et des droits d'une entreprise à une date donnée : *Chaque année, toutes les entreprises doivent procéder à l'inventaire de leur stock.* **2.** Revue détaillée et minutieuse : *Le ministère des Affaires culturelles a fait l'inventaire des lieux historiques de la région.* SYN. recensement. ☞ inventorier.

inventer v. **1.** Trouver, créer quelque chose de nouveau : *Alexander Graham Bell a inventé le téléphone.* SYN. découvrir. ANT. copier, imiter. **2.** Imaginer pour un usage particulier : *Ils ont inventé un nouveau moyen pour tricher aux examens.* **3.** Créer de toutes pièces, imaginer, sans respecter la vérité, la réalité : *Cette histoire n'est pas vraie, tu l'as inventée.* SYN. forger. ☞ inventeur, inventif, invention, réinventer, réinvention. **s'inventer** v.pron. Être créé par l'imagination : *De telles histoires ne peuvent s'inventer, elles sont sûrement vraies.*

inventeur, trice n. Personne qui invente ou qui a inventé quelque chose : *Benjamin Franklin est l'inventeur du paratonnerre.* ☞ inventer.

inventif, ive adj. Qui a le talent, le don d'inventer : *On dit de Mélanie qu'elle a l'esprit inventif.* ☞ inventer.

invention n.f. **1.** Création de quelque chose de nouveau : *L'invention de l'imprimerie remonte au XV*e *siècle.* **2.** Chose inventée : *L'automobile et le téléphone sont des inventions pratiques.* SYN. découverte. ANT. imitation. **3.** Don, talent d'inventer : *Léonard de Vinci ne manquait pas d'invention.* SYN. imagination, inspiration. **4.** Mensonge, chose imaginée pour tromper : *Ne t'imagine pas que je crois toutes tes inventions.* SYN. fable. ANT. vérité. ☞ inventer.

inventorier v. Dresser l'inventaire, faire une liste détaillée de quelque chose : *La libraire a inventorié tous les livres de son magasin.* ☞ inventaire.

invérifiable adj. Qui ne peut être vérifié : *Cette hypothèse est invérifiable.* ANT. vérifiable. ☞ vérifier.

inverse n.m. et adj. **1.** n.m. Contraire : *Tu as fait l'inverse de ce qui avait été demandé.* **2.** adj. Qui est opposé, contraire : *Un camion, qui roulait en sens inverse, est venu heurter l'automobile.* ∥ *À l'inverse :* Tout au contraire. ☞ inversement, inverser, inversion.

inversement adv. **1.** D'une façon inverse : *On a dit de cet homme prétentieux que son intelligence était inversement proportionnelle à son orgueil.* **2.** Vice versa : *Elle prend toujours la droite pour la gauche ou inversement.* ☞ inverse.

inverser v. Mettre dans l'ordre, dans la direction ou la position inverse, contraire : *Si j'inverse les lettres du mot « cor », j'obtiens le mot « roc ».* SYN. intervertir. ☞ inverse.

inversion n.f. **1.** Action d'inverser, de changer l'ordre, la direction, la position de quelque chose : *L'inversion des lettres de certains mots est parfois amusante.* **2.** Changement dans l'ordre normal des mots dans une phrase ; construction qui résulte du changement : *Dans une phrase interrogative, il y a une inversion du sujet.* ☞ inverse.

invertébré, ée adj. Qui n'a pas de colonne vertébrale, pas de squelette : *La mouche est un animal invertébré.* ANT. vertébré. ☞ vertèbre.

invertébrés n.m.plur. Groupe d'animaux qui n'ont pas de colonne vertébrale, pas de squelette : *Les crustacés, les vers, les oursins et les mollusques sont des invertébrés.* ANT. vertébrés. **R.** S'écrit au singulier lorsqu'il désigne un animal appartenant à ce groupe. ☞ vertèbre.

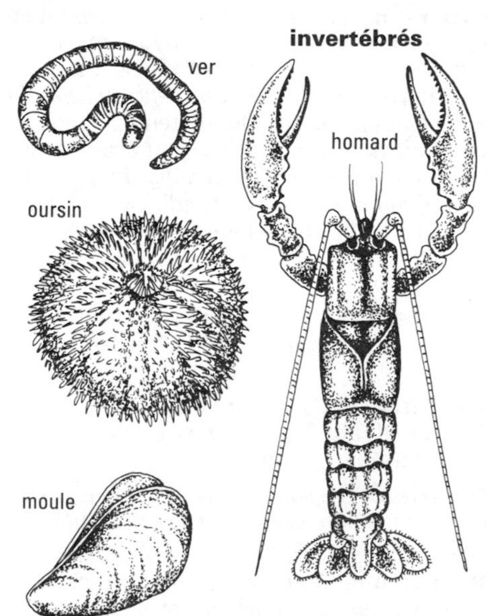

investigation n.f. Recherche minutieuse et suivie : *Avant d'écrire un livre sur Cléopâtre, l'historien a dû faire de nombreuses investigations.*

investir v. **1.** Placer de l'argent dans une affaire, une entreprise : *Grand-mère a investi son argent dans l'immobilier.* ANT. retirer. **2.** Mettre son énergie dans une activité, un travail : *Cette femme a beaucoup investi dans son travail.* ☞ investissement, investisseur. ▲ **investir** v. Encercler une place, une position militaire avec des troupes : *L'armée ennemie a investi la ville, coupant ainsi les communications avec l'extérieur.* SYN. assiéger, cerner. ☞ investissement. ▲ **investir** v. Mettre officiellement quelqu'un en possession d'un pouvoir, d'une fonction, d'un droit : *On a investi l'ambassadrice de ses fonctions.* // *Investir quelqu'un de sa confiance :* Accorder à quelqu'un toute sa confiance. ☞ investiture.

investissement n.m. **1.** Placement d'argent dans une affaire, une entreprise : *Sa comptable lui a conseillé un bon investissement.* **2.** Argent placé dans une affaire, une entreprise : *Cet investissement lui rapporte des bénéfices énormes.* ☞ investir. ▲ **investissement** n.m. Action d'encercler une place, une position militaire avec des troupes : *L'investissement de la ville a semé la panique dans la population.* SYN. siège. ☞ investir.

investisseur, euse n. et adj. **1.** n. Personne ou groupe qui place de l'argent dans une affaire, une entreprise : *Le gouvernement québécois veut attirer les investisseurs.* **2.** adj. Qui place de l'argent dans une affaire, une entreprise : *Cet organisme investisseur a fait des placements dans la nouvelle usine.* ☞ investir.

investiture n.f. Acte par lequel un parti politique désigne un candidat à une élection : *Le candidat a reçu l'investiture de son parti.* ☞ investir.

invétéré, ée adj. Qui a une habitude depuis longtemps, qui ne peut ou ne veut pas changer : *Mon oncle est un fumeur invétéré.* SYN. endurci, impénitent.

invincible adj. **1.** Qui ne peut être vaincu : *Cette armée se croyait invincible.* SYN. imbattable. **2.** Qu'on ne peut surmonter : *Serge a une peur invincible des serpents.* SYN. insurmontable. ANT. surmontable. **3.** fig. À quoi on ne peut résister : *Elle a un charme invincible.* SYN. irrésistible. **4.** Qu'on ne peut abattre : *Son courage est invincible.* ☞ vaincre.

invinciblement adv. D'une façon invincible, insurmontable : *L'envie de rire la gagnait invinciblement dès qu'on abordait ce sujet.* ☞ vaincre.

inviolable adj. Qu'il n'est pas permis de violer, de transgresser, de profaner : *Certains droits sont inviolables.* SYN. sacré. ☞ violer.

invisibilité n.f. Caractère de ce qui n'est pas visible : *L'invisibilité des microbes ne les rend pas moins dangereux.* ANT. visibilité. ☞ voir.

invisible n.m. et adj. **1.** n.m. Ce qui n'est pas visible : *L'univers est partagé en deux : le visible et l'invisible.* **2.** adj. Qui n'est pas visible : *Il y a certaines étoiles qui sont invisibles à l'œil nu.* SYN. imperceptible. ANT. visible. **3.** adj. Qu'on ne peut pas voir, rencontrer : *Depuis quelque temps, la directrice est invisible.* ☞ voir.

invisiblement adv. D'une façon invisible, imperceptible : *Le gaz envahissait invisiblement la pièce.* ANT. visiblement. ☞ voir.

invitant, ante adj. Qui tente, attire : *Cette proposition est vraiment invitante.* SYN. engageant, tentant. ☞ inviter.

invitation n.f. **1.** Action d'inviter ; résultat de cette action : *Il nous fait plaisir d'accepter votre invitation.* **2.** Lettre, carte par laquelle on invite : *As-tu posté tes invitations pour ton bal de fin d'études ?* **3.** Action de demander à quelqu'un de faire quelque chose en employant la douceur, la persuasion : *Je suis sortie de la classe sur l'invitation de l'instituteur.* SYN. prière. **4.** fig. Action de donner envie de faire quelque chose : *Le soleil est une invitation à la flânerie.* ☞ inviter.

invité, ée n. Personne que l'on invite : *L'hôtesse a accueilli chaleureusement les invités.* HOM. inviter. ☞ inviter.

inviter v. **1.** Prier quelqu'un d'assister à quelque chose, de venir en un lieu : *Georges et Micheline nous ont invités à leur mariage.* SYN. convier. ANT. congédier. **2.** Demander, inciter en employant la douceur, la persuasion : *Il m'invita à m'asseoir près de lui.* SYN. exhorter. ANT. dissuader. **3.** Donner envie de faire quelque chose : *Le beau temps invite à la promenade.* SYN. porter. HOM. invité. ☞ invitant, invitation, invité, réinviter. **s'inviter** v.pron. Aller chez quelqu'un ou proposer d'y aller sans y avoir été convié : *Quel sans-gêne ! Elle s'est invitée à souper.*

in vitro adj.invar. (lat.) Qui est fait en milieu artificiel, en laboratoire : *La fécondation in vitro a permis à ces gens d'avoir un enfant.* ANT. in vivo. **in vitro** loc.adv. (lat.) En milieu artificiel, en laboratoire : *De nos jours, beaucoup d'expériences biologiques sont faites in vitro.*

invivable adj. **1.** Qui est très difficile à vivre : *Cette situation est invivable.* **2.** fam. Qui est difficile à supporter, en parlant de quelqu'un : *Depuis quelques mois, Marc est devenu invivable.* SYN. impossible, insupportable. ANT. vivable. ☞ vivre.

in vivo adj.invar. (lat.) Qui se fait dans l'organisme vivant : *Les expériences in vivo se font sur des animaux de laboratoire.* ANT. in vitro. **in vivo** loc.adv. (lat.) Dans l'organisme vivant : *Avant de mettre un médicament sur le marché, on le teste in vivo.*

invocation n.f. Action d'invoquer, de réclamer de l'aide par des prières : *Cette prière est une invocation à la Vierge.* ☞ invoquer.

involontaire adj. **1.** Qui est fait sans le vouloir, qu'on ne peut contrôler : *Je t'assure que c'est une erreur involontaire.* SYN. automatique, inconscient, machinal. ANT. conscient, volontaire. **2.** Qui agit ou qui se trouve dans une situation, sans le vouloir : *Carmen a été le témoin involontaire d'une scène de ménage.* ☞ volonté.

involontairement adv. Sans le vouloir : *Si je vous ai fait du tort, c'est bien involontairement.* ANT. volontairement. ☞ volonté.

invoquer v. **1.** Appeler à l'aide par des prières : *Avant de poser un geste important, grand-père invoque toujours Dieu.* SYN. prier. **2.** Donner quelque chose comme justification : *Il a invoqué des raisons de santé pour ne pas venir à la fête.* **R.** Ne pas confondre avec *évoquer.* ☞ invocation.

invocation invoquer

invraisemblable n.m. et adj. **1.** n.m. Ce qui ne semble pas vrai : *L'invraisemblable peut parfois être vrai.* ANT. vraisemblable. **2.** adj. Qui ne semble pas vrai : *Odette nous a raconté une histoire invraisemblable.* SYN. incroyable, inimaginable. ANT. imaginable, vraisemblable. **3.** adj. Qui étonne, surprend par son côté bizarre, extravagant et souvent comique : *Cet excentrique porte toujours des chapeaux invraisemblables.* SYN. étonnant. **R.** Le *s* se prononce *ss.* ☞ vraisemblable.

invraisemblablement adv. D'une façon invraisemblable, qui ne semble pas vraie : *Cet homme aurait invraisemblablement vécu deux cents ans.* ANT. vraisemblablement. **R.** Le *s* se prononce *ss.* ☞ vraisemblable.

invraisemblance n.f. **1.** Caractère de ce qui ne semble pas vrai : *Bien des gens ont cru cette nouvelle malgré son invraisemblance.* ANT. vraisemblance. **2.** Chose qui ne semble pas vraie : *Comment puis-je te croire? Ton récit est plein d'invraisemblances.* **R.** Le *s* se prononce *ss.* ☞ vraisemblable.

invulnérable adj. **1.** Qui ne peut être blessé : *Elle prenait tous ces risques inutiles car elle se croyait invulnérable.* ANT. vulnérable. **2.** fig. Qui ne peut être atteint, touché moralement : *Tu as eu tort de te croire invulnérable aux critiques.* ANT. vulnérable. ☞ vulnérable.

iode n.m. Substance présente dans l'eau de mer et les algues : *L'iode est indispensable à l'élaboration des hormones de la glande thyroïde.* ∥ *Teinture d'iode :* Liquide contenant de l'iode qui sert à désinfecter les plaies. ☞ iodé.

iodé, ée adj. Qui contient de l'iode : *Le sel que nous consommons est iodé.* ☞ iode.

ion n.m. Atome ou groupe d'atomes portant une charge électrique : *Quand un atome perd un ou plusieurs de ses électrons, il est appelé « ion ».*

iranien, ienne n. et adj. **1.** n. Personne qui est de l'Iran : *Un Iranien, une Iranienne.* **2.** adj. Qui est de l'Iran : *Téhéran est la capitale de l'État iranien.* **R.** On met la majuscule à *iranien* et à *iranienne* lorsque le nom désigne une personne.

iranien n.m. Langue parlée en Iran : *L'iranien est l'une des langues parlées en Iran.*

iraqien, ienne n. et adj. **1.** n. Personne qui est de l'Iraq : *Un Iraqien, une Iraqienne.* **2.** adj. Qui est de l'Iraq : *Le territoire iraqien est situé en Asie occidentale.* **R.** Aussi, *irakien, irakienne.* On met la majuscule à *iraqien* et à *iraqienne* lorsque le nom désigne une personne.

iraqien n.m. Dialecte arabe parlé en Iraq : *Ce ne sont pas tous les Arabes qui comprennent l'iraqien.* **R.** Le *q* n'est pas suivi d'un *u.*

irascible adj. Qui se met en colère facilement : *Il est très irascible depuis quelques jours.* SYN. coléreux, irritable. ANT. aimable, doux. **R.** Les lettres *sc* se prononcent *ss.*

iris n.m. Plante vivace à haute tige portant de grandes fleurs ornementales bleues, violettes ou blanches : *L'iris est une plante bien connue au Québec.* ▲ **iris** n.m. Partie colorée de l'œil située derrière la cornée et percée d'un orifice en son milieu, la pupille : *L'iris agit à la manière d'un diaphragme et règle l'ouverture de la pupille.* ▲ **iris** n.m. Ensemble des couleurs de l'arc-en-ciel : *Pouvez-vous nommer les couleurs de l'iris?* **R.** Le *s* se prononce. ☞ irisé, iriser. (*Voir l'illustration à la page suivante.*)

irisé, ée adj. Qui a les couleurs de l'arc-en-ciel : *L'opale est une pierre fine à reflets irisés.* HOM. iriser. ☞ iris.

iriser v. Donner les couleurs de l'arc-en-ciel: *Les rayons du soleil irisent les facettes du cristal.* HOM. irisé. ☞ iris. **s'iriser** v.pron. Prendre les couleurs de l'arc-en-ciel: *Les bulles de savon s'irisent à la lumière.*

irlandais, aise n. et adj. **1.** n. Personne qui est de l'Irlande: *Un Irlandais, une Irlandaise.* **2.** adj. Qui est de l'Irlande: *Beaucoup de Canadiens sont d'origine irlandaise.* **R.** On met la majuscule à *irlandais* et à *irlandaise* lorsque le nom désigne une personne.

irlandais n.m. Langue parlée en Irlande: *L'irlandais et l'anglais sont les langues officielles de l'Irlande.*

ironie n.f. **1.** Manière de se moquer en disant le contraire de ce qu'on veut faire entendre: *L'ironie perce sous ses compliments.* SYN. moquerie, raillerie, sarcasme. ANT. sérieux. **2.** fig. Contraste pénible, réunion de circonstances qui ressemble à une moquerie insultante: *Personne n'a aimé l'ironie de la situation.* ⁄⁄ *Ironie du sort:* Intention de moquerie méchante qu'on attribue au sort, au destin. ☞ ironique, ironiquement, ironiser.

ironique adj. **1.** Où il y a de l'ironie, de la moquerie: *Son sourire ironique était plus éloquent qu'un long discours.* SYN. moqueur. ANT. aimable, sérieux. **2.** Qui se sert de l'ironie: *Guillaume s'est montré ironique avec ses compagnons.* SYN. sarcastique. ANT. bienveillant. **3.** fig. Qui fait un contraste dérisoire, qui ressemble à une moquerie méchante: *Il a perdu toute sa fortune en un jour. C'est un ironique retournement de situation.* ☞ ironie.

ironiquement adv. D'une façon ironique, moqueuse: *En voyant ma chevelure en désordre ma sœur a dit ironiquement: «Peux-tu me donner l'adresse de ton coiffeur?»* ANT. sérieusement. ☞ ironie.

ironiser v. Se servir de l'ironie, se moquer: *Mon père a ironisé sur un tableau exposé au musée.* SYN. blaguer. ☞ ironie.

irradiation n.f. Action d'exposer à l'action de certaines radiations et plus particulièrement à la radioactivité: *La médecin a procédé à l'irradiation de la tumeur.* ☞ irradier. ▲ **irradiation** n.f. Fait de se propager en rayonnant à partir d'un point central: *L'irradiation de la douleur dans tout le côté gauche empêchait la malade de dormir.* ☞ irradier.

irradier v. Exposer à l'action de certaines radiations et plus particulièrement à la radioactivité: *On parle de plus en plus d'irradier certains aliments pour prolonger leur conservation.* ☞ irradiation. ▲ **irradier** v. **1.** Se propager en rayonnant à partir d'un point central: *La lumière irradiait de tous côtés.* SYN. rayonner. **2.** fig. Répandre autour de soi: *Les personnes heureuses irradient le bonheur autour d'elles.* ☞ irradiation.

irraisonné, ée adj. Qui n'est pas maîtrisé par la raison: *Ma petite sœur a une peur irraisonnée de l'obscurité.* ☞ raison.

irrationnel n.m. Ce qui est contraire à la raison: *Les superstitions sont du domaine de l'irrationnel.* ANT. rationnel. ☞ rationnel.

irrationnel, elle adj. Qui est contraire à la raison: *Les superstitieux ont parfois des comportements irrationnels.* SYN. absurde, déraisonnable, illogique. ANT. logique, raisonnable, rationnel. ⁄⁄ *Nombre irrationnel:* Nombre qui n'est ni un entier ni une fraction, qui ne peut s'écrire comme quotient de deux entiers. ☞ rationnel.

irréalisable adj. Qui ne peut se réaliser: *Ma grande sœur fait des projets irréalisables.* SYN. chimérique, impossible. ANT. possible, réalisable. ☞ réaliser.

irréalisme n.m. Caractère de ce qui ne tient pas compte de la réalité: *Vouloir faire plaisir à tout le monde, c'est vraiment faire preuve d'irréalisme.* ANT. réalisme. ☞ réel.

irréaliste adj. Qui manque de réalisme, qui ne tient pas compte de la réalité: *Il est irréaliste de prétendre que tous les êtres humains sont honnêtes.* ANT. réaliste. ☞ réel.

irréalité n.f. Caractère de ce qui est irréel, imaginaire: *Il fallait le convaincre de l'irréalité de ses rêves.* ANT. réalité. ☞ réel.

irrecevable adj. Qui ne peut être accepté,

admis: *Le directeur a jugé que ma demande était irrecevable.* SYN. inacceptable. ANT. acceptable, recevable. ☞ recevoir.

irréconciliable adj. Qu'on ne peut réconcilier: *Ce sont des ennemies irréconciliables.* ☞ réconcilier.

irrécupérable adj. **1.** Qu'on ne peut récupérer; qu'on ne peut recueillir pour utiliser de nouveau: *Ce tas de ferraille est irrécupérable.* ANT. récupérable. **2.** Qu'on ne peut admettre de nouveau dans un groupe, un parti: *Ils ont démissionné avec fracas; ce sont des membres irrécupérables.* ☞ récupérer.

irréductible n. et adj. **1.** n. Personne dont on ne peut venir à bout, qui n'accepte aucun compromis: *Vous perdez votre temps à essayer de les convaincre! Ce sont des irréductibles.* **2.** adj. Dont on ne peut venir à bout: *Les Romains refusaient d'admettre que les Gaulois étaient irréductibles.* SYN. intraitable, invincible. **3.** adj. Qu'on ne peut ramener à une expression plus simple, en parlant d'une fraction: *3/4 et 2/3 sont des fractions irréductibles.* ANT. réductible. ☞ réduire.

irréductiblement adv. D'une façon irréductible, sans compromis possible: *Elles étaient irréductiblement opposées au projet de loi sur la langue d'affichage.* ☞ réduire.

irréel n.m. Ce qui n'est pas réel: *Les rêves appartiennent au domaine de l'irréel.* SYN. imaginaire. ☞ réel.

irréel, elle adj. Qui n'est pas réel: *Les fées, les génies et les fantômes sont des êtres irréels.* SYN. imaginaire. ANT. authentique. ☞ réel.

irréfléchi, ie adj. **1.** Qui est fait sans réfléchir: *Elle regrette ses paroles irréfléchies.* SYN. déraisonnable, impulsif, inconsidéré, involontaire. ANT. raisonnable, réfléchi. **2.** Qui agit sans réfléchir: *Mathieu est un garçon irréfléchi.* SYN. écervelé, étourdi, impulsif. ANT. avisé, raisonnable, réfléchi. ☞ réfléchir.

irréflexion n.f. Manque de réflexion: *Son irréflexion lui a fait commettre d'énormes bêtises.* SYN. étourderie, imprévoyance, inattention, inconséquence, légèreté. **R.** Le *x* se prononce *ks*. ☞ réfléchir.

irréfutable adj. Dont on ne peut pas prouver la fausseté: *L'inculpé a fourni des preuves irréfutables de son innocence.* SYN. indiscutable, sûr. ANT. discutable, réfutable. ☞ réfuter.

irrégularité n.f. **1.** Manque de symétrie, d'uniformité: *L'irrégularité de son pouls inquiétait le médecin.* ANT. régularité. **2.** Action contraire à la loi, aux règlements: *Cette députée a commis plusieurs irrégularités au cours de son mandat.* SYN. illégalité. **3.** Chose ou surface irrégulière: *Le terrain présente de nombreuses irrégularités.* SYN. inégalité. ☞ régulier.

irrégulier, ière adj. **1.** Qui n'est pas symétrique, uniforme: *L'écriture d'un petit enfant est irrégulière.* ANT. égal, régulier. **2.** Qui n'est pas constant dans son travail, ses résultats: *Michelle est une élève irrégulière dont les résultats scolaires varient beaucoup.* ANT. stable. **3.** Qui n'est pas conforme à la loi, aux règlements, à l'usage: *Les gens qui se trouvent clandestinement dans un pays sont dans une situation irrégulière.* SYN. illégal. ANT. légal. **4.** En grammaire, qui n'est pas conforme à un modèle, à une règle générale: *Le verbe «aller» est un verbe irrégulier.* ANT. régulier. ☞ régulier.

irrégulièrement adv. **1.** D'une façon irrégulière, occasionnellement: *Elle ne vient que très irrégulièrement nous voir.* ANT. assidûment, régulièrement. **2.** D'une façon irrégulière, illégale: *Ce maire a été élu irrégulièrement.* SYN. illégalement. ANT. normalement. **3.** D'une façon irrégulière, inégale: *Les briques de la façade étaient posées très irrégulièrement.* ANT. régulièrement. ☞ régulier.

irrémédiable n.m. et adj. **1.** n.m. Ce qui est sans remède, sans solution: *Il n'a pu éviter l'irrémédiable.* **2.** adj. Qui est sans remède, sans solution: *Elles ont subi des pertes irrémédiables.* SYN. irréparable. ANT. réparable. ☞ remède.

irrémédiablement adv. D'une façon irrémédiable, définitive: *Tout a été irrémédiablement perdu lors du naufrage.* SYN. définitivement, irréparablement. ☞ remède.

irremplaçable adj. Qui ne peut être remplacé par quelqu'un ou quelque chose de même valeur: *Ce bijou ancien est irremplaçable.* ANT. remplaçable. **R.** Ne pas oublier la cédille. ☞ remplacer.

irréparable n.m. et adj. **1.** n.m. Situation contre laquelle on ne peut rien: *L'irréparable s'est produit.* **2.** adj. Qui ne peut être réparé: *Ta bicyclette est irréparable.* ANT. réparable. **3.** adj.fig. Qu'on ne peut réparer, qui est sans remède, sans solution: *On lui a fait un tort irréparable.* SYN. irrémédiable. ☞ réparer.

irréparablement adv. D'une façon irréparable: *Sa réputation est irréparablement compromise.* SYN. irrémédiablement. ☞ réparer.

irréprochable adj. **1.** À qui l'on ne peut rien reprocher: *Madame Genest est une employée irréprochable.* SYN. honnête. ANT. critiquable. **2.** Qui ne présente aucun défaut: *Votre conduite est irréprochable.* SYN. impeccable, inattaquable. ANT. condamnable, défectueux. ☞ reproche.

irrésistible adj. **1.** À qui ou à quoi l'on ne peut résister: *Cet homme a un charme irrésistible.* **2.** Qui fait rire: *Marie-Paule est irrésistible quand elle fait des imitations.* **3.** Qui séduit, fascine: *Cet enfant est irrésistible avec sa face de chérubin.* ☞ résister.

irrésistiblement adv. D'une manière irrésistible à laquelle on ne peut résister: *Les baigneurs étaient irrésistiblement entraînés par le courant.* ☞ résister.

irrésolu, ue n. et adj. **1.** n. Personne qui a de la difficulté à prendre une décision, qui ne sait pas ce qu'elle veut: *André est un irrésolu qui ne sait jamais quel parti prendre.* SYN. indécis. **2.** adj. Qui a de la difficulté à prendre une décision: *Son caractère irrésolu lui enlève tout son dynamisme.* SYN. hésitant, indécis. ANT. résolu. ☞ résoudre.

irrésolution n.f. État d'une personne qui a de la difficulté à prendre une décision, qui ne sait pas ce qu'elle veut: *On lui reproche souvent son irrésolution.* SYN. hésitation, indécision. ANT. détermination, fermeté. ☞ résoudre.

irrespect n.m. Manque de respect, de politesse: *Cédric a fait preuve d'irrespect envers sa gardienne.* ☞ respect.

irrespectueux, euse adj. **1.** Qui manque de respect, de politesse: *Tu as été très irrespectueuse envers ton enseignant.* SYN. impoli, insolent. ANT. courtois, respectueux. **2.** Qui manifeste un manque de respect, de politesse: *Tes propos irrespectueux nous ont déplu.* SYN. impertinent, insolent. ANT. respectueux. ☞ respect.

irrespirable adj. **1.** Qui est désagréable ou dangereux à respirer: *La pollution rend l'air irrespirable en certains endroits.* ANT. respirable. **2.** fig. Qui est difficile à supporter, qui provoque un état de tension morale: *Depuis quelques mois, l'atmosphère de la classe est devenue irrespirable.* ☞ respirer.

irresponsabilité n.f. **1.** État d'une personne qui, devant la loi, n'est pas responsable, qui agit involontairement et inconsciemment: *L'avocate a plaidé l'irresponsabilité de son client.* ANT. responsabilité. **2.** Caractère d'une personne qui ne pense pas aux conséquences de ses actes: *Ton irresponsabilité a failli avoir des conséquences désastreuses.* ☞ responsable.

irresponsable n. et adj. **1.** n. Personne qui, devant la loi, n'est pas responsable et n'a pas à répondre de ses actions qui sont involontaires et inconscientes: *Selon la loi, les enfants et les aliénés sont des irresponsables.* **2.** n. Personne qui ne pense pas aux conséquences de ses actes: *Quelle irresponsable! Tu as laissé ton petit frère sans surveillance.* SYN. étourdi, inconscient. **3.** adj. Qui, devant la loi, n'est pas responsable et n'a pas à répondre de ses actions qui sont involontaires et inconscientes: *Le jury a conclu que l'accusée était irresponsable et il n'y a pas eu de condamnation.* **4.** adj. Qui ne pense pas aux conséquences de ses actes: *Je ne peux pas lui faire confiance! Il est tellement irresponsable.* SYN. étourdi, inconscient, irréfléchi. ☞ responsable.

irrétrécissable adj. Qui ne peut rétrécir: *Tu peux laver ce chandail sans crainte, car il est irrétrécissable.* ☞ étroit.

irréversible adj. Qui va dans un seul sens, sans pouvoir être arrêté ni renversé: *L'évolution de cette maladie héréditaire est irréversible.* ANT. réversible. ☞ réversible.

irrévocable adj. **1.** Qu'on ne peut annuler, en parlant d'un acte juridique: *La Cour suprême a rendu un jugement irrévocable.* SYN. définitif. ANT. annulable, révocable. **2.** Sur quoi il est impossible de revenir: *Les paroles, une fois prononcées, sont irrévocables.* SYN. définitif. ☞ révoquer.

irrévocablement adv. Définitivement: *Il semble que ta décision soit irrévocablement prise.* ☞ révoquer.

irrigable adj. Qu'on peut arroser par des moyens artificiels: *Ces terres sont irrigables.* ☞ irriguer.

irrigation n.f. Arrosage des terres par des moyens artificiels: *Grâce à l'irrigation, ces champs autrefois arides sont devenus fertiles.* ANT. assèchement, drainage. ☞ irriguer.

irriguer v. Arroser par des moyens artificiels: *On a dû irriguer ces champs pour remédier à la sécheresse.* ANT. assécher. **R.** Ne pas oublier le *u* après le *g*. ☞ irrigable, irrigation.

irritabilité n.f. Disposition à se mettre en colère: *Depuis qu'il est malade, il est d'une grande irritabilité.* ☞ irriter.

irritable adj. Qui se met en colère facilement: *Plus elle vieillit, plus elle devient irritable.* SYN. irascible. ANT. calme. ☞ irriter.

▲ **irritable** adj. Qui devient facilement douloureux, sensible, qui est sujet à l'inflammation: *Tu ne devrais pas fumer car tu sais que ta gorge est très irritable.* ☞ irriter.

irritant, ante adj. Qui met en colère: *Ta nonchalance est vraiment irritante.* SYN. agaçant, énervant. ANT. apaisant, calmant. ☞ irriter. ▲ **irritant, ante** adj. Qui rend douloureux, sensible en provoquant une légère inflammation : *Ces produits de beauté sont très irritants pour la peau.* ANT. adoucissant. ☞ irriter.

irritation n.f. Colère, exaspération : *En ce moment, rien ne peut calmer son irritation.* ANT. apaisement, calme. ☞ irriter. ▲ **irritation** n.f. Légère inflammation : *Ces pastilles calmeront l'irritation de ta gorge.* ☞ irriter.

irriter v. Mettre en colère, exaspérer : *Tes plaisanteries déplacées ont le don de m'irriter.* SYN. agacer, contrarier, énerver, fâcher, impatienter. ANT. apaiser, calmer. ☞ irritabilité, irritable, irritant, irritation. **s'irriter** v.pron. Se mettre en colère : *Elle s'irrite à la moindre contrariété.* SYN. s'emporter, se fâcher. ANT. se calmer. ▲ **irriter** v. Rendre douloureux, sensible en provoquant une légère inflammation : *La fumée de cigarette m'irrite les yeux et la gorge.* ANT. adoucir. ☞ irritable, irritant, irritation. **s'irriter** v.pron. Devenir douloureux, sensible à la suite d'une légère inflammation : *Ta peau s'irrite facilement.*

irruption n.f. Entrée soudaine et violente d'un grand nombre de personnes dans un lieu : *L'irruption des manifestants à l'hôtel de ville a forcé le maire à suspendre la réunion.* ⫽ *Faire irruption quelque part :* Entrer brusquement quelque part et de façon inattendue. ▲ **irruption** n.f. Débordement d'un fleuve, de la mer ; envahissement : *L'irruption des eaux du fleuve dans les bas quartiers a provoqué la panique chez les habitants.* **R.** Ne pas confondre avec *éruption*.

isard n.m. Chamois vivant dans les Pyrénées : *L'isard est un animal très agile qui saute avec souplesse d'un rocher à l'autre.*

isatis n.m. Petit renard des régions arctiques dont la fourrure gris-bleu devient blanche en hiver : *L'isatis est aussi appelé « renard polaire » ou « renard bleu ».* **R.** Le *s* final se prononce.

isatis

islam n.m. (arabe) **1.** Religion des musulmans prêchée par Mahomet et fondée sur le Coran : *L'islam est répandu en Europe, en Asie et en Afrique.* **2.** Ensemble des peuples qui pratiquent cette religion et la civilisation qui les caractérise : *Mahommed s'intéresse à l'histoire de l'Islam.* **R.** On met la majuscule à *islam* lorsqu'il désigne l'ensemble des peuples musulmans et leur civilisation. Le *m* se prononce. ☞ islamique, islamisme.

islamique adj. Qui se rapporte à l'islam, la religion des musulmans : *Aïda ira en pèlerinage à La Mecque, la capitale islamique.* ☞ islam.

islamisme n.m.vx Religion des musulmans prêchée par Mahomet et fondée sur le Coran : *L'islamisme a pris naissance en Arabie au VIIe siècle.* ☞ islam.

islandais, aise n. et adj. **1.** n. Personne qui est de l'Islande : *Un Islandais, une Islandaise.* **2.** adj. Qui est de l'Islande : *Les glaciers occupent plus de dix pour cent du territoire islandais.* **R.** On met la majuscule à *islandais* et à *islandaise* lorsque le nom désigne une personne.

islandais n.m. Langue parlée en Islande : *L'islandais est une langue de la même famille que l'allemand et l'anglais.*

isocèle adj. Qui a deux côtés égaux : *Hans a tracé un triangle isocèle sur sa feuille.*

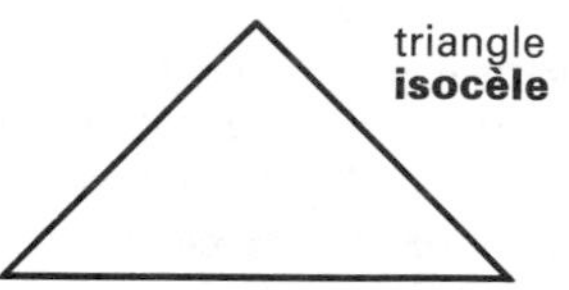

triangle **isocèle**

isolant n.m. Matériau qui empêche le passage du courant ou qui isole du froid, de la chaleur, du bruit : *La porcelaine est un isolant électrique.* ☞ isoler.

isolant, ante adj. Qui empêche le passage du courant ou qui isole du froid, de la chaleur ou du bruit : *On utilise la laine de verre pour l'isolation thermique à cause de ses qualités isolantes.* ANT. conducteur. ☞ isoler.

isolation n.f. Action d'empêcher le passage du courant électrique, du froid, de la chaleur ou du bruit : *Nos voisins ne sont pas satisfaits de l'isolation de leur maison.* SYN. isolement. ☞ isoler.

isolé, ée adj. **1.** Qui est séparé des autres choses : *Dominique s'est installé à un bureau isolé dans la grande salle.* **2.** Qui est éloigné des lieux fréquentés : *J'ai passé mes vacances dans un endroit isolé.* SYN. reculé. **3.** Qui est seul, séparé des autres humains : *On peut parfois se sentir bien isolé dans une grande ville.* SYN. solitaire. **4.** Qui est protégé du contact de tout corps conducteur d'électricité, du froid, de la chaleur ou du bruit: *La vendeuse m'a assurée que cette maison était bien isolée.* **5.** fig. Qui est rare, unique: *Cet enfant atteint de rougeole n'est qu'un cas isolé.* ANT. commun. HOM. isoler. ☞ isoler.

isolement n.m. **1.** État de quelque chose qui est éloigné des lieux fréquentés: *L'isolement de cette ferme en fait un lieu rêvé pour les vacances.* SYN. éloignement. **2.** État de quelqu'un qui est seul, séparé des autres humains: *Son isolement lui semblait de plus en plus difficile à supporter.* SYN. solitude. ANT. compagnie. **3.** État d'un malade, d'un prisonnier que l'on sépare des autres: *L'isolement des malades contagieux a pour but d'empêcher la propagation de la maladie.* **4.** État d'un corps qui empêche le passage du courant électrique, du froid, de la chaleur ou du bruit: *L'isolement des fils électriques empêche les courts-circuits.* SYN. isolation. ☞ isoler.

isolément adv. Séparément, individuellement: *Ce sont des enfants adorables si on les considère isolément.* ANT. ensemble. ☞ isoler.

isoler v. **1.** Séparer un lieu, un objet de ce qui l'entoure: *Un immense parc isole le château du reste de la ville.* ANT. unir. **2.** Mettre quelqu'un à l'écart des autres: *Le médecin a décidé d'isoler cette malade contagieuse.* ANT. grouper, joindre, rassembler. **3.** Séparer un microbe, un virus du milieu où on le rencontre: *La chercheuse a réussi à isoler le virus.* **4.** Empêcher le passage du courant électrique, du froid, de la chaleur ou du bruit: *Il est recommandé de bien isoler les maisons afin d'économiser l'énergie.* **5.** fig. Distinguer quelque chose du reste: *Si tu isoles cette phrase de son contexte, elle ne veut plus rien dire.* HOM. isolé. ☞ isolant, isolation, isolé, isolement, isolément, isoloir. **s'isoler** v.pron. Se séparer des autres de façon à être seul: *Danièle aime bien s'isoler dans sa chambre.* SYN. s'enfermer, se retirer.

isoloir n.m. Cabine où l'électeur se retire pour préparer son bulletin de vote: *L'isoloir garantit le secret du vote.* ☞ isoler.

israélien, ienne n. et adj. **1.** n. Personne qui est d'Israël: *Un Israélien, une Israélienne.* **2.** adj. Qui est d'Israël: *La langue officielle de l'État israélien est l'hébreu.* **R.** On met la majuscule à *israélien* et à *israélienne* lorsqu'il s'agit du nom.

israélite n. et adj. **1.** n. Personne qui appartient à la religion, à la communauté juive: *Le samedi, les israélites observent le sabbat.* SYN. hébreu. **2.** adj. Qui appartient à la religion, à la communauté juive: *Samuel est israélite.*

issu, ue adj. **1.** Qui est né de, qui est de la descendance de quelqu'un: *Mélina est issue d'une famille d'origine grecque.* SYN. descendant. **2.** fig. Qui provient de quelque chose: *Une révolte, issue du mécontentement populaire, menaçait d'éclater.* HOM. issue.

issue n.f. **1.** Passage, ouverture par où l'on peut sortir: *La cambrioleuse ne peut s'échapper car toutes les issues sont bloquées.* SYN. sortie. ANT. accès, entrée. **2.** fig. Moyen de sortir d'une affaire difficile: *Je dois reconnaître que cette situation est sans issue.* SYN. échappatoire, solution. **3.** Manière dont une chose se termine: *Les journalistes attendaient avec impatience l'issue des pourparlers.* SYN. dénouement, fin, résultat. ANT. commencement, début. HOM. issu. ⫽ *À l'issue de:* À la fin de.

isthme n.m. Bande de terre étroite située entre deux mers ou deux golfes et réunissant deux terres: *L'isthme de Suez, situé entre la mer Rouge et la Méditerranée, réunit l'Asie et l'Afrique.* ANT. détroit. **R.** Les lettres *th* ne se prononcent pas.

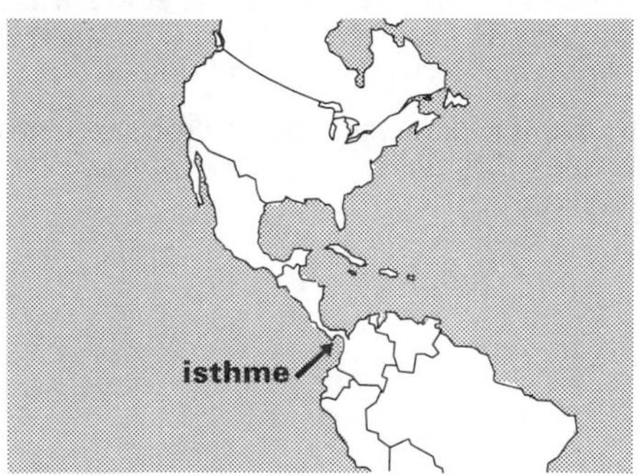

italien, ienne n. et adj. **1.** n. Personne qui est de l'Italie: *Un Italien, une Italienne.* **2.** adj. Qui est de l'Italie: *Rome, Venise et Florence sont des villes italiennes.* **R.** On met la majuscule à *italien* et à *italienne* lorsque le nom désigne une personne.

italien n.m. Langue parlée en Italie: *L'italien appartient à la même famille que le français et l'espagnol.*

italique n.m. et adj. **1.** n.m. Caractère d'imprimerie légèrement incliné vers la droite: *Dans un texte imprimé, les mots de langue étrangère sont habituellement en italique.* **2.** adj. Qui est légèrement incliné vers la droite, en parlant du caractère d'imprimerie: *Les lettres italiques ont été inventées en Italie à la fin du XVe siècle.*

itinéraire n.m. Chemin que l'on suit pour aller d'un lieu à l'autre: *Avant de partir, l'auto-*

mobiliste choisit son itinéraire sur la carte. SYN. circuit, parcours.

itinérant, ante adj. **1.** Qui se déplace pour exercer ses fonctions, son métier: *Une vendeuse itinérante nous a vendu un aspirateur électrique.* **2.** Qui se fait en se déplaçant: *Une exposition itinérante d'objets égyptiens se tiendra à Montréal en juin et à Toronto le mois suivant.*

ivoire n.m. **1.** Substance osseuse et dure d'un blanc laiteux dont sont faites les défenses de l'éléphant et de certains autres animaux: *Il est illégal de tuer des éléphants pour se procurer leurs défenses en ivoire.* **2.** Objet d'art en ivoire: *Le musée possède une belle collection d'ivoires.* **3.** Partie dure des dents des humains et des mammifères: *L'ivoire des dents est recouvert d'émail au-dessus de la couronne.*

ivoirien, ienne n. et adj. **1.** n. Personne qui est de la Côte d'Ivoire: *Un Ivoirien, une Ivoirienne.* **2.** adj. Qui est de la Côte d'Ivoire: *L'économie ivoirienne est surtout basée sur l'exportation du café, du cacao et des fruits tropicaux.* **R.** On met la majuscule à *ivoirien* et à *ivoirienne* lorsqu'il s'agit du nom.

ivraie n.f. Plante qui gêne la croissance des céréales: *L'ivraie est une herbe nuisible aux céréales.*

ivre adj. **1.** Qui a l'esprit troublé parce qu'il a trop bu d'alcool: *Empêchez-la de conduire, car elle est ivre.* SYN. soûl. ANT. lucide, sobre. **2.** Qui est transporté par une passion, un sentiment: *Il était ivre de bonheur.* ⫽ *Ivre mort:* Ivre au point d'avoir perdu connaissance. ☞ enivrant, enivrement, enivrer, ivresse, ivrogne, ivrognerie.

ivresse n.f. **1.** État d'une personne dont l'esprit est troublé parce qu'elle a trop bu d'alcool: *Tu ferais mieux de le reconduire chez lui: il est en état d'ivresse.* SYN. ébriété. ANT. lucidité, sobriété. **2.** État de grande excitation, de ravissement: *Après son succès triomphal, elle a connu des heures d'ivresse.* SYN. extase. ANT. froideur. ☞ ivre.

ivressomètre ☞ sect. anglicismes et canadianismes.

ivrogne n. et adj. **1.** n. Personne qui a l'habitude de boire beaucoup d'alcool: *Un ivrogne dormait sur les bancs du parc.* SYN. alcoolique, buveur. **2.** adj. Qui a l'habitude de boire beaucoup d'alcool: *Les personnes ivrognes ont besoin d'aide.* SYN. alcoolique. ANT. abstinent, sobre, tempérant. ⫽ *Serment d'ivrogne:* Serment qui ne sera pas tenu. ☞ ivre.

ivrognerie n.f. Habitude de boire beaucoup d'alcool: *Son ivrognerie lui a fait perdre son emploi.* SYN. alcoolisme, intempérance. ANT. sobriété, tempérance. ☞ ivre.

j

j n.m.invar. Dixième lettre de l'alphabet: *La lettre «j» est la septième consonne de l'alphabet.*

jabiru n.m. Oiseau échassier à gros bec, voisin de la cigogne: *Le jabiru est un oiseau des régions chaudes.*

jabot n.m. **1.** Chez les oiseaux, poche où séjourne la nourriture avant d'être digérée: *Les graines séjournent dans le jabot avant la digestion.* **2.** Ornement de dentelle ou de tissu, fixé au col d'une chemise, d'une blouse et s'étalant sur la poitrine: *Sa blouse est garnie d'un jabot de dentelle.*

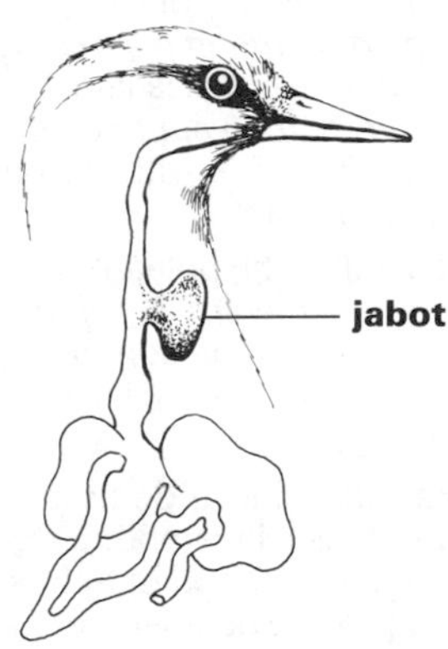

jacasse n.f. Oiseau passereau au plumage noir et blanc ou bleu et blanc et à longue queue: *La jacasse fait son nid.* ☞ jacasser. ◇ pie.

jacassement n.m. **1.** Cri de la pie: *Le jacassement des pies se fait entendre tout le jour.* **2.** Bavardage bruyant et continuel: *Ce jacassement provient de la cour d'école.* ☞ jacasser.

jacasser v. **1.** Crier, en parlant de la pie: *La pie jacasse.* **2.** Parler beaucoup, d'une voix criarde: *Ces enfants jacassent pendant la récréation.* SYN. bavarder. ☞ jacasse, jacassement, jacasserie, jacasseur.

jacasserie n.f. Bavardage des personnes qui jacassent: *Avez-vous terminé votre jacasserie?* ☞ jacasser.

jacasseur, euse n. et adj. **1.** n. Personne qui jacasse: *Un jacasseur m'a dérangé pendant ma lecture.* **2.** adj. Qui jacasse: *Philomène est jacasseuse.* SYN. bavard. ☞ jacasser.

jachère n.f. État d'une terre labourable laissée temporairement en repos de culture: *Cette année, l'agricultrice laisse un champ en jachère.*

jacinthe n.f. Plante à bulbe qui donne une grappe de fleurs colorées et parfumées: *Voici un bouquet de jacinthes roses et blanches.*

jack ☞ sect. anglicismes et canadianismes.

jade n.m. (esp.) **1.** Pierre fine et dure, d'un vert plus ou moins foncé: *Le bijoutier a vendu un beau collier de jade.* **2.** Statuette ou vase fait de jade: *Voici un jade qui plaît beaucoup.*

jadis adv. Autrefois, il y a de cela très longtemps: *Jadis, on labourait la terre à l'aide d'une charrue tirée par des bœufs.* SYN. anciennement. ANT. maintenant. **R.** Le *s* se prononce.

jaguar n.m. Mammifère de l'Amérique du Sud au pelage fauve tacheté de noir: *Le jaguar*

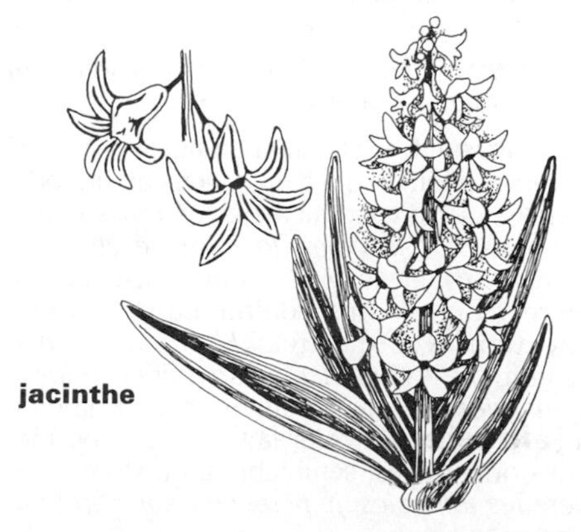

ressemble à la panthère et au léopard. **R.** Les lettres *uar* se prononcent *ouar*.

jaillir v. **1.** Sortir brusquement en un jet puissant, en parlant d'un liquide: *Une source a jailli de la terre.* **2.** Se produire avec force: *Des milliers d'étincelles jaillissent du brasier.* **3.** fig. Apparaître soudainement: *La lumière a jailli de cette discussion.* SYN. surgir. ☞ jaillissant, jaillissement.

jaillissant, ante adj. **1.** Qui jaillit, en parlant d'un liquide: *Cette source jaillissante donne une eau pure.* **2.** fig. Qui se manifeste soudainement: *Cette amitié jaillissante les unira davantage.* ☞ jaillir.

jaillissement n.m. **1.** Action de jaillir, en parlant d'un liquide: *Le jaillissement du pétrole encourage les foreurs.* **2.** fig. Action de se manifester soudainement: *Au printemps, nous assistons au jaillissement de la vie.* ☞ jaillir.

jais n.m. Variété de charbon fibreux, dur et d'un noir luisant, qu'on peut tailler et polir: *La joaillière a créé des bijoux en jais.* HOM. geai, jet. **R.** Se prononce *jè*.

jalon n.m. **1.** Piquet servant à marquer les distances le long d'une route: *Autrefois, les jalons marquaient la route à suivre, l'hiver à la campagne.* **2.** fig. Point de repère, marque à suivre: *Ils ont posé les jalons de la discussion.* ☞ jalonnement, jalonner.

jalonnement n.m. Action de jalonner: *Mon grand-père était responsable du jalonnement de la route, l'hiver.* ☞ jalon.

jalonner v. **1.** Marquer des limites ou des repères en plaçant des jalons: *Ces piquets jalonnent la route à suivre l'hiver.* SYN. délimiter, déterminer. **2.** fig. Survenir de temps en temps: *Des congés jalonnent l'année scolaire.* ☞ jalon.

jalousement adv. D'une façon jalouse: *Dominique garde jalousement son secret.* ☞ jaloux.

jalouser v. Envier: *Tu jalouses ta sœur qui réussit bien.* ☞ jaloux.

jalousie n.f. **1.** Sentiment mauvais éprouvé envers quelqu'un qui a du succès ou qui possède ce qu'on voudrait avoir: *La réussite des uns fait parfois naître la jalousie chez les autres.* SYN. envie. ANT. indifférence. **2.** Manière d'aimer sans vouloir partager cette affection avec d'autres: *L'amour intense qu'éprouve cet enfant pour sa mère le pousse à la jalousie.* ANT. indifférence. ☞ jaloux.

▲ **jalousie** n.f. Volet fait de lamelles mobiles orientables, semblable à un store: *Derrière les jalousies, je peux voir sans être vu.*

jaloux, ouse n. et adj. **1.** n. Personne qui éprouve de l'envie ou du chagrin devant les avantages des autres: *Ce jaloux n'apprécie pas ce qu'il possède.* **2.** adj. Qui éprouve de la jalousie: *La belle-mère de Blanche-Neige en était jalouse.* ANT. indifférent. ☞ jalousement, jalouser, jalousie.

jamaïquain, aine n. et adj. **1.** n. Personne qui est de la Jamaïque: *Un Jamaïquain, une Jamaïquaine.* **2.** adj. Qui est de la Jamaïque: *Je t'offre du rhum jamaïquain.* **R.** Aussi, *jamaïcain, jamaïcaine*. On met la majuscule à *jamaïquain* et à *jamaïquaine* lorsqu'il s'agit du nom. Ne pas oublier le tréma: *ï*.

jamais adv. **1.** À aucun moment: *Ne mettez plus jamais les pieds ici.* ANT. toujours. **2.** En un temps quelconque: *Si jamais tu passes par ici, viens me voir.* ⫽ *À jamais, à tout jamais:* Éternellement, pour toujours. *Au grand jamais:* Jamais, quoi qu'il arrive. *C'est le moment ou jamais:* C'est l'occasion propice à saisir tout de suite. *Jamais de la vie:* Certainement pas.

jambage n.m. Élément vertical d'une lettre: *Le « n » a deux jambages; le « m » en a trois.*

jambe n.f. **1.** Partie du corps comprise entre le genou et le pied: *Le tibia et le péroné sont les os de la jambe.* **2.** Tout le membre inférieur: *Sylvain a de grandes jambes.* **3.** Partie du pantalon qui recouvre la jambe: *J'ai percé la jambe droite de mon pantalon en tombant.* ⫽ *À toutes jambes:* Très vite. ☞ entrejambe, jambière, unijambiste.

jambette n.f. Petit poteau soutenant les pièces d'une charpente: *Les jambettes qui soutiennent cette section sont masquées par le mur.* **R.** N'a pas le sens de *croc-en-jambe, croche-pied*.

jambière n.f. **1.** Pièce de tissu ou de cuir destinée à protéger la jambe: *Le gardien de but porte des jambières.* **2.** Autrefois, partie de l'armure qui protégeait la jambe: *Les soldats grecs portaient des jambières.* ☞ jambe.

jambon n.m. Fesse ou épaule de porc que l'on cuit, sale ou fume pour la conserver: *Lôc aime les sandwichs au jambon.*

jamboree n.m. (angl.) Réunion internationale de scouts ou de guides: *De nombreux scouts d'Europe étaient présents au dernier jamboree.* **R.** Les deux *e* se prononcent *i* ou *é*.

jante n.f. Cercle, le plus souvent en métal, d'une roue de véhicule: *Pour remplacer un pneu, il faut le dégager de sa jante.* ☞ déjanter.

janvier n.m. Premier mois de l'année: *Le mois de janvier compte trente et un jours.*

japonais, aise n. et adj. **1.** n. Personne qui est du Japon: *Un Japonais, une Japonaise.* **2.** adj. Qui est du Japon: *Le kimono est un vêtement japonais.* **R.** On met la majuscule à *japonais* et à *japonaise* lorsque le nom désigne une personne.

japonais n.m. Langue parlée au Japon: *Le japonais est une langue difficile à apprendre.*

jappement n.m. Cri du jeune chien ou du chacal: *Les jappements de la chienne me réveillent tous les matins.* SYN. aboiement. ☞ japper.

japper v. Crier, en parlant du jeune chien ou du chacal: *Fido jappe à l'approche d'étrangers.* SYN. aboyer. ☞ jappement, jappeur.

jappeur, euse n. et adj. **1.** n. Chien ou chacal qui jappe souvent: *Un jappeur n'est pas nécessairement un bon gardien.* **2.** adj. Qui jappe souvent: *Ton chien est jappeur.* ☞ japper.

jaquette n.f. **1.** Veste de cérémonie chez les hommes: *Pour le mariage, les hommes porteront la jaquette.* **2.** Veste de femme, boutonnée et ajustée à la taille: *Un costume tailleur se compose d'une jupe et d'une jaquette.* **R.** N'a pas le sens de *chemise de nuit.* ▲ **jaquette** n.f. Couverture légère, souvent illustrée, qui protège un livre: *Le dictionnaire a une jaquette tricolore.*

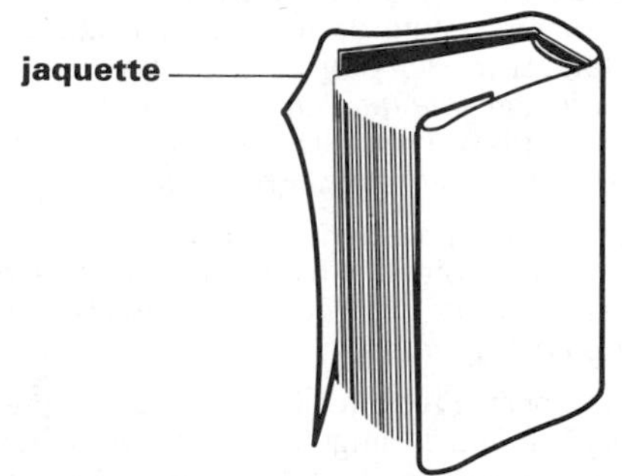

jardin n.m. **1.** Terrain où l'on cultive des fruits, des légumes, des fleurs: *Ces carottes viennent de mon jardin.* SYN. potager. **2.** Espace vert ménagé dans une ville à la disposition de tous: *Ils se promènent dans le jardin.* ⁄⁄ *Côté jardin* (opposé à *côté cour*)*:* Au théâtre, côté situé à la gauche des spectateurs. *Jardin botanique:* Lieu destiné à l'étude scientifique des plantes. *Jardin d'enfants:* Établissement préscolaire correspondant à la maternelle. *Jardin d'hiver:* Serre vitrée à l'abri du froid. *Jardin japonais:* Jardin en miniature. *Jardin zoologique:* Lieu destiné à l'observation d'animaux divers. ☞ jardinage, jardiner, jardinet, jardinier, jardinière.

jardinage n.m. Action de jardiner, de faire ou d'entretenir un jardin: *Le jardinage est le loisir préféré de grand-mère.* ☞ jardin.

jardiner v. Faire ou entretenir un jardin: *Grand-père jardine pour son plaisir.* ☞ jardin.

jardinet n.m. Petit jardin: *Sur certains terrains municipaux, les enfants peuvent cultiver un jardinet.* ☞ jardin.

jardinier, ière n. Personne qui cultive un jardin: *Mon oncle exerce le métier de jardinier.* ⁄⁄ *Jardinière d'enfants:* Personne qui s'occupe des enfants dans un jardin d'enfants. ☞ jardin.

jardinière n.f. **1.** Contenant dans lequel on cultive des fleurs ou des plantes: *Une immense jardinière orne ma fenêtre.* **2.** Mélange de légumes coupés en morceaux: *Au menu: filet de sole et jardinière fraîche.* ☞ jardin.

jargon n.m. **1.** Langue qu'on ne comprend pas: *Cette langue, c'est du jargon pour moi.* SYN. charabia. **2.** Langage déformé ou inventé: *Les bébés parlent souvent un jargon.* **3.** Langage particulier à un métier ou à une profession: *Dans son jargon, le dentiste dit qu'il fraise une dent.* SYN. argot. ☞ jargonner.

jargonner v.fam. Parler en jargon: *Quand je jargonne, seuls mes amis me comprennent.* ☞ jargon.

jarre n.f. Vase de terre cuite destiné à conserver les aliments: *L'eau et l'huile étaient autrefois transportées dans des jarres.* HOM. jars.

jarret n.m. **1.** Creux de la jambe derrière le genou: *Le genou fléchit lorsqu'on reçoit un coup dans le jarret.* **2.** Endroit où se plie la jambe de derrière chez certains mammifères: *Ce soir, nous allons manger du jarret de veau.*

jarretelle n.f. Ruban élastique muni d'une petite pince servant à maintenir le bas attaché à la gaine ou au porte-jarretelles: *Ma grande sœur attache ses bas de nylon aux jarretelles.* ☞ porte-jarretelles.

jars n.m. Oiseau à pattes palmées, au long cou, au bec large et au plumage gris ou blanc, dont la femelle est l'oie et le petit, l'oison: *Le jars, l'oie et leurs oisons cacardent.* HOM. jarre.

jaser v. **1.** Parler beaucoup, pour le plaisir de parler: *Ces deux voisins jasent longuement chaque jour.* SYN. causer. **2.** Dire des choses malveillantes: *Quand Alex rentre tard, les voisins jasent.* SYN. médire. **3.** Émettre des sons aigus comme ceux des petits enfants: *Bébé jase dans son lit.* SYN. babiller. **4.** Crier, en parlant de certains oiseaux: *La pie jase.* **5.** Trahir un secret: *Si tu n'avais pas jasé, cela ne se serait jamais su.* ☞ jaseur.

jaseur, euse n. et adj. **1.** n. Personne qui aime jaser: *Un grand jaseur passe beaucoup de temps à parler.* SYN. bavard. **2.** adj. Qui aime jaser: *Tante Luce est jaseuse; elle parle à tout le monde.* ☞ jaser.

jaseur n.m. Oiseau passereau huppé qui se nourrit de petits fruits et d'insectes: *Le jaseur des cèdres et le jaseur de Bohême vivent au Canada.*

jasmin n.m. **1.** Arbuste à grandes fleurs blanches ou jaunes très odorantes: *Le jasmin est une plante vivace.* **2.** Parfum tiré des fleurs du jasmin: *Une odeur de jasmin embaume l'air.*

jatte n.f. **1.** Plat rond, sans rebord et sans anse: *La jatte est pleine de crème.* **2.** Contenu d'une jatte: *Manger une jatte de miel.*

jauge n.f. **1.** Instrument gradué indiquant le niveau de liquide dans un réservoir: *La jauge indique que le réservoir d'essence est vide.* **2.** Volume de marchandises que peut contenir un navire: *La jauge de ce navire est de mille tonneaux.* ☞ jauger.

jauger v. **1.** Mesurer avec une jauge, un instrument gradué: *On doit jauger le niveau d'huile d'une automobile avant de prendre la route.* **2.** Avoir telle capacité, en parlant d'un navire: *Ce navire jauge deux mille tonneaux.* **3.** fig. Juger de la valeur de quelqu'un: *Parfois, on jauge quelqu'un au premier coup d'œil.* SYN. évaluer. ☞ jauge.

jaunâtre adj. Qui est d'un jaune terne: *Ce papier vieilli est jaunâtre.* **R.** Ne pas oublier l'accent: *â.* ☞ jaune.

jaune n.m. et adj. **1.** n.m. De la couleur du citron: *La peintre utilise du jaune pour représenter le soleil.* **2.** n.m. Partie de l'œuf qui est de couleur jaune: *Paula aime le jaune d'œuf bien cuit.* **3.** adj. Qui est de couleur jaune, de la couleur du soleil: *J'ai trois crayons jaunes.* ☞ jaunâtre, jaunet, jaunir, jaunissant, jaunisse, jaunissement. ▲ **jaune** n. et adj. **1.** n. Personne de race jaune: *Les Asiatiques sont des Jaunes.* **2.** adj. Qui est de race jaune: *Kim est de race jaune; elle est chinoise.* **R.** On met la majuscule à *jaune* lorsque le nom désigne une personne de race jaune.

jaunet, ette adj. Qui est légèrement jaune: *La mayonnaise vieillie est jaunette.* ☞ jaune.

jaunir v. **1.** Rendre jaune: *La cigarette jaunit les doigts.* **2.** Devenir jaune: *Le papier journal jaunit rapidement.* ☞ jaune.

jaunissant, ante adj. Qui devient jaune: *La malade a un teint jaunissant.* ☞ jaune.

jaunisse n.f. Maladie du foie qui rend la peau jaune: *Patrice fait une jaunisse.* ☞ jaune.

jaunissement n.m. Action de devenir jaune: *Le jaunissement de ses doigts est causé par la cigarette.* ☞ jaune.

javanais, aise n. et adj. **1.** n. Personne qui est de Java: *Un Javanais, une Javanaise.* **2.** adj. Qui est de Java: *Ma voisine indonésienne est d'origine javanaise.* **R.** On met la majuscule à *javanais* et à *javanaise* lorsque le nom désigne une personne.

javanais n.m. **1.** Langue parlée à Java et à Sumatra: *Mon ami, originaire d'Indonésie, parle le javanais.* **2.** Argot qui consiste à insérer les syllabes «va» ou «av» dans les mots: *«Bavonjavour» signifie «bonjour» en javanais.*

eau de **Javel** n.f. (n. de lieu) Solution nettoyante et désinfectante: *L'eau de Javel enlève de nombreuses taches.* ☞ javellisation, javelliser.

javellisation n.f. Purification de l'eau par l'eau de Javel: *La javellisation de l'eau de la piscine est essentielle.* ☞ eau de Javel.

javelliser v. Nettoyer ou stériliser de l'eau à l'aide d'eau de Javel: *Pour javelliser l'eau de la piscine, mon père ajoute un composé de chlore.* ☞ eau de Javel.

javelot n.m. (gaul.) **1.** Lance lourde terminée par une pointe de fer, que l'on utilisait autrefois: *Le javelot pouvait être lancé avec la main ou avec une machine.* **2.** Instrument de lancer employé en athlétisme: *Le lancer du javelot est une épreuve olympique.*

jazz n.m. (anglo-améric.) Musique rythmée, née chez les Noirs des États-Unis: *Le festival de jazz de Montréal attire des milliers de personnes chaque année.*

je pron.pers. Pronom personnel de la première personne du singulier, sujet: *Quand j'ai soif, je bois un bon verre de lait.* **R.** *Je* devient *j'* devant une voyelle ou un *h* muet.

> Avec **je**, aux *temps simples*, les verbes se terminent par:
>
> | | |
> |---|---|
> | **e** | je chante |
> | **s** | je finis |
> | **ds** | je prends |
> | **x** | je veux |
> | **ai** | j'ai, je ferai |

jean n.m. (améric.) **1.** Tissu de coton résistant, généralement bleu: *Avec ce jean, je me confectionnerai une veste.* **2.** Pantalon fait de ce tissu: *Sylvie porte un jean serré.* **R.** Aussi, *jeans*. Se prononce à l'anglaise.

jeep n.f. (nom déposé) (améric.) Véhicule

tout terrain : *Cette exploratrice conduit une jeep.* **R.** Se prononce à l'anglaise.

jérémiade n.f.fam. Plainte, lamentation : *Ses jérémiades n'en finissaient plus.*

jersey n.m. (n. de lieu) Tissu souple et confortable : *Bouasiry porte un chandail de jersey.* **R.** Se prononce à l'anglaise.

jet n.m. **1.** Action de jeter, d'envoyer loin : *Le jet du fer à cheval développe les muscles du bras.* SYN. lancement. **2.** Distance parcourue par un objet lancé : *Luc a réussi un jet de soixante mètres au javelot.* **3.** Jaillissement : *Le jet d'eau de la fontaine est puissant.* HOM. geai, jais. ⁄⁄ *À jet continu :* Sans arrêt. *D'un jet :* D'un seul coup. *Premier jet :* Première esquisse, premier essai. ☞ jeter.

jet n.m. Avion à réaction : *Au lieu de dire « j'ai voyagé à bord d'un jet », on pourra dire « j'ai voyagé à bord d'un avion à réaction ».*

jetable adj. Qui est destiné à être jeté après usage : *À la garderie, les bébés portent tous des couches jetables.* ☞ jeter.

jetée n.f. Construction qui s'avance dans l'eau et qui forme un mur ou une chaussée : *Le bateau s'ancre au bout de la jetée.* HOM. jeter.

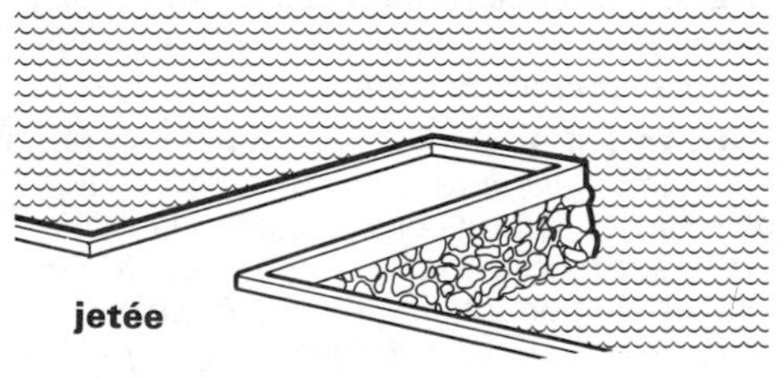
jetée

jeter v. **1.** Lancer : *Chantal jette des cailloux dans l'eau.* **2.** Pousser avec force : *On a jeté cette crapule en prison.* **3.** Se débarrasser, se défaire : *Émile a jeté ses vieilles lettres à la poubelle.* **4.** Mettre : *Gisèle a jeté une lettre à la poste.* **5.** Construire : *On a jeté un pont sur la rivière.* **6.** Diriger une partie du corps dans une direction : *Elle m'a jeté les bras autour du cou.* **7.** Répandre, émettre : *Cette lampe jette une faible lumière.* **8.** fig. Mettre dans un certain état d'esprit : *Tes paroles désobligeantes ont jeté un froid parmi les invités.* HOM. jetée. ⁄⁄ *Jeter un coup d'œil :* Regarder, s'intéresser. ☞ jet, jetable. **se jeter** v.pron. **1.** Sauter, plonger : *Un homme s'est jeté par la fenêtre pour échapper à l'incendie.* **2.** S'élancer : *Mélanie s'est jetée au cou de son père.* SYN. se précipiter. **3.** S'engager : *Marc se jette à corps perdu dans ses études.* SYN. se lancer. **4.** Déverser ses eaux, en parlant d'un cours d'eau : *La rivière Richelieu se jette dans le Saint-Laurent.* **R.** Ne pas oublier de doubler le *t* devant un *e* muet.

jeton n.m. **1.** Pièce plate, souvent ronde, remplaçant la monnaie : *Je dépose un jeton au poste de péage du pont Champlain.* **2.** Objet plat, souvent rond, servant de valeur dans certains jeux : *Ce bon coup te vaut trois jetons.*

jeu n.m. **1.** Activité dont le but est le divertissement : *Le jeu de dominos amuse depuis des siècles.* **2.** Amusement : *Jean n'est pas sérieux, il ne pense qu'au jeu.* ANT. travail. **3.** Plaisir : *Chercher dans le dictionnaire est un jeu pour Rita.* SYN. passe-temps. ANT. travail. **4.** Badinage, jeu de mots : *Mon parapluie vert est ouvert; comprends-tu le jeu de mots?* SYN. calembour, plaisanterie. **5.** Bagatelle : *Réciter les Fables de La Fontaine est un jeu pour Samuel.* ANT. embarras. **6.** Combinaison : *Les jeux du son et de la lumière sont fascinants.* **7.** Sport : *Les Romains demandaient du pain et des jeux.* ⁄⁄ *Jeux olympiques :* Compétitions sportives internationales. ☞ jouer. ▲ **jeu** n.m. **1.** Fonctionnement : *Un jeu de ressort permet à la porte de se fermer automatiquement.* **2.** Espace ménagé : *Ce tiroir est difficile à ouvrir, il manque de jeu.* ☞ jouer. ▲ **jeu** n.m. Série complète : *Il devrait y avoir un jeu de clés dans chaque véhicule.* SYN. ensemble.

jeudi n.m. Jour de la semaine qui précède vendredi et qui suit mercredi : *Comme nous sommes mardi, après-demain est jeudi.*

à jeun loc.adv. Sans avoir mangé : *Le patient doit être à jeun pour sa prise de sang.* ☞ jeûner.

jeune n. et adj. **1.** n. Personne peu avancée en âge : *Les jeunes adorent porter des vêtements à la mode.* ANT. vieux. **2.** adj. Qui n'est pas âgé : *René garde les jeunes enfants du voisin.* ANT. vieux. **3.** adj. Qui est récent : *Ce syndicat est jeune; il a été créé l'an passé.* SYN. nouveau. ANT. vieux. **4.** adj. Qui convient à la jeunesse : *Cette coiffure jeune te va bien.* **5.** adj. Qui est moins âgé que les autres personnes de sa profession, de sa fonction : *Ils ont engagé une jeune avocate.* ☞ jeunesse, rajeunir, rajeunissant, rajeunissement.

jeune adv. À la façon des personnes jeunes : *La minijupe convient à qui s'habille jeune.* ANT. vieux.

jeûne n.m. Privation de nourriture, volontaire ou imposée : *Autrefois, le jeûne du carême durait quarante jours.* **R.** Ne pas oublier l'accent : *û.* ☞ jeûner.

jeûner v. Se priver de nourriture, de façon volontaire ou imposée : *Jésus a jeûné pendant quarante jours dans le désert.* ANT. manger. **R.** Ne pas oublier l'accent : *û.* ☞ à jeun, jeûne, jeûneur.

jeunesse n.f. **1.** Période de la vie entre l'enfance et l'âge mûr: *Ce film rappelle à ma mère sa jeunesse.* ANT. vieillesse. **2.** Personnes des deux sexes, âgées de seize à vingt-cinq ans environ: *La jeunesse est l'espoir d'une nation.* **3.** Ensemble des caractères physiques et moraux propres aux personnes jeunes: *Tous lui envient sa jeunesse d'esprit.* **4.** Ensemble des enfants et des adolescents: *Ces émissions sont spécialement conçues pour la jeunesse.* ⁄⁄ *Jeunesses musicales du Canada:* En musique classique, association qui contribue à promouvoir les jeunes talents canadiens. ☞ jeune.

jeûneur, euse n. Personne qui jeûne: *La jeûneuse s'est sentie faible après trois jours.* **R.** Ne pas oublier l'accent: *û*. ☞ jeûner.

jiu-jitsu n.m. (jap.) Technique de combat sans armes: *Mes deux sœurs suivent des cours de jiu-jitsu.* **R.** Au pluriel, *jiu-jitsus*.

joaillerie n.f. **1.** Art de fabriquer des bijoux: *Ce sont souvent des artistes qui s'adonnent à la joaillerie.* **2.** Magasin où l'on vend des bijoux: *J'ai acheté ma bague à la joaillerie du quartier.* ☞ joaillier.

joaillier, ière n. Personne qui fabrique des bijoux: *C'est la joaillière qui a créé cette bague.* ☞ joaillerie.

job n.m.fam. Travail pour lequel on est payé, mais qui n'est pas un véritable métier: *Je me suis trouvé un job pour l'été.*

jockey n.m. (angl.) Personne dont le métier est de monter des chevaux de course: *France rêve de devenir jockey; elle adore les chevaux.* **R.** Les lettres *ey* se prononcent *è*.

joggeur, euse n. Personne qui s'adonne au jogging: *Roland est un joggeur débutant.* ☞ jogging.

jogging n.m. (angl.) **1.** Course à pied, à petite allure, pour se maintenir en forme: *Je fais dix minutes de jogging tous les jours.* **2.** Vêtement de sport, souvent en coton: *Je suis à l'aise quand je porte mon jogging.* ☞ joggeur.

joie n.f. **1.** Émotion agréable: *Sylvie respire la joie de vivre.* SYN. bonheur. ANT. chagrin. **2.** Consolation: *Patrick fait la joie de sa grand-mère.* SYN. bonheur. ANT. peine. **3.** Plaisir: *C'est avec joie que je vous revois.* ANT. tristesse. **4.** plur. Satisfactions: *L'amitié fait partie des joies de la vie.* SYN. agrément, plaisir. **5.** plur. Ennuis: *Les embouteillages, ce sont les joies de la conduite automobile.* SYN. désagrément. ☞ joyeusement, joyeux.

joindre v. **1.** Mettre ensemble: *L'enfant joint ses mains dans un geste de prière.* ANT. disjoindre. **2.** Ajouter: *Ma mère joint dix dollars à ses vœux d'anniversaire.* **3.** Entrer en communication: *Vous pouvez me joindre en composant ce numéro de téléphone.* ☞ joint, jointure, jonction, rejoindre. se **joindre** v.pron. **1.** S'unir à quelqu'un: *Je me joins aux autres pour te féliciter de ton succès.* SYN. s'associer. **2.** Venir avec: *Pierrette se joint à nous pour la randonnée pédestre.* ANT. se détacher.

joint n.m. **1.** Espace entre des éléments: *Le maçon reprend un joint de ciment.* **2.** Ligne où se joignent des éléments d'assemblage: *Le joint entre les deux pièces Lego est presque invisible.* **3.** Articulation, appelée aussi jointure, où les os se joignent: *Le joint de l'épaule est là où les os s'articulent.* ☞ joindre. ▲ **joint** n.m. (améric.) Cigarette de marijuana ou de haschisch: *Le joint contient de la drogue à fumer.*

joint, jointe adj. Qui est mis ensemble: *Les enfants sautent à pieds joints dans les flaques d'eau.* ☞ joindre.

jointure n.f. **1.** Articulation où les os se joignent: *Ian fait craquer ses jointures.* **2.** Façon dont les choses sont jointes: *Cette jointure est étanche.* ☞ joindre.

joke ☞ sect. anglicismes et canadianismes.

joker n.m. (angl.) Carte à jouer dont la valeur dépend des règles du jeu: *Ton joker est plus fort que mon as de cœur.*

joli, ie adj. **1.** Qui est agréable à voir ou à entendre: *Hélène est jolie comme un cœur!* ANT. laid. **2.** Qui est peu recommandable: *Débarrassez-moi de tout ce joli monde.* **3.** fam. Qui est important, imposant: *Geneviève a payé la jolie somme de mille cinq cents dollars pour son équipement.* ⁄⁄ *C'est du joli:* C'est mal. ☞ enjolivement, enjoliver, enjoliveur, joliment.

joliment adv. **1.** D'une manière jolie: *Ta cuisine est joliment décorée.* SYN. bien. ANT. mal. **2.** D'une façon considérable: *Ralph est joliment gâté: il est insupportable.* SYN. beaucoup, très. ANT. peu. ☞ joli.

jonc n.m. Plante à longues tiges, poussant dans les endroits marécageux: *La chasseuse de canards s'installe dans les joncs.* ☞ jonchaie. ▲ **jonc** n.m. Bijou circulaire ressemblant à une bague: *Les mariés s'offrent un jonc lors de la cérémonie du mariage.* SYN. alliance, anneau. **R.** Le *c* ne se prononce pas.

jonchaie n.f. Lieu planté de joncs: *Les canards trouvent leur nourriture dans la jonchaie.* HOM. jonchet. **R.** Aussi, *joncheraie* et *jonchère*. ☞ jonc.

joncher v. Recouvrir, couvrir en grande quantité: *À l'automne, les feuilles des arbres jonchent le sol.*

jonchet n.m. Chacun des bâtonnets de bois ou de plastique jetés pêle-mêle et qu'il faut retirer un à un sans faire bouger les autres: *Recueille encore deux jonchets et tu seras gagnant.* HOM. jonchaie.

jonction n.f. **1.** Rencontre de deux choses: *Il y a une croix de bois à la jonction des deux routes.* **2.** Action de joindre, d'unir: *La jonction des armées redonne du courage aux soldats.* ☞ joindre.

jongler v. **1.** Lancer en l'air plusieurs objets qu'on relance aussitôt attrapés: *Le clown jongle avec des assiettes.* **2.** fig. Manier avec beaucoup d'habileté: *Antoine aime jongler avec les chiffres.* **R.** N'a pas le sens de *être soucieux*, de *réfléchir*. ☞ jongleur.

jongleur, euse n. Personne dont le métier est de jongler: *La jongleuse Sonia est la meilleure du cirque.* ☞ jongler.

jonque n.f. (jav.) Bateau à fond plat, muni de voiles en natte ou en toile, en usage en Extrême-Orient: *En Chine, les jonques servent au transport des marchandises.*

jonquille n.f. et adj.invar. **1.** n.f. Fleur jaune de la famille des narcisses: *Les jonquilles sont vivaces et sortent tôt au printemps.* **2.** adj. invar. Qui est de la couleur jaune de la fleur: *Son chapeau est orné d'un ruban jonquille.*

jordanien, ienne n. et adj. **1.** n. Personne qui est de la Jordanie: *Un Jordanien, une Jordanienne.* **2.** adj. Qui est de la Jordanie: *L'État jordanien a renoué des relations avec l'Égypte.* **R.** On met la majuscule à *jordanien* et à *jordanienne* lorsqu'il s'agit du nom.

jouable adj. Qui peut être joué: *Pour un débutant, cette sonate n'est pas jouable.* ANT. injouable. ☞ jouer.

joual n.m.sing. Au Québec, mot utilisé pour désigner le parler populaire: *Le mot «joual» évoque la prononciation populaire du mot «cheval» dans certaines régions du Québec et d'ailleurs.*

joue n.f. Chacun des deux côtés du visage situé entre la bouche, l'œil et l'oreille: *Guy embrasse sa mère sur les joues.* HOM. joug. ⁄⁄ *Mettre en joue:* Viser avec une arme à feu en la mettant contre la joue. ☞ joufflu.

jouer v. **1.** Se divertir, s'amuser: *Sandrine joue à la poupée.* **2.** Pratiquer un jeu: *Sais-tu jouer aux échecs?* **3.** Utiliser un instrument, s'en servir: *Mathieu sait jouer du violon.* **4.** Interpréter: *On joue une pièce d'Antonine Maillet.* ☞ injouable, jeu, jouable, jouet, joueur, joujou, rejouer. ▲ **jouer** v. **1.** Exposer à des risques par imprudence, par légèreté: *En fumant de la sorte, il joue avec sa santé.* **2.** Intervenir, entrer en jeu: *Vos relations avec le directeur n'ont pas joué en votre faveur.* **3.** Faire semblant d'être quelqu'un, d'avoir un sentiment: *Ne vois-tu pas qu'il joue les durs?* ☞ jeu. se **jouer** v.pron. **1.** Ne faire aucun cas de quelque chose: *Les malfaiteurs se jouent des lois.* **2.** Se moquer de quelqu'un, le tromper: *Ton associé s'est joué de toi.* **3.** Être joué: *Cette pièce de théâtre se joue depuis dix ans.* ⁄⁄ *En se jouant:* Très facilement. ▲ **jouer** v. **1.** Fonctionner: *La clé joue bien dans la serrure.* **2.** Changer de dimensions: *La fenêtre a joué sous l'effet de l'humidité, elle ne s'ouvre plus.* ☞ jeu. ▲ **jouer** v. Spéculer: *Parfois ma mère joue à la Bourse.*

jouet n.m. **1.** Objet dont on se sert pour jouer: *La toupie est un jouet classique.* SYN. joujou. **2.** fig. Personne qui est victime de quelque chose: *Vous avez été le jouet d'une mauvaise plaisanterie.* ☞ jouer.

joueur, euse n. et adj. **1.** n. Personne qui pratique un jeu: *Anne-Marie est une joueuse de bridge.* **2.** n. Personne qui pratique un sport: *Maurice Richard est un joueur de hockey célèbre.* **3.** n. Personne qui joue d'un instrument: *Claudio est un incomparable joueur de harpe.* **4.** adj. Qui aime jouer: *C'est un enfant joueur.* ⁄⁄ *Beau joueur:* Personne qui accepte la défaite. *Mauvais joueur:* Personne qui refuse d'accepter la défaite. ☞ jouer.

joufflu, ue adj. Qui a de grosses joues: *Matthieu est un enfant joufflu.* ☞ joue.

joug n.m. **1.** Pièce de bois servant à l'attelage des bœufs: *Ces deux bœufs tirant la charrue sont reliés par un joug.* **2.** fig. Contrainte qui pèse: *Les Gaulois du Sud vivaient sous le joug de la loi romaine.* ANT. indépendance, liberté. HOM. joue. **R.** Le *g* ne se prononce pas.

jouir v. **1.** Profiter, apprécier: *À l'automne, je jouis des couleurs qui égayent les érablières.* **2.** Posséder, bénéficier: *Margot jouit d'une excellente santé.* ANT. manquer de. ☞ jouissance, jouisseur.

jouissance n.f. **1.** Plaisir, joie, satisfaction: *Quelle jouissance que de se faire dorer au soleil!* ANT. ennui. **2.** Action de profiter de: *La propriétaire a la jouissance de son terrain.* SYN. usage. ANT. privation. ☞ jouir.

jouisseur, euse n. et adj. **1.** n. Personne qui recherche les plaisirs de la vie: *Cette jouisseuse appréciera les vacances au soleil.* **2.** adj. Qui recherche les plaisirs de la vie: *C'est un être jouisseur.* ☞ jouir.

joujou, oux n.m. Jouet, dans le langage enfantin: *Le père Noël apporte des bonbons et des joujoux.* ☞ jouer.

jour n.m. **1.** Période de vingt-quatre heures,

temps de rotation de la Terre: *Un jour dure vingt-quatre heures sur la planète Terre.* **2.** Temps de lumière compris entre le lever et le coucher du soleil: *Dès janvier les jours allongent.* SYN. journée. ANT. nuit. **3.** Date, journée de la semaine: *Quel jour sommes-nous?* **4.** plur. Vie: *Se suicider, c'est mettre fin à ses jours.* **5.** plur. Printemps: *Les beaux jours t'apportent le soleil et l'énergie.* **6.** plur. litt. Époque: *De nos jours, on utilise moins le train.* ⫽ *Au grand jour:* À la vue de tous; connu et su par tout le monde. *Au jour le jour:* Sans se préoccuper du lendemain. *De jour en jour:* Davantage. *Du jour au lendemain:* Très rapidement. *Jour et nuit:* Continuellement. *Le petit jour:* Le matin. ☞ à contre-jour, ajournement, ajourner, demi-journée, journalier, journée, journellement. ▲ **jour** n.m. **1.** Ouverture qui laisse passer la lumière: *Il y a un jour dans le mur de la cuisine.* SYN. fente. **2.** Vide dans une broderie ou une dentelle: *Céline passe un ruban dans le jour du tissu.* ☞ ajouré, ajourer.

journal, aux n.m. **1.** Notation de ses réflexions personnelles: *Presque chaque jour Étienne écrit son journal intime.* **2.** Compte rendu de faits marquants: *La capitaine tient le journal de bord.* SYN. récit. **3.** Imprimé faisant mention des événements récents, souvent publié quotidiennement: *La Presse est un journal à grand tirage.* SYN. publication. **4.** Informations diffusées sur les ondes de la radio ou de la télévision: *Nicole écoute chaque jour le journal de Radio-Canada.* ☞ journalisme, journaliste.

journalier, ière n. et adj. **1.** n. Personne qui travaille à la journée: *Marie a engagé un journalier pour effectuer de menus travaux.* SYN. ouvrier, travailleur. ANT. employeur, patron. **2.** adj. Qui se fait chaque jour: *La chatte fait sa toilette journalière.* SYN. quotidien. ☞ jour.

journalisme n.m. Métier de journaliste: *Charles fait des études en journalisme.* ☞ journal.

journaliste n. Personne qui collabore à un journal: *La journaliste a rédigé un article sur les pluies acides.* ☞ journal.

journée n.f. **1.** Partie du jour comprise entre le lever et le coucher du soleil: *C'est en été que les journées sont les plus longues.* ANT. nuit. **2.** Heures de travail: *Ma mère fait parfois des journées de seize heures.* ⫽ *À longueur de journée:* Tout le jour, jour après jour. ☞ jour.

journellement adv. **1.** Tous les jours: *Pierre s'apporte journellement des lectures à la maison.* SYN. quotidiennement. **2.** Fréquemment: *On voit journellement des embouteillages sur le pont.* SYN. souvent. ☞ jour.

joute n.f. Au Moyen Âge, combat à la lance et à cheval: *Les chevaliers pratiquaient la joute.* **R.** N'a pas le sens de *match* (de hockey).

jouvenceau, elle, eaux n.vx Adolescent: *Mon fils Sylvain est un jouvenceau.*

jovial, ale, aux adj. Qui est très gai, enjoué: *Rosanne a un caractère jovial.* SYN. communicatif. ANT. maussade. ☞ jovialement, jovialité.

jovialement adv. D'une façon joviale: *L'hôte nous reçoit toujours jovialement.* ☞ jovial.

jovialité n.f. Caractère jovial: *Alexandra est pleine de jovialité.* SYN. gaieté. ANT. chagrin, tristesse. ☞ jovial.

joyau, aux n.m. Bijou précieux de grande valeur: *La couronne royale est constituée de joyaux.*

joyeusement adv. Avec joie, d'une façon joyeuse: *J'accepte joyeusement votre invitation.* ANT. tristement. ☞ joie.

joyeux, euse adj. **1.** Qui éprouve de la joie: *Le soleil me rend joyeux.* SYN. gai, heureux. ANT. abattu, triste. **2.** Qui exprime la joie: *Les enfants nous ont accueillis avec des cris joyeux.* **3.** Qui apporte la joie: *Je vous souhaite un joyeux Noël!* ☞ joie.

jubé n.m. Galerie ou tribune dans certaines églises: *La chorale se place au jubé.*

jubilation n.f. Joie intense: *Quelle jubilation que la fête de Noël pour les petits enfants!* SYN. réjouissance. ANT. chagrin. ☞ jubiler.

jubilé n.m. Fête qui célèbre le cinquantième anniversaire d'une entrée en fonction: *C'est en 1887 qu'on a fêté le jubilé de la reine Victoria.* HOM. jubiler.

jubiler v. Se réjouir: *Dominic a le billet gagnant; il jubile.* ANT. s'affliger. HOM. jubilé. ☞ jubilation.

jucher v. Placer très haut: *Les poules sont juchées sur leur perchoir.* ANT. descendre. ☞ juchoir. se **jucher** v.pron. Se placer très haut: *L'oiseau s'est juché au sommet de l'arbre.* SYN. se percher. ANT. descendre.

juchoir n.m. Perchoir permettant aux oiseaux de se jucher: *La perruche passe des heures sur son juchoir.* ☞ jucher.

judaïque adj. Qui appartient au judaïsme, à la religion juive: *La religion chrétienne est l'héritage judaïque.* **R.** Ne pas oublier le tréma: *ï.* ☞ judaïsme.

judaïsme n.m. Religion des Juifs: *Le judaïsme est l'une des religions les plus an-*

ciennes de l'humanité. **R.** Ne pas oublier le tréma : *ï.* ☞ judaïque.

judas n.m. Traître : *Tu as dévoilé mon secret, tu es un Judas.* SYN. hypocrite. **R.** On met la majuscule à *judas* lorsqu'il désigne un traître.

▲ **judas** n.m. Petite ouverture dans une porte pour voir sans être vu : *J'ai ouvert la porte dès que je t'ai vue par le judas.*

judiciaire adj. Qui est relatif à la justice : *Elle a été victime d'une erreur judiciaire.*

judicieusement adv. D'une manière judicieuse, avec jugement : *Cette commerçante choisit judicieusement ses employés.* ☞ judicieux.

judicieux, euse adj. Qui manifeste un bon jugement : *Cette remarque judicieuse souligne votre intelligence.* SYN. pertinent, sensé. ANT. absurde, stupide. ☞ judicieusement.

judo n.m. (jap.) Lutte japonaise de défense, pratiquée en Occident à titre de sport : *La pratique du judo demande de la souplesse.* ☞ judoka.

judoka n. (jap.) Personne qui pratique le judo : *Ginette est une judoka expérimentée.* ☞ judo.

juge n.m. **1.** Magistrat chargé de rendre la justice : *Le juge a déclaré cet homme innocent.* **2.** Membre d'un jury : *Le juge a attribué dix points à Nadia.* **3.** Personne qui est appelée à donner son opinion : *On m'a demandé d'être juge de la situation.* **R.** L'O.L.F. recommande que le nom *juge* soit aussi employé au féminin. ☞ juger.

au jugé n.m. D'après une estimation, à première vue : *Au jugé, je dirais qu'on a couru deux kilomètres.* **R.** Aussi, *au juger.* ☞ juger.

jugement n.m. **1.** Décision du tribunal, action de juger : *Le jugement lui a été favorable.* SYN. sentence. **2.** Avis favorable ou non : *Je partage ton jugement sur cette œuvre d'art.* SYN. opinion. **3.** Faculté de l'esprit qui permet de juger, de discerner : *Son expérience m'encourage à me fier à son jugement.* ☞ juger.

jugeote n.f.fam. Jugement, bon sens : *Sers-toi de ta jugeote et trouve une solution.* **R.** Ne pas oublier le *e* après le *g.* ☞ juger.

juger v. **1.** Décider, en tant que juge, sur une affaire, une personne : *Cette affaire sera jugée par les tribunaux.* SYN. décider, décréter. **2.** Estimer la valeur de quelque chose : *Victor a jugé que le chandail était trop cher.* SYN. considérer. **3.** Être d'avis, penser : *On a jugé utile de vous mettre au courant.* **4.** Prendre une décision : *C'est à vous de juger si vous devez travailler davantage.* **5.** Se faire une opinion ou donner son opinion : *L'arbitre a jugé sévèrement sa conduite.* **6.** Imaginer : *Jugez de ma surprise quand j'ai reçu votre cadeau.* ☞ juge, au jugé, jugement, jugeote.

juguler v. Arrêter le développement : *Pour juguler l'épidémie, il faut isoler les malades.* SYN. enrayer.

juif, juive n. et adj. **1.** n. Personne qui est de la communauté israélite ou du peuple hébreu : *Les Juifs de Montréal vivent regroupés.* **2.** adj. Qui est relatif à la communauté israélite ou au peuple hébreu : *La pâque juive commémore l'exode d'Égypte.* **R.** On met la majuscule à *juif* et à *juive* lorsqu'il s'agit du nom.

juillet n.m. Septième mois de l'année : *Le mois de juillet compte trente et un jours.*

juin n.m. Sixième mois de l'année : *Le mois de juin compte trente jours et marque le début de l'été.*

jujube n.m. **1.** Fruit sucré du jujubier : *Le jujube est un fruit ovale et charnu.* **2.** Pâte qu'on extrait du fruit : *Le jujube est un remède contre la toux.* ☞ jujubier.

jujubier n.m. Arbre ou arbuste épineux des régions chaudes de l'Europe qui produit le jujube : *On pense que le jujubier est originaire de Chine.* ☞ jujube.

juke-box n.m. (améric.) Machine qui fait passer automatiquement un disque : *Le juke-box joue un air connu.* **R.** Au pluriel, *juke-boxes.*

julienne n.f. Préparation de légumes coupés en dés ou en bâtonnets : *Une julienne de carottes accompagne la viande.*

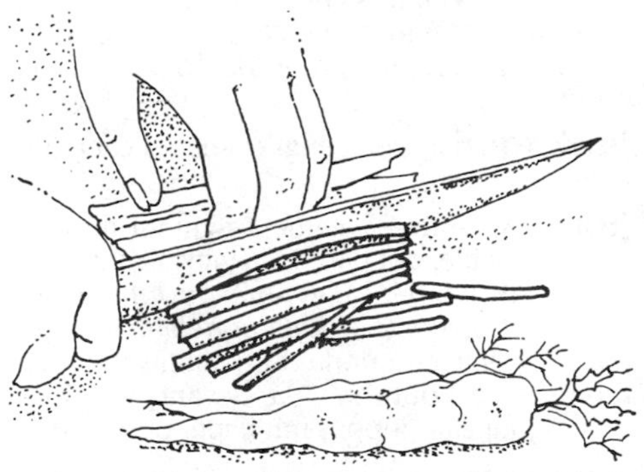

julienne

jumeau, elle, eaux n. et adj. **1.** n. Chacun des deux enfants nés d'un même accouchement : *Sébastien est le jumeau de Nancy.* **2.** adj. Qui est né d'un même accouchement : *Ta sœur jumelle est-elle rousse elle aussi ?* **3.** adj. Qui est semblable ou qui est fait pour aller ensemble: *Il y a des lits jumeaux dans ma chambre.* ☞ jumelage, jumeler.

jumelage n.m. Action de jumeler, de mettre ensemble deux éléments: *La cérémonie consacrait le jumelage des deux villes.* ☞ jumeau.

jumeler v. Associer deux à deux: *On jumelle les deux classes pour cette compétition.* SYN. réunir. **R.** Ne pas oublier de doubler le *l* devant un *e* muet. ☞ jumeau.

jumelles n.f.plur. Instrument d'optique formé de deux lunettes permettant d'observer les objets éloignés: *Mahéva utilise des jumelles pour observer les oiseaux.*

jument n.f. Grand mammifère domestique de la famille des équidés, qui est très bien adapté à la course, dont le mâle est le cheval et le petit, le poulain: *Mon arrière-grand-père attelait la jument pour aller au village.*

jumper ☞ sect. anglicismes et canadianismes.

jungle n.f. **1.** Dans les régions très chaudes et humides, forêt épaisse couverte de hautes herbes et de broussailles: *Les grands fauves vivent dans la jungle.* **2.** Milieu humain où règne la loi du plus fort: *On ne sait pas ce qui nous attend dans la jungle des affaires.* ⫽ *La loi de la jungle:* La loi du plus fort.

junior n. et adj.invar. **1.** n. Sportif dont l'âge varie entre seize et vingt et un ans: *L'équipe des juniors s'est révélée très forte.* ANT. senior. **2.** adj.invar. Qui est relatif aux jeunes ayant entre seize et vingt et un ans: *La mode junior présente des vêtements colorés cette année.* **3.** adj.invar. Qui désigne le frère le plus jeune pour le distinguer de l'aîné: *Je me suis adressé à Brosseau junior.* **R.** N'a pas le sens de *fils*.

junk food ☞ sect. anglicismes et canadianismes.

jupe n.f. (arabe) Vêtement féminin de longueur variable, qui part de la taille et descend jusqu'aux jambes: *Ta jupe de lainage te couvre les genoux.* ⫽ *Jupe portefeuille:* Jupe enveloppante comportant un panneau qui se rabat et se boutonne par-devant. ☞ jupe-culotte, jupette, jupon, minijupe, porte-jupe.

jupe-culotte n.f. Pantalon féminin ample dont la coupe donne l'apparence d'une jupe: *Quand elle porte une jupe-culotte, Karine peut s'accroupir à l'aise.* **R.** Au pluriel, *jupes-culottes*. ☞ jupe.

jupette n.f. Jupe très courte: *La jupette fait partie de l'uniforme des majorettes.* ☞ jupe.

jupon n.m. Sous-vêtement qui se porte sous la jupe: *Ton jupon est trop long; il dépasse de ta jupe.* ☞ jupe.

juré, ée n. Personne appelée à faire partie d'un jury: *L'avocat plaide devant douze jurés.* HOM. jurer. ☞ jury.

juré, ée adj. Qui est implacable, acharné: *Le tabac est son ennemi juré.* HOM. jurer. ☞ jurer.

jurer v. **1.** S'engager, promettre par serment: *Je jure de dire toute la vérité.* ANT. abjurer. **2.** Assurer, affirmer de manière certaine: *Je te jure que je le ferai.* ☞ juré (adj.). **se jurer** v.pron. **1.** Se promettre à soi-même: *Elle s'est juré de ne plus jamais tricher.* **2.** Se promettre l'un l'autre: *Les deux fillettes se sont juré une amitié éternelle.* ▲ **jurer** v. **1.** Proférer des jurons: *Elle jure comme un charretier.* **2.** Détonner, aller mal ensemble: *Ce chapeau élégant jure avec ton jean.* ANT. s'accorder. HOM. juré. ☞ juron.

juridique adj. Qui se rapporte au droit: *Elle s'oriente vers le domaine juridique.*

juron n.m. Expression grossière par laquelle on jure: *Il pousse des jurons quand il s'impatiente.* ☞ jurer.

jury n.m. (angl.) **1.** Ensemble des jurés appelés à se prononcer au moment d'un procès: *On attend le verdict du jury.* **2.** Ensemble des juges à un concours, à un examen, à une exposition: *Le jury ne lui a accordé que quelques points.* ☞ juré (n.).

jus n.m. **1.** Liquide extrait de certains fruits: *Xavier boit un verre de jus d'orange chaque matin.* **2.** Liquide provenant d'une viande cuite: *Tu peux servir le bœuf dans son jus.* ☞ juteux.

jusque prép. **1.** Indique une limite de lieu: *Je me rendrai jusqu'aux Rocheuses.* **2.** Indique une limite de temps: *Mariane travaille jusqu'à seize heures.* **3.** Indique un point limite: *Remuer la sauce jusqu'à épaississement.* ⫽ *Jusqu'à ce que:* Jusqu'au moment où. *Jusque-là, jusqu'ici:* Jusqu'à ce lieu, jusqu'à ce moment.

juste n. et adj. **1.** n. Personne qui agit selon les règles morales, selon la justice: *Les justes sont souvent des sages.* ANT. injuste. **2.** adj. Qui est conforme à la justice, qui est équitable: *Nous avons divisé également; voici ta juste part.* ANT. injuste. **3.** adj. Qui agit selon les règles morales, selon la justice: *Les écoliers aiment que leurs professeurs soient justes.* ANT. injuste. **4.** adj. Qui est légitime: *Les travailleurs ont de justes revendications.* ⫽ *À juste titre:* À bon droit. ☞ injuste, injustement, injustice, justement, justice, justicier.

juste adj. et adv. **1.** adj. Qui est correct, exact: *Ta réponse est juste.* ANT. faux, incorrect, inexact. **2.** adj. Qui fonctionne avec précision: *Est-ce que ta montre est juste?* ANT. faux, inexact. **3.** adj. Qui est tel qu'il doit être: *Didier a la voix juste.* ANT. faux. **4.** adj. Qui apprécie avec justesse: *Le chasseur a l'œil juste.* **5.** adj. fig. Qui est conforme au bon sens: *Dans son exposé, Marielle a dit des choses très justes.* SYN. exact, logique. ANT. erroné. **6.** adv. Avec précision: *Danièle chante juste.* ANT. faux. **7.** adv. Exactement: *L'autoroute passe juste de l'autre côté du boisé.* ⁄⁄ *Au juste:* Précisément, exactement. *Comme de juste:* Évidemment, comme d'habitude. ☞ justement, justesse. ▲ **juste** adj. et adv. **1.** adj. Qui est trop serré, trop ajusté: *Ta jupe est un peu juste.* **2.** adj. Qui suffit à peine: *Vous me donnez une heure pour faire ce travail? Ce sera juste!* **3.** adv. D'une façon insuffisante: *Je crois que tu as mesuré un peu juste.* **4.** adv. Seulement: *Il sait tout juste écrire son nom.*

justement adv. **1.** Conformément à la justice: *Son salaire le récompense justement.* ANT. injustement. **2.** À l'instant même: *Je partais justement comme tu arrivais.* **3.** Précisément: *Des ciseaux? C'est justement ce dont j'ai besoin.* SYN. exactement. ☞ juste.

justesse n.f. **1.** Qualité de ce qui est juste, précis, exact: *Le jury a pu apprécier la justesse de sa voix.* SYN. précision. **2.** Précision d'un geste, d'une action: *La chasseuse vise avec justesse.* **3.** fig. Exactitude: *Je ne suis pas certaine de la justesse de cette expression.* ⁄⁄ *De justesse:* De très près, de peu. ☞ juste (adj. et adv.).

justice n.f. **1.** Principe moral selon lequel on respecte les droits d'autrui: *La justice est de donner à chacun ce qui lui revient.* ANT. injustice. **2.** Ensemble des organes chargés d'administrer la justice: *C'est la justice qui va décider du coût de l'amende.* SYN. tribunal. ⁄⁄ *Rendre justice:* Apprécier, reconnaître. ☞ juste (n. et adj.).

justicier, ière n. Personne qui se substitue à la justice pour défendre les faibles et poursuivre les coupables: *Le justicier établit ses propres lois.* ☞ juste (n. et adj.).

justifiable adj. Qui peut être justifié, expliqué: *Tes bonnes notes sont justifiables: tu travailles beaucoup.* ANT. injustifiable. ☞ justifier.

justificatif, ive adj. Qui sert à justifier, à prouver: *Cette photographie servira de pièce justificative.* ☞ justifier.

justification n.f. Ce qui sert à justifier, à prouver: *Ma carte d'étudiante est une justification d'identité.* SYN. preuve. ☞ justifier. ▲ **justification** n.f. En typographie, longueur d'une ligne à imprimer: *Le traitement de texte permet la justification automatique des documents que l'on rédige.* ☞ justifier.

justifier v. **1.** Prouver l'innocence de quelqu'un: *Moshe a justifié son ami auprès de la directrice.* **2.** Rendre légitime, juste: *On dit que la fin justifie les moyens.* **3.** Expliquer, faire admettre le bien-fondé: *Je vous prierais de justifier vos critiques.* **4.** Apporter de bons arguments ou de bonnes preuves pour montrer qu'une chose est vraie: *L'augmentation du coût de la vie justifie une augmentation du salaire.* SYN. prouver. ☞ injustifiable, injustifié, justifiable, justificatif, justification. **se justifier** v.pron. Prouver qu'on a raison; prouver son innocence: *Kim doit se justifier lorsqu'elle s'absente.* ▲ **justifier** v. En typographie, donner la même longueur aux lignes d'un texte imprimé: *Le micro-ordinateur me permet de justifier mes textes.* ☞ justification.

jute n.m. Fibre textile tirée de la plante du même nom: *On met les pommes de terre dans des sacs de jute.*

juteux, euse adj. Qui a beaucoup de jus: *L'orange est un fruit juteux.* ☞ jus.

juvénile adj. Qui appartient à la jeunesse: *Ma mère travaille avec une ardeur juvénile.* ANT. vieux.

juxtaposer v. Placer des choses les unes à côté des autres, sans liaison: *Il ne suffit pas de juxtaposer des couleurs pour faire une peinture abstraite.* ANT. éloigner, espacer. ☞ juxtaposition.

juxtaposition n.f. Action de juxtaposer, de placer des choses les unes à côté des autres, sans liaison: *Une juxtaposition de mots ne fait pas une phrase.* ☞ juxtaposer.

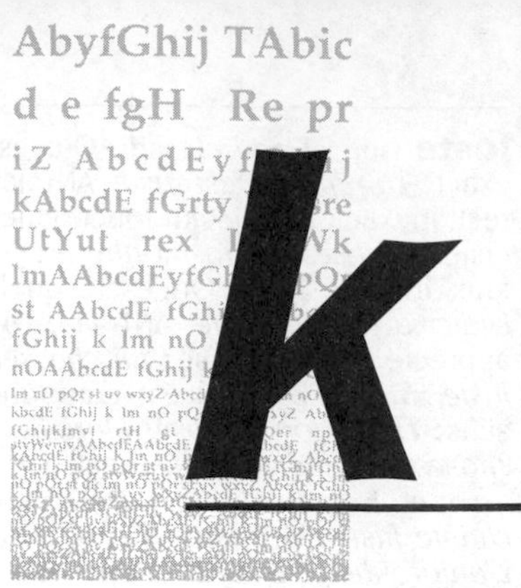

k n.m.invar. Onzième lettre de l'alphabet: *La lettre «k» est la huitième consonne de l'alphabet.*

kaki n.m. et adj.invar. (jap.) **1.** n.m. Arbre fruitier qui produit le kaki: *Le kaki est un arbre du Japon.* **2.** n.m. Fruit de l'arbre appelé «kaki», de couleur jaune orangé: *Le kaki ressemble à la tomate.* **3.** adj. invar. Qui est d'une couleur jaunâtre tirant sur le brun: *J'ai mis mon pantalon kaki.*

kaléidoscope n.m. Appareil cylindrique dans lequel des fragments de verre composent des images symétriques par réflexion dans un jeu de miroirs: *Les dessins du kaléidoscope varient à l'infini.*

kamichi n.m. Grand oiseau échassier d'Amérique du Sud, dont les ailes sont munies d'éperons: *Le kamichi construit son nid avec des roseaux.*

kangourou, ous n.m. (austr.) Grand mammifère d'Australie à pattes postérieures très développées, qui se déplace par bonds: *La femelle du kangourou abrite ses petits dans sa poche ventrale.*

kaolin n.m. (chinois) Argile blanche et friable qui entre dans la composition de la porcelaine: *Le kaolin est la matière première des porcelaines et des faïences.*

kapok n.m. (malais) Fibre végétale duveteuse qui entoure les graines du kapokier et du fromager: *Le kapok sert notamment au rembourrage des coussins.* ☞ kapokier.

kapokier n.m. Arbre d'Asie au tronc épineux, qui produit le kapok: *Le duvet fourni par le kapokier est utilisé pour le rembourrage des coussins.* ☞ kapok.

karaté n.m. (jap.) Art martial d'origine japonaise: *Mon amie suit des cours de karaté.*

kayak n.m. (inuit) Petite embarcation de sport qui se manœuvre au moyen d'une pagaie double: *Nous avons assisté à une course de kayak.* **R.** Aussi, *kayac.* ☞ kayakable.

karaté

kayakable adj. Au Canada, se dit d'une étendue d'eau où l'on peut faire du kayak: *Cette rivière est kayakable.* ☞ kayak.

képi n.m. Coiffure rigide à calotte cylindrique pourvue d'une visière: *Le képi fait normalement partie d'un uniforme militaire.*

kermesse n.f. Fête de bienfaisance qui se donne en plein air: *La kermesse de la paroisse a été un vrai succès.*

kérosène n.m. Pétrole incolore ou jaune pâle: *Le kérosène est utilisé comme carburant dans les avions à réaction.*

kayak

ketchup n.m. Sauce épaisse d'origine anglaise, légèrement épicée, à base de tomates : *Le ketchup accompagne bien les viandes.* **R.** Le *u* se prononce *eu*.

khmer, khmère n. et adj. **1.** n. Personne qui fait partie de la population d'origine hindoue qui habite le Cambodge : *Un Khmer, une Khmère.* **2.** adj. Qui se rapporte à la population d'origine hindoue qui habite le Cambodge : *Cette sculpture appartient à l'art khmer.* **R.** On met la majuscule à *khmer* et à *khmère* lorsque le nom désigne une personne.

khmer n.m. Langue parlée au Cambodge : *Le khmer est la langue officielle du Cambodge.* SYN. cambodgien.

kibboutz n.m. (hébreu) Ferme communautaire d'Israël : *Mon ami Isaac a déjà vécu dans un kibboutz.* **R.** Le *z* se prononce *ss*. Au pluriel, *kibboutz*, *kibboutzim* ou *kibboutsim*. S'écrit avec deux *b*.

kidnapper v. (angl.) Enlever une personne, le plus souvent pour obtenir une rançon : *Des rebelles ont kidnappé la fille de ce milliardaire.* SYN. ravir, séquestrer. ANT. rendre. ☞ kidnappeur, kidnapping.

kidnappeur, euse n. Personne qui commet un kidnapping, un enlèvement : *Les kidnappeuses exigent une rançon de deux millions de dollars.* ☞ kidnapper.

kidnapping n.m. Enlèvement d'une personne en vue d'obtenir une rançon : *Les auteurs du kidnapping ont été condamnés à dix ans de prison.* SYN. séquestration. **R.** Aussi, *kidnappage*. ☞ kidnapper.

kilogramme n.m. Unité de mesure de masse valant mille grammes : *J'ai acheté un kilogramme de farine.* **R.** Aussi, *kilo*. ☞ gramme.

kilométrage n.m. **1.** Action de mesurer en kilomètres, de marquer par des bornes kilométriques : *Les ouvrières procédaient au kilométrage de la piste.* **2.** Nombre de kilomètres parcourus : *Le kilométrage de notre voiture est de cent douze mille kilomètres.* ☞ mètre.

kilomètre n.m. Unité de mesure de longueur valant mille mètres : *Mon école est située à un kilomètre de chez moi.* ☞ mètre.

kilométrique adj. Qui se rapporte au kilomètre : *Cette autoroute est jalonnée de bornes kilométriques.* ☞ mètre.

kilom**é**trage kilom**è**tre kilom**é**trique

kilt n.m. (angl.) **1.** Jupe courte et plissée du costume national des Écossais : *Lors du défilé, les joueurs de cornemuse portaient un kilt écossais.* **2.** Jupe plissée en tissu de fils de laine disposés par bandes formant des carreaux : *Ma sœur porte souvent son kilt pour aller à l'école.* **R.** Les lettres *lt* se prononcent.

kimono n.m. (jap.) **1.** Tunique japonaise à manches, très ample et croisée devant : *Au Japon, le kimono se porte avec une large ceinture.* **2.** Tenue composée d'une veste et d'un pantalon ample que l'on porte pour pratiquer le judo et le karaté : *Sébastien et Mélanie enfilent leur kimono.*

kiosque n.m. **1.** Pavillon ouvert, dans un jardin ou dans un parc : *Les gens étaient rassemblés autour du kiosque à musique.* **2.** Petite boutique où l'on vend des journaux, des fleurs, etc. : *J'ai acheté une revue au kiosque à journaux.* **R.** N'a pas le sens de *stand* (dans une exposition).

kir n.m. (nom déposé) (n. de l'inv.) Apéritif composé de liqueur de cassis et de vin blanc : *Nous avons pris un kir bien frais.*

kirsch n.m. (all.) Eau-de-vie de cerises ou de merises : *J'ai ajouté du kirsch à la fondue au fromage.*

kiwi n.m. (angl.) Oiseau de Nouvelle-Zélande, dépourvu d'ailes et dont les plumes ressemblent à des poils : *Le kiwi a un bec très long.* ◇ aptéryx. ▲ **kiwi** n.m. Fruit d'Extrême-Orient à pulpe verte et couvert de poils : *J'ai acheté de la confiture de kiwis.*

klaxon n.m. (nom déposé) Avertisseur sonore pour les voitures, les camions, etc. : *Les conducteurs faisaient entendre leur mécontentement par des coups de klaxon.* **R.** Le *n* se prononce. Le mot *avertisseur* est recommandé officiellement pour remplacer l'anglicisme « klaxon ». ☞ klaxonner.

klaxonner v. Actionner un klaxon pour avertir : *Dans les villes, il est interdit de klaxonner inutilement.* **R.** En France, on recommande officiellement d'utiliser le mot *avertir*. ☞ klaxon.

knock-out n.m.invar. et adj.invar. (angl.) **1.** n.m.invar. Mise hors de combat du boxeur qui reste à terre plus de dix secondes : *Le combat s'est terminé par un knock-out.* **2.** adj.invar. Qui est assommé : *Le boxeur a été mis knock-out à la cinquième reprise.* **3.** adj.invar.pop. Qui est assommé, épuisé par un effort : *Après le déménagement, j'étais knock-out.* **R.** Aussi, *K.-O.* Se prononce à l'anglaise.

koala n.m. (austr.) Mammifère australien grimpeur, aux oreilles rondes et au pelage gris : *Le koala se nourrit de feuilles d'eucalyptus.*

koalas

kola n.m. Fruit du kolatier, arbre d'Afrique : *Les noix de kola ont un effet stimulant.* **R.** Aussi, *cola*. ☞ kolatier.

kolatier n.m. Arbre d'Afrique qui produit les noix de kola : *Le kolatier est cultivé principalement en Afrique et en Jamaïque.* ☞ kola.

krach n.m. (all.) Effondrement du marché boursier ; faillite brutale d'une entreprise : *Le krach de 1929 a jeté de nombreuses familles dans la misère.* HOM. crac, crack, craque. **R.** Les lettres *ch* se prononcent *k*.

kung-fu n.m. (chinois) Art martial chinois : *Le kung-fu ressemble un peu au karaté.* **R.** Au pluriel, *kung-fus*. Les lettres *fu* se prononcent *fou*.

kyrielle n.f. **1.** Suite interminable de paroles : *On l'a accueilli par une kyrielle d'injures.* **2.** fam. Longue suite : *Une kyrielle d'enfants se dirigeait vers l'école.*

kyste n.m. Sorte de tumeur contenant une substance liquide ou molle : *Elle a un kyste à un ovaire.*

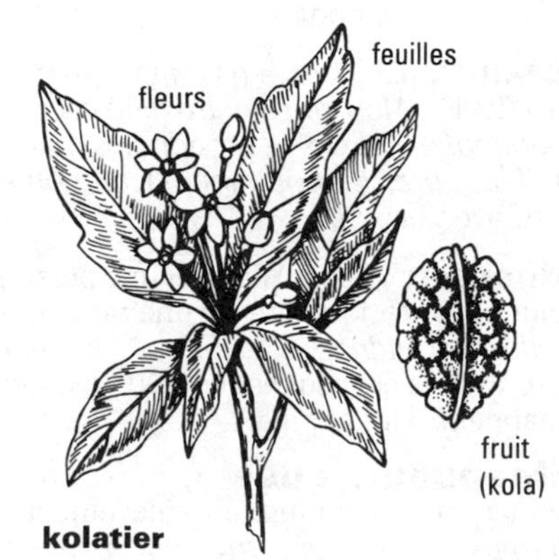

kolatier

l n.m.invar. **1.** Douzième lettre de l'alphabet: *La lettre «l» est la neuvième consonne de l'alphabet.* **2.** Chiffre romain valant cinquante: *Dans LVI, le L vaut cinquante.* **R.** On met la majuscule lorsqu'il s'agit du chiffre romain.

la n.m.invar. Note de musique: *«La» est la sixième note de la gamme de «do».* HOM. là.

là adv. **1.** Dans un lieu autre que celui où l'on est: *Monique n'est pas ici; elle est là, dans la maison d'en face.* ANT. ici. **2.** À ce moment: *Là, nous avons décidé de rebrousser chemin.* **3.** Dans cela: *Je ne vois là aucune méchanceté.* ⁄⁄ *De là:* En partant de cet endroit. *D'ici là:* Entre ce moment et un autre moment situé après. *Être là:* Être présent. *Là-bas:* À une distance assez grande. *Là-haut:* Dans ce lieu, au-dessus. *Par là:* Par cet endroit; aux environs; par ces mots. ▲ **là** adv. Se joint à d'autres mots pour marquer l'éloignement, en opposition avec «ci»: *Demeures-tu dans cette rue-ci ou dans cette rue-là?* HOM. la. **R.** Se joint au nom qui le précède à l'aide d'un trait d'union si le nom est précédé d'un adjectif démonstratif.

labeur n.m.litt. Travail pénible: *Quel labeur que cette tâche!* SYN. besogne, corvée. ANT. loisir, repos. ☞ laborieusement, laborieux.

laborantin, ine n. Personne qui travaille dans un laboratoire sous la direction de chercheurs: *Brian travaille comme laborantin dans cette entreprise.* ☞ laboratoire.

laboratoire n.m. Endroit où l'on fait des expériences, des recherches, des préparations scientifiques: *Nous utiliserons le laboratoire pour nos cours de chimie.* ☞ laborantin.

laborieusement adv. Avec beaucoup de peine, de difficulté: *Les travailleurs en usine gagnent leur vie laborieusement.* SYN. difficilement, péniblement. ANT. aisément, facilement. ☞ labeur.

laborieux, euse adj. **1.** litt. Qui est pénible, difficile: *C'est une entreprise laborieuse.* ANT. aisé, facile. **2.** Qui travaille beaucoup, en parlant d'une personne: *Cette personne est vraiment laborieuse, rien ne l'arrête.* SYN. actif, travailleur. **3.** péj. Qui manque de spontanéité, de naturel: *Son exposé était laborieux.* ☞ labeur.

labour n.m. **1.** Travail qui consiste à labourer, à retourner la terre à l'aide d'un instrument: *Les labours de la terre se font souvent à l'automne.* SYN. labourage. **2.** Terre labourée: *Il est difficile de marcher dans les labours.* ☞ labourer.

labourable adj. Qui peut être labouré: *Cette terre rocailleuse est difficilement labourable.* SYN. arable, cultivable. ANT. incultivable. ☞ labourer.

labourage n.m. Action de labourer, de retourner la terre à l'aide d'un instrument: *Le labourage de la terre est nécessaire avant les semailles.* SYN. labour. ☞ labourer.

labourer v. Retourner la terre à l'aide d'un instrument: *Il faut labourer la terre avant de semer.* SYN. biner. ☞ labour, labourable, labourage, laboureur.

laboureur, euse n. Personne qui laboure, qui retourne la terre à l'aide d'un instrument: *La laboureuse creuse des sillons dans les champs.* ☞ labourer.

labrador n.m. Chien de chasse à poil ras, d'une race de grande taille: *Les labradors de la chasseuse ont ramené le gibier.*

labyrinthe n.m. Ensemble compliqué de chemins ou de routes dont on a de la difficulté à sortir: *Ces rues en demi-cercle sont un vrai labyrinthe pour moi.* SYN. dédale.

lac n.m. Grande étendue d'eau à l'intérieur des terres: *Les eaux de ce lac sont polluées.* HOM. laque. ☞ lacustre.

laçage n.m. Action de lacer; son résultat: *À trois ans, Yvalix fait tout seul le laçage de ses* *bottines.* **R.** Aussi, *lacement.* Ne pas oublier la cédille. ☞ lacer.

lacer v. Attacher avec un lacet: *Je lace bien mes chaussures pour les maintenir dans mes pieds.* ANT. délacer. **R.** Ne pas oublier la cédille devant *a* et *o.* ☞ délacer, laçage, lacet.

lacération n.f. Action de lacérer, de mettre en morceaux: *La lacération de ces livres est un acte de vandalisme.* ☞ lacérer.

lacérer v. Mettre en morceaux, déchirer: *On a lacéré les affiches publicitaires.* ☞ lacération.

lacet n.m. **1.** Cordon étroit passé dans des œillets pour serrer un vêtement, attacher une chaussure: *Le lacet de ton soulier est détaché.* **2.** Zigzag: *On emprunte une route en lacet pour se rendre au sommet.* ☞ lacer.

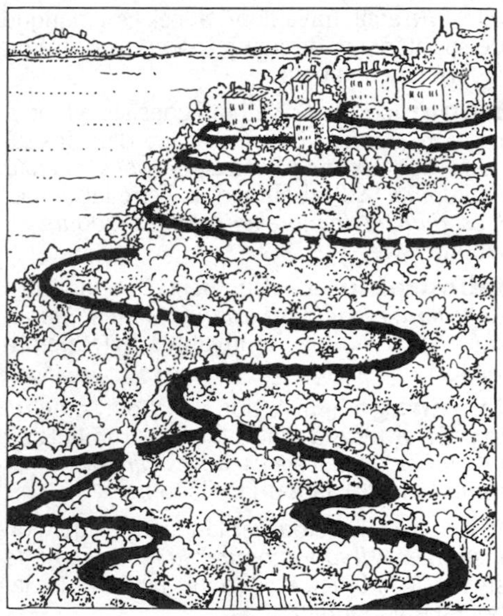

lacet

lâche n. et adj. **1.** n. Personne qui manque de courage: *Ce lâche s'est enfui devant le danger.* SYN. poltron. ANT. brave. **2.** adj. Qui est sans courage: *Les personnes lâches fuient devant les difficultés.* SYN. peureux. ANT. brave, hardi. **R.** Ne pas oublier l'accent: *â.* ☞ lâchement, lâcheté.

lâche adj. Qui n'est pas serré; qui n'est pas tendu: *J'aime porter des vêtements lâches.* **R.** Ne pas oublier l'accent: *â.* ☞ lâcher.

lâchement adv. De manière lâche, avec lâcheté: *On a lâchement abandonné ce chien au bord de la route.* ANT. bravement, courageusement. **R.** Ne pas oublier l'accent: *â.* ☞ lâche.

lâcher v. **1.** Cesser de tenir: *Tu n'as qu'à lâcher la corde et les ballons s'envoleront.* SYN. laisser. ANT. empoigner, tenir. **2.** Cesser de retenir, laisser aller: *Les pigeons ont été lâchés.* **3.** Céder, se casser brusquement: *La chaîne de ma bicyclette a lâché en route.* **R.** Ne pas oublier l'accent: *â.* ☞ lâche, lâcheur.

lâcheté n.f. **1.** Manque de courage: *Est-ce par lâcheté ou pour des raisons financières qu'elle a abandonné ses études?* SYN. mollesse, paresse. ANT. ardeur, courage. **2.** Action lâche, qui montre un manque de courage: *Frapper un plus faible, c'est une lâcheté.* SYN. bassesse, infamie. **R.** Ne pas oublier l'accent: *â.* ☞ lâche.

lâcheur, euse n.fam. Personne qui abandonne ses amis, les gens envers qui elle s'était engagée: *Éva est une lâcheuse; elle avait promis de venir.* **R.** Ne pas oublier l'accent: *â.* ☞ lâcher.

laconique adj. Qui est bref, qui s'exprime en peu de mots: *Sa réponse fut laconique.* SYN. concis, succinct. ANT. diffus, long.

lacrymal, ale, aux adj. Qui se rapporte aux larmes: *Les glandes lacrymales sécrètent les larmes.* ☞ lacrymogène.

lacrymogène adj. Qui fait pleurer: *Les policiers utilisent parfois du gaz lacrymogène pour disperser des manifestants.* ☞ lacrymal.

lacté, ée adj. **1.** Qui se rapporte au lait: *Une sécrétion lactée est une sécrétion de lait.* **2.** Qui contient du lait; qui consiste en lait: *Une diète lactée est recommandée pour soulager certains maux d'estomac.* ∥ *Voie lactée:* Bande blanchâtre formée par des étoiles qu'on peut voir dans le ciel quand la nuit est claire.

lacune n.f. Manque, insuffisance: *Malgré ses lacunes en français, elle réussit à écrire des textes fort intéressants.*

lacustre adj. Qui se rapporte aux lacs; qui se trouve dans un lac ou au bord d'un lac: *Le nénuphar est une plante lacustre.* ☞ lac.

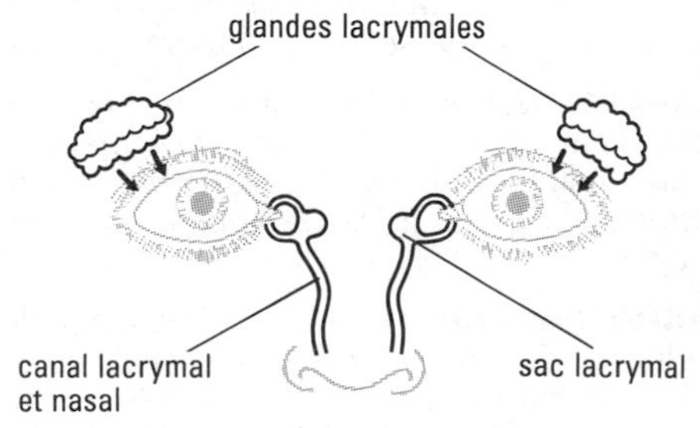

lacrymal

lagon n.m. Étendue d'eau salée fermée vers le large par des récifs de coraux: *Des vacancières se baignent dans les lagons.*

lagopède n.m. Oiseau des régions arctiques, à vol lourd: *Certains animaux, dont le lagopède, deviennent blancs à l'automne.*

lagune n.f. Étendue d'eau salée séparée de la mer par une bande de terre: *La ville de Venise est construite sur une lagune.*

laïc, laïque n. et adj. **1.** n. Chrétien qui n'est ni prêtre ni religieux: *Huguette n'est pas une religieuse, elle est une laïque.* ANT. ecclésiastique, prêtre, religieux. **2.** adj. Qui n'est ni prêtre ni religieux; qui est indépendant de toute religion: *Cette école est laïque.* **R.** Ne pas oublier le tréma: *ï*. La forme *laïque* s'emploie aussi pour le masculin, surtout lorsqu'il s'agit de l'adjectif. ☞ laïcisation, laïciser.

laïcisation n.f. Action de laïciser, de rendre indépendant de toute religion: *La laïcisation de l'enseignement consiste à confier l'enseignement officiel aux laïcs et non plus au clergé.* **R.** Ne pas oublier le tréma: *ï*. ☞ laïc.

laïc laïcisation laïque

laïciser v. Rendre laïque, indépendant de toute religion: *Au Québec, on a laïcisé les soins hospitaliers lors de la Révolution tranquille.* **R.** Ne pas oublier le tréma: *ï*. ☞ laïc.

laid, laide adj. Qui n'est pas beau: *Cette maison est laide, elle est désagréable à regarder.* SYN. inesthétique, moche. ANT. beau, esthétique. HOM. laie, lait. ☞ enlaidir, enlaidissement, laidement, laideron, laideur.

laidement adv. De façon laide: *Ce bouquet de fleurs est laidement agencé.* ANT. bellement, joliment. ☞ laid.

laideron n.m. Jeune fille ou jeune femme laide: *Ian se promène au bras de ce laideron.* **R.** Aussi, rarement, *laideronne*. ☞ laid.

laideur n.f. Caractère de ce qui est laid: *La laideur de ce meuble dépare le salon.* SYN. disgrâce. ANT. beauté. ☞ laid.

laie n.f. Truie sauvage vivant dans les forêts, au corps massif et vigoureux couvert de soies dures, dont le mâle est le sanglier et le petit, le marcassin: *La laie peut avoir une portée de dix marcassins.* HOM. laid, lait.

lainage n.m. **1.** Tissu de laine: *Diane taillera une jupe dans ce lainage.* **2.** Vêtement de laine tricotée: *Dès l'automne, Joan porte des lainages.* ☞ laine.

laine n.f. **1.** Textile qui provient du poil doux et frisé de certains animaux, dont le mouton: *La laine des moutons est un produit naturel.* **2.** Produits fibreux que l'on fabrique pour servir d'isolants: *La laine minérale est un isolant utilisé en construction.* ☞ lainage, laineux.

laineux, euse adj. **1.** Qui a l'apparence de la laine: *Martin a des cheveux laineux.* **2.** Qui contient beaucoup de laine: *Les tissus très laineux sont souvent piquants.* ☞ laine.

laisse n.f. Lien avec lequel on attache un animal pour le mener: *Luc promène son chien en laisse.*

laisser v. **1.** Ne pas empêcher: *Laisse les oiseaux se poser sur le sorbier.* SYN. permettre. ANT. empêcher. **2.** Garder, maintenir dans un état, un lieu, une situation: *Cathy demande qu'on la laisse en paix.* ☞ laisser-aller, laissez-passer. se **laisser** v.pron. Ne rien faire pour s'opposer à: *Irma se laisse bercer par le bruit des vagues.* // *Se laisser aller:* Se relâcher, s'abandonner à ses penchants. ▲ **laisser** v. **1.** Ne pas prendre: *J'ai mangé la pâte du gâteau, mais j'ai laissé le glaçage.* **2.** Ne pas prendre pour soi, de façon que d'autres personnes puissent prendre: *J'ai laissé du dessert aux autres.* SYN. réserver. ▲ **laisser** v. **1.** Se séparer de quelqu'un, abandonner: *Gabrielle a laissé son mari.* SYN. quitter. **2.** Confier quelque chose à quelqu'un en partant: *Je laisse ma clé à la concierge.* SYN. remettre. ANT. retirer. **3.** Vendre à un prix qui est avantageux pour la personne qui achète: *Érik laisse à vingt dollars son jeu électronique.* SYN. céder. **4.** Donner en héritage: *En mourant, sa mère lui a laissé la maison.* SYN. léguer, transmettre. ANT. enlever, ôter, retirer.

laisser-aller n.m.invar. Manque de rigueur, négligence: *Quel laisser-aller dans ta tenue vestimentaire!* SYN. désordre. ANT. ordre, soin. ☞ laisser.

laissez-passer n.m.invar. Carte ou papier officiel permettant d'entrer ou de circuler: *Les journalistes ont des laissez-passer pour pénétrer dans la salle de conférence.* ☞ laisser.

lait n.m. Liquide blanc, très nutritif, produit par les mamelles de certains animaux et par les seins des femmes qui viennent d'accoucher: *Le lait maternel est celui qui est le plus approprié.* // *Lait de poule:* Jaune d'œuf battu dans du lait avec du sucre. *Petit-lait:* Liquide qui se sépare du lait caillé. ☞ allaitement, allaiter, laitage, laiterie, laiteron, laitier. ▲ **lait** n.m. Liquide qui a l'apparence du lait: *Le lait de beauté est un produit utilisé pour les soins de la peau.* HOM. laid, laie.

laitage n.m. Aliment à base de lait: *Les yogourts sont des laitages.* ☞ lait.

laitance n.f. Liquide blanchâtre produit par les poissons mâles : *La biologiste a recueilli la laitance des saumons.*

laiterie n.f. Endroit où le lait est traité en vue de sa consommation : *C'est à la laiterie que le lait est homogénéisé.* ☞ lait.

laiteron n.m. Plante à fleurs jaunes, servant à nourrir les porcs et les lapins : *Le laiteron entre dans l'alimentation de ces lapins d'élevage.*

laiteux, euse adj. Qui ressemble au lait : *Le pissenlit contient une substance laiteuse.* ☞ lait.

laitier, ière n. et adj. **1.** n. Personne qui vend du lait ou des produits à base de lait : *Le laitier vend aussi de la crème glacée.* **2.** adj. Qui se rapporte au lait : *Le fromage est un produit laitier.* ☞ lait.

laiton n.m. Métal obtenu en faisant un mélange de cuivre et de zinc : *Ce vase en laiton est magnifique.*

laitue n.f. Plante cultivée comme légume, pour ses feuilles : *J'ai mis une feuille de laitue dans ton sandwich.*

lama n.m. (esp.) Animal d'Amérique du Sud qui ressemble à un chameau sans bosse : *Le lama est élevé pour sa chair et sa laine.*

lamantin n.m. (esp.) Mammifère marin, très lourd, atteignant trois mètres de long : *Les lamantins vivent à l'embouchure des fleuves des régions tropicales.*

lamantin

lambeau, eaux n.m. Morceau d'étoffe ou d'une matière quelconque, déchiré, arraché : *Ce pantalon tombe en lambeaux.* SYN. haillon.

lambin, ine adj.fam. Qui est lent : *Jacquelin n'est pas paresseux, il est lambin.* ANT. rapide, vif. ☞ lambiner.

lambiner v.fam. Agir avec lenteur : *Si tu lambines, tu arriveras en retard.* SYN. musarder, traînasser. ANT. se dépêcher, se hâter, se presser. ☞ lambin.

lambris n.m. Revêtement mural décoratif, souvent de bois ou de marbre : *Voici une salle de réception avec des lambris de chêne.* **R.** Le *s* ne se prononce pas. ☞ lambrisser.

lambrisser v. Revêtir de lambris, couvrir d'un revêtement décoratif en bois ou en marbre : *On a lambrissé la salle à manger d'une boiserie de chêne.* ☞ lambris.

lame n.f. **1.** Partie tranchante d'un instrument ou d'une arme : *La lame de ce couteau est bien aiguisée.* **2.** Bande plate et mince en matière dure : *Toutes les lames du parquet ont été posées.* ☞ lamelle. ▲ **lame** n.f. Vague de la mer : *Le bateau a disparu sous l'énorme lame.* SYN. flots.

lamelle n.f. **1.** Petite bande plate et mince en matière dure : *Dépose l'aile de la mouche sur cette lamelle de verre pour que nous puissions faire un examen microscopique.* **2.** Petite tranche : *Des carottes en lamelles sont servies avec la viande.* ☞ lame.

lamentable adj. **1.** Très mauvais, qui fait pitié : *Ce chandail est si usé qu'il est dans un état lamentable.* SYN. minable. ANT. bon, parfait. **2.** Qui exprime une lamentation, une plainte prolongée et bruyante : *Il l'implore d'une voix lamentable.* SYN. gémissant. ANT. joyeux, réjouissant. ☞ lamentablement.

lamentablement adv. De façon lamentable, déplorable : *Lise a lamentablement échoué à son examen de français.* ☞ lamentable.

lamentation n.f. Plainte prolongée et bruyante : *Écoute les lamentations du chien qu'on a mis dehors.* SYN. cri, jérémiade, sanglot. ANT. réjouissance. ☞ se lamenter.

se **lamenter** v.pron. Se plaindre : *Les enfants se lamentent du peu de neige.* SYN. gémir. ANT. se réjouir. ☞ lamentation.

laminage n.m. Action de laminer un métal, de diminuer son épaisseur en le comprimant fortement : *Le laminage peut se faire à chaud ou à froid.* ☞ laminer.

laminer v. Diminuer l'épaisseur d'une masse de métal en comprimant fortement : *Les aciéries laminent l'acier pour en faire de la tôle.* **R.** N'a pas le sens de *plastifier.* ☞ laminage, laminoir.

laminoir n.m. Machine composée de gros cylindres pour diminuer l'épaisseur d'une masse de métal : *Les alumineries utilisent des laminoirs pour amincir l'aluminium.* ☞ laminer.

lampadaire n.m. Appareil d'éclairage électrique muni d'un support vertical, servant à éclairer une voie publique ou une pièce : *Des* *lampadaires modernes éclairent les nouvelles rues.*

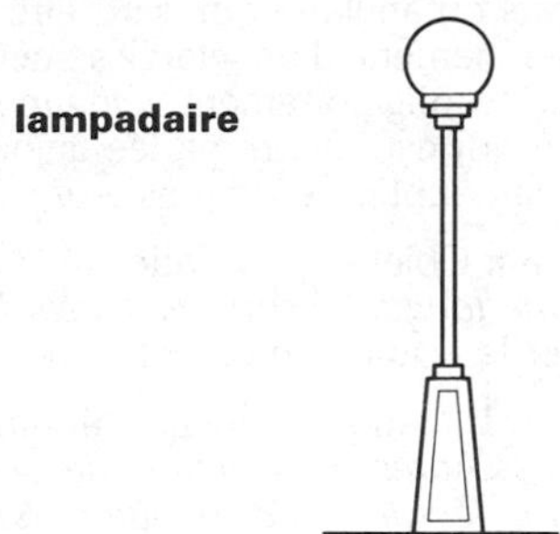

lampe n.f. Appareil d'éclairage comportant une base, un pied : *Autrefois, on utilisait des lampes à huile.* ⁄⁄ *Lampe de poche :* Petit appareil d'éclairage portatif fonctionnant avec des piles.

lampion n.m. **1.** Petit gobelet, souvent en verre de couleur, contenant une matière combustible et une mèche : *Dans cette église, des lampions brûlent devant la statue de la Vierge.* **2.** Lanterne en papier coloré : *Le 14 juillet, en France, on suspend des lampions dans les rues.*

lamproie n.f. Vertébré primitif aquatique ressemblant à l'anguille : *La lamproie est un poisson.*

lance n.f. **1.** Arme ancienne à long manche, terminée par un fer pointu : *Les Amérindiens se fabriquaient de solides lances pour la chasse.* **2.** Tube métallique fixé au bout d'un tuyau d'arrosage pour diriger le jet d'eau : *Cette pompière utilise une lance d'incendie.*

lancée n.f. Élan pris en mouvement : *Cette bille roule sur sa lancée.* HOM. lancer. ☞ lancer.

lance-fusées n.m.invar. Dispositif de guidage et de lancement de projectiles qui se dirigent sans pilote : *Cette base militaire possède des lance-fusées.* ☞ lancer.

lancement n.m. **1.** Action de lancer, de projeter dans l'espace : *Alex a assisté au lancement de la fusée à la télévision.* **2.** Action de mettre à l'eau : *Nous avons assisté au lancement du bateau.* **3.** fig. Action de lancer, de faire connaître une entreprise, un produit par des moyens publicitaires : *Le lancement de sa collection d'automne a eu beaucoup de succès.* ☞ lancer.

lance-missiles n.m.invar. Engin servant à lancer des missiles, des fusées portant des bombes : *Les sous-marins atomiques sont équipés de lance-missiles.* ☞ lancer.

lance-pierres n.m.invar. Dispositif à deux branches, muni d'un élastique, pour lancer des pierres : *On utilise les lance-pierres pour chasser le lièvre ou la perdrix.* ☞ lancer.

lancer n.m. Épreuve sportive consistant à lancer le plus loin possible un poids, un disque ou un javelot : *Elsa s'entraîne pour le lancer du disque.* HOM. lancée.

lancer v. **1.** Envoyer dans l'espace : *Maria lance des cailloux dans l'eau.* SYN. jeter, projeter. ANT. retenir. **2.** Émettre ; dire quelque chose avec violence : *On m'a lancé des injures.* **3.** Mettre en mouvement ; mettre à l'eau : *Le navire a été lancé devant une foule nombreuse.* **4.** Faire connaître une personne, un produit par le grand public : *Arlette Cousture a été lancée par ce roman.* HOM. lancée. ☞ lancée, lance-fusées, lancement, lance-missiles, lance-pierres, lance-torpilles, lanceur, relance, relancer. se **lancer** v.pron. **1.** Se précipiter : *Le parachutiste se lance dans le vide.* SYN. s'élancer. ANT. reculer. **2.** fig. S'engager avec audace, courage : *Jocelyne se lance en affaires ; elle ouvre une boutique.* SYN. commencer, s'embarquer. ANT. se retirer.

lance-torpilles n.m.invar. Dispositif servant à lancer des torpilles, des engins de guerre se dirigeant sous l'eau : *Les sous-marins sont munis de lance-torpilles avant et arrière.* **R.** Les lettres *ill* se prononcent comme dans *famille*. ☞ lancer.

lanceur, euse n. Personne qui lance : *Despina est lanceuse dans une équipe de baseball.* ☞ lancer.

lancinant, ante adj. Qui fait souffrir de façon aiguë, qui part et revient sans cesse : *Ce mal de tête me cause une douleur lancinante.* ☞ lanciner.

lanciner v. Faire souffrir par des élancements, des douleurs brusques et vives : *Sa blessure le lancinait intolérablement.* ☞ lancinant.

landau, aus n.m. (n. de lieu) Voiture d'enfant à quatre roues : *Peter promène bébé dans son landau.*

langage n.m. Faculté qu'ont les êtres humains d'exprimer leur pensée ou de communiquer entre eux au moyen d'un système de signes vocaux ou graphiques ; le système lui-même : *C'est grâce au langage que nous pouvons communiquer entre nous.* ▲ **langage** n.m. Tout système de signes servant à la communication : *Les animaux ont leur propre* *langage.* ⁄⁄ *Langage machine:* Système de signes avec lequel on donne des instructions à un ordinateur. ▲ **langage** n.m. Façon de parler propre à une personne, à un groupe, à un domaine : *Le langage administratif est parfois difficile à comprendre.*

lange n.m. Tissu avec lequel on emmaillotait les bébés, autrefois : *Le nouveau-né dormait dans ses langes blancs.*

langoureusement adv. De façon langoureuse, de façon tendre et rêveuse : *Le héros et l'héroïne du film se regardaient langoureusement.* ☞ langueur.

langoureux, euse adj. Qui exprime la langueur, une mélancolie rêveuse et douce : *La sonorité du saxophone est souvent langoureuse.* SYN. languissant. ANT. fougueux, vif. ☞ langueur.

langouste n.f. Grand animal marin recouvert d'une carapace, avec de longues antennes, mais sans pinces, qui est bon à manger : *La langouste peut atteindre quarante centimètres de long.* ☞ langoustine.

langoustine n.f. Petit animal marin recouvert d'une carapace, aux longues pinces, qui est bon à manger : *La langoustine est le nom commercial du homard de Norvège.* ☞ langouste.

langue n.f. Organe charnu, allongé et mobile, formé de muscles, placé dans la bouche : *La langue permet de parler, de goûter et d'avaler.* ▲ **langue** n.f. Bande étroite et allongée, en forme de langue : *Une péninsule est une langue de terre qui s'avance dans l'eau.* ⁄⁄ *Langue-de-chat:* Petit gâteau sec. ☞ languette. ▲ **langue** n.f. Système de communication propre à un groupe, à une communauté : *Le français est la langue officielle du Québec.* ⁄⁄ *Langue maternelle:* Langue que l'on apprend lorsqu'on commence à parler. *Langue morte:* Langue qui n'est plus parlée, comme le latin. *Langue seconde:* Au Canada, langue (français ou anglais) qui, sans être la langue d'enseignement d'un établissement, doit être étudiée obligatoirement. *Langue vivante:* Langue qui est encore parlée aujourd'hui. **R.** Ne pas oublier le *u* après le *g*.

languette n.f. Objet étroit et allongé : *Ces bottines ont une languette sous les lacets.* **R.** Ne pas oublier le *u* après le *g*. ☞ langue.

langueur n.f. **1.** Manque d'énergie, diminution des forces : *Après trois heures de bicyclette, Ricardo pédale avec langueur.* SYN. abattement, accablement, épuisement. ANT. ardeur, énergie, force, vitalité. **2.** Mélancolie rêveuse et douce : *Karine pense à la soirée d'hier avec une certaine langueur.* **R.** Ne pas oublier le *u* après le *g*. ☞ langoureusement, langoureux, languir, languissant.

languir v. **1.** Manquer d'entrain : *La conversation languissait, nous n'avions plus grand-chose à nous dire.* SYN. traîner. ANT. se ranimer. **2.** Attendre avec impatience, soupirer : *Ne me fais pas languir Lydie, donne-moi mon cadeau.* **R.** Ne pas oublier le *u* après le *g*. ☞ langueur.

languissant, ante adj. **1.** Qui manque d'énergie : *Évelyne est grippée, son regard est languissant.* SYN. abattu. ANT. ardent, éveillé, vif. **2.** Qui languit, qui soupire d'amour : *Quand son amoureux téléphone, Teresa lui parle d'une voix languissante.* SYN. langoureux. ANT. fougueux. **R.** Ne pas oublier le *u* après le *g*. ☞ langueur.

lanière n.f. Bande étroite et longue, en cuir ou en tissu : *La lanière de mon sac d'école me fait mal à l'épaule.*

lanoline n.f. Substance huileuse, légère et douce, qui entre dans la préparation de

langue

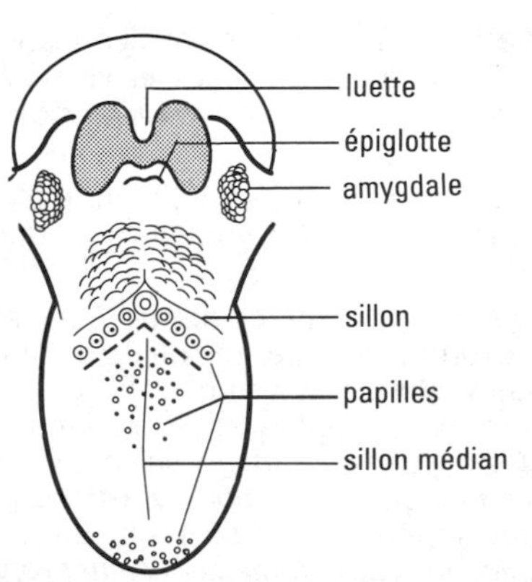

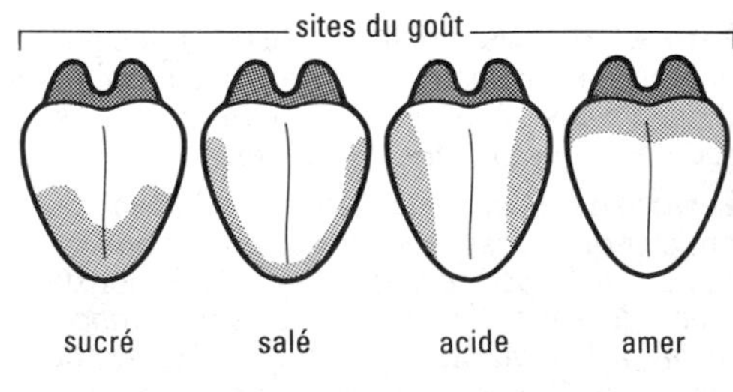

crèmes, de pommades: *Cette crème de nuit contient de la lanoline.*

lanterne n.f. Boîte transparente dans laquelle on met une lumière: *Certaines personnes décorent leur chalet avec des lanternes de couleur.*

laotien, ienne n. et adj. **1.** n. Personne qui est du Laos: *Un Laotien, une Laotienne.* **2.** adj. Qui est du Laos: *Cette photo montre des enfants laotiens.* **R.** On met la majuscule à *laotien* et à *laotienne* lorsque le nom désigne une personne.

laotien n.m. Langue parlée au Laos: *Le laotien n'est pas une langue facile à apprendre.*

lapement n.m. Action de laper, de boire à coups de langue: *Le lapement des animaux est bruyant.* ☞ laper.

laper v. Boire à coups de langue: *Mon chat lape son lait bruyamment.* ☞ lapement.

lapereau, eaux n.m. Jeune lapin: *Les lapins de moins de trois mois sont des lapereaux.* ☞ lapin.

lapidation n.f. Action de lapider, d'attaquer ou de tuer à coups de pierres: *La lapidation est un supplice ancien.* ☞ lapider.

lapider v. Attaquer ou tuer à coups de pierres: *On a lapidé saint Étienne.* ☞ lapidation.

lapin n.m. **1.** Mammifère rongeur à grandes oreilles et à petite queue, qui se reproduit très rapidement, dont la femelle est la lapine et le petit, le lapereau: *Le lapin aime les carottes.* **2.** Chair de cet animal: *Le lapin est une viande délicieuse et très maigre.* **3.** Fourrure de cet animal: *Ma grande sœur a une veste de lapin.* ☞ lapereau, lapiner.

lapine n.f. Femelle du lapin: *Les lapines ont des petits très souvent.* ☞ lapin.

lapiner v. Mettre bas, donner naissance à des petits, en parlant de la lapine: *La lapine a lapiné trois fois l'an passé.* ☞ lapin.

lapon, one n. et adj. **1.** n. Personne qui est de Laponie: *Un Lapon, une Lapone.* **2.** adj. Qui est de Laponie: *Les coutumes lapones sont très différentes de celles des populations qui vivent plus au sud.* **R.** On met la majuscule à *lapon* et à *lapone* lorsque le nom désigne une personne.

lapon n.m. Langue parlée en Laponie: *Le lapon est une langue peu connue.*

laps n.m. Espace, en parlant du temps: *Le laps de temps qui s'est écoulé ne m'a pas paru très long.* **R.** Le *s* se prononce.

lapsus n.m. Emploi involontaire d'un mot à la place d'un autre: *Gino fait un lapsus quand il appelle son institutrice «maman».* **R.** Le *s* se prononce.

laquage n.m. Action de laquer, de recouvrir d'une sorte de vernis: *Le laquage des armoires est long à effectuer.* ☞ laque.

laquais n.m. Autrefois, valet ou serviteur qui portait un uniforme: *La baronne était accompagnée de ses laquais.*

laque n.f. **1.** Vernis spécial, lisse et brillant: *On a enduit de laque ce vieux meuble pour lui redonner sa beauté.* **2.** Produit que l'on vaporise sur les cheveux pour les maintenir en place: *Émile utilise de la laque pour maintenir sa coiffure en place.* HOM. lac. ☞ laquage, laqué, laquer.

laqué, ée adj. Qui est recouvert de laque, d'une sorte de vernis: *Cette table de bois blanc est laquée.* HOM. laquer. ☞ laque.

laquer v. Recouvrir de laque, d'une sorte de vernis: *On a laqué ce paravent chinois.* HOM. laqué. ☞ laque.

larcin n.m.litt. Petit vol commis sans violence: *L'enfant commit un larcin en volant une tablette de chocolat au magasin.*

lard n.m. Couche de graisse épaisse sous la peau du porc: *Quand il fait rôtir une viande maigre, mon père l'entoure parfois de lard.* ☞ entrelarder, larder, lardon.

larder v. Garnir de lardons, de petits morceaux de lard introduits avec un couteau: *Nathalie a lardé le rôti de bœuf.* SYN. entrelarder. ☞ lard.

lardon n.m. Petit morceau de lard: *Des lardons accompagnent la salade.* ☞ lard.

largable adj. Qui peut être largué, lâché, en parlant d'un avion, d'un véhicule spatial: *Pour lancer un véhicule spatial, on utilise des fusées largables.* ☞ larguer.

largage n.m. Action de larguer, de lâcher, à partir d'un avion, d'un véhicule spatial: *L'avion a largué une parachutiste.* ☞ larguer.

large n.m., adj. et adv. **1.** n.m. Largeur: *Cette table a un mètre de large.* **2.** n.m. Haute mer, loin des côtes: *Le vent du large est rafraîchissant.* **3.** adj. Qui est grand, dans le sens de la largeur: *Ce lit est très large, il offre beaucoup d'espace.* ANT. étroit. **4.** adj. Qui est important, étendu: *Le sport occupe une large place dans la vie de Chan.* **5.** adj. Qui est généreux: *Tu as été bien large, je te remercie de ta générosité.* **6.** adv. D'une manière ample: *Ugo s'habille large, il aime les vêtements amples.* ☞ élargir, élargissement, largement, largesse, largeur.

largement adv. **1.** Sur une grande largeur: *La fenêtre était largement ouverte.* **2.** Amplement, sans se restreindre: *Nous avons largement de quoi vivre.* **3.** Abondamment, généreusement: *Les membres donnent largement.* ANT. mesquinement, peu. ☞ large.

largesse n.f. Don fait de façon large, généreuse: *Les largesses de cette femme vont la ruiner.* SYN. libéralité. ANT. mesquinerie. ☞ large.

largeur n.f. **1.** Dimension d'un objet dans le sens opposé à la longueur: *La largeur de cette porte est d'environ un mètre.* **2.** fig. Caractère de ce qui n'est pas étroit, borné: *Mon père accepte qu'on puisse se tromper, il a de la largeur d'esprit.* SYN. indulgence, tolérance. ANT. incompréhension. ☞ large.

larguer v. Lâcher ou détacher un cordage: *Il est temps de larguer les amarres, le bateau va partir.* ▲ **larguer** v. Laisser tomber d'un avion ou d'un véhicule spatial: *L'avion a largué de la nourriture à ces personnes sinistrées.* **R.** Ne pas oublier le *u* après le *g*. ☞ largable, largage.

larme n.f. **1.** Goutte d'eau salée qui tombe des yeux quand on a une douleur, une émotion: *Luigi a de la peine, des larmes coulent sur ses joues.* SYN. pleur, sanglot. **2.** fam. Très petite quantité de liquide: *Élisabeth met une larme de lait dans son café.* SYN. goutte. ☞ larmoiement, larmoyant, larmoyer.

larmoiement n.m. **1.** Écoulement continuel de larmes: *Ce larmoiement est dû à ton rhume.* **2.** Plainte, lamentation à tout propos: *Ses larmoiements m'irritent au plus haut point.* **R.** Le *e* de la deuxième syllabe ne se prononce pas. ☞ larme.

larmoyant, ante adj. Qui larmoie, qui pleure sans arrêt: *Des yeux larmoyants sont parfois un signe de fatigue.* ☞ larme.

larmoyer v. Pleurer sans arrêt: *Cette poussière dans l'œil me fait larmoyer.* ☞ larme.

larmoiement larmoyer

larron n.m. litt. et vx Voleur: *De chaque côté de Jésus étaient crucifiés des larrons.*

larvaire adj. Qui se rapporte à la larve, à la forme que prennent certains animaux hors de l'œuf, avant d'atteindre l'âge adulte: *La grenouille à l'état larvaire est un têtard.* ☞ larve.

larve n.f. Forme que prennent certains animaux, hors de l'œuf, avant d'atteindre l'âge adulte: *La chenille est la larve du papillon.* ☞ larvaire.

laryngite n.f. Gonflement douloureux du larynx, accompagné de rougeur: *Laurence a perdu la voix, elle souffre d'une laryngite.* ☞ larynx.

larynx n.m. Organe de la gorge qui contient les cordes vocales: *Le larynx est le principal instrument de la voix.* **R.** Le *x* se prononce. ☞ laryngite.

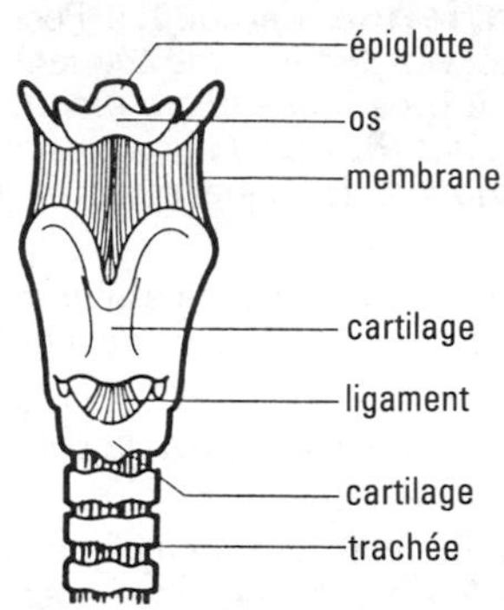

larynx

las, lasse adj. **1.** Qui est fatigué, sans énergie: *Richère était lasse après sa longue marche.* ANT. reposé. **2.** litt. Qui ne peut plus supporter quelqu'un ou quelque chose; qui ne peut plus supporter de faire quelque chose: *Maxime et Sophie-Claudine étaient las d'attendre.* **R.** Au masculin, le *s* ne se prononce pas. ☞ délassant, délassement, délasser, inlassable, inlassablement, lassant, lasser, lassitude.

lasagne n.f. (it.) Pâte alimentaire en forme de large ruban ondulé: *Asaf adore les lasagnes gratinées.*

laser n.m. (angl.) Appareil qui produit un rayon lumineux intense et qui sert à de multiples usages dans l'industrie, en médecine, etc.: *Dans le domaine de la haute fidélité, les lecteurs au laser ont succédé aux tables tournantes.* **R.** Le *r* se prononce.

lassant, ante adj. Qui lasse, qui fatigue: *Chris a abandonné le théâtre, il trouvait les répétitions lassantes, à la fin.* SYN. épuisant, éreintant, fatigant. ANT. reposant, stimulant. ☞ las.

lasser v. Fatiguer, ennuyer: *Karen craint de lasser son grand-père avec le récit de sa journée.* SYN. importuner. ANT. délasser, distraire, intéresser. ☞ las. **se lasser** v.pron. Se fatiguer: *Éva ne se lasse pas de cette musique.*

lassitude n.f. Fatigue, ennui: *La mère de Sonia a finalement cédé, par lassitude.* ☞ las.

lasso n.m. (esp.) Longue corde à nœud coulant servant à capturer des animaux: *Ce cowboy est très habile au lasso.*

latent, ente adj. Qui ne se manifeste pas, qui reste caché: *Sa colère était latente, elle a fini par éclater.* ANT. apparent.

latéral, ale, aux adj. Qui est situé sur le côté: *Dans cet édifice, il y a un garage latéral.* ☞ bilatéral, latéralement, unilatéral, unilatéralement.

latéralement adv. De côté, sur le côté: *Dans un avion, les hublots sont situés latéralement.* ☞ latéral.

latex n.m. Liquide ayant l'aspect du lait, sécrété par certaines plantes: *En Amérique du Sud, on recueille le latex d'un arbre appelé «hévéa» pour en faire du caoutchouc.* **R.** Le *x* se prononce.

latin, ine adj. Qui est d'origine romaine; qui a adopté la langue et la civilisation de Rome: *On dit des peuples latins qu'ils sont très expansifs.*

latin n.m. Langue ancienne, à l'origine de plusieurs mots français: *Autrefois, les Romains parlaient le latin.*

latitude n.f. Distance qui sépare un point du globe terrestre de l'équateur, mesurée en degrés: *La ville de Québec est située à 48 ° de latitude nord.* ▲ **latitude** n.f. Liberté d'agir, marge de manœuvre laissée à quelqu'un: *Cette directrice de projet a toute la latitude désirée et donne un excellent rendement.*

latte n.f. Planche longue, étroite et mince, généralement en bois: *Ce plancher est recouvert de lattes de chêne.* ☞ latter.

latter v. Garnir de lattes, de planches longues, étroites et minces: *Le plafond est terminé, il ne reste plus qu'à le latter.* ☞ latte.

lauréat, ate n. et adj. **1.** n. Personne qui a remporté un prix dans un concours: *Paul est le lauréat de ce concours de français; c'est un élève de ma classe.* SYN. champion, vainqueur. **2.** adj. Qui a remporté un prix dans un concours: *Les étudiantes et les étudiants lauréats recevront leur prix à l'université.*

laurier n.m. **1.** Arbre ou arbuste dont les feuilles servent à assaisonner certains mets: *Tante Camille met une feuille de laurier dans le ragoût de bœuf.* **2.** plur. fig. Gloire, succès passés: *Travaillons encore, ne nous reposons pas sur nos lauriers.* ☞ laurier-rose, laurier-tin.

laurier-rose n.m. Arbrisseau décoratif à fleurs roses ou blanches: *Attention, les lauriers-roses sont beaux, mais ils sont toxiques.* **R.** Au pluriel, *lauriers-roses*. ☞ laurier.

laurier-tin n.m. Arbrisseau des régions méditerranéennes, au feuillage toujours vert, aux fleurs blanches odorantes et très ornementales: *Les feuilles du laurier-tin rappellent celles du laurier.* **R.** Au pluriel, *lauriers-tins*. ☞ laurier.

lavable adj. Qui peut être lavé sans inconvénient: *Dans la cuisine, il est important d'avoir une peinture lavable.* ☞ laver.

lavabo n.m. Cuvette fixe, alimentée en eau par des robinets et munie d'un système de vidange d'eau: *Yvelise se brosse les dents au-dessus du lavabo de la salle de bain.*

lavage n.m. Action de laver: *Luz Isela procède au lavage de sa voiture.* SYN. nettoyage. ☞ laver.

lavande n.f. Plante à petites fleurs bleues ou violettes dont le parfum est très délicat: *La lavande pousse en France et elle est utilisée en parfumerie.* // *Bleu lavande:* Bleu mauve assez clair.

lave n.f. Matière brûlante qui sort des volcans: *Toutes les plantes meurent sous la coulée de lave.*

lave-auto n.m. Au Canada, station de lavage pour automobiles: *Élise trouve que sa voiture est impeccable lorsqu'elle sort du lave-auto.* **R.** Au pluriel, *lave-autos*. ☞ laver.

lave-glace n.m. Appareil qui envoie un jet d'eau pour laver le pare-brise d'une voiture: *Quand on roule en voiture sur une route boueuse, le lave-glace est très utile.* **R.** Au pluriel, *lave-glaces*. ☞ laver.

lave-linge n.m.invar. Machine à laver le linge: *En France, depuis l'apparition du lave-vaisselle, le mot «lave-linge» remplace de plus en plus «machine à laver».* ☞ laver.

lavement n.m. Injection d'un liquide dans le gros intestin, par l'anus, dans le but de vider l'intestin de son contenu: *Cette personne a eu un lavement pour subir un examen médical.* ☞ laver.

laver v. Nettoyer avec de l'eau ou un autre liquide: *C'est au tour de Juan de laver la vaisselle.* ANT. salir, souiller. ☞ lavable, lavage, lave-auto, lave-glace, lave-linge, lavement, laverie, lavette, laveur, lave-vaisselle, relaver. se **laver** v.pron. Laver son corps: *Julien se lave sous la douche.* SYN. se débarbouiller. ANT. se barbouiller.

laverie n.f. Établissement moderne équipé de machines à laver automatiques, où l'on peut laver son linge en payant: *En camping, nos bagages sont réduits; c'est pourquoi nous allons à la laverie.* ☞ laver.

lavette n.f. **1.** Morceau de tissu ou gros pinceau en fil avec lequel on lave la vaisselle: *Le manche de la lavette est en bois, il flotte sur l'eau.* **2.** fig. et fam. Personne sans énergie:

Cet homme se laisse faire, c'est une vraie lavette. ☞ laver.

laveur, euse n. Personne qui lave: *Les laveurs de vitres sont en train de nettoyer toutes les vitrines du magasin.* ☞ laver.

lave-vaisselle n.m.invar. Appareil qui lave et sèche la vaisselle, automatiquement: *Je passe moins de temps dans la cuisine depuis que j'ai un lave-vaisselle.* ☞ laver.

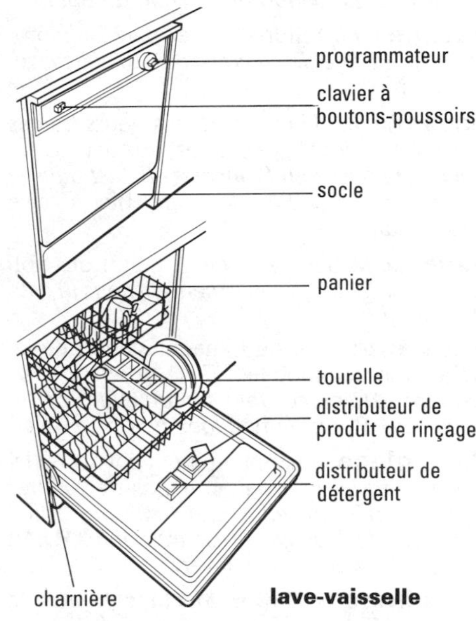

lave-vaisselle

laxatif n.m. Médicament ou substance purgative qui a la propriété de relâcher l'intestin, d'empêcher la constipation: *Les pruneaux sont un laxatif léger.* SYN. purgatif.

laxatif, ive adj. Qui a la propriété de relâcher l'intestin, d'empêcher la constipation: *Certaines tisanes sont laxatives.* SYN. purgatif.

layette n.f. Ensemble des vêtements d'un bébé: *Bébé est attendu; sa layette et sa chambre sont prêtes.* **R.** Les lettres *la* se prononcent *lè*.

le, la, les art.déf. Se place devant un nom désignant une personne, un animal ou une chose que l'on connaît ou que l'on peut reconnaître parmi d'autres: *La livre de beurre et le livre de recettes m'ont coûté neuf dollars à l'épicerie du coin.* **R.** *Le* et *la* deviennent *l'* devant une voyelle ou un *h* muet.

le, la, les pron.pers. Pronom personnel de la troisième personne, complément d'objet direct ou attribut: *Ta chatte? Je ne la trouve pas.* **R.** *Le* et *la* deviennent *l'* devant une voyelle ou un *h* muet, sauf après un verbe à l'impératif.

> **la** peut être remplacé par *ma, ta, sa, cette, une.*
> **l'a** peut être remplacé par *l'avait.*

leader n.m. (angl.) Personne qui est à la tête d'un parti politique ou d'un mouvement: *La chef de ce parti politique est le leader de l'opposition.* SYN. chef, porte-parole. **R.** Se prononce *lideur*. ☞ leadership.

leadership n.m. (angl.) Fonction de leader; direction, domination: *Après les élections, son leadership n'a pas été contesté.* SYN. commandement. **R.** Les lettres *ea* se prononcent *i*; les lettres *er* se prononcent *eur*. ☞ leader.

lèchefrite n.f. Ustensile de cuisine que l'on place sous la viande à faire rôtir pour en recueillir la graisse et le jus qui dégouttent: *Cette viande est maigre, la lèchefrite ne contient pas de gras.*

lécher v. **1.** Passer la langue sur quelque chose: *Les enfants adorent lécher des sucettes.* **2.** Effleurer légèrement, en parlant de l'eau ou du feu: *La vague lèche le sable de la plage.* SYN. frôler. ☞ lèche-vitrines.

lèche-vitrines n.m.invar. Action de «lécher les vitrines», de flâner en regardant les vitrines des magasins: *Désœuvré, Jonathan faisait du lèche-vitrines.* ☞ lécher.

leçon n.f. **1.** Ce qu'un élève doit apprendre: *Pierre est studieux, il consacre une heure par soir à ses leçons.* **2.** Enseignement d'une matière: *Après la leçon de français, nous irons manger.* SYN. classe, cours. **R.** Ne pas oublier la cédille.

lecteur, trice n. Personne qui lit: *Catherine est une lectrice assidue de ce journal scientifique.* ☞ lire.

lecteur n.m. Appareil qui sert à décoder les sons ou les informations et à les reproduire: *Cet ordinateur est ancien, il utilise un lecteur de cassettes; celui-ci, plus moderne, a deux lecteurs de disquettes.* ☞ lire.

lecture n.f. **1.** Action de lire quelque chose: *Après la lecture de ce chapitre, je fermerai la lumière.* **2.** Chose qu'on lit: *Quelles lectures me conseillez-vous pour me détendre?* ☞ lire.

légal, ale, aux adj. Qui est conforme à la loi: *Ce magasin est ouvert le dimanche; est-ce légal?* SYN. licite, permis, réglementaire. ANT. illégal, interdit. ☞ illégal, illégalement, illégalité, légalement, légalisation, légaliser, légalité.

légalement adv. De manière légale, suivant la loi: *Tu as besoin d'un permis pour conduire légalement une voiture.* ANT. illégalement. ☞ légal.

légalisation n.f. Action de légaliser, de rendre conforme à la loi: *La légalisation de l'avortement existe dans certains pays, dont le Canada.* ☞ légal.

légaliser v. Rendre légal, conforme à la loi: *Certaines personnes demandent au gouvernement de légaliser la vente de ce produit.* SYN. légitimer. ANT. interdire, proscrire. ☞ légal.

légalité n.f. Caractère de ce qui est légal, conforme à la loi: *Grâce à son permis, cette chasseuse porte une arme en toute légalité.* ANT. illégalité. ☞ légal.

légat n.m. Représentant officiel du pape; ambassadeur du pape chargé d'une mission spéciale: *Lorsqu'un cardinal doit accomplir une mission, il est nommé légat du pape.* SYN. délégué, nonce.

légataire n. Personne qui hérite d'un bien: *Ma mère est la légataire de tante Ida.* SYN. héritier. ⁄⁄ *Légataire universel:* Se dit d'une personne qui reçoit la totalité d'un héritage. ☞ legs.

légendaire adj. Qui n'existe que dans les légendes: *La sirène de Percé est un personnage légendaire.* SYN. fabuleux, fictif, imaginaire. ANT. authentique, vrai. ☞ légende.

légende n.f. Récit populaire, souvent fondé sur un fait historique, enjolivé par l'imagination et la poésie: *Félix Leclerc raconte quelques légendes québécoises dans ses œuvres.* ☞ légendaire. ▲ **légende** n.f. **1.** Texte qui accompagne une illustration, pour l'expliquer: *La légende indique qu'il s'agit d'une scène de la vie en Nouvelle-France.* **2.** Liste de symboles explicatifs: *Il faut consulter la légende d'une carte géographique pour bien comprendre celle-ci.*

léger, ère adj. **1.** Qui a peu de poids: *Cette valise est légère comme une plume.* ANT. lourd, pesant. **2.** Qui a peu de force, en parlant d'un parfum, d'un vin, etc.: *Une légère odeur de rose flottait dans sa chambre.* SYN. faible. ANT. fort. **3.** Qui est peu abondant: *Après un effort physique, je ne prends qu'un repas léger.* SYN. frugal. ANT. abondant, lourd. **4.** Qui est sans lourdeur, qui a de la grâce: *Cette personne a une démarche légère.* **5.** Qui est peu profond: *Marguerite a le sommeil léger, elle entend tout ce qu'on dit.* **6.** fig. Qui est peu profonde, peu sérieuse, en parlant d'une personne: *Tu lui as confié notre secret; tu es bien léger.* SYN. étourdi, imprudent, irréfléchi. ANT. circonspect, posé, sérieux. ☞ alléger, légèrement, légèreté. ▲ **léger, ère** adj. Qui est peu sensible; qui est peu important, sans gravité: *Danielle s'est infligé une blessure légère en manipulant un couteau.* SYN. infime. ANT. grave, important. ☞ alléger, légèrement.

légèrement adv. **1.** D'une manière légère: *En hiver, si je m'habille légèrement, je ne peux pas jouer dehors.* **2.** Un peu: *Elle a légèrement réprimandé son chat pour avoir cassé ce vase.* SYN. délicatement, doucement. ANT. beaucoup, sérieusement. ☞ léger.

légèreté n.f. **1.** Caractère de ce qui est léger, peu lourd: *Grâce à sa légèreté, le ballon peut s'envoler.* ANT. lourdeur. **2.** fig. Défaut d'une personne qui manque de profondeur, qui est irréfléchie: *Traverser la rue sans regarder, c'est agir avec légèreté.* SYN. imprudence, irréflexion. ANT. prudence, réflexion. ☞ léger.

légion n.f. **1.** Unité d'armée composée de soldats à pied et à cheval, chez les Romains: *Une légion contenait environ quatre mille hommes.* **2.** Multitude, grand nombre, grande quantité: *Une légion de mouches tournaient autour des déchets.* ⁄⁄ *Légion d'honneur:* Décoration française. ☞ légionnaire.

légionnaire n.m. Soldat d'une légion, dans l'armée romaine: *Une bande dessinée a rendu célèbres les légionnaires romains.* ☞ légion.

législateur, trice n. Personne ou groupe qui fait les lois: *La législatrice a présenté un projet de loi.* ☞ législatif, législation, législature.

législatif, ive adj. Qui fait les lois: *Notre assemblée législative a créé une loi sur la consommation de la cigarette dans les lieux publics.* ☞ législateur.

législation n.f. Ensemble des lois régissant un pays ou un domaine particulier: *Cette pilote connaît parfaitement la législation aérienne.* ☞ législateur.

législature n.f. Période pendant laquelle une assemblée législative exerce ses fonctions: *Plusieurs lois ont été votées durant cette législature.* ☞ législateur.

légiste n.m. et adj. **1.** n.m. Personne qui est spécialiste des lois: *On consulte des légistes dans des situations bien particulières.* SYN. juriste. **2.** adj. Se dit d'un médecin qui est chargé de donner un avis technique au juge: *On a pu voir à la télévision des émissions mettant en vedette un médecin légiste.*

légitime adj. Qui est admis par la loi: *Le mariage est une union légitime.* SYN. légal, licite. ANT. illégal, illicite. ☞ illégitime, illégitimement, légitimement.

légitimement adv. De façon légitime, conformément à la loi: *On peut réclamer légitimement un salaire qui est dû.* SYN. légalement. ANT. illégalement, illégitimement, illicitement. ☞ légitime.

legs n.m. Bien laissé par testament: *Cette artiste compte faire un legs de ses toiles à notre musée.* SYN. don, donation. ANT. réclamation, revendication. **R.** Le *s* ne se prononce pas. ☞ légataire, léguer.

léguer v. Donner par testament: *Cette milliardaire a légué une fortune à sa nièce.* SYN. céder, laisser, transmettre. ANT. hériter, recevoir. **R.** Ne pas oublier le *u* après le *g*. ☞ legs.

légume n.m. Plante dont certaines parties servent à l'alimentation: *La carotte et le céleri sont deux légumes.* ☞ légumier, légumineuse, légumineux.

légumier n.m. Plat dans lequel on sert les légumes: *La soupière et le légumier sont déposés sur la table.* ☞ légume.

légumier, ière adj. Qui se rapporte aux légumes: *La culture légumière est le passe-temps de nos voisins.* ☞ légume.

légumineuse n.f. Plante dont le fruit est une gousse: *Le pois et le haricot sont des légumineuses.* ☞ légume.

légumineux, euse adj. Dont le fruit est une gousse: *La lentille est une plante légumineuse.* ☞ légume.

lemming n.m. (norv.) Petit mammifère rongeur vivant dans les régions froides: *Le harfang des neiges se nourrit de lemmings.* **R.** Se prononce *lémign*.

lemming

lémuriens n.m.plur. Famille de singes des régions tropicales: *Le maki est un singe de Madagascar à longue queue, au nez allongé, de la famille des lémuriens.*

lendemain n.m. **1.** Jour qui suit aujourd'hui: *La reine est arrivée lundi; le lendemain, mardi, elle a rencontré le premier ministre.* ANT. veille. **2.** Avenir rapproché: *Yves est économe, il pense au lendemain, et ne dépense pas tout.* ☞ surlendemain.

lent, lente adj. Qui n'est pas rapide: *C'est reconnu, la tortue est lente.* SYN. lambin. ANT. rapide, vif. ☞ lentement, lenteur, ralenti, ralentir, ralentissement.

lente n.f. Œuf de pou: *On ne peut éliminer les poux sans éliminer les lentes.*

lentement adv. De manière lente, non rapide: *Les cheveux poussent lentement.* SYN. doucement. ANT. rapidement, vite. ☞ lent.

lenteur n.f. Manque de rapidité, de vivacité: *Vu la lenteur du courrier, je préfère téléphoner.* SYN. délai. ANT. célérité, rapidité, vitesse. ☞ lent.

lentille n.f. Plante légumineuse dont les graines, aussi appelées «lentilles», sont bonnes à manger: *Aimez-vous la soupe aux lentilles?* ▲ **lentille** n.f. **1.** Verre grossissant qui entre dans la fabrication de certains instruments optiques: *La loupe, le microscope et le télescope sont composés de lentilles.* **2.** Verre placé directement sur l'œil pour corriger la vue: *Nora porte des lentilles cornéennes pour corriger sa myopie.* **R.** Les lettres *ill* se prononcent comme dans *famille*.

léopard n.m. Panthère d'Afrique: *Le léopard est un carnassier à la fourrure tachetée de jaune et de noir.*

lépisme n.m. Insecte dont le corps est de couleur gris argenté, aussi appelé «poisson d'argent»: *Les lépismes vivent dans les pièces humides des logis.*

lèpre n.f. Grave maladie de la peau qui se manifeste par des boursouflures et des plaies: *La lèpre est une maladie très contagieuse.* ☞ lépreux, léproserie.

lépreux, euse n. et adj. **1.** n. Personne qui est atteinte de la lèpre: *Les lépreux sont isolés, car leur maladie est très contagieuse.* **2.** adj. Qui est atteint de la lèpre: *Cette femme lépreuse est très courageuse.* ☞ lèpre.

léproserie n.f. Hôpital où l'on soigne les malades atteints de la lèpre: *Le cardinal Léger a ouvert plusieurs léproseries en Afrique.* ☞ lèpre.

lèpre léproserie

lequel, laquelle, lesquels, lesquelles pron.rel. et pron.interrog. **1.** pron. rel. S'emploie comme sujet à la place de «qui», pour éviter l'équivoque: *Je trie mes photos depuis quelques semaines, lesquelles me rappellent de beaux souvenirs.* **2.** pron.rel. S'emploie comme complément, toujours avec une préposition, renvoyant le plus souvent à un nom de chose ou d'animal: *Cette activité à laquelle nous avons consacré beaucoup d'énergie, a été une vraie réussite.* **3.** pron. interrog. Quel est celui qui; quel est celui que: *Lequel de ces deux tableaux préférez-vous?* **4.** pron.interrog. Celui qui; celui que: *Dites-*

moi lequel des deux vous préférez. **R.** *Lequel* se contracte en *auquel* et *duquel* avec les prépositions *à* et *de*.

lérot n.m. Petit mammifère rongeur de couleur grise, à taches noires sur l'œil, qui ressemble au loir : *Le lérot vit dans les jardins ; le loir préfère la forêt.*

lesbienne n.f. Femme homosexuelle : *Une lesbienne est une femme dont la sexualité est orientée vers les personnes de son sexe.*

léser v. Causer du tort à quelqu'un, le désavantager : *Ces étudiantes se sentent lésées parce qu'on leur a interdit de former une association.* SYN. frustrer. ANT. aider, assister, avantager.

lésiner v. Économiser de façon exagérée : *Cesse de lésiner et offre-toi une gâterie, pour une fois !* SYN. épargner, rogner. ANT. débourser, dépenser, gaspiller.

lésion n.f. Blessure subie par un organe, à cause d'une maladie ou d'un accident : *À la suite de cet accident, il a eu une lésion au cerveau.* SYN. contusion, meurtrissure.

lessivable adj. Qui peut être lavé avec une substance nettoyante : *Cette chemise est lessivable, sa couleur ne changera pas.* SYN. lavable. ☞ lessive.

lessive n.f. **1.** Action de lessiver, de laver du linge : *Mala fait sa lessive le jeudi.* SYN. blanchissage, lavage. **2.** Produit liquide ou en poudre qu'on ajoute à l'eau pour laver : *Le linge ne sera pas propre, j'ai oublié de mettre la lessive dans la machine à laver.* SYN. détersif. **3.** Linge qu'on va laver ou qu'on vient de laver : *William étend la lessive au soleil pour qu'elle sèche.* ☞ lessivable, lessiver, lessiveuse.

lessiver v. Laver ou nettoyer avec une solution détersive : *Je lessive le plancher de la cuisine chaque semaine.* ☞ lessive.

lessiveuse n.f. Contenant dans lequel on lavait autrefois le linge en le faisant bouillir : *La lessiveuse a été remplacée par la machine à laver.* **R.** N'a pas le sens de *machine à laver* (automatique). ☞ lessive.

lest n.m. Poids, matière lourde placée dans un navire pour assurer sa stabilité ou dans un ballon pour ralentir sa course : *Habituellement, dans un ballon dirigeable, le lest est constitué de sacs de sable.* HOM. leste. **R.** Les lettres *st* se prononcent. ☞ délestage, délester, lestage, lester.

lestage n.m. Action de lester, de charger de poids un navire ou un ballon : *On a terminé le lestage de ce ballon ; il est chargé de sacs de sable.* ANT. délestage. ☞ lest.

leste adj. Qui a de la souplesse, de l'agilité dans ses mouvements : *Grand-mère est encore leste, si tu la voyais danser !* SYN. agile, alerte, souple. ANT. lourd, maladroit. ☞ lestement. ▲ **leste** adj. Se dit de paroles ou d'actions qui manquent de sérieux, de réserve : *Ses plaisanteries sont un peu lestes.* HOM. lest.

lestement adv. D'une manière leste, d'une manière souple et légère : *La princesse descendit lestement de son cheval.* ☞ leste.

lester v. Charger de lest, d'un poids : *Pour lester le sous-marin, on remplit les ballasts avec de l'eau.* SYN. appesantir. ANT. alléger, délester. ☞ lest.

léthargie n.f. **1.** Sommeil profond qui peut ressembler à la mort : *Cette malade est tombée en léthargie.* ANT. activité, vitalité. **2.** fig. Abattement total : *Ce joueur de hockey connaît une période de léthargie.* SYN. apathie. ☞ léthargique.

léthargique adj. **1.** Qui tient de la léthargie, qui peut ressembler à la mort : *La malade est sortie de son état léthargique.* **2.** Qui est endormi, engourdi, en parlant de quelqu'un : *Guillaume est léthargique depuis quelque temps.* ANT. actif, dégourdi. ☞ léthargie.

lettrage n.m. **1.** Action de marquer au moyen de lettres : *Stéphanie suit un cours de lettrage pour faire des enseignes.* **2.** Ensemble des lettres d'une inscription : *Le lettrage de la carte professionnelle de cette graphiste est très original.* ☞ lettre.

lettre n.f. Chacun des signes graphiques de l'alphabet : *La lettre « z » est la vingt-sixième et dernière lettre de notre alphabet.* ⁄⁄ *En toutes lettres :* Sans abréviation ; au long, sans chiffres. ☞ lettrage. ▲ **lettre** n.f. Texte écrit que l'on envoie à quelqu'un pour lui communiquer quelque chose : *Dino envoie une lettre à son grand-père, en Italie.* SYN. message, missive, mot, pli. ⁄⁄ *Lettre ouverte :* Article de journal rédigé sous forme de lettre.

lettres n.f.plur. Enseignement de la littérature, des langues : *Charles s'est inscrit en lettres à l'université.* ☞ illettré.

leucémie n.f. Maladie du sang appelée « cancer du sang », caractérisée par la présence d'un trop grand nombre de globules blancs dans le sang : *Des recherches se poursuivent pour trouver un remède à la leucémie.* ☞ leucémique.

leucémique adj. Qui est atteint de leucémie ; qui a le caractère de la leucémie : *La chercheuse observe au microscope une cellule leucémique.* ☞ leucémie.

leur, leurs adj.poss. Qui est à eux, à elles ;

qui se rapporte à eux, à elles: *Les élèves partent en excursion; ils apportent leurs vêtements et leur bonne humeur.* HOM. leurre.

le **leur, la leur, les leurs** pron.poss. Pronom possessif de la troisième personne, qui désigne l'objet ou l'être appartenant ou se rapportant aux êtres dont on parle: *Mes bagages sont prêts, les leurs ne sont pas faits.*

leur pron.pers.invar. Pronom personnel de la troisième personne du pluriel, complément d'objet indirect, signifiant «à eux, à elles»: *Mes chattes ont faim, nous leur donnons à manger matin et soir.* HOM. leurre.

leurre n.m. **1.** Appât, nourriture qui sert à attirer les poissons ou les faucons: *Cette mouche artificielle sert de leurre pour la pêche à la truite.* **2.** fig. Piège, tromperie: *Cette publicité est un vrai leurre; elle est trompeuse.* SYN. duperie, illusion. ANT. certitude, réalité, vérité. HOM. leur. ☞ leurrer.

leurrer v. Tromper, attirer par de faux espoirs: *Cet homme d'affaires est très perspicace, il est difficile à leurrer.* SYN. duper, enjôler. ANT. détromper. ☞ leurre. se **leurrer** v.pron. S'illusionner, se tromper: *Tu te leurres si tu penses que la réussite est une question de chance.*

levain n.m. Pâte qu'on a laissée fermenter ou qu'on a mélangée à de la levure pour faire lever le pain: *Le pain azyme est cuit sans levain, il ne lève pas.* SYN. ferment, levure. ☞ lever.

levant n.m. et adj.m. **1.** n.m. L'est, le côté de l'horizon où le soleil se lève: *Le ciel est beau au levant.* SYN. orient. ANT. couchant, occident, ouest. **2.** adj.m. Qui se lève, en parlant du soleil: *Lorsque c'est permis, nous chassons le canard au soleil levant.* ANT. couchant. ☞ lever.

levée n.f. **1.** Action de retirer les lettres de la boîte où elles ont été mises: *Le facteur vient de faire la levée du matin.* **2.** Action de ramasser les cartes à jouer lorsqu'on l'emporte; les cartes elles-mêmes: *Nous sommes gagnantes, nous avons deux levées de plus que vous.* **3.** Action de mettre fin à quelque chose: *La présidente a demandé la levée de l'assemblée.* **4.** Action d'enrôler des soldats: *Parfois, les levées de troupe se font en masse.* HOM. lever. ☞ lever.

lève-glaces n.m.invar. Mécanisme servant à ouvrir et à fermer les glaces, les vitres d'une voiture: *Ma mère actionne le lève-glaces avant de sortir de la voiture.* ☞ lever.

lever v. **1.** Soulever, faire monter: *Lève la chaise, je vais nettoyer en dessous.* SYN. élever, hausser. ANT. descendre. **2.** Mettre plus haut, soulever, en parlant d'une partie du corps: *Je lève ma main avant de répondre.* ANT. baisser. **3.** Faire sortir le gibier de son trou: *Joseph a fait lever des perdrix en marchant dans le bois.* **4.** Recruter, dans le domaine militaire: *Jules César a levé de nombreuses armées.* SYN. mobiliser. **5.** Faire cesser: *Étant donné qu'il est tard, nous allons lever la séance.* SYN. clore. ☞ levant, levée, lève-glaces. se **lever** v.pron. **1.** Se mettre debout: *Christian s'est levé de sa chaise pour répondre à la porte.* ANT. s'asseoir. **2.** Sortir de son lit: *Andrée se lève à 5 heures tous les matins.* ANT. se coucher. **3.** fig. Apparaître dans le ciel, en parlant d'un astre: *La Lune s'est levée; regarde le beau croissant dans le ciel.* **4.** Commencer à souffler, en parlant du vent: *Le vent se lève, nous faisons mieux de retourner sur la rive.* ⫽ *Se lever de table:* Quitter la table. ▲ **lever** v. Gonfler, sous l'effet de la fermentation: *La pâte a bien levé.* ☞ levain, levure. ▲ **lever** v. Pousser, en parlant des plantes: *Le blé commence à lever.* HOM. levée.

lever n.m. **1.** Action de sortir de son lit: *L'heure du lever n'est pas la même pour ma sœur et moi.* ANT. coucher. **2.** Moment où un astre apparaît dans le ciel: *Le Soleil n'était qu'à son lever lorsque les chasseuses sont parties.* ANT. coucher. HOM. levée. ⫽ *Le lever du rideau:* Moment où la scène apparaît, au théâtre.

levier n.m. **1.** Barre ou tige solide et résistante, mobile autour d'un point d'appui, que l'on glisse sous une lourde charge pour la soulever facilement: *Grâce au levier, on peut déplacer de grosses charges sans trop d'effort.* **2.** Manette permettant de commander une machine: *Il maîtrisait bien le levier du changement de vitesse de sa voiture.*

levraut n.m. Petit du lièvre et de la hase: *La hase a eu cinq levrauts.* ☞ lièvre.

lèvre n.f. **1.** Chacune des deux parties extérieures de la bouche, qui couvrent les dents: *La lèvre du haut s'appelle « lèvre supérieure », celle du bas, « lèvre inférieure ».* **2.** plur. Repli de la peau, dans les parties génitales externes féminines: *Les grandes lèvres sont situées en dehors et les petites, en dedans.*

levrette n.f. Femelle du lévrier: *La levrette est une chienne qui court très rapidement.* ☞ lévrier.

lévrier n.m. Chien aux longues pattes, dressé pour la course et la chasse au lièvre, dont la femelle est la levrette: *Le lévrier a le corps allongé et les muscles puissants.* ☞ levrette.

levure n.f. Produit qui fait lever la pâte: *J'ai*

mis de la levure dans la pâte à gâteau. SYN. ferment, levain. ☞ lever.

lexique n.m. Ensemble des mots d'une langue: *La richesse du lexique de la langue française est reconnue.* SYN. vocabulaire. ▲ **lexique** n.m. **1.** Petit dictionnaire: *J'aime à chercher des mots dans mon nouveau lexique français-anglais.* **2.** Liste alphabétique, placée à la fin d'un ouvrage, des mots qui peuvent présenter des difficultés: *En géographie, je comprends rapidement le sens des mots grâce au lexique de mon manuel.* SYN. glossaire, index.

lézard n.m. Petit reptile à queue allongée, de couleur verte ou grise: *Sandra a capturé un lézard qui dormait au soleil.* ☞ lézarder.

lézarde n.f. Fente irrégulière ou fissure dans un mur: *La maçonne répare la lézarde dans le mur de notre maison.* SYN. crevasse. ☞ lézardé, lézarder.

lézardé, ée adj. Qui est fendu par une ou plusieurs lézardes: *Cette vieille maison canadienne est lézardée et mal entretenue.* HOM. lézarder. ☞ lézarde.

lézarder v. Crevasser, fissurer: *Les saisons froides ont lézardé le mur de notre maison.* SYN. fendiller. ☞ lézarde. **se lézarder** v.pron. Se fendre, se crevasser, en parlant d'un bâtiment ou d'un mur: *Sous l'effet du tremblement de terre, le mur s'est lézardé.* ▲ **lézarder** v.fam. Faire le lézard, se chauffer au soleil; rester sans rien faire: *Nous avons lézardé sur la plage.* HOM. lézardé. ☞ lézard.

liaison n.f. Rapport entre deux choses, sur le plan des idées; lien entre les parties d'un texte: *Tu as bien fait la liaison entre tes deux paragraphes.* SYN. enchaînement. ☞ lier. ▲ **liaison** n.f. Fait de prononcer deux mots qui se suivent en unissant la dernière consonne du premier mot à la première voyelle du mot suivant: *Nous lirons ce texte en faisant les liaisons, lorsqu'il y a lieu.* ☞ lier. ▲ **liaison** n.f. **1.** Union ou relation entre deux personnes: *Taher et Carolyn entretiennent une liaison d'amitié.* SYN. lien. ANT. désunion. **2.** Communication régulière entre deux endroits du globe: *Plusieurs avions assurent la liaison entre Paris et Montréal.* SYN. jonction. ANT. disjonction. ☞ lier.

liane n.f. Plante grimpante à longue tige flexible qui s'accroche aux arbres, dans la jungle: *Les lianes poussent dans les forêts tropicales ou équatoriales.*

liant, liante adj. Qui se lie facilement avec d'autres personnes: *Clayton est très sociable, il a un caractère liant.* SYN. affable, sociable. ANT. cassant, sec. ☞ lier.

liasse n.f. Paquet de papiers ou de billets de banque, le plus souvent attachés ensemble: *Benson assemble en liasse les lettres qu'il a reçues.*

libanais, aise n. et adj. **1.** n. Personne qui est du Liban: *Un Libanais, une Libanaise.* **2.** adj. Qui est du Liban: *J'aime la cuisine libanaise.* **R.** On met la majuscule à *libanais* et à *libanaise* lorsqu'il s'agit du nom.

libellule n.f. Insecte au corps allongé, à deux paires d'ailes transparentes, qui vit près de l'eau: *Parfois, on appelle les libellules des «demoiselles».*

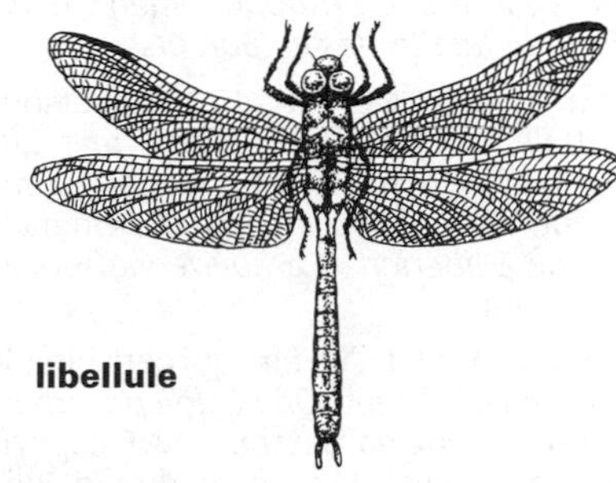

libellule

libéral, ale, aux adj. **1.** Qui est tolérant, qui respecte les idées des autres: *Mon père est libéral, c'est pourquoi j'aime échanger des idées avec lui.* ANT. intolérant. **2.** Qui est favorable aux libertés individuelles: *Une politique libérale est une politique qui respecte l'individu.* ⁄⁄ *Profession libérale:* Profession de caractère intellectuel, que l'on peut exercer librement, sans avoir de patron.

libérateur, trice n. et adj. **1.** n. Personne qui libère, qui met en liberté: *Pour avoir délivré son pays du joug militaire, elle a été considérée comme une libératrice.* SYN. rédempteur, sauveur. ANT. oppresseur, tyran. **2.** adj. Qui libère, qui rend la liberté: *Une guerre libératrice est une guerre où l'on cherche à recouvrer sa liberté.* ☞ libérer.

libération n.f. **1.** Action de rendre libre: *Le mouvement de libération de la femme a fait évoluer les hommes.* ANT. asservissement. **2.** Mise en liberté: *Ayant purgé sa peine, cette prisonnière a obtenu sa libération.* **3.** Action de délivrer un pays occupé ou un peuple: *Quand les armées étrangères se seront retirées, le pays fêtera sa libération.* SYN. affranchissement. ANT. occupation. ⁄⁄ *Libération conditionnelle:* Libération qui survient avant la date prévue dans un cas de bonne conduite. ☞ libérer.

libéré, ée adj. Qui est rendu libre: *La femme libérée refuse d'être dominée par l'homme.* HOM. libérer. ☞ libérer.

libérer v. **1.** Mettre en liberté: *Barahona a sorti l'oiseau de sa cage, elle l'a libéré.* SYN. délivrer, relâcher. ANT. capturer, emprisonner. **2.** Dégager de ce qui gêne, de ce qui empêche d'être libre: *Je vous demanderais de libérer le passage pour que nous puissions circuler librement.* **3.** Rendre libre, par rapport à une obligation, à une servitude: *Grégoire lave la vaisselle, il me libère de cette corvée.* SYN. dégager, délier, exempter. ANT. asservir. HOM. libéré. ☞ libérateur, libération, libéré. **se libérer** v.pron. **1.** Se rendre libre, se dégager de ses occupations: *Je vais me libérer pour 17 heures; je serai là.* **2.** S'émanciper: *Marie-Hélène s'est trouvé un appartement; elle se libère de la tutelle de ses parents.*

libérien, ienne n. et adj. **1.** n. Personne qui est du Libéria: *Un Libérien, une Libérienne.* **2.** adj. Qui est du Libéria: *La monnaie du Libéria est le dollar libérien.* **R.** On met la majuscule à *libérien* et à *libérienne* lorsqu'il s'agit du nom.

liberté n.f. **1.** État d'un être qui peut circuler, aller et venir où il veut: *On ne doit pas trouver de chien en liberté dans ce parc.* ANT. captivité. **2.** Droit, possibilité de faire, de dire, d'écrire, de lire ce que l'on veut: *Tu as la liberté d'accepter ou de refuser cet emploi.* SYN. latitude, loisir, pouvoir. ANT. défense, interdiction. ☞ libre.

libraire n. Personne qui vend des livres: *La libraire m'a conseillé l'achat de ce dictionnaire.* ☞ librairie.

librairie n.f. Magasin où l'on vend des livres: *Ce roman a beaucoup de succès, il n'en reste plus à la librairie du quartier.* ☞ libraire.

libre adj. **1.** Qui n'est pas retenu en captivité, qui n'est ni esclave ni prisonnier: *Cet homme est libre après avoir été pris en otage durant quinze jours.* **2.** Qui a le pouvoir d'agir par soi-même, selon son désir: *Antoine est libre d'aller à cette soirée.* **3.** Qui n'est pas lié par un engagement, qui est sans occupations: *Édith est libre samedi après-midi.* ☞ liberté, librement. ▲ **libre** adj. Qui est inoccupée, en parlant d'une chose: *Ce fauteuil est libre, tu peux le prendre.* ANT. occupé. ⁄⁄ *Temps libre:* Temps qui n'est pas occupé, que l'on peut employer comme on veut.

libre-échange n.m. Système dans lequel les échanges commerciaux entre les pays sont libres, sans droits de douane: *Un traité de libre-échange a été signé entre le Canada et les États-Unis.*

librement adv. **1.** Sans que ce soit défendu par la loi, sans qu'il y ait d'obstacle: *Vous pouvez circuler librement, ce terrain est public.* **2.** En toute liberté de choix, sans contrainte: *Au Canada, nous élisons librement nos députés.* **3.** Avec franchise: *Nous avons parlé très librement de nos opinions politiques.* ☞ libre.

libre-service n.m. Commerce où le client se sert lui-même: *Au Québec, la plupart des magasins d'alimentation sont des libres-services.* **R.** Au pluriel, *libres-services*.

libyen, enne n. et adj. **1.** n. Personne qui est de la Libye: *Un Libyen, une Libyenne.* **2.** adj. Qui est de la Libye: *La monnaie de la Libye est le dinar libyen.* **R.** On met la majuscule à *libyen* et à *libyenne* lorsqu'il s'agit du nom.

licence n.f. **1.** Permission, autorisation officielle d'exercer certaines activités économiques: *Cette commerçante a obtenu une licence pour vendre ses produits dans d'autres pays.* ANT. défense, interdiction. **2.** Diplôme universitaire, en France: *Dans les universités canadiennes, il n'y a pas de licence; il y a le baccalauréat, la maîtrise et le doctorat.* **R.** N'a pas le sens de *permis de conduire*, de *plaque d'immatriculation*.

licenciement n.m. Renvoi: *La fermeture de l'usine a provoqué le licenciement de deux cents ouvrières.* SYN. congédiement, destitution. ANT. engagement, rappel. **R.** Le *e* de la troisième syllabe ne se prononce pas. ☞ licencier.

licencier v. Renvoyer, priver d'emploi: *Les patrons de l'usine ont licencié trois cents travailleurs.* SYN. congédier, destituer. ANT. embaucher, engager. ☞ licenciement.

lichen n.m. Plante qui pousse sur les sols pauvres et qui ressemble à de la mousse: *Les caribous se nourrissent de lichens.* **R.** Se prononce *likenn*.

licite adj. Qui est permis, qu'aucune loi ne défend: *Au Canada, l'usage du tabac est licite.* SYN. légal. ANT. illégal, illicite. ☞ illicite, illicitement.

licol n.m. Harnais de cuir servant à attacher certaines bêtes ou à les mener: *Le cheval est retenu au poteau par le licol.* **R.** Aussi, *licou*. Au pluriel, *licous*.

licol

licorne n.f. Animal imaginaire ressemblant à un cheval, avec une longue corne dans le front: *Au Moyen Âge, on parlait souvent de licornes dans les légendes.*

lie n.f. Dépôt qui se forme au fond d'un liquide fermenté: *Il ne faut pas boire la lie du vin.* HOM. lit.

liège n.m. Matière légère, imperméable, élastique, provenant de l'écorce de certains arbres: *On utilise des bouchons de liège sur les bouteilles de vin.*

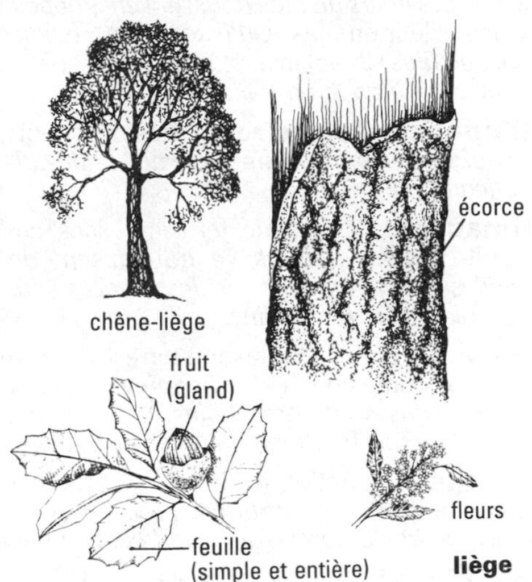

lien n.m. **1.** Chose flexible et allongée qui sert à attacher: *Dans le film, l'espionne défaisait les liens du prisonnier.* SYN. chaîne, corde. **2.** Rapport logique entre deux événements: *Tu vois le lien entre l'arrivée du printemps et l'inondation du chalet.* SYN. enchaînement, suite. **3.** Relation entre deux personnes, par le sang ou l'amitié: *Quel lien de parenté y a-t-il entre vous deux?* ☞ lier.

lier v. **1.** Attacher, serrer avec une chose flexible et allongée: *Je lie ces journaux avant de les envoyer à la récupération du papier.* SYN. ficeler. ANT. déficeler, délier. **2.** Enchaîner par un rapport logique: *Pour lier ces paragraphes, j'ai utilisé cette phrase.* SYN. coordonner. ANT. isoler, séparer. **3.** Joindre à l'aide d'une substance: *Le mortier lie les briques.* ☞ délié, délier, liaison, liant, lien, lieuse. **se lier** v.pron. S'attacher à quelqu'un: *Ismaïl et Chantale se sont liés d'amitié.*

lierre n.m. Plante grimpante, aux feuilles luisantes et vertes, qui se fixe aux murs: *La façade de cette vieille maison est couverte de lierre.*

liesse n.f.litt. Joie collective: *La foule en liesse assiste au défilé du carnaval.* SYN. allégresse, jubilation. ANT. chagrin, consternation, tristesse.

lieu, lieux n.m. **1.** Endroit, partie définie de l'espace: *Le lieu de rendez-vous est le parc de l'école.* **2.** Localité, ville, pays: *Québec est mon lieu de naissance.* HOM. lieue. ⁄⁄ *Avoir lieu:* Prendre place. *En temps et lieu:* Au moment choisi. *Lieu commun:* Sujet de conversation banal. *Lieu public:* Lieu qui admet le public. *S'il y a lieu:* Si cela convient ou se présente. *Sur les lieux:* À l'endroit même. ☞ lieu-dit. **au lieu de** loc.prép. À la place de: *Au lieu d'aller chez toi, je t'attendrai dans ce café.*

lieu-dit n.m. Endroit, à la campagne, qui porte un nom particulier: *L'autobus tourne au lieu-dit la «Cour du Renard».* **R.** Au pluriel, *lieux-dits*. Aussi, *lieudit*. ☞ lieu.

lieue n.f. Ancienne mesure représentant environ quatre kilomètres: *Le Petit Poucet chaussait des bottes de sept lieues qui lui permettaient de parcourir de grandes distances.* HOM. lieu.

lieuse n.f. Machine qui sert à lier les gerbes en balles: *Pour la récolte du blé, la lieuse est un instrument agricole fort utile.* ☞ lier.

lieutenant n.m. Officier dont le grade est inférieur à celui de capitaine: *Le lieutenant commande aux sous-officiers.* **R.** L'O.L.F. recommande *lieutenante* comme féminin de *lieutenant*. ☞ lieutenant-colonel, lieutenant-gouverneur.

lieutenant-colonel n.m. Officier dont le grade est inférieur à celui de colonel: *Le lieutenant-colonel remplit le rôle de la colonelle pendant l'absence de celle-ci.* **R.** L'O.L.F. recommande *lieutenante-colonelle* comme féminin de *lieutenant-colonel*. ☞ lieutenant.

lieutenant-gouverneur n.m. Au Canada, représentant du roi ou de la reine dans chaque province: *Le lieutenant-gouverneur a sanctionné la loi provinciale.* **R.** L'O.L.F. recommande *lieutenante-gouverneure* comme féminin de *lieutenant-gouverneur*. ☞ lieutenant.

lièvre n.m. **1.** Petit mammifère rongeur, voisin du lapin, très rapide à la course, dont la femelle est la hase et le petit, le levraut: *Les pattes arrière du lièvre sont plus longues que les pattes avant.* **2.** Chair de cet animal: *As-tu déjà mangé du lièvre? C'est délicieux!* ☞ levraut.

ligament n.m. Ensemble de fibres qui relient deux os, deux cartilages au niveau d'une articulation: *Yolanda est tombée en ski et elle s'est déchiré les ligaments du genou.*

ligature n.f. Opération qui consiste à serrer un lien autour d'un vaisseau ou d'un conduit:

Après une ligature de trompes, une femme ne peut plus avoir d'enfant. ☞ ligaturer.

ligaturer v. Faire une ligature, serrer un lien autour d'un vaisseau ou d'un conduit: *Les médecins ont ligaturé une artère secondaire.* ☞ ligature.

ligne n.f. **1.** Trait continu, droit ou courbe: *Jeanne trace une ligne avec sa règle.* **2.** File ou rang de personnes ou de choses: *Placez-vous derrière la ligne!* **3.** Limite de terrain, dans les sports: *La balle est tombée en dehors des lignes, il y a alors un changement de service.* **4.** Mots qui se suivent et qui sont placés à la même hauteur dans un texte: *Ce paragraphe ne contient que deux lignes.* **5.** Trajet effectué par un moyen de transport: *Cette chauffeuse d'autobus effectue toujours le même parcours, soit celui de la ligne 2.* **6.** Fil de nylon fixé à la canne pour pêcher: *Il y a un poisson puisque ta ligne s'enfonce.* **7.** Câble transportant l'électricité: *Une ligne à haute tension passe au-dessus de la route.* ⁄⁄ *Garder sa ligne:* Rester mince. *Ligne de conduite:* Règles de vie. *Lignes de la main:* Traits qui sillonnent la paume de la main. *Sur toute la ligne:* D'un bout à l'autre. ☞ interligne, interligner, ligner.

lignée n.f. Ensemble des descendants d'une personne: *Es-tu de la lignée des Tremblay du Lac-Saint-Jean?* SYN. famille. HOM. ligner.

ligner v. Marquer de lignes, de traits continus: *J'ai ligné le bas de ta page; tu feras le dessin en haut et tu écriras le texte sur les lignes.* HOM. lignée. ☞ ligne.

ligneux, euse adj. Qui est de la nature du bois: *Les tiges et les branches d'une plante ligneuse sont d'abord faibles, puis elles se transforment en bois solide.*

lignite n.m. Charbon naturel, noir ou brun, contenant surtout du carbone: *Le lignite est combustible.*

ligotage n.m. Action de ligoter, d'attacher avec une corde pour empêcher de bouger: *Le ligotage du gardien s'est fait sans peine puisqu'il était évanoui.* ☞ ligoter.

ligoter v. Attacher avec une corde pour empêcher de bouger: *Ayant réussi à le capturer, nous l'avons ligoté à un arbre.* ☞ ligotage.

ligue n.f. **1.** Association de personnes ou de pays, pour défendre des intérêts communs: *La Ligue des droits et libertés de la personne défend tous les groupes ethniques.* SYN. coalition, groupement. **2.** Association sportive: *Notre ligue de soccer distribue un calendrier des matchs aux joueuses.* **R.** Ne pas oublier le *u* après le *g*. ☞ liguer.

liguer v. Unir dans une même coalition, une même alliance: *Des meneurs ont ligué les joueurs contre leur entraîneuse.* SYN. grouper. ANT. désunir, opposer, séparer. ☞ ligue. **se liguer** v.pron. S'unir pour défendre ses droits ou pour attaquer: *Les gens de ma rue se sont ligués pour protéger leur environnement.* SYN. s'allier, se grouper. ANT. se brouiller, s'opposer. **R.** Ne pas oublier le *u* après le *g*.

lilas n.m. et adj.invar. **1.** n.m. Arbuste décoratif à fleurs très parfumées, blanches ou violettes: *Les fleurs du lilas poussent en grappes.* **2.** n.m. Fleur du lilas: *Qu'il sent bon, ce bouquet de lilas!* **3.** adj.invar. Qui est violet pâle: *Cette robe lilas te va très bien.*

lilliputien, ienne adj. Qui est très petit: *Certaines personnes naines ont une taille lilliputienne.*

limace n.f. Mollusque terrestre, sans coquille: *Parce qu'elles se nourrissent de feuilles et de champignons, les limaces sont nuisibles dans les jardins.*

limaçon n.m.vx Mollusque terrestre, à coquille arrondie en spirale: *Certaines espèces de limaçons sont comestibles.* SYN. colimaçon, escargot. **R.** Ne pas oublier la cédille.

limage n.m. Action de limer, de travailler avec une lime: *La serrurière procède au limage de la clé après l'avoir taillée.* ☞ lime.

limaille n.f. Particule de métal que la lime détache des métaux: *La limaille de fer est attirée par les aimants.* ☞ lime.

limande n.f. Poisson de mer comestible: *La limande a une forme aplatie et une peau rugueuse; ses yeux sont situés sur le côté droit.*

limbe n.m. Partie large et aplatie de la feuille: *Les nervures de la feuille sont visibles dans le limbe.*

lime n.f. Outil rugueux qui use par frottement pour arrondir, polir ou amincir: *La lime adoucit le bord des ongles.* ☞ limage, limaille, limer. ▲ **lime** n.f. Variété de citron, à pelure verte: *Une tranche de lime décore le bord de ton verre.* **R.** Aussi, *limette*. ☞ limettier.

limer v. Travailler avec une lime, pour arrondir, polir ou amincir: *Dans ce film, le prisonnier lime les barreaux de sa cellule.* ☞ lime.

limettier n.m. Variété de citronnier: *Le limettier est un arbre qui produit la lime.* ☞ lime. (*Voir l'illustration à la page suivante.*)

limier n.m. **1.** Chien de chasse: *Le limier est utilisé pour la recherche du gibier.* **2.** fig. Policier qui recherche les criminels: *Le limier qui suit sa piste est en fait une policière expérimentée dans ce type d'enquête.* SYN. détective.

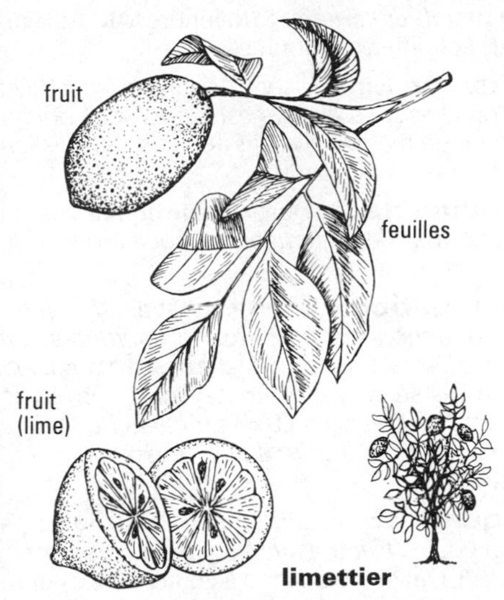

limitation n.f. Action de limiter, de restreindre : *La limitation des inscriptions nous oblige à changer de cours lorsqu'il n'y a plus de place.* ANT. extension. ☞ limite.

limite n.f. **1.** Ligne qui sépare deux terrains, deux pays ou qui entoure un espace : *La limite du terrain de jeu est la clôture.* SYN. borne, confins, frontière. **2.** Marque du début ou de la fin d'un espace de temps : *Il n'y a pas de limite d'âge pour aller à l'école.* **3.** Point où s'épuise quelque chose : *Emma connaît ses limites : quand elle est fatiguée, elle va se coucher.* SYN. capacité. ⁄⁄ *Sans limites :* Illimité, sans frein. ☞ délimitation, délimité, illimité, limitation, limité, limiter, limitrophe.

limité, ée adj. **1.** Qui a des limites : *Vous avez un temps limité pour faire cet examen.* SYN. restreint. ANT. illimité. **2.** fam. Qui a peu de moyens intellectuels : *Cette personne est limitée car ces calculs simples sont un mystère pour elle.* SYN. borné, stupide. ANT. éveillé, intelligent. HOM. limiter. ☞ limite.

limiter v. **1.** Constituer une limite : *La rivière limite le terrain de l'amie de mon père.* SYN. borner, délimiter. **2.** Renfermer, restreindre dans des limites : *John limite à une heure par jour le temps qu'il passe devant la télévision.* ☞ limite. se **limiter** v.pron. S'imposer des limites, des restrictions : *Laurence se limite à étudier les points les plus importants.* SYN. se borner, se restreindre.

limitrophe adj. **1.** Qui est situé sur le bord d'un pays ou d'un territoire : *La région de Hull est une région limitrophe.* **2.** Qui a des frontières communes : *Le Canada et les États-Unis sont des pays limitrophes.* **R.** Les lettres *ph* se prononcent *f*. ☞ limite.

limoger v. Enlever à quelqu'un son poste haut placé : *À la suite de ce scandale, la ministre a été limogée.* SYN. destituer, licencier. ANT. nommer, réintégrer.

limon n.m. Terre granuleuse, légère, déposée sur les rives par les eaux d'un fleuve : *Ces terres qui contiennent du limon sont très productives.* ☞ limoneux.

limonade n.f. Boisson gazeuse au goût de citron : *C'est rafraîchissant, une limonade bien glacée !*

limoneux, euse adj. Qui contient du limon, de la terre granuleuse : *Les eaux du Nil sont très limoneuses.* ☞ limon.

limousine n.f.vx Voiture spacieuse possédant quatre portes et pouvant transporter six passagers : *Une limousine conduisait le premier ministre au Parlement.*

limpide adj. Qui est transparent, clair : *Une eau limpide coule de la source.* SYN. net. ANT. opaque, trouble. ☞ limpidité.

limpidité n.f. Qualité de ce qui est limpide, transparent : *Ce ciel sans nuages est d'une limpidité remarquable.* SYN. clarté, netteté. ANT. opacité. ☞ limpide.

limule n.m. Genre de crustacé vivant près des côtes : *Le limule, qui est comestible, atteint trente centimètres de long.*

lin n.m. Plante à fleurs bleues, dont la tige fournit le fil pour fabriquer le tissu et dont la graine fournit de l'huile : *Ces rideaux ajourés sont faits de lin.*

linceul n.m. Drap dans lequel on enveloppe un mort : *Dans l'Évangile, on dit qu'on enveloppa le corps du Christ dans un linceul.* SYN. suaire.

linéaire adj. Qui a rapport aux lignes : *Le mètre est une mesure linéaire, une mesure de longueur.*

linge n.m. **1.** Ensemble de pièces de tissu dont on se sert dans une maison : *Le linge de maison comprend les draps, les serviettes, les nappes, etc.* **2.** Chiffon, pièce de tissu : *J'essuie la commode avec un linge propre.* **3.** Ensemble de sous-vêtements : *Après sa douche, Dimitrios change son linge de corps.* SYN. dessous, lingerie. ☞ lingerie.

lingerie n.f. **1.** Linge de corps : *Vous trouverez dans ce magasin la lingerie dont vous avez besoin.* **2.** Lieu où l'on entretient le linge : *La préposée aux bénéficiaires est allée chercher des draps propres à la lingerie de l'hôpital.* ☞ linge.

lingot n.m. Morceau de métal fondu qui a la forme du moule dans lequel il a été coulé : *Les* *bandits ne voulaient rien de moins que les lingots d'or de la banque.*

linguiste n. Personne spécialisée en linguistique : *Les linguistes étudient avec beaucoup de méthode le fonctionnement de la langue.* **R.** Ne pas oublier le *u* après le *g*. ☞ linguistique.

linguistique n.f. et adj. **1.** n.f. Science qui a pour objet l'étude de la langue : *La phonétique est une branche de la linguistique.* **2.** adj. Qui concerne la langue : *Josée vivra un séjour linguistique de deux mois aux États-Unis.* **R.** Ne pas oublier le *u* après le *g*. ☞ linguiste.

liniment n.m. Onguent médicamenteux : *Sylvain s'est frictionné le bras avec du liniment.*

linoléum n.m. (lat.) Revêtement imperméable de plancher : *Le linoléum de la cuisine est très résistant et facilement lavable.* **R.** Les lettres *um* se prononcent *omm*.

linotte n.f. Petit passereau siffleur, granivore : *Cet oiseau à dos brun et à poitrine rouge est une linotte.*

linsang n.m. (jav.) Mammifère carnivore d'Asie : *Le linsang est de la grosseur de la martre ou du furet.* **R.** Le *g* se prononce.

linteau, eaux n.m. Pièce de bois ou de métal au-dessus d'une porte ou d'une fenêtre et qui soutient la maçonnerie : *La date de construction de la maison est inscrite sur le linteau de la porte.*

lion n.m. Mammifère carnivore d'Afrique, qui porte une crinière brune et fournie, dont la femelle est la lionne et le petit, le lionceau : *Le lion a un pelage jaune-roux.* ☞ lionceau, lionne.

lionceau, eaux n.m. Petit de la lionne et du lion : *Le lionceau rugit.* ☞ lion.

lionne n.f. Femelle du lion : *La lionne, tout comme le lion, peut vivre quarante ans.* ☞ lion.

lipide n.m. Corps gras d'origine végétale ou animale : *Le beurre est très riche en lipides.*

lip sync ☞ sect. anglicismes et canadianismes.

liquéfaction n.f. Action de rendre liquide : *La liquéfaction de la vapeur d'eau, c'est le passage de l'état gazeux à l'état liquide.* ANT. congélation. ☞ liquide.

liquéfiable adj. Qui peut passer à l'état liquide : *Le beurre est liquéfiable au moyen de la chaleur.* ☞ liquide.

liquéfier v. Faire passer à l'état liquide : *La chaleur intense liquéfie certains métaux, dont le plomb et l'argent.* SYN. fondre. ANT. coaguler, solidifier. ☞ liquide.

liqueur n.f. Boisson alcoolisée sucrée et aromatisée : *La liqueur est à base d'alcool ou d'eau-de-vie.* **R.** N'a pas le sens de *boisson gazeuse*. ☞ liquoreux.

liquidable adj. Qui peut être liquidé, vendu à bas prix : *Ces vêtements démodés sont liquidables.* ☞ liquide.

liquidation n.f. Vente au rabais : *Les journaux annoncent une grande liquidation de meubles.* ☞ liquide. ▲ **liquidation** n.f. Action de se débarrasser de quelqu'un en le tuant : *Un tueur a reçu des milliers de dollars pour la liquidation d'une personne.* ☞ liquider.

liquide n.m. et adj. **1.** n.m. État d'un corps qui coule : *L'eau est le liquide le plus connu.* **2.** adj. Qui coule ou tend à couler : *Cette confiture est liquide, elle n'a pas épaissi.* SYN. clair, fluide. ANT. dur, épais, solide. ☞ liquéfaction, liquéfiable, liquéfier.

liquide adj. Qui est immédiatement disponible, en parlant de l'argent : *On m'a demandé de payer ce montant en argent liquide.*

liquider v. Vendre des marchandises à bas prix : *Dès le mois d'août, la boutique de mode liquide ses vêtements d'été.* SYN. écouler. ANT. acheter, acquérir. ☞ liquide. ▲ **liquider** v. Tuer quelqu'un de gênant : *Le dernier témoin a été liquidé, on ne voulait pas qu'il parle.* ☞ liquidation.

liquoreux, euse adj. Qui rappelle la liqueur, qui est riche en alcool : *Les vins liquoreux ont une saveur douce.* ☞ liqueur.

lire n.f. Monnaie d'Italie : *Luigi nous a montré des lires de son pays.* HOM. lyre.

lire v. **1.** Comprendre les signes graphiques utilisés dans une langue : *Vladimir lit le français et le russe.* **2.** Prendre connaissance d'un texte : *Jean-Claude a lu la lettre de Simonne.* **3.** Déchiffrer, décoder : *Maryse lit la musique depuis l'âge de cinq ans.* **4.** Dire un texte à haute voix : *La professeure a lu une biographie de Terry Fox à ses élèves.* **5.** fig. Reconnaître, comprendre certains signes : *Quand Nghia a perdu son chien, on pouvait lire la tristesse sur son visage.* SYN. discerner, percevoir. HOM. lyre. ☞ illisibilité, illisible, illisiblement, lecteur, lecture, liseur, liseuse, lisibilité, lisible, lisiblement, relecture, relire.

lis n.m. **1.** Plante à fleurs blanches : *Le lis est une plante vivace à longues feuilles pointues.* **2.** Fleur de cette plante : *Les lis blancs sont parfumés.* HOM. lisse. **R.** Aussi, *lys*. Le *s* se prononce.

liseré n.m. Ruban étroit qui borde un vêtement: *Ce liseré rose sur ta veste brune est très joli.* HOM. liserer. **R.** Aussi, *lisèré.* ☞ liserer.

liseré

liserer v. Border d'un liseré, d'un ruban étroit: *Je lisèrerai ma jupe verte.* HOM. liseré. **R.** Aussi, *lisérer.* ☞ liseré.

liseron n.m. Plante grimpante qui produit des fleurs souvent blanches: *Les fleurs du liseron ont la forme d'un entonnoir.*

liseur, euse n. Personne qui aime à lire: *Antoinette est une grande liseuse de romans.* ☞ lire.

liseuse n.f. **1.** Coupe-papier servant de signet: *Autrefois, les pages des livres n'étaient pas toutes détachées et l'on avait besoin d'une liseuse pour lire un livre neuf.* **2.** Couvre-livre amovible, souvent décoratif: *Mon père a conservé une liseuse de cuir qu'il a reçue en cadeau à l'âge de dix ans.* ☞ lire.

lisibilité n.f. Caractère de ce qui est lisible: *La lisibilité de cette écriture est parfaite.* ANT. illisibilité. ☞ lire.

lisible adj. Qui peut être lu: *Ton écriture est très lisible.* ANT. illisible. ☞ lire.

lisiblement adv. De manière lisible, facile à lire: *Il faut écrire très lisiblement l'adresse sur l'enveloppe.* ANT. illisiblement. ☞ lire.

lisière n.f. **1.** Bord d'une étoffe: *La lisière de ce tissu ne s'effiloche pas.* SYN. bande. **2.** Limite ou bord d'un champ, d'une région, etc.: *J'ai cueilli des framboises à la lisière du bois.*

lisse adj. Qui est uni, égal: *Ce caillou usé par la vague est doux et lisse.* SYN. poli. ANT. inégal. HOM. lis. ☞ lisser.

lisser v. Rendre lisse, égal: *Le chat lisse son poil en se léchant.* HOM. lycée. ☞ lisse.

listage n.m. Texte imprimé d'un programme d'ordinateur: *Voici le listage de mon dessin sur ordinateur; tu pourras le faire, toi aussi.* ☞ liste.

liste n.f. Suite de mots, de chiffres, de signes placés les uns au-dessous des autres: *La liste des élèves est affichée dans la classe.* ☞ listage, lister.

lister v. **1.** Mettre des mots, des chiffres, des signes les uns au-dessous des autres: *Clovis semble parfait: je n'arriverai jamais à lister toutes ses qualités.* **2.** Imprimer des données traitées par ordinateur: *J'ai listé le programme de mon jeu de mathématiques pour le modifier.* ☞ listage, liste.

lit n.m. **1.** Meuble dans lequel on se couche: *Je suis fatiguée, c'est le temps d'aller au lit.* **2.** Creux dans le sol où coule l'eau d'un cours d'eau: *La rivière a quitté son lit et elle inonde les champs voisins.* HOM. lie. ⁄ *Lits jumeaux:* Lits à une place installés l'un près de l'autre. ☞ alitement, aliter, literie.

litanie n.f. **1.** Prière liturgique où les invocations sont suivies d'une formule brève récitée ou chantée: *Il y a très longtemps, on récitait les litanies en latin.* **2.** fig. Répétition ennuyeuse de plaintes, de reproches: *Arrête ta litanie et vois le bon côté des choses!*

literie n.f. Équipement d'un lit: *La literie n'est pas entièrement fournie, tu dois apporter tes draps et tes couvertures.* ☞ lit.

lithographe n. Personne qui imprime par les procédés de lithographie: *Albert Dumouchel fut le premier grand lithographe au Québec.* **R.** Les lettres *ph* se prononcent *f.* ☞ lithographie.

lithographie n.f. **1.** Art d'imprimer sur papier ce qui a été dessiné sur une pierre particulière avec de l'encre et un crayon gras: *Judith prend un cours de lithographie.* **2.** Feuille imprimée par ce procédé: *Il y aura une exposition de lithographies au musée prochainement.* **R.** Les lettres *ph* se prononcent *f.* ☞ lithographe, lithographier.

lithographier v. Imprimer sur papier, avec la presse, ce qui a été dessiné sur une pierre calcaire: *Pour lithographier, je dois utiliser un rouleau de caoutchouc.* **R.** Les lettres *ph* se prononcent *f.* ☞ lithographie.

litière n.f. **1.** Paille ou autre matière végétale étendue sur le sol d'une écurie, d'une étable, où se couchent les animaux: *Les animaux de l'étable se reposent dans la litière fraîche.* **2.** Matière servant à absorber les excréments des animaux d'appartement: *Cette litière pour mon chat ne laisse aucune odeur.*

litige n.m. Désaccord, dispute: *Le litige sur le choix de l'émission de télévision n'est pas réglé.* SYN. contestation, différend, mésentente. ANT. accord, entente. ☞ litigieux.

litigieux, euse adj. Qui est en litige: *Il reste un point litigieux à régler avant la signature de cet accord entre les deux parties.* ☞ litige.

litre n.m. **1.** Unité de mesure de capacité contenant un décimètre cube: *Les enfants ont bu un litre de lait avec le dessert.* **2.** Bouteille contenant un litre: *Pour ton pique-nique, apporte du jus dans ce litre.* ☞ centilitre, décalitre, décilitre, demi-litre, hectolitre, millilitre.

littéraire adj. Qui appartient à la littérature, aux œuvres: *Shareem poursuit des études littéraires à l'université.* ☞ littérature.

littéral, ale, aux adj. Qui suit un texte mot à mot: *La traduction littérale de «I have white teeth» est «J'ai blanches dents».* SYN. strict, textuel. ☞ littéralement.

littéralement adv. **1.** De façon littérale, mot à mot: *Il ne faut pas traduire trop littéralement les textes.* **2.** fam. Absolument: *Le vent l'a littéralement soulevée dans les airs.* ☞ littéral.

littérature n.f. **1.** Ensemble des œuvres littéraires d'une nation: *Les poèmes de Nelligan font partie de la littérature québécoise.* **2.** Étude de ces œuvres: *Francis suit un cours de littérature québécoise à l'université.* **R.** N'a pas le sens de *documentation*. ☞ littéraire.

littoral, aux n.m. Rivage, bord de la mer: *Ces pêcheurs habitent le littoral de la Gaspésie.* SYN. côte, rive. ANT. intérieur.

littoral, ale, aux adj. Qui appartient au bord de la mer: *Les oiseaux littoraux sont ceux qui fréquentent la côte.*

lituanien, enne n. et adj. **1.** n. Personne qui est de la Lituanie: *Un Lituanien, une Lituanienne.* **2.** adj. Qui est de la Lituanie: *La république lituanienne fait partie de l'U.R.S.S.* **R.** Aussi, *lithuanien*. On met la majuscule à *lituanien* et à *lituanienne* lorsqu'il s'agit du nom.

liturgie n.f. Ordre dans les prières ou ensemble des cérémonies religieuses: *Au Québec, on enseignait jadis la liturgie de la messe dans les écoles catholiques.* SYN. culte. ☞ liturgique.

liturgique adj. Qui est conforme à la liturgie: *Noël précède Pâques dans le calendrier liturgique.* ☞ liturgie.

livide adj. Qui est pâle, blême: *Ce malade a le teint livide.* SYN. terne. ☞ lividité.

lividité n.f. État de ce qui est livide, blême: *La lividité de sa peau était frappante.* ☞ livide.

livrable adj. Qui peut ou doit être livré: *Ce divan est livrable immédiatement.* ☞ livrer.

livraison n.f. Action de livrer, de remettre ce qui a été acheté: *J'attends la livraison d'un lit neuf.* ☞ livrer.

livre n.m. **1.** Assemblage de feuilles imprimées et reliées: *Yves a oublié son livre de géographie.* SYN. volume. **2.** Cahier, registre: *La capitaine consigne les événements de la journée dans son livre de bord.* SYN. carnet, journal.

livre n.f. Unité de masse valant environ un demi-kilogramme: *Ma belle-mère dit qu'elle pèse cent dix livres, c'est-à-dire cinquante kilogrammes.* ▲ **livre** n.f. Unité monétaire de certains pays: *La livre est la monnaie de pays, tels le Liban, l'Égypte, la Syrie et la Grande-Bretagne.*

livrée n.f. Uniforme de certains serviteurs: *Le portier de l'hôtel porte une livrée vert foncé.* HOM. livrer.

livrer v. **1.** Remettre ce qui a été acheté: *Le camelot livre le journal à 6 heures précises.* SYN. distribuer. **2.** Remettre quelqu'un aux autorités: *La voleuse a livré sa complice à la justice.* SYN. dénoncer. ANT. défendre. **3.** Confier, dévoiler: *Antonio ne livre pas facilement ses secrets.* SYN. communiquer, partager. ANT. cacher. HOM. livrée. ☞ livrable, livraison, livreur. **se livrer** v.pron. **1.** Se confier: *Je me livre à mon père, c'est mon meilleur ami.* **2.** S'abandonner, se laisser aller: *Ida se livre à des folies, elle en profite car c'est son anniversaire.* **3.** Se mettre entre les mains de quelqu'un: *Le bandit s'est livré à la police.* SYN. se rendre.

livret n.m. Carnet sur lequel on écrit ou imprime des renseignements: *Suzanne fait mettre à jour son livret de caisse d'épargne.*

livreur, euse n. Personne qui livre, transporte une marchandise: *La livreuse de la pharmacie du quartier s'appelle Stéphanie.* ☞ livrer.

lobe n.m. **1.** Partie arrondie du poumon, de l'oreille, du cerveau: *Ces boucles d'oreilles sont si grosses qu'elles cachent tout le lobe de l'oreille.* **2.** Partie arrondie entre deux larges échancrures des feuilles: *Regarde les lobes des feuilles de lierre.* ☞ lobé.

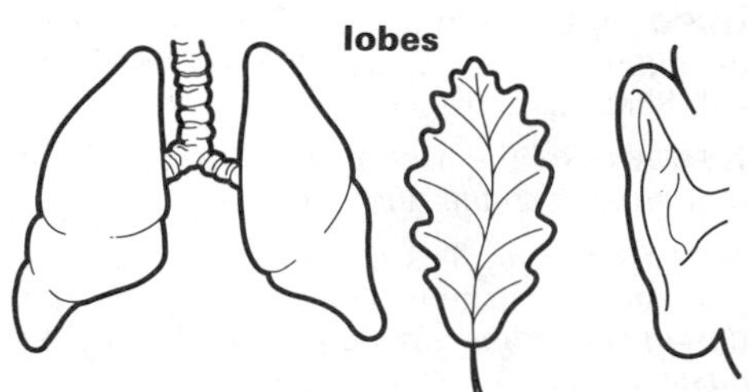

lobé, ée adj. Qui est divisé en lobes: *Les feuilles du chêne sont lobées.* ☞ lobe.

local, aux n.m. Lieu, pièce, partie de bâtiment: *Le club de philatélie cherche un local pour ses réunions.* **R.** N'a pas le sens de *poste téléphonique*.

local, ale, aux adj. **1.** Qui se rapporte à un lieu, à une région: *Le bleuet et la gourgane sont des produits locaux du Lac-Saint-Jean.* **2.** Qui n'affecte qu'une partie du corps: *Pour m'extraire cette dent, la dentiste m'a fait une anesthésie locale.* ☞ localement, localisation, localiser, localité.

localement adv. De manière locale, sur une seule partie du corps: *Tu dois appliquer cet onguent localement, c'est-à-dire là où tu en as besoin seulement.* ☞ local.

localisation n.f. Action de localiser, de déterminer le lieu: *On nous a fait part de la localisation du futur centre commercial.* SYN. situation. ☞ local.

localiser v. Déterminer le lieu: *On a rapidement localisé cette ville sur la carte.* SYN. circonscrire, situer. ☞ local.

localité n.f. Petite ville ou village: *Cette localité est située en banlieue de Québec.* ☞ local.

locataire n. Personne qui paie pour louer une maison, un logement: *Les locataires habitent une maison qui ne leur appartient pas.* ANT. propriétaire. ☞ louer.

locatif, ive adj. Qui concerne le locataire, la personne qui loue un logement: *Les réparations locatives sont à la charge du locataire.* ☞ louer.

location n.f. Action de louer une maison, un logement: *La location de cet appartement luxueux exige de très bons revenus.* ☞ louer.

locker ☞ sect. anglicismes et canadianismes.

lock-out n.m.invar. (angl.) Fermeture d'usine, décidée par les patrons, pour briser un mouvement de grève des employés: *Les patrons répondent à la grève par un lock-out qui prive les ouvriers de leur travail.*

locomotion n.f. Action de se déplacer: *La marche et la course sont des moyens de locomotion naturels.*

locomotive n.f. Machine puissante conçue pour tirer les trains: *Autrefois, la locomotive était à vapeur; aujourd'hui, elle est surtout électrique.*

locuste n.f. Sauterelle verte: *La locuste est communément appelée «criquet migrateur».*

locution n.f. Groupe de deux ou plusieurs mots qui ont le même sens qu'un seul mot: *«Avoir mal» et «faire semblant» sont des locutions.* SYN. expression, tour, tournure.

loge n.f. **1.** Logement du concierge dans un immeuble: *Le portier habite une loge située près de la porte d'entrée.* **2.** Compartiment cloisonné dans une salle de spectacle: *Pour cette pièce de théâtre, nos places sont dans la loge.* **3.** Petite pièce réservée aux acteurs pour le maquillage, le changement de costume et le repos: *Le nom de la comédienne est écrit sur la porte de sa loge.*

logeable adj. Qui peut être habité: *Cette maison est très logeable.* **R.** Ne pas oublier le *e* après le *g*. ☞ loger.

logement n.m. **1.** Action de loger: *Nos voisines ont fourni le logement à des victimes de l'incendie.* SYN. abri, demeure, toit. **2.** Local, appartement que l'on peut habiter: *Je cherche un logement de six pièces.* SYN. logis, résidence. ☞ loger.

loger v. **1.** Habiter: *Sabine loge tout près de son travail.* SYN. demeurer, résider, rester. **2.** Abriter, recevoir: *Cette maison peut difficilement loger une famille de cinq personnes.* SYN. accueillir. **3.** Faire entrer: *La tireuse a logé trois balles au centre de la cible.* SYN. introduire. ANT. déloger. ☞ logeable, logement, logeur, logis, relogement, reloger, sans-logis.

logeur, euse n. Personne qui loue des chambres meublées: *Ma logeuse augmentera le coût de la location des chambres.* ☞ loger.

logiciel n.m. Ensemble des programmes disponibles pour un ordinateur: *Le logiciel est indispensable au bon fonctionnement d'un ordinateur.* **R.** Recommandé officiellement pour remplacer l'anglicisme «software». ☞ logique.

logique n.f. et adj. **1.** n.f. Manière de raisonner juste et cohérente: *Pour gagner la course, la logique demande que tu t'entraînes.* SYN. jugement, raisonnement. ANT. inconséquence. **2.** adj. Qui est conforme à la logique, au bon sens: *Le jeu consiste à placer les images pour faire une histoire logique.* SYN. cohérent, rationnel. ANT. illogique, incohérent, stupide. **3.** adj. Qui raisonne bien, avec justesse et cohérence: *Tu as vraiment un esprit logique!* ☞ illogique, illogiquement, logiciel, logiquement.

logiquement adv. De manière logique, conforme au bon sens: *S'il est le père, il est logiquement plus âgé que son fils.* SYN. naturellement, nécessairement. ☞ logique.

logis n.m.litt. Logement: *Son logis est cha-*

leureux et confortable. SYN. demeure, habitation. ☞ loger.

logo n.m. Langage de programmation, spécialement conçu pour les enfants, offrant de multiples possibilités, dont la plus connue est le graphisme : *En logo, on utilise la tortue pour faire des dessins.* ▲ **logo** n.m. Symbole, représentation graphique constituant la marque d'un produit, d'une ville, d'un organisme : *Le logo de la maison d'édition HRW est un hibou formé par ces mêmes lettres.*

loi n.f. **1.** Règle ou ensemble des règles qui indiquent ce qui est permis ou ce qui est défendu : *La loi défend de jeter des ordures dans les terrains vacants.* SYN. législation, règlement. **2.** Règle dictée à l'humain par la nature elle-même : *La lutte pour la survie est une loi naturelle.* SYN. principe. **3.** Formule générale énonçant la relation qui existe entre les phénomènes naturels : *Newton a découvert qu'un corps est attiré par un autre ; c'est la loi de l'attraction universelle.*

loin adv. **1.** À une grande distance : *Parce qu'elle habite loin de l'école, Myriam voyage en autobus.* **2.** Dans un temps, passé ou futur, jugé éloigné : *Elle est loin, l'époque, au Québec, des bœufs et des charrues.* ⁄⁄ *Loin de là :* Au contraire. ☞ éloigné, éloignement, éloigner.

lointain n.m. Plan éloigné : *Le soleil disparaît dans le lointain.*

lointain, aine adj. **1.** Qui est à une grande distance : *Je rêve de voyager dans des pays lointains.* SYN. reculé. ANT. avoisinant, proche, voisin. **2.** Qui n'est pas évident : *C'est l'amitié qui nous unit plus que cette lointaine parenté.*

loir n.m. Petit rongeur, à poil gris et à queue touffue, qui se nourrit de fruits : *Le loir peut atteindre quinze centimètres de longueur.*

loisir n.m. **1.** Temps dont on peut disposer selon son désir : *Dans ses moments de loisir, Jeanne collectionne des timbres.* **2.** plur. Jeux, occupations, distractions : *Mes loisirs préférés sont la lecture et le ski alpin.* SYN. divertissement, passe-temps. ANT. labeur, travail.

lombaire adj. Qui se situe à la hauteur des reins : *Thérèse est tombée ; elle éprouve des douleurs lombaires.*

lombric n.m. Ver de terre : *À la pêche, Johanne utilise des lombrics comme appâts.*

londonien, ienne n. et adj. **1.** n. Personne qui habite Londres : *Un Londonien, une Londonienne.* **2.** adj. Qui est de Londres : *Les autobus londoniens ont deux niveaux.* **R.** On met la majuscule à *londonien* et à *londonienne* lorsqu'il s'agit du nom.

long n.m. Longueur : *Ce ruban a un mètre de long.* ⁄⁄ *De tout son long :* En s'allongeant par terre.

long, longue adj. **1.** Qui a une étendue supérieure à la moyenne : *Qu'elle est longue, cette route !* **2.** Qui dure longtemps : *Durant l'été, les journées sont plus longues que les nuits.* **R.** Au féminin, ne pas oublier le *u* après le *g*. ☞ allongé, allongement, allonger, élongation, longuement, longueur, rallonge, rallongement, rallonger. à la **longue** loc.adv. Après beaucoup de temps : *Je m'habitue, à la longue, à cette douleur à l'épaule.* le **long de** loc.adv. En suivant le bord de : *Il y a des bouleaux le long de la rivière.*

longer v. Suivre le bord : *Les canards longent la rive en quête de nourriture.* SYN. côtoyer. ANT. s'écarter, s'éloigner.

longévité n.f. Durée de la vie : *La longévité de la girafe est d'environ trente ans.*

longitude n.f. Distance entre le méridien d'origine et celui du lieu donné, mesurée en degrés : *La longitude s'exprime en degrés.*

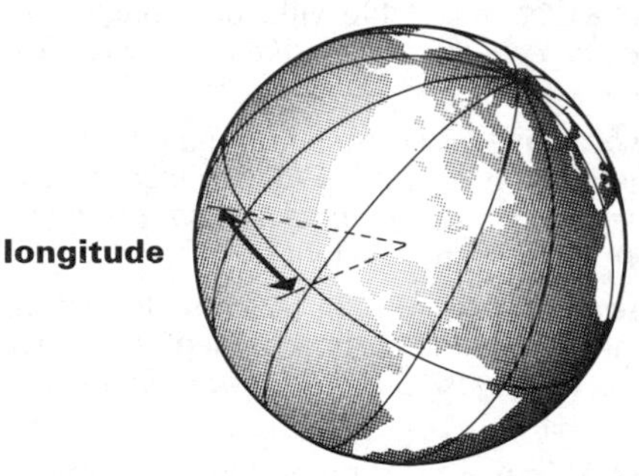

longitude

longitudinal, ale, aux adj. Qui est dans le sens de la longueur : *Ce dessin nous montre une coupe longitudinale de la poire.* ANT. transversal. ☞ longitudinalement.

longitudinalement adv. De manière longitudinale, dans le sens de la longueur : *Il faudrait couper longitudinalement le volcan pour voir toutes les cheminées.* ☞ longitudinal.

long-jeu ☞ sect. anglicismes et canadianismes.

longtemps n.m. et adv. **1.** n.m. Depuis un long espace de temps : *Xaviera est morte depuis longtemps.* **2.** adv. Longuement : *J'ai attendu l'autobus très longtemps ce matin.*

longue distance ☞ sect. anglicismes et canadianismes.

longuement adv. Longtemps: *Claire a longuement réfléchi avant de refuser l'offre.* SYN. beaucoup. ANT. brièvement. **R.** Ne pas oublier le *u* après le *g*. ☞ long.

longueur n.f. **1.** Dimension d'une chose, d'une extrémité à l'autre: *La longueur de ma chambre est de trois mètres.* **2.** Durée d'une action: *Quelle longueur ce film a-t-il?* **3.** plur. Passages trop longs d'un texte: *Ce roman est intéressant mais il contient certaines longueurs.* ☞ long. à **longueur de** loc.prép. Pendant toute la durée de: *J'entends le bruit de la circulation routière à longueur de journée.* **R.** Ne pas oublier le *u* après le *g*.

longue-vue n.f. Lunette d'approche: *Prends des longues-vues pour observer les oiseaux.* **R.** Au pluriel, *longues-vues*.

looping n.m. (angl.) Acrobatie aérienne qui consiste à effectuer une boucle: *Lors du spectacle aérien, cet avion a fait deux loopings.* **R.** Au pluriel, *loopings*.

lopin n.m. Morceau de terrain: *Nos ancêtres ont travaillé dur pour développer leur lopin de terre.*

loquace adj. Qui parle beaucoup: *Dès qu'il est question d'ordinateurs, Daniel devient loquace.* SYN. bavard. ANT. silencieux, taciturne. **R.** Les lettres *qua* se prononcent *kwa* ou *ka*.

loque n.f. **1.** Vêtement usé: *Ce vieux manteau est une vraie loque.* SYN. guenille, haillon, lambeau. **2.** fig. Personne sans énergie, usée: *Une série d'épreuves peut transformer une personne énergique en loque.* SYN. épave. ☞ loqueteux.

loquet n.m. Tige de fer qui sert à fermer une porte: *J'ai abaissé le loquet car la porte n'était pas bien fermée.*

loqueteux, euse adj. Qui est vêtu de loques, de haillons: *Cet homme loqueteux appréhende l'hiver.* SYN. déguenillé. ANT. chic, élégant. ☞ loque.

lord n.m. (angl.) Titre anglais: *Lord Durham fut gouverneur du Canada en 1838.* HOM. lors.

lorgner v. Regarder avec envie: *Cesse de lorgner ce morceau de gâteau et prends-le.* SYN. convoiter, envier. ANT. dédaigner, ignorer, mépriser.

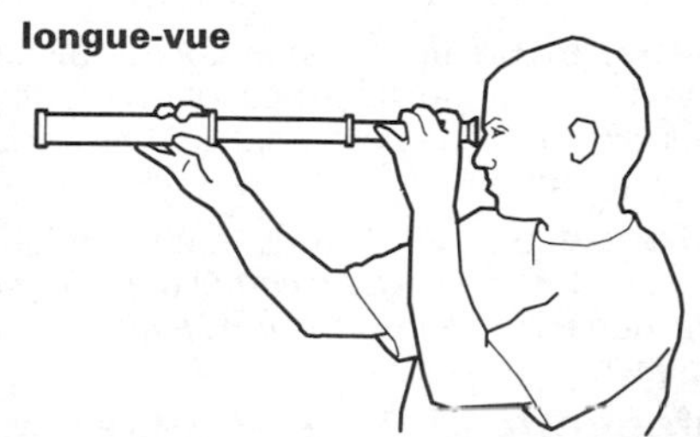
longue-vue

lorgnette n.f. Petite lunette grossissante, au spectacle: *Pour ne rien manquer de l'expression des visages, Audrey apporte sa lorgnette au théâtre.*

lorgnon n.m. Lunettes sans branches qui tiennent sur le nez à l'aide d'un ressort ou qu'on garde à la main grâce à un manche: *Dans ce film ancien, le notaire tenait son lorgnon à la main.*

lori n.m. Oiseau grimpeur, espèce de perroquet: *Le lori doit son nom à son cri.* HOM. loris. ☞ loriquet.

loricaire n.m. Poisson dont le corps est recouvert de plaques dures: *Le loricaire d'Amérique du Sud est voisin du poisson-chat.*

loriot n.m. Oiseau passereau, jaune vif, qui se nourrit de fruits et d'insectes: *Le chant du loriot est sonore.*

loriot

loriquet n.m. Petit perroquet au plumage vert: *On élève le loriquet en volière dans certaines régions du Pacifique.* ☞ lori.

loris n.m. (néerl.) Mammifère se rapprochant du singe, qui vit en Inde: *Les loris sont actifs la nuit.* HOM. lori.

lors adv. Au moment: *Lors de cette rencontre, il n'a pas été question de salaire.* HOM. lord.

lorsque conj. Au moment où: *Sabine lit un livre lorsqu'elle s'ennuie.*

losange n.m. Quadrilatère à quatre côtés égaux, en particulier quand il ne s'agit pas d'un carré: *Il y a un losange rouge au centre de la carte de l'as de carreau.*

lot n.m. **1.** Partie d'un tout qu'on sépare: *À la mort de leur père, le terrain a été divisé en quatre lots égaux, un pour chacun des enfants.* SYN. lopin. **2.** Partie de ce que l'on peut gagner dans une loterie: *Il n'y a qu'un billet gagnant pour le gros lot.* **3.** Destinée, hasard qui revient à chacun dans la vie : *Jusqu'ici, son lot a été de souffrir; j'espère qu'il sera heureux maintenant.* **4.** Ensemble de marchandises vendues en paquets : *Une philatéliste m'a offert ce lot de timbres à bon prix.* ☞ loterie, loti, lotir, lotissement.

loterie n.f. Jeu de hasard où des lots sont attribués aux billets choisis par le sort : *Les personnes qui achètent des billets de loterie rêvent d'avoir le bon numéro.* ☞ lot.

loti, ie adj. Qui est favorisé ou défavorisé par le sort : *C'est encore Évelyne qui gagne, elle est bien lotie celle-là.* ☞ lot.

lotion n.f. Liquide utilisé pour les soins de la peau ou de la chevelure : *Cette lotion solaire protège ma peau des rayons du soleil.* ☞ lotionner.

lotionner v. Frotter avec une lotion : *Si tu lotionnes tes mains plus souvent, elles seront moins sèches.* ☞ lotion.

lotir v. Partager en lots : *Ce grand terrain est loti pour la construction de maisons résidentielles.* ☞ lot.

lotissement n.m. Division par lots : *La cultivatrice a procédé au lotissement de sa terre.* ☞ lot.

lotte n.f. Poisson d'eau douce à peau épaisse couverte d'écailles : *Adela a acheté de la lotte et elle me demande une recette pour l'apprêter.* **R.** Aussi, *lote.*

lotus n.m. Nénuphar blanc, ou nénuphar bleu d'Égypte : *Cette photo de lotus bleus a été prise sur les bords du Nil.* **R.** Le *s* se prononce.

louable adj. Qui peut être prêté en échange d'une somme d'argent : *Cette bicyclette n'est pas louable car la chaîne est défectueuse.* ☞ louer. ▲ **louable** adj. Qui est digne de louange : *Même si tu n'as pas terminé, tu as fait un effort louable.* SYN. estimable, méritoire. ANT. blâmable, condamnable, répréhensible. ☞ louer.

louage n.m. Action de donner ou prendre en location : *Quand on est en vacances à l'étranger, une voiture de louage se révèle bien pratique.* ☞ louer.

louange n.f. **1.** litt. Action de louer, de dire les mérites de quelqu'un ou de quelque chose; fait d'être loué : *La louange se rapproche parfois de la flatterie.* **2.** plur. Paroles qui marquent l'admiration ou une grande estime : *Miriam apprécie sa secrétaire, elle n'a que des louanges à son égard.* SYN. éloge. ANT. blâme, reproche. ☞ louer.

louanger v.litt. Donner des louanges : *On a louangé les mérites de cette athlète aux Jeux olympiques.* SYN. glorifier, louer. ANT. blâmer, critiquer. ☞ louer.

louangeur, euse adj.litt. Qui contient des paroles marquant l'admiration : *Le renard adressait des paroles louangeuses au corbeau.* SYN. élogieux. ☞ louer.

louche n.f. Cuiller de service pour le potage : *Grâce à son long manche, la louche peut aller au fond de la casserole.*

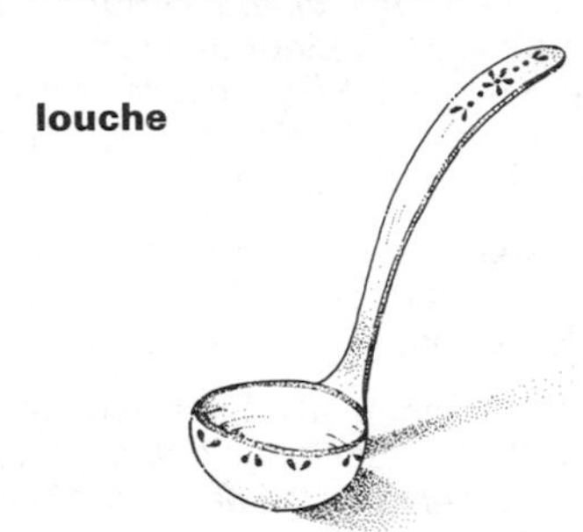

louche

louche adj. Qui n'est pas clair, pas honnête : *Cette affaire est louche, on ne sait pas vraiment de quoi il s'agit.* SYN. ambigu, équivoque, suspect. ANT. franc, sincère.

loucher v. Avoir les yeux qui regardent dans deux directions différentes : *Cette personne louche, je ne sais pas à qui elle s'adresse.* ☞ loucheur.

loucheur, euse n. Personne qui louche, dont les yeux regardent dans deux directions différentes : *Je différencie ces jumeaux parce que l'un d'eux est un loucheur.* ☞ loucher.

louer v. **1.** Prêter un bien en échange d'un montant d'argent : *François loue son chalet à des amis, car il est retenu ailleurs par son travail.* **2.** Réserver en payant : *Mikhail a loué deux places sur le prochain vol Montréal-Paris.* ☞ locataire, locatif, location, louable, louage, loueur, sous-louer. ▲ **louer** v. Dire les mérites de quelqu'un ou de quelque chose : *L'enseignante louait l'intelligence de ses élèves.* SYN. glorifier, louanger, vanter. ANT. blâmer, déprécier. ☞ louable, louange, louanger, louangeur. **se louer** v.pron. Être très satisfait, se féliciter : *Monik se loue d'avoir choisi cet architecte.* SYN. se glorifier.

loueur, euse n. Personne dont le métier est de donner en location : *Le loueur de skis alpins est très occupé durant les vacances d'hiver.* ☞ louer.

loufoque adj.pop. Qui est d'un comique extravagant : *On a vécu un carnaval loufoque où le ridicule et l'insensé faisaient rire.* ☞ loufoquerie.

loufoquerie n.f. Parole ou geste extravagant, loufoque: *Ces loufoqueries me faisaient rire aux larmes.* ☞ loufoque.

louis n.m. Ancienne monnaie française: *Le roi Louis XIII figurait sur le louis d'or.*

loulou, ous n.m. Petit chien à museau pointu et à long poil: *Le loulou a une grosse queue enroulée sur le dos.*

loup n.m. Mammifère carnivore ressemblant au chien, dont la femelle est la louve et le petit, le louveteau: *Un loup peut parcourir quatre-vingts kilomètres dans une journée.* ☞ loup-cervier, loup-garou, louve, louveteau, louveter. ▲ **loup** n.m. Masque noir porté dans les bals masqués: *Pour compléter son costume, Isabelle portait un loup.*

loup-cervier n.m. Lynx de certaines régions d'Europe: *On appelle ce lynx «loup-cervier» parce qu'il attaque les cerfs comme le fait le loup.* **R.** Au pluriel, *loups-cerviers.* ☞ loup.

loupe n.f. Instrument formé d'une lentille grossissante: *Stéphanie examine à la loupe une toile d'araignée.*

louper v.fam. Manquer, ne pas réussir: *Sylvie m'a dit qu'elle avait loupé sa composition.* SYN. rater.

loup-garou n.m. Personnage légendaire qui avait une forme humaine le jour et qui prenait la forme d'un loup la nuit: *Dans la légende du sorcier d'Anticosti, un étranger se transformait en loup-garou la nuit et dévorait les poules.* **R.** Au pluriel, *loups-garous.* ☞ loup.

lourd, lourde adj. **1.** Qui est difficile à porter à cause de son poids: *Aide-moi à soulever ce colis qui est très lourd.* SYN. pesant. ANT. léger. **2.** Qui a un poids supérieur à la moyenne: *Ce lutteur fait partie de la catégorie des poids lourds.* **3.** Qui est difficile à supporter: *Alex élève seul ses enfants; c'est pour lui une lourde responsabilité.* SYN. accablant, écrasant, pénible. **4.** Qui donne une impression de pesanteur: *Ces tentures trop lourdes ne conviennent pas au mobilier.* SYN. massif. ANT. délicat, léger. **5.** Qui est difficile à digérer: *Ces viandes grasses et épicées sont lourdes, j'évite d'en manger le soir.* SYN. indigeste. ANT. digestible. **6.** Qui manque de finesse: *Cette plaisanterie lourde risquait de l'offenser.* SYN. grossier. ANT. fin, raffiné, subtil. ☞ alourdir, alourdissement, lourdaud, lourdement, lourdeur.

lourd adv. Beaucoup: *Ses nombreuses erreurs pèsent lourd dans son dossier.*

lourdaud, aude n. et adj. **1.** n. Personne maladroite: *Quel lourdaud je fais, je ne suis même pas capable de tenir un marteau!* **2.** adj. Qui est maladroit: *Quel contraste: des gestes lourdauds et un esprit si vif!* SYN. gauche, malhabile. ANT. adroit, habile. ☞ lourd.

lourdement adv. **1.** De manière lourde, pesante: *Mathilde s'assoit lourdement, elle se laisse tomber de tout son poids.* SYN. pesamment. ANT. légèrement. **2.** De manière grossière, inintelligente: *Il se trompe lourdement en lui faisant confiance.* SYN. grossièrement. ☞ lourd.

lourdeur n.f. **1.** Caractère de ce qui est lourd, massif: *Tu m'as parlé de la lourdeur de ce nouvel édifice.* SYN. pesanteur. ANT. légèreté. **2.** fig. Gaucherie: *Quelle lourdeur dans cette façon de procéder; je doute du résultat.* SYN. maladresse. ANT. aisance, dextérité, vivacité. ☞ lourd.

lousse ☞ sect. anglicismes et canadianismes.

loustic n.m. (all.) Farceur, bouffon: *Un loustic, c'est un boute-en-train.* **R.** Le *c* se prononce.

loutre n.f. Mammifère carnassier, à pelage brun, à pattes palmées: *La loutre se nourrit de poissons.*

louve n.f. Femelle du loup: *Selon la légende, les jumeaux qui ont fondé Rome ont été élevés par une louve.* ☞ loup.

louveteau, eaux n.m. Petit du loup et de la louve: *La louve a une portée de quatre à dix louveteaux.* ☞ loup. ▲ **louveteau, eaux** n.m. Scout âgé de huit à onze ans: *Pierrot est parti à sa réunion de louveteaux.*

louveter v. Mettre bas, donner naissance, en parlant de la louve: *La louve porte ses petits environ deux mois et louvette une fois par année.* **R.** Ne pas oublier de doubler le *t* devant un *e* muet. ☞ loup.

louvoiement n.m. Action de louvoyer, de faire des détours: *Étant mal préparée, Danièle est bien forcée de faire des louvoiements lors de l'examen oral.* **R.** Le *e* de la deuxième syllabe ne se prononce pas. ☞ louvoyer.

louvoyer v. **1.** Naviguer en faisant des zigzags: *Le vent oblige ce navire à louvoyer sans cesse.* **2.** fig. Prendre des détours pour arriver à ses fins: *Tu as sûrement louvoyé pour convaincre tes parents de te prêter l'automobile.* ☞ louvoiement.

louvoiement louvoyer

se lover v.pron. S'enrouler sur soi: *En*

voyage, Émilie se love sur le siège arrière de l'automobile et s'endort.

loyal, ale, aux adj. Qui est honnête, droit: *Gaston est loyal en affaires.* SYN. franc. ANT. déloyal, hypocrite, malhonnête. ☞ déloyal, déloyauté, loyalement, loyalisme, loyaliste, loyauté.

loyalement adv. De manière loyale, honnête: *Le jeu s'est déroulé loyalement; nous n'acceptons pas la tricherie.* ☞ loyal.

loyalisme n.m. Attachement, fidélité à une cause: *La nouvelle chef de parti apprécie le loyalisme des militants.* ☞ loyal.

loyaliste adj. Qui est fidèle: *Cette femme a des sentiments loyalistes envers son pays.* ☞ loyal.

loyauté n.f. Fidélité, droiture: *La loyauté est une qualité que l'on retrouve chez nos employés.* SYN. honnêteté. ANT. déloyauté, hypocrisie. ☞ loyal.

loyer n.m. Prix de la location d'un logement: *Le loyer de ce luxueux appartement est de neuf cents dollars par mois.* ⁄⁄ *Le loyer de l'argent:* Le taux de l'intérêt.

lubie n.f. Idée farfelue, caprice extravagant: *La dernière lubie de Véronique, c'est de se faire faire la lecture pendant son sommeil.* SYN. fantaisie.

lubrifiant n.m. Produit qui rend glissant: *Nélita a utilisé un lubrifiant pour que le moteur fonctionne plus aisément.* ☞ lubrifier.

lubrifiant, ante adj. Qui lubrifie, adoucit: *Bruno applique une substance lubrifiante sur le mécanisme de son vélo.* ☞ lubrifier.

lubrification n.f. Action de lubrifier, de rendre glissant: *La lubrification de certaines pièces de la machine à coudre est essentielle.* ☞ lubrifier.

lubrifier v. Rendre glissant en appliquant de l'huile, de la graisse, de la cire, de la vaseline ou une autre substance onctueuse: *Pierre-Éric lubrifie les rouages du mécanisme de ce vieux jouet.* ☞ lubrifiant, lubrification.

lucarne n.f. Petite fenêtre dans un toit: *Les maisons canadiennes ont souvent des lucarnes.*

lucide adj. Qui comprend les choses clairement: *Ton ami est très lucide, il a saisi les conséquences de cette décision.* SYN. clairvoyant, éclairé. ANT. borné, obtus. ☞ lucidement, lucidité.

lucidement adv. De manière lucide, claire: *Après avoir étudié la question, elle a pris lucidement une décision.* SYN. prudemment. ANT. aveuglément. ☞ lucide.

lucidité n.f. Qualité d'une personne qui comprend les choses clairement: *La consommation d'alcool lui fait perdre sa lucidité.* SYN. acuité, perspicacité. ANT. aveuglement, inconscience. ☞ lucide.

luciole n.f. Insecte coléoptère qui est lumineux: *La luciole adulte a des ailes et brille la nuit.*

luciole

lucratif, ive adj. Qui procure de l'argent, un gain: *Manon s'est trouvé un emploi lucratif pour payer ses études.* SYN. payant, profitable, rentable. ANT. bénévole, gratuit.

ludique adj. Qui se rapporte au jeu: *Doris organise une activité ludique; cela promet d'être amusant.*

ludothèque n.f. Local où les enfants peuvent utiliser ou emprunter des jouets: *Anna a mis sur pied une ludothèque pour les enfants du quartier.*

luette n.f. Prolongement charnu du palais, au centre et au fond de la bouche: *Quand j'avale, la luette bloque mes voies respiratoires.*

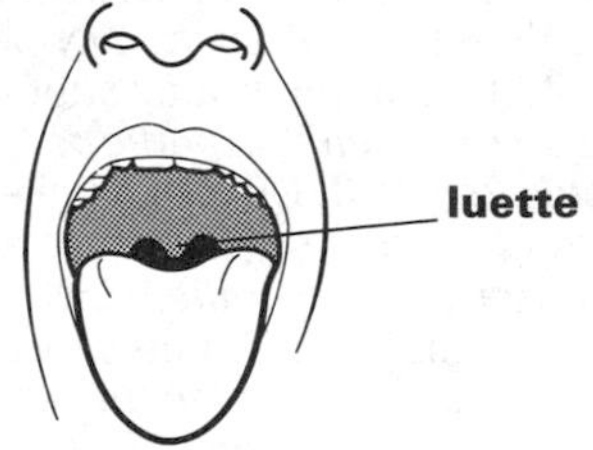

lueur n.f. **1.** Lumière faible: *Dès les premières lueurs du jour, le coq chante.* SYN. clarté. ANT. obscurité, ombre. **2.** Expression vive du regard: *Whigens est moqueur, j'ai vu une lueur de malice dans ses yeux.* SYN. éclair, étincelle. ANT. ombre. **3.** fig. Trace légère, illumination passagère: *Catherine m'entretient du passé à la lueur de ses souvenirs.*

luge n.f. **1.** Traîneau utilisé pour glisser sur la neige: *L'hiver, Thérèse adore descendre la montagne sur sa luge.* **2.** Sport qui consiste à glisser avec une luge: *Julie et Guillaume s'en-*

traînent à la luge sur les pistes aménagées. ☞ luger, lugeur.

luger v. Faire de la luge, glisser sur la neige avec un traîneau : *Phuong Thuc luge avec des amis.* ☞ luge.

lugeur, euse n. Personne qui fait de la luge, qui glisse sur la neige avec un traîneau : *Cette lugeuse détient le record olympique.* ☞ luge.

lugubre adj. Qui inspire une grande tristesse : *Cette pluie, cette pénombre, ce vent froid : quelle journée lugubre !* SYN. morose, sombre, triste. ANT. gai, joyeux, réjouissant. ☞ lugubrement.

lugubrement adv. De manière lugubre, triste : *Jacques raconte lugubrement une histoire d'enfants perdus.* SYN. tristement. ANT. gaiement. ☞ lugubre.

lui pron.pers. Pronom personnel de la troisième personne du singulier, sujet ou complément d'objet indirect, représentant un nom de personne ou d'animal : *Je lui parlais, et lui dansait.* **R.** Est le singulier de *eux*.

luire v. Briller : *Cette étoile qui luit est en réalité une planète.* SYN. rayonner, reluire. ☞ luisant, reluire, reluisant.

luisant, ante adj. Qui brille : *Cette étoffe de satin est bien luisante.* SYN. brillant, reluisant. ANT. mat, sombre, terne. ☞ luire.

lumbago n.m. Douleur dans la région des reins ou du bas du dos : *Marcel est au lit, il s'est fait un lumbago en soulevant cette caisse.* **R.** Aussi, *lombago*. Les lettres *um* se prononcent *on*.

lumière n.f. **1.** Clarté : *Cette pièce est pleine de lumière, j'aime y travailler.* ANT. obscurité, ombre. **2.** Clarté artificielle : *J'allume la lumière car c'est le crépuscule.* **R.** N'a pas le sens de *feu de circulation*. ☞ luminaire, lumineusement, lumineux, luminosité.

lumignon n.m. **1.** Lampe qui éclaire faiblement : *Avec ce lumignon, j'arrive à peine à reconnaître les lieux.* **2.** vx Bout de la mèche de la chandelle allumée : *Le petit renne du père Noël avait le nez rouge comme un lumignon.*

luminaire n.m. Appareil d'éclairage : *Ce luminaire est de bonne qualité, il éclaire bien sans éblouir.* ☞ lumière.

lumineusement adv. De façon lumineuse, parfaitement claire : *Hong est intelligente et elle explique lumineusement ce qu'elle comprend.* ☞ lumière.

lumineux, euse adj. **1.** Qui jette de la lumière : *Le soleil est une source lumineuse essentielle à notre vie.* SYN. brillant, étincelant. ANT. obscur, sombre. **2.** fig. Qui est intelligent : *La roue d'engrenage fut une invention lumineuse.* SYN. ingénieux. ANT. bête. ☞ lumière.

luminosité n.f. Qualité de ce qui est lumineux, brillant : *La luminosité du soleil du midi est très grande.* SYN. éclat. ANT. obscurité. ☞ lumière.

lunaire n.f. Plante ornementale à grandes fleurs pourpres, dont les fruits ont la forme de disques argentés : *La monnaie-du-pape est une variété de lunaire.* ◇ monnaie-du-pape.

lunaire adj. Qui se rapporte à la Lune : *Les astronautes ont touché le sol lunaire pour la première fois en 1969.* ☞ lune.

lunaison n.f. Temps écoulé depuis le début de la nouvelle lune jusqu'à la fin du dernier quartier : *La lunaison dure près de trente jours ; on l'appelle « mois lunaire ».* ☞ lune.

lunatique adj. Qui est d'humeur changeante : *On ne sait pas toujours à quoi s'attendre avec Marco, il est lunatique.* SYN. bizarre, versatile. ANT. égal, stable.

lunch n.m. (angl.) Repas léger servi en buffet : *Un lunch sera servi à la fin de la soirée.* **R.** Au pluriel, *lunchs* ou *lunches*.

lundi n.m. Jour de la semaine qui précède le mardi et qui suit le dimanche : *Ma semaine de travail commence le lundi.*

lune n.f. **1.** Satellite naturel de la Terre, éclairé par le Soleil : *La Lune tourne sur elle-même et elle tourne autour de la Terre.* **2.** Croissant ou disque lumineux dans le ciel : *La lune brille au-dessus de la ville.* **3.** Satellite d'une planète : *Mars a deux lunes.* ⁄⁄ *Nouvelle lune :* Phase de la Lune où celle-ci tourne vers la Terre son hémisphère obscur et est de ce fait invisible. *Pleine lune :* Phase de la Lune où celle-ci tourne vers la Terre son hémisphère éclairé et présente de ce fait la forme d'un disque entier. ☞ lunaire, lunaison.

luné, ée adj. Qui est dans une bonne ou une mauvaise disposition d'esprit : *Édeline est mal lunée aujourd'hui, ne lui demande rien.*

lunetier, ière n. Personne qui fabrique ou qui vend des lunettes : *La lunetière du quartier offre de belles montures à bon prix.* **R.** Aussi, *lunettier*. ☞ lunette.

lunette n.f. **1.** Instrument d'optique qui permet de voir de plus près : *Paula utilise une lunette astronomique pour observer les planètes.* **2.** Vitre arrière d'une automobile : *Je me suis retourné pour regarder dans la lunette la voiture qui faisait ce vacarme.* **3.** plur. Paire de verres fixés dans une monture pour corriger ou protéger la vue: *Le fabricant de sableuses électriques recommande de porter des lunettes protectrices.* ☞ lunetier, lunetterie.

lunetterie n.f. Métier ou commerce du lunetier: *On vend des lunettes de toutes les couleurs dans cette lunetterie.* ☞ lunette.

lunule n.f. Tache blanche à la base de l'ongle, chez les êtres humains, dont la forme rappelle une demi-lune: *La lunule de mon pouce est plus grosse que celle des autres doigts.*

lupin n.m. Plante utilisée pour la décoration, à cause de ses fleurs groupées en épis, ou comme nourriture pour le bétail: *Les lupins ont une corolle de cinq pétales.*

lurette n.f. Mot utilisé dans l'expression «il y a belle lurette» pour signifier «il y a longtemps»: *Il y a belle lurette qu'on a l'eau courante dans nos maisons.* **R.** Ne s'emploie que dans l'expression *il y a belle lurette*.

luron, onne n.vx Personne joyeuse et énergique qui aime s'amuser: *Marisol est une gaie luronne, elle anime nos soirées récréatives.*

lustrage n.m. Action de lustrer, de rendre brillant: *Le lustrage de la fourrure est l'opération qui rend la fourrure brillante.* ☞ lustre.

lustre n.m. Éclat d'un objet brillant: *Ce vernis donne un beau lustre au plancher de bois.* ☞ lustrage, lustrer. ▲ **lustre** n.m. Appareil d'éclairage formé de plusieurs lampes, qu'on suspend au plafond: *Comme source de lumière, un lustre ferait l'affaire dans cette pièce.* SYN. plafonnier, suspension.

lustré, ée adj. Qui est brillant: *Cette fourrure lustrée est un vison noir.* SYN. chatoyant, luisant, poli. ANT. mat, terne. HOM. lustrer. ☞ lustre.

lustrer v. **1.** Rendre brillant: *Minet se lèche, il lustre son poil.* **2.** Rendre brillant par l'usure: *À force de les frotter sur son bureau, Luc a lustré les manches de son veston.* HOM. lustré. ☞ lustre.

luth n.m. Ancien instrument de musique à cordes, qui a la forme d'une demi-poire: *Le luth ressemble à une guitare de sept, treize ou vingt et une cordes.* HOM. lutte. ☞ luthier, luthiste.

luthéranisme n.m. Doctrine protestante de Luther, qui s'appuie uniquement sur la Bible en matière de foi et qui accepte le baptême et l'eucharistie comme sacrements: *Le luthéranisme a été fondé au XVIe siècle.* ☞ luthérien.

luthérien, ienne adj. Qui se rapporte à la doctrine de Luther: *Certains protestants pratiquent la religion luthérienne.* ☞ luthéranisme.

luthier n.m. Artisan qui fabrique des instruments de musique à cordes: *Le luthier fabrique des violons, des guitares et d'autres instruments à cordes.* **R.** L'O.L.F. recommande *luthière* comme féminin de *luthier*. ☞ luth.

luthiste n. Personne qui joue du luth: *Au XVIe siècle, on confiait au luthiste le soin de la musique lors des banquets.* ☞ luth.

lutin n.m. Petit démon malicieux: *Dans les contes et légendes, les lutins sont des personnages espiègles.*

lutrin n.m. Meuble incliné servant à tenir les livres ouverts pendant qu'on en fait la lecture: *La musicienne a déposé ses feuilles de musique sur le lutrin.*

lutte n.f. **1.** Sport dans lequel deux personnes s'affrontent corps à corps en respectant des règles déterminées: *La soirée de lutte télévisée attire de nombreux amateurs.* **2.** Opposition violente entre deux adversaires, où chacun tente d'imposer à l'autre sa volonté, sa cause: *Dans le monde, il y a de nombreuses luttes politiques et religieuses.* SYN. conflit. ANT. accord, entente, harmonie. **3.** Action énergique ou combat entrepris pour atteindre un but: *Cet organisme entreprend une lutte contre la pollution de l'air.* SYN. contestation. HOM. luth. ☞ lutter.

lutter v. **1.** Affronter un adversaire à la lutte: *Lorsque Sylvie lutte, elle essaie de river les épaules de son adversaire au plancher.* **2.** S'opposer dans un conflit: *Ces deux partis politiques luttent pour obtenir la victoire électorale.* SYN. s'affronter, se disputer. **3.** Mener un combat pour ou contre quelque chose: *Ces chercheuses luttent contre le cancer.* SYN. se battre. ANT. abandonner, reculer. ☞ lutte, lutteur.

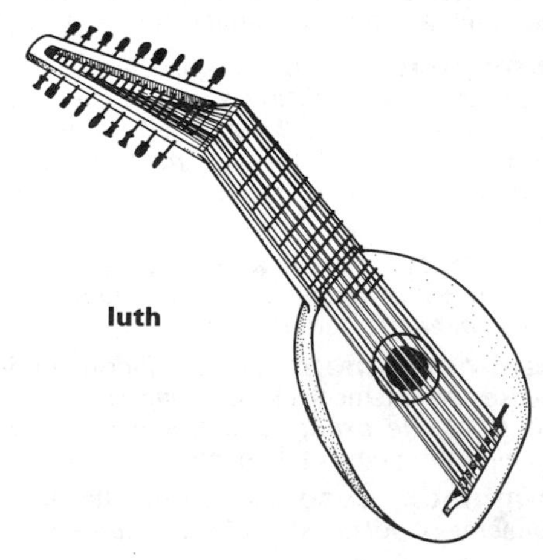
luth

lutteur, euse n. **1.** Personne qui pratique la lutte: *Les lutteurs ont mené un dur combat.* **2.** fig. Personne qui lutte, qui fait des efforts acharnés: *Murielle est une lutteuse, elle n'abandonne pas facilement.* ☞ lutter.

luxation n.f. Déplacement d'une articulation: *Christine souffre de la luxation de son épaule droite.* SYN. dislocation, entorse, foulure. ☞ luxer.

luxe n.m. Abondance de biens coûteux: *Une limousine est une voiture de luxe.* SYN. éclat, somptuosité. ANT. dénuement, pauvreté, privation. ☞ luxueusement, luxueux.

luxer v. Provoquer une luxation, le déboîtement d'une articulation: *Si tu marches dans ce sentier rocailleux, tu risques de te luxer une cheville.* SYN. déboîter, disloquer. ☞ luxation.

luxueusement adv. De manière luxueuse: *Ta chambre est luxueusement meublée et décorée.* SYN. richement, somptueusement. ANT. pauvrement, simplement, sobrement. ☞ luxe.

luxueux, euse adj. Qui se distingue par son luxe, son faste: *La vedette de ce film porte des vêtements luxueux.* SYN. riche, somptueux, splendide. ANT. modeste, pauvre, simple. ☞ luxe.

luxuriance n.f. Caractère de ce qui est très abondant: *La luxuriance de la végétation est la caractéristique de ce coin de pays.* ☞ luxuriant.

luxuriant, ante adj. Qui se développe ou qui pousse avec une abondance remarquable: *Il est difficile de se frayer un chemin dans cette forêt luxuriante.* ☞ luxuriance.

luzerne n.f. Plante fourragère riche en azote: *Les petites fleurs violettes de la luzerne ont cinq pétales.* ☞ luzernière.

luzernière n.f. Champ de luzerne: *Des enfants courent dans la luzernière.* ☞ luzerne.

lycaon n.m. Mammifère carnivore d'Afrique, entre le loup et la hyène: *Le pelage du lycaon est fauve rayé de noir.*

lycée n.m. Établissement d'enseignement, en France: *Bérénice, ma correspondante française, fréquente le lycée.* HOM. lisser. ☞ lycéen.

lycéen, enne n. Élève d'un lycée: *Les lycéens sont en congé aujourd'hui.* ☞ lycée.

lymphatique adj. **1.** Qui a rapport au liquide qui circule dans le sang: *La lymphe circule dans les vaisseaux lymphatiques.* **2.** Qui est mou, amorphe: *Cette enfant manque d'énergie, elle est lymphatique.* SYN. apathique, lent. ANT. actif. **R.** Les lettres *ph* se prononcent *f.* ☞ lymphe.

lymphe n.f. Liquide blanc nutritif qui circule dans le sang: *La lymphe ressemble au plasma du sang.* ☞ lymphatique.

lynchage n.m. (angl.) Action de lyncher, de tuer sans jugement: *Le lynchage était fréquent aux États-Unis au XIXe siècle.* ☞ lyncher.

lyncher v. (angl.) Tuer sans jugement, par une décision collective: *La foule voulait lyncher cet assassin.* SYN. abattre, descendre, exécuter. ANT. défendre, épargner, sauver. ☞ lynchage.

lynx n.m. Mammifère carnivore, fort et agile, aux oreilles pointues: *Le lynx est vorace et a une vue perçante; sa fourrure est recherchée.*

lyre n.f. Ancien instrument de musique à cordes pincées: *Les origines de la lyre remontent à l'Antiquité.* HOM. lire.

lyrique adj. **1.** Se dit de la poésie qui exprime l'émotion du poète: *Les poèmes lyriques savent souvent me faire vibrer.* **2.** Qui est rempli d'émotion, de passion: *La conférencière a fait une envolée lyrique dans son discours.* ☞ lyrisme.

lyrisme n.m. Manière passionnée de sentir, de vivre: *Ce texte est empreint de lyrisme.* ☞ lyrique.

m n.m.invar. **1.** Treizième lettre de l'alphabet: *La lettre «m» est la dixième consonne de l'alphabet.* **2.** Chiffre romain valant mille: *Mille s'écrit M en chiffres romains.* **R.** On met la majuscule lorsqu'il s'agit du chiffre romain.

macabre adj. Qui parle de la mort, des squelettes, des cadavres: *Le promeneur a fait une découverte macabre dans la forêt.* SYN. funèbre, lugubre, sinistre, sombre. ANT. gai, joyeux, plaisant.

macadam n.m. (n. de l'inv.) **1.** Revêtement de routes, de chemins, fait de pierres concassées et de sable liés par une substance qui provoque le durcissement, et agglutinés par un rouleau compresseur: *Les routes sont recouvertes de macadam.* **2.** Chaussée ainsi recouverte: *Les automobiles roulent sur le macadam.* **R.** Le *m* se prononce.

macaque n.m. (port.) Singe d'Asie et d'Afrique du Nord au corps trapu, au museau proéminent et aux grandes abajoues: *Des macaques se sont échappés du jardin zoologique.*

macaque

macareux n.m. Oiseau marin au gros bec triangulaire multicolore, au plumage noir et blanc et aux pattes orange vif: *Le macareux est une variété de pingouin qui vit dans les régions tempérées fraîches de l'Atlantique nord.*

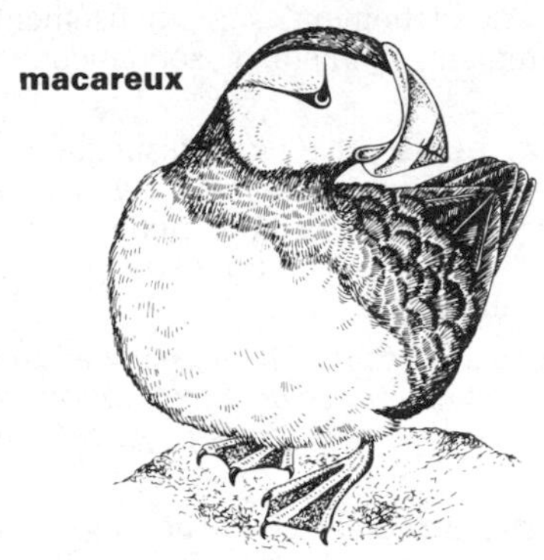
macareux

macaron n.m. (it.) Petit gâteau sec de forme arrondie, fait avec de la pâte d'amandes, du sucre et des blancs d'œufs: *Maman m'a offert des macarons et un verre de lait.* ▲ **macaron** n.m. (it.) Insigne généralement de forme ronde, que l'on porte sur un vêtement ou que l'on colle sur le pare-brise d'une voiture: *Marie-Josée collectionne les macarons.*

macaroni n.m. (it.) Pâte alimentaire en forme de tube creux: *Papa a préparé des macaronis au fromage.*

macédoine n.f. (n. de lieu) Mets composé d'un mélange de plusieurs légumes ou de fruits coupés en petits morceaux: *Les côtelettes de porc étaient servies avec une macédoine.*

macération n.f. Opération qui consiste à laisser tremper longtemps un aliment dans un liquide pour le conserver ou l'en imprégner: *Dans cette recette, la macération des fruits dans l'alcool doit durer vingt-quatre heures.* ☞ macérer.

macérer v. **1.** Laisser tremper longtemps un aliment dans un liquide pour le conserver ou l'en imprégner: *Grand-mère fait macérer les cerises dans l'eau-de-vie.* SYN. mariner. **2.** Tremper longtemps: *Le lapin macère dans une marinade.* ☞ macération. **macéré, ée** p.p. et adj. Qu'on laisse tremper longtemps dans un liquide pour le conserver ou l'en imprégner: *Nous avons mangé des cerises macérées dans l'eau-de-vie.*

Mach n.m. (n. du sc.) Mot qui sert à indiquer la vitesse d'un projectile, d'un avion par rapport à la vitesse du son dans l'atmosphère où il se déplace: *Lorsqu'on dit qu'un avion vole à Mach 2, cela signifie qu'il vole à deux fois la vitesse du son.* // *Nombre de Mach:* Rapport d'une vitesse à celle du son. **R.** Les lettres *ch* se prononcent *k*.

mâche n.f. Plante dont les petites feuilles allongées se mangent en salade: *J'ai acheté de la mâche, de la laitue romaine et du cresson.* **R.** Ne pas oublier l'accent: *â*.

mâchefer n.m. Résidu provenant de la combustion du charbon: *Le mâchefer est utilisé pour l'entretien des pistes de course.* **R.** Ne pas oublier l'accent: *â*.

mâchemâlo ☞ sect. anglicismes et canadianismes.

mâcher v. **1.** Écraser avec les dents avant d'avaler: *Il est très important de bien mâcher ses aliments.* SYN. broyer, mastiquer. **2.** Écraser longuement avec les dents avant de rejeter: *Les enfants aiment bien mâcher des boules de gomme.* SYN. mâchonner, mâchouiller. **R.** Ne pas oublier l'accent: *â*. ☞ mâcheur, mâchoire, mâchonnement, mâchonner, mâchouiller, remâcher.

machette n.f. (esp.) Grand couteau à lame épaisse, à poignée courte, utilisé comme outil ou comme arme en Amérique du Sud: *Elles se frayaient un chemin dans la forêt tropicale à l'aide d'une machette.*

mâcheur, euse n. Personne qui a l'habitude de mâcher quelque chose: *Ce mâcheur de gomme en consomme près d'un paquet par jour.* **R.** Ne pas oublier l'accent: *â*. ☞ mâcher.

machiavélique adj.péj. Qui est très rusé et perfide: *C'est une politicienne machiavélique qui ne recule devant aucun moyen pour parvenir à ses fins.* SYN. astucieux, diabolique, fourbe. ANT. droit, franc, honnête, loyal. **R.** Les lettres *ch* se prononcent *k*. ☞ machiavélisme.

machiavélisme n.m.péj. Attitude d'une personne très rusée et perfide: *Il a agi avec machiavélisme pour obtenir ce qu'il voulait.* SYN. fourberie, perfidie, ruse. ANT. franchise, naïveté. **R.** Les lettres *ch* se prononcent *k*. ☞ machiavélique.

machin n.m.fam. Chose, objet dont on ignore le nom: *Où as-tu trouvé ce machin?* SYN. truc.

machinal, ale, aux adj. Qui est fait sans penser, comme par une machine: *Elle m'a salué d'un geste machinal.* SYN. automatique, instinctif, mécanique. ANT. réfléchi, volontaire. ☞ machinalement.

machinalement adv. De façon machinale: *Il enroule machinalement une mèche de cheveux autour de son index.* ☞ machinal.

machination n.f. Ensemble de manœuvres secrètes et déloyales pour faire réussir un mauvais dessein: *C'est une machination pour lui faire perdre son poste.* SYN. complot, conspiration, intrigue, ruse. ☞ machiner.

machine n.f. **1.** Appareil ou ensemble d'appareils qui transforment l'énergie pour produire un travail: *La machine à laver, la machine à coudre et la machine à écrire nous rendent de grands services.* **2.** fig. Personne qui agit comme un robot: *Les ouvriers ne sont pas des machines à exécuter des ordres.* **3.** fig. Ensemble organisé et complexe qui fonctionne comme un mécanisme: *La machine judiciaire s'est mise en marche pour les faire condamner.* **4.** plur. Ensemble des appareils qui font avancer un navire: *La mécanicienne s'affaire dans la salle des machines.* // *Machine à sous:* Appareil dans lequel on introduit une pièce de monnaie et qui en redonne parfois plusieurs. ☞ machine-outil, machinerie, machinisme, machiniste.

machine-outil n.f. Machine portant un outil qu'on peut enlever et remettre à volonté et qui sert à façonner un matériau, à modifier la forme ou les dimensions d'une pièce: *La perceuse et la tronçonneuse sont des machines-outils.* **R.** Au pluriel, *machines-outils*. ☞ machine.

machiner v. Effectuer des manœuvres secrètes et déloyales pour faire réussir un mauvais dessein: *Ils étaient en train de machiner un guet-apens.* SYN. manigancer, ruminer. ☞ machination.

machinerie n.f. **1.** Ensemble des machines réunies en un même lieu et employées pour faire un travail: *Il faudrait moderniser la machinerie de l'usine.* **2.** Salle des machines d'un navire: *Le commandant entre dans la machinerie.* ☞ machine.

machinisme n.m. Emploi généralisé des machines dans l'industrie: *Le machinisme* *s'est développé au XIX*[e] *siècle en Occident.* ☞ machine.

machiniste n. **1.** Personne qui s'occupe des changements de décor au théâtre et au cinéma : *Le machiniste a changé le décor pendant l'entracte.* **2.** vx Personne qui conduit des machines-outils : *Cette usine emploie trente machinistes.* ☞ machine.

macho n.m. et adj.invar.fam. (esp.) **1.** n.m. Homme qui se croit supérieur aux femmes et qui les méprise : *Ce macho refuse de prendre part aux tâches ménagères.* **2.** adj.invar. Qui se croit supérieur aux femmes et qui les méprise : *L'attitude de cet homme macho lui attirait les foudres de ses collègues de travail.* **R.** Les lettres *ch* se prononcent *tch*.

mâchoire n.f. **1.** Chacune des deux parties osseuses en forme d'arc, situées dans la bouche et dans lesquelles sont implantées les dents : *Chez l'humain, la mâchoire supérieure est fixe, mais la mâchoire inférieure bouge.* **2.** Mâchoire inférieure : *Marie bâille à se décrocher la mâchoire.* **3.** Chacune des deux pièces d'un outil ou d'un mécanisme qui peuvent s'éloigner et se rapprocher à volonté pour serrer, tenir un objet : *L'ouvrière serre les mâchoires de la clef anglaise autour du boulon.* **R.** Ne pas oublier l'accent : *â*. ☞ mâcher.

mâchonnement n.m. Action de mâcher lentement et avec difficulté, sans avaler : *Prends de plus petites bouchées et cesse ton mâchonnement.* **R.** Ne pas oublier l'accent : *â*. ☞ mâcher.

mâchonner v. **1.** Mâcher lentement et avec difficulté, sans avaler : *Voilà dix minutes que tu mâchonnes cette bouchée.* SYN. mâchouiller. **2.** Mordre légèrement et à plusieurs reprises un objet qu'on tient entre les dents : *Grand-père mâchonne le bout de son cigare.* SYN. mordiller. **3.** fig. Prononcer d'une manière indistincte : *Je n'ai pas compris exactement ce qu'elle a mâchonné.* SYN. marmotter. **R.** Ne pas oublier l'accent : *â*. ☞ mâcher.

mâchouiller v.fam. Mâcher sans avaler : *La promeneuse mâchouille un brin d'herbe.* SYN. mâchonner. **R.** Ne pas oublier l'accent : *â*. ☞ mâcher.

macis n.m. Écorce, capsule de la noix de muscade, employée comme condiment : *La cuisinière ajoute du macis dans sa préparation de tarte aux cerises.* **R.** Le *s* ne se prononce pas.

maçon, onne n. Personne qui fait les fondations, les murs et la toiture d'un bâtiment, et certains travaux de revêtement (plâtre, carrelage) : *Les maçons ont terminé les fondations de l'école.* **R.** Ne pas oublier la cédille. ☞ maçonner.

maçonner v. **1.** Construire en pierre, en brique, en ciment : *Les ouvriers ont commencé à maçonner les murs.* SYN. bâtir. ANT. abattre, démolir. **2.** Revêtir de pierre, de brique, de ciment : *Les parois du puits devraient être maçonnés.* **3.** Boucher avec des pierres, des briques, du ciment : *Nos voisins ont fait maçonner la porte du sous-sol.* ANT. ouvrir. **R.** Ne pas oublier la cédille. ☞ maçon.

maçonnerie n.f. **1.** Partie des travaux de construction comprenant les fondations, les murs, la toiture d'un bâtiment et certains travaux de revêtement (plâtre, carrelage) : *Ma tante est entrepreneuse en maçonnerie.* **2.** Ouvrage fait de pierres ou de briques unies par du mortier, du ciment, du plâtre : *Les quatre murs de la maison sont faits de maçonnerie.* **R.** Ne pas oublier la cédille. ☞ maçon.

macramé n.m. (arabe) Ouvrage fait de fils tressés et noués à la main : *Les rideaux de ma chambre sont faits en macramé.*

macreuse n.f. Oiseau marin migrateur des régions nordiques, au plumage noir ou brun, voisin du canard : *La macreuse se nourrit de crustacés et de mollusques.*

maculer v. Couvrir de taches, salir : *Tu as maculé tes chaussures en marchant dans la boue.* SYN. souiller. ANT. essuyer, nettoyer. ☞ immaculé.

madame n.f. **1.** Titre donné à une femme : *Madame Leclerc se rend à la banque.* **2.** Titre qui est placé avant la profession ou la fonction exercée par une femme : *Madame la directrice va vous recevoir dans son bureau.* **R.** Au pluriel, *mesdames*. Au masculin, *monsieur*.

madeleine n.f. Petit gâteau rond à pâte molle, fait d'œufs, de sucre et de farine : *J'aime le goût légèrement citronné des madeleines.*

mademoiselle n.f. Titre donné aux jeunes filles : *Bonjour mademoiselle! Que puis-je faire pour vous?* **R.** Au pluriel, *mesdemoiselles*.

madone n.f. (it.) **1.** Vierge Marie : *Les pèlerins prient la Madone au sanctuaire de Cap-de-la-Madeleine.* **2.** Image, représentation de la Vierge Marie : *Pour ma première communion, grand-père m'a offert une madone en marbre.* **R.** On met la majuscule à *madone* lorsqu'il s'agit de la Vierge Marie elle-même.

madras n.m. (n. de lieu) **1.** Étoffe de soie et de coton aux couleurs vives : *Lionel porte une chemise de madras.* **2.** Foulard fait avec cette étoffe, qui sert de coiffure aux femmes des

Antilles: *Ces Antillaises portent des madras sur leur tête.* **R.** Le *s* se prononce.

madrier n.m. Planche très épaisse: *Les murs de cette grange sont faits de madriers.* SYN. poutre.

maestro n.m. (it.) Nom donné à un grand compositeur de musique ou à un chef d'orchestre célèbre: *Le maestro dirigeait l'orchestre avec vigueur.*

mafia n.f. (it.) **1.** Association secrète, née en Sicile, qui assure la justice par elle-même et empêche l'exercice de la justice officielle: *On dit que cette femme fait partie de la Mafia.* **2.** Groupe secret de malfaiteurs: *Le police a démantelé une mafia de trafiquants.* SYN. bande, clan. **R.** Aussi, *maffia*. On met la majuscule à *mafia* lorsqu'il s'agit de l'association secrète née en Sicile.

magané ☞ sect. anglicismes et canadianismes.

maganer ☞ sect. anglicismes et canadianismes.

magasin n.m. (arabe) **1.** Établissement commercial où l'on vend des marchandises: *Il y a beaucoup de magasins le long de la rue Sainte-Catherine à Montréal.* SYN. boutique, commerce. **2.** Endroit où l'on conserve des marchandises, des provisions: *Les caisses de marchandises sont entreposées dans le magasin.* SYN. entrepôt, réserve. ⁄⁄ *Avoir quelque chose en magasin:* L'avoir en stock. *Grand magasin:* Grand établissement de vente au détail comportant de nombreux rayons spécialisés. *Magasin de rabais:* Magasin de vente au détail pratiquant une politique de vente à profits réduits sur toutes les marchandises. *Magasin de tabac:* Établissement où l'on vend surtout du tabac, des cigarettes et des articles de fumeurs. ☞ emmagasinage, emmagasiner, magasinage, magasiner, magasinier. ▲ **magasin** n.m. Partie creuse d'une arme, d'un appareil photo ou d'une caméra: *La photographe a mis la pellicule dans le magasin de son appareil photo.*

magasinage n.m. Au Canada, action d'aller de magasin en magasin pour faire des achats: *J'ai consacré toute la journée du samedi au magasinage.* SYN. emplettes. ☞ magasin.

magasiner v. Au Canada, aller de magasin en magasin pour faire des achats: *Mon grand frère aime magasiner dans les petites boutiques.* ☞ magasin.

magasinier, ière n. Personne chargée de garder les marchandises entreposées dans le magasin d'une entreprise: *La magasinière dresse l'inventaire de fin d'année.* ☞ magasin.

magazine n.m. (angl.) **1.** Publication périodique généralement illustrée: *J'ai renouvelé mon abonnement à ce magazine pour enfants.* SYN. revue. **2.** Émission périodique de radio, de télévision, traitant d'un sujet déterminé: *Maman ne veut pas être dérangée pendant le magazine sportif.*

mage n.m. **1.** Personne qui pratique la magie: *La princesse avait été ensorcelée par un mage malfaisant.* SYN. magicien, sorcier. **2.** Prêtre et astrologue, dans l'Iran ancien: *Les mages étudiaient l'influence des astres sur les comportements humains.* SYN. devin. ⁄⁄ *Les Rois mages:* Personnages qui, selon l'Évangile, vinrent adorer l'enfant Jésus à Bethléem.

magenta n.m. et adj.invar. (angl.) **1.** n.m. Couleur rouge violacé: *Le magenta est une couleur très vive.* **2.** adj.invar. Qui est d'un rouge violacé: *Pascale porte un anorak magenta.* **R.** Les lettres *en* se prononcent *in*.

magicien, ienne n. **1.** Personne qui pratique la magie: *Les sorcières et les fées sont des magiciennes.* SYN. enchanteur, ensorceleur. **2.** fig. Personne qui fait des choses extraordinaires: *Frédéric Back est un magicien du film d'animation.* ☞ magie.

magie n.f. **1.** Art de produire des phénomènes apparemment inexplicables à l'aide de moyens surnaturels: *La magie noire fait appel aux démons pour produire des effets maléfiques.* SYN. ensorcellement, envoûtement, sorcellerie. **2.** fig. Impression forte et inexplicable, charme: *Les danseurs ne peuvent résister à la magie de la musique.* SYN. enchantement, puissance, séduction. ANT. faiblesse, impuissance, laideur. ☞ magicien, magique, magiquement. **comme par magie** loc.adv. D'une manière incompréhensible, inexplicable: *Les enfants s'étaient tranquillisés comme par magie.*

magique adj. **1.** Qui se rapporte à la magie: *La fée toucha la grenouille de sa baguette magique.* SYN. enchanté. **2.** fig. Qui produit des effets extraordinaires: *Les enfants étaient comme envoûtés par ce spectacle magique.* SYN. étonnant, féerique, merveilleux. ANT. naturel, normal, ordinaire. ⁄⁄ *Carré magique:* Carré dont la somme des nombres de chacune des rangées, des colonnes ou des diagonales est toujours identique. ☞ magie.

magiquement adv. De façon magique, surnaturelle: *La citrouille fut magiquement transformée en carrosse.* ☞ magie.

magistral, ale, aux adj. **1.** Qui est donné par un maître, sans la participation active des étudiants: *Les étudiants prennent beaucoup de notes pendant les cours magistraux.* **2.** fig.

Qui est digne d'un maître: *Édith Butler interprète ses compositions d'une façon magistrale.* SYN. formidable, magnifique, remarquable. ANT. médiocre, ordinaire. ☞ magistralement.

magistralement adv. De manière magistrale: *Charles Dutoit a dirigé magistralement l'Orchestre symphonique de Montréal lors de cette tournée.* ☞ magistral.

magistrat n.m. Personne chargée de rendre la justice: *Le magistrat fait son entrée dans la salle d'audience.* SYN. juge, procureur. **R.** L'O.L.F. recommande *magistrate* comme féminin de *magistrat*. ☞ magistrature.

magistrature n.f. **1.** Fonction d'un juge: *Maître Colette Boisjoli a accédé à la magistrature.* **2.** Ensemble des juges: *La magistrature québécoise s'est enrichie de deux nouveaux juges.* ☞ magistrat.

magma n.m. **1.** Mélange épais de consistance pâteuse: *Ce n'est pas du ragoût: c'est un magma peu appétissant.* **2.** Mélange de matières minérales en fusion, qui se forme à l'intérieur de la Terre et qui, en refroidissant, forme une roche: *Le feldspath et le quartz proviennent du refroidissement du magma volcanique.* **3.** fig. Mélange confus: *Ta composition française est un magma d'idées qui n'ont pas de suite logique.*

magnanime adj. **1.** Qui pardonne facilement les offenses, qui est bienveillant envers les faibles, les vaincus: *Elle s'est montrée magnanime en acceptant tes excuses.* SYN. bon, clément, généreux. **2.** Qui marque de la clémence, de la bienveillance: *Hussein a un caractère magnanime.* SYN. grand, noble. ☞ magnanimement, magnanimité.

magnanimement adv. De façon magnanime, bienveillante: *La reine a magnanimement accordé la liberté aux rebelles repentis.* ☞ magnanime.

magnanimité n.f. Caractère d'une personne, d'un acte magnanime, clément: *Les vainqueurs ont traité les prisonnières avec magnanimité.* ☞ magnanime.

magnat n.m. Personne très importante du monde des affaires, de la finance, de l'industrie, de la presse: *Cette femme d'affaires a acheté les usines de ce magnat de l'industrie.* **R.** Les lettres *gn* se prononcent séparément.

magnésie n.f. Poudre blanche, légère, qui provient du magnésium: *Le lait de magnésie est un produit utilisé comme laxatif ou purgatif.* ☞ magnésium.

magnésium n.m. Métal léger, blanc argenté, pouvant brûler à l'air avec une flamme très lumineuse: *On utilise le magnésium en photographie et dans la fabrication des pièces d'artifice.* **R.** Les lettres *um* se prononcent *omm*. ☞ magnésie.

magnétique adj. **1.** Qui possède les propriétés de l'aimant: *La magnétite est un des rares minéraux vraiment magnétiques.* **2.** fig. Qui exerce une influence puissante et mystérieuse: *Cette personne a un pouvoir magnétique sur les autres.* ☞ magnétisme.

▲ **magnétique** adj. Se dit d'une bande, d'un ruban enduit d'une couche d'oxyde de fer qui permet d'enregistrer des sons et des images, et de les reproduire: *La technique moderne nous permet d'enregistrer nos émissions préférées sur une bande magnétique.* ☞ magnétocassette, magnétophone, magnétoscope.

magnétiser v. **1.** Donner les propriétés de l'aimant à un matériau, à un corps: *Tu peux magnétiser un clou en le mettant au contact d'un aimant.* SYN. aimanter. **2.** fig. Exercer une influence puissante et mystérieuse: *Ce grand comédien magnétise la foule.* SYN. fasciner, hypnotiser. ANT. dégoûter, ennuyer. ☞ magnétisme.

magnétisme n.m. **1.** Ensemble des propriétés des aimants et des phénomènes qui s'y rattachent: *La force naturelle qui caractérise les aimants est appelée magnétisme.* **2.** fig. Influence puissante et mystérieuse exercée par quelqu'un sur son entourage: *Nous avons subi le magnétisme de cette femme politique.* SYN. charme, fascination. ☞ magnétique, magnétiser, magnétite.

magnétite n.f. Oxyde naturel de fer qui possède la propriété d'attirer le fer: *La magnétite est un aimant naturel qu'on appelle aussi pierre d'aimant.* ☞ magnétisme.

magnétocassette n.m. Magnétophone qui utilise des cassettes: *Judith a apporté son magnétocassette à l'école.* ☞ magnétique.

magnétophone n.m. Appareil qui utilise des bandes magnétiques pour enregistrer et reproduire des sons: *Nous avons enregistré nos chansons préférées au magnétophone.* **R.** Les lettres *ph* se prononcent *f*. ☞ magnétique.

magnétoscope n.m. Appareil qui permet d'enregistrer des images et des sons sur une bande magnétique et de les reproduire sur un écran de télévision: *Avec ce magnétoscope, nous pourrons enregistrer nos émissions de télévision préférées.* ☞ magnétique.

magnificat n.m.invar. (lat.) **1.** Cantique de la Vierge Marie, qu'on récite au cours de certains offices religieux: *Les fidèles récitaient le Magnificat.* **2.** Musique composée sur ce cantique: *Notre tradition musicale comporte plusieurs magnificat.* **R.** Habituellement, s'écrit avec une majuscule lorsqu'il s'agit de la prière. Le *t* se prononce.

magnificence n.f. **1.** Beauté pleine de splendeur, d'éclat: *Ce palais est décoré avec magnificence.* SYN. apparat, luxe, richesse, somptuosité. ANT. pauvreté. **2.** litt. Tendance à donner avec largesse, à dépenser sans compter: *Cette vedette de cinéma reçoit ses invités avec magnificence.* SYN. générosité, prodigalité. ☞ magnifique.

magnifier v.litt. **1.** Célébrer la grandeur de quelque chose: *Ce film magnifie l'héroïsme des pionnières de l'aviation.* SYN. glorifier, louer. **2.** Rendre plus grand, élever: *Ces événements ont magnifié ses souvenirs d'enfance.* SYN. idéaliser.

magnifique adj. **1.** Qui est d'une beauté somptueuse, éclatante: *Cette reine vit dans un palais magnifique.* SYN. grandiose, splendide, superbe. ANT. modeste, simple. **2.** Qui est très beau: *Il fait un temps magnifique.* SYN. splendide, superbe. ANT. horrible. **3.** fig. Qui est remarquable, admirable: *Cette jeune chirurgienne a un avenir magnifique devant elle.* SYN. brillant. ANT. médiocre, négligeable. ☞ magnificence, magnifiquement.

magnifiquement adv. **1.** De façon magnifique, somptueuse: *Ces livres d'art sont magnifiquement reliés.* SYN. superbement. **2.** Très bien: *Tu as magnifiquement réussi cet exploit difficile.* ☞ magnifique.

magnolia n.m. Arbre ornemental aux feuilles luisantes et aux grandes fleurs blanches très odorantes: *Le magnolia est très recherché pour l'ornement des parcs et des jardins.* **R.** Aussi, *magnolier*.

magnum n.m. (lat.) Grosse bouteille contenant l'équivalent de deux bouteilles ordinaires, soit un litre et demi: *Pour fêter leurs fiançailles, Jocelyne et Didier ont acheté un magnum de champagne.* **R.** Les lettres *gn* se prononcent séparément. Les lettres *um* se prononcent *omm*.

magot n.m.fam. Somme d'argent économisée: *Nul ne sait où elle cache son magot.* SYN. trésor. ▲ **magot** n.m. Singe sans queue vivant en Afrique du Nord et à Gibraltar: *Le magot est une variété de macaque.*

magouille n.f.fam. Manœuvres douteuses ou malhonnêtes entre des personnes, des groupes: *Elle s'est livrée à des magouilles pour parvenir à ses fins.*

maharajah n.m. (hindi) Titre donné aux princes de l'Inde: *Le maharajah habitait dans un palais somptueux.* **R.** Aussi, *maharadjah* ou *maharaja*. Les lettres *ajah* se prononcent *adja*. ☞ maharané.

maharané n.f. (hindi) Princesse hindoue: *Une maharané est l'épouse d'un maharajah.* **R.** Aussi, *maharani*.

mahatma n.m. (hindi) Titre donné aux chefs spirituels, en Inde: *Le mahatma Gandhi a prêché la non-violence dans son pays.*

mai n.m. Cinquième mois de l'année: *Le mois de mai compte trente et un jours.*

maigre n.m. Partie d'une viande qui ne contient pas de gras: *Je ne mange que le maigre de mes côtelettes.* ANT. gras. ⫽ *Faire maigre:* Ne manger ni viande ni aliment gras.

maigre n. et adj. **1.** n. Personne qui a peu de chair et de graisse sur les os: *Les maigres sont-ils plus frileux que les gras?* ANT. gras. **2.** adj. Qui a peu de chair et de graisse sur les os: *Tu n'as que la peau et les os: tu es vraiment maigre.* SYN. décharné, émacié, squelettique. ANT. gras, obèse. **3.** adj. Qui ne contient pas de gras: *Donnez-moi du bœuf haché maigre.* ANT. gras. **4.** adj. Qui est peu abondante, en parlant d'une végétation: *Les vaches erraient dans le maigre pâturage.* SYN. aride, infertile, stérile. ANT. abondant, fertile. **5.** adj.fig. Qui est peu important: *Elle n'arrive pas à joindre les deux bouts avec son maigre salaire.* SYN. insignifiant, médiocre, modeste. ANT. important. **6.** adj. Où il n'y a ni viande ni graisse: *Autrefois, le vendredi, les chrétiens devaient se contenter de repas maigres.* ☞ amaigrir, amaigrissant, amaigrissement, maigrelet, maigrement, maigreur, maigrichon, maigrir.

maigrelet, ette adj. Qui est un peu maigre: *Ce chat est maigrelet.* SYN. maigrichon. ☞ maigre.

maigrement adv. Peu: *C'est un travail maigrement payé.* ANT. grassement, largement. ☞ maigre.

maigreur n.f. **1.** État d'une personne ou d'un animal qui a peu de chair et de graisse sur les os: *Pendant ce reportage, on nous a montré des enfants d'une maigreur effrayante.* ANT. corpulence, embonpoint. **2.** État de ce qui est peu fourni: *La maigreur de la végétation est souvent due à la sécheresse.* SYN. pauvreté. **3.** fig. État de ce qui est peu important: *Ils réussissent à se débrouiller, malgré la maigreur de leurs revenus.* ANT. abondance. ☞ maigre.

maigrichon, onne adj. Qui est un peu maigre: *Ces personnes maigrichonnes n'ont pas l'air en bonne santé.* SYN. maigrelet. ☞ maigre.

maigrir v. **1.** Devenir maigre: *Elle a beaucoup maigri depuis qu'elle est malade.* SYN.

dépérir, fondre. ANT. engraisser. **2.** Faire paraître maigre: *Ce costume à rayures te maigrit.* SYN. amaigrir, amincir, mincir. ANT. grossir. ☞ maigre.

mail, mails n.m. Allée, promenade bordée d'arbres, dans certaines villes: *Les promeneurs flânent le long du mail ombragé.*

maille n.f. **1.** Chacune des boucles de fil qui sont reliées à d'autres boucles pour former un tricot, un tissu, un filet: *Plusieurs mailles de mon tricot se sont défaites.* **2.** Trou à l'intérieur de cette boucle: *Les petits poissons réussissent à passer à travers les mailles du filet.* ☞ démaillage, démailler, indémaillable, maillon.

maillet n.m. Marteau à deux têtes en bois dur, qui sert à frapper, à enfoncer: *Les joueurs de croquet frappent la boule avec le maillet.* ☞ mailloche.

mailloche n.f. **1.** Gros maillet de bois: *Le cordonnier se sert d'une mailloche.* **2.** Baguette terminée par une boule recouverte de peau, dont on se sert pour battre certains instruments à percussion: *La mailloche s'abat sur la grosse caisse de façon régulière.* ☞ maillet.

maillon n.m. Anneau d'une chaîne: *Ne tire pas sur ta chaîne, tu vas casser un maillon.* SYN. chaînon. ☞ maille.

maillot n.m. **1.** Vêtement souple et moulant qui se porte à même la peau: *Les danseuses en maillot faisaient leurs exercices.* **2.** Vêtement collant qui ne couvre que le haut du corps: *Les coureurs portent tous un short et un maillot.* **3.** Costume de bain: *N'oublie pas de faire sécher ton maillot en revenant de la piscine.* ⁄⁄ *Maillot de corps:* Sous-vêtement d'homme. ▲ **maillot** n.m.vx Carré de laine ou de coton dont on enveloppait autrefois les jambes et le corps du nouveau-né: *De nos jours, on n'enveloppe plus les nouveau-nés dans un maillot.* ☞ démailloter, emmaillotement, emmailloter, remmailloter.

main n.f. **1.** Partie du corps humain munie de cinq doigts, qui termine le bras: *Antoinette a levé la main droite pour poser une question.* **2.** Partie correspondante du corps d'un singe: *Le singe attrape les objets avec ses mains.* **3.** fig. Action, effet: *Il dit qu'il a reconnu la main du destin dans cet événement.* ⁄⁄ *Coup de main:* Aide momentanée. *En mains sûres:* En sécurité. *Fait main:* Fait à la main. *Homme de main:* Homme d'action, souvent au service d'un malfaiteur. *Main courante:* Partie supérieure d'une rampe d'escalier. *Poignée de main:* Action de serrer la main à quelqu'un. ☞ sous-main. à **main levée** loc.adv. D'un seul trait: *Essaie de dessiner cette figure à main levée.* à pleines **mains** loc.adv. Abondamment: *Nous cueillions des bleuets à pleines mains.* de longue **main** loc.adv. Depuis longtemps: *Ce coup a été préparé de longue main.* de **main de maître** loc.adv. Avec habileté: *Ce travail a été fait de main de maître.* en un tour de **main** loc.adv. Rapidement: *Ce mets se prépare en un tour de main.* haut la **main** loc.adv. Sans difficulté, avec autorité: *Notre équipe a remporté la victoire haut la main.* sous la **main** loc.adv. À sa disposition: *J'ai toujours un crayon sous la main.* ▲ **main** n.f. Initiative, au jeu de cartes: *C'est toi qui as la main: tu peux jouer.* HOM. maint.

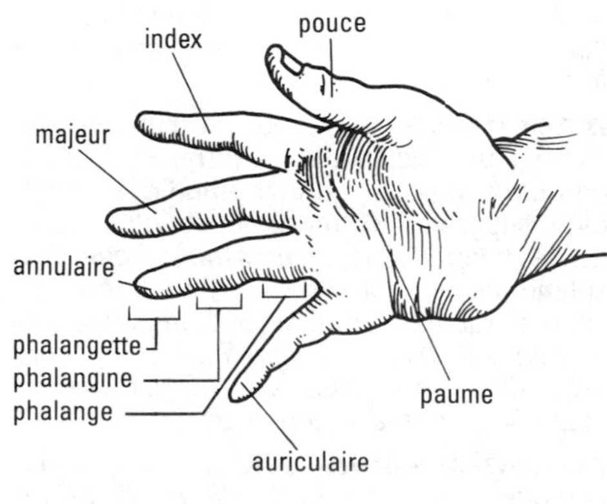

main

mainate n.m. (malais) Oiseau noir au bec orangé, originaire de la Malaisie, qui peut imiter la voix humaine: *Le mainate porte des excroissances charnues jaune vif en arrière des yeux.*

main-d'œuvre n.f. **1.** Travail de l'ouvrier dans l'exécution d'un ouvrage, dans la fabrication d'un produit: *La menuisière m'a demandé cinquante dollars pour les frais de main-d'œuvre.* **2.** Ensemble des ouvriers: *Ces usines emploient beaucoup de main-d'œuvre immigrante.* **R.** Au pluriel, *mains-d'œuvre.*

main-forte n.f.invar. Aide, assistance pour exécuter quelque chose: *Heureusement que tu m'as prêté main-forte.* SYN. appui, concours, secours. ANT. abandon, obstacle.

mainmise n.f. Action de prendre, de s'emparer de quelque chose: *Ce gouvernement s'oppose à la mainmise des capitaux étrangers sur l'industrie.* SYN. domination, emprise.

maint, mainte adj.litt. Plusieurs: *Je l'ai rencontrée en maintes occasions.* ANT. aucun. HOM. main.

maintenance n.f. Ensemble des opérations visant à maintenir un système, un matériel technique dans un état de fonctionnement normal : *Cette technicienne spécialisée supervise la maintenance d'un avion.* **R.** N'a pas le sens de *entretien.* ☞ maintenir.

maintenant adv. **1.** À présent : *Je fais mon devoir maintenant, je regarderai la télévision ensuite.* **2.** À l'époque actuelle : *Autrefois, les gens se déplaçaient en voiture à cheval; maintenant, nous roulons en automobile.* SYN. aujourd'hui. ANT. anciennement, autrefois, jadis. **3.** À partir du moment présent, à l'avenir : *Tu es guéri. Maintenant, tout ira bien.* SYN. désormais, dorénavant. **4.** Cela dit : *Voilà ce que j'en pense ; maintenant, vous ferez ce que vous voudrez.* **maintenant que** loc.conj. À présent que : *Maintenant que tu es arrivé, tu peux m'aider à préparer le repas.*

maintenir v. **1.** Conserver dans le même état : *J'espère que vous pourrez maintenir l'ordre dans la classe.* SYN. conserver, garder. ANT. changer, modifier. **2.** Empêcher de bouger : *La cavalière avait toutes les peines du monde à maintenir sa bête apeurée.* SYN. immobiliser, retenir. **3.** Tenir dans une même position : *Les poutres de métal maintiennent la charpente de l'édifice.* SYN. soutenir, supporter. **4.** Affirmer avec force, soutenir : *J'ai toujours maintenu que tu avais tort.* SYN. confirmer, soutenir. ☞ maintenance, maintien. **se maintenir** v.pron. Rester dans le même état : *Si le beau temps se maintient, nous pourrons organiser un pique-nique.* SYN. durer, persister, subsister. ANT. cesser, changer.

maintien n.m. **1.** Action de maintenir, de conserver dans le même état : *Les policiers sont chargés d'assurer le maintien de l'ordre.* SYN. continuité. ANT. abandon, changement, suppression. **2.** Manière de se tenir : *Elle n'est pas naturelle, je le vois à son maintien étudié.* SYN. air, allure, attitude. ANT. laisser-aller, négligence. ☞ maintenir.

maire, esse n. Personne élue pour administrer une municipalité : *La mairesse préside le conseil municipal.* HOM. mer, mère. ☞ mairie.

mairie n.f. **1.** Fonction de maire, de mairesse : *Monsieur Létourneau a été élu à la mairie de notre ville.* **2.** Administration municipale : *On m'a offert le poste de secrétaire de mairie.* **3.** Édifice où se trouvent les services de l'administration municipale : *La mairie est aussi appelée « hôtel de ville ».* ☞ maire.

mais conj. **1.** Introduit une opposition : *Ce n'est pas un cheval, mais un âne.* **2.** Introduit une restriction, une idée contraire, une précision : *Elle était malade, mais elle s'est vite rétablie.* SYN. cependant, toutefois. HOM. mets.

mais	peut être remplacé par *cependant.*
mes	peut être remplacé par *les, des, tes, ses, nos, vos, ces,* etc.

maïs n.m.invar. (esp.) **1.** Céréale à haute tige portant un épi formé de gros grains comestibles placés en rangs très serrés : *Les enfants jouent à cache-cache dans le champ de maïs.* **2.** Grains de cette plante : *Mon grand frère raffole du maïs soufflé.* **R.** Ne pas oublier le tréma : *ï.*

maison n.f. **1.** Bâtiment où l'on habite : *Mes parents se sont acheté une maison en banlieue.* SYN. demeure, logement. **2.** Lieu où l'on habite : *Les enfants sont rentrés à la maison.* SYN. domicile, foyer, logis. **3.** Bâtiment public ou privé servant à un usage spécial : *Dans cette maison de retraite, on accueille les personnes âgées.* SYN. édifice, pavillon. **4.** Entreprise commerciale : *Cette vendeuse travaille pour la maison depuis vingt ans.* SYN. boutique, compagnie. **5.** Se dit de ce qui a été fait à la maison, sur place (employé en apposition) : *Ces tartes maison étaient délicieuses.* **6.** fig. Membres d'une même famille : *Robert est un ami de la maison.* SYN. maisonnée. ⁄⁄ *La Maison Blanche :* Résidence du président des États-Unis ; gouvernement américain. *La maison de Dieu :* Église, temple, sanctuaire. *Maison jumelée :* Maison reliée à une autre maison par un mur commun. *Maison mère :* Pour un ordre religieux, une communauté, établissement dont dépendent les autres. **R.** Employé en apposition, est invariable. ☞ maisonnée, maisonnette.

maisonnée n.f. Ensemble des personnes qui habitent la même maison : *À Noël, toute la maisonnée se réunit pour fêter.* ☞ maison.

maisonnette n.f. Petite maison : *Dans cette histoire, les trois ours habitaient une jolie maisonnette.* ☞ maison.

maître, esse n. **1.** Personne qui exerce l'autorité : *Les serviteurs attendent les ordres de leur maîtresse.* ANT. serviteur, subalterne. **2.** Propriétaire d'un animal domestique : *Ce chien n'obéit qu'à son maître.* **3.** Personne qui possède quelque chose : *Qui est le maître ou la maîtresse de ces lieux ?* HOM. mètre. ⁄⁄ *Maître, maîtresse de maison :* Personne qui dirige la maison. **R.** Ne pas oublier l'accent : *î.*

maître n.m. **1.** Personne qui a pour fonction de diriger, de surveiller : *Le maître d'hôtel dirige le service dans ce grand restaurant.* **2.** Artiste, écrivain que l'on prend comme modèle : *Cette artiste peintre admire les tableaux des maîtres.* **3.** Titre donné aux avocats, aux notaires : *Voici Maître Céline Brouard, avocate* *à Saint-Joseph-de-Beauce.* **4.** Personne qui enseigne un art, une science; personne qui excelle dans un domaine particulier: *Le maître nageur nous a donné une démonstration.* ANT. apprenti. HOM. mètre. **R.** L'O.L.F. recommande que le nom *maître* soit aussi employé au féminin dans certains titres et dans certaines fonctions. Ne pas oublier l'accent: *î.* ☞ maîtrise.

maître, esse adj. **1.** Qui est le plus important: *Ce tableau est la pièce maîtresse de sa collection.* **2.** Qui peut faire faire une levée, au jeu de cartes: *Elle a joué sa carte maîtresse.* ⁄⁄ *Maîtresse femme:* Femme énergique qui sait commander, organiser. **R.** Ne pas oublier l'accent: *î.* ☞ maître-autel.

maître-autel n.m. Autel principal d'une église: *À Pâques, le maître-autel est décoré de lys.* **R.** Au pluriel, *maîtres-autels*. Ne pas oublier l'accent: *î.* ☞ maître (adj.).

maître chanteur n.m. Personne qui exerce un chantage sur quelqu'un: *Le maître chanteur a réussi à lui extorquer une forte somme.* **R.** Au pluriel, *maîtres chanteurs*. Ne pas oublier l'accent: *î.* ☞ chantage.

maîtresse n.f. Femme qui a des relations amoureuses avec un homme qui n'est pas son mari: *La maîtresse et son amant ont décidé de vivre ensemble.* **R.** Ne pas oublier l'accent: *î.*

maîtrisable adj. Qu'on peut maîtriser, en parlant d'un sentiment, d'une émotion: *Il craint les serpents, mais sa peur est maîtrisable.* ANT. insurmontable. **R.** Ne pas oublier l'accent: *î.* ☞ maîtrise.

maîtrise n.f. **1.** Qualité d'une personne qui se domine: *Cette personne a beaucoup de maîtrise, elle sait garder son calme dans les difficultés.* SYN. sang-froid. **2.** Domination incontestée: *L'impératrice avait la maîtrise des pays environnants.* **3.** fig. Perfection dans la technique: *Quelle maîtrise dans l'exécution de cette fugue de Bach!* SYN. habileté, virtuosité. ⁄⁄ *Maîtrise de soi:* Domination de soi, contrôle sur l'expression de ses émotions. ☞ maîtrisable, maîtriser. ▲ **maîtrise** n.f. Grade universitaire plus élevé que le baccalauréat, mais moins élevé que le doctorat: *Louise a obtenu sa maîtrise en traduction.* ☞ maître (n.m.). ▲ **maîtrise** n.f. École où l'on forme les enfants au chant; ensemble des chanteurs: *La maîtrise des Petits Chanteurs du Mont-Royal a donné un concert à l'oratoire Saint-Joseph.* **R.** Ne pas oublier l'accent: *î.* ☞ maître (n.m.).

maîtriser v. **1.** Se rendre maître de quelque chose: *Les pompiers ont réussi à maîtriser l'incendie.* SYN. dominer. **2.** Contenir par la force, dompter: *Le cavalier a eu du mal à maîtriser son cheval fougueux.* SYN. soumettre, vaincre. **3.** Dominer une passion, un sentiment: *Elle n'a pas réussi à maîtriser sa colère.* SYN. contenir, refouler, surmonter. **4.** fig. Utiliser à son gré un art, une technique, etc.: *Cette anglophone maîtrise parfaitement la langue française.* **R.** Ne pas oublier l'accent: *î.* ☞ maîtrise. **se maîtriser** v.pron. Se dominer, rester maître de soi: *Maîtrisez-vous, ce n'est pas le temps de faire une scène.*

majesté n.f. **1.** Titre donné aux rois, aux reines: *Sa Majesté la reine Élizabeth II est venue au Canada à l'automne.* **2.** Noblesse, dignité: *La gouverneure générale a une allure pleine de majesté.* **R.** On met la majuscule à *majesté* lorsqu'il s'agit du titre donné aux rois, aux reines. ☞ majestueusement, majestueux.

majestueusement adv. Avec majesté, noblesse: *L'aigle s'est envolé majestueusement vers la cime de l'arbre.* ☞ majesté.

majestueux, euse adj. **1.** Qui est plein de noblesse, de dignité: *Avec son air majestueux, ce vieillard impose le respect.* SYN. solennel. **2.** Qui est grandiose, imposant: *Le fleuve Saint-Laurent est un cours d'eau majestueux.* ☞ majesté.

majeur n.m. Doigt du milieu de la main, qui est aussi le plus long: *Le majeur est situé entre l'index et l'annulaire.* SYN. médius.

majeur, eure n. et adj. **1.** n. Personne qui a atteint l'âge de la majorité: *Les majeurs ont le droit de voter.* ANT. mineur. **2.** adj. Qui a atteint l'âge de la majorité: *À dix-huit ans, tu seras majeure, ma fille.* ANT. mineur. ☞ majorité.

majeur, eure adj. **1.** Qui est plus grand: *Tu as joué pendant la majeure partie du cours.* **2.** Qui est très important: *Sa préoccupation majeure en ce moment, c'est de retrouver la santé.* SYN. capital, essentiel, principal. ANT. insignifiant, secondaire. ⁄⁄ *Cas de force majeure:* Événement inévitable dont on n'est pas responsable.

major n.m. Dans l'armée, officier supérieur dont le grade se situe entre celui de capitaine et celui de lieutenant-colonel: *Ce major est très autoritaire avec les jeunes recrues.*

majoration n.f. Augmentation: *Les consommateurs ont dénoncé la majoration du prix des produits laitiers.* SYN. hausse. ANT. baisse, diminution. ☞ majorer.

majordome n.m. Maître d'hôtel de grande maison: *Madame la comtesse consulte son majordome pour la préparation du banquet.*

majorer v. Augmenter: *Depuis la semaine dernière, le prix de ce livre a été majoré de dix* *pour cent.* SYN. élever, hausser. ANT. baisser, diminuer. ☞ majoration.

majorette n.f. Jeune fille en uniforme de fantaisie, qui manie agilement une canne dans un défilé: *Les majorettes défilent au son de la musique.*

majoritaire adj. **1.** Dans lequel le plus grand nombre de votes l'emporte: *Dans un scrutin majoritaire, le candidat qui a obtenu le plus de voix est déclaré élu.* **2.** Qui est en plus grand nombre: *Dans notre classe, les filles sont majoritaires.* ☞ majorité.

majorité n.f. Âge fixé par la loi, à partir duquel une personne devient entièrement responsable de ses actes et peut exercer pleinement ses droits: *Au Canada, la majorité est fixée à dix-huit ans.* ☞ majeur. ▲ **majorité** n.f. **1.** Le plus grand nombre, la plus grande partie: *La majorité des Québécois parlent le français.* ANT. minorité. **2.** Parti, groupe qui recueille le plus grand nombre de voix dans une élection: *Ces nouveaux élus font partie de la majorité.* ⁄⁄ *Majorité silencieuse:* Partie la plus importante de la population, qui n'exprime jamais publiquement ses opinions. ☞ majoritaire.

majuscule n.f. et adj. **1.** n.f. Lettre plus grande que les autres, qui se met au commencement des phrases, des noms propres et des vers: *N'oublie pas de mettre une majuscule au début de la phrase.* **2.** adj. Qui est plus grande que les autres et qui se met au commencement des phrases, des noms propres et des vers: *Je vois que tu as du mal à tracer tes lettres majuscules.*

make-up ☞ sect. anglicismes et canadianismes.

maki n.m. Mammifère à fourrure épaisse et laineuse, au museau pointu, à queue longue et touffue, vivant à Madagascar: *Le maki vit dans les arbres et les rochers, et il se nourrit de fruits.* HOM. maquis.

mal, maux n.m. **1.** Ce qui cause de la douleur, de la peine: *Il voudrait soulager tous les maux de la terre.* SYN. épreuve, malheur. ANT. bonheur, joie. **2.** Souffrance physique: *J'ai souvent des maux de tête.* SYN. douleur. **3.** Maladie: *On ne sait pas encore de quel mal il souffre.* SYN. malaise. ANT. santé. **4.** Souffrance morale: *Je crois que Giuseppe a le mal du pays.* **5.** Peine, difficulté: *Elle s'est donné beaucoup de mal pour te faire plaisir.* SYN. effort. ⁄⁄ *Avoir mal:* Souffrir. *Être en mal de quelque chose:* Souffrir de l'absence de quelque chose. *Faire du mal à quelqu'un:* Faire souffrir quelqu'un, lui nuire. *Faire mal:* Faire souffrir. *Prendre mal, du mal:* Tomber malade. ☞ demi-mal. ▲ **mal** n.m. Ce qui est contraire au bien, à la morale: *On dirait que tu te plais à faire le mal.* ▲ **mal** n.m. Parole ou opinion défavorable: *Elle n'arrête pas de dire du mal de ses parents.* HOM. malle.

mal adj.invar. Qui est contraire à la morale: *Tu sais bien que c'est mal de tricher.* ANT. bien. HOM. malle.

mal adv. **1.** De façon fâcheuse: *La journée a mal commencé.* **2.** De façon défavorable: *Ce garçon est mal vu des autres.* **3.** De façon insuffisante: *Ces travailleuses sont mal payées.* **4.** De façon blâmable: *J'ai mal agi en te racontant des mensonges.* **5.** De façon incorrecte, imparfaite: *Je parle mal l'espagnol.* **6.** Difficilement: *Bébé respire mal.* HOM. malle. ⁄⁄ *Être au plus mal:* Être très malade. *Être mal avec quelqu'un:* Être en mauvais termes avec quelqu'un. *Prendre mal quelque chose:* S'offenser de quelque chose. *Se sentir mal:* Avoir un malaise ou être mal à l'aise. *Se trouver mal:* S'évanouir, perdre connaissance. **pas mal** loc.adv. **1.** En assez grand nombre: *Il y avait pas mal de monde à la réunion.* **2.** Assez bien: *Ces stores ne feront pas mal dans ces fenêtres.* **3.** Assez: *Elle est pas mal habile pour son âge.* SYN. passablement.

malachite n.f. Pierre d'un beau vert vif que l'on utilise dans la fabrication d'objets d'art: *Cet échiquier est en malachite.* **R.** Les lettres *ch* se prononcent *k* ou *ch*.

malade n. et adj. **1.** n. Personne qui n'est pas en bonne santé: *Les malades sont bien soignés dans cet hôpital.* **2.** adj. Qui n'est pas en bonne santé: *Marie-Hélène est gravement malade.* SYN. indisposé, souffrant. **3.** adj. Qui est atteint par la maladie: *Claude a les pou-*

maki

mons malades. ANT. sain. **4.** adj. Qui éprouve un malaise: *Je suis toujours malade en voiture.* ⁄⁄ *Malade imaginaire:* Personne qui se croit malade, mais qui ne l'est pas. *Malade mental:* Personne qui souffre d'une maladie mentale. ☞ maladie, maladif, maladivement.

maladie n.f. **1.** Altération de la santé: *Marie-France souffre d'une maladie de la peau.* SYN. affection, malaise. ANT. santé. **2.** fig. Manie, habitude: *Cette conductrice a la maladie de la vitesse.* SYN. folie, passion. ⁄⁄ *Assurance-maladie:* Assurance contre la maladie. *En faire une maladie:* Être très contrarié de quelque chose. ☞ malade.

maladif, ive adj. **1.** Qui est souvent malade: *Olivia est une enfant maladive.* SYN. chétif, faible, frêle, malingre. ANT. fort, robuste. **2.** Qui est le signe d'une maladie: *Ce jeune garçon est d'une pâleur maladive.* **3.** fig. Qui est anormal, excessif: *René a une peur maladive des avions.* SYN. malsain, morbide. ANT. normal. ☞ malade.

maladivement adv. **1.** De façon maladive: *Son teint est maladivement pâle.* **2.** fig. De façon anormale, excessive: *Il est maladivement jaloux.* ☞ malade.

maladresse n.f. **1.** Manque d'adresse, d'habileté: *Elle est encore d'une grande maladresse en dessin.* SYN. gaucherie, inexpérience. ANT. aisance. **2.** Manque de tact, de savoir-faire: *On ne peut rien lui confier, il est d'une telle maladresse!* **3.** Action maladroite: *Le joueur de tennis a accumulé les maladresses pendant le match.* SYN. bévue, erreur, faute. ☞ adroit.

maladroit, oite n. et adj. **1.** n. Personne qui manque d'adresse, d'habileté: *C'est une maladroite qui gâche tout ce qu'elle entreprend.* **2.** n. Personne qui manque de tact, de savoir-faire: *Ce maladroit a fait échouer les négociations.* **3.** adj. Qui manque d'adresse, d'habileté: *Nathalie est très maladroite, elle casse tout ce qu'elle touche.* SYN. gauche. ANT. adroit, habile. **4.** adj. Qui manque de tact, de savoir-faire: *Tu as été très maladroite en lui disant cela.* SYN. malhabile, sot. **5.** adj. Qui montre de la maladresse: *Une intervention maladroite a fait échouer notre projet.* ☞ adroit.

maladroitement adv. De façon maladroite, malhabile: *Tu travailles le bois maladroitement.* SYN. mal. ANT. adroitement. ☞ adroit.

malais, aise n. et adj. **1.** n. Personne qui est de la Malaisie: *Un Malais, une Malaise.* **2.** adj. Qui est de la Malaisie: *Le territoire malais est situé en Asie du Sud-Est.* **R.** On met la majuscule à *malais* et à *malaise* lorsque le nom désigne une personne.

malais n.m. Langue parlée en Malaisie et en Indonésie: *Au XVe siècle, beaucoup de contes arabes ont été traduits en malais.*

malaise n.m. **1.** Sensation pénible d'un trouble physique: *Elle a eu un léger malaise pendant le cours d'éducation physique.* SYN. incommodité, indisposition. ANT. aise, bien-être. **2.** fig. Sentiment de trouble, de tension: *On sent qu'il y a un malaise entre eux.* SYN. embarras, gêne, inquiétude.

malaisé, ée adj. Qui n'est pas facile à faire: *Tu m'as confié une tâche malaisée.* SYN. ardu, délicat, pénible. ANT. aisé, facile. ☞ aise.

malaria n.f. (it.) Maladie infectieuse, transmise par un moustique des régions chaudes et marécageuses, se manifestant par des accès de fièvre: *La quinine est un remède contre la malaria.* ◇ paludisme.

malaxage n.m. Action de pétrir une substance pour la rendre plus molle, plus homogène: *Le malaxage de cette pâte à pain ne devrait pas dépasser dix minutes.* SYN. brassage. ☞ malaxer.

malaxer v. Pétrir une substance pour la rendre plus molle, plus homogène: *Je malaxe le beurre avant d'y ajouter le sucre et les œufs.* SYN. brasser, mélanger. ☞ malaxage, malaxeur.

malaxeur n.m. Appareil, machine servant à malaxer: *Ce malaxeur mélange les constituants du béton frais.* ☞ malaxer.

malchance n.f. **1.** Mauvaise chance: *On dirait que la malchance le poursuit.* SYN. guigne, malheur. ANT. bonheur, chance. **2.** Situation défavorable: *Elle a connu une série de malchances ces derniers temps.* SYN. mésaventure. ☞ chance.

malchanceux, euse n. et adj. **1.** n. Personne qui n'a pas de chance: *C'est une malchanceuse, elle ne gagne pas souvent.* ANT. chanceux. **2.** adj. Qui n'a pas de chance: *Ce joueur malchanceux ne pourra jamais compenser ses pertes d'argent.* ANT. chanceux. ☞ chance.

malcommode adj. Qui n'est pas commode, pratique: *Ces chaussures élégantes sont malcommodes pour la marche en forêt.* SYN. incommode. ANT. commode, pratique. ☞ commode (adj.).

mâle n.m. et adj. **1.** n.m. Animal de sexe masculin: *Le bélier est le mâle de la brebis.* ANT. femelle. **2.** adj. Qui est du sexe masculin, chez les animaux et les plantes: *Au printemps, les grenouilles mâles coassent pour attirer* *l'attention des femelles.* **3.** adj. Qui est caractéristique de l'homme : *Mon grand frère a une voix mâle.* SYN. masculin, viril. **R.** Ne pas oublier l'accent : *â.*

malédiction n.f. **1.** Paroles par lesquelles on souhaite du mal à quelqu'un : *Elle proférait des malédictions contre sa fille ingrate.* ANT. bénédiction. **2.** Mauvais sort, fatalité : *On aurait dit qu'une malédiction pesait sur eux.* SYN. malchance. ANT. chance. ☞ maudire.

maléfice n.m. Sortilège, opération magique visant à nuire : *Je me croyais victime d'un maléfice.* SYN. ensorcellement, envoûtement. ☞ maléfique.

maléfique adj. Qui a une influence néfaste, mauvaise : *Des personnes superstitieuses croient que les chats noirs sont maléfiques.* ANT. bénéfique, bienfaisant. ☞ maléfice.

malencontreusement adv. De façon malencontreuse, fâcheuse : *Une panne d'électricité nous a malencontreusement empêchés de regarder notre émission.* ☞ malencontreux.

malencontreux, euse adj. Qui survient au mauvais moment : *Une remarque malencontreuse a découragé la pauvre écolière.* SYN. déplorable, ennuyeux, fâcheux, regrettable. ANT. agréable, heureux, souhaitable. ☞ malencontreusement.

mal-en-point loc.adv. En mauvais état : *À la fin de la course, plusieurs coureuses étaient mal-en-point.* **R.** Aussi, *mal en point.*

malentendant, ante n. et adj. **1.** n. Personne qui entend mal, qui a des troubles d'audition : *Certains malentendants doivent porter des appareils auditifs.* **2.** adj. Qui entend mal, qui a des troubles d'audition : *Les personnes malentendantes ne sont pas toutes sourdes.* ☞ entendre.

malentendu n.m. Mauvaise interprétation des paroles, des gestes de quelqu'un : *Je croyais que tu m'en voulais, mais ce n'était qu'un malentendu.* SYN. erreur, méprise, quiproquo. ANT. accord, entente, explication.

malfaçon n.f. Défaut dans la fabrication de quelque chose : *La malfaçon de ces meubles est due à la négligence du menuisier.* SYN. imperfection. **R.** Ne pas oublier la cédille. ☞ façonner.

malfaisant, ante adj. **1.** Qui fait ou qui cherche à faire du mal aux autres : *Dans les contes de fées, il y a souvent des êtres malfaisants.* SYN. dangereux, méchant, nuisible. ANT. bienfaisant, bon. **2.** Qui est nuisible, néfaste : *Une pensée malfaisante trottait dans sa tête.* SYN. pernicieux. ANT. efficace, précieux. **R.** Les lettres *ai* se prononcent *e.*

malfaiteur n.m. Personne qui commet des actes coupables, criminels : *Ce dangereux malfaiteur a déjà commis plusieurs vols à main armée.* SYN. bandit, brigand, voleur. ANT. bienfaiteur.

malfamé, ée adj. Qui est fréquenté par des gens ayant mauvaise réputation : *Ne te promène pas dans ce quartier malfamé : c'est dangereux.* **R.** Aussi, *mal famé.*

malformation n.f. Anomalie qui est présente à la naissance : *Il est né avec une malformation à la jambe gauche.* ☞ former.

malgré prép. **1.** Contre la volonté de quelqu'un : *Il s'est inscrit à ce cours malgré ses parents.* **2.** En dépit de quelque chose : *Elle est sortie malgré la tempête de neige.* ⁄⁄ *Malgré tout :* Quoi qu'il arrive ou quoi qu'on en dise. **malgré que** loc.conj. Bien que : *Malgré que le froid soit vif, nous avons joué dehors.* SYN. quoique.

malhabile adj. **1.** Qui manque d'habileté : *Comme je suis malhabile, j'ai encore raté mon bricolage.* SYN. maladroit. ANT. habile. **2.** Qui manque de savoir-faire : *Il était trop malhabile en affaires : on l'a congédié.* ANT. habile. ☞ habile.

malhabilement adv. **1.** De façon malhabile : *Ce dessin a été malhabilement exécuté.* SYN. maladroitement. ANT. habilement. **2.** En manquant de savoir-faire : *Elle s'y prend malhabilement pour convaincre ses adversaires.* ANT. habilement. ☞ habile.

malheur n.m. **1.** Situation pénible, triste : *Dans le malheur, on a besoin de nos amis.* SYN. affliction, épreuve. ANT. bonheur. **2.** Événement fâcheux qui affecte péniblement quelqu'un : *Je sens qu'un malheur est arrivé.* SYN. désastre, épreuve. **3.** Malchance : *Le malheur a voulu qu'il soit pris dans un embouteillage.* ⁄⁄ *Faire un malheur :* Faire une action d'éclat ou avoir un grand succès. *Jouer de malheur :* Être malchanceux. *Porter malheur à quelqu'un :* Avoir une influence néfaste sur quelqu'un. ☞ malheureusement, malheureux. **par malheur** loc.adv. Malheureusement : *Par malheur, je n'ai pas pu t'avertir à temps.*

malheureusement adv. Par malheur, de façon regrettable : *J'irais bien te conduire à l'école, malheureusement ma voiture est en panne.* ANT. heureusement. ☞ malheur.

malheureux, euse n. et adj. **1.** n. Personne qui est dans une situation pénible, triste : *Une collecte fut organisée pour secourir les malheureux.* SYN. indigent, pauvre. ANT.

riche. **2.** adj. Qui est dans une situation pénible, triste: *Ces malheureux enfants ont perdu leurs parents la semaine dernière.* SYN. peiné. ANT. heureux, joyeux. **3.** adj. Qui exprime le malheur: *Les lions en cage ont l'air malheureux.* SYN. désespéré, misérable, pitoyable, triste. ANT. gai, heureux, ravi. **4.** adj. Qui a des conséquences fâcheuses: *Ce malheureux accident l'a rendue infirme.* SYN. déplorable, désastreux, pénible, regrettable. ANT. avantageux, souhaitable. **5.** adj. Qui manque de chance: *La candidate malheureuse devra tenter sa chance une autre fois.* SYN. malchanceux. ANT. chanceux, heureux. **6.** adj. Qui ne réussit pas: *Après deux essais malheureux, il a pu finalement se classer pour les finales.* SYN. déplorable, désastreux, fâcheux. ANT. avantageux. **7.** adj. Qui est sans valeur, sans importance: *Tu ne vas pas pleurer pour un malheureux stylo de cinquante cents?* SYN. dérisoire, insignifiant. ANT. considérable, important. ☞ malheur.

malhonnête adj. Qui n'est pas honnête: *Les tricheurs sont des personnes malhonnêtes.* SYN. déloyal. ANT. honnête, intègre. **R.** Ne pas oublier l'accent: *ê*. ☞ honnête.

malhonnêtement adv. De façon malhonnête: *En ne disant pas la vérité, tu as agi malhonnêtement.* ANT. honnêtement. **R.** Ne pas oublier l'accent: *ê*. ☞ honnête.

malhonnêteté n.f. **1.** Caractère d'une personne qui n'est pas honnête: *On se méfie d'elle à cause de sa malhonnêteté.* ANT. honnêteté, intégrité. **2.** Action malhonnête: *Pourquoi as-tu commis cette malhonnêteté?* **R.** Ne pas oublier l'accent: *ê*. ☞ honnête.

malice n.f. Tendance à s'amuser aux dépens des autres: *C'est un enfant plein de malice qui aime taquiner les autres et se moquer d'eux.* SYN. espièglerie, taquinerie. ANT. naïveté. ⁄⁄ *Personne sans malice:* Personne simple et un peu naïve. *Sac, boîte à malice:* Matériel de prestidigitateur. ☞ malicieusement, malicieux.

malicieusement adv. De façon malicieuse: *Je savais qu'elle venait de me jouer un tour, car elle me regardait malicieusement.* ☞ malice.

malicieux, euse adj. **1.** Qui aime s'amuser aux dépens des autres: *Cette fille malicieuse a plus d'un tour dans son sac.* SYN. espiègle, malin, taquin. **2.** Qui est plein de malice: *Son regard malicieux le trahissait.* SYN. moqueur, narquois, piquant, railleur. ☞ malice.

malien, enne n. et adj. **1.** n. Personne qui est du Mali: *Un Malien, une Malienne.* **2.** adj. Qui est du Mali: *Le territoire malien est situé en Afrique occidentale.* **R.** On met la majuscule à *malien* et à *malienne* lorsqu'il s'agit du nom.

malignité n.f. **1.** Méchanceté, tendance à nuire aux autres: *Tu l'as accusé devant toute la classe par malignité.* SYN. haine, malveillance. ANT. bonté. **2.** Caractère de gravité d'une maladie, d'une tumeur: *La malignité de la tumeur est maintenant confirmée.* ANT. bénignité. ☞ malin.

malin, igne n. et adj. **1.** n. Personne rusée, débrouillarde: *Je ne suis pas inquiète pour Bernadette: c'est une maligne.* **2.** adj. Qui est rusé, débrouillard: *Ce garçon malin saura bien trouver une solution à son problème.* SYN. astucieux, dégourdi, habile. ANT. dupe. **3.** adj.fam. Qui demande de l'intelligence: *Ce n'est pas très malin d'avoir caché les bottes de Josée.* SYN. fin. **4.** adj.fam. Qui n'est pas difficile: *Réparer ma bicyclette, ce n'était pas plus malin que ça.* SYN. compliqué. **5.** adj. Qui est mauvais: *Le diable est parfois appelé l'« esprit malin ».* **6.** adj. Qui montre de la méchanceté: *Tu éprouves un malin plaisir à faire pleurer les autres.* SYN. méchant. **7.** adj. Qui est très grave, qui peut entraîner la mort, en parlant d'une maladie: *Une fièvre maligne l'a emporté en quelques jours.* ANT. bénin. ⁄⁄ *Faire le malin:* Faire le fanfaron ou faire de l'esprit. *Tumeur maligne:* Tumeur cancéreuse. ☞ malignité.

malingre adj. Qui est chétif, fragile: *Cette enfant malingre semble malade.* SYN. délicat, faible, frêle, maladif. ANT. fort, robuste.

malintentionné, ée adj. Qui a de mauvaises intentions: *Des gens malintentionnés ont répandu cette fausse nouvelle.* ANT. bienveillant. ☞ intention.

malle n.f. **1.** Grand coffre servant à contenir les objets qu'on emporte en voyage: *As-tu encore de la place dans ta malle?* SYN. valise. **2.** Coffre d'une automobile: *J'ai déposé la commande d'épicerie dans la malle.* HOM. mal. **R.** N'a pas le sens de *poste*, de *courrier*. ☞ mallette.

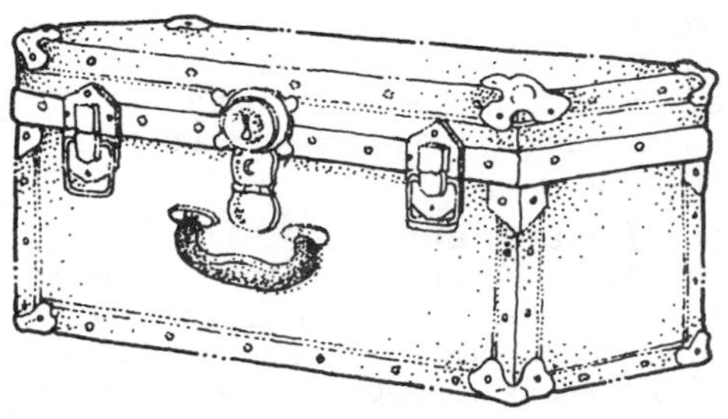

malle

malléabilité n.f. **1.** Caractère d'un métal qu'on peut aplanir, façonner en feuilles, en lames : *La malléabilité des métaux augmente avec la température.* **2.** Caractère d'une substance qu'on peut modeler, travailler : *La malléabilité de l'argile en fait un matériau idéal pour la poterie.* **3.** fig. Caractère d'une personne, de son esprit, qu'on peut influencer, former : *Espérons que personne ne profitera de sa malléabilité pour le corrompre.* **R.** S'écrit avec deux *l.* ☞ malléable.

malléable adj. **1.** Qu'on peut aplatir, façonner en feuilles, en lames, en parlant des métaux : *L'or et l'aluminium sont des métaux très malléables.* SYN. flexible. ANT. cassant, dur, solide. **2.** Qu'on peut modeler, travailler : *La cire et le mastic sont des substances malléables.* SYN. mou. **3.** fig. Qu'on peut influencer, former : *Cet enfant a un caractère malléable.* SYN. docile, influençable, souple. ANT. entêté, inflexible, résistant. **R.** S'écrit avec deux *l.* ☞ malléabilité.

maller ☞ sect. anglicismes et canadianismes.

mallette n.f. Petite valise pour le voyage ou pour le travail : *Maman a oublié sa mallette au bureau.* ☞ malle.

malmener v. **1.** Traiter avec rudesse : *Ma petite sœur s'est fait malmener par cette grande fille de sixième année.* SYN. brutaliser, maltraiter. **2.** Mettre l'adversaire en danger, au cours d'un combat, d'un match, etc. : *Les Canadiens ont malmené les Nordiques dès la première période.*

malnutrition n.f. Alimentation mal équilibrée : *La majeure partie de l'humanité souffre de malnutrition.* ☞ nutrition.

malodorant, ante adj. Qui a une mauvaise odeur : *La litière du chat est malodorante.* ☞ odeur.

malotru, ue n. Personne grossière, sans éducation : *Ce malotru m'a bousculé et il ne s'est même pas excusé.* SYN. goujat, mufle.

malpropre n. et adj. **1.** n. Personne malhonnête : *Méfie-toi de ce malpropre.* SYN. salaud. **2.** adj. Qui est malhonnête : *Tu as utilisé des procédés malpropres pour arriver à tes fins.* SYN. immoral. ANT. honnête. **3.** adj. Qui manque de propreté : *Lave-toi les mains, elles sont malpropres.* SYN. crasseux, sale. ANT. net, propre. **4.** adj.fig. Qui est grossier, indécent : *Je ne tolère pas les propos malpropres dans ma maison.* SYN. immoral, inconvenant, indécent. ANT. convenable, décent. ☞ propre.

malproprement adv. De façon malpropre, sale : *Ces jeunes enfants mangent malproprement.* ☞ propre.

malpropreté n.f. **1.** Manque de propreté : *La malpropreté des lieux était dégoûtante.* SYN. saleté. ANT. propreté. **2.** Chose malpropre : *Ta chambre est pleine de malpropretés.* **3.** fig. Action, parole grossière, indécente : *J'ai dit des malpropretés pour attirer l'attention de mes camarades de classe.* SYN. grossièreté. ☞ propre.

malsain, aine adj. **1.** Qui n'est pas en bonne santé : *Ces enfants chétifs et malsains ne jouent jamais dehors.* SYN. maladif. ANT. sain. **2.** Qui n'est pas bon pour la santé : *Elle ne supporte plus ce climat malsain.* SYN. insalubre, nocif, pernicieux. ANT. sain, salubre. **3.** fig. Qui n'est pas normal : *Une curiosité malsaine la poussait à entrer chez des inconnus à toute heure.* SYN. morbide, pervers. ANT. normal. **4.** fig. Qui a une mauvaise influence sur l'esprit : *Tu ne devrais pas lire ces livres malsains.* SYN. immoral, mauvais. ANT. bénéfique, bienfaisant, moral. ☞ sain.

malséant, ante adj.litt. Qui est contraire à la bienséance, qui n'est pas convenable : *Tes plaisanteries étaient malséantes au salon funéraire.* SYN. choquant, déplacé, incorrect. ANT. bienséant, convenable.

malt n.m. (angl.) Orge germée artificiellement, séchée et séparée des germes : *Le malt entre dans la fabrication de la bière.*

maltraiter v. **1.** Traiter brutalement : *La vétérinaire a soigné ce chat que des gens avaient maltraité.* SYN. battre, brutaliser, frapper, malmener, rudoyer. ANT. cajoler, caresser, gâter. **2.** Critiquer, traiter sévèrement en paroles : *Ce critique a maltraité l'auteure de cette pièce de théâtre.* SYN. conspuer, éreinter. ANT. flatter, louer. ☞ traiter.

malveillance n.f. **1.** Tendance à vouloir du mal aux autres, à les blâmer : *Je n'ai rien fait pour mériter la malveillance de mes camarades.* SYN. agressivité, animosité, antipathie, méchanceté. ANT. amitié, bienveillance, bonté, sympathie. **2.** Intention de nuire : *Cet accident est dû à une malveillance de sa part.* SYN. hostilité, ressentiment. ANT. complaisance, dévouement, empressement. ☞ malveillant.

malveillant, ante n. et adj. **1.** n. Personne qui est portée à vouloir du mal aux autres, à les blâmer : *N'écoute pas cette malveillante qui passe son temps à critiquer les autres.* **2.** adj. Qui est porté à vouloir du mal aux autres, à les blâmer : *Des voisins malveillants ont jeté des ordures sur notre terrain.* SYN. agressif, hostile, méchant. ANT. bienveillant, complaisant. **3.** adj. Qui montre la volonté de faire du mal, de blâmer : *Tu as blessé tes camarades par tes remarques malveil-*

lantes. SYN. désobligeant, malintentionné, venimeux. ANT. amical. ☞ malveillance.

malvenu, ue adj. **1.** Qui ne s'est pas développé normalement: *Il faudra redresser cet arbre malvenu.* **2.** Qui n'est pas en situation de faire quelque chose: *Elle serait malvenue de critiquer ma décision.* ANT. bienvenu. **3.** Qui est déplacé, inopportun: *Cette demande est malvenue.*

malvoyant, ante n. et adj. **1.** n. Personne dont la vue est très faible: *Ce chien est dressé pour guider les malvoyants.* **2.** adj. Dont la vue est très faible: *Les personnes malvoyantes ont peur de perdre complètement la vue.*

maman n.f. **1.** Nom affectueux que l'on donne à sa mère: *Bonjour, maman, comment vas-tu?* **2.** Mère de famille: *Sébastien aime bien jouer à la maman avec sa poupée.*

mamelle n.f. Organe des femelles des mammifères, qui sécrète le lait: *Les porcelets ont faim: ils cherchent les mamelles de leur mère.* ☞ mamelon, mammaire.

mamelon n.m. Bout du sein: *Chacun des seins se termine par un mamelon.* ☞ mamelle. ▲ **mamelon** n.m. Élévation de terrain de forme arrondie: *Le chalet est construit sur un mamelon.*

mamie n.f. Grand-mère, dans le langage des enfants: *Allons voir mamie, je m'ennuie d'elle.* **R.** Aussi, *mammy* ou *mamy*.

mammaire adj. Qui se rapporte aux mamelles, aux seins: *Les glandes mammaires sécrètent le lait.* ☞ mamelle.

mammifères n.m.plur. Classe d'animaux vertébrés à température constante, possédant deux poumons, un cœur à quatre cavités, un système nerveux central organisé, dont les femelles portent des mamelles: *L'être humain, le dauphin et le chat sont des mammifères.* **R.** S'écrit au singulier lorsqu'il désigne un animal appartenant à cette classe.

mammouth n.m. (russe) Gros éléphant préhistorique au pelage laineux et aux énormes défenses recourbées: *On a découvert en Sibérie des cadavres congelés de mammouths.* **R.** Le *t* se prononce.

mamours n.m.plur.fam. Démonstrations de tendresse: *Sébastien fait des mamours à son père.*

manager n.m. (angl.) Personne qui s'occupe d'un artiste, d'un athlète ou qui veille à l'organisation des spectacles, des concerts, des matchs: *Le manager s'occupe des intérêts de ce chanteur.* SYN. directeur, entraîneur, imprésario. **R.** Se prononce *manadjèr.*

manche n.f. Partie du vêtement qui couvre le bras: *Julien porte une chemise à manches longues.* ⫽ *Manche à air:* Conduit servant à aérer l'intérieur d'un navire, ou tube en toile placé en haut d'un mât pour indiquer la direction du vent. ☞ emmanchure, mancheron, manchette. ▲ **manche** n.f. Chacune des parties d'un jeu, d'une compétition: *Notre équipe a remporté la première manche.*

manche n.m. **1.** Partie allongée d'un outil, d'un instrument, par laquelle on le tient: *Il faudra remplacer le manche du marteau.* **2.** Partie d'un instrument de musique, sur laquelle les cordes sont tendues: *Le manche de mon violon est cassé.* ⫽ *Manche à balai:* Commande manuelle au moyen de laquelle on fait monter ou descendre un avion. ☞ démancher, emmanchement, emmancher, mancheron.

mancheron n.m. Chacune des deux poignées d'une charrue, d'un motoculteur, etc.: *Les mains aux mancherons de la charrue, l'agricultrice respirait l'odeur de la terre fraîchement retournée.* ☞ manche (n.m.). ▲ **mancheron** n.m. Petite manche couvrant le haut du bras: *L'été, une robe à mancherons convient mieux qu'une robe à manches longues.* ☞ manche (n.f.).

manchette n.f. **1.** Poignet à revers, d'une chemise ou d'un chemisier: *Où sont passés mes boutons de manchettes?* **2.** Fausses manches servant à protéger les manches d'un vêtement: *L'imprimeur porte des manchettes pour protéger le bas de ses manches.* ☞ manche (n.f.). ▲ **manchette** n.f. Titre en gros caractères à la première page d'un journal: *Les manchettes du journal parlent du tremblement de terre.*

manchon n.m. Accessoire de fourrure dans lequel on met les mains pour les protéger du froid: *Sur ces photos anciennes, les dames dissimulent leurs mains dans des manchons.*

mammouth

manchot n.m. Oiseau marin des régions antarctiques, dont les ailes, devenues impropres au vol, se sont transformées en nageoires : *Généralement, les manchots adultes sont noirs et ont le ventre blanc.*

manchot, ote n. et adj. **1.** n. Personne privée d'un bras ou des deux bras, d'une main ou des deux mains : *Ce manchot a perdu les deux bras à la guerre.* **2.** adj. Qui est privé d'un bras ou des deux bras, d'une main ou des deux mains : *Elle est devenue manchote à la suite d'un accident de travail.* SYN. estropié, infirme. **3.** adj.fam. Qui est maladroit : *Sais-tu que tu n'es pas manchot?*

mandarine n.f. et adj.invar. **1.** n.f. Fruit du mandarinier, plus petit que l'orange, doux et parfumé, dont l'écorce est facile à décoller : *La mandarine est le fruit comestible du mandarinier.* **2.** adj.invar. Qui est de la couleur orange de la mandarine : *Ce tailleur mandarine te va à ravir.* ☞ mandarinier.

mandarinier n.m. Arbre très proche de l'oranger, qui produit des mandarines : *Aimerais-tu voir fleurir des mandariniers?* ☞ mandarine.

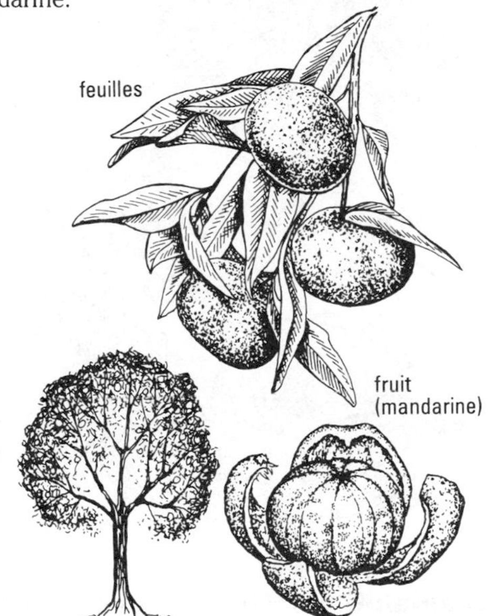

mandarinier

mandat n.m. **1.** Acte par lequel une personne donne à une autre le pouvoir de faire quelque chose en son nom : *J'ai donné à une agente immobilière le mandat de vendre ma maison.* SYN. fonction, missive. **2.** Fonction d'un membre élu d'un parlement ou durée de cette fonction : *Le mandat de cette ministre a été renouvelé pour la deuxième fois.* ⫽ *Mandat d'amener:* Ordre d'amener quelqu'un devant un juge. *Mandat d'arrêt:* Ordre d'arrêter quelqu'un. *Mandat légal:* Mandat conféré par la loi, qui désigne la personne recevant pouvoir de représentation. *Mandat postal, mandat-poste:* Document attestant la remise d'une somme d'argent au service des postes avec mandat de la faire parvenir à une personne désignée. ☞ mandataire, mandater.

mandataire n. Personne à qui on a donné le pouvoir d'agir au nom de quelqu'un d'autre : *En l'absence de mes parents, c'est moi qui suis leur mandataire.* SYN. délégué, représentant. ☞ mandat.

mandater v. **1.** Donner à quelqu'un le pouvoir d'agir en son nom : *J'ai mandaté ma grande sœur pour la vente de mon automobile.* SYN. déléguer. **2.** Confier une fonction à une personne élue : *Nous avons mandaté Julie pour qu'elle nous représente au conseil des élèves.* ☞ mandat.

mandibule n.f. **1.** Chacune des deux pièces de la bouche des crustacés, des insectes : *Les mandibules servent à saisir et à broyer la nourriture.* **2.** Chacune des deux parties du bec des oiseaux : *L'hirondelle saisit la mouche entre ses mandibules.* **3.** fam. Mâchoires : *Voilà une demi-heure que tu joues des mandibules, petit gourmand!*

mandoline n.f. (it.) Instrument de musique à cordes pincées et à caisse de résonance bombée : *La mandoline est originaire d'Italie.* ☞ mandoliniste.

mandoliniste n. Personne qui joue de la mandoline : *La mandoliniste a eu beaucoup de succès.* ☞ mandoline.

mandrill n.m. Grand singe d'Afrique au museau rouge bariolé de bleu : *Le mandrill mâle a de fortes canines, des favoris blancs, une barbe rousse et une houppe sombre sur la tête.* **R.** Les deux *l* se prononcent comme un seul *l*.

manécanterie n.f. École qui enseigne le chant liturgique : *Connais-tu la manécanterie des Petits Chanteurs de Laval?*

manège n.m. (it.) **1.** Exercice que l'on fait faire à un cheval pour le dresser : *Le cavalier fait du manège avec sa nouvelle monture.* **2.** Lieu où l'on dresse les chevaux : *Les exercices d'équitation se pratiquent dans un manège.* **3.** Attraction foraine dans laquelle des petites voitures, des chevaux de bois tournent autour d'un axe central : *Les enfants veulent faire un tour de manège.* ▲ **manège** n.m. Manière habile de se conduire pour arriver à ses fins : *Si tu crois que je n'ai pas compris ton manège, tu te trompes.* SYN. machination, manœuvre.

manette n.f. Petite poignée ou petit levier que l'on manœuvre à la main pour actionner un mécanisme: *Pour mettre l'appareil en marche, il faut appuyer sur cette manette.*

manganèse n.m. (it.) Métal d'un blanc grisâtre, dur et cassant, utilisé surtout dans des alliages: *Le manganèse entre dans la fabrication des aciers spéciaux.*

mangeable adj. **1.** Qu'on peut manger: *Ne consomme pas les fruits sauvages avant de savoir s'ils sont mangeables.* SYN. comestible. ANT. immangeable. **2.** Qui est tout juste bon à manger: *Ce ragoût n'est pas très appétissant, mais il est mangeable.* ANT. immangeable, mauvais. **R.** Ne pas oublier le *e* après le *g*. ☞ manger.

mangeaille n.f.fam. et péj. Nourriture abondante et de qualité médiocre: *Il y avait de la mangeaille pour tout le monde.* **R.** Ne pas oublier le *e* après le *g*. ☞ manger.

mangeoire n.f. Récipient dans lequel on met la nourriture de certains animaux domestiques (chevaux, bestiaux, volaille): *La fermière verse les grains de céréales dans la mangeoire.* **R.** Ne pas oublier le *e* après le *g*. ☞ manger.

manger v. **1.** Avaler un aliment après l'avoir mâché: *Germaine mange une pomme.* SYN. croquer, grignoter. **2.** Absorber des aliments: *Tu devrais manger un peu plus.* SYN. s'alimenter, se nourrir. **3.** Prendre un repas: *Nous mangeons souvent au restaurant.* **4.** fig. Ronger: *Les mites ont mangé mon chandail de laine.* SYN. attaquer. **5.** fig. Dépenser: *J'ai mangé toutes mes économies en un mois.* SYN. dilapider, gaspiller. **6.** fig. Cacher, faire disparaître en recouvrant: *Son toupet lui mange le front.* SYN. dissimuler, voiler. ☞ immangeable, mangeable, mangeaille, mangeoire, mange-tout, mangeur, remanger. **se manger** v.pron. **1.** Être comestible: *Ces baies sauvages ne se mangent pas.* **2.** Pouvoir être consommé sous telle forme: *La plupart des légumes se mangent crus.*

manger n.m. **1.** Action de manger: *Elle est si préoccupée qu'elle en perd le boire et le manger.* **2.** fam. Nourriture, repas: *Vous pouvez apporter votre manger.*

mange-tout n.m.invar. et adj.invar. **1.** n.m.invar. Variété de pois ou de haricots dont on mange la cosse aussi bien que les graines: *Au restaurant, j'ai commandé un steak et des mange-tout.* **2.** adj.invar. Dont on mange la cosse aussi bien que les graines, en parlant de pois ou de haricots: *Papa a acheté des haricots mange-tout.* **R.** Aussi, *mangetout*. ☞ manger.

mangeur, euse n. **1.** Personne qui mange, beaucoup ou peu: *Oncle Charles est un gros mangeur.* **2.** Personne qui aime manger tel ou tel aliment: *Jocelyne est une mangeuse de chocolat.* ☞ manger.

mangouste n.f. (esp.) Petit mammifère carnivore d'Afrique et d'Asie qui ressemble à une belette et qui est utilisé pour détruire les serpents et les rats: *La mangouste est naturellement immunisée contre le venin des serpents.*

mangue n.f. (port.) Fruit du manguier, de la taille d'une grosse pêche, à la pulpe jaune, savoureuse et très parfumée: *La mangue est un fruit des régions tropicales.* **R.** Ne pas oublier le *u* après le *g*. ☞ manguier.

manguier n.m. Arbre des régions tropicales qui produit des mangues: *Le manguier appartient à la même famille que le pistachier et l'anacardier.* **R.** Ne pas oublier le *u* après le *g*. ☞ mangue.

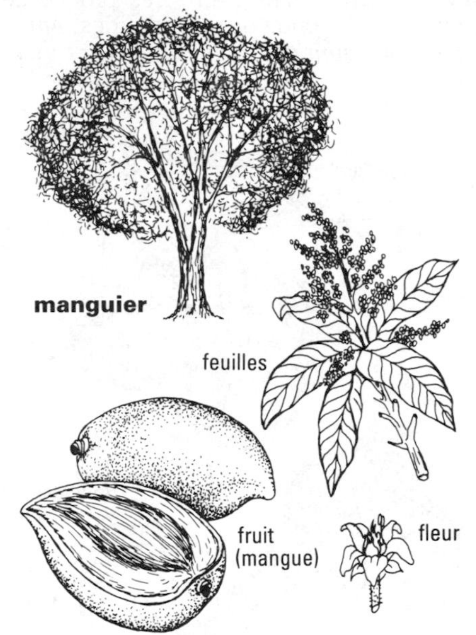

maniabilité n.f. **1.** Qualité de ce qui est facile à manier, à utiliser: *La maniabilité de ces outils les rend très populaires auprès des consommateurs.* **2.** Qualité de ce qui est facile à manœuvrer: *La vendeuse ne cesse de vanter la maniabilité de ces petites automobiles.* ☞ manier.

maniable adj. **1.** Qui est facile à manier, à utiliser: *Ces outils sont si maniables que même un enfant peut s'en servir.* SYN. commode, pratique. ANT. encombrant. **2.** Qui est facile à manœuvrer: *Ma nouvelle voiture* *est plus maniable que la précédente.* **3.** fig. Qui se laisse facilement diriger: *Tu verras, Lucie est une enfant très maniable.* SYN. docile, doux, obéissant, souple. ANT. indocile, têtu. ☞ manier.

maniaque n. et adj. **1.** n. Personne qui est obsédée par quelque chose: *C'est un maniaque de la propreté.* **2.** n. Personne qui est attachée à ses petites habitudes bizarres ou un peu ridicules: *Cette maniaque ne supporte pas qu'on déplace la moindre chose dans son appartement.* **3.** n. Personne qui souffre d'une maladie mentale appelée «manie»: *Ce maniaque doit recevoir des soins psychiatriques.* **4.** adj. Qui est obsédé par quelque chose: *Je suis maniaque de l'exactitude.* SYN. pointilleux. **5.** adj. Qui est attaché à ses petites habitudes bizarres ou un peu ridicules: *Elle est un peu maniaque quand il s'agit de repasser les vêtements.* SYN. original. ANT. normal. **6.** adj. Qui se rapporte à la maladie mentale appelée «manie»: *L'excitation maniaque et la dépression mélancolique font partie des symptômes de la manie.* ☞ manie.

manie n.f. **1.** Obsession, idée fixe: *Il croit que tout le monde lui en veut: il a la manie de la persécution.* **2.** Habitude bizarre ou un peu ridicule: *Tout le monde a ses petites manies.* SYN. caprice, fantaisie, marotte. **3.** Maladie mentale caractérisée par des troubles de l'humeur: *L'incohérence des idées est un symptôme de la manie.* **4.** Goût excessif pour quelque chose: *Elle a la manie des chapeaux.* SYN. toquade. ☞ maniaque.

maniement n.m. **1.** Action ou manière de manier, d'utiliser quelque chose avec les mains: *Les ouvriers doivent connaître le maniement de ces nouvelles machines.* SYN. manipulation, utilisation. **2.** fig. Action ou manière d'employer: *Le maniement d'une langue ne s'apprend pas en quelques cours.* SYN. emploi, usage. **3.** fig. Action ou manière d'administrer, de diriger: *Cette femme a une très grande habitude du maniement des affaires.* SYN. administration, gestion. **R.** Le *e* de la deuxième syllabe ne se prononce pas. ☞ manier.

manier v. **1.** Tenir quelque chose entre les mains tout en remuant, en déplaçant: *Il faut manier cette carafe avec précaution.* SYN. manipuler. **2.** Se servir d'un appareil, d'un instrument, d'une arme: *Je vois que tu sais manier le pinceau!* SYN. utiliser. **3.** Manœuvrer une machine, un véhicule: *Cet hydravion est très facile à manier.* SYN. conduire. **4.** fig. Employer avec habileté des mots, des idées, des sentiments: *Yvon manie l'humour avec beaucoup d'intelligence.* **5.** fig. Mener, diriger: *Cette politicienne a un talent extraordinaire pour manier les foules.* SYN. manœuvrer. ☞ maniabilité, maniable, maniement.

manière n.f. **1.** Façon particulière d'être ou de faire quelque chose: *Tu devrais t'y prendre d'une autre manière pour résoudre ce problème.* **2.** Façon habituelle et personnelle de se comporter: *C'est dans sa manière d'être si prévenante.* SYN. genre. **3.** Façon de prendre, de composer, propre à un artiste ou à un groupe d'artistes: *Ce tableau est dans la manière de Jean Paul Riopelle.* SYN. style. HOM. manières. ⁄⁄ *Adverbe de manière:* Adverbe qui indique comment est accomplie une action. à la **manière de** loc.prép. À l'imitation de: *Tu écris à la manière des journalistes.* SYN. comme. de **manière à** loc.prép. De façon à, afin de: *Elle travaille de manière à rembourser ses dettes.* de **manière que** loc.conj. Afin que, pour que: *J'ai attaché mon chien de manière qu'il ne s'échappe pas.* de toute **manière** loc.adv. En tout cas, de toute façon: *De toute manière, il ne serait pas venu à la fête.* d'une **manière générale** loc.adv. Le plus souvent, dans la plupart des cas: *D'une manière générale, l'institutrice est satisfaite de ses élèves.* d'une **manière ou d'une autre** loc.adv. Quoi qu'il arrive: *D'une manière ou d'une autre, je n'avais pas le choix.* en aucune **manière** loc.adv. Aucunement: *Les conseillers ne sont en aucune manière d'accord avec ce règlement.* en **manière de** loc.prép. En guise de, en qualité de: *En manière d'introduction, nous avons lu un poème.*

maniéré, ée adj. Qui manque de naturel, de simplicité: *Les personnes maniérées m'agacent prodigieusement.* SYN. affecté, poseur. ANT. naturel, simple. ☞ manières.

manières n.f.plur. Comportement d'une personne en société: *Ces enfants ont appris les bonnes manières.* SYN. attitude, comportement. ▲ **manières** n.f.plur. Attitude qui manque de naturel: *Cette personne est pleine de manières.* HOM. manière. ⁄⁄ *Faire des manières:* Se faire prier. ☞ maniéré.

manifestant, ante n. Personne qui participe à une manifestation sur la voie publique: *Les manifestants se sont rassemblés devant l'hôtel de ville.* ☞ manifester.

manifestation n.f. Démonstration, témoignage: *Ces manifestations de tendresse sont très émouvantes.* SYN. marque. ☞ manifester. ▲ **manifestation** n.f. Rassemblement public organisé pour exprimer une opinion ou une revendication: *Les syndicats ont organisé une manifestation pour protester contre les offres du gouvernement.* SYN. réunion. ☞ manifester.

manifeste n.m. **1.** Déclaration écrite par

laquelle un gouvernement, un parti politique fait connaître son programme ou justifie sa position : *Ce gouvernement a publié un manifeste sur la question de la langue.* SYN. proclamation. **2.** Écrit par lequel des artistes, des écrivains exposent leurs idées, leurs buts : *Paul-Émile Borduas fut l'un des signataires du manifeste « Le Refus global ».*

manifeste adj. Qui est évident, indiscutable : *Elle m'a accueilli avec une joie manifeste.* SYN. visible. ☞ manifester.

manifestement adv. De façon manifeste, évidente : *C'est manifestement lui le responsable de cet accident.* ☞ manifester.

manifester v. **1.** Faire connaître de façon évidente : *Le gouvernement a manifesté son intention de venir en aide aux sinistrés.* SYN. exprimer, révéler. ANT. cacher. **2.** Montrer clairement : *Elle a manifesté beaucoup d'étonnement en apprenant la nouvelle.* SYN. extérioriser. ANT. dissimuler. **3.** Révéler : *Ses paroles manifestent un grand désarroi.* SYN. trahir. ANT. masquer. ☞ manifestation, manifeste, manifestement. se **manifester** v.pron. **1.** Se montrer, apparaître : *La rougeole se manifeste par des taches rouges sur la peau.* SYN. se révéler. ANT. se cacher. **2.** Se faire connaître : *Dieu se manifeste dans la création tout entière.* SYN. apparaître. ▲ **manifester** v. Participer à un rassemblement public organisé pour exprimer une opinion ou une revendication : *Des milliers de personnes ont manifesté pour exiger le retrait de cette loi.* ☞ manifestant, manifestation.

manigance n.f. Petite manœuvre secrète et suspecte sans grande importance : *Croyais-tu vraiment que j'ignorais leurs manigances ?* SYN. complot, jeu, manège. ☞ manigancer.

manigancer v. Préparer secrètement avec des moyens plus ou moins honnêtes : *Je les soupçonne de manigancer un mauvais coup.* SYN. comploter, machiner, manœuvrer. **R.** Ne pas oublier la cédille devant *a* et *o*. ☞ manigance.

manille n.f. (esp.) Jeu de cartes où le dix et l'as sont les cartes les plus fortes : *Le jeu de manille se joue généralement à quatre.* ▲ **manille** n.f. Anneau métallique en forme d'U servant à relier deux longueurs de chaîne : *La manille est ouverte à l'une de ses extrémités.* **R.** Les lettres *ill* se prononcent comme dans *famille*.

manioc n.m. (tupi) Plante des régions tropicales dont la racine fournit le tapioca : *Le manioc sert également à l'alimentation du bétail.*

manipulateur, trice n. **1.** Personne qui manie avec soin des produits, des substances, des appareils : *Son frère est manipulateur de laboratoire.* SYN. opérateur. **2.** fig. Personne qui aime orienter la conduite des autres par des moyens détournés : *Méfie-toi de cette manipulatrice.* **3.** Prestidigitateur spécialisé dans les tours qui demandent beaucoup d'habileté manuelle : *La manipulatrice a fait disparaître et apparaître plusieurs objets.* ☞ manipuler.

manipulation n.f. **1.** Action, manière de manier avec soin des produits, des substances, des appareils : *La manipulation de ces produits chimiques peut être dangereuse.* **2.** fig. et péj. Action d'orienter la conduite de quelqu'un par des moyens détournés : *La manipulation des foules se fait par la publicité et la propagande.* **3.** Spécialité du prestidigitateur qui repose sur la seule habileté manuelle : *Cette artiste de variétés est une spécialiste de la manipulation.* ☞ manipuler.

manipuler v. **1.** Tenir dans ses mains et transporter : *Manipule ces colis avec précaution.* **2.** Manier avec soin des produits, des substances, des appareils en vue d'expériences : *La chimiste manipule des produits toxiques.* **3.** fig. Orienter la conduite des autres par des moyens détournés : *Ne vous laissez pas manipuler par la publicité.* ☞ manipulateur, manipulation.

manitou, ous n.m. (amérind.) **1.** Esprit du bien ou du mal, chez les Amérindiens : *Pour avoir du succès à la chasse, les Amérindiens priaient le grand manitou.* **2.** fig. Personnage puissant dans un domaine : *Les manitous de l'industrie contrôlent l'économie canadienne.*

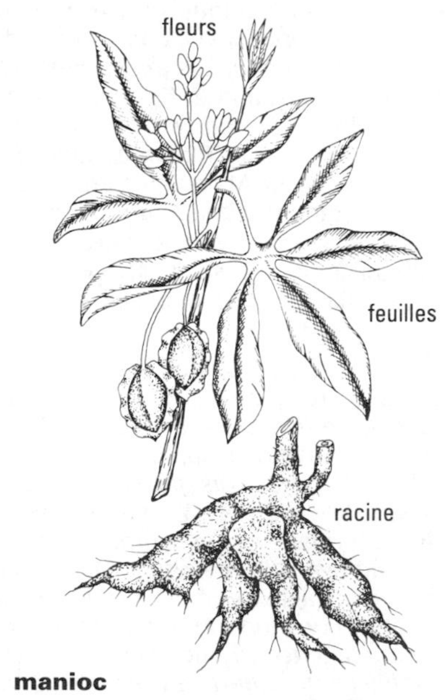

manioc

manivelle n.f. Tige coudée à angle droit qui sert à faire tourner un moteur, un mécanisme, un appareil: *Dans une bicyclette, la partie du pédalier qui porte la pédale s'appelle «manivelle».*

manne n.f. **1.** Nourriture miraculeuse qui, d'après la Bible, fut envoyée aux Hébreux dans leur traversée du désert: *Chaque matin, les Hébreux ramassaient la manne.* **2.** fig. Don, aubaine inespérée: *Il faut profiter de la manne pendant qu'elle passe.* ⫽ *Manne des pêcheurs, manne des poissons:* Ensemble des éphémères qui abondent sur les rivières en juin et juillet, dont les poissons se nourrissent et qui peuvent servir d'appât. ▲ **manne** n.f. (néerl.) Grand panier d'osier à deux anses dans lequel on peut transporter les fruits, la vaisselle, le linge, etc.: *La vendangeuse transporte des mannes pleines de raisins.*

mannequin n.m. (néerl.) **1.** Forme humaine servant de modèle pour la confection, l'essayage ou la présentation des vêtements: *Dans les vitrines, les mannequins sont revêtus selon la nouvelle mode.* **2.** Personne qui présente au public les nouveaux modèles de vêtements: *Cette couturière de renom emploie des mannequins pour présenter sa collection.* **3.** fig. Personne sans volonté que l'on peut faire agir comme on veut: *Il n'a aucun caractère, c'est un vrai mannequin.* **R.** L'O.L.F. recommande que le nom *mannequin* soit aussi employé au féminin.

manœuvrable adj. Qui est facile à manœuvrer, en parlant d'un véhicule, d'un bateau: *Maman dit que ce camion est très manœuvrable.* **R.** Les lettres *œu* se prononcent *e.* ☞ manœuvre (n.f.).

manœuvre n.f. **1.** Ensemble des opérations permettant de faire fonctionner un appareil, une machine: *Connais-tu la manœuvre de la pompe à incendie?* SYN. maniement. **2.** Action, manière de diriger un bateau, un véhicule: *La conductrice effectue une manœuvre pour se garer le long du trottoir.* **3.** Exercice militaire: *L'instructrice faisait faire des manœuvres aux soldats.* **4.** fig. Ensemble des moyens habiles utilisés pour arriver à ses fins: *Nous avons réussi à déjouer les manœuvres de nos adversaires.* SYN. intrigue, machination, manège, manigance. ⫽ *Fausse manœuvre:* Action mal exécutée ou exécutée au mauvais moment, qui peut avoir des conséquences fâcheuses. **R.** Les lettres *œu* se prononcent *e.* ☞ manœuvrable, manœuvrer.

manœuvre n.m. Ouvrier affecté à des travaux qui ne demandent pas de connaissances professionnelles spéciales: *On l'a engagé comme manœuvre, car il n'a pas de métier.* **R.** L'O.L.F. recommande que le nom *manœuvre* soit aussi employé au féminin. Les lettres *œu* se prononcent *e.*

manœuvrer v. **1.** Manier de façon à faire fonctionner, à faire bouger, à diriger: *L'automobiliste manœuvre sa voiture.* SYN. conduire. **2.** fig. Faire agir quelqu'un comme on veut par des moyens habiles: *Cette chanteuse sait très bien manœuvrer son public.* SYN. manier. **3.** Effectuer une manœuvre à bord d'un véhicule, d'un bateau: *Elle manœuvrait habilement pour entrer son voilier dans le port.* **4.** Exécuter des exercices militaires: *Les soldats manœuvraient sur la ligne de combat.* **5.** fig. Employer des moyens habiles pour arriver à ses fins: *Tu as si bien manœuvré que tu as obtenu ce que tu voulais.* **R.** Les lettres *œu* se prononcent *e.* ☞ manœuvre (n.f.).

manoir n.m. **1.** Habitation d'une certaine importance, entourée de terres: *Au temps de la colonie, les seigneurs vivaient dans des manoirs.* **2.** Nom que l'on donne à certains hôtels: *Nous avons passé une fin de semaine magnifique au manoir Saint-Castin.*

manomètre n.m. Instrument servant à mesurer la pression des gaz ou des vapeurs: *Les fortes pressions d'une chaudière ou d'un cylindre d'air comprimé sont mesurées au moyen d'un manomètre.*

manquant, ante n. et adj. **1.** n. Personne qui est absente: *Les manquants n'ont pas droit au tirage.* **2.** n. Objet qui manque: *Il faudra remplacer les manquants dans cette série.* **3.** adj. Qui est absent: *Les élèves manquants ont été avisés.* **4.** adj. Qui manque: *Avez-vous remplacé les ballons manquants.* ☞ manquer.

manque n.m. **1.** Absence ou insuffisance d'une chose nécessaire: *Le manque de pluie a occasionné une grave sécheresse.* SYN. pénurie, rareté. ANT. abondance, excès. **2.** État d'un toxicomane privé de drogue: *L'état de manque s'accompagne d'anxiété et de malaises physiques.* SYN. insuffisance. ANT. suffisance. **3.** plur. Lacunes, défauts: *Je trouve beaucoup de manques dans ce travail.* SYN. omission, oubli. ⫽ *Manque à gagner:* Occasion perdue de faire un gain, somme que l'on aurait pu gagner. ☞ manquer. **par manque de** loc.prép. Faute de: *Il n'est pas venu à la fête par manque de temps.*

manquement n.m. Action de manquer à un devoir, à une loi, à un règlement: *La directrice ne tolère aucun manquement à la discipline.* SYN. désobéissance, faute, infraction. ANT. observance. ☞ manquer.

manquer v. **1.** Faire défaut ou être en quantité insuffisante: *Les temps sont durs: l'argent manque.* ANT. abonder. **2.** Être absent du lieu où l'on devrait être: *Plusieurs élèves manquent aujourd'hui.* **3.** Être en moins: *Il manque un bouton à ta veste.* **4.** Ne pas réussir: *Tu as manqué toutes tes photos.* SYN. gâcher, rater. ANT. réussir. **5.** Ne pas avoir quelque chose ou ne pas en avoir en quantité suffisante: *Les sinistrés manquent de nourriture et de médicaments.* **6.** Laisser échapper: *J'ai manqué une bonne occasion.* SYN. négliger, rater. ANT. profiter. **7.** Ne pas se conformer à une obligation: *Tu as manqué à ta parole en révélant ce secret.* SYN. déroger. ANT. respecter. **8.** Ne pas rencontrer quelqu'un comme il était prévu: *Je voulais la voir, mais je l'ai manquée de peu.* **9.** Arriver trop tard pour prendre un moyen de transport: *Si tu ne te dépêches pas, tu vas manquer ton autobus.* SYN. rater. **10.** Ne pas atteindre: *La tireuse a manqué la cible.* SYN. rater. ⁄⁄ *Manquer à quelqu'un:* Être regretté par quelqu'un. *Manquer de respect à quelqu'un:* Être impoli envers quelqu'un. *Ne pas manquer de faire quelque chose:* Faire quelque chose d'une manière certaine. ☞ immanquable, immanquablement, manquant, manque, manquement. **se manquer** v.pron. **1.** Ne pas se rencontrer comme il était prévu: *Elle m'attendait devant le cinéma, mais nous nous sommes manquées.* **2.** Ne pas réussir son suicide: *Il voulait mourir, mais il s'est manqué.* **manqué, ée** p.p. et adj. **1.** Qui n'est pas réussi: *Toutes ses photos de voyage sont manquées.* **2.** Qui est très bon dans un domaine qui n'est pas le sien: *Cet avocat est un comédien manqué.* ⁄⁄ *Garçon manqué:* Fille qui a des manières de garçon.

mansarde n.f. (n. de l'inv.) Pièce aménagée sous un toit et dont un mur est en pente: *Michel couche dans une mansarde.* ☞ mansardé.

mansardé, ée adj. Qui est aménagé en mansarde: *La chambre mansardée a le plafond bas et un mur en pente.* ☞ mansarde.

mansuétude n.f. Grande bonté qui pousse à pardonner, à être plein de patience: *Sa mansuétude adoucit les cœurs durs.* SYN. douceur, indulgence. ANT. sévérité.

mante n.f. Insecte carnassier au corps étroit et allongé, à petite tête triangulaire très mobile et aux pattes antérieures très puissantes: *La mante saisit sa proie avec ses pattes antérieures.* ▲ **mante** n.f. Manteau de femme ample et sans manches: *Les religieuses s'enveloppaient dans leurs grandes mantes noires.* HOM. menthe.

manteau, eaux n.m. Vêtement généralement pourvu de manches, que l'on porte pardessus les autres vêtements pour se protéger des intempéries et du froid: *J'ai mis mon manteau pour aller jouer dehors.* SYN. anorak, paletot, parka. ☞ mantelet. ▲ **manteau, eaux** n.m. Partie de la cheminée qui avance au-dessus du foyer: *Les allumettes sont sur le manteau de la cheminée.*

mantelet n.m. Petite cape dont les femmes se couvrent les épaules et les bras: *Autrefois, les mantelets étaient très à la mode.* ☞ manteau.

mantille n.f. (esp.) Longue écharpe de dentelle ou de soie que les femmes portent sur la tête et sur les épaules: *Margarita porte une mantille noire.* **R.** Les lettres *ill* se prononcent comme dans *famille*.

manucure n. Personne qui donne des soins de beauté aux mains et surtout aux ongles: *Elle travaillait comme manucure dans un salon de coiffure.* **R.** Ne pas employer «faire un manucure» pour *faire les ongles*.

manuel n.m. Livre qui présente les notions essentielles d'un art, d'une science, d'une technique: *Au début de l'année, l'institutrice nous a remis nos manuels scolaires.*

manuel, elle n. et adj. **1.** n. Personne qui est plus à l'aise dans les travaux manuels que dans les travaux intellectuels: *Jeannine est très adroite de ses mains, c'est une manuelle.* **2.** adj. Qui se fait à la main: *Nicolas préfère le travail manuel à la lecture.* SYN. artisanal. ANT. intellectuel. **3.** adj. Qui fait appel à l'intervention humaine: *Les commandes ne sont pas automatiques: elles sont manuelles.* **4.** adj. Qui travaille avec ses mains: *La coiffeuse et la menuisière sont des travailleuses manuelles.* ☞ manuellement.

manuellement adv. **1.** De façon manuelle, avec la main: *Ces dessins ont été faits manuellement.* **2.** Par intervention humaine: *Ce mécanisme n'est pas automatique: il fonctionne manuellement.* ☞ manuel.

manufacturable adj. Qui peut être transformé industriellement: *Le coton et le lin sont des matières manufacturables.* ☞ manufacture.

manufacture n.f. **1.** Établissement industriel où la qualité de la main-d'œuvre est très importante: *Dans cette manufacture de porcelaine, on fabrique des objets de luxe.* SYN. usine. **2.** Établissement industriel où l'on travaillait surtout à la main, autrefois: *L'emploi généralisé des machines a transformé les manufactures en usines.* ☞ manufacturable, manufacturer, manufacturier.

manufacturer v. Transformer industriellement une matière première en un produit fini: *Cette usine manufacture des tissus.* SYN. confectionner, fabriquer. ☞ manufacture.

manufacturier, ière n. et adj. **1.** n.vx Personne qui possédait ou qui dirigeait une manufacture: *Ces manufacturiers possédaient de grandes usines.* SYN. fabricant, industriel. **2.** adj. Qui se rapporte à la fabrication de produits manufacturés: *Les techniques manufacturières ont beaucoup évolué depuis un siècle.* ☞ manufacture.

manuscrit n.m. **1.** Texte, ouvrage écrit à la main, avant la découverte de l'imprimerie: *Dans ce monastère, j'ai pu voir des manuscrits très anciens.* **2.** Texte original d'un auteur, qu'il soit écrit à la main ou dactylographié: *La romancière a remis son manuscrit à l'éditeur.*

manuscrit, ite adj. Qui est écrit à la main: *Ce travail doit comporter dix pages manuscrites.* ANT. imprimé.

manutention n.f. Manipulation, déplacement manuel ou mécanique des marchandises qu'on entrepose ou qu'on expédie: *Dans cette entreprise, plus de dix personnes s'occupent de la manutention des marchandises.* SYN. transport. ☞ manutentionnaire, manutentionner.

manutentionnaire n. Personne qui est chargée de manipuler, de déplacer manuellement ou mécaniquement des marchandises qu'on entrepose ou qu'on expédie: *Les manutentionnaires chargent et déchargent les camions de marchandises.* ☞ manutention.

manutentionner v. Déplacer, manipuler manuellement ou mécaniquement des marchandises qu'on entrepose ou qu'on expédie: *Ces objets de porcelaine ont été manutentionnés avec soin.* ☞ manutention.

mappemonde n.f. Carte plane représentant le globe terrestre dans deux cercles placés côte à côte: *Étienne cherche le Canada sur la mappemonde.* **R.** N'a pas le sens de *globe terrestre*.

maquereau, eaux n.m. (néerl.) Poisson de mer au dos bleu-vert rayé de noir, au ventre nacré et à chair très estimée: *Les maquereaux vivent en bancs et font l'objet d'une pêche importante.*

maquette n.f. (it.) **1.** Modèle réduit d'un bâtiment, d'un véhicule, d'un appareil, d'un décor, etc.: *Élise a monté une maquette d'avion.* SYN. esquisse. **2.** Modèle original que doit reproduire une page illustrée, une affiche: *On nous a présenté la maquette de la page de couverture.* ☞ maquettiste.

maquettiste n. **1.** Personne qui est chargée d'exécuter des maquettes d'après des plans, des dessins: *La maquettiste nous a montré la maquette du nouveau centre commercial.* **2.** Personne qui réalise des maquettes pour l'édition, l'imprimerie: *Le maquettiste est chargé de l'agencement des textes et des illustrations d'une page.* ☞ maquette.

maquillage n.m. **1.** Action de modifier ou d'embellir le visage à l'aide de fards, de produits de beauté: *Ce clown a appris l'art du maquillage.* **2.** Ensemble des produits servant à se maquiller: *On recommande d'appliquer le maquillage avec un pinceau.* SYN. fard. **3.** fig. Action de modifier l'aspect d'une chose pour tromper: *Le maquillage des voitures volées se faisait dans ce garage.* **R.** Les lettres *ill* se prononcent comme dans *famille*. ☞ maquiller.

maquiller v. **1.** Modifier ou embellir le visage au moyen de fards, de produits de beauté: *Pour la fête, nous avons maquillé les enfants en clowns.* ANT. démaquiller. **2.** Modifier l'aspect de quelque chose pour tromper: *J'ai maquillé mes pistes dans la neige pour jouer un tour à mes camarades.* SYN. camoufler. ANT. montrer. **3.** fig. Fausser, dénaturer: *Le témoin a maquillé la vérité.* SYN. altérer, déformer, déguiser. ANT. rétablir. ☞ démaquillant, démaquiller, maquillage, maquilleur, remaquiller. **se maquiller** v.pron. Se servir de fards, de produits de beauté pour modifier ou embellir son visage: *La comédienne doit se maquiller avant chaque représentation.* SYN. se farder. **R.** Les lettres *ill* se prononcent comme dans *famille*.

maquilleur, euse n. Personne spécialisée dans le maquillage des acteurs au cinéma, au théâtre, à la télévision: *La maquilleuse a complètement transformé le visage de ce comédien.* **R.** Les lettres *ill* se prononcent comme dans *famille*. ☞ maquiller.

maquis n.m. **1.** Végétation touffue formée d'arbustes et de buissons: *Les enfants ont joué à cache-cache dans le maquis.* **2.** fig. Complication qui ne peut être démêlée: *Les citoyens ordinaires se perdent dans le maquis des lois.* HOM. maki. ▲ **maquis** n.m. **1.** Lieu peu accessible où se regroupaient les résistants durant la guerre de 1939-1945: *Cette résistante a raconté ce qu'elle a vécu dans le maquis.* **2.** Groupe organisé de résistants: *Les maquis infligeaient de lourdes pertes à l'armée allemande.* ☞ maquisard.

maquisard n.m. Combattant qui faisait partie d'un groupe de résistants appelé « maquis », pendant la guerre de 1939-1945: *Les* *maquisards ont contribué à la défaite de l'armée ennemie.* ☞ maquis.

marabout n.m. (arabe) Grand oiseau échassier, à la tête et au cou dépourvus de plumes, au plumage gris et blanc, au bec fort et épais: *Le marabout est le représentant le plus disgracieux du groupe des cigognes.* ▲ **marabout** n.m. (arabe) Saint personnage dont le tombeau est un lieu de pèlerinage, dans les pays musulmans: *Les marabouts sont de pieux ermites vénérés pendant leur vie et après leur mort.*

maraca n.f. (esp.) Instrument de musique formé d'un hochet rempli de grains durs, que l'on agite pour accompagner le rythme des danses: *La maraca est un instrument à percussion d'origine sud-américaine.*

maraîcher, ère n. et adj. **1.** n. Personne qui cultive des légumes: *La maraîchère a toujours une variété de beaux légumes frais.* **2.** adj. Qui se rapporte à la culture des légumes: *Oncle Armand pratique la culture maraîchère dans la vallée du Richelieu.* **R.** Ne pas oublier l'accent: *î.*

marais n.m. **1.** Nappe d'eau stagnante de faible profondeur recouvrant un terrain partiellement envahi par la végétation: *Les roseaux, les aunes et les nénuphars poussent dans les marais.* SYN. étang, marécage. **2.** fig. État, situation, activité où il est impossible d'avancer, de progresser: *Beaucoup de gens s'enlisent dans le marais de la routine.* ⁄⁄ *Marais salant:* Bassin peu profond, à proximité d'un rivage maritime, où l'on extrait le sel de mer par évaporation.

marasme n.m. **1.** Découragement, dépression: *Après la mort de mon amie, je sombrai dans le marasme.* SYN. apathie, langueur. ANT. ardeur, vitalité. **2.** fig. Arrêt ou ralentissement important de l'activité économique et commerciale: *En période d'inflation, l'économie est dans le marasme.* SYN. crise. ANT. abondance, aisance, prospérité.

marasquin n.m. (it.) Liqueur ou eau-de-vie fabriquée avec une cerise acide des régions méditerranéennes: *J'aime beaucoup les glaces au marasquin.*

marathon n.m. (n. de lieu) **1.** Course à pied sur route, sur une distance de quarante-deux kilomètres: *Des milliers de personnes participent chaque année au marathon de Montréal.* **2.** fig. Épreuve, séance, négociation prolongée qui demande une grande résistance: *Ce marathon de danse a épuisé plusieurs couples.* ☞ marathonien.

marathonien, ienne n. Personne qui court le marathon: *Cette marathonienne est en excellente condition physique.* ☞ marathon.

marâtre n.f.péj. Mauvaise mère: *La marâtre maltraitait ses enfants.* **R.** Ne pas oublier l'accent: *â.*

maraudage n.m. **1.** Vol de fruits, de légumes, de volailles dans les jardins et dans les fermes: *Ces voyous faisaient du maraudage dans les campagnes.* **2.** Au Canada, activité d'un syndicat qui recrute des membres dans un syndicat rival: *Cette loi a pour but d'interdire le maraudage.* ☞ marauder.

marauder v. **1.** Voler des fruits, des légumes, des volailles dans les jardins et dans les fermes: *On a surpris toute une famille en train de marauder chez ce fermier.* **2.** Circuler lentement à la recherche de clients, en parlant d'un taxi: *Le taxi maraude dans le centre-ville.* ☞ maraudage, maraudeur.

maraudeur, euse n. et adj. **1.** n. Personne ou animal qui vole des fruits, des légumes, des volailles dans les jardins et dans les fermes: *La maraudeuse a été surprise en flagrant délit.* **2.** adj. Qui vole des fruits, des légumes, des volailles dans les jardins et dans les fermes: *La fermière a capturé le renard maraudeur.* **3.** adj. Qui circule lentement à la recherche de clients, en parlant d'un taxi: *Une piétonne a hélé le taxi maraudeur.* ☞ marauder.

marbre n.m. **1.** Roche très dure, souvent veinée de couleurs variées, qui peut prendre un beau poli et qui est très utilisée dans les arts: *Ces temples grecs sont faits de marbre.* **2.** Plaque de marbre d'une table, d'une commode, etc.: *Le marbre de la cheminée est fêlé.* **3.** Statue en marbre: *Ce musée possède des marbres d'une valeur inestimable.* ☞ marbré, marbrer, marbrure.

marbré, ée adj. **1.** Qui est marqué de taches ou de veines, comme le marbre: *La tranche de ce livre est marbrée.* **2.** Qui porte des marques violacées, en parlant de la peau: *J'avais le visage marbré par le froid.* HOM. marbrer. ☞ marbre.

marbrer v. **1.** Marquer de veines ou de taches pour donner l'apparence du marbre: *On a décidé de marbrer la reliure en veau.* **2.** Marquer la peau de taches violacées: *Les coups de fouet lui avaient marbré le dos.* HOM. marbré. ☞ marbre.

marbrure n.f. **1.** Imitation des taches et des veines du marbre: *Regarde les marbrures de cette boiserie.* **2.** Marques violacées sur la peau: *Ses joues étaient pleines de marbrures.* ☞ marbre.

marc n.m. **1.** Résidu des fruits que l'on a

pressés pour en extraire le jus: *Ce vin est produit à partir de marc de raisin blanc.* **2.** Eau-de-vie faite avec du marc de raisin distillé: *L'invitée a bu un petit verre de marc.* **3.** Résidu d'une substance que l'on a fait bouillir, infuser: *Le marc de café se dépose au fond de la cafetière.* HOM. mare, marre. **R.** Le *c* ne se prononce pas.

marcassin n.m. Petit du sanglier et de la laie: *Le marcassin est un petit sanglier de moins de six mois.*

marchand, ande n. et adj. **1.** n. Personne qui vend des marchandises: *Ce marchand de chaussures offre des réductions sur les bottes d'hiver.* SYN. commerçant, fournisseur. ANT. acheteur, client. **2.** adj. Qui se rapporte au commerce: *La valeur marchande d'un objet est sa valeur dans le commerce.* **3.** adj. Où se trouvent de nombreux commerces: *La rue Saint-Hubert, à Montréal, est une rue marchande.* **4.** adj. Qui transporte des marchandises: *La marine marchande assure le transport des marchandises et des voyageurs.* ☞ marchandise.

marchandage n.m. **1.** Discussion pour obtenir quelque chose à meilleur marché: *Le marchandage a été long, mais j'ai réussi à faire baisser le prix de ce tableau.* **2.** fig. Négociations plus ou moins honnêtes pour obtenir des avantages: *Elle a obtenu ce contrat grâce à du marchandage électoral.* ☞ marchander.

marchander v. Discuter avec le vendeur pour obtenir une chose à meilleur marché: *En marchandant un peu, j'ai réussi à obtenir une réduction de cinquante dollars sur le prix initial.* ☞ marchandage, marchandeur.

marchandeur, euse n. Personne qui discute avec le vendeur pour obtenir une chose à meilleur marché: *Les marchandeurs ne sont pas les bienvenus dans tous les commerces.* ☞ marchander.

marchandise n.f. Objet, produit destiné à la vente: *Ces magasins regorgent de marchandises.* SYN. article. ☞ marchand.

marche n.f. Surface plane sur laquelle on pose le pied pour monter ou descendre un escalier: *Je m'amuse à compter les marches de l'escalier.* ☞ contremarche. ▲ **marche** n.f. **1.** Action de marcher: *La marche est un très bon exercice.* ANT. arrêt. **2.** Façon de marcher: *La marche rapide accélère le rythme cardiaque.* SYN. allure. **3.** Trajet parcouru en marchant: *Julie fait de longues marches tous les jours.* SYN. promenade, randonnée. ANT. halte. **4.** Déplacement à pied d'un certain nombre de personnes: *Des milliers de fidèles ont pris part à la marche du Pardon, le vendredi saint.* SYN. défilé. **5.** Morceau de musique destiné à régler la marche: *Les mariés sortent de l'église au son de la marche nuptiale.* **6.** Déplacement d'un véhicule dans une direction déterminée: *Quand je voyage en autobus, je préfère m'asseoir dans le sens de la marche.* SYN. progression. **7.** Fonctionnement d'un mécanisme, d'une machine: *Qui a réglé la marche de cette horloge?* **8.** Fonctionnement d'une entreprise, d'un service: *La nouvelle directrice assurera la bonne marche de l'usine.* **9.** fig. Cours, évolution: *On ne peut pas arrêter la marche du temps.* SYN. déroulement. ☞ marcher. en **marche** loc.adv. En train d'avancer: *Les voitures étaient déjà en marche vers le stade.*

marché n.m. **1.** Accord concernant l'achat ou la vente de marchandises: *L'épicier a conclu un marché avec la grossiste.* SYN. affaire. **2.** Accord en général, arrangement: *J'ai fait un marché avec Yan: il m'aide dans mes travaux et je lui prête mon baladeur.* SYN. entente, pacte. à bon **marché** loc.adv. À bas prix: *Nicole a eu ces livres à bon marché.* ▲ **marché** n.m. **1.** Lieu où l'on vend et où l'on achète des marchandises: *Le marché Jean-Talon accueille beaucoup de clients pendant la belle saison.* **2.** Débouché d'un produit: *Il n'y a pas de marché pour ces voitures de luxe.* SYN. clientèle. **3.** Ensemble des transactions concernant un bien, un service: *Le marché de la voiture d'occasion a connu une grande expansion.* HOM. marcher. ⫽ *Faire le marché:* Acheter ses provisions, faire ses courses. *Marché aux puces:* Endroit où l'on vend toutes sortes d'objets d'occasion. *Marché commun:* Union économique entre douze pays d'Europe. *Marché du travail:* Situation de l'emploi dans un pays, une région, une province. *Marché noir:* Marché clandestin de produits rares et recherchés, vendus à des prix très élevés. ☞ supermarché.

marchepied n.m. **1.** Marche ou série de marches permettant de monter dans une voiture ou d'en descendre: *Ne reste pas sur le marchepied du train.* **2.** Escabeau d'appartement, à deux ou trois marches: *Ce marchepied est très utile pour atteindre les tablettes les plus élevées.* **3.** fig. Moyen de réaliser ses ambitions: *Ce poste de directrice lui servira de marchepied pour devenir présidente.* SYN. échelon.

marcher v. **1.** Se déplacer en mettant un pied devant l'autre, sans perdre le contact avec le sol: *Le blessé recommence à marcher après plusieurs mois d'immobilité.* SYN. avancer. ANT. s'arrêter. **2.** Aller à pied: *J'aime marcher dans la forêt au printemps.* SYN. déambuler, se promener. **3.** Se déplacer de manière contenue: *Cette automobile marche à cent kilomètres par heure.* SYN. rouler. ANT. arrêter. **4.** Fonctionner: *Notre téléviseur ne marche plus très bien.* **5.** fig. Se dérouler correctement: *Ces temps-ci, mes études marchent très bien.* SYN. progresser. **6.** Mettre les pieds dans ou sur quelque chose tout en avançant: *Tu as marché dans la boue en allant à l'école.* **7.** fig. et fam. Accepter: *Je suis d'accord, je marche avec vous.* SYN. consentir. ANT. refuser. **8.** fig. et fam. Croire naïvement une histoire: *Je croyais que tu te méfierais, mais tu as marché.* HOM. marché. ☞ marche, marcheur, remarcher.

marcheur, euse n. **1.** Personne qui marche, qui peut marcher longtemps sans se fatiguer: *Grand-maman est une bonne marcheuse.* **2.** Personne qui participe à une marche collective: *Les marcheurs de la paix se sont arrêtés devant le Parlement.* ☞ marcher.

mardi n.m. Jour de la semaine qui précède le mercredi et qui suit le lundi: *Je joue au badminton tous les mardis.* ⁄⁄ *Mardi gras:* Dernier jour avant le début du carême.

mare n.f. **1.** Petite étendue d'eau dormante, peu profonde: *J'observe les grenouilles dans la mare.* SYN. étang, lagune. **2.** Grande quantité de liquide répandu: *La blessée gisait dans une mare de sang.* HOM. marc, marre.

marécage n.m. Terrain humide et non cultivé où s'étendent des marais: *Les chasseurs pataugent dans les marécages.* ☞ marécageux.

marécageux, euse adj. **1.** Qui est couvert de marécages: *L'exploratrice a traversé une région marécageuse.* **2.** Qui vit dans les marécages: *Le jonc est une plante marécageuse.* ☞ marécage.

maréchal, aux n.m. Officier général ayant la plus haute dignité dans la hiérarchie militaire: *Il était fier d'avoir été nommé maréchal.*

maréchal-ferrant n.m. Personne dont le métier est de ferrer les chevaux, les ânes, les mulets: *Autrefois, le métier de maréchal-ferrant était très utile.* **R.** Au pluriel, *maréchaux-ferrants*.

marée n.f. **1.** Mouvement périodique des eaux de la mer, dont le niveau monte et descend chaque jour à intervalles réguliers: *La marée est provoquée par l'attraction du Soleil et de la Lune sur la masse d'eau des océans.* **2.** Ensemble des produits frais de la mer (poissons, crustacés, coquillages): *Le marchand de marée vient d'ouvrir sa boutique.* **3.** fig. Grand nombre de personnes qui arrivent en un lieu: *Une véritable marée humaine a envahi La Ronde.* ⁄⁄ *Marée basse:* Fin du reflux. *Marée descendante:* Reflux. *Marée haute:* Maximum du flot. *Marée montante:* Flot ou flux. *Marée noire:* Pollution du rivage causée par un déversement accidentel de pétrole. ☞ marémoteur.

marelle n.f. Jeu d'enfants qui consiste à pousser une pierre plate et ronde dans des cases tracées sur le sol, en sautant à cloche-pied: *Bénédicte joue à la marelle avec son petit frère.*

marémoteur, trice adj. Qui utilise la force motrice des marées: *Cette usine marémotrice produit de l'énergie électrique.* ☞ marée.

margarine n.f. Matière grasse comestible d'origine végétale ou animale, ayant l'aspect du beurre et les mêmes usages: *Certaines personnes préfèrent le beurre à la margarine.*

margay n.m. (tupi) Chat sauvage de l'Amérique du Sud, à longue queue et au pelage tacheté: *Le margay ressemble beaucoup à l'ocelot.*

marge n.f. **1.** Espace blanc autour d'un texte ou simplement du côté gauche: *L'institutrice nous répète de ne rien écrire dans la marge.* SYN. bord, bordure. **2.** fig. Intervalle de temps ou d'espace dont on dispose: *La marge de manœuvre n'est pas tellement grande.* SYN. délai, latitude. **3.** Écart admis dans une évaluation: *Il faut prévoir une marge d'erreur dans les sondages.* SYN. tolérance. ☞ marger, margeur, marginal (adj.). en **marge** loc.adv. En dehors, à l'écart: *Ces jeunes sont en révolte contre la société; ils vivent en marge.* en **marge de** loc.prép. En dehors de quelque chose: *Ses idées le mettent en marge de son milieu.*

margelle n.f. Rangée de pierres qui forment le rebord d'un puits, d'un bassin, d'une fontaine: *L'oiseau s'est posé sur la margelle du puits.*

marger v. Placer les margeurs d'une machine à écrire pour fixer la largeur des marges à droite et à gauche du texte: *Avant de commencer à taper, le secrétaire marge sa feuille.* ☞ marge.

margeur n.m. Dispositif d'une machine à écrire qui permet de fixer la largeur des marges: *Natacha place les margeurs de sa machine à écrire.* ☞ marge.

marginal, ale, aux n. et adj. **1.** n. Personne qui n'est pas intégrée à la société: *Ce marginal remet en question nos habitudes de consommation.* **2.** adj. Qui n'est pas intégré à la société: *Les hippies étaient considérés comme des personnes marginales.* ☞ marginaliser.

marginal, ale, aux adj. **1.** Qui est écrit dans la marge: *Il faut tenir compte des notes marginales.* **2.** fig. Qui est secondaire, accessoire: *Dans cette négociation, elle a joué un rôle marginal.* ☞ marge.

marginaliser v. Mettre quelqu'un, un groupe à l'écart des autres membres de la société: *La misère marginalise certaines couches de la population.* ☞ marginal (n. et adj.).

margoter v. Crier, en parlant de la caille: *Les cailles margotent dans les champs.* **R.** Aussi, *margotter* et *margauder*.

margoulette n.f.fam. Mâchoire, bouche, visage: *Cette cascadeuse n'a pas peur de se casser la margoulette.*

marguerite n.f. **1.** Plante à fleur blanche et à cœur jaune: *Les marguerites poussent dans les champs.* **2.** Fleur elle-même: *Jouons à effeuiller la marguerite.* ▲ **marguerite** n.f. Cercle portant des caractères d'impression, qu'on place dans une machine à écrire électronique ou dans une imprimante d'ordinateur: *Pour changer les caractères d'impression, il suffit de remplacer la marguerite.* **R.** Ne pas oublier le *u* après le *g*.

marguillier n.m. Membre du conseil de fabrique d'une paroisse: *À la réunion des marguilliers, ma mère a été nommée trésorière.* **R.** Ne pas oublier le *u* après le *g*. Les lettres *ill* se prononcent comme dans *famille*.

mari n.m. Homme uni à une femme par le mariage: *Robert est le mari de ma sœur Yolande.* SYN. conjoint, époux.

mariage n.m. **1.** Union légitime d'un homme et d'une femme: *Luc et Annie ont fait un mariage religieux.* ANT. célibat. **2.** Cérémonie organisée à l'occasion de cette union: *Nous sommes invités au mariage de Claude et de Francine.* SYN. noces. **3.** État, situation de deux personnes mariées: *Ce couple vient de fêter ses vingt-cinq ans de mariage.* SYN. union. ANT. divorce. **4.** Un des sept sacrements de l'Église catholique: *Pour les catholiques, le mariage est un sacrement institué par Jésus-Christ.* **5.** fig. Union, combinaison: *Le mariage de ces deux couleurs n'est pas très joli.* SYN. association, assortiment, mélange. ☞ marier.

marial, ale, als adj. Qui se rapporte à la Vierge Marie: *Le mois de mai est consacré au culte marial.* **R.** Aussi, au pluriel, *mariaux*.

marié, ée n. et adj. **1.** n. Personne qui se marie ou qui vient de se marier: *Les jeunes mariés resplendissent de bonheur.* **2.** adj. Qui est uni à une autre personne par le mariage: *On lui a demandé s'il était célibataire ou marié.* ANT. célibataire. HOM. marier. ☞ marier.

marier v. **1.** Unir un homme et une femme par le mariage: *C'est le curé de la paroisse qui les a mariés.* **2.** Donner en mariage: *C'est demain que nous marions notre fils.* **3.** fig. Unir, combiner: *Que dirais-tu si on mariait ces deux couleurs?* SYN. assortir. **4.** Au Canada, épouser: *Il l'a mariée par amour.* HOM. marié. ☞ mariage, marié, remariage, remarier. **se marier** v.pron. **1.** S'unir par le mariage: *Ils se sont mariés au Palais de justice.* SYN. s'épouser. ANT. divorcer. **2.** Épouser: *Daniel va se marier avec Françoise.* SYN. s'unir. ANT. se séparer.

marijuana n.f. (esp.) Substance produite par une variété de chanvre indien et utilisée comme drogue: *Elle fumait de la marijuana.* **R.** Aussi, *marihuana*. Les lettres *ju* se prononcent *ou*.

marin n.m. Personne dont le métier est de naviguer sur la mer: *Ces marins travaillent sur un gros bateau.* SYN. matelot, navigateur. ⁄⁄ *Marin d'eau douce:* Navigateur médiocre. **R.** L'O.L.F. recommande que le nom *marin* soit aussi employé au féminin. ☞ marine, marinier, sous-marin.

marin, ine adj. **1.** Qui se rapporte à la mer: *Le requin et la baleine sont des animaux marins.* **2.** Qui se rapporte à la navigation sur mer: *La capitaine consulte la carte marine.* SYN. maritime. ⁄⁄ *Avoir le pied marin:* Être à l'aise sur un bateau, ne pas avoir le mal de mer. ☞ sous-marin.

marina n.f. (it.) Ensemble immobilier construit au bord de l'eau, comprenant des installations portuaires pour les bateaux de plaisance et des habitations: *Le voilier revient à la marina.*

marinade n.f. **1.** Mélange liquide composé de vinaigre, de sel et d'épices, dans lequel on fait tremper les viandes et les poissons pour les attendrir ou les conserver: *Les morceaux de lapin trempent dans la marinade.* **2.** Aliment mariné: *Nous avons mangé une marinade de hareng.* ☞ mariner.

marinage n.m. Action de tremper dans un liquide composé de vinaigre, de sel et d'épices, en parlant d'un aliment: *Le marinage permet d'attendrir et de conserver certaines viandes et certains poissons.* ☞ mariner.

marine n.f. et adj.invar. **1.** n.f. Navigation sur mer: *As-tu déjà visité un musée de la marine?* **2.** n.f. Ensemble des navires d'un pays: *Ces navires appartiennent à la marine marchande de la Grèce.* SYN. flotte. **3.** n.f. Marine de guerre d'un pays: *Ma cousine sert dans la marine canadienne.* **4.** adj.invar. Qui est bleu foncé, comme les uniformes de la marine: *Je* *porte un pantalon bleu marine.* ☞ marin (n.m.).

marine n.m. (angl.) Soldat de l'infanterie dans les forces navales américaines ou britanniques: *Les marines sont spécialement entraînés pour les opérations de débarquement.*

mariné, ée adj. Qui est trempé ou conservé dans une marinade: *J'aime beaucoup le hareng mariné.* HOM. mariner. ☞ mariner.

mariner v. **1.** Faire tremper un aliment dans un mélange liquide composé de vinaigre, de sel, d'épices, pour l'attendrir ou le conserver: *Fais mariner le lièvre: il sera plus tendre et aura meilleur goût.* **2.** Tremper dans une marinade: *Ce poisson doit mariner plusieurs heures avant la cuisson.* HOM. mariné. ☞ marinade, marinage, mariné.

maringouin n.m. (tupi) Insecte aux longues pattes fines dont la femelle pique la peau des humains et des animaux pour sucer leur sang: *Les piqûres des maringouins provoquent des démangeaisons.*

marinier n.m. Personne dont le métier est de naviguer sur les fleuves, les canaux et les rivières: *Le marinier conduit une péniche sur le fleuve.* SYN. batelier. ☞ marin (n.m.).

marinière n.f. Blouse très ample, sans ouverture sur le devant, que l'on enfile par la tête et qui descend un peu plus bas que la taille: *La marinière est souvent ornée d'un col carré dans le dos.* ⁄ *Moules à la marinière:* Moules cuites dans leur jus avec du vin blanc et des fines herbes.

marionnette n.f. **1.** Petite figure représentant un être humain ou un animal, que l'on fait bouger avec la main ou avec des fils: *Aimes-tu les spectacles de marionnettes?* SYN. guignol, polichinelle. **2.** fig. Personne sans caractère à laquelle on fait faire ce qu'on veut: *Il participait en marionnette à toutes ces expériences dangereuses.* SYN. pantin.

maritime adj. **1.** Qui est situé près de la mer: *Terre-Neuve et le Nouveau-Brunswick sont des provinces maritimes.* **2.** Qui se fait par mer: *La navigation maritime est très importante sur la mer Méditerranée.* **3.** Qui se rapporte à la marine, à la navigation: *La voie maritime du Saint-Laurent fut ouverte à la navigation en 1959.*

marjolaine n.f. Plante aromatique utilisée en cuisine: *La marjolaine est très utilisée dans les mets italiens.*

mark n.m. (all.) Unité monétaire de l'Allemagne: *Si tu vas en Allemagne, il faudra changer tes dollars contre des marks.* HOM. marque.

marmaille n.f.fam. Groupe de petits enfants bruyants: *L'orage a dispersé la marmaille.*

marmelade n.f. (port.) Sorte de confiture faite de fruits écrasés et cuits avec du sucre: *La marmelade d'oranges est délicieuse sur les rôties.* ⁄ *En marmelade:* Réduit en bouillie, écrasé.

marmite n.f. Récipient fermé d'un couvercle et muni d'anses, dans lequel on fait cuire les aliments: *Le pot-au-feu cuit dans la marmite.*

marmiton n.m. Jeune apprenti cuisinier: *Le chef cuisinier donne ses ordres aux marmitons.*

marmonnement n.m. Murmure indistinct: *Si tu as quelque chose à dire, cesse ton marmonnement et explique-toi clairement.* ☞ marmonner.

marmonner v. Prononcer à mi-voix d'une façon indistincte et souvent avec hostilité: *En retournant à sa place, Julien marmonnait des injures.* SYN. bredouiller, murmurer. ANT. crier. ☞ marmonnement.

marmot n.m.fam. Petit enfant: *Une dizaine de marmots s'amusent dans le parc.* SYN. bambin, gamin.

marmotte n.f. **1.** Mammifère rongeur, au corps trapu et massif, aux pattes courtes et à la fourrure épaisse gris argenté ou brune: *La marmotte hiberne plusieurs mois dans un ter-*

marionnettes

rier. SYN. siffleux. **2.** Fourrure de cet animal : *Il y a un beau manteau de marmotte dans la vitrine du fourreur.*

marmottement n.m. Mouvement des lèvres, murmure d'une personne qui parle entre ses dents d'une manière confuse : *Dans l'église, on entendait le marmottement des personnes en prière.* ☞ marmotter.

marmotter v. Parler entre ses dents d'une manière confuse : *La vieille dame marmottait des prières.* SYN. bredouiller, murmurer. ANT. crier. ☞ marmottement, marmotteur.

marmotteur, euse n. et adj. **1.** n. Personne qui parle entre ses dents d'une manière confuse : *Comprends-tu ce que dit ce marmotteur?* **2.** adj. Qui parle entre ses dents d'une manière confuse : *Cette fillette marmotteuse attire l'attention des autres écoliers.* ☞ marmotter.

marocain, aine n. et adj. **1.** n. Personne qui est du Maroc : *Un Marocain, une Marocaine.* **2.** adj. Qui est du Maroc : *Casablanca est une ville marocaine.* HOM. maroquin. **R.** On met la majuscule à *marocain* et à *marocaine* lorsqu'il s'agit du nom.

maroquin n.m. Peau de chèvre ou de mouton tannée au moyen de produits végétaux et teinte : *Pour son anniversaire, je lui ai offert un portefeuille en maroquin.* HOM. marocain. ☞ maroquinerie, maroquinier.

maroquinerie n.f. **1.** Ensemble des industries qui utilisent les cuirs fins pour fabriquer certains articles : *Mohammed travaille dans la maroquinerie.* **2.** Magasin où l'on vend des articles en maroquin, en cuir fin : *J'ai acheté ce sac à main dans une maroquinerie.* **3.** Objets fabriqués en maroquin, en cuir fin : *Où as-tu acheté ces maroquineries?* ☞ maroquin.

maroquinier, ière n. Personne qui fabrique ou vend des objets faits en maroquin, en cuir fin : *La maroquinière m'a montré des porte-monnaie, des porte-clés et des sacs à main.* ☞ maroquin.

marotte n.f. Idée fixe, manie : *Danielle collectionne les étiquettes, c'est sa marotte.* SYN. dada, fantaisie.

marouette n.f. Petit oiseau échassier qui niche dans les herbes au bord des cours d'eau et des marais : *La marouette est parfois appelée «râle d'eau».*

marquage n.m. Action d'appliquer une marque sur un animal, un arbre, une marchandise : *L'éleveuse a procédé au marquage des bêtes de son troupeau.* ☞ marquer.

marquant, ante adj. Qui laisse un souvenir : *La journaliste a fait le résumé des événements marquants de l'année.* SYN. important, mémorable, remarquable, saillant. ANT. banal, insignifiant, négligeable. ☞ marquer.

marque n.f. **1.** Signe particulier fait sur une chose pour la reconnaître : *N'oubliez pas de faire des marques sur vos articles scolaires.* SYN. trait. **2.** Trace, empreinte : *La bicyclette a laissé des marques de roues dans le sentier.* **3.** Tout ce qui sert à retrouver, à reconnaître quelque chose : *Je mets une marque dans mon livre pour retrouver rapidement la page.* SYN. repère, signet. **4.** Signe distinctif, nom d'un produit : *Peux-tu me nommer cinq marques d'automobile?* **5.** Décompte des points gagnés au cours d'une compétition : *À la fin du match, la marque était de 6 à 0.* **6.** Repère fait sur le sol ou dispositif assurant une bonne position aux pieds des coureurs de vitesse pour prendre le départ : *On entend soudain : «À vos marques... Prêts? ... Partez!»* **7.** fig. Preuve, témoignage : *Ces enfants m'ont donné des marques d'affection.* **8.** fig. Caractère propre, signe : *Tes paroles portent la marque du bon sens.* HOM. mark. ⁄⁄ *Marque de fabrique, de commerce :* Signe servant à distinguer les produits d'un fabricant, d'une entreprise. ☞ marquer.

marquer v. **1.** Mettre une marque, un signe sur quelque chose : *Les pensionnaires doivent marquer leur linge.* SYN. étiqueter. **2.** Laisser une trace : *Des taches d'encre marquent la couverture de ton cahier.* **3.** Indiquer : *L'horloge marque 2 heures.* **4.** Signaler par une marque : *Cette clôture marque la limite de notre terrain.* SYN. délimiter. **5.** fam. Noter, écrire : *J'ai oublié de marquer ton adresse dans mon carnet.* **6.** fig. Révéler, montrer : *Ses moindres gestes marquent sa grande générosité.* SYN. exprimer. ANT. cacher, taire. **7.** fig. Laisser un souvenir durable : *La naissance de mon petit frère a marqué mon enfance.* **8.** Surveiller de très près un adversaire, dans les sports : *N'oublie pas de marquer cette joueuse : elle est dangereuse.* **9.** fig. Signaler, faire connaître : *Elle tenait à marquer son désaccord.* SYN. exprimer, manifester, montrer. ANT. cacher. ⁄⁄ *Marquer le coup :* Souligner l'importance d'un événement. *Marquer le pas :* Piétiner sur place, en cadence, sans avancer. *Marquer un but :* Réussir un but. *Marquer un point :* Obtenir un avantage sur un adversaire. ☞ se démarquer, marquage, marquant, marque, marqueur, remarquer.

marqueterie n.f. **1.** Assemblage décoratif de lamelles de bois précieux, de nacre, d'ivoire ou d'écaille, employé en revêtement sur un fond de menuiserie : *On m'a offert un magnifique coffret en marqueterie.* **2.** Branche de l'ébénisterie qui fabrique ces ouvrages: *Le noyer, l'ébène, l'olivier et l'érable sont des bois de marqueterie.* **R.** S'écrit avec un seul *t*.

marqueur n.m. Crayon feutre qui trace un trait large: *Je me sers du marqueur pour tracer le contour de ces lettres.* ☞ marquer.

marqueur, euse n. **1.** Personne qui marque un animal, une marchandise, etc.: *Le marqueur de bétail a terminé sa besogne.* **2.** Personne qui inscrit les points: *La marqueuse n'a pas encore inscrit au tableau le dernier point.* **3.** Personne qui marque un but: *Ce joueur est très efficace: c'est un bon marqueur.* ☞ marquer.

marquis n.m. Titre de noblesse entre celui de duc et de comte: *Monsieur le Marquis a reçu ses invités.* ☞ marquise.

marquise n.f. Femme d'un marquis: *La Marquise a organisé un grand bal.* ☞ marquis. ▲ **marquise** n.f. Auvent généralement vitré, placé au-dessus d'une porte d'entrée, d'un perron, d'un quai de gare: *La marquise nous protège des intempéries.*

marraine n.f. **1.** Femme qui présente un enfant au baptême et qui promet de veiller sur son éducation religieuse: *Mon parrain et ma marraine m'ont tenu sur les fonts baptismaux.* **2.** Femme qui préside au lancement d'une cloche, d'un navire: *On l'a choisie pour être la marraine au lancement du navire.* **R.** Au masculin, *parrain*.

marrant, ante adj.fam. **1.** Qui est amusant, comique: *Nous avons vu un film marrant.* SYN. drôle. ANT. triste. **2.** Qui est bizarre, étonnant: *C'est marrant qu'elle ne nous ait pas prévenu de son retard.* ☞ se marrer.

marre adv.fam. Assez: *J'en ai marre de tous tes mensonges.* HOM. marc, mare.

se marrer v.pron.fam. Rire, s'amuser: *Mes amies se sont bien marrées quand je leur ai raconté cette histoire.* ☞ marrant.

marron n.m. et adj.invar. **1.** n.m. Fruit du châtaignier cultivé: *À Noël, nous avons mangé une dinde aux marrons.* **2.** n.m. Graine non comestible du marronnier: *Le marron d'Inde est surtout utilisé en pharmacie contre les troubles circulatoires.* **3.** n.m. Couleur brun-rouge: *Le marron te va très bien.* **4.** adj. invar. Qui est de couleur brun-rouge: *L'ami de maman s'est acheté un pantalon marron.* ⁄⁄ *Marron glacé:* Châtaigne confite dans du sucre. ☞ marronnier.

marronnier n.m. **1.** Nom d'une variété de châtaignier cultivé qui produit les marrons: *Le marronnier est un arbre de grande taille à feuilles dentées.* **2.** Grand arbre ornemental à fleurs blanches ou rouges disposées en pyramides: *La graine du marronnier porte le nom de marron d'Inde.* ☞ marron.

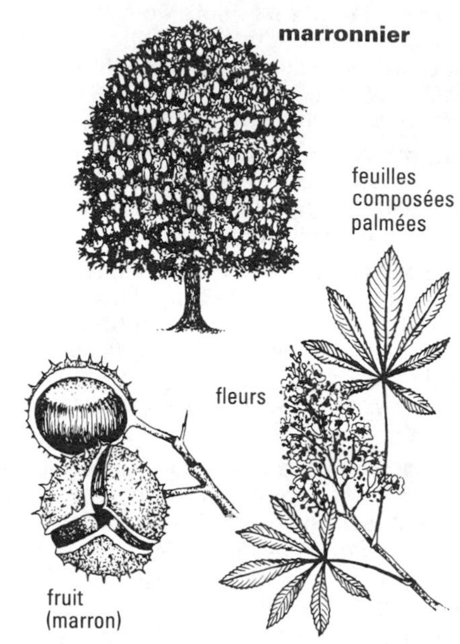

mars n.m.invar. Troisième mois de l'année: *Le printemps commence vers le 21 mars.*

marseillais, aise n. et adj. **1.** n. Personne qui habite à Marseille: *Un Marseillais, une Marseillaise.* **2.** adj. Qui est de Marseille: *L'accent marseillais est facilement reconnaissable.* ⁄⁄ *La Marseillaise:* Hymne national des Français. **R.** On met la majuscule à *marseillais* et à *marseillaise* lorsqu'il s'agit du nom.

marsouin n.m. (scand.) Mammifère cétacé plus petit que le dauphin, à museau bombé et à courte nageoire dorsale en forme de triangle: *Les marsouins vivent dans les eaux côtières et se déplacent en bancs d'une centaine d'individus.*

marsupial, ale, aux adj. Qui est en forme de bourse, en parlant d'un organe propre aux kangourous, aux koalas, aux opossums, etc.: *Les petits kangourous achèvent leur développement dans la poche marsupiale.* ☞ marsupiaux.

marsupiaux n.m.plur. Ordre de mammifères dont la femelle a une poche ventrale contenant des mamelles et dans laquelle les petits achèvent leur développement après la naissance: *Le koala, le kangourou et la sarigue sont des marsupiaux.* **R.** S'écrit au singulier lorsqu'il désigne un animal appartenant à cet ordre. ☞ marsupial.

marteau, eaux n.m. **1.** Outil formé d'une tête en acier fixée à un manche, qui sert à frapper, à enfoncer: *La menuisière enfonce les clous avec un marteau.* **2.** Pièce de bois garnie de feutre qui frappe la corde d'un piano quand on abaisse la touche correspondante du clavier: *Ce sont les marteaux qui produisent les sons.* **3.** Sphère métallique reliée à une poignée par un fil d'acier, que les athlètes doivent lancer le plus loin possible: *Il est champion au lancer du marteau.* **4.** Un des osselets de l'oreille moyenne: *Le marteau et l'enclume sont des osselets de l'oreille moyenne.* ⫽ *Marteau pneumatique:* Appareil constitué d'un outil et d'un corps cylindrique dans lequel un piston fonctionnant à air comprimé frappe avec force sur l'outil. *Requin-marteau:* Requin dont la tête porte deux prolongements latéraux où sont situés les yeux. ☞ marteau-pilon, marteau-piqueur, martelage, martèlement, marteler.

marteau-pilon n.m. Marteau mécanique agissant verticalement à la vapeur, à l'air comprimé ou à l'électricité et servant à forger les pièces de métal de grande dimension: *Le marteau-pilon provoque la déformation du métal par l'action d'une masse tombante.* **R.** Au pluriel, *marteaux-pilons*. ☞ marteau.

marteau-piqueur n.m. Machine-outil à air comprimé munie d'une pointe servant à disloquer les matériaux durs: *L'ouvrier se sert d'un marteau-piqueur pour défoncer les trottoirs.* **R.** Au pluriel, *marteaux-piqueurs*. ☞ marteau.

martel n.m.vx Marteau: *Autrefois, le marteau s'appelait «martel».* **R.** Ne s'emploie plus que dans l'expression «se mettre martel en tête».

martelage n.m. Opération par laquelle on façonne quelque chose à coups de marteaux: *Le martelage sert à donner une forme au métal.* ☞ marteau.

martèlement n.m. **1.** Bruit du marteau: *En entrant dans la forge, on n'entendait plus qu'un martèlement assourdissant.* **2.** Bruit sonore et cadencé rappelant celui du marteau: *Le martèlement de tes bottes dans l'escalier m'a réveillé.* **R.** Aussi, *martellement*. ☞ marteau.

marteler v. **1.** Façonner à coups de marteaux: *La forgeronne martèle la barre de fer sur l'enclume.* SYN. frapper. **2.** Frapper fort et à coups répétés: *Il martelait la porte à coups de poing.* **3.** fig. Articuler avec force en détachant les syllabes: *La directrice martelait ses mots d'une voix forte.* SYN. accentuer. ☞ marteau.

martelé, ée p.p. et adj. **1.** Qui est travaillé au marteau: *Cette casserole de cuivre martelé est très ancienne.* **2.** Qui est émis avec force en détachant bien les sons, les notes: *La pianiste a joué des notes martelées.*

martial, ale, aux adj. **1.** Qui se rapporte à la guerre, à l'armée: *Les discours martiaux excitaient l'ardeur de la foule.* SYN. militaire. ANT. pacifique. **2.** Qui a un air guerrier: *Les manifestants défilaient au son d'une musique martiale.* SYN. décidé. ANT. peureux, timide. ⫽ *Arts martiaux:* Sports de combat d'origine japonaise, tels que le judo, le karaté, l'aïkido, le jiu-jitsu. *Cour martiale:* Tribunal militaire exceptionnel. *Loi martiale:* Loi qui confie le maintien de l'ordre aux autorités militaires.

martien, ienne n. et adj. **1.** n. Habitant supposé de la planète Mars: *Crois-tu à l'existence des martiens?* **2.** adj. Qui se rapporte à la planète Mars: *L'observation martienne nous a permis d'apprendre que la planète a une surface rocailleuse et désertique.*

martin-chasseur n.m. Oiseau passereau des forêts tropicales, voisin du martin-pêcheur: *Le martin-chasseur se nourrit d'insectes et de reptiles.* **R.** Au pluriel, *martins-chasseurs*.

martinet n.m. Oiseau passereau aux longues ailes étroites, aux pattes fines, ressemblant beaucoup à l'hirondelle: *Les martinets se nourrissent d'insectes capturés en vol.*
▲ **martinet** n.m. Petit fouet formé de plusieurs lanières de corde ou de cuir: *Autrefois, on donnait parfois des coups de martinet aux enfants désobéissants.*

martingale n.f. Demi-ceinture placée dans le dos d'un vêtement, à hauteur de la taille: *Le manteau de Christine a une martingale.*

martini n.m.invar. (marque déposée) Apéritif rouge, blanc ou rosé de la marque de ce nom: *Je peux vous servir un martini en attendant le repas.*

martiniquais, aise n. et adj. **1.** n. Personne qui est de la Martinique: *Un Martiniquais, une Martiniquaise.* **2.** adj. Qui est de la Martinique: *Le tourisme est devenu une ressource importante de l'économie martiniquaise.* **R.** On met la majuscule à *martiniquais* et à *martiniquaise* lorsqu'il s'agit du nom.

martin-pêcheur n.m. Petit oiseau passereau, au plumage vivement coloré, au long bec pointu, qui se nourrit de poissons: *Le martin-pêcheur vit habituellement au bord des cours d'eau.* **R.** Au pluriel, *martins-pêcheurs*. Ne pas oublier l'accent: *ê*.

martre n.f. **1.** Mammifère carnivore au corps long et souple, au museau pointu, à la queue touffue et au pelage brun: *La fourrure* *de la martre est très estimée.* **2.** Fourrure de cet animal: *Ton manteau a un col de martre.* **R.** Aussi, *marte.*

martyr, yre n. et adj. **1.** n. Personne qui a été mise à mort ou torturée plutôt que de renoncer à sa foi, à ses croyances: *Au début de la chrétienté, beaucoup de martyrs ont donné leur vie pour rester fidèles à leur foi.* **2.** n. Personne qui meurt ou qui souffre pour une cause, un idéal: *Il y aura toujours des martyrs de la liberté dans les pays de dictature.* **3.** adj. Qui souffre de mauvais traitements: *Le cas des enfants martyrs soulève la plus grande indignation.* HOM. martyre. ☞ martyre, martyriser.

martyre n.m. **1.** Mort, supplice qu'une personne endure pour sa foi, pour une cause: *Elle a subi le martyre avec courage.* **2.** Grande souffrance physique ou morale: *Ses brûlures lui ont fait souffrir le martyre.* HOM. martyr. ☞ martyr.

martyriser v. Faire souffrir beaucoup, maltraiter à l'extrême: *Certains humains martyrisent les animaux.* SYN. torturer, tourmenter. ☞ martyr.

marxisme n.m. Doctrine philosophique, sociale et économique qui sert de base au communisme: *Le marxisme remet en question l'économie capitaliste.* ☞ marxiste.

marxiste n. et adj. **1.** n. Personne qui est en faveur de la doctrine philosophique, sociale et économique servant de base au communisme: *Les marxistes dénoncent le capitalisme.* **2.** adj. Qui se rapporte au marxisme: *Les militants marxistes s'inspirent des idées de Karl Marx.* ☞ marxisme.

mascarade n.f. (it.) **1.** Réunion, défilé où les participants sont déguisés et masqués: *Des centaines de personnes ont pris part à la mascarade.* **2.** Accoutrement étrange, ridicule: *Qu'est-ce que tu veux prouver avec cette mascarade?* **3.** fig. Mise en scène trompeuse, hypocrite: *Ce concours n'était qu'une mascarade, la gagnante était désignée d'avance.*

mascotte n.f. Objet, personne, animal considérés comme porte-bonheur: *Cet ourson est la mascotte de notre équipe de ballon sur glace.*

masculin n.m. Genre qui s'oppose au féminin: *En français, il y a deux genres: le masculin et le féminin.* ANT. féminin.

masculin, ine adj. **1.** Qui est propre à l'homme: *Je ne sais pas qui téléphone, mais c'est une voix masculine.* ANT. féminin. **2.** Qui se compose d'hommes: *Dans ma ville, la population masculine est légèrement inférieure à la population féminine.* **3.** Qui se rapporte aux hommes: *Il n'y a plus de métiers exclusivement masculins.* **4.** Qui appartient au genre opposé à féminin: *Le mot «autobus» est un nom masculin.* ☞ masculinité.

masculinité n.f. Ensemble des caractères qui sont considérés traditionnellement comme masculins: *La masculinité est perçue différemment d'une société à l'autre.* ANT. féminité. ☞ masculin.

maskinongé n.m. (amérind.) Au Canada, poisson d'eau douce d'Amérique du Nord apparenté au brochet, mais beaucoup plus grand que celui-ci: *La pêcheuse vient d'attraper un maskinongé.*

masochisme n.m. Comportement d'une personne qui prend plaisir à souffrir, qui recherche la douleur et les situations humiliantes: *C'est du masochisme que de regarder une émission aussi ennuyeuse.* ☞ masochiste.

masochiste n. et adj. **1.** n. Personne qui prend plaisir à souffrir, qui recherche la douleur et les situations humiliantes: *Les masochistes peuvent consulter un psychothérapeute.* **2.** adj. Qui prend plaisir à souffrir, qui recherche la douleur et les situations humiliantes: *Il faut être masochiste pour se repaître d'une nourriture aussi infecte.* ☞ masochisme.

masque n.m. (it.) **1.** Objet dont on couvre le visage pour se déguiser ou cacher son identité: *Le soir de l'Halloween, la plupart des enfants portaient des masques.* SYN. déguisement. **2.** fig. Apparence trompeuse sous laquelle on cache ses vrais sentiments: *Sa gentillesse n'est qu'un masque.* **3.** Appareil de protection pour le visage: *Le gardien de but porte un masque.* **4.** Accessoire de plongée sous-marine, isolant de l'eau les yeux et le nez: *La plongeuse ajuste son masque de plongée.* **5.** Appareil que l'on applique sur le nez et la bouche pour administrer un anesthésique ou de l'oxygène: *Avant de décoller, le garçon de service nous a montré comment utiliser le masque d'oxygène.* **6.** Préparation utilisée pour les soins esthétiques du visage: *L'esthéticienne m'a fait un masque de beauté.* ⁄⁄ *Masque à gaz:* Appareil de protection contre les fumées et les gaz toxiques. ☞ démasquer, masqué, masquer.

masqué, ée adj. Qui porte un masque: *Il dévorait les bandes dessinées de son héroïne masquée.* HOM. masquer. ⁄⁄ *Bal masqué:* Bal où l'on porte des masques. ☞ masque.

masquer v. **1.** Cacher: *Ces gratte-ciel masquent le paysage.* SYN. dissimuler. ANT. montrer. **2.** Dissimuler sous de fausses apparences: *Elle a masqué son inquiétude en faisant des plaisanteries.* SYN. voiler. ANT. dévoiler. **3.** Dissimuler un goût, une odeur, par un goût, une odeur plus prononcés: *Ces épices masquent le goût de la viande.* HOM. masqué. ☞ masque.

massacrant, ante adj. Qui est très mauvais: *Quand elle s'est levée, elle était d'une humeur massacrante.* ☞ massacre.

massacre n.m. **1.** Action de tuer en grand nombre et avec sauvagerie des êtres sans défense: *Elle a échappé au massacre des membres de sa tribu.* SYN. carnage, extermination, tuerie. **2.** Fait de mettre à mal un adversaire qui est nettement inférieur: *Le match de boxe s'est terminé par un massacre.* **3.** Fait de mettre quelque chose en très mauvais état: *Quand cessera le massacre de nos forêts?* SYN. gâchis. **4.** Travail très mal fait ou exécution maladroite d'une œuvre: *Tu devrais voir sa coupe de cheveux: c'est un massacre!* ☞ massacrant, massacrer.

massacrer v. **1.** Tuer en grand nombre et avec sauvagerie des êtres sans défense: *L'armée a massacré tout le village.* SYN. assassiner, détruire, exterminer. ANT. épargner, sauver. **2.** Mettre à mal un adversaire qui est nettement inférieur: *Le boxeur n'a pas eu de peine à massacrer son adversaire.* SYN. démolir. **3.** fam. Mettre quelque chose en très mauvais état: *Les oiseaux ont massacré notre jardin.* SYN. abîmer, détruire, saccager. ANT. réparer. **4.** fam. Endommager par un travail maladroit ou par une mauvaise interprétation: *L'orchestre a massacré le concerto.* SYN. défigurer, gâter. ANT. respecter. ☞ massacre.

massage n.m. Action de pétrir différentes parties du corps avec les mains ou à l'aide d'appareils spéciaux pour assouplir les tissus, atténuer une douleur, etc.: *Après un massage, tu te sentiras beaucoup mieux.* ☞ masser.

masse n.f. **1.** Grande quantité d'une matière sans forme précise: *Une masse d'air froid se dirige vers notre région.* **2.** Quantité de matière d'un corps: *Cet enfant a une masse de trente-cinq kilogrammes.* **3.** Grande quantité d'éléments, de choses: *Elle a réuni une masse de documents sur ce sujet.* SYN. tas. ☞ massif (adj.), massivement. ▲ **masse** n.f. **1.** Grand nombre de personnes: *La masse des touristes envahit les plages américaines.* SYN. foule, groupe, multitude. **2.** plur. Couches populaires, gens du peuple: *Ce gouvernement a été élu grâce à la volonté des masses.* ⁄⁄ *La masse:* La majorité. en **masse** loc.adv. **1.** Tous ensemble: *Les invités se déplacent en masse vers le buffet.* **2.** fam. En grande quantité: *Des crayons, j'en ai en masse.* ▲ **masse** n.f. Gros marteau de bois ou de métal qui sert à frapper, à enfoncer: *Le fermier enfonce les poteaux de clôture avec une masse.*

massepain n.m. (it.) Pâtisserie faite avec des amandes, du sucre et des blancs d'œufs: *J'aime le goût délicat du massepain.*

masser v. Rassembler en grand nombre: *Lors de la manifestation, on a massé les syndicats derrière une même bannière.* SYN. assembler, grouper, réunir. ANT. disperser, éparpiller. ☞ masse. se **masser** v.pron. Se rassembler en grand nombre: *La foule s'est massée le long des rues.* ▲ **masser** v. Pétrir différentes parties du corps avec les mains ou à l'aide d'appareils spéciaux pour assouplir les tissus, atténuer une douleur, etc.: *Cette nageuse se fait masser avant chaque compétition.* SYN. frictionner, frotter. ☞ massage, masseur.

masseur, euse n. Personne qui fait des massages de façon professionnelle: *Cette masseuse voyage avec la troupe de ballet.* ☞ masser.

massif n.m. **1.** Ensemble compact d'arbres, de fleurs, d'arbrisseaux: *Les touristes se font photographier devant le massif de roses.* SYN. bosquet. **2.** Ensemble de montagnes, de plateaux, ayant une forme massive: *La rivière coule entre les hauteurs du massif de cette région.*

massif, ive adj. **1.** Qui n'est pas creux, qui n'est pas plaqué: *Cette porte est en chêne massif.* ANT. creux. **2.** Qui a l'air épais, compact, lourd: *Ce monument massif ne plaît pas à la population.* SYN. imposant, volumineux. ANT. léger. **3.** fig. Qui est fait, qui est donné ou pris en grande quantité: *Elle a succombé à une dose massive de médicaments.* ☞ masse.

massivement adv. **1.** En masse, en grand nombre: *Les membres de la famille ont répondu massivement à notre invitation.* **2.** De façon massive, lourde: *Ces édifices manquent d'élégance: ils sont construits massivement.* ☞ masse.

massue n.f. Bâton à grosse tête noueuse servant à assommer: *Autrefois, les chasseurs abattaient les bêtes à coups de massue.*

mastic n.m. Mélange pâteux et collant qui durcit à l'air et qui sert à boucher des trous, à fixer les vitres des fenêtres, etc.: *Le mastic est fait de craie réduite en poudre et d'huile de lin.* ☞ masticage, mastiquer.

masticage n.m. Action de boucher, de fixer avec du mastic: *Le masticage des carreaux n'a pris que quelques minutes.* ☞ mastic.

mastication n.f. Action de broyer les aliments avec les dents avant de les avaler: *La mastication est une étape très importante de la digestion.* ☞ mastiquer.

mastiquer v. Broyer les aliments avec les dents avant de les avaler: *Il est préférable de manger lentement et de bien mastiquer.* SYN. mâcher. ☞ mastication. ▲ **mastiquer** v. Boucher, fixer avec du mastic: *Maman a mastiqué les fentes de la porte.* ☞ mastic.

mastic**a**tion masti**qu**er

mastodonte n.m. **1.** Mammifère fossile, voisin de l'éléphant, qui possédait deux paires de défenses: *Les mastodontes ont disparu il y a très longtemps.* **2.** Personne très grosse: *Si tu continues à t'empiffrer ainsi, tu vas devenir un mastodonte.* **3.** Machine, véhicule énorme: *Au volant de ce mastodonte, Nathalie paraissait toute petite.*

masturbation n.f. Action de procurer le plaisir sexuel en excitant manuellement les parties génitales: *La sexologue est venue nous parler de la masturbation.* ☞ masturber.

masturber v. Procurer le plaisir sexuel en excitant manuellement les parties génitales: *Pendant le cours d'éducation sexuelle, on a expliqué le sens du mot «masturber».* ☞ masturbation. se **masturber** v.pron. Se procurer du plaisir sexuel en excitant manuellement les parties génitales: *Se masturber fait partie du processus de découverte de son corps.*

masure n.f. Maison vieille et délabrée: *Ces pauvres gens habitent dans une masure.* SYN. baraque, cabane. ANT. château, palais.

mat n.m. et adj.invar. (arabe) **1.** n.m. Aux échecs, position du roi qui ne peut plus quitter sa place sans être pris: *Échec et mat, la partie est terminée.* **2.** adj.invar. Qui ne peut plus quitter sa place sans être pris, en parlant du roi aux échecs: *J'ai perdu la partie, mon roi est mat.* **3.** adj.invar. Dont le roi est dans cette position, en parlant du joueur: *Après dix coups, j'étais mat.* **R.** Le *t* se prononce. ☞ mater.

mat, mate adj. **1.** Qui ne brille pas: *Cette peinture mate conviendra davantage pour la chambre à coucher.* ANT. brillant, luisant. **2.** Qui est assez foncé: *Jean-Philippe a le teint mat.* **3.** Qui ne résonne pas: *Le dictionnaire est tombé sur le sol avec un bruit mat.* ANT. sonore. **R.** Le *t* se prononce.

mât n.m. **1.** Longue pièce de bois ou de métal dressée sur le pont d'un navire pour supporter les voiles, les installations radioélectriques: *Pendant la tempête, le mât s'est rompu.* **2.** Longue pièce de bois plantée dans le sol et servant à hisser un drapeau: *On a hissé le drapeau au sommet du mât.* **3.** Pièce de métal servant à soutenir la toile d'une tente: *As-tu bien enfoncé le mât de la tente?* **4.** Longue perche lisse utilisée en gymnastique pour s'exercer à grimper: *La gymnaste a grimpé au mât.* ⫽ *Mât de charge:* Appareil servant à embarquer et à débarquer les marchandises d'un bateau. **R.** Ne pas oublier l'accent: *â*.

matador n.m. (esp.) Dans les courses de taureaux, celui qui est chargé de mettre à mort le taureau: *Le matador porte le coup fatal à la bête.*

matamore n.m. (esp.) Vantard, fanfaron: *Ce matamore n'est brave qu'en paroles.*

match n.m. (angl.) Compétition sportive entre deux équipes, deux adversaires: *Ce match était décisif pour les deux championnes de tennis.* **R.** Au pluriel, *matchs* ou *matches*.

matelas n.m. Sorte de grand coussin rembourré qu'on étend généralement sur un sommier: *Ton matelas à ressorts est-il confortable?* ⫽ *Matelas pneumatique:* Enveloppe gonflable qu'on utilise pour s'allonger en camping ou à la plage. ☞ matelasser.

matelasser v. **1.** Rembourrer en fixant la couche intérieure par des piqûres, des boutons: *Ce fauteuil vient d'être matelassé.* **2.** Doubler d'un tissu ouaté maintenu par des piqûres: *J'ai fait matelasser mon manteau d'hiver.* ☞ matelas. **matelassé, ée** p.p. et adj. **1.** Qui est rembourré: *La porte matelassée du bureau ne laissait passer aucun son.* **2.** Qui est doublé d'un tissu ouaté maintenu par des piqûres: *Cette couverture matelassée te protégera contre le froid.*

matelot n.m. Homme d'équipage qui participe à l'entretien et à la conduite d'un navire: *Les matelots ont hâte d'arriver au port.* **R.** L'O.L.F. recommande que le nom *matelot* soit aussi employé au féminin.

mater v. **1.** Aux échecs, mettre le roi en échec de telle sorte qu'il ne puisse plus quitter sa place sans être pris: *Tu as maté mon roi: j'ai perdu.* **2.** Mettre son adversaire en échec: *J'ai maté mon adversaire en moins de trente minutes.* SYN. vaincre. **3.** fig. Soumettre à son autorité: *Le cowboy a réussi à mater le cheval sauvage.* SYN. assujettir, calmer. ANT. exciter, irriter, soulever. **4.** fig. Réprimer: *Ils n'ont pu mater la révolte.* SYN. étouffer. ☞ mat (n.m. et adj.invar.).

matérialisation n.f. Action de rendre réel, concret: *Il est mort avant d'avoir vu la matérialisation de son projet.* ☞ matière.

matérialiser v. Rendre réel, concret: *Cette aquarelliste matérialise ses rêves au moyen de son pinceau.* ☞ matière. **se matérialiser** v.pron. Devenir réel, concret: *Ses projets se sont matérialisés.*

matérialisme n.m. **1.** Doctrine d'après laquelle rien n'existe en dehors de la matière: *Le matérialisme nie l'existence de l'âme et de Dieu.* **2.** Attitude d'une personne qui recherche uniquement les plaisirs et les biens matériels: *Le matérialisme soutient que les biens matériels peuvent nous rendre heureux.* ☞ matière.

matérialiste n. et adj. **1.** n. Personne qui croit que rien n'existe en dehors de la matière: *Les matérialistes ne croient pas en l'existence d'un monde surnaturel.* **2.** n. Personne qui recherche uniquement les plaisirs et les biens matériels: *Les matérialistes soutiennent que le bonheur vient avec la possession de choses matérielles.* **3.** adj. Qui croit que rien n'existe en dehors de la matière: *Karl Marx était un philosophe matérialiste.* **4.** adj. Qui recherche uniquement les plaisirs et les biens matériels: *Beaucoup de gens sont matérialistes.* ☞ matière.

matériau, aux n.m. Matière servant à construire, à fabriquer: *Le béton est un matériau très résistant.* ☞ matériaux.

matériaux n.m.plur. **1.** Ensemble des matières d'origine naturelle ou artificielle qui entrent dans la construction d'un bâtiment, d'un véhicule, d'une machine: *Les travaux commenceront quand nous aurons tous les matériaux de construction.* **2.** fig. Éléments qui forment un tout: *L'historienne a rassemblé tous les matériaux pour la rédaction de son livre.* SYN. documents, faits, renseignements. ☞ matériau.

matériel n.m. **1.** Ensemble d'outils, d'instruments, de machines utilisés dans une usine, un service, une exploitation. *Cette usine dispose d'un matériel très moderne.* SYN. outillage. **2.** Ensemble des objets nécessaires à un sport, à une activité: *Nous avons déjà transporté tout le matériel de camping.* SYN. équipement. **3.** En informatique, ensemble des éléments physiques utilisés pour le traitement des données: *Dans un système informatique, il y a le logiciel et le matériel.*

matériel, elle adj. **1.** Qui est formé de matière: *Les arbres, les pierres, les cours d'eau font partie de l'univers matériel.* SYN. physique. ANT. immatériel. **2.** Qui est réel, concret: *On a montré les preuves matérielles de sa fraude.* SYN. palpable, tangible. ANT. abstrait, invisible. **3.** Qui concerne les choses et non les personnes: *L'ouragan a causé beaucoup de dégâts matériels.* **4.** Qui se rapporte aux nécessités de la vie, à l'argent: *Ce travail comporte bien des avantages matériels.* SYN. financier, pécuniaire. **5.** fig. et péj. Qui est attaché aux plaisirs et aux biens matériels: *Cette femme est très matérielle: elle ne pense qu'à s'enrichir.* ☞ matière.

matériellement adv. **1.** Par rapport aux biens matériels, à l'argent: *Ces travailleuses ne sont pas favorisées matériellement.* **2.** En fait: *Il est matériellement impossible de terminer ce travail avant demain.* ☞ matière.

maternel, elle adj. **1.** Qui se rapporte à la mère: *L'allaitement maternel convient bien à ce bébé.* **2.** Qui est du côté de la mère: *Tous les dimanches, nous rendons visite à notre grand-mère maternelle.* **3.** Qui a le comportement d'une mère: *Elle est très maternelle avec ses petits frères.* ⁄⁄ *École maternelle:* Établissement scolaire qui reçoit les enfants de cinq ans. *Langue maternelle:* Première langue apprise par un enfant. ☞ maternelle, maternellement, materner, maternité.

maternelle n.f. Établissement scolaire où l'on reçoit les enfants de cinq ans: *Avant d'entrer en première année, les enfants vont à la maternelle.* ⁄⁄ *Prématernelle:* Établissement scolaire qui reçoit les enfants de quatre ans. ☞ maternel.

maternellement adv. De façon maternelle, comme une mère: *Cet infirmier traite maternellement ses patients.* ☞ maternel.

materner v. Entourer quelqu'un de soins excessifs: *Il a tendance à materner cette enfant.* ☞ maternel.

maternité n.f. **1.** État d'une mère: *Ma nièce va bientôt connaître les joies et les peines de la maternité.* **2.** Fait de porter un enfant et de lui donner naissance: *Elle est épuisée par des maternités trop difficiles.* ☞ maternel.

mathématicien, ienne n. Personne qui est spécialiste des mathématiques: *Sir Isaac Newton fut un physicien et un mathématicien célèbre.* ☞ mathématique.

mathématique n.f. Ensemble des sciences qui étudient les nombres, les grandeurs, les figures géométriques: *Anne-Marie excelle en mathématique.* **R.** Aussi, *math* ou *maths*. Dans le langage courant, s'emploie plutôt au pluriel. ☞ mathématicien, mathématiquement.

mathématique adj. **1.** Qui se rapporte aux mathématiques: *L'algèbre, la géométrie, l'arithmétique sont des disciplines mathématiques.* **2.** fig. Qui est très exact, rigoureux: *Elle a tout organisé avec une précision mathématique.*

mathématiquement adv. **1.** Selon les méthodes mathématiques: *Cette chercheuse a démontré mathématiquement la validité de sa théorie.* **2.** Avec une très grande exactitude: *Tout ce qu'il nous a appris était mathématiquement exact.* ☞ mathématique.

matière n.f. **1.** Substance dont sont faits les corps et qu'on peut percevoir par les sens: *La matière se manifeste sous trois états: solide, liquide et gazeux.* **2.** Substance dont est faite une chose: *Le marbre est une matière dure, tandis que le cristal est une matière fragile.* SYN. corps, élément. **3.** fig. Contenu d'un ouvrage: *C'est en observant les animaux qu'il a trouvé la matière de son livre de sciences naturelles.* SYN. objet, sujet. **4.** fig. Ce qui est étudié, enseigné: *De toutes les matières scolaires, c'est le français que je préfère.* SYN. discipline. **5.** fig. Domaine, sujet: *Je ne peux répondre à votre question, car je suis ignorant en cette matière.* SYN. question. ⫽ *Entrée en matière:* Introduction, commencement d'un exposé, d'un discours. *Matière grise:* Cerveau. *Matières grasses:* Substances alimentaires qui contiennent des corps gras (beurre, huile, margarine, crème). *Matières premières:* Matériaux d'origine naturelle qui n'ont pas encore été transformés. *Table des matières:* Liste des sujets traités dans un ouvrage. ☞ immatériel, matérialisation, matérialiser, matérialisme, matérialiste, matériel (adj.), matériellement.
en **matière de** loc.prép. En ce qui concerne: *Tu t'y connais beaucoup en matière d'arts.*

matin n.m. **1.** Commencement du jour: *J'aime bien marcher dans la fraîcheur du matin.* SYN. aube, aurore. ANT. nuit, soir. **2.** Partie de la journée comprise entre le lever du soleil et midi: *Demain matin, vous avez un examen de mathématiques.* SYN. matinée. **3.** Espace de temps compris entre minuit et midi: *J'ai entendu le chien japper vers 3 heures du matin.* ⫽ *De bon matin:* Très tôt. ☞ matinal, matinée.

matinal, ale, aux adj. **1.** Qui se rapporte au matin: *La brise matinale agitait les rideaux de ma fenêtre.* **2.** Qui se lève tôt: *Les personnes matinales n'aiment pas traîner au lit.* ☞ matin.

matinée n.f. **1.** Partie de la journée comprise entre le lever du soleil et midi: *Nous avons travaillé toute la matinée: c'est le temps d'aller dîner.* ANT. après-midi, soirée. **2.** Spectacle qui a lieu dans l'après-midi: *Les Grands Ballets canadiens donnent une représentation en matinée.* ⫽ *Faire la grasse matinée:* Rester tard au lit, se lever tard. ☞ matin.

matou, ous n.m. Chat domestique mâle, non castré: *À qui appartient ce gros matou?*

matraquage n.m. **1.** Action de frapper à coups de matraque: *La journaliste a assisté au matraquage des manifestants.* **2.** fig. Répétition fréquente d'un message, d'un slogan: *Le matraquage publicitaire est commencé depuis hier.* ☞ matraque.

matraque n.f. (arabe) Arme faite d'un cylindre de bois ou de caoutchouc durci, servant à frapper, à assommer: *Les manifestantes ont été dispersées à coups de matraque.* ☞ matraquage, matraquer.

matraquer v. **1.** Frapper à coups de matraque: *Les soldats ont matraqué de nombreux civils.* **2.** fig. Demander un prix trop élevé pour un produit, un service: *Cette marchande matraque ses clients.* SYN. exploiter, voler. **3.** fig. Répéter plusieurs fois un message, un slogan: *Les postes de radio matraquent ce message publicitaire depuis quelques jours.* ☞ matraque.

matrice n.f. Moule en creux ou en relief servant à donner une forme à un objet: *À l'aide d'une matrice, on peut fabriquer plusieurs objets de même forme.*

matricule n.m. et adj. **1.** n.m. Numéro inscrit sur un registre: *La prisonnière porte le matricule 324.* SYN. immatriculation. **2.** adj. Qui se rapporte à un registre: *Quel est le numéro matricule de cette soldate?*

matricule n.f. Liste, registre où sont inscrits, avec un numéro, les noms de toutes les personnes qui entrent dans un établissement, un groupe: *Les noms des prisonniers sont inscrits sur la matricule.* ☞ immatriculation, immatriculer.

matrimonial, ale, aux adj. Qui se rapporte au mariage: *Cette agence matrimoniale organise des rencontres entre des personnes qui veulent se marier.*

matrone n.f. **1.** Femme d'âge mûr, d'allure imposante: *Le caractère grave de la matrone l'intimidait.* **2.** péj. Grosse femme vulgaire: *La compagnie de cette matrone me déplaît.*

maturation n.f. **1.** Fait de mûrir, en parlant d'un fruit: *On peut hâter la maturation des fruits.* **2.** fig. Fait de parvenir à son plein développement: *Nous avons assisté à la maturation de son talent.* ☞ maturité.

mature adj. **1.** Se dit d'un animal ou d'un végétal arrivé à son plein développement: *Ces pommiers matures produiront des fruits cette année.* **2.** Qui est prêt à se reproduire, en parlant du poisson: *Les saumons matures retournent à leur lieu de naissance pour y frayer.* **R.** N'a pas le sens de *mûre*, en parlant d'une personne. ☞ maturité.

maturité n.f. État d'un fruit qui est mûr: *Ces pommes sont arrivées à maturité.* ☞ maturation. ▲ **maturité** n.f. **1.** Période de la vie, entre la jeunesse et la vieillesse, où l'être humain atteint son plein développement physique et intellectuel: *Papa a quarante ans: il est en pleine maturité.* SYN. épanouissement. ANT. enfance. **2.** fig. État de ce qui est arrivé à son plein développement: *La maturité d'esprit ne s'acquiert pas du jour au lendemain.* SYN. plénitude. ANT. immaturité. **3.** Sûreté du jugement, de la réflexion: *Elle a beaucoup de maturité pour son jeune âge.* SYN. expérience, sagesse. ANT. immaturité. ☞ immature, immaturité, maturation, mature.

maudire v. **1.** Souhaiter du mal à quelqu'un: *Elle maudissait le chauffard qui l'avait rendue infirme.* SYN. haïr. ANT. adorer. **2.** Exprimer sa colère contre quelque chose que l'on déteste: *Il a connu la guerre et la maudit.* SYN. condamner. ANT. bénir. **3.** Condamner à l'enfer, dans le langage religieux: *Selon la Bible, Dieu a maudit Caïn pour avoir tué son frère Abel.* ☞ malédiction, maudit.

maudit, ite n. et adj. **1.** n. Personne qui est condamnée à l'enfer, selon la religion: *Selon la Bible, au jugement dernier, Dieu dira: «Allez, maudits, au feu éternel.»* SYN. damné. **2.** adj. Qui est condamné à l'enfer: *Selon la Bible, Caïn fut maudit pour avoir tué son frère.* SYN. damné. ANT. bienheureux. **3.** adj. Qui est rejeté par la société: *Ces poètes maudits n'ont pas été reconnus de leur vivant.* ANT. chéri. **4.** adj. Qui est détestable, désagréable: *Cette maudite pluie va-t-elle bientôt cesser?* ANT. agréable. ☞ maudire.

maugréer v. Manifester sa mauvaise humeur en protestant entre ses dents: *L'employé retourna à son bureau en maugréant contre la patronne.* SYN. grogner, pester, rouspéter. ANT. jubiler.

mauritanien, enne n. et adj. **1.** n. Personne qui est de la Mauritanie: *Un Mauritanien, une Mauritanienne.* **2.** adj. Qui est de la Mauritanie: *Le peuple mauritanien vit en Afrique occidentale.* **R.** On met la majuscule à *mauritanien* et à *mauritanienne* lorsqu'il s'agit du nom.

mausolée n.m. Monument funéraire somptueux de très grandes dimensions: *J'ai visité le mausolée de Lénine à Moscou.* SYN. sépulcre, tombeau.

maussade adj. **1.** Qui est triste et désagréable: *Je suis toujours maussade quand je me lève.* SYN. acariâtre, grincheux, grognon, hargneux, revêche. ANT. charmant, jovial. **2.** Qui est ennuyeux, triste: *Le temps est plutôt maussade pour un pique-nique.* SYN. désagréable, morose, terne. ANT. attrayant, enchanteur, gai.

mauvais n.m. et adv. **1.** n.m. Ce qui est mauvais, défectueux dans quelque chose: *Je ne dis pas qu'il n'y a que du mauvais dans cette affaire.* **2.** adv. S'emploie avec un verbe pour exprimer quelque chose de désagréable: *Cette viande sent mauvais, il faut la jeter.* ⫽ *Faire mauvais:* Faire un temps désagréable.

mauvais, aise adj. **1.** Qui a un défaut, une imperfection: *Les personnes myopes ont une mauvaise vue.* SYN. défectueux, déficient, faible, imparfait. ANT. bon, excellent. **2.** Qui ne convient pas: *Tu es arrivée au mauvais moment.* SYN. défavorable, inopportun. ANT. favorable. **3.** Qui est désagréable au goût, à l'odorat: *Ton chien a mauvaise haleine.* SYN. fétide, malodorant. ANT. parfumé, suave. **4.** Qui est défavorable, pénible: *Je viens de recevoir une mauvaise nouvelle.* SYN. fâcheux, inquiétant, pénible. ANT. heureux. **5.** Qui est peu accommodant: *Chloé a un mauvais caractère.* SYN. détestable, insupportable, odieux. ANT. agréable, conciliant, facile. **6.** Qui ne vaut rien ou presque: *Je ne te conseille pas ce film: il est très mauvais.* SYN. médiocre, nul. ANT. réussi. **7.** Qui est porté à faire le mal: *Je me méfie de lui: c'est un homme mauvais.* SYN. cruel, dur, méchant. ANT. bon, charitable, humain. **8.** Qui est contraire à la morale: *On l'a puni pour sa mauvaise action.* SYN. immoral, indigne. ANT. honnête, louable. **9.** Qui n'a pas les qualités qu'il faudrait: *C'est un mauvais comédien.* SYN. incapable, incompétent, lamentable. ANT. adroit, doué, habile. **10.** Qui montre de la méchanceté: *Elle eut un rire mauvais en apprenant la défaite de son adversaire.* SYN. malveillant. ANT. affable. ⫽ *Avoir mauvaise mine:* Avoir l'air malade. *Mauvaise tête:* Personne qui n'a pas bon caractère. *Mer mauvaise:* Mer très agitée. *Prendre en mauvaise part:* Prendre dans un sens défavorable.

mauve n.m. et adj. **1.** n.m. Couleur violet pâle: *Le mauve est très à la mode cette année.* **2.** adj. Qui est de la couleur violet pâle: *Gina porte un ruban mauve dans ses cheveux.*

mauviette n.f. Personne faible, d'apparence fragile et maladive: *Cette mauviette ne me fait pas peur.*

maxillaire n.m. et adj. **1.** n.m. Os des mâchoires: *Le maxillaire supérieur et le maxillaire inférieur forment les mâchoires.* **2.** adj. Qui se rapporte aux mâchoires: *L'os maxillaire inférieur est mobile.* **R.** Les deux *l* peuvent se prononcer comme un seul *l* ou comme dans *famille*.

maximal, ale, aux adj. Qui est le plus grand, le plus haut, le plus nombreux, etc.: *La température maximale enregistrée cet été était de 35 °C.* ☞ maximum.

maxime n.f. Formule courte qui exprime une règle de conduite ou une réflexion: *« Une âme saine dans un corps sain » est une maxime ancienne.* SYN. adage, dicton, précepte, proverbe.

maximiser v. Porter à son plus haut degré: *Il faut maximiser nos chances de succès.* ☞ maximum.

maximum n.m. et adj. (lat.) **1.** n.m. Le plus haut degré, la plus grande valeur, la plus grande quantité qu'une chose puisse atteindre: *Je t'ai donné le maximum de chances.* ANT. minimum. **2.** adj. Qui constitue le plus haut degré, la plus grande valeur qu'une chose puisse atteindre: *Il ne faut jamais dépasser la vitesse maximum sur les routes.* SYN. maximal. ANT. minimal, minimum. ⁄⁄ *Être condamné au maximum:* Limite supérieure d'une peine qu'un juge peut imposer. **R.** Les lettres *um* se prononcent *omm*. Au pluriel, *maximums* ou *maxima*. ☞ maximal, maximiser. au **maximum** loc.adv. **1.** Au plus haut degré: *J'ai utilisé cette machine au maximum.* **2.** Au plus: *Cela coûtera dix dollars au maximum.*

maya n.m. et adj. **1.** n.m. Famille de langues indiennes de l'Amérique centrale: *Le maya est encore parlé de nos jours.* **2.** adj. Qui se rapporte aux Mayas, peuple indien de l'Amérique centrale: *La civilisation maya est très ancienne.*

mayonnaise n.f. Sauce froide et épaisse composée d'œufs, d'huile, de vinaigre et d'assaisonnements variés: *Je mets de la mayonnaise dans ma salade.*

mazout n.m. (russe) Combustible liquide, épais et brun, provenant du pétrole: *La chaudière de notre chauffage central fonctionne au mazout.* **R.** Le *t* se prononce.

mazurka n.f. (pol.) **1.** Danse à trois temps, d'origine polonaise: *Apprends-moi à danser la mazurka.* **2.** Pièce musicale composée sur un rythme de mazurka: *Nous avons écouté des polonaises et des mazurkas.*

me pron.pers. Pronom personnel de la première personne du singulier, complément direct ou indirect: *Tes amis me regardent: ils veulent me parler.* **R.** Devient *m'* devant une voyelle ou un *h* muet.

mean ☞ sect. anglicismes et canadianismes.

méandre n.m. **1.** Courbes, détours d'un cours d'eau, d'une route: *Du haut des airs, on aperçoit les méandres de la rivière.* SYN. sinuosité. **2.** fig. Détour: *Les électeurs ne comprennent pas toujours les méandres de la politique.* SYN. biais, ruse.

mécanicien, ienne n. Personne dont le métier est de monter, d'entretenir ou de réparer les machines, les moteurs: *La mécanicienne a réparé le moteur de la voiture.* ☞ mécanique.

mécanique n.f. et adj. **1.** n.f. Science qui s'occupe de la construction et du fonctionnement des machines: *Je m'intéresse beaucoup à la mécanique.* **2.** n.f. Ensemble de pièces qui produisent ou qui transmettent un mouvement: *Josée essaie de comprendre la mécanique de sa montre.* SYN. mécanisme. **3.** n.f. Machine: *Sa nouvelle voiture est une belle mécanique.* **4.** adj. Qui fonctionne au moyen d'un mécanisme: *Mes grands-parents possédaient un piano mécanique.* SYN. automatique. **5.** adj. Qui est effectué au moyen de machines: *Dans ces usines de textile, le tissage est mécanique.* **6.** adj. Qui se rapporte au fonctionnement d'un mécanisme, d'une machine, d'un moteur: *L'automobiliste a eu des ennuis mécaniques.* **7.** adj.fig. Qui n'est pas réfléchi: *Elle m'a salué d'un geste mécanique.* SYN. machinal. ANT. volontaire. ☞ mécanicien, mécaniquement, mécanisation, mécaniser, mécanisme.

mécaniquement adv. De façon mécanique, sans réfléchir: *Tu l'as salué mécaniquement, sans même le regarder.* ☞ mécanique.

mécanisation n.f. Action d'introduire l'utilisation des machines dans une activité: *La mécanisation de l'agriculture a supplanté l'usage des chevaux de trait.* ☞ mécanique.

mécaniser v. Introduire l'utilisation des machines dans une activité: *La propriétaire de cette petite usine a décidé de mécaniser la production.* ☞ mécanique.

mécanisme n.m. **1.** Ensemble de pièces disposées en vue d'un fonctionnement: *As-tu déjà observé le mécanisme d'une horloge?* **2.** fig. Manière dont fonctionne une chose complexe: *Ces chercheurs essaient de* *comprendre le mécanisme de la pensée.* SYN. processus. ☞ mécanique.

méchamment adv. De façon méchante: *Tu lui as fait beaucoup de peine en lui parlant méchamment.* SYN. cruellement, durement. ANT. gentiment, humainement. ☞ méchant.

méchanceté n.f. **1.** Penchant, tendance à faire du mal: *Tu as dénoncé tes camarades par pure méchanceté.* SYN. cruauté, malveillance. ANT. bienveillance, gentillesse. **2.** Action, parole méchante: *Je ne pensais pas toutes les méchancetés que j'ai dites.* ☞ méchant.

méchant, ante n. et adj. **1.** n. Personne qui aime à faire du mal aux autres: *À la fin de ce film, les bons triomphent des méchants!* **2.** adj. Qui aime à faire du mal aux autres: *Ces enfants méchants martyrisent les animaux.* SYN. cruel, dur, malfaisant, sadique. ANT. bon, humain. **3.** adj. Qui montre de la méchanceté: *Elle m'a jeté un regard méchant qui en disait long.* SYN. haineux. ANT. bienveillant, doux. **4.** adj. Qui est agressif, en parlant d'un animal: *Votre chien est-il méchant?* SYN. dangereux, féroce. ANT. inoffensif. **5.** adj. Qui est insupportable, turbulent: *Ton gardien m'a dit que tu avais été méchante.* SYN. indocile, vilain. ANT. sage, tranquille. **6.** adj. Qui est dangereux: *Il s'est laissé entraîner dans une méchante affaire.* SYN. mauvais. **7.** adj.litt. Qui ne vaut rien: *Elles demeurent dans une méchante baraque en contre-plaqué.* SYN. misérable, pauvre. // *Être de méchante humeur:* Être de mauvaise humeur. *Faire le méchant:* Chercher à faire peur, menacer. ☞ méchamment, méchanceté.

mèche n.f. **1.** Cordon, tresse qui forme la partie centrale d'une bougie ou qui sert à conduire un liquide combustible dans un appareil d'éclairage: *Redresse la mèche des bougies avant d'y mettre le feu.* **2.** Cordon fait d'une matière combustible, servant à mettre le feu à une charge explosive: *Ils ont mis le feu à la mèche!* ▲ **mèche** n.f. Touffe de cheveux différente du reste de la chevelure par sa forme ou par sa couleur: *Sylvain a une mèche rousse sur le front.* ▲ **mèche** n.f. Tige d'acier servant à percer des trous dans le bois, le métal: *Claudette fixe une mèche au vilebrequin.*

méchoui n.m. (arabe) **1.** Mouton rôti à la broche sur un feu de bois: *J'aime beaucoup le goût du méchoui.* **2.** Repas où l'on sert ce mets: *Samedi dernier, mes amis marocains ont organisé un méchoui.*

méconnaissable adj. Qu'on ne peut pas reconnaître: *Il a tellement maigri qu'il est méconnaissable.* ANT. reconnaissable. ☞ méconnaître.

méconnaître v. **1.** Ne pas reconnaître une chose, ne pas l'accepter: *Ils semblent méconnaître nos règlements.* SYN. ignorer, négliger, oublier. ANT. connaître, reconnaître. **2.** Ne pas apprécier à sa juste valeur: *Pendant plusieurs années, on a méconnu le talent de cette artiste.* SYN. dédaigner, déprécier, mésestimer. ANT. apprécier, estimer. **R.** Ne pas oublier l'accent devant le *t*: *î*. ☞ méconnaissable, méconnu.

méconnu, ue n. et adj. **1.** n. Personne qui n'est pas appréciée à sa juste valeur: *Cette historienne voudrait rendre justice à toutes ces méconnues qui ont bâti notre pays.* **2.** adj. Qui n'est pas apprécié à sa juste valeur: *Cet homme fut un génie méconnu.* SYN. ignoré. ☞ méconnaître.

mécontent, ente n. et adj. **1.** n. Personne qui n'est pas contente: *Quoi qu'on fasse, il y aura toujours des mécontents.* SYN. grognon, insatisfait. **2.** adj. Qui n'est pas content: *Alice est mécontente de ses résultats scolaires.* SYN. contrarié, ennuyé, irrité. ANT. content, heureux, satisfait. ☞ content.

mécontentement n.m. État d'une personne qui n'est pas contente: *Elle n'a pas réussi à cacher son mécontentement.* SYN. contrariété, déplaisir, insatisfaction, irritation. ANT. contentement, plaisir, satisfaction. ☞ content.

mécontenter v. Rendre mécontent: *Tes paroles blessantes ont mécontenté tes camarades.* SYN. contrarier, déplaire, ennuyer, fâcher. ANT. contenter, plaire. ☞ content.

mécréant, ante n. et adj.litt. **1.** n. Personne qui n'a pas de religion: *Ce mécréant ne croit ni en Dieu ni au diable.* **2.** adj. Qui n'a pas de religion: *Bien que ces personnes soient mécréantes elles ont du respect pour les religions.* SYN. incroyant. ANT. croyant.

médaille n.f. **1.** Petite pièce de métal qui représente un sujet de dévotion : *Il portait toujours sur lui une médaille bénite.* **2.** Pièce de métal donnée en prix dans un concours, une épreuve sportive : *Sylvie Bernier a gagné une médaille d'or aux Jeux olympiques de 1984.* **3.** Décoration récompensant un acte méritoire : *Ces soldats ont été décorés de la médaille militaire.* **4.** Plaque de métal servant de pièce d'identité aux animaux : *Tous les chiens doivent porter une médaille.* ☞ médaillé, médailler, médaillon.

médaillé, ée n. et adj. **1.** n. Personne qui a reçu une médaille dans un concours, une épreuve sportive ou en récompense d'un acte méritoire : *La médaillée olympique a été accueillie en grande pompe.* **2.** adj. Qui a reçu une médaille dans un concours, une épreuve sportive ou en récompense d'un acte méritoire : *Ces athlètes médaillés ont fait honneur à leur pays.* HOM. médailler. ☞ médaille.

médailler v. Décorer quelqu'un d'une médaille : *Cette femme s'est fait médailler pour son acte de bravoure.* HOM. médaillé. ☞ médaille.

médaillon n.m. Bijou de forme ronde ou ovale dans lequel on place un portrait, des cheveux, etc. : *La vieille dame portait un médaillon à son cou.* ☞ médaille.

▲ **médaillon** n.m. Tranche mince de viande ou de poisson, de forme ovale ou ronde : *Que diriez-vous d'un médaillon de foie gras comme entrée ?*

médecin n.m. Personne qui détient un diplôme de docteur en médecine, qui soigne les malades : *Le médecin a ordonné l'hospitalisation de la malade.* SYN. docteur. **R.** L'O.L.F. recommande que le nom *médecin* soit aussi employé au féminin. ☞ médecine.

médecine n.f. **1.** Science qui a pour objet la prévention, la guérison ou le soulagement des maladies : *Françoise est étudiante en médecine.* **2.** Profession de médecin : *Ma sœur exerce la médecine à Baie-Comeau.* ☞ médecin, médical, médicalement.

média n.m. (lat.) Moyen de diffusion de l'information (presse, radio, télévision, cinéma) : *Les médias ont beaucoup parlé de cet événement.*

médian, ane adj. Qui est situé au milieu : *La voiture a traversé la ligne médiane et a heurté le camion.* ☞ médiane.

médiane n.f. Segment de droite qui unit le sommet d'un triangle au milieu du côté opposé : *Dans ce triangle, les médianes sont de longueur égale.* ☞ médian.

médiateur, trice n. et adj. **1.** n. Personne qui intervient pour faciliter un accord entre deux ou plusieurs personnes : *Le médiateur a réussi à rapprocher le gouvernement et les syndiquées.* SYN. arbitre, conciliateur, négociateur. **2.** adj. Qui intervient pour faciliter un accord entre deux ou plusieurs personnes : *Le Canada a accepté le rôle de puissance médiatrice dans ce conflit.* SYN. intercesseur, intermédiaire, pacificateur. ANT. provocateur. ☞ médiation.

médiation n.f. Action d'intervenir pour faciliter un accord entre deux ou plusieurs personnes : *Cette avocate a proposé sa médiation pour tenter de résoudre le conflit.* SYN. arbitrage, conciliation, intervention. ANT. provocation, soulèvement. ☞ médiateur.

médiatrice n.f. Droite perpendiculaire à un segment et passant par son milieu : *Trace les médiatrices de ce triangle.*

médical, ale, aux adj. Qui se rapporte à la médecine : *Ces malades n'ont pas encore reçu de soins médicaux.* ☞ médecine.

médicalement adv. Du point de vue de la médecine : *Actuellement, cette maladie est médicalement incurable.* ☞ médecine.

médicament n.m. Substance employée pour combattre une maladie : *Si tu veux guérir, il faut prendre tes médicaments.* SYN. potion, remède. ☞ médicamenteux.

médicamenteux, euse adj. Qui a les propriétés d'un médicament ou qui renferme un médicament : *Ces pastilles médicamenteuses soulagent la toux due au rhume.* ☞ médicament.

médicinal, ale, aux adj. Qui sert de remède, de médicament : *Autrefois, les gens se soignaient couramment avec des plantes médicinales.*

médiéval, ale, aux adj. Qui se rapporte au Moyen Âge : *Le professeur d'arts plastiques nous a parlé de l'art médiéval.*

médiocre n.m., n. et adj. **1.** n.m. Ce qui est de qualité inférieure à la normale : *La télévision nous présente souvent du médiocre.* **2.** n. Personne qui n'a pas beaucoup de talent, de capacité : *C'est un médiocre qui n'a rien fait de grand.* **3.** adj. Qui n'a pas de talent, de capacité : *Cette élève est médiocre en français.* SYN. faible, piètre. ANT. éminent, fameux. **4.** adj. Qui est au-dessous de la moyenne : *Comment pourrait-il vivre avec ce revenu médiocre ?* SYN. maigre, modeste, modique, petit. ANT. considérable, important. **5.** adj. Qui a peu de valeur : *Ton travail est médiocre.* SYN. insuffisant, quelconque. ANT. excellent, remarquable. ☞ médiocrement, médiocrité.

médiocrement adv. **1.** Pas beaucoup: *Elle s'est montrée médiocrement surprise de ton arrivée.* ANT. très. **2.** Plutôt mal: *Vous ne réussissez pas parce que vous travaillez médiocrement.* ANT. bien. ☞ médiocre.

médiocrité n.f. **1.** Insuffisance de qualité, de valeur: *Tous les critiques ont souligné la médiocrité de cette œuvre.* SYN. faiblesse, imperfection, insuffisance, platitude. ANT. excellence. **2.** Insuffisance dans la quantité: *La médiocrité de son salaire ne lui permet pas de vivre convenablement.* SYN. insuffisance. ANT. importance. **3.** État d'une personne qui a peu de talent, de capacité: *Sa médiocrité est navrante.* ANT. talent. ☞ médiocre.

médire v. Dire du mal de quelqu'un: *C'est une mauvaise langue qui passe son temps à médire de ses voisins.* SYN. critiquer, dénigrer. ANT. louer, vanter. ☞ médisance, médisant.

médisance n.f. **1.** Action de dire du mal de quelqu'un: *Cette politicienne a été victime de la médisance de ses adversaires.* SYN. dénigrement, diffamation. ANT. compliment, éloge. **2.** Propos par lesquels on dit du mal de quelqu'un: *Tes médisances lui ont fait perdre sa réputation.* SYN. commérage, racontar. ANT. louange. ☞ médire.

médisant, ante n. et adj. **1.** n. Personne qui dit du mal de quelqu'un: *Cette médisante lui a fait perdre son emploi.* SYN. détracteur. ANT. louangeur. **2.** adj. Qui dit du mal de quelqu'un: *N'écoute pas ces gens médisants.* **3.** adj. Qui contient, exprime des médisances: *Ces personnes tiennent des propos médisants.* ☞ médire.

méditatif, ive n. et adj. **1.** n. Personne qui est portée à la méditation: *Cette femme est une méditative.* SYN. penseur, rêveur. **2.** adj. Qui est porté à la méditation: *Jocelyn est un garçon méditatif.* SYN. contemplatif, songeur. **3.** adj. Qui montre la méditation: *Elle a repris son air méditatif.* SYN. pensif, préoccupé. ☞ méditer.

méditation n.f. **1.** Action de réfléchir longuement sur un sujet: *Quand il cherche la solution d'un problème, il se plonge dans la méditation.* SYN. étude. ANT. dissipation, distraction. **2.** Pensée profonde sur un sujet particulier: *Ce travail est le fruit de ses méditations.* SYN. réflexion. ☞ méditer.

méditer v. **1.** Réfléchir longuement sur un sujet: *On nous a fait méditer sur l'avenir de l'humanité.* **2.** Approfondir quelque chose par la réflexion: *Méditez ce conseil et vous m'en reparlerez.* SYN. approfondir, réfléchir. **3.** Préparer quelque chose en réfléchissant beaucoup: *Voilà des mois que je médite ce projet.* SYN. échafauder, élaborer, ruminer. **4.** S'absorber dans ses pensées: *Cette élève distraite passe des heures à méditer.* SYN. penser, se recueillir, réfléchir, songer. ANT. s'amuser, se distraire. ☞ méditatif, méditation.

méditerranéen, enne n. et adj. **1.** n. Personne qui habite les régions bordant la Méditerranée: *Un Méditerranéen, une Méditerranéenne.* **2.** adj. Qui appartient à la Méditerranée et aux régions qui la bordent: *Gino nous parle souvent de la douceur du climat méditerranéen.* **R.** On met la majuscule à *méditerranéen* et à *méditerranéenne* lorsqu'il s'agit du nom.

médium n.m. (lat.) Personne qui a la réputation de pouvoir communiquer avec les esprits: *Cette femme prétend qu'elle est un médium.* SYN. intermédiaire. **R.** Les lettres *um* se prononcent *omm*.

médius n.m. (lat.) Doigt du milieu de la main: *Le médius est placé entre l'index et l'annulaire.* SYN. majeur. **R.** Le *s* se prononce.

méduse n.f. Animal marin fait de tissus transparents, d'aspect gélatineux, ayant la forme d'une ombrelle: *Les filaments de la méduse peuvent provoquer des rougeurs et des démangeaisons.*

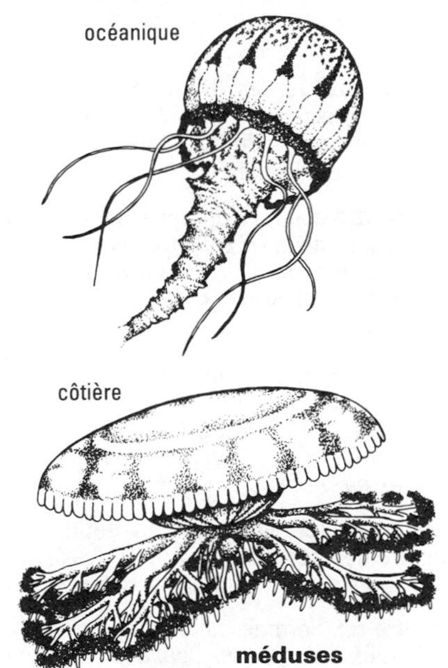

méduses

méfait n.m. **1.** Action nuisible aux autres: *Ces voyous ont commis de nombreux méfaits dans le voisinage.* SYN. dégât. ANT. bienfait. **2.**

Effet nuisible de quelque chose: *Cette campagne vise à renseigner la population sur les méfaits du tabac.* SYN. dommage. ANT. bienfaisance.

méfiance n.f. État d'une personne qui ne fait pas confiance aux autres: *Ses paroles flatteuses ont éveillé ma méfiance.* SYN. crainte, défiance, doute, soupçon. ANT. assurance, confiance. ☞ se méfier.

méfiant, ante n. et adj. **1.** n. Personne qui ne fait pas confiance aux autres: *Il n'accorde pas sa confiance au premier venu: c'est un méfiant!* **2.** adj. Qui ne fait pas confiance aux autres: *Les personnes méfiantes ont souvent eu des expériences malheureuses.* SYN. craintif, soupçonneux. ANT. confiant, serein. **3.** adj. Qui indique le manque de confiance: *Elle nous regarde d'un air méfiant.* ☞ se méfier.

se **méfier** v.pron. **1.** Ne pas faire confiance à quelqu'un: *Je t'avais pourtant dit de te méfier de cette flatteuse.* SYN. se défier, douter. ANT. se confier. **2.** Faire attention: *Méfiez-vous: les rues sont verglacées.* ANT. se fier. ☞ méfiance, méfiant.

mégalomane n. et adj. **1.** n. Personne qui a un désir immodéré de gloire, de puissance: *Ce mégalomane se prend pour un génie.* **2.** adj. Qui a un désir immodéré de gloire, de puissance: *Les personnes mégalomanes sont orgueilleuses et ambitieuses.* ☞ mégalomanie.

mégalomanie n.f. Désir immodéré de gloire, de puissance: *La mégalomanie est couramment appelée la «folie des grandeurs».* ☞ mégalomane.

mégaphone n.m. Appareil qui sert à amplifier les sons de la voix: *L'organisatrice de la manifestation criait des ordres dans un mégaphone.* SYN. porte-voix. **R.** Les lettres *ph* se prononcent *f*.

mégaptère n.m. Mammifère cétacé aux longues nageoires, appelé couramment «baleine à bosse»: *Les mégaptères migrent vers les eaux polaires en été et regagnent les eaux tropicales en hiver.*

par **mégarde** loc.adv. Par inattention, involontairement: *Par mégarde, j'ai pris le livre de mon voisin.* ANT. exprès, volontairement.

mégère n.f. Femme méchante d'un caractère désagréable: *Que me veut donc cette mégère?* SYN. chipie.

mégot n.m.fam. Bout de cigarette ou de cigare qu'on a fini de fumer: *Le cendrier est plein de mégots.*

meilleur n.m. Ce qu'il y a de mieux chez quelqu'un ou dans quelque chose: *Elle a toujours donné le meilleur d'elle-même.*

meilleur, eure n. et adj. **1.** n. Personne qui est supérieure aux autres: *Les meilleurs remporteront la victoire.* **2.** adj. Dont la bonté est plus grande: *Cet homme est meilleur qu'il n'en a l'air.* **3.** adj. Dont la qualité est plus grande: *La viande fraîche est meilleure que la viande congelée.* **4.** adj. Que rien ni personne ne peut surpasser: *Antoinette est ma meilleure amie.* ☞ améliorable, amélioration, améliorer.

mélamine n.f. Couche de plastique en feuille mince posée sur du contre-plaqué servant à la fabrication de meubles: *Nos armoires de cuisine sont recouvertes de mélamine.*

mélancolie n.f. **1.** Tristesse vague, sans cause précise, accompagnée de rêverie: *Il regarde ses jouets d'enfant avec mélancolie.* SYN. chagrin. ANT. gaieté, joie. **2.** Caractère triste et doux de quelque chose: *Certaines personnes sont très sensibles à la mélancolie des paysages d'automne.* SYN. nostalgie. ☞ mélancolique, mélancoliquement.

mélancolique n. et adj. **1.** n. Personne qui éprouve une tristesse vague, sans cause précise, accompagnée de rêverie: *Albert est un mélancolique.* **2.** adj. Qui éprouve une tristesse vague, sans cause précise, accompagnée de rêverie: *La fin des vacances la rend mélancolique.* SYN. morose, triste. ANT. gai. **3.** adj. Qui marque la mélancolie: *Elle jetait un regard mélancolique sur ses livres d'écolière.* SYN. désabusé, morne. **4.** adj. Qui inspire la mélancolie: *Tu ne devrais pas écouter cette chanson mélancolique.* SYN. nostalgique, triste. ☞ mélancolie.

mélancoliquement adv. De façon mélancolique: *Le vieillard regardait mélancoliquement les photos anciennes.* SYN. tristement. ANT. gaiement. ☞ mélancolie.

mélange n.m. **1.** Action de mettre ensemble plusieurs substances: *On obtient le vert par le mélange du jaune et du bleu.* SYN. association, combinaison. **2.** Produit résultant de l'union de plusieurs substances: *Ajoute de la farine au mélange d'œufs et de sucre.* **3.** Réunion de choses ou d'êtres qui ne sont pas de même nature: *Le marché aux puces était rempli d'un mélange d'objets anciens et démodés.* SYN. fatras, fouillis, méli-mélo. ⁄⁄ *Bonheur sans mélange:* Bonheur parfait que rien ne vient troubler. ☞ mélanger, mélangeur.

mélanger v. **1.** Mettre ensemble plusieurs substances pour former un tout: *Pour faire* *une bonne vinaigrette, il faut mélanger de l'huile, du vinaigre et des herbes aromatiques.* SYN. incorporer. ANT. séparer. **2.** fam. Mettre en désordre : *Tu as mélangé toutes mes fiches.* SYN. emmêler, mêler. ANT. démêler. **3.** fig. et fam. Confondre : *Au début de l'année, l'institutrice mélange les noms de ses élèves.* ☞ mélange. **mélangé, ée** p.p. et adj. Qui est formé d'éléments différents : *Il éprouve des sentiments mélangés à l'égard de sa nouvelle patronne.*

mélangeur n.m. Appareil ménager servant à mélanger des aliments : *Le mélangeur réduit les légumes en purée.* ☞ mélange. ▲ **mélangeur** n.m. Robinet servant à mélanger l'eau froide et l'eau chaude : *Nous avons intallé des mélangeurs dans la cuisine et dans la salle de bains.* ☞ mélange.

mêlant ☞ sect. anglicismes et canadianismes.

mélasse n.f. (esp.) **1.** Sirop très épais, d'un brun plus ou moins foncé, qui reste après la fabrication du sucre : *La tarte à la farlouche est à base de raisins secs et de mélasse.* **2.** fam. Brouillard très épais : *Avec cette mélasse, on ne voit rien devant soi.* **3.** fig. et fam. Situation pénible qui ne peut être démêlée : *Je crois bien que tu es dans la mélasse !*

mêlé, ée adj. **1.** Qui est uni à quelque chose d'autre : *Je ressentais un plaisir mêlé de peine.* **2.** Qui forme un mélange : *Les couleurs mêlées de ce tableau forment un tout harmonieux.* HOM. mêlée, mêler. **R.** Ne pas oublier l'accent : *ê*. ☞ mêler.

mêlée n.f. **1.** Combat, lutte entre plusieurs personnes : *Elle a perdu ses lunettes dans la mêlée.* SYN. cohue. **2.** Phase du football, du rugby, etc., où plusieurs joueurs de chaque équipe sont groupés autour du ballon ou de la rondelle : *Pendant la mêlée, les joueurs cherchent à récupérer le ballon.* HOM. mêlé, mêler. ⫽ *Rester au-dessus de la mêlée :* Ne pas se mêler d'un conflit. *Se jeter dans la mêlée :* Prendre part à un conflit. **R.** Ne pas oublier l'accent : *ê*.

mêler v. **1.** Mettre ensemble des choses différentes pour former un tout : *Hélène a mêlé un peu d'eau avec son vin.* SYN. mélanger. ANT. démêler. **2.** Mettre en désordre : *Pourquoi as-tu mêlé toutes mes notes de cours ?* SYN. embrouiller. ANT. classer. **3.** Manifester à la fois des qualités différentes : *Il mêle la douceur à la fermeté.* SYN. unir. **4.** Ajouter une chose à une autre : *Joséphine a mêlé quelques marguerites à ses cheveux.* SYN. joindre. **5.** Faire participer quelqu'un à quelque chose : *Je ne voulais pas te mêler à notre querelle.* HOM. mêlé, mêlée. ☞ entremêlement, entremêler, mêlé. **se mêler** v.pron. **1.** S'unir, former un tout avec autre chose : *L'odeur du foin coupé se mêlait à celle des lilas.* SYN. se combiner. **2.** Se joindre : *Les petits de la maternelle se sont mêlés aux autres écoliers.* SYN. s'associer. **3.** S'occuper de quelque chose : *Mêle-toi de ce qui te regarde.* **4.** S'essayer à quelque chose, avoir l'idée de quelque chose : *Lorsque je me mêle de cuisiner, je réussis très bien.* **R.** Ne pas oublier l'accent : *ê*.

mélèze n.m. Arbre de la famille des conifères, à branches pendantes, à aiguilles insérées par touffes et à cônes dressés : *Le mélèze, appelé couramment « épinette rouge », perd ses aiguilles chaque automne.*

méli-mélo n.m.fam. Mélange confus, fouillis : *Sa chambre est un vrai méli-mélo.* SYN. capharnaüm, gâchis. **R.** Au pluriel, *mélis-mélos*.

mélodie n.f. Suite de sons qui forment un chant, un air, une chanson : *Notre professeure nous a demandé de jouer la mélodie sur nos instruments de musique.* ☞ mélodieusement, mélodieux.

mélodieusement adv. De façon mélodieuse, agréable à entendre : *Les oiseaux chantaient mélodieusement pour annoncer la venue du printemps.* ☞ mélodie.

mélodieux, euse adj. Qui est agréable à l'oreille : *Béatrice a une voix mélodieuse.* SYN. harmonieux. ☞ mélodie.

mélodramatique adj. Qui tient du mélodrame par son exagération : *Il a pris un air mélodramatique pour nous annoncer la nouvelle.* ☞ mélodrame.

mélodrame n.m. **1.** Drame populaire où sont accumulées les situations malheureuses et peu vraisemblables : *Il est difficile de croire à l'intrigue d'un mélodrame, car tout y est grandement exagéré.* **2.** Situation réelle où tout semble exagéré : *Quand elle nous raconte ses malheurs, nous nageons en plein mélodrame.* ☞ mélodramatique.

mélomane n. et adj. **1.** n. Personne qui aime beaucoup la musique : *Beaucoup de mélomanes assistent au festival de jazz.* **2.** adj. Qui aime beaucoup la musique : *Ce peuple mélomane a produit de grands musiciens.*

melon n.m. **1.** Plante annuelle grimpante ou rampante, cultivée pour ses fruits comestibles de forme ronde ou ovale : *Cette jardinière cultive des melons.* **2.** Fruit comestible de forme ronde ou ovale, à chair juteuse et sucrée, produit par cette plante : *Le cantaloup est une variété de melon.* ⫽ *Melon d'eau :* Pastèque. ▲ **melon** n.m. Chapeau d'homme en feutre rigide, de forme ronde et bombée, à bords étroits, aussi appelé « chapeau melon » : *Dans ses films, Charlie Chaplin porte souvent un melon.*

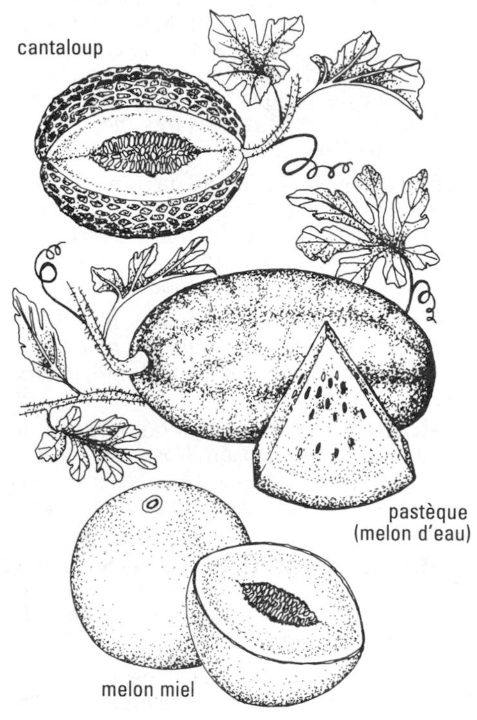

melons

mélopée n.f. Chant, air triste et monotone : *Quelques hommes ont entonné une étrange mélopée.*

membrane n.f. **1.** Tissu mince et souple qui forme, enveloppe ou tapisse un organe : *Le cerveau, le cœur et le poumon sont entourés d'une membrane.* **2.** Mince couche de matière souple et généralement élastique : *La membrane du haut-parleur vibre.*

membre n.m. **1.** Chacune des quatre parties qui s'attachent au tronc de l'être humain : *Les bras et les jambes constituent les membres.* **2.** Chacune des quatre parties qui s'attachent au corps des batraciens, des reptiles, des oiseaux et des mammifères : *Les ailes et les pattes portent aussi le nom de membres.* **3.** fig. Personne qui fait partie d'un groupe, d'une communauté : *À Noël, tous les membres de la famille se sont réunis.* **4.** fig. Groupe, pays qui fait partie d'une union : *Le Canada est membre du Commonwealth.*

même adj.indéf. **1.** Exprime la ressemblance, l'identité : *Ma sœur et moi, nous avons les mêmes goûts.* SYN. identique, semblable. **2.** Exprime une qualité à son plus haut degré : *Cet instituteur est la patience même.* **3.** Insiste sur la personne ou la chose dont on parle : *Ce sont les paroles mêmes de la directrice.* SYN. propre. **4.** Insiste sur le pronom dont on parle : *Tu me l'as avoué toi-même.*

le **même, la même, les mêmes** pron.indéf. Marque la ressemblance, l'identité : *Ce sont toujours les mêmes qui ont droit aux récompenses.* ⫽ *Cela revient au même :* C'est la même chose, c'est pareil.

même adv. **1.** Aussi : *Tout le monde pleurait, même le surveillant.* **2.** Exactement : *Nous irons acheter ce disque aujourd'hui même.* SYN. précisément. à **même** loc.prép. Directement : *Il s'est couché à même le sol.* à **même de** loc.prép. En état de : *Tu es à même de te défendre seul.* de **même** loc.adv. De la même manière : *Agis de même et tout sera parfait.* de **même que** loc.conj. Comme : *Marguerite, de même que son père, préfère le travail manuel à l'étude.* quand **même** loc.adv. Malgré tout : *Elle est fâchée en ce moment, mais elle t'aime quand même.* tout de **même** loc.conj. Néanmoins : *Donnez-lui tout de même le bénéfice du doute.*

mémento n.m. (lat.) Carnet où l'on inscrit ses rendez-vous, ce qu'on a à faire : *Il a noté ce rendez-vous dans son mémento.* SYN. agenda. **R.** Le *n* se prononce.

mémère n.f.fam. Grand-mère, dans le langage des enfants : *Allons-nous visiter mémère cet après-midi?*

mémoire n.f. **1.** Faculté de conserver et de rappeler le souvenir du passé : *Il faut une bonne mémoire pour se rappeler toutes ses tables de multiplication.* **2.** Organe d'un ordinateur qui permet de recueillir et de conserver des informations qui seront traitées plus tard : *Ces données ont été mises en mémoire.* **3.** Souvenir que l'on garde de quelqu'un ou de quelque chose : *Ce monument conserve la mémoire du fondateur de Québec.* ⫽ *Avoir un trou de mémoire :* Avoir une lacune, ne plus se rappeler quelque chose. *De mémoire d'homme :* D'aussi loin qu'on se souvienne. ☞ mémorable, mémorisation, mémoriser. à la **mémoire de** loc.prép. En souvenir de : *Ce monument a été élevé à la mémoire des soldats morts à la guerre.* de **mémoire** loc.adv. En s'aidant seulement de sa mémoire : *Il a récité un long poème de mémoire.*

mémoire n.m. **1.** Écrit où l'on expose des faits, des idées : *On a présenté ce mémoire à la commission parlementaire.* **2.** Travail personnel présenté par les étudiants de maîtrise : *Elle rédige actuellement la partie théorique de son mémoire de maîtrise.* **3.** plur. Récit écrit qu'une personne fait des événements qui ont marqué sa vie: *Cette grande comédienne a décidé d'écrire ses mémoires.*

mémorable adj. Qui est digne d'être conservé dans la mémoire: *Cet athlète a accompli des exploits mémorables.* SYN. inoubliable, marquant. ☞ mémoire (n.f.).

mémorisation n.f. **1.** Action de fixer dans la mémoire: *L'institutrice nous a donné une méthode de mémorisation.* **2.** Conservation d'une information en mémoire, en informatique: *La mémorisation des données permet de les utiliser quand on en a besoin.* ☞ mémoire (n.f.).

mémoriser v. **1.** Fixer dans la mémoire: *Elle a réussi à mémoriser toutes les règles de grammaire.* **2.** Conserver une information en mémoire, en informatique: *Nous avons mémorisé ces données sur une disquette.* ☞ mémoire (n.f.).

menaçant, ante adj. **1.** Qui exprime une menace: *D'un ton menaçant, il nous a ordonné de sortir de la pièce.* SYN. agressif. **2.** Qui laisse prévoir quelque chose de fâcheux: *Avec la pollution atmosphérique, l'avenir est devenu menaçant.* SYN. alarmant, angoissant, inquiétant. ANT. rassurant. ⁄⁄ *Temps menaçant:* Temps qui laisse prévoir un orage. **R.** Ne pas oublier la cédille. ☞ menacer.

menace n.f. **1.** Parole, geste par lequel on indique à quelqu'un qu'on a l'intention de lui faire du mal: *Tes menaces ne me font pas peur.* SYN. avertissement, intimidation. **2.** Signe qui laisse prévoir quelque chose de dangereux: *En cas de menace d'épidémie, toutes les écoles seront fermées.* SYN. danger, risque. ☞ menacer.

menacer v. **1.** Chercher à faire peur par des menaces: *Ses parents l'ont menacé de le priver de sortie.* ANT. rassurer. **2.** Représenter une menace, un danger: *Une guerre nucléaire menace l'humanité.* **3.** Laisser prévoir quelque chose de fâcheux: *La soirée menace d'être longue et ennuyeuse.* SYN. risquer. **R.** Ne pas oublier la cédille devant *a* et *o*. ☞ menaçant, menace.

ménage n.m. Homme et femme vivant ensemble: *Un jeune ménage occupe le logement d'en face.* ⁄⁄ *Scène de ménage:* Dispute violente entre un mari et sa femme. *Se mettre en ménage:* Vivre ensemble, se marier. ▲ **ménage** n.m. Ensemble des travaux d'entretien d'une maison, d'un intérieur: *Quand vient le temps de faire le ménage, toute la famille participe.* ⁄⁄ *De ménage:* Fait à la maison. *Faire des ménages:* Faire le ménage chez les autres en échange d'un salaire. *Femme de ménage, homme de ménage:* Personne qui fait le ménage chez les autres en échange d'un salaire. ☞ ménager (adj.), ménagère.

ménagement n.m. Précaution avec laquelle on traite quelqu'un: *Annoncez-lui cette mauvaise nouvelle avec ménagement.* ☞ ménager (v.).

ménager v. **1.** Préparer avec soin, arranger: *Je t'ai ménagé une entrevue avec ma patronne.* SYN. organiser. **2.** Installer quelque chose: *Ils ont décidé de ménager une fenêtre dans ce mur.* ▲ **ménager** v. **1.** Utiliser avec économie: *Tu devrais ménager tes vêtements pour qu'ils durent plus longtemps.* **2.** Mesurer: *Ménagez vos paroles, sinon vous pourriez le regretter.* **3.** Traiter avec précaution: *C'est une femme influente qu'il faut ménager.* ☞ ménagement. se **ménager** v.pron. Prendre soin de sa santé, ne pas se fatiguer: *Ses enfants lui recommandent de se ménager.*

ménager, ère adj. **1.** Qui se rapporte à l'entretien de la maison: *Dans notre famille, tout le monde participe aux travaux ménagers.* **2.** Qui provient de la maison: *Le camion ramasse les ordures ménagères.* ☞ ménage.

ménagère n.f. Femme qui s'occupe de la maison: *Elle ne travaille pas à l'extérieur: c'est une ménagère.* ☞ ménage. ▲ **ménagère** n.f. Service de couverts pour la table: *La ménagère est rangée dans le buffet.*

ménagerie n.f. **1.** Lieu où l'on garde des animaux rares: *La ménagerie du cirque rassemble des animaux exotiques.* **2.** Ensemble des animaux d'un cirque, d'un jardin zoologique, etc.: *La ménagerie de ce zoo compte plusieurs espèces menacées d'extinction.*

mendiant, ante n. Personne qui demande l'aumône pour vivre: *Une mendiante m'a abordée dans la rue.* ☞ mendier.

mendicité n.f. **1.** Condition d'une personne qui doit demander l'aumône pour vivre: *Elle a tout perdu; elle est réduite à la mendicité.* **2.** Action de demander l'aumône pour vivre: *Ces pauvres gens vivent de mendicité.* ☞ mendier.

mendier v. **1.** Demander l'aumône: *Ces clochards mendient dans les rues de la ville.* SYN. implorer, quêter, solliciter. **2.** Demander comme une aumône: *Ce jeune enfant mendie une collation.* SYN. quémander. **3.** fig. Rechercher, solliciter: *Elle s'abaisse à mendier des compliments.* ☞ mendiant, mendicité.

menées n.f.plur. Agissements secrets et malveillants destinés à nuire: *On a réussi à déjouer les menées de ces intrigants.* SYN. intrigue, machination, manœuvre. HOM. mener.

mener v. **1.** Faire aller avec soi: *Monsieur Cloutier a mené ses enfants à la garderie.* SYN. amener, conduire. **2.** Transporter: *Cet autobus vous mènera au métro.* SYN. emmener. **3.** Permettre d'aller à un lieu: *Cette route mène au port.* SYN. conduire. **4.** Avoir l'avantage: *Notre équipe mène 4 à 0.* **5.** Conduire, diriger: *Josianne mène l'entreprise familiale.* SYN. commander, gouverner. **6.** Guider: *Ces pistes nous ont menés jusqu'au terrier.* SYN. entraîner. **7.** Assurer le déroulement d'une action: *La détective a mené une enquête.* SYN. diriger. **8.** Être en tête de quelque chose: *Ce cycliste a mené le peloton pendant le premier tour.* **9.** fig. Conduire: *C'est l'ambition qui mène le monde.* SYN. gouverner. HOM. menées. ☞ meneur.

ménestrel n.m. Au Moyen Âge, musicien et chanteur qui se déplaçait d'un endroit à un autre: *Les ménestrels venaient d'arriver au château.* SYN. jongleur.

meneur, euse n. Personne qui dirige une grève, une manifestation, une révolution: *Les meneuses ont élaboré un plan d'action.* SYN. chef, entraîneur, provocateur. ANT. subordonné, suiveur. ⁄⁄ *Meneur de jeu:* Personne qui anime un jeu, un spectacle. *Meneur d'hommes:* Personne qui sait entraîner les autres à sa suite. ☞ mener.

menhir n.m. (breton) Monument préhistorique composé d'une pierre dressée verticalement: *En Bretagne, on peut voir des menhirs.*

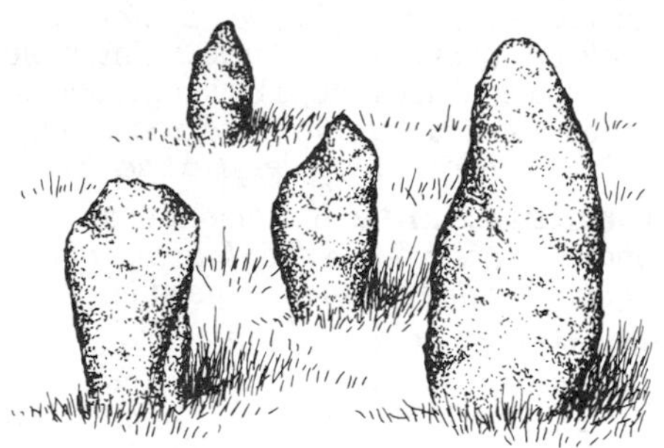

menhirs

méninge n.f. **1.** Chacune des membranes qui enveloppent le cerveau et la moelle épinière: *Les méninges sont au nombre de trois.* **2.** plur.fam. Cerveau: *Ne te fatigue pas les méninges!* ☞ méningite.

méningite n.f. Inflammation des trois membranes qui enveloppent le cerveau et la moelle épinière: *La méningite est une maladie très grave.* ☞ méninge.

ménisque n.m. Cartilage d'une articulation et plus spécialement du genou: *La skieuse s'est fait une lésion au ménisque du genou droit.* ▲ **ménisque** n.m. Surface courbe qui se forme à l'extrémité supérieure d'une colonne de liquide contenue dans un tube de faible section: *Verse de l'eau dans un tube étroit et observe le ménisque qui se forme au-dessus du liquide.*

ménopause n.f. Période marquée par l'arrêt définitif des menstruations et la perte de la capacité d'avoir des enfants: *La ménopause survient habituellement entre 45 et 55 ans.*

menotte n.f. **1.** Petite main, main d'enfant: *Bébé passe sa menotte dans mes cheveux.* **2.** plur. Bracelets métalliques reliés par une chaîne, qu'on fixe aux poignets des prisonniers: *Les policiers ont arrêté une cambrioleuse et lui ont passé les menottes.*

mensonge n.m. **1.** Action de mentir: *Depuis plusieurs années, vous vivez dans le mensonge.* SYN. fausseté, tromperie. ANT. franchise, vérité. **2.** Parole contraire à la vérité: *Je ne peux pas te croire parce que tu passes ton temps à dire des mensonges.* SYN. conte, invention. ☞ mentir.

mensonger, ère adj. Qui repose sur un mensonge: *J'ai fait une déclaration mensongère à la presse.* SYN. faux, trompeur. ANT. sincère, véridique. ☞ mentir.

menstruation n.f. Écoulement sanguin qui se produit chaque mois chez la femme non enceinte, de la puberté à la ménopause: *Les menstruations sont une des manifestations les plus évidentes de la puberté.* ☞ menstruel.

menstruel, elle adj. Qui se rapporte à la menstruation: *Le cycle menstruel dure approximativement vingt-huit jours.* ☞ menstruation.

mensualité n.f. **1.** Somme que l'on paie chaque mois: *Il a payé sa nouvelle automobile en vingt mensualités.* **2.** Somme que l'on reçoit chaque mois: *Votre salaire vous sera versé par mensualités.* ☞ mensuel.

mensuel n.m. Publication qui paraît chaque mois, à date fixe: *Je me suis abonnée à ce mensuel.*

mensuel, elle n. et adj. **1.** n. Personne qui travaille dans une entreprise et qui est payée au mois: *Les mensuels ne reçoivent leur salaire qu'une fois par mois.* **2.** adj. Qui a lieu chaque mois: *Cette publication mensuelle est très instructive.* **3.** adj. Qui est calculé pour un mois et payé chaque mois: *Mes parents ont comparé leurs salaires mensuels.* ☞ bimensuel, mensualité, mensuellement.

mensuellement adv. Chaque mois: *Le loyer est payé mensuellement.* ☞ mensuel.

mensuration n.f. **1.** Opération qui consiste à mesurer certaines dimensions importantes du corps humain: *La mensuration consiste à mesurer le tour de taille, le tour de poitrine et le tour de hanches.* **2.** plur. Mesures ainsi prises: *Connais-tu tes mensurations?*

mental, ale, aux adj. **1.** Qui se rapporte à l'esprit, aux fonctions de l'intelligence: *Cet homme souffre d'une maladie mentale.* ANT. physique. **2.** Qui se fait dans l'esprit seulement, sans parler et sans écrire: *À l'école, nous faisons chaque jour dix minutes de calcul mental.* ANT. écrit, parlé. // *Âge mental:* Âge qui correspond au degré de développement de l'intelligence et qui est mesuré par des tests. ☞ mentalement.

mentalement adv. **1.** Dans l'esprit seulement, sans parler et sans écrire: *Elle a calculé mentalement le montant de ses achats.* **2.** En ce qui concerne l'esprit, les fonctions de l'intelligence: *La mort de ses parents l'a beaucoup éprouvé mentalement.* ☞ mental.

mentalité n.f. **1.** Ensemble des habitudes d'esprit et des croyances d'un groupe: *L'étude des mentalités nous aide à comprendre les différences entre les peuples.* **2.** Manière de penser et d'agir d'une personne: *Ta mentalité est très différente de la mienne.* **3.** fam. Mauvais esprit: *Belle mentalité que de vouloir vivre aux crochets des autres!*

menterie n.f.fam. et vx Mensonge: *Tu n'as pas honte de raconter des menteries?* ☞ mentir.

menteur, euse n. et adj. **1.** n. Personne qui raconte des mensonges: *On ne fait pas confiance aux menteurs.* SYN. imposteur. **2.** adj. Qui raconte des mensonges: *Je ne savais pas qu'elle était menteuse à ce point.* SYN. hypocrite. ANT. franc. **3.** adj. Qui est trompeur: *Ses compliments sont menteurs.* ☞ mentir.

menthe n.f. **1.** Plante très odorante qui pousse dans les lieux humides: *Papa met des feuilles de menthe fraîche dans son thé.* **2.** Substance extraite de cette plante, qui sert à aromatiser les bonbons, les sirops, la pâte dentifrice, etc.: *Karine aime beaucoup les bonbons à la menthe.* HOM. mante. ☞ menthol.

menthol n.m. Alcool extrait de l'essence de menthe poivrée: *Le menthol est utilisé dans le traitement des maladies du nez et des voies respiratoires.* ☞ menthe.

mention n.f. **1.** Action de signaler, de citer: *As-tu fait mention de cet incident dans ton rapport?* **2.** Petite note qui apporte une précision, un renseignement: *Veuillez remplir le questionnaire en rayant les mentions inutiles.* SYN. indication. **3.** Appréciation favorable donnée par un jury d'examen à un candidat: *Claudine a été reçue à l'examen avec la mention «très bien».* SYN. distinction. ☞ mentionner.

mentionner v. Signaler, citer: *J'ai oublié de mentionner cet événement dans mon récit.* ☞ mention.

mentir v. **1.** Ne pas dire la vérité: *Cette fillette ment quand elle dit qu'elle n'est pas coupable.* SYN. inventer. **2.** Être trompeur, faux: *Les faits ne mentent pas.* SYN. tromper. ☞ mensonge, mensonger, menterie, menteur.

menton n.m. Partie du visage située au-dessous de la bouche: *Maurice a le menton pointu.* ☞ mentonnière.

mentonnière n.f. **1.** Bande de toile passant sous le menton pour retenir une coiffure, un casque, etc.: *La coureuse automobile ajuste la mentonnière de son casque.* **2.** Petite plaque de bois ou de plastique qu'on fixe à la base du violon et sur laquelle on appuie le menton: *La violoniste appuie son menton sur la mentonnière.* ☞ menton.

menu n.m. **1.** Liste détaillée des plats servis par un restaurant: *Je voudrais consulter le menu, s'il vous plaît.* **2.** Liste détaillée des mets dont se compose un repas: *La cuisinière a préparé son menu pour le souper d'anniversaire.* **3.** Liste des opérations qu'un logiciel peut exécuter: *Le menu apparaît sur l'écran de l'ordinateur.*

menu, ue adj. **1.** Qui est tout petit: *Le marmiton a coupé les légumes en menus morceaux.* SYN. fin, mince. ANT. gros. **2.** Qui est petit et mince: *Sandrine est une fillette toute menue.* SYN. délicat, frêle. ANT. robuste. **3.** fig. Qui a peu de valeur, peu d'importance: *Ne m'ennuie pas avec ces menus détails.* SYN. négligeable. ANT. important. // *Par le menu:* En détail. ☞ s'amenuiser.

menu adv. En très petits morceaux: *Les gousses doivent être hachées menu.*

menuet n.m. Ancienne danse à trois temps: *Le menuet est apparu au XVIIe siècle sous le règne de Louis XIV.*

menuiserie n.f. **1.** Travail du bois pour la fabrication des meubles et des objets servant à la décoration des maisons: *Les volets, les portes et les parquets sont des ouvrages de menuiserie.* **2.** Ouvrage en bois fabriqué par le menuisier: *Le plafond de cette vieille maison est en menuiserie.* ☞ menuisier.

menuisier n.m. Personne dont le métier est de travailler le bois pour fabriquer des meubles et des objets servant à la décoration des maisons: *Le menuisier a fabriqué les portes, les fenêtres et le parquet de la maison.* SYN. charpentier, ébéniste. **R.** L'O.L.F. recommande *menuisière* comme féminin de *menuisier*. ☞ menuiserie.

ménure n.m. Grand oiseau passereau d'Australie, de la taille d'un faisan, qu'on appelle aussi «oiseau-lyre» à cause des longues plumes recourbées de la queue du mâle: *Le ménure se nourrit d'insectes, de vers et de mollusques.* ◇ oiseau-lyre.

se **méprendre** v.pron. Se tromper, prendre une personne ou une chose pour une autre: *Elles se ressemblent tellement que j'ai failli me méprendre.* SYN. confondre. ☞ méprise.

mépris n.m. **1.** Sentiment par lequel on juge quelqu'un indigne d'estime, de considération: *Elle n'a que du mépris pour les menteurs.* SYN. dédain, dégoût. ANT. admiration, estime. **2.** Sentiment qui pousse à ne faire aucun cas de quelque chose: *Son mépris des richesses me surprendra toujours.* SYN. indifférence. ANT. intérêt. ☞ mépriser. au **mépris de** loc.prép. En dépit de, sans tenir compte de: *Il conduisait à toute allure, au mépris de sa vie.*

méprisable adj. Qui est digne de mépris: *La trahison est un acte méprisable.* SYN. dégoûtant, honteux, ignoble, odieux. ANT. admirable, honorable, respectable. ☞ mépriser.

méprisant, ante adj. Qui manifeste du mépris: *Elle nous a répondu d'un ton méprisant.* SYN. arrogant, dédaigneux, hautain. ANT. respectueux. ☞ mépriser.

méprise n.f. Erreur commise en prenant une personne ou une chose pour une autre: *Je vous ai pris pour votre cousin, veuillez excuser ma méprise.* SYN. bévue. ☞ se méprendre.

mépriser v. **1.** Juger quelqu'un indigne d'estime, de considération: *Je la méprise à cause de sa lâcheté.* SYN. dédaigner, mésestimer. ANT. apprécier, considérer. **2.** Ne faire aucun cas de quelque chose: *Cette alpiniste méprise le danger.* SYN. ignorer, négliger. ☞ mépris, méprisable, méprisant.

mer n.f. **1.** Vaste étendue d'eau salée: *Chaque année, je passe mes vacances au bord de la mer.* SYN. océan. **2.** Partie de cette étendue aux dimensions limitées: *La mer Rouge est située entre l'Égypte et l'Arabie.* **3.** fig. Grande quantité: *Les blessés baignaient dans une mer de sang.* **4.** fig. Vaste étendue: *Le Sahara est une véritable mer de sable.* HOM. maire, mère. ⁄⁄ *Cheval de mer:* Hippocampe. *Fruits de mer:* Coquillages et crustacés comestibles. *Gens de mer:* Marins. *Haute mer, pleine mer:* Partie de la mer éloignée du rivage, des côtes. *Mal de mer:* Malaise causé par les mouvements de va-et-vient du bateau. *Prendre la mer:* S'embarquer. ☞ amerrir, amerrissage.

mercantile adj. (it.) Qui ne pense qu'au profit, qu'à l'argent: *Ces personnes ont l'esprit mercantile.*

mercenaire n.m. et adj. **1.** n.m. Soldat payé pour faire la guerre dans un pays qui n'est pas le sien: *Les mercenaires offrent leurs services aux pays en guerre.* **2.** adj. Qui ne travaille qu'en échange d'un salaire: *Les soldats mercenaires sont payés pour combattre.* SYN. intéressé. ANT. désintéressé.

mercerie n.f. **1.** Ensemble des articles servant aux travaux de couture: *Les aiguilles, le fil, les boutons et les rubans sont des articles de mercerie.* **2.** Magasin où l'on achète ces articles: *J'ai acheté du fil à la mercerie.* ☞ mercier.

merci n.f. Pitié: *Ce fut une lutte sans merci.* **R.** Ne s'emploie que dans des locutions. à la **merci de** loc.prép. Dans une situation de dépendance complète par rapport à quelque chose: *Coincée dans le placard, la souris était à la merci du chat.* Dieu **merci** loc.adv. Grâce à Dieu: *Le départ du train avait été retardé, Dieu merci!*

merci n.m. et interj. **1.** n.m. Remerciement: *Je vous dois mille mercis pour votre gentillesse.* **2.** interj. Formule de politesse dont on se sert pour remercier: *Merci beaucoup pour votre aide!* **3.** interj. Formule de politesse qui accompagne un refus: *Non merci, je ne prendrai pas de dessert.*

mercier, ière n. Personne qui vend des articles de couture: *J'ai acheté ces boutons chez la mercière.* ☞ mercerie.

mercredi n.m. Jour de la semaine qui précède le jeudi et qui suit le mardi: *Tous les mercredis soir, je regarde mon émission favorite.* ⁄⁄ *Mercredi des Cendres:* Premier jour du carême.

mercure n.m. Métal d'un blanc argenté, très brillant, qui est liquide à la température ordinaire: *Le mercure entre dans la fabrication de baromètres et de thermomètres.*

mercurochrome n.m. (marque déposée) Liquide rouge vif utilisé en application externe pour détruire les microbes: *Désinfecte ta plaie avec du mercurochrome.* **R.** Les lettres *ch* se prononcent *k*.

merde n.f. et interj.fam. **1.** n.f. Excrément de l'être humain et de quelques animaux: *Elle a mis les pieds dans de la merde de chien.* SYN. crotte, fiente. **2.** n.f.fig. Personne, chose sans valeur: *Ce film insignifiant, c'est de la merde.*

3. n.f.fig. Situation difficile, confuse: *Eh bien! je crois que nous sommes dans la merde.* **4.** interj. Mot qui exprime la colère, le mépris, l'impatience: *Ah, merde! j'en ai assez!* **5.** interj. Mot qui exprime l'étonnement, l'admiration: *Merde alors! si je m'attendais à cette surprise!* ☞ se démerder, emmerdant, emmerdement, emmerder, emmerdeur.

mère n.f. **1.** Femme qui a donné naissance à un ou plusieurs enfants: *Jean-Louis m'a présenté sa mère.* **2.** Femelle d'un animal qui a eu un ou plusieurs petits: *Les porcelets entourent leur mère.* **3.** Femme qui agit comme une mère: *Ma grande sœur est une seconde mère pour moi.* **4.** Supérieure d'une communauté religieuse: *Cette mère a assoupli la règle monastique.* **5.** fam. Femme d'un certain âge: *Connais-tu la chanson: « C'est la mère Michel qui a perdu son chat »?* ⫽ *Mère porteuse:* Femme qui porte dans son utérus l'ovule fécondé d'une autre femme. ▲ **mère** n.f. **1.** Source, origine: *On dit que l'oisiveté est la mère de tous les vices.* **2.** Pays, lieu où une chose a commencé: *La Grèce est considérée comme la mère des arts.* HOM. maire, mer. ⫽ *Mère patrie:* Pays où l'on est né.

merguez n.f. (arabe) Petite saucisse fortement épicée: *Ma petite sœur trouve les merguez trop piquantes.* **R.** Ne pas oublier le *u* après le *g*. Le *z* se prononce.

mergule n.m. Petit oiseau marin voisin du pingouin, à bec très court et au plumage noir et blanc: *Les mergules nichent en grand nombre sur les falaises de l'Arctique.*

méridien n.m. Cercle imaginaire qui passe par les deux pôles terrestres: *Le méridien d'origine passe par Greenwich, en Angleterre.*

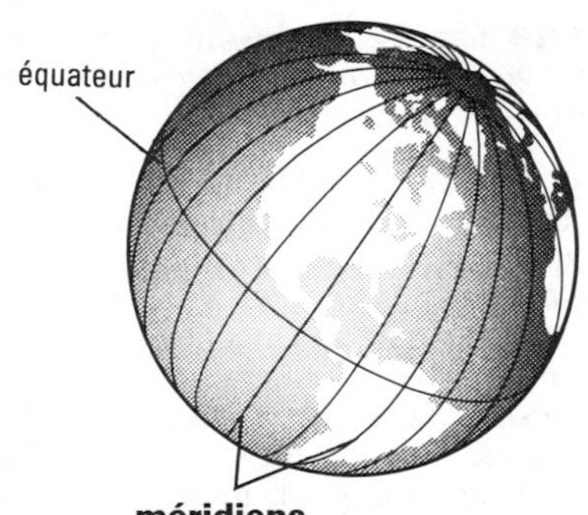

méridional, ale, aux n. et adj. **1.** n. Personne qui vit dans le sud de la France: *Les Méridionaux sont très démonstratifs.* **2.** adj. Qui appartient au sud de la France: *Les Marseillais ont un accent méridional.* **3.** adj. Qui est au sud: *L'Estrie est une région méridionale du Québec.* **R.** On met la majuscule à *méridional* et à *méridionale* lorsqu'il s'agit du nom.

meringue n.f. (pol.) Pâtisserie légère faite de blancs d'œufs montés en neige et de sucre, que l'on fait cuire au four à feu doux. *Comme dessert, nous avons des meringues.* **R.** Ne pas oublier le *u* après le *g*.

merise n.f. Petit fruit rouge clair peu charnu, au goût très acide: *La merise est une petite cerise sauvage.* ☞ merisier.

merisier n.m. **1.** Cerisier sauvage qui produit les merises et dont le bois est très apprécié en ébénisterie: *Le bois du merisier est de couleur rouge brunâtre veiné de jaune.* **2.** Bois de cet arbre: *Cette armoire en merisier est très belle.* **3.** Au Canada, nom donné au bouleau jaune: *La clairière était plantée de jeunes merisiers.* ☞ merise.

méritant, ante adj. Qui a du mérite: *Le directeur a félicité les élèves méritants.* SYN. digne. ANT. indigne. ☞ mérite.

mérite n.m. **1.** Ce qui rend une personne digne de récompense, de considération: *Elle a du mérite à étudier dans tout ce vacarme.* **2.** Ensemble des qualités d'une personne: *L'instituteur n'arrêtait pas de vanter les mérites de Gilbert.* SYN. talent, valeur. ANT. défaut, faiblesse. **3.** Qualité estimable de quelqu'un ou de quelque chose: *Gabriel a le mérite d'être toujours à l'heure à son travail.* ☞ démériter, immérité, méritant, mériter, méritoire.

mériter v. **1.** Être en droit d'obtenir une récompense: *Ces élèves ont bien travaillé: ils méritent des félicitations.* **2.** Être exposé à subir une punition: *Tu mériterais qu'on te suspende de l'école.* **3.** Valoir: *Ce travail mérite une bonne note.* ☞ mérite.

méritoire adj. Qui est digne d'éloge, de récompense: *Tu as fait des efforts méritoires pour maîtriser ton agressivité.* SYN. louable. ANT. blâmable. ☞ mérite.

merlan n.m. Poisson de mer à trois nageoires dorsales et deux anales, dont la chair est tendre et légère: *Le merlan ressemble de près à la morue.*

merle n.m. Oiseau passereau à plumage sombre, voisin de la grive, qui est commun dans les parcs et les bois, et dont la femelle est la merlette: *Les merles ont un chant mélodieux: ils sifflent.* ☞ merlette.

merlette n.f. Femelle du merle: *Le plumage de la merlette est plus pâle que celui du merle.* ☞ merle.

merlu n.m. Poisson marin, à dos gris et à ventre blanc, voisin de la morue, très répandu dans l'Atlantique: *Le merlu mesure environ un mètre de long.*

mérou, ous n.m. Grand poisson des mers chaudes dont la chair est très estimée: *Certains mérous peuvent mesurer deux mètres de long et peser plus de cent kilogrammes.*

merveille n.f. Chose qui suscite une grande admiration: *Ce bijou est une vraie merveille.* SYN. chef-d'œuvre, rareté. ANT. banalité, horreur. ☞ merveilleusement, merveilleux. à **merveille** loc.adv. Parfaitement: *Grand-père se porte à merveille.*

merveilleusement adv. Admirablement: *Cette ébéniste travaille merveilleusement.* ☞ merveille.

merveilleux n.m. Ce qui est extraordinaire, ce qui ne s'explique pas de façon naturelle: *Les contes de fées nous font entrer dans le monde du merveilleux.* SYN. fantastique. ☞ merveille.

merveilleux, euse adj. Qui suscite une grande admiration: *Pendant notre voyage, nous avons visité des endroits merveilleux.* SYN. admirable, fabuleux, magnifique, remarquable, splendide, superbe. ANT. insignifiant, laid, terne. ☞ merveille.

mésange n.f. Petit oiseau passereau insectivore, qui rend de grands services à l'agriculture: *Les mésanges habitent surtout les régions boisées.*

mésaventure n.f. Événement désagréable: *La voyageuse nous a raconté ses mésaventures.* SYN. malchance. ☞ aventure.

mésentente n.f. Mauvaise entente, désaccord: *Leur mésentente dure déjà depuis trois semaines.* SYN. brouille, dissension. ANT. accord, entente, harmonie. ☞ entendre.

mesquin, ine adj. (it.) **1.** Qui a l'esprit étroit: *Cette femme mesquine cherche constamment les petits défauts.* **2.** Qui manque de générosité: *Au lieu de féliciter ton adversaire, tu l'as humilié: c'est une attitude mesquine.* ANT. généreux, noble. **3.** Qui montre de l'avarice, une trop grande économie: *Il vaut mieux ne rien donner plutôt que d'offrir un cadeau mesquin.* ☞ mesquinement, mesquinerie.

mesquinement adv. **1.** De façon mesquine, basse: *Vous avez agi mesquinement en ne félicitant pas l'équipe victorieuse.* SYN. bassement. **2.** De façon mesquine, comme un avare: *Il a donné mesquinement des babioles dans cet échange de cadeaux.* SYN. chichement. ANT. généreusement. ☞ mesquin.

mesquinerie n.f. **1.** Étroitesse d'esprit: *Tu as agi avec mesquinerie en relevant ces petits détails.* SYN. bassesse. ANT. magnificence. **2.** Manque de générosité: *La mesquinerie de tes paroles est affligeante.* **3.** Avarice, trop grande économie: *Il refusera de participer à cette collecte en faveur des pauvres: sa mesquinerie est bien connue.* ANT. générosité. **4.** Action mesquine: *Je ne la croyais pas capable d'une telle mesquinerie.* ☞ mesquin.

message n.m. **1.** Information, nouvelle que l'on transmet à quelqu'un: *La secrétaire vous a-t-elle transmis mon message?* SYN. communication. **2.** Contenu de ce qui est transmis: *Avant de mourir, mon père m'a laissé un message d'amour.* ⫽ *Message publicitaire:* Information transmise aux consommateurs par annonce publicitaire afin de faire connaître ou de vendre un produit. ☞ messager.

messager, ère n. **1.** Personne chargée de transmettre une information, une nouvelle: *Un messager est venu nous avertir que la réunion était annulée.* SYN. commissionnaire, envoyé. **2.** Ce qui annonce quelque chose: *L'hirondelle est la messagère du printemps.* ☞ message.

messagerie n.f. Service de transport rapide de marchandises, de colis: *Vous recevrez ce colis à temps: je l'ai envoyé par messagerie.*

messe n.f. Cérémonie essentielle de la religion catholique, qui rappelle le sacrifice du Christ sur la croix sous la forme du pain et du vin, et qui est célébrée par le prêtre: *Le dimanche, les catholiques pratiquants assistent à la messe.* ⫽ *Grand-messe:* Messe chantée. *Messe basse:* Messe dont aucune partie n'est chantée. *Messe de minuit:* Messe célébrée la nuit de Noël.

mesurable adj. Qu'on peut mesurer: *La distance entre ces deux objets est facilement mesurable.* ☞ mesure.

mesurage n.m. Action de mesurer: *Une arpenteuse-géomètre a fait le mesurage de notre terrain.* ☞ mesure.

mesure n.f. **1.** Action d'évaluer une grandeur par comparaison avec une grandeur de même espèce prise comme référence: *Le chronomètre est un instrument de mesure du temps.* SYN. évaluation. **2.** Quantité, grandeur servant d'unité de base pour évaluer: *Le mètre est une mesure de longueur, tandis que le mètre carré est une mesure de surface.* **3.** Dimension déterminée par la mesure: *La tailleuse a pris les mesures de son client.* **4.** fig. Valeur, capacité: *Ce travail est à la mesure de son talent.* **5.** Division de la durée musicale en parties égales: *Tous les membres de la chorale tiennent compte de la mesure.* ⫽ *Sur mesure:* Spécialement adapté à un but, à une personne. ☞ mesurable, mesurage, mesuré, mesurer. à la **mesure de** loc.prép. À l'échelle de, proportionné à: *Ce projet n'est pas à la mesure de nos moyens.* à **mesure que** loc.conj. En même temps que: *J'aimerais que tu corriges tes erreurs à mesure que je les explique.* au fur et à **mesure** loc.adv. À mesure: *Lisez les bandes dessinées et remettez-les au fur et à mesure.* au fur et à **mesure de** loc.prép. Proportionnellement à: *Je vous donnerai de l'argent au fur et à mesure de vos besoins.* au fur et à **mesure que** loc.conj. En même temps que: *Venez chercher vos cahiers au fur et à mesure que je vous nommerai.* en **mesure** loc.adv. En suivant le rythme de la musique: *La chorale chante en mesure.* dans la **mesure où** loc.conj. **1.** Dans la proportion où: *Nous avons suivi les directives dans la mesure où elles étaient claires.* **2.** Pour autant que: *Dans la mesure où vous serez prudents, vous pourrez participer à cette randonnée à bicyclette.* ▲ **mesure** n.f. **1.** Modération dans ses actions, son comportement: *Il dépense ses économies avec mesure.* **2.** Limite, borne: *Je crois que tu as dépassé la mesure en te vantant de la sorte.* ⁄⁄ *Dans une certaine mesure:* Jusqu'à un certain point. ☞ démesure, démesuré, démesurément, mesuré. ▲ **mesure** n.f. Moyen que l'on prend pour obtenir un résultat: *Il faut prendre des mesures énergiques pour enrayer la violence dans le métro.* ⁄⁄ *Être en mesure de:* Avoir la possibilité de. ☞ demi-mesure.

1 kilogramme (kg)	=	1000 grammes (g)
1 kilomètre (km)	=	1000 mètres (m)
1 mètre (m)	=	1000 millimètres (mm)
1 mètre (m)	=	100 centimètres (cm)
1 mètre (m)	=	10 décimètres (dm)
1 décimètre (dm)	=	10 centimètres (cm)
1 centimètre (cm)	=	10 millimètres (mm)
1 litre (l)	=	1000 millilitres (ml)
1 litre (l)	=	100 centilitres (cl)
1 litre (l)	=	10 décilitres (dl)
1 décilitre (dl)	=	10 centilitres (cl)
1 centilitre (cl)	=	10 millilitres (ml)

mesures

mesuré, ée adj. **1.** Qui est évalué par la mesure: *La distance mesurée va du mur à l'escalier.* **2.** Qui est réglé par la mesure: *Les majorettes marchent à pas mesurés.* SYN. régulier. ☞ mesure. ▲ **mesuré, ée** adj. Qui agit avec modération: *Cette femme est toujours mesurée dans ses paroles.* HOM. mesurer. ☞ mesure.

mesurer v. **1.** Évaluer une longueur, une surface, un volume avec un instrument de mesure: *Prends le mètre, nous allons mesurer le couloir.* **2.** Avoir pour mesure: *La classe mesure dix mètres sur douze mètres.* **3.** fig. Déterminer, évaluer l'importance de quelque chose: *Elle a mesuré tous les risques avant d'entreprendre cette expédition.* SYN. estimer. ☞ mesure. se **mesurer** v.pron. **1.** Être mesurable: *Les longues distances se mesurent en kilomètres.* **2.** Se comparer à quelqu'un: *Il y a longtemps qu'elle voulait se mesurer à la championne de tennis.* ▲ **mesurer** v. **1.** Donner sans générosité: *Elle mesure l'aide qu'elle accorde à son voisin.* **2.** Faire, utiliser avec modération: *Mesurez vos paroles, vous pourriez les regretter.* HOM. mesuré. ☞ mesure.

métabolique adj. Qui se rapporte au métabolisme: *Cette maladie résulte d'un désordre métabolique:* ☞ métabolisme.

métabolisme n.m. Ensemble des transformations que subissent les substances d'un organisme vivant: *Le métabolisme des glucides, des lipides et des protéines est le métabolisme le plus important.* ☞ métabolique.

métal, aux n.m. **1.** Nom générique de tout corps simple doué d'un éclat brillant, bon conducteur de chaleur et d'électricité: *Le fer, le cuivre, le plomb et l'aluminium sont des métaux.* **2.** Matériau fait d'un de ces éléments ou de leur mélange: *Le couteau a une lame de métal.* ⁄⁄ *Métaux précieux:* Or, argent, platine. ☞ métallique.

métallique adj. **1.** Qui est fait de métal: *La charpente métallique de l'édifice est en train de rouiller.* **2.** Qui a l'apparence du métal: *Les plumes du coq ont des reflets métalliques.* **3.** Qui rappelle le son du métal: *Le robot a une voix métallique.* **R.** Les deux *l* se prononcent comme un seul *l*. ☞ métal.

métallo n.m.fam. Ouvrier qui travaille les métaux: *Les métallos sont rentrés au travail.* SYN. métallurgiste. **R.** Les deux *l* se prononcent comme un seul *l*. ☞ métallurgie.

métallophone n.m. Instrument de musique à percussion composé d'un jeu de lames métalliques: *Diane joue du métallophone.* **R.** Les deux *l* se prononcent comme un seul *l*. Les lettres *ph* se prononcent *f*.

métallurgie n.f. Ensemble des procédés et des techniques qui assurent la fabrication des métaux: *Le haut fourneau et le marteau-pilon font partie du matériel de métallurgie.* **R.** Les deux *l* se prononcent comme un seul *l*. ☞ métallo, métallurgique, métallurgiste.

métallurgique adj. Qui se rapporte à la fabrication du métal: *Cette industrie métallurgique recycle des carrosseries.* **R.** Les deux *l* se prononcent comme un seul *l*. ☞ métallurgie.

métallurgiste n.m. et adj. **1.** n.m. Ouvrier qui travaille les métaux: *Les métallurgistes font un travail physiquement exigeant.* **2.** adj. Qui travaille les métaux: *Ces ouvriers métallurgistes exigent des mesures de sécurité dans l'usine.* **R.** Les deux *l* se prononcent comme un seul *l*. ☞ métallurgie.

métamorphose n.f. **1.** Changement d'une forme en une autre: *Dans les contes de fées, on assiste souvent à la métamorphose d'animaux en êtres humains.* SYN. transformation. **2.** Ensemble des transformations successives que subissent les amphibiens et certains insectes avant de parvenir à la forme adulte: *Les élèves de cinquième année ont pu observer la métamorphose d'un têtard en grenouille.* SYN. changement. **3.** fig. Changement complet: *Cet enfant insupportable est devenu calme et agréable par une soudaine métamorphose.* SYN. évolution, transformation. ANT. stabilité. **R.** Les lettres *ph* se prononcent *f*. ☞ métamorphoser.

métamorphoser v. **1.** Faire passer d'une forme à une autre: *La fée métamorphosa le crapaud en un beau prince.* SYN. changer, transformer. **2.** fig. Changer complètement: *Les honneurs l'ont métamorphosée!* ☞ métamorphose. se **métamorphoser** v.pron. **1.** Se transformer, en parlant des amphibiens et de certains insectes: *Les chenilles se métamorphosent en papillons.* SYN. se changer. **2.** fig. Changer complètement, devenir différent: *Le jeune garçon timide s'est métamorphosé en homme sûr de lui.* SYN. se transformer. **R.** Les lettres *ph* se prononcent *f*.

métaphore n.f. Figure de style qui consiste à employer un terme concret pour désigner une notion abstraite: *«Bouillir de colère» et «le printemps de la vie» sont des métaphores.* **R.** Les lettres *ph* se prononcent *f*.

météo n.f. et adj.invar.fam. **1.** n.f. Abréviation de «météorologie»: *La météo annonce du beau temps.* **2.** adj.invar. Abréviation de «météorologique»: *Les prévisions météo ne sont pas très encourageantes aujourd'hui.* ☞ météorologie.

météore n.m. Corps céleste qui traverse l'atmosphère terrestre en laissant une traînée lumineuse derrière lui: *Les étoiles filantes sont des météores.* ☞ météorite.

météorite n.m. ou n.f. Fragment d'un corps céleste qui traverse l'espace et qui tombe sur la Terre sans être complètement désintégré: *Les météorites peuvent creuser des cratères importants dans le sol.* ☞ météore.

météorologie n.f. **1.** Science qui étudie les phénomènes atmosphériques en vue de la prévision du temps: *La météorologie se consacre à l'observation des températures, des précipitations, des vents, des pressions et des nuages.* **2.** Service qui s'occupe de ces études: *Cette annonceure travaille à la météorologie.* SYN. météo. ☞ météo, météorologique, météorologue.

météorologique adj. Qui se rapporte à l'étude des phénomènes atmosphériques, au temps qu'il fait: *Nous vous présentons les prévisions météorologiques.* ☞ météorologie.

météorologue n. Personne qui se spécialise dans l'étude des phénomènes atmosphériques: *Martine veut devenir météorologue.* **R.** Aussi, *météorologiste*. Ne pas oublier le *u* après le *g*. ☞ météréologie.

méthane n.m. Gaz incolore, inodore, inflammable, dont la combustion libère une grande quantité de chaleur: *Le méthane est le principal constituant du gaz naturel.* ☞ méthanier.

méthanier n.m. Navire spécialement conçu pour transporter le gaz naturel liquéfié: *Un méthanier arrive au port de Montréal.* ☞ méthane.

méthanol n.m. Alcool qu'on extrait des goudrons de bois et qui est utilisé dans la fabrication du formol et comme solvant: *Le méthanol peut être préparé synthétiquement.*

méthode n.f. **1.** Ensemble des moyens utilisés pour arriver à un résultat: *L'arrivée des robots a modifié les méthodes de fabrication des automobiles.* SYN. procédé. **2.** Manière ordonnée et logique de faire quelque chose: *Prends le temps de réfléchir: il faut procéder avec méthode.* SYN. ordre, système. ANT. désordre, hasard. **3.** Ouvrage contenant les éléments d'une science, d'un enseignement: *J'ai acheté une méthode de piano pour apprendre à jouer de cet instrument.* SYN. théorie. **4.** fam. Moyen: *Je connais la bonne méthode pour le faire changer d'idée.* SYN. formule, recette. ☞ méthodique, méthodiquement.

méthodique adj. **1.** Qui est fait selon une méthode: *Il faut procéder à une vérification méthodique de tous les appareils.* SYN. ordonné, systématique. ANT. désordonné. **2.** Qui agit avec ordre et logique: *Cette fillette a un esprit méthodique.* ☞ méthode.

méthodiquement adv. Avec méthode: *Si tu travailles méthodiquement, tu auras sûrement de bons résultats.* ☞ méthode.

méthodisme n.m. Mouvement religieux protestant fondé en Angleterre en 1729: *Le méthodisme est issu de l'anglicanisme.* ☞ méthodiste.

méthodiste n. et adj. **1.** n. Personne qui est membre du mouvement religieux protestant fondé en Angleterre en 1729: *Il y a environ trente millions de méthodistes dans le monde entier.* **2.** adj. Qui se rapporte au méthodisme: *Le pasteur méthodiste visite ses fidèles.* ☞ méthodisme.

méthylène n.m. Nom commercial de l'alcool méthylique: *Le méthylène est aussi appelé «esprit de bois».* ⁄⁄ *Bleu de méthylène:* Colorant utilisé en teinture et en médecine comme désinfectant.

méthylique adj. Qui est fabriqué à partir du méthane: *L'alcool méthylique est utilisé dans la fabrication du formol et comme solvant.*

méticuleusement adv. De façon méticuleuse, en étant très attentif aux détails: *Ses travaux sont toujours faits méticuleusement.* ☞ méticuleux.

méticuleux, euse adj. **1.** Qui est très attentif aux détails: *Cette secrétaire est très méticuleuse dans son travail.* SYN. appliqué, minutieux, soigneux. ANT. désordonné, négligent. **2.** Qui montre un souci des détails: *Sa chambre est toujours d'une propreté méticuleuse.* ☞ méticuleusement.

métier n.m. **1.** Occupation manuelle ou mécanique qui permet de gagner sa vie: *Maman exerce le métier de plombière.* **2.** Profession quelconque: *Cet ingénieur connaît bien son métier.* SYN. travail. **3.** Savoir-faire, habileté technique: *Ce réparateur a vingt ans de métier.* SYN. profession. **4.** Fonction permanente: *Le métier de parent n'est pas de tout repos.* ▲ **métier** n.m. Machine qui sert à fabriquer des textiles: *Grand-mère possède un métier à tisser.*

métis, isse n. et adj. **1.** n. Personne dont le père et la mère sont de races différentes: *Les enfants nés d'une Amérindienne et d'un Blanc sont des métis.* **2.** adj. Dont le père et la mère sont de races différentes: *Louis Riel a dirigé la révolte de la communauté métisse du Manitoba en 1870.* **3.** adj. Qui provient du croisement de deux variétés différentes de la même espèce: *Ce sont des œillets métis.* **R.** Le *s* se prononce. ☞ métissage, métisser.

métissage n.m. **1.** Croisement de deux races différentes, chez les humains: *Les racistes désapprouvent le métissage.* **2.** Croisement de variétés végétales différentes ou d'animaux de races différentes mais de même espèce: *Le métissage de ces deux races de chiens a donné des résultats étonnants.* ☞ métis.

métisser v. Croiser deux races différentes: *L'éleveuse a métissé des lapins.* ☞ métis.

métrage n.m. **1.** Action de mesurer à l'aide d'un mètre: *José effectue le métrage de l'allée.* **2.** Longueur en mètres d'un tissu: *Quel métrage vous faut-il pour fabriquer ces tentures?* **3.** Longueur de la pellicule d'un film: *Nous avons vu un long métrage au cinéma.* ⁄⁄ *Court métrage:* Film qui dure généralement moins de vingt minutes. *Long métrage:* Film qui dure plus d'une heure ou deux. ☞ mètre.

mètre n.m. **1.** Unité principale des mesures de longueur: *Cette table mesure deux mètres de long sur un mètre de large.* **2.** Objet servant à mesurer, qui a une longueur de un mètre: *Carlos utilise le mètre pour mesurer le tableau.* HOM. maître. ⁄⁄ *Mètre carré (m^2):* Unité de mesure d'aire. *Mètre cube (m^3):* Unité de mesure de volume. ☞ centimètre, décamètre, décimètre, hectomètre, kilométrage, kilomètre, kilométrique, métrage, métrer, métrique, millimètre.

métrer v. Mesurer à l'aide d'un mètre: *La propriétaire a métré son terrain afin d'en connaître les dimensions.* ☞ mètre.

métrage mètre métrer

métrique adj. Qui se rapporte au mètre: *Le système métrique est le système décimal de poids et mesures ayant pour base le mètre.* ☞ mètre.

métro n.m. **1.** Chemin de fer électrique, généralement souterrain, qui sert au transport des voyageurs dans une grande ville: *Le métro de Montréal est très apprécié de la population.* **2.** Rame de ce chemin de fer: *Je ne veux pas rater le dernier métro.*

métronome n.m. Petit instrument à pendule, en forme de pyramide, qui sert à marquer la mesure pour l'exécution d'une pièce musicale: *Le métronome indique le rythme auquel on doit jouer un morceau de musique.*

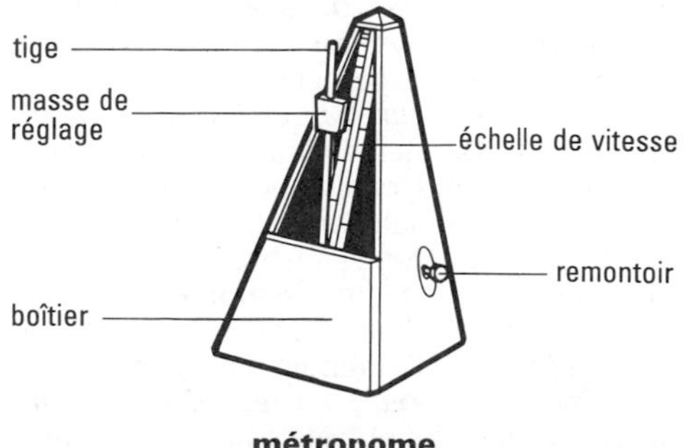

métronome

métropole n.f. **1.** Ville principale d'une région, d'un pays: *Montréal est la métropole de la province de Québec.* **2.** État central, considéré par rapport à ses colonies, à ses territoires extérieurs: *La France est la métropole pour les habitants des îles Saint-Pierre et Miquelon.* ☞ métropolitain.

métropolitain, aine adj. **1.** Qui appartient à la principale ville d'une région, d'un pays: *L'autoroute métropolitaine est une des grandes voies de circulation de Montréal.* **2.** Qui appartient à la métropole, à la mère patrie: *Pour les Martiniquais, la France est un territoire métropolitain.* ☞ métropole.

mets n.m.invar. Aliment préparé qu'on sert aux repas: *Le saumon fumé est mon mets préféré.* SYN. nourriture, plat. HOM. mais.

mettable adj. Qu'on peut mettre, en parlant d'un vêtement: *Ce chandail est encore mettable.* SYN. portable, utilisable. ANT. démodé, inutilisable. ☞ mettre.

metteur, euse n. **1.** Personne qui assure la réalisation d'une pièce de théâtre, d'un film, d'une émission de télévision: *Le metteur en scène dirige les acteurs.* **2.** Personne qui assure la réalisation d'une émission radiophonique: *Mon amie est metteuse en ondes à cette station.* **R.** L'O.L.F. recommande *metteure* comme féminin de *metteur*. ☞ mettre.

mettre v. **1.** Placer quelqu'un dans un endroit déterminé: *Papa met mon petit frère sur sa chaise haute.* SYN. asseoir, installer. **2.** Placer quelque chose dans un endroit déterminé: *J'ai mis mes livres dans mon bureau.* SYN. déposer, poser. ANT. déplacer, enlever. **3.** Ajouter: *J'ai déjà mis du sucre dans ton café.* ANT. ôter. **4.** Disposer: *Qui veut mettre la table?* **5.** Revêtir, placer sur le corps: *Élise met son manteau.* **6.** Provoquer: *Vous avez mis du désordre dans votre chambre.* SYN. causer, faire. **7.** Placer dans une certaine position: *Je viens de mettre le verrou.* SYN. fixer. **8.** Employer du temps, de l'argent: *Elle a mis trois mois à faire ce travail.* SYN. consacrer. **9.** Faire fonctionner: *L'hiver est arrivé: il faudra mettre le chauffage.* **10.** Faire passer dans un état nouveau: *Pourquoi l'avez-vous mis en colère?* SYN. jeter, plonger. ⁄⁄ *Mettre à jour:* Rendre actuel. *Mettre à mort:* Exécuter. *Mettre au monde:* Donner naissance à un enfant. *Mettre bas:* Donner naissance à des petits, en parlant d'un animal. *Mettre en pièces:* Briser. *Mettre sur pied:* Monter, élaborer. ☞ mettable, metteur, mise, remettre. se **mettre** v.pron. **1.** Occuper un lieu: *Vous êtes-vous mis en ligne devant la porte?* **2.** Prendre une position: *David s'est mis debout pour regarder par la fenêtre.* **3.** Entrer dans un état: *Manon s'est mise en colère.* **4.** Commencer: *Il est temps que tu te mettes au travail.* **5.** S'habiller d'un vêtement: *Je dois magasiner, car je n'ai plus rien à me mettre.* SYN. porter, se vêtir. ANT. se déshabiller. ⁄⁄ *Ne plus savoir où se mettre:* Être embarrassé, gêné. *Se mettre dans la tête, dans l'esprit:* S'imaginer.

meuble n.m. Objet qu'on peut déplacer et qui sert à l'aménagement ou à la décoration d'un lieu: *Les lits, les tables, les chaises et les fauteuils sont des meubles.* SYN. mobilier. ⁄⁄ *Meuble-lavabo:* Meuble de salle de bain, encastrant un lavabo, sous lequel se trouve un espace de rangement fermé par des portes. ☞ ameublement, démeubler, meublé, meubler, remeubler.

meuble n.m. et adj. **1.** n.m. Bien qui peut être déplacé: *Ses possessions en meubles et immeubles sont impressionnantes.* ANT. immeuble. **2.** adj. Qui peut être déplacé: *Les biens meubles comprennent les meubles, les animaux, les marchandises et les véhicules.* ☞ immeuble.

meuble adj. Qui se laboure facilement: *La terre meuble est facile à cultiver.* ☞ ameublir, ameublissement.

meublé n.m. Appartement qui est loué avec des meubles: *Mon grand frère habite un meublé rue Notre-Dame.* HOM. meubler. ☞ meuble.

meubler v. **1.** Garnir de meubles: *Ces nouveaux mariés meublent leur appartement.* SYN. équiper. ANT. démeubler. **2.** fig. Occuper une période libre: *Elle sait très bien comment meubler ses loisirs.* SYN. remplir. ☞ meuble. se **meubler** v.pron. Acheter, se procurer des meubles: *Elle voudrait bien se meubler, mais elle n'a pas assez d'argent.* **meublé, ée** p.p. et adj. Qui est loué avec des meubles: *Cette célibataire préfère les chambres meublées.*

meuglement n.m. Cri sourd et prolongé des bœufs, des vaches, des veaux: *J'entends le meuglement du taureau.* SYN. beuglement. ☞ meugler.

meugler v. Crier, en parlant des bœufs, des vaches et des veaux: *L'heure de la traite est dépassée: les vaches meuglent.* SYN. beugler. ☞ meuglement.

meule n.f. **1.** Grosse roue, traditionnellement en pierre, qui sert à écraser le grain: *Ce pain est fait de farine moulue à la meule de pierre.* **2.** Roue de pierre très dure qui sert à aiguiser, à polir: *Le rémouleur fait tourner la meule pour aiguiser les couteaux.* **3.** Grand fromage ayant la forme d'un disque épais: *Chez la marchande de fromage, j'ai vu des meules de gruyère.* ▲ **meule** n.f. Gros tas de foin, de paille, de gerbes de céréales: *Les enfants sautent dans la meule de foin.*

meunier, ière n. et adj. **1.** n. Personne qui possède un moulin à céréales, qui fabrique de la farine: *La meunière moud le grain pour le transformer en farine.* **2.** adj. Qui se rapporte à la fabrication de la farine: *L'industrie meunière s'occupe de la transformation des grains en farine.* ⁄⁄ *Sole, truite meunière:* Sole, truite saupoudrée de farine et cuite au beurre dans la poêle.

meurtre n.m. Action de tuer volontairement quelqu'un: *Un meurtre a été commis la nuit dernière.* SYN. assassinat, crime, homicide. ☞ meurtrier.

meurtrier, ière n. et adj. **1.** n. Personne qui tue volontairement quelqu'un: *Le meurtrier s'est rendu à la police.* SYN. assassin, criminel, tueur. ANT. victime. **2.** adj. Qui cause la mort: *Des combats meurtriers ont eu lieu dans les territoires occupés.* SYN. destructeur, mortel, sanglant. ANT. inoffensif. **3.** adj. Où beaucoup de personnes trouvent la mort: *Cette route étroite et pleine de courbes est meurtrière.* SYN. dangereux, fatal. **4.** adj.fig. Qui pousse à commettre un meurtre: *Une folie meurtrière s'empara de cette femme.* ☞ meurtre.

meurtrière n.f. Ouverture étroite pratiquée dans un mur de fortification et par laquelle on peut jeter des projectiles, tirer sur les assaillants, etc.: *Quand tu visiteras le fort de l'île Sainte-Hélène, n'oublie pas d'observer les meurtrières.*

meurtrir v. **1.** Faire une marque sur la peau en serrant, en frappant: *Sa chute dans l'escalier lui a meurtri la hanche.* SYN. blesser. **2.** Endommager un fruit ou un légume par un choc ou un contact prolongé: *Ne serre pas la pêche entre tes doigts: tu vas la meurtrir.* **3.** fig. Blesser moralement: *Tes paroles méchantes lui ont meurtri le cœur.* SYN. peiner. ☞ meurtrissure.

meurtrissure n.f. **1.** Marque laissée sur la peau par un coup, un serrement: *Son visage est couvert de meurtrissures.* SYN. blessure, lésion. **2.** Tache laissée sur un fruit ou un légume endommagé par un choc ou un contact prolongé: *Ces tomates pleines de meurtrissures sont invendables.* ☞ meurtrir.

meute n.f. **1.** Troupe de chiens dressés pour la chasse: *La meute se lance à la poursuite du gibier.* **2.** fig. Troupe de personnes qui s'acharnent contre quelqu'un: *Une meute d'envieux harcelaient la jeune chanteuse.* SYN. bande, ramassis. **3.** Troupe de louveteaux, chez les scouts: *La meute est partie en excursion.*

mexicain, aine n. et adj. **1.** n. Personne qui est du Mexique: *Un Mexicain, une Mexicaine.* **2.** adj. Qui est du Mexique: *La tequila est un alcool mexicain.* **R.** On met la majuscule à *mexicain* et à *mexicaine* lorsqu'il s'agit du nom.

mezzanine n.f. (it.) **1.** Petit étage construit entre deux autres plus grands: *Ce centre commercial est pourvu d'une mezzanine.* **2.** Sorte de demi-étage construit dans une maison dont le plafond est très haut: *Ses parents ont fait construire une mezzanine au-dessus du salon.* **3.** Étage situé entre le parterre et le balcon, au théâtre: *J'ai réservé deux places à la mezzanine.* **R.** Les deux *z* se prononcent *dz*.

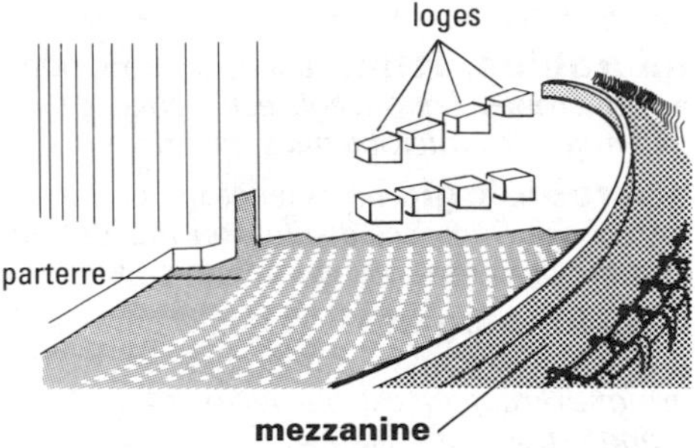

mi n.m.invar. Note de musique: *«Mi» est la troisième note de la gamme de «do».* HOM. mie, mye.

miaou, ous n.m. Cri du chat, dans le langage des enfants: *Bruno s'amuse à imiter les miaous du chat.* SYN. miaulement.

miaulement n.m. Cri du chat: *D'où viennent ces miaulements?* SYN. miaou. ☞ miauler.

miauler v. Crier, en parlant du chat: *Mon chat miaule quand il a faim.* ☞ miaulement, miauleur.

miauleur, euse adj. Qui miaule: *Les chatons miauleurs m'empêchent de dormir.* ☞ miauler.

mica n.m. Minerai brillant et transparent formé de feuilles superposées: *On utilise le mica blanc comme isolant thermique ou comme vitre.*

mi-carême n.f. Jeudi de la troisième semaine du carême: *Autrefois, au Québec, on fêtait la mi-carême.* **R.** Au pluriel, *mi-carêmes*. ☞ carême.

miche n.f. Gros pain de forme ronde: *J'ai entamé la miche.*

à mi-chemin loc.adv. **1.** À la moitié du chemin, d'un trajet: *La voiture est tombée en* *panne à mi-chemin.* **2.** fig. Avant d'avoir atteint le but : *Quand j'ai décidé quelque chose, je ne m'arrête pas à mi-chemin.* ☞ chemin.

mi-clos, close adj. Qui est à moitié fermé : *Même s'il a les yeux mi-clos, le chat voit tout.* ☞ clore.

micmac n.m.fam. Manigance, intrigue : *Expliquez-vous franchement, je n'aime pas ces micmacs.*

micro n.m. Abréviation de « microphone » : *L'animatrice parle derrière le micro.* ☞ microphone.

microbe n.m. Être vivant microscopique qui peut provoquer des maladies : *Les vaccins nous aident à lutter contre les microbes.* SYN. bacille, bactérie, virus. ☞ microbien, microbiologie, microbiologiste.

microbien, ienne adj. Qui se rapporte aux microbes : *La rougeole et la varicelle sont des maladies microbiennes.* ☞ microbe.

microbiologie n.f. Science qui étudie les microbes : *Dans cet institut, on fait des recherches en microbiologie.* ☞ microbe.

microbiologiste n. Personne qui se spécialise dans l'étude des microbes : *Le docteur Armand Frappier est un microbiologiste de grand renom.* ☞ microbe.

microfilm n.m. Film composé d'une série de photographies de très petit format : *Ces documents d'archives sont conservés sur microfilm.* ☞ film.

microfilmer v. Photographier sur microfilm : *L'espionne a microfilmé les documents secrets.* ☞ film.

micro-onde n.f. Onde d'une très courte longueur : *Les creux et les crêtes d'une micro-onde sont très rapprochés.* ⁄⁄ *Four à micro-ondes :* Four à cuisson par micro-ondes. ☞ onde.

micro-ordinateur n.m. Ordinateur de petit format qui est surtout destiné à l'usage individuel : *Dans notre classe, nous avons un micro-ordinateur.* **R.** Au pluriel, *micro-ordinateurs*. ☞ ordinateur.

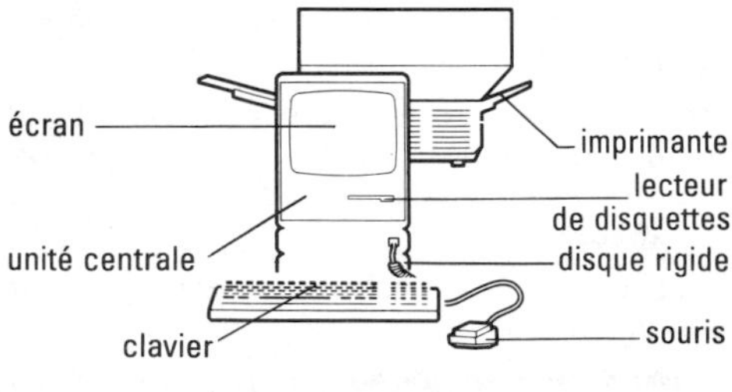

micro-ordinateur

micro-organisme n.m. Organisme vivant visible seulement au microscope : *Les microbes et les bactéries sont des micro-organismes.* **R.** Au pluriel, *micro-organismes*. Aussi, *microorganisme*. ☞ organe.

microphone n.m. Appareil qui amplifie le son, la voix : *L'orateur parle derrière le microphone.* SYN. micro. **R.** Les lettres *ph* se prononcent *f*. ☞ micro.

microprocesseur n.m. Circuit intégré de très petite dimension qui constitue l'unité centrale d'un micro-ordinateur : *La miniaturisation des microprocesseurs a permis la fabrication de très petits ordinateurs.* ☞ processeur.

microscope n.m. Instrument d'optique composé de plusieurs lentilles, qui permet d'observer des objets invisibles à l'œil nu : *Francine a un microscope qui grossit mille fois.* ⁄⁄ *Microscope électronique :* Appareil dans lequel le rayon lumineux est remplacé par un faisceau d'électrons. ☞ microscopique.

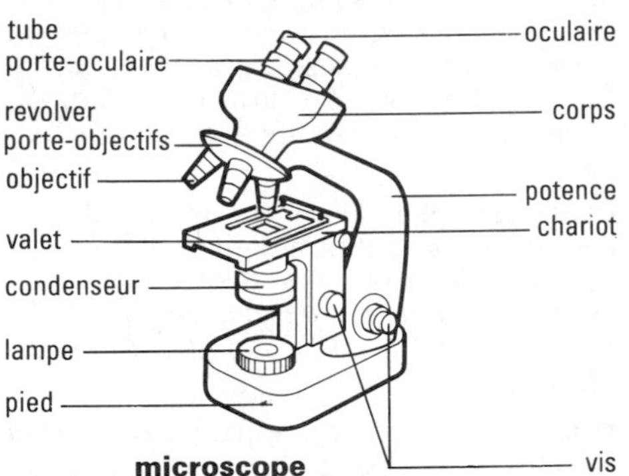

microscope

microscopique adj. **1.** Qui est si petit qu'on ne peut le voir qu'avec un microscope : *Les microbes sont des organismes microscopiques.* SYN. imperceptible, minuscule. ANT. énorme. **2.** Qui est fait au moyen d'un microscope : *L'observation microscopique a permis de découvrir un nouveau virus.* **3.** Qui est très petit : *Je n'arrive pas à déchiffrer cette écriture microscopique.* ☞ microscope.

microsillon n.m. Disque de longue durée dont les sillons sont très petits : *Albert écoute le dernier microsillon de sa chanteuse favorite.* **R.** Les deux *l* se prononcent comme dans *famille*.

midi n.m. Milieu du jour, douzième heure : *Le repas sera servi à midi.* ▲ **midi** n.m. **1.** Sud : *Le salon est exposé au midi.* **2.** Région située au sud de la France : *Les Marseillais ont l'accent du Midi.* **R.** On met la majuscule à *midi* lorsqu'il s'agit de la région.

mie n.f. Partie interne du pain, qui reste molle après la cuisson: *Gabrielle ne mange que la mie de sa tartine.* ANT. croûte. HOM. mi, mye. ⁄⁄ *Pain de mie:* Pain sans croûte utilisé pour les sandwiches, les canapés, les rôties.

miel n.m. Substance sucrée que les abeilles produisent avec le nectar des fleurs: *L'apicultrice recueille le miel dans les ruches.* ☞ mielleux.

mielleux, euse adj. Qui est d'une douceur hypocrite: *Ses paroles mielleuses ne m'ont pas convaincue.* SYN. affecté, doucereux. ANT. brusque, brutal. ☞ miel.

mien n.m. **1.** Ce qui est à moi: *Dans tout ce fatras, je ne peux pas différencier le tien du mien.* **2.** plur. Personnes qui font partie de ma famille, de mes amis: *Je n'ai pas vu les miens depuis Noël.*

le **mien, la mienne, les miens, les miennes** pron.poss. Pronom possessif de la première personne du singulier qui désigne l'objet ou l'être appartenant ou se rapportant à la personne qui parle: *Ton chat est plus gros que le mien.*

miette n.f. **1.** Petit morceau qui se détache du pain, du gâteau, etc., quand on le coupe: *Qui a fait toutes ces miettes sur la table?* **2.** fig. Ce qui reste de quelque chose: *Ses enfants n'ont eu que des miettes de son immense fortune.* **3.** Petit morceau: *Le verre s'est cassé en mille miettes.* ☞ émiettement, émietter.

mieux n.m., adj.invar. et adv. **1.** n.m. Ce qui est meilleur: *Le mieux serait de prendre une décision tout de suite.* **2.** n.m. Amélioration: *L'infirmière a constaté un léger mieux dans l'état de ce malade.* **3.** adj.invar. Qui est meilleur, plus beau: *Ce pantalon est mieux que celui que tu portais hier.* **4.** adj.invar. Qui est en meilleure santé: *Je trouve que tu as l'air mieux.* **5.** adj.invar. Qui est plus à l'aise: *Assoyez-vous ici, vous serez mieux.* **6.** adv. De façon plus avantageuse: *Cette ampoule éclaire mieux la pièce.* **7.** adv. De façon plus convenable, meilleure: *Il travaille mieux depuis qu'il est revenu de vacances.* **8.** adv. De la façon la meilleure, le plus: *C'est le livre que j'aime le mieux.* ⁄⁄ *Aimer mieux:* Préférer. *Aller mieux:* Être en meilleure santé. *Faire de son mieux:* Faire aussi bien que l'on peut. *Faire mieux de:* Avoir intérêt à: *Faire pour le mieux:* Agir de la manière qui paraît la meilleure. *Faute de mieux:* À défaut d'une chose meilleure. à qui **mieux mieux** loc.adv. En cherchant à faire mieux que l'autre: *Les enfants ont patiné à qui mieux mieux.* de **mieux en mieux** loc.adv. De façon toujours plus favorable: *Dans ma vie, les choses vont de mieux en mieux.*

mièvre adj.péj. Qui est d'un charme enfantin et fade: *Ses paroles mièvres n'intéressent personne.* SYN. doucereux. ☞ mièvrerie.

mièvrerie n.f. Charme enfantin et fade: *La mièvrerie de sa peinture me déplaît.* SYN. puérilité. ☞ mièvre.

mignon, onne n. et adj. **1.** n. Personne charmante et gracieuse, en parlant des enfants surtout: *Viens ici, mon petit mignon.* **2.** adj. Qui est charmant et gracieux: *Ce bébé est vraiment mignon.* SYN. adorable, beau, délicat. ANT. laid, répugnant. **3.** adj.fam. Qui est aimable et gentil: *Sois mignonne, aide-moi à ranger les livres.* SYN. complaisant. ANT. déplaisant. ⁄⁄ *Filet mignon:* Bifteck coupé dans la pointe du filet. *Péché mignon:* Petit défaut auquel on s'abandonne avec plaisir.

migraine n.f. Douleur intense dans un seul côté de la tête, qui s'accompagne souvent de nausées et de vomissements: *Quand j'ai une migraine, je ne supporte ni le bruit ni les odeurs.* ☞ migraineux.

migraineux, euse n. et adj. **1.** n. Personne qui souffre de migraines: *Les migraineux sont vraiment à plaindre.* **2.** adj. Qui souffre de migraines: *Cette personne migraineuse a essayé ce traitement avec succès.* ☞ migraine.

migrateur n.m. Animal qui se déplace dans une direction déterminée, de façon périodique: *Les migrateurs reviennent dans nos régions après avoir passé l'hiver dans les pays chauds.* ☞ migration.

migrateur, trice adj. Qui se déplace dans une direction déterminée, de façon périodique: *La bernache et l'hirondelle sont des oiseaux migrateurs.* ☞ migration.

migration n.f. **1.** Déplacement d'un grand nombre de personnes qui quittent leur pays pour s'établir ailleurs: *Quand un pays est en guerre, il se produit souvent une migration vers des pays plus accueillants.* SYN. émigration. **2.** Déplacement périodique qu'effectuent certains animaux dans une direction déterminée: *Les saumons entreprennent une migration pour se reproduire.* ☞ migrateur, migratoire, migrer.

migratoire adj. Qui se rapporte au déplacement périodique qu'effectuent certains animaux dans une direction déterminée: *Cette biologiste observe les mouvements migratoires des caribous.* ☞ migration.

migrer v. **1.** Changer de pays pour aller s'établir ailleurs: *Les guerres et les famines obligent des populations entières à migrer.* **2.** Se déplacer dans une direction déterminée de façon périodique, en parlant de certains animaux: *Quand la température fraîchit, les oiseaux migrent vers des régions plus chaudes.* ☞ migration.

à **mi-jambe** loc.adv. Au milieu de la jambe: *Elles pataugeaient dans l'eau jusqu'à mi-jambe.* ☞ jambe.

mijoter v. **1.** Cuire lentement et à petit feu: *La soupe mijote sur la cuisinière.* **2.** fig. et fam. Préparer de longue main, en secret: *Je voudrais bien savoir ce qu'ils mijotent.* SYN. machiner, tramer.

mil adj.num. Nombre mille dans les dates inférieures à deux mille: *Cet événement s'est produit en l'an mil huit cent quatre-vingt-deux.* HOM. mille. **R.** Aussi, *mille*.

mil n.m. Céréale à petits grains, cultivée dans les régions tropicales sèches: *Cette botaniste cultive le mil dans une serre.* HOM. mille.

milan n.m. Oiseau rapace d'assez grande taille, à queue longue et fourchue, aux longues ailes, vivant dans les régions chaudes et tempérées: *Le milan s'attaque à des proies vivantes, mais il se nourrit aussi de charognes.*

milice n.f. Police auxiliaire, dans certains pays: *Pour renforcer l'armée on a fait appel à la milice.* ☞ milicien.

milicien, ienne n. Dans certains pays, policier auxiliaire: *Les miliciens sont intervenus pendant la prise d'otages.* ☞ milice.

milieu, eux n.m. **1.** Centre d'une chose, d'un lieu: *La glissoire s'élève au milieu de la cour.* **2.** Période située à égale distance du commencement et de la fin: *L'année 1950 a marqué le milieu du XXe siècle.* **3.** Ce qui est placé entre d'autres choses: *Le doigt du milieu s'appelle «médius» ou «majeur».* **4.** fig. Position modérée, éloignée des extrêmes: *En toute chose, cette personne sage sait tenir le milieu.* ⁄⁄ *Le juste milieu:* Ce qui s'éloigne des extrêmes, évite les excès. au **milieu de** loc.prép. **1.** Au centre de quelque chose: *Il est arrivé au milieu de la nuit.* **2.** Parmi: *Elle vit continuellement au milieu du danger.* au beau **milieu** loc.adv. Juste au milieu: *Le gâteau était surmonté d'une grosse bougie au beau milieu.* en plein **milieu** loc.adv. Juste au milieu: *J'ai mis un vase de fleurs sur la table en plein milieu.* ▲ **milieu, eux** n.m. **1.** Groupe de personnes avec lesquelles on vit habituellement: *Cette femme est issue d'un milieu bourgeois.* **2.** Endroit où vit habituellement une espèce animale: *As-tu déjà observé des castors dans leur milieu naturel?* SYN. ambiance, élément, environnement.

militaire n. et adj. **1.** n. Personne qui fait partie de l'armée: *Ces militaires iront au combat.* **2.** adj. Qui se rapporte à l'armée: *Dans certains pays, le service militaire est obligatoire.* **3.** adj. Qui est soutenu par l'armée: *Ce pays est dirigé par un gouvernement militaire.* ☞ antimilitariste, militairement.

militairement adv. **1.** De façon militaire: *La soldate nous a salués militairement.* **2.** Par la force armée: *Ces territoires ont été occupés militairement.* ☞ militaire.

militant, ante n. et adj. **1.** n. Personne qui participe activement à la vie d'un syndicat, d'un parti: *Ces militantes syndicales assistent régulièrement aux assemblées.* **2.** adj. Qui recommande le combat, la lutte: *Cette doctrine militante plaît aux révolutionnaires.* SYN. actif. ☞ militer.

militer v. **1.** Participer activement à la vie d'un syndicat, d'un parti: *Ma grand-mère milite dans un parti politique.* **2.** Constituer un argument en faveur de quelqu'un ou de quelque chose, contre quelqu'un ou quelque chose: *Cette raison ne milite pas en votre faveur.* SYN. plaider. ☞ militant.

milk-shake ☞ sect. anglicismes et canadianismes.

millage n.m. Au Canada, nombre de milles parcourus, indiqué au compteur d'un véhicule automobile: *L'automobiliste vérifie le millage de sa voiture.* **R.** Les deux *l* se prononcent comme un seul *l*. ☞ mille.

mille n.m. Ancienne mesure de distance valant environ 1609 mètres: *Au Québec, il n'y a pas si longtemps, on calculait les distances en milles.* HOM. mil. ⁄⁄ *Mille marin:* Unité de mesure des distances utilisée en navigation maritime ou aérienne et valant 1852 mètres. **R.** Les deux *l* se prononcent comme un seul *l*. ☞ millage.

mille n.m.invar. **1.** Nombre qui suit 999: *Dix fois cent font mille.* **2.** Centre d'une cible, marqué du chiffre mille: *La flèche a touché le mille.* **3.** Millier: *Ces crayons se vendent cinquante dollars le mille.* HOM. mil. **R.** Les deux *l* se prononcent comme un seul *l*.

mille adj.num.invar. **1.** Dix fois cent: *La foule se composait d'environ trois mille personnes.* **2.** Nombre considérable: *Je vous remercie mille fois.* **3.** Millième: *Il a vécu en l'an mille.* HOM. mil. **R.** Les deux *l* se prononcent comme un seul *l*. Aussi, *mil*, lorsqu'il s'agit d'une date. ☞ millénaire, millième, millier.

mille-feuille n.m. Gâteau fait de nombreuses couches de pâte feuilletée garnies de crème pâtissière: *Comme dessert, je prendrai un mille-feuille.* **R.** Au pluriel, *mille-feuilles*. Aussi, *millefeuille*. Les deux *l* de *mille* se prononcent comme un seul *l*.

millénaire n.m. et adj. **1.** n.m. Période qui dure mille ans : *Cette église a fêté son millénaire en 1988.* **2.** adj. Qui a mille ans : *Les pyramides d'Égypte sont plusieurs fois millénaires.* **R.** Les deux *l* se prononcent comme un seul *l.* ☞ mille.

mille-pattes n.m.invar. Insecte dont le corps, formé de vingt et un segments, porte quarante-deux pattes : *Un mille-pattes s'infiltre entre les dalles de béton.*

millet n.m. Nom courant d'une céréale à petits grains cultivée dans les régions tropicales sèches : *L'Africaine prépare des galettes avec de la farine de millet.* **R.** Les lettres *ill* se prononcent comme dans *famille.*

milliard n.m. **1.** Mille millions : *Un milliard s'écrit 1 000 000 000.* **2.** Nombre considérable : *Des milliards d'insectes envahissent ces régions humides.* **R.** Les deux *l* se prononcent comme un seul *l.* ☞ milliardaire.

milliardaire n. et adj. **1.** n. Personne qui possède un milliard de dollars ou d'une autre unité monétaire : *Cette île appartient à une milliardaire.* **2.** adj. Qui possède un milliard de dollars ou d'une autre unité monétaire : *Cette entreprise internationale est plusieurs fois milliardaire.* **R.** Les deux *l* se prononcent comme un seul *l.* ☞ milliard.

millième n. et adj.num. **1.** n. Personne, animal ou chose qui occupe le millième rang : *Tu as été le millième à t'inscrire au tour cycliste de Montréal.* **2.** n. Partie d'un tout divisé en mille parties égales : *Dix est le millième de dix mille.* **3.** adj.num. Qui vient après le neuf cent quatre-vingt-dix-neuvième : *Les organisatrices de l'exposition ont accueilli le millième visiteur.* **R.** Les deux *l* se prononcent comme un seul *l.* Lorsqu'il s'agit de la partie d'un tout, le nom est masculin. ☞ mille.

millier n.m. **1.** Nombre de mille environ : *Un millier de personnes ont assisté à la première représentation de cette pièce.* **2.** Très grand nombre : *Des milliers d'étoiles brillaient dans le ciel.* ☞ mille. par **milliers** loc.adv. En très grand nombre : *Les étoiles brillaient par milliers dans le ciel.* **R.** Les deux *l* se prononcent comme un seul *l.*

milligramme n.m. Unité de mesure de masse valant un millième de gramme : *Mille milligrammes équivalent à un gramme.* **R.** Les deux *l* se prononcent comme un seul *l.* ☞ gramme.

millilitre n.m. Unité de mesure de capacité valant un millième de litre : *Il faut mille millilitres pour faire un litre.* **R.** Les deux *l* se prononcent comme un seul *l.* ☞ litre.

millimètre n.m. Unité de mesure de longueur valant un millième de mètre : *Cette pièce de monnaie n'a qu'un millimètre d'épaisseur.* **R.** Les deux *l* se prononcent comme un seul *l.* ☞ mètre.

million n.m. **1.** Mille fois mille : *Le Québec compte environ six millions de personnes.* **2.** Million de dollars ou d'une autre unité monétaire : *On a dépensé des millions pour refaire cette autoroute.* ⁄⁄ *Être riche à millions :* Être très riche. **R.** Les deux *l* se prononcent comme un seul *l.* ☞ millionnaire.

millionnaire n. et adj. **1.** n. Personne qui possède un million de dollars ou d'une autre unité monétaire : *Cette île appartient à des millionnaires.* **2.** adj. Qui possède un million de dollars ou d'une autre unité monétaire : *Le roi de ce pays est plusieurs fois millionnaire.* **R.** Les deux *l* se prononcent comme un seul *l.* ☞ million.

mime n. Acteur qui s'exprime par des gestes et des attitudes, sans parler : *La mime a un visage très expressif.* ☞ mimer, mimique.

mimer v. **1.** Exprimer par des gestes et des attitudes, sans parler : *Dans ce jeu, les enfants doivent mimer un sentiment à tour de rôle.* **2.** Imiter les gestes, les manières de quelqu'un : *Je vois que tu t'amuses à mimer ton professeur.* SYN. copier, singer. ☞ mime.

mimétisme n.m. **1.** Propriété que possèdent certains animaux de prendre l'apparence ou la couleur d'un élément de leur milieu de vie : *Le mimétisme du caméléon lui permet de se confondre avec l'objet sur lequel il se trouve.* **2.** fig. Imitation involontaire des gestes, des attitudes de quelqu'un : *Le petit enfant reproduit les gestes de ses parents par mimétisme.*

mimique n.f. Ensemble des gestes et des expressions qui accompagnent ou remplacent la parole : *Elle disait que tout allait bien, mais sa mimique démentait ses paroles.* ☞ mime.

mimosa n.m. (lat.) **1.** Arbrisseau des régions chaudes, qui porte des fleurs jaunes très odorantes en forme de petites boules duveteuses : *Le mimosa est une espèce d'acacia qui fleurit à la fin de l'hiver.* **2.** Fleur de cet arbrisseau : *Un bouquet de mimosas remplissait l'air de son parfum délicat.* **3.** Plante appelée communément « sensitive » parce que ses feuilles se replient au moindre contact : *La sensitive est une variété de mimosa qui porte de nombreuses petites fleurs roses ou blanches.* (*Voir l'illustration à la page suivante.*)

minable n. et adj.fam. **1.** n. Personne très médiocre : *Cette bande de minables ne trouve* *rien de mieux à faire que de terroriser les enfants.* SYN. misérable. **2.** adj. Qui est très médiocre: *Ce devoir minable ne vaut pas la peine d'être corrigé.* SYN. lamentable, piètre. ANT. réussi.

minaret n.m. (turc) Tour d'une mosquée: *Du haut du minaret, le muezzin appelle les fidèles musulmans à la prière.*

minauder v. Prendre des manières étudiées pour plaire, attirer l'attention: *Cesse de minauder, tout le monde te regarde.* ☞ minauderie.

minauderie n.f. **1.** Action de prendre des manières étudiées pour plaire, attirer l'attention: *La minauderie n'est pas très appréciée des personnes franches et naturelles.* SYN. affectation. **2.** plur. Manières étudiées: *Il faisait toutes sortes de minauderies pour qu'on le remarque.* SYN. coquetteries, façons, simagrées. ☞ minauder.

mince adj. **1.** Qui n'est pas épais: *Cette feuille de papier est très mince.* ANT. épais. **2.** Qui n'est pas large: *Un mince filet d'eau coulait du robinet.* SYN. ténu. ANT. large. **3.** Qui est fin, élancé: *Des milliers de personnes voudraient être plus minces.* SYN. svelte. **4.** fig. Qui n'est pas très important: *Il n'y a pas lieu de se réjouir pour de si minces résultats.* SYN. insignifiant, médiocre, négligeable. ANT. considérable, important. ☞ amincir, amincissement, émincé, émincer, minceur, mincir.

mince interj.fam. Mot qui exprime la surprise, le mécontentement, l'admiration: *Mince alors! tu as vu sa nouvelle voiture?*

minceur n.f. **1.** État de ce qui n'est pas épais: *As-tu observé la minceur de ce tissu soyeux?* ANT. épaisseur. **2.** État d'une personne qui est fine, élancée: *Sa minceur de ballerine attirait le regard.* SYN. finesse, sveltesse. ANT. grosseur. **3.** fig. État de ce qui n'est pas très important: *La minceur de son revenu lui interdit le moindre gaspillage.* SYN. faiblesse, petitesse. ANT. ampleur, importance. ☞ mince.

mincir v. Devenir plus mince: *Il a beaucoup minci depuis qu'il s'est mis au régime.* SYN. amincir. ANT. épaissir, grossir. ☞ mince.

mine n.f. **1.** Apparence: *Quand on juge les gens sur leur mine, on risque de se tromper.* SYN. air, maintien. **2.** Aspect du visage, de la physionomie: *La présidente est sortie de son bureau la mine réjouie.* **3.** plur. Simagrées, manières: *Elle fait des mines pour attirer l'attention de son voisin.* ▲ **mine** n.f. Bâtonnet de graphite ou de matière colorée qui forme la partie centrale d'un crayon: *Irène taille la mine de son crayon.* ☞ porte-mine. ▲ **mine** n.f. **1.** Lieu d'où l'on extrait du charbon, du métal: *Val-d'Or est une ville renommée pour ses mines d'or.* **2.** Cavité creusée dans le sol pour extraire du charbon, du métal: *Les mineurs ont été coincés au fond de la mine.* **3.** fig. Ressource importante: *Cette encyclopédie est une mine de renseignements.* ☞ mineur, minier. ▲ **mine** n.f. Engin explosif installé sur le sol, sous terre ou dans l'eau: *L'armée a posé des mines le long du rivage.* ☞ déminage, déminer, miner.

miner v. Placer des mines dans un lieu: *On a miné cette zone pour construire une bouche de métro.* ☞ mine. ▲ **miner** v. **1.** Creuser lentement la base ou l'intérieur de quelque chose: *Les vagues de la mer minent les falaises.* SYN. éroder, ronger, saper. **2.** fig. Affaiblir, détruire peu à peu: *Ses nombreux soucis la minent.* SYN. abattre, consumer, diminuer, ronger. ANT. guérir, remonter.

minerai n.m. Roche qui contient des minéraux: *On a extrait du cuivre de ce minerai.* ☞ minéral.

minéral, aux n.m. Élément qui entre dans la composition des roches: *L'écorce terrestre est formée de minéraux.*

minéral, ale, aux adj. **1.** Qui est fait de matière non vivante: *Le règne animal, le règne végétal et le règne minéral constituent les trois grandes divisions de la nature.* **2.** Qui contient des minéraux: *Après le repas, j'ai bu une eau minérale.* ☞ minerai, minéralier, minéralogie, minéralogique, minéralogiste.

minéralier n.m. Cargo construit pour le transport des minerais: *Le minéralier transporte du minerai de fer.* ☞ minéral.

La chaîne alimentaire

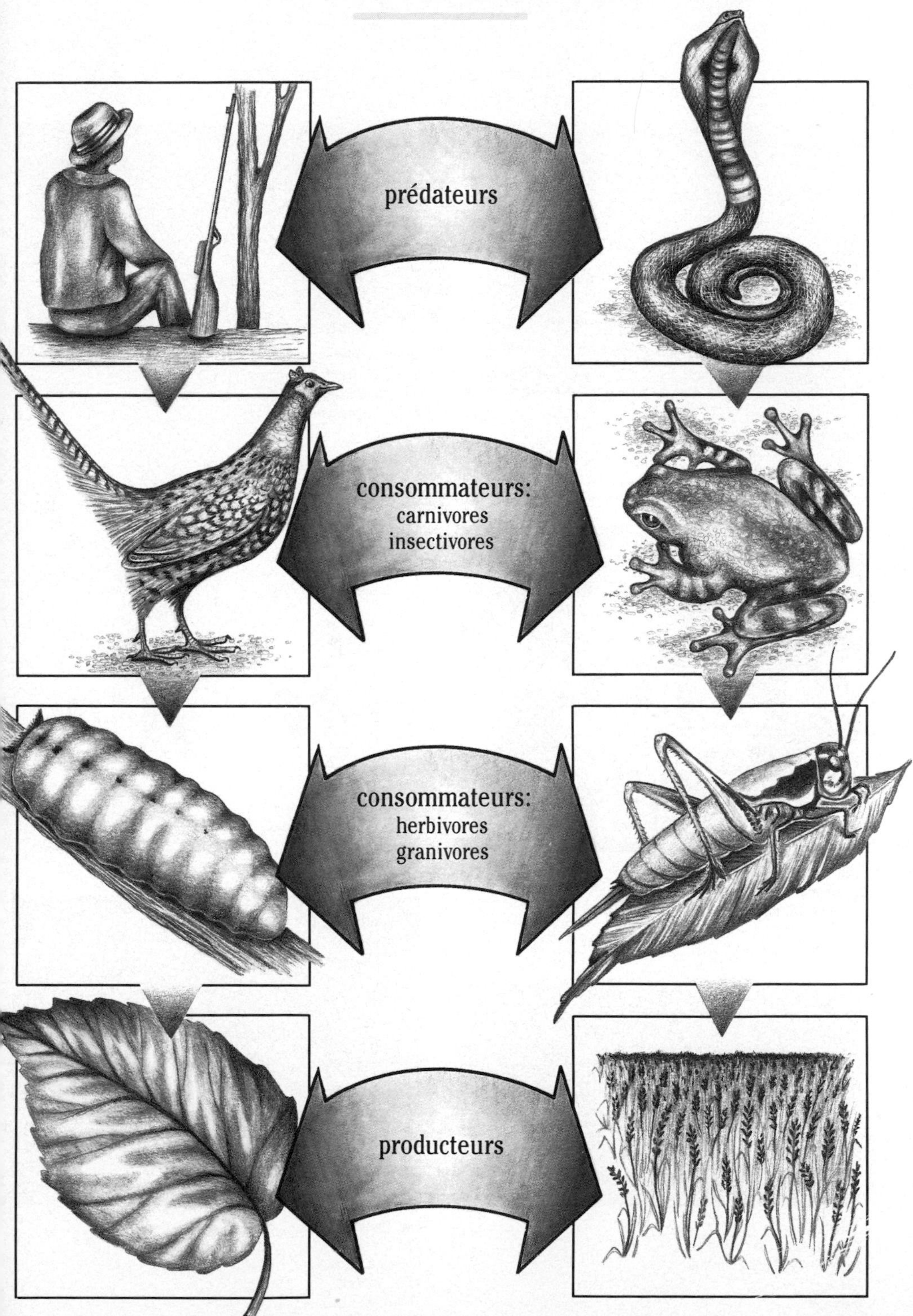

Œuvres québécoises

A.N.C./C-4666

Cornelius Krieghoff
Habitant conduisant un traîneau
Huile

(Photo M. Aitken)

Miyuki Tanobe
Un coin du faubourg à m'lasse (1973)
Nihonga (gouache mêlée de sable sur gravier)
152,4 × 304,8 cm
M.B.A.M.

Albert Dumouchel 1989/VIS-ART Copyright Inc.

(Photo M. Aitken)

Albert Dumouchel
Les champions (1966)
Acrylique sur toile
122 × 153 cm
M.B.A.M.

(Photo M. Aitken)

Kiakshuk
Campement d'été (1961)
Pochoir, 28/50
60,4 × 73,6 cm
M.B.A.M.

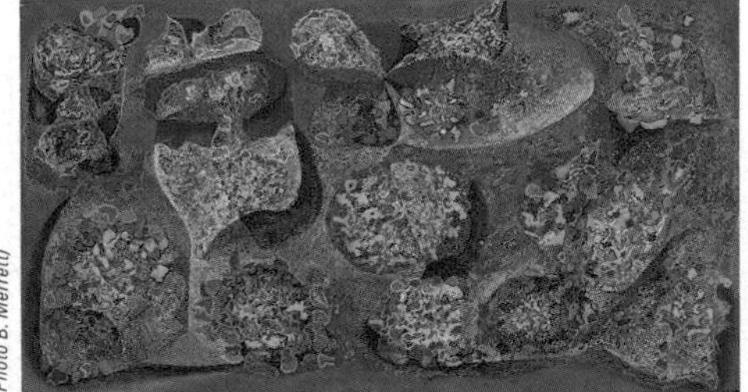

(Photo B. Merrett)

Alfred Pellan
Jardin volcanique (1960)
Huile, sable et tabac sur toile
104,1 × 186,3 cm
M.B.A.M.

Paul-Émile Borduas
Nudité (1942)
Gouache sur papier
44 × 56,8 cm
M.B.A.M.

(Photo P. Altman)

François Baillargé
Ange
Bois
95,2 × 83,3 cm
M.Q.

(Photo B. Merrett)

Marcelle Ferron
Le signal Dorset (1959)
Huile sur toile
114,2 × 162 cm
M.B.A.M.

(Photo B. Merrett)

Jean-Paul Lemieux
La Floride (1969)
Huile sur toile
91 × 135,5 cm
M.B.A.M.

(Photo C. Guest)

Alfred Laliberté
Le ber (1907-1916)
Plâtre
Hauteur: 132 cm
M.B.A.M.

Marc-Aurèle Fortin 1989/VIS-ART Copyright Inc.

(Photo B. Merrett)

Marc-Aurèle Fortin
Paysage à Sainte Rose (vers 1933)
Huile sur carton
96 × 120,6 cm
M.B.A.M.

(Photo B. Merrett)

Clarence Gagnon
Automne, Baie-Saint-Paul (1909)
Huile sur toile
73 × 91 cm
M.B.A.M.

Le système solaire

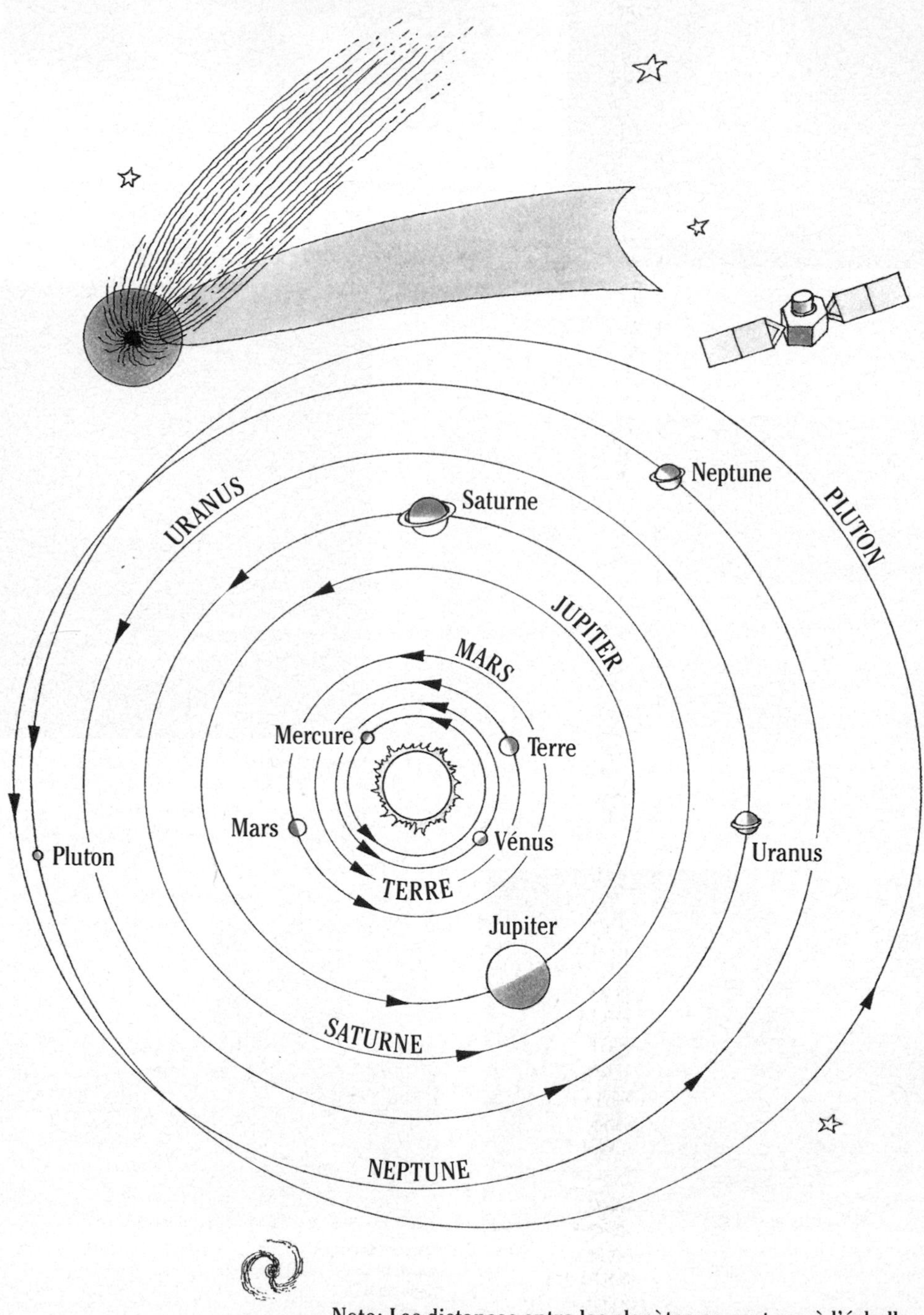

Note: Les distances entre les planètes ne sont pas à l'échelle.

minéralogie n.f. Science qui étudie les minéraux: *Dorothée est étudiante en minéralogie.* ☞ minéral.

minéralogique adj. Qui se rapporte à l'étude des minéraux: *Marc-André a apporté sa collection minéralogique à l'école.* // *Plaque minéralogique:* Plaque d'immatriculation. ☞ minéral.

minéralogiste n. Personne qui se spécialise dans l'étude des minéraux: *Cette minéralogiste a fait une recherche détaillée sur l'amiante.* ☞ minéral.

minestrone n.m. (it.) Soupe italienne faite de légumes, de riz ou de petites pâtes: *Hélène aime beaucoup le minestrone.*

minet, ette n.fam. Petit chat, petite chatte: *Où est passée notre minette?* SYN. minou. ☞ minou.

mineur n.m. Personne qui travaille dans une mine: *Les mineurs travaillent sous terre la plupart du temps.* **R.** L'O.L.F. recommande *mineuse* comme féminin de *mineur*. ☞ mine.

mineur, eure n. et adj. **1.** n. Personne qui n'a pas encore atteint l'âge de la majorité, fixé à dix-huit ans: *Les mineurs n'ont pas le droit de voter.* ANT. majeur. **2.** adj. Qui n'a pas encore atteint l'âge de la majorité, fixé à dix-huit ans: *Nancy n'a que seize ans: elle est encore mineure.* ANT. majeur. ☞ minorité.

mineur, eure adj. Qui n'est pas très important: *Ne t'en fais pas, ce n'est qu'un problème mineur.* ANT. important, majeur. ☞ minoritaire, minorité.

miniature n.f. Peinture, tableau de petites dimensions: *Cette peintre fait de jolies miniatures.* ☞ miniaturisation, miniaturiser. **en miniature** loc.adv. En très petit: *Cet enfant, c'est son père en miniature.*

miniaturisation n.f. Action de donner de très petites dimensions à un objet, à un mécanisme: *La miniaturisation des machines à calculer a contribué à leur popularité.* ☞ miniature.

miniaturiser v. Donner de très petites dimensions à un objet, à un mécanisme: *On a réussi à miniaturiser les circuits électroniques.* ☞ miniature.

minibus n.m.invar. Petit autobus: *Ce minibus peut transporter une dizaine de personnes handicapées.* **R.** Le *s* se prononce. ☞ bus.

minicassette n.f. (marque déposée) **1.** Cassette de petite dimension: *J'ai enregistré mes chansons préférées sur cette minicassette.* **2.** Petit magnétophone portatif qui utilise ce type de cassettes: *Grâce à sa minicassette, Gina peut enregistrer sa musique préférée.* ☞ cassette.

minier, ière adj. **1.** Qui se rapporte aux mines: *Ce gisement minier est très riche en cuivre.* **2.** Où il y a des mines: *L'Abitibi et la Côte-Nord sont des régions minières.* ☞ mine.

minijupe n.f. Jupe très courte qui s'arrête au milieu des cuisses: *Claudia porte une minijupe.* **R.** Aussi, *mini-jupe*. Au pluriel, *mini-jupes* ou *minijupes*. ☞ jupe.

minimal, ale, aux adj. Qui constitue le plus bas degré, la valeur la plus basse, la quantité la moindre: *Voici les températures minimales enregistrées pendant les trois premiers mois de l'année.* SYN. minimum. ANT. maximal. ☞ minimum.

minime adj. Qui est très petit, peu important: *Je n'ai fait que des dépenses minimes ce mois-ci.* SYN. insignifiant, négligeable. ANT. considérable, énorme, immense. ☞ minimiser.

minimiser v. Diminuer l'importance de quelque chose: *N'essaie pas de minimiser le rôle que tu as joué dans cette bagarre.* SYN. réduire. ANT. amplifier, exagérer, grossir. ☞ minime.

minimum n.m. et adj. **1.** n.m. Degré le plus bas, valeur la plus basse, quantité la plus petite: *Il faut prendre le minimum de risques.* ANT. maximum. **2.** adj. Qui constitue le plus bas degré, la valeur la plus basse, la quantité la plus petite: *Le gouvernement a décidé d'augmenter le salaire minimum.* SYN. minimal. ANT. maximum. **R.** Les lettres *um* se prononcent *omm*. Au pluriel, *minimums* ou *minima*. ☞ minimal. **au minimum** loc.adv. Au moins, pour le moins: *Il faut au minimum quinze ans avant que cet arbre produise des fruits.*

ministère n.m. **1.** Ensemble des services de l'État dirigés par un ministre: *On lui a confié le ministère des Finances.* SYN. département. **2.** Bâtiment où sont réunis les services d'un ministère: *Les enseignantes ont manifesté devant le ministère de l'Éducation.* **3.** Fonction, charge de ministre: *Son ministère n'a duré que quelques mois.* ☞ ministre.
▲ **ministère** n.m. Fonction, charge exercée par un prêtre ou par un pasteur: *L'abbé Giroux exerce son ministère dans notre paroisse.* SYN. apostolat, sacerdoce. ☞ ministre.

ministériel, elle adj. **1.** Qui se rapporte à un ministère: *Le premier ministre a procédé à un remaniement ministériel.* **2.** Qui vient d'un ministre: *Ce décret ministériel met fin à la grève dans les transports en commun.* ☞ ministre.

ministre n. Membre du gouvernement placé à la tête d'un ministère : *La ministre de la Santé et des Services sociaux a donné une conférence de presse.* ⁄⁄ *Conseil des ministres :* Réunion de tous les ministres. *Premier ministre :* Chef du gouvernement. ☞ ministère, ministériel, sous-ministre. ▲ **ministre** n.m. Prêtre ou pasteur protestant : *Le ministre du culte a béni leur mariage.* ☞ ministère.

minium n.m. (lat.) Peinture rouge-orangé utilisée pour préserver le fer de la rouille : *Maman a peint la brouette avec du minium.* **R.** Les lettres *um* se prononcent *omm.*

minois n.m. Visage jeune et charmant : *Ce petit garçon a un joli minois.*

minoritaire adj. **1.** Qui a obtenu le moins de votes dans une élection : *Le parti minoritaire a dû s'incliner devant la majorité.* ANT. majoritaire. **2.** Qui sont les moins nombreux dans un groupe : *Les hommes sont minoritaires dans cette réunion.* ☞ mineur.

minorité n.f. **1.** Petit nombre : *Cette revue n'intéresse qu'une minorité de lecteurs.* **2.** Groupe, parti ayant obtenu le moins de votes dans une élection : *Ce parti politique est en minorité au Parlement.* ANT. majorité. **3.** Groupe social qui se distingue de la majorité de la population : *Les minorités ethniques dénoncent le racisme dont elles sont victimes.* ☞ mineur. ▲ **minorité** n.f. **1.** État d'une personne qui n'a pas encore atteint l'âge de la majorité, fixé à dix-huit ans : *Au Canada, la minorité se termine à dix-huit ans.* **2.** Temps pendant lequel une personne est mineure : *Pendant leur minorité, les jeunes ne peuvent pas voter.* ☞ mineur.

minoterie n.f. Grande usine où l'on transforme les grains en farine : *Son frère travaille dans une minoterie.*

minou, ous n.m.fam. Chat, dans le langage des enfants : *Notre chatte a eu trois petits minous.* SYN. minet. ☞ minet.

minuit n.m. Milieu de la nuit, qui correspond à 24 heures ou à 0 heure : *L'horloge sonne minuit.* ⁄⁄ *Messe de minuit :* Messe célébrée à minuit à l'occasion de certaines fêtes.

minuscule n.f. et adj. **1.** n.f. Petite lettre : *Les noms communs sont écrits en minuscules.* ANT. majuscule. **2.** adj. Qui est petite, en parlant d'une lettre : *En première année, on apprend à tracer des lettres minuscules.* ANT. majuscule. **3.** adj. Qui est très petit : *Ces insectes minuscules s'infiltrent partout.* ANT. énorme, immense.

minutage n.m. Action de déterminer avec précision la durée d'un spectacle, d'une activité : *Le minutage de mon emploi du temps m'oblige à respecter mon horaire.* ☞ minute.

minute n.f. **1.** Unité de mesure du temps qui vaut soixante secondes : *Dans une heure, il y a soixante minutes.* **2.** Temps très court : *Je reviens dans une minute.* SYN. instant, moment. ⁄⁄ *À la minute :* À l'instant même. *D'une minute à l'autre :* Dans un futur très proche. ☞ minutage, minuter, minuterie.

minuter v. Déterminer avec précision la durée d'un spectacle, d'une activité : *L'organisatrice de la fête a minuté le spectacle.* ☞ minute.

minuterie n.f. Appareil qui permet d'établir ou de couper automatiquement le courant électrique : *Notre nouvelle cuisinière est dotée d'une minuterie.* ☞ minute.

minutie n.f. Grande attention, soin extrême : *Ses travaux sont toujours faits avec minutie.* SYN. application, précision, soin. ANT. inattention, négligence. **R.** Le *t* se prononce *ss.* ☞ minutieusement, minutieux.

minutieusement adv. De façon minutieuse, avec un soin extrême : *Il a noté minutieusement les informations que tu lui as données.* ☞ minutie.

minutieux, euse adj. **1.** Qui travaille avec une grande attention, un soin extrême : *Roselyne est très minutieuse : elle s'attache aux moindres détails.* SYN. consciencieux, exigeant, méticuleux. ANT. négligent. **2.** Qui est fait avec une grande attention, un soin extrême : *Ce travail minutieux mérite le maximum de points.* ☞ minutie.

mioche n.fam. Enfant : *Une bande de mioches jouent dans la ruelle.* SYN. gamin.

mirabelle n.f. (it.) Petite prune ronde et jaune, très parfumée, fruit du mirabellier : *Les mirabelles se mangent fraîches ou en confitures.* ☞ mirabellier.

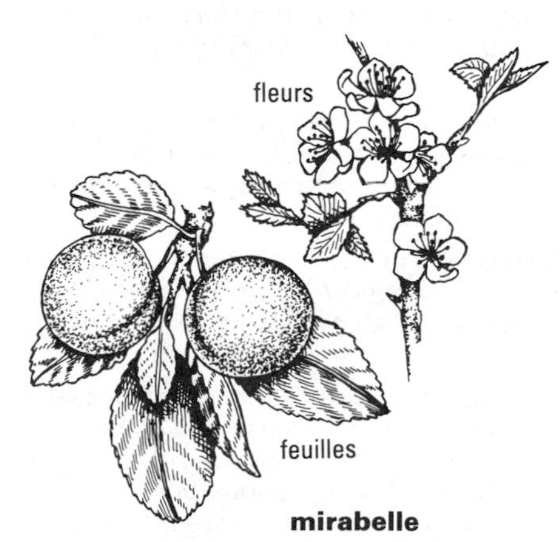

mirabelle

mirabellier n.m. Prunier cultivé qui produit la mirabelle: *Le mirabellier est chargé de fruits.* ☞ mirabelle.

miracle n.m. **1.** Fait extraordinaire qu'on attribue à Dieu et qu'on ne peut pas expliquer en recourant à la science: *Selon l'Évangile, les apôtres ont été témoins de nombreux miracles.* SYN. phénomène, prodige. **2.** Chose étonnante, inexplicable: *C'est un vrai miracle qu'elle ait survécu à cet accident.* ☞ miraculé, miraculeusement, miraculeux. par **miracle** loc.adv. D'une façon inattendue: *Par miracle, il est sorti sain et sauf de l'accident.*

miraculé, ée n. et adj. **1.** n. Personne qui a été l'objet d'un miracle: *Cette femme est une miraculée de l'oratoire Saint-Joseph.* **2.** adj. Qui a été l'objet d'un miracle: *Cette malade miraculée a été examinée par de nombreux médecins.* ☞ miracle.

miraculeusement adv. **1.** Par un miracle: *Dans l'Évangile, un paralytique a été miraculeusement guéri.* **2.** Comme par miracle: *Elle a miraculeusement échappé à la mort dans cette catastrophe aérienne.* ☞ miracle.

miraculeux, euse adj. **1.** Qui est dû à un miracle: *On dit que le frère André a fait plusieurs guérisons miraculeuses.* SYN. inexplicable. ANT. naturel, normal. **2.** Qui produit des effets étonnants, inexplicables: *Ce remède miraculeux m'a remis sur pied en quelques heures.* **3.** Qui est extraordinaire, étonnant: *C'est une réussite miraculeuse.* SYN. surprenant. ANT. ordinaire, quelconque. ☞ miracle.

mirador n.m. (esp.) Tour de surveillance, d'observation dans un camp de prisonniers: *Des sentinelles armées effectuent la surveillance du haut des miradors.*

mirage n.m. **1.** Phénomène optique qui donne l'illusion d'une nappe d'eau lointaine où se reflètent des objets: *Dans le désert, les voyageurs sont souvent victimes de mirages.* **2.** fig. Apparence trompeuse, illusion: *Elle s'est laissée prendre aux mirages de la gloire.* SYN. chimère, mensonge. ▲ **mirage** n.m. Action d'observer un œuf devant une source lumineuse pour s'assurer de l'état de son contenu: *Le mirage des œufs permet de vérifier leur fraîcheur.*

mire n.f. **1.** Entaille pratiquée sur une arme à feu, servant de repère pour la visée: *La chasseuse se sert du cran de mire pour viser l'orignal.* **2.** Ligne droite imaginaire qui va de l'œil du tireur au point visé: *Avant de viser, il faut prendre la ligne de mire.* **3.** Point que l'on vise avec une arme à feu: *La cible que tu vois là-bas est mon point de mire.* **4.** Image fixe qui apparaît sur un écran de télévision et qui sert à vérifier la qualité de la transmission: *Les émissions ne sont pas encore commencées: on ne voit que la mire sur l'écran.* HOM. myrrhe.

se mirer v.pron. **1.** Se regarder dans un miroir, dans l'eau: *L'actrice se mirait dans la glace.* SYN. s'admirer, se contempler. **2.** Se refléter: *Le clocher de l'église se mire dans l'eau du lac.*

miroir n.m. **1.** Objet fait de verre poli recouvert d'une couche de métal, qui sert à réfléchir la lumière, à refléter les images: *Clément se regarde dans le miroir de la salle de bains.* SYN. glace. **2.** Surface unie qui réfléchit les objets: *Pas un souffle de vent ne troublait le miroir du lac.* **3.** fig. Ce qui donne l'image de quelque chose: *On dit souvent que les yeux sont le miroir de l'âme.* SYN. reflet. ⁄⁄ *Œuf au miroir:* Œuf qu'on fait cuire sans brouiller le jaune et le blanc. ☞ miroiterie, miroitier.

miroitant, ante adj. Qui réfléchit la lumière en jetant des reflets brillants: *La surface miroitante du lac m'aveuglait.* ☞ miroiter.

miroitement n.m. Reflet brillant jeté par une surface qui réfléchit la lumière: *Le miroitement des eaux fatigue les yeux.* ☞ miroiter.

miroiter v. Réfléchir la lumière en jetant des reflets brillants: *L'eau de la rivière miroitait sous le soleil éclatant de juillet.* SYN. scintiller. ⁄⁄ *Faire miroiter quelque chose à quelqu'un:* Proposer quelque chose comme avantageux pour attirer quelqu'un: ☞ miroitant, miroitement.

miroiterie n.f. Industrie, commerce des miroirs et des glaces: *J'ai acheté ce miroir ancien dans une miroiterie.* ☞ miroir.

miroitier, ière n. Personne qui taille, encadre, installe, vend des miroirs ou des glaces: *Le miroitier est venu poser les miroirs dans la salle de bains.* ☞ miroir.

misaine n.f. Voile basse du mât vertical situé à l'avant d'un grand voilier: *Sous l'ordre de la capitaine, elles hissèrent la misaine.*

misanthrope n. et adj. **1.** n. Personne qui n'aime pas le genre humain et qui évite la compagnie des autres humains: *Ce misanthrope préfère la compagnie des animaux à celle de ses semblables.* ANT. philanthrope. **2.** adj. Qui n'aime pas le genre humain et qui évite la compagnie des autres humains: *Elle ne veut plus voir personne: elle est devenue misanthrope.* SYN. sauvage, solitaire. ANT. affable, sociable. ☞ misanthropie.

misanthropie n.f. Haine du genre humain: *Sa misanthropie le pousse à fuir la société des autres humains.* ANT. philanthropie. ☞ misanthrope.

mise n.f. **1.** Action de placer quelque chose ou quelqu'un dans un lieu déterminé: *Les archéologues ont veillé à la mise en lieu sûr de cette découverte.* **2.** Action de placer dans une situation nouvelle: *La mise à pied de cette travailleuse a été dénoncée par le syndicat.* **3.** Action de placer d'une certaine manière: *Johannie s'occupe de la mise en tas des feuilles mortes.* // *Mise à pied:* Renvoi. *Mise au point:* Réglage d'un instrument d'optique afin d'obtenir une image nette. *Mise en accusation:* Fait d'accuser quelqu'un au moyen d'un acte d'accusation. *Mise en ondes:* Réalisation radiophonique d'une émission. *Mise en pages:* Agencement des textes et des illustrations pour obtenir des pages d'un format déterminé. *Mise en plis:* Opération qui consiste à donner aux cheveux mouillés la forme qu'ils garderont une fois secs. *Mise en scène:* Réalisation d'un film, d'une pièce de théâtre ou d'une émission de télévision. *Mise en service:* Première utilisation d'une machine neuve, d'une installation. ☞ mettre. ▲**mise** n.f. Manière de s'habiller: *Ces adolescents soignent leur mise.* SYN. ajustement, tenue, toilette. ☞ mettre. ▲**mise** n.f. Argent que l'on risque au jeu: *Déposez vos mises sur la table: nous allons commencer la partie.* SYN. enjeu. ☞ miser.

miser v. **1.** Déposer une somme que l'on risque au jeu: *Elle a misé vingt dollars sur ce cheval.* **2.** Compter sur quelque chose: *Ils misaient sur ton expérience pour réussir en affaires.* ☞ mise.

misérable n. et adj. **1.** n. Personne qui vit dans la misère: *Ces misérables vivent dans un taudis.* SYN. miséreux, nécessiteux, pauvre. **2.** n. Personne qui est méprisable: *Ce misérable s'attaque aux personnes sans défense.* SYN. canaille, gredin, scélérat. **3.** adj. Qui vit dans la misère: *Il faut venir en aide aux personnes misérables.* SYN. malheureux. ANT. heureux, riche. **4.** adj. Qui excite la pitié: *Elle a connu une fin misérable: elle est morte loin de sa famille et de sa patrie.* SYN. lamentable, pitoyable. **5.** adj. Qui est très pauvre: *Comment peut-on vivre dans un logement aussi misérable?* SYN. minable. **6.** adj. Qui a peu de valeur: *Elles se sont battues pour une misérable somme d'argent.* SYN. insignifiant, piètre. ANT. important, remarquable. ☞ misère.

misérablement adv. **1.** D'une façon qui excite la pitié: *Cet animal dépérit misérablement.* SYN. pitoyablement. **2.** Dans la misère, la pauvreté: *Cette famille a vécu misérablement avant de pouvoir émigrer au Canada.* SYN. pauvrement. ANT. richement. ☞ misère.

misère n.f. **1.** Très grande pauvreté: *Ces pauvres gens sont dans la misère.* SYN. besoin, indigence. ANT. abondance, richesse. **2.** Événement malheureux qui excite la pitié: *C'est une misère de la voir dans cet état.* SYN. calamité, disgrâce. ANT. bonheur. **3.** Chose qui a peu d'importance, de valeur: *Ils se sont brouillés pour une misère.* SYN. babiole, bagatelle. **4.** plur. Ce qui rend la vie pénible: *Quand on a raconté ses petites misères, elles nous semblent plus supportables.* ☞ misérable, misérablement, miséreux.

miséreux, euse n. et adj. **1.** n. Personne qui est dans la misère: *Plusieurs organismes viennent en aide aux miséreuses.* SYN. indigent, nécessiteux. **2.** adj. Qui est dans la misère: *Les personnes miséreuses sont plus nombreuses en période de crise économique.* SYN. pauvre. ANT. riche. **3.** adj. Qui indique la misère: *Nous vivons dans un quartier miséreux.* ANT. opulent. ☞ misère.

misère miséreux

miséricorde n.f. Pitié qui pousse à pardonner les offenses: *La coupable implore votre miséricorde.* SYN. charité, clémence, indulgence. ANT. cruauté, dureté. ☞ miséricordieux.

miséricordieux, ieuse adj. Qui pardonne facilement les offenses: *Les chrétiens croient en un Dieu miséricordieux.* SYN. bon, clément, généreux. ANT. cruel, insensible, sévère. ☞ miséricorde.

misogyne n. et adj. **1.** n. Personne qui éprouve de la haine ou du mépris pour les femmes: *Ce misogyne traite les femmes comme des esclaves.* **2.** adj. Qui éprouve de la haine ou du mépris pour les femmes: *La libération des femmes exaspère cet homme misogyne.* ☞ misogynie.

misogynie n.f. Haine ou mépris pour les femmes: *Sa misogynie lui fait commettre bien des injustices.* ☞ misogyne.

missel n.m. Livre qui contient les prières et les lectures nécessaires à la célébration de la messe: *Les fidèles suivent la messe dans leur missel.*

missile n.m. (angl.) Fusée munie d'une charge à explosif conventionnel ou nucléaire, que l'on peut guider à distance vers un point précis: *Un missile a détruit cet avion en plein vol.* ☞ antimissile.

mission n.f. **1.** Charge donnée à quelqu'un de faire quelque chose: *L'ambassadeur a été chargé d'une mission diplomatique.* SYN. mandat. **2.** Groupe de personnes à qui l'on a demandé de faire quelque chose: *Cette chercheuse fait partie d'une mission scientifique.* SYN. délégation. **3.** But élevé qu'une personne se propose d'atteindre: *La mission du journaliste est d'informer le mieux possible la population.* SYN. fonction, rôle, vocation.

▲ **mission** n.f. **1.** Charge de répandre une religion: *Cette religieuse a été envoyée en mission en Afrique.* **2.** Établissement où vivent les personnes qui veulent répandre une religion: *La mission est située au milieu du village.* **3.** plur. Organisations qui visent à répandre une religion: *On nous a demandé de l'argent pour les missions.* ☞ missionnaire.

missionnaire n. et adj. **1.** n. Personne qui va dans les pays lointains pour répandre une religion: *Ce missionnaire a passé plusieurs années au Japon.* **2.** adj. Qui va dans les pays lointains pour répandre une religion: *Une sœur missionnaire est venue nous parler de sa mission en Amérique du Sud.* **3.** adj. Qui se rapporte aux missions: *Notre collecte pour les œuvres missionnaires a été un succès.* ☞ mission.

missive n.f. Lettre: *Votre missive m'est parvenue hier.* SYN. message, mot.

mistigri n.m.fam. Chat: *Le gros mistigri se prélasse au soleil.*

mistral, als n.m. Vent violent et froid qui souffle sur le sud de la France: *Le mistral souffle fort aujourd'hui.*

mitaine n.f. **1.** Gant qui ne recouvre pas le bout des doigts: *Sur cette photo ancienne, les femmes portaient des mitaines de dentelle.* **2.** Au Canada, gros gant qui enveloppe les quatre doigts ensemble et le pouce séparément: *J'ai mis mes mitaines de laine.* SYN. moufle.

mite n.f. Petit insecte dont les larves rongent les lainages et les fourrures: *La naphtaline protège les lainages contre les mites.* HOM. mythe. ☞ antimite, mité, se miter.

mité, ée adj. Qui est rongé par les mites: *Ce vieux chandail mité n'est plus portable.* ☞ mite.

mi-temps n.f.invar. **1.** Temps de repos qui sépare les deux parties d'un match: *Les handballeuses ont profité de la mi-temps pour reprendre leur souffle.* **2.** Chacune des deux parties d'un match: *Pendant la seconde mi-temps, mon équipe favorite a marqué deux buts.*

à **mi-temps** loc.adv. Pendant la moitié du temps normal de travail: *La banque est à la recherche d'un commis à mi-temps.*

se **miter** v.pron. Être rongé par les mites: *Tu ferais mieux de protéger tes lainages si tu ne veux pas qu'ils se mitent.* ☞ mite.

miteux, euse adj. Qui a une apparence misérable: *Ne me dis pas que tu as dormi dans cet hôtel miteux.*

mitigé, ée adj. Qui est relâché, moins rigoureux: *Elle fait preuve d'un zèle mitigé à son travail.* SYN. tempéré. ANT. exagéré.

mitonner v. **1.** Cuire longtemps à feu doux: *Le ragoût mitonnait sur la cuisinière.* SYN. mijoter. **2.** Faire cuire longtemps à feu doux: *La cuisinière a mitonné un bon civet de lièvre.* SYN. apprêter. **3.** Préparer soigneusement un mets: *Papa mitonne toujours de bons petits plats.* **4.** fig. Préparer quelque chose avec soin: *Il mitonnait sa vengeance depuis fort longtemps.*

mitoyen, enne adj. Qui sépare deux choses et qui appartient à l'une et à l'autre: *Ce mur mitoyen marque la limite entre nos deux propriétés.* SYN. commun. ANT. particulier.

mitraillade n.f. Tir d'une mitrailleuse: *On entendait au loin le bruit assourdissant de la mitraillade.* ☞ mitraille.

mitraillage n.m. Action de tirer avec une mitrailleuse: *Le mitraillage des positions ennemies s'est poursuivi toute la journée.* ☞ mitraille.

mitraille n.f. **1.** Balles de fonte dont on chargeait les canons autrefois: *La mitraille pleuvait sur l'armée en déroute.* **2.** Décharge de balles, d'obus: *Les soldats tombaient sous la mitraille.* ☞ mitraillade, mitraillage, mitrailler, mitraillette, mitrailleuse.

mitrailler v. **1.** Tirer sur un objectif avec une mitrailleuse: *Les rebelles ont mitraillé un train rempli de passagers.* **2.** fam. Prendre de nombreuses photos sans arrêt et de tous côtés: *Les photographes ont mitraillé la première ministre.* ☞ mitraille.

mitraillette n.f. Arme automatique portative qui tire de nombreuses balles en très peu de temps: *Armée de sa mitraillette, la soldate avançait en rampant.* ☞ mitraille.

mitrailleuse n.f. Arme automatique plus grosse que la mitraillette, qui sert à équiper les véhicules de combat, les avions: *Les mitrailleuses étaient montées sous les ailes de l'avion.* ☞ mitraille.

mitre n.f. Coiffure haute de forme triangulaire portée par les évêques pendant certaines cérémonies: *L'évêque, coiffé de sa mitre, avançait lentement dans l'allée centrale.* (*Voir l'illustration à la page suivante.*)

mitron n.m. Garçon qui apprend le métier de boulanger ou de pâtissier: *Le mitron retire les pains du four.*

mitt ☞ sect. anglicismes et canadianismes.

à mi-voix loc.adv. D'une voix ni trop haute ni trop basse: *Julien et Edwidge se parlent à mi-voix.* ☞ voix.

mixte adj. **1.** Qui comprend des filles et des garçons: *De nos jours, la plupart des écoles sont mixtes.* **2.** Qui est formé d'éléments de nature différente: *Quand deux personnes de religions différentes se marient, on dit que c'est un mariage mixte.*

mixture n.f. **1.** Mélange de plusieurs substances généralement liquides: *La pharmacienne prépare une mixture.* **2.** Mélange quelconque dont on connaît mal les composants: *Je n'ai pas osé boire de cette mixture d'apparence douteuse.*

mobile n.m. et adj. **1.** n.m. Objet décoratif composé d'éléments qui bougent au moindre souffle: *Maman a suspendu un mobile au-dessus du lit de bébé.* **2.** adj. Qu'on peut bouger, qu'on peut changer de place ou de position: *Une cloison mobile sépare les bureaux de la secrétaire et du commis.* SYN. amovible. ANT. immobile. **3.** adj. Qui peut se déplacer: *Cette population mobile voyage d'une région à l'autre.* SYN. nomade. ANT. fixe. **4.** adj. Qui est changeant: *La comédienne a un visage très mobile.* SYN. animé, versatile. ⁄⁄ *Fête mobile:* Fête dont la date change d'une année à l'autre. ☞ immobile, immobilisation, immobiliser, immobilité, mobilité. ▲ **mobile** n.m. Ce qui pousse quelqu'un à agir: *On ne connaît pas encore le mobile du crime.* SYN. motif.

mobilier n.m. Ensemble des meubles: *Mes parents ont acheté un nouveau mobilier de salon.*

mobilier, ière adj. Qui concerne les biens que l'on peut déplacer: *Les actions et les obligations sont des valeurs mobilières.* ☞ immobilier.

mobilisation n.f. **1.** Action de mettre une armée sur le pied de guerre: *Le gouvernement a décrété la mobilisation générale.* **2.** fig. Action de réunir ses forces en vue d'une action: *La mobilisation de nos énergies nous conduira vers le succès.* ☞ mobiliser.

mobiliser v. **1.** Mettre une armée sur le pied de guerre: *Devant la menace de guerre, le gouvernement a décidé de mobiliser tous les hommes valides.* SYN. appeler, enrôler. ANT. démobiliser. **2.** Faire appel à un groupe pour participer à une action collective: *Le syndicat a réussi à mobiliser ses membres pour qu'ils participent à la grève.* **3.** fig. Réunir ses forces en vue d'une action: *Il a fallu mobiliser nos énergies pour terminer notre projet à la date prévue.* ☞ démobilisation, démobiliser, mobilisation.

mobilité n.f. **1.** Caractère de ce qui peut bouger, changer de place ou de position: *Cet accident a diminué la mobilité de son bras.* SYN. souplesse. ANT. immobilité. **2.** Caractère de ce qui peut se déplacer: *Il faudrait encourager la mobilité de la main-d'œuvre.* **3.** Caractère de ce qui peut se modifier: *La mobilité du visage est un atout précieux pour un mime.* SYN. versatilité. ☞ immobile, immobilisation, immobiliser, immobilité, mobile.

mobylette n.f. (marque déposée) Bicyclette à moteur: *Stéphanie a reçu une mobylette pour son anniversaire.*

mocassin n.m. (amérind.) **1.** Chaussure des Amérindiens en peau non tannée: *Quand il veut faire de la raquette, Yannick enfile ses mocassins.* **2.** Chaussure basse sans lacet: *Les mocassins sont des chaussures très confortables.*

moche adj.fam. **1.** Qui est laid: *Cette robe est vraiment moche.* ANT. beau, chic. **2.** Qui est mauvais, méprisable: *C'est moche de critiquer tes camarades.* SYN. mesquin.

modalité n.f. Manière dont se fait quelque chose: *Nous avons discuté ensemble des modalités de paiement.* SYN. façon, forme, mode. ☞ mode (n.m.).

mode n.f. **1.** Manière passagère de vivre, de penser: *J'ai succombé à la mode des vacances à la ferme.* SYN. coutume, usage. **2.** Manière de s'habiller collective et passagère: *Il lui en coûte une fortune pour suivre la mode.* **3.** Industrie du vêtement féminin: *Roselyne travaille dans la mode.* SYN. couture. ⁄⁄ *À la mode:* Au goût du moment. *Passé de mode:* Démodé. ☞ démodé, se démoder, modiste.

mode n.m. **1.** Manière dont une action se fait: *Depuis qu'il a été malade, il a dû changer son mode de vie.* SYN. façon, forme. **2.** Manière d'utiliser quelque chose: *Il faut toujours lire le mode d'emploi avant de se servir d'un* *appareil.* SYN. méthode. **3.** En grammaire, forme du verbe : *On distingue, en français, six modes : l'indicatif, le conditionnel, l'impératif, le subjonctif, l'infinitif et le participe.* ☞ modalité.

modelage n.m. **1.** Action de façonner un objet dans une matière molle : *Le modelage de cette statue en cire a exigé de nombreuses heures de travail.* **2.** Objet modelé dans une matière molle : *Les petits de la maternelle ont fait de beaux modelages.* ☞ modeler.

modèle n.m. et adj. **1.** n.m. Ce qu'on doit imiter : *L'instituteur nous a donné un modèle d'écriture.* SYN. exemple. **2.** n.m. Personne qui sert d'exemple : *Gaétan est un modèle de fidélité.* **3.** n.m. Personne ou objet que l'artiste doit reproduire : *L'artiste dessine d'après un modèle.* **4.** n.m. Objet qu'on reproduit en plusieurs exemplaires : *On nous a présenté un nouveau modèle de voiture.* **5.** adj. Qui sert d'exemple : *Béatrice est une enfant modèle.* SYN. édifiant, exemplaire, idéal. ⫽ *Modèle réduit :* Objet en petite dimension qui reproduit un objet plus grand. *Prendre modèle sur quelqu'un :* Imiter quelqu'un. ☞ modélisme, modéliste.

modeler v. **1.** Pétrir une matière molle pour lui donner une certaine forme : *Noémie modèle de la terre glaise.* **2.** Façonner un objet dans une matière molle : *Gilbert modèle de petits animaux en pâte à modeler.* **3.** Donner une certaine forme à quelque chose : *La mer modèle les rivages.* SYN. façonner. **4.** fig. Conformer : *Il modèle son goût sur celui de sa meilleure amie.* SYN. régler. ☞ modelage, remodelage. se **modeler** v.pron. Se conformer : *Ces enfants se modèlent sur leurs parents.*

modélisme n.m. Activité qui consiste à fabriquer des modèles réduits : *Le modélisme est son passe-temps préféré.* ☞ modèle.

modéliste n. **1.** Personne qui fabrique des modèles réduits : *Stéphanie est une modéliste passionnée.* **2.** Personne qui dessine des modèles de vêtements : *Les modélistes ont une influence sur la mode.* ☞ modèle.

mod**è**le mod**e**ler mod**é**lisme mod**é**liste

modem n.m. Appareil qu'on utilise dans le traitement à distance de l'information : *Le modem permet à deux ordinateurs de communiquer par ligne téléphonique.* **R.** Le *m* se prononce.

modérateur, trice n. et adj. **1.** n. Personne qui empêche les excès : *En empêchant cette bataille, Isabelle a joué le rôle de modératrice.* **2.** adj. Qui empêche les excès : *Il est si calme qu'il a une influence modératrice sur ses camarades.* ⫽ *Ticket modérateur :* Partie du coût des soins médicaux que l'assurance-maladie laisse à la charge des bénéficiaires. ☞ modérer.

modération n.f. **1.** Comportement d'une personne qui évite les excès : *Il faut manger et boire avec modération.* SYN. frugalité, retenue, sobriété. ANT. abus, excès. **2.** Action de diminuer quelque chose : *La modération de la vitesse entraînera une diminution des accidents.* SYN. réduction. ANT. augmentation. ☞ modérer.

modéré, ée n. et adj. **1.** n. Personne dont les idées politiques sont éloignées des extrêmes : *Mme Gingras n'est ni de gauche ni de droite : c'est une modérée.* ANT. extrémiste. **2.** adj. Qui a des idées politiques éloignées des extrêmes : *Ce parti modéré a la confiance des électeurs.* **3.** adj. Qui évite les excès : *Samuel est toujours modéré dans ses paroles.* SYN. mesuré, sobre. ANT. emporté, violent. **4.** adj. Qui n'est pas excessif : *Je trouve que le prix de ce manteau est modéré.* SYN. moyen, raisonnable. ANT. exagéré, excessif. HOM. modérer. ☞ modérer.

modérément adv. De façon modérée, raisonnablement : *Si tu mangeais modérément, tu n'aurais pas de problème de poids.* ANT. excessivement. ☞ modérer.

modérer v. **1.** Diminuer, réduire : *Tu devrais modérer tes dépenses.* SYN. freiner, limiter. ANT. augmenter. **2.** Tempérer : *Modérez vos ardeurs, sinon vous le regretterez.* SYN. atténuer, calmer. HOM. modéré. ☞ immodéré, immodérément, modérateur, modération, modéré, modérément. se **modérer** v.pron. Se tenir loin de tout excès : *Modérez-vous, cela ne vaut pas la peine d'en faire un drame.* SYN. se calmer.

moderne n. et adj. **1.** n. Ce qui appartient au temps présent : *Certaines personnes n'aiment pas le moderne.* **2.** adj. Qui appartient au temps présent : *Aimez-vous l'art moderne ?* SYN. actuel, contemporain. ANT. antique. **3.** adj. Qui est bien de son temps : *Cette jeune femme moderne s'intéresse aux nouvelles techniques.* **4.** adj. Qui bénéficie des progrès récents : *Cette usine est dotée d'un équipement très moderne.* SYN. récent. ANT. ancien, désuet. ☞ modernisation, moderniser, modernisme, moderniste, ultra-moderne.

modernisation n.f. Action d'adapter quelque chose aux besoins, aux moyens d'aujourd'hui : *La modernisation de cette usine a augmenté la production.* ☞ moderne.

moderniser v. **1.** Donner une apparence plus moderne : *Mes parents ont décidé de mo-*

derniser notre cuisine. SYN. rajeunir, rénover. **2.** Adapter aux besoins, aux moyens d'aujourd'hui : *Certains pays devraient moderniser leur agriculture.* ☞ moderne. se **moderniser** v.pron. S'adapter aux besoins, aux moyens d'aujourd'hui : *La plupart des entreprises se sont modernisées.*

modernisme n.m. Goût de ce qui est moderne : *Es-tu un partisan du modernisme ?* ☞ moderne.

moderniste n. et adj. **1.** n. Personne qui préfère ce qui est moderne : *Cette femme écrivain est une moderniste.* **2.** adj. Qui préfère ce qui est moderne : *Les peintres modernistes s'éloignent des techniques traditionnelles.* ☞ moderne.

modeste adj. **1.** Qui n'est pas orgueilleux : *Malgré ses succès, ce comédien est resté modeste.* SYN. effacé, humble. ANT. orgueilleux, prétentieux, vaniteux. **2.** Qui est simple, sans luxe : *Sa mise modeste contrastait avec tout le luxe qui l'entourait.* SYN. discret, sobre. **3.** Qui a peu d'importance : *Je vous prie d'accepter ce modeste cadeau.* SYN. petit. ANT. luxueux. ☞ modestement, modestie.

modestement adv. **1.** Sans orgueil : *Cette grande savante parle toujours modestement.* SYN. humblement. **2.** Sans luxe : *Cette famille vit modestement dans un quartier ouvrier.* SYN. simplement. ☞ modeste.

modestie n.f. Absence d'orgueil : *Cette femme est très célèbre et pourtant elle est d'une rare modestie.* SYN. humilité, simplicité. ANT. orgueil, prétention, vanité. ☞ modeste.

modifiable adj. Qu'on peut modifier, changer : *Ces plans sont modifiables.* SYN. transformable. ☞ modifier.

modification n.f. Changement : *La couturière a apporté des modifications au patron.* ☞ modifier.

modifier v. **1.** Changer : *Ce grand fumeur devra modifier ses habitudes.* SYN. corriger. ANT. maintenir. **2.** Affecter le sens d'un mot, en parlant d'un adverbe ou d'un adjectif : *Dans la phrase « Julien marche vite », l'adverbe « vite » modifie le sens du verbe « marche ».* ☞ modifiable, modification. se **modifier** v.pron. Subir un changement : *La situation se modifie sans cesse.*

modique adj. Qui est peu important : *Il s'est procuré ce bureau pour la modique somme de dix dollars.* SYN. minime, petit. ANT. considérable, important. ☞ modiquement.

modiquement adv. De façon modique, faiblement : *Ces ouvriers sont modiquement payés.* SYN. maigrement. ☞ modique.

modiste n.f. Personne qui fabrique ou vend des chapeaux de femme : *La modiste m'a fait essayer de magnifiques chapeaux garnis d'aigrettes.* **R.** L'O.L.F. recommande que le nom *modiste* soit aussi employé au masculin. ☞ mode (n.f.).

modulation n.f. Changement de ton, d'intensité dans l'émission d'un son : *J'écoute avec plaisir les modulations de sa voix.* ☞ moduler.

module n.m. Élément qui entre dans la composition d'un ensemble : *Cette bibliothèque comprend trois modules.*

moduler v. **1.** Exécuter en changeant de ton, d'intensité : *Le rossignol module son chant.* **2.** Adapter d'une manière souple : *L'assureur module ses primes en fonction des besoins de ses clients.* ☞ modulation.

moelle n.f. Substance molle et graisseuse qui se trouve à l'intérieur des os : *La moelle joue un rôle très important dans la formation des globules rouges.* ∥ *Moelle épinière :* Cordon nerveux qui passe à l'intérieur de la colonne vertébrale. **R.** Les lettres *oe* se prononcent *oa*.

moelleusement adv. De façon moelleuse, confortable : *Ariane était moelleusement étendue sur le divan.* **R.** Les lettres *oe* se prononcent *oa*. ☞ moelleux.

moelleux, euse adj. **1.** Qui est doux et souple au toucher : *J'ai très bien dormi dans ce lit moelleux.* SYN. confortable, mou. ANT. dur. **2.** Qui est agréable au goût : *Ce vin moelleux n'est ni trop doux ni trop sec.* SYN. savoureux. **3.** Qui est agréable à entendre : *La voix moelleuse de mon père berçait mon sommeil d'enfant.* SYN. tendre. **R.** Les lettres *oe* se prononcent *oa*. ☞ moelleusement.

moellon n.m. Pierre de petite dimension utilisée pour construire des murs : *La maçonne consolide les moellons avec du mortier.* **R.** Les lettres *oe* se prononcent *oa*.

mœurs n.f.plur. **1.** Coutumes, usages d'un groupe, d'un peuple : *Il est très intéressant de connaître les mœurs des différentes ethnies.* SYN. habitudes. **2.** Habitudes de vie d'une personne : *Cet homme a des mœurs simples.* **3.** Habitudes particulières d'une espèce animale : *Jean-Loup s'est intéressé aux mœurs des fourmis.* **4.** Ensemble des règles morales d'une société, en particulier sur le plan sexuel : *On l'a arrêtée pour outrage aux bonnes mœurs.* **R.** Le *s* peut se prononcer ou non.

mohair n.m. (angl.) **1.** Poil de la chèvre angora, avec lequel on fabrique de la laine à tricoter : *Le mohair est un poil fin et soyeux.* **2.**

Étoffe fabriquée avec cette laine: *Je me suis acheté une écharpe de mohair.*

moi n.m.invar. Personnalité, personne humaine: *Il ne pense qu'à son petit moi.* HOM. mois.

moi pron.pers. Pronom personnel de la première personne du singulier, complément, attribut ou sujet: *Mon chien et moi avons marché très longtemps; mais, crois-moi, le plus fatigué des deux, c'est moi.* HOM. mois. **R.** *Moi* devient *m'* devant *en* ou *y*.

moignon n.m. **1.** Ce qui reste d'un membre qu'on a coupé ou amputé: *On a dû lui amputer le bras: il ne reste qu'un moignon.* **2.** Ce qui reste d'une grosse branche d'arbre qui a été coupée ou cassée: *L'écureuil est grimpé sur le moignon de l'arbre.* **3.** Membre dont le développement est très limité: *Les pingouins ont des moignons d'ailes.*

moindre adj. **1.** Plus petit, plus faible: *Tu as fait une erreur, mais c'est un moindre mal.* **2.** Le plus petit, le moins important: *Je n'en ai pas la moindre idée.* ☞ amoindrir, amoindrissement.

moine n.m. Religieux chrétien qui vit en communauté, à l'écart du monde: *Les moines consacrent leur vie à la prière.*

moineau, eaux n.m. Petit oiseau passereau au plumage brun rayé de noir, très abondant dans les villes et les campagnes: *Le moineau est un redoutable pilleur de récoltes.*

moins n.m. **1.** Trait horizontal qui indique la soustraction: *Mettez un moins pour indiquer la soustraction.* **2.** Le minimum: *Le moins que l'on puisse dire, c'est que tu ne t'es pas énervée.* ANT. plus.

moins adv. et prép. **1.** adv. Indique une quantité moindre: *On dirait qu'il y a moins d'enfants dans la cour de récréation.* **2.** adv. Indique une qualité moindre: *Ce café est moins bon que celui que j'ai bu hier.* **3.** adv. Indique un prix moindre: *Ces oranges sont moins chères que les mandarines.* **4.** adv. Indique une valeur moindre: *L'œuvre de cet écrivain est moins importante que celle de Gabrielle Roy.* **5.** adv. Superlatif de «peu»: *C'est le moins important de tous mes problèmes.* **6.** prép. En soustrayant: *Seize moins sept font neuf.* **7.** prép. Introduit un nombre plus petit que zéro: *Il fait moins cinq aujourd'hui.* // *Pas le moins du monde:* Pas du tout. à **moins** loc.adv. Pour quelque chose de moindre: *Je serais content à moins.* à **moins de** loc.prép. **1.** Sauf si: *À moins d'être accompagné d'un adulte, un enfant ne peut monter dans ce manège.* **2.** À un prix inférieur: *Elle a refusé de me vendre ce livre à moins de dix dollars.* à **moins que** loc.conj. Sauf si: *Je viendrai à la fête à moins que vous me l'interdisiez.* au **moins** loc.adv. **1.** Au minimum: *Ce garçon a au moins dix ans.* **2.** En tout cas: *Tu pourrais au moins t'excuser.* de **moins en moins** loc.adv. En diminuant peu à peu: *Je passe de moins en moins de temps à regarder la télévision.* du **moins** loc.adv. Néanmoins, en tout cas: *Il est arrivé à l'heure, du moins c'est ce qu'il prétend.*

moire n.f. Tissu qui présente des reflets changeants: *Sa robe de moire rose est très jolie.* ☞ moiré, moirure.

moiré, ée adj. Qui a des reflets changeants comme la moire: *Ce canapé est recouvert d'un tissu moiré.* SYN. chatoyant. ANT. mat. ☞ moire.

moirure n.f. Reflets changeants produits par la moire: *J'aime la moirure de ce tissu.* ☞ moire.

mois n.m.invar. **1.** Chacune des douze parties de l'année: *Janvier, février, mars, avril, mai, juin, juillet, août, septembre, octobre, novembre et décembre sont les douze mois de l'année.* **2.** Espace de temps de trente jours environ: *Ma grande sœur est enceinte de six mois.* **3.** Salaire pour un mois de travail: *Je ne peux pas te rembourser, je n'ai pas encore touché mon mois.* **4.** Somme que l'on doit payer chaque mois: *Elle me doit deux mois de loyer.* HOM. moi.

moïse n.m. Petite corbeille d'osier capitonnée qui sert de berceau: *Le nouveau-né est couché dans un moïse.* **R.** Ne pas oublier le tréma: *ï*.

moisi n.m. Ce qui est moisi: *Il y a une odeur de moisi dans l'armoire.* ☞ moisir.

moisi, ie adj. Qui est couvert de moisissure: *Ce pain moisi est immangeable.* ☞ moisir.

moisir v. **1.** Se gâter, se couvrir de moisissure: *Le pain de farine de blé moisit facilement.* **2.** Gâter en couvrant de moisissure: *L'humidité a moisi les fruits.* **3.** fig.fam. Rester longtemps au même endroit: *Je ne veux pas moisir ici toute la soirée.* SYN. attendre, croupir, languir. **4.** fig.fam. Rester improductif: *Cet argent ne rapporte rien: il moisit dans ton coffret de sûreté.* ☞ moisi, moisissure.

moisissure n.f. Petits champignons qui forment une mousse blanche ou verdâtre sur les matières humides ou en décomposition: *Ces tranches de pain sont couvertes de moisissure.* ☞ moisir.

moisson n.f. **1.** Récolte des céréales lorsqu'elles sont arrivées à maturité: *Quand les* *blés sont mûrs, il faut faire la moisson.* **2.** Céréales que l'on récolte: *Il faut rentrer la moisson avant qu'il ne pleuve.* **3.** Époque où l'on fait cette récolte: *Le fermier a hâte que la moisson arrive.* **4.** fig. Grande quantité de choses: *J'ai recueilli une moisson de documents pour faire ce travail.* SYN. masse. ☞ moissonner, moissonneur, moissonneuse.

moissonner v. **1.** Récolter des céréales: *Ce matin, la cultivatrice a commencé à moissonner le champ d'avoine.* SYN. faucher. **2.** fig. Amasser quelque chose en grande quantité: *Il moissonne des souvenirs pour ses vieux jours.* SYN. recueillir. ☞ moisson.

moissonneur, euse n. Personne qui récolte les céréales: *Les moissonneurs travaillent toute la journée dans les champs.* ☞ moisson.

moissonneuse n.f. Machine agricole qui sert à récolter les céréales: *J'entends le bruit assourdissant de la moissonneuse.* ⁄⁄ *Moissonneuse-batteuse:* Machine agricole qui coupe les céréales, les bat et sépare les grains de la paille. *Moissonneuse-lieuse:* Machine agricole qui coupe les céréales et les attache en gerbes. ☞ moisson.

moite adj. **1.** Qui est un peu humide: *La coureuse a la peau moite de sueur.* SYN. mouillé. ANT. sec. **2.** Qui est chargé d'humidité: *Cette chaleur moite m'empêche de dormir.* ☞ moiteur.

moiteur n.f. **1.** État de ce qui est un peu humide: *La moiteur de son front est due à la transpiration.* SYN. sueur. **2.** Légère humidité: *La malade supporte mal la moiteur de l'air.* ☞ moite.

moitié n.f. **1.** Chacune des deux parties égales d'un tout: *Clément a partagé son gâteau en deux moitiés.* **2.** Milieu: *Il est arrivé à la moitié du chemin.* **3.** Partie à peu près égale à la moitié d'une durée, d'un espace, d'une action: *Lucie passe la moitié de son temps à jouer.* **4.** fam. Épouse: *Robert nous a présenté sa moitié.* SYN. femme. à **moitié** loc.adv. À demi: *Quand tu entreprends un travail, ne le fais pas à moitié.* à **moitié chemin** loc.adv. Au milieu de l'espace à parcourir: *Nous nous sommes arrêtés à moitié chemin.* à **moitié prix** loc.adv. Pour la moitié du prix à payer: *J'ai eu cette bicyclette à moitié prix.* **moitié-moitié** loc.adv. À parts égales: *Nous avons partagé nos bénéfices moitié-moitié.*

moka n.m. (n. de lieu) **1.** Gâteau garni d'une crème au beurre parfumée au café ou au chocolat: *Le moka est le dessert préféré de Simone.* **2.** Café très estimé qui vient d'Arabie: *Cet amateur de café a une préférence pour le moka.*

molaire n.f. Grosse dent placée à l'arrière des mâchoires, qui sert à écraser les aliments: *L'être humain adulte possède douze molaires.* ☞ prémolaire.

môle n.m. (it.) **1.** Construction en maçonnerie qui protège l'entrée d'un port: *Le môle protège le port contre les vagues de la mer.* SYN. digue, jetée. **2.** Quai d'embarquement: *Le bateau de croisière a accosté le long du môle.* **R.** Ne pas oublier l'accent: ô.

moléculaire adj. Qui se rapporte aux molécules: *Le chimiste connaît la masse moléculaire de l'eau.* ☞ molécule.

molécule n.f. Ensemble d'atomes qui constitue la plus petite partie d'un corps: *La molécule est formée d'atomes liés les uns aux autres.* ☞ moléculaire.

molester v. Maltraiter, brutaliser: *Ces adolescents ont molesté mon petit frère.* SYN. bousculer, malmener, rudoyer. ANT. dorloter, flatter.

molette n.f. **1.** Roulette dentée qui sert à actionner un mécanisme mobile: *Tourne la molette du briquet pour produire l'étincelle.* **2.** Outil muni d'une roulette mobile adaptée à un manche, qui sert à couper, à graver les corps durs: *La vitrière taille le verre avec la molette.* ⁄⁄ *Clé à molette:* Clé dont on peut rapprocher ou écarter les mâchoires en tournant une petite roue dentée appelée «molette».

mollasse adj. **1.** Qui n'est pas ferme: *Ces chairs mollasses sont disgracieuses.* SYN. flasque, mou. **2.** fig. Qui manque d'énergie: *Ce jeune homme mollasse ne fait rien et ne s'intéresse à rien.* SYN. endormi, nonchalant. ANT. actif. **R.** Les deux *l* se prononcent comme un seul *l*. ☞ mou (adj.).

mollement adv. **1.** Avec nonchalance: *Gino est étendu mollement sur la chaise longue.* SYN. paresseusement. ANT. énergiquement. **2.** Faiblement: *Elles ont protesté mollement, pour la forme.* SYN. timidement. ANT. fortement. **3.** Sans énergie: *Quand il fait chaud, les écoliers travaillent mollement.* SYN. nonchalamment. ANT. fermement. **R.** Les deux *l* se prononcent comme un seul *l*. ☞ mou (adj.).

mollesse n.f. **1.** Caractère de ce qui est mou: *La mollesse de ce matelas le rend inconfortable.* SYN. souplesse. ANT. dureté. **2.** fig. Manque d'énergie: *Cette paresseuse agit avec mollesse.* SYN. apathie, langueur, nonchalance, paresse. ANT. ardeur, entrain, vigueur. **R.** Les deux *l* se prononcent comme un seul *l*. ☞ mou (adj.).

mollet n.m. Partie renflée située à l'arrière de la jambe, entre la cheville et le pli du genou: *Cette athlète a des mollets musclés.* **R.**

Les deux *l* se prononcent comme un seul *l*. ☞ molletière.

mollet, ette adj. Qui est un peu mou : *Ce lit mollet me semble bien confortable.* ANT. dur. ∥ *Œuf mollet:* Œuf cuit dans sa coquille de manière que le blanc soit pris et le jaune encore liquide. *Pain mollet:* Petit pain au lait dont la mie est légère. **R.** Les deux *l* se prononcent comme un seul *l*. ☞ mou (adj.).

molletière n.f. et adj. **1.** n.f. Bande de cuir ou de toile qui couvre le mollet: *Les molletières s'arrêtent en haut du mollet.* **2.** adj. Qui couvre le mollet: *Les bandes molletières s'enroulent autour du mollet.* **R.** Les deux *l* se prononcent comme un seul *l*. ☞ mollet (n.).

molleton n.m. Étoffe épaisse de laine ou de coton, douce et chaude: *Le molleton ressemble à une flanelle épaisse.* **R.** Les deux *l* se prononcent comme un seul *l*. ☞ molletonné, molletonner, molletonneux.

molletonné, ée adj. Qui est doublé de molleton: *Ces gants molletonnés gardent les mains bien au chaud.* HOM. molletonner. **R.** Les deux *l* se prononcent comme un seul *l*. ☞ molleton.

molletonner v. Garnir de molleton: *L'ouvrier molletonne les sacs de couchage.* HOM. molletonné. **R.** Les deux *l* se prononcent comme un seul *l*. ☞ molleton.

molletonneux, euse adj. Qui a la douceur, la texture du molleton: *Cette couverture molletonneuse te gardera bien au chaud.* **R.** Les deux *l* se prononcent comme un seul *l*. ☞ molleton.

mollir v. **1.** Perdre de sa force: *Le coureur approchait du but, mais il sentait ses jambes mollir de fatigue.* SYN. chanceler, flancher. ANT. persister. **2.** Devenir moins violent: *Le vent mollit: nous pourrons prendre la mer.* SYN. diminuer, faiblir. **3.** fig. Perdre de son énergie, faiblir: *À mesure que le temps passait, son courage mollissait.* SYN. céder, diminuer. ANT. résister. ☞ mou (adj.).

mollusque n.m. Animal aquatique ou des lieux humides, au corps mou, le plus souvent enfermé dans une coquille calcaire: *Les escargots, les huîtres et les pieuvres sont des mollusques.*

moloch n.m. Lézard des régions désertiques d'Australie, au corps massif couvert d'épines: *Le moloch se nourrit de fourmis et de termites.* **R.** Les lettres *ch* se prononcent *k*.

molosse n.m. Gros chien de garde à l'air redoutable: *La factrice ne fait pas confiance au molosse qui garde cette propriété.*

môme n. et adj.fam. **1.** n. Enfant: *Une dizaine de mômes s'enfuient en riant.* SYN. gamin, mioche. **2.** adj. Qui est petit: *Son fils est encore tout môme.* **R.** Ne pas oublier l'accent: ô.

moment n.m. **1.** Espace de temps plus ou moins long: *Nous avons passé de longs moments ensemble:* **2.** Court espace de temps: *Ce malaise n'a duré qu'un moment.* SYN. instant. **3.** Temps actuel: *En France, la vedette du moment est un jeune chanteur québécois.* **4.** Circonstance, occasion: *Il faut profiter du moment favorable pour se lancer en affaires.* ☞ momentané, momentanément. à tout **moment** loc.adv. Sans cesse: *Marie-Ève dérange son grand frère à tout moment.* au **moment de** loc.prép. Sur le point de: *Au moment de quitter la maison, il se demandait s'il avait oublié quelque chose.* au **moment où** loc.conj. Lorsque: *Il se mit à pleuvoir au moment où j'allais partir.* dans un **moment** loc.adv. Dans un très court instant, bientôt: *L'institutrice te répondra dans un moment.* du **moment que** loc.conj. Puisque: *Du moment que tu es satisfait, je le suis aussi.* d'un **moment à l'autre** loc.adv. Bientôt: *Nous l'attendons d'un moment à l'autre.* en ce **moment** loc.adv. À présent: *En ce moment, toute la famille regarde son émission préférée.* en un **moment** loc.adv. Très rapidement: *Tout s'est passé en un moment.* par **moments** loc.adv. De temps en temps, parfois: *Par moments, je me demande si tu es heureuse.* sur le **moment** loc.adv. Au moment où une chose a eu lieu: *Sur le moment, je n'ai pas pensé aux conséquences de mon geste.*

momentané, ée adj. Qui ne dure qu'un court espace de temps: *Cette panne de courant a été momentanée.* SYN. bref, passager, temporaire. ANT. continuel, durable. ☞ moment.

momentanément adv. De façon momentanée, pour un court espace de temps: *Maryse s'est absentée momentanément.* ANT. constamment, continuellement. ☞ moment.

momie n.f. Cadavre desséché et embaumé: *Les momies égyptiennes étaient enveloppées dans des bandelettes de lin.* ☞ momification, momifier.

momification n.f. Action d'embaumer et de dessécher un cadavre pour le transformer en momie: *La momification avait pour but de préserver les cadavres de la décomposition.* ☞ momie.

momifier v. Embaumer et dessécher un cadavre pour le transformer en momie: *Les anciens Égyptiens momifiaient le cadavre de leurs pharaons.* ☞ momie.

mon, ma, mes adj.poss. Qui est à moi; qui se rapporte à moi: *Je range mes livres et mes cahiers dans mon bureau.* HOM. mont. **R.** *Ma* devient *mon* devant un mot féminin commençant par une voyelle ou un *h* muet.

ma	peut être remplacé par *la, une, cette, sa, ta,* etc.
m'a	peut être remplacé par *m'avait.*
mon	peut être remplacé par *ton, le, un, son, notre,* etc.
m'ont	peut être remplacé par *m'avaient.*
mes	peut être remplacé par *les, des, tes, ses, nos, vos, ces,* etc.
mais	peut être remplacé par *cependant.*

monacal, ale, aux adj. Qui se rapporte aux moines: *La vie monacale est consacrée à la prière et à la pénitence.* SYN. monastique. ANT. mondain.

monarchie n.f. **1.** Régime politique dans lequel le chef de l'État est un roi ou une reine: *Dans une monarchie absolue, le pouvoir appartient entièrement au souverain.* SYN. royauté, souveraineté. ANT. démocratie. **2.** État gouverné par un roi ou une reine: *L'Angleterre et les Pays-Bas sont des monarchies.* SYN. royaume. ⁄⁄ *Monarchie constitutionnelle:* Monarchie dans laquelle le pouvoir du souverain est limité par la constitution. *Monarchie parlementaire:* Monarchie constitutionnelle dans laquelle le gouvernement est responsable devant le Parlement. ☞ monarchique, monarchisme, monarchiste, monarque.

monarchique adj. Qui se rapporte au régime politique dans lequel le chef de l'État est un roi ou une reine: *Jusqu'à la révolution de 1789, la France vivait sous un régime monarchique.* ☞ monarchie.

monarchisme n.m. Doctrine des personnes qui sont en faveur du régime politique dans lequel le chef de l'État est un roi ou une reine: *Le monarchisme est encore bien vivant dans certaines régions de France.* ☞ monarchie.

monarchiste n. et adj. **1.** n. Personne qui est en faveur du régime politique dans lequel le chef de l'État est un roi ou une reine: *Les monarchistes voudraient que la France redevienne une monarchie.* SYN. royaliste. **2.** adj. Qui est en faveur de la monarchie: *La doctrine monarchiste préconise le retour d'un roi comme chef de l'État.* ☞ monarchie.

monarque n.m. Roi ou reine: *La reine Élizabeth II est le monarque de l'Angleterre.* ☞ monarchie.

monastère n.m. Endroit où vivent des moines ou des religieuses: *Ces religieuses cloîtrées vivent dans un monastère.* SYN. cloître, couvent. ☞ monastique.

monastique adj. Qui se rapporte à la vie des moines: *En devenant moine, ce jeune homme a dû se plier à la discipline monastique.* SYN. monacal. ☞ monastère.

monceau, eaux n.m. **1.** Gros tas: *Un monceau de pierres bloque la route.* SYN. accumulation, amas, amoncellement. ANT. éparpillement. **2.** fig. Grande quantité: *Il y a un monceau d'erreurs dans ce document.*

mondain, aine n. et adj. **1.** n. Personne qui sort beaucoup, qui fréquente la haute société: *Cette mondaine ne manque pas une fête ou un événement important.* **2.** adj. Qui sort beaucoup, qui fréquente la haute société: *Ce jeune homme mondain aime beaucoup la compagnie des gens riches et célèbres.* **3.** Qui se rapporte à la vie sociale des gens de la haute société: *La vie mondaine est faite de divertissements et de réunions de toutes sortes.* ☞ monde.

mondanité n.f. **1.** Goût pour les plaisirs du monde, pour la fréquentation des gens de la haute société: *Cet homme est de toutes les fêtes; sa mondanité est bien connue.* SYN. frivolité, vanité. ANT. austérité, simplicité. **2.** plur. Événements, faits qui marquent la vie sociale des gens de la haute société: *Ne l'invitez pas à cette grande réception: elle fuit les mondanités.* ☞ monde.

monde n.m. **1.** Tout ce qui existe: *La Bible raconte de façon imagée la création du monde.* SYN. cosmos, univers. **2.** La Terre: *Aimerais-tu faire le tour du monde?* SYN. globe. **3.** Ensemble de choses ou d'êtres qui forment un domaine à part: *Le monde des abeilles est fascinant.* ⁄⁄ *Au bout du monde:* Très loin. *Courir le monde:* Voyager beaucoup. *L'Ancien Monde:* L'Europe, l'Asie et l'Afrique. *Le Nouveau Monde:* L'Amérique. *Venir au monde:* Naître. ☞ mondial, mondialement. ▲ **monde** n.m. **1.** Ensemble des personnes qui vivent sur la Terre: *Le monde entier est venu au secours des victimes de la sécheresse.* SYN. humanité. **2.** Ensemble des personnes qui ont le même métier, la même activité: *Le monde scientifique a perdu un de ses membres les plus influents.* SYN. milieu, société. **3.** Nombre indéfini de personnes: *Il reçoit du monde à souper.* SYN. gens. **4.** Grand nombre de personnes: *As-tu vu le monde qui attend l'ouverture des magasins?* SYN. foule. **5.** Ensemble des personnes qui nous entourent ou qui font partie de la famille: *Elle a réuni tout son monde pour annoncer cette* *bonne nouvelle.* SYN. entourage, parenté. ⁄⁄ *Tout le monde:* Tous les gens. ▲ **monde** n.m. Ensemble des personnes qui forment les classes riches, la haute société: *Les gens du monde vivent dans le luxe et les divertissements.* SYN. aristocratie. ⁄⁄ *Homme, femme du monde:* Personne qui fréquente les gens de la haute société et qui en connaît les usages. ☞ mondain, mondanité.

mondial, ale, aux adj. Qui concerne le monde entier: *Le vingtième siècle a été le théâtre de deux guerres mondiales.* SYN. international, universel. ⁄⁄ *Première Guerre mondiale:* Guerre de 1914 à 1918. *Seconde Guerre mondiale:* Guerre de 1939 à 1945. ☞ monde.

mondialement adv. Partout dans le monde: *L'Orchestre symphonique de Montréal est mondialement connu.* SYN. universellement. ANT. localement. ☞ monde.

monétaire adj. Qui se rapporte à la monnaie: *Le dollar est l'unité monétaire du Canada, des États-Unis, de l'Australie et de la Nouvelle-Zélande.* ☞ monnaie.

mongol, ole n. et adj. **1.** n. Personne qui est de la Mongolie: *Un Mongol, une Mongole.* **2.** adj. Qui est de la Mongolie: *Le territoire mongol est situé en Asie centrale.* **R.** On met la majuscule à *mongol* et à *mongole* lorsque le nom désigne une personne.

mongol n.m. Nom du groupe de langues parlées en Mongolie: *Le mongol est parlé par environ trois millions de personnes.*

mongolien, ienne n. et adj. **1.** n. Personne atteinte d'une maladie qui existe à la naissance et qui est caractérisée par un aspect physique particulier et une déficience intellectuelle: *Les mongoliens ont souvent des malformations cardiaques.* **2.** adj. Qui est atteint d'une maladie existant à la naissance et caractérisée par un aspect physique particulier et une déficience intellectuelle: *Les enfants mongoliens ont les yeux bridés et sont de petite taille.* ☞ mongolisme.

mongolisme n.m. Maladie qui existe à la naissance et qui est caractérisée par un aspect physique particulier et une déficience intellectuelle: *Le mongolisme est dû à la présence d'un chromosome supplémentaire.* ☞ mongolien.

moniteur, trice n. **1.** Personne chargée de l'enseignement de certains sports, de certaines activités: *La monitrice de ski m'a donné d'excellents conseils pour améliorer ma technique.* SYN. entraîneur. **2.** Personne chargée de s'occuper des enfants dans une colonie de vacances: *Les moniteurs organisent des jeux et des activités pour amuser les enfants.*

moniteur n.m. Appareil électronique que l'on utilise pour la surveillance des malades et qui déclenche un dispositif d'alarme lorsque des troubles se produisent: *Ce malade, victime d'infarctus, est relié à un moniteur cardiaque.*

monnaie n.f. **1.** Pièce de métal qui sert de moyen d'échange: *Ce musée possède une collection de monnaies d'or, d'argent et de cuivre.* **2.** Unité monétaire d'un pays: *Le dollar est la monnaie du Canada et des États-Unis.* **3.** Ensemble de pièces ou de billets dont la valeur équivaut à celle d'une seule pièce ou d'un seul billet: *Peux-tu me faire la monnaie de dix dollars?* **4.** Différence entre la somme payée et la somme due: *La caissière m'a remis la monnaie.* **5.** Ensemble de pièces ou de billets de faible valeur: *Je ne peux pas acheter ce livre: je n'ai que de la monnaie sur moi.* ⁄⁄ *Fausse monnaie:* Pièce ou billet qui imite la vraie monnaie. *Petite monnaie:* Pièces de peu de valeur. ☞ faux-monnayeur, monétaire, monnayable, monnayer, porte-monnaie, ramasse-monnaie.

monnaie-du-pape n.f. Plante ornementale dont les fruits ont la forme de disques blancs argentés: *Une gerbe de monnaie-du-pape décore le salon.* SYN. lunaire. **R.** Au pluriel, *monnaies-du-pape*. ◇ lunaire.

monnayable adj. **1.** Que l'on peut convertir en argent: *L'or est un métal monnayable.* **2.** Dont on peut tirer de l'argent: *Cette artiste est convaincue que son talent est monnayable.* ☞ monnaie.

monnayer v. **1.** Convertir en argent: *Maman a monnayé ses obligations d'épargne.* **2.** fig. Tirer de l'argent de quelque chose: *Il a été témoin d'un crime et il cherche à monnayer son silence.* ☞ monnaie.

monnaie monnayer

monochrome adj. Qui est d'une seule couleur: *Ce tableau est monochrome.* ANT. polychrome. **R.** Les lettres *ch* se prononcent *k*.

monocle n.m. Verre correcteur unique qui se fixe dans une des arcades sourcilières: *Le notaire ajustait son monocle devant son œil droit.*

monocorde adj. Qui est sur le même ton: *Il récite ses leçons d'une voix monocorde.* ☞ corde.

monoculture n.f. Culture d'un seul produit, d'une seule plante: *Les cultivateurs des provinces de l'Ouest pratiquent la monoculture du blé.* ANT. polyculture. ☞ cultiver.

monogame n. et adj. **1.** n. Personne qui n'a qu'un seul conjoint à la fois: *Les monogames ne peuvent pas avoir plusieurs femmes ou plusieurs maris.* ANT. polygame. **2.** adj. Qui n'a qu'un seul conjoint à la fois: *Les peuples monogames désapprouvent la polygamie.* ANT. polygame. ☞ monogamie.

monogamie n.f. Régime selon lequel un homme ou une femme ne peut avoir plus d'un conjoint à la fois: *Au Canada et dans la plupart des pays occidentaux, la loi impose la monogamie.* ANT. bigamie, polygamie. ☞ monogame.

monogramme n.m. Lettres initiales d'un nom que l'on a entrelacées: *Maman a fait broder son monogramme à l'intérieur de son manteau de fourrure.*

monographie n.f. Étude complète et détaillée d'un sujet déterminé: *Cette auteure a écrit une monographie sur l'œuvre de Marie Curie.*

monolingue n. et adj. **1.** n. Personne qui ne parle qu'une langue: *Les monolingues âgés ont généralement de la difficulté à apprendre une autre langue.* SYN. unilingue. ANT. bilingue, polyglotte. **2.** adj. Qui ne parle qu'une langue: *Les personnes monolingues ont souvent de la difficulté à se faire comprendre quand elles voyagent à l'étranger.* **3.** adj. Qui est écrit en une seule langue: *Le dictionnaire que tu consultes en ce moment est monolingue.* ☞ monolinguisme.

monolinguisme n.m. État d'une personne qui ne parle qu'une langue ou état d'un pays ou d'une région où l'on ne parle qu'une langue: *Au Canada, plusieurs personnes sont en faveur du monolinguisme.* ☞ monolingue.

monolithe n.m. et adj. **1.** n.m. Monument qui est fait d'un seul bloc de pierre: *Un menhir est un monolithe.* **2.** adj. Qui est fait d'un seul bloc de pierre: *Des colonnes monolithes soutiennent le temple.* ☞ monolithique.

monolithique adj. **1.** Qui est fait d'un seul bloc de pierre: *Un monument monolithique s'élève devant l'hôtel de ville.* **2.** fig. Dont les éléments forment un ensemble homogène, comme un bloc: *Il n'y a pas de place pour les contestataires dans un parti monolithique.* ☞ monolithe.

monologue n.m. **1.** Scène où un personnage est seul et se parle à lui-même, dans une pièce de théâtre: *Cette pièce de théâtre comporte de longs monologues.* ANT. dialogue. **2.** Discours d'un humoriste qui se moque des défauts de ses contemporains: *Cette humoriste a beaucoup de succès avec ses monologues.* **3.** Long discours d'une personne qui ne laisse pas parler les autres dans une conversation: *Je n'ai pas pu placer un mot pendant son monologue interminable.* ANT. entretien. **4.** Discours d'une personne qui pense tout haut, qui se parle à elle-même: *Sois discrète, ne prête pas attention à son monologue.* ∥ *Monologue intérieur:* Discours que l'on se fait intérieurement. **R.** Ne pas oublier le *u* après le *g*. ☞ monologuer.

monologuer v. **1.** Parler seul: *Quand il monologue, je sais qu'il est préoccupé.* **2.** Parler en présence de quelqu'un comme si on était seul: *Elle ne veut pas savoir ce que nous pensons: elle monologue sans arrêt.* **R.** Ne pas oublier le *u* après le *g*. ☞ monologue.

monomoteur n.m. et adj. **1.** n.m. Avion qui n'a qu'un seul moteur: *Le monomoteur s'est posé sur la piste.* **2.** adj. Qui n'a qu'un seul moteur: *L'avion monomoteur vient de décoller.* ☞ moteur (n.).

mononucléose n.f. Maladie contagieuse due à un virus qui engendre une très grande fatigue et une inflammation de la gorge et des ganglions: *La mononucléose atteint surtout les adolescents et les jeunes adultes.*

monoparental, ale, aux adj. Où il n'y a qu'un seul parent pour élever les enfants: *Il y a de plus en plus de familles monoparentales.* ☞ parent.

monoplace n.m. et adj. **1.** n.m. Automobile, avion qui n'a qu'une seule place: *Hélène pilote un monoplace.* **2.** adj. Qui n'a qu'une seule place: *Les voitures de course sont monoplaces.* ☞ place.

monopole n.m. **1.** Situation dans laquelle une personne, une entreprise ou un organisme public est maître de la fabrication ou de la vente d'un produit: *Au Québec, l'État a le monopole de la vente du vin et de l'alcool.* SYN. exclusivité, privilège. ANT. concurrence. **2.** fig. Possession absolue de quelque chose: *Elle croit avoir le monopole de la vérité.* ☞ monopolisation, monopoliser.

monopolisation n.f. Action d'exercer une influence dominante sur la fabrication ou la vente d'un produit: *Les citoyens dénoncent la monopolisation de l'État dans ce domaine.* ☞ monopole.

monopoliser v. **1.** Exercer une influence dominante sur la fabrication ou la vente d'un produit: *L'État a monopolisé la vente du vin et de l'alcool.* **2.** fig. Accaparer, garder pour soi: *Judith monopolise le téléviseur.* SYN. s'approprier. ☞ monopole.

monorail, ails n.m. et adj. **1.** n.m. Voiture ou dispositif quelconque qui se déplace sur un seul rail: *Les touristes montent dans le* *monorail pour circuler sur le terrain de l'exposition.* **2.** n.m. Chemin de fer qui n'a qu'un seul rail : *Les wagons glissent sur le monorail.* **3.** adj. Qui n'a qu'un seul rail, en parlant d'un chemin de fer : *Le chemin de fer monorail traverse le terrain de l'exposition.* ☞ rail.

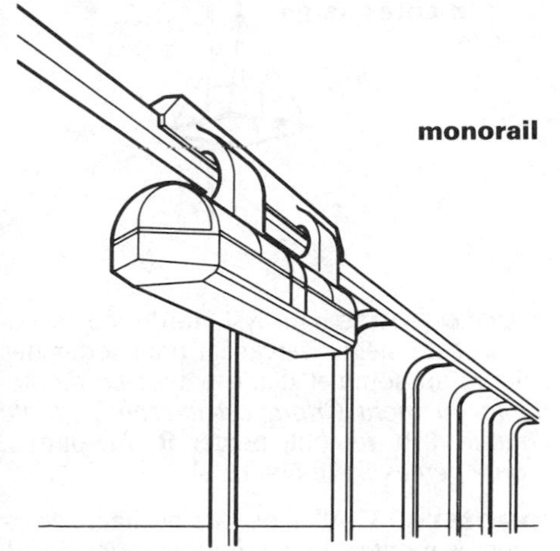

monorail

monoski n.m. **1.** Ski unique sur lequel on pose les deux pieds pour glisser sur l'eau ou sur la neige : *Sais-tu combien coûte un monoski?* **2.** Sport que l'on pratique avec ce ski unique : *Angelo fait du monoski dans les Laurentides.* ☞ ski.

monosyllabe n.m. Mot qui n'a qu'une seule syllabe : *Quand on lui parle, elle répond par monosyllabes : « Oui, non, bien! »* **R.** Les deux *l* se prononcent comme un seul *l*. ☞ syllabe.

monotone adj. **1.** Qui est toujours sur le même ton : *Ce chant monotone me fait bâiller.* SYN. endormant, ennuyeux, monocorde. ANT. divertissant. **2.** fig. Qui manque de variété, qui ennuie par la répétition des mêmes choses : *On se fatigue vite d'une vie monotone.* SYN. ennuyeux, morne, régulier, répétitif. ANT. nuancé, varié. ☞ monotonie.

monotonie n.f. Caractère de ce qui manque de variété, qui ennuie par la répétition des mêmes choses : *Je me souviendrai longtemps de la monotonie de ce paysage.* SYN. grisaille, uniformité. ANT. changement, diversité, variété. ☞ monotone.

monoxyde n.m. Oxyde qui ne contient qu'un seul atome d'oxygène : *Le monoxyde de carbone est un gaz très toxique.* ☞ oxyde.

monseigneur n.m. Titre qu'on donnait autrefois aux princes et qu'on donne encore aux évêques et aux archevêques : *Monseigneur Grégoire s'est adressé à la foule.* **R.** Au pluriel, *messeigneurs*.

monsieur n.m. **1.** Titre que l'on donne à un homme : *Bonjour, monsieur, avez-vous quelques minutes à me consacrer?* **2.** Titre qui précède la fonction d'un homme : *Monsieur le ministre va vous recevoir dans un instant.* **3.** Homme, dans le langage enfantin : *Connais-tu le monsieur qui est assis en face de nous?* ⫽ *Faire le monsieur :* Faire l'homme important. *Un vilain monsieur :* Un homme peu recommandable, méprisable. **R.** Au pluriel, *messieurs*.

monstre n.m. **1.** Être imaginaire terrible des contes et des légendes : *Le monstre protégeait l'entrée de la grotte aux trésors.* **2.** Animal de grande taille : *On dit qu'il y a un monstre dans un lac d'Écosse.* **3.** Être vivant qui a une grave malformation : *Un veau à cinq pattes est un monstre.* **4.** Personne très laide : *Je ne peux pas le décrire, c'est un monstre.* **5.** fig. Personne très méchante, inhumaine : *Pour commettre ces crimes horribles, il faut être un monstre de cruauté.* ⫽ *Monstre sacré :* Comédien célèbre. ☞ monstrueusement, monstrueux, monstruosité.

monstre adj.fam. Qui est immense, extraordinaire : *Cette pièce de théâtre a eu un succès monstre.* SYN. énorme, phénoménal, prodigieux.

monstrueusement adv. De façon monstrueuse, affreuse : *Cet homme est monstrueusement égoïste.* SYN. affreusement, horriblement. ☞ monstre.

monstrueux, euse adj. **1.** Qui est très laid, horrible : *Certains masques d'Halloween sont d'une laideur monstrueuse.* SYN. affreux. ANT. beau. **2.** Qui a une grave malformation : *Un chien à deux têtes est un animal monstrueux.* SYN. difforme. ANT. normal. **3.** Qui est démesuré, très grand : *Un requin monstrueux jaillit hors des flots.* SYN. énorme, gigantesque. ANT. ordinaire. **4.** Qui est horrible, épouvantable : *Ce crime monstrueux a soulevé l'horreur et l'indignation des citoyens.* SYN. abominable, effroyable. ANT. charmant. ☞ monstre.

monstruosité n.f. **1.** Caractère de ce qui est horrible, épouvantable : *La monstruosité de ce crime a indigné la population.* SYN. atrocité. **2.** Chose monstrueuse : *Il se commet beaucoup de monstruosités pendant les guerres.* SYN. horreur. ☞ monstre.

mont n.m. Élévation de terrain d'importance très variable : *Le mont Saint-Hilaire intéresse beaucoup les minéralogistes.* ANT. plaine. HOM. mon. ⫽ *Par monts et par vaux :* À travers tout le pays, en voyage. ☞ monticule.

montage n.m. **1.** Action d'assembler les différentes parties d'un mécanisme, d'un objet : *En suivant les instructions, j'ai pu effectuer le montage de cette bibliothèque.* SYN. installation. ANT. démontage. **2.** Choix et assemblage des différentes images d'un film : *Le montage du film a été effectué par une monteuse.* ☞ monter.

montagnard, arde n. et adj. **1.** n. Personne qui vit dans les montagnes : *Pendant notre voyage en Suisse, nous avons rencontré de vrais montagnards.* **2.** adj. Qui vit dans les montagnes : *Les peuples montagnards sont habitués aux rigueurs du climat.* **3.** adj. Qui se rapporte à la montagne : *Heidi aime beaucoup la vie montagnarde.* ☞ montagne.

montagne n.f. **1.** Grande élévation de terrain : *Les montagnes Rocheuses séparent l'Alberta et la Colombie-Britannique.* ANT. plaine. **2.** Région de forte altitude : *Chaque été, toute la famille passe les vacances à la montagne.* ANT. vallée. **3.** fig. Quantité importante de choses amoncelées : *Le bureau disparaît sous une montagne de cahiers.* SYN. amas, amoncellement, pile. ⁄⁄ *Montagnes russes :* Suite de montées et de descentes rapides qu'un véhicule sur rails parcourt à vive allure. ☞ montagnard, montagneux.

montagneux, euse adj. Où il y a des montagnes : *La région des Laurentides est une région montagneuse.* SYN. accidenté, rocheux. ANT. plat. ☞ montagne.

montant n.m. Pièce verticale dans une construction, une échelle, un châssis de fenêtre ou de porte : *Les montants de l'échelle supportent les barreaux.* ▲ **montant** n.m. Total, somme d'un compte : *Le montant de tes dépenses est trop élevé.* SYN. coût, prix. ☞ monter.

montant, ante adj. **1.** Qui va de bas en haut : *L'eau monte peu à peu, c'est la marée montante.* ANT. descendant. **2.** Qui va vers le haut : *Cette chemise à col montant te va très bien.* ☞ monter.

monte-charge n.m.invar. Appareil qui sert à monter les marchandises, les charges pesantes d'un étage à l'autre : *Un monte-charge est une sorte d'ascenseur pour les objets lourds.* ☞ monter.

montée n.f. **1.** Action de monter vers un lieu élevé : *La montée de cette paroi escarpée a été difficile.* SYN. escalade. ANT. descente. **2.** Action de s'élever : *Les riverains surveillent la montée des eaux.* SYN. crue. **3.** Chemin qui conduit à un lieu élevé : *L'automobile est tombée en panne au milieu de la montée.* SYN. côte, rampe. **4.** fig. Augmentation : *La montée des prix est catastrophique pour les familles à faible revenu.* SYN. hausse. ANT. baisse, chute, diminution. HOM. monter. ☞ monter.

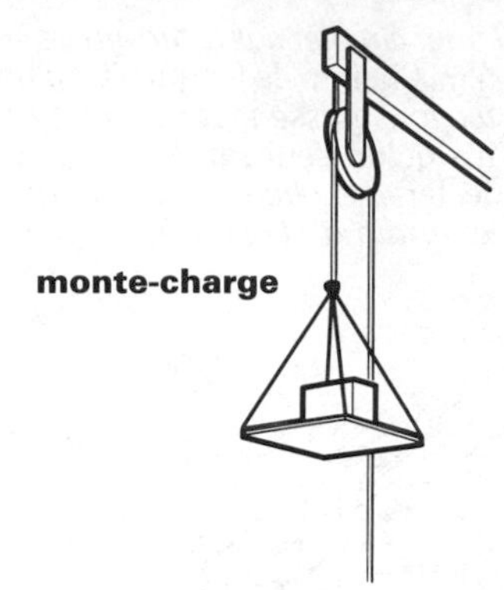

monte-pente n.m. Système de câbles mobiles et de sièges servant à transporter des skieurs au sommet d'une pente : *Le monte-pente du mont Orford est en service toute l'année.* SYN. remonte-pente. **R.** Au pluriel, *monte-pentes*. ☞ monter.

monter v. **1.** Aller de bas en haut : *Nous sommes montés au sommet du mont Royal.* SYN. grimper. **2.** S'élever dans les airs : *De grandes nappes de brouillard montent du fleuve.* ANT. descendre. **3.** Aller en s'élevant : *La route monte en zigzaguant jusqu'au sommet de la colline.* **4.** Augmenter en hauteur : *Si les eaux de la rivière continuent à monter, il y aura sûrement une inondation.* **5.** Prendre place dans un véhicule, un avion, sur une bicyclette, un bateau : *Ma petite sœur est toute fière depuis qu'elle sait monter à bicyclette.* **6.** S'installer sur un animal pour se faire porter : *La cavalière monte un magnifique cheval noir.* **7.** Porter de bas en haut : *Le bagagiste a monté nos valises dans notre chambre, au deuxième étage.* **8.** Aller du grave à l'aigu : *La voix du chanteur monte doucement.* **9.** fig. Augmenter : *Le prix des maisons ne cesse de monter.* SYN. s'élever, hausser. ANT. diminuer. **10.** fig. Avoir de l'avancement, une meilleure situation : *Après plusieurs années de service, cet employé est monté en grade.* HOM. montée. ☞ démonter, montant, monte-charge, montée, monte-pente, monture, remontée, remonte-pente, remonter. se **monter** v.pron. **1.** Être monté : *Cette côte n'est pas trop raide ; elle se monte facilement.* **2.** Atteindre un total : *Vos frais de voyage se montent à cent dollars.* ▲ **monter** v. **1.** Assembler les différentes parties d'un mécanisme, d'un objet : *Nous avons monté la tente en moins de dix minutes.* **2.** Choisir et assembler les différentes images d'un film : *Une fois monté, ce film sera un chef-d'œuvre.* **3.** fig. Organiser la représentation d'une pièce de théâtre, d'un spectacle : *On nous a présenté la metteure en scène qui a* *monté cette pièce de théâtre.* **4.** Fixer dans une monture: *Le bijoutier monte une émeraude sur cette bague en or.* **5.** fig. Préparer quelque chose: *Les opposants au régime ont monté un complot en vue de renverser le gouvernement.* ☞ démontable, démontage, démonté, démonte-pneu, démonter, indémontable, montage, monteur, monture, remonter. **monté, ée** p.p. et adj. Qui est préparé d'avance, en secret: *Je me doutais bien que c'était un coup monté.*

monteur, euse n. **1.** Personne qui assemble les différentes parties d'un mécanisme, d'un objet: *La monteuse a effectué le montage d'un circuit électrique.* **2.** Personne qui choisit et assemble les différentes images d'un film: *Les monteurs ont enfin terminé le montage du film.* ☞ monter.

montgolfière n.f. (n. de l'inv.) Ballon dirigeable dont l'enveloppe est remplie d'air chauffé: *Chaque année, il y a un festival de montgolfières à Saint-Jean-sur-Richelieu.*

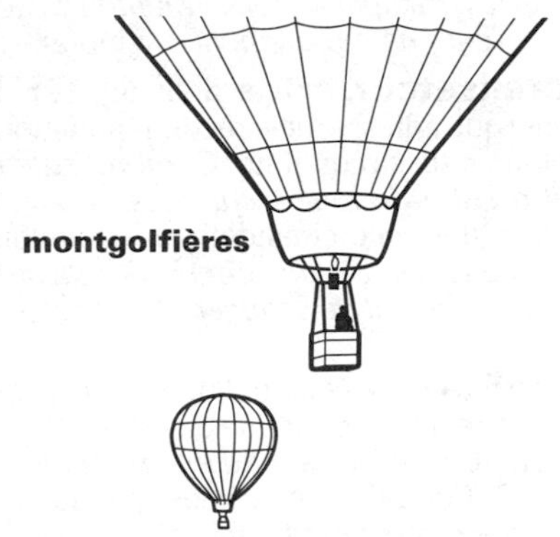

monticule n.m. **1.** Petite élévation de terrain: *Les enfants ont construit un fort au sommet du monticule.* SYN. colline, butte. **2.** Tas: *Prends la brouette, nous allons transporter ce monticule de pierres derrière la maison.* ☞ mont.

montre n.f. Petit appareil portatif qui indique l'heure: *Ma montre retarde de dix minutes.* ⁄⁄ *Montre à quartz:* Montre électronique dont le mouvement fonctionne grâce à un cristal de quartz. *Montre-bracelet:* Montre montée sur un bracelet de cuir ou de métal qu'on porte au poignet. ▲ **montre** n.f. Vitrine: *La libraire a des livres très intéressants en montre.* SYN. devanture, étalage. ☞ montrer.

montréalais, aise n. et adj. **1.** n. Personne qui habite Montréal: *Un Montréalais, une Montréalaise.* **2.** adj. Qui est de Montréal: *La vie montréalaise est trépidante.* **R.** Le *t* ne se prononce pas. On met la majuscule à *montréalais* et à *montréalaise* lorsqu'il s'agit du nom.

montrer v. **1.** Faire voir: *Johanne est toute fière de me montrer son bulletin.* SYN. présenter. ANT. cacher. **2.** Indiquer par un geste: *Il est impoli de montrer quelqu'un du doigt.* SYN. désigner. **3.** Enseigner, expliquer: *L'électricien m'a montré comment la cuisinière fonctionnait.* SYN. apprendre. **4.** Laisser paraître, manifester: *La pompière a montré beaucoup de courage en secourant cette enfant.* SYN. déployer. **5.** Faire constater, démontrer: *Je voulais lui montrer qu'elle avait tort.* SYN. prouver. **6.** Faire connaître: *Ce film nous montre la misère des victimes de la sécheresse.* SYN. décrire, représenter. ☞ montre, remontrer. se **montrer** v.pron. **1.** Se faire voir: *Il ferait mieux de se montrer, sinon nous allons partir sans lui.* SYN. se présenter. ANT. se cacher. **2.** Se révéler par un trait de personnalité, un comportement: *Tu t'es montrée très désagréable avec tes camarades.* **3.** Se faire connaître, se dévoiler: *Cette politicienne s'est enfin montrée sous son vrai jour.* SYN. se révéler.

monture n.f. Animal sur lequel on monte pour se faire porter: *Le jeune cavalier a de la difficulté à diriger sa monture.* ☞ monter. ▲ **monture** n.f. Partie d'un objet qui sert à supporter l'élément principal: *La monture d'une paire de lunettes sert à tenir les verres.* ☞ monter.

monument n.m. **1.** Ouvrage d'architecture ou de sculpture qui rappelle le souvenir d'une personne illustre ou d'un événement important: *Je me suis arrêtée quelques instants devant le monument de Louis Hébert, le premier colon canadien.* **2.** Édifice remarquable par sa beauté, ses dimensions, son ancienneté: *Le couvent des Ursulines et le séminaire de Québec sont des monuments qu'il faut visiter à tout prix.* **3.** fam. Objet énorme: *Cette commode est un vrai monument.* ⁄⁄ *Monument aux morts:* Monument destiné à perpétuer le souvenir de ceux qui sont morts à la guerre. *Monument funéraire:* Construction élevée à l'endroit où est enterré quelqu'un. *Monument historique:* Édifice qu'il faut conserver à cause de son intérêt historique ou artistique. *Monument public:* Ouvrage d'architecture ou de sculpture qui appartient à l'État. ☞ monumental.

monumental, ale, aux adj. **1.** Qui est très grand, imposant: *L'oratoire Saint-Joseph est un édifice monumental.* SYN. grandiose. **2.** fam. Qui est énorme: *Tu as fait une erreur monumentale.* ANT. insignifiant. ☞ monument.

moppe ☞ sect. anglicismes et canadianismes.

se moquer v.pron. **1.** Tourner en ridicule, rire de quelqu'un: *Pauline se moque de son institutrice.* SYN. railler, ridiculiser. ANT. admirer. **2.** Ne faire aucun cas de quelqu'un ou de quelque chose: *Les premiers aviateurs se moquaient du danger.* SYN. braver, narguer. **3.** Tromper quelqu'un en lui faisant croire des faussetés: *On le croyait, mais pendant tout ce temps, il se moquait de nous.* SYN. berner, duper. ☞ moquerie, moqueur.

moquerie n.f. **1.** Action ou habitude de tourner quelqu'un en ridicule: *Cet enfant est exposé à la moquerie de ses camarades.* SYN. raillerie, risée. ANT. admiration, respect. **2.** Action ou parole par laquelle on tourne quelqu'un en ridicule: *Il est rare qu'on apprécie les moqueries quand elles sont dirigées contre nous.* SYN. plaisanterie, sarcasme. ANT. flatterie. ☞ se moquer.

moquette n.f. Tapis fixé au sol, qui couvre généralement toute la surface de la pièce: *Mes parents ont fait changer la moquette du salon.*

moqueur, euse n. et adj. **1.** n. Personne qui a l'habitude de tourner les autres en ridicule: *C'est une moqueuse qui ne perd pas une occasion de s'amuser aux dépens des autres.* SYN. blagueur. **2.** adj. Qui a l'habitude de tourner les autres en ridicule: *Christian est un garçon moqueur.* SYN. ironique, railleur. **3.** adj. Qui montre de la moquerie: *Son rire moqueur résonne encore à mes oreilles.* SYN. narquois. ANT. sincère. ☞ se moquer.

moqueur n.m. **1.** Oiseau d'Amérique, du genre merle, qui imite le chant des autres oiseaux: *Le moqueur saute de branche en branche.* **2.** Oiseau d'Afrique, au plumage bleu et vert, au bec courbé et à longue queue: *Le moqueur vit dans la savane.*

moraine n.f. Débris de roche transportés par un glacier: *Les glaciers laissent des dépôts sous forme de collines ou de crêtes allongées appelées «moraines».*

moral n.m. État d'esprit qui permet de supporter plus ou moins bien les difficultés, les problèmes: *Tu as besoin qu'on te remonte le moral.* HOM. morale.

moral, ale, aux adj. Qui se rapporte à l'esprit, à la pensée: *Les personnes handicapées ont souvent une grande force morale.* SYN. psychologique. ☞ démoralisant, démoralisation, démoraliser, moralement.
▲ **moral, ale, aux** adj. **1.** Qui se rapporte aux règles de conduite en usage dans une société: *L'honnêteté, la franchise, le respect des autres sont des valeurs morales qu'on essaie de transmettre à nos enfants.* **2.** Qui est en accord avec ces règles de conduite: *Ce film n'est pas moral: il prêche la violence, la malhonnêteté, l'injustice.* SYN. convenable, édifiant. ANT. immoral. HOM. morale. ☞ immoral, immoralement, immoralité, morale, moralement, moralisateur, moralité.

morale n.f. **1.** Ensemble des règles de conduite en usage dans une société et que l'on considère comme bonnes: *La morale, c'est ce qui nous permet de distinguer le bien du mal.* **2.** Leçon que l'on peut tirer d'une histoire: *La morale de cette histoire, c'est qu'il ne faut jamais mentir.* SYN. conclusion, enseignement, leçon, moralité. HOM. moral. // *Faire la morale à quelqu'un:* Réprimander quelqu'un, lui adresser des recommandations sur sa conduite. ☞ moral.

moralement adv. Quant à l'esprit: *Moralement, la malade se porte très bien.* ☞ moral.
▲ **moralement** adv. Selon les règles de conduite en usage dans une société: *Les voleurs, les tricheurs et les menteurs ne se conduisent pas moralement.* ☞ moral.

moralisateur, trice n. et adj. **1.** n. Personne qui adresse des recommandations à quelqu'un sur sa conduite: *Ce moralisateur se croit à l'abri de toutes critiques.* **2.** adj. Qui adresse des recommandations à quelqu'un sur sa conduite: *Les personnes moralisatrices oublient souvent de se juger elles-mêmes.* ☞ moral.

moralité n.f. **1.** Valeur d'une chose par rapport aux règles de conduite en usage dans une société: *Ces revues sont d'une moralité douteuse.* **2.** Conduite, attitude de quelqu'un par rapport à ces règles: *La moralité de ce fonctionnaire est irréprochable.* **3.** Leçon que l'on peut tirer d'une histoire: *La moralité de cette fable est très simple: les paresseux sont toujours punis.* SYN. conclusion, enseignement, morale. ☞ moral.

morbide adj. Qui est anormal: *Cette femme fait preuve d'une jalousie morbide.* SYN. maladif, malsain. ANT. normal, sain.

morceau, eaux n.m. **1.** Partie séparée d'un aliment: *Prendrais-tu un morceau de gâteau?* SYN. part, pointe, portion. **2.** Partie d'une matière solide: *Le vase s'est brisé en mille morceaux.* SYN. débris, éclat, fragment. **3.** Partie d'une œuvre écrite: *Ce recueil de morceaux choisis comprend des textes de plusieurs auteures.* SYN. extrait, passage. **4.** Œuvre musicale courte ou partie d'une œuvre musicale: *André a exécuté un morceau de violon.* ☞ morceler, morcellement.

morceler v. Partager en plusieurs parties: *L'entrepreneur en construction a morcelé cet* *immense terrain pour y construire plusieurs maisons.* SYN. diviser, fractionner, fragmenter. ANT. rassembler, unifier. **R.** Ne pas oublier de doubler le *l* devant un *e* muet. ☞ morceau.

morcellement n.m. Action de partager en plusieurs parties : *Les héritiers sont contre le morcellement de la ferme familiale.* SYN. division, fractionnement. ANT. regroupement, unification. ☞ morceau.

mordant n.m. Entrain, énergie dans l'attaque : *Cette équipe de hockey a du mordant.* SYN. ardeur, fougue, vivacité.

mordant, ante adj. **1.** Qui mord : *Le loup et l'ours sont des bêtes mordantes : elles se défendent avec leurs dents.* **2.** fig. Qui saisit comme une morsure : *Un froid mordant nous congèle sur place.* SYN. aigu, vif. ANT. doux. **3.** fig. Qui blesse : *Elle était très en colère et elle m'a parlé d'un ton mordant.* SYN. acerbe, incisif, piquant. ANT. calmant. ☞ mordre.

mordicus adv.fam. (lat.) Sans démordre, avec obstination : *Vous ne la ferez pas changer d'idée, elle y tient mordicus.* ANT. faiblement. **R.** Le *s* se prononce.

mordillage n.m. Action de mordre légèrement à plusieurs reprises : *Dès que j'ai le dos tourné, mon chien se livre au mordillage de mes chaussures.* **R.** Aussi, *mordillement*. Les deux *l* se prononcent comme dans *famille*. ☞ mordre.

mordiller v. Mordre légèrement à plusieurs reprises : *Le chat a mordillé le fil du téléphone.* **R.** Les deux *l* se prononcent comme dans *famille*. ☞ mordre.

mordre v. **1.** Serrer fortement avec ses dents : *Ce chien est très dangereux : il mord tous ceux qui l'approchent.* **2.** Enfoncer les dents dans quelque chose : *Amélie mord à belles dents dans une grosse pêche juteuse.* SYN. croquer. **3.** Saisir avec les dents : *Le brochet a mordu à l'hameçon.* **4.** Piquer, blesser : *Ces insectes mordent jusqu'au sang.* **5.** Attaquer, ronger une matière solide : *La scie mord la planche de bois.* SYN. entamer. **6.** fig. Saisir : *Habille-toi chaudement, car le froid mord.* SYN. pincer, piquer. **7.** Empiéter : *Plusieurs coureuses ont mordu sur la ligne de départ.* ☞ mordant, mordillage, mordiller, morsure, remordre. **se mordre** v.pron. Se serrer fortement les joues ou la langue avec les dents : *Il s'est mordu en mangeant.*

mordu, ue n. et adj.fam. **1.** n. Personne qui aime beaucoup quelque chose : *Rita est une mordue de l'informatique.* SYN. fanatique, passionné. **2.** adj. Qui est très amoureux : *Cette fois, ça y est : mon grand frère est mordu.*

se morfondre v.pron. S'ennuyer lorsqu'on attend trop longtemps : *Tu savais que tu serais en retard et tu m'as laissé me morfondre.* SYN. s'impatienter, languir. ANT. s'amuser.

morgue n.f. Lieu où sont déposés provisoirement les cadavres : *Ils ont dû se rendre à la morgue pour identifier le corps de leur fils tué dans un accident.* ▲ **morgue** n.f. Attitude orgueilleuse et méprisante : *Cette femme, pleine de morgue, se plaint de ne pas avoir d'amis.* SYN. arrogance, insolence, suffisance. ANT. humilité, modestie, simplicité. **R.** Ne pas oublier le *u* après le *g*.

moribond, onde n. et adj. **1.** n. Personne qui est près de mourir : *La moribonde respirait avec peine.* SYN. mourant. ANT. vivant. **2.** adj. Qui est près de mourir : *Le malade moribond était entouré de sa famille.* SYN. agonisant. ANT. vigoureux.

mormon, one n. et adj. **1.** n. Membre d'un mouvement religieux fondé aux États-Unis, dont la doctrine admet les principes essentiels du christianisme et présente des ressemblances avec l'islam : *Les mormons sont très attachés à la Bible.* **2.** adj. Qui se rapporte à ce mouvement religieux : *La secte mormone compte plus de quatre millions de membres.* ☞ mormonisme.

mormonisme n.m. Doctrine des mormons, qui admet les principes essentiels du christianisme et qui présente des ressemblances avec l'islam : *Le mormonisme est apparu aux États-Unis en 1830.* ☞ mormon.

morne adj. **1.** Qui est triste, abattu : *Mario a l'air morne aujourd'hui.* SYN. mélancolique, taciturne. ANT. gai, rayonnant. **2.** Qui est triste, ennuyeux : *Quel temps morne !* SYN. plat.

mornifle n.f.fam. Coup sur le visage, donné du revers de la main : *Il m'a donné une mornifle sur la joue gauche.*

morose adj. Qui est triste, sombre : *Elle a l'air morose depuis qu'elle a appris ton départ.* SYN. abattu, chagrin, mélancolique. ANT. animé, content, gai, joyeux. ☞ morosité.

morosité n.f. Humeur triste et sombre : *Il faudrait faire quelque chose pour sortir cet enfant de sa morosité.* SYN. mélancolie, tristesse. ANT. gaieté, joie. ☞ morose.

morphine n.f. Substance tirée de l'opium, qui calme la douleur et provoque le sommeil, mais qui est considérée comme un stupéfiant : *On lui a fait une piqûre de morphine pour soulager ses souffrances.* **R.** Les lettres *ph* se prononcent *f*. ☞ morphinomane, morphinomanie.

morphinomane n. et adj. **1.** n. Personne qui a l'habitude de prendre de la morphine :

Les morphinomanes ne peuvent plus se passer de morphine. **2.** adj. Qui a l'habitude de prendre de la morphine : *Les personnes morphinomanes doivent se faire désintoxiquer.* **R.** Les lettres *ph* se prononcent *f.* ☞ morphine.

morphinomanie n.f. Habitude de prendre de la morphine : *La morphinomanie entraîne des désordres physiques et intellectuels.* **R.** Les lettres *ph* se prononcent *f.* ☞ morphine.

morphologie n.f. **1.** Étude de la forme et de la structure externe d'un être vivant : *La morphologie animale étudie la forme des animaux.* **2.** Apparence générale du corps humain : *La morphologie de cet enfant me semble tout à fait normale.* **3.** Partie de la grammaire qui étudie la formation des mots et leurs variations de forme : *La morphologie, c'est l'étude de la forme des mots.* **R.** Les lettres *ph* se prononcent *f.* ☞ morphologique.

morphologique adj. **1.** Qui se rapporte à la forme et à la structure externe d'un être vivant : *Le biologiste étudie les types morphologiques des cellules.* **2.** Qui se rapporte à la formation des mots et à leurs variations de formes : *Cette langue est très simple sur le plan morphologique.* **R.** Les lettres *ph* se prononcent *f.* ☞ morphologie.

mors n.m.invar. Pièce de métal fixée à la bride, qui passe dans la bouche du cheval et qui sert à le diriger : *Le mors est une pièce du harnais.* HOM. mort. **R.** Le *s* ne se prononce pas.

morse n.m. (russe) Grand mammifère marin des régions arctiques, aux canines supérieures transformées en défenses, au corps massif, à la peau nue et ridée : *Les seuls ennemis des morses sont l'ours blanc, l'épaulard et l'être humain.* ▲ **morse** n.m. (n. de l'inv.) Système de signaux qui utilise des combinaisons de points et de traits et qui sert à envoyer des messages télégraphiques : *La capitaine du navire a envoyé un signal de détresse en morse.*

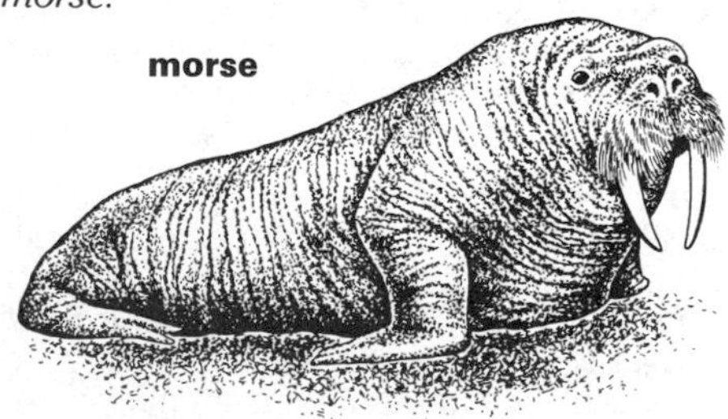

morsure n.f. **1.** Action de mordre : *La morsure d'un chien peut transmettre la rage.* **2.** Blessure faite en mordant : *La morsure est très profonde : il faudra faire des points de suture.* **3.** fig. Attaque vive : *La morsure du froid me fait frissonner.* ☞ mordre.

mort n.f. **1.** Cessation définitive de la vie : *La mort est une des grandes énigmes de l'existence.* ANT. vie. **2.** Fin d'une vie : *Il est très déprimé depuis la mort de sa femme.* SYN. décès, disparition, perte, trépas. ANT. naissance. **3.** fig. Fin d'une chose : *Si ce supermarché ouvre ses portes, ce sera la mort de toutes les petites épiceries.* SYN. anéantissement, destruction, effondrement, ruine. ANT. essor, renouveau, survivance. HOM. mors. ⁄⁄ *Arrêt de mort :* Condamnation à mourir. *Avoir la mort dans l'âme :* Être désespéré. *Être à l'article de la mort :* Être près de mourir. *Être entre la vie et la mort :* Être en danger de mort. *Mettre à mort :* Exécuter, faire mourir. *Mourir de sa belle mort :* Mourir de vieillesse et sans souffrir. ☞ mourir. **à mort** loc.adv. D'une façon qui entraîne la mort : *La victime de l'accident était blessée à mort.*

mort, morte n. et adj. **1.** n. Personne qui a cessé de vivre : *En fin de semaine, les accidents de la route ont fait plusieurs morts.* **2.** n. Cadavre : *Les morts sont enterrés dans le cimetière.* SYN. défunt. **3.** adj. Qui a cessé de vivre : *Son père est mort l'an dernier.* **4.** adj. Qui semble privé de vie : *Morte de fatigue, elle s'endormit dans le salon.* SYN. épuisé. **5.** adj. Qui est sans activité : *Après 18 heures, le centre de la ville est mort.* SYN. désert, inanimé. **6.** adj.fam. Qui est hors d'usage : *Le moteur est mort, nous ne pouvons plus avancer.* HOM. mors. ⁄⁄ *Bois mort :* Bois sec. *Eau morte :* Eau qui ne s'écoule pas. *Langue morte :* Langue qui n'est plus parlée. *Rester lettre morte :* Ne pas avoir de suite. ☞ mourir.

mortadelle n.f. (it.) Gros saucisson italien fait d'un mélange de porc et de bœuf : *La charcutière m'a vendu de la mortadelle.*

mortalité n.f. **1.** Nombre de personnes ou d'animaux qui meurent pour la même raison : *La grippe espagnole a entraîné une mortalité très élevée au début du siècle.* **2.** Nombre de décès survenus pendant une période donnée : *La mortalité infantile a beaucoup diminué grâce aux progrès de la médecine.* ANT. natalité. ☞ mourir.

mort-aux-rats n.f.invar. Poison destiné à tuer les rongeurs : *La fermière a placé de la mort-aux-rats dans la grange.* ☞ mourir.

mortel, elle n. et adj. **1.** n. Être humain : *Le commun des mortels est satisfait de son sort.* SYN. créature, personne. **2.** adj. Qui doit mourir un jour : *Tous les êtres vivants sont mortels.* SYN. périssable. ANT. immortel. **3.** adj. Qui fait mourir: *Elle a reçu une blessure mortelle.* SYN. fatal, funeste. **4.** adj.fig. Qui est très pénible: *Un froid mortel nous glace jusqu'à la moelle.* SYN. insupportable. **5.** adj.fig. Qui est très ennuyeux: *Cette soirée a été mortelle.* SYN. sinistre. ⁄⁄ *Ennemi mortel:* Personne qui déteste quelqu'un au point de souhaiter sa mort. ☞ mourir.

mortellement adv. **1.** De façon à causer la mort: *Les médecins n'ont pas pu le sauver, car il était mortellement blessé.* **2.** fig. Extrêmement: *Le discours du président a été mortellement ennuyeux.* ☞ mourir.

morte-saison n.f. Période de l'année pendant laquelle il y a peu d'activité dans le commerce, l'industrie: *Chaque année, des milliers de travailleurs se retrouvent en chômage pendant la morte-saison.* **R.** Au pluriel, *mortes-saisons.*

mortier n.m. Pièce d'artillerie portative à canon court et à tir courbe, utilisée par l'infanterie pour atteindre des objectifs masqués ou enterrés: *Le mortier est un petit canon qui tire des obus.* ▲ **mortier** n.m. Récipient en matière dure utilisé pour broyer certaines substances au moyen d'un pilon: *La pharmacienne écrase un médicament dans le mortier.* ▲ **mortier** n.m. Mélange de sable, d'eau, de chaux ou de ciment qu'on utilise en construction pour lier les pierres ou les briques: *Le maçon étale une couche de mortier entre les pierres de la maison.*

mortifiant, ante adj. **1.** Qui prive le corps ou fait souffrir, dans l'intention de racheter les fautes qu'on a commises: *Les pratiques mortifiantes existent dans beaucoup de religion.* **2.** fig. Qui humilie: *Votre refus était mortifiant.* SYN. blessant, humiliant, vexant. ☞ mortifier.

mortification n.f. **1.** Privation, souffrance que l'on s'impose dans l'intention de racheter ses fautes: *Les premiers chrétiens s'imposaient toutes sortes de mortifications.* SYN. austérité, pénitence. ANT. satisfaction. **2.** fig. Humiliation: *Elle ne lui pardonnera jamais la mortification qu'il lui a fait subir.* SYN. affront, vexation. ANT. fierté. ☞ mortifier.

mortifier v. **1.** Soumettre son corps à des privations, à des souffrances dans l'intention de racheter ses fautes: *Cette religieuse mortifiait son corps par le jeûne.* SYN. châtier, mater. ANT. caresser, dorloter. **2.** fig. Humilier: *Vos critiques l'ont mortifié.* SYN. blesser, froisser. ANT. enorgueillir, flatter. ☞ mortifiant, mortification. se **mortifier** v.pron. Se soumettre à des privations, à des souffrances dans l'intention de racheter ses fautes: *Beaucoup de saints se sont mortifiés pendant leur vie.*

mort-né, -née n. et adj. **1.** n. Enfant qui est mort en arrivant au monde: *Cette jeune femme a accouché d'un mort-né.* **2.** adj. Qui est mort en arrivant au monde: *La médecin fera l'autopsie de l'enfant mort-né.* **3.** adj.fig. Qui échoue dès le début: *Ne gaspillez pas vos énergies pour ce projet mort-né.* **R.** Au pluriel, *mort-nés, mort-nées.* ☞ mourir.

mortuaire adj. Qui se rapporte aux morts, aux cérémonies qui entourent un décès: *Le cercueil était entouré de couronnes mortuaires.* ⁄⁄ *Salon mortuaire:* Au Canada, établissement où l'on expose les morts pour qu'on leur rende un dernier hommage. ☞ mourir.

morue n.f. Grand poisson des mers froides dont la chair, fraîche, salée ou séchée, est très estimée: *Les morues vivent en bancs et font l'objet d'une pêche intensive.* ☞ morutier.

morutier n.m. Navire ou pêcheur qui fait la pêche à la morue: *Les morutiers rentrent au port.* ☞ morue.

morve n.f. Liquide visqueux qui s'écoule du nez de l'être humain: *Discrètement, la petite fille essuie sa morve avec un mouchoir.* ☞ morveux.

morveux, euse n. et adj. **1.** n.fam. Jeune enfant: *Un petit morveux s'amusait à tirer la queue du chat.* SYN. gamin. **2.** n.fam. Personne jeune qui se donne des airs d'importance: *Cette morveuse voulait m'apprendre mon métier.* **3.** adj. Qui a la morve au nez: *Un petit garçon, sale et morveux, m'aborda au parc.* ☞ morve.

mosaïque n.f. (it.) **1.** Ouvrage décoratif fait de petits morceaux de pierre, de marbre ou de céramique, retenus par un ciment, qui forment un dessin: *Le sol de ce palais grec était décoré de magnifiques mosaïques.* **2.** fig. Ensemble d'éléments différents placés côte à côte: *L'Europe est une mosaïque d'États.* **R.** Ne pas oublier le tréma: *ï.* ☞ mosaïste.

mosaïste n. Personne qui fait des mosaïques: *En Grèce et en Italie, les mosaïstes nous ont laissé de véritables chefs-d'œuvre.* **R.** Ne pas oublier le tréma: *ï.* ☞ mosaïque.

moscovite n. et adj. **1.** n. Personne qui habite Moscou: *Un Moscovite, une Moscovite.* **2.** adj. Qui est de Moscou: *Le Kremlin est situé sur le territoire moscovite.* **R.** On met la majuscule à *moscovite* lorsqu'il s'agit du nom.

mosquée n.f. (it.) Édifice réservé au culte musulman. *Les musulmans se réunissent à la mosquée pour prier.*

mot n.m. **1.** Élément de la langue qui a une signification et qui sert à former des phrases: *La phrase «Les arbres sont en fleurs» contient cinq mots.* SYN. terme, vocable. **2.** Parole: *Viens ici, je voudrais te dire un mot.* **3.** Courte lettre: *Ton père m'a écrit un mot pour me prévenir de ton absence.* SYN. billet. **4.** Parole drôle ou remarquable: *Les mots d'enfant font parfois réfléchir les grandes personnes.* SYN. plaisanterie. ⁄⁄ *Bon mot:* Plaisanterie, parole amusante. *Gros mot:* Mot grossier. *Jeu de mots:* Calembour. *Mot d'ordre:* Consigne, directive. *Mot savant:* Mot tiré directement du latin, du grec ou d'une langue étrangère. *Mots croisés:* Mots disposés horizontalement et verticalement sur une grille quadrillée, de telle sorte que certaines de leurs lettres se recoupent. à demi-**mot** loc.adv. À mots couverts, en parlant peu: *Les amoureux se comprennent à demi-mot.* au bas **mot** loc.adv. Au moins: *Il doit valoir un million au bas mot.* en un **mot** loc.adv. Brièvement, pour tout dire d'un seul coup: *En un mot, j'ai le trac.* **mot à mot** loc.adv. Sans rien changer, textuellement: *J'ai répété mot à mot ce qu'elle m'a dit.* sans **mot dire** loc.adv. Sans prononcer un seul mot: *Ils sont partis sans mot dire.*

motard n.m.fam. Personne qui conduit une motocyclette: *Un motard a dépassé notre automobile sur l'autoroute.* ☞ motocyclette.

motel n.m. Hôtel pour automobilistes, situé à proximité des routes et dont les chambres sont des pavillons en rangée ou détachés: *Comme nous étions fatiguées de rouler, nous avons décidé de passer la nuit dans un motel.*

moteur n.m. **1.** Appareil qui produit une énergie mécanique: *Le garagiste vérifie le moteur de notre automobile.* **2.** fig. Personne qui dirige une action: *La ministre a été le moteur de cette politique.* SYN. animateur, promoteur. **3.** fig. Cause: *L'intérêt est souvent le moteur de nos actions.* SYN. mobile, motif. ⁄⁄ *Moteur à réaction:* Moteur qui projette des gaz vers l'arrière sous une très forte pression, ce qui pousse l'avion vers l'avant. *Moteur électrique:* Moteur qui transforme l'énergie électrique en énergie mécanique. ☞ automoteur, bimoteur, monomoteur, quadrimoteur.

moteur, trice adj. **1.** Qui produit ou transmet le mouvement: *Notre nouvelle voiture a quatre roues motrices.* **2.** Qui permet le mouvement, en parlant d'un nerf ou d'un muscle: *Si on coupe le nerf moteur d'un muscle, celui-ci devient mou.* ☞ motricité.

motif n.m. Raison qui nous pousse à agir: *Son retard est sans motif.* SYN. cause, mobile, prétexte. ANT. conséquence, effet. ⁄⁄ *Sans motif:* Sans raison. ☞ motivation, motiver.

▲ **motif** n.m. **1.** Dessin qui se répète: *Ce tissu imprimé a un motif de fleurettes bleues et blanches.* **2.** Sujet d'un tableau: *Aimes-tu le motif de cette peinture de Marc-Aurèle Fortin?*

motion n.f. Proposition faite dans une assemblée par un de ses membres ou une partie de ses membres: *Les membres du syndicat ont voté la motion présentée par Camille.*

motivation n.f. Ensemble des raisons qui expliquent un acte, un comportement: *Elle ne veut pas nous faire connaître ses motivations.* SYN. mobile, motif. ☞ motif.

motiver v. **1.** Donner des raisons pour justifier un acte: *Elle n'a pas pu motiver son refus.* SYN. expliquer, justifier. **2.** Être la raison d'un acte: *C'est la peur qui a motivé ma fuite.* SYN. causer, déterminer. **3.** Pousser quelqu'un à agir, le stimuler: *Un enseignant doit être capable de motiver ses élèves.* ☞ motif.

moto n.f. Abréviation de «motocyclette»: *Noémie participe à une course de motos.* ☞ motocyclette.

motocross n.m.invar. Course de motos sur un circuit tracé en pleine nature et très accidenté: *André s'est blessé en participant à une compétition de motocross.* **R.** Aussi, *moto-cross.* ☞ motocyclette. (*Voir l'illustration à la page suivante.*)

motoculteur n.m. Petit tracteur léger à deux roues que l'on conduit à l'aide de mancherons et qui sert à labourer les terrains de petites dimensions: *Maman se sert du motoculteur pour retourner la terre du potager.*

motocyclette n.f. Véhicule à deux roues dont le moteur est assez puissant: *Catherine vient de s'acheter une motocyclette.* ☞ motard, moto, motocross, motocyclisme, motocycliste.

motocross

motocyclisme n.m. Sport que l'on pratique sur motocyclette : *Ces adolescents sont des amateurs de motocyclisme.* ☞ motocyclette.

motocycliste n. Personne qui conduit une motocyclette : *Cette motocycliste prudente ne se faufile pas entre les automobiles.* ☞ motocyclette.

motoneige n.f. Au Canada, petit véhicule à une ou deux places, muni de skis à l'avant et de chenilles à l'arrière, servant à circuler sur la neige : *En 1959, Joseph-Armand Bombardier inventa la motoneige.* ☞ motoneigisme, motoneigiste.

motoneige

motoneigisme n.m. Au Canada, pratique de la motoneige : *Le motoneigisme est très populaire au Québec.* ☞ motoneige.

motoneigiste n. Au Canada, personne qui pratique la motoneige : *La motoneigiste s'aventure sur le lac gelé.* ☞ motoneige.

motorisation n.f. Action de munir de véhicules, de machines à moteur : *La motorisation des transports a permis aux gens de parcourir de grandes distances plus rapidement.* ☞ motoriser.

motoriser v. **1.** Munir d'un moteur : *Cette pêcheuse a décidé de motoriser sa barque.* **2.** Munir de véhicules, de machines à moteur : *Les progrès techniques ont permis de motoriser l'agriculture.* ☞ motorisation. **motorisé, ée** p.p. et adj. Qui est muni de véhicules à moteur : *Les troupes motorisées se déplacent en camions.* ⁄⁄ *Être motorisé :* Avoir une automobile, une motocyclette, un camion à sa disposition.

motrice n.f. Voiture munie d'un moteur, qui entraîne d'autres voitures : *La motrice du métro traîne toute la rame.*

motricité n.f. Ensemble des fonctions qui permettent le mouvement chez l'être humain et les animaux : *Cet enfant a de la difficulté à marcher : il a des problèmes de motricité.* ☞ moteur (adj.).

motte n.f. Morceau de terre compacte, plus ou moins gros : *Avant d'ensemencer ce champ, il faudra écraser les mottes.* ⁄⁄ *Motte de gazon :* Morceau de terre recouverte d'herbe.

motus ! interj. Mot qui invite à garder le silence : *Je vous le répète : « Motus et bouche cousue ! »* **R.** Le *s* se prononce.

mou n.m. Ce qui est mou : *Le couteau s'enfonce facilement dans le mou.* ⁄⁄ *Avoir du mou :* Être lâche, ne pas être assez tendu. *Donner du mou à une corde :* Détendre une corde.

▲ **mou** n.m. Poumon de bœuf, de veau, de porc : *Le chat mange du mou de bœuf.*

mou, molle n.fam. Personne qui manque d'énergie, de force de caractère : *Cet homme est un mou.*

mou, molle adj. **1.** Qui n'est pas dur : *Le beurre mou s'étend plus facilement sur les tartines.* SYN. tendre. ANT. consistant. **2.** fig. Qui manque d'énergie, de force de caractère : *Cette femme est trop molle avec ses enfants.* SYN. faible, lâche. ANT. tenace, volontaire. HOM. moue, moût. **R.** Devient *mol* devant un mot commençant par une voyelle ou un *h* muet. ☞ amollir, mollasse, mollement, mollesse, mollet (adj.), mollir, ramolli, ramollir, ramollissement.

mouchard, arde n.fam. Personne qui dénonce les autres : *Ce garçon rapporte nos faits et gestes au directeur : c'est un mouchard.* SYN. délateur, rapporteur. ☞ mouchardage, moucharder.

mouchardage n.m.fam. Action de dénoncer les autres : *Le mouchardage est une action méprisable.* ☞ mouchard.

moucharder v.fam. Dénoncer quelqu'un : *Elle passe son temps à moucharder ses camarades.* ☞ mouchard.

mouche n.f. Insecte pourvu d'ailes, aux formes trapues, au vol bourdonnant, dont il existe de nombreuses espèces : *La mouche domestique est l'espèce la plus commune.* ⁄⁄

Mouche à miel: Abeille. *Mouche bleue, mouche verte:* Mouche qui pond sur la viande. *Mouche du vinaigre:* Petite mouche de couleur rougeâtre, que l'on appelle aussi « drosophile ». *Mouche tsé-tsé:* Mouche qui transmet la maladie du sommeil. ☞ moucheron. ▲ **mouche** n.f. Leurre imitant cet insecte, que l'on fixe à l'hameçon : *Antonin pratique la pêche à la mouche.*

moucher v. Débarrasser le nez des sécrétions en pressant les narines et en soufflant: *Papa mouche mon petit frère.* ☞ mouchoir. **se moucher** v.pron. Se débarrasser le nez des sécrétions en pressant les narines et en soufflant : *Si tu dois te moucher, essaie de le faire discrètement.*

moucheron n.m. Petit insecte volant voisin de la mouche : *Des milliers de moucherons tournoient au-dessus de la mare.* ☞ mouche.

moucheter v. Marquer de petites taches d'une couleur différente de celle du fond : *La nature a moucheté la fourrure du lynx.* **R.** Ne pas oublier de doubler le *t* devant un *e* muet. **moucheté, ée** p.p. et adj. Qui est marqué de petites taches de couleur différente de celle du fond : *Adrienne a pêché plusieurs truites mouchetées.*

moucheture n.f. **1.** Tache de couleur différente de celle du fond : *Mon chandail blanc est parsemé de mouchetures vertes.* **2.** Tache naturelle sur la peau, le poil, les plumes de certains animaux : *Les mouchetures du guépard lui permettent de se camoufler dans son milieu naturel.*

mouchoir n.m. **1.** Petit carré de linge ou de papier avec lequel on se mouche : *N'oublie pas de jeter tes mouchoirs de papier dans la poubelle.* **2.** Pièce d'étoffe dont les femmes se servent pour se couvrir la tête, les épaules : *Un mouchoir coloré protégeait sa tête du soleil.* ☞ moucher.

moudre v. Écraser des grains avec une meule ou un moulin pour les réduire en poudre : *À l'épicerie, maman me laisse moudre le café.* SYN. broyer, pulvériser. ☞ moulu, mouture, remoudre.

moue n.f. Grimace faite en avançant les lèvres et qui exprime le mécontentement : *Quand on lui refuse quelque chose, il fait la moue.* SYN. bouderie, lippe. HOM. mou, moût.

mouette n.f. Oiseau de mer, plus petit que le goéland, au pattes palmées, au plumage blanc ou gris clair, aux ailes longues et pointues : *La plupart des espèces de mouettes nichent en colonies dans des îles ou sur des falaises.*

mouffette n.f. Petit mammifère carnivore d'Amérique, à fourrure noire rayée de blanc, qui peut projeter un liquide d'odeur infecte lorsqu'on l'attaque : *Il vaut mieux ne pas s'approcher d'une mouffette.* **R.** Aussi, *moufette.*

moufle n.f. Gros gant de cuir, de laine ou de fourrure qui recouvre entièrement la main, sans séparation pour les doigts, sauf pour le pouce : *En hiver, je porte des moufles pour jouer dehors.* SYN. mitaine. **R.** S'écrit avec un seul *f*.

mouflon n.m. Mammifère ruminant sauvage qui vit dans les montagnes de l'Europe et de l'Amérique du Nord : *Seul le mouflon mâle a des cornes.* **R.** S'écrit avec un seul *f*.

mouillage n.m. Action d'imbiber d'eau ou d'un autre liquide : *Le mouillage du linge facilite le repassage.* SYN. humectage. ☞ mouiller. ▲ **mouillage** n.m. **1.** Action de mettre à l'eau : *Les marins s'occupent du mouillage de l'ancre.* **2.** Emplacement favorable pour jeter l'ancre : *Le navire cherche un mouillage pour se mettre à l'abri pendant la tempête.* ☞ mouiller.

mouillé, ée adj. **1.** Qui a été imbibé d'eau ou d'un autre liquide : *La nageuse a les cheveux mouillés.* SYN. humide. **2.** Qui est plein de larmes : *Monique a les yeux mouillés.* HOM. mouiller. ☞ mouiller.

mouiller v. **1.** Imbiber d'eau ou d'un autre liquide : *La pluie a mouillé mes vêtements.* SYN. tremper. ANT. assécher, sécher. **2.** fig. et fam. Mettre quelqu'un dans une situation difficile : *Une ennemie a voulu la mouiller dans ce scandale.* SYN. compromettre. HOM. mouillé. ☞ mouillage, mouillé, mouilleur, remouiller. **se mouiller** v.pron. **1.** S'imbiber d'eau ou d'un autre liquide : *Si tu te mouilles par ce temps humide, tu risques d'attraper un rhume.* **2.** fig. et fam. Se mettre dans une situation difficile : *Simon ne veut pas se mouiller dans cette affaire louche.* ▲ **mouiller** v. **1.** Mettre à l'eau : *Une fois dans la baie, nous avons mouillé l'ancre.* **2.** Jeter l'ancre pour s'arrêter : *Le voilier mouille dans la baie.* ☞ mouillage, remouiller.

mouilleur n.m. Appareil servant à mouiller les timbres, les étiquettes, les enveloppes avant de les coller : *La secrétaire se sert du mouilleur pour humecter les timbres-poste.* ☞ mouiller.

moujik n.m. (russe) Nom que l'on donnait autrefois aux paysans russes : *Les moujiks cultivaient la terre.*

moulage n.m. **1.** Action de fabriquer un objet en remplissant un moule creux d'une substance qui en conserve la forme après durcissement: *Cette statue a été obtenue par moulage.* **2.** Reproduction faite au moyen d'un moule: *Cette statuette n'a pas de valeur: ce n'est qu'un moulage d'une œuvre célèbre.* ☞ moule (n.m.).

moule n.m. Objet creux qu'on remplit d'une substance qui en conserve la forme après durcissement: *J'ai versé le mélange à gâteau dans un moule circulaire.* ☞ démoulage, démouler, moulage, mouler.

moule n.f. Mollusque comestible pourvu d'une coquille d'un noir bleuâtre, qui vit fixé sur les rochers battus par la mer: *Ce soir, nous mangeons des moules au vin blanc.* ☞ moulière.

mouler v. **1.** Fabriquer un objet en remplissant un moule creux d'une substance qui en conserve la forme après durcissement: *L'ouvrière moule des briques.* **2.** Prendre l'empreinte de quelque chose pour qu'elle serve de moule: *Pour reproduire cette statue célèbre, il faut d'abord la mouler.* **3.** Suivre les contours, la forme de quelque chose: *Cette robe de lainage moule le corps.* SYN. épouser. **4.** Former parfaitement les lettres, écrire soigneusement: *Le garçon s'applique à mouler chacun des mots qu'il écrit.* ☞ moule (n.m.). **moulé, ée** p.p. et adj. **1.** Qui a été obtenu au moyen d'un moule: *Le pain moulé se reconnaît facilement à son uniformité.* **2.** Qui est formé parfaitement: *L'écriture bien moulée de Sandrine est très lisible.* ⁄⁄ *Lettre moulée:* Lettre imprimée ou lettre écrite à la main qui imite une lettre imprimée.

moulière n.f. Endroit, au bord de la mer, où l'on élève des moules: *Les moulières sont des parcs à moules.* ☞ moule (n.f.).

moulin n.m. **1.** Appareil servant à écraser les grains pour les réduire en poudre: *Nathalie actionne le moulin à café.* **2.** Machine servant à écraser les grains des céréales: *Le moulin à cylindres transforme les grains de blé en farine.* **3.** Établissement où est installée cette machine: *Ce vieux moulin à eau a été classé monument historique.* ⁄⁄ *Moulin à prières:* Chez les bouddhistes du Tibet, cylindre creux contenant des bandes de papier recouvertes d'une formule sacrée, qu'on fait tourner autour d'un axe. **R.** N'a pas le sens de *machine* (à coudre).

moulinet n.m. **1.** Petit appareil à manivelle que l'on fixe au manche d'une canne à pêche et sur lequel s'enroule la ligne: *La pêcheuse tourne la manivelle de son moulinet pour enrouler sa ligne.* **2.** Mouvement de rotation rapide qu'on fait avec les bras, une arme, un bâton: *Jocelyne fait de grands moulinets avec ses deux bras pour attirer notre attention.*

moulu, ue adj. **1.** Qui est réduit en poudre: *Le café frais moulu dégage un délicieux arôme.* **2.** Qui est très fatigué ou meurtri de coups: *Après cette longue journée de travail, la menuisière était moulue de fatigue.* SYN. éreinté, fourbu. ANT. alerte, dispos, reposé. ☞ moudre.

moulure n.f. Ornement allongé, en creux ou en relief, qui sert à décorer un meuble, un édifice, un plafond: *Les moulures du plafond et des portes sont en chêne.*

mourant, ante n. et adj. **1.** n. Personne qui est sur le point de mourir: *L'infirmier tenait la main de la mourante.* SYN. moribond. **2.** adj. Qui est sur le point de mourir: *Ce malade ne passera pas la nuit: il est mourant.* SYN. agonisant, expirant. ANT. naissant. **3.** adj. Qui faiblit: *Une lumière mourante éclaire l'horizon.* SYN. déclinant, décroissant. ANT. croissant, grandissant. ☞ mourir.

mourir v. **1.** Cesser de vivre: *Tous les êtres vivants meurent un jour.* SYN. s'éteindre, expirer, périr, trépasser. ANT. commencer. **2.** Cesser d'exister: *Les civilisations entrent en décadence, puis elles meurent.* SYN. disparaître, s'effacer, péricliter. ANT. naître. **3.** S'affaiblir, s'éteindre: *Ajoute une bûche dans la cheminée, sinon le feu va mourir.* ANT. continuer. **4.** Être très affecté par un sentiment, une sensation: *La comédienne était morte de trac avant d'entrer en scène.* ☞ immortaliser, immortalité, immortel, immortelle, mort, mortalité, mort-aux-rats, mortel, mortellement, mort-né, mortuaire, mourant. **se mourir** v.pron. Être sur le point de mourir, de disparaître: *L'été se meurt déjà.*

mousquet n.m. péj. et vx (it.) Ancienne arme à feu portative qu'on appuyait sur une fourche pour tirer et qu'on allumait avec une mèche: *Le mousquet est l'ancêtre du fusil.* ☞ mousquetaire, mousqueton.

mousquetaire n.m. Cavalier qui faisait partie de la garde du roi et qui était armé d'un mousquet: *Les mousquetaires devaient protéger le roi de France.* ☞ mousquet.

mousqueton n.m. (it.) Fusil léger à canon court: *Les mousquetons furent en usage jusqu'en 1940 environ.* ☞ mousquet. ▲ **mousqueton** n.m. Boucle à ressort en métal qui se referme seule et que l'on peut accrocher ou décrocher facilement: *Il manquait un mousqueton à son parachute.*

moussaillon n.m.fam. Petit mousse: *Le moussaillon espère devenir un jour marin.* ☞ mousse (n.m.).

moussaka n.f. (turc) Plat fait de tranches d'aubergines frites, de viande hachée, de purée de tomates et d'œufs que l'on cuit au four: *Christos aime beaucoup la moussaka.*

moussant, ante adj. Qui fait de la mousse: *Papa utilise une crème à raser moussante.* ☞ mousse (n.f.).

mousse n.f. Plante généralement verte, à tiges courtes et serrées, qui forme un tapis ou des touffes sur le sol, les arbres, les murs, les toits: *La mousse est une plante des lieux humides.* ☞ moussu. ▲ **mousse** n.f. **1.** Amas serré de bulles qui se forme à la surface de certains liquides: *Le verre de bière est couronné de mousse.* SYN. écume. **2.** Dessert fait de crème ou de blancs d'œufs fouettés: *Papa nous a servi une délicieuse mousse à l'érable.* **3.** Produit qui fait de la mousse: *Bernard étale de la mousse à raser sur son visage.* ⫽ *Caoutchouc mousse:* Caoutchouc qui renferme des petites bulles d'air, ce qui le rend mou et souple. ☞ moussant, mousser, mousseux.

mousse n.m. (it.) Jeune garçon qui fait l'apprentissage du métier de marin: *Nicolas est mousse sur un navire de commerce.* ☞ moussaillon.

mousseline n.f. (it.) Tissu léger, fin et transparent, de coton, de soie ou de laine: *Jacinthe porte une robe de mousseline.*

mousser v. Faire de la mousse: *Ce détergent mousse beaucoup.* ⫽ *Faire mousser quelqu'un ou quelque chose:* Vanter quelqu'un ou quelque chose. ☞ mousse (n.f.).

mousseux n.m. Vin mousseux, à l'exception du champagne: *Nous avons ouvert une bouteille de mousseux pour fêter sa réussite.* ☞ mousse (n.f.).

mousseux, euse adj. Qui fait beaucoup de mousse: *Cette bière est très mousseuse.* SYN. écumeux. ☞ mousse (n.f.).

mousson n.f. (port.) **1.** Vent tropical régulier qui souffle en Asie du Sud-Est, d'abord de la terre vers la mer, puis de la mer vers la terre: *La mousson d'été apporte des pluies abondantes, tandis que la mousson d'hiver apporte de la sécheresse.* **2.** Période de l'année où le vent change de direction: *La mousson approche; ce sera bientôt la saison des pluies.*

moussu, ue adj. Qui est recouvert de mousse: *Quand tu iras dans la forêt, observe bien le tronc moussu des arbres.* ☞ mousse (n.f.).

moustache n.f. (it.) **1.** Poils qui poussent au-dessus de la lèvre supérieure: *Mon oncle Antoine se laisse pousser la moustache.* **2.** Poils longs et raides qui poussent de chaque côté de la gueule de certains animaux: *Les moustaches du chat lui permettent de savoir s'il peut passer entre des objets rapprochés.* ☞ moustachu.

moustachu, ue n. et adj. **1.** n. Personne qui a une moustache: *Un moustachu m'a demandé un renseignement.* **2.** adj. Qui a une moustache: *Sur cette photo ancienne, tous les hommes sont moustachus.* ☞ moustache.

moustiquaire n.f. **1.** Grillage métallique très fin que l'on place aux portes et aux fenêtres pour empêcher les insectes d'entrer dans la maison: *Dès que les beaux jours arrivent, on pose les moustiquaires aux portes et aux fenêtres.* **2.** Rideau de tissu très fin dont on entoure les lits pour se protéger des moustiques: *L'exploratrice dort dans un lit entouré d'une moustiquaire.* ☞ moustique.

moustique n.m. (esp.) Insecte volant dont la femelle pique la peau des êtres humains et des animaux pour se nourrir de leur sang: *Les maringouins sont des moustiques dont la larve se développe dans les eaux dormantes.* ☞ moustiquaire.

moût n.m. Jus de raisin, de pomme ou de poire que l'on vient d'extraire et qui n'a pas encore fermenté: *Le moût est le jus qui sort du pressoir.* HOM. mou, moue. **R.** Ne pas oublier l'accent: *û*.

moutarde n.f. et adj.invar. **1.** n.f. Plante à fleurs jaunes dont les graines servent à préparer le condiment du même nom: *La moutarde noire est aussi appelée «sénevé».* **2.** n.f. Condiment préparé avec des graines de moutarde noire broyées et du vinaigre: *La moutarde a un goût très piquant.* **3.** adj. Qui a la couleur jaune verdâtre de la moutarde: *Natacha porte une veste moutarde.* ☞ moutardier.

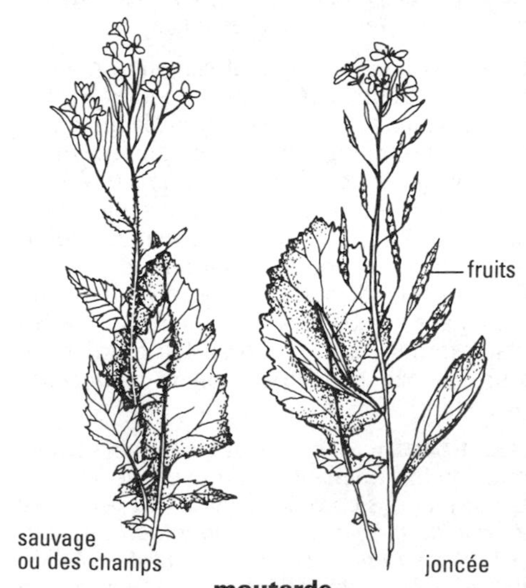

moutarde

moutardier n.m. **1.** Petit pot dans lequel on met la moutarde : *As-tu mis le moutardier sur la table ?* **2.** Personne qui fabrique ou qui vend de la moutarde : *Les moutardiers de Dijon, en France, sont très renommés.* ☞ moutarde.

mouton n.m. **1.** Mammifère ruminant domestique à épaisse toison laineuse, le mâle étant le bélier, la femelle, la brebis et le petit, l'agneau : *On élève les moutons pour leur chair, leur laine ou leur lait.* **2.** Mâle castré de cette espèce animale, élevé pour la boucherie : *La bergère surveille les moutons.* **3.** Fourrure de cet animal : *Mes moufles sont doublées de mouton.* **4.** Chair de cet animal : *As-tu déjà mangé du mouton ?* **5.** fig. Personne qui se laisse mener facilement : *On fait ce qu'on veut avec lui : c'est un mouton.* **6.** fig. Petite vague couverte d'écume : *La mer se couvre de moutons.* **7.** fig. Petit nuage floconneux : *Regarde les moutons qui glissent dans le ciel.* **8.** fig. Petit tas de poussière d'aspect laineux : *Le dessous de ton lit est plein de moutons.* ☞ moutonné, moutonnement, moutonner, moutonneux.

moutonné, ée adj. **1.** Qui est couvert de petits nuages floconneux : *Le ciel est très moutonné aujourd'hui.* **2.** Qui est frisé comme la toison du mouton : *Nadia a la tête moutonnée.* HOM. moutonner. ☞ mouton.

moutonnement n.m. **1.** Action de se couvrir de petites vagues recouvertes d'écume : *Les baigneurs admirent le moutonnement de la mer.* **2.** Action de se couvrir de petits nuages floconneux : *Le moutonnement du ciel inquiète la petite Caroline, car elle déteste la pluie.* ☞ mouton.

moutonner v. **1.** Se couvrir de petites vagues recouvertes d'écume : *Lorsque le vent s'élève, la mer commence à moutonner.* **2.** Se couvrir de petits nuages floconneux : *Le ciel moutonne lentement.* HOM. moutonné. ☞ mouton.

moutonneux, euse adj. **1.** Qui se couvre de petites vagues recouvertes d'écume : *La barque se balance sur la mer moutonneuse.* **2.** Qui se couvre de petits nuages floconneux : *De grands oiseaux noirs traversent le ciel moutonneux.* ☞ mouton.

mouture n.f. **1.** Action d'écraser les grains de céréales ou de café pour les réduire en farine ou en poudre : *La mouture des grains de blé se fait dans une minoterie.* **2.** Produit que l'on obtient en écrasant les grains de céréales ou de café : *Dans notre percolateur, nous utilisons une mouture très fine.* ☞ moudre.

mouvant, ante adj. **1.** Qui est changeant : *La situation politique de ce pays est très mouvante.* SYN. fluctuant, instable. ANT. fixe, immobile, stable. **2.** Qui s'enfonce : *Ne t'aventure pas sur ces sables mouvants.* ☞ mouvoir.

mouvement n.m. **1.** Changement de position d'un corps par rapport à un point fixe : *Antoine suit des yeux le mouvement du balancier.* SYN. oscillation. **2.** Changement de position d'une partie du corps ou du corps tout entier : *Ne fais pas de mouvements brusques : tu pourrais effrayer les oiseaux.* SYN. geste. **3.** Déplacement d'un groupe de personnes, de véhicules : *Le service de sécurité surveille les mouvements de la foule.* SYN. agitation, circulation. ANT. immobilité. **4.** Animation : *Pendant ce festival de jazz, la rue est pleine de mouvement.* SYN. action, activité. **5.** Ce qui donne l'impression du mouvement dans une œuvre d'art, un récit : *Il y a beaucoup de mouvement dans cette peinture.* **6.** Ce qui brise l'uniformité d'un terrain : *Les collines, les montagnes constituent des mouvements de terrain.* ⁄⁄ *En mouvement :* Qui se déplace. ☞ mouvoir. ▲ **mouvement** n.m. **1.** Degré de vitesse de la mesure, en musique : *Le mouvement d'une œuvre musicale est indiqué en termes italiens : « allegro », « andante », « adagio », etc.* **2.** Partie d'une œuvre musicale qui est jouée dans un mouvement donné : *Le premier mouvement de cette symphonie est très rapide.* ▲ **mouvement** n.m. Mécanisme qui fait avancer les aiguilles d'une montre, d'une horloge : *Il faudrait changer le mouvement de cette montre.* ☞ mouvoir. ▲ **mouvement** n.m. **1.** Passage d'un sentiment à un autre : *Elle a eu un mouvement d'impatience quand je l'ai rappelée à l'ordre.* SYN. réaction. **2.** Action collective qui vise à produire un changement dans la société : *Un mouvement populaire s'est formé pour renverser le gouvernement.* **3.** Organisation, groupement qui mène à cette action : *Mes parents font partie d'un mouvement syndical.* ☞ mouvoir.

mouvementé, ée adj. **1.** Qui est agité : *La dernière réunion de parents a été très mouvementée.* SYN. animé, orageux. ANT. calme. **2.** Qui est accidenté : *Ce relief plein de courbes et de dépressions est mouvementé.* SYN. inégal, vallonné. ANT. égal, plat. ☞ mouvoir.

mouvoir v. **1.** Mettre en mouvement : *Toutes les machines de cet atelier sont mues par l'électricité.* SYN. actionner. ANT. arrêter, immobiliser. **2.** fig. Faire agir : *Cette bénévole est mue par le désir de rendre service aux autres.* SYN. animer, pousser. ANT. paralyser. ☞ mouvant, mouvement, mouvementé. **se mouvoir** v.pron. **1.** Être en mouvement, bouger : *Le malade est trop faible pour se mouvoir tout seul.* SYN. se déplacer, remuer. **2.** fig.

Vivre : *Elle a l'impression de se mouvoir dans un monde de mensonges et d'hypocrisie.*

moyen n.m. **1.** Ce qui permet de faire quelque chose, d'arriver à un résultat : *Il doit y avoir un moyen d'avertir tes parents que tu seras en retard.* SYN. façon, manière. ANT. obstacle. **2.** plur. Capacités naturelles de quelqu'un : *Quand il est énervé, Ghislain perd tous ses moyens.* SYN. faculté, possibilité. **3.** plur. Argent : *Chloé n'a pas les moyens de s'acheter une nouvelle bicyclette.* ⁄⁄ *Moyens de pression :* Procédés qui poussent l'adversaire à agir. *Moyens de transport :* Ce qui permet de se déplacer. ☞ moyennant. au **moyen de** loc.prép. À l'aide de : *La voleuse a pénétré dans l'école au moyen d'un passe-partout.* par le **moyen de** loc.prép. Grâce à : *La ministre a fait connaître sa décision par le moyen d'un communiqué.*

moyen, enne adj. **1.** Qui est entre deux choses : *L'oreille moyenne est située entre l'oreille externe et l'oreille interne.* SYN. intermédiaire. ANT. extrême. **2.** Qui est situé entre deux extrêmes : *Cet homme n'est ni vieux ni jeune : il est d'âge moyen.* **3.** Qui n'est ni très bon, ni très mauvais : *Antonine est une écolière moyenne.* SYN. ordinaire. ANT. exceptionnel, remarquable, supérieur. **4.** Qui appartient au type le plus courant : *Le lecteur moyen aura quelque difficulté à lire cet ouvrage spécialisé.* SYN. commun. **5.** Qui est calculé en faisant une moyenne : *La température moyenne du mois de juillet a été de 24 °C.* ⁄⁄ *Moyen Âge :* Période de l'histoire comprise entre l'Antiquité et les Temps modernes (476 à 1453). ☞ moyenne, moyennement.

moyenâgeux, euse adj. **1.** Qui fait penser au Moyen Âge : *Éloïse est fascinée par les costumes moyenâgeux.* **2.** fig. Qui est démodé, dépassé : *Tes idées moyenâgeuses me surprendront toujours.* **R.** Ne pas oublier l'accent : *â.*

moyennant prép. **1.** À la condition de, grâce à : *Moyennant quelques travaux de rénovation, cette maison nous conviendra parfaitement.* **2.** En échange : *Rendez-moi ce service, moyennant quoi je ferai votre ménage.* ⁄⁄ *Moyennant finances :* En payant. ☞ moyen (n.).

moyenne n.f. **1.** Résultat d'une opération arithmétique où l'on additionne des quantités et où l'on divise leur somme par leur nombre : *La moyenne de 5, 6 et 10 est 7, car 5+6+10=21 et 21÷3=7.* **2.** Degré du milieu, niveau le plus courant : *Ta taille est légèrement au-dessus de la moyenne.* ☞ moyen (adj.).

moyennement adv. Ni peu ni beaucoup : *Ce film nous a intéressés moyennement.* SYN. passablement. ☞ moyen (adj.).

moyeu, eux n.m. **1.** Partie centrale d'une roue qui est traversée par l'essieu : *Les rayons de la roue partent du moyeu.* **2.** Pièce centrale sur laquelle sont assemblées les pièces qui tournent autour d'un axe : *Les ailes de l'hélice sont disposées régulièrement autour d'un moyeu.*

mozzarella n.f. (it.) Fromage italien à pâte molle : *La mozzarella entre dans la préparation des pizzas.* **R.** Les deux *z* se prononcent *dz.*

mucosité n.f. Amas de liquide épais et visqueux qui tapisse certaines muqueuses : *La malade respire avec peine, car ses voies respiratoires sont encombrées de mucosités.* ☞ muqueuse.

mue n.f. **1.** Changement de peau, de poil, de plumes, de carapace, de cornes, en parlant de certains animaux : *La mue des oiseaux se limite au remplacement des plumes par d'autres.* **2.** Époque de l'année où ce changement se produit : *Le temps de la mue est arrivé ; le pelage des lièvres devient blanc.* **3.** Dépouille d'un animal qui a mué : *Isabelle a trouvé la mue d'une couleuvre.* **4.** Changement dans le timbre de la voix des adolescents : *La voix de Thomas est devenue plus grave : c'est la mue.* ☞ muer.

muer v. **1.** Changer de peau, de poil, de plumes, de carapace, de cornes, en parlant de certains animaux : *Pour grandir, le crustacé doit muer de temps en temps, c'est-à-dire se débarrasser de sa carapace.* **2.** Changer de timbre, devenir plus grave, en parlant de la voix des adolescents : *La voix des adolescents mue entre onze et quatorze ans.* ☞ mue. se **muer** v.pron.litt. Se changer : *Ses rêves d'enfant se sont mués en réalités.*

muet, ette n. et adj. **1.** n. Personne qui n'a pas l'usage de la parole : *Les muets communiquent entre eux par un langage gestuel.* **2.** adj. Qui n'a pas l'usage de la parole : *Ma petite sœur est sourde et muette depuis sa naissance.* **3.** adj. Qui est incapable de parler sous l'effet d'un sentiment violent : *La peur l'a rendu muet pendant plusieurs minutes.* SYN. silencieux. ANT. bavard. **4.** adj. Qui refuse de parler : *Les journalistes avaient beau questionner l'avocate, elle restait muette.* **5.** adj. Qui n'est pas exprimé par la parole : *Ses reproches muets étaient plus efficaces qu'un long discours.* **6.** adj. Qui ne se prononce pas : *Dans « Marie », le « e » est muet.* **7.** adj. Où l'on n'entend aucun bruit : *Tout est muet dans la maison endormie.* **8.** adj. Qui ne fait pas mention de quelque chose: *Le règlement municipal est muet au sujet des animaux de compagnie.* ⫽ *Carte muette:* Carte géographique qui ne comporte aucun nom de lieu. *Cinéma, film muet:* Qui ne comporte pas l'enregistrement du son ou des paroles des comédiens. *«H» muet:* «H» qui ne se prononce pas et qui permet de faire la liaison. ☞ mutisme, mutité.

muezzin n.m. (turc) Fonctionnaire religieux musulman qui appelle les fidèles à la prière: *Du haut du minaret de la mosquée, le muezzin appelle les fidèles aux cinq prières quotidiennes.* **R.** Les deux *z* se prononcent *dz*. Le *n* se prononce.

muffin n.m. (angl.) **1.** Petit pain rond qu'on sert grillé et beurré: *À l'heure du thé, l'hôte fit servir des muffins à ses invités.* **2.** Petit gâteau rond généralement à base de son: *Au déjeuner, j'ai mangé un muffin aux bleuets.* **R.** Se prononce à l'anglaise.

muffler ☞ sect. anglicismes et canadianismes.

mufle n.m. Bout du museau de certains mammifères: *La vache remue le foin de son mufle humide.*

mufle n.m. et adj. **1.** n.m. Personnage sans éducation, grossier: *Ce mufle ne s'est même pas excusé de m'avoir bousculé.* SYN. goujat, malotru. **2.** adj. Qui est sans éducation, grossier: *Il est bien trop mufle pour s'excuser de son impolitesse.* SYN. impoli. ANT. galant. ☞ muflerie.

muflerie n.f. Comportement, action, parole d'un personnage sans éducation, grossier: *Rien ne nous oblige à supporter la muflerie de cet individu.* SYN. indélicatesse. ANT. galanterie, savoir-vivre. ☞ mufle.

muflier n.m. Plante dont les fleurs aux couleurs variées rappellent la forme d'un mufle: *Des mufliers roses poussent dans notre parterre.* ◇ gueule-de-loup.

mugir v. **1.** Crier, en parlant du bœuf, de la vache: *Le taureau mugit: il pousse un cri sourd et prolongé.* SYN. beugler, meugler. **2.** fig. Faire entendre un bruit sourd et prolongé: *Le vent mugit dans les branches dénudées des arbres.* ☞ mugissant, mugissement.

mugissant, ante adj. **1.** Qui pousse un cri sourd et prolongé: *Le troupeau mugissant revenait à l'étable pour la traite du soir.* **2.** fig. Qui fait entendre un bruit sourd et prolongé: *Les vagues mugissantes venaient heurter les flancs du navire.* ☞ mugir.

mugissement n.m. **1.** Cri sourd et prolongé du bœuf, de la vache: *Le mugissement des vaches vient briser le silence matinal.* **2.** fig. Bruit sourd et prolongé: *Le mugissement de la tempête m'a empêchée de dormir.* ☞ mugir.

muguet n.m. Plante à petites fleurs odorantes en forme de clochettes, qui fleurit au printemps: *Annie a offert un brin de muguet à son institutrice.* **R.** Ne pas oublier le *u* après le *g*.

mulâtre, esse n. Personne dont l'un des parents est de race blanche et l'autre de race noire: *Le père de Danny est un Noir et sa mère est une Blanche: Danny est un mulâtre.* **R.** Ne pas oublier l'accent: *â*.

mulâtre adj. Dont l'un des parents est de race blanche et l'autre est de race noire: *Yvonne est mulâtre: sa mère est une Noire et son père est un Blanc.* **R.** Ne pas oublier l'accent: *â*.

mule n.f. Pantoufle de femme qui laisse le talon découvert: *Quand elle revient de son travail, Gisèle enfile ses mules.* ⫽ *Mule du pape:* Pantoufle blanche brodée d'une croix, que porte le pape. ▲ **mule** n.f. Animal femelle, née d'un âne et d'une jument, qui est presque toujours stérile: *La mule est la femelle du mulet.* ☞ mulet.

mulet n.m. Animal mâle, né d'un âne et d'une jument, qui est toujours stérile: *Le mulet est le mâle de la mule.* ☞ mule, muletier. ▲ **mulet** n.m. Poisson des mers tempérées, au corps fuselé et à large tête, qui vit près des côtes et dont la chair est très estimée: *Le mulet se nourrit d'organismes végétaux et animaux qui se trouvent dans la vase et le sable.*

muletier, ière n. et adj. **1.** n. Personne qui conduit des mules, des mulets: *Le muletier guide ses bêtes sur les sentiers des montagnes.* **2.** adj. Qui est étroit et escarpé, que seuls les mulets peuvent gravir: *Ce sentier muletier vous conduira au sommet de la colline.* ☞ mulet.

mulot n.m. Petit rat des champs et des bois, au pelage gris fauve, à longue queue écailleuse et aux grandes oreilles: *Le mulot cause de grands dégâts aux cultures.*

multicolore adj. Qui a un grand nombre de couleurs: *Des guirlandes multicolores ornent la grande salle de l'école.* SYN. coloré. ☞ couleur.

multiculturalisme n.m. Existence de plusieurs cultures dans le même pays: *Les grandes villes canadiennes se caractérisent notamment par leur multiculturalisme.* ☞ cultiver.

multiculturel, elle adj. Où l'on trouve plusieurs cultures différentes: *Dans les so-*

ciétés multiculturelles, toutes les coutumes ethniques doivent être respectées. ☞ cultiver.

multinational, ale, aux adj. **1.** Qui a des activités dans plusieurs pays : *Cette société multinationale veut s'implanter au Québec.* **2.** Qui concerne, comprend plusieurs pays : *Il faudrait songer à créer une organisation multinationale pour résoudre ce problème d'envergure.* ☞ nation.

multinationale n.f. Société qui a des activités dans plusieurs pays : *Cette multinationale est implantée dans dix pays.* ☞ nation.

multiple n.m. et adj. **1.** n.m. Nombre entier qui contient plusieurs fois exactement un autre nombre entier : *Trente est un multiple de deux, de trois, de cinq, de six, de dix et de quinze.* **2.** adj. Qui contient plusieurs fois exactement un autre nombre entier : *Dix-huit est multiple de trois et de six.* ⫽ *Plus petit commun multiple :* Plus petit multiple qui est commun à deux ou plusieurs nombres entiers. ☞ multipliable, multiplicande, multiplicateur, multiplicatif, multiplication, multiplier.

multiple adj. **1.** Qui n'est pas unique : *L'instituteur m'a donné de multiples exemples pour que je comprenne cette règle de grammaire.* SYN. divers, nombreux, variés. ANT. unique. **2.** Qui est formé de plusieurs éléments : *On peut brancher plusieurs appareils sur cette prise multiple.* ANT. simple. ☞ multiplication, multiplicité, multiplier.

multipliable adj. Qu'on peut multiplier : *Tous les nombres sont multipliables.* ☞ multiple (n.m. et adj.).

multiplicande n.m. Nombre qui est multiplié par un autre, appelé « multiplicateur » : *Si l'on multiplie 7 par 3, 7 est le multiplicande.* ☞ multiple (n.m. et adj.).

multiplicateur n.m. Nombre qui multiplie un autre nombre, appelé « multiplicande » : *Si l'on multiplie 6 par 4, 4 est le multiplicateur.* ☞ multiple (n.m. et adj.).

multiplicatif, ive adj. Qui marque la multiplication : *X est le signe multiplicatif.* ☞ multiple (n.m. et adj.).

multiplication n.f. Opération qui a pour but d'obtenir, à partir de deux nombres appelés « facteurs », un troisième nombre appelé « produit » : *4×7=28 est une multiplication.* ANT. division. ⫽ *Table de multiplication :* Tableau qui donne le produit des dix ou douze premiers nombres entre eux. ☞ multiple (n.m. et adj.). ▲ **multiplication** n.f. Augmentation en nombre : *La multiplication des centres commerciaux est un phénomène assez récent.* SYN. accroissement, prolifération. ANT. diminution. ☞ multiple (adj.).

multiplicité n.f. Grand nombre : *Depuis cent ans, la multiplicité des inventions a grandement amélioré notre existence.* SYN. abondance, diversité. ☞ multiple (adj.).

multiplier v. Faire la multiplication d'un nombre par un autre : *Si je multiplie 7 par 9, j'obtiens 63.* ANT. diviser. ☞ multiple (n.m. et adj.). ▲ **multiplier** v. Augmenter le nombre, la quantité : *Si tu veux réussir, il faudra multiplier tes efforts.* SYN. accroître. ANT. diminuer. ☞ multiple (adj.). se **multiplier** v.pron. **1.** Se produire un grand nombre de fois : *À la fin du parcours, on aurait dit que les obstacles se multipliaient.* SYN. s'accroître, augmenter. ANT. diminuer. **2.** Se reproduire : *Les rats se multiplient très rapidement.* SYN. proliférer. ANT. se dépeupler. **3.** fig. Donner l'impression d'être partout à la fois : *Michel se multiplie pour venir en aide aux plus démunis de la société.*

multitude n.f. **1.** Très grand nombre : *Une multitude d'oiseaux vit dans l'île Bonaventure.* SYN. essaim, légion, nuée. ANT. poignée. **2.** Foule : *La multitude se pressait dans les gradins du stade.* SYN. rassemblement, troupe.

municipal, ale, aux adj. Qui se rapporte à la municipalité et à son administration : *La mairesse et les conseillers forment le conseil municipal.* ⫽ *Élections municipales :* Élections du maire et des conseillers. ☞ municipalité.

municipalité n.f. **1.** Division du territoire, administrée par le maire et les conseillers : *La municipalité de Charlesbourg est située en banlieue de Québec.* **2.** Conseil formé du maire et des conseillers : *La municipalité a décidé d'augmenter les taxes sur son territoire.* ☞ municipal.

munir v. **1.** Donner à quelqu'un ce qui est nécessaire : *Avant de partir pour l'école, maman m'a muni d'une collation.* SYN. approvisionner. ANT. priver. **2.** Équiper quelque chose de ce qui est nécessaire : *Le pare-brise de notre voiture est muni d'essuie-glaces.* SYN. doter. ANT. démunir. ☞ démunir. se **munir** v.pron. **1.** Prendre avec soi : *Avant de partir en voyage à l'étranger, mes parents se sont munis d'un passeport.* **2.** fig. Faire provision : *Tu devras te munir de patience si tu veux voir ce film, car la file d'attente est longue.* SYN. s'armer.

munitions n.f.plur. Ensemble des projectiles nécessaires au chargement des armes à feu ou lâchés des avions : *Les balles, les obus, les cartouches, les bombes sont des munitions.* SYN. armements, armes.

muqueuse n.f. Peau très fine qui tapisse les cavités du corps et qui est maintenue humide par des sécrétions liquides : *Le tube digestif, les fosses nasales, la bouche sont tapissés de muqueuses.* ☞ mucosité.

mur n.m. **1.** Ouvrage en pierre, en bois, en béton qui supporte le toit et forme les côtés d'un édifice : *Les murs de ma chambre sont décorés d'affiches géantes.* **2.** Ouvrage en pierre, en bois, en béton qui sert à entourer un espace : *On ne peut pas escalader le mur qui entoure cette propriété.* SYN. clôture, muraille. **3.** fig. Ce qui forme un obstacle : *Jocelyne s'est heurtée à un mur d'incompréhension.* **4.** plur. Limites d'une ville ou la ville elle-même : *Le cirque est arrivé dans nos murs depuis hier.* SYN. rempart. HOM. mûr, mûre. ⁄⁄ *Entre quatre murs :* À l'intérieur d'un bâtiment. *Mur du son :* Ensemble des phénomènes qui se produisent lorsqu'un avion atteint la vitesse du son. ☞ emmurer, murage, muraille, mural, murer, muret.

mûr, mûre adj. **1.** Qui est prêt à être récolté : *Il faudrait cueillir ces pommes : elles sont mûres.* **2.** Qui est parvenu à son plein développement physique ou intellectuel : *Ma mère est une femme mûre.* SYN. adulte. **3.** Qui est raisonnable, réfléchi : *Cette fillette est très mûre pour son âge.* SYN. posé. ANT. immature. **4.** Qui est prêt pour quelque chose : *Je crois qu'Antonio est mûr pour le mariage.* **5.** fig. Qui est prêt à être réalisé : *Nous ne pouvons plus attendre, car ce projet est mûr.* HOM. mur, mûre. **R.** Ne pas oublier l'accent : *û*. ☞ mûrement, mûrir, mûrissage, mûrissant.

murage n.m. Action de fermer par un mur : *L'ouvrière a procédé au murage des portes et des fenêtres de l'usine abandonnée.* ☞ mur.

muraille n.f. **1.** Suite de murs épais et assez hauts : *Autrefois les villes et les châteaux étaient entourés de murailles.* **2.** Ce qui se dresse comme un mur : *La haute muraille des falaises surplombe la mer.* ☞ mur.

mural, ale, aux adj. **1.** Qui se fixe au mur : *Béatrice range ses livres sur une étagère murale.* **2.** Qui est fait sur un mur : *De magnifiques peintures murales décorent cette petite chapelle.* ☞ mur.

mûre n.f. **1.** Fruit du mûrier, avec lequel on fait un sirop : *Veux-tu goûter au sirop de mûres ?* **2.** Fruit noir de la ronce, qui ressemble à une framboise : *En cueillant des mûres, fais bien attention de ne pas te blesser aux épines des ronces.* HOM. mur, mûr. **R.** Ne pas oublier l'accent : *û*. ☞ mûrier.

mûrement adv. Avec beaucoup de réflexion : *Il faudrait peser mûrement toutes les conséquences de cette décision.* **R.** Ne pas oublier l'accent : *û*. ☞ mûr.

murène n.f. Poisson marin au corps allongé comme l'anguille, à la large bouche munie de fortes dents qui peuvent causer des morsures dangereuses : *Les murènes logent volontiers dans les cavités et les trous des rochers sous-marins.*

murer v. **1.** Fermer par un mur : *Cette porte ne servait à rien ; nous avons décidé de la murer.* SYN. condamner. ANT. percer. **2.** Entourer de murs, de murailles : *Autrefois, on murait les villes pour se protéger contre les ennemis.* **3.** Enfermer quelqu'un dans un lieu en bloquant les ouvertures : *L'éboulement a muré les mineurs au fond de la mine.* **4.** fig. Enfermer dans un certain état : *Les reproches le murent dans une profonde rancune.* ☞ mur.
se **murer** v.pron. **1.** S'enfermer dans un lieu : *Il ne veut plus voir personne : il se mure dans son appartement.* SYN. se cacher. **2.** fig. S'enfermer dans un certain état : *Elle se mure dans son chagrin depuis la mort de son mari.*

muret n.m. Petit mur : *Un muret de pierres marque les limites de notre terrain.* **R.** Aussi, *murette*. ☞ mur.

muridés n.m.plur. Famille de petits rongeurs à museau pointu, à longue queue couverte de poil ras, qui vivent cachés : *Le hamster, le rat, le mulot et la gerbille sont des muridés.* **R.** S'écrit au singulier lorsqu'il désigne un animal appartenant à cette famille.

mûrier n.m. Arbre des régions chaudes qui produit les mûres et dont les feuilles servent de nourriture aux vers à soie : *Le mûrier blanc est utilisé en ébénisterie.* **R.** Ne pas oublier l'accent : *û*. ☞ mûre.

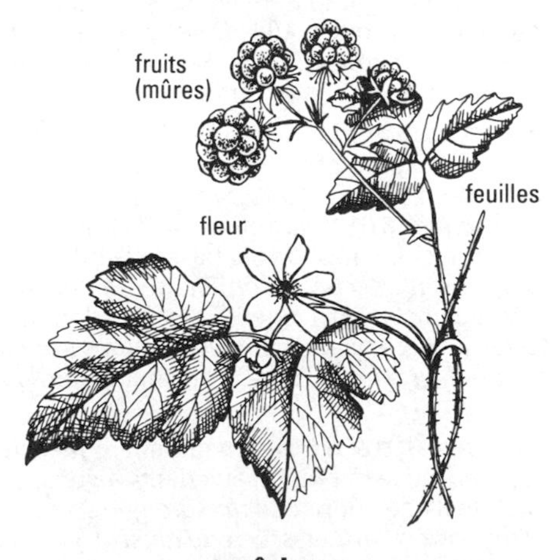

mûrier

mûrir v. **1.** Devenir mûr: *Les pommes mûrissent en septembre.* **2.** Rendre mûr: *Le soleil mûrit les tomates dans le potager.* **3.** Se développer: *Ce projet a longuement mûri dans sa tête.* **4.** Mettre au point: *Ma mère a mûri son projet avant d'en parler à qui que ce soit.* SYN. approfondir, étudier. **5.** Acquérir de la sagesse, de l'expérience: *Ce garçon a beaucoup mûri depuis qu'il a quitté l'école.* SYN. vieillir. **6.** Donner de la sagesse, de l'expérience: *Les épreuves l'ont mûrie.* SYN. assagir. **R.** Ne pas oublier l'accent: *û*. ☞ mûr.

mûrissage n.m. Action de mûrir: *Le mûrissage des bananes s'effectue dans des entrepôts.* **R.** Aussi, *mûrissement*. Ne pas oublier l'accent: *û*. ☞ mûr.

mûrissant, ante adj. **1.** Qui est en train de mûrir: *Les pêches mûrissantes se détachent sur le feuillage sombre.* **2.** fig. Qui n'est plus jeune: *Cet homme mûrissant pratique encore le cyclisme et le golf.* **R.** Ne pas oublier l'accent: *û*. ☞ mûr.

murmurant, ante adj. Qui fait entendre un bruit léger et continu: *France se repose près des eaux murmurantes du ruisseau.* ☞ murmure.

murmure n.m. **1.** Bruit léger, sourd et continu de plusieurs personnes qui parlent en même temps: *Quand on circule dans les corridors d'une école, on entend le murmure des élèves.* SYN. marmonnement. **2.** Commentaire fait à mi-voix par plusieurs personnes pour exprimer un sentiment quelconque: *Un murmure d'approbation s'éleva de la salle.* SYN. chuchotement. **3.** plur. Plaintes, protestations faites à mi-voix par plusieurs personnes: *Les murmures de la foule exprimaient bien son indignation.* SYN. grognement. ☞ murmurant, murmurer. ▲ **murmure** n.m. Bruit léger et continu produit par le vent qui agite les feuilles, l'eau qui coule: *Entends-tu le doux murmure de la fontaine?* SYN. bruissement, gazouillement. ☞ murmurant, murmurer.

murmurer v. **1.** Faire entendre un bruit de voix léger, sourd et continu: *Les écoliers murmurent en faisant leurs recherches à la bibliothèque.* SYN. marmotter. ANT. hurler. **2.** Dire quelque chose à voix basse: *Stéphane a murmuré un secret à l'oreille de sa voisine.* SYN. chuchoter. ANT. crier. **3.** Se plaindre, protester à voix basse: *Les élèves murmuraient contre leur surveillante.* SYN. maugréer. ☞ murmure.

musaraigne n.f. Petit mammifère insectivore, au museau pointu, aux dents aiguës, de la taille d'une souris: *La musaraigne se nourrit de vers et d'insectes, et rend ainsi de grands services aux agriculteurs.*

musarder v. Perdre son temps, flâner: *Les jours de congé, Camille aime bien musarder dans les magasins.* SYN. lambiner, traîner. ANT. peiner, travailler.

musc n.m. **1.** Substance brune à odeur très forte, extraite des glandes abdominales d'un cervidé et qui sert à fabriquer de nombreux parfums: *Le musc a la consistance du miel.* **2.** Parfum fabriqué à partir de cette substance: *Le musc est un parfum très odorant.* **R.** Le *c* se prononce. ☞ musqué.

muscade n.f. Graine du fruit d'un arbre des pays chauds appelé «muscadier», de la taille d'une grosse olive, brune, à odeur très forte et à saveur épicée. *La muscade râpée sert à parfumer les aliments.* ☞ muscadier.

muscadet n.m. Vin blanc sec: *L'hôtesse nous a offert un verre de muscadet.*

muscadier n.m. Arbre des pays chauds qui produit un fruit dont la graine est la muscade: *Les feuilles du muscadier sont persistantes.* ☞ muscade.

muscardin n.m. (it.) Petit rongeur, voisin du loir, à épaisse fourrure roux doré, qui vit dans les buissons et dans les haies où il construit son nid: *Le muscardin mesure environ quinze centimètres de long.*

muscat n.m. **1.** Raisin à saveur musquée: *Pour la collation, j'ai apporté du muscat.* **2.** Vin fait de ce raisin: *J'ai débouché la bouteille de muscat.*

muscle n.m. Organe que l'on peut contracter et qui produit le mouvement: *Yves fait des exercices pour développer ses muscles.* ⁄⁄ *Avoir du muscle:* Être très fort. ☞ intramusculaire, musclé, muscler, musculaire, musculature.

musclé, ée adj. **1.** Qui a des muscles puissants et bien visibles: *Les haltérophiles ont le corps musclé.* SYN. fort. ANT. faible. **2.** fig. et fam. Qui est fort, énergique: *Une politique monétaire musclée devrait venir à bout de l'inflation.* HOM. muscler. ☞ muscle.

muscler v. Développer les muscles de quelqu'un: *Ces exercices devraient muscler votre corps.* HOM. musclé. ☞ muscle.

musculaire adj. Qui se rapporte aux muscles: *Cette athlète a beaucoup de force musculaire.* ☞ muscle.

musculature n.f. Ensemble des muscles du corps: *La musculature de cette culturiste m'impressionne.* ☞ muscle.

muse n.f. **1.** Chacune des neuf déesses grecques qui protégeaient les arts: *Les Grecs de l'Antiquité croyaient que les muses inspiraient les poètes, les artistes et les écrivains.* **2.**

Femme qui inspire un poète, un écrivain: *Ce grand poète dit souvent que sa femme a été sa muse.*

museau, eaux n.m. **1.** Partie avant de la tête de certains animaux, de forme allongée et plus ou moins pointue: *Le chien, le porc, le bœuf et le brochet ont des museaux.* **2.** fam. Visage: *Va te laver le museau avant de partir pour l'école.* ☞ museler, muselière, musellement.

musée n.m. **1.** Établissement où l'on conserve et où l'on expose des collections d'objets présentant un intérêt artistique, scientifique, historique ou technique: *Le Musée des beaux-arts de Montréal a présenté une exposition de Chagall.* SYN. galerie. **2.** Lieu rempli de beaux objets, rares et précieux: *Elle a fait le tour du monde et son salon est un vrai musée.* ☞ muséum.

museler v. **1.** Emprisonner le museau d'un animal pour l'empêcher de mordre, d'ouvrir la gueule: *À Venise, les maîtres doivent museler leurs chiens pour les promener dans les rues.* SYN. bâillonner, enchaîner. ANT. délier, détacher. **2.** fig. Empêcher quelqu'un ou un groupe de s'exprimer: *Ce dictateur a muselé la presse de son pays.* ☞ museau.

muselière n.f. Appareil que l'on met autour du museau d'un animal pour l'empêcher de mordre, d'ouvrir la gueule: *Ce chien dangereux porte une muselière.* ☞ museau.

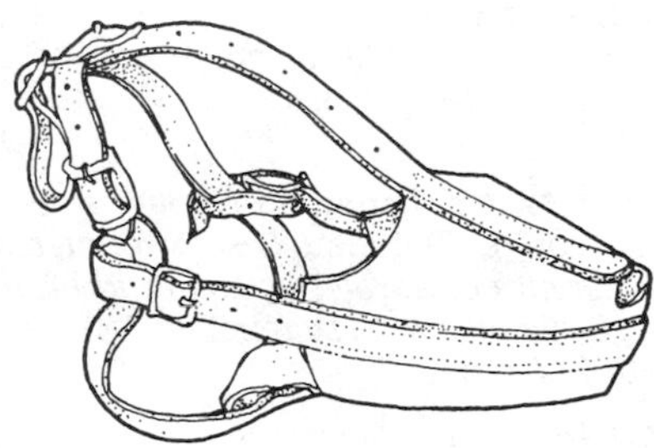

muselière

musellement n.m. **1.** Action d'emprisonner le museau d'un animal pour l'empêcher de mordre, d'ouvrir la gueule: *Le musellement d'un chien dangereux constitue une protection pour les enfants du quartier.* **2.** fig. Action d'empêcher quelqu'un ou un groupe de s'exprimer: *Le musellement de l'opposition a permis au gouvernement de faire adopter rapidement cette loi controversée.* ☞ museau.

musette n.f. Ancien instrument de musique à air, qui était une sorte de cornemuse: *Dans un cantique de Noël, on chante: «Il est né le divin Enfant. Jouez, hautbois! Résonnez, musettes!»* ⫽ *Bal musette:* Bal populaire où l'on danse au son de l'accordéon.
▲ **musette** n.f. Sac de toile que l'on porte en bandoulière: *Filomena est revenue d'excursion sa musette remplie de coquillages et de pierres.*

muséum n.m. (lat.) Musée consacré aux sciences naturelles: *Le muséum possède une impressionnante collection de plantes et de minéraux.* **R.** Les lettres *um* se prononcent *omm.* ☞ musée.

musical, ale, aux adj. **1.** Qui se rapporte à la musique: *Guylaine a fait des études musicales au conservatoire.* **2.** Où il y a de la musique: *À Noël, le professeur de musique a préparé un spectacle musical.* **3.** Qui est harmonieux: *Cette chanteuse a une voix très musicale.* SYN. harmonieux, mélodieux. ANT. dissonant, faux. ☞ musique.

musicalement adv. **1.** Selon les règles de la musique: *Cet enregistrement est musicalement très bon.* **2.** De façon musicale, harmonieuse: *Ce jeune garçon chante musicalement.* SYN. harmonieusement, mélodieusement. ☞ musique.

music-hall n.m. (angl.) **1.** Établissement qui présente des spectacles de variétés: *Au music-hall, on nous a présenté des chanteuses, des danseurs et une illusionniste.* **2.** Spectacle de variétés présenté par cet établissement: *Grand-père aime beaucoup le music-hall.* **R.** Au pluriel, *music-halls.*

musicien, ienne n. et adj. **1.** n. Personne qui compose: *Bach était un grand musicien.* **2.** n. Personne qui joue de la musique: *Les musiciens de l'orchestre ont dû répéter de longues heures pour atteindre cette perfection.* **3.** n. Personne qui connaît et qui apprécie la musique: *Les musiciens ne pourraient pas vivre sans musique.* **4.** adj. Qui connaît et qui apprécie la musique: *La mère de Maude est très musicienne.* ☞ musique.

musique n.f. **1.** Art de combiner des sons de façon harmonieuse: *Pendant le cours de musique, nous avons joué de la flûte et du xylophone.* **2.** Œuvre musicale: *Aimes-tu la musique classique?* **3.** Œuvre musicale écrite: *Cette chanteuse a appris à lire la musique.* ⫽ *Musique contemporaine:* Musique que l'on joue de nos jours. *Musique militaire:* Ensemble des musiciens des forces armées. ☞ musical, musicalement, musicien.
▲ **musique** n.f. Suite de sons qui produisent une impression harmonieuse: *La musique de ces vers est très agréable à l'oreille.* ☞ musical, musicalement.

musqué, ée adj. Qui est parfumé au musc: *Elle passait négligemment la main dans ses* *cheveux musqués.* ⁄ *Bœuf musqué:* Mammifère ruminant des régions arctiques, à l'épaisse toison brune et aux cornes plates recourbées. *Rat musqué:* Mammifère rongeur qui vit comme le castor et dont la fourrure est très recherchée. ☞ musc.

mustang n.m. (améric.) Cheval sauvage des prairies de l'ouest des États-Unis: *Un troupeau de mustangs soulevait un nuage de poussière en s'enfuyant.*

mustélidés n.m.plur. Famille de mammifères carnivores de petite taille, aux pattes courtes, au corps étroit et allongé, à longue queue, dont la fourrure est très appréciée: *La belette, la loutre, la martre, le vison et le blaireau sont des mustélidés.* **R.** S'écrit au singulier lorsqu'il désigne un animal appartenant à cette famille.

musulman, ane n. et adj. **1.** n. Personne qui pratique l'islam, la religion prêchée par Mahomet: *Les musulmans vont prier à la mosquée.* **2.** adj. Qui pratique l'islam, la religion prêchée par Mahomet: *Aïda est musulmane.* **3.** adj. Qui se rapporte à l'islam: *Le Coran est le livre sacré de la religion musulmane.*

mutant, ante n. et adj. **1.** n. Être extraordinaire issu d'une lignée humaine qui a subi une modification brusque et définitive d'un caractère héréditaire: *Dans les films de science-fiction, les mutants ont des pouvoirs extraordinaires.* **2.** n. Animal ou végétal qui a subi une modification brusque et définitive d'un caractère héréditaire: *Un mutant présente des caractères nouveaux par rapport à ses ascendants.* **3.** adj. Qui a subi une modification brusque et définitive d'un caractère héréditaire: *Les gènes mutants donnent naissance à de nouvelles variétés.* ☞ mutation.

mutation n.f. **1.** Changement: *Cette ville de banlieue est en pleine mutation.* SYN. modification. **2.** Modification brusque et définitive d'un caractère héréditaire: *La mutation fait apparaître des caractères héréditaires nouveaux dans une lignée.* ☞ mutant. ▲ **mutation** n.f. Changement de poste ou de lieu de travail d'un fonctionnaire: *Ce fonctionnaire a demandé sa mutation et on la lui a accordée.* SYN. déplacement. ☞ muter.

muter v. Changer de poste, de lieu de travail: *Cette fonctionnaire a été mutée à Rimouski.* ☞ mutation

mutilation n.f. **1.** Perte ou ablation d'un membre ou d'une partie du corps: *Les corps des victimes portaient de nombreuses traces de mutilations.* SYN. amputation, blessure. **2.** Dégradation d'une œuvre d'art: *La mutilation de cette statue est l'œuvre d'un déséquilibré.* **3.** Coupure d'une partie importante d'un texte, d'un film: *Je ne suis pas d'accord avec les mutilations qu'on a fait subir à cet article.* ☞ mutiler.

mutilé, ée n. Personne qui a perdu un membre ou une partie du corps dans un accident ou à la guerre: *Les mutilés du travail ont droit à une pension.* SYN. amputé, invalide. HOM. mutiler. ☞ mutiler.

mutiler v. **1.** Rendre infirme en retranchant un membre ou une partie du corps: *Elle a été mutilée dans un accident d'automobile.* SYN. blesser, estropier. **2.** Détériorer quelque chose: *On ne devrait jamais mutiler les arbres en cassant des branches.* SYN. abîmer, endommager. ANT. améliorer, réparer. **3.** Retrancher une partie importante d'un texte, d'un film: *Ce film ne vaut plus rien depuis qu'on l'a mutilé.* SYN. déformer. ANT. respecter. **4.** fig. Déformer: *Tu as mutilé volontairement la vérité en nous cachant ces faits.* SYN. altérer. ANT. garder. HOM. mutilé. **R.** Au sens de *rendre infirme*, s'emploie surtout au participe passé. ☞ mutilation, mutilé. se **mutiler** v.pron. Se rendre infirme en s'enlevant un membre ou une partie du corps: *Cet enfant s'est mutilé en jouant avec la tondeuse électrique.*

mutin n.m. Personne qui se révolte avec violence contre l'autorité: *Les gardes ont tenté de convaincre les mutins de regagner leurs cellules.* SYN. rebelle. ☞ se mutiner, mutinerie.

mutin, ine adj. Qui est espiègle, taquin: *Véronique a un petit air mutin qui me plaît beaucoup.* SYN. gai, gamin. ANT. grave, sérieux.

se mutiner v.pron. Se révolter avec violence contre l'autorité: *Les prisonnières se mutinèrent pour protester contre la brutalité des gardiennes.* SYN. se rebeller. ANT. se soumettre. ☞ mutin.

mutinerie n.f. Action de se révolter avec violence contre l'autorité: *Une mutinerie a éclaté à bord du navire.* SYN. émeute, soulèvement. ANT. soumission. ☞ mutin.

mutisme n.m. **1.** Attitude d'une personne qui refuse de parler, d'exprimer sa pensée: *Quand elle boude, Clara s'enferme dans un mutisme obstiné.* ANT. bavardage. **2.** fig. Comportement silencieux d'une personne ou des médias sur un sujet: *Le mutisme des journaux sur ce scandale nous semble étrange.* SYN. discrétion. ANT. indiscrétion. **3.** Refus de parler déterminé par des facteurs psychologiques: *La psychiatre essaie de comprendre les causes du mutisme chez cet enfant.* SYN. silence. ANT. verbiage. ☞ muet.

mutité n.f. Impossibilité de parler: *La mutité est parfois causée par des lésions au larynx.* ☞ muet.

mutuel, elle adj. Qui implique un échange de même nature entre deux ou plusieurs personnes: *Les joueurs de cette équipe se portent une estime mutuelle.* SYN. réciproque. ANT. individuel. ☞ mutuelle, mutuellement.

mutuelle n.f. Association qui ne cherche pas à faire des bénéfices et qui est basée sur l'entraide mutuelle de ses membres: *Les membres de la mutuelle s'assurent réciproquement contre certains risques.* ☞ mutuel.

mutuellement adv. De façon mutuelle, l'un l'autre: *Paula et Tommy s'aident mutuellement à faire leurs travaux scolaires.* SYN. réciproquement. ☞ mutuel.

mycologie n.f. Étude des champignons: *De plus en plus de Québécois s'intéressent à la mycologie.* ☞ mycologue.

mycologue n. Personne qui est spécialisée dans l'étude des champignons: *La mycologue nous a mis en garde contre certains champignons vénéneux.* **R.** Ne pas oublier le *u* après le *g*. ☞ mycologie.

mye n.f. Mollusque comestible des mers tempérées qui vit enfoui dans le sable des côtes: *Dans l'est du Canada, on ramasse les myes et on les met en conserve.* HOM. mi, mie.

mygale n.f. Grosse araignée des régions tropicales dont la morsure est très douloureuse: *Les mygales peuvent atteindre dix-huit centimètres de long.*

myope n. et adj. **1.** n. Personne qui distingue mal les objets éloignés: *Les myopes ont la vue courte.* **2.** adj. Qui distingue mal les objets éloignés: *Édouard est myope; il a besoin de lunettes pour voir ce qui est écrit au tableau.* ☞ myopie.

myopie n.f. Anomalie de la vue qui fait que l'on distingue mal les objets éloignés: *Priscilla porte des lunettes pour corriger sa myopie.* ☞ myope.

myosotis n.m.invar. Plante à très petites fleurs bleues, qui pousse dans les lieux humides des régions tempérées: *Serge a cueilli un bouquet de myosotis.* **R.** Le *s* se prononce.

myriade n.f. Très grand nombre, quantité innombrable: *Une myriade de fourmis s'agitent en tous sens.*

myrrhe n.f. Gomme résine au parfum très agréable, fournie par un arbre d'Arabie: *Les Rois mages ont offert de l'or, de l'encens et de la myrrhe à l'Enfant Jésus.* HOM. mire.

myrte n.m. Arbuste ornemental, au feuillage toujours vert, à petites fleurs blanches odorantes, qui pousse dans les régions méditerranéennes: *Les fleurs blanches du myrte ont une odeur très agréable.*

myrtille n.f. **1.** Baie bleu-noir comestible, produite par un arbrisseau des montagnes d'Europe: *Les myrtilles font de délicieuses confitures.* SYN. bleuet. **2.** Arbrisseau qui produit cette baie: *Les myrtilles sont une variété d'airelles.* SYN. bleuet. **R.** Les lettres *ill* se prononcent comme dans *famille*.

mystère n.m. **1.** Dans la religion chrétienne, vérité de foi qui est incompréhensible à la raison humaine: *Les mystères font appel à la foi.* SYN. révélation. **2.** Ce qui est inconnu, difficile à comprendre: *La science n'a pas encore percé tous les mystères de la nature.* SYN. énigme, secret. ANT. connaissance. **3.** Événement inexplicable: *C'est un mystère qu'elle soit sortie vivante de cet accident!* **4.** Ensemble des précautions que l'on prend pour tenir quelque chose secret: *Nul ne connaît ses projets, car elle s'entoure de mystère.* SYN. discrétion, silence. ☞ mystérieusement, mystérieux.

mystérieusement adv. **1.** De façon mystérieuse, incompréhensible: *Ces objets ont disparu mystérieusement.* **2.** De façon secrète: *Ils ont agi mystérieusement pour préparer leur mauvais coup.* ☞ mystère.

mystérieux, euse adj. **1.** Qui est incompréhensible: *Des phénomènes mystérieux se sont produits dans le ciel.* SYN. énigmatique. ANT. clair, évident. **2.** Qui est difficile à comprendre: *La disparition de cette bague est bien mystérieuse.* SYN. étrange, incompréhensible. ANT. compréhensible. **3.** Qui est tenu secret: *Ils ont emmené leur otage dans un lieu mystérieux.* ANT. connu, public. **4.** Qui tient quelque chose secret: *Un homme mystérieux a posé beaucoup de questions à ton sujet.* ☞ mystère.

mysticisme n.m. Doctrine religieuse selon laquelle il est possible à l'être humain de communiquer directement avec la divinité: *Selon le mysticisme, l'être humain peut s'unir à Dieu par la contemplation.* ☞ mystique.

mystifiable adj. Qu'on peut tromper en abusant de sa trop grande facilité à croire: *Jérôme est naïf: il est facilement mystifiable.* ☞ mystifier.

mystificateur, trice n. et adj. **1.** n. Personne qui aime à tromper les autres en abusant de leur trop grande facilité à croire: *Méfie-toi d'elle: c'est une mystificatrice.* SYN. fumiste, imposteur, trompeur. **2.** adj. Qui trompe les gens en abusant de leur trop grande facilité à croire: *Les gens mystifica-*

teurs s'amusent aux dépens des autres. ☞ mystifier.

mystification n.f. **1.** Acte ou propos qui vise à tromper quelqu'un en abusant de sa trop grande facilité à croire : *Tu nous as bien fait marcher: nous avons été victimes d'une mystification.* SYN. imposture, mensonge, tromperie. ANT. vérité. **2.** Tromperie collective basée sur de fausses idées : *Certaines idéologies politiques paraissent être de vastes mystifications.* SYN. supercherie. ANT. démystification. ☞ mystifier.

mystifier v. **1.** Tromper quelqu'un en abusant de sa trop grande facilité à croire : *Angela est bien naïve; ses camarades s'amusent à la mystifier.* SYN. abuser, duper, leurrer. **2.** Tromper un groupe par de fausses idées : *Les adeptes de cette secte ont été mystifiés.* SYN. berner. ANT. démystifier. ☞ démystification, démystifier, mystifiable, mystificateur, mystification.

mystique n. et adj. **1.** n. Personne qui s'adonne aux pratiques de la doctrine religieuse selon laquelle il est possible pour l'être humain de communiquer directement avec la divinité : *Sainte Thérèse d'Avila était une grande mystique chrétienne.* **2.** adj. Qui concerne les pratiques visant à une communication directe avec la divinité : *La vie des saints nous renseigne sur les phénomènes mystiques.* SYN. surnaturel. ANT. naturel. **3.** adj. Qui s'adonne aux pratiques visant à une communication directe avec la divinité : *Les personnes mystiques ont une foi religieuse très intense.* SYN. croyant. ANT. impie. ☞ mysticisme.

mythe n.m. **1.** Récit merveilleux qui met en scène des êtres surhumains, des actions imaginaires : *Les mythes grecs essayaient d'expliquer les phénomènes naturels.* SYN. fable, légende. **2.** Chose imaginaire, pure invention de l'esprit qui ne repose sur rien de réel : *Le pays de cocagne est un mythe.* SYN. chimère, utopie. HOM. mite. ☞ mythique, mythologie, mythologique.

mythique adj. Qui se rapporte au récit merveilleux qui met en scène des êtres surhumains, des actions imaginaires : *Les héros mythiques accomplissent des exploits extraordinaires.* SYN. fabuleux, légendaire. ANT. historique, réel. ☞ mythe.

mythologie n.f. Ensemble des récits merveilleux et des légendes qui appartiennent à un peuple, à une civilisation, à une religion : *Roxanne s'intéresse à la mythologie grecque.* ☞ mythe.

mythologique adj. Qui se rapporte à l'ensemble des récits merveilleux et des légendes qui appartiennent à un peuple, à une civilisation, à une religion : *Hercule n'a jamais existé : c'est un personnage mythologique.* ☞ mythe.

n n.m.invar. Quatorzième lettre de l'alphabet: *La lettre «n» est la onzième consonne de l'alphabet.*

nabot, ote n. et adj.péj. **1.** n. Personne de taille très petite: *Un nabot me défiait du regard.* SYN. nain. ANT. colosse, géant. **2.** adj. Qui est de très petite taille: *J'ai plusieurs arbres nabots dans mon jardin.*

nacelle n.f. Panier rond suspendu audessous d'un ballon où prennent place les passagers: *De la nacelle, les passagers observent le village qu'ils viennent de quitter.*

nacre n.f. (it.) Substance brillante, de couleur irisée, qui se trouve à l'intérieur de la coquille de certains mollusques et qui sert à faire des bijoux: *Pour son anniversaire, j'ai offert à ma mère des boucles d'oreilles en nacre.* ☞ nacré.

nacré, ée adj. Qui a l'apparence, l'éclat irisé de la nacre: *Une libellule aux ailes nacrées s'est posée près de moi.* SYN. luisant. ANT. mat, terne. ☞ nacre.

nage n.f. Action, manière de nager, de se déplacer sur l'eau ou dans l'eau: *Pierre pratique la nage papillon.* ⁄⁄ *Être en nage:* Être en sueur. *Homard à la nage:* Homard préparé et servi dans un court-bouillon. ☞ nager. **à la nage** loc.adv. En nageant: *Le lac Saint-Jean peut se traverser à la nage.*

nageoire n.f. Organe plat fixé sur le corps des poissons et de certains animaux marins, qui leur permet de se déplacer: *Le poisson avance en agitant ses nageoires.* **R.** Ne pas oublier le *e* après le *g*. ☞ nager.

nager v. **1.** Se déplacer sur l'eau ou dans l'eau par des mouvements appropriés: *Isabelle nage comme une championne.* **2.** Pratiquer une sorte de nage, participer à une épreuve de nage: *Il nage le crawl depuis peu et ne le maîtrise pas encore.* **3.** Être submergé, plongé dans un liquide: *Quelques légumes nageaient dans le bouillon de bœuf.* SYN. baigner. **4.** fig. Ressentir un vif sentiment: *Ces amoureux nagent dans le bonheur.* **5.** fam. Flotter, être au large dans ses vêtements: *Après deux mois de régime, Louise nage dans ses vêtements.* ☞ nage, nageoire, nageur.

nageur, euse n. Personne qui nage, se déplace sur l'eau et dans l'eau par des mouvements appropriés: *Noémie est une excellente nageuse.* ⁄⁄ *Maître nageur:* Personne qui donne des cours de natation. ☞ nager.

naguère adv.litt. Récemment, il y a peu de temps: *Naguère, je commençais mes études universitaires.* ANT. autrefois. **R.** Ne pas oublier le *u* après le *g*.

naïf, ïve n. et adj. **1.** n. Personne qui croit facilement tout ce que l'on dit: *Ne me prends pas pour une naïve!* SYN. nigaud. ANT. sceptique. **2.** adj. Qui est naturel, sans artifice, sincère: *Les jeunes enfants sont naïfs.* SYN. candide, franc, spontané. ANT. artificiel, faux, retors. **3.** adj. Qui croit tout ce qu'on lui dit: *Cet homme naïf se fait souvent jouer de vilains tours.* SYN. crédule. ANT. incrédule, perspicace. **R.** Ne pas oublier le tréma: *ï.* ☞ naïvement, naïveté.

nain, naine n. et adj. **1.** n. Personne dont la taille est de beaucoup inférieure à la taille normale: *Luc a lu à sa petite sœur l'histoire de «Blanche-Neige et les sept nains».* SYN. nabot. ANT. colosse, géant. **2.** adj. Qui a une taille inférieure à la normale: *J'ai acheté des rosiers nains.* ☞ nanisme.

naissance n.f. **1.** Commencement de la vie pour un être vivant, hors de l'organisme maternel: *Linda et Luc annoncent la naissance de leur fille Amélie.* ANT. mort. **2.** Enfantement, natalité: *Le nombre des naissances a baissé au Québec.* ANT. décès. **3.** fig. Début, apparition, commencement: *C'est dans la cuisine que l'incendie a pris naissance.* **4.** fig. Endroit où commence quelque chose: *Sa cicatrice est située à la naissance de la gorge.* SYN. source. ANT. terme. ⁄⁄ *Acte de naissance:* Acte de l'état civil faisant preuve de la naissance d'un individu. *De naissance:* D'une manière congénitale, naturelle. *Donner naissance à:* Mettre au monde. ☞ naître.

naissant, ante adj. Qui naît, qui commence à se développer, à apparaître : *Les fleurs naissantes du lilas embaument le jardin.* ANT. finissant, mourant. ☞ naître.

naître v. **1.** Venir au monde : *Mon père est né en Gaspésie.* ANT. mourir. **2.** fig. Commencer à exister : *De nouvelles industries sont nées au Canada ces dernières années.* SYN. surgir. ANT. finir. **R.** Ne pas oublier l'accent devant le *t* : *î.* ☞ dernier-né, naissance, naissant, natal, né, nouveau-né, premier-né, prénatal, renaissance, renaissant, renaître.

naïvement adv. D'une manière naïve, avec une confiance excessive : *Naïvement, il signa cet emprunt à un taux d'intérêt trop élevé.* SYN. candidement. **R.** Ne pas oublier le tréma : *ï.* ☞ naïf.

naïveté n.f. **1.** Simplicité et franchise d'une personne qui exprime naturellement ses idées : *Sa grande naïveté faisait sourire ses camarades.* SYN. bonhomie, candeur, spontanéité. ANT. astuce. **2.** Crédulité excessive résultant souvent de l'ignorance : *Cette enfant est d'une grande naïveté.* SYN. simplicité. ANT. méfiance. **R.** Ne pas oublier le tréma : *ï.* ☞ naïf.

naja n.m. (arabe) Serpent venimeux, aussi appelé « serpent à lunettes » : *Il y a des najas en Asie et en Afrique.*

nanan n.m.fam. et vx Chose exquise, délicieuse : *Les nanans que tu m'as donnés sont savoureux.* SYN. bonbon.

nandou, ous n.m. (esp.) Oiseau d'Amérique du Sud ressemblant à l'autruche : *Le nandou est un oiseau coureur.*

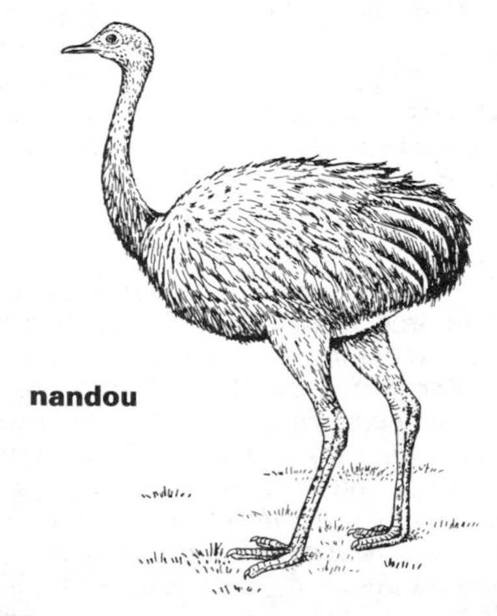
nandou

nanisme n.m. État d'une personne caractérisée par une petitesse de taille due à diverses causes physiques : *Le nanisme n'est pas une anomalie courante.* ANT. gigantisme. ☞ nain.

nanti, ie n. et adj. **1.** n. Personne qui ne manque de rien : *Ce grand restaurant attire les personnalités et les nantis.* SYN. riche. ANT. pauvre. **2.** adj. Qui ne manque de rien, qui a tout ce qu'il faut pour vivre aisément : *Ces maisons luxueuses ne sont accessibles qu'aux gens nantis.*

napalm n.m. Essence utilisée pour fabriquer des projectiles incendiaires : *Ce village a été détruit par des bombes au napalm.*

naphtaline n.f. Substance blanche provenant du goudron de houille, utilisée comme antimite : *La naphtaline dégage une odeur forte.* **R.** Les lettres *ph* se prononcent *f.*

napkin ☞ sect. anglicismes et canadianismes.

nappe n.f. Pièce d'étoffe dont on couvre la table pour les repas : *Gilles met la nappe de dentelle.* ☞ napperon. ▲ **nappe** n.f. Couche, vaste étendue d'eau, de brouillard, de gaz, de pétrole : *À la levée du jour, une nappe de brouillard recouvrait les champs.* ☞ napper.

napper v. Recouvrir un mets d'une couche de sauce, de crème, etc. : *Il a nappé le gâteau d'une sauce au chocolat.* ☞ nappe.

napperon n.m. Linge de table servant à protéger ou à décorer un meuble : *Claudine met les napperons sur la table pour le dîner.* ☞ nappe.

narcisse n.m. Plante vivace à fleurs blanches ou jaunes très parfumées : *Une plate-bande de narcisses enjolive mon jardin.*

narcotique n.m. et adj. **1.** n.m. Substance qui provoque le sommeil, l'engourdissement : *L'infirmier fait dormir la malade en lui donnant un narcotique.* SYN. calmant, somnifère. **2.** adj. Qui engourdit, endort : *Il existe des plantes narcotiques.* SYN. soporifique. ANT. excitant, stimulant.

narguer v. Provoquer avec insolence et mépris : *Ce garçon nargue continuellement ses camarades.* SYN. braver, défier, railler. ANT. admirer, complimenter, respecter. **R.** Ne pas oublier le *u* après le *g.*

narine n.f. Ouverture du nez chez l'être humain et chez les mammifères : *J'ai deux narines pour respirer.*

narquois, oise adj. Qui est moqueur, rusé, malicieux : *Son sourire narquois a provoqué la colère de son institutrice.* SYN. ironique, railleur. ANT. flatteur, respectueux. ☞ narquoisement.

narquoisement adv. D'une manière narquoise, rusée et malicieuse: *Elle a interpellé narquoisement son adversaire.* SYN. ironiquement, moqueusement. ☞ narquois.

narrateur, trice n. Personne qui raconte une histoire, un événement: *La narratrice était très intéressante.* ☞ narrer.

narratif, ive adj. Qui est composé de récits, d'histoires: *Le style narratif de cette auteure me plaît beaucoup.* ☞ narrer.

narration n.f. **1.** Exposé écrit et détaillé d'un événement: *Les narrations de voyages de Pierre sont toujours captivantes et humoristiques.* SYN. description, récit. **2.** Exercice scolaire qui consiste à développer par écrit un sujet donné: *La narration d'Annie avait un style vivant et pittoresque.* SYN. composition, rédaction. ☞ narrer.

narrer v.litt. Raconter en détail et par écrit un événement: *Michèle a narré son voyage en U.R.S.S.* SYN. relater. ☞ narrateur, narratif, narration.

narval, als n.m. (danois) Mammifère cétacé des mers arctiques: *Le narval est aussi appelé « licorne de mer », à cause de la longue défense horizontale que porte le mâle.*

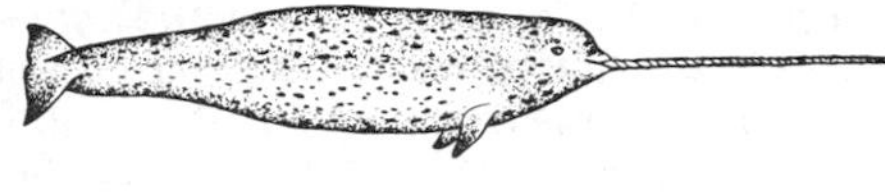

narval

nasal, ale, aux adj. Qui se rapporte au nez: *J'ai eu une infection nasale.* ⁄⁄ *Fosses nasales:* Cavités du nez par lesquelles l'air pénètre par les narines.

naseau, eaux n.m. Narine de certains grands mammifères: *Les naseaux du cheval ont de grands orifices.*

nasillard, arde adj. Qui nasille, émet des sons qui viennent du nez: *Émile a une voix nasillarde.* **R.** Les lettres *ill* se prononcent comme dans *famille*. ☞ nasiller.

nasillement n.m. **1.** Action de nasiller, de faire entendre un bruit qui vient du nez: *Son nasillement devra être corrigé si elle veut faire du théâtre.* **2.** Cri du canard: *Le canard fait entendre un nasillement plaintif.* **R.** Les lettres *ill* se prononcent comme dans *famille*. ☞ nasiller.

nasiller v. **1.** Parler du nez: *Ce rhume me fait nasiller.* **2.** Émettre des sons qui rappellent la voix de quelqu'un qui parle du nez: *Ferme ce micro, il nasille.* **3.** Pousser son cri, en parlant du canard: *Le canard nasille dans la basse cour.* **R.** Les lettres *ill* se prononcent comme dans *famille*. ☞ nasillard, nasillement, nasilleur.

nasilleur, euse n. Personne qui nasille, parle du nez: *La nasilleuse souffre de troubles au nez.* **R.** Les lettres *ill* se prononcent comme dans *famille*. ☞ nasiller.

nasique n.m. Couleuvre de l'Inde, à museau prolongé en pointe: *Le nasique peut atteindre une longueur de 1,50 mètre.* ▲ **nasique** n.m. Singe de grande taille à nez long: *Le nasique a un nez pointu.*

nasse n.f. **1.** Panier qui sert de piège pour prendre les poissons, les rats, etc.: *Il existe des nasses en osier et en fil de fer.* **2.** Filet pour attraper les oiseaux: *Jean-François a capturé son petit oiseau avec une nasse.*

natal, ale, als adj. Qui se rapporte à la naissance: *Le Canada est mon pays natal.* ⁄⁄ *Langue natale:* Langue maternelle. ☞ naître.

natalité n.f. Rapport entre le nombre d'enfants nés et celui des habitants d'une région pendant un temps déterminé: *Le Canada n'est plus un pays à forte natalité.* ANT. mortalité. ☞ dénatalité.

natation n.f. Action de nager, sport de la nage: *Je pratique la natation trois fois par semaine.*

natif, ive n. et adj. **1.** n. Personne originaire du pays dont on parle: *Jean-Louis est un natif de la France.* **2.** adj. Qui est originaire du pays: *Bérénice est native de la Belgique.* SYN. né, originaire. ANT. étranger. ☞ naître.

nation n.f. **1.** Groupe humain, installé habituellement sur un même territoire, possédant une histoire, une culture et une économie communes: *Depuis mai 1989, onze nations autochtones sont reconnues par le gouvernement du Québec.* SYN. collectivité, peuple. **2.** Communauté politique établie sur un territoire défini et dirigée par une autorité souveraine: *Le Canada et les États-Unis forment deux grandes nations.* SYN. État. ⁄⁄ *Organisation des Nations Unies (O.N.U.):* Organisation internationale qui vise surtout à maintenir la paix dans le monde. ☞ international, multinational, multinationale, national, nationalisation, nationaliser, nationalisme, nationaliste, nationalité.

national, ale, aux adj. **1.** Qui est propre à une nation: *Le « Ô Canada » est notre hymne national.* ANT. étranger. **2.** Qui appartient à la nation entière: *Hier, je suis allée à la bibliothèque nationale.* ☞ nation.

nationalisation n.f. Action de nationaliser, de transférer une entreprise privée à l'État:

La nationalisation d'une industrie a souvent comme effet de stabiliser l'emploi. ANT. privatisation. ☞ nation.

nationaliser v. Transférer une entreprise privée à l'État : *Le gouvernement a nationalisé Hydro-Québec dans les années soixante.* ANT. privatiser. ☞ nation. **nationalisé, ée** p.p. et adj. Qui est nationalisé, transféré à l'État : *Les entreprises nationalisées sont gouvernées par l'État.*

nationalisme n.m. Doctrine fondée sur l'attachement passionné à la nation à laquelle on appartient : *Le nationalisme est un sentiment que les politiciens cherchent souvent à développer.* SYN. loyalisme, patriotisme. ☞ nation.

nationaliste n. et adj. **1.** n. Personne qui est très attachée à la nation à laquelle elle appartient : *Les nationalistes cherchent à défendre les intérêts de leur pays.* **2.** adj. Qui est très attaché à sa nation : *Ses idées nationalistes sont partagées par ses amies.* ☞ nation.

nationalité n.f. État d'une personne qui appartient à une nation déterminée : *Je suis de nationalité canadienne.* ☞ nation.

nativité n.f. **1.** Fête anniversaire qui rappelle la naissance de Jésus, de la Vierge et de Jean-Baptiste : *Le vingt-cinq décembre est le jour de la Nativité.* **2.** Tableau, sculpture qui représente la naissance de Jésus : *Cette salle du musée renferme plusieurs nativités.* **R.** S'écrit avec une majuscule lorsqu'il s'agit de la fête anniversaire.

nattage n.m. Action de natter, d'entrelacer des brins, des cheveux : *Le nattage des cheveux ne demande pas beaucoup d'adresse.* ☞ natte.

natte n.f. **1.** Pièce d'un tissu, confectionnée avec des brins végétaux entrecroisés, servant de tapis : *J'ai placé une natte à l'entrée de la cuisine.* **2.** Tresse de cheveux : *Sa chevelure abondante était ramassée en une natte épaisse.* ☞ nattage, natter.

natter v. Entrelacer, faire des nattes : *Vanessa a natté ses longs cheveux bruns.* SYN. tresser. ANT. délier, dénouer. ☞ natte.

naturalisation n.f. Action de donner à un étranger la nationalité du pays où il réside : *Sohail a demandé sa naturalisation canadienne.* ☞ naturaliser. ▲ **naturalisation** n.f. Opération par laquelle on donne, à un animal mort ou à une plante coupée, l'apparence du vivant : *La naturalisation de cet écureuil est une réussite.* SYN. empaillage, taxidermie. ☞ naturaliser.

naturalisé, ée n. et adj. **1.** n. Personne qui a obtenu sa naturalisation dans le pays où elle s'est établie : *Mazyar est un naturalisé.* **2.** adj. Qui a obtenu sa naturalisation dans le pays où il s'est établi : *La famille Estaki est naturalisée.* HOM. naturaliser. ☞ naturaliser.

naturaliser v. Donner à un étranger la nationalité du pays où il réside : *Beaucoup d'étrangers vivant au Canada demandent à être naturalisés.* SYN. adopter, assimiler, intégrer. ANT. détacher, retrancher. ☞ naturalisation, naturalisé. ▲ **naturaliser** v. Conserver l'apparence du vivant à un animal mort ou à une plante coupée : *Regarde cette rose comme elle est belle, elle a pourtant été naturalisée.* HOM. naturalisé. ☞ naturalisation, naturaliste.

naturaliste n. Personne qui étudie les plantes, les minéraux, les animaux : *Cette jeune naturaliste nous a renseignés sur certaines espèces de plantes vivaces.* ☞ nature.

nature n.f. **1.** Ensemble des caractères qui définissent un être, une chose : *Je ne connais pas la nature de cette plante.* SYN. espèce, genre. **2.** Caractère, tempérament d'une personne : *Marie est d'une nature fonceuse.* SYN. humeur, naturel. ☞ naturel, naturellement. **de nature** loc.adv. Dans son caractère même : *Il est enjoué de nature.* **de nature à** loc.prép. Susceptible de : *Ton entêtement est de nature à blesser.* ▲ **nature** n.f. **1.** Ensemble de tout ce qui existe sur la terre et qui n'est pas fabriqué par l'être humain : *Le soleil, les nuages et les fleurs sont des éléments de la nature.* SYN. création, univers. **2.** Ensemble des lois qui maintiennent l'ordre des êtres et des choses : *La nature a des lois que l'être humain doit respecter.* ⁄⁄ *Dans la nature :* Dans un lieu éloigné, indéfini et difficile d'accès. ☞ naturaliste, naturel, nature morte, naturisme, naturiste, surnaturel.

nature adj.invar. Qui est préparé simplement, sans complication : *Je fais une omelette nature pour dîner.* ⁄⁄ *Grandeur nature :* Selon les dimensions réelles.

naturel n.m. **1.** Ensemble des caractères physiques et moraux qui appartiennent à une personne : *Elle est d'un naturel gai.* SYN. humeur, tempérament. **2.** Aisance, simplicité avec laquelle on agit : *Il s'exprime avec beaucoup de naturel.* SYN. abandon, facilité. ⁄⁄ *Au naturel :* Sans artifice, en réalité. ☞ nature.

naturel, elle adj. **1.** Qui vient ou fait partie de la nature : *L'orage est un phénomène naturel.* **2.** Qui n'est pas changé, modifié : *Je fais du jus d'orange naturel.* SYN. pur. ⁄⁄ *Enfant naturel :* Enfant né hors du mariage. *Mort naturelle :* Mort par vieillesse ou maladie. ☞ nature. ▲ **naturel, elle** adj. **1.** Qui est considéré comme conforme à l'ordre normal des choses, au bon sens, à la raison : *Ta réaction a été tout à fait naturelle.* SYN. logique, raisonnable. ANT. absurde, étonnant. **2.** Qui appartient vraiment à quelqu'un : *Elle a conservé ses dents naturelles jusqu'à un âge avancé.* ☞ nature.

naturellement adv. **1.** D'une manière naturelle, qui fait partie de la nature : *Carmen est naturellement rousse.* **2.** D'une manière aisée, simple : *Cela se comprend naturellement.* SYN. facilement. ANT. difficilement. **3.** Bien sûr, certainement : *Aimes-tu le cinéma ? Naturellement !* SYN. assurément **4.** D'une manière logique, nécessaire, évidente : *Il doit naturellement arriver à l'heure tous les matins.* ☞ nature.

nature morte n.f. Peinture qui représente des êtres, des fruits, des fleurs, des objets inanimés : *Alice peint une nature morte.* **R.** Au pluriel, *natures mortes*. ☞ nature.

naturisme n.m. Doctrine qui préconise l'alimentation naturelle et un mode de vie le plus près possible de la nature : *Les adeptes du naturisme vivent souvent en communauté.* ☞ nature.

naturiste n. et adj. **1.** n. Personne qui pratique le naturisme : *Paul est un naturiste.* **2.** adj. Qui appartient au naturisme : *Cette revue naturiste vante les bienfaits de la vie en plein air.* ☞ nature.

naufrage n.m. Perte d'un bateau en mer : *Le naufrage d'un pétrolier peut avoir de graves conséquences écologiques.* ANT. sauvetage. ⁄⁄ *Faire naufrage :* Couler, disparaître sous l'eau, en parlant d'un bateau. ☞ naufragé.

naufragé, ée n. et adj. **1.** n. Personne qui a survécu au naufrage de son bateau : *On a repêché les naufragées qui s'étaient réfugiées sur un radeau.* **2.** adj. Qui a survécu au naufrage de son bateau : *Les marins naufragés étaient affamés lorsqu'on les a retrouvés.* ☞ naufrage.

nauséabond, onde adj. Qui dégoûte, cause des nausées, écœure : *L'odeur nauséabonde de ces déchets de viande est insupportable.* SYN. fétide, puant. ANT. odorant, suave.

nausée n.f. **1.** Envie de vomir : *Cette odeur me donne la nausée :* SYN. haut-le-cœur. **2.** fig. Dégoût profond, insurmontable : *Le voir agir de cette manière me donne la nausée.*

nautile n.m. Mollusque des mers chaudes à coquille spiralée, divisée en loges, qui existe depuis l'ère primaire : *J'ai quelques belles coquilles de nautile.*

nautique adj. **1.** Qui appartient au domaine de la navigation : *Je suis allé au Salon nautique, où j'ai admiré de magnifiques bateaux à voiles.* **2.** Qui concerne la navigation de plaisance et les sports pratiqués sur l'eau : *J'ai assisté à une compétition de ski nautique.* ☞ nautisme.

nautisme n.m. Ensemble des sports pratiqués sur l'eau : *Le nautisme exige des règles de sécurité sévères.* ☞ nautique.

naval, ale, als adj. **1.** Qui concerne la navigation, les déplacements des navires sur l'eau : *L'été dernier, j'ai visité un chantier naval.* **2.** Qui concerne la marine militaire, la guerre sur l'eau : *Les nations puissantes possèdent habituellement d'imposantes forces navales.* ⁄⁄ *École navale :* École qui forme les officiers de la marine militaire.

navet n.m. **1.** Plante potagère dont la racine blanche ou mauve est comestible : *Certains enfants n'aiment pas le navet.* **2.** fam. Œuvre sans intérêt, sans valeur : *Ce film romantique est un navet !*

navette n.f. **1.** Pièce de métier à tisser contenant la bobine, qui se déplace dans un mouvement de va-et-vient entre les fils de chaîne : *La tisserande devra faire remplacer la navette de son métier.* **2.** Véhicule effectuant des liaisons entre deux points rapprochés : *Cette navette fait la liaison entre Montréal et Longueuil.* ⁄⁄ *Faire la navette :* Aller et venir de façon continuelle entre deux points déterminés. *Navette spatiale :* Véhicule spatial qui assure la liaison entre la Terre et une orbite.

navigable adj. Qui peut être utilisé par un bateau : *Le fleuve Saint-Laurent est un cours d'eau navigable.* ☞ naviguer.

navigant, ante n. et adj. **1.** n. Personnel faisant partie de l'équipage d'un avion : *Le pilote et l'hôtesse de l'air sont des navigants.* **2.** adj. Qui navigue par avion, travaille dans un avion : *Le personnel navigant a suivi un dur entraînement.* ☞ naviguer.

navigateur, trice n. **1.** Personne qui navigue, fait de longs voyages sur mer : *L'Amérique a été découverte par des navigateurs courageux.* **2.** Membre de l'équipage d'un avion qui indique au pilote la route à suivre : *La navigatrice exerce un métier qui comprend de lourdes responsabilités.* ☞ naviguer.

navigation n.f. **1.** Fait de naviguer, de se déplacer sur les cours d'eau à bord d'un bateau : *La navigation est difficile par temps de brume.* **2.** Ensemble des déplacements de bateaux d'après un itinéraire déterminé : *Il existe plusieurs lignes de navigation.* **3.** Circulation des avions : *La navigation aérienne se fait de* *plus en plus à l'aide d'appareils sophistiqués.* ☞ naviguer.

naviguer v. **1.** Se déplacer sur l'eau à bord d'un bateau: *Nous avons navigué pendant de longs mois.* **2.** Diriger, conduire, d'un point à un autre, un bateau, un avion: *Ma jeune sœur veut apprendre à naviguer.* **R.** Ne pas oublier le *u* après le *g.* ☞ navigable, navigant, navigateur, navigation.

navi**g**ation
navi**gu**er

navire n.m. Bateau de grande taille, qui peut aller sur la mer et les océans: *Les navires servent principalement au transport de diverses marchandises.* SYN. cargo, paquebot.

navrant, ante adj. Qui est regrettable, désolant: *Il faut oublier très vite ce fait navrant.* SYN. attristant, désolant, pénible. ANT. consolant, réconfortant. ☞ navrer.

navrer v. Affliger, attrister, faire de la peine: *Cette nouvelle m'a profondément navrée.* SYN. chagriner, désoler. ANT. consoler, réconforter. ☞ navrant.

nazi, ie n. et adj. (all.) **1.** n. Personne qui appartenait au parti national-socialiste allemand de Hitler: *Les nazis ont infligé des tortures aux Juifs.* **2.** adj. Qui se rapporte à l'organisation, aux actes du parti national-socialiste: *Les victimes de la barbarie nazie ont été très nombreuses.* ☞ nazisme.

nazisme n.m. Doctrine raciste prônée par Hitler: *Le nazisme est apparu à la veille de la Seconde Guerre mondiale.* ☞ nazi.

ne adv. Mot exprimant une négation, qui se place devant un verbe et qui est habituellement accompagné des mots «pas», «point», «rien», «aucun», «jamais», etc.: *Elle ne se doute de rien.* **R.** *Ne* devient *n'* devant une voyelle ou un *h* muet.

né, née adj. **1.** Qui est venu au monde: *M. Lapalme, né au Québec, demeure à Paris.* **2.** Qui est de naissance, qui a un don naturel: *Cette comédienne née fera une belle carrière au théâtre.* HOM. nez. ⁄⁄ *Bien né:* D'une famille noble. *Dernier-né:* Enfant né le dernier dans la famille. *Né pour:* Qui a des dons pour quelque chose. ☞ naître.

néanmoins adv. Pourtant, malgré cela: *Travailler n'est pas toujours facile, néanmoins c'est nécessaire pour vivre convenablement.* SYN. cependant, toutefois.

néant n.m. **1.** Chose, être qui n'est pas encore ou qui n'existe plus: *Le néant est une chose abstraite.* SYN. rien, vide. ANT. existence. **2.** Situation obscure: *Dans cette affaire, c'est le néant total.* SYN. mystère. ⁄⁄ *Réduire à néant:* Réduire à rien, anéantir.

nébuleuse n.f. Masse lumineuse de gaz et de matière cosmique observée dans l'espace: *Avec ce télescope, on peut voir les nébuleuses.*

nébuleux, euse adj. **1.** Qui est obscurci par les nuages, le brouillard: *Aujourd'hui, le ciel est nébuleux; il va pleuvoir.* SYN. brumeux, nuageux. ANT. clair, limpide. **2.** fig. Qui n'est pas clair, qui manque de précision: *Ton projet est trop nébuleux pour que je l'approuve.* SYN. confus, obscur, vague. ANT. précis. ☞ nébulosité.

nébulosité n.f. **1.** État de ce qui est nébuleux, obscurci par les nuages ou le brouillard: *La nébulosité du ciel annonce des averses.* SYN. obscurité. ANT. clarté. **2.** fig. État de ce qui est nébuleux, pas clair, imprécis: *On lui a reproché la nébulosité de son histoire.* ☞ nébuleux.

nécessaire n.m. et adj. **1.** n.m. Biens indispensables pour les besoins de la vie: *Cette famille ne possède que le strict nécessaire.* ANT. superflu. **2.** n.m. Choses importantes et essentielles à dire ou à faire: *Faites le nécessaire, je compte sur vous.* **3.** n.m. Boîte, étui renfermant tous les objets qui servent à un usage précis: *À mon anniversaire, j'ai reçu un nécessaire de couture.* **4.** adj. Qui est essentiel, primordial: *Cet argent est nécessaire pour entreprendre le projet.* SYN. indispensable. ANT. inutile. **5.** adj. Qui est inévitable: *Si tu tiens à la vie, cette opération chirurgicale est absolument nécessaire.* SYN. obligatoire. ANT. facultatif. ☞ nécessairement, nécessité, nécessiter, nécessiteux.

nécessairement adv. De manière nécessaire, inévitable: *Il faut nécessairement avoir un passeport pour entrer en U.R.S.S.* SYN. absolument. ☞ nécessaire.

nécessité n.f. **1.** Caractère nécessaire d'une chose, d'une condition ou d'un moyen: *Parfois, la nécessité de gagner sa vie nous oblige à travailler dans un domaine qui ne nous plaît guère.* SYN. obligation. **2.** Besoin nécessaire, impérieux: *Pour chacun d'entre nous, le sommeil est une nécessité.* SYN. exigence. **3.** État d'une personne obligée de faire quelque chose: *Je me trouve dans la nécessité d'accepter son offre.* SYN. contrainte. HOM. nécessiter. ⁄⁄ *De première nécessité:* Dont on ne peut se passer. ☞ nécessaire.

nécessiter v. Rendre nécessaire, exiger: *Ce travail nécessite beaucoup de précision.* SYN. demander, réclamer, requérir. HOM. nécessité. ☞ nécessaire.

nécessiteux, euse n. et adj. **1.** n. Personne très pauvre qui manque des choses nécessaires à la vie: *Le gouvernement donne des allocations aux nécessiteux.* SYN. indigent, miséreux. ANT. nanti, riche. **2.** adj. Qui est très pauvre, qui manque des choses nécessaires à la vie: *Les familles nécessiteuses ne peuvent pas se payer de luxe.* SYN. misérable, pauvre. ANT. aisé, riche. ☞ nécessaire.

nécrologie n.f. **1.** Notice biographique rédigée à la suite du décès d'une personne: *J'ai lu la nécrologie de René Lévesque.* **2.** Liste ou avis des décès publié par un journal: *J'ai appris son décès en ouvrant le journal à la page de la nécrologie.* ☞ nécrologique.

nécrologique adj. Qui concerne la nécrologie, l'avis de décès d'une personne: *Je lis toujours dans le journal la rubrique nécrologique.* ☞ nécrologie.

nécrophage adj. Qui mange des cadavres: *Il existe plusieurs sortes d'insectes nécrophages.* **R.** Les lettres *ph* se prononcent *f*.

nectar n.m. **1.** Boisson délicieuse que buvaient les dieux dans la mythologie: *Le nectar procurait l'immortalité à ceux qui en buvaient.* **2.** Boisson au goût exquis: *Ce jus de fruits est un vrai nectar.* SYN. breuvage. **3.** Au Canada, boisson résultant d'une addition d'eau et de sucre à un jus de fruits trop pulpeux ou trop acide: *Ce nectar d'abricots est très rafraîchissant.* ▲ **nectar** n.m. Liquide sucré que sécrètent les fleurs: *Les abeilles butinent le nectar pour en faire du miel.*

nectarine n.f. Pêche à peau lisse, sans duvet, dont le noyau n'adhère pas à la chair: *Une nectarine bien mûre, c'est vraiment délicieux!*

néerlandais, aise n. et adj. **1.** n. Personne qui est des Pays-Bas: *Un Néerlandais, une Néerlandaise.* **2.** adj. Qui est des Pays-Bas: *Amsterdam est la capitale néerlandaise.* **R.** On met la majuscule à *néerlandais* et à *néerlandaise* lorsque le nom désigne une personne.

néerlandais n.m. Langue parlée aux Pays-Bas et dans le nord de la Belgique: *Mon ami originaire de Hollande parle le néerlandais.*

nef n.f. Partie comprise entre le portail et le chœur de l'église, où se tiennent les fidèles: *À l'église, je m'assois habituellement dans la nef centrale.* ▲ **nef** n.f. Navire à voiles du Moyen Âge: *La nef était un navire de commerce.*

néfaste adj. **1.** Qui est marqué par des événements malheureux: *L'hiver 1989 a été néfaste pour les plantes vivaces.* SYN. désastreux, mauvais. ANT. avantageux, bienfaisant. **2.** Qui peut être nuisible, faire du mal: *La cigarette est néfaste pour la santé.* SYN. dommageable, funeste, nocif. ANT. favorable, propice, salutaire.

négatif n.m. Image photographique sur pellicule où les parties claires apparaissent en sombre et les parties sombres en clair: *J'ai perdu les négatifs de mes photos de voyage.* ☞ négation.

négatif, ive adj. **1.** Qui marque le refus: *La réponse négative de ma mère m'a fait de la peine.* ANT. affirmatif. **2.** Qui est sans éléments constructifs: *La critique négative du journal fera du tort à la représentation de cette pièce de théâtre.* SYN. destructeur. ANT. positif. ⁄⁄ *Nombre négatif:* Nombre égal ou inférieur à zéro. *Réponse négative:* Réponse par laquelle on dit non. ☞ négation. ▲ **négatif, ive** adj. Qui marque la négation, en parlant d'une phrase, d'un mot: *Tu as oublié le « ne » dans ta phrase négative.* ANT. affirmatif.

négation n.f. Acte de l'esprit qui consiste à nier, à refuser: *L'anarchisme est une négation de toute autorité:* ANT. affirmation. ☞ négatif, négative, négativement. ▲ **négation** n.f. Mot ou groupe de mots qui sert à nier: *« Ne », « non », « pas » sont des négations.*

négative n.f. Refus: *Il m'a répondu par la négative.* ANT. affirmative. ☞ négation.

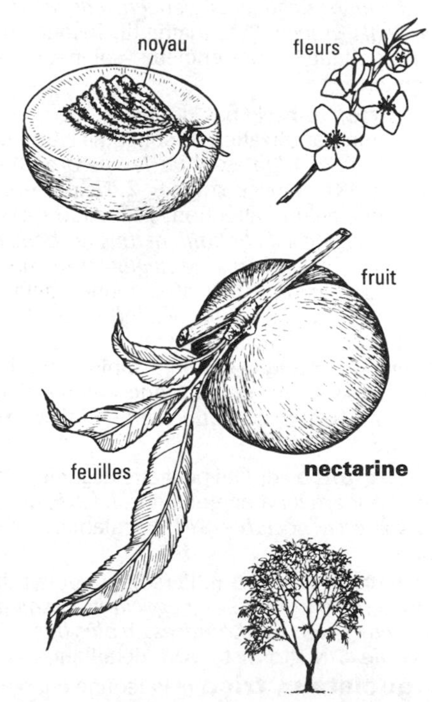

nectarine

négativement adv. De manière négative, qui marque le refus: *J'ai répondu négativement à sa demande.* ANT. affirmativement. ☞ négation.

négligé n.m. **1.** État d'une personne, d'une mise débraillée, négligée: *Le négligé de sa tenue me surprend beaucoup.* **2.** Tenue légère que les femmes portent à l'intérieur: *Hélène met son négligé lorsqu'elle est dans l'intimité de sa maison.* HOM. négliger. ☞ négliger.

négligeable adj. Qui peut être négligé, qui est sans grande importance: *Cette erreur est négligeable.* SYN. insignifiant, minime. ANT. considérable, important. **R.** Ne pas oublier le *e* après le *g*. ☞ négliger.

négligemment adv. De manière négligente, sans précaution, sans application: *Il écrit négligemment.* **R.** Les lettres *emment* se prononcent *amment*. ☞ négliger.

négligence n.f. **1.** Manque d'application, de précaution, de soin, d'exactitude: *Elle entretient sa chambre avec négligence.* SYN. insouciance, nonchalance, paresse. ANT. application, assiduité, minutie. **2.** Faute légère, manque de soin: *La négligence de l'automobiliste a causé cet accident.* SYN. indifférence. ANT. attention. ☞ négliger.

négligent, ente n. et adj. **1.** n. Personne qui manque de soin et d'application: *Les négligents devront recommencer leur devoir.* **2.** adj. Qui manque de soin et d'application: *Les conducteurs négligents peuvent causer des accidents graves.* SYN. inattentif, insouciant. ANT. appliqué, consciencieux, soigneux. ☞ négliger.

négliger v. **1.** Ne pas donner à une chose l'attention, l'application, le soin qu'il faudrait: *Il néglige ses plantes, il va les perdre.* SYN. oublier. ANT. cultiver, soigner. **2.** Ne pas donner à quelqu'un l'attention, l'affection qu'on devrait: *Même s'ils travaillent tous les deux à l'extérieur, ces parents ne négligent aucunement leurs enfants.* SYN. abandonner, délaisser. ANT. se soucier. HOM. négligé. ☞ négligé, négligeable, négligemment, négligence, négligent. **se négliger** v.pron. Ne plus prendre soin de sa santé, de sa tenue comme il le faudrait: *Depuis quelque temps, Sabine se néglige.*

négociable adj. Qui peut être négocié, discuté pour arriver à une entente: *Le prix de la maison est négociable.* SYN. discutable. ☞ négocier.

négociant, ante n. Personne qui fait du commerce en gros: *Les négociants essaient d'acheter leurs marchandises au plus bas prix possible.* SYN. grossiste. ANT. détaillant.

négociateur, trice n. Personne chargée de négocier, de discuter pour arriver à une entente: *Les négociatrices ont fait du beau travail.* SYN. agent, conciliateur, médiateur. ☞ négocier.

négociation n.f. Action de négocier, de discuter les affaires communes entre des parties en vue de conclure une entente: *La négociation des employés de l'État est devenue très difficile.* SYN. discussion. ☞ négocier.

négocier v. Discuter les affaires communes entre des parties en vue de conclure une entente: *Les deux parties ont négocié toute la journée mais aucun accord n'est intervenu.* SYN. délibérer. ☞ négociable, négociant, négociateur, négociation. ▲ **négocier** v. Manœuvrer une voiture de manière à bien prendre un virage à haute vitesse: *Ce coureur automobile a réussi à négocier ce virage dangereux.*

nègre n.m. Personne de race noire: *Les nègres ont la peau foncée et les cheveux crépus.* SYN. noir. ⁄⁄ *Nègre blanc:* Nègre à peau claire. **R.** Au féminin, *négresse*. ☞ négrier, négroïde. ▲ **nègre** n.m.fam. Personne payée pour écrire un livre à la place d'une autre qui le signe de son nom: *Cette actrice a fait écrire sa biographie par un nègre.*

nègre adj. Qui appartient aux Noirs, à leur culture: *La musique nègre a beaucoup influencé le rock et le jazz.*

négrier n.m. **1.** Personne qui vendait et achetait des esclaves noirs: *Les négriers vendaient souvent les Noirs aux enchères.* **2.** Navire qui servait à la traite des Noirs: *Sur les négriers, les Noirs étaient couramment nourris aux cacahuètes.* ☞ nègre.

nègre négrier

négroïde adj. Qui rappelle les caractéristiques des personnes de race noire: *Les lèvres épaisses et le nez épaté sont des traits négroïdes.* **R.** Ne pas oublier le tréma: *ï*. ☞ nègre.

neige n.f. Eau congelée qui tombe du ciel sous forme de flocons blancs et légers: *Les enfants font un gros bonhomme de neige.* ⁄⁄ *Averse de neige:* Au Canada, chute de neige subite, abondante et de courte durée. *Banc de neige:* Au Canada, amas de neige entassée par le vent ou un chasse-neige. *Blanc comme neige:* Très blanc. *Classe de neige:* École en plein air où les élèves étudient et pratiquent des sports d'hiver. *Œufs à la neige:* Blancs d'œufs battus servis sur une crème liquide. *Tempête de neige:* Chute de neige abondante accompagnée de vents violents. ☞ déneigement, déneiger, enneigé, enneigement, neiger, neigeux, reneiger.

neiger v. Tomber, en parlant des flocons de neige: *Lorsqu'il neige, les enfants sont contents.* **R.** Ne s'emploie qu'à la troisième personne du singulier. ☞ neige.

neigeux, euse adj. Qui est couvert de neige: *Les pentes neigeuses font la joie des skieurs.* ☞ neige.

nénuphar n.m. (arabe) Plante aquatique dont les fleurs et les feuilles rondes s'étalent sur l'eau: *Les fleurs du nénuphar sont blanches, jaunes ou rouges.* **R.** Les lettres *ph* se prononcent *f*.

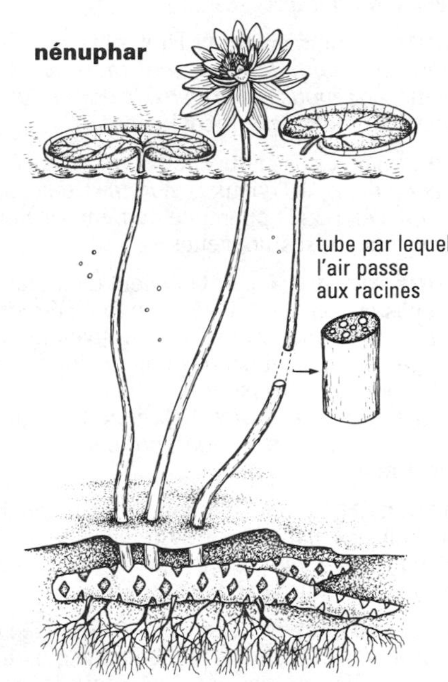

néologisme n.m. Mot nouveau ou sens nouveau d'un mot existant déjà dans une langue: *Le mot «sécuritaire» est un néologisme d'origine canadienne-française.* ANT. archaïsme.

néon n.m. Gaz rare de l'atmosphère, employé dans l'éclairage: *Ma classe est éclairée par des tubes au néon.*

néophyte n. et adj. **1.** n. Personne qui vient de se convertir à une religion ou qui vient d'entrer dans un parti, une association: *Ces néophytes sont très fervents.* **2.** adj. Qui vient de se convertir à une religion ou d'entrer dans un parti, une association: *Cette personne néophyte est très zélée.* **R.** Les lettres *ph* se prononcent *f*.

néo-zélandais, aise n. et adj. **1.** n. Personne qui est de la Nouvelle-Zélande: *Un Néo-Zélandais, une Néo-Zélandaise.* **2.** adj. Qui est de la Nouvelle-Zélande: *La population néo-zélandaise est presque totalement d'origine européenne.* **R.** On met la majuscule à *néo-zélandais* et à *néo-zélandaise* lorsqu'il s'agit du nom. Au pluriel, *néo-zélandais*.

népalais, aise n. et adj. **1.** n. Personne qui est du Népal: *Un Népalais, une Népalaise.* **2.** adj. Qui est du Népal: *Le peuple népalais a obtenu son indépendance en 1923.* **R.** On met la majuscule à *népalais* et à *népalaise* lorsque le nom désigne une personne.

népalais n.m. Langue parlée au Népal: *J'ai appris quelques mots de népalais.*

nèpe n.f. Insecte des eaux stagnantes qui respire par un tube abdominal: *La nèpe atteint une longueur de cinq centimètres.*

néréide n.f. Ver marin vivant dans la vase ou sur les rochers: *La néréide peut atteindre une longueur de trente centimètres.* **R.** Aussi, *néréis*.

nerf n.m. Filament contenu en grande quantité dans le corps, qui permet la communication entre les diverses parties du corps et le cerveau: *Les nerfs commandent les mouvements des muscles.* **R.** Le *f* ne se prononce pas. ☞ énervant, énervé, énervement, énerver, hypernerveux, nerveusement, nerveux, nervosité.

nerveusement adv. De manière nerveuse, énervée, excitée: *Inquiète, elle marchait nerveusement dans la pièce.* ☞ nerf.

nerveux, euse n. et adj. **1.** n. Personne émotive et agitée: *Ce grand nerveux ne peut pas rester calme longtemps.* **2.** adj. Qui est agité, excité: *Ce chien nerveux jappe au moindre bruit.* SYN. énervé, irritable. ANT. calme, paisible. **3.** adj. Qui appartient aux nerfs, au cerveau: *Cet enfant souffre de grands troubles nerveux.* **4.** adj.fig. Qui a de la force, une grande vitesse d'accélération: *Mon amie a une voiture nerveuse.* // *Système nerveux:* Ensemble des nerfs, ganglions et centre nerveux qui assurent la bonne marche des fonctions vitales et la réception des messages sensoriels. ☞ nerf.

nervosité n.f. État d'agitation, d'énervement, de tension: *Sa grande nervosité l'empêche de dormir.* SYN. excitation. ANT. calme, tranquillité. ☞ nerf.

nervure n.f. **1.** Filet saillant que l'on voit sur la surface d'une feuille: *La sève est transportée par la nervure.* **2.** Filet corné, qui soutient la membrane de l'aile chez l'insecte: *As-tu* *déjà examiné les fines nervures des ailes de la libellule?* ☞ nervuré.

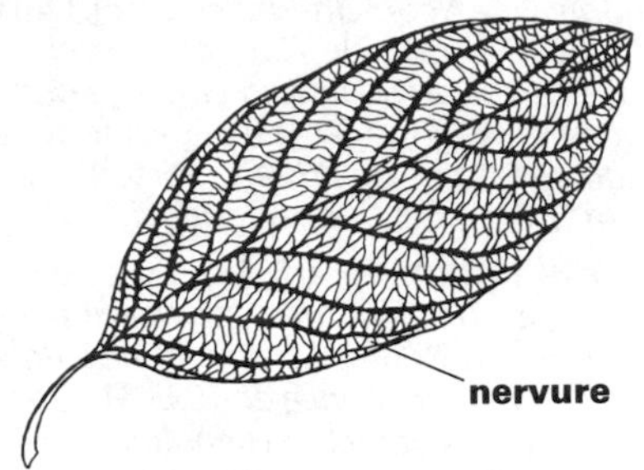

nervuré, ée adj. Qui est garni de nervures, petits filets saillants ou cornés: *Les insectes ont les ailes nervurées.* ☞ nervure.

n'est-ce pas loc.adv. Formule servant à demander l'approbation, l'avis de l'interlocuteur: *Tu viendras ce soir, n'est-ce pas?*

net, nette adj. **1.** Qui est propre, sans tache: *Claude porte un chandail net.* SYN. immaculé. ANT. sale. **2.** Qui est distinct: *Pour une débutante, tes photos sont nettes, bravo!* ANT. flou. **3.** fig. Qui est clair, ne prête à aucun doute: *Tes explications étaient très nettes.* SYN. précis. ANT. confus, indistinct, vague. ⁄⁄ *Faire place nette:* Débarrasser un endroit de tout ce qui encombre. *Salaire net:* Salaire qui reste après les déductions fiscales et les autres charges. ☞ nettement, netteté.

net adv. De manière brutale, soudaine: *L'impact l'a tué net.*

nettement adv. **1.** D'une manière nette, avec clarté: *Il faut lui expliquer nettement les choses, il comprendra.* SYN. clairement. ANT. confusément. **2.** D'une manière claire, visible: *Le chalet se détache nettement sur la neige en hiver.* SYN. distinctement. ANT. vaguement. ☞ net.

netteté n.f. **1.** Propreté: *Sa maison est toujours d'une grande netteté.* **2.** Clarté: *Malgré son âge avancé, on remarque la netteté de ses idées.* SYN. lucidité. ANT. confusion. **3.** Caractère de ce qui est clairement visible: *La netteté de ton écriture me rend le travail plus facile.* ANT. imprécision. ☞ net.

nettoyage n.m. Action de nettoyer, de rendre propre, ou résultat de cette action: *Je déteste faire le nettoyage du four.* ⁄⁄ *Nettoyage à sec:* Nettoyage sans eau. ☞ nettoyer.

nettoyant n.m. Produit qui nettoie: *Ce nettoyant est efficace contre les taches d'encre.* ☞ nettoyer.

nettoyer v. **1.** Rendre propre: *Il faut se nettoyer les ongles régulièrement.* SYN. laver, savonner. ANT. salir, souiller. **2.** Débarrasser un endroit de gens dangereux: *Les policiers ont nettoyé la place.* SYN. vider. **3.** fam. Vider, en volant toutes les choses: *Les cambrioleuses ont nettoyé ma maison.* SYN. dépouiller, dévaliser. ANT. remplir. ☞ autonettoyant, nettoyage, nettoyant, nettoyeur.

nettoyeur, euse n. Personne qui nettoie, qui enlève la saleté: *La nettoyeuse de vitres est venue hier.* **R.** N'a pas le sens de *nettoyant.* ☞ nettoyer.

neuf n.m.invar. **1.** Nombre qui suit huit: *Huit plus un égalent neuf.* **2.** Carte à jouer portant le nombre neuf: *Françoise a tiré le neuf de cœur.* **3.** Neuvième jour du mois: *Je te revois le neuf.* **4.** Chiffre représentant le nombre neuf: *Tes neuf sont mal tracés.*

neuf adj.num.invar. **1.** Huit plus un: *Une grossesse normale dure neuf mois.* **2.** Neuvième: *La réponse se trouve à la page neuf.* ☞ neuvaine, neuvième, neuvièmement.

neuf n.m. Chose nouvelle: *Carmen n'achète que du neuf.* ANT. vieux. ⁄⁄ *À neuf:* De façon à rendre l'état ou l'apparence du neuf. *De neuf:* Avec des choses nouvelles.

neuf, neuve adj. **1.** Qui vient d'être fait et n'a pas encore été utilisé: *Demain, j'étrennerai un costume neuf.* SYN. nouveau. ANT. usagé, usé. **2.** Qui n'a pas encore été dit, qui est nouveau: *Nous avons besoin d'idées neuves pour ce projet.* SYN. inédit, original. ANT. ancien, vieux. ⁄⁄ *Flambant neuf:* Entièrement neuf.

neurologie n.f. Branche de la médecine qui traite les maladies du système nerveux: *La plupart des hôpitaux ont leur service de neurologie.* ☞ neurologiste.

neurologiste n. Personne spécialisée en neurologie, branche de la médecine qui traite les maladies du système nerveux: *Jean ira consulter un neurologiste.* **R.** Aussi, *neurologue.* ☞ neurologie.

neutraliser v. **1.** Empêcher d'agir, rendre inoffensif: *Les défenseurs ont neutralisé l'attaque de l'équipe adverse.* SYN. annuler, étouffer. ANT. aider, encourager. **2.** Amoindrir, diminuer l'effet: *Ce vert est trop foncé, il faut le neutraliser en ajoutant du blanc.* SYN. nuancer. ANT. intensifier. ☞ neutre.

neutralité n.f. **1.** Caractère ou état d'une personne qui demeure neutre en ne prenant pas parti dans un conflit: *Cette discussion ne m'intéresse pas, je préfère rester dans la neutralité.* **2.** État d'un pays qui demeure à l'écart d'un conflit international: *La première ministre a donné l'assurance de la neutralité de son pays dans ce conflit.* ☞ neutre.

neutre adj. **1.** Qui ne participe pas à un conflit, à une querelle: *Les pays neutres ne veulent absolument pas intervenir dans ce conflit.* **2.** Qui s'abstient de s'engager pour l'un ou pour l'autre: *L'arbitre doit rester neutre.* SYN. désintéressé, impartial, objectif. ANT. partial, subjectif. **3.** Qui n'est marqué par aucun accent, aucun sentiment, aucune originalité: *Elle nous a annoncé son départ sur un ton neutre.* SYN. indifférent, monotone. ANT. expressif, vif. **4.** Se dit d'une couleur qui n'est pas vive, franche: *Roxanne est toujours habillée avec des vêtements aux couleurs neutres.* SYN. terne. ANT. éclatant, vif. ⁄⁄ *Les neutres:* Les pays neutres. *Mots neutres:* Mots qui, dans certaines langues, ne sont ni féminins ni masculins. ☞ neutraliser, neutralité.

neutron n.m. Particule électriquement neutre du noyau des atomes: *Les neutrons ne sont pas visibles à l'œil nu.*

neuvaine n.f. Série de prières et d'actes de dévotion que les catholiques font pendant neuf jours: *Autrefois, les neuvaines étaient très populaires.* ☞ neuf.

neuvième n. et adj.num. **1.** n. Personne, animal ou chose qui occupe le neuvième rang: *Simon est le neuvième en mathématiques.* **2.** n. Partie d'un tout divisé en neuf parties égales: *Le neuvième de dix-huit est deux.* **3.** adj.num. Qui vient après le huitième: *Cette nageuse est au neuvième rang.* **R.** Lorsqu'il s'agit de la partie d'un tout, le nom est masculin. ☞ neuf.

neuvièmement adv. En neuvième lieu, dans une énumération: *Neuvièmement, nous ferons une halte au sommet de la montagne.* ☞ neuf.

névé n.m. Masse de neige durcie qui, en haute montagne, est parfois à l'origine d'un glacier: *Les montagnes québécoises ne sont pas assez hautes pour qu'il s'y forme du névé.*

neveu, eux n.m. Fils du frère ou de la sœur: *J'ai un neveu prénommé Mario.* **R.** Au féminin, *nièce*. ☞ nièce.

névralgie n.f. Douleur vive ressentie sur le trajet des nerfs: *La névralgie faciale est douloureuse.* ☞ névralgique.

névralgique adj. Qui appartient à la névralgie, aux douleurs ressenties sur le trajet des nerfs: *La tête est pour moi un point névralgique.* ☞ névralgie.

névrose n.f. Affection nerveuse caractérisée par des troubles émotionnels qui n'altèrent pas les fonctions intellectuelles: *L'hystérie est une névrose.* ☞ névrosé.

névrosé, ée n. et adj. **1.** n. Personne atteinte de névrose, affection nerveuse caractérisée par des troubles émotionnels: *Les névrosés souffrent beaucoup d'angoisse.* **2.** adj. Qui est atteint de névrose, affection nerveuse caractérisée par des troubles émotionnels: *Certaines personnes névrosées suivent de longs traitements psychiatriques.* SYN. déséquilibré, hystérique. ANT. équilibré, joyeux. ☞ névrose.

nez n.m. **1.** Partie saillante du visage, entre le front et la bouche, qui abrite l'organe de l'odorat: *Les narines sont les trous de nez.* **2.** Partie saillante située à l'avant de quelque chose: *En tombant, l'avion a piqué du nez.* **3.** Odorat, flair: *Ce chien a du nez.* HOM. né. ⁄⁄ *Nez à nez:* Face à face. *Pied de nez:* Geste de moquerie.

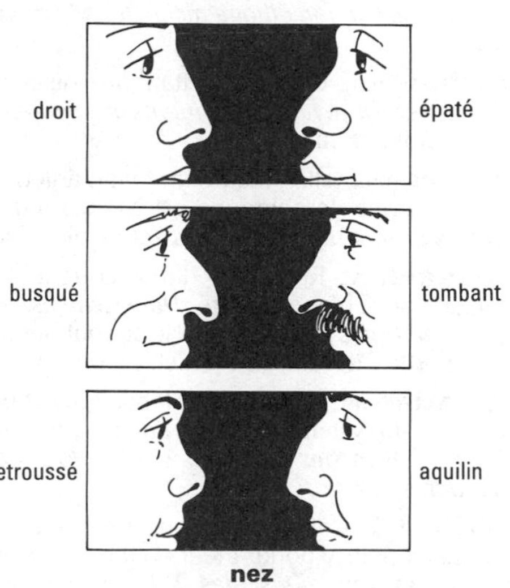

nez

ni conj. Sert à nier dans une phrase négative: *Je n'aime ni le poulet ni le jambon.* HOM. nid.

ni	est souvent suivi d'un autre *ni*.
n'y	peut être utilisé avec *pas, point, plus, jamais* ou *rien*.

niais, niaise adj. Qui est naïf, un peu bête et sot: *Tu as été niais en acceptant sa proposition malhonnête.* SYN. nigaud, simple, stupide. ANT. habile, malin, rusé. ☞ déniaiser, niaiserie.

niaiserie n.f. Action ou parole niaise, stupide: *N'écoute pas ces niaiseries.* SYN. bêtise, platitude, sottise. ANT. finesse, malice. ☞ niais.

niche n.f. (it.) **1.** Renfoncement pratiqué dans un mur pour abriter un objet décoratif: *Dans cette église, deux belles statues sont placées dans des niches.* **2.** Cabane de dimension réduite où couche un chien: *Sonia a écrit le nom de son chien sur la niche.*

nichée n.f. **1.** Ensemble des oiseaux d'une même couvée qui sont encore dans le nid : *La nichée prend aujourd'hui sa première leçon de vol.* **2.** fam. Ensemble des jeunes enfants d'une même famille : *Les parents et leur nichée s'installent sur la plage.* HOM. nicher. ☞ nid.

nicher v. **1.** Faire un nid pour ensuite y couver : *Une hirondelle niche dans le prunier.* SYN. nidifier. ANT. dénicher. **2.** fam. Demeurer : *Où donc niche-t-elle ?* SYN. habiter, loger. HOM. nichée. ☞ nid. se **nicher** v.pron. **1.** Faire son nid : *Une alouette s'est nichée sous notre toit.* **2.** Se cacher, s'installer : *Nathalie est allée se nicher dans sa maison dans l'arbre.* SYN. s'abriter. **niché, ée** p.p. et adj. Qui est caché, blotti : *C'est un joli village niché dans la montagne.*

nichoir n.m. Cage permettant aux oiseaux de couver : *De joyeux pépiements proviennent du nichoir.* ☞ nid.

nickel n.m. (all.) Métal d'un blanc argenté, dont le symbole chimique est Ni : *Certaines pièces de monnaie sont en nickel.* ☞ nickeler.

nickeler v. Recouvrir d'une couche de nickel, métal blanc argenté : *Dans cette usine, on nickelle des poignées.* **R.** Ne pas oublier de doubler le *l* devant un *e* muet. ☞ nickel.

nicotine n.f. Composé du tabac qui est un excitant du système nerveux : *La nicotine peut laisser des taches jaunâtres sur les doigts et les dents.*

nid n.m. **1.** Construction que font certains animaux pour y pondre leurs œufs : *Les nids d'insectes sont minuscules.* **2.** Logis, maison : *Son appartement est un petit nid d'amoureux.* SYN. demeure, habitation, retraite. **3.** Endroit où se rencontrent des personnes louches : *Cette grange est un nid de malfaiteurs.* SYN. repaire. HOM. ni. ☞ dénicher, dénicheur, nichée, nicher, nichoir, nidification, nidifier.

nidification n.f. Construction d'un nid : *La nidification est un des plus beaux signes du retour du printemps.* ☞ nid.

nidifier v. Construire un nid : *Tous les printemps, les grives nidifient sous cette corniche.* SYN. nicher. ☞ nid.

nièce n.f. Fille d'un frère ou d'une sœur : *Audrey est ma nièce.* **R.** Au masculin, *neveu.* ☞ neveu.

nier v. Dire qu'une chose n'existe pas ou n'est pas vraie : *Tu nies avoir participé à cette bataille.* SYN. démentir, désavouer, renier. ANT. affirmer, avouer, confesser, reconnaître.

nigaud, aude n. et adj. **1.** n. Personne qui est d'une grande crédulité, d'une grande niaiserie : *Cette nigaude n'a pas compris ta remarque ironique.* SYN. niais. **2.** adj. Qui est d'une grande crédulité, d'une grande niaiserie : *J'ai été très nigaud en lui faisant confiance.* SYN. sot. ANT. perspicace. **3.** adj. Qui se conduit d'une manière sotte, niaise : *Ses allures nigaudes cachent sa timidité.* ANT. fin, malin, rusé. ☞ nigauderie.

nigauderie n.f. Action de nigaud, de maladroit : *J'étais timide et mal à l'aise ; je n'ai dit que des nigauderies.* SYN. sottise. ☞ nigaud.

nimbe n.m. Cercle lumineux placé au-dessus de la tête du Christ et des saints : *Sur les images religieuses, le nimbe est de couleur jaune pâle.* SYN. auréole.

nimbus n.m. (lat.) Nuage d'un gris sombre annonçant la pluie : *Un nimbus nous cache le soleil.* **R.** Le *s* se prononce.

n'importe quel, quelle, quels, quelles adj.indéf. Quelconque, quel qu'il soit : *N'importe quel dessert me plaira.*

n'importe qui pron.indéf. Personne quelconque : *J'ai fermé la porte : n'importe qui peut entrer.*

nids

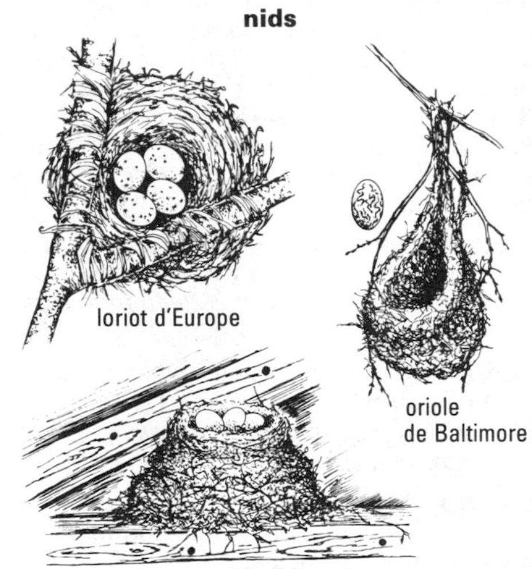

torcol fourmilier

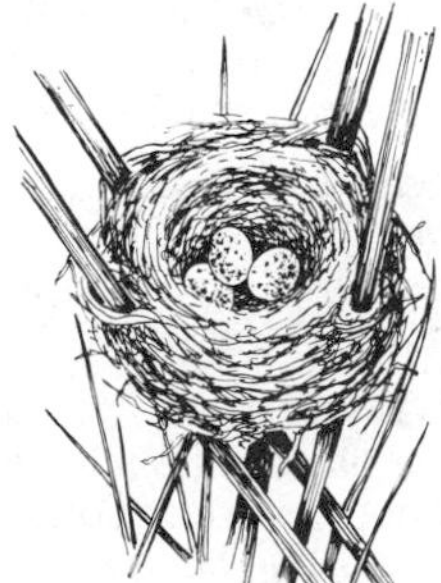
rousserolle (turdoïde)

n'importe quoi pron.indéf. Chose quelconque: *Je ferais n'importe quoi pour toi.*

nipper v.fam. Habiller: *Il nippe son fils comme un prince.* ☞ nippes. se **nipper** v.pron. S'habiller: *Elle se nippe fort curieusement.*

nippes n.f.plur. Vêtements défraîchis, usagés: *Elle portait des nippes colorées pour la mascarade.* ☞ nipper.

nippon, onne n. et adj. (jap.) **1.** n. Personne qui est du Japon: *Un Nippon, une Nipponne.* SYN. Japonais. **2.** adj. Qui est du Japon: *Plusieurs industries nipponnes sont très prospères.* SYN. japonais. **R.** Aussi, au féminin *nippone*. On met la majuscule à *nippon* et à *nipponne* lorsqu'il s'agit du nom.

nique n.f. Signe de moquerie, de mépris: *Cesse de me faire la nique, je n'aime pas que tu te moques de moi.* **R.** Ne s'emploie que dans l'expression *faire la nique à quelqu'un.*

nitrate n.m. Sel qui provient de l'acide nitrique: *Certains nitrates sont utilisés comme engrais.* ☞ nitrique, nitroglycérine.

nitrique adj. Se dit d'un acide très corrosif, dérivé de l'azote: *L'acide nitrique est un composé très fort qui doit être manipulé avec prudence.* ☞ nitrate.

nitroglycérine n.f. Explosif violent qui entre dans la fabrication de la dynamite: *La nitroglycérine détone sous le choc.* ☞ nitrate.

niveau, eaux n.m. Outil dont on se sert pour vérifier l'horizontalité d'une chose: *La menuisière utilise son niveau pour s'assurer que la planche est bien horizontale.* ☞ niveler, niveleuse, nivellement. ▲ **niveau, eaux** n.m. **1.** Hauteur de quelque chose par rapport à un plan horizontal: *La jauge indique le niveau d'huile dans le moteur.* **2.** Degré atteint, élévation dans un domaine: *Elles ont toutes deux le même niveau d'instruction.* **3.** Étage dans un édifice: *Son bureau est au deuxième niveau.* ⁄⁄ *Au niveau de:* À la hauteur de, sur la même ligne que. *De niveau:* Horizontal. *Mettre au même niveau:* Mettre sur le même plan. *Niveau de langue:* Chacun des registres d'une langue (littéraire, familier, populaire, etc.). *Niveau de vie:* Degré de qualité de vie. ☞ déniveler, dénivellation.

niveler v. **1.** Mettre de niveau, aplanir: *Il faut niveler le terrain avant de semer le gazon.* SYN. égaliser. **2.** Vérifier avec un niveau, outil servant à mesurer l'horizontalité: *N'oublie pas de niveler le mur avant de poser le papier peint.* **R.** Ne pas oublier de doubler le *l* devant un *e* muet. ☞ niveau.

niveleuse n.f. Engin utilisé pour égaliser la terre: *La niveleuse travaille rapidement grâce à son moteur puissant.* ☞ niveau.

nivellement n.m. Action de niveler, de mettre de niveau, d'aplanir: *Les terrassiers ont travaillé plusieurs heures au nivellement du terrain.* ☞ niveau.

noble n. et adj. **1.** n. Personne qui appartient à une classe privilégiée, la noblesse: *Cette noble portait le titre d'altesse.* **2.** adj. Qui a de grandes qualités de cœur, qui témoigne de ces qualités: *Votre geste est très noble.* SYN. digne, généreux, magnanime. ANT. ignoble, infâme, mesquin. **3.** adj. Qui demande le respect, l'admiration, à cause de son autorité: *L'aïeul s'adressa à ses enfants d'une voix noble.* SYN. imposant, vénérable. ANT. vil, vulgaire. ⁄⁄ *Métaux nobles:* Or, argent, platine. *Parties nobles:* Le cœur, le cerveau. ☞ ennoblir, noblement, noblesse.

noblement adv. De manière noble, digne: *Le violoniste s'avançait noblement vers la foule qui l'applaudissait.* ☞ noble.

noblesse n.f. **1.** Condition des nobles, des aristocrates: *La noblesse est héréditaire.* **2.** Caractère de quelqu'un qui a de grandes qualités morales: *La noblesse de son cœur la plaçait au-dessus des mesquineries.* SYN. dignité, magnanimité. ANT. bassesse, infamie. ☞ noble.

noce n.f. Ensemble des réjouissances qui accompagnent un mariage: *La noce aura lieu à l'extérieur s'il fait beau.* ⁄⁄ *Épouser en secondes noces:* Épouser en second mariage. *Les noces:* Le mariage. *Noces d'argent, d'or, de diamant:* Fêtes que l'on célèbre après vingt-cinq, cinquante ou soixante ans de mariage. **R.** S'emploie souvent au pluriel.

nocif, ive adj. Qui peut nuire, être dangereux: *La fumée qui s'échappe de cette usine est nocive.* SYN. funeste, néfaste, nuisible, pernicieux. ANT. bénéfique, bienfaisant. ☞ nocivité.

nocivité n.f. Caractère de ce qui est nocif, dangereux: *La nocivité de ce produit n'a pas été prouvée.* SYN. malignité. ANT. bienfaisance. ☞ nocif.

nocturne n.m. et adj. **1.** n.m. Oiseau de nuit: *Les nocturnes ont des yeux perçants.* **2.** adj. Qui se produit pendant la nuit: *Le tapage nocturne la tenait éveillée.* ANT. diurne. **3.** adj. Qui mène une vie active pendant la nuit: *Plusieurs papillons sont nocturnes.* ANT. diurne.

nocturne n.m. Morceau de musique qui porte au rêve et à la mélancolie: *Juliette écoute des nocturnes avant de s'endormir.*

nœud n.m. **1.** Entrecroisement de deux fils ou cordes, ou enlacement d'un seul objet sur lui-même: *Il a fait plusieurs nœuds à ses lacets.* SYN. boucle. **2.** Ornement noué, entrelacé: *Elle a mis des nœuds dans ses cheveux.* **3.** Endroit où se croisent plusieurs embranchements: *La circulation est toujours dense dans ce nœud routier.* **4.** fig. Point essentiel d'une action, d'une discussion: *Nous voici au nœud de l'intrigue.* SYN. fond. ANT. dénouement. **5.** fig. Attachement qui unit des personnes: *Les nœuds de notre amitié sont solides.* SYN. chaîne, lien. ⁄⁄ *Corde à nœuds:* Corde utilisée pour grimper. *Nœud coulant:* Enlacement qui se serre et se desserre sans se défaire. *Nœud de cravate:* Enlacement qui retient la cravate autour du cou. *Nœud gordien:* Problème très difficile à résoudre. ☞ dénouement, dénouer, nouer, renouer.

▲ **nœud** n.m. **1.** Région, sur le tronc de l'arbre, d'où part une branche: *Cet arbre a plusieurs nœuds.* **2.** Partie dure et sombre sur une planche, qui est le vestige d'un nœud au sens précédent: *Les planches de pin ont habituellement plusieurs nœuds.* ☞ noueux.

▲ **nœud** n.m. Unité de vitesse des navires: *Ce navire file à vingt nœuds.*

noir n.m. **1.** Couleur la plus foncée: *Il était vêtu de noir.* ANT. blanc. **2.** Obscurité, ténèbres: *Cet enfant a très peur dans le noir.* ANT. clarté.

noir, noire n. et adj. **1.** n. Personne dont la race est caractérisée par une peau très foncée: *Plusieurs millions de Noirs vivent aux États-Unis.* SYN. nègre. **2.** adj. Qui appartient à la race caractérisée par une peau très foncée: *La musique noire est à l'origine du jazz.* **R.** On met la majuscule à *noir* et à *noire* lorsqu'il s'agit du nom.

noir, noire adj. **1.** Qui est de la couleur la plus foncée: *Ses cheveux sont noirs comme du charbon.* **2.** Qui est sombre: *Elle porte des lunettes noires.* **3.** Qui est sale: *Mes ongles sont tout noirs, je vais les nettoyer.* ANT. net, propre. **4.** Qui est privé de clarté: *Elle développe ses photos dans une chambre noire.* SYN. obscur, sombre. **5.** Qui est triste, mélancolique: *Je me sens d'humeur noire.* SYN. nostalgique, sombre. ANT. gai, joyeux. ⁄⁄ *Humour noir:* Humour qui plaisante sur des choses graves. *Magie noire:* Magie maléfique, qui fait appel aux esprits mauvais. *Marché noir:* Commerce illégal, clandestin. *Marée noire:* Déversement accidentel de pétrole en mer. *Travail noir:* Travail pour lequel le salaire n'est pas déclaré. ☞ noirâtre, noiraud, noirceur, noircir, noircissement, noire. **noir sur blanc** loc.adv. De façon visible: *Il est écrit noir sur blanc dans mon contrat que je dois toucher mille dollars lorsque j'aurai accompli mon travail.*

noirâtre adj. Qui est d'une couleur tirant sur le noir: *Tes bas blancs ont pris une teinte noirâtre.* ANT. blanchâtre. **R.** Ne pas oublier l'accent: *â.* ☞ noir.

noiraud, aude adj. Qui a un teint très brun: *Il était grand, mince et un peu noiraud.* ☞ noir.

noirceur n.f. **1.** Couleur ou état de ce qui est sombre, noir: *La noirceur de la nuit m'effraie.* SYN. obscurité. ANT. clarté. **2.** fig. Méchanceté: *La noirceur de ce crime est relatée dans les journaux.* SYN. horreur, indignité. ANT. bonté, excellence. ☞ noir.

noircir v. **1.** Devenir foncé, noir: *Ta peau noircit vite au soleil.* SYN. brunir. ANT. blanchir. **2.** Colorer ou salir de noir: *La fumée a noirci les murs.* SYN. maculer. ANT. laver, nettoyer. **3.** litt. Dire du mal: *Il la jalouse et ne cesse de la noircir.* SYN. accuser, calomnier, dénigrer. ANT. défendre, innocenter, vanter. ☞ noir. **se noircir** v.pron. Devenir sombre: *Soudain, le ciel se noircit.*

noircissement n.m. Action ou fait de noircir, de devenir sombre: *Le noircissement du ciel annonce la pluie.* SYN. obscurcissement. ANT. éclaircissement. ☞ noir.

noire n.f. Note de musique valant deux croches: *La noire vaut une demi-blanche.* ☞ noir.

noise n.f. Querelle, dispute, mésentente: *Ces enfants se cherchent noise continuellement.* **R.** Aujourd'hui, ne s'emploie plus que dans l'expression *chercher noise*.

noiseraie n.f. Lieu planté de noyers ou de noisetiers: *La noiseraie est très fréquentée par les écureuils.*

noisetier n.m. Arbre fruitier qui produit la noisette: *Le noisetier peut atteindre une hauteur de sept mètres.* ☞ noisette. ◇ coudrier. (*Voir l'illustration à la page suivante.*)

noisette n.f. et adj.invar. **1.** n.f. Fruit comestible du noisetier: *J'aime beaucoup le chocolat aux noisettes.* **2.** n.f. Quantité comparable à une petite noix: *Ajoute une noisette de beurre.* **3.** adj.invar. Qui est de couleur brun clair: *Elle a de beaux yeux noisette.* ☞ noisetier.

noix n.f. **1.** Fruit comestible du noyer: *Ces noix fraîches sont amères.* **2.** Fruit comestible enveloppé dans une coque dure: *J'ai râpé la noix de muscade.* ⁄⁄ *Noix de veau:* Morceau de veau taillé en escalope. ☞ noyer.

noliser v. Louer un navire ou un avion: *L'agence nolise un avion pour aller à Paris.*

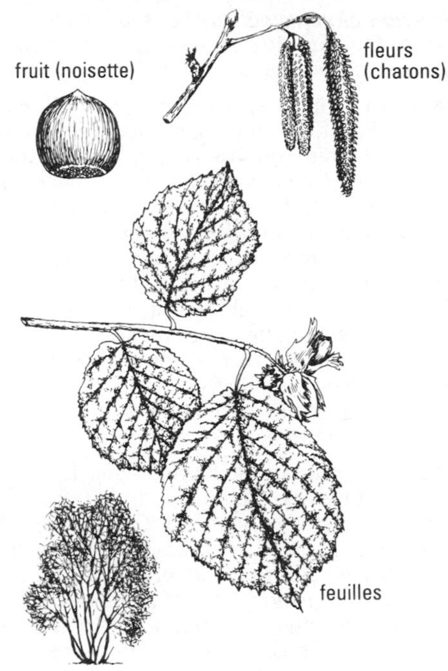

noisetier

nom n.m. **1.** Mot servant à désigner une personne, un animal, une chose: *Son nom se prononce difficilement.* **2.** Prénom: *Olivier est un nom de garçon.* **3.** Nom de famille qui est transmis de génération en génération: *Gervais n'est pas un nom très courant.* **4.** Personne importante: *Michel Tremblay fait partie des grands noms de la littérature québécoise.* **5.** Mot qui s'applique aux êtres et aux choses d'une même catégorie: *Quel est le nom de cette plante?* **6.** Mot ou groupe de mots qui peut être le sujet ou le complément d'un verbe: *Encercle les noms dans cette phrase.* HOM. non. ∥ *Nom commun:* Catégorie grammaticale désignant une espèce ou un individu de cette espèce. *Nom de baptême* ou *petit nom:* Prénom. *Nom de Dieu, nom d'une pipe!:* Juron. *Nom propre:* Catégorie grammaticale désignant un individu ou une chose en particulier. ☞ dénomination, dénommer, nominal, nomination, nommé, nommer, prénom, prénommer, surnom, surnommer. au **nom de** loc.prép. En invoquant: *Que d'injustices se commettent au nom de la justice.*

nomade n. et adj. **1.** n. Peuple ou individu qui n'a pas d'habitation fixe: *Les nomades du désert se déplacent à dos de chameau.* **2.** adj. Qui mène un genre de vie non sédentaire, qui se déplace fréquemment: *Elle avait un instinct nomade, toujours à la recherche d'aventures.* SYN. instable, vagabond. ANT. casanier. **3.** adj. Qui change de région selon les saisons: *Les caribous sont des animaux nomades.* SYN. ambulant, errant, migrateur. ☞ nomadisme.

nomadisme n.m. Mode de vie des nomades, gens qui se déplacent fréquemment: *Le nomadisme est courant chez les tribus du désert du Sahara.* ☞ nomade.

nombre n.m. **1.** Symbole représentant une unité ou un groupe d'unités: *Deux est un nombre pair et premier.* **2.** Collection d'êtres ou de choses: *Le nombre de poissons de cet aquarium est impressionnant.* SYN. ensemble, quantité. ∥ *En nombre:* En quantité importante. *Être du nombre:* Être invité, faire partie. *Sans nombre:* En quantité innombrable. ☞ dénombrable, dénombrement, dénombrer, innombrable, nombreux, numérateur, numération, numérique, numériquement. au **nombre de** loc.prép. Parmi: *Son oncle et sa tante étaient au nombre des gagnants à la loterie.* ▲ **nombre** n.m. Catégorie grammaticale comprenant le singulier et le pluriel: *Indique le nombre de ces noms.*

nombreux, euse adj. Qui est composé d'un grand nombre d'éléments: *Les enfants étaient nombreux au concert de ce chansonnier.* SYN. abondant, innombrable, multiple. ANT. rare. ☞ nombre.

nombril n.m. Cicatrice laissée sur le ventre par le cordon ombilical: *Le nombril peut prendre la forme d'une petite cavité ou d'une saillie.* **R.** Le *l* ne se prononce pas.

nominal, ale, aux adj. **1.** Qui se rapporte au nom des personnes: *Le secrétaire a lu la liste nominale des membres.* **2.** Qui n'existe pas en réalité, qui n'existe que de nom: *Ce chef n'exerce qu'une autorité nominale sur son clan.* ANT. réel. **3.** Qui joue le rôle d'un nom: *Le verbe «travailler» a une fonction nominale dans: «Travailler est sain».* ☞ nom.

nomination n.f. Action de nommer une personne à un emploi, à une fonction: *La nomination de la nouvelle directrice a réjoui toute l'école.* SYN. choix, désignation. ☞ nom.

nommé, ée n. et adj. **1.** n. La personne qui porte tel nom: *Notre nouveau voisin est un nommé Gagnon.* **2.** adj. Qui porte tel nom: *Une jeune fille nommée Édith a téléphoné durant ton absence.* HOM. nommer. ☞ nom.

nommer v. **1.** Désigner une personne, un animal ou une chose par un nom: *Nomme les quatre saisons.* SYN. énumérer, mentionner. **2.** Choisir une personne pour remplir certaines fonctions: *Elle a été nommée présidente.* SYN. proclamer. ANT. destituer. HOM. nommé. ☞ nom. se **nommer** v.pron. **1.** Avoir pour prénom: *Elle se nomme Mélanie.* **2.** S'identifier par son nom: *Il ne s'est pas nommé.*

non n.m.invar. et adv. **1.** n.m.invar. Refus: *Sa réponse fut un non catégorique.* **2.** adv. Indique une réponse négative: *Viens-tu? – Non.* **3.** adv. Exprime l'impatience dans une phrase interrogative: *Vas-tu te décider, non?* **4.** adv. Exprime l'étonnement dans une phrase exclamative: *Il est parti. – Non, pas possible!* **5.** adv. Indique le contraire lorsqu'il est placé devant un adjectif ou un participe passé: *C'est une réponse non vérifiable.* HOM. nom.

nonagénaire n. et adj. **1.** n. Personne qui a entre quatre-vingt-dix et cent ans: *Cette nonagénaire se tient en forme en faisant une marche tous les jours.* **2.** adj. Qui a entre quatre-vingt-dix et cent ans: *Les citoyens nonagénaires sont reçus à l'hôtel de ville.*

nonce n.m. Archevêque nommé comme représentant du pape auprès d'un gouvernement: *Il y aura une rencontre entre le nonce et la ministre.*

nonchalamment adv. D'une manière nonchalante, molle, insouciante: *Elle marche nonchalamment dans le parc.* SYN. paresseusement. ANT. activement. ☞ nonchalant.

nonchalance n.f. Manière d'agir qui manque d'ardeur, d'entrain: *Adrienne ne joue jamais au tennis avec nonchalance.* SYN. indolence, insouciance, négligence. ANT. ardeur, entrain, vivacité. ☞ nonchalant.

nonchalant, ante n. et adj. **1.** n. Personne qui manque d'ardeur, d'énergie, de vie: *La randonnée sera longue; les nonchalants ne la termineront sûrement pas.* SYN. apathique, indolent. ANT. diligent. **2.** adj. Qui manque d'ardeur, d'énergie, de vie: *Francine n'a rien d'une enseignante nonchalante.* SYN. insouciant, paresseux. ANT. actif, ardent, zélé. ☞ nonchalamment, nonchalance.

non-fumeur, euse n. Personne qui ne fume pas: *Nous avons pris une place dans le compartiment des non-fumeurs.* ANT. fumeur. **R.** Au pluriel, *non-fumeurs, non-fumeuses*. ☞ fumer.

nonne n.f.vx Religieuse: *Dans l'église, deux nonnes priaient, l'air recueilli.* SYN. sœur.

non-sens n.m.invar. Absurdité, ce qui est contraire au bon sens: *Votre demande est un non-sens.* SYN. bêtise, erreur, illogisme. ☞ sens.

non-violence n.f. Doctrine qui exclut toute forme de violence en politique: *Gandhi était un apôtre de la non-violence.* ☞ violent.

non-violent, ente n. Partisan de l'exclusion de toute forme de violence, de brutalité: *Les non-violents défilent dans la rue en chantant.* **R.** Au pluriel, *non-violents, non-violentes*. ☞ violent.

nord n.m.invar. et adj.invar. (angl.) **1.** n.m.invar. Point cardinal dans la direction de l'étoile Polaire, opposé au sud: *Les vents du nord sont glacials.* ANT. sud. **2.** n.m.invar. Partie d'un pays, d'une région qui est située au nord: *Le Nord canadien est peu habité.* ANT. Sud. **3.** adj.invar. Qui est situé au nord: *Le pont sépare la rive nord de la rive sud.* SYN. boréal, septentrional. ANT. austral, sud. // *Le Grand Nord:* Partie du globe située près du pôle Nord. **R.** S'écrit avec une majuscule lorsqu'il s'agit de la partie d'un pays, d'une région. ☞ nord-africain, nord-américain, nord-est, nordicité, nordicitude, nordique, nord-ouest.

nord-africain, aine n. et adj. **1.** n. Personne qui est de l'Afrique du Nord: *Un Nord-Africain, une Nord-Africaine.* **2.** adj. Qui est de l'Afrique du Nord: *Les pays nord-africains sont bordés par la Méditerranée.* **R.** Au pluriel, *nord-africains, nord-africaines*. On met des majuscules à *nord-africain* et à *nord-africaine* lorsqu'il s'agit du nom. ☞ nord.

nord-américain, aine n. et adj. **1.** n. Personne qui est de l'Amérique du Nord: *Un Nord-Américain, une Nord-Américaine.* **2.** adj. Qui est de l'Amérique du Nord: *Le territoire nord-américain comprend le Canada, les États-Unis et la plus grande partie du Mexique.* **R.** Au pluriel, *nord-américains, nord-américaines*. On met des majuscules à *nord-américain* et à *nord-américaine* lorsqu'il s'agit du nom. ☞ nord.

nord-est n.m.invar. et adj.invar. (angl.) **1.** n.m.invar. Point de l'horizon situé entre le nord et l'est: *Indique le nord-est sur la rose des vents.* **2.** n.m.invar. Partie d'un pays, d'une région qui est située au nord-est: *La Gaspésie est située dans le Nord-Est québécois.* **3.** adj.invar. Qui est situé au nord-est: *Le vent poussait le voilier en direction nord-est.* **R.** S'écrit avec des majuscules lorsqu'il s'agit de la partie d'un pays, d'une région. ☞ nord.

nordicité n.f. Au Canada, niveau nordique d'une région, d'un pays: *Les bleuets ne poussent pas dans cette région à cause de sa trop grande nordicité.* ☞ nord.

nordicitude n.f. Au Canada, état d'ennui dont peut souffrir tout immigrant dans les régions nordiques: *Ces livres m'ont aidé à surmonter ma nordicitude.* ☞ nord.

nordique adj. **1.** Qui se rapporte aux pays du nord de l'Europe: *Le norvégien, le finlandais, le suédois et le danois sont des langues nordiques.* **2.** Qui se rapporte aux régions les plus au nord: *Les régions nordiques canadiennes sont les plus froides du pays.* SYN. arctique, boréal. ANT. antarctique. ☞ nord.

nord-ouest n.m.invar. et adj.invar. **1.** n.m.invar. Point de l'horizon situé entre le nord et l'ouest: *Chicoutimi est au nord-ouest de Québec.* **2.** n.m.invar. Partie d'un pays, d'une région qui est située au nord-ouest: *Le Nord-Ouest québécois est riche en minerais.* **3.** adj.invar. Qui est situé au nord-ouest: *J'habite dans le secteur nord-ouest de la ville.* **R.** S'écrit avec des majuscules lorsqu'il s'agit de la partie d'un pays, d'une région. ☞ nord.

normal, ale, aux adj. **1.** Qui est conforme à la moyenne, qui est ordinaire: *Ils mènent une vie normale.* SYN. courant, habituel. ANT. anormal, bizarre, étrange. **2.** Qui ne présente aucun signe de désordre mental: *Il n'est pas dans son état normal.* SYN. sain. ANT. morbide. **3.** Qui est logique, naturel: *Tu éprouves une fatigue bien normale après cette longue marche.* SYN. compréhensible, raisonnable. ANT. incompréhensible, indu. ☞ anormal, anormalement, normale, normalement, normalisation, normaliser.

normale n.f. État habituel: *La température est revenue à la normale.* ☞ normal.

normalement adv. De manière normale, habituelle: *Normalement, elle arrive tôt.* SYN. habituellement, ordinairement. ANT. accidentellement, anormalement. ☞ normal.

normalisation n.f. Action de faire revenir à la normale, à l'habitude: *La normalisation des relations entre ces deux pays est difficile.* ☞ normal.

normaliser v. Faire revenir à une situation normale, habituelle: *Tous font des efforts pour normaliser les relations entre les partis.* SYN. régulariser. ANT. perturber. ☞ normal.

normaliser v. Soumettre une production à des normes établies officiellement: *Cette compagnie a normalisé tous ses produits.* SYN. standardiser. ☞ norme.

norme n.f. **1.** État habituel, d'après la règle établie et acceptée par l'ensemble: *Il existe des normes vestimentaires différentes selon les pays.* **2.** Ensemble des règles auxquelles on doit se conformer pour la fabrication d'un objet: *Les voitures doivent répondre aux normes de sécurité.* ☞ normaliser.

norvégien, ienne n. et adj. **1.** n. Personne qui est de la Norvège: *Un Norvégien, une Norvégienne.* **2.** adj. Qui est de la Norvège: *Le climat norvégien est semblable au nôtre.* **R.** On met la majuscule à *norvégien* et à *norvégienne* lorsque le nom désigne une personne.

norvégien n.m. Langue parlée en Norvège: *Le norvégien est une langue nordique.*

nostalgie n.f. **1.** Regret, mélancolie causée par une chose passée ou que l'on n'a pas connue: *Elle avait la nostalgie des grandes fêtes de sa jeunesse.* **2.** Tristesse causée par l'éloignement de son pays natal: *Toutes les beautés de l'Afrique n'effacent pas sa nostalgie.* SYN. ennui, mélancolie. ANT. distraction, gaieté. ☞ nostalgique.

nostalgique adj. Qui est mélancolique, triste: *Il jette un regard nostalgique sur ses photos.* ☞ nostalgie.

nota n.m.invar. Mot latin qui signifie «notez»: *Elle ajoute toujours un ou deux nota à la fin de ses lettres.* **R.** Aussi, *nota bene.*

notable n.m. et adj. **1.** n.m. Personne qui a une situation sociale importante dans une ville ou une région: *Les notables fréquentent ce restaurant chic.* SYN. personnalité. **2.** adj. Qui occupe une situation sociale importante dans une ville ou une région: *Cette chef d'entreprise est une citoyenne notable de la ville.* SYN. important, remarquable. ANT. négligeable.

notable adj. Qui est important, digne d'être noté: *Tu fais des progrès notables en mathématiques.* SYN. appréciable, considérable. ANT. insignifiant, négligeable. ☞ notablement.

notablement adv. D'une manière notable, remarquable: *Ce sont deux châteaux notablement riches.* SYN. considérablement, remarquablement. ☞ notable.

notaire n.m. Officier public qui rédige des actes, des contrats pour leur donner un caractère authentique: *Nous avons signé l'acte de vente chez le notaire.* **R.** L'O.L.F. recommande que le nom *notaire* soit aussi employé au féminin. ☞ notarié.

notamment adv. Spécialement, entre autres: *J'apprécie tes qualités, notamment ton sens de l'humour.*

notarié, ée adj. Qui est fait par un notaire ou devant un notaire: *La notaire conserve les actes notariés à son cabinet.* ☞ notaire.

notation n.f. **1.** Action ou manière de représenter par des signes conventionnels: *Connais-tu la notation algébrique?* **2.** Action de donner une note à un travail scolaire: *La notation des travaux scolaires exige beaucoup de réflexion.* ☞ note.

note n.f. **1.** Signe qui représente un son en musique: *Les notes d'une pièce musicale sont écrites sur une portée.* **2.** Son qui est représenté par ce signe: *Les notes de la gamme* *sont: do, ré, mi, fa, sol, la, si.* **3.** Touche d'un clavier sur un instrument de musique: *Je n'ai pas frappé la bonne note.* ▲ **note** n.f. **1.** Courte indication que l'on écrit pour se souvenir: *J'ai pris des notes pendant la conférence.* **2.** Papier, cahier où sont écrites ces indications: *Je te prête mes notes; tu me les rendras demain.* **3.** Détail d'un compte à payer, facture: *Les notes d'électricité nous parviennent par la poste.* **4.** Courte remarque qui commente un texte: *Il y avait deux notes dans la marge de mon projet d'écriture.* SYN. annotation, commentaire. **5.** Touche, nuance, caractère distinctif: *La présence d'Yves ajoute une note de gaieté à nos rencontres.* **6.** Appréciation en chiffres ou en lettres d'un travail ou d'une conduite: *Quelle note as-tu obtenue pour l'effort que tu as fourni?* ☞ notation, noter.

noter v. **1.** Faire une marque sur ce dont on veut se souvenir: *J'ai noté les passages intéressants du volume.* SYN. annoter. ANT. omettre. **2.** Écrire ce que l'on veut garder en mémoire: *Note le numéro de téléphone.* SYN. enregistrer. **3.** Remarquer, prêter attention: *Notez que ce sont deux tableaux identiques.* **4.** Apprécier un travail par une observation, une lettre ou des chiffres: *Notre enseignant a noté le devoir de mathématiques.* SYN. coter, évaluer, juger. ☞ note.

notice n.f. **1.** Court texte présentant un livre, un auteur, etc.: *L'éditrice présente l'auteur et le livre dans la notice.* **2.** Ensemble d'indications écrites: *Vous trouverez une notice explicative à la fin du feuillet.*

notifier v. Faire connaître, signifier: *Il lui notifia son renvoi après dix ans au même poste.* SYN. annoncer, communiquer, signaler.

notion n.f. **1.** Connaissance sommaire de quelque chose: *J'ai quelques notions de latin.* SYN. rudiments. **2.** Concept, idée: *L'institutrice nous a expliqué la notion de distributivité en mathématiques.*

notoire adj. Qui est connu d'un grand nombre de personnes: *Cette criminelle notoire a fait la manchette des journaux.* SYN. public, reconnu, renommé. ANT. inconnu. ☞ notoirement, notoriété.

notoirement adv. D'une manière notoire, évidente, aux yeux d'un grand nombre de personnes: *Les exagérations de Nathalie étaient notoirement connues.* SYN. manifestement, universellement. ☞ notoire.

notoriété n.f. Caractère d'une personne ou d'un fait connu d'une façon certaine: *Cette architecte jouit d'une grande notoriété à l'étranger.* ☞ notoire.

notre, nos adj.poss. Qui est à nous, qui se rapporte à nous: *Nous devons prendre soin de notre santé.*

nôtre n.m. Ce qui est à nous, de nous: *Mettons-y chacun du nôtre.* **R.** Ne pas oublier l'accent: *ô.*

le **nôtre, la nôtre, les nôtres** pron.poss. Pronom possessif de la première personne du pluriel, qui désigne l'objet ou l'être qui est à nous, qui se rapporte à nous: *Il a ses problèmes et nous avons les nôtres.* **R.** Ne pas oublier l'accent: *ô.*

nouer v. **1.** Unir par un nœud, faire un nœud à quelque chose: *J'ai noué ma cravate.* ANT. dénouer. **2.** Attacher, réunir par un lien auquel on fait un nœud: *Elle noue ses cheveux avec un ruban.* SYN. fixer. ANT. délier, détacher. **3.** fig. Établir des liens avec quelqu'un: *Dans sa vie, elle a noué plusieurs amitiés.* SYN. former. ANT. rompre. ☞ nœud. **se nouer** v.pron. Amener l'action d'une pièce de théâtre à son point le plus important: *L'action se noue au IIIe acte.* **noué, ée** p.p. et adj. **1.** Qui est attaché par un nœud: *Tes lacets sont noués.* **2.** fig. Qui est serré comme s'il y avait un nœud: *J'ai la gorge nouée par l'émotion.*

noueux, euse adj. **1.** Qui a beaucoup de nœuds, en parlant des arbres, du bois: *Le pin est un arbre noueux.* **2.** Qui est maigre, osseux: *Il avait des mains longues et noueuses.* ☞ nœud.

nougat n.m. Confiserie fabriquée avec du sucre, des amandes et du miel: *La vue de ce nougat me fait saliver.* ☞ nougatine.

nougatine n.f. Nougat dur, confiserie faite avec des amandes broyées et du caramel: *La nougatine entre dans la confection de certains desserts.* ☞ nougat.

nouille n.f. et adj. (all.) **1.** n.f. Personne qui est sans énergie et niaise: *Ce garçon est une vraie nouille!* **2.** adj. Qui est sans énergie et niais: *Ce qu'elle peut être nouille quand elle s'y met!* HOM. nouilles.

nouilles n.f.plur. Pâtes alimentaires ayant la forme d'un ruban: *Ce soir, nous mangeons des nouilles au gratin.* HOM. nouille.

nourrice n.f. **1.** Femme qui allaite un bébé: *Ma mère fut ma nourrice.* **2.** Femme qui garde chez elle de jeunes enfants: *Cette nourrice élève quatre ou cinq petits.* ☞ nourrir.

nourricier, ière adj. Qui procure la nourriture: *Ils sont les parents nourriciers de cet orphelin.* ☞ nourrir.

nourrir v. **1.** Donner à manger à une personne ou à un animal: *Mathieu nourrit ses chats avec tendresse.* SYN. alimenter. ANT. affamer. **2.** Donner les moyens de subsister: *Cette* *mère a deux enfants à nourrir.* SYN. fortifier. ANT. affaiblir. **3.** Faire durer plus longtemps, entretenir: *Le bois sec nourrit le feu.* ANT. détruire. **4.** fig. Donner une nourriture à l'esprit: *Des lectures choisies nourrissent l'intelligence.* SYN. former. ☞ nourri, nourrice, nourricier, nourrissant, nourrisson, nourriture. **se nourrir** v.pron. **1.** Absorber des aliments: *Il se nourrit bien.* **2.** fig. Entretenir des pensées, des souvenirs: *Il se nourrit de rêves impossibles.* ▲ **nourrir** v. Entretenir en soi une pensée, une idée: *Je nourris de grands projets pour cet été.* **nourri, ie** p.p. et adj. **1.** Qui est alimenté: *Bien nourri, bébé s'endort.* **2.** Qui est entretenu, renforcé: *Quand le feu est bien nourri, le foyer réchauffe toute la pièce.* ☞ nourrir.

nourrissant, ante adj. Qui a une valeur nutritive: *Ton déjeuner n'est pas nourrissant.* SYN. fortifiant, substantiel. ANT. pauvre. ☞ nourrir.

nourrisson n.m. Bébé qui est nourri au lait seulement: *C'est un nourrisson d'à peine un mois.* ☞ nourrir.

nourriture n.f. **1.** Substance qui sert à alimenter un être vivant: *L'hirondelle est à la recherche de nourriture.* **2.** Aliments absorbés aux repas: *Une bonne part du budget est réservée à la nourriture.* **3.** litt. Ce qui nourrit l'esprit: *Ce livre est une nourriture pour l'âme.* ☞ nourrir.

nous pron.pers. **1.** Pronom personnel de la première personne du pluriel, sujet ou complément: *Attends-nous, nous partons bientôt.* **2.** Pronom personnel de la première personne du pluriel, employé à la place de «je» par modestie: *Nous espérons que le présent ouvrage plaira au lecteur.* ⁄⁄ *Chez nous:* Dans notre maison, dans notre pays.

> Avec **nous**, aux *temps simples*, les verbes se terminent par **ons**.

nouveau, elle, eaux n. et adj. **1.** n. Personne qui vient d'arriver dans un groupe: *En novembre, il y avait un nouveau dans la classe.* **2.** adj. Qui vient d'être créé, découvert, connu: *C'est un nouveau restaurant.* SYN. récent. ANT. vieux. **3.** adj. Qui succède ou s'ajoute à quelqu'un ou à quelque chose: *Je te présente ta nouvelle directrice.* ANT. ancien. **4.** adj. Qui est récent, possède des qualités originales et est hardi: *De nouvelles techniques sont utilisées dans l'usine.* SYN. moderne. ANT. traditionnel. **5.** adj. Qui est ainsi depuis peu de temps: *Ce sont les nouveaux cégépiens.* SYN. débutant. ANT. sortant. ⁄⁄ *Le Nouveau Monde:* Nom donné à l'Amérique. *Le Nouveau Testament:* Les Évangiles, les épîtres, les Actes des apôtres et l'Apocalypse. *Le Nouvel An:* Le Jour de l'an, les fêtes du premier jour de l'année. **R.** *Nouveau* devient *nouvel* devant un nom commençant par une voyelle ou un *h* muet. ☞ nouveau-né, nouveauté, nouvellement. **à nouveau** loc.adv. De façon différente: *Il faut étudier à nouveau cette question.* **de nouveau** loc.adv. Une fois encore: *Il a téléphoné à 2 heures puis de nouveau à 3 heures.*

nouveau-né, -née n. et adj. **1.** n. Personne ou animal qui vient de naître: *Il y a plusieurs nouveau-nés à la pouponnière.* **2.** adj. Qui vient de naître: *Les chiots nouveau-nés ont les yeux fermés.* **R.** Au pluriel, *nouveau-nés, nouveau-nées.* ☞ nouveau.

nouveauté n.f. **1.** Qualité d'une chose nouvelle; ce qui est nouveau: *La nouveauté me charme.* SYN. originalité. **2.** Chose nouvelle: *Ce catalogue contient beaucoup de nouveautés.* SYN. innovation, primeur. ANT. ancienneté. **3.** Livre nouvellement en librairie: *Cette nouveauté a été annoncée dans le journal.* ☞ nouveau.

nouvelle n.f. **1.** Annonce d'un événement arrivé récemment: *Connais-tu la dernière nouvelle?* SYN. rumeur. **2.** plur. Renseignements sur l'état ou la situation de gens que l'on connaît: *Donne-moi de tes nouvelles.* **3.** plur. Informations sur les événements du monde, que l'on a par la rumeur ou par les médias: *C'est un bulletin spécial pour les nouvelles de dernière heure.* ▲ **nouvelle** n.f. Récit bref mettant en action un petit nombre de personnages: *Ginette Anfousse écrit des nouvelles.* ☞ nouvelliste.

nouvellement adv. Récemment, depuis peu de temps: *Elle est nouvellement acceptée dans ce collège.* ☞ nouveau.

nouvelliste n. Personne qui écrit des nouvelles, de brefs récits: *Ce nouvelliste sait captiver ses lecteurs.* ☞ nouvelle.

novembre n.m. Onzième mois de l'année: *La Première Guerre mondiale s'est terminée le 11 novembre 1918.*

novice n. et adj. **1.** n. Personne qui manque d'expérience: *Yolande est une novice dans le métier.* SYN. apprenti, débutant. ANT. expert. **2.** adj. Qui manque d'expérience: *Ce peintre novice se débrouille bien.* SYN. inexpérimenté. ANT. expérimenté. ▲ **novice** n. Personne qui se prépare à la vie religieuse: *Les novices se préparent pendant douze mois.*

noyade n.f. Action de se noyer, de mourir par immersion dans un liquide: *Elle l'a sauvé de la noyade.* ☞ noyer.

noyau, aux n.m. Partie dure du fruit, qui entoure une graine ou une amande: *La pêche est un fruit à noyau tandis que le raisin est un* *fruit à pépins.* ☞ dénoyauter. ▲ **noyau, aux** n.m. **1.** Partie centrale du globe terrestre: *On a longtemps cru que le noyau de la Terre était incandescent.* **2.** Partie centrale d'un atome, autour de laquelle gravitent les électrons: *Le noyau d'un atome est formé de neutrons et de protons.* ▲ **noyau, aux** n.m. Groupe de personnes unies par leur fidélité: *Ce petit noyau dirige le parti politique.*

noyé, ée n. et adj. **1.** n. Personne qui est morte par noyade, par immersion dans l'eau: *On ramena la noyée sur la grève.* **2.** adj. Qui est mort par noyade, par immersion dans l'eau: *Les marins noyés n'ont pu être réanimés.* HOM. noyer. ☞ noyer (v.).

noyer v. **1.** Faire mourir par asphyxie en plongeant dans un liquide: *Ne noie pas ces chiots.* **2.** Recouvrir quelque chose d'un liquide: *Les récentes pluies ont noyé les jeunes plants.* SYN. inonder. **3.** fig. Combattre, tromper en absorbant de grandes quantités d'alcool: *Elle noie sa déception dans le vin.* SYN. étouffer. **4.** fig. Faire disparaître dans la confusion, l'abondance: *L'essentiel de son récit est noyé par les détails.* HOM. noyé. ☞ noyade, noyé. se **noyer** v.pron. **1.** Se tuer par immersion: *Il se noya dans les rapides.* **2.** Se perdre, se laisser tromper: *Il se noie dans de longues phrases dépourvues de sens.* **3.** S'oublier dans un vaste ensemble: *Les petites fleurs se noient dans le massif de verdure.* SYN. disparaître.

noyer n.m. **1.** Arbre fruitier qui produit la noix: *Le noyer a une longévité de trois cents à quatre cents ans.* **2.** Bois d'ébénisterie fourni par cet arbre: *Son ensemble de salle à manger est en noyer.* HOM. noyé. ☞ noix.

nu n.m. **1.** Représentation du corps humain complètement ou largement dévêtu: *Dans ce musée, on peut admirer des nus de Michel-Ange.* **2.** Genre qui consiste à peindre ou à sculpter des corps nus, ou œuvre de ce genre: *Cet album contient plusieurs nus.* HOM. nues.

nu, nue adj. **1.** Qui ne porte pas de vêtements: *Elle se baigne nue dans la rivière.* SYN. dénudé. ANT. habillé, vêtu. **2.** Qui est sans ornement: *En hiver, les arbres sont nus.* **3.** Qui n'est pas recouvert, protégé: *Ce fil électrique nu présente un grand danger.* SYN. découvert. ANT. couvert. HOM. nues. ⁄⁄ *À l'œil nu:* Sans l'aide d'un appareil d'optique. *Être nu comme un ver:* Être complètement nu. ☞ dénudé, dénuder, nu, nudisme, nudiste, nudité. à **nu** loc.adv. À découvert: *La détective a mis à nu toute cette histoire de trafiquants.*

nuage n.m. **1.** Ensemble de minuscules gouttelettes d'eau maintenues en suspension dans l'atmosphère: *Les nuages nous privent du soleil.* SYN. brouillard, brume. **2.** Ce qui forme un ensemble léger comme un nuage: *Le cavalier nous dépassa dans un nuage de poussière.* **3.** Ce qui trouble le bonheur, la paix: *Ils vivent depuis dix ans un bonheur sans nuages.* SYN. chagrin, ennui, souci. ANT. bonheur, entente, sérénité. ☞ ennuager, nuageux.

nuageux, euse adj. Qui est couvert de nuages, obscurci: *Le ciel nuageux annonce la pluie.* SYN. brumeux, sombre. ANT. clair, serein. ☞ nuage.

nuance n.f. **1.** Degrés différents d'une même couleur: *Toutes les nuances du bleu se retrouvent sur cette toile.* SYN. ton, variation. **2.** Différence légère entre des choses, des idées de même nature: *Qui connaît toutes les nuances de l'amitié?* SYN. distinction. **3.** Degré d'intensité à donner aux sons en musique: *La pianiste a su rendre toutes les nuances de cette œuvre musicale.* ☞ nuancé, nuancer.

nuancé, ée adj. Qui tient compte des différences; qui n'est pas catégorique: *Tu as une opinion nuancée sur la question de l'avortement.* HOM. nuancer. ☞ nuance.

nuancer v. Exprimer une pensée en tenant compte des différences, même les plus légères: *J'aimerais nuancer ce que vient de déclarer ma consœur.* SYN. atténuer, modérer, tempérer. ANT. trancher. HOM. nuancé. **R.** Ne pas oublier la cédille devant *a* et *o*. ☞ nuance.

nucléaire adj. Qui se rapporte au noyau de l'atome et à l'énergie qui en découle: *L'énergie nucléaire produit des radiations dangereuses pour les êtres vivants.*

nudisme n.m. Doctrine qui préconise la vie en plein air sans aucun vêtement: *Le nudisme n'est pas très répandu au Québec.* ☞ nu.

nudiste n. et adj. **1.** n. Personne qui pratique le nudisme: *Il y a un camp de nudistes dans ma région.* **2.** adj. Qui se rapporte au nudisme: *La doctrine nudiste préconise le retour à la nature.* ☞ nu.

nudité n.f. **1.** État d'une personne nue, sans vêtement: *Sa nudité fait ressortir sa maigreur.* **2.** État de ce qui est dépouillé, sans ornement: *Le mur nu semblait immense.* ☞ nu.

nuée n.f.litt. **1.** Nuage épais et gros: *Voici venir une nuée d'orage.* **2.** Multitude d'insectes formant une masse compacte semblable à un nuage: *Une nuée de sauterelles dévasta le champ de blé.* SYN. abondance, quantité. ANT. poignée.

nues n.f.plur.vx Nuages: *Le soleil chasse les nues.* HOM. nu.

nuire v. **1.** Causer du tort, des dommages:

Cela n'a pas été dit dans l'intention de te nuire. SYN. compromettre, léser. ANT. aider, collaborer, protéger. **2.** Représenter un danger: *L'alcool et le tabac nuisent à la santé.* SYN. endommager, menacer. ANT. avantager, réparer. **R.** Participe passé, *nui.* ☞ nuisance, nuisible.

nuisance n.f. (angl.) Facteur qui représente un danger pour l'environnement et rend la vie plus difficile: *Le bruit et la pollution sont deux nuisances importantes des villes.* ☞ nuire.

nuisible adj. Qui nuit, qui cause des dommages, qui est néfaste: *Ces excès de nourriture sont nuisibles à la santé.* SYN. dangereux, malfaisant, mauvais, nocif. ANT. avantageux, bienfaisant, inoffensif, salutaire. ☞ nuire.

nuit n.f. **1.** Espace de temps compris entre le coucher et le lever du soleil: *Le hibou chasse pendant la nuit.* **2.** Obscurité qui règne pendant que la Terre n'est pas exposée aux rayons du Soleil: *La nuit tombe déjà.* ⫽ *De nuit:* Qui a lieu la nuit. *Nuit blanche:* Nuit sans sommeil. ☞ nuitée. **nuit et jour** loc.adv. Sans cesse: *Il pleut nuit et jour depuis une semaine.*

nuitée n.f. Espace ou durée d'une nuit: *Ils passèrent une nuitée à l'hôtel.* ☞ nuit.

nul, nulle adj. **1.** Qui n'a aucune habileté, aucun savoir-faire: *En mécanique, il est nul.* SYN. ignorant, incapable. ANT. doué, talentueux. **2.** Qui n'a aucune valeur: *Ton examen est nul.* **3.** Qui est sans résultat: *Ce fut un match nul.* ☞ nullité.

nul, nulle adj.indéf. et pron.indéf.litt. **1.** adj. indéf. Aucun: *Je n'ai nulle envie de recommencer ce travail.* **2.** pron.indéf. Personne: *Nul n'est parfait.* ☞ nullement.

nullement adv. Aucunement, pas du tout: *Tu ne me déranges nullement.* ☞ nul.

nullité n.f. **1.** Personne qui manque de talent, de compétence: *Je suis une nullité en chimie.* **2.** Caractère de ce qui est nul, qui n'a aucune valeur: *La nullité de ce raisonnement est évidente.* ☞ nul.

numéraire n.m. Monnaie ayant cours légal: *Je vous recommande de payer en numéraire plutôt que par chèque.*

numérateur n.m. Terme d'une fraction placé au-dessus de la barre horizontale et qui indique de combien de parties de l'unité se compose cette fraction: *Dans ⅔, le numérateur 2 indique le nombre de tiers.* ☞ nombre.

numération n.f. Système qui permet d'écrire et d'énoncer les nombres: *Cette année, nous étudions la numération décimale.* ☞ nombre.

numérique adj. **1.** Qui est représenté, qui se fait par des nombres: *La droite numérique est partagée en entiers positifs et en entiers négatifs.* **2.** Qui est évalué en nombre: *La supériorité numérique de cette école sur la nôtre est évidente.* ☞ nombre.

numériquement adv. Relativement au nombre, à la quantité: *Cette ville est numériquement la plus importante du pays.* ☞ nombre.

numéro n.m. (it.) **1.** Nombre donné à une chose pour la classer ou la caractériser dans une série: *Quel est le numéro d'immatriculation de ta voiture?* **2.** Partie d'un ouvrage littéraire qui paraît périodiquement: *Le premier numéro de cette revue était le plus intéressant.* **3.** Nombre servant à distinguer une chose, une personne: *Viens me chercher; j'habite au numéro 8.* **4.** Billet portant un ou plusieurs chiffres permettant de participer à un tirage: *Je n'ai jamais le bon numéro.* ⫽ *Le numéro un:* Le principal, le plus important. ☞ numérotage, numérotation, numéroté, numéroter. ▲ **numéro** n.m. (it.) **1.** Partie d'un spectacle de cirque, de danse, etc.: *Ce numéro d'acrobatie était remarquable.* **2.** fam. Spectacle donné par une personne qui tient à se faire remarquer: *Encore une fois, elle nous a fait son petit numéro.* **3.** fam. Personne spéciale, bizarre: *Celui-là, c'est tout un numéro!*

numérotage n.m. Action de numéroter, de marquer d'un numéro: *Dans une bibliothèque, il faut procéder au numérotage des nouveaux volumes.* ☞ numéro.

numérotation n.f. Ordre donné au moyen de numéros: *La bibliothécaire veut changer la numérotation des bandes dessinées.* ☞ numéro.

numéroté, ée adj. Qui est marqué d'un numéro: *Au théâtre, les sièges sont numérotés.* HOM. numéroter. ☞ numéro.

numéroter v. Donner un numéro: *J'ai numéroté les pages de ton brouillon.* SYN. marquer, paginer. HOM. numéroté. ☞ numéro.

numismate n. Spécialiste des médailles et des monnaies: *Ma mère est une numismate avertie.* ☞ numismatique.

numismatique n.f. et adj. **1.** n.f. Étude des monnaies et des médailles: *La numismatique requiert beaucoup de patience et de méthode.* **2.** adj. Qui se rapporte aux monnaies et aux médailles: *Il a entrepris des recherches numismatiques.* ☞ numismate.

nuptial, ale, aux adj. Qui se rapporte au mariage: *Une organiste a joué la marche nuptiale.* ☞ prénuptial.

nuque n.f. Partie arrière du cou, près des cheveux : *Sa coupe de cheveux lui dégage la nuque.*

nutritif, ive adj. **1.** Qui nourrit : *Les légumes crus sont plus nutritifs que les légumes cuits.* **2.** Qui se rapporte à la nutrition, à la santé : *Tu dois satisfaire tes besoins nutritifs pour être en bonne santé.* ☞ nutrition.

nutrition n.f. Transformation des aliments et utilisation qu'en fait l'organisme : *Une saine nutrition est essentielle à la santé.* ☞ malnutrition, nutritif, nutritionniste.

nutritionniste n. Spécialiste de la nutrition et de ses problèmes : *Le nutritionniste m'a proposé une diète équilibrée qui me fera perdre du poids.* ☞ nutrition.

nylon n.m. (nom déposé) (améric.) Fibre synthétique à base de goudron : *Ma brosse à cheveux est en nylon.*

nymphe n.f. **1.** Divinité féminine de la mythologie, personnifiant les bois, les rivières, les montagnes et la mer : *Dans ce conte, le prince aperçut à son réveil plusieurs nymphes qui dansaient.* **2.** Jeune fille au corps gracieux : *Marie-Josée a l'allure d'une nymphe.* ▲ **nymphe** n.f. Forme que prennent certains insectes au cours de leur métamorphose : *Cette nymphe deviendra un magnifique papillon.* **R.** Les lettres *ph* se prononcent *f.*

o n.m.invar. Quinzième lettre de l'alphabet: *La lettre «o» est la quatrième voyelle de l'alphabet.*

ô interj. Interjection qui sert à marquer un sentiment: *Ô comme je t'aime!* HOM. au, eau, haut, ho!, oh!.

oasis n.f. (égypt.) **1.** Dans le désert, lieu fertile associé à la présence de l'eau: *Les oasis sont des étapes pour les peuples nomades du Sahara.* **2.** fig. Endroit ou moment agréable et reposant: *Notre maison de campagne est une véritable oasis de paix.* SYN. refuge. **R.** *Oasis* est un mot féminin. Le *s* final se prononce.

obéir v. **1.** Se soumettre à: *Ce n'est pas toujours facile d'obéir à ses parents.* SYN. écouter. ANT. commander, diriger, ordonner. **2.** Observer une loi, un règlement: *Dans toute école, on doit obéir à un règlement.* SYN. se conformer, se plier, respecter. ANT. désobéir, transgresser. **3.** Être soumis à une force, à une loi naturelle, à une volonté: *Les corps, en tombant, obéissent aux lois de la gravité.* ☞ désobéir, désobéissance, désobéissant, obéissance, obéissant.

obéissance n.f. Fait d'obéir; action d'une personne qui obéit: *Ce chien est d'une grande obéissance.* SYN. docilité, soumission. ANT. commandement, désobéissance, indiscipline. **R.** Au pluriel, *des actes d'obéissance.* ☞ obéir.

obéissant, ante adj. Qui obéit, qui se soumet de bon cœur: *Luc est obéissant.* SYN. docile, soumis. ANT. désobéissant. ☞ obéir.

obélisque n.m. **1.** Colonne à quatre faces, dont le sommet a la forme d'une petite pyramide: *L'obélisque de Louksor décore la place de la Concorde, à Paris.* **2.** Monument ayant cette forme: *Deux obélisques ont été érigés à l'entrée du cimetière.*

obèse n. et adj. **1.** n. Personne qui est anormalement grosse: *Une obèse qui veut perdre du poids doit s'armer de courage.* **2.** adj. Qui est anormalement gros: *On peut devenir obèse à cause d'un mauvais fonctionnement de certaines glandes.* ANT. maigre. ☞ obésité.

obésité n.f. Excédent de poids dû à des troubles de l'organisme ou à des excès de nourriture: *Youri suit un traitement contre l'obésité.* SYN. embonpoint. ANT. maigreur. ☞ obèse.

obèse obésité

obier n.m. Arbuste appelé aussi boule-de-neige à cause de ses fleurs blanches qui se présentent en boules: *Un obier décore notre parterre.* ◇ boule-de-neige.

objecter v. Répondre en opposant une objection: *Tu objectes souvent le manque de temps pour ne pas étudier.* SYN. contester, répliquer, rétorquer. ANT. accepter, approuver. ☞ objection.

objectif n.m. Système formé de plusieurs lentilles dans un instrument d'optique (appareil photographique, microscope, télescope) du côté de l'objet à observer: *Cet appareil photographique a un objectif de cent trente-cinq millimètres.* ▲ **objectif** n.m. **1.** Point ou zone visé par une opération militaire (attaque ou bombardement); résultat cherché dans une série d'actions militaires: *Les troupes ont atteint l'objectif et vont maintenant se déployer.* SYN. cible. **2.** fig. But fixé qu'on se propose d'atteindre: *Mon objectif est d'apprendre à skier cet hiver.* SYN. dessein.

objectif, ive adj. **1.** Qui ne considère que les faits, sans tenir compte des goûts, des sentiments, des préjugés: *Un bon journaliste doit être objectif.* SYN. impartial, impersonnel. ANT. partial, subjectif. **2.** Qui a un caractère scientifique incontestable: *La physique est une science objective.* ⁄⁄ *Examen, test objectif:* Examen dans lequel on répond par un mot ou en choisissant une des réponses proposées et dont la correction ne peut être influencée par des facteurs externes. ☞ objectivement, objectivité.

objection n.f. Argument que l'on oppose à une affirmation, une suggestion, pour la repousser, pour prouver qu'elle est fausse: *Quand je lui ai parlé de mon projet, maman a fait une objection.* SYN. contestation, protestation, réplique. ANT. approbation, consentement. ☞ objecter.

objectivation n.f. Action d'objectiver, de se référer à l'expérience en tenant compte des buts fixés et des résultats: *L'objectivation sera la dernière étape de cette activité.* ☞ objectiver.

objectivement adv. De façon objective, impartiale, en ne considérant que les faits: *Examinons objectivement la situation.* ANT. arbitrairement, subjectivement. ☞ objectif.

objectiver v. **1.** Évaluer en fonction des objectifs poursuivis: *Mon institutrice objective chaque matière enseignée.* **2.** Exprimer quelque chose, lui donner une forme concrète: *Objectiver ses sentiments aide à mieux les comprendre.* SYN. manifester. ☞ objectivation.

objectivité n.f. Qualité de ce qui ne considère que les faits, sans tenir compte des goûts, des sentiments, des préjugés: *Le scientifique doit faire preuve d'objectivité.* SYN. impartialité. ANT. partialité, subjectivité. ☞ objectif.

objet n.m. **1.** Toute chose concrète, y compris les êtres animés, qui peut être saisie par les sens, surtout par la vue: *Les oiseaux du Québec sont des objets d'étude pour cette ornithologue.* **2.** Chose solide ayant un certain usage: *Cet objet est trop lourd pour être déplacé.* ∥ *Objet volant non identifié:* Objet, vaisseau de l'espace dont on ne connaît pas l'origine, appelé aussi ovni. ▲ **objet** n.m. **1.** But d'une action: *Quel est l'objet de cette réunion?* SYN. fin, intention. **2.** Thème, sujet d'un discours, d'une réflexion, d'une étude: *Quel est l'objet de ton prochain livre?* SYN. substance. **3.** Être ou chose sur lequel porte un sentiment, une activité: *Roseline fait l'objet de leurs moqueries.* ∥ *Complément d'objet:* Mot ou groupe de mots qui désigne l'être ou la chose qui subit l'action exprimée par le verbe. *Complément d'objet direct:* Complément directement rattaché au verbe (sans préposition). *Complément d'objet indirect:* Complément rattaché au verbe par une préposition.

obligation n.f. **1.** Contrainte, exigence, devoir prescrit par la morale, la loi, les conventions: *La vie en société est remplie d'obligations.* ANT. liberté. **2.** Fait d'être obligé; contraint de faire quelque chose: *La dentiste était dans l'obligation d'arracher ma dent cariée.* ☞ obliger.

obligatoire adj. **1.** Qui est imposé par la loi ou les circonstances: *Il est obligatoire de boucler sa ceinture de sécurité dans une voiture.* SYN. indispensable, nécessaire. ANT. facultatif, libre, volontaire. **2.** fam. Qui est inévitable: *Nous réussirons cette épreuve, c'est obligatoire.* SYN. forcé, obligé. ANT. fortuit. ☞ obliger.

obligatoirement adv. **1.** D'une manière obligatoire: *Les bagages sont obligatoirement inspectés aux douanes.* **2.** fam. D'une manière inévitable: *Cet accident devait obligatoirement arriver.* SYN. fatalement, forcément. ANT. fortuitement. ☞ obliger.

obligé, ée n. et adj. **1.** n. Personne redevable, reconnaissante: *Je demeure votre obligé pour tant de services rendus.* **2.** adj. Qui est lié par une obligation, une nécessité, une circonstance: *Nous étions obligés d'assister à la cérémonie.* SYN. forcé. ANT. exempt, facultatif. **3.** adj. Qui découle d'une obligation; qui est exigé par l'usage, par les faits: *Les politiques pour préserver notre environnement sont des conséquences obligées de la pollution.* SYN. nécessaire, obligatoire. ANT. facultatif. **4.** adj.fam. Qui est inévitable, obligatoire: *Il gagnera, c'est obligé!* SYN. fatal. ANT. fortuit. HOM. obliger. ☞ obliger.

obligeance n.f. Disposition à rendre service, à être obligeant: *Votre obligeance me va droit au cœur.* SYN. amabilité, gentillesse. ANT. malveillance. **R.** Ne pas oublier le *e* après le *g.* ☞ obliger.

obligeant, ante adj. Qui aime rendre service, faire plaisir: *Luce est très obligeante envers moi.* SYN. aimable, gentil, serviable. ANT. désobligeant. **R.** Ne pas oublier le *e* après le *g.* ☞ obliger.

obliger v. **1.** Contraindre, mettre dans l'obligation, la nécessité de: *Une crevaison m'a obligé à m'arrêter.* SYN. forcer, imposer. ANT. dispenser. **2.** Imposer par une loi, une convention: *Vous êtes obligés de vous arrêter aux feux rouges.* SYN. contraindre. ANT. exempter. ☞ obligation, obligatoire, obligatoirement, obligé. ▲ **obliger** v. Rendre service, faire plaisir afin de s'attirer de la reconnaissance: *Tu m'obligerais en me conduisant à l'hôpital.* ANT. désobliger. HOM. obligé. ☞ désobligeant, désobliger, obligé, obligeance, obligeant.

oblique n.f. et adj. **1.** n.f. En géométrie, ligne droite qui n'est ni horizontale, ni verticale, ni perpendiculaire: *Sépare ce segment à l'aide d'une oblique.* **2.** adj. Qui est de biais, penché par rapport à une ligne horizontale ou verticale: *J'ai placé le dossier de la chaise longue en position oblique.* ANT. droit, perpendiculaire. **3.** adj.fig. Qui n'est pas droit, direct: *Son regard oblique me faisait douter de sa sincérité.* SYN. louche, suspect. ANT. franc, sincère. ☞ obliquement, obliquer. en **oblique** loc.adv. Dans une direction oblique, en diagonale: *Il est dangereux de traverser une rue en oblique.* SYN. diagonalement. ANT. perpendiculairement.

obliquement adv. D'une manière oblique, de biais: *Ce trait coupe obliquement le carré.* ☞ oblique.

obliquer v. **1.** Prendre une direction oblique, aller en ligne oblique: *Mario a freiné brusquement et la voiture a obliqué vers la droite.* **2.** Prendre une nouvelle direction, quitter la route principale: *Elle marchait droit devant puis elle a obliqué à gauche.* ☞ oblique.

oblitération n.f. Action d'oblitérer (un timbre), d'apposer une marque: *Le cachet d'oblitération indique le lieu et la date.* ☞ oblitérer.

oblitérer v. Annuler un timbre en y apposant un cachet: *On ne peut oblitérer soi-même un timbre.* ☞ oblitération.

oblong, ongue adj. Qui est plus long que large: *Ton charmant visage oblong me plaît.* SYN. allongé.

obnubiler v. Obscurcir l'esprit, altérer le jugement: *L'alcool obnubile les facultés.* // *Être obnubilé par:* Être fasciné, obsédé par.

obole n.f. Petite contribution en argent: *La passante donne une obole au mendiant.* SYN. aumône, offrande.

obscène adj. Qui blesse la pudeur par la grossièreté des paroles ou des représentations d'ordre sexuel: *Aucune revue obscène n'entre chez nous.* SYN. impudique, indécent, pornographique. ANT. décent, pudique. **R.** Ne pas oublier le *c* après le *s*. ☞ obscénité.

obscénité n.f. **1.** Caractère de ce qui est obscène, indécent: *L'obscénité de cette scène me choque.* ANT. décence, pudeur. **2.** Parole, geste obscène: *Quelqu'un me disait des obscénités au téléphone et j'ai tout de suite raccroché.* **R.** Ne pas oublier le *c* après le *s*. ☞ obscène.

obscène obscénité

obscur, ure adj. **1.** Qui est peu éclairé: *Renée travaille dans une pièce obscure.* SYN. noir, sombre. ANT. clair, lumineux. **2.** Qui est foncée et terne, en parlant d'une couleur: *L'épinette noire est d'un vert obscur.* SYN. sombre. ANT. brillant, clair. ☞ obscurcir, obscurcissement, obscurément, obscurité.

▲ **obscur, ure** adj. **1.** Qui est difficile à comprendre, à expliquer: *Je ne peux répondre à ta question obscure.* SYN. incompréhensible, mystérieux. ANT. clair, compréhensible, intelligible. **2.** Qui est confus, vague, difficile à analyser: *Un obscur sentiment de pitié m'envahissait.* SYN. flou. ANT. clair, net, précis. **3.** Qui est peu ou pas connu, qui n'a pas de renommée, en parlant d'une personne: *Combien de peintres obscurs ont un réel talent!* ANT. célèbre, illustre. **4.** litt. Qui est modeste, simple, humble, en parlant d'une chose: *Carlo est né dans un village obscur.* ☞ obscurcir, obscurcissement, obscurément, obscurité.

obscurcir v. **1.** Assombrir, ôter la lumière, la clarté: *Les nuages obscurcissent la ville.* ANT. éclairer. **2.** Voiler, affaiblir, en parlant de la vue: *La peine obscurcit son regard.* SYN. troubler. ANT. éclaircir. ☞ obscur.

▲ **obscurcir** v. **1.** Rendre difficile à comprendre: *Tous ces détails superficiels obscurcissent ton récit.* SYN. embrouiller. ANT. éclaircir, éclairer. **2.** Altérer, fausser le jugement: *Vos longues veilles obscurcissent votre esprit.* SYN. obnubiler. ANT. éclaircir. ☞ obscur. s'**obscurcir** v.pron. Devenir terne, s'assombrir: *Le ciel s'obscurcit quand descend le soir.*

obscurcissement n.m. **1.** Action d'obscurcir; fait de perdre de la clarté, de s'assombrir: *L'obscurcissement du ciel est dû à la présence de gros nuages gris.* SYN. assombrissement. **2.** Fait de rendre difficile à comprendre ou de fausser la lucidité, la clairvoyance: *L'obscurcissement du texte tenait à une surabondance de détails.* ANT. éclaircissement. ☞ obscur.

obscurément adv. **1.** D'une manière obscure, confuse: *Maman sentait obscurément que le silence de Michelle était de mauvais augure.* ANT. clairement, nettement. **2.** De manière à ne pas vouloir être connu: *Certaines vedettes préfèrent vivre obscurément.* ANT. glorieusement. ☞ obscur.

obscurité n.f. **1.** Absence de clarté, de lumière; état de ce qui est obscur: *L'obscurité ne me fait pas peur.* **2.** Manque de clarté dans les idées, les paroles; caractère de ce qui est difficile à comprendre: *Votre démonstration baigne dans l'obscurité.* ANT. netteté. **3.** Situation où l'on reste obscur, peu connu: *Le roman de l'auteure est resté dans l'obscurité.* SYN. anonymat. ANT. célébrité, renom. ☞ obscur.

obsédant, ante adj. Qui obsède, qui occupe continuellement l'esprit: *Richard ne pouvait se débarrasser du souvenir obsédant de son crime.* ☞ obséder.

obsédé, ée n. Personne qui est préoccupée, tourmentée par une idée fixe, une obsession: *Sylvain est un obsédé de l'informatique.* HOM. obséder. ⁄⁄ *Obsédé sexuel:* Personne qui est la proie d'obsessions de nature sexuelle. ☞ obséder.

obséder v. Occuper continuellement l'esprit, la conscience; tourmenter sans cesse: *L'examen de français m'obsède.* SYN. hanter. HOM. obsédé. ☞ obsédant, obsédé, obsession.

obsèques n.f.plur. Cérémonie et cortège funèbre à l'occasion d'un enterrement: *René Lévesque a eu des obsèques religieuses et nationales.* SYN. funérailles.

observable adj. Qui peut être observé: *Les aurores boréales sont des phénomènes observables.* ANT. inobservable. ☞ observer.

observance n.f. Action d'obéir, de se conformer à une règle en matière religieuse; cette règle: *L'observance du jeûne, le vendredi, était autrefois une pratique obligatoire.* ANT. manquement. ☞ observer.

observateur, trice n. et adj. **1.** n. Personne qui observe, qui regarde son environnement avec attention, afin de connaître, d'étudier: *Cette ornithologue est une observatrice très patiente.* **2.** n. Personne qui regarde un événement en tant que spectateur: *Les observateurs sont venus en grand nombre à ce tournoi.* **3.** n. Personne chargée d'observer certains événements, sans y prendre part, afin d'en rendre compte: *L'observateur de Radio-Canada rapportera ce qu'il a vu et entendu.* **4.** adj. Qui a des aptitudes pour observer, qui prête attention aux détails: *Son esprit observateur lui a permis de découvrir toutes les erreurs.* ☞ observer.

observation n.f. **1.** Action d'observer, de considérer avec attention des phénomènes naturels ou sociaux afin de mieux les connaître: *Le télescope est indispensable pour l'observation des astres.* SYN. examen. **2.** Résultat, conclusion tirée de l'examen de quelque chose: *Tes observations sont peut-être exactes, mais elles contredisent les miennes.* **3.** Commentaire, parole que l'on adresse à quelqu'un pour attirer son attention sur quelque chose ou pour lui faire un reproche: *Ton institutrice te fait souvent des observations sur ton écriture négligée.* SYN. remarque, réprimande, reproche. **4.** Surveillance des activités d'un suspect, d'un ennemi: *L'armée vient de rappeler ses bâtiments d'observation.* **5.** Surveillance vigilante d'un être vivant, d'un malade, pour une période de temps donné: *La vétérinaire a décidé de mettre mon chien en observation pour mieux voir l'évolution de la maladie.* ☞ observer.

observatoire n.m. **1.** Établissement réservé aux observations astronomiques et météorologiques: *Les observatoires sont équipés de télescopes.* **2.** Lieu d'où l'on peut observer un ennemi: *Certains immeubles servent d'observatoire à la police.* ☞ observer.

observer v. Obéir, se soumettre à quelque chose prescrit par la loi, les règlements ou les usages: *Dans certains monastères, il faut observer la règle du silence.* SYN. se conformer, respecter. ANT. enfreindre, transgresser, violer. ☞ observance. ▲ **observer** v. **1.** Considérer avec attention dans le but d'étudier, de connaître: *Nous observons la chatte en train de nourrir ses petits.* SYN. examiner. **2.** Surveiller, épier un ennemi, un suspect ou un adversaire: *Zut! on nous observe!* SYN. espionner, guetter. **3.** Noter, remarquer par l'observation: *On peut facilement observer les effets d'une saine alimentation.* SYN. constater. ☞ inobservable, observable, observateur, observation, observatoire. **s'observer** v.pron. Se surveiller, être un sujet d'observation pour soi-même: *Pour faire un autoportrait, il faut beaucoup s'observer.*

obsession n.f. Pensée, image, mot qui occupe continuellement l'esprit, idée fixe qui obsède: *Le désir de gagner cette cause est devenu une véritable obsession pour Bruno.* SYN. hantise, préoccupation. ☞ obséder.

obsidienne n.f. Roche volcanique à texture vitreuse, de couleur sombre: *Je n'ai pas d'obsidienne dans ma collection.*

obstacle n.m. **1.** Ce qui s'oppose au passage, gêne le mouvement: *L'arbre abattu encombrait la route et était un obstacle infranchissable pour les voitures.* SYN. barrage, barrière. **2.** Chacune des difficultés placées sur une piste dans une compétition de course de chevaux ou de course à pied: *Je m'entraîne en vue de la course d'obstacles.* **3.** fig. Ce qui nuit à l'exécution d'un projet, retarde une action: *Le manque d'argent est un obstacle à la réalisation de notre pièce de théâtre.* SYN. difficulté, empêchement, entrave. ANT. aide. ⁄⁄ *Faire obstacle à:* Empêcher, gêner.

obstination n.f. Attitude, caractère d'une personne obstinée; persistance dans un comportement, une idée, une opinion: *L'obstination peut parfois être une qualité.* SYN. acharnement, entêtement, ténacité. ANT. docilité, inconstance, versatilité. ☞ s'obstiner.

obstiné, ée n. et adj. **1.** n. Personne entêtée, qui persiste dans un comportement, une opinion, une idée: *Tu ne veux jamais écouter l'opinion des autres, tu n'es qu'un obstiné.* **2.** adj. Qui fait preuve d'entêtement, d'obstination, en parlant d'une personne: *Julie est une fille obstinée; elle veut absolument poursuivre ses études.* SYN. acharné, entêté, persévérant, tenace. ANT. docile, inconstant, versatile. **3.** adj. Qui dénote de l'obstination, en parlant d'une chose: *Son travail obstiné lui a valu la meilleure note à l'examen.* SYN. opiniâtre. ☞ s'obstiner.

obstinément adv. D'une manière tenace, avec obstination: *La gymnaste reprend obstinément le même mouvement.* SYN. opiniâtrement. ☞ s'obstiner.

s'obstiner v.pron. Faire preuve d'obstination, persister dans un comportement, une opinion, une idée: *Elle s'obstine à refuser d'avaler le médicament prescrit.* SYN. s'entêter, persévérer. ANT. céder. ☞ obstination, obstiné, obstinément.

obstruction n.f. **1.** Ensemble de moyens, plan visant, dans une assemblée, à nuire aux débats, à retarder une décision: *Le discours interminable de la ministre était une tactique d'obstruction.* **2.** Obstacle au mouvement des solides ou liquides, en parlant des conduits de l'organisme: *Elle a été opérée pour une obstruction intestinale.* SYN. engorgement. ☞ obstruer.

obstruer v. **1.** Provoquer un engorgement, boucher: *Les substances grasses dans le sang peuvent obstruer les vaisseaux.* SYN. engorger. ANT. déboucher. **2.** Boucher par un obstacle, gêner ou empêcher le mouvement, la circulation: *Les manifestants obstruaient la route.* SYN. barrer, bloquer, encombrer. ANT. déboucher, dégager. ☞ obstruction.

obtenir v. **1.** Réussir à se faire donner, à se faire accorder quelque chose qu'on veut avoir: *Il a obtenu son passeport à temps.* SYN. recevoir. ANT. manquer, perdre. **2.** Réussir à atteindre: *Même en se cotisant, on n'obtiendra pas la somme nécessaire.* ANT. manquer, perdre. ☞ obtention.

obtention n.f. Fait d'obtenir: *Ma sœur travaille à l'obtention d'une carte de compétence.* ☞ obtenir.

obturation n.f. Action d'obturer, de boucher un trou, une ouverture: *L'obturation de ma dent n'a pas été douloureuse.* ☞ obturer.

obturer v. Boucher un trou, une ouverture: *En appliquant du plâtre, vous obturerez ce trou.* ☞ obturation.

obtus, use adj. Dont la mesure est comprise entre 90° et 180°, en parlant d'un angle: *Ce triangle a deux angles aigus et un angle obtus.* ANT. aigu. ☞ obtusangle. ▲ **obtus, use** adj. Qui manque de finesse, de clairvoyance, en parlant de l'esprit: *Un esprit si obtus ne peut pas comprendre mes émotions.* SYN. borné. ANT. pénétrant, subtil. **R.** Le *s* ne se prononce pas.

obtusangle adj. Qui a un angle obtus, en parlant d'un triangle: *Trace un triangle obtusangle.* ☞ obtus.

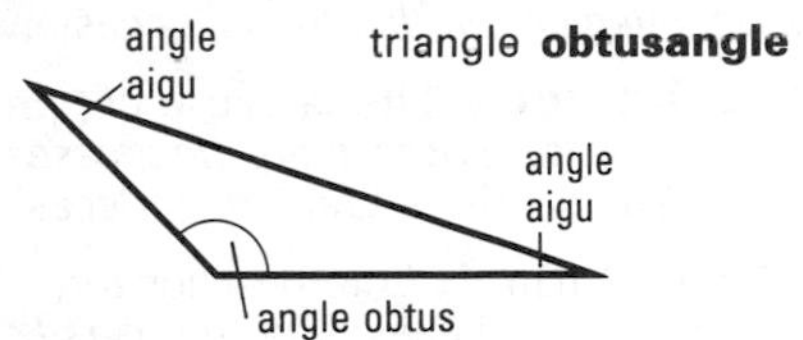

obus n.m. Projectile creux, rempli de matière explosive, utilisé surtout par l'artillerie: *Ce trou dans le mur a été fait par un obus.*

ocarina n.m. Petit instrument de musique à vent de forme ovoïde et percé de trous: *Louise joue de l'ocarina.*

ocarina

occasion n.f. **1.** Circonstance favorable: *L'occasion d'apprendre à piloter s'est présentée à Corine.* **2.** Circonstance, motif: *Le séisme fut l'occasion de réviser le règlement sur la construction.* SYN. prétexte. **3.** Marché avantageux pour un acheteur; marchandise obtenue de façon avantageuse: *En fin de saison, j'aurai des occasions intéressantes.* SYN. aubaine. ⁄⁄ *D'occasion:* Qui n'est pas neuf, qui est usagé. *Les grandes occasions:* Les circonstances importantes de la vie. *Sauter sur une occasion:* Profiter d'une circonstance favorable. ☞ occasionnel, occasionnellement, occasionner. à l'**occasion** loc.adv. Quand l'occasion se présente: *Elle vient à l'occasion.* ⁄⁄ *À la première occasion:* Dès que l'occasion se présente. à l'**occasion de** loc.prép. Lors de : *On a organisé une grande fête à l'occasion de son anniversaire.*

occasionnel, elle adj. Qui se produit, se présente par occasion, par hasard : *Vos visites occasionnelles me font toujours plaisir.* SYN. accidentel, fortuit. ANT. habituel. ☞ occasion.

occasionnellement adv. D'une manière occasionnelle, par occasion : *Je vais occasionnellement au théâtre.* ☞ occasion.

occasionner v. Être la cause de, provoquer : *Le voyage a occasionné de grosses dépenses.* SYN. causer, entraîner. ☞ occasion.

occident n.m. **1.** Côté de l'horizon où le soleil se couche ; l'ouest : *Tournés vers l'occident, nous contemplons un magnifique coucher de soleil.* SYN. couchant. ANT. est, levant, orient. **2.** Ensemble des pays d'Europe de l'Ouest et d'Amérique du Nord considérés sur le plan politique : *Les pays de l'Occident ont connu un développement économique différent de celui des pays de l'Est.* ANT. Orient. **R.** On met la majuscule à *occident* lorsqu'il s'agit d'un ensemble de pays. ☞ occidental.

occidental, ale, aux n. et adj. **1.** n. Personne qui est de l'Occident : *Un Occidental, une Occidentale.* ANT. Oriental. **2.** adj. Qui est à l'ouest : *On me propose un voyage en Europe occidentale.* ANT. oriental. **3.** adj. Qui est de l'Occident, qui se rapporte à l'Occident : *Le monde entier subit aujourd'hui l'influence de la culture occidentale.* ANT. oriental. **R.** On met la majuscule à *occidental* et à *occidentale* lorsqu'il s'agit du nom. ☞ occident.

occulte adj. **1.** Qui est caché, mystérieux, difficile à expliquer : *Une sorte de force occulte m'a poussé à accomplir cet acte.* **2.** Qui se cache, reste inconnu : *Sa participation dans cette affaire restera occulte.* // *Sciences occultes :* Doctrines et pratiques que la raison ne parvient pas à expliquer et qui ont un caractère un peu magique. ☞ occultisme.

occultisme n.m. Ensemble des croyances et des pratiques occultes : *Les scientifiques accordent peu de crédibilité à l'occultisme.* ☞ occulte.

occupant n.m. Personne ou groupe de personnes qui occupe militairement un territoire : *Les occupants respectaient la population.* ☞ occuper.

occupant, ante n. et adj. **1.** n. Personne qui occupe un lieu ou qui en a pris possession : *Les occupants de l'appartement voisin sont des gens discrets.* **2.** adj. Qui occupe militairement un territoire : *L'armée occupante est partout visible.* ☞ occuper.

occupation n.f. **1.** Toute chose à laquelle on consacre de son temps : *Le tricot est mon occupation préférée.* SYN. activité, ouvrage, passe-temps. ANT. inaction, oisiveté. **2.** Fait d'habiter réellement un lieu : *L'occupation de ce logement par les nouveaux locataires est prévue pour le mois de juillet.* ANT. abandon. **3.** Fait d'occuper un lieu, d'y rester en groupe pour faire connaître son mécontentement : *Pour protester contre le changement des horaires, les étudiants avaient voté en faveur de l'occupation des bureaux de la direction.* ANT. abandon, évacuation. **4.** Action de s'emparer par les armes d'un territoire et de s'y installer en maître : *L'occupation militaire a duré deux ans.* SYN. envahissement. ANT. abandon, évacuation. ☞ occuper.

occupé, ée adj. **1.** Qui a beaucoup à faire, qui se consacre à une activité : *Mes parents sont des gens bien occupés.* ANT. inactif, inoccupé, oisif. **2.** Qui est envahi par des troupes : *La zone occupée grouille de militaires.* ANT. libre. **3.** Qui est pris, utilisé ou habité par quelqu'un : *La ligne téléphonique est toujours occupée.* ANT. libre, vide. HOM. occuper. ☞ occuper.

occuper v. **1.** Employer du temps, remplir la pensée, l'esprit : *Le montage de ce modèle réduit a occupé Sandra toute la journée.* SYN. absorber. **2.** Fournir du travail : *Cette industrie occupe près de la moitié des résidents du village.* **3.** Prendre possession d'un lieu, d'un territoire : *Les Anglais occupèrent le Canada après la défaite des plaines d'Abraham.* SYN. s'emparer, envahir. ANT. abandonner, évacuer. **4.** Habiter : *Il occupe le rez-de-chaussée depuis le mois d'août.* SYN. demeurer, loger. ANT. quitter. **5.** Remplir, couvrir : *Le piano occupe la moitié du salon.* HOM. occupé. ☞ inoccupé, occupant, occupation, occupé, réoccupation, réoccuper. **s'occuper** v.pron. **1.** Consacrer son temps, ses soins à : *Je m'occupe de jardinage.* **2.** Se mêler, se soucier de : *Il ne s'occupe pas des propos malveillants.* SYN. s'intéresser. ANT. se désintéresser. // *S'occuper de quelqu'un :* Prendre soin de quelqu'un ou le surveiller.

occurrence n.f.litt. Circonstance, cas : *Elle revêtait une jupe ou un pantalon, selon l'occurrence.* // *En l'occurrence :* Dans le cas présent. **R.** S'écrit avec deux *c* et deux *r*.

océan n.m. **1.** Grande étendue d'eau salée baignant une grande partie de la surface du globe ; partie définie de cette étendue : *La devise du Canada est : « D'un océan à l'autre ».* SYN. mer **2.** fig. Très grande étendue : *Dans mon rêve, je traversais un océan de sable.* SYN. immensité. ☞ océanique, océanographe, océanographie.

océanien, ienne n. et adj. **1.** n. Personne qui est de l'Océanie : *Un Océanien, une Océanienne.* **2.** adj. Qui se rapporte à l'Océanie : *Il collectionne les objets d'art océanien.* **R.** On met la majuscule à *océanien* et à *océanienne* lorsqu'il s'agit du nom.

océanique adj. **1.** Qui est au bord de la mer : *Les régions océaniques sont fréquentées par les touristes.* **2.** Qui se rapporte à l'océan : *La plongeuse explore les profondeurs océaniques.* ∥ *Climat océanique :* Climat doux et humide des zones tempérées situées près de l'océan. ☞ océan.

océanographe n. Personne spécialisée en océanographie : *Jacques-Yves Cousteau est un océanographe et un cinéaste bien connu.* **R.** Les lettres *ph* se prononcent *f.* ☞ océan.

océanographie n.f. Science qui a pour objet l'étude de l'océan et des fonds marins ainsi que de la faune et de la flore qu'on y retrouve : *J'ai emprunté à Jocelyne un livre sur l'océanographie.* **R.** Les lettres *ph* se prononcent *f.* ☞ océan.

ocelle n.m. **1.** Tache ronde, sur les ailes des papillons, sur les plumes d'oiseaux, dont le centre et le tour sont de couleurs différentes : *La queue du paon mâle est faite de longues plumes parsemées d'ocelles.* **2.** Œil simple chez les insectes : *La mante religieuse a trois ocelles et deux yeux à facettes.* ☞ ocellé.

ocellé, ée adj. Qui a des ocelles, des taches rondes sur les ailes : *Certains papillons ont des ailes ocellées.* ☞ ocelle.

ocelot n.m. **1.** Mammifère carnassier, espèce de chat sauvage à fourrure tachetée : *La chasseuse vise un ocelot.* **2.** Fourrure de cet animal : *Elle m'a donné son manteau d'ocelot.*

ocelot

ocre n.f. et adj.invar. **1.** n.f. Argile jaune, rouge ou brune utilisée comme colorant : *Mon tube d'ocre est vide.* **2.** n.f. Couleur tirée de l'ocre : *Ajoutez de l'ocre à votre dessin, vous vous rapprocherez de la couleur or.* **3.** adj. invar. Qui est brun-jaune ou orangé : *Elle portait sa jupe ocre.*

octave n.f. **1.** Dans la religion catholique, période de huit jours qui suit une grande fête ; le huitième jour de cette période : *Lors de l'octave de Noël, on commémore la naissance de Jésus.* **2.** En musique, intervalle de huit degrés : *Pourrais-tu jouer une octave plus bas ?* ∥ *Jouer à l'octave :* Jouer une octave plus haut ou plus bas.

octobre n.m. Dixième mois de l'année : *Le mois d'octobre compte trente et un jours.*

octogénaire n. et adj. **1.** n. Personne ou chose qui a entre quatre-vingts et quatre-vingt-neuf ans : *Cette résidence abrite de nombreux octogénaires.* **2.** adj. Qui a entre quatre-vingts et quatre-vingt-neuf ans : *Ce chêne octogénaire est majestueux.*

octogonal, ale, aux adj. Qui a la forme d'un octogone, qui a huit angles : *Cette pièce de cristal a une forme octogonale.* ☞ octogone.

octogone n.m. Figure géométrique qui a huit côtés et huit angles : *Je trace un octogone à l'aide d'un pochoir.* ☞ octogonal.

octroi n.m. Action d'octroyer, d'accorder à titre de faveur : *L'octroi de journées de congé mobiles a satisfait les syndiqués.* SYN. concession. ☞ octroyer.

octroyer v. Accorder à titre de faveur, concéder : *On lui a octroyé quelques jours de congé.* ANT. refuser. ☞ octroi. **s'octroyer** v.pron. S'accorder, prendre sans permission : *Je me suis octroyé quelques jours supplémentaires de repos.*

octroi octroyer

oculaire n.m. et adj. **1.** n.m. Dans une lunette, un microscope, un télescope, lentille ou système de lentilles qui permet de regarder l'image donnée par l'objectif : *On colle l'œil sur l'oculaire pour bien voir.* **2.** adj. Qui se rapporte à l'œil : *Le globe oculaire est protégé par l'orbite.* **3.** adj. Qui a vu de ses yeux : *Les déclarations des témoins oculaires sont très importantes.* ☞ oculiste.

oculiste n. Médecin spécialiste des problèmes de la vue : *L'oculiste lui a prescrit des larmes artificielles.* SYN. ophtalmologiste. ☞ oculaire.

odeur n.f. Émanation, bonne ou mauvaise, que perçoit l'odorat : *Les odeurs de la cuisine excitent mon appétit.* SYN. arôme, parfum, relent, senteur. ☞ désodorisant, désodoriser, inodore, malodorant, odorant, odorat, odoriférant.

odieusement adv. D'une manière odieuse, désagréable, infâme: *Il s'est odieusement conduit durant la fête.* ☞ odieux.

odieux, euse adj. **1.** Qui est très désagréable, insupportable: *Cette enfant a un comportement odieux.* SYN. détestable. ANT. agréable, aimable, charmant. **2.** Qui provoque le dégoût, la haine, l'indignation: *Vos paroles odieuses ont déclenché une querelle.* SYN. détestable, ignoble, infâme. ☞ odieusement.

odomètre n.m. Appareil qui sert à mesurer les distances parcourues par un véhicule ou par un piéton: *L'odomètre de l'auto indique 15 738 km.*

odorant, ante adj. Qui dégage, qui répand une odeur, bonne ou mauvaise: *Le muguet est une fleur odorante.* ANT. inodore. ☞ odeur.

odorat n.m. Sens qui nous permet de percevoir les odeurs: *Le chien de chasse a l'odorat très développé.* ☞ odeur.

odoriférant, ante adj. Qui répand une bonne odeur: *Les vapeurs odoriférantes du potage qui mijote excitent notre estomac.* ANT. puant. ☞ odeur.

odyssée n.f. **1.** Récit d'un voyage plein d'aventures: *Le film raconte leur odyssée.* **2.** Voyage ou vie particulièrement riche en incidents, en aventures: *Rita a vécu une odyssée incroyable.*

œcuménique adj. Qui est universel, dans le langage de la religion: *L'Église catholique reconnaît le pouvoir œcuménique du pape en matière de morale chrétienne.* ⁄⁄ *Concile œcuménique:* Assemblée de tous les évêques de l'Église catholique présidée par le pape. **R.** Les lettres *œ* se prononcent *é*. ☞ œcuménisme.

œcuménisme n.m. Mouvement religieux qui cherche à réunir toutes les Églises chrétiennes en une seule: *L'œcuménisme a rapproché les gens de religions diverses.* **R.** Les lettres *œ* se prononcent *é*. ☞ œcuménique.

œdème n.m. Gonflement anormal, indolore, causé par une infiltration de certains liquides organiques: *Son œdème était dû à une allergie au blanc d'œuf.* **R.** Les lettres *œ* se prononcent *é*.

œil n.m. **1.** Organe de la vue: *Elle a de remarquables yeux bleus.* **2.** Regard: *Mélanie suit des yeux son chien qui court dans le parc.* **3.** Disposition, état d'esprit: *La ministre considère le projet d'un œil favorable.* ☞ œillade, œillère. ▲ **œil** n.m. **1.** Trou dans un outil pour y passer une autre pièce, un manche, un galon, un fil: *L'œil de l'aiguille est trop petit pour mon fil.* **2.** Trou dans du pain ou du fromage: *Il y a beaucoup d'yeux dans ce pain.* **R.** Au pluriel, *yeux*. Se prononce *euill*. ☞ œillet.

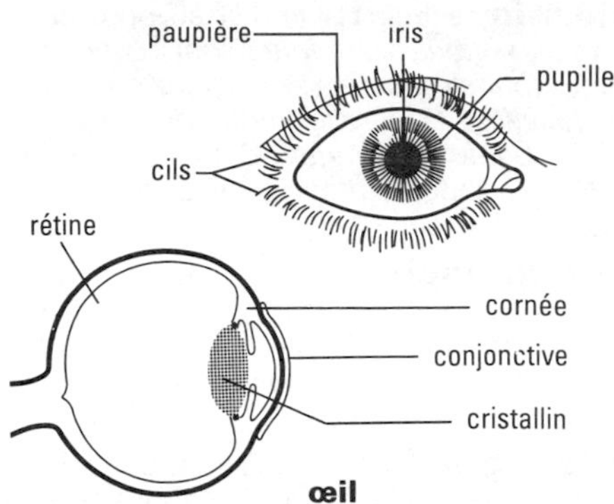

œil

œil-de-bœuf n.m. Ouverture ronde ou ovale, de petite dimension, pratiquée dans un mur pour laisser entrer la lumière: *Dans le vestibule, près de l'escalier, il y a un œil-de-bœuf.* **R.** Au pluriel, *œils-de-bœuf*.

œil-de-chat n.m. Pierre fine dont on se sert en bijouterie: *Sa bague est ornée d'un œil-de-chat.* **R.** Au pluriel, *œils-de-chat*.

œil-de-perdrix n.m. Cor entre les orteils: *Il faudrait soigner ce douloureux œil-de-perdrix.* **R.** Au pluriel, *œils-de-perdrix*.

œillade n.f. Clin d'œil, regard discret et complice: *Pendant la conférence, elles n'ont pas cessé de se faire des œillades.* ☞ œil.

œillère n.f. **1.** Morceau de cuir faisant partie d'une bride et empêchant le cheval de voir sur les côtés: *Sans les œillères, le cheval serait apeuré par la circulation.* **2.** Petite coupe ovale pour baigner l'œil: *L'œillère est remplie d'une solution antiseptique.* ☞ œil.

œillet n.m. Petit trou pratiqué dans du tissu ou du cuir, permettant de passer un cordon ou un lacet; pièce métallique qui entoure ce trou: *Il faudrait ajouter un œillet à ma ceinture.* ☞ œil. ▲ **œillet** n.m. Plante cultivée pour ses fleurs rouges, roses ou blanches très parfumées; la fleur elle-même: *La fleuriste préparait un bouquet d'œillets de toutes les couleurs.*

œsophage n.m. Première partie du tube digestif qui va du pharynx à l'estomac: *Elle a subi une opération à l'œsophage.* **R.** Les lettres *œ* se prononcent *é*.

œstre n.m. Grosse mouche velue qui pond ses œufs près des narines ou sous la peau de certains animaux domestiques et dont les larves provoquent des malaises: *Nous avons exterminé les œstres en répandant une poudre insecticide dans l'étable.* **R.** Les lettres *œ* se prononcent *è*.

œuf, œufs n.m. **1.** Corps dur et de forme arrondie, produit par les femelles des oiseaux, qui renferme l'embryon et les substances pour le nourrir pendant son développement: *L'hirondelle prépare son nid puis y pond ses œufs.* **2.** Œuf de la poule: *Veux-tu un œuf au miroir?* **3.** Corps produit par les femelles ovipares: *Les mouches déposent leurs œufs sur la nourriture.* ⁄⁄ *En forme d'œuf:* Ovale. *Œuf de Pâques:* Bonbon, chocolat en forme d'œuf qu'on offre surtout au temps de Pâques. ☞ œufrier. ▲ **œuf** n.m. Première cellule d'un être vivant résultant de la rencontre d'une cellule mâle et d'une cellule femelle: *L'œuf fécondé se divise par étapes successives.* **R.** Se prononce *eu* au pluriel.

œufrier n.m. **1.** Contenant à œufs ou plateau pour coquetiers: *J'ai acheté un œufrier.* **2.** Ustensile de cuisine servant à la cuisson des œufs à la coque: *Maman a mis huit œufs dans l'œufrier.* ☞ œuf.

œuvre n.f. **1.** Travail, activité: *Écrire un dictionnaire est une œuvre d'envergure.* SYN. entreprise. **2.** Résultat d'un travail créateur, d'une production: *Quelle belle œuvre que cette table ancienne!* **3.** Ensemble des moyens nécessaires pour accomplir quelque chose: *Nous avons tout mis en œuvre pour que cette fête soit réussie.* ⁄⁄ *Bois d'œuvre:* Bois choisi destiné à être travaillé. *Bonnes œuvres:* Charités que l'on fait pour aider les pauvres ou pour des organisations charitables. *La mise en œuvre:* La mise en pratique. *Œuvre d'art:* Production à valeur artistique. ☞ œuvrer.

œuvre n.m.litt. Ensemble de la production d'un artiste: *L'œuvre entier de cette auteure a été couronné par l'Académie.*

œuvrer v.litt. Travailler, agir pour réaliser quelque chose d'important: *Nous devons œuvrer à la dépollution de l'environnement.* ☞ œuvre.

offensant, ante adj. Qui offense, blesse, insulte: *Vos paroles offensantes ont chassé le visiteur.* ANT. flatteur. ☞ offense.

offense n.f. **1.** Parole ou action qui blesse une personne dans sa dignité: *Ces images sont une offense à la pudeur.* SYN. affront, insulte, outrage. ANT. compliment, flatterie. **2.** Parole ou action qui déplaît à Dieu, péché: *Quand nous récitons le Pater, nous demandons à Dieu de nous pardonner nos offenses.* SYN. faute. ☞ offensant, offensé, offenser, offenseur.

offensé, ée n. et adj. **1.** n. Personne qui a subi une offense: *L'offensée demandait vengeance.* **2.** adj. Qui a subi une offense: *L'homme offensé rugissait comme un lion.* HOM. offenser. ☞ offense.

offenser v. **1.** Blesser quelqu'un dans sa dignité par des propos ou des agissements: *Vos paroles offensent plus qu'elles ne font rire.* SYN. injurier, insulter, vexer. ANT. flatter. **2.** Déplaire par le péché: *Qui offense son prochain offense Dieu.* HOM. offensé. ☞ offense. **s'offenser** v.pron. Se froisser: *Vous vous offensez pour des riens.* SYN. se fâcher, se vexer.

offenseur n.m. Personne qui offense quelqu'un d'autre: *Elle ne peut pas pardonner à son offenseur.* ☞ offense.

offensif, ive adj. Qui attaque, qui sert à attaquer: *Combien de nations ont réglé leurs conflits par les armes offensives!* ANT. défensif. ☞ contre-offensive, offensive, offensivement.

offensive n.f. **1.** Action d'attaquer l'ennemi: *L'armée ennemie a pris l'offensive.* ANT. défensive. **2.** Attaque, lutte acharnée, campagne importante: *L'offensive du candidat visait à dénigrer ses adversaires.* ☞ offensif.

offensivement adv. D'une manière offensive, en attaquant: *Les alliés ont réagi offensivement.* ANT. défensivement. ☞ offensif.

offertoire n.m. Moment de la messe au cours duquel on célèbre la bénédiction du pain et du vin: *Les fidèles se recueillent lors de l'offertoire.*

office n.m. Toute cérémonie religieuse; la messe: *À quelle heure célèbre-t-on l'office?* ⁄⁄ *Office divin:* Ensemble des prières et des cérémonies réparties à des heures déterminées de la journée. ☞ officiant. ▲ **office** n.m. **1.** Agence, établissement public ou privé qui se consacre à une activité particulière: *L'office de publicité a fait un bon travail.* **2.** Fonction publique accordée à vie en vertu d'une autorité: *Ce notaire remplit bien son office.* ⁄⁄ *D'office:* Sans demande préalable.

officialiser v. Rendre officiel, certifier par une autorité compétente et reconnue: *La nomination d'Anne au poste de directrice des finances a été officialisée.* ☞ officiel.

officiant n.m. Célébrant d'une cérémonie religieuse: *L'officiant ouvre la procession.* ☞ office.

officiel n.m. **1.** Personne qui possède une autorité, un pouvoir reconnu: *La voiture des officiels est surveillée et protégée par des* *policiers.* **2.** Personne qui joue un rôle dans l'organisation et la surveillance des épreuves sportives: *Il faudra attendre la décision de l'officiel.* SYN. arbitre, juge. **R.** L'O.L.F. recommande *officielle* comme féminin de *officiel*.

officiel, elle adj. **1.** Qui vient d'une autorité reconnue: *Il y aura une nomination officielle sous peu.* ANT. officieux. **2.** Qui est organisé, dirigé par une autorité compétente: *Les membres de la direction sont présents à la cérémonie officielle.* ANT. officieux. **3.** Qui a une fonction reconnue, certifiée par une autorité, en parlant d'une personne: *On a interrogé le porte-parole officiel de l'entreprise.* ANT. officieux. **4.** Qui a un caractère légal, qui est certifié, légalisé par une autorité compétente: *Avez-vous lu la version officielle des nouveaux règlements?* ANT. officieux. ⁄⁄ *C'est officiel:* C'est absolument sûr. *Langue officielle:* Langue reconnue dans un pays et utilisée pour la rédaction de textes officiels. ☞ officialiser, officiellement.

officiellement adv. D'une manière officielle, à titre officiel: *Elle a été officiellement invitée à la cérémonie d'ouverture.* ANT. officieusement. ☞ officiel.

officier n.m. Militaire ou marin qui détient un grade et qui peut exercer un commandement: *Officiers et soldats préparent leur départ.* ☞ sous-officier. ▲ **officier** n.m. Personne qui est en possession d'un office ministériel ou public: *Un huissier est un officier ministériel chargé de mettre à exécution les décisions de justice.* ⁄⁄ *Officier de police (judiciaire):* Titre accordé par la loi aux personnes chargées de rechercher et de constater les infractions et d'en trouver les auteurs. **R.** L'O.L.F. recommande *officière* comme féminin de *officier*.

officieusement adv. D'une manière officieuse, non officielle: *J'ai appris officieusement que vous partiez du bureau.* ANT. officiellement. ☞ officieux.

officieux, euse adj. Qui est transmis, divulgué, à titre personnel et amical, par une source qualifiée mais sans garantie officielle: *Nous avons appris de source officieuse la démission du directeur des ventes.* ANT. officiel. ☞ officieusement.

offrande n.f. **1.** Don à une divinité ou à ses représentants: *Les fidèles déposent leurs offrandes dans un tronc.* **2.** Don volontaire, somme d'argent que l'on donne, souvent par charité: *C'est une offrande très généreuse.* ☞ offrir.

offrant n.m. Acheteur qui propose le plus haut prix: *L'ameublement sera vendu au plus offrant.* **R.** Ne s'emploie que dans les expressions *le plus offrant, au plus offrant.* ☞ offrir.

offre n.f. **1.** Action d'offrir, de proposer; ce qui est offert: *Voilà une offre bien alléchante!* SYN. proposition. **2.** Action de proposer un contrat, un échange à une autre personne: *En réponse à leur offre d'emploi, je leur ai fait parvenir une offre de service.* **3.** Quantité de produits ou de services offerts sur le marché: *Il y a souvent disproportion entre l'offre et la demande.* ANT. demande. ☞ offrir.

offrir v. **1.** Proposer, mettre à la disposition: *Sam a offert sa voiture pour la fin de semaine.* ANT. refuser. **2.** Donner en cadeau: *Lui avez-vous offert ce livre?* **3.** Consacrer, réserver: *Jeanne Mance a offert sa vie aux malades.* **4.** Présenter, montrer: *Ces montagnes dénudées offrent un visage aride.* **5.** Proposer en échange de quelque chose: *Je t'offre vingt dollars pour ta vieille bicyclette.* ☞ offrande, offrant, offre. **s'offrir** v.pron. **1.** Se montrer à, s'imposer aux regards: *Dites, ne vous offrez pas à tout venant!* SYN. s'exhiber. **2.** Se mettre à la disposition de quelqu'un: *Cynthia s'offre pour pelleter.* **3.** Se payer, s'accorder: *Je vais m'offrir quelques jours de repos.*

offusquer v. Choquer, déplaire, indisposer: *Ce livre provocateur a offusqué beaucoup de gens.* ANT. charmer, plaire. **s'offusquer** v.pron. S'offenser, se vexer: *Paul s'offusque de peu de chose.* SYN. se froisser.

ogive n.f. **1.** Arc diagonal qui renforce un ouvrage de maçonnerie lui-même en forme d'arc: *Les ogives caractérisent le style gothique.* **2.** Partie supérieure d'un projectile oblong; tête d'un engin propulsé, d'un missile: *L'ogive de ce missile est munie d'un dispositif qui modifie sa trajectoire.*

ogre, ogresse n. Personnage géant des contes de fées, avide de chair humaine: *Pourquoi y avait-il toujours des ogresses dans les histoires de grand-mère?*

oh! interj. **1.** Mot qui marque la surprise, l'admiration: *Oh! comme c'est joli!* **2.** Mot qui ajoute à l'expression d'un sentiment: *Oh! quelle joie de vous voir!* HOM. au, eau, haut, ho!, ô.

ohé! interj. Mot qui sert à appeler: *Ohé! tu es là?*

oie n.f. **1.** Oiseau palmipède, au long cou et au bec large, au plumage gris ou blanc, dont le mâle est le jars et le petit, l'oison: *Une espèce d'oie est domestiquée et elle est très appréciée pour sa chair et son foie.* **2.** fig. Personne niaise: *C'est une grande oie imbue d'elle-même.* ⁄⁄ *Oie sauvage:* Bernache. *Une oie blanche:* Une jeune fille innocente. ☞ oison.

oignon n.m. **1.** Plante à bulbe comestible, voisine de l'ail, très utilisée pour rehausser la saveur des aliments ; le bulbe lui-même : *Je ne digère pas les oignons crus.* **2.** Partie épaisse et bombée de la racine de certaines plantes ; cette racine : *Mes parents ont planté des oignons de tulipes.* SYN. bulbe. ▲ **oignon** n.m. Inflammation ou durcissement au niveau des articulations des orteils, en particulier du gros orteil : *Des mauvaises chaussures sont souvent la cause de l'apparition d'oignons.* SYN. cor, durillon. **R.** Les lettres *oi* se prononcent *o* (comme dans mort).

oindre v. Consacrer, bénir avec les saintes huiles : *Pour oindre un confirmand, l'évêque se sert du saint chrême.* **R.** Ne s'emploie guère qu'à l'infinitif et au participe passé. ☞ oint, onction.

oint n.m. Dans le judaïsme et le christianisme, celui qui a été consacré par l'onction, comme les rois, les prêtres : *Jésus-Christ a été appelé l'oint du Seigneur.* ☞ oindre.

oint, ointe adj. **1.** Qui a été consacré par une huile sainte : *Parce qu'il a les mains ointes, le prêtre peut donner la bénédiction.* **2.** Qui a été frotté d'huile ou d'une matière grasse : *Le corps oint de l'athlète a un éclat lustré.* ☞ oindre.

oiseau, eaux n.m. **1.** Vertébré ovipare, muni d'ailes et en général adapté au vol, qui a le corps couvert de plumes et un bec corné dépourvu de dents : *Le chant de cet oiseau me fascine.* **2.** fam. et péj. Individu : *Est-ce que tu le connais, cet oiseau-là ?* ☞ oiseau-lyre, oiseau-mouche, oisillon.

oiseau-lyre n.m. Grand oiseau d'Australie, appelé aussi ménure, remarquable par la queue du mâle formée de longues plumes recourbées en forme de lyre : *Le plumage de l'oiseau-lyre est brun et olivâtre, gris ou roux.* **R.** Au pluriel, *oiseaux-lyres*. ☞ oiseau. ◇ ménure.

oiseau-mouche n.m. Oiseau de très petite taille, au plumage vivement coloré et à long bec : *L'oiseau-mouche est capable de s'immobiliser dans l'air comme un hélicoptère et de voler à reculons.* **R.** Au pluriel, *oiseaux-mouches*. ☞ oiseau. ◇ colibri.

oiseux, euse adj. Qui est inutile, qui ne mène à rien : *Il vaudrait mieux mettre fin à cette discussion oiseuse.* SYN. vain. ANT. important, utile.

oisif, ive n. et adj. **1.** n. Personne qui a beaucoup de temps à consacrer aux loisirs : *Ce sont de riches oisifs qui se déplacent d'une plage à l'autre.* ANT. travailleur. **2.** adj. Qui n'a pas d'occupation, n'exerce pas de profession : *Cette femme oisive passe ses journées assise au parc.* SYN. désœuvré, inactif, inoccupé. ANT. actif, laborieux, occupé. ☞ oisivement, oisiveté.

oisillon n.m. Petit oiseau ; jeune oiseau : *Deux adorables oisillons attendent la becquée.* ☞ oiseau.

oisivement adv. D'une manière oisive : *Une femme active n'aime pas vivre oisivement.* ☞ oisif.

oisiveté n.f. État d'une personne oisive : *L'oisiveté l'a conduite au vol.* SYN. inaction. ANT. occupation, travail. ☞ oisif.

oison n.m. Petit du jars et de l'oie : *Les oisons ont un long cou et des pattes palmées.* ☞ oie.

okapi n.m. (afr.) Mammifère du Zaïre, apparenté à la girafe, mais au cou plus court et au pelage rayé à l'arrière : *L'okapi vit isolé dans d'épaisses forêts.*

oléoduc n.m. Conduite servant à acheminer le pétrole : *Le pétrole des provinces de l'Ouest est acheminé vers l'est par oléoduc.* SYN. pipeline.

olfactif, ive adj. Qui se rapporte à l'odorat : *Les parfums excitent le nerf olfactif.*

oligo-élément n.m. Élément chimique nécessaire, en très faible quantité, au fonctionnement des organismes vivants : *Les principaux oligo-éléments sont le cobalt, le cuivre, le fer, le fluor, l'iode, le manganèse et le zinc.* **R.** Au pluriel, *oligo-éléments*.

oiseau-lyre

olivaie n.f. Lieu planté d'oliviers: *Du sommet, je voyais les vignobles et les olivaies.* **R.** Aussi, *oliveraie.* ☞ olive.

olivâtre adj. Qui ressemble au vert de l'olive: *Quelle autre couleur peut s'agencer avec olivâtre?* SYN. verdâtre. **R.** Ne pas oublier l'accent: *â.* ☞ olive.

olive n.f. et adj.invar. **1.** n.f. Fruit de l'olivier, que l'on mange vert (pas mûr) ou noir (mûr) ou dont on extrait l'huile: *Je raffole des olives vertes farcies.* **2.** adj.invar. Qui est de la couleur vert-brun de l'olive: *Gilles porte un complet olive.* ☞ olivaie, olivâtre, olivier.

olivier n.m. Arbre fruitier au tronc noueux, qui produit l'olive: *Les branches de l'olivier ploient sous le poids des fruits.* ☞ olive.

olivier

olympiade n.f. Intervalle de quatre ans qui s'écoule entre les célébrations des Jeux olympiques: *Les Grecs de l'Antiquité calculaient les années par olympiades.* ☞ olympique.

olympique adj. **1.** Qui se rapporte aux rencontres internationales, tous les quatre ans, des meilleurs athlètes non professionnels: *Le flambeau olympique vient d'être allumé.* **2.** Qui est conforme aux règlements des Jeux olympiques: *Il y a une piscine olympique au centre sportif de mon quartier.* ☞ olympiade, olympisme.

olympisme n.m. Organisation des Jeux olympiques: *L'olympisme permet la tenue des Jeux olympiques tous les quatre ans.* ☞ olympique.

ombilic n.m. **1.** Avant la naissance, petite ouverture de l'abdomen d'où part le cordon qui relie le fœtus au placenta; après la naissance, nombril: *Mon petit ombilic creux faisait rire.* **2.** Dépression profonde et peu étendue dans une vallée glaciaire: *On remarquera l'alternance de bandes rocheuses et d'ombilics dans la vallée.* **3.** Dépression à la base ou au sommet de certains fruits: *Saurais-tu me montrer l'ombilic de la pomme?* ☞ ombilical.

ombilical, ale, aux adj. **1.** Qui se rapporte à l'ombilic, au nombril: *J'ai eu une douleur dans la région ombilicale.* **2.** Qui est en forme d'ombilic: *De l'avion, on voyait une suite de dépressions ombilicales.* ⁄⁄ *Cordon ombilical:* Cordon qui relie le fœtus au placenta. ☞ ombilic.

omble n.m. Poisson d'eau douce, à chair délicate, voisin du saumon: *Nous avons mangé de l'omble de fontaine.*

ombrage n.m. **1.** Ensemble des feuilles et des branches donnant de l'ombre: *Nous nous sommes rafraîchis sous l'ombrage d'un saule.* **2.** Ombre donnée par un feuillage: *L'ombrage était bienvenu en cette journée torride.* ☞ ombragé, ombrager.

ombragé, ée adj. Qui est protégé par un ombrage: *Notre maison est bien ombragée.* HOM. ombrager. ☞ ombrage.

ombrager v. Donner de l'ombre: *Un vieux chêne ombrageait la terrasse.* HOM. ombragé. ☞ ombrage.

ombrageux, euse adj. **1.** Qui est porté à s'inquiéter, à s'alarmer, ou qui se vexe facilement: *Elle est toujours ombrageuse le matin.* ANT. paisible. **2.** Qui s'inquiète, a peur d'une ombre et de toute chose qui le surprend, en parlant d'un mulet, d'un âne, d'un cheval: *Roussette est une bête nerveuse et ombrageuse.* ANT. paisible, tranquille.

ombre n.f. Zone sombre créée par un corps opaque coupant une source de lumière naturelle ou artificielle: *Le parasol fait de l'ombre.* SYN. ombrage. ANT. clarté. ⁄⁄ *À l'ombre:* Là où il n'y a pas de soleil, à l'abri. *Ombre à paupières:* Fard qu'on étale sur les paupières.
▲ **ombre** n.f. **1.** Zone sombre, forme imprécise créée par la projection déformée d'un

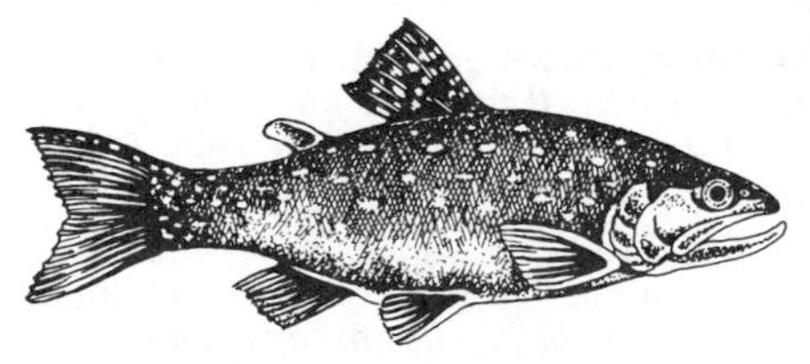

omble

corps qui coupe la lumière: *Mon ombre me suivait obstinément.* **2.** fig. Trace, reflet: *Il n'y a plus l'ombre d'un doute.* **3.** plur. Silhouettes qu'on fait apparaître sur un écran par un fort éclairage arrière: *Nous avons beaucoup aimé le théâtre d'ombres.* ⁄⁄ *Ombres chinoises:* Silhouettes découpées ou produites par un jeu des doigts et apparaissant sur un écran transparent.

ombrelle n.f. Petit parasol utilisé par les femmes: *Son ombrelle la protège du soleil.*

ombrette n.f. Oiseau échassier de l'Afrique tropicale: *L'ombrette est un oiseau huppé au plumage sombre.*

ombudsman n.m. (suéd.) Personne chargée de défendre les droits des citoyens face à l'administration gouvernementale: *L'ombudsman est chargé d'étudier les plaintes des citoyens à l'endroit des pouvoirs publics.* **R.** Au Québec, *protecteur du citoyen.*

omelette n.f. Plat fait d'œufs battus et cuits dans une poêle: *J'adore les omelettes au fromage.*

omettre v. Oublier ou négliger de dire ou de faire quelque chose: *Il ne faut pas omettre le point à la fin d'une phrase.* ANT. mentionner. ☞ omis, omission.

omis, ise adj. Qui est oublié, laissé de côté: *Ajoutez les noms omis dans cette liste.* ☞ omettre.

omission n.f. Action d'omettre, d'oublier, de négliger; chose omise: *L'omission d'une lettre peut changer le mot.* SYN. absence, lacune, négligence, oubli. ANT. exécution, présence. ☞ omettre.

omnibus n.m. **1.** Autrefois, voiture de transport en commun, d'abord tirée par des chevaux, puis motorisée: *L'omnibus est l'ancêtre de l'autobus.* **2.** Train qui s'arrête à toutes les stations: *Prends-tu l'omnibus ou l'express pour te rendre à Québec?* **R.** Le *s* se prononce.

omnipraticien, ienne n. Médecin de médecine générale: *L'omnipraticien soigne un grand nombre de maladies.* SYN. généraliste. ANT. spécialiste.

omnivore adj. Qui mange de tout, qui se nourrit indifféremment de plantes ou de viande: *L'être humain est omnivore.*

omoplate n.f. Os plat et triangulaire situé en haut du dos: *Lève ton épaule, tu sentiras bouger ton omoplate.*

on pron.indéf. **1.** Pronom désignant une personne ou un groupe quelconque, invariable et toujours sujet: *On m'a dit que l'école était fermée.* **2.** Êtres humains en général: *Aujourd'hui, on vit plus longtemps qu'autrefois.* **3.** fam. Nous: *Nous les jeunes, on doit obéir à nos parents.*

on	peut être remplacé par *quelqu'un.*
ont	peut être remplacé par *avaient.*
on n'	accompagne *pas, point, plus, jamais, rien.*

onagre n.m. ou n.f. **1.** n.m. Âne sauvage de grande taille originaire d'Asie: *L'onagre déguerpit puis s'arrêta, essoufflé.* **2.** n.m. Chez les Romains, machine de guerre servant à lancer des projectiles: *L'onagre projetait des pierres sur l'armée en déroute.* **3.** n.f. Plante à grandes fleurs jaunes, appelée «herbe aux ânes»: *La première fleur de l'onagre se balançait au vent.*

once n.f. Unité de mesure de masse anglaise valant un seizième de livre: *Ce poulet pèse trois livres et cinq onces.* ▲ **once** n.f. Sorte de panthère de l'Asie centrale, appelée aussi léopard: *Comme un grand chat sournois, l'once épiait sa proie.*

oncle n.m. Frère du père ou de la mère et, par extension, le mari de la tante: *Oncle Arthur nous faisait rire aux larmes.*

onction n.f. **1.** Geste rituel avec une huile sainte pour consacrer une personne ou une chose: *L'évêque m'a fait une onction sur le front quand il m'a confirmé.* **2.** Friction légère de la peau avec un corps gras: *Une onction régulière avec cette pommade assure à la peau toute sa souplesse.* ⁄⁄ *Extrême-onction:* Sacrement de l'Église aux fidèles dont la mort est prochaine. ☞ oindre.

onctueux, euse adj. **1.** Qui est lisse et doux comme de l'huile ou de la graisse: *Votre glace au beurre est onctueuse.* **2.** Qui est velouté: *Ce potage à la citrouille est onctueux.*

ondatra n.m. (amérind.) **1.** Mammifère rongeur de l'Amérique du Nord, vivant comme le castor, recherché pour sa fourrure: *Viens-tu piéger les ondatras?* **2.** Fourrure de cet animal: *J'ai un manteau d'ondatra qui est très usé.*

onde n.f.litt. Eau de la mer, les eaux courantes ou stagnantes: *L'onde limpide me renvoyait mon image.* SYN. flot, lame, vague. ▲ **onde** n.f. Forme sinueuse, ensemble de cercles les uns dans les autres qui se propagent sur l'eau: *Je m'amusais à former des ondes à la surface de l'eau de la rivière en lançant de petits cailloux.* ☞ ondoiement, ondoyant, ondoyer, ondulant, ondulation, ondulé, onduler. ▲ **onde** n.f. Ensemble de vibrations qui se propagent dans l'espace permettant ainsi la transmission des sons ou de la lumière: *Sur quelle longueur d'onde cette sta-*

tion émet-elle? ⁄⁄ *Les ondes:* La radiodiffusion. ☞ micro-onde.

ondée n.f. Pluie soudaine de courte durée: *L'ondée m'a surprise en pleine rue.* SYN. averse.

on-dit n.m.invar. Racontar, rumeur: *Ce ne sont que des on-dit, il ne faut pas s'y fier.* SYN. bavardage, potin.

ondoiement n.m. Mouvement de ce qui remue comme une vague, en s'élevant et en s'abaissant alternativement: *L'ondoiement des blés a quelque chose de poétique.* **R.** Ne pas oublier le *e* après le *i*. ☞ onde.

ondoyant, ante adj. Qui rappelle le mouvement de l'onde: *Les flammes ondoyantes me fascinaient.* SYN. mouvant, ondulant. ANT. constant, fixe, stable. ☞ onde.

ondoyer v. **1.** Imiter le mouvement de la vague, remuer en s'élevant et en s'abaissant alternativement: *Le drapeau ondoyait au vent.* SYN. onduler. **2.** Présenter une ligne sinueuse: *Le chemin ondoie jusqu'au sommet de la montagne.* SYN. onduler. ☞ onde.

> ondo**ie**ment
> ondo**y**ant
> ondo**y**er

ondulant, ante adj. Qui ondule comme une vague, qui a un mouvement souple et sinueux: *Le serpent se déplace dans un mouvement ondulant.* SYN. ondoyant. ☞ onde.

ondulation n.f. **1.** Mouvement qui rappelle celui d'une eau qui se soulève et s'abaisse; mouvement sinueux: *L'ondulation de la mer berçait notre embarcation.* SYN. ondoiement. ANT. calme, immobilité. **2.** Suite de bosses et de creux dus à un plissement du sol, du terrain: *Les ondulations du terrain secouaient la voiture.* **3.** Ligne sinueuse faite de courbes alternativement concaves et convexes: *Les ondulations des cheveux de Caroline sont naturelles.* ☞ onde.

ondulé, ée adj. Qui ondule, fait des courbes: *Le bâtiment est recouvert de tôle ondulée.* ANT. plat. HOM. onduler. ☞ onde.

onduler v. **1.** Bouger comme une vague, avoir un mouvement sinueux: *Sa jupe ondulait au vent.* SYN. ondoyer. **2.** Donner l'aspect d'une ondulation: *La route ondule devant nous.* SYN. ondoyer. HOM. ondulé. ☞ onde.

onéreux, euse adj. Qui exige des frais, qui coûte cher: *Ici, la pension est onéreuse.* SYN. coûteux. ANT. économique, gratuit, modique.

ongle n.m. **1.** Corne qui protège le dessus du bout des doigts des mains et des pieds: *La guitariste a les ongles de la main droite très longs.* **2.** Griffe des carnassiers: *De ses crocs et de ses ongles, le lion déchiquetait sa proie.* ☞ onglée, ongulé, ongulés.

onglée n.f. Engourdissement du bout des doigts causé par le froid: *L'onglée provoque une sensation de douleur.* ☞ ongle.

onglet n.m. **1.** Entaille dans un objet où l'on peut placer l'ongle: *L'onglet de mon canif est plein de terre.* **2.** Demi-lune pratiquée dans la tranche d'un livre pour aider à trouver rapidement un chapitre, une section: *Les onglets de mon livre de recettes sont très utiles.* **3.** Extrémité d'une pièce de bois formant un angle de quarante-cinq degrés: *Les planches sont assemblées de telle sorte que leurs onglets se juxtaposent.* ⁄⁄ *Boîte à onglets:* Boîte avec des entailles pour guider une scie selon un angle déterminé.

onguent n.m. Matière grasse à usage externe, qui pénètre dans la peau sous l'effet de la chaleur et de la friction: *Mon père me frictionne à l'onguent camphré.* SYN. crème, pommade. **R.** Ne pas oublier le *u* après le *g*.

ongulé, ée adj. Qui a les pieds terminés par des sabots, en parlant d'un animal: *Peux-tu me nommer un animal ongulé?* HOM. ongulés. ☞ ongle.

ongulés n.m.plur. Ordre de mammifères dont les pieds se terminent par des productions semblables à l'ongle, par des sabots: *Le cheval, l'éléphant et le rhinocéros sont des ongulés.* HOM. ongulé. **R.** S'écrit au singulier lorsqu'il désigne un animal appartenant à cet ordre. ☞ ongle.

onomatopée n.f. Création d'un mot imitant un cri d'animal, un bruit; le mot lui-même: *Crac est une onomatopée qui imite le craquement d'une branche.*

onyx n.m. Variété d'agate présentant des parties de diverses couleurs: *J'ai un onyx vert sur ma bague.*

onze n.m.invar. **1.** Nombre qui suit dix: *Dix plus un égalent onze.* **2.** Onzième jour du mois: *Nous irons à la réunion du onze.*

onze adj.num.invar. **1.** Dix plus un: *J'ai onze cartes sur mon pupitre.* **2.** Onzième: *Ouvre ta grammaire à la page onze.* ☞ onzième.

onzième n. et adj.num. **1.** n. Personne, animal ou chose qui occupe le onzième rang: *Il est le onzième sur la liste.* **2.** n. Partie d'un tout divisé en onze parties égales: *Il économise le onzième de son salaire.* **3.** adj.num. Qui vient après le dixième: *La lettre «K» est la onzième lettre de l'alphabet.* **R.** Lorsqu'il s'agit de la partie d'un tout, le nom est masculin. ☞ onze.

Services municipaux

Mammifères

TERRESTRES
loir gris
sapajou jaune
grizzli
éléphant d'Afrique
AQUATIQUE
AÉRIEN
baleine à bosse
vampire

cerf de Virginie
koala
hyène
tachetée
civette masquée
renard polaire
ocelot
tatou
vison
D.B.

Organigrammes

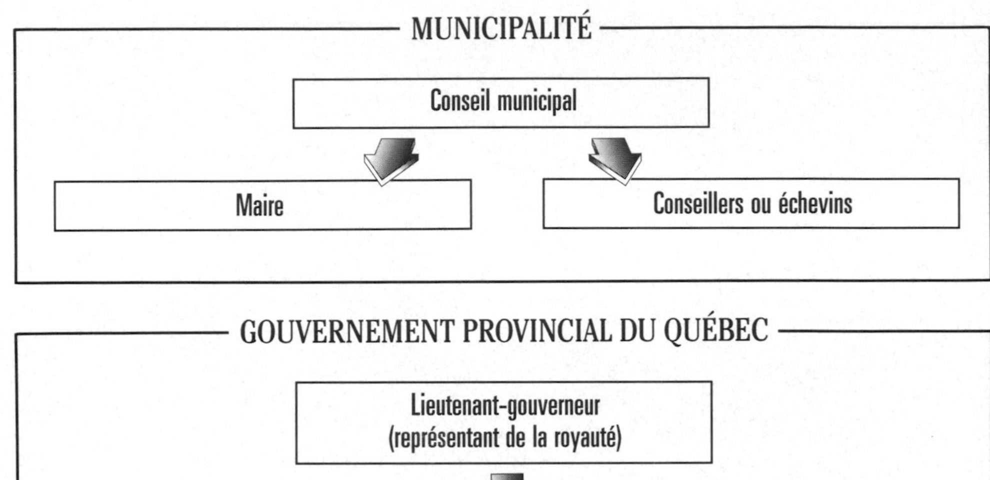

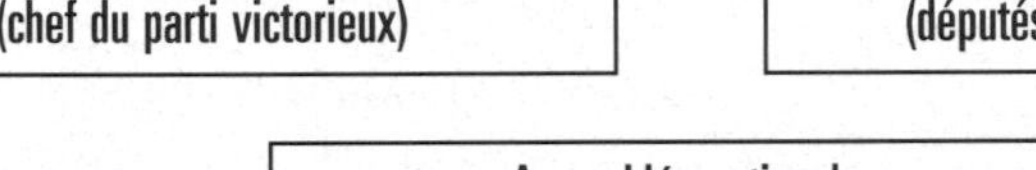

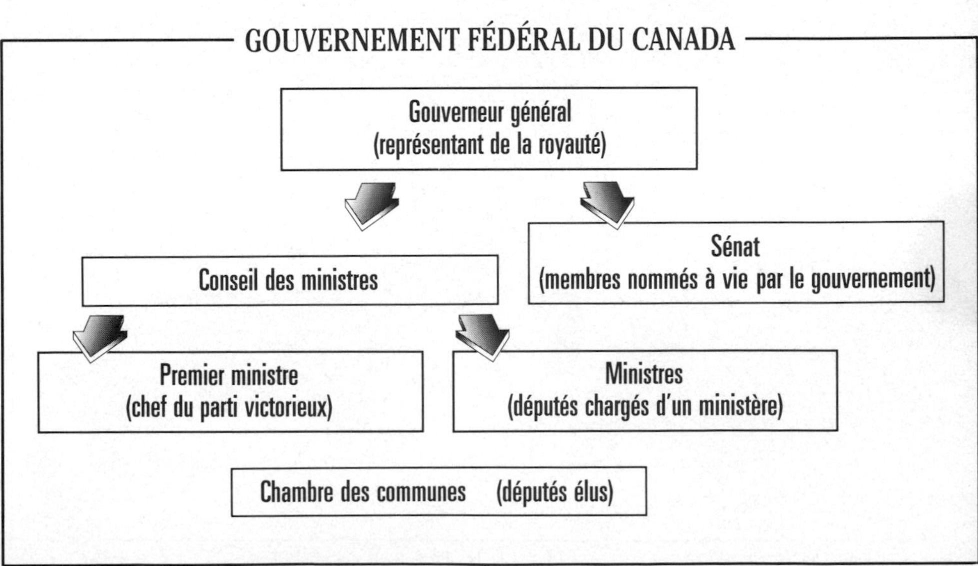

opacité n.f. État d'un corps qui ne laisse pas passer la lumière : *L'opacité de la toile obscurcissait la pièce.* ANT. transparence. ☞ opaque.

opale n.f. et adj. **1.** n.f. Pierre fine, blanche, aux reflets multicolores : *Comme je suis née en octobre, ma pierre de naissance est l'opale.* **2.** adj. Qui est non transparent, blanc et mat, en parlant du verre : *J'achète des ampoules opales.*

opaque adj. Qui ne se laisse pas traverser par la lumière : *Le brouillard opaque nous empêche d'avancer.* ANT. diaphane, translucide, transparent. ☞ opacité.

opéra n.m. (it.) Pièce de théâtre mise en musique et chantée ; lieu où l'on joue ces pièces : *Mozart a composé de nombreux opéras.* ☞ opéra-comique, opérette.

opérable adj. Qui peut être opéré : *Parce qu'il a été diagnostiqué à temps, ce cancer est opérable.* ANT. inopérable. ☞ opérer.

opéra-comique n.m. Opéra léger et comique dont les paroles sont alternativement chantées et récitées : *J'ai assisté à la première de l'opéra-comique.* SYN. opérette. ☞ opéra.

opérant, ante adj. Qui produit un effet : *Les mesures prévues pour réduire le déficit ont été opérantes.* SYN. efficace. ANT. inefficace, inopérant. ☞ opérer.

opérateur n.m. Symbole mathématique qui indique une opération à effectuer : *L'opérateur de l'addition est +.* ☞ opération.

opérateur, trice n. Personne qui fait fonctionner un appareil : *Louise est une opératrice de prise de vues.* ☞ opérer.

opération n.f. **1.** Suite d'actes nécessaires au bon fonctionnement d'un organe, d'une faculté : *Les opérations de la digestion sont parfois laborieuses.* **2.** Suite d'actions concrètes visant à un certain résultat : *Le coton passe par plusieurs opérations avant de devenir tissu.* SYN. manipulation, traitement. **3.** Intervention chirurgicale : *La grande cardiaque subira une opération à cœur ouvert.* ⫽ *Opération militaire :* Ensemble de tactiques, de manœuvres militaires, de combats. ☞ opérer.

▲ **opération** n.f. Calcul sur les nombres : *L'addition, la soustraction, la multiplication et la division sont des opérations mathématiques.* ☞ opérateur.

opératoire adj. Qui se rapporte à une opération chirurgicale : *Cette chirurgienne a mis au point une nouvelle méthode opératoire.* ⫽ *Bloc opératoire :* Ensemble des salles et des installations d'un centre chirurgical. *Choc opératoire :* Ensemble de phénomènes anormaux à la suite d'une opération chirurgicale. ☞ opérer.

opéré, ée n. et adj. **1.** n. Personne qui vient de subir une intervention chirurgicale : *L'opéré ne peut pas encore se lever seul.* **2.** adj. Qui vient d'être opéré : *Cet enfant opéré va déjà mieux.* HOM. opérer. ☞ opérer.

opérer v. **1.** Accomplir, exécuter : *Ce directeur a opéré de nombreux changements dans notre école.* SYN. faire, réaliser. **2.** Agir, faire effet : *Le médicament opère rapidement.* **3.** Pratiquer une intervention chirurgicale : *Ce cardiologue de renom a opéré ma mère.* HOM. opéré. ☞ inopérable, inopérant, opérable, opérant, opérateur, opération, opératoire, opéré. **s'opérer** v.pron. Se produire, avoir lieu : *Le transfert de cet élève s'opère bien.*

opérette n.f. Petit opéra-comique de caractère léger emprunté à la comédie : *Cette chanteuse d'opérette a un grand talent.* ☞ opéra.

ophiure n.f. Animal marin qui fait penser à une étoile de mer : *L'ophiure se déplace à l'aide de ses ventouses.* **R.** Aussi, *ophiuride.* Les lettres *ph* se prononcent *f.*

ophtalmologie n.f. Science qui a pour objet l'œil, ses maladies et les opérations à faire sur cet organe : *Marie est étudiante en ophtalmologie.* **R.** Les lettres *ph* se prononcent *f.* ☞ ophtalmologiste.

ophtalmologiste n. Médecin spécialiste de l'œil : *L'ophtalmologiste m'a prescrit des gouttes pour les yeux.* SYN. oculiste. **R.** Aussi, *ophtalmologue.* Les lettres *ph* se prononcent *f.* ☞ ophtalmologie.

opiniâtre adj. **1.** Qui ne cède pas, qui est obstiné, acharné : *Sa lutte opiniâtre contre la maladie a enfin été récompensée.* SYN. entêté, têtu. ANT. docile, malléable, soumis. **2.** Qui ne se laisse pas facilement décourager : *Tu peux compter sur Jean, il est opiniâtre.* SYN. déterminé, persévérant. ANT. faible, versatile. ⫽ *Toux opiniâtre :* Toux persistante. **R.** Ne pas oublier l'accent : *â.* ☞ opiniâtrement, opiniâtreté.

opiniâtrement adv. D'une manière opiniâtre, avec acharnement : *Des groupes écologistes luttent opiniâtrement contre la pollution.* SYN. obstinément. ANT. faiblement. **R.** Ne pas oublier l'accent : *â.* ☞ opiniâtre.

opiniâtreté n.f. Volonté tenace ; persévérance : *Annie fait ses exercices de physiothérapie avec opiniâtreté.* SYN. détermination, ténacité. ANT. faiblesse, mollesse, versatilité. **R.** Ne pas oublier l'accent : *â.* ☞ opiniâtre.

opinion n.f. Manière de comprendre les choses, de penser ; jugement sur un sujet :

L'éditorialiste a donné son opinion sur la question des pluies acides. SYN. idée, impression. ANT. neutralité. ⁄⁄ *Avoir bonne opinion de:* Estimer, apprécier. *Opinion publique:* Manière de penser de la majorité, dans une société.

opium n.m. **1.** Drogue qui vient du pavot: *La vente d'opium est illégale au Canada.* **2.** fig. Ce qui endort la conscience, agit comme une drogue: *La télé, c'est son opium!* **R.** Les lettres *um* se prononcent *omme.*

opossum n.m. **1.** Petit marsupial d'Amérique et d'Australie, à pelage gris, noir et blanc, recherché pour sa fourrure: *Une maman opossum allaite son petit dans sa poche ventrale.* **2.** Fourrure de cet animal: *J'ai vendu mon manteau d'opossum.* **R.** Les lettres *um* se prononcent *omme.*

opportun, une adj. Qui arrive à point, qui convient: *Cet emploi s'est présenté en temps opportun.* SYN. convenable, favorable. ANT. fâcheux, inopportun. ☞ inopportun, opportunément, opportunisme, opportuniste, opportunité.

opportunément adv. D'une manière opportune, favorable: *Ton offre arrive opportunément.* ☞ opportun.

opportunisme n.m. Attitude qui consiste à tirer parti des circonstances dans son propre intérêt: *C'est par opportunisme que Luc a obtenu sa promotion.* ☞ opportun.

opportuniste n. et adj. **1.** n. Personne qui agit avec opportunisme, qui profite des circonstances au mieux de ses intérêts: *Cette politicienne est une opportuniste.* **2.** adj. Qui tire parti des circonstances: *Catherine profite de tout, elle est opportuniste.* ☞ opportun.

opportunité n.f. Caractère de ce qui est opportun, de ce qui arrive à propos: *L'opportunité d'une loi en matière d'environnement est indiscutable.* ANT. contretemps. **R.** N'a pas le sens de *occasion* (favorable), *possibilité.* ☞ opportun.

opposant, ante n. et adj. **1.** n. Personne qui combat une autorité, un projet, une décision: *Plusieurs opposantes ont manifesté contre le projet de loi.* SYN. adversaire. ANT. défenseur. **2.** adj. Qui combat une autorité, un projet, une décision: *La partie opposante fera connaître sa position.* ☞ opposer.

opposé n.m. Inverse: *Le sommet est l'opposé de la base.* HOM. opposer. ☞ opposer. à l'**opposé** loc.adv. **1.** Du côté inverse, vis-à-vis: *Ma chambre est ici, le salon, à l'opposé.* **2.** D'une manière contraire; au contraire: *On prédisait du mauvais temps; à l'opposé il a fait très beau.*

opposé, ée adj. **1.** Qui est en face, vis-à-vis: *Chez nous, la cuisine est opposée au salon.* **2.** Qui est contraire: *Maryse et Simon ont des goûts complètement opposés.* SYN. divergent, incompatible. ANT. analogue, semblable. HOM. opposer. ⁄⁄ *Angles opposés par le sommet:* Angles dont les côtés se prolongent l'un l'autre et qui ont la même mesure. ☞ opposer.

opposer v. **1.** Mettre en avant pour servir d'objection ou d'excuse à ce qu'une personne a dit ou pensé: *Il n'oppose aucun argument valable à notre suggestion.* SYN. objecter, prétexter. **2.** Mettre face à face pour le combat ou la compétition: *Cette escrimeuse est opposée à une adversaire de fort calibre.* **3.** Placer en face, pour faire obstacle: *J'ai opposé mon mutisme à son flot de paroles.* **4.** Comparer en relevant les différences: *En classe, nous avons opposé les œuvres de Vigneault à celles de Leclerc.* HOM. opposé. ☞ opposant, opposé, opposition. s'**opposer** v.pron. **1.** Mettre obstacle, faire obstacle: *Je m'oppose à ce long voyage.* SYN. interdire. ANT. permettre. **2.** Résister: *Il n'osait pas s'opposer à ses parents.* SYN. braver. ANT. obéir. **3.** Faire contraste, être différent: *Votre style s'oppose au mien.* SYN. contraster, différer. ANT. correspondre, ressembler.

opposition n.f. **1.** Action de s'opposer à quelqu'un ou à quelque chose; résistance: *Son opposition me déçoit beaucoup.* SYN. désobéissance, refus. ANT. adhésion, obéissance. **2.** Ensemble des forces politiques qui sont contre le gouvernement, dans un système parlementaire: *L'opposition doit surveiller de près le gouvernement.* **3.** Contraste: *Cette opposition de couleurs est très réussie.* **4.** Très grande différence; conflit entre des choses ou des personnes: *L'opposition de leurs points de vue est très nette.* SYN. désaccord. ANT. accord. **5.** Situation de deux astres qui se trouvent, par rapport à la Terre, diamétralement opposés: *Ces deux astéroïdes sont en opposition dans le ciel.* ANT. conjonction. ☞ opposer.

oppressant, ante adj. **1.** Qui oppresse, rend la respiration difficile: *La chaleur du bain sauna est oppressante.* SYN. étouffant. **2.** fig. Qui accable, écrase: *Ce travail est oppressant.* SYN. accablant. ANT. doux, léger. ☞ oppresser.

oppresser v. **1.** Rendre la respiration difficile: *Tant de fumée oppressait les pompiers.* SYN. étouffer. ANT. dilater. **2.** fig. Accabler: *L'angoisse oppressait mes parents.* SYN. affliger. ANT. libérer, soulager. ☞ oppressant, oppression. **oppressé, ée** p.p. et adj. Qui est gêné dans sa respiration, qui a une sensation de lourdeur sur la poitrine : *J'ai trop couru, je me sens oppressé.*

oppresseur n.m. et adj.m. **1.** n.m. Celui qui opprime, qui abuse de son pouvoir : *L'empereur Néron était un oppresseur pour les chrétiens de Rome.* SYN. tyran. ANT. libérateur. **2.** adj.m. Qui opprime, qui abuse de son pouvoir : *Ce gouvernement oppresseur sera bientôt renversé.* SYN. oppressif. ANT. libérateur, opprimé. ☞ opprimer.

oppressif, ive adj. Qui tend ou qui sert à opprimer, à abuser de son pouvoir : *Cette dirigeante a une conduite oppressive.* SYN. opprimant, tyrannique. ANT. libéral. ☞ opprimer.

oppression n.f. Sensation de lourdeur sur la poitrine : *Germaine ignore la cause de l'oppression qu'elle ressent.* SYN. étouffement, suffocation. ☞ oppresser. ▲ **oppression** n.f. Action d'opprimer, d'abuser de son pouvoir : *En Amérique du Sud, les guerilleros luttent contre l'oppression.* SYN. domination, tyrannie. ANT. indépendance, liberté. ☞ opprimer.

opprimé, ée n. et adj. **1.** n. Personne qu'on opprime, qui subit une autorité trop grande ou injuste : *Le héros de ce film secourait les opprimés.* ANT. oppresseur. **2.** adj. Qui subit une oppression, un abus de pouvoir : *La révolte couve chez ce peuple opprimé.* ANT. libre, oppresseur. HOM. opprimer. ☞ opprimer.

opprimer v. **1.** Soumettre à un abus de pouvoir, user d'une autorité trop grande et injuste : *Les grands ne doivent pas opprimer les petits.* SYN. écraser, tyranniser. ANT. libérer, soulager. **2.** Empêcher de s'exprimer : *Il ne faut pas opprimer la liberté d'expression.* HOM. opprimé. ☞ oppresseur, oppressif, oppression, opprimé.

opprobre n.m.litt. **1.** Ce qui humilie, déshonore en public : *Le geste de son fils l'a couverte d'opprobre.* SYN. déshonneur, honte, humiliation. ANT. considération, honneur. **2.** Cause de déchéance, sujet de honte : *Il est l'opprobre de sa famille.* ANT. dignité, gloire.

opter v. Faire un choix entre deux ou plusieurs choses : *J'ai opté pour un caniche plutôt que pour un barbet.* SYN. choisir. ☞ option, optionnel.

opticien, ienne n. Personne qui fabrique ou vend des instruments d'optique : *Je suis passée chez l'opticienne pour prendre mes lunettes.* ☞ optique.

optimisme n.m. **1.** Disposition habituelle de l'esprit qui porte à voir les choses du bon côté : *Malgré les difficultés, Sandra garde son optimisme.* ANT. pessimisme. **2.** Confiance dans le dénouement heureux d'une situation difficile : *Benoît envisage la situation avec optimisme.* ☞ optimiste.

optimiste n. et adj. **1.** n. Personne qui prend les choses du bon côté : *Mes parents sont des optimistes.* ANT. pessimiste. **2.** adj. Qui a l'habitude de voir les choses du bon côté : *Louis, proverbial optimiste, nous remontait le moral.* ANT. pessimiste. **3.** adj. Qui reste confiant dans une situation difficile : *Les adversaires ont déjà marqué deux points, mais nous demeurons optimistes.* ANT. pessimiste. ☞ optimisme.

option n.f. **1.** Action d'opter, de choisir ; choix réalisé : *Il lui fallait travailler, il n'y avait pas d'autre option.* ANT. abstention. **2.** Chose que l'on peut obtenir, si l'on veut, en plus d'une autre : *Le toit ouvrant de cette voiture est vendu en option.* // *À option :* Optionnel. ☞ opter.

optionnel, elle adj. **1.** Qui appelle une option, un choix : *Le cours de musique est optionnel dans cette école.* SYN. facultatif. ANT. obligatoire. **2.** Qu'on peut obtenir, si on veut, en plus d'autre chose : *La plupart des accessoires de cette voiture sont optionnels.* ☞ opter.

optique n.f. et adj. **1.** n.f. Science qui a pour objet d'étudier la lumière et les lois de la vision : *Newton a écrit un ouvrage sur l'optique.* **2.** n.f. Manière de voir, de comprendre : *Dans cette optique, je comprends mieux vos exigences.* **3.** adj. Qui se rapporte à la vision : *Son nerf optique est endommagé : il ne voit plus.* // *Appareils, instruments d'optique :* Appareils, instruments servant à la vision : lentille, loupe, lunette, microscope, périscope, télescope, etc. ☞ opticien.

optométrie n.f. Mesure de certains défauts de l'œil ; spécialité de l'opticien qui fait l'examen de la vue : *Gino a obtenu son diplôme en optométrie.* ☞ optométriste.

optométriste n. Spécialiste en optométrie, opticien qui examine la vue : *Une optométriste m'a dit que ma vue s'affaiblissait.* ☞ optométrie.

opulence n.f. **1.** Grande richesse matérielle : *Cette actrice vit dans l'opulence.* SYN. abondance, fortune. ANT. besoin, misère, pauvreté. **2.** fig. Ampleur, rondeur des formes corporelles : *Cette peinture montre l'opulence des modèles.* ☞ opulent.

opulent, ente adj. **1.** Qui vit dans l'opulence, la richesse matérielle : *Un opulent propriétaire perdit un jour tout son avoir.* SYN. riche. ANT. misérable, pauvre. **2.** Qui a des formes corporelles pleines : *Nancie est une* *femme opulente au teint rosé.* SYN. gros. ANT. maigre, petit. ☞ opulence.

or n.m. **1.** Métal précieux jaune brillant qui ne s'altère pas et se travaille bien : *La bijoutière fabrique des bagues en or.* **2.** Substance ressemblant à l'or véritable : *L'or de ce cadre met le tableau en valeur.* HOM. hors. ⁄⁄ *Âge d'or:* Époque prospère, moment où une chose atteint son meilleur développement. *À prix d'or:* Très cher. *Or noir:* Pétrole.

or conj. Indique un moment particulier dans un récit ou le passage d'une idée à une autre : *Or, au milieu de la conversation, un boum se fait entendre.* HOM. hors.

orage n.m. Pluie accompagnée de tonnerre, d'éclairs et de vent : *L'orage fut très violent.* SYN. tempête. ☞ orageux. ▲ **orage** n.m. Trouble dans la vie d'un individu ou d'un groupe : *Sa force de caractère lui a permis de traverser les orages sans se laisser abattre.* ANT. calme. ☞ orageusement, orageux.

orageusement adv. D'une manière orageuse, mouvementée : *La réunion s'est terminée orageusement.* ANT. calmement. ☞ orage.

orageux, euse adj. **1.** Qui annonce l'orage ; qui caractérise l'orage : *Le ciel est orageux, rentrons les chaises longues.* ANT. calme. **2.** fig. Qui est tumultueux, violent, mouvementé : *L'assemblée fut orageuse.* SYN. agité. ANT. calme. ☞ orage.

oraison n.f. Prière, discours religieux : *À la messe, le prêtre récite les oraisons.* ⁄⁄ *Oraison funèbre:* Discours religieux prononcé aux funérailles d'une personne célèbre.

oral, aux n.m. Examen ou partie d'examen qui se fait verbalement : *À l'oral, j'ai réussi tant bien que mal.* ANT. écrit.

oral, ale, aux adj. **1.** Qui est transmis par la voix, par la parole : *La tradition orale est presque disparue au Québec.* SYN. verbal. ANT. écrit. **2.** Qui concerne la bouche ; de la bouche : *Ce médicament est à prendre par voie orale.* SYN. buccal. ☞ oralement.

oralement adv. D'une manière orale, en paroles : *Je préfère ne pas être interrogé oralement.* SYN. verbalement. ☞ oral.

orange n.f. et adj.invar. **1.** n.f. Fruit comestible jaune-rouge de l'oranger, dont on peut extraire le jus : *Je bois du jus d'orange tous les matins.* **2.** adj.invar. Qui est de la couleur de l'orange : *Un soleil orange annonçait de la chaleur.* ☞ orangé, orangeade, oranger, orangeraie.

orangé n.m. Couleur chaude résultant d'un mélange de jaune et de rouge : *L'orangé et le brun se marient bien.* HOM. oranger. ☞ orange.

orangé, ée adj. Qui est de la couleur jaune-rouge de l'orange : *Ton foulard orangé rehausse ton teint.* HOM. oranger. ☞ orange.

orangeade n.f. Boisson faite avec du jus d'orange, du sucre et de l'eau : *Une orangeade bien froide est très rafraîchissante.* **R.** Ne pas oublier le *e* après le *g*. ☞ orange.

oranger n.m. Arbre fruitier qui produit l'orange : *Cette variété d'orangers donne des fruits sucrés et juteux.* HOM. orangé. ☞ orange.

orangeraie n.f. Lieu planté d'orangers : *Notre orangeraie est bien entretenue.* ☞ orange.

orang-outan n.m. Grand singe à longs poils, vivant en Asie et se nourrissant de fruits : *Pendu par ses longs bras, un jeune orang-outan regarde ce qui se passe en bas.* **R.** Aussi, *orang-outang*. Au pluriel, *orangs-outans* ou *orangs-outangs*.

orateur, trice n. **1.** Personne qui a l'habitude de prononcer des discours en public : *Sir Wilfrid Laurier était un bon orateur politique.* SYN. conférencier. **2.** Personne qui s'exprime avec éloquence en public : *Mélissa est une excellente oratrice.* ☞ oratoire (adj.).

oratoire n.m. Endroit réservé à la prière : *Les religieux se réunissent à l'oratoire pour la prière en commun.*

oratoire adj. Qui appartient à l'orateur ; qui se rapporte à l'art de s'exprimer en public : *Denis est passé maître dans l'art oratoire.* **R.** Ne pas confondre avec *aratoire*. ☞ orateur.

orbite n.f. Trou dans lequel l'œil est placé : *Le crâne des mammifères a deux orbites.* SYN. cavité, creux. ☞ exorbité. ▲ **orbite** n.f. Courbe décrite par un corps céleste autour d'un autre corps céleste : *Il faut une année à la Terre pour parcourir son orbite autour du Soleil.*

orchestre n.m. **1.** Ensemble des fauteuils du rez-de-chaussée les plus proches de la scène ou de l'écran, dans une salle de spectacle : *J'ai loué deux fauteuils d'orchestre.* **2.** Public qui occupe ces fauteuils : *L'orchestre ovationnait cette remarquable hautboïste.* ▲ **orchestre** n.m. Ensemble de musiciens qui exécutent de la musique au moyen de divers instruments : *Cet orchestre a donné un concert remarquable.* ⁄⁄ *Chef d'orchestre:* Personne qui dirige les musiciens formant un orchestre. **R.** Les lettres *ch* se prononcent *k*. ☞ orchestrer.

orchestrer v. **1.** Adapter pour l'orchestre : *Cette pièce de musique moderne est orchestrée de façon originale.* SYN. arranger, harmoniser. ANT. désaccorder. **2.** fig. Organiser en donnant le plus d'éclat possible : *Le téléthon a* *été bien orchestré.* ANT. désorganiser. **R.** Les lettres *ch* se prononcent *k*. ☞ orchestre.

orchidée n.f. Plante tropicale à bulbe donnant des fleurs d'une grande beauté; la fleur elle-même: *Lors de mon voyage, j'ai photographié une orchidée en fleur.* **R.** Les lettres *ch* se prononcent *k*.

ordinaire n.m. et adj. **1.** n.m. Degré habituel d'une chose; ce qui est commun, banal: *Vous me voyez naturelle, à mon ordinaire.* **2.** n.m. Menu habituel, ce qu'on mange habituellement aux repas: *Ce repas nous change de l'ordinaire.* **3.** adj. Qui est habituel, qui est dans le cours normal des choses: *Cette tâche fait partie de nos activités ordinaires.* SYN. courant, coutumier, usuel. ANT. rare. **4.** adj. Qui est banal, d'une qualité courante: *La restauratrice m'a servi un repas ordinaire.* SYN. commun, moyen. ANT. exceptionnel, extraordinaire. ☞ extraordinaire, extraordinairement, ordinairement.

ordinairement adv. D'une manière ordinaire, habituellement: *Elle arrive ordinairement après les autres.* SYN. généralement. ANT. exceptionnellement. ☞ ordinaire.

ordinal, ale, aux adj. Qui indique l'ordre, le rang dans un ensemble: *«Premier» est un adjectif ordinal.*

ordinateur n.m. Machine électronique qui reçoit des informations, peut les traiter d'une façon très rapide et les garder dans ses mémoires: *La plupart des banques sont équipées d'un ordinateur.* ☞ micro-ordinateur.

ordination n.f. Acte par lequel un chrétien devient prêtre: *Nous assisterons à la cérémonie d'ordination.* ☞ ordonner.

ordonnance n.f. Arrangement, mise en ordre: *Ces invités ont troublé l'ordonnance de la fête.* SYN. agencement, disposition, organisation. ANT. désordre. ☞ ordre. ▲ **ordonnance** n.f. Prescription, écrit contenant les indications d'un médecin au sujet d'un médicament à prendre ou d'un traitement à suivre: *Sans ordonnance, vous ne pouvez acheter ce médicament.* ☞ ordonner.

ordonné, ée adj. **1.** Qui est en bon ordre: *La maison est très ordonnée.* SYN. organisé, rangé. ANT. confus, désordonné. **2.** Qui a de l'ordre et de la méthode: *Mon institutrice dit que je suis ordonné.* SYN. méthodique. ANT. désordonné. HOM. ordonnée, ordonner. ☞ ordre.

ordonnée n.f. Élément qui sert à déterminer la position d'un point dans un plan, verticalement: *L'ordonnée se rapporte à l'axe vertical et l'abscisse à l'axe horizontal.* HOM. ordonné, ordonner. ☞ ordre.

ordonner v. Mettre en ordre, organiser: *Christine ordonne ses idées pour les clarifier.* SYN. agencer, classer. ANT. déranger, embrouiller. ☞ ordre. ▲ **ordonner** v. **1.** Donner un ordre, un commandement: *Je vous ordonne de taire cette affaire.* SYN. commander, prescrire. ANT. interdire, obéir. **2.** Prescrire, recommander: *C'est le médecin qui a ordonné ce traitement.* ☞ ordonnance, ordre. ▲ **ordonner** v. Conférer un ordre sacré, élever quelqu'un à l'un des ordres de l'Église: *Paul-Yvon a été ordonné prêtre.* HOM. ordonné, ordonnée. ☞ ordination.

ordre n.m. **1.** Disposition, organisation qui satisfait l'esprit: *J'ai mis de l'ordre dans mes fiches de travail.* SYN. arrangement. ANT. confusion, désordre. **2.** Remise en état de fonctionner: *Ce jouet mécanique est en ordre, tu peux le donner.* **3.** Qualité d'une personne qui donne une place à chaque chose: *Nathalie a de l'ordre.* SYN. méthode. **4.** Conformité aux règles; stabilité sociale, paix: *L'ordre est revenu après le départ.* **5.** Principe qui régit la marche des choses: *L'ordre de l'univers n'est pas l'effet du hasard.* ⁄⁄ *Ordre du jour:* Liste de sujets à étudier lors d'une rencontre. ☞ ordonnance, ordonné, ordonnée, ordonner, désordonné, désordre. ▲ **ordre** n.m. **1.** Catégorie dans laquelle on classe des personnes, des animaux ou des choses: *Le chien appartient à l'ordre des carnivores.* **2.** Association, groupe de personnes qui obéissent aux mêmes règles sur le plan professionnel, moral ou religieux: *L'ordre des dentistes a étudié l'effet du fluor sur les dents.* SYN. congrégation, corporation. **3.** Communauté religieuse: *Il appartient à l'ordre des jésuites.* ▲ **ordre** n.m. Commandement: *Vous avez reçu l'ordre de travailler.* SYN. consigne, prescription. ANT. défense, interdiction. ⁄⁄ *Jusqu'à nouvel ordre:* Jusqu'à ce qu'un ordre vienne modifier la situation. *Mot d'ordre:* Résolution que doivent respecter les membres d'un groupe. ☞ contrordre, ordonner.

ordure n.f. **1.** Ce qui est sale, répugne, soulève le cœur: *Débarrassez la maison de cette ordure.* SYN. saleté. **2.** plur. Déchets: *Maman ramasse les ordures à la pelle.* **3.** plur. Propos, écrits grossiers ou obscènes: *Certains petits journaux publient des ordures.* SYN. grossièreté, obscénité. ☞ ordurier.

ordurier, ière adj. Qui est grossier, obscène: *Ses plaisanteries ordurières ont gâché la soirée.* SYN. grivois. ANT. délicat, distingué. ☞ ordure.

orée n.f. Bordure: *Rendons-nous jusqu'à l'orée de la forêt.* SYN. bord. ANT. centre, cœur, fond.

oregano ☞ sect. anglicismes et canadianismes.

oreille n.f. **1.** Chacun des deux organes servant à entendre; partie visible de chacun de ces organes: *Je serai opéré à l'oreille droite.* **2.** Ouïe: *Mon chien a l'oreille fine.* ☞ oreillette, oreillons. ▲ **oreille** n.f. Chacune des deux anses symétriques d'un récipient, d'un ustensile: *Prends garde, les oreilles de la marmite sont très chaudes.*

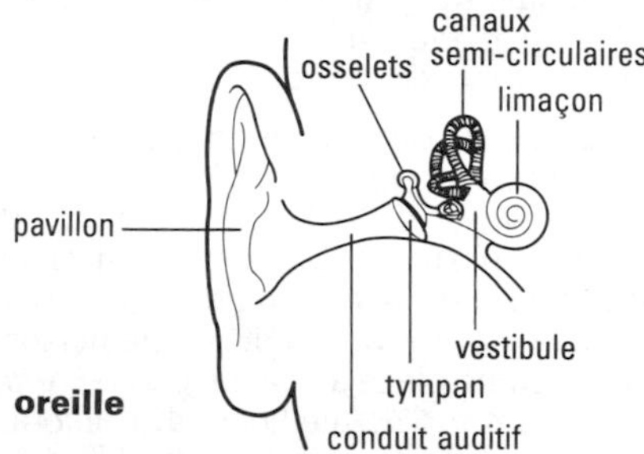

oreiller n.m. Coussin sur lequel on pose sa tête pour dormir: *La tête à peine sur l'oreiller et déjà je dormais.*

oreillette n.f. Chacune des deux cavités supérieures du cœur qui reçoivent le sang: *Les oreillettes du cœur communiquent avec les ventricules.* ▲ **oreillette** n.f. Chacune des deux parties d'une coiffure qui protègent les oreilles: *Il apprécie aujourd'hui les oreillettes de sa casquette.* ☞ oreille.

oreillons n.m.plur. Maladie contagieuse causée par un virus qui produit une inflammation et des douleurs dans l'oreille: *J'ai été mis en quarantaine à cause des oreillons.* ☞ oreille.

d'**ores et déjà** loc.adv. Dès maintenant: *D'ores et déjà, je vous admets dans le groupe.*

orfèvre n. **1.** Personne qui travaille les métaux précieux pour en faire des objets d'ornement: *Cette table en cuivre repoussé est l'œuvre d'une orfèvre.* **2.** Personne qui vend des objets en métal précieux: *L'orfèvre étale ses plus belles pièces dans la vitrine.* ☞ orfèvrerie.

orfèvrerie n.f. **1.** Métier consistant à fabriquer ou à vendre des objets en métal précieux: *Andréa est une apprentie en orfèvrerie.* **2.** Pièces produites par l'orfèvre: *Ce ciboire d'argent est une pièce d'orfèvrerie d'une grande beauté.* ☞ orfèvre.

orfraie n.f. Oiseau de proie diurne, à queue blanche, parfois confondu avec l'effraie: *L'orfraie se nourrit de poisson.*

organdi n.m. Toile de coton, fine et transparente, enduite d'amidon, qui sert à fabriquer des vêtements légers: *L'été, elle aimait porter sa robe en organdi.*

organe n.m. Partie d'un être vivant qui joue un rôle précis: *Le nez est l'organe de l'odorat.* ☞ micro-organisme, organique, organiquement, organisme. ▲ **organe** n.m. Publication périodique considérée comme la voix, l'interprète des opinions d'un groupement: *Ce journal est l'organe du parti libéral.*

organigramme n.m. Tableau des différents services d'un organisme ou d'une entreprise et des liens qui les unissent: *Nous avons appris à l'aide d'un organigramme comment fonctionnent les services du gouvernement.* ☞ organiser.

organique adj. **1.** Qui se rapporte à un organe, à un organisme vivant: *Elle souffre d'un trouble organique.* **2.** Qui provient de tissus vivants: *Le tissu musculaire est un tissu organique qui peut perdre du tonus.* // *Engrais organique:* Engrais qui vient des animaux ou des végétaux, qui n'est pas chimique. ☞ organe.

organiquement adv. De manière organique, selon une organisation cohérente: *Nous sommes des êtres organiquement constitués.* ☞ organe.

organisable adj. Qui peut être organisé, mis sur pied: *Cette sortie n'est pas organisable avec les moyens qu'on nous fournit.* ☞ organiser.

organisateur, trice n. et adj. **1.** n. Personne qui organise, qui a le talent d'organiser, de préparer: *Jeanne est une organisatrice épatante.* **2.** adj. Qui organise, prépare quelque chose: *Pour que le carnaval soit une réussite, il faudrait un comité organisateur.* ☞ organiser.

organisation n.f. **1.** Action d'organiser, de préparer: *L'organisation de cette sortie me demande beaucoup de temps.* **2.** Action de disposer, d'agencer, de composer: *J'aime l'organisation de la maison.* SYN. agencement, aménagement, arrangement. **3.** Groupement de personnes: *L'Organisation mondiale de la santé vise à donner à tous les pays le niveau de santé le plus élevé possible.* SYN. organisme. **4.** Manière dont un ensemble est structuré en vue d'un fonctionnement: *L'organisation des services psychologiques de notre école a été décidée par les élèves.* ☞ organiser.

organisé, ée adj. **1.** Qui est méthodique, ordonné, structuré: *Mon père est une personne bien organisée.* ANT. déréglé. **2.** Qui est préparé: *Serez-vous du voyage organisé?* SYN. planifié. ANT. imprévu. **3.** Qui appartient à une organisation: *Les travailleurs organisés en syndicats revendiquaient une hausse salariale.* **4.** Qui est doté d'organes: *L'être humain est organisé.* HOM. organiser. ☞ organiser.

organiser v. **1.** Structurer, prévoir, donner un mode de fonctionnement: *Le directeur a organisé efficacement son département.* SYN. préparer, programmer. ANT. désorganiser. **2.** Préparer pour plus d'efficacité: *J'ai organisé une visite guidée pour demain.* SYN. diriger, planifier. **3.** Aménager selon une méthode, soumettre à une certaine manière de penser, de vivre: *J'ai du mal à organiser mon temps.* HOM. organisé. ☞ désorganisation, désorganiser, inorganisable, organigramme, organisable, organisateur, organisation, organisé, réorganisation, réorganiser. **s'organiser** v.pron. Préparer selon un plan: *Il faut s'organiser du mieux qu'on peut.* ▲ **organiser** v. Composer en organes distincts: *Les biologistes cherchent la façon dont le corps humain a été organisé.* HOM. organisé. ☞ organisé.

organisme n.m. **1.** Être vivant ayant des caractères qui lui sont propres; ensemble des organes qui le constituent: *La plante est un organisme moins perfectionné que l'être humain.* **2.** Corps humain: *L'eau est indispensable à notre organisme.* ☞ organe. ▲ **organisme** n.m. Ensemble organisé; bureaux, services mis sur pied dans un but précis: *La maison Jean-Lapointe est un organisme qui vient en aide aux alcooliques.* SYN. association, organisation.

organiste n. Personne qui joue de l'orgue par profession: *M. Daveluy est un organiste renommé.* ☞ orgue.

orge n.f. **1.** Céréale qui forme un épi et dont les grains sont utilisés pour faire de la bière ou nourrir les bêtes: *La récolte d'orge a dépassé nos prévisions.* **2.** Grains de cette plante: *Je donne de l'orge à mon cheval.* ∥ *Grain d'orge:* Orgelet. *Sucre d'orge:* Friandise à base d'orge.

orgelet n.m. Petit bouton, de la grosseur d'un grain d'orge, logé sur le bord de la paupière: *Avec ma main, je protégeais mon orgelet du froid.*

orgie n.f. **1.** Repas où l'on mange et où l'on boit trop et qui s'accompagne parfois d'actes obscènes, immoraux: *La fête s'était terminée par une orgie.* **2.** Excès: *Il y a une orgie de couleurs dans ce tableau.*

orgue n. Instrument de musique à vent, composé de deux claviers, d'un pédalier et de tuyaux: *Dans notre église, nous avons un grand orgue à tuyaux.* **R.** Ne pas oublier le *u* après le *g*. Est masculin au singulier et féminin au pluriel. ☞ organiste.

orgueil n.m. **1.** Sentiment qu'a une personne d'être supérieure aux autres: *Son attitude pleine d'orgueil le rendait déplaisant.* SYN. arrogance, suffisance. ANT. humilité, modestie. **2.** Fierté bien placée: *Elle ne cache pas son orgueil d'avoir réussi ce meuble.* SYN. gloire, satisfaction. ANT. honte. **R.** Après le *g*, on écrit *ueil.* ☞ enorgueillir, orgueilleusement, orgueilleux.

orgueilleusement adv. Avec orgueil, avec un sentiment de supériorité: *Elle étalait orgueilleusement ses réalisations.* SYN. prétentieusement, vaniteusement. ANT. modestement. **R.** Après le *g*, on écrit *ueil.* ☞ orgueil.

orgueilleux, euse adj. **1.** Qui se pense supérieur aux autres: *Les gens orgueilleux ont de la difficulté à admettre leurs torts.* SYN. arrogant, hautain. ANT. humble, modeste. **2.** Qui est fier, qui tire fierté de: *Ces parents sont orgueilleux de leurs enfants.* ☞ orgueil.

orient n.m. **1.** Côté de l'horizon où le soleil se lève; l'est: *À l'orient, une étoile brillait comme pas une.* ANT. occident, ouest. **2.** Ensemble des pays situés à l'est de l'Europe: *La Chine est un pays de l'Orient.* ANT. Occident. **R.** On met la majuscule à *orient* lorsqu'il s'agit d'un ensemble de pays. ☞ oriental.

orientable adj. Qui peut être orienté, dirigé dans le sens désiré: *Une voile de bateau est nécessairement orientable.* ☞ orienter.

oriental, ale, aux n. et adj. **1.** n. Personne qui est de l'Orient: *Un Oriental, une Orientale.* ANT. Occidental. **2.** adj. Qui est de l'Orient: *L'araméen est une langue orientale.* ANT. occidental. **R.** On met la majuscule à *oriental* et à *orientale* lorsqu'il s'agit du nom. ☞ orient.

orientation n.f. **1.** Action de déterminer les points cardinaux d'un lieu pour se repérer, se diriger: *La boussole est un moyen d'orientation découvert par les Chinois.* **2.** Fait d'être situé de telle ou telle façon: *La maison a une très bonne orientation.* SYN. position, situation. **3.** fig. Action d'aider quelqu'un à bien choisir ses études, son avenir: *J'ai vu une conseillère d'orientation pour mes études.* **4.** fig. Tournure que prend un événement: *La soirée a pris une drôle d'orientation.* ∥ *Sens de l'orientation:* Aptitude à se situer, à se repérer. ☞ orienter.

orienter v. **1.** Tourner vers une direction précise: *En Gaspésie, les maisons sont souvent orientées vers le fleuve.* SYN. diriger. ANT. détourner. **2.** fig. Guider dans un choix: *Plus tard, un conseiller professionnel t'orientera dans ton choix de carrière.* ANT. aveugler. ☞ désorienter, orientable, orientation, réorientation, réorienter. **s'orienter** v.pron. **1.** Déterminer où l'on se trouve par rapport aux points cardinaux: *Il s'orientait tant bien que mal.* SYN. se retrouver, se situer. ANT. s'égarer. **2.** Diriger son action vers: *Je me suis orientée vers la musique.*

orifice n.m. Ouverture par laquelle une cavité peut communiquer avec l'extérieur ou avec une autre structure: *Nous dissimulions l'orifice de notre tunnel par des cartons couverts de neige.*

origan n.m. Plante aromatique qui relève le goût des sauces, des viandes, des soupes: *L'origan relève le goût de l'agneau.*

originaire adj. **1.** Qui vient de, qui est né à: *Salabrini est un nom originaire d'Italie.* **2.** Qui est au début de, à la source de: *La cause originaire du conflit était un simple malentendu.* SYN. originel, premier. ANT. final. ☞ origine.

original, aux n.m. Document, objet d'art ou autre qui n'est pas une reproduction, qui vient directement de l'auteur: *L'original s'est perdu.* ANT. copie, double, imitation, réplique, reproduction. ▲ **original, ale, aux** n. et adj. **1.** n. Personne unique en son genre ou ayant des caractères un peu bizarres: *Hugo est un original.* SYN. excentrique, fantaisiste, phénomène. **2.** adj. Qui est peu commun: *Ce vase original égaie la décoration du salon.* SYN. rare. ANT. banal, classique, commun. **3.** adj. Qui est bizarre, étrange, en parlant d'une personne ou d'une chose: *Le comportement original de cette actrice attire l'attention.* SYN. singulier. ANT. banal, conformiste, ordinaire, simple. ☞ originalement, originalité. ▲ **original, ale, aux** adj. **1.** Qui est primitif: *Cette traduction s'éloigne du sens original.* SYN. originel. **2.** Qui est de première inspiration: *L'idée originale était la meilleure.* SYN. neuf, nouveau. **3.** Qui vient directement d'un auteur: *Une œuvre originale de Marcelle Ferron a une grande valeur.* SYN. inédit.

originalement adv. D'une manière originale, peu commune: *Ils étaient originalement vêtus.* ☞ original.

originalité n.f. **1.** Caractère de ce qui est original, inédit, rare, nouveau: *Nathalie est primée pour l'originalité de son œuvre.* SYN. nouveauté. ANT. banalité, imitation. **2.** Bizarrerie, action étrange: *Se promener en vélo, en hiver, en pleine tempête était une autre de ses originalités.* SYN. étrangeté, excentricité, singularité. ANT. banalité. ☞ original.

origine n.f. **1.** Milieu d'où quelqu'un est issu; son ascendance: *Je suis d'origine française.* SYN. famille. **2.** Moment, lieu d'où quelque chose est issu: *Connais-tu l'origine de ce mot?* SYN. racine, source. **3.** Point de départ, provenance: *L'origine de l'appel téléphonique est encore inconnue.* ANT. destination. ☞ originaire, originel. ▲ **origine** n.f. **1.** Commencement, première apparition: *Il est difficile d'expliquer l'origine du monde.* SYN. début, naissance. ANT. fin. **2.** Cause: *J'ignore l'origine de leur dispute.* ☞ originaire, originel. **à l'origine** loc.adv. Au début, dès l'origine: *À l'origine, cette chemise était blanche.*

originel, elle adj. Qui est depuis l'origine, le début; primitif: *Le sens originel d'un mot n'est pas toujours connu.* SYN. initial, original, premier. ANT. dernier, final. ⁄⁄ *Péché originel:* Péché commis par Adam et Ève et dont tout être est coupable en naissant. ☞ origine.

orignal, aux n.m. (basque) Élan du Canada et de l'Alaska: *La chasse à l'orignal est contrôlée.*

oripeaux n.m.plur. Vieux habits souvent ornés de faux or ou de faux argent: *Autrefois, ces oripeaux étaient de magnifiques vêtements.* SYN. guenilles.

orlon n.m. (nom déposé) Fibre textile synthétique: *Mon gilet en orlon est inusable.*

ormaie n.f. Lieu planté d'ormes: *De temps à autre, elle se rendait à l'ormaie pour admirer ces hauts arbres.* **R.** Aussi, *ormoie.* ☞ orme.

orme n.m. **1.** Arbre à feuilles dentelées, atteignant vingt à trente mètres de hauteur: *Nous nous reposions sous un grand orme au feuillage formant un parasol.* **2.** Bois de cet arbre utilisé en ébénisterie: *La charpente de notre bateau est en orme.* ☞ ormaie, ormeau.

ormeau, eaux n.m. Jeune orme: *Nous avons acheté cet ormeau chez le pépiniériste.* ☞ orme.

ornement n.m. Ce que l'on ajoute pour garnir, enjoliver: *La dentelle est le seul ornement de ma robe.* SYN. décoration. ⁄⁄ *Arbres, plantes d'ornement:* Arbres, plantes qui ne servent qu'à la décoration. ☞ orner.

ornemental, ale, aux adj. Qui sert à orner, à embellir: *J'aime beaucoup le motif ornemental de ce vieux buffet.* SYN. décoratif. ☞ orner.

orner v. **1.** Décorer, rehausser l'apparence en ajoutant certains éléments: *Ornerez-vous votre parterre de quelques marguerites?* SYN. agrémenter, enjoliver. ANT. enlaidir. **2.** Rendre plus attrayant: *Ornez votre texte de quelques comparaisons.* SYN. parer. ☞ ornement, ornemental.

ornière n.f. Trace plus ou moins profonde laissée par un véhicule sur un chemin: *Engagées dans des ornières, nos voitures roulaient avec peine.*

ornithologie n.f. Science qui a pour objet l'étude des oiseaux: *Un livre d'ornithologie a renseigné Martine sur le harfang des neiges.* ☞ ornithologiste.

ornithologiste n. Personne spécialisée dans l'étude des oiseaux: *Cet ornithologiste a consacré beaucoup de temps à l'étude des rapaces.* **R.** Aussi, *ornithologue.* ☞ ornithologie.

ornithorynque n.m. Mammifère d'Australie à bec corné, aux pattes palmées, à longue queue plate, constitué pour vivre aussi bien dans l'eau que sur la terre: *L'ornithorynque pond des œufs et allaite ses petits.*

orphelin, ine n. Enfant dont le père et la mère, ou l'un des deux, sont morts: *Mon amie est orpheline de père et de mère, ses parents sont morts dans un accident.* ☞ orphelinat.

orphelinat n.m. Maison destinée à recueillir des enfants privés de leurs parents: *Au Québec, la plupart des orphelinats étaient autrefois dirigés par des religieuses.* ☞ orphelin.

orphie n.f. (néerl.) Poisson des eaux salées, au bec long et fin, appelé aussi aiguille ou bécassine de mer: *Le long bec fin de l'orphie lui aurait-il valu le surnom «d'aiguille»?*

orque n.m. Autre nom de l'épaulard, grand poisson vorace des mers qui allaite ses petits: *L'orque, mammifère marin, ressemble au dauphin.* ◇ épaulard.

orteil n.m. Doigt de pied: *Le médecin n'a pas immobilisé mon petit orteil cassé.*

orthodontie n.f. Partie de la médecine dentaire qui traite les dents qui poussent en position anormale: *Ma dentiste, spécialiste en orthodontie, a complètement changé l'apparence de mes dents.*

orthodoxe n. et adj. **1.** n. Nom donné à la chrétienté de rite oriental séparée de Rome et qui ne reconnaît pas l'autorité du pape: *Une orthodoxe m'explique que peu de points séparent les orthodoxes des catholiques.* **2.** adj. Qui se rapporte, qui appartient aux Églises chrétiennes de rite oriental qui ne reconnaissent pas l'autorité du pape: *Les popes sont des prêtres de l'Église orthodoxe slave.*
▲ **orthodoxe** n. et adj. **1.** n. Personne qui se conforme à l'usage établi, à une doctrine quelconque: *Le congrès réunissait les orthodoxes du parti.* **2.** adj. Qui est conforme à l'usage établi, à une doctrine religieuse ou autre: *Cet avocat a une façon peu orthodoxe de défendre ses clients.*

orthographe n.f. **1.** Manière correcte d'écrire les mots selon des règles et des conventions: *Je fais peu de fautes d'orthographe, car je consulte régulièrement mon dictionnaire.* **2.** Manière particulière dont on écrit les mots: *Plusieurs mots ont la même orthographe.* **R.** Les lettres *ph* se prononcent *f.* ☞ orthographier, orthographique.

orthographier v. Écrire, en se conformant aux règles de l'orthographe: *J'ai su orthographier huit des dix mots difficiles.* **R.** Les lettres *ph* se prononcent *f.* ☞ orthographe.

orthographique adj. Qui se rapporte à l'orthographe: *La cédille, le trait d'union, les accents sont des signes orthographiques.* **R.** Les lettres *ph* se prononcent *f.* ☞ orthographe.

orthopédie n.f. Médecine spécialisée dans la prévention et le traitement des difformités du squelette causées par les maladies des os, des muscles et des tendons: *Je suis allé en orthopédie pour qu'on puisse apporter une correction à mes pieds plats.* ☞ orthopédique, orthopédiste.

orthopédique adj. Qui se rapporte à l'orthopédie, médecine qui corrige la malformation des os: *Après son accident, il a dû porter un corset orthopédique.* ☞ orthopédie.

orthopédiste n. **1.** Médecin spécialisé en orthopédie, médecine qui corrige la malformation des os: *Cette orthopédiste me conseille de ne pas chausser des souliers à talons hauts à cause de l'état de ma colonne vertébrale.* **2.** Personne dont le métier est de fabriquer ou de vendre des appareils orthopédiques: *Un orthopédiste m'a fabriqué une prothèse pour ma jambe droite.* ☞ orthopédie.

orthophonie n.f. Traitement qui vise à corriger les défauts du langage, de la prononciation: *Avant d'aller en orthophonie, je zézayais.* **R.** Les lettres *ph* se prononcent *f.* ☞ orthophoniste.

orthophoniste n. Personne spécialisée en orthophonie, traitement qui vise à corriger les défauts du langage, de la prononciation: *Une orthophoniste m'a donné des exercices de prononciation à faire chaque jour.* **R.** Les lettres *ph* se prononcent *f.* ☞ orthophonie.

ortie n.f. Plante dont la feuille poilue provoque des irritations dès qu'on la frôle: *On ne touche à l'ortie qu'une fois...*

orvet n.m. Reptile voisin du lézard, sans pattes, qui se nourrit de vers et de limaces, dont l'éclosion des œufs se fait à l'intérieur du corps de sorte que les petits naissent vivants: *On a surnommé l'orvet «serpent de verre» parce que sa queue se brise facilement.*

oryx n.m. Antilope aux longues cornes fines: *Gracieux, l'oryx court comme porté par le vent.*

os n.m. Chacune des pièces dures du squelette du corps des êtres humains et des animaux vertébrés : *J'ai les os fragiles ; je manque de calcium.* // *Sac à os, paquet d'os:* Très maigre. **R.** Se prononce *osse* au singulier et *o* au pluriel. ☞ désossement, désosser, ossature, osselet, ossements, osseux, ossuaire.

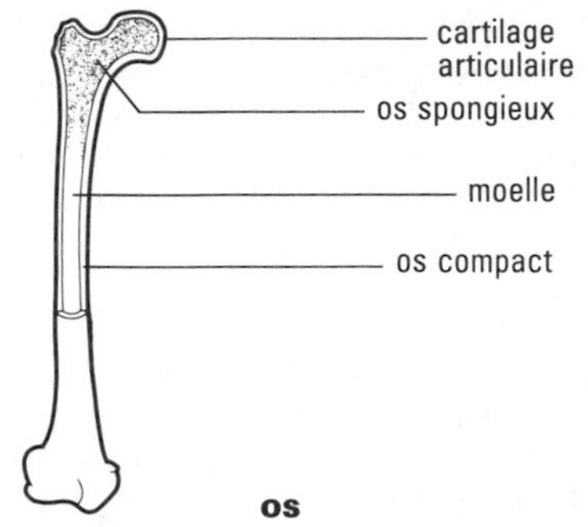

os

oscar n.m. Trophée remis par un jury à un individu ou à un groupe qui s'est fait remarquer par son art dans le domaine de la chanson, du cinéma, de la mise en scène : *Le Québécois Frédéric Back a reçu un oscar pour son œuvre « L'homme qui plantait des arbres ».*

oscillant, ante adj. **1.** Qui oscille, va d'un côté et de l'autre : *Un serpent dressé, oscillant, s'apprêtait à cracher son venin.* **2.** fig. Qui change, est incertain : *La valeur du dollar est oscillante.* **R.** Ne pas oublier le *c* après le *s*. Les deux *l* se prononcent comme un seul *l*. ☞ osciller.

oscillation n.f. **1.** Mouvement d'un corps qui oscille, qui va d'un côté et de l'autre : *L'oscillation du pendule l'endormit.* SYN. balancement, bercement. ANT. immobilité, stabilité. **2.** fig. Variation, fluctuation : *L'oscillation de l'opinion publique est un fait courant.* ANT. détermination, stabilité. **R.** Ne pas oublier le *c* après le *s*. Les deux *l* se prononcent comme un seul *l*. ☞ osciller.

osciller v. **1.** Avoir un mouvement de va-et-vient plus ou moins régulier : *Le pendule a cessé d'osciller.* SYN. onduler, vaciller. ANT. arrêter, immobiliser, stabiliser. **2.** Hésiter entre deux positions, deux attitudes contraires : *J'oscille entre étudier ou aller jouer.* **3.** Varier entre deux grandeurs, deux niveaux : *L'aiguille de l'indicateur de vitesse oscille entre trente et cent kilomètres.* **R.** Ne pas oublier le *c* après le *s*. Les deux *l* se prononcent comme un seul *l*. ☞ oscillant, oscillation.

osé, ée adj. **1.** Qui est imprudent, téméraire, hardi : *Un skieur osé s'est risqué sur cette pente dangereuse.* SYN. audacieux. ANT. timide. **2.** Qui choque les convenances, la pudeur : *Certains films montrent des scènes osées.* ANT. convenable. HOM. oser. ☞ oser.

oseille n.f. **1.** Plante que l'on trouve à l'état sauvage ou que l'on cultive pour ses feuilles comestibles : *Pambi a préparé une soupe à l'oseille.* **2.** pop. Argent : *Mon vieux, je ne cultive pas l'oseille.*

oser v. **1.** Entreprendre courageusement, avec audace, une chose considérée difficile : *Je n'ose plus patiner depuis que je me suis cassé la jambe.* SYN. risquer. ANT. craindre, hésiter. **2.** Prendre des risques, avoir l'audace de : *Ludmilla a osé douter de la bonne foi de Matthieu.* ANT. hésiter. HOM. osé. ☞ osé.

oseraie n.f. Lieu planté d'osiers : *Ce terrain deviendra une oseraie qu'il sera avantageux de cultiver.* ☞ osier.

osier n.m. Saule de petite taille dont les rameaux flexibles servent à la fabrication d'objets de vannerie : *Lors d'un récent voyage, j'ai acheté trois jolis paniers d'osier qui décorent ma chambre.* ☞ oseraie.

ossature n.f. **1.** Ensemble des os d'une personne ou d'un animal vertébré : *Fernando boit du lait pour renforcer son ossature.* SYN. squelette. **2.** Charpente servant à supporter une construction, un bâtiment : *Des poutres d'acier forment l'ossature de ce gratte-ciel.* ☞ os.

osselet n.m. **1.** Petit os : *Dans l'oreille, nous avons une chaîne d'osselets.* **2.** Jeu d'habileté consistant à lancer des objets imitant des petits os et à en rattraper le plus possible sur le dos de la main : *Louise est d'une adresse remarquable aux osselets.* ☞ os.

ossements n.m.plur. Os sans chair et desséchés d'un cadavre de personne ou d'animal : *Cette archéologue a découvert des ossements de dinosaures.* ☞ os.

osseux, euse adj. **1.** Qui se rapporte aux os ; qui possède des os : *Le tissu osseux peut se refaire après une fracture.* **2.** Dont les os forment un relief : *Son chandail ajusté laissait paraître des épaules osseuses.* ☞ os.

ossuaire n.m. Lieu où l'on rassemble les ossements des morts : *Au Pérou, on trouve des ossuaires datant d'avant la conquête espagnole.* ☞ os.

ostensible adj. Qui est fait ouvertement, avec l'intention d'être remarqué : *Son attitude ostensible visait à attirer l'attention.* SYN. apparent, visible. ANT. caché, secret. ☞ ostensiblement.

ostensiblement adv. D'une façon ostensible, ouverte, de manière à se faire voir: *Elle riait ostensiblement de moi.* ☞ ostensible.

ostensoir n.m. Pièce d'orfèvrerie destinée à recevoir l'hostie consacrée exposée aux fidèles pour l'adoration: *Le prêtre porte l'ostensoir durant la procession et le place ensuite sur l'autel.*

ostinato n.m. (it.) En musique, répétition obstinée d'un air ou d'un rythme: *La gigue que joue ce violoneux est un ostinato.*

ostineux ☞ sect. anglicismes et canadianismes.

ostréicole adj. Qui se rapporte à l'ostréiculture, à l'élevage des huîtres: *Ce pêcheur s'intéresse à la culture ostréicole.* ☞ ostréiculture.

ostréiculteur, trice n. Personne qui fait l'élevage des huîtres: *L'ostréicultrice observe attentivement la croissance de ses huîtres.* ☞ ostréiculture.

ostréiculture n.f. Élevage des huîtres dans le but d'en faire le commerce: *L'ostréiculture se pratique dans les provinces de l'Atlantique.* ☞ ostréicole, ostréiculteur.

otage n.m. Personne que l'on garde captive pour attirer l'attention publique sur une situation, soutirer de l'argent ou obtenir d'autres avantages: *Les passagers de l'autobus ont été pris en otages.*

otarie n.f. Mammifère marin, appelé loutre de mer, ressemblant au phoque, chassé pour sa peau et pour son huile: *Les enfants sont toujours intéressés par les otaries curieuses et enjouées.*

ôter v. **1.** Enlever quelque chose d'un endroit: *Je t'avais demandé d'ôter ta bicyclette de l'allée.* ANT. mettre, remettre. **2.** Éliminer, supprimer: *Pourrais-tu ôter le nom de Suzie de la liste des absentes?* ANT. ajouter. **3.** Dissiper, faire disparaître: *Ce comprimé m'a ôté mon mal de tête.* **4.** Se dépouiller de, en parlant des vêtements: *Nathalie a ôté son manteau en arrivant.* SYN. enlever. **5.** Prendre, s'emparer: *Les voleurs lui ont ôté tout son argent.* **s'ôter** v.pron. S'enlever d'un endroit, s'écarter de quelqu'un: *Il n'avait qu'à s'ôter de la circulation s'il était mécontent.* **R.** Ne pas oublier l'accent: *ô*.

otite n.f. Inflammation de l'oreille: *Une otite douloureuse m'a empêché de dormir une partie de la nuit.*

otocyon n.m. Mammifère carnassier aux grandes oreilles, de l'Afrique du Sud, aussi appelé «chien oreillard»: *L'otocyon se jette sur sa proie et la dévore rapidement.*

oto-rhino-laryngologie n.f. Branche de la médecine traitant des maladies de la gorge, des oreilles et du nez: *Le service d'oto-rhino-laryngologie se trouve au deuxième étage.* **R.** Aussi, *O.R.L.* ☞ oto-rhino-laryngologiste.

oto-rhino-laryngologiste n. Médecin qui s'occupe des maladies de la gorge, des oreilles et du nez: *Chaque année, je dois voir l'oto-rhino-laryngologiste pour mes oreilles.* **R.** Au pluriel, *oto-rhino-laryngologistes*. Aussi, *O.R.L.* ☞ oto-rhino-laryngologie.

ou conj. **1.** Marque un choix, une alternative entre deux choses: *Désires-tu un jus d'orange ou un verre de lait?* **2.** Marque l'indifférence entre deux éventualités opposées: *Il lui était parfaitement égal de voyager par train ou par autobus.* **3.** Marque une explication ou une union de termes qui sont de même sens: *Il fallait inscrire notre prénom ou nom de baptême.* **4.** Marque une évaluation approximative: *L'arbre avait dix ou quinze mètres de hauteur.* HOM. août, hou!, houe, houx, où.

où pron.rel. **1.** Marque le lieu: *Regarde l'hôpital où je suis né.* **2.** Marque le temps: *C'est l'heure où le soleil se couche.* **3.** fig. Marque l'état: *Dans la pauvreté où j'étais, il n'était pas question de voyager.*

où adv. et adv.interrog. **1.** adv. Là, à cet endroit: *J'irai où tu voudras.* **2.** adv.interrog. En quel lieu, en quel endroit: *Où donc est allé ton frère? Dis-moi où il est.* HOM. août, hou!, houe, houx, ou. ⁄⁄ *D'où?*: De quel endroit? *Par où?*: Par quel endroit? **R.** Ne pas oublier l'accent: *ù*.

> **ou** peut être remplacé par *ou bien*.
> **où** indique un *lieu*, un *moment*.

ouailles n.f.plur. Paroissiens, chrétiens: *Un curé recommandait à ses ouailles de pratiquer la charité.*

ouananiche n.f. (amérind.) Au Canada, saumon d'eau douce: *Nous irons taquiner la ouananiche du Saguenay.* **R.** Signifie *le petit égaré*. Devant *ouananiche*, l'élision peut se faire ou non.

ouaouaron n.m. (amérind.) Au Canada, grande grenouille qui vit en Amérique du Nord: *Le coassement du ouaouaron fait penser à un meuglement.* **R.** Signifie *grenouille verte*. Devant *ouaouaron*, l'élision peut se faire ou non.

ouate n.f. **1.** Coton absorbant spécialement préparé pour la toilette ou les pansements: *L'infirmière passe une ouate imbibée d'alcool sur ma blessure.* **2.** Coton, laine ou soie préparé pour servir de bourre ou de garniture dans des doublures de vêtements, des objets de literie: *Les nombreux lavages ont tassé la ouate de la courtepointe.* HOM. watt. **R.** Devant *ouate*, l'élision peut se faire ou non. ☞ ouaté, ouater.

ouaté, ée adj. **1.** Qui est recouvert, garni d'ouate, qui est doux comme de l'ouate: *Mon ensemble de jogging est en coton ouaté.* **2.** fig. Qui est feutré, étouffé: *Les voleurs marchent d'un pas ouaté pour passer inaperçus.* HOM. ouater. ☞ ouate.

ouater v. Doubler, garnir d'ouate: *Les couturiers ouatent les sacs de couchage afin de les rendre plus chauds et plus confortables.* HOM. ouaté. ☞ ouate.

oubli n.m. **1.** Action d'oublier, de ne plus se souvenir: *L'oubli de sa propre date de naissance la trouble énormément.* ANT. souvenir. **2.** Manquement à une règle, une habitude; négligence: *L'oubli de la loi n'excuse pas les infractions.* **3.** Distraction, étourderie: *Il n'a pas mis d'accent sur le «e», c'est un oubli.* ⁄⁄ *Oubli de soi:* Abnégation. ☞ inoubliable, oublier, oublieux.

oublier v. **1.** Ne pas pouvoir se rappeler, avoir une défaillance de la mémoire: *Rébecca a oublié le nom du découvreur du Canada.* ANT. se rappeler, se souvenir. **2.** Négliger quelqu'un en ne s'occupant pas de lui; ne pas porter attention à: *J'ai oublié mes amis et j'en souffre maintenant.* SYN. délaisser. ANT. penser. **3.** Ne pas tenir compte de; pardonner: *Joël trouve bien difficile d'oublier cette injure.* **4.** Négliger de prendre, laisser quelque chose quelque part: *Yan a oublié sa montre il ne sait où.* **5.** Omettre, ne pas penser: *J'ai oublié d'apprendre mes leçons.* SYN. négliger. ☞ oubli. **s'oublier** v.pron. **1.** Ne pas rester gravé dans la mémoire: *Même les mauvais moments s'oublient.* **2.** Ne pas penser à soi: *Les parents s'oublient souvent pour leurs enfants.* **3.** fam. Faire ses besoins au mauvais endroit: *Le chat s'est oublié sur le tapis du salon.*

oubliette n.f. Fosse où l'on faisait tomber ceux dont on voulait se débarrasser; cachot souterrain: *On a trouvé des ossements humains dans les oubliettes de ce château.* **R.** S'emploie le plus souvent au pluriel.

oublieux, euse adj. Qui est porté à oublier, à négliger quelqu'un: *Je te trouve oublieuse de tout ce que tu as reçu de tes bons parents.* SYN. ingrat, négligent. ANT. attentif, soucieux. ☞ oubli.

ouest n.m.invar. et adj.invar. (angl.) **1.** n.m.invar. Point cardinal opposé à l'est; côté où le soleil se couche: *L'Ontario est à l'ouest du Québec.* ANT. est. **2.** n.m.invar. Partie d'un pays, d'une région qui est située à l'ouest: *L'Ouest canadien est réputé pour sa production de blé.* ANT. Est. **3.** adj.invar. Qui est situé à l'ouest: *La côte ouest des États-Unis est bordée par le Pacifique.* ANT. est. **R.** S'écrit avec une majuscule lorsqu'il s'agit de la partie d'un pays, d'une région.

ouf! interj. Mot qui exprime le soulagement: *Ouf! j'ai enfin fini mon exposé!* ⁄⁄ *Ne pas laisser à quelqu'un le temps de dire ouf:* Ne pas laisser à quelqu'un le temps de souffler, de dire un mot.

oui n.m.invar. et adv. **1.** n.m.invar. Réponse positive; accord: *Lors du vote, il y a eu plus de oui que de non.* ANT. non. **2.** adv. Marque une approbation, un consentement, une réponse affirmative: *Oui, je veux bien que tu y ailles.* SYN. assurément, certainement, volontiers. ANT. non. HOM. ouïe, ouïes.

ouï-dire n.m.invar. Ce que l'on connaît pour l'avoir seulement entendu dire: *Ne vous fiez pas à ces ouï-dire; rien n'a été prouvé.* ⁄⁄ *Par ouï-dire:* Par la rumeur publique. **R.** Ne pas oublier le tréma: *ï*.

ouïe n.f. Sens qui permet d'entendre, de percevoir les sons: *L'ouïe d'un aveugle est souvent très développée.* HOM. oui, ouïes. ⁄⁄ *Être tout ouïe:* Écouter attentivement. **R.** Ne pas oublier le tréma: *ï*.

ouïes n.f.plur. Fentes de chaque côté de la tête d'un poisson faisant partie de son appareil respiratoire: *Tiens le poisson par les ouïes, tu ne l'échapperas pas.* HOM. oui, ouïe. **R.** Ne pas oublier le tréma: *ï*.

ouistiti n.m. Très petit singe de l'Amérique du Sud, à longue queue et aux oreilles touffues: *Le ouistiti se nourrit de fruits et d'insectes.* **R.** Devant *ouistiti*, on ne fait pas l'élision.

ouragan n.m. **1.** Forte tempête accompagnée de grands vents: *L'ouragan emportait tout sur son passage.* **2.** fig. Grande agitation, soulèvement des passions: *Les propos de la ministre ont déclenché un ouragan au Parlement.* SYN. tumulte. **3.** fig. Mouvement brusque et subit: *Tu arrives toujours comme un ouragan.*

ourler v. Faire un ourlet: *Il me reste à ourler le bord du veston.* ☞ ourlet.

ourlet n.m. **1.** Partie repliée et cousue d'une étoffe: *On fait un ourlet pour empêcher le tissu de s'effilocher.* **2.** Repli d'une feuille ou d'un objet métallique: *Je me suis coupée sur le bord d'une feuille d'aluminium sans ourlet.* ☞ ourler.

ours n.m. **1.** Mammifère carnivore de grande taille, au museau allongé et à la fourrure épaisse, dont la femelle est l'ourse et le petit, l'ourson : *Les ours affamés rôdaient autour du dépotoir.* **2.** Jouet d'enfant qui représente un ours : *Carole s'amuse avec un ours en peluche.* **3.** Homme bourru qui fuit la société : *Cet homme qui vit comme un ermite est un vieil ours.* **R.** Le *s* se prononce au singulier et au pluriel. ☞ ourse, ourson.

ourse n.f. **1.** Femelle de l'ours : *L'ourse protège ses petits.* **2.** Nom de deux constellations qui se trouvent près du pôle Nord : *La nuit, on peut apercevoir dans le ciel la Grande Ourse et la Petite Ourse.* **R.** On met la majuscule à *ourse* lorsqu'il s'agit d'une constellation. ☞ ours.

oursin n.m. Animal marin, appelé aussi hérisson de mer, recouvert d'une carapace sur laquelle il y a des piquants : *À ma collection de coquillages, je viens d'ajouter une étoile de mer et un oursin.*

ourson n.m. Petit de l'ours : *Les oursons du jardin zoologique attirent les visiteurs.* ☞ ours.

oust ! interj.fam. **1.** Mot qui sert à presser quelqu'un : *Oust! on part dans cinq minutes.* **2.** Mot qui sert à chasser quelqu'un : *Allez, oust! filez!* **R.** Aussi, *ouste!*.

outarde n.f. Gros oiseau au plumage surtout gris, à pattes palmées, au long cou et à chair savoureuse : *As-tu vu la volée d'outardes?* SYN. bernache. ◇ bernache.

outil n.m. **1.** Objet conçu pour un travail manuel particulier : *Où as-tu mis les outils de jardinage?* SYN. instrument. **2.** fig. Partie, élément d'une activité considéré comme un moyen : *Les livres sont des outils essentiels de l'enseignement.* ☞ outillage, outillé, outiller.

outillage n.m. Ensemble d'outils, de machines, de matériel nécessaires pour un travail déterminé : *Pour moderniser notre exploitation forestière, il faudra changer notre outillage.* SYN. équipement. ☞ outil.

outillé, ée adj. Qui est muni d'outils, qui a tout ce qu'il faut pour travailler : *Notre plombière est si bien outillée que je te conseille de faire appel à ses services.* HOM. outiller. ☞ outil.

outiller v. Munir d'outils, de machines, d'appareils en vue d'un travail : *On a outillé l'usine de façon très moderne.* SYN. équiper. HOM. outillé. ☞ outil. **s'outiller** v.pron. S'équiper du matériel et des outils nécessaires pour exécuter un travail : *Il arrive que les ouvriers s'outillent à leurs frais.* SYN. s'équiper.

output ☞ sect. anglicismes et canadianismes.

outrage n.m. **1.** Offense grave et humiliante : *Cette gifle, en public, fut le pire outrage de ma vie.* SYN. affront, injure, insulte. **2.** Délit commis envers un représentant de l'autorité, de la justice : *Elle a été condamnée pour outrage au tribunal.* **3.** fig. Manquement sérieux à une coutume, à une règle, à un principe : *Avoir insulté si bassement ton employeur est un outrage au bon sens.* SYN. violation. ☞ outrageant, outrager, outrageusement.

outrageant, ante adj. Qui outrage, qui est injurieux : *Quand Gervaise est fâchée, elle tient souvent des propos outrageants.* SYN. insultant. **R.** Ne pas oublier le *e* après le *g*. ☞ outrage.

outrager v. **1.** Offenser, injurier gravement par un outrage : *Même si tu n'aimes pas ton voisin, tu ne dois jamais l'outrager.* SYN. injurier, insulter. **2.** Transgresser, enfreindre : *Ce texte outrage la morale.* ☞ outrage.

outrageusement adv. D'une manière excessive : *Elle était outrageusement maquillée.* ☞ outrage.

outrance n.f. Exagération, amplification dans les paroles ou dans les actes : *L'outrance de ton langage n'a pas fait de toi un témoin crédible.* SYN. exagération. ANT. modération. ☞ outrer. **à outrance** loc.adv. Avec exagération, avec excès, sans modération : *Peu d'écoliers sont studieux à outrance.*

outrancier, ière adj. Qui exagère, pousse les choses à l'excès : *Tes propos outranciers ne t'ont pas attiré de compliments.* SYN. excessif. ANT. mesuré, pondéré. ☞ outrer.

outre n.f. Sac en peau de bête servant de récipient pour des liquides : *Gamaliel buvait à même l'outre.*

outre prép. et adv. **1.** prép. À part, en plus de : *Outre son travail, mon père fait du bénévolat.* **2.** adv. Au-delà, plus loin : *Tu es passée outre sans même me saluer.* ⫽ *Passer outre :* Ne pas tenir compte d'une objection ; surmonter un obstacle. ☞ outre-mer. **en outre** loc.adv. De plus, en plus de cela : *Marcelle est arrivée première et, en outre, elle a reçu une bourse d'études.* **outre mesure** loc.adv. Au-delà de ce qui est normal : *Ne t'inquiète pas outre mesure, on s'en sortira avec succès.*

outremer n.m. et adj.invar. **1.** n.m. Couleur d'un bleu assez foncé : *Le peintre ajoute un peu de blanc dans l'outremer pour le pâlir.* **2.** n.m. Pierre d'un bleu d'azur : *Est-ce un outremer que tu as sur ta bague?* **3.** adj.invar.litt. Qui est d'un bleu foncé : *Nous voguions paisiblement sous un ciel outremer.* HOM. outre-mer.

outre-mer adv. De l'autre côté de la mer: *L'Italie et la France sont des pays d'outre-mer pour les Canadiens.* HOM. outremer. ☞ outre (prép. et adv.).

outrepasser v. Aller au-delà de ce qui est permis; passer les bornes: *En agissant ainsi, nous avons outrepassé les ordres.*

outrer v. **1.** Pousser les choses jusqu'à l'exagération: *Ne cherche pas à outrer les faits, ils sont déjà assez importants.* SYN. amplifier, exagérer, forcer. ANT. modérer. **2.** Vexer, indigner: *Ton manque de respect envers cette vieille dame m'a outrée.* SYN. scandaliser. ANT. apaiser, calmer. **R.** Ne s'emploie qu'aux temps composés lorsqu'il a le sens de *vexer, indigner.* ☞ outrance, outrancier.

ouvert, erte adj. **1.** Qui n'est pas fermé: *Line me demande de laisser la porte ouverte.* **2.** Qui a commencé à être en activité, en parlant d'un commerce; où l'on peut entrer: *Nous sommes maintenant ouverts chaque soir de la semaine.* ANT. fermé. **3.** Qui est accessible, que l'on peut utiliser: *Le Saint-Laurent est ouvert à la navigation.* ANT. fermé. **4.** Qui est tendu, béant: *Cet accidenté a le crâne ouvert.* **5.** Dont les parties sont écartées: *Les fleurs trop ouvertes ne durent pas longtemps.* ⁄⁄ *Grand ouvert:* Ouvert le plus possible. *Opération à cœur ouvert:* Intervention chirurgicale à l'intérieur du muscle cardiaque. ☞ ouvrir. ▲ **ouvert, erte** adj. **1.** Qui s'ouvre facilement aux idées nouvelles, qui est compréhensif, qui a un esprit pénétrant: *Mes parents sont ouverts; avec eux, je suis très à l'aise pour parler de sexualité.* ANT. borné, étroit. **2.** Qui est communicatif et franc: *Son regard ouvert inspire confiance.* SYN. confiant. ANT. renfermé, secret. ☞ ouvrir.

ouvertement adv. D'une manière ouverte, sans dissimulation: *Simon témoigne ouvertement son affection à Maryse.* SYN. franchement. ANT. secrètement. ☞ ouvrir.

ouverture n.f. **1.** Action d'ouvrir; état de ce qui est ouvert: *L'ouverture des portes de ce magasin est à neuf heures.* ANT. fermeture. **2.** Fait d'être commencé, de devenir ouvert: *Au Québec, l'ouverture des écoles a lieu à la fin du mois d'août.* SYN. commencement, début. ANT. fin. **3.** Fait de rendre accessible, praticable: *L'ouverture des routes se fait par une énorme charrue.* **4.** Écartement: *Règle bien l'ouverture de ton compas.* ☞ ouvrir. ▲ **ouverture** n.f. Trou percé dans une construction, dans un corps: *Le chien s'est faufilé par l'ouverture de la clôture.* ☞ ouvrir. ▲ **ouverture** n.f. Fait d'être réceptif: *Son ouverture d'esprit facilite les confidences.* ☞ ouvrir.

ouvrable adj. **1.** Qui peut être travaillé, façonné: *Le bois est une matière ouvrable.* **2.** Qui est normalement consacré au travail, qui n'est pas jour de congé: *La fête du Travail n'est pas un jour ouvrable.* ANT. férié.

ouvrage n.m. **1.** Tâche, travail, besogne: *J'ai fini mon ouvrage, je peux aller jouer dehors.* SYN. occupation. ANT. divertissement, récréation. **2.** Travail fini, produit d'un travail artisanal, artistique, ouvrier: *Cette coupe en argent, c'est un bel ouvrage.* **3.** Travail exécuté au crochet, à l'aiguille, au poinçon: *J'ai consacré beaucoup de temps à cet ouvrage de broderie.* **4.** Texte littéraire, scientifique, technique: *La «Sève Immortelle» est un ouvrage de Laure Conan.* SYN. écrit. ☞ ouvragé, ouvrager.

ouvragé, ée adj. Qui est décoré, sculpté, travaillé avec soin: *La bibliothèque du Parlement d'Ottawa est très ouvragée.* ANT. grossier. HOM. ouvrager. ☞ ouvrage.

ouvrager v. Travailler avec soin, décorer finement: *François Baillargé a ouvragé de façon remarquable l'intérieur de certaines églises du Québec.* SYN. orner. HOM. ouvragé. ☞ ouvrage.

ouvrant n.m. Panneau pivotant qu'on peut ouvrir et fermer dans un ouvrage de menuiserie à châssis: *Retiens l'ouvrant pendant que je sors la chaise.* SYN. battant, ventail. ☞ ouvrir.

ouvrant, ante adj. Qui peut s'ouvrir: *J'ai acheté une voiture ayant un toit ouvrant, ainsi je n'étouffe plus quand le soleil plombe.* ☞ ouvrir.

ouvre-boîte n.m. Instrument coupant, servant à ouvrir les boîtes de conserve: *Grand-père s'est acheté un ouvre-boîte électrique.* **R.** Aussi, *ouvre-boîtes*. Au pluriel, *ouvre-boîtes*. Ne pas oublier l'accent: *î*. ☞ ouvrir.

ouvre-bouteille n.m. Instrument servant à enlever les capsules des bouteilles: *Mario est très habile pour décapsuler les bouteilles avec son nouvel ouvre-bouteille.* SYN. décapsuleur. **R.** Aussi, *ouvre-bouteilles*. Au pluriel, *ouvre-bouteilles*. ☞ ouvrir.

ouvre-huître n.m. Couteau à lame courte et solide pour ouvrir les huîtres: *Je me suis entraînée à me servir de l'ouvre-huître avant d'assister au festival des huîtres.* **R.** Aussi, *ouvre-huîtres*. Au pluriel, *ouvre-huîtres*. Ne pas oublier l'accent: *î*. ☞ ouvrir.

ouvreur, euse n. Personne chargée de placer les spectateurs dans une salle de spectacle: *Une ouvreuse accueillante nous a indiqué nos places.* ☞ ouvrir.

ouvrier, ière n. et adj. **1.** n. Personne qui gagne sa vie en faisant un travail manuel ou mécanique: *Une ouvrière est venue changer nos portes d'armoire.* SYN. manœuvre. ANT. patron. **2.** adj. Qui se rapporte aux ouvriers, est formé d'ouvriers: *Les métallurgistes font partie de la classe ouvrière.* ANT. bourgeois, patronal.

ouvrière n.f. Femelle stérile de certaines colonies d'insectes (abeilles, guêpes, fourmis, termites), qui s'occupe de la construction et de la protection: *Les ouvrières font les nids et défendent la colonie en l'absence du mâle.*

ouvrir v. **1.** Faire une ouverture, faire communiquer l'intérieur avec l'extérieur: *Le professeur ouvre la fenêtre pour aérer la classe.* ANT. fermer. **2.** Enlever une capsule, un bouchon, un couvercle: *Ouvre-moi une bouteille d'orangeade, s'il te plaît.* SYN. déboucher. ANT. boucher. **3.** Dégager, permettre d'utiliser une voie: *Pour ouvrir les chemins, l'hiver, il faut être bien équipé.* SYN. nettoyer. ANT. barrer. **4.** Écarter, séparer: *J'ouvre les rideaux pour profiter du soleil.* ANT. fermer. **5.** Entamer: *Maman ouvre la tarte et s'en sert une pointe.* ANT. finir. **6.** Percer: *La cambrioleuse ouvre facilement un coffre-fort.* SYN. éventrer. **7.** Rendre accessible: *Mon ami ouvre son restaurant dans cinq minutes.* **8.** Brancher, faire fonctionner, allumer: *J'ouvre le téléviseur quand vient l'heure de mon émission préférée.* **9.** Crever, couper: *La médecin a ouvert un abcès.* **10.** Commencer, débuter: *La saison de la chasse ouvrira bientôt.* ANT. finir, terminer. ⁄⁄ *Ouvrir l'appétit:* Donner de l'appétit. *Ouvrir l'esprit de quelqu'un:* Rendre une personne capable de comprendre. ☞ entrouvrir, ouvert, ouvertement, ouverture, ouvrant, ouvre-boîte, ouvre-bouteille, ouvre-huître, ouvreur, réouverture, rouvrir. **s'ouvrir** v.pron. **1.** Se dégager, présenter un passage: *La voie s'ouvre lentement aux voitures aux heures de pointe.* SYN. se libérer. **2.** S'épanouir, éclore: *Au printemps, les tulipes s'ouvrent et offrent un spectacle féerique.* ANT. se fermer. **3.** Se confier: *Émilie avait beaucoup de peine et elle s'est ouverte à son ami.* **4.** Commencer: *La soirée s'ouvrira par une surprise.* SYN. débuter. ANT. terminer.

ovaire n.m. **1.** Glande qui produit des ovules et des hormones, chez les femmes et les animaux femelles: *Papa m'explique à quoi servent les ovaires chez les femmes et les testicules chez les hommes.* **2.** Partie inférieure du pistil où sont logés les ovules, chez les plantes: *Les ovaires de certaines plantes sont difficiles à voir.*

ovale n.m. et adj. **1.** n.m. Forme qui rappelle celle de l'œuf: *L'orbite de la Terre autour du Soleil forme un ovale.* **2.** adj. Qui a la forme d'une courbe fermée et allongée semblable à celle d'un œuf: *Son beau visage ovale était empreint de douceur.* SYN. ovoïde.

ovation n.f. Cris, applaudissements du public, manifestations bruyantes pour rendre hommage à une vedette, à un héros: *La trompettiste a eu droit à une ovation debout lors de son concert pour une œuvre de charité.* SYN. acclamation. ANT. huée. ☞ ovationner.

ovationner v. Accueillir quelqu'un par des ovations; manifester sa satisfaction en agitant la main, en criant, en applaudissant: *On ovationne le pape Jean-Paul II partout où il passe.* SYN. acclamer, applaudir. ANT. huer. ☞ ovation.

ovibos n.m. Ruminant des régions arctiques qui rappelle à la fois le bœuf et le mouton: *Les ovibos broutent paisiblement de la mousse et des lichens.* **R.** Le *s* final se prononce.

ovidés n.m.plur. Famille de mammifères ruminants comprenant les moutons, les chèvres, les antilopes, les mouflons: *Les ovidés sont des mammifères ongulés à cornes.* SYN. ongulés. **R.** S'écrit au singulier lorsqu'il désigne un animal appartenant à cette famille.

ovin, ine adj. Qui se rapporte, appartient au mouton, au bélier, à la brebis: *La race ovine comprend les moutons, les brebis et les béliers.*

ovipare n. et adj. **1.** n. Animal qui se reproduit par des œufs fécondés qui contiennent les éléments nutritifs nécessaires au développement de l'embryon qui se fait hors du corps de la mère: *Les ovipares sont différents des vivipares.* **2.** adj. Se dit d'un animal qui se reproduit par des œufs à l'extérieur du corps de la mère: *Les oiseaux, les reptiles et la plupart des insectes et des poissons sont ovipares.*

ovni n.m. Abréviation de «objet volant non identifié»: *L'existence des ovnis n'est pas encore prouvée.*

ovoïde adj. Qui a la forme d'un œuf: *L'olive a une forme ovoïde.* SYN. ovale. **R.** Ne pas oublier le tréma: *ï*.

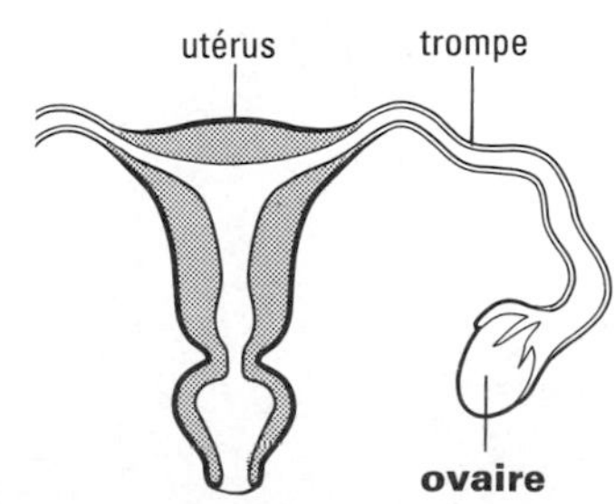

ovovivipare n. et adj. **1.** n. Animal qui se reproduit par des œufs qui contiennent les réserves nutritives nécessaires à l'embryon et dont l'éclosion se fait dans le corps de la mère : *Un ovovivipare est un vivipare dont les œufs n'ont pas besoin d'être couvés.* **2.** adj. Qui se reproduit par des œufs qui éclosent à l'intérieur du corps de la mère : *La vipère est un serpent ovovivipare.*

ovulation n.f. Dans le cycle menstruel de la femme et des animaux femelles, période pendant laquelle l'ovule est libéré par l'ovaire : *Après l'ovulation, l'ovule sera rejeté par le corps s'il n'est pas fécondé.* ☞ ovule.

ovule n.m. **1.** Toute petite cellule femelle de reproduction, élaborée par un ovaire et qui deviendra un œuf lorsqu'elle sera fécondée par un spermatozoïde : *Les ovules peuvent être aspirés, retirés du corps et fécondés en éprouvette.* **2.** Chez les plantes, cellule reproductrice qui deviendra une graine après avoir été fécondée : *Grâce aux insectes, l'ovule de la fleur a été fécondé par le pollen.* ☞ ovulation.

oxydable adj. Qui peut être oxydé, qui réagit au contact de l'oxygène : *L'argent est un métal oxydable.* ANT. inoxydable. ☞ oxyde.

oxydation n.f. Combinaison avec l'oxygène pour produire un oxyde : *L'oxydation du fer s'appelle oxyde de fer ou rouille.* ☞ oxyde.

oxyde n.m. Composé produit par la combinaison d'un corps avec l'oxygène : *C'est à tort qu'on appelle l'oxyde de cuivre vert-de-gris.* ☞ bioxyde, inoxydable, monoxyde, oxydable, oxydation, oxyder, peroxyde.

oxyder v. Produire un oxyde, combiner avec l'oxygène : *L'air oxyde un grand nombre de métaux.* ☞ oxyde. s'**oxyder** v.pron. Passer à l'état d'oxyde au contact de l'oxygène : *On utilise le bronze pour certaines pièces de plomberie parce qu'il ne s'oxyde pas.*

oxygène n.m. **1.** Gaz incolore, inodore et sans saveur, qui forme le cinquième de l'air et qui est indispensable à la respiration, au maintien de la vie : *On donne de l'oxygène aux malades qui ont du mal à respirer.* **2.** fam. Air pur : *Si nous allions prendre un peu d'oxygène à la campagne?* ☞ oxygéné, oxygéner.

oxygéné, ée adj. Qui contient de l'oxygène : *L'eau oxygénée, appelée aussi peroxyde d'hydrogène, est un désinfectant et un puissant décolorant.* HOM. oxygéner. ⁄⁄ *Cheveux oxygénés :* Cheveux décolorés à l'eau oxygénée. ☞ oxygène.

oxygéner v. Ajouter de l'oxygène à un corps : *Pour répondre à certains besoins, on peut oxygéner l'eau.* HOM. oxygéné. ☞ oxygène. s'**oxygéner** v.pron.fam. Se changer l'air des poumons ; respirer l'air pur : *Je vais aller m'oxygéner à la campagne.*

oxyg**è**ne oxyg**é**ner

ozone n.m. Gaz bleuté et odorant qui se forme dans l'air et qui sert d'écran vis-à-vis du rayonnement ultraviolet : *C'est parce que la couche d'ozone diminue que la queue des ouragans est violente.*

p n.m.invar. Seizième lettre de l'alphabet : *La lettre « p » est la douzième consonne de l'alphabet.*

paca n.m. Mammifère rongeur d'Amérique du Sud : *On peut domestiquer le paca ; il a les habitudes du cochon.*

pacage n.m. Lieu de pâture pour les animaux : *Ce champ est un pacage pour les bestiaux.* SYN. pâturage.

pacane n.f. Noix allongée, fruit du pacanier : *Le dessert préféré de Maria est la tarte aux pacanes.* ☞ pacanier.

pacanier n.m. Noyer d'Amérique qui produit la pacane : *Les pacaniers poussent dans des lieux frais et humides.* ☞ pacane.

pacemaker ☞ sect. anglicismes et canadianismes.

pacha n.m. (turc) **1.** Titre honorifique porté autrefois en Turquie : *Les pachas étaient de hauts personnages de Turquie.* **2.** fam. Personne qui mène une vie nonchalante, qui se fait servir : *Lorsqu'elle est en vacances, Suzy aime bien faire la vie de pacha.*

pachydermes n.m.plur. Ancien ordre de mammifères, à la peau épaisse, comprenant l'éléphant, l'hippopotame et le rhinocéros : *Les pachydermes font partie des ongulés.* **R.** S'écrit au singulier lorsqu'il désigne un animal appartenant à cet ordre. Les lettres *ch* se prononcent *ch* ou *k*.

pacificateur, trice n. et adj. **1.** n. Personne qui fait la paix : *Yung-Yu est une pacificatrice : c'est elle qui a ramené la paix dans la classe.* **2.** adj. Qui amène la paix : *On établit des règles pacificatrices échelonnées sur quelques mois.* ☞ paix.

pacification n.f. Action de pacifier, de ramener la paix : *L'O.N.U. a à cœur la pacification du Moyen-Orient.* ☞ paix.

pacifier v. Ramener la paix : *On tente de pacifier ce pays divisé par la guerre.* ☞ paix.

pacifique adj. Qui aime la paix : *Une dirigeante pacifique est à la tête du pays.* SYN. bon, calme, doux. ANT. agressif, batailleur, querelleur. ☞ paix.

pacifiquement adv. De manière pacifique, paisible : *Jacques a obtenu pacifiquement ce qu'il voulait.* ☞ paix.

pacifisme n.m. Doctrine, courant de pensée en faveur de la paix, qui préconise des moyens non violents pour l'atteindre : *Gandhi a prôné le pacifisme.* ☞ paix.

pacifiste n. et adj. **1.** n. Personne qui favorise la paix : *Une pacifiste a donné une conférence traitant des solutions non violentes pour résoudre les conflits.* **2.** adj. Qui est favorable au pacifisme : *Les mouvements pacifistes prônent le désarmement.* ☞ paix.

pacotille n.f.péj. Objet de peu de valeur : *Ce bijou de plastique est une pacotille.* SYN. bibelot, camelote. ANT. joyau, trésor. **R.** Les lettres *ill* se prononcent comme dans *famille*.

pacte n.m. Accord signé, entente : *Elles avaient fait le pacte de ne jamais s'abandonner.* SYN. alliance, traité. ANT. désaccord, discorde. ☞ pactiser.

pactiser v. Conclure un pacte, s'accorder avec quelqu'un : *Ce pays a pactisé avec ses voisins de frontière.* SYN. négocier, traiter, transiger. ☞ pacte.

paella n.f. (esp.) Plat espagnol composé de riz cuit à l'huile avec des viandes ou des fruits de mer : *Raphaël nous a servi une paella aux crevettes.* **R.** Se prononce *paéla* ou *paéya*.

paf adj.invar. et interj. **1.** adj.invar.pop. Qui est ivre : *Mon amie était paf, je l'ai ramenée chez elle.* **2.** interj. Mot qui exprime un bruit de chute, de coup : *Et paf ! le bouchon a sauté !*

pagaie n.f. Aviron court en forme de pelle, qui ne prend pas appui sur le bord de l'embarcation : *La plupart des pagaies sont fabriquées en bois dur.* ☞ pagayer, pagayeur.

pagaïe n.f.fam. Grand désordre: *C'est souvent la pagaïe dans mon bureau.* **R.** Ne pas oublier le tréma: *ï*. Aussi, *pagaille* ou *pagaye*.

paganisme n.m. Religion dans laquelle on adore plusieurs dieux: *Dans l'Empire romain, le paganisme se pratiquait surtout dans les campagnes.* ☞ païen.

pagayer v. Ramer à l'aide d'une pagaie: *Dans mon canot, je peux pagayer en solo ou en double.* ☞ pagaie.

pagayeur, euse n. Personne qui se sert d'une pagaie: *La pagayeuse dirigeait habilement son kayak vers les rapides.* ☞ pagaie.

page n.f. **1.** Chaque côté d'une feuille: *Karine a accidentellement déchiré une page de son livre.* **2.** Passage d'un livre: *Les pages les plus tristes sont celles où l'auteure raconte la mort de l'amante.* ☞ page-écran, pagination, paginer.

page n.m. Jeune homme autrefois attaché au service d'un roi ou d'une grande dame: *Le page était issu d'une famille noble.*

page-écran n.f. Texte, graphique ou dessin qui paraît à l'écran d'un ordinateur: *Avec ce traitement de texte, il faut écrire vingt lignes pour remplir une page-écran.* **R.** Au pluriel, *pages-écrans*. ☞ page (n.f.).

pagination n.f. Numérotation de pages, action de paginer: *J'ai relevé une erreur de pagination dans ce livre.* ☞ page (n.f.).

paginer v. Numéroter les pages: *Tu dois paginer ton document avant de le remettre.* ☞ page (n.f.).

pagne n.m. (esp.) Morceau d'étoffe ou vêtement fait de feuilles, en usage dans les pays chauds, qu'on ajuste à la taille et qui va jusqu'aux genoux: *Le pagne est un vêtement qui tend à disparaître.*

pagode n.f. Temple d'Asie, à toiture étagée, souvent dédié à Bouddha: *La statue du dieu occupe généralement le centre de la pagode.*

pagure n.m. Crustacé qui protège son ventre mou dans une coquille abandonnée: *Le pagure est aussi appelé «bernard-l'hermite».*

paie n.f. Salaire d'un employé: *Le jeudi est le jour de paie; je reçois alors mon salaire hebdomadaire.* SYN. gages, rémunération, traitement. **R.** Aussi, *paye*. ☞ payer.

paiement n.m. Action de payer, de remettre une somme due: *Je dois penser à faire les paiements de la moto que j'ai achetée.* **R.** Aussi, *payement*. Le *e* de la première syllabe ne se prononce pas. ☞ payer.

païen, ïenne n. et adj. **1.** n. Personne qui a une religion autre que le christianisme, le judaïsme ou l'islamisme: *Les païens croient en plusieurs dieux.* **2.** adj. Qui appartient au paganisme: *On dit que la religion païenne est sans fondement.* **R.** Ne pas oublier le tréma: *ï*. ☞ paganisme.

paillasse n.f. Matelas rempli de paille ou de feuilles sèches: *La paille de maïs servait à remplir les paillasses.*

paillasse n.m. Clown des places publiques: *Les paillasses imitent gauchement les tours d'adresse qu'ils voient faire.*

paillasson n.m. Tapis rugueux servant à s'essuyer les pieds: *Avant d'entrer, je frotte mes chaussures sur le paillasson pour en enlever la terre.*

paille n.f. et adj.invar. **1.** n.f. Tige de céréale desséchée et dépouillée des grains: *Mathilde porte un joli chapeau de paille.* **2.** n.f. Petit tuyau de papier ou de plastique par lequel on aspire un liquide pour le boire: *Pascale boit son jus de raisin avec une paille.* **3.** adj.invar. Qui est jaune pâle: *Sylvio porte un pantalon paille.* ☞ empaillage, empailler, empailleur, paillis.

pailleté, ée adj. Qui est décoré de paillettes, de lamelles minces et brillantes: *Les artistes portent souvent des vêtements pailletés.* HOM. pailleter. ☞ paillette.

pailleter v. Décorer de paillettes: *La couturière a pailleté mon costume de magicienne.* HOM. pailleté. **R.** Ne pas oublier de doubler le *t* devant un *e* muet. ☞ paillette.

paillette n.f. Lamelle mince et brillante qu'on coud sur un vêtement pour le décorer: *La paillette peut être de plastique, de nacre ou de métal.* ☞ pailleté, pailleter.

paillis n.m. Couche de paille étendue sur la terre pour conserver au sol son humidité ou pour éviter aux fruits le contact avec la terre: *Grâce au paillis, on cueille des fraises saines et propres.* **R.** Le *s* ne se prononce pas. ☞ paille.

paillote n.f. Cabane de paille ou de matière semblable: *Il existe encore des paillotes dans les régions pauvres de certains pays chauds.* SYN. case, hutte.

pain n.m. **1.** Aliment fait de farine, d'eau et de levain, formant une pâte qu'on pétrit et qu'on cuit au four: *Ce soir, j'aimerais manger du pain de blé entier.* **2.** Forme qui rappelle celle du pain: *Le pain de viande de Steven est délicieux.* HOM. pin. ☞ pané, paner, panure.

pair n.m. Personne dont la fonction ou la situation sociale est semblable: *À l'école, France aime aider ses pairs.* HOM. paire, père, pers. ⁄ *Aller de pair:* Aller ensemble. *Hors pair:* Sans égal. *Travailler au pair:* Échanger le travail contre la nourriture et le logement.

pair, paire adj. Qui est divisible exactement par deux: *Douze est un nombre pair.* ANT. impair. HOM. paire, père, pers. ☞ impair.

paire n.f. **1.** Ensemble de deux choses semblables: *Je me suis acheté une paire de gants bruns.* **2.** Objet constitué de deux parties semblables ou symétriques: *J'utilise une paire de ciseaux.* HOM. pair, père, pers.

paisible adj. **1.** Qui est tranquille, calme: *Que la campagne est paisible la nuit!* ANT. agité, bruyant. **2.** Qui aime la paix: *Notre voisine est paisible, elle s'entend bien avec tout son entourage.* SYN. doux. ANT. batailleur, révolté. ☞ paisiblement.

paisiblement adv. De manière paisible, calme: *Bébé dort paisiblement, rien ne l'inquiète.* ☞ paisible.

paître v. Se nourrir d'herbe, en parlant des animaux: *Les brebis paissent l'herbe des pâturages.* SYN. brouter. **R.** Ne pas oublier l'accent devant le *t*: *î*.

paix n.f. **1.** Rapports entre personnes qui ne sont pas en conflit: *Après la guerre, on fait la paix.* SYN. accord, entente. ANT. discorde, guerre. **2.** État d'une personne que rien ne vient déranger: *Les enfants dorment, Mario travaille en paix.* SYN. quiétude. ANT. bruit. **3.** Calme, tranquillité: *La paix de la nuit est bienfaitrice.* SYN. silence. ANT. tumulte. ☞ pacificateur, pacification, pacifier, pacifique, pacifiquement, pacifisme, pacifiste.

pakistanais, aise n. et adj. **1.** n. Personne qui est du Pakistan: *Un Pakistanais, une Pakistanaise.* **2.** adj. Qui est du Pakistan: *Les montagnes pakistanaises sont peu peuplées.* **R.** On met la majuscule à *pakistanais* et à *pakistanaise* lorsqu'il s'agit du nom.

palabre n.m. ou n.f. (esp.) Discussion longue et inutile: *Aucune décision ne fut prise à la suite de ces palabres.* **R.** S'emploie surtout au pluriel. ☞ palabrer.

palabrer v. Discuter interminablement: *On a palabré pour la convaincre d'accepter.* SYN. discourir, pérorer. ☞ palabre.

palace n.m. (angl.) Hôtel luxueux: *En vacances à la mer, Annick réside dans un palace.*

palais n.m. **1.** Demeure vaste et magnifique où réside un personnage de marque: *Un roi vivait dans son palais.* SYN. château. **2.** Vaste édifice d'accès public: *L'exposition a lieu au Palais des congrès.* **3.** Bâtiment où siègent les tribunaux: *Le procès s'est déroulé au palais de justice.* SYN. tribunal. ▲ **palais** n.m. Partie interne et supérieure de la bouche qui la sépare des fosses nasales: *Serge colle sa gomme à mâcher au palais.* HOM. palet.

palan n.m. Appareil permettant de lever des fardeaux: *Au port, pour charger les navires, on utilise des palans électriques.*

pale n.f. **1.** Partie de l'hélice qui tourne autour du moyeu et agit sur l'air: *Cette hélice d'avion a deux pales.* **2.** Partie plate de la rame qui agit sur l'eau: *Cette rame a un manche d'aluminium et une pale de fibre de verre.*

pâle adj. **1.** Qui est blanc, peu coloré, en parlant du teint: *Ce bruit lui a fait peur, il est devenu pâle.* SYN. blême, livide. ANT. coloré, rougeaud. **2.** Qui est peu vive, mêlée de blanc, en parlant d'une couleur: *J'aime ta chemise vert pâle.* ANT. éclatant. **3.** fig. Qui est sans éclat: *Cette peinture est une pâle imitation de l'œuvre originale.* SYN. fade, terne. ANT. brillant. ⁄ *Visages pâles:* Nom donné aux Blancs par les Amérindiens. **R.** Ne pas oublier l'accent: *â*. ☞ pâleur, pâlichon, pâlir, pâlissant, pâlot.

paléontologie n.f. Science des êtres vivants fondée sur l'étude des fossiles: *La paléontologie étudie les animaux et les végétaux qui précèdent la période historique.* ☞ paléontologiste.

paléontologiste n. Spécialiste de l'étude des fossiles: *La paléontologiste m'a expliqué comment nettoyer ce fossile de fougère.* **R.** Aussi, *paléontologue*. ☞ paléontologie.

palestre n.f. **1.** Lieu public destiné aux exercices physiques, dans l'Antiquité: *La palestre était le lieu où l'on s'exerçait à la lutte et à la gymnastique.* **2.** Gymnase dans lequel on trouve des appareils pour la gymnastique: *La barre fixe et les barres parallèles sont installées dans la palestre.*

palet n.m. Objet plat et rond qu'on lance dans certains jeux: *Tu as besoin d'un palet pour jouer à la marelle.* HOM. palais.

paletot n.m. (angl.) Vêtement de dessus boutonné à l'avant: *J'attache mon paletot et je relève mon collet lorsqu'il fait froid.* SYN. pardessus.

palette n.f. **1.** Objet de forme plate et allongée: *Une roue à aubes est une roue à palettes ou à pales.* **2.** Partie plate d'une raquette à manche court: *La balle frappe la palette et rebondit sur la table.* **3.** Pièce de viande comprenant l'omoplate: *Emma a fait cuire un rôti de palette de bœuf pour le dîner.* **4.** Plaque sur laquelle le peintre mélange ses couleurs:

Cette artiste fait des teintes de bleu sur sa palette.

palétuvier n.m. Nom donné à différents arbres des régions tropicales, dont les racines aériennes sont fixées dans la boue: *Les racines du palétuvier forment des arceaux.*

pâleur n.f. Caractère de ce qui est peu coloré: *Voyant ta pâleur, je me demande si tu es malade.* **R.** Ne pas oublier l'accent: *â.* ☞ pâle.

pâlichon, onne adj.fam. Qui est légèrement pâle: *Elle se couche trop tard, elle est pâlichonne.* **R.** Ne pas oublier l'accent: *â.* ☞ pâle.

palier n.m. **1.** Plate-forme où se termine un escalier ou un étage: *Ymoui est ma nouvelle voisine de palier.* **2.** fig. Étape, degré: *Il progresse par paliers.*

palindrome n.m. et adj. (grec) **1.** n.m. Groupe de mots pouvant être lu de droite à gauche ou de gauche à droite, en gardant le même sens: *Le palindrome suivant est célèbre: «élu par cette crapule».* **2.** adj. Qui a le même sens, lu de droite à gauche ou de gauche à droite: *Le nombre 515 est un nombre palindrome.*

pâlir v. **1.** Devenir pâle: *Quand Rosaria se fâche, elle pâlit.* SYN. blêmir. ANT. rougir. **2.** Perdre son éclat: *Ce tissu rouge a pâli au soleil.* SYN. se décolorer. ANT. briller, se colorer. **R.** Ne pas oublier l'accent: *â.* ☞ pâle.

palissade n.f. Clôture faite de planches ou de pieux plantés en terre: *Il y a un magnifique jardin derrière cette palissade.*

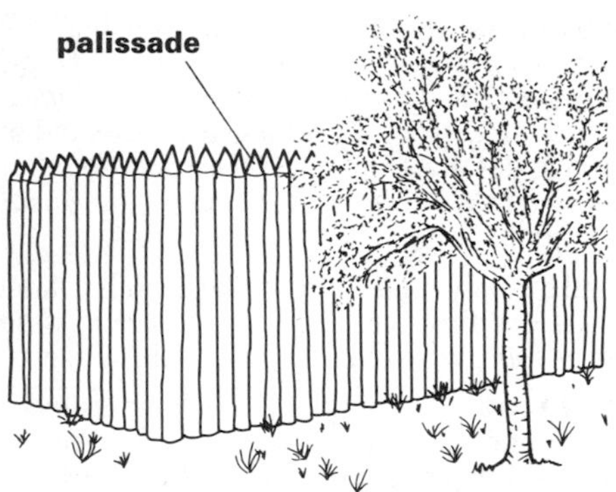

palissandre n.m. Bois d'Amérique du Sud, odorant, lourd, dur, brun violacé avec une nuance de jaune et de noir: *Le palissandre est recherché pour les travaux d'ébénisterie.*

pâlissant, ante adj. Qui pâlit, perd de son éclat: *Carl et Lise écoutent un film d'horreur, ils sont tremblants et pâlissants.* ANT. rougissant. **R.** Ne pas oublier l'accent: *â.* ☞ pâle.

palmarès n.m. **1.** Liste de personnes gagnantes: *Ton nom figure au palmarès du concours de français.* **2.** Liste de chansons par ordre de popularité: *Ta chanson préférée est en tête du palmarès de la semaine.* **R.** Le *s* se prononce.

palme n.f. Feuille du palmier: *Les palmes sont rassemblées au haut du tronc de l'arbre.* ☞ palmier. ▲ **palme** n.f. Symbole de victoire: *Tu es arrivée première, tu as remporté la palme.* ▲ **palme** n.f. Nageoire de caoutchouc fixée au pied du nageur: *Les palmes augmentent la vitesse de déplacement sous l'eau.*

palmé, ée adj. **1.** Qui ressemble à une main ouverte, en parlant d'une feuille de plante: *Certaines plantes ont des feuilles palmées.* **2.** Se dit de pattes, de pieds d'oiseaux dont les doigts sont réunis par une membrane: *Les canards utilisent leurs pattes palmées pour nager.* ☞ palmipède, palmipèdes, palmure.

palmeraie n.f. Lieu planté de palmiers: *Les palmeraies de Marrakech, au Maroc, sont bien connues.* ☞ palmier.

palmier n.m. Arbre des pays chauds, à grandes feuilles palmées, fournissant des produits variés: *La datte, la noix de coco et le rotin sont des produits du palmier.* ☞ palme, palmeraie. ▲ **palmier** n.m. Gâteau plat, en forme de palme et à pâte feuilletée: *Il m'arrive de m'arrêter à la boulangerie pour m'acheter un palmier.*

palmipède adj. Qui a les pieds palmés: *Le canard et le pingouin sont des oiseaux palmipèdes.* ☞ palmé.

palmipèdes n.m.plur. Groupe d'oiseaux aquatiques, à pattes palmées: *Le cygne et le goéland sont des palmipèdes.* **R.** S'écrit au singulier lorsqu'il désigne un oiseau appartenant à ce groupe. ☞ palmé.

palmure n.f. Membrane qui relie les doigts des palmipèdes: *La palmure est très visible sur une patte de canard.* ☞ palmé.

palombe n.f. Pigeon ramier: *On trouve la palombe dans le sud de la France.* ◇ ramier.

pâlot, otte adj. Qui est un peu pâle: *Stéphane est pâlot, il va jouer dehors pour se redonner des couleurs.* **R.** Ne pas oublier l'accent: *â*. ☞ pâle.

palourde n.f. Mollusque comestible enfermé dans une coquille: *Ce soir, nous mangeons de la soupe aux palourdes.*

palpable adj. **1.** Qui peut être palpé, touché: *La douceur de ce velours est palpable.* SYN. perceptible. ANT. impalpable, imperceptible. **2.** Qui est évident, qui peut être vérifié: *Cette pomme est ferme et odorante; sa fraîcheur est palpable.* SYN. concret, tangible. ANT. douteux. ☞ palper.

palper v. Examiner en touchant avec la main: *Le médecin palpe le ventre de l'enfant qui se plaint de douleurs.* SYN. tâter. ☞ impalpable, palpable.

palpitant, ante adj. Qui suscite un vif intérêt: *Les histoires policières sont souvent palpitantes.* SYN. passionnant, saisissant. ANT. banal, insignifiant. ☞ palpiter.

palpitation n.f. **1.** Battement de cœur plus rapide et parfois inégal: *Cette mauvaise nouvelle est la cause de ses palpitations.* **2.** Frémissement: *J'ai parfois des palpitations à la paupière.* ☞ palpiter.

palpiter v. **1.** Battre vite et parfois inégalement: *J'ai très peur, mon cœur palpite.* **2.** Être agité de frémissements: *Les ailes de son nez palpitent en ce moment.* ☞ palpitant, palpitation.

paludisme n.m. Maladie qui se manifeste par des accès de fièvre, transmise par la piqûre de moustiques de certaines régions chaudes et marécageuses: *En revenant d'Afrique, Raymonde a souffert de paludisme.* SYN. malaria.

se **pâmer** v.pron. Être comme paralysé par une sensation très agréable: *Elle s'est pâmée devant ce paysage d'une intense beauté.* SYN. s'enthousiasmer, s'extasier. ANT. dédaigner. **R.** Ne pas oublier l'accent: *â*. ☞ pâmoison.

pâmoison n.f.vx Fait de se pâmer, de s'extasier: *Il est tombé en pâmoison à la vue de la chatte avec sa portée de chatons.* **R.** Ne pas oublier l'accent: *â*. ☞ se pâmer.

pampa n.f. Vaste plaine d'Amérique du Sud: *Des troupeaux traversent la pampa argentine.*

pamphlet n.m. Court écrit satirique qui attaque le gouvernement, la religion ou une personne connue: *Voltaire est célèbre pour ses pamphlets.* **R.** N'a pas le sens de *dépliant*, *brochure* ou *prospectus*. Les lettres *ph* se prononcent *f*.

pamplemousse n.m. (néerl.) Fruit du pamplemoussier, jaune, gros et rond, légèrement acide et amer: *Le pamplemousse, l'orange et le citron sont des agrumes.* ☞ pamplemoussier.

pamplemoussier n.m. Arbre qui produit des pamplemousses: *Les pamplemoussiers poussent dans les pays chauds.* ☞ pamplemousse.

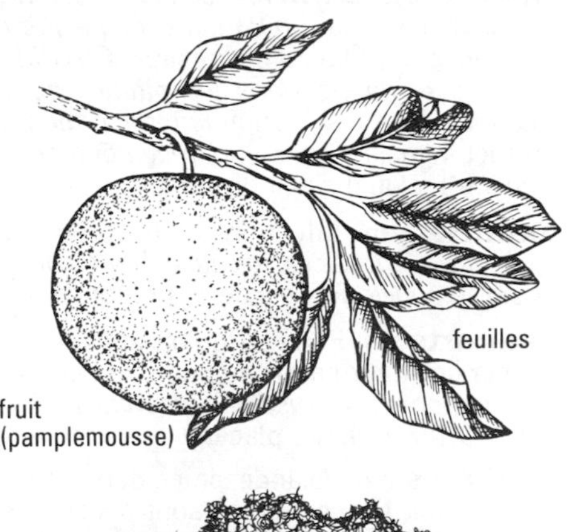

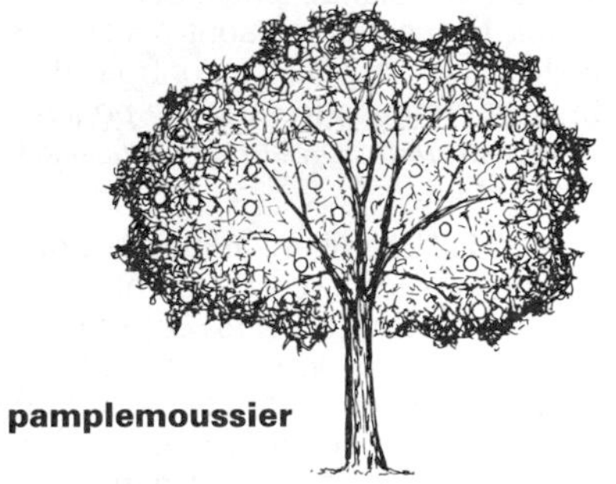

pamplemoussier

pan n.m. **1.** Partie flottante d'un vêtement: *Quand tu es assis, les pans de ton manteau touchent par terre.* **2.** Partie d'un mur: *Un pan de mur est resté debout lors de la démolition de cet immeuble.* HOM. paon.

pan! interj. Mot qui exprime un bruit sec: *Pan! le vent a brusquement fermé la porte.* HOM. paon.

panacée n.f. Solution universelle à un problème: *La culture des déserts n'est pas la* *panacée au problème de la faim dans le monde.*

panache n.m. **1.** Faisceau de plumes formant un bouquet, qui sert à orner une coiffure, un casque : *Certains chevaliers avaient un panache sur leur casque.* **2.** Objet qui évoque un faisceau de plumes : *L'écureuil a la queue en panache.* **3.** fig. Éclat, brio : *Le plaidoyer de l'avocate ne manquait pas de panache.* ☞ panaché.

panaché, ée adj. **1.** Qui est décoré d'un panache : *Le paon mâle est un oiseau panaché.* **2.** Qui est composé de couleurs variées : *L'œillet et la tulipe sont des fleurs panachées.* ☞ panache.

panais n.m. Plante potagère à fleurs jaunes : *Je mange une macédoine composée de carottes et de panais.* **R.** Le *s* ne se prononce pas.

panaméen, enne n. et adj. **1.** n. Personne qui est du Panama : *Un Panaméen, une Panaméenne.* **2.** adj. Qui est du Panama : *On cultive du maïs et du riz dans les plaines panaméennes.* **R.** Aussi, *panamien*, *panamienne*. On met la majuscule à *panaméen* et à *panaméenne* lorsqu'il s'agit du nom.

panaris n.m. Infection située près d'un ongle : *Une écharde est la cause de mon panaris sur le pouce.* **R.** Le *s* ne se prononce pas.

pancarte n.f. Écriteau qu'on affiche pour donner une information au public : *Cette pancarte annonce un croisement de routes principales.* SYN. enseigne, placard.

pancréas n.m. Glande située derrière l'estomac, dont les sécrétions sont nécessaires pour la digestion et pour le contrôle de la quantité de sucre dans le sang : *Le pancréas aide à la digestion des substances grasses.* **R.** Le *s* se prononce.

panda n.m. **1.** Mammifère au pelage noir et blanc, vivant dans les forêts de la Chine et de l'Inde, qui ressemble à un ours : *Le panda, ou « grand panda », se nourrit de pousses de bambou.* **2.** Mammifère vivant dans les forêts de la Chine et de l'Inde, qui ressemble à un gros chat : *Le panda, ou « petit panda », se nourrit de feuilles et de fruits.*

pané, ée adj. Qui est couvert de chapelure avant la cuisson : *Dimitrios adore le poulet pané.* HOM. paner. **R.** S'écrit avec un seul *n*. ☞ pain.

paner v. Couvrir de panure, de chapelure, de miettes de pain séché : *Je pane légèrement les escalopes de veau avant de les faire cuire.* HOM. pané. **R.** S'écrit avec un seul *n*. ☞ pain.

pangolin n.m. (malais) Mammifère couvert d'écailles, qui se nourrit de fourmis : *On retrouve le pangolin en Asie et en Afrique.*

panier n.m. **1.** Objet creux, en osier, en plastique ou en un autre matériau, servant à contenir ou à transporter de la marchandise ou des animaux : *Je place mes vêtements sales dans un panier.* **2.** Filet ouvert en forme de corbeille, fixé sur un panneau et dans lequel il faut lancer le ballon, au basket-ball : *Au basket-ball, le panier est fixé à trois mètres du sol.* **3.** Point compté par un joueur, au basketball : *Linda a marqué un panier.*

panique n.f. et adj. **1.** n.f. Peur irraisonnée, violente et soudaine, souvent collective : *Il arrive que des catastrophes sèment la panique.* SYN. affolement, effroi, épouvante. ANT. calme, quiétude, tranquillité. **2.** adj. Qui affole soudainement : *Une terreur panique s'est emparée de la foule lors du tremblement de terre.* ☞ paniquer.

paniquer v. Céder à la panique, à l'affolement : *Luis panique dans le noir.* ☞ panique.

panne n.f. Arrêt de fonctionnement dans un mécanisme, dû à une défectuosité : *Nous sommes tombés en panne, la voiture refusait de redémarrer.* HOM. paonne. ⁄⁄ *Panne d'électricité, de courant :* Arrêt du fonctionnement de l'électricité. *Panne sèche :* Manque d'essence. ☞ dépannage, dépanner, dépanneur, dépanneuse. ▲ **panne** n.f. Graisse située sous la peau du cochon : *Autrefois, on utilisait la panne pour faire des cretons.*

panneau, eaux n.m. **1.** Partie d'une construction ou d'un meuble : *Un large panneau permet d'allonger cette table.* **2.** Surface plane portant des indications : *Les panneaux de signalisation nous renseignent sur la direction à prendre.* SYN. affiche, enseigne, pancarte.

panonceau, eaux n.m. Plaque donnant un renseignement : *Le panonceau indique une interdiction de stationner.* SYN. enseigne, pancarte, panneau.

panoplie n.f. **1.** Ensemble d'armes fixées sur un panneau et servant d'ornement : *Une panoplie décore la maison de ce vétéran.* **2.** Ensemble d'objets semblables : *Sur l'étagère, on voyait une panoplie de poupées fort jolies.*

panorama n.m. (angl.) **1.** Grand paysage que l'on peut admirer de tous les côtés : *Du haut de la tour, on peut contempler la ville ; le panorama est très beau.* **2.** fig. Vue d'ensemble : *Ce livre constitue un panorama de la littérature québécoise.* ☞ panoramique.

panoramique n.m. et adj. **1.** n.m. Mouvement d'appareil qui consiste en une rotation autour d'un axe, en cinéma : *Ce lent panora-*

mique du village me plaît beaucoup. **2.** adj. Qui permet de contempler un vaste paysage: *Du haut de cet édifice on a une vue panoramique sur la ville.* ☞ panorama.

panse n.f. **1.** Partie renflée d'un objet: *Il est écrit « thé » sur la panse de la théière.* **2.** Partie ronde d'une lettre: *Le « p », le « o » et le « b » ont une panse.* **3.** fam. Ventre: *Elle mange beaucoup, elle s'emplit la panse.* ☞ pansu.

pansement n.m. Linge, adhésif qui sert au soin d'une plaie: *Ce pansement protégera ta plaie de l'infection.* ☞ panser.

panser v. **1.** Mettre un pansement sur une plaie ou une blessure: *L'infirmière a pansé ta main pour favoriser la cicatrisation de la plaie.* SYN. bander, traiter. ANT. blesser, endolorir. **2.** Prendre soin d'un animal, en particulier du cheval, lui assurer des soins: *Je panse et brosse mon cheval avant de le monter.* HOM. pensée, penser. ☞ pansement.

pansu, ue adj. Qui a une grosse panse, qui est renflé: *Un pichet est un récipient pansu.* ☞ panse.

pantacourt n.m. Au Canada, pantalon qui s'arrête aux mollets, porté par les deux sexes: *Un pantacourt peut être large, droit ou évasé.*

pantalon n.m. Culotte à longues jambes, qui va de la taille aux pieds: *Parfois la mode veut que l'on porte des bretelles pour tenir le pantalon.*

pantelant, ante adj. Qui respire avec peine, de façon saccadée: *Gladys est restée toute pantelante après cette course effrénée.* SYN. haletant, palpitant.

panthère n.f. Grand mammifère carnassier, au pelage jaune tacheté de noir, vivant en Asie et en Afrique: *La panthère ressemble à un grand chat.*

pantin n.m. **1.** Marionnette manipulée par des fils reliés aux membres mobiles: *Georges et Caroline font un spectacle avec leurs pantins.* SYN. automate. **2.** Personne sans opinion, sans volonté: *C'est un vrai pantin, il fait tout ce que je veux.* SYN. girouette.

pantomime n.f. Art de s'exprimer par le geste, la danse, la mimique, sans recourir aux paroles: *À l'école de théâtre, on pratique la pantomime.*

pantouflard, arde adj.fam. Qui aime à rester chez soi: *Renée est pantouflarde, elle ne sort pratiquement jamais.* SYN. casanier. ☞ pantoufle.

pantoufle n.f. Chaussure d'intérieur basse et souple: *En arrivant chez lui, Michel retire ses souliers et enfile ses pantoufles.* ☞ pantouflard.

panure n.f. Pain séché émietté servant à paner: *Avant de faire cuire le poisson, je l'enduis de panure.* SYN. chapelure. **R.** S'écrit avec un seul *n.* ☞ pain.

paon n.m. Oiseau d'Asie, au beau plumage, qui porte un bouquet de plumes sur la tête et une longue queue décorée de cercles aux couleurs chatoyantes dont la femelle est la paonne et le petit, le paonneau: *Quand le paon fait la roue, il étale sa queue en éventail.* HOM. pan. ⁄⁄ *Être vaniteux comme un paon:* Étaler ses talents avec vanité. **R.** Le *o* ne se prononce pas. ☞ paonne, paonneau.

paonne n.f. Femelle du paon: *La paonne a un plumage terne.* HOM. panne. **R.** Le *o* ne se prononce pas. ☞ paon.

paonneau, eaux n.m. Petit du paon et de la paonne: *Il était touchant de voir les paonneaux suivre le paon et la paonne.* HOM. panneau. **R.** Le *o* ne se prononce pas. ☞ paon.

papa n.m. Terme affectueux pour désigner le père: *Je m'assois souvent à côté de papa pour écouter la télévision.*

papal, ale, aux adj. Qui appartient au pape: *La présidente a reçu la bénédiction papale lors de son voyage à Rome.* ☞ pape.

papauté n.f. Dignité, fonction de pape: *En 1988, nous vivions sous la papauté de Jean-Paul II.* ☞ pape.

papaye n.f. Fruit du papayer, qui a la taille d'un melon: *J'ai mis de la papaye dans la salade de fruits.* ☞ papayer.

papayer n.m. Arbre fruitier des pays chauds, qui produit la papaye, fruit de la taille du melon: *La papaye est le fruit du papayer.* ☞ papaye.

pape n.m. Chef de l'Église catholique romaine: *Le pape est le chef spirituel de plus de cinq cents millions de catholiques.* ☞ papal, papauté.

paperasse n.f. Papier écrit, encombrant et sans valeur: *Il y a beaucoup de paperasses sur mon bureau.* ☞ papier.

paperasserie n.f. Accumulation de paperasses: *Il est toujours ennuyeux de se soumettre aux contraintes de la paperasserie administrative.* ☞ papier.

paperassier, ière n. et adj. **1.** n. Personne qui aime les paperasses: *Nelly a sûrement le papier que tu cherches; cette paperassière ne jette rien.* **2.** adj. Qui multiplie les formalités écrites: *Les administrations de nombreux services sont paperassières.* ☞ papier.

papeterie n.f. **1.** Lieu où l'on fabrique du papier: *Il existe des papeteries de grande réputation au Québec.* **2.** Magasin où l'on vend du papier et autres fournitures de bureau: *J'achète mes articles scolaires à la papeterie du quartier.* ☞ papier.

papetier, ière n. Personne qui fabrique du papier ou qui travaille dans une papeterie: *Cette papetière fabrique du papier de luxe, elle insère des pétales de fleurs dans la pâte du papier.* ☞ papier.

papier n.m. **1.** Matière fabriquée de fibres végétales, qui se présente en feuilles minces ou en rouleaux, et sur laquelle on écrit: *Utilise une feuille de papier pour écrire ton devoir.* **2.** Feuille mince de métal qui sert à envelopper: *J'enveloppe tes pommes de terre avec du papier d'aluminium pour les faire cuire au four.* ⁄⁄ *Papier journal:* Papier de qualité inférieure sur lequel on imprime un journal. *Pâte à papier:* Pâte servant à fabriquer le papier. ☞ paperasse, paperasserie, paperassier, papeterie, papetier, porte-papier. ▲ **papier** n.m. **1.** Article de journal ou de revue: *J'ai vu un papier sur cette exposition dans la revue du mois.* **2.** Document important: *As-tu tous les papiers nécessaires pour conclure ce marché?*

papille n.f. Chacune des petites saillies sur la langue par lesquelles on goûte: *Les papilles de la langue sont appelées «papilles gustatives».* **R.** Les lettres *ill* se prononcent comme dans *famille*.

papillon n.m. Insecte adulte à deux paires d'ailes souvent colorées: *La chenille est devenue chrysalide, puis papillon.* **R.** Les lettres *ill* se prononcent comme dans *famille*.

papillonner v. Aller d'une personne ou d'une chose à une autre, sans s'arrêter: *Elle aimait papillonner, elle n'était pas attirée par la vie de couple.* SYN. folâtrer. **R.** Les lettres *ill* se prononcent comme dans *famille*.

papillote n.f. Morceau de papier enveloppant un bonbon: *Ces bonbons à la menthe sont enveloppés dans des papillotes.* **R.** Les lettres *ill* se prononcent comme dans *famille*. S'écrit avec un seul *t*.

papilloter v. Cligner rapidement des paupières: *Luce papillote, elle a une poussière dans l'œil.* **R.** Les lettres *ill* se prononcent comme dans *famille*.

papotage n.m. Bavardage: *J'aime bien faire un peu de papotage de temps à autre.* SYN. verbiage. ☞ papoter.

papoter v. Dire des choses sans importance: *Simon et Vichittara papotent dans l'escalier, ils parlent de la pluie et du beau temps.* SYN. bavarder. ☞ papotage.

paprika n.m. (hongr.) Piment doux utilisé en poudre: *Jacob fait cuire du bœuf au paprika.*

papyrus n.m. (lat.) **1.** Plante des bords du Nil, dont la tige servait à fabriquer une espèce de papier: *On obtenait des feuilles pour écrire en découpant la tige du papyrus en bandes que l'on collait ensemble.* **2.** Manuscrit écrit sur papyrus: *Dans ce musée, on expose des papyrus bien conservés.* **R.** Le *s* se prononce.

papyrus

pâque n.f. et n.m.sing. (hébreu) **1.** n.f. Fête juive qui rappelle la naissance du peuple hébreu: *Pour célébrer la pâque, on fait cuire un bel agneau.* **2.** n.f.plur. Fête chrétienne commémorant la résurrection du Christ: *La famille nous a envoyé une carte de joyeuses Pâques.* **3.** n.m.sing. Jour de la fête chrétienne (sans article et sans adjectif): *Pâques est considéré comme la plus grande fête chrétienne.* ⁄⁄ *Faire ses pâques:* Communier au cours du temps pascal. **R.** Ne pas oublier l'accent: *â*. S'écrit avec un *s* et une majuscule lorsqu'il s'agit de la fête chrétienne. ☞ pascal.

paquebot n.m. (angl.) Grand navire commercial transportant surtout des passagers: *Je rêve de faire une croisière en paquebot.*

pâquerette n.f. Petite marguerite blanche: *Marco a cueilli un bouquet de pâquerettes dans la prairie.* **R.** Ne pas oublier l'accent: *â*.

paquet n.m. **1.** Assemblage de choses enveloppées ensemble: *Joëlle achète un paquet de bonbons.* **2.** Contenu du paquet: *Nelson fume un paquet de cigarettes par semaine.* **3.** Grande quantité: *J'ai un paquet de problèmes à régler.* ☞ dépaqueter, empaquetage, empaqueter, empaqueteur, rempaqueter.

paqueté ☞ sect. anglicismes et canadianismes.

par prép. **1.** À travers: *Carmen est entrée par la porte.* **2.** Grâce à l'action de quelqu'un ou de quelque chose: *Mathieu s'est fait déranger par son jeune frère.* **3.** Au moyen de: *Il y avait certaines questions d'examen auxquelles il fallait répondre par oui ou par non.* **4.** Durant, pendant: *Par un beau soir d'été, elle est partie.* ⁄⁄ *Par-ci, par-là:* Un peu partout.

parabole n.f. Récit des livres saints qui renferme un enseignement: *Jésus parlait souvent sous forme de parabole.* SYN. allégorie, image.

parachever v. Achever avec un très grand soin: *Cette auteure parachève en ce moment son troisième roman.* SYN. fignoler. ANT. bâcler, gâcher.

parachutage n.m. **1.** Action de lancer par parachute: *Nous ne pouvons atterrir, nous allons procéder au parachutage de la marchandise.* **2.** Nomination inattendue: *Il y a eu parachutage d'un candidat et d'une candidate dans cette circonscription électorale.* ☞ parachute.

parachute n.m. Appareil constitué de voilure de tissu léger, reliée à un harnais, permettant de freiner la chute d'une personne ou d'une chose larguée d'un avion: *On voit plusieurs parachutes descendre du ciel.* ☞ parachutage, parachuter, parachutisme, parachutiste.

parachuter v. **1.** Lâcher d'un avion des personnes ou des choses munies d'un parachute: *Dans les zones sinistrées, on parachute souvent des vivres et des médicaments.* **2.** fam. Nommer de façon inattendue une personne à un poste: *On a parachuté la secrétaire dans une fonction qui ne lui est pas familière.* ☞ parachute.

parachutisme n.m. Technique du saut en parachute: *Je veux m'inscrire à des cours de parachutisme.* ☞ parachute.

parachutiste n. **1.** Personne qui fait du saut en parachute: *Une parachutiste nous racontait comment elle se sent quand elle s'élance dans le vide.* **2.** Soldat entraîné à combattre après avoir été parachuté: *On a confié cette mission en lieu inaccessible à un commando de parachutistes.* ☞ parachute.

parade n.f. **1.** Action d'étaler une chose: *Sylvie fait parade de son savoir, elle sort ses grands mots.* SYN. étalage, montre. **2.** Cérémonie, défilé militaire: *Les cadets portaient des tenues impeccables lors de la parade.* **R.** N'a pas le sens de *défilé* (de mode). ☞ parader.

parader v. **1.** Se montrer, se faire admirer: *J'aime parader lorsque j'ai des vêtements neufs.* SYN. se pavaner. ANT. se cacher, s'éclipser. **2.** Défiler, en parlant des soldats: *Après la capitulation, les soldats ont paradé dans la ville.* ☞ parade.

paradis n.m. **1.** Lieu ou état de bonheur éternel réservé, après la mort, aux personnes qui le méritent par leur bonne conduite, selon certaines religions: *Je vous souhaite le paradis à la fin de vos jours.* SYN. ciel. ANT. enfer. **2.** Lieu privilégié où vécurent le premier homme et la première femme, selon la Bible: *Adam et Ève vivaient au paradis terrestre.* SYN. éden. **3.** fig. Lieu ou état de bonheur parfait: *Cette plage est un vrai paradis!* ☞ paradisiaque.

paradisiaque adj. Qui est du paradis, extrêmement agréable: *Mes vacances à la mer furent paradisiaques.* SYN. enchanteur. ANT. désagréable, ennuyeux. ☞ paradis.

paradisier n.m. Oiseau passereau de la Nouvelle-Guinée, dont le mâle porte des couleurs riches et brillantes: *Le paradisier est aussi appelé « oiseau du paradis ».*

paradoxal, ale, aux adj. Qui tient du paradoxe, de la contradiction: *C'est paradoxal pour un menteur de dire: « Je mens. »* ☞ paradoxe.

paradoxalement adv. De manière paradoxale, de façon contradictoire: *L'argent ne fait pas le bonheur; paradoxalement, le bonheur de plusieurs tient à l'argent.* ☞ paradoxe.

paradoxe n.m. Opinion contraire à l'opinion commune, qui heurte le bon sens: *C'est un paradoxe de dire que la Terre est carrée.* SYN. antithèse, contradiction. ☞ paradoxal, paradoxalement.

paraffine n.f. Substance blanche, solide, qui s'apparente à la cire: *Grand-père mettait de la paraffine sur les pots de confitures avant de les refermer.* ☞ paraffiné.

paraffiné, ée adj. Qui est enduit de paraffine: *Marie-Andrée dépose ses pommes au caramel sur du papier paraffiné.* ☞ paraffine.

parages n.m.plur. Environs, voisinage immédiat: *Y a-t-il une boîte aux lettres dans les parages?*

paragraphe n.m. Division d'un texte marquée par un retour à la ligne au début et à la fin: *Mon paragraphe se termine car mon idée est complète.* **R.** Les lettres *ph* se prononcent *f*.

paraître v. **1.** Devenir visible, se montrer: *Il fait déjà clair lorsque le soleil paraît.* **2.** Être imprimé, mis en vente: *Les romans de Germaine Guèvremont ont paru dans les années quarante.* **3.** Manifester sa présence en vue de remplir une obligation: *Cette vedette a paru en public une seule fois cette année.* **4.** Sembler, avoir l'air: *La situation paraît plus sérieuse qu'on ne le croyait.* ⁄⁄ *Il paraît, il paraîtrait que:* Le bruit court que. **R.** Ne pas oublier l'accent devant le *t*: *î*. ☞ parution, reparaître.

parallèle n.f. et adj. **1.** n.f. Droite qui, considérée par rapport à une autre droite ou à un plan, est à égale distance sur toute son étendue: *En géométrie, nous avons étudié les parallèles.* **2.** adj. Se dit d'une ligne, d'une surface qui est à égale distance d'une autre ligne ou d'une autre surface sur toute son étendue: *Des lignes parallèles sont des lignes qui ne se rencontrent pas, même si on les prolonge.* **3.** adj. Qui suit la même direction, qui se développe en même temps: *Ces organismes mènent des actions parallèles.* **4.** adj. Qui existe en même temps qu'autre chose, qui porte sur le même objet, mais d'une manière non officielle: *On vend certaines drogues en pharmacie, mais il y a aussi un marché parallèle.* ☞ parallèlement, parallélépipède, parallélisme, parallélogramme.

parallèle n.m. Chacune des lignes imaginaires qui font le tour de la Terre et qui sont parallèles au plan de l'équateur: *Les villes de Paris et de Vancouver sont situées sur le même parallèle.* ▲ **parallèle** n.m. Comparaison suivie entre deux sujets: *J'ai fait un parallèle entre la vie moderne et la vie d'autrefois.*

parallèlement adv. **1.** De manière parallèle, en suivant la même direction: *Cette rue a été construite parallèlement au cours d'eau.* **2.** De manière parallèle, en même temps: *Nous étudions le volume en mathématiques et, parallèlement, nous bâtissons une ville en arts plastiques.* ☞ parallèle.

parallélépipède n.m. Prisme dont les faces opposées sont parallèles et égales: *Le cube est un parallélépipède.* **R.** Aussi, *parallélipipède*. ☞ parallèle.

parallélisme n.m. État de lignes, de plans qui vont dans la même direction: *Il existe un appareil pour vérifier le parallélisme des roues d'une automobile.* ☞ parallèle.

parallélogramme n.m. Quadrilatère dont les côtés opposés sont parallèles et égaux deux à deux: *Le losange, le rectangle et le carré sont des parallélogrammes.* ☞ parallèle.

parall**è**lement parall**é**logramme

paralysant, ante adj. Qui paralyse, qui enlève les forces physiques ou morales: *L'annonce de cet échec inattendu a été une nouvelle paralysante pour elle.* ☞ paralysie.

paralysé, ée n. et adj. **1.** n. Personne atteinte de paralysie, d'incapacité de se mouvoir: *Des paralysés se sont rencontrés pour discuter de l'accessibilité des transports publics.* **2.** adj. Qui est atteint de paralysie: *Lors de sa maladie, son bras gauche était paralysé.* HOM. paralyser. ☞ paralysie.

paralyser v. **1.** Frapper d'incapacité de mouvoir une partie du corps: *Le froid paralyse mes mains; mes doigts ne bougent plus.* **2.** fig. Rendre incapable d'agir: *J'ai eu si peur, j'étais paralysée, incapable de dire un mot ou d'avancer.* SYN. figer, glacer, stupéfier. HOM. paralysé. ☞ paralysie.

paralysie n.f. **1.** Perte ou diminution de la capacité de mouvoir une partie de son corps: *Depuis sa chute en ski, elle souffre d'une paralysie des jambes.* **2.** fig. Impossibilité d'agir, de fonctionner: *Vu ma fatigue, mon esprit est sous le coup d'une paralysie.* **3.** fig. Arrêt complet: *La grève des ouvriers a causé la paralysie de la production.* ☞ paralysant, paralysé, paralyser, paralytique.

paralytique n. et adj. **1.** n. Personne atteinte de paralysie, d'une perte de la capacité de mouvoir une partie de son corps: *Lors du marathon, les paralytiques en fauteuil roulant partaient les premiers.* **2.** adj. Qui est relatif à la paralysie: *Certaines personnes paralytiques se déplacent en fauteuil roulant.* ☞ paralysie.

paramédical, ale, aux adj. Qui se consacre à la santé, au traitement des malades, sans appartenir au corps médical: *La diététiste fait partie du personnel paramédical.*

paranoïa n.f. Troubles de comportement caractérisés par un orgueil démesuré, la méfiance, la susceptibilité et la tendance aux interprétations: *La paranoïa engendre parfois l'agressivité chez les gens qui en souffrent.* **R.** Ne pas oublier le tréma: *ï.* ☞ paranoïaque.

paranoïaque n. et adj. **1.** n. Personne qui souffre de troubles de comportement caractérisés par un orgueil démesuré, la méfiance, la susceptibilité et la tendance aux interprétations: *Le paranoïaque interprète de façon négative les réactions de son entourage.* **2.** adj. Qui est relatif à la paranoïa: *Cette personne présente des symptômes paranoïaques.* **R.** Ne pas oublier le tréma: *ï.* ☞ paranoïa.

parapet n.m. Mur à hauteur d'appui, sur un pont ou sur une terrasse pour empêcher de tomber: *Il est interdit de s'asseoir sur le parapet.* SYN. balustrade, garde-fou.

paraphe n.m. **1.** Signature abrégée, souvent formée des initiales, dans un document officiel: *La date a été modifiée sur le document, veuillez apposer votre paraphe.* **2.** Trait ajouté à la signature pour éviter qu'elle soit imitée: *La médecin met son paraphe au bas de l'ordonnance.* **R.** Aussi, *parafe*. Les lettres *ph* se prononcent *f.* ☞ parapher.

parapher v. Apposer ses initiales, signer d'un paraphe: *J'ai paraphé toutes les modifications du contrat.* **R.** Aussi, *parafer*. Les lettres *ph* se prononcent *f.* ☞ paraphe.

parapluie n.m. Objet qui sert d'abri contre la pluie, formé d'un tissu tendu sur une armature et que l'on tient par le manche: *Il ne pleut plus, je referme mon parapluie.* ☞ porte-parapluies.

parascolaire adj. Qui complète l'enseignement scolaire, sans toutefois faire partie des programmes: *Le tennis sur table est mon activité parascolaire préférée.* ☞ scolaire.

parasite n.m. et adj. **1.** n.m. Personne qui vit aux dépens de la société et qui refuse de travailler malgré sa capacité: *Je m'interroge sur les raisons qui l'ont amené à devenir un parasite.* SYN. écornifleur. **2.** n.m. Animal ou végétal qui vit aux dépens d'un autre organisme, qui lui nuit sans pour autant le détruire: *Le pou est un parasite de l'être humain.* **3.** adj. Qui vit aux dépens d'un autre organisme, qui lui nuit sans pour autant le détruire, en parlant d'un animal ou d'un végétal: *Il y a certains champignons parasites.* ☞ parasiter. ▲ **parasite** n.m. et adj. **1.** n.m. Bruit qui perturbe les transmissions radioélectriques: *Les parasites sur la ligne téléphonique m'empêchent de t'entendre.* **2.** adj. Qui est encombrant, gênant: *Ces constructions parasites enlaidissent le quartier.*

parasiter v. Vivre aux dépens d'un autre organisme: *Certains vers parasitent les poissons et vivent à l'intérieur d'eux.* ☞ parasite.

parasol n.m. Grand parapluie fixé au sol ou à une table pour protéger du soleil: *Quand il fait soleil, je m'assois sous le parasol pour lire.*

paratonnerre n.m. Dispositif constitué d'une ou de plusieurs tiges de métal reliées au sol par un fil conducteur, et destiné à protéger les bâtiments contre la foudre: *Quand je vivais à la ville, il y avait un paratonnerre derrière notre maison.*

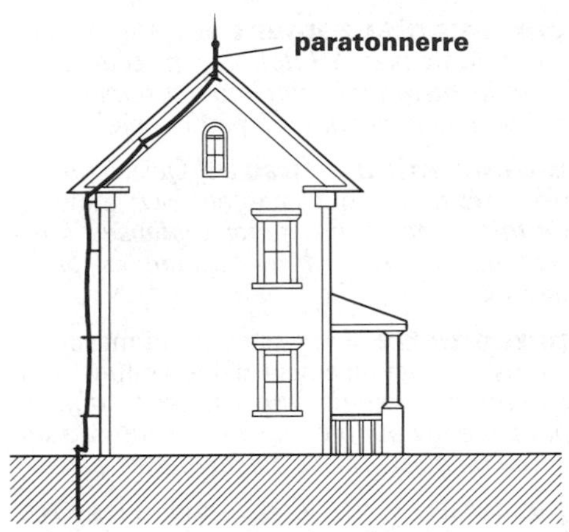

paravent n.m. Cloison faite de panneaux articulés servant de division dans une pièce: *Elle s'isole derrière le paravent pour se déshabiller.*

parc n.m. **1.** Vaste terrain boisé destiné à la détente de même qu'à la protection des animaux et des plantes qu'il renferme: *Nous campons dans le parc de la Gatineau l'été, et l'hiver nous y pratiquons le ski de fond.* **2.** Espace vert destiné à la promenade et à l'agrément, dans une ville: *Je participe à la course annuelle organisée dans le parc de mon quartier.* ▲ **parc** n.m. **1.** Petit enclos où les jeunes enfants peuvent jouer sans danger: *En visite, Patrick utilise un parc pliant pour coucher son bébé.* **2.** Enclos dans lequel on place le bétail en plein air: *Les moutons paissent dans le parc.* **3.** Espace réservé au stationnement des véhicules, dans une ville: *J'ai mis la voiture au parc de stationnement.* ⫽ *Parc industriel:* Au Canada, espace destiné à l'établissement d'entreprises industrielles et commerciales. **R.** Le mot *parc* est recommandé officiellement pour remplacer l'anglicisme «parking» (*parc de stationnement*). ☞ parcomètre, parking, parquer.

parcelle n.f. Petite partie: *Je mange une parcelle de gâteau.*

parce que loc.conj. Pour la raison que: *Je n'ai pas soif parce que je viens de boire un grand verre d'eau.*

parchemin n.m. **1.** Peau d'animal préparée pour l'écriture: *On utilisait des peaux de mouton ou de chèvre pour faire des parchemins.* **2.** Document écrit: *Un diplôme universitaire est un parchemin.*

parcimonie n.f. Épargne minutieuse: *Lorsqu'il a besoin de vêtements, Louis dépense avec parcimonie.* ☞ parcimonieusement, parcimonieux.

parcimonieusement adv. De manière parcimonieuse: *À l'Halloween, cette marchande distribuait parcimonieusement ses bonbons aux enfants.* ☞ parcimonie.

parcimonieux, euse adj. Qui fait preuve de parcimonie, qui épargne avec minutie: *Certaines personnes parcimonieuses finissent par se priver du nécessaire.* ☞ parcimonie.

parcomètre n.m. Appareil qui mesure le temps de stationnement d'une voiture: *Lise ajoute une pièce de vingt-cinq cents dans le parcomètre pour prolonger son temps de stationnement.* **R.** Aussi, *parcmètre.* ☞ parc.

parcourir v. **1.** Aller dans toutes les directions: *Pendant deux ans, Aurèle a parcouru le monde.* SYN. sillonner. **2.** Effectuer un trajet déterminé: *L'ambulance a parcouru la distance entre Montréal et Québec en un temps record.* SYN. franchir. **3.** Lire rapidement: *J'ai parcouru ta revue, elle me semble intéressante.* SYN. feuilleter. ☞ parcours.

parcours n.m. Trajet emprunté pour aller d'un point à un autre: *On a changé le parcours de l'autobus scolaire.* SYN. chemin, circuit, itinéraire. ☞ parcourir.

pardessus n.m. Vêtement masculin porté par-dessus les vêtements: *Je devrais mettre mon pardessus ce matin car il fait froid.* SYN. paletot.

pardon n.m. **1.** Action de pardonner, de ne plus en vouloir à quelqu'un: *Je te demande pardon de t'avoir fait de la peine.* SYN. absolution, grâce. ANT. blâme, condamnation. **2.** Formule de politesse qui sert à s'excuser: *Pardon, madame, pouvez-vous répéter?* ☞ impardonnable, pardonnable, pardonner.

pardonnable adj. Qui peut être pardonné: *Il n'a que cinq minutes de retard, c'est bien pardonnable.* ☞ pardon.

pardonner v. **1.** Ne pas en vouloir à quelqu'un, oublier ses fautes: *Les parents pardonnent souvent à leurs enfants les fautes qu'ils commettent.* SYN. excuser. ANT. accuser, blâmer, punir. **2.** S'excuser, en guise de politesse: *Pardonnez-moi de vous interrompre, on vous demande au téléphone.* **3.** Juger avec indulgence: *J'espère que vous me pardonnerez ce caprice.* ☞ pardon.

paré, ée adj. Qui est orné, qui porte des parures: *Pour la photo, Anita était parée d'une couronne et de bijoux.* ☞ parer. ▲ **paré, ée** adj. Qui est muni du nécessaire pour se protéger: *Avec tous ces vêtements chauds, tu es parée contre l'hiver.* HOM. parer. ☞ parer.

pare-balles n.m.invar. et adj.invar. **1.** n.m.invar. Dispositif de protection contre les balles: *Ce mur d'acier incliné est le pare-balles de la salle de tir.* **2.** adj.invar. Qui protège contre les balles: *Les policiers se protègent avec des gilets pare-balles quand c'est nécessaire.* ☞ parer.

pare-boue n.m.invar. Dispositif de caoutchouc fixé à l'arrière de la roue d'un véhicule pour prévenir la projection de boue: *Cette bicyclette qui n'a pas de pare-boue projette de la saleté.* ☞ parer.

pare-brise n.m.invar. Paroi transparente à l'avant d'un véhicule pour protéger les occupants de l'air, de l'eau, de la saleté: *Les motos et les automobiles ont des pare-brise.* ☞ parer.

pare-chocs n.m.invar. Dispositif placé à l'avant et à l'arrière d'un véhicule et destiné à amortir les chocs: *Lorsque tu as heurté ce véhicule en stationnant, le pare-chocs a absorbé le coup.* ☞ parer.

pare-étincelles n.m.invar. Écran qu'on place devant un foyer pour prévenir la projection des étincelles: *Le pare-étincelles protège le tapis des brûlures occasionnées par les étincelles.* ☞ parer.

pare-feu n.m.invar. Dispositif de protection contre la propagation du feu: *Cette plaque d'amiante au-dessus du foyer sert de pare-feu.* ☞ parer.

pareil, eille n. et adj. **1.** n. Personne ou chose semblable à celle dont on parle: *Jean est un homme sans pareil.* **2.** adj. Qui est semblable, de même nature, de même valeur: *Il y a un an, à pareille date, je commençais à écrire mon journal.* ☞ pareillement.

pareillement adv. **1.** De la même manière: *Je vous aime pareillement tous les deux.* SYN. également. **2.** Aussi: *La nuit est agréable et le jour pareillement.* ☞ pareil.

parent, ente n. Personne de la même famille: *Barbara est une parente, c'est ma cousine.* ☞ apparenté, monoparental, parenté.

parental, ale, aux adj. Qui est relatif aux parents : *L'autorité parentale signifie quelque chose pour ces enfants.* ☞ parents.

parenté n.f. **1.** Lien entre les membres d'une même famille : *Quel est ton lien de parenté avec Pierre, est-ce ton frère ?* **2.** Membres d'une même famille : *Oncles, tantes, neveux, nièces, cousins, cousines, toute la parenté est invitée au mariage.* **3.** fig. Ressemblance, analogie : *Il y a une parenté entre le chat et la panthère.* ☞ parent.

parenthèse n.f. Chacun des signes qui peuvent être utilisés à l'intérieur d'une phrase graphique pour indiquer un commentaire, ou à l'intérieur d'une phrase mathématique pour isoler une expression : *Dans la formule $(a+b)+5$, l'expression algébrique $a+b$ est entre parenthèses.*

parents n.m.plur. Père et mère : *Gabrielle est allée jouer au parc avec ses parents.* ☞ monoparental, parental.

parer v.litt. Orner, décorer : *La salle est parée pour le spectacle.* SYN. agrémenter, enjoliver. ANT. enlaidir. ☞ déparer, paré, parure. ▲ **parer** v. Éviter : *La judoka para le coup de son bras gauche.* SYN. détourner, éviter. ANT. attaquer. HOM. paré. ☞ imparable, paré, pare-balles, pare-boue, pare-brise, pare-chocs, pare-étincelles, pare-feu, pare-soleil.

pare-soleil n.m.invar. Écran qui protège du soleil : *Je baisse le pare-soleil de la voiture car le soleil me blesse les yeux.* ☞ parer.

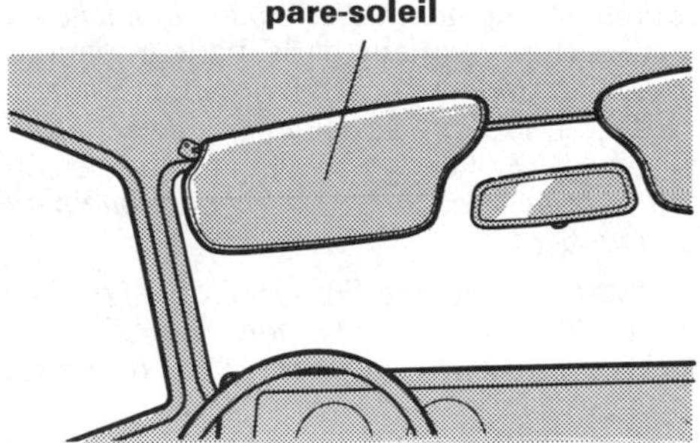

paresse n.f. Goût pour l'inaction, comportement de la personne qui évite l'effort : *J'adore faire la paresse le samedi et rester au lit jusqu'à midi.* SYN. nonchalance, oisiveté. ☞ paresser, paresseusement, paresseux.

paresser v. Se laisser aller à l'oisiveté : *Françoise aime paresser sur le quai au soleil, l'été.* ☞ paresse.

paresseusement adv. De manière paresseuse, oisive : *La chatte s'allonge paresseusement au soleil.* ☞ paresse.

paresseux, euse n. et adj. **1.** n. Personne qui se laisse aller à l'oisiveté : *Elle m'a dit que j'étais un paresseux.* **2.** adj. Qui est inactif, qui ne fournit pas d'effort : *Antoine est paresseux, il néglige ses devoirs.* SYN. indolent, nonchalant. ANT. actif. ☞ paresse.

paresseux n.m. Petit mammifère édenté, aux mouvements lents, qui vit dans les arbres : *Parfois, une mousse verte se forme sur le poil du paresseux à cause de l'humidité de la forêt où il vit.* ◇ aï.

parfaire v. Compléter, mener à la perfection : *Julia veut parfaire sa culture en visitant des musées.* SYN. parachever.

parfait n.m. Crème glacée à un seul parfum : *Pour dessert, voici un parfait à la menthe.*

parfait, aite adj. **1.** Qui est tel qu'on ne puisse rien concevoir de meilleur : *Cette présentation est parfaite.* SYN. excellent, incomparable. ANT. imparfait, médiocre. **2.** Qui répond exactement à l'idée qu'on se fait : *Ce bout de bois est parfait : bonne longueur, bonne résistance.* SYN. idéal. ANT. mauvais. ☞ imparfait, imparfaitement, parfaitement.

parfaitement adv. **1.** De manière parfaite, admirable : *La cavalière a parfaitement réussi le parcours de l'épreuve.* SYN. merveilleusement. ANT. imparfaitement. **2.** Très, absolument : *Votre explication est parfaitement claire.* ☞ parfait (adj.).

parfois adv. Quelquefois : *Liliane est partie ; parfois elle écrit, parfois elle téléphone.*

parfum n.m. **1.** Odeur agréable : *Ce bouquet de fleurs embaume la pièce de son parfum.* **2.** Arôme, saveur : *Je me demande à quel parfum je prendrai ma crème glacée.* **3.** Substance liquide ou solide, qui répand une odeur agréable : *Jonathan a reçu une bouteille de parfum en cadeau.* ☞ parfumer, parfumerie, parfumeur.

parfumer v. **1.** Aromatiser avec une essence : *Ce chocolat est parfumé à la menthe.* **2.** Remplir d'une odeur agréable : *Ces fleurs parfument ma chambre.* SYN. embaumer. ☞ parfum. se **parfumer** v.pron. Se mettre du parfum : *Hélène se parfume dans le cou.* **parfumée, ée** p.p. et adj. Qui est rempli d'une odeur agréable ; qui est aromatisé avec une essence : *J'ai reçu en cadeau des crayons parfumés.*

parfumerie n.f. **1.** Fabrication de produits contenant du parfum : *Dans une parfumerie, on produit des parfums et des produits de beauté.* **2.** Magasin ou boutique où l'on vend des parfums : *À la parfumerie du quartier, on vend du parfum en liquide ou en bâton.* ☞ parfum.

parfumeur, euse n. **1.** Personne qui fabrique des parfums: *La parfumeuse nous présente le parfum qu'elle vient de créer.* **2.** Personne qui vend des parfums ou des produits de beauté: *J'ai demandé conseil au parfumeur au sujet d'un parfum que j'aimerais offrir en cadeau.* ☞ parfum.

pari n.m. Entente par laquelle le perdant donne au gagnant ce qui a été convenu au début du jeu: *À la suite du pari, Pierre a perdu un dollar.* ☞ parier.

paria n.m. (port.) Personne méprisée, rejetée d'un groupe: *Refusant tout contact avec lui, sa famille le traite en paria.*

parier v. **1.** Faire un pari: *Sylvain a parié cinq dollars sur le cheval numéro 3.* SYN. gager, jouer, miser. **2.** Affirmer avec force: *Je te parie qu'il fera soleil demain, regarde ce ciel clair.* ☞ pari, parieur.

parieur, euse n. Personne qui parie, qui fait des gageures: *La parieuse a perdu sa mise, elle n'a pas eu de chance.* ☞ parier.

parisien, ienne n. et adj. **1.** n. Personne qui est de Paris: *Un Parisien, une Parisienne.* **2.** adj. Qui est de Paris: *Le métro parisien est très achalandé.* **R.** On met la majuscule à *parisien* et à *parisienne* lorsqu'il s'agit du nom.

parité n.f.litt. Égalité: *Les infirmiers et les infirmières ont obtenu la parité salariale.* ANT. différence, disparité. ☞ disparité.

parjure n.m. et n. **1.** n.m. Mensonge fait sous serment: *Cette femme qui a juré qu'elle ne me connaissait pas a commis un parjure.* **2.** n. Personne qui commet un parjure: *Quelqu'un qui ment sous serment est un parjure.* ☞ se parjurer.

se **parjurer** v.pron. Faire un faux serment, commettre un parjure: *Monique se parjure quand elle jure qu'elle n'a jamais reçu l'argent.* ☞ parjure.

parka n.m. ou n.f. (amérind.) Manteau court, imperméable, avec capuchon: *Avec ce parka, tu n'auras pas froid pour pelleter la neige.*

parking n.m. (angl.) Parc de stationnement pour les véhicules: *Au Québec, au lieu de dire «j'ai laissé ma voiture au parking», on dit plutôt «j'ai laissé ma voiture au stationnement».* **R.** L'O.L.F. recommande officiellement d'employer *parc* ou *parc de stationnement* pour remplacer l'anglicisme «parking».

parlant, ante adj. **1.** Qui reproduit la parole humaine: *Le cinéma parlant est arrivé bien après le cinéma muet.* **2.** Qui est très expressif: *Tu me lances des regards parlants.* ☞ parler.

parlé, ée adj. Qui est exprimé par la parole: *Dans la scène III, il y a des dialogues parlés et des dialogues chantés.* HOM. parler. ☞ parler.

Parlement n.m. Ensemble des personnes qui votent les lois: *Au Québec, le Parlement est constitué par l'Assemblée nationale; au Canada, il est composé de la Chambre des communes et du Sénat.* ☞ parlementaire, parlementarisme.

parlementaire n. et adj. **1.** n. Membre du Parlement, élu ou nommé: *La députée de ma circonscription est une parlementaire connue.* **2.** adj. Qui est propre aux membres du Parlement: *Les lois sont des décisions parlementaires.* ☞ Parlement.

parlementarisme n.m. Régime ou gouvernement parlementaire: *Le parlementarisme est issu de l'Angleterre.* ☞ Parlement.

parlementer v. Discuter longuement pour arriver à un accord: *Mes parents ont parlementé avant d'acheter cette maison.* SYN. argumenter, négocier, traiter.

parler v. **1.** S'exprimer par des paroles, par un langage articulé: *Bébé apprend à parler.* ANT. se taire. **2.** S'exprimer dans une langue: *Patrick parle français, anglais et espagnol.* **3.** Communiquer avec quelqu'un: *Mélanie a de la peine, elle a besoin de parler à son ami.* SYN. bavarder, causer, converser. **4.** S'exprimer: *Sébastien est muet, il parle par gestes.* **5.** Aborder un sujet déterminé: *La conférencière va parler du suicide.* SYN. discourir. **6.** Révéler un secret: *Notre prisonnière a parlé, nous savons maintenant où se trouve la cachette.* HOM. parlé. ☞ parlant, parlé, parleur, parloir, parlote, reparler. se **parler** v.pron. **1.** S'adresser la parole: *Pour se connaître mieux, il faut se parler.* **2.** Être parlé, être en usage: *Au Canada, le français se parle principalement au Québec.*

parler n.m. Langue d'un groupe: *J'ai parfois de la difficulté à comprendre le parler des habitants de la Gaspésie.* SYN. dialecte, idiome.

parleur, euse n. Personne qui parle beaucoup: *Grand-mère disait de ne pas toujours croire les grandes parleuses.* SYN. bavard, causeur, jaseur. ANT. silencieux, taciturne. ☞ parler.

parloir n.m. Endroit réservé dans un établissement pour recevoir des visiteurs: *Sœur Thérèse nous a reçus au parloir, où nous avons pu causer à l'aise.* ☞ parler.

parlote n.f. Conversation sans importance, insignifiante: *Toi et moi avons de la parlote, nous sommes au téléphone depuis deux heures.* **R.** Aussi, *parlotte.* ☞ parler.

parmesan n.m. Fromage italien à pâte dure, fait avec du lait de vache: *On râpe souvent le parmesan.*

parmi prép. **1.** Au milieu de: *Je vous souhaite la bienvenue parmi nous.* **2.** Au nombre de: *On compte deux femelles parmi ces poissons rouges.*

parodie n.f. Imitation moqueuse, caricature: *Cette imitatrice fait une parodie des chanteurs populaires.* ☞ parodier.

parodier v. Imiter avec moquerie, caricaturer: *On se moquait de notre professeur en imitant ses gestes et ses paroles.* ☞ parodie.

paroi n.f. **1.** Surface intérieure qui sert de mur entre deux pièces: *La paroi entre le salon et la chambre est mince, ne parlez pas trop fort.* SYN. cloison. **2.** Surface qui limite une cavité dans une grotte ou une tranchée: *Les parois de la caverne sont humides.* **3.** Partie intérieure d'un vase qui limite l'objet: *L'eau exerce une pression sur les parois de l'aquarium.* **4.** Partie verticale d'une montagne: *Cette paroi rocheuse est difficile à escalader.*

paroisse n.f. Territoire sur lequel le curé ou le pasteur exerce son ministère: *Lise et Christophe vont se marier dans notre paroisse en juin prochain.* ☞ paroissial, paroissien.

paroissial, ale, aux adj. Qui est relatif à la paroisse: *La salle paroissiale est réservée aux scouts le jeudi.* ☞ paroisse.

paroissien, ienne n. Personne qui est membre d'une paroisse: *Cette paroissienne fait la lecture à la messe du samedi.* ☞ paroisse.

parole n.f. **1.** Capacité de parler: *L'être humain est doté de la parole.* SYN. langage. ANT. mutisme. **2.** Mot ou suite de mots ayant un sens: *Les paroles qu'elle m'a dites m'ont fait du bien.* SYN. discours, propos. ANT. silence. **3.** Texte d'une chanson: *Je sais les paroles de «La veuve» de Félix Leclerc.* **4.** Promesse: *Je te donne ma parole, je serai là ce soir.* SYN. assurance, engagement. ANT. reniement. ⁄⁄ *Couper la parole à quelqu'un:* Interrompre quelqu'un. *Prendre la parole:* Commencer à parler. ☞ parolier.

parolier, ière n. Personne qui écrit le texte d'une chanson: *Je trouve qu'Édith Butler est une parolière de talent.* ☞ parole.

paronyme n. et adj. **1.** n. Chacun des mots de sens différents mais de formes semblables: *«Éruption» et «irruption» sont des paronymes.* **2.** adj. Qui est semblable par la forme et différent par le sens: *Voici deux mots paronymes: «conjecture» et «conjoncture».*

paroxysme n.m. Degré le plus élevé d'une sensation, d'un sentiment: *Le paroxysme de la douleur chez les grands brûlés, c'est lorsqu'on enlève les pansements.*

parquer v. **1.** Mettre des animaux dans un parc, un endroit clôturé: *On a parqué les bœufs, les vaches et les veaux dans ce pré.* **2.** Garer une voiture: *Je parque ma voiture et je vous rejoins.* SYN. ranger. **3.** fig. Entasser plusieurs personnes dans un espace restreint: *Des milliers de personnes étaient parquées dans ce camp de réfugiés.* SYN. enfermer. ☞ parc.

parquet n.m. Assemblage de planches de bois recouvrant le sol d'une pièce: *On trouve fréquemment des parquets de chêne dans les maisons modernes.* ☞ parqueterie.

parqueterie n.f. Pose ou fabrique de parquet: *La parqueterie demande de l'habileté et de la minutie.* ☞ parquet.

parrain n.m. **1.** Personne qui représente la communauté chrétienne au moment du baptême ou de la confirmation d'un enfant et qui promet de veiller sur lui: *Pour le baptême de Rina, on a choisi oncle Jean pour parrain.* **2.** Personne qui présente un nouveau membre dans une association ou un club pour l'y faire inscrire: *C'est grâce à son parrain que Micheline est devenue membre de notre club.* **3.** Chef d'une organisation criminelle, de la mafia: *C'est le parrain qui prend toutes les grandes décisions.* **R.** Au féminin, *marraine.* ☞ parrainer.

parrainer v. Donner son soutien à une œuvre, une entreprise: *Mère Teresa a parrainé des œuvres de charité.* SYN. encourager, patronner. ☞ parrain.

parsemer v. **1.** Couvrir par endroits: *Brian parsème ses cheveux de marguerites.* SYN. orner, semer. ANT. amasser. **2.** Être répandu çà et là: *Des papiers parsèment la cour de récréation.* SYN. couvrir, joncher.

part n.f. Morceau d'un tout qu'on a divisé: *Sépare le gâteau d'anniversaire en douze parts égales.* SYN. partie, portion. ANT. entier. ⁄⁄ *À part:* À l'écart. *De part et d'autre:* D'un côté et de l'autre. *De toutes parts, de toute part:* De tous les côtés. *Nulle part:* En aucun lieu. *Pour ma part:* En ce qui me concerne. *Quelque part:* En un lieu indéterminé.

partage n.m. Action de diviser en parties: *On fait le partage des tâches: je nettoie la salle de bain, tu nettoies la cuisine.* SYN. distribution, répartition. ANT. réunion, union. ☞ impartageable, partageable, partager, repartager.

partageable adj. Qui peut être partagé, séparé: *Un sac de bonbons, c'est facilement partageable.* ☞ partage.

partager v. **1.** Séparer un tout pour en faire des parties: *Partageons entre nous ce qui reste.* SYN. diviser, subdiviser. **2.** Éprouver les mêmes sentiments, les mêmes idées: *Je partage votre opinion sur ce sujet.* SYN. épouser. ☞ partage.

partance n.f. Départ imminent: *L'autobus en partance pour Magog est dans l'allée de droite.* **R.** Ne s'emploie plus guère que dans l'expression *en partance*. ☞ partir.

partant, ante n. Personne, animal ou chose qui prend le départ dans une course: *Sur la ligne de départ, les partantes attendent le coup de sifflet.* ANT. arrivant. ☞ partir.

partenaire n. (angl.) **1.** Personne avec laquelle on s'associe, au jeu ou en affaires: *Line et Gilles sont partenaires dans une petite entreprise; ils partagent les coûts et les profits.* SYN. allié, collègue. ANT. adversaire, compétiteur, rival. **2.** Personne qui a des relations sexuelles avec une autre: *Le choix d'un partenaire ne doit pas être pris à la légère.*

parterre n.m. Partie d'un jardin garnie de gazon et de fleurs: *Ce parterre de tulipes est magnifique.* ▲ **parterre** n.m. Ensemble des places disponibles pour les spectateurs au rez-de-chaussée d'une salle de théâtre: *J'ai deux billets dans le parterre pour le spectacle de ce soir.*

parti n.m. Organisation politique: *La plupart des partis politiques promettent de grandes réalisations lors des campagnes électorales.* SYN. formation, mouvement, rassemblement. ▲ **parti** n.m. Décision, choix: *Je ne m'en fais pas avec ma taille, j'ai pris le parti d'en rire.* SYN. résolution. HOM. partie. ⫽ *Parti pris:* Décision inflexible; opinion préconçue, préjugé. *Prendre parti:* Choisir.

partial, ale, aux adj. Qui prend parti, pour ou contre, sans se soucier de justice ou de vérité: *Notre instituteur est partial, il ne punit jamais sa chouchoute même lorsqu'elle le mérite.* SYN. arbitraire, déloyal, injuste, partisan. ANT. droit, honnête, impartial, juste. ☞ impartial, impartialement, impartialité, partialité.

partialité n.f. Attitude d'une personne qui est partiale, qui prend parti sans se soucier de justice ou de vérité: *Cette arbitre a perdu son poste à cause de sa partialité.* SYN. favoritisme, subjectivité. ANT. équité, impartialité, justice, objectivité. ☞ partial.

participant, ante n. et adj. **1.** n. Personne qui participe à quelque chose: *Les participants à ce concours recevront un certificat de participation.* **2.** adj. Qui participe, prend part: *Les équipes participantes seront honorées publiquement.* ☞ participer.

participation n.f. Action de participer, de collaborer, de prendre part: *La participation a été très grande, nous attendions cent personnes et il s'en est présenté deux cents.* SYN. collaboration, concours. ANT. abstention. ☞ participer.

participe n.m. Forme du verbe qui joue tantôt le rôle de l'adjectif, tantôt celui du verbe: *On distingue le participe présent et le participe passé.*

participer v. Prendre part à quelque chose: *Germain a participé au concours de dessin, il attend les résultats.* ☞ participant, participation.

particularité n.f. Caractéristique: *La particularité de ce restaurant, c'est qu'on y sert des mets grecs.* ☞ particulier.

particule n.f. **1.** Partie infime d'un tout: *L'eau des robinets contient des particules de calcaire.* **2.** Petit mot invariable précédant un nom de famille: *Dans «Madeleine de Verchères», «de» est la particule.*

particulier, ière n. et adj. **1.** n. Personne privée, simple citoyen: *Cet immense terrain appartient à un particulier et non à la municipalité.* **2.** adj. Qui donne à quelqu'un ou à quelque chose son caractère distinctif: *Bruce a une voix particulière, un peu chantante.* SYN. original, remarquable, unique. ANT. courant, normal. **3.** adj. Qui sort de l'ordinaire: *La naissance de notre bébé était un événement particulier.* SYN. spécial. ANT. ordinaire. **4.** adj. Qui est affecté ou propre à une personne ou à une chose: *Dans la chambre, il y a une salle de bain particulière.* SYN. personnel, privé. ANT. commun, public. ☞ particularité, particulièrement.

particulièrement adv. Surtout, spécialement: *J'ai pensé particulièrement à toi en voyant ces tissus, je sais que tu adores le velours.* ☞ particulier.

partie n.f. **1.** Morceau ou élément d'un ensemble: *Une partie de la famille porte des lunettes.* **2.** Élément d'un être vivant: *Dans quelle partie du corps as-tu mal?* ⫽ *En partie:* Partiellement. *Faire partie de:* Être du nombre. ☞ partiel, partiellement. ▲ **partie** n.f. Chacune des personnes qui plaident l'une contre l'autre: *La partie adverse va se faire entendre.* ▲ **partie** n.f. Jeu, divertissement: *Préfères-tu une partie de chasse ou une partie d'échecs?* HOM. parti.

partiel, elle adj. **1.** Qui est incomplet: *La*

note de cet examen est une note partielle de ton bulletin. SYN. fragmentaire. ANT. complet, entier, global. **2.** Qui concerne une partie d'un tout : *Des élections partielles ont eu lieu dans cette circonscription.* ☞ partie.

partiellement adv. En partie : *J'ai répondu à deux questions sur trois, j'ai partiellement terminé.* ☞ partie.

partir v. **1.** Quitter : *Joane est partie de chez ses parents depuis deux ans déjà.* ANT. demeurer, rester. **2.** Commencer : *C'est bien parti, ça va être un chef-d'œuvre!* **3.** Être lancé ou projeté : *Le bouchon de la bouteille est parti vers le plafond.* SYN. jaillir. **4.** S'enlever, disparaître : *La tache partira au lavage.* ☞ départ, partance, partant, repartir. à **partir de** loc.prép. En prenant pour point de départ : *À partir d'aujourd'hui, je me prépare pour le tournoi d'échecs.*

partisan, ane n. et adj. **1.** n. Personne qui est attachée à un groupe ou un parti politique : *Jean est un partisan du fédéralisme.* SYN. adepte, allié, militant. ANT. adversaire, ennemi, rival. **2.** adj. Qui montre un parti pris : *Tu as des idées partisanes sur le rendement du gouvernement.*

partition n.f. Écriture de l'ensemble des parties d'une œuvre musicale : *Nathalène connaît bien sa partition pour le concert de ce soir.*

partner ☞ sect. anglicismes et canadianismes.

partout adv. Dans tous les endroits : *Ce spectacle est annoncé partout: dans les magazines, dans la rue, à la radio.*

parure n.f. Bijou, ornement : *Collier et bracelet de coquillages formaient sa parure.* ☞ parer.

parution n.f. Moment de la publication d'un livre, d'une revue : *Alain attend la parution du troisième livre de la même auteure.* ☞ paraître.

parvenir v. **1.** Arriver en un point déterminé : *Le message est parvenu à la directrice de l'école.* **2.** fig. Atteindre un but, réussir : *Florian est parvenu à obtenir son doctorat en philosophie.* ☞ parvenu.

parvenu, ue n.péj. Personne qui accède à une fonction importante ou à une richesse soudaine et qui n'a pas la culture ou les manières qui conviennent à son nouveau milieu : *Les parvenus ne sont pas toujours bien accueillis dans leur nouveau groupe social.* SYN. arriviste. ☞ parvenir.

parvis n.m. Place située devant la façade d'une église : *Cette photo de groupe a été prise sur le parvis de la cathédrale.* **R.** Le *s* ne se prononce pas.

pas n.m. **1.** Mouvement fait en mettant un pied devant l'autre : *Déplace-toi à pas de loup, sans faire de bruit.* **2.** Manière de marcher : *Depuis son opération, Sylvia a le pas lent.* SYN. démarche. **3.** Enjambée : *Le restaurant est à quelques pas d'ici.* **4.** Seuil : *Qu'est-ce que tu fais sur le pas de la porte?* **5.** Empreinte laissée par le pied : *Il y a des traces de pas dans le ciment frais.* SYN. piste. ⁄⁄ *Faire les cent pas :* Se promener de long en large. *Faux pas :* Pas où l'appui du pied manque. **R.** Le *s* ne se prononce pas.

pas adv. Marque la négation : *Je ne veux pas partir.*

pascal, ale, aux adj. Qui se rapporte à la pâque juive ou à la fête de Pâques : *À l'église, on allume le cierge pascal.* ☞ pâque.

passable adj. Qui est satisfaisant, qui n'est ni bon ni mauvais : *Cette note est passable, mais je suis capable de m'améliorer.* SYN. acceptable, suffisant. ANT. excellent, insuffisant. ☞ passablement.

passablement adv. **1.** De manière passable, satisfaisante : *Joëlle chante passablement bien, elle peut faire partie de la chorale.* **2.** De façon considérable : *Elle a dépensé passablement d'argent pour s'amuser.* ☞ passable.

passade n.f. Liaison amoureuse brève; goût passager : *À mon avis, son emballement pour toi est une passade, ça ne durera pas.*

passage n.m. **1.** Action de passer, d'aller d'un endroit à un autre : *Nous déneigerons la route après le passage de la tempête.* **2.** Droit de passer : *En klaxonnant, cette voiture demande le passage.* ⁄⁄ *Passage à niveau :* Croisement d'une voie ferrée et d'une route. *Passage souterrain :* Tunnel sous une voie de communication. ☞ passer. ▲ **passage** n.m. Extrait d'un livre : *Lis-moi un passage de ce livre que j'aime tant.*

passager, ère n. et adj. **1.** n. Personne qui voyage à bord d'un bateau, d'un avion, d'une voiture, et qui ne fait pas partie de l'équipage ou n'est pas le conducteur : *Les passagers en partance pour Rome sont priés d'embarquer.* SYN. voyageur. **2.** adj. Qui ne dure pas longtemps : *Cette douleur est passagère, ça ira mieux dans quelques instants.* SYN. momentané, temporaire. ANT. durable, permanent. ☞ passer.

passagèrement adv. Pour peu de temps : *Les oies blanches s'arrêtent passagèrement à Québec vers la mi-octobre.* ☞ passer.

passant, ante n. et adj. **1.** n. Personne qui se déplace sur le trottoir ou dans une rue: *La passante s'arrêtait devant chaque boutique.* SYN. promeneur. **2.** adj. Qui est fréquenté, occupé: *Cette promenade passante est très agréable.* ANT. désert, isolé. ☞ passer.

passe n.f. Action de passer la balle, un disque, etc., à un partenaire, dans les sports d'équipe: *Le joueur a réussi sa passe à la joueuse de centre.* ☞ passer.

passé n.m. **1.** Temps révolu: *Le passé est un temps de conjugaison en grammaire.* **2.** Ensemble de souvenirs: *Le vieillard parlait de son passé.* HOM. passer. ⁄⁄ *Par le passé:* Autrefois. ☞ passer.

passé, ée adj. Qui a disparu, qui est révolu: *L'an passé, j'étais en troisième année.* HOM. passer. ☞ passer.

passe-droit n.m. Faveur accordée malgré l'interdiction d'un règlement: *Il est entré dans un bar malgré ses seize ans; c'est un passe-droit.* SYN. privilège. **R.** Au pluriel, *passe-droits*.

passe-montagne n.m. Coiffure qui enveloppe la tête et le cou, mais laisse le visage découvert: *Nicolas enfile son passe-montagne pour se protéger du froid.* **R.** Au pluriel, *passe-montagnes*.

passe-partout n.m.invar. **1.** Clé servant à ouvrir plusieurs serrures: *La concierge de l'école a un passe-partout dans son trousseau de clés.* **2.** fig. Objet que l'on peut utiliser en toute circonstance: *Ce pantalon de coton que j'ai porté en voyage est un vrai passe-partout.*

passe-passe n.m.invar. Tour d'adresse: *Au cirque, le magicien fait des tours de passe-passe.*

passe-plat n.m. Guichet pour passer les plats de la cuisine à la salle à manger: *Ce restaurant possède plusieurs passe-plats.* **R.** Au pluriel, *passe-plats*. ☞ passer.

passeport n.m. Pièce d'identité permettant de se rendre à l'étranger: *Aux douanes, j'ai présenté mon passeport.*

passer v. **1.** Se trouver momentanément à un endroit et y rester peu de temps: *Le défilé passera dans notre rue.* **2.** Traverser un endroit précis: *Si tu vas à Québec, tu passeras par Drummondville.* **3.** Changer d'état, de catégorie: *Mon frère passe du primaire au secondaire en septembre prochain.* **4.** Être accepté, admis: *Je me demande si cette scène de la pièce passe bien.* **5.** Être joué, être vu sur un écran, être entendu à la radio: *Ce film va bientôt passer à la télévision.* **6.** Aller: *Il est temps de passer à table.* **7.** Traverser un filtre quelconque, en parlant d'un liquide: *Le café n'avait pas fini de passer.* ☞ passage, passager, passant, passoire, repasser. ▲ **passer** v. **1.** Franchir: *Nous venons de passer la frontière de l'Ontario.* SYN. traverser. **2.** Faire aller d'un lieu à un autre, donner ou prêter: *Je lui ai passé mon stylo.* SYN. transmettre. **3.** Filtrer, tamiser: *Je vais maintenant passer le bouillon.* **4.** Donner le ballon à un partenaire, dans les sports d'équipe: *Passe le ballon à ton coéquipier.* **5.** Étendre: *Il faudrait passer une couche de peinture sur cette porte.* SYN. répandre. **6.** Laisser s'écouler, employer du temps: *Je passerai mes vacances à la campagne.* ⁄⁄ *Passer son chemin:* Continuer d'avancer sans s'arrêter. ☞ passe, passe-plat, passe-temps, passeur, passoire, repasser. ▲ **passer** v. **1.** S'écouler, en parlant du temps: *À mon avis, le temps passe trop vite.* **2.** Disparaître, cesser d'être: *Ma douleur au pied est passée.* HOM. passé. ☞ passager, passagèrement, passé. se **passer** v.pron. **1.** Se dérouler: *L'histoire se passe au siècle dernier.* **2.** Se priver: *J'ai oublié le dessert; tant pis, on s'en passera.*

passereaux n.m.plur. Ordre d'oiseaux de petite taille, chanteurs, pourvus de pattes à quatre doigts: *Le moineau, le merle et le rossignol sont des passereaux.* **R.** Aussi, *passériformes*. S'écrit au singulier lorsqu'il désigne un oiseau appartenant à cet ordre. ◇ passériformes.

passerelle n.f. **1.** Pont étroit servant au déplacement des piétons: *La piétonne traversait la passerelle.* **2.** Plan incliné par lequel on accède à un navire, un avion: *En haut de la passerelle, l'hôtesse de l'air recueillait les billets.*

passe-temps n.m.invar. Manière agréable d'occuper des moments libres: *Faire un casse-tête s'avère un passe-temps intéressant.* SYN. amusement, distraction, récréation. ☞ passer.

passeur, euse n. **1.** Personne qui conduit un bateau pour traverser un cours d'eau: *Dans sa barque, le passeur nous a fait traverser le lac.* **2.** Personne qui fait traverser une frontière, une zone interdite: *Pendant la guerre, une passeuse a aidé des résistants à franchir la frontière.* ☞ passer.

passible adj. Qui est sujet à subir une peine: *L'automobiliste a brûlé un feu rouge; il est passible d'une amende.*

passif, ive adj. **1.** Qui subit, qui manque d'énergie: *Devant la télévision, je suis passive.* SYN. inactif, inerte. ANT. actif. **2.** Se dit d'une forme verbale qui présente l'action comme étant subie par le sujet: *À la forme* *passive, je dirai: « Ces feuilles sont secouées par le vent ».* ☞ passivement, passivité.

passion n.f. **1.** Sentiment très fort: *Cette pompière a la passion de son métier.* SYN. enthousiasme, exaltation. **2.** Amour très puissant: *Elle a été la grande passion de cet homme.* SYN. adoration. **3.** Activité qu'on aime beaucoup: *Le hockey, c'est ma passion.* ☞ passionnant, passionné, passionnel, passionnément, passionner.

passionnant, ante adj. Très intéressant: *Le jeu d'échecs est un loisir passionnant.* SYN. captivant. ANT. banal, ennuyeux, insignifiant. ☞ passion.

passionné, ée n. et adj. **1.** n. Être rempli de passion: *Marie-Ève est une passionnée des jeux de construction.* **2.** adj. Qui a un vif penchant pour quelque chose: *Il est devenu passionné de cinéma.* SYN. fanatique, fervent. ANT. détaché. HOM. passionner. ☞ passion.

passionnel, elle adj. Qui est conduit par la passion amoureuse: *Cette femme a commis un crime passionnel.* ☞ passion.

passionnément adv. De manière passionnée, très amoureuse: *Il aime passionnément les sports.* ☞ passion.

passionner v. Intéresser de façon particulière: *Apprendre à chasser le caribou l'a passionnée.* SYN. captiver, plaire. ANT. ennuyer. HOM. passionné. ☞ passion. **se passionner** v.pron. Prendre un très vif intérêt: *Julie se passionne pour sa collection de timbres.*

passivement adv. De manière passive, inerte: *Elle assistait passivement à une dispute.* ANT. activement. ☞ passif.

passivité n.f.sing. Caractère de ce qui est passif, inerte: *La passivité de mon petit chien m'inquiète.* ☞ passif.

passoire n.f. Ustensile percé de trous destiné à égoutter des aliments ou à filtrer grossièrement certains liquides: *Mets les spaghettis dans la passoire.* ☞ passer.

pastel n.m. et adj.invar. **1.** n.m. Pâte colorée servant de crayon: *Ce dessin est fait au pastel.* **2.** n.m. Dessin exécuté au pastel: *Au musée, j'ai vu des pastels.* **3.** adj.invar. Qui est d'un ton clair et doux: *Les rideaux de sa chambre sont pastel.*

pastenague n.f. (provenç.) Poisson plat d'Europe possédant une queue à aiguillon venimeux: *La pastenague est une raie à longue queue.* **R.** Ne pas oublier le *u* après le *g*.

pastèque n.f. (port.) Gros melon juteux à chair rose: *J'aime manger de la pastèque surtout lorsqu'il fait chaud.*

pasteur n.m. **1.** Homme qui garde les troupeaux: *Le pasteur fait paître ses moutons.* SYN. berger, pâtre. **2.** Prêtre ou homme religieux qui s'occupe des fidèles: *Le pasteur instruit ses paroissiens.* **3.** Ministre dans la religion protestante: *Le pasteur entrait dans l'église.* // *Le Bon Pasteur:* Jésus-Christ.

pasteurisation n.f. Opération qui consiste à chauffer un liquide et à le refroidir rapidement pour détruire les germes: *La technicienne en laboratoire supervisait la pasteurisation du lait.* ☞ pasteuriser.

pasteuriser v. Faire la pasteurisation, détruire les germes: *Il faut pasteuriser le lait.* ☞ pasteurisation.

pastille n.f. (esp.) Petit morceau rond de pâte à sucer, en pharmacie ou en confiserie: *Lorsque j'ai mal à la gorge, je suce une pastille.*

pastis n.m. Boisson alcoolisée à l'anis, qui se mêle à l'eau: *Tante Jeanne boit un pastis comme apéritif.* **R.** Le *s* final se prononce.

patapouf n.m.fam. Enfant ou adulte gros et gras: *Les vêtements rembourrés, les gestes un peu gauches, l'actrice tenait le rôle d'un gros patapouf.*

patate n.f.fam. Pomme de terre: *J'ai acheté un sac de patates.* ◇ pomme de terre.

patati, patata interj.fam. Expression évoquant un long bavardage: *Tu m'as parlé de ta voiture, de ta famille, de ton salaire, de ta réussite, patati, patata!*

patatras! interj. Mot qui marque le bruit de ce qui tombe avec fracas: *Patatras! les verres se sont retrouvés par terre.* **R.** Le *s* ne se prononce pas.

pataud, aude adj. Qui est lent et lourd dans ses mouvements: *La jeune chienne est pataude.* SYN. gauche. ANT. agile, rapide, vif.

pataugeoire n.f. Bassin peu profond servant à la baignade des jeunes enfants: *Surveille les enfants qui s'amusent dans la pataugeoire.* **R.** Ne pas oublier le *e* après le *g*. ☞ patauger. (*Voir l'illustration à la page suivante.*)

patauger v. **1.** Marcher dans une eau boueuse ou sur un sol détrempé: *Pour se rendre à son chalet, elle a dû patauger.* SYN. s'enliser. **2.** fig. S'embrouiller dans des difficultés: *La conférencière patauge, elle ne sait quoi répondre.* SYN. s'empêtrer. ☞ pataugeoire.

pâte n.f. **1.** Préparation à base de farine et d'eau, que l'on mange après cuisson: *La cuisinière pétrit la pâte avec ses mains.* **2.** plur. Aliments faits avec de la semoule de blé dur, qui sont prêts à être utilisés en cuisine: *Les macaronis et les spaghettis sont des pâtes* (ou *pâtes alimentaires).* **R.** Ne pas oublier l'accent: *â.* ☞ pâtée, pâteux.

pataugeoire

pâté n.m. **1.** Préparation à base de viande ou de poisson, enrobée de croûte: *J'ai acheté un pâté au poulet.* **2.** Pièce de charcuterie que l'on consomme froide: *J'ai mangé un peu de pâté de campagne.* **3.** Tache d'encre: *J'ai fait un pâté dans mon cahier.* HOM. pâtée. ⁄⁄ *Pâté chinois:* Au Québec, mets composé de bœuf haché, de pommes de terre en purée et de maïs en crème. **R.** Ne pas oublier l'accent: *â.*

pâtée n.f. Mélange d'aliments réduits en pâte que l'on donne aux animaux: *J'ai donné au chat sa pâtée.* HOM. pâté. **R.** Ne pas oublier l'accent: *â.* ☞ pâte.

patelin n.m.fam. Village, pays: *Il y a longtemps que j'ai visité mon patelin.*

patelle n.f. Mollusque comestible de forme conique, qui se fixe sur les rochers: *On trouve beaucoup de patelles sur les rochers que découvre la marée basse.* ◇ bernicle.

patène n.f. Vase sacré destiné à recevoir l'hostie: *La patène a été déposée sur l'autel.*

patère n.f. Crochet en bois ou en métal, fixé à un mur, qui sert à accrocher un manteau ou un chapeau: *Suspends ton chapeau à la patère.*

paternalisme n.m. (angl.) Tendance à imposer une autorité sous couvert de protection: *On critiquait le paternalisme du patron.* ☞ paternaliste.

paternaliste adj. (angl.) Qui a le caractère du paternalisme, de l'autorité qui se cache sous la protection: *Elle acceptait mal les conseils paternalistes de son copain.* ☞ paternalisme.

paternel, elle adj. **1.** Qui vient du père: *Il sentait se développer en lui un sentiment d'amour paternel.* **2.** Qui est en rapport avec le père: *Je parle de mes grands-parents paternels.* ☞ père.

paternellement adv. De manière paternelle, comme un père: *Il se comporte paternellement envers son neveu.* ☞ père.

paternité n.f. Lien juridique entre un père et son enfant: *Sa récente paternité le comble de joie.* ☞ père.

pâteux, euse adj. Qui a la consistance de la pâte: *Je n'ai pas bien réussi ma sauce: elle est pâteuse.* **R.** Ne pas oublier l'accent: *â.* ☞ pâte.

pathétique adj. Qui crée une vive émotion par son aspect triste ou dramatique: *Ce malentendu entre vous a quelque chose de pathétique.* SYN. palpitant, touchant. ANT. comique, gai, réjouissant.

pathologie n.f. Science qui étudie les maladies et les effets qu'elles provoquent: *L'enseignante nous a expliqué la progression de la tuberculose dans notre cours de pathologie.* ☞ pathologique, pathologiste.

pathologique adj. Qui se rapporte à la pathologie, à l'état de maladie: *Le médecin diagnostiqua un développement pathologique de l'organe atteint.* SYN. morbide. ANT. normal. ☞ pathologie.

pathologiste n. Spécialiste en pathologie: *Cette pathologiste exerce sa profession à l'hôpital universitaire.* ☞ pathologie.

patibulaire adj. Qui est louche, suspect, inquiétant, en parlant d'un air, d'une mine: *Sa mine patibulaire me terrorisait.* ANT. franc, honnête.

patiemment adv. De manière patiente, persévérante: *Elle attendait patiemment qu'on vienne la chercher.* ☞ patience.

patience n.f. **1.** Qualité d'une personne qui supporte les désagréments sans perdre son calme: *Sa maladie a demandé beaucoup de patience.* SYN. résignation. ANT. emportement, impatience. **2.** Qualité d'une personne qui persévère dans une activité, malgré les difficultés: *Il faut beaucoup de patience pour enseigner.* SYN. acharnement, persévérance. ☞ impatiemment, impatience, impatient, impatienter, patiemment, patient, patienter.

patient, ente n. Personne qui subit un traitement, un examen médical: *Étendu sur une civière, le patient discutait avec l'infirmière.*

patient, ente adj. Qui fait preuve de patience, de calme, de persévérance: *Cet institu-*

teur est très patient. ANT. impatient. ☞ patience.

patienter v. Prendre patience, attendre sans être irrité: *J'ai dû patienter une heure avant d'entrer dans son bureau.* ANT. s'impatienter. ☞ patience.

patin n.m. Chaussure munie d'une lame, destinée à glisser sur la glace: *Elle a fait aiguiser ses patins.* // *Patins à roulettes:* Patins munis de roulettes. ☞ patinage, patiner, patineur, patinoire.

patinage n.m. Pratique du patin sur la glace: *Cette fillette fait du patinage.* // *Patinage artistique:* Sauts acrobatiques et danse exécutés sur glace. *Patinage de vitesse:* Course sur glace avec des patins. ☞ patin.

patine n.f. (it.) Aspect particulier que prend un objet en vieillissant: *Ce meuble rustique a une belle patine.* ☞ patiner.

patiner v. **1.** Glisser sur la glace avec des patins: *Elle allait patiner avec son père sur l'étang gelé.* **2.** Tourner sur place sans pouvoir avancer, en parlant d'une roue: *Cette automobile patine sur la glace bleue.* ☞ patin.
▲ **patiner** v. Couvrir au moyen d'une patine: *Les années ont patiné cette sculpture.* ☞ patine.

patineur, euse n. Personne qui patine sur la glace: *La patineuse pratiquait son sport favori sur la rivière.* ☞ patin.

patinoire n.f. **1.** Surface glacée permettant de patiner: *Nous jouons au ballon sur glace sur la patinoire du village.* **2.** fig. Route glacée: *Avec ce verglas, ma rue était une vraie patinoire.* ☞ patin.

patio n.m. (esp.) Partie de la cour arrière aménagée pour y manger, s'y reposer: *Le patio fut construit par mon oncle.* **R.** Le *t* se prononce *t* ou *ss*.

pâtir v.vx Souffrir: *Cette maladie le fait cruellement pâtir.* **R.** Ne pas oublier l'accent: *â*.

pâtisserie n.f. **1.** Préparation de la pâte en vue de la confection de gâteaux, de tartes, etc.; les produits ainsi confectionnés: *J'achète souvent des pâtisseries.* **2.** Boutique du pâtissier: *Cette pâtisserie fournit de bons gâteaux.* **R.** Ne pas oublier l'accent: *â*. ☞ pâtissier.

pâtissier, ière n. Personne qui fabrique et vend des gâteaux: *La pâtissière a préparé des mokas.* **R.** Ne pas oublier l'accent: *â*. ☞ pâtisserie.

patois n.m. Parler particulier à certaines régions: *Les habitants de cette région ont leur patois.* SYN. idiome. **R.** Le *s* ne se prononce pas.

pâtre n.m.litt. Homme qui fait paître les troupeaux: *Les pâtres menaient paître leurs bêtes dans la montagne.* SYN. berger, pasteur. **R.** Ne pas oublier l'accent: *â*.

patriarche n.m. **1.** Titre donné à certains évêques dans l'Église d'Orient: *Cet archevêque orthodoxe est un patriarche.* **2.** Vieillard respectable, qui mène une vie paisible, entouré d'une nombreuse famille: *C'était un patriarche à longue barbe blanche qu'on venait consulter sur tous les sujets.*

patrie n.f. Nation à laquelle on appartient: *Le Canada est sa patrie.* ☞ apatride, compatriote, expatriation, expatrié, s'expatrier, patriote, patriotique, patriotisme, rapatriement.

patrimoine n.m. **1.** Ensemble des biens hérités des parents: *Ces meubles anciens sont notre seul patrimoine.* **2.** Héritage commun d'un groupe humain: *Cette association a pour but de sauvegarder le patrimoine culturel du Québec.* // *Patrimoine génétique, héréditaire:* Ensemble des caractères génétiques d'une personne.

patriote n. et adj. **1.** n. Personne qui aime sa patrie: *Les patriotes québécois se reconnaissent dans la Saint-Jean-Baptiste.* **2.** adj. Qui aime sa patrie: *Mes parents sont très patriotes.* ☞ patrie.

patriotique adj. Qui est inspiré par l'amour de la patrie: *Nous avons entonné un chant patriotique.* ☞ patrie.

patriotisme n.m. Amour de la patrie: *Elle a servi son pays par patriotisme.* ☞ patrie.

patron, onne n. **1.** Chef d'entreprise: *La patronne a accordé une augmentation de salaire aux employées.* SYN. directeur, employeur. ANT. employé, salarié. **2.** Saint protecteur: *Saint Jean-Baptiste est le patron des Canadiens français.* ☞ patronage, patronal, patronat, patronner.

patron n.m. **1.** Modèle en papier d'après lequel on taille un vêtement: *Elle s'est confectionné une robe à l'aide d'un patron.* **2.** Modèle à suivre pour exécuter certains travaux d'artisanat: *Prends soin de broder en suivant le patron.* SYN. dessin.

patronage n.m. Soutien donné par un personnage influent ou un organisme: *Cette soirée a été organisée sous le patronage du club social.* SYN. égide. **R.** N'a pas le sens de *favoritisme*. ☞ patron.

patronal, ale, aux adj. Qui concerne les chefs d'entreprise: *La partie patronale a ac-*

cepté de rencontrer notre représentante syndicale. ☞ patron.

patronat n.m. Ensemble des chefs d'entreprise : *Le patronat a dénoncé le nouveau projet de loi.* ☞ patron.

patronner v. Soutenir par son patronage, donner sa protection : *Cet organisme a patronné notre projet.* SYN. aider, appuyer, financer. ☞ patron.

patronage patronner

patrouille n.f. Mission de surveillance confiée à un petit détachement de policiers ou de soldats : *Les agents sont partis en patrouille.* ☞ patrouiller, patrouilleur.

patrouiller v. Aller en patrouille, en mission de surveillance : *Les gardes-côtes ont patrouillé sur le fleuve.* ☞ patrouille.

patrouilleur n.m. Membre d'une patrouille : *Les patrouilleurs déclarent n'avoir rien à signaler.* **R.** L'O.L.F. recommande *patrouilleuse* comme féminin de *patrouilleur*. ☞ patrouille.

patte n.f. Membre qui supporte le corps de l'animal : *Les échassiers ont de longues pattes.*

patte-d'oie n.f. **1.** Carrefour d'où partent obliquement trois voies ou plus : *La chauffeuse de taxi s'est trompée de route à la patte-d'oie.* **2.** Chacune des petites rides qui partent de l'angle externe de l'œil : *Mon grand-père a des pattes-d'oie très profondes.* **R.** Au pluriel, *pattes-d'oie*.

pâturage n.m. Lieu herbeux où l'on fait paître le bétail : *J'ai mené les chèvres au pâturage.* SYN. pacage. **R.** Ne pas oublier l'accent : *â*. ☞ pâture.

pâture n.f. **1.** Nourriture des animaux : *J'ai jeté des grains en pâture aux poules.* SYN. aliment. **2.** fig. Aliment d'un désir, d'une faculté : *Les livres de ma mère servent de pâture à ma soif de lecture.* **R.** Ne pas oublier l'accent : *â*. ☞ pâturage.

paume n.f. Creux de la main : *J'ai les paumes pleines d'ampoules.*

paupière n.f. Membrane mobile qui recouvre l'œil : *J'ai une poussière sous la paupière.*

paupiette n.f. Tranche de viande roulée et farcie : *Nous avons mangé des paupiettes de veau.*

pause n.f. **1.** Arrêt momentané d'un travail, d'une activité : *Faisons une pause pour nous détendre un peu.* SYN. interruption. ANT. reprise. **2.** Silence qui vaut quatre soupirs, en musique : *La pause correspond à la ronde.* HOM. pose.

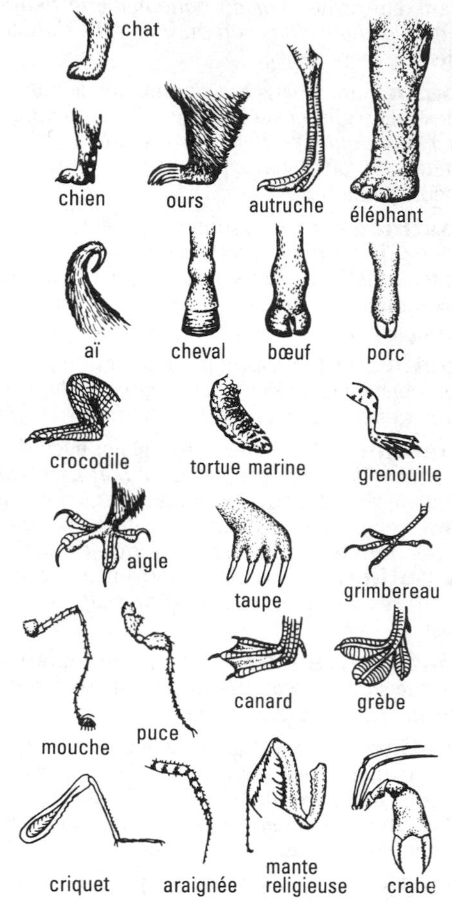

pattes

pauvre n. et adj. **1.** n. Personne qui manque du nécessaire : *Les pauvres souffrent plus que les riches des crises économiques.* SYN. indigent, nécessiteux. ANT. nanti, richard, riche. **2.** n. Mot employé pour plaindre une personne : *La pauvre, elle n'a vraiment pas de chance.* **3.** adj. Qui n'a pas d'argent ou n'en a pas assez pour vivre convenablement : *Mes voisins sont très pauvres.* SYN. démuni, infortuné. ANT. fortuné, riche. **4.** adj. Qui dénote le manque d'argent : *Elles habitent un pauvre logement.* SYN. minable, misérable. ANT. luxueux. **5.** adj. Qui éveille la pitié : *Le pauvre garçon, il s'est cassé la jambe.* SYN. malheureux. ANT. heureux. **6.** adj. Qui produit peu : *Ils essaient vainement de cultiver une terre pauvre où il n'y a que des cailloux.* SYN. aride, stérile. ANT. fécond, fertile. **7.** adj. Qui est insuffisant : *Son vocabulaire est pauvre.* SYN. pitoyable. ANT. abondant. ☞ appauvrir, appauvrissement, pauvrement, pauvreté.

pauvrement adv. **1.** De manière pauvre, indigente : *Mes grands-parents vivaient pauvrement.* SYN. humblement. ANT. richement. **2.** De manière insatisfaisante : *Son texte est pauvrement écrit.* ☞ pauvre.

pauvreté n.f. **1.** Manque d'argent, de ressources matérielles : *Une grande partie de l'humanité vit dans la pauvreté.* SYN. dénuement, gêne, indigence. ANT. aisance, opulence, richesse. **2.** Insuffisance matérielle : *La pauvreté du sol a obligé l'agricultrice à ajouter des engrais.* SYN. aridité. ANT. fertilité. ☞ pauvre.

pavage n.m. **1.** Action de paver, de revêtir de pavés : *C'est un spécialiste en pavage d'entrées de garage.* **2.** Revêtement de sol composé de pavés : *Ses pas résonnaient sur le pavage de l'allée.* ☞ pavé.

se pavaner v.pron. Marcher avec orgueil, en prenant des poses avantageuses : *Il pense nous impressionner en se pavanant ainsi.* SYN. parader.

pavé n.m. **1.** Bloc cubique servant au revêtement de certaines voies : *Muriel a posé les pavés du trottoir jusqu'à sa maison.* SYN. dalle, pierre. **2.** Revêtement formé de pavés : *Le pavé était glissant.* SYN. dallage. HOM. paver. ☞ pavage, paver, repavage, repaver.

paver v. Revêtir de pavés : *Cette rue piétonnière a été pavée récemment.* HOM. pavé. ☞ pavé.

pavillon n.m. Petit bâtiment dans un parc, un jardin : *Ce sentier conduit à un pavillon où l'on peut se reposer.* SYN. abri, kiosque. ▲ **pavillon** n.m. Partie externe de l'oreille : *Une guêpe l'a piqué sur le pavillon de l'oreille.* ▲ **pavillon** n.m. Pièce d'étoffe hissée au mât d'un navire pour indiquer sa nationalité ou faire des signaux : *Le pavillon noir à tête de mort était l'emblème des pirates.* SYN. bannière, drapeau, enseigne.

pavoiser v. **1.** Orner de drapeaux : *Les gens avaient pavoisé les rues pour la fête nationale.* SYN. décorer, parer. **2.** fig. Se réjouir : *Il est trop tôt pour pavoiser, le succès n'est pas encore assuré.*

pavot n.m. Plante cultivée pour ses fleurs, ses graines ou sa sève, dont on tire l'opium : *Nous avons mangé du gâteau aux graines de pavot.* **R.** Le *t* ne se prononce pas.

payable adj. Qui doit être payé : *Les articles commandés au comptoir des ordonnances sont payables à la caisse.* ☞ payer.

payant, ante adj. **1.** Qu'il faut payer : *Elles sont abonnées à la télévision payante.* ANT. gratuit. **2.** Qui paie : *Les spectateurs payants ont droit aux meilleures places.* **3.** fig. Qui rapporte, qui est profitable : *Son commerce n'est pas très payant.* SYN. avantageux, rentable. ANT. désavantageux, infructueux. ☞ payer.

payer v. **1.** Remettre une somme due : *Son employeuse le paie dix dollars l'heure.* SYN. rémunérer, rétribuer. ANT. emprunter. **2.** Verser la somme due : *J'ai payé ma bicyclette avec mes économies.* SYN. acquitter, défrayer. ANT. devoir. ☞ impayé, paie, paiement, payable, payant, payeur, repayer.

payeur, euse n. Personne qui paie ce qu'elle doit : *Son crédit est excellent, c'est une bonne payeuse.* ☞ payer.

pays n.m. **1.** Territoire d'une nation : *Le Canada est un grand pays.* **2.** Région : *Le Bas-Saint-Laurent est le pays de mon enfance.* **3.** Ensemble des habitants du pays : *Tout le pays est en fête.*

paysage n.m. **1.** Étendue de pays qui se présente à la vue : *Le paysage était magnifique au bord de la mer.* SYN. site, vue. **2.** Tableau représentant la nature : *Elle a dessiné un beau paysage.* SYN. dessin. **3.** Situation d'ensemble dans un domaine : *Le paysage culturel du Canada est très diversifié.* ☞ paysager, paysagiste.

paysager, ère adj. Qui est disposé comme un paysage naturel : *La porte arrière donne sur un terrain paysager.* ☞ paysage.

paysagiste n. **1.** Peintre de paysages : *Marc-Aurèle Fortin était un grand paysagiste.* **2.** Jardinier qui conçoit des aménagements paysagers : *Mes parents ont fait venir une paysagiste pour aménager le terrain.* ☞ paysage.

paysan, anne n. et adj. **1.** n. Personne qui vit à la campagne et s'occupe du travail de la terre : *Les paysans ont commencé les récoltes.* SYN. agriculteur, cultivateur, fermier. ANT. bourgeois, citadin. **2.** adj. Qui est relatif aux paysans : *La vie paysanne exige du savoir-faire et de l'ardeur au travail.* SYN. rural.

péage n.m. **1.** Droit que l'on paie pour emprunter une autoroute, un pont, etc. : *On doit débourser vingt-cinq cents pour emprunter ce pont à péage.* **2.** Endroit où l'on paie un droit de passage : *Il y a eu un embouteillage au péage.*

peau n.f. **1.** Enveloppe extérieure du corps : *Ce savon est très doux pour la peau.* **2.** Fourrure, cuir détaché du corps de l'animal : *La peau de daim est très prisée pour sa souplesse et sa douceur.* **3.** Enveloppe extérieure des fruits : *La peau des pêches est veloutée.* **4.**

Croûte molle qui se forme à la surface de certains liquides: *J'ai enlevé la peau qui s'était formée dans le seau de peinture.* HOM. pot.

pécari n.m. Cochon sauvage d'Amérique; cuir de cet animal: *Tu portes des gants de pécari.*

pécari

peccadille n.f.litt. (esp.) Faute sans gravité: *Il se reproche tout, même les peccadilles.*

pêche n.f. Fruit du pêcher, à noyau très dur et à chair fine: *Ces pêches sont très juteuses.* ☞ pêcher (n.). ▲ **pêche** n.f. **1.** Action ou manière de prendre les poissons: *C'est le temps de la pêche au saumon.* **2.** Poissons, produits de la mer: *Les pêcheurs ont fait une belle pêche.* **R.** Ne pas oublier l'accent: *ê.* ☞ pêcher (v.).

péché n.m. Désobéissance volontaire à la loi divine: *Son plus grand péché est la paresse.* SYN. manquement, transgression. ANT. respect, vertu. HOM. pécher. ⁄⁄ *Péché mignon:* Penchant auquel on s'abandonne volontiers. *Péché mortel:* Péché qui entraîne la damnation du pécheur. *Péché véniel:* Péché sans gravité. ☞ pécher, pécheur.

pêcher n.m. Arbre cultivé pour ses fruits, les pêches: *Le pêcher est originaire d'Asie.* **R.** Ne pas oublier l'accent: *ê.* ☞ pêche.

pécher v. **1.** Commettre un péché, désobéir volontairement à la loi divine: *Tu as péché en volant cet argent.* **2.** Commettre une erreur: *Elle a péché contre le règlement.* **R.** Ne pas confondre avec *pêcher.* ☞ péché.

pêcher v. **1.** Prendre ou chercher à prendre du poisson: *Je sais comment pêcher la truite.* **2.** fig. et fam. Aller chercher, trouver quelque chose d'inattendu: *Où a-t-il pêché une pareille idée?* **R.** Ne pas confondre avec *pécher.* Ne pas oublier l'accent: *ê.* ☞ pêche, pêcherie, pêcheur.

pêcherie n.f. **1.** Lieu où l'on pêche: *Les grands bancs de Terre-Neuve sont d'excellentes pêcheries pour la morue.* **2.** Entreprise où l'on traite le poisson pêché: *Il y a plusieurs pêcheries aux Îles-de-la-Madeleine.* **R.** Ne pas oublier l'accent: *ê.* ☞ pêcher (v.).

pécheur n.m. Personne qui a commis un péché: *Le Christ a dit: «Je suis venu pour sauver les pécheurs».* SYN. coupable, fautif. ANT. innocent, juste, vertueux. **R.** Ne pas confondre avec *pêcheur.* Au féminin, *pécheresse.* ☞ péché.

pêcheur, euse n. Personne qui pratique la pêche, par métier ou par plaisir: *Ma mère est une pêcheuse émérite.* **R.** Ne pas confondre avec *pécheur.* Ne pas oublier l'accent: *ê.* ☞ pêcher (v.).

pectine n.f. Gélatine naturelle contenue dans plusieurs végétaux: *La pomme est riche en pectine.*

pectoral, ale, aux adj. **1.** Relatif à la poitrine: *Ces exercices développent les muscles pectoraux.* **2.** Qui combat les affections pulmonaires: *Sylvain prend un sirop pectoral pour ses bronches.*

pécule n.m. Somme d'argent économisée peu à peu: *Il n'est pas besoin d'être riche pour amasser un pécule, il suffit d'éviter le gaspillage.*

pécuniaire adj. **1.** Qui a rapport à l'argent: *Nous avons des ennuis pécuniaires.* **2.** Qui consiste en argent: *Notre organisme a reçu une aide pécuniaire.*

pédagogie n.f. **1.** Science de l'éducation des enfants: *Il étudie en pédagogie.* **2.** Qualité du bon pédagogue: *Notre institutrice a beaucoup de pédagogie.* ☞ pédagogique, pédagogue.

pédagogique adj. **1.** Qui est relatif à la pédagogie: *La conseillère pédagogique m'a recommandé ce livre de mathématiques.* **2.** Qui est conforme aux normes de la pédagogie: *Ce manuel a été écrit avec un grand souci pédagogique.* ☞ pédagogie.

pédagogue n. et adj. **1.** n. Spécialiste de l'éducation, de la pédagogie: *Ce programme d'études a été préparé par une équipe de pédagogues.* SYN. maître. **2.** n. Personne qui a le sens de l'enseignement: *Notre enseignant est un bon pédagogue.* SYN. éducateur, instituteur. ANT. disciple, élève. **3.** adj. Qui a le sens de l'enseignement: *Ma mère est très pédagogue.* **R.** Ne pas oublier le *u* après le *g*: pédagogue. ☞ pédagogie.

pédale n.f. Levier qu'on actionne avec le pied: *Les pédales de ma bicyclette sont munies de cale-pied.* ☞ pédaler, pédalier.

pédaler v. **1.** Actionner des pédales: *Tu pédales trop vite.* **2.** fig. et pop. Marcher très vite, courir: *Tu ne marches pas, tu pédales: attends-moi un peu!* ☞ pédale.

pédalier n.m. Mécanisme d'une bicyclette

comprenant les pédales, la roue dentée, la chaîne, etc.: *Il faudrait que je lubrifie mon pédalier.* ☞ pédale.

pédalo n.m. Embarcation à flotteurs, mue par une roue à aubes actionnée au moyen de pédales: *Nous avons traversé le lac en pédalo.*

pédant, ante n. et adj. (it.) **1.** n. Personne qui fait étalage de sa culture, de son savoir: *Ce pédant emploie de grands mots pour dire les choses les plus simples.* **2.** adj. Qui fait prétentieusement étalage de son érudition: *Je la trouve un peu pédante.* SYN. fat, suffisant. ANT. humble, modeste, simple. **3.** adj. Qui affecte l'érudition, la culture: *Son ton pédant m'agace.* SYN. affecté, solennel. ANT. naturel, sobre.

pédestre adj. **1.** Qui se fait à pied: *Nous ferons une randonnée pédestre.* **2.** Qui représente un personnage debout, à pied: *Une statue pédestre de Marie Rollet occupe le centre de la place.*

pédiatre n. Médecin qui soigne les enfants: *Le pédiatre a examiné ma gorge et mes oreilles.* ☞ pédiatrie.

pédiatrie n.f. Médecine des enfants, des maladies infantiles: *Ma sœur étudie en pédiatrie.* ☞ pédiatre.

pédicule n.m. Support d'un végétal, d'un organe: *Ces champignons se mangent avec leur pédicule.* **R.** Ne pas confondre avec *pédoncule*.

pédicure n. Personne qui soigne les pieds: *La pédicure a enlevé mes verrues plantaires.*

pedigree n.m. (angl.) Généalogie d'un animal de race: *Ce chien a un bon pedigree.* **R.** N'a pas le sens de *biographie*, de *portrait*. Se prononce *pédigré*.

pédoncule n.m. Queue d'une fleur, d'un fruit: *Les pétales des tulipes sont tombés, il ne reste plus que les pédoncules.* **R.** Ne pas confondre avec *pédicule*.

pédoncules

pègre n.f. (it.) Milieu des malfaiteurs, des escrocs, des trafiquants: *Ces cambrioleurs faisaient partie de la pègre.*

peigne n.m. Instrument denté servant à démêler les cheveux, à les coiffer: *Me prêterais-tu un peigne, je suis décoiffée.* ☞ dépeigner, peigner.

peigner v. Démêler, coiffer les cheveux avec un peigne, une brosse: *Il a passé une heure à peigner ses cheveux.* ANT. décoiffer, dépeigner, mêler. ☞ peigne. **se peigner** v.pron. Peigner, coiffer ses cheveux: *N'oublie pas de te peigner avant de partir.*

peignoir n.m. Robe de chambre légère, généralement en tissu éponge, souvent portée après le bain: *Elle était en peignoir et avait la tête enroulée d'une serviette.*

peignures n.f.plur. Cheveux qui tombent de la tête lorsqu'on se peigne: *Voudrais-tu ramasser tes peignures, s'il te plaît?* **R.** Ne s'emploie pas au singulier. N'a pas le sens de *coiffure*.

peindre v. **1.** Enduire de peinture: *Nous avons peint les murs de notre cabane.* **2.** Représenter au moyen de la peinture: *Elle peint de beaux paysages.* SYN. exécuter, reproduire. **3.** Décrire par le langage, en s'adressant à l'imagination: *Cet écrivain a su peindre fidèlement les mœurs de nos ancêtres.* ☞ peintre, peinture, peinturer, peinturlurer, repeindre. **se peindre** v.pron. Se manifester à la vue: *La joie se peignait sur les visages.* SYN. apparaître.

peine n.f. Punition prévue par la loi: *Elle a été condamnée à une peine de cinq ans de prison.* SYN. châtiment, pénalité. ANT. récompense. ☞ pénal, pénaliser, pénalité. **sous peine de** loc.prép. Sous la menace de telle peine: *Tu ne peux rester là sous peine d'amende.* ▲ **peine** n.f. Douleur morale, chagrin: *Tu m'as fait de la peine.* SYN. tristesse. ANT. joie, plaisir. ☞ peiner, pénible, péniblement. ▲ **peine** n.f. **1.** Dur travail, grand effort: *Nous nous sommes donné beaucoup de peine pour réussir.* SYN. fatigue, labeur, mal. ANT. détente, facilité, repos. **2.** Difficulté qui entrave: *Il a de la peine à marcher.* SYN. embarras, mal. ANT. aisance. HOM. pêne, penne. ⁄⁄ *À grand-peine:* Difficilement. *Ce n'est pas la peine:* C'est inutile. *Sans peine:* Sans difficulté. ☞ peiner, pénible, péniblement. **à peine** loc.adv. Presque pas; depuis peu: *À peine sont-ils arrivés que j'ai décidé de partir.*

peiner v. Faire de la peine à quelqu'un: *Ton attitude me peine beaucoup.* ☞ peine. **peiné, ée** p.p. et adj. Qui est rempli de peine, de tristesse: *Nous étions seuls et peinés.* ☞ peine. ▲ **peiner** v. Éprouver de la fatigue:

Mes parents ont peiné pour en arriver là. ☞ peine.

peintre n.m. **1.** Personne qui fait de la peinture : *Le musée présente plusieurs tableaux de ce peintre.* **2.** Personne dont le métier est d'appliquer de la peinture sur des murs, des objets : *Les peintres ont repeint le balcon et l'escalier.* **R.** L'O.L.F. recommande que le nom *peintre* soit aussi employé au féminin. ☞ peindre.

peinture n.f. **1.** Matière colorante liquide qu'on applique sur des murs, des toiles, des meubles ou autres objets : *Il a fallu trois couches de peinture pour peindre ce mur.* **2.** Opération qui consiste à enduire une surface de couleur : *Le peintre préfère la peinture au rouleau plutôt que celle au pinceau.* **3.** Art et technique de l'artiste peintre : *Ce tableau est un chef-d'œuvre de la peinture.* **4.** Œuvre d'un artiste peintre : *Cette artiste a fait de nombreuses peintures.* ☞ peindre.

peinturer v. Peindre maladroitement, barbouiller : *Les enfants s'étaient peinturé le visage de toutes les couleurs pour le concours du plus beau maquillage.* ☞ peindre.

peinturlurer v.fam. Peindre avec des couleurs criardes : *Les enfants ont pris plaisir à peinturlurer leur cabane.* ☞ peindre.

péjoratif, ive adj. Qui comporte un sens défavorable, en parlant d'un mot, d'une expression, etc. : *Le mot « froussard » est péjoratif.*

pékan n.m. (amérind.) Nom usuel de la martre du Canada, mammifère carnivore au pelage brun et au museau pointu : *La fourrure du pékan est très estimée.*

pékinois n.m. Petit chien de compagnie, à poil long, au museau très court et comme aplati, aux oreilles pendantes : *Le pékinois a la tête ronde et massive.*

pelage n.m. Ensemble des poils d'un animal : *Le pelage du tigre est d'un bel orangé marqué de zébrures noires.* SYN. fourrure, robe, toison.

pêle-mêle n.m.invar. et adv. **1.** n.m.invar. Mélange d'objets en désordre : *Un pêle-mêle de vêtements, de jouets, de chaussures encombrait l'entrée.* SYN. fouillis, méli-mélo. **2.** n.m.invar. Cadre qui peut recevoir plusieurs photos : *Ce pêle-mêle contient les photos des membres de ma famille.* **3.** adv. En désordre : *Martine a jeté ses vêtements pêle-mêle sur son lit.* **R.** Ne pas oublier les accents : *ê.*

peler v. **1.** Enlever la peau d'un fruit, d'un légume : *Jacinthe pèle sa pomme avant de la manger.* **2.** Perdre sa peau par petits morceaux : *J'ai pris un coup de soleil et mon nez pèle.* ☞ pelure. se **peler** v.pron. S'enlever, en parlant de la peau d'un fruit, d'un légume : *Ces oranges se pèlent facilement.*

pèlerin n.m. **1.** Faucon du sud de la France, très apprécié pour la chasse avec des oiseaux de proie, aussi appelé « faucon pèlerin » : *Le pèlerin est le meilleur chasseur de tous les oiseaux de proie.* **2.** Très grand requin, inoffensif pour l'être humain, qui ne se nourrit que de plancton : *Le pèlerin peut atteindre quinze mètres de longueur.*

pèlerin, ine n. Personne qui fait un voyage dans un lieu saint pour aller prier : *Des pèlerins recueillis priaient avec ferveur.* **R.** Le féminin est rarement employé. ☞ pèlerinage.

pèlerinage n.m. **1.** Voyage que l'on fait dans un lieu saint pour aller prier : *Marc et Yvette ont fait un pèlerinage à Sainte-Anne-de-Beaupré.* **2.** Lieu saint qui est le but du voyage : *Le pèlerinage de Sainte-Anne-de-Beaupré accueille des milliers de pèlerins chaque année.* **3.** Voyage que l'on fait pour se recueillir sur les lieux où a vécu une personne célèbre : *Beaucoup de Québécois ont fait un pèlerinage à la maison où a vécu Marguerite Bourgeoys.* ☞ pèlerin.

pèlerine n.f. **1.** Manteau ample, sans manches, souvent pourvu d'un capuchon : *Sylvain porte une pèlerine rouge pour se protéger du froid.* SYN. cape. **2.** Vêtement de femme en forme de grand collet qui recouvre les épaules et la poitrine : *Autrefois, les femmes portaient des pèlerines.*

pélican n.m. Très grand oiseau à pattes palmées, au long bec crochu, muni d'une poche extensible où il peut emmagasiner les poissons qu'il a capturés : *Les pélicans volent et nagent avec beaucoup d'aisance.*

pélican

pelisse n.f. Manteau orné ou doublé de fourrure : *Ma pelisse me garde bien au chaud pendant l'hiver.*

pelle n.f. **1.** Outil formé d'une plaque mince ajustée à un manche : *Brigitte a creusé un trou dans le sol à l'aide d'une pelle.* **2.** Extrémité large et plate d'un aviron : *La pelle de l'aviron s'enfonce dans les eaux calmes du lac.* ⫽ *Pelle à ordures :* Outil servant à ramasser les balayures. *Pelle à tarte :* Petit ustensile de table avec lequel on sert les convives. *Pelle mécanique :* Engin mécanique de grande puissance qui sert à effectuer des travaux de terrassement. ☞ pelletage, pelletée, pelleter, pelleteuse.

pelletage n.m. Opération qui consiste à déplacer, à remuer au moyen d'une pelle : *Le pelletage de la terre exige beaucoup d'énergie.* ☞ pelle.

pelletée n.f. **1.** Contenu d'une pelle : *J'ai enlevé deux pelletées de cendres dans la cheminée.* **2.** fig. et fam. Grande quantité : *Elle m'a reçu avec une pelletée d'injures.* HOM. pelleter. ☞ pelle.

pelleter v. Déplacer, remuer au moyen d'une pelle : *Antonio est en train de pelleter la neige qui bloque l'entrée du garage.* HOM. pelletée. **R.** Ne pas oublier de doubler le *t* devant un *e* muet. ☞ pelle.

pelleterie n.f. **1.** Préparation des peaux d'animaux pour en faire des fourrures : *La pelleterie consiste à préparer les peaux munies de poils pour qu'elles soient utilisées par le fourreur.* **2.** Peaux qu'on a préparées : *La fourreuse transformera ces pelleteries précieuses en manteaux.* **3.** Commerce des fourrures : *Cet homme s'est enrichi dans la pelleterie.* **R.** Le deuxième *e* se prononce *è* ou ne se prononce pas. ☞ pelletier.

pelleteuse n.f. Engin de déblayage monté sur chenilles ou sur roues qui sert à charger ou à déplacer des matériaux au moyen d'un godet appelé aussi « pelle » : *Le godet de la pelleteuse se remplit en pénétrant dans le tas de terre.* ☞ pelle.

pelletier, ière n. Personne qui prépare les peaux pour en faire des fourrures et qui les vend : *La pelletière a offert au fourreur de magnifiques pelleteries.* ☞ pelleterie.

pellicule n.f. Petit morceau de peau qui se détache du cuir chevelu : *Ses cheveux sont pleins de pellicules.* ▲ **pellicule** n.f. **1.** Petite peau, membrane mince : *Les grains de raisin sont recouverts d'une pellicule.* SYN. enveloppe. **2.** Mince couche qui se forme sur certaines substances : *Quand le lait bout, une pellicule blanche apparaît à la surface du liquide.* **3.** Mince feuille souple d'un matériau d'emballage : *La pellicule plastique garde les aliments plus frais.* **4.** Feuille mince recouverte d'une couche sensible que l'on utilise en photographie et au cinéma : *As-tu mis une pellicule dans ton appareil photographique ?*

pelote n.f. **1.** Boule formée de fils, de cordes, de ficelles enroulés sur eux-mêmes : *Le chat a déroulé la pelote de laine.* SYN. balle. **2.** Petit coussin sur lequel on pique des épingles, des aiguilles : *La couturière pique ses épingles sur la pelote.* SYN. coussinet. ☞ peloton, pelotonner. ▲ **pelote** n.f. Balle de caoutchouc utilisée dans un jeu appelé « pelote » ou « pelote basque » : *À la pelote basque, les joueurs sont divisés en deux équipes et envoient la balle rebondir contre le mur, puis la rattrapent.*

peloton n.m. Petite boule formée de fils, de cordes, de ficelles enroulés sur eux-mêmes : *Le peloton de ficelle est dans le premier tiroir.* ☞ pelote. ▲ **peloton** n.m. **1.** Groupe de concurrents qui demeurent ensemble dans une course : *Cette coureuse a pris la tête du peloton.* **2.** Groupe de soldats : *Le peloton d'exécution est chargé de fusiller le condamné.*

pelotonner v. Mettre du fil, de la ficelle, de la corde en boule : *Veux-tu m'aider à pelotonner cet écheveau de laine ?* ☞ pelote. **se pelotonner** v.pron. Se mettre en boule : *Le chat se pelotonne sur le rebord de la fenêtre.* SYN. se blottir. ANT. s'étendre, s'étirer.

pelouse n.f. **1.** Terrain couvert d'une herbe courte et serrée : *Les pelouses du parc sont bien entretenues.* SYN. gazon. **2.** Partie recouverte de gazon d'un champ de courses : *La pelouse est située au centre des pistes et elle est ouverte au public.*

peluche n.f. **1.** Tissu à poils longs, soyeux et brillants : *Bébé s'est endormi en serrant son ourson en peluche.* **2.** Jouet en peluche : *Ma petite sœur aime beaucoup les peluches.* **3.** Poil qui se détache d'un tissu : *Ce chiffon laisse des peluches sur les assiettes.* ☞ pelucher, pelucheux.

pelucher v. Se couvrir de poils, de duvet, en parlant d'un tissu usé : *Ce vieux chandail commence à pelucher.* ☞ peluche.

pelucheux, euse adj. **1.** Qui est poilu et duveteux : *Cette étoffe pelucheuse est très agréable sur la peau.* **2.** Qui se couvre de poils, de duvet : *Ce chiffon pelucheux laissera des petits brins de tissu sur les verres.* ☞ peluche.

pelure n.f. **1.** Peau d'un fruit ou d'un légume qu'on a pelé : *J'ai jeté mes pelures d'orange* *dans la poubelle.* **2.** fig. et fam. Vêtement, et plus particulièrement manteau : *Enlevez votre pelure ! Il fait chaud ici.* // *Papier pelure :* Papier à écrire, très mince et translucide. *Pelure d'oignon :* Chacune des peaux très minces qui sont placées entre les couches qui composent le bulbe. ☞ peler.

pemmican n.m. (angl.) Viande séchée et comprimée : *Le pemmican servait de nourriture aux chasseurs amérindiens.*

pénal, ale, aux adj. Qui se rapporte aux infractions et aux peines qui peuvent frapper ceux qui les ont commises : *Le Code pénal fixe les sanctions qui sont applicables aux infractions commises.* ☞ peine.

pénaliser v. Donner une punition à un sportif pour avoir manqué à une règle : *Cette arbitre a pénalisé la joueuse de tennis.* // *Être pénalisé :* Souffrir d'un désavantage. ☞ peine.

pénalité n.f. Sanction ; désavantage infligé à un concurrent qui a manqué à une règle lors d'un match : *L'arbitre a infligé une pénalité à ce joueur de hockey.* ☞ peine.

pénates n.m.plur. **1.** Dieux qui protégeaient la maison, le foyer chez les anciens Romains : *Dans chaque maison, on réservait une place aux pénates.* **2.** fig. Maison, demeure : *Après une journée de travail, il fait bon regagner ses pénates.* SYN. chez-soi, foyer.

penaud, aude adj. Qui est honteux, confus à la suite d'une maladresse ou d'une déception : *Après avoir fracassé le vase en porcelaine, Bernard était penaud.* SYN. humilié. ANT. fier, résolu.

penchant n.m. **1.** Goût, inclination naturelle vers quelque chose : *Sylvie a toujours eu un penchant pour la mécanique.* SYN. attrait, goût. ANT. dégoût, répugnance. **2.** Attirance que l'on éprouve pour quelqu'un : *Dès leur première rencontre, nous avons constaté qu'ils avaient un penchant l'un pour l'autre.* SYN. affection, sympathie. ANT. antipathie, aversion.

pencher v. **1.** Incliner vers le bas ou d'un côté : *Mireille penche la tête pour observer un timbre à la loupe.* SYN. renverser. ANT. redresser. **2.** Être incliné, oblique : *Ce tableau n'est pas droit : il penche vers la gauche.* **3.** fig. Avoir tendance à préférer quelqu'un ou quelque chose : *Après avoir écouté tous vos arguments, je pencherais plutôt pour la première solution.* se **pencher** v.pron. **1.** S'incliner : *Claude se penche pour attacher ses lacets.* **2.** fig. S'intéresser à quelqu'un ou à quelque chose : *Il faudra se pencher sur cette question le plus tôt possible.* **penché, ée** p.p. et adj. Qui est incliné : *Louiselle a une écriture penchée vers la gauche.*

pendable adj.vx Qui mérite qu'on pende le coupable : *Autrefois, les crimes étaient considérés comme des cas pendables.*

pendaison n.f. Opération qui consiste à pendre quelqu'un ou à se pendre : *Autrefois, on infligeait le supplice de la pendaison aux criminels.* ☞ pendre.

pendant n.m. Chacun des deux objets ou ornements qui forment une paire : *Ce vase en porcelaine est le pendant de l'autre.* // *Pendants d'oreilles :* Bijoux suspendus aux oreilles par des boucles.

pendant, ante adj. Qui pend : *L'épagneul a les oreilles pendantes.* ☞ pendre.

pendant prép. Au cours de, durant un espace de temps : *Nous avons cherché un abri pendant l'orage.* **pendant que** loc.conj. **1.** Dans le même temps que l'action, le fait se déroule ; lorsque : *Tu n'as pas écouté une seule minute pendant qu'elle expliquait cette règle de grammaire.* **2.** Tandis que : *Certains élèves réussissent sans effort, pendant que d'autres doivent étudier de longues heures.* **3.** Puisque : *Pendant que tu y es, j'ai un message pour toi.*

pendeloque n.f. **1.** Bijou suspendu à une boucle d'oreille : *Les oreilles de Catherine sont ornées de pendeloques en forme de larmes.* **2.** Ornement, morceau de cristal suspendu à un lustre : *Les pendeloques du lustre captent les rayons du soleil.*

pendentif n.m. Bijou suspendu au cou par une chaînette, un collier : *Papa porte un joli pendentif en argent.*

penderie n.f. Placard où l'on suspend les vêtements : *Milvia range son imperméable dans la penderie.* SYN. garde-robe. ☞ pendre.

pendre v. **1.** Accrocher quelque chose par le haut de façon que le bas tombe librement : *Les nouvelles locataires pendent des rideaux aux fenêtres.* SYN. suspendre. ANT. décrocher, dépendre. **2.** Être accroché par le haut : *Les pommes mûres pendent aux branches du pommier.* **3.** Descendre trop bas : *Les joues du bull-terrier pendent mollement.* **4.** Mettre quelqu'un à mort en le suspendant par le cou : *On a pendu cet assassin.* SYN. exécuter. ANT. sauver. ☞ dépendre, pendaison, pendant, penderie, pendu, rependre. se **pendre** v.pron. **1.** S'accrocher à quelque chose par une partie du corps : *Le gymnaste se pend par les mains à la barre fixe.* **2.** Se suicider en se suspendant par le cou : *Le prisonnier s'est pendu dans sa cellule.* **pendu, ue** p.p. et adj. Qui est accroché, suspendu: *De gros fromages pendus au plafond dégageaient une odeur forte.*

pendu, ue n. et adj. **1.** n. Personne qui est morte par pendaison: *Le pendu avait laissé une lettre pour expliquer son geste.* **2.** adj. Qui est mort par pendaison: *Cette jeune femme est morte pendue.* ☞ pendre.

pendule n.m. Corps solide suspendu à un point fixe par un fil tendu et qui se balance sous l'action de la pesanteur: *Le pendule de l'horloge est aussi appelé «balancier».*

pendule n.f. Petite horloge que l'on pose sur un meuble ou que l'on accroche au mur: *La pendule indique 9 heures.* ☞ pendulette.

pendulette n.f. Petite pendule, petite horloge portative: *J'ai offert une pendulette de voyage à mes parents.* ☞ pendule (n.f.).

pêne n.m. Pièce mobile d'une serrure qui assure la fermeture de la porte lorsqu'on tourne la clé: *Le pêne s'engage dans une cavité et immobilise la porte.* HOM. peine, penne. **R.** Ne pas oublier l'accent: *ê*.

pénétrable adj. **1.** Que l'on peut pénétrer: *Les roches poreuses sont pénétrables à l'eau.* **2.** Où l'on peut pénétrer: *Cette forêt tropicale est difficilement pénétrable.* SYN. abordable, accessible. ANT. impénétrable, inaccessible. **3.** fig. Que l'on peut comprendre: *Certains mystères ne semblent pas pénétrables à l'esprit humain.* SYN. clair, compréhensible, saisissable. ANT. confus, impénétrable, incompréhensible. ☞ pénétrer.

pénétrant, ante adj. **1.** Qui passe à travers quelque chose: *Un froid pénétrant nous glace jusqu'aux os.* SYN. perçant. ANT. doux. **2.** fig. Qui procure une forte impression: *Les jacinthes dégagent un parfum pénétrant.* **3.** fig. Qui comprend facilement les choses difficiles: *Cette femme a un esprit pénétrant.* SYN. perspicace, subtil, vif. ANT. obtus, stupide. ☞ pénétrer.

pénétration n.f. **1.** Mouvement qui consiste à pénétrer, à passer à travers quelque chose: *La pénétration de la balle dans le poumon a causé la mort de la jeune femme.* **2.** fig. Facilité à comprendre les choses difficiles: *Ce garçon montre beaucoup de pénétration.* SYN. perspicacité. **3.** fig. Action de prendre place: *La pénétration des idées nouvelles accélère les changements dans une société.* ☞ pénétrer.

pénétré, ée adj. Qui est convaincu de quelque chose: *Le maire de la petite ville était pénétré de son importance.* SYN. imbu, rempli. ANT. sceptique. HOM. pénétrer. ☞ pénétrer.

pénétrer v. **1.** Passer à travers quelque chose: *La pluie a pénétré tous mes vêtements.* SYN. imbiber, traverser, tremper. ANT. effleurer. **2.** Entrer: *La cambrioleuse a pénétré dans la maison par une fenêtre du sous-sol.* SYN. accéder, s'introduire. ANT. fuir, partir. **3.** fig. Comprendre: *J'aimerais bien pénétrer tes intentions.* SYN. percevoir, saisir. **4.** fig. Toucher profondément: *Votre gentillesse me pénètre le cœur.* **5.** fig. Prendre place: *Ces nouvelles idées ont pénétré dans toutes les couches de la société québécoise.* HOM. pénétré. ☞ impénétrable, pénétrable, pénétrant, pénétration, pénétré. **se pénétrer** v.pron. Se convaincre de quelque chose, s'imprégner: *Vous devez vous pénétrer de l'importance de votre rôle.*

pénible adj. **1.** Qui est difficile, fatigant: *Ce travail est trop pénible pour un enfant de ton âge.* SYN. ardu, épuisant. ANT. aisé, facile. **2.** Qui cause de la peine: *Nous avons vécu des moments pénibles après son accident.* SYN. douloureux, triste. ANT. joyeux, réconfortant. **3.** fam. Qui est difficile à supporter: *Les enfants gâtés sont souvent pénibles.* ☞ peine.

péniblement adv. **1.** Avec peine, avec difficulté: *Après son accident, Véronique marchait péniblement.* **2.** D'une façon qui cause de la peine, de la douleur: *Ton attitude méprisante m'a péniblement affectée.* **3.** À peine, tout juste: *Avec son maigre salaire, elle arrive péniblement à joindre les deux bouts.* ☞ peine.

péniche n.f. Long bateau à fond plat qui sert à transporter des marchandises sur les fleuves, les rivières, les canaux: *Les péniches naviguent sur le fleuve.* ⫽ *Péniche de débarquement:* Bâtiment de guerre à fond plat qui sert à débarquer des soldats et du matériel sur une plage.

pénicilline n.f. (angl.) Médicament qui combat les infections causées par les microbes: *La pénicilline est un antibiotique qui a été découvert par Alexander Fleming.*

péninsule n.f. Grande étendue de terre presque complètement entourée par la mer: *La péninsule gaspésienne s'avance dans le fleuve et le golfe du Saint-Laurent.*

pénis n.m. Organe sexuel de l'être humain de sexe masculin: *Le pénis est un organe très sensible.* **R.** Le *s* se prononce.

pénitence n.f. **1.** Regret d'avoir offensé Dieu, accompagné de l'intention de ne plus recommencer: *Pour que leurs fautes soient pardonnées, les chrétiens doivent faire pénitence.* **2.** Sacrement de l'Église catholique par lequel le prêtre pardonne les péchés: *En troisième année, les enfants reçoivent le sacrement de pénitence pour la première fois.* **3.** Peine que le confesseur impose à la personne qui se confesse: *Comme pénitence, le prêtre lui a demandé de réciter trois «Notre Père».* **4.** Punition: *Bruno a désobéi; ses parents l'ont mis en pénitence dans sa chambre.* ☞ impénitence, impénitent, pénitent.

pénitencier n.m. Établissement où les condamnés subissent leur peine: *Un pénitencier est situé à Sainte-Anne-des-Plaines.* SYN. prison. ☞ pénitentiaire.

pénitent, ente n. Personne qui confesse ses fautes au prêtre: *Les pénitents attendent leur tour pour se confesser.* ☞ pénitence.

pénitentiaire adj. Qui se rapporte aux prisons, aux détenus: *Le régime pénitentiaire organise la vie des détenus.* ☞ pénitencier.

pénitencier pénitentiaire

penne n.f. Longue plume de l'aile et de la queue des oiseaux: *Le paon a perdu plusieurs pennes.* HOM. peine, pêne.

pénombre n.f. **1.** Lumière faible ou tamisée: *J'ai aperçu quelqu'un dans la pénombre, mais je n'ai pu distinguer son visage.* ANT. clarté, jour, lumière. **2.** fig. Absence de gloire: *Cette musicienne est restée dans la pénombre toute sa vie.* SYN. effacement. ANT. célébrité, renom.

pensable adj. Qu'on peut imaginer, croire: *Les effets destructeurs des pluies acides sont à peine pensables.* ANT. impensable. **R.** S'emploie surtout à la forme négative. ☞ penser.

pensant, ante adj. Qui est capable de penser: *Les animaux ne sont pas des êtres pensants.* ⁄⁄ *Bien pensant:* Dont les idées sont conformes à l'ordre établi. *Mal pensant:* Dont les idées ne sont pas conformes à l'ordre établi. ☞ penser.

pense-bête n.m. Liste, marque, indication quelconque destinée à rappeler ce qu'on a l'intention de faire: *Elle a besoin d'un pense-bête pour ne pas oublier ses rendez-vous.* **R.** Au pluriel, *pense-bêtes*. Ne pas oublier l'accent: *ê*. ☞ penser.

pensée n.f. **1.** Capacité de penser: *Le langage est l'expression de la pensée.* SYN. intelligence. **2.** Esprit: *J'aimerais chasser ces idées sombres de ma pensée.* **3.** Idée: *Ne me dérange pas! Je vais perdre le fil de mes pensées.* **4.** Point de vue, opinion: *Je ne partage pas votre pensée à ce sujet.* SYN. conception. **5.** Ensemble des idées de quelqu'un: *Ce livre résume bien la pensée de l'auteure sur l'avenir du pays.* **6.** Phrase très courte qui exprime une idée: *Une pensée est inscrite au bas de chaque page de mon agenda.* SYN. adage, maxime, sentence. ☞ penser. ▲ **pensée** n.f. Plante ornementale aux grandes fleurs veloutées jaunes, roses ou violettes: *Papa cultive des pensées dans le parterre.* HOM. panser, penser.

penser v. **1.** Former des idées, des jugements, des raisonnements dans son esprit: *Les êtres humains ont une intelligence qui les rend capables de penser.* SYN. raisonner. **2.** Réfléchir: *J'ai bien pensé à mon projet avant de vous le présenter.* **3.** Croire: *Je ne pense pas que cette solution soit la meilleure.* **4.** Avoir dans l'esprit: *Cette fille est très franche: elle dit toujours ce qu'elle pense.* **5.** Ne pas oublier: *Gabriel a pensé à ton anniversaire.* SYN. se souvenir. ANT. oublier. **6.** Envisager: *Nous pensons revenir dans un mois.* SYN. projeter, songer. **7.** Avoir pour opinion: *Il pense beaucoup de bien de son institutrice.* **8.** Rappeler: *Cette fillette me fait penser à une amie d'enfance.* **9.** S'intéresser: *Les gens égoïstes pensent rarement aux autres.* SYN. se soucier. ANT. se désintéresser, se négliger. HOM. panser, pensée. ⁄⁄ *Sans penser à mal:* Sans vouloir faire du mal, sans malice. ☞ arrière-pensée, impensable, pensable, pensant, pense-bête, pensée, penseur, pensif, pensivement, repenser.

penseur, euse n. **1.** Personne qui s'applique à penser, à réfléchir: *Cette penseuse pose rarement des gestes irréfléchis.* **2.** Personne dont les idées neuves et personnelles exercent une grande influence: *Charles Darwin fut un grand penseur.* ⁄⁄ *Libre penseur:* Personne qui refuse tout dogme, toute croyance, qui ne se fie qu'à sa raison. ☞ penser.

pensif, ive adj. Qui est absorbé dans ses pensées: *Il était très pensif; je crois qu'il avait des soucis.* SYN. préoccupé, songeur, soucieux. ANT. insouciant. ☞ penser.

pension n.f. Somme d'argent qu'un organisme ou que l'État verse régulièrement à quelqu'un: *Tous les Canadiens âgés de soixante-cinq ans et plus reçoivent une pension de l'État.* SYN. allocation, prestation, rente. ⁄⁄ *Pension alimentaire:* Somme d'argent versée par un conjoint en cas de séparation ou de divorce. ☞ pensionné, pensionner. ▲ **pension** n.f. **1.** Établissement scolaire privé où les élèves sont logés et nourris: *Cette pension pour garçons a une très bonne réputation.* **2.** Ensemble des élèves de cet établissement: *Toute la pension écoutait attentivement les recommandations de la directrice.* **3.** Fait d'être logé et nourri chez quelqu'un: *Pendant notre voyage en France, nous avons pris pension dans une petite auberge.* **4.** Somme que l'on verse pour la nourriture et le logement: *Avez-vous payé votre pension pour la semaine?* ∥ *Pension complète:* Logement et tous les repas. *Pension de famille:* Établissement hôtelier où les conditions d'hébergement et la nourriture rappellent la vie de famille. ☞ demi-pension, pensionnaire, pensionnat.

pensionnaire n. **1.** Élève qui est logé et nourri dans l'établissement scolaire qu'il fréquente: *Cette année, Brigitte est pensionnaire dans une école privée.* SYN. interne. ANT. externe. **2.** Personne qui est logée et nourrie en échange d'une somme d'argent: *Mme Brunet prend des pensionnaires dans sa maison.* ☞ pension.

pensionnat n.m. **1.** Établissement scolaire privé où les élèves sont logés et nourris: *Mon cousin est élève dans un pensionnat.* SYN. internat. **2.** Ensemble des élèves de cet établissement: *Tout le pensionnat est en fête aujourd'hui.* ☞ pension.

pensionné, ée n. et adj. **1.** n. Personne qui reçoit une pension, une prestation en argent: *Mes grands-parents sont des pensionnés.* **2.** adj. Qui reçoit une pension: *Cet ancien combattant est pensionné par le gouvernement.* HOM. pensionner. ☞ pension.

pensionner v. Donner une pension, une prestation en argent à quelqu'un: *Le gouvernement pensionne les personnes âgées.* HOM. pensionné. ☞ pension.

pensivement adv. D'une manière pensive, soucieuse: *La vieille dame m'a regardé pensivement, puis elle a continué sa route.* ☞ penser.

pentagonal, ale, aux adj. Qui a la forme d'un pentagone, d'un polygone qui a cinq côtés et cinq angles: *Notre piscine a une forme pentagonale.* ☞ pentagone.

pentagone n.m. **1.** Polygone qui a cinq côtés et cinq angles: *Béatrice a tracé un pentagone sur sa feuille.* **2.** Vaste bâtiment qui a la forme d'un pentagone et qui est le siège des forces armées américaines: *Le Pentagone est situé à Washington.* **R.** On met la majuscule à *pentagone* lorsqu'il s'agit du siège des forces armées américaines. ☞ pentagonal.

pentathlon n.m. Compétition olympique qui comporte cinq épreuves: *La natation, l'escrime, le tir, l'équitation et le cross-country sont les épreuves du pentathlon moderne.*

pente n.f. **1.** Inclinaison d'un terrain, d'une surface par rapport à l'horizon: *La pente de ce chemin est très raide.* SYN. côte. ANT. plateau. **2.** Terrain, chemin incliné: *La cycliste a de la difficulté à monter la pente.* **3.** fig. Tendance à se laisser entraîner vers la vie facile, le mal: *Ce garçon est sur une mauvaise pente: il se laisse entraîner vers la paresse.* ∥ *En pente:* Qui est incliné.

penture n.f. Barre métallique qui soutient une porte, une fenêtre: *La penture est fixée à plat sur le battant de la porte pour la soutenir sur ses gonds.*

pénurie n.f. Manque grave de ce qui est nécessaire: *Les récoltes ont été insuffisantes: on prévoit une pénurie de céréales.* SYN. disette, rareté. ANT. abondance, surplus.

pépère n.m. et adj.fam. **1.** n.m. Grand-père, dans le langage des enfants: *«Pépère vient-il avec nous?» demande Marie à son père.* **2.** n.m. Gros homme, gros enfant calme, tranquille: *As-tu remarqué le pépère qui nous a souri?* **3.** adj. Qui est calme, tranquille: *Elles mènent une petite vie pépère.*

pépiement n.m. Cri des jeunes oiseaux: *Le pépiement des moineaux trouble l'air matinal.* **R.** Le *e* de la deuxième syllabe ne se prononce pas. ☞ pépier.

pépier v. Crier, en parlant des jeunes oiseaux: *Les poussins pépient en suivant la poule.* ☞ pépiement.

pépin n.m. **1.** Graine de certains fruits: *Les pommes, les poires, les oranges et les raisins*

pentathlon

ont des pépins. **2.** fig. et fam. Ennui, difficulté : *J'ai eu beaucoup de pépins aujourd'hui.* ☞ épépiner.

pépinière n.f. **1.** Lieu où l'on fait pousser de jeunes arbres destinés à être transplantés : *Nous avons acheté ce jeune pin à la pépinière.* **2.** Ensemble de ces jeunes arbres : *Le pépiniériste vaporise de l'insecticide sur sa pépinière.* **3.** fig. Lieu, établissement d'où sortent un grand nombre de personnes qualifiées pour une profession : *Cette région est une pépinière d'artistes.* ☞ pépiniériste.

pépiniériste n. Personne qui cultive de jeunes arbres destinés à être transplantés : *La pépiniériste m'a vendu un cerisier et un sapin.* ☞ pépinière.

pépinière pépiniériste

pépite n.f. (esp.) Petit morceau de métal pur, notamment d'or, que l'on trouve dans la nature : *En 1896, des chercheurs d'or trouvaient des pépites dans une rivière du Yukon.*

péquiste n. et adj. **1.** n. Au Québec, partisan ou membre d'un parti politique qui s'appelle le « Parti québécois » : *Les péquistes prônent l'indépendance du Québec.* **2.** adj. Qui se rapporte au Parti québécois : *La candidate péquiste a été élue dans notre circonscription.*

perçant, ante adj. **1.** Qui voit très bien au loin : *Le lynx a une vue perçante.* **2.** Qui est vif et pénétrant : *Un froid perçant nous empêche de sortir pendant la récréation.* **3.** Qui est aigu et fort, en parlant d'un son : *Qui a poussé ce cri perçant?* SYN. strident. ANT. sourd. HOM. persan. **R.** Ne pas oublier la cédille. ☞ percer.

percée n.f. **1.** Ouverture qui laisse un passage ou qui dégage une perspective : *Ce sentier fait une percée dans la forêt.* SYN. clairière, trouée. ANT. clôture. **2.** Opération qui consiste à percer, à traverser les défenses de l'armée ennemie, d'une équipe adverse : *Nos troupes ont tenté une percée dans le camp ennemi.* SYN. irruption, ouverture. ANT. recul. **3.** fig. Progrès rapide et spectaculaire malgré les obstacles : *Cette région a connu une percée économique assez étonnante.* HOM. percer. ☞ percer.

percement n.m. Opération qui consiste à percer, à pratiquer une ouverture : *Le percement d'un tunnel sous le fleuve a duré plusieurs mois.* ☞ percer.

perce-neige n.m.invar. ou n.f.invar. Plante à fleurs blanches pendantes qui s'épanouissent à la fin de l'hiver quand il y a encore de la neige : *Les perce-neige sont un des premiers signes qui annoncent le printemps.*

perce-neige

perce-oreille n.m. Insecte dont le corps se termine par une sorte de pince : *Les perce-oreilles vivent sous les pierres et dans les fruits.* **R.** Au pluriel, *perce-oreilles*. ◇ forficule.

percepteur n.m. Fonctionnaire chargé de recueillir les impôts, les taxes : *Le percepteur les a avertis qu'il ne tolérerait aucun délai.* ☞ percevoir.

perceptible adj. **1.** Qu'on peut saisir par les sens : *Ce son très faible est à peine perceptible.* SYN. audible. ANT. imperceptible. **2.** Qu'on peut comprendre : *Ses intentions sont difficilement perceptibles.* SYN. compréhensible. ANT. incompréhensible. ☞ percevoir.

perception n.f. **1.** Acte par lequel on saisit quelque chose par les organes des sens : *L'œil est spécialisé dans la perception de la lumière.* **2.** Compréhension plus ou moins nette de quelque chose : *Josée a une perception très claire de la situation.* SYN. idée, image. ☞ percevoir. ▲ **perception** n.f. Opération par laquelle l'État recueille les impôts, les taxes : *La perception des impôts a lieu tous les ans, avant le 30 avril.* ☞ percevoir.

percer v. **1.** Faire un trou de part en part dans un objet : *Manuel perce un trou dans la planche à l'aide d'un vilebrequin.* SYN. forer, trouer. ANT. boucher. **2.** Faire une ouverture, un passage : *Lors de la construction du chemin de fer, on a dû percer des tunnels dans les* *roches.* **3.** Traverser: *Le vent froid perce mes vêtements légers.* SYN. transpercer. **4.** fig. Découvrir: *L'enquêteuse a réussi à percer le complot.* SYN. déceler. **5.** fig. Se faire un passage: *La première dent de bébé perce.* ANT. obstruer. **6.** fig. Se montrer: *L'excitation perçait dans sa voix.* SYN. apparaître, paraître. ANT. disparaître. **7.** fig. Devenir célèbre: *Cette jeune chanteuse a enfin réussi à percer.* SYN. réussir. **8.** fig. Être très aigu et puissant, en parlant d'un son: *Ce bruit nous perce les oreilles.* SYN. déchirer. HOM. percée. **R.** Ne pas oublier la cédille devant *a* et *o*. ☞ perçant, percée, percement, perceuse, repercer.

perceuse n.f. Machine, outil servant à percer, à faire des trous: *Nadia perce un trou dans le madrier avec une perceuse.* ☞ percer.

percevoir v. **1.** Saisir par les organes des sens: *L'oreille humaine ne perçoit pas les ultrasons.* SYN. sentir. ANT. ignorer. **2.** Comprendre: *Il est parfois difficile de percevoir la vérité dans les propos des politiciens.* SYN. découvrir, saisir. ☞ imperceptible, imperceptiblement, perceptible, perception. **perçu, ue** p.p. et adj. **1.** Qui a été saisi: *Les gestes à peine perçus de cette illusionniste trompent tout le monde.* **2.** Qui a été compris: *Vos intentions ont été mal perçues.* ▲ **percevoir** v. **1.** Recevoir une somme d'argent: *Chaque mois, la propriétaire perçoit le loyer.* SYN. encaisser, retirer. ANT. débourser, payer. **2.** Recueillir le montant d'un impôt, d'une taxe: *L'État perçoit les impôts des contribuables.* SYN. toucher. ANT. remettre, verser. ☞ percepteur, perception. **perçu, ue** p.p. et adj. Qui a été recueilli: *La ministre des Finances a fait connaître le montant des impôts perçus.* **R.** Ne pas oublier la cédille devant *o* et *u*.

perchaude n.f. Au Canada, poisson d'eau douce, dont la chair est très estimée: *Une perchaude a mordu à l'hameçon.*

perche n.f. **1.** Longue tige circulaire de bois, de métal, de fibre de verre: *Cet athlète pratique le saut à la perche.* **2.** Longue tige mobile qui supporte un micro: *Pendant l'enregistrement, le technicien tenait la perche du son au-dessus des comédiens.* **3.** Tige métallique qui permet aux tramways et aux trolleybus de capter le courant des fils aériens: *La perche est fixée au toit des véhicules électriques.* ☞ perchiste. ▲ **perche** n.f. Poisson d'eau douce dont la chair est très estimée: *La perche a deux nageoires dorsales dont la première est épineuse.*

percher v. Se poser sur un lieu élevé, en parlant d'un oiseau: *L'hirondelle perche sur la plus haute branche de l'érable.* ☞ percheur, perchoir. se **percher** v.pron. **1.** Se poser sur un lieu élevé, en parlant des oiseaux: *Les pigeons se perchent sur le bord des fenêtres.* SYN. jucher. **2.** fam. Grimper quelque part, en parlant d'une personne: *Les spectateurs se perchent sur les clôtures pour mieux voir le défilé.* **perché, ée** p.p. et adj. Qui est posé sur un lieu élevé: *Les moineaux, perchés sur les fils électriques, nous regardaient passer.*

percheron n.m. Cheval lourd et puissant utilisé autrefois pour les travaux des champs et pour tirer les voitures: *Les percherons étaient très appréciés sur une ferme.*

percheur, euse adj. Qui a l'habitude de se poser sur un lieu élevé, en parlant d'un oiseau: *Les perroquets sont des oiseaux percheurs.* ☞ percher.

perchiste n. **1.** Personne qui saute à la perche: *Le perchiste a battu un record olympique.* **2.** Personne qui tient la perche du son au cinéma, à la télévision: *La perchiste tient la perche au-dessus de l'animatrice.* ☞ perche.

perchoir n.m. Lieu où viennent se percher les oiseaux; barre qui leur sert d'appui: *La perruche dort sur son perchoir.* ☞ percher.

perclus, use adj. Qui a de la difficulté à bouger, à se déplacer: *Cette pauvre femme est percluse de rhumatismes.* ANT. alerte, dégourdi, souple.

percolateur n.m. Appareil qui sert à faire du café en grande quantité: *On trouve des percolateurs dans les restaurants.*

percussion n.f. Coup, choc d'un corps contre un autre; instrument dont on joue en le frappant: *Le xylophone, le triangle, la timbale, le tambour sont des instruments à percussion.* ☞ percuter.

percussions

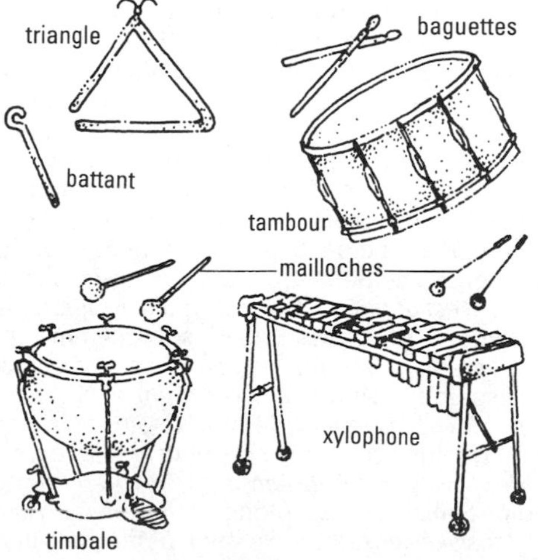

percussionniste n. Personne qui joue d'un instrument à percussion : *La percussionniste fait preuve d'une grande dextérité.* ☞ percuter.

percutant, ante adj. **1.** Qui produit un choc : *Les obus percutants explosent en touchant le sol ou la cible.* **2.** fig. Qui est frappant : *Son discours percutant a convaincu les indécis.* ☞ percuter.

percuter v. **1.** Frapper, heurter violemment quelque chose : *L'automobile a percuté le mur de ciment.* ANT. éviter, parer. **2.** Exploser en frappant : *L'obus a percuté contre la muraille.* ☞ percussion, percussionniste, percutant.

perdant, ante n. et adj. **1.** n. Personne qui perd, qui a été battue dans un jeu, un match, une compétition : *Les perdantes ont félicité les gagnantes.* **2.** adj. Qui perd : *L'équipe perdante aura droit à une revanche.* SYN. battu, défait, vaincu. ANT. gagnant, vainqueur, victorieux. ☞ perdre.

perdition n.f. Danger, détresse : *Ce navire est en perdition : il faut lui porter secours.* ☞ perdre.

perdre v. **1.** Ne plus avoir quelque chose : *Cet homme d'affaires a perdu beaucoup d'argent à la Bourse.* ANT. acquérir, gagner. **2.** Être séparé de quelqu'un par la mort : *Il a perdu ses parents dans un accident de voiture.* **3.** Ne plus retrouver quelque chose : *Mireille a perdu la clé de la maison.* SYN. égarer. ANT. retrouver, trouver. **4.** Être vaincu, battu : *Notre équipe vient de perdre le match.* ANT. remporter, vaincre. **5.** Faire mauvais usage de quelque chose : *Si tu perds ton temps, tu ne finiras pas ton travail.* SYN. gaspiller. **6.** Cesser d'avoir une qualité, d'éprouver un sentiment : *Devant l'ampleur du désastre, nous avons perdu courage.* ANT. garder. **7.** Causer la ruine ou même la mort de quelqu'un : *Sa trop grande ambition le perdra.* SYN. détruire. ANT. sauver. **8.** Ne plus suivre ou ne plus contrôler : *La petite fille a perdu son chemin.* ANT. retrouver. **9.** Être quitté par quelqu'un : *En déménageant, il craignait de perdre ses amis, mais ce ne fut pas le cas.* **10.** Se défaire d'un comportement : *Elle a perdu la mauvaise habitude de mentir.* ☞ perdant, perdition, perdu, perte, reperdre. se **perdre** v.pron. **1.** Cesser d'exister : *Il est dommage que certaines traditions se perdent.* **2.** Ne plus trouver son chemin : *Les promeneurs se sont perdus dans la forêt.* **3.** Disparaître : *Après m'avoir quittée, elle s'est perdue dans la foule.* **4.** fig. Ne plus voir clair en quelque chose : *Je dois penser à tellement de choses en même temps que je m'y perds.* **5.** fig. S'absorber, se plonger : *Benoît se perd dans ses pensées.* **6.** Ne servir à rien ; se gâter : *Ces récoltes se sont perdues à cause du mauvais temps.*

perdreau, eaux n.m. Jeune perdrix de l'année : *Le perdreau est un gibier très estimé.* ☞ perdrix.

perdrix n.f. Oiseau de taille moyenne, au corps épais, au plumage gris ou roux, qui niche dans un creux du sol et dont le petit est le perdreau : *La chair délicate de la perdrix est très appréciée.* ∥ *Perdrix des neiges :* Lagopède. ☞ perdreau.

perdrix

perdu, ue adj. **1.** Qu'on n'a plus : *Quand je pense à tout cet argent perdu au jeu !* **2.** Qu'on ne trouve plus : *À qui appartiennent ces objets perdus ?* SYN. égaré. **3.** Qui a été mal utilisé : *On ne peut pas rattraper le temps perdu.* **4.** Qui n'est plus contrôlé : *Une balle perdue a atteint un piéton.* **5.** Qui est ruiné : *Il n'a plus un sou : c'est un homme perdu.* SYN. fichu, fini. **6.** Où l'on a été vaincu : *Après quelques minutes seulement, la générale savait que la bataille était perdue.* **7.** Qui est situé à l'écart : *Elle habite un village perdu.* SYN. éloigné, isolé. ANT. rapproché. **8.** Dont le cas est désespéré : *La malade est perdue : elle ne se rétablira pas.* SYN. condamné, incurable. ANT. curable, guérissable. **9.** Qui est gâté, endommagé : *La récolte a été perdue à cause du gel.* **10.** fig. Qui est absorbé, plongé : *Julienne est perdue dans sa rêverie.* ∥ *À temps perdu :* Dans les moments où l'on n'a rien d'autre à faire. ☞ perdre.

père n.m. **1.** Homme qui a un ou plusieurs enfants : *Ton père t'attend devant l'école.* SYN. papa. ANT. fils. **2.** Parent mâle d'un animal : *Le père de ce chat est un persan.* **3.** Titre de respect que l'on donne à certains religieux : *Père Anselme, je voudrais obtenir votre bénédiction.* **4.** Celui qui se conduit comme un père : *Son oncle a été un père pour elle.* **5.** fig.

Créateur, fondateur, inventeur de quelque chose : *Armand Bombardier est le père de la motoneige.* **6.** fam. Nom donné à un homme d'un certain âge : *Comment allez-vous, père Grégoire ?* **7.** plur. Ancêtres : *Nos pères nous ont légué un beau pays.* SYN. aïeux, ascendants. ANT. descendants. HOM. pair, paire, pers. ⁄⁄ *Dieu le Père :* Première personne de la Trinité. *Père de famille :* Homme qui élève un ou plusieurs enfants. *Saint-Père :* Le pape. ☞ paternel, paternellement, paternité.

perfection n.f. **1.** État de ce qui est parfait : *La perfection de ton travail mérite d'être soulignée.* SYN. excellence. ANT. imperfection, médiocrité. **2.** Personne ou chose qui a toutes les qualités : *Cette invention est une perfection.* **3.** plur. Qualités : *Quand on aime quelqu'un, on lui trouve toutes les perfections imaginables.* SYN. vertus. ANT. défauts, imperfections. ☞ imperfection, perfectionné, perfectionnement, perfectionner, perfectionnisme, perfectionniste. à la **perfection** loc.adv. D'une manière parfaite : *Stéphanie maîtrise le français à la perfection.*

perfectionné, ée adj. Qui est muni de perfectionnement, de dispositifs les plus modernes : *Ces machines très perfectionnées facilitent le travail des ouvriers.* HOM. perfectionner. ☞ perfection.

perfectionnement n.m. **1.** Fait d'améliorer quelque chose ou de s'améliorer : *Cette employée a suivi des cours de perfectionnement.* **2.** Dispositif qui améliore un appareil, un véhicule : *Cette voiture possède de nombreux perfectionnements.* ☞ perfection.

perfectionner v. Améliorer, rendre plus parfait : *Cette ingénieure veut perfectionner le système de chauffage de l'usine.* ☞ perfection. se **perfectionner** v.pron. **1.** Devenir meilleur : *Les techniques opératoires se perfectionnent continuellement.* **2.** Faire des progrès : *Brian parle français pour se perfectionner dans cette langue.*

perfectionnisme n.m. Tendance à rechercher de façon excessive la perfection, l'excellence : *Le perfectionnisme peut être un défaut agaçant et difficile à supporter.* ☞ perfection.

perfectionniste n. et adj. **1.** n. Personne qui recherche la perfection, l'excellence dans son travail : *Christiane est une perfectionniste.* **2.** adj. Qui recherche la perfection, l'excellence dans son travail : *Les personnes perfectionnistes sont toujours très exigeantes envers elles-mêmes.* ☞ perfection.

perfide n. et adj.litt. **1.** n. Personne qui manque à sa parole, qui trahit ceux qui lui font confiance : *Ce perfide a gagné notre confiance, puis il nous a trahis.* SYN. scélérat, traître. **2.** adj. Qui manque à sa parole, qui trahit ceux qui lui font confiance : *Méfie-toi d'elle ! Elle est perfide.* SYN. déloyal, infidèle. ANT. fidèle, loyal. **3.** adj. Qui est dangereux, nuisible sous des apparences favorables : *Les eaux perfides de cette rivière ont fait plus d'une victime.* SYN. trompeur. ☞ perfidement, perfidie.

perfidement adv.litt. D'une façon perfide, déloyale : *Tu nous as trompés perfidement.* ☞ perfide.

perfidie n.f.litt. **1.** Caractère d'une personne qui manque à sa parole, qui trahit ceux qui lui font confiance : *La perfidie est un défaut insupportable.* SYN. déloyauté. ANT. fidélité, loyauté. **2.** Action, parole déloyale, trompeuse : *Il attaquait sa réputation en disant toutes sortes de perfidies.* ☞ perfide.

perforateur n.m. Outil de bureau servant à faire des trous : *Andrée utilise le perforateur pour percer des trous sur le bord de ses feuilles.* ☞ perforer.

perforateur, trice adj. Qui sert à faire des trous : *Le marteau perforateur creuse des trous dans lesquels on déposera des charges explosives.* ☞ perforer.

perforation n.f. **1.** Trou : *Les feuilles qui sortent de l'imprimante comportent des perforations.* **2.** Ouverture accidentelle d'un organe : *Une perforation de l'intestin a nécessité une opération d'urgence.* ☞ perforer.

perforatrice n.f. Machine, outil servant à percer profondément le sol, les roches : *Une perforatrice à air comprimé prépare des trous pour les explosifs qui feront sauter le roc.* ☞ perforer.

perforé, ée adj. Qui est troué, percé : *Les feuilles perforées seront classées dans la reliure à anneaux.* HOM. perforer. ☞ perforer.

perforer v. Faire un ou plusieurs trous : *Une balle lui a perforé le poumon droit.* HOM. perforé. ☞ perforateur, perforation, perforatrice, perforé.

performance n.f. **1.** Résultat obtenu par un athlète, un cheval de course dans une compétition, une épreuve : *La performance de cette coureuse a été inscrite dans le livre des records.* **2.** Résultat maximal qu'une machine, un véhicule peut obtenir : *Les performances de cet ordinateur sont vraiment étonnantes.* **3.** fig. Succès, exploit : *Apprendre ses leçons en si peu de temps, c'est une performance !* ☞ performant.

performant, ante adj. Qui obtient des résultats remarquables, un rendement élevé :

Le moteur de cette voiture de course est très performant. ☞ performance.

perfusion n.f. Injection lente et continue de sérum, de sang, d'une substance médicamenteuse dans l'organisme: *Le goutte-à-goutte est un appareil permettant de faire une perfusion.*

pergola n.f. (it.) Petite construction de jardin faite de poutres horizontales soutenues par des piliers, qui sert de support à des plantes grimpantes: *La pergola recouverte de lierre est à l'entrée du jardin.*

péricliter v. Aller à la ruine: *Cette restauratrice devra déclarer faillite: son commerce périclite.* SYN. décliner, dépérir. ANT. progresser, prospérer, réussir.

péril n.m. **1.** Situation où il y a du danger: *Une violente tempête a mis le navire en péril.* SYN. difficulté. ANT. sûreté. **2.** Danger, risque: *Quand il y a une avalanche, les sauveteurs s'exposent à de graves périls.* ANT. sécurité. **R.** Le *l* se prononce. ☞ périlleux.

périlleux, euse adj. Qui comporte une situation où il y a du danger, des risques: *Un voyage autour du monde en voilier est une entreprise périlleuse.* SYN. dangereux, difficile, risqué. ANT. sûr. // *Saut périlleux:* Saut où le corps fait un tour complet sur lui-même, en l'air. **R.** Les lettres *ill* se prononcent comme dans *famille*. ☞ péril.

périmé, ée adj. **1.** Qui n'est plus valable: *Votre passeport est périmé: il faut le renouveler.* SYN. invalide. ANT. valide. **2.** Qui est dépassé: *Ces méthodes de culture sont périmées.* SYN. ancien, démodé, désuet. ANT. actuel, moderne, récent.

périmètre n.m. **1.** Longueur de la ligne qui fait le tour d'une figure plane: *Pour trouver le périmètre d'un carré, il suffit d'additionner ses quatre côtés.* **2.** Longueur de la ligne qui fait le tour d'un espace quelconque: *Zoé et Anthony mesurent le périmètre de la cour.* **3.** Zone de terrain: *Les automobilistes doivent circuler lentement dans le périmètre de l'école.*

période n.f. **1.** Espace de temps: *Les écoliers sont en congé pendant la période des Fêtes.* SYN. durée. **2.** Époque: *L'Antiquité et le Moyen Âge sont des périodes de l'histoire de l'humanité.* **3.** Espace de temps caractérisé par un certain phénomène: *La période d'incubation de la rage est de quarante jours.* // *Période électorale:* Espace de temps qui précède le jour du scrutin. ☞ périodique, périodiquement.

périodique n.m. et adj. **1.** n.m. Journal, revue qui paraît à intervalles réguliers: *Ce périodique paraît toutes les semaines.* SYN. publication. **2.** adj. Qui paraît à intervalles réguliers: *Cette revue périodique traite de l'environnement.* **3.** adj. Qui revient à intervalles réguliers: *Ses crises d'asthme sont périodiques.* ANT. irrégulier, variable. ☞ période.

périodiquement adv. De façon périodique, par intervalles réguliers: *Le phénomène des marées se reproduit périodiquement.* SYN. régulièrement. ANT. irrégulièrement. ☞ période.

péripétie n.f. Événement imprévu, incident: *De nombreuses péripéties ont marqué leur voyage en Europe.* SYN. épisode. **R.** Le *t* se prononce *ss*.

périphérie n.f. **1.** Contour d'une figure formée de lignes courbes: *Lucien calcule la périphérie du cercle.* SYN. périmètre, pourtour. ANT. centre, milieu. **2.** Quartiers éloignés du centre d'une ville: *Christian et Mélanie habitent dans la périphérie de Québec.* SYN. banlieue, faubourg. **R.** Les lettres *ph* se prononcent *f*. ☞ périphérique.

périphérique adj. Qui est situé à la périphérie, loin du centre d'une ville: *Les quartiers périphériques sont plus calmes que le centre de la ville.* SYN. limitrophe. ANT. central. **R.** Les lettres *ph* se prononcent *f*. ☞ périphérie.

périphrase n.f. Expression, groupe de mots qu'on peut remplacer par un seul mot: *«La reine des fleurs» est une périphrase qui désigne la rose.* **R.** Les lettres *ph* se prononcent *f*.

périple n.m. **1.** Voyage de découverte, d'exploration par voie maritime: *Le long périple de Christophe Colomb l'a conduit en Amérique.* **2.** Long voyage touristique: *Ma grande sœur revient d'un périple au Maroc.* SYN. randonnée, tournée.

périmètre

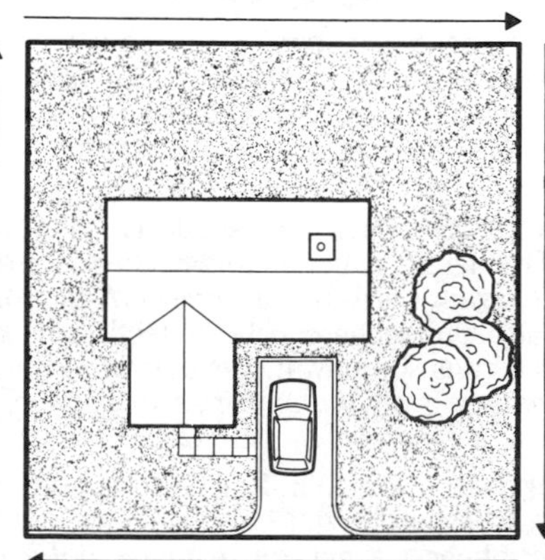

périr v.litt. **1.** Mourir de façon violente: *Toute la famille a péri dans un accident de voiture.* **2.** Disparaître: *Le souvenir de cette belle journée ne périra jamais.* **3.** Faire naufrage: *Le navire a péri après avoir heurté un iceberg.* ☞ impérissable, périssable.

périscope n.m. Instrument d'optique permettant de voir par-dessus un obstacle: *Le périscope du sous-marin permet à l'équipage de voir à la surface de la mer.*

périssable adj. **1.** litt. Qui n'est pas durable: *Nous vivons dans un monde où tout est périssable.* SYN. éphémère, passager. ANT. éternel, impérissable, permanent. **2.** Qui se gâte facilement: *Les fruits et les légumes sont des aliments périssables.* SYN. altérable. ANT. inaltérable, incorruptible. ☞ périr.

perle n.f. (it.) **1.** Petite boule de nacre dure et brillante que l'on trouve parfois dans les huîtres et qui sert à faire des bijoux: *Grand-mère a un magnifique collier de perles.* **2.** Petite boule de verre, de bois, de métal percée d'un trou: *Julien enfile des perles de verre.* **3.** fig. Personne de grand mérite ou chose de grande valeur: *Cette secrétaire est une perle.* **4.** Goutte de liquide ronde et brillante: *Des perles de rosée brillaient au soleil.* **5.** Erreur grossière et amusante: *L'institutrice a relevé plusieurs perles dans les examens de ses élèves.* ☞ perlé, perler, perlier.

perlé, ée adj. **1.** Qui est orné de perles, de petites boules de nacre dures et brillantes: *Ce sac perlé ira très bien avec ta toilette de bal.* **2.** Qui a la forme d'une perle: *Des gouttelettes perlées pendent aux feuilles des arbres.* HOM. perler. ☞ perle.

perler v. Se former en gouttes: *La sueur perle sur le front des coureurs.* HOM. perlé. ☞ perle.

perlier, ière adj. Qui se rapporte aux perles, à ces petites boules de nacre dures et brillantes: *Les huîtres perlières peuvent sécréter des perles.* ☞ perle.

permanence n.f. **1.** Caractère de ce qui est permanent, durable: *La permanence de certaines traditions a quelque chose de rassurant.* SYN. constance, continuité, stabilité. ANT. interruption. **2.** Service chargé d'assurer le fonctionnement d'un organisme de façon continue: *La clinique est fermée le dimanche, mais il y a une permanence pour répondre aux cas urgents.* ☞ permanent. en **permanence** loc.adv. D'une façon continue, sans interruption: *La gardienne surveille en permanence l'entrée de l'immeuble.* SYN. constamment, toujours.

permanent, ente n. et adj. **1.** n. Membre d'un parti, d'un syndicat qui est payé pour s'occuper des questions administratives: *Les permanents d'une centrale syndicale s'occupent de l'administration de cette centrale.* **2.** adj. Qui dure tout le temps: *Le système de ventilation fait un bruit permanent.* SYN. continu, incessant. ANT. discontinu, intermittent. **3.** adj. Qui exerce une activité continuelle: *C'est la représentante permanente du Canada à l'O.N.U.* ANT. passager, temporaire. ⁄⁄ *Cinéma permanent:* Cinéma où le même film est projeté plusieurs fois de suite, sans interruption. ☞ permanence, permanente.

permanente n.f. Traitement qui fait onduler les cheveux de façon durable: *Maman s'est fait faire une permanente chez le coiffeur.* ☞ permanent.

perméabilité n.f. Propriété d'un corps, d'un terrain, d'une roche qui se laisse traverser par un liquide, un gaz: *La perméabilité de ce terrain le rend propre à la culture.* ANT. imperméabilité. ☞ perméable.

perméable adj. **1.** Qui se laisse traverser par un liquide, un gaz: *Ce terrain sablonneux est très perméable.* SYN. pénétrable. ANT. imperméable. **2.** fig. Qui est ouvert aux idées, aux influences extérieures: *Les adolescents sont généralement perméables aux idées nouvelles.* SYN. sensible. ANT. imperméable. ☞ imperméabiliser, imperméabilité, imperméable, perméabilité, réimperméabiliser.

permettre v. **1.** Donner à quelqu'un le droit de faire quelque chose: *Ses parents lui permettent de rentrer plus tard le samedi soir.* SYN. autoriser. ANT. défendre, interdire. **2.** Donner le moyen de faire quelque chose: *Mes moyens ne me permettent pas de m'acheter une nouvelle voiture.* ANT. empêcher. **3.** Rendre quelque chose possible: *Elle courait aussi vite que ses jambes le lui permettaient.* ☞ permis, permissif, permission, permissionnaire. se **permettre** v.pron. **1.** Prendre la liberté de faire quelque chose: *Il s'est permis de fouiller dans ta chambre.* **2.** S'accorder quelque chose: *Elle se permet un mois de vacances par année.*

permis n.m. Autorisation écrite officielle qui donne le droit de faire quelque chose: *Mathieu a obtenu son permis de conduire.* **R.** Le *s* ne se prononce pas. ☞ permettre.

permissif, ive adj. Qui permet, tolère beaucoup de choses: *L'attitude permissive de ma mère fait que mon frère en demande toujours davantage.* ☞ permettre.

permission n.f. **1.** Acte par lequel on permet à quelqu'un de faire quelque chose: *Mes parents m'ont donné la permission de rece-*

voir mes amis. SYN. autorisation, consentement. ANT. défense, empêchement, interdiction. **2.** Congé de courte durée qu'on accorde à un militaire : *Nous avons rencontré des soldats en permission.* **3.** Temps de ce congé : *La lieutenante a profité de sa permission pour aller visiter sa famille.* ☞ permettre.

permissionnaire n. Militaire en permission, à qui on a donné un congé de courte durée : *La plupart des permissionnaires vont visiter leur famille.* ☞ permettre.

permutable adj. Qui peut être interverti, changé de place : *Dans une addition, les éléments sont permutables.* ☞ permuter.

permutation n.f. **1.** Interversion de deux choses, changement de place : *« Roc » devient « cor » par la permutation de deux lettres.* **2.** Échange d'un poste, d'un emploi contre un autre : *On a annoncé la permutation de ces deux employées.* ☞ permuter.

permuter v. **1.** Intervertir deux choses, les changer de place : *Même si l'on permute les termes d'une addition, on obtient le même résultat.* **2.** Échanger un poste, un emploi avec quelqu'un d'autre : *Ces deux enseignants veulent permuter.* ☞ permutable, permutation.

pernicieux, euse adj. **1.** Qui est dangereux pour la santé : *L'alcool et la cigarette sont pernicieux.* SYN. dommageable, nocif, nuisible. ANT. avantageux, bon, sain. **2.** litt. Qui est dangereux au point de vue moral : *Il faut combattre ces doctrines pernicieuses.* SYN. subversif.

péroné n.m. Os long et mince de la jambe : *Le péroné et le tibia forment l'ossature de la jambe.*

péroraison n.f. Conclusion d'un discours : *La péroraison est un résumé des principaux arguments du discours.* SYN. épilogue, fin. ANT. commencement, début.

pérorer v.péj. Parler longuement, d'une manière prétentieuse : *Quand il se met à pérorer, tous ses invités s'arrangent pour le quitter en douce.* SYN. discourir, palabrer.

peroxyde n.m. Oxyde qui contient plus d'oxygène que les oxydes normaux : *Le peroxyde d'hydrogène est de l'eau oxygénée qui peut servir à prévenir ou à combattre l'infection.* ☞ oxyde.

perpendiculaire n.f. et adj. **1.** n.f. Droite qui fait un angle droit avec une autre droite ou avec un plan : *Danielle trace une perpendiculaire à partir du sommet d'un triangle équilatéral.* **2.** adj. Qui forme un angle droit avec une droite ou avec un plan : *Une ligne verticale est perpendiculaire par rapport à une ligne horizontale.* ☞ perpendiculairement.

perpendiculairement adv. D'une manière perpendiculaire, à angle droit : *Ces deux rues se croisent perpendiculairement.* ☞ perpendiculaire.

perpétrer v. Commettre un acte criminel : *On l'accuse d'avoir perpétré un vol à main armée.* SYN. exécuter. ANT. empêcher.

perpétuel, elle adj. **1.** Qui ne cesse pas : *Dans les rues d'une grande ville, il y a un va-et-vient perpétuel.* SYN. continu, continuel. ANT. momentané, passager. **2.** Qui doit durer toute la vie : *Ces produits de beauté promettent de nous donner une jeunesse perpétuelle.* SYN. durable, permanent. ANT. temporaire. **3.** plur. Qui revient souvent : *Ses reproches perpétuels sont insupportables.* SYN. fréquent, habituel. ANT. rare. ☞ perpétuellement, perpétuité.

perpétuellement adv. **1.** Toujours : *On dirait que ce pont est perpétuellement en réparation.* ANT. momentanément. **2.** Très souvent : *Cette écolière est perpétuellement en retard.* SYN. fréquemment. ANT. rarement. ☞ perpétuel.

perpétuer v. Faire durer toujours ou très longtemps : *Il est important de perpétuer nos traditions.* SYN. continuer, immortaliser, maintenir. ANT. abolir, changer. se **perpétuer** v.pron. Durer, se continuer : *Cette coutume s'est perpétuée jusqu'à nos jours.*

perpétuité n.f.litt. Durée éternelle ou très longue : *En ayant des enfants, mes parents ont contribué à la perpétuité de l'espèce humaine.* ☞ perpétuel. à **perpétuité** loc.adv. **1.** Pour toujours : *Cette famille possède un lot à perpétuité dans le cimetière.* **2.** Pour toute la vie : *Elle a été condamnée à la prison à perpétuité.*

perplexe adj. Qui est hésitant, indécis face à une situation embarrassante : *Votre proposition l'a laissée perplexe.* SYN. embarrassé, irrésolu. ANT. assuré, décidé, résolu, sûr. ☞ perplexité.

perplexité n.f. État d'une personne qui est hésitante, indécise face à une situation em-

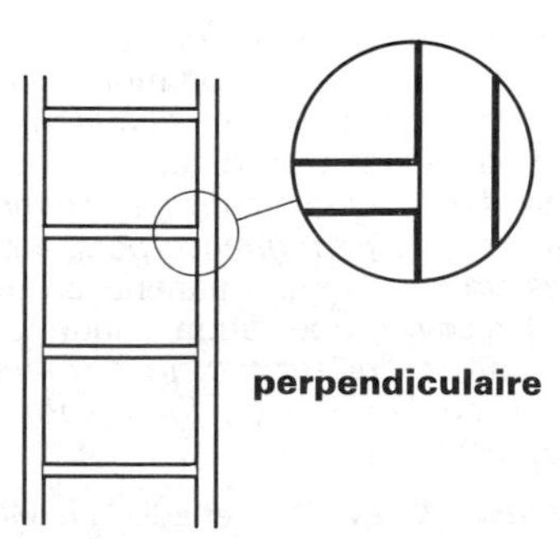

perpendiculaire

barrassante : *Il ne sait pas quel parti prendre : il est dans la plus complète perplexité.* SYN. doute, incertitude. ANT. assurance, certitude, décision. ☞ perplexe.

perquisition n.f. Fouille effectuée par la police d'un lieu, du domicile de quelqu'un sur ordre de la justice : *Les policières ont fait une perquisition dans l'appartement du prévenu.* SYN. descente, investigation. ⫽ *Mandat de perquisition :* Acte par lequel un tribunal autorise les policiers à fouiller un lieu, le domicile de quelqu'un. ☞ perquisitionner.

perquisitionner v. Fouiller un lieu, le domicile de quelqu'un sur ordre de la justice : *Les policiers ont perquisitionné chez elle pour retrouver l'arme du crime.* ☞ perquisition.

perron n.m. Petit escalier extérieur se terminant par une plate-forme et conduisant à la porte d'entrée d'une maison, d'un édifice : *Dominique est venue m'accueillir sur le perron.*

perroquet n.m. **1.** Oiseau grimpeur de grande taille, au plumage vivement coloré, au bec épais et très recourbé, qui est capable d'imiter la voix humaine : *Les perroquets sont très nombreux en Océanie et en Amérique tropicale.* **2.** fig. Personne qui répète sans réfléchir, sans comprendre ce qu'elle dit : *Bernard est un vrai perroquet : il apprend ses leçons par cœur, sans les comprendre.* ⫽ *Perroquet de mer :* Macareux. ☞ perruche.

▲ **perroquet** n.m. Voile haute, carrée, située au-dessus du hunier : *Sur les grands voiliers, on retrouve le grand et le petit perroquet.*

perruche n.f. **1.** Oiseau grimpeur de petite taille, à longue queue, au plumage coloré, qui ne parle pas : *La perruche est très recherchée comme oiseau de cage.* **2.** vx Nom courant de la femelle du perroquet : *La perruche se nourrit de fruits, de graines, de fleurs ou de bourgeons.* ☞ perroquet.

perruque n.f. (it.) Coiffure faite de cheveux naturels ou artificiels : *Cette femme a perdu ses cheveux ; elle porte une perruque.* ☞ perruquier.

perruquier n.m. Personne qui fabrique des perruques, des postiches : *Le perruquier a confectionné toutes les perruques pour ce film historique.* ☞ perruque.

pers adj. Qui est d'une couleur entre le bleu et le vert : *Rachelle a les yeux pers.* HOM. pair, paire, père.

persan n.m. et adj.m. **1.** n.m. Race de chat à longs poils soyeux, de couleurs variées : *Il existe une variété de persans bleus.* **2.** adj.m. Qui appartient à cette race : *Les chats persans sont des animaux magnifiques.*

persan, ane n. et adj. **1.** n. Personne qui est de la Perse, ancien nom de l'Iran : *Un Persan, une Persane.* **2.** adj. Qui est de la Perse : *Les tapis persans sont très renommés dans le monde.* **R.** On met la majuscule à *persan* et à *persane* lorsque le nom désigne une personne. S'écrit avec un seul *n* au féminin. Aujourd'hui, on emploie plutôt le mot *iranien*.

persan n.m. Langue parlée en Iran, qui s'écrit en caractères arabes : *Le persan est la langue officielle de l'Iran.*

persécuté, ée n. et adj. **1.** n. Personne qui est victime d'une persécution, d'un traitement injuste et cruel : *Les persécutées ont dû s'enfuir pour échapper aux mauvais traitements.* **2.** adj. Qui est victime d'une persécution : *Ce peuple persécuté a subi bien des tourments.* HOM. persécuter. ☞ persécuter.

persécuter v. **1.** Faire souffrir quelqu'un sans relâche par des traitements injustes et cruels : *Au début de la chrétienté, certains empereurs romains ont persécuté les chrétiens.* SYN. torturer, tourmenter. ANT. défendre, protéger. **2.** Importuner quelqu'un, le harceler : *Cesse de me persécuter avec tes questions embarrassantes.* HOM. persécuté. ☞ persécuté, persécuteur, persécution.

persécuteur, trice n. et adj. **1.** n. Personne qui persécute, qui fait souffrir les autres : *Les Juifs ont dénoncé leurs persécuteurs.* SYN. bourreau, despote, tyran. ANT. défenseur, protecteur. **2.** adj. Qui persécute, qui fait souffrir les autres : *Tu te retrouveras seule si tu ne cesses pas d'avoir ces manières persécutrices.* ☞ persécuter.

persécution n.f. Traitement injuste et cruel que l'on fait subir sans relâche à quelqu'un : *Parce qu'elles sont différentes de la majorité, les personnes marginales sont souvent victimes de persécution.* ☞ persécuter.

persévérance n.f. Qualité, conduite de quelqu'un qui demeure ferme et constant dans un sentiment, une décision : *Sa persévérance a été bien récompensée : il a réussi son année scolaire.* SYN. acharnement, persistance, ténacité. ANT. abandon, inconstance, indécision. ☞ persévérer.

persévérant, ante adj. Qui demeure ferme et constant dans un sentiment, une décision : *Elle réussira certainement car c'est une fillette persévérante.* SYN. acharné, persistant, tenace. ANT. capricieux, inconstant, irrésolu. ☞ persévérer.

persévérer v. Demeurer ferme et constant dans un sentiment, une décision : *Avant de récolter les récompenses, il faut persévérer dans l'effort.* SYN. persister. ANT. abandonner, lâcher, renoncer. ☞ persévérance, persévérant.

persienne n.f. Volet de fenêtre formé de lames minces qui laissent pénétrer l'air et la lumière par des fentes: *Antoinette observe l'écureuil par les fentes des persiennes.*

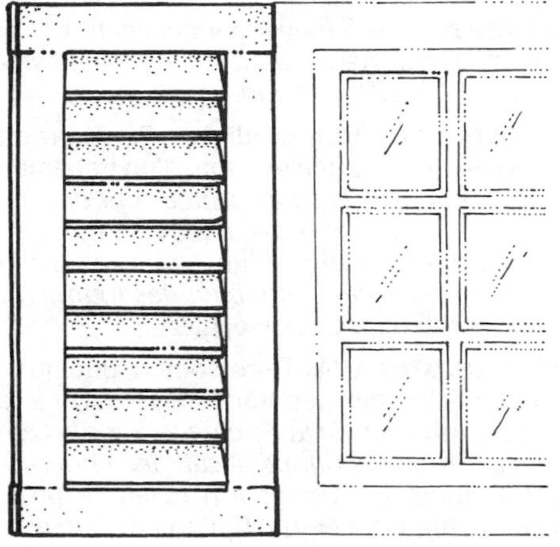

persienne

persil n.m. Plante potagère aromatique dont les feuilles servent de garniture et d'assaisonnement: *Le persil donne beaucoup de goût aux aliments.*

persistance n.f. **1.** Fait de demeurer ferme et inébranlable dans ses sentiments, ses décisions: *Il niait avec persistance avoir triché à l'examen.* SYN. fermeté, obstination. ANT. abandon. **2.** Caractère de ce qui continue d'exister: *La persistance du mauvais temps nous a obligés à remettre notre excursion à plus tard.* SYN. durée. ANT. changement. ☞ persister.

persistant, ante adj. **1.** Qui dure, qui continue d'exister: *Une odeur persistante de moisi flotte dans l'air.* SYN. continu, durable. ANT. passager. **2.** Qui reste vert en toutes saisons, qui ne tombe pas en hiver, en parlant du feuillage: *Le houx et le pin ont un feuillage persistant.* ☞ persister.

persister v. **1.** Demeurer ferme et inébranlable dans ses sentiments, ses décisions: *Tout le monde essaie de le faire changer d'avis, mais il persiste dans son opinion.* SYN. persévérer. ANT. renoncer. **2.** Durer, continuer d'exister: *Si la fièvre persiste, il faudra appeler le médecin.* SYN. durer. ANT. cesser. ☞ persistance, persistant.

personnage n.m. **1.** Personne imaginaire d'une pièce de théâtre, d'un film dont le rôle est joué par un acteur ou une actrice: *Les personnages de ce film sont très nombreux.* **2.** Personne importante: *Marguerite Bourgeoys et Jeanne Mance sont des personnages historiques.* **3.** Personne qui attire l'attention par son apparence, son comportement: *Notre voisin est un curieux personnage.*

personnaliser v. Donner un caractère original, personnel à un objet fabriqué en série: *Olivier a personnalisé son appartement en le décorant d'une façon originale.* ☞ personne.

personnalité n.f. **1.** Ensemble des traits qui différencient une personne des autres: *Cette femme a une forte personnalité.* SYN. caractère, individualité. **2.** Personne connue, importante par sa fonction sociale, son activité: *Plusieurs personnalités assistaient à la première de cette pièce de théâtre.* SYN. notable. ☞ personne.

personne n.f. Être humain: *Il y avait cinq personnes à l'arrêt d'autobus.* ⁄⁄ *Grande personne:* Personne adulte. ☞ impersonnel, impersonnellement, personnaliser, personnalité, personnel, personnellement, personnification, personnifier. en **personne** loc.adv. Soi-même, lui-même: *Les enfants ont pu rencontrer Passe-Partout en personne.*
▲ **personne** n.f. Forme de la conjugaison qui sert à désigner la personne ou les personnes qui parlent, celle ou celles à qui l'on parle, celle ou celles dont on parle: *Il y a trois personnes au singulier et trois personnes au pluriel dans le verbe conjugué, sauf à l'impératif.* ☞ impersonnel, personnel.

personne pron.indéf. **1.** Quelqu'un, quiconque: *Ce comédien joue ce rôle mieux que personne.* **2.** Aucun être humain: *Personne n'est venu pendant ton absence.*

personnel n.m. Ensemble des personnes qui travaillent dans un service public, une entreprise, une maison ou toute autre catégorie d'activités: *Le personnel de l'hôpital est très dévoué.* SYN. main-d'œuvre. ANT. employeur.

personnel, elle adj. **1.** Qui est propre à quelqu'un: *Martin ne veut pas qu'on fouille dans ses affaires personnelles.* SYN. intime. ANT. commun. **2.** Qui s'adresse à une personne en particulier: *Quand on s'adresse à un groupe, il faut éviter les allusions personnelles.* SYN. individuel. ☞ personne.
▲ **personnel, elle** adj. **1.** Mode du verbe dont les terminaisons indiquent le changement de personnes: *L'indicatif est un mode personnel, tandis que l'infinitif est un mode impersonnel.* **2.** Forme du verbe qui caractérise une personne: *«Elle rit» est personnel; «il pleut» est impersonnel.* **3.** Pronom qui

désigne un être en indiquant la personne grammaticale : *Les principaux pronoms personnels sont « je », « tu », « il », « elle », « nous », « vous », « ils », « elles ».* ☞ personne.

personnellement adv. **1.** En personne : *Il est venu me rencontrer personnellement.* **2.** D'une manière personnelle : *Personnellement, je ne crois pas que la situation s'améliorera.* ☞ personne.

personne-ressource n.f. Au Canada, personne ayant acquis des connaissances dans un domaine particulier et à laquelle on fait appel pour toute question relevant de ce domaine : *Des personnes-ressources nous ont aidés à organiser le transport des écoliers.* **R.** Au pluriel, *personnes-ressources*.

personnification n.f. **1.** Opération qui consiste à représenter une chose abstraite sous l'apparence d'une personne : *La personnification des saisons a été réalisée par cette sculpteure.* **2.** Être, personne qui représente une qualité, un défaut, une idée : *Andréane est la personnification de l'avarice.* ☞ personne.

personnifier v. **1.** Représenter une chose abstraite sous l'apparence d'une personne : *Un squelette drapé d'une cape et armé d'une faux personnifie la mort.* **2.** Être le modèle, l'exemple d'une qualité, d'un défaut : *Cette femme personnifie la bonté.* ☞ personne. **personnifié, ée** p.p. et adj. **1.** Qui est représenté sous l'apparence d'une personne : *Ces sculptures représentent la justice et la victoire personnifiées.* **2.** Qui est le modèle, l'exemple d'une qualité ou d'un défaut : *Benoît est la gentillesse personnifiée.*

perspective n.f. **1.** Art de représenter les objets tels qu'ils apparaissent vus à une certaine distance et dans une position donnée : *Ces gratte-ciel sont dessinés en perspective.* **2.** Aspect que présente un paysage, un ensemble vu de loin : *De Lévis, nous avons une belle perspective de la ville de Québec.* SYN. vue. **3.** fig. Idée que l'on se fait d'un événement probable ou possible : *La perspective de déménager le rend tout triste.* SYN. éventualité. **4.** fig. Point de vue : *Il faut regarder cet événement dans une perspective historique.* SYN. optique. en **perspective** loc.adv. En vue, dans l'avenir : *Ma grande sœur a une belle carrière en perspective.*

perspicace adj. Qui est capable de saisir, de comprendre ce qui échappe à la plupart des gens : *Je ne peux rien lui cacher : elle est trop perspicace.* SYN. futé, subtil. ANT. borné. ☞ perspicacité.

perspicacité n.f. Qualité d'une personne qui est capable de saisir, de comprendre ce qui échappe à la plupart des gens : *La perspicacité de l'enquêteur lui a permis de découvrir la coupable.* SYN. finesse, flair, subtilité. ☞ perspicace.

persuader v. Amener quelqu'un à croire, à vouloir, à faire quelque chose : *Elle a fini par nous persuader qu'elle était sincère.* SYN. convaincre. ANT. dissuader. ☞ persuasif, persuasion. se **persuader** v.pron. Se convaincre : *Martin s'est persuadé que nous lui en voulions.*

persuasif, ive adj. Qui a le pouvoir de persuader, de convaincre les autres : *Elle était si persuasive que j'ai accepté sa proposition.* SYN. convaincant. ANT. dissuasif. ☞ persuader.

persuasion n.f. **1.** Fait d'amener quelqu'un à croire, à vouloir, à faire quelque chose : *Richard a un grand pouvoir de persuasion.* **2.** Fait d'être persuadé, convaincu : *Sa persuasion est totale ; rien ne peut l'ébranler.* SYN. assurance, conviction, croyance. ANT. dissuasion, doute. ☞ persuader.

perte n.f. **1.** Fait de ne plus avoir quelque chose : *La perte d'un membre, d'une partie du corps est une épreuve difficile à accepter.* SYN. privation. **2.** Fait d'être séparé de quelqu'un par la mort : *Ces parents ne se sont pas encore remis de la perte de leur enfant.* SYN. séparation. **3.** Fait de ne plus retrouver quelque chose : *La perte de son passeport lui a causé de nombreux ennuis.* **4.** Fait de perdre une somme d'argent ; somme perdue : *Cette entreprise a fait plus de pertes que de bénéfices.* SYN. déficit. ANT. gain. **5.** Mauvais usage de quelque chose : *Je ne peux pas croire que tu approuves cette perte de temps.* SYN. gaspillage. **6.** Ruine : *Cet homme d'affaires court à sa perte.* ANT. progrès, réussite, succès. **7.** Fait de perdre, d'être vaincu : *La perte de ce procès l'a complètement découragé.* **8.** Quantité d'énergie, de chaleur qui se gaspille inutilement : *Cette fenêtre mal fermée cause des pertes de chaleur.* ANT. conservation. **9.** plur. Personnes tuées : *L'armée a subi de lourdes pertes.* ☞ perdre. à **perte** loc.adv. En perdant de l'argent : *Elles ont dû vendre leur maison à perte.* à **perte de vue** loc.adv. Aussi loin que l'on peut voir : *Du sommet du mont Royal, la ville s'étend à perte de vue.* en pure **perte** loc.adv. Inutilement : *Tu as fait tout cela en pure perte.*

pertinemment adv. D'une manière pertinente, avec beaucoup de bon sens : *Il a répondu pertinemment à toutes mes questions.* ⁄⁄ *Savoir pertinemment quelque chose :* Savoir parfaitement quelque chose. **R.** Les lettres *emment* se prononcent *amment*. ☞ pertinent.

pertinence n.f. Caractère de ce qui est pertinent, de ce qui dénote du bon sens : *Je crois que j'ai répliqué avec pertinence à toutes ses remarques.* ☞ pertinent.

pertinent, ente adj. Qui convient exactement à ce dont il est question, qui dénote du bon sens : *Pendant le cours de sciences naturelles, les remarques de Claudia étaient très pertinentes.* SYN. judicieux, juste. ANT. impertinent, injustifié, stupide. ☞ pertinemment, pertinence.

perturbateur, trice n. et adj. **1.** n. Personne qui cause du trouble, du désordre : *Les perturbateurs ont empêché la présidente de s'expliquer.* SYN. agitateur. ANT. pacificateur. **2.** adj. Qui cause du trouble, du désordre : *Les éléments perturbateurs ont été expulsés par la police.* SYN. contestataire. ANT. calme, docile, soumis. ☞ perturber.

perturbation n.f. **1.** Trouble, désordre dans la vie sociale : *Ces élèves indisciplinés ont jeté la perturbation dans la classe.* SYN. agitation. ANT. calme. **2.** Dérèglement dans un système : *Les perturbations atmosphériques sont caractérisées par des vents violents et des précipitations.* ☞ perturber.

perturber v. Troubler, déranger : *Une forte explosion est venue perturber le calme de la campagne.* ☞ perturbateur, perturbation. **perturbé, ée** p.p. et adj. Qui est troublé : *Il avait l'air perturbé pendant la réunion.*

péruvien, ienne n. et adj. **1.** n. Personne qui est du Pérou : *Un Péruvien, une Péruvienne.* **2.** adj. Qui est du Pérou : *Le sous-sol péruvien fournit du cuivre, de l'argent, du zinc et du pétrole.* **R.** On met la majuscule à *péruvien* et à *péruvienne* lorsqu'il s'agit du nom.

pervenche n.f. et adj.invar. **1.** n.f. Plante à fleurs d'un bleu-mauve qui pousse dans les lieux ombragés, les sous-bois : *Didier a cueilli un bouquet de pervenches.* **2.** adj.invar. Qui est de couleur bleu-mauve : *Amélie a les yeux pervenche.*

pervers, erse n. et adj. **1.** n. Personne qui a tendance à accomplir des actes agressifs dus à des troubles psychologiques : *Les sadiques, les exhibitionnistes et les masochistes sont des pervers.* SYN. malfaisant, méchant, vicieux. **2.** adj. Qui aime faire le mal : *Les personnes perverses accomplissent des actes immoraux par plaisir.* SYN. corrompu, dépravé. ANT. bon, honnête, intègre. **3.** adj. Qui est fait par méchanceté : *Il t'a donné des conseils pervers dans le but de te faire du tort.* ANT. sage. ☞ perversion, perversité, pervertir.

perversion n.f. Corruption ; changement en mal : *La perversion des mœurs inquiète les parents et les éducateurs.* ANT. amélioration. ☞ pervers.

perversité n.f. **1.** Tendance à accomplir des actes agressifs dus à des troubles psychologiques : *Cette femme n'est pas normale : sa perversité la pousse à maltraiter ses enfants.* SYN. méchanceté, vice. ANT. bonté, vertu. **2.** Penchant pour le mal : *Ses propos sont remplis de perversité.* SYN. malveillance. ☞ pervers.

pervertir v. **1.** Rendre mauvais : *Certains affirment que les films violents peuvent pervertir la jeunesse.* SYN. corrompre, empoisonner. ANT. améliorer. **2.** Dénaturer : *La cigarette et l'alcool lui ont perverti le goût.* SYN. fausser. ☞ pervers. **se pervertir** v.pron. Devenir mauvais : *Cette enfant se pervertit au contact de ces mauvais compagnons.*

pesamment adv. **1.** Avec un grand poids : *Cette pauvre bête est pesamment chargée.* **2.** Lourdement, sans grâce : *Elle dansait pesamment, suivant difficilement son partenaire.* ☞ peser.

pesant, ante adj. **1.** Qui est lourd : *Ne soulève pas cette boîte, elle est trop pesante pour toi.* ANT. léger. **2.** Qui donne l'impression d'être lourd : *Complètement épuisé, il montait l'escalier d'un pas pesant.* **3.** fig. Qui est difficile à supporter : *Après une dispute, l'atmosphère est toujours pesante.* **4.** fig. Qui manque de légèreté, de vivacité : *Cette écrivaine a un style pesant.* ☞ peser.

pesanteur n.f. **1.** État de ce qui est lourd : *La pesanteur de ce bureau m'a étonnée.* SYN. poids. ANT. légèreté. **2.** État de ce qui paraît lourd : *Sa démarche a la pesanteur d'un éléphant.* SYN. lourdeur. ANT. souplesse. **3.** fig. Manque de légèreté, de vivacité : *La pesanteur de son esprit ne la rend pas populaire.* ANT. vivacité. **4.** fig. Sensation de lourdeur dans une partie du corps : *J'ai trop mangé : j'ai une pesanteur d'estomac.* ☞ peser. ▲ **pesanteur** n.f. Résultat de l'attraction de la Terre sur les diverses parties d'un corps : *Dans l'espace, cette astronaute s'est rapidement adaptée à l'absence de pesanteur.* ☞ apesanteur.

pèse-bébé n.m. Balance dont on se sert pour peser, pour déterminer la masse des bébés : *La pédiatre a posé Maribel sur le pèse-bébé.* **R.** Au pluriel, *pèse-bébés* ou *pèse-bébé.* ☞ peser. (*Voir l'illustration à la page suivante.*)

pesée n.f. **1.** Opération qui consiste à déterminer le poids de quelque chose : *L'épicière a effectué la pesée des marchandises.* **2.** Quantité que l'on pèse en une fois: *La balance indique une pesée de dix kilogrammes.* **3.** Pression que l'on exerce sur un objet: *De toute la pesée de son corps, Martin essaie de déplacer sa commode.* HOM. peser. ☞ peser.

pèse-bébé

pèse-lettre n.m. Petite balance qui sert à peser, à déterminer le poids des lettres: *Le maître de poste a placé ma lettre sur le pèse-lettre, puis il m'a indiqué le montant de l'affranchissement.* **R.** Au pluriel, *pèse-lettres* ou *pèse-lettre*. ☞ peser.

pèse-personne n.m. Petite balance plate sur laquelle on monte pour se peser: *Il y a un pèse-personne dans le bureau du médecin.* **R.** Au pluriel, *pèse-personnes* ou *pèse-personne*. ☞ peser.

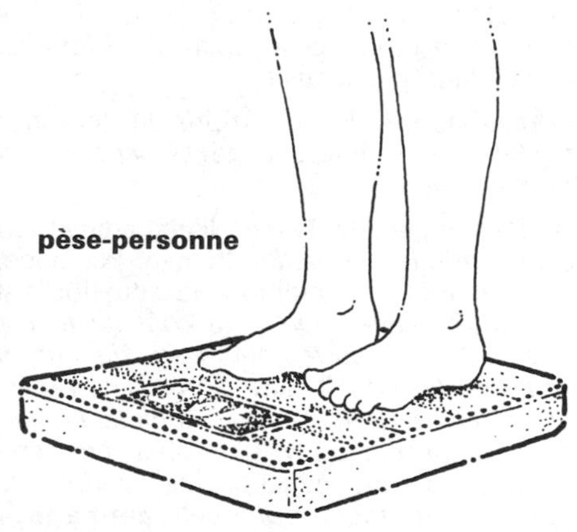

pèse-personne

peser v. **1.** Mesurer le poids de quelque chose ou déterminer la masse de quelqu'un: *Voulez-vous peser ce sac de café, s'il vous plaît?* **2.** fig. Examiner attentivement: *Avant de prendre une décision, il faut peser le pour et le contre.* SYN. considérer. ☞ pèse-bébé, pesée, pèse-lettre, pèse-personne. **se peser** v.pron. Mesurer sa masse: *Mon grand frère surveille sa ligne; il se pèse tous les jours.*

▲ **peser** v. **1.** Avoir un certain poids: *Ce sac pèse cinq kilos.* **2.** Être lourd: *Qu'as-tu mis dans cette boîte pour qu'elle pèse ainsi?* **3.** Exercer une pression sur quelque chose: *Diane pèse de toutes ses forces contre la porte pour la maintenir fermée.* SYN. pousser. **4.** fig. Être difficile à supporter: *Ce veuf avoue que la solitude lui pèse.* SYN. accabler. ANT. réconforter, soulager. **5.** fig. Influencer: *Tes arguments ont pesé sur ma décision.* **6.** fig. Être une charge pour quelqu'un: *Cette femme a de grandes responsabilités qui pèsent sur ses épaules.* **7.** fig. Être difficile à digérer: *Les aliments trop riches pèsent sur l'estomac.* **8.** Concerner quelqu'un: *De graves soupçons pèsent sur lui.* HOM. pesée. ☞ s'appesantir, pesamment, pesant, pesanteur, pesée.

peseta n.f. (esp.) Unité monétaire de l'Espagne: *Si tu voyages en Espagne, tu devras utiliser des pesetas.* **R.** Se prononce *pézéta* ou *pézséta*. Au pluriel, le *s* peut se prononcer ou non.

peso n.m. (esp.) Unité monétaire de plusieurs pays d'Amérique du Sud: *Les Mexicains, les Chiliens et les Cubains utilisent des pesos.* **R.** Se prononce *pézo* ou *pézso*.

pessimisme n.m. Tournure d'esprit qui porte à prendre les choses du mauvais côté, à penser que tout va mal: *Son pessimisme me déprime.* SYN. mélancolie. ANT. optimisme. ☞ pessimiste.

pessimiste n. et adj. **1.** n. Personne qui prend les choses du mauvais côté, qui pense que tout va mal: *Les pessimistes sont bien souvent inquiets pour l'avenir.* SYN. mélancolique. ANT. optimiste. **2.** adj. Qui prend les choses du mauvais côté, qui pense que tout va mal: *Ses échecs répétés l'ont rendue pessimiste.* SYN. défaitiste. ANT. enjoué, gai. ☞ pessimisme.

peste n.f. **1.** Très grave maladie contagieuse: *Les épidémies de peste ont fait beaucoup de morts dans l'histoire de l'humanité.* **2.** fig. Personne, chose nuisible, dangereuse: *Le racisme est une peste pour la société.* **3.** fig. Enfant insupportable: *Cette enfant gâtée est une vraie peste!* ☞ pestiféré.

pester v. Manifester sa colère, sa mauvaise humeur par des paroles: *Ça ne sert à rien de pester contre le mauvais temps.* SYN. maugréer. ANT. accepter, jubiler.

pesticide n.m. et adj. (angl.) **1.** n.m. Produit chimique qui détruit les plantes et les animaux nuisibles aux cultures: *Si les pesticides aident à obtenir de meilleures récoltes, ils sont aussi une importante source de pollution.* **2.** adj. Qui détruit les plantes et les animaux nuisibles aux cultures: *Les produits* *pesticides détruisent les mauvaises herbes et les insectes nuisibles.*

pestiféré, ée n. et adj. **1.** n. Personne qui est atteinte de la peste, d'une très grave maladie contagieuse: *De 1346 à 1353, des milliers de pestiférés sont morts.* **2.** adj. Qui est atteint de la peste: *Les personnes pestiférées meurent en quelques jours si elles ne sont pas traitées.* ☞ peste.

pestilence n.f. Odeur très mauvaise, infecte: *Je ne peux supporter la pestilence qui se dégage de ces aliments pourris.* ☞ pestilentiel.

pestilentiel, elle adj. Qui sent très mauvais: *Une odeur pestilentielle incommode les promeneurs quand ils arrivent près du dépotoir.* SYN. infect, nauséabond, puant. ANT. odoriférant. ☞ pestilence.

pestilence pestilentiel

pet n.m.fam. Gaz intestinal qui sort de l'anus avec bruit: *Je m'excusai avec confusion d'avoir lâché un pet.* HOM. paie, paix. **R.** Les lettres *et* se prononcent è. ☞ péter.

pétale n.m. Chacune des parties, blanches ou colorées, qui forment la corolle d'une fleur: *Roseta enlève un à un les pétales de la marguerite.*

pétanque n.f. (provenç.) Jeu de boules dans lequel le but est une boule plus petite appelée «cochonnet»: *La pétanque est un jeu originaire du sud de la France.*

pétaradant, ante adj. Qui fait entendre une suite de détonations: *Des motocyclettes pétaradantes brisent le silence de la nuit.* ☞ pétarade.

pétarade n.f. Suite de détonations: *Les pétarades des feux d'artifice font partie de la fête.* ☞ pétaradant, pétarader.

pétarader v. Faire entendre une suite de détonations: *Les motocyclettes démarrent en pétaradant.* ☞ pétarade.

pétard n.m. Petite charge d'explosif placée dans un cylindre de papier qui explose avec un bruit sec et fort: *On entendait le bruit des pétards au loin.*

pet-de-nonne n.m. Beignet soufflé, très léger, fait avec de la pâte à choux: *Antoine a mangé deux pets-de-nonne pour sa collation.* **R.** Au pluriel, *pets-de-nonne*. Les lettres *et* se prononcent *è*.

péter v.fam. Lâcher un pet, un gaz intestinal: *Couché à mes pieds, l'énorme chien pétait et ronflait comme une locomotive.* ☞ pet.

▲ **péter** v.fam. **1.** Éclater en faisant du bruit: *Une grenade a pété tout près d'elle.* SYN. exploser. **2.** Se casser, se briser: *Tu as grossi: les boutons de ta chemise sont en train de péter.* **3.** Casser, briser: *En courant, Marie a pété la lampe.*

pétillant, ante adj. **1.** Qui fait de nombreuses bulles qui éclatent avec un bruit léger: *Les invités buvaient le champagne pétillant.* **2.** fig. Qui brille d'un vif éclat: *Nil a les yeux pétillants de bonheur.* SYN. scintillant. **3.** fig. Qui est vif et plein d'entrain: *Marie-Paule est toujours pétillante.* **R.** Les lettres *ill* se prononcent comme dans *famille*. ☞ pétiller.

pétillement n.m. **1.** Petits bruits secs et répétés produits par quelque chose qui brûle: *Quand il fait très froid, j'aime entendre le pétillement du bois dans le feu.* **2.** Bruit léger produit par une boisson gazeuse, du champagne: *Le pétillement du champagne accompagne bien les événements heureux.* **3.** fig. Éclat vif: *Le pétillement malicieux de son regard m'inquiète un peu.* SYN. scintillement. **R.** Les lettres *ill* se prononcent comme dans *famille*. ☞ pétiller.

pétiller v. **1.** Éclater en faisant de petits bruits secs et répétés: *Les bûches d'érable pétillent dans la cheminée.* SYN. crépiter, flamboyer. ANT. éteindre. **2.** Faire de nombreuses bulles qui éclatent avec un bruit léger: *La boisson gazeuse pétille dans les verres.* **3.** fig. Briller d'un vif éclat: *Les yeux de Linda pétillent de joie.* SYN. étinceler, scintiller. **4.** fig. Être plein: *Simon pétille de malice.* **R.** Les lettres *ill* se prononcent comme dans *famille*. ☞ pétillant, pétillement.

pétiole n.m. Partie étroite de certaines feuilles qui les relie à la tige: *Le pétiole, c'est la queue de la feuille.*

petit n.m. et adv. **1.** n.m. Jeune animal: *La chatte allaite ses petits.* **2.** n.m. Personne, groupe dont la condition, la situation est peu importante: *Quand le coût de la vie augmente, ce sont toujours les petits qui en souffrent le plus.* **3.** adv. D'une façon mesquine: *Les gens médiocres s'habituent à voir petit.* **en petit** loc.adv. D'une manière semblable, mais en réduction: *Je voudrais le même gâteau, mais en plus petit.* **petit à petit** loc.adv. Peu à peu: *Petit à petit, l'écureuil s'est habitué à ma présence.*

petit, ite n. et adj. **1.** n. Personne de petite taille: *Pourquoi faut-il toujours placer les petits en avant de la classe?* **2.** n. Jeune enfant: *Yves s'occupe des petits de la maternelle.* **3.** n. Enfant le plus jeune dans une famille: *La petite ira à l'école l'an prochain.* **4.** n. Enfant de quelqu'un: *Où sont vos petits? Vous ne les avez pas emmenés avec vous?* **5.** adj. Qui est au-dessous de la taille moyenne: *Lison est petite pour son âge.* SYN. court. ANT. grand. **6.** adj. Qui est très jeune: *Simon est trop petit pour aller à l'école.* ANT. adulte. **7.** adj. Qui a une dimension inférieure à celle des objets de même espèce: *À la maternelle, les tables et les chaises sont petites.* ANT. immense. **8.** adj. Qui est faible: *Une petite pluie fine tombe depuis ce matin.* ANT. abondant. **9.** adj. Qui a une condition, une situation peu importante: *Les petits épiciers craignent la concurrence des supermarchés.* **10.** adj. Qui a peu de valeur: *Elle m'a emprunté une petite somme.* SYN. minime. ANT. énorme. ☞ petitement, petitesse, rapetissement, rapetisser.

petit-beurre n.m. Petit biscuit sec rectangulaire fait de farine et de beurre: *Pour ta collation, je t'ai préparé des petits-beurre et un verre de lait.* **R.** Au pluriel, *petits-beurre*.

petite-fille n.f. Fille du fils ou de la fille par rapport à un grand-père, une grand-mère: *Grand-père se promène avec sa petite-fille.* **R.** Au pluriel, *petites-filles*. Au masculin, *petit-fils*. ☞ arrière-petite-fille.

petitement adv. **1.** À l'étroit: *Cette famille nombreuse est logée petitement.* **2.** Modestement: *Il vit petitement avec son maigre salaire.* **3.** fig. D'une façon mesquine: *En te vengeant de la sorte, tu as agi petitement.* ☞ petit.

petitesse n.f. **1.** État de ce qui est de faible dimension: *La complexité d'une cellule étonne lorsqu'on songe à sa petitesse.* **2.** État de ce qui a peu de valeur: *La petitesse de son salaire ne lui permet pas de faire vivre une famille.* **3.** fig. Mesquinerie: *La petitesse de ces procédés me révolte.* ANT. générosité. **4.** fig. Acte mesquin: *Il commettrait bien des petitesses pour s'attirer les faveurs de sa supérieure.* ☞ petit.

petit-fils n.m. Fils du fils ou de la fille, par rapport à un grand-père, une grand-mère: *M. et Mme Boucher gardent leur petit-fils.* **R.** Au pluriel, *petits-fils*. Au féminin, *petite-fille*. ☞ arrière-petit-fils.

petit-four n.m. Petit gâteau sec ou glacé de la taille d'une bouchée qu'on offre dans les réceptions: *Les invités mangent des petits-fours.* **R.** Au pluriel, *petits-fours*.

pétition n.f. Écrit adressé à une autorité pour exprimer une opinion, une plainte ou pour demander quelque chose: *Plus de mille personnes ont signé la pétition contre l'entreposage des produits toxiques.*

petits-enfants n.m.plur. Enfants du fils ou de la fille: *Les grands-parents aiment recevoir la visite de leurs petits-enfants.* ☞ arrière-petits-enfants.

pétoncle n.m. Mollusque comestible apprécié pour sa chair fine: *Papa a préparé des brochettes de pétoncles.*

pétrel n.m. (angl.) Oiseau à pattes palmées qui vit en haute mer et qui ne vient à terre que pour nicher: *Les pétrels vivent au large et ils sont très voraces.*

pétrifier v. **1.** Changer en pierre ou couvrir d'une couche pierreuse: *L'eau calcaire a pétrifié ce morceau de bois.* **2.** fig. Rendre incapable de réagir à la suite d'une émotion violente: *La peur l'a pétrifiée.* SYN. figer, glacer, immobiliser. ANT. rassurer. se **pétrifier** v.pron. **1.** Se changer en pierre ou se couvrir d'une couche pierreuse: *Le sable s'est pétrifié.* **2.** fig. Être incapable de réagir à la suite d'une émotion violente: *Son visage se pétrifia de stupeur à l'annonce de cette nouvelle.* **pétrifié, ée** p.p. et adj. **1.** Qui est changé en pierre ou couvert d'une couche pierreuse: *Une archéologue a découvert des fossiles pétrifiés.* **2.** fig. Qui est incapable de réagir à la suite d'une émotion violente: *Il restait là, pétrifié de terreur, incapable de s'enfuir.*

pétrin n.m. Grand récipient dans lequel on pétrit la pâte à pain: *Le pétrin mécanique est formé d'une cuve dans laquelle se déplacent des bras métalliques qui remuent la pâte en tous sens.* ☞ pétrir. ▲ **pétrin** n.m.fam. Situation embarrassante: *Veux-tu m'aider à sortir de ce pétrin?*

pétrir v. **1.** Remuer, presser une pâte en tous sens: *La cuisinière pétrit la pâte à pain.* **2.** Presser fortement avec la main: *Le masseur pétrit mes muscles.* **3.** fig. Former: *L'éducation pétrit les jeunes esprits.* ☞ pétrin, pétrissage. **pétri, ie** p.p. et adj. Qui est rempli d'un sentiment: *Cet homme est pétri d'orgueil.*

pétrissage n.m. Opération qui consiste à remuer, à presser la pâte en tous sens: *Autrefois, le boulanger faisait le pétrissage à la main.* ☞ pétrir.

pétrochimie n.f. Science et industrie des produits chimiques fabriqués à partir du pétrole: *La pétrochimie est l'industrie des sous-produits du pétrole.* **R.** Aussi, *pétrolochimie*, recommandé officiellement. ☞ pétrole.

pétrochimique adj. Qui se rapporte à la pétrochimie, science et industrie des produits chimiques fabriqués à partir du pétrole: *L'industrie pétrochimique produit des dérivés du pétrole.* **R.** Aussi, *pétrolochimique*. ☞ pétrole.

pétrodollar n.m. Dollar qui provient d'un pays exportateur de pétrole: *La vente du pétrole a rapporté beaucoup de pétrodollars au Koweit.* ☞ pétrole.

pétrole n.m. **1.** Huile minérale naturelle combustible utilisée comme source d'énergie : *Les pays du Moyen-Orient sont de grands exportateurs de pétrole.* **2.** Liquide combustible obtenu par la distillation du pétrole : *Une lampe à pétrole éclaire la pièce pendant la panne d'électricité.* SYN. kérosène. ⁄⁄ *Pétrole brut:* Pétrole qui n'a pas encore été raffiné. ☞ pétrochimie, pétrochimique, pétrodollar, pétrolier, pétrolifère.

pétrolier n.m. Navire-citerne qui sert à transporter le pétrole : *Un pétrolier a fait naufrage en Alaska et a causé de grands dommages à l'environnement.* ☞ pétrole.

pétrolier, ière adj. Qui se rapporte au pétrole : *L'essence et le mazout sont des produits pétroliers.* ☞ pétrole.

pétrolifère adj. Qui contient du pétrole : *On a découvert un gisement pétrolifère au large de Terre-Neuve.* ☞ pétrole.

pet shop ☞ sect. anglicismes et canadianismes.

pétunia n.m. Plante ornementale annuelle aux fleurs violettes, roses ou blanches : *Les pétunias mettent beaucoup de couleur dans les parterres.*

peu adv. **1.** Pas beaucoup : *Mélanie est une fillette timide: elle parle peu en classe.* ANT. fréquemment. **2.** Pas très : *Les clients sont peu nombreux aujourd'hui.* **3.** Faible quantité : *Elle a bu un peu de lait.* ANT. beaucoup. **4.** Petit nombre de personnes : *Peu de gens savent que ce règlement est en vigueur.* ANT. beaucoup. HOM. peuh!. à **peu près** loc.adv. Presque, environ : *Ces deux enfants sont à peu près de la même taille.* de **peu** loc.adv. Tout juste : *Nous avions rendez-vous à 10 heures: je l'ai manqué de peu.* depuis **peu** loc.adv. Récemment : *Elle est revenue en classe depuis peu.* **peu à peu** loc.adv. Petit à petit, lentement : *L'écureuil s'est apprivoisé peu à peu.* pour un **peu** loc.adv. Il aurait suffi de peu de chose pour que : *Pour un peu, il se serait mis à pleurer.* pour **peu que** loc.conj. Dès l'instant où : *Pour peu qu'on la contredise, elle se met en colère.* quelque **peu** loc.adv. Un peu : *Je crois qu'elle était quelque peu désappointée.* sous **peu** loc.adv. Bientôt : *Nous vous donnerons des nouvelles sous peu.* tant soit **peu** loc.adv. Très peu : *Si tu étais un tant soit peu honnête, tu remettrais ce crayon à son propriétaire.*

peu	peut être remplacé par *pas beaucoup.*
peut	s'emploie avec les pronoms *il, elle, on.*
peux	s'emploie avec les pronoms *je, tu.*

peuh ! interj. Mot qui exprime le mépris, le dédain, l'indifférence : *Peuh! Cela ne m'intéresse pas.* HOM. peu.

peuplade n.f. Petit groupe d'êtres humains qui vivent en tribu, dans une société primitive : *Cette peuplade vit de chasse et de pêche.* SYN. horde. ☞ peuple.

peuple n.m. **1.** Ensemble d'êtres humains vivant sur un même territoire et formant une nation : *Le premier ministre s'est adressé au peuple canadien.* **2.** Ensemble d'êtres humains unis par leur origine, leur culture, leur langue ou leur mode de vie : *Le peuple juif est dispersé à travers le monde.* ☞ dépeuplement, dépeupler, peuplade, peuplé, peuplement, peupler, population, populeux, repeuplement, se repeupler, surpeuplé, surpeuplement, surpopulation. ▲ **peuple** n.m. **1.** Ensemble des citoyens d'un État : *Dans une démocratie, les dirigeants sont élus par le peuple.* **2.** Partie la plus nombreuse et la moins riche des habitants d'un pays, d'une région : *Cette femme est d'origine modeste: elle est issue du peuple.* SYN. prolétariat. ANT. noblesse. ☞ populaire.

peuplé, ée adj. Qui a des habitants en plus ou moins grand nombre : *La région montréalaise est très peuplée.* HOM. peupler. ☞ peuple.

peuplement n.m. **1.** Processus par lequel on installe des êtres humains dans un lieu : *Au début du siècle, le gouvernement a encouragé le peuplement de l'Abitibi.* ANT. dépeuplement. **2.** Processus par lequel on établit des animaux, des végétaux dans un lieu : *Les pêcheurs approuvent le peuplement de ces rivières.* **3.** État d'un territoire qui est pourvu d'habitants : *Le peuplement du Canada est très faible par rapport à son étendue.* ☞ peuple.

peupler v. **1.** Installer des êtres humains dans un lieu : *Paul de Chomedey de Maisonneuve voulait peupler Ville-Marie de Français.* ANT. dépeupler. **2.** Établir des animaux, des végétaux dans un lieu : *La propriétaire veut peupler le lac de touladis.* ANT. vider. **3.** Habiter un lieu : *Les Amérindiens peuplaient l'Amérique avant l'arrivée des Européens.* **4.** Être en grand nombre : *Des milliers d'écoliers peuplent les écoles primaires.* SYN. fréquenter. HOM. peuplé. ☞ peuple. se **peupler** v.pron. Se remplir d'habitants : *La banlieue de Montréal se peuple rapidement.*

peupleraie n.f. Lieu planté de peupliers : *Une peupleraie bordait notre terre.* ☞ peuplier.

peuplier n.m. **1.** Grand arbre élancé des régions tempérées, à petites feuilles et aux graines enveloppées d'une sorte de duvet: *Cette route est bordée de peupliers.* **2.** Bois de cet arbre: *Le peuplier est un bois léger et tendre qui est recherché en menuiserie et en papeterie.* ☞ peupleraie.

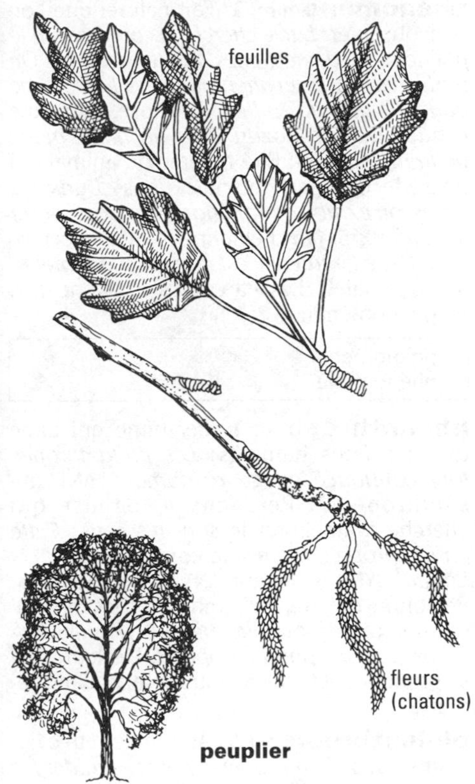

peuplier

peur n.f. **1.** Crainte violente que l'on ressent en présence d'un danger réel ou imaginaire: *Quand il tonne, François tremble de peur.* SYN. effroi. ANT. assurance, courage. **2.** État de crainte que l'on ressent dans une situation précise: *Jacinthe a une peur morbide des araignées.* SYN. hantise. **3.** Inquiétude, souci d'éviter une chose pénible, désagréable: *Ginette a toujours peur d'arriver en retard.* ⁄⁄ *Avoir peur:* Craindre. *Faire peur:* Effrayer, donner de la peur. *Prendre peur:* S'effrayer. ☞ apeurer, peureusement, peureux. de **peur de** loc.prép. Par crainte de quelque chose: *Elle t'a caché la vérité de peur d'être punie.* de **peur que** loc.conj. Dans la crainte qu'il n'arrive quelque chose: *Habille-toi chaudement de peur que tu ne prennes froid.*

peureusement adv. D'une façon qui montre de la peur, de la crainte: *Le petit garçon se blottissait peureusement contre son père.* SYN. craintivement. ANT. bravement. ☞ peur.

peureux, euse n. et adj. **1.** n. Personne qui a peur, qui ressent de la crainte facilement: *Tout l'effraie: c'est un peureux.* SYN. lâche, poltron. ANT. brave. **2.** adj. Qui a peur facilement: *Mon chat est peureux.* SYN. craintif. ANT. audacieux. **3.** adj. Qui montre la peur: *Elle jetait des regards peureux autour d'elle.* ANT. déterminé. ☞ peur.

peut-être adv. Probablement: *Nous irons peut-être en Gaspésie cet été.* ANT. assurément, certainement. **R.** Ne pas oublier l'accent: *ê*.

phacochère n.m. Mammifère d'Afrique, à la tête énorme, au museau aplati, aux défenses orientées vers le haut, dont le dos porte une crinière de longs poils: *Le phacochère appartient à la même famille que le porc, le pécari et le sanglier.* **R.** Les lettres *ph* se prononcent *f*.

phalange n.f. **1.** Chacun des os longs qui forment les doigts et les orteils: *Le pouce et le gros orteil sont soutenus par deux phalanges.* **2.** Chacune des parties d'un doigt, d'un orteil: *Quand tu plies tes doigts, tu peux observer facilement les phalanges.* **R.** Les lettres *ph* se prononcent *f*.

phalène n.f. Grand papillon aux ailes délicates, à l'abdomen mince, que l'on voit la nuit ou au crépuscule: *Quelques espèces de phalènes sont nuisibles aux plantes cultivées et aux arbres.* **R.** Les lettres *ph* se prononcent *f*.

pharaon n.m. Roi de l'Égypte ancienne: *Les pyramides servaient de tombeaux aux pharaons.* **R.** Les lettres *ph* se prononcent *f*.

pharaon
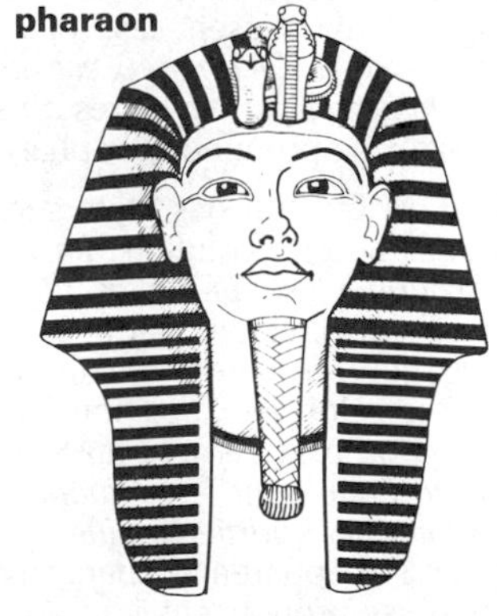

phare n.m. **1.** Tour élevée munie d'un projecteur lumineux qui sert à guider les navires pendant la nuit: *Les phares sont situés le long des côtes.* **2.** Projecteur lumineux placé à l'avant d'un véhicule: *L'automobiliste a oublié d'éteindre ses phares.* HOM. fard. **R.** Les lettres *ph* se prononcent *f*.

pharisien, ienne n. **1.** Membre d'une secte juive qui prétendait observer strictement la loi de Moïse : *Jésus a traité les pharisiens d'hypocrites.* **2.** péj. Personne qui se croit parfaite et qui juge sévèrement les autres : *Cette pharisienne n'a pas encore compris que la charité est la plus grande des vertus.* SYN. orgueilleux. **R.** Les lettres *ph* se prononcent *f*.

pharmaceutique adj. Qui se rapporte à la pharmacie, la science qui étudie les médicaments : *Les médicaments sont préparés dans un laboratoire pharmaceutique.* **R.** Les lettres *ph* se prononcent *f*. ☞ pharmacie.

pharmacie n.f. **1.** Science qui étudie les médicaments : *Paul est étudiant en pharmacie.* **2.** Lieu où l'on vend des médicaments : *Le médecin lui a prescrit des médicaments qu'elle doit se procurer à la pharmacie.* **3.** Assortiment de médicaments : *Quand il voyage, il apporte sa pharmacie avec lui.* **4.** Petite armoire où l'on range les médicaments : *Il faut éviter que les enfants aient accès à la pharmacie.* **R.** Les lettres *ph* se prononcent *f*. ☞ pharmaceutique, pharmacien.

pharmacien, enne n. Personne qui prépare et vend des médicaments : *La pharmacienne m'a conseillé ce sirop pour la toux.* **R.** Les lettres *ph* se prononcent *f*. ☞ pharmacie.

pharyngite n.f. Inflammation du pharynx, du conduit entre la bouche et l'œsophage où aboutissent les voies digestives et respiratoires : *Il a très mal à la gorge : il souffre de pharyngite.* SYN. angine. **R.** Les lettres *ph* se prononcent *f*. ☞ pharynx.

pharynx n.m. Conduit entre la bouche et l'œsophage où aboutissent les voies digestives et respiratoires : *Le pharynx est situé tout au fond de la gorge.* **R.** Les lettres *ph* se prononcent *f*. Le *x* se prononce. ☞ pharyngite.

phase n.f. **1.** Chacun des états successifs d'un phénomène en évolution : *La médecin nous a expliqué les différentes phases de cette maladie.* SYN. étape, stade. **2.** Chacun des aspects que présentent la Lune et quelques planètes selon leur position dans l'espace par rapport à la Terre et au Soleil : *Les phases de la Lune sont les suivantes : nouvelle Lune, premier quartier, pleine Lune, dernier quartier.* SYN. apparence, changement. **R.** Les lettres *ph* se prononcent *f*.

phénol n.m. Corps solide blanc, à odeur forte, corrosif et toxique, qui se dissout dans l'eau : *On utilise le phénol en pharmacie, dans la fabrication des matières plastiques, des colorants et des insecticides.* **R.** Les lettres *ph* se prononcent *f*.

phénoménal, ale, aux adj. Qui est étonnant, extraordinaire : *Des sommes phénoménales ont été dépensées pour la construction du stade.* SYN. formidable, prodigieux, surprenant. ANT. insignifiant, normal, ordinaire. **R.** Les lettres *ph* se prononcent *f*. ☞ phénomène.

phénomène n.m. **1.** Fait naturel que l'on peut observer : *Lucie cherche à comprendre le phénomène des éclipses.* **2.** Fait observé : *On parle beaucoup du phénomène de la violence dans les grandes villes.* **3.** Chose, personne extraordinaire : *Mozart était un phénomène de la musique.* **4.** Être humain ou animal qui possède des particularités rares : *Dans les foires, on exhibe des phénomènes pour attirer les curieux.* **5.** fam. Personne bizarre, excentrique : *Cette chanteuse est tout un phénomène !* SYN. original. **R.** Les lettres *ph* se prononcent *f*. ☞ phénoménal.

phénoménal phénomène

philanthrope n. **1.** Personne qui aime tous les êtres humains : *Les philanthropes font confiance au genre humain.* ANT. misanthrope. **2.** Personne généreuse qui cherche à améliorer le sort des gens : *Cette philanthrope a financé la construction de cet hôpital.* SYN. bienfaiteur. ANT. avare, cupide. **3.** Personne qui ne recherche pas les récompenses, ni le profit : *Je suis une femme d'affaires, pas une philanthrope.* **R.** Les lettres *ph* se prononcent *f*. ☞ philanthropie, philanthropique.

philanthropie n.f. **1.** Amour des êtres humains : *Sa philanthropie le pousse à aider les plus démunis de la société.* SYN. charité, générosité. ANT. dureté, misanthropie. **2.** Désintéressement : *Elle a agi avec philanthropie, sans espoir de récompense.* ANT. égoïsme. **R.** Les lettres *ph* se prononcent *f*. ☞ philanthrope.

philanthropique adj. Qui est inspiré par l'amour des êtres humains : *Cette femme fait partie d'une association philanthropique.* SYN. bienfaisant, humanitaire. ANT. égoïste, inhumain. **R.** Les lettres *ph* se prononcent *f*. ☞ philanthrope.

philatélie n.f. Connaissance, collection des timbres-poste : *Jérôme s'intéresse à la philatélie.* **R.** Les lettres *ph* se prononcent *f*. ☞ philatélique, philatéliste.

philatélique adj. Qui se rapporte à la connaissance, à la collection des timbres-poste : *Cette association philatélique regroupe des collectionneurs du monde entier.* **R.** Les lettres *ph* se prononcent *f*. ☞ philatélie.

philatéliste n. Personne qui collectionne les timbres-poste : *Grand-mère est une phila-*

téliste. **R.** Les lettres *ph* se prononcent *f.* ☞ philatélie.

philosophe n. et adj. **1.** n. Personne qui réfléchit sur les grands problèmes de l'être humain, de l'univers : *Socrate était un philosophe grec de l'Antiquité.* SYN. penseur. **2.** n. Personne qui prend la vie du bon côté : *Elle ne s'en fait pas avec la vie, c'est une philosophe.* SYN. sage. ANT. révolté. **3.** adj. Qui prend la vie du bon côté : *Il ne se laisse pas abattre par un échec : il est très philosophe.* SYN. optimiste. ANT. pessimiste. **R.** Les lettres *ph* se prononcent *f.* ☞ philosophie.

philosopher v. **1.** Réfléchir sur les grands problèmes de l'être humain, de l'univers : *Cette sage a passé sa vie à philosopher.* SYN. penser, raisonner. ANT. badiner. **2.** Discuter sur un sujet quelconque : *Tu ferais mieux d'étudier plutôt que de philosopher.* **R.** Les lettres *ph* se prononcent *f.* ☞ philosophie.

philosophie n.f. **1.** Réflexion sur les grands problèmes de l'être humain, de l'univers : *La philosophie s'interroge sur Dieu, sur le rôle de l'être humain dans l'univers.* **2.** Doctrine d'un auteur, d'une époque, d'une école : *Ma thèse porte sur des aspects de la philosophie de Karl Marx.* **3.** Manière de voir, de comprendre le monde et la vie : *Chaque personne a sa philosophie.* **4.** Sagesse d'une personne qui prend la vie du bon côté : *Elle supporte les petits inconvénients avec philosophie.* **R.** Les lettres *ph* se prononcent *f.* ☞ philosophe, philosopher, philosophique.

philosophique adj. **1.** Qui se rapporte à la philosophie, à la réflexion que l'être humain fait sur de grands problèmes, sur l'univers : *Cet ouvrage philosophique traite des valeurs morales.* **2.** Qui montre de la sagesse : *Mon père a une attitude philosophique face aux biens matériels.* **R.** Les lettres *ph* se prononcent *f.* ☞ philosophie.

phlébite n.f. Inflammation d'une veine : *La phlébite affecte généralement les jambes.* **R.** Les lettres *ph* se prononcent *f.*

phlox n.m. Plante d'Amérique du Nord que l'on cultive pour ses fleurs aux couleurs vives et variées : *Les fleurs rouges, violettes et blanches des phlox mettent beaucoup de couleur dans les parterres.* **R.** Les lettres *ph* se prononcent *f.* Le *x* se prononce.

phobie n.f. **1.** Peur maladive, angoisse que l'on éprouve devant certains objets, certaines situations : *Elle ne peut pas prendre l'ascenseur; elle a la phobie des lieux fermés.* SYN. crainte. **2.** Peur instinctive ou aversion très vive : *Il a la phobie du désordre.* SYN. horreur. **R.** Les lettres *ph* se prononcent *f.*

phonème n.m. Son d'une langue ayant une valeur distinctive : *Les voyelles et les consonnes sont des phonèmes.* **R.** Les lettres *ph* se prononcent *f.* ☞ phonétique, phonétiquement.

phonétique n.f. et adj. **1.** n.f. Étude des sons du langage : *La phonétique est une partie de la grammaire.* **2.** adj. Qui se rapporte aux sons du langage : *L'alphabet phonétique utilise des signes graphiques pour représenter des sons.* **R.** Les lettres *ph* se prononcent *f.* ☞ phonème.

phonétiquement adv. Du point de vue de la phonétique, de l'étude des sons du langage : *Pour aider les élèves à bien prononcer les mots, l'institutrice les a transcrits phonétiquement.* **R.** Les lettres *ph* se prononcent *f.* ☞ phonème.

phonographe n.m. Ancien appareil qui reproduisait les sons enregistrés par des moyens mécaniques : *J'ai découvert un vieux phonographe dans le grenier.* **R.** Les lettres *ph* se prononcent *f.*

phoque n.m. **1.** Mammifère amphibie des mers froides, au cou très court, au pelage ras, aux oreilles sans pavillon, aux membres courts en forme de nageoires : *Le phoque perce un trou dans la glace pour venir respirer.* **2.** Fourrure de cet animal : *Ghislain porte un manteau de phoque.* **R.** Les lettres *ph* se prononcent *f.*

phosphate n.m. Produit chimique contenant du phosphore, substance qui s'enflamme facilement et qui émet une lueur bleuâtre dans l'obscurité : *Les phosphates sont utilisés comme engrais.* **R.** Les lettres *ph* se prononcent *f.*

phosphore n.m. Substance chimique qui s'enflamme facilement et qui émet une lueur bleuâtre dans l'obscurité : *Le phosphore blanc est un poison très violent.* **R.** Les lettres *ph* se prononcent *f.*

phosphorescence n.f. Propriété que possèdent certains corps de briller dans l'obscurité : *Le vert luisant est doté de phosphorescence.* **R.** Les lettres *ph* se prononcent *f.* ☞ phosphorescent.

phosphorescent, ente adj. Qui brille dans l'obscurité : *Ta montre a un cadran phosphorescent.* SYN. fluorescent, lumineux. ANT. obscur, sombre. **R.** Les lettres *ph* se prononcent *f.* ☞ phosphorescence.

photo n.f. et adj.invar. **1.** n.f. Abréviation de « photographie », technique qui permet de fixer des images sur une surface rendue sensible à la lumière par des produits chimiques :

Clément aime faire de la photo. **2.** n.f. Image obtenue avec un appareil photographique: *Jacqueline nous a montré ses photos de vacances.* SYN. photographie. **3.** Art de prendre des images avec un appareil photographique: *J'aime faire de la photo.* SYN. photographie. **4.** adj.invar. Qui se rapporte à la photographie: *J'ai reçu en cadeau un magnifique appareil photo.* **R.** Les lettres *ph* se prononcent *f.* ☞ photocomposition, photocopie, photocopier, photocopieur, photographe, photographie, photographier, photographique.

photocomposition n.f. Système de composition d'imprimerie par lequel on peut produire des textes sur film: *La photocomposition est basée sur le principe de la photographie.* **R.** Les lettres *ph* se prononcent *f.* ☞ photo.

photocopie n.f. Reproduction photographique d'un document: *J'ai fait plusieurs photocopies de cette carte géographique.* **R.** Les lettres *ph* se prononcent *f.* ☞ photo.

photocopier v. Reproduire un document en le photographiant avec un appareil spécial: *Le secrétaire de l'école a photocopié mon bulletin.* **R.** Les lettres *ph* se prononcent *f.* ☞ photo.

photocopieur n.m. Appareil qui reproduit des documents par photographie: *Nous utilisons beaucoup ce photocopieur car il nous donne la possibilité d'agrandir et de réduire nos copies.* **R.** Aussi, *photocopieuse*. Les lettres *ph* se prononcent *f.* ☞ photo.

photoélectrique adj. Qui mesure l'intensité lumineuse: *Les cellules photoélectriques sont des interrupteurs actionnés par la lumière.* **R.** Aussi, *photo-électrique*. Les lettres *ph* se prononcent *f.*

photogénique adj. Qui est plus beau en photographie ou au cinéma qu'au naturel: *Ce comédien est vraiment photogénique.* **R.** Les lettres *ph* se prononcent *f.*

photographe n. **1.** Personne qui prend des photographies: *Au début de l'année, une photographe est venue prendre des photos des élèves.* **2.** Personne qui développe les films qu'on lui confie et qui vend du matériel photographique: *J'ai acheté un appareil photo et des films chez le photographe.* **R.** Les lettres *ph* se prononcent *f.* ☞ photo.

photographie n.f. **1.** Technique qui permet de fixer des images sur une surface rendue sensible à la lumière par des produits chimiques: *La photographie a été inventée en 1816.* **2.** Art de prendre des images avec un appareil photographique: *Pendant ses vacances, Christian a fait de la photographie.* SYN. photo. **3.** Image obtenue avec un appareil photographique: *J'aime regarder les vieux albums de photographies.* SYN. photo. **R.** Les lettres *ph* se prononcent *f.* ☞ photo.

photographier v. **1.** Obtenir l'image de quelqu'un ou de quelque chose par la photographie: *Cynthia a photographié ses parents.* **2.** fig. Fixer dans sa mémoire l'image de quelqu'un ou de quelque chose: *Ma mémoire a photographié son visage radieux; je m'en souviendrai toujours.* **R.** Les lettres *ph* se prononcent *f.* ☞ photo.

photographique adj. **1.** Qui se rapporte à la photographie: *Pour mon anniversaire, ma tante m'a offert un appareil photographique.* **2.** fig. Qui est aussi fidèle, aussi exact qu'une photographie: *Ce tableau est d'une précision photographique.* **R.** Les lettres *ph* se prononcent *f.* ☞ photo.

photosynthèse n.f. Série de réactions chimiques permettant aux plantes vertes de fabriquer elles-mêmes leur nourriture sous l'effet de la lumière: *Pendant la photosynthèse, les plantes vertes absorbent du gaz carbonique et de l'eau, et elles rejettent de l'oxygène.* **R.** Les lettres *ph* se prononcent *f.*

phrase n.f. **1.** Ensemble de mots réunis pour exprimer une idée complète: *La phrase commence par une lettre majuscule et se termine par un point.* **2.** Suite de notes musicales qui forment un tout complet: *La phrase se termine par une cadence.* **3.** plur. Paroles vides et prétentieuses: *C'est inutile de faire des phrases! Je ne vous crois pas.* **R.** Les lettres *ph* se prononcent *f.*

phréatique adj. Se dit d'une nappe d'eau souterraine: *La nappe phréatique alimente les puits et les sources.* **R.** Les lettres *ph* se prononcent *f.*

physalie n.f. Grande méduse des mers chaudes et tempérées formée d'un flotteur en forme d'outre qui soutient de longs filaments: *Certains des filaments de la physalie peuvent infliger des blessures douloureuses.* **R.** Les lettres *ph* se prononcent *f.*

physicien, ienne n. Personne qui étudie les propriétés générales de la matière et qui établit les lois qui rendent compte des phénomènes matériels: *Albert Einstein était un physicien allemand.* **R.** Les lettres *ph* se prononcent *f.* ☞ physique (n.f.).

physionomie n.f. **1.** Ensemble des traits du visage qui lui donnent une expression particulière: *On a parfois tendance à juger les gens sur leur physionomie.* SYN. air. **2.** fig. Aspect particulier d'une chose: *La physionomie de la région a beaucoup changé depuis* *dix ans.* SYN. apparence. **R.** Les lettres *ph* se prononcent *f.*

physiothérapie n.f. Traitement médical qui se fait au moyen d'agents physiques comme l'eau, l'électricité, la lumière, la chaleur, le froid, les vibrations, les irradiations: *Après son accident, Gilberte a suivi des traitements de physiothérapie.* **R.** Les lettres *ph* se prononcent *f.*

physique n.m. et adj. **1.** n.m. Manière dont est formé le corps humain, son état de santé: *Le physique a souvent une influence sur le moral.* **2.** n.m. Apparence générale d'une personne: *Cet homme a un physique très avantageux.* **3.** adj. Qui concerne le corps humain: *La médecin lui a interdit tout effort physique.* // *Au physique:* En ce qui concerne le corps. *Éducation, culture physique:* Gymnastique, sport. **R.** Les lettres *ph* se prononcent *f.* ☞ physiquement.

physique n.f. et adj. **1.** n.f. Science qui étudie les propriétés générales de la matière et qui établit les lois qui rendent compte des phénomènes matériels: *L'électricité, l'électronique, la mécanique et l'optique font partie de la physique.* **2.** adj. Qui se rapporte à la nature: *La géographie physique décrit l'aspect général du globe terrestre au point de vue naturel.* **3.** adj. Qui se rapporte à la physique: *Marie Curie a beaucoup contribué à l'essor des sciences physiques.* **R.** Les lettres *ph* se prononcent *f.* ☞ physicien, physiquement.

physiquement adv. **1.** En ce qui concerne le corps: *Physiquement, Daphnée se porte très bien.* ANT. moralement. **2.** En ce qui concerne l'apparence générale d'une personne: *Ce mannequin n'est pas mal physiquement.* ☞ physique (n.m.). ▲ **physiquement** adv. Du point de vue de la physique, de la science qui étudie les propriétés générales de la matière: *Certains phénomènes sont physiquement inexplicables.* ☞ physique (n.f.).

piaffement n.m. Bruit du cheval qui frappe la terre de ses sabots de devant: *Entends-tu les piaffements des chevaux avant la course?* ☞ piaffer.

piaffer v. **1.** Frapper la terre avec les sabots de devant, en parlant du cheval: *Les chevaux piaffent: ils ont hâte de courir.* **2.** fig. Frapper du pied, trépigner: *Avant de déballer son cadeau, Gaston piaffait d'impatience.* ☞ piaffement.

piaillement n.m. **1.** Petits cris aigus et répétés des oiseaux: *Le piaillement des oiseaux annonce le retour du printemps.* **2.** Cri incessant des enfants: *Par la fenêtre ouverte, nous entendons les piaillements des écoliers en récréation.* SYN. piaulement. ☞ piailler.

piailler v. **1.** Pousser de petits cris aigus et répétés, en parlant des oiseaux: *Les petits oiseaux piaillent sous ma fenêtre.* SYN. piauler. **2.** fam. Crier sans cesse, en parlant des enfants: *Malgré l'heure tardive, les enfants piaillaient encore.* SYN. criailler. ☞ piaillement.

pianissimo n.m. et adv. (it.) **1.** n.m. Passage musical qui doit être joué très doucement: *Ce morceau s'achève sur un pianissimo.* **2.** adv. Très doucement: *Ce passage est joué pianissimo.* ☞ piano.

pianiste n. Personne qui joue du piano: *Ce pianiste de talent interprète des œuvres de Chopin.* ☞ piano.

piano n.m. Instrument de musique à clavier dont les cordes sont frappées par de petits marteaux: *On joue du piano en enfonçant les touches du clavier.* ☞ pianiste, pianotage, pianoter.

piano n.m. et adv. (it.) **1.** n.m. Passage musical qui doit être joué doucement: *La clarinettiste a joué un piano suivi d'un forte.* **2.** adv. Doucement: *Ce passage doit être joué piano.* ☞ pianissimo.

pianotage n.m. **1.** Fait de jouer du piano d'une façon maladroite: *Dès qu'elle aperçoit un piano, elle commence son pianotage.* **2.** Fait de tapoter sur un objet avec le bout des doigts: *Sylvain énerve ses camarades avec son pianotage.* ☞ piano.

pianoter v. **1.** Jouer du piano d'une façon maladroite: *Il n'a jamais étudié le piano: il ne fait que pianoter.* **2.** Tapoter sur un objet avec le bout des doigts: *Quand elle est nerveuse, elle pianote sur son pupitre.* ☞ piano.

piastre n.f. (it.) **1.** Unité monétaire ancienne ou actuelle de plusieurs pays: *Il faut cent piastres pour faire une livre.* **2.** fam. et vx Au Canada, billet de un dollar: *J'ai reçu dix piastres en cadeau.*

piaulement n.m. **1.** Petit cri aigu des poussins et des petits oiseaux: *Dès qu'on entre dans le poulailler, on entend le piaulement des poussins.* **2.** fam. Cri accompagné de pleurs: *Les piaulements s'arrêtèrent soudainement.* SYN. piaillement. ☞ piauler.

piauler v. **1.** Pousser de petits cris aigus, en parlant des poussins et des petits oiseaux: *Les poussins piaulent en suivant leur mère.* **2.** fam. Crier en pleurant: *Bébé piaule dans son berceau.* SYN. piailler. ☞ piaulement.

pic n.m. Oiseau grimpeur, de la taille d'un pigeon, qui frappe l'écorce des arbres de son long bec pointu pour en faire sortir les vers et les larves dont il se nourrit: *Le pic niche dans des trous creusés dans les arbres.* ☞ pivert. ▲ **pic** n.m. Outil fait d'un fer pointu muni d'un long manche qui sert à démolir, à creuser la terre et le roc, à casser des cailloux: *Ce trou a été creusé au pic et à la pelle.* ▲ **pic** n.m. Sommet pointu d'une montagne: *Au loin, j'aperçois les pics enneigés des Rocheuses.* HOM. pique. à **pic** loc.adv. **1.** Verticalement: *La falaise s'élève à pic au-dessus du fleuve.* **2.** fig. et fam. Au bon moment: *Vous arrivez à pic: nous avions besoin d'aide.*

pic

picador n.m. (esp.) Cavalier qui attaque l'animal avec une pique dans une corrida: *Le picador poursuit le taureau pour le fatiguer.*

piccolo n.m. (it.) Petite flûte traversière: *Le piccolo donne l'octave aiguë de la grande flûte.* **R.** Aussi, *picolo*.

pichenette n.f.fam. Petit coup donné par la détente d'un doigt plié contre le pouce: *Recevoir une pichenette, c'est douloureux.* SYN. chiquenaude.

pichet n.m. **1.** Petite cruche munie d'une anse et d'un bec qui sert de récipient pour les boissons: *As-tu mis le pichet de vin sur la table?* **2.** Contenu de cette petite cruche: *Nous avons bu un pichet de cidre.*

pickpocket n.m. (angl.) Personne qui vole les autres en tirant les objets de leurs poches ou de leurs sacs, voleur à la tire: *Les pickpockets sont des voleurs très habiles.* **R.** Le *t* se prononce.

picorer v. **1.** Attraper la nourriture avec le bec, en parlant des oiseaux: *Les poules picorent les grains de blé.* SYN. becqueter. **2.** Chercher sa nourriture, en parlant des oiseaux: *Les pigeons picorent dans l'herbe.* SYN. picoter. **3.** fig. Manger très peu, grignoter: *Alex n'a rien mangé: il n'a fait que picorer.*

picote n.f.vx Variole: *La picote est une maladie contagieuse grave caractérisée par une éruption de boutons.*

picoté, ée adj. Qui est marqué d'un grand nombre de petits points: *Son visage picoté indique qu'elle a déjà eu la variole.* HOM. picoter. ☞ picoter.

picotement n.m. Sensation de piqûres légères et répétées: *Dorothée ressent des picotements dans les jambes.* SYN. fourmillement. ☞ picoter.

picoter v. **1.** Piquer légèrement et de façon répétée: *Maxime picote le carton avec une aiguille.* **2.** Piquer avec le bec: *Les pigeons picotent les miettes de pain.* SYN. becqueter. **3.** Causer une sensation pareille à de légères piqûres répétées: *La fumée picote mes yeux.* HOM. picoté. ☞ picoté, picotement.

pictogramme n.m. **1.** Signe, dessin qui reproduit le contenu d'un message: *Le musée possède des tablettes de pierre gravées de pictogrammes.* **2.** Signe, dessin qui marque un site, un service, un danger: *Dans les lieux publics, les pictogrammes renseignent les usagers.*

pie n.f. et adj.invar. **1.** n.f. Oiseau passereau, au plumage noir et blanc ou bleu et blanc, à longue queue: *La pie a l'habitude de recueillir les objets brillants et de les emporter dans son nid.* **2.** n.f.fig. Personne qui parle sans arrêt: *Il est difficile de faire taire ces pies.* **3.** adj.invar. Qui a un pelage noir et blanc ou roux et blanc: *Le cavalier monte un cheval pie.* HOM. pis. ☞ pie-grièche. ◇ jacasse.

pièce n.f. **1.** Chacun des éléments qui forment un objet construit: *La mécanicienne a changé une pièce du moteur.* SYN. morceau. **2.** Chacun des éléments qui font partie d'un ensemble: *Ce tableau est la plus belle pièce de ma collection.* SYN. œuvre. **3.** Morceau d'un objet brisé: *Dans ma colère, j'ai mis mon livre en pièces.* **4.** Quantité déterminée d'une substance qui forme un tout: *Ce rôti est vraiment une belle pièce de viande.* **5.** Unité: *Les oranges sont vendues à la douzaine ou à la pièce.* **6.** Écrit, document qui sert à établir un fait: *Le douanier a vérifié nos pièces d'identité.* SYN. papiers. ▲ **pièce** n.f. Morceau que l'on ajoute à quelque chose pour réparer une déchirure, une coupure: *Le tailleur a posé des pièces à ce pantalon.* ☞ rapiéçage, rapiécer. ▲ **pièce** n.f. Chacun des espaces fermés qui constituent un logement, un appartement, une maison: *Nous vivons dans un appartement de cinq pièces.* ▲ **pièce** n.f. Petit disque de métal servant de valeur d'échange, de monnaie: *Le caissier m'a remis deux pièces de vingt-cinq cents.* ☞ piécette. ▲ **pièce** n.f. **1.** Œuvre dramatique destinée à être jouée au théâtre: *Au théâtre, on a présenté une pièce d'Antonine Maillet.* **2.** Œuvre poétique ou musicale: *Maman aime beaucoup cette pièce instrumentale.*

piécette n.f. Petite pièce de monnaie: *Ces piécettes ne valent pas grand-chose.* ☞ pièce.

pièce piécette

pied n.m. **1.** Extrémité de la jambe de l'être humain qui repose sur le sol, qui sert à marcher et qui supporte le corps: *Mes souliers sont trop petits: ils me font mal aux pieds.* **2.** Extrémité de la patte des mammifères et des oiseaux: *Les vaches grattent le sol de leurs pieds fourchus.* **3.** Organe de certains mollusques qui leur permet de se déplacer: *Le pied de l'escargot lui permet d'avancer lentement sur le sol.* ☞ bipède, quadrupède. **à pied** loc.adv. En marchant: *Je vais à l'école à pied.* ▲ **pied** n.m. **1.** Partie d'un objet qui touche le sol: *La balle est tombée au pied du mur.* **2.** Partie d'un objet qui sert de support: *Le pied de la coupe est cassé.* **3.** Partie du tronc ou de la tige qui est près du sol: *Asseyons-nous au pied de ce gros chêne.* **4.** Plant de certains végétaux: *La maraîchère arrose ses pieds de laitue.* **5.** Partie du lit qui est opposé à la tête: *Le chat est couché au pied du lit.* ☞ pied-de-biche. ▲ **pied** n.m. Au Canada, nom désignant une unité de mesure de longueur valant environ trente centimètres et demi: *Son grand frère mesure six pieds.* ⁄⁄ *Pied à coulisse:* Instrument qui sert à mesurer l'épaisseur ou le diamètre d'un objet. ▲ **pied** n.m. Ensemble des syllabes qui forment une unité rythmique dans la poésie grecque ou latine: *Ce poème ancien est écrit en vers de douze pieds.*

pied-à-terre n.m.invar. Logement que l'on habite à l'occasion: *Ma tante demeure à Québec, mais elle a un pied-à-terre à Montréal.*

pied-d'alouette n.m. Plante ornementale, aux fleurs bleues, roses et blanches, munies d'un éperon, aux graines toxiques: *Charles cultive des pieds-d'alouette dans son jardin.* SYN. delphinium. **R.** Au pluriel, *pieds-d'alouette.* ◇ delphinium.

pied-de-biche n.m. **1.** Outil à tête fendue et aplatie qui sert à arracher les clous: *J'ai arraché les clous rouillés avec un pied-de-biche.* **2.** Pièce de la machine à coudre qui maintient l'étoffe et où passe l'aiguille: *La couturière glisse le morceau de coton sous le pied-de-biche.* **3.** Pied de meuble au contour courbe: *Les meubles de style Louis XV ont des pieds-de-biche.* **R.** Au pluriel, *pieds-de-biche.* ☞ pied.

pied-de-poule n.m. et adj.invar. **1.** n.m. Tissu qui forme un dessin rappelant les empreintes de pas d'une poule: *Le pied-de-poule est un tissu de laine ou de coton.* **2.** adj.invar. Qui forme un dessin rappelant les empreintes de pas d'une poule: *Elle porte un tailleur en lainage pied-de-poule.* **R.** Au pluriel, le nom s'écrit *pieds-de-poule.*

pied-de-roi n.m. Au Canada, règle en bois, pliante, graduée en pieds et en pouces: *Le pied-de-roi mesure habituellement deux pieds ou soixante centimètres.* **R.** Au pluriel, *pieds-de-roi.*

pied-de-veau n.m. Plante aux feuilles en forme de fer de lance et aux fleurs disposées en épi au milieu d'une feuille blanche enroulée en cornet: *Papa s'est procuré un pied-de-veau chez le fleuriste.* **R.** Au pluriel, *pieds-de-veau.* ◇ arum.

piédestal, aux n.m. (it.) **1.** Support assez élevé d'une colonne, d'une statue, d'un vase décoratif: *La statue de la Vierge repose sur un piédestal en marbre.* SYN. socle. **2.** fig. Ce qui sert à s'élever: *Elle se sert de ses relations comme piédestal.*

piège n.m. **1.** Dispositif qui sert à attirer et à prendre certains animaux: *Le lièvre s'est pris la patte dans un piège à ressort.* SYN. collet, trappe. **2.** fig. Moyen détourné dont on se sert pour tromper quelqu'un ou pour le mettre dans une situation désavantageuse: *Denis ne s'est pas assez méfié et il est tombé dans le piège.* SYN. guet-apens, traquenard. **3.** fig. Difficulté cachée: *Attention! Il y a un piège dans ce problème.* SYN. attrape-nigaud. ☞ piégeage, piéger.

piégeage n.m. **1.** Action de chasser à l'aide de pièges, de dispositifs qui servent à attirer et à prendre certains animaux: *Le piégeage des animaux à fourrure est très populaire dans cette région.* **2.** Opération qui consiste à munir une mine, un engin explosif d'un dispositif qui déclenche l'explosion en cas de manipulation: *Le piégeage des mines a été confié à une spécialiste.* **R.** Ne pas oublier le *e* après le *g*: piégeage. ☞ piège.

piège piégeage

piéger v. **1.** Chasser à l'aide de pièges, de dispositifs qui servent à attirer et à prendre certains animaux: *Le trappeur piège des castors et des renards.* **2.** fig. Faire tomber quelqu'un dans un piège, un guet-apens: *À voir ton* *air abattu, je vois que tu t'es fait piéger.* **3.** Dissimuler une charge explosive qui éclate lorsqu'on pénètre dans un lieu, un véhicule: *La voiture du juge avait été piégée.* **4.** Munir une mine, un engin explosif d'un dispositif qui déclenche l'explosion en cas de manipulation: *Les soldats ont piégé les mines, puis les ont disposées le long du port.* ☞ piège. **piégé, ée** p.p. et adj. **1.** Qui comporte des pièges, des guets-apens: *Ne t'aventure pas dans cette situation piégée.* **2.** Qui explose lorsque le contact est mis: *La voiture piégée de l'ambassadrice a explosé dans le terrain de stationnement.*

pie-grièche n.f. Petit oiseau passereau, au bec fort et crochu, au plumage barré de noir, qui vit dans les bois et dans les haies: *La pie-grièche se nourrit surtout d'insectes.* **R.** Au pluriel, *pies-grièches*. ☞ pie.

pierraille n.f. Étendue parsemée de petites pierres: *La bicyclette cahotait sur la pierraille.* ☞ pierre.

pierre n.f. **1.** Matière minérale dure et solide que l'on trouve en masses compactes à l'intérieur ou à la surface de l'écorce terrestre: *Une immense cheminée de pierre occupe tout le mur du salon.* **2.** Morceau de cette matière: *Je m'amusais à lancer des pierres dans l'eau.* SYN. caillou, roche. **3.** Morceau de pierre servant à un usage particulier: *Le cuisinier affûte ses couteaux avec la pierre à aiguiser.* // *Âge de pierre:* Époque préhistorique. *Pierre d'autel:* Pierre consacrée enchâssée dans l'autel et sur laquelle le prêtre dit la messe. *Pierre de taille:* Gros bloc de pierre taillé qui sert à la construction. *Pierre fine:* Toute pierre autre que les pierres précieuses employée en bijouterie. *Pierre précieuse:* Minéral de grande valeur comme le diamant, l'émeraude, le rubis, le saphir. ☞ empierrement, empierrer, épierrer, pierraille, pierreries, pierreux.

pierreries n.f.plur. Pierres précieuses taillées et utilisées en bijouterie: *La couronne royale était ornée de pierreries.* ☞ pierre.

pierreux, euse adj. **1.** Qui est couvert de pierres: *Le lit du ruisseau est pierreux.* SYN. caillouteux, rocailleux. **2.** Qui est de la nature de la pierre: *Une couche pierreuse s'est formée sur l'épave de ce navire.* ☞ pierre.

pierrot n.m. **1.** Personnage de la comédie italienne, vêtu de blanc et au visage enfariné: *Pierrot est aussi un personnage muet de la pantomime.* **2.** Personne déguisée en Pierrot: *Au bal costumé, il y avait trois pierrots.* **R.** On met la majuscule à *pierrot* lorsqu'il s'agit du personnage de la comédie italienne.

piété n.f. **1.** Grand attachement à Dieu et à la religion: *Cet homme très croyant est d'une grande piété.* SYN. dévotion, ferveur. ANT. impiété. **2.** litt. Amour respectueux, attachement tendre: *En s'occupant de leurs vieux parents, ces enfants font preuve de piété filiale.* SYN. respect.

piétinement n.m. **1.** Fait de piétiner, de rester sur place en frappant les pieds contre le sol: *Le piétinement de Joël indique qu'il est en colère.* **2.** Bruit que font plusieurs personnes qui piétinent: *Entends-tu le piétinement de la foule qui participe à la manifestation?* **3.** fig. Absence de progrès: *On ne peut rien faire pour remédier au piétinement des discussions.* ☞ piétiner.

piétiner v. **1.** Rester sur place en frappant les pieds contre le sol: *Quand on lui enlève son jouet, Tamara piétine de rage.* SYN. trépigner. **2.** Remuer les pieds en avançant très peu ou pas du tout: *Les enfants piétinent à l'entrée du centre sportif.* **3.** fig. Ne faire aucun progrès: *L'enquête piétine malgré les efforts des détectives.* ANT. évoluer, progresser. **4.** Écraser avec les pieds de manière vive et répétée: *Pourquoi as-tu piétiné ces fleurs?* **5.** fig. Ne pas respecter: *Cet ouvrage piétine les convictions religieuses de milliers de personnes.* SYN. mépriser. ANT. respecter. ☞ piétinement.

piéton, onne n. et adj. **1.** n. Personne qui circule à pied: *Les piétons doivent être très prudents lorsqu'ils traversent les rues.* **2.** adj. Qui est réservé aux personnes qui circulent à pied: *Un sentier piéton traverse le parc.* SYN. piétonnier. ☞ piétonnier.

piétonnier, ière adj. Qui est réservé aux personnes qui circulent à pied: *Cette rue piétonnière longe le fleuve.* SYN. piéton. ☞ piéton.

piètre adj.litt. Qui est très médiocre: *Notre équipe a fait piètre figure au dernier match.* SYN. mauvais, triste. ANT. brillant.

pieu, pieux n.m. Pièce de bois ou de métal dont l'un des bouts est pointu et qui peut être enfoncé dans le sol: *L'arpenteuse a enfoncé plusieurs pieux dans le sol pour indiquer l'emplacement de notre terrain.* HOM. pieux.

pieusement adv. **1.** De façon pieuse, en démontrant son attachement à Dieu et à la religion: *Ces gens sont très religieux; ils vivent pieusement.* **2.** De façon respectueuse, avec amour: *Il conserve pieusement les objets qui ont appartenu à ses parents.* SYN. précieusement. ☞ pieux.

pieuvre n.f. Mollusque de grande taille portant huit bras munis de ventouses qui vit dans le creux des rochers près des côtes: *La* *pieuvre saisit sa proie avec ses tentacules.* ◇ poulpe.

pieux, pieuse adj. **1.** Qui est très attaché à Dieu et à la religion : *Angeline prie beaucoup : elle est très pieuse.* SYN. dévot, fervent, religieux. ANT. impie. **2.** Qui est plein d'amour respectueux : *Grâce aux soins pieux de ses enfants, cette femme a pu vieillir chez elle.* ANT. irrespectueux, méprisant. HOM. pieu. ☞ impie, impiété, piété, pieusement.

pif ! interj. Mot qui exprime un bruit sec, une détonation : *Pif ! Le bouchon de la bouteille sauta.*

pif n.m.fam. Nez : *Elle a un drôle de pif.*

pige n.f. Mode de rémunération d'une personne payée à la quantité de texte rédigé ou corrigé : *Cette traductrice travaille à la pige.* ☞ pigiste.

pigeon n.m. Oiseau au bec droit, aux ailes courtes et larges, au plumage très varié selon les espèces, dont la femelle est la pigeonne et le petit, le pigeonneau : *Les pigeons roucoulent en cherchant leur nourriture dans les parcs de la ville.* ⁄⁄ *Pigeon d'argile :* Disque d'argile que l'on lance pour le tir au fusil. *Pigeon voyageur :* Pigeon que l'on élève pour porter des messages au loin. ☞ pigeonne, pigeonneau, pigeonnier. ▲ **pigeon** n.m.fam. Personne naïve que l'on attire dans quelque affaire pour la dépouiller : *Pauvre pigeon ! Il a été trompé par des personnes peu scrupuleuses.* **R.** Ne pas oublier le *e* après le *g*.

pigeon

pigeonne n.f. Femelle du pigeon : *Le féminin « pigeonne » est plutôt rare.* **R.** Ne pas oublier le *e* après le *g*. ☞ pigeon.

pigeonneau, eaux n.m. Jeune pigeon : *Dans certains pays, on consomme des pigeonneaux rôtis.* **R.** Ne pas oublier le *e* après le *g*. ☞ pigeon.

pigeonnier n.m. **1.** Petit bâtiment où l'on fait l'élevage des pigeons domestiques : *Les pigeons reviennent dormir dans leur pigeonnier.* **2.** fig. Petit logement situé à un étage élevé : *Je vous attends dans mon pigeonnier.* **R.** Ne pas oublier le *e* après le *g*. ☞ pigeon.

pigeonnier

piger v.fam. Comprendre : *J'ai bien écouté ses explications, mais je n'ai rien pigé.*

pigiste n. et adj. **1.** n. Personne qui est payée à la pige, à la quantité de texte rédigé ou corrigé : *Beaucoup de journalistes et de réviseurs sont des pigistes.* **2.** adj. Qui est payé à la pige : *La recherchiste pigiste ne peut pas compter sur un revenu fixe.* ☞ pige.

pigment n.m. **1.** Substance colorée produite par les organismes vivants et qui donne leur coloration aux tissus et aux liquides organiques : *La chlorophylle est un pigment qui donne la couleur verte aux végétaux.* **2.** Substance qui colore la surface sur laquelle on l'applique sans pénétrer dans les fibres : *On utilise les pigments dans la fabrication des peintures.* ☞ pigmentation, pigmenté, pigmenter.

pigmentation n.f. **1.** Coloration naturelle d'un tissu vivant, et plus spécialement de la peau : *La pigmentation de la peau varie beaucoup entre les êtres humains.* **2.** Coloration par un pigment : *La pigmentation de cette peinture est trop foncée.* ☞ pigment.

pigmenté, ée adj. Qui est coloré, avec un pigment : *Les vacanciers qui reviennent de la Floride ont la peau fortement pigmentée.* HOM. pigmenter. ☞ pigment.

pigmenter v. Colorer avec une substance colorante appelée « pigment » : *Pourriez-vous pigmenter cette peinture pour qu'elle soit rose ?* HOM. pigmenté. ☞ pigment.

pignon n.m. Partie haute d'un mur, de forme triangulaire, entre les deux pentes d'un toit : *Cette maison à trois pignons est très jolie.* ▲ **pignon** n.m. **1.** La plus petite des deux roues dentées d'un engrenage : *Dans un engrenage, le pignon et la roue s'entraînent l'un l'autre.* **2.** Roue dentée d'une bicyclette qui sert à transmettre un mouvement à une autre roue : *Le pignon de la bicyclette est situé sur l'axe de la roue arrière.* ▲ **pignon** n.m. **1.** Graine comestible de la pomme de pin produite par le pin parasol : *On utilise les pignons en pâtisserie.* **2.** Pin parasol : *Le pignon est un pin qui pousse dans le sud de la France.*

pika n.m. Petit mammifère aux oreilles minuscules, dépourvu de queue, dont les membres sont de même longueur et qui ressemble à un lapin : *On trouve des pikas dans les montagnes Rocheuses.*

pile n.f. **1.** Tas d'objets posés les uns sur les autres : *Une pile de journaux encombre la table du salon.* SYN. amoncellement, entassement. **2.** Pilier de maçonnerie qui contient les arches d'un pont : *Le pont est supporté par des piles de béton.* ☞ empilage, empiler, rempiler. ▲ **pile** n.f. Côté d'une pièce de monnaie opposé à la « face » et où est indiquée sa valeur : *Nous avons joué à pile ou face pour savoir qui commencerait la partie.* SYN. revers. ▲ **pile** n.f. Appareil qui fournit du courant électrique : *Ce jouet fonctionne avec des piles.*

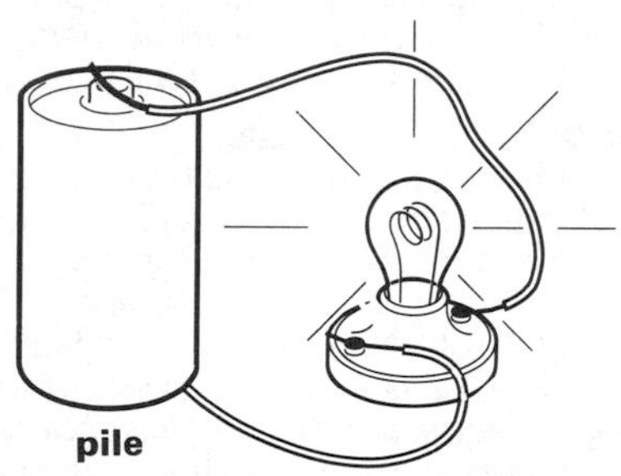
pile

pile adv.fam. **1.** Brusquement : *Elle s'est arrêtée pile quand elle a aperçu le surveillant.* **2.** Très exactement : *À 11 heures pile, je dois prendre le train.*

piler v. Réduire en poudre, en pâte ou en très petits morceaux par des coups répétés : *La cuisinière pile des amandes.* SYN. broyer, concasser, pulvériser. ☞ pilon, pilonnage, pilonner.

pileux, euse adj. Qui se rapporte aux poils, aux cheveux : *Le système pileux est l'ensemble des poils qui couvrent le corps humain.* ☞ pilosité.

pilier n.m. **1.** Poteau de bois, de métal, de ciment, de béton qui sert à soutenir une construction : *L'abri d'auto est soutenu par des piliers métalliques.* SYN. colonne. **2.** Massif de maçonnerie servant de support à un édifice, un pont : *Les piliers de la cathédrale soutiennent la voûte.*

pillage n.m. Vol accompagné de dégâts, de violence : *Pendant la guerre, plusieurs villes furent livrées au pillage.* SYN. sac, saccage. **R.** Les lettres *ill* se prononcent comme dans *famille.* ☞ piller.

pillard, arde n. et adj. **1.** n. Personne qui s'empare des biens d'un lieu en faisant des dégâts, en usant de violence : *Des pillards ont saccagé mon chalet.* SYN. brigand, maraudeur, saccageur. **2.** adj. Qui vole en faisant des dégâts, en usant de violence : *Les soldats pillards s'emparaient des objets de valeur.* **R.** Les lettres *ill* se prononcent comme dans *famille.* ☞ piller.

piller v. **1.** S'emparer des biens qui se trouvent dans un lieu en faisant des dégâts, en usant de violence : *La foule en colère fracassait les vitrines et pillait les magasins.* SYN. saccager. **2.** Voler par des détournements : *Ce fonctionnaire a pillé les caisses de l'État.* SYN. dévaliser. **3.** fig. Copier les œuvres de quelqu'un en se faisant passer pour l'auteur : *Cette romancière a pillé des chapitres entiers d'un roman déjà paru.* SYN. plagier. **R.** Les lettres *ill* se prononcent comme dans *famille.* ☞ pillage, pillard.

pilon n.m. Instrument au bout arrondi servant à piler des substances dans un mortier : *J'ai écrasé de l'ail avec un pilon.* ☞ piler. ▲ **pilon** n.m. Partie inférieure d'une cuisse de volaille : *Papa a acheté un emballage de pilons.*

pilonnage n.m. Opération qui consiste à pilonner un objectif, à l'écraser sous les bombes, les obus : *Le pilonnage des lignes ennemies a duré toute la journée.* ☞ piler.

pilonner v. **1.** Écraser une matière avec un pilon : *La pharmacienne a pilonné un médicament dans le mortier.* **2.** Écraser un objectif sous les bombes, les obus : *Les bombardiers ont pilonné la ville.* ☞ piler.

pilori n.m. Poteau ou pilier à plate-forme qui servait à exposer publiquement les condamnés : *Autrefois, les criminels étaient attachés au pilori.*

pilosité n.f. Revêtement de poils sur la peau : *Cet homme a une pilosité anormale.* ☞ pileux.

pilotage n.m. **1.** Art de conduire un avion, un hélicoptère : *Andrée a visité le poste de pilotage d'un avion.* **2.** Art de conduire un navire dans un port, dans un canal, près des côtes : *Marguerite s'est chargée du pilotage du navire dans le port.* ☞ pilote.

pilote n.m. **1.** Personne qui conduit un avion, un hélicoptère, une voiture de course: *Le pilote de l'avion a eu beaucoup de difficulté à atterrir.* **2.** Personne qualifiée qui assiste le capitaine dans la conduite du navire à l'entrée des ports, dans les passages difficiles: *Le pilote a guidé le navire à l'entrée du port.* **R.** L'O.L.F. recommande que le nom *pilote* soit aussi employé au féminin. ☞ copilote, pilotage, piloter.

piloter v. **1.** Conduire un navire, un avion, un hélicoptère, une voiture de course: *Hélène pilote un avion.* **2.** fig. Guider quelqu'un dans un lieu: *Ma tante m'a piloté dans Québec.* SYN. diriger. ANT. égarer. ☞ pilote.

pilotis n.m. Ensemble de gros pieux immergés dans l'eau ou enfoncés dans un sol mouvant qui servent à soutenir une construction: *Sous le climat tropical, les crues sont si soudaines que les maisons doivent être construites sur de hauts pilotis.*

pilotis

pilule n.f. **1.** Médicament en forme de petite boule que l'on peut avaler: *Roger prend une pilule contre le mal de tête.* **2.** fam. Contraceptif que l'on prend par la bouche: *Ma grande sœur prend la pilule.*

pimbêche n.f. et adj. **1.** n.f. Femme ou fille prétentieuse et désagréable: *Cette petite pimbêche me tombe sur les nerfs.* SYN. chipie. **2.** adj. Qui est prétentieuse et désagréable: *Elle est un peu pimbêche, mais elle n'est pas méchante.* ANT. modeste, simple. **R.** Ne pas oublier l'accent: *ê*.

pimbina n.m. (amérind.) **1.** Au Canada, arbre à larges feuilles qui produit des baies rouges: *Le pimbina est une espèce de viorne.* **2.** Au Canada, baie rouge de cet arbre: *On peut manger les pimbinas.* **R.** Aussi, *pembina*.

piment n.m. **1.** Nom donné à plusieurs plantes que l'on cultive pour leurs fruits utilisés comme épices ou comme légumes: *Les piments sont des plantes originaires des régions chaudes.* **2.** Fruit de cette plante: *Il existe deux sortes de piments: le piment rouge dont le goût est très piquant et le piment doux appelé aussi «poivron».* **3.** fig. Ce qui met du piquant dans quelque chose: *Ses plaisanteries ont mis du piment dans notre réunion.* ☞ pimenter.

pimenter v. **1.** Assaisonner de piment, épicer fortement: *J'ai beaucoup trop pimenté la sauce.* **2.** fig. Mettre du piquant: *Son ironie pimente la conversation.* ☞ piment. **pimenté, ée** p.p. et adj. Qui est assaisonné de piment, qui est épicé fortement: *Sa sauce est très pimentée; elle brûle la bouche.* ANT. doux.

pimpant, ante adj. Qui est élégant, coquet: *Grand-mère porte une toilette pimpante.* SYN. chic, joli. ANT. inélégant, laid.

pin n.m. Conifère élancé à aiguilles toujours vertes dont il existe de nombreuses espèces: *Le bois du pin est très utilisé en menuiserie et en charpente.* HOM. pain. ⫽ *Pomme de pin:* Fruit de cet arbre formé d'écailles dures qui protègent les graines. ☞ pinède.

pinacle n.m. **1.** Partie la plus élevée d'un édifice: *Dans un édifice gothique, le pinacle a la forme d'une pyramide.* SYN. faîte, pignon, sommet. ANT. base, fondement. **2.** fig. Très haut degré d'honneur: *Ce chanteur est célèbre dans le monde entier: il est au pinacle.* SYN. apogée. ANT. début.

pince n.f. **1.** Outil formé de deux branches que l'on rapproche l'une de l'autre pour saisir ou pour serrer des objets: *Mon coffre à outils contient plusieurs pinces.* **2.** Extrémité des grosses pattes des écrevisses, des homards, des crabes: *Les pinces du homard me semblent très menaçantes.* **3.** Pli cousu sur l'envers de l'étoffe pour l'ajuster plus près du corps: *Les pinces prises au dos de cette veste lui donnent une coupe ajustée.* ⫽ *Pince à linge:* Instrument qui sert à attacher le linge sur la corde à linge ou sur un séchoir. ☞ pincer.

pincé, ée adj. **1.** Qui est mince, serré: *Cet enfant a les lèvres pincées.* **2.** Qui est prétentieux ou mécontent: *Il m'a regardé d'un air pincé.* HOM. pincée, pincer. ☞ pincer.

pinceau, eaux n.m. Instrument formé d'un assemblage serré de poils ou de fibres fixé au bout d'un manche, que l'on utilise pour appliquer de la couleur, de la colle, du vernis: *Quand tu auras fini de peindre, n'oublie pas de nettoyer ton pinceau.*

pincée n.f. Quantité d'une matière en poudre ou en grains que l'on peut prendre entre deux ou trois doigts: *Jérôme a ajouté une pincée de sel à sa soupe.* HOM. pincé, pincer. ☞ pincer.

pincement n.m. **1.** Opération qui consiste à pincer, à serrer plus ou moins fort entre ses doigts: *Pour jouer de la guitare, il faut pratiquer le pincement des cordes.* **2.** fig. Sensation brève de douleur, d'angoisse, de tristesse: *En apprenant la mauvaise nouvelle, elle a eu un pincement au cœur.* ☞ pincer.

pince-monseigneur n.f. Levier court aux bouts plats dont se servent les cambrioleurs pour forcer les portes, les fenêtres: *Les cambrioleuses se sont introduites dans la maison à l'aide d'une pince-monseigneur.* **R.** Au pluriel, *pinces-monseigneur.* ☞ pincer.

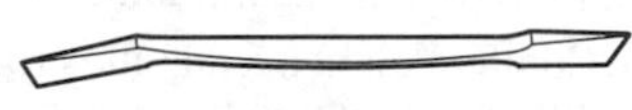

pince-monseigneur

pince-nez n.m.invar. Lorgnon maintenu sur le nez par un ressort: *Le vieux notaire ajustait son pince-nez pour lire les documents.* ☞ pincer.

pincer v. **1.** Serrer plus ou moins fort entre ses doigts, entre les branches d'une pince: *Natacha s'amuse à pincer la joue de son petit frère.* **2.** Produire une sensation désagréable: *Le froid nous pince le visage ce matin.* **3.** Serrer fortement pour rendre plus étroit, plus mince: *Sébastien et Louise pincent les lèvres pour s'empêcher de parler.* SYN. mordre. **4.** Faire des pinces à un vêtement: *Il faudrait pincer cette chemise pour l'ajuster.* ☞ pince, pincé, pincée, pincement, pince-monseigneur, pince-nez, pincette, pinçon. ▲ **pincer** v.fam. Prendre sur le fait: *Le voleur s'est fait pincer par la gardienne de sécurité.* SYN. attraper, surprendre. HOM. pincé, pincée. **R.** Ne pas oublier la cédille devant *a* et *o*.

pince-sans-rire n.invar. et adj.invar. **1.** n.invar. Personne qui plaisante, qui se moque sans en avoir l'air: *Céline est une pince-sans-rire.* **2.** adj.invar. Qui plaisante, qui se moque sans en avoir l'air: *Ces deux garçons sont très pince-sans-rire.*

pincette n.f. **1.** Petite pince: *La bijoutière saisit les pierres précieuses avec une pincette.* **2.** plur. Instrument à deux branches employé pour déplacer les bûches et attiser le feu dans une cheminée: *François saisit un tison avec les pincettes.* ☞ pincer.

pinch ☞ sect. anglicismes et canadianismes.

pinçon n.m. Marque qui reste sur la peau lorsqu'elle a été pincée: *Qui t'a fait ces pinçons sur le bras?* HOM. pinson. **R.** Ne pas oublier la cédille. ☞ pincer.

pinède n.f. Lieu planté de pins: *J'aime l'odeur de la résine qui flotte dans la pinède.* **R.** Aussi, *pineraie, pinière.* ☞ pin.

pingouin n.m. (néerl.) Grand oiseau marin à pattes palmées, à plumage blanc et noir, au corps massif, qui habite les régions arctiques: *Les pingouins se nourrissent de poissons.*

ping-pong n.m. (nom déposé) Jeu que l'on pratique sur une table avec des raquettes et une balle légère: *Mariette et Carlo font une partie de ping-pong.* **R.** Au pluriel, *ping-pongs.* ☞ pongiste.

pingre n. et adj. **1.** n. Personne qui est très avare: *Ce pingre se laisserait mourir de faim plutôt que de dépenser un dollar.* ANT. gaspilleur. **2.** adj. Qui est très avare: *Elle est très riche, mais elle est pingre.* SYN. chiche, radin. ANT. généreux, prodigue. ☞ pingrerie.

pingrerie n.f. Avarice: *Cette femme est d'une pingrerie révoltante.* ☞ pingre.

pinotte ☞ sect. anglicismes et canadianismes.

pinson n.m. Petit oiseau passereau au chant agréable, au plumage bleu verdâtre coupé de noir et de roux, au bec conique: *Le pinson se nourrit de graines qu'il broie à l'aide de son bec puissant.* HOM. pinçon. ⁄⁄ *Gai comme un pinson:* Très gai.

pintade n.f. (port.) Oiseau de la taille d'une poule, au plumage sombre parsemé de taches blanches, dont le petit est le pintadeau: *La pintade a été domestiquée dans le monde entier et sa chair est très estimée.* ☞ pintadeau.

pintadeau, eaux n.m. Petit de la pintade, jeune pintade: *Les pintadeaux criaillent dans la basse-cour.* ☞ pintade.

pinte n.f. **1.** Ancienne unité de mesure de capacité pour les liquides, valant un peu plus d'un litre: *Autrefois, le lait était vendu en pinte.* **2.** Récipient de cette capacité: *Mes grands-parents ont encore des pintes en verre.* **3.** Contenu de ce récipient: *J'avais très soif: j'ai bu une pinte d'eau.*

piochage n.m. **1.** Travail fait avec une pioche, outil formé d'un fer pointu ou aplati et muni d'un manche qui sert à creuser, à défoncer la terre: *Le piochage du jardin a rendu le sol cultivable.* **2.** fig. Travail acharné: *Ces étudiants font beaucoup de piochage pour réussir leurs études.* ☞ pioche.

pioche n.f. Outil formé d'un fer pointu ou aplati et muni d'un manche qui sert à creuser, à défoncer la terre: *J'ai creusé un trou à coups de pioche.* ☞ piochage, piocher, piocheur.

piocher v. **1.** Creuser la terre, la remuer avec un outil formé d'un fer et muni d'un manche qui porte le nom de «pioche»: *Le sol est très dur: il faudra le piocher avant de planter ces arbustes.* **2.** fig. Fouiller dans un tas pour prendre quelque chose: *Béatrice a pioché une revue dans la pile.* **3.** fig. et fam. Étudier avec ardeur: *Si tu veux réussir cet examen, il faudra piocher.* SYN. bûcher, travailler. ANT. fainéanter, paresser. ☞ pioche.

piocheur, euse n. et adj. **1.** n. Personne qui se sert d'un outil qui porte le nom de «pioche» pour creuser la terre, la remuer: *Les piocheurs prennent quelques moments de repos.* **2.** n.fig. et fam. Personne qui travaille beaucoup: *Il ira loin: c'est un piocheur.* **3.** adj.fig. et fam. Qui travaille beaucoup: *Marguerite étudie beaucoup: c'est une fillette piocheuse.* ☞ pioche.

piolet n.m. Bâton d'alpiniste ferré à un bout et muni d'un petit fer de pioche à l'autre: *Piolet en main, cette alpiniste entreprend l'ascension de la montagne.*

pion n.m. Chacune des petites pièces, aux échecs et aux dames, avec lesquelles on joue: *Aux échecs, les pions ne se déplacent que d'une case à la fois.*

pionnier, ière n. **1.** Personne qui s'installe sur des terres inhabitées pour les défricher et les cultiver: *Au début de notre siècle, des milliers de pionniers s'établirent dans les régions de l'Abitibi et du Témiscamingue.* SYN. colon, défricheur. **2.** fig. Personne qui est la première à se lancer dans un domaine, une activité: *Ludmilla Cheriaeff fut la pionnière du ballet au Canada.* SYN. promoteur.

pipa n.m. Gros crapaud d'Amérique du Sud dont les œufs se développent dans des alvéoles situées sur le dos de la femelle jusqu'à leur éclosion: *Le pipa peut mesurer vingt centimètres de longueur.*

pipe n.f. **1.** Objet formé d'un tuyau et d'une partie évasée qu'on bourre de tabac et qui sert à fumer: *J'ai acheté une magnifique pipe en porcelaine.* **2.** Quantité de tabac contenue dans une pipe: *Grand-père fume environ six pipes par jour.*

pipeau, eaux n.m. Petite flûte à bec à six trous, en bois ou en matière plastique: *La bergère jouait du pipeau.*

pipeline n.m. (angl.) Tuyau servant au transport de liquides, notamment du pétrole et du gaz naturel, sur de longues distances: *Le pipeline est un moyen économique de transporter de grandes quantités de liquides.* SYN. gazoduc, oléoduc. **R.** Aussi, *pipe-line* et, au pluriel, *pipe-lines*.

piper v. **1.** Truquer: *Je ne joue plus avec toi: tu as pipé les cartes.* **2.** fam. Parler: *Sonia m'a écouté pendant plus d'une demi-heure sans piper.* ⫽ *Ne pas piper:* Ne pas dire un mot.

pipette n.f. Petit tube généralement gradué dont on se sert en laboratoire, destiné à prélever une petite quantité de liquide: *La technicienne de laboratoire a pris une petite quantité de sang avec la pipette.*

pipi n.m.fam. Urine, dans le langage des enfants: *Bébé a fait pipi dans sa couche.*

pipistrelle n.f. (it.) Petite chauve-souris, à oreilles courtes et pointues, qui se nourrit d'insectes: *La pipistrelle est la plus petite des chauves-souris; elle atteint à peine quatre centimètres de longueur.*

pipit n.m. Petit oiseau passereau, au plumage brun, à bec fin, à queue assez longue, qui vit dans les prairies: *Le pipit est un oiseau insectivore de la taille d'un moineau.* **R.** Le *t* se prononce. Aussi, *pitpit*.

piquant n.m. **1.** Chacune des épines qui poussent sur certaines plantes: *Ne touche pas aux cactus: ils sont pleins de piquants.* **2.** Chacune des parties piquantes, pointues que présentent certains animaux: *Les oursins sont recouverts de piquants.* **3.** fig. Ce qu'il y a d'intéressant, d'amusant dans quelque chose: *Avec son humour, il a mis beaucoup de piquant dans son récit.* ☞ piquer.

piquant, ante adj. **1.** Qui pique, qui est pointu: *Les tiges des framboisiers sont piquantes.* **2.** Qui produit une sensation comparable à une piqûre: *Dès qu'on ouvre la porte, le froid vif et piquant nous saisit.* SYN. pénétrant. ANT. doux. ☞ piquer. ▲ **piquant, ante** adj. **1.** Qui est très épicé, qui pique au goût: *Il nous a servi des côtelettes de porc avec une sauce piquante.* SYN. fort. **2.** fig. Qui est blessant, mordant: *Tes critiques piquantes lui ont fait beaucoup de peine.* SYN. malicieux, satirique. ANT. bienveillant. **3.** fig. Qui provoque l'attention, l'intérêt: *Pauline a un charme piquant.* ANT. fade. ☞ piquer.

pique n.f. **1.** Ancienne arme formée d'un long manche droit terminé par un fer plat et pointu: *Au Moyen Âge, les soldats combat-*

taient avec des piques. **2.** Long morceau de bois à pointe d'acier destinée, dans les courses de taureaux, à piquer le taureau pour l'épuiser: *Le picador fatigue le taureau avec la pique.* ▲ **pique** n.f. Parole ou allusion blessante: *Il n'a pas cessé de me lancer des piques.* SYN. méchanceté. ANT. gentillesse. HOM. pic. ☞ piquer.

pique n.m. Série marquée par un fer de pique noir, dans un jeu de cartes: *Milvia a joué la dame de pique.* HOM. pic.

piqué n.m. Étoffe de coton formée de deux tissus posés l'un sur l'autre et cousus de façon à former des dessins: *Mon couvre-lit est un piqué.* ☞ piquer. ▲ **piqué** n.m. Mouvement d'un avion qui se laisse tomber jusqu'à la verticale et qui effectue aussitôt une brusque remontée: *L'avion est descendu en piqué.* HOM. piquer. ☞ piquer.

pique-assiette n.invar. Personne qui prend un repas aux frais des autres: *Ce pique-assiette arrive toujours au moment des repas.*

pique-nique n.m. Repas que l'on prend en plein air au cours d'une excursion, d'une promenade: *L'été est la saison idéale pour les pique-niques.* **R.** Au pluriel, *pique-niques*. ☞ pique-niquer, pique-niqueur.

pique-niquer v. Prendre un repas en plein air, au cours d'une excursion, d'une promenade: *Toute la famille est partie pique-niquer sur le bord de la rivière.* ☞ pique-nique.

pique-niqueur, euse n. Personne qui participe à un pique-nique, à un repas en plein air: *Les pique-niqueurs se sont assis dans l'herbe et ont mangé leur repas.* **R.** Au pluriel, *pique-niqueurs, pique-niqueuses*. ☞ pique-nique.

pique-notes n.m.invar. Objet de bureau formé d'une tige sur laquelle on enfile les feuilles de notes: *Le secrétaire enfile ses messages sur le pique-notes.* ☞ piquer.

piquer v. **1.** Percer avec un objet pointu: *Les épines de la rose m'ont piqué le doigt.* **2.** Faire une piqûre à quelqu'un: *L'infirmière pique le bras du malade.* **3.** Enfoncer un dard, un aiguillon, un crochet à venin dans la peau: *Une guêpe a piqué Rosaline.* **4.** Enfoncer quelque chose par la pointe: *Claude pique son aiguille dans le tissu.* **5.** Coudre: *Le tailleur pique le veston à la machine.* **6.** Fixer quelque chose à l'aide d'une pointe, d'une aiguille: *Alphonse a piqué la photo de son amie au mur.* ☞ piquant, piqué, pique-notes, piqueur, piqûre, repiquer. ▲ **piquer** v. **1.** Donner une sensation comparable à une piqûre: *La fumée des cigarettes pique les yeux des invités.* **2.** fig. Exciter: *Ses remarques ont piqué ma curiosité.* ☞ piquant, pique, piquette, piqûre. ▲ **piquer** v. Parsemer de petits trous ou de petites taches: *L'humidité a piqué ces photos anciennes.* ☞ piqueter, piqûre. ▲ **piquer** v. **1.** Faire, avoir brusquement: *En voyant les dégâts, j'ai piqué une colère.* **2.** Descendre brusquement: *Pendant le spectacle aérien, l'avion a piqué vers le sol.* ☞ piqué. ▲ **piquer** v.fam. **1.** Prendre quelqu'un, l'arrêter: *Les personnes malhonnêtes finissent souvent par se faire piquer.* **2.** Voler rapidement quelque chose: *Tu devrais avoir honte de piquer ces objets dans les magasins.* SYN. chiper, faucher. HOM. piqué. **se piquer** v.pron. **1.** Se faire une blessure avec un objet pointu: *Elle s'est piquée en cousant.* **2.** Se faire une piqûre: *Un grand nombre de diabétiques doivent se piquer tous les jours.* **3.** Se couvrir de petits trous, de petites taches: *Les livres se piquent lorsqu'on les laisse dans un endroit humide.* **4.** fig. Devenir acide: *Le vin s'est piqué.* **5.** fig. Se vexer: *Quel mauvais caractère! Tu te piques d'un rien.* **6.** fig. Se vanter de quelque chose: *Ma cousine se pique d'être une excellente musicienne.* **piqué, ée** p.p. et adj. **1.** Qui est cousu de façon à former un dessin: *Ce couvre-lit piqué me plaît beaucoup.* **2.** Qui est marqué de petites taches sombres: *Les livres ont souffert de l'humidité; ils sont piqués.* **3.** Qui est marqué de petits trous: *Le coffre de bois est piqué des vers.* **4.** Qui est fixé à l'aide d'une pointe ou d'une aiguille: *Les écoliers lisent les articles de journaux piqués sur le tableau d'affichage.* **5.** Qui est devenu acide: *Ce vin piqué n'est pas buvable.*

piquet n.m. Petite pièce de bois ou de métal dont l'un des bouts est pointu et que l'on enfonce dans le sol: *Les campeuses ont enfoncé les piquets de la tente.* ☞ piquetage, piqueter. ▲ **piquet** n.m. Punition qui consiste à envoyer un enfant dans un coin de la classe pour qu'il se tienne droit et immobile, face au mur: *L'institutrice a mis l'écolière impolie au piquet.* ⁄⁄ *Piquet de grève:* Groupe de grévistes qui veillent à ce que les ordres de grève soient respectés.

piquetage n.m. Indication du tracé d'une route, d'une construction au moyen de piquets: *Le piquetage de la route montre que celle-ci passera entre les deux montagnes.* ☞ piquet. ▲ **piquetage** n.m. Au Canada, manifestation collective des grévistes aux abords de leur lieu de travail à l'occasion d'une grève ou d'une mésentente: *Les enseignants en grève font du piquetage devant les écoles.* ☞ piqueter, piqueteur.

piqueter v. Indiquer le tracé d'une route, d'une construction au moyen de piquets: *L'ar-*

penteur a piqueté les contours de la future usine. ☞ piquet. ▲ **piqueter** v. Parsemer de petits trous, de petites taches : *Les enfants ont piqueté le drap bleu de petites étoiles dorées.* ☞ piquer. ▲ **piqueter** v. Au Canada, participer à une manifestation collective aux abords d'un lieu de travail, en parlant des grévistes : *Les infirmières ont piqueté devant les hôpitaux.* **R.** Ne pas oublier de doubler le *t* devant un *e* muet. ☞ piquetage.

piqueteur, euse n. Au Canada, personne qui participe à une manifestation collective aux abords de son lieu de travail à l'occasion d'une grève ou d'une mésentente : *Les piqueteurs bloquent l'accès à l'usine.* ☞ piquetage.

piquette n.f. **1.** Boisson que l'on obtient en laissant fermenter des résidus de fruits que l'on a pressés et auxquels on a ajouté de l'eau : *Nous buvions de la piquette en nous racontant des histoires.* **2.** Vin acide : *Je ne peux pas servir cette piquette à mes invités.* ☞ piquer.

piqueur n.m. **1.** Personne qui travaille au pic dans une mine : *Le piqueur attaque une veine de charbon.* **2.** Personne qui utilise un pic ou un marteau pneumatique pour effectuer son travail : *Les piqueurs ont défoncé le trottoir.*

piqueur, euse n. et adj. **1.** n. Personne qui pique les tissus, les cuirs à la machine : *Les piqueuses confectionnent les tiges des chaussures.* **2.** adj. Qui possède des organes lui permettant de piquer : *Le maringouin, la guêpe, la punaise sont des insectes piqueurs.* ☞ piquer.

piqûre n.f. **1.** Petite plaie faite par un objet pointu : *Il s'est fait une piqûre au doigt.* **2.** Petite plaie faite par un insecte, un serpent : *Les piqûres de guêpe sont très douloureuses.* **3.** Sensation vive produite par quelque chose de piquant : *Les piqûres d'orties la font souffrir.* **4.** Introduction d'une aiguille creuse dans une partie du corps pour injecter un médicament liquide ou pour retirer un liquide organique : *La plupart des malades n'aiment pas les piqûres.* **5.** Série de points serrés qui servent de couture ou d'ornement : *Le devant de la robe est orné de piqûres.* ☞ piquer. ▲ **piqûre** n.f. Ce qui blesse : *Les piqûres d'amour-propre sont souvent difficiles à supporter.* ☞ piquer. ▲ **piqûre** n.f. **1.** Petit trou laissé par des vers, des insectes : *Ce vieux meuble est plein de piqûres de vers.* **2.** Petite tache laissée par l'humidité : *Ce vieux parchemin est recouvert de piqûres.* **R.** Ne pas oublier l'accent : *û.* ☞ piquer.

piquer piqûre

piranha n.m. (port.) Petit poisson carnivore des fleuves et des rivières d'Amérique du Sud, aux robustes mâchoires armées de dents aiguës, réputé pour sa voracité : *Les piranhas chassent en bandes et ils sont très dangereux.* **R.** Aussi, *piraya.*

pirate n.m. **1.** Bandit qui parcourait les mers pour attaquer les navires de commerce : *Les pirates semaient la terreur sur les mers.* **2.** fig. Personne sans scrupules qui s'enrichit aux dépens des autres : *Cette femme d'affaires est un pirate.* SYN. escroc, filou, requin. ⫽ *Pirate de l'air :* Personne qui, par menace, détourne un avion. *Radio, télévision pirate :* Radio, télévision qui fonctionne sans autorisation légale. ☞ pirater, piraterie.

pirater v. **1.** Attaquer les navires : *Les bandits qui arataient s'enrichissaient aux dépens de leurs victimes.* **2.** Reproduire illégalement une œuvre sans payer les droits d'auteur : *On l'a accusée d'avoir piraté un logiciel.* SYN. plagier. ☞ pirate.

piraterie n.f. **1.** Activité des pirates, attentat contre un navire : *La plupart des peuples qui vivaient près de la mer se sont livrés à la piraterie.* **2.** fig. Escroquerie : *Il a amassé sa fortune grâce à la piraterie.* ⫽ *Piraterie aérienne :* Détournement d'un avion par un ou plusieurs pirates de l'air. ☞ pirate.

pire n.m. et adj. **1.** n.m. Ce qu'il y a de plus mauvais : *Les médecins sont très inquiets : ils craignent le pire.* ANT. meilleur. **2.** adj. Qui est plus mauvais : *Tes résultats scolaires sont pires que les miens.* ANT. meilleur. **3.** adj. Qui est le plus mauvais : *Je considère que perdre la santé est la pire chose qui puisse m'arriver.* ☞ empirer.

pirogue n.f. (esp.) Longue barque étroite et légère que l'on fait avancer à la pagaie ou à la voile et qui est utilisée en Afrique et en Océanie : *La pirogue est souvent faite d'un tronc d'arbre creusé.* **R.** Ne pas oublier le *u* après le *g*.

pirouette n.f. **1.** Tour complet que l'on fait sur soi-même en se tenant sur la pointe ou le talon d'un seul pied : *Martine fait de belles pirouettes.* SYN. cabriole, gambade. **2.** fig. Brusque changement d'opinion : *Pendant la campagne électorale, cette politicienne a fait bien des pirouettes.* SYN. volte-face. **3.** fig. Plaisanterie faite pour éviter une question embarrassante : *Je n'ai pas pu savoir la vérité ; il a répondu par des pirouettes.* SYN. échappatoire. ☞ pirouetter.

pirouetter v. Tourner complètement sur soi-même en se tenant sur la pointe ou le talon d'un seul pied : *Le danseur pirouette au milieu* *de la scène.* SYN. pivoter, tournoyer. ☞ pirouette.

pis n.m. Mamelle de la vache, de la brebis, de la chèvre : *Le pis des vaches est gonflé de lait.* HOM. pie.

pis n.m., adj. et adv.litt. **1.** n.m. Ce qu'il y a de plus mauvais : *Le pis qui puisse t'arriver, c'est que tu perdes la mémoire.* **2.** adj. Qui est plus mauvais : *Nous avons eu des inondations, mais c'est encore pis dans cette région.* **3.** adv. Plus mauvais : *Tu dis qu'il a triché ? Il a fait pis que cela.* HOM. pie. ☞ pis-aller. au **pis aller** loc.adv. En mettant les choses au pire : *Au pis aller, tu pourrais toujours prendre des cours pendant les vacances.* de mal en **pis** loc.adv. De plus en plus mal : *Les affaires ne s'améliorent pas ; elles vont de mal en pis.* tant **pis** loc.adv. Cela ne fait rien : *Tant pis ! je n'ai pas gagné le gros lot.*

pis-aller n.m.invar. Solution dont on doit se contenter, faute de mieux : *Nous n'avions pas le choix : nous avons dû accepter ce pis-aller.* ☞ pis.

piscicole adj. Qui se rapporte à l'élevage des poissons : *On élève des truites dans cet établissement piscicole.* ☞ pisciculture.

pisciculteur, trice n. Personne qui fait l'élevage des poissons : *La piscicultrice donne de la nourriture aux poissons.* ☞ pisciculture.

pisciculture n.f. Élevage des poissons : *La pisciculture permet de repeupler certains lacs et certaines rivières.* ☞ piscicole, pisciculteur.

piscine n.f. **1.** Grand bassin où l'on peut pratiquer la natation : *Noëlla a plongé dans la piscine.* **2.** Ensemble des installations qui entourent ce grand bassin : *Chaque semaine, toute la famille va à la piscine municipale.* ⁄⁄ *Piscine olympique :* Piscine dont les dimensions sont conformes aux règlements des épreuves olympiques.

piscivore n. et adj. **1.** n. Animal qui se nourrit de poissons : *Le pélican est un piscivore.* **2.** adj. Qui se nourrit de poissons : *Les cormorans sont des oiseaux piscivores.*

pissenlit n.m. Plante vivace aux feuilles longues et dentelées, aux fleurs jaunes qui se transforment en grosses boules de duvet blanc : *Les feuilles du pissenlit se mangent en salade.*

pistache n.f. et adj.invar. **1.** n.f. Graine du pistachier, de couleur vert pâle, utilisée en cuisine et en confiserie : *Les pistaches grillées et salées sont délicieuses.* **2.** adj.invar. Qui est de la couleur vert pâle de la pistache : *Ce foulard pistache te va très bien.* ☞ pistachier.

pistachier n.m. Arbre des régions chaudes qui produit la pistache : *Il y a beaucoup de pistachiers en Grèce.* ☞ pistache.

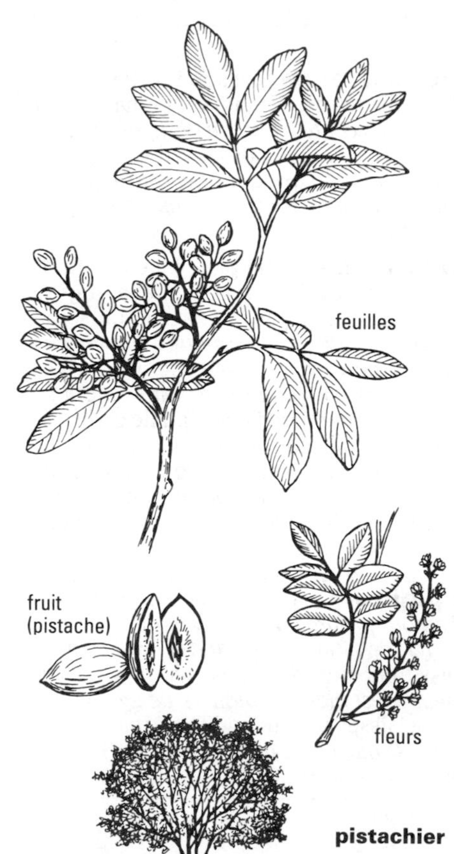

piste n.f. **1.** Trace laissée par un animal sur le sol où il a marché: *Les chasseuses suivent la piste de l'orignal.* SYN. empreinte. **2.** fig. Indice qui permet de retrouver une personne ou une chose: *La policière est sur la piste d'un dangereux criminel.* SYN. trace. ☞ pister. ▲ **piste** n.f. **1.** Terrain spécialement aménagé pour les courses de chevaux, les épreuves d'athlétisme, les compétitions cyclistes, la course d'automobiles: *Les voitures font le tour de la piste à toute vitesse.* SYN. parcours. **2.** Emplacement souvent circulaire où l'on donne des spectacles, où l'on danse: *Les clowns viennent d'entrer sur la piste du cirque.* **3.** Chemin de terre battue: *Vous aurez beaucoup de difficulté à rouler sur cette piste.* **4.** Chemin tracé réservé pour les cyclistes, les cavaliers: *Nous avons circulé sur la piste cyclable.* **5.** Partie d'un terrain d'aviation où les avions décollent et atterrissent: *L'avion se pose sur la piste d'atterrissage.* **6.** Pente aménagée pour les descentes en skis: *Une neige poudreuse recouvre la piste.* SYN. trajet. ▲ **piste** n.f. Ligne circulaire tracée sur une bande magnétique ou sur un disque, et sur laquelle on enregistre des informations: *Cette bande magnétique a quatre pistes.* ⁄⁄ *Piste sonore:* Partie de la bande d'un film qui est réservée à l'enregistrement des sons.

pister v. Suivre la piste, la trace de quelqu'un: *Le détective a pisté cette trafiquante de drogue pendant plus de six mois.* ☞ piste.

pistil n.m. Organe femelle des plantes à fleurs: *Le pistil se transformera en fruit après avoir reçu le pollen.* **R.** Le *l* se prononce.

pistolet n.m. **1.** Arme à feu légère, à canon court, que l'on tient d'une seule main: *J'ai acheté un pistolet chez l'armurière.* **2.** Appareil qui projette la peinture ou le vernis en fines gouttelettes sur une surface à peindre: *Papa a repeint la brouette avec un pistolet.* ☞ pistolet-mitrailleur. ▲ **pistolet** n.m.fam. Personne un peu bizarre: *Ton amie est un drôle de pistolet.*

pistolet-mitrailleur n.m. Arme automatique portative qui tire de nombreuses balles en peu de temps: *Les soldats se servent du pistolet-mitrailleur pour les combats rapprochés.* SYN. mitraillette. **R.** Au pluriel, *pistolets-mitrailleurs*. ☞ pistolet.

piston n.m. **1.** Pièce cylindrique qui se déplace dans le cylindre d'un moteur à explosion, d'une machine à vapeur ou dans le corps d'une pompe: *Les pistons du moteur se déplacent dans les cylindres par un mouvement de va-et-vient.* **2.** Pièce mobile qui règle le passage de l'air dans certains instruments de musique à vent: *Le cornet à pistons est un instrument à vent en cuivre.* ▲ **piston** n.m.fam. Appui, protection dont bénéficie quelqu'un pour obtenir un avantage: *Bruno a obtenu ce travail par piston.* ☞ pistonner.

pistonner v.fam. Appuyer, protéger quelqu'un pour qu'il obtienne un avantage: *Elle a réussi à se faire pistonner pour obtenir cet emploi.* SYN. patronner, recommander. ANT. nuire. ☞ piston.

pitance n.f.péj. Nourriture: *Pour toute pitance, on leur a servi du pain sec.* SYN. ration, subsistance.

pitcher ☞ sect. anglicismes et canadianismes.

piteusement adv. **1.** D'une manière piteuse, digne de pitié mêlée de mépris: *Elle a échoué piteusement aux examens de fin d'année.* SYN. lamentablement. **2.** D'un air piteux, triste et confus: *Il s'est excusé piteusement devant toute la classe.* ☞ piteux.

piteux, euse adj. **1.** Qui suscite de la pitié mêlée de mépris: *Le chien s'est attaqué à une mouffette et il est revenu dans un piteux état.* SYN. déplorable, lamentable. ANT. bon, satisfaisant. **2.** Qui est triste et confus: *L'écolière punie est revenue à la maison, la mine piteuse.* SYN. pitoyable. ANT. content, heureux, triomphant. ☞ piteusement.

pitié n.f. **1.** Sentiment de compassion que l'on éprouve devant les souffrances des autres: *Ces pauvres enfants abandonnés excitent notre pitié.* SYN. compréhension. ANT. cruauté, froideur, indifférence. **2.** Chose dérisoire, lamentable; réprobation: *Quelle pitié! Ils vont détruire ce parc pour construire un centre commercial.* ⁄⁄ *Faire pitié:* Susciter la compassion. *Avoir pitié de quelqu'un:* Plaindre quelqu'un. ☞ apitoiement, apitoyer, impitoyable, impitoyablement, pitoyable, pitoyablement.

piton n.m. Clou ou vis dont la tête forme un anneau ou un crochet: *La plante est suspendu au plafond par un piton.* ▲ **piton** n.m. Sommet pointu d'une montagne élevée: *L'alpiniste a tenté l'escalade de ce piton rocheux.*

pitoyable adj. **1.** Qui inspire de la pitié: *Les rescapés de la catastrophe aérienne étaient dans un état pitoyable.* SYN. déplorable, navrant, triste. ANT. enviable, heureux. **2.** Qui est très mauvais, lamentable: *Ta conduite a été pitoyable.* SYN. méprisable, minable. ANT. bon, excellent. ☞ pitié.

pitoyablement adv. D'une manière pitoyable, très mauvaise: *Ton devoir est pitoyablement écrit.* ☞ pitié.

pitre n.m. Personne qui fait rire en faisant

des grimaces, des plaisanteries: *Le pitre attire la foule devant l'entrée du cirque.* SYN. bouffon, clown, farceur. ⫽ *Faire le pitre:* Faire des plaisanteries, des farces. ☞ pitrerie.

pitrerie n.f. Plaisanterie, grimace d'une personne qui fait rire les autres: *Ses pitreries ont dérangé toute la classe.* SYN. bouffonnerie, farce. ☞ pitre.

pittoresque n.m. et adj. (it.) **1.** n.m. Caractère de ce qui frappe par son aspect original: *Le pittoresque du comté de Charlevoix est très attrayant.* SYN. beau. **2.** adj. Qui frappe par son aspect original: *Les rues pittoresques du Vieux-Québec plaisent aux touristes.* ANT. laid. **3.** adj. Qui exprime les choses d'une manière imagée, vivante: *Cette romancière a un style pittoresque.* SYN. captivant, piquant. ANT. banal, monotone.

pivert n.m. Pie de grande taille, au plumage vert et jaune sur le corps et rouge sur la tête, qui se nourrit d'insectes: *Les piverts font leurs nids dans des trous d'arbres.* **R.** Aussi, *pic-vert* et, au pluriel, *pics-verts*. ☞ pic.

pivoine n.f. **1.** Plante vivace cultivée pour ses grosses fleurs rouges, roses ou blanches: *Les pivoines sont des plantes à bulbes.* **2.** Fleur de cette plante: *Les pivoines embaument l'air au mois de mai.*

pivoine

pivot n.m. **1.** Cône ou pointe terminant un axe vertical fixe sur lequel peut tourner une pièce mobile: *L'aiguille de la boussole repose sur un pivot.* SYN. support. **2.** Support d'une dent artificielle, enfoncé dans la racine: *La dentiste lui a posé une dent montée sur pivot.* **3.** fig. Ce qui sert de base à quelque chose: *L'agriculture est le pivot de l'économie de cette région.* ☞ pivotant, pivoter.

pivotant, ante adj. Qui tourne sur un pivot, autour d'un axe: *Roseline s'est assise dans le fauteuil pivotant.* ☞ pivot.

pivoter v. **1.** Tourner sur un pivot, autour d'un axe: *Ce fauteuil pivote.* **2.** Tourner sur soi-même, comme sur un pivot: *Michelle a pivoté sur ses talons.* ☞ pivot.

pizza n.f. (it.) Sorte de tarte salée faite de pâte à pain qui peut être garnie, entre autres, de tomates, de fromage, d'anchois, d'olives: *La pizza est une spécialité italienne.* **R.** Les lettres *zz* se prononcent *dz*. ☞ pizzeria.

pizzeria n.f. (it.) Restaurant où l'on sert surtout des pizzas: *Après le match de hockey, nous sommes allés dans une pizzeria.* **R.** Se prononce *pidzéria*. ☞ pizza.

placage n.m. **1.** Application sur une matière ordinaire d'une plaque de matière plus précieuse: *La céramique, la pierre et le marbre sont des matériaux de placage.* **2.** Mince plaque de matière plus précieuse que l'on applique sur une matière ordinaire: *Ce meuble est recouvert d'un placage d'acajou.* ☞ plaque.

placard n.m. Écrit affiché sur un mur, un panneau pour informer le public de quelque chose: *De grands placards couvrent les murs de la ville; ils annoncent la date des prochaines élections.* SYN. écriteau, pancarte. ⫽ *Placard publicitaire:* Annonce publicitaire occupant une surface importante dans un journal, une revue. ☞ placarder. ▲ **placard** n.m. **1.** Renfoncement dans un mur fermé par une porte qui sert d'armoire fixe, d'espace de rangement: *La planche à repasser est dans le placard de la cuisine.* **2.** Assemblage de menuiserie, fermé par une porte et fixé à un mur, qui sert au même usage: *J'ai rangé mes vêtements d'hiver dans le placard.*

placarder v. **1.** Afficher: *La directrice a placardé un avis à l'entrée de l'école.* **2.** Couvrir d'affiches, de placards: *Le candidat à la mairie a fait placarder tous les murs de la ville.* ☞ placard.

place n.f. **1.** Espace qu'une personne occupe: *Victor est absent aujourd'hui: tu peux t'asseoir à sa place.* **2.** Espace qu'une chose occupe: *Ce meuble n'est pas à la bonne place.* SYN. endroit. **3.** Siège qu'une personne doit occuper dans un moyen de transport, une salle de spectacle: *Nous avons réservé trois places dans le train.* SYN. fauteuil. **4.** Rang occupé dans un classement: *Il a obtenu la première place en mathématiques.* **5.** Espace libre où l'on peut mettre quelque chose: *Y a-t-il encore de la place dans ta valise?* **6.** Emplacement pour stationner un véhicule: *Maman cherche une place pour se garer près du bureau.* SYN. espace. **7.** Emploi, travail: *Claudette est en chômage: elle a perdu sa place à la banque.* SYN. poste. **8.** Situation dans laquelle se trouve une personne: *Je ne voudrais pas être à sa place.* **9.** Situation qui convient à une personne: *Sa place est dans l'enseignement; c'est là qu'il est le plus heureux.* ⁄⁄ *Demeurer en place:* Ne pas bouger. *Faire place:* Être remplacé. *Mise en place:* Installation. *Ne pas tenir en place:* Bouger constamment. *Prendre place:* Se placer, s'installer. ☞ déplacé, déplacement, déplacer, monoplace, placé, placement, placer, placeur, replacer. à la **place de** loc.prép. Au lieu de: *On m'a offert du lapin à la place du poulet.* ▲ **place** n.f. Espace public, dans une ville, un village, découvert et généralement entouré de constructions: *Pour la fête, on avait pavoisé la place du village.* ⁄⁄ *Place d'armes:* Lieu où se réunissaient autrefois les défenseurs de la ville. *Place forte:* Ville défendue par des fortifications.

placé, ée adj. **1.** Qui est mis à une place: *Les guirlandes sont mal placées.* SYN. disposé. ANT. déplacé. **2.** Qui est dans telle situation: *Elle est bien placée pour te donner des conseils.* HOM. placer. ☞ place.

placement n.m. **1.** Opération qui consiste à mettre dans un certain ordre: *Peux-tu voir au placement de ces livres dans la bibliothèque?* SYN. rangement. **2.** Opération qui consiste à placer de l'argent: *Grâce aux conseils de sa comptable, il a fait de bons placements.* **3.** Argent ainsi placé: *Ses placements lui rapportent de gros intérêts.* **4.** Opération qui consiste à procurer un emploi à quelqu'un: *Il se rend tous les jours au bureau de placement.* ☞ place.

placenta n.m. Petite masse de chair qui se développe dans l'utérus pendant la grossesse et qui est reliée au fœtus par le cordon ombilical: *C'est par le placenta que se font les échanges sanguins entre la mère et l'enfant.* **R.** Les lettres *en* se prononcent *in*.

placer v. **1.** Mettre à une certaine place: *Le bibliothécaire a placé les livres sur les rayons.* SYN. disposer, ranger. ANT. déplacer. **2.** Attribuer une place: *L'hôte place les invités autour de la table.* SYN. installer. **3.** Procurer un emploi à quelqu'un: *Cette école place ses étudiants à la fin de leur cours.* **4.** Introduire: *L'oratrice a placé quelques anecdotes amusantes dans son discours.* SYN. intercaler. **5.** Employer un capital afin d'en tirer un revenu: *À la banque, on lui a conseillé de placer son argent dans des obligations d'épargne.* SYN. investir. ANT. retirer. **6.** Réussir à vendre: *Le représentant n'a pas réussi à placer toutes ses marchandises.* **7.** Situer dans le temps: *Elle a placé son récit au début des années soixante.* HOM. placé. ☞ place. se **placer** v.pron. **1.** Se mettre à une certaine place: *Les écoliers se placent le long du mur.* **2.** Être placé: *Ces quatre chaises se placent autour de la table.* **3.** Prendre un emploi, surtout comme personnel de maison: *Il s'est placé comme cuisinier.* **R.** Ne pas oublier la cédille devant *a* et *o*.

placeur, euse n. **1.** Personne qui place les spectateurs dans une salle de spectacle, qui indique à chacun la place qu'il doit occuper dans une cérémonie: *Le placeur nous a conduites jusqu'à nos sièges.* **2.** Personne qui tient un bureau de placement: *La placeuse m'a trouvé un emploi.* ☞ place.

placide adj. Qui est calme, paisible: *Il n'est pas facile de rester placide quand tout le monde s'énerve autour de soi.* SYN. tranquille. ANT. anxieux, nerveux. ☞ placidement, placidité.

placidement adv. D'une manière placide, calme: *La vedette a répondu placidement à toutes les questions de la journaliste.* SYN. tranquillement. ANT. nerveusement. ☞ placide.

placidité n.f. Caractère placide, calme: *Sa placidité est vraiment réconfortante dans tout ce remue-ménage.* SYN. sérénité. ANT. énervement. ☞ placide.

plafond n.m. **1.** Surface horizontale qui forme la partie supérieure d'une pièce: *Un lustre de cristal est suspendu au plafond de la salle à manger.* ANT. parquet. **2.** Paroi supérieure d'un lieu couvert, d'un véhicule: *Le plafond de la caverne est toujours humide.* ☞ plafonner, plafonnier. ▲ **plafond** n.m. **1.** Attitude maximale à laquelle un avion peut voler: *Le pilote doit respecter le plafond qu'on lui a indiqué.* **2.** fig. Maximum que l'on ne peut dépasser: *Son salaire a atteint un plafond.* SYN. limite. ANT. minimum. ☞ plafonner.

plafonner v. Garnir d'un plafond, surface horizontale qui forme la partie supérieure d'une pièce: *Mes parents ont plafonné le sous-sol.* ☞ plafond. ▲ **plafonner** v. **1.** Atteindre son altitude maximale, en parlant d'un avion: *L'avion plafonne à huit mille mètres d'altitude.* **2.** fig. Atteindre un maximum: *Les salaires plafonnent après dix années de service.* ☞ plafond.

plafonnier n.m. Appareil d'éclairage fixé directement au plafond d'une pièce, d'un véhicule: *En quittant la chambre, tu as oublié d'éteindre le plafonnier.* ☞ plafond.

plage n.f. (it.) Étendue plate couverte de sable ou de galets au bord de la mer, d'un lac, d'une rivière: *Les enfants construisent des châteaux de sable sur la plage.* SYN. grève, rivage, rive. ▲ **plage** n.f. Espace gravé d'un disque séparé par un intervalle: *On m'a fait écouter la première plage du disque.*

plagiaire n. Personne qui copie l'œuvre d'un autre: *La plagiaire a été condamnée à une forte amende.* SYN. imitateur. ANT. auteur, créateur, inventeur. ☞ plagier.

plagiat n.m. Opération qui consiste à copier l'œuvre d'un autre: *Ce roman est un plagiat.* SYN. imitation. ANT. création. ☞ plagier.

plagier v. Copier l'œuvre d'un autre: *On l'a accusé d'avoir plagié cette auteure célèbre.* SYN. imiter. ANT. créer, innover, inventer. ☞ plagiaire, plagiat.

plaider v. **1.** Défendre en justice: *L'avocate plaide la cause de l'accusé.* **2.** Invoquer quelque chose comme moyen de défense: *L'avocat a plaidé la légitime défense.* **3.** Défendre une cause devant des juges: *L'avocate a bien plaidé; l'accusé a été reconnu innocent.* **4.** fig. Défendre par des arguments ou des excuses: *Ton amie a plaidé en ta faveur auprès de tes parents.* **5.** fig. Jouer en sa faveur: *Sa bonne conduite plaide pour lui.* ☞ plaidoirie, plaidoyer.

plaidoirie n.f. Discours fait devant le tribunal pour défendre un client, soutenir une cause: *Les membres du jury ont écouté attentivement la plaidoirie de l'avocate.* SYN. plaidoyer. ANT. réquisitoire. ☞ plaider.

plaidoyer n.m. **1.** Discours prononcé devant un tribunal pour défendre les droits de quelqu'un: *L'avocat a préparé un long plaidoyer en faveur de l'accusée:* SYN. plaidoirie. ANT. réquisitoire. **2.** Discours ou écrit en faveur d'une cause, d'une idée: *Ce livre est un plaidoyer en faveur des droits des êtres humains.* ☞ plaider.

plaidoirie plaidoyer

plaie n.f. **1.** Ouverture des chairs causée par une blessure, une brûlure, un abcès: *L'infirmier désinfecte la plaie avant de la panser.* **2.** fig. Cause de chagrin: *Sa récente rupture était encore une plaie vive.* SYN. peine. ANT. allégresse, joie, plaisir. **3.** fam. Chose ou personne désagréable: *La violence est une des plaies de notre société.* SYN. fléau, malheur. ANT. ravissement, réjouissance.

plaignant, ante n. et adj. **1.** n. Personne qui dépose une plainte en justice contre quelqu'un: *Le plaignant soutient que cette femme l'a volé.* **2.** adj. Qui dépose une plainte en justice contre quelqu'un: *Cette avocate représente la partie plaignante.* ☞ se plaindre.

plaindre v. Témoigner de la pitié, de la compassion à quelqu'un: *Elle a perdu son père: je la plains beaucoup.* SYN. compatir. ANT. rudoyer. ⫽ *Être à plaindre:* Mériter de la pitié, de la compassion.

se **plaindre** v.pron. **1.** Exprimer sa souffrance, sa douleur par des paroles, des pleurs, des cris: *La blessée ne cessait de se plaindre.* SYN. geindre. **2.** Faire connaître un mécontentement: *Le directeur s'est plaint du manque de fonds pour acheter de nouveaux livres aux élèves.* ☞ plaignant, plainte, plaintif, plaintivement.

plaine n.f. Vaste étendue de terrain plat: *Le blé pousse en abondance dans les plaines de l'Ouest canadien.*

de **plain-pied** loc.adv. **1.** Au même niveau: *Le salon est de plain-pied avec la cuisine.* **2.** fig. Sur un pied d'égalité: *Les employés se sentent de plain-pied avec leur supérieure.*

plainte n.f. **1.** Parole, cri, pleur qui exprime la douleur, la souffrance: *Je ne peux pas supporter les plaintes du blessé.* SYN. gémissement, lamentation. **2.** Parole, écrit qui exprime le mécontentement: *Ce règlement a suscité bien des plaintes.* SYN. blâme, récrimination, reproche, revendication. ANT. compliment, félicitation, louange. ☞ se plaindre. ▲ **plainte** n.f. Acte par lequel une personne dénonce devant la justice une infraction dont elle a été la victime: *La jeune fille a déposé une plainte contre l'homme qui l'a attaquée.* HOM. plinthe. ☞ se plaindre.

plaintif, ive adj. Qui ressemble à une plainte: *Il m'a supplié d'une voix plaintive.* SYN. geignard, gémissant. ANT. enjoué, gai, joyeux. ☞ se plaindre.

plaintivement adv. De façon plaintive, gémissante: *La petite fille réclame plaintivement la permission de sortir de sa chambre.* ☞ se plaindre.

plaire v. **1.** Exercer un attrait: *Les gens simples me plaisent beaucoup.* SYN. attirer, charmer. ANT. déplaire. **2.** Inspirer l'amour: *Cette fille lui a plu dès la première rencontre.* SYN. séduire. ANT. éloigner. **3.** Être agréable: *Ce voyage en Gaspésie a plu à mes parents.* SYN. ravir, réjouir. ANT. ennuyer, mécontenter. ⫽ *S'il te plaît, s'il vous plaît:* Formule de politesse qui exprime une demande, un ordre, un conseil. ☞ déplaire, déplaisant, plaisamment, plaisant. se **plaire** v.pron. **1.** Être content de soi : *Il se plaît dans ce complet de style classique.* **2.** S'aimer : *Ils se plaisent depuis leur enfance.* **3.** Prendre plaisir à être quelque part : *Mes parents se plaisent beaucoup à la campagne.* **4.** Prendre plaisir à faire quelque chose : *Elle se plaît à jouer des tours à ses camarades.* **5.** Se trouver de préférence dans un lieu, en parlant des plantes, des animaux : *Ces fleurs se plaisent dans les sous-bois.* **R.** Ne pas oublier l'accent devant le *t* : *î*. Participe passé, *plu*.

plaisamment adv. D'une manière plaisante, agréable : *Nous avons causé plaisamment pendant plus d'une heure.* ☞ plaire. ▲ **plaisamment** adv. D'une manière plaisante, comique, de façon à faire rire : *Ne prenez pas cette remarque au sérieux, cela a été dit plaisamment.* ANT. sérieusement. ☞ plaisant.

plaisance n.f.vx Plaisir, agrément : *Le héros dit à l'héroïne : « Votre plaisance est tout ce qui m'importe. »* ⁄⁄ *De plaisance :* Qui sert seulement au plaisir, à l'agrément. *La plaisance :* La navigation que l'on pratique pour le plaisir. ☞ plaisancier.

plaisancier, ière n. Personne qui fait de la navigation pour le plaisir : *Les plaisanciers profitent de l'été pour naviguer sur les cours d'eau.* ☞ plaisance.

plaisant n.m. Le côté amusant de quelque chose : *Le plaisant de cette aventure, c'est que rien n'avait été prévu.* SYN. comique. ANT. sérieux.

plaisant, ante adj. Qui est agréable : *Cette ville est très plaisante à visiter.* SYN. attrayant. ANT. déplaisant, désagréable. ☞ plaire. ▲ **plaisant, ante** adj. Qui est drôle : *Annick m'a raconté une histoire plaisante.* SYN. amusant, comique, divertissant. ANT. grave, sérieux. ☞ plaisamment, plaisanter, plaisanterie, plaisantin.

plaisanter v. **1.** Faire, dire des choses drôles pour amuser les autres : *Notre conversation n'a rien de sérieux, nous n'arrêtons pas de plaisanter.* SYN. badiner. **2.** Faire ou dire quelque chose sans vouloir être pris au sérieux : *Ne vous fâchez pas : je ne faisais que plaisanter.* SYN. blaguer. **3.** Prendre quelque chose au sérieux : *Mon père ne plaisante pas avec l'honnêteté.* **4.** Se moquer gentiment : *Simon plaisante sa petite sœur sur ses perpétuelles distractions.* SYN. taquiner. ☞ plaisant.

plaisanterie n.f. **1.** Parole, action destinée à amuser les autres : *Christiane fait rire ses amies avec ses plaisanteries.* SYN. blague, boutade. **2.** Parole, action destinée à se moquer : *Georges a été victime d'une plaisanterie.* SYN. moquerie, raillerie. **3.** Chose peu sérieuse ou très facile à faire : *C'est une plaisanterie pour elle de résoudre ce problème.* SYN. bagatelle, farce. ☞ plaisant.

plaisantin n.m. et adj.m. **1.** n.m. Personne qui fait des plaisanteries de mauvais goût : *Ce plaisantin nous a tous mis mal à l'aise.* SYN. blagueur, railleur. **2.** n.m. Personne qui n'est pas sérieuse : *C'est un plaisantin qui prend tout à la légère.* SYN. farceur, loustic. **3.** adj.m. Qui n'est pas sérieux : *À son ton plaisantin, j'ai compris qu'elle me taquinait.* SYN. badin. ☞ plaisant.

plaisir n.m. **1.** Sensation agréable liée à la satisfaction d'un désir, d'un besoin : *Dorothée éprouve un immense plaisir à écouter sa musique préférée.* SYN. contentement, joie, satisfaction. ANT. chagrin. **2.** Ce qui procure un sentiment agréable : *Elle a découvert le plaisir de vivre au grand air.* SYN. agrément, bien-être, jouissance. ANT. désagrément. **3.** Distraction, divertissement : *Avec ses économies, il se paie de menus plaisirs.* SYN. amusement, passe-temps. ⁄⁄ *Avec plaisir :* Volontiers. *Faire plaisir à quelqu'un :* Être agréable à quelqu'un. *Selon son bon plaisir :* Selon sa volonté. **R.** Dans le sens de *distraction, divertissement*, s'emploie surtout au pluriel. ☞ déplaisir. à **plaisir** loc.adv. Sans raison valable, par caprice : *Il se tourmente à plaisir.* par **plaisir** loc.adv. Pour s'amuser : *Il fait de la peinture par plaisir.* pour le **plaisir** loc.adv. Pour s'amuser : *Marie joue au soccer pour le plaisir.*

plan n.m. Surface plane : *Le plafond de la classe forme un plan horizontal.* ⁄⁄ *Plan d'eau :* Étendue d'eau calme et unie. *Plan de cuisson :* Dans une cuisine, plaque encastrée qui supporte des brûleurs à gaz ou des plaques électriques. *Plan de travail :* Dans une cuisine, surface horizontale utilisable pour diverses opérations. *Plan incliné :* Surface plane en pente. ▲ **plan** n.m. **1.** Éloignement relatif des objets et des personnages par rapport à l'observation, en dessin, en peinture, en photo : *Au premier plan, j'aperçois un bateau ; à l'arrière-plan, je vois les montagnes.* **2.** Image, prise de vue qui montre les personnages et les objets de différentes manières : *Dans ce film, il y a beaucoup de gros plans : les prises de vues sont très rapprochées.* **3.** fig. Importance que l'on accorde à quelqu'un ou à quelque chose : *Cette femme est une politicienne de premier plan.* ☞ arrière-plan. ▲ **plan** n.m. Aspect, point de vue sous lequel on considère une personne ou une chose : *Le concert de fin d'année a été révisé sur tous les plans.* HOM. plant. ⁄⁄ *Sur le même plan :* Au même niveau. sur le **plan de** loc.prép. Du point de vue de : *Cet* *élève n'est pas très fort sur le plan de la grammaire.* ▲ **plan** n.m. **1.** Dessin qui représente les différentes parties d'un édifice, d'une machine: *L'architecte a terminé le plan de notre future maison.* SYN. esquisse. **2.** Carte à grande échelle d'une ville, qui indique la disposition des rues: *Les touristes consultent le plan de la ville de Québec.* ▲ **plan** n.m. **1.** Suite ordonnée d'actions que l'on prépare pour atteindre un but: *Les autorités ont établi un plan d'urgence pour évacuer la population en cas de sinistre.* SYN. planification. **2.** Disposition des parties d'un livre, d'un discours, d'un texte: *Avant d'écrire son discours, l'oratrice en a d'abord fait le plan.* SYN. schéma. ⁄⁄ *En plan:* Inachevé, en suspens. ☞ planificateur, planification, planifier.

plan, plane adj. Qui est plat, uni: *La surface du tableau est plane.* ANT. courbe, inégal, irrégulier. HOM. plant. ⁄⁄ *Figure plane:* Figure tracée sur une surface plane. *Géométrie plane:* Étude des figures planes. *Surface plane:* Plan. ☞ aplanir.

planche n.f. **1.** Pièce de bois plate, plus longue que large: *La menuisière scie une planche.* **2.** plur. Scène d'un théâtre: *Tous les jeunes comédiens rêvent de monter sur les planches.* ⁄⁄ *Planche à dessin:* Panneau de bois parfaitement plat sur lequel on fixe les feuilles de papier à dessin. *Planche à pain:* Planche sur laquelle on coupe le pain. *Planche à pâtisserie:* Planche sur laquelle on pétrit la pâte. *Planche à repasser:* Planche recouverte de tissu épais sur laquelle on repasse. *Planche à roulettes:* Planche munie de roulettes, sur laquelle on se déplace. *Planche à voile:* Planche munie d'un mât et d'une voile, que l'on fait avancer sur l'eau. ☞ planchette. ▲ **planche** n.f. Page comportant une ou plusieurs illustrations: *As-tu regardé les planches en couleurs de ce livre?* ▲ **planche** n.f. Bande de terrain cultivée dans un jardin: *Dans son jardin, grand-mère cultive une planche de laitue et une planche de tomates.*

plancher n.m. **1.** Séparation horizontale entre deux étages d'une maison, d'un édifice: *Les planchers peuvent être faits de bois, de fer ou de béton.* **2.** Sol d'une pièce fait d'un assemblage de bois assez rudimentaire: *Chez nous, tous les planchers sont recouverts de tapis.* **3.** Paroi inférieure d'un véhicule, d'un ascenseur: *Le plancher de la voiture est plein de sable.* **4.** fig. Niveau minimal: *Le plancher des cotisations a été fixé à trente dollars par année.*

planchette n.f. Petite planche: *L'étagère se compose de quatre planchettes.* ☞ planche.

plancton n.m. (all.) Ensemble des animaux et des végétaux de très petite taille qui flottent dans la mer ou dans l'eau douce: *Les baleines se nourrissent de plancton.*

plané, ée adj. **1.** Se dit du vol d'un oiseau qui plane, qui se soutient en l'air sans paraître remuer les ailes: *L'aigle fait un vol plané.* **2.** Se dit du vol d'un avion qui plane, qui se déplace tandis que le moteur est arrêté ou au ralenti: *Les enfants observent le vol plané de l'avion.* HOM. planer. ☞ planer.

planer v. **1.** Se soutenir en l'air sans paraître remuer les ailes, en parlant d'un oiseau: *L'aigle plane au-dessus des montagnes.* SYN. flotter. **2.** Voler, le moteur arrêté ou au ralenti, en parlant d'un avion: *Regarde l'avion: il plane.* **3.** Voler, en parlant d'un planeur: *Le planeur est un appareil sans moteur construit pour planer.* **4.** Flotter dans l'air: *Une brume épaisse plane au-dessus de la rivière.* **5.** fig. Dominer par la pensée: *On dirait que tu planes au-dessus des difficultés.* **6.** fig. Rêver: *Depuis qu'elle est revenue de voyage, Caroline a toujours l'air de planer.* **7.** fig. Peser comme une menace: *Un risque de guerre nucléaire plane sur le monde entier.* HOM. plané. ☞ plané, planeur.

planétaire adj. **1.** Qui se rapporte aux planètes: *Le système planétaire est l'ensemble des planètes qui tournent autour du Soleil.* **2.** Qui se rapporte à toute la planète Terre: *Une guerre planétaire aurait des conséquences désastreuses.* SYN. mondial. ☞ planète.

planétarium n.m. (lat.) Endroit où l'on représente le mouvement des astres sur une voûte hémisphérique: *Le plafond du planétarium figure la voûte du ciel.* **R.** Les lettres *um* se prononcent *omm.* ☞ planète.

planète n.f. Corps céleste qui n'est pas lumineux par lui-même et qui tourne autour du Soleil, et peut-être autour de certaines étoiles: *Neuf planètes tournent autour du Soleil: Mercure, Vénus, la Terre, Mars, Jupiter, Saturne, Uranus, Neptune et Pluton.* ☞ interplanétaire, planétaire, planétarium.

planétaire planétarium planète

planeur n.m. Avion léger, sans moteur, qui plane dans les airs en utilisant les courants atmosphériques: *Le planeur sert à la pratique du vol à voile.* ☞ planer.

planificateur, trice n. et adj. **1.** n. Personne qui organise selon un plan déterminé: *Les planificatrices déterminent leurs objectifs et les moyens qu'il faut prendre pour les at-*

teindre. **2.** adj. Qui se rapporte à la planification : *Des mesures planificatrices ont permis d'augmenter la production de l'acier.* ☞ plan (n.).

planification n.f. Organisation selon un plan déterminé : *L'oppositon a reproché au gouvernement de ne pas faire de planification à long terme.* ☞ plan (n.).

planifier v. Organiser selon un plan déterminé : *Le directeur et les enseignants ont planifié une semaine d'activités pour sensibiliser les écoliers au racisme.* ☞ plan (n.).

planisphère n.m. Carte qui représente à plat l'ensemble du globe terrestre : *Marthe cherche l'Amérique du Nord sur le planisphère.* **R.** Les lettres *ph* se prononcent *f*.

planque n.f.fam. **1.** Cachette : *Le voleur croyait avoir trouvé une planque sûre, mais il s'était trompé.* **2.** fig. Place où le travail est facile et bien payé : *Ce travail de gardienne d'immeuble, c'est la bonne planque !* ☞ planquer.

planquer v.fam. Cacher : *On ne sait pas où les cambrioleuses ont planqué l'argent volé.* ☞ planque. **se planquer** v.pron.fam. Se cacher : *Il s'est planqué pour ne pas aller à la guerre.*

plant n.m. **1.** Jeune plante destinée à être transplantée : *Le jardinier repique les plants de tomates.* SYN. pied, pousse. **2.** Ensemble des végétaux de même espèce plantés sur un même morceau de terrain ; le terrain lui-même : *Il faudrait sarcler le plant de carottes.* HOM. plan. ☞ planter.

plantain n.m. Plante très commune dont la semence sert à nourrir les oiseaux : *Les feuilles du plantain sont en forme de rosette.* ▲ **plantain** n.m. Variété de bananier dont le fruit se mange cuit comme légume : *Le plantain produit une sorte de banane.* ⁄⁄ *Banane plantain* : Fruit du plantain.

plantaire adj. Qui se rapporte à la plante du pied : *Jérôme a de la difficulté à marcher : il a une verrue plantaire.* ☞ plante.

plantation n.f. **1.** Action de planter : *La plantation des jeunes arbres se fait au printemps ou en automne.* SYN. repiquage. **2.** Terrain planté de végétaux de même espèce : *Un verger est une plantation d'arbres fruitiers.* SYN. champ. **3.** Ensemble des végétaux plantés au même endroit : *La grêle a ravagé les plantations.* **4.** Grande exploitation agricole spécialisée dans la culture des produits tropicaux : *Dans les pays chauds, on peut voir des plantations de café, de canne à sucre, d'ananas, de thé ou de coton.* SYN. culture. ☞ planter.

plante n.f. **1.** Nom donné à tous les végétaux : *Les arbres, les mousses, les herbes sont des plantes.* **2.** Végétal de petite taille : *Les plantes ont des racines, une tige et des feuilles.* ▲ **plante** n.f. Dessous du pied de l'être humain et des animaux : *Quand tu restes longtemps debout, tu as mal à la plante des pieds.* ☞ plantaire, plantigrade.

planté, ée adj. **1.** Qui est bien faite, en parlant d'une personne : *Cette athlète est bien plantée.* **2.** Qui est debout et immobile : *Que fais-tu là, planté au beau milieu de la route ?* HOM. planter. ☞ planter.

planter v. **1.** Mettre en terre une plante, un arbrisseau, un arbre : *Nous avons planté un rosier et un lilas sur notre terrain.* SYN. repiquer. ANT. arracher. **2.** Mettre en terre des graines, des bulbes, des tubercules : *Papa a planté des tulipes devant la maison.* SYN. semer. ANT. déraciner. **3.** Faire pousser des végétaux dans un terrain : *La cultivatrice a planté un champ de maïs.* ☞ déplantage, déplanter, déplantoir, plant, plantation, planter, planteur, plantoir, replantation, replanter. **se planter** v.pron. Être planté : *Certains arbustes se plantent en automne.* ▲ **planter** v. **1.** Enfoncer dans la terre, dans une matière plus ou moins dure : *Didier plante des clous dans le madrier.* **2.** Placer debout : *Les campeuses ont planté leur tente près du lac.* SYN. dresser. **3.** Appliquer brusquement : *Il s'approcha de son petit frère et lui planta un baiser sur la joue.* **4.** Quitter brusquement : *Ses amis l'ont planté là au milieu de la cour.* HOM. planté. ☞ déplanter, replanter. **se planter** v.pron. **1.** S'enfoncer : *La flèche est venue se planter dans l'arbre.* **2.** Se placer debout et rester immobile : *Elle s'est plantée devant moi d'un air effronté.*

planteur, euse n. Propriétaire d'une grande exploitation agricole dans les pays chauds : *Le riche planteur de café possède un immense domaine.* ☞ planter.

plantigrade n.m. et adj. **1.** n.m. Mammifère qui marche sur la plante des pieds : *L'ours est un plantigrade.* **2.** adj. Qui marche sur la plante des pieds : *L'être humain est plantigrade.* ☞ plante.

plantoir n.m. Outil de jardinage à pointe métallique servant à faire des trous dans la terre pour y mettre des plants ou des graines : *Pour repiquer ces plants de tomates, maman se sert d'un plantoir.* ☞ planter.

plantureux, euse adj. **1.** Qui est très abondant : *On nous a servi un repas plantureux.* SYN. copieux. ANT. chétif, frugal. **2.** Qui est bien en chair : *Une femme plantureuse* *nous a ouvert la porte.* SYN. gras, gros, opulent. ANT. maigre.

plaque n.f. **1.** Morceau mince et plat d'une matière rigide : *Une plaque de fonte recouvre la bouche d'égout.* **2.** Morceau mince et plat de métal, de marbre portant une inscription : *Les voitures portent une plaque d'immatriculation.* **3.** Insigne de certaines fonctions : *L'inspectrice de police nous a montré sa plaque.* ⁄⁄ *Plaque tournante :* Plate-forme tournante qui permet de faire passer une locomotive ou un wagon d'une voie à une autre. ☞ contre-plaqué, placage, plaqué, plaquer, plaquette. ▲ **plaque** n.f. Lésion, tache sur la peau : *Tu as le bras gauche couvert de plaques rouges.* ⁄⁄ *Plaque dentaire :* Dépôt qui se forme sur les dents et qui joue un grand rôle dans la formation de la carie. ☞ plaquette.

plaqué n.m. Métal commun recouvert d'une mince couche d'or ou d'argent : *Ce plat n'est pas en argent massif : il est en plaqué.* HOM. plaquer. ☞ plaque.

plaquer v. **1.** Couvrir d'une mince couche de métal précieux : *La bijoutière a plaqué ces bijoux d'or.* **2.** Couvrir d'une feuille de bois précieux : *L'ébéniste a plaqué d'acajou cette table ancienne.* HOM. plaqué. ☞ plaque. **plaqué, ée** p.p. et adj. **1.** Qui est recouvert d'une mince couche d'or ou d'argent : *Les bijoux plaqués d'or ont moins de valeur que les bijoux en or massif.* **2.** Qui est recouvert d'une feuille de bois précieux : *Mes parents ont acheté une bibliothèque plaquée de merisier.* ▲ **plaquer** v. **1.** Aplatir : *Bruno a plaqué ses cheveux sur son front.* **2.** Appuyer fortement contre quelque chose : *Cette brute m'a plaquée contre le mur.* **3.** Faire tomber l'adversaire qui porte le ballon en le saisissant aux jambes, au football ou au rugby : *Lucien a réussi à plaquer son adversaire.* **4.** fam. Abandonner : *On dit qu'elle a tout plaqué pour partir en voyage autour du monde.* ⁄⁄ *Plaquer un accord :* Jouer en même temps et avec force toutes les notes qui composent un accord au piano.

plaquette n.f. **1.** Petite plaque : *Une plaquette de marbre indique le numéro de la maison.* **2.** Petit livre peu épais : *Cette jeune poète a publié une plaquette de vers.* ☞ plaque. ▲ **plaquette** n.f. Cellule du sang qui joue un rôle important dans la coagulation : *Cette enfant est atteinte de leucémie : elle doit recevoir des transfusions de plaquettes.* ☞ plaque.

plasma n.m. (grec) Partie liquide du sang : *Les globules rouges, les globules blancs et les plaquettes baignent dans le plasma.*

plaster ☞ sect. anglicismes et canadianismes.

plastic n.m. Explosif ayant la consistance du mastic : *Les terroristes ont fait sauter la maison avec du plastic.* HOM. plastique. ☞ plasticage, plastiquer.

plasticage n.m. Attentat au plastic : *Le plasticage de la voiture a fait de nombreuses victimes.* **R.** Aussi, *plastiquage*. ☞ plastic.

plasticine ☞ sect. anglicismes et canadianismes.

plastifier v. Recouvrir d'une mince couche de matière plastique transparente : *Brigitte a fait plastifier la couverture de son livre.* ☞ plastique.

plastique n.f. et adj. **1.** n.f. Beauté des formes du corps. *J'admire la plastique de la danseuse.* **2.** n.f. Art de sculpter : *Les sculpteurs doivent respecter les règles de la plastique.* **3.** adj. Qui est beau de forme : *Les danseurs de ballet ont des gestes plastiques.* SYN. souple. ANT. dur, rigide, tendre. **4.** adj. Qui se rapporte aux arts dont le but est d'élaborer des formes : *Le dessin, la sculpture, l'architecture et la peinture sont des arts plastiques.* HOM. plastic. ⁄⁄ *Chirurgie plastique :* Partie de la chirurgie qui vise à corriger, à réparer certaines malformations du corps.

plastique n.m. et adj. **1.** n.m. Matière synthétique qui peut être facilement moulée : *Ces verres sont en plastique.* **2.** adj. Qui peut être facilement moulé : *Le beurrier est fait de matière plastique.* **3.** adj. Que l'on peut modeler : *L'argile et le mastic sont plastiques.* HOM. plastic. ☞ plastifier.

plastiquer v. Faire exploser avec du plastic : *Les voleuses avaient plastiqué la porte de la banque.* ☞ plastic.

plastron n.m. (it.) **1.** Pièce d'étoffe, fine ou non, que l'on applique sur le devant d'un corsage ou d'une chemise : *Le plastron de cette chemise est orné de volants et de plis.* **2.** Pièce de cuir ou de toile rembourrée, qui protège la poitrine des escrimeurs : *Le fleuret a touché le plastron de l'escrimeuse.*

plat n.m. **1.** Partie plate de quelque chose : *Il a frappé la table avec le plat de la main.* **2.** Chacun des deux côtés de la couverture d'un livre : *Le titre est écrit sur le plat du livre.* ▲ **plat** n.m. **1.** Pièce de vaisselle plus grande que l'assiette, dans laquelle on présente les aliments à table : *J'ai apporté le plat à légumes sur la table.* **2.** Contenu de cette pièce de vaisselle : *Nadine a mangé tout le plat de frites.* ☞ platée. ▲ **plat** n.m. Chacun des mets qui composent un repas : *Chacun des invités avait préparé un plat.* ⁄⁄ *Plat du jour :* Au restaurant, mets principal qui change chaque jour. *Plat garni:* Mets fait de viande ou de poisson et de légumes. *Plat de résistance:* Mets principal d'un repas.

plat, plate adj. **1.** Qui présente une surface plane, unie: *On a cru longtemps que la Terre était plate.* **2.** Qui a peu de profondeur: *Sébastien mange dans une assiette plate.* **3.** Qui a peu d'épaisseur: *Monique porte des chaussures à talons plats.* SYN. bas. ANT. haut. **4.** Qui est peu saillant: *Cet homme a le ventre plat.* ☞ aplati, aplatir, aplatissement. **à plat** loc.adv. Horizontalement: *Pose tes livres à plat sur les rayons de la bibliothèque.* ⁄⁄ *Être à plat:* Être dégonflé, en parlant d'un pneu. **à plat ventre** loc.adv. **1.** En position couchée sur le ventre: *Après avoir bien couru, les enfants se couchent à plat ventre dans l'herbe.* **2.** fig. En étant dévoué d'une façon excessive: *La comptable est à plat ventre devant son patron.* ▲ **plat, plate** adj. **1.** Qui n'a pas d'attraits ni de qualités frappantes: *Je n'aime pas le style plat de cette écrivaine.* SYN. banal, insipide. ANT. piquant, spirituel. **2.** Qui est dévoué d'une manière excessive: *Il est tout plat devant le ministre.* SYN. rampant, servile. ANT. arrogant, hautain. ☞ platitude.

platane n.m. Arbre de grande taille, très commun en France, dont l'écorce lisse se détache par plaques irrégulières: *Les feuilles du platane ressemblent à celles de l'érable.*

plateau, eaux n.m. **1.** Support plat et rigide que l'on utilise pour transporter, pour présenter différents objets: *Le serveur apporte les boissons gazeuses sur un plateau.* **2.** Partie d'une balance où l'on pose les poids ou la chose à peser: *Guylaine a déposé une pomme sur un des plateaux de la balance.* **3.** Plaque circulaire sur laquelle on pose les disques, sur un tourne-disque: *Papa met son disque préféré sur le plateau du tourne-disque.* ▲ **plateau, eaux** n.m. Étendue de terrain assez plat, dont l'altitude est supérieure à celle des environs: *Du haut du plateau, on voit toute la région.* ▲ **plateau, eaux** n.m. Lieu où sont installés les décors, où jouent les acteurs, au cinéma ou à la télévision; scène d'un théâtre: *La réalisatrice invite tous les comédiens à se rendre sur le plateau.* ▲ **plateau, eaux** n.m. Roue dentée d'un pédalier de bicyclette: *Le plateau sert à mouvoir la roue arrière par l'intermédiaire d'une chaîne.*

plate-bande n.f. Bande de terre étroite plantée de fleurs, d'arbustes, qui longe un mur ou qui entoure un carré de jardin: *Il est défendu de marcher sur les plates-bandes.* **R.** Au pluriel, *plates-bandes.*

platée n.f. Contenu d'un plat: *Qui a mangé la platée de pommes de terre?* ☞ plat (n.).

plate-forme n.f. Surface plate plus ou moins surélevée: *Les ouvriers se tiennent sur la plate-forme de l'échafaudage.* ⁄⁄ *Plate-forme de forage:* Structure qui sert au forage des puits de pétrole en mer. **R.** Au pluriel, *plates-formes.*

platine n.m. et adj.invar. **1.** n.m. Métal précieux, blanc grisâtre: *Le platine est un métal aussi précieux que l'or.* **2.** adj.invar. Qui est de la couleur blanc grisâtre de ce métal: *Cette actrice a les cheveux platine.* ☞ platiné.

platine n.f. **1.** Plaque d'un tourne-disque sous laquelle sont fixés le moteur, le dispositif d'entraînement du disque et les commandes de l'appareil: *Johanne met un disque sur la platine de l'électrophone.* **2.** Plateau d'un microscope, sur lequel on place l'objet à examiner: *Krystel pose l'aile du papillon sur la platine du microscope.*

platiné, ée adj. Qui est d'un blond presque blanc: *Hugo a les cheveux platinés.* ☞ platine (n.m.).

platitude n.f. **1.** Manque d'originalité: *Une critique a souligné la platitude de ce film.* SYN. banalité, médiocrité. ANT. excellence. **2.** Parole banale: *Tu ferais mieux de te taire plutôt que de dire des platitudes.* SYN. fadaise. ANT. finesse. **3.** Acte qui témoigne d'un dévouement excessif: *Il ferait bien des platitudes pour obtenir ce poste de directeur.* ☞ plat (adj.).

plâtrage n.m. Action de couvrir de plâtre: *Les ouvrières ont effectué le plâtrage du plafond.* **R.** Ne pas oublier l'accent: *â.* ☞ plâtre.

plâtre n.m. **1.** Poudre blanche tirée d'une roche appelée « gypse » et qui, une fois mélangée avec de l'eau, fournit un matériau à la fois solide et tendre: *Le plâtrier mélange le plâtre avec de l'eau.* **2.** Matériau fait avec cette poudre et de l'eau: *Avant de repeindre les murs, maman bouche les trous avec du plâtre.* **3.** Appareil formé de pièces de tissu imprégnées de plâtre, avec lequel on immobilise un membre, un organe: *Isabelle a la jambe dans le plâtre.* **4.** Objet moulé en plâtre: *Marc a fabriqué un plâtre pendant le cours d'arts plastiques.* **5.** plur. Ouvrages faits de plâtre: *Il faudra refaire les plâtres de cette pièce.* ⁄⁄ *Plâtre de Paris:* Plâtre fin qui sert à faire des moulages et des sculptures. **R.** Ne pas oublier l'accent: *â.* ☞ déplâtrage, déplâtrer, plâtrage, plâtrer, plâtrier, replâtrage, replâtrer.

plâtrer v. **1.** Couvrir de plâtre: *La plâtrière a plâtré les murs du salon.* **2.** Mettre dans un plâtre: *La médecin a plâtré la jambe cassée* *du cycliste.* **R.** Ne pas oublier l'accent : *â.* ☞ plâtre.

plâtrier n.m. Personne qui pose le plâtre sur les murs, les plafonds : *Le plâtrier a fait un excellent travail.* **R.** Ne pas oublier l'accent : *â.* L'O.L.F. recommande *plâtrière* comme féminin de *plâtrier.* ☞ plâtre.

plausible adj. Que l'on peut croire, admettre : *Pour justifier son retard, elle m'a donné une raison plausible.* SYN. acceptable, valable. ANT. inacceptable, inadmissible, invraisemblable.

pléiade n.f. Groupe de personnes remarquables : *Ce spectacle met en vedette une pléiade d'artistes.*

plein n.m. **1.** État de ce qui est plein, entier : *La Lune est dans son plein.* **2.** Contenu d'un réservoir : *L'automobiliste a fait le plein d'essence.* **3.** Espace complètement occupé par la matière : *Dans ce mur, il y a des pleins et des vides.*

plein prép. et adv. **1.** prép. En grande quantité : *Cet enfant a des bonbons plein les poches.* **2.** adv.fam. Beaucoup : *Je n'ai pas besoin d'autres crayons : j'en ai plein.* **plein de** loc.prép.fam. Beaucoup : *Il y a plein d'élèves dans la cour de récréation.*

plein, pleine adj. **1.** Qui est entièrement rempli : *Ne verse plus de lait dans ton verre : il est plein.* SYN. comble. ANT. vide. **2.** Qui contient quelque chose en grande quantité : *Ce jardin est plein de fleurs.* SYN. bourré. **3.** Qui est complet, entier : *Maman travaille à plein temps.* ANT. partiel. **4.** Qui est rempli d'un sentiment à un très haut degré : *Je suis plein d'admiration pour cette femme courageuse.* SYN. débordant. **5.** Qui porte des petits : *Ma chatte est pleine.* SYN. enceinte. **6.** Dont la matière occupe toute la masse : *Cette porte est pleine : elle ne comporte pas de vide à l'intérieur.* SYN. massif. **7.** Qui est rond : *Depuis qu'il a engraissé, son visage est devenu plein.* ANT. maigre. **8.** Qui est à son maximum : *C'est le temps de la pleine lune.* ⁄⁄ *De plein air :* À l'air libre. *De plein droit :* En toute légitimité. *En pleine mer :* Au milieu de la mer, au large. *En plein hiver :* Au plus fort de l'hiver. *En plein jour, en pleine nuit :* Au moment où il fait vraiment jour, où il fait vraiment nuit. ☞ pleinement, plénier. en **plein** loc.prép. Au milieu de : *Nous avons travaillé en plein champ toute la journée.* en **plein dans** loc.prép. Exactement : *Tu as mis les pieds en plein dans la flaque d'eau.* en **plein sur** loc.prép. Exactement : *La balle est tombée en plein sur la terrasse.*

pleinement adv. Entièrement : *Nous avons profité pleinement de nos vacances.* ☞ plein.

plénier, ière adj. Où tous les membres sont convoqués : *L'assemblée plénière aura lieu la semaine prochaine.* SYN. général. ANT. particulier, partiel. ☞ plein.

pléonasme n.m. Répétition de mots qui ont le même sens : *Quand je dis « monter en haut », je fais un pléonasme.* SYN. redondance.

pleur n.m.litt. Larme : *Un baiser et quelques caresses auront vite fait de sécher ses pleurs.* **R.** S'emploie surtout au pluriel. ☞ pleurer.

pleurer v. **1.** Verser des larmes : *Antonio pleure parce qu'il s'est fait mal en tombant.* SYN. brailler, sangloter. ANT. pouffer, rire. **2.** Se lamenter, s'apitoyer : *Pleurer sur son sort ne règle rien.* SYN. pleurnicher. ANT. se réjouir. **3.** Regretter, déplorer : *Jonathan pleure la mort de sa marraine.* **4.** Laisser couler : *Adrienne pleurait des larmes amères.* SYN. répandre, verser. ANT. retenir. ☞ pleur, pleureur, pleureuse, pleurnicher, pleurnicheur.

pleurésie n.f. Inflammation de la membrane qui enveloppe les poumons : *La pleurésie est une grave maladie des poumons.*

pleureur adj.m. Dont les branches retombent vers le sol, en parlant d'un arbre : *Un saule pleureur pousse sur notre terrain.*

pleureur, euse adj. **1.** Qui pleure souvent, pour des riens : *Mon petit frère est très pleureur.* **2.** Qui est larmoyant, plaintif : *Le ton pleureur de ses paroles m'a ému.* ☞ pleurer.

pleureuse n.f. Femme que l'on paie pour pleurer aux funérailles, dans certains pays : *Les pleureuses suivaient le cortège en se lamentant.* ☞ pleurer.

pleurnicher v. **1.** Pleurer sans raison : *Maxime pleurniche au moindre mécontentement.* **2.** Se lamenter d'un ton plaintif : *Cesse de pleurnicher, tu n'auras rien de plus!* ☞ pleurer.

pleurnicheur, euse n. et adj. **1.** n. Personne qui pleure, se lamente sans raison : *Je ne peux plus supporter cette pleurnicheuse.* **2.** adj. Qui pleure, se lamente sans raison : *Cet enfant pleurnicheur est très gâté.* SYN. geignard. ANT. enjoué. **3.** adj. Qui est plaintif : *Elle m'a supplié d'un ton pleurnicheur.* SYN. larmoyant, triste. ANT. gai, joyeux. **R.** Aussi, *pleurnichard.* ☞ pleurer.

pleutre n.m. et adj.litt. **1.** n.m. Homme sans courage : *Personne n'a de respect pour les pleutres.* SYN. lâche, poltron. ANT. brave. **2.** adj. Qui est sans courage : *Tout le monde sait que cet homme est pleutre.* SYN. lâche, poltron. ANT. courageux.

pleuvoir v. **1.** Tomber, en parlant de la pluie: *Prends ton imperméable: il pleut à verse.* **2.** Tomber en grande quantité: *Les obus pleuvaient sur la ville.* **3.** fig. Arriver en abondance: *Depuis quelque temps, les mauvaises nouvelles pleuvent chez nous.* SYN. pulluler. ANT. manquer. ☞ pluie.

plèvre n.f. Membrane qui enveloppe les poumons: *L'inflammation de la plèvre porte le nom de pleurésie.*

plexiglas n.m.invar. (nom déposé) Matière plastique dure et transparente qui a l'aspect du verre: *Cette vitrine est en plexiglas.* **R.** Le *s* se prononce. Aussi, *plexiglass*.

pli n.m. **1.** Partie repliée d'une matière souple, qui forme une double épaisseur: *Danielle porte une jupe à plis.* SYN. repli. **2.** Marque qui reste à l'endroit où une chose à été pliée: *Bruno repasse le pli de son pantalon.* SYN. pliure. **3.** Ondulation: *Le vent fait bouger les plis du rideau.* **4.** Papier replié qui forme une enveloppe: *Elle m'a envoyé une lettre et une carte sous le même pli.* **5.** Lettre: *J'ai appris la nouvelle par pli recommandé.* SYN. message. **6.** Endroit de la peau formant une sorte de repli: *Quand elle fronce les sourcils, son front se couvre de plis.* SYN. ride. **7.** Mouvement de terrain qui forme une ondulation: *Dans les régions montagneuses, le terrain forme un ensemble de plis.* SYN. sinuosité. **8.** fig. Habitude: *Prendre un mauvais pli, c'est prendre une mauvaise habitude.* HOM. plie. ⁄⁄ *Faux pli:* Endroit où l'étoffe est froissée ou mal ajustée. *Mise en plis:* Opération qui consiste à donner aux cheveux mouillés la forme qu'ils garderont une fois secs. ☞ déplissage, déplisser, plissé, plissement, plisser, repli, replisser.

pliable adj. Qui est facile à plier, que l'on peut plier: *Cette chaise longue est pliable.*

pliage n.m. Action de plier: *Je me suis chargée du pliage des draps.* ANT. dépliage. ☞ plier.

pliant n.m. Siège de toile sans dossier ni bras que l'on peut plier: *Dans la longue file d'attente, plusieurs personnes étaient assises sur des pliants.* ☞ plier.

pliant, ante adj. Qui est fait de manière à pouvoir se plier: *Va chercher le lit pliant dans le placard.* ☞ plier.

plie n.f. Poisson plat, à chair estimée, dont les yeux sont placés sur le côté droit du corps: *La plie est très abondante dans l'Atlantique.* HOM. pli.

plier v. **1.** Mettre en double une ou plusieurs fois en rabattant une partie sur une autre: *Bernard plie ses vêtements avant de les ranger dans sa valise.* ANT. déplier. **2.** Courber: *Si tu plies trop cette branche, elle va casser.* **3.** Rapprocher les parties articulées d'un objet: *Aide-moi à plier les chaises du parterre.* **4.** Fléchir: *Après son accident, Andrée n'arrivait plus à plier son genou gauche.* SYN. ployer. ANT. déployer. **5.** Se courber: *Les branches du pommier plient sous le poids des fruits.* SYN. fléchir. **6.** fig. Soumettre, forcer à s'adapter: *Dans ce collège, on plie les étudiants à une discipline sévère.* **7.** fig. Céder: *Ce ne sont pas les menaces qui le feront plier.* SYN. se rendre. ANT. résister. ☞ dépliage, dépliant, déplier, pliable, pliage, pliant, pliure, repliable, se replier. **se plier** v.pron. **1.** Être plié: *Cette table se plie facilement.* **2.** Se soumettre: *Elle refuse de se plier à ce règlement abusif.*

plinthe n.f. Planche fixée au bas des murs, des cloisons: *Les plinthes ont été repeintes de la même couleur que le recouvrement du sol.* HOM. plainte.

plissé n.m. Ensemble de plis: *J'aime beaucoup le plissé de sa chemise.* HOM. plisser. ☞ pli.

plissé, ée adj. **1.** Qui comporte des plis: *Cette jupe plissée est très jolie.* **2.** Qui porte des plis: *Le vieillard a la peau toute plissée.* SYN. ridée. HOM. plisser. ☞ pli.

plissement n.m. **1.** Action de plisser: *Le plissement de son front indique qu'elle est soucieuse.* SYN. froncement. **2.** Déformation de l'écorce terrestre qui produit un ensemble de plis: *Les Appalaches sont le résultat d'un plissement de terrain.* ☞ pli.

plisser v. **1.** Faire des plis dans quelque chose: *Mario plisse une feuille de papier pour fabriquer un éventail.* SYN. plier. ANT. déplisser. **2.** Faire apparaître des plis en contractant certains muscles: *Quand il réfléchit, Édouard plisse le front.* SYN. froncer. ANT. défroncer. HOM. plissé. ☞ pli.

pliure n.f. Marque formée par un pli: *Coupe le tissu en suivant la pliure de l'ourlet.* ☞ plier.

ploc! interj. Mot évoquant un bruit de chute dans l'eau ou sur le sol: *Ploc! le caillou s'enfonça dans l'eau calme du lac.*

ploiement n.m.litt. Action de ployer, de plier quelque chose: *Le ploiement de ses genoux lui causait une douleur intolérable.* ANT. déploiement. ☞ ployer.

plomb n.m. **1.** Métal lourd, d'un gris bleuâtre, qui se laisse facilement travailler: *Le plomb est un métal mou qui est facile à fondre.* **2.** Grains de plomb qui garnissent une cartouche de chasse: *Ces cartouches sont remplies de petits plombs.* **3.** Petits morceaux de plomb que l'on fixe à une ligne à pêche, à un filet: *André fixe un plomb à sa ligne pour qu'elle s'enfonce bien dans l'eau.* **4.** Coupe-circuit à fil de plomb: *Le court-circuit a fait sauter les plombs.* SYN. fusible. **5.** Petit disque de plomb qui scelle un colis, une porte, un appareil: *Le compteur électrique est scellé avec un plomb.* **6.** Petit morceau de plomb cousu au bas d'un vêtement, d'un rideau pour qu'il tombe droit: *La couturière a mis des plombs dans l'ourlet du rideau.* **7.** Baguette de plomb qui sert à maintenir les verres d'un vitrail: *Les morceaux de verres colorés sont assemblés à l'aide de plombs.* ⁄⁄ *Mine de plomb:* Graphite naturel. *Soldats de plomb:* Figurines représentant des soldats. ☞ déplombage, déplomber, plombage, plomber, plomberie, plombier.

plombage n.m. **1.** Action de plomber une dent: *La dentiste m'a promis que le plombage serait vite terminé.* SYN. obturation. **2.** Alliage d'argent et d'étain qui bouche le trou d'une dent: *En croquant dans un bonbon, j'ai perdu un plombage.* **3.** Action de sceller avec un sceau de plomb: *Pour protéger son envoi, l'expéditeur a effectué le plombage du colis.* ☞ plomb.

plombagine n.f. Graphite naturel, que l'on appelle aussi mine de plomb: *Les mines de crayon sont faites de plombagine.*

plomber v. **1.** Garnir de plomb: *La pêcheuse plombe sa ligne.* **2.** Sceller avec un sceau de plomb: *La douanière a plombé le wagon contenant des matières toxiques.* **3.** Boucher le trou d'une dent avec un alliage d'argent et d'étain: *Le dentiste m'a plombé deux dents.* SYN. obturer. **4.** Donner la couleur du plomb: *L'orage plombe le ciel.* ☞ plomb. se **plomber** v.pron. Prendre la couleur du plomb: *Le ciel se plombe peu à peu: nous aurons un violent orage.* **plombé, ée** p.p. et adj. **1.** Qui est garni de plomb: *La ligne plombée s'enfonce dans l'eau de la rivière.* **2.** Qui est scellé avec un sceau de plomb: *Ces wagons plombés ne seront ouverts qu'à destination.* **3.** Qui est bouché par un alliage d'argent et d'étain: *Ma dent plombée ne me fait plus souffrir.* **4.** Qui est de la couleur du plomb: *Le malade a le teint plombé.*

plomberie n.f. **1.** Métier qui consiste à installer et à entretenir des conduites d'eau et de gaz, des appareils sanitaires: *Ma tante possède une entreprise de plomberie.* **2.** Ensemble des conduites d'eau, de gaz d'une maison, d'un édifice: *Il faudra refaire toute la plomberie de cet édifice.* ☞ plomb.

plombier n.m. Ouvrier qui procède à l'installation et à l'entretien des conduites d'eau et de gaz, des appareils sanitaires: *Le plombier est venu réparer le tuyau de l'évier.* **R.** L'O.L.F. recommande *plombière* comme féminin de *plombier.* ☞ plomb.

plonge n.f. Lavage de la vaisselle dans un restaurant: *Le restaurateur m'a engagée pour faire la plonge.* ☞ plongeur.

plongeant, ante adj. **1.** Qui est dirigé de haut en bas: *Du sommet de la tour, nous avons une vue plongeante sur la ville.* **2.** Qui descend très bas: *Cette robe de bal a un décolleté plongeant.* **R.** Ne pas oublier le *e* après le *g.* ☞ plonger.

plongée n.f. Action de plonger sous l'eau et d'y rester un certain temps: *Le sous-marin est en plongée.* HOM. plonger. ⁄⁄ *Plongée sous-marine:* Activité qui consiste à descendre sous la surface de l'eau avec un équipement spécial. ☞ plonger. ▲ **plongée** n.f. Prise de vue effectuée de haut en bas: *Cette scène a été filmée en plongée.* HOM. plonger. ☞ plonger.

plongeoir n.m. Tremplin, plate-forme dont on se sert pour plonger dans l'eau: *Jean saute du deuxième plongeoir.* **R.** Ne pas oublier le *e* après le *g.* ☞ plonger.

plongeon n.m. **1.** Action de sauter dans l'eau, la tête et les bras en avant: *Valérie a réussi un plongeon acrobatique.* **2.** Détente du gardien de but, au soccer, pour saisir ou détourner le ballon: *Le gardien de but a fait un plongeon spectaculaire.* **R.** Ne pas oublier le *e* après le *g.* ☞ plonger.

plonger v. **1.** Faire entrer dans un liquide: *Monia plonge sa cuiller dans la soupe.* SYN. tremper. **2.** Enfouir: *Plonge ta main dans le sac.* **3.** Sauter dans l'eau, la tête et les bras en avant: *Avant de plonger dans la rivière, assure-toi qu'il n'y a pas d'obstacle.* **4.** S'enfoncer dans l'eau: *Le scaphandrier vient de plonger.* SYN. immerger. ANT. émerger. **5.** Aller du haut vers le bas: *L'avion plonge vers le sol.* SYN. descendre. ANT. s'élever, monter. **6.** Sauter en avant ou de côté pour saisir ou détourner le ballon, au soccer: *La gardienne de but a plongé.* **7.** fig. Mettre brusquement dans un certaine situation: *Ta réponse m'a plongé dans l'embarras.* SYN. précipiter. HOM. plongée. ☞ plongeant, plongée, plongeoir, plongeon, plongeur, replonger. se **plonger** v.pron. **1.** Entrer en entier: *Dominique se plonge dans l'eau tiède et savonneuse.* **2.** fig. Se livrer entièrement à une activité: *Marielle se plonge dans la lecture d'un roman.*

plongeur, euse n. **1.** Personne qui plonge sous l'eau: *La plongeuse a rapporté de magnifiques coquillages.* **2.** Personne qui saute dans l'eau, la tête et les bras en avant: *Le plongeur a réussi un plongeon parfait.* ☞

plonger. ▲ **plongeur, euse** n. Personne qui lave la vaisselle dans un restaurant: *Pendant les vacances, Benoît est plongeur dans un restaurant.* ☞ plonge.

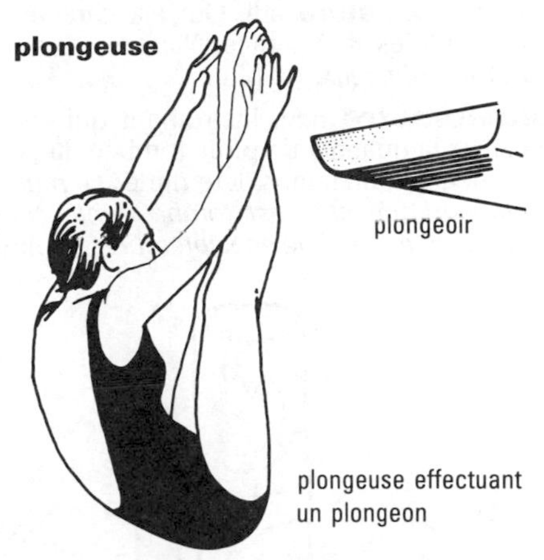

plouf! interj. Mot évoquant un bruit de chute dans un liquide: *Plouf! la balle s'enfonça dans l'eau de la piscine.*

ployer v.litt. **1.** Courber: *Le vent ploie les branches des arbres.* SYN. courber. ANT. redresser. **2.** Plier: *Gaston ploie les genoux: il les plie tout en restant debout.* ANT. déplier, déployer. **3.** Se courber: *Les vieux madriers ont ployé sous la charge.* SYN. s'affaisser. ANT. se redresser. **4.** fig. Se soumettre: *Ne vous attendez pas à ce qu'elle ploie l'échine.* SYN. céder, fléchir. ANT. s'entêter, s'obstiner. **5.** fig. Céder à une force: *Le peuple vaincu ployait sous le joug de l'ennemi.* SYN. flancher, s'incliner. ANT. se cabrer, résister. ☞ ploiement. **se ployer** v.pron. Se courber: *À chaque rafale de vent, la cime du vieux saule se ployait davantage.*

plug ☞ sect. anglicismes et canadianismes.

pluguer ☞ sect. anglicismes et canadianismes.

pluie n.f. **1.** Eau qui tombe en gouttes des nuages: *La pluie commence à tomber.* **2.** Chute d'eau sous forme de pluie: *Des pluies torrentielles s'abattent sur la région.* SYN. averse. **3.** Chute d'objets en grande quantité: *Les manifestants s'enfuirent sous une pluie de pierres.* **4.** fig. Ce qui est distribué en abondance: *Les électeurs s'attendent à une pluie de promesses juste avant les élections.* SYN. avalanche. ANT. disette. ∥ *Pluies acides:* Pluies qui contiennent de l'acide et qui sont très nuisibles à la végétation. ☞ pleuvoir, pluvial, pluvieux, pluviomètre, repleuvoir.

plumage n.m. Ensemble des plumes d'un oiseau: *Le perroquet a un plumage très coloré.* ☞ plume.

plume n.f. Chacun des éléments qui recouvrent la peau des oiseaux et qui servent au vol, à la protection du corps et au maintien de la température: *L'hirondelle lisse ses plumes.* ∥ *Poids plume:* En boxe, catégorie de boxeur pesant de cinquante-quatre à cinquante-sept kilogrammes. ☞ déplumer, plumage, plumeau, plumer, se remplumer. ▲ **plume** n.f. **1.** Grosse plume d'oie taillée en pointe, dont on se servait pour écrire: *Autrefois, les gens écrivaient avec une plume d'oie.* **2.** Morceau de métal terminé en pointe, qui est fixé à un porte-plume ou à un stylo et qui sert à écrire: *Nicole trempe sa plume dans l'encrier.* **3.** Manière d'écrire un texte: *Cette écrivaine a une belle plume.* ☞ plumier, porte-plume.

plumeau, eaux n.m. Ustensile de ménage formé d'une touffe de plumes assemblées autour d'un manche court et qui sert à épousseter: *Paul enlève la poussière sur les meubles avec un plumeau.* ☞ plume.

plumer v. **1.** Arracher les plumes d'un oiseau: *La cuisinière a plumé les perdrix avant de les faire cuire.* SYN. déplumer. **2.** fig. et fam. Voler: *Cette friponne a bien failli vous plumer.* SYN. escroquer. ☞ plume.

plumier n.m. Boîte allongée dans laquelle on range les crayons, les plumes, les gommes: *Les écoliers rangent leurs crayons dans leurs plumiers.* ☞ plume.

la **plupart** n.f. et pron.indéf. **1.** n.f. Le plus grand nombre, la majorité: *La plupart des enfants aiment les bandes dessinées.* ANT. aucun. **2.** n.f. La plus grande part: *Gisèle passe la plupart de son temps à lire.* **3.** pron.indéf. Le plus grand nombre: *La plupart en étaient à leur premier voyage outre-mer.* SYN. beaucoup. ANT. peu. pour la **plupart** loc.adv. Quant au plus grand nombre: *Les invités étaient, pour la plupart, des amis de la famille.*

pluriel n.m. Catégorie grammaticale qui désigne plusieurs personnes, plusieurs animaux ou plusieurs choses: *Beaucoup de noms et d'adjectifs prennent un «s» au pluriel.* ANT. singulier.

plus n.m. **1.** Signe de l'addition: *Le plus est figuré par une croix (+) et il se place entre les nombres que l'on veut additionner.* ANT. moins. **2.** Le maximum: *C'est le plus que je puisse faire pour toi.* ANT. minimum. **R.** Le *s* se prononce.

plus adv. et conj. **1.** adv. À un plus haut degré: *Elle est plus sage que moi.* ANT. moins. **2.** adv. Davantage: *Il me semble que tu tra-*

vailles plus cette année. **3.** adv. En plus grande quantité: *Ta bibliothèque contient plus de livres que la mienne.* **4.** adv. Au plus haut degré: *C'est la plus grande athlète du monde.* **5.** adv. Avec «ne», indique la fin d'un état ou d'une action: *Nous ne regardons plus la télévision.* **6.** conj. En ajoutant: *Quatre plus trois font sept.* **R.** Se prononce généralement *plu* devant une consonne, devant une voyelle, devant une pause ou en finale. au **plus** loc.adv. Au maximum: *Cet homme a quarante ans, au plus.* d'autant **plus** loc.adv. À plus forte raison: *Cet animal est d'autant plus à craindre qu'il est sauvage.* de **plus** loc.adv. En outre: *Elle est tombée malade et, de plus, elle a perdu son emploi.* de **plus en plus** loc.adv. Toujours davantage: *La voiture roulait de plus en plus vite.* en **plus de** loc.prép. Outre: *En plus de son travail, elle fait du bénévolat.* ni **plus ni moins** loc.adv. Exactement: *Piquer un objet dans un magasin, c'est ni plus ni moins du vol.* **plus ou moins** loc.adv. À peu près: *Tes vêtements sont plus ou moins propres.* qui **plus est** loc.adv. En outre: *Elle est très intelligente et, qui plus est, très humble.* sans **plus** loc.adv. Sans rien ajouter de plus ou de mieux: *Je le trouve gentil, sans plus.* tant et **plus** loc.adv. Beaucoup: *Vous l'avez encouragé tant et plus.* tout au **plus** loc.adv. Au maximum: *Voilà une semaine, tout au plus, qu'il est parti.*

plusieurs adj.indéf.plur. et pron.indéf.plur. **1.** adj.indéf.plur. Plus d'un: *Elle a fait plusieurs erreurs dans son examen.* SYN. maint. **2.** pron.indéf.plur. Un certain nombre de personnes: *Plusieurs pensent comme vous.* ANT. aucun. **3.** pron.indéf.plur. Un certain nombre de choses: *Si vous avez des stylos, j'en voudrais plusieurs.*

plus-que-parfait n.m. Temps composé du verbe qui indique qu'un fait a eu lieu avant un autre fait passé: *«J'avais fini» est le plus-que-parfait du verbe «finir».*

plutonium n.m. Métal radioactif, inexistant dans la nature, que l'on obtient à partir de l'uranium: *Le plutonium entre dans la fabrication des armes nucléaires.* **R.** Les lettres *um* se prononcent *omm*.

plutôt adv. **1.** De préférence: *La rougeole frappe plutôt les enfants.* **2.** Assez: *Ce jeune homme est plutôt timide.* **3.** En réalité: *Il a quitté son emploi, ou plutôt il a été congédié.* **R.** Ne pas oublier l'accent: *ô*. **plutôt que** loc.conj. Au lieu de: *Tu ferais mieux de travailler plutôt que de perdre ton temps.*

pluvial, ale, aux adj. Qui se rapporte à la pluie: *Les eaux pluviales s'écoulent lentement.* ☞ pluie.

pluvier n.m. Oiseau échassier aux pattes hautes, au bec court, qui vit au bord de l'eau: *Les pluviers se nourrissent surtout d'insectes, de vers et de crustacés.*

pluvieux, euse adj. Qui est caractérisé par des pluies abondantes: *Nous avons eu un automne pluvieux.* ☞ pluie.

pluviomètre n.m. Instrument qui sert à mesurer la quantité de pluie tombée dans un lieu, pendant un temps déterminé: *Le pluviomètre indique qu'il est tombé trente centimètres d'eau de pluie en septembre.* ☞ pluie.

pluviomètre

P.M. Abréviation de la locution latine «post meridiem», signifiant «après midi»: *L'avion décollera à 7 heures P.M., heure de New York.* **R.** Pour la notation de l'heure, ne s'emploie que dans le système anglais où les heures sont comptées jusqu'à douze.

pneu, pneus n.m. Garniture de caoutchouc que l'on fixe à la jante des roues de certains véhicules et qui, le plus souvent, enveloppe et protège une chambre à air: *Maman a vérifié la pression d'air dans les pneus de sa voiture.* **R.** Aussi, *pneumatique*.

pneumatique adj. **1.** Qui se gonfle d'air: *Mireille a dormi sur un matelas pneumatique.* **2.** Qui fonctionne à l'air comprimé: *L'ouvrier défonce l'asphalte à l'aide d'un marteau pneumatique.*

pneumonie n.f. Inflammation du poumon causée par un microbe des voies respiratoires: *Le malade se remet lentement d'une pneumonie.* **R.** Le *p* se prononce.

poche n.f. **1.** Partie d'un vêtement en forme de petit sac, où l'on met les objets qu'on porte sur soi: *Daniel a toujours les mains dans les poches de son pantalon.* SYN. gousset. **2.** Sac de toute dimension: *Des poches d'avoine sont empilées dans le grenier de l'écurie.* **3.** Compartiment d'un cartable, d'un portefeuille, d'une valise, d'un sac à main: *Je mets* *la monnaie dans la poche droite de mon portefeuille.* **4.** Déformation d'un vêtement: *Ton pantalon fait des poches aux genoux.* ∥ *Argent de poche:* Petite somme d'argent destinée aux dépenses personnelles. *Livre de poche:* Livre bon marché et de format réduit qu'on peut glisser dans sa poche. ☞ pocher, pochette. ▲ **poche** n.f. **1.** Cavité ventrale de la femelle des marsupiaux, où les petits achèvent leur développement: *La poche ventrale des marsupiaux renferme les mamelles.* **2.** Cavité remplie d'une substance quelconque: *En creusant le sol, on a découvert une poche de gaz naturel.* ▲ **poche** n.f. Renflement de la peau sous les yeux: *Tu as mal dormi: tu as des poches sous les yeux.* ☞ pocher.

pocher v. Se déformer, en parlant d'un tissu, d'un vêtement: *Je n'aime pas cette veste: elle poche aux coudes.* ☞ poche. ▲ **pocher** v. Cuire dans un liquide bouillant: *Papa fait pocher le poisson.* ☞ pocheuse. **poché, ée** p.p. et adj. Qui a cuit dans un liquide bouillant: *Ce matin, je me suis fait des œufs pochés.* ▲ **pocher** v. Meurtrir par un coup violent: *Dans la bagarre, Diane s'est fait pocher un œil.* ☞ poche. **poché, ée** p.p. et adj. Qui est meurtri par un coup violent: *Le boxeur a un œil poché.*

pochette n.f. **1.** Enveloppe en papier, en tissu, servant à contenir un ou des objets: *N'oublie pas de remettre le disque dans sa pochette.* **2.** Petit mouchoir fin servant à orner la poche supérieure d'une veste: *Il porte un veston bleu marine orné d'une pochette rouge.* **3.** Petit sac à main sans poignée ni bandoulière: *Claude apporte ses clés et son portefeuille dans une pochette.* ☞ poche.

pocheuse n.f. Ustensile de cuisine servant à préparer les œufs pochés: *Carmen dépose les œufs dans la pocheuse.* ☞ pocher.

pochoir n.m. Plaque de carton, de métal découpée, sur laquelle on presse une brosse enduite de peinture ou de couleur pour obtenir un motif, un dessin: *Élise a utilisé un pochoir pour peindre des cœurs autour de sa feuille.*

podium n.m. (lat.) Estrade sur laquelle on fait monter les vainqueurs d'une épreuve sportive: *La championne olympique est montée sur le podium.* **R.** Les lettres *um* se prononcent *omm.*

poêle n.m. Appareil de chauffage fermé dans lequel brûle du bois, du charbon ou du mazout: *Autrefois, les maisons étaient chauffées par des poêles à bois.* **R.** Ne pas oublier l'accent: *ê.* N'a pas le sens de *cuisinière.*

poêle n.f. Ustensile de cuisine, en métal, peu profond, muni d'un long manche, utilisé pour faire frire ou sauter les aliments: *Guy fait frire des oignons dans la poêle.* **R.** Ne pas oublier l'accent: *ê.* ☞ poêlée, poêlon.

poêlée n.f. Contenu d'une poêle: *Le cuisinier nous a servi une poêlée de champignons.* **R.** Ne pas oublier l'accent: *ê.* ☞ poêle (n.f.).

poêlon n.m. Casserole de terre ou de métal munie d'un manche creux, dans laquelle on fait revenir ou mijoter les aliments: *Brigitte dépose le poêlon à fondue sur la table.* **R.** Ne pas oublier l'accent: *ê.* ☞ poêle (n.f.).

poème n.m. Texte de poésie en vers: *Jean-Pierre a écrit trois recueils de poèmes.* ☞ poésie.

poésie n.f. **1.** Art de combiner les mots, les sons, les rythmes d'une langue pour exprimer des émotions, des idées, des sentiments: *La poésie est l'art de faire des vers.* ANT. prose. **2.** Manière particulière à une école, à un poète de pratiquer cet art: *J'aime beaucoup la poésie de Gilles Vigneault.* **3.** Poème: *Sandra a récité une poésie.* **4.** Caractère de ce qui est beau, de ce qui touche la sensibilité, l'imagination: *Les paysages d'automne sont pleins de poésie.* SYN. beauté, émotion. ☞ poème, poète, poétique.

poème poésie

podium

poète n.m. **1.** Personne qui écrit des poèmes: *Émile Nelligan est l'un de nos grands poètes.* **2.** Auteur dont les œuvres sont pleines de poésie: *Cette parolière est un poète.* **3.** Personne qui manque de réalisme: *Il passe sa vie à rêver: c'est un poète.* SYN. rêveur. **R.** L'O.L.F. recommande que le nom *poète* soit aussi employé au féminin. ☞ poésie.

poétique adj. **1.** Qui se rapporte à la poésie: *Cette écrivaine a un style poétique.* **2.** Qui touche par la beauté, le charme, la délicatesse: *Les pommiers en fleur ont un aspect très poétique.* ☞ poésie.

poète poétique

pogner ☞ sect. anglicismes et canadianismes.

poids n.m. **1.** Ce que pèse une personne, un animal ou une chose: *Le poids de cette valise est de cinq kilogrammes.* SYN. masse, pesanteur. **2.** Catégorie dans laquelle on classe les boxeurs, les haltérophiles selon leur poids: *Ce boxeur est un poids lourd.* ☞ contrepoids. ▲ **poids** n.m. **1.** Morceau de métal d'une masse déterminée, servant à peser: *Denise ajoute un poids de cent grammes sur la balance.* SYN. masse. **2.** Corps matériel pesant: *Le géant soulevait d'énormes poids sur ses épaules.* SYN. fardeau. **3.** Morceau de métal suspendu aux chaînes d'une horloge: *Les poids de l'horloge assurent le mouvement du mécanisme.* **4.** Masse de métal, d'un poids déterminé, qu'il faut soulever ou lancer dans certains sports: *Annie s'exerce au lancer du poids, tandis que Sylvio soulève des poids et haltères.* ⫽ *Poids lourd:* Gros camion destiné au transport des lourdes charges. ▲ **poids** n.m. **1.** Sensation physique de lourdeur: *Katy a trop mangé: elle a un poids sur l'estomac.* **2.** fig. Ce qui est pénible à supporter: *Cette femme est courbée sous le poids des années.* SYN. fardeau. **3.** fig. Importance: *Tes arguments ont beaucoup de poids.* SYN. influence, valeur. ANT. insignifiance. HOM. pois, poix, pouah!

poignant, ante adj. Qui cause une impression vive et pénible: *Je n'aime pas me rappeler ces souvenirs poignants.* SYN. atroce, déchirant, douloureux, émouvant. ANT. agréable, calmant, gai, joyeux.

poignard n.m. Arme à lame courte et pointue: *Le poignard est une sorte de couteau.* ☞ poignarder.

poignarder v. **1.** Frapper avec un poignard, un couteau: *Le criminel a poignardé sa victime.* **2.** fig. Causer une vive douleur morale: *Elle ne peut supporter de voir les autres réussir: la jalousie la poignarde.* **3.** fig. Nuire sournoisement: *Son meilleur ami l'a poignardé dans le dos.* ☞ poignard.

poigne n.f. **1.** Force du poignet, de la main: *Martin a une poigne solide.* **2.** fig. Énergie, fermeté dans l'exercice de l'autorité: *La directrice a de la poigne.*

poignée n.f. **1.** Quantité que peut contenir la main fermée: *Salvator distribue une poignée de bonbons à ses amies.* **2.** Partie d'un objet par laquelle on peut le saisir: *Pour fermer la porte, tire sur la poignée.* **3.** fig. Petit nombre de personnes: *Une poignée de spectateurs a quitté la salle avant la fin du film.* ⫽ *Poignée de main:* Geste par lequel on serre la main de quelqu'un pour le saluer, le féliciter.

poignet n.m. **1.** Articulation qui unit l'avant-bras à la main: *Richard porte une montre-bracelet au poignet gauche.* **2.** Extrémité de la manche d'un vêtement qui recouvre cette articulation: *Les poignets de ta chemise sont tachés de peinture.*

poil n.m. **1.** Chacun des filaments qui poussent sur la peau des mammifères: *Ma chatte angora perd ses poils.* **2.** Ensemble des poils d'un animal: *Ce chien a le poil frisé.* SYN. pelage. **3.** Chacun des filaments qui poussent sur le corps humain, en divers endroits: *Ses bras et ses jambes sont couverts de poils.* **4.** Ensemble des poils du corps humain: *Cet homme a du poil sur le corps.* ☞ à contre-poil, poilu. ▲ **poil** n.m. **1.** Chacun des filaments très fins qui couvrent certaines parties des plantes: *Les feuilles de cette plante sont couvertes de poils.* **2.** Partie de certaines étoffes faites de fibres fines et allongées: *L'aspirateur redresse les poils du tapis.*

poilu, ue adj. Qui a beaucoup de poils: *Colette a les bras poilus.* SYN. velu. ANT. glabre. ☞ poil.

poinçon n.m. **1.** Tige de métal pointue qui sert à percer les matières dures: *La cordonnière a percé le cuir avec un poinçon.* **2.** Tige d'acier trempé terminée par une face gravée, servant à marquer les objets en métal précieux: *L'orfèvre se sert d'un poinçon pour marquer les bijoux en or et en argent.* **3.** Marque gravée par cet outil: *On peut voir le poinçon de cette orfèvre sur ce bijou.* **R.** Ne pas oublier la cédille. ☞ poinçonner.

poinçonner v. Marquer d'un poinçon: *L'orfèvre poinçonne les bijoux qu'il a fabriqués.* ☞ poinçon. ▲ **poinçonner** v. Faire des trous dans un billet de train, de métro, pour indiquer que ce billet a été contrôlé: *Le contrôleur a poinçonné mon billet de chemin* *de fer.* **R.** Ne pas oublier la cédille. N'a pas le sens de *pointer.* ☞ poinçonneur.

poinçonneur, euse n. Personne qui poinçonne les billets de chemin de fer, de métro: *La poinçonneuse perfore les billets des voyageurs.* **R.** Ne pas oublier la cédille. ☞ poinçonner.

poindre v.litt. Apparaître: *Le jour commence à poindre à l'horizon.* SYN. se lever, pointer. ANT. disparaître. **R.** S'emploie surtout à l'infinitif et à la troisième personne du singulier du présent de l'indicatif.

poing n.m. Main fermée: *La boulangère enfonce son poing dans la pâte pour l'abaisser.* HOM. point. ⁄⁄ *Coup de poing américain:* Arme qui s'ajuste sur le poing et qui sert à frapper.

point n.m. **1.** Endroit fixe, déterminé: *Les coureurs sont revenus au point de départ.* SYN. lieu. **2.** Intersection de deux droites, en géométrie: *Ces deux droites se croisent au point B.* **3.** Petite tache dont on ne voit pas très bien les contours: *Un point lumineux apparaît dans le ciel.* ⁄⁄ *Point d'appui:* Endroit pour appuyer un objet. *Point d'attache:* Endroit où l'on retourne habituellement. *Point d'eau:* Endroit où se trouve une source, un puits, dans une région aride. *Point de côté:* Douleur vive dans la partie droite du thorax. *Point de vente:* Boutique, magasin où un article est vendu. *Points cardinaux:* Le nord, le sud, l'est et l'ouest. ▲ **point** n.m. **1.** Signe de ponctuation: *La phrase commence par une lettre majuscule et se termine par un point.* **2.** Signe que l'on place sur les «i» et les «j» minuscules: *Pascale a mis un point sur le «i».* ⁄⁄ *Point de suspension:* Signe de ponctuation qui indique que l'auteur n'a pas terminé sa pensée pour une raison quelconque ou pour nous laisser deviner ce qui va suivre. *Point d'exclamation:* Signe de ponctuation qui se met après une exclamation ou après certaines phrases impératives. *Point d'interrogation:* Signe de ponctuation qui se place à la fin d'une question. ☞ deux-points, point-virgule. ▲ **point** n.m. **1.** Unité de notation d'un travail scolaire, d'un examen: *Cette question d'examen vaut dix points.* **2.** Unité de compte dans un jeu, un match: *Notre équipe a marqué un point.* **3.** Unité de compte dans un système de calcul: *L'inflation a augmenté de deux points par rapport à l'année dernière.* ▲ **point** n.m. **1.** Chacune des divisions d'un discours, d'un exposé, d'un texte: *L'orateur a insisté sur le dernier point de son discours.* **2.** Question: *Je ne suis pas d'accord avec vous sur ce point.* **3.** État: *Après plusieurs mois, les discussions sont toujours au même point.* ▲ **point** n.m. Signe placé après une note ou un silence, en musique, pour en augmenter la durée de moitié: *Le point est placé à droite de la note.* ▲ **point** n.m. **1.** Chaque piqûre faite avec du fil et une aiguille dans une étoffe: *L'ourlet de cette jupe est cousu à petits points.* **2.** Manière de tricoter ou d'exécuter une suite de points: *J'ai appris un nouveau point de tricot.* HOM. poing. à **point** loc.adv. **1.** Au bon moment: *Tu arrives à point pour nous aider à déplacer la commode.* **2.** Au degré de cuisson convenable: *Ce rôti de bœuf est cuit à point.* à **point nommé** loc.adv. Au bon moment: *Il arrive toujours à point nommé.* à tel **point que** loc.conj. Tellement que: *Il faisait chaud à tel point que nous transpirions à grosses gouttes.* au **point que** loc.conj. Tellement que: *Il a venté au point que plusieurs arbres ont été déracinés.* en tout **point** loc.adv. Entièrement: *Ce travail est en tout point remarquable.* jusqu'à un certain **point** loc.adv. Dans une certaine mesure: *Tu as raison jusqu'à un certain point.* sur le **point de** loc.prép. Près de: *Quand je suis arrivée, elle était sur le point de partir.*

point adv.litt. Pas: *Il a juré qu'il ne mentirait point.* HOM. poing.

pointage n.m. Opération qui consiste à faire une marque, un signe, sur une liste pour effectuer un contrôle: *Pour s'assurer que tous ses élèves sont dans l'autobus, l'institutrice fait un pointage sur sa liste.* **R.** N'a pas le sens de *marque, compte, total* (d'un match). ☞ pointer. ▲ **pointage** n.m. Action de pointer, de diriger une arme à feu vers un objectif: *Le pointage consiste à donner à une arme la direction et l'inclinaison nécessaires pour que le projectile atteigne l'objectif.* ☞ pointer.

point de vue n.m. **1.** Endroit où l'on doit se placer pour bien voir quelque chose: *La peintre choisit son point de vue pour bien rendre le paysage qu'elle voit.* **2.** Paysage vu de cet endroit: *Du haut de la colline, le point de vue est magnifique.* **3.** fig. Manière de considérer une question: *Le point de vue grammatical a été négligé dans ton texte.* **4.** fig. Opinion: *Je ne partage pas votre point de vue sur cette question.* ⁄⁄ *Au point de vue de, du point de vue de:* En ce qui concerne, en ce qui a trait à. **R.** Au pluriel, *points de vue.*

pointe n.f. **1.** Bout très pointu d'un objet servant à piquer, à percer: *La pointe de l'aiguille s'enfonce dans le tissu.* SYN. extrémité. **2.** Bout effilé d'un objet: *L'oiseau est perché sur la pointe du clocher.* **3.** Bande de terre qui s'avance dans la mer: *Cet été, nous visiterons la pointe de la Gaspésie.* **4.** fig. Ce qui est le plus avancé: *Cette usine utilise des techniques de pointe.* ⁄⁄ *Chaussons à pointes:*

Chaussons à bout dur pour faire des pointes. *Chaussures à pointes:* Chaussures de sport dont les semelles sont munies de pointes. *Faire des pointes:* Se tenir sur la pointe des pieds. *Pointe des pieds:* Extrémité des pieds, des orteils. ☞ épointer, pointer. ▲ **pointe** n.f. **1.** Objet pointu: *La grille en fer forgé est surmontée de pointes.* **2.** Outil servant à percer, à piquer, à tracer: *Le vitrier se sert d'une pointe à diamant.* **3.** Clou de même grosseur sur toute sa longueur: *Le menuisier assemble les pièces de bois avec des pointes.* **4.** Morceau d'étoffe en forme de triangle: *Marie-Ève porte une pointe de soie sur sa robe.* **5.** fig. Parole blessante: *Elles se sont lancé des pointes pendant tout le repas.* // *Pointe sèche:* Outil servant à graver le cuivre. ▲ **pointe** n.f. **1.** Petite quantité d'une substance forte ou piquante: *Il faudrait ajouter une pointe d'ail à ce rôti.* **2.** fig. Petite touche: *Une pointe de jalousie perçait dans ses propos.* ▲ **pointe** n.f. Moment où une activité, un phénomène atteint son maximum: *La coureuse automobile pousse une pointe de vitesse.* // *Heures de pointe:* Moment de la journée où la consommation de gaz, d'électricité atteint son maximum, où la circulation est la plus intense.

pointé, ée adj. Qui est marqué d'un point: *Une note pointée est une note dont la valeur est augmentée de moitié.* HOM. pointer. ☞ pointer.

pointer v. **1.** Marquer d'un point, d'un signe pour effectuer un contrôle: *Chaque matin, l'instituteur pointe le nom des élèves présents sur sa liste.* SYN. cocher, enregistrer. **2.** Contrôler l'heure d'entrée et de sortie des employés: *La machine à pointer est placée à l'entrée de l'usine.* **3.** Enregistrer son heure d'entrée et son heure de sortie: *L'ouvrière a pointé en arrivant au travail.* HOM. pointé. ☞ pointage, pointé, pointeur. se **pointer** v.pron.fam. Arriver: *Il s'est pointé une heure après le début des cours.* SYN. se présenter. ANT. s'éclipser. ▲ **pointer** v. Marquer une note d'un point pour en augmenter la durée de moitié: *La compositrice a pointé cette noire.* ☞ pointé. ▲ **pointer** v. **1.** Diriger vers un point: *Le petit garçon pointe son index vers la porte.* **2.** Diriger une arme pour que le projectile atteigne son objectif: *L'artilleur pointe le canon sur la forteresse.* SYN. braquer. ANT. détourner. **3.** Lancer la boule le plus près du cochonnet, en la faisant rouler, à la pétanque, au jeu de boules: *Le joueur de pétanque a pointé sa boule.* ☞ pointage, pointeur. ▲ **pointer** v. **1.** Dresser en pointe: *Le chien a entendu du bruit: il pointe les oreilles.* **2.** S'élever verticalement: *Le clocher de l'église pointe au-dessus des toits des maisons.* **3.** Commencer à paraître, à pousser: *Le blé pointe hors de terre.*

pointer n.m. (angl.) Chien anglais, au poil ras: *Le pointer est un excellent chasseur.* **R.** Aussi, *pointeur*.

pointeur, euse n. **1.** Personne qui fait une marque, un signe sur une liste pour effectuer un contrôle: *Le pointeur coche les noms des électeurs sur sa liste.* **2.** Personne qui enregistre les résultats pendant une épreuve sportive: *Pour savoir qui gagne le match, allons voir la pointeuse.* ☞ pointer. ▲ **pointeur, euse** n. Joueur qui lance la boule le plus près possible du cochonnet en la faisant rouler, à la pétanque, au jeu de boules: *La pointeuse se prépare à jouer.*

pointeur n.m. Soldat chargé de diriger une arme vers un objectif: *Le pointeur a dirigé le canon vers le port.* ☞ pointer.

pointillé n.m. **1.** Ligne faite d'une suite de petits points ou de petits traits: *Josée découpe les figures géométriques en suivant le pointillé.* **2.** Ligne faite d'une suite de petits trous: *Détachez la feuille en suivant le pointillé.* HOM. pointiller. **R.** Les lettres *ill* se prononcent comme dans *famille*. ☞ pointiller.

pointiller v. Tracer au moyen de points alignés: *Commence par pointiller ton dessin avant de le tracer.* HOM. pointillé. **R.** Les lettres *ill* se prononcent comme dans *famille*. ☞ pointillé.

pointilleux, euse adj. Qui est très exigeant, très minutieux: *Le concierge est très pointilleux sur la propreté.* SYN. chatouilleux, sourcilleux. ANT. complaisant, conciliant, obligeant. **R.** Les lettres *ill* se prononcent comme dans *famille*.

pointu, ue adj. **1.** Qui se termine en pointe: *Ce clou est très pointu.* SYN. aigu, piquant. ANT. arrondi. **2.** Qui a un timbre élevé, désagréable: *La conférencière parle sur un ton pointu.* SYN. affecté, aigu. ANT. naturel, simple. **3.** fig. Qui est susceptible, pointilleux: *Cette femme a un caractère pointu.* SYN. pincé, sec. ANT. conciliant, doux. ☞ pointe.

pointure n.f. Nombre qui indique la dimension des chaussures, des gants, des coiffures, des vêtements: *Quelle pointure chausses-tu?* SYN. grandeur.

point-virgule n.m. Signe de ponctuation qui marque une pause de moyenne durée: *Le point-virgule sert à séparer dans une phrase des parties ou des propositions qui sont liées entre elles par le sens.* **R.** Au pluriel, *points-virgules*. ☞ point (n.).

poire n.f. **1.** Fruit du poirier, à pépins, charnu, de forme allongée : *Les poires sont mûres : il faut les cueillir.* **2.** Objet en forme de poire : *L'infirmier se sert d'une poire à injections.* ☞ poirier.

poire n.f. et adj.fam. **1.** n.f. Personne qui se laisse facilement tromper : *Cette poire a cru tout ce que tu lui as raconté.* SYN. dupe, naïf. **2.** adj. Qui se laisse facilement tromper : *Je ne pensais pas qu'on pouvait être aussi poire.* SYN. crédule.

poireau, eaux n.m. Plante cultivée, aux feuilles allongées et à long pied blanc, qui appartient à la famille de l'oignon : *Jimmy a préparé une délicieuse soupe aux poireaux.*

poireauter v.fam. Attendre : *Il n'est pas venu au rendez-vous : il m'a fait poireauter une heure.* **R.** Aussi, *poiroter*.

poirier n.m. **1.** Arbre fruitier, de taille moyenne, qui produit la poire : *Le poirier a des feuilles ovales et des fleurs blanches.* **2.** Bois de cet arbre, utilisé en ébénisterie : *Le poirier est un bois rougeâtre et dur.* ☞ poire.

pois n.m. **1.** Plante grimpante cultivée pour ses graines : *Le jardinier cultive des pois.* **2.** Graine de cette plante : *Audrey aime beaucoup les petits pois frais.* ⁄⁄ *Pois cassés :* Pois secs séparés en deux qui se mangent surtout en purée. *Pois chiche :* Plante dont la gousse contient deux graines ; graine jaunâtre de cette plante. *Pois de senteur :* Plante grimpante cultivée pour ses fleurs. *Pois mange-tout :* Pois dont on mange la cosse et les graines. ▲ **pois** n.m. Petit cercle d'une couleur différente de celle du fond, sur un papier, une étoffe : *Tante Clotilde porte une robe à pois.* HOM. poids, poix, pouah !

poison n.m. **1.** Substance qui peut incommoder fortement ou tuer la personne ou l'animal qui l'absorbe : *L'arsenic est un poison violent.* ANT. antidote. **2.** fig. Ce qui est dangereux : *Ce livre est un poison pour l'esprit.* **3.** fig. et fam. Personne insupportable : *Ce garçon est un poison.* ☞ contrepoison, empoisonnant, empoisonnement, empoisonner, empoisonneur.

poisse n.f.fam. Malchance : *Quelle poisse que tu sois arrivée trop tard pour le tirage au sort !* SYN. ennui, guigne.

poisser v. Salir avec une matière collante, gluante : *La confiture a poissé tes mains.* ☞ poix.

poisseux, euse adj. Qui est collant, gluant : *J'ai lavé mes mains : elles étaient poisseuses.* ☞ poix.

poisson n.m. Animal vertébré, vivant dans l'eau, qui est pourvu de nageoires et qui respire à l'aide de branchies : *La perche, le saumon, la truite et le maskinongé sont des poissons.* ⁄⁄ *Poisson-chat :* Poisson d'eau douce à longs barbillons. *Poisson d'argent :* Lépisme. *Poisson des chenaux :* Poulamon. *Poisson-épée :* Espadon. *Poisson plat :* Poisson au corps aplati, dont les yeux sont situés sur la face supérieure. *Poisson rouge :* Cyprin doré. *Poisson-scie :* Poisson des mers chaudes et tempérées, dont le museau allongé porte deux rangées de dents. ☞ poissonnerie, poissonneux, poissonnier, poissonnière.

poissonnerie n.f. Magasin où l'on vend du poisson, des fruits de mer : *J'ai acheté du homard et des crevettes à la poissonnerie.* ☞ poisson.

poissonneux, euse adj. Qui contient beaucoup de poissons : *Ce lac est très poissonneux.* ☞ poisson.

poissonnier, ière n. Personne qui vend du poisson, des fruits de mer : *La poissonnière m'a vanté la qualité de sa marchandise.* ☞ poisson.

poissonnière n.f. Ustensile de cuisine de forme allongée qui sert à la cuisson du poisson au four ou en court-bouillon : *Marguerite dépose le saumon entier dans la poissonnière.* ☞ poisson.

poitrail, ails n.m. Devant du corps du cheval et de quelques animaux domestiques, situé entre le cou et les pattes de devant : *La cavalière flatte le poitrail de son cheval.*

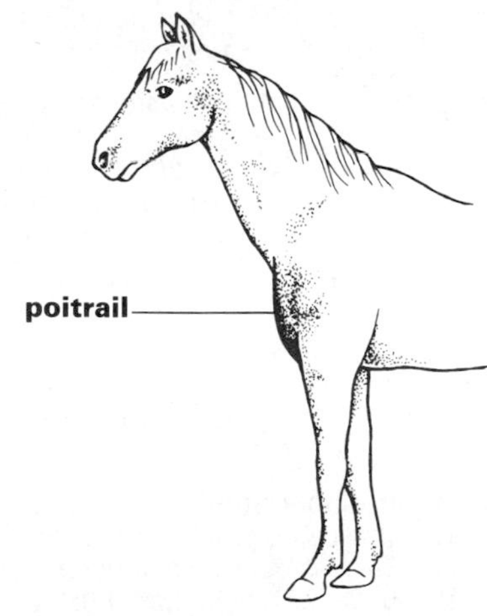

poitrine n.f. **1.** Partie du corps humain, entre le cou et l'abdomen, qui contient le cœur et les poumons : *Le tailleur mesure le tour de poitrine de son client.* SYN. buste. **2.** Devant du thorax : *Grand-père m'a serrée contre sa poitrine.* **3.** Seins : *Cette femme a* *une belle poitrine.* **4.** Partie inférieure de la cage thoracique du bœuf, du mouton, du veau et du porc: *Maman a préparé un bouilli avec de la poitrine de bœuf.*

poivre n.m. **1.** Épice à saveur piquante faite avec le fruit séché du poivrier: *Au restaurant, Brigitte a commandé un steak au poivre.* **2.** Nom de diverses plantes dont les grains sont utilisés comme épice: *Le poivre de cayenne est un condiment fort et piquant tiré d'une espèce de piment.* ⁄⁄ *Poivre blanc:* Poivre moulu à partir des grains dont on a enlevé l'enveloppe. *Poivre gris:* Poivre moulu à partir des grains et de leurs enveloppes. *Poivre noir:* Grains séchés du poivrier. *Poivre vert:* Grains du poivrier qui ne sont pas encore mûrs. ☞ poivré, poivrer, poivrier, poivrière.

poivré, ée adj. **1.** Qui est assaisonné avec du poivre: *Cette sauce est très poivrée.* **2.** Qui a un goût ou une odeur de poivre: *La voisine cultive de la menthe poivrée.* **3.** fig. Qui est grossier ou grivois: *Tes plaisanteries poivrées sont très déplacées.* HOM. poivrer. ☞ poivre.

poivrer v. Assaisonner avec du poivre: *Papa poivre les côtelettes avant de les faire cuire.* HOM. poivré. ☞ poivre.

poivrier n.m. **1.** Arbrisseau grimpant qui pousse dans les régions tropicales et dont les baies fournissent le poivre: *Les fleurs du poivrier sont disposées en chatons.* **2.** Récipient servant à moudre le poivre: *Carla moud les grains de poivre dans le poivrier.* **3.** Petit ustensile de table dans lequel on met le poivre: *Maude dépose la salière et le poivrier sur la table.* SYN. poivrière. ☞ poivre.

poivrière n.f. **1.** Petit ustensile de table où l'on met le poivre: *Stéphane a oublié de mettre la poivrière sur la table.* SYN. poivrier. **2.** Lieu planté de poivriers: *Il y a des poivrières dans les régions tropicales.* ☞ poivre.

poivron n.m. **1.** Piment doux qui donne de gros fruits rouges, jaunes ou verts: *Grand-père fait pousser des poivrons dans son potager.* **2.** Fruit de cette plante, que l'on consomme comme légume: *Le poivron se mange cuit ou cru.*

poix n.f. Substance molle et collante faite avec de la résine ou du groudron de bois: *Pour se défendre, les assiégés versaient de la poix bouillante sur leurs assaillants.* HOM. poids, pois, pouah! ☞ poisser, poisseux.

poker n.m. (angl.) **1.** Jeu de cartes où l'on mise de l'argent: *Au poker, chaque joueur dispose de cinq cartes.* **2.** Quatre cartes de même valeur à ce jeu: *J'ai un poker d'as.* **R.** Les lettres *er* se prononcent *èrr.*

polaire adj. **1.** Qui se rapporte aux pôles, qui est situé près d'un pôle: *Il fait très froid dans les régions polaires.* **2.** Qui est propre aux régions proches des pôles: *Les glaces polaires recouvrent d'immenses territoires.* ⁄⁄ *Cercle polaire:* Cercle parallèle à l'équateur qui marque la limite des zones polaires. *Étoile polaire:* Étoile qui indique le nord. ☞ pôle.

polariser v. Attirer, concentrer en un point: *La vedette polarise l'attention de tous les spectateurs.* se **polariser** v.pron. Se concentrer: *L'opinion publique s'est polarisée sur ce procès.*

polaroïd n.m. (marque déposée) Appareil photographique à développement instantané: *Avec un polaroïd, on obtient immédiatement les photos.* **R.** Ne pas oublier le tréma: *ï.*

polatouche n.m. Écureuil grisâtre qui peut planer d'un arbre à un autre grâce à une membrane tendue entre ses pattes: *Le polatouche est aussi appelé «écureuil volant».*

pôle n.m. **1.** Chacun des deux points de la surface terrestre formant les extrémités de l'axe imaginaire autour duquel la Terre semble tourner: *La Terre a deux pôles: le pôle Nord et le pôle Sud.* **2.** Région située près d'un pôle: *Cette exploratrice a organisé une expédition vers le pôle antarctique.* ☞ polaire.
▲ **pôle** n.m. **1.** Chacune des deux extrémités d'un aimant: *Le magnétisme est localisé aux deux pôles de l'aimant.* **2.** Chacune des deux extrémités d'un circuit électrique: *Chaque circuit électrique comprend un pôle positif et un pôle négatif.* **3.** fig. Chacun des deux termes qui sont complètement opposés l'un à l'autre: *La joie et la tristesse sont deux pôles de l'affectivité.* ⁄⁄ *Pôle d'attraction:* Lieu, personne, chose qui attire l'attention, l'intérêt. **R.** Ne pas oublier l'accent: *ô.*

polémique n.f. et adj. **1.** n.f. Débat très vif et agressif qui se fait par écrit: *Les journalistes ont engagé une polémique autour du droit de grève.* SYN. controverse, discussion. ANT. accord, entente. **2.** adj. Qui a un caractère très vif, agressif: *Cet article polémique a relancé la discussion.*

poli n.m. Aspect lisse et brillant d'une chose: *Cette cire protégera le poli de vos meubles.* ☞ polir.

poli, ie adj. **1.** Qui observe les règles de la politesse: *Cet enfant poli n'oublie jamais de dire merci quand on lui remet quelque chose.* SYN. aimable, respectueux. ANT. grossier, impoli, inconvenant, insolent. **2.** Qui marque la politesse: *Elle a refusé d'un ton poli.* SYN. courtois. ANT. arrogant, impertinent. ☞ impoli, impoliment, impolitesse, poliment, politesse. ▲ **poli, ie** adj. Qui est lisse et brillant: *J'ai trouvé ces cailloux polis près de la rivière.* SYN. luisant. ANT. mat, rugueux. ☞ polir.

police n.f. Organisation chargée de faire respecter la loi, d'assurer le maintien de l'ordre public: *La police a résolu cette affaire.* **R.** N'a pas le sens de *policier, agent de police*. ☞ policier. ▲ **police** n.f. Contrat d'assurance: *Avez-vous lu toutes les clauses de votre police d'assurance?*

polichinelle n.m. (it.) **1.** Personnage bossu et pansu de la comédie italienne et du théâtre de marionnettes: *Polichinelle est un personnage très laid.* **2.** Jouet, marionnette en forme de polichinelle: *Natacha s'amuse avec un polichinelle.* **3.** fig. Personne ridicule: *Je ne peux pas avoir confiance en ce polichinelle.* **R.** On met la majuscule à *polichinelle* lorsqu'il s'agit du personnage de la comédie italienne et du théâtre de marionnettes ainsi que dans l'expression *secret de Polichinelle*.

policier, ière n. et adj. **1.** n. Personne qui fait partie de la police: *Un policier est venu à l'école nous donner des conseils de prudence.* **2.** adj. Qui se rapporte à la police: *L'enquête policière a permis d'identifier la coupable.* **3.** adj. Qui a pour sujet une enquête criminelle: *Carl aime beaucoup les romans policiers.* **4.** adj. Qui a un pouvoir qui s'appuie sur la police: *Il existe des États policiers dans le monde.* ☞ police.

poliment adv. D'une façon polie: *Ils m'ont demandé poliment si je voulais les laisser seuls quelques instants.* ☞ poli (adj.).

poliomyélite n.f. Maladie très grave causée par un virus qui s'attaque à la moelle épinière: *La poliomyélite peut provoquer de graves paralysies.* **R.** Aussi, *polio*. ☞ antipoliomyélitique.

polir v. **1.** Rendre lisse et brillant par frottement: *L'ouvrier a poli le bloc de marbre.* ANT. ternir. **2.** litt. Amener à la perfection: *La romancière polit ses phrases avec soin.* ☞ dépoli, dépolir, poli, polissage, repolir.

polissage n.m. Opération qui consiste à rendre une surface lisse et brillante: *La menuisière effectue le polissage du bois à l'aide d'un papier de verre.* ☞ polir.

polisson, onne n. et adj. **1.** n. Enfant désobéissant et espiègle: *Ce petit polisson a toujours quelque mauvais plan en tête.* SYN. coquin, galopin, gamin. **2.** adj. Qui est désobéissant et espiègle: *Les surveillants se méfient de cette fillette polissonne.* ANT. sage. **3.** adj. Qui est grivois: *Elle fait rire ses camarades avec des chansons polissonnes.* ANT. convenable. ☞ polissonnerie.

polissonnerie n.f. **1.** Action, parole d'un enfant désobéissant et espiègle: *Les polissonneries de Marcel font le désespoir de ses parents.* **2.** Action, parole grivoise: *Ces polissonneries sont déplacées.* ☞ polisson.

politesse n.f. (it.) **1.** Ensemble des règles et des usages qui déterminent le comportement et le langage dans une société: *La politesse exige qu'on remercie la personne qui nous donne quelque chose.* SYN. bienséance, étiquette. **2.** Respect de ces règles: *Sa politesse est exemplaire.* SYN. courtoisie, savoir-vivre. ANT. grossièreté, impolitesse. **3.** Action, parole conforme à ces règles: *Ils m'ont invitée chez eux pour me rendre une politesse.* SYN. civilité, galanterie. ANT. inconvenance, insolence. ☞ poli (adj.).

politicien, ienne n. Personne qui joue un rôle dans les affaires publiques d'un État: *Les politiciens doivent répondre de leurs actes devant les électeurs.* ☞ politique.

politique n.f. **1.** Manière de gouverner un État: *Pendant la campagne électorale, chaque parti explique sa politique à la population.* **2.** Ensemble des affaires publiques d'un État: *Les députés et les ministres s'occupent de politique.* **3.** Affaires d'un État dans un domaine déterminé: *Cette ministre a réformé la politique économique de son parti.* **4.** Manière de conduire une affaire: *Le conseil de l'école n'a pas employé la bonne politique.* SYN. tactique. ☞ politicien, politiquement, politiser.

politique adj. **1.** Qui se rapporte au gouvernement d'un État: *Le Sénat et la Chambre des communes sont des institutions politiques canadiennes.* **2.** Qui se rapporte à la manière de gouverner un État: *Les partis politiques se font la lutte pour obtenir le pouvoir.* **3.** Qui se rapporte aux affaires publiques d'un État: *Une grave crise secoue les milieux politiques canadiens.* **4.** Qui se rapporte au pouvoir, à la lutte autour du pouvoir: *On assiste à une grave crise politique dans ce pays.* **5.** Qui est habile: *C'est très politique d'avoir invité ton patron.* ∥ *Homme, femme politique:* Personne qui s'occupe des affaires publiques d'un État. *Prisonnier politique:* Personne emprisonnée pour des raisons politiques.

politiquement adv. **1.** Du point de vue politique: *Mon père est politiquement d'accord avec sa voisine.* **2.** fig. D'une manière habile: *Elle a agi politiquement pour obtenir ce qu'elle voulait.* ☞ politique.

politiser v. Donner un caractère politique: *Des militantes syndicales cherchent à politiser le débat.* ☞ politique.

polka n.f. (pol.) **1.** Ancienne danse polonaise au rythme vif: *Lucien et Marie-Paule dansent la polka.* **2.** Air sur lequel on la danse: *L'orchestre joue une polka.*

pollen n.m. Poussière très fine faite de grains minuscules produits par les étamines des fleurs: *Le pollen joue un rôle important dans la formation du fruit.* **R.** Le *n* se prononce. ☞ pollinisation.

pollinisation n.f. Transport du pollen sur le pistil des fleurs, qui permet la fécondation: *Le vent et les insectes assurent la pollinisation.* ☞ pollen.

pollen pollinisation

polluant n.m. Produit qui cause une pollution: *Cette usine a rejeté des polluants industriels dans les eaux de la rivière.* ☞ polluer.

polluant, ante adj. Qui cause une pollution: *La limitation de l'usage des produits polluants est un grand défi pour notre société.* ☞ polluer.

polluer v. Rendre malsain, dangereux: *Un déversement de mazout a pollué ce cours d'eau.* SYN. contaminer, empoisonner, infecter. ANT. désinfecter, épurer. ☞ antipollution, dépolluer, dépollution, polluant, pollueur, pollution.

pollueur, euse n. et adj. **1.** n. Personne, groupe qui pollue: *Les grands pollueurs industriels devraient être sévèrement punis.* **2.** adj. Qui pollue: *Les agents pollueurs causent de graves dommages à l'environnement.* ☞ polluer.

pollution n.f. **1.** Dégradation d'un milieu naturel par des substances toxiques: *Les gaz d'échappement des voitures augmentent la pollution de l'air.* SYN. contamination. ANT. épuration. **2.** Dégradation des conditions de vie: *La pollution par le bruit peut causer des troubles nerveux.* ☞ polluer.

polo n.m. (angl.) Sport dans lequel des cavaliers, divisés en deux équipes, doivent pousser une boule de bois dans le camp adverse à l'aide d'un maillet à long manche: *Le polo se joue à cheval.* ▲ **polo** n.m. Chemise de sport en tricot, à col ouvert: *Marion cherche son polo bleu.*

polonais, aise n. et adj. **1.** n. Personne qui est de la Pologne: *Un Polonais, une Polonaise.* **2.** adj. Qui est de la Pologne: *La polka est une danse polonaise.* **R.** On met la majuscule à *polonais* et à *polonaise* lorsque le nom désigne une personne. ☞ polonaise.

polonais n.m. Langue parlée en Pologne: *Le polonais est une langue slave.*

polonaise n.f. **1.** Danse nationale des Polonais: *Aux cours de danse folklorique, nous avons appris à danser la polonaise.* **2.** Musique sur laquelle on exécute cette danse: *Maman écoute souvent les polonaises de Chopin.* ☞ polonais.

poltron, onne n. et adj. (it.) **1.** n. Personne qui manque de courage: *Cette poltronne a peur du moindre danger.* SYN. lâche, peureux. ANT. brave. **2.** adj. Qui manque de courage: *Ne sois pas si poltron: il n'y a rien à craindre.* SYN. pleutre. ANT. courageux, intrépide. ☞ poltronnerie.

poltronnerie n.f. Manque de courage: *Tous ses camarades se moquent de sa poltronnerie.* SYN. lâcheté. ANT. bravoure, courage. ☞ poltron.

polychrome adj. Qui est de plusieurs couleurs: *Cette statue est polychrome.* ANT. monochrome.

polyclinique n.f. Clinique où l'on dispense une grande diversité de soins (médicaux, dentaires, psychologiques, etc.): *On donne toutes sortes de soins dans une polyclinique.* ☞ clinique.

polycopie n.f. Reproduction d'un document par décalque sur une couche de gélatine ou par stencil: *La polycopie est de plus en plus remplacée par la photocopie.* ☞ copie.

polycopié n.m. Texte qui a été reproduit par polycopie: *Bertrand distribue les polycopiés aux élèves.* HOM. polycopier. ☞ copie.

polycopié, ée adj. Qui est reproduit par polycopie: *L'institutrice a distribué un texte polycopié.* HOM. polycopier. ☞ copie.

polycopier v. Reproduire par décalque sur une couche de gélatine ou par stencil: *L'instituteur a polycopié un monologue de Clémence Desrochers.* HOM. polycopié. ☞ copie.

polyculture n.f. Culture de différentes espèces végétales dans une même ferme, dans une même région: *Dans cette région, on pratique la polyculture.* ☞ cultiver.

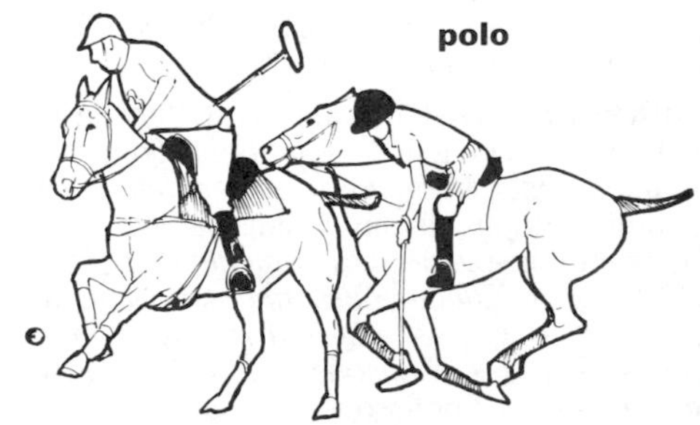
polo

polyèdre n.m. Solide limité par des faces: *Le cube est un polyèdre à six faces.* ☞ polyédrique.

polyédrique adj. Qui a la forme d'un polyèdre: *Ce cristal est polyédrique.* ☞ polyèdre.

polyèdre polyédrique

polyester n.m. Nom de divers composés chimiques dont certains sont les constituants de matières plastiques: *Cette blouse est en polyester.*

polygame n. et adj. **1.** n. Homme qui a plusieurs femmes ou femme qui a plusieurs maris: *Les polygames peuvent avoir plusieurs conjoints en même temps.* ANT. monogame. **2.** adj. Qui a plusieurs femmes ou plusieurs maris: *Les musulmans sont polygames.* ☞ polygamie.

polygamie n.f. État d'un homme qui a plusieurs femmes ou d'une femme qui a plusieurs maris: *La polygamie est interdite au Canada.* ANT. monogamie. ☞ polygame.

polyglotte n. et adj. **1.** n. Personne qui parle plusieurs langues: *Kevin parle cinq langues: c'est un polyglotte.* ANT. monolingue. **2.** adj. Qui parle plusieurs langues: *Cette chef d'État est polyglotte.* **3.** adj. Qui est écrit en plusieurs langues: *As-tu déjà consulté un dictionnaire polyglotte?*

polygonal, ale, aux adj. **1.** Qui a plusieurs côtés et plusieurs angles: *Un quadrilatère est une figure polygonale.* **2.** Dont la base est un polygone, en parlant d'un solide: *La pyramide est un solide polygonal.* ☞ polygone.

polygone n.m. Figure géométrique qui a plusieurs côtés et plusieurs angles: *Le carré, le triangle et le rectangle sont des polygones.* ☞ polygonal.

polynésien, enne n. et adj. **1.** n. Personne qui est de la Polynésie, ensemble d'îles et d'archipels situés en Océanie: *Un Polynésien, une Polynésienne.* **2.** adj. Qui est de la Polynésie: *Le territoire polynésien est formé d'îles situées à l'est de l'Australie.* **R.** On met la majuscule à *polynésien* et à *polynésienne* lorsqu'il s'agit du nom.

polystyrène n.m. Matière plastique qui entre notamment dans la fabrication de panneaux isolants: *Les mousses de polystyrène sont employées dans l'emballage et comme isolant thermique.*

polytechnique n.f. et adj. **1.** n.f. École d'enseignement supérieur où l'on forme des ingénieurs: *Ma grande sœur est une ancienne étudiante de Polytechnique.* **2.** adj. Où l'on forme des ingénieurs: *Robert étudie l'électricité à l'École polytechnique de Montréal.* **R.** Les lettres *ch* se prononcent *k*. On met la majuscule à *polytechnique* lorsqu'il s'agit du nom.

polyvalence n.f. **1.** Qualité d'une personne qui peut exercer plusieurs activités: *Sa polyvalence le met à l'abri du chômage.* **2.** Caractère de ce qui peut servir à plusieurs usages: *Cette salle est toujours occupée à cause de sa polyvalence.* ☞ polyvalent.

polyvalent, ente adj. **1.** Qui peut exercer plusieurs activités: *Ce professeur peut enseigner plusieurs matières: il est polyvalent.* **2.** Qui peut servir à plusieurs usages: *Chaque école devrait posséder un local polyvalent.* **3.** Qui protège contre plusieurs maladies: *L'enfant a reçu un vaccin polyvalent.* ☞ polyvalence, polyvalente.

polyvalente n.f. Au Québec, école secondaire où sont dispensés à la fois l'enseignement général et l'enseignement professionnel: *L'an prochain, après sa sixième année, Claire fréquentera la polyvalente.* ☞ polyvalent.

pomiculteur, trice n. Personne qui cultive des arbres donnant des fruits à pépins: *La pomicultrice récolte des pommes et des poires.* **R.** Aussi, *pomoculteur*. S'écrit avec un seul *m*. ☞ pomoculture.

pommade n.f. Médicament fait d'un corps gras, que l'on applique sur la peau: *Maman a acheté un tube de pommade à la pharmacie.*

pomme n.f. Fruit à pépins de forme plus ou moins arrondie, à pulpe ferme et juteuse, produit par le pommier: *Les pommes mûres peuvent être vertes, jaunes ou rouges selon la variété.* ⁄⁄ *Pomme d'api:* Variété de pomme rouge et blanche, ferme et sucrée. *Vert pomme:* Vert clair et assez vif. ☞ pommeraie, pommier. ▲ **pomme** n.f. Partie centrale d'un chou, d'une laitue dont les feuilles sont disposées en boule: *N'oublie pas d'acheter une pomme de laitue.* ☞ pommé, pommer. ▲ **pomme** n.f. Objet de forme arrondie: *La pomme de la douche distribue l'eau en pluie.* ⁄⁄ *Pomme d'arrosoir:* Partie arrondie, percée de petits trous, qui s'adapte au bec d'un arrosoir. *Pomme de pin:* Fruit du pin, formé d'écailles dures qui protègent les graines.

pomiculteur pomme

pommé, ée adj. Qui est arrondi comme une pomme: *Ce chou pommé fera une bonne salade.* HOM. pommer. ☞ pomme.

pommeau, eaux n.m. **1.** Bout arrondi de la poignée d'une canne, d'un parapluie, d'une épée, d'un sabre : *Le commandant du navire a reçu la canne à pommeau d'or.* **2.** Partie relevée, à l'avant d'une selle : *Le pommeau de la selle sert à accrocher une gourde ou la provision d'avoine du cheval.*

pomme de terre n.f. **1.** Plante annuelle originaire d'Amérique du Sud, dont les tubercules sont comestibles : *Le long de la route, des champs de pommes de terre s'étendent à perte de vue.* **2.** Tubercule comestible, riche en amidon, de cette plante : *Gabriel épluche les pommes de terre.* ⫽ *Pomme de terre en robe des champs :* Pomme de terre cuite avec sa pelure. **R.** Au pluriel, *pommes de terre*.

pommelé, ée adj. **1.** Qui est couvert de petits nuages de forme arrondie : *Aujourd'hui, le ciel est pommelé.* **2.** Qui est couverte de taches rondes, grises ou blanches, en parlant de la robe d'un cheval : *Ce cheval pommelé est très fringant.*

pommer v. Prendre la forme d'une boule, en parlant du chou, de la laitue : *Les laitues commencent à pommer.* HOM. pommé. ☞ pomme.

pommeraie n.f. Lieu planté de pommiers : *À Rougemont, il y a beaucoup de pommeraies.* ☞ pomme.

pommette n.f. Partie haute de la joue, audessous de l'œil : *Bibiane a couru : elle a les pommettes toutes rouges.* ▲ **pommette** n.f. Au Canada, petite pomme légèrement acide produite par le pommettier : *Avec les pommettes, on prépare de la gelée.* ☞ pommettier.

pommettier n.m. Au Canada, nom donné au pommier de Sibérie, pommier ornemental qui produit de petites pommes acides : *Nous avons un pommettier sur notre terrain.* ☞ pommette.

pommier n.m. Arbre de taille moyenne, à feuilles ovales et dentées, qui produit la pomme : *Les pommiers ont des fleurs blanches ou roses.* ☞ pomme.

pomoculture n.f. Culture des arbres qui donnent des fruits à pépins : *On pratique la pomoculture en Montérégie.* **R.** Aussi, *pomiculture*. S'écrit avec un seul *m*. ☞ pomiculteur.

pompage n.m. Action de pomper : *Les stations de pompage font circuler le pétrole dans le pipeline.* ☞ pompe.

pompe n.f. (néerl.) **1.** Appareil qui sert à aspirer ou à refouler un liquide : *Après l'inondation, papa s'est servi d'une pompe pour extraire l'eau de la cave.* **2.** Appareil qui distribue de l'essence : *Les automobilistes arrêtent devant la pompe à essence pour faire le plein.* **3.** Appareil qui sert à refouler l'air pour gonfler un pneu, un ballon, etc. : *Marie gonfle les pneus de sa bicyclette à l'aide d'une pompe.* ⫽ *Pompe à incendie :* Pompe servant à éteindre le feu au moyen d'un jet d'eau puissant et continu. ☞ pompage, pomper, pompiste. ▲ **pompe** n.f.litt. Déploiement de luxe : *Les journaux du monde entier ont souligné la pompe du mariage royal.* SYN. éclat, étalage, faste, somptuosité. ANT. modestie, simplicité, sobriété. ⫽ *En grande pompe :* Avec tout le luxe et l'éclat possibles. *Pompes funèbres :* Entreprise qui organise des funérailles. ☞ pompeusement, pompeux.

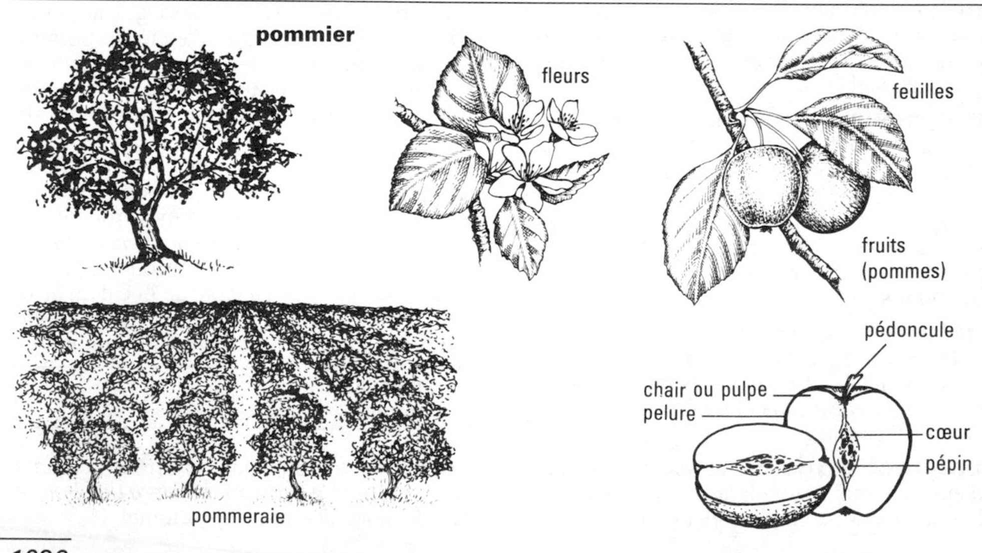

pomper v. **1.** Aspirer ou refouler avec une pompe : *La fermière pompe l'eau du puits.* **2.** Aspirer : *Les maringouins pompent le sang.* **3.** Absorber : *L'éponge a pompé l'eau répandue sur le sol.* ☞ pompe.

pompeusement adv.péj. De façon pompeuse, prétentieuse : *Ce qu'elle appelait pompeusement « un château » n'était en fait qu'une simple demeure.* ANT. simplement. ☞ pompe.

pompeux, euse adj. Qui est solennel et un peu ridicule : *Le maire a fait un discours pompeux.* SYN. affecté, emphatique. ANT. modeste, naturel, simple. ☞ pompe.

pompier n.m. Personne qui est chargée de combattre les incendies et les sinistres : *Les pompiers ont eu beaucoup de difficulté à éteindre l'incendie.* **R.** L'O.L.F. recommande *pompière* comme féminin de *pompier*.

pompiste n. Personne qui est chargée du fonctionnement des pompes à essence dans une station-service : *La pompiste a fait le plein d'essence de notre voiture.* ☞ pompe.

pompon n.m. Touffe serrée de fils de laine, de soie, qui sert d'ornement : *Les rideaux du salon sont ornés de pompons.*

pomponner v. Parer avec beaucoup de soin : *Ces jeunes parents aiment bien pomponner leur petit enfant.* **se pomponner** v.pron. Se parer avec beaucoup de soin : *Cesse de te pomponner : nous serons en retard à la fête !* ANT. se négliger.

ponce n.f. Roche volcanique, poreuse, très légère et très dure, dont on se sert pour polir : *La ponce est plus couramment appelée « pierre ponce ».* ☞ poncer, ponceuse.

ponceau, eaux n.m. Petit pont à une seule arche : *Le ponceau enjambe le fossé.*

poncer v. Polir, décaper en frottant avec une substance abrasive, comme la pierre ponce, le papier de verre, l'émeri : *Maman ponce le meuble avant de le vernir.* **R.** Ne pas oublier la cédille devant *a* et *o*. ☞ ponce.

ponceuse n.f. Machine qui sert à poncer, à polir : *Le menuisier utilise la ponceuse pour rendre les murs bien lisses.* ☞ ponce.

poncho n.m. (esp.) Manteau fait d'une pièce d'étoffe rectangulaire percée d'un trou au milieu pour y passer la tête : *Le poncho est un vêtement populaire en Amérique du Sud.*

ponction n.f. **1.** Opération chirurgicale qui consiste à introduire une aiguille dans un organe ou une cavité pour en retirer du liquide : *Le malade a subi une ponction lombaire.* **2.** fam. Prélèvement d'une partie importante de quelque chose, surtout d'une somme d'argent : *En achetant une nouvelle automobile, nous avons fait une ponction à notre budget.*

ponctualité n.f. **1.** Qualité d'une personne qui est toujours à l'heure : *L'instituteur a félicité Bianca pour sa ponctualité.* SYN. exactitude. ANT. inexactitude. **2.** Soin, exactitude dans l'accomplissement de ses obligations : *Cet employé s'acquitte de ses tâches avec ponctualité.* SYN. assiduité, fidélité, régularité. ANT. négligence, retard. ☞ ponctuel.

ponctuation n.f. **1.** Ensemble des signes qui servent à marquer les pauses, les intonations dans un texte : *Le point et la virgule sont des signes de ponctuation.* **2.** Manière d'utiliser ces signes : *Ce texte est illisible à cause de sa mauvaise ponctuation.* ☞ ponctuer.

ponctuel, elle adj. **1.** Qui est toujours à l'heure : *Sylvie n'est jamais en retard à l'école : elle est très ponctuelle.* SYN. assidu. ANT. inexact. **2.** Qui met beaucoup de soin, d'exactitude dans l'accomplissement de ses obligations : *Cet employé ponctuel mérite des félicitations.* SYN. régulier. ANT. irrégulier, négligent. ☞ ponctualité, ponctuellement. ▲ **ponctuel, elle** adj. Qui porte sur un point seulement, un élément d'un ensemble : *La directrice nous a fait des remarques ponctuelles sur la sécurité dans la cour d'école.*

ponctuellement adv. À l'heure exacte : *Tous les matins, la concierge arrive ponctuellement à 7 heures.* ☞ ponctuel.

ponctuer v. **1.** Mettre les signes de ponctuation nécessaires dans un texte : *Claude a bien ponctué sa lettre.* **2.** Marquer, accompagner d'un geste, d'une exclamation : *Elle ponctuait chacune de ses phrases d'un clin d'œil.* **3.** Marquer les repos d'un morceau de musique : *Cette phrase musicale est ponctuée d'une pause.* SYN. souligner. ☞ ponctuation.

pondération n.f. Calme, équilibre dans les manières, les jugements : *Tu peux suivre ses conseils : il a toujours fait preuve de pondération.* SYN. mesure, modération, prudence. ANT. déséquilibre, excès, impulsivité, nervosité. ☞ pondéré.

pondéré, ée adj. Qui est calme, équilibré dans ses manières, ses jugements : *Marie ne décide jamais rien à la hâte : c'est une jeune fille pondérée !* SYN. mesuré, modéré, posé. ANT. déséquilibré, excité, impulsif, nerveux. ☞ pondération.

pondeur, euse adj. **1.** Qui pond des œufs : *Ce papillon pondeur a des ailes très colorées.* **2.** Qui pond beaucoup d'œufs : *L'avicultrice prend soin de ses poules pondeuses.* ☞ pondre.

pondeuse n.f. Femelle d'oiseau qui pond beaucoup d'œufs : *Cette poule rousse est une bonne pondeuse.* ☞ pondre.

pondoir n.m. Endroit où les poules viennent pondre : *Nous avons recueilli trois douzaines d'œufs dans le pondoir.* ☞ pondre.

pondre v. **1.** Faire un ou des œufs : *Les oiseaux, les poissons et les reptiles pondent des œufs.* **2.** fig. et fam. Écrire un texte : *Je ne l'aurais jamais cru capable de pondre un article pareil.* ☞ pondeur, pondeuse, pondoir, ponte.

poney n.m. (angl.) Cheval de petite taille : *Les enfants aiment se promener à dos de poney.*

pongiste n. Personne qui joue au ping-pong : *Les pongistes viennent de commencer la partie.* ☞ ping-pong.

pont n.m. **1.** Construction qui permet de franchir un cours d'eau, une dépression du sol ou un obstacle : *Ce pont relie les deux rives du fleuve Saint-Laurent.* **2.** Acrobatie au sol dans laquelle le corps, renversé par en arrière, repose sur les mains et sur les pieds : *Pendant le cours d'éducation physique, Alain nous a montré à faire le pont.* **3.** fig. Ce qui sert à unir : *Cette adolescente a coupé tous les ponts avec sa famille.* ⁄⁄ *Pont aérien :* Liaison aérienne d'urgence pour acheminer des vivres, des secours ou pour évacuer des réfugiés. *Pont basculant :* Pont dont le tablier se relève obliquement. *Pont élévateur :* Appareil qui permet de soulever les automobiles à hauteur d'homme. *Pont suspendu :* Pont dont le tablier est supporté par des câbles métalliques. ☞ pontage, pont-levis. ▲ **pont** n.m. Chacune des surfaces horizontales qui couvrent le creux de la coque d'un navire : *Les passagers se promènent sur le pont supérieur du paquebot.* ☞ entrepont, ponter.

pontage n.m. Opération chirurgicale qui consiste à réunir deux veines ou deux artères, par une greffe ou une prothèse : *Elle avait une artère bloquée, on a dû lui faire un pontage.* ☞ pont.

ponte n.f. **1.** Action de pondre : *Après la ponte, les tortues marines regagnent la mer.* **2.** Quantité d'œufs pondus en une seule fois : *L'hirondelle couve sa ponte jusqu'à l'éclosion des petits.* ☞ pondre.

ponter v. Faire un pont sur un navire en construction : *Les ouvriers ont ponté le bateau de pêche.* ☞ pont. **ponté, ée** p.p. et adj. Dont le creux de la coque est couvert par un ou plusieurs ponts : *Le canot est une embarcation légère non pontée.*

pontife n.m. Titre donné au pape : *Le souverain pontife a béni la foule réunie pour la célébration de la messe.* ☞ pontifical, pontificat.

pontifical, ale, aux adj. Qui se rapporte au pape : *Le Vatican est la cité pontificale.* ☞ pontife.

pontificat n.m. **1.** Dignité, fonction de pape : *Ce cardinal a de grandes chances d'être élevé au pontificat.* **2.** Temps pendant lequel un pape exerce sa fonction : *Marguerite Bourgeoys a été canonisée sous le pontificat de Jean-Paul II.* ☞ pontife.

pont-levis n.m. Pont mobile qui s'élève ou s'abaisse à volonté au-dessus d'un fossé : *Pour accéder au château, il fallait passer sur le pont-levis.* **R.** Au pluriel, *ponts-levis*. ☞ pont.

ponton n.m. Plate-forme flottante qui sert de quai, d'embarcadère : *Dans une marina, il y a des pontons d'accostage.*

pope n.m. (russe) Prêtre de l'Église orthodoxe russe : *Le pope a béni le mariage de ce couple.*

popeline n.f. (angl.) Tissu fin et serré de laine et de soie ou de coton et de soie : *Cette chemise en popeline est magnifique.*

popote n.f.fam. Cuisine : *Cette semaine, Armand prépare la popote pour toute la famille.*

populaire adj. **1.** Qui vient du peuple : *La volonté populaire se manifeste aux élections.* **2.** Qui est propre au peuple : *Cette folkloriste étudie les traditions populaires.* **3.** Qui est fréquenté, habité par les gens du peuple : *Hélène habite dans un quartier populaire.* **4.** Qui s'adresse au peuple : *Il ne lit que des romans populaires.* ☞ peuple. ▲ **populaire** adj. Qui est connu et aimé du plus grand nombre : *Cette chanteuse est aussi populaire en France qu'au Québec.* ANT. impopulaire. ☞ impopulaire, impopularité, populariser, popularité.

populariser v. Faire connaître au plus grand nombre de personnes : *Claude-Henri Grignon a popularisé le personnage de Séraphin.* ☞ populaire.

popularité n.f. Fait d'être connu et aimé du plus grand nombre : *La popularité de cet acteur ne cesse de grandir.* SYN. célébrité, considération, renommée. ANT. impopularité. ☞ populaire.

population n.f. **1.** Ensemble des personnes qui habitent un pays, une ville, une région : *La moitié de la population du Québec est concentrée dans la région de Montréal.*

2. Ensemble des personnes qui font partie d'une catégorie particulière: *La population scolaire du Québec a diminué au cours des dernières années.* **3.** Ensemble des animaux ou des végétaux d'une même espèce qui vivent sur un territoire: *Cette population d'orignaux est menacée par la construction du barrage.* ☞ peuple.

populeux, euse adj. Où il y a beaucoup d'habitants: *New York est une ville populeuse.* SYN. surpeuplé. ANT. désert, inhabité. ☞ peuple.

poqué ☞ sect. anglicismes et canadianismes.

porc n.m. **1.** Mammifère domestique omnivore, au corps épais, à la tête allongée terminée par un groin, dont le mâle est le verrat, la femelle, la truie et le petit, le porcelet: *On garde les porcs dans la porcherie.* SYN. cochon. **2.** Chair de cet animal: *Grand-mère nous a servi un délicieux rôti de porc.* **3.** Peau tannée de cet animal: *Mon manteau est en porc.* HOM. pore, port. **R.** Le *c* ne se prononce pas. ☞ porcelet, porcherie, porcin, porcins.

porcelaine n.f. (it.) Mollusque des mers chaudes, à coquille luisante et polie, tachetée de couleurs vives: *La porcelaine présente une ouverture en forme de fente à rebords dentés.* ▲ **porcelaine** n.f. **1.** Poterie très fine et translucide, généralement de couleur blanche, recouverte d'une glaçure incolore: *La porcelaine est faite d'un mélange de kaolin, de feldspath et de quartz.* **2.** Objet en porcelaine: *Dominique collectionne les porcelaines.*

porcelet n.m. Petit du verrat et de la truie: *Les porcelets tètent leur mère en grognant.* SYN. cochonnet, goret. ☞ porc.

porc-épic n.m. **1.** Mammifère rongeur dont le corps est recouvert de longs piquants: *Le porc-épic se hérisse lorsqu'il se sent menacé.* SYN. hérisson. **2.** fig. Personne irritable: *Il se fâche pour un rien: c'est un véritable porc-épic.* **R.** Au pluriel, *porcs-épics*. Les deux *c* se prononcent.

porche n.m. **1.** Espace couvert en avant de la porte d'entrée d'un édifice: *Les fidèles attendent sous le porche de l'église.* **2.** Pièce d'entrée où s'ouvre la grande porte d'un immeuble: *Le porche de l'hôtel est rempli de clients.*

porcherie n.f. **1.** Bâtiment où l'on garde les porcs: *Le fermier engraisse les porcs dans la porcherie.* **2.** fig. Lieu très sale: *Ce n'est pas possible de vivre dans une porcherie pareille!* ☞ porc.

porcin, ine adj. **1.** Qui se rapporte au porc: *Dans cette région, on se consacre à l'élevage porcin.* **2.** Qui rappelle l'aspect du porc: *Ses petits yeux porcins suivaient tous mes mouvements.* ☞ porc.

porcins n.m.plur. Groupe de mammifères ayant quatre doigts complets par patte, qui comprend les porcs sauvages et le porc domestique: *Le pécari, le sanglier et le cochon sont des porcins.* **R.** S'écrit au singulier lorsqu'il désigne un animal appartenant à ce groupe. ☞ porc.

pore n.m. Chacun des très petits orifices de la peau par où sortent la sueur et le sébum: *Nous transpirons par les pores de la peau.* HOM. porc, port. ☞ poreux.

poreux, euse adj. Qui a une multitude de petits trous: *La pierre ponce est une roche poreuse.* SYN. spongieux. ANT. imperméable. ☞ pore.

pornographe n. et adj. **1.** n. Auteur, artiste qui se spécialise dans les œuvres obscènes: *Les œuvres des pornographes blessent la pudeur.* **2.** adj. Qui se spécialise dans les œuvres obscènes: *Cet éditeur pornographe dirige un véritable empire.* **R.** Les lettres *ph* se prononcent *f*. ☞ pornographie.

pornographie n.f. Représentation de choses obscènes destinées à être montrées en public: *Ces revues obscènes devraient être interdites: c'est de la pornographie.* **R.** Les lettres *ph* se prononcent *f*. ☞ pornographe, pornographique.

pornographique adj. Qui se rapporte à la représentation de choses obscènes destinées à être montrées au public: *Ce cinéma présente des films pornographiques.* **R.** Aussi, *porno*. Les lettres *ph* se prononcent *f*. ☞ pornographie.

port n.m. **1.** Abri naturel ou artificiel aménagé pour recevoir les navires, pour embarquer et débarquer leur chargement: *Le bateau arrive au port.* **2.** Ville bâtie autour d'un port: *Sept-Îles est un port du Saint-Laurent.* **3.** fig. Lieu de repos: *Notre chalet à la campagne est un port où l'on vient se réfugier après une semaine exténuante.* SYN. refuge. ☞ portuaire. ▲ **port** n.m. Action de porter sur soi: *À Montréal, le port d'armes est interdit dans les autobus et le métro.* ☞ porter. ▲ **port** n.m. Prix du transport d'une lettre, d'un colis: *Pour recevoir votre colis par la poste, vous devrez payer deux dollars de port.* // *Port dû:* Prix du transport payé par le destinataire. *Port payé:* Prix du transport payé par l'expéditeur. ☞ porter. ▲ **port** n.m. **1.** Manière de se tenir: *Cette femme a un port de reine.* SYN. air, allure, démarche, maintien. **2.** Aspect général d'une plante, d'un arbre: *Le chêne est un arbre au port majestueux.* HOM. porc, pore. ☞ porter.

portable adj. **1.** Qu'on peut porter: *Cette robe n'est pas démodée: elle est encore portable.* **2.** Qu'on peut porter, transporter, mais qui n'est pas conçu spécialement à cette fin: *Ce téléviseur est portable.* ☞ porter.

portage n.m. **1.** Transport d'une charge à dos d'homme: *Les chemins ne permettent pas l'emploi de véhicules: ce sont les paysans qui font le portage.* **2.** Au Canada, transport d'une embarcation par voie de terre pour éviter un obstacle sur un cours d'eau ou pour rejoindre une voie navigable: *Il y a des rapides sur la rivière: il faudra faire du portage avec le canot.* **3.** Au Canada, sentier utilisé pour ce transport: *Les canoteuses avancent lentement sur le portage en transportant le canot sur leurs épaules.* ☞ porter.

portail, ails n.m. Grande porte, entrée monumentale: *Les visiteurs sont massés devant le portail du château.*

portant n.m. **1.** Anse d'une malle, d'un coffre: *Attrape le portant du coffre: nous le transporterons dans ta chambre.* **2.** Châssis vertical fixe qui soutient les décors ou les appareils d'éclairage au théâtre: *La décoratrice installe les décors sur les portants.* ☞ porter.

portant, ante adj. Qui porte, soutient: *Les murs portants soutiennent l'édifice.* ☞ porter. à bout **portant** loc.adv. De très près: *Le coup de feu a été tiré à bout portant.* ▲ **portant, ante** adj. S'emploie avec les adverbes «bien» ou «mal» pour signifier «en bonne santé» ou «en mauvaise santé»: *Toute ma famille est bien portante.* ☞ se porter.

portatif, ive adj. Qui est conçu pour être transporté facilement: *Mes parents m'ont acheté une machine à écrire portative.* SYN. transportable. ANT. lourd, pesant. ☞ porter.

porte n.f. **1.** Ouverture pratiquée dans un mur, une clôture pour permettre le passage: *Les visiteurs entrent par la porte principale.* **2.** Panneau mobile qui permet de fermer cette ouverture: *Quelqu'un frappe à la porte.* **3.** Panneau mobile qui ferme un meuble, un véhicule: *Bernard a oublié de fermer la porte de l'armoire.* ∥ *De porte en porte:* De maison en maison. ☞ porte à porte, portier, portière, portillon. ▲ **porte** n.f. Ouverture aménagée autrefois dans la muraille d'une ville: *La porte Saint-Jean à Québec a une imposante structure de pierre.* ▲ **porte** n.f. Espace compris entre deux piquets sur une piste de slalom: *Dans une épreuve de slalom, les skieurs doivent passer par les portes.*

porte adj. Qui amène au foie le sang provenant des organes digestifs, en parlant d'une veine: *La veine porte conduit le sang de l'estomac, de la rate, du pancréas et de l'intestin grêle jusqu'au foie.*

porte-à-faux n.m.invar. Partie d'une construction qui n'est pas directement soutenue par un appui: *Le menuisier a construit un porte-à-faux sur le devant de la façade.* ∥ *En porte à faux:* Qui n'est pas directement soutenu par un appui.

porte à porte n.m.invar. Méthode de vente qui consiste à aller de logement en logement pour proposer des marchandises aux particuliers: *Cette vendeuse fait du porte à porte.* ☞ porte.

porte-avions n.m.invar. Grand bâtiment de guerre spécialement aménagé pour le transport des avions et dont le pont supérieur comporte une plate-forme d'envol et d'atterrissage: *Un avion de combat décolle du porte-avions.* ☞ avion.

porte-bagages n.m.invar. **1.** Dispositif que l'on peut adapter à un véhicule et qui sert à transporter les bagages: *Caroline dépose ses livres sur le porte-bagages de sa bicyclette.* **2.** Filet métallique destiné à recevoir les bagages à main dans un véhicule des transports en commun: *La voyageuse dépose son manteau dans le porte-bagages du train.* ☞ bagage.

porte-bébé n.m. **1.** Petit siège muni de poignées, servant à transporter un bébé: *Bébé est assis dans le porte-bébé.* **2.** Sac que l'on porte attaché au dos ou sur la poitrine et qui sert à transporter un bébé: *Le porte-bébé est en toile forte.* **R.** Au pluriel, *porte-bébé* ou *porte-bébés*. ☞ bébé.

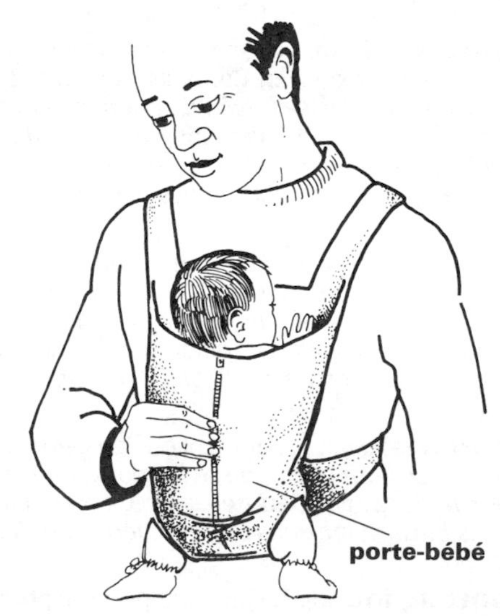

porte-billets n.m.invar. Petit portefeuille conçu pour recevoir des billets de banque: *Je ne peux pas mettre de monnaie dans mon porte-billets.* ☞ billet.

porte-bonheur n.m.invar. Objet qui est censé porter chance: *Pour certaines personnes, un trèfle à quatre feuilles est un porte-bonheur.* SYN. amulette, fétiche. ☞ bonheur.

porte-bouteilles n.m.invar. **1.** Casier à rayons où l'on range les bouteilles horizontalement: *Maman couche les bouteilles de vin dans le porte-bouteilles.* **2.** Panier pour transporter les bouteilles debout: *Le porte-bouteilles est divisé en cases.* **3.** Tige de métal où l'on place les bouteilles pour les faire égoutter: *Après avoir lavé les bouteilles, il faut les placer sur le porte-bouteilles.* ☞ bouteille.

porte-cartes n.m.invar. **1.** Petit portefeuille à pochettes transparentes servant à ranger les cartes de crédit, les cartes d'identité, le permis de conduire: *Papa range sa carte d'assurance sociale dans son porte-cartes.* **2.** Étui de rangement pour les cartes géographiques, les cartes routières: *J'ai mis la carte du Canada dans le porte-cartes.* ☞ carte.

porte-cigarettes n.m.invar. Étui à cigarettes: *Oncle Georges a un porte-cigarettes en argent.* ☞ cigare.

porte-clefs n.m.invar. Anneau ou étui servant à réunir des clefs: *Mon porte-clefs est dans la poche de mon manteau.* **R.** Aussi, *porte-clés*. ☞ clef.

porte-documents n.m.invar. Serviette très plate dans laquelle on met des documents, des papiers peu épais: *La fermeture à glissière de mon porte-documents est coincée.* ☞ document.

porte-drapeau n.m. **1.** Personne qui porte le drapeau d'un régiment: *Le porte-drapeau précédait le régiment.* **2.** fig. Chef de file: *Le porte-drapeau du mouvement de contestation était une jeune étudiante.* **R.** Au pluriel, *porte-drapeau* ou *porte-drapeaux*. ☞ drapeau.

portée n.f. Ensemble des petits qu'une femelle mammifère met au monde en une seule fois: *La chienne a eu une portée de cinq chiots.* ☞ porter. ▲ **portée** n.f. Ensemble des cinq lignes horizontales et parallèles utilisées pour noter la musique: *Les notes de musique sont écrites sur la portée.* ▲ **portée** n.f. **1.** Distance à laquelle une arme peut lancer un projectile: *Pour détruire cet objectif, on a utilisé un canon à longue portée.* **2.** Distance à laquelle on peut voir, toucher, entendre quelqu'un: *Ces médicaments ne doivent pas être à la portée des enfants.* **3.** Distance qui sépare deux points d'appui d'une construction: *Ce pont a une portée de cinq cents mètres.* **4.** fig. Capacités intellectuelles: *Cette notion est trop difficile: elle dépasse la portée de mon esprit.* SYN. niveau. **5.** fig. Effet, conséquence: *Quand elle est en colère, elle ne mesure pas la portée de ses paroles.* HOM. porter.

porte-fenêtre n.f. Fenêtre qui descend jusqu'au sol et qui sert aussi de porte: *La porte-fenêtre ouvre sur le balcon.* **R.** Au pluriel, *portes-fenêtres*. Ne pas oublier l'accent: *ê*. ☞ fenêtre.

portefeuille n.m. Étui qu'on porte sur soi, qui se plie et qui est muni de compartiments où l'on range les billets de banque, les papiers d'identité: *Gaston glisse son portefeuille dans la poche de son veston.* // *Jupe portefeuille:* Jupe qui se croise largement devant ou derrière. ▲ **portefeuille** n.m. Fonction de ministre: *Le portefeuille de l'Éducation a été attribué à ce député.* ▲ **portefeuille** n.m. Ensemble des valeurs mobilières qui appartiennent à une personne, à une entreprise: *Grand-mère détient un portefeuille d'actions.*

porte-jarretelles n.m.invar. Sous-vêtement féminin composé d'une ceinture étroite munie de quatre jarretelles servant à retenir les bas: *Le porte-jarretelles s'ajuste autour des hanches.* ☞ jarretelle.

porte-jupe n.m. Pince plate et longue, à crochet, servant à suspendre les jupes dans une armoire: *Il y a plusieurs porte-jupes dans l'armoire de maman.* **R.** Au pluriel, *porte-jupe* ou *porte-jupes*. ☞ jupe.

portemanteau, eaux n.m. Support mural ou sur pied auquel on suspend ses vêtements: *Mélissa accroche son imperméable au portemanteau.*

porte-menu n.m.invar. **1.** Support qui permet de présenter le menu sur la table, devant chaque convive: *La serveuse déplace les porte-menu.* **2.** Cadre dans lequel on place le menu à la porte d'un restaurant: *Le porte-menu est vide aujourd'hui, c'est étrange!* ☞ menu.

porte-mine n.m. Instrument pour écrire, formé d'un tube creux dans lequel on met des mines de crayon très fines: *Jean-Noël écrit son devoir avec un porte-mine.* **R.** Au pluriel, *porte-mine* ou *porte-mines*. Aussi, *portemine*. ☞ mine. (*Voir l'illustration à la page suivante.*)

porte-monnaie n.m.invar. Petit sac de forme variable où l'on met les pièces de monnaie, l'argent de poche: *Yvette a perdu son porte-monnaie.* ☞ monnaie.

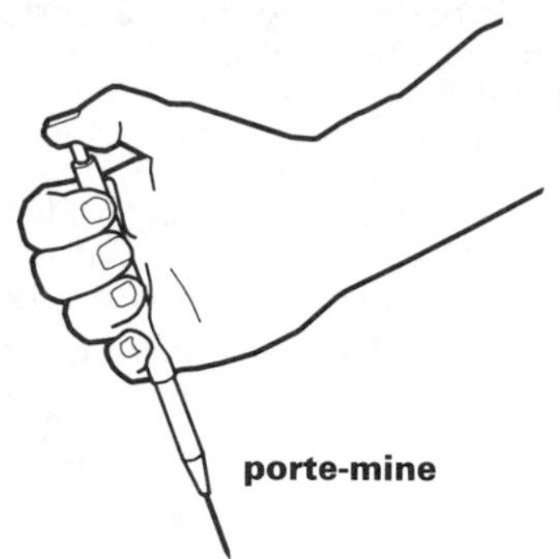

porte-objet n.m. **1.** Lame sur laquelle on place l'objet que l'on veut examiner au microscope: *Jonas dépose un cheveu sur le porte-objet.* **2.** Plateau d'un microscope, sur lequel on place cette lame: *Le porte-objet du microscope est aussi appelé «platine».* **R.** Au pluriel, *porte-objet* ou *porte-objets*.

porte-papier n.m.invar. Boîte, support de rouleau où l'on place le papier hygiénique: *Le porte-papier est fixé au mur de la salle de bain.* ☞ papier.

porte-parapluies n.m.invar. Objet ou meuble dans lequel on dépose les parapluies, les cannes: *Le porte-parapluies est placé près de la porte d'entrée.* ☞ parapluie.

porte-parole n.m.invar. **1.** Personne qui est chargée de parler au nom de quelqu'un d'autre, d'un groupe: *Janine ira rencontrer la directrice au nom de toute la classe: elle sera notre porte-parole.* SYN. délégué, interprète. **2.** Journal, revue qui se fait l'interprète d'une personne, d'un groupe: *Ce journal est devenu le porte-parole des syndicats.* SYN. représentant.

porte-patio ☞ sect. anglicismes et canadianismes.

porte-plume n.m.invar. Petit instrument au bout duquel on fixe une plume pour écrire ou pour dessiner: *Avant l'invention du stylo, on se servait beaucoup de porte-plume.* ☞ plume.

porter v. Soutenir: *Jimmy porte les sacs d'épicerie.* **2.** Produire: *Notre pommier porte de beaux fruits.* **3.** Avoir sur soi: *Fernand porte des lunettes.* **4.** Avoir dans l'esprit, dans le cœur: *Cet enfant ne vous porte pas dans son cœur.* **5.** Transporter: *Diane a porté cette lettre à la poste.* **6.** Tenir de telle ou telle manière: *Quand il marche, Carl porte toujours la tête penchée.* **7.** Faire aller: *Elle porte le verre à ses lèvres.* **8.** fig. Supporter: *Nous portons toujours la responsabilité de nos actes.* **9.** fig. Causer: *La mort de sa fille lui a porté un dur coup.* **10.** Avoir comme nom, comme titre: *Je porte fièrement le nom de mes ancêtres.* **11.** Avoir une marque, une inscription: *Ce billet porte le numéro gagnant.* **12.** Inscrire: *Il faudrait porter le nom des absents sur cette liste.* **13.** Amener: *Les électeurs ont porté cette femme au pouvoir.* **14.** Inciter: *Ce climat chaud et humide nous porte à la paresse.* **15.** Éprouver: *L'amitié que je lui porte est éternelle.* ⫽ *Porter à l'écran, à la scène:* Adapter une œuvre pour le cinéma, le théâtre. *Porter bonheur:* Apporter la chance. *Porter malheur:* Apporter la malchance. *Porter secours:* Secourir. *Porter un jugement:* Exprimer un jugement. ☞ importable, port, portable, portage, portant, portatif, porteur. ▲ **porter** v. **1.** Avoir pour support, reposer: *Tout le pont porte sur quatre piliers.* **2.** Avoir telle portée: *Ce fusil porte à cinq cents mètres.* **3.** Atteindre le but: *Le coup a porté.* **4.** Aller heurter: *Sa tête a porté contre le tabouret.* **5.** Être entendu de loin: *Carlos a une voix qui porte.* **6.** fig. Avoir de l'effet: *Tes critiques ont porté.* **7.** fig. Avoir comme sujet: *La discussion portera sur le respect des autres.* ⫽ *Porter à faux:* Ne pas reposer directement sur son point d'appui. se **porter** v.pron. **1.** Se diriger: *La mairesse se porte à la rencontre du député.* **2.** Se présenter: *Alain s'est porté candidat aux élections municipales.* **3.** Se livrer: *Cet homme s'est porté aux pires excès pour oublier sa peine.* **4.** Être porté: *Les lainages se portent surtout en hiver.* ▲ **porter** v. Avoir en soi durant la grossesse ou la gestation: *Ma sœur porte un enfant.* ☞ portée. se **porter** v.pron. Être en bonne ou en mauvaise santé: *Mes parents se portent bien.* ☞ portant.

porte-savon n.m. Support ou récipient où l'on met le savon: *Le porte-savon est disposé près du lavabo.* **R.** Au pluriel, *porte-savon* ou *porte-savons*. ☞ savon.

porte-serviettes n.m.invar. Support où l'on suspend les serviettes de toilette: *J'ai étendu ma serviette sur le porte-serviettes.* ☞ serviette.

porteur n.m. **1.** Personne qui porte les bagages des voyageurs dans une gare: *Le porteur a transporté mes bagages jusqu'au train.* **2.** Personne qui détient un chèque, une action, une obligation dont le bénéficiaire n'est pas désigné: *Ce chèque est payable au porteur.* ⫽ *Gros porteur:* Avion de grande capacité. ☞ porter.

porteur, euse n. et adj. **1.** n. Personne qui porte ou détient quelque chose: *La porteuse de faux papiers a été arrêtée à la frontière.* **2.** n. Personne ou chose qui transmet: *Le porteur* *d'une maladie contagieuse a été mis en quarantaine.* **3.** adj. Qui porte: *Il ne faut pas démolir ce mur porteur.* ⁄ *Mère porteuse:* Femme qui porte dans son utérus l'ovule fécondé d'une autre femme et qui remet l'enfant au couple stérile. ☞ porter.

porte-voix n.m.invar. Instrument portatif formé d'un pavillon évasé, qui sert à amplifier la voix: *La chef de parti parle dans son porte-voix pour se faire entendre de la foule.*

portier, ière n. **1.** Personne qui garde la porte d'un couvent, d'un monastère: *La portière m'a demandé ce que je désirais.* **2.** Personne qui se tient à l'entrée d'un établissement public: *Le portier de l'hôtel m'a guidée vers la réception.* ☞ porte.

portière n.f. **1.** Porte d'une automobile, d'un train: *L'automobiliste a fermé les portières arrière.* **2.** Tenture qui masque une porte: *Une lourde portière de velours dissimulait la porte.* ☞ porte.

portillon n.m. Petite porte à battant: *Les enfants entrent dans le jardin par le portillon.* **R.** Les lettres *ill* se prononcent comme dans *famille.* ☞ porte.

portion n.f. **1.** Partie d'un ensemble: *Une portion de l'humanité souffre de la faim.* SYN. fraction. ANT. ensemble, totalité. **2.** Part qui revient à chacun dans un partage: *Chaque enfant a reçu sa portion d'héritage.* **3.** Quantité de nourriture servie à une personne: *Le cuisinier nous a servi de grosses portions.* SYN. ration.

portique n.m. **1.** Galerie ouverte soutenue par des colonnes: *Les temples grecs avaient des portiques.* **2.** Poutre horizontale soutenue à chacune de ses extrémités par des poteaux et à laquelle on accroche des agrès de gymnastique, des balançoires, etc: *Les anneaux et la corde à nœuds sont suspendus au portique.*

porto n.m. (n. de lieu) Vin rouge ou blanc produit au Portugal: *En attendant le repas, maman s'est servi un verre de porto.*

portoricain, aine n. et adj. **1.** n. Personne qui est de Porto Rico: *Un Portoricain, une Portoricaine.* **2.** adj. Qui est de Porto Rico: *Une grande partie de la population portoricaine émigre vers les États-Unis.* **R.** On met la majuscule à *portoricain* et à *portoricaine* lorsqu'il s'agit du nom.

portrait n.m. **1.** Représentation d'une personne par le dessin, la peinture, la gravure ou la photographie: *Marc-Antoine aime regarder les portraits de famille.* **2.** fig. Réplique d'une personne: *Marianne est tout le portrait de son père.* SYN. image. **3.** fam. Figure: *Le boxeur s'est fait abîmer le portrait.* SYN. visage. **4.** fig. Description d'une personne: *Pendant le cours de français, chacun des élèves a fait le portrait de son meilleur ami.* ☞ autoportrait, portraitiste, portrait-robot.

portraitiste n. Peintre qui fait des portraits: *La portraitiste a fait le portrait de mon grand-père.* ☞ portrait.

portrait-robot n.m. Portrait d'un individu recherché par la police, exécuté d'après la description de divers témoins: *Un portrait-robot de la criminelle a paru dans tous les journaux.* **R.** Au pluriel, *portraits-robots.* ☞ portrait.

portuaire adj. Qui se rapporte à un port: *Les grues et les entrepôts font partie des installations portuaires.* ☞ port.

portugais, aise n. et adj. **1.** n. Personne qui est du Portugal: *Un Portugais, une Portugaise.* **2.** adj. Qui est du Portugal: *Les grands navigateurs portugais ont fait de nombreuses découvertes.* **R.** On met la majuscule à *portugais* et à *portugaise* lorsque le nom désigne une personne.

portugais n.m. Langue parlée surtout au Portugal et au Brésil: *Joao parle le portugais.*

pose n.f. Action de poser, de mettre en place: *Les ouvriers n'ont pas encore terminé la pose du tapis.* SYN. installation. ☞ poser.

▲ **pose** n.f. **1.** Manière de se tenir: *Robert écoute la télévision dans une pose nonchalante.* **2.** Attitude que prend un modèle devant un peintre, un photographe: *La peintre demande à son modèle de garder la pose pendant une demi-heure.* **3.** fig. Manque de naturel: *Cesse de prendre des poses.* HOM. pause. ⁄ *Temps de pose:* Temps nécessaire à la formation d'une image correcte sur la pellicule photographique. ☞ poser.

posé, ée adj. Qui est calme et réfléchi: *Geneviève est une jeune fille posée.* SYN. pondéré, sage, sérieux. ANT. brusque, étourdi, frivole. HOM. poser. ☞ posément.

posément adv. Calmement: *Il m'a expliqué posément ce que je devais faire.* ☞ posé.

poser v. **1.** Cesser de porter: *J'ai posé mes livres sur la table.* SYN. placer. ANT. enlever. **2.** Mettre en place: *Les nouveaux locataires ont posé des rideaux aux fenêtres.* SYN. installer. ANT. ôter. HOM. posé. ☞ pose, poseur, reposer. se **poser** v.pron. **1.** Atterrir: *L'avion s'est posé sur la piste.* **2.** Se mettre quelque part: *L'hirondelle se pose sur la plus haute branche de l'érable.* SYN. se jucher. **3.** S'arrêter: *Tous les regards se sont posés sur le coupable.* **4.** Être mis en place: *Ce tapis se pose très facilement.*

▲ **poser** v. **1.** Formuler: *Les petits enfants*

posent beaucoup de questions. **2.** Soulever: *Votre départ nous pose un grave problème.* ∥ *Poser sa candidature:* Se présenter comme candidat. se **poser** v.pron. Exister: *Le problème ne s'est pas encore posé.* ▲ **poser** v. **1.** Garder une certaine attitude devant le peintre, le photographe: *Nadia est mannequin: elle pose de longues heures devant le photographe.* **2.** fig. Se comporter de façon peu naturelle: *Je déteste les gens qui posent.* ☞ pose, poseur. se **poser** v.pron. Se prétendre tel, s'attribuer tel rôle: *Elle se pose en défenseur des droits des opprimés.*

poseur, euse n. et adj. **1.** n. Personne qui met en place certains objets: *La poseuse de carreaux n'est pas encore arrivée.* **2.** n. Personne qui prend une attitude peu naturelle: *Cette poseuse cherche à se faire valoir en modifiant son langage.* SYN. fat, prétentieux, snob. ANT. simple. **3.** adj. Qui prend une attitude peu naturelle: *Ce garçon est un peu poseur.* SYN. affecté, maniéré. ANT. humble, modeste, naturel. ☞ poser.

positif n.m. Ce qui est sûr, réel: *Il ne croit qu'au positif.* SYN. concret. ANT. abstrait, imaginaire, irréel.

positif, ive adj. **1.** Qui exprime une affirmation: *J'espère que votre réponse sera positive.* SYN. affirmatif. ANT. négatif. **2.** Qui montre la présence de quelque chose: *Les tests sont positifs: cette tumeur est cancéreuse.* ∥ *Épreuve positive:* Image photographique finale tirée d'un négatif. *Nombre positif:* Nombre plus grand que zéro. ▲ **positif, ive** adj. **1.** Qui est certain, assuré: *C'est un fait positif que personne ne peut contester.* SYN. authentique, vrai. ANT. douteux, faux. **2.** Qui a le sens pratique: *Tante Mariette a un esprit positif.* SYN. constructif. **3.** Qui est utile, favorable: *Votre plan comporte des avantages positifs.* SYN. concret, pratique. ANT. destructeur. ☞ positivement.

position n.f. **1.** Endroit où se trouve une personne, une chose: *Avant d'envoyer du secours, il fallait d'abord connaître la position du navire.* SYN. emplacement, situation. **2.** Manière dont une personne, une chose est placée: *Les livres sont en position verticale.* SYN. disposition. **3.** Emplacement occupé par des troupes, des installations militaires: *L'armée a attaqué les positions ennemies.* **4.** Posture: *Janine a les jambes engourdies: elle est restée trop longtemps dans une position inconfortable.* SYN. attitude. **5.** Situation dans la société; poste, fonction que l'on occupe: *Cette femme occupe une position importante dans l'entreprise.* SYN. rang. **6.** fig. Ensemble des circonstances dans lesquelles on se trouve: *En me forçant à mentir, tu m'as mis dans une position délicate.* SYN. situation. **7.** fig. Opinion que l'on adopte sur un sujet donné: *Elle m'a expliqué sa position sur ce sujet.* SYN. point de vue.

positivement adv. **1.** D'une manière certaine, assurée: *Elle ne sait pas encore positivement si elle pourra venir à la fête.* **2.** Réellement: *Ce film d'horreur était positivement insupportable.* ☞ positif.

posologie n.f. Indications précisant la quantité de médicament qu'on peut administrer à un malade en tenant compte de son âge, de sa masse, de son état: *Avant de prendre un médicament, il faut toujours lire la posologie.*

possédant, ante n. et adj. **1.** n. Personne qui possède des biens, des richesses: *Les possédants n'ont pas toujours conscience de leur situation privilégiée.* SYN. nanti. **2.** adj. Qui possède des biens, des richesses: *La classe possédante impose souvent ses idées au reste de la population.* SYN. riche. ☞ posséder.

possédé, ée n. et adj. **1.** n. Personne qui est dominée par une puissance occulte: *Dans l'Évangile, on raconte que Jésus a délivré un possédé.* SYN. démoniaque. **2.** adj. Qui est dominé par une puissance occulte: *L'exorcisme est considéré comme un moyen de délivrer les gens possédés du démon.* HOM. posséder. ☞ posséder.

posséder v. **1.** Avoir à soi, à sa disposition: *Mes parents possèdent un chalet dans les Laurentides.* **2.** Avoir une qualité: *Marie-Rose possède de bons réflexes.* SYN. jouir de. **3.** Contenir: *Le Canada possède de grandes richesses naturelles.* SYN. abonder en. **4.** Connaître parfaitement: *Greta possède l'allemand et l'anglais.* SYN. maîtriser, savoir. **5.** Dominer: *L'ambition la possède.* **6.** S'emparer du corps, de l'âme de quelqu'un, en parlant d'une puissance occulte: *Dans ce film, un démon possédait l'héroïne.* **7.** fam. Tromper: *Tu nous as bien possédés avec tes promesses.* HOM. possédé. ☞ déposséder, possédant, possédé, possesseur, possessif, possession. se **posséder** v.pron. Se dominer: *Il est tellement énervé, il ne se possède plus.*

possesseur n.m. **1.** Personne qui possède un bien: *Connaissez-vous le possesseur de cette ferme?* SYN. propriétaire. **2.** Personne qui peut profiter de quelque chose: *Ils sont les seuls possesseurs de ce grave secret.* SYN. dépositaire. ☞ posséder.

possessif n.m. Adjectif ou pronom qui indique la possession: *Les élèves ne savent pas toujours quand employer le possessif.* ☞ posséder.

possessif, ive adj. Qui éprouve un besoin excessif de domination sur une autre personne: *Pierre est possessif avec ses amis.* ☞ posséder. ▲ **possessif, ive** adj. Qui indique la possession: *Le mot «mon» est un adjectif possessif.* ☞ posséder.

possession n.f. **1.** Fait de posséder un bien: *La possession d'une immense fortune le met à l'abri de la misère.* SYN. propriété. **2.** État d'une personne qui maîtrise ses facultés: *Elle est en possession de toutes ses facultés.* **3.** État d'une personne qui est au pouvoir d'une force occulte: *Les catholiques combattent la possession par l'exorcisme.* **4.** Relation exprimée par les possessifs et les prépositions «à» et «de»: *Les adjectifs possessifs indiquent la possession.* ⁄⁄ *Avoir en sa possession:* Posséder. *Être en possession de quelque chose:* Posséder quelque chose. *Prendre possession de quelque chose:* Devenir possesseur de cette chose. *Prendre possession d'un lieu:* S'installer comme chez soi. *Rentrer en possession de quelque chose:* Recouvrer cette chose. ☞ posséder. ▲ **possession** n.f. **1.** Bien possédé par quelqu'un: *Cette riche cultivatrice est fière de ses possessions.* SYN. avoir, domaine. **2.** Territoire possédé par un État: *La Nouvelle-France était une possession française.* ☞ posséder.

possibilité n.f. **1.** Caractère de ce qui est possible: *Nous avons des doutes sur la possibilité d'un accord entre ces deux pays.* SYN. éventualité. ANT. impossibilité. **2.** Ce qui est possible: *Avez-vous envisagé toutes les possibilités?* SYN. cas. **3.** Capacité de faire quelque chose: *Je n'ai pas la possibilité de me rendre à cette soirée.* **4.** plur. Moyens dont on dispose: *Avant de commencer quelque chose, il est très important de connaître ses possibilités.* SYN. ressources. ☞ possible.

possible n.m. **1.** Ce qui est faisable: *Paola n'a pas gagné, mais elle a fait tout son possible.* **2.** Ce qui est réalisable: *Les progrès de la science font reculer les limites du possible.* ANT. impossible. au **possible** loc.adv. Extrêmement: *Il a été désagréable au possible.*

possible adj. **1.** Qui peut être fait: *Je pense que c'est une solution possible.* SYN. faisable. ANT. impossible. **2.** Qui peut se réaliser: *Les médecins craignent une aggravation possible de la maladie.* SYN. probable. ANT. improbable. **3.** Qui peut devenir tel: *Cette femme est une candidate possible au poste de ministre.* SYN. éventuel. **4.** Qui constitue une limite: *Nous avons fait tous les efforts possibles.* SYN. convenable. **5.** fam. Qui est supportable: *Cette enfant n'est vraiment pas possible.* ☞ impossibilité, impossible, possibilité, possiblement.

possiblement adv. Peut-être: *Nous irons possiblement en Colombie-Britannique cet été.* ☞ possible.

postage n.m. Action de mettre à la poste: *La secrétaire s'occupe du postage du courrier.* ☞ poste (n.f.).

postal, ale, aux adj. Qui se rapporte à la poste: *Connais-tu ton code postal?* ☞ poste (n.f.).

poste n.f. **1.** Service qui est chargé d'acheminer le courrier: *Adéline a reçu une lettre par la poste.* **2.** Bureau de poste: *Si tu vas à la poste, achète des timbres.* ⁄⁄ *Poste restante:* Système d'acheminement du courrier au bureau de poste et non à domicile. ☞ postage, postal, poster, postier.

poste n.m. **1.** Lieu où une personne doit se trouver pour remplir une fonction précise: *La préposée au stationnement est à son poste.* SYN. place. **2.** Emploi, fonction: *Mon voisin occupe un poste important dans une entreprise.* ⁄⁄ *Poste de police:* Endroit où se trouvent les policiers en service. ☞ poster. ▲ **poste** n.m. **1.** Emplacement utilisé pour un usage particulier: *Ce poste d'essence est bien situé.* **2.** Appareil de radio, de télévision: *Nous avons acheté un nouveau poste de télévision.* ⁄⁄ *Poste de pilotage:* Emplacement d'un avion où se trouvent le pilote et le copilote. *Poste d'équipage:* Partie du navire où l'équipage loge. *Poste de secours:* Endroit où les personnes blessées peuvent recevoir des soins.

poster v. Mettre à la poste: *Veux-tu poster cette lettre pour moi?* ☞ poste (n.f.). ▲ **poster** v. Placer quelqu'un à un endroit pour lui permettre de faire une action déterminée: *La capitaine a posté deux sentinelles à l'entrée de la caserne.* ☞ poste (n.m.). se **poster** v.pron. Se placer quelque part pour surveiller quelque chose: *Clément s'est posté à la fenêtre pour guetter l'arrivée de la factrice.*

postérieur n.m.fam. Derrière d'une personne: *Bébé est tombé sur son postérieur.* SYN. arrière-train.

postérieur, eure adj. **1.** Qui vient après, dans le temps: *La découverte du Canada est postérieure à celle de l'Amérique.* ANT. antérieur. **2.** Qui est derrière: *Le lièvre a les pattes postérieures plus longues que les pattes antérieures.* ANT. antérieur.

postérité n.f. **1.** litt. Ensemble des descendants d'une personne: *Ce couple sans enfants n'a pas laissé de postérité.* SYN. enfant. **2.** Ensemble des générations futures: *Les œuvres de cette sculpteuse la feront connaître à la postérité.* ⁄⁄ *Passer à la postérité:* Être conservé dans la mémoire des êtres humains.

posthume adj. **1.** Qui se produit après la mort de quelqu'un: *Marc-Aurèle Fortin a connu une immense gloire posthume.* **2.** Qui est publié après la mort de l'auteur: *Ce roman est une œuvre posthume de Gabrielle Roy.* **3.** Qui est né après la mort du père: *Mon petit frère est un enfant posthume.*

postiche n.m. et adj. **1.** n.m. Mèche de cheveux naturels ou artificiels que l'on adapte à sa coiffure: *La comédienne ajoute un postiche à ses cheveux pour leur donner plus de volume.* **2.** adj. Qui est faux, artificiel: *Le bandit portait une barbe postiche.* ANT. naturel. **3.** adj.fig. Qui est faux, inventé: *Personne ne croyait à ses talents postiches.* ANT. vrai.

postier, ière n. Personne qui est employée au service des postes: *La postière m'a vendu des timbres.* ☞ poste (n.f.).

postillon n.m. Conducteur d'une voiture des postes, autrefois: *Le postillon conduisait une voiture tirée par des chevaux.* ▲ **postillon** n.m. Goutte de salive projetée en parlant: *Éloigne-toi un peu, tu m'envoies des postillons dans la figure!* **R.** Les lettres *ill* se prononcent comme dans *famille*.

post-scriptum n.m.invar. (lat.) Note ajoutée au bas d'une lettre, après la signature, souvent abrégée en «P.-S.»: *La lettre de maman se terminait pas un post-scriptum.* **R.** Les lettres *um* se prononcent *omm*.

postsynchronisation n.f. Addition de la parole et du son d'un film après le tournage: *La postsynchronisation du film n'est pas encore terminée.* **R.** Les lettres *ch* se prononcent *k*. ☞ synchroniser.

postsynchroniser v. Faire l'enregistrement de la parole et du son d'un film après le tournage: *Quand on postsynchronise un film, il faut que les dialogues coïncident avec les images.* **R.** Les lettres *ch* se prononcent *k*. ☞ synchroniser.

postulant, ante n. Personne qui demande un poste, un emploi: *Il y a plusieurs postulants pour ce poste de directeur.* SYN. aspirant, candidat. ☞ postuler.

postuler v. Demander un poste, un emploi: *Guylaine postule un emploi dans un hôpital.* SYN. solliciter. ANT. démissionner. ☞ postulant.

posture n.f. **1.** Position du corps: *Clémence est couchée dans une posture comique.* **2.** fig. Situation favorable ou défavorable: *Armand a besoin d'aide: il est dans une mauvaise posture.* SYN. condition, position.

pot n.m. **1.** Récipient destiné à contenir surtout des liquides et des aliments: *Sylvio a mis le pot de yogourt et le pot de confitures sur la table.* **2.** Contenu d'un pot: *Elles ont mangé tout un pot de miel.* **3.** Récipient pour les besoins naturels des petits enfants: *Bébé est assis sur le pot.* **4.** Total des enjeux misés par les joueurs, dans certains jeux d'argent: *La joueuse a ramassé le pot.* HOM. peau. ⁄⁄ *Pot d'échappement:* Tuyau par où sortent les gaz brûlés à l'arrière d'une voiture, d'une moto. *Pot de fleurs:* Récipient dans lequel on fait pousser des plantes. ☞ dépotage, dépoter, potée, rempoter.

potable adj. **1.** Qui peut être bu sans danger: *L'eau de ce puits est potable.* SYN. buvable. ANT. imbuvable. **2.** fam. Qui est passable: *C'est un film potable.* SYN. acceptable, valable. ANT. inacceptable, insuffisant.

potage n.m. Bouillon dans lequel on a fait cuire des aliments coupés très fin ou réduits en bouillie: *On nous a servi un délicieux potage au céleri.* SYN. consommé, soupe.

potager n.m. Jardin où l'on cultive des légumes: *Grand-mère cultive des oignons et des panais dans son potager.*

potager, ère adj. **1.** Qui est utilisée dans l'alimentation humaine, en parlant d'une plante, à l'exclusion des céréales: *Le persil, la carotte et la pomme de terre sont des plantes potagères.* **2.** Qui sert à cultiver des plantes comestibles: *Papa arrose son jardin potager.*

potamochère n.m. Porc sauvage d'Afrique, au corps recouvert de longs poils roux, qui vit dans les marécages: *Les potamochères sont des omnivores.*

potasse n.f. Substance chimique utilisée comme engrais: *La potasse est utilisée dans la fabrication des détergents.* ☞ potassium.

potasser v.fam. Étudier avec ardeur: *Sophie potasse ses leçons.*

potassium n.m. Métal blanc, mou, léger, qui est très répandu dans la nature sous forme de sels: *Les sels de potassium jouent un rôle important dans la vie des plantes.* **R.** Les lettres *um* se prononcent *omm*. ☞ potasse.

pot-au-feu n.m.invar. **1.** Plat composé de viande de bœuf et de légumes que l'on fait bouillir ensemble: *Pour faire le pot-au-feu, il me faut des carottes, des navets, des poireaux et des oignons.* SYN. bouilli. **2.** Morceau de bœuf qui sert à préparer ce plat: *Papa achète un pot-au-feu chez la bouchère.*

pot-de-vin n.m. Somme d'argent, cadeau que l'on donne à quelqu'un pour obtenir quelque chose: *Pour conclure ce marché, elle a versé de nombreux pots-de-vin.* **R.** Au pluriel, *pots-de-vin*.

poteau, eaux n.m. **1.** Pièce de bois, de métal, de béton plantée verticalement dans le sol : *Ce poteau supporte les câbles électriques et téléphoniques.* **2.** Pièce de charpente disposée verticalement, servant de support : *Le plancher de la maison repose sur des poteaux de métal.* ⫽ *Poteau d'arrivée :* Poteau qui marque l'arrivée d'une course. *Poteau de départ :* Poteau qui marque le départ d'une course. *Poteau d'exécution :* Poteau auquel est attaché le condamné que l'on fusille. *Poteau indicateur :* Poteau portant un écriteau qui indique une direction, qui donne un renseignement.

potée n.f. Plat composé de viande de porc ou de bœuf bouillie, accompagnée de légumes variés : *La potée comprend souvent du chou et des pommes de terre.* ☞ pot.

potelé, ée adj. Qui est bien en chair et tout rond : *Ce bébé a les bras potelés.* SYN. grassouillet. ANT. décharné, maigre.

potence n.f. **1.** Assemblage de pièces de bois ou de métal placées en équerre pour soutenir ou pour suspendre quelque chose : *Dans une charpente, les potences servent à soutenir les longues poutres.* **2.** Instrument qui sert à la pendaison : *Autrefois, on pendait les condamnés à mort à une potence.* **3.** Pendaison : *Elle a mérité la potence.* ⫽ *Gibier de potence :* Personne qui mérite la pendaison.

potentiel n.m. Ensemble des ressources dont peut disposer un pays, un groupe, une personne : *Cette athlète a le potentiel pour remporter la médaille d'or.*

potentiel, elle adj. Qui existe en théorie, qui est possible : *Cette publicité rejoint plus d'un million de clients potentiels.*

poterie n.f. **1.** Fabrication d'objets en terre cuite : *Marjolaine fait de la poterie.* **2.** Objet en terre cuite : *Cette boutique vend de belles poteries.* ☞ potier.

potiche n.f. **1.** Grand vase décoratif en porcelaine, de Chine ou du Japon : *Une potiche décore la table du salon.* **2.** fig. Personne qui n'est là que pour la forme, qui n'a pas de pouvoir : *On l'a nommé directeur, mais il ne prend aucune décision importante : c'est une potiche.*

potier, ière n. Personne qui fabrique ou qui vend des objets en terre cuite : *Le potier façonne un vase d'argile.* ☞ poterie.

potin n.m. **1.** Commérage : *Il n'a rien de mieux à faire que de colporter les potins du quartier.* SYN. bavardage, cancan. **2.** fam. Bruit, vacarme : *Arrêtez ce potin, vous m'empêchez de dormir !* SYN. tapage. ANT. silence. ☞ potiner.

potiner v. Faire des potins, des commérages : *Elle surveille ses voisins, car elle aime bien potiner.* SYN. cancaner, médire. ☞ potin.

potion n.f. Médicament liquide que l'on doit boire : *Cette potion devrait calmer ta toux.*

potiron n.m. **1.** Plante potagère de la famille des courges, cultivée pour ses fruits : *On sème les potirons au mois de mai.* **2.** Fruit du potiron, de couleur jaune ou rouge, à la chair orangée : *Le potiron est plus gros que la citrouille et sa chair sert à faire des potages.*

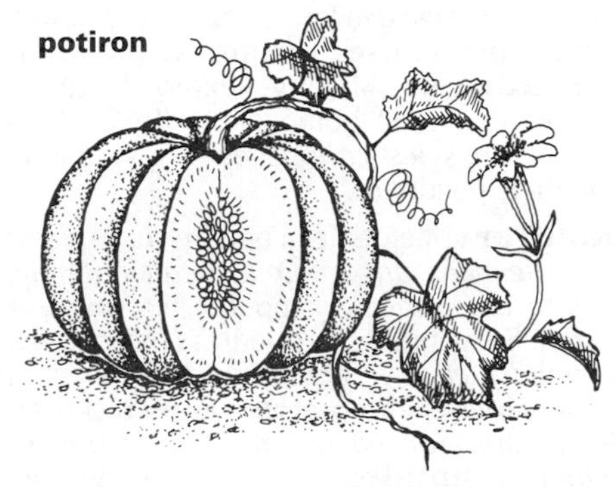

pot-pourri n.m. **1.** Morceau de musique légère fait d'un mélange de plusieurs airs connus : *L'orchestre joue un pot-pourri.* **2.** Mélange de plusieurs couplets ou refrains de chansons différentes : *Au spectacle de Noël, les enfants ont chanté un pot-pourri.* **R.** Au pluriel, *pots-pourris*.

pou, poux n.m. Insecte sans ailes qui vit en parasite sur les êtres humains et sur les mammifères : *Le pou peut transmettre des maladies.* HOM. pouls.

pouah ! interj. Mot qui exprime le dégoût : *Pouah ! cette viande sent mauvais !* HOM. poids, pois, poix. **R.** Se prononce *poi*.

poubelle n.f. (n. de l'inv.) Récipient où l'on met les ordures ménagères : *Le cuisinier met les coquilles d'œufs et les pelures d'oranges à la poubelle.*

pouce n.m. **1.** Doigt de la main le plus gros et le plus court : *Bébé suce son pouce.* **2.** Gros orteil : *Ton bas est troué, je vois ton pouce.* ▲ **pouce** n.m. Au Canada, mot désignant une unité de mesure de longueur valant environ deux centimètres et demi : *Nadine mesure deux pouces de plus que moi.* HOM. pousse.

pouding n.m. **1.** Gâteau anglais fait de farine, d'œufs, de graisse de bœuf et de raisins secs, souvent parfumé avec du rhum : *La tradition anglaise veut que l'on mange du pouding à Noël.* **2.** Au Canada, pâtisserie faite généralement de pâte à gâteau cuite au four, qui se consomme chaude ou tiède, le plus souvent accompagnée d'une sauce: *Le pouding chômeur et le pouding aux bleuets sont bien connus des Québécois.* **R.** Dans le sens de *gâteau anglais*, s'écrit aussi *pudding*. N'a pas le sens de *crème-dessert*.

poudre n.f. **1.** Substance solide broyée, faite de petits grains fins et homogènes: *Ce café en poudre a une odeur bizarre.* **2.** Substance parfumée et colorée, utilisée comme produit de maquillage: *La maquilleuse met de la poudre sur le visage de Rosalie.* ☞ poudrer, poudrerie, poudreuse, poudreux, poudrier. ▲ **poudre** n.f. Mélange explosif fait de grains très fins et homogènes: *Il y a de la poudre dans les cartouches.* ☞ poudrerie, poudrier, poudrière.

poudrer v. Mettre de la poudre sur la peau: *Si tu ne veux pas avoir la peau brillante, poudre ton visage.* ☞ poudre. se **poudrer** v.pron. Se mettre de la poudre: *Le comédien se poudre et se maquille avant d'entrer en scène.* **poudré, ée** p.p. et adj. Qui est recouvert de poudre: *Son visage poudré fait rire les enfants.* ▲ **poudrer** v. Au Canada, tourbillonner dans le vent, en parlant de la neige: *Il neige, il vente, il poudre: c'est un temps affreux!* **R.** Ne s'emploie qu'à la troisième personne du singulier. ☞ poudrerie.

poudrerie n.f. Au Canada, neige sèche et fine que le vent fait tourbillonner: *La visibilité sur les routes est réduite à cause de la poudrerie.* SYN. rafale. ☞ poudrer. ▲ **poudrerie** n.f. Établissement où l'on fabrique de la poudre et des explosifs: *Les ouvrières de la poudrerie manipulent des produits dangereux.* ☞ poudre.

poudreuse n.f. Neige fraîche qui a la consistance d'une poudre: *Les pistes de ski sont recouvertes de poudreuse.* ☞ poudre.

poudreux, euse adj. Qui a la consistance d'une poudre: *La neige poudreuse est bonne pour le ski.* ☞ poudre.

poudrier n.m. Petit récipient plat qui contient de la poudre à maquillage: *Dans l'étalage, on voyait des poudriers contenant des poudres aux couleurs éclatantes.* ☞ poudre. ▲ **poudrier** n.m. Personne qui fabrique de la poudre et des explosifs: *Les poudriers exercent un métier dangereux.* ☞ poudre.

poudrière n.f. **1.** Endroit où l'on entrepose de la poudre, des explosifs: *La poudrière est pleine de munitions.* **2.** fig. Région où il y a un risque de guerre: *Cette partie du monde est une poudrière.* ☞ poudre.

pouf n.m. et interj. **1.** n.m. Siège bas et rembourré, gros coussin posé à même le sol: *Roger s'est assis sur le pouf.* **2.** interj. Mot qui imite le bruit d'une chute: *Et pouf! le chiot tomba sur son derrière.*

pouffer v. Éclater de rire malgré soi, en essayant de se retenir: *Josée a pouffé de rire en voyant mon visage barbouillé de chocolat.* SYN. s'esclaffer. ANT. gémir, pleurer.

pouilleux, euse n. et adj. **1.** n. Personne qui a des poux: *Personne n'aime se faire traiter de pouilleux.* **2.** n. Personne qui est dans la misère: *Ces pouilleux voudraient bien s'en sortir.* SYN. misérable. ANT. riche. **3.** adj. Qui a des poux: *Un chien pouilleux errait dans la ruelle.* **4.** adj. Qui est dans la misère, en parlant de quelqu'un: *Cette famille pouilleuse vit dans un taudis.* SYN. pauvre. **5.** adj. Qui est misérable, en parlant de quelque chose: *Nous avons traversé un quartier pouilleux.* SYN. sale. ANT. net, propre.

poulailler n.m. **1.** Lieu, bâtiment où l'on abrite et élève les poules, les volailles: *Quand la nuit tombe, il faut rentrer les poules dans le poulailler.* **2.** Ensemble des poules qui logent dans ce bâtiment: *Le renard a égorgé la moitié du poulailler.* ☞ poule. ▲ **poulailler** n.m.fam. Galerie la plus élevée d'un théâtre, où se trouvent les places les moins chères: *J'ai pris une place au poulailler.*

poulain n.m. Petit du cheval et de la jument: *Le poulain est un petit cheval de moins de trente mois.*

poulamon n.m. Au Canada, poisson qui ressemble à une petite morue et qui est très commun dans les eaux salées de l'est du Canada et des États-Unis: *Le poulamon ou poisson des chenaux vient frayer dans les rivières au milieu de l'hiver.*

poule n.f. **1.** Oiseau de basse-cour, aux ailes courtes et arrondies, à la tête ornée d'une crête rouge, dont le mâle est le coq et le petit, le poussin: *La poule glousse et caquette.* **2.** Femelle de certains animaux: *La femelle du faisan est parfois appelée « poule faisane ».* // *Poule d'eau:* Oiseau échassier au plumage noirâtre qui vit près des cours d'eau. ☞ poulailler, poulet, poulette.

poulet n.m. **1.** Petit du coq et de la poule, âgé de trois à dix mois: *Les poulets piaulent dans la basse-cour.* **2.** Jeune coq: *Les poulets lancent des coquericos éclatants.* **3.** Chair de cet animal: *Au restaurant, j'ai commandé une cuisse de poulet.* ☞ poule.

poulette n.f. Jeune poule: *Les poulettes n'ont pas encore commencé à pondre.* ☞ poule.

pouliche n.f. Jument qui n'est pas encore prête à se reproduire : *La pouliche est un cheval femelle qui n'est pas encore adulte.*

poulie n.f. Roue tournant autour d'un axe, dont la jante peut recevoir un câble, une chaîne ou une courroie : *On s'est servi d'une poulie pour soulever ce fardeau.*

pouliner v. Mettre bas, en parlant d'une jument : *Notre jument a pouliné hier.* ☞ poulinière.

poulinière n.f. et adj. **1.** n.f. Jument destinée à la reproduction : *L'éleveuse prend bien soin de ses poulinières.* **2.** adj. Se dit d'une jument destinée à la reproduction : *La jument poulinière va bientôt mettre bas.* ☞ pouliner.

poulpe n.m. Mollusque de grande taille portant huit bras munis de ventouses qui vit dans le creux des rochers près des côtes : *La chair du poulpe est comestible.* ◇ pieuvre.

pouls n.m. Battement du sang dans les artères : *On peut sentir son pouls en touchant la face interne de son poignet.* HOM. pou. **R.** Le *l* et le *s* ne se prononcent pas.

poumon n.m. Chacun des deux organes situés dans le thorax et qui servent à la respiration : *L'air pénètre dans les poumons par les bronches.* ⁄⁄ *Poumon d'acier* ou *poumon artificiel :* Appareil qui permet d'entretenir artificiellement la respiration de quelqu'un atteint de paralysie des muscles respiratoires.

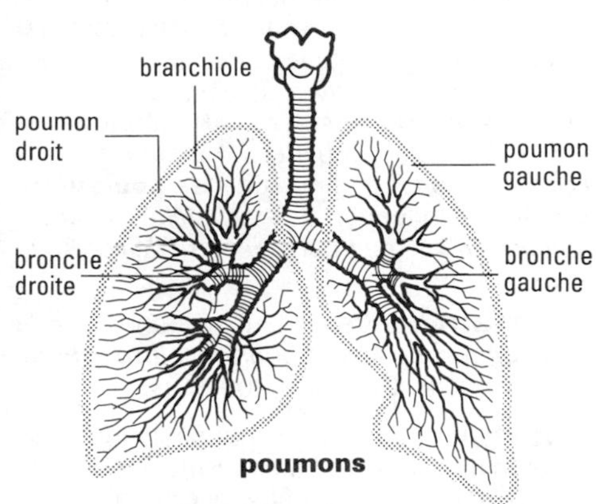

poumons

poupe n.f. Arrière d'un navire : *Le navire a le vent en poupe.* ANT. proue.

poupée n.f. Jouet qui représente une personne, un enfant : *Les enfants aiment jouer à la poupée.* ▲ **poupée** n.f.fam. Pansement qui enveloppe un doigt : *Michelle s'est blessée au doigt : elle l'a immédiatement entouré d'une poupée.*

poupon n.m. **1.** Bébé : *La jeune mère berce son poupon.* **2.** Poupée qui représente un bébé : *Sébastien a demandé un poupon pour Noël.* ☞ pouponner, pouponnière.

pouponner v. S'occuper avec tendresse d'un bébé : *Bernard aime beaucoup les bébés, il adore pouponner.* ☞ poupon.

pouponnière n.f. **1.** Établissement où l'on prend soin des bébés, des enfants de moins de trois ans : *Pendant la journée, maman fait garder mon petit frère à la pouponnière.* **2.** Partie d'un hôpital où l'on prend soin des bébés naissants : *La pouponnière est calme, car tous les bébés dorment.* ☞ poupon.

pour n.m.invar. Avantage, bon côté d'une chose : *Avant de prendre une décision, il faut peser le pour et le contre.*

pour prép. **1.** Indique la destination : *Nous partons demain pour Ottawa.* **2.** Indique le destinataire : *Mélanie regarde une émission pour enfants.* **3.** Indique le but : *Il étudie pour réussir son examen.* **4.** Indique le moment : *Pour cette fois, je veux bien vous excuser.* **5.** Indique la durée : *Toute la famille est partie pour un mois.* **6.** Indique la cause : *Céline a été décorée pour sa bravoure.* **7.** Indique un choix : *J'ai voté pour ce candidat lors de la dernière élection.* **8.** Indique la conséquence : *Pour notre malheur, nous n'avions pas prévu cette grève.* **9.** Indique un échange : *France a eu ce stylo pour un dollar.* SYN. moyennant. **10.** Indique le rapport : *Il est très sérieux pour son âge.* **pour que** loc.conj. Afin que : *Je vous avertis pour que vous puissiez vous libérer.*

pourboire n.m. Somme d'argent donnée par un client à titre de récompense, en plus du prix exigé pour le service : *Luc a donné un pourboire au serveur.*

pourceau, eaux n.m.litt. Porc : *Les pourceaux se bousculaient autour de l'auge.*

pourcentage n.m. **1.** Taux d'un intérêt, d'une commission calculé sur cent unités : *Cette vendeuse d'automobiles touche un pourcentage sur les ventes.* **2.** Proportion pour cent : *Il y a un fort pourcentage de blonds dans cette classe.*

pourchasser v. Poursuivre quelqu'un ou quelque chose sans répit : *Les policières ont pourchassé ce criminel à travers les rues de la ville.* ANT. abandonner, fuir.

se **pourlécher** v.pron. Se passer la langue sur les lèvres en signe de gourmandise ou de contentement : *Lucien se pourlèche à la vue du gâteau au chocolat.*

pourparler n.m. Conversation, négociation pour arriver à un accord : *Les deux pays en guerre ont engagé des pourparlers afin de conclure un traité de paix.* **R.** S'emploie surtout au pluriel.

pourpre n.m. et adj. **1.** n.m. Couleur rouge foncé tirant sur le violet: *Le pourpre est une couleur magnifique.* **2.** adj. Qui est d'une couleur rouge foncé tirant sur le violet: *Des tentures pourpres ornaient la fenêtre.*

pourpre n.f. **1.** Matière colorante d'un rouge foncé, extraite d'un mollusque, que l'on utilisait dans l'Antiquité: *La pourpre servait à teindre les tissus.* **2.** litt. Étoffe teinte en pourpre, symbole de richesse ou d'un rang social élevé: *L'empereur a revêtu le manteau de pourpre.* **3.** litt. Dignité d'empereur ou de roi: *Elle a hérité de la pourpre royale.* **4.** litt. Dignité de cardinal: *Monseigneur Grégoire a reçu la pourpre romaine.* ☞ empourprer.

pourquoi n.m.invar. **1.** Raison, motif: *Elle veut comprendre le pourquoi de tes actes.* **2.** Question: *L'institutrice ne peut pas répondre à tous les pourquoi de ces élèves.*

pourquoi adv. Pour quelle raison: *Pourquoi es-tu en colère?* c'est **pourquoi** loc.conj. Pour cette raison: *Il a mal à la tête, c'est pourquoi il est absent.*

pourri n.m. Ce qui est pourri: *Une odeur de pourri empestait l'air.* ☞ pourrir.

pourri, ie adj. **1.** Qui est gâté, attaqué par la décomposition: *J'ai jeté ces fruits, car ils étaient pourris.* ANT. frais. **2.** fig. Qui est trop gâté, en parlant d'un enfant: *Cet enfant pourri est insupportable.* **3.** fig. Qui est corrompu moralement: *Il croit que le monde est pourri.* **4.** Qui est pluvieux, humide: *Ce temps pourri nous empêche d'aller jouer dehors.* ☞ pourrir.

pourrir v. **1.** Se décomposer, se gâter: *Les pommes ont pourri sur le sol.* **2.** fig. Rester trop longtemps quelque part: *Cette prisonnière politique a pourri dans un cachot avant d'être libérée.* **3.** Gâter en provoquant la décomposition: *L'eau a pourri le bois.* **4.** fig. Se détériorer: *Il ne faudrait pas laisser pourrir cette grève.* **5.** fig. Gâter trop: *Ces parents ne sont pas assez sévères: ils pourrissent leurs enfants.* **6.** fig. Corrompre moralement: *L'argent a pourri ces gens.* ☞ pourri, pourrissant, pourriture.

pourrissant, ante adj. Qui est en train de pourrir: *Les raisins pourrissants attirent les insectes.* ☞ pourrir.

pourriture n.f. **1.** État d'un corps qui se décompose: *Ce produit protège le bois contre la pourriture.* SYN. décomposition. ANT. conservation. **2.** Partie pourrie: *Enlève la pourriture de cette pomme.* **3.** fig. État de ce qui est corrompu moralement: *Elle dénonce violemment la pourriture de la société.* SYN. corruption. ANT. pureté. ☞ pourrir.

poursuite n.f. **1.** Action de poursuivre, de courir après une personne ou un animal pour l'atteindre: *Les chiens se sont lancés à la poursuite du renard.* ANT. fuite. **2.** Effort pour obtenir quelque chose: *Elle a consacré sa vie à la poursuite de son idéal.* SYN. recherche. ☞ poursuivre. ▲ **poursuite** n.f. Action en justice dirigée contre quelqu'un qui n'a pas respecté une loi ou une obligation: *Le gouvernement a engagé des poursuites contre certaines entreprises pollueuses.* ☞ poursuivre. ▲ **poursuite** n.f. Action de poursuivre, de continuer quelque chose sans relâche: *La poursuite des négociations devrait conduire à une entente.* SYN. continuation. ANT. cessation. ☞ poursuivre.

poursuivant, ante n. Personne qui poursuit quelqu'un: *Il n'a pas réussi à échapper à ses poursuivants.* ☞ poursuivre.

poursuivre v. **1.** Courir après une personne ou un animal pour l'attraper: *Le renard poursuit la poule affolée.* SYN. chasser. ANT. fuir. **2.** fig. S'acharner contre quelqu'un: *Son ennemie le poursuit d'une haine tenace.* SYN. importuner, pourchasser. ANT. éviter. **3.** Chercher à obtenir quelque chose: *Toute sa vie, il a poursuivi un rêve.* ANT. abandonner, renoncer. **4.** fig. Obséder: *Ces images horribles me poursuivent jusque dans mon sommeil.* SYN. tourmenter. ☞ poursuite, poursuivant. ▲ **poursuivre** v. Faire un procès à quelqu'un: *Elle a menacé le marchand malhonnête de le poursuivre devant les tribunaux.* SYN. accuser. ☞ poursuite. ▲ **poursuivre** v. **1.** Continuer quelque chose sans relâche: *Annie veut poursuivre ses études jusqu'à l'université.* SYN. persévérer. ANT. arrêter, cesser. **2.** Continuer à parler: *Poursuivez, nous vous écoutons!* ☞ poursuite. se **poursuivre** v.pron. Se continuer: *Les recherches se poursuivent en vue de trouver le remède contre le sida.*

pourtant adv. Cependant, néanmoins: *Elle avait beaucoup étudié, pourtant elle a échoué aux examens.* SYN. mais, toutefois.

pourtour n.m. **1.** Ligne qui fait le tour d'un objet, d'une surface: *Lyne mesure le pourtour de la table.* SYN. circonférence, contour. **2.** Partie qui forme les bords d'un objet, d'une surface: *Le pourtour de la nappe est garni de dentelle.* ANT. centre.

pourvoir v. **1.** Fournir ce qui est nécessaire: *Les parents pourvoient aux besoins de leurs enfants.* SYN. subvenir. ANT. démunir. **2.** Donner: *Avant mon départ, maman m'a pourvu d'un peu d'argent de poche.* SYN. approvisionner, procurer. ANT. négliger. **3.** Munir, équiper quelque chose: *Il a pourvu son appartement de toutes les commodités.* ☞ dépourvu. se **pourvoir** v.pron. Se munir de quelque chose: *Les campeuses se sont pourvues de vêtements chauds.* **pourvu, ue** p.p. et adj. **1.** Qui possède quelque chose: *Cette fillette est pourvue de belles qualités.* **2.** Qui est riche: *Ces gens sont bien pourvus.*

pourvu que loc.conj. **1.** Indique une condition: *Il accepte de m'accompagner pourvu qu'il puisse être de retour avant la fin de l'après-midi.* **2.** Indique un souhait: *Pourvu qu'il ne pleuve pas!*

pousse n.f. Action de pousser, de se développer: *Cette lotion devrait accélérer la pousse des cheveux.* SYN. croissance. ☞ pousser. ▲ **pousse** n.f. Bourgeon, plante qui commence à se développer: *Les chèvres mangent les jeunes pousses des arbres.* HOM. pouce. ☞ pousser.

poussée n.f. Action de pousser, d'exercer une pression: *Le barrage a cédé sous la poussée des eaux.* SYN. poids. ☞ pousser. ▲ **poussée** n.f. Manifestation subite, crise: *Dans la soirée, la malade a eu une poussée de fièvre.* HOM. pousser.

pousse-pousse n.m.invar. Voiture légère à deux roues, tirée par un homme pour le transport des personnes, en Extrême-Orient: *On utilise les pousse-pousse en Chine, au Japon et en Corée.* **R.** Aussi, *pousse*. N'a pas le sens de *poussette*.

pousse-pousse

pousser v. **1.** Exercer une pression sur quelque chose pour le déplacer: *Xavier pousse son bureau contre le mur.* SYN. repousser. ANT. tirer. **2.** Écarter quelqu'un, le bousculer: *Gisèle a trébuché parce que quelqu'un l'a poussée.* SYN. heurter. **3.** Faire aller devant soi: *Les gardiens poussent les visiteurs vers la sortie.* ANT. immobiliser. **4.** Faire avancer: *Papa pousse la brouette.* SYN. conduire. **5.** fig. Inciter quelqu'un à agir: *La curiosité de cette scientifique l'a poussée à poursuivre ses recherches.* SYN. entraîner, inviter. ANT. détourner, dissuader, empêcher. **6.** fig. Porter jusqu'à une limite: *Il ne faudrait pas pousser la plaisanterie trop loin.* SYN. exagérer. **7.** fig. Faire travailler quelqu'un: *Les parents de Dominique le poussent sans arrêt pour qu'il réussisse bien en classe.* SYN. exhorter, stimuler. ANT. éloigner, freiner. **8.** fig. Faire entendre un son: *Il a poussé un cri, puis il s'est évanoui.* SYN. crier. ☞ poussée, poussoir. **poussée, ée** p.p. et adj. **1.** Qui est porté très loin: *C'est une farce un peu trop poussée.* SYN. exagéré. **2.** Qui est fait avec soin: *J'ai fait une analyse poussée de ce phénomène.* se **pousser** v.pron. Se déplacer, s'écarter: *Poussez-vous un peu, je dois sortir d'ici.* ▲ **pousser** v. **1.** Grandir, se développer: *L'herbe pousse dans les champs.* **2.** fig. Se construire: *Les villes poussent comme des champignons.* HOM. poussée. ☞ pousse, repousse, repousser.

poussette n.f. **1.** Petite voiture d'enfant, généralement pliante, que l'on pousse devant soi: *Bruno promène son petit frère dans une poussette.* **2.** Châssis métallique monté sur roulettes et muni d'une poignée servant à transporter des provisions: *Huguette transporte les sacs d'épicerie dans la poussette.*

poussière n.f. **1.** Terre sèche réduite en poudre très fine: *L'automobile soulevait un nuage de poussière.* **2.** Mélange de poudre fine provenant de débris de toutes sortes, qui se dépose sur les objets: *Les meubles sont couverts de poussière.* **3.** Matière réduite en poudre très fine: *La poussière de charbon peut provoquer de violentes explosions dans une mine.* **4.** Très petite particule de matière: *Antonio a une poussière dans l'œil.* ☞ dépoussiérer, empoussiérer, poussiéreux.

poussiéreux, euse adj. Qui est couvert de poussière: *L'étagère est poussiéreuse.* ☞ poussière.

poussière poussiéreux

poussif, ive adj. **1.** Qui respire avec difficulté: *Tu devrais arrêter de fumer si tu ne veux pas devenir poussive.* **2.** Qui avance avec peine: *Nous n'arriverons jamais à destination avec ce véhicule poussif.*

poussin n.m. Petit du coq et de la poule: *Le duvet des poussins est d'une douceur incomparable.* (*Voir l'illustration à la page suivante.*)

poussoir n.m. Bouton sur lequel on appuie pour déclencher le fonctionnement d'un mécanisme: *J'ai appuyé sur le poussoir de la sonnette, mais personne n'est venu ouvrir.* ☞ pousser.

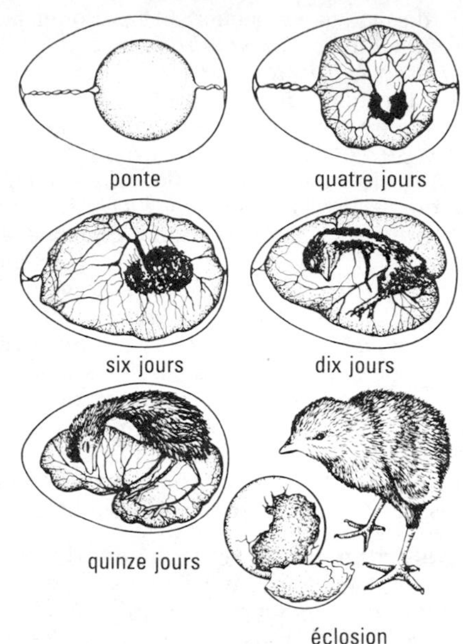

poussin

poutine n.f. Au Québec, mets composé de pommes de terre frites et de fromage en grains arrosés de sauce : *Clémence a commandé une poutine.*

poutre n.f. **1.** Grosse pièce de bois équarrie servant de support dans la construction : *Les poutres soutiennent le plancher de la maison.* **2.** Pièce de métal ou de béton de forme allongée servant de support dans la construction : *Les poutres métalliques supportent le pont.* ☞ poutrelle.

poutrelle n.f. Petite poutre d'acier : *Les poutrelles réunissent les pièces principales de la charpente métallique.* ☞ poutre.

pouvoir v. **1.** Être capable de faire quelque chose : *Ma petite sœur peut maintenant s'habiller seule.* **2.** Avoir le droit, la permission de faire quelque chose : *Vous pouvez aller au cinéma.* **3.** Être possible, en parlant de quelque chose : *Prends ton parapluie ; il peut pleuvoir à la fin de la journée.* ⁄⁄ *Il se peut, se pourrait :* Il est, serait possible. **R.** Participe passé, *pu*.

peut	s'emploie avec les pronoms *il, elle, on*.
peux	s'emploie avec les pronoms *je, tu*.
peu	peut être remplacé par *pas beaucoup*.

pouvoir n.m. **1.** Capacité de faire quelque chose : *Je n'ai pas le pouvoir de vous guérir.* SYN. possibilité. ANT. incapacité. **2.** Autorité : *Il est parfois difficile de ne pas abuser de son pouvoir.* SYN. influence. **3.** Situation de ceux qui gouvernent un pays : *Ce parti a pris le pouvoir aux dernières élections.* **4.** Fonction de l'État qui correspond à un domaine particulier : *Le pouvoir législatif est chargé de faire les lois tandis que le pouvoir judiciaire est chargé de rendre la justice.* **5.** Propriété d'une substance, d'un produit : *Les essuie-tout ont un pouvoir absorbant.* ⁄⁄ *Pouvoir d'achat :* Ce que l'on peut acheter avec son salaire. *Pouvoirs publics :* Ensemble des autorités qui peuvent imposer des règles aux citoyens, gouvernement.

prairie n.f. **1.** Terrain couvert d'herbe qui fournit de la nourriture au bétail : *La prairie produit de l'herbe et du foin.* SYN. pré. **2.** plur. Grandes plaines des États-Unis et du Canada : *Les Prairies, ce sont les provinces du Manitoba, de la Saskatchewan et de l'Alberta.* ⁄⁄ *Chien de prairie :* Rongeur des plaines de l'Amérique du Nord qui ressemble à une marmotte. **R.** S'écrit avec une majuscule lorsqu'il s'agit des grandes plaines des États-Unis et du Canada.

praline n.f. Bonbon fait d'une amande grillée recouverte de sucre cuit et glacé : *Les pralines ont un goût irrésistible.*

praticable adj. **1.** Qui peut être réalisé : *Ce projet me semble praticable.* SYN. possible. ANT. impossible, irréalisable. **2.** Qui peut être utilisé sans danger, en parlant d'un chemin : *Cette route est étroite, mais elle est quand même praticable.* SYN. carrossable. ANT. impraticable. ☞ pratiquer.

praticien, ienne n. **1.** Personne qui pratique un art, une science : *Le praticien a beaucoup d'expérience dans son domaine.* **2.** Médecin qui soigne les malades : *Ma praticienne m'a fait hospitaliser.* ANT. chercheur. ☞ pratiquer.

pratiquant, ante n. et adj. **1.** n. Personne qui pratique sa religion : *Les pratiquants assistent à la messe tous les dimanches.* **2.** adj. Qui pratique sa religion : *Tante Jeanne croit en Dieu, mais elle n'est pas pratiquante.* ☞ pratiquer.

pratique n.f. **1.** Application concrète de règles, de principes : *Après que l'on m'ait expliqué le fonctionnement d'une automobile, je suis passé à la pratique : j'ai pris le volant.* ANT. théorie. **2.** Manière concrète d'exercer une activité : *La pratique du droit est très exigeante.* **3.** Expérience : *Maman a une longue pratique des affaires.* SYN. habitude. ANT. inexpérience. **4.** Façon d'agir : *Le vol à l'étalage est une pratique courante.* **5.** litt. Observation des devoirs moraux ou religieux : *On dit que la pratique religieuse a diminué au Québec.* SYN.

culte, observance. **6.** plur. Exercices de piété: *Grand-père est très fidèle aux pratiques de sa religion.* ⁄⁄ *Mettre en pratique:* Appliquer concrètement. **R.** N'a pas le sens de *répétition*, de *exercice*. ☞ pratiquer. en **pratique** loc.adv. Réellement, en fait: *Ce projet est intéressant sur papier, mais en pratique, c'est une autre histoire.*

pratique adj. **1.** Qui se rapporte à l'application concrète de règles, de principes: *Les expériences de laboratoire sont un des aspects pratiques de la chimie.* **2.** Qui s'attache à la réalité, aux faits: *Son esprit pratique lui permet de faire face à bien des imprévus.* SYN. positif, réaliste. ANT. théorique. **3.** Qui est commode: *Pour effectuer ce travail, cet outil est très pratique.* SYN. efficace, utile. ANT. inefficace, malcommode.

pratiquement adv. **1.** Dans la pratique: *En théorie, cela semble facile; pratiquement, c'est irréalisable.* ANT. théoriquement. **2.** fam. Presque: *Elle est pratiquement incapable de marcher.* ☞ pratiquer.

pratiquer v. **1.** Mettre en application: *Josée veut aller en Ontario pour pratiquer son anglais.* **2.** Exercer une activité: *Antonin pratique la médecine.* **3.** Faire quelque chose: *Papa a pratiqué un trou dans le mur de ma chambre.* **4.** Observer les devoirs de sa religion: *Cet homme assiste aux offices et récite ses prières: il pratique sa religion.* **R.** N'a pas le sens de *répéter*, de *s'entraîner*. ☞ impraticable, praticable, praticien, pratiquant, pratique, pratiquement.

prati**ci**en prati**qu**er

pré n.m. Terrain couvert d'herbe qui fournit de la nourriture au bétail: *Les vaches broutent dans le pré.* SYN. prairie.

préalable n.m. et adj. **1.** n.m. Ensemble des conditions qui doivent être remplies avant le début d'une négociation: *Comme préalable aux négociations, ils ont exigé l'arrêt des bombardements.* **2.** n.m. Au Canada, condition qui doit être remplie avant de commencer ou de poursuivre des études: *Pour être admis à l'école primaire, on exige le préalable suivant: avoir six ans avant le 30 septembre.* **3.** n.m. Au Canada, cours qui doit précéder un autre cours dans le programme d'études d'un élève: *Avant de t'inscrire à ce cours, tu dois suivre ce préalable.* **4.** adj. Qui vient avant autre chose: *Avant de commencer ces travaux, il faut faire une étude préalable.* **R.** Recommandé par l'O.L.F. pour remplacer l'anglicisme «prérequis». ☞ préalablement. au **préalable** loc.adv. Auparavant: *Ajoutez les jaunes d'œufs au mélange, en les ayant battus au préalable.*

préalablement adv. Auparavant: *Avant de participer à cette course, il faut préalablement vous inscrire.* ☞ préalable.

préambule n.m. **1.** Introduction, entrée en matière: *Avant d'entrer dans le vif du sujet, le conférencier a fait un long préambule.* SYN. préface. ANT. conclusion. **2.** fig. Ce qui précède quelque chose: *Cet incident a été le préambule d'une grave crise internationale.* SYN. prélude. ANT. fin.

préavis n.m. Avertissement que l'on donne à l'avance: *Avant de me congédier, mon employeuse m'a donné un préavis.* **R.** Le *s* ne se prononce pas.

précaire adj. Qui est fragile, incertain: *Il doit se ménager, car sa santé est précaire.* SYN. chancelant, instable. ANT. solide, stable.

précaution n.f. **1.** Disposition prise à l'avance pour éviter un inconvénient, un mal ou pour en limiter les effets: *Il a pris toutes les précautions possibles pour ne pas être volé.* SYN. garantie, mesure. ANT. imprévoyance. **2.** Prudence: *Les piétons avançaient avec précaution sur le trottoir verglacé.* SYN. attention. ANT. étourderie, imprudence. ☞ précautionneusement, précautionneux.

précautionneusement adv. De façon prudente: *Jimmy marche précautionneusement sur le sable brûlant.* ANT. imprudemment. ☞ précaution.

précautionneux, euse adj. **1.** Qui prend des précautions: *Le voyageur précautionneux a pris une assurance avant de partir.* ANT. imprudent. **2.** Qui est fait avec précaution: *Avec des gestes précautionneux, la spécialiste souleva le couvercle de la boîte.* ☞ précaution.

précédemment adv. Auparavant: *Ce problème a déjà été soulevé précédemment.* ANT. après, postérieurement. **R.** Les lettres *emment* se prononcent *amment*. ☞ précédent.

précédent n.m. Fait qui s'est produit avant et que l'on donne comme exemple pour justifier notre conduite ou réclamer un même droit: *Si je te permettais de mâcher de la gomme en classe, je créerais un précédent.* ⁄⁄ *Sans précédent:* Unique, jamais vu.

précédent, ente adj. Qui vient avant: *Je suis née le 23 octobre et toi, tu es né le jour précédent, c'est-à-dire le 22 octobre.* SYN. antécédent. ANT. suivant. ☞ précédemment, précéder.

précéder v. **1.** Venir avant quelque chose, dans l'espace ou dans le temps: *L'automne* *précède l'hiver.* ANT. suivre. **2.** Exister avant soi: *Ceux qui nous ont précédés nous ont laissé une langue et des traditions qu'il faut préserver.* ANT. succéder. **3.** fig. Être connu avant son arrivée: *Votre excellente réputation vous a précédé.* SYN. devancer. **4.** Marcher devant quelqu'un ou quelque chose: *La guide nous a précédés pour nous montrer le chemin.* **5.** Arriver dans un lieu avant quelqu'un: *Nous devions arriver en même temps, mais tu m'as précédé de dix minutes.* ANT. suivre. ☞ précédent.

précepte n.m. Formule qui exprime une règle de conduite: *« Pardonnez à vos ennemis et priez pour ceux qui vous persécutent » est un précepte de l'Évangile.* SYN. commandement, enseignement, leçon, maxime, principe.

prêche n.m. **1.** Sermon prononcé au temple ou à l'église: *Le pasteur a terminé son prêche.* **2.** fam. Discours ennuyeux qui fait la morale: *Ses prêches nous ennuient toujours.* **R.** Ne pas oublier l'accent: *ê.* ☞ prêcher.

prêcher v. **1.** Annoncer la parole de Dieu: *Les apôtres ont prêché l'Évangile.* SYN. enseigner, évangéliser. ANT. dénoncer. **2.** Recommander, conseiller: *Nos parents nous prêchent la prudence.* SYN. exhorter. ANT. déconseiller. **3.** Faire des sermons: *À la messe, le prêtre s'est mis à prêcher.* **R.** Ne pas oublier l'accent: *ê.* ☞ prêche, prêcheur.

prêcheur, euse n. et adj. **1.** n. Personne qui aime faire la morale: *Il n'arrête pas de me dire quoi faire, quel prêcheur!* **2.** adj. Qui aime faire la morale: *Elle a toujours été un peu prêcheuse.* **3.** adj. Qui fait des sermons: *Les frères prêcheurs annonçaient la parole de Dieu.* **R.** Ne pas oublier l'accent: *ê.* ☞ prêcher.

précieusement adv. Avec beaucoup de soin: *Rita conserve précieusement le jonc de sa mère.* ☞ précieux.

précieux, euse adj. **1.** Qui a une grande valeur: *L'or est un métal précieux.* **2.** Qui est important: *La liberté est sans doute le bien le plus précieux de l'être humain.* SYN. estimable, inappréciable. ANT. ordinaire. **3.** Qui est utile à quelqu'un: *Vos conseils m'ont été précieux.* SYN. valable. ANT. inutile. ☞ précieusement.

précipice n.m. **1.** Trou très profond dont les parois sont à pic: *L'automobile a failli tomber dans un précipice.* SYN. abîme, gouffre. **2.** fig. Catastrophe, désastre: *L'entreprise est au bord du précipice.* SYN. malheur, ruine. ANT. bonheur, fortune, succès.

précipitamment adv. De façon brusque, très vite: *Claudine est partie précipitamment, sans nous dire au revoir.* ANT. lentement, posément. ☞ précipiter.

précipitation n.f. **1.** Grande hâte: *Après avoir cassé une vitre, le vilain garnement s'est enfui avec précipitation.* SYN. empressement. ANT. lenteur. **2.** Hâte excessive à faire quelque chose: *Quand tu fais un travail important, évite la précipitation.* SYN. impatience, irréflexion. ANT. modération, retenue. **3.** Caractère hâtif de quelque chose: *Dans la précipitation de ton départ, tu as oublié ton portefeuille.* SYN. rapidité, vitesse. ☞ précipiter.

précipitations n.f.plur. Pluie, neige, grêle: *On annonce de fortes précipitations vers la fin de la journée.*

précipité, ée adj. **1.** Qui est fait à la hâte: *Son départ précipité nous a tous surpris.* SYN. hâtif. ANT. lent. **2.** Qui est très rapide: *Quand on court, notre respiration devient précipitée.* SYN. haletant. HOM. précipiter. ☞ précipiter.

précipiter v. **1.** Faire tomber d'un lieu élevé: *Selon un témoin, les criminelles ont précipité la voiture dans un ravin.* SYN. jeter. **2.** Pousser avec violence: *Le vent violent m'a précipité contre le mur.* SYN. entraîner. **3.** fig. Faire tomber d'une situation élevée: *Le chômage a précipité cette famille dans la misère.* SYN. anéantir, ruiner. HOM. précipité. se **précipiter** v.pron. **1.** Se jeter d'un lieu élevé: *Équipée de son deltaplane, Sylvie se précipita dans le vide et s'envola.* **2.** S'élancer brusquement vers quelqu'un: *Dès qu'elle aperçut ses parents, elle se précipita vers eux.* SYN. accourir. ▲ **précipiter** v. **1.** Hâter: *Oncle Antoine a dû précipiter son départ.* SYN. avancer, presser. ANT. retarder. **2.** Faire aller plus vite: *La peur précipitait ses pas.* SYN. accélérer. ANT. ralentir. ☞ précipitamment, précipitation, précipité. se **précipiter** v.pron. **1.** Se hâter: *Ne te précipite pas, il reste encore une heure avant le début du spectacle!* **2.** Se dérouler plus vite: *Les événements semblent se précipiter.*

précis, ise adj. **1.** Qui est clair, net: *Christiane a facilement trouvé sa route car on lui avait donné des indications précises.* SYN. explicite. ANT. imprécis. **2.** Qui est juste, exact: *Je ne veux pas une approximation: je veux une mesure précise.* SYN. absolu, formel. ANT. vague. **3.** Qui est déterminé avec exactitude: *La ville de Montréal occupe un point précis sur la carte.* ANT. indéterminé. **4.** Qui est exécuté d'une façon sûre: *D'un geste précis, la chirurgienne pratique l'incision.* SYN. certain. ANT. incertain. **5.** Qui agit avec exactitude, sûreté: *Vous pouvez vous fier à elle: c'est une*

Les arbres de mon pays

CONIFÈRES

Pin
Photo Jardin botanique

Cèdre
Photo Jardin botanique/D. Fortin

Sapin
Photo Serge Leduc

Épinette
Photo Jardin botanique/R. Meloche

Mélèze
PUBLIPHOTO/J. Boutin

If
Photo Jardin botanique/M. St-Arnaud

FRUITIERS

Prunier
Photo Jardin botanique

Pommettier
Photo Jardin botanique/R. Meloche

Poirier
Photo Jardin botanique

Fêtes des communautés culturelles

Dates	Communautés culturelles	Nom de la fête	Significations/manifestations
1er janvier	Grecs	Protochronia, Jour de l'an ou Saint-Basile	À l'occasion de cette fête, on mange la vasilopita, pain sucré dans lequel on cache une pièce de monnaie, symbole de prospérité.
13 janvier	Indiens	Pongal ou Makar-Sankranti: fête des moissons	Le pongal est le riz qui vient d'être récolté et qui a été cuit rituellement. Au Québec, on organise une soirée culturelle à l'occasion de cette fête.
25 janvier	Écossais	Anniversaire de Robert Burns	On lève son verre à la mémoire du célèbre poète écossais et l'on récite en famille ou en public quelques-uns de ses poèmes. On mange le haggis traditionnel, plat de viande écossais, et on fête en dansant des quadrilles.
6 février	Vietnamiens, Chinois	Têt (Nouvel An lunaire)	Il s'agit, au Viêt Nam, d'une période de repos d'une durée de 15 jours qui coïncide avec la fin de la récolte. Cette fête donne lieu à diverses célébrations familiales et collectives. On mange le banktrung, des gâteaux de riz, et l'on offre des voeux. Au Québec, la communauté vietnamienne recrée l'atmosphère d'une fête populaire en se retrouvant pour des spectacles, des chants et des danses.
7 février	Tibétains	Jour de l'an	Les festivités, qui durent environ une semaine, commencent avant le lever du soleil par un moment de préparation spirituelle: le lama bénit les mets spéciaux, puis on chante, on prie et on lit des textes sacrés.
3 mars	Japonais	Hina-Matsuri: fête des poupées	Des poupées de cérémonie, dont certaines sont un héritage familial, sont exposées dans les maisons où il y a une petite fille. Chaque série de poupées représente toute la cour en miniature, en costumes des temps anciens. Au Japon, il existe une petite ville dont la seule industrie est la fabrication de ces poupées.
17 mars	Irlandais	Saint-Patrick	Les Irlandais, trèfle à la boutonnière, soulignent la fête de leur saint patron par un bal et un spectaculaire défilé qui peut attirer des milliers de personnes.
13 avril	Cambodgiens	Chaul Chhnam: Nouvel An	Fête religieuse et populaire, le Nouvel An cambodgien est célébré à la pagode par une cérémonie religieuse. Cette fête est aussi l'occasion de festoyer, de rencontrer les membres de sa famille, ses amis et d'échanger des cadeaux.
23 avril	Anglais	Saint-Georges	Le jour de la fête de saint Georges, patron de l'Angleterre, les Anglais arborent une rose rouge.
23 avril	Turcs	Fête des Enfants	Cette fête souligne l'inauguration de la Grande Assemblée nationale, le 23 avril 1923, et rappelle que les enfants sont le symbole de la nouvelle démocratie turque.
1er mai	Égyptiens	Cham El-Nassim	Cham El-Nassim signifie «sentir la brise». Cette fête égyptienne du printemps est célébrée au Québec le lundi de Pâques et elle réunit des Arabes de diverses origines et de toutes religions. On célèbre par une sortie en plein air, puis on se retrouve autour d'une table garnie de plats typiques égyptiens.
5 mai	Japonais	Tango-No-Sekku: fête des garçons	On expose, à la maison, des poupées représentant des héros japonais ainsi que des armures et diverses armes. À l'extérieur, des bandes de papier ou d'étoffes multicolores sont accrochées à des mâts ou sur le toit des maisons.
14 juin	Estoniens, Lettons, Lithuaniens	Jour de la Commémoration	Le 14 juin 1941, des milliers d'Estoniens, de Lettons et de Lithuaniens furent déportés en Sibérie par les forces soviétiques d'occupation. Chaque année à cette date, la Fédération baltique du Canada commémore cet événement en organisant, à Montréal, un programme d'activités au cours duquel on honore les exilés.
24 juin	Québécois	Saint-Jean-Baptiste	☞ Jean Baptiste (saint)

1er juillet	Canadiens	Fête de la Confédération	☞ Confédération du Canada
14 juillet	Français	Prise de la Bastille	Citadelle militaire puis prison d'État, la Bastille était devenue le symbole du pouvoir absolu du roi. Cette forteresse fut prise par la population de Paris le 14 juillet 1789 pour être détruite peu après. C'est en 1880 que l'on a choisi le 14 juillet comme fête nationale de la France. À Montréal, cette fête est notamment célébrée par un bal devenu traditionnel.
21 juillet	Belges	Fête nationale	La fête nationale belge commémore l'avènement de Léopold 1er, en 1831. À Montréal, en cette occasion, les Belges se retrouvent au cours d'un bal qui se tient le samedi le plus proche du 21 juillet. Le lendemain, un défilé accompagné de fanfares se rend du carré Dominion jusqu'à l'église Notre-Dame où se déroule une célébration religieuse.
1er août	Suisses	Fête nationale	Le 1er août 1291, un pacte perpétuel de défense mutuelle fut conclu pour préserver l'indépendance des territoires qui étaient appelés à devenir le cœur de la Suisse actuelle. Pour commémorer cet événement, les Suisses du Québec organisent, au mont Sutton, une manifestation à caractère sportif et culturel.
20 août	Hongrois	Saint-Étienne	Les Hongrois célèbrent à la fois leur insertion au sein de la chrétienté et l'héritage spirituel de saint Étienne, leur premier saint roi. Cette fête traditionnelle et religieuse est la plus importante pour la communauté hongroise du Québec qui organise, à cette occasion, diverses manifestations.
14 septembre	Coréens	Ch'usok: fête des moissons	L'une des plus importantes fêtes traditionnelles coréennes, cette fête des moissons est à la fois une action de grâce adressée aux ancêtres pour la récolte et l'occasion de divertissements. La pleine lune est au centre de la fête.
30 septembre	Juifs	Rosh Hashanah: Nouvel An	À la synagogue, les fidèles prient pour une année de paix et de bonheur pour eux-mêmes et pour toute l'humanité. Le son du shofar (la corne de bélier) rappelle le besoin de faire le bien et de craindre Dieu.
Fin de septembre et début d'octobre	Allemands	Oktoberfest: festival de la bière	L'Oktoberfest est en Allemagne, surtout en Bavière, une grande manifestation qui attire des millions de visiteurs. Au Québec, cette fête est soulignée par certains restaurants et quelques associations allemandes qui organisent des soirées de musique et de danses bavaroises.
9 octobre	Juifs	Yom Kippour: jour du grand pardon	☞ Yom Kippour
2 novembre	Italiens	Festa dei Morti	Il s'agit d'une célébration solennelle au cours de laquelle des Québécois d'origine italienne rendent hommage à leurs ancêtres. Ils visitent les cimetières en apportant des fleurs.
6 décembre	Autrichiens, Croates, Hollandais, Slovènes	Saint-Nicolas	La fête du saint patron de la Russie revêt encore une grande importance dans plusieurs cultures. Au moment de recevoir les cadeaux qu'on leur offre pour la Saint-Nicolas, les enfants se souviennent avec gratitude de ce merveilleux vieillard qui leur laissait autrefois des cadeaux au pied de la cheminée ou à la porte des maisons.
16 décembre	Mexicains	Posada	Le soir du 16 décembre, au Mexique, Marie et Joseph, emmenés par une petite procession, parcourent le village ou le quartier à la recherche d'une maison accueillante. La première posada (auberge, halte de la Vierge) inaugure la neuvaine de Noël. Les Mexicains du Québec, quant à eux, se retrouvent autour de mets de leur pays et d'une pinata, marmite recouverte de papiers colorés, pleine de friandises et suspendue à une corde que les enfants, les yeux bandés, tentent de rompre à l'aide d'un bâton.

Source: *Calendrier des fêtes des communautés culturelles, 1989*, Québec, ministère des Communautés culturelles et de l'Immigration, 1988. (Adaptation réalisée avec l'autorisation de la ministre Louise Robic; recherche originale: Dominique de Pasquale et Ginette Laurendeau.

Les arbres de mon pays

FEUILLUS

Bouleau

Tilleul

Noyer

Chêne

Érable

Orme

femme précise. ☞ imprécis, imprécision, précisément, préciser, précision.

précisément adv. **1.** De façon exacte: *L'infirmier a répondu précisément à toutes mes questions.* ANT. vaguement. **2.** Justement: *C'est précisément cela qu'il fallait faire.* ☞ précis.

préciser v. **1.** Déterminer, indiquer d'une façon précise: *Pouvez-vous me préciser l'heure d'arrivée de l'avion en provenance de Paris?* **2.** Rendre plus précis: *Je ne comprends pas ce que tu veux dire; veux-tu préciser ta pensée?* **3.** Apporter des précisions: *La ministre a précisé que sa décision était irrévocable.* ☞ précis. se **préciser** v.pron. Devenir plus précis: *La menace de grève se précise.*

précision n.f. **1.** Clarté: *Vos renseignements étaient d'une grande précision.* SYN. exactitude. ANT. confusion. **2.** Exactitude: *Cette montre est d'une grande précision.* SYN. régularité. ANT. imprécision. **3.** Justesse: *J'admire la précision de son tir.* SYN. sûreté. ANT. incertitude. **4.** plur. Détails, explications, données qui rendent une information plus précise: *J'aimerais avoir plus de précisions sur ce projet.* ☞ précis.

précoce adj. **1.** Qui est mûr avant le temps normal: *Cette variété de pommes est précoce: elle est mûre en juillet.* ANT. tardif. **2.** Qui se produit avant le temps normal: *Il a neigé en octobre: l'hiver a été précoce cette année.* SYN. hâtif. **3.** Dont le développement correspond à un âge supérieur: *Valérie est très précoce: elle sait lire à quatre ans.* SYN. avancé. ANT. arriéré. ☞ précocité.

précocité n.f. **1.** Caractère de ce qui est mûr avant le temps normal: *La pomicultrice a choisi cette variété de fruits pour sa précocité.* **2.** Caractère de ce qui se produit avant le temps normal: *Le printemps est d'une grande précocité cette année.* **3.** Caractère d'une personne dont le développement correspond à un âge supérieur: *La précocité de Mozart a étonné ses contemporains.* ☞ précoce.

préconçu, ue adj.péj. Qui est conçu à l'avance sans jugement critique, sans expérience: *Tu as des idées préconçues sur une foule de sujets.* **R.** Ne pas oublier la cédille: préconçu. ☞ concevoir.

préconiser v. Recommander fortement: *Le ministre de l'Éducation préconise l'augmentation des heures de classe.* SYN. prôner. ANT. blâmer, critiquer, dénoncer.

précurseur n.m. et adj.m. **1.** n.m. Personne qui annonce, prépare la venue d'une autre: *Saint Jean-Baptiste a été le précurseur du Christ.* **2.** n.m. Personne qui ouvre la voie à une doctrine, à un mouvement: *Ses œuvres l'ont désignée comme un précurseur en art.* SYN. pionnier. **3.** adj.m. Qui vient avant et annonce quelque chose: *Ces gros nuages et ce temps lourd sont les signes précurseurs d'un orage.* SYN. avant-coureur.

prédateur n.m. Animal qui se nourrit de proies: *Le renard, le lion et la belette sont des prédateurs.*

prédateur, trice adj. Qui se nourrit de proies: *L'aigle est un oiseau prédateur.*

prédécesseur n.m. **1.** Personne qui a occupé une fonction, un emploi avant une autre: *La nouvelle directrice est plus aimable que son prédécesseur.* ANT. successeur. **2.** plur. Ceux qui ont existé avant nous: *Nous devons nous servir de l'expérience de nos prédécesseurs.*

prédestiné, ée adj. **1.** Dont le destin est fixé à l'avance: *Cet homme était prédestiné à devenir un grand artiste.* **2.** Qui semble avoir été choisi par le destin: *Marie-Fleur est fleuriste: elle porte vraiment un nom prédestiné.* HOM. prédestiner. ☞ prédestiner.

prédestiner v. Destiner à l'avance à un rôle, à un avenir particulier: *Ses études, ses qualités, son expérience, tout la prédestinait à occuper ce poste important.* SYN. disposer, vouer. HOM. prédestiné. ☞ prédestiné.

prédicateur, trice n. Personne qui prêche, qui fait un sermon: *La prédicatrice a prononcé un sermon très intéressant.* ☞ prédication.

prédication n.f. **1.** Action de prêcher, d'annoncer la parole de Dieu: *Les apôtres ont consacré leur vie à la prédication de l'Évangile.* SYN. enseignement. **2.** litt. Sermon: *Les fidèles sont venus entendre la prédication du père missionnaire.* ☞ prédicateur.

prédiction n.f. **1.** Action d'annoncer quelque chose à l'avance: *L'astrologue a fait des prédictions.* **2.** Ce qui a été prédit: *Vos prédictions ne se sont pas réalisées.* SYN. prophétie. ☞ prédire.

prédilection n.f. Préférence pour quelqu'un ou quelque chose: *J'ai une prédilection pour les sports équestres.* ANT. antipathie, aversion. ⁄ *De prédilection:* Favori, préféré.

prédire v. **1.** Annoncer d'avance ce qui va arriver, sans preuves ni indices raisonnables: *On dit que cet homme est capable de prédire l'avenir.* SYN. prophétiser. **2.** Annoncer d'avance ce qui va arriver, par raisonnement, par intuition, par observation: *Cette astronome a prédit une éclipse solaire.* SYN. prévoir. ☞ prédiction.

prédisposer v. Préparer, mettre quelqu'un dans une disposition favorable à quelque chose: *Ton attitude insolente ne me prédispose pas à l'indulgence.* SYN. amener, influencer. ANT. éloigner, indisposer. ☞ prédisposition. **prédisposé, ée** p.p. et adj. Qui est enclin à quelque chose: *Cette personne semble prédisposée à la paresse.*

prédisposition n.f. Disposition, aptitude naturelle à quelque chose: *Nancy a une prédisposition à la peinture.* SYN. penchant. ☞ prédisposer.

prédominance n.f. Caractère de ce qui est le plus important: *Ce règlement doit confirmer la prédominance du français dans l'affichage.* SYN. prépondérance, supériorité. ☞ prédominer.

prédominant, ante adj. Qui est le plus important: *Les vêtements aux couleurs vives sont prédominants cet été.* SYN. principal. ☞ prédominer.

prédominer v. Être le plus important: *C'est l'humour qui prédomine dans son œuvre.* SYN. dominer, prévaloir. ☞ prédominance, prédominant.

préélectoral, ale, aux adj. Qui vient avant des élections: *Les membres du parti ont assisté à une réunion préélectorale.* ☞ élire.

préemballé, ée adj. Qui est vendu sous emballage, en parlant d'un produit alimentaire: *Nous n'avons que des poulets préemballés.* ☞ déballer.

préencollé, ée adj. Qui est enduit de colle, qui est prêt à être collé: *Maman a acheté du papier peint préencollé.* ☞ colle.

préfabriqué n.m. Ce qui est construit avec des éléments fabriqués à l'avance: *Le préfabriqué devient de plus en plus populaire auprès des consommateurs.* ☞ fabriquer.

préfabriqué, ée adj. **1.** Qui est fabriqué à l'avance pour être assemblé ensuite sur place: *Cette maison a été construite avec des éléments préfabriqués.* **2.** Qui est composé d'éléments préfabriqués: *Notre voisin s'est fait construire une maison préfabriquée.* **3.** fig. Qui est préparé à l'avance, peu naturel: *Je n'accepte pas vos excuses préfabriquées.* ☞ fabriquer.

préface n.f. Texte placé au début d'un livre et qui sert à le présenter au lecteur: *Dans sa préface, l'auteur nous dit pourquoi il a écrit ce livre.* SYN. introduction, présentation. ANT. conclusion. ☞ préfacer.

préfacer v. Écrire une préface, un texte de présentation placé au début d'un livre: *Cette grande romancière a accepté de préfacer le roman de ce jeune auteur.* **R.** Ne pas oublier la cédille devant *a* et *o*. ☞ préface.

préfecture n.f. **1.** Région administrée par un fonctionnaire de l'État, ou préfet, en France: *Le préfet représente l'État dans la préfecture.* **2.** Ensemble des services de l'administration; édifice où ils sont installés: *Les citoyens ont manifesté devant la préfecture.* // *Préfecture de police:* Services de police, à Paris. ☞ préfet.

préférable adj. Qui convient mieux: *Cette idée est préférable à celle que tu m'as présentée hier.* SYN. meilleur, supérieur. ANT. inférieur, mauvais, pire. ☞ préférer.

préféré, ée n. et adj. **1.** n. Personne qui est la plus aimée: *Michelle est ma préférée.* **2.** adj. Qui est le plus aimé: *Viens chez moi: je te ferai écouter mes disques préférés.* SYN. favori. HOM. préférer. ☞ préférer.

préférence n.f. **1.** Fait d'aimer mieux quelqu'un ou quelque chose: *Ma sœur a une nette préférence pour la peinture moderne.* ANT. antipathie, aversion. **2.** Fait d'être préféré: *Elle a eu la préférence sur les autres postulants.* SYN. faveur. ANT. défaveur, ressentiment. ☞ préférer. de **préférence** loc.adv. Plutôt: *Je prends mes vacances en été de préférence.* de **préférence à** loc.prép. À la place d'une autre chose: *Pour parcourir de longues distances, choisissez l'avion de préférence à l'automobile.*

préférer v. **1.** Aimer mieux: *Geneviève préfère lire plutôt que de regarder la télévision.* SYN. choisir, opter. ANT. haïr, rejeter. **2.** fig. Se développer mieux dans certaines conditions, en parlant d'une plante: *Les mousses préfèrent les lieux humides.* HOM. préféré. ☞ préférable, préféré, préférence.

préfet, ète n. Fonctionnaire qui représente l'État à la tête d'une préfecture, en France: *Le préfet s'est rendu au ministère de la Justice.* // *Préfet de police:* Haut fonctionnaire qui dirige les services de police, à Paris. ☞ préfecture.

préfixe n.m. Mot ou syllabe que l'on ajoute devant un mot et qui change le sens de ce mot: *Dans le mot «maladroit», «mal» est un préfixe.*

préhensile adj. Qui peut saisir, en parlant d'un organe: *La queue de l'hippocampe est préhensile et elle lui permet de s'accrocher aux algues.*

préhistoire n.f. Période de l'histoire de l'humanité, depuis son origine jusqu'à l'invention de l'écriture: *Pendant la préhistoire, les bandes d'êtres humains étaient généralement nomades.* ☞ histoire.

préhistorique adj. **1.** Qui date de la préhistoire, de la période avant l'invention de l'écriture: *Les dinosaures sont des animaux préhistoriques.* **2.** fig. Qui est très ancien, démodé: *Comment peux-tu travailler avec ces outils préhistoriques?* ☞ histoire.

préjudice n.m. **1.** Tort, dommage que l'on cause à quelqu'un: *La juge l'a condamné à réparer le préjudice qu'il m'a causé.* SYN. injustice, mal. ANT. avantage, bénéfice, bienfait. **2.** Ce qui nuit à quelque chose: *Son refus causera un grave préjudice à notre cause.* // *Porter préjudice à quelqu'un:* Faire du tort à quelqu'un. ☞ préjudiciable. au **préjudice de** loc.prép. Au désavantage de quelqu'un ou de quelque chose: *Le partage des bonbons s'est fait au préjudice de Marie.*

préjudiciable adj. Qui peut causer du tort, des dommages à quelqu'un ou à quelque chose: *Ce travail est préjudiciable à votre santé.* SYN. défavorable, nocif, nuisible. ANT. avantageux, bienfaisant, favorable, utile. ☞ préjudice.

préjugé n.m. Jugement formé à l'avance sur quelqu'un ou quelque chose: *Les préjugés raciaux reposent bien souvent sur une mauvaise connaissance des autres peuples.* HOM. préjuger. ☞ préjuger.

préjuger v.litt. Se faire une idée à l'avance sur quelque chose: *Je ne peux pas préjuger de la décision qui sera prise.* HOM. préjugé. ☞ préjugé.

prélart n.m. Grosse toile imperméable qui sert à recouvrir les marchandises chargées sur un navire, un camion découvert: *Le prélart protège les marchandises contre les intempéries.*

se **prélasser** v.pron. Se détendre, se reposer avec nonchalance: *Pendant les vacances, Gaston se prélasse dans un hamac.*

prélat n.m. Dignitaire de l'Église catholique: *Les évêques, les archevêques et les cardinaux sont des prélats.*

prélèvement n.m. **1.** Action de prendre une certaine partie d'un ensemble, d'un total; quantité ou somme prise: *Maman a payé son emprunt par prélèvement automatique sur son compte bancaire.* **2.** Opération par laquelle on extrait de l'organisme un morceau de tissu, d'organe, une certaine quantité de liquide; matière que l'on a prélevée: *Le médecin lui a fait un prélèvement de moelle osseuse.* ☞ prélever.

prélever v. **1.** Prendre une certaine partie d'un ensemble, d'un total: *La vendeuse a prélevé un échantillon sur le rouleau de tissu.* SYN. retrancher. ANT. ajouter. **2.** Extraire du tissu, un liquide de l'organisme pour l'analyser: *L'infirmière a prélevé du sang au malade.* SYN. enlever, ôter. ANT. donner. ☞ prélèvement.

prélèvement prélever

préliminaire adj. Qui vient avant et prépare quelque chose d'important: *Les épreuves préliminaires permettent de sélectionner les candidates pour l'épreuve finale.* SYN. antérieur, préparatoire. ANT. final, postérieur. ☞ préliminaires.

préliminaires n.m.plur. **1.** Ensemble des négociations qui viennent avant, qui préparent un accord, un traité de paix: *Les préliminaires de paix viennent de commencer entre ces deux pays.* SYN. préparatifs. **2.** Ce qui vient avant et prépare quelque chose de plus important: *Abrégeons les préliminaires et abordons le sujet qui nous intéresse.* SYN. introduction, préambule. ANT. conclusion. ☞ préliminaire.

prélude n.m. **1.** Suite de notes qu'on joue ou qu'on chante pour donner le ton, essayer la voix ou l'instrument: *Ginette chante un prélude.* **2.** Pièce de musique qui en introduit une autre ou qui constitue un tout par elle-même: *La pianiste joue un prélude de Chopin.* SYN. ouverture. **3.** fig. Ce qui vient avant, annonce quelque chose: *Cet incident a été le prélude d'une violente bagarre.*

prématuré, ée n. et adj. **1.** n. Enfant qui est né avant terme, mais qui peut vivre: *Les prématurés reçoivent des soins spéciaux et sont placés dans des couveuses.* **2.** adj. Qui est né avant terme, mais qui peut vivre: *Jeannine a donné naissance à un enfant prématuré.* **3.** adj. Qui est fait trop tôt: *Votre démarche est prématurée: vous devriez attendre quelques semaines avant d'entreprendre quoi que ce soit.* SYN. hâtif. ANT. tardif. **4.** adj. Qui a lieu trop tôt: *Personne ne s'attendait à cette mort prématurée.* ☞ prématurément.

prématurément adv. Trop tôt: *Sa décision a été prise prématurément.* ANT. tard. ☞ prématuré.

préméditation n.f. Intention réfléchie d'accomplir une action: *La préméditation aggrave ta faute.* ☞ préméditer.

préméditer v. Décider et préparer d'avance avec soin: *Le voleur avait prémédité son crime.* SYN. calculer, projeter. ☞ préméditation. **prémédité, ée** p.p. et adj. Qui est décidé et préparé d'avance avec soin: *Son départ n'était pas un coup de tête, il était prémédité.* SYN. intentionnel, réfléchi. ANT. inconscient, involontaire, irréfléchi, spontané.

premier n.m. **1.** Premier étage: *Catherine habite au premier.* ANT. dernier. **2.** Premier terme d'une charade: *Mon premier est un article, mon second est un aliment, mon tout est un animal. Qui suis-je?* **3.** Premier jour du mois: *Le premier de l'an, nous organisons une grande fête familiale.*

premier, ière n. et adj. **1.** n. Personne qui vient avant toutes les autres: *Daniel est le premier de sa classe en français.* **2.** adj. Qui vient avant les autres dans le temps: *Les locataires paient leur loyer le premier jour du mois.* ANT. dernier. **3.** adj. Qui vient avant les autres dans l'espace: *Claudine a réservé deux places dans la première rangée.* **4.** adj. Qui est le plus important, le meilleur: *Tous les comédiens rêvent d'un premier rôle.* SYN. principal. ANT. secondaire. **5.** adj. Qui est placé au début dans une série, une suite: *Les lettres «a» et «b» sont les premières lettres de l'alphabet.* **6.** adj. Qui est dans l'état original: *La laine, le fer, le bois et le pétrole sont des matières premières.* **7.** adj. Qui se présente d'abord dans l'espace: *Tournez à la première rue à droite.* ⁄⁄ *Jeune premier, jeune première:* Artiste qui joue les rôles d'amoureux. *Nombre premier:* Nombre que l'on ne peut diviser que par lui-même ou par l'unité. *Premier ministre, première ministre:* Chef du gouvernement. *Premier venu, première venue:* N'importe qui. ☞ avant-première, première, premièrement. en **premier** loc.adv. D'abord: *Dans les urgences des hôpitaux, on passe les cas graves en premier.*

première n.f. **1.** Première représentation d'une pièce de théâtre, d'un spectacle, première projection d'un film: *Les critiques ont été invités à la première.* **2.** Classe la plus chère, dans un moyen de transport: *Ces gens riches ne voyagent qu'en première.* **3.** Première vitesse d'une automobile, d'une motocyclette: *L'automobiliste est passé en première.* ☞ premier.

premièrement adv. En premier lieu, dans une énumération: *Premièrement, sortez votre livre; deuxièmement, lisez la préface.* ANT. ensuite. ☞ premier.

premier-né n. et adj. **1.** n. Premier enfant d'une famille: *Louise est la première-née de notre famille.* SYN. aîné. ANT. benjamin. **2.** adj. Qui est le premier enfant d'une famille: *Les enfants premiers-nés doivent souvent donner l'exemple à leurs frères et sœurs.* **R.** Au féminin, *première-née*. Au pluriel, *premiers-nés*, *premières-nées*. ☞ naître.

prémolaire n.f. Dent située entre les canines et les molaires: *L'être humain a huit prémolaires.* ☞ molaire.

prémonition n.f. Avertissement inexplicable qui s'impose à l'esprit et qui nous fait connaître un événement à l'avance: *Cet homme soutient qu'il a eu une prémonition de l'accident.* SYN. pressentiment. ☞ prémonitoire.

prémonitoire adj. Qui fait connaître un événement à l'avance: *Chloé a fait un rêve prémonitoire.* ☞ prémonition.

prémunir v.litt. Protéger, mettre en garde contre quelque chose: *Les parents cherchent à prémunir leurs enfants contre les dangers de la drogue.* SYN. avertir, préserver. ANT. négliger. se **prémunir** v.pron. Se protéger contre quelque chose: *Les vêtements chauds permettent de se prémunir contre le froid.* ANT. s'exposer.

prenable adj. Qui peut être prise, conquise, en parlant d'une ville, d'une place forte: *Cette ville entourée de murailles est difficilement prenable.* ANT. imprenable. ☞ prendre.

prenant, ante adj. **1.** Qui peut prendre, saisir: *L'atèle est un singe qui a la queue prenante.* SYN. préhensile. **2.** Qui intéresse beaucoup, qui captive: *Je viens de voir un film très prenant.* SYN. passionnant. **3.** Qui occupe beaucoup: *Ce travail est très prenant.* ☞ prendre.

prénatal, ale, als adj. Qui vient avant la naissance: *Dès le début de sa grossesse, Nancy a suivi des cours prénatals avec Réjean.* **R.** Aussi, au pluriel, *prénataux*. ☞ naître.

prendre v. **1.** Saisir, tenir dans la main: *Margot a pris un crayon dans son pupitre.* ANT. lâcher. **2.** Emporter avec soi: *Prends ton manteau, il fait froid ce matin.* SYN. mettre. ANT. laisser. **3.** Acheter: *En passant devant l'épicerie, n'oublie pas de prendre un litre de lait.* ANT. vendre. **4.** Emmener avec soi: *Je passerai vous prendre à 8 heures.* **5.** S'emparer de quelque chose, le voler: *On m'a pris mon stylo neuf.* SYN. dérober. ANT. donner. **6.** Attraper, capturer: *Le pêcheur a pris deux truites et un brochet.* **7.** Arrêter: *Ces policières ont pris le voleur.* **8.** Conquérir, s'emparer: *L'armée ennemie a réussi à prendre la ville.* SYN. occuper. **9.** Choisir, sélectionner: *Parmi tous ces livres, je ne sais plus lequel prendre.* ANT. écarter. **10.** Absorber: *La malade doit prendre ce médicament avant chaque repas.* ☞ imprenable, prenable, prenant, preneur, pris, prise. se **prendre** v.pron. **1.** S'accrocher, se coincer: *Le cerf-volant s'est pris dans un arbre.* **2.** Se laisser attraper: *Les mouches se prennent dans la toile d'araignée.* **3.** Se tenir l'un l'autre: *Éric et Antoine se prennent par la main.* **4.** S'ôter l'un à l'autre, se disputer quelque chose: *Les joueuses cherchent à se prendre le ballon.* **5.** Être absorbé: *Ce médicament se prend avant les repas.* ▲ **prendre** v. **1.** Utiliser: *Pour aller en Europe, mes parents ont pris l'avion.* **2.** Emprunter: *J'ai pris ce raccourci pour arriver plus vite au parc.* ANT. abandonner. **3.** Se procurer: *Si tu veux assister à ce spectacle, il faudrait prendre tes billets tout de suite.* **4.** Se faire donner, suivre: *Daniel prend des leçons de chant.* **5.** Employer, utiliser: *Pour éviter les ennuis, il vaut mieux prendre certaines précautions.* **6.** Recueillir: *Où avez-vous pris ces renseignements?* **7.** Demander, exiger: *La menuisière prend trente dollars de l'heure.* ANT. donner. **8.** Occuper: *Je suis certaine que ce travail a dû te prendre une semaine.* **9.** Se charger de quelque chose: *Les autorités ont pris l'affaire en main.* **10.** Engager: *On ne prend plus personne dans cette entreprise.* ⫽ *Prendre la fuite:* S'enfuir, se sauver. *Prendre l'air:* Se promener. *Prendre la mer:* S'embarquer pour un voyage en mer. *Prendre l'eau:* Laisser entrer l'eau. *Prendre le lit:* S'aliter, se coucher. *Prendre son temps:* Ne pas se presser. ▲ **prendre** v. **1.** Se donner: *Depuis quelque temps, elle prend de grands airs avec nous.* **2.** Accueillir: *Cette école privée ne prend que les meilleurs élèves.* **3.** Aborder: *Il faut prendre cet enfant par la douceur.* **4.** Accepter: *Nous avons pris tout ce qu'on a bien voulu nous donner pour venir en aide aux sinistrés.* **5.** Considérer: *On dirait que tu me prends pour un imbécile.* **6.** Attraper une maladie: *Je n'étais pas habillé assez chaudement et j'ai pris un rhume.* **7.** Commencer à avoir tel aspect, évoluer: *Après plusieurs mois de discussions, notre projet prend forme.* **8.** Saisir: *La fièvre l'a pris subitement.* **9.** Surprendre: *La voisine les a prises en flagrant délit de vol.* **10.** fig. Interpréter: *Elle a pris ma réflexion pour une insulte.* **se prendre** v.pron. **1.** Se considérer: *Il se prend vraiment au sérieux.* **2.** Agir d'une certaine manière: *Cet instituteur sait comment s'y prendre avec les enfants.* **3.** S'attaquer: *Si tu as échoué, tu ne dois t'en prendre qu'à toi-même.* **4.** Se mettre à avoir, ressentir: *Il s'est pris d'amitié pour moi.* ⫽ *S'y prendre bien, mal:* Être plus ou moins adroit. ▲ **prendre** v. **1.** Épaissir: *Le sucre à la crème commence à prendre.* **2.** Coller: *La sauce a pris au fond de la casserole.* **3.** Commencer à brûler: *Le feu prend bien dans les feuilles sèches.* **4.** Suivre une direction: *Les promeneuses ont pris à gauche, juste avant le boisé.* **5.** Pousser des racines, se greffer: *La bouture prend bien.* **6.** Réussir: *Cette mode est trop excentrique, elle ne prendra pas.* **7.** fig. Produire l'effet recherché: *Le vaccin a pris.* **8.** fig. Être cru: *Ça ne prend pas, je sais que c'est un mensonge.*

preneur, euse n. et adj. **1.** n. Personne qui prend habituellement quelque chose: *C'est un preneur de notes.* **2.** n. Personne qui achète quelque chose: *Si le prix me convient, je suis preneuse.* SYN. acheteur, acquéreur. **3.** adj. Qui sert à prendre: *La pelle mécanique a une benne preneuse.* ☞ prendre.

prénom n.m. Nom personnel qui précède le nom de famille: *Je trouve que Sophie est un joli prénom.* ☞ nom.

prénommé, ée adj. Qui a pour prénom, pour nom précédant le nom de famille: *Mon filleul est prénommé Jonathan.* HOM. prénommer.

prénommer v. Donner un prénom, un nom qui précède le nom de famille: *Ses parents l'ont prénommé Charles.* HOM. prénommé. ☞ nom. **se prénommer** v.pron. Avoir pour prénom, pour nom qui précède le nom de famille: *Elle se prénomme Angéline.*

prénuptial, ale, aux adj. Qui est avant le mariage: *Les futurs époux ont eu une rencontre prénuptiale avec le prêtre.* ☞ nuptial.

préoccupant, ante adj. Qui inquiète: *Cette situation est préoccupante.* ☞ préoccuper.

préoccupation n.f. Inquiétude, souci: *La protection de l'environnement est devenue une préoccupation mondiale.* SYN. tourment, tracas. ANT. indifférence, oubli, repos. ☞ préoccuper.

préoccupé, ée adj. Qui est inquiet: *Sonia a l'air préoccupée en ce moment.* SYN. anxieux, soucieux. ANT. indifférent, insouciant. HOM. préoccuper. ☞ préoccuper.

préoccuper v. **1.** Inquiéter beaucoup: *La santé de leur enfant les préoccupe.* SYN. tourmenter, tracasser. ANT. calmer, tranquilliser. **2.** Occuper fortement l'esprit: *Cette affaire me préoccupe jour et nuit.* SYN. absorber, obséder. ANT. consoler, rassurer. ☞ préoccupant, préoccupation, préoccupé. **se préoccuper** v.pron. S'inquiéter: *Benoît se préoccupe de sa réussite scolaire.* SYN. s'intéresser. ANT. se désintéresser.

préparatifs n.m.plur. Arrangements que l'on prend pour préparer quelque chose: *Avez-vous terminé vos préparatifs de départ?* ☞ préparer.

préparation n.f. **1.** Action de préparer quelque chose, de confectionner: *Ce dessert exige une longue préparation.* **2.** Chose préparée, confectionnée: *La chef cuisinière nous a servi ses préparations culinaires.* **3.** Action de préparer quelqu'un, de se préparer, de se sentir prêt: *La préparation à un examen exige de longues heures d'étude.* ☞ préparer.

préparatoire adj. Qui prépare, qui organise, met en place avant qu'on passe à l'action: *Avant de commencer la construction du tunnel, il faudra faire certains travaux préparatoires.* SYN. initial. ANT. postérieur, ultérieur. ☞ préparer.

préparer v. **1.** Mettre en état de servir: *Adrienne prépare les lignes pour la pêche.* **2.** Organiser: *Mon agente de voyage me prépare un voyage autour du monde.* SYN. prévoir. ANT. improviser. **3.** Accommoder, apprêter: *Réjean a préparé le repas.* **4.** Travailler à quelque chose pour être prêt: *Le professeur prépare son cours.* **5.** Réfléchir à l'avance: *Bernadette avait préparé sa réponse.* SYN. mûrir. ☞ préparatifs, préparation, préparatoire. ▲ **préparer** v. **1.** Rendre capable de faire quelque chose: *L'institutrice prépare ses élèves aux examens de fin d'année.* SYN. former. **2.** Rendre prêt, mettre dans les dispositions d'esprit: *Il a fallu préparer les parents à cette terrible nouvelle.* **3.** Réserver pour l'avenir: *La pollution de l'air nous prépare de gros problèmes.* ☞ préparation, préparatoire. **se préparer** v.pron. **1.** Se disposer à faire quelque chose: *Les invités se préparent à partir.* **2.** Être près de se produire: *Un violent orage se prépare.* **3.** Être préparé, confectionné: *Les repas se préparent à la cuisine.*

prépondérance n.f. Supériorité de ce qui a le plus d'importance: *Personne ne conteste la prépondérance des États-Unis au point de vue économique.* SYN. autorité, domination. ANT. dépendance, infériorité. ☞ prépondérant.

prépondérant, ante adj. Qui a plus d'importance ou plus d'autorité: *Cette femme a une influence prépondérante dans le parti.* SYN. dominant, supérieur. ⁄⁄ *Voix prépondérante:* Voix qui l'emporte en cas de partage des voix. ☞ prépondérance.

préposé, ée n. Personne qui est chargée d'une fonction déterminée: *Le préposé au vestiaire nous a remis nos manteaux.* SYN. employé, responsable. HOM. préposer. ☞ préposer.

préposer v. Charger d'une fonction déterminée: *On l'a préposée au nettoyage des corridors.* SYN. employer. HOM. préposé. ☞ préposé.

prépositif, ive adj. Qui se rapporte à la préposition, à cette catégorie grammaticale: *Une locution prépositive est un groupe de mots qui jouent le rôle d'une préposition.* ☞ préposition.

préposition n.f. Mot invariable qui sert à introduire un complément: *Dans la phrase «Je vais à l'école», «à» est une préposition.* ☞ prépositif.

prépuce n.m. Repli de la peau qui recouvre l'extrémité du pénis: *La circoncision consiste à enlever partiellement ou totalement le prépuce.*

prérequis ☞ sect. anglicismes et canadianismes.

préretraite n.f. **1.** Retraite avant la date prévue: *Cette travailleuse a pris une préretraite à l'âge de cinquante ans.* **2.** Allocation versée avant l'âge normal de la retraite: *Le gouvernement lui verse une préretraite.* ☞ retraite.

près adv. À une petite distance: *Mes grands-parents habitent tout près.* ANT. loin. HOM. prêt. à peu de choses **près** loc.adv. Presque: *Ces chaussures ont coûté vingt-cinq dollars, à peu de choses près.* à peu **près** loc.adv. Environ: *Il y a à peu près une demi-heure qu'elle est partie.* de **près** loc.adv. **1.** À une faible distance: *Mon adversaire me suivait de près dans la course.* **2.** À peu de temps d'intervalle: *Les deux explosions se sont suivies de près.* **3.** Attentivement: *Mathieu suit de près la croissance des haricots qu'il a plantés.* **4.** À ras: *Ces lames rasent de près.* **près de** loc.prép. **1.** À peu de distance: *Je voudrais m'asseoir près de mon ami.* SYN. proche. ANT. loin. **2.** Presque: *Elles étaient près de cinquante à la réunion:* **3.** Sur le point de: *Heureusement qu'il s'est assis: il était près de s'évanouir.*

présage n.m. **1.** Signe par lequel on croit pouvoir connaître l'avenir: *On croyait aux présages dans la civilisation romaine.* SYN. prophétie. **2.** Signe qui annonce un événement futur: *Tous ces congédiements étaient le présage d'une crise économique.* SYN. avertissement, symptôme. ☞ présager.

présager v. **1.** Annoncer par des signes: *Ces réactions hostiles ne présagent rien de bon.* SYN. indiquer. **2.** Prévoir: *Personne n'aurait pu présager qu'il se découragerait si facilement.* SYN. prédire. ☞ présage.

presbyte n. et adj. **1.** n. Personne qui voit mal de près: *Les presbytes doivent porter des verres correcteurs.* **2.** adj. Qui voit mal de près: *On devient souvent presbyte en vieillissant.* ☞ presbytie.

presbytère n.m. Maison du curé dans une paroisse: *Le presbytère est souvent situé à côté de l'église.*

presbytérianisme n.m. Secte protestante issue du calvinisme dans laquelle la direction de l'Église est confiée à un groupe formé de pasteurs et de laïcs: *Le presbytéria-*

nisme est la religion la plus importante d'Écosse. ☞ presbytérien.

presbytérien, ienne n. et adj. **1.** n. Personne qui appartient au presbytérianisme, à l'Église protestante réformée par Calvin: *Les presbytériens font partie de la religion protestante.* **2.** adj. Qui appartient au presbytérianisme, à l'Église protestante réformée par Calvin: *Dans l'Église presbytérienne, les laïcs peuvent s'occuper de la direction des affaires religieuses.* ☞ presbytérianisme.

presbytie n.f. Trouble de la vision qui empêche de voir les objets de près: *La presbytie se manifeste généralement vers la quarantaine.* ☞ presbyte.

préscolaire adj. **1.** Qui vient avant la scolarité obligatoire: *Ces enfants d'âge préscolaire vont à la garderie.* **2.** Qui se donne dans les écoles maternelles, en parlant de l'enseignement: *De nouveaux budgets ont été alloués pour l'enseignement préscolaire cette année.* ☞ scolaire.

prescription n.f. **1.** Ordre formel décrivant ce qu'il faut faire: *Il faut suivre les prescriptions de la loi.* SYN. précepte, règlement. ANT. interdiction. **2.** Recommandations faites au malade par un médecin: *Le médecin a fait plusieurs prescriptions à sa malade.* SYN. indication, ordonnance. **3.** Temps au bout duquel on ne peut plus exiger l'exécution d'une obligation, dans le domaine juridique: *Cette fermière a refusé le droit de passage sur ses terres en invoquant la prescription de dix ans.* ☞ prescrire.

prescrire v. **1.** Ordonner: *Il faut accomplir les formalités que prescrit le règlement.* SYN. commander, enjoindre, imposer. ANT. interdire. **2.** Recommander un traitement médical, un régime: *Le médecin lui a prescrit des antibiotiques.* SYN. conseiller, ordonner. **3.** Exiger, rendre indispensable: *L'honneur nous prescrit de continuer notre lutte.* SYN. demander. ☞ prescription, prescrit.

prescrit, ite adj. Qui est imposé, fixé: *Le malade ne doit pas dépasser la dose prescrite.* ☞ prescrire.

préséance n.f. Droit d'être placé avant les autres selon l'usage ou l'étiquette: *À cette cérémonie officielle, la reine a préséance sur les autres invités.*

présence n.f. **1.** Fait de se trouver dans un lieu déterminé: *La présence de sa meilleure amie lui donnait du courage.* ANT. absence. **2.** Qualité d'une personne qui s'impose par sa personnalité, son talent: *Cette comédienne a beaucoup de présence sur scène.* **3.** Fait de jouer un rôle, d'avoir de l'influence: *La présence de cette négociatrice a permis de résoudre le conflit.* ∥ *Faire acte de présence:* Être présent pour quelques instants seulement. *Présence d'esprit:* Qualité d'une personne qui est prompte à dire et à faire, ce qui est le plus à propos. ☞ présent. en **présence** loc.adv. Face à face, en vue l'un de l'autre: *Les deux concurrentes en présence sont de force égale.* en **présence de** loc.prép. Devant quelque chose ou quelqu'un: *Veux-tu répéter cela en présence de tes camarades?*

présent n.m. **1.** Partie du temps qui correspond au moment où l'on parle: *Il n'est pas facile de vivre dans le présent, sans se préoccuper du passé ou de l'avenir.* ANT. avenir. **2.** Temps de la grammaire qui indique que le fait s'accomplit ou existe au moment où l'on parle: *Dans « Il mange une pomme », le verbe « manger » est au présent de l'indicatif.* ANT. futur, passé. à **présent** loc.adv. Maintenant: *J'ai terminé mes devoirs, à présent je peux aller jouer dehors.* à **présent que** loc.conj. Maintenant que, puisque: *À présent que la semaine est terminée, nous allons pouvoir nous reposer.* ▲ **présent** n.m.litt. Cadeau: *À mon anniversaire, j'ai reçu de beaux présents.* SYN. don, offrande.

présent, ente n. et adj. **1.** n. Personne qui est dans le lieu dont on parle: *Seuls les présents ont droit au tirage.* ANT. absent. **2.** adj. Qui est dans le lieu dont on parle: *Tous les élèves sont présents aujourd'hui.* ANT. absent. **3.** adj.fig. Qui reste fixé à la mémoire, qui s'impose: *Il faut toujours avoir présent à l'esprit que nous sommes responsables de notre planète.* ☞ présence.

présent, ente adj. **1.** Qui existe au moment où l'on parle: *Il ne se soucie pas de l'avenir: il ne pense qu'au moment présent.* SYN. actuel. ANT. passé. **2.** Qui se passe à l'instant: *À la minute présente, nous ne connaissons pas encore le résultat des élections.* **3.** Qui indique le temps présent: *« Chantant » est le participe présent du verbe « chanter ».* ANT. futur, passé. ☞ présentement.

présentable adj. **1.** Qui a un aspect acceptable, qu'on peut montrer: *Ce devoir plein de ratures n'est pas présentable.* ANT. inacceptable. **2.** Qui peut se montrer en public: *Dans cette tenue, tu es tout à fait présentable.* SYN. convenable, correct, digne. ANT. incorrect. ☞ présenter.

présentateur, trice n. **1.** Personne qui présente un spectacle, une émission, un programme: *On a engagé une nouvelle présentatrice pour le journal télévisé.* **2.** Personne qui présente un produit au public, pour la vente: *Au Salon de l'automobile, les présentateurs* *vantaient les mérites des nouveaux modèles.* ☞ présenter.

présentation n.f. **1.** Action de présenter une personne à une autre : *L'hôtesse a fait les présentations.* **2.** Action de présenter quelque chose à quelqu'un : *La présentation du journal télévisé a dû être reportée.* **3.** Manière de présenter quelque chose : *Tu aurais de meilleurs résultats si tu soignais la présentation de tes travaux.* SYN. apparence. **4.** Réunion au cours de laquelle on présente quelque chose au public : *Nous avons assisté à une présentation de mode.* SYN. défilé, exposition. **5.** fam. Apparence, tenue d'une personne : *Cette candidate a une bonne présentation.* SYN. allure, maintien. ☞ présenter.

présentement adv.vx En ce moment : *Présentement, elle est en voyage en Australie.* SYN. actuellement, maintenant. ANT. anciennement, autrefois, jadis. ☞ présent.

présenter v. **1.** Montrer : *Les voyageurs ont présenté leur passeport à la douanière.* ANT. cacher. **2.** Faire connaître une personne à une autre en disant son nom, ses titres : *Papa, je te présente Lisette, ma meilleure amie.* **3.** Annoncer, faire connaître au public : *Ce chanteur présente un spectacle de variétés.* **4.** Offrir quelque chose à quelqu'un : *Le petit garçon a présenté un bouquet à la championne.* **5.** Exprimer, dire : *Laissez-moi vous présenter mes félicitations.* **6.** Comporter, susciter : *Ce projet présente plusieurs inconvénients.* **7.** Disposer pour mettre en valeur : *Le bijoutier présente sa nouvelle collection.* **8.** Proposer : *Il a présenté sa candidature au poste de comptable.* ANT. enlever. **9.** Avoir tel aspect, telle apparence : *Ce sentier présente de nombreux détours.* **10.** Manifester : *La malade présente tous les symptômes de la leucémie.* ☞ présentable, présentateur, présentation, présentoir, se représenter. se **présenter** v.pron. **1.** Se faire connaître à quelqu'un en disant son nom : *La nouvelle élève s'est présentée à l'instituteur.* **2.** Arriver en un lieu, être à un endroit déterminé : *On demande à tous les participants de se présenter à 9 heures.* **3.** Se proposer au choix ou à l'appréciation de quelqu'un : *Je me suis présenté pour cet emploi de technicien.* **4.** Être candidat : *Manon Trudel s'est présentée aux dernières élections.* **5.** Subir les épreuves d'un concours, d'un examen : *Charles se présente à un concours d'amateurs.* **6.** Se produire, survenir : *C'est un cas qui se présente souvent.* **7.** Apparaître sous un certain aspect : *La situation se présente plutôt mal.* **8.** Venir, surgir : *Une idée géniale s'est présentée à mon esprit.*

présentoir n.m. Dispositif, tablette, coffret, carton, servant à présenter des marchandises dans un lieu de vente : *Les serviettes de bain sont disposées sur un présentoir.* ☞ présenter.

préservateur n.m. Agent chimique que l'on ajoute à un aliment, à un médicament et qui l'empêche de s'altérer, de se gâter : *Ce pain de blé entier ne contient aucun préservateur.* ☞ préserver.

préservatif n.m. Enveloppe protectrice qui s'adapte au pénis et qui est utilisée comme moyen de protection contre les maladies transmissibles sexuellement ou comme contraceptif : *Les préservatifs sont un moyen de se protéger du sida.* SYN. condom. ☞ préserver.

préservation n.f. Action de préserver, de protéger : *Cette association s'occupe de la préservation des espèces animales menacées d'extinction.* SYN. conservation, sauvegarde. ANT. destruction, dommage. ☞ préserver.

préserver v. **1.** Mettre à l'abri, protéger : *Cet abri préserve les voyageurs des intempéries.* **2.** Sauver de l'oubli, de la destruction : *Nous avons lutté pour préserver ce monument historique.* SYN. conserver, garder. ANT. délaisser, détruire. ☞ préservateur, préservatif, préservation. se **préserver** v.pron. Se mettre à l'abri, se protéger : *Des vêtements chauds permettent de se préserver du froid.*

présidence n.f. **1.** Fonction de président, de celui qui préside une assemblée, un pays : *C'est en 1960 que John Kennedy a été élu à la présidence des États-Unis.* **2.** Temps pendant lequel une personne exerce la fonction de président : *En France, la durée d'un mandat à la présidence est de sept ans.* **3.** Résidence, bureaux du président : *L'ambassadrice a été reçue à la présidence.* ☞ présider.

président, ente n. **1.** Chef de l'État, dans une république : *Le président des États-Unis a rencontré le premier ministre de la Grande-Bretagne.* **2.** Personne qui dirige les débats dans une assemblée, une réunion, un tribunal : *La présidente a demandé aux membres de voter à main levée.* **3.** Personne qui dirige, représente un groupe, une société : *Ma mère est la présidente d'une organisation scientifique.* ☞ présider.

présidentiel, elle adj. Qui se rapporte au président, à celui qui préside, ou à la présidence : *Aux États-Unis, les élections présidentielles ont lieu tous les quatre ans.* ⁄⁄ *Élection présidentielle :* Élection du président de la république. ☞ présider.

présidence présidentiel

présider v. **1.** Diriger les débats dans une assemblée, une réunion, un tribunal: *La mairesse a présidé la réunion.* **2.** Diriger, organiser: *Caroline préside aux préparatifs de la fête.* **3.** Occuper la place d'honneur: *Grand-père préside le banquet des personnes retraitées.* **4.** fig. Exercer une influence: *La bonne volonté présidait à nos entretiens.* ☞ présidence, président, présidentiel, vice-présidence, vice-président.

présomption n.f. **1.** Opinion fondée sur les indices et non sur les preuves: *Les policiers ne peuvent arrêter ce jeune homme car ils n'ont que des présomptions contre lui.* SYN. conjecture, hypothèse, supposition. ANT. certitude, évidence. **2.** Opinion trop avantageuse que l'on a de soi-même: *Bernard a trop confiance en lui, il est plein de présomption.* SYN. fatuité, orgueil. ANT. humilité, modestie. ☞ présumer.

présomptueux, euse n. et adj. **1.** n. Personne qui a une opinion trop avantageuse d'elle-même: *Cette petite présomptueuse croit qu'elle remportera facilement la victoire.* SYN. prétentieux. ANT. modeste. **2.** adj. Qui a une opinion trop avantageuse de soi: *Il faut être confiant, mais non présomptueux.* SYN. audacieux, hautain, poseur, prétentieux. ANT. effacé, prudent. ☞ présumer.

presque adv. Pas tout à fait: *Notre travail est presque terminé.* SYN. approximativement, quasiment. ANT. complètement. ⁄⁄ *Ou presque:* Expression qui sert à atténuer le sens précédent de la phrase.

presqu'île n.f. Terre presque entièrement entourée d'eau, mais reliée au continent par une étroite bande de terre: *La Nouvelle-Écosse est une presqu'île.* **R.** Ne pas oublier l'accent: *î.* ☞ île.

pressage n.m. **1.** Repassage à la vapeur: *Le nettoyeur a fait le pressage de mon pantalon.* **2.** Fabrication de disques commerciaux: *Le pressage des disques se fait à l'aide d'une presse.* ☞ presser.

pressant, ante adj. **1.** Qui est urgent: *La Croix-Rouge a un pressant besoin de sang.* SYN. impératif. ANT. insignifiant. **2.** Qui insiste beaucoup: *Andrée m'a fait une demande pressante.* SYN. suppliant. ANT. indifférent. ☞ presser.

presse n.f. **1.** Machine qui sert à exercer une pression sur un corps pour le comprimer ou pour y laisser une empreinte: *Les feuilles de métal sont fabriquées sur une presse.* **2.** Machine qui sert à imprimer: *Cette maison d'édition vient d'acheter une nouvelle presse.* ⁄⁄ *Mettre sous presse:* Commencer à imprimer. ☞ presser. ▲ **presse** n.f. **1.** Ensemble des journaux et des revues: *La presse a annoncé la découverte d'un remède contre le cancer.* **2.** Ensemble des journalistes: *La ministre a convoqué la presse pour expliquer sa décision.* ⁄⁄ *Avoir bonne, mauvaise presse:* Être l'objet de propos bienveillants ou malveillants dans la presse. *Liberté de la presse:* Liberté d'imprimer et de diffuser. *Presse orale et presse écrite:* Ensemble des moyens de diffusion de l'information.

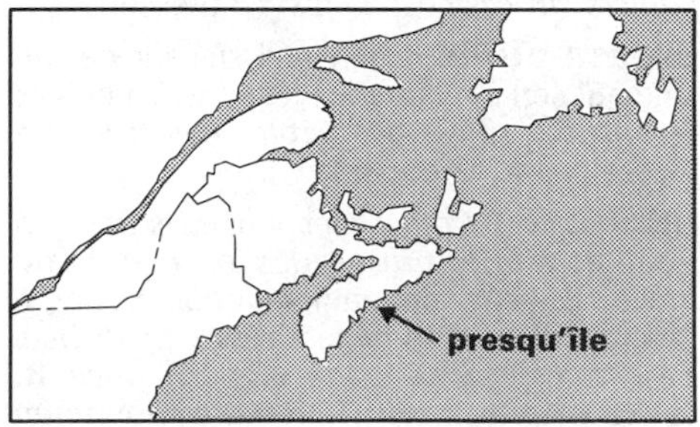

pressé n.m. Ce qui est le plus urgent, le plus important: *Je vous demande d'aller au plus pressé.* HOM. presser. ☞ presser.

pressé, ée adj. Qui a été comprimé pour en extraire le jus: *Ces citrons sont fraîchement pressés.* ☞ presser. ▲ **pressé, ée** adj. **1.** Qui est urgent: *J'ai un travail pressé à finir dès ce soir.* **2.** Qui se hâte, qui se dépêche: *Cette femme est toujours pressée.* HOM. presser. ☞ presser.

presse-citron n.m.invar. Ustensile qui sert à presser les citrons, les oranges pour en extraire le jus: *Où as-tu rangé le presse-citron?* ☞ presser.

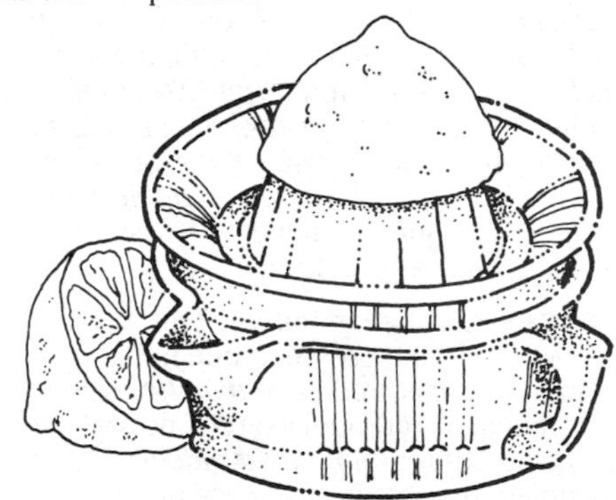

presse-citron

pressentiment n.m. Sentiment vague et instinctif qu'un événement va se produire: *J'ai le pressentiment qu'il lui arrivera malheur.* SYN. impression, intuition. ANT. assurance, confiance. ☞ pressentir.

pressentir v. **1.** Prévoir d'une manière vague, penser que quelque chose peut arriver: *On aurait dit qu'il pressentait sa mort.* SYN. deviner. ANT. ignorer. **2.** Sonder, essayer de découvrir les sentiments ou les intentions de quelqu'un sur quelque chose: *Ses collègues l'ont pressenti comme président du syndicat.* ☞ pressentiment.

presse-papiers n.m.invar. Objet lourd qu'on pose sur des papiers pour les maintenir en place: *N'oublie pas de mettre le presse-papiers sur ces documents.* ☞ presser.

presse-purée n.m.invar. Ustensile de cuisine qui sert à réduire les légumes en purée: *Le cuisinier a pressé les carottes cuites dans le presse-purée.* ☞ presser.

presser v. **1.** Comprimer pour en extraire un liquide: *Muriel presse des oranges.* SYN. broyer. **2.** Serrer de manière à comprimer, à marquer d'une empreinte: *Presser un disque, c'est le fabriquer à partir d'une matrice.* **3.** Serrer dans ses bras, étreindre: *Jonathan pressait son ours en peluche contre lui.* SYN. embrasser. ANT. écarter. **4.** Appuyer sur quelque chose: *J'ai pressé la sonnette, mais personne n'est venu.* SYN. activer. ANT. ralentir. ☞ pressage, presse, pressé, presse-citron, presse-papiers, presse-purée, presseur, pression. se **presser** v.pron. **1.** Se serrer: *Le petit enfant se pressait contre son père.* SYN. se blottir. **2.** S'entasser, former un groupe compact: *La foule se pressait à l'entrée du cinéma.* **3.** Se hâter: *Presse-toi un peu, nous allons être en retard.* SYN. se dépêcher. ANT. lambiner. ▲ **presser** v. **1.** Pousser quelqu'un à faire quelque chose: *L'instituteur presse Julie de terminer son devoir.* SYN. encourager, exhorter. ANT. décourager, dissuader. **2.** Obliger à faire vite: *Le temps presse: il faut finir ce travail aujourd'hui.* SYN. accélérer. **3.** Être urgent: *Rien ne presse: prenez tout votre temps.* HOM. pressé. ⁄⁄ *Presser le pas, l'allure:* Aller plus vite. *Presser quelqu'un de questions:* Le questionner avec insistance. ☞ pressant, pressé, pression.

presseur, euse n. et adj. **1.** n. Personne qui travaille à une presse, à une machine qui comprime: *Cette presseuse d'étoffes travaille avec minutie.* **2.** adj. Qui exerce une pression: *Les plateaux presseurs de la machine se rapprochaient mécaniquement.* ☞ presser.

pression n.f. **1.** Action de presser, d'appuyer sur quelque chose: *J'ai refermé la porte d'une simple pression de la main.* SYN. poussée. **2.** Force exercée par un liquide ou un gaz sur une surface: *L'automobiliste vérifie la pression d'air dans les pneus de sa voiture.* ⁄⁄ *Pression artérielle:* Pression du sang sur les parois des artères. *Pression atmosphérique:* Pression exercée par l'air en un lieu donné et mesurée par un baromètre. ☞ presser. ▲ **pression** n.f. Contrainte morale exercée sur quelqu'un: *Ses parents font pression sur lui pour qu'il termine ses études.* SYN. influence. ANT. liberté. ⁄⁄ *Groupe de pression:* Groupe de personnes qui ont des intérêts communs et qui cherchent à exercer une influence sur le pouvoir politique, l'opinion publique. ☞ presser.

pression n.m. ou n.f. Bouton métallique en deux parties que l'on ferme en appuyant dessus: *Le couturier a posé des pressions sur ta veste.* **R.** Aussi, *bouton-pression.* ☞ presser.

pressoir n.m. **1.** Machine qui sert à comprimer certains fruits ou certaines graines pour en extraire le liquide: *Pour faire le cidre, on écrase d'abord les pommes dans un pressoir.* **2.** Bâtiment, lieu où se trouve cette machine: *Quand on a cueilli le raisin, il faut le porter au pressoir.*

pressurisation n.f. (angl.) Technique permettant de maintenir une pression atmosphérique normale à l'intérieur d'un avion, d'un véhicule spatial: *La pressurisation est indispensable dans les avions pendant les vols à haute altitude.* ANT. dépressurisation. ☞ pressuriser.

pressurisé, ée adj. Qui est maintenu à une pression atmosphérique normale: *Les avions qui volent à haute altitude sont pourvus de cabines pressurisées.* HOM. pressuriser. ☞ pressuriser.

pressuriser v. (angl.) Maintenir une pression atmosphérique normale à l'intérieur d'un avion, d'un véhicule spatial: *On doit pressuriser les avions afin de conserver une pression satisfaisante pour l'organisme humain.* ANT. dépressuriser. HOM. pressurisé. ☞ dépressurisation, dépressuriser, pressurisation, pressurisé.

prestance n.f. Aspect imposant d'une personne: *La dirigeante de ce pays a de la prestance.* SYN. allure, contenance, tenue.

prestataire n. Personne qui reçoit une allocation versée par l'État: *Les prestataires de l'assurance-chômage reçoivent leurs chèques par la poste.* ☞ prestation.

prestation n.f. Allocation versée par l'État à des individus: *Les prestations de vieillesse seront augmentées cette année.* SYN. aide, contribution. ANT. revenu. ☞ prestataire. ▲ **prestation** n.f. Action de prêter serment: *Cette journaliste a assisté à la prestation de serment des nouveaux ministres.*

preste adj. (it.) Qui est rapide et adroit: *Claire a la main preste.* SYN. agile, alerte, prompt, rapide. ANT. gauche, lent, maladroit. ☞ prestement.

prestement adv. Rapidement et adroitement: *Le pickpocket fit prestement disparaître le portefeuille.* ANT. lentement. ☞ preste.

prestidigitateur, trice n. Artiste qui, grâce à l'adresse de ses mains, peut produire des illusions en faisant apparaître ou disparaître des objets: *La prestidigitatrice a fait sortir des colombes de son chapeau.* SYN. magicien. ☞ prestidigitation.

prestidigitation n.f. Art de produire des illusions grâce à l'adresse de ses mains en faisant apparaître ou disparaître des objets: *Le spectacle de prestidigitation nous a beaucoup amusés.* ☞ prestidigitateur.

prestige n.m. Attrait, éclat qui impose le respect ou l'admiration: *Ce chanteur jouit d'un grand prestige.* SYN. crédit, influence, réputation. ANT. discrédit, obscurité. ☞ prestigieux.

prestigieux, euse adj. **1.** Qui a de l'attrait, de l'éclat: *On nous a présenté des vins prestigieux.* SYN. extraordinaire. ANT. banal, commun. **2.** Qui est grandiose, magnifique: *Paris est une ville prestigieuse.* SYN. admirable, éblouissant, fantastique, merveilleux. ANT. insignifiant, médiocre, ordinaire. ☞ prestige.

prestissimo adv. (it.) Très vite, d'un mouvement très rapide, en parlant de la musique: *Ce morceau de musique doit être joué prestissimo.* ☞ presto.

presto adv. (it.) Vite, rapide, en parlant de la musique: *En musique, le mot «presto» indique un mouvement rapide.* ☞ prestissimo.

présumer v. Supposer, penser comme probable: *Anne ne me parle plus: je présume qu'elle est fâchée contre moi.* SYN. penser, présager, soupçonner. ☞ présomption. ▲ **présumer** v. Avoir une opinion trop avantageuse de quelqu'un ou de quelque chose: *Tu as présumé de tes forces et tu n'as pas pu finir ce travail.* ☞ présomption, présomptueux.

prêt n.m. **1.** Action de prêter quelque chose, de confier quelque chose à quelqu'un pour un certain temps: *J'ai remercié ma cousine pour le prêt de son encyclopédie.* **2.** Somme d'argent qui devra être remboursée: *Manon a demandé un prêt pour terminer ses études.* SYN. avance, crédit, subvention. HOM. près. **R.** Ne pas oublier l'accent: *ê*. ☞ prêter.

prêt, prête adj. **1.** Qui a terminé de se préparer: *Je suis prête pour aller à mon cours de natation.* **2.** Qui est disposé à faire quelque chose: *Cet homme est prêt à tout pour défendre ses enfants.* SYN. consentant, déterminé. **3.** Qui est préparé, qui a été fait: *Le repas est prêt.* HOM. près. **R.** Ne pas oublier l'accent: *ê*.

prêt-à-porter n.m. Vêtements qui ne sont pas faits sur mesure: *Cette boutique vend du prêt-à-porter.* SYN. confection. **R.** Au pluriel, *prêts-à-porter*. Ne pas oublier l'accent: *ê*.

prétendant, ante n. **1.** Personne qui aspire à une chose ou la revendique: *Il va falloir choisir parmi les prétendants à ce poste.* **2.** Personne qui prétend avoir droit à un trône: *La fille aînée du roi est la prétendante au trône de ce pays.* SYN. aspirant, candidat. ☞ prétendre.

prétendant n.m. Homme qui veut épouser une femme: *Cette jeune fille a beaucoup de prétendants.* SYN. amoureux, soupirant. ANT. époux, mari. ☞ prétendre.

prétendre v. Affirmer, soutenir une opinion, sans nécessairement convaincre: *Elle prétend être la seule à connaître la vérité.* SYN. déclarer, soutenir. ☞ prétendu. se **prétendre** v.pron. Affirmer que l'on est, se dire: *Il se prétend malade, mais il ne fait rien pour se soigner.* ▲ **prétendre** v.litt. **1.** Revendiquer, exiger ce que l'on considère comme un droit, un dû: *Cette jeune femme prétend à la direction du journal.* SYN. aspirer, désirer. ANT. se désintéresser. **2.** Vouloir fermement, avec la conscience d'en avoir le droit, le pouvoir: *Elle prétend être obéie sur-le-champ.* ☞ prétendant, prétention.

prétendu, ue adj. Qui n'est pas ce qu'il paraît être, ou ce qu'il dit être: *Cette prétendue notaire a fait beaucoup de tort à sa clientèle.* ANT. authentique, vrai. ☞ prétendre.

prête-nom n.m. Personne qui prête son nom dans un acte où le principal intéressé ne veut pas ou ne peut pas voir figurer le sien: *Quand elle a voulu acheter ce terrain, ma tante a eu recours à un prête-nom.* **R.** Au pluriel, *prête-noms*. ☞ prêter.

prétentieusement adv. D'une manière prétentieuse, suffisante: *Depuis qu'elle a hérité, elle agit prétentieusement avec ses collègues.* ANT. simplement. ☞ prétentieux.

prétentieux, euse n. et adj. **1.** n. Personne qui a une trop haute opinion d'elle-même: *Cette prétentieuse se croit meilleure dans tous les domaines.* SYN. présomptueux. ANT. humble. **2.** adj. Qui a une trop haute opinion de soi: *Ce garçon prétentieux a peu d'amis.* SYN. orgueilleux, vaniteux. ANT. modeste. **3.** adj. Qui est plein de prétention, de suffisance : *Il regarde les autres d'un air prétentieux.* SYN. arrogant. ANT. naturel, simple. ☞ prétentieusement, prétention.

prétention n.f. **1.** Exigence, revendication : *Cette femme maintient ses prétentions sur cet héritage.* **2.** Ambition : *Je n'ai pas la prétention de tout connaître.* ☞ prétendre. ▲ **prétention** n.f. Opinion trop haute de soi-même : *Ce jeune parvenu est d'une prétention que je ne peux supporter.* SYN. vanité. ANT. modestie, simplicité. ⁄⁄ *Sans prétention :* Simple, simplement. ☞ prétentieux.

prêter v. **1.** Mettre quelque chose à la disposition de quelqu'un pour un temps limité : *Dolorès m'a prêté sa machine à écrire pour une semaine.* SYN. procurer. ANT. emprunter. **2.** Attribuer des idées, des intentions à quelqu'un : *On me prête des intentions que je n'ai pas.* SYN. imputer, supposer. **3.** Offrir, mettre à la disposition de quelqu'un : *Il a prêté son concours à l'organisation de cette fête.* ANT. ôter. ☞ prêt, prête-nom, prêteur. se **prêter** v.pron. **1.** Consentir à quelque chose : *Je ne me prêterai pas à ce marché malhonnête.* SYN. se plier. **2.** Convenir : *Cette région se prête bien à la culture maraîchère.* ▲ **prêter** v. Donner matière à un commentaire, une critique, etc. : *Ton comportement prête à rire.* **R.** Ne pas oublier l'accent : *ê.*

prêteur, euse n. et adj. **1.** n. Personne qui prête de l'argent, le donne pour un certain temps : *Elle a emprunté mille dollars à un prêteur.* ANT. emprunteur. **2.** adj. Qui prête volontiers, qui donne pour un certain temps de l'argent ou autre chose : *Michel n'est pas une personne prêteuse.* **R.** Ne pas oublier l'accent : *ê.* ☞ prêter.

prétexte n.m. **1.** Raison que l'on donne pour cacher le véritable motif d'une action : *Elle trouve toujours un prétexte pour ne pas faire la vaisselle.* SYN. excuse, motif. **2.** Occasion : *Pour ce jeune garçon moqueur, tout est prétexte à rire.* ☞ prétexter. sous **prétexte de** loc.prép. En donnant comme raison : *Sous prétexte d'aller chez le médecin, elle en profite pour faire l'école buissonnière.* sous **prétexte que** loc.conj. En prétendant quelque chose, en se trouvant une excuse : *Sous prétexte qu'il fait froid, elle ne veut pas m'accompagner au cinéma.*

prétexter v. Donner une raison plus ou moins vraie pour cacher le véritable motif de son action : *Il a prétexté une migraine pour rester chez lui.* SYN. invoquer. ☞ prétexte.

prêtre n.m. **1.** Ministre d'un culte, dans une société : *Les prêtres s'étaient réunis dans le temple.* **2.** Personne qui a reçu le sacrement de l'ordre dans l'Église catholique : *Le prêtre célèbre la messe et administre les sacrements.* SYN. ecclésiastique. ANT. laïc. **R.** Ne pas oublier l'accent : *ê.* ☞ prêtresse, prêtrise.

prêtresse n.f. Femme ou jeune fille qui était consacrée au culte d'une divinité, dans l'Antiquité : *Les prêtresses étaient très respectées de leurs contemporains.* **R.** Ne pas oublier l'accent : *ê.* ☞ prêtre.

prêtrise n.f. Fonction, dignité de prêtre, chez les catholiques : *Bruno se destine à la prêtrise.* **R.** Ne pas oublier l'accent : *ê.* ☞ prêtre.

preuve n.f. **1.** Chose, fait, indice qui démontre qu'une chose est vraie : *Je ne peux pas te croire sans preuve.* SYN. évidence, vérification. ANT. doute. **2.** Marque, signe : *Ses enfants lui ont donné beaucoup de preuves d'amour.* SYN. démonstration. **3.** Personne ou chose qui témoigne de la réalité de quelque chose : *Vous êtes la preuve que ce traitement est efficace.* SYN. confirmation, indice, signe. ANT. incertitude. **4.** En mathématiques, opération par laquelle on vérifie l'exactitude d'un calcul ou d'une solution à un problème : *Pour faire la preuve d'une opération, il faut faire une autre opération avec les mêmes données.* ⁄⁄ *Faire preuve de :* Montrer, démontrer. *Faire ses preuves :* Montrer ses qualités, sa valeur. ☞ prouver.

prévaloir v.litt. L'emporter sur quelque chose, lui être supérieur : *Tout le monde a donné son opinion, mais c'est la sienne qui a prévalu.* SYN. dominer. se **prévaloir** v.pron. Tirer avantage de quelque chose, d'une situation : *Elle s'est prévalue de son ancienneté pour obtenir un poste de direction.* SYN. s'enorgueillir, se flatter. ANT. s'abaisser, s'humilier.

prévenance n.f. **1.** Attitude d'une personne qui cherche à satisfaire à l'avance les désirs des autres : *Tu manques de prévenance à l'égard de tes amies.* SYN. obligeance. ANT. désobligeance, malveillance. **2.** plur. Attentions, délicatesses, égards : *Simon entoure son grand-père de prévenances.* ☞ prévenir.

prévenant, ante adj. **1.** Qui cherche à satisfaire à l'avance les désirs des autres : *Danny cherche continuellement à faire plaisir aux autres : c'est un garçon prévenant.* SYN. affable, aimable, complaisant, serviable. ANT. arrogant, déplaisant, grossier. **2.** Qui donne une impression agréable : *Cette fille a des manières prévenantes.* SYN. avenant. ANT. désagréable, indifférent. ☞ prévenir.

prévenir v. **1.** Informer à l'avance : *Prévenez-moi de votre arrivée à l'aéroport.* SYN. avertir. ANT. taire. **2.** Alerter : *J'ai prévenu les* *pompiers dès que l'incendie s'est déclaré.* SYN. aviser, informer. ANT. cacher. **3.** Influencer quelqu'un à l'avance, en faveur ou contre une autre personne: *Avant même de te connaître, on m'avait prévenu contre toi.* ▲ **prévenir** v. **1.** Satisfaire à l'avance: *Mario prévient les désirs de son petit frère.* SYN. anticiper. ANT. retarder. **2.** Prendre des précautions pour éviter un mal, un danger: *Pour prévenir l'épidémie de rougeole, l'infirmière recommande de garder les enfants atteints à la maison.* SYN. empêcher. ANT. produire. **3.** Prendre les devants pour éviter une critique: *Il a expliqué en détail son projet pour prévenir toute objection.* SYN. devancer. ANT. retarder. ☞ prévenance, prévenant, préventif, prévention.

préventif, ive adj. Qui a pour but d'éviter un mal, un danger: *L'école a pris des mesures préventives pour empêcher que des accidents se produisent sur la cour.* ∥ *Médecine préventive:* Moyens qui sont mis en œuvre pour prévenir le développement des maladies et la propagation des épidémies. ☞ prévenir.

prévention n.f. Ensemble des précautions que l'on prend pour éviter des accidents, des inconvénients: *Pendant le cours de formation personnelle et sociale, nous avons parlé de la prévention des accidents.* ☞ prévenir. ▲ **prévention** n.f. Opinion favorable ou défavorable formée à l'avance, idée préconçue: *Il ne t'a rien fait, et pourtant, tu as des préventions contre lui.* ☞ prévenu.

prévenu, ue n. et adj. **1.** n. Personne que l'on croit coupable d'une infraction: *On a fait comparaître le prévenu devant le tribunal.* SYN. accusé. **2.** adj. Qui est accusé d'une infraction: *Cette femme est prévenue d'un délit de fraude.* SYN. inculpé.

prévenu, ue adj. Qui a des préjugés, des idées préconçues: *Nous étions un peu prévenues contre cette personne, mais nous avons appris à l'apprécier.* ☞ prévention.

previews ☞ sect. anglicismes et canadianismes.

prévisible adj. Qui peut être prévu, pensé à l'avance: *Cette catastrophe était prévisible.* ANT. imprévisible. ☞ prévoir.

prévision n.f. **1.** Action de prévoir, d'anticiper, de voir à l'avance: *La prévision des dépenses est très importante dans un budget.* **2.** Ce que l'on prévoit, ce qui est envisagé, probable: *Avant de partir en camping, tu devrais écouter les prévisions météorologiques.* SYN. pronostic. ☞ prévoir. en **prévision de** loc.prép. En pensant que telle chose arrivera: *Juliette économise en prévision de son voyage en Europe.*

prévoir v. **1.** Imaginer à l'avance qu'une chose peut arriver: *Je ne pouvais pas prévoir que tu te foulerais la cheville avant la course.* SYN. anticiper, deviner, présumer. ANT. ignorer. **2.** Organiser à l'avance: *Le gouvernement a prévu la construction d'un aéroport.* SYN. préparer. ANT. improviser. **3.** Envisager des possibilités: *Mes parents avaient prévu toutes mes objections.* ☞ imprévisible, imprévoyance, imprévoyant, imprévu, prévisible, prévision, prévoyance, prévoyant.

prévoyance n.f. Qualité d'une personne qui sait prévoir ce qui va arriver et qui prend toutes les précautions qui s'imposent: *Mes grands-parents ne manquaient pas de prévoyance: ils ont économisé beaucoup d'argent.* SYN. attention, clairvoyance, prudence. ANT. imprévoyance, insouciance. ☞ prévoir.

prévoyant, ante adj. Qui sait prévoir ce qui va arriver et qui prend toutes les précautions qui s'imposent: *Les personnes prévoyantes ne sont jamais prises au dépourvu.* SYN. clairvoyant, prudent. ANT. imprévoyant, insouciant. ☞ prévoir.

prie-Dieu n.m.invar. Meuble bas sur lequel on s'agenouille pour prier: *Théo s'est agenouillé sur le prie-Dieu.* ☞ prier.

prier v. **1.** S'adresser à Dieu, aux saints ou à un être surnaturel: *Je prie Dieu chaque matin.* SYN. demander, implorer. ANT. obtenir, recevoir, répondre. **2.** Invoquer Dieu ou les saints en faveur de quelqu'un ou de quelque chose: *Le peuple amérindien priait le manitou pour obtenir du succès à la chasse.* ☞ prie-Dieu, prière. ▲ **prier** v. **1.** Supplier, demander en insistant: *Elle m'a prié de lui accorder cette permission.* **2.** Demander poliment: *Dites-moi, je vous prie, où est la bibliothèque?* **3.** Ordonner, exiger quelque chose: *Il m'a prié* *de me taire.* **4.** litt. Inviter: *Vous êtes priés d'assister à la fête donnée en l'honneur de Pierre et Ginette.* ⁄⁄ *Ne pas se faire prier:* Accepter avec empressement. *Se faire prier:* Faire des manières avant d'accepter. ☞ prière.

prière n.f. **1.** Acte par lequel on s'adresse à Dieu, aux saints: *Quand je suis entrée dans la mosquée, plusieurs personnes étaient en prière.* SYN. adoration, oraison. **2.** Ensemble de phrases, de formules par lesquelles on s'adresse à Dieu, aux saints: *Avant de se coucher, Bruno fait sa prière.* ☞ prier. ▲ **prière** n.f. **1.** Demande insistante: *Ginette a cédé aux prières de ses amies.* SYN. supplication. **2.** Formule de politesse qui marque une interdiction, un commandement: *Prière de ne pas marcher sur le gazon.* SYN. invitation. ☞ prier.

primaire n.m. et adj. **1.** n.m. Enseignement que reçoivent les enfants de la première à la sixième année: *Les enfants du primaire ont un choix d'activités intéressant.* **2.** adj. Qui va de la première à la sixième année: *L'enseignement primaire vient avant l'enseignement secondaire.* **3.** adj. Se dit de l'école fréquentée par des enfants de la première à la sixième année: *Marthe a huit ans: elle va à l'école primaire.* **4.** adj. Qui vient en premier, qui n'a pas été mélangé: *Le bleu, le jaune et le rouge sont des couleurs primaires.* **5.** adj. Qui se rapporte aux activités économiques qui produisent des matières premières: *L'agriculture, la pêche et les mines font partie du secteur primaire.*

primates n.m.plur. Ordre des mammifères grimpeurs, au cerveau très développé, à denture complète, qui peuvent saisir des objets avec leurs mains: *Les singes et les lémuriens sont des primates.* **R.** S'écrit au singulier lorsqu'il désigne un animal appartenant à cet ordre.

prime n.f. **1.** Somme que l'assuré doit payer à la compagnie d'assurances: *Les primes d'assurance ont encore augmenté.* **2.** Somme d'argent payée à un employé en plus de son salaire normal à titre d'encouragement, d'aide ou de récompense: *À la fin de l'année, les employées ont toutes reçu une prime.* SYN. boni, gratification. **3.** Objet donné en cadeau à un acheteur: *La vendeuse m'a offert ce stylo en prime.* SYN. récompense. ☞ primé, primer.

prime adj.litt. Qui est premier: *Elle a cinquante ans: elle n'est plus de la prime jeunesse.* de **prime abord** loc.adv. À première vue: *De prime abord, elle m'a paru très sévère.*

primé, ée adj. Qui a reçu un prix, une récompense: *Ce chat a été primé à la dernière exposition féline.* ☞ prime.

primer v. **1.** Récompenser par un prix: *Le Festival des films du monde a primé le film du cinéaste québécois.* SYN. choisir, sélectionner. **2.** Occuper la première place, être le plus important: *Chez Danielle, c'est sa volonté qui prime.* SYN. dominer. ☞ prime.

primeur n.f. **1.** litt. Caractère de ce qui est nouveau: *J'ai eu la primeur d'une nouvelle, je fus la première à l'apprendre.* SYN. nouveauté. ANT. ancienneté. **2.** plur. Fruits ou légumes frais vendus avant la saison normale: *Des fraises au mois d'avril sont sans doute des primeurs.*

primevère n.f. Plante à fleurs blanches, jaunes ou violettes qui fleurit au printemps: *Les primevères fleurissent dans les prés et dans les bois.*

primevère

primitif, ive n. et adj. **1.** n. Personne ou groupe, qui est resté à l'écart de la civilisation: *Il y a encore des primitifs en Australie.* **2.** adj. Qui est le plus près de son origine: *Le monde primitif ne connaissait pas l'électricité.* SYN. ancien, antique. ANT. actuel, contemporain. **3.** adj. Qui appartient au premier état d'une chose: *Après plusieurs lavages, ces rideaux ont perdu leur couleur primitive.* SYN. initial. **4.** adj. Qui est simple, rudimentaire: *Ces outils sont très primitifs.* SYN. élémentaire. ANT. moderne, récent. ☞ primitivement.

primitivement adv. À l'origine, au début: *Ce théâtre était primitivement une grange.*

SYN. originairement. ANT. finalement. ☞ primitif.

primordial, ale, aux adj. Qui est très important, essentiel : *Son rôle a été primordial dans les négociations.* SYN. capital, principal. ANT. insignifiant, négligeable, secondaire.

prince n.m. **1.** Titre porté par les membres d'une famille royale : *Le prince et la princesse régneront peut-être un jour.* **2.** Personne qui règne sur un État portant le nom de « principauté » : *Le prince de Monaco a assisté à un bal.* ⁄⁄ *Se montrer bon prince :* Être indulgent. ☞ princesse, princier, principauté.

princese n.f. Fille ou femme d'un prince ; fille d'un souverain : *La princesse Anne est la fille de la reine d'Angleterre.* ☞ prince.

princier, ière adj. **1.** Qui appartient à un prince, à une princesse : *La famille princière habite ce vieux château.* **2.** Qui est digne d'un prince : *Je ne peux accepter ce cadeau princier.* SYN. luxueux, somptueux. ANT. pauvre, simple. ☞ prince.

principal n.m. La chose qui est la plus importante : *Le principal, c'est d'être en bonne santé.* ANT. accessoire. **R.** N'a pas le sens de *directeur* (d'école).

principal, ale, aux adj. **1.** Qui est le plus important : *Montréal et Toronto sont les principales villes du Canada.* SYN. grand. ANT. secondaire. **2.** Se dit, en grammaire, d'une proposition qui ne dépend d'aucune autre et dont dépend au moins une autre proposition appelée « subordonnée » : *Dans « Je voudrais que tu m'accompagnes », « Je voudrais » est une proposition principale.* ☞ principalement.

principalement adv. Surtout, avant toute chose : *S'il ne vient pas, c'est principalement à cause du mauvais temps.* ☞ principal.

principauté n.f. Petit État indépendant gouverné par un prince ou une princesse : *La principauté de Monaco est située près de la Méditerranée.* ☞ prince.

principe n.m. **1.** Hypothèse, supposition, qui sert de base à un raisonnement : *Si je pars du principe qu'il est intelligent, son attitude est incompréhensible.* SYN. axiome, donnée, postulat. ANT. conséquence, déduction. **2.** Notion fondamentale qui sert de base à une science, éléments, rudiments : *Les étudiants doivent d'abord connaître les principes de la physique.* en **principe** loc.adv. Théoriquement, selon les prévisions : *En principe, je devrais être de retour à 16 heures.*

▲ **principe** n.m. **1.** Règle de conduite : *Elle a toujours eu pour principe de ne jamais se fier aux autres.* SYN. maxime, précepte. **2.** plur. Règles morales qui guident la conduite, mœurs, normes : *Jean ne ment jamais : c'est contraire à ses principes.*

printanier, ière adj. **1.** Qui se rapporte au printemps, à la première des quatre saisons : *Les premières fleurs printanières apparaissent déjà dans les plates-bandes.* **2.** Qui convient au printemps, à cette saison : *Solange porte une tenue printanière.* SYN. gai, léger. ANT. flétri, vieux. ☞ printemps.

printemps n.m. Première des quatre saisons qui suit l'hiver et qui vient avant l'été : *Le printemps commence vers le 21 mars et se termine vers le 21 juin.* ☞ printanier.

prioritaire adj. Qui passe en premier : *Il faut d'abord régler les problèmes prioritaires.* ⁄⁄ *Véhicules prioritaires :* Ambulances, voitures de police, voitures de pompier. ☞ priorité.

priorité n.f. **1.** Qualité de ce qui passe en premier, ce qui a le plus d'importance : *La priorité est donnée à la lutte contre le chômage.* **2.** Droit de passer le premier : *Sur la route, les ambulances ont la priorité.* SYN. préséance. ☞ prioritaire. en **priorité** loc.adv. En premier lieu, d'abord : *Il faut discuter ce point en priorité.*

pris, prise adj. **1.** Qui est occupé : *Cette place est prise.* ANT. libre. **2.** Qui est retenu par ses occupations : *Maman est très prise en ce moment.* **3.** Qui est atteint par une maladie : *Martine a la gorge prise : elle est enrhumée.* **4.** Qui a durci, épaissi : *Le sucre à la crème est pris.* HOM. prix. ☞ prendre.

prise n.f. **1.** Manière de saisir un adversaire : *Diane a appris une nouvelle prise de judo.* **2.** Endroit où l'on peut se tenir : *L'alpiniste cherche une bonne prise.* **3.** Action de prendre, de s'emparer d'une ville, d'une forteresse : *La prise de ce bâtiment a marqué le début de la mutinerie de la prison.* **4.** Action de retenir quelqu'un prisonnier : *La prise d'otages vient tout juste de se terminer grâce à une entente diplomatique.* **5.** Animal, poisson qu'on a capturé : *Quand elle va à la pêche, Fernande rapporte toujours de belles prises.* **6.** Quantité de médicament administrée en une seule fois : *Il faut répartir la dose en plusieurs prises.* **7.** Action de recueillir quelque chose : *L'infirmier lui a fait une prise de sang.* **8.** fig. Action de commencer à avoir : *Qu'est-ce qui a déclenché ta prise de conscience ?* ⁄⁄ *Lâcher prise :* Cesser de tenir. *Prise de son :* Enregistrement du son. *Prise de vues :* Enregistrement des images d'un film. ☞ prendre.

▲ **prise** n.f. Dispositif qui sert à capter, à prendre quelque chose : *Branche la bouilloire à la prise de courant.* ⁄⁄ *Prise d'eau :* Robinet, tuyau où l'on peut prendre de l'eau. *Prise de* *téléphone:* Dispositif qui permet de brancher un appareil sur le réseau téléphonique. ☞ prendre.

priser v.litt. Estimer, apprécier: *Je prise la délicatesse par-dessus tout.* **prisé, ée** p.p. et adj. Qui a de la valeur, qui est estimé, apprécié: *La franchise est une qualité fort prisée.* ▲ **priser** v. Prendre, aspirer du tabac par le nez: *De nos jours, le tabac à priser se vend peu.*

prisme n.m. **1.** Figure géométrique qui a plusieurs faces parallèles à une même droite: *Annie a fabriqué un prisme rectangulaire.* **2.** Forme géométrique à base triangulaire, de matière transparente qui dévie et décompose les rayons lumineux: *En traversant un prisme de verre, la lumière se décompose pour donner les six couleurs de l'arc-en-ciel.*

prison n.f. **1.** Lieu où l'on enferme les condamnés, les prévenus: *La criminelle a été jetée en prison.* SYN. cellule. ANT. liberté. **2.** Peine d'emprisonnement, d'incarcération: *On l'a condamné à dix ans de prison.* SYN. détention, pénitencier. **3.** Lieu où l'on garde quelqu'un enfermé: *Cet otage est resté six mois dans sa prison.* SYN. cachot, cellule. ☞ emprisonnement, emprisonner, prisonnier.

prisonnier, ière n. et adj. **1.** n. Personne qui est en prison, qui est incarcéré: *Les prisonniers se sont révoltés contre les mauvaises conditions de détention.* SYN. captif, détenu. **2.** n. Personne qui est privée de sa liberté: *Une prisonnière de guerre a tenté de s'échapper.* ANT. évadé. **3.** adj. Qui est privé de sa liberté: *Elle entendit la clé tourner dans la serrure et elle comprit qu'elle était prisonnière.* ANT. libre. **4.** adj.fig. Qui est esclave de quelque chose: *Rosario est prisonnier de ses mauvaises habitudes.* ANT. libéré. ☞ prison.

privation n.f. **1.** Fait d'être privé, de manquer de quelque chose: *La privation de la liberté est une peine sévère.* SYN. absence, manque. ANT. jouissance. **2.** Manque de choses nécessaires: *Ces gens ont souffert de privations pendant la guerre.* SYN. indigence, pauvreté. ANT. abondance, richesse. **R.** Dans le sens de *manque de choses nécessaires*, s'emploie surtout au pluriel. ☞ priver.

privatisation n.f. Action de transférer au secteur privé une entreprise qui appartenait au secteur public: *On parle beaucoup de la privatisation de la Société canadienne des postes.* ☞ privé.

privatiser v. Transférer au secteur privé une entreprise qui appartenait au secteur public: *Le gouvernement a parlé de privatiser la Société des alcools du Québec.* ☞ privé.

privé n.m. **1.** Intimité: *Ce n'est pas le même homme dans le privé.* **2.** fam. Secteur privé, en opposition à secteur public, en parlant d'économie: *Elle dit que les conditions de travail sont meilleures dans le privé.* ANT. public. HOM. priver. **en privé** loc.adv. Seul à seul: *J'aimerais te parler en privé.*

privé, ée adj. **1.** Qui n'est pas ouvert à tout le monde: *C'est un club privé: seuls les membres y sont admis.* **2.** Qui est personnel, intime: *J'exige qu'on respecte ma vie privée.* **3.** Qui ne dépend pas de l'État: *Antonine fréquente une école privée.* **4.** Qui appartient à une personne, à un groupe: *Il nous a reçus dans sa propriété privée.* HOM. priver. ☞ privatisation, privatiser.

priver v. **1.** Enlever à quelqu'un ce qu'il a: *En emprisonnant les voleurs, on les prive de leur liberté.* SYN. déposséder, ôter. **2.** Refuser à quelqu'un ce qu'il désire: *Ses parents l'ont privé de télévision.* HOM. privé. ☞ privation. **se priver** v.pron. **1.** Renoncer volontairement à quelque chose: *Depuis quelque temps, Jean se prive de dessert.* SYN. s'abstenir. **2.** S'abstenir, ne pas faire ou ne pas dire quelque chose: *Cette ouvrière ne se prive pas de critiquer l'insalubrité de l'usine.* SYN. s'empêcher. ANT. se permettre. **3.** S'imposer des privations: *Elle doit se priver pour joindre les deux bouts.* SYN. renoncer.

privilège n.m. **1.** Droit, avantage particulier accordé à une personne ou à un groupe et que les autres n'ont pas: *Autrefois, la noblesse avait beaucoup de privilèges.* SYN. exemption. ANT. désavantage, inconvénient. **2.** Ce que l'on considère comme un avantage: *J'ai eu le privilège de connaître Corazón Aquino.* SYN. honneur. ☞ privilégié, privilégier.

privilégié, ée n. et adj. **1.** n. Personne qui a des avantages matériels considérables: *Le gouvernement songe à augmenter les impôts des privilégiés.* **2.** n. Personne qui a de la chance: *Seuls quelques privilégiés ont pu rencontrer cet acteur reconnu.* ANT. malchanceux. **3.** adj. Qui a des avantages matériels considérables: *Elle est millionnaire: elle fait partie de la classe privilégiée.* SYN. fortuné, riche. ANT. déshérité. **4.** adj. Qui a de la chance: *Elles ont été privilégiées: il a fait beau toute la fin de semaine.* ANT. malheureux, pauvre. HOM. privilégier. ☞ privilège.

privilégier v. **1.** Faire bénéficier d'un avantage: *Le gouvernement veut privilégier les familles nombreuses.* **2.** Attribuer une importance particulière à quelque chose: *Dans cette municipalité, on privilégie les sports plutôt que les arts.* HOM. privilégié. ☞ privilège.

privilège
privilégier

prix n.m. **1.** Valeur d'un bien, d'un service, exprimée en monnaie: *Quel est le prix de ce manteau?* SYN. coût, montant. **2.** Étiquette qui indique cette valeur: *J'ai oublié d'enlever le prix du cadeau.* **3.** Ce qu'il en coûte pour obtenir quelque chose: *Le manque de vie privée est le prix à payer pour réussir dans ce domaine.* SYN. rançon. ANT. punition. **4.** Valeur, importance: *J'attache beaucoup de prix à son amitié.* HOM. pris. // *À aucun prix:* Absolument pas. *À bas prix, à bon prix:* À bon marché. *À prix d'or:* À un prix très élevé. *Hors de prix:* Très cher. *Ne pas avoir de prix:* Avoir une très grande valeur. *Sans prix:* D'une valeur inestimable. à tout **prix** loc.adv. Coûte que coûte: *Elle veut gagner la médaille d'or à tout prix.* au **prix de** loc.prép. En échange de quelque chose: *Elle a terminé ce travail au prix de grands efforts.* ▲ **prix** n.m. **1.** Récompense destinée à honorer une personne: *Agathe a remporté le premier prix en français.* **2.** Personne qui reçoit une récompense: *Vous savez, c'est un Prix Nobel.* **3.** Ouvrage qui a reçu une récompense: *As-tu lu le dernier prix littéraire?* **4.** Compétition où l'on décerne un prix: *Le Grand Prix automobile aura lieu sur un circuit de Montréal.*

probabilité n.f. **1.** Apparence de vérité, de vraisemblance: *Selon toute probabilité, il neigera demain.* SYN. apparence. ANT. certitude. **2.** Chance qu'une chose se produise, éventualité: *Quelles sont les probabilités pour que je gagne à la loterie?* ANT. impossibilité, improbabilité. ☞ probable.

probable adj. **1.** Qui semble plutôt vrai que faux: *Il est probable qu'il se soit empoisonné.* SYN. possible, vraisemblable. ANT. improbable, invraisemblable. **2.** Qui a de grandes chances de se produire: *Son succès n'est pas certain, mais il est probable.* ☞ improbabilité, improbable, probabilité, probablement.

probablement adv. Sans doute, certainement: *Ce cycliste gagnera probablement le premier prix.* SYN. vraisemblablement. ☞ probable.

probant, ante adj. Qui prouve, qui est convaincant: *Tes arguments sont probants, je les crois.* SYN. concluant, décisif. ANT. discutable, douteux, incertain.

probité n.f. Honnêteté: *Cet homme est d'une grande probité.* SYN. droiture, intégrité, loyauté. ANT. déloyauté, malhonnêteté.

problématique n.f. et adj. **1.** n.f. Ensemble des problèmes, des questions, qui concernent un sujet: *Nous devrons étudier la problématique de cette nouvelle pédagogie.* SYN. questionnement. **2.** adj. Qui a une issue douteuse, incertaine: *Le succès de cette campagne de financement est problématique.* SYN. hasardeux. ANT. certain, probant, sûr. ☞ problème.

problème n.m. **1.** Question qui prête à discussion dans le domaine scientifique: *Le problème de l'origine de l'être humain n'a pas encore été résolu.* ANT. solution. **2.** Exercice scolaire qui consiste à trouver la solution à une question posée à partir de données connues: *Jean-François doit faire plusieurs problèmes d'arithmétique.* **3.** Difficulté, situation compliquée ou dangereuse: *Empruntez les transports en commun: vous éviterez les problèmes de stationnement.* SYN. ennui. ANT. satisfaction. **4.** Difficulté à trouver un bon équilibre psychologique: *Cette adolescente a un problème d'identité.* SYN. conflit. ANT. accord, paix. // *Faire problème:* Présenter des difficultés. *Poser des problèmes:* Entraîner des difficultés. ☞ problématique.

problématique
problème

procédé n.m. **1.** Méthode qu'il faut suivre pour obtenir un résultat: *J'aimerais connaître le procédé de fabrication du vin.* SYN. formule, manière, recette, secret. **2.** Manière d'agir à l'égard des autres: *Ses procédés malhonnêtes m'ont choqué.* SYN. attitude, comportement, conduite. ☞ procédure.

procéder v. **1.** Agir d'une certaine façon: *Pour réussir ce mélange, il faut procéder avec méthode.* **2.** Faire, exécuter quelque chose: *Nous allons procéder au nettoyage de la cour.* ▲ **procéder** v.litt. Tirer son origine de quelque chose ou de quelque part: *Un grand nombre de maladies procèdent de l'environnement.* SYN. découler, dépendre, provenir.

procédure n.f. Ensemble des formalités à accomplir pour obtenir un résultat: *Quelle est la procédure à suivre pour obtenir un passeport?* **R.** N'a pas le sens de *méthode*, *procédé*. ☞ procédé. ▲ **procédure** n.f. Ensemble des règles et des formalités qu'il faut suivre pour agir en justice: *Ses parents ont engagé une procédure de divorce.*

procès n.m. **1.** Action en justice pendant laquelle quelqu'un est mis en accusation et qui doit conduire à un jugement: *Comme ce locataire ne veut pas payer son loyer, la propriétaire lui a fait un procès.* SYN. cause, litige, poursuite. **2.** fig. Critique, énumération des points négatifs de quelqu'un ou de quelque chose: *On a fait le procès de l'école publique.*

procession n.f. **1.** Marche solennelle de caractère religieux accompagnée de chants et de prières : *En tête de la procession, le prêtre portait un cierge allumé.* **2.** Longue suite de personnes qui marchent à la file : *Une procession de manifestantes a défilé dans les rues de la ville.* SYN. cortège, défilé. **3.** fig. Suite de personnes qui viennent l'une après l'autre, à brefs intervalles : *Après la récréation, une véritable procession d'écoliers mécontents a envahi le bureau de la directrice.* SYN. file, succession.

processus n.m. (lat.) Suite de phénomènes qui aboutissent à un résultat déterminé : *Gilberte s'intéresse au processus de croissance des plantes.* SYN. développement, évolution, marche, progrès. ANT. arrêt, suspension. **R.** Le *s* final se prononce.

procès-verbal n.m. **1.** Acte par lequel une autorité compétente constate un fait, un délit : *La policière a dressé un procès-verbal à la conductrice pour excès de vitesse.* SYN. contravention. **2.** Compte rendu écrit de ce qui a été dit ou fait dans une réunion, une assemblée : *Ce procès-verbal me semble incomplet.* SYN. rapport. **R.** Au pluriel, *procès-verbaux*.

prochain n.m. Tout être humain, considéré par rapport à l'ensemble des êtres humains : *Elle respectait son prochain.* SYN. autrui. ANT. soi-même.

prochain, aine adj. **1.** Qui est le premier à se présenter dans l'espace : *Je vais descendre au prochain arrêt.* SYN. suivant. ANT. passé. **2.** Qui est le premier à survenir dans le temps : *Le mois prochain, ce sera l'anniversaire de grand-mère.* ANT. dernier. **3.** Qui arrivera bientôt : *Je compte visiter la Colombie-Britannique au cours d'un prochain voyage.* ANT. lointain. ☞ prochainement.

prochainement adv. Bientôt, dans un proche avenir : *Comad doit reprendre son entraînement prochainement.* ☞ prochain.

proche adj. **1.** Qui est à peu de distance : *Notre chalet est proche du lac.* SYN. voisin. ANT. distant. **2.** Qui est peu éloigné dans le temps : *Les vacances sont proches, les enfants commencent à s'énerver.* SYN. imminent. ANT. lointain. **3.** Qui a d'étroites relations de parenté, d'amitié : *Daniel est un proche parent de mon beau-frère.* ANT. éloigné. **4.** fig. Qui est peu différent : *Ton opinion est proche de la mienne.* ANT. différent. ☞ approchable, approchant, approche, approcher, proches, rapproché, rapprochement, rapprocher.

proches n.m.plur. Parents et amis intimes : *Elle n'a invité que des proches à son mariage.* SYN. entourage. ☞ proche.

proclamation n.f. **1.** Annonce, déclaration solennelle : *Le candidat attend avec anxiété la proclamation des résultats du scrutin.* SYN. publication. **2.** Texte contenant ce qu'on proclame, ce qu'on déclare : *As-tu lu la proclamation qu'on vient d'afficher?* SYN. déclaration, décret, édit. ☞ proclamer.

proclamer v. **1.** Faire connaître publiquement, par un acte officiel : *Le président du jury a proclamé les résultats du concours.* SYN. annoncer, déclarer, dévoiler, révéler. ANT. cacher, taire. **2.** Affirmer avec force devant un vaste public : *L'accusée proclame son innocence.* SYN. clamer, crier, manifester. ANT. déguiser, dissimuler, voiler. ☞ proclamation.

procréation n.f. Action de procréer, de donner la vie, en parlant d'un être humain : *La procréation permet aux êtres humains de se reproduire.* ☞ procréer.

procréer v. Donner la vie, en parlant d'un être humain : *À partir de la puberté, les êtres humains peuvent procréer.* SYN. enfanter, engendrer. ☞ procréation.

procuration n.f. Document par lequel on autorise quelqu'un à agir à notre place : *Je vais te signer une procuration pour que tu retires de l'argent à la banque à ma place.* SYN. mandat. par **procuration** loc.adv. **1.** Par l'intermédiaire d'une autre personne que l'on a autorisée à agir à notre place : *Comme j'étais en France aux dernières élections fédérales, j'ai dû voter par procuration.* **2.** fig. En s'en remettant à une autre personne pour agir : *Tu ne prends aucune décision : tu vis par procuration.*

procurer v. **1.** Obtenir pour quelqu'un, fournir : *Sa tante lui procura un emploi dans son bureau.* **2.** Apporter, donner, être la cause : *Ce livre m'a procuré beaucoup de plaisir.* SYN. causer, offrir. ANT. ôter, refuser. se **procurer** v.pron. Obtenir pour soi : *Je me suis procuré le dernier disque de ma chanteuse préférée.* SYN. acquérir.

procureur n.m. **1.** Avocat qui représente l'État et qui soutient l'accusation dans un procès : *Le procureur a demandé cinq ans de prison pour l'accusée.* **2.** vx Personne qui représente quelqu'un et qui agit en son nom en vertu d'un mandat ou d'une procuration : *L'avocate qui représente cette entreprise est un procureur.* SYN. intermédiaire, représentant.

prodigalité n.f. **1.** Caractère d'une personne qui dépense de façon excessive : *Sa prodigalité peut le ruiner.* SYN. générosité, largesse. ANT. avarice, égoïsme, mesquinerie. **2.** Dépense excessive : *Ce nouveau riche* *cherche à éblouir ses amis par ses prodigalités.* **R.** Dans le sens de *dépense excessive*, s'emploie surtout au pluriel. ☞ prodigue.

prodige n.m. **1.** Événement extraordinaire qui semble magique ou surnaturel: *C'est un prodige de la voir bien vivante après un tel accident.* SYN. miracle. **2.** Action extraordinaire: *La médecine est un domaine où l'on fait parfois des prodiges.* SYN. merveille. ANT. banalité, médiocrité. **3.** Personne extraordinaire par son talent, son intelligence: *Ce petit prodige n'a que cinq ans et il joue déjà aux échecs.* SYN. génie, phénomène. ANT. nullité. // *Enfant prodige:* Enfant qui est exceptionnellement doué pour son âge. ☞ prodigieusement, prodigieux.

prodigieusement adv. **1.** D'une façon prodigieuse, extraordinaire: *Angèle Dubeau joue prodigieusement du violon.* **2.** Extrêmement: *Ce sultan est prodigieusement riche.* ☞ prodige.

prodigieux, euse adj. **1.** Qui est extraordinaire: *Tu as une mémoire prodigieuse.* SYN. étonnant, fantastique, phénoménal. ANT. insignifiant, médiocre, ordinaire. **2.** Qui est considérable, en très grand nombre: *Une foule prodigieuse a envahi les rues de la capitale chinoise.* SYN. incroyable. ANT. quelconque. ☞ prodige.

prodigue n. et adj. **1.** n. Personne qui dépense de façon excessive: *Les prodigues finissent souvent leur vie dans la misère.* SYN. gaspilleur. ANT. avare. **2.** adj. Qui dépense de façon excessive: *Ce fils prodigue a dépensé tout son héritage en un mois.* SYN. dépensier. ANT. économe. **3.** adj.fig. Qui donne en abondance: *Tante Berthe est prodigue de compliments.* SYN. généreux, large. ANT. égoïste, mesquin. **R.** Ne pas oublier le *u* après le *g*. ☞ prodigalité, prodiguer.

prodiguer v. **1.** Dépenser de façon excessive: *Cette héritière prodigue sa fortune.* SYN. dilapider, dissiper. ANT. accumuler, économiser, ménager. **2.** Donner, accorder en abondance: *Pendant sa maladie, ses parents lui ont prodigué des soins attentifs.* SYN. déployer. ANT. mesurer. **R.** Ne pas oublier le *u* après le *g*. ☞ prodigue.

producteur, trice n. et adj. **1.** n. Personne, pays, entreprise qui produit un bien, un service: *Le Canada est un grand producteur de blé.* **2.** n. Personne, entreprise qui avance de l'argent pour faire un film, un spectacle: *La productrice de cinéma n'est pas satisfaite du choix des acteurs.* **3.** n. Personne qui conçoit une émission de radio ou de télévision et qui en dirige la réalisation: *Le producteur exige que l'émission soit réalisée selon ses directives.* **4.** adj. Qui produit un bien, un service: *Les pays producteurs de pétrole veulent augmenter le prix du baril.* ANT. consommateur. ☞ produire.

productif, ive adj. **1.** Qui produit beaucoup: *Cette terre productive donne de belles récoltes.* SYN. fertile. ANT. aride, improductif. **2.** Qui rapporte de l'argent: *Ce capital est productif: il rapporte des intérêts.* SYN. fructueux. ANT. infécond. ☞ produire.

production n.f. **1.** Action de produire, de provoquer un phénomène: *En faisant cette expérience, elle a obtenu la production de gaz carbonique.* SYN. formation. ANT. destruction. **2.** Action de produire un bien, un service: *Il faut augmenter la production des micro-ordinateurs.* SYN. rendement. ANT. inactivité, inertie. **3.** Biens produits par l'agriculture, l'industrie: *La production de blé au Canada est suffisante pour en faire l'exportation.* SYN. produit. **4.** Œuvre d'un artiste: *As-tu lu la dernière production de cette romancière?* **5.** Action de produire un film, une émission: *Cette femme assurera la production de ce film.* **6.** Film, émission: *On nous a présenté une production franco-québécoise.* ☞ produire. ▲ **production** n.f. Action de présenter une pièce, un document: *La production du passeport est obligatoire pour se rendre dans de nombreux pays.* ☞ produire.

productivité n.f. **1.** État de ce qui produit beaucoup: *La productivité de cette terre n'est plus à prouver.* **2.** Rendement; rapport entre la quantité produite et les moyens mis en œuvre pour y parvenir: *Il faut augmenter la productivité de cette entreprise.* ☞ produire.

produire v. **1.** Causer, provoquer: *Cette méthode a produit des résultats inattendus.* SYN. donner, rapporter. ANT. détruire. **2.** Former naturellement: *Ce pommier produit de beaux fruits juteux.* SYN. fournir. **3.** Créer un bien, un service: *Cette usine produit des automobiles.* SYN. fabriquer, manufacturer. **4.** Créer une œuvre: *Ce romancier produit plusieurs livres par année.* SYN. composer, écrire. **5.** Rapporter un profit: *L'argent que tu as placé produit des intérêts.* **6.** Donner naissance à quelqu'un ou à quelque chose: *L'Allemagne a produit des musiciens célèbres.* **7.** Assurer la réalisation d'un film, d'un spectacle, d'une émission en avançant de l'argent, en veillant à son organisation: *Il a accepté de produire le film à condition qu'il soit tourné à Montréal.* ☞ coproduction, improductif, producteur, productif, production, productivité, produit, sous-produit, surproduction, surproduire. ▲ **produire** v. **1.** Présenter une pièce, un document: *L'automobiliste a dû produire son permis de conduire.* **2.** Amener devant le tribunal: *La juge a demandé à l'avocat de produire le témoin.* ☞ production. se **produire** v.pron. **1.** Arriver, avoir lieu: *Un grand changement s'est produit dans les habitudes des consommateurs.* **2.** Paraître en public, en parlant d'un artiste, d'un acteur: *Cette artiste s'est produite au théâtre l'été dernier.*

produit n.m. **1.** Bien, richesse, provenant de l'agriculture ou de l'industrie: *Au marché, nous trouvons des produits agricoles de la province ainsi que des produits importés.* **2.** Substance qui sert à un usage particulier: *As-tu essayé ce nouveau produit pour la vaisselle?* **3.** fig. Résultat de quelque chose: *Le billet gagnant à la loterie est le produit du hasard.* SYN. fruit. ANT. cause. **4.** Ce que rapporte une propriété; gain tiré d'une activité: *Cette fermière est prospère: elle peut vivre du produit de sa ferme.* ⫽ *Produits d'entretien:* Substances qui sont nécessaires à l'entretien des objets ménagers. ☞ produire. ▲ **produit** n.m. Nombre qui est le résultat d'une multiplication: *Si je multiplie deux par cinq, le produit est dix.*

proéminent, ente adj. Qui dépasse ce qui l'entoure: *Sa mâchoire proéminente lui attirait bien des moqueries.* SYN. apparent, saillant. ANT. creux.

profanation n.f. Action de profaner, de traiter avec mépris une chose sacrée, un lieu, un objet de culte: *On l'a accusée de la profanation de plusieurs tombes.* SYN. outrage, sacrilège, violation. ANT. respect, vénération. ☞ profaner.

profane n.m. et adj. **1.** n.m. Ensemble des choses qui n'ont pas un caractère religieux, sacré: *J'ai plus d'attirance vers le profane que vers le sacré.* **2.** adj. Qui n'a pas un caractère religieux, sacré: *Pâques est une fête religieuse, mais la fête du Travail est une fête profane.*

profane n. et adj. **1.** n. Personne qui n'est pas initiée à une religion, à une doctrine: *Les profanes ne sont pas admis dans ce temple.* **2.** n. Personne qui n'est pas initiée à un art, à une science: *Je ne connais rien à la musique: je suis une profane.* SYN. ignorant. ANT. connaisseur. **3.** adj. Qui ne connaît pas un art, une science: *Je me sens plutôt profane en peinture.* SYN. incompétent. ANT. initié.

profaner v. **1.** Traiter avec mépris une chose sacrée, un lieu, un objet de culte: *Les vandales ont profané cette église.* ANT. respecter. **2.** fig. Faire un mauvais usage de quelque chose de précieux: *Tu n'as pas le droit de profaner ton talent.* ☞ profanation.

proférer v. Prononcer à voix haute, avec violence: *Elle est sortie en proférant des menaces.*

professer v.litt. Déclarer ouvertement quelque chose comme étant une opinion personnelle: *Elle professait son total mépris à l'égard de la guerre dévoreuse de vies humaines.* SYN. afficher, proclamer. ANT. désavouer, nier. ☞ profession.

professeur n.m. **1.** Personne spécialisée dans l'enseignement d'une discipline, d'un art, d'une technique: *Le professeur d'anglais nous a appris de nouveaux mots.* SYN. enseignant. ANT. écolier, élève. **2.** Personne qui enseigne dans un établissement d'enseignement secondaire, collégial ou universitaire: *Serge est un professeur de cégep.* **R.** L'O.L.F. recommande *professeure* comme féminin de *professeur.* ☞ professoral, professorat.

profession n.f. **1.** Activité régulière qui permet de gagner sa vie: *Quelle est la profession de ton père?* SYN. emploi, métier. **2.** Métier qui a un certain prestige à cause de son caractère intellectuel ou artistique ou à cause de la position sociale de ceux qui l'exercent: *Rolande exerce la profession d'avocate.* SYN. carrière, situation. **3.** Ensemble des personnes qui exercent le même métier: *Toute la profession attendait cette décision de la cour.* ⫽ *De profession:* Professionnel. ☞ professionnel, professionnellement. ▲ **profession** n.f. Déclaration publique: *Les élèves de sixième année ont fait leur profession de foi.* SYN. proclamation. ⫽ *Faire profession de:* Déclarer publiquement. ☞ professer.

professionnel, elle n. et adj. **1.** n. Personne qui exerce un métier, une profession de façon régulière: *Les professionnels de l'informatique sont réunis en congrès.* SYN. spécialiste. **2.** n. Sportif qui est payé pour la pratique d'un sport: *Cette équipe de basket-ball est formée de professionnelles.* **3.** n. Personne qui exerce son métier de façon très compétente: *C'est du travail de professionnel.* ANT. amateur. **4.** adj. Qui se rapporte à un métier, à une profession: *Le médecin ne peut pas trahir le secret professionnel.* **5.** adj. Qui exerce une activité par profession, de par son métier: *Françoise est une musicienne professionnelle.* SYN. expérimenté. **6.** adj. Qui forme à une profession, à un métier: *Des cours de formation professionnelle sont offerts dans ma polyvalente.* ☞ profession.

professionnellement adv. **1.** D'une façon professionnelle, en en faisant son métier: *Tu joues professionnellement au tennis.* **2.** Du point de vue de la profession, du métier: *Pro-*

fessionnellement, je n'ai rien à redire sur son compte. ☞ profession.

professoral, ale, aux adj. Qui se rapporte aux professeurs : *Elle enseigne dans une polyvalente : elle fait partie du corps professoral.* ☞ professeur.

professorat n.m. Fonction de professeur, d'enseignant : *Manon se destine au professorat.* SYN. enseignement. ☞ professeur.

profil n.m. **1.** Aspect du visage vu de côté : *Pauline a dessiné mon profil.* **2.** Aspect d'une chose vue de côté : *Le profil du monument se découpe sur le ciel.* SYN. silhouette. **3.** fig. Ensemble des traits qui caractérisent la personne idéale pour exercer une fonction, remplir une tâche : *Elle a tout à fait le profil pour cet emploi.* ⁄⁄ *De profil :* En étant vu par le côté. **R.** Le *l* se prononce. ☞ profilé, profiler.

profilé, ée adj. Qui a reçu un profil particulier, une coupe particulière : *La forme profilée de ce train lui permet d'atteindre une plus grande vitesse.* HOM. profiler. ☞ profil.

profiler v. **1.** Donner un profil, un contour déterminé à un objet : *On a profilé la carlingue de cet avion.* SYN. tracer. **2.** Présenter ses contours avec netteté : *Le gratte-ciel profile sa silhouette sur le ciel clair.* HOM. profilé. ☞ profil. **se profiler** v.pron. Se présenter avec des contours nets : *Le paquebot se profile à l'horizon.* SYN. se découper, se détacher.

profit n.m. **1.** Gain, bénéfice que l'on retire d'une opération ou d'une activité : *L'année dernière, cette entreprise a réalisé des profits considérables.* SYN. revenu. ANT. déficit, perte. **2.** Avantage que l'on retire de quelque chose : *Ses vacances au bord de la mer lui ont été d'un grand profit.* SYN. utilité. ANT. désavantage, dommage. ⁄⁄ *Mettre à profit :* Employer utilement. *Tirer profit de quelque chose :* Tirer un avantage de quelque chose. ☞ profitable, profiter, profiteur. **au profit de** loc.prép. Au bénéfice de : *Cette fête a été organisée au profit des œuvres de charité.*

profitable adj. Qui apporte un avantage : *J'espère que cette leçon lui a été profitable.* SYN. efficace, fructueux, salutaire, utile. ANT. dommageable, inutile, néfaste. ☞ profit.

profiter v. **1.** Tirer un avantage de quelque chose : *Il faut savoir profiter du beau temps.* SYN. bénéficier. ANT. rater. **2.** Être utile : *Vos conseils m'ont grandement profité.* SYN. servir. **3.** Trouver une occasion pour agir : *Elle a profité du congé pour repeindre sa chambre.* **4.** Tirer le maximum de quelqu'un : *Ses amis profitent de lui.* SYN. exploiter. ☞ profit.

profiterole n.f. **1.** Petit chou fourré d'une préparation salée : *Les profiteroles accompagnent bien la viande et le gibier.* **2.** Petit chou fourré de crème pâtissière ou d'une glace à la vanille et recouvert d'une sauce au chocolat chaude : *J'adore les profiteroles.*

profiteur, euse n.péj. Personne qui tire un profit de toute occasion, surtout du travail des autres : *Elle vit aux dépens des autres : c'est une profiteuse.* ⁄⁄ *Profiteur de guerre :* Personne qui s'enrichit en profitant des conflits armés. ☞ profit.

profond n.m. et adv. **1.** n.m. Profondeur, intensité : *Ton geste l'a touché jusqu'au plus profond de son être.* **2.** adv. Profondément, loin de la surface : *Il faut creuser profond si vous voulez trouver de l'eau.*

profond, onde adj. **1.** Qui a un fond éloigné de la surface : *Ce puits est très profond.* SYN. creux. ANT. élevé. **2.** Qui a un fond éloigné du bord : *Ce placard est si profond que je peux y ranger tous mes vêtements.* **3.** Qui est situé très bas par rapport à la surface : *On a trouvé du cuivre dans les couches profondes du sol.* SYN. inférieur. ANT. superficiel. **4.** Qui pénètre loin : *La blessure est profonde : il faudra faire des points de suture.* **5.** Qui est très marqué : *Des rides profondes marquaient le visage du vieillard.* **6.** Qui semble venir de très loin : *Elle m'a répondu d'une voix profonde.* ANT. faible. ☞ approfondir, approfondissement, profondément, profondeur.

▲ **profond, onde** adj. **1.** Qui va au fond des choses : *Cet homme avait un esprit profond : il ne s'arrêtait jamais aux apparences.* SYN. perspicace, savant. ANT. léger. **2.** Qui est difficile à pénétrer, à comprendre : *Je n'ai pas pu découvrir ses intentions profondes.* SYN. impénétrable, secret. ANT. apparent, visible. **3.** Qui est très grand, qui est intense : *Une douleur profonde l'accablait.* SYN. immense, intense. ANT. petit. ☞ approfondir, approfondissement, profondément, profondeur.

profondément adv. **1.** À une grande profondeur, loin de la surface : *Les mineurs ont creusé profondément la terre.* **2.** D'une manière intense, durable : *Brigitte dort profondément.* **3.** En s'inclinant beaucoup : *Ses courtisans le saluaient profondément.* **4.** À fond, avec ampleur : *En respirant profondément vous vous sentirez mieux.* **5.** fig. Très, intensément : *Je l'aime profondément.* **6.** fig. En allant au fond des choses : *Elle réfléchissait profondément à ce problème.* **7.** fig. Intimement : *Il est profondément convaincu d'avoir raison.* ☞ profond.

profondeur n.f. **1.** Distance du fond par rapport à la surface : *Quelle est la profondeur de la rivière ?* **2.** Distance du fond par rapport à l'ouverture : *Cette armoire a trente centimètres* de profondeur. **3.** L'une des trois dimensions d'un solide : *Ce meuble a une largeur de deux mètres, une hauteur de un mètre et une profondeur de un mètre également.* **4.** fig. Qualité de ce qui va au fond des choses : *Tout le monde l'admire pour la profondeur de son œuvre.* ANT. facilité. **5.** fig. Caractère de ce qui est intense, durable : *Personne ne peut mettre en doute la profondeur de ses sentiments.* ANT. légèreté. **6.** plur. Endroit profond : *Des créatures étranges vivent dans les profondeurs de l'océan.* ANT. surface. ☞ profond. en **profondeur** loc.adv. **1.** Dans la partie profonde, creuse : *Vous devez creuser en profondeur.* **2.** Au fond des choses : *Ces syndiqués réclament des changements en profondeur.*

profusion n.f. **1.** Grande abondance : *J'ai reçu une profusion de cadeaux pour mon anniversaire.* SYN. étalage. ANT. rareté. **2.** Abondance excessive : *Je n'aime pas cette profusion de couleurs dans ce tableau.* SYN. excès, surabondance. ANT. économie. à **profusion** loc.adv. En abondance : *Nous avons cueilli des fraises à profusion.*

progéniture n.f.litt. **1.** Enfants, par rapport aux parents : *Ce couple a une nombreuse progéniture.* SYN. descendance, famille. **2.** Petits d'un animal : *La chatte protège sa progéniture.*

progiciel n.m. Ensemble complet de programmes conçus pour différents utilisateurs et destinés à une même utilisation ou à une même fonction : *Sylvie a acheté un progiciel de comptabilité.*

programmation n.f. **1.** Établissement d'un programme, d'un calendrier ou emploi du temps, de cinéma, de radio, de télévision : *Le propriétaire du cinéma vient de terminer la programmation pour les six prochains mois.* **2.** Élaboration d'un programme informatique, d'une suite d'instructions fournies à un ordinateur : *Je fais de la programmation.* ☞ programme.

programme n.m. **1.** Texte qui indique les différentes parties d'une cérémonie, d'un spectacle : *As-tu consulté le programme de la soirée ?* **2.** Ce qui est annoncé par ce texte : *Ce programme me semble intéressant.* **3.** Liste des émissions, des films qui seront présentés bientôt : *Voici le programme de la télévision pour la semaine prochaine.* **4.** Ensemble des matières enseignées dans un cycle d'études ou qui forment les sujets d'un examen : *Cette matière n'est pas au programme en sixième année.* **5.** Ensemble des intentions, des projets d'un groupe, d'un parti : *La candidate de notre comté présente le programme de son parti.* **6.** Suite d'actions, d'activités que l'on se propose de faire : *Quel est ton programme pour la fin de semaine ?* SYN. projet. **7.** Suite d'instructions que l'on donne à un ordinateur, à une machine, pour lui permettre d'effectuer des opérations déterminées : *Jacquelin a conçu un programme pour son ordinateur.* **R.** N'a pas le sens de *émission* (de radio, de télévision). ☞ programmation, programmé, programmer, programmeur.

programmé, ée adj. **1.** Qui est inscrit à un programme, à un calendrier : *Cette émission a été programmée à une heure qui ne me convient pas.* **2.** Qui est commandé par un programme, par des instructions préétablies : *Notre machine à coudre est programmée.* HOM. programmer. ☞ programme.

programmer v. **1.** Mettre un film, une émission, au programme d'un cinéma, d'une station de radio ou de télévision : *Cette station de radio a programmé une émission de musique classique.* **2.** Faire fonctionner une machine, un mécanisme grâce à des commandes préétablies : *Réginald a programmé la machine à laver.* **3.** Organiser, planifier : *J'ai bien programmé ma fin de semaine.* **4.** Fournir à un ordinateur les données et les instructions qui concernent un problème à résoudre, une tâche à effectuer : *L'enseignante programme l'ordinateur de la classe.* HOM. programmé. ☞ programme.

programmeur, euse n. Personne qui est chargée d'établir un programme, une application d'ordinateur : *La programmeuse a mis au point un logiciel.* ☞ programme.

progrès n.m. **1.** Augmentation des connaissances et des capacités de quelqu'un : *J'ai fait beaucoup de progrès en mathématiques.* **2.** Évolution de l'humanité vers un but idéal : *Je suis pour le progrès.* SYN. avancement, essor. ANT. décadence, déchéance. **3.** Changement graduel vers un degré supérieur : *Les progrès de sa maladie l'inquiètent beaucoup.* SYN. progression. ANT. régression. **4.** Fait de s'étendre dans l'espace, de gagner du terrain : *Les pompiers n'ont pu arrêter les progrès de l'incendie.* **5.** Amélioration : *Elle était complètement paralysée : c'est un gros progrès qu'elle recommence à marcher.* **6.** Action d'avancer, mouvement en avant : *Les Français suivaient les progrès de l'armée alliée.* SYN. cheminement. ANT. recul. ☞ progresser, progressiste.

progresser v. Faire des progrès, s'améliorer : *Tu as beaucoup progressé en français.* ☞ progrès. ▲ **progresser** v. **1.** Se développer, s'amplifier : *La maladie progresse malgré les soins des infirmières.* ANT. décroître. **2.** Avancer, gagner du terrain : *Les raquetteuses progressaient difficilement dans la forêt.* ANT. reculer. ☞ progression.

progrès
progresser

progressif, ive adj. Qui se fait peu à peu, d'une manière régulière et continue : *Ces problèmes sont de difficulté progressive.* SYN. croissant, graduel. ANT. décroissant. ☞ progression.

progression n.f. **1.** Mouvement en avant : *La progression des glaces sur la rivière est très lente.* **2.** Développement, accroissement : *Que faire pour arrêter la progression de la criminalité ?* ANT. interruption. ☞ progresser, progressif, progressivement.

progressiste n. et adj. **1.** n. Personne qui a des idées politiques et sociales avancées, axées vers le progrès : *Les progressistes veulent améliorer les conditions de vie de leurs compatriotes par des réformes.* **2.** adj. Qui a des idées politiques et sociales avancées, axées vers le progrès : *Ma tante a des idées progressistes : elle est partisane d'une plus grande justice sociale.* ANT. conservateur. ☞ progrès.

progressivement adv. Peu à peu, petit à petit : *Le niveau de l'eau a diminué progressivement.* SYN. graduellement. ANT. brusquement. ☞ progression.

prohibé, ée adj. Qui est interdit par la loi : *Le trafic de la drogue est prohibé.* SYN. illégal. ANT. autorisé, permis. HOM. prohiber. ☞ prohiber.

prohiber v. Interdire par la loi : *On vient de prohiber le port des couteaux et des armes blanches dans les autobus et dans le métro.* SYN. condamner, défendre, empêcher. ANT. autoriser, permettre. HOM. prohibé. ☞ prohibé, prohibitif, prohibition.

prohibitif, ive adj. **1.** Qui interdit légalement : *Des mesures prohibitives ont été prises pour empêcher les gens de fumer dans certains édifices publics.* **2.** Qui est si élevé qu'il équivaut à une interdiction : *Pour importer ces marchandises, il faut payer des droits prohibitifs.* **3.** Qui est trop cher : *Le prix de cette robe est prohibitif.* SYN. excessif. ☞ prohiber.

prohibition n.f. **1.** Interdiction légale : *La prohibition de la pêche à certaines époques ne fait pas l'affaire de tous les pêcheurs.* SYN. condamnation, défense. ANT. autorisation, permission. **2.** Interdiction de fabriquer et de vendre des boissons alcoolisées aux États-Unis entre 1919 et 1933 : *Pendant la prohibition, plusieurs personnes se sont enrichies en faisant le commerce illégal de boissons alcoolisées.* ☞ prohiber.

proie n.f. **1.** Être vivant dont un animal s'empare pour le dévorer : *La lionne a bondi sur sa proie.* SYN. victime. **2.** fig. Personne que l'on vole : *Cet homme est très naïf : c'est une proie facile à escroquer.* **3.** fig. Bien dont on s'empare par la violence : *Sa fortune a été la proie des voleurs.* ⁄⁄ *Oiseau de proie :* Oiseau qui se nourrit d'autres animaux ; rapace.

projecteur n.m. Appareil d'éclairage qui envoie au loin une lumière très forte : *Les projecteurs éclairent la scène du théâtre.* ▲ **projecteur** n.m. Appareil qui sert à projeter des images sur un écran : *Mes parents ont acheté un projecteur à diapositives.* ☞ projeter.

projectile n.m. **1.** Objet lancé avec force : *La foule lançait toutes sortes de projectiles en direction des barricades.* **2.** Objet lancé par une arme : *Les balles, les obus et les flèches sont des projectiles.*

projection n.f. **1.** Action de projeter, de lancer un objet : *L'éruption du volcan a commencé par une projection de cendres.* **2.** Action de projeter, de montrer une image sur un écran : *La projection du film n'est pas encore commencée.* **3.** Matières qui sont lancées : *Le pantalon de Marcelle a été sali par des projections de boue.* **R.** Dans le sens de *matières qui sont lancées*, s'emploie surtout au pluriel. ☞ projeter.

projectionniste n. Personne qui est chargée de la projection des films, de montrer des images sur un écran : *La projectionniste attend l'arrivée de tous les spectateurs avant de commencer la projection.* ☞ projeter.

projet n.m. **1.** Ce que l'on se propose de faire : *Quels sont tes projets pour les vacances ?* SYN. intention, plan. ANT. exécution. **2.** Première étape d'un travail, première rédaction : *Cette pièce de théâtre est encore à l'état de projet.* SYN. ébauche. ANT. réalisation. **3.** Plan d'une construction : *L'architecte nous a présenté le projet de la nouvelle salle de concert.* SYN. schéma. ⁄⁄ *Projet de loi :* Texte de loi élaboré par le gouvernement et qui est soumis au vote du Parlement ou de l'Assemblée nationale. ☞ projeter.

projeter v. **1.** Lancer avec force : *L'explosion l'a projeté sur la chaussée.* SYN. jeter, pousser. **2.** Faire apparaître une image sur un écran : *Nous allons projeter les diapositives de notre voyage.* **3.** Envoyer des rayons lumineux sur une surface : *Le projecteur projette un puissant rayon lumineux sur la scène.* ☞ projecteur, projection, projectionniste. ▲ **projeter** v. Avoir un projet, envisager quelque chose : *Elles projettent d'aller en Californie cet hiver.* **R.** Ne pas oublier de doubler le *t* devant un *e* muet. ☞ projet.

prolétaire n. et adj. **1.** n. Personne qui n'a que son salaire pour vivre et dont le niveau de vie est généralement bas: *Les prolétaires ne sont jamais riches.* SYN. indigent, pauvre. ANT. riche. **2.** adj. Qui n'a que son salaire pour vivre et dont le niveau de vie est généralement bas: *Les classes prolétaires ont des revenus modestes.* SYN. salarié. ANT. financier. ☞ prolétariat.

prolétariat n.m. Ensemble des personnes qui n'ont que leur salaire pour vivre et dont le niveau de vie est généralement bas: *Le prolétariat réclame de meilleures conditions de travail.* SYN. peuple. ANT. aristocratie, bourgeoisie. ☞ prolétaire.

prolifération n.f. **1.** Multiplication rapide: *La prolifération des blattes devient un problème très sérieux dans cet immeuble.* **2.** fig. Fait d'exister en grand nombre: *La prolifération des armes nucléaires constitue une menace pour l'humanité.* ☞ proliférer.

proliférer v. **1.** Se multiplier, se reproduire rapidement: *Les moustiques prolifèrent dans les régions humides.* **2.** fig. Exister en grand nombre: *Les centres commerciaux prolifèrent dans les banlieues.* ☞ prolifération.

prolifique adj. Qui se multiplie, se reproduit rapidement: *Les souris et les lapins sont très prolifiques.* ANT. stérile.

prolifération proliférer prolifique

prolixe adj. **1.** Qui est trop long: *Ce discours prolixe m'a profondément ennuyé.* ANT. concis, court. **2.** Qui emploie trop de mots pour dire peu de choses: *J'espère que tu n'inviteras plus jamais cette oratrice prolixe.* SYN. bavard.

prologue n.m. Première partie d'un roman, d'une pièce de théâtre, d'un film, présentant des événements qui se sont passés avant le début de l'action: *Le prologue nous aide à situer les personnages et l'action d'un ouvrage.* ANT. épilogue. **R.** Ne pas oublier le *u* après le *g*.

prolongation n.f. **1.** Action de prolonger dans le temps; résultat de cette action: *Le commis a demandé une prolongation de congé.* ANT. cessation. **2.** Dans les sports, temps ajouté à la fin d'un match en vue de départager deux équipes à égalité: *Notre équipe a marqué un point pendant la prolongation.* ☞ prolonger.

prolongé, ée adj. **1.** Qui se prolonge dans le temps: *Des hurlements prolongés nous parvenaient du hangar.* **2.** Qui se prolonge dans l'espace: *J'habite sur cette rue prolongée.* **3.** fam. Qui est dans un état plus longtemps qu'il n'est normal: *Il a trente ans, mais il n'a pas de maturité; c'est un adolescent prolongé.* HOM. prolonger. ☞ prolonger.

prolongement n.m. **1.** Action de prolonger dans l'espace, d'augmenter la longueur: *On a décidé le prolongement de l'autoroute jusqu'à la ville voisine.* **2.** Ce qui prolonge une chose: *La laborantine observe les prolongements de la cellule nerveuse.* **3.** plur. Conséquences, suites d'une situation, d'un événement: *Cette guerre aura des prolongements fâcheux pour le monde entier.* ⫽ *Dans le prolongement de:* Dans la direction qui prolonge. ☞ prolonger.

prolonger v. **1.** Augmenter la durée de quelque chose: *J'aimerais prolonger mes vacances, mais ce n'est pas possible.* ANT. raccourcir. **2.** Augmenter la longueur de quelque chose: *On va prolonger la route jusqu'au lac.* SYN. allonger. ANT. diminuer. **3.** Être le prolongement de quelque chose, rallonger: *La serre prolonge la maison.* HOM. prolongé. ☞ prolongation, prolongé, prolongement. **se prolonger** v.pron. **1.** Durer plus longtemps: *La réunion s'est prolongée jusqu'à 10 heures.* **2.** Aller plus loin: *Le sentier se prolonge jusqu'à la rivière.*

promenade n.f. **1.** Action de se promener, de se balader; trajet fait en se promenant: *Hélène est partie faire une promenade dans la forêt.* **2.** Lieu aménagé dans une ville pour les promeneurs: *La ville est en train d'aménager une promenade au bord de la rivière.* ☞ se promener.

promener v. **1.** Conduire en divers endroits pour le plaisir, le délassement: *Christian promène sa petite sœur dans les rues du quartier.* **2.** Déplacer, faire aller çà et là: *L'orateur promène son regard sur la foule.* ⫽ *Envoyer promener quelque chose:* Rejeter quelque chose loin de soi. *Envoyer promener quelqu'un:* Renvoyer quelqu'un; s'en débarrasser avec impatience. **se promener** v.pron. **1.** Aller d'un endroit à un autre pour se distraire, prendre l'air, faire de l'exercice: *Les soirs d'été, j'aime me promener au bord de la rivière.* SYN. se balader. **2.** Se déplacer: *Les doigts de la pianiste se promènent sur le clavier.* ☞ promenade, promeneur.

promeneur, euse n. Personne qui se promène, qui prend l'air, se balade: *Les promeneurs sont nombreux dans les quartiers touristiques.* ☞ se promener.

promesse n.f. **1.** Assurance de faire ou de dire quelque chose; ce que l'on promet: *Je ne peux plus te faire confiance, car tu ne tiens jamais tes promesses.* SYN. parole. **2.** Engagement que l'on prend de faire quelque chose: *Il veut acheter notre maison: il a même signé une promesse d'achat.* SYN. contrat. **3.** litt. Espérance que donne un événement, une chose: *Je crois que l'avenir est plein de promesses.* ☞ promettre.

prometteur, euse adj. Qui donne de grandes espérances: *Cette jeune chanteuse a fait des débuts prometteurs.* ☞ promettre.

promettre v. **1.** S'engager à faire quelque chose: *Julien m'a promis qu'il viendrait me voir après l'école.* **2.** S'engager à donner quelque chose à quelqu'un: *Notre voisine a promis une récompense à la personne qui lui ramènerait son chien.* **3.** Prédire: *La météo nous promet du beau temps pour demain.* **4.** Laisser espérer: *La soirée promettait d'être très amusante.* **5.** Donner de grandes espérances: *C'est un jeune auteur qui promet: son premier roman s'est très bien vendu.* ☞ promesse, prometteur, promis. se **promettre** v.pron. **1.** Se faire des promesses l'un à l'autre: *Elles se sont promis de ne jamais se quitter.* **2.** Prendre une résolution: *Je m'étais bien promis de ne plus jamais mentir.* **3.** Espérer: *Jérôme se promettait beaucoup de plaisir à cette fête.*

promis, ise adj. **1.** Dont on a fait la promesse: *Je vais maintenant te donner la récompense promise.* **2.** Qui est destiné à quelque chose: *Ce jeune comédien est promis aux plus grands succès.* ⁄⁄ *Terre promise:* Terre que Dieu avait promise au peuple hébreu. ☞ promettre.

promiscuité n.f. **1.** Situation qui oblige des personnes à vivre ou à voyager ensemble sans pouvoir s'isoler: *Quinze personnes vivent dans cet appartement! Quelle promiscuité!* **2.** Voisinage choquant ou désagréable: *Je supporte mal la promiscuité du métro.*

promontoire n.m. Pointe de terre, de relief élevé, qui s'avance dans la mer: *Du haut du promontoire, nous apercevons plusieurs îles au large.*

promoteur, trice n. **1.** Personne qui fait construire des immeubles pour les vendre: *Connais-tu la promotrice immobilière qui a fait construire cet immeuble?* **2.** litt. Personne qui provoque la création, la réalisation de quelque chose: *Cette femme a été la promotrice d'une action politique.* ☞ promouvoir.

promotion n.f. **1.** Nomination à un grade, à un emploi supérieur: *Maman a eu une promotion: elle a été nommée chef de service.* **2.** Ensemble des diplômés d'un établissement secondaire, collégial ou universitaire ayant terminé la même année, un programme d'études sanctionné par un même diplôme: *Pascale est de la promotion de médecine de 1986.* **3.** Ensemble des moyens mis en œuvre pour favoriser le développement de quelque chose: *Il faudrait faire la promotion du tourisme dans notre région.* **4.** Ensemble des techniques qui visent à améliorer et à développer les ventes: *On a fait beaucoup de publicité pour la promotion de cette nouvelle automobile.* ⁄⁄ *Article, produit en promotion:* Article, produit vendu à un prix moins élevé pendant une campagne de promotion. ☞ promouvoir.

promotionnel, elle adj. Qui favorise, améliore les ventes: *Ce dentifrice est en vente à un prix promotionnel.* ☞ promouvoir.

promouvoir v. **1.** Élever à un grade, à un emploi supérieur: *Papa vient d'être promu directeur du personnel.* **2.** Favoriser le développement de quelque chose: *Il faut promouvoir la recherche scientifique dans le domaine médical.* **3.** Chercher à augmenter les ventes d'un produit: *Ce magasin veut promouvoir les articles ménagers.* **R.** S'emploie surtout à l'infinitif et au participe passé. ☞ promoteur, promotion, promotionnel, promu.

prompt, prompte adj.litt. **1.** Qui est rapide, vif: *Cette adolescente a l'esprit prompt.* ANT. lent. **2.** Qui se produit rapidement: *Je vous souhaite un prompt rétablissement.* **R.** Le deuxième *p* ne se prononce pas. ☞ promptement, promptitude.

promptement adv.litt. Rapidement: *J'ai terminé promptement mes devoirs pour avoir un peu de temps libre.* ANT. lentement. **R.** Le deuxième *p* ne se prononce pas. ☞ prompt.

promptitude n.f.litt. **1.** Manière d'agir d'une personne rapide, vive: *L'infirmière a exécuté ses tâches avec promptitude.* ANT. lenteur. **2.** Rapidité: *La promptitude de leur intervention m'a sans doute sauvé la vie.* ANT. retard. **R.** Le deuxième *p* ne se prononce pas. ☞ prompt.

promu, ue n. et adj. **1.** n. Personne qui vient d'être nommée à un grade, à un emploi supérieur: *Les nouveaux promus se félicitaient mutuellement.* **2.** adj. Qui vient d'être nommé à un poste plus élevé, à une fonction plus importante: *L'employée promue a droit à une augmentation de salaire.* ☞ promouvoir.

promulgation n.f. Publication officielle d'une loi pour la rendre explicable: *La promulgation de cette loi date déjà de plusieurs semaines.* ☞ promulguer.

promulguer v. Publier officiellement une loi pour la rendre applicable: *On vient de promulguer une loi concernant l'adoption internationale.* **R.** Ne pas oublier le *u* après le g. ☞ promulgation.

promulgation promulguer

prôner v. Vanter, recommander vivement: *L'instituteur prône la tolérance à un élève.* ANT. décrier, dénigrer, déprécier. **R.** Ne pas oublier l'accent: *ô*.

pronom n.m. Mot qui remplace un nom, souvent pour en éviter la répétition: *On distingue six sortes de pronoms: personnels, possessifs, démonstratifs, relatifs, interrogatifs et indéfinis.* ☞ pronominal.

pronominal, ale, aux adj. Qui se rapporte au pronom: *Un verbe pronominal est un verbe qui se conjugue avec deux pronoms de la même personne.* ☞ pronom.

prononçable adj. Que l'on peut prononcer, articuler: *Quand on commence à apprendre une langue étrangère, certains mots nous semblent difficilement prononçables.* ANT. imprononçable. **R.** Ne pas oublier la cédille. ☞ prononcer.

prononcé, ée adj. **1.** Qui est très marqué: *Les traits de son visage sont prononcés.* ANT. imperceptible. **2.** Qui est très net: *J'ai un goût prononcé pour la peinture.* ANT. faible. HOM. prononcer. ☞ prononcer.

prononcer v. **1.** Articuler d'une certaine manière: *J'ai beaucoup de difficulté à prononcer correctement le mot «sculpteur».* **2.** Dire, débiter: *La mairesse a prononcé un discours.* **3.** Rendre un jugement, faire connaître une décision: *Le juge a prononcé sa sentence: l'entreprise fautive paiera une amende.* HOM. prononcé. ☞ imprononçable, prononçable, prononcé, prononciation. se **prononcer** v.pron. **1.** Être prononcé: *Dans le mot «champ», le «p» ne se prononce pas.* **2.** Donner son avis: *L'avocate ne s'est pas encore prononcée sur cette question de droit.* **3.** Se décider: *Il est trop tôt pour se prononcer sur cette question litigieuse.* **R.** Ne pas oublier la cédille devant *a* et *o*.

prononciation n.f. Manière de prononcer un son, un mot: *«Tant» et «temps» ont la même prononciation.* ☞ prononcer.

pronostic n.m. **1.** Jugement que porte un médecin sur l'évolution d'une maladie: *Le pronostic de la médecin est optimiste.* **2.** Prévision sur ce qui doit arriver: *Le commentateur sportif s'est trompé dans ses pronostics.* **R.** Le *c* se prononce. Dans le sens de *prévision sur ce qui doit arriver*, s'emploie souvent au pluriel. ☞ pronostiquer, pronostiqueur.

pronostiquer v. **1.** Porter un jugement sur l'évolution d'une maladie: *Le médecin a pronostiqué une longue convalescence.* **2.** Prévoir ce qui doit arriver: *Les journaux ont pronostiqué la victoire de mon équipe favorite.* ☞ pronostic.

pronostic pronostiquer

pronostiqueur, euse n. Personne qui fait des prévisions dans le domaine sportif: *La pronostiqueuse a prédit la victoire de ce boxeur.* ☞ pronostic.

propagande n.f. Action exercée sur l'opinion pour faire accepter une idée, une doctrine: *Les partis politiques font de la propagande pour convaincre l'électorat.* ☞ propagandiste.

propagandiste n. et adj. **1.** n. Personne qui fait de la propagande, qui cherche à faire connaître ses idées, ses opinions: *Les propagandistes essaient d'imposer leurs idées.* **2.** adj. Qui fait de la propagande, qui cherche à faire connaître ses idées, ses opinions: *Les militants propagandistes utilisent une variété de moyens pour influencer les gens.* ☞ propagande.

propagateur, trice n. Personne qui fait connaître une religion, une doctrine, une opinion: *Ce muezzin est un des propagateurs de la religion de Mahomet.* SYN. diffuseur. ☞ propager.

propagation n.f. **1.** Fait de se répandre, progression: *La propagation de l'incendie de forêt inquiète les habitants de cette région.* **2.** Action de faire connaître une religion, une doctrine, une opinion: *Cette missionnaire a consacré sa vie à la propagation de la foi chrétienne.* **3.** Multiplication par reproduction: *La propagation de ces fleurs se fait par semis.* **4.** Déplacement dans l'espace: *La propagation du son dans l'air se fait à la vitesse de trois cent quarante mètres par seconde.* ☞ propager.

propager v. **1.** Faire connaître à de nombreuses personnes, en de nombreux endroits: *Les journaux ont propagé la nouvelle.* SYN. diffuser. **2.** Répandre, étendre: *Le vent a propagé l'incendie jusqu'au village voisin.* ANT. borner, limiter. **3.** Multiplier par reproduction: *Cette biologiste veut propager des espèces utiles.* SYN. augmenter. ANT. restreindre. ☞ propagateur, propagation. se **propager** v.pron. **1.** Être connu: *Les nouvelles se propagent vite.* SYN. se communiquer. **2.** Se répandre: *L'épidémie de rougeole se propage très rapidement.* **3.** Se multiplier par reproduction: *Cette plante se propage facilement.* **4.** Se déplacer: *Le son se propage dans l'air.*

propane n.m. Gaz inflammable extrait du

gaz naturel, vendu en bouteilles comme combustible: *Notre cuisinière fonctionne au propane.*

propension n.f. Penchant, tendance naturelle à faire quelque chose: *Tu as une certaine propension à mentir.* SYN. disposition, inclination. ANT. antipathie, aversion, horreur.

prophète n.m. **1.** Personne qui est ou prétend être inspirée par une divinité et qui prédit l'avenir: *Dans l'Ancien Testament, on parle du prophète Abraham.* **2.** Personne qui annonce l'avenir: *Cette prophétesse avait prédit un tremblement de terre.* // *Le Prophète:* Mahomet, pour les musulmans. **R.** Au féminin, *prophétesse*. Les lettres *ph* se prononcent *f*. ☞ prophétie, prophétique, prophétiser.

prophétie n.f. **1.** Ce qui est prédit par un prophète, une personne qui prédit ou prétend prédire l'avenir: *Dans l'Antiquité, les Grecs et les Romains croyaient aux prophéties.* SYN. oracle. **2.** Annonce d'un événement futur par toute personne qui prétend connaître l'avenir: *Beaucoup de gens se fient aux prophéties des cartomanciennes.* **3.** Prédiction faite à partir de suppositions, d'un pressentiment: *Tu disais qu'il ferait beau, mais la prophétie ne s'est pas réalisée.* SYN. prévision. ANT. réalité. **R.** Les lettres *ph* se prononcent *f*. Le *t* se prononce *ss*. ☞ prophète.

prophétique adj. **1.** Qui se rapporte à un prophète, à une personne qui prédit ou prétend prédire l'avenir: *Cette femme avait, semble-t-il, un don prophétique.* **2.** Qui prédit l'avenir: *Une vision prophétique lui annonçait la naissance d'une fille.* **R.** Les lettres *ph* se prononcent *f*. ☞ prophète.

prophète prophétique

prophétiser v. **1.** Prédire l'avenir en se proclamant inspiré de Dieu ou d'une divinité: *Ils furent nombreux à prophétiser la venue du Messie.* **2.** Annoncer un événement futur: *Chaque année, un illuminé prophétise la fin du monde.* **R.** Les lettres *ph* se prononcent *f*. ☞ prophète.

propice adj. **1.** Qui convient bien, opportun: *Il faut choisir le moment propice pour annoncer cette nouvelle à mes parents.* SYN. convenable, favorable. ANT. néfaste. **2.** Qui est bon, favorable: *Ce vent est propice à la navigation de plaisance.* SYN. utile. ANT. contraire, défavorable. **3.** litt. Qui est bien disposé: *J'espère que le sort nous sera propice.* SYN. bienfaisant, salutaire.

proportion n.f. **1.** Rapport de grandeur entre deux quantités, entre deux nombres: *Quelle est la proportion de filles dans ta classe?* SYN. pourcentage. **2.** Rapport harmonieux des éléments entre eux et avec l'ensemble: *Cette statue grecque a de belles proportions.* SYN. équilibre. ANT. déséquilibre. **3.** Importance, ampleur: *Ce désastre a pris des proportions effrayantes.* **4.** plur. Dimensions: *Cet édifice a des proportions gigantesques.* // *Hors de proportion:* Beaucoup trop grand. **R.** Dans le sens de *importance*, *ampleur*, s'emploie souvent au pluriel. ☞ disproportion, disproportionné, disproportionner, proportionné, proportionnel, proportionnellement, proportionner. en **proportion de** loc.prép. Par rapport à autre chose: *Le cadeau que je vous ai donné n'est rien en proportion du service que vous m'avez rendu.*

proportionné, ée adj. **1.** Qui a un rapport convenable avec quelque chose: *Le temps que tu consacres aux études par rapport à tes autres activités est bien proportionné.* SYN. mesuré. ANT. disproportionné. **2.** Qui a de belles ou de mauvaises proportions: *Selon mes critères, cet athlète a un corps bien proportionné.* SYN. harmonieux, régulier. ANT. difforme, irrégulier. HOM. proportionner. ☞ proportion.

proportionnel, elle adj. Qui est en rapport avec autre chose: *Le salaire de ces employés est proportionnel à leur ancienneté.* ANT. indépendant. ☞ proportion.

proportionnellement adv. En proportion, comparativement: *Les contribuables devraient payer des impôts proportionnellement à leurs revenus.* ☞ proportion.

proportionner v. Établir un rapport convenable entre plusieurs choses: *Il faut proportionner la récompense à l'effort fourni.* HOM. proportionné. ☞ proportion.

propos n.m. Dessein, intention: *Mon propos n'est pas de vous critiquer.* SYN. but. à **propos** loc.adv. Au bon moment: *Cette augmentation de salaire tombe à propos.* à **propos de** loc.prép. Au sujet de: *L'instituteur veut me voir à propos de mon fils.* à tout **propos** loc.adv. Sans cesse, à chaque instant: *Claudia me demande des explications à tout propos.* de **propos délibéré** loc.adv. Volontairement: *Elle a cassé ce vase de propos délibéré.* hors de **propos** loc.adv. Au mauvais moment: *Vous applaudissez hors de propos.* mal à **propos** loc.adv. Au mauvais moment: *Tu es arrivé mal à propos.* ▲ **propos** n.m. Paroles, mots échangés au cours d'une conversation: *Je ne peux pas oublier vos propos insultants.* SYN. discours. **R.** Dans ce sens, s'emploie souvent au pluriel.

proposer v. **1.** Offrir, présenter: *Carl t'a proposé son aide.* **2.** Suggérer, inviter à faire quelque chose: *Elle m'a proposé de partir avant la nuit.* **3.** Présenter un candidat: *On l'a proposé comme porte-parole de la classe.* **4.** Offrir comme prix: *On m'a proposé cent dollars pour ce tableau.* **5.** Donner à traiter: *Voici les sujets qu'on vous propose cette année à l'examen de français écrit.* ☞ contre-proposition, proposition. se **proposer** v.pron. **1.** Avoir l'intention, le désir de dire ou faire quelque chose: *Elle se propose de terminer ce travail avant la fin de semaine.* **2.** Offrir ses services: *Charles s'est proposé pour laver la vaisselle.*

proposition n.f. Action de proposer quelque chose, d'offrir, de suggérer ce qui est proposé: *Daniel m'offre vingt dollars pour ce livre: voilà une proposition intéressante.* ☞ proposer. ▲ **proposition** n.f. Ensemble de mots reliés à un verbe: *Dans une phrase, il y a autant de propositions qu'il y a de verbes conjugués.*

propre n.m. **1.** Forme définitive d'un travail: *As-tu recopié ta composition au propre?* **2.** fam. Ce qui est propre: *Ça sent le propre ici.* ▲ **propre** n.m. **1.** Caractère distinctif d'une personne, d'une chose: *Le rire est le propre de l'être humain.* SYN. particularité. **2.** Sens premier d'un mot, d'une expression: *Le mot «pétiller» s'emploie au propre et au figuré.* en **propre** loc.adv. En propriété exclusive, à soi: *Cette automobile lui appartient en propre.*

propre adj. **1.** Qui n'a pas de trace de saleté: *Comme c'est agréable de porter des vêtements propres.* ANT. malpropre, sale. **2.** Qui est soigné, net: *Ce travail n'est pas propre, je vais le recommencer.* ANT. négligé. **3.** Qui soigne sa mise, qui se lave souvent: *Ces enfants sont toujours propres.* **4.** Qui contrôle ses fonctions naturelles: *J'ai hâte que mon petit frère soit propre: il ne portera plus de couches.* **5.** fig. Qui est honnête: *Cette affaire ne semble pas très propre.* ANT. malhonnête. ☞ malpropre, malproprement, malpropreté, proprement, propret, propreté. ▲ **propre** adj. **1.** Qui appartient exclusivement à une personne, à une chose: *Mes parents vivent dans leur propre maison.* SYN. particulier, personnel. **2.** Qui appartient à la personne même: *J'ai vu ce phénomène de mes propres yeux.* **3.** Qui est véritable: *Je vous rapporte ses propres paroles.* ⁄⁄ *Nom propre:* Nom qui désigne un seul être ou un seul objet en particulier et qui s'écrit avec une majuscule. ▲ **propre** adj. Se dit d'un mot, d'une expression qui convient parfaitement à ce que l'on veut exprimer: *Il est toujours préférable d'utiliser les termes propres.* SYN. exact. ANT. impropre. ⁄⁄ *Sens propre:* Sens premier d'un mot par opposition au sens figuré. ☞ impropre, improprement, impropriété, proprement, propriété. ▲ **propre** adj. **1.** Qui est apte à quelque chose: *Je pense que vous êtes propre à occuper cet emploi.* **2.** Qui convient à tel ou tel usage: *Cette obscurité est propre à une conversation intime.* ☞ approprier, impropre, propre-à-rien.

propre-à-rien n. Personne qui ne sait rien faire ou ne veut rien faire: *C'est une propre-à-rien, elle n'arrive pas à se rendre utile à la maison.* **R.** Au pluriel, *propres-à-rien.* ☞ propre.

proprement adv. **1.** D'une manière propre, sans trace de souillure: *Mon petit frère mange proprement.* ANT. malproprement. **2.** D'une manière soignée, nette: *Ta chambre est proprement rangée.* SYN. convenablement. **3.** fig. Honnêtement: *Elle s'est conduite très proprement dans cette affaire.* ☞ propre. ▲ **proprement** adv. **1.** Exclusivement, typiquement: *Ce comportement est proprement humain.* **2.** Exactement: *Voilà proprement ce qu'elle m'a raconté.* SYN. précisément. ☞ propre. à **proprement parler** loc.adv. Pour parler en termes exacts: *Il ne s'agit pas à proprement parler d'une grande découverte.*

propret, ette adj. Qui est simple et propre: *De petits rideaux proprets ornaient les fenêtres.* ☞ propre.

propreté n.f. **1.** Qualité de ce qui est propre: *Ces draps sont d'une propreté douteuse.* SYN. netteté. ANT. malpropreté, saleté. **2.** Qualité de quelqu'un qui est soigneux, propre: *Les élèves de ma classe sont d'une grande propreté.* **3.** fig. Qualité de ce qui est honnête: *On ne peut douter de la propreté morale de cet homme d'affaires.* ☞ propre.

propriétaire n. **1.** Personne qui possède quelque chose: *Es-tu le propriétaire de cette bicyclette?* **2.** Personne qui possède un immeuble loué à des locataires: *Le propriétaire veut augmenter notre loyer.* ANT. locataire. **3.** Personne qui possède des terrains: *Ce riche propriétaire possède tous les terrains qui bordent le lac.* ⁄⁄ *Faire le tour du propriétaire:* Visiter toutes les parties d'un endroit. ☞ propriété.

propriété n.f. **1.** Droit de disposer de quelque chose d'une manière exclusive: *Papa a acheté une maison: la notaire lui a remis les titres de propriété.* **2.** Ce qu'on possède: *Cet édifice est la propriété de l'État.* **3.** Terrain, maison que l'on possède: *Cette femme vit du revenu de ses propriétés.* **4.** Grande maison entourée d'un jardin, d'un parc: *Ils habitent une belle propriété en banlieue de Québec.* ☞ copropriétaire, copropriété, propriétaire. ▲ **propriété** n.f. Caractère particulier de quelque chose: *L'or est inaltérable: c'est une de ses propriétés.* ▲ **propriété** n.f. Qualité du mot propre, du mot qui convient parfaitement à ce que l'on veut exprimer: *La propriété des mots aide à la communication.* ANT. impropriété. ☞ propre.

propulser v. **1.** Pousser en avant: *Ce sont des moteurs à réaction qui propulsent cet avion.* **2.** Projeter au loin, pousser, le plus souvent avec violence: *Le choc a propulsé la bicyclette contre le mur.* ☞ propulsion.

propulsion n.f. **1.** Action de pousser en avant: *Le cœur est un organe de propulsion: il projette le sang dans les artères.* **2.** Force qui pousse en avant: *Le Canada voulait acheter des sous-marins à propulsion nucléaire.* ☞ propulser.

prorata n.m.invar.vx Part qui revient à chacun dans la répartition d'une somme: *Chaque participant à la fête a versé son prorata.* **au prorata** loc.prép. En proportion: *Les ouvriers sont payés au prorata de leurs heures de travail.*

proscrire v. **1.** Chasser d'un pays, exiler: *Ce gouvernement a proscrit un écrivain dissident.* SYN. expulser. ANT. rapatrier, rappeler. **2.** Interdire: *Dans cet établissement, on a proscrit la cigarette.* SYN. abolir, condamner. ANT. autoriser, permettre. **3.** fig. Rejeter: *Les anglicismes sont à proscrire dans ce devoir de grammaire.* SYN. éliminer. ANT. tolérer. ☞ proscrit.

proscrit, ite n. et adj. **1.** n. Personne qui a été chassée de son pays: *Cette proscrite espère un jour revenir dans son pays natal.* **2.** adj. Qui a été chassé de son pays: *Une famille proscrite de son pays a été accueillie au Canada.* ☞ proscrire.

prose n.f. Manière ordinaire de parler et d'écrire: *Quand tu écris une lettre ou une composition, tu t'exprimes en prose.* ANT. poésie.

prospecter v. **1.** Examiner un terrain pour y découvrir des richesses naturelles: *On prospecte dans la région pour trouver des mines d'or.* **2.** Parcourir une région pour y découvrir une clientèle: *Nos vendeuses ont prospecté cette région.* **3.** fig. Parcourir un lieu pour y découvrir quelque chose: *Nous avons prospecté tout le quartier à la recherche d'une épicerie.* ☞ prospecteur, prospection.

prospecteur, trice n. Personne qui examine un terrain pour y découvrir des richesses naturelles: *La prospectrice a découvert du pétrole dans cette région.* ☞ prospecter.

prospection n.f. **1.** Recherche pour découvrir des richesses naturelles: *Cette société minière fait de la prospection.* **2.** Recherche de clientèle: *Les représentants de cette maison d'édition font de la prospection.* **3.** fig. Exploration d'un lieu pour y trouver quelqu'un ou quelque chose: *Marie a fait la prospection du quartier à la recherche d'un dépanneur.* ☞ prospecter.

prospectus n.m. (lat.) Document publicitaire destiné à vanter un produit, un commerce, un établissement public: *Chaque semaine nous recevons des dizaines de prospectus dans notre boîte aux lettres.* **R.** Le *s* final se prononce.

prospère adj. Qui est dans un état de succès, de réussite: *Cette entreprise est prospère: elle a fait beaucoup de profits l'an dernier.* SYN. florissant. ANT. pauvre. ☞ prospérer, prospérité.

prospérer v. **1.** Réussir, avoir du succès: *Cette entreprise a beaucoup prospéré depuis cinq ans.* SYN. fleurir. ANT. échouer. **2.** Se développer, se multiplier: *Les érables prospèrent dans cette région.* SYN. croître. ANT. dépérir. ☞ prospère.

prospérité n.f. **1.** État de réussite et de succès: *Plusieurs personnes envient la prospérité de cette commerçante.* SYN. bien-être, fortune, richesse. ANT. infortune, malheur. **2.** État d'abondance, de richesse: *Depuis une trentaine d'années, l'Amérique connaît une prospérité enviable.* SYN. développement, essor. ANT. crise, pauvreté, ruine. ☞ prospère.

prospère prospérité

prostate n.f. Glande de l'appareil génital masculin, située sous la vessie: *Les tumeurs de la prostate sont fréquentes chez les hommes âgés.*

prosternation n.f. Action de se prosterner, de s'incliner très bas en signe de respect: *Les pèlerins restaient figés dans leur attitude de prosternation.* **R.** Aussi, *prosternement.* ☞ se prosterner.

se prosterner v.pron. **1.** S'incliner très bas en signe de respect, d'adoration: *Les fidèles se prosternent devant l'autel.* **2.** fig. S'humilier: *Cette femme fière a toujours refusé de se prosterner devant son patron.* ☞ prosternation.

prostitué, ée n. Personne qui a des relations sexuelles pour de l'argent: *Les prostituées travaillent principalement dans les rues touristiques.* HOM. prostituer. ☞ prostituer.

prostituer v. Pousser quelqu'un à avoir des relations sexuelles pour de l'argent: *Ce misérable kidnappait des adolescentes et les* *prostituait.* SYN. corrompre, débaucher. HOM. prostitué. ☞ prostitué, prostitution. **se prostituer** v.pron. Avoir des relations sexuelles pour de l'argent : *Il se prostitue pour payer sa drogue.* SYN. s'abaisser, s'avilir. ANT. se grandir, se revaloriser.

prostitution n.f. Acte par lequel une personne accepte d'avoir des relations sexuelles pour de l'argent : *Cette femme se livre à la prostitution pour échapper à la misère.* SYN. débauche, dégradation. ANT. vertu. ☞ prostituer.

prostration n.f. Abattement profond : *Que faudrait-il faire pour le sortir de cet état de prostration?* SYN. accablement, affaissement, dépression, effondrement. ☞ prostré.

prostré, ée adj. Qui est très abattu : *Après la mort de sa grand-mère, Yvette est restée prostrée dans sa chambre pendant de longues heures.* SYN. effondré. ☞ prostration.

protagoniste n. Personne qui joue un rôle important dans une affaire : *Manon est la protagoniste de ce projet.* SYN. instigateur.

protecteur, trice n. et adj. **1.** n. Personne qui protège quelqu'un, qui le défend : *Ce jeune avocat veut être le protecteur des enfants maltraités.* SYN. défenseur, soutien. ANT. oppresseur. **2.** n. Personne qui protège quelqu'un, qui l'aide : *Grâce à l'argent de cette protectrice, il a pu terminer ses études.* SYN. bienfaiteur, providence. ANT. persécuteur. **3.** n. Personne qui favorise la naissance ou le développement d'une activité : *Cette riche femme d'affaires est une protectrice des arts.* SYN. gardien, support. ANT. ennemi. **4.** adj. Qui protège : *Pour faire une randonnée à bicyclette, je porte un casque protecteur.* **5.** adj. Qui marque une attitude de protection hautaine : *Ne prends pas ce ton protecteur avec moi!* SYN. dédaigneux. ANT. admiratif, respectueux. ⁄⁄ *Protecteur du citoyen :* Au Canada, personne qui défend les droits des citoyens face à l'administration gouvernementale. ☞ protéger.

protection n.f. **1.** Action de protéger, de défendre quelqu'un ou quelque chose : *De plus en plus de citoyens se préoccupent de la protection de l'environnement.* SYN. sauvegarde. ANT. agression. **2.** Action de protéger, d'aider quelqu'un : *Elle a eu cet emploi grâce à une protection.* SYN. aide, assistance. ANT. oppression. **3.** Action de favoriser la naissance ou le développement d'une activité : *Les arts bénéficient de la protection de ce ministre d'État.* SYN. garantie. **4.** Personne qui protège, qui favorise : *Ce fonctionnaire a de hautes protections.* SYN. appui, encouragement, recommandation. ANT. hostilité. **5.** Chose qui protège, ce qui permet d'éviter un risque, un danger, un mal : *Un imperméable est une bonne protection contre la pluie.* ⁄⁄ *Prendre sous sa protection :* Se charger de protéger, de défendre, d'aider. ☞ protéger.

protectionnisme n.m. Politique qui vise à protéger l'économie d'un pays contre la concurrence étrangère : *Le protectionnisme vise à limiter ou à interdire l'entrée des produits étrangers.* ☞ protéger.

protectionniste n. et adj. **1.** n. Personne qui est en faveur du protectionnisme, politique qui vise à protéger l'économie d'un pays contre la concurrence étrangère : *Les protectionnistes approuvent l'augmentation des droits de douane.* **2.** adj. Qui se rapporte au protectionnisme, à cette politique : *Tous les produits importés sont frappés de taxes protectionnistes.* ☞ protéger.

protégé, ée n. Personne que l'on prend sous sa protection : *N'attaque pas Maxime : c'est le protégé de la patronne.* HOM. protéger. ☞ protéger.

protège-dents n.m.invar. Appareil qui sert à protéger les dents des boxeurs : *Le boxeur place le protège-dents à l'intérieur de sa bouche.* ☞ protéger.

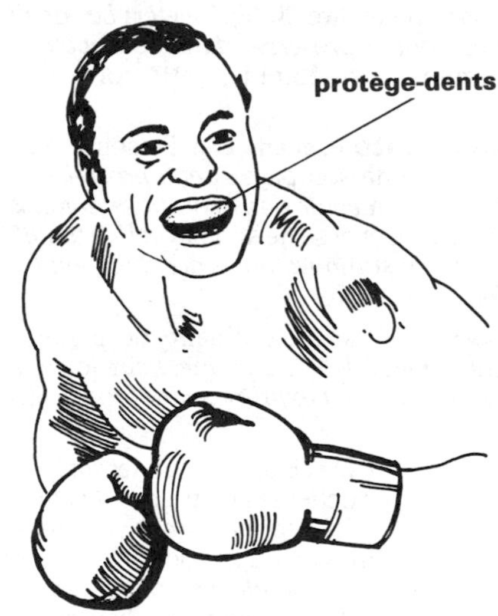

protéger v. **1.** Défendre, mettre à l'abri de mauvais traitements, d'un danger, d'une attaque : *L'ourse risque sa vie pour protéger ses petits.* SYN. aider, secourir. ANT. attaquer. **2.** Aider quelqu'un dans sa carrière : *S'il a obtenu cet emploi, c'est parce qu'on l'a protégé.* SYN. appuyer, assister, épauler. ANT. nuire. **3.** Favoriser la naissance ou le développement d'une activité : *Ce grand roi a protégé les arts et les* *lettres.* SYN. sauvegarder. **4.** Mettre à l'abri d'un danger, d'un dommage : *Cette crème protège la peau contre les coups de soleil.* SYN. préserver. **5.** Garantir l'existence de quelque chose : *Il faut protéger la liberté d'opinion.* SYN. défendre. ANT. menacer. **6.** Établir des mesures qui interdisent ou limitent l'entrée de produits importés : *Le Canada protège actuellement l'industrie de la chaussure.* SYN. encourager. ANT. persécuter. HOM. protégé. ☞ protecteur, protection, protectionnisme, protectionniste, protégé, protège-dents. **se protéger** v.pron. Se mettre à l'abri : *Il vaut mieux louer un parasol pour te protéger du soleil.*

protéine n.f. Grosse molécule qui entre dans la composition des êtres vivants : *Les protéines sont essentielles à la croissance, à l'entretien et à la réparation de nos tissus.*

protestant, ante n. et adj. **1.** n. Personne qui appartient au protestantisme, religion chrétienne réformée qui s'est détachée du catholicisme et qui regroupe plusieurs Églises : *Les protestants sont très nombreux en Europe et en Amérique du Sud.* **2.** adj. Qui se rapporte au protestantisme : *Le ministre du culte protestant porte le nom de « pasteur ».* ☞ protestantisme.

protestantisme n.m. Religion chrétienne réformée qui s'est détachée du catholicisme et s'est opposée au pape ; ensemble des Églises appartenant à cette religion : *Il s'est converti au protestantisme.* ☞ protestant.

protestataire n. et adj.litt. **1.** n. Personne qui proteste, qui s'oppose à quelque chose : *Les protestataires se sont rendus jusqu'au bureau de la ministre.* **2.** adj. Qui proteste, qui s'oppose : *Au micro, une étudiante protestataire réclame la diminution des frais de scolarité.* ☞ protester.

protestation n.f. **1.** Témoignage d'opposition : *Nous avons décidé de faire la grève en signe de protestation.* SYN. objection. ANT. acceptation. **2.** Déclaration formelle par laquelle on exprime son opposition à quelque chose : *Les citoyens ont signé une protestation contre l'augmentation des taxes municipales.* SYN. désapprobation. ANT. approbation. **3.** Affirmation forte de ses bons sentiments : *Après toutes ses protestations d'amitié, il m'a trahi.* SYN. déclaration, démonstration. ☞ protester.

protester v. **1.** S'opposer à quelque chose : *Je proteste contre cette injustice.* SYN. s'indigner. ANT. accepter, admettre. **2.** Exprimer son opposition : *Protestez tant que vous voulez, cela ne changera rien.* SYN. contester, murmurer. ANT. approuver, reconnaître. **3.** Affirmer avec force : *En gesticulant, elle protestait de son innocence.* ☞ protestataire, protestation.

prothèse n.f. Appareil, dispositif qui sert à remplacer un membre, un organe : *On l'a amputée de la jambe droite : maintenant, elle porte une prothèse.*

protocolaire adj. **1.** Qui se rapporte au protocole, à l'ensemble des règles qu'il faut observer dans les cérémonies et les relations officielles : *Pendant les réceptions officielles, cette femme s'occupe des questions protocolaires.* **2.** Qui est conforme au protocole, qui respecte les règles des cérémonies officielles : *Le président de la France a reçu un accueil très protocolaire.* ☞ protocole.

protocole n.m. **1.** Ensemble des règles qu'il faut observer dans les cérémonies et les relations officielles : *Le mariage de la princesse s'est déroulé selon un protocole très strict.* SYN. cérémonial. **2.** Document qui contient les résolutions d'une assemblée, d'une conférence : *Les deux pays ont signé un protocole d'entente sur le désarmement.* ☞ protocolaire.

proton n.m. Particule qui entre avec le neutron dans la composition du noyau atomique : *Dans un atome, il y a autant de protons que d'électrons.*

prototype n.m. Premier exemplaire d'un modèle, d'un appareil, d'une machine, d'un véhicule, construit avant la fabrication en série : *Cet hélicoptère est un prototype : c'est un modèle unique.*

protubérance n.f. **1.** Bosse, saillie à la surface d'un os : *Tous les membres de sa famille ont une protubérance au menton.* SYN. excroissance, proéminence. ANT. cavité. **2.** Éminence, saillie dans le relief : *Les monts et les montagnes sont des protubérances.* ☞ protubérant.

protubérant, ante adj. Qui forme une bosse, qui dépasse ce qui l'entoure : *Cette femme a le front protubérant.* SYN. proéminent. ☞ protubérance.

proue n.f. Avant d'un navire : *Les passagers étaient debout sur le pont supérieur, le visage tourné vers la proue.* ANT. arrière, poupe.

prouesse n.f. **1.** Action remarquable, exploit : *Aux dernières épreuves olympiques, le monde entier a pu admirer les prouesses de cette jeune gymnaste.* SYN. performance. **2.** litt. Acte de courage : *Ce livre d'aventures raconte les prouesses d'un noble chevalier.* SYN. bravoure, vaillance. ANT. crime, faute.

prouver v. **1.** Montrer qu'une chose est vraie par des preuves, des raisonnements : *Il dit qu'il n'est pas coupable, mais il n'arrive pas à le prouver.* SYN. démontrer. ANT. nier. **2.** Indiquer, révéler : *Cette réponse me prouve* *que tu as très bien compris.* SYN. attester, dénoter. ANT. réfuter. **3.** Montrer, exprimer: *Il m'a prouvé sa reconnaissance en plusieurs occasions.* SYN. témoigner. ☞ preuve. se **prouver** v.pron. **1.** Se montrer à soi-même: *J'ai voulu me prouver que j'étais capable de traverser ce lac à la nage.* **2.** Se montrer l'un à l'autre: *Elles se sont prouvé qu'elles ne pouvaient pas vivre l'une sans l'autre.* **3.** Être prouvé: *Sa reconnaissance s'est prouvée par ce geste chaleureux.*

provenance n.f. Endroit d'où vient une chose: *Je ne connais pas la provenance de cette lettre.* ☞ provenir. en **provenance de** loc.prép. Qui vient de quelque part, d'un point de départ: *L'avion en provenance de Paris vient d'atterrir.*

provençal, ale, aux n. et adj. **1.** n. Personne qui est de la Provence, région du sud-est de la France: *Un Provençal, une Provençale.* **2.** adj. Qui est de la Provence: *La cuisine provençale utilise abondamment l'huile d'olive, l'ail, le persil et les tomates.* **R.** Ne pas oublier la cédille. On met la majuscule à *provençal* et à *provençale* lorsque le nom désigne une personne.

provençal n.m. Ensemble des dialectes parlés en France dans la basse vallée du Rhône et à l'est de celle-ci: *Le provençal a des intonations chantantes.* **R.** Ne pas oublier la cédille.

provenir v. **1.** Venir d'un endroit: *Ces raisins proviennent du Chili.* **2.** Tirer son origine, être issu d'une origine: *Personne ne sait d'où provient sa fortune.* **3.** Être produit par quelque chose: *Le mazout et l'essence proviennent du pétrole.* SYN. dériver. **4.** Être la conséquence de quelque chose: *Cet accident provient d'une imprudence.* SYN. résulter. ☞ provenance.

proverbe n.m. Courte phrase qui exprime un conseil de sagesse ou une vérité de bon sens ou d'expérience: *« Après la pluie, le beau temps » est un proverbe.* SYN. adage, dicton, maxime. ☞ proverbial.

proverbial, ale, aux adj. **1.** Qui tient du proverbe, d'une phrase exprimant un conseil ou une vérité de bon sens: *« Vouloir, c'est pouvoir » est une phrase proverbiale.* **2.** Qui est aussi connu qu'un proverbe: *La générosité de cette femme était proverbiale.* SYN. remarquable. ANT. inconnu, médiocre. ☞ proverbe.

providence n.f. **1.** Suprême sagesse par laquelle Dieu gouvernerait toute la création: *Ces chrétiens croient en une providence divine.* **2.** Dieu gouvernant la création: *Tout le village priait, car ses habitants croyaient en la Providence.* **3.** fig. Personne ou événement qui arrive au bon moment pour aider, secourir: *Vous avez été ma providence; sans vous, j'étais perdue.* SYN. appui, secours. ANT. obstacle. **R.** On met la majuscule à *providence* lorsqu'il s'agit de Dieu. ☞ providentiel.

providentiel, elle adj. **1.** Qui est dû à la Providence, à Dieu: *Pour cette croyante, le soleil qui se lève est un événement providentiel.* **2.** Qui arrive au bon moment pour aider, secourir: *J'ai fait une rencontre providentielle qui a changé le cours de ma vie.* SYN. heureux, inattendu, inespéré. ANT. défavorable, malencontreux, néfaste. ☞ providence.

providence providen**t**iel

province n.f. **1.** Chacune des dix divisions du Canada ayant leur gouvernement propre: *L'Ontario et le Québec sont les provinces canadiennes les plus peuplées.* **2.** Ensemble de toutes les régions de France à l'exception de Paris et de sa banlieue: *Elle ne vit pas à Paris: elle habite la province.* **3.** Toute région, avec ses traditions et ses coutumes particulières: *J'ai visité cet été plusieurs provinces françaises.* ☞ provincial.

provincial n.m. Au Canada, gouvernement d'une province: *L'administration des écoles et des hôpitaux relève du provincial.* ☞ province.

provincial, ale, aux n. et adj. **1.** n. Personne qui, en France, habite en dehors de Paris: *Un Français qui n'habite pas Paris est un provincial.* **2.** adj. Qui se rapporte à l'ensemble de la France, à l'exception de Paris et de sa banlieue: *Bénédicte aime bien Paris, mais elle préfère la vie provinciale.* **3.** adj. Qui se rapporte à une province canadienne: *Le gouvernement provincial a décidé d'augmenter les impôts des contribuables.* ☞ province.

provision n.f. **1.** Accumulation de choses nécessaires ou utiles en vue d'un usage futur: *Nous avons une provision de bois pour l'hiver.* SYN. approvisionnement, réserve. **2.** plur. Produits alimentaires ou d'entretien qui sont nécessaires à la vie courante: *Aide-moi à transporter les provisions dans le coffre de l'auto.* SYN. vivres. // *Faire ses provisions:* Acheter les produits nécessaires à la vie courante. ☞ approvisionnement, approvisionner, approvisionneur. ▲ **provision** n.f. Somme déposée à la banque pour assurer le paiement d'un chèque: *Vous avez fait un chèque sans provision à cause d'une erreur de calcul.*

provisoire n.m. et adj. **1.** n.m. Ce qui est temporaire: *Il faut sortir du provisoire pour trouver une solution définitive.* SYN. momentané. **2.** adj. Qui est temporaire: *Cet arrange-*

ment provisoire va nous faire gagner du temps. SYN. court. ANT. définitif. **3.** adj. Qui est décidé avant le jugement définitif et qui peut être modifié: *L'accusée a été mise en liberté provisoire.* SYN. passager, transitoire. ANT. stable. ☞ provisoirement.

provisoirement adv. Temporairement, en attendant: *André s'est installé provisoirement chez sa tante.* SYN. momentanément. ☞ provisoire.

provocant, ante adj. **1.** Qui est agressif, qui incite à la violence: *Ton attitude provocante ne favorise pas la bonne entente.* SYN. irritant, querelleur. ANT. affable, doux, pacifique. **2.** Qui excite le désir, la sensualité: *Il trouvait que la chanteuse avait une tenue provocante.* SYN. aguichant, hardi. ANT. apaisant, calmant, réservé. ☞ provoquer.

provocateur, trice n. et adj. **1.** n. Personne qui pousse les autres à la violence: *Cette écolière est une provocatrice, elle n'arrête pas de susciter des batailles dans la cour.* SYN. agresseur. **2.** n. Personne qui pousse les autres à commettre des actes violents ou illégaux pour justifier l'intervention de la police: *Les provocateurs cherchent à nuire au syndicat.* **3.** adj. Qui pousse les autres à commettre des actes violents ou illégaux pour justifier l'intervention de la police: *Cet agent provocateur s'est glissé parmi les manifestants.* **4.** adj. Qui pousse les autres à la violence: *Pourquoi as-tu fait ce geste provocateur?* ☞ provoquer.

provocation n.f. **1.** Action de provoquer, de pousser quelqu'un à commettre des actes violents ou blâmables: *Elle a été condamnée pour provocation au meurtre.* SYN. incitation. ANT. défense. **2.** Actes ou paroles qui poussent quelqu'un à commettre des actes violents ou blâmables: *Tu es capable de rejeter ses provocations et de garder ton calme.* ☞ provoquer.

provoquer v. **1.** Pousser quelqu'un à commettre des actes violents ou blâmables: *Arrête de me provoquer, je ne veux pas me battre.* SYN. braver, entraîner. ANT. apaiser. **2.** Pousser quelqu'un à faire quelque chose: *Tu n'aurais pas dû la provoquer à désobéir.* SYN. amener, inciter. ANT. calmer. **3.** Exciter le désir: *Par ses gestes et ses paroles, ce jeune s'amuse à provoquer.* SYN. aguicher, allumer. ☞ provocant, provocateur, provocation. ▲ **provoquer** v. Occasionner, être la cause de quelque chose: *L'explosion du pipeline a provoqué une catastrophe.* SYN. entraîner. ANT. éviter.

provo**c**ation provo**qu**er

proximité n.f. **1.** Situation d'une chose qui est à peu de distance d'une autre: *Mes parents ont choisi cette rue à cause de la proximité de l'école.* SYN. voisinage. ANT. éloignement. **2.** Caractère de ce qui est proche dans le temps: *La proximité de ton départ me rend triste.* SYN. approche, imminence. **à proximité de** loc.prép. Près de quelque chose: *Le bureau de poste est à proximité de la banque.*

pruche n.f. Au Canada, sorte de conifère voisin du sapin: *La pruche pousse habituellement avec le bouleau, le hêtre et l'érable à sucre.*

prude n. et adj. **1.** n. Personne qui a trop de pudeur, qui se scandalise facilement: *C'est un prude, je vais veiller à ne pas le bouleverser.* **2.** adj. Qui a trop de pudeur: *On ne peut raconter n'importe quoi devant ces personnes prudes.* ANT. dévergondé.

prudemment adv. Avec prudence, en faisant attention: *Les automobilistes devraient toujours conduire prudemment.* **R.** Les lettres *emment* se prononcent *amment.* ☞ prudent.

prudence n.f. Attitude d'une personne qui prévoit les dangers, qui réfléchit aux conséquences de ses actes et qui agit de manière à éviter toute erreur, tout malheur possible: *Cette jeune mère a fait vacciner son enfant par mesure de prudence.* SYN. précaution. ANT. imprévoyance, imprudence, insouciance. ☞ prudent.

prudent, ente n. et adj. **1.** n. Personne qui agit avec prudence, en veillant à éviter les dangers, les erreurs: *C'est un prudent: il se méfie des beaux parleurs.* ANT. aventureux. **2.** adj. Qui agit avec prudence: *Je suis prudente en roulant à bicyclette.* ANT. imprudent. **3.** adj. Qui montre de la prudence, qui fait attention: *Il avançait sur la glace à pas prudents.* **4.** adj. Qui est inspiré par la prudence, par la sagesse: *Prenez une assurance contre le vol: c'est plus prudent.* SYN. prévoyant. ANT. imprévoyant, insouciant. ☞ imprudemment, imprudence, imprudent, prudemment, prudence.

prune n.f. et adj.invar. **1.** n.f. Fruit du prunier, de forme ronde ou un peu allongée, à chair juteuse et sucrée, de petite taille et de couleur variable: *Maman a acheté un panier de prunes.* **2.** adj.invar. Qui est de la couleur d'une variété de la prune, violet foncé: *Ma tuque et mon foulard sont prune.* ☞ pruneau, prunelaie, prunelle, prunellier, prunier.

pruneau, eaux n.m. Prune séchée en vue de sa conservation: *J'ai mangé des pruneaux au déjeuner.* ☞ prune.

prunelaie n.f. Lieu planté de pruniers: *Viens te promener dans la prunelaie, les pruniers sont magnifiques.* ☞ prune.

prunelle n.f. Petit rond noir au centre de l'œil par où passent les rayons lumineux: *Quand il fait chaud, mes prunelles sont toutes petites.* SYN. pupille. ▲ **prunelle** n.f. Petite prune sauvage de couleur gris-bleu foncé, à saveur âcre qui est produite par le prunellier: *Les prunelles servent à la fabrication d'une eau-de-vie.* ☞ prune.

prunellier n.m. Prunier sauvage qui pousse surtout dans les haies et qui produit la prunelle: *Le prunellier est un arbrisseau épineux.* ☞ prune.

prunier n.m. Arbre fruitier qui produit des prunes, fruit comestible à noyau de couleur variable: *Les fleurs blanches du prunier apparaissent avant les feuilles.* ☞ prune.

psaume n.m. Poème religieux du peuple hébreu qui sert de prière et de chant religieux dans la liturgie juive et chrétienne: *Pendant la cérémonie à l'église, nous avons chanté des psaumes.*

pseudonyme n.m. Nom d'emprunt choisi par une personne pour dissimuler sa véritable identité: *Elle a adopté le pseudonyme «Isabelle» parce qu'elle n'aime pas son véritable prénom.*

psitt! interj. Mot qui sert à appeler, à attirer l'attention: *Psitt! Viens voir ce que j'ai trouvé.* **R.** Aussi, *pst!*.

psoriasis n.m. (grec) Maladie de la peau caractérisée par des plaques rouges recouvertes d'épaisses croûtes blanchâtres: *Le psoriasis affecte surtout les coudes, les genoux et le cuir chevelu.* **R.** Le *s* final se prononce.

psychanalyse n.f. **1.** Méthode de psychologie qui permet de comprendre la signification inconsciente de notre conduite: *La psychanalyse est née à la suite des travaux de Sigmund Freud.* **2.** Traitement de troubles mentaux par cette méthode: *J'ai suivi une psychanalyse.* SYN. analyse. **R.** Les lettres *ch* se prononcent *k*. ☞ psychanalyser, psychanalyste.

psychanalyser v. Soigner par la psychanalyse, par cette méthode de traitement des maladies psychiques: *Elle s'est fait psychanalyser pour guérir de sa folie.* **R.** Les lettres *ch* se prononcent *k*. ☞ psychanalyse.

psychanalyste n. Personne qui soigne par la psychanalyse, par cette méthode de traitement des maladies psychiques: *La psychanalyste l'a aidé à guérir d'une névrose.* **R.** Les lettres *ch* se prononcent *k*. ☞ psychanalyse.

psychédélique adj. **1.** Qui se rapporte à l'état de rêve éveillé provoqué par certaines drogues: *Ce garçon a fait un rêve psychédélique.* **2.** Qui produit cet état de rêve: *Elle a pris une drogue psychédélique.* **3.** Qui traduit les visions, les hallucinations de ce rêve éveillé: *J'ai fait un dessin psychédélique.* **R.** Les lettres *ch* se prononcent *k*.

psychiatre n. Médecin qui soigne les maladies mentales: *Ce psychiatre conseille à ses patients de faire des exercices de relaxation.* **R.** Les lettres *ch* se prononcent *k*. ☞ psychiatrie.

psychiatrie n.f. Partie de la médecine qui étudie et soigne les maladies mentales: *Annabelle est étudiante en psychiatrie.* **R.** Les lettres *ch* se prononcent *k*. ☞ psychiatre, psychiatrique.

psychiatrique adj. Qui se rapporte à la psychiatrie, à la partie de la médecine qui étudie et qui soigne les maladies mentales: *Un hôpital psychiatrique est un endroit où l'on soigne les malades mentaux.* **R.** Les lettres *ch* se prononcent *k*. ☞ psychiatrie.

psychologie n.f. **1.** Étude scientifique des phénomènes de l'esprit, de la pensée: *La psychologie essaie de comprendre le comportement des gens.* **2.** Aptitude à comprendre les sentiments des autres et à prévoir leurs réactions: *Si tu avais plus de psychologie, tu aurais compris qu'il avait du chagrin.* **R.** Les lettres *ch* se prononcent *k*. ☞ psychologique, psychologiquement, psychologue.

psychologique adj. **1.** Qui se rapporte à la psychologie: *On lui a fait passer des tests psychologiques.* **2.** Qui concerne l'esprit, la pensée: *J'ai des problèmes psychologiques.* **R.** Les lettres *ch* se prononcent *k*. ☞ psychologie.

psychologiquement adv. Mentalement: *Il n'a pas été blessé dans cet accident, mais il est psychologiquement perturbé.* **R.** Les lettres *ch* se prononcent *k*. ☞ psychologie.

psychologue n. et adj. **1.** n. Personne qui est spécialiste de la psychologie, de l'étude de la vie mentale: *Aline est une psychologue scolaire.* **2.** n. Personne qui comprend les sentiments des autres, qui prévoit leurs réactions: *C'est un fin psychologue: avec lui, je n'ai pas besoin de parler.* **3.** adj. Qui comprend les sentiments des autres, qui prévoit leurs réactions: *Je la trouve très psychologue de percevoir si facilement ce que je ressens.* **R.** Les lettres *ch* se prononcent *k*. Ne pas oublier le *u* après le *g*. ☞ psychologie.

psychose n.f. **1.** Maladie mentale qui provoque des troubles de la personnalité et la perte du contact avec la réalité: *Les malades atteints de psychose ont besoin de beaucoup* *de compréhension.* **2.** Obsession provoquée par un événement menaçant ou un fléau : *On a créé une psychose collective : tout le monde a peur d'une guerre nucléaire.* **R.** Les lettres *ch* se prononcent *k*.

puant, ante adj. **1.** Qui sent très mauvais : *Les raffineries de pétrole près de chez moi sont puantes.* SYN. empesté. ANT. aromatique, odoriférant. **2.** fig. et fam. Qui est très désagréable à cause de sa vanité : *Cette femme m'est antipathique, je la trouve puante.* SYN. insupportable. ⁄⁄ *Bêtes puantes :* Animaux qui dégagent une odeur forte et désagréable comme le blaireau, le putois, la fouine. ☞ puer.

puanteur n.f. Très mauvaise odeur : *Ces dépotoirs sont à ciel ouvert et dégagent une grande puanteur.* ANT. arôme, parfum. ☞ puer.

puberté n.f. Période de la vie de l'être humain, entre l'enfance et l'adolescence, qui est caractérisée par certaines transformations du corps et de l'esprit et par l'acquisition de l'aptitude à procréer : *Au moment de la puberté, la voix des garçons devient plus grave et les filles commencent à avoir leurs menstruations.*

pubien, ienne adj. Qui se rapporte au pubis, à la partie du corps en forme de triangle située au bas du ventre : *Les poils pubiens apparaissent au moment de la puberté.* ☞ pubis.

pubis n.m. Région en forme de triangle située au bas du ventre : *Le pubis se couvre de poils à la puberté.* **R.** Le *s* se prononce. ☞ pubien.

publiable adj. Que l'on peut publier, faire paraître : *Ce roman n'est pas très bien écrit, il est à peine publiable.* ANT. impubliable. ☞ publier.

public n.m. **1.** Ensemble des gens, de la population : *Le public n'a pas été informé des résultats de cette enquête.* SYN. foule, peuple. **2.** Ensemble des personnes qui assistent à un spectacle, à une réunion : *Le public applaudissait les comédiennes.* SYN. assistance, auditoire. **3.** Ensemble des personnes devant lesquelles on parle : *Yves a besoin d'un public pour se sentir à l'aise et pour exprimer ses idées.* SYN. spectateur. **4.** Ensemble des personnes à qui s'adresse un écrit, un spectacle, une émission : *Ces livres s'adressent à un public d'adolescentes.* en **public** loc.adv. Devant plusieurs personnes : *Les personnes timides n'aiment pas parler en public.*

public, ique adj. **1.** Qui concerne toute la population : *Les médias ont sensibilisé l'opinion publique au problème des pluies acides.* SYN. collectif, général. **2.** Qui appartient à l'État : *La plupart des enfants fréquentent l'école publique.* SYN. populaire. ANT. privé. **3.** Qui est à l'usage de tout le monde : *Un jardin public n'appartient à personne en particulier.* SYN. commun. ANT. particulier. **4.** Qui est connu de tous : *Sa démission a été rendue publique.* ANT. secret. **5.** Qui a lieu en présence de témoins : *La juge a tenu des audiences publiques.* ☞ publicité, publiquement.

publicain n.m. Dans l'Antiquité, homme qui était chargé de faire rentrer les impôts : *Les publicains avaient mauvaise réputation : on les accusait d'être malhonnêtes.*

publication n.f. **1.** Action de publier, de faire connaître au public : *Les étudiants attendent avec impatience la publication des résultats de l'examen.* SYN. annonce, proclamation. **2.** Action de publier, de faire paraître un ouvrage, un écrit : *Il est devenu célèbre dès la publication de son premier roman.* SYN. édition, lancement. **3.** Ouvrage, écrit publié : *Les livres, les revues, les brochures, les journaux sont des publications.* ☞ publier.

publicitaire n. et adj. **1.** n. Personne qui s'occupe de publicité, des moyens pour faire connaître un produit, un service ou une entreprise : *La publicitaire a fait connaître ce produit aux quatre coins de la province.* **2.** adj. Qui s'occupe de publicité, des moyens pour faire connaître un produit, un service ou une entreprise : *Antoine est un rédacteur publicitaire : il écrit des textes pour vanter un produit ou un service.* **3.** adj. Qui se rapporte à la publicité, aux moyens pour faire connaître un produit, un service ou une entreprise : *Je trouve qu'il y a beaucoup trop de messages publicitaires à la radio et à la télévision.* ☞ publicité.

publicité n.f. **1.** Ensemble des moyens utilisés pour faire connaître un produit, un service, une entreprise à la population : *Les entreprises d'automobiles investissent beaucoup dans la publicité.* SYN. affichage, propagande, réclame. **2.** Affiche, texte, film qui servent à faire connaître un produit, un service, une entreprise : *Il y a trop de pages de publicité dans cette revue.* SYN. annonce, exposition. ☞ publicitaire. ▲ **publicité** n.f. **1.** Caractère de ce qui est connu de tous : *Les médias ont donné trop de publicité à ce scandale.* **2.** Caractère de ce qui est public, ce qui n'est pas tenu secret : *La publicité des débats parlementaires permet aux gens de savoir ce qui se passe en politique.* ☞ public.

publier v. **1.** Faire connaître au public : *Michelle et Denis se marieront bientôt : les* *bans ont été publiés à l'église.* SYN. proclamer. ANT. cacher. **2.** Faire paraître une information dans une revue, un journal: *Tu devrais faire publier une annonce dans le journal pour retrouver ton chat.* SYN. annoncer, communiquer. ANT. dissimuler. **3.** Faire paraître un livre et le vendre: *Cette maison d'édition a publié le premier roman de cette jeune écrivaine.* SYN. éditer, imprimer. ☞ impubliable, publiable, publication.

publiquement adv. En public, devant plusieurs personnes: *Ce ministre vient d'annoncer publiquement sa démission.* ANT. secrètement. ☞ public.

public publiquement

puce n.f. Insecte de couleur brune, sans ailes et à pattes postérieures sauteuses, qui pique les humains et certains animaux pour se nourrir de leur sang: *Ton chien a des puces: il n'arrête pas de se gratter.* ⁄⁄ *Marché aux puces:* Marché où l'on vend des objets qui ne sont pas neufs. ▲ **puce** n.f. Plaquette de très petites dimensions qui supporte un microprocesseur: *La puce peut faire fonctionner un appareil photo, un robot ou un ordinateur.*

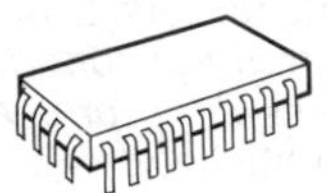

puce

puceron n.m. Petit insecte qui vit sur les plantes dont il suce la sève: *Les pucerons ont envahi mes rosiers.*

puck ☞ sect. anglicismes et canadianismes.

pudeur n.f. **1.** Sentiment de gêne, de honte devant tout ce qui touche la sexualité: *Les histoires grivoises blessent sa pudeur.* SYN. décence. ANT. impudeur, indécence. **2.** Délicatesse, discrétion: *Par pudeur, il attendit que mes amies soient parties pour m'annoncer la triste nouvelle.* SYN. réserve, retenue. ANT. audace. ☞ impudique, pudique.

pudique adj. **1.** Qui a de la pudeur, qui est gêné devant tout ce qui touche la sexualité: *Cette jeune fille pudique ne porte jamais de robes décolletées.* SYN. modeste. ANT. impudique, indécent. **2.** Qui est discret, réservé: *Il a fait une allusion pudique à ses problèmes de santé.* ☞ pudeur.

puer v. **1.** Sentir très mauvais: *Cette viande n'est plus très fraîche, elle pue.* SYN. empester. ANT. embaumer, parfumer. **2.** Répandre une mauvaise odeur: *Tu as encore fumé, tu pues le cigare.* ☞ empuantir, puant, puanteur.

puériculteur, trice n. Personne qui se spécialise en puériculture, l'ensemble des méthodes qui visent à assurer la croissance et le développement normaux des tout-petits: *Le puériculteur s'occupe du nouveau-né.* ☞ puériculture.

puériculture n.f. Ensemble des méthodes qui visent à assurer la croissance et le développement normaux des tout-petits: *Denise a suivi des cours de puériculture; elle a appris à s'occuper des jeunes enfants.* ☞ puériculteur.

puéril, ile adj. Qui est enfantin, qui manque de sérieux: *Quand tu tapes du pied pour obtenir quelque chose, tu as un comportement puéril.* SYN. infantile. ANT. sérieux.

pugilat n.m. **1.** Dans l'Antiquité, combat à coups de poing faisant partie des concours athlétiques, en Grèce: *Le pugilat était une épreuve très appréciée des spectateurs.* **2.** Bagarre à coups de poing: *Les écoliers ont été témoins d'un pugilat pendant la récréation.* **R.** Le *t* ne se prononce pas. ☞ pugiliste.

pugiliste n.m.litt. Boxeur: *Le pugiliste doit protéger son visage contre les coups répétés de son adversaire.* ☞ pugilat.

puis adv. **1.** Ensuite, après: *Elle a sonné à la porte, puis elle est entrée chez moi.* **2.** D'ailleurs, en plus: *Je n'ai pas le temps de faire le ménage, et puis ça ne me tente pas.* HOM. puits.

puiser v. **1.** Prendre un liquide avec un récipient: *Tôt le matin, la campeuse va puiser de l'eau à la source.* SYN. tirer. **2.** Prendre, emprunter: *J'ai dû puiser de l'argent dans ma tirelire pour payer le livreur de pizza.* **3.** fig. Emprunter: *Il a puisé ses renseignements dans une encyclopédie.*

puisque conj. Comme, étant donné que: *Puisque tu veux me parler, passons dans mon bureau.*

puissamment adv. **1.** D'une manière puissante, avec efficacité: *Cette ville était puissamment défendue.* ANT. faiblement. **2.** Avec force: *Les bras de la tireuse à l'arc sont puissamment développés.* ☞ puissant.

puissance n.f. **1.** Intensité d'un phénomène: *On veut utiliser la puissance du vent pour produire de l'électricité.* SYN. force. **2.** Efficacité, pouvoir d'action d'un appareil, d'un mécanisme: *Avez-vous remarqué la puissance de ce moteur?* ANT. faiblesse. **3.** Vigueur, force d'une aptitude: *L'élève qui a écrit cette histoire a une grande puissance d'imagination.* **4.** Pouvoir, autorité: *Les États-Unis sont une puissance mondiale dans le domaine économique.* ANT. impuissance. **5.** Influence exercée par une personne ou une chose: *La puissance de ce parti est telle qu'il peut renverser le gouvernement.* SYN. ascendant. ANT. impuissance. **6.** En mathématiques, chaque degré auquel on élève un nombre en le multipliant par lui-même: *Quand on élève dix à la puissance trois, on écrit ceci: 10 × 10 × 10 = 10^3.* ☞ puissant. ▲ **puissance** n.f. **1.** État, pays: *Les États-Unis et l'U.R.S.S. sont de grandes puissances.* **2.** Catégorie de personnes qui ont un grand pouvoir dans la société: *Les puissances de l'argent peuvent imposer leurs idées au reste de la population.* ☞ puissant.

puissant n.m. Personne qui a le pouvoir, la richesse: *Les puissants de ce monde imposent leurs idées aux plus faibles.* **R.** Dans ce sens, s'emploie surtout au pluriel.

puissant, ante adj. **1.** Qui a une grande intensité: *Je ne peux pas lire car la lumière n'est pas assez puissante.* SYN. intense. **2.** Qui produit beaucoup d'énergie: *Cette voiture de course est équipée d'un moteur puissant.* ANT. faible. **3.** Qui produit de grands effets: *On lui a administré un puissant antidote pour lutter contre les effets du poison.* SYN. efficace, énergique. **4.** Qui est très fort: *Les muscles puissants de son cou se gonflaient sous l'effort.* **5.** Qui a du pouvoir, de l'autorité: *Cette politicienne est très puissante.* SYN. influent. ANT. impuissant. **6.** Qui a de grands moyens militaires, économiques: *Ce petit pays est menacé par son puissant voisin.* SYN. redoutable, tout-puissant. ☞ impuissance, impuissant, puissamment, puissance, toute-puissance, tout-puissant.

puits n.m. **1.** Trou profond creusé dans le sol pour atteindre une nappe d'eau souterraine: *Mes parents ont fait creuser un puits près de notre chalet.* SYN. réservoir. **2.** Trou profond creusé dans le sol pour extraire du pétrole, du charbon, du minerai: *On a creusé plusieurs puits de pétrole dans cette région.* SYN. excavation. HOM. puis. ⁄⁄ *Puits artésien:* Puits creusé jusqu'à une nappe d'eau souterraine, d'où l'eau jaillit. *Puits de lumière:* Ouverture pratiquée dans un toit permettant à la lumière de pénétrer à l'intérieur d'un bâtiment.

pull-over n.m. (angl.) Tricot de laine ou de coton, avec ou sans manches, que l'on passe par-dessus la tête: *Je porte un pull-over de laine rouge.* **R.** Au pluriel, *pull-overs*. Aussi, *pull*.

pulluler v. **1.** Se reproduire vite et en très grand nombre: *Les moustiques pullulent dans cette région.* SYN. fourmiller. **2.** Être très nombreux: *Les touristes pullulaient sur la place publique.* SYN. abonder.

pulmonaire adj. **1.** Qui se rapporte au poumon, organe de la respiration: *L'artère pulmonaire conduit au poumon le sang qui vient du cœur.* **2.** Qui atteint le poumon, organe de la respiration: *La pleurésie et la pneumonie sont des maladies pulmonaires.*

pulpe n.f. Partie tendre, charnue de certains fruits et de certains légumes: *La pulpe de ces oranges est très juteuse.* ⁄⁄ *Pulpe dentaire:* Partie tendre de la dent. *Pulpe des doigts:* Extrémité charnue des doigts.

pulsation n.f. **1.** Battement du cœur, des artères: *Quand on prend le pouls de quelqu'un, on compte le nombre de pulsations par minute.* **2.** En musique, mouvement qui naît de la succession régulière ou irrégulière des temps forts et des temps faibles: *Les enfants frappent des mains pour marquer les pulsations de la musique.*

pulvérisable adj. **1.** Qui peut être réduit en fines gouttelettes: *Joachim a acheté un désodorisant pulvérisable.* **2.** Qui peut être réduit en poudre: *La craie est facilement pulvérisable.* ☞ pulvériser.

pulvérisateur n.m. Appareil qui sert à projeter un liquide en fines gouttelettes: *La botaniste pulvérise de l'insecticide sur les plantes à l'aide d'un pulvérisateur.* SYN. atomiseur, vaporisateur. ☞ pulvériser.

pulvérisation n.f. Action de projeter un liquide en fines gouttelettes ou une poudre: *La pulvérisation d'un insecticide a pour but de protéger les plantes contre les insectes nuisibles.* ☞ pulvériser.

pulvériser v. **1.** Réduire en poudre: *Charlot s'amuse à pulvériser les morceaux de charbon.* SYN. broyer. **2.** Projeter un liquide en fines gouttelettes: *Maman pulvérise du parfum sur ses poignets.* **3.** Réduire en petits morceaux, en miettes: *L'explosion a pulvérisé l'automobile.* SYN. détruire. ANT. conserver. **4.** fig. Détruire complètement: *Je n'ai pas eu le dernier mot, car elle a pulvérisé tous mes arguments.* SYN. anéantir. ANT. maintenir. **5.** fig. et fam. Dépasser de beaucoup: *Cette championne a pulvérisé le record du monde.* ☞ pulvérisable, pulvérisateur, pulvérisation.

puma n.m. Mammifère carnassier d'Amérique, de la famille des félins, à pelage beige uni et sans crinière, qui chasse la nuit: *La proie préférée du puma est le daim, mais il s'attaque aussi aux petits animaux.* ◇ couguar.

punaise n.f. Petit insecte à corps aplati qui dégage une odeur repoussante et qui pique les humains pour se nourrir de leur sang: *Je refuse de dormir dans ce lit plein de punaises.* ▲ **punaise** n.f. Petit clou à tête ronde, large et plate, à pointe courte et très fine, qui s'enfonce par simple pression: *Kevin fixe son dessin au mur avec des punaises.*

punch n.m. (angl.) Boisson alcoolisée à base de jus de fruits et de rhum: *L'hôtesse a offert un verre de punch à chacune de ses invitées.* **R.** Se prononce *ponch*.

punch n.m.invar. **1.** Aptitude d'un boxeur à porter des coups décisifs: *Ce boxeur a du punch: il remportera sûrement la victoire.* **2.** fig. et fam. Énergie, dynamisme: *Tu as l'air mélancolique aujourd'hui, tu manques de punch.* **R.** Se prononce *peunch*. ☞ punching-ball.

puncher ☞ sect. anglicismes et canadianismes.

punching-ball n.m. (angl.) Ballon fixé par des liens élastiques qui sert à l'entraînement des boxeurs: *Elle s'amusait à frapper de toutes ses forces sur le punching-ball.* **R.** Au pluriel, *punching-balls*. Se prononce *peunching-bol*. ☞ punch.

punching-ball

puni, ie n. et adj. **1.** n. Personne qui a une punition: *Les punis essayaient d'adoucir le surveillant.* **2.** adj. Qui a une punition: *Les élèves punis n'iront pas en récréation.* ☞ punir.

punir v. **1.** Infliger une peine, une punition: *Ses parents l'ont punie parce qu'elle leur a désobéi.* SYN. sévir. ANT. récompenser. **2.** Sanctionner une faute par une peine, une punition: *La loi punit les crimes.* SYN. châtier. ANT. encourager. **3.** Constituer une punition: *Un accident me punira un jour de mes imprudences.* SYN. corriger. ☞ impunément, impuni, impunité, puni, punissable, punitif, punition.

punissable adj. Qui mérite une peine, une punition: *Ce crime est punissable de dix ans de prison.* ☞ punir.

punitif, ive adj. Qui sert à punir, à infliger une peine: *Une expédition punitive a été organisée contre les rebelles.* ☞ punir.

punition n.f. **1.** Action de punir: *Dans ce sport, la punition des fautes est confiée à l'arbitre.* SYN. correction. **2.** Châtiment infligé à quelqu'un qui a commis une faute légère: *Pour ta punition, tu iras réfléchir seule dans ta chambre.* SYN. expiation, sanction. ANT. compensation. **3.** Conséquence pénible d'une faute, d'un défaut: *Cette indigestion est la punition de ma gourmandise.* SYN. châtiment. ANT. récompense. ☞ punir.

pupille n.f. Petit rond noir au centre de l'œil par où passent les rayons lumineux: *La pupille se dilate dans l'obscurité et se contracte à la lumière.* SYN. prunelle. **R.** Les lettres *ill* se prononcent comme dans *famille*.

pupille n. Enfant orphelin qui a moins de dix-huit ans et dont s'occupe un tuteur: *Depuis la mort de ses parents, Christian est mon pupille.* **R.** Les lettres *ill* se prononcent comme dans *famille*.

pupitre n.m. **1.** Petit meuble présentant une surface inclinée supportée par un ou plusieurs pieds où l'on pose, à hauteur de vue, un livre, un papier: *Le musicien pose la partition de musique sur le pupitre.* **2.** Petite table à couvercle incliné sur laquelle on peut écrire: *Grand-mère m'a dit que sur son pupitre il y avait un trou pour y mettre un encrier.* **3.** Tableau sur lequel sont regroupées les commandes d'un appareil: *La technicienne travaille au pupitre de l'ordinateur.*

pur, pure n. Personne qui est fidèle à une doctrine, à un parti et qui n'accepte aucun compromis: *Les purs exigent que le programme du parti soit respecté de façon intégrale.*

pur, pure adj. **1.** Qui n'est pas mélangé à autre chose: *Ce bijou est fait d'or pur.* ANT. artificiel. **2.** Qui n'est pas pollué: *L'eau de la source est pure.* **3.** Qui est irréprochable, sans défaut moral: *Mes intentions sont pures: je ne vous veux que du bien.* ANT. mauvais. **4.** Qui n'a pas de défaut: *Sur ma toile, je tentais de faire ressortir les traits purs du modèle.* **5.** Qui est absolu, sans restriction ni modification: *Ces racontars sont de la folie pure.* **6.** Qui est très correct: *Ces enfants parlent un français très pur.* ☞ épuration, épurer, impur, impureté, purement, pureté, purificateur, purification, purifier.

purée n.f. Plat composé de légumes cuits et écrasés: *Voulez-vous des frites ou des pommes de terre en purée?*

purement adv. Uniquement: *C'est pure-*

ment par gentillesse qu'il m'a aidée. ⫽ *Purement et simplement:* Tout simplement. ☞ pur.

pureté n.f. **1.** Qualité de ce qui est sans mélange: *Ce métal est d'une pureté absolue: il ne contient aucun alliage.* ANT. mélange. **2.** Qualité de ce qui n'est pas pollué: *La pureté de l'air des montagnes attire les campeurs.* **3.** Qualité de ce qui est irréprochable, sans défaut moral: *La pureté de ses pensées me fascinait.* SYN. innocence. ANT. immoralité, impureté. **4.** Qualité de ce qui est sans défaut: *Ce diamant est d'une grande pureté.* SYN. limpidité. ANT. imperfection. **5.** Qualité de ce qui est très correct: *Il faut veiller sans relâche à la pureté de la langue.* SYN. perfection. ANT. incorrection. ☞ pur.

purgatif n.m. Substance qui sert à évacuer les matières contenues dans l'intestin: *L'huile de ricin est employée comme purgatif.* ☞ purger.

purgatif, ive adj. Qui sert à évacuer les matières contenues dans l'intestin: *Les substances purgatives aident à lutter contre la constipation.* ☞ purger.

purgatoire n.m. **1.** Dans la religion catholique, lieu où les âmes des morts expient leurs fautes avant d'aller au ciel: *Les catholiques croient au purgatoire.* **2.** fig. Lieu, état où l'on souffre: *Cette femme a beaucoup souffert: je crois bien qu'elle a fait son purgatoire sur la terre.*

purge n.f. **1.** Action de purger, de provoquer l'évacuation des matières contenues dans l'intestin: *La purge favorise l'élimination des selles.* **2.** Remède purgatif: *Le malade a pris une purge.* ☞ purger. ▲ **purge** n.f. Élimination des éléments que l'on juge indésirables dans un parti, un groupe: *Le parti a subi une purge: on a forcé toutes les personnes indésirables à démissionner.* ☞ purger.

purger v. Provoquer l'évacuation des matières contenues dans l'intestin: *On ne doit pas purger un enfant sans avis médical.* ☞ purgatif, purge. **se purger** v.pron. Prendre un purgatif: *Il ne faut pas se purger trop souvent.* ▲ **purger** v. Éliminer les éléments qui sont jugés indésirables dans un parti, un groupe: *Les policiers ont purgé le quartier des vendeurs de drogue.* ☞ purge.

purificateur n.m. Appareil servant à purifier un milieu: *Le purificateur d'air est un appareil électrique qui aspire l'air à travers des filtres pour le purifier.* ☞ pur.

purification n.f. Action de purifier une substance en la débarrassant de ses impuretés: *Cet appareil procède à la purification de l'air dans la maison.* ☞ pur.

purifier v. **1.** Débarrasser un liquide, une substance de ses impuretés: *Il faudrait purifier l'eau polluée du fleuve Saint-Laurent.* SYN. assainir, filtrer. ANT. contaminer, souiller. **2.** Débarrasser moralement de ses défauts: *La souffrance l'a purifié: ce n'est plus le même homme.* ANT. corrompre. **3.** Rendre plus correct: *L'élimination des répétitions purifierait le style de ton devoir.* SYN. épurer. ☞ pur.

purin n.m. Partie liquide du fumier, qui est employée comme engrais: *L'éleveuse de porcs recueille le purin dans des fosses.*

puriste n. et adj. **1.** n. Personne qui s'attache d'une manière excessive à la pureté du langage: *Ces puristes s'opposent à tout anglicisme.* **2.** adj. Qui s'attache d'une manière excessive à la pureté du langage: *Les dictionnaires puristes ne contiennent pas de néologismes.*

puritain, aine n. et adj. **1.** n. Membre d'une secte protestante attachée aux écritures saintes: *Beaucoup de puritains ont dû émigrer en Amérique à cause des persécutions.* **2.** n. Personne qui a des principes très sévères: *Cette puritaine élève ses enfants suivant un modèle rigide.* **3.** adj. Qui est très sévère: *Cette femme a reçu une éducation puritaine.* SYN. austère, rigide.

pur-sang n.m.invar. Cheval de course de race pure: *Ce pur-sang vaut une véritable fortune.*

purulent, ente adj. Qui contient du pus, du liquide jaunâtre qui se forme aux points d'inflammation ou d'infection: *L'infirmière nettoie la plaie purulente.* ☞ pus.

pus n.m. Liquide jaunâtre qui contient des microbes et qui se forme à la suite d'une inflammation ou d'une infection: *La plaie s'est infectée: elle est pleine de pus.* **R.** Le *s* ne se prononce pas. ☞ purulent.

push-up ☞ sect. anglicismes et canadianismes.

pustule n.f. **1.** Petite bulle de pus qui apparaît sur la peau à la suite de certaines maladies: *Cette malade a la variole: sa peau est couverte de pustules.* **2.** Petite bosse qui apparaît sur le dos du crapaud: *Les pustules que le crapaud porte sur le dos contiennent du venin destiné à dissuader ses prédateurs.* **3.** Petite bosse qui apparaît sur les feuilles ou les tiges de certaines plantes: *La tige de cette plante est pleine de pustules.*

putois n.m. **1.** Petit mammifère carnivore, au corps allongé, à la fourrure brune, au museau tacheté de blanc, à l'odeur désagréable: *Le putois se nourrit de lapins, de petits rongeurs, d'oiseaux, mais il s'attaque aussi aux* *animaux de basse-cour.* **2.** Fourrure de cet animal: *Ce manteau a un col en putois.*

putréfaction n.f. Pourriture, état de décomposition: *Quand on a découvert ce cadavre, il était en état de putréfaction.* ☞ putréfier.

putréfier v. Faire pourrir: *La chaleur a putréfié la viande.* ☞ imputrescible, putréfaction, putrescible. se **putréfier** v.pron. Pourrir: *Les pommes qui sont tombées par terre commencent à se putréfier.*

putrescible adj. Qui peut pourrir: *La plupart des matières organiques sont putrescibles.* ANT. imputrescible. ☞ putréfier.

puzzle n.m. (angl.) **1.** Jeu de patience fait de petits morceaux à contours irréguliers qu'il faut assembler pour reconstituer une image: *Yvette n'a pas encore terminé son puzzle.* SYN. casse-tête. **2.** fig. Problème très compliqué dont il faut réunir tous les éléments pour arriver à le résoudre: *L'enquêteur commence à ordonner toutes les pièces du puzzle dans sa tête.* **R.** Se prononce *peuzl*. Au Québec, pour éviter l'anglicisme, on dit plutôt *casse-tête*.

pygmée n.m. et adj. **1.** n.m. Personne de très petite taille qui vit dans la forêt équatoriale du centre de l'Afrique: *Les Pygmées mesurent moins de cent cinquante centimètres à l'âge adulte.* **2.** adj. Qui se rapporte à ces personnes: *Les tribus pygmées regroupent environ cent vingt mille personnes.* **R.** On met la majuscule à *pygmée* lorsqu'il s'agit du nom.

pyjama n.m. (angl.) Vêtement léger de nuit ou d'intérieur composé d'une veste et d'un pantalon: *Je vais mettre mon pyjama car il est temps d'aller au lit.*

pylône n.m. Haute structure métallique ou en béton qui sert de support à des câbles suspendus dans les airs, à des antennes: *Les pylônes supportent la ligne électrique aérienne.* **R.** Ne pas oublier l'accent: ô.

pyramidal, ale, aux adj. Qui a la forme d'une pyramide: *Cet édifice a un toit pyramidal.* ☞ pyramide.

pyramide n.f. **1.** Grand monument à base carrée et à quatre faces triangulaires: *Les pyramides d'Égypte servaient de tombeaux aux pharaons.* **2.** Solide dont la base est un polygone et dont les faces sont des triangles possédant un sommet commun: *Julie a construit une pyramide à base carrée et une pyramide à base triangulaire.* **3.** Tas d'objets qui s'élèvent en s'amincissant: *À l'entrée du magasin, l'épicière a fait une pyramide de boîtes de conserve.* **4.** Représentation graphique d'un ensemble dont les éléments sont très nombreux à la base et de plus en plus rares vers le sommet: *La pyramide des âges est la répartition d'une population par âges.* ☞ pyramidal.

pyrex n.m. Verre très résistant à la chaleur: *Les plats en pyrex peuvent aller au four.* **R.** Le *x* se prononce.

pyrite n.f. Minerai qui donne des cristaux à reflets dorés: *La pyrite de fer a souvent été confondue avec l'or.*

pyrographe n.m. Appareil électrique à pointe métallique chauffante utilisé en pyrogravure: *Julien décore le coffret en bois à l'aide d'un pyrographe.* **R.** Les lettres *ph* se prononcent *f*. ☞ pyrogravure.

pyrograver v. Décorer, graver un dessin au moyen d'une pointe métallique brûlante: *Clément a pyrogravé un oiseau sur un morceau de bois.* ☞ pyrogravure.

pyrograveur, euse n. Personne qui fait de la pyrogravure, un procédé de décoration qui consiste à graver un dessin au moyen d'une pointe métallique brûlante: *La pyrograveuse travaille sur le cuir et sur le bois.* ☞ pyrogravure.

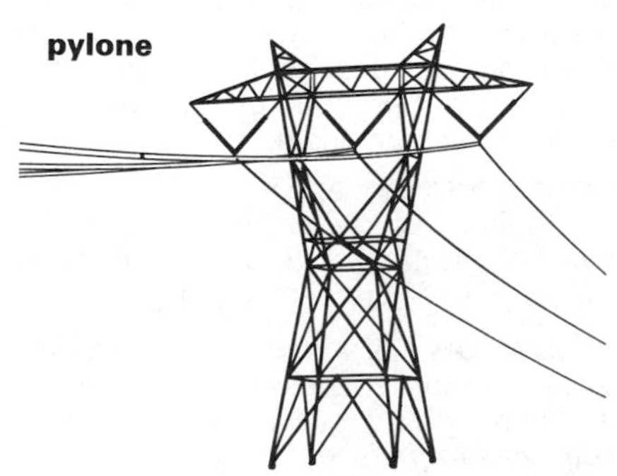

pyrogravure n.f. Procédé de décoration qui consiste à graver un dessin au moyen d'une pointe métallique brûlante : *Danielle fait de la pyrogravure.* ☞ pyrographe, pyrograver, pyrograveur.

pyromane n. Personne qui ne peut s'empêcher d'allumer des incendies : *Le pyromane a mis le feu au hangar.* ☞ pyromanie.

pyromanie n.f. Impulsion maladive qui pousse certaines personnes à allumer des incendies : *Elle a provoqué des incendies aux quatre coins de la ville : elle est atteinte de pyromanie.* ☞ pyromane.

pyrotechnie n.f. Technique de la fabrication et de l'utilisation des matières explosives et des mélanges qui servent à produire les feux d'artifice : *Chaque année, plusieurs spécialistes de la pyrotechnie viennent à Montréal pour la présentation des feux d'artifice.* **R.** Les lettres *ch* se prononcent *k*. ☞ pyrotechnique.

pyrotechnique adj. Qui se rapporte à la pyrotechnie, la technique de fabrication et d'utilisation des matières explosives et des mélanges qui servent à produire les feux d'artifice : *Les spectacles pyrotechniques sont toujours impressionnants.* **R.** Les lettres *ch* se prononcent *k*. ☞ pyrotechnie.

python n.m. Grand serpent d'Asie et d'Afrique, qui étouffe sa proie dans ses anneaux avant de l'avaler : *Le python est un serpent non venimeux.* HOM. piton.

python

q

q n.m.invar. Dix-septième lettre de l'alphabet: *La lettre «q» est la treizième consonne de l'alphabet.*

quadragénaire n. et adj. **1.** n. Personne qui a entre quarante et cinquante ans: *Mon père est un quadragénaire.* **2.** adj. Qui a entre quarante et cinquante ans: *Notre chêne est quadragénaire.* **R.** Les lettres *qua* se prononcent *kwa*.

quadrilatère n.m. Figure géométrique qui a quatre côtés et quatre angles: *Le carré, le rectangle et le losange sont des quadrilatères.* **R.** Les lettres *qua* se prononcent *kwa* ou *ka*.

quadrillage n.m. **1.** Ensemble des lignes qui forment des carrés sur une surface; arrangement en carrés: *Le quadrillage de cette étoffe ne me plaît pas.* **2.** Opération militaire ou policière consistant à contrôler un territoire par secteurs: *Les troupes ont entrepris le quadrillage de la ville.* ☞ quadriller.

quadrille n.m. (esp.) Danse exécutée par quatre couples de danseurs; figures exécutées par ces danseurs: *Nous avons dansé un quadrille endiablé.*

quadriller v. **1.** Diviser en carrés au moyen de lignes qui s'entrecoupent: *J'ai quadrillé le carton pour faire un échiquier.* **2.** Diviser un territoire en secteurs pour y exercer une surveillance: *Les policiers ont quadrillé le quartier.* ☞ quadrillage.

quadrimoteur n.m. et adj.m. **1.** n.m. Avion pourvu de quatre moteurs: *Cet avion est un quadrimoteur.* **2.** adj.m. Qui est pourvu de quatre moteurs, en parlant d'un avion: *Le quadriréacteur est-il plus rapide que l'avion quadrimoteur?* **R.** Les lettres *qua* se prononcent *kwa* ou *ka*. ☞ moteur.

quadriréacteur n.m. et adj.m. **1.** n.m. Avion pourvu de quatre réacteurs: *Le Boeing B-747 est un quadriréacteur.* **2.** adj.m. Qui est pourvu de quatre réacteurs, en parlant d'un avion: *Cette entreprise construit des avions quadriréacteurs.* **R.** Les lettres *qua* se prononcent *kwa* ou *ka*. ☞ réagir.

quadrupède n.m. et adj. **1.** n.m. Mammifère terrestre qui marche sur quatre pattes: *L'éléphant est le plus gros des quadrupèdes.* **2.** adj. Qui marche sur quatre pattes: *Le chat, le chien, le cheval sont quadrupèdes.* **R.** Les lettres *qua* se prononcent *kwa* ou *ka*. ☞ pied.

quadruple n.m. et adj. **1.** n.m. Quantité quatre fois supérieure à une autre: *Douze est le quadruple de trois.* **2.** adj. Qui vaut quatre fois plus ou qui est réputé quatre fois: *Une quadruple rangée de pierres superposées lui servait de clôture.* **R.** Les lettres *qua* se prononcent *kwa* ou *ka*. ☞ quadrupler, quadruplés.

quadrupler v. **1.** Rendre quatre fois plus grand ou quatre fois plus nombreux: *Grâce au lavage d'autos, nous avons quadruplé nos revenus.* **2.** Devenir quatre fois plus grand ou quatre fois plus nombreux: *Le prix du café a quadruplé cette année.* **R.** Les lettres *qua* se prononcent *kwa* ou *ka*. ☞ quadruple.

quadruplés, ées n.plur. Groupe de quatre enfants nés d'une même grossesse: *Cette femme a accouché de quadruplés.* ☞ quadruple.

quai n.m. **1.** Ouvrage d'accostage pour les navires ou les embarcations légères: *J'ai amarré le canot au quai.* SYN. débarcadère, embarcadère. **2.** Plate-forme qui longe les voies dans une gare, une station de métro: *Le quai de la gare était bondé.*

quaker, keresse n. (angl.) Personne dont la religion est le quakerisme, religion protestante: *La ville de Philadelphie, aux États-Unis, a été fondée par les quakers.* **R.** Se prononcent *kwèkeur*, *kwèkresse*. ☞ quakerisme.

quakerisme n.m. Religion protestante qui prêche le pacifisme, l'amour de l'humanité et la simplicité de la vie: *Le quakerisme a été fondé en 1652 par un cordonnier anglais.* **R.** Se prononce *kwèkeurisme*. ☞ quaker.

qualifiable adj. Qui peut être qualifié ; qui correspond à certaines conditions requises : *Ses manières d'agir ne sont pas qualifiables.* ANT. inqualifiable. ☞ qualifier.

qualificatif n.m. Mot ou groupe de mots servant à qualifier : *L'expression « tête de mule » est un qualificatif injurieux.* ☞ qualifier.

qualificatif, ive adj. Qui exprime une qualité : *Le mot « gentil » est un adjectif qualificatif.* ☞ qualifier.

qualification n.f. **1.** Action ou manière de qualifier, de désigner : *La qualification de vantard lui va parfaitement.* SYN. appellation, épithète. **2.** Fait de remplir les exigences pour participer à une épreuve : *Il a réussi aux tests de qualification.* ANT. disqualification. ⁄⁄ *Qualification professionnelle :* Appréciation de la formation et des aptitudes d'un travailleur. **R.** N'a pas le sens de *qualité, compétence.* ☞ qualifier.

qualifié, ée adj. **1.** Qui est exceptionnellement considéré comme un crime, selon les circonstances dans lesquelles il est commis : *Il a été arrêté pour vol qualifié.* **2.** Qui répond aux conditions requises, qui est compétent : *Je pense être mieux qualifié que toi pour faire ce travail.* SYN. apte, capable. ANT. inapte, incompétent. HOM. qualifier. ⁄⁄ *Ouvrier qualifié :* Ouvrier qui a une formation professionnelle particulière. ☞ qualifier.

qualifier v. **1.** Caractériser par un adjectif, un nom ou une expression : *On l'a faussement qualifiée d'ignorante.* SYN. appeler, désigner, nommer. **2.** Donner le droit de participer aux épreuves d'une compétition : *Son exploit en saut en longueur le qualifie pour participer aux Jeux olympiques.* SYN. autoriser. ANT. disqualifier, éliminer. **3.** Donner la compétence pour faire quelque chose : *Son stage en agronomie la qualifie pour ce nouvel emploi.* HOM. qualifié. ☞ disqualification, disqualifier, inqualifiable, qualifiable, qualificatif, qualification, qualifié. se **qualifier** v.pron. Réussir les épreuves dans des éliminatoires ; devenir qualifié : *Notre équipe s'est qualifiée pour la finale.*

qualité n.f. **1.** Manière d'être de quelque chose : *J'ai du papier à lettres de bonne qualité.* **2.** Excellence, à un ou plusieurs points de vue : *Le supermarché vend des fruits de qualité.* **3.** Trait de caractère qui fait le mérite de quelqu'un : *Sa franchise est une de ses principales qualités.* SYN. don, valeur, vertu. ANT. défaut, faiblesse, imperfection. **4.** Aptitude, capacité qui fait la valeur de quelqu'un : *Je crois avoir les qualités nécessaires pour être journaliste.* SYN. compétence, disposition. **5.** Condition sociale, civile, juridique : *Il faut remplir cette demande d'abonnement en précisant son nom, son prénom, sa qualité et son adresse.* SYN. fonction, titre. en **qualité de** loc.prép. À titre de : *Il a été invité en qualité de premier ministre.*

quand adv. et conj. **1.** adv. À quel moment : *Quand irons-nous en vacances ?* **2.** conj. Au moment où, dès que : *Nous partirons quand nous serons prêts.* **3.** conj. Chaque fois que : *Quand il pleut, la récréation a lieu dans le gymnase.* SYN. lorsque. **4.** conj. Du moment que : *Quand elle étudie, sa mémoire retient tout.* HOM. camp, quant. ⁄⁄ *Quand bien même :* Même si. *Quand même :* Malgré tout.

quant à loc.prép. Pour ce qui est de : *Quant à moi, je préfère les mathématiques.*

quand	peut être remplacé par *dès que, lorsque* ou *à quel moment.*
quant	est toujours suivi de *à* ou *au.*

quantité n.f. **1.** Nombre variable de personnes, de choses ; nombre déterminant une portion d'un ensemble, une collection de choses : *À l'Halloween, j'ai recueilli une grande quantité de friandises.* **2.** Abondance, grand nombre : *Notre bibliothèque possède une quantité incroyable de livres.* SYN. foule, masse, multitude. ⁄⁄ *En quantité :* En abondance, beaucoup.

quarantaine n.f. Groupe de quarante unités ou quantité voisine de quarante : *Il reste une quarantaine de jours avant les vacances.* ☞ quarante. ▲ **quarantaine** n.f. Isolement de durée variable imposé aux personnes ou aux produits afin d'éviter la contagion : *Sophie a la rougeole et elle a été mise en quarantaine.*

quarante n.m.invar. Nombre qui suit trente-neuf : *Quatre fois dix égalent quarante.*

quarante adj.num.invar. **1.** Vingt plus vingt : *J'ai lu l'histoire d'« Ali Baba et les quarante voleurs ».* **2.** Quarantième : *Tu trouveras une belle illustration à la page quarante.* ☞ quarantaine, quarantième.

quarantième n. et adj.num. **1.** n. Personne, animal ou chose qui occupe le quarantième rang : *Par ordre croissant de grandeur, je suis le quarantième de mon école.* **2.** n. Partie d'un tout divisé en quarante parties égales : *Le quarantième de cent vingt est trois.* **3.** adj.num. Qui vient après le trente-neuvième : *Nous sommes aujourd'hui le quarantième jour de l'année.* **R.** Lorsqu'il s'agit de la partie d'un tout, le nom est masculin. ☞ quarante.

quart n.m. **1.** Partie d'un tout divisé en

quatre parties égales: *Le quart de seize est quatre.* **2.** Partie d'un tout voisine de un quart: *Je n'ai même pas terminé le quart de ce travail.* **3.** Quinze minutes: *Il est midi et quart.* **4.** Service de veille qui dure quatre heures: *Le matelot doit prendre son quart à minuit.* HOM. car. aux trois **quarts** loc.adv. Presque entièrement: *Son verre de lait est aux trois quarts plein.*

quartier n.m. **1.** Portion d'environ un quart: *J'ai acheté un quartier de bœuf.* **2.** Division naturelle des agrumes: *J'ai séparé mon orange en quartiers.* **3.** Phase de la Lune où elle a l'aspect d'un croissant: *L'agricultrice a ensemencé au cours du dernier quartier.*

▲ **quartier** n.m. Division, partie d'une ville: *Le quartier Saint-Henri, à Montréal, était autrefois un village.* ⁄⁄ *Quartiers d'hiver:* Lieu où l'on installe des troupes durant l'hiver. *Quartier général:* Logements et bureaux d'un état-major.

quartz n.m. (all.) Matière cristalline transparente et très dure, présente dans de nombreuses roches: *J'ai reçu en cadeau une montre à quartz.* **R.** Se prononce *kwartss.*

quasiment adv.fam. Presque, à peu de chose près: *J'ai quasiment fini mes devoirs.*

quatorze n.m.invar. **1.** Nombre qui suit treize: *Treize plus un égalent quatorze.* **2.** Quatorzième jour du mois: *Je célèbre mon anniversaire le quatorze.*

quatorze adj.num.invar. **1.** Treize plus un: *J'ai passé quatorze jours à la campagne.* **2.** Quatorzième: *Tu trouveras toutes les explications à la page quatorze.* ☞ quatorzième.

quatorzième n. et adj.num. **1.** n. Personne, animal ou chose qui occupe le quatorzième rang: *J'étais la quatorzième sur la liste.* **2.** n. Partie d'un tout divisé en quatorze parties égales: *Le quatorzième de vingt-huit est deux.* **3.** adj.num. Qui vient après le treizième: *Ce tableau date du quatorzième siècle.* **R.** Lorsqu'il s'agit de la partie d'un tout, le nom est masculin. ☞ quatorze.

quatre n.m.invar. **1.** Nombre qui suit trois: *Trois plus un-égalent quatre.* **2.** Carte à jouer portant le nombre quatre: *Joue ton quatre de trèfle.* **3.** Quatrième jour du mois: *L'école recommence le quatre.* **4.** Chiffre représentant le nombre quatre: *Mon petit frère fait de beaux quatre.*

quatre adj.num.invar. **1.** Trois plus un: *Les quatre évangélistes sont Matthieu, Marc, Luc et Jean.* **2.** Quatrième: *Il me manque la page quatre.* ⁄⁄ *Descendre l'escalier quatre à quatre:* Descendre très vite. *Manger comme quatre:* Manger beaucoup. ☞ quatrième, quatrièmement.

quatre-vingt-dix n.m.invar. Nombre qui est formé de quatre-vingts et dix: *Quatre-vingts plus dix égalent quatre-vingt-dix.*

quatre-vingt-dix adj.num.invar. **1.** Quatre-vingts plus dix: *Cet arbre a plus de quatre-vingt-dix ans.* **2.** Quatre-vingt-dixième: *Ouvre ton livre à la page quatre-vingt-dix.*

quatre-vingtième n. et adj.num. **1.** n. Personne, animal ou chose qui occupe le quatre-vingtième rang: *J'ai été la quatre-vingtième à terminer l'examen général.* **2.** n. Partie d'un tout divisé en quatre-vingts parties égales: *Le quatre-vingtième de cent soixante est deux.* **3.** adj.num. Qui vient après le soixante-dix-neuvième: *Mon arrière-grand-père entre dans sa quatre-vingtième année.* **R.** Lorsqu'il s'agit de la partie d'un tout, le nom est masculin. Au pluriel, *quatre-vingtièmes.* ☞ quatre-vingt(s).

quatre-vingts n.m. Nombre qui suit soixante-dix-neuf: *Quatre fois vingt égalent quatre-vingts; quatre-vingts plus dix font quatre-vingt-dix.*

quatre-vingt(s) adj.num. **1.** Soixante-dix-neuf plus un: *Le train était composé de quatre-vingts wagons.* **2.** Quatre-vingtième: *La réponse se trouve à la page quatre-vingt.* **R.** Est invariable lorsqu'il a le sens de *quatre-vingtième.* ☞ quatre-vingtième.

quatrième n. et adj.num. **1.** n. Personne, animal ou chose qui occupe le quatrième rang: *Je suis arrivée la quatrième.* **2.** adj.num. Qui vient après le troisième: *Avril est le quatrième mois de l'année.* ⁄⁄ *En quatrième vitesse:* Très vite. ☞ quatre.

quatrièmement adv. En quatrième lieu, dans une énumération: *Quatrièmement, on ajoute le lait.* ☞ quatre.

quatuor n.m. **1.** Pièce musicale écrite pour quatre instruments ou quatre voix: *Elle écoute les quatuors à cordes de Beethoven.* **2.** Groupe formé de quatre musiciens ou de quatre chanteurs qui exécutent des quatuors: *Mélanie joue dans un quatuor.* **R.** Les lettres *qua* se prononcent *kwa.* (*Voir l'illustration à la page suivante.*)

que conj. **1.** S'emploie pour introduire une proposition complétive: *Je dis que tout est prêt.* **2.** S'emploie pour introduire une proposition circonstancielle: *Nous avons tellement travaillé que nous sommes fatiguées.* **3.** S'emploie pour introduire le second terme d'une comparaison: *Ma sœur est plus grande que toi.* **4.** S'emploie avec «ne» pour marquer la restriction: *Au déjeuner, je n'ai mangé qu'une banane.* **5.** S'emploie pour accompagner le subjonctif: *Qu'il pleuve ou qu'il fasse beau,* *nous partirons quand même.* **6.** S'emploie pour former des locutions conjonctives : *Je dis souvent à condition que, afin que, à mesure que, avant que, bien que, etc.*

quatuor (de jazz)

que adv. **1.** Comme, combien, dans une exclamation : *Que c'était beau et que de plaisir nous avons eu!* **2.** En quoi, pourquoi, dans une interrogation : *Que nous importent ces rencontres?*

que pron.rel. et pron.interrog. **1.** pron.rel. S'emploie pour représenter une personne ou une chose déjà exprimée : *Le chat que nous avons flatté appartient au voisin.* **2.** pron.interrog. Quelle chose, quoi : *Que dis-tu? Je ne sais que dire à son sujet.*

québécisme n.m. Fait de langue propre au français parlé au Québec : *Les mots « bleuetière », « débarbouillette », « épluchette », « magasinage » sont des québécismes.* ☞ québécois.

québécois, oise n. et adj. **1.** n. Personne qui habite le Québec : *Un Québécois, une Québécoise.* **2.** n. Personne qui habite la ville de Québec : *Les Québécois sont fiers de leur ville.* **3.** adj. Qui est du Québec : *L'instituteur nous a raconté une légende québécoise.* **4.** adj. Qui est de la ville de Québec : *Mon amie est québécoise.* **R.** On met la majuscule à *québécois* et à *québécoise* lorsqu'il s'agit du nom. ☞ québécisme.

quel, quelle adj. et pron.interrog. **1.** adj. S'emploie pour interroger sur la nature, la qualité, l'identité d'une personne ou d'une chose : *Quelle est la solution? Dis-moi quelle est la solution.* **2.** adj. S'emploie pour exprimer l'admiration, la surprise, la déception : *Quel beau paysage!* **3.** adj. S'emploie suivi de « que » et du verbe « être » ou d'un verbe semblable dans le sens de « peu importe » : *Quel que soit le travail, nous l'entreprendrons.* **4.** pron.interrog. Lequel, qui : *De nous deux, quelle est la plus rapide?*

quelconque adj. **1.** Qui est absolument indéterminé, n'importe lequel : *Il a donné une raison quelconque pour expliquer son retard.* **2.** Qui est banal, comme on en trouve partout : *Cette chemise est très quelconque.* SYN. médiocre, ordinaire. ANT. remarquable.

quelque adj.indéf. et adv. **1.** adj.indéf. Un certain nombre : *J'ai joué à cache-cache avec quelques amis.* **2.** adj.indéf. Un certain ; un peu de : *Il est resté quelque temps avec nous.* **3.** adv. Environ, à peu près : *Quelque mille personnes ont assisté à notre spectacle.* // *Quelque chose :* Une chose indéterminée. **R.** Ne s'élide que devant *un* et *une*. Est invariable au sens d'*environ*. **quelque part** loc.adv. En un lieu indéterminé, qu'on ne peut préciser : *J'ai dû l'oublier quelque part.*

quelquefois adv. De temps en temps, à certaines occasions : *Elle est quelquefois dans la lune.* SYN. parfois.

quelques-uns, unes pron.indéf.plur. **1.** Un nombre indéterminé de personnes ou de choses parmi plusieurs : *Parmi ces raisins, quelques-uns ont des pépins.* **2.** Un certain nombre de personnes : *Quelques-uns étaient d'accord avec moi.* **3.** Certaines personnes : *Aux yeux de quelques-uns, je suis trop sévère.*

quelqu'un, une pron.indéf.sing. **1.** Une personne absolument indéterminée : *J'entends quelqu'un qui chante.* **2.** Une certaine personne : *J'ai rencontré quelqu'un qui te ressemble.* **3.** Une personne : *On cherche quelqu'un de compétent pour ce travail.* // *C'est quelqu'un :* C'est une personne importante.

quémander v. Demander humblement et avec insistance : *Je lui ai quémandé la permission de partir plus tôt.* SYN. solliciter. ANT. donner.

qu'en-dira-t-on n.m.invar. Opinion des autres ; commérage : *Il ne faut pas se soucier des qu'en-dira-t-on.*

quenelle n.f. (all.) Rouleau de viande ou de poisson hachés : *Nous avons mangé des quenelles de brochet.*

quenouille n.f. **1.** Petite tige de bois entourée de fil ou de laine utilisée autrefois pour filer : *La Belle au Bois dormant s'était blessée au doigt avec une quenouille.* **2.** Tige des roseaux : *Les quenouilles pliaient sous le vent.*

querelle n.f. Dispute qui se traduit par des échanges d'injures et même de coups : *Il y a eu* *une querelle dans la cour de récréation.* SYN. altercation, bagarre. ANT. accord, entente. ⁄⁄ *Chercher querelle à quelqu'un:* Provoquer quelqu'un, l'attaquer. ☞ se quereller, querelleur.

se **quereller** v.pron. Avoir une querelle, se disputer: *Ces deux-là se querellent constamment.* ☞ querelle.

querelleur, euse n. et adj. **1.** n. Personne qui aime les querelles, les disputes: *Ces voisins sont de vrais querelleurs.* **2.** adj. Qui aime les querelles, les disputes: *Cette élève querelleuse reste souvent en retenue.* SYN. agressif, batailleur. ANT. conciliant, sociable. ☞ querelle.

quérir v. litt. et vx Aller chercher: *On envoya quérir le médecin de toute urgence.* **R.** Ne s'emploie qu'à l'infinitif après les verbes *aller*, *venir*, *envoyer* et *faire*.

question n.f. **1.** Demande faite à quelqu'un pour obtenir un renseignement: *J'ai une question à te poser.* SYN. interrogation. ANT. réponse. **2.** Sujet, problème à être examiné: *Cette question m'intéresse.* SYN. matière, point. **3.** Problème, situation difficile: *Cette question est délicate.* SYN. affaire, point. **4.** Personne, chose dont il s'agit: *Voilà l'homme en question.* ⁄⁄ *Hors de question:* Dont on n'a pas à discuter. *Il est question de:* Il est possible que. *Mettre en question, remettre en question:* Mettre en doute, en cause. ☞ questionnaire, questionner.

questionnaire n.m. Liste de questions auxquelles une personne doit répondre en vue d'une enquête, d'un jeu; formulaire: *Nous avons rempli un questionnaire portant sur notre état de santé.* ⁄⁄ *Questionnaire à choix multiple:* Questionnaire utilisé dans certains examens scolaires dans lequel un choix de réponses est associé à chacune des questions. ☞ question.

questionner v. Poser des questions à quelqu'un de façon insistante ou méthodique: *La police a questionné la complice.* SYN. interroger. ANT. répondre. **R.** N'a pas le sens de *mettre en doute, mettre en question.* ☞ question.

quête n.f. Action de demander et de recueillir des aumônes pour des œuvres charitables: *C'est moi qui ai fait la quête à l'église.* SYN. sollicitation. ⁄⁄ *En quête de:* À la recherche de. **R.** Ne pas oublier l'accent: *ê.* ☞ quêter, quêteur.

quêter v. **1.** Demander l'aumône, faire la quête: *Tous les élèves ont quêté pour la fête organisée à l'école.* ANT. donner. **2.** fig. Rechercher comme un don, une faveur: *Son regard quêtait un signe d'amitié.* SYN. mendier, solliciter. **R.** Ne pas oublier l'accent: *ê.* ☞ quête.

quêteur, euse n. Personne qui est chargée de faire la quête: *Cette quêteuse recueille des dons pour les démunis.* **R.** Ne pas oublier l'accent: *ê.* N'a pas le sens de *mendiant.* ☞ quête.

quêteux ☞ sect. anglicismes et canadianismes.

queue n.f. **1.** Partie du corps qui prolonge la colonne vertébrale chez de nombreux mammifères: *Mon chat s'est fait mordre la queue.* ANT. tête. **2.** Extrémité postérieure allongée, chez les poissons, les crustacés, les reptiles, etc.: *J'ai attrapé une couleuvre par la queue.* **3.** Ensemble des plumes du croupion d'un oiseau: *L'hirondelle a une queue fourchue.* **4.** Tige d'une feuille, d'un fruit, d'une fleur: *Les feuilles d'érable ont une longue queue.* ☞ équeutage, équeuter. ▲ **queue** n.f. **1.** Dernière partie, dernières personnes d'un groupe qui avance: *Notre fanfare marchait à la queue du défilé.* **2.** Ensemble des dernières voitures d'une file: *Les wagons de queue du métro sont souvent les moins bondés.* **3.** File de personnes qui attendent leur tour: *Il y avait une queue interminable hier soir au cinéma.* ⁄⁄ *Faire la queue:* Attendre son tour. ▲ **queue** n.f. **1.** Prolongement, partie postérieure d'une chose: *J'ai vu la queue de la comète avec mon télescope.* **2.** Basques qui pendent à l'arrière d'un vêtement: *Pour l'occasion, il portait un habit à queue.* **3.** Manche: *La queue de la casserole est brisée.* ⁄⁄ *Piano à queue:* Piano dont les cordes placées horizontalement forment un prolongement au clavier. *Queue de cheval:* Coiffure dans laquelle les cheveux sont ramenés ensemble et attachés derrière la tête. à la **queue leu leu** loc.adv. L'un derrière l'autre, à la file: *Les enfants marchaient à la queue leu leu.* **R.** Ne pas oublier le *u* après le *q* et le *e* final.

qui pron.rel. et pron.interrog.sing. **1.** pron.rel. S'emploie pour représenter une personne ou une chose déjà exprimée: *Le hibou a des yeux qui voient dans la nuit.* **2.** pron.rel. Quiconque: *Qui vivra verra.* **3.** pron.rel. Celui que, ceux que: *Tu peux inviter qui tu veux.* **4.** pron.rel. Lequel, lesquels: *Cette personne à qui je parlais est très sympathique.* **5.** pron.interrog.sing. Quelle personne: *Qui a dit cela? Dis-moi qui l'a dit.* ⁄⁄ *Qui que ce soit:* N'importe quelle personne. *Qui que tu sois:* Peu importe la personne que tu es.

qui	peut être remplacé par *lequel* ou *laquelle*.
qu'il	peut être remplacé par *que lui*.

quiche n.f. Sorte de tarte garnie d'œufs battus avec de la crème, ainsi que de lard, de fromage: *J'ai pris deux pointes de quiche au jambon.*

quiconque pron.rel. et pron.indéf. **1.** pron. rel. Toute personne qui: *Je donnerai ces vieux jouets à quiconque les voudra.* **2.** pron.indéf. N'importe qui: *Je sais mieux que quiconque ce que j'ai à faire.*

quiétude n.f.litt. Calme, confort paisible: *Si tu savais combien j'apprécie la quiétude de la maison.* SYN. paix, repos, sérénité, tranquillité. ANT. agitation, inquiétude. ⁄⁄ *En toute quiétude:* En toute tranquillité.

quignon n.m.fam. Morceau de pain contenant beaucoup de croûte: *Nous avons dîné d'un quignon de pain.*

quille n.f. Pièce de la partie inférieure d'un navire qui supporte l'ensemble de la charpente: *La barque était retournée et flottait la quille en l'air.* ▲ **quille** n.f. **1.** Chacune des pièces de bois longues et rondes disposées à une certaine distance qu'il faut renverser en lançant une boule, dans le jeu appelé «jeu de quilles»: *Seulement une quille restait debout.* **2.** fam. Jambe: *Elle chancelait sur ses longues quilles.* **R.** L'O.L.F. recommande d'utiliser le mot *quilles* plutôt que «bowling».

quincaillerie n.f. **1.** Ensemble d'objets utilitaires en métal: *La quincaillerie de camping est restée à la pluie, hors de la tente.* **2.** Magasin où l'on vend des articles de métal, des outils, etc.: *J'ai acheté une pelle à neige à la quincaillerie.* ☞ quincaillier.

quincaillier, ière n. Personne qui fabrique ou qui vend de la quincaillerie: *Ma mère est quincaillière.* **R.** Ne pas oublier le *i* après les deux *l.* ☞ quincaillerie.

quinine n.f. (esp.) Substance d'origine végétale employée pour combattre la fièvre et le paludisme: *La quinine est un remède très efficace contre le paludisme.*

quinquagénaire n. et adj. **1.** n. Personne qui a entre cinquante et soixante ans: *Ce quinquagénaire est en pleine forme.* **2.** adj. Qui a entre cinquante et soixante ans: *Mon institutrice est quinquagénaire.* **R.** Les lettres *qua* se prononcent *kwa* ou *ka*.

quinquennal, ale, aux adj. **1.** Qui dure cinq ans: *Le gouvernement a établi un plan quinquennal de reboisement.* **2.** Qui se produit tous les cinq ans: *Ce pays tient des élections quinquennales.*

quinte n.f. Suite de cinq cartes de même couleur: *J'ai une quinte en pique.* ▲ **quinte** n.f. Accès de toux prolongé: *Elle a des quintes qui lui irritent la gorge.*

quintette n.m. **1.** Pièce musicale écrite pour cinq instruments ou cinq voix: *Ce quintette pour instruments à vent est un chef-d'œuvre.* **2.** Ensemble de jazz formé de cinq musiciens: *Ce quintette a donné un concert très applaudi.*

quintuple n.m. et adj. **1.** n.m. Quantité cinq fois supérieure à une autre: *Vingt est le quintuple de quatre.* **2.** adj. Qui vaut cinq fois plus ou qui est répété cinq fois: *Tu m'as donné une somme quintuple de ce que je t'avais demandé.* ☞ quintupler, quintuplés.

quintupler v. **1.** Rendre cinq fois plus grand ou cinq fois plus nombreux: *Nous avons quintuplé la superficie des terres cultivées.* **2.** Devenir cinq fois plus grand ou cinq fois plus nombreux: *La population de ce village a quintuplé en vingt ans.* ☞ quintuple.

quintuplés, ées n.plur. Groupe de cinq enfants nés d'une même grossesse: *Les quintuplés ont tous survécu.* ☞ quintuple.

quinzaine n.f. **1.** Groupe de quinze unités ou quantité voisine de quinze: *Cette entreprise emploie une quinzaine de personnes.* **2.** Période de quinze jours: *Nous partons en vacances dans une quinzaine.* ☞ quinze.

quinze n.m.invar. **1.** Nombre qui suit quatorze: *Quatorze plus un égalent quinze.* **2.** Quinzième jour du mois: *Nous sommes déjà rendus au quinze.*

quinze adj.num.invar. **1.** Quatorze plus un: *Nous avons formé une équipe de quinze joueurs.* **2.** Quinzième: *Elle a bien aimé l'illustration à la page quinze.* ⁄⁄ *Quinze jours:* Deux semaines. ☞ quinzaine, quinzième.

quinzième n. et adj.num. **1.** n. Personne, animal ou chose qui occupe le quinzième rang: *Notre local est le quinzième à gauche de l'escalier.* **2.** n. Partie d'un tout divisé en quinze parties égales: *Nous avons mangé les dix quinzièmes du gâteau.* **3.** adj.num. Qui vient après le quatorzième: *Le quinzième but a été marqué par notre championne.* **R.** Lorsqu'il s'agit de la partie d'un tout, le nom est masculin. ☞ quinze.

quiproquo n.m. Erreur qui consiste à prendre une personne pour une autre; situation qui en résulte: *Cette histoire qui met en scène des jumelles identiques est pleine de quiproquos amusants.*

quittance n.f. Reçu par lequel un créancier déclare que son débiteur a acquitté sa dette: *La banque lui a signé une quittance.*

quitte adj. Qui est libéré d'une obligation,

d'une dette: *Maintenant, nous sommes quittes.* **quitte à** loc.adv. Au risque de: *Nous irons, quitte à le regretter.*

quitter v. **1.** Laisser une personne momentanément: *Je te quitte, je reviendrai pour souper.* **2.** Se séparer d'une personne définitivement: *Elle l'a quitté pour un autre.* SYN. rompre. **3.** S'éloigner d'un lieu, ne plus y être: *Il a quitté l'école à 14 heures.* SYN. abandonner, délaisser, déserter. ANT. demeurer, fréquenter, rester. **4.** Abandonner une activité: *La coureuse a quitté la compétition.* SYN. lâcher, laisser, sacrifier. ANT. continuer. // *Ne pas quitter des yeux:* Garder les yeux fixés sur. *Ne quittez pas:* Restez en ligne. *Quitter ses vêtements:* Se déshabiller. **R.** N'a pas le sens de *démissionner*.

qui-vive n.m.invar. Cri émis par les sentinelles en entendant ou en voyant quelque chose de suspect: *Le silence n'était rompu que par les nombreux qui-vive des gardes.* sur le **qui-vive** loc.adv. Sur ses gardes: *Le chevreuil, sur le qui-vive, hume l'air et tend l'oreille.*

quoi pron.rel. et pron.interrog. **1.** pron.rel. S'emploie précédé d'une préposition pour représenter une chose: *C'est exactement ce à quoi je pensais.* **2.** pron.rel. S'emploie au sens de « cela » pour représenter une idée déjà exprimée: *Il vaut mieux rentrer, sans quoi nous serons punis.* **3.** pron.rel. S'emploie au sens de « peu importe la chose que »: *Quoi que tu dises, je maintiens ma décision.* **4.** pron.interrog. Quelle chose: *À quoi penses-tu? Je ne sais pas de quoi tu parles.* **5.** pron.interrog.fam. S'emploie pour demander plus d'information: *Quoi, qu'est-ce que tu racontes?* **6.** pron.interrog. Employé comme interjection, marque la surprise, l'admiration, l'indignation: *Quoi! tu es encore en retard!* SYN. comment. HOM. coi. // *Faute de quoi:* Autrement, sinon. *Il n'y a pas de quoi:* Ce n'est rien (réponse à des remerciements).

quoique conj. Malgré le fait que, bien que: *Quoiqu'il soit fatigué, il a décidé de nous accompagner.*

quolibet n.m. Propos moqueurs ou malveillants contre quelqu'un: *Elle l'a accablé de quolibets.* SYN. raillerie. ANT. amabilité, compliment, éloge.

quorum n.m. Nombre de membres qui doivent être présents pour qu'une assemblée puisse délibérer: *Le quorum n'a pas été atteint lors de la dernière assemblée.* **R.** Les lettres *quo* se prononcent *kwo* ou *ko*. Les lettres *um* se prononcent *omme*.

quota n.m. Limite quantitative ou pourcentage déterminé imposé: *Les éleveurs de bovins ne doivent pas dépasser les quotas de production.*

quote-part n.f. Part que chacun reçoit ou doit payer dans le partage d'une somme d'argent: *As-tu payé ta quote-part à l'association?* SYN. apport, contribution, cotisation. **R.** Au pluriel, *quotes-parts*.

quotidien n.m. **1.** Journal qui paraît tous les jours: *Je me suis abonné à ce quotidien.* **2.** Vie de tous les jours: *La routine, le quotidien, ça peut devenir assommant!*

quotidien, enne adj. Qui a lieu tous les jours: *Je prends mes trois verres de lait quotidiens.* SYN. habituel. ANT. exceptionnel, inhabituel, occasionnel. ☞ biquotidien, quotidiennement.

quotidiennement adv. Tous les jours: *Je fais de l'exercice physique quotidiennement.* ☞ quotidien.

quotient n.m. Résultat d'une division: *Le quotient de dix par cinq est deux.* // *Quotient intellectuel:* Niveau intellectuel relatif.

r

r n.m.invar. Dix-huitième lettre de l'alphabet: *La lettre « r » est la quatorzième consonne de l'alphabet.*

rabâchage n.m. Action de rabâcher, de répéter la même chose; accumulation de répétitions ennuyeuses: *Son rabâchage m'ennuie royalement.* SYN. radotage. **R.** Ne pas oublier l'accent: *â*. ☞ rabâcher.

rabâcher v. Répéter, redire sans cesse, de façon ennuyeuse: *Depuis des mois, Laïla me rabâche qu'elle ira en Italie à l'été.* SYN. radoter, ressasser. **R.** Ne pas oublier l'accent: *â*. ☞ rabâchage, rabâcheur.

rabâcheur, euse n. et adj. **1.** n. Personne qui se redit de façon ennuyeuse: *Il faut de la patience pour écouter un pareil rabâcheur.* SYN. radoteur. **2.** adj. Qui rabâche, qui se répète sans cesse de façon ennuyeuse: *Les personnes rabâcheuses finissent souvent par faire fuir leur entourage.* **R.** Ne pas oublier l'accent: *â*. ☞ rabâcher.

rabais n.m. Diminution du prix d'une marchandise ou du montant d'une facture: *James profite des rabais de janvier pour s'habiller.* SYN. réduction, remise, solde. ANT. augmentation, majoration. // *Au rabais:* Avec une diminution. **R.** Les lettres *ais* se prononcent *è*.

rabaisser v. **1.** Mettre à un degré plus bas, rabattre: *Des échecs répétés ont fini par rabaisser son orgueil.* SYN. abaisser, ravaler. ANT. exalter, honorer. **2.** Déprécier, placer bien au-dessous de la valeur véritable: *On rabaisse l'être humain en le réduisant à l'esclavage.* SYN. avilir, dégrader, dénigrer. ANT. exalter, honorer. ☞ abaisser. se **rabaisser** v.pron. Se déprécier, s'humilier: *Robert a tendance à se rabaisser au moindre échec.*

rabat n.m. **1.** Partie repliée ou qui pourrait l'être: *Un bouton est cousu sur le rabat de mon sac à main.* **2.** Espèce de cravate large formant un plastron, portée autrefois par les prêtres ou certains religieux et aujourd'hui par les magistrats: *Un rabat blanc bien empesé ornait sa toge.* ☞ abattre.

rabat-joie n.m.invar. et adj.invar. **1.** n.m.invar. Personne d'humeur triste ou renfrognée qui empêche les autres de se réjouir: *Katia, ne sois pas un rabat-joie, viens jouer avec nous!* SYN. trouble-fête. ANT. bouffon, boute-en-train. **2.** adj.invar. Qui empêche les autres de se réjouir par son humeur triste ou renfrognée: *Tu es donc rabat-joie quand tu n'es pas en vedette.*

rabattre v. Forcer à aller dans une direction, vers un endroit précis: *Les chiens traquaient la bête et la rabattaient vers les chasseurs.* ANT. éloigner. ▲ **rabattre** v. **1.** Diminuer en enlevant une partie d'une somme: *Le marchand a rabattu le tiers du prix des bicyclettes afin de les vendre plus rapidement.* SYN. abaisser, déduire. ANT. augmenter, majorer. **2.** Faire retomber, amener dans une position plus basse: *La joueuse de tennis a rabattu la balle sur le plancher.* **3.** Mettre à plat, ramener: *Rabats ton col sur ton paletot.* ANT. relever. **4.** Refermer, replier: *Voudrais-tu rabattre le capot de la voiture?* **5.** Ramener à un degré inférieur: *Les railleries ont rabattu ses prétentions.* SYN. diminuer, rabaisser. ANT. exalter. **R.** Ne pas confondre avec *rebattre*. ☞ abattre. se **rabattre** v.pron. Changer soudainement de direction: *Le cycliste a dû se rabattre vers la gauche pour éviter un chien.* // *Se rabattre sur quelqu'un ou quelque chose:* Accepter quelqu'un ou quelque chose, les choisir faute de mieux.

rabattu, ue adj. Qui est abaissé ou replié: *Chapeau rabattu, col relevé, dos arrondi, elle affrontait ainsi les tempêtes.* ☞ abattre.

rabbin n.m. Chef religieux d'une communauté juive, qui célèbre le culte: *Chaque matin, je croisais le rabbin Abraham qui avait toujours l'air de méditer.* (*Voir l'illustration à la page suivante.*)

râble n.m. Partie charnue qui comprend le bas du dos et les cuisses, chez certains quadrupèdes: *Pour le repas, nous aurons un râble de lièvre.* **R.** Ne pas oublier l'accent: *â.* ☞ râblé.

rabbin

râblé, ée adj. **1.** Qui a le râble charnu: *Sa bonne bête bien râblée se laissait brosser.* **2.** Qui a le dos large et court, qui est trapu et vigoureux: *Conrad, râblé et généreux, portait les caisses trop lourdes pour nous.* SYN. costaud, musclé. ANT. frêle, menu, mince. **R.** Ne pas oublier l'accent: *â.* ☞ râble.

rabot n.m. Outil tranchant servant à aplanir, à enlever les inégalités d'une surface de bois: *La menuisière passe le rabot sur le haut de la porte.* SYN. varlope. ☞ rabotage, raboter.

rabotage n.m. Action de raboter, d'aplanir une pièce de bois à l'aide d'un rabot: *Le rabotage rend le bois lisse et doux.* ☞ rabot.

raboter v. Rendre lisse, aplanir une pièce de bois à l'aide d'un rabot: *Ma planche est rugueuse, je vais la raboter.* SYN. varloper. ☞ rabot. **raboté, ée** p.p. et adj. Qui a été rendu droit et lisse par l'action du rabot: *Le plancher raboté est prêt à recevoir une couche de vernis.*

raboteux, euse adj. **1.** Qui présente des inégalités, de la rugosité, des aspérités: *Les chemins raboteux conduisant au chalet secouaient la voiture.* SYN. inégal, rocailleux, rugueux. ANT. égal, lisse, poli, uni. **2.** fig. et litt. Qui manque de finesse, d'harmonie: *Ton style est raboteux, il manque d'unité et d'élégance.* SYN. rude.

rabougri, ie adj. **1.** Qui s'est peu ou mal développé, en parlant d'un arbre, d'une plante: *Ce cerisier rabougri donne peu de fruits.* SYN. rachitique. ANT. sain. **2.** Qui est chétif, difforme, en parlant de quelqu'un: *L'infirmière tenait dans ses bras un enfant rabougri.* SYN. rachitique. ANT. fort, sain.

rabrouer v. Rudoyer une personne qu'on désapprouve ou dont on veut se débarrasser: *Chantal s'est fait rabrouer par son frère.* SYN. brusquer, gronder. ANT. câliner, choyer.

racaille n.f. Groupe de personnes peu recommandables et méprisées: *Ce bistrot miteux n'accueille que de la racaille.* SYN. canaille, fripouille. ANT. élite.

raccommodable adj. Qui peut être raccommodé, réparé: *Tes chaussettes ne sont plus raccommodables, elles ont trop de trous.* ☞ raccommoder.

raccommodage n.m. Action ou manière de raccommoder, de réparer à l'aiguille du linge, des vêtements: *Martin fait le raccommodage de ses gants.* ☞ raccommoder.

raccommoder v. Repriser, réparer en cousant: *À force de raccommoder ce vieux vêtement, il n'y avait plus que des pièces.* SYN. rapiécer. ☞ raccommodable, raccommodage. **raccommodé, ée** p.p. et adj. Qui a été reprisé: *Ces chaussettes raccommodées sont encore bonnes.*

se **raccommoder** v.pron. fam. Se réconcilier: *Dans la famille, on finit toujours par se raccommoder après une dispute.*

raccompagner v. Reconduire, accompagner quelqu'un vers l'endroit d'où il vient ou chez lui: *Après l'école, j'ai raccompagné mon amie en vélo.* ☞ accompagner.

raccord n.m. **1.** Liaison entre des parties pour en assurer la continuité: *J'ai trouvé du papier peint comme tu en as dans ta chambre; je pourrai faire un raccord.* SYN. jonction, soudure. ANT. séparation. **2.** Pièce servant à relier, de façon étanche, deux parties de tuyauterie qui doivent communiquer: *Depuis que la plombière a remplacé ce raccord de tuyau, il n'y a plus de fuite d'eau.* ☞ raccorder.

raccordement n.m. **1.** Action de raccorder, de relier: *Une passerelle assure le raccordement de ces bâtiments.* **2.** Tronçon de voie ferrée qui relie deux lignes distinctes: *La locomotive est sur la voie de raccordement.* ☞ raccorder.

raccorder v. **1.** Action de relier, par un raccord, des choses distinctes qui doivent communiquer entre elles: *On a raccordé ces deux tuyaux.* ANT. séparer. **2.** Former une communication, une jonction: *Un corridor raccorde l'ancienne et la nouvelle partie de l'hôpital.* ☞ raccord, raccordement. **se raccorder** v.pron. Se relier: *Les deux voies ferrées se raccordent à un kilomètre d'ici.*

raccourci n.m. **1.** Chemin qui épargne des pas: *La ruelle est un raccourci pour aller au magasin.* **2.** vx Résumé, condensé: *Il ne faudrait pas lire seulement un raccourci d'histoire du Canada.* SYN. abrégé. ⁄⁄ *En raccourci:* Sous une forme brève. ☞ court.

raccourcir v. **1.** Abréger, réduire: *Raccourcis ton texte, il est trop long.* ANT. allonger. **2.** Rendre plus court: *Ton pantalon est trop long; tu devrais le raccourcir.* ANT. allonger, rallonger. **3.** Devenir plus court: *Les jours raccourcissent, il fait noir de plus en plus tôt.* ANT. allonger, rallonger. ☞ court. **raccourci, ie** p.p. et adj. Qui a été rendu plus court: *Raccourci, ce manteau t'ira bien.*

raccourcissement n.m. **1.** Action de raccourcir, de rendre plus court: *Le manque d'espace dans le journal a rendu nécessaire le raccourcissement du texte.* **2.** Fait de devenir plus court: *Le raccourcissement des jours est le signe que l'hiver approche.* ANT. allongement. ☞ court.

raccrocher v. **1.** Accrocher de nouveau un objet décroché: *Il a raccroché le miroir dont il s'est servi.* ANT. décrocher. **2.** Rattraper ce qui semblait désespéré, perdu: *Delphine a réussi à raccrocher ce projet qui semblait voué à l'échec.* **3.** Remettre le combiné du téléphone sur son support: *Ne raccroche pas, je te reviens dans trois secondes.* ☞ accrocher. **se raccrocher** v.pron. **1.** Se cramponner, s'agripper: *Nicole perdit pied; elle se raccrocha désespérément à une branche.* **2.** fig. Trouver réconfort dans quelque chose ou auprès de quelqu'un: *Les naufragés se raccrochaient à l'espoir de voir arriver les secours.* **3.** Se rapporter: *Ce paragraphe se raccroche bien au sujet principal de ton texte.*

race n.f. **1.** Ensemble des ascendants et des descendants d'une personne, d'une famille: *Cette famille est de race noble.* SYN. ascendance, origine. **2.** fig. Catégorie de personnes ayant des comportements ou des occupations communes: *La race des poètes ne s'éteindra jamais.* ▲ **race** n.f. **1.** Chacune des subdivisions de l'espèce humaine, qui se distinguent les unes des autres par des caractères physiques héréditaires tels que la couleur de la peau, la forme du squelette, etc.: *Des gens de toutes les races vivent à Montréal.* **2.** Subdivision d'une espèce animale, qui regroupe des individus ayant des caractères communs héréditaires: *Il y a plusieurs races de chats.* ⁄⁄ *De race:* De bonne lignée, sans croisement, en parlant d'un animal. ☞ racé, racial, racisme, raciste.

racé, ée adj. **1.** Qui a les caractéristiques, les qualités propres à sa race: *Ce cheval racé a fière allure.* **2.** Qui est naturellement gracieux, distingué, fin: *Un homme grand et racé m'aborda au restaurant.* ☞ race.

rachat n.m. **1.** Action de racheter, de reprendre possession par achat d'un bien vendu: *J'ai vendu la maison avec faculté de rachat.* ANT. revente. **2.** Remise en liberté par le versement d'une rançon, d'une compensation en argent: *Le rachat des prisonniers n'est pas une pratique courante au Canada.* **3.** fig. Fait de se racheter moralement, de faire oublier, par sa conduite, des erreurs passées: *Le rachat d'une faute passe par son expiation.* ☞ acheter.

racheter v. **1.** Acheter de nouveau: *David doit racheter des couches très souvent: il a des jumelles.* ANT. revendre. **2.** Reprendre possession par achat d'une chose qu'on a déjà vendue: *Je lui ai racheté ma collection de timbres au même prix que je la lui avais vendue.* ANT. revendre. **3.** Acheter à une personne qui a acheté: *Tu as payé ta bicyclette cent dollars? Je te la rachète cent vingt.* ANT. revendre. **4.** Obtenir la remise en liberté par le versement d'une rançon, d'une indemnité: *Ces prisonniers politiques ont été rachetés par leur pays.* **5.** fig. Libérer du péché, sauver par la rédemption: *Selon les chrétiens, le Christ racheta l'être humain par sa mort.* **6.** Effacer une erreur, une faute passée par sa conduite: *Tes déclarations rachètent ta participation dans cette fraude.* **7.** Faire oublier, compenser: *Sa fidélité rachète son mauvais caractère.* ☞ acheter. **se racheter** v.pron. Se reprendre, réparer des fautes passées par sa conduite exemplaire: *Quand il me désobéissait, mon fils se rachetait ensuite en me faisant des gentillesses.*

rachitique n. et adj. **1.** n. Personne atteinte de rachitisme, maladie de la croissance qui entraîne des déformations du squelette: *Les rachitiques souffrent d'une carence en vitamine D.* **2.** adj. Qui est atteint de rachitisme, qui reste chétif: *Cet enfant rachitique doit être hospitalisé.* SYN. frêle, malingre. ANT. fort, robuste, vigoureux. **3.** adj. Qui se développe mal, en parlant d'une plante: *Cette plante rachitique ne peut s'offrir en cadeau.* ANT. sain. ☞ rachitisme.

rachitisme n.m. **1.** Maladie de la croissance, due à un manque de vitamine D, qui se traduit par diverses déformations du squelette: *Sonia souffre de rachitisme.* **2.** Développement incomplet d'une plante: *Le rachitisme du blé cette année est dû à la sécheresse.* ☞ rachitique.

racial, iale, iaux adj. Qui se rapporte à la race, aux groupes ethniques qui se différencient par des caractères physiques héréditaires: *En refusant de louer le logement à un Haïtien, ce propriétaire se rend coupable de discrimination raciale.* ☞ race.

racine n.f. **1.** Partie souterraine de la plupart des plantes, qui pousse en sens contraire de la tige et par laquelle les plantes s'alimentent en eau et en sels minéraux: *La carotte est une plante à racine comestible.* **2.** Point de départ, partie par laquelle un organe est implanté dans un tissu: *Certaines dents ont trois racines.* **3.** Principe, origine d'une chose: *Découvrira-t-on jamais les racines de l'orgueil?* **4.** litt. Lien solide qui attache à un milieu, à un lieu, à un groupe et qui assure la stabilité: *Cette famille a de profondes racines dans la région.* ☞ déracinement, déraciner, enraciner. ▲ **racine** n.f. **1.** Nombre qui, élevé à une puissance donnée, est égal à un nombre proposé: *La racine carrée de quatre est deux; c'est que deux au carré égale quatre.* **2.** Élément de formation d'un mot qu'on ne peut réduire et qui porte la signification de ce mot: *Les mots «apicole», «apiculteur» et «apiculture» ont pour racine «api», du mot latin «apis» qui veut dire «abeille».*

racisme n.m. **1.** Théorie et croyance qu'il existe un ordre des races, donnant le droit à une race, dite supérieure, de dominer les autres: *Le racisme a longtemps justifié l'esclavage du peuple noir.* **2.** Ensemble de comportements qui s'inspire de la croyance qu'il existe une race supérieure pouvant dominer les autres: *On l'accuse de racisme pour avoir refusé un emploi à cette Asiatique.* ☞ race.

raciste n. et adj. **1.** n. Personne en accord avec la théorie du racisme: *Les racistes croient qu'il faut protéger la race dite supérieure de tout croisement avec une autre race.* **2.** adj. Qui se rapporte au racisme, qui est inspiré par le racisme: *Le nazisme est une doctrine raciste.* ☞ race.

racket n.m. (améric.) Groupe de malfaiteurs dont l'activité est de soutirer de l'argent par le chantage ou la terreur; cette activité: *Je me suis fait prendre dans un racket: on m'a volé deux mille dollars.* HOM. raquette. **R.** Le *t* se prononce.

raclée n.f.fam. **1.** Volée de coups: *Dans cette bagarre, j'ai reçu une raclée dont je me souviendrai longtemps.* **2.** fig. Défaite totale: *Nos adversaires nous ont servi une raclée; ils ont marqué tous les buts.* HOM. racler.

raclement n.m. Action de racler; bruit ou trace qui résulte de cette action: *Le silencieux de la voiture s'était décroché et faisait entendre un raclement de ferraille.* ☞ racler.

racler v. **1.** Gratter avec un objet rigide pour nettoyer, égaliser; frotter vigoureusement: *Maryse racle la casserole de sucre à la crème.* **2.** Frotter durement et avec bruit: *Sa botte raclait la neige durcie et freinait sa descente.* **3.** Produire une sensation rude et désagréable, en parlant d'une boisson forte qu'on avale: *Ce vin racle la gorge.* HOM. raclée. ⁄⁄ *Racler les tiroirs:* Prendre tout l'argent disponible. ☞ raclement, raclette. se **racler** v.pron. S'éclaircir la voix: *Tu te racles la gorge à tout moment; c'est un véritable tic.*

raclette n.f. **1.** Mets suisse à base de fromage qu'on expose à une source de chaleur et dont on racle la partie ramollie pour la manger au fur et à mesure qu'elle fond: *Le fromage à raclette est cher.* **2.** Instrument servant à gratter, à enlever des surplus qui adhèrent: *Si tu prenais une raclette pour enlever ce mastic séché?* ☞ racler.

racolage n.m. **1.** Action de racoler, de recruter: *Le parti demande à ses membres de faire du racolage.* **2.** Action de solliciter les clients, en parlant d'une personne qui se livre à la prostitution: *Le racolage est interdit dans toutes les villes du Québec.* ☞ racoler.

racoler v. **1.** Attirer, recruter par des moyens publicitaires ou par des moyens plus ou moins honnêtes: *Un adepte d'une secte religieuse a réussi à racoler quelques jeunes.* SYN. enrôler. **2.** Solliciter les passants, en parlant d'une personne qui se livre à la prostitution: *André racolait, installé à l'entrée d'une maison de chambres.* ☞ racolage, racoleur.

racoleur, euse n. et adj. **1.** n. Personne peu scrupuleuse qui fait de la propagande, de la publicité dans le but de recruter: *Beau parleur, bel homme et menteur, il faisait un parfait racoleur.* **2.** n. Personne qui s'adonne à la prostitution, qui accoste les passants: *La voiture s'arrêta, la racoleuse monta.* **3.** adj. Qui attire, cherche à retenir l'intérêt d'une manière louche et grossière: *Tous les regards se portaient sur l'affiche racoleuse.* ☞ racoler.

racontable adj. Qui peut être raconté: *Ton histoire n'est pas racontable à un enfant.* **R.** S'emploie surtout à la forme négative. ☞ raconter.

racontar n.m. Nouvelle non fondée, potin, commérage sur le compte de quelqu'un: *N'écoute pas ces racontars, tu perds ton temps.* SYN. bavardage, cancan. ☞ raconter.

raconter v. **1.** Faire le récit d'événements vrais ou présentés comme vrais, rapporter: *Raconte-moi tout ce qui est arrivé.* SYN. conter, narrer, relater. ANT. dissimuler, taire. **2.** Dire, rapporter à la légère: *Surtout, ne va pas croire* *tout ce qu'on te raconte!* ☞ racontable, racontar. se **raconter** v.pron. **1.** Faire connaître son histoire, se dépeindre: *L'auteure se raconte dans ce roman.* **2.** Se dire: *Ce qu'il a fait ne se raconte pas.*

racorni, ie adj. **1.** Qui est devenu dur comme de la corne: *Le cuir racorni se fendille facilement.* **2.** Qui est devenu sec, insensible, en parlant du cœur, de l'esprit: *Elle avait le cœur si racorni qu'elle acceptait de ne plus être aimée.* ☞ racornir.

racornir v. Dessécher, rendre dur comme de la corne: *Ne mets pas tes souliers trempés sur le radiateur; la chaleur racornit le cuir.* ☞ racorni. se **racornir** v.pron. Se dessécher, devenir dur et coriace: *Mon steak est trop cuit; il s'est racorni.*

racquetball n.m. (améric.) Au Canada, sport qui consiste à lancer une balle contre un mur et à la rattraper avec une raquette après qu'elle a fait un bond: *Je porte des lunettes de sécurité pour jouer au racquetball.*

racquetball

radar n.m. Appareil qui envoie et reçoit des ondes permettant ainsi de détecter des objets qu'on ne voit pas et d'en connaître la distance et la direction: *Le radar permet de contrôler le trafic aérien.*

rade n.f. Bassin naturel ou artificiel s'ouvrant sur la mer et permettant aux navires de s'abriter: *La flotte était en rade en attendant le moment d'entrer dans le port.*

radeau, eaux n.m. Petite plate-forme flottante formée d'un assemblage de pièces de bois et qui peut porter des personnes ou des marchandises: *Quelques adolescentes, sur un radeau, chantaient, ramaient, étaient heureuses.*

radiateur n.m. **1.** Appareil servant au chauffage des appartements: *Notre maison est équipée de radiateurs électriques.* **2.** Réservoir d'un véhicule automobile dans lequel se refroidit l'eau chaude qui provient du moteur: *Il est important de vérifier régulièrement le niveau d'eau du radiateur.*

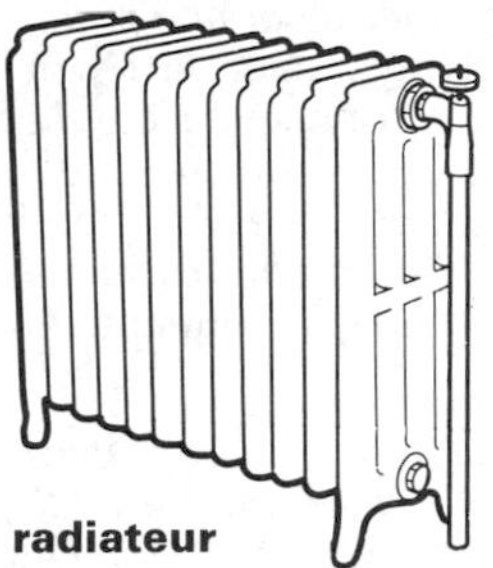

radiateur

radiation n.f. Énergie qui se produit et qui se propage sous forme d'ondes: *On peut nettoyer une plaie par radiation.* ▲ **radiation** n.f. Action de radier, de rayer un nom sur une liste, un registre: *La radiation du nom de Patrice de la liste électorale n'était pas justifiée.* ☞ radier.

radical, aux n.m. Partie d'un mot qui en exprime le sens; forme particulière que prend la racine d'un mot: *Les formes du verbe «mourir» sont faites sur trois radicaux: «meur», «mour» et «mor».*

radical, ale, aux n. et adj. **1.** n. Personne qui adhère à une doctrine politique qui favorise la transformation des institutions dans un sens démocratique et laïque: *Ce radical défend ses idées politiques avec acharnement.* **2.** adj. Qui se rapporte ou qui adhère à une doctrine politique qui favorise la transformation des institutions dans un sens démocratique et laïque: *Quelques personnes veulent former un parti radical.*

radical, ale, aux adj. **1.** Qui tend à agir sur la racine, les causes profondes de ce qu'on veut modifier: *Plusieurs pays ont adopté des mesures radicales pour enrayer le trafic des stupéfiants.* SYN. draconien. **2.** Qui est efficace: *J'ai trouvé un remède radical pour cesser de fumer.* SYN. infaillible. **3.** Qui concerne la nature profonde d'un être, d'une chose: *Sans ces changements radicaux, j'aurais tout perdu.* SYN. complet, total. ☞ radicalement.

radicalement adv. Absolument, complètement: *Ses goûts musicaux ont changé radicalement.* ☞ radical.

radier n.m. Plancher, plate-forme qui sert de fondation à une construction: *Les ouvriers coulent du béton pour faire le radier.*

radier v. Rayer, effacer d'une liste, d'un registre: *Cette avocate a été radiée du barreau pour avoir manqué à des devoirs professionnels.* ANT. inscrire. ☞ radiation.

radieux, euse adj. **1.** Qui brille d'un grand éclat; qui est particulièrement éclatant: *Nous roulions en voiture par une journée radieuse.* SYN. brillant, rayonnant. ANT. sombre. **2.** Qui est heureux, rayonnant de joie: *Les nouveaux mariés radieux nous disaient au revoir.* SYN. ravi. ANT. sombre, triste. **3.** Qui indique la joie, le bonheur: *Un sourire radieux illumine son visage.* SYN. ravi, rayonnant. ANT. sombre, triste.

radin, ine n. et adj. **1.** n. Personne avare: *Elle n'a rien donné à notre quête, quelle radine!* SYN. grippe-sou. **2.** adj. Qui est avare: *Que tu es radin, Michel!* ANT. généreux. **R.** Le féminin de l'adjectif est rarement employé.

radio n.f. Abréviation de «radiographie», enregistrement photographique de l'intérieur du corps par le moyen des rayons X: *Les radios de mon bras sont bonnes.* ☞ radiographie, radiographier, radiologie, radiologique, radiologue, radiothérapie. ▲ **radio** n.f. **1.** Abréviation de «radiodiffusion», transmission de nouvelles, de manifestations artistiques, sportives, etc., par le moyen des ondes: *Les premières émissions de radio eurent lieu au début des années 1920.* **2.** Appareil récepteur de radiodiffusion: *J'ai une radio dans ma chambre.* ☞ radiocassette, radiodiffuser, radiodiffusion, radiophonique. ▲ **radio** n.f. **1.** Système qui permet à deux personnes d'être en liaison téléphonique par le moyen des ondes: *Nous avons communiqué par radio.* **2.** Appareil qui transmet et reçoit des sons, sans fil: *La radio de bord n'a pas été endommagée quand l'avion s'est écrasé.* ☞ radiophonique.

radio n.m. Personne chargée des liaisons par radio à bord d'un avion, d'un navire: *Le radio a envoyé un message d'urgence.*

radio adj.invar. Qui utilise des procédés et des techniques de transmission du son par ondes: *Nous avons envoyé un message radio.*

radioactif, ive adj. Qui émet des particules, des rayonnements qui, en se transformant, peuvent être dangereux: *Les substances radioactives peuvent provoquer le cancer.* ☞ radioactivité.

radioactivité n.f. Propriété qu'ont certains noyaux d'atomes de se transformer en un autre élément en émettant des particules ou des rayonnements: *On ne peut échapper à la radioactivité naturelle du soleil.* ☞ radioactif.

radiocassette n.f. Appareil récepteur de radio combiné à un magnétophone: *Élyse trouve pratique sa radiocassette portative.* ☞ radio.

radiodiffuser v. Transmettre des nouvelles, des manifestations artistiques, sportives, etc., par le moyen des ondes: *On doit radiodiffuser la partie de base-ball.* ☞ radio. **radiodiffusé, ée** p.p. et adj. Qu'on transmet par le moyen des ondes, en parlant de nouvelles, de manifestations artistiques, sportives, etc.: *Le discours radiodiffusé de la ministre a été écouté par de nombreux auditeurs.*

radiodiffusion n.f. Transmission de nouvelles, de manifestations artistiques, sportives, etc., par le moyen des ondes; organisation qui prépare et effectue cette transmission: *L'apparition de la radiodiffusion, couramment appelée «radio», a eu beaucoup d'influence sur la vie des peuples.* ☞ radio.

radiographie n.f. Enregistrement photographique de l'intérieur du corps par le moyen des rayons X: *La radiographie montre clairement à quel endroit mon doigt est fracturé.* **R.** Les lettres *ph* se prononcent *f.* ☞ radio.

radiographier v. Faire une radiographie, photographier l'intérieur du corps par le moyen des rayons X: *Une technicienne a radiographié mes poumons.* **R.** Les lettres *ph* se prononcent *f.* ☞ radio.

radiologie n.f. Partie de la médecine qui s'occupe de l'étude et des applications médicales, industrielles ou autres des rayons X et de certains rayonnements: *Antoinette doit aller au service de la radiologie pour son traitement aux rayons X.* ☞ radio.

radiologique adj. Qui se rapporte à la radiologie, à l'étude et aux applications des rayons X: *Je dois rester à jeun parce que j'ai des examens radiologiques à passer.* ☞ radio.

radiologue n. Personne qui étudie les rayons X et leurs applications; médecin spécialiste de la radiographie: *La radiologue fait la lecture des radios de ma jambe.* **R.** Ne pas oublier le *u* après le *g*. Aussi, *radiologiste*. ☞ radio.

radiophonique adj. Qui se rapporte aux procédés et aux techniques de transmission du son par le moyen des ondes; qui concerne la radiodiffusion: *Le journal du samedi nous donne les programmes radiophoniques de la semaine.* **R.** Les lettres *ph* se prononcent *f.* ☞ radio.

radiothérapie n.f. Traitement médical aux rayons X: *Certaines maladies peuvent être guéries par la radiothérapie.* ☞ radio.

radis n.m. Plante potagère à racine comestible ; la racine de cette plante, rouge ou noire, au goût légèrement piquant, que l'on mange crue : *Voudrais-tu ajouter quelques radis aux crudités ?*

radium n.m. Métal radioactif rare : *Ce cancéreux reçoit des traitements au radium.* **R.** Les lettres *um* se prononcent *omm*.

radius n.m. Os long de l'avant-bras : *À la radiographie, on a pu voir que j'avais le radius fracturé.* **R.** Le *s* se prononce.

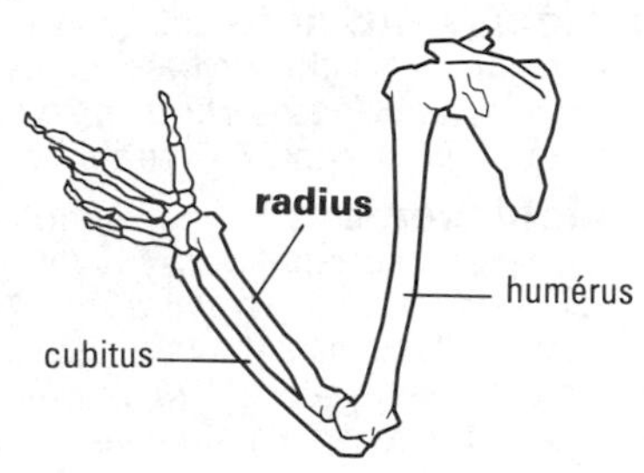

radotage n.m. Propos, paroles d'une personne qui radote, qui répète sans cesse les mêmes choses d'une façon ennuyeuse : *Le radotage est souvent associé aux personnes atteintes de sénilité.* SYN. rabâchage. ☞ radoter.

radoter v. **1.** Répéter sans cesse les mêmes choses : *Change de discours sinon on va croire que tu radotes.* SYN. rabâcher, ressasser. **2.** Dire des paroles confuses, tenir des propos décousus par sénilité : *Marcel radote de plus en plus ; il devient difficile à suivre.* SYN. déraisonner, divaguer. ☞ radotage, radoteur.

radoteur, euse n. Personne qui radote, qui se répète beaucoup : *La radoteuse n'était plus écoutée.* ☞ radoter.

radoucir v. **1.** vx Rendre plus doux, plus affable, plus conciliant : *Julie a radouci le ton devant mon attitude humble.* SYN. adoucir. ANT. aigrir, irriter. **2.** Rendre plus doux, moins froid : *La neige a radouci le temps.* SYN. réchauffer. ANT. refroidir. ☞ doux. **se radoucir** v.pron. **1.** Devenir moins froid : *Le printemps est à nos portes : le temps se radoucit.* SYN. se réchauffer. ANT. se refroidir. **2.** Devenir plus doux, plus conciliant : *Sa fureur tomba et son ton se radoucit.* ANT. s'aigrir.

radoucissement n.m. Action de radoucir, fait de se réchauffer, en parlant de la température, du temps : *Le radoucissement du temps a fait fondre les monuments de glace.* ☞ doux.

rafale n.f. **1.** Grand coup de vent soudain ou vent qui augmente brusquement sa vitesse : *Nous étions poussés par un vent qui soufflait par rafales.* SYN. bourrasque. **2.** Suite de coups rapprochés tirés par une arme automatique ou une batterie d'artillerie : *Des rafales de balles firent deux morts et cinq blessés.*

raffermir v. **1.** Rendre plus ferme, plus dur : *Le cyclisme raffermit les mollets.* SYN. durcir. ANT. ramollir. **2.** fig. et litt. Consolider, remettre dans un état stable : *Margot a su raffermir le courage de Matthieu.* SYN. affermir, fortifier. ANT. affaiblir, ébranler. ☞ ferme. **raffermi, ie** p.p. et adj. Qui est devenu plus stable, qui a pris de l'assurance : *Nous sommes sortis raffermis de cette épreuve.* **se raffermir** v.pron. **1.** Devenir plus ferme : *Grâce à ces exercices, mes muscles se raffermissent.* SYN. se durcir. ANT. se ramollir. **2.** litt. Retrouver de l'assurance, devenir plus stable : *Notre amitié se raffermit avec les années.*

raffermissement n.m. Fait de se raffermir, de devenir plus dur : *Il a fallu attendre le raffermissement du sol avant de semer.* SYN. durcissement. ANT. affaiblissement, ramollissement. ☞ ferme.

raffinage n.m. Ensemble des opérations qui permettent de séparer les éléments d'une matière, d'un mélange, afin d'obtenir un produit plus pur ou un mélange ayant des propriétés précises : *Le raffinage du pétrole permet d'obtenir des essences, des huiles, des lubrifiants en partant des pétroles bruts.* ⁄⁄ *Raffinage du papier :* Préparation de la pâte à papier par un mélange de diverses pâtes et autres produits. *Raffinage du sucre :* Opération qui permet d'obtenir, à partir du sucre roux, le sucre blanc du commerce. ☞ raffiner.

raffiné, ée adj. **1.** Qui a un goût, un esprit, des sentiments très délicats : *Cette femme raffinée porte toujours des bijoux très discrets.* SYN. délicat, subtil. ANT. grossier, lourd. **2.** Qui témoigne d'une extrême délicatesse, d'une subtilité de goût, d'esprit : *Denis a des manières raffinées.* SYN. délicat, élégant, subtil. ANT. grossier, lourd. **3.** Qui est le signe d'une recherche poussée, qui est d'une grande finesse : *Ce mets raffiné fait les délices des gourmets.* SYN. frugal, simple. ANT. grossier. HOM. raffiner. ☞ raffiner.

raffinement n.m. **1.** Caractère d'une personne ou d'une chose raffinée, qui témoigne d'une recherche poussée, d'une grande délicatesse : *Le raffinement des manières est de mise partout.* SYN. subtilité. ANT. grossièreté, indélicatesse, vulgarité. **2.** Action ou chose qui témoigne ou demande de la recherche, une grande finesse de goût, d'esprit: *Je suis amateur de raffinements gastronomiques.* ☞ raffiner.

raffiner v. Rendre plus délicat, plus subtil: *La lecture peut raffiner le langage.* ANT. alourdir. ☞ raffiné, raffinement. ▲ **raffiner** v. Soumettre un produit au raffinage, le transformer, le traiter en le séparant de certains éléments pour obtenir un produit pur: *Il faut raffiner le pétrole pour obtenir l'essence nécessaire aux véhicules à moteur.* SYN. épurer. HOM. raffiné. ☞ raffinage, raffinerie. **raffiné, ée** p.p. et adj. Qui a été traité par raffinage: *Le sucre blanc granulé que nous consommons est du sucre raffiné.*

raffinerie n.f. Usine où se fait le raffinage, où l'on traite et transforme certains produits en les raffinant: *Les émanations des raffineries de pétrole empestent l'air.* ☞ raffiner.

raffoler v. Aimer beaucoup, avoir un goût très grand pour quelqu'un ou quelque chose: *Je raffole de la tarte aux pommes.* SYN. adorer. ANT. détester, haïr.

raffut n.m.fam. Grand bruit: *Avec tout ce raffut, je n'arrive pas à t'entendre.* SYN. tapage, vacarme. ANT. silence.

rafiot n.m. Mauvaise embarcation: *J'hésitais à prendre place à bord de ce vieux rafiot.* **R.** Aussi, *rafiau*.

rafistolage n.m.fam. Action de rafistoler, de réparer de façon grossière: *Ton rafistolage n'a pas tenu.* ☞ rafistoler.

rafistoler v.fam. Réparer de façon grossière, avec des moyens de fortune: *J'ai rafistolé la chaîne de ma bicyclette; j'espère qu'elle tiendra jusqu'à la maison.* ☞ rafistolage.

rafle n.f. **1.** Arrestation en masse de personnes, faite à l'improviste par la police dans un endroit suspect: *Cinq personnes ont été prises dans cette rafle.* **2.** vx Action de rafler, de tout prendre rapidement: *Une bande de voleurs ont fait une rafle dans cette bijouterie.* ☞ rafler.

rafler v.fam. **1.** Saisir et emporter rapidement, sans rien laisser: *Des cambrioleurs ont raflé mes objets précieux pendant que j'étais à l'épicerie.* **2.** Prendre, s'emparer de choses recherchées: *Cette participante a raflé tous les prix.* ☞ rafle.

rafraîchi, ie adj. Qui est rendu frais: *Ce champagne rafraîchi est délicieux.* **R.** Ne pas oublier l'accent: *î*. ☞ frais.

rafraîchir v. **1.** Rendre frais, refroidir légèrement: *Ce vin sera meilleur si tu le rafraîchis.* ANT. réchauffer. **2.** Procurer une sensation de fraîcheur: *Cette glace à l'orange te rafraîchira.* ANT. réchauffer. **3.** Redonner de l'éclat: *Pour rafraîchir ses chapeaux, il n'y en avait pas deux comme Karyn.* SYN. raviver. **4.** fig. et fam. Ranimer, rappeler: *Cette photo va te rafraîchir la mémoire.* **5.** Devenir frais: *Il faudrait mettre ce jus à rafraîchir.* ANT. réchauffer. ☞ frais. **se rafraîchir** v.pron. **1.** Devenir plus frais: *La nuit, le temps se rafraîchit.* ANT. se réchauffer. **2.** Se procurer une sensation de fraîcheur: *Pour me rafraîchir, je me passe une serviette humide sur le visage et je bois un jus frais.* **3.** fam. Boire une boisson fraîche, se désaltérer: *Venez vous rafraîchir; je vous offre un jus.* **R.** Ne pas oublier l'accent: *î*.

rafraîchissant, ante adj. Qui rafraîchit, qui donne une sensation de fraîcheur: *Prends donc une bonne douche rafraîchissante.* **R.** Ne pas oublier l'accent: *î*. ☞ frais.

rafraîchissement n.m. **1.** Action de rafraîchir; fait de se rafraîchir: *On prévoit un rafraîchissement de la température.* ANT. réchauffement. **2.** Boisson fraîche, sans alcool, prise en dehors des repas: *J'ai pris un rafraîchissement à la terrasse d'un café.* **R.** Ne pas oublier l'accent: *î*. ☞ frais.

ragaillardir v. Redonner de la bonne humeur, de l'entrain, de la vigueur: *Les résultats de l'examen ont ragaillardi tous les élèves.* SYN. ravigoter, réconforter, revigorer. ☞ gaillard. **ragaillardi, ie** p.p. et adj. Qui a repris de l'entrain, de la vigueur: *Après ce repas frugal, je me sentais ragaillardie.*

rage n.f. **1.** Mouvement violent de colère, de dépit, d'irritation qui rend agressif: *Il est devenu fou de rage en apprenant la nouvelle.* SYN. fureur. **2.** Envie violente, désir, besoin de quelque chose: *J'ai une rage de chocolat.* // *Faire rage:* Se déchaîner, atteindre une grande violence. *Rage de dents:* Mal de dents très douloureux. ☞ enragé, enrageant, enrager, rager, rageur, rageusement. ▲ **rage** n.f. Maladie mortelle causée par un virus qui se transmet par la morsure des animaux atteints, qui se caractérise soit par un état d'agitation, soit par des paralysies: *Une personne atteinte de la rage a si peur de l'eau qu'elle refuse d'en boire même si elle a très soif.* ☞ enragé.

rager v.fam. Enrager, éprouver de la colère: *Tu me fais rager quand tu laisses les portes ouvertes.* ☞ rage.

rageur, euse adj. **1.** Qui est porté à des accès de colère: *Cet enfant autoritaire et rageur est insupportable.* SYN. coléreux, irritable. ANT. calme, doux, paisible. **2.** Qui indique de la colère, de la mauvaise humeur: *Son ton rageur ne m'impressionne plus.* ANT. calme, doux. ☞ rage.

rageusement adv. D'une manière rageuse, avec colère : *Elle est sortie sans saluer et en claquant rageusement la porte.* SYN. furieusement. ☞ rage.

ragondin n.m. **1.** Mammifère rongeur d'Amérique du Sud élevé pour sa chair et sa fourrure : *Le ragondin se jette à l'eau ; il cherche des poissons pour son repas.* **2.** Fourrure de ce mammifère : *Un manteau de ragondin coûte très cher.*

ragot n.m.fam. Potin, parole médisante, malveillante : *N'écoute pas ces ragots, je t'en prie !* SYN. cancan, racontar. **R.** S'emploie souvent au pluriel.

ragoût n.m. Mets composé de morceaux de viande et de légumes que l'on fait cuire ensemble dans une sauce plus ou moins épicée : *Ce ragoût de bœuf aux carottes est délicieux.* ⁄⁄ *Ragoût de pattes :* Au Québec, mets composé de pattes de cochon que l'on fait cuire, souvent, avec des boulettes de viande. **R.** Ne pas oublier l'accent : *û*.

ragoûtant, ante adj. **1.** Qu'on a envie de manger : *Hum ! ton souper n'est guère ragoûtant !* SYN. appétissant. ANT. dégoûtant. **2.** Qui est plaisant, attrayant : *Avec nos mains terreuses et nos vêtements trempés, nous n'étions pas très ragoûtants !* ANT. dégoûtant. **R.** Ne pas oublier l'accent : *û*. S'emploie surtout à la forme négative.

raid n.m. (angl.) **1.** Opération militaire rapide et courte faite par des commandos chargés d'une mission spéciale en territoire ennemi : *Le raid avait pour but de faire sauter un pont.* **2.** Longue course pour éprouver l'endurance des personnes qui y participent et la résistance du matériel : *Le premier raid automobile fut lancé en 1907 et avait pour but de relier Paris et Dakar.* HOM. raide. **R.** Les lettres *aid* se prononcent *èdd*.

raide adj. et adv. **1.** adj. Qui est tendu fortement : *Au cirque, j'ai vu une acrobate marcher sur une corde raide.* ANT. élastique, flexible, lâche. **2.** adj. Qui est escarpé, difficile à monter ou à descendre : *La côte est raide ; je dois arrêter pour me reposer un peu.* SYN. abrupt. **3.** adj. Qui est engourdi, difficile à bouger : *Après tant d'exercices, j'avais les jambes raides et endolories.* ANT. mou, souple. **4.** adj. Qui se tient immobile et droit : *La sentinelle raide et imperturbable garde l'entrée de la citadelle de Québec.* **5.** adj. Qui est rigide, qui manque de souplesse : *Le col de ce chemisier est beaucoup trop raide ; il m'irrite le cou.* ANT. souple. **6.** adj. vx Qui est sévère, inflexible, peu accommodant : *Ne te montre pas si raide avec les enfants.* SYN. autoritaire. ANT. flexible, souple. **7.** adj.fam. Qui est difficile à croire, à admettre : *Ton histoire est peut-être vraie, tout de même elle est un peu raide.* **8.** adv. Tout d'un coup, brusquement : *Elle est tombée raide morte.* **9.** adv. D'une manière abrupte : *L'escalier en colimaçon tourne raide.* HOM. raid. ☞ raideur, raidir, raidissement.

raideur n.f. **1.** État de ce qui est raidi ou raide : *J'ai des raideurs dans la nuque ; je vais avoir le torticolis.* **2.** Manque de souplesse, d'aisance : *À cause de l'arthrite, je marche avec raideur.* ANT. grâce. **3.** fig. Caractère de ce qui est inflexible, sévère, rempli de gravité : *Il nous répondit avec une certaine raideur.* ☞ raide.

raidir v. **1.** Rendre raide : *L'immobilité raidit les membres.* SYN. contracter. ANT. assouplir. **2.** Tendre fortement : *La courroie est trop lâche, il faut la raidir.* ANT. détendre, relâcher. ☞ raide. **se raidir** v.pron. **1.** Devenir raide : *Mes doigts se raidissent quand il fait très froid.* SYN. se contracter. ANT. s'assouplir. **2.** fig. Rassembler ses forces pour résister : *Lucie avait mal mais elle se raidissait contre la douleur.* ANT. se détendre. ☞ raide.

raidissement n.m. Action de raidir ; état de ce qui est raidi : *Le raidissement des genoux rend la marche plus difficile.* ANT. assouplissement. ☞ raide.

raie n.f. **1.** Ligne ou bande tracée sur une surface : *J'ai acheté deux mètres de tissu à raies blanches et bleues.* SYN. rayure, trait. **2.** Ligne ou sillon naturel : *Une raie bien droite partage son dos en deux.* **3.** Séparation des cheveux qui laisse voir le cuir chevelu : *Une raie bien marquée et centrée sépare sa chevelure.* ☞ rayage, rayé, rayer, rayure. ▲ **raie** n.f. Poisson au corps aplati en losange, à la queue hérissée de piquants, dont les larges nageoires se rejoignent au sommet de la tête, qui vit près des fonds marins : *La raie est un poisson à chair délicate.*

raifort n.m. Plante cultivée pour sa racine au goût fort ; condiment à goût de moutarde qu'on fait avec cette racine : *On nous a servi une sauce au raifort avec notre bœuf.*

rail n.m. Chacune des deux bandes d'acier qui forment une voie ferrée : *Les rails guident le chariot.* ⁄⁄ *Par rail :* Par chemin de fer. ☞ déraillement, dérailler, monorail.

railler v. Tourner en ridicule par des plaisanteries, se moquer : *Simon a la détestable habitude de toujours railler les travers des gens.* SYN. ridiculiser. ANT. admirer, louer. ☞ raillerie, railleur.

raillerie n.f. Parole, écrit qui ridiculise, moquerie : *Les railleries sont souvent blessantes* *pour la personne qui en est la cible.* SYN. plaisanterie, sarcasme. ☞ railler.

railleur, euse n. et adj. **1.** n. Personne qui raille, qui aime à se moquer: *Jeanne, la railleuse, a une cible préférée: les prétentieux.* **2.** adj. Qui exprime la raillerie, qui est ironique: *Hans me parlait sur un ton railleur.* SYN. malicieux, moqueur. ☞ railler.

rainette n.f. Petite grenouille verte aux doigts munis de ventouses lui permettant de grimper aux arbustes, qui vit dans les terrains humides: *Grâce à sa couleur verte, la rainette peut se confondre avec le feuillage.* HOM. reinette.

rainure n.f. Longue et fine entaille faite dans une pièce de bois, à la surface d'un objet quelconque ou d'une pièce de métal: *L'aiguille s'est coincée dans une rainure du plancher: je n'arrive pas à la retirer.* SYN. cannelure. **R.** Les lettres *ai* se prononcent *é*.

raisin n.m. Fruit de la vigne formé de baies réunies en grappes: *Mes voisins cultivent du raisin pour faire leur vin.*

raison n.f. **1.** Faculté qui permet aux humains d'apprendre, de réfléchir, de juger et d'agir après avoir discerné ce qui est bien ou mal: *La raison est ce qui permet à l'être humain d'exercer son jugement.* SYN. esprit, intelligence, pensée. ANT. déraison, sentiment. **2.** Faculté intellectuelle d'une personne: *Il a agi avec toute sa raison.* SYN. lucidité. ANT. folie. ⁄⁄ *Âge de raison:* Âge auquel les enfants sont censés être conscients de leurs actes (environ 7 ans). *Avoir raison:* Être dans le vrai, ne pas se tromper. *Comme de raison:* Comme de juste, comme il convient. *Perdre la raison:* Devenir fou. *Plus que de raison:* D'une manière excessive. ☞ déraison, déraisonnable, déraisonnablement, déraisonner, irraisonné, raisonnable, raisonnablement, raisonné, raisonnement, raisonner, raisonneur. ▲ **raison** n.f. **1.** Explication d'une action, motif: *J'ignore la raison de sa colère.* SYN. cause, mobile. **2.** Argument utilisé dans le but de prouver ou de justifier quelque chose: *Pourquoi refuses-tu de te rendre à mes raisons?* **3.** Ce qui justifie l'existence de quelqu'un ou de quelque chose: *Cet enfant est sa raison de vivre.* ⁄⁄ *À plus forte raison:* Pour un motif d'autant plus fort. *Avec raison:* En ayant un motif valable. *Avoir raison de quelqu'un ou de quelque chose:* Vaincre la résistance de quelqu'un ou de quelque chose. *Raison sociale:* Dénomination sous laquelle une société commerciale prend ses engagements. *Se faire une raison:* Se résigner à accepter ce qu'on ne peut changer. ☞ raisonner, raisonneur. **à raison de** loc.prép. Au prix de: *Ces fruits se vendent à raison de deux dollars la douzaine.* **en raison de** loc.prép. À cause de, en considération de: *En raison des circonstances, nous avons dû reporter ce rendez-vous à plus tard.*

raisonnable adj. **1.** Qui est doué de raison, qui a la capacité d'exercer son jugement: *L'être humain est un être raisonnable.* SYN. intelligent, pensant. **2.** Qui pense et agit avec raison et sagesse, qui se conduit d'une manière réfléchie: *Crois-tu raisonnable de te coucher si tard?* SYN. sage, sensé. ANT. déraisonnable, fou, insensé. **3.** Qui est convenable, sans excès, conforme à la mesure normale: *Cette semaine, les kiwis se vendent à un prix raisonnable.* SYN. acceptable, modéré. ANT. exagéré, excessif, exorbitant. ☞ raison.

raisonnablement adv. **1.** D'une manière raisonnable, sensée: *Tu as agi raisonnablement en refusant cette offre douteuse.* ANT. déraisonnablement, follement. **2.** Avec mesure, modérément: *Au restaurant, j'ai mangé raisonnablement; je n'ai pas fait d'excès de table.* ANT. exagérément, excessivement. ☞ raison.

raisonné, ée adj. **1.** Qui est basé sur des raisons, des motifs, des preuves: *Il était impossible de critiquer ce projet raisonné: tout avait été prévu.* ANT. irraisonné. **2.** Qui explique par des raisonnements, par des arguments qui s'enchaînent et aboutissent à une conclusion: *Une grammaire raisonnée permet de comprendre les règles plutôt que de les apprendre par cœur.* HOM. raisonner. ☞ raison.

raisonnement n.m. **1.** Action, manière de se servir de sa raison; faculté qui permet de raisonner: *Chantal a réussi à me persuader par le raisonnement.* SYN. logique. ANT. intuition. **2.** Cheminement de la pensée, enchaînement d'arguments aboutissant à une conclusion: *D'après mon raisonnement, il y a une erreur dans ce problème de mathématiques.* ☞ raison.

raisonner v. **1.** Se servir de sa raison pour connaître, juger: *Si tu avais raisonné un peu, tu n'aurais pas enfermé ta sœur dans la garde-robe.* SYN. réfléchir. ANT. déraisonner. **2.** Faire des enchaînements logiques pour aboutir à une conclusion: *C'est à l'école que Joseph a appris à raisonner.* **3.** litt. Analyser: *Il vaut mieux raisonner le problème avant de tenter de le résoudre.* **4.** Former et utiliser des arguments pour convaincre quelqu'un, pour prouver quelque chose: *Sa manie de raisonner devient agaçante.* SYN. argumenter, discuter. ⁄⁄ *Raisonner quelqu'un:* Chercher à amener quelqu'un à une attitude raisonnable. **R.** Ne pas confondre avec *résonner.* ☞ raison. **se**

raisonner v.pron. **1.** Écouter la voix de la raison, se rendre à la raison: *Il a du mal à se raisonner devant une boîte de chocolats; il les mange tous.* **2.** Pouvoir être contrôlé par la raison: *Certains sentiments ne se raisonnent pas.*

raisonneur, euse n. et adj. **1.** n. Personne qui raisonne, qui se sert de sa raison pour connaître, juger ou faire des raisonnements aboutissant à une conclusion: *Émilie est une raisonneuse: elle cherche à expliquer tout ce qui l'entoure.* **2.** n. Personne qui discute, qui réplique: *Quelle raisonneuse! Elle discute sur tout et ne veut pas obéir.* **3.** adj. Qui raisonne; qui se sert de la raison: *Le ton raisonneur de ce livre me plaît.* **4.** adj. Qui est porté à discuter, à répliquer: *Ce garçon raisonneur devient impossible.* ☞ raison.

rajeunir v. **1.** Redonner une certaine jeunesse à quelqu'un: *Ces exercices physiques au grand air me rajeunissent.* ANT. vieillir. **2.** Donner l'apparence de la jeunesse, en parlant de l'aspect physique d'une personne: *Ta coiffure te rajeunit.* ANT. vieillir. **3.** Prêter un âge moins avancé à une personne: *Cherches-tu à me flatter en me rajeunissant de cinq ans?* ANT. vieillir. **4.** Moderniser, redonner de la fraîcheur à quelque chose: *Cette peinture a rajeuni nos meubles.* **5.** Redevenir jeune, retrouver l'aspect de la jeunesse: *Mes amis ont trouvé que j'avais rajeuni.* ANT. vieillir. ☞ jeune. se **rajeunir** v.pron. **1.** Se donner, par tous les moyens, un air de jeunesse: *Oncle André cherche à se rajeunir en se teignant les cheveux.* **2.** Se dire plus jeune qu'on ne l'est: *Quand on lui demande son âge, grand-mère commet un petit mensonge: elle se rajeunit de quelques années.* **rajeuni, ie** p.p. et adj. Qui a repris les apparences de la jeunesse: *Ce doit être l'effet du grand air, je le trouve rajeuni depuis quelque temps.*

rajeunissant, ante adj. Qui peut rajeunir, rendre plus jeune: *Les traitements rajeunissants sont parfois décevants.* ☞ jeune.

rajeunissement n.m. Fait de rajeunir; état de ce qui est ou semble rajeuni: *Une cure de rajeunissement te ferait du bien.* ANT. vieillissement. ☞ jeune.

rajout n.m. Chose qui est rajoutée: *Les rajouts que vous avez faits sur ce texte étaient nécessaires pour une meilleure information.* SYN. ajout. ☞ ajouter.

rajouter v. Ajouter de nouveau ou ajouter davantage: *Rajoute des illustrations, ça plaira aux jeunes.* ANT. enlever, supprimer. ☞ ajouter.

rajustement n.m. Action de rajuster, de modifier les prix, les salaires en fonction du coût de la vie: *J'attends avec impatience un rajustement de salaire.* **R.** Aussi, *réajustement.* ☞ ajuster.

rajuster v. **1.** Ajuster de nouveau, placer au bon endroit, remettre en bon ordre: *J'ai rajusté la ceinture de ma robe.* SYN. arranger, replacer. ANT. déranger. **2.** Adapter, modifier des prix, des salaires en fonction du coût de la vie: *À cause d'une nouvelle taxe, les commerçants ont dû rajuster les prix de certains produits.* **R.** Aussi, *réajuster.* ☞ ajuster. se **rajuster** v.pron. Remettre de l'ordre dans ses vêtements: *Les acteurs se rajustent avant d'entrer en scène.*

râle n.m. **1.** Bruit anormal de la respiration dû a une affection des poumons: *Les râles du bébé m'inquiètent.* **2.** Bruit rauque de la respiration chez certains mourants: *Un râle et ce fut la fin.* ☞ râler. ▲ **râle** n.m. Oiseau des marais aux ailes courtes, arrondies et plutôt faibles mais aux pattes fortes, dont le bec est tantôt long, tantôt court selon l'espèce, bruyant surtout la nuit: *Les râles sont lents au vol mais d'une grande agilité à la course.* **R.** Ne pas oublier l'accent: *â.*

râle d'eau

ralenti n.m. Vitesse la plus basse à laquelle tourne un moteur: *Je dois faire régler le ralenti de ma voiture; elle consommera ensuite moins d'essence.* // *Au ralenti:* En diminuant la vitesse, la vigueur. *Projection au ralenti:* Effet cinématographique spécial, réalisé lors du tournage, qui donne l'illusion de mouvements plus lents que dans la réalité. ☞ lent.

ralenti, ie adj. Dont le rythme est lent: *La maladie l'oblige à une existence ralentie.* ☞ lent.

ralentir v. **1.** Rendre plus lent un mouvement, une progression: *Le raid avait pour but de ralentir l'avance de l'ennemi.* SYN. freiner, retarder. ANT. accélérer. **2.** Diminuer l'intensité d'un phénomène, gêner le déroulement d'un processus : *On dit que cette lotion ralentit la chute des cheveux.* SYN. freiner, modérer. ANT. accélérer, encourager. **3.** Aller moins vite : *Les voitures doivent ralentir dans une zone scolaire.* ANT. accélérer. ☞ lent. se **ralentir** v.pron. Devenir plus lent : *Ses mouvements, qui se ralentissaient, trahissaient sa fatigue.*

ralentissement n.m. Diminution de la vitesse, du mouvement, de l'activité : *Cette économiste avait prédit le ralentissement de l'expansion économique.* ANT. accélération. ☞ lent.

râler v. **1.** Faire entendre un bruit rauque, un bruit anormal en respirant : *Une bronchite fait râler Yvon.* **2.** fam. Rouspéter, montrer son insatisfaction, sa mauvaise humeur : *Tu râles chaque fois qu'on te demande un service.* SYN. grogner, maugréer. **R.** Ne pas oublier l'accent : *â.* ☞ râle.

ralliement n.m. **1.** Action de rassembler, de regrouper des personnes dispersées : *Je me suis chargé du ralliement des élèves dans la cour de l'école.* SYN. rassemblement. ANT. débandade, dispersion. **2.** fig. Action de se rallier, d'adhérer à un parti, une opinion : *Le ralliement des quelques opposants ne s'est pas fait sans peine.* SYN. adhésion. ANT. opposition. ⁄⁄ *Mot, signe de ralliement :* Signe particulier qui permet aux membres d'un groupe de se reconnaître. *Point de ralliement :* Endroit où des troupes, des groupes doivent se réunir. ☞ rallier.

rallier v. **1.** Regrouper, rassembler des personnes dispersées : *La directrice rallie les élèves : l'heure du départ approche.* SYN. réunir. ANT. disperser, disséminer. **2.** Rejoindre, regagner un endroit et s'y regrouper : *La troupe doit rallier son poste demain.* **3.** fig. Unir des personnes pour une cause commune ; faire adhérer à une cause, à une opinion : *Il a fallu du temps pour rallier Claudine à nos idées.* SYN. gagner. ANT. opposer. ☞ ralliement. se **rallier** v.pron. **1.** Se rassembler, se regrouper : *Nous nous sommes ralliées devant l'entrée du musée.* SYN. se réunir. ANT. se disperser. **2.** Donner son adhésion à un parti, à une opinion ; approuver : *D'accord, je me rallie à ton point de vue.* ANT. s'opposer.

rallonge n.f. **1.** Ce que l'on ajoute à quelque chose pour le rendre plus long : *J'ai mis une rallonge à mon manteau.* **2.** Cordon électrique qui sert à prolonger le fil d'un appareil électrique : *La prise de courant est trop loin : j'aurais besoin d'une rallonge.* **3.** Planche qui s'adapte à une table et qui permet d'en augmenter la surface : *J'ai mis une rallonge à la table : nous aurons deux invitées pour dîner.* **4.** fig. et fam. Petit supplément payé ou reçu en plus de ce qui est dû : *J'ai obtenu une rallonge pour avoir terminé le travail avant l'échéance.* SYN. prime. ☞ long.

rallongement n.m. Action de rallonger, de prolonger ; opération qui consiste à rallonger : *Le rallongement de la période de vacances a bien plu aux enfants.* ☞ long.

rallonger v. **1.** Augmenter la longueur en ajoutant quelque chose : *Rallonge les manches de ton manteau avant de le porter.* SYN. allonger. ANT. raccourcir. **2.** Devenir plus long : *Les jours rallongent petit à petit.* SYN. allonger. ANT. raccourcir. ☞ long.

rallumer v. **1.** Allumer de nouveau ce qui s'est éteint, ce qu'on a éteint : *Le feu s'était éteint ; il a fallu le rallumer.* **2.** fig. Faire jaillir à nouveau, redonner de l'intensité : *Pourquoi rallumer la discorde par tes paroles blessantes ?* SYN. ranimer. ANT. éteindre, étouffer. ☞ allumer. se **rallumer** v.pron. **1.** S'allumer de nouveau, se rallumer par soi-même : *Un feu qu'on croit éteint peut se rallumer.* ANT. s'éteindre. **2.** fig. Renaître, reprendre de l'intensité : *Sa colère s'est rallumée en entendant ces paroles.* SYN. se ranimer. ANT. s'éteindre.

rallye n.m. (angl.) Marche ou course motorisée avec étapes et point de ralliement : *Après ce rallye de douze kilomètres, je ne pouvais plus marcher.*

ramage n.m. **1.** vx Branchage, rameau : *Les ramages ombrageaient le parc.* **2.** plur. Dessins, motifs de broderie représentant des rameaux, des fleurs, etc. : *La causeuse est recouverte d'un magnifique tissu à ramages.* ☞ ramager. ▲ **ramage** n.m. Chant des oiseaux, gazouillis : *La pluie avait cessé, le soleil brillait et les oiseaux faisaient entendre leur ramage.* ☞ ramager.

ramager v. Orner une étoffe de ramages en peignant : *Avec cette technique, vous pouvez ramager vous-mêmes vos foulards.* ☞ ramage. ▲ **ramager** v. Faire entendre son chant, son ramage : *Un chardonneret ramage sous ma fenêtre.* ☞ ramage.

ramassage n.m. Action de ramasser, de rassembler des choses éparses : *Le ramassage du linge à nettoyer se fait tous les vendredis.* ⁄⁄ *Ramassage scolaire :* Organisation de transport routier des écoliers entre leur domicile et leur école. ☞ ramasser.

ramassé, ée adj. **1.** Qui est pelotonné, roulé en boule : *Ramassé sur lui-même, le chat s'apprêtait à bondir.* **2.** Qui est gros et court, en parlant du corps d'une personne, d'un animal : *Ce cheval ramassé et vigoureux est une excellente bête de trait.* SYN. trapu. ANT.

élancé. **3.** Qui est concis, exprimé en peu de mots : *Cette auteure a un style ramassé.* HOM. ramasser. ☞ ramasser.

ramasse-miettes n.m.invar. Ustensile composé d'un plateau et d'un petit balai servant à ramasser les miettes sur une table : *On vend dans cette boutique de jolis ramasse-miettes en argent.* ☞ ramasser.

ramasse-monnaie n.m.invar. Dispositif qui permet de ramasser la monnaie rapidement sur un comptoir : *Le ramasse-monnaie épargne du temps.* ☞ ramasser.

ramasser v. **1.** Réunir des choses dispersées : *J'ai ramassé les vêtements qui encombraient mon lit.* ANT. étaler. **2.** Prendre des choses répandues par terre pour les réunir ; cueillir : *Nous ramassons des coquillages sur la plage.* ANT. répandre. **3.** Relever, prendre un être, une chose qui est à terre : *J'ai ramassé le gant qu'elle avait échappé.* **4.** Prendre en plusieurs endroits pour réunir : *Un groupe d'enfants ramassent des fonds pour une sortie.* ANT. disperser. **5.** fam. Prendre, arrêter : *On l'a ramassé au cours d'une rafle dans un casino clandestin.* **6.** fig. et fam. Recevoir, attraper, quelque chose de fâcheux, de désagréable : *Brigitte a ramassé une taloche.* ANT. éviter. ☞ ramassage, ramasse-miettes, ramasse-monnaie, ramasseur, ramassis. ▲ **ramasser** v. **1.** Rassembler, resserrer en une masse : *Le chat ramasse son corps en boule avant de bondir.* SYN. se recroqueviller. ANT. étendre. **2.** Résumer, condenser : *Ton texte ramasse bien toutes tes idées.* HOM. ramassé. ⁄⁄ *Ramasser ses forces :* Rassembler toute son énergie en vue d'un effort intense. ☞ ramassé. se **ramasser** v.pron. **1.** Se pelotonner, se recroqueviller : *Le chat se ramasse et fixe un pauvre oiseau.* **2.** pop. Se relever après être tombé : *Il est trop faible pour se ramasser tout seul.* ⁄⁄ *Se ramasser par terre :* Tomber, dans le langage populaire. **ramassé, ée** p.p. et adj. Qu'on a cueilli, pris par terre : *Ces petites fraises ramassées dans les champs sont délicieuses.*

ramasseur, euse n. **1.** Personne qui ramasse, qui regroupe : *Dans le champ, une ramasseuse liait le chaume en gerbes.* **2.** Personne qui collecte des objets à recycler ou qui va chercher chez les producteurs des produits destinés à la vente : *Le mouvement Jeunesse du monde a son ramasseur de papier.* ☞ ramasser.

ramasseur n.m. Dispositif de ramassage de nombreuses machines agricoles : *Le ramasseur du broyeur ramène sous les meules les graines qui s'en échappent.* ☞ ramasser.

ramassis n.m. Réunion, ensemble de personnes, d'objets de peu de valeur : *Le tiroir contient un ramassis d'objets plus étranges les uns que les autres.* ☞ ramasser.

rambarde n.f. (it.) Garde-fou, rampe : *Appuyés sur la rambarde, nous regardions, muets d'admiration, le coucher du soleil.* SYN. bastingage, parapet.

rame n.f. Longue pièce de bois large et aplatie à une extrémité servant à faire avancer une embarcation : *Les rames sont dans le fond de la chaloupe.* SYN. aviron. ☞ ramer, rameur. ▲ **rame** n.f. Treillis qu'on met en terre qui sert de support à certaines plantes grimpantes : *Le vent a fait tomber les rames des pois.* ☞ ramer. ▲ **rame** n.f. **1.** Ensemble de cinq cents feuilles de papier : *L'école a acheté cinquante rames de papier à imprimer.* **2.** Ensemble de wagons rattachés les uns aux autres : *Nous avons pris la dernière rame de métro.*

rameau, eaux n.m. **1.** Branchette : *Sur un rameau, une petite grenouille verte surveille un papillon.* **2.** Subdivision d'un schéma en forme d'arbre : *En faisant l'arbre généalogique de notre famille, nous avons découvert de quel rameau était grand-père.* ⁄⁄ *Dimanche des Rameaux :* Dimanche qui inaugure la Semaine sainte et rappelle l'entrée triomphale de Jésus à Jérusalem. ☞ ramure.

ramener v. **1.** Amener de nouveau, mener de nouveau quelqu'un à un endroit ou auprès d'une personne : *Papa m'a ramené au jardin botanique.* **2.** Faire revenir un être en l'accompagnant à l'endroit d'où il est parti : *Laisse-moi te ramener chez toi en voiture.* SYN. raccompagner, reconduire. **3.** fig. Faire renaître, rétablir : *Le ton menaçant de maman ramenait vite l'ordre dans notre chambre.* **4.** Faire revenir à un sujet, à un état : *Le massage cardiaque l'a ramenée à la vie.* SYN. ranimer, rappeler. **5.** Amener quelqu'un ou apporter quelque chose avec soi au lieu que l'on avait quitté : *Je t'ai ramené ce bijou du Maroc.* SYN. rapporter. **6.** Remettre en place ; mettre dans une certaine position : *J'ai ramené les couvertures sous mon menton.* SYN. rabattre, tirer. ANT. écarter. **7.** Réduire : *Il ramène tous les grands problèmes de ce monde à une question économique.* **8.** Rapporter, remettre une chose là où on l'avait prise : *Je te ramènerai ta bicyclette demain.* ☞ amener. se **ramener** v.pron. **1.** Se réduire : *En fait, votre histoire se ramène à peu de chose.* **2.** fam. Venir : *Célia se ramenait chez moi chaque fois qu'elle avait besoin d'amitié et d'affection.* SYN. revenir.

ramequin n.m. (néerl.) **1.** Petit récipient en terre ou en porcelaine pouvant aller au four :

Maman a versé la crème caramel dans des ramequins. **2.** Petite tarte garnie d'une crème au fromage: *J'ai engouffré deux ramequins; ils étaient délicieux.*

ramequin

ramer v. **1.** Manœuvrer les rames pour faire avancer une embarcation: *Rame un peu vers la droite, on dévie.* **2.** fam. Se donner de la peine pour aboutir à quelque chose, travailler dur: *J'ai ramé longtemps avant d'obtenir de bons résultats en mathématiques.* ☞ rame. ▲ **ramer** v. Mettre des rames pour soutenir une plante grimpante: *La voisine rame ses haricots.* ☞ rame.

rameur, euse n. Personne qui rame, qui est chargée de manœuvrer les rames d'une embarcation: *Un rameur solitaire savourait sa liberté.* ☞ rame.

rami n.m. Jeu de cartes qui se joue avec cinquante-deux cartes et un joker, et qui consiste à réunir des combinaisons d'au moins trois cartes qu'on étale sur la table: *J'ai fait rami; j'ai étalé toutes mes cartes au premier tour.*

ramier n.m. et adj.m. **1.** n.m. Gros pigeon sauvage à la tête et au dos gris-bleu, aux ailes rayées de blanc, qui niche dans les arbres et que l'on retrouve dans les villes d'Europe: *À Venise, la grande place est envahie par les ramiers.* **2.** adj.m. Qui qualifie ce pigeon: *Le pigeon ramier mesure environ quarante centimètres de long.* ◇ palombe.

ramification n.f. **1.** Division des artères, des veines, des nerfs en parties plus petites: *Le système nerveux se compose de multiples ramifications.* **2.** Division en plusieurs rameaux, branches, tiges, etc.; chacune de ces divisions: *La ramification des nervures de cette feuille est très complexe.* **3.** fig. Groupement secondaire lié à une organisation centrale; subdivision: *Cette entreprise a des ramifications à l'étranger.* ☞ se ramifier.

se ramifier v.pron. Se partager en branches de plus en plus fines, en rameaux; se subdiviser: *À la sortie du pont, les trois voies se ramifiaient, allaient dans des directions différentes.* ☞ ramification.

ramolli, ie adj. **1.** Qui est devenu mou: *Mario prend du beurre ramolli pour confectionner une glace au chocolat.* **2.** fam. Qui a perdu sa vigueur, qui est faible, sans idées, en parlant du cerveau: *Un cerveau ramolli ne peut plus produire comme avant.* **3.** fam. Dont le cerveau est faible; qui manque d'énergie: *Eh! réagis! Es-tu ramolli?* SYN. gâteux. ☞ mou.

ramollir v. **1.** Rendre plus mou: *J'ai sorti le beurre du réfrigérateur pour le ramollir.* ANT. durcir, raffermir. **2.** fig. et litt. Rendre moins ferme, moins énergique, moins courageux: *L'écrasante chaleur ramollissait les volontés.* ☞ mou. **se ramollir** v.pron. **1.** Devenir plus mou: *La crème glacée se ramollit à la chaleur.* **2.** Perdre petit à petit ses facultés intellectuelles: *Il doit être très éprouvant de prendre conscience que son cerveau se ramollit.*

ramollissement n.m. **1.** Action de se ramollir, de devenir mou; état de ce qui est ramolli: *Le ramollissement de la glace nous empêche de patiner.* ANT. durcissement. **2.** Modification d'un tissu de l'organisme qui devient mou: *Le ramollissement cérébral est souvent causé par une thrombose qui prive une partie du cerveau de son irrigation sanguine.* ☞ mou.

ramonage n.m. Action de ramoner, de nettoyer une cheminée en raclant; résultat de cette action: *Le ramonage de la cheminée doit se faire régulièrement.* ☞ ramoner.

ramoner v. Nettoyer en raclant pour enlever la suie dans une cheminée, un tuyau: *On peut prévenir un incendie en faisant ramoner la cheminée de sa maison.* ☞ ramonage, ramoneur.

ramoneur n.m. Personne dont le métier est de ramoner, de nettoyer les cheminées: *Le ramoneur est passé en notre absence.* ☞ ramoner.

rampant, ante adj. **1.** Qui rampe, se traîne: *La couleuvre rampante se faufile dans les herbes.* **2.** Qui fait preuve d'humilité, qui s'abaisse devant les supérieurs: *Son caractère rampant me déplaît.* SYN. servile, soumis. ☞ ramper.

rampe n.f. **1.** Surface en pente qui permet le passage entre deux surfaces horizontales: *Grâce aux rampes d'accès, de nombreux édifices sont accessibles aux personnes en fau-*

teuil roulant. **2.** Partie en pente d'une route, d'une rue, d'une voie ferrée : *Les voitures montaient difficilement la rampe recouverte de glace.* ⁄⁄ *Rampe de lancement:* Plan incliné pour le lancement de certains avions, de fusées. ▲ **rampe** n.f. **1.** Balustrade sur laquelle on s'appuie le long d'un escalier : *Les enfants adorent se laisser glisser à califourchon sur la rampe.* **2.** Rangée de lumières au bord d'une scène de théâtre : *La salle est dans l'obscurité, mais la chanteuse est éclairée par la rampe.* **3.** Rangée de projecteurs pour éclairer une piste d'atterrissage : *Une rampe de balisage indique à la pilote où elle doit atterrir.*

ramper v. **1.** Avancer en se traînant sur le ventre : *Le chat rampait en observant sa proie.* **2.** Se développer sur le sol ou grimper à un support, en parlant d'une plante : *Les concombres sont des plantes qui rampent.* **3.** S'abaisser, se soumettre humblement : *Elle est trop fière pour ramper devant qui que ce soit.* SYN. s'aplatir. ☞ rampant.

ramure n.f. **1.** Ensemble des branches, des rameaux d'un arbre : *Ce vieil arbre a une ramure gigantesque.* SYN. branchage. **2.** Ensemble des bois des cervidés, des ruminants dont les cornes se ramifient : *La ramure de l'orignal est aplatie en éventail.* ☞ rameau.

rancart n.m. Rebut : *Nous avons mis notre vieille voiture au rancart.* **R.** Ne s'emploie que dans les expressions *mettre au rancart, jeter au rancart.*

rance n.m. et adj. **1.** n.m. Goût fort et désagréable, odeur particulière d'un corps gras qui a ranci : *Ce vieux beurre sent le rance.* **2.** adj. Qui a une odeur forte et un goût âcre, mauvais, en parlant d'un corps gras : *Ne prends pas cette huile rance pour faire les frites.* ANT. frais. ☞ rancir, rancissement.

ranch n.m. (améric.) Grande ferme américaine où on fait de l'élevage : *Dans ce ranch, on élève des bœufs.* **R.** Aussi, *rancho*. Au pluriel, *ranchs* ou *ranches*. Les lettres *ch* se prononcent *tch*.

rancir v. Devenir rance, prendre un goût âcre et une odeur forte, en parlant d'un corps gras : *Au contact de l'air, l'huile rancit.* ☞ rance. **ranci, ie** p.p. et adj. Qui est devenu rance, qui a pris un goût âcre et une odeur forte, en parlant d'un corps gras : *Tu peux jeter ce morceau de lard ranci.*

rancissement n.m. Altération d'un aliment gras qui se manifeste par un goût et une odeur désagréables, âcres et, parfois, par un changement de couleur : *Le rancissement d'un corps gras le rend à peu près inutilisable en cuisine.* ☞ rance.

rancœur n.f. Rancune, amertume qu'on éprouve à la suite d'une humiliation, d'une déception ou une d'injustice : *Max a de la rancœur contre Lucie qui l'a trompé.* SYN. aigreur, ressentiment.

rançon n.f. **1.** Somme d'argent exigée pour la libération d'une personne retenue captive : *Nous avons dû payer une très forte rançon pour la délivrance de notre fils.* **2.** fig. Prix à payer, inconvénient qui se rattache à un avantage, un plaisir, un honneur : *La fatigue est bien souvent la rançon des voyages organisés.* SYN. compensation. **R.** Ne pas oublier la cédille. ☞ rançonner.

rançonner v. Forcer quelqu'un à donner de l'argent ou des objets de valeur : *Une vaurienne, armée d'un couteau, rançonne les personnes qui se promènent seules dans le parc.* **R.** Ne pas oublier la cédille. ☞ rançon.

rancune n.f. Ressentiment profond qui s'accompagne d'un désir de vengeance, d'animosité, qu'on garde d'une offense, d'une injustice : *Mariette garde rancune à son frère qui l'a ridiculisée en public.* SYN. rancœur. ANT. oubli, pardon. ☞ rancunier.

rancunier, ière n. et adj. **1.** n. Personne qui garde facilement rancune, qui n'oublie pas une offense : *Je ne suis pas une rancunière; je pardonne.* **2.** adj. Qui est porté à la rancune, qui n'oublie pas une offense : *J'ai le vilain défaut d'avoir un caractère rancunier.* SYN. vindicatif. ANT. indulgent. ☞ rancune.

randonnée n.f. Longue promenade ininterrompue : *Nous avons fait une randonnée à bicyclette.* SYN. excursion. ☞ randonneur.

randonneur, euse n. Personne qui fait de la randonnée, de longues promenades à pied, à bicyclette, à skis, etc. : *Les randonneurs ont interrompu leur marche pour se reposer.* ☞ randonnée.

rang n.m. **1.** Alignement d'êtres ou d'objets placés les uns à côté des autres, en largeur sur une même ligne : *Ce collier à deux rangs de perles est magnifique.* SYN. rangée. **2.** Ensemble des mailles tricotées sur une même ligne : *Un rang à l'envers, un rang à l'endroit, je tricote un gilet bien chaud.* **3.** Rangée de sièges placés les uns à côté des autres : *L'invitée d'honneur est assise au premier rang.* **4.** Suite de soldats placés côte à côte : *La fusillade a rompu les rangs ennemis.* **5.** Au Canada, ensemble des terrains agricoles qui s'étendent sur la longueur, perpendiculaires à une rivière ou à une route ; chemin qui dessert les exploitations agricoles ainsi alignées : *Oncle Bertrand habite le cinquième rang.* **6.** plur. Ensemble des personnes qui servent dans l'armée : *Il sert dans les rangs d'un régiment d'infanterie.* **7.** plur.fig. Foule, masse, nombre : *La fermeture de cette usine fera grossir les rangs des chômeurs.* ☞ ranger. ▲ **rang** n.m. **1.** Situation sociale, place occupée dans une hiérarchie : *La reine a été reçue avec tous les honneurs dus à son rang.* SYN. classe, titre. **2.** Place occupée dans un classement : *Pascal a un très bon rang en classe.* **3.** Situation dans un ordre, dans une série : *J'ai empilé les boîtes par rang de taille.*

rangé, ée adj. Qui est vertueux, qui mène une vie modérée, régulière : *« Je suis trop jeune pour être rangée », disait Lison.* SYN. sage, sérieux. ANT. bohème. HOM. rangée, ranger. ⁄⁄ *Bataille rangée :* Bataille qui a un plan, qui est organisée.

rangée n.f. Suite de personnes ou de choses placées les unes à côté des autres sur une même ligne : *Une rangée de peupliers bordent la route.* SYN. alignement, rang. HOM. rangé, ranger. ☞ rang.

rangement n.m. Action de ranger, de mettre en ordre ; résultat de cette action : *Ce matin, j'ai fait du rangement dans mes papiers.* SYN. classement. ANT. dérangement, désordre. ☞ ranger.

ranger v.vx Mettre en rangs, en files : *L'institutrice a rangé les enfants par ordre de grandeur.* SYN. aligner. ☞ rang. ▲ **ranger** v. **1.** Classer, mettre à sa place selon un certain ordre : *Le secrétaire a rangé les dossiers dans le classeur, par ordre alphabétique.* ANT. mélanger, mêler. **2.** Mettre de l'ordre dans un lieu : *Il m'a fallu deux heures pour ranger ma chambre.* SYN. placer. ANT. déplacer, déranger. **3.** Mettre de côté pour laisser la voie libre : *J'ai rangé la voiture le long du trottoir.* **4.** Amener, gagner quelqu'un à une cause, soumettre à ses opinions, à ses idées : *Michaël a su ranger Cléo à son avis.* SYN. rallier. HOM. rangé, rangée. ☞ dérangement, déranger, rangement. **se ranger** v.pron. **1.** Se placer en rangs : *Dès que la cloche sonne, les élèves se rangent par deux et entrent en classe.* **2.** Se mettre de côté, s'écarter pour laisser le passage : *En voyant arriver l'ambulance, je me suis rangée contre le trottoir.* **3.** fig. Se rallier : *Elle a fini par se ranger à mon idée.* **4.** Devenir plus sage, plus raisonnable : *Élisabeth a mis du temps avant de se ranger.* SYN. s'assagir.

ranimer v. **1.** Faire reprendre conscience : *Les secouristes tentent de ranimer le noyé.* SYN. réanimer. **2.** Redonner de la vigueur, revigorer : *L'air de la campagne m'a ranimée.* SYN. ragaillardir. ANT. affaiblir, épuiser. **3.** Redonner de la force morale, rendre plus vif : *Le premier succès a ranimé son enthousiasme.* SYN. exalter, raviver. ANT. apaiser, éteindre, étouffer. **4.** Redonner de la force, de l'éclat au feu : *Je ranime la flamme à l'aide d'un soufflet.* SYN. attiser, rallumer. ANT. éteindre, étouffer. ☞ animer. **se ranimer** v.pron. Reprendre, se réveiller : *À ces mots, leur colère se ranima.*

rapace adj. **1.** Qui est ardent, acharné à poursuivre sa proie, en parlant d'un oiseau : *Le vautour rapace vole en cercle au-dessus de sa proie.* **2.** Qui est assoiffé d'argent, qui cherche à s'enrichir au détriment des autres : *Ces gens d'affaires rapaces sont prêts aux pires bassesses.* SYN. avide, cupide. ANT. généreux, large, prodigue. ☞ rapaces, rapacité.

rapaces n.m.plur. Ordre d'oiseaux carnivores munis d'un solide bec recourbé, de serres puissantes et qui chassent soit le jour, soit la nuit, selon l'espèce : *Le balbuzard appartient à l'ordre des rapaces diurnes.* **R.** S'écrit au singulier lorsqu'il désigne un oiseau appartenant à cet ordre. ☞ rapace.

rapaces

rapacité n.f. **1.** Avidité, voracité d'un animal à se jeter sur sa proie ; acharnement à la poursuivre : *La rapacité de la panthère est bien connue.* **2.** Caractère d'une personne rapace, qui fait preuve de cupidité : *Sa rapacité légendaire en faisait un dangereux concurrent.* ANT. désintéressement, générosité, largesse. ☞ rapace.

râpage n.m. Action de râper, de réduire en poudre ou en petits morceaux : *Jean-Claude, fais vite le râpage du chou, le repas est prêt.* **R.** Ne pas oublier l'accent : *â.* ☞ râpe.

rapatriement n.m. Action de rapatrier, de faire revenir une personne dans son pays; résultat de cette action: *On a procédé au rapatriement des Canadiens installés dans ce pays en guerre.* ANT. déportation, exil. ☞ patrie.

rapatrier v. Faire revenir une personne dans son pays: *À la suite du coup d'État, on a rapatrié d'urgence tous les Canadiens en place dans ce pays.* ANT. déporter, exiler. ☞ patrie.

râpe n.f. **1.** Grosse lime dont on se sert pour user le bois et certains métaux tendres: *Tu vas d'abord passer la râpe sur ce bois; ensuite, on passera du papier de verre.* **2.** Ustensile de cuisine constitué d'une plaque rugueuse, qui sert à réduire certains aliments en poudre ou en petits morceaux: *Je nettoie la râpe à fromage avec une petite brosse.* **R.** Ne pas oublier l'accent: *â.* ☞ râpage, râpé, râper, râpeur.

râpé, ée adj. Qui est usé par le temps ou le frottement, en parlant d'un tissu: *Ce pantalon râpé n'est pas réparable.* HOM. râper. **R.** Ne pas oublier l'accent: *â.* ☞ râpe.

râper v. **1.** Mettre en poudre, en petits morceaux au moyen d'une râpe: *Marie râpe le sucre d'érable.* **2.** User une surface de bois, de métal avec une râpe, une lime: *Râpons les côtés rugueux de notre planche avant de la polir.* **3.** User jusqu'à la trame: *À force de glisser directement sur ton habit de neige, tu vas le râper.* **4.** fig. Racler, gratter la gorge: *Ton raisin n'est pas mûr, il nous râpe le gosier.* HOM. râpé. **R.** Ne pas oublier l'accent: *â.* ☞ râpe. **râpé, ée** p.p. et adj. Qui a été réduit en poudre ou en petits morceaux au moyen d'une râpe: *J'ai saupoudré du fromage râpé sur l'omelette.*

rapetissement n.m. Action de rapetisser quelque chose, de le rendre plus petit; fait de se rapetisser: *Le lavage en eau chaude a causé le rapetissement de ce tissu.* SYN. réduction. ANT. agrandissement, extension. ☞ petit.

rapetisser v. **1.** Rendre plus petit, diminuer: *Le tailleur va rapetisser la ceinture de mon pantalon.* SYN. réduire. ANT. agrandir, allonger. **2.** Faire paraître plus petit: *Cette couleur sombre rapetisse la pièce.* ANT. agrandir. **3.** fig. Diminuer la valeur, le mérite de quelqu'un, de quelque chose: *Pour se grandir, certaines personnes se plaisent à rapetisser les autres.* SYN. abaisser. ANT. élever, exalter, grandir. **4.** Devenir plus petit: *Si tu laves une veste de laine à l'eau trop chaude elle rapetissera.* SYN. rétrécir. ANT. agrandir, allonger. ☞ petit.

râpeux, euse adj. **1.** Qui est rude au toucher, qui présente des aspérités: *Les chats ont la langue râpeuse.* SYN. rêche, rugueux. ANT. doux, lisse. **2.** fig. Qui est âpre au goût, qui gratte la gorge: *Le vin de seconde qualité est souvent râpeux.* ANT. doux. **R.** Ne pas oublier l'accent: *â.* ☞ râpe.

raphia n.m. **1.** Palmier d'Amérique équatoriale et d'Afrique, apprécié pour sa fibre solide qu'on peut utiliser en vannerie: *Le raphia a de très longues feuilles.* **2.** Fibre, ficelle faite avec les feuilles de ce palmier: *J'ai mis tout mon avoir dans un sac en raphia et je suis partie.* **R.** Les lettres *ph* se prononcent *f.*

rapide n.m. et adj. **1.** n.m. Partie d'un cours d'eau où le courant s'accélère et tourbillonne à cause d'une brusque augmentation de la pente de son lit: *Notre canot s'est renversé au cours de la descente d'un rapide.* **2.** n.m. Train qui se déplace plus vite que l'express et qui ne s'arrête que dans les villes importantes: *J'ai réservé une place sur le rapide de 15 heures.* **3.** adj. Qui agit vite, qui est expéditif: *Sylvie est rapide dans son travail.* SYN. prompt. ANT. lent. **4.** adj. Qui se déplace à une grande vitesse: *Ma voiture est très rapide.* ANT. lent. **5.** adj. Qui est vif d'esprit: *Dans une classe, tous les élèves n'ont pas l'esprit rapide.* ANT. lent. **6.** adj. Qui s'accomplit très vite, dont les étapes se succèdent à intervalles rapprochés: *Sa guérison a été très rapide.* ANT. lent. ⫽ *Voie rapide:* Voie, route où l'on circule rapidement. ☞ rapidement, rapidité.

rapidement adv. D'une manière rapide, avec promptitude: *J'ai achevé rapidement ce travail.* SYN. vite. ANT. lentement. ☞ rapide.

rapidité n.f. Vitesse, promptitude: *La rapidité avec laquelle Germaine a fait son devoir me laisse douter de son sérieux.* SYN. hâte, précipitation. ANT. lenteur. ☞ rapide.

rapiéçage n.m. Action de rapiécer, de réparer en posant une pièce; résultat de cette action: *Après la lessive vient le rapiéçage du linge.* SYN. raccommodage. **R.** Ne pas oublier la cédille. Aussi, *rapiècement.* ☞ pièce.

rapiécer v. Raccommoder, réparer en posant une ou plusieurs pièces: *Steve rapièce un drap de coton.* SYN. repriser. **R.** Ne pas oublier la cédille devant *a* et *o.* ☞ pièce. **rapiécé, ée** p.p. et adj. Qu'on a réparé, raccommodé à l'aide d'une ou de plusieurs pièces: *Je suis à l'aise dans mon jean tout rapiécé.*

rappel n.m. **1.** Action de faire revenir quelqu'un: *Le rappel de la coopérante est surprenant.* **2.** Applaudissements nombreux d'un auditoire pour demander à un artiste de revenir sur la scène: *Après un long rappel, le violoniste réapparut sur la scène.* **3.** Action de faire revenir quelqu'un à quelque chose: *Le* *groupe était si dissipé que même les rappels à l'ordre ne pouvaient ramener le calme.* ⁄⁄ *Battre le rappel:* Essayer de rassembler les personnes, les choses nécessaires. ☞ appeler. ▲ **rappel** n.m. **1.** Action d'évoquer, de rappeler à l'esprit: *Le rappel de ces moments heureux me rend nostalgique.* **2.** Action de faire penser de nouveau: *J'ai dû lui faire un discret rappel de sa dette.* ☞ rappeler.

rappeler v. **1.** Appeler de nouveau, spécialement au téléphone: *Ta sœur t'a téléphoné; elle te demande de la rappeler.* **2.** Faire revenir en appelant, en demandant: *Son état empirait; on a rappelé le médecin.* **3.** fig. Faire revenir quelqu'un à quelque chose: *Les élèves étaient turbulents; ils ont été rappelés à l'ordre.* ☞ appeler. ▲ **rappeler** v. **1.** Faire revenir à l'esprit, à la mémoire: *Je lui ai rappelé notre sortie de ce soir.* **2.** Montrer une certaine ressemblance: *Vous me rappelez ma mère décédée.* ☞ rappel. se **rappeler** v.pron. Se souvenir de quelque chose, se le remémorer: *Nous nous rappelons nos mauvais coups de jeunesse.* **R.** Ne pas oublier de doubler le *l* devant un *e* muet.

rapport n.m. **1.** Action de rapporter, de relater ce qu'on a vu et entendu; ce que l'on rapporte: *Son rapport sur le cambriolage a été très précieux.* SYN. récit, témoignage. **2.** Compte rendu: *L'assemblée écoute le rapport de la réunion précédente.* **3.** Fait d'apporter des profits, des bénéfices: *La propriétaire de l'immeuble vit du rapport des chambres louées.* ☞ rapporter. ▲ **rapport** n.m. **1.** Lien, relation entre des choses: *Il y a un rapport entre le développement industriel et la dégradation de l'environnement.* **2.** plur. Échanges, relations entre des personnes, des groupes: *Nous avons d'excellents rapports avec nos voisins.* ☞ rapporter. par **rapport à** loc.prép. En comparant avec: *Claude est grand par rapport à Sylvie.*

rapporter v. **1.** Apporter avec soi en revenant d'un lieu: *Charles rapporte ses outils de travail à la maison.* SYN. ramener. ANT. emporter. **2.** Apporter de nouveau: *Nous manquons de pain, voudrais-tu en rapporter?* **3.** Remettre une chose à sa place, la rendre à quelqu'un: *Tiens, je te rapporte tes livres.* SYN. ramener. ANT. garder. **4.** Ajouter: *J'ai rapporté une bande de tissu à mon pantalon pour le rallonger.* ANT. enlever. ▲ **rapporter** v. Procurer, produire un certain profit: *Ma ferme rapporte plus de revenus cette année.* ☞ rapport. ▲ **rapporter** v. Rattacher quelque chose à une cause, à un but: *Il est difficile de comprendre ce phénomène sans le rapporter à son contexte.* SYN. attribuer, relier. ANT. opposer. ⁄⁄ *Rapporter un angle:* Tracer un angle après l'avoir mesuré sur un objet. ☞ rapport. ▲ **rapporter** v. **1.** Faire le récit de ce qu'on a vu et entendu, faire le compte rendu: *Tu as rapporté l'événement tel qu'il s'est produit.* SYN. dire, raconter, relater, répéter. ANT. taire. **2.** Répéter une chose par étourderie ou pour nuire à quelqu'un: *On ne peut rien dire devant toi, tu rapportes tout.* SYN. dénoncer, moucharder. ANT. taire. ☞ rapport, rapporteur. se **rapporter** v.pron. **1.** Avoir un rapport, un lien avec quelque chose: *L'adjectif s'accorde avec le nom auquel il se rapporte.* SYN. se rattacher. **2.** S'en remettre à quelqu'un, lui faire confiance: *Je m'en rapporte à vous qui connaissez la situation.* **rapporté, ée** p.p. et adj. Qui a été ajouté: *J'ai acheté une veste à poches rapportées.*

rapporteur n.m. Petit instrument en forme de demi-cercle gradué qui sert à mesurer ou à construire les angles: *Avec un rapporteur, je peux construire un triangle isocèle.*

rapporteur, euse n. et adj. **1.** n. Personne qui répète une chose par étourderie ou pour nuire à quelqu'un: *Un rapporteur a ébruité notre secret.* SYN. colporteur, délateur, mouchard. **2.** n. Personne chargée de faire un compte rendu, un procès-verbal, un rapport de ce qui s'est dit dans une assemblée: *La rapporteuse voudrait-elle nous lire ce qu'elle a noté?* **3.** adj. Qui répète une chose par étourderie ou pour nuire à quelqu'un: *Cette personne est hypocrite et rapporteuse.* ANT. discret. ☞ rapporter.

rapprendre v. Apprendre de nouveau: *Après son accident, il a dû rapprendre à marcher.* **R.** Aussi, *réapprendre*. ☞ apprendre.

rapproché, ée adj. **1.** Qui est proche, voisin de quelque chose: *J'ai pris place sur la chaise la plus rapprochée de la porte.* ANT. distant, éloigné. **2.** Se dit de choses qui se succèdent rapidement, qui ont lieu à peu d'intervalle: *Ces échecs rapprochés me découragent.* SYN. successif. HOM. rapprocher. ☞ proche.

rapprochement n.m. **1.** Action de placer ou de venir plus près; son résultat: *Le rapprochement des deux voitures rendait les manœuvres dangereuses.* ANT. éloignement, séparation. **2.** Action de réconcilier, d'établir des relations amicales: *Le rapprochement de deux nations ennemies demande du temps et de la diplomatie.* ANT. désunion. **3.** Lien, parallèle: *Quel rapprochement peux-tu faire entre le train et le métro?* SYN. association, comparaison, relation. ANT. différence. ☞ proche.

rapprocher v. **1.** Placer plus près de quelqu'un, de quelque chose: *Rapprochons nos chaises, on s'entendra mieux dans ce brouhaha.* SYN. approcher. ANT. écarter, éloigner, espacer. **2.** Donner l'illusion d'un rapprochement: *Les jumelles rapprochent les objets.* ANT. éloigner. **3.** Précipiter les choses, devancer le moment de faire une chose: *À cause de la tempête, on rapprochera l'heure du départ.* SYN. hâter. ANT. retarder. **4.** Réconcilier, inciter à des liens amicaux: *L'épreuve a rapproché nos amies.* ANT. diviser, opposer. **5.** Faire des liens, des rapprochements: *On a rapproché les témoignages de Pierre et de Thérèse.* ANT. différencier, dissocier. HOM. rapproché. ☞ proche. se **rapprocher** v.pron. **1.** Venir plus près: *Il s'est rapproché d'elle pour lui parler.* **2.** Devenir plus proche: *J'entends le tonnerre: l'orage se rapproche.* **3.** fig. Se réconcilier, en arriver à des relations plus amicales: *Martin et Maude se sont rapprochés l'un de l'autre au cours d'un voyage.* **4.** Avoir certaines ressemblances, être plus ou moins comparable: *Ce portrait se rapproche assez du modèle.*

rapt n.m. Enlèvement d'une personne: *Le rapt est un acte puni par la loi.* SYN. kidnapping. **R.** Le *t* se prononce. ☞ ravir.

raquette n.f. **1.** Instrument fait d'un cadre de forme ovale garni de fils tendus entrelacés, adapté à un manche et utilisé pour lancer une balle ou un volant: *Je me suis acheté une nouvelle raquette de badminton.* **2.** Morceau de bois plat et rond recouvert de caoutchouc et muni d'un manche, pour jouer au ping-pong: *Ton coup de raquette a envoyé la balle dans le filet.* **3.** Genre de large semelle ovale qui s'adapte aux chaussures et qu'on met pour marcher sur la neige molle sans enfoncer: *Chaussons nos raquettes et allons dans l'érablière.* HOM. racket. ☞ raquetteur.

raquetteur, euse n. Personne qui marche en raquettes, qui fait de la raquette: *Des raquetteurs ont pénétré dans la forêt.* ☞ raquette.

rare adj. **1.** Qui est peu fréquent: *Au Québec, les tornades sont des phénomènes rares.* SYN. exceptionnel, rarissime. ANT. courant. **2.** Qui n'existe qu'en petit nombre, qui est peu commun: *J'ai une collection de timbres rares.* SYN. rarissime. ANT. abondant, courant. **3.** Qui sort de l'ordinaire: *Cette pianiste a un talent rare pour la musique.* SYN. extraordinaire, remarquable, surprenant. ANT. médiocre. **4.** Qui est clairsemé, peu dense, peu fourni: *La chèvre broutait l'herbe rare.* ANT. dru, épais. ☞ se raréfier, rarement, rareté, rarissime.

se **raréfier** v.pron. **1.** Devenir rare: *Quand une espèce animale se raréfie, on n'a plus le droit de la chasser.* ANT. augmenter. **2.** Devenir moins dense: *En altitude, l'oxygène se raréfie.* ☞ rare.

rarement adv. Pas souvent: *Il lui arrive rarement d'être en retard.* ANT. fréquemment. ☞ rare.

rareté n.f. **1.** Qualité de ce qui est rare, de ce qui n'existe qu'en petit nombre: *La rareté de ce produit explique son prix élevé.* SYN. disette, manque. ANT. abondance, profusion. **2.** Caractère de ce qui ne se produit pas souvent: *La rareté de tes visites chez le médecin me laisse croire que tu es en santé.* ANT. fréquence, répétition. **3.** Chose rare, peu banale: *J'ai rapporté quelques raretés de mon voyage.* ☞ rare.

rarissime adj. Qui est très rare, exceptionnel: *Les visites du pape au Canada sont rarissimes.* ANT. fréquent. ☞ rare.

ras adv. De très près: *Il faut tailler les ongles ras quand on joue du piano.* HOM. rat. ☞ raser.

ras, rase adj. **1.** Qui est coupé près de la peau ou du cuir chevelu: *Je porte les cheveux ras.* SYN. court. ANT. long. **2.** Qui est très court de nature: *Il existe des chiens à poils ras et des chiens à poils longs.* ANT. long. **3.** Qui est tondu, coupé de près: *L'herbe de notre pelouse est drue et rase.* SYN. court. ANT. long. **4.** Qui est rempli au niveau du bord: *J'ai mis une cuiller rase de sucre dans la pâte.* HOM. rat. ⁄⁄ *À ras bords:* Jusqu'aux bords. *Rase campagne:* Terrain plat et découvert. ☞ raser. à **ras** loc.adv. Au plus près, très court: *Le caniche, aux poils coupés à ras, était drôle à voir.* au **ras de** loc.prép. Au plus près de la surface de, au niveau de: *La nappe de brume se maintenait au ras de la rivière.*

rasade n.f. Contenu d'une coupe, d'un verre plein jusqu'au bord: *Marie se sert une rasade de lait frais.*

rasage n.m. Action de raser, de couper les poils au ras de la peau: *Il a une barbe de trois jours; un bon rasage s'impose.* ☞ raser.

rase-mottes n.m.invar. Vol à basse altitude, près du sol: *Le risque de s'écraser au sol est grand en rase-mottes.* ☞ raser.

raser v. **1.** Couper les poils ou les cheveux près de la peau: *On lui a rasé les cheveux.* SYN. tondre. **2.** Couper les poils ou les fibres qui dépassent d'un tissu: *Maintenant, on trouve sur le marché des rasoirs électriques pour raser les tissus mousseux.* ⁄⁄ *Crème à raser:* Crème que l'on passe sur la peau avant le rasoir. ☞ après-rasage, ras, rasage, rasoir. se **raser** v.pron. Se faire la barbe ou se couper les poils ou les cheveux près de la peau: *Odette* *se rase les jambes.* ▲ **raser** v. Effleurer, frôler: *La balle de tennis a rasé le filet.* ☞ ras, rase-mottes. ▲ **raser** v. Abattre au ras du sol, détruire: *Un violent incendie a rasé la grange.* ▲ **raser** v.fam. Embêter, ennuyer: *Cet invité nous rase avec ses histoires.* SYN. assommer, fatiguer, importuner. ANT. amuser, intéresser. ☞ raseur, rasoir.

raseur, euse n.fam. Personne ennuyeuse, assommante: *La conférencière était une véritable raseuse.* SYN. rasoir. ☞ raser.

rasoir n.m. et adj.invar. **1.** n.m. Instrument qui sert au rasage: *Jacka prétend que le rasoir à main coupe plus ras que le rasoir électrique.* **2.** n.m. fig. et fam. Personne qui fatigue, qui ennuie: *Ah! quel rasoir que cet invité!* SYN. raseur. **3.** adj.invar. fig. et fam. Qui est ennuyeux: *Ce livre rasoir ne m'intéresse pas.* SYN. assommant. ANT. captivant, intéressant. ☞ raser.

rassasier v. **1.** Enlever tout à fait la faim: *Ce ragoût consistant rassasierait les plus gros appétits.* ANT. affamer. **2.** fig. Assouvir, contenter ses envies, ses passions: *Maryse veut tout connaître; rien ne peut rassasier sa curiosité.* SYN. combler, repaître. se **rassasier** v.pron. Se satisfaire pleinement: *Hier, mes parents se sont rassasiés de musique.* SYN. se repaître.

rassemblement n.m. **1.** Action de regrouper, de rassembler des choses dispersées: *Le rassemblement des témoignages pourra nous éclairer sur l'innocence de l'accusée.* SYN. réunion. ANT. dispersion, éparpillement. **2.** Fait de se réunir pour former un groupe; groupe de personnes ainsi formé: *Dans certains pays, les rassemblements ne sont pas tolérés.* SYN. attroupement. ANT. dispersion. **3.** Signal, sonnerie de clairon ou de trompette, donnant l'ordre de se regrouper: *Une guide sonne le rassemblement.* ☞ assembler.

rassembler v. **1.** Réunir ce qui est dispersé: *C'est l'heure du départ: rassemblez vos choses.* ANT. éparpiller. **2.** Regrouper, réunir dans un même lieu: *Le berger rassemble ses moutons.* SYN. grouper. ANT. disperser. **3.** Mettre ensemble, ajuster des pièces démontées: *L'horlogère a rassemblé les rouages de la montre.* SYN. remonter. ANT. démonter. **4.** Réunir, concentrer: *La parachutiste rassembla son courage et sauta.* ☞ assembler. se **rassembler** v.pron. Se regrouper, se réunir: *La famille se rassemble pour le souper.* ANT. se disperser. **rassemblé, ée** p.p. et adj. Qui est réuni, regroupé: *L'équipe rassemblée fête la victoire.*

se **rasseoir** v.pron. S'asseoir de nouveau: *Elle se leva et se rassit aussitôt, comme si elle changeait d'idée.* ☞ asseoir.

rassir v. Devenir rassis, perdre sa fraîcheur, en parlant d'un pain, d'une pâtisserie: *Il faudrait manger ce pain qui commence à rassir.* ☞ rassis. se **rassir** v.pron. Devenir rassis, perdre sa fraîcheur, en parlant d'un pain, d'une pâtisserie: *Enveloppe bien le gâteau, sinon il va se rassir.*

rassis, ise adj. Qui n'est plus frais sans être encore dur, en parlant du pain ou d'une pâtisserie: *J'ai dîné d'une soupe et d'un morceau de pain rassis.* ☞ rassir. ▲ **rassis, ise** adj. Qui est pondéré, calme, équilibré: *Claude réfléchit toujours avant d'agir; il a un esprit rassis.* ANT. fougueux, impulsif.

rassurant, ante adj. Qui rassure, qui redonne confiance: *Quand j'avais peur, je trouvais rassurants les deux bras solides de mon père.* SYN. tranquillisant. ANT. alarmant, effrayant, menaçant. ☞ rassurer.

rassurer v. Dissiper la crainte, donner confiance, tranquilliser: *Très calme, Chantale avait le don de nous rassurer.* SYN. calmer. ANT. affoler, alarmer, inquiéter, menacer. ☞ rassurant. se **rassurer** v.pron. Se tranquilliser, reprendre confiance, se libérer de ses peurs: *Quand j'entends un bruit louche, je me rassure, je vais voir ce qu'il y a.* ANT. s'alarmer, s'inquiéter.

rat n.m. et adj.m. **1.** n.m. Petit mammifère rongeur à museau pointu et à très longue queue, très vorace et prolifique, dont la femelle est la rate et le petit, le raton: *Ce dépotoir grouille de rats.* **2.** n.m. Nom donné à certains animaux qui ressemblent au rat: *On appelle souvent l'ondatra «rat musqué».* **3.** n.m.fig. Personne avare: *Il refuse de me prêter de l'argent, quel rat!* SYN. radin. **4.** adj.m.fig. Qui est avare, radin: *Comme elle est rat!* ANT. généreux. HOM. ras. ⁄⁄ *Rat de bibliothèque:* Personne qui passe son temps à consulter des livres dans les bibliothèques. *Rat d'hôtel:* Personne qui s'introduit dans les chambres d'hôtel pour dévaliser les clients. ☞ rate, raton.

ratatiné, ée adj. **1.** Qui est rapetissé, déformé par l'âge, ridé, flétri par le dessèchement: *Une vieille pomme toute ratatinée traînait au bord du trottoir.* **2.** fig. et fam. Qui est brisé, démoli: *La remorqueuse tirait la voiture ratatinée.* HOM. ratatiner. ☞ ratatiner.

ratatiner v. Rapetisser, raccourcir en déformant, en plissant: *Les pucerons ont ratatiné les feuilles de la vigne.* HOM. ratatiné. ☞ ratatiné. se **ratatiner** v.pron. Se raccourcir, se réduire en se déformant, se rider: *La sécheresse est implacable; tous mes légumes se ratatinent sous l'ardeur du soleil.*

ratatouille n.f. **1.** Mets composé d'un mélange de courgettes, de tomates, d'aubergines, etc., que l'on fait cuire dans l'huile d'olive: *J'aime les courgettes et les aubergines en ratatouille.* **2.** fam. et péj. Ragoût grossier et peu appétissant; mauvaise cuisine: *Tous les vendredis, à la cafétéria, on nous sert une ratatouille dont personne ne veut.*

rate n.f. Femelle du rat: *La rate a eu neuf ratons.* ☞ rat. ▲ **rate** n.f. Glande située en arrière de l'estomac, au-dessus du rein gauche, qui joue un rôle important dans la production de divers composants du sang: *La production d'anticorps est une des fonctions de la rate.*

raté n.m. **1.** Coup d'une arme à feu qui ne part pas: *Les ratés du fusil m'ont fait manquer l'animal.* **2.** Bruit d'un moteur qui semblait vouloir partir mais ne part pas: *Le moteur de ma voiture a des ratés.* **3.** fig. Incident, petite difficulté dans un système, dans le fonctionnement de quelque chose: *Malgré quelques ratés au départ, notre organisation a pu atteindre ses objectifs.* HOM. rater. ☞ rater.

raté, ée n. Personne qui n'a pas réussi sa vie, sa carrière: *Ce n'est qu'une ratée.* HOM. rater. ☞ rater.

râteau, eaux n.m. **1.** Outil fait d'une traverse portant des longues dents espacées et muni d'un manche: *Nous ramassons les feuilles avec un râteau.* **2.** Instrument agricole fait d'une traverse à longues dents courbées, qu'un cheval ou un tracteur peut tirer et qui sert à ramasser le foin: *Le râteau mécanique se relève et rejette sur sa gauche le foin fauché.* **R.** Ne pas oublier l'accent: *â*. ☞ râtelage, râteler, râteleuse, ratissage, ratisser.

ratel n.m. Mammifère carnivore d'Afrique et d'Asie du Sud, à dos blanc et à ventre noir, voisin du blaireau: *Le ratel est très friand de miel.*

râtelage n.m. Action de râteler, de ramasser avec un râteau agricole: *Mon père a engagé des aides pour le râtelage du foin.* **R.** Ne pas oublier l'accent: *â*. ☞ râteau.

râteler v. **1.** Ramasser à l'aide d'un râteau agricole: *C'est l'époque de la fenaison: il faut couper et râteler les foins.* **2.** Nettoyer avec un râteau: *Nous avons râtelé l'allée qui mène à la maison.* SYN. ratisser. **R.** Ne pas oublier de doubler le *l* devant un *e* muet. Ne pas oublier l'accent: *â*. ☞ râteau.

râteleuse n.f. Machine agricole munie de dents pour ramasser le fourrage: *Avant de ranger la râteleuse, mon père en fait le nettoyage.* **R.** Ne pas oublier l'accent: *â*. ☞ râteau.

râtelier n.m. **1.** Sorte d'échelle placée horizontalement au-dessus de la mangeoire et qui sert à mettre le fourrage qu'on donne aux animaux: *Stéphanie et Raoul mettent de la paille dans le râtelier de l'écurie.* **2.** Support muni d'encoches ou de trous servant à ranger verticalement des objets longs ou à manche: *Ma mère a acheté un râtelier d'établi pour ranger ses outils.* ▲ **râtelier** n.m.fam. Dentier: *Son nouveau râtelier lui fait mal.* **R.** Ne pas oublier l'accent: *â*.

rater v. **1.** Ne pas partir, en parlant d'une arme à feu: *La carabine a raté: la bête est sauve.* **2.** Échouer: *Ta présence a tout fait rater.* ANT. réussir. **3.** Manquer: *Justin, toujours à la dernière minute, a raté son autobus.* ANT. atteindre, attraper. **4.** Ne pas atteindre ce qu'on visait: *La fléchette a raté la cible.* **5.** Ne pas rencontrer une personne qu'on voulait voir: *Tu l'as ratée de deux minutes.* **6.** Ne pas réussir: *Kathy a raté son coup.* HOM. raté. ☞ raté. **raté, ée** p.p. et adj. Qui est manqué, qui n'est pas réussi: *Ses photos sont complètement ratées.*

ratification n.f. Action de ratifier, de confirmer par un acte officiel: *La ratification de vente a eu lieu hier.* SYN. approbation, confirmation. ANT. annulation. ☞ ratifier.

ratifier v. **1.** Approuver, confirmer par un acte officiel ce qui a été fait ou promis: *On doit ratifier la nouvelle convention.* SYN. homologuer. ANT. annuler. **2.** litt. Confirmer, reconnaître publiquement comme vrai: *La directrice ratifie toutes les déclarations de son remplaçant.* ANT. démentir. ☞ ratification.

ratine n.f. Étoffe de laine épaisse dont le poil est tiré en dehors et frisé de façon à former de petits grains: *Où ai-je mis ma veste de ratine bleue?* **R.** Ne pas confondre avec *tissu-éponge*.

ration n.f. **1.** Quantité de nourriture attribuée à une personne ou à un animal pour une journée: *Il est sage de ne pas manger plus que sa ration.* **2.** fig. Part, quantité jugée normale ou suffisante: *Je pense que j'ai reçu ma ration d'épreuves.* SYN. lot. ☞ rationnement, rationner.

rationnel n.m. Ce qui est conforme à la raison: *Le rationnel de son argumentation a convaincu toute l'assistance.*

rationnel, elle adj. **1.** Qui relève de la raison, qui est fondé sur la raison: *Sa conception de ce travail est rationnelle: il n'en a pas l'expérience.* **2.** Qui est conforme au bon sens, qui est réfléchi, organisé avec méthode: *Son* *organisation du temps est très rationnelle.* SYN. judicieux, raisonnable, sensé. ANT. déraisonnable, irrationnel. **3.** Qui raisonne, qui enchaîne des idées d'une façon juste, correcte: *Son esprit rationnel en fait une précieuse collaboratrice.* SYN. logique. ANT. illogique, irrationnel. ☞ irrationnel.

rationnement n.m. Action de rationner, de limiter la distribution et la consommation de denrées alimentaires ou de produits; résultat de cette action: *En temps de guerre, le rationnement alimentaire est une pratique courante.* ☞ ration.

rationner v. **1.** Réduire la consommation d'un produit en le distribuant par quantités limitées: *En plus de rationner l'essence, on la vendait cher.* **2.** Restreindre la quantité d'aliments d'une personne: *On a rationné les prisonniers de ce camp.* ☞ ration. se **rationner** v.pron. Se priver, s'imposer des restrictions de tout genre: *Un jour, je me rationne; le lendemain, je dévore.*

ratissage n.m. **1.** Action de ratisser, de nettoyer à l'aide d'un râteau: *Cet après-midi, j'ai fait du ratissage dans le jardin.* **2.** Action de fouiller méthodiquement une zone pour rechercher des malfaiteurs, des ennemis: *L'opération de ratissage a été inutile: on n'a pas découvert leur cachette.* ☞ râteau.

ratisser v. **1.** Aplanir la terre ou nettoyer à l'aide d'un râteau: *Les feuilles se sont accumulées, on va les ratisser.* **2.** Fouiller avec soin une zone pour rechercher des malfaiteurs, des ennemis: *La police a ratissé tout le quartier pour trouver cette bande de voyous.* **3.** fig. et fam. Ruiner: *Elle s'est fait ratisser au jeu: elle n'a plus un sou.* ☞ râteau.

raton n.m. Petit du rat: *Un raton était pris au piège.* ⁄⁄ *Raton laveur:* Mammifère carnivore d'Amérique à taille moyenne, à pelage fourni, à la queue longue et touffue, bon grimpeur et excellent nageur. ☞ rat.

rattachement n.m. Action de rattacher; fait de se rattacher, d'être rattaché, lié: *Le rattachement administratif d'une partie du Labrador à la province de Terre-Neuve date de 1927.* ☞ attacher.

rattacher v. **1.** Attacher de nouveau: *Rattache les cordons de ton tablier.* ANT. détacher. **2.** Attacher, établir un lien entre des choses ou des personnes: *L'électricienne a rattaché le fil électrique au circuit.* SYN. relier. **3.** fig. Faire dépendre quelque chose d'une chose principale: *On peut rattacher ta question à un problème plus général.* ☞ attacher. se **rattacher** v.pron. Être relié: *Ton idée peut très bien se rattacher à la mienne et la compléter.*

rattrapage n.m. Action de rattraper, de combler un retard, une insuffisance: *La directrice de notre école a organisé des classes de rattrapage destinées aux élèves qui ont du retard dans leurs études.* ☞ rattraper.

rattraper v. **1.** Attraper de nouveau un être ou un objet qu'on avait laissé échapper: *J'ai rattrapé mon chien qui avait encore réussi à s'enfuir.* **2.** Rejoindre un être ou une chose qui a de l'avance: *Le coureur a rattrapé son adversaire.* **3.** fig. Reprendre, récupérer: *Quand pourras-tu rattraper ce temps perdu?* ☞ rattrapage. se **rattraper** v.pron. **1.** Réparer ou prévenir à temps une erreur, une gaffe: *J'ai été impoli mais je me suis rattrapé par des excuses.* **2.** S'agripper, se raccrocher: *Je me suis rattrapée à une branche quand j'ai perdu pied.* SYN. se retenir. **3.** Récupérer de l'argent ou du temps perdu: *Je n'ai pu te voir cette semaine, mais je vais me rattraper.* **4.** Combler son retard, remédier à une insuffisance: *J'ai suivi des cours au mois de juillet pour me rattraper en mathématiques.*

rature n.f. Trait que l'on fait pour rayer ce qu'on écrit: *J'ai trop de ratures, je vais recopier mon texte.* ☞ raturer.

raturer v. Annuler, corriger ce qui est écrit en faisant un trait dessus: *En relisant mon texte, j'ai raturé deux mots.* SYN. barrer, biffer, rayer. ☞ rature.

rauque adj. Se dit d'une voix rude, enrouée, qui produit des sons voilés: *J'ai la voix trop rauque pour chanter.* SYN. éraillé. ANT. clair.

ravage n.m. **1.** Ensemble des dégâts matériels importants, causés par les forces de la nature: *La pluie très forte du 14 juillet 1987 a fait de grands ravages dans certaines régions du Québec.* SYN. destruction. **2.** Dommage causé par des personnes avec violence: *Les ravages de la guerre sont désastreux.* SYN. pillage, saccage. **3.** Effet fâcheux de quelque chose sur un corps, sur l'organisme: *Le ravage des ans ne peut guère se réparer.* SYN. dommage. ☞ ravagé, ravager, ravageur.

ravagé, ée adj. **1.** Qui est saccagé, détérioré, endommagé par des actes de violence: *C'est un chalet ravagé par les voleurs que nous avons trouvé à notre arrivée.* **2.** Qui est marqué, flétri par la maladie, les ans ou les abus: *Son visage ravagé par les épreuves gardait tout son charme.* HOM. ravager. ☞ ravage.

ravager v. **1.** Causer de graves dégâts matériels par l'effet d'actes violents: *Les envahisseurs ont ravagé cette région.* SYN. détruire, dévaster, saccager. ANT. épargner. **2.** Endommager gravement, détruire par l'effet des forces naturelles : *Des sauterelles ont complètement ravagé les récoltes.* SYN. saccager. ANT. épargner. **3.** Causer à quelqu'un de grands torts physiques ou moraux, apporter des désordres dans son existence : *Toutes ces privations l'ont ravagée.* ANT. épargner. HOM. ravagé. ☞ ravage.

ravageur, euse n. et adj. **1.** n. Animal, insecte qui cause des ravages, des dégâts : *Ces limaces sont des ravageuses de jardins.* **2.** adj. Qui cause des ravages, des dégâts : *Des oiseaux ravageurs rôdent autour du champ de maïs.* SYN. destructeur, dévastateur. **3.** adj. fig. Qui cause des troubles physiques ou moraux, qui apporte des désordres dans l'existence : *Les grandes peines sont souvent ravageuses.* ☞ ravage.

ravalement n.m. Opération de nettoyage, de remise en état d'un mur de façade ; produit qui sert à cette opération : *Cette année, nous consacrerons une certaine somme au ravalement de la façade de notre immeuble.* ☞ ravaler.

ravaler v. **1.** vx Rabattre, faire descendre, remettre plus bas : *J'ai ravalé mes bas.* **2.** fig. Abaisser, diminuer la valeur d'une personne : *La médisance ravale l'être humain.* **se ravaler** v.pron. S'abaisser, s'avilir : *Elle croit qu'elle se ravalerait en acceptant notre aide.* ▲ **ravaler** v. Nettoyer, remettre à neuf les murs d'une façade d'édifice, un ouvrage de maçonnerie : *Il faudra un mois de travail pour ravaler la façade de la banque.* ☞ ravalement. ▲ **ravaler** v. **1.** Avaler de nouveau, avaler ce qu'on a dans la bouche : *J'avais la gorge si nouée que j'avais du mal à ravaler ma salive.* **2.** Retenir, ne pas dire : *En colère mais toujours polie, elle ravala ses paroles injurieuses.* **3.** fig. Contenir, empêcher de se manifester, de s'exprimer : *Les enfants ne purent ravaler leur dégoût devant le plat qu'on venait de leur servir.* ☞ avaler.

rave n.f. Terme qui désigne plusieurs espèces de plantes potagères cultivées pour leurs racines comestibles ; plante potagère cultivée pour sa racine : *La rave est une plante à racine ronde et plate, voisine du navet.*

ravi, ie adj. **1.** Qui est content, enchanté : *Papa était ravi de rester quelques mois au foyer après la naissance du bébé.* SYN. satisfait. ANT. chagrin. **2.** Qui exprime une grande joie : *Son air ravi valait mille mots.* SYN. radieux. ANT. chagrin. ☞ ravir.

ravier n.m. Plat creux et généralement allongé, pour servir les hors-d'œuvre : *Mettrais-tu du céleri et des radis dans le ravier ?*

ravigotant, ante adj.fam. Qui ravigote, redonne de l'énergie, de la force : *Marielle prend un tonique ravigotant.* ☞ ravigoter.

ravigoter v.fam. Redonner des forces, de l'énergie, de l'élan : *Le froid me ravigote.* SYN. revigorer, stimuler. ANT. affaiblir, épuiser. ☞ ravigotant.

ravin n.m. **1.** Vallée étroite dont les versants sont très à pic : *Dans le nord du Québec, un raquetteur égaré, aveuglé par la rafale, est tombé dans un ravin.* SYN. précipice. **2.** Rigole creusée par une eau qui coule : *La pluie a creusé des ravins sur la route.* ☞ raviner.

raviner v. **1.** Creuser la terre de sillons, en parlant de l'eau qui ruisselle : *Les pluies ont raviné le coteau.* **2.** fig. Marquer de rides : *Les épreuves et les larmes ont raviné son visage.* ☞ ravin. **raviné, ée** p.p. et adj. Qui est marqué de rides : *Son visage raviné ne manque pas de charme.*

ravioli n.m. (it.) Petit carré de pâte farci de viande hachée ou de légumes, que l'on fait cuire à l'eau : *Nous mangeons des raviolis à la sauce tomate.*

ravir v. Charmer, plaire beaucoup : *Cette musique me ravit.* SYN. enchanter. ANT. affliger, attrister. ☞ ravi, ravissant, ravissement. ▲ **ravir** v.litt. **1.** Enlever par force, avec violence : *On a ravi la princesse et on demande une rançon.* SYN. kidnapper. **2.** Arracher à la vie, à l'affection des siens : *La guerre leur a ravi leur fils aîné.* **3.** Prendre par force ou par ruse le bien d'autrui : *On m'a ravi mes bijoux.* SYN. voler. ☞ rapt, ravisseur. **à ravir** loc.adv. Admirablement, à merveille : *Ta nouvelle coiffure te va à ravir.* **se raviser** v.pron. Changer d'avis, revenir sur ce qui a été décidé : *Je vous ai dit que nous irions au théâtre ; je me ravise, nous n'irons pas.*

ravissant, ante adj. Qui ravit, qui plaît par sa beauté, son charme : *Rémi est l'enfant le plus ravissant que je connaisse.* ☞ ravir.

ravissement n.m. État d'une personne charmée, exaltée, transportée de joie : *J'écoutais la pianiste avec ravissement.* SYN. enchantement. ☞ ravir.

ravisseur, euse n. Personne qui prend de force, avec violence, qui commet un rapt : *Les ravisseurs surveillent à tour de rôle leur victime.* ☞ ravir.

ravitaillement n.m. **1.** Action de ravitailler, d'approvisionner un groupe de personnes : *Le ravitaillement de la troupe en vivres et en munitions est assuré par le train.* **2.** Approvisionnement ; denrées nécessaires : *Nous avons assez de ravitaillement pour la semaine.* ☞ ravitailler.

ravitailler v. **1.** Fournir une personne ou un groupe en denrées diverses, en vivres : *Une partie du salaire sert à ravitailler la famille.* SYN. approvisionner. **2.** Fournir des vivres, du carburant, des armes : *Il en coûte très cher à l'État pour ravitailler ses armées.* SYN. approvisionner. ☞ ravitaillement. se **ravitailler** v.pron. Se procurer ce dont on a besoin, s'approvisionner : *Nous n'avions pas même le temps de nous arrêter pour nous ravitailler.*

raviver v. **1.** Attiser, ranimer, rendre plus vif, plus éclatant : *Ce produit a ravivé la couleur de mon chemisier.* SYN. aviver. **2.** fig. Ranimer, faire revivre : *Ces vieilles photos ravivent en elle d'heureux souvenirs.* SYN. réveiller.

ravoir v. **1.** Avoir de nouveau : *Justin a essayé de ravoir le livre qu'il avait prêté :* SYN. récupérer. **2.** fam. Ramener à l'état initial, faire qu'une chose soit comme neuve : *J'ai tout essayé pour ravoir ce cuir.* **R.** S'emploie seulement à l'infinitif. ☞ avoir.

rayage n.m. Action de rayer, de marquer de raies ; état de ce qui est rayé : *À la suite du scandale, on a demandé le rayage de certains noms dans la liste des membres.* ☞ raie.

rayé, ée adj. **1.** Qui a des rayures, des lignes, des bandes qui se détachent d'un fond de couleur différente : *Ce chemisier rayé et ce pantalon uni feront un bel ensemble.* **2.** Qui est marqué d'éraflures : *La vitre de ma montre est rayée.* HOM. rayer. ☞ raie.

rayer v. **1.** Marquer une surface de raies, tracer des lignes, des bandes : *Avec un crayon noir et une règle, j'ai rayé toute la feuille.* **2.** Faire des éraflures, des rayures sur une surface : *Charles a mis une vitre sur son bureau pour ne pas en rayer le bois.* SYN. érafler. **3.** Raturer, tracer un trait sur un mot ou un groupe de mots que l'on veut supprimer : *J'ai rayé ce rendez-vous sur mon carnet.* SYN. barrer. **4.** Exclure, éliminer : *J'ai rayé ce triste souvenir de ma mémoire.* HOM. rayé. ☞ raie.

rayon n.m. **1.** Trait, trace de lumière qui part d'un centre lumineux : *Un rayon de soleil filtrait par une fente du store.* **2.** fig. Ce qui répand la joie, l'espoir, la confiance, etc. : *Tes paroles sont comme un rayon d'espérance.* SYN. lueur. **3.** Chacune des pièces allongées qui partent, en différents sens, du centre d'une roue et se rattachent à la jante : *Une roue de bicyclette a de nombreux rayons.* **4.** Ligne droite qui joint un point d'une circonférence ou d'une sphère au centre : *Tous les rayons d'un cercle sont égaux entre eux.* **5.** Distance à partir d'un point d'origine, dans toutes les directions : *Toutes les routes sont fermées dans un rayon de dix kilomètres.* **6.** plur. Radiations, rayonnements : *On doit se protéger des rayons ultraviolets.* ⁄⁄ *Rayon d'action :* Zone d'activité. *Rayons X :* Sorte de rayonnement utilisé par les appareils de radiographie. ☞ rayonnant, rayonnement, rayonner.

▲ **rayon** n.m. **1.** Planche, tablette d'un meuble de rangement : *Je retrouve mon livre sur le dernier rayon de la bibliothèque.* **2.** Partie d'un grand magasin où on vend des articles semblables : *Le rayon des jouets attire les enfants.* **3.** Gâteau de cire que font les abeilles, qui contient les alvéoles remplies de miel : *Les rayons d'une ruche sont parallèles et verticaux.* ☞ rayonnage.

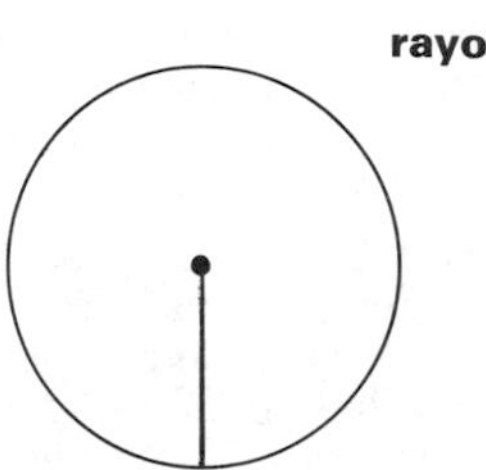

rayonnage n.m. Ensemble de tablettes, de rayons, d'un meuble de rangement : *Des livres et divers objets s'entassaient sur les rayonnages.* SYN. étagère. ☞ rayon.

rayonnant, ante adj. **1.** Qui rayonne, répand des rayons, des radiations : *Un soleil rayonnant caressait ma peau.* **2.** Qui est disposé en rayon, qui pointe vers le centre : *Pour sa courtepointe, grand-mère a choisi des motifs rayonnants.* **3.** fig. Qui s'éclaire sous l'effet d'une joie intense ; qui est radieux : *Des enfants au visage rayonnant regardent tomber la première neige.* **4.** fig. Qui exprime intensément quelque chose d'heureux : *Cet enfant est rayonnant de santé.* ☞ rayon.

rayonne n.f. Fibre synthétique soyeuse : *Pour son anniversaire, ma sœur a reçu une très jolie blouse en rayonne.*

rayonnement n.m. **1.** Action de rayonner, d'émettre des rayons, de la lumière, des radiations ; ensemble des radiations qu'un corps émet : *Le rayonnement solaire est une source d'énergie indispensable à la vie terrestre.* **2.** fig. Action qui se propage, influence heureuse : *Le rayonnement de la civilisation grecque se fait sentir encore de nos jours.* ☞ rayon.

rayonner v. **1.** Jeter, répandre des rayons lumineux : *Nous chantions, assis autour d'un feu de joie qui rayonnait dans la nuit.* **2.** Émettre de l'énergie, se propager par rayonnement : *La chaleur du soleil rayonne sur la terre.* **3.** fig. Manifester de la joie, du bonheur, du contentement : *Le visage de Raymonde*

Services offerts par le gouvernement provincial

Sûreté du Québec

Hôpital

Bibliothèque nationale

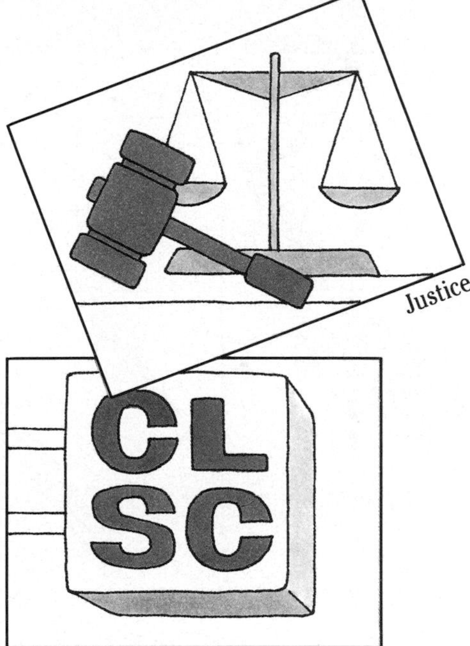

Justice

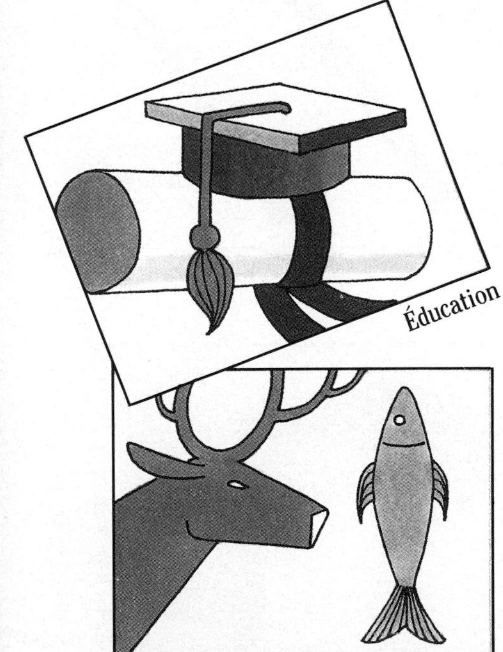

Éducation

Centre local des services communautaires

Loisir, Chasse et Pêche

État des routes

Instruments de musique

VENT

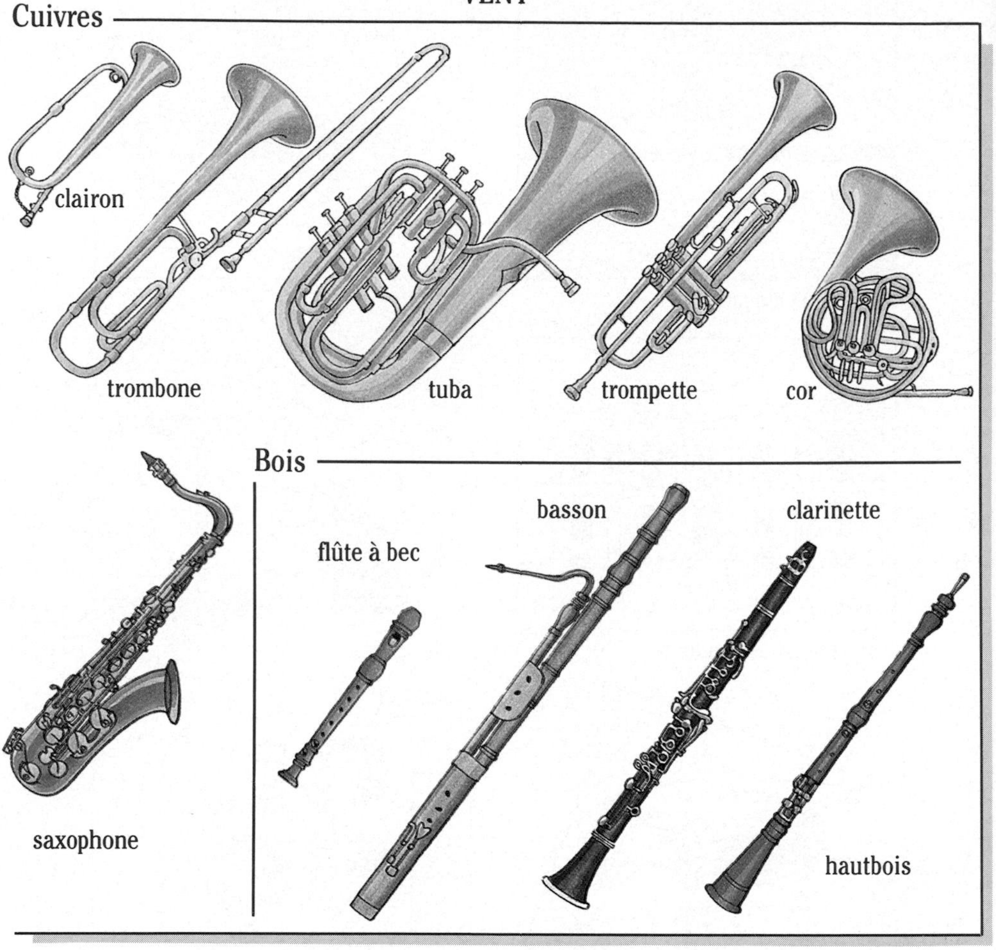

Cuivres
clairon
trombone
tuba
trompette
cor
saxophone
Bois
flûte à bec
basson
clarinette
hautbois

PERCUSSION

castagnettes
cymbales
xylophone
triangle
tambour
de basque
maracas
métallophone

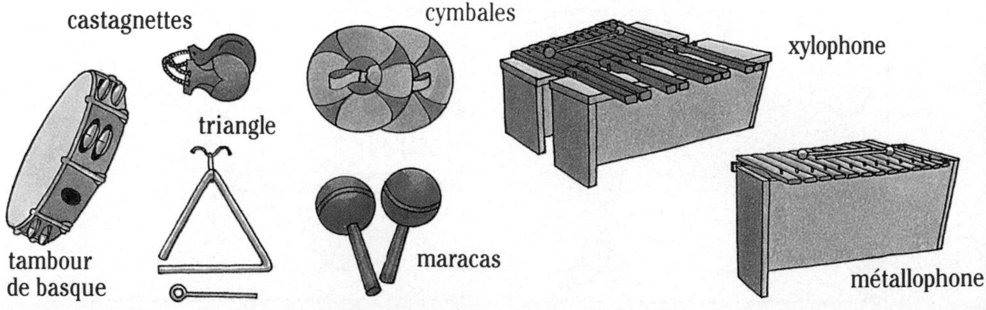

CORDES

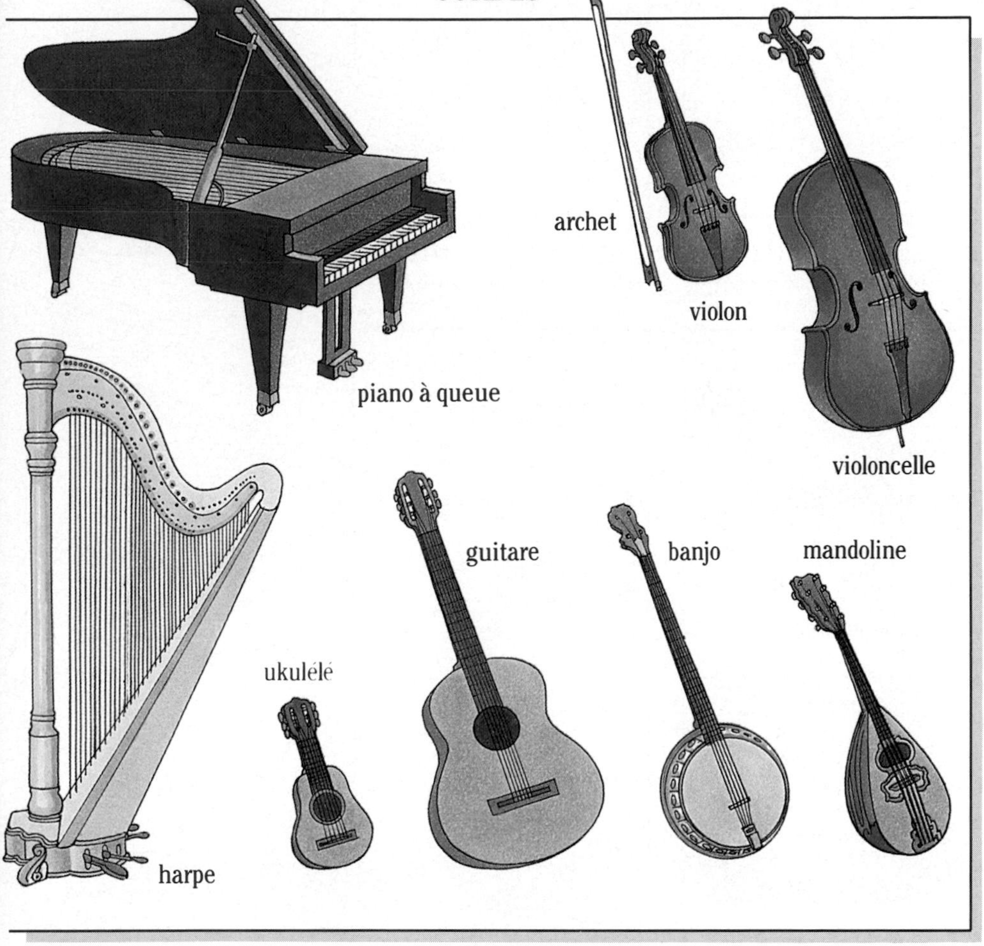

archet
violon
violoncelle
piano à queue
guitare
banjo
mandoline
ukulélé
harpe

timbales
carillon à lames
claves

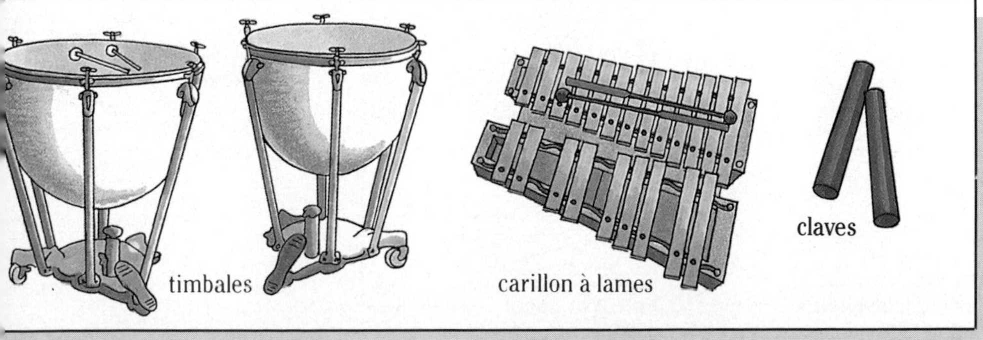

Services offerts par le gouvernement fédéral

Affaires indiennes et du Nord canadien

Immigration

Défense nationale

Gendarmerie royale du Canada

Navigation aérienne

Monnaie

Ports Canada

Affaires extérieures

Radiodiffusion et Télécommunications

Société canadienne des postes

Enregistrement des inventions

rayonne parce qu'elle est contente d'elle. **4.** fig. Se répandre, faire sentir son influence: *La civilisation grecque a rayonné sur le monde occidental.* ☞ rayon. ▲ **rayonner** v. **1.** Être disposé comme les rayons d'un cercle, en lignes divergentes autour d'un centre: *De la fontaine du parc rayonnent une foule de petites allées.* **2.** Circuler, se déplacer dans un certain rayon: *Ce service d'autobus rayonne autour de la ville.* ☞ rayon.

rayure n.f. **1.** Chacune des lignes, des bandes qui se découpent sur un fond de couleur différente: *Nous avons recouvert les murs de la cuisine d'un papier peint à rayures jaunes.* **2.** Trace plus ou moins profonde laissée sur une surface par un objet pointu ou coupant: *Même si on redore ma montre, la bijoutière m'assure que les rayures ne disparaîtront pas.* SYN. éraflure. ☞ raie.

raz de marée n.m.invar. **1.** Énorme vague isolée qui pénètre profondément dans les terres, provoquée par un tremblement de terre ou une éruption volcanique sous-marine: *La vague d'un raz de marée peut atteindre trente mètres de haut.* **2.** fig. Bouleversement moral ou social qui détruit l'équilibre d'une situation donnée: *Un raz de marée électoral a fait perdre à ce député le siège qu'il détenait depuis très longtemps.* **R.** Aussi, *raz-de-marée.*

razzia n.f. (arabe) Invasion d'un territoire en vue de le piller: *La tribu a perdu ses troupeaux lors de cette razzia.* ∥ *Faire une razzia sur quelque chose:* Emporter quelque chose par surprise ou par violence. **R.** Se prononce *razia* ou *radzia.*

ré n.m.invar. Note de musique: *«Ré» est la deuxième note de la gamme de «do».*

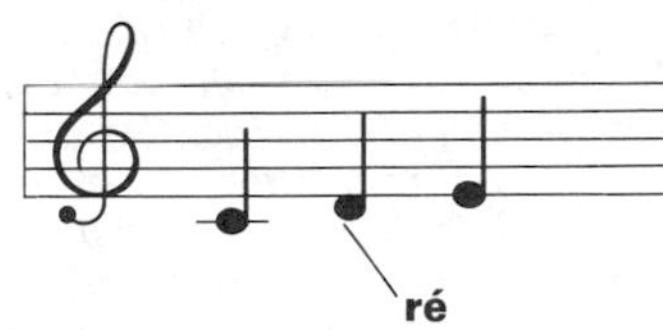

réabonnement n.m. Action d'abonner de nouveau ou de reprendre un abonnement; nouvel abonnement: *Si vous désirez un réabonnement, veuillez remplir le coupon ci-joint.* ☞ abonnement.

réabonner v. Abonner de nouveau, prendre de nouveau un abonnement pour quelqu'un: *J'ai réabonné Pierre à un magazine sportif.* ☞ abonnement. se **réabonner** v.pron. S'abonner de nouveau, prendre de nouveau un abonnement pour soi: *Chaque année, Thérèse se réabonne à sa revue de chasse et de pêche.*

réaccoutumer v. Accoutumer de nouveau, réhabituer: *Après un si long congé, il ne sera pas facile de réaccoutumer Luc aux exigences de l'entraînement.* **R.** Aussi, *raccoutumer.* ☞ accoutumer. se **réaccoutumer** v.pron. S'accoutumer de nouveau, se réhabituer: *Chaque hiver, il faut se réaccoutumer à conduire sur les routes enneigées.*

réacteur n.m. Moteur à réaction: *Cet avion a quatre réacteurs.* ∥ *Réacteur nucléaire:* Appareil dans lequel se produisent des réactions nucléaires. ☞ réagir.

réaction n.f. **1.** Force qui résulte de l'action d'un corps sur un autre corps qui agit en retour: *L'allongement d'un ressort est une réaction à la force qu'on exerce sur lui.* **2.** Transformation chimique qui se produit lorsque deux ou plusieurs substances sont mises en présence: *Je mélange du vinaigre et du bicarbonate de soude et j'observe la réaction: cela bouillonne!* **3.** Modification, réponse d'un organisme provoquée par des facteurs externes, une excitation, un remède: *Le frisson est une réaction au froid.* ∥ *Avion à réaction:* Avion à un ou plusieurs réacteurs. *Moteur à réaction:* Moteur qui, en chassant des gaz vers l'arrière d'un engin, crée une force de déplacement qui projette l'engin vers l'avant. *Réaction en chaîne:* Réaction par étapes pouvant se reproduire indéfiniment. ☞ réagir. ▲ **réaction** n.f. **1.** Comportement d'une personne en réponse à une action extérieure; façon de réagir à quelque chose: *Tant d'hypocrisie ne pouvait que provoquer une réaction de colère chez elle.* **2.** Réponse à une action par une action contraire en vue de l'annuler: *Ce règlement sévère a été adopté en réaction contre un certain laisser-aller.* **3.** Façon dont une machine, un véhicule répond aux commandes: *Ma voiture a de bonnes réactions dans les virages.* ☞ réagir.

réadaptation n.f. Adaptation nouvelle à d'anciennes conditions qui redeviennent actuelles ou à de nouvelles conditions: *Après plusieurs années de vie militaire, la réadaptation à la vie civile n'est pas toujours facile.* ☞ adapter.

réadapter v. Adapter, habituer à des conditions nouvelles ou à d'anciennes conditions qui redeviennent actuelles: *Après avoir passé dix ans en Afrique, Suzon devra réadapter son rythme de vie au nôtre.* ☞ adapter. se **réadapter** v.pron. S'adapter à des conditions, à une situation dont on a perdu l'habitude: *Après six mois de convalescence, Marisol a dû se réadapter à la vie active.*

réaffirmer v. Affirmer, soutenir de nouveau et avec force: *La condamnée réaffirme publiquement son innocence.* ☞ affirmer.

réagir v. **1.** Exercer une action en sens contraire, en parlant d'un corps qui a éprouvé la force d'un autre corps: *Un corps élastique réagit sur un corps qui le presse.* **2.** Entrer en réaction, se transformer, en parlant de corps, de substances chimiques: *Certaines substances ne réagissent pas lorsqu'on les combine.* **3.** Répondre à des facteurs externes, à une excitation, à un remède, en parlant de l'organisme: *L'organisme réagit contre les infections.* ☞ biréacteur, quadriréacteur, réacteur, réaction. ▲ **réagir** v. **1.** Agir en retour, se répercuter: *Les sentiments des parents réagissent sur leurs enfants.* **2.** Résister, s'opposer à une action par une action contraire: *Les contribuables ont réagi contre cette hausse des impôts.* **3.** Agir en s'opposant: *La direction a vite réagi et l'ordre est revenu.* **4.** Se secouer, faire un effort pour lutter, pour se sortir d'une situation pénible: *Ne te laisse pas abattre, réagis.* **5.** Manifester une réaction face à quelque chose, répondre de façon spontanée à une action extérieure: *J'ai réagi brusquement à cette insulte.* ☞ réaction.

réalisable adj. Qui peut être réalisé, qui peut devenir réel, concret: *Ton plan est réalisable.* ANT. irréalisable. ☞ réaliser.

réalisateur, trice n. et adj. **1.** n. Personne qui dirige la préparation et la réalisation d'une émission ou d'un film: *Connais-tu la réalisatrice de ce film?* **2.** n. Personne qui rend concret, qui sait rendre concret un projet, une œuvre: *Tu as su faire preuve de qualités de réalisateur dans l'exécution de ce travail.* **3.** adj. Qui rend concret, qui sait rendre concret un projet, une œuvre: *Cet homme a un esprit réalisateur.* ☞ réaliser.

réalisation n.f. **1.** Action de réaliser, de rendre réel, effectif: *La réalisation d'un dictionnaire exige beaucoup de travail, de temps et d'argent.* **2.** Chose réalisée: *Les réalisations artistiques des enfants méritent d'être exposées.* SYN. création. **3.** Ensemble des opérations nécessaires pour produire un film, une émission de radio ou de télévision; mise en scène ou en ondes: *Cette metteuse en scène réputée s'occupe de la réalisation d'une comédie musicale.* ☞ réaliser.

réaliser v. **1.** Rendre réel, concrétiser, accomplir: *Marie réalise enfin son projet d'aller en vacances en Acadie.* **2.** Prendre en charge la réalisation d'une émission ou d'un film; mettre en scène ou en ondes: *Le metteur en scène a réalisé une série d'émissions qui seront vendues à la France.* ☞ irréalisable, réalisable, réalisateur, réalisation. se **réaliser** v.pron. **1.** S'accomplir, prendre corps, se concrétiser: *J'espère que tes vœux se réaliseront.* **2.** S'épanouir, devenir ce que l'on voulait être: *Une personne se réalise dans ce qu'elle aime.* ▲ **réaliser** v. Se rendre compte de la réalité d'un fait: *C'est seulement après le départ de Josée que j'ai réalisé ce qu'elle représentait pour moi.* SYN. comprendre, saisir.

réalisme n.m. **1.** Disposition d'une personne à tenir compte de la réalité et à agir en conséquence: *J'apprécie le réalisme de mon directeur.* ANT. irréalisme. **2.** Conception de l'art, en peinture et en littérature, selon laquelle il faut montrer les choses telles qu'elles sont; caractère de l'œuvre qui répond à cette conception: *Le réalisme de ce roman est parfois choquant.* ☞ réel.

réaliste n. et adj. **1.** n. Personne qui peint ou décrit les êtres et les choses tels qu'ils sont: *L'œuvre de ce réaliste me plaît.* **2.** n. Personne pratique, qui tient compte de la réalité: *Julia est une réaliste: elle essaie de prévoir le déroulement des choses.* **3.** adj. Qui appartient au réalisme en art, qui témoigne de la conception qu'il faut décrire les êtres et les choses tels qu'ils sont: *On expose des tableaux d'un peintre réaliste à cette galerie d'art.* **4.** adj. Qui tient compte de la réalité, qui témoigne du sens des réalités et d'un esprit pratique: *Tu as fait une analyse réaliste du problème.* **5.** adj. Qui dépeint, qui décrit les aspects communs du réel d'une façon directe: *Les films de guerre sont généralement remplis de détails réalistes souvent choquants.* ☞ réel.

réalité n.f. **1.** Caractère de ce qui est réel, de ce qui existe vraiment et n'est pas qu'une illusion, une invention: *Douterais-tu de la réalité de cet événement?* SYN. vérité. ANT. apparence, irréalité. **2.** Ce qui est réel, présent; ce qui est donné comme réel à l'esprit: *La science tente d'expliquer la réalité.* **3.** La vie, l'existence réelle, par opposition aux désirs, aux illusions, aux rêves: *Je n'ai pas tenu compte de la réalité dans ma démarche.* ANT. fiction, vision. **4.** Chose réelle, fait réel: *Les enfants ramènent les parents aux réalités quotidiennes.* // *Prendre ses désirs pour des réalités:* S'illusionner. ☞ réel. en **réalité** loc.adv. En fait: *Il en parle beaucoup mais, en réalité, il n'est jamais allé en Europe.*

réanimation n.f. Ensemble des moyens qui visent à rétablir les fonctions respiratoires et cardiaques venant de s'arrêter: *Le noyé a été conduit au service de réanimation de l'hôpital.* **R.** Aussi, *ranimation.* ☞ animer.

réanimer v. Rétablir les fonctions respiratoires et cardiaques venant de s'arrêter: *L'équipe médicale a réanimé cette cardiaque.* **R.** Aussi, *ranimer.* ☞ animer.

réapparaître v. Apparaître, paraître de nouveau: *Si les symptômes réapparaissent,* *consultez votre médecin.* ANT. disparaître. **R.** Ne pas oublier l'accent devant le *t*: *î.* ☞ apparaître.

réapparition n.f. Fait de réapparaître, d'apparaître, de paraître de nouveau: *Nous avons observé la réapparition de la Lune après l'éclipse.* ANT. disparition. ☞ apparaître.

rebaptiser v. Nommer d'un autre nom: *À Montréal, certaines rues ont été rebaptisées.* **R.** Le *p* ne se prononce pas. ☞ baptême.

rébarbatif, ive adj. **1.** Qui décourage, repousse par un aspect désagréable, rude: *Il a l'air un peu rébarbatif, mais on peut lui parler.* SYN. rebutant, repoussant. ANT. affable, attirant, attrayant, séduisant. **2.** fig. Qui est difficile et ennuyeux: *On nous a imposé un sujet de recherche rébarbatif.* SYN. rebutant.

rebâtir v. Bâtir de nouveau ce qui a été détruit: *On a démoli la vieille grange; on veut la rebâtir plus grande.* SYN. reconstruire. **R.** Ne pas oublier l'accent: *â.* ☞ bâtir.

rebattre v. Battre de nouveau; battre plusieurs fois: *Il y a encore de la poussière dans le tapis, voudrais-tu le rebattre?* ⁄⁄ *Rebattre les oreilles à quelqu'un de quelque chose:* Répéter continuellement la même chose à quelqu'un. **R.** Ne pas confondre avec *rabattre.*

rebattu, ue adj. Qu'on a souvent répété: *Une histoire rebattue n'est plus drôle.*

rebelle n. et adj. **1.** n. Personne qui se révolte contre un gouvernement, contre l'autorité reconnue: *Le Gouvernement a accepté de discuter avec le chef des rebelles.* **2.** adj. Qui se révolte contre un gouvernement, contre l'autorité reconnue: *Des troupes rebelles ont occupé la place centrale.* SYN. insoumis. ANT. soumis. **3.** adj. Qui s'oppose, qui est hostile à quelque chose: *On a réprimandé cette élève rebelle à toute discipline.* SYN. réfractaire. ANT. docile, soumis. **4.** adj. Qui résiste à quelque chose, en parlant d'une chose: *Mon estomac est rebelle à ce médicament: dès que j'en prends, j'ai des brûlures.* **5.** adj. Qui ne se laisse pas manier, en parlant de quelque chose: *Je n'arrive pas à placer cette mèche rebelle.* SYN. indiscipliné. ANT. souple. ☞ se rebeller, rébellion.

se **rebeller** v.pron. **1.** Se révolter contre quelqu'un, ne pas reconnaître son autorité: *Sa nature indépendante le porte à se rebeller contre l'autorité de ses parents.* ANT. se soumettre. **2.** fig. Protester, résister en refusant: *Elle s'est rebellée et, après avoir dit ce qu'elle pensait, elle est partie.* SYN. regimber. ANT. se soumettre. ☞ rebelle.

rébellion n.f. **1.** Action de se rebeller, de se révolter contre l'autorité: *La rébellion des prisonnières était prévisible.* SYN. insurrection, révolte, soulèvement. ANT. soumission. **2.** Tendance à se rebeller, à se révolter: *Quel esprit de rébellion tu as!* SYN. désobéissance, opposition. ANT. docilité, obéissance, soumission. **3.** Groupe de rebelles: *Le Gouvernement négocie avec la rébellion.* ☞ rebelle.

rebelle rebeller rébellion

se **rebiffer** v.pron.fam. Refuser vivement, brusquement de se soumettre, d'obéir, de se laisser humilier: *Patrick s'est rebiffé quand sa mère lui a interdit d'aller au cinéma.* SYN. regimber, se révolter.

reboisement n.m. Action de reboiser un terrain, d'y planter à nouveau des arbres: *Plusieurs personnes ont travaillé au reboisement de la forêt détruite par un incendie.* ANT. déboisement. ☞ bois.

reboiser v. Planter de nouveau des arbres sur un terrain: *Le Gouvernement nous a donné des arbres pour reboiser un terrain nu.* ☞ bois.

rebondi, ie adj. Qui est dodu, arrondi, gonflé par l'embonpoint: *Ruth, la tête haute, la poitrine rebondie, allait d'un bon pas.* ANT. maigre, plat.

rebondir v. **1.** Faire des bonds après avoir heurté un obstacle: *Un ballon crevé ne rebondit pas.* **2.** fig. Prendre un nouveau développement, avoir des suites imprévues: *Le dernier témoignage a fait rebondir l'enquête.* ☞ bond.

rebondissement n.m. **1.** Action de rebondir, de faire des bonds après avoir heurté un obstacle: *Je ne m'attendais pas à un tel rebondissement de la balle.* **2.** fig. Développement nouveau: *Cette histoire de vol a eu des rebondissements inattendus.* ☞ bond.

rebord n.m. **1.** Bordure, partie en saillie qui forme le bord de quelque chose: *Nous mettons nos plantes sur le rebord de la fenêtre.* **2.** Bord naturel, le long d'une dénivellation: *Assises sur le rebord du ruisseau, nous avions les pieds à l'eau.*

reboucher v. Boucher, fermer de nouveau: *As-tu bien rebouché la bouteille?* ☞ boucher (v.).

à **rebours** loc.adv. **1.** Dans le sens contraire de ce qui se fait normalement: *Fernand tourne les pages de son album à rebours.* **2.** fig. D'une manière contraire au bon sens, à l'usage: *Je ne sais ce que j'ai aujourd'hui, je fais tout à rebours.* ⁄⁄ *Compte à rebours:* Horaire des opérations de lancement qui précèdent la mise à feu d'un véhicule spatial.

rebouteux, euse n.fam. Personne qui guérit des fractures, des douleurs, qui remet des membres déplacés, par des moyens qui ne sont pas scientifiques: *La renommée de cette rebouteuse s'étend jusqu'aux États-Unis.* **R.** Aussi, *rebouteur, rebouteuse.*

reboutonner v. Boutonner de nouveau un vêtement: *Ma veste est mal boutonnée; je vais la reboutonner.* ☞ bouton. se **reboutonner** v.pron. Se boutonner de nouveau: *Dès que l'air est devenu plus frais, mon père s'est reboutonné.*

à **rebrousse-poil** loc.adv. Dans le sens contraire du poil: *Les chats n'aiment pas se faire caresser à rebrousse-poil.* SYN. à rebours. ⫽ *Prendre quelqu'un à rebrousse-poil:* Agir avec quelqu'un d'une façon si maladroite qu'il se vexe, se rebiffe. ☞ rebrousser.

rebrousser v. Redresser le poil ou les cheveux dans le sens contraire à la direction naturelle: *Le vent rebrousse mes cheveux.* ⫽ *Rebrousser chemin:* Revenir sur ses pas, s'en retourner en sens opposé. ☞ à rebrousse-poil.

rebuffade n.f. Mauvais accueil, refus méprisant: *Maryse a essuyé une telle rebuffade qu'elle n'est pas revenue.*

rébus n.m. **1.** Suite de dessins, de mots, de chiffres, de lettres qui représentent par leurs sons ce que l'on veut exprimer: *Je m'amuse à composer des rébus.* **2.** Écriture difficile à lire: *Ta signature est un vrai rébus.* **R.** Le *s* se prononce.

rebut n.m. Ce qui n'a plus de valeur, ce qu'on a rejeté, déchet: *Ce jouet n'est plus qu'un rebut.* ⫽ *Mettre, jeter quelque chose au rebut:* Se débarrasser de quelque chose.

rebutant, ante adj. **1.** Qui choque, qui inspire de l'antipathie: *Elle fait fuir les gens avec son air rebutant.* SYN. repoussant. ANT. attirant, attrayant, séduisant. **2.** Qui ennuie, qui est désagréable: *J'en ai enfin fini de ce travail rebutant!* SYN. rébarbatif. ANT. agréable, attrayant. ☞ rebuter.

rebuter v. **1.** Décourager, détourner quelqu'un d'une chose à cause des difficultés, de l'ennui: *Cette lecture me rebute.* **2.** Choquer quelqu'un, lui inspirer de la répugnance ou de l'antipathie: *Son air prétentieux nous rebutait.* ☞ rebutant.

recacheter v. Cacheter de nouveau: *J'ai dû ajouter de la colle pour recacheter mon enveloppe.* ☞ cachet.

récalcitrant, ante n. et adj. **1.** n. Personne qui résiste avec entêtement: *Il ne nous reste qu'à convaincre les récalcitrants.* **2.** adj. Qui résiste avec entêtement: *Ce cheval récalcitrant refuse d'avancer.* SYN. rétif. ANT. docile. **3.** adj. Qui ne se laisse pas facilement persuader, qui est indocile, rebelle: *Son caractère récalcitrant l'entraîne à tout critiquer.* ANT. docile, soumis, souple.

recaler v.fam. Refuser à un examen: *Je me suis fait recaler au permis de conduire.* ANT. recevoir.

récapitulation n.f. Rappel, reprise sommaire de ce qui a été dit ou écrit, de ce qui s'est passé; écrit qui récapitule: *J'ai fait la récapitulation de la conférence pour les personnes qui n'ont pu y assister.* ☞ récapituler.

récapituler v. **1.** Résumer, reprendre en énumérant les points principaux: *Notre professeur récapitule la leçon d'histoire.* **2.** Rappeler, passer en revue en examinant: *Récapitulons les événements sportifs de l'année.* ☞ récapitulation.

recel n.m. Action de receler, de garder et de cacher un objet volé par une autre personne: *Elle est coupable de recel de fourrure.* ☞ receler.

receler v. **1.** Garder et cacher un objet volé par une autre personne: *La police croit savoir qui recèle les armes volées.* **2.** Cacher une personne pour la soustraire à la justice, aux recherches: *Francine recèle son amie évadée de prison.* **3.** fig. Contenir, garder en soi: *Que de joies et de peines recèle un journal intime!* SYN. renfermer. **R.** Aussi, *recéler.* ☞ recel, receleur.

receleur, euse n. Personne qui garde un objet volé par une autre: *Un receleur est considéré, par la loi, comme complice du vol.* ☞ receler.

récemment adv. Dernièrement, depuis peu de temps: *Récemment, j'ai visité une personne malade.* ANT. anciennement, autrefois. **R.** Les lettres *emment* se prononcent *amment.* ☞ récent.

recensement n.m. **1.** Opération par laquelle on dénombre de façon détaillée les habitants d'un pays: *Le recensement se fait par un questionnaire adressé à chaque personne.* **2.** Compte, inventaire détaillé: *On procède au recensement général des ressources de la région.* ☞ recenser.

recenser v. **1.** Dénombrer officiellement, de façon détaillée et précise, la population d'un pays: *Le gouvernement canadien recense la population à tous les dix ans.* **2.** Dénombrer, dresser l'inventaire de personnes, de choses: *On recense les volontaires qui s'occuperont du reboisement de ce secteur.* ☞ recensement, recenseur.

recenseur, euse n. et adj. **1.** n. Personne qui est chargée d'un recensement: *J'ai répondu poliment aux questions du recenseur.* **2.** adj. Qui est chargé d'un recensement: *Le personnel recenseur est choisi avec soin.* ☞ recenser.

récent, ente adj. Qui existe depuis peu de temps, qui est nouveau: *Cet immeuble est récent.* ANT. ancien, vieux. ☞ récemment.

récépissé n.m. Écrit par lequel une personne reconnaît avoir reçu une somme d'argent, un colis, une marchandise: *Je garde toujours les récépissés des mandats que j'envoie.* SYN. reçu.

récepteur n.m. **1.** Partie mobile d'un appareil téléphonique où l'on écoute et l'on parle: *Certains récepteurs sont munis d'un dispositif qui amplifie les sons pour aider les malentendants.* SYN. combiné. **2.** Appareil qui reçoit, transforme et amplifie les ondes: *Ce récepteur de radio est défectueux.* ANT. émetteur. ☞ recevoir.

récepteur, trice adj. Qui reçoit des ondes: *On a installé une antenne réceptrice sur le toit de l'édifice.* ANT. émetteur. ☞ recevoir.

réception n.f. **1.** Action de recevoir, d'accueillir une personne; manière de recevoir: *Le maire a réservé une chaleureuse réception à la ministre.* SYN. accueil. **2.** Local et personnel affectés à l'accueil des clients: *Laisse le message à la réception.* **3.** Action de recevoir des personnes, des amis chez soi; réunion mondaine organisée chez quelqu'un: *Stéphane donnera une grande réception en l'honneur de l'anniversaire de mariage de ses parents.* **4.** Fait de recevoir ou d'être reçu en tant que membre dans un club, un cercle; cérémonie organisée pour cette occasion: *Gaston a dû prononcer un discours lors de sa réception dans un cercle littéraire.* SYN. admission. ANT. exclusion. // *Salle de réception:* Salle où l'on donne des réceptions. ☞ recevoir. ▲ **réception** n.f. **1.** Fait de recevoir une marchandise qui a été transportée: *Caroline est préposée à la réception de la marchandise.* ANT. envoi, expédition. **2.** Action de recevoir des ondes: *La réception de cette émission radiophonique est possible grâce aux satellites de télécommunications.* ANT. émission. ☞ recevoir.

réceptionniste n. Personne chargée d'accueillir les visiteurs, les clients d'un hôtel, d'une entreprise, d'un organisme: *La réceptionniste nous reçoit toujours avec un large sourire.* ☞ recevoir.

recette n.f. **1.** Montant total d'argent reçu pendant une période déterminée: *Aujourd'hui, le cordonnier est content de sa recette.* **2.** Bureau de la personne qui reçoit les impôts: *Ne cherche pas Sylvia, elle est à la recette.* **3.** plur. Rentrées d'argent: *Mes dépenses ne dépassent jamais mes recettes.* ▲ **recette** n.f. **1.** Description, indication détaillée de la façon de préparer un mets: *Sylvain connaît une recette de gâteau aux carottes.* **2.** fig. Moyen, procédé, méthode pour atteindre un but: *Tu devrais me donner la recette de ta réussite.*

recevable adj. Qui peut être reçu, accepté: *Ton prétexte n'est pas recevable.* SYN. acceptable, admissible. ANT. inadmissible, irrecevable. ☞ recevoir.

receveur, euse n. **1.** Personne qui, dans un transport public, perçoit le prix du parcours: *J'ai remis le ticket au receveur.* **2.** Personne chargée d'effectuer les recettes et certaines dépenses publiques: *J'ai fait parvenir ma réclamation au receveur des finances.* **3.** Personne qui reçoit du sang, un organe, un fragment de tissu, lors d'une transfusion, d'une greffe, d'une transplantation: *La receveuse a attendu plusieurs mois avant d'avoir un cœur qui lui convienne.* **4.** Au Canada, personne qui, au base-ball, est placée derrière le marbre et reçoit les balles du lanceur: *La receveuse est en position: la balle est lancée.* ☞ recevoir.

receveur

recevoir v. **1.** Entrer en possession de quelque chose qui est donné, envoyé, payé, transmis: *J'ai reçu ce livre en cadeau.* SYN. obtenir. ANT. offrir. **2.** Subir, éprouver, être atteint par quelque chose: *Marjolaine a reçu une taloche.* **3.** Être l'objet d'une action: *Notre plan initial a reçu quelques légères modifications.* **4.** Capter: *Nous recevons mal cette chaîne.* ANT. émettre. ☞ irrecevable, récepteur, réception, recevable, receveur, reçu. ▲ **recevoir**

v. **1.** Accueillir, laisser entrer quelqu'un qui se présente: *Je ne peux te recevoir aujourd'hui.* **2.** Accueillir quelqu'un d'une certaine manière: *Nous recevons nos invités avec empressement.* **3.** Donner une réception: *Je reçois très peu.* **4.** Admettre sous certaines conditions: *Chantal a été reçue à ce concours.* ANT. exclure, refuser. **5.** Accepter, admettre dans son esprit: *Veuillez recevoir mes excuses pour cette erreur.* ANT. refuser. **6.** Recueillir, laisser entrer: *Ce baril reçoit l'eau de pluie qui descend de la gouttière.* ☞ réception, réceptionniste. se **recevoir** v.pron. **1.** S'accueillir: *Ces amis se reçoivent beaucoup.* **2.** Toucher terre d'une certaine façon après un saut: *Elle s'est reçue sur la jambe gauche.* **reçu, ue** p.p. et adj. **1.** Qui est admis, sous certaines conditions, à un concours, dans un club: *On a dressé la liste des candidats reçus.* **2.** Qui est accepté, établi, consacré: *Elle se comporte selon les usages reçus.* // *Idée reçue:* Idée que tout le monde admet sans examen.

rechange n.m. Pièce, objet destiné à remplacer un autre objet semblable: *Heureusement, j'avais apporté un rechange de vêtements pour le bébé.* // *De rechange:* Qui est destiné à remplacer un objet ou un élément identique. *Roue de rechange:* Roue de secours. ☞ changer.

rechanger v. Changer de nouveau: *Encore une crevaison! Il faut rechanger la roue.* ☞ changer.

rechanter v. Chanter de nouveau: *J'aime bien cet air; voudrais-tu le rechanter?* ☞ chant.

réchapper v. **1.** Échapper par chance à un péril, à un danger menaçant: *Il a réchappé à cet accident.* **2.** Guérir, se sortir vivant d'une maladie: *Elle a eu une nouvelle crise, mais elle en réchappera.*

recharge n.f. Deuxième charge que l'on met dans une arme, un ustensile: *La recharge de mon stylo est déjà vide.* ☞ charger.

rechargeable adj. Qui peut être rechargé: *Je lui ai offert un briquet rechargeable pour remplacer son briquet jetable.* **R.** Ne pas oublier le *e* après le *g*. ☞ charger.

recharger v. **1.** Charger de nouveau ou ajouter à la charge: *Dans le déménagement, on a chargé et rechargé la voiture.* **2.** Remettre une charge dans une arme: *Elle rechargea son fusil.* **3.** Approvisionner de nouveau quelque chose pour le remettre en état de fonctionner: *Je dois recharger mon briquet.* ☞ charger.

réchaud n.m. Appareil portatif pour cuire ou chauffer les aliments: *Nous avons remplacé notre réchaud de camping.* ☞ chauffer.

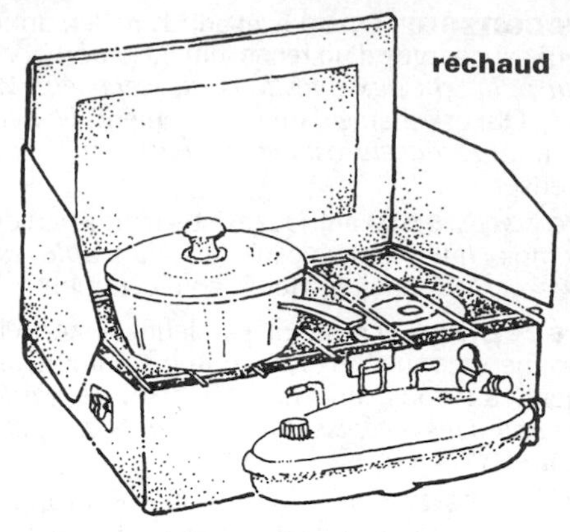
réchaud

réchauffé n.m. Chose vieille, trop connue: *Je veux des idées nouvelles, pas du réchauffé.* HOM. réchauffer. ☞ chauffer.

réchauffement n.m. Action de se réchauffer: *On prévoit un léger réchauffement de la température.* ☞ chauffer.

réchauffer v. **1.** Chauffer quelque chose qui s'est refroidi: *Je réchauffe la sauce tomate que j'ai préparée hier.* **2.** Redonner de la chaleur au corps: *Cette soupe chaude me réchauffera.* ANT. rafraîchir. **3.** Ranimer, rendre plus vivant: *Ce jeu de société a réchauffé l'atmosphère.* ANT. amortir. **4.** Réconforter: *Tes paroles réchauffent mon cœur.* HOM. réchauffé. ☞ chauffer. se **réchauffer** v.pron. **1.** Procurer de la chaleur à son corps: *Tu te réchaufferas avec un bon chocolat chaud.* ANT. se rafraîchir. **2.** Devenir plus chaud: *L'été approche: la température se réchauffe.* ANT. se refroidir. **3.** Pouvoir être réchauffé, en parlant d'un mets: *Ce potage ne se réchauffe pas.* **réchauffé, ée** p.p. et adj. Qui a été chauffé après s'être refroidi: *Ce macaroni réchauffé était délicieux.*

rechausser v. **1.** Chausser de nouveau: *Nous sommes assez en forme pour rechausser nos patins.* **2.** Remettre de la terre au pied d'un arbre, d'une plante: *Nous avons dû rechausser les pommiers après cette forte pluie.* ☞ chausser. se **rechausser** v.pron. Remettre ses chaussures: *Gertrude n'a pas pu se rechausser après son opération à l'orteil.*

rêche adj. **1.** Qui est rugueux au toucher: *Le jute est une toile rêche.* SYN. râpeux. ANT. doux, lisse, moelleux. **2.** Qui est rude, âpre au goût: *J'ai mangé des cerises rêches.* SYN. râpeux. ANT. doux, moelleux. **3.** fig. Qui est peu aimable, d'un abord difficile: *Qui aurait dit que cette personne si rêche deviendrait aussi affable!* SYN. brusque. ANT. affable, bienveillant. **R.** Ne pas oublier l'accent: *ê*.

recherche n.f. **1.** Action de rechercher; effort pour découvrir, trouver quelqu'un ou quelque chose: *La recherche d'une pension près d'une école secondaire n'est pas facile.* **2.** Effort de l'esprit en vue de connaître: *La recherche de la vérité est-elle inutile?* **3.** Travail, travaux faits pour étudier une question, pour découvrir de nouvelles connaissances dans un domaine: *Les recherches de Marie Curie ont conduit à la découverte du radium.* **4.** Ensemble des travaux, des démarches pour amener de nouvelles connaissances: *Il fait de la recherche scientifique.* **5.** Action de chercher à obtenir, poursuite: *La recherche des honneurs est parfois décevante.* ☞ rechercher. à la **recherche de** loc.prép. En cherchant: *Ils longèrent les rues du quartier à la recherche de leur chien.* ▲ **recherche** n.f. Effort pour se distinguer, raffinement dans les manières, l'habillement: *Ces personnes s'habillent avec recherche.* ANT. négligence. ☞ rechercher.

recherché, ée adj. **1.** Que l'on cherche à obtenir, peu commun, à quoi l'on attache du prix: *Cet ouvrage très recherché fait l'honneur de notre bibliothèque.* **2.** Qui est raffiné, qui témoigne de soins étudiés: *Sa mise recherchée attire les regards.* **3.** péj. Qui manque de simplicité, de naturel: *Son style trop recherché ne me plaît pas.* HOM. rechercher. ☞ rechercher.

rechercher v. **1.** Tenter de découvrir, de retrouver quelqu'un: *On recherche la personne qui a mis le feu à cette maison.* **2.** Chercher à savoir, à connaître: *Je recherche la cause de ses nombreuses absences.* **3.** Tenter d'obtenir quelque chose: *Cet enfant recherche l'amour de son père.* SYN. poursuivre. ANT. éviter, fuir. ☞ recherche, recherché, recherchiste. ▲ **rechercher** v. **1.** Chercher de nouveau: *J'ai cherché et recherché mes lunettes; je ne les trouve plus.* ANT. trouver, retrouver. **2.** Reprendre quelqu'un ou quelque chose qu'on a laissé pour un temps: *Je laisse mes livres ici; je viendrai les rechercher dans quelques heures.* SYN. chercher. HOM. recherché. ☞ chercher.

recherchiste n. Au Canada, personne qui effectue des recherches à des fins particulières pour le compte d'un organisme et particulièrement, pour la radio et la télévision: *Le succès de cette émission est dû en partie à l'excellent travail de la recherchiste.* ☞ rechercher.

rechigner v. **1.** vx Laisser voir son mécontentement et sa répugnance sur son visage: *Il donnait ses ordres et rechignait du matin au soir.* **2.** Manifester de la mauvaise volonté à faire quelque chose: *Les enfants rechignent souvent à faire le ménage.* SYN. renâcler.

rechute n.f. Reprise d'une maladie qui était en voie de guérison: *Elle a eu une rechute à cause d'un excès de fatigue.* ☞ rechuter.

rechuter v. Faire une rechute, tomber malade de nouveau: *Sylvie ne sera pas au travail ces jours-ci, elle a rechuté.* ANT. guérir. ☞ rechute.

récidive n.f. **1.** Réapparition d'une même maladie après sa guérison: *Une récidive d'un cancer peut parfois être fatale.* **2.** Fait de commettre un nouveau délit après avoir été condamné pour un délit antérieur; état d'une personne qui commet un nouveau délit: *La récidive est une cause d'aggravation de la peine.* **3.** Fait de répéter la même faute, la même erreur: *On m'a averti qu'on informerait mes parents à la première récidive.* ☞ récidiver, récidiviste.

récidiver v. **1.** Retomber dans la même faute, la même erreur, le même défaut: *Chaque fois que Michael mangeait du chocolat, il avait mal au foie, mais il récidivait à la première occasion.* **2.** Commettre la même infraction après une condamnation par la justice: *À peine sorti de prison, le voleur a récidivé; il est allé vider la caisse d'un dépanneur.* **3.** Réapparaître, en parlant d'une maladie: *Cette maladie pulmonaire est susceptible de récidiver.* ☞ récidive.

récidiviste n. et adj. **1.** n. Personne qui récidive, commet la même infraction après une condamnation par la justice: *La récidiviste attend une nouvelle condamnation.* **2.** adj. Qui est en état de récidive: *On vient d'arrêter un criminel récidiviste.* ☞ récidive.

récif n.m. Rocher ou groupe de rochers à fleur d'eau, dans la mer, souvent près des côtes: *Plusieurs bateaux ont fait naufrage sur ces récifs.*

récipient n.m. Ustensile creux pouvant contenir un corps liquide, solide ou gazeux: *Ton récipient est trop petit; la sauce va déborder.*

réciprocité n.f. État, caractère de ce qui est réciproque, de ce qui implique un échange de même nature entre deux personnes, deux groupes, deux choses: *La réciprocité de leur amour se lisait dans leurs yeux.* ☞ réciproque.

réciproque n.f. et adj. **1.** n.f. Action inverse, la pareille: *À la prochaine occasion, je vous rendrai la réciproque.* **2.** adj. Qui marque un échange de même nature entre deux personnes, deux groupes, deux choses: *Ils se* *vouent une confiance réciproque.* ⁄⁄ *Verbe pronominal réciproque:* Verbe qui indique une action exercée par plusieurs sujets les uns sur les autres. ☞ réciprocité, réciproquement.

réciprocité réciproque

réciproquement adv. Mutuellement, l'un l'autre : *Faites-vous donc réciproquement plaisir: célébrez vos anniversaires.* ⁄⁄ *Et réciproquement:* Et vice versa. ☞ réciproque.

récit n.m. Relation d'un fait réel ou inventé, par écrit ou oralement : *Le récit de cette aventure m'a captivé.* SYN. exposé, narration.

récital, als n.m. Séance artistique, musicale, au cours de laquelle une seule personne se fait entendre et qui est consacrée à un seul genre : *Françoise a été brillante à son récital de piano.*

récitation n.f. **1.** Action de réciter, de dire à haute voix ce qu'on a appris par cœur : *On me disait bon en récitation, mais j'avais le trac dès que je m'exécutais en public.* **2.** Exercice scolaire qui consiste à dire à haute voix un texte littéraire qu'on a appris par cœur; ce texte : *Les élèves doivent apprendre une récitation.* ☞ réciter.

réciter v. Dire à haute voix ce qu'on a appris par cœur : *Mon professeur nous faisait réciter nos leçons tous les matins.* ☞ récitation.

réclamation n.f. **1.** Action de réclamer, de protester pour faire reconnaître et respecter un droit : *J'ai fait une réclamation à la poste pour un colis égaré.* SYN. requête, revendication. **2.** Protestation, plainte : *Ne faites pas de réclamations inutiles ou absurdes.* SYN. récrimination. ☞ réclamer.

réclame n.f. **1.** Article élogieux inséré dans une publication, un journal, qui recommande quelqu'un ou quelque chose : *Mes yeux ont été attirés par cette réclame pour des produits de beauté.* SYN. publicité. **2.** Tout moyen de publicité : *Le boulevard est bordé de réclames lumineuses.* ⁄⁄ *En réclame:* En vente à prix réduit.

réclamer v. **1.** Demander avec insistance, de façon pressante, quelqu'un ou quelque chose dont on a besoin : *La malade réclame de l'eau.* **2.** Revendiquer, demander avec force ce à quoi on a droit : *José réclame sa part de l'héritage.* **3.** Requérir, nécessiter, exiger : *Son état réclamait des soins particuliers.* **4.** Protester, s'élever contre une injustice : *Je réclame contre cette faveur qu'on t'a accordée.* ☞ réclamation. se **réclamer** v.pron. S'appuyer sur les titres, la renommée d'une personne, s'en prévaloir : *Puis-je me réclamer de vous, madame la directrice, pour faire avancer mon dossier?*

reclasser v. **1.** Classer, ordonner de nouveau et d'une nouvelle manière : *On a reclassé les livres de la bibliothèque.* **2.** Affecter à un poste différent quelqu'un qui n'est plus apte à exercer son emploi antérieur : *Cet organisme s'occupe de reclasser un groupe d'ouvriers licenciés.* **3.** Établir une nouvelle échelle des salaires, ajuster la situation de certains fonctionnaires quant à leur salaire : *À la suite de l'obtention de son diplôme en comptabilité, on a reclassé Noémie.* ☞ classer.

reclus, use n. et adj. **1.** n. Personne qui vit isolée du monde : *Depuis la mort de son épouse, il ne sort plus, il vit en reclus.* **2.** adj. Qui est isolé, retiré de la société : *Les religieuses cloîtrées mènent une existence recluse.* ☞ réclusion.

réclusion n.f. **1.** litt. État d'une personne qui vit enfermée, séparée du monde : *Elle croyait que la réclusion apaiserait son chagrin.* **2.** Peine criminelle qui consiste en une privation de liberté avec obligation de travailler : *Il a été condamné à la réclusion perpétuelle.* SYN. détention, emprisonnement. ☞ reclus.

reclus réclusion

recoiffer v. **1.** Coiffer de nouveau : *La petite Sophie aimait recoiffer sa poupée.* ANT. décoiffer. **2.** Remettre une coiffure, un chapeau : *J'ai recoiffé le bonhomme de neige qui avait perdu sa tuque.* ☞ coiffer. se **recoiffer** v.pron. **1.** Se replacer les cheveux : *Mélanie se recoiffe avant de sortir.* **2.** Remettre son chapeau, sa coiffure : *Il s'excusa, se recoiffa et sortit.* ANT. se découvrir.

recoin n.m. **1.** Coin caché, difficile à découvrir : *J'aime beaucoup explorer les recoins du sous-sol.* **2.** fig. Partie intime, secrète : *Il garde le souvenir de son premier amour dans les recoins de son cœur.* SYN. repli.

recoller v. **1.** Coller de nouveau; réparer avec de la colle : *J'ai recollé la photo déchirée.* ANT. décoller. **2.** Rattraper, rejoindre, après avoir été distancé : *Après avoir réparé la crevaison, il a pu recoller au peloton.* ☞ colle. se **recoller** v.pron. **1.** Se consacrer de nouveau à quelque chose : *J'ai pris quelques jours de repos: maintenant je dois me recoller à ce travail.* **2.** fig. et pop. Reprendre la vie commune, la vie de ménage : *Après deux semaines de séparation, ils se sont recollés.*

récoltable adj. Que l'on peut récolter : *Il y a des pommes récoltables en été, d'autres en automne.* ☞ récolte.

récolte n.f. **1.** Action de recueillir, de ramasser les produits de la terre: *La récolte du blé a lieu lorsqu'il est d'un beau blond doré.* SYN. cueillette, fenaison, moisson. **2.** Produits récoltés, recueillis: *Nous avons eu une bonne récolte cette année.* **3.** fig. Ce que l'on recueille, rassemble, à la suite d'une recherche, d'une quête: *Ma récolte de renseignements est suffisante pour commencer la rédaction de mon travail.* SYN. collecte. ☞ récoltable, récolter.

récolter v. **1.** Ramasser, recueillir les produits de la terre: *Les Diaz ont récolté assez de fraises pour en vendre.* SYN. cueillir. **2.** fig. Recueillir, obtenir, gagner: *En voulant l'aider, j'ai récolté des ennuis.* ☞ récolte. se **récolter** v.pron. Se cueillir: *Au Québec, les fraises se récoltent à la fin du mois de juin.*

recommandable adj. Qu'on peut recommander, qui est digne d'estime, de respect, d'écoute: *Nos voisins sont des gens très recommandables.* SYN. estimable. ANT. condamnable, indésirable. ☞ recommander.

recommandation n.f. **1.** Action de recommander, de signaler quelqu'un à l'attention, à la protection d'une personne; paroles, écrit par lesquels on recommande: *Faites-moi parvenir votre demande d'emploi et des lettres de recommandation.* SYN. appui. **2.** Avis, conseil: *J'ai suivi tes recommandations; j'ai pris le train plutôt que l'autobus.* ANT. défense. **3.** Opération par laquelle la poste assure la remise en main propre d'une lettre, d'un colis moyennant une taxe spéciale pour l'expéditeur: *J'ai bien rempli la fiche de recommandation postale et on m'a remis un récépissé.* ☞ recommander.

recommander v. **1.** Signaler quelqu'un à l'attention, à la protection, à la bienveillance d'une personne: *Je vous recommande fortement Suzanne, elle est compétente et digne de confiance.* SYN. appuyer, patronner. **2.** Vanter les avantages d'une chose, la signaler à l'attention: *Je vous recommande ce shampooing.* SYN. conseiller. ANT. déconseiller, dénigrer. **3.** Conseiller vivement, demander avec insistance quelque chose à quelqu'un: *Je te recommande de rester au lit encore un jour ou deux.* SYN. exhorter. ANT. déconseiller. **4.** S'assurer, moyennant une taxe spéciale, qu'un envoi postal sera remis au destinataire en main propre: *Il en coûte un peu plus cher de recommander ce colis mais j'ai la garantie qu'il sera bien acheminé.* ☞ recommandable, recommandation. se **recommander** v.pron. **1.** Demander la protection, l'assistance de quelqu'un: *Je me recommande à Dieu.* **2.** Invoquer l'appui, le témoignage de quelqu'un en sa faveur: *Il a obtenu l'emploi en se recommandant de sa députée.* SYN. se réclamer. **3.** Se distinguer, montrer sa valeur: *Ce volume se recommande par la qualité de ses informations.* **recommandé, ée** p.p. et adj. Qui a été soumis à la recommandation postale: *J'ai reçu une lettre recommandée ce matin.*

recommencement n.m. Action de recommencer, fait d'être recommencé: *On dit souvent que l'histoire est un perpétuel recommencement.* ☞ commencer.

recommencer v. **1.** Commencer de nouveau après un abandon ou une interruption: *Marie a recommencé ses cours au cégep.* ANT. cesser. **2.** Refaire à partir du début: *Le devoir de Luc est mal fait; il doit le recommencer.* **3.** Reprendre une action interrompue, se remettre à faire quelque chose: *Bébé recommence à pleurer.* ANT. cesser. **4.** Se renouveler, avoir de nouveau un début: *Le temps s'écoule et recommence.* **5.** Se produire de nouveau, reprendre après un arrêt: *Voilà que la discussion recommence!* **R.** Ne pas oublier la cédille devant *a* et *o*. ☞ commencer.

récompense n.f. Ce que l'on donne ou reçoit pour un service rendu, une bonne action, un mérite particulier: *Il a reçu plusieurs récompenses pour ses succès.* ANT. châtiment, punition. ☞ récompenser.

récompenser v. Accorder une récompense à quelqu'un: *Notre enseignante récompense les élèves qui ont fourni des efforts.* ☞ récompense.

recompter v. Compter de nouveau: *J'ai recompté la monnaie qu'on m'a remise.* **R.** Le *p* ne se prononce pas. ☞ compter.

réconciliation n.f. Action de rétablir l'amitié, l'harmonie entre des personnes brouillées; fait de se réconcilier, de faire cesser la discorde qui existe avec quelqu'un: *Après leur réconciliation, ces époux ont vécu de bons moments.* ANT. brouille, division, divorce. ☞ réconcilier.

réconcilier v. **1.** Rétablir l'amitié, l'harmonie entre des personnes brouillées: *Annie a essayé de réconcilier ses deux copains.* ANT. brouiller, désunir. **2.** fig. Faire revenir quelqu'un sur une hostilité, inspirer une opinion plus favorable à propos d'une chose: *Cette professeure l'a réconcilié avec les mathématiques.* **3.** fig. Réunir, faire aller ensemble des opinions, des doctrines différentes: *Peut-on réconcilier l'économie et la morale?* SYN. concilier. ANT. diviser, opposer. ☞ irréconciliable, réconciliation. se **réconcilier** v.pron. Se remettre d'accord, se pardonner mutuellement: *Yvette s'est réconciliée avec son frère.*

SYN. se raccommoder. ANT. se brouiller, se fâcher. ⫽ *Se réconcilier avec soi-même:* Ne plus être déçu, mécontent de soi.

reconduire v. **1.** Accompagner une personne qui retourne chez elle, qui s'en va: *Attends-moi après la classe, j'irai te reconduire.* SYN. raccompagner, ramener. **2.** Accompagner un visiteur jusqu'à la porte, par politesse: *J'ai reconduit grand-père jusqu'à la porte.*

réconfort n.m. Ce qui redonne des forces morales, du courage, de l'espoir; augmentation de courage, d'espoir qui en découle: *Ta présence m'a apporté un grand réconfort.* SYN. secours, soutien. ANT. découragement. ☞ réconforter.

réconfortant, ante adj. **1.** Qui réconforte, console, redonne du courage: *Tes paroles réconfortantes me redonnent espoir.* SYN. apaisant, calmant, consolant. ANT. accablant, désespérant. **2.** Qui stimule, revigore: *Ta tisane est réconfortante, je me sens prête à reprendre le travail.* SYN. stimulant, tonique. ☞ réconforter.

réconforter v. **1.** Soutenir quelqu'un dans une épreuve, donner, redonner du courage, des forces morales: *Votre seule présence amicale me réconforte.* **2.** Tonifier, redonner des forces physiques: *Un bon bouillon chaud vous réconfortera après cette longue marche.* SYN. revigorer, stimuler. ☞ réconfort, réconfortant. se **réconforter** v.pron. **1.** Se redonner du courage: *J'écoute cette musique pour me réconforter.* **2.** Se redonner des forces physiques, de la vigueur: *J'ai besoin de me réconforter après cette journée au grand air.*

reconnaissable adj. Qui peut être facilement reconnu, distingué: *Le chardonneret jaune est reconnaissable à la couleur de son plumage et à son vol très onduleux.* ☞ reconnaître.

reconnaissance n.f. **1.** VX ou LITT. Aveu d'une faute commise, confession: *La reconnaissance de nos erreurs demande beaucoup d'humilité.* **2.** Exploration, examen d'un lieu, d'une région: *Avant d'installer notre campement, nous avons fait la reconnaissance du terrain.* **3.** Opération militaire organisée dans le but de recueillir des renseignements sur les conditions de combat: *La patrouille est chargée d'une mission de reconnaissance.* **4.** Action de reconnaître juridiquement, de façon formelle: *La reconnaissance de l'indépendance de cet État par les autres nations est souhaitable.* **5.** Acte légal par lequel on reconnaît une obligation: *Il faut que tu signes cette reconnaissance de dette.* ⫽ *Aller, partir en reconnaissance:* Aller, partir à la recherche de quelqu'un ou de quelque chose. *Signe de reconnaissance:* Geste, trait distinctif permettant à des personnes de se reconnaître. ☞ reconnaître. ▲ **reconnaissance** n.f. **1.** Action de reconnaître, de se souvenir d'un bienfait: *Je t'offre cette bague en reconnaissance de ta loyauté.* ANT. oubli. **2.** Sentiment qui incite à se souvenir d'un bienfait reçu et à se sentir redevable envers le bienfaiteur: *Janine m'a témoigné sa reconnaissance.* SYN. gratitude. ANT. ingratitude. ☞ reconnaissant.

reconnaissant, ante adj. Qui éprouve un sentiment de reconnaissance, qui manifeste de la gratitude pour un bienfait reçu: *Je vous suis très reconnaissant pour tous ces bons conseils.* ANT. ingrat, oublieux. ☞ reconnaissance.

reconnaître v. **1.** Identifier quelqu'un ou quelque chose comme connu, déjà vu; retrouver leur souvenir dans sa mémoire: *Saurez-vous me reconnaître dans dix ans?* **2.** Identifier, distinguer quelqu'un ou quelque chose grâce à un détail, à un trait; identifier comme appartenant à une catégorie: *On reconnaît un arbre à ses feuilles.* SYN. discerner. ANT. confondre. **3.** Retrouver quelqu'un ou quelque chose tel qu'on l'a connu: *Je reconnais bien là sa façon d'agir.* ☞ reconnaissable. ▲ **reconnaître** v. **1.** Admettre comme vrai, convenir de quelque chose: *On a enfin reconnu son innocence.* ANT. contester, dénier. **2.** Admettre, avouer une faute, une action blâmable: *Je reconnais mes torts.* SYN. confesser. ANT. dénier. **3.** Admettre quelqu'un pour chef, pour maître; admettre officiellement l'existence juridique de quelqu'un ou de quelque chose: *Ce groupe révolutionnaire refuse de reconnaître le gouvernement en place.* ANT. méconnaître. **4.** Constater, admettre, après une recherche, une étude: *Il nous fallait bien reconnaître toutes les difficultés de ce projet.* ANT. méconnaître. **5.** Examiner un lieu pour le connaître, explorer: *Un groupe d'éclaireurs est parti reconnaître le terrain.* ☞ reconnaissance. se **reconnaître** v.pron. **1.** Admettre quelque chose concernant soi-même: *Je me reconnais coupable de ce vol.* **2.** Retrouver son image dans quelque chose: *J'ai du mal à me reconnaître sur cette vieille photo.* **3.** S'identifier mutuellement: *Même après cette longue séparation, ils se sont reconnus en se voyant.* **4.** Trouver une ressemblance avec soi: *Que je me reconnais donc dans ma mère!* **5.** Être reconnaissable: *Le huard se reconnaît à son cri lugubre.* **6.** Identifier les lieux, se retrouver, s'orienter: *Tu n'arrivais plus à te reconnaître dans ton propre village après tant d'années d'absence.* **R.** Ne pas oublier l'accent devant le *t*: *î*.

reconquérir v. **1.** Acquérir, prendre de nouveau par les armes: *Dans sa petite tête blonde, Andréa reconquérait le royaume des lutins.* **2.** fig. Obtenir de nouveau par une lutte, attirer, charmer de nouveau: *Sylvia reconquit le cœur de Perig.* ☞ conquérir. **reconquis, ise** p.p. et adj. Qui a été pris de nouveau par les armes: *L'armée occupe la ville reconquise.*

reconsidérer v. Considérer de nouveau, examiner attentivement: *Il faudra reconsidérer la question avant de se prononcer.* ☞ considérer.

reconstituer v. **1.** Constituer, former, créer de nouveau: *Il faudra reconstituer l'équipe le plus tôt possible.* **2.** Redonner à une chose sa forme première à partir d'éléments épars, de fragments: *On a reconstitué ce vase grec.* **3.** Rétablir, représenter un événement tel qu'il s'est produit: *L'enquête a permis de reconstituer les circonstances de l'accident.* **4.** Refaire, réparer: *Quand vous aurez reconstitué vos forces, vous pourrez reprendre votre travail.* ☞ constituer. se **reconstituer** v.pron. Se constituer, se former de nouveau: *La bande s'est reconstituée dans une autre ville.*

reconstitution n.f. **1.** Action de reconstituer, de rétablir dans sa forme première: *La reconstitution d'un village d'antan en miniature s'est faite à partir de photos et d'écrits.* **2.** Action de former, de se former de nouveau: *La reconstitution du parti s'est faite dans la clandestinité.* ☞ constituer.

reconstruire v. **1.** Construire, édifier de nouveau: *On a reconstruit notre maison détruite par le feu.* SYN. rebâtir. **2.** Refaire: *Nous voulions reconstruire le monde à notre idée.* ☞ construire. **reconstruit, ite** p.p. et adj. Qui a été rebâti: *Cette cathédrale reconstruite après l'incendie est une reproduction fidèle de la construction originale.*

recopier v. **1.** Transcrire, copier un texte déjà écrit: *Je vais recopier ton numéro de téléphone dans mon nouveau carnet d'adresses.* **2.** Mettre un brouillon au propre: *J'ai recopié mon projet d'écriture avant de le remettre.* ☞ copie.

record n.m. **1.** Performance sportive qui dépasse toutes les autres: *Un nouveau record de natation vient d'être établi.* **2.** Résultat remarquable jamais atteint: *Cette entreprise affiche un record de production.* ⫽ *Battre tous les records:* L'emporter sur les autres; dépasser tout ce que l'on peut imaginer.

recorriger v. Corriger de nouveau, faire disparaître les erreurs: *Quand on recorrige, on trouve parfois des fautes oubliées.* ☞ corriger.

recoudre v. **1.** Coudre ce qui est décousu: *J'ai recousu le bouton de ma veste.* ANT. découdre. **2.** Réunir les lèvres d'une plaie, d'une incision, la fermer au moyen d'un fil: *Le chirurgien recoud la plaie.* ☞ coudre. **recousu, ue** p.p. et adj. Qui a été cousu: *Il a le visage tout recousu.*

recoupement n.m. Vérification des faits au moyen de renseignements provenant de sources différentes. *On a pu établir la vérité par recoupement.* ☞ recouper.

recouper v. **1.** Couper de nouveau: *Vous pouvez vous recouper un bon morceau de tarte.* **2.** Modifier la coupe d'un vêtement: *Le tailleur a recoupé ce manteau qui n'était plus à la mode.* SYN. retoucher. **3.** Diviser à nouveau les cartes en deux paquets: *Tu as triché, recoupe!* ☞ couper. ▲ **recouper** v. Coïncider en apportant une confirmation: *Ton témoignage recoupe le sien.* ☞ recoupement. se **recouper** v.pron. Coïncider en un ou plusieurs points: *Les renseignements provenant de deux témoins différents se recoupent parfaitement.*

recourber v. Rendre courbe, courber de nouveau: *La tige de ma fleur artificielle était trop droite, je l'ai recourbée.* ANT. redresser. ☞ courbe. se **recourber** v. Prendre une forme courbe: *Ses cils se recourbent.* **recourbé, ée** p.p. et adj. Qui est courbé, crochu: *L'aigle a un bec recourbé.*

recourir v. **1.** Courir de nouveau; reprendre les courses: *Ce cheval n'a pas recouru depuis qu'il s'est blessé à la patte.* **2.** fam. Aller rapidement, pour une deuxième fois: *J'ai oublié d'acheter du pain; je vais recourir à l'épicerie.* ☞ courir. ▲ **recourir** v. **1.** Demander de l'aide, faire appel à quelqu'un: *Je recourrai à vous si je me sens débordée.* SYN. s'adresser. **2.** Se servir de quelque chose à un moment particulier: *Il n'est pas nécessaire de recourir à la force pour faire valoir tes opinions.* SYN. employer. **R.** Participe passé, *recouru.* ☞ recours.

recours n.m. **1.** Action de faire appel à quelqu'un ou à quelque chose: *Le recours à la douceur est la seule façon de l'amadouer.* **2.** Personne ou chose à laquelle on fait appel comme dernier moyen efficace: *Pour cette malade, la transplantation d'un rein est le dernier recours.* ⫽ *Avoir recours à:* Faire appel à, user de. *Recours en grâce:* Demande de remise de peine adressée au chef de l'État. ☞ recourir.

recouvrement n.m. **1.** Action de recouvrer, de reprendre, de retrouver: *Le recouvrement de ses forces lui a permis de reprendre ses activités.* **2.** Action d'entrer en possession d'une somme due: *Le recouvrement du montant promis par notre agent d'assurances s'est fait en peu de temps.* ☞ recouvrer. ▲ **recouvrement** n.m. Action de recouvrir: *Le recouvrement des déchets a chassé les rats du dépotoir.* ☞ couvrir.

recouvrer v. **1.** litt. Rentrer en possession de ce qu'on avait perdu: *Maxime a recouvré la santé.* **2.** Percevoir, toucher une somme due: *Je dois recouvrer les impôts.* **R.** Ne pas confondre avec *recouvrir.* ☞ recouvrement.

recouvrir v. **1.** Couvrir de nouveau, mettre une nouvelle couverture, un nouveau revêtement: *Ce divan a été recouvert à neuf.* ANT. découvrir. **2.** Ramener, replacer une couverture sur quelqu'un: *J'ai réveillé le bébé en allant le recouvrir.* ANT. découvrir. **3.** Couvrir complètement: *La neige recouvre la patinoire.* ANT. découvrir. **4.** Couvrir la surface de quelque chose en la touchant: *Je dois recouvrir mes livres d'école.* ANT. découvrir. **5.** fig. Cacher: *Sa rudesse recouvre un cœur tendre.* SYN. dissimuler, masquer. ANT. dévoiler. **6.** Correspondre à quelque chose: *Ton exposé recouvre une partie de ce que j'allais dire.* **R.** Ne pas confondre avec *recouvrer.* ☞ couvrir.

recracher v. Cracher, expulser ce qu'on a dans la bouche: *Elle croqua dans la pomme puis recracha la bouchée.* ☞ cracher.

récréatif, ive adj. Qui a pour but ou pour effet de divertir: *Notre centre culturel propose une séance récréative pour enfants ce soir.* SYN. amusant, divertissant. ANT. ennuyeux, sérieux. ☞ récréation.

récréation n.f. **1.** Moment de repos, de liberté accordé aux écoliers pour qu'ils puissent jouer: *La récréation débute à 10 heures.* **2.** Détente, délassement qui interrompt un travail, qui divertit d'une occupation plus sérieuse: *La lecture est une agréable récréation.* ☞ récréatif, se récréer.

recréer v. **1.** Reconstruire, refaire, faire revivre ce qui n'existe plus: *Il est difficile de recréer l'atmosphère des réveillons du jour de l'An d'antan.* **2.** Refaire mentalement: *J'ai recréé l'ambiance de la fête avant de m'endormir.* ☞ créer.

se **récréer** v.pron.litt. Se délasser, se divertir par quelque chose d'agréable, de reposant: *Se récréer au grand air, c'est très recommandé.* ANT. s'ennuyer. ☞ récréation.

recreuser v. Creuser de nouveau ou plus profondément: *On va faire recreuser notre puits.* ☞ creux.

se **récrier** v.pron. S'exclamer sous l'effet d'une forte émotion: *Les visiteurs du musée se récriaient d'admiration devant les chefs-d'œuvre de cette peintre.*

récriminateur, trice n. et adj. **1.** n. Personne qui est portée à critiquer, à protester: *Avez-vous déjà vu pareille récriminatrice!* **2.** adj. Qui indique une tendance à critiquer, à protester: *Son caractère récriminateur est exaspérant.* ☞ récriminer.

récrimination n.f. Fait de récriminer, de critiquer; reproche, protestation: *Qui donc écoute vos récriminations?* SYN. réclamation. **R.** S'emploie surtout au pluriel. ☞ récriminer.

récriminer v. Protester, critiquer vivement, se plaindre amèrement: *Il a tant récriminé contre ses amis qu'ils se sont éloignés de lui.* ☞ récriminateur, récrimination.

récrire v. **1.** Écrire de nouveau à quelqu'un: *Je te récris sans tarder.* **2.** Rédiger de nouveau, changer quelque chose à une première rédaction: *L'auteure a récrit le deuxième acte de sa pièce.* **R.** Aussi, *réécrire.* ☞ écrire. **récrit, ite** p.p. et adj. Qui a été recomposé: *Ce texte récrit de bout en bout est moins lourd que la version originale.* **R.** Aussi, *réécrit.*

recroqueviller v. Ratatiner, racornir en desséchant: *La chaleur recroqueville le cuir.* se **recroqueviller** v.pron. **1.** Se plisser, se racornir en se desséchant: *Nous prenions plaisir à jeter au feu de vieux papiers et à les regarder se recroqueviller.* SYN. se ratatiner. **2.** Se ramasser, se replier sur soi-même: *Frileux, Bernard se recroquevillait sous les couvertures pour avoir moins froid.* **recroquevillé, ée** p.p. et adj. **1.** Qui est replié, ramassé sur soi: *Recroquevillé dans son lit, l'enfant pleurait.* **2.** Qui est plissé, racorni: *Des feuilles sèches et recroquevillées recouvraient le trottoir.* **R.** Les lettres *ill* se prononcent comme dans *famille.*

recrudescence n.f. **1.** Aggravation d'une maladie, progrès d'une épidémie, après une rémission passagère: *La recrudescence de la fièvre l'a beaucoup abattu.* ANT. accalmie. **2.** Brusque retour de quelque chose sous une forme plus intense: *On prévoit une recrudescence du froid.* SYN. accroissement, reprise. ANT. accalmie. **3.** fig. Intensification, développement: *On craint une recrudescence du crime en cette période de crise économique.*

recrue n.f. **1.** Personne nouvellement admise dans un groupe: *La troupe de danse folklorique a quatre nouvelles recrues.* **2.** Soldat nouvellement recruté, engagé: *L'entraînement des recrues débute en septembre.* ☞ recrutement, recruter.

recrutement n.m. Action d'engager de nouveaux soldats, d'admettre de nouveaux membres dans un groupe : *Va te renseigner au service de recrutement.* ☞ recrue.

recruter v. **1.** Engager des personnes dans le but de former une troupe ; former une troupe : *Ce message publicitaire vise à recruter des soldats.* ANT. renvoyer. **2.** fig. Amener une personne à faire partie d'un groupe : *Ce parti politique recrute des partisans.* ANT. renvoyer. ☞ recrue. se **recruter** v.pron. **1.** Être recruté, se former en recevant des recrues : *Le personnel de cette agence se recrute par concours.* **2.** fig. Provenir d'un lieu, d'un groupe : *Les cadets de l'armée se recrutent parmi les étudiants du secondaire.* **recruté, ée** p.p. et adj. Qui est nouvellement engagé, qui vient de s'ajouter au groupe : *Cette soldate nouvellement recrutée s'est bien intégrée au régiment.*

rectal, ale, aux adj. Qui se rapporte au rectum : *Il y a des thermomètres rectaux et des thermomètres buccaux.* ☞ rectum.

rectangle n.m. et adj. **1.** n.m. Figure géométrique ayant quatre angles droits dont les côtés sont égaux et parallèles deux à deux : *Mon rectangle a quatre centimètres de longueur et trois centimètres de largeur.* **2.** adj. Qui a au moins un angle droit : *Trace un triangle rectangle.* ☞ rectangulaire.

rectangulaire adj. Qui a la forme d'un rectangle : *Ma chambre est rectangulaire.* ☞ rectangle.

recteur n.m. Personne qui est à la tête d'une université : *Le recteur était l'invité à cette émission de radio.* **R.** L'O.L.F. recommande *rectrice* comme féminin de *recteur*.

recteur, trice adj. Qui dirige : *Les plumes rectrices sont des grandes plumes de la queue des oiseaux qui servent à diriger leur vol.*

rectifiable adj. Qui peut être rectifié, redressé, corrigé : *Ton erreur est rectifiable.* ☞ rectifier.

rectificatif n.m. Note officielle qui a pour but de corriger une chose inexacte qui a été annoncée : *L'éditrice en chef a fait paraître un rectificatif dans un journal.* ☞ rectifier.

rectificatif, ive adj. Qui a pour but de rectifier, de corriger une chose inexacte : *Vos paroles rectificatives étaient attendues.* ☞ rectifier.

rectification n.f. **1.** Action de rectifier, de rendre conforme, adéquat : *On a fait la rectification du tracé de la route en tenant compte du nouveau plan.* **2.** Action de rectifier, de corriger ; écrit, parole qui rectifie : *J'ai fait quelques rectifications dans mon texte.* ☞ rectifier.

rectifier v. **1.** Rendre droit : *Je dois rectifier l'alignement des plants dans le jardin.* **2.** Modifier pour rendre conforme, adéquat : *La tireuse a rectifié son tir et a atteint la cible.* **3.** Corriger, rendre exact : *Pierre rectifie la construction de ses phrases.* **4.** Modifier, faire disparaître en corrigeant : *J'ai une forte tendance à rectifier les erreurs des autres.* ☞ rectifiable, rectificatif, rectification.

rectiligne adj. **1.** Qui est ou qui se fait selon une ligne droite : *Des allées rectilignes divisent ce grand parc.* ANT. courbe. **2.** Qui est formé de droites ou de segments de droites, en géométrie : *Le carré est un quadrilatère rectiligne.* ANT. courbe.

recto n.m. Endroit d'une feuille, par opposition au verso : *Les chèques sont imprimés au recto seulement.* ANT. envers.

rectum n.m. (lat.) Partie du gros intestin qui aboutit à l'anus : *Le thermomètre rectal permet de prendre la température du corps par le rectum.* **R.** Les lettres *um* se prononcent *omm*. ☞ rectal.

reçu n.m. Écrit par lequel quelqu'un reconnaît avoir reçu un objet, un dépôt : *Mes parents conservent leurs reçus par mesure de prudence.* SYN. récépissé. **R.** Ne pas oublier la cédille. ☞ recevoir.

recueil n.m. Ouvrage dans lequel sont réunis des textes, des documents : *J'ai, dans mon sac, un recueil de poèmes.* **R.** Après le *c*, on écrit *ueil*. ☞ recueillir.

recueillement n.m. Action de se recueillir, de se concentrer : *Le recueillement est plus facile dans le silence que dans le bruit.* **R.** Après le *c*, on écrit *ueil*. ☞ se recueillir.

recueilli, ie adj. **1.** Qui est en état de recueillement, de respect, de méditation : *Recueillie, Josée médite sur la tombe de sa mère.* **2.** Qui indique du recueillement, qui est calme et méditatif : *Les communiants, l'air recueilli, retournaient à leur place.* **R.** Après le *c*, on écrit *ueil*. ☞ se recueillir.

recueillir v. **1.** Prendre en cueillant, ramasser dans le but d'une utilisation ultérieure : *L'apicultrice recueille le miel.* **2.** Rassembler, réunir des choses dispersées : *Mon père recueille des dons pour une bonne œuvre.* ANT. éparpiller. **3.** Recevoir en héritage : *Elle recueillera une fortune de sa grand-mère.* **4.** Donner l'hospitalité, accueillir : *Ils recueillent les chats abandonnés.* **5.** Obtenir, dans une élection : *Ce candidat n'a recueilli que dix pour cent des suffrages.* **6.** Laisser entrer dans un récipient, recevoir ce qui se répand : *Nous recueillons l'eau de pluie dans une citerne.* **R.** Après le *c*, on écrit *ueil*. ☞ recueil.

se recueillir v.pron. **1.** Méditer; faire silence et fixer son attention sur un sujet religieux: *Elle se recueille et prie.* **2.** Réfléchir, méditer en s'isolant du monde extérieur: *Le onze novembre, nous nous recueillons en souvenir des soldats canadiens morts au combat.* **R.** Après le *c*, on écrit *ueil.* ☞ recueillement, recueilli.

recuire v. **1.** Cuire de nouveau, soumettre à une nouvelle cuisson: *On a recuit les carottes trop croquantes.* **2.** Subir une nouvelle cuisson: *Je fais recuire cette viande trop saignante.* ☞ cuire.

recul n.m. **1.** Action de reculer, d'aller vers l'arrière; mouvement, pas en arrière: *Surpris, il eut un mouvement de recul.* **2.** Mouvement d'un mécanisme vers l'arrière après le départ du coup: *Ce fusil a un fort recul.* **3.** Éloignement dans l'espace et dans le temps qui permet une meilleure appréciation: *Il faut prendre un peu de recul pour mieux juger un tableau.* ☞ reculer.

reculé, ée adj. **1.** Qui n'est pas facile à atteindre, qui est loin, isolé: *Dans un petit village reculé vivait une vieille sage.* **2.** Qui s'est passé il y a longtemps: *L'histoire que je vous raconte se passe dans les temps reculés.* HOM. reculer. ☞ reculer.

reculer v. **1.** Aller vers l'arrière: *Elles avançaient, menaçantes, et nous reculions.* ANT. avancer. **2.** Craindre, fuir un danger, une difficulté: *L'armée recule devant les chars ennemis.* **3.** fig. Perdre du terrain: *L'épidémie de coqueluche a reculé.* ANT. progresser. **4.** Renoncer, céder devant une difficulté: *Tu avais décidé d'y aller, tu ne peux plus reculer.* SYN. se dérober. **5.** Porter vers l'arrière: *J'ai reculé cette chaise, elle nuisait.* ANT. avancer. **6.** Repousser, reporter plus loin: *Nous avons reculé cette cloison pour agrandir mon bureau.* ANT. avancer. **7.** Reporter à plus tard: *Tu recules toujours ta visite chez le dentiste.* SYN. retarder. ANT. avancer, hâter. HOM. reculé. ☞ recul, reculé, à reculons. **se reculer** v.pron. Se porter vers l'arrière: *Je me suis reculée pour les laisser passer.*

à **reculons** loc.adv. En reculant: *L'écrevisse marche à reculons.* ☞ reculer.

récupérable adj. **1.** Qui peut être récupéré, repris et utilisé de nouveau: *L'or des bijoux est récupérable.* ANT. irrécupérable. **2.** Qui peut reprendre, dans un groupe, dans la société, la place qu'il avait perdue: *Ce délinquant repenti est récupérable.* ANT. irrécupérable. ☞ récupérer.

récupération n.f. Action de récupérer, de recueillir ce qui serait perdu: *La récupération du papier sauve des arbres.* ☞ récupérer.

récupérer v. **1.** Reprendre possession, retrouver une chose qu'on avait perdue, prêtée ou dépensée: *Sylva a pu récupérer les livres qu'il avait prêtés.* **2.** Reprendre des forces après un effort intense ou une maladie: *Une heure de sommeil et j'aurai récupéré.* **3.** Recueillir ce qui aurait été jeté ou inutilisé: *On récupère le papier pour le recycler.* **4.** Fournir un temps de travail pour remplacer celui qui a été perdu: *J'ai pris une journée de congé, je devrai la récupérer.* **5.** Garder et affecter à un autre emploi quelqu'un qui n'a plus la possibilité de poursuivre son activité passée: *On a récupéré et reclassé certains employés à la suite de la robotisation de l'usine.* **6.** fam. Prendre, aller chercher: *Je dois récupérer ma mère à l'aéroport.* **7.** Reprendre un mouvement, des idées, des personnes, en les détournant de leur objectif premier: *Le parti cherche à récupérer les grévistes.* ☞ irrécupérable, récupérable, récupération.

récurage n.m. Action de récurer, de nettoyer en frottant: *Laisse tremper le plat, le récurage sera plus facile.* ☞ récurer.

récurer v. Nettoyer en frottant: *J'ai utilisé un tampon d'acier pour récurer cette marmite.* ☞ récurage.

recyclage n.m. **1.** Formation complémentaire donnée à une personne qui veut acquérir des connaissances ou s'adapter à un nouveau travail: *La commission scolaire offre des cours de recyclage aux adultes.* **2.** Action de récupérer des déchets, de leur faire subir un traitement pour les rendre à nouveau utilisables: *On peut faire le recyclage des carrosseries d'automobiles.* ☞ recycler.

recycler v. **1.** Donner à quelqu'un une formation complémentaire pour lui faire acquérir des connaissances ou pour l'adapter au travail: *On parle de recycler le personnel de l'usine.* **2.** Traiter des déchets qu'on a récupérés dans le but de les utiliser à nouveau: *Les autorités de la ville se proposent de recycler le verre.* ☞ recyclage. **se recycler** v.pron. Acquérir une formation complémentaire; changer d'orientation: *Je veux prendre une année sabbatique pour me recycler.*

rédacteur, trice n. Personne qui rédige des textes, des articles de revue ou de journal: *La rédactrice avait d'excellentes informations pour rédiger un article.* ⁄⁄ *Rédacteur en chef:* Directeur de la rédaction d'un quotidien, d'une revue. ☞ rédiger.

rédaction n.f. **1.** Action ou manière de rédiger, d'écrire un texte: *La rédaction d'un ar-*

ticle exige de la concision. **2.** Ensemble des rédacteurs, des personnes qui rédigent des textes, des articles pour une revue, un journal ; locaux où ces personnes travaillent : *Il y a présentement une rencontre de la rédaction.* **3.** Exercice scolaire destiné à faire apprendre aux élèves à bien écrire : *Les rédactions s'appellent aussi des projets d'écriture.* SYN. composition. ☞ rédiger.

reddition n.f. Fait de se rendre, de s'avouer vaincu : *La reddition eut lieu après peu de jours de combat.* SYN. capitulation. **R.** Les lettres *re* se prononcent *rè* ou *ré*. ☞ rendre.

redécouvrir v. Découvrir à nouveau ; découvrir ce que quelqu'un d'autre avait découvert : *J'ai redécouvert le Mexique au cours d'un deuxième voyage.* **R.** Participe passé, *redécouvert*. ☞ découvrir.

redéfaire v. Défaire de nouveau : *Je dois redéfaire la couture de cette manche ; elle est encore mal ajustée.* ANT. refaire. **R.** Participe passé, *redéfait*. ☞ faire.

redemander v. **1.** Demander de nouveau : *Valérie a redemandé du dessert.* **2.** Réclamer ce qu'on a prêté à quelqu'un : *Je lui ai redemandé le parapluie que je lui avais prêté.* ☞ demander.

redémarrer v. **1.** Démarrer de nouveau, faire repartir un véhicule immobilisé : *Ne redémarre pas si brusquement.* **2.** fig. Retrouver de la force, reprendre de l'élan : *L'économie tarde à redémarrer.* ☞ démarrer.

rédempteur, trice n. et adj. **1.** n. Personne qui rachète, au sens moral ou religieux : *L'ensemble du peuple juif n'a pas vu en Jésus un rédempteur.* **2.** adj. Qui rachète, au sens moral ou religieux : *Les chrétiens croient en l'amour rédempteur.* ⁄⁄ *Le Rédempteur :* Le Christ, considéré par les chrétiens comme celui qui a racheté le genre humain par sa mort. **R.** Le *p* peut se prononcer ou non. ☞ rédemption.

rédemption n.f. Fait de racheter ou de se racheter ; action de ramener quelqu'un au bien ou de revenir soi-même au bien : *La rédemption des péchés est accordée par le Christ.* ⁄⁄ *Le mystère de la Rédemption :* Le rachat, le salut du genre humain par la mort du Christ. **R.** Le *p* se prononce. ☞ rédempteur.

redescendre v. **1.** Descendre de nouveau, aller de nouveau du haut vers le bas : *Je redescends à la cave chercher d'autres bocaux.* ANT. remonter. **2.** Descendre de nouveau un objet, le porter de nouveau du haut vers le bas : *Jacques redescend le vieux fauteuil du grenier.* ANT. remonter. **3.** Parcourir de nouveau de haut en bas : *En courant, les enfants redescendirent l'escalier.* ANT. remonter. ☞ descendre.

redevable adj. **1.** Qui demeure en dette envers quelqu'un : *Je vous suis encore redevable de cent dollars.* **2.** Qui a une dette de reconnaissance envers quelqu'un : *Papa est redevable d'un grand service à Mme Charest.*

redevance n.f. **1.** Somme qu'on doit payer en retour des services publics dont on bénéficie : *Nous devons payer une redevance téléphonique.* SYN. impôt, taxe. **2.** Somme que l'on doit payer à intervalles réguliers à titre de rente, ou de remboursement d'une dette : *Autrefois, les redevances étaient souvent payables en nature.*

redevenir v. Recommencer à être ce qu'on a déjà été : *Livré à lui-même, ce loup apprivoisé pourrait redevenir sauvage.* ☞ devenir.

rediffuser v. Diffuser de nouveau, émettre de nouveau par ondes : *On doit rediffuser cette émission dimanche.* ☞ diffuser.

rédiger v. Écrire un texte selon une forme donnée : *La médecin rédige mon ordonnance.* ☞ rédacteur, rédaction. **rédigé, ée** p.p. et adj. Qui est écrit dans sa forme définitive : *Ton devoir bien rédigé pourrait servir de modèle.*

redingote n.f. **1.** Ancien manteau d'homme, genre de longue veste fendue derrière, du bas à la taille : *Une redingote, un chapeau haut de forme et une canne vont bien à un magicien.* **2.** Manteau de femme serré à la taille : *La redingote souligne la taille.*

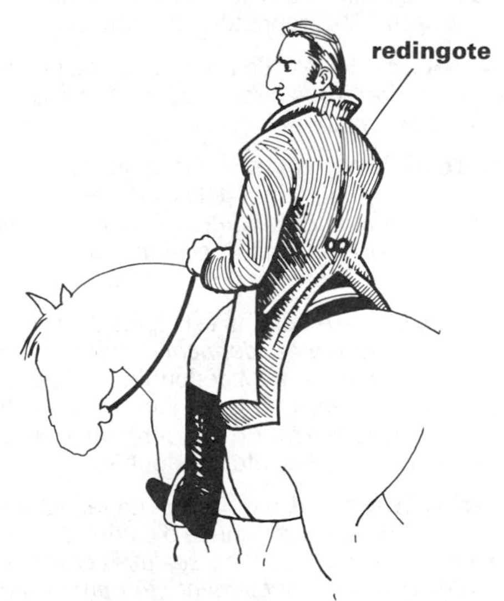

redire v. **1.** Dire de nouveau, répéter ce qu'on a déjà dit : *Elle redisait son histoire à qui voulait l'entendre.* SYN. ressasser. **2.** Répéter les paroles des autres par indiscrétion: *N'allez surtout pas redire ceci à M. Vanier.* SYN. rapporter. ⫽ *Trouver, avoir quelque chose à redire à:* Trouver quelque chose à critiquer.

rediscuter v. Discuter de nouveau: *Nous rediscutions de l'attitude à adopter dans cette situation délicate.* ☞ discuter.

redistribuer v. Distribuer, répartir de nouveau: *Tu t'es trompée, redistribue les cartes.* ☞ distribuer.

redistribution n.f. Action de redistribuer; nouvelle répartition: *La redistribution des tâches a amélioré l'efficacité de l'équipe.* ☞ distribuer.

redondance n.f. Excès dans le discours, qui se traduit par des répétitions, des longs développements, des ornements inutiles; développements, répétitions, mots superflus: *Son discours était rempli de redondances.* ☞ redondant.

redondant, ante adj. **1.** Qui présente des redondances, des répétitions inutiles: *Cet auteur a un style redondant.* ANT. concis. **2.** Qui est de trop dans un écrit: *Tu dois enlever tous ces adverbes redondants.* SYN. superflu. ☞ redondance.

redonner v. **1.** Rendre ce qu'on a pris: *Tiens! je te redonne ta gomme à effacer.* SYN. remettre, restituer. ANT. reprendre. **2.** Rendre ce qui a été perdu; faire renaître: *Tes paroles m'ont redonné du courage.* ANT. enlever. **3.** Donner de nouveau: *Voudrais-tu me redonner du dessert?* ANT. reprendre. ☞ donner.

redorer v. Revêtir de nouveau d'une mince couche d'or: *Nous ferons redorer le calice et le ciboire.* ☞ dorer.

redoublant, ante n. Élève qui redouble une classe, qui reprend les mêmes cours: *Cette redoublante travaille avec acharnement pour réussir son année scolaire.* SYN. doubleur. ☞ double.

redoublé, ée adj. Qui est répété deux fois: *Ces rimes redoublées donnent un rythme intéressant au poème.* HOM. redoubler. ⫽ *Frapper à coups redoublés:* Frapper à coups violents et précipités. *Marcher à pas redoublés:* Marcher deux fois plus vite. ☞ double.

redoublement n.m. **1.** Fait de redoubler, de recommencer une année d'études dans la même classe: *Ses résultats scolaires étaient si faibles que le redoublement était prévisible.* **2.** Répétition d'un ou de plusieurs éléments d'un mot: *Plusieurs oublient le redoublement du «l» dans le mot «imbécillité».* **3.** Augmentation en force, en intensité: *L'instituteur nous demande un redoublement d'attention.* ANT. diminution. ☞ double.

redoubler v. **1.** Rendre double: *Il redoublait les syllabes lorsqu'il parlait au bébé: «Où est-il le chienchien de Cloclo?»* **2.** Recommencer une année scolaire: *Je n'ai jamais redoublé une classe.* **3.** Mettre une nouvelle doublure: *J'ai apporté mon vieux manteau chez la couturière pour qu'elle le redouble.* **4.** Augmenter l'intensité, la force: *Pour réussir, j'ai dû redoubler mes efforts.* **5.** Montrer encore plus: *Nathalie redouble de gentillesse pour gagner ton amitié.* **6.** Recommencer avec plus d'intensité; augmenter de beaucoup: *La tempête de neige redouble: nous ne partirons pas ce soir.* HOM. redoublé. ☞ double.

redoutable adj. **1.** Qui est à craindre, qui est dangereux, terrible: *Les armes nucléaires sont des armes redoutables.* ANT. inoffensif. **2.** Qui inspire la crainte: *Ce malfaiteur a une mine redoutable.* SYN. effrayant. ☞ redouter.

redouter v. **1.** Craindre beaucoup: *Le réalisateur redoutait la critique.* **2.** S'effrayer, s'inquiéter de quelque chose par avance: *Je redoutais d'avoir à traverser ce pont branlant.* ☞ redoutable. **redouté, ée** p.p. et adj. Que l'on craint, qui effraie: *Le grizzli est un animal redouté.*

redressement n.m. **1.** Action de remettre droit; mouvement par lequel on relève, on se relève: *Les redressements assis renforcent les muscles abdominaux.* **2.** fig. Action de reprendre son essor, de revenir à un niveau correct: *Le redressement d'un pays, après une guerre, prend parfois plusieurs années.* ☞ redresser.

redresser v. **1.** Remettre dans une position verticale: *J'ai redressé le tuteur de la plante.* SYN. lever, relever. ANT. incliner, pencher. **2.** Remettre droit ce qui est tordu, recourbé: *J'ai dû faire redresser le pare-chocs de la voiture.* ANT. courber, plier. **3.** fig. Corriger, rattraper des erreurs, une situation compromise: *Il y a trop de vols, il faudra redresser cette situation.* ⫽ *Redresser les torts:* Rétablir les droits de ceux qui sont injustement opprimés. ☞ redressement, redresseur. se **redresser** v.pron. **1.** Se remettre droit, vertical; se relever: *Le serpent se redressait, prêt à mordre.* ANT. s'affaisser, s'écrouler. **2.** Se tenir droit; montrer de la fierté en se tenant droit: *Redressez-vous!* **3.** fig. Reprendre son essor, revenir à un niveau correct: *Mes finances se redressent; je pourrai bientôt m'offrir quelques petits luxes.*

redresseur n.m. **1.** Appareil qui permet de transformer certains courants électriques: *Les transistors sont utilisés comme redresseurs* *de courant électrique.* **2.** Appareil photographique spécial qui redresse les images renversées : *On se sert d'un redresseur d'images en cartographie.* ⫽ *Redresseur de torts :* Personne qui se donne pour mission de défendre les faibles et les opprimés. ☞ redresser.

réductible adj. **1.** Qui peut être ramené à une chose plus simple : *La vie humaine est si complexe qu'elle n'est pas réductible à la biologie.* ANT. irréductible. **2.** Qui peut être simplifié : *La fraction 4/12 est réductible.* ANT. irréductible. **3.** Qui peut être diminué : *Les dépenses de l'entreprise ne sont pas réductibles.* ANT. irréductible. **4.** Qui peut être remis en place, en parlant d'un os fracturé, d'un organe déplacé : *C'est une fracture aisément réductible.* ANT. irréductible. ☞ réduire.

réduction n.f. Opération qui consiste à remettre en place un os fracturé ou un organe déplacé : *Avant de faire un plâtre, on procède d'abord à la réduction de la fracture.* ☞ réduire. ▲ **réduction** n.f. **1.** Reproduction en plus petit format : *Cette gravure est une réduction de l'original.* ANT. agrandissement. **2.** Action de réduire, de diminuer les dimensions, l'importance, la quantité : *On a obtenu une réduction d'heures de travail.* SYN. diminution. ANT. augmentation, hausse. **3.** Diminution accordée sur le prix : *Profite de cette réduction, tu économises.* SYN. rabais, remise. **4.** Fait de réduire, de ramener une chose complexe à une forme plus simple : *La réduction de fractions au même dénominateur est la recherche du dénominateur commun le plus petit.* ☞ réduire. en **réduction** loc.adv. En plus petit, en miniature : *En la regardant, on croirait voir sa mère en réduction.*

réduire v. **1.** Amener dans un état inférieur ou dans un état de soumission par la force, la persuasion : *L'histoire enseigne qu'on a réduit plusieurs peuples en esclavage.* **2.** Contraindre, obliger : *Cette blessure à la jambe me réduit à l'inaction.* **3.** Ramener une chose complexe à un état plus simple : *Peux-tu réduire ces fractions ?* SYN. simplifier. **4.** Transformer une chose en une autre : *L'incendie a réduit notre maison en cendres.* **5.** Faire épaissir par évaporation : *Il faut réduire cette sauce trop claire.* **6.** Limiter, abaisser, diminuer une quantité : *J'ai réduit ma vitesse car je circule dans une zone scolaire.* ANT. augmenter. **7.** Reproduire en plus petit, diminuer les dimensions : *La photographe a réduit la photo.* ANT. agrandir. **8.** Abréger : *Tu devrais réduire davantage ton texte.* ANT. développer. ☞ irréductible, irréductiblement, réductible, réduction, réduit. ▲ **réduire** v. Replacer un os, un organe : *Vous aurez moins mal lorsque votre hernie aura été réduite.* ☞ irréductible, réductible, réduction. se **réduire** v.pron. **1.** Se limiter, se résumer, se ramener à quelque chose : *Leur dispute se réduit à bien peu de chose.* **2.** Se transformer en autre chose : *Le vase s'est réduit en miettes en touchant le sol.*

réduit n.m. **1.** Local, pièce de petites dimensions, souvent sombre et pauvre : *Le malade gisait dans un réduit.* **2.** Recoin, enfoncement dans une pièce : *Ce réduit nous sert de débarras.*

réduit, ite adj. **1.** Qui a subi une diminution, pour lequel on a consenti un rabais : *Les personnes âgées peuvent voyager à tarif réduit.* **2.** Qui est rendu plus petit, qui est reproduit à petite échelle : *J'ai une collection de modèles réduits de voitures anciennes.* **3.** Qui est restreint, diminué en nombre, en importance : *À cause des travaux de réfection en cours, nous devons rouler à vitesse réduite.* ☞ réduire.

rééditer v. **1.** Éditer de nouveau : *On ne réédite pas des livres qui ne se vendent pas bien.* **2.** fig. et fam. Répéter, refaire : *Les enfants ont réédité leur prouesse d'hier.* ☞ éditer.

réédition n.f. **1.** Action de rééditer ; nouvelle édition, livre qu'on réédite : *La réédition de ce livre à succès est déjà épuisée.* **2.** fig. et fam. Répétition d'un même fait, d'une même action : *Cette crise de larmes est une réédition de celle d'hier.* ☞ éditer.

rééducation n.f. **1.** Traitement qui vise à faire recouvrer l'usage d'une fonction, d'une partie du corps blessée ou atteinte par la maladie : *La rééducation de la parole exige une grande persévérance.* **2.** Ensemble des mesures qui ont pour but d'aider ou d'éduquer des adolescents délinquants : *La rééducation des délinquants a pour but de les adapter socialement.* ☞ éduquer.

rééduquer v. **1.** Soumettre une personne à un traitement pour rétablir l'usage d'une partie du corps ou d'une fonction : *En physiothérapie, on rééduque une opérée qui ne peut plus se servir de son bras.* **2.** Éduquer de nouveau et de façon différente : *On rééduque la population à une façon de vivre qui respecte l'environnement.* **3.** Réadapter à la société : *Cet organisme a été fondé pour soutenir et rééduquer la jeunesse délinquante.* ☞ éduquer.

rééducation rééduquer

réel n.m. Ce qui existe vraiment, les choses elles-mêmes : *Dans ce film, le réel et l'imaginaire se côtoient.* SYN. réalité.

réel, elle adj. **1.** Qui existe en fait, qui n'est pas fictif: *Les personnages de ce conte ne sont pas réels.* SYN. authentique, certain. ANT. imaginaire, irréel. **2.** Qui est tel qu'on le pense et le dit, qui est conforme à sa définition: *Je ne comprends pas la signification réelle de cette métaphore.* SYN. véritable, vrai. ANT. faux. **3.** Qui est visible, évident: *J'éprouve un réel plaisir à te revoir.* ☞ irréalisme, irréaliste, irréalité, irréel, réalisme, réaliste, réalité, réellement, surréalisme.

réélection n.f. Action de réélire, de nommer de nouveau à une fonction par le vote; fait d'être réélu: *On a fêté la réélection de la première ministre.* ☞ élire.

réélire v. Élire, nommer de nouveau à une fonction par le vote: *Le maire a été réélu.* ☞ élire.

réellement adv. En réalité, en fait: *Je l'accepte telle qu'elle est réellement.* SYN. véritablement, vraiment. ANT. apparemment, faussement. ☞ réel.

réembaucher v. Embaucher, engager à nouveau une personne: *On a réembauché Marie-Lou.* **R.** Aussi, *rembaucher.* ☞ débaucher.

réemployer v. Employer, utiliser, engager de nouveau: *On a réemployé ces matériaux provenant de la démolition de la grange.* **R.** Aussi, *remployer.* ☞ employer.

réengagement n.m. Action de réengager, de recruter, d'embaucher de nouveau: *J'ai discuté de ton réengagement avec la directrice.* **R.** Aussi, *rengagement.* ☞ engager.

réengager v. Engager, embaucher de nouveau: *On prévoit réengager bientôt le personnel qui avait été mis à pied.* **R.** Aussi, *rengager.* ☞ engager. se **réengager** v.pron. Reprendre de façon volontaire le service dans l'armée: *Il a refusé de se réengager après la guerre.* **R.** Aussi, *se rengager.* **réengagé, ée** p.p. et adj. Qui a repris volontairement le service militaire: *Les soldates réengagées ont été envoyées au front.* **R.** Aussi, *rengagé.*

réensemencement n.m. Action de réensemencer, de mettre de nouveau la semence en terre: *Le réensemencement est nécessaire car les vents ont tout dévasté.* ☞ semer.

réensemencer v. Ensemencer, semer de nouveau, lorsque les premières semences ne lèvent pas ou sont détruites: *Il faudra réensemencer les champs à cause de la sécheresse.* **R.** Ne pas oublier la cédille devant *a* et *o*. ☞ semer.

réentendre v. Entendre, écouter de nouveau: *Elle voulait réentendre la chanson pour mieux saisir les paroles.* ☞ entendre.

rééquilibrer v. Rétablir l'équilibre, la stabilité; donner un nouvel équilibre: *Antoine a du mal à rééquilibrer son budget.* ☞ équilibre.

réessayage n.m. Action de réessayer, d'essayer de nouveau un vêtement: *J'étais fatiguée de ces séances d'essayage et de réessayage.* **R.** Aussi, *ressayage.* ☞ essayer.

réessayer v. **1.** Essayer de nouveau, faire un nouvel essai: *Je veux réessayer cette recette.* **2.** Essayer de nouveau un vêtement: *J'ai réessayé le pantalon avant de le raccourcir.* **R.** Aussi, *ressayer.* ☞ essayer.

réévaluation n.f. Action d'évaluer de nouveau, de déterminer à nouveau la valeur sur de nouvelles bases: *Chaque année on fait la réévaluation des loyers.* ☞ évaluer.

réévaluer v. Faire une nouvelle évaluation, déterminer à nouveau une valeur, une quantité: *Avant de prendre cette assurance, nous avons dû faire réévaluer le tableau.* ☞ évaluer.

réexamen n.m. Fait de procéder à un nouvel examen, à une nouvelle analyse; nouvel examen: *J'ai demandé un réexamen de mon dossier.* ☞ examen.

réexaminer v. Examiner de nouveau, observer attentivement une autre fois: *Le médecin réexamine la gorge de son patient.* ☞ examen.

réexpédier v. Expédier, envoyer à une nouvelle destination et, spécialement, renvoyer une chose d'où elle vient: *J'ai réexpédié ce colis; la personne à qui il était destiné est déménagée.* ☞ expédier.

réexpédition n.f. Action d'expédier, d'envoyer à une nouvelle destination et, spécialement, renvoyer une chose d'où elle vient: *J'ai dû assumer les frais de réexpédition de cette lettre.* ☞ expédier.

réexportation n.f. Action de réexporter, de transporter hors d'un pays des marchandises qui y avaient été importées: *La réexportation des denrées se fera par train.* ☞ exporter.

réexporter v. Expédier en dehors du pays des produits qui avaient été importés: *Les États-Unis réexportent de nombreuses marchandises.* ☞ exporter.

refaçonner v. Façonner de nouveau, donner une nouvelle forme, une nouvelle coupe: *Je vais refaçonner ces vieux vêtements.* **R.** Ne pas oublier la cédille. ☞ façonner.

refaire v. **1.** Faire de nouveau, recommencer ce qu'on a déjà fait ou ce qui a déjà été fait: *Je referais volontiers ce voyage.* ANT. défaire. **2.** Faire autrement, en modifiant: *Après leur séparation, Suzanne et Gontran ont refait leur vie.* **3.** Réparer, remettre en état: *Marc et Christiane refont l'escalier d'en avant.* ANT. défaire. **4.** Rétablir: *Quelques heures de sommeil devraient m'aider à refaire mes forces.* **5.** fam. Tromper, duper: *Trop tard! on m'a refait sur la qualité de ce meuble.* ☞ faire. se **refaire** v.pron. **1.** Récupérer ce qu'on a perdu au jeu, rétablir sa situation financière: *Elle se refait peu à peu: la chance joue en sa faveur.* **2.** Se rétablir au point de vue de la santé: *Il se refait grâce à ce régime alimentaire équilibré.* **3.** Changer complètement: *Même en vieillissant, on ne se refait pas.* **R.** Au sens de *changer complètement*, s'emploie toujours au négatif. **refait, aite** p.p. et adj. Qui a été réparé, remis en état: *J'habite un immeuble refait à neuf.*

réfection n.f. Action de refaire, de réparer: *La réfection de la salle à manger est presque terminée.* ☞ faire.

réfectoire n.m. Endroit où les membres d'une communauté prennent ensemble leur repas: *Dans ce collège, tous les pensionnaires mangent au réfectoire.*

refendre v. Scier ou fendre dans le sens de la longueur: *On doit refendre ces grosses bûches.* ☞ fendre.

référence n.f. **1.** Action de se référer, de se rapporter à un texte, à une opinion: *J'ai fait référence à cet ouvrage pour compléter ma recherche.* **2.** Indication précise des ouvrages, des passages auxquels on renvoie le lecteur: *Tu as oublié de fournir la référence de la citation.* **3.** plur. Attestation qui sert de recommandation: *On m'a demandé si j'avais des références pour appuyer ma demande d'emploi.* ⁄⁄ *Ouvrage de référence:* Ouvrage fait pour être consulté (dictionnaire, encyclopédie, etc.).

référendaire adj. Qui se rapporte au référendum, au vote des citoyens pour approuver ou rejeter une mesure proposée par le gouvernement: *La campagne référendaire est terminée.* ☞ référendum.

référendum n.m. Vote de l'ensemble des citoyens pour approuver ou rejeter une proposition du gouvernement: *La souveraineté du Québec a été refusée lors d'un référendum tenu au Québec en 1980.* **R.** Les lettres *um* se prononcent *omm.* ☞ référendaire.

référer v. Rapporter, soumettre une chose à quelqu'un pour qu'il en décide: *J'hésite à prendre cette décision; je dois en référer à mon patron.* se **référer** v.pron. **1.** S'en rapporter, recourir à quelqu'un ou à quelque chose comme à une autorité; prendre comme référence: *Je me réfère à une auteure sérieuse pour appuyer mes affirmations.* SYN. consulter. **2.** Se rapporter, renvoyer: *Cet article se réfère à un fait vécu récent.*

refermer v. Fermer ce qui était ouvert: *Le vent a ouvert la porte, je l'ai refermée.* ANT. rouvrir. ☞ fermer. se **refermer** v.pron. Se fermer après s'être ouvert: *Les pissenlits se referment au coucher du soleil.* ANT. se rouvrir.

refiler v.pop. **1.** Donner, vendre, remettre à quelqu'un, en le trompant, une chose dont on veut se débarrasser: *Elle m'a refilé un tacot.* **2.** fig. Donner, passer: *Il m'a refilé son rhume.*

réfléchi, ie adj. **1.** Qui indique la réflexion, l'examen attentif: *Elle m'a donné un conseil réfléchi.* SYN. avisé. ANT. irréfléchi, machinal. **2.** Qui fait preuve de réflexion, qui est raisonnable: *Mon père est un homme réfléchi.* SYN. prudent, sage, sérieux. ANT. étourdi, impulsif. ⁄⁄ *C'est tout réfléchi:* Ma décision est prise. *Tout bien réfléchi:* Tout bien pesé, analysé. ☞ réfléchir. ▲ **réfléchi, ie** adj. Qui indique que l'action revient sur le sujet, en parlant d'un verbe: *«Se laver» est un verbe pronominal réfléchi.* ⁄⁄ *Pronom réfléchi:* Pronom personnel qui représente, en tant que complément, la personne qui est sujet du verbe. ☞ réfléchir.

réfléchir v. **1.** User de réflexion, penser, se concentrer: *On m'a souvent dit de réfléchir avant d'agir.* **2.** Examiner, étudier, considérer: *Nous avons bien réfléchi à votre offre et nous acceptons.* **3.** Méditer: *Je réfléchis sur mon avenir.* ☞ irréfléchi, irréflexion, réfléchi, réflexion. ▲ **réfléchir** v. Renvoyer par réflexion, refléter: *Les miroirs réfléchissent l'image des objets.* ☞ réfléchi, réfléchissant, réflecteur, réflexion. se **réfléchir** v.pron. Être renvoyé, donner son image par réflexion: *Le ciel se réfléchit dans le lac calme.* **réfléchi, ie** p.p. et adj. Qui est renvoyé par réflexion: *Cette image réfléchie par l'eau n'est pas très nette.*

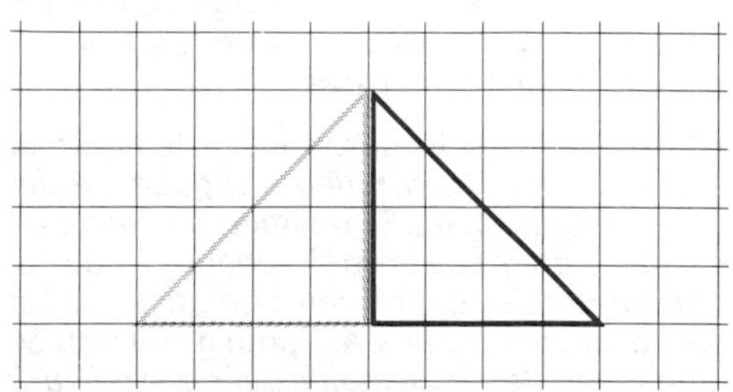

réfléchir

réfléchissant, ante adj. Qui réfléchit, renvoie une lumière, une onde: *Le miroir a un pouvoir réfléchissant.* ☞ réfléchir.

réflecteur n.m. et adj.m. **1.** n.m. Appareil composé de miroirs, de prismes, destiné à réfléchir, à renvoyer la lumière, les ondes, la chaleur: *Il y a deux réflecteurs à l'arrière de ma bicyclette.* **2.** adj.m. Qui réfléchit, renvoie la lumière, les ondes, la chaleur: *J'ai dû remplacer le miroir réflecteur de la voiture.* ☞ réfléchir.

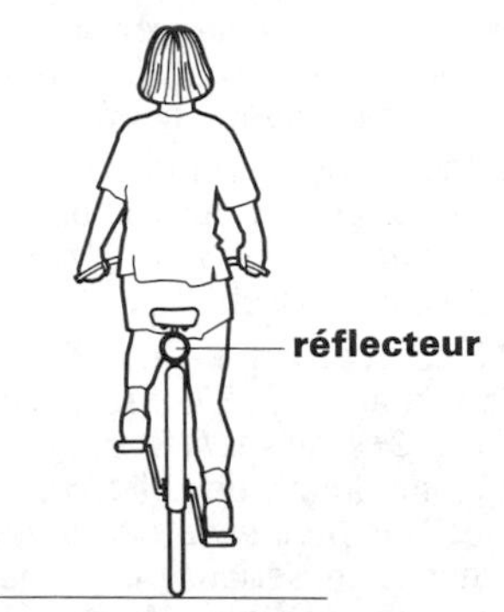

reflet n.m. **1.** Lumière renvoyée par la surface d'un corps: *Les reflets du soleil sur la neige m'aveuglaient.* **2.** Nuance colorée, teinte lumineuse qui se joue sur des fonds différents et qui varie selon l'éclairage: *Le plumage de l'étourneau a des reflets métalliques.* **3.** Image réfléchie, renvoyée: *Nous avons photographié le reflet du chalet dans le lac.* **4.** fig. Reproduction affaiblie, expression des traits dominants, des caractéristiques de quelqu'un ou de quelque chose: *On dit que l'art est le reflet d'une époque.* **5.** fig. Éclat, image: *Le sourire de Marie-Josée est le reflet de sa bonté.* ☞ antireflet, refléter.

refléter v. **1.** Réfléchir, renvoyer la lumière, les images, les couleurs de manière plus ou moins claire: *Cette vitre reflète les objets.* **2.** fig. Exprimer, traduire, présenter une image de quelque chose: *Les yeux de ma mère reflètent la sérénité.* ☞ reflet. se **refléter** v.pron. **1.** Se mirer, être reflété: *Mon visage se reflétait dans l'eau.* **2.** fig. Transparaître: *La tristesse se reflétait sur son visage.*

refleurir v. **1.** Fleurir, donner de nouveau des fleurs: *Le rosier refleurit chaque été depuis trois ans.* **2.** fig. Se ranimer: *Il a fallu peu de chose pour que l'espoir refleurisse.* **3.** Redevenir florissant, prospère: *Certains siècles ont vu refleurir les arts.* **4.** Garnir à nouveau de fleurs: *À toutes les semaines, Jérôme refleurit la tombe de sa sœur.* ☞ fleur.

réflexe n.m. **1.** Réaction automatique et rapide d'une partie du corps à une stimulation: *Si on frappe la base du genou, la jambe se relève involontairement: c'est un réflexe.* **2.** Toute réaction rapide en présence d'un événement nouveau et soudain: *Les jeux électroniques nécessitent de bons réflexes.*

réflexion n.f. **1.** Action de réfléchir, d'arrêter sa pensée, son esprit sur un problème, une situation, pour l'examiner à fond: *Elle était absorbée dans ses réflexions quand on l'interpella.* ANT. irréflexion. **2.** Capacité de réfléchir, de discerner; qualité de l'esprit qui sait réfléchir: *Tu as agi sans réflexion.* SYN. discernement, intelligence. ANT. étourderie, irréflexion, légèreté. **3.** Pensée exprimée après avoir réfléchi: *Son exposé était rempli de réflexions pertinentes.* SYN. observation. **4.** Critique, remarque souvent désobligeante adressée à quelqu'un: *Il lui a fait quelques réflexions sur la qualité de son travail.* SYN. observation. // *À la réflexion:* Quand on y pense bien. *Réflexion faite:* Après y avoir réfléchi. ☞ réfléchir. ▲ **réflexion** n.f. Changement de direction d'une onde sonore, lumineuse, causé par un obstacle; phénomène par lequel des ondes, des vibrations se réfléchissent sur une surface: *L'écho, c'est la réflexion du son par l'objet qui en est frappé.* ☞ réfléchir.

refluer v. **1.** Se mettre à couler en sens inverse, se retirer vers le lieu d'où il a coulé, en parlant d'un liquide: *L'eau reflue lorsque la marée descend.* ANT. affluer. **2.** fig. Être refoulée, reculer, retourner vers son point de départ, en parlant d'une foule: *Les élèves refluaient vers la sortie.* ANT. affluer. ☞ reflux.

reflux n.m. **1.** Mouvement des eaux de la mer qui s'éloignent du rivage à marée descendante: *Après le reflux, nous allions ramasser les coquillages que la mer avait laissés sur le rivage.* ANT. flux. **2.** Mouvement d'une foule qui recule après avoir avancé: *La panique provoqua un reflux des spectateurs vers l'escalier.* ANT. afflux. ☞ refluer.

réformateur, trice n. et adj. **1.** n. Personne qui réforme, qui améliore ou cherche à le faire: *Cette députée a la réputation d'être une réformatrice.* **2.** n. Personne qui a fondé une Église réformée: *Luther fut un réformateur qui écrivit beaucoup pour diffuser sa doctrine.* **3.** adj. Qui réforme, qui améliore ou cherche à le faire: *Ce parti politique propose des mesures réformatrices.* ☞ réforme.

réforme n.f. **1.** Transformation qu'on apporte dans les formes d'une institution, dans les lois, dans les mœurs dans le but de les améliorer: *L'État a entrepris de profondes réformes sociales.* **2.** Mouvement religieux du XVIe siècle qui a donné naissance au protestantisme: *La Réforme a déterminé certains* *chrétiens à rejeter l'autorité du pape.* **R.** On met la majuscule à *réforme* lorsqu'il s'agit du mouvement religieux. ☞ réformateur, réformé, réformer. ▲ **réforme** n.f. Opération par laquelle une personne est reconnue inapte au service militaire; situation de cette personne: *Cette recrue doit passer devant une commission de réforme.* ☞ réformer.

réformé, ée adj. Qui est né, qui est issu de la Réforme: *Les protestants sont des chrétiens qui appartiennent à une Église réformée.* HOM. réformer. ☞ réforme.

reformer v. Former de nouveau, refaire ce qui était défait: *Nous avons dû reformer les rangs avant d'entrer.* SYN. reconstituer. ANT. disperser. **R.** Ne pas confondre avec *réformer.* ☞ former. se **reformer** v.pron. Reprendre sa forme, se former de nouveau: *Mon abcès s'est reformé.*

réformer v. **1.** Changer en améliorant: *Au cours des années soixante, on a réformé le système scolaire québécois.* **2.** Supprimer ce qui est mal ou nuisible: *Tu dois réformer ta tendance à boire trop d'alcool.* ☞ réforme. ▲ **réformer** v. Retirer quelqu'un ou quelque chose du service militaire: *Il s'est fait réformer à cause d'un problème respiratoire.* **R.** Ne pas confondre avec *reformer.* ☞ réforme. **réformé, ée** p.p. et adj. Qui a été retiré du service militaire: *L'armée revend du matériel réformé.*

refoulement n.m. **1.** Action de refouler, de repousser, de faire reculer des personnes: *On a entamé une discussion à propos de la politique de refoulement des immigrants.* **2.** fig. Action ou fait d'empêcher une réaction d'ordre affectif de s'extérioriser ou de refuser de satisfaire une tendance naturelle, une pulsion: *Le refoulement de sa colère lui a permis de se réconcilier avec sa propriétaire.* ANT. défoulement. ☞ refouler.

refouler v. **1.** Repousser, faire reculer des personnes: *Les policiers tentent de refouler les manifestants.* ANT. attirer. **2.** fig. Contenir, empêcher une réaction, un sentiment de s'extérioriser: *Alexis refoulait sa rage et ses larmes.* SYN. refréner, réprimer. ANT. défouler. ☞ refoulement. **refoulé, ée** p.p. et adj. **1.** Qu'on empêche de s'extérioriser, qu'on fait rentrer en soi, en parlant d'une réaction, d'un sentiment: *Sa passion pour le jeu si longtemps refoulée se manifeste aujourd'hui.* **2.** Qu'on ne peut ou qu'on ne veut pas satisfaire, en parlant de désirs, de tendances naturelles: *Des tendances refoulées depuis son enfance sont à l'origine de sa dépression.*

réfractaire n. et adj. **1.** n. Personne qui refuse de se soumettre: *Cette réfractaire me défiait du regard.* SYN. insoumis. **2.** adj. Qui résiste, qui refuse de se soumettre, d'obéir: *Il est réfractaire à toute forme d'autorité.* SYN. rebelle. ANT. docile, obéissant. **3.** adj. Qui est insensible, inaccessible à quelque chose: *Ces élèves sont réfractaires à la musique.* SYN. rebelle. **4.** adj. Qui résiste à de très hautes températures: *On utilise de la brique réfractaire pour construire les cheminées.*

refrain n.m. **1.** Partie d'une chanson qu'on répète après chaque couplet: *La foule reprend le refrain.* **2.** fig. Paroles ou idées qui reviennent souvent, qui sont répétées: *On nous a encore servi le même refrain: les personnes de moins de quatorze ans ne peuvent assister au spectacle.* SYN. rengaine.

refréner v. Mettre un frein à la violence de quelqu'un, à un sentiment trop intense, empêcher de se manifester: *J'ai réussi à refréner ma colère.* SYN. contenir, réprimer. ANT. exciter. se **refréner** v.pron. Se calmer, se retenir: *Essaie de te refréner, tu as l'air d'un lion en cage.*

réfrigérant, ante adj. **1.** Qui produit du froid: *Un gaz réfrigérant circule dans les réfrigérateurs.* **2.** fig. et fam. Qui glace, qui manque de chaleur: *Son accueil réfrigérant m'a mis mal à l'aise.* ☞ réfrigérer.

réfrigérateur n.m. Genre de meuble qui produit du froid et qui sert à conserver certaines denrées sans les congeler: *J'ai mis le lait et le fromage dans le réfrigérateur.* ☞ réfrigérer.

réfrigération n.f. Abaissement de la température par un moyen artificiel et, spécialement, refroidissement de denrées alimentaires en vue de leur conservation: *Le réfrigérateur est un appareil de réfrigération.* ANT. chauffage. ☞ réfrigérer.

réfrigérer v. **1.** Refroidir par des moyens artificiels: *J'ai réfrigéré le vin blanc.* ANT. chauffer. **2.** fig. et fam. Glacer par un accueil, un comportement peu affable: *Ses railleries m'ont réfrigérée.* SYN. refroidir. ☞ réfrigérant, réfrigérateur, réfrigération. **réfrigéré, ée** p.p. et adj.fam. Qui est gelé, qui a pris froid: *Tu as l'air complètement réfrigéré; entre te réchauffer.*

refroidir v. **1.** Rendre plus froid, faire baisser la température de quelque chose: *Je refroidis mon café avec du lait.* ANT. chauffer, réchauffer. **2.** fig. Diminuer l'élan, l'ardeur de quelqu'un: *Cette mauvaise nouvelle nous a refroidis.* SYN. décourager, glacer. ANT. enthousiasmer, exalter. **3.** fig. Rendre moins grand, diminuer l'intensité de quelque chose: *Ce premier échec a refroidi son enthou-*

siasme. ANT. exalter. **4.** Devenir plus froid ou moins chaud: *J'ai mis la crème-dessert au réfrigérateur pour qu'elle refroidisse.* ANT. réchauffer. ☞ froid. se **refroidir** v.pron. **1.** Devenir plus froid: *Apporte un chandail, le temps se refroidit.* ANT. se réchauffer. **2.** Prendre froid: *J'ai fermé la fenêtre, je ne veux pas me refroidir.* **3.** fig. Prendre de l'élan, devenir moins intense: *Son dévouement s'est rapidement refroidi.*

refroidissement n.m. **1.** Abaissement de la température: *Le refroidissement de l'air annonce la fin de l'été.* ANT. réchauffement. **2.** Malaise causé par une baisse de la température ambiante: *J'ai attrapé un refroidissement.* **3.** Diminution de la chaleur, de l'intensité, dans les sentiments, les relations: *Après ce refus, mon zèle a subi un sérieux refroidissement.* ☞ froid.

refuge n.m. **1.** Lieu où on peut se retirer pour se cacher, pour échapper à un danger: *La grotte lui servait de refuge contre les intempéries.* **2.** Lieu où se cache un animal poursuivi: *Traqué par les chiens, le lièvre se précipita au fond de son refuge.* **3.** Petit trottoir au milieu d'une chaussée, qui permet aux piétons de se mettre à l'abri des voitures: *À cette intersection, il y a un refuge pour piétons.* **4.** Abri de haute montagne dans lequel les alpinistes peuvent passer la nuit: *Elles aperçurent enfin le refuge où elles pourraient se reposer.* ☞ réfugié, se refugier.

réfugié, ée n. et adj. **1.** n. Personne qui a dû quitter son pays d'origine afin d'échapper à un danger: *Le Canada reçoit des refugiés.* **2.** adj. Qui a quitté son pays d'origine afin d'échapper à un danger: *Ce médecin réfugié a fui son pays pour éviter la torture.* ☞ refuge.

se **réfugier** v.pron. **1.** Se retirer en un lieu pour être à l'abri, pour se mettre en sûreté: *Jeanne s'est réfugiée dans la grange pendant l'orage.* **2.** fig. Avoir recours à quelque chose pour trouver une consolation, pour oublier: *Il se réfugie dans le travail pour oublier sa peine.* ☞ refuge.

refus n.m. Action ou fait de refuser, de ne pas accepter: *Explique-moi la raison de ton refus.* ☞ refuser.

refusable adj. Que l'on peut refuser: *Un tel service est difficilement refusable.* ☞ refuser.

refuser v. **1.** Ne pas accorder ce qui est demandé: *On m'a refusé une augmentation de salaire.* ANT. donner. **2.** Contester, ne pas vouloir reconnaître une qualité à quelqu'un: *On refuse à Marc toute compétence en matière politique.* **3.** Ne pas recevoir dans un groupe, à un examen: *J'ai été refusé à l'université.* ANT. admettre. **4.** Ne pas laisser entrer: *Le film a tant de succès qu'on refuse du monde tous les soirs.* ANT. accueillir. **5.** Ne pas accepter ce qui est offert: *J'ai dû refuser leur invitation.* SYN. rejeter, repousser. ANT. accepter. **6.** Ne pas accepter ce que l'on juge insuffisant ou imparfait: *Le professeur a refusé mon travail fait à la hâte.* SYN. rejeter, repousser. ANT. accepter. **7.** Ne pas consentir à faire quelque chose: *Mon chien refuse de m'obéir.* ANT. accepter. **8.** S'opposer: *Je voulais m'acheter une moto; mes parents ont refusé.* ANT. approuver. ☞ refus, refusable. se **refuser** v.pron. **1.** Être refusé, repoussé: *Ton offre ne se refuse pas.* **2.** Se priver volontairement: *Ce jeune couple ne se refuse rien.* **3.** Ne pas consentir à faire, à admettre une chose: *Je me refuse à considérer la situation comme étant sans issue.*

réfutable adj. Qui peut être réfuté, dont on peut prouver la fausseté: *Ton argument est facilement réfutable.* ANT. irréfutable. ☞ réfuter.

réfutation n.f. Action de réfuter, de démontrer la fausseté d'un argument, d'une idée; raisonnement par lequel on réfute: *Cette avocate est reconnue pour la qualité de ses réfutations.* ☞ réfuter.

réfuter v. Combattre, repousser une affirmation par des preuves qui en démontrent la fausseté: *Personne ne pouvait réfuter sa théorie.* ANT. approuver. ☞ irréfutable, réfutable, réfutation.

regagner v. **1.** Retrouver, reprendre ce qu'on a perdu: *Au deuxième tour, j'ai regagné toutes mes billes.* ANT. reperdre. **2.** Revenir, retourner à un endroit: *Après avoir nagé quelques minutes, elle a regagné la rive.* ☞ gagner.

regain n.m. **1.** Herbe qui repousse dans un champ après avoir été coupée: *Nous allons couper les regains avant la pluie.* **2.** fig. Renouveau, retour: *Avec l'arrivée du printemps, je connais un regain de jeunesse.*

régal, als n.m. **1.** vx Repas copieux, fête que l'on offre à quelqu'un: *Il réservait un régal aux vainqueurs.* **2.** Mets très apprécié: *La crème glacée est un régal pour les enfants.* SYN. délice. **3.** fig. et fam. Ce que l'on aime particulièrement et qui procure un grand plaisir: *Écouter de la musique classique est pour moi un régal.* ☞ régaler.

régaler v. **1.** Offrir un bon repas à quelqu'un: *J'ai régalé mes invités avec un gâteau aux carottes.* **2.** fam. Payer à boire ou à manger: *Profitez-en, c'est moi qui régale!* ☞ régal. se **régaler** v.pron. **1.** Manger ce qu'on aime, prendre plaisir à déguster un mets, un repas délicieux: *Pour mon anniversaire, je vais me régaler au restaurant.* **2.** fig. S'offrir un grand plaisir: *Mes yeux se régalaient du magnifique coucher de soleil.*

regard n.m. **1.** Action ou manière de regarder, de porter ses yeux, son attention vers quelqu'un ou quelque chose; expression des yeux d'une personne qui regarde: *Elle porta son regard au loin.* **2.** Expression habituelle des yeux: *Il a un regard franc.* **3.** Coup d'œil: *Ils se sont aimés dès le premier regard.* **4.** fig. Action ou manière d'observer, d'examiner: *Cette auteure jette un regard critique sur son époque.* ⁄⁄ *Avoir droit de regard:* Avoir la possibilité de surveiller, de contrôler. ☞ regarder. au **regard de** loc.prép. En ce qui concerne, par rapport à: *Je suis coupable au regard de la loi.* en **regard de** loc.prép. En comparaison avec: *Mes progrès sont faibles en regard des efforts investis.*

regardant, ante adj. Qui hésite à dépenser son argent, qui est économe: *Natacha n'est pas regardante quand elle sort avec ses amis.* ANT. dépensier, prodigue. ☞ regarder.

regarder v. **1.** Porter les yeux, la vue sur quelqu'un ou quelque chose en s'appliquant à voir, en faisant preuve d'une certaine attention: *Yves regardait Maria qui s'éloignait.* SYN. examiner, observer. **2.** Observer: *Je regarde et j'écoute sans parler.* **3.** Considérer, envisager les choses d'une certaine façon: *Il faut regarder la situation d'un bon œil.* **4.** Juger, estimer: *On la regarde comme quelqu'un de très charitable.* **5.** Concerner, intéresser: *Cela ne te regarde pas.* **6.** Être tourné, orienté d'une certaine façon, vers un certain point: *Ce petit village de pêcheurs regarde la mer.* **7.** Considérer quelque chose avec attention avant de se décider; tenir compte: *Germain ne regarde pas à la dépense quand il veut quelque chose.* ⁄⁄ *Regarder les choses en face:* Considérer la situation objectivement, sans chercher à se mentir. *Regarder quelqu'un de travers:* Regarder quelqu'un avec mépris, hostilité. ☞ regard, regardant. se **regarder** v.pron. **1.** Observer sa propre image: *Je me regarde dans le miroir pour me coiffer.* **2.** Se voir, s'observer mutuellement: *Ils se sont longuement regardés avant de se sourire.* **3.** S'examiner: *Il faut parfois prendre le temps de se regarder pour mieux se connaître.* **4.** fig. Être l'un en face de l'autre, vis-à-vis: *Dans notre salon, la causeuse et le fauteuil se regardent.* **5.** Être regardé: *Cette peinture se regarde de loin.*

regarnir v. Garnir de nouveau ou garnir ce qui a été dégarni: *Cette année, je vais regarnir ma bibliothèque.* ☞ garnir.

régate n.f. Course de bateaux, à la voile ou à l'aviron: *Plusieurs centaines de voiliers ont participé aux régates annuelles.* **R.** S'emploie surtout au pluriel.

regel n.m. Gelée qui survient après un dégel: *Ce regel imprévu va sûrement nuire aux semences.* ☞ geler.

regeler v. **1.** Geler de nouveau: *Le froid de cette nuit a regelé l'étang.* **2.** Faire de nouveau un temps de gel: *On dit qu'il regèlera ce soir; couvrons les plants.* ☞ geler.

reggae n.m. et adj.invar. **1.** n.m. Musique populaire de danse, au rythme marqué, originaire de la Jamaïque; la danse sur cette musique: *Il m'arrive d'écouter du reggae.* **2.** adj. invar. Qui se rapporte à la musique populaire de danse, originaire de la Jamaïque: *Ce groupe reggae a beaucoup de succès.* **R.** Se prononce *régué.*

régie n.f. **1.** Gestion d'une entreprise d'intérêt public par des fonctionnaires de l'État; l'entreprise ainsi gérée: *Au Québec, les frais d'hospitalisation sont assumés par la Régie de l'assurance-maladie.* **2.** Direction de l'organisation matérielle d'un spectacle, d'une production de cinéma, de télévision: *Qui s'occupe de la régie de ce film?* **3.** Pièce d'où un régisseur dirige la prise de vues et de son effectuée dans le studio: *Tu vas trouver Louise à la régie.* ☞ régir.

regimber v. **1.** Résister en refusant de se soumettre: *Tu regimbes toujours contre l'autorité.* SYN. se cabrer, se rebiffer. ANT. céder, consentir. **2.** Refuser d'avancer en ruant, en parlant d'un cheval: *La cavalière tient bon sur son cheval qui regimbe devant l'obstacle.* se **regimber** v.pron. S'opposer, se révolter: *Cette loi injuste le fait se regimber.*

régime n.m. **1.** Manière dont un État est organisé, dirigé; forme de gouvernement d'un État: *Les Canadiens vivent sous un régime démocratique.* **2.** Ensemble des dispositions qui régissent une institution; organisation de cette institution: *Ce régime matrimonial est équitable pour les deux époux.* ▲ **régime** n.m. **1.** Ensemble des recommandations qui concernent l'alimentation, le mode de vie: *Le régime d'entraînement de cette athlète est très exigeant.* **2.** Usage raisonné de la nourriture pour corriger certains troubles ou éviter qu'ils n'apparaissent: *Guy suit un régime sans sel.* SYN. diète. ▲ **régime** n.m. Ensemble de fruits poussant en grappe sur certains arbres tels les bananiers, les dattiers: *Le cargo était rempli de régimes de bananes.* ▲ **régime** n.m. **1.** Vitesse de rotation d'un moteur; nombre de tours d'un moteur en un temps donné: *Je dois faire réparer la voiture: au* *régime ralenti, le moteur vibre puis s'arrête.* **2.** Manière dont se produisent certains phénomènes physiques, météorologiques, hydrographiques: *Le régime d'un fleuve dépend des pluies et varie selon les saisons et le climat.*

régiment n.m. **1.** Corps militaire composé de plusieurs bataillons, escadrons ou groupes, commandé par un colonel: *Un régiment compte près de mille soldats.* **2.** fam. L'armée: *Je vais partir pour le régiment.* **3.** Multitude, grand nombre de personnes ou de choses: *Un régiment d'enfants agités traverse le boulevard.*

région n.f. **1.** Territoire présentant des caractères particuliers de végétation, de relief, de production et de peuplement qui en font une unité distincte des territoires voisins: *La Beauce est une région qui se caractérise par ses érablières.* SYN. contrée. **2.** Division d'un territoire ayant une même administration: *Dans notre région, les taxes municipales sont élevées.* SYN. district. **3.** Étendue de pays quelconque: *De quelle région es-tu?* **4.** Zone déterminée du corps: *Arianne a des douleurs dans la région du cœur.* ☞ régional.

régional, ale, aux adj. **1.** Qui se rapporte à une région: *Les parlers régionaux ont un certain charme.* **2.** Qui regroupe plusieurs territoires voisins: *Un accord régional doit être signé demain.* ⁄⁄ *Indicatif régional:* Dans le réseau téléphonique canadien, ensemble de trois chiffres qui se rapporte à une région. ☞ région.

régir v.vx Gouverner, diriger, gérer: *Maryse régissait son domaine avec intelligence et doigté.* ☞ régie, régisseur. ▲ **régir** v. Déterminer, régler l'organisation, le mouvement de quelque chose, en parlant d'une loi, d'une règle: *Des lois régissent le mouvement des planètes.*

régisseur n.m. **1.** Personne qui s'occupe de la gestion d'une propriété: *Un régisseur administre le domaine de cette riche héritière.* SYN. gérant. **2.** Personne qui est responsable de l'organisation matérielle d'un spectacle, d'une production de cinéma, de télévision: *La réalisatrice discute avec le régisseur au sujet de l'éclairage.* **R.** L'O.L.F. recommande *régisseuse* comme féminin de *régisseur.* ☞ régir.

registre n.m. Grand livre public ou privé dans lequel on inscrit les faits et les actes dont on veut garder le souvenir: *En arrivant à l'hôtel, nous avons dû inscrire notre nom sur le registre des entrées.* ⁄⁄ *Registre public d'état civil:* Livre public dans lequel un officier de l'état civil enregistre les naissances, les mariages et les décès. ▲ **registre** n.m. **1.** Étendue totale de la voix d'un chanteur ou de l'échelle des sons d'un instrument: *Ce chanteur passe du registre grave au registre aigu sans effort.* **2.** fig. Ton propre d'une œuvre, d'un discours: *Cette auteure écrit dans un registre plaisant.*

réglable adj. **1.** Qui peut être réglé: *Tu peux avancer ou reculer un siège de voiture réglable.* **2.** Qui doit être payé, acquitté dans certaines conditions de lieu, de temps: *Cette facture est réglable dans les soixante jours suivant la réception de la marchandise.* ☞ règle.

réglage n.m. Action, manière de mettre au point le fonctionnement d'un mécanisme, de régulariser un mouvement: *L'horloge a besoin d'un bon réglage.* ☞ règle.

règle n.f. Instrument long, mince et gradué qui sert à tirer des traits droits, à mesurer des longueurs, etc.: *J'ai utilisé une règle de bois pour tracer ces lignes.* ☞ régler, réglette. ▲ **règle** n.f. **1.** Prescription, principe moral qui doit guider la conduite: *J'ai pour règle de ne pas mentir.* **2.** Ensemble des préceptes de discipline qui commandent la vie des membres d'une communauté religieuse: *Les religieuses de ce couvent doivent se plier à la règle sévère du silence.* **3.** Prescription ou ensemble de prescriptions qui découlent d'un usage, d'une autorité et qui portent sur la conduite à suivre dans un cas déterminé: *Ce jeune homme ignore les règles de la politesse.* **4.** Principe, convention qui guide l'enseignement d'un art, d'une science: *Nous faisons des exercices pour mettre en pratique la règle de grammaire que nous venons d'apprendre.* **5.** Opération, formule mathématique qui permet d'effectuer certains calculs: *Pour calculer le prix de deux oranges en partant du prix de la douzaine, j'ai appliqué la règle de trois.* ⁄⁄ *Dans les règles de l'art:* Comme il se doit. *En règle:* Conforme aux usages; en situation régulière au regard de la loi, etc. *Être de règle:* Être conforme à l'habitude, à l'usage. ☞ déréglé, dérèglement, dérégler, réglable, réglage, régler.

règlement n.m. **1.** Action de régler, de terminer, de conclure un malentendu, une affaire: *Le règlement de cette affaire ne tardera pas.* SYN. arrangement, conclusion. ANT. dérangement, dérèglement. **2.** Action de payer, d'acquitter un compte: *Le règlement de la dette se fera par chèque.* SYN. paiement. ⁄⁄ *Règlement de compte(s):* Action de se faire justice soi-même, de régler une querelle par la violence. ☞ régler. ▲ **règlement** n.m. Ensemble des règles, des mesures qui définissent la discipline à laquelle un groupe doit se soumettre; texte qui contient ces règles: *Les élèves doivent respecter le règlement de* *l'école.* SYN. consigne. ☞ réglementaire, réglementation, réglementer.

réglementaire adj. Qui est conforme au règlement, à la consigne; qui est établi par le règlement: *Dans certaines écoles, le port du blouson de cuir n'est pas réglementaire.* **R.** Le *é* se prononce *è*. ☞ règlement.

réglementation n.f. **1.** Action de réglementer, d'organiser selon un ensemble de règles: *La vente des médicaments est soumise à une réglementation.* **2.** Ensemble des règles propres à un domaine particulier: *Connais-tu la réglementation routière pour les cyclistes?* **R.** Le *é* se prononce *è*. ☞ règlement.

réglementer v. Organiser selon un ensemble de règles, soumettre à un règlement: *On a réglementé la circulation dans ce quartier résidentiel.* **R.** Le *é* se prononce *è*. ☞ règlement.

régler v. Tracer à l'aide d'une règle des lignes droites parallèles sur du papier: *J'ai réglé moi-même ces feuilles.* ☞ règle. ▲ **régler** v. **1.** Mettre un point final à une chose, terminer, conclure une affaire, un malentendu: *Nous avons réglé notre différend à l'amiable.* **2.** Payer, acquitter un compte, une note: *Voici un chèque pour régler ma facture.* ☞ règlement. ▲ **régler** v. **1.** Mettre au point le fonctionnement d'un mécanisme, d'un appareil, le remettre en état de fonctionner: *Le mécanicien règle le régime du moteur de ma voiture.* SYN. ajuster. ANT. déranger, dérégler. **2.** Établir, fixer d'une manière définitive: *On a bien réglé le déroulement de la cérémonie.* ANT. déranger. **3.** Accorder, conformer à quelque chose; prendre pour modèle: *Je n'ai jamais voulu régler ma conduite sur celle de quelqu'un d'autre.* ☞ règle. se **régler** v.pron. **1.** Suivre, imiter: *J'ai tendance à me régler sur mon frère en matière d'habillement.* **2.** Se conclure, se terminer: *L'affaire s'est réglée devant la juge.* **3.** S'ajuster: *Cette montre se règle facilement.* **réglé, ée** p.p. et adj. **1.** Qui est couvert de lignes droites parallèles: *Je dois me procurer du papier réglé et du papier quadrillé.* **2.** Qui a été ajusté, dont on a mis au point le fonctionnement: *La flamme de mon briquet est mal réglée.* **3.** Qui a été conclu, sur quoi on ne peut revenir: *C'est une affaire réglée; vous aurez l'argent demain.*

règle règlement réglementaire réglementation réglementer régler

règles n.f.plur. Écoulement de sang menstruel, chez la femme: *Mes règles se produisent régulièrement tous les vingt-huit jours.* SYN. menstruation.

réglette n.f. Petite règle: *J'ai toujours une réglette dans mon étui à crayons.* ☞ règle.

réglisse n.f. **1.** Plante dont la racine comestible, très développée, brune en dehors et jaune en dedans, est employée pour composer des pâtes à sucer et des boissons rafraîchissantes: *La réglisse est cultivée pour sa racine à saveur sucrée.* **2.** Racine de cette plante; jus qui en est extrait: *Je mâche un bâton de réglisse.*

régnant, ante adj. **1.** Qui règne, qui exerce le pouvoir royal: *Élisabeth II fait partie d'une illustre famille régnante.* **2.** fig. et litt. Qui domine, qui est en vogue: *Certaines personnes se font un devoir d'adhérer aux idées régnantes.* SYN. dominant. ☞ règne.

règne n.m. **1.** Exercice du pouvoir par un roi, une reine, un prince souverain; durée de cet exercice: *Le règne de la reine Victoria Ire s'étendit de 1837 à 1901.* **2.** fig. Domination exercée par une personne ou une chose: *Ce président a mis fin au règne de la corruption.* ☞ régnant, régner. ▲ **règne** n.m. Chacune des trois grandes divisions de la nature: *On distingue dans la nature trois règnes: animal, végétal et minéral; le règne animal et le règne végétal se divisent en embranchements.*

régner v. **1.** Exercer le pouvoir souverain: *Le roi Louis XV régna sur la France dès l'âge de cinq ans.* **2.** Exercer un pouvoir absolu, dominer: *Le lion règne sur la jungle.* **3.** Prévaloir, avoir une grande influence: *Les hippies rêvaient de faire régner la paix et l'amour sur le monde.* **4.** Avoir cours, être en vogue: *Quelle mode règne en ce moment?* **5.** Exister, s'établir: *Un profond silence régnait dans la classe.* ☞ règne.

régnant règne régner

regonflement n.m. Action de regonfler; son résultat: *À l'école, nous avons une pompe pour faire le regonflement des ballons.* **R.** Aussi, *regonflage*. ☞ gonfler.

regonfler v. **1.** Gonfler de nouveau ce qui était dégonflé: *J'ai regonflé le pneu de ma bicyclette qui était trop mou.* **2.** Enfler de nouveau: *L'infection n'étant pas contrôlée, sa main regonfla.* **3.** Se gonfler de nouveau, augmenter de nouveau de volume, en parlant des eaux: *Le torrent a regonflé à la suite de cette pluie abondante.* **4.** fig. et fam. Redonner de l'espoir, de l'élan, de l'énergie: *Cette bonne nouvelle l'a regonflée.* ☞ gonfler. se **regonfler** v.pron. Se gonfler de nouveau, augmenter de nouveau de volume, en parlant des eaux: *Tous les printemps, la rivière Chaudière se regonfle et déborde.* **regonflé, ée** p.p. et adj. Qui a repris courage, qui a retrouvé de l'élan, de l'énergie: *Ainsi regonflé, il a repris le travail en sifflant.*

regorger v. Avoir en grande abondance, contenir en grande quantité: *À la veille des Fêtes, les magasins regorgent de jouets.* ANT. manquer.

régresser v. **1.** Reculer, diminuer en force, en intensité ou en nombre: *L'épidémie de scarlatine régresse enfin.* ANT. progresser. **2.** Revenir à un stade antérieur de développement mental et affectif, à un mode de comportement qui avait été dépassé: *Quand Martine est née, son frère a régressé: il s'est remis à sucer son pouce.* ANT. progresser. ☞ régression.

régression n.f. **1.** Recul, diminution en force, en intensité, en nombre: *Grâce à une discipline stricte, la violence est en voie de régression dans notre école.* ANT. progrès, progression. **2.** Retour à un stade antérieur de développement mental et affectif, à un mode de comportement qui avait été dépassé: *Certaines maladies peuvent entraîner une régression du langage.* **3.** Perte ou diminution de volume d'un organe, d'un tissu, chez une espèce vivante, qui était développé chez ses ancêtres: *Nous avons observé la régression de la queue d'un têtard.* ANT. développement. ☞ régresser.

regret n.m. **1.** Sentiment de peine que l'on éprouve à la suite de la perte d'une personne, de l'absence d'une chose ou au souvenir d'une chose passée: *C'est avec regret que j'ai quitté ma ville natale.* SYN. chagrin, nostalgie. **2.** Chagrin, mécontentement d'avoir fait ou de ne pas avoir fait quelque chose: *Mélissa a du regret de ne pas lui avoir dit qu'elle l'estimait beaucoup.* SYN. remords, repentir. **3.** Contrariété causée par le fait qu'un désir, un souhait ne se réalise pas: *Son regret d'avoir échoué sera vite oublié.* **4.** Déplaisir de devoir faire une chose, d'être responsable d'une situation: *J'ai le regret de vous informer que l'édition que vous demandiez est épuisée.* ☞ regrettable, regretter. à **regret** loc.adv. Contre sa volonté, son désir: *C'est à regret que j'ai quitté une réunion fort intéressante.*

regrettable adj. Qui est déplorable, fâcheux: *Ce petit mensonge pourrait avoir des conséquences regrettables.* SYN. ennuyeux, fâcheux, malheureux. ANT. désirable, souhaitable. ☞ regret.

regretter v. **1.** Éprouver du chagrin, de la peine au souvenir de ce qui n'est plus, d'une personne ou d'une chose disparue: *Il est inutile de regretter le temps passé.* ANT. se réjouir. **2.** Se repentir, éprouver du mécontentement d'avoir fait ou de ne pas avoir fait quelque chose: *Il regrettait d'avoir tiré la queue du chat.* ANT. se féliciter. **3.** Être fâché, mécontent de ce qui contrarie la réalisation d'un désir, d'un souhait: *Je regrette que vous ayez pris la décision d'annuler ce voyage.* SYN. déplorer. ANT. se réjouir. **4.** S'excuser, se montrer désolé: *Je regrette de ne pouvoir t'aider.* ANT. se féliciter. ☞ regret. **regretté, ée** p.p. et adj. Dont on regrette la mort récente: *Nous avons fait graver une plaque à la mémoire de notre regretté directeur.*

regrimper v. **1.** Grimper, monter de nouveau: *Elle était à peine remise de sa chute que, déjà, elle regrimpait aux arbres.* SYN. remonter. ANT. redescendre. **2.** fig. et fam. Monter: *L'étouffante chaleur a fait regrimper le thermomètre.* **3.** Remonter, gravir de nouveau: *J'ai regrimpé l'escalier quatre à quatre.* ANT. redescendre. ☞ grimper.

regrossir v. Grossir de nouveau, après avoir maigri: *Quand j'ai cessé mon régime, j'ai regrossi.* ☞ gras.

regroupement n.m. Action de regrouper ou de se regrouper; son résultat: *Le regroupement des élèves doit se faire devant l'école.* ☞ groupe.

regrouper v. **1.** Rassembler en un même endroit ou dans un même but ce qui était dispersé: *On a regroupé les industries dans cette partie de la ville.* **2.** Grouper de nouveau ce qui était dispersé: *L'institutrice regroupe et compte les élèves qui doivent partir en excursion.* ☞ groupe. se **regrouper** v.pron. Se remettre en groupe: *Le groupe dispersé se regroupera pour le repas.*

régularisation n.f. **1.** Action de régulariser quelque chose, de rendre conforme aux lois, aux règlements et, spécialement, de mettre sa situation en règle par un mariage; résultat de cette action: *La régularisation de notre mariage aura lieu samedi.* **2.** Action de rendre régulier, fait d'être régulier, uniforme: *La régularisation du mouvement d'une horloge assure son exactitude.* ☞ régulier.

régulariser v. **1.** Donner une forme légale à quelque chose, mettre en règle: *Au Canada, j'ai régularisé ma situation: j'ai demandé un permis de séjour.* **2.** Rendre régulier ce qui était inégal, inconstant, intermittent: *Le bar-*

rage devrait régulariser le débit de la rivière et empêcher les inondations. ☞ régulier.

régularité n.f. **1.** Caractère d'un mouvement régulier, constant: *J'apprécie la régularité du pas de mon cheval.* ANT. irrégularité. **2.** Caractère de ce qui est uniforme, de ce qui se produit de manière ponctuelle: *Sa régularité au travail est exemplaire.* SYN. assiduité, ponctualité. ANT. inégalité, irrégularité. **3.** Fait de présenter une certaine symétrie, des proportions harmonieuses: *La régularité des traits de son visage me plaît.* ANT. inégalité, irrégularité. **4.** Caractère de ce qui est conforme aux règles: *Certaines personnes ont mis en doute la régularité de cette élection.* ANT. irrégularité. ☞ régulier.

régulier, ière adj. **1.** Qui est conforme à la loi, aux règlements: *Cette transaction n'est pas très régulière.* SYN. légal. ANT. illégal, irrégulier. **2.** Qui est conforme aux règles de la morale: *Il a une vie très régulière et fait peu d'abus.* ANT. irrégulier. **3.** Qui est conforme aux règles générales de la grammaire, des conjugaisons: *« Chanter » est un verbe régulier.* ANT. irrégulier. **4.** fam. Qui respecte les règles, les usages d'un groupe, d'une profession: *Tu peux lui faire confiance; elle est très régulière en affaires.* SYN. correct, loyal. **5.** Qui a un rythme, une vitesse, une allure uniforme, qui ne varie pas: *Son pouls est régulier.* SYN. constant, égal. ANT. inégal, intermittent, irrégulier. **6.** Qui est habituel, qui a lieu à date, à jour, à heure fixe: *Cette entreprise offre un service régulier de livraison.* ANT. exceptionnel, occasionnel. **7.** Qui se fait périodiquement, qui a lieu à intervalles égaux: *Une vérification régulière de ta bicyclette est importante pour la garder en bon état.* ANT. occasionnel. **8.** Qui présente une certaine symétrie, qui est harmonieux, bien proportionné dans les formes: *Son écriture régulière est agréable à lire.* ANT. difforme, inégal. **9.** Qui est assidu, ponctuel, constant dans ses efforts et ses résultats: *C'est un élève régulier et très appliqué.* ANT. irrégulier. // *À intervalles réguliers:* Régulièrement. *Polygone régulier:* Polygone aux côtés et aux angles égaux. ☞ irrégularité, irrégulier, irrégulièrement, régularisation, régulariser, régularité, régulièrement.

régulièrement adv. **1.** Avec régularité, d'une manière uniforme: *Mélanie s'entraîne régulièrement au plongeon.* ANT. irrégulièrement. **2.** D'une manière légale: *Mme Boutin a été régulièrement nommée à ce poste.* ☞ régulier.

régurgiter v. Rejeter involontairement par la bouche (des aliments venant d'être avalés): *Bébé a régurgité son lait.* SYN. vomir.

réhabilitable adj. Qui peut être réhabilité, rétabli dans ses droits, réinséré dans la société: *Ce jeune délinquant est réhabilitable.* ☞ réhabiliter.

réhabilitation n.f. **1.** Fin des conséquences d'une condamnation à la suite de la révision d'un procès: *La preuve de son innocence a enfin été établie: la réhabilitation de cette condamnée ne tardera pas.* **2.** Fait de redonner ou de retrouver l'estime, le respect perdus: *Elle demandait la réhabilitation du directeur compromis dans une affaire de pot-de-vin.* **3.** Action de réhabiliter, d'aider à la réinsertion d'une personne dans la société: *Il travaille dans un centre de réhabilitation pour jeunes délinquants.* **4.** Rénovation: *Ils attendaient la réhabilitation des quartiers pour venir s'y installer.* ☞ réhabiliter.

réhabiliter v. **1.** Redonner à une personne condamnée ses droits et l'estime publique en reconnaissant son innocence: *On a réhabilité cet homme victime d'une erreur judiciaire.* SYN. innocenter. **2.** Rétablir dans l'estime, le respect des autres: *Sa conduite exemplaire l'a réhabilité.* **3.** Aider à la réinsertion d'une personne dans la société: *On veut réhabiliter cette personne toxicomane.* **4.** Rénover: *La municipalité a entrepris de réhabiliter un vieil hôtel désaffecté.* ☞ réhabilitable, réhabilitation. se **réhabiliter** v.pron. Regagner l'estime, le respect des autres, se racheter: *Je me suis réhabilité aux yeux de ma supérieure.* **réhabilité, ée** p.p. et adj. Qui a été rénové, remis en état d'habitation: *J'habite un immeuble ancien réhabilité.*

réhabituer v. Faire reprendre une habitude perdue: *Je dois réhabituer mon chien à rapporter la balle.* SYN. réaccoutumer. ANT. déshabituer. ☞ habitude. se **réhabituer** v.pron. S'habituer de nouveau: *Elle s'est réhabituée à marcher sans béquilles.*

rehaussement n.m. Action de rehausser, de rendre plus haut: *Le rehaussement de la clôture n'a pas empêché ces gamins de la franchir.* ANT. abaissement. ☞ rehausser.

rehausser v. **1.** Hausser davantage, rendre, placer encore plus haut: *On a rehaussé le plafond du sous-sol.* SYN. élever, remonter, surélever. ANT. descendre, rabaisser. **2.** fig. Donner plus de valeur: *Sa présence rehaussait le caractère solennel de la cérémonie.* ANT. déprécier. **3.** Relever, mettre en valeur: *Les reflets du soleil couchant rehaussaient la splendeur du paysage.* ANT. atténuer. ☞ rehaussement.

réimperméabiliser v. Imperméabiliser de nouveau: *J'ai fait réimperméabiliser la tente.* ☞ perméable.

réimportation n.f. Action de réimporter, de faire rentrer dans leur pays d'origine des marchandises qui ont été exportées : *Cette entreprise se spécialise dans la réimportation.* ☞ exporter.

réimporter v. Faire revenir dans leur pays d'origine des marchandises qui ont été exportées : *On a réimporté ce produit qui s'est détérioré pendant le transport.* ☞ exporter.

réimpression n.f. Action d'imprimer de nouveau ; livre réimprimé, sans modification : *On procède à la réimpression de ce manuel scolaire.* ☞ imprimer.

réimprimer v. Imprimer de nouveau, sans modification : *La Banque du Canada fait réimprimer des billets de cinq dollars.* ☞ imprimer. **réimprimé, ée** p.p. et adj. Qui a été imprimé de nouveau : *Ce livre souvent réimprimé a encore un grand succès.*

rein n.m. **1.** Chacun des deux organes en forme de haricot qui sont situés de part et d'autre de la colonne vertébrale et qui filtrent le sang pour éliminer les déchets et produisent l'urine : *Patricia a donné un de ses reins à son jeune frère malade.* **2.** plur. Région du corps située dans le bas du dos : *J'ai des maux de reins depuis que je suis tombée.* ⁄⁄ *Tour de reins :* Lumbago.

réincarnation n.f. Fait, pour une âme qui avait été unie à un corps, de se réincarner, de revivre dans un corps différent, de revêtir une forme nouvelle : *Les bouddhistes croient en un cycle des réincarnations.* ☞ incarner.

se **réincarner** v.pron. S'incarner de nouveau, revivre dans un corps différent, revêtir une forme nouvelle : *Le personnage principal de ce récit meurt et se réincarne dans un animal.* ☞ incarner.

reine n.f. **1.** Épouse officielle d'un roi : *Le roi et la reine accueillaient les courtisans.* **2.** Femme qui détient le pouvoir souverain dans un royaume : *La reine Élisabeth II a succédé à son père, le roi George VI.* **3.** Seconde pièce du jeu d'échecs, celle qui a la marche la plus étendue : *La reine se déplace dans tous les sens.* SYN. dame. **4.** Femme qui l'emporte sur les autres, dans une circonstance déterminée, à cause d'une qualité remarquable : *Elle fut la reine de ce bal.* **5.** Seule femelle qui pond chez les abeilles, les guêpes, les fourmis et dont la vie est consacrée, après la fécondation, à la ponte : *Il n'y a qu'une reine dans une ruche.* HOM. rêne, renne. ⁄⁄ *Comme une reine :* Avec beaucoup d'éclat ; au plus haut point. *La reine du ciel :* La Sainte Vierge. ☞ roi.

reine-claude n.f. Variété de prune, ronde et verte, à chair sucrée et parfumée : *Sur la table, il y a des mirabelles et des reines-claudes.* **R.** Au pluriel, *reine-claudes* ou *reines-claudes*.

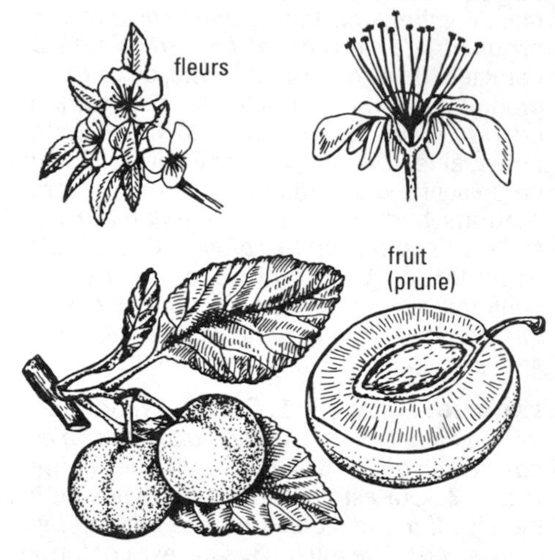

reine-claude

reine-marguerite n.f. Plante annuelle originaire d'Asie, voisine de la marguerite, cultivée pour ses fleurs roses ou mauves ; ces fleurs : *Les reines-marguerites fleurissent de juillet à novembre.* **R.** Au pluriel, *reines-marguerites*.

reine-marguerite

reinette n.f. Variété de pomme très parfumée : *Passerais-tu à la fruiterie pour acheter des oranges et des reinettes ?* HOM. rainette. ⁄⁄ *Reine des reinettes :* Pomme de couleur jaune striée de rouge. *Reinette du Canada:* Pomme verte et très grosse. **R.** Aussi, *rainette*.

réinfecter v. Infecter de nouveau: *La saleté a réinfecté ma coupure.* ☞ infecter. **se réinfecter** v.pron. S'infecter de nouveau: *Mon doigt s'est réinfecté parce que j'ai laissé la plaie découverte.*

réinfection n.f. Nouvelle infection: *Une réinfection de la plaie l'a obligée à prendre des antibiotiques.* ☞ infecter.

réinscription n.f. Nouvelle inscription: *Caroline a fait sa réinscription au cégep.* ☞ inscrire.

réinscrire v. Inscrire de nouveau: *On a réinscrit son nom sur la liste électorale.* ☞ inscrire.

réinsérer v. Insérer, introduire à nouveau, en particulier dans un groupe social: *On a réinséré dans la société ce prisonnier libéré.* SYN. réadapter. ☞ insérer.

réinsertion n.f. Action de réinsérer, de réintroduire une personne dans un groupe social: *Cette handicapée profite d'un programme de réinsertion professionnelle.* ☞ insérer.

réinstaller v. **1.** Rétablir officiellement dans une fonction: *On a réinstallé la directrice dans son poste.* **2.** Replacer d'une façon déterminée: *L'infirmière a réinstallé le patient dans son lit.* **3.** Reloger quelqu'un: *Toute la famille est allée réinstaller Marco.* **4.** Disposer, arranger, établir de nouveau: *Nous avons fait réinstaller le téléphone.* ☞ installer. **se réinstaller** v.pron. Revenir habiter dans un lieu: *J'ai vendu ma maison en ville pour me réinstaller à la campagne.*

réintégration n.f. Action de rendre à une personne la possession de ses droits; résultat de cette action: *Cet infirmier injustement licencié a enfin obtenu sa réintégration.* ☞ réintégrer.

réintégrer v. **1.** Revenir dans un lieu qu'on avait quitté: *Après la colonie de vacances, nous réintégrions notre domicile en pensant que septembre était déjà là.* **2.** Rendre à une personne la possession d'un bien, d'un droit dont elle avait été dépouillée: *On a réintégré Louis dans sa fonction de président.* ☞ réintégration.

réintroduction n.f. **1.** Action d'introduire, de faire entrer de nouveau une personne: *La réintroduction du visiteur chez le président a intrigué les curieux.* **2.** Action de faire entrer de nouveau une chose dans une autre: *On a dû procéder à la réintroduction d'une sonde dans sa vessie.* **3.** Action de faire adopter de nouveau: *La réintroduction de cette mode en a surpris plusieurs.* ☞ introduire.

réintroduire v. **1.** Faire entrer de nouveau une personne dans un lieu: *La réceptionniste réintroduit la visiteuse dans le bureau.* **2.** Faire adopter de nouveau: *Il est difficile de réintroduire des coutumes perdues.* **3.** Faire entrer, insérer de nouveau une chose dans une autre: *Je réintroduis dans mon texte le passage que j'avais biffé.* ☞ introduire.

réinventer v. Inventer de nouveau, trouver une nouvelle formule, redonner une valeur nouvelle à une chose oubliée ou perdue: *Certaines personnes aimeraient pouvoir réinventer des modes de vie.* ☞ inventer.

réinvention n.f. Action de réinventer: *Certaines innovations ne sont que des réinventions.* ☞ inventer.

réinviter v. Inviter de nouveau: *Nous réinviterons nos nouveaux voisins pour mieux les connaître.* ☞ inviter.

rejaillir v. **1.** Sortir, jaillir avec force sous l'effet d'une pression ou après avoir frappé un obstacle, en parlant d'un liquide: *L'eau rejaillit d'un boyau fendu.* **2.** fig. Atteindre en retour, se reporter sur quelqu'un: *La gloire rejaillit sur l'auteure de cette œuvre.*

rejet n.m. **1.** Action de relancer ou de pousser loin ou hors de soi; résultat de cette action: *Une termitière est un petit monticule de terre durcie qui provient des rejets des termites.* **2.** Action de refuser, de ne pas accorder; résultat de cette action: *À la suite des résultats du vote, on a dû prononcer le rejet du projet.* SYN. abandon, refus. ANT. adoption. **3.** Réaction de défense des anticorps de l'organisme d'un receveur, qui détruisent le greffon, après une greffe d'organe: *Pour empêcher le rejet du rein transplanté, on lui administre un médicament qui détruit les anticorps.* **4.** Action de chasser, d'écarter une personne en la repoussant: *Il est difficile de vivre un rejet.* ☞ rejeter. ▲ **rejet** n.m. Pousse nouvelle issue d'une tige ou d'une souche: *Il n'est pas rare de trouver des rejets sur une souche d'arbre.* ☞ rejeton.

rejeter v. **1.** Jeter, en lançant en sens inverse, quelque chose qu'on a reçu ou qu'on a pris: *J'ai rejeté le poisson dans le lac.* SYN. relancer, renvoyer. ANT. conserver, garder. **2.** fig. Faire supporter par une autre personne, la rendre responsable: *Orlando rejette parfois le tort sur les autres.* ANT. assumer. **3.** Rendre en jetant hors de soi, expulser: *La mer a rejeté les débris du naufrage.* SYN. évacuer, vomir. ANT. garder. ☞ rejet. ▲ **rejeter** v. **1.** Retirer d'un lieu et porter ailleurs : *On retirait la terre de la fosse puis on la rejetait dans un camion.* **2.** Changer la position : *Décidée à leur faire face, elle dressa la tête et rejeta les épaules en arrière.* ☞ rejet. ▲ **rejeter** v. **1.** Ne pas admettre, refuser : *Nous rejetons une idée aussi sotte.* SYN. écarter, refuser, repousser. ANT. accepter, accorder, approuver. **2.** Chasser, écarter un être en le repoussant : *La chatte a rejeté ce chaton qui semblait plus faible que les autres.* SYN. exclure. ANT. admettre, adopter. ☞ rejet. se **rejeter** v.pron. **1.** Reculer brusquement : *Je me suis rejetée en arrière pour éviter d'être frappée par l'automobile.* **2.** Se rabattre sur quelque chose, s'y reporter faute de mieux : *Quand les légumes frais manquent, je me rejette sur les conserves.* **R.** Ne pas oublier de doubler le *t* devant un *e* muet.

rejeton n.m. **1.** Pousse qui apparaît sur la tige, le tronc ou la souche d'une plante, d'un arbre : *Nous regardions les tendres rejetons en pensant que la nature était bien forte.* **2.** fam. Enfant : *Je vous présente mes deux rejetons.* ☞ rejet.

rejoindre v. **1.** Aller retrouver quelqu'un ou un groupe dont on était séparé : *Daniel doit nous rejoindre au restaurant.* SYN. rallier. **2.** Aboutir à un endroit : *Le petit sentier rejoint la rivière.* ANT. bifurquer, diverger. **3.** S'ajouter à quelque chose : *Cette valise ira rejoindre les vieilleries au grenier.* **4.** fig. Avoir des ressemblances, des points communs avec autre chose : *Ton opinion sur la question rejoint la mienne.* ANT. diverger. **5.** Rattraper quelqu'un qui a de l'avance : *En pédalant très vite, elle a rejoint le peloton de cyclistes.* ANT. distancer. se **rejoindre** v.pron. **1.** Se joindre de nouveau, en parlant de personnes ou de choses qui s'étaient éloignées, écartées : *Les différents groupes de jeunes doivent se rejoindre dans la cour de l'école.* ANT. se séparer. **2.** Se réunir, aboutir à un endroit : *Les deux routes se rejoignent un peu plus loin.* ANT. se séparer.

rejouer v. **1.** Jouer de nouveau : *Je rejoue de l'atout.* **2.** Se remettre à jouer après avoir arrêté, reprendre le jeu : *Rejoue-t-on ?* **3.** Jouer, exécuter de nouveau un air, une pièce musicale, un spectacle : *L'orchestre rejoue la valse.* ☞ jouer.

réjouir v. **1.** Rendre joyeux, faire plaisir : *La fête de fin d'année réjouira sûrement tous les élèves.* ANT. affliger, attrister, chagriner. **2.** Amuser, divertir, mettre en gaieté : *Ses blagues ont réjoui le public.* SYN. dérider, égayer. ANT. attrister, chagriner. ☞ réjouissance, réjouissant. se **réjouir** v.pron. **1.** Éprouver de la joie, de la satisfaction : *Il n'y a aucune raison de se réjouir.* ANT. se désoler. **2.** Jubiler : *Je me réjouis à l'idée de ce voyage.* ANT. s'affliger, déplorer. **3.** Se féliciter : *Il se réjouit du succès de sa fille.* ANT. s'affliger, déplorer. **réjoui, ie** p.p. et adj. Qui indique la joie, la gaieté : *Sa mine réjouie en disait long.*

réjouissance n.f. **1.** Joie collective : *Toutes les rues étaient illuminées en signe de réjouissance.* SYN. amusement, divertissement. ANT. deuil, tristesse. **2.** plur. Fête publique, distractions à l'occasion d'un événement heureux : *Un grand feu de joie est au programme des réjouissances de la Saint-Jean-Baptiste.* ☞ réjouir.

réjouissant, ante adj. **1.** Qui réjouit, qui rend heureux : *La réunion n'était guère réjouissante.* ANT. assommant, attristant, désolant. **2.** Qui amuse, divertit : *Cette histoire réjouissante m'a redonné de l'élan.* ANT. attristant, désolant. ☞ réjouir.

relâche n.f. **1.** litt. Interruption d'une activité astreignante ou désagréable ; repos qui en résulte : *Il nous était impossible de prendre un peu de relâche.* SYN. pause, répit. ANT. continuité, reprise. **2.** Suspension momentanée des représentations, dans un théâtre, une salle de spectacle : *Le lundi est leur jour de relâche.* ANT. reprise. ▲ **relâche** n.f. Action de relâcher, de s'arrêter dans un port ; lieu où un navire fait escale : *Notre bateau a fait relâche à Vancouver.* ☞ relâcher. sans **relâche** loc.adv. Sans répit, continuellement : *Les parents des oisillons leur apportent à manger sans relâche.* **R.** Ne pas oublier l'accent : *â*.

relâché, ée adj. Qui n'est pas assez strict, qui manque de fermeté, de rigueur : *La discipline relâchée de cette institution ouvre la porte aux pires excès.* ANT. sévère. HOM. relâcher. **R.** Ne pas oublier l'accent : *â*. ☞ relâcher.

relâchement n.m. **1.** État de ce qui est plus lâche, moins tendu ; diminution de l'élasticité de certains tissus du corps : *Ces exercices ont pour but d'empêcher le relâchement musculaire.* ANT. contraction, tension. **2.** fig. Diminution d'effort, laisser-aller : *Le discours était long et assommant : le relâchement de l'attention dans l'assistance en était la preuve.* SYN. négligence. **3.** Action de relâcher un détenu, de le remettre en liberté : *Le tribunal a accepté le relâchement de cette prisonnière.* **R.** Ne pas oublier l'accent : *â*. ☞ relâcher.

relâcher v. **1.** Rendre moins tendu, plus lâche : *J'ai relâché la corde qui tendait la voile.* SYN. desserrer, détendre. ANT. raidir, resserrer. **2.** Décontracter : *Le yoga permet de relâcher les muscles.* SYN. détendre. ANT. contracter. **3.** fig. Laisser faiblir, reposer :

Après une heure d'efforts soutenus, les élèves relâchent leur attention. **4.** fig. Rendre moins sévère, moins rigoureux : *Même quelques jours avant les vacances, on ne relâche pas la discipline de l'école.* ANT. renforcer. HOM. relaché. ☞ relâché, relâchement. se **relâcher** v.pron. **1.** Devenir plus lâche, moins tendu : *Brusquement, les courroies qui retenaient la charge se relâchèrent.* ANT. se resserrer. **2.** fig. Devenir moins intense, moins serré : *Les liens d'amitié qui existaient entre nous se sont relâchés avec le temps.* ANT. se resserrer. **3.** Devenir plus faible, moins strict, perdre de la rigueur : *Peu à peu, son autorité se relâchait.* ANT. se renforcer. **4.** Devenir moins ardent, montrer moins d'exactitude : *À la fin de l'année scolaire, les élèves ont tendance à se relâcher.* ▲ **relâcher** v. Faire escale dans un port : *Le navire relâche ici pour faire le plein de carburant puis mettra le cap sur Terre-Neuve.* ☞ relâche. ▲ **relâcher** v. Remettre en liberté : *Quand son aile fut guérie, j'ai relâché la tourterelle.* SYN. libérer. ANT. capturer, détenir, incarcérer, retenir. **R.** Ne pas oublier l'accent : *â*. ☞ relâchement.

relais n.m. **1.** Mode d'organisation du travail où les travailleurs se remplacent afin d'assurer une continuité dans le travail : *Dans cette usine, il y a trois équipes de relais.* **2.** Étape entre deux points de l'espace ; intermédiaire entre deux personnes : *J'ai servi de relais auprès du directeur.* **3.** Auberge, hôtel près d'une grande route : *Le panneau indique qu'il y a un relais routier à cinq kilomètres.* **4.** Dispositif qui sert à retransmettre certaines ondes en les amplifiant : *On aperçoit un relais de télévision au sommet de la montagne.* ⁄⁄ *Course de relais :* Course disputée entre des équipes de plusieurs coureurs qui se remplacent à des distances déterminées. *Prendre le relais :* Relayer quelqu'un, continuer sa tâche. ☞ relayer.

course de **relais**

relance n.f. **1.** Action de relancer au jeu, de mettre un enjeu supérieur à celui de l'adversaire : *Avant de commencer la partie, nous avons décidé de limiter la relance à cinq dollars.* **2.** Reprise, nouvel essor : *Le gouvernement vient d'adopter des mesures de relance économique.* ☞ relancer.

relancer v. Lancer de nouveau ou lancer en sens contraire : *Je lui ai relancé la balle.* SYN. renvoyer. ☞ lancer. ▲ **relancer** v. **1.** Donner un nouvel essor, remettre en marche : *Ces subventions visent à relancer l'industrie de cette région.* **2.** Importuner une personne, la poursuivre avec insistance pour obtenir quelque chose d'elle : *Le créancier le relançait pour qu'il le rembourse.* SYN. harceler. **3.** Risquer, dans un jeu, un enjeu supérieur à celui de l'adversaire : *J'avais misé deux dollars, elle a relancé en doublant la mise.* **R.** Ne pas oublier la cédille devant *a* et *o*. ☞ relance.

relater v.litt. Raconter d'une manière précise, fidèle, détaillée : *Tous les journaux relataient l'événement.* SYN. rapporter. ANT. taire. ☞ relation.

relatif, ive adj. **1.** Qui n'a pas de valeur en soi mais par rapport à autre chose ; qui n'est ni indépendant, ni absolu : *La notion d'amour est relative.* **2.** Qui se rapporte à quelque chose : *On vient de découvrir des documents relatifs à la fraude dont on l'accuse.* **3.** Qui est incomplet, imparfait, approximatif : *Cette personne est d'une loyauté relative.* ☞ relativement, relativité. ▲ **relatif, ive** adj. Se dit des mots qui établissent une relation entre un nom ou un pronom qu'ils représentent et une proposition : *Tous les pronoms relatifs, sauf « dont », sont aussi des pronoms interrogatifs.* ⁄⁄ *Proposition relative :* Subordonnée qui est introduite par un pronom relatif.

relation n.f. Action de relater, de raconter de manière précise et détaillée ; narration, récit : *L'exploratrice nous faisait la relation de ses aventures.* ☞ relater. ▲ **relation** n.f. **1.** Rapport qui unit deux choses, deux phénomènes : *Il y a une relation entre l'industrialisation et la pollution de l'environnement.* **2.** Rapport entre des personnes : *Entre Josée et Carl, il y a une relation d'amitié.* **3.** Personne avec qui on est en rapport : *Ce n'est pas un ami, mais une simple relation de travail.* SYN. connaissance. **4.** Tout ce qui implique une dépendance et une action réciproques entre un être vivant et son milieu : *L'écologie est l'étude des relations des êtres vivants avec leur milieu.* **5.** plur. Fait de communiquer, de se fréquenter : *Il a cessé ses relations avec Pauline.* SYN. fréquentation. **6.** plur. Fait de connaître, de fréquenter des personnes influentes : *J'ai obtenu cet emploi par relations.* **7.** plur. Lien officiel entre des groupes organisés, des pays : *Il règne une tension dans les relations internationales.* ⫽ *Relations publiques :* Ensemble des moyens utilisés pour favoriser les contacts à l'intérieur de l'entreprise et pour informer le public des réalisations de l'entreprise.

relativement adv. **1.** Passablement, jusqu'à un certain point : *Monika est relativement bonne en histoire.* **2.** Par un rapport de comparaison : *C'est bon marché, relativement au prix qu'en demandait l'autre commerçant.* **3.** Au sujet de quelque chose : *Je dois comparaître relativement à cette affaire de recel.* ☞ relatif.

relativité n.f. Caractère de ce qui est relatif, de ce qui dépend d'autre chose : *Il faut tenir compte de la relativité des faits historiques.* ☞ relatif. ▲ **relativité** n.f. Théorie exposée par Einstein, selon laquelle le temps ne s'écoule pas de la même façon pour deux personnes qui se déplacent l'une par rapport à l'autre : *La théorie de la relativité a remis en question la conception de l'espace et du temps.* ☞ relatif.

relaver v. Laver de nouveau : *Voudrais-tu relaver ce plat ?* ☞ laver.

relaxant, ante adj. Qui favorise, qui procure une détente : *La rencontre s'est déroulée dans une ambiance relaxante.* ☞ relaxation.

relaxation n.f. (angl.) **1.** Méthode thérapeutique de détente destinée à éliminer la tension musculaire ou nerveuse par des moyens psychologiques actifs : *La relaxation est parfois utilisée pour faire diminuer la tension artérielle.* **2.** Repos, détente : *Tu es nerveux; tu devrais faire quelques exercices de relaxation.* ☞ relaxant, relaxer.

relaxer v. (angl.) Reposer, détendre le corps, les muscles : *Après une telle course, ce bain de mousse devrait te relaxer.* ☞ relaxation. se **relaxer** v.pron. Se détendre, se reposer : *Patricia se relaxe dans un fauteuil confortable.*

relayer v. Remplacer quelqu'un dans une activité, dans une tâche qu'il vaut mieux ne pas interrompre : *Elle est venue me relayer au chevet du malade.* SYN. relever. ☞ relais. se **relayer** v.pron. Se remplacer l'un l'autre pour éviter toute interruption dans une activité, dans une tâche : *Les animateurs de l'émission se relayaient au micro.*

relecture n.f. Nouvelle lecture : *Martin a fait la relecture d'un conte à son fiston.* ☞ lire.

reléguer v. **1.** Envoyer, placer, garder quelqu'un ou quelque chose en un lieu écarté : *On a relégué cette vieille chaise au sous-sol.* **2.** fig. Confiner, garder dans une situation inférieure ou médiocre : *Il a toujours détesté qu'on le relègue au second plan.* **R.** Ne pas oublier le *u* après le *g*.

relent n.m. **1.** Odeur tenace et désagréable : *Des relents de vieille graisse flottaient dans l'air.* **2.** fig. Trace, soupçon, reste : *On sent des relents de religion dans ses écrits.*

relevable adj. Qu'on peut relever; qui se relève : *Ma manche est trop étroite, elle n'est pas relevable.* ☞ relever.

relève n.f. **1.** Action de relever, de remplacer des personnes par d'autres personnes dans un travail sans interruption : *Dans notre usine, il y a trois équipes de relève.* **2.** Personnes qui effectuent ce remplacement : *La relève arriva à l'heure prévue.* **3.** fig. Remplacement dans une tâche, une mission collective : *Ces jeunes étudiants prendront la relève dans quelques années.* ☞ relever.

relevé n.m. Action de relever, de noter par écrit; liste : *J'ai fait le relevé de mes dépenses.* HOM. relever. ☞ relever.

relevé, ée adj. **1.** Qui est ramené vers le haut, retroussé : *Ce chapeau à bord relevé te va bien.* ANT. rabattu. **2.** Qui est bien assaisonné, épicé : *La viande était arrosée d'une sauce relevée.* SYN. piquant. ANT. fade, insipide. **3.** vx Qui est noble, sublime, élevé au-dessus du commun : *Le texte est écrit dans un style relevé.* ANT. vulgaire. HOM. relever. ☞ relever.

relèvement n.m. **1.** Action de relever, de remettre debout : *Une équipe s'affaire au relèvement du mât.* ANT. abaissement. **2.** Action d'augmenter : *Le relèvement des pensions de retraite a satisfait tout le monde.* SYN. hausse, majoration. ANT. baisse, diminution, réduction. **3.** fig. Redressement, rétablissement : *Le relèvement de l'économie de cette région a exigé la participation de la population.* ANT. chute, effondrement. ☞ relever.

relever v. **1.** Remettre quelqu'un debout, remettre quelque chose à la verticale : *J'ai relevé mon petit frère qui est tombé.* ANT. renverser. **2.** fig. Remettre en bon état, ramener la prospérité : *La population entière travaille à relever le pays dévasté par la guerre.* **3.** fig. Ranimer, raviver : *Tes encouragements ont relevé mon moral.* ANT. abattre, accabler. **4.** Remettre plus haut, redresser, retrousser : *J'ai relevé mes manches et je me suis mise au travail.* ANT. rabattre. **5.** fig. Augmenter, hausser à un niveau souhaitable : *On a relevé le niveau de vie.* ANT. abaisser, diminuer. **6.** fig. Rehausser, donner une valeur plus grande : *Cette action le relève dans l'estime de sa* *supérieure.* ANT. déprécier, rabaisser. **7.** Donner un goût plus prononcé, plus piquant, en assaisonnant : *J'ajoute des piments à la sauce pour la relever.* SYN. épicer. **8.** Donner de l'attrait, agrémenter : *Cette journaliste relève ses articles de détails intéressants.* ☞ relevable, relevé (adj.), relèvement. ▲ **relever** v. **1.** Souligner, faire remarquer quelque chose : *J'ai relevé quelques erreurs dans cet article de journal.* **2.** Constater, découvrir : *La policière a relevé des empreintes sur le sol.* **3.** Noter par écrit : *Un employé de la compagnie d'électricité est venu relever le compteur.* SYN. inscrire. **4.** Répondre, répliquer vivement à une parole : *Je n'ai pas voulu relever l'injure.* ☞ relevé (n.). ▲ **relever** v. **1.** Remplacer une personne dans une activité, un travail qui ne peuvent être interrompus : *On a relevé la sentinelle.* SYN. relayer. **2.** Libérer quelqu'un d'une obligation : *Je l'ai relevé de sa promesse.* ☞ relève. ▲ **relever** v. **1.** Se rétablir, se remettre d'une maladie : *Je relève d'une vilaine grippe.* **2.** Dépendre de quelqu'un ou de quelque chose : *Dans ce travail, Robert relève directement de la directrice commerciale.* **3.** Concerner : *Cette affaire relève de la direction générale.* **4.** fig. Être de tel domaine : *Ton histoire relève de la pure fiction.* HOM. relevé. **se relever** v.pron. **1.** Se remettre debout : *Elle se relève et part en courant.* ANT. tomber. **2.** fig. Se remettre d'une situation pénible : *Je saurai bien me relever de cette épreuve.* **3.** Se redresser, se diriger vers le haut : *Quand il sourit, les coins de sa bouche se relèvent.* ANT. descendre. **4.** Être ou pouvoir être redressé, dirigé vers le haut : *Le col de ce manteau se relève.* **5.** Se relayer, se remplacer dans une activité : *Pierre et Jeanne se relevaient à mon chevet.*

relief n.m. **1.** Ce qui fait saillie sur une surface : *Les parois de la caverne ne présentaient aucun relief.* **2.** Ouvrage de sculpture dont les éléments font saillie sur un fond plan : *La façade de l'église est ornée de reliefs.* **3.** Forme d'une surface qui présente des saillies et des creux : *Ce médaillon est si usé qu'il a perdu son relief.* **4.** Aspect que présente la surface terrestre avec ses montagnes, ses lacs, ses vallées, ses plateaux : *Chaque région a un relief particulier.* **5.** Impression de profondeur de certaines images organisées en plan : *Le peintre ajoute quelques touches de couleur à sa toile pour lui donner du relief.* **6.** fig. Caractère marqué, accentué que prend une chose par contraste avec une autre : *Les citations bien choisies donnent du relief à ce texte.* ⁄⁄ *En relief :* Qui forme un relief. *Mettre en relief :* Mettre en évidence, faire valoir.

relier v. **1.** Raccorder, joindre : *Le pont relie les deux rives.* **2.** Attacher, lier ensemble : *Une chaîne reliait le bateau au remorqueur.* **3.** fig. Établir un lien entre deux choses, les mettre en rapport : *On a pu relier les différents indices et découvrir la cause de l'incendie.* ▲ **relier** v. Assembler les feuillets d'un ouvrage et les couvrir avec une matière rigide : *On a fait relier ces livres anciens.* ☞ relieur, reliure. **relié, ée** p.p. et adj. Qui a été couvert avec une matière rigide, en parlant d'un livre : *Ce livre relié est cher.*

relieur, euse n. Personne dont le métier est de relier des livres : *Cette relieuse connaît tous les secrets de son métier.* ☞ relier.

religieuse n.f. Pâtisserie faite de pâte à choux fourrée de crème pâtissière, ayant la forme de deux boules superposées : *J'ai préparé des religieuses pour le dessert.*

religieusement adv. **1.** D'une manière religieuse ; selon les rites de la religion : *Connie et Frank se sont mariés religieusement.* SYN. pieusement. **2.** D'une manière recueillie ; avec attention : *Il écoutait religieusement le discours.* **3.** D'une manière rigoureuse, avec une grande exactitude : *Elle observe religieusement le code routier.* SYN. scrupuleusement. ☞ religion.

religieux, euse n. et adj. **1.** n. Personne qui a prononcé des vœux de religion, qui s'est engagée à suivre une règle approuvée par l'Église : *Raymonde est une religieuse missionnaire.* ANT. civil, laïc. **2.** adj. Qui se rapporte à la religion ; qui est fait selon les rites d'une religion : *Pâques est une fête religieuse.* ANT. civil, laïc, profane. **3.** adj. Qui est consacré à Dieu, à la religion, par des vœux ; qui appartient aux ordres monastiques : *Les membres d'une communauté religieuse ont prononcé des vœux de pauvreté, de chasteté et d'obéissance.* ANT. civil, laïc. **4.** adj. Qui est croyant, qui pratique une religion : *Antoinette est très religieuse.* ANT. athée. **5.** adj. Qui est conforme à une religion : *Tes propos ont choqué ses opinions religieuses.* **6.** adj.fig. Qui invite au recueillement, qui a les caractères du comportement religieux : *Un silence religieux régnait dans la classe.* ☞ religion.

religion n.f. **1.** Ensemble de croyances, de pratiques propres à un groupe social qui constituent les rapports des personnes avec une puissance divine ou surnaturelle : *Pierre est de religion catholique ; Rhéchéked est de religion musulmane.* SYN. confession, culte. **2.** Foi, dévotion : *Sa religion est profonde.* **3.** fig. Culte, sentiment de vénération à l'égard de quelque chose : *Notre siècle a la religion du progrès.* ⁄⁄ *Entrer en religion :* Prononcer ses vœux de religieux, entrer dans les ordres. ☞ coreligionnaire, religieusement, religieux.

relique n.f. **1.** Corps ou fragment du corps d'un saint; objet qui lui a servi ou qui a servi à son supplice: *À l'oratoire Saint-Joseph, on conserve plusieurs reliques du frère André.* **2.** Objet auquel on attache une grande importance: *Ce vieux bijou de ma mère est, pour moi, une véritable relique.*

relire v. **1.** Lire de nouveau ce qu'on a déjà lu: *Paul a relu un texte pour mieux le comprendre.* **2.** Lire ce qu'on vient d'écrire dans le but de corriger: *Maryse relit ses devoirs avant de les remettre à son enseignant.* ☞ lire. se **relire** v.pron. Lire ce qu'on a écrit pour corriger, vérifier: *Je me relis toujours attentivement.*

relish n.f. (angl.) Au Canada, condiment vinaigré fait de concombres, de choux-fleurs, de poivrons hachés fin et d'épices: *J'ai garni mon hamburger de relish, de moutarde et d'oignons.*

reliure n.f. **1.** Action, art de relier les feuillets d'un livre; ouvrage artisanal ou industriel d'un relieur: *Roméo travaille dans un atelier de reliure.* **2.** Manière dont un livre est relié; couverture d'un livre relié: *Christine a, dans sa bibliothèque, plusieurs livres qui ont des reliures en cuir.* ☞ relier.

reliure

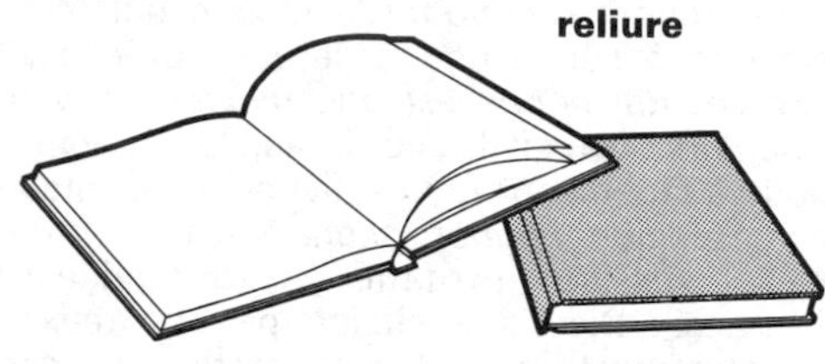

relogement n.m. Action de reloger quelqu'un; fait d'être relogé: *On a dû s'occuper du relogement des personnes sinistrées.* ☞ loger.

reloger v. Donner un nouveau logement à quelqu'un qui a perdu le sien: *À la suite de l'incendie, on a dû reloger plusieurs familles.* ☞ loger.

relouer v. Louer de nouveau: *J'ai reloué le deuxième étage à ma fille lorsqu'elle est revenue.* ☞ louer.

reluire v. **1.** Luire en réfléchissant la lumière, en jetant des reflets: *Un enfant aime ce qui reluit.* SYN. briller. **2.** Briller après avoir été bien frotté: *Je cire mes chaussures pour les faire reluire.* ANT. se ternir. ☞ luire.

reluisant, ante adj. **1.** Qui reluit, brille de propreté: *Un plancher ciré est reluisant.* **2.** fig. Qui est brillant, qui sort du commun: *Son avenir est peu reluisant.* **R.** Au sens figuré, ne s'emploie qu'à la forme négative. ☞ luire.

reluquer v. **1.** Regarder du coin de l'œil avec curiosité: *Yolande ne tournait pas la tête mais reluquait tout ce qui se passait.* **2.** fig. Regarder avec convoitise: *Il reluquait la montre de son copain.*

remâcher v. **1.** Mâcher de nouveau, en parlant des ruminants: *La vache remâche la nourriture remontée de sa panse.* SYN. ruminer. **2.** fig. Se rappeler sans cesse quelque chose: *Elle remâchait une erreur passée que tout le monde avait oubliée depuis longtemps.* SYN. ressasser, ruminer. ANT. négliger, omettre. **R.** Ne pas oublier l'accent: *â.* ☞ mâcher.

remanger v. Manger une autre fois la même sorte de nourriture: *La souris remangea de ce poison et finit par mourir.* ☞ manger.

remaniement n.m. Action de remanier, de modifier, de réorganiser; résultat de cette action: *On doit procéder à un remaniement ministériel.* SYN. modification, réorganisation. ☞ remanier.

remanier v. **1.** Modifier un travail de l'esprit en apportant des changements: *On le voyait, à la dernière minute, remanier nerveusement le texte de son discours.* SYN. corriger, retoucher. **2.** Changer la composition, l'organisation d'un groupe, d'un ensemble de choses: *L'école a remanié ses différents comités.* SYN. réorganiser. ☞ remaniement.

remaquiller v. Maquiller de nouveau: *Un maquilleur remaquille l'actrice entre chaque scène.* ☞ maquiller. se **remaquiller** v.pron. Refaire son maquillage: *Je me remaquille avant de sortir.* **R.** Les lettres *ill* se prononcent comme dans *famille.*

remarcher v. **1.** Marcher de nouveau après avoir été immobilisé: *Elle s'était dit: «Je remarcherai!»* **2.** Se remettre à fonctionner après un arrêt: *L'usine, arrêtée depuis six mois, remarchera demain.* ☞ marcher.

remariage n.m. Nouveau mariage: *Le remariage de Cyrille a été heureux.* ☞ marier.

remarier v. Marier une autre fois: *Si c'était à refaire, te remarierais-tu avec lui?* ☞ marier. se **remarier** v.pron. Se marier de nouveau: *Veuf à trente-cinq ans, il ne s'est jamais remarié.*

remarquable adj. **1.** Qui est digne d'être remarqué, qui attire l'attention: *Mon chat a des yeux verts remarquables.* SYN. épatant, marquant. ANT. banal, insignifiant. **2.** Qui est digne d'être remarqué, qui se distingue par ses qualités: *Cette femme est une politicienne remarquable.* SYN. éminent, extraordinaire, formidable. ANT. insignifiant, médiocre. ☞ remarquer.

remarquablement adv. D'une manière remarquable: *Voilà une personne qui parle remarquablement bien.* SYN. très. ANT. peu. ☞ remarquer.

remarque n.f. **1.** Observation qui a pour but de souligner quelque chose de particulier, d'attirer l'attention de quelqu'un: *Ta remarque est très intéressante et judicieuse.* SYN. commentaire. **2.** Observation écrite, note qui attire l'attention du lecteur: *Ce dictionnaire contient des remarques sur la prononciation de certains mots.* SYN. annotation, commentaire. **3.** Réflexion, observation critique: *Elle m'a fait une remarque sur ma coiffure.* ☞ remarquer.

remarqué, ée adj. Qui ne passe pas inaperçu, qui attire l'attention, qui provoque les commentaires: *Vous avez fait une entrée très remarquée.* ANT. discret, inaperçu. HOM. remarquer. ☞ remarquer.

remarquer v. Marquer de nouveau: *Avant d'aller au camp de vacances, j'ai dû remarquer les vêtements sur lesquels mon nom s'était effacé.* ☞ marquer. ▲ **remarquer** v. **1.** Observer, avoir l'attention, la vue attirée par quelque chose: *J'ai remarqué ta nouvelle coiffure.* **2.** Dire, sous forme de remarque; constater: *Ma mère remarqua que je mangeais trop entre les repas.* **3.** Distinguer un être, une chose parmi d'autres: *J'ai remarqué une personne suspecte dans la foule.* SYN. discerner. HOM. remarqué. ⁄⁄ *Se faire remarquer:* Attirer l'attention sur soi. ☞ remarquable, remarquablement, remarque, remarqué. se **remarquer** v.pron. Être aperçu, constaté: *Ne t'en fais pas, cette tache se remarque à peine.*

remballage n.m. Action de remballer; nouvel emballage: *Josée avait à faire l'inspection et le remballage de la marchandise défectueuse.* ☞ déballer.

remballer v. Emballer de nouveau ce qu'on a déballé: *Tous les soirs, avant de fermer le kiosque, je dois remballer la marchandise.* ANT. déballer. ☞ déballer.

rembarquement n.m. Action de rembarquer ou de se rembarquer: *Le rembarquement des passagers est prévu pour ce soir.* ANT. débarquement. ☞ débarquer.

rembarquer v. Embarquer de nouveau: *Les débardeurs rembarquèrent la marchandise débarquée par erreur.* ANT. débarquer. ☞ débarquer. se **rembarquer** v.pron. S'embarquer de nouveau: *Après sa permission, le matelot se rembarqua.* ANT. débarquer.

remblai n.m. **1.** Action de remblayer, opération qui consiste à combler des cavités, à faire des levées en rapportant de la terre ou des pierres: *Les travaux de remblai sont presque terminés.* ANT. déblai. **2.** Pierres et terre rapportées pour combler un terrain ou le surélever; ouvrage de terre rapportée: *Les enfants glissent sur le remblai en talus.* ☞ déblayer.

remblayage n.m. Action de remblayer, de remplir une cavité; résultat de cette action: *Le remblayage de ce fossé a pris beaucoup de temps.* ANT. déblaiement. ☞ déblayer.

remblayer v. Combler des cavités, rehausser un terrain, avec de la terre et des pierres: *Les terrassiers remblaient la route.* ANT. déblayer. ☞ déblayer.

remblai remblayer

remboîter v. Remettre à sa place ce qui est déboîté: *À l'hôpital, on a remboîté mon épaule.* ANT. déboîter. **R.** Ne pas oublier l'accent: *î.* ☞ déboîter.

rembourrage n.m. **1.** Action de rembourrer, de garnir de bourre: *Nous pouvons faire nous-mêmes le rembourrage de nos chaises.* **2.** Matière qui sert à rembourrer: *Le rembourrage de ce vieux fauteuil a une odeur de moisi.* ☞ bourre.

rembourrer v. Garnir de bourre (laine, kapok, coton, crin, plume, duvet, etc.): *J'irai t'aider à rembourrer ton fauteuil.* ☞ bourre. **rembourré, ée** p.p. et adj. Qui est garni de bourre: *Les sièges rembourrés de la voiture sont confortables.*

remboursable adj. Qui peut ou qui doit être remboursé: *La dette des pays en voie de développement est si élevée qu'elle n'est pratiquement pas remboursable.* ☞ rembourser.

remboursement n.m. Action de rembourser, de rendre l'argent que l'on doit: *Après le remboursement de ses dettes, Roch se sentait heureux.* SYN. acquittement, paiement. ☞ rembourser.

rembourser v. Rendre à quelqu'un l'argent qu'on lui doit: *Je te rembourserai dès que j'aurai touché mon chèque.* SYN. payer. ANT. débourser, emprunter. ☞ remboursable, remboursement. se **rembourser** v.pron. Reprendre l'argent qu'on a déboursé; rentrer dans ses dépenses: *Je me rembourserai avec l'argent de la petite caisse.*

se **rembrunir** v.pron. **1.** Prendre un air sombre, soucieux: *À la nouvelle que son chien était malade, le visage de Linda s'est rembruni.* SYN. se renfrogner. ANT. s'épanouir, s'illuminer. **2.** Devenir sombre, obscurci par les nuages : *Le temps se rembrunit, il va pleuvoir.* ANT. s'éclaircir.

remède n.m. **1.** Ce qui sert à prévenir ou à guérir une maladie : *J'ai un bon remède contre les maux de tête.* SYN. médicament. **2.** fig. Ce qui peut diminuer ou guérir une souffrance morale ou un mal quelconque : *Le travail fut un remède à sa peine.* ☞ irrémédiable, irrémédiablement, remédier.

remédier v. Apporter un remède, une solution à quelque chose : *Le toit coule, il faudrait remédier à cela.* SYN. pallier, réparer. ☞ remède.

remède remédier

se **remémorer** v.pron. Se remettre en mémoire, se rappeler : *Hans se remémorait des airs de son pays.* SYN. se souvenir. ANT. oublier.

remerciement n.m. Action de remercier, expression de gratitude : *Tous mes remerciements pour ce service.* ☞ remercier.

remercier v. **1.** Témoigner sa reconnaissance ; dire merci : *Je te remercie de m'avoir prêté ta gomme à effacer.* **2.** Congédier quelqu'un : *La secrétaire a été remerciée.* SYN. renvoyer. ANT. employer, engager. ☞ remerciement.

remettre v. **1.** Mettre une personne, une chose là où elle était auparavant : *J'ai remis mes lunettes dans leur étui.* SYN. rapporter, replacer. ANT. enlever. **2.** Replacer une chose dans sa position, son état antérieur : *Je n'arrive pas à remettre la tondeuse en marche.* **3.** Mettre de nouveau un vêtement : *J'ai remis mon chapeau avant de sortir.* **4.** Mettre une nouvelle fois, mettre davantage : *Thomas remet du sel dans la soupe.* SYN. ajouter. **5.** fig. et fam. En faire ou en dire plus qu'il n'est nécessaire, en rajouter : *Ne crois pas tout ce qu'elle raconte, elle en remet.* SYN. exagérer. ⁄⁄ *Remettre à neuf :* Réparer, restaurer. *Remettre en cause, en question :* Reconsidérer. ☞ mettre. ▲ **remettre** v. **1.** Mettre en la possession de quelqu'un, confier, livrer : *Je lui ai remis les clés de la voiture.* ANT. confisquer, garder. **2.** Donner, rendre : *Tous les élèves doivent remettre leur copie.* SYN. redonner. ANT. garder. **3.** Dispenser, exempter quelqu'un d'une obligation : *Karine a remis la dette à son frère.* **4.** Ajourner, renvoyer quelque chose à plus tard : *On va remettre la réunion à demain.* SYN. différer, reporter, retarder. ANT. hâter, presser. **5.** pop. Recommencer : *Je croyais que c'en était fini, mais non, il faut remettre ça !* **6.** fig. Rappeler une chose oubliée : *Cette photo ne te remet-elle rien en mémoire ?* ⁄⁄ *Remettre les péchés :* Absoudre, pardonner. *Remettre quelqu'un :* Reconnaître quelqu'un. ☞ remise. ▲ **remettre** v. Remboîter, replacer un os, une articulation : *La chiropraticienne a remis mon bras.* ANT. déboîter, démettre. ☞ démettre. se **remettre** v.pron. **1.** Se replacer : *Le cavalier a fait une chute mais il s'est immédiatement remis en selle.* **2.** Recommencer à faire : *Il s'est remis à fumer.* **3.** Se souvenir, reconnaître quelqu'un ou quelque chose : *Peu à peu, je me remettais son visage.* **4.** S'en rapporter à quelqu'un, lui faire confiance : *Je m'en remets à votre discrétion.* **5.** Se rétablir, recouvrer la santé : *Elle se remettra vite de l'opération.* **6.** Retrouver le calme après une émotion : *Il se remet de sa peur.* **7.** Être remis à plus tard : *C'est un travail qui ne peut se remettre.* ⁄⁄ *Se remettre avec quelqu'un, se remettre ensemble :* Se réconcilier avec quelqu'un. **remis, ise** p.p. et adj. **1.** Qu'on a ramené dans un nouvel état ou dans un état antérieur : *Une fois remis en état, ce moteur fonctionnera comme un neuf.* **2.** Qui a été renvoyé à plus tard : *La date du voyage plusieurs fois remis a enfin été fixée.* **3.** Qui est revenu à un état plus favorable, qui a recouvré la santé, qui est revenu au calme : *Tout à fait remis de sa maladie, il a pu reprendre le travail.* ⁄⁄ *Ce n'est que partie remise :* Ce sera pour une autre fois.

remeubler v. Meubler de nouveau : *Ce printemps, on remeuble la salle à manger.* ☞ meuble. se **remeubler** v.pron. Se meubler autrement, se meubler à nouveau : *Nous avons dû nous remeubler car l'incendie avait tout détruit.*

remise n.f. Action de remettre une chose comme elle était avant : *La remise en ordre de la maison a occupé ma journée.* ☞ mettre. ▲ **remise** n.f. **1.** Action de livrer, de mettre en la possession de quelqu'un : *Véronique s'assure de la remise de la lettre à la famille Leduc.* SYN. livraison. **2.** Action de dégager quelqu'un de sa dette : *Je t'avais pourtant fait remise de ta dette.* **3.** Diminution de prix sur certaines marchandises : *On m'a accordé une remise de 10 %.* SYN. escompte, rabais, réduction. ANT. supplément. **4.** Renvoi à plus tard : *La remise à demain de la visite au zoo m'a beaucoup déçue.* SYN. ajournement. ⁄⁄ *Remise de peine :* Réduction de la peine infligée à un condamné. *Remise des péchés :* Pardon des péchés. ☞ remettre. ▲ **remise** n.f. Local où l'on peut abriter des voitures, où l'on met des outils, des objets divers : *J'ai rangé la tondeuse à gazon dans la remise.* SYN. débarras, hangar. ☞ remiser.

remiser v. **1.** Ranger dans une remise: *Nous avons remisé la chaloupe pour l'hiver.* **2.** Ranger pour un certain temps: *J'ai remisé ma valise au sous-sol.* ☞ remise.

rémission n.f. **1.** Action de pardonner les péchés: *La rémission des péchés se fait au cours du sacrement de la pénitence.* SYN. absolution. **2.** Diminution temporaire d'un mal, d'une maladie: *Pendant sa maladie, elle a connu des périodes de rémission, puis la douleur revenait, encore plus forte.* SYN. accalmie, interruption, répit. ANT. aggravation, crise. // *Sans rémission:* Sans indulgence, sans pardon possible.

remmailloter v. Emmailloter de nouveau: *Le bébé fut changé de couche et remmailloté.* **R.** Les lettres *rem* se prononcent *ran.* ☞ maillot.

remodelage n.m. Action de remodeler, de modifier quelque chose en améliorant la forme: *Le remodelage de ce veston le rendra plus seyant.* ☞ modeler.

remontant n.m. Médicament qui redonne des forces: *Tu es si blême et tu as l'air si faible; tu devrais prendre un remontant.* SYN. fortifiant, tonique. ☞ remonter.

remontant, ante adj. Qui redonne des forces, de l'énergie: *Elle prenait son petit vin remontant midi et soir.* SYN. fortifiant, reconstituant. ANT. déprimant. ☞ remonter.

remontée n.f. **1.** Action de remonter; fait de remonter: *Cette remontée nous a essoufflés.* **2.** Installation mécanique qui sert à remonter les skieurs (téléphériques, funiculaires, télésièges, etc.): *La station de ski est pourvue d'une remontée mécanique.* HOM. remonter. ☞ monter.

remonte-pente n.m. Câble muni de perches qui permet aux skieurs de gravir une pente enneigée sans quitter leurs skis: *La skieuse utilise le remonte-pente pour se rendre au sommet de la piste.* **R.** Au pluriel, *remonte-pentes.* ☞ monter.

remonter v. **1.** Monter de nouveau, retourner d'où l'on est descendu: *J'étais incapable de remonter sur ma bicyclette.* ANT. redescendre. **2.** fig. S'élever, augmenter: *Les prix ont encore remonté.* ANT. diminuer. **3.** Gravir de nouveau: *Paul remonte la côte avec son traîneau.* ANT. dévaler, redescendre. **4.** Porter de nouveau en haut: *J'ai remonté la vieille chaise au grenier.* ANT. redescendre. ☞ monter. ▲ **remonter** v. Reconstituer, assembler de nouveau les parties d'un objet de façon à le faire servir: *La mécanicienne remonte le moteur.* ANT. démonter. ☞ monter. ▲ **remonter** v. Regarnir, pourvoir à nouveau du nécessaire: *J'ai tant maigri qu'il va me falloir remonter ma garde-robe.* ☞ monter. ▲ **remonter** v. **1.** Revenir vers le haut: *Les débris du naufrage remontaient peu à peu à la surface.* ANT. redescendre. **2.** S'élever de nouveau: *Le sentier descend puis remonte jusqu'au chalet.* ANT. redescendre. **3.** Aller vers la source, à contre-courant: *Nous avons remonté, à la nage, jusqu'à la source de la rivière.* **4.** fig. Aller vers l'origine: *Pour comprendre cette affaire, il faut remonter aux événements de l'an dernier.* **5.** Suivre une direction contraire à celle du courant ou de la pente d'un terrain: *Notre bateau a eu du mal à remonter la rivière: le courant était trop fort.* **6.** Mettre à un niveau plus élevé, placer plus haut: *J'ai remonté la dernière tablette de l'étagère.* SYN. hausser, relever. **7.** Relever: *J'avais froid, j'ai remonté mon col.* **8.** Tendre le ressort d'un mécanisme pour en assurer le fonctionnement: *J'ai remonté mon réveille-matin avant de me coucher.* ☞ remontoir. ▲ **remonter** v. **1.** Redonner de la force, de l'énergie à quelqu'un: *Ce tonique devrait te remonter.* SYN. ragaillardir. ANT. affaiblir. **2.** Réconforter, relever la force morale: *Tes paroles chaleureuses m'ont remonté le moral.* ANT. déprimer. HOM. remontée. ☞ remontant. **se remonter** v.pron. Reprendre des forces, physiques ou morales: *Je prends cette tisane pour me remonter.* ANT. s'affaiblir.

remonte-pente

remontoir n.m. Pièce d'une montre, d'un réveil, d'une horloge qu'on tourne pour en remonter le mécanisme: *J'ai perdu le remontoir de ma montre.* ☞ remonter. (*Voir l'illustration à la page suivante.*)

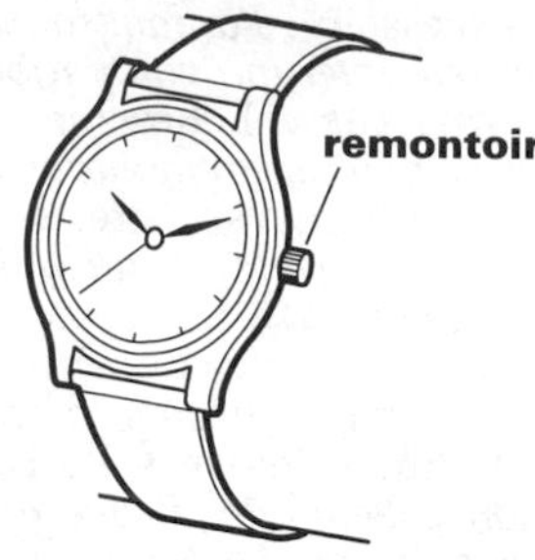

remontrance n.f. Observation adressée à une personne pour lui montrer ses torts et pour l'aider à se corriger: *On m'a fait des remontrances au sujet d'un devoir négligé.* SYN. avertissement, réprimande, reproche. ANT. éloge, félicitation, louange. **R.** S'emploie surtout au pluriel. ☞ remontrer.

remontrer v. Montrer de nouveau: *L'instituteur nous a remontré l'illustration.* ☞ montrer. ▲ **remontrer** v. Faire la leçon à quelqu'un, se prétendre supérieur à lui: *Elle essayait de m'en remontrer, mais elle ne m'impressionnait pas.* ☞ remontrance.

rémora n.m. Poisson élancé des mers tropicales ou tempérées, qui se fixe sur de gros poissons et même des navires grâce à un disque à ventouse qu'il possède sur la tête: *Le rémora est un poisson qui mesure entre quarante et soixante centimètres.*

remordre v. Mordre de nouveau: *J'ai peur que ce vilain chien me remorde.* ☞ mordre.

remords n.m. Malaise moral, accompagné de honte, causé par la conscience d'avoir mal agi: *Le remords le tortura jusqu'à la fin de ses jours.* SYN. regret, repentir. ANT. paix, tranquillité.

remorquage n.m. Action de remorquer, de tirer au moyen d'une chaîne, d'un câble: *Il a payé cher pour le remorquage de sa voiture.* ☞ remorquer.

remorque n.f. **1.** Véhicule sans moteur qui doit être tiré par un véhicule à moteur: *La remorque du camion s'est renversée et obstrue la route.* **2.** Opération par laquelle un véhicule en tire un autre: *On a pris en remorque la voiture de ma mère qui était en panne.* **3.** Câble servant au remorquage: *La remorque est bien tendue.* ⁄⁄ *Remorque de camping:* Caravane. **R.** N'a pas le sens de *dépanneuse*. ☞ remorquer.

remorquer v. **1.** Tirer un bateau ou un autre véhicule au moyen d'un câble, d'une chaîne: *Une dépanneuse a remorqué notre voiture en panne jusqu'au garage.* **2.** fam. Avoir à sa suite, traîner derrière soi: *Nous remorquions une marmaille indisciplinée.* ☞ remorquage, remorque, remorqueur, semi-remorque.

remorqueur n.m. Navire de faible tonnage aménagé pour le remorquage: *Un puissant remorqueur a tiré notre bateau dans le port.* **R.** N'a pas le sens de *dépanneuse*. ☞ remorquer.

remorqueur

remoudre v. Moudre de nouveau: *Je vais remoudre ce café pour le réduire en poudre.* ☞ moudre.

remouiller v. **1.** Mouiller une seconde fois: *Avec les fers à vapeur, il n'est pas nécessaire de remouiller les vêtements avant de les repasser.* **2.** Jeter l'ancre de nouveau: *Le paquebot a remouillé dans le port de Montréal.* ☞ mouiller.

rémouleur n.m. Personne qui aiguise des instruments à lame: *Le passage de la voiture du rémouleur ambulant est annoncé par une cloche.*

remous n.m. **1.** Tourbillon formé derrière un navire en marche: *Derrière le pétrolier, l'eau refluait et formait des remous.* **2.** Tourbillon qui se forme lorsqu'un obstacle s'oppose à l'écoulement de l'eau ou d'un fluide: *Nous observions les remous autour du récif.* **3.** Mouvement en divers sens d'une foule, agitation: *Soudain un remous dans la foule attira mon attention.*

remover ☞ sect. anglicismes et canadianismes.

rempaqueter v. Empaqueter de nouveau: *Elle ajouta les gants commandés puis rempaqueta le tout.* **R.** Ne pas oublier de doubler le *t* devant un *e* muet. ☞ paquet.

rempart n.m. **1.** Muraille épaisse qui entoure et protège une place fortifiée: *Les remparts étaient si élevés qu'on croyait la ville imprenable.* SYN. enceinte, fortification. **2.** litt. Ce qui sert de défense, de protection: *L'instruction est un rempart contre la dictature des idées.*

rempiler v. Empiler de nouveau: *Après avoir recouvert les livres, rempile-les dans le coin de la bibliothèque.* ☞ pile.

remplaçable adj. Qui peut être remplacé: *La pile de ma montre est facilement remplaçable.* ANT. irremplaçable. **R.** Ne pas oublier la cédille. ☞ remplacer.

remplaçant, ante n. Personne qui en remplace une autre dans son travail, à son poste: *À l'école, nous aurons un remplaçant toute la semaine.* SYN. intérimaire, suppléant. **R.** Ne pas oublier la cédille. ☞ remplacer.

remplacement n.m. Action, fait de remplacer une personne ou une chose: *Je t'ai acheté ce vase en remplacement de celui que j'avais cassé.* ⁄⁄ *Faire un remplacement, des remplacements:* Faire de la suppléance. ☞ remplacer.

remplacer v. **1.** Mettre une chose à la place d'une autre: *L'exercice consistait à remplacer les verbes à l'infinitif par des formes au passé.* SYN. substituer. **2.** Changer: *J'ai remplacé le vieux mobilier du salon.* **3.** Donner un remplaçant, un successeur à quelqu'un: *On a remplacé le directeur malade.* **4.** Mettre à la place de quelque chose une chose semblable et en bon état: *On a dû remplacer une pièce du carburateur.* **5.** Se mettre à la place de quelqu'un, de quelque chose: *La calculatrice a remplacé l'abaque.* **6.** Tenir la place de quelque chose: *Le miel peut remplacer le sucre.* **7.** Prendre temporairement la place de quelqu'un, exercer provisoirement ses fonctions: *Durant son absence, c'est sa fille qui le remplacera.* **R.** Ne pas oublier la cédille devant *a* et *o*. ☞ irremplaçable, remplaçable, remplaçant, remplacement.

rempla**ç**able rempla**ç**ant rempla**c**ement rempla**c**er

rempli, ie adj. **1.** Qui est plein de quelque chose: *Mon bol est rempli de soupe.* ANT. vide. **2.** Qui est occupé dans toute sa durée: *Je suis contente de cette journée bien remplie.* **3.** fig. et litt. Qui est plein d'un sentiment: *Alessandro est rempli de bonne volonté.* **4.** Qui contient une très grande quantité: *Je dois corriger mon texte rempli de fautes.* ANT. exempt. ⁄⁄ *Être rempli de soi-même:* Avoir une très haute opinion de sa valeur. ☞ remplir.

remplir v. **1.** Mettre un contenu dans un contenant; rendre plein: *J'ai rempli le pichet de jus d'orange.* ANT. vider. **2.** Bourrer quelque chose: *Cédric a rempli son sac tant qu'il le pouvait.* ANT. vider. **3.** Rendre plein d'un sentiment: *Ce cadeau l'a remplie de joie.* SYN. combler. **4.** Occuper entièrement un espace, un temps déterminé: *L'odeur des lilas fraîchement coupés remplissait la pièce.* **5.** Occuper entièrement le cœur, les pensées: *L'espoir remplit son cœur.* **6.** Couvrir entièrement un espace, une feuille, une page: *J'avais tant à lui écrire, j'ai rempli des pages et des pages.* **7.** Apporter sur un document les précisions demandées: *As-tu bien rempli le questionnaire?* ☞ rempli, remplissage. **se remplir** v.pron. Devenir plein: *La salle de spectacle commence déjà à se remplir.* ▲ **remplir** v. **1.** Exercer, accomplir: *Elle remplit une fonction d'assistance depuis un an.* **2.** Tenir: *Tu peux lui faire confiance; elle remplit toujours ses engagements.* **3.** Satisfaire à quelque chose: *On l'a refusé dans l'équipe parce qu'il ne remplissait pas toutes les conditions.*

remplissage n.m. **1.** Action de remplir; fait de se remplir: *L'eau coule à peine; le remplissage de la baignoire sera long.* **2.** Développement inutile pour allonger un texte: *Ce texte contient plus de remplissage que d'idées.* ☞ remplir.

se **remplumer** v.pron. Se couvrir de nouvelles plumes: *Mon serin se remplume; il est plus joli ainsi.* ANT. se déplumer. ☞ plume. ▲ se **remplumer** v.pron.fam. **1.** Rétablir sa situation financière: *Les affaires n'ont pas été très bonnes ces derniers temps, mais à présent elle va se remplumer.* **2.** Reprendre des forces, du poids, se rétablir: *Ces quelques semaines de vacances ont permis à Jonathan de se remplumer.*

rempocher v. Remettre dans sa poche: *Josée a rempoché son argent et est partie.* ☞ empocher.

remporter v. Reprendre, emporter ce qu'on avait apporté: *Tu peux remporter ces ciseaux qui ne me sont d'aucune utilité.* ▲ **remporter** v. **1.** Gagner, s'assurer après compétition: *Elle a remporté la médaille d'or dans l'épreuve de course.* ANT. perdre. **2.** Obtenir: *Cette pièce a remporté un grand succès.*

rempoter v. Mettre une plante dans un pot plus grand ou qui contient de la terre nouvelle: *Il serait temps de rempoter ces violettes africaines.* ☞ pot.

remprunter v. Emprunter de nouveau: *Tu me remprunteras mes notes de cours si tu en as encore besoin.* ☞ emprunter.

remuant, ante adj. Qui remue, bouge beaucoup, s'agite: *Cet enfant remuant m'étourdit.* SYN. turbulent. ANT. calme, inerte. ☞ remuer.

remue-ménage n.m.invar. **1.** Mouvement, déplacement bruyant de meubles, d'objets: *Qui fait tout ce remue-ménage au premier étage?* SYN. branle-bas. **2.** Agitation: *Cette nouvelle a provoqué tout un remue-ménage dans le groupe.* ☞ remuer.

remuer v. **1.** Faire changer de place, bouger, déplacer: *Je n'arrive pas à remuer ce bureau; il est trop lourd.* **2.** Faire bouger une partie du corps: *Le chat remue les oreilles: il a aperçu sa proie.* ANT. immobiliser. **3.** Agiter, déplacer les éléments d'une chose: *Voudrais-tu remuer la salade?* SYN. retourner, tourner. **4.** Émouvoir, bouleverser: *Ce récit m'a beaucoup remuée.* SYN. attendrir, toucher, troubler. **5.** Faire un ou plusieurs mouvements, changer de position: *La douleur revenait dès que je remuais.* ⁄⁄ *Ne pas remuer le petit doigt:* Ne rien faire pour aider quelqu'un. *Remuer ciel et terre:* Faire appel à tous les moyens. *Remuer la terre:* Travailler la terre, la creuser pour la cultiver. ☞ remuant, remue-ménage. **se remuer** v.pron. **1.** Se mouvoir, changer de position: *J'ai de la peine à me remuer.* ANT. s'immobiliser. **2.** fam. Se hâter: *Allons, remue-toi un peu!*

rémunérateur, trice n. et adj. **1.** n. Personne qui récompense: *Dieu est le rémunérateur des personnes qui auront accompli le bien.* **2.** adj. Qui procure des bénéfices, des profits: *Je fais un travail à la fois intéressant et rémunérateur.* SYN. lucratif. ☞ rémunérer.

rémunération n.f. Salaire, rétribution: *On m'a remis cent dollars en rémunération pour ce travail.* ☞ rémunérer.

rémunérer v. Payer quelqu'un pour un travail, un service: *Cette entreprise rémunère bien ses employés.* SYN. rétribuer. ☞ rémunérateur, rémunération.

renâcler v. **1.** Renifler de façon bruyante en signe de mécontentement, en parlant surtout des animaux: *Mon vieux cheval renâclait en grimpant la côte.* **2.** Manifester du dégoût, de la répugnance devant un travail, une contrainte: *Quand il fallait faire le ménage, Monika renâclait.* SYN. rechigner. **R.** Ne pas oublier l'accent: *â*.

renaissance n.f. **1.** Nouvelle naissance: *Selon certaines religions, les êtres connaissent des renaissances successives.* **2.** fig. Renouveau, nouvel essor d'une chose après une période où elle s'était affaiblie: *La renaissance de la littérature fut facilitée par l'invention de l'imprimerie.* ☞ naître. ▲ **Renaissance** n.f. Période historique, en Europe occidentale, qui se caractérisa par des transformations sociales ainsi que par un renouveau culturel et artistique, et qui s'étendit du XVe au XVIIe siècle: *L'Italie fut le berceau de la Renaissance.* **R.** S'écrit avec une majuscule dans ce sens. ☞ renaissant.

renaissant, ante adj. Qui renaît: *Ses forces renaissantes sont encore fragiles.* ☞ naître. ▲ **renaissant, ante** adj.litt. Qui appartient à l'époque de la Renaissance: *L'art renaissant se prolongea jusqu'au début du XVIIe siècle.* ☞ Renaissance.

renaître v. **1.** Revenir à la vie; naître de nouveau: *Les chrétiens aspirent à renaître par la Résurrection.* SYN. ressusciter. ANT. disparaître, mourir. **2.** Reprendre des forces, physiques ou morales: *Quelques jours à la campagne et j'ai l'impression de renaître.* **3.** Recommencer à se développer, reparaître: *Cette nouvelle a fait renaître l'espoir.* ANT. disparaître. **4.** Repousser, recommencer à croître: *La nature meurt et renaît continuellement.* ANT. mourir. **R.** Ne pas oublier l'accent devant le *t*: *î*. ☞ naître.

renard n.m. **1.** Mammifère carnivore à la tête triangulaire, aux oreilles droites, au pelage fourni et à la queue touffue dont la femelle est la renarde et le petit, le renardeau: *Le renard a la réputation d'être habile et rusé.* **2.** Fourrure de cet animal: *Ce magnifique manteau est fait de renard argenté.* **3.** fig. Personne habile et rusée: *Martine est un fin renard.* ☞ renarde, renardeau, renardière.

renarde n.f. Femelle du renard: *Une renarde et ses renardeaux ont été vus dans les environs.* ☞ renard.

renardeau, eaux n.m. Petit du renard et de la renarde: *La renarde montrait à son renardeau qu'à défaut de poulet, on pouvait croquer des rats.* ☞ renard.

renardière n.f. **1.** Tanière du renard: *La meute de chiens a repéré la renardière.* **2.** Au Canada, ferme où on fait l'élevage du renard: *La renardière pouvait bien avoir deux cents renards.* ☞ renard.

renchérir v. **1.** Rendre plus cher: *Toutes ces taxes renchérissent les loyers.* SYN. augmenter. ANT. baisser, diminuer. **2.** Devenir plus cher: *Le prix du lait et du pain a renchéri.* SYN. augmenter. ANT. baisser, diminuer. **3.** fig. Ajouter, aller encore plus loin en actes ou en paroles: *Elle renchérit toujours sur tout ce que je dis.* ☞ cher.

renchérissement n.m. Augmentation de prix: *Le renchérissement des denrées allait de pair avec la hausse des salaires.* ANT. baisse. ☞ cher.

rencontre n.f. **1.** Fait pour deux ou plusieurs personnes de se trouver en présence, par hasard ou non: *Quelle rencontre inattendue!* **2.** Engagement, combat, compétition sportive: *La rencontre de boxe sera télédiffusée.* SYN. épreuve, match. **3.** Fait de se toucher, de se trouver en contact: *Tadoussac se situe au point de rencontre du Saguenay et du Saint-Laurent.* SYN. jonction. **4.** Fait de se heurter: *La rencontre des deux voitures a fait une victime.* SYN. choc, collision. ⁄⁄ *À la rencontre de quelqu'un:* Au-devant de quelqu'un. ☞ rencontrer.

rencontrer v. **1.** Se trouver par hasard en présence de quelqu'un: *J'ai rencontré Maryse à l'épicerie.* ANT. manquer. **2.** Se trouver avec quelqu'un après avoir pris rendez-vous: *Je vous rencontrerai après la classe.* ANT. manquer. **3.** Se trouver opposé dans une compétition: *Nous rencontrons cette équipe pour la dernière fois ce soir.* **4.** Se trouver en présence de quelqu'un pour la première fois, faire connaissance: *Elle a rencontré cet homme grâce à Luc.* **5.** Trouver parmi d'autres: *C'est un collaborateur comme on n'en rencontre plus.* **6.** Heurter: *Sa pelle a rencontré le roc.* ANT. éviter. ☞ rencontre. se **rencontrer** v.pron. **1.** Se rejoindre, entrer en contact: *Des droites parallèles ne se rencontrent jamais.* **2.** Se heurter: *Les deux voitures se sont rencontrées à l'intersection.* **3.** Se trouver en présence l'un de l'autre: *Judith et Marc se sont rencontrés sur la rue et sont allés souper ensemble.* **4.** Faire connaissance: *Stéphane et Robert se sont rencontrés dans un train et depuis, ils sont de bons amis.* **5.** Avoir une entrevue, une rencontre: *Les ministres provinciaux et fédéraux se rencontrent régulièrement.* **6.** fig. Avoir les mêmes pensées, exprimer les mêmes sentiments: *Jules et Martine se rencontrent quand ils parlent de sport.* **7.** Se trouver, être vu: *La pauvreté se rencontre dans toutes les grandes villes.*

rendement n.m. **1.** Produit de la terre calculé par rapport à une surface déterminée de terrain ou par rapport au matériel utilisé: *Quel rendement de maïs as-tu à l'hectare?* **2.** Quantité de travail fournie, d'objets fabriqués, dans un temps déterminé: *Le rendement de cette entreprise a augmenté.* SYN. efficacité. **3.** Gain, produit: *Ce placement donne un bon rendement.* ☞ rendre.

rendez-vous n.m. **1.** Entente entre des personnes pour se retrouver à un lieu et à un moment déterminés: *J'ai pris rendez-vous avec ma dentiste.* **2.** Lieu fixé pour une rencontre: *Je serai sans doute la première au rendez-vous.* **3.** Lieu où certaines personnes ont l'habitude de se réunir: *Ce café est le rendez-vous des comédiens.*

rendormir v. Endormir de nouveau: *Papa chantait une berceuse pour rendormir Katherine.* ☞ dormir. se **rendormir** v.pron. Recommencer à dormir: *J'ai eu de la difficulté à me rendormir après ce cauchemar.*

rendosser v. Endosser, mettre de nouveau: *Reine enleva son manteau puis le rendossa sans rien dire.* ☞ endosser.

rendre v. **1.** Remettre une chose empruntée à qui elle appartient: *Tiens, je te rends ton dictionnaire.* SYN. redonner, retourner. ANT. confisquer, garder. **2.** S'acquitter de certaines obligations, donner sans attendre de retour: *On a rendu tous les honneurs à la reine.* **3.** Retourner à quelqu'un ce qu'on refuse d'accepter; rapporter ce qu'on a acheté: *Ce cadeau était trop somptueux: je le lui rendis.* SYN. renvoyer, restituer. ANT. garder. **4.** Faire revenir à un état antérieur: *Le grand air et le repos m'ont rendu la santé.* **5.** Remettre, faire rentrer en possession de ce qui était perdu: *Les ravisseurs ont rendu l'enfant à sa mère.* SYN. redonner. ANT. garder. **6.** Donner en retour, en échange: *On a oublié de me rendre la monnaie.* SYN. restituer. ANT. garder. **7.** Laisser sortir, spécialement par la bouche, ce qu'on ne peut retenir: *Mario a rendu son dîner.* SYN. vomir. ANT. absorber, digérer. **8.** Céder, livrer, cesser le combat: *Le guerrier a rendu les armes.* **9.** Faire entendre : *Ce vieux piano rend de très beaux sons.* **10.** Faire devenir: *Cette chanson la rendra célèbre.* **11.** Exprimer un sentiment par le langage, l'écriture, le dessin, la photographie, etc.: *Cette photo prise sur le vif rend bien son expression de surprise.* SYN. représenter, reproduire. **12.** Traduire: *Je n'arrive pas à rendre les émotions de l'auteure quand je récite ce poème.* ⁄⁄ *Rendre l'âme, rendre le dernier soupir:* Mourir. *Rendre grâce(s) à:* Remercier. *Rendre service à quelqu'un:* Venir en aide à quelqu'un. *Rendre visite:* Aller voir. ☞ reddition. ▲ **rendre** v. Rapporter, avoir un certain rendement: *Ces terres ont peu rendu cette année.* ☞ rendement. se **rendre** v.pron. **1.** Se transporter, aller dans un lieu: *Diana se rendra chez toi après ses cours.* **2.** Se livrer, capituler: *À bout de force et n'ayant plus de munitions, la garnison dut se rendre.* **3.** Admettre, céder: *Il a fallu qu'il se rende à l'évidence devant la qualité du travail accompli.* **4.** Devenir tel, se montrer: *Claude sait se rendre utile.*

rêne n.f. Courroie qui est fixée au mors d'une bête de selle et qui sert à diriger l'animal: *La cavalière ajuste les rênes.* HOM. reine, renne.

reneiger v. Neiger de nouveau: *Quand il reneigera, nous irons faire du ski.* **R.** Ne s'emploie qu'à la troisième personne du singulier. ☞ neige.

renfermé n.m. Odeur forte et désagréable d'un local mal aéré: *Ça sent le renfermé dans cette chambre.* HOM. renfermer. ☞ renfermer.

renfermé, ée adj. Qui n'exprime pas ses sentiments: *Sylvio est un enfant renfermé.* SYN. secret. ANT. expansif, ouvert. HOM. renfermer. ☞ renfermer.

renfermer v. Enfermer de nouveau: *On a renfermé la prisonnière qui s'était évadée.* ANT. libérer. ☞ enfermer. ▲ **renfermer** v. **1.** Contenir, avoir en soi: *Ce tiroir renferme des papiers importants.* **2.** fig. Comporter: *Ce texte renferme des idées originales.* ANT. exclure. **3.** vx et fig. Tenir caché, dissimuler un sentiment: *Je saurai bien renfermer cette passion violente.* ANT. montrer. HOM. renfermé. ☞ renfermé. se **renfermer** v.pron. **1.** Ne pas s'extérioriser, se replier sur soi: *À l'adolescence, elle s'est renfermée en elle-même.* **2.** Se dissimuler: *Il s'est renfermé dans le silence pour tenter d'échapper à sa peine.*

renfiler v. Enfiler de nouveau: *Quand on coud, on renfile souvent son aiguille.* ☞ enfiler.

renflammer v. Enflammer de nouveau: *Ce coup de vent sur les tisons a renflammé la grosse bûche d'érable.* ☞ flamme.

renflé, ée adj. Qui présente une forme plus ronde, plus grosse que le reste de la surface: *Plusieurs vases à fleurs sont renflés à la base.* SYN. bombé, gonflé. ANT. creux. HOM. renfler. ☞ renfler.

renflement n.m. **1.** Augmentation de volume produite par la cuisson ou la fermentation: *En cuisant, le renflement du riz fait qu'il double de volume.* **2.** État de ce qui est bombé, gonflé: *À cause du renflement de sa base, cette colonne, pourtant fine, est solide.* ANT. creux. **3.** Partie renflée: *Une colonne de mercure a un renflement qui contient du métal liquide.* ☞ renfler.

renfler v. **1.** Augmenter de volume: *Les pois renflent dans l'eau.* ANT. creuser. **2.** Rendre bombé: *L'humidité a fait renfler la porte.* HOM. renflé. ☞ renflé, renflement. se **renfler** v.pron. Devenir plus rond, plus gros: *Les bourgeons se renflent au printemps.*

renflouage n.m. **1.** Action de remettre un navire échoué en état de flotter: *On procède au renflouage de ce navire coulé près de l'île d'Anticosti.* **2.** fig. Action d'aider financièrement: *La banque a accepté de faire le renflouage de cette petite entreprise.* **R.** Aussi, *renflouement*. ☞ renflouer.

renflouer v. **1.** Remettre un navire à flot: *On ne pourra jamais renflouer ce voilier.* **2.** fig. Sauver d'une difficulté financière, en procurant des fonds: *Votre entreprise sera renflouée par un prêt.* ☞ renflouage. **renfloué, ée** p.p. et adj. Qui a été remis en état de flotter, en parlant d'un navire: *Ce cargo renfloué servira au transport des céréales.*

renfoncement n.m. Ce qui est creux, en retrait: *Jean-Claude se tenait à l'abri du vent dans le renfoncement d'une porte.* ☞ renfoncer.

renfoncer v. Enfoncer davantage ou de nouveau: *Il lève son collet et renfonce son chapeau.* **R.** Ne pas oublier la cédille devant *a* et *o*. ☞ renfoncement.

renforcement n.m. Action de rendre plus fort: *Le renforcement de ce mur a dû être fait après le tremblement de terre.* ANT. affaiblissement. ☞ fort (n.).

renforcer v. **1.** Rendre plus fort, plus résistant: *Il faudra renforcer les poutres du grenier de cette vieille maison.* SYN. consolider. ANT. détruire. **2.** Augmenter l'intensité: *Le peintre a renforcé le bleu du ciel dans son tableau.* **3.** fig. Donner plus de force: *Tu renforces mes soupçons en disant cela.* SYN. appuyer, fortifier. ANT. affaiblir. **R.** Ne pas oublier la cédille devant *a* et *o*. ☞ fort (n.). **renforcé, ée** p.p. et adj. Qui est plus fort, plus résistant: *J'ai besoin de nouvelles chaussettes à talons renforcés.*

renfort n.m. **1.** Matériel et effectifs qui renforcent une armée: *Le capitaine a demandé des renforts.* **2.** fig. Supplément de personnes pour aider un groupe ou quelqu'un: *Sans une équipe de renfort, nous ne pourrons pas terminer ce travail à temps.* SYN. aide, assistance, secours, soutien. **3.** Fait de rendre plus solide, plus fort: *Le renfort des poutrelles du pont sera fait au printemps.* **4.** Pièce qui rend une autre pièce plus solide: *J'ai cousu un renfort à la poche de mon manteau.* ⫽ *À grand renfort de quelque chose:* À l'aide de quelque chose, en grande quantité. ☞ fort (n.).

renforcer renfort

renfrogné, ée adj. **1.** Qui est tendu par la mauvaise humeur, le mécontentement: *Depuis que je t'ai fait un reproche, tu as une mine renfrognée.* SYN. maussade. ANT. aimable. **2.** Qui a l'air de mauvaise humeur, mécontent: *Les habitants de ce village semblent renfrognés et tristes.* ☞ se renfrogner.

se **renfrogner** v.pron. Montrer son mécontentement par une expression maussade du visage: *En apprenant qu'elle n'était pas choisie, elle se renfrogna.* ANT. s'épanouir. ☞ renfrogné.

rengaine n.f. **1.** Répétition ennuyeuse d'une même chose: *Chaque époque a ses rengaines.* SYN. banalité. ANT. nouveauté. **2.** Petit refrain insignifiant: *Je fredonne cette rengaine depuis ce matin.*

se **rengorger** v.pron. **1.** Gonfler la gorge, en parlant d'un oiseau: *Le paon se rengorge devant une femelle.* **2.** Prendre un air important, hautain: *Il lui faut peu de chose pour que, les mains dans les poches, il se rengorge.*

rengraisser v. Engraisser après avoir perdu du poids: *Carla rengraisse et ce n'est pas bon pour son cœur.* ☞ graisse.

reniement n.m. Action de renier: *Le reniement de ses idées politiques me surprend.* SYN. désaveu. ☞ renier.

renier v. **1.** Affirmer faussement qu'on ne connaît pas ou qu'on ne reconnaît pas quelqu'un: *Je les ai tous reniés, la famille comme les amis.* **2.** Renoncer complètement à quelque chose: *Je renie cette idée.* SYN. abjurer. ANT. défendre. ☞ reniement. se **renier** v.pron. Ne pas reconnaître ses opinions: *Cette pacifiste se renie en prenant les armes.*

reniflement n.m. Action de renifler: *Ses reniflements m'agacent.* ☞ renifler.

renifler v. **1.** Aspirer par le nez en faisant du bruit, en parlant d'un cheval ou d'une personne: *Mon rhume me fait renifler.* SYN. renâcler. **2.** Aspirer par le nez: *Je renifle une bonne odeur de gâteau aux carottes.* **3.** fig. Flairer, deviner quelque chose: *L'inspecteur avait reniflé quelque chose de louche dans cette histoire.* ☞ reniflement, renifleur.

renifleur, euse n. et adj. **1.** n. Personne qui renifle: *Cette gamine est une renifleuse.* **2.** adj. Qui renifle: *Cet homme traînait derrière lui deux enfants renifleurs.* ☞ renifler.

renne n.m. **1.** Mammifère ruminant de grande taille, aux poils courts et aux bois aplatis, qui vit dans les régions froides: *Le renne se nourrit de lichen.* **2.** Chair de cet animal: *Les Inuit mangent du renne.* **3.** Fourrure de cet animal: *Cette peau de renne recouvre la nourriture sur le traîneau.* SYN. caribou. HOM. reine, rêne.

renom n.m. Opinion publique favorable à quelqu'un ou à quelque chose: *Paris est une ville de renom pour sa mode.* SYN. célébrité. ANT. médiocrité. ☞ renommé, renommée.

renommé, ée adj. **1.** Qui est célèbre, réputé: *Notre sirop d'érable est renommé même au Japon.* SYN. fameux. ANT. ignoré, inconnu. **2.** Qui est reconnu pour quelque chose: *Ce restaurant est renommé pour ses desserts.* HOM. renommée, renommer. ☞ renom.

renommée n.f. Opinion publique favorable sur quelqu'un ou quelque chose: *C'est une scientifique de renommée mondiale.* SYN. gloire, popularité. HOM. renommé, renommer. ☞ renom.

renommer v. Nommer, élire une seconde fois: *Jacob a été renommé président de la classe.* HOM. renommé, renommée. ☞ nom.

renoncement n.m. **1.** Abandon d'un agrément par un effort de volonté: *Le renoncement aux plaisirs de la vie est rare.* SYN. détachement. ANT. attachement. **2.** Sacrifice, abnégation de soi: *Le renoncement est souvent associé à la vie monastique.* SYN. dépouillement. ☞ renoncer.

renoncer v. **1.** Abandonner un droit sur quelque chose: *Il a renoncé à son héritage.* **2.** Ne plus compter sur quelque chose: *Je renonce à essayer de comprendre la raison de sa colère.* **3.** Se défaire volontairement de quelque chose: *Elle a renoncé à son projet d'aller à Toronto.* SYN. abandonner. ANT. conserver. **4.** Cesser volontairement d'utiliser ou de faire quelque chose: *Beaucoup de gens renoncent au tabac.* **5.** Quitter quelque chose, s'en détacher pour un motif supérieur: *On disait des religieux qu'ils renonçaient au monde et à ses plaisirs.* SYN. délaisser. ANT. réclamer. **R.** Ne pas oublier la cédille devant *a* et *o*. ☞ renoncement, renonciation.

renonciation n.f. **1.** Abandon d'une charge, d'un droit: *La population a été surprise de sa renonciation au trône.* **2.** Action de renoncer à un bien moral: *La renonciation à son opinion est difficile.* ☞ renoncer.

renoncule n.f. Plante herbacée vivace, à petites fleurs de couleurs vives: *Le bouton-d'or est une renoncule.*

renoncule à tête d'or

renoter ☞ sect. anglicismes et canadianismes.

renouer v. **1.** Nouer ce qui est dénoué : *J'ai renoué le lacet de mon soulier.* SYN. rattacher. ANT. délier, dénouer. **2.** Reprendre ce qui a été interrompu : *Nous avons renoué la conversation devant un bon café.* SYN. rétablir. **3.** Reprendre contact avec quelqu'un : *J'ai renoué avec mon ami d'enfance.* ANT. supprimer. ☞ nœud. se **renouer** v.pron. Rétablir, reprendre quelque chose : *Les liens brisés se renouèrent et devinrent plus forts.* SYN. renouveler. ANT. interrompre.

renouveau, eaux n.m. **1.** Apparition de quelque chose de complètement nouveau : *Au XVIe siècle, le renouveau des sciences et des arts a été extraordinaire.* **2.** fig. Retour, reprise de quelque chose : *Ce vieux film connaît un renouveau de succès.* **3.** litt. Retour du printemps : *Le renouveau est là avec son soleil et ses fleurs.*

renouvelable adj. **1.** Qui peut être renouvelé : *Notre bail est renouvelable au mois de juillet.* **2.** Qui peut être répété : *Une observation scientifique est valable si elle est renouvelable.* ☞ renouveler.

renouveler v. **1.** Remplacer une chose par une autre semblable ou plus appropriée : *Elle a renouvelé sa garde-robe.* SYN. changer. ANT. garder. **2.** Changer une partie des membres d'un groupe : *Depuis qu'on a renouvelé l'équipe de travailleurs, on obtient un meilleur rendement.* SYN. remplacer. ANT. maintenir. **3.** Répéter ce qui a été fait : *Éléna a renouvelé sa demande d'emploi.* SYN. refaire. ANT. supprimer. **4.** Transformer, changer quelque chose : *Cette grande couturière a renouvelé la mode des chapeaux.* SYN. moderniser. **5.** litt. Raviver, faire renaître quelque chose : *La présence de ses parents a renouvelé son ardeur au basket-ball.* SYN. réveiller. **6.** Donner une nouvelle validité à quelque chose qui expire : *Nous allons renouveler notre bail en mai.* ☞ renouvelable, renouvellement. se **renouveler** v.pron. **1.** Être remplacé par une autre personne : *On se renouvelle auprès du malade.* **2.** Apporter des changements dans son activité : *Cette sculpteuse s'est renouvelée; ses nouvelles œuvres sont très différentes des anciennes.* **3.** Renaître, se reformer : *Le bois des rennes se renouvelle chaque année.* **4.** Recommencer, se reproduire : *La même scène se renouvelle tous les matins.* **R.** Ne pas oublier de doubler le *l* devant un *e* muet.

renouvellement n.m. **1.** Changement, remplacement de choses, de personnes par d'autres semblables : *Le renouvellement des cellules dans notre corps est continuel.* ANT. conservation. **2.** Transformation complète de quelque chose : *Le renouvellement de son style est devenu nécessaire.* **3.** Remise en vigueur de quelque chose : *Nous avons refusé le renouvellement du bail.* ☞ renouveler.

renouveler renouvellement

rénovation n.f. Restauration, réparation de quelque chose : *D'importantes rénovations ont été effectuées sur cette maison.* ANT. détérioration. ☞ rénover.

rénover v. **1.** Améliorer, transformer quelque chose : *On veut rénover l'enseignement du français dans les écoles.* **2.** Moderniser quelque chose, le remettre à neuf : *Nous rénovons le sous-sol de notre maison.* SYN. réparer. ☞ rénovation. **rénové, ée** p.p. et adj. Qui a été modernisé, remis à neuf : *Ce magasin a été entièrement rénové l'année passée.*

renseignement n.m. **1.** Information sur quelqu'un ou quelque chose : *On m'a donné un renseignement faux sur cette affaire.* SYN. indication. **2.** plur. Ensemble des informations concernant la sécurité d'un pays : *Cet État a réorganisé son service de renseignements et congédié plusieurs agents.* ⁄⁄ *Aller aux renseignements :* Rechercher des informations. *Bureau, guichet des renseignements :* Service commercial ou administratif chargé de renseigner le public. ☞ renseigner.

renseigner v. **1.** Fournir des informations, des éclaircissements, des précisions sur quelqu'un ou quelque chose : *À la radio, on nous renseigne sur l'état des routes.* SYN. avertir, informer. **2.** Représenter une source d'information, en parlant d'une chose : *Ce livre me renseigne bien.* ☞ renseignement. se **renseigner** v.pron. S'informer de quelqu'un ou de quelque chose : *Je vais me renseigner avant de partir pour Haïti.*

rentabiliser v. Rendre profitable, avantageux financièrement : *On réfléchit sur la manière de rentabiliser notre entreprise.* ☞ rentable.

rentabilité n.f. Caractère de ce qui produit un revenu : *Son investissement a un taux de rentabilité élevé.* ☞ rentable.

rentable adj. **1.** Qui rapporte de l'argent, donne des bénéfices intéressants : *Mon commerce est rentable.* **2.** fig. et fam. Qui est fructueux, productif : *Ma recherche n'a pas été rentable.* ☞ rentabiliser, rentabilité.

rente n.f. **1.** Revenu assuré provenant d'un capital ou d'un bien : *Marie touche une rente mensuelle de deux mille dollars.* **2.** Somme d'argent donnée périodiquement à une personne : *Cet employé a une petite rente qui lui est servie par cette entreprise.* ⁄⁄ *Vivre de ses rentes :* Ne pas travailler. ☞ rentier.

rentier, ière n. Personne qui a des rentes, qui vit de ses rentes: *Ces rentiers vont en Floride chaque hiver.* ☞ rente.

rentré, ée adj. **1.** Qui n'est pas exprimé, en parlant d'un sentiment: *Une colère rentrée ne perd pas de sa force.* SYN. caché, dissimulé. **2.** Qui est creux: *Ses joues rentrées lui donnaient un air malade.* **3.** Qui est rendu plat: *Il marche le dos droit et le ventre rentré.* HOM. rentrée, rentrer. ☞ rentrer.

rentrée n.f. **1.** Action de rentrer: *La rentrée des voitures à Montréal a été calme dimanche soir.* **2.** Reprise des cours, du travail après une interruption: *La rentrée scolaire a lieu à la fin de l'été.* SYN. retour. ANT. départ, vacances. **3.** Action de mettre quelque chose à l'abri: *La rentrée des foins a été retardée par la pluie.* HOM. rentré, rentrer. ⫽ *Rentrée d'argent:* Somme d'argent encaissée. ☞ rentrer.

rentrer v. **1.** Entrer de nouveau dans un lieu: *La marmotte a mis le nez dehors, puis elle est rentrée dans son trou.* ANT. sortir. **2.** Revenir à son domicile: *Nous rentrerons chez nous dans huit jours.* SYN. retourner. **3.** Reprendre ses activités: *Les professeurs rentrent à 8 h 30.* **4.** Heurter avec plus ou moins de violence: *La voiture de Louis est rentrée dans un lampadaire.* **5.** Faire entrer une chose dans une autre: *Les plats rentrent les uns dans les autres.* **6.** fig. Être compris dans quelque chose: *Cela ne rentre pas dans mes préoccupations.* **7.** Pénétrer, s'infiltrer dans quelque chose: *L'eau rentre dans mes bottes.* **R.** Se conjugue avec l'auxiliaire *être*. ☞ rentré, rentrée. ▲ **rentrer** v. **1.** Mettre ou remettre quelque chose à l'intérieur: *J'ai rentré ma voiture au garage.* **2.** Faire disparaître quelque chose: *J'ai rentré mes cheveux sous mon chapeau.* **3.** Refouler quelque chose: *Elle rentrait ses larmes par orgueil.* HOM. rentré, rentrée. ☞ rentré, rentrée.

renversant, ante adj. Qui étonne beaucoup: *Ce récit est renversant.* ☞ renverser.

à la **renverse** loc.adv. Sur le dos: *Elle courait pour ne pas être en retard lorsqu'elle est tombée à la renverse.* ☞ renverser.

renversé, ée adj. **1.** Qui est tombé: *Je relève une chaise renversée par le vent.* **2.** Qui est à l'envers: *Nous regardons la silhouette renversée des arbres dans l'eau calme.* **3.** fig. Qui est très surpris, étonné: *Je suis renversé de te voir marcher.* SYN. stupéfait. ANT. indifférent. **4.** Qui est incliné en arrière: *La tête renversée, elle observait les étoiles.* HOM. renverser. ☞ renverser.

renversement n.m. **1.** Changement complet, retournement de quelque chose: *Le renversement de la situation était surprenant.* **2.** Chute, écroulement de quelque chose: *Le renversement du gouvernement a ébranlé l'économie du pays.* **3.** Mouvement vers l'arrière: *Elle a effectué un beau renversement à la poutre.* ☞ renverser.

renverser v. **1.** Mettre à l'envers: *J'ai renversé le seau pour grimper dessus.* ANT. redresser. **2.** Inverser, mettre avant ce qui était après: *Renverse les mots dans ta phrase.* SYN. intervertir. **3.** Faire tomber quelqu'un: *Ton croc-en-jambe a renversé ton frère.* **4.** fig. Étonner beaucoup quelqu'un: *Cette nouvelle me renverse.* **5.** Faire tomber quelque chose: *J'ai renversé mon verre de lait.* **6.** Incliner la tête en arrière: *Je renverse ma tête pour mettre des gouttes dans mes yeux.* HOM. renversé. ☞ renversant, à la renverse, renversé, renversement. se **renverser** v.pron. **1.** Se retourner, être à l'envers: *La barque s'est renversée parce qu'on l'avait trop chargée.* **2.** Se pencher en arrière: *Elle s'est renversée sur sa chaise et est tombée.*

renvoi n.m. **1.** Action de congédier quelqu'un: *C'est un renvoi injustifié.* **2.** Action de retourner quelque chose: *Rayez cette adresse et faites un renvoi à la nouvelle adresse.* ANT. réception. **3.** Ajournement, remise de quelque chose: *Le renvoi de cette question à la prochaine assemblée nous donnera le temps de réfléchir.* **4.** Marque invitant le lecteur à lire quelque chose: *L'astérisque m'indique un renvoi.* **5.** Mouvement involontaire qui chasse le gaz de l'estomac par la bouche: *Excusez-moi, j'ai fait un renvoi.* SYN. éructation. ☞ renvoyer.

renvoyer v. **1.** Faire retourner quelqu'un à un endroit: *Il m'a renvoyée au magasin pour acheter du lait.* **2.** Remercier, congédier quelqu'un: *J'ai décidé de ne pas vous renvoyer.* SYN. chasser. ANT. embaucher, engager. **3.** Refuser, rendre quelque chose: *Elle lui a renvoyé son cadeau.* ANT. garder. **4.** Retourner, relancer un objet à quelqu'un: *Renvoie le ballon!* **5.** Réfléchir le son ou la lumière: *Le miroir me renvoie mon image.* **6.** Faire se reporter à quelque chose: *On renvoie le lecteur à cet auteur inconnu.* **7.** Reporter quelque chose à plus tard: *On a décidé de renvoyer le débat à demain.* ☞ renvoi.

renvoi renvoyer

réoccupation n.f. Action d'occuper de nouveau: *La réoccupation de ce territoire par l'armée cause beaucoup de problèmes.* ☞ occuper.

réoccuper v. Occuper de nouveau: *Après une longue absence, il réoccupe la même fonction.* ☞ occuper.

réorganisation n.f. Action d'organiser d'une autre manière: *La réorganisation de ce service a été confiée à Sylvie.* ANT. désorganisation. ☞ organiser.

réorganiser v. Organiser de nouveau, d'une autre façon: *On a réorganisé le magasin pour mieux répondre aux besoins de la clientèle.* SYN. remanier. ANT. désorganiser. ☞ organiser. se **réorganiser** v.pron. S'organiser de nouveau: *Le groupe se réorganise tranquillement.*

réorientation n.f. Action d'orienter dans une nouvelle direction: *La réorientation de la maison plus au sud nous semblait importante.* ☞ orienter.

réorienter v. Orienter de nouveau, en changeant de direction: *J'ai réorienté l'étagère où sont les plantes pour qu'elles reçoivent plus de lumière.* ☞ orienter.

réouverture n.f. Ouverture d'un établissement qui était fermé: *À l'occasion de la réouverture du restaurant, on servira gratuitement du café et des pâtisseries.* ☞ ouvrir.

repaire n.m. **1.** Lieu où se réfugient les bêtes sauvages: *Nous nous approchons prudemment du repaire des tigres.* SYN. antre, refuge. **2.** Endroit où se réfugient des personnes dangereuses: *Un chalet servait de repaire aux criminels.* HOM. repère.

se **repaître** v.pron. **1.** Manger à sa faim, en parlant d'un animal: *Le lion se repaît d'une antilope.* SYN. dévorer. ANT. jeûner. **2.** litt. Se délecter de quelque chose: *Il se repaît de lectures romantiques.* **R.** Ne pas oublier l'accent devant le *t*: *î*. ☞ repu.

répandre v. **1.** Renverser, laisser couler un liquide: *Elle a répandu la soupe sur la nappe.* **2.** Disperser, éparpiller quelque chose: *Le vent répand le pollen des fleurs.* ANT. ramasser. **3.** Étendre quelque chose sur une surface: *J'ai répandu du sable sur l'allée.* **4.** Dégager de soi et envoyer autour de soi: *Le soleil répand sa chaleur et sa lumière.* SYN. diffuser, émettre. ANT. capter. ☞ répandu.

▲ **répandre** v. **1.** Semer, faire régner un sentiment autour de soi: *Cette épidémie répandait la terreur partout où elle se manifestait.* **2.** Propager, faire connaître quelque chose: *Ce mannequin a répandu la mode des grands chapeaux.* SYN. populariser. **3.** Rendre public ce qui était caché: *Nathalie répand la nouvelle que sa grand-mère va se remarier.* SYN. divulguer, ébruiter. ANT. taire. ☞ répandu. se **répandre** v.pron. **1.** S'étaler, couler: *Le lait s'est répandu partout.* **2.** Se propager: *Le bruit se répand qu'on aurait congé le jour de l'anniversaire de la directrice.* SYN. circuler, courir.

répandu, ue adj. **1.** Qui a été renversé: *Le jus répandu a taché le tapis.* **2.** Qui est étalé en désordre: *Les crayons répandus sur le sol devront être ramassés.* **3.** Qui est admis, accepté par un grand public: *Paul refuse l'idée très répandue selon laquelle les chiens sont de bons compagnons pour les enfants.* ☞ répandre.

réparable adj. **1.** Qui peut être réparé: *Ma montre est brisée, mais elle est réparable.* ANT. irréparable. **2.** Qui peut être corrigé: *Ton erreur est réparable.* ANT. irrémédiable. ☞ réparer.

reparaître v. **1.** Se présenter de nouveau à la vue: *Le soleil reparaît toujours.* ANT. disparaître. **2.** Revenir devant quelqu'un ou dans un lieu: *Elle est reparue devant moi malgré tout ce qu'elle m'avait dit.* **3.** fig. Se manifester de nouveau: *Certaines maladies héréditaires peuvent reparaître après quelques générations.* **R.** Ne pas oublier l'accent devant le *t*: *î*. ☞ paraître.

réparateur, trice n. et adj. **1.** n. Personne qui répare des objets brisés: *Le téléviseur est chez le réparateur depuis une semaine.* **2.** adj. Qui répare les forces: *Un sommeil réparateur lui a redonné de l'énergie.* **3.** adj. Qui rachète une faute: *Le geste réparateur que tu as posé t'a mérité l'estime de tous.* ☞ réparer.

réparation n.f. **1.** Action de remettre en bon état ce qui est brisé: *La réparation de l'horloge a coûté cher.* **2.** Fait de reprendre des forces: *Le grand air permet de faire la réparation de ses forces.* **3.** fig. Action de réparer une faute, une injustice: *En réparation de son mensonge, il devra présenter ses excuses au professeur.* **4.** plur. Travaux faits pour réparer ou améliorer un bâtiment: *Nos voisins ont fait de grosses réparations dans leur maison l'été passé.* SYN. restauration. ☞ réparer.

réparer v. **1.** Remettre en bon état ce qui est brisé: *La mécanicienne a réparé notre camion.* SYN. arranger. **2.** fig. Se rétablir: *Répare ta santé avant de reprendre tes activités.* **3.** Effacer, faire disparaître les dommages causés à quelque chose: *J'ai réparé la déchirure sur la manche de mon manteau.* **4.** fig. Corriger, redresser un tort fait à quelqu'un: *J'ai réparé ma sottise en l'aidant à faire ses devoirs.* ☞ irréparable, irréparablement, réparable, réparateur, réparation. **réparé, ée** p.p. et adj. Qui a été remis en bon état: *Le téléviseur est réparé et il fonctionne comme un neuf!*

reparler v. **1.** Parler de nouveau à quelqu'un après une querelle, une chicane: *Il a juré de ne jamais nous reparler.* **2.** Revenir sur un sujet: *J'ai reparlé de l'examen avec mon* *institutrice.* ☞ parler. se **reparler** v.pron. Se parler de nouveau: *Ils se sont reparlé après l'accident.*

repartager v. Partager de nouveau, autrement: *J'ai dû repartager le gâteau pour que tout le monde en ait.* ☞ partage.

repartie n.f. Réponse vive, amusante ou cinglante: *Nancy a la repartie facile quand on la blesse.* SYN. boutade, réplique, riposte.

repartir v. **1.** Partir de nouveau après un arrêt: *Le train repart dans cinq minutes.* **2.** fig. Reprendre, recommencer quelque chose: *Julie ne se décourage pas et elle va repartir à zéro.* ANT. cesser. **3.** Retourner d'où l'on vient: *Charles est reparti chez lui.* ☞ partir.

répartir v. **1.** Partager quelque chose: *L'instituteur a réparti la pâte à modeler entre les élèves.* SYN. distribuer. ANT. garder. **2.** Disposer quelque chose dans un espace: *Elle répartit son linge dans les tiroirs.* SYN. séparer. ANT. regrouper, réunir. **3.** Étaler dans le temps: *J'ai réparti ce travail sur une semaine.* **4.** Classer, diviser un ensemble de personnes ou de choses: *Pour ce jeu, on a réparti les enfants en deux groupes.* ☞ répartition. **réparti, ie** p.p. et adj. Qui est disposé dans un espace: *L'équipement et les provisions étaient mal répartis dans le bateau et on a chaviré.* se **répartir** v.pron. **1.** Se partager quelque chose: *Elles se répartissent le travail à effectuer pour cette recherche.* **2.** Être divisé, partagé: *Pour la pièce de théâtre, les rôles se répartiront également entre les filles et les garçons.*

répartition n.f. **1.** Action de partager quelque chose: *La répartition des bonbons a été juste.* **2.** Distribution de quelque chose dans un espace ou sur une surface: *La répartition géographique des plantes est étudiée par cette biologiste.* **3.** Classification, classement: *La répartition des races animales dans une espèce particulière se fait en tenant compte de leurs caractéristiques.* ☞ répartir.

repas n.m. Nourriture prise à un moment précis de la journée: *Il y a trois repas dans la journée: le déjeuner, le dîner et le souper.*

repassage n.m. **1.** Action de passer un fer chaud sur un vêtement pour le défroisser: *Mon pantalon de coton a besoin d'un bon repassage.* **2.** Action d'aiguiser un instrument à lame: *Le repassage de ce couteau à dépecer a été mal fait: il ne coupe plus!* ☞ repasser.

repasser v. **1.** Passer une nouvelle fois, revenir: *Nous repasserons dans un quart d'heure.* **2.** Passer, franchir de nouveau: *Le bateau a repassé la frontière.* **3.** Passer, présenter de nouveau quelque chose: *On repasse un vieux film demain au cinéma.* ☞ passer. ▲ **repasser** v. **1.** Défroisser un vêtement: *J'ai repassé ma chemise.* **2.** Aiguiser une lame: *Nous avons fait repasser tous nos couteaux.* ⁄⁄ *Fer à repasser:* Instrument utilisé pour défroisser les vêtements. ☞ repassage. ▲ **repasser** v. Étudier en revenant souvent sur la même chose: *As-tu bien repassé tes leçons?*

repavage n.m. Action de recouvrir à nouveau le sol de matériaux durs ou d'asphalte: *Notre entrée aurait besoin d'un repavage.* **R.** Aussi, *repavement.* ☞ pavé.

repaver v. Couvrir à nouveau le sol d'un revêtement: *La rue a été repavée cet été.* ☞ pavé.

repayer v. Payer de nouveau: *N'aurais-tu pas repayé la facture d'électricité?* ☞ payer.

repêchage n.m. **1.** Action de retirer quelque chose ou quelqu'un de l'eau: *Les vagues fortes ont nui au repêchage du noyé.* **2.** fig. Fait d'admettre quelqu'un qui serait normalement éliminé: *Plusieurs étudiants se sont présentés à l'épreuve de repêchage.* **R.** Ne pas oublier l'accent: *ê.* ☞ repêcher.

repêcher v. **1.** Pêcher de nouveau: *On a repêché une partie de la soirée mais sans rien prendre.* **2.** Retirer quelqu'un ou quelque chose de l'eau: *J'ai repêché mon gilet à l'aide d'un bout de bois.* SYN. retrouver. **3.** fig. et fam. Aider quelqu'un en mauvaise position: *Cette élève a été repêchée malgré ses faibles notes.* **R.** Ne pas oublier l'accent: *ê.* ☞ repêchage.

repeindre v. Peindre de nouveau ou à neuf: *Nous avons repeint le salon en bleu.* ☞ peindre. **repeint, einte** p.p. et adj. Qui a été peint de nouveau ou à neuf: *Cet appartement entièrement repeint se louera facilement.*

rependre v. Pendre de nouveau: *Mon manteau est tombé et je l'ai rependu au crochet.* ☞ pendre.

repenser v. **1.** Penser de nouveau, songer encore plus à quelque chose: *J'ai repensé à ce que j'avais dit.* **2.** Reconsidérer, revoir quelque chose: *Ce projet de voyage, il faut le repenser.* ☞ penser.

repentant, ante adj. Qui regrette ses fautes, ses péchés: *Pour me demander pardon, il prend un air repentant.* SYN. pénitent. ANT. impénitent. ☞ se repentir.

repenti, ie adj. Qui regrette ses fautes: *Julie est revenue sincère et repentie après avoir reconnu ses torts.* SYN. contrit. ☞ se repentir.

se **repentir** v.pron. **1.** Regretter une faute et désirer la réparer: *Elle se repent d'avoir commis ce vol à l'étalage.* **2.** Regretter quelque chose et souhaiter ne l'avoir pas dit ou fait : *Je me repens d'avoir trop parlé.* ☞ repentant, repenti.

repérage n.m. Action de situer quelque chose : *Le repérage et le guidage des avions se font par radar.* ☞ repère.

repercer v. Percer de nouveau, refaire un trou : *J'ai dû faire repercer mes oreilles.* **R.** Ne pas oublier la cédille devant *a* et *o*. ☞ percer.

répercussion n.f. **1.** Fait d'être renvoyé, réfléchi, en parlant d'un son : *L'écho est produit par la répercussion d'un son sur un obstacle.* **2.** fig. Conséquence indirecte de quelque chose qui a été dit ou fait : *Ton action a eu d'heureuses répercussions.* SYN. effet. ☞ répercuter.

répercuter v. Renvoyer un son, une image dans une autre direction : *Les murs de cette salle répercutent la voix.* ☞ répercussion. **se répercuter** v.pron. **1.** Être renvoyé, réfléchi dans une autre direction : *L'écho se répercute dans les montagnes.* **2.** fig. Avoir des conséquences sur quelque chose : *La fatigue se répercute sur notre santé.*

reperdre v. Perdre de nouveau ou perdre ce qui a été gagné : *Si je reperds, je n'aurai plus de billes.* ☞ perdre.

repère n.m. **1.** Marque faite sur quelque chose pour aider à faire un travail : *Ma mère met des repères sur la planche avant de la scier.* **2.** fig. Ce qui sert à retrouver quelque chose dans un ensemble : *L'année de ma naissance me sert de repère quand je ne me rappelle plus son âge, car elle est née deux ans avant moi.* HOM. repaire. ⁄⁄ *Point de repère :* Objet ou endroit précis qui a été choisi pour se retrouver. ☞ repérage, repérer.

repérer v. **1.** Marquer quelque chose avec des repères : *Les arpenteurs ont repéré la nouvelle rue.* **2.** Situer quelque chose avec précision : *Le radar a repéré un sous-marin.* **3.** fam. Retrouver quelqu'un ou quelque chose : *J'ai repéré Lucie dans la foule.* ☞ repère. **se repérer** v.pron.fam. Savoir où l'on se trouve grâce à des indices : *Je me suis repérée grâce au clocher de l'église.*

repérage repère repérer

répertoire n.m. **1.** Index, recueil de données classées méthodiquement : *Je trouve facilement ce que je veux dans mon répertoire d'adresses.* **2.** Ensemble des œuvres interprétées par un artiste : *Édith Butler a un répertoire de chansons folkloriques.* ☞ répertorier.

répertorier v. Inscrire des données dans un répertoire : *Je répertorie mes jeux de société.* ☞ répertoire.

répéter v. **1.** Dire de nouveau ce qu'on a déjà dit : *C'est la dernière fois que je te le répète.* SYN. redire. **2.** Reprendre ce que quelqu'un a dit : *Tassos répète la nouvelle pour ceux qui sont arrivés en retard.* SYN. rapporter. **3.** Recommencer quelque chose : *Nous avons répété cette expérience de chimie pour bien comprendre ce qui se passait.* **4.** Retourner, réfléchir un son, une image : *L'écho répétait inlassablement ce que je disais.* **5.** Redire, refaire quelque chose pour le mémoriser : *La comédienne répète son rôle.* SYN. apprendre, repasser. ☞ répétitif, répétition. **se répéter** v.pron. **1.** Reprendre inutilement ce qu'on a dit : *Il se répétait tant qu'on ne l'écoutait plus.* **2.** Être répété : *Dans cette comptine, ce mot se répète dans toutes les phrases.* **3.** Se reproduire : *Les mêmes erreurs se répètent.*

répétitif, ive adj. Qui se reproduit de façon monotone : *Il a des gestes répétitifs quand il chante.* ☞ répéter.

répétition n.f. **1.** Fait de redire quelque chose plusieurs fois : *Il y a beaucoup de répétitions dans ton histoire.* **2.** Fait de recommencer quelque chose : *Après plusieurs répétitions, j'ai pu attacher mes souliers moi-même.* **3.** Séance au cours de laquelle quelqu'un redit, refait quelque chose pour le mémoriser : *La répétition fait partie du travail des acteurs.* ⁄⁄ *Arme à répétition :* Arme pouvant tirer plusieurs coups sans qu'on ait besoin de la recharger. ☞ répéter.

repeuplement n.m. **1.** Action de peupler de nouveau un territoire : *Le repeuplement de cette zone dévastée par la guerre prendra des années.* ANT. dépeuplement. **2.** Action d'ensemencer un cours d'eau : *Voici des alevins pour le repeuplement de la rivière.* **3.** Action de reboiser : *Nos forêts resteront une richesse si on s'occupe de leur repeuplement.* ☞ peuple.

repeupler v. **1.** Peupler de nouveau un territoire : *Il faut persuader les gens d'aller repeupler cette région éloignée.* **2.** Regarnir un lieu d'espèces animales : *Nous avons repeuplé le lac avec de la truite.* **3.** Regarnir un lieu d'espèces végétales : *Les conifères serviront à repeupler cette forêt.* ☞ peuple. **se repeupler** v.pron. Peupler de nouveau un territoire : *La ville se repeuplera avec cette nouvelle industrie.*

repiquage n.m. Transplantation de jeunes plants : *À la fin du mois de mai, il faut faire le repiquage des plants de tomates.* ☞ repiquer.

repiquer v. Mettre en terre des jeunes plants : *On va repiquer des cèdres pour rem-*

placer ceux qui sont morts. SYN. replanter. ☞ repiquage.

répit n.m. Arrêt de quelque chose de pénible: *Ce travail urgent ne lui laisse aucun moment de répit.* SYN. détente. // *Sans répit:* Sans arrêt.

replacer v. **1.** Remettre quelque chose à sa place: *Les élèves replacent leur chaise avant de quitter la classe.* **2.** Mettre quelque chose à une nouvelle place: *Je vais prendre le miroir du salon et le replacer dans l'entrée.* **R.** Ne pas oublier la cédille devant *a* et *o*. ☞ place.

replantation n.f. Action de planter de nouveau dans une autre terre: *Avec Margot, je ferai la replantation des laitues.* ☞ planter.

replanter v. Planter de nouveau et ailleurs: *On a replanté notre rosier parce que la vigne lui nuisait.* SYN. repiquer, transplanter. ☞ planter.

replâtrage n.m. **1.** Action de faire une réparation avec du plâtre: *L'eau a coulé du deuxième étage et il a fallu faire le replâtrage d'une partie du plafond.* **2.** fam. Rapprochement superficiel: *Leur réconciliation me semble un replâtrage.* **R.** Ne pas oublier l'accent: *â*. ☞ plâtre.

replâtrer v. **1.** Réparer avec du plâtre: *On a replâtré le mur du salon avant de le peindre.* **2.** fam. Arranger rapidement et grossièrement: *Il a replâtré son travail et l'a remis.* ☞ plâtre. **replâtré, ée** p.p. et adj.fam. Qui a été arrangé, réglé d'une manière fragile, superficielle: *Leur amitié replâtrée ne résistera pas au temps.* **R.** Ne pas oublier l'accent: *â*.

repleuvoir v. Pleuvoir de nouveau: *Il a replu la nuit dernière.* **R.** Ne s'emploie qu'à la troisième personne du singulier. ☞ pluie.

repli n.m. **1.** Bord plié une ou deux fois: *Le repli de mon pantalon est défait.* SYN. ourlet. **2.** Répétition de plis: *Les replis des longs rideaux servaient de cachette au petit chat.* **3.** fig. Ce qui est caché en quelqu'un ou quelque chose: *Que de choses Mario tenait cachées dans les replis de son cœur!* SYN. recoin. ☞ pli. ▲ **repli** n.m. Recul volontaire d'une armée: *Ce repli stratégique a permis de gagner la bataille.* ☞ replier.

repliable adj. Qui peut être replié: *Cette carte routière n'est plus repliable tellement elle est déchirée.* ☞ plier.

replier v. **1.** Plier de nouveau quelque chose: *J'ai replié la serviette de bain.* ANT. déplier. **2.** Plier plusieurs fois quelque chose: *J'ai replié mes manches et je me suis mis au travail.* SYN. retrousser. **3.** Ramener ce qui a été étendu, déployé: *La chauve-souris se pendit la tête en bas et replia ses ailes.* ☞ plier. **replié, ée** p.p. et adj. Qui a été ramené, en parlant de quelque chose qui était étendu: *Sa jambe repliée est tout engourdie.* ▲ **replier** v. Faire reculer une armée: *L'état-major a replié ses troupes.* ☞ repli. se **replier** v.pron. **1.** Reculer en bon ordre, en parlant d'une armée: *La charge de l'ennemi obligea notre régiment à se replier.* ANT. avancer, lutter. **2.** Se fermer au monde extérieur, rentrer en soi-même: *Elle se replie dans la solitude pour essayer de voir clair en elle.* ANT. s'épancher.

réplique n.f. **1.** Réponse brusque servant à s'opposer à ce qui a été dit: *Ses répliques furent si vives qu'elles me prirent par surprise.* SYN. repartie, riposte. **2.** Partie d'un dialogue dite par un acteur: *Après quelques lectures, la comédienne savait ses répliques par cœur.* // *Donner la réplique à quelqu'un:* Lire un rôle à quelqu'un pour l'aider à apprendre le sien. ☞ répliquer. ▲ **réplique** n.f. Reproduction, copie de quelque chose: *Le modèle réduit est une réplique d'une locomotive.* SYN. double.

répliquer v. **1.** Répondre vivement à ce qui est dit ou écrit, en s'y opposant: *Je suis trop fâchée; je préfère ne pas répliquer à ces sottises.* **2.** Répondre à une attaque en contre-attaquant: *Voyant venir son coup, j'ai répliqué par un solide coup de poing au ventre.* ☞ réplique.

replisser v. Plisser de nouveau quelque chose: *Mon fil s'est cassé et j'ai dû replisser le tissu.* ☞ pli.

replonger v. **1.** Plonger de nouveau quelque chose dans un liquide: *J'ai replongé ce verre sale dans l'eau.* **2.** fig. Remettre quelqu'un ou quelque chose dans une situation particulière: *Certains craignent que l'inflation ne replonge le pays dans une crise économique.* **3.** Plonger de nouveau: *J'ai replongé dans la piscine parce qu'il faisait trop chaud.* ☞ plonger. se **replonger** v.pron. Se remettre avec ardeur à quelque chose: *Mon grand frère s'est replongé dans ses recherches.*

repolir v. Polir de nouveau quelque chose: *J'ai repoli la table de chêne.* ☞ polir.

répondant, ante n. Personne qui se porte garant de quelqu'un: *Une répondante accepte de garantir notre emprunt à la banque.* SYN. responsable. ☞ répondre.

répondeur n.m. Appareil enregistrant le message laissé par une personne qui téléphone: *En l'absence de mes parents, c'est le répondeur qui prend les messages.* ☞ répondre.

répondre v. **1.** Faire connaître en retour ses pensées à quelqu'un: *Je réponds sans tarder à ta lettre fort intéressante.* **2.** Donner une réponse à quelqu'un: *J'ai répondu à ta question avec le plus de précision possible.* ANT. interroger, questionner. ☞ répondeur, réponse. ▲ **répondre** v. **1.** Rendre ce qui est donné en ayant un comportement correspondant, en parlant d'une personne ou d'un animal: *Un chat répond à des caresses en ronronnant.* **2.** Bien jouer son rôle, en parlant d'une chose: *Lucie a voulu arrêter, mais les freins n'ont pas répondu.* ☞ réponse. ▲ **répondre** v. Assurer quelqu'un de l'honnêteté et du sérieux d'une personne: *Vous pouvez faire confiance à Carlos, je réponds de lui.* ☞ répondant.

réponse n.f. **1.** Ce qui est dit à quelqu'un qui a demandé quelque chose: *Je n'ai pas hésité à donner une réponse à chaque question de l'institutrice.* **2.** Ce qui est écrit à quelqu'un qui a envoyé une lettre: *Ta réponse à ma lettre était très gentille.* **3.** Explication, solution donnée à une question: *Ta réponse est fausse, reprends ton calcul.* ∥ *Avoir réponse à tout:* Être capable de faire face aux imprévus; avoir de la repartie. ☞ répondre. ▲ **réponse** n.f. Réaction de quelqu'un à un appel: *J'ai appelé chez toi, mais je n'ai pas eu de réponse.* ☞ répondre.

report n.m. Action de remettre quelque chose à plus tard: *Le report de la journée de plein air nous a déçus.* ☞ reporter.

reportage n.m. **1.** Récit d'un événement par un journaliste qui en a été témoin: *Sylvie a réalisé une série de reportages sur la situation politique en Afrique du Sud.* **2.** Métier du journaliste qui fait des reportages: *J'ai toujours été attiré par le reportage.* ☞ reporter.

reporter v. **1.** Porter quelque chose à l'endroit où on l'a pris: *J'ai reporté ses raquettes dans le garage.* **2.** fig. Revenir en esprit à un moment passé: *Ces photographies me reportent à l'époque où j'avais un chien.* **3.** Remettre à plus tard la réalisation de quelque chose: *Nous ne sommes pas prêtes: reportons le départ à 10 heures.* **4.** Transférer sur une chose ou sur une personne ce qui revenait à une autre: *Il a reporté son affection sur son chat quand il s'est senti abandonné.* ☞ report. se **reporter** v.pron. **1.** Se référer à quelque chose: *Reportez-vous à la page sept de votre livre de français.* **2.** fig. Se souvenir d'un moment passé: *En voyant ce jouet, je me reporte à mon dernier anniversaire.*

reporter n.m. (angl.) Journaliste qui fait un reportage après avoir vu des faits: *Nous avons vu un reporter sur les lieux de l'incendie.* **R.** Les lettres *ter* se prononcent *tèrr*. ☞ reportage.

repos n.m. **1.** Cessation de toute activité: *Le dimanche est mon jour de repos.* SYN. congé, vacances. ANT. travail. **2.** Temps pendant lequel on se repose: *Prends donc un peu de repos avant de manger.* **3.** Position corporelle militaire: *Pendant la parade, quelqu'un dans la foule cria: «Repos!»* **4.** État d'une personne que rien ne dérange: *Ce sentiment de culpabilité l'empêchait de trouver le repos.* SYN. paix, tranquillité. **5.** Petit signe qui indique qu'une phrase musicale est terminée: *As-tu vu qu'il y avait un repos ici?* SYN. pause. ∥ *Au repos:* Calme, sans mouvement. *De tout repos:* Qui ne donne aucun tracas. *En repos:* Inactif, immobile. ☞ reposer.

reposant, ante adj. Qui repose, délasse: *Mon petit voyage a été reposant.* SYN. apaisant. ANT. fatigant, lassant. ☞ reposer.

reposé, ée adj. Qui n'est plus fatigué: *Sa figure reposée me laisse croire qu'elle a bien dormi.* SYN. frais. ANT. fatigué. HOM. reposer. ☞ reposer.

à tête **reposée** loc.adv. En prenant son temps pour penser à quelque chose: *Je vais revoir tout cela à tête reposée.*

repose-pieds n.m.invar. **1.** Appui pour poser les pieds, sur une motocyclette: *Le repose-pieds est fixé au cadre d'une moto.* **2.** Appui pour poser les pieds, sur un fauteuil: *Le prochain fauteuil que nous achèterons aura un repose-pieds.* **R.** Aussi, *repose-pied* et, au pluriel, *repose-pieds*. ☞ reposer.

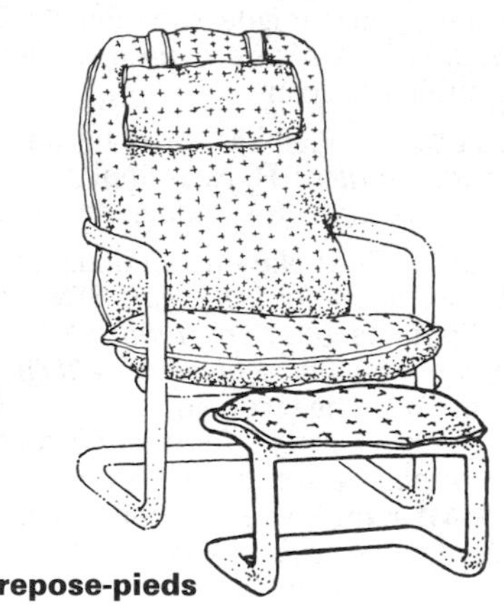

repose-pieds

reposer v. **1.** Détendre, faire tomber la fatigue: *Une sieste me reposera de ma dure journée.* SYN. délasser. ANT. fatiguer, lasser. **2.** Être mort: *Il repose en paix.* **3.** Être appuyé sur quelque chose: *Le pont repose sur de gros piliers.* **4.** Laisser se déposer les matières en suspension dans un liquide; ne plus remuer un mélange: *Laissez reposer vingt minutes, puis versez dans des coupes.* ANT. agiter. **5.** Ne pas cultiver: *Cette année, la fermière a laissé reposer ce champ.* HOM. reposé. ☞ repos, reposant, reposé, repose-pied. **se reposer** v.pron. **1.** Se livrer à une activité qui repose ou cesser toute activité: *Je me repose en lisant.* **2.** S'appuyer sur quelqu'un, faire confiance à quelqu'un: *On peut se reposer sur elle, elle mènera à terme le projet.* SYN. compter. ▲ **reposer** v. **1.** Poser de nouveau quelque chose: *Chaque hiver, je fais reposer des talons à mes bottes.* **2.** Demander de nouveau quelque chose: *Je lui ai reposé la même question dix fois avant d'avoir une réponse.* HOM. reposé. ☞ poser.

repoussant, ante adj. Qui inspire du dégoût, qui répugne: *Cette plaie infectée est repoussante.* ANT. alléchant, attrayant. ☞ repousser.

repousse n.f. Action de pousser de nouveau: *La repousse du gazon est lente cette année.* ☞ pousser.

repousser v. Pousser de nouveau: *Les feuilles repoussent au printemps.* ☞ pousser. ▲ **repousser** v. **1.** Obliger quelqu'un à reculer: *On a repoussé l'ennemi.* SYN. chasser. **2.** Faire mauvais accueil à quelqu'un: *J'ai voulu lui venir en aide, mais il m'a repoussé.* SYN. éconduire. ANT. accueillir. **3.** Pousser quelque chose en arrière: *J'ai repoussé la table contre le mur.* **4.** fig. Éloigner, ne pas accepter quelque chose: *Elle repousse farouchement l'idée de tout laisser tomber.* SYN. rejeter. ANT. admettre. ☞ repoussant.

répréhensible adj. Qui mérite d'être blâmé: *Voler est un acte répréhensible.* SYN. condamnable. ANT. louable. ☞ reprendre.

reprendre v. **1.** Prendre de nouveau ce qu'on a laissé: *J'ai repris mon chapeau et j'ai claqué la porte.* **2.** Rentrer en possession d'un bien perdu, cédé ou vendu: *Une fois le litige réglé, la cultivatrice a pu reprendre ses terres.* SYN. récupérer. ANT. perdre. **3.** Prendre de nouveau de quelque chose: *J'ai repris deux fois du gâteau.* **4.** Arrêter quelqu'un: *La justice l'a reprise.* SYN. rattraper. ANT. échapper. **5.** Recommencer; se remettre à l'œuvre: *Chantal reprendra ses cours de natation en septembre.* SYN. poursuivre. ANT. cesser. **6.** Retoucher, améliorer quelque chose: *Jonas a repris sa couture.* **7.** Devenir propriétaire de quelque chose: *Félix a repris la boutique de laine.* **8.** Redire, chanter de nouveau: *Voudrais-tu reprendre le refrain?* SYN. recommencer. ANT. terminer. **9.** Prendre des forces après avoir perdu de la vigueur: *Ma plante reprend, je vais la sauver!* ⁄⁄ *Reprendre ses esprits:* Revenir à soi. *Reprendre son souffle:* Se reposer un peu. ☞ reprise. **se reprendre** v.pron. **1.** Rectifier sa conduite, ses paroles: *J'allais commettre une maladresse, mais je me suis reprise à temps.* **2.** Se ressaisir: *Il se laissait aller au découragement avant de se reprendre.* ▲ **reprendre** v. Corriger, réprimander quelqu'un: *On m'a reprise parce que je mâchais de la gomme en classe.* ☞ répréhensible.

représailles n.f.plur. **1.** Mesure violente prise par un État pour répondre à un acte de violence commis par un autre État: *Ce pays a subi des actes de terrorisme et il a pris des mesures de représailles.* **2.** Revanche envers quelqu'un qui nous a fait du tort: *Pourquoi aurais-je craint des représailles puisque je n'avais lésé personne?* SYN. châtiment, riposte, vengeance.

représentable adj. Qui peut être représenté par un dessin, un graphique: *La croissance d'un arbre est représentable par un graphique.* ☞ représenter.

représentant, ante n. **1.** Personne engagée par une maison d'affaires pour faire connaître ses produits, offrir ses services: *Bérénice est représentante d'une compagnie d'assurances.* SYN. agent. ANT. employeur, patron. **2.** Personne déléguée par un groupe pour parler en son nom et défendre ses intérêts: *Les députés sont les représentants du peuple.* SYN. porte-parole. ☞ représenter.

représentatif, ive adj. **1.** Qui représente des personnes et peut agir en leur nom: *Le Canada a un gouvernement représentatif.* **2.** Qui a les qualités voulues pour représenter un groupe: *Ce jeune est représentatif de sa génération.* **3.** Qui est le symbole de quelque chose d'autre: *Le drapeau est un objet représentatif d'une nation.* ☞ représenter.

représentation n.f. **1.** Fait d'être le symbole de quelque chose d'autre: *Le sigle de la Croix-Rouge est une représentation connue mondialement.* **2.** Spectacle: *Ce soir, nous irons à une représentation théâtrale.* ☞ représenter. ▲ **représentation** n.f. **1.** Présence de personnes au sein d'une assemblée, d'un corps de métier: *La police aimerait une meilleure représentation des minorités ethniques au sein de ses troupes.* **2.** Ensemble des personnes et des services représentant une nation, à l'étranger: *La représentation diplomatique canadienne au Cameroun est à Yaoundé.* ☞ représenter.

représenter v. **1.** Désigner, évoquer quelque chose en utilisant une autre chose: *Imaginons que cette boîte représente ta maison et cette règle, la rue où tu demeures.* **2.** Faire penser à quelque chose, comparer à quelque chose: *Pour moi, cette personne représentait la bonté.* **3.** Donner un spectacle: *On va représenter cette pièce à la fin de l'année.* ☞ représentable, représentatif, représentation. ▲ **représenter** v. Agir au nom de quelqu'un : *Tu représenteras la famille au mariage d'Émilie et de Georges.* ☞ représentant, représentatif, représentation. se **représenter** v.pron. Se présenter de nouveau : *La députée se représentera aux prochaines élections.*

répression n.f. Action de punir, de châtier quelque chose : *L'emprisonnement est un moyen de répression du crime.* SYN. punition. ANT. tolérance. ☞ réprimer.

réprimande n.f. Reproche adressé à quelqu'un : *Par ses impolitesses, cet enfant s'attirait les réprimandes.* SYN. remontrance, semonce. ANT. compliment, éloge, louange. ☞ réprimander.

réprimander v. Faire des reproches à quelqu'un, le blâmer pour sa conduite : *J'ai réprimandé Annick pour sa conduite inacceptable.* SYN. gronder, reprocher, sermonner. ANT. complimenter, louer. ☞ réprimande.

réprimer v. **1.** Contenir un sentiment, l'empêcher de se manifester : *Il a réprimé sa colère.* SYN. refouler, retenir. **2.** Arrêter, par la force, un mouvement de foule, un acte condamnable : *On tentait de réprimer la révolte, mais c'était impossible.* SYN. empêcher, étouffer. ANT. aider, favoriser. ☞ répression.

reprisage n.m. Action de raccommoder, de réparer un tissu : *Le reprisage de ma chaussette s'est fait rapidement.* ☞ reprise.

repris de justice n.m. Personne qui a déjà été condamnée par la justice : *Ce repris de justice en est à sa troisième condamnation pour vol.*

reprise n.f. **1.** Action de reprendre ce qui a été cédé, vendu : *Les grands magasins garantissent la reprise des produits défectueux.* **2.** Action de reprendre ce qui a été interrompu : *Au mois de septembre, nous assistons à la reprise générale des activités.* SYN. relance, retour. ANT. ralentissement. **3.** Action de se fortifier, de faire des racines, en parlant d'une plante : *La reprise de cette bouture a pris quelques jours.* ☞ reprendre. à plusieurs **reprises** loc.adv. Souvent, plusieurs fois : *Nous avons visité le zoo de Granby à plusieurs reprises.* ▲ **reprise** n.f. Action de raccommoder, de réparer un tissu : *Je vais faire une reprise à ma veste.* SYN. réparation. ☞ reprisage, repriser.

repriser v. Raccommoder, réparer un tissu : *Je reprise mes bas parce qu'ils sont troués.* ANT. abîmer, détériorer. ☞ reprise.

réprobateur, trice adj. Qui exprime le blâme, la réprobation : *Mon père m'a jeté un regard réprobateur.* SYN. désapprobateur. ANT. approbateur. ☞ réprouver.

réprobation n.f. Condamnation sévère de quelqu'un ou de quelque chose : *La lâcheté de son geste lui a mérité la réprobation de toute la classe.* ANT. approbation. ☞ réprouver.

reprochable adj. Qui mérite des reproches : *Nous avons tous fait un jour ou l'autre des choses reprochables.* SYN. blâmable. ANT. irréprochable. ☞ reproche.

reproche n.m. Critique, réprimande pour amener quelqu'un à réfléchir et à se corriger : *J'ai mérité un reproche pour mon impolitesse.* SYN. remontrance, semonce. ANT. compliment. ⁄⁄ *Sans reproche :* À qui l'on ne peut pas faire de blâmes. ☞ irréprochable, reprochable, reprocher.

reprocher v. Blâmer, critiquer quelqu'un pour quelque chose : *On t'a déjà reproché de trop regarder la télévision et de ne pas assez étudier.* SYN. gronder, réprimander, sermonner. ANT. complimenter. ☞ reproche. se **reprocher** v.pron. Se considérer responsable de quelque chose : *Je me reproche de n'avoir pas relu ce chapitre avant l'examen.*

reproducteur, trice adj. Qui concerne la reproduction ou qui sert à se reproduire : *Les organes reproducteurs mâles diffèrent des organes reproducteurs femelles.* ☞ reproduire.

reproduction n.f. Fonction permettant à un être vivant de se perpétuer : *La reproduction des vers se fait par des œufs.* ☞ se reproduire. ▲ **reproduction** n.f. **1.** Copie, multiplication d'un texte, d'une image, par différents procédés : *La reproduction de ce texte est interdite.* **2.** Nouvelle publication d'un texte dans le même document ou dans un autre : *Ce journal ne permet pas la reproduction de ses articles dans un autre journal.* ☞ reproduire. (*Voir l'illustration à la page suivante.*)

reproduire v. **1.** Représenter quelque chose aussi parfaitement que possible : *Cette peinture reproduit assez bien les traits de mon père.* **2.** Copier quelque chose : *À toujours reproduire, on finit par manquer d'imagination.* SYN. imiter, singer. ANT. créer, innover. ☞ reproduction. se **reproduire** v.pron. Se produire de nouveau : *La marée est un phénomène naturel qui se reproduit régulièrement.*

se **reproduire** v.pron. Continuer l'espèce, donner naissance à des êtres semblables : *Les souris et les lapins se reproduisent rapidement.* ☞ reproducteur, reproduction.

réprouver v. Désapprouver, condamner quelqu'un ou quelque chose : *Dans notre société, on réprouve le vol et la violence.* SYN. blâmer. ANT. approuver. ☞ réprobateur, réprobation.

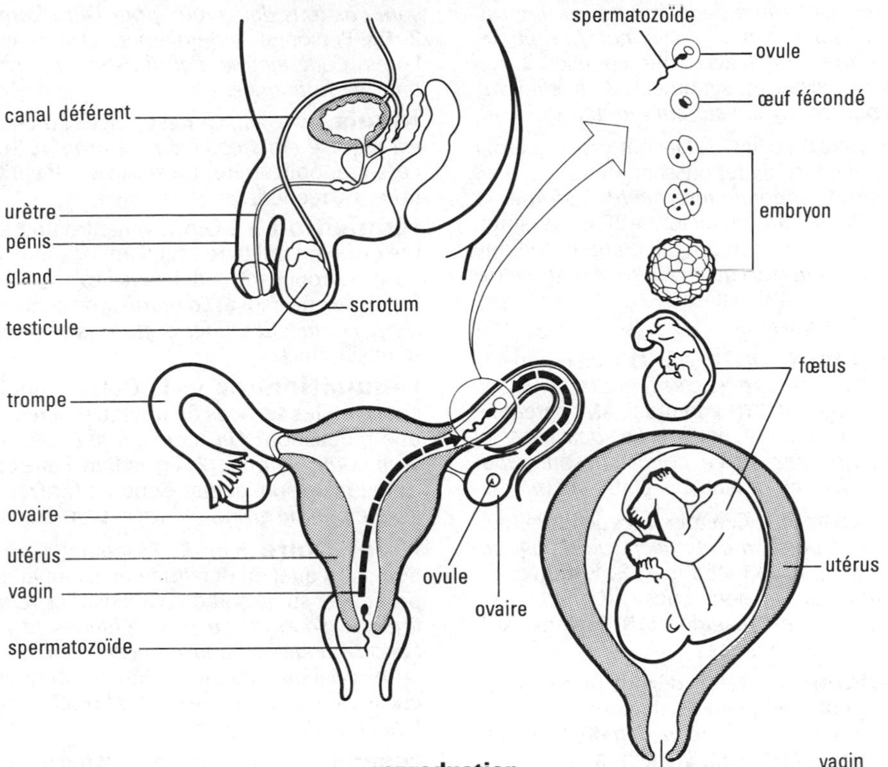

spermatozoïde
ovule
œuf fécondé
embryon
fœtus
utérus
vagin
canal déférent
urètre
pénis
gland
scrotum
testicule
trompe
ovaire
utérus
vagin
spermatozoïde
ovule
ovaire
reproduction

reptiles n.m.plur. Classe de vertébrés à quatre membres semblables ou sans membres, au corps recouvert d'écailles, qui se reproduisent généralement par des œufs: *Les tortues, les lézards, les serpents appartiennent à la classe des reptiles.* **R.** S'écrit au singulier lorsqu'il désigne un animal appartenant à cette classe.

reptiles

lézard des haies
cobra
tortue
caïman

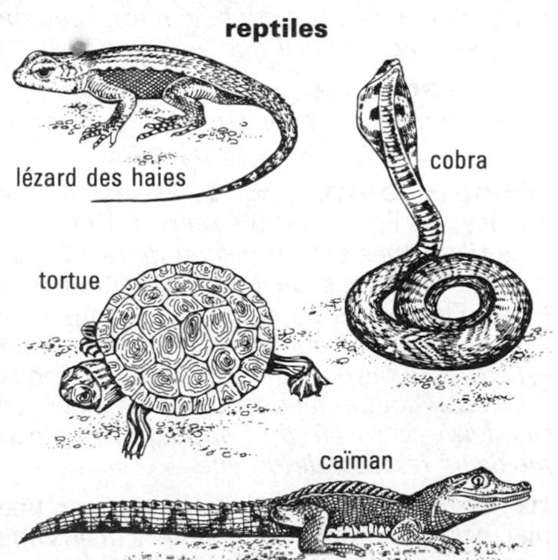

repu, ue adj. **1.** Qui n'a plus faim: *Mon gros minet repu avait laissé sa pâtée.* ANT. affamé. **2.** fig. Qui est satisfait, comblé: *Repue de lecture, elle s'endort.* ANT. inassouvi, insatisfait. ☞ se repaître.

républicain n.m. Petit oiseau d'Afrique tropicale ressemblant au moineau: *Les républicains construisent un grand nid où plusieurs couples vivent.*

républicain, aine n. et adj. **1.** n. Personne qui est favorable à la république: *Nous sommes tous un peu des républicains, car nous désirons la reconnaissance de nos droits.* **2.** adj. Qui est favorable à la république: *Un esprit républicain est pour le partage du pouvoir.* ☞ république.

république n.f. Forme de gouvernement où le chef d'État et les représentants du peuple se partagent le pouvoir, et qui ne sont élus que pour un certain temps: *La France est une république.* ☞ républicain.

républi**c**ain républi**qu**e

répudier v. **1.** Chasser l'un des conjoints, dans certaines civilisations: *Dans certaines* *cultures, l'infertilité de la femme est une raison suffisante pour que son mari la répudie.* SYN. renvoyer. ANT. accueillir, épouser. **2.** Repousser, rejeter un sentiment: *Je m'efforçais de répudier la jalousie qui montait en moi.*

répugnance n.f. **1.** Dégoût provoqué par quelque chose de repoussant, de sale: *Un vif sentiment de répugnance me fit détourner la tête.* SYN. dédain, répulsion. ANT. envie, goût. **2.** Manque d'entrain pour accomplir quelque chose: *Sammy ne cache pas sa répugnance à faire son lit.* ANT. attirance, attrait. ☞ répugnant, répugner.

répugnant, ante adj. **1.** Qui repousse, écœure: *Tous ces déchets répandus sur le sol, c'est répugnant!* SYN. écœurant. ANT. agréable. **2.** Qui provoque le dégoût: *Les bassesses et les mensonges de ce politicien sont répugnants.* ANT. charmant. ☞ répugnance.

répugner v. **1.** Écœurer, provoquer la nausée: *Ce dépotoir à ciel ouvert me répugnait.* SYN. dégoûter. ANT. charmer. **2.** Éprouver du dégoût à faire quelque chose: *Il répugnait à Sheila de perdre du temps.* SYN. déplaire. ANT. plaire. ☞ répugnance.

répulsion n.f. **1.** Vif dégoût physique ou moral pour quelqu'un ou quelque chose: *Le vomi provoque de la répulsion.* SYN. dédain, répugnance. ANT. goût. **2.** Phénomène qui fait que deux choses se repoussent, en physique: *Deux aimants ont une force d'attraction et de répulsion.*

réputation n.f. **1.** Opinion favorable sur quelqu'un, du point de vue moral: *Je ne voudrais pas ternir ma réputation en trempant dans cette histoire louche.* **2.** Fait d'être célèbre, en parlant de quelqu'un ou de quelque chose: *La réputation de ce vin n'est plus à faire.* SYN. renom. **3.** Opinion favorable ou défavorable sur quelqu'un ou quelque chose: *Cette école a une bonne réputation.* ☞ réputé.

réputé, ée adj. Qui est célèbre: *Nous avons soupé dans un restaurant réputé pour sa cuisine.* SYN. renommé. ANT. inconnu. ☞ réputation.

requérir v. **1.** Demander en justice: *On a requis trois ans de prison pour les coupables.* **2.** Demander, exiger: *Ce travail requerra toute votre attention.* ☞ requête, requis, réquisitoire.

requête n.f. Demande écrite ou orale faite à quelqu'un: *J'ai cédé à sa requête, car ses arguments étaient convaincants.* **R.** Ne pas oublier l'accent: *ê*. ☞ requérir.

requin n.m. **1.** Poisson marin au corps allongé, à la bouche largement fendue, ayant la réputation d'être très vorace: *Les requins ne sont pas tous dangereux pour l'être humain.* **2.** fig. Personne avide d'argent et dure en affaires: *Cette femme d'affaires est un vrai requin de la finance.*

requis, ise adj. Qui est exigé: *La cravate est requise dans ce chic restaurant.* SYN. nécessaire, obligatoire, prescrit. ANT. facultatif, libre. ☞ requérir.

réquisition n.f. Ordre venant d'une autorité civile ou militaire obligeant des individus ou des groupes à céder certains biens ou à faire quelque chose: *La réquisition concernait les personnes de vingt et un ans et plus.* ☞ réquisitionner.

réquisitionner v. **1.** Obtenir quelque chose ou les services de quelqu'un en faisant une réquisition: *On réquisitionna des bêtes pour nourrir l'armée.* **2.** fig. et fam. Faire appel à quelqu'un pour quelque chose: *Je te réquisitionne pour le grand ménage.* ☞ réquisition.

réquisitoire n.m. **1.** Discours d'accusation par lequel on demande au tribunal de se prononcer sur le sort d'un accusé: *Le réquisitoire de l'avocat n'a pas influencé la juge: l'accusé a été reconnu innocent.* **2.** fig. Texte ou discours attaquant quelqu'un ou quelque chose: *Son réquisitoire contre le racisme était très violent.* ☞ requérir.

resaler v. Saler de nouveau: *Papa a la mauvaise habitude de tout resaler.* ☞ sel.

resalir v. Salir de nouveau: *On a resali la nappe que je viens à peine de laver.* ☞ sale. **se resalir** v.pron. Se salir de nouveau: *À peine changé de couche, Martin s'est resali.*

rescapé, ée n. et adj. **1.** n. Personne qui a échappé à un grand danger: *Les rescapés du tremblement de terre étaient logés temporairement dans l'église.* ANT. victime. **2.** adj. Qui a échappé à un grand danger: *Les personnes rescapées du naufrage ont été retrouvées sur une petite île du Pacifique.*

à la **rescousse** loc.adv. Au secours, à l'aide de quelqu'un: *Je l'ai appelé à la rescousse pour déplacer le réfrigérateur.*

réseau, eaux n.m. **1.** Ensemble de bandes, de lignes, de fils entrecroisés: *Une toile d'araignée est un réseau de fils.* **2.** Ensemble des voies de communication, des lignes électriques ou des canalisations relevant d'une même autorité: *Le réseau routier est un ensemble de routes reliées les unes aux autres.* **3.** Groupe clandestin de personnes: *La Gendarmerie royale du Canada a découvert plusieurs réseaux de drogue.*

réservation n.f. Action de réserver une place, une table ou une chambre: *J'ai pris une réservation sur un vol pour Paris.* ☞ réserver.

réserve n.f. Fait de ne pas approuver entièrement quelque chose: *J'ai fait de sérieuses réserves sur ce projet.* ⫽ *Sous réserve de quelque chose:* Sauf quelque chose. *Sous toutes réserves:* Sans engagement ou garantie. sans **réserve** loc.adv. Complètement, sans restriction: *J'ai eu cette idée et on l'a acceptée sans réserve.* ▲ **réserve** n.f. Attitude de prudence, de modestie, de discrétion: *J'apprécie la réserve et la générosité de Clovis.* SYN. circonspection. ANT. audace, familiarité, indiscrétion. ☞ réservé. ▲ **réserve** n.f. **1.** Ensemble des choses accumulées, mises de côté pouvant être utilisées à un certain moment: *J'ai une petite réserve de crayons et de cahiers.* **2.** plur. Troupe disponible et pouvant intervenir au moment voulu: *Les réserves attendent les ordres de l'état-major.* ⫽ *De réserve:* De côté. *En réserve:* En surplus. ▲ **réserve** n.f. **1.** Lieu protégé destiné à la conservation de la faune et de la flore: *Ce parc est une réserve faunique.* **2.** Territoire réservé aux Amérindiens, en Amérique du Nord: *J'ai visité une réserve amérindienne.* **3.** Local où l'on garde un surplus de choses: *Va chercher des céréales dans la réserve.*

réservé, ée adj. **1.** Qui a été accordé à quelqu'un uniquement: *Les droits de reproduction sont réservés pour tous les pays.* **2.** Qui est retenu pour quelqu'un: *Nous avons des places réservées.* **3.** Dont l'accès ou l'usage n'est pas permis à tous: *Cette salle est réservée au personnel.* ☞ réserver. ▲ **réservé, ée** adj. Qui fait preuve de prudence, de modestie, de discrétion: *Tu as une allure réservée.* HOM. réserver. ☞ réserve.

réserver v. **1.** Mettre de côté pour quelqu'un: *Nous avons réservé deux tables au restaurant.* SYN. retenir. **2.** Garder quelque chose pour plus tard: *On réserve notre meilleur vin pour les circonstances particulières.* SYN. conserver. ANT. dépenser, gaspiller. **3.** Garder pour un usage particulier ou pour une personne: *On lui a réservé ce bureau.* SYN. affecter, attribuer, destiner. **4.** Procurer, donner quelque chose à quelqu'un: *Cette fête nous réserve beaucoup de surprises.* SYN. causer, occasionner. HOM. réservé. ☞ réservation, réservé, réservoir. se **réserver** v.pron. **1.** Rester disponible pour quelque chose: *J'ai refusé ce contrat, car je me réserve pour un travail plus intéressant.* **2.** Garder quelque chose pour soi: *Je me réserve un peu d'argent sur chaque paye en vue de m'acheter quelques gâteries.*

réservoir n.m. **1.** Bassin, récipient où un liquide peut être gardé en réserve: *Le réservoir d'essence est vide.* SYN. citerne. **2.** fig. Ce qui contient beaucoup de choses: *Son imagination est un réservoir de trouvailles plus étonnantes les unes que les autres.* ☞ réserver.

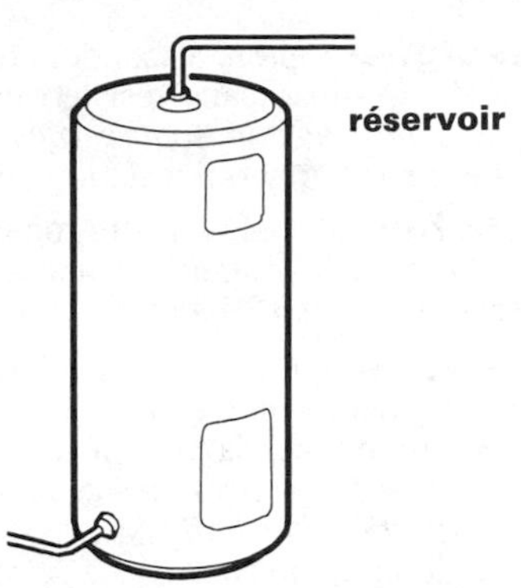

résidence n.f. **1.** Lieu où l'on habite principalement: *Nous avons établi notre résidence à Montréal.* **2.** Lieu construit, d'un certain confort, où l'on habite: *Dans ce quartier, on trouve des résidences luxueuses.* **3.** Action de résider: *La résidence en pays étranger exige un permis de séjour.* ⫽ *Résidence secondaire:* Maison où l'on habite pendant les vacances ou les fins de semaine. *Résidence surveillée:* Lieu où une personne est obligée de rester par décision de la justice. ☞ résider.

résident, ente n. Personne qui habite un autre pays que le sien: *Robert est résident canadien en France.* SYN. étranger. ☞ résider.

résidentiel, ielle adj. Qui est réservé à l'habitation: *Ce quartier résidentiel est un des plus beaux de tout Saint-Georges.* ☞ résider.

résidence résidentiel

résider v. **1.** Demeurer habituellement à un endroit, y avoir sa résidence: *À notre retraite, nous irons résider à la campagne.* SYN. habiter. **2.** fig. Se trouver, exister dans quelqu'un ou dans quelque chose: *Le désavantage de ce produit réside en son prix.* ☞ résidence, résident, résidentiel.

résidu n.m. **1.** péj. Matière qui n'est plus utilisable: *Les résidus industriels sont bien souvent une source de pollution.* SYN. déchet, rebut. **2.** Matière qui reste après une opération chimique ou physique: *La cendre est un résidu de la combustion.*

résignation n.f. Attitude d'une personne qui se soumet sans réagir: *La résignation lui répugne: elle veut poursuivre sa lutte.* SYN. soumission. ANT. révolte. ☞ se résigner.

résigné, ée adj. Qui accepte quelque chose sans réagir: *Il écoutait, résigné, les accusations dont il était l'objet.* ANT. révolté. ☞ se résigner.

se résigner v.pron. S'abandonner, accepter quelque chose sans résister: *Je ne me résigne pas à la voir souffrir ainsi.* ANT. se révolter. ☞ résignation, résigné.

résiliable adj. Qui peut être rompu: *Notre contrat n'est pas résiliable; nous aurions dû mieux le lire avant de signer.* ☞ résilier.

résiliation n.f. Annulation d'un contrat, d'un bail, après entente entre les personnes concernées ou par la volonté d'une seule: *Nous allons demander à nos propriétaires si une résiliation de bail est possible.* ANT. confirmation. ☞ résilier.

résilier v. Rompre, annuler un contrat: *Nous voulons résilier notre bail à cause des cafards qui infestent notre logement.* SYN. dissoudre, supprimer. ANT. confirmer, ratifier. ☞ résiliable, résiliation.

résine n.f. Substance collante, jaune ou brune, que produisent les résineux ou certaines autres plantes: *La résine sèche est cassante.* ☞ résineux.

résineux n.m.plur. Catégorie d'arbres qui produisent de la résine: *Les pins et les sapins sont des résineux.* **R.** S'emploie au singulier lorsqu'il désigne un arbre appartenant à cette catégorie. ☞ résine.

résineux, euse adj. **1.** Qui produit de la résine: *Le pin est un arbre résineux.* **2.** Qui ressemble à la résine: *Ce produit résineux est très collant.* ☞ résine.

résistance n.f. **1.** Action de résister, de s'opposer à des avances: *Ma résistance à ses sentiments finit par te décourager.* SYN. objection, opposition. ANT. adhésion. **2.** Endurance à l'effort prolongé, capacité de supporter la fatigue, de se défendre contre les microbes: *Éléna n'avait pas de résistance; tous les ans, elle attrapait la grippe.* SYN. endurance. ANT. fragilité. **3.** Qualité de ce qui résiste, en parlant d'une chose: *L'acier est un métau qui a une grande résistance.* **4.** Obstacle à surmonter, force contraire: *Nous avons tellement rencontré de résistance à notre projet que nous l'avons laissé tomber.* SYN. difficulté. **5.** Force morale d'une personne aux prises avec des difficultés, des peines, des souffrances: *Sa résistance devant les contrariétés nous surprenait.* SYN. courage, fermeté. ANT. faiblesse, lâcheté. **6.** Entêtement: *Sa résistance à prendre un médicament était décourageante.* SYN. refus. ANT. consentement, soumission. **7.** Action de résister, de repousser une attaque, un ennemi: *La résistance armée s'organisa chez les paysans lésés.* SYN. défense. **8.** Action menée contre l'occupation allemande durant la guerre de 1939-1945: *Ce film est dédié aux héroïnes de la résistance française.* ☞ résister.

résistant, ante n. et adj. **1.** n. Patriote qui a pris part à la résistance française durant la guerre de 1939-1945: *Beaucoup de résistants sont morts en héros.* **2.** adj. Qui résiste au froid, à la chaleur, à l'usure, aux coups: *Le vernis est un enduit résistant.* SYN. tenace. ANT. fragile. **3.** adj. Qui tient bon, a une bonne santé: *Autant Jocelyne est résistante, autant son jeune frère est fragile.* SYN. robuste, solide, vigoureux. ANT. maladif. ☞ résister.

résister v. **1.** Ne pas céder sous l'effet d'un choc, d'une force, etc.: *Les falaises ne résisteront pas indéfiniment à l'érosion.* **2.** Ne pas se détériorer, ne pas s'altérer sous l'action de quelque chose: *Cette teinture résiste au savon et au soleil.* SYN. se maintenir. **3.** Ne pas être détruit, ne pas mourir sous l'effet de quelque chose: *Mon rosier n'a pas résisté à cette longue sécheresse.* SYN. survivre. **4.** Se maintenir, en parlant de choses abstraites: *Notre amitié a résisté à toutes les épreuves.* **5.** Se défendre, se débattre contre une force adverse: *Le siamois résistait aux attaques du chien.* **6.** S'opposer à une chose qui entrave la liberté d'agir: *J'ai décidé de résister à ses ordres.* ANT. se soumettre. **7.** S'opposer à quelque chose qui attire, qui séduit: *Marisol a résisté à la tentation de tout lâcher.* SYN. repousser. ANT. succomber. ☞ irrésistible, irrésistiblement, résistance, résistant.

résolu, ue adj. Qui est décidé, déterminé à aller jusqu'au bout: *Il est entré dans mon bureau d'un pas résolu.* SYN. courageux. ANT. faible, irrésolu, lâche. ☞ résoudre.

résolument adv. D'une manière résolue, décidée, courageuse: *Le chien attaqua résolument son os.* ☞ résoudre.

résolution n.f. Action de trouver la solution à un problème, à une difficulté: *Pour elle, la résolution d'un problème mathématique était un jeu.* ☞ résoudre. ▲ **résolution** n.f. **1.** Décision de faire ou de ne pas faire quelque chose: *Ma résolution est de manger moins de friandises.* **2.** Décision prise à l'occasion d'un vote: *Nous avons pris des résolutions en conseil de classe.* ☞ résoudre.

résonance n.f. **1.** Prolongement ou amplification du son: *Ces cloches ont une belle résonance.* **2.** fig. Effet engendré dans l'esprit, le cœur: *Ce tableau produit en moi des résonances profondes.* ☞ résonner.

résonner v. **1.** Éclater, retentir: *Dans la nuit silencieuse, le moindre bruit résonne.* **2.** Produire une vibration sonore, un prolongement du son: *Le carillon résonnait joyeusement dans le village.* **3.** fig. Produire tel ou tel effet en soi: *Les mots que tu dis résonnent en moi comme une musique.* **R.** Ne pas confondre avec *raisonner.* ☞ résonance.

résonance résonner

résorber v. **1.** Revenir à l'état normal, en parlant d'un tissu qui a augmenté de volume à cause d'une accumulation de liquide ou d'une multiplicitation de cellules: *La radiothérapie a résorbé sa masse cancéreuse.* **2.** fig. Faire entrer dans l'ordre, supprimer: *Il en faudra du temps pour résorber le chômage!* se **résorber** v.pron. **1.** Disparaître, en parlant d'un abcès, d'une tumeur, etc.: *Sa tumeur s'est résorbée.* **2.** fig. Disparaître peu à peu, en parlant d'une chose abstraite: *Graduellement, mon angoisse se résorbait, je reprenais mes esprits.*

résoudre v. **1.** Trouver la solution d'un problème, d'une question, d'une difficulté: *À peine la difficulté fut-elle résolue qu'une autre se présenta.* **2.** Décider de quelque chose: *L'assemblée avait résolu de faire faire l'évaluation des travaux.* ☞ irrésolu, irrésolution, résolu, résolument, résolution. ▲ **résoudre** v. Faire disparaître graduellement, en médecine: *On peut résoudre des inflammations en appliquant des compresses chaudes.* se **résoudre** v.pron. **1.** Se transformer en quelque chose, en arriver à quelque chose: *En fin de compte, tout cela se résout à rien!* SYN. aboutir. **2.** Se décider à faire quelque chose, accepter de faire quelque chose: *Elle ne pouvait se résoudre à abandonner ses études.* **R.** Participe passé, *résolu.*

respect n.m. **1.** Considération, sentiment d'admiration qui s'exprime par une conduite pleine d'égards: *Tu traites M. Malczeroski avec beaucoup de respect.* SYN. déférence. ANT. insolence, mépris. **2.** Sentiment de vénération envers Dieu, les choses sacrées, la religion, etc.: *J'ai beaucoup de respect pour toutes les religions.* SYN. révérence. ANT. arrogance, dédain. **3.** Attitude, comportement de la personne qui ne porte pas atteinte à quelque chose: *Il faut avoir du respect pour l'opinion des autres.* ANT. effronterie. ☞ irrespect, irrespectueux, respectable, respecter, respectueusement, respectueux.

respectable adj. **1.** Qui est digne de respect, d'honneur: *Une femme d'affaires respectable dirige cette entreprise.* SYN. estimable. ANT. indigne, méprisable. **2.** Qui est d'une certaine importance: *Chaque semaine, il recevait une somme respectable pour ses petites dépenses.* SYN. appréciable. ANT. dérisoire, insignifiant. ☞ respect.

respecter v. **1.** Avoir du respect, des égards pour quelqu'un ou quelque chose: *Je respecte mes parents pour l'amour qu'ils me donnent.* SYN. estimer, honorer, vénérer. ANT. déshonorer, insulter, outrager. **2.** Ne pas porter atteinte à quelque chose: *Je me fais un honneur de respecter le bien d'autrui.* ☞ respect. se **respecter** v.pron. Agir honorablement, en observant les convenances propres à son état, à son rang: *C'est une personne qui se respecte, elle a de la dignité.*

respectif, ive adj. Qui concerne chaque personne, chaque chose: *Reprenez vos bâtons de hockey respectifs.* ☞ respectivement.

respectivement adv. D'une manière respective, chacun en ce qui le concerne: *Nous avons respectivement corrigé nos devoirs.* ☞ respectif.

respectueusement adv. D'une manière respectueuse, déférente: *J'ai salué respectueusement le vieux monsieur.* ☞ respect.

respectueux, euse adj. Qui manifeste de la politesse, du respect, de la courtoisie: *Nous assistions, respectueux, à la cérémonie funèbre.* SYN. déférent. ANT. irrespectueux, méprisant. ⁄⁄ *Respectueux de:* Qui tient compte de. ☞ respect.

respirable adj. Qui peut être respiré sans dommage: *L'oxygène est un gaz respirable.* ☞ respirer.

respiration n.f. Phénomène naturel qui consiste à aspirer et à rejeter l'air par les voies respiratoires: *Je prends de profondes respirations quand je vais au grand air.* ⁄⁄ *Respiration artificielle:* Ensemble de techniques qui visent à rétablir une respiration normale. ☞ respirer.

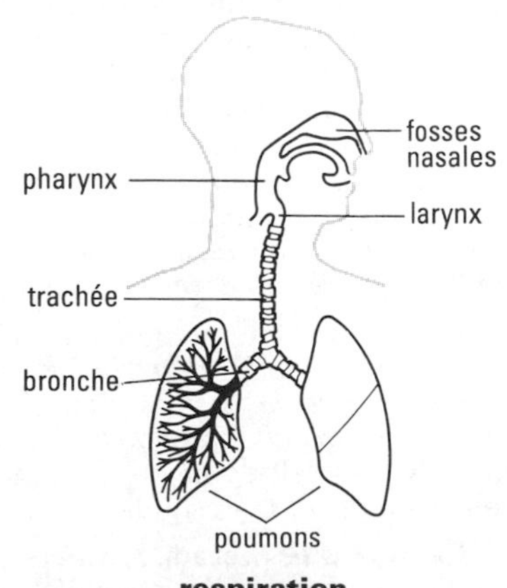

respiration

respiratoire adj. Qui concerne la respiration: *Le mouvement respiratoire peut être volontaire ou involontaire.* ☞ respirer.

respirer v. **1.** Faire entrer de l'oxygène dans les poumons et en rejeter le gaz carbonique. *Un bébé respire plus rapidement qu'un adulte.* **2.** Avoir un moment de répit, pouvoir enfin se reposer: *Arrêtons-nous pour respirer un peu.* **3.** Absorber par le nez: *Nous respirions à grands traits l'air marin.* ☞ irrespirable, respirable, respiration, respiratoire. ▲ **respirer** v. Donner l'impression de quelque chose: *Elle respirait la bonne humeur.* SYN. exprimer, manifester, montrer.

resplendir v. **1.** Briller d'un vif éclat, luire: *Un diamant resplendissait à son doigt.* SYN. étinceler, rutiler. **2.** fig. Avoir le visage illuminé, les yeux pétillants: *Son visage resplendit à la nouvelle qu'elle avait gagné à la loterie.* SYN. rayonner. ANT. assombrir. ☞ resplendissant.

resplendissant, ante adj. Qui brille, rayonne: *Itaro avait les yeux resplendissants de bonheur.* SYN. éclatant, étincelant. ☞ resplendir.

responsabilité n.f. **1.** Devoir ou possibilité de prendre les décisions qui incombent à une fonction d'autorité: *La négociatrice aura la responsabilité de trancher le litige.* SYN. charge, tâche. ANT. liberté. **2.** Obligation de réparer le tort causé, de tenir un engagement: *Dans cette dispute, tu as une certaine part de responsabilité.* ANT. irresponsabilité. ☞ responsable.

responsable n. et adj. **1.** n. Personne qui est la cause d'un fait fâcheux, d'un événement regrettable: *Seriez-vous la responsable de cet accident?* **2.** n. Personne qui a la charge d'une fonction: *Ma responsable n'est pas à son bureau.* **3.** adj. Qui est la cause d'un fait fâcheux, d'un événement regrettable: *Je me considère comme responsable de ce qui est arrivé.* **4.** adj. Qui a la charge d'une fonction: *Cette ministre est responsable de la nouvelle politique économique du gouvernement.* **5.** adj. Qui est tenu de réparer les dommages causés à autrui: *Pierre a été jugé responsable de cet accident.* **6.** adj. Qui doit rendre compte de ses actes: *Tu es responsable de ta santé.* ☞ irresponsabilité, irresponsable, responsabilité.

resquiller v. **1.** Obtenir quelque chose sans payer: *J'ai resquillé deux billets pour assister à ce spectacle.* **2.** fam. Entrer sans payer: *Dans le métro, elle essayait toujours de resquiller.* **R.** Les lettres *ill* se prononcent comme dans *famille*. ☞ resquilleur.

resquilleur, euse n. et adj. **1.** n. Personne qui resquille, qui fraude: *Ces resquilleurs tenaient grande ouverte la porte arrière de l'autobus et entraient sans payer.* **2.** adj. Qui resquille: *Les écoliers resquilleurs ont été mis à la porte du cinéma.* **R.** Les lettres *ill* se prononcent comme dans *famille*. ☞ resquiller.

ressac n.m. Mouvement de la vague qui revient après avoir heurté un obstacle: *Le ressac m'entraînait irrésistiblement vers le large.* **R.** Le *c* se prononce.

se **ressaisir** v.pron. Redevenir calme, reprendre possession de ses esprits: *L'oratrice se ressaisit, reprit son exposé et réussit à calmer l'auditoire.* SYN. se maîtriser. ANT. s'abandonner.

ressasser v. **1.** Ramener sans cesse à l'esprit, revenir sur les mêmes choses: *Pauline ressassait son échec en histoire.* SYN. rabâcher, remâcher, ruminer. ANT. oublier. **2.** Répéter de façon lassante: *Il ressassait son aventure en forêt, ne voyant pas qu'on ne l'écoutait plus.*

ressemblance n.f. **1.** Points communs qu'on peut établir entre des personnes, des animaux ou des choses: *La ressemblance entre ces jumeaux identiques est telle que je ne les distingue pas.* SYN. similitude. ANT. contraste, différence. **2.** Degré de conformité entre une chose et son modèle: *Ce portrait est d'une ressemblance incroyable.* SYN. concordance. ANT. disparité. ☞ ressembler.

ressemblant, ante adj. Qui ressemble, qui est semblable: *Le père et la fille sont deux personnes tellement ressemblantes!* ☞ ressembler.

ressembler v. Présenter des caractéristiques communes: *Par sa forme, le panais ressemble à la carotte.* ☞ ressemblance, ressemblant. se **ressembler** v.pron. **1.** Être fidèle à soi-même, demeurer le même: *Il ne se ressemble plus depuis qu'il a perdu son unique enfant.* **2.** Présenter des traits physiques ou de caractère semblables: *La mère et le fils se ressemblent par leur petit côté excentrique.*

ressemelage n.m. Action de ressemeler, de poser des semelles neuves: *La cordonnière fait le ressemelage de mes chaussures.* ☞ semelle.

ressemeler v. Poser des semelles neuves: *J'ai fait ressemeler mes bottes.* **R.** Ne pas oublier de doubler le *l* devant un *e* muet. ☞ semelle.

ressemer v. Semer de nouveau ou semer là où la semence n'a pas produit: *On va ressemer là où le gazon a été brûlé.* ☞ semer.

ressentiment n.m. Sentiment de rancune, souvenir vif et pénible résultant d'une humiliation, d'une injustice subie: *Son ressentiment nourri l'a amené à se venger.* SYN. aigreur, amertume, rancœur. ANT. indulgence, oubli, pardon.

ressentir v. Éprouver plus ou moins fortement une douleur, un sentiment: *J'ai ressenti une grande joie en vous voyant.* SYN. goûter, sentir. se **ressentir** v.pron. **1.** Sentir les effets de quelque chose de douloureux: *Je me ressens encore de ma chute de cheval.* **2.** Éprouver les conséquences d'un événement regrettable: *Cette entreprise se ressent de la dernière crise économique.*

resserre n.f. Endroit où l'on range des objets: *J'ai rangé la brouette et le râteau dans la resserre.* SYN. remise.

resserrer v. **1.** Rendre plus étroit, plus resserré: *Les élèves ont resserré les rangs.* **2.** Serrer davantage: *Resserre ton lacet.* ANT. desserrer, relâcher. **3.** fig. Donner une impression de serrement: *Ça me resserre le cœur de vous voir partir.* **4.** fig. Rendre plus fort, plus solide: *Nos rencontres resserrent notre amitié.* SYN. affermir, consolider. ANT. affaiblir, ébranler. ☞ serrer. se **resserrer** v.pron. **1.** Devenir plus étroit, plus serré: *La rivière se resserre à certains endroits.* SYN. se rétrécir. ANT. s'élargir. **2.** Se contracter: *Ses doigts se resserrent sur le portrait de son père.* **3.** Se pelotonner: *Le groupe se resserre pour mieux voir.* **4.** fig. Se nouer davantage: *Nos liens amicaux se resserrent chaque jour.*

resservir v. **1.** Servir de nouveau: *J'ai décousu les boutons de cette vieille veste, ils pourront resservir.* **2.** Servir une deuxième portion d'un mets: *Ressers-moi de ta si bonne soupe.* ☞ servir. se **resservir** v.pron. **1.** Se servir de nouveau: *Il s'est resservi de sa voiture après l'accident.* **2.** Prendre une deuxième portion d'un mets: *Elle s'est resservie de dessert.*

ressort n.m. **1.** Pièce qui peut se détendre et se comprimer: *Dans cette vieille montre, il y a un petit ressort que je remonte chaque soir.* **2.** fig. Courage, énergie: *Cette fille a du ressort, elle se remettra rapidement de son intervention chirurgicale.* SYN. force, volonté. ANT. inertie. ▲ **ressort** n.m. Domaine, responsabilité: *L'expédition de marchandises n'est pas de mon ressort.* ☞ ressortir.

ressortir v. **1.** Sortir de nouveau: *Nous avons ressorti nos crayons et nos cahiers.* **2.** Sortir après être entré: *Cette fois, si tu ressors, ferme bien la porte.* ☞ sortir. ▲ **ressortir** v. Se détacher, avoir du relief: *Cette couleur ressort bien sur cette affiche sombre.* SYN. trancher. ANT. disparaître. ▲ **ressortir** v. **1.** Se rapporter à un domaine de connaissances: *Le phénomène des trous noirs ressortit à l'astronomie.* SYN. concerner. **2.** Être de la compétence d'un tribunal: *Cette affaire ressortit à la Cour suprême.* ☞ ressort, ressortissant.

ressortissant, ante n. Personne qui est protégée par son pays lorsqu'elle est à l'étranger: *Durant la guerre civile, les ressortissants canadiens se sont adressés à l'ambassade du Canada.* ☞ ressortir.

ressouder v. Souder ce qui a cédé ou souder de nouveau: *Voudrais-tu ressouder cette tige de fer?* ☞ souder.

ressource n.f. **1.** Personne ou chose qui peut secourir: *Cette femme était notre dernière ressource.* SYN. recours. **2.** plur. Moyens de subsistance: *Nous avons assez de ressources pour tenir encore trois jours.* **3.** plur. Moyens pécuniaires: *Si nos ressources manquent, notre œuvre sera interrompue.* SYN. capital, économie, fonds. **4.** plur. Richesses naturelles: *Les ressources minières, entre autres, ne sont pas inépuisables.*

ressurgir v. Apparaître de nouveau: *La baleine s'enfonça dans les eaux pour ressurgir un peu plus loin.* **R.** Aussi, *resurgir.* ☞ surgir.

ressusciter v. **1.** Redevenir vivant: *Selon l'Évangile, le Christ est ressuscité trois jours après sa mort.* SYN. revivre. **2.** Se relever d'une grave maladie: *On le pensait mourant et le voilà qui ressuscite.* SYN. guérir. **3.** Reparaître, reprendre de la vigueur: *Ma joie naturelle semblait vouloir ressusciter.* **4.** Faire redevenir vivant: *Selon la Bible, le prophète Élie a ressuscité le fils de la veuve.* ☞ résurrection.

restant n.m. Reste: *Voici le restant de ce que je vous devais.* ☞ rester.

restant, ante adj. Qui reste: *J'ai mis le gâteau restant sous la cloche.* ☞ rester.

restaurant n.m. Lieu public où l'on peut aller manger à la condition de payer: *Pour mon anniversaire, nous sommes allées dîner au restaurant.* ☞ restaurateur, restauration, se restaurer.

restaurateur, trice n. **1.** Personne qui restaure, qui répare: *La restauratrice viendra réparer les tableaux détériorés.* **2.** Personne qui remet en vigueur une coutume, un régime politique, une observance: *Cet artisan est un des restaurateurs de cette coutume folklorique.* ☞ restaurer. ▲ **restaurateur, trice** n. Personne qui tient un restaurant: *Le restaurateur veut satisfaire sa clientèle.* ☞ restaurant.

restauration n.f. **1.** Réparation de choses anciennes, de monuments, d'objets d'art, de meubles: *Des spécialistes s'occupent actuel-*

lement de la restauration de cet édifice. SYN. réfection, rénovation. ANT. dégradation, détérioration. **2.** Rétablissement d'une loi, d'une dynastie, d'une coutume: *La restauration d'une discipline sévère dans nos écoles serait difficile.* ☞ restaurer. ▲ **restauration** n.f. Métier de restaurateur: *Mes parents sont dans la restauration.* ⁄ *Restauration rapide:* Cuisine à bon marché qui se consomme sur place ou qu'on emporte avec soi. ☞ restaurant.

restaurer v. **1.** Remettre en bon état: *Cette vieille statue que tu as restaurée semble sortir de chez l'artiste.* SYN. rénover, réparer. ANT. détériorer. **2.** Établir de nouveau: *Nous essayons de restaurer certaines coutumes anciennes.* SYN. rétablir. ☞ restaurateur, restauration.

se **restaurer** v.pron. Refaire ses forces en mangeant: *Allons nous restaurer à la cantine.* ☞ restaurant.

reste n.m. **1.** Ce qui reste d'une quantité ou d'un objet entier: *J'ai vendu le reste des billets.* **2.** Ce qui reste à faire, à dire: *Je remets le reste du travail à demain.* **3.** Réponse de la soustraction: *Quand je soustrais six de douze, le reste est six.* **4.** plur. Ce qui reste d'un mets, d'un repas: *Mets les restes dans des petits plats.* SYN. excédent, surplus. **5.** plur. Ruines, décombres, vestiges: *On peut visiter les restes de la ville détruite à la dernière guerre.* **6.** plur. Ce qui n'a pas été choisi, ce qui a été abandonné: *Arrivés en retard à la distribution des prix, nous n'avons eu que des restes.* **7.** plur. Cadavre, cendres, ossements: *Les restes ont été transférés au cimetière.* ☞ rester. de **reste** loc.adv. Plus qu'il n'en faut: *J'ai de l'argent de reste pour parer aux imprévus.* du **reste** loc.adv. D'ailleurs: *Ses explications étaient douteuses, du reste je n'y crois pas.*

rester v. **1.** Demeurer où l'on est: *Je reste chez vous jusqu'à 11 heures.* ANT. partir, quitter. **2.** Au Canada, habiter: *Nous restons rue Saint-Luc.* SYN. loger, résider. **3.** Prolonger un séjour: *Nous resterons encore une journée.* **4.** Garder ses habitudes: *Elle va rester têtue jusqu'à sa mort.* **5.** Passer à l'histoire: *Ce discours politique va rester dans nos mémoires.* **6.** Demeurer dans un état: *Tu es resté longtemps sous l'effet de la surprise.* ⁄ *En rester à:* Ne pas aller plus loin. *Rester sur le cœur:* Faire éprouver du ressentiment. *Rester sur sa faim:* Ne pas manger assez. *Rester sur une impression:* Garder un vif souvenir d'une impression. ▲ **rester** v. **1.** Demeurer en la possession de quelqu'un: *Tu es la seule amie qui me reste depuis notre déménagement.* **2.** Demeurer, après la disparition de personnes ou de choses: *Il ne me reste pas beaucoup de temps pour faire ce travail.* ⁄ *Il reste que:* Il est cependant vrai que. ☞ restant, reste.

restituer v. Rendre ce qu'on garde de façon malhonnête: *Il lui restitua son médaillon en or.* SYN. redonner, remettre. ANT. dérober, retenir, voler. ☞ restitution.

restitution n.f. Action de restituer, de rendre le bien mal acquis: *La restitution du butin de guerre a permis à ce pays de recouvrer un grand nombre d'œuvres d'art.* SYN. remise. ANT. confiscation. ☞ restituer.

restreindre v. Renfermer dans des limites plus étroites: *Nous avons dû restreindre nos dépenses pour payer nos dettes.* SYN. amoindrir, diminuer, limiter, réduire. ANT. accroître, augmenter. ☞ restreint, restriction. se **restreindre** v.pron. **1.** Devenir moins étendu, moins large: *L'écart se restreint entre les deux équipes.* SYN. diminuer, se réduire, se resserrer. **2.** Réduire ses dépenses: *Pour faire des économies, j'ai décidé de me restreindre.*

restreint, einte adj. Qui est étroit, limité: *Nous habitons un logement restreint.* SYN. exigu, petit, resserré. ANT. grand, vaste. ☞ restreindre.

restreindre restreint

restriction n.f. **1.** Action de restreindre, de diminuer: *La restriction de notre budget nous oblige à modifier notre projet.* SYN. diminution, réduction. ANT. accroissement, augmentation. **2.** Ce qui restreint, limite la portée de quelque chose: *Nous avons apporté des restrictions à ce règlement.* **3.** plur. Rationnement imposé en période de guerre ou de disette, privations: *Durant la guerre, nous avons connu des restrictions alimentaires.* ANT. abondance. ☞ restreindre. sans **restriction** loc.adv. En toute liberté, sans condition: *Nous avons accepté sans restriction.*

restructuration n.f. Action de restructurer, de réorganiser: *La restructuration des équipes de travail était devenue nécessaire.* ☞ structure.

restructurer v. Organiser autrement, faire de nouvelles structures: *Nous avons restructuré notre plan de recherche.* ☞ structure.

résultat n.m. **1.** Conséquence d'une décision, d'un geste: *Ça, c'est le résultat de son étourderie.* SYN. effet, suite. **2.** Ce qui résulte d'une recherche, d'une élection, d'une expérience, etc.: *Quel est le résultat de ta recherche sur les chats?* SYN. conclusion. **3.** Succès ou insuccès: *Elle est bien satisfaite du résultat de son examen de sciences.* **4.** Réponse d'une opération arithmétique : *Le résultat de mon addition n'est pas le même que le tien.* ☞ résulter.

résulter v. Être le résultat, la conclusion de quelque chose : *Sa faiblesse physique résulte de sa longue maladie.* SYN. découler. ANT. causer. ☞ résultat.

résumé n.m. **1.** Retour rapide sur l'essentiel de ce qui a été dit ou écrit : *Un bon résumé ne contient que les idées les plus importantes.* SYN. sommaire, synthèse. ANT. développement. **2.** Abrégé : *Un résumé des nouvelles sera retransmis à midi.* ☞ résumer. en **résumé** loc.adv. En bref, en un mot : *En résumé, tout nous porte à croire que cette espèce animale existait déjà il y a quatre-vingts millions d'années.*

résumer v. Rendre plus concis, plus court : *J'ai résumé ce récit en vingt lignes.* SYN. abréger, condenser. ANT. allonger, développer. ☞ résumé. se **résumer** v.pron. **1.** Reprendre le plus important de ce qu'on a dit : *Je me résumerai à la fin de mon exposé.* **2.** Être résumé : *Cette histoire se résume en peu de mots.*

résurrection n.f. **1.** Retour à la vie : *Les chrétiens croient à la résurrection des morts.* **2.** fig. Nouvel élan, réapparition : *La résurrection de cette coutume est un enrichissement pour notre patrimoine culturel.* ☞ ressusciter.

rétablir v. **1.** Établir de nouveau, ramener comme avant : *Certaines écoles ont rétabli les périodes d'étude.* **2.** Remettre en état de fonctionner : *La ligne téléphonique a été rétablie à 6 heures.* SYN. arranger, réparer. ANT. briser, endommager. **3.** Remettre à son poste, réintégrer dans ses fonctions : *Marinella a été rétablie dans ses fonctions après sa grossesse.* SYN. réinstaller. ANT. déplacer, muter. **4.** Redonner la santé : *Son traitement l'a entièrement rétablie.* SYN. guérir. ☞ rétablissement. se **rétablir** v.pron. **1.** Se faire de nouveau : *Le silence s'est rétabli.* SYN. renaître. **2.** Recouvrer la santé : *Le petit tuberculeux ne se rétablissait pas vite.* SYN. guérir, se remettre. **rétabli, ie** p.p. et adj. **1.** Qui est restauré : *Le calme rétabli, le cours a continué.* **2.** Qui est guéri : *Aussitôt rétabli, il a repris le temps perdu.*

rétablissement n.m. **1.** Action de rétablir, de remettre en état de servir : *Le rétablissement du courant se faisait attendre.* SYN. reprise. ANT. interruption. **2.** Action de rétablir, de remettre en vigueur : *Le rétablissement de la peine de mort est une question controversée.* SYN. adoption. ANT. abolition. **3.** Retour à la santé : *Son rétablissement sera long.* ☞ rétablir.

retaille n.f. Morceau qu'on enlève d'une étoffe, d'une pièce de bois, etc. : *Voulez-vous ramasser les retailles du carton que vous avez découpé ?* ☞ tailler.

retailler v. Tailler de nouveau : *Marc a retaillé sa pièce dans un tissu plus résistant.* ☞ tailler.

retaper v. **1.** Redonner un aspect neuf, remettre à la page : *Nous avons retapé quelques vieux vêtements.* SYN. rafistoler. **2.** fam. Redonner des forces, remettre en bonne forme : *Ce fortifiant te retapera.* SYN. remonter. se **retaper** v.pron.fam. Refaire sa santé : *Le grand air et la marche m'ont aidé à me retaper.*

retapisser v. Enlever le vieux papier peint et en mettre du nouveau : *Nous allons retapisser ce mur.* ☞ tapisser.

retard n.m. **1.** Fait de ne pas être à l'heure, de faire quelque chose après le moment fixé : *J'ai eu un retard de vingt minutes à cause de la tempête.* **2.** Action de retarder, de ne pas être exact : *J'ai trois minutes de retard à mon réveil.* **3.** État d'une personne qui n'a pas atteint le développement voulu : *Elle est atteinte d'un léger retard mental.* ☞ retarder. en **retard** loc.adv. Avec du retard : *J'ai payé mon compte de téléphone en retard.* sans **retard** loc.adv. Le plus tôt possible : *Ce travail doit être fait sans retard.*

retardataire n. et adj. **1.** n. Personne qui arrive en retard : *Les retardataires doivent présenter un billet de justification.* **2.** adj. Qui arrive en retard : *Les élèves retardataires ont manqué leur autobus.* ANT. ponctuel. ☞ retarder.

retardé, ée adj. Qui manifeste du retard dans son développement : *Cet enfant retardé physiquement se déplace avec difficulté.* HOM. retarder. ☞ retarder.

à retardement loc.adv. Qui a un dispositif capable de retarder un déclenchement, une explosion : *Ce n'était pas très clair pour moi, j'ai compris à retardement.* ☞ retarder.

retarder v. **1.** Arriver après l'heure fixée, après le moment attendu : *Dites donc, vous retardez un peu plus chaque jour !* **2.** Mettre quelqu'un en retard : *Dépêche-toi ! tu retardes ta sœur !* **3.** Remettre à plus tard : *Nous avons décidé de retarder le début des travaux.* SYN. différer, reporter. ANT. anticiper, précipiter. **4.** Ne pas donner l'heure exacte : *Si tu ne remontes pas l'horloge, elle va retarder.* SYN. ralentir. ANT. avancer. **5.** Ne pas être de son époque : *Eh ! remets-toi à jour, tu retardes dans tes idées !* HOM. retardé. ☞ retard, retardataire, retardé, à retardement.

retâter v. Tâter de nouveau : *Il retâta le terrain et refusa d'avancer.* **R.** Ne pas oublier l'accent : *â*. ☞ tâter.

reteindre v. Teindre de nouveau: *J'ai dû reteindre mon tissu parce que j'avais mal lu les instructions.* ☞ teindre.

retéléphoner v. Téléphoner de nouveau: *Me retéléphonerais-tu ce soir?* SYN. rappeler. **R.** Les lettres *ph* se prononcent *f.* ☞ téléphone.

retendre v. Tendre de nouveau: *La guitariste retend les cordes de son instrument.* ☞ tendre (v.).

retenir v. **1.** Garder en mémoire: *Elle a une mémoire d'éléphant, elle retient tout.* SYN. se souvenir. **2.** Ne pas laisser aller quelqu'un: *Nous aimerions vous retenir plus longtemps.* SYN. garder. ANT. libérer. **3.** Immobiliser: *La poudrerie nous a retenus sur la route.* SYN. arrêter. **4.** Contenir, tenir dans des limites: *Une piscine lézardée ne retient pas l'eau.* **5.** Tenir attaché: *Un câble retient la chaloupe au quai.* SYN. fixer, maintenir. ANT. lâcher. **6.** Empêcher de tomber: *Mme Tremblay allait glisser, mais je l'ai retenue.* **7.** Réprimer, étouffer, empêcher de sortir: *Maude retint un cri en voyant l'éclair déchirer le ciel.* **8.** Prendre une partie d'une somme: *L'impôt retient une bonne partie de son salaire.* SYN. déduire, prélever. **9.** Réserver une place, une salle, une table, une chambre: *Retiens mon siège, j'arrive à l'instant.* SYN. garder. **10.** Prendre en considération: *Nous n'avons pas retenu l'idée d'aller à la pêche.* **11.** Ajouter aux dizaines, aux centaines, etc., dans une opération arithmétique: *Quand tu additionnes cent trois et quatre-vingt-dix-neuf, tu poses deux unités et tu retiens une dizaine.* **12.** Garder en punition: *Sheila a été retenue après la classe.* ☞ retenue. se **retenir** v.pron. **1.** S'accrocher pour ne pas tomber: *Je me suis retenu à la main courante.* **2.** S'empêcher d'agir, de crier: *Je me retiens pour ne pas te dire ce que je pense de toi.*

retentir v. **1.** Renvoyer un son éclatant: *La salle retentissait des applaudissements des élèves.* SYN. résonner. **2.** Produire un son prolongé: *Un coup de fusil avait retenti dans la forêt.* SYN. éclater. **3.** fig. Avoir des répercussions: *La nouvelle a retenti dans toute l'école.* ☞ retentissant, retentissement.

retentissant, ante adj. **1.** Qui retentit, qui résonne: *Un bruit retentissant les fit sursauter.* SYN. éclatant, sonore. ANT. sourd. **2.** fig. Qui suscite l'intérêt du public: *Ce film a eu un succès retentissant.* ☞ retentir.

retentissement n.m. **1.** Répercussion du son: *Nous écoutions le lugubre retentissement du canon dans la vallée.* SYN. résonance. ANT. silence. **2.** fig. Effet prolongé, contrecoup, portée d'une action: *Cette loi aura des retentissements importants dans l'industrie.* SYN. répercussion. ANT. effacement. **3.** fig. Éclat, succès: *La pièce de théâtre eut un retentissement inattendu.* ☞ retentir.

retenue n.f. **1.** Prélèvement d'une somme d'argent sur une paie: *Sur la paye de mes parents, il y a une retenue syndicale.* **2.** Nombre que l'on ajoute à la colonne voisine dans une opération arithmétique: *J'oublie toujours la retenue.* ☞ retenir. ▲ **retenue** n.f. Punition qui consiste à garder un élève en classe après les heures d'école: *Sa paresse lui a valu une retenue.* ☞ retenir.

réticence n.f. **1.** Chose qu'on ne dit pas ou qu'on ne fait pas: *J'ai préféré faire des réticences plutôt que de risquer de choquer mon auditoire.* SYN. restriction. ANT. aveu. **2.** Attitude d'une personne qui hésite à se prononcer ou à agir: *Je l'ai invité, mais devant sa réticence, je n'ai pas insisté.* SYN. indécision. ANT. assurance. ☞ réticent.

réticent, ente adj. Qui manifeste de la réticence, de l'hésitation: *Je te trouve réticente à parler de ton problème.* SYN. hésitant, indécis. ANT. décidé, résolu. ☞ réticence.

rétif, ive adj. **1.** Qui refuse d'avancer, en parlant d'un cheval, d'un âne, etc.: *Le vieux cheval rétif ruait, renâclait, n'avançait pas.* SYN. rebelle, têtu. ANT. docile, obéissant. **2.** Qui n'obéit pas facilement, en parlant d'une personne: *Ma petite sœur est très rétive quand on la vexe.* SYN. indocile, récalcitrant. ANT. doux, soumis.

rétine n.f. Membrane au fond de l'œil, sur laquelle se forment les images qui sont transmises au nerf optique: *C'est grâce à la rétine que tu peux voir les couleurs.*

retiré, ée adj. **1.** Qui a pris sa retraite, n'a plus d'activités professionnelles: *Cette industrielle retirée est demeurée très active.* **2.** Qui est à l'écart de la société: *Dans ce monastère, les religieux mènent une vie retirée.* **3.** Qui est éloigné: *J'ai passé mes vacances dans un petit village retiré, presque oublié.* SYN. lointain, reculé. HOM. retirer. ☞ retirer.

retirer v. **1.** Enlever ce qu'on a donné: *On a retiré à cet administrateur la gestion de cette maison d'affaires.* **2.** Ôter quelque chose qui recouvre ou qu'on a sur soi: *Retirez votre manteau et vos bottes.* **3.** Reprendre quelque chose qu'on a placé, déposé: *As-tu déjà retiré tout ton argent de la banque?* **4.** Extraire, faire sortir: *Ce procédé permet de retirer l'huile des arachides.* **5.** Séparer d'avec autre chose: *Retire ta carte du jeu.* **6.** Recevoir en retour: *Malgré tous ses efforts, il ne retire que l'indifférence de ses semblables.* SYN. récolter, recueillir. HOM. retiré. ☞ retiré, retrait. se **retirer**

v.pron. **1.** S'en aller plus loin, sortir d'un lieu: *James se retira parce que la fumée l'incommodait.* **2.** Se couper des autres: *Pour un temps, il se retira loin de sa famille.* **3.** Quitter un emploi, une activité: *Cette enseignante se retirera à soixante ans.* **4.** Refluer, remonter vers la source: *Les eaux frappent la rive et se retirent.*

retisser v. Tisser de nouveau: *Charles retisse une toile fine.* ☞ tisser.

retombant, ante adj. Qui retombe, pend: *Cette nappe retombante nuit au confort des convives.* ☞ tomber.

retombée n.f. Conséquence, répercussion: *La construction de cette usine aura des retombées économiques importantes.* HOM. retomber. ⁄⁄ *Retombées radioactives:* Particules qui retombent après une explosion nucléaire. **R.** S'emploie surtout au pluriel. ☞ tomber.

retomber v. **1.** Tomber de nouveau: *Attention de ne pas retomber sur la glace!* SYN. rechuter. **2.** Revenir dans sa position normale après s'être élevé: *On dit que le chat retombe toujours sur ses pattes.* **3.** Reprendre une certaine conduite: *Elle est retombée dans ses vieilles habitudes.* SYN. rechuter, récidiver. **4.** Diminuer d'intensité: *Laisse retomber ce moment de surprise.* SYN. atténuer. ANT. augmenter. **5.** Revenir au sol: *Son petit avion virevolta et retomba.* SYN. redescendre. ANT. monter, remonter. HOM. retombée. ⁄⁄ *Retomber sur quelqu'un:* Avoir des effets en retour sur quelqu'un, être rejeté sur quelqu'un. ☞ tomber.

retondre v. Tondre de nouveau: *Il a fallu retondre le gazon.* SYN. recouper. ☞ tondre.

retordre v. **1.** Tordre de nouveau: *Retords la débarbouillette, elle est encore très mouillée.* **2.** Tordre ensemble pour épaissir et rendre plus solide: *Le fil est retordu au moyen de cette machine.* ☞ tordre.

rétorquer v. Répondre, répliquer: *Il lui a rétorqué qu'il ne viendrait pas.* SYN. riposter.

retors, orse adj. Qui est tordu plusieurs fois: *Ce fil retors est très solide.* ☞ tordre.
▲ **retors, orse** adj. Qui trouve facilement des moyens habiles de se tirer d'affaire: *Cet enfant était rusé et retors.* SYN. astucieux, malin. ANT. direct, droit, simple.

retouche n.f. Dernière main mise à un travail pour corriger ou embellir certains détails: *La peintre fit quelques petites retouches à sa toile.* ☞ retoucher.

retoucher v. Apporter quelques changements, corriger: *Le couturier retouche une robe du soir.* ☞ retouche.

retour n.m. **1.** Action de retourner, de revenir où on était: *L'heure du retour est arrivée.* **2.** Déplacement qui ramène au point de départ: *Au retour, nous dormions dans la voiture.* **3.** Mouvement en sens inverse: *Attention au retour de la manivelle, le cran d'arrêt n'est pas très sûr.* **4.** Fait de revenir comme avant: *Le retour au calme fut bienvenu.* **5.** Regard sur ce qui a été fait: *Après une leçon, on fait un retour sur les objectifs.* **6.** Nouvelle venue: *« Le retour des corneilles annonce le printemps », dit le dicton.* ⁄⁄ *Au retour de:* Quand la personne arrive. *Être de retour:* Être revenu. *Par retour du courrier:* Immédiatement après la réception du courrier. *Retour en arrière:* Vue rétrospective. ☞ retourner. en **retour** loc.adv. En échange: *Tu m'as beaucoup aidée, que puis-je faire pour toi en retour?* sans **retour** loc.adv. À tout jamais: *J'ai abandonné ce projet sans retour.*

retournement n.m. **1.** Action de retourner à l'envers ou de changer d'orientation: *Le retournement des feuilles annonce un orage.* **2.** Changement inattendu et brusque de situation: *Un retournement complet s'est fait dans sa vie.* SYN. revirement. ☞ retourner.

retourner v. **1.** Mettre le dessus dessous, la face cachée à la vue, le bas en haut, etc.: *Retourne ta carte.* SYN. tourner. **2.** Tourner plusieurs fois, dans tous les sens: *Je retourne la pâte pour bien incorporer les noix et les raisins.* **3.** Examiner sous tous les angles, bien considérer: *Vingt fois elle retourne la même pensée dans sa tête.* SYN. ruminer. **4.** fam. Mettre en désordre: *Il a retourné ses tiroirs pour trouver une chaussette.* ☞ retournement.

▲ **retourner** v. **1.** Revenir au point de départ: *La petite famille retourna chez elle à pied.* **2.** Venir de nouveau: *Il faudrait retourner voir ce film.* **3.** Réexpédier: *On doit retourner cette lettre à son destinataire.* SYN. renvoyer. **4.** Reprendre ce qu'on a laissé: *Elle est retournée aux études.* ☞ retour. se **retourner** v.pron. **1.** Se tourner d'un autre côté, tourner la tête: *Jules partit sans même se retourner.* **2.** Se tourner d'un côté et de l'autre: *Elle se retournait dans son lit sans trouver le sommeil.* **3.** Se renverser: *Notre voiture se retourna dans le fossé.* ⁄⁄ *S'en retourner:* S'en aller, retourner d'où l'on vient. *Se retourner contre quelqu'un:* Cesser d'être l'allié de quelqu'un.

retracer v. Tracer de nouveau: *J'ai retracé un cercle plus grand.* ANT. effacer. ☞ tracer.
▲ **retracer** v. Raconter comme si les choses venaient de se passer: *Ce livre retrace la vie dure des premiers colons.* SYN. décrire, dépeindre. **R.** Ne pas oublier la cédille devant *a* et *o*.

rétractation n.f. Action de se rétracter, de désavouer: *Elle a exagéré, elle doit faire une rétractation.* SYN. désaveu. ANT. confirmation. ☞ se rétracter.

se **rétracter** v.pron. Se corriger, se dédire: *J'ai dit une fausseté, mais je me suis rétracté.* SYN. se désavouer. ☞ rétractation. ▲ **se rétracter** v.pron. Se rétrécir, se contracter: *Les cornes de l'escargot se rétractent.* ☞ rétractile.

rétractile adj. Qui peut se rentrer en dedans: *Les chats ont des griffes rétractiles.* ☞ se rétracter.

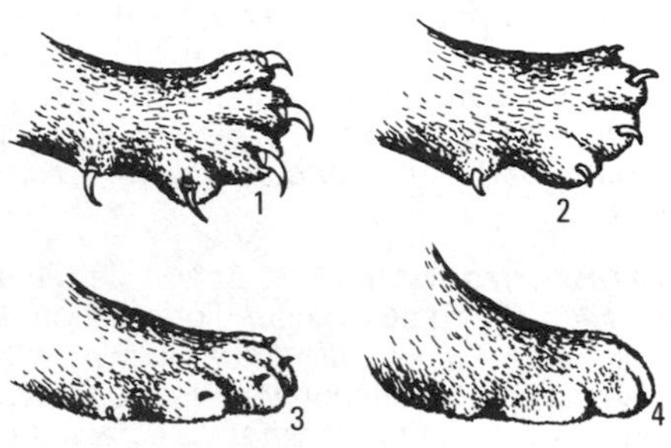

rétractile

retrait n.m. **1.** Action de retirer: *Vous aviez fait un retrait sur votre compte bancaire.* ANT. dépôt. **2.** Action de se retirer, de quitter les lieux: *La coureuse annonça son retrait de la compétition.* SYN. évacuation, recul. ANT. avance. **3.** Fait de se contracter, de diminuer de volume: *Il se produit un retrait de la glaise quand l'eau s'évapore.* ANT. dilatation. ☞ retirer.

retraite n.f. Action de se retirer, de se replier, en parlant d'une armée: *La retraite des troupes ennemies fut annoncée dans tout le pays.* SYN. fuite, recul. ANT. avance, invasion. ▲ **retraite** n.f. Cessation temporaire de ses activités pour se consacrer à la réflexion, à la prière: *Cette retraite m'a permis de faire le point sur ma vie.* ▲ **retraite** n.f. **1.** Moment de cesser ses activités professionnelles: *À sa retraite, ma mère reprendra ses études.* **2.** Argent touché régulièrement après la cessation de ses activités professionnelles: *Mes grands-parents reçoivent leur retraite tous les mois.* SYN. rente. ☞ préretraite, retraité.

retraité, ée n. et adj. **1.** n. Personne qui est à la retraite, qui touche une retraite: *Nous avons fêté les nouveaux retraités.* SYN. pensionné. **2.** adj. Qui est à la retraite, qui touche une retraite: *Les personnes retraitées ont parfois du mal à accepter leur situation.* ☞ retraite.

retranchement n.m.vx Action de retrancher: *Ne faites pas trop de retranchements dans votre texte.* SYN. coupure, suppression. ANT. addition, ajout. ☞ retrancher. ▲ **retranchement** n.m. Obstacle naturel ou érigé pour se mettre à l'abri de l'ennemi et y résister: *Nous avions creusé des retranchements dans un endroit presque inaccessible.*

retrancher v. **1.** Enlever: *J'ai retranché ce paragraphe superflu.* SYN. supprimer. ANT. ajouter. **2.** Soustraire: *Retranchez neuf cent sept de trois mille cinquante-neuf.* SYN. déduire, ôter. ANT. additionner. ☞ retranchement. se **retrancher** v.pron. **1.** Se mettre à l'abri d'un ennemi, se fortifier: *La troupe se retrancha de l'autre côté des rapides.* **2.** fig. Se protéger, se défendre: *Marie se retranche dans le silence.*

retranscrire v. Transcrire de nouveau: *J'ai corrigé mes fautes avant de retranscrire mon texte.* SYN. recopier. ☞ transcrire.

retransmettre v. **1.** Transmettre de nouveau ou transmettre à d'autres: *On t'a chargé de retransmettre le message à Sophie.* **2.** Transmettre par relai ou rediffuser: *Cette émission sera retransmise sur les ondes dimanche soir à 19 heures.* ☞ transmettre.

retransmission n.f. Action de retransmettre sur les ondes: *La retransmission de ce film aura lieu à 23 heures.* ☞ transmettre.

retravailler v. **1.** Travailler de nouveau quelque chose, à quelque chose: *Ma mère et Jacques retravaillent le terrain.* **2.** Retoucher, améliorer: *Carlos retravaille ses mouvements de ballet.* **3.** Reprendre son emploi: *Je retravaillerai à la librairie le mois prochain.* ☞ travail.

retraverser v. Traverser de nouveau: *Martha et Line retraversent la rivière.* ☞ traverser.

rétréci, ie adj. **1.** Qui est plus étroit ou a été rendu plus étroit: *La rivière rétrécie laisse les glaces emprisonnées.* ANT. large. **2.** fig. Qui est borné, étroit: *Un esprit rétréci se scandalise facilement.* SYN. obtus. ANT. intelligent, ouvert. ☞ étroit.

rétrécir v. **1.** Devenir plus étroit, plus court: *Le coton rétrécit la première fois qu'on le lave.* SYN. se contracter. ANT. se dilater. **2.** Rendre plus étroit: *Pourrais-tu rétrécir ce pantalon?* SYN. rapetisser. ANT. agrandir, élargir. **3.** fig. Rendre étroit, obtus: *Ce genre de lectures rétrécit l'esprit.* ☞ étroit. se **rétrécir** v.pron. Devenir étroit: *Le couloir se rétrécit pour devenir un boyau étroit.*

rétrécissement n.m. Action de rétrécir, fait de se rétrécir: *Le rétrécissement du fleuve* *à cet endroit entrave la navigation.* SYN. resserrement. ANT. élargissement. ☞ étroit.

retremper v. Tremper de nouveau: *La tache n'est pas encore partie, je vais retremper ce vêtement.* ☞ tremper. se **retremper** v.pron. **1.** Se tremper une seconde fois: *Elle allait se retremper dans l'eau avant de s'habiller.* **2.** fig. Se remettre, se replonger: *Théodore se retrempe dans ses études.*

rétribuer v. Donner de l'argent en échange d'un travail: *Dans cette usine, on rétribue à la pièce.* SYN. payer, rémunérer. ☞ rétribution.

rétribution n.f. **1.** Action de rétribuer: *C'est le jour de la rétribution.* **2.** Salaire: *Voilà votre rétribution pour la journée.* SYN. paye, rémunération. ☞ rétribuer.

retriever n.m. (angl.) Chien de chasse qui rapporte le gibier: *Ce retriever a été très bien dressé.* **R.** Se prononce *retriveur.*

rétro n.m. et adj.invar. **1.** n.m. Retour en arrière dans le style, les idées: *Le rétro connaît une certaine popularité.* **2.** adj.invar. Qui s'attarde au passé, aime les choses du passé: *C'était la vogue des bijoux rétro.*

rétrograde adj. **1.** Qui va en arrière: *Quand une boule de billard revient en arrière après en avoir frappé une autre, elle a un effet rétrograde.* **2.** fig. Qui refuse le progrès, reste attaché au passé: *Carlos a des idées très conservatrices, il est rétrograde.* ☞ rétrograder.

rétrograder v. **1.** Revenir sur ses pas: *Ils voulaient détruire notre bonhomme de neige, mais nos balles les firent rétrograder puis partir.* SYN. reculer. ANT. avancer. **2.** Descendre de rang: *Cette militaire a été rétrogradée.* ANT. grader. **3.** Perdre ce qui était acquis: *À cause de ma maladie, j'ai rétrogradé en mathématiques.* SYN. régresser. ANT. progresser. **4.** Passer à une vitesse inférieure: *Lorsqu'on monte une pente raide en voiture, il faut rétrograder en deuxième ou en première vitesse.* ☞ rétrograde.

rétroprojecteur n.m. Appareil qui projette sur un écran ce qui est écrit ou dessiné: *L'institutrice nous a présenté des cartes géographiques à l'aide du rétroprojecteur.*

rétrospectif, ive adj. **1.** Qui regarde le passé, s'y rapporte: *Jetons un regard rétrospectif sur les événements marquants de l'année.* **2.** Qui se produit au présent mais aurait dû se manifester au moment de l'événement: *Quand j'y repense, j'éprouve une peur rétrospective.* ☞ rétrospective.

rétrospective n.f. Exposition présentant les œuvres d'un artiste ou d'une école artistique sur une période donnée: *Au Musée des beaux-arts, il y a une rétrospective de l'œuvre de Paul-Émile Borduas.* ☞ rétrospectif.

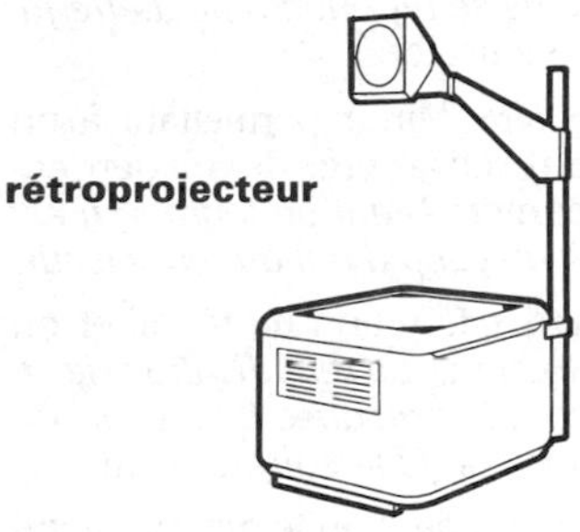
rétroprojecteur

retroussé, ée adj. Qui est relevé: *Cette manche retroussée est retenue par une languette et un bouton.* HOM. retrousser. ☞ retrousser.

retroussement n.m. Action de retrousser, fait d'être retroussé: *Le retroussement de son petit nez lui donnait un air espiègle.* ☞ retrousser.

retrousser v. Remonter: *Retrousse ton jupon, il dépasse de ta robe.* HOM. retroussé. ☞ retroussé, retroussement.

retrouvable adj. Qui peut être retrouvé: *Une épingle dans une botte de foin n'est pas retrouvable.* ANT. introuvable. ☞ retrouver.

retrouvailles n.f.plur.fam. Fait de retrouver quelqu'un après en avoir été séparé: *À mon ancienne école, des élèves ont organisé des retrouvailles.* SYN. réunion. ANT. séparation. ☞ retrouver.

retrouver v. **1.** Trouver une deuxième fois, une autre fois: *Cette fois, je ne retrouve pas mon trousseau de clefs.* ANT. égarer. **2.** Redécouvrir ce qui a été perdu: *On n'a pas réussi à retrouver le secret de fabrication de ce grand luthier du XVIIIe siècle.* **3.** Revenir en possession d'une faculté: *Elle a retrouvé ses esprits, puis elle a parlé.* ANT. perdre. **4.** Reconnaître, retracer: *Chez Francis, on retrouve les yeux de sa mère et la bouche de son père.* SYN. distinguer. **5.** Appréhender de nouveau: *La coupable a été retrouvée en peu de temps.* SYN. attraper, rattraper. **6.** Recouvrer un état, un sentiment qui était perdu: *Mon ami m'a aidée à retrouver la joie de vivre.* **7.** Revoir: *Comme elle avait hâte de retrouver son grand ami!* **8.** Trouver de telle façon: *Les Forget ont retrouvé leur maison sens dessus dessous.* ☞ retrouvable, retrouvailles. se **retrouver** v.pron. **1.** Être dans un tel état: *Je me retrouve souvent seul.* **2.** Se revoir: *Ils se sont retrouvés au restaurant.* **3.** Retrouver sa route, s'orienter: *Nous ne pouvions nous retrouver sans le soleil.* **4.** Se découvrir: *Dix ans après, on se* *retrouve avec les mêmes défauts!* **5.** Se ressaisir, redevenir soi: *Mélanie avait besoin de se retrouver.* **6.** Se présenter de nouveau: *Une pareille chance ne se retrouvera peut-être jamais.* SYN. se renouveler.

rétroviseur n.m. Miroir permettant à un conducteur, à un cycliste, etc., de voir derrière lui sans se retourner: *Avant de tourner, il est prudent de jeter un coup d'œil au rétroviseur.*

réunification n.f. Action de réunifier ou résultat de cette action: *La réunification de ce pays ne sera possible qu'avec beaucoup de concessions entre les adversaires.* ☞ unifier.

réunifier v. Redonner l'unité, réunir ce qui était divisé: *Cet ancien président a réussi à réunifier son pays.* ☞ unifier.

réunion n.f. **1.** Fait d'être rassemblé: *Aujourd'hui, il y a une réunion d'enseignants.* SYN. assemblée, rencontre. **2.** Action de réunir des personnes ou des choses séparées: *Faites donc la réunion de ces deux petits groupes.* SYN. accord, rapprochement. ANT. séparation. **3.** fig. Réconciliation: *La réunion d'idées aussi opposées paraît impossible.* ☞ réunir.

réunir v. **1.** Regrouper des personnes: *On réunira les élèves dans la cour.* SYN. rassembler. ANT. séparer. **2.** Unir de nouveau: *Réunis les deux bouts et soude-les.* SYN. raccorder. **3.** Faire un tout de choses séparées: *J'ai réuni mes feuilles par un trombone.* SYN. attacher, grouper, unir. ANT. disperser. **4.** Comporter plusieurs éléments divers et parfois opposés: *Cette œuvre réunit des contrastes étonnants.* SYN. associer. ANT. désunir, dissocier, diviser. **5.** Faire communiquer une chose avec une autre: *Ce pont réunit les deux rives du Richelieu.* SYN. joindre. ANT. disjoindre. ☞ réunion. se **réunir** v.pron. **1.** Se regrouper: *Elles se réuniront après le dîner.* **2.** Être relié: *Dans une toile d'araignée, les fils se réunissent au centre.*

réussi, ie adj. Qui donne un résultat satisfaisant: *Mon dessert est tout à fait réussi.* ☞ réussir.

réussir v. **1.** Avoir un bon résultat: *Notre projet a réussi mieux que je ne m'y attendais.* ANT. échouer. **2.** Parvenir à un résultat encourageant: *Je te souhaite de réussir dans toutes tes entreprises.* **3.** Obtenir du succès en faisant quelque chose: *J'ai réussi à faire monter les blancs d'œufs en neige.* **4.** Faire quelque chose avec succès: *Je te félicite, tu as réussi ton dessin.* ANT. rater. **5.** Être bénéfique à quelqu'un: *Tes exercices de réadaptation te réussissent.* ANT. nuire. ☞ réussi, réussite.

réussite n.f. **1.** Action d'obtenir un bon résultat: *Sa réussite était inattendue.* SYN. succès. ANT. insuccès. **2.** Action d'atteindre son but: *Il était fier de sa réussite.* SYN. triomphe, victoire. ANT. échec, malchance. ☞ réussir.

revacciner v. Vacciner de nouveau: *Maurice vient faire revacciner Liliane.* **R.** Les lettres *cc* se prononcent *ks*. ☞ vaccin.

revaloir v. Rendre, en retour, le bien ou le mal: *Je te revaudrai ce service.* **R.** S'emploie surtout au futur et au conditionnel.

revalorisation n.f. Action de revaloriser, de donner plus de valeur à quelque chose: *La revalorisation de la monnaie a fait baisser les exportations.* SYN. valorisation. ANT. dépréciation, dévalorisation. ☞ valoir.

revaloriser v. Donner plus de valeur à quelque chose: *La reprise économique a permis de revaloriser le dollar canadien.* SYN. majorer. ANT. dévaluer. ☞ valoir.

revanche n.f. **1.** Fait de reprendre le dessus: *Nos ennemis préparent leur revanche.* SYN. vengeance. **2.** Partie qu'on joue pour donner au perdant la chance de gagner: *J'ai perdu à la première partie, mais j'ai gagné à la revanche.* ∥ *À charge de revanche:* À la condition de rendre la pareille. en **revanche** loc.adv. En contrepartie, en compensation: *Je ne mange pas beaucoup au déjeuner; en revanche, je prends un dîner copieux.*

rêvasser v. Laisser errer son esprit: *Tu rêvassais tranquillement dans ton fauteuil sans te préoccuper de ce qui se passait autour de toi.* **R.** Ne pas oublier l'accent: *ê*. ☞ rêver.

rêvasserie n.f. Fait de laisser son esprit passer d'une chose à une autre sans s'y arrêter: *Mes rêvasseries me reposaient l'esprit.* SYN. rêverie. **R.** Ne pas oublier l'accent: *ê*. ☞ rêver.

rêvasseur, euse n. et adj. **1.** n. Personne qui se laisse aller à des rêveries: *Jeannine est une rêvasseuse: les yeux dans le vague, elle n'écoute pas souvent l'institutrice.* SYN. rêveur. **2.** adj. Qui se laisse aller à des rêveries: *Jean-Marc était du type rêvasseur.* **R.** Ne pas oublier l'accent: *ê*. ☞ rêver.

rêve n.m. **1.** Images qui se présentent à l'esprit pendant le sommeil: *Dans mon rêve, j'allais sur la lune à cheval sur un nuage.* SYN. songe. **2.** Fantaisies de l'esprit, à l'état de veille, pour échapper momentanément à la réalité: *Pierre, perdu dans le rêve, n'écoutait pas les explications.* SYN. rêvasserie, rêverie. **3.** Désir très cher: *Faire le tour du monde est mon rêve le plus cher.* SYN. ambition. **R.** Ne pas oublier l'accent: *ê*. ☞ rêver.

rêvé, ée adj. Qui convient parfaitement: *C'est l'occasion rêvée de lui présenter ta de-*

mande. SYN. idéal. HOM. rêver. **R.** Ne pas oublier l'accent: *ê.* ☞ rêver.

revêche adj. Qui est difficile d'approche, peu conciliant: *Cette personne revêche envoie promener tout le monde.* SYN. acariâtre, hargneux, rude. ANT. avenant, doux. **R.** Ne pas oublier l'accent: *ê.*

réveil n.m. **1.** Action de se réveiller: *Le réveil a été dur ce matin.* **2.** Action de revenir à la réalité: *Cet échec a été pour moi un réveil brutal.* SYN. désillusion. **3.** Action d'entrer de nouveau en activité: *Le réveil de ce volcan a été aussi brusque que dévastateur.* ☞ réveiller. ▲ **réveil** n.m. Réveille-matin: *J'avais oublié de remonter mon réveil.* ☞ réveiller.

réveille-matin n.m.invar. Petite pendule à sonnerie qui réveille à l'heure indiquée par la plus petite aiguille: *Mon réveille-matin me tire de mon sommeil à 7 heures.* SYN. réveil. ☞ réveiller.

réveiller v. **1.** Tirer du sommeil: *Chut! ne réveille pas mon chat Boulon.* SYN. éveiller. ANT. endormir. **2.** Tirer de ses rêveries: *Notre songeuse fut réveillée par la cloche annonçant la récréation.* **3.** Aviver une douleur, une sensation: *La crème glacée que tu m'as servie a réveillé mon mal de dents.* SYN. provoquer. ANT. apaiser, engourdir. **4.** Ramener à la conscience: *Tu réveilles de vieux souvenirs.* SYN. évoquer, rappeler. **5.** Exalter un sentiment: *Tes bonnes paroles ont réveillé mon enthousiasme.* SYN. ranimer. ANT. atténuer. ☞ réveil, réveille-matin. se **réveiller** v.pron. **1.** Passer du sommeil au réveil: *Elle s'est réveillée de bonne heure.* SYN. s'éveiller. **2.** Sortir de sa rêverie: *Tu te réveilles enfin, ce n'est pas trop tôt.* SYN. se remuer, se secouer. **3.** Ressurgir, se ranimer: *Chaque automne, une certaine mélancolie se réveille au fond de moi.* SYN. se raviver, renaître. **4.** Passer à l'action: *Il était temps que cet élève se réveille, il ne lui reste que peu de temps pour préparer ses examens.*

réveillon n.m. Joyeux repas de fête, pris au milieu de la nuit à Noël et au Jour de l'an: *Pour le réveillon, nous avons préparé une dinde succulente.* ☞ réveillonner.

réveillonner v. Faire un réveillon: *Si tu venais réveillonner avec nous au Jour de l'an, ce serait agréable.* ☞ réveillon.

révélateur, trice n. et adj. **1.** n. Personne qui révèle une vérité cachée, une religion nouvelle: *Abraham fut un des principaux révélateurs du judaïsme.* **2.** adj. Qui révèle, fait connaître: *La pâleur du teint est un indice révélateur de la fièvre.* ☞ révéler.

révélation n.f. **1.** Action de révéler, de dire ce qui est caché, inconnu: *La révélation de ce secret serait désastreuse.* SYN. divulgation. **2.** Information qui explique ou révèle quelque chose: *Les dernières révélations de l'archéologie sont fascinantes.* **3.** Fait, événement dont la connaissance a des conséquences importantes: *L'audition de cette symphonie a été pour moi une révélation.* **4.** Personne qui manifeste soudainement des qualités remarquables: *Ce jeune chanteur a été la révélation de l'année.* **5.** Ensemble de vérités sacrées, de mystères religieux reçus de façon surnaturelle: *Les révélations de cette mystique sur la vie de Jésus sont bouleversantes.* ☞ révéler.

révéler v. **1.** Faire connaître quelque chose de caché: *Bob a révélé sa cachette de bonbons à Annie.* SYN. divulguer. ANT. cacher, taire. **2.** Laisser voir, exhiber: *Ce soir, Lucie a révélé son goût pour la danse.* SYN. montrer. ANT. dissimuler. **3.** Dévoiler de façon surnaturelle: *Le Christ a révélé au monde l'amour de Dieu pour ses enfants.* ☞ révélateur, révélation. se **révéler** v.pron. **1.** Se faire voir, se manifester: *Son tempérament de chef s'est révélé à l'occasion de ce projet.* **2.** Se trouver, être de telle façon: *L'escalade de cette paroi s'est révélée plus difficile qu'on ne le pensait.* SYN. s'avérer.

revenant n.m. Âme d'un mort qui revient errer chez les vivants: *Mes rêves étaient hantés de revenants.* SYN. fantôme. ☞ revenir.

revendication n.f. Action de revendiquer, de demander: *Les jeunes sont allés faire des revendications chez la mairesse pour avoir une patinoire au village.* SYN. réclamation. ☞ revendiquer.

revendiquer v. **1.** Réclamer ce qu'on croit être dû, avec force et insistance: *Les employés revendiquent un salaire plus élevé.* SYN. exiger. **2.** Assumer la responsabilité d'un crime, d'un forfait, etc.: *Cet attentat à la bombe n'a pas été revendiqué.* ☞ revendication.

revendi**c**ation revendi**qu**er

revendre v. Vendre ce qu'on a acheté: *Durant le solde, ces articles ont été revendus au prix coûtant.* ☞ vendre.

revenez-y n.m.invar.fam. Retour vers une sensation, une habitude ancienne: *Ce gâteau a un goût de revenez-y.* ☞ revenir.

revenir v. **1.** Venir au même endroit: *Chaque jour de la semaine, tu reviens à l'école.* **2.** Venir de nouveau, réapparaître: *Son acné est revenue.* **3.** Retourner à quelque chose qu'on a laissé: *Il est revenu à son habitude de fumer.* **4.** Se retrouver dans le même état, à la même position qu'auparavant: *Elle est revenue à la santé.* **5.** Sortir d'un état physique ou moral: *Il* *revient d'une grave maladie.* **6.** Examiner de nouveau une question, une affaire, etc.: *Ne reviens plus sur cette question, je te prie.* **7.** Changer d'avis après avoir repensé une chose: *Tu reviens sur ce que tu as dit?* **8.** Se présenter, arriver de nouveau: *Cette occasion ne reviendra peut-être pas avant longtemps.* SYN. se renouveler. **9.** Retourner au point de départ: *La lettre que je t'avais postée est revenue.* **10.** Venir de nouveau à l'esprit: *Ah! cela me revient maintenant!* **11.** Être retrouvé, en parlant d'un sentiment, d'un état, d'une faculté: *Sa joie est enfin revenue.* **12.** Échoir à quelqu'un, être de son devoir ou de son droit: *C'est à toi qu'il revient de faire les premiers pas maintenant.* SYN. appartenir, incomber. **13.** Se résumer à quelque chose, équivaloir: *Cela revient à dire que tu n'es pas d'accord avec moi.* **14.** Retourner dans la poêle chaude avec un corps gras: *Fais d'abord revenir les oignons dans du beurre.* // *N'en pas revenir:* Être très étonné. *Revenir à soi:* Reprendre conscience. ☞ revenant, revenez-y. ▲ **revenir** v. Coûter une certaine somme d'argent: *La réparation de ma bicyclette me revient moins cher que l'achat d'une neuve.* ☞ revient.

revente n.f. Action de revendre ou résultat de cette action: *La revente de ce produit est interdite.* ☞ vendre.

revenu n.m. Argent qu'un individu ou un groupe reçoit (salaire, rente, intérêts, etc.): *Les allocations familiales sont un revenu important pour beaucoup de familles.* SYN. gain. ANT. dépense.

rêver v. **1.** Faire un rêve, des rêves: *Cette nuit, tu as parlé en rêvant.* **2.** Laisser errer son imagination: *Je passais de longues heures à rêver en regardant par la fenêtre.* SYN. rêvasser. **3.** Voir en rêve: *La nuit passée, j'ai rêvé que nous avions trouvé une maison abandonnée.* **4.** Se faire des idées déraisonnables, manquer de réalisme: *Si tu crois qu'il suffit de si peu pour les réconcilier, tu rêves!* **5.** Souhaiter vivement quelque chose: *Nous rêvons tous d'un monde meilleur, mais nous sommes lents à oublier les injures.* SYN. désirer. **R.** Ne pas oublier l'accent: *ê.* ☞ rêvasser, rêvasserie, rêvasseur, rêve, rêvé, rêverie, rêveur, rêveusement.

réverbération n.f. Renvoi du son, de la lumière, de la chaleur par un corps qui ne les absorbe pas: *La réverbération de la lumière sur la neige peut nous éblouir.* SYN. réflexion. ☞ réverbérer.

réverbère n.m. Appareil d'éclairage des voies publiques: *Durant la panne d'électricité, les réverbères de notre rue étaient tous éteints.* SYN. lampadaire.

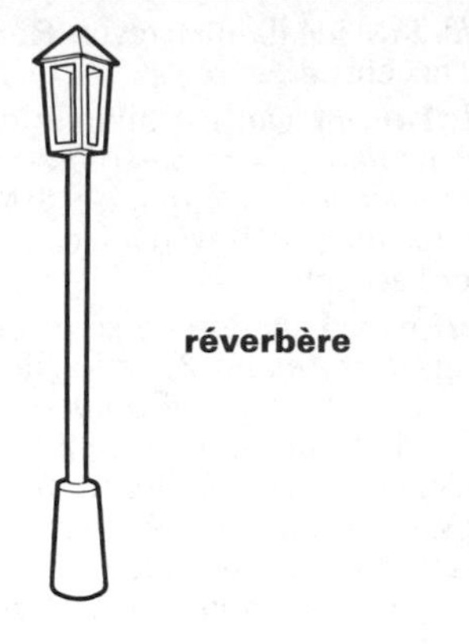

réverbère

réverbération
réverbère

réverbérer v. Renvoyer la lumière ou la chaleur: *La plaque métallique, derrière certaines lampes anciennes, avait pour but de réverbérer la lumière.* SYN. réfléchir. ☞ réverbération.

reverdir v. **1.** Redevenir vert: *La neige n'est pas encore toute fondue que déjà le gazon reverdit.* **2.** Redonner une couleur verte: *La chaleur du soleil reverdit les prés.* ☞ vert.

révérence n.f. **1.** Grand respect mêlé d'admiration: *Je lui ai adressé la parole avec révérence.* SYN. considération, vénération. ANT. irrévérence, mépris. **2.** Salut qui se fait en inclinant la tête et le buste: *À la fin du menuet, le marquis fit la révérence à la duchesse.* ☞ révérer.

révérend, ende adj. **1.** Titre d'honneur donné à certains religieux: *La révérende mère supérieure vous recevra au parloir.* **2.** Titre donné aux membres du clergé anglican: *Le révérend John Doe représentera l'Église anglicane.*

révérer v. Traiter avec respect et vénération: *Beaucoup de chrétiens révèrent la Vierge Marie.* SYN. honorer, vénérer. ANT. déshonorer, mépriser. ☞ révérence.

rêverie n.f. **1.** Activité de l'esprit qui se laisse aller à rêver à l'état de veille: *Sa vive imagination et son dégoût pour l'effort l'entraînaient à la rêverie.* SYN. rêvasserie. **2.** Idée sans consistance, irréalisable: *Tous ses projets n'étaient que des rêveries.* SYN. chimère. **R.** Ne pas oublier l'accent: *ê.* ☞ rêver.

revernir v. Vernir de nouveau: *Après avoir poncé les meubles, nous les revernirons.* ☞ vernis.

revers n.m. **1.** Côté opposé au dessus ou à la face principale d'une chose: *Montre-moi* *donc le revers de ton médaillon.* SYN. envers, verso. ANT. endroit, recto. **2.** Partie repliée d'un vêtement : *Il y a une tache sur le revers de ta manche.* SYN. repli. **3.** fig. Ennui, échec, changement de situation pour le pire : *Les revers ne l'ont pas découragée.* SYN. déboire, épreuve, insuccès. ANT. chance, réussite, succès. **R.** Le *s* ne se prononce pas. ☞ réversible.

reverser v. Verser de nouveau : *Reverse le sirop dans la boîte pour qu'on puisse laver le pot.* ☞ verser.

réversible adj. Qui peut se produire en sens contraire : *La congélation de l'eau est un phénomène réversible.* ANT. irréversible. ☞ irréversible. ▲ **réversible** adj. Qui peut être porté à l'envers ou à l'endroit : *Mon imperméable est réversible.* ☞ revers.

revers réversible

revêtement n.m. **1.** Ce qui recouvre pour donner un fini ou pour consolider : *Nos murs ont un revêtement en plâtre.* **2.** Pavage d'un sol, d'une chaussée : *Devant le garage, nous avons un revêtement de briques.* **R.** Ne pas oublier l'accent : *ê.* ☞ revêtir.

revêtir v. **1.** Mettre un vêtement : *Christopher a revêtu ses habits de fête.* SYN. endosser. ANT. dénuder, dévêtir. **2.** Couvrir, enduire : *Ces murs seront revêtus de papier peint.* SYN. recouvrir. **3.** Investir, donner quelque pouvoir : *On l'a revêtu d'honneurs et du pouvoir royal.* ANT. dépouiller. **4.** Se présenter sous telle ou telle apparence : *La misère revêt les formes les plus diverses.* **R.** Ne pas oublier l'accent : *ê.* ☞ revêtement.

rêveur, euse n. et adj. **1.** n. Personne qui se laisse aller à la rêverie : *Charles est un rêveur, il ne maîtrise pas son imagination.* SYN. lunatique, rêvasseur. ANT. réaliste. **2.** adj. Qui se laisse aller à la rêverie : *Elle semble rêveuse et triste depuis que son frère est parti.* SYN. songeur. **3.** adj. Qui indique la rêverie, le vagabondage de l'esprit : *Il a les yeux rêveurs aujourd'hui.* ⁄⁄ *Cela me laisse rêveur :* Cela me rend hésitant, indécis. **R.** Ne pas oublier l'accent : *ê.* ☞ rêver.

rêveusement adv. D'une manière rêveuse, songeuse : *La petite Julie regardait rêveusement l'arbre de Noël.* **R.** Ne pas oublier l'accent : *ê.* ☞ rêver.

revient n.m. Mot utilisé dans l'expression « prix de revient » pour exprimer ce que coûte en tout une marchandise : *Le prix de revient de cette marchandise est très élevé.* ☞ revenir.

revigorer v. Redonner de la vigueur, de la santé : *Profitez de votre congé pour vous revigorer un peu.* SYN. ravigoter, regaillardir, remonter, renforcer. ANT. affaiblir, épuiser, exténuer.

revirement n.m. Changement complet d'attitude, de pensée : *Le revirement de l'opinion publique a été rapide.*

réviser v. **1.** Relire pour s'assurer que tout est exact et qu'on n'a rien oublié : *As-tu révisé ton travail avant de me le donner?* **2.** Repasser ce qu'on a déjà étudié : *Thomas et Marilou révisent leurs leçons ensemble.* **3.** Faire la vérification d'un mécanisme : *Nous venons juste de faire réviser nos freins.* ☞ révision.

révision n.f. **1.** Action de réviser, de revoir ce qui a été fait pour corriger ou modifier : *On fera faire la révision des comptes par une vérificatrice.* SYN. vérification. **2.** Retour sur une matière en vue de se préparer à un examen : *J'ai fait une révision sérieuse, je ne crains pas l'examen.* SYN. revue. **3.** Vérification, remise en ordre d'un système, d'un moteur : *La révision de routine du camion est terminée.* SYN. examen. ☞ réviser.

revisser v. Visser, fixer avec une vis ce qui était dévissé : *Ce commutateur électrique a besoin d'être revissé.* ☞ vis.

revitaliser v. Redonner de la vitalité, de la vigueur : *Mon shampooing au germe de blé est censé revitaliser ma chevelure.* ☞ vital.

revivre v. **1.** Revenir à la vie, ressusciter : *Jésus a fait revivre Lazare.* **2.** Se prolonger en quelqu'un : *Je ne mourrai pas tout à fait, je revivrai dans mes deux enfants.* **3.** Vivre de nouveau, refaire l'expérience de quelque chose : *Que je ne voudrais pas revivre pareil chagrin!* **4.** Retrouver ses énergies, son entrain : *Le grand air et le soleil me font revivre.* **5.** Se remémorer, vivre de nouveau en esprit : *Ma mère revivait l'heureuse naissance de Kim.* SYN. évoquer, se rappeler. ANT. oublier.

révocation n.f. **1.** Action de révoquer, de destituer quelqu'un : *La révocation de la présidente en a surpris plusieurs.* SYN. congédiement, destitution, renvoi. ANT. maintien, nomination. **2.** Action de révoquer, d'annuler quelque chose : *La révocation de ce contrat a été vivement contestée.* SYN. annulation, invalidation, résiliation. ANT. confirmation, validation. ☞ révoquer.

revoici prép.fam. Voici de nouveau : *Me revoici, je n'ai pas trop tardé à revenir?* ☞ voici.

revoilà prép.fam. Voilà de nouveau : *Te revoilà enfin, ce n'est pas trop tôt!* **R.** Ne pas oublier l'accent : *à.* ☞ voilà.

revoir v. **1.** Voir de nouveau quelqu'un ou quelque chose : *Nous ne nous sommes pas* *revues depuis un an.* **2.** Retourner dans un lieu : *J'ai revu le village de mon enfance.* **3.** Regarder une autre fois : *Il aimerait revoir les photos de ton voyage.* **4.** Assister de nouveau à un spectacle, à un événement : *Je reverrais volontiers ce film de science-fiction.* **5.** Voir de nouveau en imagination : *Il revoyait la scène dans sa tête et souriait doucement.* ⁄⁄ *Au revoir:* Formule qu'on emploie en quittant quelqu'un ou en terminant une conversation téléphonique. ☞ voir. ▲ **revoir** v. **1.** Réviser une matière pour se la remémorer : *Vous aviez revu trop rapidement vos notes de cours.* **2.** Jeter un regard attentif sur ce qui a été fait pour y apporter les corrections nécessaires : *Je revois mon texte et je vous le donne à imprimer.* ☞ voir.

revoler v. Reprendre le ciel, voler de nouveau : *Cette pilote s'était pourtant promis qu'elle ne revolerait plus.* **R.** N'a pas le sens de *jaillir, gicler.* ☞ vol. ▲ **revoler** v. Dérober de nouveau : *Poussée par le manque d'argent, elle revola et fut reprise.* ☞ vol.

révoltant, ante adj. Qui révolte, choque : *Tu as une attitude révoltante à mon égard.* ☞ révolter.

révolte n.f. **1.** Soulèvement d'un groupe ou d'une collectivité contre l'autorité ou l'ordre social : *Riel avait pris la tête de la révolte des métis.* SYN. insurrection, rébellion. **2.** Sentiment de colère contre ce qui est ou paraît révoltant : *Il se serrait les lèvres, la révolte grondait en lui.* SYN. indignation. ANT. résignation. ☞ se révolter.

révolté, ée n. et adj. **1.** n. Personne qui est en révolte contre l'autorité, l'ordre établi : *Les révoltés avaient fait main basse sur les armes.* SYN. rebelle. **2.** adj. Qui est en révolte contre l'autorité, l'ordre établi : *Clara était très révoltée contre la société de consommation.* ANT. soumis. HOM. révolter. ☞ se révolter.

révolté, ée adj. Qui est indigné, irrité par quelque chose : *Il était révolté d'entendre ces injures.* HOM. révolter. ☞ révolter.

révolter v. Provoquer l'indignation, le dégoût : *Votre décision odieuse me révolte.* SYN. choquer, fâcher, indigner. ANT. apaiser, calmer. ☞ révoltant, révolté.

se **révolter** v.pron. **1.** Se soulever contre une autorité : *Le peuple opprimé se révolta contre le gouvernement.* SYN. s'insurger, se rebeller. ANT. obéir, se soumettre. **2.** fig. Se mettre en colère : *Chaque fois que Maryse entendait une remarque de son père, elle se révoltait.* SYN. s'indigner. ANT. se calmer. ☞ révolte, révolté.

révolu, ue adj. Qui est accompli, terminé : *À dix-huit ans révolus, on acquiert le droit de vote.*

révolution n.f. Trajectoire complète d'un astre, d'une planète, d'un satellite autour d'une masse plus importante : *La révolution de la Terre autour du Soleil s'appelle aussi « rotation ».* ▲ **révolution** n.f. Changement brutal sur le plan politique, économique, social, etc. : *La Révolution française a commencé en 1789 et s'est terminée dix ans plus tard.* SYN. renversement. ☞ révolutionnaire, révolutionner.

révolutionnaire n. et adj. **1.** n. Personne qui dirige une révolution ou y participe : *Les révolutionnaires avaient encerclé l'édifice.* **2.** adj. Qui se rapporte à la révolution : *Un second mouvement révolutionnaire déferla sur la France en 1830.* **3.** adj. Qui apporte un changement dans les habitudes de vie, la mentalité, etc. : *L'invention de la roue fut une découverte révolutionnaire.* SYN. novateur. ANT. conservateur. ☞ révolution.

révolutionner v. **1.** Changer du tout au tout : *L'électricité a révolutionné la vie des gens.* SYN. modifier, transformer. ANT. maintenir. **2.** fam. Causer de l'émoi, troubler : *Cette mauvaise nouvelle a révolutionné tout le village.* SYN. bouleverser. ANT. apaiser, calmer. ☞ révolution.

revolver n.m. (angl.) Arme à feu à canon court dont le barillet peut contenir six balles : *La policière s'entraîne au tir au revolver.* **R.** Se prononce *révolvère*.

révoquer v. **1.** Priver une personne de sa fonction, la congédier : *Le directeur du centre a été révoqué pour sa conduite malhonnête.* SYN. destituer, renvoyer. **2.** Annuler un contrat, un testament, etc. : *Par ce nouveau testament, je révoque le précédent.* SYN. invalider, résilier. ☞ irrévocable, irrévocablement, révocation.

révocation révoquer

revoter v. Voter de nouveau : *On a voté pour élire le président de la classe, puis on a revoté pour élire la trésorière.* ☞ vote.

revue n.f. **1.** Examen attentif de chaque objet d'un ensemble : *La bibliothécaire a fait une revue de tous les livres.* **2.** Inspection des troupes ou du matériel militaire : *La générale passe les troupes en revue.* ☞ voir. ▲ **revue** n.f. (angl.) Publication régulière sur des sujets spécialisés : *Cette revue de chasse et pêche abonde en conseils pratiques.* ▲ **revue** n.f. Spectacle comique qui passe en revue l'actualité : *La revue de fin d'année n'a pas été tendre pour ce politicien.*

révulsé, ée adj. Qui exprime un grand bouleversement, une émotion vive: *Il avait le visage révulsé.* HOM. révulser. ⁄⁄ *Yeux révulsés:* Yeux tournés vers le haut sous l'effet de la colère, de l'émotion. ☞ révulser.

révulser v. Produire un bouleversement dans le visage: *La colère avait révulsé les traits de Sophie.* HOM. révulsé. ☞ révulsé. **se révulser** v.pron. Exprimer une vive émotion par le bouleversement du visage: *Son regard s'était révulsé.*

rez-de-chaussée n.m.invar. Premier étage d'un édifice, c'est-à-dire celui qui est sensiblement au niveau du sol: *L'ascenseur arrête au rez-de-chaussée.*

rhabillage n.m. Action de rhabiller: *Le rhabillage quotidien de sa poupée était une de ses occupations favorites.* **R.** Aussi, *rhabillement*. Les lettres *ill* se prononcent comme dans *famille*. ☞ habiller.

rhabiller v. Habiller de nouveau: *Ta petite sœur s'est déshabillée, voudrais-tu la rhabiller?* ☞ habiller. **se rhabiller** v.pron. S'habiller de nouveau: *Sylvie préférait rester en robe de chambre plutôt que de se rhabiller.* **R.** Les lettres *ill* se prononcent comme dans *famille*.

rhapsodie n.f. Composition musicale libre s'inspirant de thèmes nationaux ou populaires: *Nous avons écouté une rhapsodie hongroise de Liszt.* **R.** Aussi, *rapsodie*.

rhésus n.m. Singe à queue courte et au pelage gris-roux, vivant en groupe: *Les rhésus vivent en Asie.* **R.** Le *s* final se prononce.

rhinocéros n.m. Grand mammifère d'Asie et d'Afrique, au corps trapu, ayant une ou deux cornes sur le nez: *Le rhinocéros est actuellement une espèce en danger d'extinction.* **R.** Le *s* se prononce.

rhizome n.m. Tige souterraine, qui se développe le plus souvent à l'horizontale et qui émet des racines: *L'herbe à puce est une plante à rhizomes.*

rhizostome n.m. Animal marin gélatineux en forme de poire, à tentacules orangés: *Le contact des tentacules du rhizostome cause une sensation de brûlure.*

rhododendron n.m. Plante d'Asie et d'Amérique du Nord qui aime l'humidité et enroule ses feuilles l'hiver pour se préserver du froid: *Certaines variétés de rhododendrons sont cultivées pour leurs fleurs.*

rhubarbe n.f. Plante potagère vivace aux larges feuilles, originaire d'Asie et d'Amérique, cultivée pour ses longs pétioles comestibles: *Comme dessert, nous mangerons une tarte à la rhubarbe et aux fraises.*

rhododendron arborescent

rhum n.m. (angl.) Eau-de-vie obtenue par la fermentation et la distillation de la mélasse ou du jus de canne à sucre: *Traditionnellement, la fermentation du rhum se faisait dans une citrouille.* **R.** Les lettres *um* se prononcent *omm*.

rhumatisant, ante n. et adj. **1.** n. Personne qui souffre de rhumatisme: *Ce rhumatisant arrive encore à marcher un peu.* **2.** adj. Qui souffre de rhumatisme: *Les personnes rhumatisantes souffrent quand le temps est humide.* ☞ rhumatisme.

rhumatismal, ale, aux adj. Qui se rapporte au rhumatisme: *Raymonde a des douleurs rhumatismales dans les doigts.* ☞ rhumatisme.

rhumatisme n.m. Maladie aiguë ou chronique qui occasionne des douleurs et parfois même des déformations dans les articulations: *David a les articulations des doigts gonflées et rigides à cause du rhumatisme.* ☞ rhumatisant, rhumatismal, rhumatologie, rhumatologue.

rhumatologie n.f. Branche de la médecine qui étudie les rhumatismes: *Karine a terminé ses études en médecine, mais elle veut se spécialiser en rhumatologie.* ☞ rhumatisme.

rhumatologue n. Médecin spécialisé en rhumatologie: *Je suis allée voir un rhumatologue lors de ma dernière crise d'arthrite.* **R.** Ne pas oublier le *u* après le *g*. ☞ rhumatisme.

rhume n.m. Maladie, généralement bénigne, qui affecte le nez, la gorge, les bronches: *Gonzalo tousse sans cesse à cause de son rhume.* ⁄⁄ *Rhume de cerveau:* Inflammation de la muqueuse du nez. *Rhume des foins:* Irritation des yeux et du nez à cause du pollen, de la poussière, etc. ☞ enrhumé, enrhumer.

riant, ante adj. **1.** Qui exprime la gaieté: *Tous ces visages riants reflétaient la joie de vivre.* SYN. gai, souriant. ANT. morose, triste. **2.** Qui est agréable à regarder: *Les rues étaient riantes et dorées de soleil.* ☞ rire.

ribambelle n.f.fam. Longue suite de personnages ou de choses: *J'ai vu passer une ribambelle d'enfants coiffés de bérets rouges.*

ricanement n.m. Action de ricaner, de rire avec une intention moqueuse: *Ses ricanements m'agaçaient.* ☞ ricaner.

ricaner v. **1.** Rire avec une intention moqueuse: *Pendant mon exposé, des élèves ricanaient à l'arrière de la classe.* **2.** Rire sottement ou pour cacher sa gêne: *Elle ricanait les deux mains sur la bouche tout en se tordant un pied.* ☞ ricanement, ricaneur.

ricaneur, euse n. et adj. **1.** n. Personne qui ricane facilement: *Cette ricaneuse se fait remarquer.* **2.** adj. Qui exprime de la moquerie: *Tu as les yeux vifs et ricaneurs.* SYN. railleur. ANT. sérieux. ☞ ricaner.

richard, arde n.fam. Personne riche: *Plusieurs se disaient parents avec le richard du lieu.* ☞ riche.

riche n. et adj. **1.** n. Personne qui a beaucoup d'argent ou de grands biens matériels: *Ce riche peut vivre à l'aise sans se soucier de ses vieux jours.* SYN. nanti. ANT. pauvre. **2.** adj. Qui a beaucoup d'argent ou de grands biens matériels: *Cette personne, bien qu'elle soit riche, est très généreuse.* SYN. fortuné. **3.** adj. Qui a l'apparence de la richesse ou la suppose: *Ce riche décor le mettait mal à l'aise.* SYN. luxueux, somptueux. ANT. modeste. **4.** adj. Qui est productif, fertile, abondant: *Nous avons de grands et riches terrains.* SYN. fécond, prospère. ANT. stérile. // *Riche de:* Plein de. *Riche en:* Qui renferme une grande quantité de. ☞ enrichi, enrichir, enrichissant, enrichissement, richard, richement, richesse, richissime.

richement adv. D'une manière riche, luxueuse: *Le salon était richement décoré.* SYN. luxueusement, somptueusement. ANT. modestement. ☞ riche.

richesse n.f. **1.** Fortune, abondance de biens: *La richesse ne nous met pas à l'abri du malheur.* SYN. opulence. ANT. dénuement, pauvreté. **2.** Qualité de ce qui a du prix: *La richesse de ces ornements l'éblouissait.* SYN. luxe. **3.** Qualité d'une chose qui a de la variété, de l'éclat: *L'automne nous offre une grande richesse de coloris.* SYN. abondance. **4.** Ce qui fait la valeur d'une personne, d'une chose: *La vrai richesse d'une personne est son amour pour le prochain.* **5.** plur. Ressources naturelles: *La forêt est une des principales richesses de notre pays.* ☞ riche.

richissime adj. Qui a une grande fortune: *Cette industrielle richissime a fait sa fortune dans le pétrole.* ☞ riche.

ricin n.m. Plante des pays chauds, à grandes feuilles palmées, dont l'huile, extraite des graines, est purgative: *Je n'aime pas le goût de l'huile de ricin.*

ricin

ricocher v. Faire un ou des ricochets, des rebondissements: *La balle ricocha contre le poteau.* ☞ ricochet.

ricochet n.m. Rebondissement d'une pierre plate lancée de biais sur la surface de l'eau ou d'un corps dur lancé contre une surface dure: *Jacques et Stéphanette comptaient les ricochets de leurs petits cailloux sur la surface du lac.* ☞ ricocher. par **ricochet** loc.adv. Par contrecoup, de façon indirecte: *Ce compliment t'était destiné par ricochet.*

rictus n.m. (lat.) Sourire forcé, crispé, grimaçant: *Un rictus moqueur se dessina sur ses lèvres.* **R.** Le *s* se prononce.

ride n.f. **1.** Pli de la peau: *Son visage plein de rides reflétait la noblesse de son cœur.* SYN. plissement. **2.** Petit sillon, légère ondulation sur une surface: *Le vent formait des rides sur le lac.* ☞ ridé, rider.

ridé, ée adj. Qui a des rides, des plis: *Elle met de la crème sur ses mains ridées.* SYN. plissé. ANT. lisse. HOM. rider. ☞ ride.

rideau, eaux n.m. **1.** Pièce d'étoffe que l'on met dans les fenêtres par besoin d'intimité ou pour couper la lumière: *J'ai posé de nouveaux rideaux dans ma chambre.* SYN. draperie, tenture. **2.** Pièce d'étoffe imperméable qui empêche l'eau de la douche d'aller sur le plancher: *Quand tu prends ta douche, tire le rideau.* SYN. toile. **3.** Draperie suspendue devant une scène: *Le rideau glisse, les lumières s'allument, les acteurs entrent en scène.* **4.** Chose qui fait écran: *Les maisons étaient à demi dissimulées par un rideau de brume qui tardait à se lever.* SYN. voile. ⫽ *Rideau de fer:* Assemblage de lames métalliques qui protège la devanture d'un magasin.

ridelle n.f. Chacun des côtés ajourés d'une charrette, d'une camionnette, servant à retenir une charge: *Nous avions passé nos jambes à travers les ridelles de la charrette à foin.*

rider v. **1.** Devenir plissé: *Au soleil, sa peau s'est desséchée et a ridé.* **2.** Former des rides: *Le vent avait ridé le sable de la plage.* HOM. ridé. ☞ ride.

ridicule n. et adj. **1.** n. Personne grotesque, sotte, déplacée, selon le cas: *Cesse de faire le ridicule, tout le monde nous remarque.* SYN. bouffon. **2.** n. Ce qui est digne de moquerie: *Elle ne s'est pas aperçue du ridicule de ses propos.* **3.** adj. Qui est risible, va contre le bon sens: *Cette mode ridicule ne durera pas longtemps.* SYN. dérisoire, loufoque. **4.** adj. Qui est insignifiant, sans importance: *J'ai acheté ce vélo à un prix ridicule.* ☞ ridiculement, ridiculiser.

ridiculement adv. **1.** D'une manière ridicule, risible: *Il avait un peu trop bu et chantait ridiculement.* **2.** Dans des proportions insignifiantes, dérisoires: *On me paie un salaire ridiculement bas.* ☞ ridicule.

ridiculiser v. Tourner quelqu'un ou quelque chose en dérision, s'en moquer: *On a ridiculisé ses efforts et son travail, elle en est profondément blessée.* SYN. caricaturer, railler. ☞ ridicule. se **ridiculiser** v.pron. Se rendre ridicule, grotesque: *Il s'est ridiculisé devant tout le monde.*

rien n.m. et pron.indéf. **1.** n.m. Peu de chose: *Un rien suffit à le faire pleurer aujourd'hui.* **2.** n.m.plur. Choses sans importance: *Tu te fâches pour des riens.* **3.** pron.indéf. Aucune chose: *Je n'ai rien compris à ses explications.* **4.** pron.indéf. Quelque chose: *Elle est partie sans rien dire.* ⫽ *Ce n'est rien:* C'est sans importance. *Comme si de rien n'était:* Comme s'il n'était rien arrivé. *En un rien de temps:* Très rapidement. *Il n'en est rien:* C'est faux. *Rien que:* Seulement. *Un rien de:* Une petite quantité de. en **rien** loc.adv. En quoi que ce soit: *Il ne supportait en rien la grossièreté.* **rien à rien** loc.adv. Absolument rien: *Je ne me rappelle rien à rien.*

rieur, euse n. et adj. **1.** n. Personne qui rit: *Les rieuses s'éloignaient en se racontant des histoires loufoques.* **2.** adj. Qui aime rire, blaguer: *Marco est un enfant rieur et sociable.* SYN. enjoué, gai. ANT. austère, sérieux. **3.** adj. Qui respire la bonne humeur, la joie: *Elle a un visage rieur et sympathique.* SYN. joyeux. ANT. mélancolique, sombre. ☞ rire.

rieuse n.f. Mouette à tête blanche et grise, au bout des ailes noir qui se nourrit principalement de poissons et qui doit son nom à son cri qui rappelle le rire: *La rieuse ne s'éloigne guère de la mer.*

rigide adj. **1.** Qui ne fléchit pas, ne se plie pas facilement: *Mon dictionnaire a une couverture rigide.* SYN. dur, raide. ANT. flexible, souple. **2.** fig. Qui ne cède pas, ne fait pas de compromis, en parlant d'une personne: *Mon père est rigide: à 9 heures, il faut que je sois au lit.* SYN. ferme, inflexible. ANT. conciliant, indulgent. **3.** fig. Qui est sévère, rigoureux, en parlant d'un règlement, d'une loi, etc.: *Des règlements rigides régissent notre école.* SYN. strict. ANT. souple. ☞ rigidement, rigidité.

rigidement adv. D'une manière rigide, ferme: *La directrice appliquait rigidement les règlements.* ☞ rigide.

rigidité n.f. **1.** État de ce qui résiste aux déformations: *La rigidité de ce carton protégera nos objets fragiles.* SYN. fermeté. ANT. élasticité. **2.** Manque de souplesse: *Elle sentait la rigidité de ses articulations surtout le matin.* SYN. raideur. ANT. flexibilité, souplesse. **3.** fig. Rigueur, sévérité d'une personne: *Sa rigidité me glaçait et m'enlevait toute spontanéité.* SYN. austérité, dureté. ANT. douceur, indulgence. ☞ rigide.

rigolade n.f. **1.** Chose dite à la légère, pour taquiner: *Ris un peu, ce n'est qu'une rigolade!* **2.** Divertissement, moment de détente, de joie: *C'est l'heure de la rigolade, rions et dansons!* ☞ rigoler.

rigole n.f. **1.** Petit fossé en pente pour l'écoulement des eaux: *Pour drainer le terrain, on creusait des rigoles.* **2.** Petit cours d'eau: *La rigole ravinait le terrain.* **3.** Tranchée étroite faite pour recevoir un mur ou une rangée d'arbustes: *La rigole est creusée, on va y mettre une haie de cèdres.*

rigoler v. S'amuser, rire, badiner: *Viens rigoler un peu avec nous!* SYN. plaisanter. ANT. pleurer. ☞ rigolade, rigole.

rigolo, ote n. et adj. **1.** n. Personne qui amuse, fait rire : *Ce rigolo pourrait faire rire les pierres.* SYN. boute-en-train. **2.** adj. Qui amuse, fait rire : *Ton histoire n'est pas du tout rigolote !* SYN. amusant, comique, drôle. ANT. ennuyeux, triste. ☞ rigoler.

rigoureusement adv. D'une manière rigoureuse, stricte : *Elle observait rigoureusement les règlements de la bande.* ☞ rigueur.

rigoureux, euse adj. **1.** Qui est d'une grande sévérité dans sa conduite ou dans son attitude à l'égard des autres : *Elle était très rigoureuse dans tout ce qu'elle faisait.* SYN. strict. ANT. indulgent. **2.** Qui est pénible, dur à supporter : *Cette année, l'hiver a été rigoureux.* SYN. inclément, rude. ANT. clément, doux. **3.** Qui est d'une grande exactitude, d'une grande précision, en parlant d'une chose : *Cette théorie s'appuie sur des preuves rigoureuses.* SYN. incontestable, indiscutable. ☞ rigueur.

rigueur n.f. **1.** Grande sévérité, dureté : *Cet instituteur traite ses élèves avec rigueur.* SYN. austérité, rigidité. ANT. indulgence, tendresse. **2.** Dureté du climat : *La rigueur des hivers canadiens est bien connue.* SYN. inclémence. ANT. clémence, douceur. **3.** Précision, exactitude dans ce qui est dit ou fait : *Sa pensée manquait de rigueur.* SYN. rectitude. ANT. imprécision, incertitude. ⁄⁄ *De rigueur :* Obligatoire. ☞ rigoureusement, rigoureux. **à la rigueur** loc.adv. En cas de nécessité absolue : *À la rigueur, les corrections pourront être faites à la main.*

rillettes n.f.plur. Pâté de porc composé de viande bouillie avec de l'oignon, de l'ail et des assaisonnements, qui se mange froid : *Papa et moi préparons des rillettes pour demain.* **R.** Les lettres *ill* se prononcent comme dans *famille*.

rime n.f. Répétition d'un même son à la fin de deux ou de plusieurs vers : *Les rimes de ce poème sont d'une grande richesse.* ☞ rimer.

rimer v. **1.** Avoir le même son en finale, en parlant de deux ou plusieurs mots : *« Mouette » rime avec « chouette ».* **2.** Mettre en vers : *Ton histoire est déjà pleine de poésie, essaie donc de la rimer.* ☞ rime.

rinçage n.m. Opération qui consiste à enlever le savon d'une chose en la passant à l'eau claire : *Cette vaisselle savonneuse aurait besoin d'un bon rinçage.* **R.** Ne pas oublier la cédille. ☞ rincer.

rince-bouche n.m.invar. Liquide médicamenteux pour se rincer la bouche et rafraîchir l'haleine : *Dans l'armoire, il y a un rince-bouche à saveur de menthe.* ☞ rincer.

rince-doigts n.m.invar. Petit récipient dans lequel on met de l'eau tiède additionnée parfois de citron, pour se rincer les doigts après avoir mangé avec ceux-ci : *Les serviettes humides tendent à remplacer les rince-doigts.* ☞ rincer.

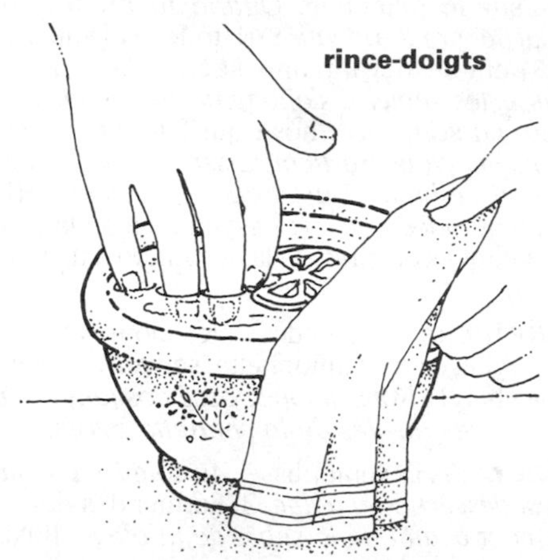

rincer v. **1.** Passer à l'eau, nettoyer : *Rince les canettes avant de les rapporter au magasin.* **2.** Éliminer le savon ou un autre produit de nettoyage en utilisant de l'eau claire : *J'ai rincé mes mains pour enlever le savon qui y restait.* **R.** Ne pas oublier la cédille devant *a* et *o*. ☞ rinçage, rince-bouche, rince-doigts.

ring n.m. (angl.) Estrade entourée de cordes, sur laquelle les boxeurs ou les lutteurs se livrent des combats : *Un lutteur a été projeté hors du ring.* SYN. arène. **R.** Se prononce à l'anglaise.

ringuette n.f. Sport féminin ressemblant au hockey sur glace : *Éliane et Stéphanie ont apporté leurs patins pour jouer à la ringuette.* **R.** Ne pas oublier le *u* après le *g*.

riposte n.f. **1.** Réponse vive et immédiate : *Sa riposte ne se fit pas attendre.* SYN. repartie, réplique. **2.** Représailles : *Après cette attaque, la riposte de l'équipe adverse fut fulgurante.* SYN. revanche. ☞ riposter.

riposter v. Répondre vivement, avec agressivité, à une attaque, à une parole blessante, à un coup, etc. : *Les manifestants ont riposté en lançant des pierres.* ☞ riposte.

rire n.m. Action de rire : *Un rire étouffé provenait du fond de la classe.* ⁄⁄ *Fou rire :* Envie de rire qu'on ne peut maîtriser.

rire v. **1.** Réagir à quelque chose de drôle en tirant les commissures des lèvres et en saccadant ses expirations : *Il riait bruyamment en regardant cette comédie italienne.* SYN. s'esclaffer. ANT. pleurer. **2.** S'égayer: *Viens rire avec nous!* SYN. rigoler. ANT. s'attrister. **3.** Avoir l'air de rire: *Ses yeux riaient de bonheur.* **4.** Se moquer de quelqu'un: *Ne ris pas des autres.* SYN. ridiculiser. **5.** Ne pas agir, ne pas parler sérieusement: *Ne te fâche pas, j'ai dit ça pour rire.* SYN. plaisanter. ☞ riant, rieur, risée, risette, risible. se **rire** v.pron. Ne pas tenir compte de quelque chose: *Je me ris de tes avertissements.* SYN. se moquer.

ris n.m. Glande du veau, de l'agneau, etc., située à la base du cou, dont on fait un mets très apprécié: *Nous avons mangé du ris de veau au vin blanc.* SYN. thymus. HOM. riz. **R.** S'emploie souvent au pluriel. Le *s* ne se prononce pas.

risée n.f. Raillerie, moquerie de tous: *Ses accoutrements suscitaient la risée dans tout le village.* ☞ rire.

risette n.f. **1.** Sourire d'enfant: *Elle ne se faisait pas prier pour faire des risettes.* **2.** Sourire forcé, commandé: *Pourquoi vous ferais-je une risette?* ☞ rire.

risible adj. Qui porte à rire, est un peu ridicule: *Cette mode a quelque chose de risible.* SYN. comique, drôle, ridicule. ANT. grave, sérieux. ☞ rire.

risque n.m. Danger plus ou moins entrevu auquel on s'expose: *Tu cours le risque de tomber en courant sur la glace.* SYN. péril. ⁄⁄ *À mes risques et périls:* En acceptant de subir toutes les conséquences de mon geste. ☞ risquer. au **risque de** loc.prép. En s'exposant à tel ou tel danger, tel ou tel ennui: *Au risque de me faire détester, je leur dirai ce que je pense de leur spectacle.*

risqué, ée adj. **1.** Qui est audacieux, plein de risques: *Ta course risquée était dangereuse.* SYN. aventureux, périlleux. ANT. assuré, sûr. **2.** Qui est osé, scabreux: *Tes histoires risquées manquaient aux convenances.* SYN. indécent. HOM. risquer. ☞ risquer.

risquer v. **1.** Exposer à un danger, à un inconvénient: *Il a risqué cinq dollars au poker.* **2.** S'exposer à tel ou tel danger: *Tu as risqué la mort pour me sauver.* **3.** Courir le risque de dire, de faire quelque chose qui peut être mal reçu, mal accueilli: *Hugo risqua une question en dehors du sujet.* **4.** Courir le risque de subir tel ou tel désagrément, tel ou tel accident: *Ne sors pas sans ta tuque, tu risques d'attraper froid.* HOM. risqué. ☞ risque, risqué, risque-tout. se **risquer** v.pron. S'exposer à un danger, à un désagrément: *Ne te risque pas à marcher sur la glace du lac, elle n'est pas assez épaisse.*

risque-tout n.invar. Personne hasardeuse qui ne craint pas le risque: *Cette femme téméraire est une risque-tout.* SYN. casse-cou. ☞ risquer.

rissoler v. **1.** Passer dans la poêle chaude pour saisir et dorer: *Ce soir, nous allons rissoler les pommes de terre.* **2.** fig. Faire brunir au soleil: *Pendant les vacances, je me suis fait rissoler sur la plage.*

ristourne n.f. (it.) **1.** Versement annuel effectué par une association ou une société au bénéfice de ses adhérents: *Les membres ont reçu cette année une ristourne de cent dollars.* **2.** Réduction accordée sur le prix d'une marchandise, d'un produit: *L'installatrice de thermopompes nous a accordé une importante ristourne.* SYN. remise.

rite n.m. **1.** Ensemble des cérémonies d'une religion: *Dans cette église, on dit la messe selon le rite arménien.* SYN. liturgie. **2.** Ensemble de gestes et de paroles d'une cérémonie religieuse: *Dans le rite du baptême, le prêtre asperge le front de l'enfant avec de l'eau bénite.* SYN. cérémonial. **3.** Ensemble d'observances établies par la coutume: *Chez les Japonais, un rite précis entoure la consommation du thé.* ☞ rituel.

ritournelle n.f. (it.) **1.** Refrain qu'on reprend inlassablement après chaque couplet d'une chanson: *Nous chantons les couplets et vous reprenez la ritournelle.* **2.** Chose que l'on répète souvent: *Ma foi, cette question est devenue une ritournelle.*

rituel n.m. **1.** Livre décrivant le déroulement d'une cérémonie: *Le rituel de la cérémonie du mariage est sur l'autel.* **2.** Ensemble de rites à caractère religieux ou magique: *Ce manuscrit décrivait un rituel de magie noire.* ☞ rite.

rituel, elle adj. **1.** Qui concerne un rite, les rites: *Nous avons entonné un chant rituel.* **2.** Qui est exécuté avec régularité, comme un rite: *Mon chat faisait sa toilette rituelle.* ☞ rite.

rivage n.m. **1.** Bord de la mer: *Assises sur le rivage, nous regardions la mer se retirer.* SYN. grève, plage. **2.** Rive d'un cours d'eau: *Le canot attendait sur le rivage.* SYN. berge.

rival, ale, aux n. et adj. **1.** n. Personne qui dispute l'amour de quelqu'un: *Martine avait une rivale qui voulait conquérir Daniel.* **2.** n. Personne qui est opposée à autrui pour obtenir un même avantage: *Au badminton, Paul est mon rival.* SYN. adversaire, compétiteur. ANT. allié, associé, partenaire. **3.** adj. Qui est opposé à autrui pour obtenir un même avantage: *Ces entreprises rivales s'efforcent toutes deux d'obtenir le contrat.* SYN. antagoniste, concurrent. ANT. allié, associé. ⁄⁄ *Sans rival:* Inégalable. ☞ rivaliser, rivalité.

rivaliser v. Être le rival de quelqu'un : *Elles ont rivalisé pour obtenir le premier prix.* ☞ rival.

rivalité n.f. Situation de compétition entre des personnes qui convoitent un même avantage : *Il y a une forte rivalité entre ces deux candidates à la présidence.* SYN. émulation. ANT. collaboration, union. ☞ rival.

rive n.f. Bande de terre qui borde une rivière, un fleuve, un lac : *Nous avons laissé le canot sur la rive.* SYN. berge, rivage.

river v. **1.** Fixer au moyen de rivets : *Ces feuilles d'aluminium ont été rivées.* **2.** fig. Attacher fermement : *Le chercheur reste rivé à son travail jusqu'à une heure tardive.* ☞ dériver, rivet.

riverain, aine n. et adj. **1.** n. Personne qui habite le long d'un cours d'eau, d'une route, d'un bois, etc. : *Ce chemin est réservé aux riverains.* **2.** adj. Qui habite sur la rive d'un cours d'eau, d'un lac : *Les villageois riverains ont dû faire face à des inondations au printemps.*

rivet n.m. Tige cylindrique munie d'une tête, dont on écrase une extrémité pour assembler deux pièces : *Les deux pièces de cette pince sont maintenues ensemble par un rivet.* ☞ river.

rivière n.f. Cours d'eau d'importance variable qui se déverse dans une nappe d'eau ou un cours d'eau plus important : *La Chaudière est une rivière qui se jette dans le fleuve Saint-Laurent.*

rixe n.f. Querelle violente accompagnée de coups : *Il s'est mêlé à une rixe et a maintenant un œil poché.* SYN. bagarre, échauffourée.

riz n.m. (it.) **1.** Plante céréalière cultivée dans les terrains humides : *Les pays asiatiques sont de grands producteurs de riz.* **2.** Grain de cette plante céréalière : *Pour déjeuner, j'ai mangé un bol de riz soufflé.* HOM. ris. **R.** Le *z* ne se prononce pas. ☞ rizière.

rizière n.f. Terrain où l'on cultive le riz : *Les rizières doivent être périodiquement inondées.* ☞ riz.

robe n.f. **1.** Vêtement féminin d'une seule pièce, comprenant un corsage prolongé par une jupe : *Elle a mis sa belle robe blanche.* **2.** Enveloppe d'un légume : *Nous avons mangé des pommes de terre en robe des champs.* **3.** Pelage du cheval, de certains mammifères : *C'était un cheval noir à la robe lustrée.* ⁄⁄ *Robe chasuble :* Robe sans manches qui se porte sur un tricot. *Robe de chambre :* Vêtement d'intérieur sans boutonnage, retenu à la taille par une ceinture. *Robe de grossesse, de maternité :* Robe ample que portent les femmes enceintes.

robinet n.m. Appareil permettant de rétablir, d'interrompre ou de régler le passage d'un liquide : *Je dois tourner le robinet vers la droite pour le fermer.*

robineux ☞ sect. anglicismes et canadianismes.

robot n.m. (tchèque) **1.** Machine complexe pouvant se substituer à l'être humain pour exécuter certains travaux : *Cette chaîne de montage se compose de plusieurs robots.* SYN. automate. **2.** Dans les œuvres d'anticipation, machine automatique à l'aspect humain : *Les robots avaient envahi la planète.* ⁄⁄ *Portrait-robot :* Portrait d'un individu, reconstitué d'après des témoignages. ☞ robotique, robotisation, robotiser.

robotique n.f. Étude et mise au point de systèmes automatiques pouvant remplacer ou prolonger des opérations humaines : *La robotique permet de libérer l'être humain des tâches répétitives.* ☞ robot.

robotisation n.f. Action de robotiser : *La robotisation de cette industrie a permis de confier les tâches dangereuses à des robots.* ☞ robot.

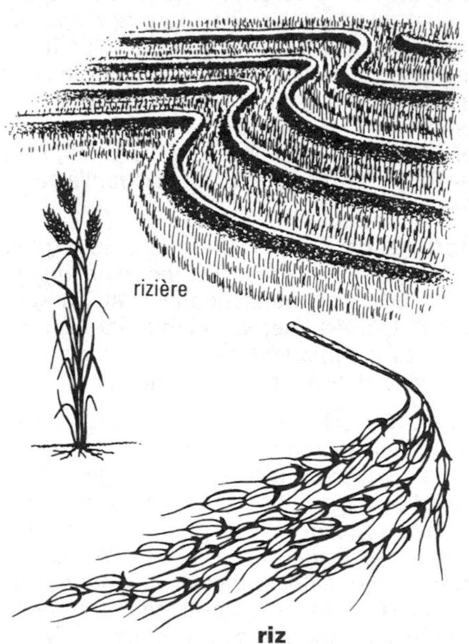

robotiser v. Doter de robots industriels : *On projette de robotiser cette usine.* SYN. automatiser. ☞ robot.

robuste adj. Qui a de la vigueur, qui est solidement constitué : *Elle a une santé ro-*

buste. SYN. énergique, fort, solide, vigoureux. ANT. chétif, délicat, faible, fragile. ☞ robustesse.

robustesse n.f. Qualité de ce qui est robuste, résistant: *Je préfère ce modèle de marteau à cause de sa robustesse.* SYN. résistance, solidité. ANT. délicatesse, fragilité. ☞ robuste.

roc n.m. Masse de pierre très dure du sol ou du sous-sol: *Cette maison est bâtie sur le roc.*

rocaille n.f. **1.** Ensemble ornemental composé de pierres entre lesquelles poussent des fleurs, des arbustes: *La rocaille a commencé à fleurir.* **2.** Amas de petites pierres: *Les enfants se sont amusés à former des rocailles.* ☞ rocailleux.

rocailleux, euse adj. **1.** Qui est rempli de pierres, de cailloux: *La culture est difficile dans cette terre rocailleuse.* SYN. caillouteux, pierreux. **2.** fig. Qui est rude, qui manque de grâce: *Il a une voix rocailleuse.* ☞ rocaille.

roche n.f. **1.** Bloc important de matière minérale: *Nous avons grimpé sur la roche.* SYN. rocher. **2.** Matière minérale qui forme la croûte terrestre: *Nous avons creusé jusqu'à la roche.* SYN. roc. **3.** Fragment de matière minérale considéré du point de vue de sa composition: *La minéralogiste s'intéresse aux roches et aux minéraux.* ⁄⁄ *Eau de roche:* Eau de source très limpide. ☞ rocher, rocheux.

rocher n.m. Grande masse de pierre dure, souvent abrupte: *Les vagues de la mer viennent se briser au pied des rochers.* ☞ roche.

rocheux, euse adj. **1.** Qui est couvert de rochers: *Le littoral est rocheux à cet endroit.* **2.** Qui est formé de roche: *Nous avons marché sur le fond rocheux du ruisseau.* ☞ roche.

rock n.m. et adj.invar. (angl.) **1.** n.m. Musique rythmée populaire, née aux États-Unis au milieu des années cinquante: *Le rock est issu du jazz et du blues.* **2.** n.m. Danse rapide à quatre temps, qui s'exécute sur cette musique: *Le rock était la danse préférée de la jeunesse.* **3.** adj.invar. De rock: *Elle aime les groupes rock.* **R.** Aussi, *rock and roll.*

rodage n.m. **1.** Action de mettre progressivement en état de fonctionner à plein rendement: *Il faut suivre les directives de rodage du véhicule.* **2.** Période pendant laquelle un système doit être rodé: *Cette voiture est actuellement en rodage.* ☞ roder.

rodéo n.m. (esp.) Festivités comportant plusieurs jeux de lutte avec des animaux domestiques qu'il faut maîtriser: *Les rodéos sont très populaires dans les provinces de l'Ouest.*

roder v. **1.** Étrenner en faisant fonctionner avec précaution, de façon que les pièces s'ajustent parfaitement: *Elle a fini de roder sa nouvelle voiture.* **2.** Mettre progressivement au point: *Notre équipe a été bien rodée.* **R.** Ne pas confondre avec *rôder.* ☞ rodage.

rôder v. Aller çà et là avec des intentions suspectes: *Un chien sauvage rôdait autour du campement.* **R.** Ne pas oublier l'accent: *ô*. Ne pas confondre avec *roder.* ☞ rôdeur.

rôdeur, euse n. Personne qui rôde avec l'intention de commettre un mauvais coup: *La policière a arrêté un rôdeur.* **R.** Ne pas oublier l'accent: *ô*. ☞ rôder.

rogne n.f.fam. Colère: *Ne te mets pas en rogne pour si peu!* **R.** S'emploie surtout dans l'expression *en rogne.*

rogner v. **1.** Couper sur les bords: *L'imprimeur a rogné les livres avec une cisaille.* **2.** Diminuer faiblement, en vue d'un avantage mesquin: *L'impôt va rogner encore nos maigres salaires.* **3.** Prélever maigrement sur quelque chose, faire de petites économies: *Il va falloir rogner sur notre budget.* ☞ rognure.

rognon n.m. Rein de certains animaux, destiné à la cuisine: *Nous avons mangé des rognons de veau.*

rognure n.f. **1.** Ce qu'on enlève quand on rogne quelque chose: *J'ai jeté mes rognures d'ongles à la corbeille.* **2.** Restes, débris: *J'ai gardé ces rognures de viande pour le chien.* ☞ rogner.

roi n.m. **1.** Chef souverain d'un pays, choisi par voie héréditaire et nommé à vie: *Louis XIV, roi de France, monta sur le trône à l'âge de cinq ans.* SYN. monarque, souverain. **2.** Personne qui domine dans un domaine: *C'est le roi des paresseux.* **3.** Carte à jouer figurant un roi: *J'ai le roi de carreau.* **4.** Pièce principale du jeu d'échecs: *Ton roi est en échec.* ⁄⁄ *Le roi de la création:* L'être humain. *Le roi de la forêt:* Le chêne. *Le roi des animaux:* Le lion. *Le roi des oiseaux:* L'aigle. *Les Rois mages:* Les trois personnages venus de l'Orient adorer l'Enfant Jésus. ☞ reine, roitelet, royal, royalement, royalisme, royaliste, royaume, royauté.

roitelet n.m. Roi peu important: *La puissante reine intimidait les roitelets des pays voisins.* ☞ roi. ▲ **roitelet** n.m. Très petit oiseau, dont le mâle porte une huppe jaune: *Le roitelet est insectivore.*

rôle n.m. **1.** Ce qu'un acteur doit dire ou faire sur la scène: *As-tu bien appris ton rôle?* **2.** Personnage incarné par un comédien: *Robert jouera le rôle de l'empereur.* **3.** Fonction, influence exercées par quelqu'un: *Elle a joué un rôle important dans ces négociations.* **4.** Fonction d'un élément dans un ensemble: *Le* rôle de l'adjectif est de préciser ou de modifier le sens d'un nom. ⁄⁄ *À tour de rôle:* Tour à tour. *Jeu de rôle:* Jeu de simulation. ▲ **rôle** n.m. **1.** Liste des jeunes gens qui doivent s'enrôler dans l'armée: *Le nom de Véronique figure sur le rôle des cadets de l'air.* **2.** Registre où sont inscrites les causes qui doivent être soumises à un tribunal: *D'après le rôle, cette affaire sera portée en cour dans trois mois.* **R.** Ne pas oublier l'accent: *ô*.

romain, aine n. et adj. **1.** n. Personne qui est de Rome: *Un Romain, une Romaine.* **2.** adj. Qui est de Rome: *J'ai appris à écrire les nombres en chiffres romains.* **R.** On met la majuscule à *romain* et à *romaine* lorsqu'il s'agit du nom.

I	=	1	**XC**	=	90
IV	=	4	**C**	=	100
V	=	5	**CC**	=	200
VI	=	6	**CD**	=	400
IX	=	9	**D**	=	500
X	=	10	**DC**	=	600
XI	=	11	**CM**	=	900
XL	=	40	**M**	=	1000
L	=	50	**MC**	=	1100
LX	=	60			

chiffres **romains**

romaine n.f. Laitue à feuilles allongées et droites: *J'ai fait de la salade avec une romaine.*

roman n.m. **1.** Œuvre littéraire en prose, qui présente des personnages en les donnant comme réels: *Ce roman d'aventures est captivant du début à la fin.* **2.** Genre littéraire dans lequel sont écrits les romans: *Cette poète excelle aussi dans le roman.* ☞ romancer, romancier, romanesque, roman-photo. ▲ **roman** n.m. Langue dérivée du latin, qui a précédé l'ancien français: *Le roman a été parlé entre le Ve et le Xe siècle dans l'ensemble de l'Europe.*

roman, ane adj. **1.** Qui provient du latin populaire, en parlant d'une langue: *Le français est une langue romane.* **2.** Qui s'est répandu en Europe aux XIe et XIIe siècles, en parlant de l'art: *Il existe encore plusieurs églises romanes en Europe.*

romance n.f. Chanson sentimentale: *Cette chanteuse chante de belles romances.*

romancer v. Présenter sous la forme d'un roman: *Cette biographie a été romancée avec talent.* **R.** Ne pas oublier la cédille devant *a* et *o*. ☞ roman (n.).

romancier, ière n. Auteur de romans: *Cette romancière a écrit plusieurs romans pour la jeunesse.* ☞ roman (n.).

romanesque adj. **1.** Qui présente les caractères du roman traditionnel, rempli de situations et de sentiments extraordinaires: *Cette histoire est fertile en aventures romanesques.* SYN. extraordinaire, merveilleux. **2.** Qui a des sentiments, des comportements dignes des personnages de roman: *Elle est très romanesque.* SYN. romantique, sentimental. **3.** Qui est propre au genre littéraire du roman: *L'écriture romanesque est riche en descriptions.* ☞ roman (n.).

roman-photo n.m. Intrigue sentimentale relatée par des photos auxquelles sont intégrés de courts dialogues: *Dans la salle d'attente, les gens lisaient des romans-photos.* **R.** Au pluriel, *romans-photos*. ☞ roman (n.).

romantique adj. **1.** Qui appartient au romantisme: *En musique, l'époque romantique a été marquée notamment par Chopin et Wagner.* **2.** Qui invite à l'émotion, à la rêverie: *Cet endroit est très romantique.* **3.** Qui manifeste de l'idéalisme, de la passion: *Ce garçon a une âme romantique.* ☞ romantisme.

romantisme n.m. Mouvement littéraire et artistique apparu au XIXe siècle, qui exaltait le sentiment, le rêve, l'imagination, le goût du fantastique: *Victor Hugo a été une des grandes figures du romantisme.* ☞ romantique.

romarin n.m. Arbuste aromatique à feuilles persistantes petites et fines: *Le romarin communique un arôme délicat aux aliments.*

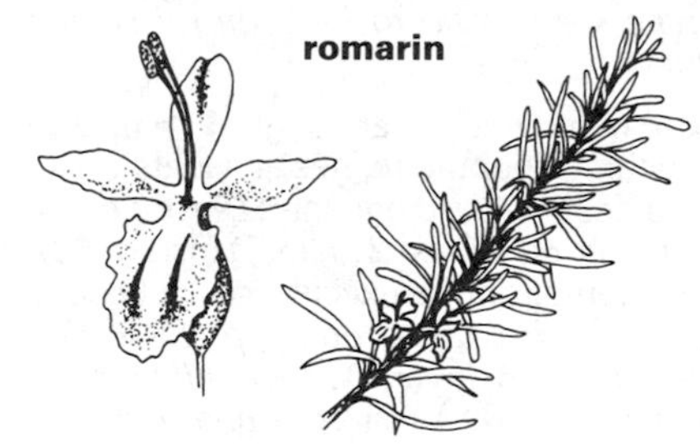
romarin

rompre v. **1.** litt. Casser, briser: *Elle rompit une branche pour se faire un bâton de marche.* **2.** litt. Enfoncer violemment: *Les glaces ont rompu le barrage.* SYN. crever, fracasser. **3.** litt. Briser moralement ou physiquement: *Le travail et les épreuves les avaient rompus.* SYN. abattre, exténuer. **4.** Faire cesser: *Elle a décidé de rompre le silence.* SYN. interrompre. **5.** Cesser de respecter: *Nos adversaires ont rompu le traité de paix.* SYN. résilier. **6.** Cesser de pratiquer: *Il a décidé de* *rompre avec ses anciennes habitudes.* **7.** Se séparer d'une personne qu'on aime ou qu'on aimait : *Elle a rompu avec son ami.* ☞ rompu, rupture. se **rompre** v.pron.litt. Se casser brusquement : *La branche s'est rompue et il est tombé.*

rompu, ue adj. Qui est arraché : *La corde du chien est rompue.* ∥ *À bâtons rompus :* Sans suite. *Être rompu à :* Avoir une grande expérience de. *Être rompu de fatigue :* Être très fatigué. ☞ rompre.

ronce n.f. Arbuste épineux qui produit des fruits comestibles : *Les mûriers et les framboisiers sauvages sont des ronces.* ☞ ronceraie.

ronceraie n.f. Terrain envahi par les ronces : *Je me suis égratigné dans la ronceraie.* ☞ ronce.

ronchonner v.fam. Manifester sa mauvaise humeur par des grognements : *Elle ronchonnait toute seule dans son coin.*

rond n.m. et adv. **1.** n.m. Figure circulaire : *Les enfants faisaient des ronds dans le sable.* SYN. cercle. **2.** n.m. Tranche ronde : *Nous avons mangé des ronds de saucisson avec de la salade.* SYN. rondelle. **3.** n.m.fam. Argent, pièce de monnaie : *Je n'ai plus un rond.* SYN. sou. **4.** adv. D'une manière régulière : *Ça ne tourne pas rond aujourd'hui.* SYN. normalement, régulièrement. **5.** adv. Entier : *Elle a avalé tout rond.* en **rond** loc.adv. En formant un cercle : *Les enfants dansaient en rond main dans la main.*

rond, ronde adj. **1.** Qui est de forme circulaire : *Tes livres sont sur la table ronde.* **2.** Qui est de forme sphérique : *Autrefois, les gens ne croyaient pas que la Terre était ronde.* **3.** Qui est arrondi : *Mon chat se colle à mes jambes en faisant le dos rond.* **4.** Qui est grosse et courte, en parlant d'une personne : *C'était une petite femme toute ronde.* **5.** Qui est charnu et bien rempli : *Ma petite sœur a les joues rondes.* SYN. rebondi. **6.** Se dit d'un nombre qu'on a arrondi : *En chiffres ronds, cela fait cinq cents dollars.* **7.** pop. Qui est ivre : *Il est complètement rond.* ☞ arrondi, arrondir, ronde, rondelet, rondelle, rondement, rondeur, rondin, rond-point.

ronde n.f. **1.** Danse où les participants se tiennent par la main et tournent en rond : *Nous avons fait une ronde avec tous les amis de la classe.* **2.** Figure de note sans queue, en musique : *La ronde vaut quatre noires.* ☞ rond. ▲ **ronde** n.f. Tournée de surveillance : *Le gardien fait sa ronde à toutes les heures.* à la **ronde** loc.adv. **1.** Dans un espace circulaire, aux alentours : *Le bruit de l'explosion a été entendu à plusieurs kilomètres à la ronde.* **2.** Chacun à son tour, les uns après les autres : *Nous sommes allés la voir à la ronde pour lui faire nos adieux.*

rondelet, ette adj. **1.** fam. Qui a des formes arrondies : *Il est devenu rondelet à cause de sa gourmandise.* SYN. dodu, grassouillet. **2.** fig. Qui est assez importante, en parlant d'une somme d'argent : *Elle a hérité d'une somme rondelette.* SYN. considérable. ☞ rond.

rondelle n.f. **1.** Petit disque métallique, percé, qui se place entre un écrou et une pièce à serrer : *Il me manque une rondelle pour assembler la voiturette.* **2.** Petite tranche ronde : *J'ai mis des rondelles de concombre dans la salade.* **3.** Au Canada, nom donné au disque avec lequel on joue au hockey sur glace : *La rondelle est tombée dans la foule.* ☞ rond.

rondement adv. Avec promptitude et efficacité : *Cette affaire a été rondement menée.* SYN. lestement, promptement. ☞ rond.

rondeur n.f. **1.** État de ce qui est rond ou sphérique : *Cette variété de raisins est reconnaissable à la rondeur des grains.* **2.** Partie ronde du corps : *La rondeur de ses joues lui donnait un air de bon vivant.* ☞ rond.

rondin n.m. **1.** Bois de chauffage rond et court : *J'ai quelques rondins pour faire du feu.* **2.** Tronc d'arbre employé en construction : *Nous nous sommes abritées dans une cabane en rondins.* ☞ rond.

rondo n.m. (it.) Forme musicale caractérisée par le retour d'un refrain : *Le rondo est une pièce musicale vivante et gaie qui invite à la danse.*

rond-point n.m. Carrefour comportant une place ou une voie circulaire centrale : *Six rues partent de ce rond-point.* **R.** Au pluriel, *ronds-points*. ☞ rond.

ronflant, ante adj. Qui est plein d'emphase et dépourvu de contenu, de profondeur : *Les phrases ronflantes et sonores de son discours ne m'impressionnent guère.* ☞ ronfler.

ronflement n.m. **1.** Bruit que fait une personne qui ronfle : *Ses ronflements m'ont empêché de dormir.* **2.** Sonorité sourde et continue : *J'entends le ronflement d'un moteur.* SYN. ronronnement, vrombissement. ☞ ronfler.

ronfler v. Produire un bruit en respirant pendant le sommeil : *Elle a ronflé toute la nuit.* ☞ ronflant, ronflement, ronfleur.

ronfleur, euse n. Personne qui ronfle : *Mon père est un ronfleur.* ☞ ronfler.

ronger v. **1.** User en mordillant : *Mon chien aime beaucoup ronger des os.* **2.** Détruire peu à peu: *Cette pelle a été rongée par la rouille.* SYN. attaquer, corroder. **3.** Manger progressivement: *Les chenilles sont en train de ronger les feuilles du pommier.* SYN. grignoter. **4.** Tourmenter, travailler intérieurement: *Ses remords le rongent.* SYN. dévorer, miner. ☞ rongeur, rongeurs.

rongeur, euse adj. Qui ronge: *Le termite est un insecte rongeur.* ☞ ronger.

rongeurs n.m.plur. Ordre de mammifères, herbivores ou omnivores, munis d'incisives tranchantes: *Le rat, le lapin, l'écureuil sont des rongeurs.* **R.** S'écrit au singulier lorsqu'il désigne un animal appartenant à cet ordre. ☞ ronger.

ronne ☞ sect. anglicismes et canadianismes.

ronron n.m. **1.** Petit grondement continu que produit le chat lorsqu'il est content: *J'aime entendre le ronron de ma chatte lorsque je la flatte.* SYN. ronronnement. **2.** fam. Bruit sourd et continu: *Elle s'est endormie en écoutant le ronron du feu dans le poêle.* **3.** fig. Monotonie lassante: *J'avais envie de briser le ronron de ma vie quotidienne.* SYN. routine. ☞ ronronnement, ronronner.

ronronnement n.m. **1.** Ronron du chat: *Mon chat fait entendre un doux ronronnement quand il fait sa sieste.* SYN. ronron. **2.** Bruit de ce qui ronronne: *On entendait au loin le ronronnement d'un petit avion.* ☞ ronron.

ronronner v. **1.** Faire entendre un ronronnement, en parlant du chat: *Ma chatte est en train de ronronner.* **2.** Produire un bruit sourd et régulier: *Des canots à moteur ronronnaient au loin sur le lac.* ☞ ronron.

root beer ☞ sect. anglicismes et canadianismes.

roquefort n.m. Fromage de lait de brebis à moisissures bleues: *Le roquefort a un goût prononcé.*

roquet n.m. **1.** Petit chien qui aboie sans arrêt: *Le roquet du voisin jappe chaque fois que nous passons devant sa maison.* **2.** fig. Personne hargneuse, mais peu redoutable: *Ce roquet parle fort, mais c'est seulement pour se donner de l'importance.*

roquette n.f. Projectile autopropulsé: *Une roquette a détruit le char d'assaut.*

rorqual, als n.m. (norv.) Baleine pouvant atteindre vingt-cinq mètres et plus, assez commune dans le golfe du Saint-Laurent: *Le rorqual est aussi appelé «baleinoptère».* **R.** Les lettres *qual* se prononcent *koual*. ◇ baleinoptère.

rosace n.f. Ornement, vitrail en forme de rose: *Il y a une belle rosace au-dessus du portail de cette église.*

rosaire n.m. Prière composée de quinze dizaines de «Je vous salue, Marie» et de quinze «Notre Père»: *Mes grands-parents récitent le rosaire tous les jours.*

rosâtre adj. Qui est d'un rose terne: *Ce petit oiseau a un plumage rosâtre.* **R.** Ne pas oublier l'accent: *â*. ☞ rose (adj.).

rosbif n.m. (angl.) Pièce de bœuf rôtie: *Ce rosbif est très tendre.*

rose n.f. Fleur du rosier: *La rose sauvage est l'emblème de l'Alberta.* ⁄⁄ *À l'eau de rose:* Mièvre et sentimental. *Bois de rose:* Palissandre. *Rose des sables:* Cristallisation de gypse qui se forme dans le Sahara. *Rose des vents:* Étoile à trente-deux branches représentant les directions du vent. ☞ roseraie, rosier.

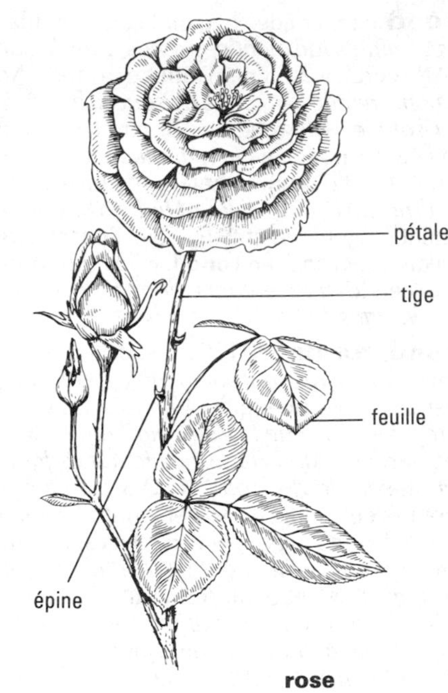

rose

rose n.m. et adj. **1.** n.m. Couleur de la rose sauvage: *On obtient le rose en mélangeant du blanc et du rouge.* **2.** adj. Qui a la couleur de la rose sauvage: *Mon petit frère a les joues roses.* ☞ rosâtre, rosé, rosier, rosissement.

rosé, ée adj. Qui est légèrement rose: *Nous avons bu du vin rosé.* ☞ rose (adj.).

roseau, eaux n.m. Plante à tige droite et lisse, qui pousse au bord des étangs: *Cet oiseau aquatique fait son nid parmi les roseaux.*

rosée n.f. Fines gouttelettes d'eau qui se déposent sur le sol: *L'herbe est encore humide de rosée.*

roseraie n.f. Lieu planté de rosiers: *Le jardin botanique a de magnifiques roseraies.* ☞ rose (n.f.).

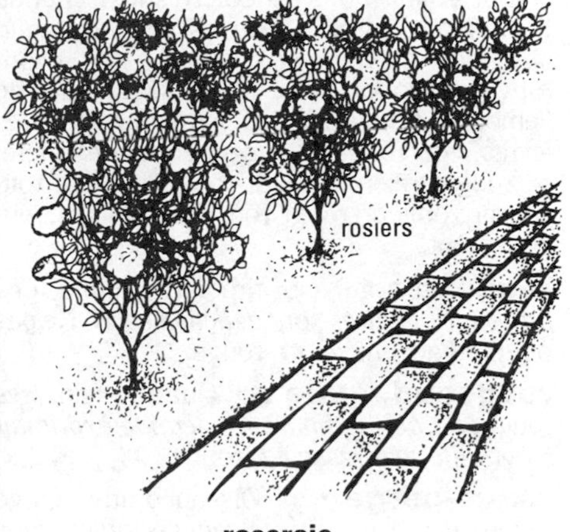

roseraie

rosette n.f. **1.** Ruban noué en forme de rose: *Le cadeau était orné de rosettes.* **2.** Insigne en forme de rose: *Il portait une rosette à la boutonnière.*

rosier n.m. Arbuste épineux qui produit la rose: *Les rosiers ont fleuri.* ☞ rose (n.f.).

rosir v. **1.** Donner une teinte rose à quelque chose: *L'air frais leur a rosi les joues.* **2.** Devenir rose: *Les framboises commencent à rosir.* ☞ rose (adj.).

rosissement n.m. Fait de devenir rose: *Le rosissement de ces fleurs dépend de l'acidité du sol.* ☞ rose (adj.).

rosser v. Battre violemment: *Ce chien a été cruellement rossé.*

rossignol n.m. Oiseau brun clair, au chant très harmonieux: *Beaucoup considèrent le rossignol comme le roi des oiseaux chanteurs.*

rot n.m. Expulsion bruyante, par la bouche, de gaz stomacaux: *Le bébé a fait son rot.* SYN. éructation. ☞ roter.

rotatif, ive adj. Qui agit en tournant: *Pour couper cette planche rapidement, il faudrait une scie rotative.* ☞ rotation.

rotation n.f. **1.** Mouvement d'un corps autour d'un point, d'un axe: *La Terre fait une rotation complète en vingt-quatre heures environ.* **2.** Fait d'alterner périodiquement: *Ces équipes travaillent en rotation.* ☞ rotatif, rotative.

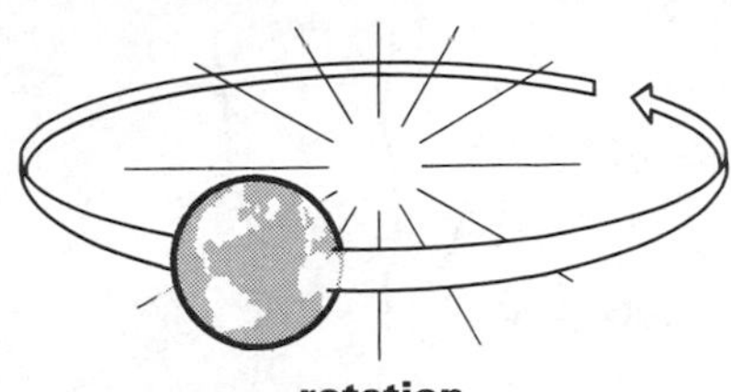
rotation

rotative n.f. Presse à imprimer, à cylindre rotatif: *Nous imprimons notre journal au moyen d'une rotative.* ☞ rotation.

roter v.fam. Faire un ou des rots: *On s'excuse quand on rote.* ☞ rot.

rôti n.m. Pièce de viande, grillée au four ou à la broche: *Ce rôti de porc était délicieux.* HOM. rôtie. **R.** Ne pas oublier l'accent: ô. ☞ rôtir.

rôti, ie adj. Qu'on a fait rôtir: *Au menu, il y a du poulet rôti.* HOM. rôtie. **R.** Ne pas oublier l'accent: ô. ☞ rôtir.

rôtie n.f. Tranche de pain grillée: *J'ai mangé deux rôties tartinées de beurre d'arachide.* SYN. toast. HOM. rôti. **R.** Ne pas oublier l'accent: ô. ☞ rôtir.

rotin n.m. Partie des feuilles d'un palmier, qu'on utilise en vannerie: *Nous avons acheté des chaises en rotin.*

rôtir v. Cuire au four ou à la broche, à feu vif: *J'ai mis le poulet à rôtir.* SYN. griller, rissoler. **R.** Ne pas oublier l'accent: ô. ☞ rôti, rôtie, rôtisserie, rôtisseur, rôtissoire.

rôtisserie n.f. Restaurant où l'on sert des viandes rôties: *Nous avons dîné à la rôtisserie du quartier.* **R.** Ne pas oublier l'accent: ô. ☞ rôtir.

rôtisseur, euse n. Personne qui prépare des viandes rôties: *Ma mère est rôtisseuse dans un restaurant.* **R.** Ne pas oublier l'accent: ô. ☞ rôtir.

rôtissoire n.f. Ustensile de cuisine qui sert à faire griller des viandes: *J'ai mis la dinde dans la rôtissoire.* **R.** Ne pas oublier l'accent: ô. ☞ rôtir.

rotor n.m. (angl.) Partie tournante d'un moteur électrique, d'une turbine, etc.: *La vitesse du rotor varie selon la force du courant.*

rotule n.f. Petit os de la partie antérieure du genou: *Je me suis fait mal à la rotule en tombant sur le genou.* (*Voir l'illustration à la page suivante.*)

rouage n.m. **1.** Chacune des roues d'un mécanisme: *Les rouages de l'horloge se sont enrayés.* **2.** Chacun des éléments essentiels d'un organisme, d'un système: *Les petites entreprises sont des rouages importants de l'économie.*

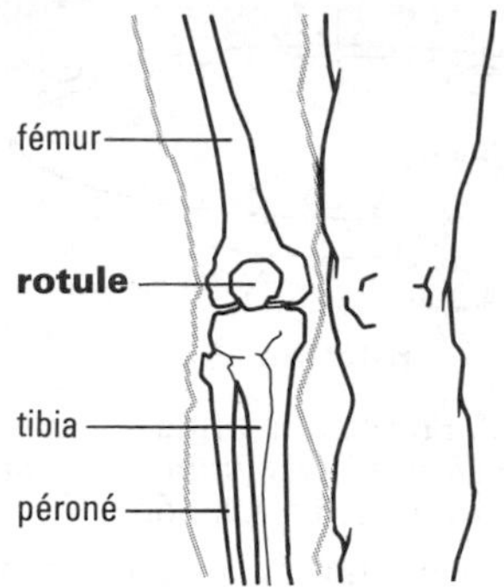

rouble n.m. (russe) Unité monétaire de l'U.R.S.S. : *Elle a un rouble dans sa collection de pièces de monnaie.*

roucoulement n.m. **1.** Cri des pigeons et des tourterelles : *Le roucoulement des pigeons évoque la tendresse.* **2.** Échange de mots doux entre amoureux : *On entendait les roucoulements de deux amoureux derrière la haie.* ☞ roucouler.

roucouler v. **1.** Crier, en parlant du pigeon, de la tourterelle : *Les pigeons roucoulent tendrement sur la corniche de l'école.* **2.** Tenir des propos tendres et langoureux : *Des amoureux roucoulaient doucement, assis sur un banc du parc.* ☞ roucoulement.

roue n.f. **1.** Pièce circulaire tournant sur un axe et servant d'organe de déplacement : *J'ai changé la roue avant de ma bicyclette.* **2.** Pièce circulaire tournant sur un axe et dentée ou entourée d'une courroie : *Cet engrenage se compose de douze roues dentées.* HOM. roux. ⫽ *Faire la roue :* Déployer sa queue, en parlant du paon. *Grande roue :* Grande roue dressée d'un parc d'attractions. *Roue de secours :* Roue de rechange. *Roue libre :* Dispositif permettant au cycliste de continuer à rouler sans pédaler. *Roue motrice :* Roue reliée au moteur. *Supplice de la roue :* Supplice qui consistait à attacher un condamné sur une roue après lui avoir brisé les membres.

roué, ée n. et adj.litt. **1.** n. Personne rusée et sans scrupule : *Cette rouée a essayé de nous rouler.* **2.** adj. Qui est rusé et sans scrupule : *Ce financier roué s'est enrichi en trompant son associée.* SYN. retors. HOM. rouer.

rouer v. Enlever la vie à quelqu'un par le supplice de la roue : *Autrefois, on rouait les coupables sur la place publique.* HOM. roué. ⫽ *Rouer quelqu'un de coups :* Frapper quelqu'un à coups redoublés. ☞ roue.

rouet n.m. Machine à roue servant à filer : *Autrefois, on filait la laine avec un rouet.*

rouge n.m. et adj. **1.** n.m. Couleur rouge : *Il met beaucoup de rouge dans ses dessins.* **2.** n.m. Teinte rouge que prend la peau sous l'effet du froid, de l'émotion : *Le rouge lui monta au visage.* **3.** adj. Qui est de la couleur des fraises, des cerises, des tomates, etc. : *J'aime mieux les pommes rouges que les pommes vertes.* **4.** adj. Qui s'est coloré sous l'effet de l'émotion, du froid : *Il faisait tellement froid que nous avions le visage tout rouge.* ⫽ *Être rouge d'émotion :* Être rouge sous l'effet de l'émotion. *Rouge à lèvres :* Fard rouge pour les lèvres. *Voir rouge :* Avoir un accès de colère. ☞ rougeâtre, rougeaud, rougeoiement, rougeoyer, rougeur, rougi, rougir, rougissant, rougissement.

rougeâtre adj. Qui tire sur le rouge : *Ces prunes rougeâtres sont délicieuses.* **R.** Ne pas oublier l'accent : *â.* ☞ rouge.

rougeaud, aude adj. Qui a le teint très rouge : *Sa bonne figure rougeaude exprimait sa grande tendresse.* ☞ rouge.

rouge-gorge n.m. Oiseau brun à gorge rouge : *Il y a un nid de rouges-gorges dans notre érable.* **R.** Au pluriel, *rouges-gorges.*

rougeoiement n.m. Lueur rouge : *On voyait sur l'autre rive le rougeoiement des feux de camp.* **R.** Ne pas oublier le *e* après le *g.* ☞ rouge.

rougeole n.f. Maladie contagieuse caractérisée par des taches rouges sur la peau : *Ma petite sœur a la rougeole.* **R.** Ne pas oublier le *e* après le *g.*

rougeoyer v. Produire des reflets rougeâtres : *La bougie rougeoyait dans la pièce.* **R.** Ne pas oublier le *e* après le *g.* ☞ rouge.

rouget n.m. Poisson de mer de couleur rouge : *La chair du rouget est très estimée.*

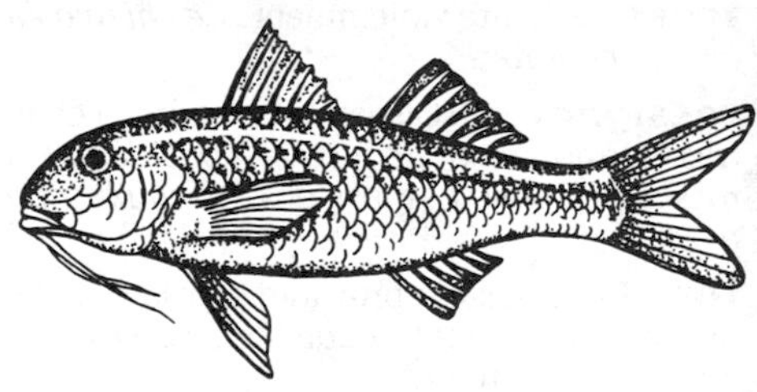

rouget de roche

rougeur n.f. **1.** Coloration du visage sous l'effet de l'émotion, de la chaleur : *Sa rougeur trahissait son embarras.* **2.** Tache rouge sur la peau : *Ces rougeurs sont dues à une allergie.* ☞ rouge.

rougi, ie adj. Qui est devenu rouge : *Il s'est brûlé la main sur un tisonnier rougi.* ☞ rouge.

rougir v. **1.** Devenir rouge, plus rouge: *Les pommes ont commencé à rougir.* **2.** Rendre rouge, teinter de rouge: *Elle a rougi ses lèvres.* ☞ rouge.

rougissant, ante adj. Qui rougit d'émotion: *C'était un garçon timide et rougissant.* ☞ rouge.

rougissement n.m. Fait de devenir rouge: *Le rougissement de ses joues reflétait sa honte.* ☞ rouge.

rouille n.f. et adj.invar. **1.** n.f. Substance rougeâtre produite par la corrosion du fer: *Il y a de la rouille sur le guidon de ma bicyclette.* **2.** adj.invar. Qui est rouge-brun: *Les feuilles sont devenues orangées et rouille.* ☞ antirouille, dérouiller, rouillé, rouiller.

rouillé, ée adj. **1.** Qui est couvert de rouille, attaqué par la rouille: *La carrosserie est rouillée par endroits.* **2.** fig. Qui a perdu de sa souplesse, de son efficacité: *Je me sens rouillée depuis quelque temps.* HOM. rouiller. ☞ rouille.

rouiller v. **1.** Se couvrir de rouille: *Je ne laisse pas les outils dehors, car ils vont rouiller.* **2.** Produire de la rouille sur un métal, un objet métallique: *L'humidité rouille le fer.* **3.** fig. Rendre moins alerte: *Le manque d'exercice rouille le corps.* HOM. rouillé. ☞ rouille. **se rouiller** v.pron. **1.** Se couvrir de rouille: *La serrure s'est rouillée.* **2.** fig. Devenir moins souple, moins alerte: *Ma mémoire se rouille.*

roulant, ante adj. **1.** Qui roule: *Elle se déplace en fauteuil roulant.* **2.** Qui sert au transport des marchandises ou au déplacement des personnes, en parlant d'une surface mobile continue: *Nous sommes montés par l'escalier roulant.* // *Feu roulant:* Tir continu. ☞ rouler.

roulé, ée adj. Qui est enroulé, mis en rouleau: *Il porte un tricot à col roulé.* HOM. rouler. ☞ rouler.

rouleau, eaux n.m. **1.** Bande enroulée: *Il a fallu douze rouleaux de papier peint pour tapisser cette pièce.* **2.** Ensemble d'objets empilés et enroulés dans un emballage: *J'ai déposé à la caisse mes rouleaux de pièces de un cent.* **3.** Cylindre que l'on fait rouler: *Cette surface peut être peinte au rouleau.* **4.** Objet cylindrique sur lequel on enroule quelque chose: *Elle avait la tête pleine de rouleaux à mise en plis.* ☞ rouler.

roulement n.m. **1.** Bruit d'un véhicule en marche ou grondement imitant ce bruit: *Ce tour d'adresse était annoncé par un roulement de tambour.* SYN. batterie, grondement. **2.** Mouvement de ce qui tourne: *Elle regardait partout avec de grands roulements d'yeux.* **3.** Action de l'argent qui circule: *Lorsque l'économie stagne, le roulement des capitaux est faible.* **4.** Alternance de personnes qui se remplacent: *Les salariés de cette usine travaillent par trois roulements.* **5.** Mécanisme servant à réduire le frottement de rotation: *Ma bicyclette est munie de roulements à billes.* ☞ rouler.

rouler v. **1.** Déplacer quelque chose en le faisant tourner sur lui-même: *Nous avons roulé cette boule de neige jusqu'ici.* **2.** Déplacer quelque chose qui est muni de roues, de roulettes: *J'ai roulé le lit jusqu'à la fenêtre.* **3.** Mettre en rouleau: *Nous avons fini de rouler nos sacs de couchage.* **4.** Envelopper en roulant: *J'ai roulé les pelures dans du papier journal.* SYN. enrouler. **5.** Aplanir à l'aide d'un rouleau: *C'est moi qui ai roulé la pâte.* SYN. aplanir. **6.** Enrober d'une substance en tournant et retournant: *Je vais rouler le poisson dans la chapelure.* **7.** Tourner et retourner quelque chose dans son esprit: *Elle roulait dans sa tête un projet audacieux.* SYN. ruminer. **8.** fam. Duper, tromper: *Le gredin, il a essayé de me rouler.* SYN. berner. **9.** Avancer, tomber en tournant sur soi-même: *La balle de neige a grossi en roulant.* SYN. débouler, dégringoler, dévaler. **10.** Avancer sur des roues: *La voiture roulait à cent vingt kilomètres par heure.* SYN. circuler, se déplacer. **11.** Se déplacer dans un véhicule à roues: *Nous avons roulé toute la journée.* **12.** S'incliner d'un bord et de l'autre, en parlant d'un navire: *Le voilier roulait sous l'assaut des vagues.* **13.** Avoir pour sujet: *La discussion a roulé sur la violence au hockey.* SYN. porter. ☞ roulant, roulé, rouleau, roulement, roulette, roulis. **se rouler** v.pron. **1.** Se tourner comme un rouleau: *Les enfants se roulaient par terre en riant.* **2.** Se retourner dans ou sur quelque chose: *Nous nous sommes roulés dans l'herbe.* **3.** S'envelopper de quelque chose: *Elles se sont roulées dans leurs sacs de couchage.*

roulette n.f. **1.** Petite roue permettant le déplacement: *Nous avons fait de la planche à roulettes.* **2.** Jeu de hasard où le gagnant est désigné par l'arrêt d'une bille sur un plateau tournant: *Elle s'est ruinée en jouant à la roulette.* ☞ rouler.

roulis n.m. Mouvement d'un navire qui oscille d'un bord sur l'autre: *Le roulis m'a donné le mal de mer.* **R.** Le *s* ne se prononce pas. ☞ rouler.

roulotte n.f. **1.** Grande voiture aménagée en maison, où vivent les forains, les bohémiens, etc.: *Les gens du cirque sont arrivés avec leurs roulottes.* **2.** vx Remorque aménagée pour servir de logement de camping: *Il y a* *plusieurs emplacements pour les roulottes sur ce terrain de camping.*

roumain, aine n. et adj. **1.** n. Personne qui est de la Roumanie : *Un Roumain, une Roumaine.* **2.** adj. Qui est de la Roumanie : *Plusieurs écrivains roumains se sont exilés en France.* **R.** On met la majuscule à *roumain* et à *roumaine* lorsque le nom désigne une personne.

roumain n.m. Langue parlée en Roumanie : *Le roumain est dérivé du latin.*

round n.m. (angl.) Reprise, dans un combat de boxe : *Les boxeurs en sont au troisième round.*

roupie n.f. (hindi) Unité monétaire principale de l'Inde, du Népal, du Pakistan, etc. : *Elle a eu cette sculpture indienne pour quelques roupies.*

roupiller v.fam. Dormir : *Mon chien roupille près de moi.* **R.** Les lettres *ill* se prononcent comme dans *famille*.

rouquin, ine n. et adj. **1.** n. Personne qui a les cheveux roux : *Elle est amoureuse d'un rouquin aux yeux pers.* **2.** adj. Qui a les cheveux roux : *Ma petite sœur est rouquine comme ma mère.* ☞ roux.

rouspéter v.fam. Exprimer son mécontentement par des paroles : *Il a rouspété toute la journée.* SYN. grogner, maugréer. ☞ rouspéteur.

rouspéteur, euse n. et adj. **1.** n. Personne qui a l'habitude de rouspéter : *Mon coéquipier est un rouspéteur qui maugrée sans cesse.* SYN. grincheux, grognon. **2.** adj. Qui a l'habitude de rouspéter : *Mon frère est très rouspéteur avec mon père.* ☞ rouspéter.

roussâtre adj. Qui tire sur le roux : *Les aiguilles de pin formaient sur le sol un tapis roussâtre.* **R.** Ne pas oublier l'accent : *â*. ☞ roux.

rousserolle n.f. Fauvette au plumage roux, commune en Europe : *Les rousserolles construisent des nids suspendus.*

roussette n.f. **1.** Grande chauve-souris des régions tropicales, au pelage roux : *La roussette se nourrit de fruits.* **2.** Petit requin inoffensif, à taches rousses, commun en France : *La roussette est aussi appelée « chien de mer ».*

rousseur n.f. Couleur rousse : *Cette coiffure fait ressortir la rousseur de tes cheveux.* ⁄⁄ *Tache de rousseur :* Tache roussâtre qui peut apparaître sur la peau. ☞ roux.

roussi n.m. Odeur d'une chose qui a brûlé légèrement : *Ça sent le roussi dans la cuisine.* ☞ roux.

roussir v. **1.** Brûler superficiellement : *En repassant cette étoffe, fais attention de ne pas la roussir.* **2.** Devenir roux : *J'ai fait roussir le sucre dans un poêlon.* ☞ roux.

route n.f. **1.** Voie de communication large et fréquentée, reliant deux agglomérations ou plus : *En suivant cette route, vous arriverez sans détour au prochain village.* SYN. chemin. **2.** Itinéraire à suivre pour parcourir un espace : *La route est longue pour aller à ce village perdu.* SYN. parcours, trajet. **3.** fig. Direction de vie, destinée : *Quel bonheur que nos routes se soient croisées !* SYN. destin. ⁄⁄ *Faire fausse route :* Se tromper de route ; faire erreur. *Faire route vers :* Aller vers. *Mettre en route :* Mettre en marche ; mettre en train. ☞ dérouter, routier.

routier n.m. **1.** Conducteur de camion qui effectue de longs parcours : *Mon père est routier pour un grossiste en alimentation.* **2.** Restaurant fréquenté principalement par les routiers : *Nous avons dîné dans un routier.* ☞ route.

routier, ière adj. **1.** Qui se rapporte aux routes : *Observe bien les règles de la sécurité routière.* **2.** Qui indique les routes : *Il faudrait consulter la carte routière.* ☞ route.

routine n.f. Habitude d'agir ou de penser toujours de la même manière : *Ce travail est devenu une routine.* ⁄⁄ *De routine :* Habituel. ☞ routinier.

routinier, ière adj. **1.** Qui agit par routine : *Il a un esprit routinier, incapable d'innover.* SYN. traditionaliste. **2.** Qui a le caractère de la routine : *Les tâches de cette éditrice sont variées, son travail n'est pas routinier.* SYN. répétitif. ☞ routine.

rouvrir v. **1.** Ouvrir de nouveau : *Il rouvrit les yeux.* **2.** Être de nouveau ouvert : *La piscine municipale rouvrira au printemps.* ☞ ouvrir. se **rouvrir** v. S'ouvrir de nouveau : *Ma plaie s'est rouverte.*

roux n.m. Couleur rousse : *Il y a du roux et de l'orangé dans mon dessin.* HOM. roue.

roux, rousse n. et adj. **1.** n. Personne aux cheveux roux : *Il a épousé une rousse.* SYN. rouquin. **2.** adj. Qui est d'une couleur orangée tirant sur le rouge : *L'écureuil roux est un charmant petit animal.* **3.** adj. Dont les cheveux sont roux : *Mon ami est roux.* ☞ rouquin, roussâtre, rousseur, roussi, roussir.

royal, ale, aux adj. **1.** Qui concerne le roi : *Nous avons visité le palais royal de Versailles.* **2.** Qui est digne d'un roi : *Nous avons fait un festin royal.* SYN. fastueux, magnifique, somptueux. ☞ roi.

royalement adv. **1.** Avec magnificence: *Nous avons été servies royalement.* SYN. magnifiquement, somptueusement. **2.** fam. Tout à fait: *Elle s'en fiche royalement.* SYN. complètement, parfaitement, totalement. ☞ roi.

royalisme n.m. Attachement à la monarchie: *Le royalisme est resté vivant dans certaines régions rurales d'Europe.* SYN. monarchisme. ☞ roi.

royaliste n. et adj. **1.** n. Personne qui est du parti du roi: *Beaucoup de royalistes ont fui les États-Unis lors de la révolution américaine.* SYN. monarchiste. **2.** adj. Qui est du parti du roi: *Les Anglais qui ont fondé les Cantons-de-l'Est étaient royalistes.* ☞ roi.

royaume n.m. Pays gouverné par un roi ou une reine: *Avant la conquête par les Anglais, le Canada faisait partie du royaume de France.* ⁄⁄ *Le royaume des cieux:* Le règne de Dieu dans le ciel. ☞ roi.

royauté n.f. **1.** Dignité de roi, de reine: *Elle a accédé à la royauté.* SYN. couronne, trône. **2.** Pouvoir royal: *La Révolution française a renversé la royauté.* ☞ roi.

ruade n.f. Mouvement d'un cheval, d'un âne qui rue: *L'âne lança une ruade au loup.* ☞ ruer.

ruban n.m. (néerl.) **1.** Bande de tissu, longue et étroite, servant d'attache ou d'ornement: *Un ruban doré ornait le cadeau.* **2.** Bande mince et étroite, d'une matière souple: *J'ai collé mon dessin avec du ruban adhésif.* ☞ enrubanner.

rubéole n.f. Maladie contagieuse ressemblant à la rougeole: *Il doit rester au lit à cause de sa rubéole.*

rubis n.m. Pierre précieuse d'un rouge vif: *Ma mère a un beau rubis à sa bague.* **R.** Le *s* ne se prononce pas.

rubrique n.f. **1.** Titre indiquant le contenu d'une section dans une encyclopédie, un journal, etc.: *J'ai trouvé des renseignements sur les oursins à la rubrique «Échinodermes».* **2.** Dans un journal, article régulier se rapportant à un domaine particulier: *La rubrique sur le jardinage se trouve toujours à la page vingt.*

ruche n.f. **1.** Habitation d'une colonie d'abeilles: *Les abeilles sont en train de construire leur ruche.* **2.** Colonie d'abeilles habitant une ruche: *Toute la ruche était en pleine activité.* **3.** fig. Lieu où plusieurs personnes travaillent activement: *La classe était une ruche aujourd'hui.*

rude adj. **1.** Qui est rugueux au toucher: *Ces planches sont rudes.* SYN. râpeux, rêche. ANT. doux, satiné. **2.** Qui est désagréable à l'oreille: *Il m'a grondée de sa voix rude.* SYN. rauque. **3.** Qui est dur, sévère: *Il est rude avec son chien.* SYN. brutal. ANT. bon. **4.** Qui a des manières grossières, frustes: *Sa grand-mère était une femme rude et autoritaire.* SYN. rustre. ANT. raffiné. **5.** Qui est difficile à vaincre: *Nous avons affaire à une rude adversaire.* SYN. redoutable. ANT. vulnérable. **6.** Qui est difficile à supporter: *L'hiver est rude dans le nord du Québec.* SYN. rigoureux. ANT. doux. **7.** fam. Qui est remarquable en son genre: *Ces enfants ont un rude appétit.* SYN. fameux, sacré. ☞ rudement, rudesse, rudoyer.

rudement adv. **1.** Avec rudesse: *Elle lui répondit rudement.* SYN. brutalement, durement. ANT. doucement, mollement. **2.** fam. Très: *Ce gâteau est rudement bon.* SYN. diablement, drôlement. ☞ rude.

rudesse n.f. **1.** Caractère de ce qui est rude, pénible: *J'aime l'Abitibi malgré la rudesse de ses hivers.* SYN. rigueur. ANT. douceur. **2.** Caractère de ce qui manque de raffinement, de délicatesse: *La rudesse de ses manières lui fait perdre des amis.* SYN. grossièreté. ANT. délicatesse. **3.** Caractère d'une personne qui est rude, insensible: *Il a reçu une punition pour sa rudesse au hockey.* SYN. brutalité. ☞ rude.

rudimentaire adj. Qui est peu développé: *Les gens de ce pays vivent dans des habitations rudimentaires.* SYN. élémentaire. ☞ rudiments.

rudiments n.m.plur. Notions élémentaires: *Nous avons appris les rudiments de l'horticulture.* SYN. base, élément. ☞ rudimentaire.

rudoyer v. Traiter avec rudesse: *Elle rudoie parfois son petit frère.* SYN. brutaliser, malmener. ☞ rude.

rue n.f. Voie de communication bordée de bâtiments, dans une agglomération: *Il y a de vieilles maisons le long de ma rue.* SYN. avenue, boulevard. ⁄⁄ *Être à la rue:* Être sans abri. ☞ ruelle.

ruée n.f. Mouvement rapide de personnes qui se dirigent vers un même endroit: *La ruée vers l'or de 1897 au Klondyke a désillusionné un grand nombre de chercheurs d'or.* HOM. ruer. ☞ se ruer.

ruelle n.f. Petite rue étroite: *Les enfants jouaient au ballon dans la ruelle.* ☞ rue.

ruer v. Lancer vivement en arrière les membres postérieurs, en parlant d'un cheval, d'un âne, etc.: *Ce cheval indocile ruait dans les brancards.* ☞ ruade.

se ruer v.pron. S'élancer en masse, avec violence: *Les spectateurs se sont rués vers la sortie.* ☞ ruée.

rugby n.m. (angl.) Sport d'équipe dans lequel les joueurs tentent de poser un ballon ovale derrière les buts de l'adversaire: *Le rugby oppose deux équipes de treize ou quinze joueurs.*

rugir v. **1.** Crier, en parlant du lion: *Les lions rugissaient dans la cage.* **2.** Pousser des cris de fureur: *Le petit garçon rugissait de colère.* **3.** Produire un bruit sourd et menaçant: *Le vent rugissait durant la tempête.* ☞ rugissant, rugissement.

rugissant, ante adj. Qui rugit: *Elle lui répondit d'une voix rugissante.* ☞ rugir.

rugissement n.m. **1.** Cri du lion, du tigre, de la panthère, etc.: *On entendait les rugissements des fauves.* **2.** Cri rauque: *Il poussait des rugissements de colère.* SYN. hurlement. **3.** Bruit sourd et violent: *Le rugissement de la tempête m'a empêchée de dormir.* SYN. mugissement. ☞ rugir.

rugosité n.f. **1.** État d'une surface rugueuse, rude: *La rugosité de la brique permettait au lièvre de grimper facilement.* **2.** Petite aspérité sur une surface: *Il y a des rugosités sur ces planches.* ☞ rugueux.

rugueux, euse adj. Qui est rude au toucher, qui présente de petites aspérités: *Son travail avait rendu ses mains rugueuses.* SYN. râpeux, rêche. **R.** Ne pas oublier le *u* après le *g*. ☞ rugosité.

rug**o**sité rug**ueu**x

ruine n.f. **1.** Débris d'un bâtiment, vestiges: *Une archéologue a découvert des ruines dans l'ancienne partie de la ville.* **2.** Bâtiment délabré, vétuste: *Ils ont payé cher pour cette ruine.* **3.** Perte des biens, faillite: *Cette entreprise a plusieurs fois frôlé la ruine.* **4.** Destruction progressive, anéantissement: *Cet échec est la ruine de ses espérances.* SYN. fin, mort, perte. ⁄⁄ *Menacer ruine:* Risquer de s'écrouler. *Tomber en ruine:* S'écrouler par morceaux. ☞ ruiner, ruineusement, ruineux.

ruiner v. **1.** Endommager gravement: *Le gel a ruiné les récoltes.* SYN. anéantir, détruire, dévaster, ravager. **2.** Détruire, démolir: *Ce revers a ruiné sa confiance en lui.* **3.** Faire perdre à quelqu'un ses richesses: *L'effondrement des cours de la Bourse l'a ruinée.* SYN. dépouiller. ☞ ruine. se **ruiner** v.pron. Causer sa propre ruine: *Il s'est ruiné en jouant aux cartes.*

ruineusement adv. De façon ruineuse: *Cette affaire, ruineusement gérée, risque de mener l'entreprise à la faillite.* ☞ ruine.

ruineux, euse adj. Qui entraîne de fortes dépenses: *Leur voyage a été ruineux.* ☞ ruine.

ruisseau, eaux n.m. Très petit cours d'eau: *Nous avons ôté nos chaussures pour traverser le ruisseau.* ☞ ruisselet.

ruisselant, ante adj. Qui ruisselle: *Ils étaient ruisselants de pluie.* ☞ ruisseler.

ruisseler v. **1.** Couler comme l'eau d'un ruisseau: *L'eau de la fonte des neiges ruisselait le long des trottoirs.* **2.** Être couvert d'un liquide qui coule: *Les basketteuses ruisselaient de sueur.* **R.** Ne pas oublier de doubler le *l* devant un *e* muet. ☞ ruisselant, ruissellement.

ruisselet n.m. Petit ruisseau: *L'eau de ce ruisselet était bonne à boire.* ☞ ruisseau.

ruissellement n.m. Action de ruisseler: *Les égouts ne suffisaient pas à évacuer les eaux de ruissellement.* ☞ ruisseler.

rumba n.f. (esp.) Danse cubaine: *Nous avons dansé la rumba.* **R.** Les lettres *rum* se prononcent *roumm*.

rumeur n.f. **1.** Bruit confus de voix: *La rumeur habituelle de la cafétéria se transforma en tintamarre.* SYN. brouhaha, murmure. **2.** Nouvelle, vraie ou fausse, qui se répand: *Ne te fie pas aux rumeurs.*

ruminant, ante adj. Qui rumine: *Le mouton est un animal ruminant.* ☞ ruminer.

ruminants n.m.plur. Groupe de mammifères dont l'estomac renvoie les aliments à la bouche pour qu'ils soient remâchés: *La vache, la chèvre, le cerf sont des ruminants.* **R.** S'écrit au singulier lorsqu'il désigne un animal appartenant à ce groupe. ☞ ruminer.

ruminer v. **1.** Remâcher les aliments revenus de l'estomac, en parlant des ruminants: *Les vaches passaient leur temps à ruminer.* **2.** Tourner et retourner dans sa tête: *Il rumine des projets audacieux.* ☞ ruminant, ruminants.

rupture n.f. **1.** Fait de se rompre, de se casser: *La panne d'électricité est due à la rupture d'un câble.* SYN. cassure, fracture. **2.** Interruption brusque: *La rupture des relations diplomatiques entre ces deux pays est de mauvais augure.* SYN. cessation, interruption. **3.** Annulation d'un engagement: *La rupture de ce contrat de travail nous met dans l'embarras.* SYN. résiliation, révocation. **4.** Séparation entre deux personnes qui étaient unies par des liens sentimentaux ou par les liens du mariage: *Leur rupture s'est faite sans heurt.* SYN. divorce, séparation. ☞ rompre.

rural, ale, aux adj. Qui concerne la campagne, la vie des paysans : *Cette région rurale produit une grande variété de pommes.* ANT. urbain.

ruse n.f. **1.** Procédé habile dont on se sert pour tromper, pour parvenir à ses fins : *Nos adversaires ont recouru à une ruse pour entrer dans notre campement.* SYN. astuce, stratagème. **2.** Art de tromper : *Ils ont obtenu la victoire par la ruse.* SYN. perfidie, tromperie. ANT. candeur, droiture. ☞ rusé, ruser.

rusé, ée adj. Qui a de la ruse : *Méfie-toi de lui, il est rusé.* SYN. astucieux, retors. ANT. candide, droit. HOM. ruser. ☞ ruse.

ruser v. Agir avec ruse, recourir à la ruse : *N'essaie pas de ruser avec moi.* HOM. rusé. ☞ ruse.

russe n. et adj. **1.** n. Personne qui est de la Russie : *Un Russe, une Russe.* **2.** adj. Qui est de la Russie : *Nous avons assisté au merveilleux spectacle des ballets russes.* **R.** On met la majuscule à *russe* lorsque le nom désigne une personne.

russe n.m. Langue parlée en Russie : *Le russe se parle dans plusieurs pays de l'U.R.S.S.*

rustaud, aude n. et adj. **1.** n. Personne qui est grossière et maladroite dans ses manières : *Ce gros rustaud m'a marché sur les pieds sans même s'en apercevoir.* SYN. rustre. **2.** adj. Qui est grossier et maladroit dans ses manières : *Elle est un peu rustaude.* SYN. lourdaud. ANT. délicat, raffiné.

rustine n.f. (nom déposé) Petite pièce de caoutchouc servant à réparer une chambre à air de bicyclette : *J'ai bouché le trou avec une rustine.*

rustique adj. **1.** Qui a le caractère de la campagne : *Ils aimaient trop la vie rustique pour habiter à la ville.* SYN. champêtre. **2.** Qui est fabriqué avec simplicité, de façon traditionnelle : *Elle aime les meubles anciens et rustiques.* **3.** Qui est réduit à l'essentiel, sans grand confort : *Nous avons fait du camping rustique.* **4.** Se dit d'un animal ou d'une plante qui ne demande pas beaucoup de soins : *Les pissenlits sont rustiques.*

rustre n. et adj. **1.** n. Personne grossière, sans culture : *Ce rustre n'a aucun savoir-vivre.* SYN. goujat, malotru. **2.** adj. Qui est grossier, sans culture : *Il est un peu rustre, mais il n'est pas méchant.* SYN. lourdaud, rustaud. ANT. délicat, raffiné.

rut n.m. Période au cours de laquelle les animaux cherchent à s'accoupler : *C'est l'époque de l'année où les cerfs sont en rut.* **R.** Le *t* se prononce.

rutabaga n.m. (suéd.) Plante voisine du navet : *Ce potage au rutabaga était délicieux.*

rutilant, ante adj. Qui rutile, brille : *Elle portait au cou un diamant rutilant.* SYN. brillant, étincelant, flamboyant. ANT. mat, terne. ☞ rutiler.

rutiler v. Briller d'un vif éclat : *La neige rutilait au soleil.* SYN. étinceler. ☞ rutilant.

rythme n.m. **1.** Répartition de sons dans le temps : *Cette chanson a un rythme lent.* SYN. cadence, mouvement. **2.** Alternance régulière : *Les animaux suivent le rythme des saisons.* **3.** Mouvement régulier : *Le rythme cardiaque s'accélère lorsqu'on fait de l'exercice.* **4.** Allure à laquelle s'exécute quelque chose : *Nous avons travaillé à un rythme accéléré pour terminer à temps.* // *Au rythme de :* À la cadence de. ☞ rythmé, rythmer, rythmique.

rythmé, ée adj. Qui a du rythme : *Il aime la musique rythmée.* HOM. rythmer. ☞ rythme.

rythmer v. **1.** Régler selon un rythme : *Nous rythmions nos pas en chantant des airs de marche.* **2.** Souligner le rythme d'un morceau de musique, d'un poème, etc. : *La basse rythmait agréablement cette chanson lente.* SYN. cadencer, scander. HOM. rythmé. ☞ rythme.

rythmique adj. **1.** Qui est réglé selon un rythme : *Nous avons fait de la danse rythmique.* **2.** Qui concerne le rythme : *L'accent rythmique tombe sur le troisième temps de la mesure.* ☞ rythme.

S

s n.m.invar. Dix-neuvième lettre de l'alphabet : *La lettre « s » est la quinzième consonne de l'alphabet.*

sabbat n.m. (hébreu) Jour de repos et de prières que les juifs observent le samedi : *Dans la religion juive, le sabbat est consacré au culte divin.* ☞ sabbatique. ▲ **sabbat** n.m. (hébreu) Réunion de sorciers et de sorcières qui se faisait la nuit, au Moyen Âge : *Dans la tradition populaire, le sabbat était sous la présidence du diable.*

sabbatique adj. **1.** Qui se rapporte au sabbat, au jour de repos et de prières que les juifs observent le samedi : *La fête sabbatique est attendue par cette famille juive.* **2.** Qui se rapporte, dans la loi de Moïse, à chaque septième année où les récoltes étaient remises aux pauvres : *Moïse ordonna une année sabbatique pendant laquelle on laissait reposer la terre.* **3.** fig. Qui se rapporte à une année de congé, après six années de travail, accordée à certains employés, cadres ou professeurs d'université : *Ma tante, professeure à l'université, profite d'une année sabbatique.* ☞ sabbat.

sablage n.m. **1.** Activité qui consiste à répandre du sable : *Cette employée de la ville fait du sablage dans notre rue.* **2.** Décapage à la sableuse : *Nous avons fait le sablage du plancher.* ☞ sable.

sable n.m. et adj.invar. **1.** n.m. Ensemble de petits grains minéraux couvrant le sol : *Les enfants jouent dans le carré de sable.* **2.** adj. invar. Qui est d'un beige très clair : *Elle porte des bas sable.* ⁄⁄ *Sables mouvants :* Sable mouillé dans lequel on s'enfonce. *Tempête de sable :* Vent qui soulève le sable. ☞ ensablement, s'ensabler, sablage, sablé, sabler, sableuse, sableux, sablier, sablière, sablonneux.

sablé n.m. Gâteau sec : *J'ai mangé un délicieux sablé.* HOM. sabler.

sablé, ée adj. Qui s'effrite, qui se réduit facilement en poudre : *Cette pâte sablée se travaille difficilement.* ▲ **sablé, ée** adj. Qui est couvert de sable : *Cette route sablée facilite l'adhérence des pneus.* HOM. sabler. ☞ sable.

sabler v. **1.** vx Avaler d'un trait : *Les soldats sablèrent deux ou trois verres d'eau-de-vie à l'auberge.* **2.** Étendre du sable : *Je sablerai l'entrée du garage car elle est glacée.* **3.** Décaper à l'aide d'une sableuse : *Nous avons fait sabler nos planchers de bois.* HOM. sablé. ⁄⁄ *Sabler le champagne :* Boire du champagne en abondance lors d'une réjouissance. ☞ sable.

sableuse n.f. **1.** Machine avec laquelle on projette avec force du sable : *Au Québec, la sableuse circule sur les routes glacées.* **2.** Appareil servant à sabler, à décaper : *J'ai besoin d'une sableuse pour redonner au bois son apparence d'origine.* ☞ sable.

sableux, euse adj. Qui contient du sable : *Ces terres de la vallée du Saint-Laurent sont sableuses.* ☞ sable.

sablier n.m. Appareil composé de deux vases communicants, dont l'un contient du sable fin qui s'écoule dans l'autre, et qui sert à mesurer le temps : *Dans ce jeu de vitesse, nous utilisons un sablier.* ☞ sable.

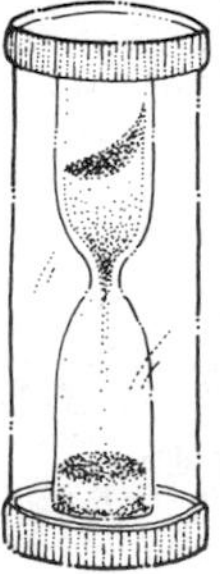

sablier

sablière n.f. **1.** Carrière de sable : *Sur la terre de ma mère, on a ouvert une grande* *sablière.* **2.** Réservoir contenant du sable servant à empêcher les roues d'un train de patiner sur les rails: *L'employée du chemin de fer vérifie l'état et le contenu de la sablière.* ☞ sable. ▲ **sablière** n.f. Poutre horizontale servant à supporter d'autres pièces: *La grue dépose une sablière.*

sablonneux, euse adj. Qui est composé de sable: *Ces terres sont sablonneuses.* ☞ sable.

sabordage n.m. Action de saborder, de couler un navire: *Le sabordage est fréquent en temps de guerre.* ☞ saborder.

saborder v. **1.** Couler un navire: *Le croiseur saborda le bateau.* SYN. engloutir, torpiller. **2.** Mettre fin aux activités d'une entreprise: *En raison des difficultés financières de ce journal, vous avez décidé de le saborder.* ☞ sabordage.

sabot n.m. **1.** Chaussure d'autrefois à semelle de bois et à bout pointu: *Un sabot est fait généralement d'un seul morceau de bois.* **2.** Partie inférieure du doigt du cheval, du bœuf et de l'âne: *Le maréchal-ferrant a posé des fers aux sabots de mon cheval.* **3.** Garniture de métal qui se fixe à l'extrémité d'une pièce, d'un poteau, d'un pied de meuble: *L'ébéniste a mis des sabots aux pieds de ses meubles.* ⁄⁄ *Sabot de Denver:* Dispositif utilisé par la police pour bloquer la roue d'un véhicule. ☞ sabotage, saboter.

sabotage n.m. Action de saboter, de détruire, de briser, de détériorer volontairement: *Le sabotage est parfois utilisé comme moyen de pression lors d'une grève.* SYN. destruction. ANT. entretien, réparation. ☞ saboter. ▲ **sabotage** n.m. Opération consistant à entailler les traverses de chemin de fer pour y fixer des pièces métalliques: *Dans le cadre de son travail, cette ouvrière a fait le sabotage de la voie ferrée.* ☞ sabot.

saboter v. **1.** Détruire, briser, détériorer volontairement: *On a saboté l'avion, qui n'a pu se rendre à destination.* SYN. abîmer, endommager. ANT. réparer, restaurer. **2.** Chercher à contrarier, à neutraliser: *La politique économique de ce pays a saboté les efforts de son voisin.* ☞ sabotage, saboteur. ▲ **saboter** v. Entailler des traverses de chemin de fer pour y fixer des pièces métalliques: *Il doit saboter la voie ferrée afin d'installer tous les morceaux.* ☞ sabot.

saboteur, euse n. Personne qui détruit un travail: *L'explosion du pont est le fait d'un saboteur.* ☞ saboter.

sabra n. (hébreu) Personne juive née en Israël: *Ce citoyen de Tel-Aviv est un sabra.*

sabre n.m. (all.) Arme à pointe dont la lame est coupante d'un seul côté: *Le sabre était souvent utilisé par les pirates.* ☞ sabrer.

sabrer v. **1.** Frapper à coups de sabre: *Les militaires ont sabré des civils.* **2.** Marquer de traits profonds: *Son front est sabré de rides.* **3.** Faire de grandes coupures dans une entreprise: *La directrice a sabré dans le personnel.* SYN. réduire. ANT. augmenter. **4.** Faire de grandes coupures dans un texte: *La journaliste s'est fait sabrer son article sans en avoir été informée:* SYN. écourter. ANT. allonger, augmenter. ⁄⁄ *Sabrer une affaire:* Conclure rapidement une affaire. ☞ sabre.

sac n.m. Contenant souple ouvert par le haut: *Il a mis ses marchandises dans un sac.* ⁄⁄ *Sac à dos:* Sac de toile utilisé par les campeurs, les alpinistes. *Sac à main:* Accessoire de la toilette féminine. *Sac de plage:* Sac dans lequel on met les maillots de bain, les serviettes. ☞ sachet, sacoche. ▲ **sac** n.m.litt. (it.) Pillage d'une ville, d'un village, avec le massacre de ses habitants: *Les soldats ont fait le sac de cette ville.* SYN. saccage. ⁄⁄ *Mettre à sac:* Dévaster.

saccade n.f. Secousse brusque, irrégulière: *L'autobus avance par saccades.* SYN. soubresaut. ☞ saccadé.

saccadé, ée adj. Qui se fait par saccades, par mouvements brusques et irréguliers: *Ses mouvements de tête sont saccadés.* ANT. continu, régulier. ☞ saccade.

saccage n.m. (it.) Pillage, fait de briser et de voler: *Ces cambrioleuses ont fait le saccage de notre maison.* SYN. ravage, vandalisme. ☞ saccager.

saccager v. (it.) Mettre à sac, se livrer à du pillage: *On a saccagé les bureaux de cette organisation politique.* SYN. piller, ravager. ANT. épargner. ☞ saccage, saccageur.

saccageur, euse n. et adj. **1.** n. Personne qui se livre à du saccage, à du pillage: *Il est le saccageur de ce magasin.* **2.** adj. Qui détruit tout sur son passage: *Ce sont des oiseaux saccageurs de nos jardins.* ☞ saccager.

saccharine n.f. Substance de même nature que le sucre: *La saccharine est un succédané du sucre.* **R.** Les lettres *cch* se prononcent *k*.

sacerdoce n.m. Fonction d'un prêtre, dans diverses religions: *Ce vicaire exerce son sacerdoce dans ma paroisse.* SYN. ministère. ☞ sacerdotal. ▲ **sacerdoce** n.m. Fonctions auxquelles on attache un caractère particulier vu le dévouement exigé: *Pour cette chirurgienne, sa profession est un vrai sacerdoce.*

sacerdotal, ale, aux adj. Qui est propre au sacerdoce, aux prêtres : *Le prêtre a rangé soigneusement ses vêtements sacerdotaux.* ☞ sacerdoce.

sachet n.m. Sac de petites dimensions : *Ce thé est conservé dans des sachets.* ☞ sac.

sacoche n.f. (it.) Sac de cuir muni d'une courroie, qui est porté sur le côté ou en bandoulière : *Les sacoches de ma bicyclette sont fixées au porte-bagages.* ☞ sac.

sacre n.m. **1.** Cérémonie religieuse qui marque le couronnement d'un souverain : *Le sacre de la reine d'Angleterre avait un caractère très solennel.* **2.** Ordination religieuse d'un évêque : *Le sacre de cet évêque s'est fait à Rome.* ☞ sacrer. ▲ **sacre** n.m.fam. Au Canada, terme religieux employé comme juron : *Les sacres font partie de son vocabulaire.* SYN. blasphème. ☞ sacrer.

sacré, ée adj. **1.** Qui se rapporte au domaine religieux : *On pratiquait ce rite sacré avec ferveur.* **2.** Qui est très important, impératif : *Pour elle, le respect des autres, c'est sacré !* **3.** Sert à renforcer un terme injurieux : *Tu es un sacré menteur !* HOM. sacrer. ⁄⁄ *Sacré Collège :* Ensemble des cardinaux.

sacrement n.m. Signe sacré qui donne une grâce à la personne qui le reçoit : *Ma petite sœur a reçu le sacrement du baptême.* ⁄⁄ *Fréquenter les sacrements :* Se confesser et communier. *Le saint sacrement :* L'eucharistie. *Les derniers sacrements :* Sacrement des malades, ou extrême-onction. *Procession du saint sacrement :* Fête-Dieu, autrefois.

sacrer v. Conférer un caractère religieux à un souverain ou à un évêque au début de son règne : *Il fut sacré roi devant la foule rassemblée en son honneur.* SYN. couronner. ☞ sacre. ▲ **sacrer** v. Dire des jurons, blasphémer : *De rage, elle sacrait.* HOM. sacré. ☞ sacre.

sacrifice n.m. Offrande faite à un dieu par immolation : *Jadis, on immolait des moutons en sacrifice.* SYN. don. ⁄⁄ *Sacrifice du Christ, sacrifice de la Croix :* Mort de Jésus-Christ sur la croix. *Saint sacrifice :* Messe à l'église. ☞ sacrifier. ▲ **sacrifice** n.m. **1.** Renoncement libre à quelque chose : *Pour m'acheter un livre, je fais le sacrifice de bonbons.* **2.** plur. Pertes qu'on accepte sur le plan financier, privations : *Elle a fait des sacrifices pour permettre à son fils d'aller à l'université.* ☞ sacrifier.

sacrifier v. Offrir comme victime en immolation : *Sacrifier une bête à une divinité est un rite.* ☞ sacrifice. ▲ **sacrifier** v. **1.** Renoncer volontairement à quelque chose : *Il a sacrifié sa part du gâteau pour l'offrir à son invitée.* **2.** Négliger volontairement : *Il ne faudrait pas sacrifier ses amitiés à ses intérêts personnels.* SYN. abandonner. ☞ sacrifice. se **sacrifier** v.pron. Se dévouer par le sacrifice de soi : *Ces parents se sacrifient pour leurs enfants.* SYN. s'oublier.

sacrilège n.m. **1.** Geste grave posé contre des objets, des personnes revêtus d'un caractère sacré : *C'est un sacrilège d'avoir pillé ce cimetière.* SYN. impiété, profanation. ANT. piété, respect. **2.** Attentat contre quelque chose d'important, de respectable : *C'est un sacrilège d'avoir abattu ces arbres.*

sacripant n.m.fam. (it.) Mauvais sujet capable de violence : *Ce sacripant dérangeait le groupe.* SYN. chenapan, vaurien.

sacristain n.m. Homme qui est chargé de l'entretien d'une église : *Mon voisin fut longtemps sacristain.* ☞ sacristie.

sacristaine n.f. Religieuse ou laïque qui est préposée à la sacristie, à l'entretien de l'église : *La sacristaine a placé deux bouquets de fleurs près de l'autel.* **R.** Aussi, *sacristine.* ☞ sacristie.

sacristie n.f. Annexe d'une église où sont rangés les vases sacrés et les vêtements sacerdotaux : *Enfant de chœur, j'attendais le commencement de la messe dans la sacristie.* ☞ sacristain, sacristaine.

sadique n. et adj. **1.** n. Personne qui fait preuve d'une méchanceté systématique : *Ce meurtre est l'œuvre d'un sadique.* **2.** adj. Qui est cruel, qui aime à faire souffrir : *Tu es sadique envers ton entourage.* SYN. barbare, méchant. ANT. doux. ☞ sadisme.

sadisme n.m. Cruauté, plaisir à voir souffrir quelqu'un : *Le sadisme de cette femme la pousse à maltraiter les enfants.* SYN. méchanceté. ☞ sadique.

safari n.m. (afr.) Expédition de chasse se déroulant en Afrique noire : *Son équipement est prêt, elle part en Afrique effectuer un safari.* ⁄⁄ *Safari-photo :* Expédition de photographie.

safran n.m. (arabe) **1.** Plante cultivée pour ses fleurs et dont on extrait une poudre odorante : *Je ne connais pas cette plante appelée « safran ».* SYN. crocus. **2.** Matière colorante alimentaire qui provient de la même fleur : *Ce riz est de couleur jaune car on y a ajouté du safran.*

saga n.f.litt. (scand.) Épopée familiale plus ou moins légendaire se déroulant sur plusieurs générations : *La saga de cette grande famille nous renseigne sur la vie quotidienne dans une autre société.*

sagace adj. Qui est perspicace: *On voit, d'après ses réactions, que c'est une personne sagace.* SYN. fin, subtil. ANT. naïf. ☞ sagacité.

sagacité n.f. Finesse, vivacité d'esprit: *Ces personnes ont fait preuve de sagacité.* SYN. perspicacité. ANT. naïveté. ☞ sagace.

sagaie n.f. (arabe) Javelot utilisé comme arme, chez certains peuples: *Cette tribu utilisait la sagaie pour la chasse.*

sage n. et adj. **1.** n. Personne qui possède une connaissance juste des choses: *Mon grand-père est un sage.* **2.** adj. Qui a du jugement, qui est sensé dans sa conduite: *Elle a pris une sage décision.* SYN. raisonnable. ANT. insensé, irréfléchi. **3.** adj. Qui est tranquille et obéissant, en parlant d'un enfant: *Réginald est sage en classe.* SYN. docile, gentil. ANT. désobéissant, turbulent. ⁄⁄ *Comité des sages:* Conseillers politiques. *Le Sage:* Salomon. ☞ assagir, sagement, sagesse.

sage-femme n.f. Femme qui surveille une grossesse et accouche des femmes; profession exercée par cette femme: *Partout dans le monde, des femmes accouchent avec l'aide de sages-femmes.* **R.** Au pluriel, *sages-femmes*.

sagement adv. D'une manière juste et avisée: *Ils discutent sagement d'une solution à leurs problèmes.* SYN. prudemment, raisonnablement. ANT. follement. ☞ sage.

sagesse n.f.litt. **1.** Qualité et conduite d'une personne avisée: *Ses conseils sont remplis de sagesse.* SYN. discernement. ANT. ignorance. **2.** Tranquillité, obéissance, en parlant d'un enfant: *Remarque la sagesse de cette fillette.* SYN. calme, docilité. ANT. turbulence. ☞ sage.

sagouin n.m. (port.) Singe à longue queue vivant en Amérique du Sud: *Le sagouin est agile sur les branches.* ◇ ouistiti.

sagouin, ine n.fam. Personne malpropre: *As-tu lu «La Sagouine» d'Antonine Maillet?*

saïga n.m. (russe) Antilope de la taille du daim, à cornes courtes et à nez bossu, qui vit dans la steppe: *Le saïga est un animal vivant en Russie.* **R.** Ne pas oublier le tréma: *ï*.

saignant, ante adj. **1.** Qui saigne, perd du sang: *Sa blessure est encore saignante.* **2.** Qui est peu cuit, en parlant d'un morceau de viande rôtie ou grillée: *Veux-tu ton steak saignant?* ☞ saigner.

saignement n.m. Écoulement de sang: *L'infirmier lui donna un truc pour arrêter le saignement de nez.* ☞ saigner.

saigner v. **1.** Perdre du sang: *Lise saigne du nez.* **2.** Tuer un animal en le privant de son sang: *À la ferme, on a saigné un porc.* ☞ saignant, saignement. **se saigner** v.pron. S'imposer de lourdes dépenses: *Il faudra se saigner pour rénover cette maison.*

saillant, ante adj. Qui avance et dépasse: *Les corniches de cette maison sont saillantes.* ⁄⁄ *Angle saillant:* Angle inférieur à 180 degrés. *Trait saillant:* Qui attire l'attention. ☞ saillir.

saillie n.f. Partie qui avance, dépasse le plan prévu: *Ce balcon fut construit en saillie.* SYN. relief. ANT. cavité, creux. ☞ saillir. ▲ **saillie** n.f. Accouplement des animaux domestiques: *Cette vache est en période de saillie.* ☞ saillir.

saillir v. Avancer en formant un relief: *Ce balcon saille trop.* SYN. déborder. **R.** Ne s'emploie qu'à l'infinitif et aux troisièmes personnes des temps simples. ☞ saillant, saillie. ▲ **saillir** v. S'accoupler, en parlant d'animaux domestiques: *L'étalon va saillir la jument.* **R.** Ne s'emploie qu'à l'infinitif, au participe passé et aux troisièmes personnes des temps simples. ☞ saillie.

saïmiri n.m. (tupi) Singe de l'Amérique tropicale, de petite taille et à longue queue prenante: *Ce saïmiri est très agile.* **R.** Ne pas oublier le tréma: *ï*.

sain, saine adj. **1.** Qui démontre une bonne santé: *Ces bœufs d'élevage sont sains.* SYN. robuste. ANT. faible. **2.** Qui est bon pour la santé: *L'air de la campagne est sain.* SYN. salubre. ANT. insalubre. ⁄⁄ *Sain de corps et d'esprit:* Équilibré. *Sain et sauf:* Qui est en bon état physique, après un danger. ☞ assainir, assainissement, assainisseur, malsain, sainement. ▲ **sain, saine** adj. Qui est doué d'un bon équilibre mental, d'une bonne santé morale: *C'est une personne saine.* HOM. saint, sein. ☞ malsain, sainement.

saindoux n.m. Graisse de porc fondue: *Les pommes de terre frites dans le saindoux sont meilleures.*

sainement adv. **1.** D'une manière saine, bonne pour la santé: *Le fait de manger sainement aide à la digestion.* **2.** D'une manière saine, correcte, sur le plan intellectuel, moral: *Il se conduit sainement.* ☞ sain.

saint, sainte n. et adj. **1.** n. Personne donnée en exemple, dans la religion chrétienne: *Elle adresse sa prière à une sainte.* SYN. élu. ANT. damné. **2.** adj. Qui est sacré, vénérable: *La Bible est un livre saint.* HOM. sain, sein. ⁄⁄ *Année sainte:* Année privilégiée, proclamée par le pape tous les vingt-cinq ans. *Jeudi saint, vendredi saint, samedi saint:* Jours précédant la fête de Pâques. *La Sainte Famille:* Jésus, Joseph et Marie. *Terre sainte:* Terre où le Christ a vécu. ☞ saintement, sainteté.

saint-bernard n.m. Race de chien de montagne de grande taille, à poil roux et blanc : *Le saint-bernard aide les gens perdus en montagne.* **R.** Au pluriel, *saint-bernard* ou *saint-bernards*.

saint-bernard

saintement adv. D'une manière sainte, sacrée : *Il est mort aussi saintement qu'il avait vécu.* ☞ saint.

sainte nitouche n.f.fam. Personne qui se donne des airs innocents : *Quand on le questionne, il prend des airs de sainte nitouche.* **R.** Aussi, *sainte-nitouche*. Au pluriel, *saintes nitouches* ou *saintes-nitouches*.

sainteté n.f. Caractère d'une personne ou d'une chose sainte : *La sainteté de l'Évangile est reconnue par l'Église catholique.* ⁄⁄ *Sa Sainteté :* Le pape. *Vivre, mourir en odeur de sainteté :* Vivre, mourir comme un saint. ☞ saint.

saint-honoré n.m. Gâteau garni de crème et glacé au sucre : *J'ai acheté un saint-honoré à la pâtisserie.* **R.** Au pluriel, *saint-honoré* ou *saint-honorés*.

saisie n.f. Acte par lequel la justice prend les biens de quelqu'un qui ne peut pas payer ses dettes : *L'huissier a fait la saisie de mes biens.* SYN. confiscation. ANT. restitution. ☞ saisir. ▲ **saisie** n.f. Enregistrement d'une information en vue de sa mise en mémoire, en informatique : *La saisie de ce texte a été faite par l'ordinateur.*

saisir v. **1.** Mettre sous la main de la justice par la confiscation : *On a saisi ses meubles.* **2.** Confisquer les biens de quelqu'un : *Cette personne a été saisie.* ☞ insaisissable, saisie, saisissable. ▲ **saisir** v. **1.** Mettre dans sa main avec fermeté : *Elle a saisi la branche de l'arbre.* SYN. agripper. ANT. lâcher. **2.** Retenir brusquement : *Elle m'a saisi par la taille pour m'entraîner dans la danse.* SYN. attraper. ANT. laisser. **3.** Comprendre rapidement : *Michael saisit bien les objectifs de ce travail.* ☞ se dessaisir, insaisissable, saisissable, saisissant, saisissement. **se saisir** v.pron. Mettre en son pouvoir : *La présidente s'est saisie de ce dossier important.* SYN. s'approprier.

saisissable adj. Qui peut être saisi par la justice : *Les biens de cet homme sont saisissables.* ANT. insaisissable. ☞ saisir. ▲ **saisissable** adj. Qui peut être compris, perçu nettement : *Le sens du mot « chaise » est facilement saisissable.* ANT. insaisissable. ☞ saisir.

saisissant, ante adj. Qui surprend et frappe l'esprit : *C'est une histoire saisissante.* SYN. étonnant. ☞ saisir.

saisissement n.m. Impression, effet brusque et soudain : *Elle n'aime pas le saisissement que provoque l'eau glacée.* ☞ saisir.

saison n.f. **1.** Chacune des parties de l'année qui diffère par la température et qui dure trois mois : *Les quatre saisons sont le printemps, l'été, l'automne et l'hiver.* **2.** Période de l'année pendant laquelle on retrouve un certain climat ou un certain état de la nature : *Les cultivateurs sont très occupés pendant la saison des foins.* **3.** Période de l'année favorable à une activité : *Au Québec, la saison de la chasse débute à l'automne.* ⁄⁄ *Belle saison :* Été. *Haute saison :* Période d'activité plus intense. *Saison morte :* Période où il n'y a pas d'activité. ☞ demi-saison, saisonnier.

saisonnier, ière adj. **1.** Qui est propre à une saison en particulier : *L'été, je me régale de fruits saisonniers.* **2.** Qui n'existe qu'une saison : *Plusieurs traversiers, au Québec, assurent un service saisonnier.* ☞ saison.

saké n.m. (jap.) Boisson alcoolisée obtenue par fermentation du riz : *Au restaurant chinois, mes parents ont bu du saké.*

saki n.m. (tupi) Singe de taille moyenne, à fourrure grise épaisse : *On retrouve des sakis en Amérique du Sud.*

salade n.f. **1.** Plante cultivée dont on mange les feuilles : *La laitue et la scarole sont des salades.* **2.** Mets composé de feuilles de plantes potagères, de légumes et de fines herbes, assaisonné avec de la vinaigrette ou de la mayonnaise : *Dans un buffet froid, on peut goûter plusieurs sortes de salades.* ⁄⁄ *Salade de fruits :* Fruits coupés en morceaux, servis froids avec un sirop. ☞ saladier. ▲ **salade** n.f.fam. **1.** Confusion, situation embrouillée : *Quelle salade, cette histoire !* **2.** plur. Mensonges : *Il y a longtemps que je n'écoute plus ses salades.* ⁄⁄ *Vendre sa salade :* Essayer de convaincre quelqu'un.

saladier n.m. Récipient, plat dans lequel on sert la salade: *Véronique a mis le saladier sur la table.* ☞ salade.

salaire n.m. Argent donné à une personne, par son employeur, en échange de son travail: *Elle revendique une augmentation de salaire.* // *Salaire de famine, de misère:* Salaire très bas. *Salaire minimum:* Salaire au-dessous duquel aucun employé ne peut être rémunéré. ☞ salarial, salarié.

salaison n.f. **1.** Opération qui consiste à saler un produit alimentaire pour le conserver plus longtemps: *Mon oncle Jean-Paul fait la salaison du poisson.* **2.** plur. Aliments traités au sel: *Nous achetons des salaisons à la charcuterie.* ☞ sel.

salamandre n.f. Batracien noir taché de jaune, ayant la forme d'un lézard: *La peau de la salamandre sécrète une substance venimeuse.* ▲ **salamandre** n.f. Poêle à combustion lente: *La salamandre dégage beaucoup de chaleur.*

salamandre

salami n.m. (it.) Saucisson sec de grande dimension: *Le salami vient de l'Italie.*

salant adj.m. Qui contient, qui produit du sel, en parlant d'un puits ou d'un marais: *Les marais salants sont des terrains inondés par les eaux de la mer.* ☞ sel.

salarial, ale, aux adj. Qui se rapporte au salaire, à l'argent donné à une personne, par son employeur, en échange de son travail: *Les syndiqués demandent une amélioration des conditions salariales.* ☞ salaire.

salarié, ée n. et adj. **1.** n. Personne qui reçoit un salaire, de l'argent en échange de son travail: *Tous les salariés de cette entreprise poinçonnent leur carte de temps.* SYN. employé. **2.** adj. Qui reçoit un salaire: *La patronne s'adresse à tous les ouvriers salariés.* ☞ salaire.

salaud n.m.fam. Personne méprisable, qui agit de façon révoltante: *Ça prenait un salaud pour traiter ainsi des enfants.*

sale adj. **1.** Qui est malpropre: *Mes mains sont sales, je vais les laver.* ANT. net, propre. **2.** Qui est désagréable, méprisable: *Quel sale temps aujourd'hui!* SYN. mauvais. HOM. salle. ☞ resalir, salement, saleté, salir, salissant.

salé, ée adj. **1.** Qui contient du sel: *L'eau est salée dans le golfe du Saint-Laurent.* **2.** Qui est assaisonné ou conservé dans le sel: *À mon avis, les légumes salés ne sont pas bons au goût.* ANT. fade, insipide. ☞ sel. ▲ **salé, ée** adj. **1.** Qui est osé, grivois: *Elle s'amuse à raconter des histoires salées.* SYN. grossier. **2.** fam. Qui est exagéré: *L'entrepreneur m'a présenté une facture salée.* SYN. élevé. ANT. raisonnable. HOM. saler.

salement adv. D'une manière sale, malpropre: *Les bébés mangent souvent salement.* ANT. proprement. ☞ sale.

saler v. **1.** Assaisonner avec du sel: *L'ami de ma mère sale son jus de tomate avant de le boire.* **2.** Imprégner un aliment de sel pour le conserver: *En Gaspésie, on sale la morue pour la conserver.* ☞ sel. ▲ **saler** v. Répandre du sel dans le but de faire fondre la neige, la glace: *La tâche de Nathalie consiste à saler les rues glacées.* ☞ sel. ▲ **saler** v.fam. Faire payer un prix trop élevé: *Je n'irai plus dans ce magasin, on sale trop la facture.* ▲ **saler** v.fam. Imposer une punition, une sanction très sévère: *Le professeur l'a salé lorsqu'il lui a remis la copie de son test.* HOM. salé.

saleté n.f. **1.** État de ce qui est malpropre, sale: *À la fin de l'hiver, les parterres sont souvent d'une saleté repoussante.* ANT. netteté, propreté. **2.** Ce qui est malpropre ou qui salit: *J'ai fait des saletés avec mes biscuits au chocolat.* ☞ sale.

saleur, euse n. Personne dont le métier est de saler les aliments, de faire des salaisons: *Le saleur sait bien comment saler les aliments pour les conserver.* ☞ sel.

salière n.f. Contenant de petite dimension dans lequel on met le sel: *Mets la salière sur la table.* ☞ sel.

saligaud, aude n.fam. Personne méprisable, qui agit de façon révoltante: *C'est un saligaud, il triche et ment effrontément.* **R.** Le féminin est rarement employé.

salin, ine adj. Qui contient du sel de façon naturelle: *Il y avait de belles roches salines au bord de la mer.* ☞ sel.

salinité n.f. Proportion de sel que contient un liquide: *Cette chimiste a comparé la salinité de l'eau de mer avec celle de l'estuaire.* ☞ sel.

salir v. Rendre malpropre, sale : *J'ai sali mes bas blancs.* SYN. tacher. ANT. laver, nettoyer. ☞ sale. ▲ **salir** v. Faire du tort à quelqu'un, le déshonorer : *Les paroles de cette femme ont sali la réputation de mon copain.* SYN. abaisser, avilir. ANT. élever, louanger. ☞ sale. **se salir** v.pron. Se tacher, se rendre sale : *Elle se salit toujours en faisant de la peinture.* ANT. se laver, se nettoyer.

salissant, ante adj. **1.** Qui se salit facilement, qui reste difficilement propre : *Ce pantalon rose pâle est salissant.* **2.** Qui salit : *Jardiner est souvent salissant.* ☞ sale.

salivaire adj. Qui se rapporte à la salive : *La salive est produite par les glandes salivaires.* ☞ salive.

salivation n.f. Production de la salive, du liquide sécrété par des glandes que l'on a dans la bouche : *Une belle pomme rouge provoque chez moi la salivation.* ☞ salive.

salive n.f. Liquide produit par des glandes que l'on a dans la bouche : *La salive est un liquide transparent.* ⁄⁄ *Dépenser sa salive :* Parler beaucoup. *Perdre sa salive :* Parler pour rien. ☞ salivaire, salivation, saliver.

saliver v. Sécréter, produire de la salive : *Ce mets, si bien présenté, me fait saliver.* ☞ salive.

salle n.f. **1.** Nom de certaines pièces dans une habitation : *Mes parents rénovent la salle de séjour.* **2.** Pièce ou local de grande dimension ouvert au public : *On donne un concert dans cette salle de spectacle.* **3.** Ensemble de spectateurs, le public : *Cette chanteuse émeut la salle.* HOM. sale. ⁄⁄ *Salle à manger :* Pièce disposée pour y prendre des repas. *Salle de bain :* Pièce disposée pour y prendre des bains.

salon n.m. **1.** Pièce d'une habitation où l'on reçoit des visiteurs : *Mon père et son amie regardent la télévision dans le salon.* **2.** Établissement ouvert au public : *Dans ce centre commercial, on trouve un salon de coiffure et un salon de thé.* ⁄⁄ *Salon mortuaire* ou *funéraire :* Au Canada, établissement où le mort est embaumé et présenté dans un salon réservé à la famille et aux amis. ▲ **salon** n.m. Exposition annuelle consacrée à un domaine précis : *Chaque année, je visite le Salon du livre et le Salon de la jeunesse.* **R.** On met la majuscule à *salon* dans ce sens.

saloperie n.f.pop. **1.** Saleté, chose d'une grande malpropreté : *Il faut que je nettoie les saloperies que mon chien a faites.* **2.** Chose ou parole immorale, indélicate : *Je ne devrais pas fréquenter ce camarade, il dit souvent des saloperies.*

salopette n.f. **1.** Vêtement qui est composé d'un pantalon et d'un plastron retenu par des bretelles : *Mon petit frère peut attacher sans aide les bretelles de sa salopette.* **2.** Vêtement de travail que l'on porte par-dessus ses vêtements pour ne pas les salir : *Ma belle-mère porte toujours une salopette pour peindre.*

salpêtre n.m. Poudre blanche qui apparaît sur les vieux murs humides : *Cette vieille étable est couverte de salpêtre.* **R.** Ne pas oublier l'accent : *ê*.

salsifis n.m. Plante cultivée dont on mange la longue racine : *Le salsifis a un goût sucré.* **R.** Le *s* final ne se prononce pas.

saltimbanque n. Personne qui fait des acrobaties, des tours d'adresse devant un public : *Cette jongleuse fait partie d'une troupe de saltimbanques.*

salubre adj. Qui est sain, qui a un bon effet sur la santé : *L'air du parc provincial est salubre.* ANT. insalubre, malsain. ☞ insalubre, insalubrité, salubrité.

salubrité n.f. Caractère de ce qui est sain, salubre : *La salubrité de cette industrie laisse à désirer.* ☞ salubre.

saluer v. **1.** Adresser à quelqu'un une marque ou un signe de politesse, d'attention : *Chaque fois que Josée me rencontre, elle me salue de la main.* **2.** Accueillir en manifestant son accord ou son hostilité : *Son discours a été salué par des applaudissements.* ☞ salut, salutation.

salut n.m. **1.** Signe ou geste que l'on fait lorsqu'on rencontre quelqu'un : *J'ai rencontré Myriam en allant au magasin, je lui ai fait un salut.* SYN. bonjour, salutation. **2.** Geste réglementaire que l'on fait pour exprimer son respect à quelqu'un ou à quelque chose : *Les scouts ont une manière de faire un salut.* **3.** Formule pour saluer : *Salut, tout le monde !* ☞ saluer. ▲ **salut** n.m. Fait de sauver sa vie, d'échapper au malheur : *La bouée de sauvetage que tu as lancée fut mon salut.* ANT. perdition. ▲ **salut** n.m. Bonheur éternel apporté par le fait d'être sauvé de l'état de péché : *Selon la religion catholique, Jésus est venu sur la terre pour assurer le salut des âmes.*

salutaire adj. Qui fait du bien, qui a un bon effet : *Les vacances sont salutaires pour la santé.* SYN. bienfaisant, profitable, utile. ANT. malsain, mauvais, néfaste.

salutation n.f. **1.** Fait de saluer de façon solennelle : *Les citoyens ont fait une salutation au maire.* **2.** plur. Formule de politesse employée lorsqu'on écrit à quelqu'un : *Acceptez mes salutations les plus distinguées.* ☞ saluer.

salvateur, trice adj.litt. Qui sauve, fait échapper à un grave danger: *Les mesures d'urgence ont eu un effet salvateur.* ☞ sauver.

salve n.f. Ensemble de coups de feu ou coups de canons tirés simultanément: *Les militaires ont tiré une salve en l'honneur de la première ministre.*

samare n.f. Fruit sec, ailé de certains feuillus: *La samare est le fruit de l'érable, de l'orme et du frêne.*

samba n.f. (brés.) Danse brésilienne à deux temps, très rythmée: *Au Brésil, il y a beaucoup d'écoles de samba.*

samedi n.m. Jour de la semaine qui précède le dimanche et qui suit le vendredi: *Le samedi est une journée de congé pour plusieurs personnes.* ⁄⁄ *Samedi saint:* Veille de Pâques.

samouraï n.m. (jap.) Guerrier japonais, dans les siècles passés: *Les samouraïs ont existé jusqu'à la fin du XIX*e *siècle.* **R.** Ne pas oublier le tréma: *ï.*

samouraï

samoyède adj. (russe) Qui se rapporte à une race de chiens à fourrure blanche très épaisse: *Les chiens samoyèdes sont utilisés pour tirer les traîneaux.*

sanatorium n.m. (lat.) Maison de santé où l'on soigne des personnes atteintes de tuberculose: *Les sanatoriums sont souvent situés en montagne.* **R.** Les lettres *um* se prononcent *omm.*

sanctifier v. **1.** Rendre saint: *On a sanctifié ce lieu en le dédiant à la Vierge.* SYN. consacrer. ANT. profaner. **2.** Respecter, révérer comme saint: *La demande « Que ton nom soit sanctifié » signifie « que ton nom soit loué, honoré ».*

sanction n.f. Fait d'approuver officiellement une loi, une décision: *Cette députée s'est opposée à la sanction de cette loi.* SYN. confirmation, ratification. ANT. désapprobation, refus. ☞ sanctionner. ▲ **sanction** n.f. Punition: *En faisant bien mes travaux, j'évite les sanctions.* SYN. châtiment, condamnation. ☞ sanctionner.

sanctionner v. Confirmer, approuver officiellement: *Notre charte a été sanctionnée par l'assemblée.* SYN. accepter, adopter, ratifier. ANT. condamner, refuser. ☞ sanction. ▲ **sanctionner** v. Punir: *Sa conduite a été sanctionnée.* SYN. condamner. ANT. récompenser. ☞ sanction.

sanctuaire n.m. **1.** Lieu le plus sacré d'une église ou d'un temple: *La lampe du sanctuaire reste toujours allumée.* **2.** Édifice religieux, lieu saint: *La basilique de Sainte-Anne-de-Beaupré est un sanctuaire consacré à la mère de Marie.* SYN. église, temple.

sandale n.f. Chaussure légère composée d'une semelle qui s'attache à l'aide de lanières ou de cordons: *Nous portons des sandales surtout l'été.*

sandwich n.m. (angl.) Mets fait de deux tranches de pain entre lesquelles on place des aliments: *J'ai mangé un excellent sandwich au jambon.* ⁄⁄ *Homme-sandwich:* Homme qui porte dans les rues deux placards de publicité, l'un devant, l'autre derrière. **R.** Au pluriel, *sandwichs* ou *sandwiches.* en **sandwich** loc.adv. Coincé entre deux choses: *J'ai été pris en sandwich entre le mur et la porte.*

sang n.m. Liquide rouge qui circule dans les veines et les artères: *J'ai donné du sang à la Croix-Rouge.* ☞ ensanglanter, sanglant, sanguin, sanguinaire, sanguinolent. ▲ **sang** n.m. Race, famille: *Ma sœur et moi sommes du même sang.* SYN. descendance, parenté. HOM. cent, sans.

sang-froid n.m.invar. Calme, maîtrise de soi qui permet de garder sa présence d'esprit: *Ce n'est pas facile de garder son sang-froid lors d'un accident.* ANT. angoisse, émotion. de **sang-froid** loc.adv. Froidement, de manière consciente: *Elle a tiré le canard de sang-froid.*

sanglant, ante adj. **1.** Qui est couvert de sang: *Ma petite sœur est tombée, elle a le genou sanglant.* **2.** Qui fait couler le sang, qui cause des blessures ou la mort: *Cette bataille fut sanglante.* SYN. cruel, meurtrier. ☞ sang.

sangle n.f. Bande plate et large qui sert à attacher ou serrer quelque chose: *Une sangle de cuir retient mes livres ensemble.* ☞ sangler.

sangler v. **1.** Attacher, serrer avec une sangle, bande plate et large: *La cavalière sangle son cheval afin que la selle reste sur son dos.* **2.** Serrer fortement: *Ce portier est sanglé dans son uniforme.* ☞ sangle.

sanglier n.m. **1.** Porc sauvage, au corps massif et vigoureux, couvert de soies dures, qui vit dans les forêts, dont la femelle est la laie et le petit, le marcassin: *Le sanglier commun est l'ancêtre du porc domestique.* **2.** Chair de cet animal: *As-tu déjà mangé du sanglier?*

sanglot n.m. Mouvement brusque qui secoue la poitrine lors d'une crise de larmes: *Simon avait tellement de peine qu'il a éclaté en sanglots.* SYN. hoquet. ANT. rire, sourire. ☞ sangloter.

sangloter v. Pleurer avec des sanglots, des hoquets: *Il sanglotait devant son petit chat mort.* ☞ sanglot.

sangria n.f. (esp.) Boisson faite de vin rouge sucré dans lequel on laisse tremper des fruits: *La serveuse versait de la sangria dans le verre de la cliente.*

sangsue n.f. **1.** Genre de ver d'eau qui se colle à la peau et qui suce le sang: *Je ne me baigne pas dans ce lac, il y a des sangsues.* **2.** fam. Personne dont on ne peut se défaire: *Tu es une vraie sangsue, laisse-moi tranquille.* **R.** Le *g* ne se prononce pas.

sanguin, ine adj. Qui se rapporte au sang, liquide rouge qui circule dans les veines et les artères: *Les vaisseaux sanguins sont les conduits dans lesquels circule le sang.* **R.** Ne pas oublier le *u* après le *g*. ☞ sang.

sanguinaire n.f. et adj. **1.** n.f. Herbe vivace qui contient un liquide toxique rouge comme du sang: *Les Amérindiens utilisaient la sanguinaire pour faire des teintures.* **2.** adj. Qui est cruel, qui aime à faire couler le sang: *Dans ce film sanguinaire, on a vu des têtes coupées.* SYN. barbare, féroce, violent. ANT. doux, inoffensif, tendre. **R.** Ne pas oublier le *u* après le *g*. ☞ sang.

sanguinolent, ente adj. Qui est teinté, couvert de sang: *L'infirmière a changé mes pansements sanguinolents.* **R.** Ne pas oublier le *u* après le *g*. ☞ sang.

sanitaire adj. Qui se rapporte à la santé, à l'hygiène: *L'hygiéniste dentaire porte un masque sanitaire.* ☞ santé. ▲ **sanitaire** adj. Qui sert à distribuer et à évacuer l'eau qui a servi pour les soins de propreté et de santé: *Les lavabos et les baignoires sont des appareils sanitaires.*

sans prép. Exprime le manque, l'absence ou la privation: *Sans toi, cette sortie sera moins intéressante.* HOM. cent, sang. **sans que** loc.conj. Exprime que quelque chose s'est passé d'une façon telle qu'on ne s'en est pas aperçu ou qu'on ne l'a pas réalisé: *Ses amies lui ont préparé une surprise sans qu'il s'en rende compte.*

sans-abri n.invar. Personne sans logis, sans aucun logement: *Il y a des milliers de sans-abri à Montréal.* SYN. sans-logis. ☞ abri.

sans-cœur n.invar. et adj.invar.fam. **1.** n.invar. Personne insensible à la souffrance des autres: *Ce sont des sans-cœur pour laisser leur chien mourir de faim.* **2.** adj.invar. Qui est insensible à la souffrance des autres: *Les gens sans-cœur ne réagissent pas devant la misère des autres.* SYN. dur, endurci, méchant. ANT. bienveillant, bon, compréhensif, sensible. ☞ cœur.

sanscrit n.m. Langue sacrée et littéraire de l'Inde ancienne: *Le mot « maharajah » est un mot hindi qui vient du sanscrit.* **R.** Aussi, *sanskrit*.

sanscrit, ite adj. Qui se rapporte à la langue sacrée et littéraire de l'Inde ancienne: *Les textes sanscrits ne peuvent être lus par n'importe qui.* **R.** Aussi, *sanskrit*.

sans-gêne n.m.invar. et adj.invar. **1.** n.m.invar. Personne qui agit sans s'occuper des autres, avec une trop grande familiarité: *Ce garçon est un sans-gêne, il prend mon jouet sans le demander.* **2.** n.m.invar. Impolitesse: *Claudine est d'un sans-gêne envers toute autorité.* SYN. inconvenance. **3.** adj.invar. Qui est impoli, qui agit avec familiarité: *Cette personne sans-gêne a été remarquée lors de la cérémonie.* SYN. effronté. ANT. réservé. **R.** Ne pas oublier l'accent: *ê*. ☞ gêne.

sans-logis n.invar. Personne qui n'a plus de logement: *Après l'incendie, on s'est occupé de trouver un endroit pour abriter les sans-logis.* SYN. sans-abri. ☞ loger.

santé n.f. Fonctionnement régulier de l'organisme humain: *Nous devons veiller sur notre santé.* ANT. maladie. ☞ sanitaire.

santon n.m. Figurine, en terre cuite peinte, qui orne les crèches de Noël: *On trouve des santons dans les crèches de Noël en Provence, région du sud de la France.*

saoudien, enne n. et adj. **1.** n. Personne qui est de l'Arabie saoudite: *Un Saoudien, une Saoudienne.* **2.** adj. Qui est de l'Arabie saoudite: *Le pétrole saoudien est un produit d'exportation important.* **R.** On met la majuscule à *saoudien* et à *saoudienne* lorsqu'il s'agit du nom.

Passage étroit (ponts et tunnels)

Signal avancé de feux lumineux

Signal avancé de passage à niveau perpendiculaire

Chaussée glissante

Signal avancé de passage de piétons

Signal avancé de passage de bicyclettes

Signal avancé d'arrêt d'autobus scolaire

Balise de danger à gauche et à droite

Identification de route

Identification d'autoroute

Piste cyclable

Poste de la Sûreté du Québec

Aire de stationnement

Hôpital

Direction et distance

Restaurant

Téléphone

Centre de ski alpin

Musée

Personnes handicapées

Signal avancé de chantier

Étendue du chantier

Voie cyclable barrée

Détour

Ministère des Transports du Québec.

Arrêt à l'intersection

Cédez le passage

Accès interdit

Vitesse maximale

Vitesse minimale

Obligation d'aller tout droit

Obligation d'aller tout droit ou de tourner à gauche

Obligation de tourner à droite ou à gauche

Obligation d'aller tout droit

Obligation de tourner à gauche

Sens unique

Circulation à double sens

Passez à droite

Accès interdit aux bicyclettes

Accès interdit aux piétons

Accès interdit aux bicyclettes et aux automobiles

Obligation de porter la ceinture de sécurité

Ligne d'arrêt à l'intersection

Début de zone scolaire

Passage d'enfants près d'un terrain de jeux

Passage de bicyclettes

Passage de personnes handicapées

Prescription pour piétons

Virages successifs

Ministère des Transports du Québec.

sapajou, ous n.m. Singe de petite taille à poil court et à longue queue: *On trouve le sapajou en Amérique centrale ainsi qu'en Amérique du Sud.* **R.** Aussi, *sajou*.

saper v. **1.** Creuser à la base d'une chose de façon que celle-ci s'écroule: *Le quai n'est plus très solide car les vagues en ont sapé quelques piliers.* SYN. détériorer, dévaster, ronger. ANT. affermir, construire, fortifier. **2.** fig. Détruire petit à petit, miner: *Cette situation difficile sape toute mon énergie.* SYN. anéantir, user. ANT. augmenter, conserver.

sapeur-pompier n.m. Autre nom donné aux pompiers: *Les sapeurs-pompiers sont enfin venus à bout de l'incendie.* **R.** Au pluriel, *sapeurs-pompiers*.

saphir n.m. **1.** Pierre précieuse bleue, transparente et dure: *Un collier de saphirs coûte très cher.* **2.** Pointe de cette pierre précieuse qui glisse dans les sillons d'un disque: *Le saphir a remplacé l'aiguille des tourne-disques d'autrefois.* **R.** Les lettres *ph* se prononcent *f*.

sapin n.m. Conifère à écorce épaisse dont les branches sont tombantes: *Le fruit du sapin est un cône.* ☞ sapinière.

sapinière n.f. Lieu planté de sapins: *Ma grand-mère exploite une sapinière.* ☞ sapin.

sapristi ! interj.fam. Mot qui exprime l'étonnement: *Sapristi! Il fait plus froid que je ne le pensais.*

sarabande n.f. (esp.) **1.** Danse ancienne, d'origine espagnole: *La sarabande est une danse au rythme vif.* **2.** fig. Tapage, bruit: *Les enfants font la sarabande, ils s'amusent beaucoup.* SYN. vacarme. **3.** Ribambelle, longue suite de personnes ou de choses: *Une sarabande d'enfants court derrière la mascotte.*

sarcasme n.m. Moquerie, parole méchante ou insultante: *Jason a subi les sarcasmes de ses compagnons lorsqu'il a raté la balle.* SYN. raillerie. ANT. compliment, flatterie. ☞ sarcastique, sarcastiquement.

sarcastique adj. Qui est moqueur et méchant: *Sa remarque sarcastique m'a fait de la peine.* ANT. aimable, bienveillant. ☞ sarcasme.

sarcastiquement adv. De façon moqueuse et méchante: *Cette fille a répondu sarcastiquement à mon frère.* ☞ sarcasme.

sarcelle n.f. Oiseau palmipède vivant au bord des marais et des étangs: *La sarcelle est un petit canard sauvage.*

sarclage n.m. Action d'enlever les mauvaises herbes: *Il faut faire le sarclage du jardin pour permettre aux légumes de pousser.* SYN. désherbage. ☞ sarcler.

sarcler v. Enlever les mauvaises herbes en se servant d'un outil: *Sarcler un potager est une tâche un peu fatigante pour le dos.* SYN. désherber. ☞ sarclage, sarcloir.

sarcloir n.m. Outil dont on se sert pour sarcler, enlever les mauvaises herbes: *Grâce au sarcloir, on peut même arracher la racine d'une plante.* ☞ sarcler.

sarcophage n.m. Cercueil de pierre: *Cet archéologue a trouvé le sarcophage d'un pharaon.* SYN. sépulcre, tombeau. **R.** Les lettres *ph* se prononcent *f*.

sardine n.f. Poisson de mer, très petit, qu'on mange frais ou en conserve: *Les sardines sont conservées dans l'huile.* ⁄⁄ *Être serrés comme des sardines:* Être nombreux dans un endroit étroit.

sardonique adj. Qui est moqueur, froid et méchant: *Son rire sardonique m'a fait un peu de peine.* SYN. sarcastique. ANT. admiratif, bienveillant.

sari n.m. (hindi) Vêtement féminin, en Inde, qui consiste en une longue étoffe drapée et ajustée sans épingles ni coutures: *Les saris sont souvent de coton ou de soie.*

sarigue n.f. (tupi) Mammifère de petite taille dont la longue queue peut saisir les objets: *L'opossum est un type de sarigue.* **R.** Ne pas oublier le *u* après le *g*.

sarment n.m. Tige de la vigne: *La botaniste examine les sarments avant de les tailler.* SYN. branche, rameau.

sarrasin n.m. Céréale, aussi appelée «blé noir», avec laquelle on peut faire de la farine: *J'aime manger des galettes de sarrasin avec de la mélasse.* **R.** S'écrit avec deux *r*.

sarrau, aus n.m. Blouse de travail ample que l'on porte par-dessus ses vêtements: *Cette chirurgienne porte un sarrau vert pendant l'opération.* **R.** S'écrit avec deux *r*.

sarriette n.f. Plante cultivée pour ses feuilles aromatiques: *Maman met de la sarriette dans la soupe aux pois.* **R.** Aussi, *sariette*.

sas n.m. Tamis pour passer des liquides ou des matières qui se réduisent en poudre: *Je passe la farine dans un sas pour la rendre plus fine.* ☞ sasser. ▲ **sas** n.m. Section étanche, munie de deux portes, qui permet de passer dans un milieu dont la pression est différente: *Dans un sous-marin et dans un engin spatial, on trouve un sas.* **R.** Le *s* final ne se prononce pas.

sasser v. Passer au sas, tamiser: *Je dois sasser la poudre de cacao pour faire ce gâteau.* ☞ sas.

satané, ée adj.fam. Qui est abominable: *Avec ce satané temps, on a dû abandonner l'idée d'aller en pique-nique.*

satellite n.m. **1.** Corps céleste, astre qui tourne autour d'une planète: *La Lune est le satellite de la Terre.* **2.** Objet, engin lancé par une fusée et qui tourne autour de la Terre: *Certains satellites sont équipés de laboratoires automatiques.* **R.** Les deux *l* se prononcent comme un seul *l*.

satellite adj. Qui est dépendant au point de vue politique et économique, en parlant d'une personne ou d'un pays: *Les pays satellites vivent dans l'ombre des grandes puissances.* ANT. autonome, indépendant. **R.** Les deux *l* se prononcent comme un seul *l*.

satiété n.f. Fait d'être rassasié: *La satiété est un besoin entièrement comblé.* à **satiété** loc.adv. Jusqu'à l'excès, jusqu'à ce qu'on n'en ait plus envie: *À l'Halloween, les enfants mangent des friandises jusqu'à satiété.* **R.** Le premier *t* se prononce *s*.

satin n.m. Tissu lisse et brillant: *Mon foulard de satin blanc est très doux.* ☞ satiné.

satiné, ée adj. Qui est doux, lisse et un peu brillant comme le satin: *La peinture de ma chambre est satinée.* SYN. lustré. ☞ satin.

satire n.f. Texte qui raille les défauts ou les travers de quelqu'un ou de quelque chose: *J'ai vu une satire des films de vampires.* SYN. caricature. ANT. éloge. HOM. satyre. ☞ satirique.

satirique adj. Qui raille, en parlant d'un texte: *Cette humoriste ridiculise les politiciens dans ses textes satiriques.* ☞ satire.

satisfaction n.f. **1.** Acte par lequel on obtient ou on accorde ce qui est demandé: *La grève des ouvrières est terminée, les patrons leur ont donné satisfaction.* ANT. frustration, insatisfaction. **2.** Sentiment de plaisir à la suite de l'accomplissement d'un désir ou d'une action: *Quelle satisfaction de boire un verre d'eau après une longue randonnée.* SYN. bonheur, contentement, joie. ☞ satisfaire.

satisfaire v. **1.** Contenter, exaucer un désir, une demande: *Ton explication satisfait ma curiosité.* **2.** Répondre à ce qui est exigé: *Le nouvel ordinateur satisfait à nos attentes.* **3.** Être content de quelqu'un ou de quelque chose: *Le résultat de mon examen me satisfait beaucoup.* SYN. combler. ANT. frustrer, priver. ☞ insatisfaction, insatisfait, satisfaction, satisfaisant, satisfait. se **satisfaire** v.pron. Se contenter: *Cet enfant est peu exigeant, il se satisfait de peu.*

satisfaisant, ante adj. Qui contente, qui est acceptable, suffisant: *Ta réponse est satisfaisante.* ANT. insuffisant. **R.** Les lettres *ai* se prononcent *e*. ☞ satisfaire.

satisfait, aite adj. **1.** Qui est content: *Ma professeure est satisfaite de mon exposé oral.* ANT. mécontent. **2.** Qui est réalisé, assouvi: *Mon désir est satisfait, j'ai enfin visité ce musée.* SYN. accompli. ANT. inassouvi. ☞ satisfaire.

saturation n.f. État de ce qui remplit, de ce qui ne peut contenir davantage: *Cette éponge a atteint son point de saturation, elle est pleine d'eau.* ☞ saturer. ▲ **saturation** n.f. État de ce qui a atteint un point limite: *Le marché des ordinateurs n'a pas encore atteint la saturation.* ☞ saturer.

saturé, ée adj. Qui est rempli, qui ne peut contenir davantage: *À la fonte des neiges, cette rivière est saturée d'eau.* ☞ saturer. ▲ **saturé, ée** adj. Qui est rassasié jusqu'à en être dégoûté: *J'ai regardé trois films de suite, je suis saturée de télévision.* HOM. saturer. ☞ saturer.

saturer v. Remplir complètement: *Les pluies diluviennes saturent le champ d'eau.* ☞ saturation, saturé. ▲ **saturer** v. Rassasier, contenter jusqu'au dégoût: *Les gadgets dont on sature les consommateurs sont souvent inutiles.* HOM. saturé. ☞ saturation, saturé.

satyre n.m.vx Homme qui a une mauvaise conduite avec les femmes ou les jeunes filles: *Ce voyeur est un satyre.* HOM. satire.

sauce n.f. Préparation liquide, plus ou moins épaisse, que l'on sert avec certains mets: *Je vous prépare une bonne sauce au poivre.* ☞ saucer, saucière.

saucer v.vx Tremper dans un liquide, dans la sauce: *Je sauce mon pain dans le sirop d'érable.* **R.** Ne pas oublier la cédille devant *a* et *o*. ☞ sauce.

saucière n.f. Récipient dans lequel on sert la sauce sur la table: *Le bec de la saucière est cassé.* ☞ sauce.

saucisse n.f. Préparation de viande de porc ou d'une autre viande hachée, qui est assaisonnée et entourée de boyaux et qui se sert chaude: *Roland et Claude aiment beaucoup la saucisse.* ☞ saucisson.

saucisson n.m. Saucisse de viande cuite ou fumée, qui se mange sans cuisson, coupée en tranches: *Monique aime le saucisson à l'ail.* ☞ saucisse.

sauf, sauve adj. Qui est sauvé, indemne: *Grâce à l'intervention des pompiers, cette pompiste a eu la vie sauve.* ⁄⁄ *Être sain et sauf:* Avoir la vie sauve, à la suite d'un danger.

sauf prép. À l'exception de: *J'ai fait tous mes devoirs sauf mon analyse de texte.*

sauf-conduit n.m. Document qui autorise à traverser un territoire ou à y séjourner sans être inquiété: *Pour traverser cette zone militaire, il faut un sauf-conduit.* **R.** Au pluriel, *sauf-conduits.*

sauge n.f. Plante aromatique qui peut servir à parfumer les aliments: *Sylvie met de la sauge dans ses sauces.*

saugrenu, ue adj. Qui est bizarre, inattendu: *Quelle idée saugrenue tu as eue!* SYN. absurde. ANT. prévisible.

saulaie n.f. Terrain planté de saules: *Cette saulaie est située près de la rivière.* ☞ saule.

saulaie

saule n.m. Arbre qui pousse dans des lieux humides ou au bord des rivières, des cours d'eau: *Le saule pleureur est une variété de saule; ses branches retombent jusqu'au sol.* ☞ saulaie.

saumâtre adj. Qui a un goût légèrement salé: *Je trouve que l'eau saumâtre a un goût désagréable.* **R.** Ne pas oublier l'accent: *â.*

saumon n.m. Poisson de mer de grande taille, à chair rose et très savoureuse: *Le saumon quitte la mer et remonte le fleuve pour aller pondre ses œufs là où il est né.* ☞ saumoné.

saumon adj.invar. Qui est d'un rose orangé: *Pour cette fête, Nina portera un pantalon saumon.*

saumoné, ée adj. **1.** Qui ont la chair rose comme celle du saumon, en parlant des poissons: *Nous avons pêché de la truite saumonée.* **2.** Qui est d'un rose légèrement orangé: *Ce rose saumoné te va très bien.* **R.** S'écrit avec un seul *n.* ☞ saumon.

saumure n.f. Eau très salée dans laquelle on conserve certains aliments: *Mes parents ont mis la morue dans la saumure.*

sauna n.m. (scand.) Lieu où l'on prend des bains de vapeur sèche et très chaude: *Lorsqu'on prend un sauna, on transpire beaucoup.*

saupoudrage n.m. Fait de couvrir quelque chose d'une substance réduite en poudre: *Richard fait le saupoudrage du gâteau avec du sucre.* ☞ saupoudrer.

saupoudrer v. Couvrir quelque chose d'une substance réduite en poudre: *Je saupoudre les beignets de sucre en poudre.* ☞ saupoudrage.

saur adj.m. (néerl.) Qui est salé, fumé et séché: *À la poissonnerie, on peut acheter du hareng saur.* HOM. sort. **R.** Se prononce *sor.*

sauriens n.m.plur. Ordre de reptiles: *Parmi les sauriens, on trouve le caméléon, l'iguane et le lézard.* **R.** S'écrit au singulier lorsqu'il désigne un animal appartenant à cet ordre.

saut n.m. **1.** Mouvement par lequel on s'élève du sol et on se projette en l'air: *Quel saut périlleux a fait l'acrobate!* **2.** Mouvement

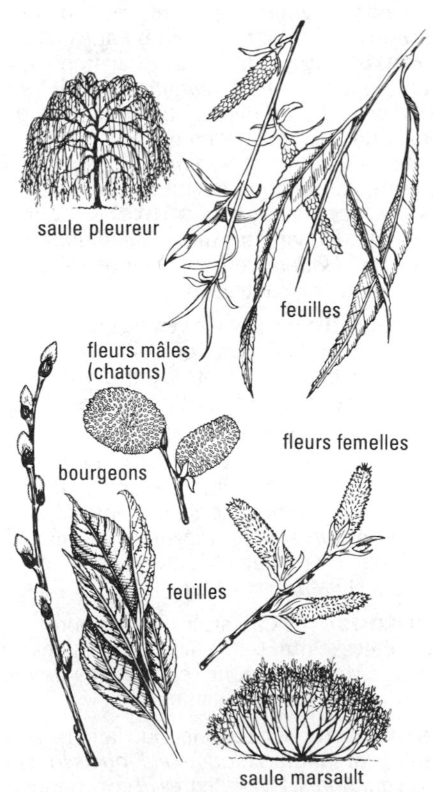

saules

brusque: *Jenny s'est levée d'un saut, elle a même renversé son verre.* **3.** Action de passer rapidement et sans rester: *Je ferai un saut chez toi, ce soir, pour reprendre mon cahier.* HOM. sceau, seau, sot. ☞ sauter.

saute n.f. Changement soudain, brusque: *Avec ses sautes d'humeur, on ne sait plus à quoi s'en tenir.*

sauté, ée adj. Qui est rôti à la poêle, à feu vif et en remuant: *J'aime beaucoup les pommes de terre sautées.* HOM. sauter. ☞ sauter.

saute-mouton n.m.invar. Jeu qui consiste à sauter par-dessus un joueur qui se tient courbé: *Mes amis et moi jouons à saute-mouton dans la cour.* ☞ sauter.

sauter v. **1.** Faire des mouvements par lesquels on s'élève du sol ou on se projette à distance: *Mon amie saute du toit du hangar.* SYN. s'élancer. **2.** Faire un saut particulier: *Dans la ruelle, nous avons sauté à la corde.* **3.** Se jeter, se précipiter: *J'étais tellement heureux de voir ma grand-mère que je lui ai sauté au cou.* **4.** Passer par-dessus quelque chose, omettre: *Ma cousine a sauté sa deuxième année.* **5.** Passer vivement d'une chose à une autre: *Après une pause, j'ai sauté du français aux mathématiques.* ☞ saut, saute-mouton, sauteur, sautillant, sautillement, sautiller. ▲ **sauter** v. **1.** Être détruit par une explosion, exploser: *Les dynamiteurs ont fait sauter le pont.* **2.** Être déplacé brusquement, projeté soudainement: *Attention, le bouchon de la bouteille de champagne va sauter!* **3.** Fondre, par un court-circuit: *Encore une fois, les fusibles ont sauté!* ▲ **sauter** v. Cuire un aliment à feu vif dans une matière grasse, en remuant: *Madeleine fait sauter les légumes.* HOM. sauté. ☞ sauté, sauteuse.

sauterelle n.f. Insecte vert ou gris, aux longues pattes postérieures qui lui permettent de se déplacer en sautant: *L'été dernier, une nuée de sauterelles a détruit nos récoltes.*

sauteur, euse n. et adj. **1.** n. Athlète qui est un spécialiste du saut: *Il a remporté le championnat des sauteurs en longueur.* **2.** n. Animal dressé pour le saut d'obstacles: *Ce cheval est un sauteur inégalable.* **3.** adj. Qui se déplace en sautant: *La sauterelle est un insecte sauteur.* ☞ sauter.

sauteuse n.f. Casserole dont les bords sont peu élevés, qui sert à faire sauter des aliments: *Martin fait rôtir ses pommes de terre dans la sauteuse.* ☞ sauter.

sautillant, ante adj. Qui fait de petits sauts, qui sautille: *Claudia et Francis font des pas sautillants.* **R.** Les lettres *ill* se prononcent comme dans *famille.* ☞ sauter.

sautillement n.m. Action de faire de petits sauts les uns après les autres: *Nous observons le sautillement d'un oiseau.* **R.** Les lettres *ill* se prononcent comme dans *famille.* ☞ sauter.

sautiller v. Faire de petits sauts les uns après les autres: *Francis sautille sur la galerie.* **R.** Les lettres *ill* se prononcent comme dans *famille.* ☞ sauter.

sautoir n.m. Endroit aménagé spécialement pour que les sportifs puissent sauter: *La prochaine concurrente arrive dans le sautoir.* ☞ sauter. ▲ **sautoir** n.m. Collier long ou grande chaîne porté sur la poitrine: *Ton sautoir blanc est joli.*

sauvage n. et adj.vx **1.** n. Personne primitive qui vit très simplement, en dehors de la civilisation: *Cette anthropologue a étudié la vie fascinante des sauvages de différentes peuplades.* **2.** adj. Qui vit à l'écart des sociétés civilisées: *Les peuplades sauvages ont beaucoup à nous apprendre.* ☞ sauvagesse. ▲ **sauvage** n. et adj. **1.** n. Personne qui n'aime pas avoir de contacts avec les autres, qui reste à l'écart: *Ma tante est une sauvage, elle ne veut voir personne.* **2.** n. Personne qui a des manières brutales, barbares: *Ce sauvage lui a donné un coup au visage.* **3.** adj. Qui fuit les autres, reste à l'écart: *Cet enfant sauvage se tient près de son papa.* SYN. farouche. ANT. sociable. **4.** adj. Qui est brutal, barbare: *Les gens poussaient des cris sauvages.* **5.** adj. Qui est inattendu, spontané, pas organisé: *Ces employées ont déclenché une grève sauvage.* ⁄⁄ *S'en aller comme un sauvage:* S'en aller impoliment. ☞ sauvagement, sauvageon, sauvagerie.

sauvage adj. **1.** Qui n'est pas domestiqué, qui vit en liberté, en parlant d'un animal: *Dans la forêt, nous pouvons voir des animaux sauvages.* **2.** Qui s'effarouche facilement: *Le merle est un oiseau sauvage.* ▲ **sauvage** adj. Qui pousse sans être cultivé, en parlant d'un végétal: *Le trèfle est une plante sauvage.* ▲ **sauvage** adj. Qui n'a connu aucune présence humaine, en parlant d'un lieu: *Cet été, j'irai avec ma mère explorer une région sauvage.* SYN. inhabité. ANT. peuplé.

sauvagement adv. D'une manière cruelle, barbare: *Elles se sont battues sauvagement.* ☞ sauvage.

sauvageon, onne n. Enfant qui grandit sans être éduqué, comme un animal: *Elle se comporte comme une sauvageonne à table, elle mange avec ses doigts.* **R.** Ne pas oublier le *e* après le *g.* ☞ sauvage.

sauvagerie n.f. **1.** Caractère sauvage, pas très sociable: *Cet enfant est toujours seul à* *cause de sa sauvagerie.* **2.** Caractère cruel, barbare : *Quelle sauvagerie tu as montrée en blessant ces oiseaux!* ☞ sauvage.

sauvagesse n.f.vx Femme peu civilisée, primitive : *Cette ethnologue a étudié les habitudes de vie d'une sauvagesse.* ☞ sauvage.

sauvegarde n.f. Protection, défense : *Les bélougas sont sous la sauvegarde d'un groupe écologique.* ☞ sauvegarder.

sauvegarder v. Défendre, protéger : *Il faut sauvegarder nos forêts, ne les laissons pas détruire.* ☞ sauvegarde.

sauve-qui-peut n.m.invar. Panique générale, fuite désordonnée pendant laquelle chacun se sauve comme il peut : *Lors du naufrage, ce fut un sauve-qui-peut.* SYN. débandade, déroute. ☞ se sauver.

sauver v. **1.** Faire échapper quelqu'un à la mort, à un grand danger : *Cette secouriste a sauvé plusieurs familles lors du glissement de terrain.* **2.** Procurer le salut éternel : *Selon la religion catholique, Jésus est venu sur la terre pour sauver son peuple.* **3.** Empêcher qu'une chose soit détruite : *Les campagnes de sensibilisation contre les pluies acides aideront-elles à sauver la nature?* **4.** Empêcher qu'une chose échoue : *Grâce à mes efforts, j'ai sauvé mon année scolaire.* ☞ salvateur, sauvetage, sauveteur, sauveur.

se **sauver** v.pron. **1.** S'enfuir : *Ces petits garnements se sont sauvés à toutes jambes.* **2.** fam. Quitter quelqu'un rapidement : *Je me sauve, je suis très pressée.* ☞ sauve-qui-peut.

sauvetage n.m. Action d'arracher à la mort, au danger ou à un sinistre : *Le sauvetage des naufragés ne fut pas facile par cette mer agitée.* ☞ sauver.

sauveteur n.m. Personne qui participe à un sauvetage : *Le sauveteur était très heureux du dénouement de cette aventure.* ☞ sauver.

à la **sauvette** loc.adv. De manière à ne pas se faire remarquer, très vite : *Ken a quitté la réunion à la sauvette.*

sauveur n.m. **1.** Personne qui sauve quelqu'un, qui libère : *Cette chirurgienne a été mon sauveur, elle m'a libéré de cette douleur.* **2.** Celui qui a sauvé les êtres humains, en parlant de Jésus-Christ : *Dans la religion catholique, Jésus est considéré comme le sauveur du monde.* ☞ sauver.

sauveur adj. Qui sauve, assure le salut : *Un dieu sauveur est vénéré par ce peuple.* **R.** Au féminin, *salvatrice.* ☞ sauver.

savamment adv. **1.** D'une manière savante, érudite : *Julie parle savamment des oiseaux.* **2.** D'une manière habile : *Elle a savamment détourné la conversation.* ☞ savoir.

savane n.f. (esp.) **1.** Prairie vaste des pays chauds où il y a très peu d'arbres et de fleurs et où poussent de hautes herbes : *Dans les savanes vivent des animaux variés.* **2.** Au Canada, endroit marécageux : *Je mets mes bottes pour marcher dans la savane.*

savant n.m. Personne qui fait des recherches, qui étudie beaucoup : *Les savants trouveront ils bientôt un remède contre le cancer?* SYN. érudit. **R.** L'O.L.F. recommande *savante* comme féminin de *savant.* ☞ savoir.

savant, ante adj. **1.** Qui est très instruit, qui sait beaucoup de choses : *Mon professeur d'art est très savant, il connaît bien la peinture.* SYN. cultivé. **2.** Qui est compliqué : *La spécialiste a utilisé des mots savants, je n'ai pas tout compris.* SYN. ardu, difficile. ANT. simple. **3.** Qui est dressé à faire des tours d'habileté, d'adresse, en parlant d'un animal : *Au cirque, j'ai pu voir des chiens savants.* **4.** Qui est fait avec art, avec beaucoup d'habileté : *Le fleuriste a fait un arrangement savant avec des fleurs de soie.* ☞ savoir.

savarin n.m. Gâteau en forme de couronne, qu'on arrose d'un sirop parfumé à l'alcool : *On cuit un savarin dans un moule spécial.*

savate n.f. Chaussure ou pantoufle très usée : *Je ne peux plus faire un pas sans perdre mes savates.*

saveur n.f. **1.** Sensation perçue par le sens du goût : *Cette viande est sans saveur, elle manque d'assaisonnement.* **2.** fig. Sensation semblable à ce qui est agréable au goût : *Cette poésie est pleine de saveur, elle est très douce à entendre.* ☞ savourer, savoureux.

savoir v. **1.** Connaître : *Je sais son numéro de téléphone.* ANT. ignorer. **2.** Être instruit, avoir des connaissances dans quelque chose : *Je sais beaucoup de choses au sujet des Amérindiens.* **3.** Être capable de faire quelque chose : *Je sais maintenant faire du ski.* **4.** Connaître par cœur, avoir bien appris : *Plusieurs élèves savent ce poème.* ☞ savamment, savant, savoir-faire, savoir-vivre.

savoir n.m. Ensemble de connaissances : *Jean-Nicolas a un savoir très étendu pour son âge.* SYN. érudition, instruction. ANT. ignorance.

savoir-faire n.m.invar. Habileté, compétence acquise par la pratique et l'expérience : *Le savoir-faire de ce fleuriste est reconnu.* SYN. adresse, art. ☞ savoir.

savoir-vivre n.m.invar. Politesse, fait de montrer de bonnes manières : *Le savoir-vivre a sa place partout.* ANT. impolitesse. ☞ savoir.

savon n.m. Produit utilisé avec de l'eau pour enlever la saleté, la crasse: *Je prends du savon pour laver mes mains.* ☞ porte-savon, savonner, savonnerie, savonnette, savonneux.

savonner v. Nettoyer, laver en frottant avec du savon: *Savonne tes pieds pour bien les nettoyer.* ☞ savon. se **savonner** v.pron. Se laver avec du savon: *Je me savonne partout, je veux être très propre.*

savonnerie n.f. Usine où l'on fabrique du savon: *Cette savonnerie fait toutes sortes de savons.* ☞ savon.

savonnette n.f. Savon de petite dimension qui sert à la toilette: *J'ai échappé ma savonnette dans l'évier.* ☞ savon.

savonneux, euse adj. Qui contient du savon ou qui est enduit de savon: *La vaisselle trempe dans l'eau savonneuse.* ☞ savon.

savourer v. **1.** Boire, manger avec plaisir, en prenant le temps de bien goûter, d'apprécier: *J'ai savouré ce repas, maman!* SYN. déguster. **2.** Tirer un grand plaisir d'un état, d'un sentiment: *Le champion a longtemps savouré sa victoire.* ☞ saveur.

savoureux, euse adj. **1.** Qui a un goût très agréable, très riche: *Ce gâteau était savoureux.* SYN. délectable. ANT. fade. **2.** Que l'on apprécie beaucoup: *L'amie de mon père nous raconte souvent des anecdotes savoureuses.* ☞ saveur.

saxophone n.m. Instrument à vent, en cuivre, à anche simple et à clés: *Elle n'a eu aucune difficulté à apprendre à jouer du saxophone.* **R.** Les lettres *ph* se prononcent *f.* ☞ saxophoniste.

saxophoniste n. Musicien qui joue du saxophone: *Ce quatuor de jazz a une merveilleuse saxophoniste.* **R.** Les lettres *ph* se prononcent *f.* ☞ saxophone.

saynète n.f. (esp.) Pièce comique très courte: *Les élèves de sixième année ont présenté trois saynètes très drôles à la fête de Noël.* **R.** Les lettres *ay* se prononcent *é*.

scabreux, euse adj. **1.** Qui est osé, choquant, indécent, déplacé: *Tu nous arrives toujours avec des histoires scabreuses!* SYN. corsé, inconvenant. ANT. convenable. **2.** litt. Qui est louche, risqué: *Ma sœur s'est embarquée dans une aventure scabreuse.* SYN. dangereux, périlleux.

scalène adj. Se dit d'un triangle dont les trois côtés sont inégaux: *Je peux dessiner un triangle scalène sans problème.*

scalp n.m. (angl.) Trophée constitué de la peau du crâne avec sa chevelure: *Les Amérindiens se servaient de leurs victimes pour faire des scalps.* ☞ scalper.

scalpel n.m. Petit couteau très tranchant, muni d'un manche étroit, utilisé surtout en chirurgie: *La chirurgienne a fait une très fine incision avec un scalpel.* SYN. bistouri.

scalper v. Enlever la peau du crâne avec la chevelure pour s'en faire un trophée: *Des Amérindiens scalpaient parfois leurs victimes lors de conflits guerriers.* ☞ scalp.

scandale n.m. Acte, événement qui suscite de l'indignation, de la honte, de la révolte: *L'arrestation de cette personne a produit tout un scandale dans le village.* SYN. choc. ANT. édification. ⁄⁄ *Faire un scandale:* Produire du désordre, faire du tapage. ☞ scandaleusement, scandaleux, scandaliser.

scandaleusement adv. D'une façon scandaleuse, indigne: *Est-ce que tu trouves qu'elle a agi scandaleusement en lui criant par la tête?* ☞ scandale.

scandaleux, euse adj. Qui est honteux, indigne, révoltant: *Le gaspillage de nos ressources naturelles est vraiment scandaleux.* SYN. choquant, inconvenant. ANT. convenable, correct, édifiant. ☞ scandale.

scandaliser v. Produire un scandale, choquer: *Ses paroles déplacées ont scandalisé l'auditoire.* SYN. indigner. ANT. édifier. ☞ scandale.

scander v. Parler en séparant les syllabes pour marquer le rythme: *Des manifestants ont scandé des slogans sur le thème des garderies.*

scandinave n. et adj. **1.** n. Personne qui est de la Scandinavie: *Un Scandinave, une Scandinave.* **2.** adj. Qui est de la Scandinavie: *La Norvège, la Suède et le Danemark sont des pays scandinaves.* **R.** On met la majuscule à *scandinave* lorsqu'il s'agit du nom.

scanner n.m. (angl.) Appareil de radiographie relié à un ordinateur, capable d'explorer et d'analyser par balayage l'intérieur du corps: *Des examens du cerveau sont maintenant faits avec un scanner.* **R.** Les lettres *er* se prononcent *eur*.

scaphandre n.m. Costume étanche, muni d'un casque et d'un appareil respiratoire, conçu pour explorer l'espace ou les profondeurs sous-marines: *Mon scaphandre est muni d'une bonbonne d'oxygène.* **R.** Les lettres *ph* se prononcent *f.* ☞ scaphandrier.

scaphandrier n.m. Plongeur ou astronaute revêtu d'un scaphandre, costume conçu pour l'exploration de l'espace ou de l'eau: *À la suite du naufrage de ce navire, elle a participé* *aux recherches en tant que scaphandrier.* **R.** Les lettres *ph* se prononcent *f.* ☞ scaphandre.

scarabée n.m. Insecte brun ou noir, de forme arrondie : *Le scarabée est un coléoptère.*

scarlatine n.f. Maladie contagieuse accompagnée de fièvre et souvent de maux de gorge et qui provoque des rougeurs sur le corps : *Après l'âge de quinze ans, il y a peu de risques d'attraper la scarlatine.*

scarole n.f. Plante à grandes feuilles croustillantes, qui se mange en salade : *Une salade de scarole accompagnait notre repas.* **R.** Aussi, *escarole.*

sceau, sceaux n.m. **1.** Marque qui prouve qu'un document est authentique : *Mon extrait de naissance porte le sceau officiel de la paroisse.* SYN. estampille. **2.** Marque imprégnée dans la cire ou cachet apposé sur le rabat d'une enveloppe pour s'assurer que cette enveloppe ne sera ouverte que par la personne à qui elle est destinée : *Le sceau n'étant pas brisé, je sais que personne n'a lu cette lettre avant moi.* HOM. saut, seau, sot. **R.** Les lettres *sc* se prononcent *s.* ☞ desceller, sceller.

scélérat, ate n. Criminel, malfaiteur, bandit : *Ce scélérat se repent de ses mauvaises actions.* **R.** Les lettres *sc* se prononcent *s.*

sceller v. **1.** Fermer à l'aide d'un sceau : *On a scellé cette lettre afin de la protéger contre l'indiscrétion.* ANT. décacheter. **2.** Fermer de façon hermétique : *Les pots sont scellés pour que la nourriture se conserve le plus longtemps possible.* ANT. ouvrir. HOM. seller. **R.** Les lettres *sc* se prononcent *s.* ☞ sceau.

scénario n.m. (it.) Histoire détaillée d'un film avec les dialogues et l'action prévus selon le plan : *Cet illustre comédien a étudié le scénario avant d'accepter de jouer dans ce film.* SYN. déroulement. **R.** Les lettres *sc* se prononcent *s.* ☞ scénariste.

scénariste n. Auteur d'un scénario de film ou de bande dessinée : *Cette scénariste est connue pour son grand talent dans le monde du cinéma.* **R.** Les lettres *sc* se prononcent *s.* ☞ scénario.

scène n.f. **1.** Espace surélevé réservé aux acteurs qui jouent, dans un théâtre : *Claudia a été invitée à monter sur la scène pour présenter son numéro.* **2.** Décor de théâtre : *La scène représentait une forêt.* **3.** Lieu où se passe un événement, au théâtre, dans un film : *Cette scène se déroule à l'extérieur.* ⁄⁄ *Metteur en scène :* Personne qui dirige les acteurs. ▲ **scène** n.f. **1.** Partie d'un acte, dans une pièce de théâtre : *Les enfants font leur apparition à la troisième scène de l'acte I.* **2.** Moment spécifique d'une histoire, d'un film : *La scène où l'actrice principale meurt est très touchante.* SYN. séquence. **3.** Lieu où se passe un événement : *Ce témoin était sur la scène du crime.* HOM. cène. ⁄⁄ *Faire une scène à quelqu'un :* Faire de violents reproches à quelqu'un. *Scène de ménage :* Dispute entre conjoints. **R.** Les lettres *sc* se prononcent *s.*

scénario scène

scepticisme n.m. Méfiance, mise en doute, difficulté à croire : *Elle a écouté cette histoire avec beaucoup de scepticisme.* SYN. incrédulité. ANT. certitude, conviction, crédulité. **R.** Les lettres *sc* se prononcent *s.* ☞ sceptique.

sceptique n. et adj. **1.** n. Personne qui pratique le doute : *Ces sceptiques se questionnent sur le sens de la vie.* **2.** adj. Qui doute de quelque chose : *Les raisons qu'elle m'a données pour son retard m'ont laissé sceptique.* SYN. incrédule. ANT. convaincu. HOM. septique. **R.** Les lettres *sc* se prononcent *s.* ☞ scepticisme.

sceptre n.m. Bâton, symbole d'autorité suprême : *Autrefois, dans les cérémonies officielles, les rois avaient toujours leur sceptre.* **R.** Les lettres *sc* se prononcent *s.*

schéma n.m. Dessin simplifié donnant une idée d'un objet, d'un système : *Ce schéma nous aide à comprendre le fonctionnement d'un barrage hydro-électrique.* SYN. diagramme, esquisse. **R.** Les lettres *sch* se prononcent *ch.* ☞ schématique, schématiquement.

schématique adj. Qui est simplifié, qui manque de détails : *Il nous a fait un compte rendu schématique de la réunion d'hier.* SYN. sommaire. ANT. complet. **R.** Les lettres *sch* se prononcent *ch.* ☞ schéma.

schématiquement adv. De façon simplifiée, schématique, en quelques mots : *Je reprends schématiquement mon idée.* **R.** Les lettres *sch* se prononcent *ch.* ☞ schéma.

schisme n.m. **1.** Division des fidèles d'une religion qui n'admettent pas la même autorité : *L'Église catholique a connu plusieurs schismes.* SYN. rupture, séparation. ANT. rassemblement. **2.** Division des personnes qui n'admettent pas la même autorité, dans un groupement : *Le schisme au sein de ce parti a divisé les forces.* SYN. dissidence. ANT. accord. **R.** Les lettres *sch* se prononcent *ch.*

schiste n.m. Roche qui s'effrite facilement en feuillets : *On ne construit rien de solide avec du schiste.* **R.** Les lettres *sch* se prononcent *ch.*

schizophrène n. Personne atteinte d'une maladie mentale qui lui fait perdre le contact avec la réalité et qui la pousse à se replier sur elle-même: *En psychiatrie, on étudie les comportements des schizophrènes.* **R.** Les lettres *sch* se prononcent *sk*. Les lettres *ph* se prononcent *f*. ☞ schizophrénie.

schizophrénie n.f. Maladie mentale qui amène la personne qui en est atteinte à perdre le contact avec la réalité et à se replier sur elle-même: *Il est très difficile de traiter la schizophrénie.* **R.** Les lettres *sch* se prononcent *sk*. Les lettres *ph* se prononcent *f*. ☞ schizophrène.

sciage n.m. Action de scier, façon de couper du bois ou un autre matériau avec une scie: *Ces billots sont rendus à l'étape du sciage.* **R.** Les lettres *sc* se prononcent *s*. ☞ scier.

sciatique n.f. et adj. **1.** n.f. Douleur causée par le nerf qui traverse la hanche et la cuisse: *Ma sciatique a été bien soignée.* **2.** adj. Qui est relatif à la hanche en passant par la cuisse: *Je me suis étiré le nerf sciatique et j'ai de la difficulté à marcher.* **R.** Les lettres *sc* se prononcent *s*.

scie n.f. Outil manuel ou mécanique, formé d'une lame dentée, qui sert à couper: *Ces planches ont été taillées à la scie.* HOM. ci, si, sis. ⁄⁄ *En dents de scie:* Qui a une forme dentée. *Poisson scie:* Poisson voisin du requin, dont le bec allongé et muni de dents fait penser à une scie. **R.** Les lettres *sc* se prononcent *s*. ☞ scier.

sciemment adv. En toute conscience, volontairement, en sachant très bien ce qu'on fait: *Elle a sciemment arrosé son ami pour s'amuser.* **R.** Les lettres *sc* se prononcent *s*. Les lettres *emment* se prononcent *amment*.

science n.f. **1.** Ensemble des connaissances d'une personne: *Elle a acquis toute cette science en lisant régulièrement.* **2.** Matière impliquant des données précises, de l'observation, du calcul et des expériences: *Je réussis mieux en sciences qu'en arts.* ⁄⁄ *Les sciences:* Biologie, chimie, mathématiques, physique, etc. *Sciences humaines:* Observation et connaissance de l'être humain. *Sciences naturelles:* Observation et connaissance des êtres vivants de la nature. **R.** Les lettres *sc* se prononcent *s*. ☞ science-fiction, scientifique, scientifiquement.

science-fiction n.f. (angl.) Histoire reposant sur des découvertes scientifiques ou des technologies de l'avenir: *Demain, j'irai voir un film de science-fiction au cinéma.* **R.** Au pluriel, *sciences-fictions*. Les lettres *sc* se prononcent *s*. ☞ science.

scientifique n. et adj. **1.** n. Personne qui étudie les sciences: *Marie Curie était une grande scientifique.* **2.** adj. Qui se rapporte aux sciences: *Cet élève a un esprit scientifique.* **R.** Les lettres *sc* se prononcent *s*. ☞ science.

scientifiquement adv. D'une façon scientifique, relative aux sciences: *Ce phénomène a pu être expliqué scientifiquement.* **R.** Les lettres *sc* se prononcent *s*. ☞ science.

scier v. Couper avec une lame dentée, une scie: *Danielle a pris tout l'après-midi pour scier le bois pour son foyer.* SYN. fendre. **R.** Les lettres *sc* se prononcent *s*. ☞ sciage, scie, scierie, sciure.

scierie n.f. Atelier, usine équipée de scies mécaniques pour le sciage du bois: *Le bois est transporté à la scierie par camion.* **R.** Les lettres *sc* se prononcent *s*. Le *e* de la première syllabe ne se prononce pas. ☞ scier.

scinder v. Diviser une chose abstraite ou un groupe: *Pour mieux répondre à la question, je l'ai scindée en deux.* SYN. séparer. ANT. unir. **se scinder** v.pron. Se séparer, en parlant d'un groupe: *Cette mésentente a fait que notre équipe s'est scindée.* SYN. se diviser. ANT. se réunir. **R.** Les lettres *sc* se prononcent *s*.

scinque n.m. Reptile ressemblant à un lézard: *N'aie pas peur de ce scinque, il est inoffensif.* HOM. cinq. **R.** Les lettres *sc* se prononcent *s*.

scintillant n.m. Décoration brillante dont on orne les arbres de Noël: *Le sapin était couvert de scintillants.* **R.** Les lettres *sc* se prononcent *s*. Les lettres *ill* se prononcent comme dans *famille*. ☞ scintiller.

scintillant, ante adj. Qui scintille, qui brille: *À Noël, notre maison est décorée de lumières scintillantes.* **R.** Les lettres *sc* se prononcent *s*. Les lettres *ill* se prononcent comme dans *famille*. ☞ scintiller.

scintillement n.m. Éclat de ce qui brille, de ce qui scintille: *Le scintillement des étoiles nous fait rêver.* **R.** Les lettres *sc* se prononcent *s*. Les lettres *ill* se prononcent comme dans *famille*. ☞ scintiller.

scintiller v. Briller d'un éclat intermittent, irrégulier: *Les étoiles scintillaient dans le ciel nocturne.* **R.** Les lettres *sc* se prononcent *s*. Les lettres *ill* se prononcent comme dans *famille*. ☞ scintillant, scintillement.

sciure n.f. Poussière qui tombe du bois lorsqu'on le scie: *J'ai ramassé la sciure avec l'aspirateur.* **R.** Les lettres *sc* se prononcent *s*. ☞ scier.

sclérose n.f. **1.** Durcissement d'un tissu, d'un organe : *Je dois me faire soigner pour une sclérose de la moelle épinière.* **2.** fig. Incapacité d'évoluer, de s'adapter à une nouvelle situation par suite d'un manque de dynamisme, de souplesse : *Depuis quelques années, on a pu remarquer la sclérose de ce parti politique.* ⁄⁄ *Sclérose en plaques :* Maladie qui entraîne divers troubles du système nerveux.

scolaire adj. Qui est relatif aux écoles, à la vie des écoles, à l'enseignement qu'on y donne : *L'année scolaire tire à sa fin.* ☞ parascolaire, scolarité.

scolarité n.f. **1.** Fait d'aller régulièrement à l'école : *Au Canada, la scolarité est obligatoire à partir de six ans jusqu'à seize ans.* **2.** Durée des études accomplies par une personne : *Cette infirmière et cette policière ont quatorze années de scolarité.* ☞ scolaire.

scoliose n.f. Déviation latérale de la colonne vertébrale : *La chiropraticienne lui a dit qu'il avait une scoliose.*

scolopendre n.f. Sorte de fougère à feuilles très allongées : *La scolopendre croît en terrain humide.* ▲ **scolopendre** n.f. Mille-pattes venimeux, à morsure douloureuse : *La scolopendre peut atteindre une longueur de trente centimètres.*

sconse n.m. (angl.) Fourrure de la mouffette, noire à bandes blanches, ou provenant des carnassiers du genre mouffette : *Elle portait une toque en sconse.* **R.** Aussi, *skons*, *skunks* ou *skuns*.

scorbut n.m. Maladie causée par une carence en vitamine C : *Parmi les compagnons de Samuel de Champlain, plusieurs sont morts du scorbut.*

scorpion n.m. Petit animal portant une paire de pinces et dont la queue se termine par un crochet venimeux : *La piqûre du scorpion peut être mortelle.*

scotch n.m. (angl.) Whisky écossais : *Le punch aux fruits contenait un peu de scotch.* **R.** Au pluriel, *scotches*.

scotch tape ☞ sect. anglicismes et canadianismes.

scottish-terrier n.m. (angl.) Chien terrier à poil dur, originaire d'Écosse : *Mon chien est un scottish-terrier.* **R.** Aussi, *scotch-terrier*. Au pluriel, *scottish-terriers* ou *scotch-terriers*.

scout n.m. (angl.) Jeune garçon qui fait partie d'une organisation visant à développer chez lui des qualités morales et sportives : *Les scouts ont fait une semaine de camping au bord d'un lac.* ☞ scoutisme.

scout, scoute adj. (angl.) Qui est relatif au scoutisme, à ce mouvement éducatif qui vise à développer chez les jeunes des qualités morales et sportives : *Notre camp scout est bien entretenu.*

scoutisme n.m. Mouvement éducatif visant à développer chez les jeunes des qualités morales et sportives : *Le scoutisme a été fondé par Baden-Powell en 1908.* ☞ scout.

scrap ☞ sect. anglicismes et canadianismes.

scrap-book ☞ sect. anglicismes et canadianismes.

scribe n.m. **1.** Fonctionnaire qui écrivait les textes officiels, dans les civilisations anciennes : *Les hiéroglyphes des Égyptiens étaient écrits par des scribes.* **2.** Docteur juif et maître d'école du temps de Jésus : *Les scribes étaient des interprètes des Saintes Écritures.*

script n.m. et adj.invar. (angl.) **1.** n.m. Type d'écriture à la main, imitant les caractères d'imprimerie : *J'ai appris à écrire en script.* **2.** adj.invar. Se dit de l'écriture qui imite les caractères d'imprimerie : *L'écriture script est facile à apprendre.* **R.** Les lettres *pt* se prononcent.

scripte n. Personne qui, au cinéma, est chargée de noter les détails de chaque prise de vues : *La réalisatrice de ce film est satisfaite du travail de la scripte.*

scrotum n.m. (lat.) Petit sac qui enveloppe les testicules : *Chez les petits garçons, les testicules peuvent prendre quelques années avant de descendre dans le scrotum.* **R.** Les lettres *um* se prononcent *omm*.

scrupule n.m. Inquiétude morale, incertitude due à une conscience sensible : *Ses scrupules l'empêchaient de mentir.* ⁄⁄ *Être sans scrupules :* Agir uniquement par intérêt. ☞ scrupuleusement, scrupuleux.

scrupuleusement adv. De façon scrupuleuse, consciencieuse : *Nous avons scrupuleusement vérifié nos calculs.* ANT. approximativement. ☞ scrupule.

scrupuleux, euse adj. **1.** Qui est d'une exigence sur le plan moral : *Cette greffière est très scrupuleuse dans l'exercice de ses fonctions.* SYN. consciencieux. **2.** Qui est très minutieux dans son action, son travail : *C'est une élève appliquée et scrupuleuse.* SYN. attentif, méticuleux. ☞ scrupule.

scruter v. Examiner avec soin, fouiller du regard : *Je scrutais le ciel à la recherche de la Grande Ours.*

scrutin n.m. **1.** Vote au moyen de bulletins: *Nous avons tenu un scrutin secret.* **2.** Ensemble des opérations d'une élection: *Les bureaux de scrutin sont ouverts.*

sculpter v. Façonner une matière en la taillant, en la modelant: *Nous avons sculpté des papillons dans de la pâte à modeler.* **R.** Le *p* ne se prononce pas. ☞ sculpteur, sculpture.

sculpteur n.m. Personne qui pratique la sculpture, qui façonne une matière en la taillant, en la modelant: *Mon père est sculpteur de bronze.* **R.** Le *p* ne se prononce pas. L'O.L.F. recommande *sculpteure* comme féminin de *sculpteur*. ☞ sculpter.

sculpture n.f. **1.** Art de sculpter, de façonner une matière en la taillant, en la modelant: *Elle s'intéresse à la sculpture.* **2.** Œuvre sculptée, œuvre de la personne qui l'a façonnée, modelée: *Elle a exécuté une belle sculpture sur glace.* **R.** Le *p* ne se prononce pas. ☞ sculpter.

se pron.pers. Pronom personnel de la troisième personne du singulier et du pluriel, qui renvoie à un nom ou à un autre pronom: *Il se regarde dans le miroir.* HOM. ce. **R.** *Se* devient *s'* devant une voyelle ou un *h* muet.

se	accompagne un *verbe* et peut être remplacé par *me, te, nous, vous.*
ce	peut être remplacé par *cela.*

séance n.f. **1.** Réunion d'une assemblée: *La séance s'est terminée plus tard que prévu.* **2.** Temps consacré à une occupation réunissant deux ou plusieurs personnes: *Cet après-midi, il y aura une séance de dessin.* **3.** Chacune des représentations d'un spectacle: *Les séances de ce film ont lieu à 13 heures, à 15 heures et à 17 heures.* ⫽ *Lever la séance:* Déclarer la réunion terminée. **séance tenante** loc.adv. Immédiatement, sans retard: *Tu n'as pas le choix, tu dois obéir séance tenante.*

seau, seaux n.m. Récipient cylindrique muni d'une anse, servant à divers usages: *Nous avons éteint le feu de camp avec un seau rempli d'eau.* HOM. saut, sceau, sot.

sébacé, ée adj. Qui contient ou qui produit un corps gras, comme le sébum: *Les glandes sébacées, glandes de la peau, sécrètent du sébum qui lubrifie les pores à la surface de la peau.* ☞ sébum.

sébaste n.m. Poisson de mer de taille moyenne, à nageoire dorsale épineuse: *On pêche abondamment le sébaste dans le golfe du Saint-Laurent.*

sébum n.m. Corps gras produit par les glandes sébacées, glandes de la peau: *Le sébum protège la peau.* **R.** Les lettres *um* se prononcent *omm.* ☞ sébacé.

sec adv. De façon brusque et rapide: *La voiture démarra sec.* ⫽ *Boire sec:* Boire de l'alcool sans y ajouter d'eau. *Rester sec:* Être incapable de répondre. **à sec** loc.adv. Sans eau; sans argent: *Ce puits est à sec.*

sec, sèche adj. **1.** Qui ne contient pas d'eau, qui n'est pas humide: *Mon pantalon est sec.* **2.** Qui est desséché: *Nous avons mangé des fruits secs.* **3.** Qui a peu de sécrétions: *J'ai les cheveux secs.* **4.** Qui reçoit peu de pluie: *Le climat est sec dans cette région.* ⫽ *À pied sec:* Sans se mouiller les pieds. *Panne sèche:* Panne d'essence. *Toux sèche:* Toux sans crachements. *Vin sec:* Vin peu sucré. ☞ assèchement, assécher, desséchant, dessèchement, dessécher, séchage, sèche-linge, sécher, sécheresse, sécheuse, séchoir.

▲ **sec, sèche** adj. **1.** Qui est maigre, peu charnu: *C'est un grand adolescent délicat et sec.* ANT. dodu, grassouillet. **2.** Qui est insensible, sans générosité: *C'était un avare au cœur sec.* SYN. dur, froid, indifférent. **3.** Qui manque de douceur: *Ce lainage est sec.* **4.** Qui est rapide et bref: *Le craquement de la branche avait produit un bruit sec.* ⫽ *Tout sec:* Tout seul, sans rien de plus. ☞ desséchant, dessèchement, dessécher, sèchement, sécher, sécheresse. **aussi sec** loc.adv. Sans la moindre hésitation: *On m'oblige à répondre aussi sec, sans même avoir pu y réfléchir.*

sécateur n.m. Gros ciseaux de jardinage: *J'ai taillé la haie avec un sécateur.*

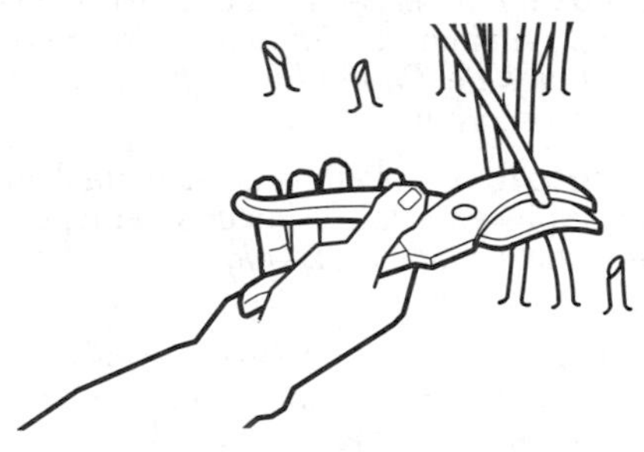

sécateur

sécession n.f. Fait de se séparer d'une population à laquelle on appartenait pour former un pays distinct: *Cette sécession a coûté de nombreuses vies humaines.* ⫽ *La guerre de Sécession:* Guerre qui a opposé le nord et le sud des États-Unis de 1861 à 1865.

séchage n.m. Opération qui consiste à sécher ou à faire sécher: *Le séchage de ce vêtement ne prend qu'une dizaine de minutes.* ☞ sec.

sèche-linge n.m.invar. Machine permettant de faire sécher le linge grâce à un courant d'air chaud: *J'ai mis mes vêtements dans le sèche-linge.* ☞ sec.

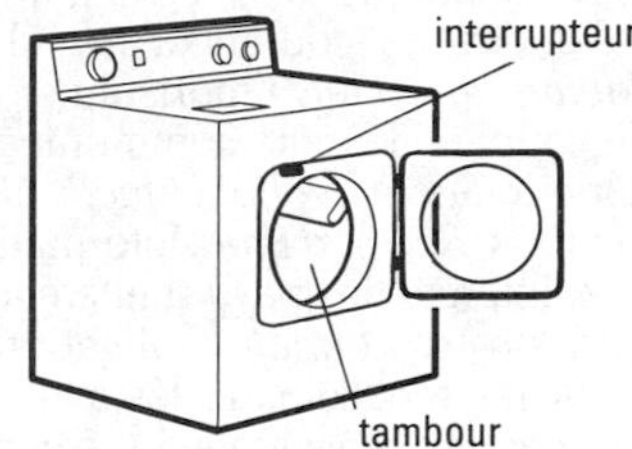

sèche-linge

sèchement adv. **1.** D'une manière sèche, sans douceur: *Elle a sèchement frappé la balle.* **2.** D'une façon brève et dure: *Il lui a répondu sèchement.* ☞ sec.

sécher v. **1.** Rendre sec, faire perdre l'eau, l'humidité: *Sèche tes cheveux avant de sortir au froid.* **2.** fam. Manquer volontairement quelque chose, ne pas assister à quelque chose: *Elle a séché le cours de français.* **3.** Devenir sec, être privé d'humidité: *La peinture a séché durant la nuit.* **4.** fig. Languir, dépérir: *Je séchais à attendre son coup de téléphone.* ☞ sec.

sécheresse n.f. **1.** État de ce qui est sec, aride: *La sécheresse de l'air me fait saigner du nez.* ANT. humidité. **2.** Temps sec, absence de pluie: *Les récoltes de céréales ont été pauvres à cause de la sécheresse.* ☞ sec. ▲ **sécheresse** n.f. **1.** Froideur, dureté: *Elle a répliqué avec sécheresse.* **2.** Absence de charme, manque de richesse: *Ce texte contient de bonnes idées malgré la sécheresse de ses phrases.* ☞ sec.

sécheuse n.f. Appareil de séchage industriel servant à sécher le linge: *Au Canada, on appelle familièrement « sécheuse » l'appareil électroménager qui, en France, se nomme « séchoir » ou « sèche-linge ».* ☞ sec.

séchoir n.m. **1.** Support ou appareil servant à faire sécher le linge: *J'ai suspendu mon chandail sur le séchoir.* **2.** Appareil servant à faire sécher les cheveux, aussi appelé « sèche-cheveux »: *Elle donne du volume à ses cheveux à l'aide du séchoir.* ☞ sec.

second n.m. Personne qui en aide une autre, qui l'assiste dans ses fonctions: *Elle a dû faire le travail toute seule: son second était malade.* SYN. adjoint, assistant, collaborateur. ☞ seconder. ▲ **second** n.m. Deuxième étage: *J'habite au second.*

second, onde adj. **1.** Qui vient après le premier: *Je te le dis pour la seconde fois.* **2.** Qui vient après le meilleur, le plus important: *C'est une écrivaine de second ordre.* **3.** Qui est une nouvelle forme de quelque chose: *Je me sens comme si je vivais une seconde jeunesse.* ∥ *Être dans un état second:* Être dans un état anormal. ☞ secondaire. de **seconde main** loc.adv. Indirectement, qui vient d'un intermédiaire: *J'ai acheté une voiture de seconde main.* en **second** loc.adv. En tant que deuxième dans une hiérarchie, après quelqu'un: *Je passe toujours en second lorsque vous décidez.*

secondaire n.m. et adj. **1.** n.m. Ordre d'enseignement qui suit le primaire: *Mon frère a commencé son secondaire.* **2.** n.m. Ère géologique qui suit le primaire: *Le secondaire a duré approximativement cent trente millions d'années.* **3.** adj. Qui n'occupe pas le premier rang, qui n'est pas de première importance: *Cette question est tout à fait secondaire.* **4.** adj. Qui vient en second lieu dans le temps: *L'enseignement secondaire succède à l'enseignement primaire.* **5.** adj. Qui se produit en un deuxième temps: *Ce médicament a des effets secondaires.* ☞ second (adj.).

seconde n.f. **1.** Unité de mesure du temps, qui équivaut à la soixantième partie d'une minute: *J'ai mis mon sandwich au four à micro-ondes durant trente secondes.* **2.** Moment, temps très bref: *Je viens dans quelques secondes.*

seconder v. **1.** Servir d'aide à quelqu'un, venir en aide à quelqu'un: *Je l'ai secondé*

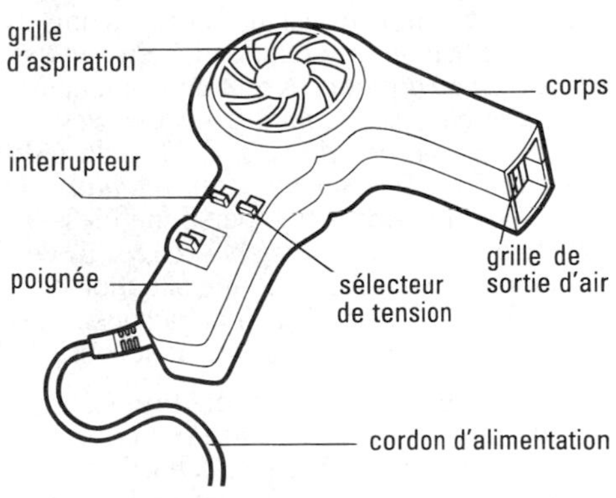

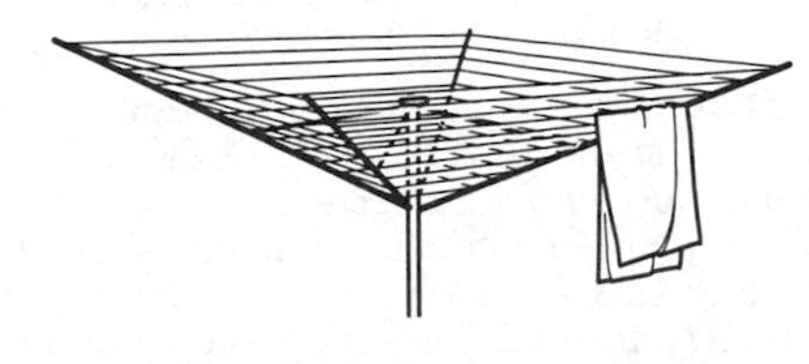
séchoirs

dans son travail. **2.** Favoriser: *Nous avons secondé ses démarches.* **R.** N'a pas le sens de *appuyer* (une proposition). ☞ second (n.).

secouer v. **1.** Agiter avec force: *J'ai secoué le tapis sur le balcon.* **2.** Mouvoir brusquement et de façon répétitive: *Il secoua la tête.* **3.** Se débarrasser de quelque chose par des mouvements vifs: *Secoue la neige de tes épaules avant d'entrer.* **4.** Ébranler par une impression vive: *Cette épreuve l'a fortement secouée.* ☞ secousse. **se secouer** v.pron. **1.** S'agiter fortement pour se débarrasser de quelque chose qui gêne: *Mon chien se secoue quand il est mouillé.* **2.** fam. Faire un effort, réagir contre le découragement: *Ne te laisse pas aller, secoue-toi.*

secourable adj. Qui aide volontiers les autres: *C'est une personne secourable et dévouée.* ☞ secourir.

secourir v. Venir en aide à quelqu'un, assister quelqu'un dans le besoin: *Une équipe de sauveteurs a secouru les naufragés.* ☞ secourable, secourisme, secouriste, secours.

secourisme n.m. Ensemble des moyens de sauvetage et d'aide servant à porter secours aux personnes blessées, aux victimes d'accidents: *Elle a suivi des cours de secourisme à la Croix-Rouge.* ☞ secourir.

secouriste n. Personne qui est membre d'une organisation de secours, d'aide aux gens en difficulté, en danger: *Des secouristes ont été dépêchés sur les lieux.* ☞ secourir.

secours n.m. **1.** Assistance portée à une ou plusieurs personnes en difficulté, en danger: *Elle a couru à notre secours.* **2.** Aide financière ou matérielle: *Le Canada a envoyé des secours aux victimes du séisme.* **3.** Aide militaire, renfort: *Des secours sont attendus.* **4.** Soins qu'on donne à une personne blessée: *Elle lui a donné les premiers secours.* **5.** Personne ou chose utile dans une situation délicate: *Tu nous as été d'un grand secours.* ⁄⁄ *De secours:* En cas de nécessité. ☞ secourir.

secousse n.f. **1.** Agitation brusque qui ébranle un corps: *L'explosion a produit une violente secousse.* SYN. choc. **2.** fig. Choc psychologique: *Leur départ a été pour lui une forte secousse.* ⁄⁄ *Secousse électrique:* Décharge électrique. *Secousse tellurique:* Tremblement de terre. ☞ secouer.

secret n.m. **1.** Information qui doit rester cachée, qui ne doit pas être révélée: *Je te promets de garder ce secret.* **2.** Information qui ne peut être connue, qui constitue un mystère: *La science cherche à percer les secrets de l'univers.* **3.** Discrétion, silence autour d'une chose: *Le gouvernement a exigé le secret sur cette affaire.* **4.** Moyen peu connu ou difficile à connaître pour parvenir à un résultat: *Il ne faut absolument pas ébruiter le secret de fabrication de ce produit.* ⁄⁄ *En secret:* Sans être vu. *Être dans le secret d'une chose réservée:* Être au courant d'une chose réservée. *Mettre au secret:* Emprisonner quelqu'un, en le coupant de toute communication avec l'extérieur. *Secret de Polichinelle:* Chose connue de tous. *Secret d'État:* Information qui nuirait aux intérêts des pays si elle était connue. *Secret professionnel:* Obligation, notamment pour les médecins et les avocats, de ne pas révéler des renseignements concernant leurs clients. ☞ secrètement.

secret, ète adj. **1.** Qui n'est connu que par quelques-uns, que l'on tient caché: *Les membres de cette bande ont un code secret.* **2.** Qui est placé de façon à être caché: *Il y avait une porte secrète derrière la cheminée.* ANT. visible. **3.** Qui n'est pas apparent, qui ne se montre pas: *Une haine secrète habitait son cœur.* **4.** litt. Qui ne fait pas de confidences, qui sait se taire: *C'est un personnage taciturne et secret.*

secrétaire n. **1.** Personne qui remplit des fonctions administratives dans un bureau: *Ma mère est secrétaire juridique.* **2.** Personne qui s'occupe de l'organisation et du fonctionnement d'une assemblée: *On m'a demandé d'être secrétaire d'assemblée et j'ai accepté.* ⁄⁄ *Secrétaire d'ambassade:* Agent diplomatique. *Secrétaire de rédaction:* Personne chargée de la rédaction d'un journal, d'un ouvrage. *Secrétaire d'État:* Ministre. ☞ secrétariat.

secrétaire n.m. Meuble à tiroirs et à casiers, pourvu d'un panneau pour écrire: *Elle était en train d'écrire, assise à son secrétaire.*

secrétariat n.m. **1.** Métier, emploi de secrétaire: *Il suit des cours de secrétariat.* **2.** Bureau où travaillent des secrétaires, des personnes chargées de tâches administratives: *J'ai remis mon billet de retard au secrétariat de l'école.* ☞ secrétaire.

secrètement adv. D'une manière secrète, furtivement: *Ils ont fui secrètement leur pays.* ☞ secret.

secret secrètement

sécréter v. Produire une substance: *La bile est sécrétée par le foie.* ☞ sécrétion.

sécrétion n.f. **1.** Production d'une substance par une glande ou un tissu: *L'air frais augmente la sécrétion des yeux.* **2.** Substance produite par sécrétion: *Elle a des sécrétions nasales à cause de son rhume.* ☞ sécréter.

secte n.f. Groupe de personnes qui ont des croyances religieuses particulières: *Cette religion est divisée en plusieurs sectes.*

secteur n.m. Division d'un territoire, d'un État, d'une organisation: *Il y a eu une panne d'électricité dans plusieurs secteurs de la ville.* SYN. quartier.

section n.f. **1.** Partie d'une route, d'une voie de communication: *Une section de l'autoroute est en réparation.* **2.** Groupe qui constitue une subdivision d'un groupe plus important: *Toutes les sections de ce parti politique étaient rassemblées à ce congrès.* ☞ sectionnement, sectionner. ▲ **section** n.f. Action de couper: *L'accident a provoqué la section d'un tendon.* ☞ sectionnement, sectionner.

sectionnement n.m. Fait de sectionner ou d'être sectionné: *Le sectionnement du fil téléphonique a été fait accidentellement.* ☞ section.

sectionner v. Couper, trancher d'un coup sec: *Cette machine lui a sectionné un orteil.* ☞ section.

séculaire adj. **1.** Qui se produit tous les cent ans: *Dans cette tribu indienne, cette cérémonie est séculaire.* **2.** Qui existe depuis un siècle ou plus: *Cet orme est séculaire.* SYN. centenaire. ☞ siècle.

sécurisant, ante adj. Qui apporte la sécurité, l'apaisement: *C'est sécurisant d'avoir un avertisseur de fumée dans la maison.* ☞ sécurité.

sécuriser v. Donner une impression de sécurité, de bien-être: *J'ai sécurisé mon frère qui a fait un cauchemar.* SYN. apaiser, rassurer. ANT. inquiéter. ☞ sécurité.

sécuritaire adj. Qui se rapporte à la sécurité publique: *Ce siège de bébé est sécuritaire.* ☞ sécurité.

sécurité n.f. Sentiment de bien-être et de confiance qu'éprouve la personne qui se sent à l'abri du danger: *Alors que l'orage grondait, nous étions en sécurité dans notre grande maison.* ANT. anxiété, inquiétude, insécurité. ∥ *Ceinture de sécurité:* Ceinture qui retient l'automobiliste à l'occasion d'un choc. *Sécurité routière:* Règles qui ont pour but de protéger les usagers de la route. *Sécurité sociale:* Mesures qui visent à protéger les travailleurs contre les risques de maladie, d'accidents, etc. ☞ insécurité, sécurisant, sécuriser, sécuritaire.

sédatif n.m. Médicament qui calme, qui agit contre la douleur ou l'insomnie: *Les sédatifs doivent être pris avec modération.* SYN. tranquillisant. ANT. excitant, stimulant.

sédatif, ive adj. Qui calme la douleur, l'anxiété ou l'insomnie: *Cette tisane a un effet sédatif.*

sédentaire n. et adj. **1.** n. Personne qui sort peu, qui est ordinairement chez elle: *Cette sédentaire n'a jamais voyagé.* ANT. nomade. **2.** adj. Qui ne demande pas de déplacement, qui se pratique dans un même lieu: *Les Amérindiens étaient nomades autrefois; aujourd'hui ils forment un peuple sédentaire.* SYN. stationnaire. ANT. nomade.

sédiment n.m. Dépôt laissé par le vent, le gel ou l'eau sur la terre ou dans des cours d'eau: *Des sédiments s'accumulent au fond du lac.*

séducteur, trice n. Personne qui fait facilement des conquêtes amoureuses: *Quel habile séducteur, on ne peut rien lui refuser!* SYN. charmeur, enjôleur. ☞ séduire.

séduction n.f. Action d'attirer, de séduire par un charme ou un attrait irrésistible: *La mode exerce un grand pouvoir de séduction.* ☞ séduire.

séduire v. **1.** Attirer fortement quelqu'un en employant tous les moyens pour lui plaire: *Cette chanteuse a séduit la foule dès le début de son spectacle.* SYN. captiver, charmer, conquérir. ANT. choquer, déplaire. **2.** Amener une personne à avoir des rapports sexuels: *Cet adolescent a été séduit.* SYN. déshonorer. ☞ séducteur, séduction, séduisant.

séduisant, ante adj. **1.** Qui attire par son charme ou par ses qualités: *Je ne pouvais résister à ce séduisant visage.* SYN. agréable. ANT. désagréable. **2.** Qui tente beaucoup, qui est alléchant: *Ce projet de voyage me semble séduisant.* SYN. attrayant. ☞ séduire.

segment n.m. Partie d'une figure géométrique: *Mesure tous les segments du cercle.* ∥ *Segment de droite:* Portion d'une droite limitée par deux points ou extrémités. ☞ segmenter.

segmenter v. Couper, partager en portions, en segments: *Ce tuyau est trop long, il faut le segmenter.* ☞ segment.

ségrégation n.f. Séparation des gens d'un même pays à cause de leur race ou de leur religion: *Il y a de la ségrégation raciale en Afrique du Sud.* SYN. apartheid, discrimination. ANT. égalité.

seiche n.f. Animal marin semblable au calmar qui projette un liquide noir lorsqu'il est attaqué: *La seiche est très bien apprêtée dans ce restaurant.* (*Voir l'illustration à la page suivante.*)

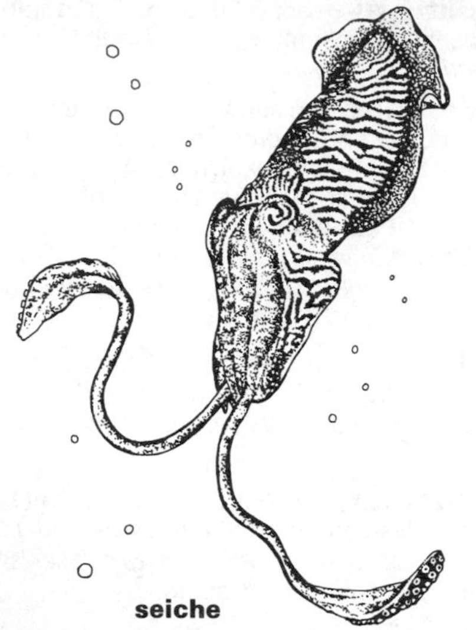
seiche

seigle n.m. Céréale dont les grains sont transformés en farine: *J'aime le pain de seigle.*

seigneur n.m. **1.** Personne qui, autrefois, possédait de grands domaines, était riche et puissante: *Ce seigneur avait acquis de nombreuses terres.* **2.** Dieu: *Elle prie le Seigneur de lui rendre la santé.* ⁄⁄ *Grand seigneur:* Personne riche, de condition sociale élevée. *Le jour du Seigneur:* Dimanche, sabbat. **R.** On met la majuscule à *seigneur* lorsqu'il s'agit de Dieu. ☞ seigneurial, seigneurie.

seigneurial, ale, aux adj. Qui appartient au seigneur: *Les terres seigneuriales s'étendent à perte de vue.* ☞ seigneur.

seigneurie n.f. Puissance d'un seigneur ou ensemble des terres qui lui appartiennent: *Cette seigneurie occupait un vaste territoire sur les rives du Saint-Laurent.* ☞ seigneur.

sein n.m. **1.** Chacune des mamelles d'une femme: *Cette mère nourrit son bébé au sein.* **2.** Partie du thorax d'une personne: *Ému, mon père me pressa contre son sein.* SYN. poitrine. HOM. sain, saint. au **sein de** loc.prép. Au plus profond de, au milieu de: *Une multitude d'animaux marins vivent au sein de l'océan.*

séisme n.m. Mouvement de l'écorce terrestre produit à partir d'un épicentre: *Il y a de fréquents séismes au Japon.* ☞ sismique, sismographe, sismologie.

seize n.m.invar. **1.** Nombre qui suit quinze: *Quinze plus un égalent seize.* **2.** Seizième jour du mois: *Ma mère revient de voyage le seize.*

seize adj.num.invar. **1.** Quinze plus un: *Nous sommes seize garçons dans la classe.* **2.** Seizième: *Tu trouveras la définition à la page seize.* ☞ seizième.

seizième n. et adj.num. **1.** n. Personne, animal ou chose qui occupe le seizième rang: *Je me suis inscrite la seizième dans l'équipe de ballon sur glace.* **2.** n. Partie d'un tout divisé en seize parties égales: *Il ne me reste qu'un seizième de pizza.* **3.** adj.num. Qui vient après le quinzième: *On a une très belle vue du seizième étage.* **R.** Lorsqu'il s'agit de la partie d'un tout, le nom est masculin. ☞ seize.

séjour n.m. Fait de demeurer dans un lieu pendant un certain temps: *As-tu passé un séjour agréable à Chibougamau?* ⁄⁄ *Salle de séjour:* Pièce pouvant servir à la fois de salon et de salle à manger. ☞ séjourner.

séjourner v. Demeurer, vivre un certain temps en un lieu: *Carole et Louis-Paul ont séjourné en Afrique quelques années.* SYN. habiter, rester. ANT. partir, quitter. ☞ séjour.

sel n.m. Matière blanche, soluble dans l'eau, au goût piquant, utilisée pour assaisonner et conserver les aliments: *Le sel de table s'appelle aussi « sel fin ».* HOM. selle. ⁄⁄ *Gros sel:* Sel en gros cristaux. *Sels de bain:* Mélange à base de sels minéraux qui parfume et adoucit l'eau du bain. ☞ dessaler, resaler, salaison, salant, salé, saler, saleur, salière, salin, salinité.

sélectif, ive adj. Qui fait un choix, une sélection: *Alain est très sélectif lorsqu'il achète des vêtements.* ☞ sélection.

sélection n.f. **1.** Action de choisir une personne ou une chose dans un but précis: *Notre enseignante fera une sélection pour déterminer le gagnant du concours de dessin.* **2.** Ensemble des choses qui ont été choisies: *Le festival présente une sélection de films québécois.* ⁄⁄ *Sélection naturelle:* Théorie de Darwin selon laquelle l'élimination naturelle des individus les moins aptes dans la lutte pour la vie permet à l'espèce de se perfectionner. ☞ sélectif, sélectionné, sélectionner.

sélectionné, ée adj. Qui a été choisi par sélection: *Nous avons été sélectionnés pour représenter notre école au tournoi de badminton.* HOM. sélectionner. ☞ sélection.

sélectionner v. Choisir parmi un ensemble les personnes ou les choses qui répondent le mieux au but fixé: *La productrice du film sélectionnera la vedette principale dans le lot des meilleures actrices.* HOM. sélectionné. ☞ sélection.

selle n.f. **1.** Siège en cuir placé sur le dos du cheval: *Les initiales du cavalier sont gravées sur la selle de son cheval.* **2.** Siège de petite dimension d'une bicyclette, d'une moto ou d'un tracteur: *La selle de ma bicyclette est en* *cuir souple.* **3.** plur. Excréments humains: *Le médecin a demandé une analyse d'urine et de selles.* HOM. sel. ⁄⁄ *Aller à la selle:* Aller aux cabinets, faire des excréments. *Cheval de selle:* Cheval qui sert de monture. *Se mettre en selle:* Monter à cheval. ☞ desseller, seller.

seller v. Mettre une selle à un cheval, un mulet, un dromadaire, etc.: *Cette écuyère apprend à seller son cheval.* HOM. sceller. ☞ selle.

sellette n.f. Petit siège sur lequel l'accusé s'assoyait au tribunal: *Assise sur la sellette, l'accusée attendait d'être jugée.* ⁄⁄ *Être sur la sellette:* Être la personne qui est jugée, dont on parle.

selon prép. **1.** En conformité avec, en prenant pour modèle: *Tout sera fait selon tes désirs.* **2.** D'après: *Selon toi, qui gagnera?*

semailles n.f.plur. Action de semer; temps de l'année où l'on sème: *Les semailles ont lieu au printemps.* ☞ semer.

semaine n.f. **1.** Période de sept jours se déroulant du dimanche au samedi: *Nous sommes dans la première semaine d'avril.* **2.** Période de sept jours, sans tenir compte de la journée de départ: *J'ai eu la grippe pendant une semaine.* **3.** Ensemble des jours ordinaires, des jours ouvrables: *J'ai connu une dure semaine au bureau.* ⁄⁄ *Fin de semaine:* Samedi et dimanche. *La semaine sainte:* Semaine qui précède le jour de Pâques.

sémantique n.f. et adj. **1.** n.f. Étude du sens des mots et des expressions dans le langage: *La sémantique s'intéresse aux synonymes.* **2.** adj. Qui se rapporte à la sémantique, à l'étude du sens des mots: *«Séparer» et «séparation» font partie du même champ sémantique.*

sémaphore n.m. **1.** Appareil servant à envoyer des signaux lumineux aux bateaux: *À cause de la brume, le capitaine comptait sur le sémaphore pour suivre sa voie.* **2.** Appareil servant à indiquer si une voie de chemin de fer est libre ou non: *J'ai dû m'arrêter au feu rouge qu'émettait le sémaphore: un train venait.* **R.** Les lettres *ph* se prononcent *f*.

semblable n. et adj. **1.** n. Personne qui ressemble aux autres personnes: *La téléphoniste alla rejoindre ses semblables à la cafétéria.* **2.** adj. Qui ressemble, qui est pareil: *Mon stylo est semblable au tien.* SYN. comparable, ressemblant. ANT. différent. ☞ dissemblable.

semblant n.m. Apparence: *Il y a un semblant de sincérité dans ses paroles.* ⁄⁄ *Faire semblant de:* Faire comme si. *Faux semblant:* Apparence trompeuse. ☞ sembler.

sembler v. Donner l'impression d'être ou de faire quelque chose: *Elle semble très occupée.* SYN. apparaître, paraître. ⁄⁄ *Il me semble que:* Je pense que. *Il semble que:* On dirait que. ☞ semblant.

semelle n.f. **1.** Morceau de cuir ou de caoutchouc qui forme le dessous d'une chaussure: *La cordonnière changera les semelles usées de mes souliers.* **2.** Pièce de tissu que l'on place à l'intérieur d'une chaussure: *Mets tes semelles dans tes bottes, elles seront plus chaudes.* ⁄⁄ *Ne pas quitter quelqu'un d'une semelle:* Suivre quelqu'un partout.

semence n.f. Graine ou partie d'une plante que l'on met en terre: *Elle ira acheter des semences de fleurs à la pépinière.* ☞ semer.

semer v. **1.** Mettre des graines en terre: *On sème le blé au printemps.* SYN. ensemencer. ANT. récolter. **2.** litt. Répandre, multiplier: *Il sème la joie partout où il passe.* SYN. propager. ☞ ensemencement, ensemencer, réensemencement, réensemencer, semailles, semence, semeur, semis, semoir.

semestre n.m. Période de six mois correspondant à la première ou la seconde moitié de l'année scolaire ou civile: *Mes résultats scolaires sont meilleurs au deuxième semestre qu'au premier.* ☞ semestriel.

semestriel, ielle adj. Qui revient tous les six mois: *Ce soir a lieu l'assemblée semestrielle de notre organisme.* ☞ semestre.

semeur, euse n. Personne qui sème le grain: *Le semeur répète le même geste des milliers de fois.* ☞ semer.

séminaire n.m. Établissement religieux où sont instruits les garçons qui désirent être prêtres: *Il y a un séminaire à Québec.* ☞ séminariste. ▲ **séminaire** n.m. (all.) Ensemble des étudiants qui font des recherches sous la direction d'un enseignant: *Le séminaire de chimie prépare le compte rendu de ses expériences.*

séminariste n.m. Élève qui étudie au séminaire: *Quand il était séminariste, mon oncle suivait des cours de latin.* ☞ séminaire.

semi-remorque n.f. Véhicule composé d'une cabine qui se joint à une remorque: *Notre voisine est chauffeuse d'une semi-remorque.* **R.** Au pluriel, *semi-remorques*. ☞ remorquer.

semis n.m. Plant provenant de graines; terrain où l'on a semé des légumes ou des fleurs: *Les semis de laitue ont été inondés par les pluies.* ☞ semer.

sémite n. et adj. **1.** n. Nom donné à certains peuples ayant parlé des langues sémitiques:

Les Israéliens sont des Sémites. **2.** adj. Qui appartient à un peuple ayant parlé des langues sémitiques : *Les Éthiopiens et les Arabes sont des peuples sémites.* **R.** On met la majuscule à *sémite* lorsqu'il s'agit du nom. ☞ sémitique.

sémitique adj. Qui appartient aux langues d'Asie et d'Afrique : *L'arabe et l'hébreu sont des langues sémitiques.* ☞ sémite.

semoir n.m. Machine agricole dont on se sert pour ensemencer : *Dès avril, cette agricultrice prépare son semoir.* ☞ semer.

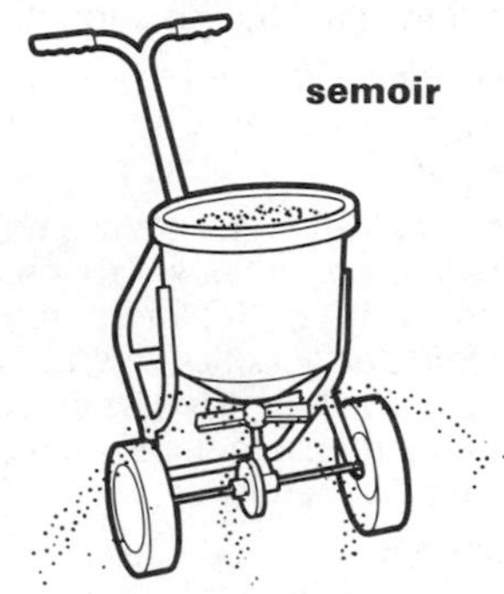
semoir

semonce n.f. Avertissement accompagné de reproches : *Son retard lui a valu une semonce.* SYN. réprimande. ANT. compliment, louange.

semoule n.f. (it.) Grains de céréales (blé, maïs, riz) utilisés pour la fabrication des pâtes, du couscous, etc. : *La semoule de ce couscous était délicieuse.*

sénat n.m. **1.** Assemblée politique, dans l'Antiquité ou au Moyen Âge : *Le sénat romain était très respecté.* **2.** Assemblée dont les membres, élus au suffrage indirect, représentent la collectivité : *Cette nouvelle loi doit être approuvée par le Sénat.* **3.** Lieu où se réunissent les sénateurs : *La journaliste l'interrogeait à l'entrée du Sénat.* **R.** On met la majuscule à *sénat* lorsqu'il s'agit de l'assemblée moderne ou du lieu où se réunissent les sénateurs. ☞ sénateur.

sénateur, trice n. Personne qui fait partie du Sénat : *Les sénateurs sont nommés par le gouverneur général.* ☞ sénat.

sénégalais, aise n. et adj. **1.** n. Personne qui est du Sénégal : *Un Sénégalais, une Sénégalaise.* **2.** adj. Qui est du Sénégal : *Une famille sénégalaise s'est installée à côté de chez nous.* **R.** On met la majuscule à *sénégalais* et à *sénégalaise* lorsqu'il s'agit du nom.

sénevé n.m. Moutarde sauvage : *Il y a dans l'Évangile une parabole sur le grain de sénevé.*

sénile adj. Qui est atteint de sénilité, d'un affaiblissement physique et parfois intellectuel propre à la vieillesse : *À tout oublier ainsi, je me demande si je ne suis pas sénile.* ☞ sénilité.

sénilité n.f. Affaiblissement physique et parfois intellectuel propre à la vieillesse : *Mon arrière-grand-père souffre de sénilité.* ☞ sénile.

senior n. Sportif qui n'est plus un junior mais n'est pas encore un vétéran : *Annick joue à la crosse dans l'équipe des seniors.*

sens n.m. **1.** Fonction par laquelle un organisme reçoit les informations et les envoie au cerveau : *Le goût, l'odorat, l'ouïe, le toucher et la vue sont les cinq sens.* **2.** plur. Instinct sexuel de l'être humain : *Le plaisir d'être avec une personne que l'on aime peut éveiller les sens.* ∥ *Sixième sens :* Intuition. ☞ sensation, sensitif, sensualité, sensuel. ▲ **sens** n.m. **1.** Signification : *Ces paroles me semblent dénuées de sens.* **2.** Manière de comprendre, de juger : *Mon grand-père a le sens des réalités, il est très pratique.* ∥ *À double sens :* Équivoque. *Bon sens :* Capacité de bien juger. *Sens commun :* Façon de porter des jugements, commune à tous les humains. ☞ bon sens, contresens, insensé, non-sens, sensé. ▲ **sens** n.m. Direction : *Il faut circuler en suivant le sens des flèches.* ∥ *Sens dessus dessous :* Position où ce qui est dessus devrait être dessous, et inversement. *Sens interdit :* Voie de circulation défendue. *Sens unique :* Voie de circulation qui n'a qu'un sens. **R.** Le *s* se prononce. ☞ contresens.

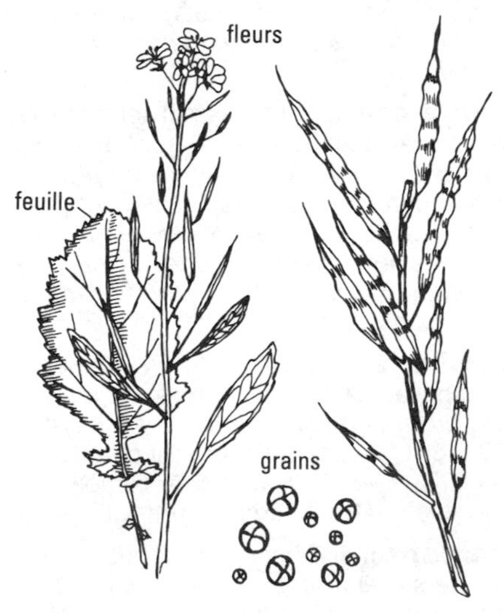

sénevé

sensation n.f. **1.** Stimulation externe ou interne qui a un effet de changement sur l'être vivant: *Il a connu une sensation de brûlure.* SYN. impression. **2.** Émotion: *Quand la partie fut terminée, j'éprouvai une sensation de soulagement.* ⁄⁄ *Avoir la sensation que:* Avoir l'impression que. ☞ sens. ▲ **sensation** n.f. Impression forte produite sur des personnes: *Hier soir, j'ai vu un film à sensations à la télévision.* ⁄⁄ *Faire sensation:* Provoquer un effet, une surprise. ☞ sensationnel.

sensationnel, elle adj. **1.** Qui produit une sensation de surprise, d'admiration: *J'ai entendu une nouvelle sensationnelle.* SYN. étonnant, surprenant. **2.** Qui est remarquable: *Cette conférence a été sensationnelle.* SYN. extraordinaire. ANT. ordinaire. ☞ sensation.

sensé, ée adj. Qui est plein de raison, de bon sens: *Cette décision est sensée.* SYN. raisonnable. ANT. absurde, insensé. ☞ sens.

sensibiliser v. **1.** Rendre sensible à une impression physique: *Avec le temps, ma peau semble se sensibiliser aux rayons du soleil.* **2.** fig. Faire réagir à quelque chose: *Nous travaillons à sensibiliser les gens au problème de la pollution.* ☞ sensible.

sensibilité n.f. **1.** Aptitude à éprouver des sensations: *La sensibilité au froid varie d'une personne à l'autre.* **2.** Propriété qu'ont certains instruments ou appareils de capter de légères variations: *Le thermomètre est un instrument d'une grande sensibilité.* ☞ sensible. ▲ **sensibilité** n.f. **1.** Caractère d'une personne sensible, qui s'émeut facilement: *Ce jeune homme est d'une grande sensibilité, il est très impressionnable.* SYN. attendrissement, émotivité. ANT. insensibilité. **2.** Émotion, sentiment: *L'œuvre de cette artiste est pleine de sensibilité.* SYN. passion. ANT. froideur. ☞ sensible.

sensible adj. **1.** Qui ressent facilement une impression physique (le froid, la chaleur, la douleur): *Quand je porte des chaussures neuves, mes pieds deviennent sensibles.* **2.** Qui peut indiquer de légères variations: *Cette balance est très sensible aux différences de poids.* **3.** Qui se remarque, se perçoit facilement, en parlant d'une chose: *Les élèves ont fait des progrès sensibles.* ☞ insensibiliser, insensibilité, insensible, insensiblement, sensibiliser, sensibilité, sensiblement. ▲ **sensible** adj. **1.** Qui s'émeut facilement: *Je suis très sensible ces temps-ci, je pleure pour un rien.* SYN. émotif, impressionnable. ANT. apathique, indifférent. **2.** Qui se laisse toucher: *Je suis sensible aux efforts que tu fais pour améliorer ton rendement en classe.* ☞ hypersensible, insensibiliser, insensibilité, insensible, sensibiliser, sensibilité, sensiblerie.

sensiblement adv. **1.** vx D'une manière sensible: *Il fait sensiblement plus chaud qu'hier.* **2.** À peu de chose près: *Ils sont sensiblement du même âge.* ☞ sensible.

sensiblerie n.f. Sensibilité affectée, déplacée: *Sa sensiblerie a été brusquée par tes paroles franches.* ☞ sensible.

sensitif, ive adj.litt. Qui est très sensible, qu'un rien peut blesser: *Son état de santé la rend sensitive.* ☞ sens.

sensitive n.f. Sorte de mimosa dont les feuilles se rétractent au toucher: *J'aimerais avoir des sensitives dans mon jardin.*

sensualité n.f. Aptitude à goûter les plaisirs des sens, en particulier les sensations sexuelles: *L'attitude de cette personne déborde de sensualité.* ☞ sens.

sensuel, elle adj. **1.** Qui évoque la sensualité, l'aptitude à goûter les plaisirs des sens: *Tu as une bouche sensuelle.* **2.** Qui est propre aux sens, qui vient des sens: *Bien manger est un plaisir sensuel.* SYN. charnel. ANT. spirituel. ☞ sens.

sentence n.f. Décision rendue par un juge ou un arbitre: *La sentence de ce juge a été cruelle.* SYN. jugement, verdict.

senteur n.f.litt. Odeur agréable, parfum: *J'adore la senteur des lilas.* ☞ sentir.

senti, ie adj. Qui est empreint de sincérité: *Les paroles de remerciement que vous avez prononcées étaient bien senties.* ☞ sentir.

sentier n.m. Chemin étroit pour les piétons et les bêtes: *En suivant ce sentier, vous arriverez à la forêt.*

sentiment n.m. État affectif qui manifeste un penchant: *La joie et la tristesse sont des sentiments opposés.* ☞ sentimental, sentimentalement, sentimentalité. ▲ **sentiment** n.m. Impression ressentie: *J'ai le sentiment que nous arriverons au but.*

sentimental, ale, aux adj. **1.** Qui concerne l'amour, les amoureux: *C'est un roman sentimental.* **2.** Qui est très sensible, rêveur: *Elle est très sentimentale, elle cherche passionnément la tendresse.* SYN. émotif. ANT. froid, indifférent. ☞ sentiment.

sentimentalement adv. De façon sentimentale, amoureuse, émouvante: *Ce bijou que tu m'as donné, je le porterai sentimentalement.* ☞ sentiment.

sentimentalité n.f. Caractère de ce qui est sentimental, touchant: *Cette pièce de* *théâtre est d'une grande sentimentalité.* ☞ sentiment.

sentinelle n.f. (it.) Soldat dont le travail est de faire le guet pour protéger un lieu public ou un lieu occupé par l'armée: *Parmi les sentinelles postées devant le camp militaire se trouvait ma cousine.*

sentir v. **1.** Percevoir une sensation physique: *Vers 11 heures, je commence à sentir la faim.* **2.** Connaître par intuition: *Je sens que ce film te plaira.* SYN. deviner, prévoir. ☞ senti. ▲ **sentir** v. Reconnaître par l'odorat: *Ça sent la bonne soupe aux légumes.* ☞ senteur. **se sentir** v.pron. Avoir l'impression d'être: *Il prend une journée de congé car il ne se sent pas bien.*

sépale n.m. Chacune des petites feuilles qui forment le calice d'une fleur: *Le nombre de sépales n'est pas le même pour toutes les fleurs.*

séparable adj. Qui peut se séparer, se partager: *Cette pomme est séparable en plusieurs parties.* ☞ séparer.

séparation n.f. **1.** Action de séparer, d'isoler, de mettre à part: *Une clôture fait la séparation entre ces deux propriétés.* **2.** Fait de se quitter par suite d'une rupture: *Ce couple vit une séparation.* **3.** Objet ou espace qui empêche deux objets d'être réunis: *Elle a fait une séparation dans ses cheveux.* SYN. raie. ☞ séparer.

séparatisme n.m. Mouvement des habitants d'un territoire qui désirent se séparer de l'État dont ils font partie: *Le séparatisme a été au cœur du débat politique au Québec il y a quelques années.* SYN. indépendance. ☞ séparer.

séparatiste n. et adj. **1.** n. Personne qui réclame une séparation d'ordre politique, l'autonomie par rapport à un État ou une fédération: *Le Québec compte des séparatistes dans tous les milieux sociaux.* **2.** adj. Qui se rapporte à un mouvement de séparation entre un territoire et l'État dont il fait partie: *La tendance séparatiste occupe une place importante dans le Parti québécois.* ☞ séparer.

séparément adv. De façon séparée, à part l'un de l'autre: *Nous vivons ensemble mais prenons nos repas séparément.* ☞ séparer.

séparer v. **1.** Mettre à part, éloigner l'un de l'autre: *Lors de son accident, son bras a été séparé de son corps.* SYN. détacher. ANT. attacher. **2.** Classer, trier: *Il faut séparer les légumes et les fruits.* SYN. dissocier. ANT. joindre, lier. **3.** Différencier, distinguer: *Il faut apprendre à séparer le bien du mal.* **4.** Éloigner des personnes l'une de l'autre: *Des idées trop différentes avaient fini par les séparer.* **5.** Partager un espace donné: *Cette frontière sépare les deux pays.* ☞ inséparable, inséparablement, séparable, séparation, séparatisme, séparatiste, séparément. **se séparer** v.pron. **1.** Se quitter: *Ce couple s'est séparé récemment.* **2.** Ne plus garder avec soi: *Arrivée à l'adolescence, elle s'est séparée de ses poupées.* **3.** Se diviser en plusieurs éléments: *Ce fleuve se sépare à divers endroits.*

seps n.m. Lézard à pattes très courtes: *On trouve le seps dans les pays méditerranéens.* **R.** Le *s* final se prononce.

sept n.m.invar. **1.** Nombre qui suit six: *Six plus un égalent sept.* **2.** Septième jour du mois: *Nous nous rencontrerons le sept.* **3.** Chiffre représentant le nombre sept: *Tes sept sont tracés trop bas.* HOM. set. **R.** Le *p* ne se prononce pas.

sept adj.num.invar. **1.** Six plus un: *Il y a sept jours dans une semaine.* **2.** Septième: *Je consulte, en ce moment, le tome sept.* HOM. set. **R.** Le *p* ne se prononce pas. ☞ septième, septièmement, septuple, septupler.

septembre n.m. Neuvième mois de l'année: *Le mois de septembre compte trente jours.*

septentrional, ale, aux adj.litt. Qui se rapporte au nord: *Les régions septentrionales sont froides.* SYN. nordique.

septième n. et adj.num. **1.** n. Personne, animal ou chose qui occupe le septième rang: *Je suis arrivé le septième à la réunion.* **2.** n. Partie d'un tout divisé en sept parties égales: *Nous sommes sept, chacun aura alors un septième du gâteau.* **3.** adj.num. Qui vient après le sixième: *Aline est la septième enfant de sa famille.* **R.** Lorsqu'il s'agit de la partie d'un tout, le nom est masculin. Le *p* ne se prononce pas. ☞ sept.

septièmement adv. En septième lieu, dans une énumération: *Septièmement, vous replacerez vos pupitres.* **R.** Le *p* ne se prononce pas. ☞ sept.

septique adj. Se dit d'une fosse aménagée de façon que les excréments se transforment en matières inodores et inoffensives: *À notre maison de campagne, nous avons une fosse septique.* HOM. sceptique.

septuagénaire n. et adj. **1.** n. Personne dont l'âge se situe entre soixante-dix et quatre-vingts ans: *Cette septuagénaire marche plusieurs kilomètres chaque jour.* **2.** adj. Qui se situe entre soixante-dix et quatre-vingts ans: *Cet homme septuagénaire préside une association de personnes retraitées.*

septuple n. et adj. **1.** n. Quantité sept fois supérieure à une autre: *En changeant d'emploi, il gagnera le septuple de ce qu'il recevait.* **2.** adj. Qui vaut sept fois plus ou qui est répété sept fois: *Un montant septuple te sera remis.* ☞ sept.

septupler v. **1.** Rendre sept fois plus grand, ou sept fois plus nombreux: *Ses bénéfices septuplent tous les cinq ans.* **2.** Porter à une valeur sept fois plus grande: *Lors de cette partie de cartes, elle a pu septupler sa mise initiale.* ☞ sept.

sépulcre n.m.litt. Tombeau: *On appelle «saint sépulcre» le tombeau du Christ à Jérusalem.*

sépulture n.f.litt. **1.** Action de mettre un corps en terre: *Sa sépulture se fera mardi après-midi au cimetière.* **2.** Lieu où l'on dépose le corps d'un défunt: *La sépulture de mes grands-parents se trouve à Rimouski.*

séquelle n.f. **1.** Trouble qui dure après la guérison d'une maladie ou d'une blessure: *J'ai encore des séquelles de mon accident.* **2.** Conséquence plus ou moins lointaine d'une situation: *Il est impossible de mesurer l'importance des séquelles d'une guerre.* **R.** Dans le sens de *conséquence plus ou moins lointaine*, s'emploie surtout au pluriel.

séquence n.f. **1.** Suite ordonnée de termes: *Voici une séquence de nombres: 11, 12, 13, 14, 15, 16.* **2.** Série de trois cartes qui se suivent, à certains jeux: *Cette séquence de trèfle te fait gagner la partie.* **3.** Suite d'images formant une action dramatique, au cinéma: *Cette séquence devra être reprise.*

séquestration n.f. Action de garder quelqu'un enfermé contre sa volonté: *Tout au long de sa séquestration, la gérante de la banque a gardé son sang-froid.* ☞ séquestrer.

séquestrer v. Enfermer et isoler quelqu'un contre sa volonté: *Ils les ont séquestrés et ont exigé une somme importante pour leur libération.* ☞ séquestration.

séquoia n.m. Conifère de Californie aux dimensions gigantesques: *Ce séquoia a été contemplé par plusieurs générations.* **R.** Les lettres *quoia* se prononcent *ko-ya*.

séraphin n.m. Ange qui appartient à l'ordre le plus élevé, selon la Bible: *Les séraphins sont représentés avec trois paires d'ailes.* ▲ **séraphin** n.m. Au Québec, avare, d'après un personnage de Claude-Henri Grignon nommé «Séraphin Poudrier»: *Cette personne ne pense qu'à amasser de l'argent, c'est un vrai séraphin.* **R.** Les lettres *ph* se prononcent *f*.

serein n.m.litt. Humidité ou fraîcheur qui tombe, le soir, avec le coucher du soleil: *Le serein mouille l'herbe.* HOM. serin.

serein, eine adj. Qui est tranquille, sans souci, sans inquiétude: *Malgré sa grave maladie, elle demeure sereine.* SYN. calme, paisible. ANT. agité, anxieux. ⁄⁄ *Visage serein:* Visage calme. ☞ sérénité. ▲ **serein, eine** adj. Qui est pur et calme, en parlant du temps qu'il fait: *Un temps aussi serein invite à la réflexion.* HOM. serin.

sérénade n.f. péj. et vx (it.) Concert donné sous les fenêtres de quelqu'un, surtout la nuit: *Cet amoureux passionné joue la sérénade à sa bien-aimée.*

sérénité n.f. État d'une personne calme, sans souci, sans inquiétude: *J'admire la sérénité de cette personne.* SYN. quiétude, tranquillité. ANT. angoisse, anxiété, inquiétude. ☞ serein.

serf, serve n. et adj. **1.** n. Paysan qui n'avait pas la liberté complète et demeurait au service d'un seigneur, au Moyen Âge: *La terre sur laquelle les serfs travaillaient appartenait à un seigneur.* **2.** adj. Qui est relatif au servage:

Attachée ainsi à sa terre, la paysanne vivait une condition serve. **R.** Le *f* peut se prononcer ou non. ☞ servage.

sergent n.m. Sous-officier du grade le plus bas, dans l'armée : *Mon neveu est maintenant sergent.* **R.** L'O.L.F. recommande *sergente* comme féminin de *sergent.*

série n.f. Suite de choses de même nature ou avec des caractères semblables : *Elle dépose sur la table une série d'as.* ⁄⁄ *Fabriquer en série :* Fabriquer des objets identiques. *Hors série :* Hors du commun. *Série noire :* Suite de malheurs. *Série télévisée :* Ensemble d'épisodes diffusés par la télévision.

sérieusement adv. **1.** Avec sérieux, avec réflexion et de façon appliquée : *Cet adolescent travaille sérieusement.* **2.** Sans rire, sans plaisanter : *Penses-tu sérieusement à faire ce voyage ?* **3.** Gravement : *Son état de santé s'est sérieusement détérioré.* ☞ sérieux.

sérieux n.m. **1.** État de la personne qui ne rit pas, qui ne plaisante pas : *Cet enfant croit au sérieux de sa tante.* **2.** Caractère d'une chose qu'on doit prendre en considération : *Le sérieux de votre projet m'enthousiasme.* ⁄⁄ *Garder son sérieux :* Garder un air grave. *Prendre au sérieux :* Prendre pour réel ou pour sincère. *Se prendre au sérieux :* Avoir une considération exagérée pour soi.

sérieux, euse adj. **1.** Qui ne peut prêter à rire, à plaisanter : *Ses propos sérieux nous portent à réfléchir.* SYN. valable. ANT. inacceptable. **2.** Qui agit avec le sentiment de l'importance de la chose qui est faite : *Manon est une élève sérieuse et appliquée.* SYN. réfléchi, sage. ANT. écervelé, irréfléchi, léger. **3.** Qui constitue un danger : *Dans le cancer, les rechutes sont toujours sérieuses.* SYN. inquiétant, grave. ANT. inoffensif, négligeable. ☞ sérieusement.

sérigraphie n.f. Procédé d'impression sur bois ou sur verre, à l'aide d'un écran de tissu : *Ce travail de sérigraphie a été bien exécuté.* **R.** Les lettres *ph* se prononcent *f*.

serin n.m. et adj.invar. **1.** n.m. Oiseau de la famille des passereaux, à bec court et à plumage jaune : *Il n'y a plus beaucoup de serins dans notre pays.* **2.** adj.invar. Qui est d'un jaune clair et vif : *L'été, je porte mon chandail jaune serin.* HOM. serein.

seringue n.f. Petite pompe utilisée en médecine pour injecter des liquides dans le corps : *L'infirmière utilise une seringue jetable pour les prises de sang.* **R.** Ne pas oublier le *u* après le *g*.

serment n.m. **1.** Promesse solennelle : *Elle a fait le serment de toujours être franche avec moi.* SYN. engagement. **2.** Promesse d'amour durable : *Ce fiancé a fait le serment de chérir sa fiancée.* ⁄⁄ *Prêter serment :* Faire serment. *Témoigner sous serment :* Attester la vérité d'un témoignage.

sermon n.m. Discours prononcé en chaire par un prédicateur : *À l'église, les fidèles écoutent le sermon de leur curé.* SYN. homélie, prédication. ▲ **sermon** n.m. Discours moralisateur, long et ennuyeux : *Tu es capable de comprendre, je ne veux pas te faire de sermon.* SYN. remontrance. ☞ sermonner.

sermonner v. Faire des reproches, des remontrances à quelqu'un : *L'avocate a sermonné l'accusé.* SYN. réprimander. ANT. complimenter, féliciter. ☞ sermon.

serpe n.f. Outil de bûcheron et de jardinier, servant à tailler le bois, à élaguer : *À coups de serpe, la jardinière émondait ses arbustes.*

serpent n.m. Animal invertébré, sans pattes, à corps cylindrique très allongé, qui se déplace en rampant : *J'ai lu un excellent livre sur les serpents.* ☞ serpenteau, serpentin (adj.).

serpentaire n.f. Nom de certaines plantes : *L'arum est une serpentaire.*

serpentaire n.m. Oiseau rapace de l'Afrique, qui se nourrit surtout de serpents : *Le serpentaire est un oiseau à tête huppée.*

serpenteau, eaux n.m. Jeune serpent : *As-tu vu le serpenteau ?* ☞ serpent. ▲ **serpenteau, eaux** n.m. Pièce d'artifice qui, une fois allumée, s'envole avec un mouvement sinueux : *J'ai acheté des serpenteaux pour animer la fête de ma sœur.*

serpenter v. Faire des tours et des détours : *Sur la terre de l'ami de ma mère, un petit chemin serpente, longeant le ruisseau.*

serpentin n.m. Accessoire de fête formé d'une bande étroite de papier coloré, enroulée, et qui se déroule lorsqu'on souffle dedans : *Le clown amuse des enfants en utilisant des serpentins.*

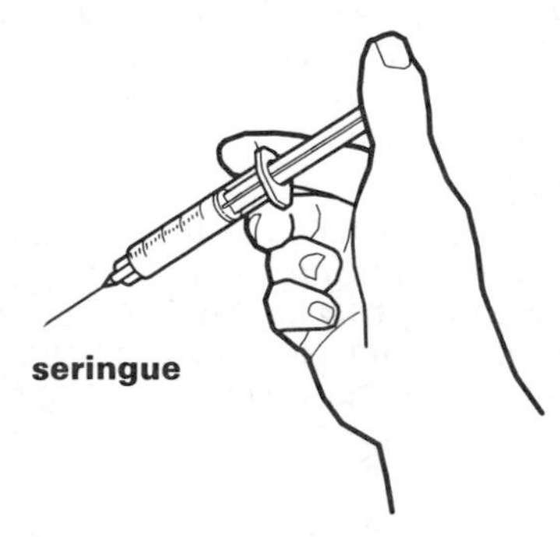

seringue

serpentin, ine adj. Qui a la forme, le mouvement d'un serpent qui rampe : *Cette route serpentine est considérée comme étant dangereuse.* SYN. sinueux, tortueux. ANT. égal, uni. ☞ serpent.

serpillière n.f.vx Toile épaisse utilisée pour laver le plancher : *Colette rince la serpillière et la laisse sécher.* **R.** Les lettres *ill* se prononcent comme dans *famille*.

serrage n.m. Action de serrer : *Ce mécanicien veille au serrage des freins d'autos.* ☞ serrer.

serre n.f. Construction vitrée, parfois chauffée, où l'on met les plantes à l'abri l'hiver, où l'on cultive les végétaux exotiques ou très fragiles : *Ces tomates sont cultivées en serre.* ▲ **serre** n.f. Griffe recourbée et pointue que l'on retrouve chez les oiseaux de proie : *L'aigle emporte sa victime dans ses serres.* **R.** S'emploie surtout au pluriel dans ce sens.

serré, ée adj. **1.** Qui est très ajusté, qui colle au corps : *J'aime porter mes jeans serrés.* ANT. ample, large. **2.** Qui a des éléments très rapprochés : *Les grappes de cette vigne sont serrées.* ANT. clairsemé, éloigné. HOM. serrer. ☞ serrer.

serre-écrou n.m. Clef pour serrer et desserrer les écrous d'une bicyclette : *La réparation terminée, elle rangera le serre-écrou dans son coffre à outils.* **R.** Au pluriel, *serre-écrous*. ☞ serrer.

serre-livres n.m.invar. Objet de bureau utilisé pour maintenir des livres les uns contre les autres : *J'ai installé mes serre-livres dans la bibliothèque.* ☞ serrer.

serrement n.m. **1.** Action de serrer : *Ému, il eut un serrement de gorge lors de cette fête.* **2.** Barrage qui empêche l'invasion des eaux, dans une mine : *Les ingénieurs ont vérifié la solidité de ce serrement.* ☞ serrer.

serrer v. **1.** Tenir fort, en pressant : *Il m'a serré dans ses bras.* **2.** Disposer des personnes ou des choses plus près les unes des autres : *Serrez les mots afin de pouvoir tout écrire sur une seule ligne.* **3.** Faire mouvoir un élément de manière à rapprocher deux choses : *La mécanicienne a serré ce frein.* HOM. serré. ☞ desserrage, desserrer, resserrer, serrage, serré, serre-écrou, serre-livres, serrement, serre-tête. se **serrer** v.pron. Se mettre tout près : *Louis se serrait contre sa mère car il avait peur du tonnerre.* SYN. se blottir.

serre-tête n.m.invar. Bandeau pour maintenir les cheveux : *Cette skieuse porte un serre-tête.* ☞ serrer.

serrure n.f. Mécanisme pour assurer la fermeture d'une porte, d'un tiroir ou d'un coffre : *En mettant la clé dans la serrure, elle s'aperçut que la porte était déjà ouverte.* ☞ serrurerie, serrurier.

serrurerie n.f. Métier exercé par un serrurier : *La serrurerie demande de la précision.* ☞ serrure.

serrurier n.m. Artisan qui fait et répare les serrures : *Le serrurier fabrique aussi des clefs.* ☞ serrure.

sertir v. Placer une pierre dans une monture : *La bijoutière doit sertir mon émeraude.* ☞ sertissage.

sertissage n.m. Opération par laquelle on place une pierre dans une monture : *Le sertissage de ce diamant est très bien réussi.* ☞ sertir.

sérum n.m. (lat.) Partie liquide du sang qu'on injecte à un malade pour le soigner : *À son arrivée à l'hôpital, l'infirmière lui a injecté du sérum.* **R.** Les lettres *um* se prononcent *omm*.

servage n.m. Condition du serf, qui vit la servitude et la dépendance : *En Russie, le servage fut aboli en 1861.* SYN. asservissement, esclavage. ANT. indépendance, libération. ☞ serf.

serval, als n.m. (port.) Chat sauvage, haut sur pattes, au pelage tacheté de noir : *Le serval vit en Afrique.*

servant adj.m. **1.** Se dit d'un homme qui rend des hommages répétés à une femme : *Il est le chevalier servant de cette comédienne.* **2.** Se dit, dans le domaine religieux, d'un frère qui est employé aux travaux domestiques d'un monastère : *Mon ami est frère servant chez les moines.* **R.** Ne s'emploie que dans des locutions. ☞ servir.

servante n.f.vx Femme employée aux travaux domestiques : *Cette famille aisée emploie deux servantes.* SYN. bonne. **R.** Au masculin, *serviteur*. ☞ servir.

serveur, euse n. **1.** Personne dont le travail est de servir les clients dans un restaurant : *Il exerce le métier de serveur depuis dix ans.* **2.** Personne qui met la balle au jeu, dans les sports : *Pour ce match, Pierre sera serveur.* ☞ servir.

serviabilité n.f. Caractère, attitude d'une personne serviable, aimant à rendre service : *Nous avons remarqué sa grande serviabilité.* ☞ serviable.

serviable adj. Qui aime à rendre service : *Elle m'a aidée à résoudre ce problème : comme elle est serviable !* SYN. empressé, prévenant. ANT. égoïste, mesquin. ☞ serviabilité.

service n.m. **1.** Ensemble des obligations qu'a un citoyen envers l'État: *Ce jeune homme ira bientôt faire son service militaire.* **2.** Cérémonie, à l'occasion des funérailles: *Le service funèbre aura lieu jeudi matin.* ☞ servir. ▲ **service** n.m. **1.** Obligations d'une personne dont le métier est de servir un maître: *Son service est impeccable, on ne peut rien lui reprocher.* **2.** Pourcentage de la note d'hôtel ou de restaurant affecté au personnel: *L'addition indique que le service a été calculé.* **3.** Moment où l'on met la balle au jeu: *Au badminton, j'ai réussi tous mes services.* ⫽ *Escalier de service:* Escalier réservé à des employés. ☞ servir. ▲ **service** n.m. Chose que l'on fait pour quelqu'un, à titre bénévole: *Vous m'avez rendu service en me conduisant au marché.* ⫽ *Être au service de quelqu'un:* Être à la disposition de quelqu'un. ☞ servir. ▲ **service** n.m. Chose que l'on fait pour quelqu'un, contre rémunération: *J'ai offert mes services à cette entreprise.* ⫽ *Service après vente:* Service commercial chargé de la réparation éventuelle des articles vendus.

serviette n.f. Pièce de linge dont on se sert à table ou pour la toilette: *J'utilise la serviette à la sortie de la douche.* ☞ porte-serviettes. ▲ **serviette** n.f. Sac à compartiments, rectangulaire, servant à porter des papiers, des livres: *Ma serviette est bourrée de livres.*

servile adj. Qui a un caractère de soumission indigne d'une personne libre: *Pierre et Marie se montrent serviles avec leur chef d'équipe.* SYN. rampant, vil. ANT. indépendant, noble. ☞ servilité.

servilité n.f. État de servitude, de soumission basse: *Cette femme fait preuve de servilité à son travail.* SYN. complaisance, courbette. ANT. liberté, noblesse. ☞ servile.

servir v. **1.** Être au service d'une personne, d'une collectivité, en remplissant certaines tâches, certaines fonctions: *Ce militaire a très bien servi son pays.* **2.** Apporter son aide, son appui à quelqu'un ou à quelque chose: *Cette femme se plaît à servir les pauvres.* SYN. seconder, secourir. ANT. nuire. ⫽ *Servir la messe:* Aider le prêtre pendant la célébration de la messe. ☞ desservir, servant, servante, service, serviteur. ▲ **servir** v. **1.** Présenter les plats lors d'un repas: *J'aurais besoin de toi pour servir les invités.* **2.** Vendre, fournir des marchandises: *Cette boulangère me sert du bon pain depuis plusieurs années.* **3.** Mettre la balle au jeu: *C'est à ton tour de servir!* ☞ desservir, libre-service, resservir, serveur, service. ▲ **servir** v. **1.** Être utile, profitable à quelqu'un: *Son expérience lui a grandement servi.* **2.** Être bon, propre à quelque chose: *Ce meuble ne sert pas à grand-chose.* **se servir** v.pron. **1.** Prendre d'un mets: *Le repas est prêt, tu peux te servir.* **2.** Se fournir en marchandises: *J'irai me servir directement à l'entrepôt.* SYN. s'approvisionner. **3.** Utiliser, faire usage: *Pour ce travail, tu devras te servir du compas.* SYN. employer.

serviteur n.m. **1.** litt. Celui qui est au service de quelqu'un: *Le député doit être le serviteur de la population.* **2.** vx Domestique: *Cette baronne avait de nombreux serviteurs.* **R.** Au féminin, *servante.* ☞ servir.

servitude n.f. **1.** vx Esclavage, servage: *Ce peuple s'est affranchi de sa servitude.* **2.** litt. Dépendance totale d'une personne à l'endroit d'une autre: *Il déteste la servitude de son travail.*

sésame n.m. Plante annuelle, cultivée pour ses graines, et qui fournit de l'huile: *Au marché d'aliments naturels, je peux acheter des graines de sésame.*

session n.f. (angl.) **1.** Période pendant laquelle une assemblée se réunit: *La prochaine session du Parlement commencera après-demain.* **2.** Période pendant laquelle ont lieu des examens: *Je me prépare à une session difficile d'examens.*

set n.m. (angl.) Manche d'un match de tennis: *La championne a gagné par trois sets contre un.* HOM. sept.

setter n.m. (angl.) Chien d'arrêt, d'origine anglaise, à poils longs et ondulés: *Ce setter a été acheté dans un chenil.* **R.** Les lettres *er* se prononcent *èr.*

seuil n.m. **1.** Dalle de pierre ou pièce de bois placée sous une porte: *Des milliers de personnes ont franchi le seuil de cet édifice.* **2.** Entrée d'une maison: *Elle m'accompagna jusqu'au seuil de ma demeure.* **3.** fig. Début: *L'enfant est au seuil de la vie.*

seul, seule n. et adj. **1.** n. Personne unique: *Ce n'est pas l'idée d'un seul qui doit être acceptée.* **2.** adj. Qui se trouve sans compagnie: *Nathalie est seule dans sa chambre, elle fait ses devoirs.* **3.** adj. Qui est unique: *Elle est la seule joueuse à avoir remporté trois parties de suite.* ⫽ *Pas un seul:* Aucun. *Seul à seul:* En particulier, à part. *Tout seul:* Sans aide. ☞ esseulé.

seulement adv. Sans rien de plus, sans personne d'autre: *Nous serons cinq personnes seulement.* SYN. exclusivement, uniquement. ⫽ *Si seulement:* Si au moins.

sève n.f. Liquide circulant dans les diverses parties des végétaux: *J'ai recueilli la sève de l'érable pour faire de la tire.*

sévère adj. **1.** Qui punit ou blâme facilement: *Cette enseignante est sévère dans la correction de ses travaux.* SYN. dur, exigeant. ANT. compréhensif, indulgent. **2.** Qui est sans ornement: *As-tu remarqué la façade sévère de cet immeuble?* SYN. austère. ANT. agréable. ☞ sévèrement, sévérité.

sévèrement adv. D'une manière sévère, dure: *Tu agis sévèrement envers ton chien en l'enfermant dans une cage.* ☞ sévère.

sévérité n.f. Manière d'agir d'une personne qui punit facilement: *La sévérité de ses parents rendait le dialogue difficile.* SYN. dureté, intransigeance. ANT. compréhension, indulgence. ☞ sévère.

sévère sévérité

sévices n.m.plur. Mauvais traitements exercés sur quelqu'un qu'on a sous son autorité: *Il était marqué par les sévices que lui infligeaient ses parents.*

sévir v. **1.** Punir avec rigueur: *Cette arbitre a sévi à la suite de ce jeu déloyal.* SYN. châtier. ANT. excuser, récompenser. **2.** Faire des ravages, en parlant d'un fléau: *La famine sévit dans ce pays.*

sevrage n.m. **1.** Action de sevrer un enfant ou un animal: *La mère a commencé le sevrage de son nourrisson.* **2.** Action de priver d'alcool ou de drogue: *Ce malade est en période de sevrage.* ☞ sevrer.

sevrer v. **1.** Cesser l'allaitement d'un enfant ou d'un animal: *Ce chaton a été sevré en quittant sa mère.* SYN. priver. ANT. nourrir. **2.** Priver d'alcool ou de drogue: *Ce jeune homme intoxiqué aux médicaments devra être sevré.* ☞ sevrage.

sexagénaire n. et adj. **1.** n. Personne dont l'âge se situe entre soixante et soixante-dix ans: *Cette sexagénaire prend sa retraite.* **2.** adj. Qui se situe entre soixante et soixante-dix ans: *Ce personnage sexagénaire travaille pour notre entreprise.*

sexe n.m. **1.** Ensemble des caractères qui distinguent le mâle de la femelle: *Amélie ne connaît pas encore le sexe de son prochain bébé.* **2.** Organe sexuel de l'homme ou de la femme: *Chez l'homme et chez la femme, le sexe est constitué par les organes externes de la reproduction.* ☞ sexisme, sexiste, sexualité, sexuel, transexuel, unisexe.

sexisme n.m. Attitude qui manifeste des préjugés à l'égard d'un sexe: *Au Québec, il y a encore beaucoup de sexisme dans la publicité.* ☞ sexe.

sexiste adj. Qui manifeste des préjugés à l'égard d'un sexe: *Aimé est sexiste en n'acceptant pas les femmes dans son atelier.* ☞ sexe.

sextuple n. et adj. **1.** n. Quantité six fois supérieure à une autre: *Le sextuple de cinq est trente.* **2.** adj. Qui vaut six fois plus ou qui est répété six fois: *Trente est le nombre sextuple de cinq.* ☞ sextupler.

sextupler v. Rendre six fois plus grand ou six fois plus nombreux: *Si tu sextuples sept, tu obtiendras quarante-deux.* ☞ sextuple.

sexualité n.f. **1.** Ensemble des caractères qui déterminent chaque sexe: *Chantal étudie la sexualité dans son cours de biologie.* **2.** Ensemble des comportements reliés à l'instinct sexuel: *C'est généralement à l'adolescence que l'être humain découvre sa sexualité.* ☞ sexe.

sexuel, elle adj. **1.** Qui se rapporte aux caractères qui déterminent chaque sexe: *J'étudie les caractères sexuels de certains animaux.* **2.** Qui se rapporte aux comportements liés à la sexualité: *L'éducation sexuelle est importante pour les jeunes.* ☞ sexe.

seyant, ante adj. Qui est élégant, qui fait bien: *Pierre porte un veston seyant.*

shampooing n.m. (angl.) **1.** Produit moussant avec lequel on se lave les cheveux: *Chantal utilise un shampooing aux herbes naturelles.* **2.** Lavage des cheveux: *Fernand se donne un shampooing tous les jours.* **R.** Aussi, *shampoing*.

shérif n.m. (angl.) Chef de police élu, aux États-Unis: *Le shérif s'occupe de faire respecter la loi.* **R.** Les lettres *sh* se prononcent *ch*.

short n.m. (angl.) Culotte courte: *Vanessa porte un short blanc pour le tennis.* **R.** Les lettres *sh* se prononcent *ch*.

si n.m.invar. Note de musique: *«Si» est la septième note de la gamme de «do».* HOM. ci, scie, sis.

si adv. et conj. **1.** adv. Tellement: *Elle était si gentille, je la regretterai beaucoup.* **2.** adv. Aussi: *Rien n'est si agréable qu'un concert.* **3.** conj. Dans le cas où: *J'achète une maison si je gagne à la loterie.* HOM. ci, scie, sis.

siamois, oise adj. Se dit d'un chat aux yeux bleus et à poils ras: *Mon ami a un chat siamois.* ▲ **siamois, oise** adj. Se dit de frères jumeaux, de sœurs jumelles rattachés l'un à l'autre par une partie de leur corps: *Ces sœurs siamoises doivent subir une grave intervention chirurgicale pour être séparées.*

sibérien, enne n. et adj. **1.** n. Personne qui est de Sibérie: *Un Sibérien, une Sibérienne.* **2.** adj. Qui est de Sibérie: *Passerais-tu un hiver dans la toundra sibérienne?* ⁄⁄ *Un* *froid sibérien:* Un froid très rigoureux. **R.** On met la majuscule à *sibérien* et à *sibérienne* lorsqu'il s'agit du nom.

sida n.m. Maladie grave transmissible par voie sexuelle ou sanguine, se caractérisant par la perte des défenses de l'organisme: *On cherche un remède pour guérir le sida.* ☞ sidéen.

sidéen, enne n. et adj. **1.** n. Personne qui est atteinte du sida: *À cause de leur maladie, les sidéens sont susceptibles d'attraper de nombreuses infections.* **2.** adj. Qui a contracté le sida: *La personne sidéenne souffre beaucoup lorsqu'elle se sent exclue de la société.* **R.** Aussi, *sidatique*. ☞ sida.

sidérer v.fam. Étonner, frapper de stupeur: *L'annonce de sa mort m'a sidérée.*

sidérurgie n.f. Industrie qui transforme le minerai en divers produits tels que la fonte, l'acier et le fer: *Mon oncle est métallo à l'usine de sidérurgie.* ☞ sidérurgique, sidérurgiste.

sidérurgique adj. Qui se rapporte à la sidérurgie, à la transformation du minerai: *Cette chimiste travaille dans une usine sidérurgique.* ☞ sidérurgie.

sidérurgiste n. Ouvrier qui travaille dans la sidérurgie: *Les sidérurgistes ont des conditions de travail difficiles.* ☞ sidérurgie.

siècle n.m. **1.** Durée de cent années: *Cette église est bâtie depuis plus d'un siècle.* **2.** Période de cent ans: *Le XXe siècle a commencé en l'an 1901 et se terminera en l'an 2000.* ⁄⁄ *Depuis des siècles:* Depuis longtemps. *De siècle en siècle:* D'âge en âge. ☞ séculaire.

siège n.m. **1.** Place tenue par un député dans une assemblée: *Le parti a perdu trois sièges aux dernières élections.* **2.** Lieu où se trouve la direction d'une société commerciale: *Le siège social de cette compagnie est à Toronto.* ☞ siéger. ▲ **siège** n.m. Meuble sur lequel on peut s'asseoir: *Prends ce siège confortable.* SYN. banc, chaise, fauteuil. ▲ **siège** n.m. Partie du corps sur laquelle on peut s'asseoir: *Il est toujours drôle de voir quelqu'un tomber sur le siège.*

siéger v. **1.** Avoir son siège à tel endroit: *Le gouvernement provincial siège à Québec.* **2.** Faire partie d'un tribunal, d'une assemblée, d'un parti: *Cette députée siège au Parlement d'Ottawa.* ☞ siège.

siège siéger

sien n.m. **1.** Bonne volonté: *Elle y a mis du sien pour finir à temps.* **2.** plur. Personnes proches (famille, amis): *Elle a pleuré quand elle a quitté les siens.*

le **sien, la sienne, les siens, les siennes** pron.poss. Pronom possessif de la troisième personne du singulier, qui désigne l'objet ou l'être appartenant ou se rapportant à l'être dont on parle: *Je ne lui ai pas prêté de crayon, il avait le sien.*

siennes n.f.plur. Folies, fredaines, bêtises: *L'enfant a encore fait des siennes.* **R.** S'emploie toujours dans l'expression *faire des siennes*.

sierra n.f. (esp.) Chaîne de montagnes située dans les pays où l'on parle l'espagnol: *La sierra traverse le Mexique.*

sieste n.f. Repos ou période de sommeil que l'on prend après le repas du midi: *Émilie fait une sieste l'après-midi.* SYN. somme.

sieur n.m. Monsieur, en langage juridique: *L'avocate présente son client au juge comme étant sieur Untel.*

sifflant, ante adj. Qui fait entendre un sifflement: *Il a des problèmes pulmonaires, sa respiration est sifflante.* ☞ siffler.

sifflement n.m. Son produit en sifflant: *Les sifflements d'admiration des spectateurs encouragèrent les jeunes chanteurs.* ☞ siffler.

siffler v. **1.** Émettre un son aigu avec la bouche ou un instrument: *François siffle comme un pinson.* **2.** Faire entendre une mélodie en produisant un sifflement: *Elle siffle un air connu en prenant sa douche.* **3.** Appeler en produisant un sifflement, soit avec un sifflet, soit avec la bouche: *Elle siffla et son chien arriva aussitôt.* ☞ sifflant, sifflement, sifflet, siffleur, sifflotement, siffloter.

sifflet n.m. Instrument formé d'un tuyau, avec lequel on siffle: *L'arbitre arrête le jeu à l'aide de son sifflet.* ☞ siffler.

siffleur, euse adj. Qui siffle, émet un son aigu: *Le merle siffleur fait entendre sa douce mélodie.* ☞ siffler.

siffleux n.m. Au Canada, marmotte: *J'ai vu un siffleux creuser son trou près de mon chalet.*

sifflotement n.m. Action de siffler doucement et négligemment: *Le sifflotement de Karine démontre sa bonne humeur.* **R.** S'écrit avec un seul *t*. ☞ siffler.

siffloter v. Siffler un air de manière négligente: *Pierre sifflote en faisant le ménage de la maison.* **R.** S'écrit avec un seul *t*. ☞ siffler.

sigle n.m. Groupe de lettres initiales servant d'abréviation d'un nom: *L'O.N.U. est le sigle de l'« Organisation des Nations Unies ».*

signal, aux n.m. **1.** Signe établi pour avertir, indiquer le moment d'agir: *Cette arbitre* *donnera le signal du départ.* SYN. annonce. **2.** Appareil, panneau placé sur le bord d'une voie de communication et destiné à transmettre une information: *Même à bicyclette, je dois respecter les signaux routiers.* SYN. indication, message. ⫽ *Signal d'alarme, d'alerte:* Bruit qui avertit d'un danger. ☞ signalement, signaler, signalétique, signalisation, signaliser.

signalement n.m. Description physique qui permet d'identifier une personne: *On donne, à la radio, le signalement de l'adolescent recherché.* SYN. identification, portrait. ☞ signal.

signaler v. **1.** Indiquer par un signal: *Le départ du train est signalé par un coup de sifflet.* SYN. annoncer. ANT. cacher. **2.** Attirer l'attention de quelqu'un: *La professeure a signalé plusieurs erreurs sur les copies de ses élèves.* SYN. déceler, indiquer, souligner. ANT. ignorer. ☞ signal. se **signaler** v.pron. Se faire remarquer: *Lors du concours d'écriture, Andréa s'est particulièrement signalée.* SYN. se distinguer, s'illustrer.

signalétique adj. Qui donne une description, un signalement: *Toutes les personnes recherchées ont une fiche signalétique.* ☞ signal.

signalisation n.f. Ensemble des signaux installés le long des routes, des voies ferrées: *Il est important de connaître la signalisation routière.* ☞ signal.

signaliser v. Munir de signaux: *Cette avenue vient d'être signalisée.* ☞ signal.

signataire n. Personne, autorité qui signe un document: *Les signataires de l'acte d'achat se rencontrent chez la notaire, ce soir.* ☞ signer.

signature n.f. **1.** Action d'écrire son nom à la main d'une façon personnelle: *J'appose ma signature sur la copie de l'examen.* **2.** Engagement signé: *La signature de l'entente aura lieu demain.* ☞ signer.

signe n.m. **1.** Indice qui permet de deviner, de prévoir: *Les hirondelles volent bas, c'est un signe de pluie, m'a-t-on appris.* SYN. annonce. **2.** Mot, geste qui permet de communiquer: *Le professeur communique par signes avec ses élèves sourds.* **3.** Ensemble de marques, de symboles écrits qui permettent de communiquer: *L'écriture est un ensemble de signes.* **4.** Symbole indiquant une opération ou une relation, en mathématiques: *Dans «3+2=5», le «+» est le signe de l'addition.* **5.** Marque distincte entre plusieurs objets ou plusieurs êtres: *Quel signe différencie la reproduction de l'original?* SYN. caractéristique. **6.** Chacune des figures qui représentent les constellations du zodiaque: *Marie et Richard sont nés sous le même signe astrologique.* HOM. cygne. ⫽ *C'est bon signe:* C'est l'annonce que ça va bien. *C'est mauvais signe:* C'est l'annonce que ça va mal. *Signe de la croix:* Geste de piété chrétienne.

signer v. Marquer de sa signature: *Il signe son chèque devant le caissier.* ☞ signataire, signature.

se **signer** v.pron. Faire le signe de la croix: *Quand il passait devant une église, mon grand-père avait l'habitude de se signer.*

signet n.m. Ruban ou bande de carton servant à marquer un endroit dans un volume: *Michel met son signet avant de refermer son livre d'histoire.*

signets

signifiant, ante adj.litt. Qui a un sens: *Ce texte signifiant intéressera les enfants.* ☞ signifier.

significatif, ive adj. Qui exprime de manière claire une pensée, une intention: *Le fait de quitter la réunion fut, pour ses collègues, le geste significatif de sa désapprobation.* SYN. clair, manifeste, révélateur. ANT. incompréhensible, obscur. ☞ signifier.

signification n.f. Sens d'un mot, d'une phrase, d'un geste, etc.: *Connais-tu la signification de tous les mots de ton texte sur les mammifères?* SYN. définition, portée. ANT. non-sens. ☞ signifier.

signifier v. **1.** Vouloir dire, avoir un sens: *Le mot «simplifier» signifie «rendre plus facile».* SYN. désigner, exprimer, indiquer. ANT. cacher. **2.** Faire connaître clairement: *Elle m'a signifié son désir de me revoir bientôt.* SYN. annoncer, déclarer, manifester. ANT. taire. ☞ signifiant, significatif, signification.

silence n.m. **1.** Absence de bruit, d'agitation: *Je me repose seule, dans le silence de la maison.* SYN. calme, paix, tranquillité. ANT. tapage, vacarme. **2.** Arrêt plus ou moins long du son, en musique: *Il existe plusieurs figures de silence.* ⫽ *En silence:* Sans rien dire. *Garder* *le silence:* Se taire. *Minute de silence:* Hommage que l'on rend à un mort en restant debout, immobile et silencieux. *Passer sous silence:* Ne pas parler de quelque chose volontairement. *Un silence de mort:* Silence total. ☞ silencieusement, silencieux.

silencieusement adv. D'une manière silencieuse, sans parler, sans faire de bruit: *Les élèves entrent silencieusement à la bibliothèque.* ☞ silence.

silencieux n.m.invar. **1.** Dispositif, dans une voiture, qui sert à amortir les bruits d'échappement des gaz: *Le silencieux de ce camion est défectueux.* **2.** Appareil fixé à une arme à feu pour amortir le bruit de la détonation: *Dans ce film, on voyait la détective armée d'un revolver muni d'un silencieux.* ☞ silence.

silencieux, euse adj. **1.** Qui garde le silence, n'émet aucun son: *Adeline est silencieuse dans son coin.* SYN. discret, réservé. ANT. bavard, expansif. **2.** Qui ne fait pas entendre de bruit: *Le moteur de ma lessiveuse est silencieux.* SYN. insonore. ANT. bruyant, tapageur. ☞ silence.

silex n.m.invar. Roche très dure à éclats coupants: *À l'époque préhistorique, on se servait du silex comme outil.*

silhouette n.f. Contour vague d'une personne ou d'une chose: *Au bout de la rue, on apercevait la silhouette de la vieille maison.* SYN. profil.

sillage n.m. Trace, à la surface de l'eau, laissée par un bateau: *Les bateaux de course laissent un très joli sillage.* **R.** Les lettres *ill* se prononcent comme dans *famille*.

sillon n.m. **1.** Creux étroit et long laissé dans la terre par une charrue: *Toute la journée, la paysanne a tracé les sillons dans ce grand champ.* **2.** Fine rainure qui apparaît à la surface d'un disque: *Je manipule le disque avec soin afin de ne pas abîmer les sillons.* **R.** Les lettres *ill* se prononcent comme dans *famille*.

sillonner v. Parcourir un lieu dans tous les sens: *Ils ont sillonné la ville afin de trouver une chambre pour la nuit.* SYN. traverser. **R.** Les lettres *ill* se prononcent comme dans *famille*.

silo n.m. Réservoir immense pour conserver les céréales, les légumes ou le fourrage: *Le cultivateur met le blé dans le silo.* ☞ ensilage, ensiler.

simagrée n.f. Manières ridicules, singeries destinées à induire en erreur: *Arrête ces simagrées et dépêche-toi de t'habiller!* SYN. chichi. **R.** S'emploie surtout au pluriel.

similaire adj. Qui est presque pareil: *Le marchand n'a plus le sofa que tu voulais, mais achète celui-ci, il est similaire!* SYN. analogue, équivalent, semblable. ANT. contraire, différent.

similitude n.f. Ressemblance presque parfaite entre deux choses: *La similitude entre ces deux écritures est étonnante.* SYN. analogie, équivalence. ANT. contraste, différence.

simple n.m. Plante médicinale: *Allons cueillir des simples.*

simple adj. **1.** Qui est sans complication: *J'ai fait un souper tout simple.* SYN. frugal, sobre. **2.** Qui n'est pas difficile: *Ce problème est simple, je peux le résoudre rapidement.* SYN. aisé, élémentaire. ANT. complexe, compliqué. **3.** Qui n'est pas composé, qui est indivisible: *Les métaux sont des corps simples.* **4.** Qui comporte peu d'éléments: *Cette intrigue me paraît assez simple.* **5.** Qui n'est pas luxueux: *Elle habite un appartement très simple.* ANT. recherché. **6.** Qui est sans prétention: *Malgré sa position de directeur général, il est resté très simple.* SYN. humble, modeste. ANT. fier, orgueilleux. **7.** Qui n'indique aucune autre possibilité: *La policière me demanda mon permis de conduire: «Simple formalité», dit-elle.* ⁄⁄ *C'est simple comme bonjour!:* C'est très peu compliqué. *Les temps simples:* Formes du verbe conjuguées sans auxiliaire. *Passé simple:* Temps du passé de l'indicatif. ☞ simplement, simplicité, simplifiable, simplification, simplifier, simpliste. ▲ **simple** adj. Qui présente peu de finesse, n'a pas une intelligence normalement développée: *Cette personne est un peu simple.* ☞ simplet.

simplement adv. **1.** De manière très simple, sans complication: *Il tenait à les recevoir simplement.* **2.** Seulement: *En t'envoyant ces fleurs, il voulait simplement te remercier.* ☞ simple.

simplet, ette adj. Qui est un peu simple d'esprit: *Tous les gens la regardent lorsqu'elle prend son air simplet.* ☞ simple.

simplicité n.f. **1.** Sincérité, franchise: *Elle a répondu avec simplicité à ta question.* SYN. droiture. ANT. affectation, orgueil, prétention. **2.** Caractère de ce qui est simple, facile: *La simplicité de sa toilette nous a étonnés.* SYN. sobriété. ANT. faste, luxe, recherche. ⁄⁄ *En toute simplicité:* Sans cérémonie, sans prétention. ☞ simple.

simplifiable adj. Qui peut être simplifié, moins compliqué: *Ce problème est simplifiable.* ☞ simple.

simplification n.f. Action de rendre plus facile: *Les explications apportent souvent* *des simplifications.* ANT. complication. ☞ simple.

simplifier v. Rendre plus facile, plus simple : *En utilisant la calculatrice, j'ai simplifié mes calculs.* SYN. réduire. ANT. compliquer. ☞ simple.

simpliste adj. Qui est simplifié de façon exagérée : *Cette affaire n'est pas simpliste, contrairement à ce que tu penses.* ☞ simple.

simulacre n.m. Apparence trompeuse de la réalité : *Tu as récité un simulacre d'excuses que personne n'a crues.* SYN. semblant. ANT. sincérité.

simulateur, trice n. **1.** n. Personne qui fait semblant : *Martine est une simulatrice, elle fait croire à son père qu'elle est malade en restant au lit.* **2.** n.m. Appareil qui permet d'imiter artificiellement un fonctionnement réel : *La pilote s'entraîne en ce moment dans un simulateur de vol.* ☞ simuler.

simulation n.f. Action de simuler, de faire semblant : *La cascadeuse a très bien réussi la simulation d'un accident.* ☞ simuler.

simuler v. Faire semblant, faire paraître vraie une chose qui est fausse : *Il a simulé l'ignorance, mais il savait tout au sujet du départ de la directrice.* SYN. feindre. ☞ simulateur, simulation.

simultané, ée adj. Qui se fait au même moment : *Leurs réponses à ma question furent simultanées.* ANT. successif. ☞ simultanéité, simultanément.

simultanéité n.f. Caractère de ce qui se fait en même temps : *La simultanéité de leurs répliques a eu un effet comique.* ☞ simultané.

simultanément adv. De manière simultanée, en même temps : *Ils ont levé simultanément la main pour attirer l'attention.* SYN. ensemble. ANT. successivement. ☞ simultané.

sincère adj. Qui croit ce qu'il exprime : *Ce témoignage sincère a ému l'assistance:* SYN. franc, honnête. ANT. mensonger. ☞ sincèrement, sincérité.

sincèrement adv. De manière sincère, de bonne foi : *Sincèrement, je ne peux accepter ton offre d'emploi.* SYN. franchement. ☞ sincère.

sincérité n.f. Qualité d'une personne franche, sincère : *Je te dis en toute sincérité ce que je n'ai pas aimé dans ton attitude.* SYN. loyauté. ANT. hypocrisie. ☞ sincère.

sincère sincérité

sinécure n.f. Emploi bien payé où l'on n'a presque rien à faire : *Cet emploi que j'ai trouvé est une vraie sinécure.*

singe n.m. **1.** Mammifère primate, à face nue, au cerveau développé, aux pieds et aux mains terminés par des ongles, et qui peut saisir des objets : *Le gorille, le chimpanzé et le macaque sont des singes.* **2.** Mâle de l'espèce : *Le singe est le mâle de la guenon.* **3.** fig. Personne qui imite les autres : *Cet enfant est un vrai singe.* ☞ singer, singerie.

singer v. Imiter quelqu'un de façon maladroite afin de rire de lui : *Pendant la récréation, Luce n'a pas arrêté de singer un camarade de classe.* SYN. copier, mimer. ☞ singe.

singerie n.f. Grimace, geste comique qui fait rire : *Il amusait sa jeune sœur en lui faisant des singeries.* SYN. simagrée. ☞ singe.

singleton n.m. (angl.) **1.** Carte unique d'une certaine couleur dans la main d'un joueur, après la distribution des cartes : *Au bridge, après s'être débarrassé d'un singleton, le joueur peut couper avec l'atout.* **2.** Ensemble qui ne comprend qu'un seul élément : *A = {2} est un singleton.*

singulariser v. Différencier des autres par quelque chose de particulier : *Vos vêtements vous singularisent.* ☞ singulier. **se singulariser** v.pron. Se faire remarquer par quelque chose de particulier : *Pour se singulariser, François emploie beaucoup d'expressions anglaises dans sa conversation.* SYN. se distinguer. ANT. se confondre.

singularité n.f. Caractéristique particulière, bien à part : *Cette personne a la singularité d'aller marcher la nuit.* SYN. originalité. ☞ singulier.

singulier n.m. Catégorie grammaticale qui indique l'unité : *Le singulier de « yeux » est « œil ».* ANT. pluriel.

singulier, ière adj. Qui est différent des autres, particulier, étrange : *Josée a une manière singulière de tenir son crayon.* SYN. bizarre, curieux, étonnant. ANT. normal, ordinaire, régulier. ☞ singulariser, singularité, singulièrement.

singulièrement adv.litt. De manière particulière, étonnante : *Elle s'habille toujours singulièrement.* SYN. bizarrement. ANT. ordinairement. ☞ singulier.

sinistre n.m. Événement grave qui entraîne de grandes pertes humaines ou matérielles : *Les secours sont arrivés rapidement sur les lieux du sinistre.* SYN. catastrophe, fléau. ☞ sinistré.

sinistre adj. **1.** Qui est de mauvais augure, qui fait craindre une catastrophe : *J'ai entendu* *un bruit sinistre dans la cour.* SYN. effrayant, inquiétant, redoutable. **2.** Qui fait naître l'inquiétude: *Je n'aime pas son regard sinistre.* SYN. méchant, menaçant, terrifiant. ANT. plaisant, rassurant. **3.** Qui est ennuyeux, triste: *La réunion des membres de notre club a été sinistre.* SYN. lamentable.

sinistré, ée n. et adj. **1.** n. Victime d'un sinistre: *Nous n'avons pas eu l'argent nécessaire pour secourir les sinistrés.* **2.** adj. Qui est victime d'une catastrophe, d'un sinistre: *Les familles sinistrées ont été recueillies par les voisins.* ☞ sinistre.

sinon conj. **1.** Sans quoi, sans cela, autrement: *Elle a reçu ton message, sinon elle serait venue.* **2.** En dehors de, sauf, excepté: *Qu'est-ce que je peux faire sinon l'encourager?*

sinueux, euse adj. Qui présente des courbes, des détours, des virages: *Pour me rendre au haut de la montagne, j'ai emprunté une route sinueuse.* ☞ sinuosité.

sinuosité n.f. Courbes, détours, ligne sinueuse: *Les sinuosités de cette route étroite effraient les touristes.* SYN. contour, repli. ☞ sinueux.

sinus n.m.invar. (lat.) Espace vide dans certains os de la tête, où peut se loger une infection: *Sa grippe lui occasionne des malaises aux sinus.* **R.** Le *s* final se prononce. ☞ sinusite.

sinusite n.f. Inflammation des sinus de la face: *La médecin a diagnostiqué une sinusite.* ☞ sinus.

siphon n.m. Tuyau recourbé deux fois qui, gardant l'eau, évite la montée des mauvaises odeurs dans le lavabo, l'évier: *La plombière a dû remplacer le siphon de l'évier.* **R.** Les lettres *ph* se prononcent *f*.

sire n.m. Titre donné au roi lorsqu'on s'adresse à lui: *Bienvenue au château, Sire!* HOM. cire.

sirène n.f. Être fabuleux, moitié femme moitié poisson, dont les chants provoquaient des naufrages: *J'ai lu une légende où les sirènes charmaient les pêcheurs.* ▲ **sirène** n.f. Appareil qui produit un bruit très fort et souvent prolongé pour donner un signal: *J'ai entendu la sirène de la police.* SYN. alarme.

sirop n.m. **1.** Liquide épais et très sucré souvent aromatisé au jus de fruits: *Pour étancher ma soif, j'ai bu un sirop de fraise.* **2.** Médicament très sucré utilisé pour soigner le rhume et la toux: *J'ai acheté à la pharmacie un sirop contre la toux.* // *Sirop d'érable:* Produit très sucré obtenu en faisant bouillir la sève de l'érable à sucre. ☞ sirupeux.

siroter v. Boire à petites gorgées en dégustant: *En attendant son ami, Ève sirote un jus sur le patio.* SYN. savourer.

sirupeux, euse adj. Qui a la consistance du sirop: *Marc-André adore les boissons sirupeuses.* ☞ sirop.

sis, sise adj. Qui est situé: *Michèle se rend à son chalet sis au mont Orford.* HOM. ci, scie, si. **R.** Le *s* final ne se prononce pas.

sismique adj. Qui se rapporte au séisme, au tremblement de terre: *La région de Charlevoix a connu des secousses sismiques.* **R.** Aussi, *séismique*. ☞ séisme.

sismographe n.m. Appareil qui sert à enregistrer l'heure et la durée de l'amplitude des secousses du sol: *Les sismographes sont sensibles et complexes.* **R.** Aussi, *séismographe*. Les lettres *ph* se prononcent *f*. ☞ séisme.

sismologie n.f. Science qui étudie les tremblements de terre: *La sismologie demande beaucoup de précision.* **R.** Aussi, *séismologie*. ☞ séisme.

site n.m. **1.** Paysage pittoresque: *J'ai admiré plusieurs beaux sites en Gaspésie.* SYN. panorama, vue. **2.** Emplacement: *J'ai vu le site du futur musée.* SYN. endroit.

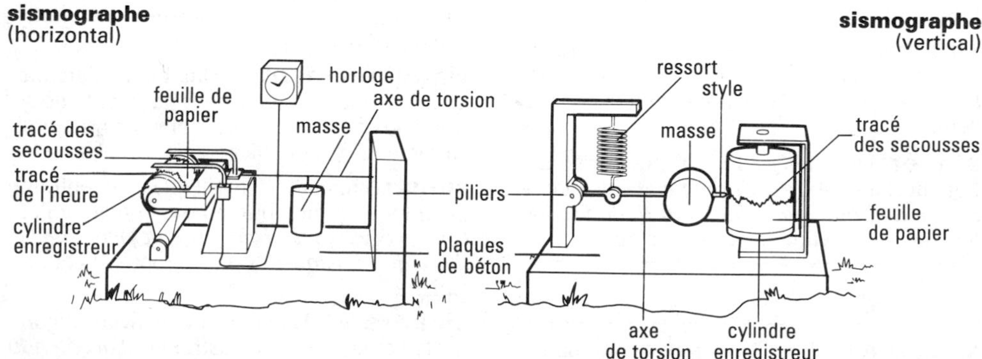

sitôt adv. Aussitôt, dès que: *Sitôt couché, il s'endormit.* **pas de sitôt** loc.adv. Pas avant longtemps: *Je ne retournerai pas de sitôt dans ce restaurant insalubre.* **R.** Ne pas oublier l'accent: ô.

sittelle n.f. Oiseau d'Europe occidentale qui est habile à grimper sur les troncs: *J'ai vu des images de sittelles dans un livre d'ornithologie.* **R.** Aussi, *sittèle*.

situation n.f. Position, emplacement d'une chose: *La situation de la maison permettra l'installation d'une piscine.* SYN. endroit, lieu. ☞ situer. ▲ **situation** n.f. **1.** Emploi stable, travail rémunéré: *Nadine a une belle situation dans cette entreprise.* **2.** Circonstances qui déterminent la position d'une personne: *Janine est dans une triste situation, elle a perdu les clés de son appartement.*

situé, ée adj. Qui est placé à un certain endroit: *Son condominium est bien situé.* HOM. situer. ☞ situer.

situer v. Placer d'une certaine manière: *Où se situe la ville de Québec sur la carte?* SYN. localiser. HOM. situé. ☞ situation, situé.

six n.m.invar. **1.** Nombre qui suit cinq: *Cinq plus un égalent six.* **2.** Sixième jour du mois: *Nous avons un examen le six.* **3.** Chiffre représentant le nombre six: *Le six est sorti gagnant.* **R.** Se prononce *siss*.

six adj.num.invar. **1.** Cinq plus un: *Nous sommes six personnes dans ce comité.* **2.** Sixième: *Jean ouvre son livre à la page six.* **R.** Se prononce *si* devant un nom ou un adjectif commençant par une consonne ou un *h* aspiré. ☞ sixième, sixièmement.

sixième n. et adj.num. **1.** n. Personne, animal ou chose qui occupe le sixième rang: *Elle est la sixième à me poser cette question.* **2.** n. Partie d'un tout divisé en six parties égales: *Le gâteau est divisé en sixièmes.* **3.** adj.num. Qui vient après le cinquième: *Adèle est arrivée sixième en patinage artistique.* **R.** Lorsqu'il s'agit de la partie d'un tout, le nom est masculin. ☞ six.

sixièmement adv. En sixième lieu, dans une énumération: *Sixièmement, pressez le bouton.* ☞ six.

skateboard ☞ sect. anglicismes et canadianismes.

sketch n.m. (angl.) Pièce courte et comique: *Pour la fête, Nadia jouera dans un sketch.* **R.** Au pluriel, *sketches*.

ski n.m. (norv.) **1.** Sport que l'on pratique sur la neige: *Isabelle est allée faire du ski dans les Rocheuses.* **2.** Planche fixée au pied que le skieur utilise pour glisser sur la neige: *Éric veut s'acheter de nouveaux skis.* ⁄⁄ *Ski alpin:* Ski pratiqué sur de hautes pentes. *Ski de fond:* Ski pratiqué sur des parcours à faible dénivellation. *Ski nautique:* Ski pratiqué sur l'eau. ☞ skiable, skier, skieur.

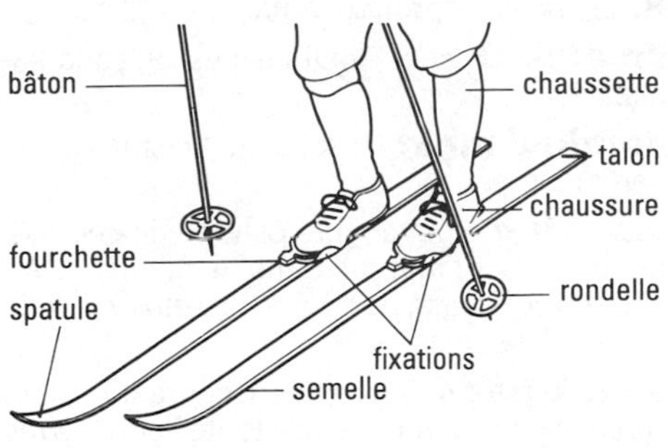

ski (de fond)

skiable adj. Qui est praticable en skis: *Cette piste n'est pas skiable aujourd'hui, elle est trop glacée.* ☞ ski.

skidoo ☞ sect. anglicismes et canadianismes.

skier v. Faire du ski: *Nous irons skier au mont Sainte-Anne.* ☞ ski.

skieur, euse n. Personne qui fait du ski: *Huguette est une excellente skieuse.* ☞ ski.

slalom n.m. (norv.) Épreuve de ski qui consiste à faire de nombreux virages afin de passer par des portes délimitées par des piquets plantés dans la neige: *Au slalom géant, le skieur canadien s'est classé troisième.*

slave n. et adj. **1.** n. Personne qui appartient aux peuples d'Europe centrale et orientale dont les langues ont des ressemblances: *Un Slave, une Slave.* **2.** adj. Qui appartient aux peuples d'Europe centrale et orientale dont les langues ont des ressemblances: *On prête traditionnellement le charme slave aux Russes.* **R.** On met la majuscule à *slave* lorsque le nom désigne une personne.

slave n.m. Groupe de langues parlées en Europe centrale et orientale, de même qu'en U.R.S.S.: *Il existe plusieurs langues slaves, dont le polonais, le tchèque et le russe.*

slip n.m. (angl.) Culotte que l'on porte comme sous-vêtement ou comme vêtement de bain: *Réginald a acheté un slip pour son neveu.* **R.** Le *p* se prononce.

sloche ☞ sect. anglicismes et canadianismes.

slogan n.m. (écossais) Phrase courte et originale utilisée en publicité, en politique pour propager une opinion: *Les manifestants marchaient dans les rues et criaient à tue-tête leur slogan.*

slow n.m. (angl.) Danse lente où les partenaires enlacés dansent à pas glissés sur une musique à deux ou quatre temps: *Elle l'invita sur la piste pour danser un slow langoureux.* **R.** Le *w* ne se prononce pas.

smatte ☞ sect. anglicismes et canadianismes.

smoked meat ☞ sect. anglicismes et canadianismes.

smoking n.m. (angl.) Costume de cérémonie porté par l'homme dans une soirée: *Plusieurs messieurs portaient le smoking à la soirée dansante.*

snack-bar n.m. (angl.) Restaurant où l'on sert des plats rapidement, à toute heure: *Dans le vocabulaire de la restauration, au Québec, on emploie de plus en plus le mot «casse-croûte» à la place de «snack-bar».* **R.** Au pluriel, *snack-bars*. L'O.L.F. recommande d'utiliser le mot *casse-croûte* plutôt que d'employer l'anglicisme «snack-bar».

snob n. et adj. (angl.) **1.** n. Personne prétentieuse qui adopte les manières, les opinions des gens distingués de la haute société: *Josette est une snob!* **2.** adj. Qui est prétentieux, qui manque de simplicité: *Son amie est snob, elle nous regarde de haut.* **R.** Le *b* se prononce. ☞ snober, snobisme.

snober v. Traiter quelqu'un ou quelque chose avec mépris en le rejetant d'un air supérieur: *Il n'a pas arrêté de nous snober tout au long de la soirée.* ☞ snob.

snobisme n.m. Comportement de la personne qui utilise les airs, les manières distinguées de la haute société: *Le snobisme de cet homme le rend ridicule.* SYN. affectation. ANT. simplicité. ☞ snob.

sobre adj. **1.** Qui mange et boit avec modération: *Carmen est une femme sobre.* ANT. gourmand. **2.** Qui boit peu ou ne boit pas de boissons alcoolisées: *Jean est demeuré sobre à cette fête.* **3.** Qui fait preuve de simplicité: *L'appartement de Gisèle est très sobre.* ☞ sobrement, sobriété.

sobrement adv. D'une manière sobre, avec retenue: *Il faut boire sobrement si l'on conduit sa voiture.* ☞ sobre.

sobriété n.f. **1.** Comportement d'une personne qui boit et mange avec modération: *Au volant d'une automobile, il est nécessaire de faire preuve de sobriété.* SYN. frugalité, retenue. ANT. intempérance. **2.** Qualité de ce qui est simple, sans ornement superflu: *La sobriété de ce décor me plaît beaucoup.* ANT. excès. ☞ sobre.

sobriquet n.m. Surnom familier donné à quelqu'un par moquerie ou affection: *«Yoyo» est le sobriquet de mon jeune frère.* SYN. qualificatif.

soc n.m. Lame en fer ou en acier, fixée au bout de la charrue, qui retourne la terre: *Le soc de la charrue ouvre et découpe la terre en bande.*

soccer n.m. (angl.) Au Canada, sport qui met en opposition deux équipes de onze joueurs qui tentent de faire entrer un ballon rond dans le but de l'adversaire, en utilisant toutes les parties du corps sauf les bras et les mains: *Il est très agréable d'assister à un match de soccer.* SYN. football. **R.** En Europe, on dit *football*.

sociabilité n.f. Qualité d'une personne qui aime la compagnie d'autres personnes: *La sociabilité est une qualité importante pour une vendeuse.* ☞ sociable.

sociable adj. Qui aime, recherche la compagnie de ses semblables: *Jonathan est entouré d'enfants, c'est un garçon très sociable.* SYN. accommodant, agréable, aimable. ANT. farouche, insociable. ☞ insociable, sociabilité.

social n.m. Ensemble des questions et des actions qui touchent l'amélioration de la vie et du travail des membres de la société: *Le social est en tête des préoccupations de ce gouvernement.*

social, ale, aux adj. **1.** Qui se rapporte à la société, au rapport des individus entre eux: *Dans ce quartier de la ville, il y a une vie sociale intense.* ANT. individuel. **2.** Qui concerne les rapports entre les divers groupes de la société: *Il faut réagir, il y a de trop fortes inégalités sociales!* **3.** Qui est relatif à l'organisation de la société en groupes: *Il n'est pas question que je reste toute ma vie au bas de l'échelle sociale.* ⁄⁄ *Bien-être social:* Aide matérielle que le gouvernement donne aux plus démunis de la société. *Classe sociale:* Chacune des divisions de la société qui regroupe les individus ayant les mêmes intérêts et les mêmes moyens financiers. ☞ socialement.

▲ **social, ale, aux** adj. Qui est relatif à une société commerciale ou industrielle: *Le siège social de cette banque est situé à Montréal.* ☞ société.

socialement adv. Relativement à la société, à l'ordre social, aux rapports entre les classes sociales: *Ces groupes de personnes sont socialement différents.* ☞ social.

socialisme n.m. Doctrine qui dénonce les inégalités sociales et qui place l'intérêt collectif au-dessus des intérêts particuliers: *Le socialisme se pratique dans plusieurs pays d'Europe.* ☞ socialiste.

socialiste n. et adj. **1.** n. Personne qui est partisane du socialisme, d'une doctrine qui dénonce les inégalités sociales: *Les socialistes croient au partage de la richesse.* **2.** adj. Qui se rapporte au socialisme: *L'U.R.S.S. est un pays socialiste.* ☞ socialisme.

société n.f. **1.** Communauté humaine: *Les relations entre les individus d'une même société ne sont pas simples à comprendre.* SYN. collectivité. **2.** Ensemble d'animaux vivant en groupes: *Les abeilles et les fourmis vivent en société.* **3.** Réunion de personnes qui entretiennent des relations mondaines: *Je ne connais pas les usages de la bonne société, de tout ce beau monde rempli d'argent.* ⁄⁄ *Jeu de société:* Jeu dont le but est de distraire dans les réunions amicales. ▲ **société** n.f. **1.** Groupe de personnes liées par une activité commune ou des intérêts communs: *J'ai décidé de m'inscrire comme bénévole à la société pour vaincre le cancer.* **2.** Entreprise dans laquelle deux ou plusieurs personnes regroupent leurs biens et leur travail en vue de réaliser des bénéfices: *Mon père et ses frères ont fondé une société d'élevage de bovins.* SYN. compagnie, coopérative. ☞ social.

socioculturel, elle adj. Qui est relatif à la fois à une société et à la culture qui lui est propre: *Je participe régulièrement aux activités socioculturelles proposées par la ville.* **R.** Aussi, *socio-culturel* et, au pluriel, *socio-culturels*.

socio-économique adj. Qui touche le domaine social et le domaine économique, ou leurs relations: *Les gens de même niveau socio-économique habitent dans ce quartier.* **R.** Au pluriel, *socio-économiques*.

sociologie n.f. Étude scientifique de la formation et du fonctionnement des sociétés humaines: *Ma tante suit des cours de sociologie.* ☞ sociologue.

sociologue n. Personne spécialisée en sociologie, qui étudie la formation et le fonctionnement des sociétés humaines: *À la conférence sur l'environnement, j'ai entendu un sociologue.* **R.** Ne pas oublier le *u* après le *g*. ☞ sociologie.

socle n.m. (it.) Base supportant une statue, une colonne, un appareil: *Le socle est solide, il supporte facilement cette statue.* SYN. base, fondation, piédestal.

socquette n.f. Chaussette courte s'arrêtant à la cheville: *J'ai acheté des socquettes roses.* **R.** S'écrit avec un *c* et deux *t*.

soda n.m. (angl.) Boisson gazeuse à laquelle on a ajouté du sirop de fruits: *Un soda au citron me désaltère beaucoup.*

soda à pâte ☞ sect. anglicismes et canadianismes.

sœur n.f. **1.** Personne de sexe féminin qui a le même père et la même mère qu'une autre personne: *Jérémie a trois sœurs.* **2.** Titre donné à une femme qui appartient à une communauté religieuse: *Dans ce couvent, les sœurs sont enseignantes.* ⁄⁄ *Sœur aînée:* Sœur plus âgée. *Sœur cadette:* Sœur plus jeune. ☞ demi-sœur, sœurette.

sœurette n.f. Petite sœur, terme témoignant de l'affection: *J'ai embrassé ma sœurette avant d'aller dormir.* ☞ sœur.

sofa n.m. (arabe) Canapé rembourré avec dossier et accoudoirs: *Plusieurs personnes peuvent s'asseoir sur le sofa.*

soi pron.pers. Pronom personnel de la troisième personne du singulier, se rapportant à un sujet indéterminé: *Dans la vie, c'est chacun pour soi.* HOM. soie, soit. ⁄⁄ *Cela va de soi:* C'est évident, c'est naturel. *Soi-même:* Personnellement.

soi-disant adj.invar. Qui prétend, se dit être telle ou telle chose: *Ton soi-disant beau-frère n'est pas encore arrivé?* **soi-disant** loc.adv. Selon ce que telle personne prétend: *Il a téléphoné, soi-disant pour te parler.*

soie n.f. **1.** Substance sécrétée sous forme de fil fin et brillant par certaines chenilles et diverses araignées: *On ne produit pas de soie au Canada.* **2.** Étoffe faite avec cette matière: *Mon chemisier est en pure soie.* **3.** fig. Chose qui est douce, fine, brillante comme les fils de soie: *Tes cheveux sont doux comme de la soie.* ⁄⁄ *Papier de soie:* Papier fin, translucide. ☞ soierie, soyeux. ▲ **soie** n.f. Poil long et rude de certains animaux comme le porc et le sanglier: *J'utilise un pinceau en soie de sanglier.* HOM. soi, soit.

soierie n.f. **1.** Tissu fait seulement avec de la soie, fil fin et brillant sécrété par certaines chenilles et diverses araignées: *Cette usine se spécialise dans la confection de la soierie.* **2.** Industrie et commerce de la soie: *Les soieries de Lyon sont renommées.* ☞ soie.

soif n.f. **1.** Besoin de boire qu'éprouve l'organisme: *J'ai soif! Peux-tu me donner un verre d'eau?* **2.** Besoin passionné et ardent: *Jusqu'où le mènera cette soif de vaincre?* SYN. ambition, avidité, désir. ⁄⁄ *Rester sur sa soif:* N'être pas totalement satisfait. ☞ assoiffé, assoiffer.

soigner v. **1.** S'occuper du bien-être de quelqu'un ou du bon état de quelque chose: *Soigne bien ta santé!* **2.** Donner les soins nécessaires à un malade: *L'infirmière soigne le blessé.* ANT. maltraiter. **3.** S'appliquer à quelque chose: *Denise soigne son écriture.* SYN. fignoler, raffiner. ANT. négliger. ☞ soin. **se soigner** v.pron. S'occuper de son corps, de son bien-être: *Si je veux demeurer jeune, il faut que je soigne mon corps.* **soigné, ée** p.p. et adj. Qui est fait avec soin: *Tu ne peux pas faire autrement que de me remettre un travail soigné.*

soigneur n.m. Celui qui s'occupe des soins à donner à un sportif: *Le soigneur est venu au secours de la marathonienne.* ☞ soin.

soigneusement adv. D'une manière très soignée, avec application: *Je fais soigneusement mon lit.* ☞ soin.

soigneux, euse adj. **1.** Qui apporte beaucoup de soin, d'application à ce qu'il ou ce qu'elle fait: *C'est une élève très soigneuse.* SYN. appliqué, minutieux. ANT. indifférent, insouciant, négligent. **2.** litt. Qui est exécuté de façon sérieuse, avec méthode: *Ton travail est peu soigneux, tu devras le refaire.* ☞ soin.

soin n.m. **1.** Application que l'on apporte à faire quelque chose: *Mon père tricote avec soin.* SYN. attention, sérieux. ANT. négligence. **2.** Travail dont on est responsable: *Je lui ai confié le soin de mes plantes.* SYN. charge, responsabilité. **3.** plur. Actions par lesquelles on veille au bien-être de quelqu'un, au bon état de quelque chose: *L'esthéticienne veille aux soins de la peau.* **4.** plur. Moyens par lesquels on soigne un malade: *J'ai reçu les premiers soins tout de suite après mon accident.* ⁄⁄ *Être aux petits soins pour quelqu'un:* S'occuper attentivement de quelqu'un. *Prendre soin de quelqu'un ou de quelque chose:* Bien s'occuper de quelqu'un, de quelque chose. ☞ soigner, soigneur, soigneusement, soigneux.

soir n.m. **1.** Déclin et fin du jour: *Il faut allumer les lampadaires dès que le soir tombe.* ANT. matin. **2.** Partie de la journée comprise entre la fin du jour et le début de la nuit: *Nous irons souper au restaurant dimanche soir.* ☞ soirée.

soirée n.f. **1.** Durée du temps compris entre la fin du jour et le moment où l'on se couche: *Gervais travaille souvent en soirée.* SYN. veillée. ANT. matinée. **2.** Réception, fête donnée après le repas du soir: *La soirée de clôture aura lieu à la fin de mai.* ⁄⁄ *Robe, tenue de soirée:* Vêtements élégants portés surtout le soir. ☞ soir.

soit conj. et adv. **1.** conj. L'un ou l'autre: *Tu peux choisir soit le livre, soit le crayon.* **2.** conj. C'est-à-dire: *Elle a sauté du toit de la maison, soit cinq mètres.* **3.** conj. Étant donné: *Soit deux droites parallèles.* **4.** adv. Admettons: *Tu as été le meilleur coureur, soit, et tu t'es rendu malade.* HOM. soi, soie. ⁄⁄ *Eh bien soit!:* C'est d'accord. **R.** Le *t* se prononce devant une voyelle ou un *h* muet. **soit que** loc.conj. L'un ou l'autre: *Soit que vous restiez, soit que vous partiez.* tant **soit peu** loc.adv. Un petit peu, très peu: *J'ai un tant soit peu confiance en vous.*

soixantaine n.f. **1.** Groupe de soixante unités ou quantité voisine de soixante: *Il y a une soixantaine de personnes dans l'autobus.* **2.** Âge d'à peu près soixante ans: *Il n'est pas très loin de la soixantaine.* ☞ soixante.

soixante n.m.invar. Nombre qui suit cinquante-neuf: *Cinquante plus dix égalent soixante.*

soixante adj.num.invar. **1.** Six fois dix: *Il y a soixante minutes dans une heure.* **2.** Soixantième: *Je suis rendue à la page soixante de mon livre.* ☞ soixantaine, soixante-dix, soixante-dixième, soixantième.

soixante-dix n.m.invar. Nombre qui suit soixante-neuf: *Soixante plus dix égalent soixante-dix.* ☞ soixante.

soixante-dix adj.num.invar. **1.** Sept fois dix: *Dans ce manège, il y a soixante-dix wagons.* **2.** Soixante-dixième: *Il y a une erreur à la page soixante-dix de cet album. Qui peut la trouver?* ☞ soixante.

soixante-dixième n. et adj.num. **1.** n. Personne, animal ou chose qui occupe le soixante-dixième rang: *Laurier est le soixante-dixième à s'être inscrit.* **2.** n. Partie d'un tout divisé en soixante-dix parties égales: *Le soixante-dixième de cent quarante est deux.* **3.** adj.num. Qui vient après le soixante-neuvième: *Brigitte a eu le soixante-dixième billet.* **R.** Lorsqu'il s'agit de la partie d'un tout, le nom est masculin. ☞ soixante.

soixantième n. et adj.num. **1.** n. Personne, animal ou chose qui occupe le soixantième rang: *Laurent est le soixantième sur la liste d'attente.* **2.** n. Partie d'un tout divisé en soixante parties égales: *Le soixantième de cent vingt est deux.* **3.** adj.num. Qui vient après le cinquante-neuvième: *Aurélia est au soixantième rang.* **R.** Lorsqu'il s'agit de la partie d'un tout, le nom est masculin. ☞ soixante.

soja n.m. Plante grimpante qui ressemble au haricot et qui nous donne de l'huile et de la farine: *Anthonin a mis de l'huile de soja dans sa salade.* **R.** Aussi, *soya*. (*Voir l'illustration à la page suivante.*)

sol n.m. **1.** Surface de la terre, aménagée ou non: *L'hélicoptère s'est écrasé au sol.* **2.** Terrain, surface sur laquelle on marche, on bâtit: *Le sol est trempé, marchons sur le trottoir.* **3.** Terre considérée selon ses qualités productives: *Dans cette région, le sol est riche en calcaire.* HOM. sole.

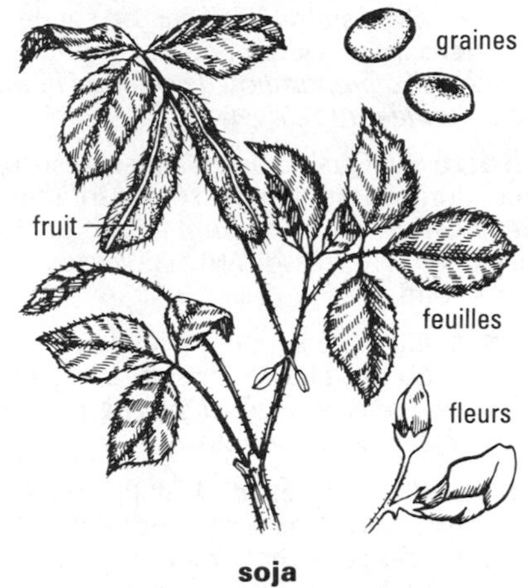

soja

sol n.m.invar. Note de musique: *« Sol » est la cinquième note de la gamme de « do ».* HOM. sole.

solage ☞ sect. anglicismes et canadianismes.

solaire adj. **1.** Qui est relatif au Soleil: *Le système solaire est un ensemble qui comprend le Soleil et les astres qui gravitent autour de lui.* **2.** Qui est relatif à l'énergie qui est fournie par le Soleil: *L'énergie solaire est de plus en plus utilisée pour chauffer les maisons.* **3.** Qui protège du soleil: *Fais attention à ta peau en mettant de la crème solaire.* ☞ soleil.

solarium n.m. Emplacement aménagé pour profiter du soleil: *Par temps ensoleillé, il est agréable de s'asseoir dans le solarium.* **R.** Les lettres *um* se prononcent *omm.* ☞ soleil.

soldat n.m. (it.) Personne entraînée pour défendre son pays: *Beaucoup de soldats meurent à la guerre.* SYN. combattant, guerrier, militaire. ⁄⁄ *Soldat de plomb:* Figurine représentant un soldat. **R.** Le féminin *soldate* est rarement employé.

solde n.f. (it.) **1.** Rémunération attribuée à un militaire: *La lieutenante a touché sa solde.* SYN. paie, traitement. **2.** péj. Manière de désigner une personne qui vend ses services, un espion, un traître: *Cet espion est à la solde d'une puissance ennemie.* ⁄⁄ *Congé sans solde:* Permission de s'absenter accordée à un militaire.

solde n.m. **1.** Somme d'argent disponible: *Quel est le solde de ce relevé bancaire?* **2.** Somme d'argent à payer: *Le solde de ce compte est payable sur réception.* SYN. balance. **3.** Rabais sur le prix initial, articles vendus au rabais: *Pour économiser, j'achète des vêtements en solde, je profite des soldes.* SYN. liquidation. ☞ solder.

solder v. (it.) **1.** Fermer un compte: *Je suis allée à la banque pour solder mon compte.* **2.** Vendre des marchandises au rabais: *En janvier, plusieurs commerçants soldent certains articles.* ☞ solde (n.m.). **se solder** v.pron. **1.** Faire apparaître tel solde, tel montant: *L'exercice financier de cette entreprise se solde par un déficit.* **2.** fig. Avoir pour résultat: *Tes efforts se sont soldés par un échec.*

sole n.f. Poisson de forme allongée très apprécié des gourmets: *Déguster une sole meunière est un délice pour le palais.* HOM. sol.

soleil n.m. **1.** Astre du jour qui fournit lumière et chaleur à la Terre: *Cette astronome nous précise la distance qui existe entre la Terre et le Soleil.* **2.** fig. Joie et bonheur provoqués par un événement: *Des parents considèrent leur enfant comme le soleil de leur vie.* ⁄⁄ *Coup de soleil:* Légère brûlure causée par une exposition prolongée au soleil. *Il fait soleil:* Il fait beau temps. *Lunettes de soleil:* Verres teintés qui filtrent la lumière du soleil. **R.** On met la majuscule à *soleil* lorsqu'il s'agit de l'astre. ☞ ensoleillement, ensoleiller, solaire, solarium.

solennel, elle adj. **1.** Qui est célébré avec faste, avec pompe: *Une fête solennelle a été organisée en son honneur.* ANT. intime. **2.** péj. Qui est d'une gravité exagérée: *Ne prends pas ce ton solennel, on dirait qu'il est arrivé quelque chose de grave.* SYN. affecté. **R.** Le *e* de la deuxième syllabe se prononce *a.* ☞ solennellement, solennité.

solennellement adv. **1.** D'une manière solennelle, avec pompe: *Nous avons inauguré solennellement cette nouvelle construction.* **2.** D'une manière publique: *Lors de cette cérémonie, cette ministre s'est engagée solennellement à poursuivre les démarches.* **R.** Le *e* de la deuxième syllabe se prononce *a.* ☞ solennel.

solennité n.f. **1.** Célébration solennelle d'un événement important souligné avec faste: *Beaucoup de solennité se dégage des cérémonies religieuses.* SYN. apparat, formalité, pompe. ANT. simplicité, sobriété. **2.** péj. Caractère de ce qui est d'une gravité exagérée: *Tu as l'air un peu ridicule lorsque tu parles avec solennité.* **R.** Le *e* de la deuxième syllabe se prononce *a.* ☞ solennel.

solfège n.m. (it.) Théorie musicale expliquant notes, portée, clés et autres règles harmoniques: *L'étude du solfège est nécessaire pour apprendre à jouer d'un instrument.*

solidaire adj. Qui est uni par un intérêt commun, relié par une affinité ou une nécessité : *Soyons solidaires dans la défense de nos droits et libertés!* SYN. associé. ANT. indépendant. ☞ se désolidariser, solidairement, se solidariser, solidarité.

solidairement adv. D'une manière solidaire, avec le sentiment d'appartenir à un groupe : *Pour atteindre ce but, les coéquipiers doivent travailler solidairement.* ☞ solidaire.

se **solidariser** v.pron. S'unir avec un groupe pour partager un intérêt commun : *Lors de cette grève du transport, les mécaniciens se sont solidarisés avec les chauffeurs.* ANT. se désolidariser. ☞ solidaire.

solidarité n.f. Partage d'une cause, d'une responsabilité entre des personnes : *La solidarité de cette équipe lui a assuré le succès.* SYN. entraide, fraternité. ANT. indépendance. ☞ solidaire.

solide n.m. et adj. **1.** n.m. Forme géométrique à trois dimensions limitée par une surface fermée : *Les polyèdres sont des solides aux formes bizarres et complexes.* **2.** adj. Qui est consistant par opposition à liquide : *Cette malade est incapable d'avaler des aliments solides.* ANT. fluide. ☞ solidifier.

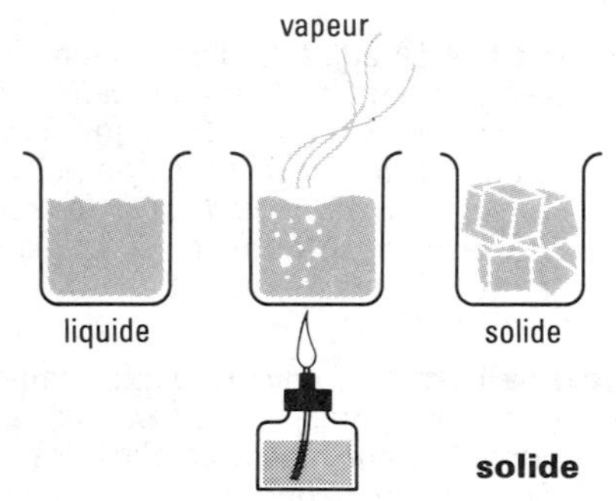

solide

solide adj. **1.** Qui est résistant : *Les fondations de l'édifice sont solides.* SYN. robuste. ANT. fragile. **2.** Qui a une grande endurance et une bonne santé : *Je n'ai pas le foie très solide.* SYN. vigoureux. **3.** fig. Qui est fiable, responsable : *Cette directrice est solide, nous pouvons lui confier cette responsabilité.* SYN. sûr. ☞ solidement, solidification, solidité.

solidement adv. D'une manière solide, fermement : *Ces habitudes sont solidement ancrées dans sa vie.* SYN. fortement. ANT. faiblement. ☞ solide.

solidification n.f. Action de donner une consistance solide ou de devenir solide : *On peut obtenir la solidification d'un corps par le froid.* ANT. liquéfaction. ☞ solide.

solidifier v. Passer d'une consistance liquide à un état solide : *L'eau se solidifie en glace à de basses températures.* SYN. congeler, geler. ANT. fondre, liquéfier. ☞ solide. se **solidifier** v.pron. Devenir solide, prendre de la fermeté : *La préparation de gélatine liquide s'est solidifiée au réfrigérateur.*

solidité n.f. Qualité de ce qui est résistant, ferme, durable ou bien pensé : *La solidité de cette construction en garantit la qualité.* SYN. résistance, robustesse. ANT. faiblesse, fragilité. ☞ solide.

soliste n. (it.) Personne qui joue une pièce musicale ou qui chante en solo, c'est-à-dire seule : *Les gens se sont déplacés pour entendre cette soliste.* ☞ solo.

solitaire n., n.m. et adj. **1.** n. Personne qui aime vivre seule, dans la solitude : *J'aime bien rencontrer des gens, mais je suis quand même un solitaire.* **2.** n.m. Nom donné au sanglier mâle de plus de cinq ans qui vit seul : *Le chasseur a tiré sur un vieux solitaire.* **3.** n.m. Diamant monté seul sur une bague : *Il porte, au doigt, un solitaire de grande valeur.* **4.** adj. Qui aime vivre seul, dans la solitude : *Cette jeune fille solitaire apprécie beaucoup les moments de silence.* SYN. renfermé. ANT. sociable. ☞ solitude.

solitude n.f. État d'une personne qui vit seule, qui a peu de contacts avec les autres : *Ce monsieur préfère la solitude à l'activité des grandes foules.* SYN. isolement. ANT. compagnie, société. ☞ solitaire.

solive n.f. Partie de la charpente d'une construction servant à soutenir le plancher, le plafond : *La construction avance, regardez les solives du plancher inférieur.* ☞ soliveau.

soliveau, eaux n.m. Petite solive, pièce de charpente, utilisée dans certaines constructions : *Le soliveau sera-t-il assez solide?* ☞ solive.

sollicitation n.f. Manière de demander en insistant : *Il est difficile de dire non à toutes les sollicitations.* SYN. requête. ☞ solliciter.

solliciter v. **1.** Demander avec insistance : *Cette vendeuse de chaussures sollicite son client.* **2.** Formuler officiellement une requête : *Je sollicite votre appui lors des élections municipales.* SYN. demander. ANT. obtenir. ☞ sollicitation, solliciteur.

solliciteur, euse n. Personne qui tente d'obtenir une faveur, une permission, une place : *Toute campagne de financement comprend des solliciteurs.* ⁄⁄ *Solliciteur général:* Ministre d'État qui a pour rôle de consulter le gouvernement en matière juridique et de s'occuper de l'administration de la justice. ☞ solliciter.

sollicitude n.f. Gentillesse, amabilité envers des personnes: *Cette réceptionniste nous accueille avec sollicitude.* SYN. affection, intérêt. ANT. dureté, froideur, indifférence.

solo n.m. (it.) Pièce musicale interprétée par un seul musicien ou chanteur: *Au spectacle de Noël, un élève a joué avec brio un solo de piano.* ANT. chœur, ensemble. ☞ soliste.

solstice n.m. Moment de l'année correspondant au jour le plus long, le 21 juin, et au jour le plus court, le 21 décembre: *Des légendes racontent que des aventures mystérieuses se produisent, chaque solstice.*

soluble adj. Qui se dissout dans un liquide: *Le sucre est soluble dans l'eau.* ANT. insoluble. ☞ solution.

solution n.f. **1.** Opération mentale effectuée dans le but de résoudre une question, un problème, de surmonter une difficulté: *La résolution de ce problème comporte plusieurs solutions.* SYN. clé, réponse, résultat. **2.** Ensemble de décisions susceptibles de résoudre une difficulté: *Créer des emplois est une solution au problème du chômage.* **3.** Dénouement d'une situation délicate: *Après de nombreuses discussions, les intervenants se sont entendus pour favoriser cette solution.* ▲ **solution** n.f. Action de dissoudre un solide dans un liquide; mélange obtenu par cette action: *Pour combattre un mal de gorge, il est bon de se gargariser avec une solution salée.* ☞ insoluble, soluble.

solvable adj. Qui peut payer ses dettes: *Après une courte enquête, on a établi qu'elle était solvable et on lui a consenti un prêt.* ANT. insolvable. ☞ insolvable.

solvant n.m. Produit utilisé pour dissoudre des substances: *Ce solvant fera disparaître toute trace de peinture sur le pinceau.*

sombre adj. **1.** Qui est obscur, foncé: *La nuit était sombre, pas une étoile ne brillait dans le ciel.* ANT. éblouissant, éclairé, éclatant. **2.** Qui est de couleur foncée: *L'eau de ce lac est d'un bleu sombre.* **3.** fig. Qui est triste: *Son visage reflétait un sombre pressentiment.* SYN. funeste, inquiétant. ANT. enjoué, joyeux. **4.** fig. Qui est inquiétant: *Mon avenir est sombre.* ⁄⁄ *Visage sombre:* Visage d'une sévérité triste ou menaçante. ☞ assombrir, assombrissement.

sombrer v. **1.** Couler à pic dans l'eau: *Ce bateau a sombré rapidement dans les eaux glacées.* SYN. chavirer. ANT. flotter. **2.** fig. S'enfoncer, se perdre: *J'ai sombré dans une dépression qui dura plus d'un an.*

sombrero n.m. (esp.) Chapeau de feutre mexicain à larges bords: *Les musiciens avaient fière allure coiffés de leur sombrero.* **R.** Le *e* se prononce *é*.

sommaire n.m. et adj. **1.** n.m. Résumé des faits principaux d'un livre, d'une revue, d'un article: *Le sommaire de la table des matières nous renseigne sur les grandes lignes du livre.* **2.** adj. Qui est exposé en peu de mots: *Je vous demande de faire une analyse sommaire de ce film.* SYN. concis. **3.** adj. Qui est fait vitement, en peu de temps: *Tout a été exécuté de façon sommaire.* ☞ sommairement.

sommairement adv. D'une manière brève: *Expliquez-moi sommairement ce problème.* ☞ sommaire.

sommation n.f. Action légale ordonnant à quelqu'un de payer ou de faire quelque chose: *J'ai reçu une sommation de paraître en justice.* ☞ sommer.

somme n.f. **1.** Résultat d'une addition: *Tu n'as qu'à faire la somme de ces deux nombres et tu auras la réponse.* **2.** Addition de choses qui s'ajoutent: *Faire la somme de mes avoirs prendra peu de temps.* SYN. total. **3.** Quantité d'argent: *Arrête de dépenser des sommes folles en pariant aux courses.* en **somme** loc.adv. En conclusion, tout bien considéré: *Ce problème est, en somme, assez difficile.* **somme toute** loc.adv. Après tout: *Tu as fait une sottise qui, somme toute, n'est pas excusable.* ▲ **somme** n.f. Charge, fardeau: *Le chameau et le cheval sont des bêtes de somme.* ⁄⁄ *Travailler comme une bête de somme:* Travailler très durement. **R.** Ne s'emploie que dans l'expression *bête de somme*.

somme n.m. Sommeil habituellement de courte durée: *J'aime bien faire un somme en revenant de mon travail.* SYN. sieste. ☞ sommeil.

sommeil n.m. **1.** État d'une personne qui dort: *La détente la plus naturelle demeure un sommeil réparateur.* SYN. sieste. ANT. éveil, insomnie, veille. **2.** Besoin de dormir: *Je ne tiens plus debout, j'ai trop sommeil.* **3.** Période d'hibernation pour certains êtres vivants: *Le sommeil hivernal de la chauve-souris l'éloigne de nous.* SYN. engourdissement. ANT. activité. ⁄⁄ *Cure de sommeil:* Traitement provoquant un sommeil plus ou moins profond. *Maladie du sommeil:* Maladie contagieuse transmise par un insecte, la mouche tsé-tsé. ☞ demi-sommeil, ensommeillé, somme, sommeiller.

sommeiller v. **1.** Dormir légèrement: *Sur la plage, il nous arrive de sommeiller.* SYN. somnoler. ANT. veiller. **2.** fig. Exister à l'état latent, caché : *Il y a des désirs qui sommeillent en chacun de nous.* ☞ sommeil.

sommelier, ière n. Personne spécialisée dans la connaissance des vins, responsable de la cave des vins : *Cette sommelière joue un rôle important dans la réputation de ce restaurant.* **R.** S'écrit avec un seul *l*.

sommer v. Ordonner à quelqu'un de payer ou de faire quelque chose : *Cette famille a été sommée de quitter le logement qu'elle habitait.* SYN. ordonner, signifier. ☞ sommation.

sommet n.m. **1.** Point le plus élevé de quelque chose : *La croix du mont Royal se dresse au sommet de la montagne.* SYN. faîte, haut. ANT. base, pied. **2.** Degré le plus élevé d'une hiérarchie : *Cette femme se trouve au sommet de sa carrière.* SYN. apogée. ANT. bas. ▲ **sommet** n.m. Conférence réunissant des chefs d'État : *Une conférence au sommet sur l'environnement a eu lieu le mois dernier.* ▲ **sommet** n.m. Intersection de deux côtés d'un angle, d'un polygone : *Le sommet d'un polygone est le point de rencontre de deux côtés consécutifs.*

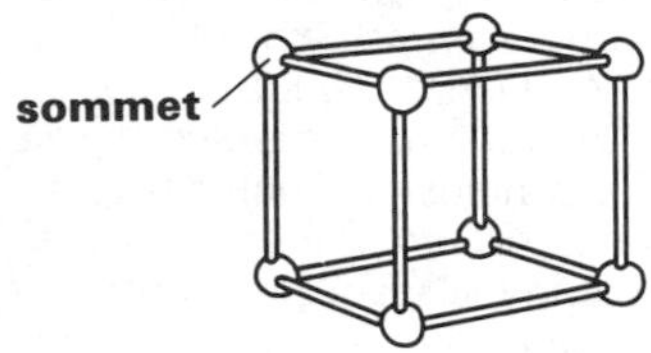

sommier n.m. Base d'un lit, sur laquelle on pose le matelas : *Le sommier peut être constitué d'un cadre en bois ou en métal muni de ressorts ou de lamelles.* **R.** S'écrit avec deux *m*.

somnambule n. et adj. **1.** n. Personne qui se promène, agit et parle durant son sommeil : *Ce garçon est un somnambule qui a besoin de surveillance.* **2.** adj. Qui se lève et fait différentes actions pendant son sommeil : *Ma jeune sœur nous fait rire lorsqu'elle est somnambule.* ☞ somnambulisme.

somnambulisme n.m. État de la personne qui se lève et fait différentes actions pendant son sommeil : *Ses petites crises de somnambulisme nous inquiétaient beaucoup.* ☞ somnambule.

somnifère n.m. Moyen artificiel de provoquer le sommeil : *Lorsqu'il prend le train de nuit, mon cousin prend un somnifère.*

somnolence n.f. État de demi-sommeil : *Quelques heures après l'accident, Ginette souffrait de somnolence.* ☞ somnolent, somnoler.

somnolent, ente adj. Qui est dans un état de demi-sommeil : *Ce médicament me rend somnolent.* ANT. éveillé. ☞ somnolence.

somnoler v. Être dans un état de demi-sommeil : *Après le dîner, j'ai tendance à somnoler.* SYN. sommeiller. ANT. se réveiller. ☞ somnolence.

somptueusement adv. D'une manière somptueuse, luxueuse : *Nous avons été reçu somptueusement par ce millionnaire.* ☞ somptueux.

somptueux, euse adj. Qui est luxueux, d'une richesse inouïe : *Tout était somptueux lors de cette cérémonie.* SYN. fastueux, pompeux, superbe. ANT. humble, modeste, simple. ☞ somptueusement, somptuosité.

somptuosité n.f. Splendeur et richesse : *La somptuosité de cette fête m'a ébloui.* SYN. apparat, faste, luxe, magnificence. ANT. modestie, pauvreté, simplicité. ☞ somptueux.

son n.m. Produit utilisé dans l'alimentation, constitué par l'enveloppe de grains de céréales moulues : *Le son est excellent pour la santé car il contient la plupart des vitamines.* ∥ *Poupée de son :* Poupée de chiffon bourrée en général de sciure. *Taches de son :* Taches de rousseur. ▲ **son** n.m. **1.** Bruit produit par des vibrations : *Cette ingénieure du son joue un rôle important lors de l'enregistrement.* **2.** Élément du langage parlé : *Comme j'aime entendre le son de ta voix!* ☞ insonore, insonorisateur, insonoriser, sonore, sonorisation, sonoriser, sonorité, supersonique, ultra-son.

son, sa, ses adj.poss. Qui est à lui ou à elle ; qui se rapporte à lui ou à elle : *Elle a perdu son cahier, sa règle et ses feuilles de devoirs.* **R.** *Sa* devient *son* devant un mot commençant par une voyelle ou un *h* muet.

son	peut être remplacé par *mon, ton, le, un.*
sont	peut être remplacé par *étaient.*
ses	peut être remplacé par *mes, tes, les.*
ces	peut être remplacé par *ce, cet, cette.*

sonar n.m. (angl.) Équipement de détection sous-marine de haute précision : *Le sonar a détecté la présence de requins.*

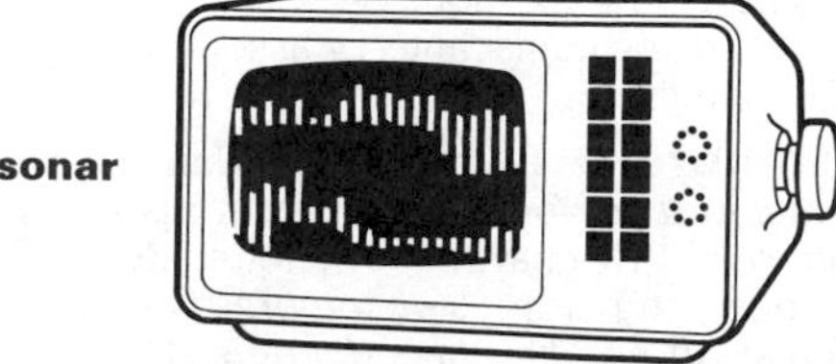

sonate n.f. (it.) Pièce musicale en trois ou quatre mouvements, pour un ou deux instruments: *Cette sonate de Mozart n'est pas facile à jouer.*

sondage n.m. **1.** Recherche et statistiques sur des sujets les plus divers dans le but de connaître l'opinion de la population: *En temps d'élection, les sondages d'opinion influencent-ils l'électorat?* SYN. enquête, investigation. **2.** Exploration en profondeur d'un milieu quelconque, une eau, un sol, à l'aide d'un appareil, une sonde: *Le sondage atmosphérique permet de faire des prévisions plus justes.* ⁄⁄ *Sondage d'opinion:* Recherche effectuée auprès de la population pour connaître leurs opinions sur une question donnée. ☞ sonde.

sonde n.f. Outillage scientifique utilisé pour l'exploration et l'investigation dans plusieurs domaines: *Cette sonde interplanétaire nous fera connaître des nouveaux mondes.* ⁄⁄ *Sonde aérienne* ou *ballon-sonde:* Instrument servant à mesurer les altitudes ou les profondeurs. *Sonde atmosphérique:* Appareil servant à connaître les conditions atmosphériques. *Sonde spatiale:* Engin servant à explorer l'espace. ☞ insondable, sondage, sonder.

sonder v. **1.** Rechercher, à l'aide d'une sonde, des renseignements atmosphériques, spatiaux, médicaux ou autres: *Cette équipe de recherche sous-marine sonde les profondeurs de l'océan.* SYN. explorer, fouiller, mesurer. **2.** fig. Chercher à deviner les intentions, l'état d'esprit de quelqu'un: *Pour connaître à l'avance sa décision, j'ai sondé son cœur.* **3.** Soumettre des personnes à un sondage d'opinion: *En temps d'élection, on sonde fréquemment la population pour connaître ses intentions de vote.* ☞ sonde.

songe n.m.litt. Rêve dont on tire des présages: *J'ai fait un songe étrange sur mon avenir.* ☞ songer.

songer v. **1.** Arrêter ses pensées sur un sujet; laisser vagabonder son esprit: *Il regardait par la fenêtre et songeait à la liberté.* SYN. rêver. **2.** Envisager: *Je songe à acheter un baladeur.* SYN. projeter. ☞ songe, songerie, songeur.

songerie n.f. Rêverie à laquelle on s'abandonne: *Je retrouve souvent mon amie dans une songerie.* ☞ songer.

songeur, euse adj. Qui est porté à la rêverie, qui est absorbé dans une préoccupation: *Ce grand projet le laisse songeur.* SYN. préoccupé, soucieux. ☞ songer.

sonnaille n.f. Clochette placée autour du cou d'un animal: *Pour retrouver son troupeau, la bergère écoute les sonnailles.* ☞ sonner.

sonné, ée adj. **1.** Qui est annoncé par les cloches, par une sonnerie: *Il est midi sonné.* **2.** fam. Qui est fou à lier, cinglé: *Elle doit être sonnée pour agir ainsi.* HOM. sonner. ☞ sonner.

sonner v. **1.** Rendre un son, retentir sous l'effet d'un choc: *Les cloches sonnent, il est l'heure d'aller dîner.* SYN. carillonner. **2.** Faire fonctionner une sonnerie pour se faire ouvrir, pour appeler ou pour prévenir: *On sonne à la porte, peux-tu aller ouvrir?* **3.** fig. Être agréable à entendre, en parlant d'un mot ou d'une expression: *Cette phrase sonne bien.* **4.** fam. Assommer, étourdir: *La nouvelle que tu lui as apprise l'a complètement sonné.* HOM. sonné. ⁄⁄ *Sonner faux, juste:* Donner une impression de fausseté, de vérité. ☞ sonnaille, sonné, sonnerie, sonnette.

sonnerie n.f. **1.** Bruit produit par un appareil qui sonne: *La sonnerie du téléphone est étourdissante.* **2.** Mécanisme qui permet à une horloge, une pendule de sonner: *Il faudrait que je répare la sonnerie de ce réveil avant demain matin.* ☞ sonner.

sonnet n.m. Poème de quatorze vers dont deux strophes de quatre vers et deux strophes de trois vers, composé selon des règles bien précises: *Ce joli sonnet sur le printemps a été mis en musique.*

sonnette n.f. Instrument qui déclenche une sonnerie: *Appuyez le doigt sur la sonnette jusqu'à ce qu'on réponde.* ☞ sonner.

sonore n.f. et adj. **1.** n.f. Consonne qui est produite par des vibrations du larynx: *La professeure nous exerce à bien prononcer les «b», les «d», les «n» et les «z», qui sont des sonores.* **2.** adj. Qui résonne fort: *Comme ta voix est sonore, j'ai pu te repérer de l'autre côté de la salle.* ANT. silencieux, sourd. **3.** adj. Qui a rapport au son, au bruit produit par des vibrations: *Les effets sonores qui accompagnent les images de ce film sont magnifiques.* ☞ son.

sonorisation n.f. Ensemble des appareils utilisés pour sonoriser un lieu, permettant la diffusion du son dans ce lieu: *La sonorisation de cette salle de spectacle est parfaite.* ☞ son.

sonoriser v. **1.** Ajouter du son à des images, à un film: *On a sonorisé ce film muet.* **2.** Doter un lieu de matériel de diffusion du son: *Cette salle serait idéale pour donner des spectacles, il faudrait la sonoriser.* ☞ son.

sonorité n.f. **1.** Qualité du son: *Cette radio a une belle sonorité.* **2.** Qualité d'un local au point de vue de la propagation du son: *Nous devrions choisir cette salle de concert à cause de sa très bonne sonorité.* SYN. acoustique. ☞ son.

sophistiqué, ée adj. **1.** Qui est très raffiné, parfois à l'excès: *Ce mannequin sophistiqué fait la première page de cette revue de mode.* **2.** Qui est très perfectionné, complexe: *C'est une technologie hautement sophistiquée.* **R.** Les lettres *ph* se prononcent *f*.

soporifique n.m. et adj. **1.** n.m. Substance qui provoque le sommeil: *Cette patiente s'endort seulement après avoir pris un soporifique.* SYN. somnifère. **2.** adj. Qui provoque le sommeil: *Ce médicament a des propriétés soporifiques.* **3.** adj.fig. Qui provoque l'ennui: *Ce cours de sciences est soporifique.*

soprano n.m. et n. (it.) **1.** n.m. Voix qui a le registre le plus élevé: *Quelle belle voix de soprano.* **2.** n. Personne qui possède cette voix: *Ce soprano entreprend une carrière internationale.*

sorbet n.m. Mets glacé à base de jus de fruits qui ne contient ni lait ni crème: *Un sorbet au citron facilite la digestion.* ☞ sorbetière.

sorbetière n.f. Appareil avec lequel on prépare les glaces et les sorbets: *Nous allons utiliser la sorbetière pour préparer une glace aux fraises.* ☞ sorbet.

sorbier n.m. Arbre fruitier décoratif qui produit des fruits comestibles qui ressemblent à des poires: *Les oiseaux se nourrissent des fruits du sorbier.*

sorcellerie n.f. Ensemble de pratiques magiques, étranges et inexplicables: *Les histoires de sorcellerie sont fascinantes.* **R.** S'écrit avec deux *l*. ☞ sorcier.

sorcier, ière n. Personne qui a des pouvoirs magiques pour guérir ou accomplir des actions étranges: *Dans cette communauté, le sorcier soignait les maladies de l'âme et les maladies du corps.* ☞ sorcellerie.

sordide adj. **1.** Qui est répugnant, abject: *Ce crime sordide ne doit pas rester impuni.* SYN. dégoûtant. **2.** fig. Qui est honteux, bassement intéressé: *Tu es un égoïste sordide.* ANT. désintéressé.

sorgho n.m. (it.) Plante des pays chauds, appartenant à la famille des graminées: *Une variété de sorgho est utilisée comme céréale en Afrique et en Asie.* **R.** Aussi, *sorgo*.

sornette n.f. Plaisanterie absurde, inventée par une imagination débordante: *N'écoutez pas ces sornettes, ce sont des histoires à dormir debout.* SYN. baliverne. **R.** S'emploie surtout au pluriel.

sort n.m. **1.** Destinée des êtres: *On ne peut échapper au sort, croyait-il.* SYN. fatalité. **2.** Choix fait par hasard: *La gagnante sera tirée au sort.* ▲ **sort** n.m. Effet de sorcellerie dont on peut être l'objet: *Dans ce conte, la sorcière a jeté un sort à la grenouille.* HOM. saur. ☞ sortilège.

sortable adj. Qui est présentable: *Change de vêtements, tu n'es vraiment pas sortable.* SYN. convenable. ☞ sortir.

sortant, ante n. et adj. **1.** n. Au Canada, élève qui termine ou qui a terminé un programme d'études: *Cette année, les sortantes de cette école secondaire sont moins nombreuses que l'an passé.* **2.** adj. Au Canada, se dit d'un élève qui termine ou qui a terminé un programme d'études: *Ce collège voit au placement des élèves sortants.* **3.** adj. Qui n'est plus représentant d'un comité, d'une association, dont le mandat est terminé: *Cette présidente sortante ne se présentera pas à l'élection.* **4.** adj. Qui se produit par le fait du hasard: *Le numéro sortant de cette loterie fera un millionnaire comblé.* ☞ sortir.

sorte n.f. Catégorie d'êtres, de choses: *Au marché aux puces, on vend toutes sortes d'objets.* SYN. espèce, genre. ⁄⁄ *Une sorte de:* Expression utilisée pour rapprocher une chose que l'on ne peut qualifier exactement d'une autre chose. de la **sorte** loc.adv. De cette façon: *En agissant de la sorte, tu te montres reconnaissante.* de telle **sorte que** loc.conj. De manière que: *Il a écrit de telle sorte que nous pouvons lire de loin.* en quelque **sorte** loc.adv. Pour ainsi dire: *En quelque sorte, tu ne nous appuies pas dans ce projet.*

sortie n.f. **1.** Action de sortir, d'aller dehors: *La sortie des élèves se fera plus tôt que prévu.* **2.** Attaque militaire; attaque verbale virulente et inattendue: *Après le départ de la cliente, le chef de service a fait une sortie.* **3.** Arrivée d'un nouveau produit sur le marché: *Le succès sera immédiat à la sortie de ce nouveau disque.* **4.** Argent dépensé: *Heureusement, les rentrées de cette semaine sont plus élevées que les sorties.* **5.** Activité pour se distraire, pour faire quelque chose: *Quoi de mieux qu'une sortie en plein air par cette belle journée.* SYN. promenade. ⁄⁄ *Sortie de bain:* Vêtement en tissu éponge à porter après le bain. *Sortie des théâtres:* Fin des spectacles. ☞ sortir. ▲ **sortie** n.f. Endroit par où l'on peut quitter un lieu: *La sortie est droit devant vous.* ANT. accès, entrée. ⁄⁄ *Sortie de secours:* En cas d'urgence, porte par où l'on doit évacuer. ☞ sortir.

sortilège n.m. Influence, action qui semble magique : *Méfie-toi des charlatans et de leurs sortilèges !* ☞ sort.

sortir v. **1.** Aller dehors : *C'est une vraie détente pour les élèves de sortir à la récréation.* ANT. entrer. **2.** Aller hors de chez soi pour se distraire : *Grand-mère sort tous les soirs pour danser et s'amuser.* **3.** Commencer à paraître, pousser : *Regarde, il lui est sorti une dent !* **4.** Être présenté au public : *Il ne faut pas rater ce film, il sort la semaine prochaine.* **5.** Se produire au jeu, au tirage : *Cette fois-ci, j'espère que mon numéro va sortir !* **6.** Venir à bout d'une occupation : *Je mérite un repos, car je sors d'un travail difficile.* **7.** Être en dehors de quelque chose : *Ta note de composition française sera faible parce que tu es sorti du thème.* **8.** Avoir son origine, sa source dans quelque chose : *Les mots que tu viens d'entendre sortent directement de mon cœur.* **9.** Avoir été formé quelque part : *Je sors d'une grande école de danse.* ⁄⁄ *Il n'y a pas à sortir de là :* Il faut s'en tenir là. ☞ ressortir, sortable, sortant, sortie. ▲ **sortir** v. **1.** Mener dehors quelqu'un qui ne peut sortir : *Je sors les enfants au parc, je reviendrai dans une heure.* **2.** Mener dehors quelque chose : *Peux-tu sortir cette caisse de ma chambre ?* **3.** pop. Jeter quelqu'un dehors : *Je ne veux plus les voir. Sortez-les immédiatement !* **4.** Tirer quelqu'un d'une situation embarrassante : *Il faut le sortir de là.* ☞ ressortir, sortable. se **sortir** v.pron. Se tirer de quelque chose : *Comment peut-on se sortir de ce mauvais pas ?* au **sortir de** loc.prép. Au moment où l'on quitte, où l'on sort d'un endroit, de quelque chose : *Au sortir de l'été, on pense à l'école.*

S.O.S. n.m.invar. **1.** Signal de détresse émis par un bateau, un avion en danger : *L'avion qui s'est écrasé avait lancé un S.O.S.* **2.** Appel à secourir rapidement des personnes en difficulté : *Plusieurs pays ont répondu aux S.O.S. envoyés à la suite du tremblement de terre.*

sosie n.m. Ressemblance étonnante entre deux personnes : *Tu es le parfait sosie de cette actrice.* **R.** Le second *s* se prononce *z*.

sot, sotte n. et adj. **1.** n. Personne peu intelligente : *Vous agissez comme des sots.* SYN. idiot. **2.** adj. Qui manque d'intelligence : *Quelle réponse sotte à une question pourtant très simple.* SYN. absurde, ridicule. HOM. saut, sceau, seau. ☞ sottement, sottise.

sottement adv. D'une manière idiote, stupide : *Je lui ai répondu sottement que je ne voulais pas.* SYN. bêtement, étourdiment. ☞ sot.

sottise n.f. Façon maladroite, peu intelligente de dire ou de faire les choses : *Quand arrêteras-tu de dire des sottises ?* SYN. bêtise, stupidité. ANT. intelligence. ☞ sot.

sou, sous n.m. Pièce de monnaie : *J'ai mis les sous dans ma tirelire.* HOM. soue, soûl, sous. ⁄⁄ *Économiser sou par sou :* Économiser sur les moindres choses, par petites sommes. *Être près de ses sous :* Être avare ou très économe. *Être sans le sou :* Ne pas avoir d'argent.

soubassement n.m. Base d'une construction : *Les ouvriers travaillent au soubassement de l'édifice.*

soubresaut n.m. Mouvement brutal et imprévu, d'une personne, d'une chose : *À la vue du sang, Jacques eut un soubresaut.* SYN. frisson.

souche n.f. Tronc de l'arbre qui reste en terre une fois que l'arbre a été coupé : *Pour me reposer, je me suis assis sur une souche.* ☞ essouchement, essoucher. ▲ **souche** n.f. Origine d'une famille : *Il faut remonter très loin pour retracer mes ancêtres, notre famille est de vieille souche.*

souci n.m. Inquiétude à cause d'un problème réel ou imaginaire : *Je me fais du souci à son sujet.* SYN. tracas. ANT. plaisir. ☞ insouciance, insouciant, se soucier, soucieux. ▲ **souci** n.m. Plante de jardin de petite taille, à fleurs jaunes ou orangées : *Il ne faut pas confondre les soucis avec les roses.*

se **soucier** v.pron. S'inquiéter, être préoccupé : *Pascale se soucie de son succès sportif.* SYN. se tourmenter. ⁄⁄ *Il s'en soucie comme de l'an quarante, comme de sa première chemise :* Il ne s'en fait pas. ☞ souci.

soucieux, euse adj. Qui est préoccupé : *Lorsque vous avez ce petit air soucieux, quelque chose ne va pas.* SYN. inquiet, songeur. ANT. décontracté. ☞ souci.

soucoupe n.f. Assiette qu'on place sous une tasse : *Quelle jolie collection de soucoupes et de tasses de fantaisie !* ⁄⁄ *Soucoupe volante :* Ovni circulant dans le ciel.

soudain, aine adj. Qui arrive subitement : *Cette mort soudaine nous a causé un grand choc.* SYN. imprévu, instantané, subit. ☞ soudainement.

soudain adv. Aussitôt, tout à coup : *Soudain, l'orage nous surprit en pleine campagne.* ANT. lentement, progressivement.

soudainement adv. D'une manière imprévue, subite : *C'était une belle journée, mais soudainement le vent se leva.* ANT. graduellement, lentement, progressivement. ☞ soudain.

soudanais, aise n. et adj. **1.** n. Personne qui est du Soudan : *Un Soudanais, une Souda-*

naise. **2.** adj. Qui est du Soudan: *La république soudanaise est un État de l'Afrique orientale.* **R.** Aussi, *soudanien, soudanienne.* On met la majuscule à *soudanais* et à *soudanaise* lorsqu'il s'agit du nom.

soude n.f. Carbonate de sodium obtenu par certains procédés: *Dans la plupart des garde-manger, on trouve du bicarbonate de soude.*

souder v. **1.** Assembler des pièces métalliques, spécialement par un procédé de fusion: *Pour utiliser le fer à souder, le technicien porte un masque.* ANT. diviser, séparer. **2.** fig. Créer des liens, unir étroitement: *L'expérience vécue au camp a soudé des amitiés.* ☞ ressouder, soudeur, soudure. **se souder** v.pron. Se réunir pour former un tout: *Pour atteindre cet objectif, il est indispensable que les membres du groupe se soudent.*

soudeur, euse n. Personne qui soude, qui assemble des pièces métalliques, spécialement par un procédé de fusion: *Le métier de soudeuse exige une grande précision dans les gestes.* ☞ souder.

soudure n.f. Opération qui consiste à souder, à assembler des pièces métalliques, spécialement par un procédé de fusion: *Par cette méthode de soudure, les pièces ne pourront plus être désunies.* ☞ souder.

soue n.f. Étable à cochons: *Cette éleveuse entretient une centaine de cochons dans la soue.* HOM. sou, soûl, sous.

souffle n.m. **1.** Air expiré par la bouche en respirant: *Je retiens mon souffle longtemps lorsque je nage au fond de la piscine.* **2.** fig. Force qui inspire: *Cette romancière a beaucoup de souffle.* SYN. inspiration. ⁄⁄ *Avoir le souffle court:* Être vite essoufflé. *Être à bout de souffle:* Être exténué. *Rendre le dernier souffle:* Expirer, mourir. ☞ souffler. ▲ **souffle** n.m. Mouvement de l'air dans l'atmosphère: *Les feuilles de cet arbre s'agitent au moindre souffle.* ☞ souffler.

soufflé n.m. Entremets composé d'une pâte à base de blancs d'œufs qu'il faut manier délicatement et qui doit gonfler à la cuisson: *Le soufflé au citron de mon oncle Yvon ne se dégonfle jamais.* HOM. souffler. ☞ souffler.

souffler v. **1.** Expirer l'air des poumons: *Pierre souffle sur ses mains pour les réchauffer.* **2.** Expirer avec peine: *Dès que je cours un peu, je me mets à souffler.* **3.** Déplacer l'air, produire un courant d'air: *Le vent souffle très fort aujourd'hui.* **4.** fig. Se propager: *Un vent de panique souffle dans la population.* **5.** Expirer pour éteindre quelque chose: *Maryse a soufflé les trois chandelles de son gâteau d'anniversaire.* ⁄⁄ *Ne pas avoir le temps de souffler:* Travailler sans arrêt, avoir besoin d'un court répit. *Souffler comme un bœuf:* Respirer très fort. ☞ essoufflement, essouffler, souffle. ▲ **souffler** v. Faire des ouvrages en soufflant la matière à l'aide d'un tube: *Regarde bien l'ouvrier souffler le verre.* ☞ soufflé, soufflerie, soufflet, souffleur, souffleuse. ▲ **souffler** v. Chuchoter à quelqu'un les mots qui échappent à sa mémoire: *Il est interdit de souffler les réponses pendant l'examen.* HOM. soufflé. ⁄⁄ *Ne pas souffler mot:* Ne rien dire. ☞ souffleur.

soufflerie n.f. Instrument ou ensemble de machines conçu pour produire le vent nécessaire au fonctionnement d'une installation: *Les soufflets de l'orgue forment une soufflerie.* ☞ souffler.

soufflet n.m. Appareil destiné à souffler de l'air pour attiser le feu: *Le fonctionnement du soufflet est simple et efficace.* ☞ souffler. ▲ **soufflet** n.m. Gifle: *Sa joue rouge gardait la marque du soufflet.*

souffleur n.m. Ouvrier qui souffle, qui façonne le verre à chaud: *Ce souffleur a façonné une pièce magnifique en verre.* ☞ souffler.

souffleur, euse n. Personne qui, au théâtre, est chargée de souffler, de chuchoter le texte aux comédiens en cas de perte de mémoire: *Ce souffleur travaille derrière la scène.* ☞ souffler.

souffleuse n.f. Au Canada, chasse-neige muni d'un dispositif particulier qui projette la neige à distance: *Pour enlever toute la neige laissée par cette tempête, il nous faudra utiliser la souffleuse.* ☞ souffler.

souffrance n.f. Douleur physique ou morale qu'on éprouve dans son corps ou dans son âme: *Cette maladie s'accompagne de souffrances intolérables.* SYN. malaise, peine. ANT. bonheur, joie, plaisir. ⁄⁄ *En souffrance:* En suspens. ☞ souffrir.

souffrant, ante adj. Qui fait souffrir, qui rend malade: *Cette jeune fille est souffrante à cause de sa chute.* SYN. indisposé. ☞ souffrir.

souffre-douleur n.m.invar. Personne qui s'attire les mauvais traitements et les plaisanteries de son entourage: *Ce garçon timide est le souffre-douleur de la classe.* ☞ souffrir.

souffrir v. **1.** Avoir des souffrances physiques ou morales: *La perte de son amie la fait souffrir énormément.* SYN. affliger, tourmenter. ANT. jouir. **2.** Endurer, subir, supporter quelque chose d'atroce: *Cette population souffre de la faim, c'est une situation intolérable!* **3.** Être endommagé par quelque chose: *Mon jardin a souffert des pluies abondantes des derniers jours.* **4.** Avoir de l'antipathie, de l'aversion pour quelqu'un ou quelque chose : *Je ne peux souffrir l'odeur du poisson.* **5.** litt. Admettre : *Ce travail ne peut souffrir de retard.* ∥ *Souffrir le martyre :* Avoir mal physiquement, d'une manière insupportable. ☞ souffrance, souffrant, souffre-douleur. se **souffrir** v.pron. Se supporter mutuellement : *Ces élèves ne peuvent se souffrir.*

soufre n.m. et adj.invar. **1.** n.m. Produit chimique que l'on trouve dans des minéraux, des matières organiques, et qui est de couleur jaune clair : *Ces allumettes dégagent une odeur de soufre.* **2.** adj.invar. Qui est de couleur jaune clair, semblable à celle du soufre : *Ce tissu est de couleur jaune soufre.* **R.** S'écrit avec un seul *f.* ☞ soufrer.

soufrer v. Enduire de soufre, produit chimique de couleur jaune clair : *On soufre certains tissus afin de les blanchir.* **R.** S'écrit avec un seul *f.* ☞ soufre.

souhait n.m. Vœux que l'on fait pour soi ou pour les autres : *Je vous offre tous nos souhaits en ce début d'année.* ☞ souhaiter. à **souhait** loc.adv. Conforme à ce que l'on désire : *Même si cette entreprise a connu des débuts difficiles, elle fonctionne maintenant à souhait.*

souhaitable adj. Qui est souhaité, désiré : *Dans l'intérêt de tous, il est souhaitable de s'entendre.* SYN. désirable. ☞ souhaiter.

souhaiter v. Désirer pour soi ou pour les autres la réalisation de quelque chose : *Je vous souhaite beaucoup de chance à la loterie.* ☞ souhait, souhaitable.

souiller v. **1.** Salir, tacher : *J'ai souillé mes vêtements en travaillant dans le jardin.* **2.** fig. Entacher moralement, déshonorer : *L'éclatement en public de ce scandale a souillé l'image de cette femme d'affaires.* ☞ souillure.

souillon n.fam. Personne malpropre, négligée : *Dans ce conte, la princesse était une souillon et dormait près de l'âtre.*

souillure n.f. **1.** Malpropreté, saleté : *Il faudra un nettoyant énergique pour enlever ces souillures.* ANT. propreté. **2.** fig. Tache au niveau moral : *Comment pourra-t-elle effacer de son esprit cette souillure?* ANT. pureté. ☞ souiller.

souk n.m. (arabe) Marché couvert, dans les pays arabes, où l'on circule dans une multitude de ruelles bordées de boutiques, d'ateliers : *Le souk de Marrakech est le lieu de mille spectacles.* **R.** Le *k* se prononce.

soûl, soûle adj. **1.** Qui est ivre d'alcool : *Il est rentré à la maison complètement soûl.* **2.** fig. Qui est repu : *Nous serons soûls de soleil après nos vacances en Floride.* HOM. sou, soue, sous. **R.** Ne pas oublier l'accent : *û*. Aussi, *saoul*. Au masculin, le *l* ne se prononce pas. ☞ dessoûler, soûler.

soulagement n.m. Façon d'adoucir un malaise physique ou une douleur morale : *Le soulagement que lui procurait la présence de ses proches lui était salutaire.* ☞ soulager.

soulager v. Diminuer une souffrance physique ou morale : *Raconter ses malheurs l'a un peu soulagé de sa peine.* SYN. apaiser, calmer. ANT. accabler, aggraver. ☞ soulagement.

soûler v. **1.** Enivrer : *Il soûle son amie en remplissant continuellement son verre.* **2.** fig. Griser : *On l'a soûlé de beaux compliments.* ☞ soûl. se **soûler** v.pron. S'enivrer : *On peut s'amuser sans se soûler.* **R.** Ne pas oublier l'accent : *û*.

soulèvement n.m. Fait de lever à une certaine hauteur : *Le cric sert au soulèvement des voitures.* ANT. affaissement. ☞ soulever. ▲ **soulèvement** n.m. Mouvement de révolte : *Les Patriotes de 1837 ont organisé un soulèvement.* SYN. insurrection. ☞ soulever.

soulever v. Lever à une faible hauteur : *Ma tante soulève le rideau pour surveiller ce qui se passe dans la rue.* ANT. abaisser. ☞ soulèvement. ▲ **soulever** v. **1.** Provoquer la colère : *Ses propos soulèvent l'indignation.* **2.** Inciter à la révolte : *Il faut soulever le peuple contre ces injustices.* **3.** Déclencher un événement : *La sortie de ce livre a soulevé l'enthousiasme du public.* **4.** Exposer quelque chose : *Tu soulèves un problème intéressant.* ☞ soulèvement. se **soulever** v.pron. **1.** Se lever légèrement : *Je ne peux me soulever du fauteuil car je me sens trop faible.* **2.** Se révolter : *Le peuple s'est soulevé contre le dictateur de ce pays.* ANT. se soumettre.

soulèvement soulever

soulier n.m. Chaussure qui couvre le pied totalement ou en partie : *Ses souliers neufs lui faisaient mal aux pieds.*

souligner v. **1.** Tracer une ligne sous un mot, un groupe de mots : *Soulignez les verbes dans ce paragraphe.* **2.** fig. Mettre en évidence un point en particulier : *J'aimerais souligner l'importance de ce que vous venez de dire.* SYN. accentuer.

soumettre v. Mettre dans un état de dépendance ; astreindre à des règles : *Les perdants sont soumis aux règles du jeu.* SYN. assujettir. ANT. affranchir. ☞ insoumis, insoumission, soumis, soumission. ▲ **soumettre** v. Proposer quelque chose au jugement d'un expert, d'un groupe: *Il faudrait soumettre ce problème aux membres de l'association.* **se soumettre** v.pron. Accomplir ce qu'on demande ou exige: *Ce gardien se soumet à tous les caprices des enfants.* SYN. accepter, céder, fléchir, se plier. ANT. refuser, résister.

soumis, ise adj. Qui est obéissant: *Elle a tellement d'autorité que je ne peux qu'être soumis.* SYN. docile. ANT. indiscipliné, récalcitrant. ☞ soumettre.

soumission n.f. Fait d'être disposé à obéir: *La soumission à l'autorité n'est pas toujours facile.* SYN. docilité, obéissance. ANT. désobéissance, insoumission. ☞ soumettre. ▲ **soumission** n.f. État détaillé des travaux à exécuter avec l'estimation des prix, présenté dans le but d'obtenir un contrat: *Le conseil municipal se prononcera mardi prochain sur votre soumission.* SYN. offre.

soupape n.f. Pièce mobile qu'une pression forte peut ouvrir momentanément: *Chaque jour, les soupapes de sécurité sont vérifiées par la technicienne.*

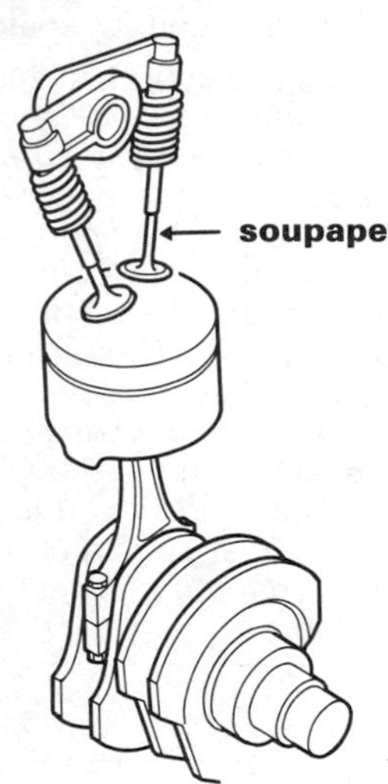

soupçon n.m. **1.** Doute qui plane sur quelqu'un quant à une action malhonnête qu'il aurait commise: *Nos soupçons ne se portent pas sur ce directeur modèle.* SYN. doute, méfiance. ANT. certitude, preuve. **2.** Apparence légère; très petite quantité: *Peux-tu mettre un soupçon de sucre dans mon café?* ⁄⁄ *Être au-dessus de tout soupçon:* Ne peut être soupçonné à cause de son honnêteté. **R.** Ne pas oublier la cédille. ☞ insoupçonnable, insoupçonné, soupçonner, soupçonneux.

soupçonner v. Croire en la culpabilité de quelqu'un: *Il vous faut toutes les preuves avant de soupçonner cette personne.* SYN. suspecter. **R.** Ne pas oublier la cédille. ☞ soupçon.

soupçonneux, euse adj. Qui est méfiant: *Son regard soupçonneux me glace et m'empêche d'être naturelle.* SYN. défiant. ANT. crédule. **R.** Ne pas oublier la cédille. ☞ soupçon.

soupe n.f. Bouillon auquel on ajoute divers aliments, comme des légumes, de la viande, des pâtes: *Pour le dîner, je mange une soupe et un dessert.* ⁄⁄ *À la soupe!:* À table! ☞ soupière.

souper v. **1.** Au Canada et dans certaines régions de la francophonie, prendre le repas du soir: *Allons souper à ce petit restaurant, c'est délicieux!* **2.** Prendre un repas tard dans la soirée, après le spectacle: *Allons souper en face pour parler du spectacle.*

souper n.m. **1.** Au Canada et dans certaines autres régions de la francophonie, repas du soir: *Ce souper de famille fut une réussite.* **2.** Repas pris tard dans la soirée, après le spectacle: *Le souper prévu avec ma famille après le théâtre a été annulé.*

soupeser v. **1.** Évaluer le poids d'un objet en le tenant dans la main: *Ce plat n'est pas en argent, vous n'avez qu'à le soupeser.* SYN. peser. **2.** fig. Évaluer une situation: *En soupesant le pour et le contre, je n'arrive pas à une conclusion.*

soupière n.f. Récipient à deux anses et couvercle dans lequel on sert le potage ou la soupe: *La soupière est sur la table, venez vous servir.* ☞ soupe.

soupière

soupir n.m. Mouvement respiratoire prolongé, occasionné par un état émotif: *La malade inquiète poussait de nombreux soupirs.* ⁄⁄ *Rendre le dernier soupir:* Mourir. ☞ soupirer. ▲ **soupir** n.m. Signe musical appelé «silence» et qui équivaut à la valeur d'une noire: *En répétant votre leçon de solfège, vous avez oublié un soupir.*

soupirail, aux n.m. Ouverture qui fait pénétrer l'air et la lumière dans la cave : *Un rat a disparu par le soupirail.*

soupirant n.m. Amoureux : *Cette gentille amie a plusieurs soupirants.* ☞ soupirer.

soupirer v. Pousser des soupirs, des respirations prolongées : *Il soupire de plaisir en pensant à ce qu'il va faire.* ⁄⁄ *Soupirer pour quelqu'un :* Être amoureux de quelqu'un. ☞ soupir, soupirant.

souple adj. **1.** Qui est flexible : *Ces exercices ont pour but de vous rendre souples.* SYN. agile. ANT. raide. **2.** Qui comprend les autres, s'adapte aux diverses situations : *Il est agréable de travailler avec cette collègue très souple.* SYN. accommodant. ANT. rigide, strict. ☞ assouplir, assouplissement, souplesse.

souplesse n.f. **1.** Aisance, flexibilité dans les mouvements : *Admirez la souplesse de ce gymnaste.* SYN. agilité. ANT. raideur. **2.** Facilité d'adaptation selon les circonstances : *Cet employé accepte avec souplesse les horaires imprévus.* SYN. diplomatie. ANT. intransigeance. ☞ souple.

souque-à-la-corde n.f.invar. Épreuve de force entre deux équipes qui tirent sur un câble : *La souque-à-la-corde est aussi appelée « tire à la corde ».* **R.** Aussi, *souque à la corde.* ☞ souquer.

souquer v. (provenç.) **1.** Serrer fortement un nœud, une amarre : *Les matelots ont souqué l'amarre.* **2.** Tirer fortement sur les avirons, les rames : *Les rameurs ont souqué ferme.* ☞ souque-à-la-corde.

source n.f. **1.** Point précis où l'eau apparaît au niveau du sol : *Cette eau de source est bonne pour la santé.* SYN. fontaine. **2.** fig. Origine, cause de quelque chose : *La source de mon problème est en moi.* **3.** plur. Documents auxquels on se réfère : *J'ai consulté toutes les sources sur ce sujet.*

sourcil n.m. Arc garni de poils qui se trouve au-dessus de l'œil : *Je vais me faire épiler les sourcils dans un institut de beauté.* **R.** Le *l* ne se prononce pas. ☞ sourcilier, sourciller.

sourcilier, ière adj. Qui se rapporte aux sourcils, à ces arcs garnis de poils qui se trouvent au-dessus des yeux : *Ses magnifiques yeux sont rehaussés par une arcade sourcilière bien dessinée.* **R.** S'écrit avec un seul *l*. ☞ sourcil.

sourciller v. Exprimer des sentiments en bougeant les sourcils : *Il n'a pas sourcillé à la lecture de cette mauvaise nouvelle.* **R.** Les lettres *ill* se prononcent comme dans *famille*. ☞ sourcil.

sourd, sourde n. et adj. **1.** n. Personne qui a des difficultés à percevoir des sons ou qui ne les perçoit pas du tout : *Les sourds s'expriment avec des gestes.* **2.** adj. Qui a des difficultés à percevoir des sons ou qui ne les perçoit pas du tout : *Les sons aigus ne sont pas perçus par cette enfant sourde.* **3.** adj.fig. Qui ne veut pas entendre, qui reste insensible : *Notre employeuse est restée sourde à nos demandes syndicales.* ⁄⁄ *Sourd comme un pot :* Complètement sourd. ☞ assourdir, assourdissant, sourd-muet, surdité.

sourd, sourde adj. Qui est peu sonore : *À cause du bruit sourd, je croyais qu'il y avait quelqu'un d'autre dans la maison.* SYN. voilé. ANT. retentissant. ☞ assourdir, sourdement.

sourdement adv. D'une manière sourde, voilée : *Ses pas traînaient sourdement au bout du chemin.* ☞ sourd.

sourdine n.f. (it.) Dispositif qui sert à amortir le son de certains instruments : *Elle a ajouté une sourdine à son violon.* ⁄⁄ *Jouer en sourdine :* Jouer en diminuant l'intensité du son.

sourd-muet n. et adj. **1.** n. Personne qui n'entend pas et ne parle pas : *J'ai étudié le langage des sourds-muets.* **2.** adj. Qui n'entend pas et ne parle pas : *Ces enfants sourds-muets sont muets parce qu'ils sont sourds.* **R.** Au féminin, *sourde-muette*. Au pluriel, *sourds-muets*, *sourdes-muettes*. ☞ sourd.

souriant, ante adj. Qui a le visage gai, le sourire aux lèvres : *Le placeur qui nous accueille est souriant.* ☞ sourire.

souriceau, eaux n.m. Petit de la souris : *J'ai vu passer à grande vitesse un souriceau.* ☞ souris.

souricière n.f. **1.** Piège pour attraper des souris, des souriceaux : *La souricière est en place, les souris s'y feront prendre.* **2.** fig. Piège tendu par la police pour arrêter des criminels : *Une habile souricière a permis de démanteler un réseau de drogues.* ☞ souris.

sourire v. **1.** Rire seulement par un mouvement léger des lèvres et des yeux : *Tu lui souris doucement, puis tu baisses les yeux.* **2.** Plaire, être favorable : *Ce voyage ne me sourit pas beaucoup.* ☞ souriant.

sourire n.m. Rire léger : *Comme tu as un beau sourire !* ⁄⁄ *Garder le sourire :* Rester de bonne humeur malgré une déception.

souris n.f. Mammifère rongeur dont l'espèce la plus commune a un pelage gris et dont le petit est le souriceau : *Cette souris semble inoffensive, et pourtant elle fait peur.* ☞ souriceau, souricière.

sournois, oise adj. Qui agit avec hypocrisie : *Le chat sournois vole la balle au chien.* SYN. dissimulé. ANT. franc. ☞ sournoisement, sournoiserie.

sournoisement adv. D'une manière sournoise, hypocrite : *Ce qu'on vous reproche, c'est d'avoir agi sournoisement.* ☞ sournois.

sournoiserie n.f. Hypocrisie : *Ses camarades de travail ont agi avec sournoiserie.* ANT. candeur, franchise. ☞ sournois.

sous prép. **1.** Indique une position inférieure par rapport à une position supérieure : *J'ai caché le cadeau pour maman sous le lit.* **2.** Indique le temps : *Je reviendrai sous peu.* **3.** Indique la cause : *Cette branche plie sous le poids de la neige.* **4.** Indique le moyen : *Il est défendu de stationner sous peine d'amendes.* **5.** Indique le point de vue : *Regarde bien ce prisme sous toutes ses faces.* **6.** Indique la dépendance : *Je suis sous la responsabilité de ce directeur de projet.* **7.** Préfixe indiquant un état d'infériorité, de moindre importance : *Le sous-comité se réunira bientôt.* HOM. sou, soue, soûl.

sous-alimentation n.f. Insuffisance alimentaire qui peut être dangereuse pour la santé : *La sous-alimentation des futures mères compromet la vie des bébés.* **R.** Au pluriel, *sous-alimentations*. ☞ aliment.

sous-alimenté, ée adj. Qui est victime d'une insuffisance alimentaire : *Il faut procurer de l'aide à ces populations sous-alimentées.* **R.** Au pluriel, *sous-alimentés*, *sous-alimentées*. ☞ aliment.

sous-bois n.m.invar. Végétation abondante qui pousse sous les arbres d'une forêt : *Profitons de la fraîcheur de ce sous-bois.* ☞ bois.

sous-cutané, ée adj. Qui est ou qui se fait sous la peau : *C'est une infection sous-cutanée.* **R.** Au pluriel, *sous-cutanés*, *sous-cutanées*. ☞ cutané.

sous-développé, ée adj. Qui est en voie de développement : *Dans les pays sous-développés, les populations ont de graves problèmes économiques.* **R.** Au pluriel, *sous-développés*, *sous-développées*. ☞ développer.

sous-développement n.m. État précaire d'un pays en développement, dont l'économie est faible : *Ces régions éloignées souffrent du sous-développement des services de santé.* **R.** Au pluriel, *sous-développements*. ☞ développer.

sous-ensemble n.m. Partie d'un ensemble, d'une réunion d'éléments formant un tout : *L'intersection de deux ensembles forme un sous-ensemble.* **R.** Au pluriel, *sous-ensembles*. ☞ ensemble.

sous-entendre v. Dire une chose sans l'exprimer clairement : *Avoir le sourire aux lèvres sous-entend qu'on est de bonne humeur.* ☞ sous-entendu.

sous-entendu n.m. Allusion, insinuation : *Ce sous-entendu me blesse énormément.* **R.** Au pluriel, *sous-entendus*. ☞ sous-entendre.

sous-estimer v. Évaluer quelqu'un ou quelque chose au-dessous de sa valeur : *Vous avez sous-estimé la capacité de votre adversaire.* ANT. surestimer. ☞ estimer.

sous-groupe n.m. Partie d'un groupe, d'un ensemble de personnes, de choses ayant un caractère commun : *Nous formerons des sous-groupes pour étudier les sciences.* **R.** Au pluriel, *sous-groupes*. ☞ groupe.

sous-louer v. **1.** Mettre en location un appartement, un logement dont on est le locataire officiel : *À cause du transfert de ma mère, nous devons sous-louer notre logement.* **2.** Prendre à loyer une partie d'un appartement, d'une maison du locataire principal : *J'ai sous-loué une portion d'un atelier pour y déposer mes outils.* ☞ louer.

sous-main n.m.invar. Accessoire que l'on pose sur un bureau de travail et sur lequel on place le papier pour écrire : *Pour sa promotion, l'éditrice a reçu un magnifique sous-main en cuir.* ☞ main.

sous-main

sous-marin n.m. Bâtiment qui navigue sous l'eau et en surface : *En temps de guerre, le sous-marin est une arme dangereuse.* ☞ marin. ▲ **sous-marin** n.m. Au Canada, baguette de pain remplie de fromage, de charcuterie et de laitue : *Que dirais-tu d'apporter des sous-marins en pique-nique?* **R.** Au pluriel, *sous-marins*.

sous-marin, ine adj. Qui est sous la mer, qui s'effectue dans les profondeurs de l'eau: *Je rêve de faire de la plongée sous-marine dans la mer des Caraïbes.* **R.** Au pluriel, *sous-marins*, *sous-marines*. ☞ marin.

sous-ministre n.m. Au Canada, haut fonctionnaire qui seconde un ministre: *Elle a accédé à un poste de sous-ministre.* **R.** Au pluriel, *sous-ministres*. L'O.L.F. recommande que le nom *sous-ministre* soit aussi employé au féminin. ☞ ministre.

sous-officier n.m. Grade militaire moins élevé que celui d'officier: *Ce sous-officier a de la difficulté à obéir à son supérieur.* **R.** Au pluriel, *sous-officiers*. L'O.L.F. recommande *sous-officière* comme féminin de *sous-officier*. ☞ officier.

sous-produit n.m. **1.** Produit dérivé d'un autre produit: *Le beurre est un sous-produit du lait.* **2.** fig. Mauvaise imitation d'un produit: *L'imitation des vêtements de cette grande couturière donne des sous-produits médiocres.* **R.** Au pluriel, *sous-produits*. ☞ produit.

sous-sol n.m. **1.** Couche du sol située au-dessous de la couche arable: *Le sous-sol est sablonneux à cet endroit.* **2.** Pièces situées au-dessous du rez-de-chaussée: *J'ai ma chambre au sous-sol.* **R.** Au pluriel, *sous-sols*.

sous-titre n.m. Titre secondaire qui vient compléter le titre principal: *L'auteur place le sous-titre de son ouvrage sous ou après le titre principal.* ☞ titre. ▲ **sous-titre** n.m. Traduction résumée des paroles d'un film placée au bas de l'écran: *Ce technicien travaille aux sous-titres de films.* **R.** Au pluriel, *sous-titres*. ☞ sous-titrer.

sous-titrer v. Donner un titre secondaire à un titre principal: *J'ai titré mon livre «Pourquoi s'en faire?» et je l'ai sous-titré en ajoutant: «ou L'art de bien prendre les choses».* ☞ titre. ▲ **sous-titrer** v. Mettre des sous-titres à un film, faire une traduction résumée des paroles d'un film et la placer au bas de l'écran: *Ce film allemand a été sous-titré en français.* ☞ sous-titre.

soustraction n.f. Opération mathématique qui consiste à enlever un nombre d'un autre nombre pour obtenir une réponse: *Tu vois, il est aussi simple d'effectuer des soustractions que d'additionner.* ANT. addition. ☞ soustraire.

soustraire v. Enlever un nombre d'un autre nombre: *Pour réussir ce problème, il faut d'abord soustraire.* ANT. additionner. ☞ soustraction. ▲ **soustraire** v. Dérober quelque chose: *On lui a soustrait des documents importants, il faut les retrouver.* se **soustraire** v.pron. S'affranchir de quelqu'un, de quelque chose: *Je veux me soustraire à cette obligation, et je réussirai.*

sous-vêtement n.m. Vêtement de dessous: *Pour faire du ski, mettez des sous-vêtements chauds.* **R.** Au pluriel, *sous-vêtements*. ☞ vêtement.

soutane n.f. (it.) Longue robe du prêtre: *Aujourd'hui, au Québec, la soutane n'est portée que dans certaines circonstances.* // *Prendre la soutane:* Devenir prêtre.

soutane

soute n.f. **1.** Compartiment à bagages dans un avion: *La bombe était placée dans la soute de l'avion.* **2.** Compartiment d'un navire servant à ranger du matériel divers: *On range dans la soute du combustible, des munitions, des vivres et du matériel.*

soutenable adj. Qui est supportable: *Cette douleur est soutenable malgré les inconvénients.* ANT. insoutenable. ☞ soutenir. ▲ **soutenable** adj. Qui peut être défendable: *Cette cause n'est pas soutenable.* ANT. indéfendable, insoutenable. ☞ soutenir.

soutenir v. **1.** Servir de support: *Ces fondations soutiennent l'édifice.* SYN. maintenir, supporter. **2.** Empêcher quelqu'un de tomber: *Vite, il faut soutenir cette personne, elle va s'évanouir!* **3.** Rendre des forces à quelqu'un: *Cette injection est destinée à soutenir son cœur.* **4.** Apporter du soutien, de l'encouragement: *Ces parents soutiennent leurs enfants dans leurs études.* SYN. aider, assister. ANT. abandonner. **5.** Travailler en faveur de quelqu'un, de quelque chose: *Paul soutient la candidate de ce parti.* **6.** Subir, sans fléchir: *Je suis capable de soutenir le regard de quelqu'un dans n'importe quelle occasion.* ☞ insoutenable, soutenable, soutenu, soutien,

soutien-gorge. ▲ **soutenir** v. Faire valoir qu'une chose est vraie, défendable: *Je vais soutenir mon idée jusqu'au bout devant le comité.* ☞ insoutenable, soutenable. se **soutenir** v.pron. **1.** Se maintenir en position d'équilibre: *Grâce à leurs ailes, les oiseaux se soutiennent en l'air.* **2.** Se prêter assistance: *Nous, on se soutient constamment.* **3.** Être défendu: *Une pareille idée ne peut se soutenir.*

soutenu, ue adj. Qui possède une constance, une régularité: *L'action est soutenue tout au long du film.* SYN. constant. ANT. inconstant, irrégulier. ☞ soutenir.

soutien n.m. **1.** Appui, support: *Pour obtenir ce poste de cadre, j'ai besoin de votre soutien financier.* SYN. appui, assistance. **2.** Personne, groupe qui supporte une cause, un parti: *Cette association est l'un de nos meilleurs soutiens, il ne faut pas le perdre.* ⁄⁄ *Soutien de famille:* Personne qui assure la subsistance d'une famille. ☞ soutenir.

soutien-gorge n.m. Sous-vêtement féminin qui sert à soutenir la poitrine: *Ce soutien-gorge est en coton.* **R.** Au pluriel, *soutiens-gorge.* ☞ soutenir.

soutirer v. Obtenir des informations, des biens en manipulant des gens: *Ce garçon a réussi à soutirer de l'argent à son père encore une fois.* SYN. arracher, extorquer. ANT. rendre, restituer.

souvenir n.m. **1.** Fait de se rappeler: *J'ai conservé le souvenir de cet événement.* **2.** Choses que la mémoire a retenues: *Les souvenirs heureux nous font revivre de bons moments.* **3.** Objet qui rappelle une personne, un événement: *Pauline m'a rapporté un souvenir de son voyage en Chine.* SYN. cadeau.

se **souvenir** v.pron. Rappeler, par la mémoire, des faits, des personnes, des événements, des images de son passé: *Je me souviens comme j'étais impressionnée lors de mes visites à la ferme.* SYN. se remémorer. ANT. oublier.

souvent adv. Fréquemment: *Sylvie a souvent soif.* ANT. rarement.

souverain, aine n. et adj. **1.** n. Personne qui possède l'autorité suprême: *Les souverains de plusieurs pays se réunissent régulièrement.* SYN. monarque, roi. **2.** adj. Qui a l'autorité suprême: *Qui n'a pas rêvé d'un pays où le peuple serait souverain!* ⁄⁄ *Assemblée souveraine:* Assemblée qui juge sans appel. *État souverain:* Pays indépendant dont le gouvernement n'est pas soumis à un autre gouvernement. *Le souverain pontife:* Le pape. ☞ souverainement, souveraineté.

souverainement adv. **1.** D'une manière souveraine, sans appel: *L'assemblée des actionnaires a agi souverainement.* **2.** Extrêmement: *Cette façon d'agir est souverainement injuste.* ☞ souverain.

souveraineté n.f. **1.** Autorité suprême: *En matière de justice, la Cour suprême du Canada a la souveraineté.* **2.** Indépendance absolue d'un pays, d'un État: *Des organisations politiques revendiquent la souveraineté du Québec.* SYN. autonomie. ANT. dépendance, soumission. ☞ souverain.

souvlaki n.m. (grec) Brochette de viande préparée à la façon grecque: *As-tu déjà mangé un souvlaki? Tu devrais l'essayer, la viande est délicieuse!*

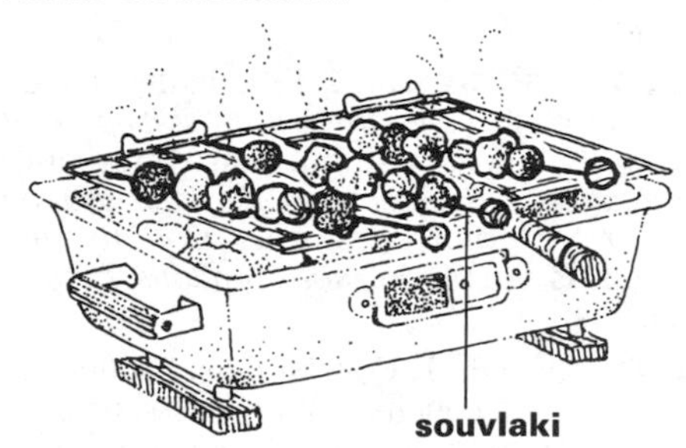

soyeux, euse adj. Qui est d'une grande douceur, qui a l'aspect de la soie: *Cette étoffe soyeuse fera une très jolie blouse.* SYN. brillant, lisse. ANT. rude, rugueux. ☞ soie.

spacieusement adv. D'une manière spacieuse, vaste: *Vous êtes installés spacieusement.* ☞ spacieux.

spacieux, euse adj. Qui est grand, vaste: *Cet appartement est spacieux.* ANT. étroit, petit. ☞ spacieusement.

spaghetti n.m. (it.) Pâte alimentaire très mince qui s'accompagne de sauce: *Le spaghetti se mange croquant.*

spalax n.m.invar. (grec) Petit rongeur, sans queue, à oreilles courtes, à fourrure épaisse: *On trouve le spalax dans certaines régions d'Europe.*

sparadrap n.m. Pansement stérile adhésif: *Préservez cette éraflure par un sparadrap.* **R.** Le *p* final ne se prononce pas.

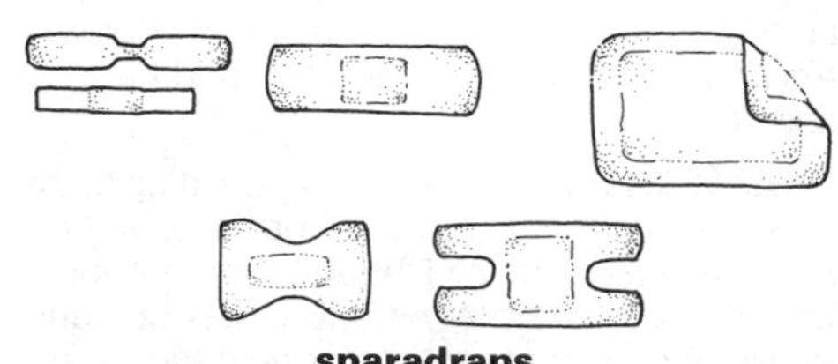

spasme n.m. Contraction musculaire involontaire et subite: *Après une journée stressante, avant de m'endormir, il m'arrive d'avoir des spasmes nerveux.* SYN. crampe, crispation.

spatial, ale, aux adj. Qui se rapporte à l'espace: *La recherche spatiale nous fera découvrir de nouveaux mondes.*

spatule n.f. Outil plat, large ou étroit: *La sculpteure travaille avec une spatule large pour cette œuvre.*

spécial, ale, aux adj. Qui est unique à un groupe, à un événement ou à une personne: *Cette activité spéciale souligne le bénévolat de ces personnes.* SYN. exceptionnel, particulier. ANT. quelconque. ⁄⁄ *Envoyé spécial:* Personne nommée exclusivement pour une mission exceptionnelle. ☞ spécialement.

spécialement adv. **1.** D'une manière particulière: *Je suis spécialement chargé par le groupe de prendre des notes lors de la réunion.* **2.** D'une manière adéquate: *Cette école est spécialement équipée pour des élèves handicapés.* ☞ spécial.

spécialisation n.f. Action d'étudier à fond une science, une technique: *L'informatique est son champ de spécialisation.* ☞ se spécialiser.

se **spécialiser** v.pron. Approfondir ses connaissances dans un domaine scientifique ou technique: *Cette chiropraticienne se spécialise dans les maux de tête.* ☞ spécialisation, spécialiste, spécialité.

spécialiste n. Professionnel qui a acquis une spécialité à cause de ses études, de ses recherches approfondies: *Cet avocat est un spécialiste du droit commercial.* ☞ se spécialiser.

spécialité n.f. **1.** Connaissances approfondies dans un domaine donné: *La civilisation romaine est la spécialité de cette historienne.* SYN. branche. **2.** Production particulière à laquelle se consacre quelqu'un: *Ce mets est une spécialité de ce restaurant français.* ☞ se spécialiser.

spécifier v. Préciser en donnant des détails: *Le médecin a spécifié le moment du retour au travail.* SYN. déterminer, indiquer, mentionner.

spécifique adj. Qui est propre à une espèce, à une chose: *Ce travail spécifique demande beaucoup de dextérité.* SYN. caractéristique, particulier, spécial. ANT. équivoque.

spécimen n.m. (lat.) Représentation d'un exemple, d'un échantillon qui nous fait connaître le tout: *C'est un spécimen de ce nouveau produit.*

spectacle n.m. Représentation au théâtre, au cinéma, en danse: *J'ai assisté au spectacle de ce groupe comique.* ☞ spectaculaire, spectateur.

spectaculaire adj. Qui est frappant: *L'entrée spectaculaire de la vedette donne le ton à la soirée.* SYN. impressionnant, sensationnel. ANT. insignifiant, terne. ☞ spectacle.

spectateur, trice n. Personne qui assiste à un spectacle: *Des milliers de spectateurs ont vu ce film historique.* SYN. auditeur, observateur. ☞ spectacle.

spectre n.m. Revenant: *Le spectre de mon ancêtre a hanté mon sommeil la nuit dernière.* SYN. apparition, fantôme. ▲ **spectre** n.m. Images juxtaposées formant une suite de couleurs: *Les couleurs obtenues par le spectre correspondent à la décomposition de la lumière blanche.*

spéléologie n.f. Science et sport par lesquels on étudie ou explore les cavités naturelles du sol (grottes, cavernes, etc.): *La spéléologie a été fondée à la fin du XIX*[e] *siècle.* ☞ spéléologue.

spéléologue n. Spécialiste de la spéléologie, science et sport par lesquels on étudie ou explore les cavités naturelles du sol: *Je rêve de devenir spéléologue pour explorer les grottes et les cavernes.* **R.** Ne pas oublier le *u* après le *g*. ☞ spéléologie.

spermatozoïde n.m. Cellule de reproduction mâle formée d'un noyau et d'un long filament: *Les spermatozoïdes sont l'élément déclencheur de la reproduction.* **R.** Ne pas oublier le tréma: *ï*. ☞ sperme.

sperme n.m. Liquide blanchâtre sécrété par les glandes génitales mâles: *Le sperme est formé par les spermatozoïdes et des sécrétions.* ☞ spermatozoïde.

spermophile n.m. Rongeur à abajoues qui vit dans un terrier: *Ce spermophile a disparu dans ce trou profond.* **R.** Les lettres *ph* se prononcent *f*.

sphère n.f. Surface formée de points qui sont tous à égale distance du centre; solide déterminé par cette surface: *Vous avez la mesure du rayon, calculez la surface de la sphère.* SYN. boule. ☞ sphérique. ▲ **sphère** n.f. Champ d'activité spécifique: *Son travail dans la sphère domestique n'est pas rémunéré.* SYN. domaine, spécialité. **R.** Les lettres *ph* se prononcent *f*.

sphérique adj. Qui a la forme d'une sphère: *La terre est représentée sous une* *forme sphérique.* **R.** Les lettres *ph* se prononcent *f.* ☞ sphère.

sphère sphérique

sphex n.m.invar. (grec) Insecte à quatre ailes qui paralyse ses proies pour les déposer dans des terriers qu'il a creusés: *Des milliers de sphex travaillent sans qu'on les voie.* **R.** Les lettres *ph* se prononcent *f.*

sphinx n.m.invar. **1.** Héros mythologique ayant un corps de lion, une tête de femme, des ailes et qui posait des énigmes: *Le Sphinx tuait les personnes qui ne résolvaient pas l'énigme.* **2.** fig. Personne qui a une attitude mystérieuse: *Il est impossible de savoir ce que pense cette personne, c'est un vrai sphinx.* **R.** Les lettres *ph* se prononcent *f.* S'écrit avec une majuscule lorsqu'il s'agit du héros mythologique.

sphyrène n.f. Grand poisson de mer: *La sphyrène vit dans la mer des Antilles.* **R.** Les lettres *ph* se prononcent *f.*

spirale n.f. Ligne courbe qui tourne autour d'un point fixe en s'en écartant de plus en plus: *La coquille de l'escargot forme une spirale.* ⁄⁄ *Cahier en spirale:* Ensemble de feuilles retenues par un fil de fer qui forme une spirale. *Escalier en spirale:* Espace restreint où un escalier est placé en colimaçon.

spiritisme n.m. Science occulte basée sur l'existence des esprits: *L'adepte du spiritisme entre en contact avec les esprits des disparus.*

spiritualité n.f. Ordre spirituel des choses, de l'âme, des êtres: *La spiritualité de ses mémoires nous porte à réfléchir sur le sens de la mort.* ☞ spirituel.

spirituel, elle adj. **1.** Qui est de l'esprit, par opposition à la matière: *Cette philosophe réfléchit sur l'aspect spirituel de la vie.* SYN. immatériel. **2.** Qui se rapporte à la morale: *Les valeurs spirituelles de justice et de compassion importent beaucoup pour cette personne.* ☞ spiritualité, spirituellement. ▲ **spirituel, elle** adj. Qui a un esprit fin: *Cette enseignante fait des remarques spirituelles sur tout.* ANT. lourd.

spirituellement adv. D'une manière spirituelle: *Ce livre nous fait progresser spirituellement.* ☞ spirituel.

splendeur n.f. Somptuosité, magnificence: *Les splendeurs des civilisations anciennes ont été proclamées par tous.* SYN. gloire, merveille. ANT. déchéance, déclin, pauvreté. ☞ splendide, splendidement.

splendide adj. Qui est éclatant, magnifique: *Un splendide coucher de soleil nous remplit d'admiration.* SYN. ravissant, somptueux. ANT. laid, terne. ☞ splendeur.

splendidement adv. D'une manière splendide, magnifique: *Cet environnement harmonieux convient splendidement à vos activités.* ☞ splendeur.

split level ☞ sect. anglicismes et canadianismes.

spongieux, euse adj. **1.** Qui est mou et rappelle l'éponge: *C'est un tapis spongieux.* **2.** Qui retient les liquides: *Ce sol qui retient l'eau de pluie est spongieux.*

spontané, ée adj. **1.** Que l'on fait de soi-même, sans être contraint par les autres: *C'est un beau geste spontané.* **2.** Qui se fait involontairement: *Son rire spontané s'est communiqué à toute la classe.* **3.** Qui obéit au premier mouvement: *C'est un artiste spontané. Il suit l'inspiration du moment.* ☞ spontanéité, spontanément.

spontanéité n.f. Qualité de ce qui est spontané, involontaire: *Sa fantaisie et sa spontanéité ont charmé tous ses collègues.* SYN. franchise, sincérité. ☞ spontané.

spontanément adv. De manière spontanée, involontaire: *Elle a offert spontanément ses services.* ☞ spontané.

sporadique adj. Qui apparaît de temps à autre: *Les ouvrières de cette usine font des grèves sporadiques.* SYN. irrégulier. ANT. constant. ☞ sporadiquement.

sporadiquement adv. De façon irrégulière: *Cette comédienne paraît sporadiquement au cinéma.* ANT. constamment. ☞ sporadique.

sport n.m. et adj.invar. (angl.) **1.** n.m. Activité physique qui demande un entraînement et exige le respect de certaines règles: *Fais du sport pour rester en forme.* **2.** n.m. Forme particulière et réglementée de cette activité: *Le ballon volant est un sport d'équipe.* **3.** adj. invar. Qui est loyal, selon l'esprit du sport: *Il faut savoir être sport, que l'on soit gagnant ou perdant.* ⁄⁄ *C'est du sport:* C'est un exercice difficile. *Chaussures, vêtements de sport:* Habillement pour la promenade. ☞ sportif, sportivement, sportivité.

sportif, ive n. et adj. **1.** n. Personne qui aime ou pratique le sport: *Ce sportif garde une bonne forme physique.* **2.** adj. Qui est relatif au sport: *On propose de nombreuses épreuves sportives aux olympiades.* **3.** adj. Qui pratique le sport: *Cette auberge attire une clientèle sportive.* **4.** adj. Qui sait respecter l'esprit du sport: *Face à la défaite, cette entraîneuse conserve une attitude sportive.* ☞ sport.

sportivement adv. Loyalement: *Il n'est pas facile d'accepter sportivement la défaite.* ☞ sport.

sportivité n.f. Caractère sportif, attitude sportive: *Le public a démontré une grande sportivité envers l'équipe adverse.* SYN. loyauté. ☞ sport.

spotlight ☞ sect. anglicismes et canadianismes.

springbok n.m. (néerl.) Antilope d'Afrique du Sud: *Le springbok est aussi appelé «bouc sauteur».*

sprint n.m. (angl.) **1.** Accélération d'un coureur à un moment déterminé d'une course, spécialement à la fin; fin d'une course: *Son sprint lui assura la victoire.* **2.** Course de vitesse sur une courte distance: *Je préfère le sprint aux longs parcours.*

squale n.m. Poisson de grande taille à corps allongé, cylindrique, avec des fentes branchiales: *Le requin est un squale.* **R.** Les lettres *squa* se prononcent *skwa*.

square n.m. (angl.) Jardin public aménagé dans un espace restreint, parfois au centre d'une place: *Ce square est fréquenté par les gens du quartier.* **R.** Les lettres *squa* se prononcent *skwa*.

squash n.m. (angl.) Sport d'intérieur joué par deux partenaires placés côte à côte, qui, avec une raquette, se renvoient la balle en la faisant rebondir sur les quatre murs: *Je joue au squash deux fois la semaine à mon club.* **R.** Se prononce *skwach*.

squaw n.f. Femme d'un Amérindien: *Ce livre raconte la vie quotidienne des squaws.* **R.** Se prononce *skwa*.

squaw

squelette n.m. **1.** Système osseux de l'humain et des vertébrés: *Quand on observe un squelette, on comprend que le corps humain est complexe.* SYN. charpente, ossature. **2.** fig. Personne très maigre: *C'est un vrai squelette, il ne lui reste que la peau et les os.* ☞ squelettique.

squelettique adj. Qui est très maigre: *L'aspect squelettique de ce malade n'est pas bon signe.* ☞ squelette.

sri lankais, aise n. et adj. **1.** n. Personne qui est de Sri Lanka: *Un Sri Lankais, une Sri Lankaise.* **2.** adj. Qui est de Sri Lanka: *L'État sri lankais est situé au sud-est de l'Inde.* **R.** On met des majuscules à *sri lankais* et à *sri lankaise* lorsqu'il s'agit du nom.

stabiliser v. Doter de solidité, d'équilibre: *On a stabilisé les fondations de cet édifice qui présentaient des fissures.* ☞ stable.

stabilité n.f. Caractère de ce qui demeure dans le même état: *J'aime bien avoir une certaine stabilité dans mon emploi.* SYN. équilibre, permanence, solidité. ANT. changement, instabilité. ☞ stable.

stable adj. Qui est équilibré, qui demeure dans le même état: *Cette mère de famille a des revenus stables.* ANT. changeant, instable. ☞ instabilité, instable, stabiliser, stabilité.

stade n.m. Lieu public entouré de gradins où se pratiquent des sports: *J'ai assisté à un match de base-ball au stade.* ▲ **stade** n.m. Étape d'une évolution, d'un phénomène: *À quel stade de développement êtes-vous?* SYN. degré. **R.** Ne pas confondre avec *stage*.

stage n.m. Période permettant de mettre en pratique des connaissances dans un domaine d'études: *Louis a fait un stage dans notre classe, il veut devenir professeur.* **R.** Ne pas confondre avec *stade*. ☞ stagiaire.

stagiaire n. Personne qui fait un stage, met en pratique des connaissances dans un domaine d'études: *Elle est stagiaire en informatique dans notre entreprise.* ☞ stage.

stagnant, ante adj. **1.** Qui est immobile, ne bouge pas, en parlant d'un fluide: *Ces eaux stagnantes dégagent une odeur nauséabonde.* SYN. croupissant, dormant. ANT. agité. **2.** fig. Qui est peu actif, ne fait pas de progrès: *Malgré ses efforts pour attirer la clientèle, cette entreprise est stagnante.* ANT. prospère. **R.** Les lettres *gn* se prononcent séparément. ☞ stagner.

stagnation n.f. Immobilité des choses, inertie: *Lors de la crise économique de 1982, plusieurs industries ont connu la stagnation.* **R.** Les lettres *gn* se prononcent séparément. ☞ stagner.

stagner v. Être inerte, immobile, ne pas progresser : *Depuis deux ans, cette entreprise manufacturière stagne.* **R.** Les lettres *gn* se prononcent séparément. ☞ stagnant, stagnation.

stalactite n.f. Dépôt calcaire qui descend d'une grotte sous forme de colonne : *La formation de stalactites a été étudiée en géologie.*

stalagmite n.f. Dépôt calcaire qui s'élève en colonne du sol d'une grotte : *Les stalagmites forment un espace naturel inimitable.*

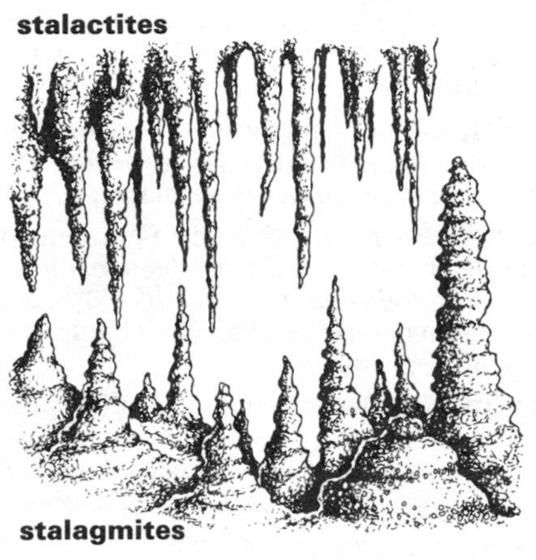

stalle n.f. **1.** Banc réservé aux membres du clergé dans une église : *Le curé de la paroisse assiste à la cérémonie religieuse dans une stalle.* **2.** Espace assigné à un cheval dans une écurie : *Ce cheval de course est dans la dernière stalle.* **R.** S'écrit avec deux *l*.

stand n.m. (angl.) Espace réservé à un exposant, à une catégorie de produits dans une exposition : *J'ai vu de très jolies assiettes dans le stand voisin.*

standard n.m. (angl.) Dispositif mettant en relation les communications téléphoniques extérieures et les postes intérieurs : *Pour téléphoner à l'extérieur de l'entreprise, vous devez passer par le standard.* ☞ standardiste.

standard n.m. et adj.invar. (angl.) **1.** n.m. Norme de fabrication : *Ce produit respecte les standards.* **2.** adj.invar. Qui est conforme à un modèle ou à une norme de fabrication en série : *Ce modèle de voiture est vendu avec un équipement standard.* ☞ standardisation, standardiser.

standardisation n.f. (angl.) Action de standardiser, de produire des modèles en série : *La standardisation du travail vise surtout à réduire les coûts de l'entreprise.* ☞ standard (adj.).

standardiser v. (angl.) Rendre conforme à un modèle standard, uniformiser : *La compagnie a standardisé la fabrication de ce modèle de voiture.* ☞ standard (adj.).

standardiste n. Personne responsable du standard téléphonique : *Je laisserai un message pour toi à la standardiste.* ☞ standard (n.).

station n.f. **1.** Endroit où s'arrêtent les véhicules de transport en commun pour prendre ou laisser des passagers : *Pour aller travailler, je me rends à la station de métro.* **2.** Endroit où l'on effectue des observations : *Les informations sur la température proviennent de la station météorologique.* ⁄⁄ *Station de taxis :* Emplacement réservé aux taxis. ☞ stationnement, stationner, station-service.

stationnaire adj. Qui n'évolue pas, qui reste dans le même état : *L'état de santé de ce blessé reste stationnaire.* SYN. fixe, inchangé, stable. ANT. progressif, variable.

stationnement n.m. **1.** Action de stationner, de s'arrêter quelque temps en un endroit, en parlant d'un véhicule : *Le portier de l'hôtel s'occupe du stationnement des voitures.* ANT. circulation. **2.** Au Canada, parc où l'on peut garer des véhicules : *Un grand stationnement est réservé à la clientèle de l'établissement.* ☞ station.

stationner v. S'arrêter quelque temps en un endroit, en parlant d'un véhicule : *La voiture stationne devant la maison.* SYN. séjourner, s'immobiliser. ANT. circuler, démarrer. ☞ station.

station-service n.f. Endroit où l'on vend de l'essence et où l'on fait l'entretien des automobiles : *Chaque fois que je fais le plein à la station-service du coin, la pompiste lave mon pare-brise.* **R.** Au pluriel, *stations-service*. ☞ station.

statique adj. Qui est fixé, n'évolue pas : *Certains régimes politiques sont statiques, ils ne cherchent qu'à durer.*

statistique n.f. Ensemble de chiffres que l'on recueille pour faire des études et des comparaisons : *Selon les statistiques, il est tombé beaucoup plus de neige cette année que l'année dernière.* SYN. évaluation, mesure, recensement.

statue n.f. Sculpture représentant un être vivant, une divinité ou un animal : *Si un jour tu vas à Paris, tu y trouveras des statues par centaines.* HOM. statut. ☞ statuette.

statuer v. Prendre une décision au sujet d'une affaire : *La direction va statuer sur le cas des absences non motivées des élèves.* SYN. juger.

statuette n.f. Statue de petite taille: *J'ai une collection de statuettes représentant les costumes nationaux de divers pays.* ☞ statue.

statu quo n.m.invar. (lat.) État actuel des choses: *Pour le renouvellement de la convention collective, on propose le statu quo.* **R.** Les lettres *quo* se prononcent *quo*.

stature n.f. Taille d'une personne: *Cet athlète est un homme d'une grande stature.* SYN. dimension, hauteur.

statut n.m. **1.** Ensemble des règles qui définissent la situation d'une personne, d'un groupe: *Elle désire obtenir le statut de réfugiée.* SYN. état. **2.** plur. Articles d'un texte qui règlent le fonctionnement d'une société: *J'ai rédigé les statuts de notre association sportive.* HOM. statue.

steak n.m. (angl.) Morceau de bœuf, bifteck: *Aimez-vous manger votre steak saignant?* // *Steak frites:* Steak présenté avec des pommes de terre frites.

stèle n.f. Monument, le plus souvent funéraire, qui porte une inscription: *Dans le cimetière, vous pouvez voir de très nombreuses stèles.*

stencil n.m. (angl.) Papier spécial permettant la reproduction d'un texte en plusieurs exemplaires: *Écrivez votre texte sur ce stencil, nous pourrons alors remettre une copie à chaque élève.* **R.** Les lettres *sten* se prononcent *stèn*.

sténodactylo n. Personne qui note en sténographie les textes qu'on lui dicte et qui les tape à la machine: *Mon frère est sténodactylo dans ce bureau.* ☞ sténodactylographie.

sténodactylographie n.f. Usage combiné de la sténographie et de la dactylographie: *Pour obtenir cet emploi, vous devez connaître la sténodactylographie.* **R.** Aussi, *sténodactylo*. Les lettres *ph* se prononcent *f*. ☞ sténodactylo.

sténographe n. Personne capable de noter, à la vitesse de la prononciation, un texte à l'aide de signes: *La sténographe a noté tout le texte de la conférence.* **R.** Aussi, *sténo*. Les lettres *ph* se prononcent *f*. ☞ sténographie.

sténographie n.f. Écriture simplifiée qui permet de noter les paroles à la vitesse de la prononciation: *Si vous voulez prendre des notes rapidement, il serait important de connaître la sténographie.* **R.** Aussi, *sténo*. Les lettres *ph* se prononcent *f*. ☞ sténographe, sténographier.

sténographier v. Noter un texte à l'aide de la sténographie: *Le procès a été sténographié puis publié.* **R.** Les lettres *ph* se prononcent *f*. ☞ sténographie.

steppe n.f. (russe) Grande plaine dépourvue d'arbres et couverte d'une herbe courte: *La steppe est une région pauvre en végétation.*

stercoraire n.m. Oiseau à pattes palmées, aussi appelé «mouette pillarde», qui se nourrit de poissons volés à d'autres oiseaux de mer: *Le stercoraire, au plumage blanc et brun, est un oiseau des mers arctiques.*

stéréophonie n.f. Technique d'enregistrement et de reproduction qui permet de donner l'impression que le son vient de plusieurs endroits à la fois: *J'aime bien écouter un concert en stéréophonie.* **R.** Aussi, *stéréo*. Les lettres *ph* se prononcent *f*. ☞ stéréophonique.

stéréophonique adj. Qui se rapporte à la stéréophonie, à la technique d'enregistrement et de reproduction du son: *Cet orchestre produit des effets stéréophoniques remarquables.* **R.** Aussi, *stéréo*. Les lettres *ph* se prononcent *f*. ☞ stéréophonie.

stéréotype n.m. Opinion toute faite, dépourvue d'originalité: *Les poupées sont pour les filles et les sports, pour les garçons: voilà des stéréotypes sexistes.* ☞ stéréotypé.

stéréotypé, ée adj. Qui se présente toujours sous la même forme: *Les formules de politesse sont stéréotypées.* ☞ stéréotype.

stérile adj. **1.** Qui est inapte à la reproduction: *Un couple stérile ne peut pas avoir d'enfants de façon naturelle.* **2.** Qui ne porte pas de fruits, qui ne produit pas: *Cette terre est stérile, aucun légume n'a poussé dans le potager.* **3.** fig. Qui n'apporte rien, ne produit rien: *Nos efforts ont été stériles.* ☞ stérilisation, stériliser, stérilité. ▲ **stérile** adj. Qui est débarrassé de tout microbe: *Lorsqu'ils opèrent, les chirurgiens doivent porter des vêtements stériles.* ☞ stérilisation, stériliser.

stérilisation n.f. Opération consistant à rendre une personne ou un animal stérile, inapte à la reproduction: *La stérilisation de la femme peut se faire par la ligature des trompes.* ☞ stérile. ▲ **stérilisation** n.f. Opération consistant à débarrasser de tout microbe: *La stérilisation des instruments chirurgicaux est très importante.* ☞ stérile.

stériliser v. Rendre stérile, incapable de se reproduire: *Nous avons fait stériliser notre chatte, elle n'aura jamais de chatons.* ☞ stérile. ▲ **stériliser** v. Rendre propre, exempt de microbes: *Il est important de stériliser votre blessure.* ☞ stérile.

stérilité n.f. État d'une personne stérile, qui ne peut se reproduire: *Il est parfois possible de guérir la stérilité.* ☞ stérile.

sterne n.f. Oiseau à pattes palmées, à tête noire et à dos gris : *La sterne, qui fait partie de la famille des mouettes, est aussi appelée « hirondelle de mer ».*

sternum n.m. (lat.) Os plat situé au milieu de la poitrine, sur lequel sont réunies les côtes : *Le joueur de hockey a reçu un coup de bâton au sternum.* **R.** Les lettres *um* se prononcent *omm*.

stéroïde n.m. Hormone sécrétée par certaines glandes : *Pour améliorer sa performance, cette athlète consomme des stéroïdes.* **R.** Ne pas oublier le tréma : *ï*.

stéthoscope n.m. Instrument qui permet d'entendre les bruits à l'intérieur du corps : *La cardiologue a écouté les battements de mon cœur avec son stéthoscope.*

steward n.m. (angl.) Serveur à bord d'un paquebot, d'un avion : *Les trois stewards viennent de commencer à servir le repas à bord de l'avion.*

stimulant n.m. Substance qui excite : *Le thé et le café sont des stimulants.* SYN. fortifiant, remontant. ANT. calmant, tranquillisant. ☞ stimuler.

stimulant, ante adj. **1.** Qui stimule, augmente l'activité physique : *L'air pur et stimulant de la campagne lui fera du bien.* SYN. fortifiant, remontant. ANT. calmant, tranquillisant. **2.** Qui encourage : *Ce succès en affaires est stimulant pour elle.* SYN. exaltant. ANT. décourageant, déprimant. ☞ stimuler.

stimulateur n.m. Appareil électrique qui provoque les contractions cardiaques lorsque celles-ci ne se font pas normalement : *Après son infarctus, les médecins lui ont installé un stimulateur cardiaque.* ☞ stimuler.

stimulation n.f. Action de stimuler, d'augmenter l'énergie : *La présence du public est une stimulation pour les comédiens.* SYN. excitation. ☞ stimuler.

stimuler v. **1.** Augmenter l'énergie, pousser quelqu'un à faire quelque chose : *Cet entraîneur stimule les joueuses à donner leur plein rendement.* SYN. animer, encourager. ANT. apaiser, calmer. **2.** Redonner des forces : *Le grand air de la campagne me stimule.* SYN. remonter. ANT. abattre, lasser. ☞ stimulant, stimulateur, stimulation.

stock n.m. (angl.) Quantité de marchandises en réserve : *Le marchand a un stock important de conserves.* SYN. approvisionnement. ☞ stocker.

stocker v. Mettre en stock, faire une réserve : *La libraire stocke les volumes à l'arrière de son magasin.* SYN. emmagasiner. ANT. écouler. ☞ stock.

stoïque adj. Qui supporte la douleur, le malheur avec courage et avec l'apparence de l'indifférence : *Elle est restée stoïque devant l'incendie qui a détruit sa demeure.* SYN. héroïque, impassible, inébranlable. ANT. chancelant, faible, lâche. **R.** Ne pas oublier le tréma : *ï*.

stooler ☞ sect. anglicismes et canadianismes.

stop n.m. et interj. (angl.) **1.** n.m. Panneau de signalisation routière ordonnant un arrêt : *Le stop est blanc sur fond rouge et a une forme octogonale.* **2.** n.m. Feux rouges, à l'arrière des véhicules, qui s'allument quand on freine : *Les stops de la voiture de ma mère ne fonctionnent plus.* **3.** n.m.fam. Auto-stop : *Tu veux aller à Gaspé en stop.* **4.** interj. Mot qui exprime l'ordre d'arrêter : *Stop ! ne bougez plus.* **5.** interj. Mot employé dans les messages télégraphiés pour séparer les phrases : *Enfants malades. Stop. Venir d'urgence. Stop.* ☞ stopper.

stopper v. Arrêter la marche d'un navire, d'une machine : *Un ballon roula dans la rue et l'automobiliste stoppa.* ANT. avancer, poursuivre. ☞ stop.

store n.m. Rideau, assemblage souple d'éléments, qui se lève et se baisse devant une fenêtre ou une vitrine : *Je baisse le store pour me protéger du soleil.*

strabisme n.m. Défaut des yeux qui louchent, impossibilité pour les deux yeux de regarder dans la même direction : *Serge est atteint de strabisme.*

strapontin n.m. Siège, dans un véhicule ou une salle de spectacle, qui se replie quand on ne s'en sert pas : *Étant arrivé au concert à la dernière minute, j'ai dû prendre un strapontin.*

stratagème n.m. Ruse, moyen habile pour atteindre ses fins : *Isabelle a trouvé un stratagème pour entrer gratuitement au cinéma.*

stratège n.m. Personne habile, spécialiste en stratégie : *Les partis politiques engagent des stratèges.* ☞ stratégie.

stratégie n.f. **1.** Art de coordonner des actions, de manœuvrer habilement pour atteindre un but : *La stratégie du rayon des ventes sera élaborée par la directrice.* **2.** Élaboration d'un plan, organisation des moyens et exécution des opérations en vue de la résolution de problèmes mathématiques : *Ta stratégie est excellente, tu devrais être capable de trouver la solution.* ☞ stratège, stratégique. (*Voir l'illustration à la page suivante.*)

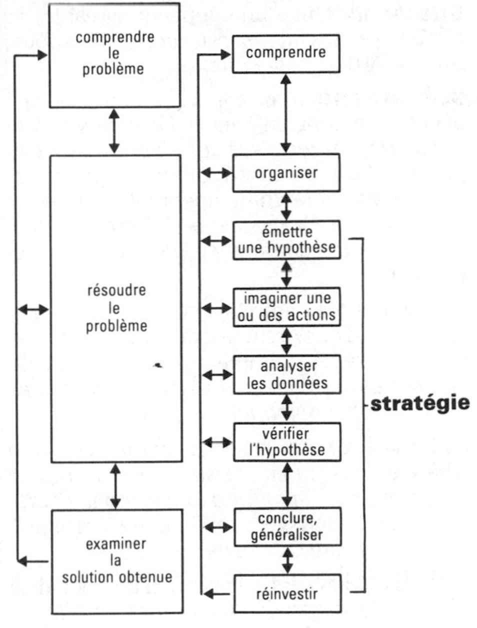

stratège
stratégie

stratégique adj. Qui concerne la stratégie, l'art de manœuvrer habilement pour atteindre un but: *Elle occupe une position stratégique dans cette entreprise.* ☞ stratégie.

stratosphère n.f. Couche intermédiaire de l'atmosphère: *La capsule spatiale ira dans la stratosphère.* **R.** Les lettres *ph* se prononcent *f.*

stratus n.m. (lat.) Nuage bas qui se présente comme un voile continu: *Les stratus réduisent la visibilité de l'avion.* **R.** Le *s* final se prononce.

stress n.m. (angl.) Réponse de l'organisme aux émotions agréables et désagréables et aux facteurs qui l'agressent: *Habiter une grande ville augmente mon stress.* SYN. tension. ☞ stressant, stresser.

stressant, ante adj. Qui stresse, qui cause une tension: *La préparation à un examen est une activité stressante pour certains élèves.* ☞ stress.

stresser v. Provoquer un stress, une tension: *Les embouteillages me stressent.* ☞ stress.

strict, stricte adj. **1.** Qui laisse très peu de liberté, qui est sévère: *À notre collège, la discipline est stricte.* SYN. astreignant, rigoureux. ANT. relâché. **2.** Qui ne tolère aucune négligence: *Le directeur est très strict sur les principes à respecter.* SYN. autoritaire, rigide, sévère. ANT. indulgent. **3.** Qui constitue un minimum: *C'est son droit le plus strict de ne pas venir avec nous en excursion.* **4.** Qui est sobre, très correct et sans ornement: *Jupe marine, chemisier blanc: la tenue de Nadine est très stricte.* ☞ strictement.

strictement adv. **1.** D'une manière rigoureuse, exclusive: *Cette lettre est strictement confidentielle.* **2.** D'une manière simple et sévère: *Oncle Yvan est vêtu strictement.* ☞ strict.

strident, ente adj. Qui est à la fois aigu et fort: *La corneille pousse des cris stridents.*

strie n.f. Chacun des sillons que présente une surface: *Viens voir les stries de ce rocher.* ☞ strié, strier.

strié, ée adj. Qui a des stries, des raies sur sa surface: *Ce coquillage est strié.* HOM. strier. ☞ strie.

strier v. Marquer de stries, de raies: *À cause du soleil, les barreaux de la galerie strient le sol.* HOM. strié. ☞ strie.

strophe n.f. Partie d'un poème composée d'un certain nombre de vers: *La première strophe de ce poème sur les saisons parle du printemps.* SYN. couplet. **R.** Les lettres *ph* se prononcent *f.*

structure n.f. **1.** Manière dont un édifice est construit: *Ce nouvel édifice semble avoir une structure solide.* **2.** Disposition des parties d'un ensemble abstrait: *La structure de son discours présente des failles.* SYN. agencement, constitution. ☞ restructuration, restructurer.

structurer v. Donner une structure à quelque chose, organiser ses diverses parties: *Ce cours est bien structuré.*

studieux, euse adj. Qui aime l'étude, le travail intellectuel: *Cet élève studieux réussit bien en classe.* SYN. appliqué, laborieux. ANT. oisif, paresseux.

studio n.m. **1.** Logement ne comprenant qu'une pièce principale: *J'ai loué un studio confortable.* SYN. garçonnière. **2.** Local où travaille un photographe: *Je me suis rendu au studio de photographie pour obtenir une photo de passeport.* SYN. atelier. **3.** Local où l'on tourne pour le cinéma, la télévision: *Vous pouvez assister à l'enregistrement de l'émission au studio indiqué.* SYN. plateau.

stupéfaction n.f. Étonnement si grand qu'il empêche de réagir: *Son visage exprime la stupéfaction.* SYN. stupeur, surprise. ☞ stupéfait, stupéfiant (adj.), stupéfier.

stupéfait, aite adj. Qui est très étonné : *Je suis stupéfaite de cette nouvelle.* SYN. surpris. ANT. indifférent. ☞ stupéfaction.

stupéfiant n.m. Drogue : *La cocaïne, la morphine et l'opium sont des stupéfiants.*

stupéfiant, ante adj. Qui étonne beaucoup : *Je viens de lire une nouvelle stupéfiante.* SYN. renversant, surprenant, troublant. ☞ stupéfaction.

stupéfier v. Étonner, causer une grande surprise : *Sa mort subite m'a stupéfié.* SYN. accabler, atterrer, consterner. ☞ stupéfaction.

stupeur n.f. Étonnement profond : *Cet incendie a plongé les familles dans la stupeur.* SYN. abattement, consternation. ANT. calme, sérénité.

stupide adj. Qui manque d'intelligence : *Cette remarque est stupide.* SYN. bête, idiot, imbécile. ANT. fin, judicieux. ☞ stupidement, stupidité.

stupidement adv. De manière absurde, insensée : *Vous vous conduisez stupidement.* SYN. bêtement, sottement. ☞ stupide.

stupidité n.f. Caractère d'une personne ou d'une chose qui est absurde, stupide : *La stupidité de cet acte violent n'est plus à démontrer.* SYN. bêtise, idiotie. ANT. finesse. ☞ stupide.

style n.m. **1.** Manière personnelle de s'exprimer par l'écrit : *Cette écrivaine a un style clair.* **2.** Manière personnelle de traiter la matière en vue de réaliser une œuvre d'art : *Le style de ce tableau ne me touche pas beaucoup.* **3.** Manière particulière à un genre, à une époque : *Ce fauteuil est de style Louis XIV.* **4.** Manière personnelle de pratiquer un sport : *Cette coureuse a un très beau style.* **5.** Manière particulière de se comporter : *Il a un style de vie très actif.* SYN. mode. ☞ stylé, styliser.

stylé, ée adj. Qui fait bien son travail, qui sait servir : *Le personnel de cet hôtel est stylé.* SYN. habitué. ☞ style.

styliser v. Représenter un objet en simplifiant les formes : *Les fleurs sur ce papier peint ont été stylisées.* ☞ style.

stylo n.m. Porte-plume ayant un réservoir d'encre : *J'ai changé la cartouche de mon stylo.* ⁄⁄ *Stylo à bille, stylo-bille :* Stylo à encre dont la plume est remplacée par une bille de métal. **R.** Aussi, *stylographe*.

styrofoam ☞ sect. anglicismes et canadianismes.

suaire n.m.litt. Linceul : *Dans l'Antiquité, les morts étaient ensevelis dans un suaire.* ⁄⁄ *Saint suaire :* Linceul dans lequel le Christ aurait été enseveli.

suave adj. Qui a une douceur agréable : *Le parfum de ces fleurs est suave.* SYN. doux, exquis. ANT. désagréable.

subalterne n. et adj. **1.** n. Personne qui occupe un rang inférieur : *Le commandant donne des ordres à ses subalternes.* SYN. employé, subordonné. ANT. dirigeant, patron. **2.** adj. Qui est hiérarchiquement inférieur, qui a un grade peu élevé : *Elle a un emploi subalterne dans la compagnie.* SYN. médiocre, secondaire.

subarctique adj. Qui est situé immédiatement au sud de l'Arctique ; qui se rapporte aux régions situées immédiatement au sud de l'Arctique : *Les vallées du Yukon sont dotées d'un climat subarctique.* ☞ arctique.

subdiviser v. Diviser en parties ce qui a déjà été divisé : *Peux-tu subdiviser la moitié du gâteau pour en offrir à tout le monde ?* SYN. fractionner, partager, séparer. ANT. grouper, rassembler, unir. ☞ diviser.

subdivision n.f. Division d'un tout déjà divisé : *Ce manuel d'histoire comporte de nombreuses subdivisions.* ☞ diviser.

subéquatorial, ale, aux adj. Qui est proche de l'équateur ; qui est proche du climat équatorial : *Le climat subéquatorial ressemble au climat équatorial, caractérisé par une température élevée et des pluies abondantes.* **R.** Les lettres *qua* se prononcent *kwa*. ☞ équateur.

subir v. **1.** Se soumettre volontairement à un examen, à un traitement : *Il a subi un examen médical.* ANT. imposer, infliger. **2.** Être soumis malgré soi à ce qui nous est imposé : *Lors de son arrestation, la manifestante a dû subir un interrogatoire.* SYN. supporter. ANT. repousser. **3.** Supporter à contrecœur la présence de quelqu'un : *Je subis ce voisin depuis quelques semaines déjà.*

subit, ite adj. Qui arrive brusquement, de façon soudaine : *Son départ subit a surpris tout le monde.* SYN. immédiat, imprévu, instantané. ANT. graduel, progressif. ☞ subitement, subito.

subitement adv. De manière subite, soudaine : *Ma tante est morte subitement.* SYN. instantanément. ANT. graduellement. ☞ subit.

subito adv.fam. (lat.) Subitement : *La livraison s'est faite subito.* ☞ subit.

subjectif, ive adj. Qui tient compte de la personnalité de quelqu'un : *Votre critique est très subjective.* SYN. individuel. ANT. objectif. ☞ subjectivement, subjectivité.

subjectivement adv. De façon subjective, personnelle : *Tu analyses les événements* *trop subjectivement.* ANT. objectivement. ☞ subjectif.

subjectivité n.f. Attitude d'une personne qui juge à partir de ses opinions, de ses goûts : *Sa remarque est teintée de subjectivité.* ☞ subjectif.

subjonctif n.m. Mode du verbe exprimant le doute, la volonté, le souhait : *Dans la phrase : « Je veux que tu viennes à la maison », le verbe « venir » est au subjonctif.*

subjuguer v.litt. Séduire, envoûter par son talent, par son charme : *La conférencière a subjugué son public.* SYN. conquérir, enchanter. **R.** Ne pas oublier le *u* après le *g*.

sublime n.m. et adj. **1.** n.m. Chose très élevée dans l'ordre moral, esthétique, intellectuel : *Cette pièce de théâtre atteint le sublime.* SYN. grandeur. **2.** adj. Qui est très beau, extraordinaire, admirable : *Cette musique est sublime.* SYN. élevé, merveilleux, noble. ANT. dégradant, laid, mauvais, vulgaire.

submerger v. **1.** Recouvrir complètement d'eau : *Après ces pluies, la rivière a submergé la route.* SYN. ensevelir, inonder, noyer. ANT. émerger, jaillir, surgir. **2.** Être envahi, débordé : *Je suis submergé de travail.* SYN. accabler. ☞ insubmersible, submersible.

submersible n.m. et adj. **1.** n.m. Sous-marin : *Ce submersible parcourt le fond des mers.* **2.** adj. Qui peut être recouvert d'eau : *Certaines plantes aquatiques sont submersibles.* ☞ submerger.

subordination n.f. Fait d'être soumis à une autorité : *Vous acceptez mal la subordination à vos supérieurs.* SYN. dépendance. ANT. insubordination. ☞ subordonner.

subordonné, ée n. et adj. **1.** n. Personne qui dépend d'un supérieur : *Ce directeur est apprécié de ses subordonnés.* SYN. employé, subalterne. ANT. directeur, dirigeant, patron. **2.** adj. Qui est soumis à un supérieur : *Les enfants sont subordonnés à leurs parents.* SYN. dépendant. ANT. autonome, indépendant. **3.** adj. Se dit d'une proposition qui, dans une phrase, dépend d'une autre proposition : *Une proposition subordonnée dépend de la proposition principale.* HOM. subordonner. ☞ subordonner.

subordonner v. **1.** Placer sous l'autorité de quelqu'un : *Tous les employés sont subordonnés à la directrice du personnel.* SYN. assujettir, soumettre. **2.** Faire dépendre quelque chose de la réalisation d'une condition : *Nous subordonnons l'achat de cette maison à la vente de notre propriété.* HOM. subordonné. ☞ insubordination, insubordonné, subordination, subordonné.

subsistance n.f. Fait de pourvoir à ses besoins matériels : *Cet animal cherche sa subsistance dans les poubelles.* SYN. approvisionnement, nourriture. ☞ subsister.

subsister v. **1.** Continuer d'exister : *De ce vieil édifice, il ne subsiste que la façade.* SYN. demeurer, rester. **2.** Vivre, pourvoir à ses besoins matériels : *Leurs maigres revenus leur permettent tant bien que mal de subsister.* SYN. survivre. ANT. périr. ☞ subsistance.

substance n.f. **1.** Matière dont une chose est formée : *L'eau est une substance liquide ; le caoutchouc est une substance élastique.* SYN. corps, élément. **2.** Contenu d'un ouvrage, d'un discours : *Pouvez-vous nous parler de la substance de ce nouveau livre ?* SYN. matière, sujet. ☞ substantiel. **en substance** loc.adv. En résumé : *L'auteure m'a raconté en substance le contenu de son livre.*

substantiel, elle adj. **1.** Qui est nourrissant : *Nous avons pris un repas substantiel.* SYN. nutritif, riche. ANT. affaiblissant, frugal, pauvre. **2.** Qui est important, considérable : *J'ai reçu une somme substantielle en héritage.* ANT. insignifiant. ☞ substance.

substance substantiel

substantif n.m. Nom : *« Saison », « soleil », « neige », « pluie » sont des substantifs.*

substituer v. Mettre quelqu'un ou quelque chose à la place de quelqu'un ou de quelque chose d'autre : *Dans ma réponse d'examen, j'ai substitué le mot « stratus » au mot « cumulus ».* SYN. remplacer. ☞ substitution. **se substituer** v.pron. Remplacer quelqu'un : *Il s'est substitué à l'entraîneuse pour la pratique.*

substitution n.f. Action de substituer, de remplacer : *Ce n'est pas mon sac, il y a eu substitution.* SYN. changement. ☞ substituer.

subterfuge n.m. Moyen habile pour se tirer d'embarras : *Nicole a eu recours à un subterfuge pour quitter rapidement la salle.* SYN. échappatoire. **R.** Le *b* se prononce *p*.

subtil, ile adj. **1.** Qui a de la finesse, qui perçoit des différences que la plupart ne discernent pas : *Voilà une personne subtile, elle comprend certaines choses sans qu'on ait besoin de les lui expliquer.* **2.** Qui est fait avec finesse : *Cette remarque est subtile.* SYN. délicat, ingénieux, raffiné. ANT. grossier, lourd. **3.** Qui est difficile à voir, à percevoir : *La différence entre ces deux couleurs est bien subtile.* ANT. évident. ☞ subtilement, subtiliser, subtilité.

subtilement adv. De manière subtile,

avec finesse: *Subtilement, elle a donné son avis.* SYN. délicatement. ☞ subtil.

subtiliser v.fam. Voler habilement, sans se faire remarquer: *On lui a subtilisé son portefeuille.* SYN. dérober. ANT. remettre, rendre, restituer. ☞ subtil.

subtilité n.f. **1.** Caractère d'une personne subtile, fine: *On sent la subtilité de cette personne d'après ses répliques.* **2.** Caractère d'une chose habile ou difficile à percevoir: *Son exposé ne manque pas de subtilité.* SYN. finesse, raffinement. ANT. lourdeur, maladresse. ☞ subtil.

subtropical, ale, aux adj. Qui est proche des tropiques; qui est proche du climat tropical: *Le sud du Brésil connaît un climat subtropical.* ☞ tropique.

subvenir v. Fournir à quelqu'un ce dont il a besoin pour vivre: *Les parents subviennent aux besoins de leur enfant.* SYN. pourvoir, soutenir. ANT. nuire, priver.

subvention n.f. Aide financière fournie à une personne ou à un groupe: *Nous avons reçu une subvention de mille dollars pour réaliser notre projet.* SYN. contribution, don. ☞ subventionner.

subventionner v. Accorder une aide, une subvention à une personne ou à un groupe: *Le gouvernement subventionne notre troupe de théâtre.* ☞ subvention.

subversif, ive adj. Qui est de nature à menacer l'ordre établi, les valeurs reçues: *Certaines personnes propagent des opinions subversives.* SYN. destructeur. ANT. constructif, créateur. ☞ subversion.

subversion n.f.litt. Action visant à bouleverser l'ordre établi, les valeurs reçues: *Ce groupe de manifestants est accusé de subversion.* SYN. indiscipline, révolution. ANT. construction. ☞ subversif.

suc n.m. Liquide organique contenu dans les tissus animaux et végétaux: *Le suc gastrique permet la digestion des aliments.*

succédané n.m. Produit de remplacement: *J'utilise un succédané du sucre dans mon café.* **R.** Les lettres *cc* se prononcent *ks*.

succéder v. **1.** Prendre la place de quelque chose: *Le jour succède à la nuit.* **2.** Remplacer quelqu'un à un emploi, à un poste: *La fille succède à son père dans l'entreprise familiale.* ANT. précéder. ☞ successeur, successif, succession, successivement. **se succéder** v.pron. Venir l'un après l'autre, se suivre: *Les autos se sont succédé toute la journée sur l'autoroute.* **R.** Les lettres *cc* se prononcent *ks*.

succès n.m. **1.** Résultat heureux, réussite: *Je te félicite de ton succès à l'examen.* SYN. performance. ANT. échec, insuccès. **2.** Approbation, acceptation du public: *Cette pièce a un succès fou.* ⁄⁄ *Écrivain à succès:* Écrivain qui a du succès. *Sans succès:* Sans résultat. **R.** Les lettres *cc* se prononcent *ks*. ☞ insuccès.

successeur n.m. Personne qui en remplace une autre dans une fonction, dans une entreprise: *Elle a désigné son successeur: ce sera sa fille.* SYN. remplaçant. **R.** Les lettres *cc* se prononcent *ks*. ☞ succéder.

successif, ive adj. Qui se suivent, se succèdent: *Mes démarches successives en vue de trouver un emploi devraient aboutir bientôt.* SYN. consécutif. ANT. simultané. **R.** Les lettres *cc* se prononcent *ks*. ☞ succéder.

succession n.f. Ensemble d'éléments qui se suivent: *La tempête de neige a causé une succession d'accidents.* SYN. défilé, enchaînement. ☞ succéder. ▲ **succession** n.f. Biens qu'une personne laisse en mourant: *La succession de mon oncle s'élève à cent mille dollars.* SYN. héritage, legs. **R.** Les lettres *cc* se prononcent *ks*.

successivement adv. L'un à la suite de l'autre: *Ils sont arrivés successivement.* ANT. simultanément. **R.** Les lettres *cc* se prononcent *ks*. ☞ succéder.

succinct, incte adj. Qui est dit en peu de mots: *Je vous fais un récit succinct des événements.* SYN. bref, concis. ANT. long. **R.** Se prononce *suksin*. ☞ succinctement.

succinctement adv. De manière brève, concise: *Donnez succinctement votre avis.* SYN. sommairement. **R.** Se prononce *suksintment* ou *suksinktment*. ☞ succinct.

succion n.f. Action de sucer, d'aspirer un liquide dans la bouche: *Le bébé absorbe son lait par succion.* **R.** Les lettres *cc* se prononcent *ks*. ☞ sucer.

succomber v. **1.** Mourir: *La malade a succombé à sa maladie.* **2.** Être accablé: *Tu succombes de fatigue.* **3.** Ne pas résister, céder: *J'ai succombé à l'envie de manger cette mousse au chocolat.*

succulent, ente adj. Qui est très bon à manger, délicieux: *Cette mousse à l'érable est succulente.* SYN. excellent, exquis, savoureux. ANT. mauvais.

succursale n.f. Établissement financier ou commercial qui dépend d'un autre: *Ce magasin a une succursale dans plusieurs villes de la province.* SYN. filiale.

suce ☞ sect. anglicismes et canadianismes.

sucer v. **1.** Aspirer avec les lèvres pour extraire un liquide: *À la mi-temps, les joueuses* *sucent des oranges.* SYN. absorber, avaler. ANT. rejeter. **2.** Faire fondre lentement : *Je suce une pastille.* **3.** Porter un objet à la bouche et y exercer une succion : *Le bébé suce son pouce.* **4.** Aspirer avec un organe, en parlant de certains animaux : *Les sangsues sucent le sang.* **R.** Ne pas oublier la cédille devant *a* et *o.* ☞ succion, sucette, suceur.

sucette n.f. Bonbon à sucer fixé à un bâtonnet : *J'ai reçu une sucette à la fraise.* ☞ sucer.

suceur, euse adj. Qui suce, qui aspire sa nourriture avec une trompe : *L'abeille est un insecte suceur.* ☞ sucer.

sucre n.m. Substance alimentaire, cristallisée, de saveur douce : *Le sucre est extrait de la canne à sucre et de la betterave sucrière.* // *Sucre d'orge :* Sucre cuit avec de l'orge. ☞ sucré, sucrer, sucrerie, sucrier.

sucré, ée adj. Qui contient du sucre, qui a le goût du sucre : *Ces fraises sont mûres et bien sucrées.* ANT. amer. HOM. sucrer. ☞ sucre.

sucrer v. Ajouter du sucre ou une matière sucrée : *Je sucre mon café avec du miel.* HOM. sucré. ☞ sucre.

sucrerie n.f. **1.** Usine où l'on fabrique le sucre : *La sucrerie produit une grande quantité de sucre chaque jour.* **2.** Friandise, bonbon préparé avec du sucre : *Manger trop de sucreries peut causer des caries.* **3.** Au Canada, fabrique de sucre d'érable, cabane à sucre : *Nous sommes allés manger dans une sucrerie.* **R.** Dans le sens de *friandise*, s'emploie surtout au pluriel. ☞ sucre.

sucrerie

sucrier n.m. Récipient où l'on met le sucre : *Ce sucrier est en céramique.* ☞ sucre.

sucrier, ière adj. Qui a rapport à la production du sucre : *La betterave sucrière fournit le sucre.* ☞ sucre.

sud n.m.invar. et adj.invar. **1.** n.m.invar. Point cardinal opposé au nord : *Le Mexique est au sud des États-Unis.* ANT. nord. **2.** n.m.invar. Partie d'un pays, d'une région qui est située au sud : *J'irai passer mes vacances dans le Sud.* **3.** adj.invar. Qui est situé au sud : *Je visiterai la côte sud de la Gaspésie.* **R.** S'écrit avec une majuscule lorsqu'il s'agit de la partie d'un pays, d'une région. ☞ sud-africain, sud-américain, sud-est, sud-ouest.

sud-africain, aine n. et adj. **1.** n. Personne qui est de l'Afrique du Sud : *Un Sud-Africain, une Sud-Africaine.* **2.** adj. Qui est de l'Afrique du Sud : *L'apartheid est un régime racial sud-africain.* **R.** Au pluriel, *sud-africains, sud-africaines*. On met des majuscules à *sud-africain* et à *sud-africaine* lorsqu'il s'agit du nom. ☞ sud.

sud-américain, aine n. et adj. **1.** n. Personne qui habite l'Amérique du Sud : *Un Sud-Américain, une Sud-Américaine.* ANT. Nord-Américain. **2.** adj. Qui est de l'Amérique du Sud : *Je rêve d'aller sur les hauts plateaux sud-américains.* ANT. nord-américain. **R.** Au pluriel, *sud-américains, sud-américaines*. On met des majuscules à *sud-américain* et à *sud-américaine* lorsqu'il s'agit du nom. ☞ sud.

sud-est n.m.invar. et adj.invar. **1.** n.m.invar. Point de l'horizon situé entre le sud et l'est : *Sherbrooke est au sud-est de Montréal.* **2.** n.m.invar. Partie d'un pays, d'une région qui est située au sud-est : *Cela s'est passé dans le Sud-Est asiatique.* **3.** adj.invar. Qui est situé au sud-est : *Cette ville se trouve sur la côte sud-est des États-Unis.* **R.** S'écrit avec des majuscules lorsqu'il s'agit de la partie d'un pays, d'une région. ☞ sud.

sud-ouest n.m.invar. et adj.invar. **1.** n.m. invar. Point de l'horizon situé entre le sud et l'ouest : *Ottawa est au sud-ouest de Québec.* **2.** n.m.invar. Partie d'un pays, d'une région qui est située au sud-ouest : *La Californie est située dans le Sud-Ouest américain.* **3.** adj. invar. Qui est situé au sud-ouest : *Nous visiterons la région sud-ouest durant nos vacances.* **R.** S'écrit avec des majuscules lorsqu'il s'agit de la partie d'un pays, d'une région. ☞ sud.

suède n.m. Peau d'aspect velouté : *Les vêtements faits de suède sont confortables.*

suédois, oise n. et adj. **1.** n. Personne qui est de la Suède : *Un Suédois, une Suédoise.* **2.** adj. Qui est de la Suède : *La médaille d'or a été remportée par un skieur suédois.* **R.** On met la majuscule à *suédois* et à *suédoise* lorsque le nom désigne une personne.

suédois n.m. Langue du groupe germanique nordique parlée en Suède et sur la côte de Finlande : *Ce film sous-titré était en suédois.*

suer v. **1.** Produire beaucoup de sueur: *Pendant la course, Guylaine a sué.* SYN. transpirer. ANT. sécher. **2.** Dégager de l'humidité: *Il y a trop d'humidité dans la salle de bain, les murs suent.* **3.** Se donner beaucoup de peine, de fatigue: *Il a sué pour préparer cette conférence.* SYN. travailler. ANT. se reposer. ☞ sueur.

sueur n.f. Liquide incolore, salé et d'une odeur particulière qui sort des pores de la peau quand on a chaud ou quand on fait un effort intense: *Il fait vraiment très chaud, des gouttes de sueur perlent sur mon front.* SYN. transpiration. ☞ suer.

suffire v. Être en assez grande quantité: *Cette somme me suffira pour acheter de nouveaux vêtements.* ⁄⁄ *Cela suffit, ça suffit:* C'est assez. *Il suffit de:* Il est seulement nécessaire de. ☞ insuffisamment, insuffisance, insuffisant, suffisamment, suffisant. se **suffire** v.pron. Trouver par ses propres moyens de quoi satisfaire à ses besoins matériels ou moraux: *Ma voisine vit seule, elle se suffit à elle-même.*

suffisamment adv. En assez grande quantité: *Il est important d'affranchir suffisamment vos lettres.* ANT. insuffisamment. ☞ suffire.

suffisance n.f. Caractère d'une personne suffisante, vaniteuse: *La suffisance de la conférencière rend son discours moins intéressant.* ANT. modestie. ☞ suffisant.

suffisant, ante adj. Qui est en assez grande quantité: *Mes économies seront suffisantes pour que je puisse m'offrir de belles vacances.* SYN. satisfaisant. ANT. insuffisant. ☞ suffire. ▲ **suffisant, ante** adj. Qui est vaniteux, qui a une trop haute idée de soi: *À l'écouter parler d'elle, on se rend compte que cette personne est suffisante.* SYN. arrogant. ANT. modeste. ☞ suffisance.

suffixe n.m. Élément qui s'ajoute à la fin d'un mot pour former un autre mot de la même famille: *Au mot «jardin», on ajoute le suffixe «et» pour former «jardinet».* SYN. terminaison. ANT. préfixe.

suffocant, ante adj. Qui gêne ou empêche la respiration: *L'été dernier, nous avons connu des chaleurs suffocantes.* SYN. accablant, étouffant. ANT. frais, supportable. ☞ suffoquer.

suffocation n.f. Impossibilité ou difficulté de respirer: *Nous l'avons transportée car elle était en pleine suffocation.* ☞ suffoquer.

suffoquer v. **1.** Étouffer, avoir du mal à respirer: *Une épaisse fumée grise nous suffoquait.* **2.** Causer une émotion vive: *Cette nouvelle nous a suffoqués.* ☞ suffocant, suffocation.

suffocation suffoquer

suffrage n.m. Vote donné en matière d'élection: *Cette candidate a recueilli soixante pour cent des suffrages exprimés.* SYN. voix. ⁄⁄ *Suffrage universel:* Système dans lequel la plupart des citoyens majeurs peuvent voter. ☞ suffragette.

suffragette n.f. (angl.) Anglaise militante qui réclamait le droit de voter: *Le mouvement des suffragettes est né en 1865 en Grande-Bretagne.* **R.** S'écrit avec deux *f*, deux *t*. ☞ suffrage.

suggérer v. **1.** Conseiller, proposer: *Je te suggère d'aller voir ce film, il est passionnant.* SYN. recommander. ANT. déconseiller, dissuader. **2.** Susciter une idée, faire penser à une chose: *Ce tableau suggère le calme et la douceur.* SYN. inspirer. ☞ suggestion.

suggestion n.f. Idée que l'on propose: *Avez-vous des suggestions pour l'organisation de cette fête?* SYN. recommandation. ☞ suggérer.

suggérer suggestion

suicidaire n. et adj. **1.** n. Personne qui éprouve la tentation du suicide: *Souvent les suicidaires envoient des appels de détresse.* **2.** adj. Qui mène ou tend au suicide: *Vous avez une conduite suicidaire.* **3.** adj.fig. Qui mène à l'échec, à la faillite: *Ne vous lancez pas dans cette affaire, c'est un projet suicidaire.* ☞ suicide.

suicide n.m. Action de se donner soi-même la mort: *Elle a fait une tentative de suicide en absorbant une grande quantité de pilules.* ☞ suicidaire, suicidé, se suicider.

suicidé, ée n. et adj. **1.** n. Personne qui s'est tuée volontairement: *L'urgence de l'hôpital reçoit des suicidés tous les jours.* **2.** adj. Qui s'est tué volontairement: *Il y a même des enfants parmi les personnes suicidées.* ☞ suicide.

se **suicider** v.pron. Se tuer volontairement: *Une personne de mon entourage s'est suicidée l'année dernière.* SYN. se supprimer. ☞ suicide.

suie n.f. Matière noire résultant des combustibles qui ne brûlent pas complètement: *Le ramoneur a enlevé la suie à l'intérieur de la cheminée.*

suif n.m. Graisse animale: *On peut fabriquer des chandelles avec du suif.*

suintement n.m. Écoulement très lent d'un liquide: *Regarde le suintement sur les parois de la grotte.* ☞ suinter.

suinter v. S'écouler très lentement, goutte à goutte: *Les murs du sous-sol suintent.* SYN. dégoutter. ANT. absorber, pénétrer, sécher. ☞ suintement.

suisse n.m. Petit écureuil rayé: *Le suisse vit en Amérique du Nord et en Russie.* ◇ tamia.

suisse

suisse n. et adj. **1.** n. Personne qui est de la Suisse: *Un Suisse, une Suisse.* **2.** adj. Qui est de la Suisse: *Genève et Zurich sont des villes suisses.* **R.** On met la majuscule à *suisse* lorsqu'il s'agit du nom. Le nom féminin *Suissesse* tend à disparaître.

suit ☞ sect. anglicismes et canadianismes.

suite n.f. **1.** Ensemble de faits qui se suivent, qui se succèdent: *Leur saison de hockey fut une suite de défaites.* SYN. série. **2.** Continuation d'une œuvre écrite, d'un récit: *Vous pouvez lire la suite de l'article à la page huit.* **3.** Conséquence: *Heureusement, votre accident n'a pas eu de suites fâcheuses.* SYN. effet, résultat. **4.** Série de choses rangées les unes à côté des autres: *Voulez-vous me lire dans votre manuel la suite de mots qui portent sur le printemps?* SYN. liste. ⫽ *De suite:* À la suite les uns des autres, sans interruption. *Par la suite:* Plus tard. *Par suite de:* En conséquence de. ☞ suivre. à la **suite de** loc.prép. En se suivant derrière, en se faisant suivre par derrière: *Les enfants marchaient à la suite de leurs parents.* et ainsi de **suite** loc.adv. En continuant de la même façon: *Il écrivit un nom, un adjectif, un nom, un adjectif, et ainsi de suite.* ▲ **suite** n.f. Appartement vaste et luxueux, dans un hôtel: *Nous avons réservé une suite pour la semaine prochaine.*

suivant, ante n. et adj. **1.** n. Personne qui suit: *Faites entrer le suivant.* ANT. précédent. **2.** adj. Qui vient après une autre personne ou une autre chose: *Lisez les explications à la page suivante.* **3.** adj. Qui va suivre: *Consultez l'exemple suivant.* ☞ suivre.

suivant prép. Conformément à, selon: *Suivant leur habitude, elles partent chaque soir faire une promenade.*

suiveur n.m. Personne sans initiative, qui suit les idées des autres: *Tu ne donnes jamais ton opinion, tu n'es qu'un suiveur.* SYN. imitateur. ☞ suivre.

suivi n.m. Action de surveiller, pendant une longue période, en vue de contrôler: *Dans votre cas, le suivi médical est important.* ☞ suivre.

suivi, ie adj. **1.** Qui se fait de manière continue: *Cette athlète se soumet à un entraînement suivi.* SYN. régulier. ANT. irrégulier. **2.** Qui a une cohérence, une logique: *Le raisonnement suivi de votre exposé rend celui-ci très clair.* ANT. décousu. **3.** Qui est fréquenté: *Le cours d'art dramatique est très suivi à mon cégep.* ☞ suivre.

suivre v. **1.** Aller derrière, venir après: *Quand je me promène, ma petite sœur me suit pas à pas.* SYN. talonner. ANT. devancer, précéder. **2.** Aller avec quelqu'un: *Veuillez me suivre dans mon bureau.* SYN. accompagner, escorter. ANT. délaisser, fuir. **3.** Se produire après, dans le temps: *Un festin a suivi la cérémonie du mariage.* **4.** Aller dans une direction déterminée: *Pour vous rendre à la maison, vous devez suivre le chemin de la rivière.* SYN. emprunter, parcourir, prendre. **5.** Obéir à un ordre, à un conseil: *Tu devrais suivre ce conseil de tes parents.* SYN. respecter. **6.** Assister à un cours: *J'aime beaucoup suivre le cours d'histoire.* **7.** Être attentif, s'intéresser à quelqu'un ou à quelque chose: *Vous aimez suivre les matchs de hockey à la télévision.* **8.** Être placé ou considéré après quelque chose: *La maison qui suit la mienne est centenaire.* ⫽ *À suivre:* Mention qui indique qu'un récit n'est pas terminé. ☞ suite, suivant, suiveur, suivi. se **suivre** v.pron. **1.** Être placés les uns derrière les autres: *Les gens se suivent à l'entrée du cinéma.* **2.** Se succéder: *Les jours se suivent, tantôt ensoleillés, tantôt pluvieux.*

sujet n.m. **1.** Thème, contenu d'un ouvrage, d'un discours: *Le sujet de cette recherche m'intéresse.* SYN. matière. **2.** Cause d'une action, d'un sentiment: *Puis-je connaître le sujet de votre dispute?* SYN. motif, raison. **3.** Mot qui, dans une phrase, désigne la personne, l'animal ou la chose qui accomplit l'action ou qui est dans l'état: *Dans la phrase «papa prépare le souper», le nom «papa» est le sujet du verbe «prépare».*

sujet, ette n. Personne soumise à l'autorité d'un souverain: *L'impératrice invite ses sujets à célébrer son anniversaire.*

sujet, ette adj. Qui est exposé à éprouver certaines maladies, certains malaises: *Je suis sujette aux rhumes.*

sulky n.m. (angl.) Voiture légère, à deux roues, utilisée dans les courses de trot attelé: *Pour faire courir le cheval, on doit se placer sur le sulky.* **R.** Au pluriel, *sulkies*.

sultan n.m. (arabe) Prince d'un État musulman: *Dans ce film, le sultan du Maroc est très riche.*

super adj.invar.fam. Qui est supérieur, formidable: *Cette maison est super!*

superbe adj. Qui est magnifique: *Ce paysage est superbe.* SYN. remarquable, splendide. ANT. affreux, laid. ☞ superbement.

superbement adv. De manière magnifique: *Ce bateau est superbement construit.* ☞ superbe.

supercarburant n.m. Essence de qualité supérieure: *Ma mère fait le plein de supercarburant.* **R.** Aussi, *super*. ☞ carburant.

supercherie n.f. Tromperie, fraude: *En regardant cette copie du tableau, je ne m'étais pas rendu compte de la supercherie.*

superficie n.f. Surface: *Calculez la superficie de ce court de tennis.* SYN. aire.

superficiel, elle adj. **1.** Qui se limite à la partie extérieure d'une chose: *Il a été victime de brûlures superficielles.* SYN. léger. **2.** Qui n'est pas approfondi ni essentiel: *Votre recherche n'est pas intéressante, elle est trop superficielle.* SYN. sommaire. ☞ superficiellement.

superficiellement adv. De manière superficielle, peu profonde: *Elle n'ira pas à l'hôpital car elle n'est blessée que superficiellement.* ANT. profondément. ☞ superficiel.

superflu n.m. Bien qui dépasse les besoins: *Le superflu abonde dans cette famille alors que la famille voisine manque de l'essentiel.*

superflu, ue adj. Qui n'est pas nécessaire, qui dépasse les besoins: *Toutes ces décorations sont superflues.* SYN. inutile. ANT. essentiel, indispensable.

supérieur, eure n. et adj. **1.** n. Personne qui commande à d'autres placées sous ses ordres: *Je n'obéis pas toujours à mes supérieurs.* SYN. chef, directeur, patron. ANT. employé, inférieur, subalterne. **2.** n. Religieux ou religieuse qui dirige une communauté: *La supérieure de cette congrégation est très âgée.* **3.** adj. Qui se situe au-dessus de quelque chose: *Les étages supérieurs de cet immeuble sont bien décorés.* SYN. élevé. ANT. bas, inférieur. **4.** adj. Qui atteint un niveau plus élevé: *La vitesse de ce bolide est supérieure à celle de ses concurrents.* **5.** adj. Qui témoigne d'un sentiment de supériorité: *Elle le regarde d'un air supérieur.* SYN. arrogant, fier. ANT. humble, modeste. ☞ supérieurement, supériorité.

supérieurement adv. De manière supérieure, plus grande, plus marquée: *Cette enfant est supérieurement débrouillarde.* SYN. très. ☞ supérieur.

supériorité n.f. **1.** Qualité de ce qui est meilleur, plus fort: *La supériorité de cette production me semble évidente.* ANT. insuffisance. **2.** Attitude d'une personne qui est ou qui se croit supérieure aux autres: *Son air de supériorité ne me la rend pas sympathique.* ANT. infériorité. ☞ supérieur.

superlatif n.m. **1.** Terme qui exprime le degré supérieur d'un adjectif ou d'un adverbe: *Dans sa conversation, elle emploie souvent les superlatifs «le plus» et «le mieux».* **2.** Terme qui exprime le degré supérieur d'une qualité: *J'ai parfois tendance à abuser des superlatifs.*

superman n.m. (angl.) **1.** Héros de bandes dessinées qui jouit d'une force colossale et de pouvoirs surhumains: *Plusieurs enfants ont un jour rêvé d'être Superman.* **2.** Homme doté de pouvoirs extraordinaires: *Le héros de ce film est un superman.* SYN. surhomme. **R.** Au pluriel, *supermen*. S'écrit avec une majuscule lorsqu'il s'agit du héros de bandes dessinées.

supermarché n.m. Magasin de grande surface qui vend des produits en libre-service: *Tous les jeudis, mes parents vont au supermarché pour acheter surtout de la nourriture.* ☞ marché.

superposer v. **1.** Poser l'un par-dessus l'autre: *Superpose ces caisses dans le hangar.* **2.** Poser une figure par-dessus une autre pour en vérifier l'égalité, en géométrie: *Je superpose ces deux angles.* ☞ superposition. **se superposer** v.pron. S'ajouter l'un à l'autre: *Plusieurs couches de nuages se superposent.*

superposition n.f. Action de poser par-dessus: *La superposition des couches de vernis a foncé le bois.* ☞ superposer.

superpuissance n.f. État qui dépasse les autres par son importance politique ou économique: *Les États-Unis et l'U.R.S.S. sont des superpuissances.* ☞ puissance.

supersonique adj. Qui atteint une vitesse supérieure à celle du son: *Les avions supersoniques ne sont plus exceptionnels aujourd'hui.* ☞ son.

superstitieux, euse n. et adj. **1.** n. Personne qui voit des signes favorables ou néfastes dans certains faits: *Ce superstitieux ne sort pas le vendredi 13.* **2.** adj. Qui croit à la superstition: *Si tu passes sous cette échelle, tu n'es pas superstitieuse.* ☞ superstition.

superstition n.f. Croyance selon laquelle certains signes ou actes ont des conséquences bonnes ou mauvaises: *C'est de la superstition de croire que sept est un chiffre chanceux.* SYN. magie. ☞ superstitieux.

superviser v. Contrôler et réviser un travail sans entrer dans les détails: *Mon père supervise mes travaux scolaires.* SYN. vérifier. ☞ superviseur, supervision.

superviseur n.m. Personne qui assure la supervision: *La contremaîtresse est le superviseur de cette construction.* **R.** L'O.L.F. recommande *superviseure* comme féminin de *superviseur.* ☞ superviser.

supervision n.f. Action de contrôle exercée par le superviseur: *Ma mère fait la supervision des travaux de rénovation.* ☞ superviser.

supplanter v. **1.** Écarter quelqu'un de la position qu'il occupe pour le remplacer: *Ce coureur a supplanté tous ses rivaux.* SYN. évincer, surpasser. **2.** Éliminer une chose en la remplaçant: *Les cassettes vidéo vont-elles supplanter le cinéma?*

suppléance n.f. Fonction de la personne qui remplace temporairement: *Avant d'être permanent, il a obtenu une suppléance.* ☞ suppléer.

suppléant, ante n. et adj. **1.** n. Personne qui est chargée d'en remplacer une autre: *La juge ou son suppléant décidera de cette affaire.* **2.** adj. Qui remplace: *Luce ne travaille pas souvent, elle n'est que suppléante.* ☞ suppléer.

suppléer v. **1.** litt. Remplacer quelqu'un dans ses fonctions: *L'adjoint est chargé de suppléer la directrice.* **2.** Corriger un défaut, un manque en remplaçant par autre chose: *Pour suppléer à son manque d'organisation, elle commence son travail plus tôt.* SYN. réparer. ☞ suppléance, suppléant.

supplément n.m. **1.** Chose qui s'ajoute à une autre déjà complète: *Chaque joueuse recevra un supplément de salaire à la fin de la saison.* SYN. surplus. ANT. diminution. **2.** Somme d'argent que l'on paie en surplus pour obtenir quelque chose qui n'est pas compris dans le prix de base: *Il faut payer un supplément pour avoir le petit déjeuner à la chambre.* SYN. surcroît. ANT. réduction. ☞ supplémentaire.

supplémentaire adj. Qui constitue un supplément, un ajout: *J'ai fourni deux heures supplémentaires au travail.* SYN. additionnel. ☞ supplément.

suppliant, ante adj. Qui exprime une demande faite avec soumission: *L'affamé nous lançait des regards suppliants.* ☞ supplier.

supplication n.f. Action de demander avec humilité, soumission: *Malgré les supplications de l'élève, le directeur téléphona à ses parents.* SYN. requête. ☞ supplier.

supplice n.m. **1.** Torture ordonnée par la justice à l'endroit d'un condamné: *Le supplice de la chaise électrique est encore courant aux États-Unis.* SYN. douleur, martyre. **2.** Souffrance morale, situation très désagréable: *Ce traitement médical est un vrai supplice.* SYN. sacrifice. ANT. récompense.

supplier v. Demander avec une insistance humble et soumise: *Je vous supplie de rester calme: accordez-moi cette faveur.* SYN. conjurer, implorer, prier. ☞ suppliant, supplication.

support n.m. Chose sur laquelle une autre s'appuie: *Ce trépied sert de support à la caméra.* SYN. base. **R.** N'a pas le sens de *cintre.* ☞ supporter.

supportable adj. **1.** Que l'on peut endurer: *C'est une douleur supportable.* ANT. atroce, insupportable. **2.** Que l'on peut accepter, tolérer: *Sa conduite n'est vraiment pas supportable.* SYN. excusable. ANT. intolérable. ☞ supporter.

supporter v. **1.** Soutenir le poids par-dessous: *Cette base de granit supporte la statue.* **2.** Avoir comme charge, comme obligation: *Je dois supporter les conséquences de mes actes.* **3.** Endurer ce qui est pénible sans faiblir: *Elle a supporté de grands malheurs dans sa vie.* SYN. éprouver, subir. **4.** Tolérer l'attitude de quelqu'un: *Je ne supporterai pas longtemps ces mensonges.* SYN. accepter, admettre, permettre. **5.** Tolérer la présence de quelqu'un: *J'avoue que j'ai du mal à supporter ce groupe bruyant.* **6.** Résister à un phénomène physique: *Supportes-tu mieux la chaleur ou le froid?* ☞ insupportable, insupportablement, support, supportable. se **supporter** v.pron. **1.** Se tolérer l'un l'autre: *Les équipières doivent se supporter.* **2.** S'appuyer l'un sur l'autre: *Dans l'épreuve, nous nous supportons.*

supposer v. **1.** Imaginer une chose comme étant vraie: *Supposons que cette aventure soit possible.* **2.** Admettre une chose comme étant probable: *Je suppose que tout le monde est au courant de ma nomination.* **3.** Avoir quelque chose comme condition nécessaire: *Skier suppose une bonne condition physique et un équipement adéquat.* ☞ supposition.

supposition n.f. Chose que l'on pense possible, réalisable: *Ce n'est qu'une supposition, il n'y a rien de sûr.* SYN. conjecture, hypothèse. ANT. certitude. ☞ supposer.

suppositoire n.m. Médicament que l'on introduit dans le rectum: *J'ai soigné ma laryngite à l'aide de suppositoires.*

suppression n.f. Action de supprimer, de retrancher: *La suppression de certaines scènes rendrait ce film moins violent.* ANT. addition, ajout. ☞ supprimer.

supprimer v. **1.** Mettre fin à l'existence de quelque chose: *Cette entreprise a supprimé plusieurs emplois.* SYN. abolir, annuler. ANT. ajouter. **2.** Mettre fin à l'existence de quelqu'un: *Les tyrans n'hésitent pas à supprimer leurs adversaires.* SYN. assassiner, tuer. **3.** Enlever quelque chose: *Ce médicament supprime la douleur.* SYN. ôter. ANT. maintenir. ☞ suppression. se **supprimer** v.pron. Se tuer: *Elle s'est supprimée par pendaison.*

suppurant, ante adj. Qui produit du pus: *C'est une coupure profonde et suppurante.* ☞ suppurer.

suppuration n.f. Action de suppurer, de produire ou laisser écouler du pus: *Ce pansement empêchera la suppuration de ta blessure.* ☞ suppurer.

suppurer v. Produire ou laisser écouler du pus: *Cette plaie suppure.* ☞ suppurant, suppuration.

suprématie n.f. Situation qui permet de dominer: *Ce pays exerce sa suprématie sur ses voisins par la force.* ANT. infériorité. **R.** Le *t* se prononce *ss*.

suprême n.m. Filet de viande ou de poisson servi avec une sauce à la crème: *Je prendrai le suprême d'aiglefin.* **R.** Ne pas oublier l'accent: *ê*.

suprême adj. **1.** Qui ne peut être surpassé: *Le roi détient l'autorité suprême dans son royaume.* **2.** Qui a une grande valeur: *Ils ont connu le bonheur suprême ensemble.* **3.** Que l'on fait en dernier: *Le loup fait un effort suprême pour se libérer.* SYN. extrême, ultime. // *Cour suprême:* Plus haut tribunal, aux États-Unis et au Canada. **R.** Ne pas oublier l'accent: *ê*. ☞ suprêmement.

suprêmement adv. De manière suprême, extrême: *Il me déplaît suprêmement.* SYN. extrêmement. **R.** Ne pas oublier l'accent: *ê*. ☞ suprême (adj.).

sur prép. **1.** Contre la partie supérieure d'une chose: *Dépose ton colis sur le banc.* **2.** À la surface d'une chose: *Des fleurs sont imprimées sur ce tissu.* **3.** Concernant quelque chose ou quelqu'un: *As-tu lu la revue sur les Amérindiens?* **4.** Par rapport à: *Une personne sur dix s'est absentée.* **5.** Dans la direction de: *La voiture fonce sur nous.* HOM. sûr.

sur, sure adj. Qui a un goût aigre et acide: *Ces pommes sures te font grimacer.* SYN. amer. ANT. sucré. HOM. sûr. ☞ suret, surir.

sûr, sûre adj. **1.** Se dit d'une personne qui envisage les événements avec confiance, qui est convaincue de quelque chose: *Je suis sûre de l'utilité de cette démarche.* **2.** Se dit d'une chose que l'on considère comme exacte, vraie: *J'y étais, c'est sûr.* SYN. assuré, certain. ANT. douteux, incertain, inexact. // *À coup sûr:* Immanquablement. *Bien sûr:* Évidemment. *Pour sûr:* Certainement. ☞ sûrement. ▲ **sûr, sûre** adj. **1.** Qui mérite notre confiance: *Denise est une amie sûre.* SYN. fidèle. ANT. infidèle. **2.** Qui ne présente aucun danger: *Ce quartier n'est pas très sûr, même le jour.* SYN. sécuritaire. ANT. dangereux. HOM. sur. // *En lieu sûr:* À l'abri. **R.** Ne pas oublier l'accent: *û*. ☞ sûreté.

surabondance n.f. Abondance trop grande: *Cette maison comporte une surabondance de décorations.* SYN. excès. ANT. insuffisance, pénurie. ☞ abonder.

surabondant, ante adj. Qui est en trop grande quantité: *En raison de l'été très doux, la récolte a été surabondante.* SYN. excessif. ANT. insuffisant, restreint. ☞ abonder.

surabonder v. Exister en trop grande quantité: *Dans certains pays, la nourriture surabonde.* ANT. manquer. ☞ abonder.

suraigu, uë adj. Qui est très aigu: *Cette voix suraiguë agace mes oreilles.* **R.** Ne pas oublier le tréma au féminin: *ë*. ☞ aigu.

surajouter v. Ajouter à ce qui est déjà complet: *Elle surajoute quelques aventures à son récit de voyage.* ☞ ajouter.

suranné, ée adj. Qui est démodé, qui n'est plus en usage: *J'aime bien la galanterie surannée de mon vieux voisin.*

surcharge n.f. **1.** Charge qui dépasse la charge autorisée: *L'avion a décollé avec une surcharge de quelques centaines de kilos.* SYN. excédent. ANT. allégement, diminution. **2.** Excès, surabondance: *Ce travail, qui s'ajoute à celui que j'avais déjà, constitue une véritable surcharge.* SYN. surcroît. ☞ charger.

surcharger v. **1.** Imposer un poids qui dépasse la charge habituelle: *Pourquoi surcharger ce chameau?* SYN. accabler. ANT. alléger, décharger. **2.** Encombrer: *Elle surcharge son récit de dates sans importance.* SYN. alourdir. ANT. alléger. ☞ charger. **surchargé, ée** p.p. et adj. **1.** Qui est encombré d'une charge trop lourde: *Ce véhicule est surchargé.* **2.** Qui est accablé excessivement: *Le concierge est surchargé de travail.*

surchauffé, ée adj. **1.** Qui est chauffé de manière excessive: *J'ouvre la fenêtre car la classe est surchauffée.* **2.** fig. Qui est surexcité: *Les esprits sont surchauffés à la suite de cette discussion.* HOM. surchauffer. ☞ chauffer.

surchauffer v. Chauffer de façon excessive: *Ne surchauffe pas le potage, sinon il va bouillir.* HOM. surchauffé. ☞ chauffer.

surclasser v. **1.** Montrer une supériorité par rapport à ses adversaires: *Cette nageuse a surclassé toutes ses concurrentes.* SYN. éclipser. **2.** Être supérieur aux autres choses: *Ce détersif surclasse tous ceux que j'ai utilisés auparavant.* SYN. surpasser.

surcroît n.m. Augmentation d'une charge que l'on a déjà: *La garde de ce bébé lui occasionne un surcroît de fatigue.* SYN. supplément, surcharge, surplus. ANT. diminution. ⁄⁄ *De surcroît, par surcroît:* En plus. **R.** Ne pas oublier l'accent: *î.*

surdité n.f. Affaiblissement ou perte de l'ouïe: *À la suite de cet accident, elle fut atteinte de surdité partielle.* ☞ sourd.

surdoué, ée n. et adj. **1.** n. Enfant dont l'intelligence est nettement supérieure à la moyenne: *L'an prochain, les surdoués seront regroupés dans la même classe.* **2.** adj. Dont l'intelligence est nettement supérieure à la moyenne, en parlant d'un enfant: *Cette écolière surdouée aide les autres élèves de la classe.* ☞ douer.

sureau, eaux n.m. Arbuste qui porte des fleurs blanches et des fruits acides rouges ou noirs: *Le sureau peut atteindre dix mètres de hauteur.*

surélever v. Donner une plus grande hauteur: *Le fermier surélèvera son étable.* ☞ élever.

sûrement adv. De manière évidente, à coup sûr: *Il est sûrement parti.* SYN. certainement. **R.** Ne pas oublier l'accent: *û.* ☞ sûr.

surenchère n.f. Offre supérieure, promesse: *La publicité ne manque pas de faire de la surenchère.* ☞ enchérir.

surestimation n.f. Estimation trop importante: *La surestimation de cette maison en rendra la vente difficile.* SYN. exagération, majoration. ANT. sous-estimation. ☞ estimer.

surestimer v. Estimer au-delà de son importance: *Il ne faut pas surestimer nos forces.* SYN. exagérer. ANT. déprécier, sous-estimer. ☞ estimer.

suret, ette adj. Qui est un peu sur: *Cet ananas est suret.* SYN. acidulé, aigrelet. ☞ sur (adj.).

sûreté n.f. **1.** Garantie de sécurité et de paix pour l'ensemble des gens: *Les policiers sont chargés de maintenir la sûreté publique.* **2.** Caractère d'une chose fiable: *La sûreté de ton amitié me réconforte.* SYN. assurance, garantie. ⁄⁄ *De sûreté:* Qui doit assurer une protection (épingle, verrou, chaîne). *En sûreté:* À l'abri du danger. *Pour plus de sûreté:* Par un surcroît de précautions. **R.** Ne pas oublier l'accent: *û.* ☞ sûr.

surexcitation n.f. Excitation qui dépasse les limites normales: *J'étais en pleine surexcitation à l'approche des examens.* SYN. agitation, énervement, exaltation. ANT. apaisement, calme, tranquillité. ☞ exciter.

surexcité, ée adj. Qui est dans un état d'excitation, d'agitation extrême: *À l'approche du congé, les élèves de ma classe sont surexcités.* HOM. surexciter. ☞ exciter.

surexciter v. Exciter grandement: *Ce film d'horreur surexcite toutes les personnes qui le regardent.* SYN. bouleverser, énerver. ANT. apaiser, calmer. HOM. surexcité. ☞ exciter.

surf n.m. (angl.) Sport nautique qui consiste à se tenir en équilibre sur une planche dans les vagues: *En Californie, le surf est très populaire.*

surface n.f. **1.** Partie qui forme la limite extérieure d'un corps: *La surface de l'eau est à peine agitée aujourd'hui.* ANT. fond, profondeur. **2.** Superficie, aire: *Ce terrain a dix mille mètres carrés de surface.* SYN. étendue. **3.** Partie de l'espace parcourue par une ligne qui se déplace, en géométrie: *S'agit-il d'une surface plane ou d'une surface courbe?* ⁄⁄ *En surface:* Superficiellement, sans examiner toute la question. *Faire surface:* Émerger, en parlant des sous-marins.

surfait, aite adj. Qui est estimé au-dessus de sa valeur: *Cet avocat a une réputation surfaite.*

surgelé, ée n.m. et adj. **1.** n.m. Aliment congelé rapidement et à très basse température: *J'ai acheté des surgelés au supermarché.* **2.** adj. Qui est congelé rapidement en vue de sa conservation: *Je préfère les aliments frais aux aliments surgelés.* HOM. surgeler. ☞ geler.

surgeler v. Congeler rapidement et à très basse température: *Il faut surgeler le poisson pour prolonger sa conservation.* HOM. surgelé. ☞ geler.

surgir v. **1.** Apparaître soudainement en sortant ou en s'élançant: *Le chat surgit du sac.* ANT. disparaître. **2.** Se manifester tout à coup: *Des problèmes surgissent chaque jour.* ANT. s'évanouir. ☞ ressurgir.

surhomme n.m. Homme qui semble jouir de pouvoirs physiques ou intellectuels exceptionnels: *J'ai longtemps cru que mon père était un surhomme.* SYN. superman. ☞ homme.

surhumain, aine adj. Qui apparaît au-dessus des forces et des qualités normales de l'être humain: *Cette femme a un courage surhumain.* ☞ homme.

surir v. Devenir aigre, sur: *Le lait a suri à la chaleur.* ☞ sur (adj.).

surlendemain n.m. Jour qui suit le lendemain: *Elle est allée à la clinique mardi et elle y est retournée le lendemain et le surlendemain.* ☞ lendemain.

surmenage n.m. État qui résulte d'une fatigue excessive: *Le repos est un bon remède au surmenage.* ☞ surmener.

surmener v. **1.** Fatiguer à l'excès un animal: *Il surmène sa jument en lui faisant traîner des charges trop lourdes.* SYN. épuiser. ANT. détendre, reposer. **2.** Imposer un trop grand effort physique ou intellectuel: *Cette patronne exigeante surmène ses employés.* SYN. accabler, fatiguer. ANT. délasser, reposer. ☞ surmenage. se **surmener** v.pron. S'imposer un excès de fatigue intellectuelle ou physique: *Depuis qu'elle est à l'université, elle se surmène.* **surmené, ée** p.p. et adj. Qui est excessivement fatigué: *Complètement surmené, il s'évanouit.*

surmontable adj. Que l'on peut surmonter, dominer: *C'est une difficulté facilement surmontable.* ANT. insurmontable. ☞ surmonter.

surmonter v. Vaincre une difficulté par un effort de la volonté: *Tu surmontes bien ta timidité.* SYN. dominer, maîtriser. ☞ insurmontable, surmontable. ▲ **surmonter** v. Être situé au-dessus de quelque chose: *Une maisonnette d'oiseaux surmonte le piquet.*

surmulot n.m. Gros rat très répandu: *Le surmulot est aussi appelé «rat d'égout».*

surnager v. **1.** Flotter, rester à la surface d'un liquide: *Sur le fleuve, une nappe de pétrole surnage.* ANT. s'enfoncer. **2.** Subsister, se maintenir malgré tout: *Elle réussit à surnager dans le monde de la drogue.* SYN. survivre. ANT. succomber.

surnaturel n.m. Domaine de ce qui est sacré, magique: *On a parfois besoin de croire au surnaturel.* ☞ nature.

surnaturel, elle adj. **1.** Qui échappe aux lois de la nature: *Cette sorcière prétend avoir des pouvoirs surnaturels.* **2.** Qui relève de Dieu: *La croyance en Dieu implique celle en une vie surnaturelle.* **3.** Qui semble trop prodigieux pour être naturel: *Ce paysage est d'une beauté surnaturelle.* ☞ nature.

surnom n.m. Nom que l'on ajoute ou que l'on substitue au nom d'une personne: *Certains surnoms sont ridicules.* ☞ nom.

en **surnombre** loc.adv. En surplus, en trop: *Il y a des clients en surnombre dans cette discothèque.* ☞ nombre.

surnommer v. Désigner par un surnom, par un nom que l'on ajoute ou substitue au nom d'une personne: *Mon père qu'on a surnommé «Prune», est la personne la plus gentille que je connaisse.* ☞ nom.

surpasser v. Faire mieux que quelqu'un dans un domaine: *En géométrie, Éric nous surpasse tous.* SYN. dépasser, éclipser. ☞ insurpassable. se **surpasser** v.pron. Faire mieux qu'en temps ordinaire: *L'actrice s'est surpassée dans ce film.*

surpeuplé, ée adj. Dont la population est trop nombreuse: *Plusieurs pays d'Asie sont surpeuplés.* ☞ peuple.

surpeuplement n.m. État d'un lieu dont la population est trop nombreuse: *Le surpeuplement est un problème qui concerne toutes les nations.* ☞ peuple.

surplomb n.m. Partie qui est en saillie par rapport à la base: *Le surplomb de la falaise est usé par la vague.* ⁄⁄ *En surplomb:* Qui présente une partie qui dépasse. ☞ surplomber.

surplomber v. Dépasser, dominer quelque chose: *Un balcon surplombe la façade de la maison.* ☞ surplomb.

surplus n.m.invar. Quantité qui est en trop: *Le surplus sera écoulé au rabais.* SYN. excédent, surcroît. ANT. manque, pénurie.

surpopulation n.f. Population trop nombreuse par rapport à l'espace et à la production: *La surpopulation est un problème aigu en Inde.* ☞ peuple.

surprenant, ante adj. Qui cause l'étonnement, la surprise: *C'est surprenant comme tu as grandi!* SYN. étrange, renversant. ☞ surprendre.

surprendre v. **1.** Prendre sur le fait: *Maryse a surpris le voleur.* **2.** Prendre par surprise: *La tempête de neige nous a surprises.* ANT. avertir, prévenir. **3.** Étonner, stupéfier: *Cette mauvaise nouvelle me surprend.* SYN. bouleverser, renverser. ANT. calmer, rassurer. ☞ surprenant, surprise.

surprise n.f. **1.** Chose qui surprend, qui est inattendue: *Une bonne surprise t'attend.* **2.** Plaisir ou cadeau inattendu fait à quelqu'un: *Je t'ai apporté une petite surprise.* **3.** État d'une personne qui est étonnée: *La surprise lui fit perdre la parole.* ⁄⁄ *Par surprise:* De façon imprévue. ☞ surprendre.

surprise-partie n.f. Réunion dansante, surtout chez les jeunes: *Viens-tu à la surprise-partie vendredi?* **R.** Aussi, *surprise-party*. Au pluriel, *surprises-parties*.

surproduction n.f. Production trop grande par rapport aux besoins: *La surproduction rompt l'équilibre économique d'une région donnée.* ☞ produire.

surproduire v. Produire en trop grande quantité par rapport à la demande: *Le jardinier doit éviter de surproduire.* ☞ produire.

surréalisme n.m. Mouvement littéraire et artistique basé sur les valeurs du rêve, de l'instinct, de la révolte, excluant la logique et les valeurs morales conventionnelles: *Le surréalisme est né en France après la Première Guerre mondiale.* ☞ réel.

sursaut n.m. **1.** Mouvement brusque et involontaire causé par la surprise: *J'ai eu un sursaut en entendant le tonnerre.* **2.** Regain subit: *Dans un sursaut d'énergie, elle se releva.* ☞ sursauter. en **sursaut** loc.adv. Subitement, brusquement: *Il m'arrive de m'éveiller en sursaut au milieu de la nuit.*

sursauter v. Avoir un mouvement brusque, un sursaut: *Quand je rêve à des monstres, je sursaute.* ☞ sursaut.

sursis n.m. **1.** Peine de prison réduite par le tribunal sous certaines conditions: *Elle a été condamnée à deux ans de prison, dont une avec sursis.* **2.** Remise d'une chose à plus tard: *L'enseignante a accordé un sursis pour la remise des travaux.* SYN. délai, prolongation. **3.** Période de repos: *Une fin de semaine seule avec son ami est un sursis pour cette mère.* **R.** Le *s* final ne se prononce pas.

surtaxe n.f. Taxe supplémentaire: *Les gouvernements imposent parfois des surtaxes sur l'alcool et le tabac.* ☞ taxer.

surtaxer v. Faire payer une taxe supplémentaire: *Notre gouvernement surtaxe l'essence.* ☞ taxer.

surtout n.m.vx Vêtement ample que l'on porte par-dessus les autres vêtements: *N'oublie pas de porter ton surtout pour peindre.*

surtout adv. Plus particulièrement: *J'aime surtout les romans policiers.*

surveillance n.f. Action d'exercer un contrôle suivi sur quelqu'un ou quelque chose: *Henri, mon professeur, faisait la surveillance à la récréation du matin.* ☞ surveiller.

surveillant, ante n. Personne qui exerce un contrôle suivi sur quelqu'un ou quelque chose: *Ma cousine est surveillante à l'usine.* ☞ surveiller.

surveillé, ée adj. Qui est observé attentivement: *Les personnes en liberté surveillée doivent régulièrement se présenter à la police.* HOM. surveiller. ☞ surveiller.

surveiller v. **1.** Observer attentivement le comportement de quelqu'un afin de s'assurer qu'il agit bien: *Le grand frère surveille sa jeune sœur.* SYN. garder. ANT. délaisser, ignorer. **2.** Suivre avec attention de manière à constater si tout se déroule bien: *Je me rends tous les jours sur le chantier pour surveiller les réparations.* **3.** Être attentif à quelque chose: *Mon père surveille sa ligne.* SYN. contrôler. ANT. négliger. HOM. surveillé. ☞ surveillance, surveillant, surveillé.

survenir v. Arriver brusquement, accidentellement: *Un accident est survenu sur le pont.*

survêtement n.m. Vêtement chaud et souple que les sportifs portent par-dessus leur tenue de sport: *La joueuse de tennis porte son survêtement entre deux sets.* **R.** Ne pas oublier l'accent: *ê*.

survie n.f. **1.** Prolongement de l'existence après la mort: *Crois-tu à la survie de l'âme?* **2.** Fait de se maintenir en vie: *Cette découverte dans le domaine médical favorisera la survie de plusieurs grands malades.* ☞ survivre.

survivance n.f. Ce qui persiste d'un état ancien: *Il faut s'occuper de la survivance du français au Québec.* SYN. conservation. ANT. abandon, disparition. ☞ survivre.

survivant, ante n. **1.** Personne qui survit à quelqu'un: *Tout l'héritage ira à la dernière survivante de mes filles.* **2.** Personne qui a échappé à la mort lors d'un événement qui a fait des morts: *On n'a retrouvé aucun survivant dans l'écrasement de l'avion.* ☞ survivre.

survivre v. **1.** Demeurer en vie après la mort de quelqu'un: *Elle a survécu à son mari.* **2.** Demeurer en vie après une catastrophe: *Cette ouvrière a survécu à l'explosion de l'usine.* **3.** Continuer à exister, en parlant d'une chose: *La mode de la mini-jupe survivra-t-elle longtemps?* ☞ survie, survivance, survivant.

survol n.m. Action d'examiner sommairement: *J'ai fait un survol de ton travail.* ☞ survoler.

survoler v. **1.** Voler au-dessus de quelque chose, en parlant des oiseaux ou des avions: *L'hirondelle survole notre jardin.* **2.** Examiner rapidement, sans aller en profondeur: *Elle n'a pas semblé intéressée, elle n'a que survolé le projet.* ☞ survol.

susceptibilité n.f. Caractère d'une personne qui s'offense facilement: *Tu fais preuve de susceptibilité en prenant mal cette remarque.* **R.** Les lettres *sc* se prononcent *ss.* ☞ susceptible.

susceptible adj. Qui s'offense facilement: *Il est très susceptible, alors attention à tes paroles.* SYN. irritable, ombrageux. ☞ susceptibilité. ▲ **susceptible** adj. Qui est capable de recevoir des qualités, des modifications: *Cet élève est susceptible de faire des progrès.* SYN. apte. ANT. incapable. **R.** Les lettres *sc* se prononcent *ss.*

susciter v. Faire naître un sentiment ou une idée: *Les matchs éliminatoires au hockey suscitent chez nous beaucoup d'intérêt.* SYN. éveiller, soulever. **R.** Les lettres *sc* se prononcent *ss.*

suspect, ecte n. et adj. **1.** n. Personne qui inspire de la défiance ou qui éveille les soupçons: *Le policier a arrêté deux suspectes.* **2.** adj. Qui éveille les soupçons: *C'est un individu suspect.* **3.** adj. Dont la valeur, la qualité ou l'intérêt est douteux: *Cette eau trouble est suspecte.* ☞ suspecter.

suspecter v. Avoir des soupçons au sujet d'une personne ou d'une chose: *Je suspecte cette viande à cause de sa couleur.* ☞ suspect.

suspendre v. **1.** Interrompre pour un certain temps: *Il faut suspendre le travail à cause du bris de la machine.* SYN. ajourner, reporter. ANT. continuer, poursuivre. **2.** Destituer pour un certain temps: *Cet avocat a été suspendu pour six mois parce qu'il a commis une faute grave.* ☞ en suspens, suspension. ▲ **suspendre** v. Fixer en haut de manière à laisser pendre: *Suspends tes vêtements.* SYN. accrocher. ANT. décrocher. ☞ suspension, suspensoir. **suspendu, ue** p.p. et adj. **1.** Qui est fixé en haut et dont le bas n'est pas retenu: *Le tableau est suspendu au mur.* **2.** Qui semble être accroché à quelque chose: *Ce petit village est suspendu au rocher.*

en suspens loc.adv. Sans achèvement, sans solution: *Cette question reste en suspens.* ☞ suspendre.

suspension n.f. **1.** Arrêt momentané ou remise à plus tard: *La suspension des travaux n'était pas prévue.* SYN. ajournement, interruption. ANT. achèvement, continuation. **2.** Interdiction de pratiquer un métier pour un certain temps à cause d'une faute commise: *La suspension imposée par la direction de l'hôpital révolte cette médecin.* ☞ suspendre. ▲ **suspension** n.f. **1.** Ensemble des pièces d'un véhicule qui servent à amortir les chocs dus au sol inégal: *La mécanicienne a réparé la suspension de notre voiture.* **2.** Appareil d'éclairage qui est fixé au plafond: *Une ampoule de la suspension est brûlée.* SYN. lustre, plafonnier. ⁄⁄ *Points de suspension:* Signe de ponctuation qui indique que le texte est interrompu. ☞ suspendre.

suspensoir n.m. Bandage destiné à soutenir un organe, particulièrement les testicules: *Portes-tu un suspensoir pour courir?* ☞ suspendre.

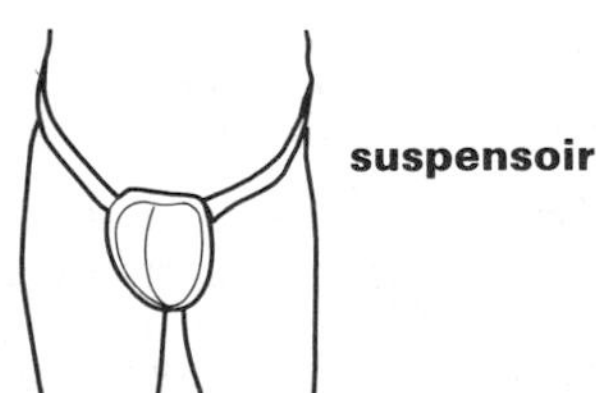

susurrer v. Chuchoter: *Sa voix agréable susurrait.* **R.** Le deuxième *s* se prononce *ss.*

suture n.f. Réunion au moyen d'un fil des deux bords d'une plaie: *Le médecin m'a fait des points de suture sur la paupière.* ☞ suturer.

suturer v. Recoudre au moyen de points de suture: *Le doigt qu'on m'a suturé guérit bien.* ☞ suture.

svelte adj. Qui a une forme souple et élancée: *Les danseuses et les danseurs de ballet sont sveltes.* SYN. élégant, mince. ANT. lourd, massif. ☞ sveltesse.

sveltesse n.f. Qualité d'une personne qui est souple et élancée: *Depuis que Louis et Marie jouent au tennis, on remarque leur sveltesse.* ☞ svelte.

switch ☞ sect. anglicismes et canadianismes.

syllabe n.f. Voyelle seule ou groupe de voyelles et de consonnes qui se prononcent d'une seule émission de voix: *«Ail» est un mot d'une syllabe.* **R.** Les deux *l* se prononcent comme un seul *l*. ☞ monosyllabe.

sylvicole adj. Qui se rapporte à l'exploitation des forêts: *Ce problème sylvicole a été discuté avec le ministre concerné.* ☞ sylviculteur, sylviculture.

sylviculteur, trice n. Personne qui s'occupe de l'exploitation des forêts: *Une sylvicultrice viendra nous parler du reboisement.* ☞ sylvicole.

sylviculture n.f. Exploitation des arbres forestiers: *La sylviculture concerne la conservation et le reboisement des forêts.* ☞ sylvicole.

symbole n.m. **1.** Objet ou image qui représente quelque chose d'abstrait ou d'absent: *La colombe est le symbole de la paix.* SYN. emblème. **2.** Signe ou abréviation utilisé dans les sciences: *Le symbole chimique de l'eau est H_2O.* **3.** Personne qui est une représentation d'une qualité particulière: *Suzanne est le symbole de l'efficacité.* ☞ symbolique, symboliquement, symboliser.

symbolique adj. **1.** Qui a la valeur d'un symbole: *La balance est la figure symbolique de la justice.* **2.** Qui n'a pas de valeur en soi mais signifie une intention: *La mairesse a fait le geste symbolique de couper le ruban pour marquer l'ouverture de la bibliothèque.* ☞ symbole.

symboliquement adv. De manière symbolique, emblématique: *Il joint les mains audessus de sa tête pour exprimer symboliquement la victoire.* ☞ symbole.

symboliser v. Exprimer par un symbole: *Ce masque primitif symbolise le courage et la fierté.* ☞ symbole.

symétrie n.f. **1.** Distribution régulière de deux ou plusieurs éléments par rapport à un axe: *Je vérifie la symétrie de ces angles.* SYN. concordance, correspondance. ANT. asymétrie. **2.** Aspect harmonieux résultant de la disposition équilibrée des éléments d'un tout: *Son visage manque de symétrie.* SYN. régularité, uniformité. ANT. irrégularité. ☞ asymétrie, asymétrique, dissymétrie, dissymétrique, symétrique, symétriquement.

symétrie

symétrique adj. Se dit de deux choses semblables et opposées: *Ces deux figures sont-elles parfaitement symétriques?* ☞ symétrie.

symétriquement adv. De manière symétrique, uniforme: *Les tours de ce château ont été construites symétriquement.* ☞ symétrie.

sympathie n.f. **1.** Sentiment chaleureux et spontané qui porte deux personnes l'une vers l'autre: *J'éprouve beaucoup de sympathie pour Lynda avec qui je travaille depuis peu de temps.* SYN. amitié, bienveillance, cordialité. ANT. haine, opposition. **2.** litt. Participation à la peine de quelqu'un: *Tu es malade, tu as toute ma sympathie.* ☞ sympathique, sympathiser.

sympathique adj. Qui est agréable, qui attire la sympathie: *Je le trouve vraiment sympathique.* SYN. aimable, amical. ANT. antipathique, déplaisant. ☞ sympathie.

sympathiser v. Avoir de la sympathie pour quelqu'un, s'entendre très bien avec lui: *Dès son arrivée dans notre quartier, nous avons sympathisé avec cette fille dynamique.* ☞ sympathie.

symphonie n.f. **1.** Composition musicale à plusieurs mouvements, exécutée par plusieurs instrumentistes: *Les symphonies de Beethoven me font vibrer.* **2.** fig. et litt. Ensemble harmonieux de plusieurs choses: *Ce tableau contient une symphonie de couleurs.* **R.** Les lettres *ph* se prononcent *f*. ☞ symphonique.

symphonique adj. Qui se rapporte à la symphonie, à la musique classique pour grand orchestre: *Charles Dutoit dirigeait ce concert symphonique.* **R.** Les lettres *ph* se prononcent *f*. ☞ symphonie.

symptôme n.m. **1.** Ensemble des signes observables liés à une maladie, à un trouble: *Tu as tous les symptômes de la grippe.* SYN.

manifestation, signe. **2.** Indice permettant de prévoir une chose cachée: *Peu de gens avaient reconnu les symptômes de la crise économique.* **R.** Ne pas oublier l'accent: *ô*.

synagogue n.f. Temple où est célébré le culte israélite: *Le rabbin s'adressa à la foule réunie dans la synagogue.* **R.** Ne pas oublier le *u* après le *g*: synagogue.

synchronisation n.f. Action de synchroniser, de mettre en concordance les images et les sons d'un film: *La synchronisation de ce film est excellente.* **R.** Les lettres *ch* se prononcent *k*. ☞ synchroniser.

synchroniser v. **1.** Mettre en concordance les images et les sons d'un film: *Il faut être très habile pour bien synchroniser un film.* **2.** Produire des sons, des mouvements ou des faits dans le même temps: *Cette gymnaste synchronise bien ses gestes.* **R.** Les lettres *ch* se prononcent *k*. ☞ synchronisation.

syncope n.f. Perte de connaissance accompagnée du ralentissement de la respiration et des battements cardiaques: *La brûlée est tombée en syncope.*

syndical, ale, aux adj. Qui se rapporte à un syndicat, à un groupement constitué pour la défense d'intérêts communs: *Il y a une réunion syndicale ce soir.* ☞ syndicat.

syndicalisme n.m. Mouvement qui a pour but de défendre les droits et les intérêts des personnes exerçant une même profession: *Madeleine Parent est une pionnière du syndicalisme au Québec.* ☞ syndicat.

syndicaliste n. Personne qui est membre d'un syndicat: *Cette manifestation regroupait quelques milliers de syndicalistes du monde de l'enseignement.* ☞ syndicat.

syndicat n.m. Groupement qui est constitué pour la défense d'intérêts communs: *Les fonctionnaires ont formé un syndicat.* SYN. association. ☞ syndical, syndicalisme, syndicaliste, syndiqué, syndiquer.

syndiqué, ée n. et adj. **1.** n. Personne qui fait partie d'un syndicat: *Les syndiqués de cette usine sont en période de négociation.* **2.** adj. Qui se rapporte à un syndicat: *Ces employées non syndiquées ont été remerciées.* HOM. syndiquer. ☞ syndicat.

syndiquer v. Regrouper des personnes ou organiser une profession, un métier en syndicat: *Ces manutentionnaires veulent syndiquer leur entreprise.* HOM. syndiqué. ☞ syndicat. se **syndiquer** v.pron. Se grouper en un syndicat: *Les ouvrières de cette usine de textile se sont syndiquées récemment.*

synonyme n.m. Mot ou expression qui a à peu près le même sens qu'un autre mot ou une autre expression: *«Amie» et «copine» sont des synonymes.* ANT. antonyme.

syntaxe n.f. Ensemble des règles grammaticales propres à une langue: *Quand on écrit, il faut respecter la syntaxe.*

synthèse n.f. Opération intellectuelle par laquelle on réunit des éléments en un ensemble: *Faisons la synthèse des notions de géométrie vues ce mois-ci.* SYN. abrégé, résumé. ANT. analyse. ☞ synthétique, synthétiquement.

synthétique adj. **1.** Qui présente une synthèse, qui envisage les choses dans leur ensemble: *L'enseignant a fait à l'intention des parents une présentation synthétique des objectifs de chaque matière.* **2.** Qui est produit artificiellement: *C'est un chemisier en soie synthétique.* ☞ synthèse.

synthèse synthétique

synthétiquement adv. De manière synthétique, en envisageant les choses dans leur ensemble: *J'ai présenté synthétiquement mes objections au projet.* ☞ synthèse.

synthétiseur n.m. Appareil de musique électronique qui produit des sons à partir de signaux numériques: *Cette chanteuse s'accompagne au synthétiseur.*

systématique adj. **1.** Qui est fait avec méthode, selon un ordre prévu: *J'ai répondu à toutes les questions de façon systématique.* **2.** Qui ne tient pas compte des circonstances, qui agit de manière rigide: *Je reçois un refus systématique de la part de ma mère chaque fois que je veux conduire sa voiture.* ☞ système.

systématiquement adv. De manière systématique, avec méthode: *Mon frère calcule systématiquement toutes les calories qu'il absorbe.* ☞ système.

système n.m. **1.** Combinaison d'éléments qui forment un tout: *Tous nos nerfs forment le système nerveux.* **2.** Appareil organisé de manière à permettre un résultat: *Il a fait installer chez lui un système d'alarme.* SYN. dispositif, mécanisme. **3.** Organisation, ensemble de moyens et de méthodes: *Le système d'éducation de notre pays est différent du système français.* **4.** Ensemble de termes qui ont des relations entre eux: *Le système décimal ressemble au système métrique.* ∥ *Système D:* Système des débrouillards. *Système solaire:* Ensemble comprenant le Soleil et ses planètes. ☞ systématique, systématiquement.

t n.m.invar. **1.** Vingtième lettre de l'alphabet: *La lettre «t» est la seizième consonne de l'alphabet.* **2.** Objet rappelant la forme du T majuscule: *Quand je veux faire des dessins précis, je me sers d'une équerre en T.* **R.** On met la majuscule lorsqu'il s'agit de l'objet rappelant la forme de la lettre.

tabac n.m. (esp.) **1.** Plante haute dont les larges feuilles, riches en nicotine, peuvent être fumées: *Le tabac est de la même famille que la tomate et la pomme de terre.* **2.** Produit de cette plante fait de feuilles séchées, qui se fume de diverses façons: *Ce tabac à pipe est très aromatisé.* **3.** Magasin où l'on vend du tabac, des cigarettes: *Le tabac du coin vend plusieurs marques de cigares.* ☞ tabagie, tabagisme, tabatière. ▲ **tabac** n.m.fam. Violence sur quelqu'un, coups: *On a passé à tabac cette trafiquante qui empiétait sur mon territoire.* ⁄⁄ *Coup de tabac:* Tempête violente mais de courte durée. ☞ tabasser.

tabagie n.f. **1.** Pièce où l'air est chargé de fumée de cigarette: *Ce petit restaurant rempli de fumeurs était une vraie tabagie.* **2.** Au Canada, magasin où l'on vend du tabac et des journaux: *Irais-tu m'acheter le journal à la tabagie?* ☞ tabac.

tabagisme n.m. Intoxication et ensemble de troubles causés par l'abus du tabac; abus du tabac: *Le tabagisme nuit à la croissance.* ☞ tabac.

tabasser v.pop. Rouer de coups, passer à tabac: *Des voyous l'attendent à la sortie pour le tabasser.* ☞ tabac.

tabatière n.f. Petite boîte servant à mettre du tabac à priser: *J'ai du bon tabac dans ma tabatière.* ☞ tabac.

tabernacle n.m. Petite armoire placée au milieu de l'autel et contenant le ciboire: *Avant la communion, le prêtre ouvre le tabernacle pour y prendre le ciboire.*

table n.f. **1.** Meuble formé d'une surface plane posée sur un ou plusieurs pieds, destiné à divers usages: *Nous venons d'acheter une table de ping-pong.* **2.** Meuble sur pieds formé d'une surface plane sur lequel on place ce qui est nécessaire aux repas: *Je m'assois toujours à ce bout-ci de la table.* **3.** Nourriture servie à table; ensemble des personnes qui prennent le repas: *Qui présidera la table?* SYN. tablée. ⁄⁄ *Dresser, mettre la table:* Placer sur la table tout ce qu'il faut pour manger. *La sainte table:* Partie de l'autel devant laquelle les fidèles se présentent pour communier. *S'asseoir, se mettre à table:* S'attabler pour manger. *Sous la table:* En dissimulant pour frauder, dans le langage populaire. *Vin de table:* Vin de qualité ordinaire. ☞ s'attabler, tablée. ▲ **table** n.f. Surface plane ou un peu courbe sur certains appareils, outils, instruments de musique, etc.: *La table d'harmonie du piano est fêlée: le son n'est pas très bon.* ⁄⁄ *Table d'écoute:* Poste d'écoute qui permet d'écouter les communications téléphoniques. *Table de lecture:* Platine d'un tourne-disque, d'un électrophone. ▲ **table** n.f. **1.** Ensemble d'informations présentées de façon méthodique: *La table des matières se trouve au début du livre.* SYN. index, sommaire. **2.** Ensemble de données numériques présentées sous forme de tableau: *J'ai consulté la table de multiplication.* ⁄⁄ *Faire table rase:* Considérer comme nul ce qui a été dit, écrit ou fait avant. *Tables de la Loi:* Plaques de pierre sur lesquelles étaient gravés, selon la Bible, les commandements que Dieu donna à Moïse.

tableau, eaux n.m. **1.** Peinture exécutée sur une toile: *J'aime beaucoup ce tableau de*

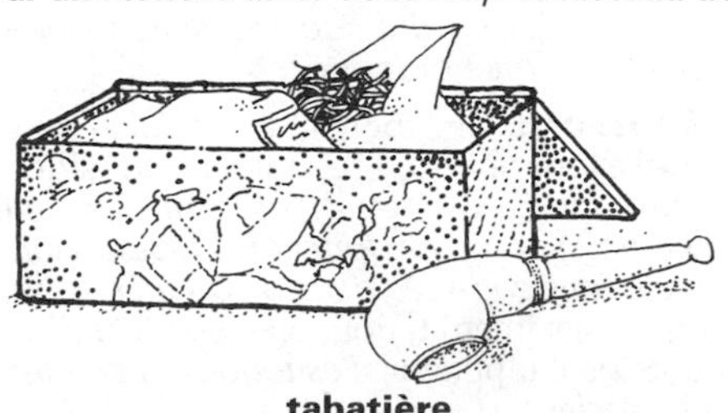

tabatière

Marcelle Ferron. **2.** Description d'une situation, d'un événement: *Cette journaliste a brossé un tableau fidèle de la situation.* SYN. récit. **3.** Subdivision d'un acte, au théâtre, correspondant à un changement de décor: *Cet acte comprend trois tableaux.* ▲ **tableau, eaux** n.m. **1.** Panneau mural noir ou vert foncé sur lequel on écrit avec une craie: *Voudrais-tu écrire ta phrase au tableau?* **2.** Panneau servant à l'affichage: *Les résultats des examens sont épinglés au tableau.* **3.** Support sur lequel sont réunis plusieurs objets ou appareils de commande: *J'ai poussé le mauvais bouton du tableau de commande du lave-vaisselle.* ⫽ *Tableau de bord:* Panneau où sont réunis les instruments et les dispositifs servant à conduire un véhicule. ▲ **tableau, eaux** n.m. Ensemble de données disposées de façon claire et ordonnée, en lignes et en colonnes, et faciles à consulter: *Mon livre de grammaire contient plusieurs tableaux de conjugaison.* ⫽ *Tableau d'honneur:* Liste des élèves les plus méritants.

tablée n.f. Groupe de personnes qui prennent un repas ensemble à la même table: *Cette tablée est très bruyante.* HOM. tabler. ☞ table.

tabler v. Compter sur quelque chose: *Il table sur le prochain examen pour hausser sa note.* HOM. tablée.

tablette n.f. Planche posée horizontalement pour recevoir divers objets: *J'ai pris un livre sur la dernière tablette.* SYN. planchette. ▲ **tablette** n.f. Produit alimentaire présenté sous forme de petite plaque: *J'ai partagé ma tablette de chocolat avec ma petite sœur.*

tablier n.m. Vêtement de protection qui ne couvre que le devant du vêtement sur lequel il est porté: *Tu devrais mettre un tablier pour préparer la sauce.* ▲ **tablier** n.m. Plancher d'un pont: *Les ouvriers de la voirie s'affairent à la réfection du tablier.*

tabloïd n.m. et adj. (améric.) **1.** n.m. Journal dont le format équivaut à la moitié du format habituel: *Les tabloïds sont de plus en plus appréciés par les lecteurs.* **2.** adj. Qui équivaut à la moitié du format habituel d'un journal: *Notre journal de quartier est publié en format tabloïd.* **R.** Aussi, *tabloïde*. Ne pas oublier le tréma: *ï*. Le *d* se prononce.

tabou, ous n.m. (polyn.) **1.** Interdiction religieuse portant sur ce qui est considéré comme sacré ou impur: *J'ai lu un livre qui expliquait le rôle que jouent les tabous dans les relations entre ces deux peuplades.* **2.** fig. Chose, sujet interdit, dont on ne parle pas par crainte ou par pudeur: *Les tabous ont de très fortes racines.*

tabou, oue, ous adj. **1.** Qui est l'objet d'un tabou, d'une interdiction religieuse rituelle: *Dans les tribus polynésiennes, les chefs, les sorciers et les femmes en couches sont tabous.* **2.** Qu'il est interdit de dire ou de faire à cause des convenances: *On ne peut lui parler de son échec: c'est une question taboue pour elle.*

tabouret n.m. **1.** Petit siège sans bras ni dossier: *J'étais assise sur un tabouret au comptoir du restaurant.* **2.** Petit meuble sur lequel on pose les pieds quand on est assis: *Linda s'installe confortablement dans le fauteuil, les pieds sur le tabouret.*

tac n.m. et interj. **1.** n.m. Bruit sec: *Le moteur a émis quelques tacs et s'est arrêté.* **2.** interj. Mot imitant un bruit sec: *Tac, tac, tac! faisait le pic en frappant le tronc de l'arbre de son bec.* ⫽ *Répondre du tac au tac:* Répondre à quelque chose de désagréable en rendant aussitôt la pareille.

tache n.f. **1.** Petite zone de la peau, du pelage qui se distingue du reste par sa couleur: *À part quelques petites taches grises, le poil de mon chat est tout noir.* SYN. moucheture. **2.** Partie de couleur qui se dégage d'un fond d'une autre couleur: *Le soleil jetait des taches lumineuses sur sa chevelure.* ⫽ *Tache de rousseur:* Éphélide. *Taches solaires:* Zones sombres à la surface du soleil. ☞ tacheté, tacheter. ▲ **tache** n.f. **1.** Marque qui salit: *Ma feuille de réponses est couverte de taches d'encre.* SYN. bavure, éclaboussure. **2.** fig. Souillure morale, déshonneur: *Sa réputation est sans tache.* ☞ détachage, détachant, détacher, entacher, tacher.

tâche n.f. **1.** Travail à accomplir: *On m'a confié la tâche de sortir les ordures.* SYN. besogne, corvée, ouvrage. ANT. plaisir, récréation, repos. **2.** Ce qu'on a à accomplir par devoir ou par obligation: *Enseigner aux jeunes est une tâche parfois difficile.* SYN. mission, rôle. **R.** Ne pas oublier l'accent: *â*.

tacher v. Salir en faisant une ou des taches: *J'ai taché mon gilet avec de la sauce aux tomates.* SYN. souiller. ANT. laver, nettoyer. ☞ tache. **se tacher** v.pron. Recevoir des taches, se salir: *Cette robe blanche se tache facilement.* **taché, ée** p.p. et adj. Qui est couvert de taches, sali: *Je dois laver cette nappe tachée de sauce.*

tâcher v. **1.** Faire des efforts, essayer: *Je vais tâcher d'arriver à l'heure cette fois-ci.* SYN. s'efforcer. ANT. éviter, négliger. **2.** Faire en sorte, s'arranger: *Tâchons que cela ne se reproduise plus.* ANT. éviter. **R.** Ne pas oublier l'accent: *â*.

tacheté, ée adj. Qui présente des petites taches: *Les dalmatiens ont un pelage tacheté de noir ou de brun.* HOM. tacheter. ☞ tache.

tacheter v. Couvrir de nombreuses petites taches: *J'ai tacheté mon dessin pour évoquer la pluie.* SYN. moucheter. HOM. tacheté. **R.** Ne pas oublier de doubler le *t* devant un *e* muet. ☞ tache.

tacite adj. Qui est sous-entendu, qui n'est pas exprimé nettement, formellement: *Nous avons fait un accord tacite.* SYN. implicite, inexprimé. ANT. formel. ☞ tacitement.

tacitement adv. D'une manière tacite, sans exprimer nettement: *Nous avons tacitement convenu de ne pas répéter ces grossièretés.* SYN. implicitement. ANT. explicitement, formellement. ☞ tacite.

taciturne adj. Qui parle peu; qui n'est pas d'humeur à parler: *C'est une fille taciturne.* SYN. fermé, morose, silencieux, songeur. ANT. bavard, communicatif, parleur.

tacot n.m.fam. Vieille voiture automobile en mauvais état de marche: *Le tacot avançait en pétaradant.* SYN. guimbarde.

tact n.m. Sensibilité du toucher au contact, à la pression: *Le sens du toucher comprend le tact, les sensations thermiques et la sensibilité à la douleur.* ☞ tactile. ▲ **tact** n.m. Sentiment de délicatesse qui porte à juger avec justesse de ce qui est bien, de ce qui est convenable dans les rapports avec les autres: *Il a mené les négociations avec fermeté mais aussi avec tact.* SYN. doigté, finesse, savoir-faire. ANT. grossièreté, maladresse. **R.** Les lettres *ct* se prononcent.

tactile adj. Qui se rapporte au toucher: *Quand nous avons les mains gelées, nos perceptions tactiles sont modifiées.* ⁄⁄ *Poils tactiles:* Poils, comme les moustaches du chat, qui servent au toucher, au tact, chez certains animaux. ☞ tact.

tactique n.f. et adj. **1.** n.f. Art de mettre en œuvre les moyens militaires de combat: *Les troupes ennemies ont opté pour une tactique d'encerclement.* **2.** n.f. Façon d'exécuter un plan: *La tactique de défense de l'équipe de soccer est parfaite.* SYN. procédé, stratégie. **3.** n.f.fig. Ensemble de moyens qu'on utilise pour arriver à un résultat: *La tactique de la candidate fut efficace: elle a gagné l'élection.* SYN. plan, stratégie. **4.** adj. Qui se rapporte à la tactique, à l'art de combiner différents moyens en vue d'un résultat: *Les bombes atomiques sont surtout utilisées comme armes tactiques.*

taffetas n.m. Tissu léger de soie: *Elle portait au cou un mouchoir en taffetas.*

tahitien, enne n. et adj. **1.** n. Personne qui est de Tahiti: *Un Tahitien, une Tahitienne.* **2.** adj. Qui est de Tahiti: *Le climat tahitien est chaud et humide.* **R.** On met la majuscule à *tahitien* et à *tahitienne* lorsqu'il s'agit du nom.

taie n.f. Enveloppe d'un oreiller: *La taie de mon oreiller est assortie à mon drap.*

taïga n.f. (turc) Forêt de conifères qui longe la toundra au nord de l'Amérique et en Asie: *La taïga québécoise est riche en épinettes.* **R.** Ne pas oublier le tréma: *ï.*

taillade n.f. **1.** Coupure dans les chairs faite par un instrument tranchant: *Sa taillade a laissé une cicatrice.* SYN. balafre. **2.** Incision, entaille: *La table était couverte de taillades faites avec un canif.* ☞ taillader.

taillader v. Faire des taillades, des entailles: *Des enfants ont tailladé l'écorce de l'arbre pour graver leurs initiales.* ☞ taillade. se **taillader** v.pron. Se faire des coupures, des taillades: *Il s'est tailladé la main en cassant le verre.*

taille n.f. Action ou manière de tailler; forme que l'on donne à quelque chose en taillant: *La taille des pommiers exige des connaissances appropriées.* SYN. coupe, élagage, émondage. ☞ tailler. ▲ **taille** n.f. **1.** Hauteur du corps humain mesurée du sol au sommet de la tête: *L'infirmière m'a dit que ma taille est normale.* SYN. grandeur, stature. **2.** Chacune des dimensions standard d'un vêtement, d'une paire de chaussures: *Ces pantalons se vendent en quatre tailles.* **3.** Grandeur ou grosseur d'un animal, d'une chose: *La maison est entourée d'arbres de grande taille.* **4.** Partie du corps située entre le thorax et les hanches: *Il avait l'air étriqué dans son pantalon qui lui serrait la taille.* **5.** Partie plus ou moins ajustée d'un vêtement à cet endroit du corps, entre le thorax et les hanches: *Des robes à taille basse sont exposées dans la vitrine.*

taillé, ée adj. **1.** Qui est fait, bâti de telle façon, en parlant du corps humain: *Elle est taillée comme une athlète.* **2.** Qui est coupé, rendu plus court: *Ses cheveux ainsi taillés lui donnaient un air espiègle.* **3.** Qu'on a coupé en donnant une certaine forme: *Un cèdre taillé en cône orne le jardin.* HOM. tailler. ⁄⁄ *Être taillé pour:* Être apte à. ☞ tailler.

taille-crayon n.m. Petit instrument à lame servant à tailler les crayons: *La lame de mon taille-crayon est usée.* **R.** Aussi, *taille-crayons.* Au pluriel, *taille-crayon* ou *taille-crayons.* ☞ tailler. (*Voir l'illustration à la page suivante.*)

tailler v. **1.** Couper, façonner à l'aide d'un instrument tranchant: *J'ai taillé la haie avec* *maman.* ANT. greffer. **2.** Découper des morceaux d'étoffe pour confectionner un vêtement : *J'ai taillé une robe et deux pantalons.* HOM. taillé. ☞ retaille, retailler, taille, taillé, taille-crayon, tailleur. se **tailler** v.pron. **1.** S'approprier, obtenir : *Je n'ai pas eu besoin de manigancer pour me tailler une place dans cette compagnie.* **2.** pop. S'en aller : *Taillons-nous avant qu'on nous découvre.* SYN. s'enfuir.

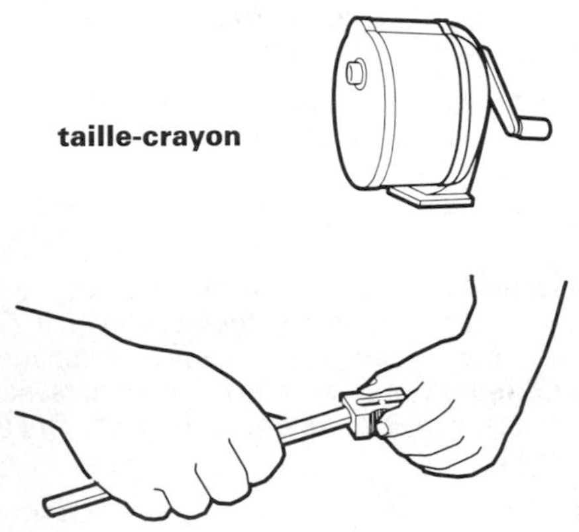

taille-crayon

tailleur n.m. **1.** Personne qui fait des vêtements sur mesure : *Il s'est fait faire un complet chez un tailleur.* **2.** Personne qui taille quelque chose : *Mon grand-père est tailleur de pierre.* **3.** Vêtement féminin composé d'une veste doublée et d'une jupe : *Son tailleur lui va bien.* **R.** L'O.L.F. recommande *tailleuse* comme féminin de *tailleur.* ☞ tailler.

taillis n.m. Bois où il n'y a que de petits arbres : *Nous avons joué à cache-cache dans les taillis.*

tain n.m. Substance métallique qu'on applique derrière une plaque de verre pour en faire un miroir : *Le tain de ce miroir est abîmé.* HOM. teint, thym, tin.

taire v. Ne pas dire : *Elle a été forcée de taire la vérité.* SYN. cacher, déguiser, dissimuler. ANT. dévoiler, parler, publier, révéler. HOM. terre. ⁄⁄ *Faire taire :* Empêcher de parler, empêcher de se manifester. se **taire** v.pron. **1.** Rester sans parler : *Il s'est tu toute la soirée.* **2.** Ne pas révéler un secret : *Elle a décidé de se taire à ce sujet.* **3.** Cesser de parler, de crier, de pleurer : *L'assistance s'est tue dès les premières paroles de la conférencière.* **4.** fig. Cesser de se faire entendre : *Le tonnerre s'était tu.* ⁄⁄ *Savoir se taire :* Être discret. **R.** Participe passé, *tu.*

talc n.m. (arabe) Substance qu'on rencontre dans certaines roches ; poudre blanche faite de cette substance qui absorbe l'humidité : *Après le bain, elle s'est mis du talc parfumé.* **R.** Le *c* se prononce. ☞ talquer.

talent n.m. **1.** Aptitude particulière à faire quelque chose : *Ces élèves sont remplis de talents.* SYN. capacité, don, habileté. ANT. incapacité. **2.** Aptitude remarquable dans le domaine artistique ou intellectuel : *Il est un danseur de grand talent.* **3.** Personne qui a du talent, des aptitudes dans un domaine : *Ce concours a pour but d'encourager les jeunes talents.* ☞ talentueux.

talentueux, euse adj. Qui a du talent, des aptitudes dans un domaine : *C'est une pianiste talentueuse.* ☞ talent.

talisman n.m. **1.** Objet auquel on attribue un pouvoir magique : *Selon Jonas, ce talisman aurait des vertus protectrices.* SYN. amulette, charme, fétiche. **2.** Objet porte-bonheur : *Une patte de lapin lui sert de talisman.*

talle n.f. Tige secondaire qui apparaît à partir de la tige principale d'une plante : *Les talles sortent d'une sorte d'anneau entre la racine et la tige après le développement du pied principal.* **R.** Les deux *l* se prononcent comme un seul *l.* ☞ taller.

taller v. Donner naissance à une ou plusieurs tiges : *Le blé a tallé tôt cette année.* **R.** Les deux *l* se prononcent comme un seul *l.* ☞ talle.

taloche n.f.fam. Coup porté au visage avec la main ouverte : *Elle m'a flanqué une taloche.* SYN. claque, gifle, tape.

talon n.m. **1.** Reste de pain, de fromage où il y a beaucoup de croûte ; extrémité d'un jambon : *J'ai collationné d'un talon de pain beurré.* **2.** Ce qui reste d'un jeu de cartes après la première distribution : *Chaque joueur prend, à tour de rôle, une carte dans le talon.* **3.** Partie d'une feuille, d'un carnet, d'un registre qui reste fixée quand on prend la partie détachable et qui contient les mêmes mentions : *Je garde les talons de mes chèques ; ainsi je sais quels achats j'ai faits.* ▲ **talon** n.m. **1.** Partie arrière du pied : *Je me suis fait mal au talon en sautant.* **2.** Partie arrière de la chaussure, sur laquelle repose le talon : *Ces souliers à talons hauts sont très élégants.* **3.** Partie d'un bas, d'une chaussette qui recouvre le talon : *J'ai acheté des bas à pointes et à talons renforcés.* ⁄⁄ *Être sur les talons de quelqu'un :* Suivre quelqu'un de très près. *Tourner les talons :* Partir, s'enfuir. ☞ talonnement, talonner.

talonnement n.m. Action de talonner, de presser un cheval du talon ou de l'éperon : *Un léger talonnement suffit pour faire avancer ce cheval fougueux.* ☞ talon.

talonner v. **1.** Presser du talon ou de l'éperon: *Le cavalier talonne discrètement son cheval.* **2.** Suivre de près: *La coureuse était talonnée par ses concurrentes.* SYN. poursuivre. ANT. abandonner. **3.** fig. Presser vivement: *La faim le talonnait.* SYN. harceler, importuner. ANT. apaiser, calmer. ☞ talon.

talquer v. Enduire de talc, de poudre: *J'ai talqué l'intérieur de ces gants de caoutchouc.* ☞ talc. **talqué, ée** p.p. et adj. Qui est enduit de talc: *Les gants de caoutchouc talqués gardent les mains au sec car le talc absorbe l'humidité.*

talc talquer

talus n.m. Terrain en pente très inclinée qui longe un fossé, un chemin, une terrasse: *Il y a un talus entre la maison et le jardin.* ⁄⁄ *Tailler en talus:* Tailler en biseau, obliquement.

tamanoir n.m. (tupi) Mammifère d'Amérique du Sud, à longue langue visqueuse, qui se nourrit de fourmis: *Le tamanoir est communément appelé « grand fourmilier ».*

tamarin n.m. Fruit laxatif d'un grand arbre des régions tropicales: *Les tamarins se mangent couramment en confiture.* ▲ **tamarin** n.m. Petit singe vivant en Amérique du Sud: *Le tamarin est pourvu d'une longue queue préhensile.*

tambour n.m. **1.** Instrument à percussion formé de deux peaux tendues sur une caisse cylindrique et dont on tire des sons en frappant avec des baguettes: *Un roulement de tambour annonçait le saut périlleux de cette trapéziste.* **2.** Personne qui bat du tambour: *Les tambours de la fanfare marchaient à pas cadencés.* ⁄⁄ *Tambour de basque:* Tambourin. ☞ tambourin, tambouriner. ▲ **tambour** n.m. **1.** Petite entrée, qui communique avec une ou plusieurs portes, placée à l'entrée principale d'un immeuble, d'un édifice et qui le protège du vent, du froid: *En novembre, nous installerons un tambour à l'entrée de notre maison.* **2.** Pièce cylindrique qui tourne dans un appareil: *Au moment de l'essorage, le tambour de la machine à laver automatique tourne très vite.* ⁄⁄ *Tambour de frein:* Pièce cylindrique liée à la roue, à l'intérieur de laquelle frottent les autres pièces du frein.

tambourin n.m. **1.** Instrument de musique composé d'une peau tendue sur un cercle de bois muni de cymbales: *On appelle aussi le tambourin « tambour de basque » ou « tambourin à sonailles ».* **2.** Tambour à deux peaux, long et étroit, que l'on bat avec une seule baguette: *Les chanteurs s'accompagnaient au tambourin.* ☞ tambour.

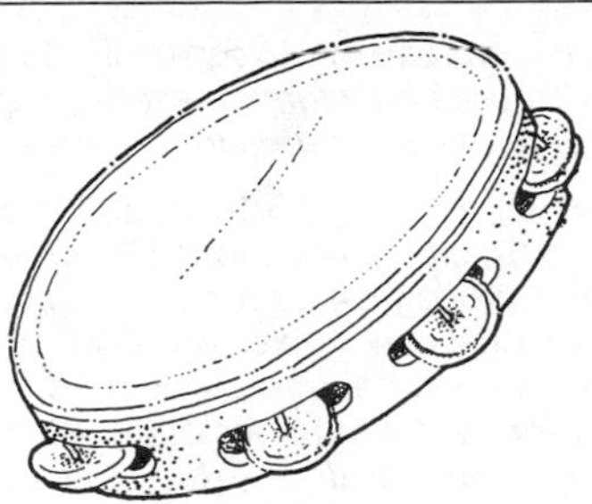

tambour de basque

tambouriner v. **1.** Jouer sur un tambourin ou sur un tambour: *On a vivement tambouriné cette danse folklorique.* **2.** Faire un bruit de roulement en frappant des coups répétés: *La grêle tambourinait sur le toit.* **3.** fig. Annoncer, publier bruyamment: *On tambourine la nouvelle de leur prochain mariage.* ☞ tambour. **tambouriné, ée** p.p. et adj. Qui est transmis par les tambours, les tam-tams, en parlant d'un signal: *On m'a expliqué le contenu de ce message tambouriné.*

tamia n.m. Petit écureuil du nord de l'Amérique et de l'Asie, au pelage rayé sur le dos: *Au Canada, le tamia est communément appelé « suisse ».*

tamis n.m. Instrument formé d'un réseau serré de fils ou d'une surface percée de nombreux trous, qui sert à passer et à séparer les éléments d'une substance: *On passe le sable au tamis pour enlever les cailloux qu'il contient avant de faire du ciment.* SYN. crible, passoire, sas. ☞ tamisage, tamiser.

tamisage n.m. Action de tamiser, de passer au tamis: *Le tamisage de la farine la rend plus légère et facile à mélanger.* ☞ tamis.

tamiser v. **1.** Passer au tamis afin de séparer les éléments d'une substance: *Cette farine à pâtisserie a été tamisée trois fois.* SYN. cribler, sasser. **2.** Laisser passer en atténuant: *Cet abat-jour tamise la lumière.* SYN. adoucir, filtrer, voiler. ANT. amplifier. ☞ tamis. **tamisé, ée** p.p. et adj. Qui est filtré, voilé: *Une lumière tamisée par un léger rideau pénétrait dans la pièce.*

tamoul, oule n. et adj. **1.** n. Personne de religion hindouiste qui fait partie d'un groupe ethnique du sud-est de l'Inde et de Sri Lanka: *Un Tamoul, une Tamoule.* **2.** adj. Qui se rapporte aux Tamouls, groupe ethnique du sud-est de l'Inde: *La littérature tamoule, riche et abondante, a contribué au développement de la civilisation indienne.* **R.** Aussi, *tamil.* On met la majuscule à *tamoul* et à *tamoule* lorsque le nom désigne une personne.

tamoul n.m. Langue du sud de l'Inde, parlée par les Tamouls: *Le tamoul est une des plus importantes langues du sud de l'Inde.*

tampon n.m. **1.** Petite masse dure ou souple qui sert de bouchon: *Un tampon de liège bouche l'orifice du tonneau.* **2.** Cheville qu'on plante pour y fixer un clou, une vis: *Dans les murs ou panneaux de gypse, il vaut mieux planter des tampons avant de fixer les vis.* **3.** Petite masse de tissu, de fibres servant à frotter une surface: *J'ai récuré la casserole avec un tampon d'acier.* **4.** Petite masse d'ouate, de gaze, servant à éponger le sang, à nettoyer la peau: *J'ai nettoyé ma plaie avec des tampons d'ouate.* **5.** Petite plaque de métal ou de caoutchouc que l'on encre pour apposer un cachet, un timbre: *On a apposé un tampon officiel sur mon bulletin.* **6.** Disque de métal placé à l'extrémité des wagons, destiné à amortir les chocs: *Les tampons réduisent le bruit et les dommages lorsque des wagons se heurtent.* **7.** fig. Ce qui sert à amortir les heurts: *J'ai servi de tampon dans cette dispute.* ⁄⁄ *Tampon encreur:* Coussinet imprégné d'encre servant à encrer un timbre, un tampon. *Tampon hygiénique:* Masse de fibres, de forme allongée, qu'on introduit dans le vagin pendant les règles. ☞ tamponnement, tamponner, tamponneur.

tamponnement n.m. **1.** Fait d'étendre un liquide ou d'essuyer, d'étancher avec un tampon; son résultat: *Le tamponnement des fosses nasales est parfois nécessaire pour arrêter le saignement.* **2.** Heurt brutal de deux trains, deux véhicules: *Le tamponnement a produit un fracas assourdissant.* SYN. collision. ☞ tampon.

tamponner v. **1.** Éponger, nettoyer avec un tampon: *La médecin a tamponné le sang autour de la plaie.* **2.** Apposer un cachet, timbrer: *Le postier a tamponné la lettre recommandée.* **3.** Heurter avec violence, en parlant de véhicules: *Une camionnette a tamponné notre voiture.* SYN. emboutir. ☞ tampon. **se tamponner** v.pron. Se heurter brutalement: *Les deux voitures se sont tamponnées à l'intersection.*

tamponneur, euse n. et adj. **1.** n. Personne qui tamponne, qui appose un tampon: *Le tamponneur achève d'identifier les enveloppes.* **2.** adj. Qui entre en collision avec un autre véhicule: *Le train tamponneur est responsable de l'accident.* ⁄⁄ *Autos tamponneuses:* Petites voitures électriques, protégées par une bande de caoutchouc, qui circulent et se frappent sur une piste, dans un parc d'attractions. ☞ tampon.

tam-tam n.m. (créole) **1.** Tambour africain: *Le tam-tam sert à transmettre des messages et à accompagner des danses.* **2.** fig. Publicité bruyante, tapage: *On a fait beaucoup de tam-tam autour de ce vol de bijoux.* **R.** Au pluriel, *tam-tams*.

tan n.m. Écorce de chêne réduite en poudre qu'on utilise pour tanner les peaux: *On produit, à partir du tan, une substance qu'on applique sur les peaux et qui les rend imputrescibles.* HOM. tant, taon, temps. ☞ tannage, tanné, tanner, tannerie, tanneur.

tandem n.m. **1.** Bicyclette à deux places et à deux pédaliers: *Le dimanche, mes parents se promènent souvent en tandem.* **2.** fig. et fam. Association de deux personnes poursuivant un même but ou de deux éléments complémentaires: *Ma coéquipière et moi formons un tandem efficace.* **R.** Le *m* se prononce.

tandis que loc.conj. **1.** Pendant le temps que, dans le moment que: *Il est arrivé tandis que l'institutrice distribuait les résultats.* **2.** Au lieu que, alors que: *Il aime beaucoup le français, tandis que son amie préfère les mathématiques.* **R.** Le *s* ne se prononce pas.

tangage n.m. Mouvement de balancement d'un navire dans le sens de la longueur: *Le tangage m'a donné le mal de mer.* ☞ tanguer.

tangence n.f. Position de ce qui est tangent, de ce qui touche une ligne, une surface en un seul point sans la couper: *On appelle «point de tangence» le point où deux surfaces se touchent.* ☞ tangent.

tangent, ente adj. Qui touche une ligne, une surface, en un seul point sans la couper: *Cette droite est tangente au cercle.* ☞ tangence, tangente.

tangente n.f. Droite qui touche une courbe, un cercle en un seul point: *Une tangente à un cercle est perpendiculaire au rayon du cercle en ce point.* ☞ tangent.

tangerine ☞ sect. anglicismes et canadianismes.

tangible adj. **1.** Que l'on peut toucher, connaître en touchant: *L'intelligence enfantine s'exerce d'abord sur les choses tangibles.* SYN. palpable. ANT. impalpable. **2.** fig. Dont la réalité est évidente, manifeste: *C'est une preuve tangible de son innocence.* SYN. clair, réel. ANT. douteux, incertain.

tango n.m. (esp.) Danse à deux temps, au rythme lent, originaire de l'Argentine; la musique de cette danse: *Le tango se danse en couple.*

tanguer v. Se balancer dans le sens de la longueur, en parlant d'un navire: *La vague* *faisait tanguer la goélette.* **R.** Ne pas oublier le *u* après le *g*. ☞ tangage.

tanière n.f. **1.** Caverne ou souterrain qui sert de repaire à certaines bêtes sauvages: *Le renard était sorti de sa tanière.* SYN. antre, terrier. **2.** Logis dans lequel on se cache: *Il ne fut pas facile de faire sortir les criminelles de leur tanière.* SYN. abri.

tank n.m. (angl.) Réservoir, citerne: *On a vidé les tanks de ce pétrolier.* ▲ **tank** n.m. (angl.) **1.** Char de combat: *L'utilisation des tanks s'est répandue lors de la Seconde Guerre mondiale.* **2.** fig. Très grosse automobile: *Ce tank coûte une fortune en essence.* **R.** Les lettres *ank* se prononcent comme dans *banque*.

tannage n.m. Action de tanner, de préparer les peaux; suite des opérations qu'on fait subir aux peaux pour en fabriquer des cuirs: *Il existe de nombreuses techniques de tannage: au tan, aux extraits de certaines substances végétales, au sel, à l'huile de poisson.* ☞ tan.

tannant, ante adj.fam. Qui tanne, importune: *Mon chien est tannant avec sa manie d'enterrer ses os dans le jardin.* SYN. agaçant, fatigant, lassant. ANT. charmant, égayant, plaisant. ☞ tanner.

tanné, ée adj. **1.** Qui a subi un tannage: *Les peaux tannées sont mises à sécher.* **2.** fig. Qui ressemble au cuir, qui en a l'aspect: *On voit, à leur visage tanné, que ces cultivateurs ont l'habitude de travailler au grand air.* HOM. tanner. **R.** N'a pas le sens de *fatigué, ennuyé*. ☞ tan.

tanner v. Préparer la peau brute des animaux pour en faire des cuirs: *On tanne les peaux pour les rendre résistantes et imputrescibles.* ☞ tan. ▲ **tanner** v.fam. Agacer, importuner, harceler de demandes: *Tu me tannes avec tes reproches continuels.* SYN. fatiguer, lasser. ANT. amuser, désennuyer, distraire. HOM. tanné. ☞ tannant.

tannerie n.f. Usine où l'on tanne les peaux; industrie du tannage: *Dans le quartier Saint-Henri, à Montréal, il y avait autrefois plusieurs tanneries.* ☞ tan.

tanneur, euse n. Personne qui tanne les peaux; personne qui possède une tannerie et qui vend des cuirs: *À l'aide d'un couteau rond, la tanneuse étire la peau de lapin sur un chevalet.* ☞ tan.

tant adv. **1.** Tellement: *Elle travaille tant!* **2.** Une si grande quantité; un si grand nombre: *Il a tant mangé de chocolat qu'il a été malade.* **3.** Une telle quantité: *Il voulait cela et tant d'autres choses encore!* **4.** Une certaine quantité: *Elle travaille à tant par semaine.* ⁄⁄ *Tant s'en faut:* Il s'en faut de beaucoup. *Tant soit peu:* Si peu que ce soit. ▲ **tant** adv. **1.** Si longtemps, autant de temps: *Elle a tant vécu qu'elle en oublie son âge.* **2.** pop. Pendant que: *Pourquoi n'as-tu pas demandé une semaine de vacances tant que tu y étais!* ▲ **tant** adv. **1.** Aussi grandement, aussi bien: *Cette bicyclette ne me plaît pas tant que celle que j'avais avant.* **2.** Autant: *Elle court tant qu'elle peut.* **3.** Également, aussi bien: *Les pluies acides font des dégâts tant au Canada qu'aux États-Unis.* HOM. tan, taon, temps. ⁄⁄ *Tant bien que mal:* Ni bien ni mal; d'une façon médiocre. *Tant mieux, tant pis:* Expressions qui expriment la joie ou le dépit. *Tant qu'à:* Puisqu'il faut. en **tant que** loc.conj. En qualité de, comme: *Les bélugas en tant qu'espèce menacée doivent être protégés.*

tantale n.m. Oiseau échassier, voisin de la cigogne, à plumage blanc et rose taché de noir: *Les tantales sont répandus en Amérique centrale, en Afrique et en Asie.* ▲ **tantale** n.m. Métal très dur qui ressemble à l'argent: *Le tantale ne fond qu'à près de 3000 °C.*

tante n.f. Sœur du père ou de la mère; femme de l'oncle: *Nous sommes allées en visite chez tante Julie.* HOM. tente.

tantinet n.m. Un tout petit peu: *J'ai pris un tantinet de confiture pour terminer ma tranche de pain.* un **tantinet** loc.adv. Passablement, un petit peu: *Il est un tantinet paresseux.*

tantôt adv. **1.** Cet après-midi: *Nous nous reverrons tantôt.* **2.** vx Il y a peu de temps: *Je l'ai rencontré tantôt au coin de la rue.* **3.** vx Dans peu de temps: *Nous en reparlerons tantôt.* SYN. bientôt, prochainement. **4.** À tel moment, à tel autre moment: *Ses yeux tantôt verts, tantôt bleus sont très expressifs.* ⁄⁄ *À tantôt:* Au revoir. **R.** Ne pas oublier l'accent: ô.

taon n.m. Grosse mouche velue dont la femelle pique: *Elle s'est fait piquer par un taon.* HOM. tan, tant, temps. **R.** Le *o* ne se prononce pas.

tapage n.m. **1.** Grand bruit confus, désordonné: *Des élèves faisaient du tapage dans le corridor.* SYN. vacarme. ANT. silence. **2.** fig. Agitation, scandale fait autour de quelque chose: *Les journaux ont fait beaucoup de tapage autour de cette affaire d'escroquerie.* SYN. éclat. ANT. silence. ☞ tapageur, tapageusement.

tapageur, euse adj. **1.** Qui fait du tapage, du bruit: *Des enfants tapageurs jouaient dans la cour de l'école.* SYN. bruyant, turbulent. ANT. silencieux, tranquille. **2.** Qui fait scandale: *Il y a eu une publicité tapageuse autour de cette affaire de fraude électorale.* ANT. discret. **3.**

Qui se fait remarquer par son outrance: *Leur maison est décorée avec un luxe tapageur.* SYN. voyant. ANT. discret, modéré. ☞ tapage.

tapageusement adv. De façon tapageuse, outrancière: *Il s'habille tapageusement.* ☞ tapage.

tapant, ante adj. À l'instant même où sonne l'heure: *Il est entré en classe à 9 heures tapantes.* **R.** L'accord peut se faire ou non. ☞ taper.

tape n.f. Coup porté avec le plat de la main: *Elle lui a donné une tape dans le dos pour l'encourager.* SYN. claque, gifle, taloche. ANT. caresse. ☞ taper.

tape-à-l'œil n.m.invar. et adj.invar. **1.** n.m.invar. Ce qui fait beaucoup d'effet, mais qui est sans valeur: *Ces bijoux ne sont que du toc et du tape-à-l'œil.* **2.** adj.invar. Qui est très voyant, qui éblouit: *Cette affiche un peu trop tape-à-l'œil me déplaît.* ☞ taper.

taper v. **1.** Donner un coup du plat de la main: *Pourquoi tapes-tu ton chien?* SYN. claquer, frapper, gifler. ANT. caresser. **2.** Donner des coups sur quelque chose: *Elle tapait le sol en écoutant de la musique.* SYN. frapper. **3.** Écrire à la machine: *J'ai tapé mon travail au propre.* SYN. dactylographier. **4.** Donner des coups répétés: *Toute la salle tapait des mains.* SYN. battre. ∥ *Taper dans le mille:* Réussir, deviner juste. *Taper sur les nerfs:* Agacer, énerver. ☞ tapant, tape, tape-à-l'œil, tapette, tapoter. **se taper** v.pron. **1.** Se frapper mutuellement: *Ces enfants n'ont pas l'habitude de se taper.* SYN. se battre. **2.** fam. Accomplir une corvée: *À cause de la paresse de ses coéquipiers, elle a dû se taper tout le travail.*

tapette n.f. **1.** Petite tape: *Le premier qui sourit aura une tapette!* **2.** Sorte de raquette pour tuer les mouches, pour battre les tapis: *J'ai vivement rabattu la tapette sur la mouche et ... je l'ai ratée!* ☞ taper.

en **tapinois** loc.adv. En cachette, à la dérobée: *Elles sont sorties en tapinois, sur la pointe des pieds.* SYN. secrètement, sournoisement. ANT. franchement, ouvertement.

tapioca n.m. Fécule tirée de la racine du manioc: *Cette crème-dessert au tapioca est délicieuse.*

tapir n.m. (tupi) Mammifère ongulé herbivore, bas sur pattes, qui porte une courte trompe: *Les tapirs habitent le sud-est de l'Asie et l'Amérique tropicale.*

se **tapir** v.pron. Se cacher en se blottissant: *Le lièvre se tapissait sous le buisson.* SYN. se dissimuler, se réfugier. ANT. se montrer, paraître.

tapis n.m. **1.** Ouvrage de fibres textiles dont on couvre le sol: *J'ai essuyé mes pieds sur le tapis.* SYN. carpette, paillasson. **2.** Pièce d'étoffe qui recouvre un meuble: *Le tapis de table est taché.* **3.** fig. Ce qui évoque un tapis: *Les champs sont recouverts d'un tapis de neige.* ∥ *Tapis roulant:* Dispositif formé d'une surface plane animée d'un mouvement continu, qui transporte des personnes, des objets.

tapisser v. **1.** Recouvrir de papier peint: *J'ai tapissé les murs de ma chambre.* SYN. tendre. ANT. découvrir. **2.** Recouvrir entièrement: *Les feuilles mortes tapissaient les sentiers.* ANT. dénuder. ☞ retapisser, tapisserie, tapissier.

tapisserie n.f. **1.** Ouvrage d'art en tissu: *Les murs du château étaient ornés de tapisseries.* **2.** Ouvrage fait à l'aiguille sur un canevas: *J'ai appris à faire de la tapisserie.* **R.** N'a pas le sens de *papier peint.* ☞ tapisser.

tapissier, ière n. **1.** Personne qui fait des tapisseries à la main: *Richard est un tapissier émérite.* **2.** Personne qui pose des revêtements muraux, des tissus d'ameublement: *Ce papier peint a été posé par des tapissières.* ☞ tapisser.

tapon n.m.fam. Morceau d'étoffe ou de papier chiffonné et roulé en boule: *J'ai bouché le trou avec un tapon.*

tapoter v. **1.** Donner de petites tapes: *Il lui tapota gentiment la joue.* **2.** Frapper à petits coups répétés: *Du bout des doigts, elle tapotait nerveusement sur la table.* ☞ taper.

taquet n.m. **1.** Coin de bois servant à caler un meuble: *J'ai placé des taquets sous les roulettes de la commode.* **2.** Pièce de bois mobile autour d'un axe, qui sert à fermer une porte: *As-tu bien abaissé le taquet de la barrière?*

taquin, ine n. et adj. **1.** n. Personne qui aime à taquiner, à agacer sans méchanceté: *Mon grand-père est un grand taquin.* **2.** adj. Qui aime à taquiner, à agacer: *Sa petite sœur est taquine, elle lui a joué un vilain tour.* SYN. malicieux, moqueur. ANT. sérieux. ☞ taquiner, taquinerie.

taquiner v. Se plaire à contrarier, à agacer sans méchanceté: *Cesse de la taquiner, elle va se fâcher.* ☞ taquin.

taquinerie n.f. Action de taquiner; parole taquine: *Elle n'arrête pas de lui faire des taquineries.* ☞ taquin.

taraud n.m. Outil ou machine qui sert à faire des filets dans des trous destinés à recevoir des vis: *La plupart des ateliers de mécanique sont équipés de tarauds.* HOM. tarot. **R.** N'a pas le sens de *écrou*.

tard adv. **1.** Après le moment normal, convenu : *Vous arrivez un peu tard.* ANT. tôt. **2.** Après le moment habituel : *Tu te couches tard ce soir.* ANT. tôt. **3.** À la fin d'une période ; à une heure avancée de la journée : *Nous avons pris nos vacances tard dans l'été.* ANT. tôt. HOM. tare. ⁄⁄ *Au plus tard :* En prévoyant le délai le plus long. *Plus tard :* Tout à l'heure, ultérieurement. *Tôt ou tard :* Un jour ou l'autre. ☞ tardif, tardivement.

tarder v. **1.** Être lent à faire quelque chose : *Ne tardons pas, il ne faut pas arriver en retard à notre rendez-vous.* SYN. traîner. ANT. se hâter. **2.** Se faire attendre : *J'espérais une réponse qui tardait.* **3.** Mettre beaucoup de temps : *Il tardait à lui répondre.* ANT. se hâter. ⁄⁄ *Il me tarde de :* J'ai hâte de. *Sans tarder :* Immédiatement.

tardif, ive adj. **1.** Qui vient tard : *Malgré un intérêt tardif pour la lecture, j'ai toujours bien réussi à l'école.* ANT. hâtif. **2.** Qui a lieu tard : *Le spectacle commence à une heure tardive.* SYN. avancé. **3.** Qui fleurit ou mûrit tard : *Ces rosiers tardifs fleurissent en automne.* ANT. hâtif, précoce. **4.** Qui vient trop tard : *Ses remords ont été un peu tardifs.* ANT. anticipé. ☞ tard.

tardivement adv. De façon tardive, à une heure, une période avancée : *Elle s'est décidée tardivement à voyager.* ☞ tard.

tare n.f. **1.** Défectuosité physique ou psychologique, généralement héréditaire et irrémédiable : *Mon chat blanc angora a une tare : il est sourd.* **2.** fig. Défaut grave inhérent à un groupe social, un mouvement politique, etc. : *Les tares de ce parti politique lui enlèvent toute crédibilité.* HOM. tard. ☞ taré.

taré, ée adj. **1.** Qui est atteint d'une tare, d'une défectuosité héréditaire pouvant provoquer des troubles, des maladies : *Cet âne est taré.* **2.** fig. Qui est atteint d'un défaut grave diminuant le mérite, la valeur : *Qui donc voudrait voter pour ce politicien taré ?* ☞ tare.

tarentule n.f. (it.) Grosse araignée venimeuse de l'Europe méridionale : *La tarentule ne tisse pas de toile et attrape ses proies en les poursuivant.*

targette n.f. Petit verrou que l'on actionne en tournant un bouton : *Les fenêtres sont fermées par des targettes.*

se **targuer** v.pron.litt. Se vanter de quelque chose : *Il se targue de savoir jouer aux échecs.* SYN. se flatter, se glorifier. ANT. s'humilier. **R.** Ne pas oublier le *u* après le *g*.

tari, ie adj. Qui a été mis à sec, qui ne coule pas : *Les sources de la montagne sont taries.* ☞ tarir.

tarif n.m. **1.** Ensemble des prix fixés pour certains biens ou services : *Le tarif postal a encore été augmenté.* **2.** Prix habituel d'une chose, d'un travail : *Son tarif est de vingt-cinq dollars l'heure.* ☞ demi-tarif.

tarir v. **1.** Cesser de couler : *Cette source ne tarit jamais.* SYN. épuiser. **2.** Mettre à sec : *La sécheresse a tari les rivières.* SYN. assécher, dessécher. **3.** fig. Épuiser : *Est-ce sa maladie qui a tari son imagination ?* ⁄⁄ *Ne pas tarir :* Ne pas cesser de dire, de parler. ☞ intarissable, tari, tarissement. **se tarir** v.pron. S'épuiser, ne plus couler : *Ma chienne a plusieurs petits à nourrir ; il ne faudrait pas que son lait se tarisse.*

tarissement n.m. Fait de se tarir ou d'être tari : *Le tarissement de la rivière serait catastrophique.* SYN. assèchement. ☞ tarir.

tarot n.m. Jeu de cartes, plus longues que les cartes ordinaires, marquées de différentes figures et servant surtout en cartomancie : *Un tarot comporte soixante-dix-huit cartes.* HOM. taraud. **R.** S'emploie souvent au pluriel.

tarpan n.m. Cheval domestique retourné à la vie sauvage, en Asie occidentale : *Les tarpans forment une race particulière de chevaux.*

tartan n.m. (angl.) Lainage ou coton écossais, à larges carreaux de diverses couleurs : *Les écolières de cette école privée portent une jupe en tartan.* ▲ **tartan** n.m. (nom déposé) Revêtement caoutchouté des pistes d'athlétisme : *Le tartan se compose d'amiante, de matières plastiques et de caoutchouc.*

tartare adj. **1.** Qui est faite à base de mayonnaise, de moutarde et d'épices, en parlant d'une sauce : *La sauce tartare accompagne bien certains plats de poisson.* **2.** Qui est fait de viande hachée et crue, mêlée de sauce tartare : *Ce steak tartare est délicieux.*

tarte n.f. Préparation culinaire faite d'une ou deux pâtes amincies et garnies : *Nous avons fait des tartes aux pommes.* ☞ tartelette.

tarte adj.fam. **1.** Qui est niais, ridicule et pas très dégourdi : *Ce qu'il peut être tarte parfois !* **2.** Qui est moche, sans intérêt, sans valeur : *Ce livre est un peu tarte.*

tartelette n.f. Petite tarte pour une personne : *Nous avons dégusté des tartelettes aux fraises.* ☞ tarte.

tartempion n.m.péj. **1.** Nom donné à un individu quelconque : *Voilà la famille Tartempion qui revient de voyage.* **2.** Individu quelconque : *Il essaie de t'éblouir mais ce n'est qu'un tartempion.* **R.** On met la majuscule à *tartempion* quand on l'utilise comme nom de famille.

tartine n.f. Tranche de pain recouverte de beurre, de confiture, de fromage mou, etc.: *J'ai déjeuné d'une tartine de beurre d'arachide.* ☞ tartiner.

tartiner v. Étendre du beurre ou autre chose sur une tranche de pain: *Pour dessert, j'ai tartiné du pain avec du beurre d'érable.* ⁄⁄ *Fromage à tartiner:* Fromage mou, facile à étendre. ☞ tartine.

tartre n.m. **1.** Dépôt jaunâtre qui se forme à la base des dents: *Ce dentifrice empêche la formation de tartre.* **2.** Dépôt calcaire qui se forme dans les tuyaux, sur les parois des chaudières, des bouilloires: *Ces vieilles canalisations sont obstruées par le tartre.* ☞ détartrage, détartrer, entartrer.

tarzan n.m.fam. Homme très musclé: *Ce sportif ambitionne de devenir un tarzan.*

tas n.m. **1.** Amoncellement de choses, de matière: *Les enfants ont fait des tas de feuilles mortes.* SYN. amas, monceau. ANT. dispersion, éparpillement. **2.** fig. Grande quantité de choses: *Il a apporté un tas de choses inutiles.* SYN. masse, multitude. **3.** fam. Grand nombre de personnes: *On attendait un tas d'amis à cette fête.* SYN. multitude. ⁄⁄ *Sur le tas:* Sur le lieu du travail.

tasse n.f. **1.** Récipient à anse, servant à boire: *Ces tasses sont incassables.* **2.** Contenu d'une tasse: *J'ai pris une tasse de chocolat chaud.*

tasseau, eaux n.m. Petite pièce de bois ou de métal qui soutient une tablette: *Cette tablette est soutenue par deux tasseaux.*

tassement n.m. Action de tasser; fait de se tasser: *Quelques pommes ont été abîmées à cause du tassement durant le transport.* ☞ tasser.

tasser v. **1.** Réduire de volume en resserrant, en comprimant le plus possible: *J'ai tassé la cassonade dans le contenant.* SYN. presser. **2.** Serrer des personnes dans un espace restreint: *On a tassé les voyageurs dans le wagon.* SYN. entasser. ☞ tassement. **se tasser** v.pron. **1.** S'affaisser par l'effet du poids, du mouvement: *Durant le transport, le gravier s'est tassé.* **2.** Se serrer les uns contre les autres: *Les visiteurs se tassaient dans les ascenseurs.* **3.** fig. et fam. Revenir à la normale: *Ne t'inquiète pas, les choses finiront bien par se tasser.* SYN. s'arranger. **tassé, ée** p.p. et adj. **1.** Qu'on a réduit de volume; qu'on a entassé: *Tassés, les passagers avaient chaud.* **2.** Qui est affaissé, recroquevillé: *Un vieux couple, tout tassé, avançait péniblement.*

tatami n.m. (jap.) Tapis en paille de riz qui sert principalement à la pratique des sports de combat japonais: *Le judo se pratique sur un tatami.*

tâter v. **1.** Toucher avec la main pour reconnaître, éprouver: *Je tâte les melons pour en choisir un qui soit bien ferme.* SYN. palper. **2.** fig. Interroger prudemment quelqu'un pour connaître ses intentions: *Je l'ai tâté à ce sujet, mais il a répondu très vaguement.* SYN. sonder. **3.** fig. Faire l'expérience de quelque chose: *Elle a tâté de tous les métiers.* SYN. essayer. ☞ retâter. **se tâter** v.pron.fig. S'interroger longuement sur ses sentiments, sur un choix à faire: *Il se tâte encore à ce sujet et n'a rien décidé.* **R.** Ne pas oublier l'accent: *â.*

tatillon, onne adj. Qui est exagérément minutieux, trop attaché aux moindres formalités: *Ces préposées sont un peu tatillonnes.*

tâtonnant, ante adj. Qui tâtonne, qui hésite: *Nos recherches tâtonnantes n'ont pas été inutiles.* **R.** Ne pas oublier l'accent: *â.* ☞ tâtonner.

tâtonnement n.m. **1.** Action de tâtonner, de tâter les objets autour de soi pour chercher, pour se diriger dans l'obscurité: *Par tâtonnements, elle a fini par trouver la poignée de la porte.* **2.** fig. Méthode de recherche, de résolution par essais renouvelés: *Après bien des tâtonnements, j'ai enfin résolu ce problème.* **R.** Ne pas oublier l'accent: *â.* ☞ tâtonner.

tâtonner v. **1.** Marcher, chercher à reconnaître les choses autour de soi en tâtant: *Elle tâtonne le long du mur pour trouver l'interrupteur.* **2.** fig. Faire divers essais pour trouver une issue, une réponse: *L'astronomie tâtonne encore face au phénomène des trous noirs.* SYN. chercher, hésiter. ANT. résoudre, trancher. **R.** Ne pas oublier l'accent: *â.* ☞ tâtonnant, tâtonnement, à tâtons.

à tâtons loc.adv. **1.** En tâtonnant, à l'aveuglette: *Je marchais à tâtons dans la forêt obscure.* **2.** fig. Sans méthode, au hasard: *Nous avons procédé à tâtons pour trouver cette solution.* **R.** Ne pas oublier l'accent: *â.* ☞ tâtonner.

tatou, ous n.m. (tupi) Mammifère édenté d'Amérique du Sud, couvert d'une carapace: *Les tatous peuvent se rouler en boule lorsqu'ils sont attaqués.*

tatouage n.m. **1.** Action de tatouer, de tracer sur la peau des dessins indélébiles: *Le tatouage est une pratique courante chez les peuplades polynésiennes.* **2.** Dessin fait en tatouant la peau: *Elle a un tatouage sur l'épaule.* ☞ tatouer.

tatouer v. Tracer sur la peau des dessins indélébiles à l'aide de piqûres et de colorants: *Il s'est fait tatouer la poitrine.* ☞ tatouage, tatoueur. **tatoué, ée** p.p. et adj. **1.** Qui est marqué d'un tatouage: *Popeye le marin a un bras tatoué.* **2.** Qui est exécuté par tatouage: *Elle a une fleur tatouée sur l'épaule.*

tatoueur n.m. Personne qui fait des tatouages: *Ce tatoueur est un véritable artiste.* ☞ tatouer.

taudis n.m. Habitation misérable et malpropre, qui ne répond pas aux conditions de confort et d'hygiène: *La municipalité a mis sur pied un programme de rénovation des taudis.* SYN. bicoque, cabane, masure. ANT. château, palais.

taupe n.f. **1.** Petit mammifère insectivore, à beau poil sombre, qui vit sous terre en y creusant des galeries: *Les taupes sont presque aveugles.* **2.** Fourrure de cet animal: *J'ai un chapeau en taupe.* ⁄⁄ *Myope comme une taupe:* Très myope. *Noir comme une taupe:* Très noir. *Vivre comme une taupe:* Vivre sans sortir de chez soi. ☞ taupinière.

taupinière n.f. Monticule de terre formé par une taupe lorsqu'elle creuse ses galeries: *Les enfants ont trouvé des taupinières.* ☞ taupe.

taureau, eaux n.m. Mammifère ruminant domestique de la famille des bovidés, dont la femelle est la vache et le petit, le veau: *Le taureau est un bœuf mâle non castré qui sert à la reproduction.* ⁄⁄ *Course de taureaux:* Corrida. *Taureau de combat:* Taureau sélectionné destiné aux courses de taureaux. ☞ taurillon.

taurillon n.m. Jeune taureau qui ne s'est pas encore accouplé: *Après un an, le veau mâle non castré s'appelle un taurillon.* **R.** Les lettres *ill* se prononcent comme dans *famille.* ☞ taureau.

taux n.m. **1.** Montant d'un prix fixé par la loi ou une convention: *On prévoit une augmentation du taux du salaire minimum.* **2.** Proportion exprimée en pourcentage: *Le taux de chômage est de 11 % dans cette région.* **3.** Montant de l'intérêt annuel produit par une somme de cent dollars: *Cette banque prête à un taux d'intérêt de 12,5 %.* HOM. tôt. ⁄⁄ *Taux de change:* Prix d'une monnaie étrangère dans un pays donné. *Taux horaire:* Salaire versé pour chaque heure de travail.

taverne n.f. Restaurant, brasserie, où l'on sert de la bière, au Canada et dans certains autres pays: *Anciennement, au Québec, les tavernes étaient réservées aux hommes.*

taxable adj. Qui peut être taxé: *Les appareils électriques sont taxables.* ☞ taxer.

taxation n.f. Fait de soumettre à une taxe: *Le gouvernement a établi un nouveau régime de taxation.* ☞ taxer.

taxe n.f. Impôt perçu d'une façon ou d'une autre par un gouvernement: *Nous n'avons pas encore payé la taxe d'eau.* ANT. remise. ☞ taxer.

taxer v. Soumettre à une taxe: *Le gouvernement taxe les cigarettes, l'alcool et la plupart des objets de luxe.* ANT. détaxer. ☞ détaxer, surtaxe, surtaxer, taxable, taxation, taxe. ▲ **taxer** v. Accuser de quelque chose: *Je l'ai taxé d'indifférence à l'égard des autres.* **taxé, ée** p.p. et adj. Qui est fixé à une somme déterminée: *Ces prix taxés sont abusifs.*

taxi n.m. Voiture équipée d'un taximètre, conduite par un chauffeur qualifié, qu'on loue pour faire un trajet: *J'ai pris un taxi pour me rendre à la gare.* ⁄⁄ *Chauffeur de taxi:* Personne qui conduit un taxi. ☞ taximètre.

taxidermie n.f. Art d'empailler les animaux morts: *Elle s'adonne à la taxidermie dans ses moments de loisir.*

taximètre n.m. Compteur qui enregistre le temps écoulé et la distance parcourue et qui indique la somme à payer pour un déplacement en taxi. *Tous les taxis doivent être pourvus d'un taximètre en règle.* ☞ taxi.

tchécoslovaque n. et adj. **1.** n. Personne qui est de la Tchécoslovaquie: *Un Tchécoslovaque, une Tchécoslovaque.* **2.** adj. Qui est de la Tchécoslovaquie: *La population tchécoslovaque est très urbanisée.* **R.** On met la majuscule à *tchécoslovaque* lorsqu'il s'agit du nom.

tchèque n. et adj. **1.** n. Personne qui est de la région ouest de la Tchécoslovaquie: *Un Tchèque, une Tchèque.* **2.** adj. Qui est de la région ouest de la Tchécoslovaquie: *La population tchèque représente 65,2 % de la population totale de la Tchécoslovaquie.* **R.** On met la majuscule à *tchèque* lorsque le nom désigne une personne.

tchèque n.m. Langue slave parlée dans l'ouest de la Tchécoslovaquie: *Le tchèque est la langue officielle dans la région ouest de la Tchécoslovaquie.*

te pron.pers. Pronom personnel de la deuxième personne du singulier, complément: *Je t'apporterai une surprise lorsque j'irai te voir.* **R.** *Te* devient *t'* devant une voyelle ou un *h* muet.

technicien, ienne n. Personne qui connaît et applique une technique particulière: *Ma mère est technicienne de laboratoire.* **R.** Les lettres *ch* se prononcent *k.* ☞ technique.

technique n.f. et adj. **1.** n.f. Ensemble des procédés d'un art, d'une science, d'un métier, d'une industrie: *Les techniques agricoles sont* *très modernes au Canada.* SYN. méthode. **2.** n.f.fam. Manière de faire : *Tu n'as pas la bonne technique.* SYN. méthode, moyen, procédé. **3.** adj. Qui est propre à une science, à un art particulier : *Le mot « biosphère » est un terme technique de l'écologie.* SYN. spécial. **4.** adj. Qui concerne les procédés de travail d'un art : *L'étude du piano exige de nombreux exercices techniques.* **5.** adj. Qui concerne l'application de la connaissance théorique : *Cette découverte a entraîné de nombreux progrès techniques.* **R.** Les lettres *ch* se prononcent *k*. ☞ technicien, techniquement, technologie, technologique.

techniquement adv. De façon technique, selon des procédés propres à un domaine : *Ce projet est techniquement irréalisable.* **R.** Les lettres *ch* se prononcent *k*. ☞ technique.

technologie n.f. Théorie générale et étude des techniques, des outils, des machines industrielles, etc. : *Elle suit un cours de technologie médicale à l'université.* **R.** Les lettres *ch* se prononcent *k*. ☞ technique.

technologique adj. Qui se rapporte à la technologie : *Le vocabulaire technologique s'enrichit régulièrement de mots nouveaux.* **R.** Les lettres *ch* se prononcent *k*. ☞ technique.

teck n.m. (port.) Bois dur, imputrescible, provenant d'un arbre d'Asie tropicale : *Elle s'est acheté des meubles en teck.* **R.** Aussi, *tek*.

teckel n.m. (all.) Basset allemand à pattes très courtes : *Le teckel est un chien à poil ras et dur ou à poil long.*

tee-shirt n.m. (améric.) Maillot de corps en coton, à manches courtes, en forme de T : *Au cours d'éducation physique, les élèves portent un tee-shirt.* **R.** Aussi, *t-shirt*. Au pluriel, *tee-shirts* ou *t-shirts*. Se prononce à l'anglaise.

téflon n.m. (nom déposé) Matière plastique très résistante à la chaleur et à la corrosion : *Le téflon est employé comme revêtement anti-adhésif dans les casseroles et les poêlons.*

teigne n.f. **1.** Petit papillon dont la chenille se nourrit, selon l'espèce, de plantes potagères, de denrées alimentaires ou de fibres textiles : *Ce vieux manteau a été mangé par les teignes.* **2.** Maladie du cuir chevelu pouvant entraîner la chute des cheveux : *La teigne est causée par des champignons microscopiques.* **3.** fig. Personne méchante : *Jason est une vraie teigne.*

teindre v. Donner une nouvelle couleur au moyen d'une teinture : *Elle voulait teindre ses chaussures en rouge.* SYN. colorer. ANT. décolorer, déteindre. ☞ déteindre, reteindre, teint, teinture, teinturerie, teinturier. se **teindre** v.pron. **1.** Teindre ses cheveux : *Elle a décidé de se teindre les cheveux en noir.* **2.** litt. Prendre une telle couleur : *Les érables se teignent de rouge à l'automne.*

teint n.m. Couleur de la peau du visage : *Il est revenu de vacances le teint bronzé.* ▲ **teint** n.m. Couleur donnée à une étoffe par la teinture : *Une étoffe grand teint est une étoffe dont la couleur résiste au lavage.* HOM. tain, thym, tin. **R.** Ne s'emploie que dans les expressions *bon teint*, *grand teint*. ☞ teindre.

teint, teinte adj. Qu'on a teint : *Il a les cheveux teints.* HOM. tain, thym, tin ☞ teindre.

teinte n.f. **1.** Nuance due à un mélange de plusieurs couleurs : *Ses yeux ont une teinte verdâtre.* **2.** Couleur : *L'été, je porte des vêtements aux teintes vives et claires.* SYN. ton. **3.** fig. Apparence légère, peu marquée : *Il y avait une teinte d'inquiétude dans sa voix.* ☞ demi-teinte, teinté, teinter.

teinté, ée adj. Qui est légèrement coloré : *Éric porte des verres teintés pour protéger ses yeux du soleil.* HOM. teinter, tinter. ☞ teinte.

teinter v. Colorer légèrement : *Ce vernis teinte le bois en lui donnant une couleur un peu plus foncée.* HOM. teinté, tinter. ☞ teinte. se **teinter** v.pron. **1.** Se colorer légèrement : *L'horizon se teintait de rose et d'orangé.* **2.** fig. Revêtir d'une apparence peu marquée : *Ses conseils se teintent de reproches.*

teinture n.f. **1.** Action de teindre ; résultat de cette action : *Cette plante est employée en teinture artisanale.* **2.** Substance colorante employée pour teindre : *L'indigo est une teinture bleu foncé.* **3.** Préparation pharmaceutique liquide, à base d'alcool ou d'éther mêlé à des substances médicamenteuses : *J'ai mis de la teinture d'iode sur ma piqûre.* ☞ teindre.

teinturerie n.f. **1.** Industrie de la teinture ; métier de la personne qui teint des vêtements, du cuir : *Ce colorant végétal est employé en teinturerie.* **2.** Établissement ou boutique qui se charge du nettoyage et de l'entretien des vêtements : *Je dois porter mon veston à la teinturerie.* ☞ teindre.

teinturier, ière n. **1.** Personne qui teint des vêtements, du cuir : *Cette teinturière n'emploie que des teintures naturelles.* **2.** Personne dont le métier est de nettoyer les vêtements : *Le teinturier a réussi à enlever les taches de ma robe.* ☞ teindre.

tel, telle adj. **1.** Pareil, de ce genre : *Je n'ai jamais vu une telle tempête de neige.* **2.** Comme, ainsi : *Le jardin est tel que je l'avais imaginé.* **3.** litt. Comme, tout comme : *Il avan-*

çait sournoisement, tel un chat guettant sa proie. **4.** Sert à annoncer une énumération, un exemple : *Cette boutique vend de la nourriture pour petits animaux tels que chats, chiens, lapins, hamsters, etc.* SYN. comme. ⫽ *Comme tel :* En cette qualité. *En tant que tel :* À ce titre. *Rien de tel que :* Rien de comparable à. *Tel quel :* Sans changement. ▲ **tel, telle** adj. Si grand, si intense : *Elle me l'a demandé avec une telle gentillesse que j'ai accepté.* ☞ tellement. de **telle sorte que** loc.conj. Avec pour conséquence que : *J'ai beaucoup étudié au cours de l'année de telle sorte que j'ai bien réussi tous les examens.*

tel, telle adj.indéf. et pron.indéf. **1.** adj.indéf. Un certain, une certaine : *Son cahier était malpropre : telle page était déchirée, telle autre griffonnée.* **2.** adj.indéf. Une personne, une chose qu'on ne peut ou qu'on ne veut pas préciser : *Il avait dit qu'il arriverait à telle date, mais je l'avais oublié.* **3.** pron.indéf.litt. Certain, quelqu'un : *« Tel qui rit vendredi dimanche pleurera », dit le proverbe.* **4.** pron.indéf. Sert à remplacer un nom propre de façon vague : *Je l'ai vu partir avec un tel; peut-être allaient-ils chez Mme Une telle ?* **R.** On met la majuscule à *un* tel, *une* telle lorsque ce pronom joue le rôle d'un nom propre. *Un tel* s'écrit aussi *Untel.*

télé n.f.fam. Abréviation familière de « téléviseur », « télévision » : *Tu passes trop de temps à regarder la télé.* ☞ télédiffuser, télédiffusion, téléroman, téléspectateur, téléthon, téléviser, téléviseur, télévision.

télécommande n.f. **1.** Transmission à distance d'une manœuvre à exécuter : *Cet appareil se manœuvre par télécommande.* **2.** Appareil de commande à distance : *Les piles de la télécommande du téléviseur sont faibles.* ☞ télécommander.

télécommander v. Commander à distance : *Du poste d'aiguillage, on a télécommandé un changement de voie.* ☞ télécommande. **télécommandé, ée** p.p. et adj. Qui est commandé à distance : *Les avions télécommandés sont munis de dispositifs qui exécutent les opérations qu'on ordonne à distance.*

télécommunication n.f. Ensemble des procédés de communication à distance : *Le téléphone, le télégraphe et la télévision sont des moyens de télécommunication.*

télécopie n.f. Procédé télégraphique qui permet d'obtenir par téléphone une copie d'un texte, d'un document : *La télécopie est un moyen de communication rapide et peu coûteux.* ☞ télécopieur.

télécopieur n.m. Appareil téléphonique servant à la transmission ou à la réception de copies de textes, de documents : *La plupart des entreprises sont équipées d'un télécopieur.* ☞ télécopie.

télédiffuser v. Diffuser par la télévision : *On télédiffusera en direct ce tournoi de tennis.* ☞ télé. **télédiffusé, ée** p.p. et adj. Qui est diffusé par la télévision : *Je n'ai pu regarder ce match télédiffusé.*

télédiffusion n.f. Diffusion par télévision : *La télédiffusion de ce spectacle aura lieu la semaine prochaine.* ☞ télé.

télégramme n.m. Message transmis par télégraphe, téléphone ou radio ; feuille sur laquelle est inscrit ce message : *J'ai reçu un télégramme annonçant son retour.* SYN. câble, dépêche. ☞ télégraphe.

télégraphe n.m. Dispositif qui permet de communiquer, de transmettre des messages rapidement et à distance : *Le télégraphe a été inventé par Morse en 1846.* **R.** Les lettres *ph* se prononcent *f.* ☞ télégramme, télégraphie, télégraphier, télégraphique, télégraphiste.

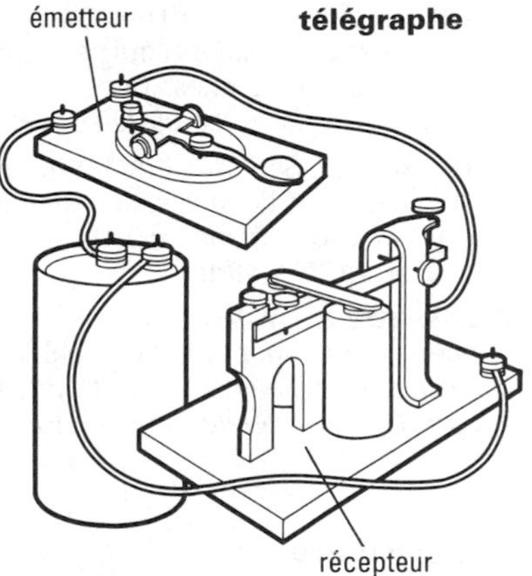

télégraphie n.f. Système de transmission à distance, par ligne électrique ou par ondes radio, de messages écrits : *La télégraphie par fil n'est plus employée aujourd'hui.* **R.** Les lettres *ph* se prononcent *f.* ☞ télégraphe.

télégraphier v. Transmettre au moyen du télégraphe ; envoyer un télégramme : *Je lui ai télégraphié la bonne nouvelle.* **R.** Les lettres *ph* se prononcent *f.* ☞ télégraphe.

télégraphique adj. **1.** Qui est relatif au télégraphe : *Les fils télégraphiques ont été coupés.* **2.** Qui est transmis par le télégraphe ou sous forme de télégramme : *Je lui ai envoyé un message télégraphique.* ⫽ *Style télégraphique :* Style bref, comme dans les télégrammes. **R.** Les lettres *ph* se prononcent *f.* ☞ télégraphe.

télégraphiste n. **1.** Personne qui délivre des télégrammes, des messages urgents: *La télégraphiste m'a remis un message urgent pour toi.* **2.** Personne chargée de la transmission et de la réception des télégrammes: *Les télégraphistes doivent connaître tous les codes télégraphiques.* **R.** Les lettres *ph* se prononcent *f.* ☞ télégraphe.

téléguidage n.m. Procédé de guidage à distance d'un engin, d'un véhicule: *Cette fusée est dirigée par téléguidage.* **R.** Ne pas oublier le *u* après le *g.* ☞ téléguider.

téléguider v. Diriger à distance: *Elle téléguidait sa petite voiture en jouant avec les boutons de sa télécommande.* SYN. télécommander. ☞ téléguidage. **téléguidé, ée** p.p. et adj. Qui est dirigé à distance: *J'ai reçu une auto téléguidée pour mon anniversaire.* **R.** Ne pas oublier le *u* après le *g.*

télématique n.f. Ensemble des techniques qui lient les télécommunications et l'informatique: *La télématique permet d'utiliser un ordinateur à distance.*

téléobjectif n.m. Objectif photographique capable d'agrandir l'image et qui sert à photographier les objets éloignés: *Cette photographie d'oiseaux a été prise au téléobjectif.*

télépathie n.f. Sentiment de communication à distance, par la pensée seulement: *Tu téléphones au moment même où je pensais à toi: est-ce de la télépathie?*

téléphérique n.m. Moyen de transport par câbles aériens qui supportent une cabine: *Le téléphérique nous mène au sommet de la montagne.* **R.** Aussi, *téléférique*. Les lettres *ph* se prononcent *f.*

téléphérique

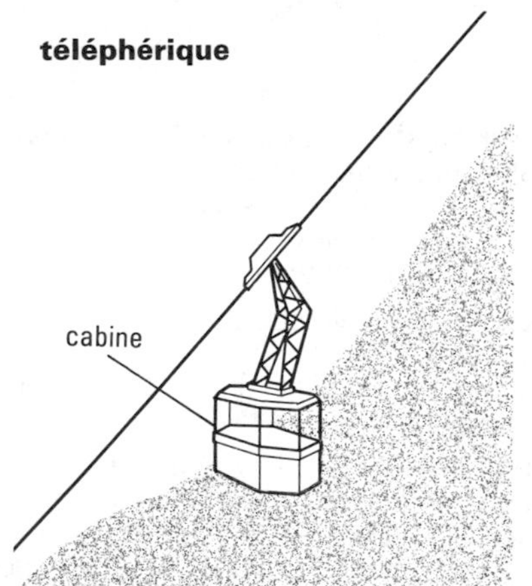

téléphone n.m. **1.** Système de communication permettant de transmettre la voix par l'intermédiaire de fils électriques: *Alexander Graham Bell est le célèbre inventeur du téléphone.* **2.** Appareil servant à téléphoner: *J'ai remplacé mon téléphone à cadran par un téléphone à clavier.* ∥ *Recevoir, passer un coup de téléphone:* Recevoir un appel téléphonique, téléphoner, dans le langage familier. *Téléphone rouge:* Nom donné à une ligne téléphonique spéciale réservée aux échanges entre chefs d'États. **R.** Les lettres *ph* se prononcent *f.* ☞ retéléphoner, téléphoner, téléphonique, téléphoniste.

téléphone

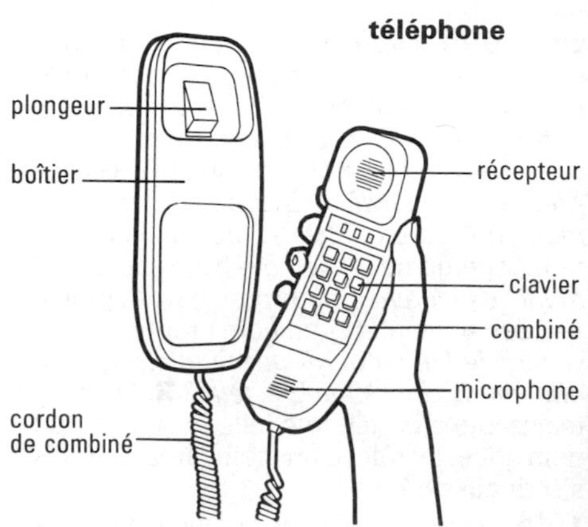

téléphoner v. **1.** Transmettre par téléphone: *Elle lui a téléphoné sa réponse.* **2.** Se mettre en communication par téléphone: *Je vais lui téléphoner pour avoir de ses nouvelles.* **3.** Faire usage du téléphone: *Voilà une heure que j'essaie de téléphoner.* **R.** Les lettres *ph* se prononcent *f.* ☞ téléphone.

téléphonique adj. Qui est relatif au téléphone, qui est fait par téléphone: *Tu as reçu un appel téléphonique.* ∥ *Annuaire téléphonique:* Annuaire qui contient la liste des abonnés. *Conférence téléphonique:* Échange entre plusieurs personnes qui peuvent se parler simultanément par téléphone grâce à un réseau spécial. **R.** Les lettres *ph* se prononcent *f.* ☞ téléphone.

téléphoniste n. Personne chargée du service téléphonique, des liaisons téléphoniques: *La téléphoniste a établi la communication.* SYN. standardiste. **R.** Les lettres *ph* se prononcent *f.* ☞ téléphone.

téléroman n.m. Au Canada, mot qui désigne une histoire en plusieurs épisodes, présentée à la télévision: *Les téléromans sont parmi les émissions les plus populaires.* SYN. feuilleton. **R.** En France, on dit *feuilleton.* ☞ télé.

télescope n.m. Instrument d'optique qui sert à l'observation des objets éloignés et particulièrement des astres : *J'ai observé la Lune avec mon télescope.* ☞ télescopique.

télescoper v. Tamponner, enfoncer par un choc violent de deux véhicules : *Un camion a télescopé une voiture au carrefour.* se **télescoper** v.pron. **1.** Se heurter : *Au moins une dizaine de voitures se sont télescopées sur l'autoroute.* **2.** fig. Se mêler, se juxtaposer : *En revoyant cette vieille photo, de nombreux souvenirs ont commencé à se télescoper dans ma mémoire.*

télescopique adj. **1.** Qui est fait au moyen d'un télescope : *Regarde cette superbe photographie télescopique de Saturne.* **2.** Dont les éléments s'emboîtent les uns dans les autres : *Notre voiture est munie d'une antenne télescopique.* ☞ télescope.

téléscripteur n.m. Appareil télégraphique permettant de faire imprimer un texte à distance : *Je lui ai envoyé une lettre par téléscripteur.*

télésiège n.m. Téléphérique formé d'une série de sièges suspendus à un câble unique : *Les skieuses remontent la pente en télésiège.*

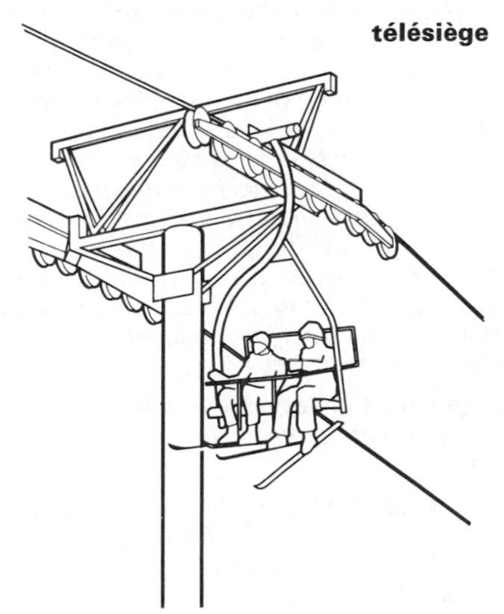
télésiège

téléspectateur, trice n. Personne qui regarde la télévision : *Cette émission a été regardée par de nombreux téléspectateurs.* ☞ télé.

téléthon n.m. Au Canada, mot qui désigne une émission marathon destinée à recueillir de l'argent pour une bonne œuvre : *Les téléthons sont des initiatives à encourager.* ☞ télé.

téléviser v. Transmettre par télévision : *Pour une raison quelconque, on n'a pas télévisé le film tel que prévu.* ☞ télé. **télévisé, ée** p.p. et adj. Qui est transmis par la télévison : *Tous les soirs, je regarde le journal télévisé.*

téléviseur n.m. Poste récepteur de télévision : *J'allume le téléviseur, c'est l'heure des informations.* SYN. télé. ☞ télé.

télévision n.f. **1.** Ensemble des procédés de transmission, par ondes électriques, des images d'objets fixes ou animés et du son, qui sont reçus et reproduits sur un écran : *Les satellites artificiels sont utilisés comme relais pour augmenter la puissance de liaison de télévision.* **2.** Ensemble des services qui assurent la production et la distribution des émissions par télévision : *Nous devons aller visiter des studios de télévision.* **3.** fam. Poste récepteur de télévision : *J'ai fermé la télévision avant d'aller jouer dehors.* SYN. télé, téléviseur. ⁄⁄ *Télévision communautaire :* Au Québec, temps de télévision et moyens de réalisation mis à la disposition de groupes pour la présentation d'émissions. ☞ télé.

télex n.m. **1.** Service de dactylographie à distance qui permet de transmettre des textes tapés à la machine : *L'avocate a envoyé un message par télex à son client.* **2.** Message transmis par télex : *Elle a reçu un télex de son père.* (*Voir l'illustration à la page suivante.*)

tellement adv. **1.** À un degré si élevé : *Je me suis tellement ennuyé de toi.* **2.** Tant : *Il grelottait, tellement il avait froid.* **3.** Si : *Il faisait tellement chaud que nous avions peine à respirer.* **4.** fam. Une si grande quantité : *J'ai tellement de travail, je ne peux jamais me distraire.* SYN. tant. ⁄⁄ *Pas tellement :* Pas beaucoup. ☞ tel.

tellurique adj. Qui se rapporte à la terre, au sol ; qui en provient : *Nous ne percevons pas les mouvements telluriques qui animent l'intérieur de la Terre.* ⁄⁄ *Eaux telluriques :* Eaux souterraines. *Secousse tellurique :* Tremblement de terre, séisme. **R.** Aussi, *tellurien.*

téméraire adj. **1.** Qui est hardi au point de commettre de grandes imprudences : *Cette jeune fille téméraire a frôlé plusieurs fois la mort.* SYN. audacieux, entreprenant, irréfléchi. ANT. lâche, peureux, réfléchi. **2.** Qui dénote une audace imprudente : *Il se lance dans une entreprise téméraire.* SYN. hasardeux. ANT. prudent, sage. ☞ témérité.

témérité n.f. Audace folle, hardiesse imprudente : *Sa témérité finira par le perdre.* ANT. circonspection, défiance, prudence. ☞ téméraire.

télex

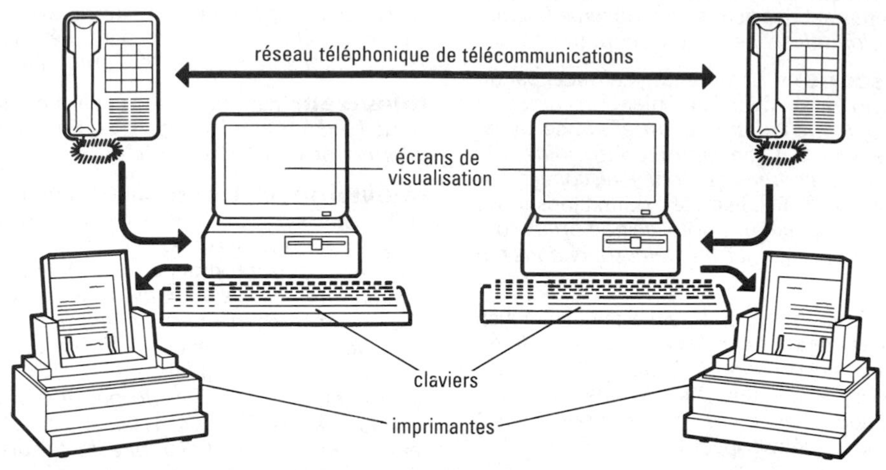

témoignage n.m. **1.** Déclaration que fait une personne sur ce qu'elle a vu ou entendu et qui sert à établir la vérité; déclaration d'un témoin en justice: *Son témoignage a été précieux et a fait avancer l'enquête.* SYN. déposition, rapport. **2.** Parole ou acte qui montre, qui exprime quelque chose: *Son aide fut un témoignage de son amitié sincère et fidèle.* SYN. manifestation, marque, preuve. ⫽ *Faux témoignage:* Témoignage inexact d'un témoin de mauvaise foi. ☞ témoin.

témoigner v. **1.** Faire connaître, faire paraître: *Il m'a témoigné son attachement par mille et une petites attentions.* SYN. manifester, montrer. **2.** litt. Révéler, montrer: *Son geste témoigne combien elle regrette ses paroles injurieuses d'hier.* **3.** Dire qu'on a vu et entendu quelque chose; déclarer en justice à titre de témoin: *Il a témoigné qu'il avait vu la voiture passer sans faire d'arrêt.* SYN. attester. ☞ témoin. ▲ **témoigner** v. **1.** Confirmer la vérité, la valeur de quelque chose: *Je peux témoigner de son honnêteté.* **2.** Être le signe de quelque chose: *Ses projets de voyages exotiques témoignent de son goût pour l'aventure.* ☞ témoin.

témoin n.m. **1.** Personne qui a vu ou entendu un fait et qui peut en témoigner: *Elles ont été témoins de l'accident.* SYN. spectateur. **2.** Personne qui a vu ou entendu un fait et qui est appelée à en faire la déclaration en justice: *Le procureur a appelé le témoin à la barre.* **3.** Personne qui doit attester l'exactitude des déclarations lorsqu'un acte est dressé: *Ce sont mes parents qui ont été mes témoins lors de mon mariage.* ⫽ *Faux témoin:* Personne qui fait un faux témoignage. *Prendre à témoin:* Invoquer le témoignage de. *Sans témoins:* Seul. *Témoin à charge; témoin à décharge:* Personne qui témoigne contre l'accusé; personne qui témoigne en faveur de l'accusé. *Témoin de Jéhovah:* Membre d'un mouvement religieux évangélique fondé aux États-Unis en 1872. ☞ témoignage, témoigner. ▲ **témoin** n.m. **1.** litt. Ce qui, par son existence, constitue un témoignage, un signe: *Ces maisons anciennes sont les témoins du savoir-faire de nos ancêtres.* SYN. preuve. **2.** Élément qui sert de point de repère, de terme de comparaison dans une expérience: *On compare les effets d'un traitement en observant un groupe de sujets l'ayant expérimenté et un groupe témoin qui n'en a pas fait l'essai.* **3.** Chose qui sert de référence, de modèle: *Nous allons visiter des appartements témoins.* ⫽ *Lampe témoin:* Voyant lumineux qui permet de contrôler un appareil. ☞ témoignage, témoigner.

tempe n.f. Côté de la tête, à la hauteur du front: *Il a quelques cheveux gris sur les tempes.*

tempérament n.m. Caractère d'une personne; ensemble de dispositions, de traits innés d'une personne qui orientent ses comportements: *Elle a un tempérament fougueux.* SYN. humeur, nature, naturel. ⫽ *Avoir du tempérament:* Avoir une forte personnalité. ▲ **tempérament** n.m.vx Adroite combinaison de choses opposées et diverses; mesure dans la conduite, les jugements: *Il faut faire preuve de tempérament dans nos relations avec les autres.* ⫽ *Tempérament égal:* Système musical qui divise l'octave en douze demi-tons égaux. *Vente à tempérament:* Vente où l'acheteur peut s'acquitter en plusieurs versements partiels. ☞ tempéré.

tempérance n.f. Retenue dans le boire et le manger: *La tempérance aide à conserver la santé.* SYN. sobriété. ANT. intempérance. ⫽ *Société de tempérance:* Association dont le but est de combattre l'abus, et même l'usage, de boissons alcooliques. ☞ intempérance, intempérant, tempérant.

tempérant, ante n. et adj. **1.** n. Personne qui fait preuve de retenue dans le boire et le manger: *Je fais partie d'un groupe de tempérants.* ANT. intempérant. **2.** adj. Qui fait preuve de retenue dans le boire et le manger: *Depuis sa maladie, Monsieur Michaud est tempérant.* SYN. sobre. ANT. intempérant. ☞ tempérance.

température n.f. **1.** Degré de chaleur ou de froid de l'atmosphère en un endroit: *On annonce une hausse de température pour demain.* **2.** Degré de chaleur du corps: *Je vais prendre sa température.* **3.** Chaleur excessive du corps: *Elle fait de la température.*

tempéré, ée adj. Qui n'est pas très chaud ni très froid, en parlant du climat: *Le Canada est un pays au climant tempéré.* HOM. tempérer. ☞ tempérer. ▲ **tempéré, ée** adj. **1.** vx Qui fait preuve de modération: *Les personnes à l'esprit tempéré sont prudentes et commettent peu de maladresses.* **2.** Dont l'intervalle entre les demi-tons est également partagé, en parlant d'un instrument de musique: *Les instruments tempérés sont apparus au XVIIe siècle.* ☞ tempérament.

tempérer v.litt. Diminuer l'excès, l'intensité de quelque chose: *Il devrait tempérer son impatience.* SYN. adoucir, atténuer, modérer. ANT. exciter, renforcer. HOM. tempéré. ☞ tempéré. se **tempérer** v.pron. Se calmer: *Il faut apprendre à se tempérer.* SYN. se modérer. ANT. s'exciter.

tempête n.f. **1.** Violente perturbation atmosphérique; vent rapide qui s'accompagne souvent d'un orage et de précipitations: *Les écoles sont fermées à cause de la tempête de neige.* **2.** fig. Explosion subite: *Le spectacle s'est terminé sur une tempête d'applaudissements.* SYN. tonnerre. **3.** fig. Mécontentement, agitation: *Cette nouvelle mesure va déchaîner la tempête.* **R.** Ne pas oublier l'accent: *ê.*

tempêter v. Manifester bruyamment son mécontentement: *Myriam ne cesse de tempêter contre tout le monde.* SYN. fulminer, gueuler, pester. **R.** Ne pas oublier l'accent: *ê.*

temple n.m. **1.** Bâtiment religieux public consacré au culte d'une divinité: *Le Parthénon était un temple dédié à la déesse grecque Athéna.* **2.** Lieu de culte des protestants: *Ils sont allés au temple pour prier.*

tempo n.m. (it.) Rythme des différents mouvements d'une pièce musicale: *Le tempo de cette pièce musicale est très rapide.* **R.** Le *m* peut se prononcer ou non.

temporaire adj. **1.** Qui ne dure qu'un temps limité: *Ce changement de local est temporaire.* SYN. momentané, passager, provisoire. ANT. définitif, durable. **2.** Qui ne remplit sa fonction que pendant un certain temps: *Elle est la présidente temporaire de notre association.* SYN. transitoire. ANT. permanent. ☞ temps.

temporairement adv. Pour un temps limité: *Nous avons temporairement aménagé ma chambre dans la salle de jeux.* SYN. momentanément, provisoirement. ANT. définitivement. ☞ temps.

temporiser v. Attendre à plus tard en faisant traîner les choses en longueur, dans l'espoir d'une meilleure occasion: *À quoi bon temporiser puisqu'il faut tôt ou tard lui donner une réponse.* SYN. ajourner, différer, retarder. ANT. se hâter, se précipiter, se presser.

temps n.m. Ensemble des conditions météorologiques à un moment donné: *Le temps sera ensoleillé et venteux.* ▲ **temps** n.m. **1.** Succession continue des heures, des jours, des années: *Le temps passe et je suis toujours sans nouvelles d'elle.* **2.** Durée, portion de la durée, considérée comme pouvant être mesurée: *Il faut un certain temps pour s'habituer à un nouvel emploi.* **3.** Moment, période nécessaire pour faire quelque chose: *Tu peux prendre le temps de te reposer un peu.* **4.** Chacune des phases d'un cycle de fonctionnement: *Cette tondeuse est munie d'un moteur à deux temps.* **5.** Étape, moment d'une opération: *Dans un premier temps, nous devons lire le texte et dans un deuxième temps, souligner tous les adjectifs.* **6.** En musique, chacune des divisions égales de la mesure: *Dans une mesure à deux, trois ou quatre temps, la noire vaut un temps.* **7.** Durée chronométrée d'une course, d'un match: *Le cheval a parcouru la piste en un temps record.* ⫽ *Avec le temps:* À la longue. *Avoir fait son temps:* Avoir terminé sa carrière; être hors d'usage. *En peu de temps:* Rapidement. *Temps mort:* Moment pendant lequel l'arbitre arrête un match, et qui s'ajoute à la durée totale prévue. ☞ temporaire, temporairement. ▲ **temps** n.m. **1.** Moment dans l'histoire: *Cette légende acadienne remonte au temps de la déportation.* **2.** Époque de la vie et, en particulier, celle où l'on est jeune: *Grand-mère disait que, de son temps, les travaux domestiques n'étaient pas aussi faciles qu'aujourd'hui.* **3.** Époque dans l'année, saison: *C'est le temps des vacances.* **4.** Forme verbale particulière qui indique si l'action se passe dans le présent, le passé ou le futur:

Conjugue chaque verbe au temps demandé. **5.** Moment propice, favorable à une action: *C'est le temps de prendre une décision.* **6.** plur. Époque plus ou moins précise: *Dans les temps anciens, le cheval servait de moyen de transport.* HOM. tan, tant, taon. ⁄⁄ *Être de son temps:* Avoir les idées, les mœurs de son époque. à **temps** loc.adv. Juste assez tôt, au bon moment: *Je suis arrivée à temps pour prendre le train.* de **temps en temps** loc.adv. Parfois, à l'occasion: *Je vais au cinéma de temps en temps.* du **temps que** loc.conj. Lorsque: *Du temps que Montréal n'était pas la grande ville que nous connaissons, il s'y faisait beaucoup d'agriculture.* en même **temps** loc.adv. Simultanément, à la fois: *Nous parlions tous en même temps.*

tenable adj. Qu'on peut supporter, soutenir: *La situation n'est plus tenable.* SYN. supportable. ANT. intenable. **R.** S'emploie toujours à la forme négative. ☞ tenir.

tenace adj. **1.** Qui est difficile à détruire, à éliminer: *Les préjugés raciaux sont tenaces.* **2.** Qui est fortement attaché à ses idées, à ses projets: *Elle est tenace dans ses entreprises.* SYN. entêté, obstiné, têtu. ANT. changeant, inconstant, versatile. ☞ tenacement, ténacité.

tenacement adv. Avec ténacité, fermement: *Il a tenacement défendu son point de vue.* SYN. opiniâtrement. ☞ tenace.

ténacité n.f. **1.** Caractère de ce qui est tenace, persistant: *L'odeur de la cigarette s'imprègne avec ténacité dans les vêtements.* **2.** Caractère d'une personne obstinée; attachement solide à une idée, une décision: *La ténacité de cette architecte à défendre son projet a donné un bon résultat.* SYN. acharnement, fermeté, résistance. ANT. faiblesse, fragilité, mollesse. ☞ tenace.

tenace tenacement ténacité

tenaille n.f. Grosse pince à mâchoire, permettant de saisir, de tenir quelque chose: *La forgeronne travaille le fer en le tenant avec des tenailles.* **R.** S'emploie surtout au pluriel.

tenailler v. Faire souffrir, tourmenter: *La faim le tenaillait.* SYN. torturer. ANT. soulager.

tenancier, ière n. Personne qui dirige un hôtel, une maison de jeu, un bar, etc.: *Le tenancier m'a remis les clefs de la chambre.* SYN. patron.

tenant n.m. Personne qui soutient une opinion, une doctrine, un courant d'idées: *Les tenants de la cause écologique ont organisé une manifestation.* ☞ tenir.

tenant, ante n. Personne qui détient un titre: *Elle est la tenante du titre de championne mondiale de course.* ☞ tenir.

tenant, ante adj. Qui ne s'interrompt pas, qui est dans le cours même: *Nous avons accepté son offre séance tenante.* **R.** Ne s'emploie que dans l'expression *séance tenante.*

tendance n.f. **1.** Ce qui porte à avoir tel comportement, telle attitude: *Il a une tendance à l'optimisme.* SYN. disposition, penchant, propension. **2.** Développement, croissance de quelque chose dans une même direction: *La tendance à la hausse du coût de la vie n'est guère rassurante.* **3.** Orientation particulière et commune à une catégorie de personnes, à un courant d'idées: *Elle est de tendance politique libérale.* ⁄⁄ *Avoir tendance à:* Être porté, enclin à.

tendeur n.m. **1.** Appareil servant à tendre une courroie, une corde, un fil, etc.; pièce qui sert à tendre la chaîne d'une bicyclette: *Il faudrait resserrer les tendeurs de la tente.* **2.** Courroie élastique servant à maintenir une chose en place: *Les tendeurs sont fixés de chaque côté du porte-bagages.* ☞ tendre (v.).

tendon n.m. Lien par lequel un muscle se rattache à un os: *Elle s'est claqué un tendon.*

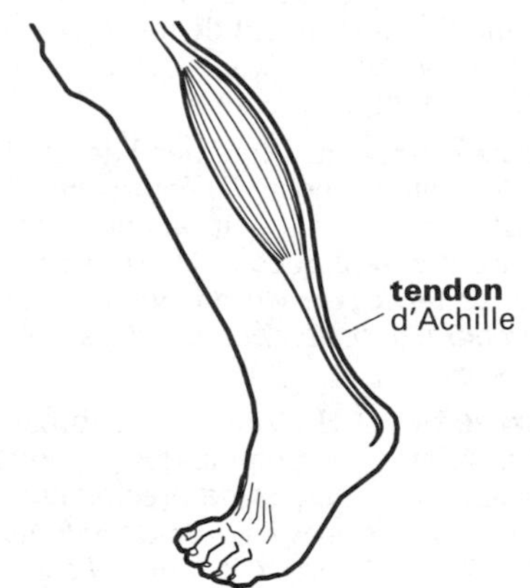

tendre adj. **1.** Qui offre peu de résistance, qui se laisse facilement couper: *Le pin et le peuplier sont des bois tendres.* SYN. mou. ANT. dur. **2.** Qui se coupe, se mâche facilement: *Cette viande est si tendre qu'elle fond sous la dent.* ANT. coriace, dur. **3.** Qui est douce, atténuée, un peu pâle, en parlant d'une couleur: *J'aime le feuillage vert tendre du printemps.* ⁄⁄ *La tendre enfance:* La première enfance, perçue comme fragile, délicate. ☞ attendrir, tendreté. ▲ **tendre** adj. **1.** Qui est plein de tendresse, de délicatesse, porté aux émotions: *Papa est tendre avec maman.* SYN. bon, chaleureux, doux, sensible. ANT. cruel, froid. **2.**

Qui indique de la douceur, de la délicatesse: *Une tendre amitié les unissait.* ANT. cruel, froid. ☞ attendrir, attendrissant, attendrissement, tendrement, tendresse.

tendre v. **1.** Tirer sur une matière souple de façon à la rendre droite: *As-tu bien tendu les cordages du voilier?* SYN. bander, étirer, raidir. ANT. détendre, relâcher. **2.** Porter en avant: *Elle m'a tendu la main pour m'aider à monter.* SYN. présenter. **3.** Dresser, disposer en déployant: *Nous avons fini de tendre les tentes.* **4.** Présenter une chose à quelqu'un: *Je lui tendis une paire de gants.* ⁄ *Tendre l'oreille:* S'efforcer d'entendre. *Tendre son esprit:* Appliquer son esprit avec effort. ☞ retendre, tendeur, tendre, tension. ▲ **tendre** v. **1.** Avoir pour but: *Elle tend à la perfection en toute chose.* SYN. viser. **2.** Aller vers un but: *J'apprécie ces paroles qui tendent à me consoler.* **3.** Avoir tendance: *Ses notes en français tendent à s'élever.* se **tendre** v.pron. **1.** Devenir tendu, s'allonger, s'étirer: *Les câbles se tendaient sous le poids.* ANT. se détendre. **2.** fig. Devenir tendus, menacer de rompre, en parlant de rapports, de relations: *Les relations se tendaient chaque jour un peu plus entre les membres de l'équipe.* ANT. se détendre.

tendrement adv. Avec tendresse, avec affection: *Ils s'embrassaient tendrement.* ☞ tendre (adj.).

tendresse n.f. Sentiment tendre qui s'exprime par la douceur, la délicatesse, la sensibilité: *Elle me parlait avec tant de tendresse qu'elle réussit à me consoler.* SYN. affection. ANT. dureté, froideur, rudesse. ☞ tendre (adj.).

tendreté n.f. Qualité de ce qui est mou, de ce qui est peu résistant: *Ce mode de cuisson accroît la tendreté du bœuf.* ☞ tendre (adj.).

tendu, ue adj. **1.** Rendu droit: *Les moineaux étaient perchés sur un câble tendu entre deux arbres.* **2.** fig. Qui est dans un état de tension, de stress: *Tu est trop tendu, calme-toi.* ANT. décontracté. **3.** fig. Qui s'exerce avec effort: *Il écoutait attentivement, l'esprit tendu pour bien comprendre.* **4.** Qui est difficile, pénible; qui menace de rompre: *La situation politique tendue des derniers mois a entraîné la démission de quelques députés.* **5.** Que l'on avance, allonge: *Ils accoururent l'un vers l'autre les bras tendus.* ☞ tendre (v.).

ténèbres n.f.plur.litt. **1.** Obscurité profonde: *Ils finirent par retrouver leur chemin dans les ténèbres de la mine.* SYN. noirceur. ANT. lumière. **2.** fig. Ce qui est obscur, difficile à comprendre; ignorance: *Nous n'avons pu résoudre l'énigme; nous étions dans les ténèbres.* ⁄ *L'ange, le prince des ténèbres:* Le démon. *L'empire des ténèbres:* L'enfer. ☞ ténébreux.

ténébreux, euse adj. **1.** litt. Qui est plongé dans une obscurité profonde: *Les deux enfants s'aventurèrent dans la forêt ténébreuse.* SYN. opaque, sombre. ANT. éclairé, lumineux. **2.** Qui est mystérieux, difficile à comprendre: *Cette histoire est une ténébreuse affaire.* SYN. incompréhensible, obscur. ANT. clair. **3.** Qui est sombre et mélancolique: *C'était une fille songeuse et ténébreuse.* ANT. enjoué, gai, joyeux. ☞ ténèbres.

ténèbres ténébreux

teneur n.f. **1.** Contenu exact d'un texte: *Le journaliste m'a résumé la teneur de son article.* **2.** Proportion d'un élément dans un mélange, un aliment: *Les légumes jaunes ont une forte teneur en vitamine A.*

ténia n.m. Ver parasite de l'intestin des mammifères, ayant plusieurs mètres de long: *On appelle couramment «ver solitaire» le ténia qui parasite l'être humain.* **R.** Aussi, *tænia*.

tenir v. **1.** Avoir entre les mains, avoir dans les mains en serrant: *Je la tenais par la main.* ANT. lâcher. **2.** Retenir, faire rester en place: *Une seule penture tenait cette porte.* **3.** Maintenir dans un certain état: *Cette haie tient le jardin à l'abri du vent.* SYN. garder. **4.** Exercer une activité; diriger, gérer: *Ma mère tient un restaurant gastronomique.* **5.** Prendre part à quelque chose: *Nous avons tenu une réunion pour traiter de la question.* **6.** Dire, formuler de façon particulière: *Il tenait des propos subversifs.* **7.** Saisir, s'emparer: *Nous tenons enfin la voleuse.* **8.** Occuper un espace: *Ces bagages tiennent trop de place dans la voiture.* **9.** Observer fidèlement: *Elle a tenu sa promesse.* SYN. respecter. ANT. rompre. **10.** Avoir en sa possession: *Elle tenait enfin la solution.* ANT. abandonner, céder. **11.** Avoir, recevoir quelque chose de quelqu'un: *Je tiens ce renseignement de source sûre.* **12.** fig. Avoir par hérédité: *Elle tient ses cheveux bouclés de son père.* ☞ intenable, tenable, tenant, tenue. ▲ **tenir** v. **1.** Être attaché à quelqu'un ou à quelque chose: *Je tiens beaucoup à mes amis.* **2.** Être le résultat de quelque chose; dépendre de quelqu'un ou de quelque chose: *La fermeture de cette usine tient à plusieurs causes.* **3.** Vouloir à tout prix: *Elle tient à réussir son année scolaire.* **4.** Avoir certains rapports qui amènent une ressemblance: *Il tient de sa mère.* **5.** Être de la nature de quelque chose: *Cette réussite tient du prodige!* ▲ **tenir** v. **1.** Considérer: *Je la tiens pour une femme de grande valeur.*

2. Se maintenir dans une même position: *Son pantalon ne tient pas; il lui faudrait des bretelles.* **3.** Être solide, ne pas se défaire: *Bien attaché avec cette corde, cela devrait tenir.* **4.** Résister: *Ce groupe égaré en forêt a réussi à tenir dix jours, sans nourriture et sans vêtements chauds.* **5.** Être contenu dans un espace: *Tous ces vêtements ne tiendront jamais dans une si petite valise.* SYN. entrer. ⫽ *Tenir bon:* Ne pas céder. **se tenir** v.pron. **1.** Être dans une position: *Il se tenait debout près de la porte.* **2.** Avoir de la vraisemblance: *Son témoignage se tient.* **3.** Être en un lieu: *Il se tenait au milieu du salon.* **4.** Avoir lieu: *Le match se tiendra au centre sportif.* **5.** Rester dans un certain état: *Je me tenais sur mes gardes devant ce cheval fougueux.* **6.** Se conduire correctement: *Il ne sait pas se tenir quand il est en visite.* **7.** Se prendre l'un l'autre: *Ils se tenaient par le bras.* **8.** Se limiter, se borner à quelque chose: *Je m'en tiens à ses indications.* **9.** S'agripper, s'accrocher fermement pour ne pas tomber: *Tiens-toi à mon bras.* ⫽ *Se tenir bien, se tenir mal:* Se conduire en personne bien élevée, mal élevée. **tenu, ue** p.p. et adj. **1.** Qui est obligé à une action: *Les notaires sont tenus au secret professionnel.* **2.** Qui doit faire quelque chose: *Les témoins sous serment sont tenus de dire la vérité.* SYN. obliger. **3.** Qui est arrangé, maintenu dans un certain état: *Leur maison est plus souvent mal tenue que bien tenue.*

tennis n.m. (angl.) **1.** Sport dans lequel deux ou quatre joueurs se renvoient une balle avec une raquette: *Christian et Chloé jouent ensemble au tennis.* **2.** Terrain de tennis: *Il y a un tennis au centre sportif.* **3.** plur. Chaussures en toile, à semelles de caoutchouc: *Je mets souvent mes tennis pour aller jouer dehors.* **R.** Le *s* se prononce.

ténor n.m. (it.) Voix d'homme la plus aiguë; personne qui a ce type de voix: *Ce ténor chante merveilleusement.*

tension n.f. État d'une chose qui est tendue, étirée: *On accorde une guitare en réglant la tension des cordes.* ⫽ *Tension artérielle:* Pression du sang. ☞ tendre (v.). ▲ **tension** n.f. **1.** Concentration, effort intellectuel soutenu: *Cette tension d'esprit m'a épuisé.* ANT. détente, relâchement. **2.** Situation tendue, difficile; état de ce qui menace de rompre: *Une forte tension entre ces pays gênent les pourparlers.* ANT. détente. ⫽ *Tension nerveuse:* Énervement. ☞ tendre (v.).

tentacule n.m. Bras des pieuvres, des calmars, etc., muni de ventouses: *La pieuvre est pourvue de huit tentacules.*

tentant, ante adj. Qui fait naître un désir: *Cette boîte de chocolats est trop tentante.* SYN. alléchant, attirant, désirable. ANT. dégoûtant, repoussant, répugnant. ☞ tenter.

tentateur, trice n. et adj. **1.** n. Personne qui cherche à tenter, à séduire: *Ce tentateur me passait son sac de croustilles sous le nez.* **2.** adj. Qui cherche à tenter, à séduire: *Mes amies tentatrices s'efforçaient de me convaincre de les suivre.* ☞ tenter.

tentation n.f. Impulsion qui pousse à faire quelque chose: *Je n'ai pas pu résister à la tentation de prendre un deuxième morceau de gâteau.* SYN. désir, envie. ANT. aversion, indifférence, répulsion. ☞ tenter.

tentative n.f. Action par laquelle on s'efforce de parvenir à un résultat: *La tentative d'évasion de ce groupe de prisonniers a échoué.* SYN. démarche, essai. ☞ tenter.

tente n.f. Abri démontable fait d'une toile soutenue par des mâts et des piquets: *Nous avons dressé notre tente sur une butte.* HOM. tante. ☞ tente-abri.

tente-abri n.f. Tente très légère: *Nous avons pique-niqué sous une tente-abri.* **R.** Au pluriel, *tentes-abris*. ☞ tente.

tenter v. Éveiller le désir, l'envie: *Ce voyage me tente.* SYN. attirer, charmer, plaire, séduire. ANT. répugner. ⫽ *Être tenté:* Avoir envie de quelque chose. *Se laisser tenter par:* Céder à un désir. ☞ tentant, tentateur, tentation. ▲ **tenter** v. **1.** Entreprendre, faire, en vue de réussir: *Nous avons tenté l'impossible pour sauver le petit oiseau malade.* **2.** Essayer de faire quelque chose: *Il était inutile de tenter de s'enfuir.* ☞ tentative.

tenture n.f. Grande pièce d'étoffe qui orne une fenêtre, un mur: *Le salon est décoré de belles tentures de velours.*

ténu, ue adj. Qui est très fin, très petit: *Le bouton ne tenait plus que par un fil ténu.* SYN. menu, mince. ANT. épais, gros.

tenue n.f. **1.** Manière de diriger, d'administrer: *La directrice veille à la bonne tenue de notre école.* **2.** Manière de se conduire, de s'habiller: *Cette élève manque de tenue en classe.* **3.** Ensemble des vêtements qui se portent pour une activité ou une circonstance particulière: *Les enfants ont mis leur tenue de neige pour aller jouer dehors.* SYN. costume, habit. ⫽ *Tenue de route:* Manière dont une voiture tient la route. ☞ tenir.

tequila n.f. (n. de lieu) Boisson alcoolique obtenue par distillation du fruit de l'agave: *La tequila se boit avec du citron et du sel.* **R.** Le *e* se prononce *é*.

térébenthine n.f. Résine semi-liquide, qu'on recueille en incisant certains conifères: *L'essence de térébenthine est un excellent solvant à peinture.*

tergal n.m. (nom déposé) Fibre synthétique de polyester: *Elle s'est acheté une robe de tergal.*

terme n.m. **1.** Mot, expression qui dénomme une chose précise: *Elle trouve toujours le terme exact.* SYN. formule. **2.** Mot appartenant à un domaine particulier: *Le mot «équipotent» est un terme de mathématiques.* SYN. expression. **3.** Chacun des éléments mis en relation avec d'autres dans une formule, une phrase, une expression mathématique: *Le numérateur et le dénominateur sont les deux termes d'une fraction.* **4.** plur. Manière de dire: *Il lui a parlé en termes choisis.* ⁄⁄ *En d'autres termes:* Autrement dit.
▲ **terme** n.m. **1.** Limite fixée dans le temps: *Au-delà de ce terme, ma carte d'abonnement n'est plus valide.* SYN. date, délai. **2.** Moment fixé pour le paiement des baux; la somme due à ce moment: *Il va falloir payer le terme de janvier.* SYN. délai, échéance, loyer. **3.** Dernier stade de ce qui a une durée; fin: *Cet enfant est né avant terme.* **4.** plur. Relations, bonnes ou mauvaises, avec les autres: *Ils sont en mauvais termes.* ⁄⁄ *À court terme; à long terme:* Sur une période brève, sur une longue période. *Au terme de:* À la fin. *Mettre un terme à:* Faire cesser. *Vente, achat à terme:* Vente, achat à crédit.

terminaison n.f. Partie terminale d'un mot: *La plupart des adverbes de manière ont une terminaison en -ment.* SYN. finale. ANT. commencement, début. ☞ terminer.

terminal, aux n.m. Appareil qui permet de recevoir ou d'envoyer des informations à distance à un système informatique: *Le terminal sur lequel je travaille est muni d'un clavier et d'un écran.*

terminal, ale, aux adj. Qui forme la fin de quelque chose: *Nous en sommes à la phase terminale de notre travail.* SYN. dernier, final. ANT. initial, premier. ☞ terminer.

terminer v. **1.** Mener à son terme, à bonne fin: *As-tu terminé tes devoirs?* SYN. achever, finir. ANT. commencer, débuter. **2.** Constituer la fin de quelque chose: *Un point termine cette phrase.* ANT. commencer. **3.** Faire cesser: *On a terminé la séance d'une façon un peu abrupte.* SYN. clôturer, fermer. ANT. amorcer, continuer, ouvrir. ☞ interminable, interminablement, terminaison, terminal (adj.). **se terminer** v.pron. **1.** Arriver à sa fin: *Le film se termine de façon inattendue.* **2.** Avoir pour dernier élément: *Les mots qui se terminent pas «cau» prennent un «x» au pluriel.* **3.** Avoir une certaine forme à son extrémité: *Son chapeau se terminait en pointe au bout de laquelle se trouvait un pompon.*

terminus n.m. Dernière station d'une ligne de transport en commun: *Nous avons pris l'autobus jusqu'au terminus.* **R.** Le *s* se prononce.

termite n.m. Insecte qui vit en société et se nourrit de bois: *Les termites vivent surtout dans les régions chaudes.* ☞ termitière.

termitière n.f. Nid de termites: *Les termitières sont faites de boue séchée ou de carton de bois.* ☞ termite.

terne adj. **1.** Qui est fade, sans éclat: *Il a peint sa chambre avec une couleur terne.* SYN. délavé. ANT. brillant, éclatant, luisant. **2.** fig. Qui n'éveille pas l'intérêt: *Les journées étaient ternes et monotones.* SYN. ennuyeux, morne. ANT. intéressant. ☞ ternir, ternissure.

ternir v. **1.** Rendre terne, ôter l'éclat: *Le soleil a terni les articles exposés dans la vitrine.* SYN. décolorer, dépolir. ANT. aviver, polir. **2.** fig. Porter atteinte à la valeur morale de quelqu'un: *Les déclarations prétentieuses de cette vedette ont terni sa réputation.* SYN. flétrir, salir. ANT. exalter, honorer. ☞ terne. **se ternir** v.pron. Devenir terne: *Les bijoux en argent se ternissent.* **terni, ie** p.p. et adj. Qui a perdu son éclat: *J'ai jeté ce vieux miroir terni.*

ternissure n.f. État de ce qui est terni; endroit où quelque chose est terni: *Ces meubles anciens ont du cachet malgré la ternissure de leur vernis.* ☞ terne.

terrain n.m. **1.** Étendue de terre de la surface terrestre: *La route était fermée à cause d'un glissement de terrain.* **2.** État des choses, ensemble des conditions définies d'une certaine façon: *On a fini par trouver un terrain d'entente.* **3.** Étendue de terre de forme et de dimensions précises: *Ce terrain est laissé en friche.* **4.** Espace aménagé pour une activité particulière: *Nous avons joué au base-ball au terrain de jeux.* ⁄⁄ *Tout terrain:* Se dit d'un véhicule qui peut rouler sur toutes sortes de terrains.

terrarium n.m. Emplacement aménagé pour élever des couleuvres, des lézards, des crapauds: *J'ai installé un petit terrarium dans ma chambre.* **R.** Les lettres *um* se prononcent *omm*.

terrasse n.f. **1.** Plate-forme de terre: *La salle à manger s'ouvre sur une terrasse.* **2.** Partie du trottoir devant un café, un restaurant, où l'on place des chaises et des tables pour les consommateurs: *Nous avons mangé à la terrasse du restaurant.* ⁄⁄ *Cultures en terrasses:*

Cultures en étages, soutenues par des petits murs, dans des terrains en pente. ☞ terrassement, terrassier.

terrassement n.m. Ensemble des travaux permettant de modifier un terrain en creusant et en transportant de la terre: *Ces travaux de terrassement nuisent à la circulation.* ☞ terrasse.

terrasser v. **1.** Abattre en jetant à terre dans une lutte: *La judoka a terrassé son adversaire.* SYN. renverser. ANT. relever. **2.** Rendre incapable de résister, de réagir: *Cette émotion l'a terrassé.* SYN. accabler, bouleverser, consterner, foudroyer. ANT. rassurer, réconforter.

terrassier n.m. Ouvrier employé aux travaux de terrassement: *Les terrassiers ont travaillé toute la journée pour former ce talus.* ☞ terrasse.

terre n.f. **1.** Planète du système solaire habitée par les êtres humains: *La Terre tourne autour du Soleil.* **2.** Milieu où vit l'humanité: *Elle s'imagine être seule sur la terre.* ANT. ciel. ⁄⁄ *Avoir les deux pieds sur terre:* Avoir le sens des réalités. *Revenir sur terre:* Sortir d'une rêverie. **R.** On met la majuscule à *terre* lorsqu'il s'agit de la planète. ☞ extra-terrestre, terrestre, terrien. ▲ **terre** n.f. **1.** Surface sur laquelle nous marchons, vivons, construisons: *La grue lève de terre ces lourds matériaux.* SYN. sol. **2.** Matière qui forme la surface du globe terrestre: *La charrue remue la terre.* **3.** Étendue de terrain qui appartient à quelqu'un; ce terrain, cultivé ou destiné à l'être: *Ces terres viennent d'être ensemencées.* **4.** Matière malléable principalement composée d'argile servant à la fabrication de divers objets: *La potière utilise une terre à potier pour fabriquer des vases.* HOM. taire. ⁄⁄ *À terre, par terre:* Sur le sol. *En pleine terre:* Se dit des végétaux qui poussent dans la terre qui n'est pas contenue dans un pot. *Terre cuite:* Argile durcie par la chaleur. ☞ atterrir, atterrissage, déterrement, déterrer, enterrement, enterrer, terrestre, terreux, terrien.

terre à terre adj.invar. Qui est peu poétique, qui ne pense qu'aux choses de la vie courante: *Tes préoccupations terre à terre nous font prendre conscience des difficultés liées à notre projet.* SYN. matériel. **R.** Aussi, *terre-à-terre*.

terreau, eaux n.m. Engrais naturel composé de terre et de matières végétales ou animales décomposées: *J'ai engraissé la terre du jardin avec du terreau.*

terre-neuve n.m.invar. (n. de lieu) Gros chien de sauvetage à tête large et au poil long et noir: *Les pattes du terre-neuve sont palmées.*

terre-plein n.m. Plate-forme de terre soutenue par des murets: *Le large terre-plein qui est au centre de l'autoroute est toujours bien entretenu.* **R.** Au pluriel, *terre-pleins*.

se terrer v.pron. **1.** Se cacher sous terre ou dans un terrier, en parlant d'un animal: *La marmotte est allée se terrer pour échapper aux chiens.* ANT. se découvrir. **2.** Se mettre à l'abri, éviter de se montrer: *Elle se terre chez elle depuis des semaines.* SYN. se cacher, s'isoler. ☞ terrier. **terré, ée** p.p. et adj. Qui est caché sous terre ou dans un terrier: *Le chien a découvert la bête terrée au fond de sa tanière.*

terrestre adj. **1.** Qui se rapporte à la planète Terre: *Les tremblements de terre sont des secousses de la croûte terrestre.* **2.** Qui vit sur le sol, sur la terre ferme: *Le chat est un animal terrestre.* ANT. aquatique, marin. **3.** Qui se déplace sur le sol: *Le train est un moyen de transport terrestre.* ANT. aérien, maritime. **4.** Qui concerne la vie en ce monde: *Notre existence terrestre est courte.* ANT. céleste. ☞ terre.

terreur n.f. **1.** Peur extrême qui paralyse: *Il était glacé de terreur.* SYN. effroi, épouvante, frayeur. **2.** Personne, animal ou chose qui inspire une grande peur: *Les pirates étaient la terreur des mers.* **3.** Procédé politique, fondé sur la violence, qui fait régner la peur dans la population: *On a dénoncé ce régime de terreur.* ☞ terrifiant, terrifier, terroriser, terrorisme, terroriste.

terreux, euse adj. **1.** Qui est propre à la terre: *Ces carottes ont un goût terreux.* **2.** Qui est souillé de terre: *J'ai laissé mes chaussures terreuses sur le balcon.* SYN. sale. ANT. net, propre. **3.** Qui est d'une couleur dépourvue d'éclat: *Cet enfant maladif a le teint terreux.* SYN. blafard, blême, pâle, terne. ANT. clair, coloré, vif. ☞ terre.

terrible adj. **1.** Qui inspire de la terreur; qui cause de grands malheurs: *Un terrible ouragan a ravagé le sud des États-Unis.* SYN. effrayant, épouvantable, terrifiant. **2.** Qui est très pénible, très fort, en parlant de quelque chose: *Il faisait un froid terrible.* ANT. doux, faible. **3.** Qui a un caractère, une conduite très désagréable: *Ces enfants terribles font toutes sortes de coups pendables.* SYN. turbulent. ANT. agréable, débonnaire, tranquille. **4.** fam. Qui est extraordinaire, remarquable: *Cette bicyclette de montagne est terrible.* SYN. formidable. ☞ terriblement.

terriblement adv. D'une manière très intense, très dure: *J'ai terriblement mal à la tête.* SYN. énormément, extrêmement. ☞ terrible.

terrien, ienne n. et adj. **1.** n. Personne qui habite la planète Terre: *Il croit que des extraterrestres s'intéressent aux terriens.* **2.** adj. Qui possède des terres: *Noémie est une grande propriétaire terrienne.* ☞ terre.

terrier n.m. Abri creusé dans la terre par certains animaux: *Le renard s'est réfugié dans un terrier.* SYN. tanière. ☞ se terrer.

terrier, ière n. Nom donné à diverses races de chiens pouvant chasser les animaux à terrier: *Nous avons adopté un terrier, plus précisément un bull-terrier.*

terrifiant, ante adj. Qui terrifie, terrorise: *Ton histoire est terrifiante.* SYN. effrayant, terrible. ☞ terreur.

terrifier v. Frapper de terreur: *Le tremblement de terre a terrifié la population.* SYN. apeurer, effrayer, épouvanter. ANT. rassurer. ☞ terreur.

terrine n.f. **1.** Récipient de terre cuite, de forme ronde, qui sert à faire cuire et à conserver certaines viandes: *Nous avons fait cuire le pâté de foie dans une terrine.* **2.** Contenu d'une terrine: *Comme entrée, il y avait de la terrine de canard.* SYN. pâté.

territoire n.m. **1.** Étendue de terre appartenant à un État, une province, une municipalité: *Le territoire canadien est très diversifié.* **2.** Zone habitée par un animal: *Cet écureuil défend son territoire.* ☞ territorial.

territorial, ale, aux adj. Qui concerne un territoire, qui appartient à un territoire: *Le Gouvernement vient de conclure une entente concernant les eaux territoriales.* ☞ territoire.

terroir n.m. **1.** Terre considérée du point de vue de sa production agricole: *Ce terroir est très fertile.* SYN. sol, terrain. **2.** fig. Région rurale considérée sous le rapport de ses caractéristiques culturelles, sociales: *J'aime beaucoup les romans du terroir.*

terroriser v. Paralyser de peur, faire vivre dans la terreur: *Les histoires de revenants me terrorisent.* SYN. effrayer, épouvanter, terrifier. ANT. calmer, rassurer. ☞ terreur.

terrorisme n.m. Ensemble d'actes de violence commis à des fins politiques: *Cet acte de terrorisme est le fait d'un groupe isolé.* ☞ terreur.

terroriste n. et adj. **1.** n. Personne qui est membre d'une organisation politique qui use de violence, qui prône le terrorisme comme moyen d'action: *Des terroristes ont commis un attentat à la bombe.* **2.** adj. Qui se rapporte au terrorisme, qui utilise la violence comme moyen d'action politique: *Elle fait partie d'une organisation terroriste.* ☞ terreur.

tertiaire n.m. et adj. **1.** n.m. Secteur d'activité économique qui ne produit pas directement les biens de consommation: *Une grande partie de la population travaille dans le tertiaire.* **2.** n.m. Période géologique qui succède à l'ère secondaire: *De nombreux phénomènes géologiques datent du tertiaire.* **3.** adj. Qui concerne les activités qui ne produisent pas directement les biens de consommation: *Le commerce, le transport, l'administration font partie du secteur tertiaire.* **4.** adj. Qui succède à l'ère secondaire: *Les glissements de terrain datent de l'ère tertiaire.* **R.** Les lettres *tiai* se prononcent *ssiè*.

térylène n.m. (marque déposée) Fibre synthétique de polyester: *Ce gilet en térylène est vendu à un prix abordable.*

tesson n.m. Débris d'un objet de verre, de céramique: *Je me suis coupée sur un tesson de bouteille.*

test n.m. (angl.) **1.** Examen destiné à évaluer, à mesurer des aptitudes: *J'ai passé un test d'orientation scolaire.* SYN. épreuve. **2.** Expérience permettant de juger, d'évaluer les caractéristiques de quelque chose: *Ce nouveau produit a été soumis à de nombreux tests de laboratoire.* SYN. contrôle, épreuve, essai. ☞ tester.

testament n.m. Acte par lequel une personne déclare ses dernières volontés: *Elle a légué sa maison à sa fille par testament.* ☞ testamentaire. ▲ **testament** n.m. Chacune des deux parties de l'Écriture sainte: *La Bible se compose de l'Ancien et du Nouveau Testament.* **R.** On met la majuscule à *testament* lorsqu'il s'agit de chacune des parties de l'Écriture sainte.

testamentaire adj. Qui se rapporte à un testament, qui est fait par testament: *Il est son héritier testamentaire.* ☞ testament.

tester v. **1.** Soumettre à des examens d'évaluation psychologique: *La psychologue de l'école a fait faire des dessins aux enfants pour les tester.* **2.** Mettre à l'épreuve un produit, un procédé: *Ce procédé a été testé de nombreuses fois.* SYN. éprouver, expérimenter. ☞ test.

testicule n.m. Chacune des deux glandes qui, chez le mâle, produisent les spermatozoïdes: *Les testicules sont situés en arrière du pénis.*

tétanos n.m. (grec) Maladie infectieuse grave caractérisée par des contractions douloureuses des muscles: *Les bébés reçoivent un vaccin contre le tétanos.* **R.** Le *s* se prononce. ☞ antitétanique.

têtard n.m. Larve de grenouille, de rainette, qui ressemble à un petit poisson: *Au printemps, l'étang se remplit de têtards.* **R.** Ne pas oublier l'accent: *ê*.

tête n.f. **1.** Partie supérieure du corps humain, partie antérieure du corps des animaux, qui porte la bouche et les principaux organes des sens: *Nous avons jeté les têtes de poissons.* **2.** Partie supérieure du corps humain considérée comme le centre de la pensée: *Elle a la tête pleine de merveilleux souvenirs de ce voyage.* SYN. cerveau, esprit. **3.** Figure, visage: *Mon frère a une petite tête ronde sympathique.* SYN. face. **4.** Vie: *Je jure sur ma tête que je dis la vérité.* **5.** Cuir chevelu: *Je me lave la tête très souvent.* ⫽ *Coup de tête:* Décision, action irréfléchie. *Faire la tête:* Bouder. *Perdre la tête:* Devenir fou. *Tenir tête:* Résister, s'opposer. ▲ **tête** n.f. **1.** Personne: *Je n'arrive pas à mettre un nom sur cette tête.* **2.** Animal d'un troupeau: *Notre cheptel compte cent têtes.* **3.** Personne qui dirige: *Il est la tête de notre association.* SYN. chef. ⫽ *Par tête:* Par personne. *Tête de lecture:* Extrémité du bras d'un électrophone qui porte l'aiguille. ▲ **tête** n.f. **1.** Partie supérieure de quelque chose: *Nous avons dû couper la tête de cet arbre.* SYN. sommet. **2.** Partie arrondie ou plus grosse qui termine quelque chose: *J'aurais besoin de clous à tête plate.* **3.** Partie antérieure de quelque chose; premier élément d'un groupe de véhicules ou de personnes qui avancent: *Le camion a été heurté par la tête du train.* ANT. fin, queue. **4.** Place de ce qui est à l'avant; première place dans un classement: *Chantal et Éric sont tous les deux à la tête de leur classe.* **5.** fig. Place d'une personne qui dirige: *Qui est à la tête de cette entreprise?* ⫽ *Tête chercheuse:* Dispositif d'un engin pouvant modifier sa trajectoire vers l'objectif; dispositif d'un classeur électronique qui recherche les informations. **R.** Ne pas oublier l'accent: *ê*. ☞ étêtage, étêter.

tête-à-queue n.m.invar. Changement brusque et complet de direction d'un véhicule, d'un cheval: *La voiture a fait un tête-à-queue.* **R.** Aussi, *tête à queue*.

tête-à-tête n.m.invar. Entretien entre deux personnes seules: *Nous avons eu un tête-à-tête amical.* en **tête-à-tête** loc.adv. Dans la situation de deux personnes seules ensemble: *Les amoureux aiment bien se retrouver en tête-à-tête.* **R.** Aussi, *en tête à tête*. **tête-à-tête** loc.adv. Seul à seul: *Ils ont décidé de se parler tête-à-tête.* **R.** Aussi, *tête à tête*. Ne pas oublier l'accent: *ê*.

tête-bêche loc.adv. Côte à côte et en sens inverse: *La tente était trop petite, il a fallu coucher tête-bêche.* **R.** Ne pas oublier les accents: *ê*.

tétée n.f. Repas de l'enfant qui tète; quantité de lait qu'il boit en un repas: *Il fallait à ce bébé huit tétées par jour.* HOM. téter. ☞ téter.

téter v. **1.** Boire par succion au sein, à la mamelle ou au biberon: *Quand bébé a fini de téter, je lui fais faire son rot.* **2.** fam. Sucer: *Elle tète encore son pouce à son âge!* HOM. tétée. ☞ tétée, tétine.

tétine n.f. Bouchon de caoutchouc percé d'un petit trou et fermant un biberon: *Bébé s'amuse à mordre la tétine.* ☞ téter.

tétras n.m. Coq de bruyère: *Au Canada, le tétras est souvent confondu avec la gélinotte.* **R.** Le *s* ne se prononce pas.

têtu, ue adj. Qui est entêté, insensible aux arguments: *Il est très têtu et ne change jamais d'idée.* SYN. buté, obstiné. ANT. docile, soumis, souple. **R.** Ne pas oublier l'accent: *ê*.

texte n.m. **1.** Ensemble des mots d'un écrit: *J'ai fidèlement recopié le texte.* **2.** Fragment d'une œuvre: *De cette auteure, je n'ai lu qu'un recueil de textes choisis.* ☞ textuel, textuellement.

textile n.m. et adj. **1.** n.m. Fibre, matière pouvant être tissée: *Le coton est un textile naturel.* **2.** n.m. Industrie qui s'occupe de la fabrication des tissus, de la préparation au produit fini: *Il travaille dans le textile.* **3.** adj. Qui peut être tissé: *La laine est une fibre textile d'origine animale.* **4.** adj. Qui concerne la fabrication des tissus: *Les industries textiles ont mis au point des fibres synthétiques.*

textuel, elle adj. Qui est conforme au texte, aux paroles: *Voici une copie textuelle de son message.* SYN. exact, littéral. ANT. inexact. ☞ texte.

textuellement adv. De façon textuelle, mot à mot: *Je l'ai cité textuellement.* ☞ texte.

texture n.f. Arrangement des éléments d'une substance, d'un corps: *Cette crème a une texture veloutée.*

thaï n.m. Famille de langues parlées dans l'Asie du Sud-Est: *Le thaï est surtout parlé en Thaïlande.* **R.** Ne pas oublier le tréma: *ï*.

thaï, thaïe adj. Se dit de langues parlées en Asie du Sud-Est ou des populations parlant ces langues: *Ces missionnaires ont dû apprendre les langues thaïes.* **R.** Ne pas oublier le tréma: ï. ☞ thaïlandais.

thaïlandais, aise n. et adj. **1.** n. Personne qui est de la Thaïlande: *Un Thaïlandais, une Thaïlandaise.* **2.** adj. Qui est de la Thaïlande: *Bangkok est la capitale thaïlandaise.* **R.** Ne pas oublier le tréma : *ï*. On met la majuscule à *thaïlandais* et à *thaïlandaise* lorsqu'il s'agit du nom. ☞ thaï.

thé n.m. **1.** Petit arbre asiatique cultivé pour ses feuilles aromatiques; les feuilles séchées de cet arbre servant à faire une boisson : *Ce thé est importé de Sri Lanka.* **2.** Boisson faite avec des feuilles de thé infusées : *Je bois mon thé avec un peu de lait.* **3.** Collation où l'on sert du thé et des pâtisseries : *Il prend le thé tous les après-midi.* ☞ théier, théière.

théâtral, ale, aux adj. **1.** Qui appartient au théâtre : *Les jeux théâtraux étaient très réussis.* **2.** fig. et péj. Qui vise à l'effet, qui a de l'emphase : *Elle parle d'une façon théâtrale.* **R.** Ne pas oublier l'accent : *â*. ☞ théâtre.

théâtre n.m. **1.** Salle destinée à la représentation de pièces, de spectacles : *Le théâtre est situé près de notre école.* **2.** Art dramatique : *Ma sœur fait du théâtre.* **3.** Ensemble des œuvres dramatiques d'un auteur, d'un pays, d'une époque : *Il aime beaucoup le théâtre grec.* **4.** Lieu où se produisent des événements : *Notre réunion a été le théâtre d'une manifestation.* ⁄⁄ *Coup de théâtre :* Rebondissement d'une situation dans une pièce, pour accroître l'intérêt du public. *Pièce de théâtre :* Texte littéraire, comédie, drame ou tragédie, sous forme de dialogue entre des personnages. **R.** Ne pas oublier l'accent : *â*. ☞ théâtral.

théier n.m. Arbrisseau d'Asie cultivé pour ses feuilles, dont on fait une boisson : *Les feuilles de théier contiennent une huile aromatique.* SYN. thé. ☞ thé.

théière n.f. Récipient servant à infuser le thé : *Cette théière peut contenir douze tasses de thé.* ☞ thé.

thème n.m. **1.** Sujet d'un texte, d'une œuvre, d'un exposé : *Elle a écrit un article sur le thème de la violence dans les écoles.* **2.** Exercice scolaire de traduction de sa langue maternelle dans une langue étrangère : *Marianne est très forte en thème anglais.* **3.** Fragment mélodique qui est le sujet d'une composition musicale et qui est l'objet de variations : *Mozart a composé des variations sur ce thème.*

théologie n.f. Étude des questions religieuses : *Tous les prêtres ont fait des études de théologie.*

théorème n.m. Énoncé mathématique qui peut être démontré : *Un théorème dit que la surface d'un triangle rectangle est égale au produit de sa base par sa hauteur divisé par deux.*

théoricien, ienne n. **1.** Personne qui étudie la théorie, les principes d'un art, d'une science : *Cette théoricienne de l'optique expose ses nouvelles idées sur le mouvement de la lumière.* ANT. praticien. **2.** Personne qui élabore et défend une théorie, une doctrine : *Karl Marx était un théoricien du socialisme.* ☞ théorie.

théorie n.f. **1.** Ensemble organisé d'idées visant à décrire et à expliquer des faits, des phénomènes : *La théorie de l'évolution vise à expliquer l'origine des espèces.* **2.** Éléments de connaissance organisés en système, visant surtout à instruire : *Elle étudie la théorie musicale.* ☞ théoricien, théorique, théoriquement.

théorique adj. **1.** Qui appartient à la théorie : *Ses réflexions théoriques ont porté fruit.* ANT. pratique. **2.** Qui se limite à la spéculation, qui est sans rapport avec la réalité : *Ces affirmations sont purement théoriques.* SYN. hypothétique. ANT. pratique, réel. ☞ théorie.

théoriquement adv. Du point de vue théorique : *Théoriquement, son analyse est exacte.* ☞ théorie.

thérapeutique n.f. et adj. **1.** n.f. Partie de la médecine qui se rapporte aux moyens qui peuvent guérir, soulager les malades : *L'emploi de certains médicaments a transformé la thérapeutique.* **2.** adj. Qui se rapporte au traitement des maladies : *De nombreuses plantes ont des vertus thérapeutiques.* ☞ thérapie.

thérapie n.f. Mode de traitement de certaines maladies : *Il commence une thérapie dans le but de mettre fin à ses angoisses.* ☞ thérapeutique.

thermique adj. Qui se rapporte à la chaleur en tant que forme d'énergie et à ses diverses manifestations : *Un moteur thermique est un appareil qui transforme la chaleur en énergie mécanique.* ⁄⁄ *Centrale thermique :* Usine transformant la chaleur en énergie électrique. *Énergie thermique :* Chaleur.

thermomètre n.m. Instrument de mesure de la température : *Le thermomètre indique 25 °C.* ⁄⁄ *Thermomètre médical :* Instrument servant à mesurer la température intérieure du corps.

thermonucléaire adj. Qui concerne l'énergie que produit la fusion des noyaux atomiques à des millions de degrés : *La bombe à hydrogène est une bombe thermonucléaire.*

thermopompe n.f. Appareil de chauffage dont le fonctionnement est analogue à celui d'un appareil frigorifique : *La thermopompe est un des moyens de chauffage les plus économiques.*

thermos n.m. ou n.f. (nom déposé) Récipient isolant permettant de maintenir un certain temps la température de son contenu: *Je me suis apporté de la soupe dans un thermos.* **R.** Le *s* se prononce.

thermostat n.m. Appareil servant à maintenir la température constante dans un endroit fermé: *J'ai réglé le thermostat à 20 °C.* **R.** Le *t* final ne se prononce pas.

thèse n.f. **1.** Idée ou théorie qu'on tient pour vraie et qu'on s'engage à défendre: *Il a apporté de bons arguments pour défendre sa thèse sur la formation des volcans.* **2.** Ouvrage présenté en vue d'obtenir un doctorat: *Ma sœur a présenté une thèse en économie.*

thon n.m. Poisson de grande taille, à la chair très estimée qui vit dans l'Atlantique et la Méditerranée: *Certains thons peuvent mesurer jusqu'à trois mètres et peser six cents kilos.* HOM. ton.

thoracique adj. Qui appartient au thorax, partie du corps comprise entre le cou et l'abdomen: *Je fais des exercices respiratoires pour augmenter ma capacité thoracique, c'est-à-dire que j'entraîne mes poumons à contenir un volume d'air plus grand.* // *Cage thoracique:* Thorax. ☞ thorax.

thorax n.m. **1.** Partie du corps humain comprise entre le cou et l'abdomen qui contient le cœur et les poumons; partie du corps qui suit immédiatement la tête chez les vertébrés: *Lors de l'inspiration, le thorax s'élève.* SYN. poitrine, torse. **2.** Partie du corps de l'insecte qui porte les pattes et les ailes: *Chez les insectes, le thorax est formé de trois anneaux.* ☞ thoracique.

thrips n.m. (grec) Petit insecte qui nuit aux récoltes en attaquant les jeunes grains et les jeunes feuilles: *Les thrips sont des insectes suceurs qui s'attaquent aux vignes et aux céréales.* **R.** Le *s* se prononce.

thrombose n.f. Formation de caillots dans un vaisseau sanguin ou au cœur: *Une thrombose est à l'origine de sa paralysie.*

thuya n.m. Conifère sans aiguilles, voisin du genévrier et du cyprès: *Au Canada, le thuya est communément appelé «cèdre».*

thym n.m. Plante vivace, ligneuse, dont les feuilles, très petites, sont utilisées comme aromates: *Le thym appartient à la famille de la menthe, de la sauge et de la lavande.* HOM. tain, teint, tin.

thymus n.m. Glande située à la partie inférieure du cou, qui est très développée chez l'enfant et qui régresse après la puberté: *Le thymus joue un grand rôle dans la résistance aux infections.* **R.** Le *s* se prononce.

thyroïde n.f. et adj. **1.** n.f. Glande située dans le cou, qui produit des hormones: *La thyroïde intervient dans le processus de la croissance.* **2.** adj. Qui appartient à cette glande: *Le cartilage thyroïde forme ce qu'on appelle couramment la «pomme d'Adam».* **R.** Ne pas oublier le tréma: *ï*.

tiare n.f. Coiffure circulaire à trois couronnes, portée par le pape dans les circonstances solennelles: *La tiare n'est plus en usage aujourd'hui.*

tibétain, aine n. et adj. **1.** n. Personne qui est du Tibet: *Un Tibétain, une Tibétaine.* **2.** adj. Qui est du Tibet: *Le climat tibétain est souvent rude.* **R.** On met la majuscule à *tibétain* et à *tibétaine* lorsque le nom désigne une personne.

tibétain n.m. Langue parlée au Tibet: *Le tibétain s'écrit avec un alphabet d'origine indienne.*

tibia n.m. (lat.) Os long du devant de la jambe: *Le tibia a la forme d'un prisme triangulaire.*

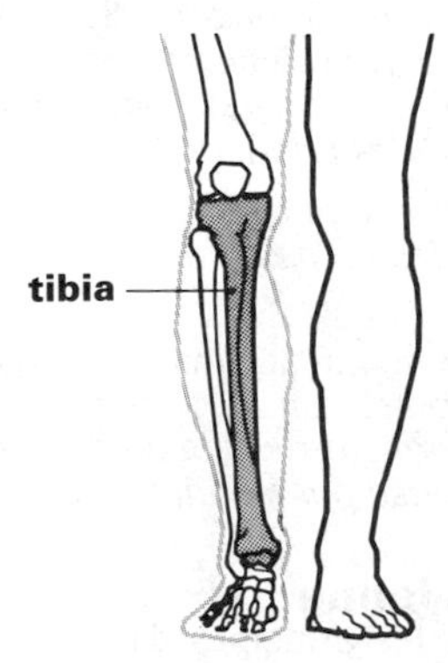

tic n.m. **1.** Contraction brusque, mouvement automatique que l'on répète involontairement : *Cette fille nerveuse a un tic aux yeux.* **2.** Parole, geste, attitude, ridicule à force d'être répété : *L'orateur avait le tic agaçant d'insérer des « disons que » dans la plupart de ses phrases.* HOM. tique. ☞ tiquer.

ticket n.m. (angl.) Petit rectangle de carton donnant accès à un véhicule public, un spectacle, une exposition, etc. : *Peux-tu me donner un ticket d'autobus?* **R.** Le *t* ne se prononce pas. N'a pas le sens de *contravention*.

tic-tac n.m.invar. Bruit sec et régulier d'une montre, d'une horloge, etc. : *Le tic-tac de la pendule l'empêche de dormir.*

tiède adj. **1.** Dont la température est modérée ; ni chaud, ni froid : *Mon café est tiède.* ANT. bouillant, brûlant, frais, glacial. **2.** fig. Qui manque d'ardeur, de zèle : *Les applaudissements ont été tièdes.* SYN. indifférent, nonchalant. ANT. ardent, fanatique. ☞ tiédeur, tiédir.

tiédeur n.f. **1.** État de ce qui est tiède, ni chaud, ni froid : *Elle apprécie la tiédeur du climat de Vancouver.* ANT. fraîcheur. **2.** fig. Manque de ferveur, d'ardeur : *Il ne remarque pas la tiédeur des sentiments qu'elle a pour lui.* SYN. indifférence, nonchalance. ANT. ardeur, chaleur, zèle. ☞ tiède.

tiédir v. **1.** Devenir tiède : *Ton potage a tiédi.* ANT. refroidir. **2.** Rendre tiède : *J'ai tiédi ma boisson chaude en y mettant beaucoup de lait.* ANT. refroidir. ☞ tiède.

tiède tiédeur tiédir

tien n.m. **1.** Ce qui t'appartient : *Je ne reconnais plus le mien et le tien.* **2.** Bonne volonté : *Il faudra y mettre du tien.* **3.** plur. Tes proches, ta famille : *As-tu reçu des nouvelles des tiens?*

le **tien, la tienne, les tiens** pron.poss. Pronom possessif de la deuxième personne du singulier, qui désigne l'être ou l'objet appartenant ou se rapportant à la personne à laquelle on s'adresse : *Mon devoir de français était plus difficile que le tien.*

tiennes n.f.plur. Folies, fredaines, bêtises : *Juste à voir ton air, je sais que tu as encore fait des tiennes.* **R.** S'emploie toujours dans l'expression *faire des tiennes*.

tierce n.f. Intervalle de trois degrés, en musique : *« Do - mi » est une tierce.*

tiers n.m. **1.** Partie d'un tout séparé en trois parties égales : *Le tiers de douze est quatre.* **2.** Troisième personne : *Ils se sont fait aider d'un tiers.* **3.** Personne étrangère à un groupe : *Nous avons signé le contrat en présence d'un tiers.* **R.** Les lettres *iers* se prononcent comme dans *chaudière*.

tiers, tierce adj. Qui est troisième, qui s'ajoute à deux autres : *L'arrivée d'une tierce personne a mis fin à leur dispute.* // *Le tiers monde :* L'ensemble des nations qui ne sont ni dans le camp « occidental » ni dans le camp communiste.

tige n.f. **1.** Partie allongée des plantes, qui porte les feuilles : *Ces fleurs ont de longues tiges.* **2.** fig. Pièce allongée et cylindrique, droite et mince : *Ce béton est renforcé par des tiges de fer.* SYN. barre.

tignasse n.f. **1.** Chevelure touffue et mal peignée : *Sa tignasse semblait n'avoir jamais connu le peigne.* **2.** fam. Chevelure : *Elle l'a tiré par la tignasse.*

tigre n.m. Grand mammifère d'Asie ou d'Indonésie, de la famille des félidés, au pelage jaune roux marqué de zébrures noires et au ventre blanchâtre, dont la femelle est la tigresse : *Le tigre est un dangereux carnassier qui chasse la nuit.* ☞ tigresse, tigron.

tigré, ée adj. Qui est marqué de bandes foncées : *Ma chatte a eu deux chatons blancs et deux chatons tigrés.* SYN. rayé.

tigresse n.f. Femelle du tigre : *Le zoo vient d'acquérir une jeune tigresse.* ☞ tigre.

tigron n.m. Animal né d'un tigre et d'une lionne ou d'un lion et d'une tigresse : *Le tigron est un animal stérile.* **R.** Aussi, *tiglon*. ☞ tigre.

tilleul n.m. **1.** Grand arbre d'ornement à fleurs très odorantes : *Les fleurs du tilleul sont blanches ou jaunes.* **2.** Feuilles séchées de cet arbre avec lesquelles on fait des tisanes, des infusions ; cette infusion : *Une tisane de tilleul a des effets calmants.* **R.** Les lettres *ill* se prononcent comme dans *famille*.

timbale n.f. Tambour dont la caisse hémisphérique est couverte d'une peau tendue sur laquelle on frappe avec des baguettes : *Une timbale est un instrument à percussion qui fait partie de la batterie d'un orchestre.* ☞ timbalier. ▲ **timbale** n.f. Gobelet de métal, sans pied ; son contenu : *J'ai reçu une jolie timbale en argent sur laquelle est gravé mon nom.* ▲ **timbale** n.f. Moule de cuisine de forme circulaire ; préparation d'aliments en sauce entourée de pâte cuite dans ce moule : *Au dîner, nous avons mangé une excellente timbale de poulet.* SYN. vol-au-vent.

timbalier n.m. Musicien qui bat les timbales dans un orchestre : *Michel est un excellent timbalier.* ☞ timbale.

timbre n.m. **1.** Cloche de métal, frappée par un petit marteau, qui sert de sonnette: *Natacha s'amuse à faire entendre le timbre de sa bicyclette.* **2.** Qualité du son émis par une voix ou un instrument de musique; sa sonorité: *Cette annonceuse a un timbre de voix chaud; il est agréable de l'écouter.* ☞ timbré. ▲ **timbre** n.m. **1.** Marque que l'on met sur une lettre, un document ou un colis pour indiquer d'où il vient: *Ce document porte le timbre du ministère de l'Immigration.* SYN. cachet, tampon. **2.** Instrument qui sert à imprimer une marque, un cachet: *J'imprime la date sur les enveloppes à l'aide d'un timbre de caoutchouc.* **3.** Vignette enduite de colle au verso, que l'on met sur une enveloppe ou un colis confié à la poste et qui indique le coût de l'envoi, appelée aussi «timbre-poste». *Marc-André fait une collection de timbres.* ☞ timbré, timbrer.

timbré, ée adj. Qui est agréable à entendre, qui a un beau son: *Toute la soirée, j'aurais écouté sa voix grave bien timbrée.* ☞ timbre. ▲ **timbré, ée** adj. Qui porte une marque, un cachet ou un timbre: *On a joint à la lettre une enveloppe timbrée pour la réponse.* ☞ timbre. ▲ **timbré, ée** adj.fam. Qui est un peu fou: *Ces gens m'ont toujours semblé un peu timbrés.* HOM. timbrer.

timbrer v. **1.** Marquer d'un timbre, d'un cachet: *Cette entreprise timbre toutes ses lettres officielles du logo qui la représente.* SYN. estampiller, tamponner. **2.** Coller un timbre sur une lettre, un envoi postal: *Il faut timbrer une lettre avant de la poster.* SYN. affranchir. HOM. timbré. ☞ timbre.

timide n. et adj. **1.** n. Personne qui manque d'audace, d'aisance dans ses relations avec les autres: *C'est un grand timide; il n'osera pas demander ce dont il a besoin.* **2.** adj. Qui manque d'audace, d'aisance dans ses relations avec les autres: *Cette jeune fille est tellement timide qu'elle n'entrera pas si la réunion est commencée.* ANT. audacieux, effronté, énergique, hardi. **3.** adj. Qui indique un manque de hardiesse, d'assurance: *Bien que timide, leur projet méritait d'être étudié.* SYN. hésitant, prudent. ANT. audacieux. ☞ timidement, timidité.

timidement adv. D'une manière timide, peu assurée: *J'ai timidement levé la main pour répondre à la question.* ANT. bravement, hardiment. ☞ timide.

timidité n.f. Manque d'audace, d'aisance dans ses relations avec les autres; caractère d'une personne timide: *Avec le temps, j'ai vaincu ma timidité.* SYN. confusion, embarras, gêne. ANT. aplomb, assurance, hardiesse. ☞ timide.

timon n.m. Longue pièce de bois qui part de l'avant d'une voiture ou d'une charrue et de chaque côté de laquelle on attelle les chevaux ou les bœufs: *Autrefois, on labourait en attelant des bœufs au timon d'une charrue.* ☞ timonier. ▲ **timon** n.m.vx Gouvernail d'un navire: *Le timon d'un navire est une pièce importante et essentielle.* ☞ timonerie, timonier.

timonerie n.f. Partie du navire où se trouve les instruments de navigation et la roue du gouvernail: *La capitaine d'un navire est souvent dans la timonerie.* ☞ timon.

timonier n.m. Chacun des chevaux attelés d'un côté et de l'autre du timon: *Ces chevaux dociles feront d'excellents timoniers.* ☞ timon. ▲ **timonier** n.m. Personne qui tient la barre du gouvernail, qui dirige le bateau: *Le timonier doit avoir l'œil grand ouvert.* ☞ timon.

timoré, ée n. et adj. **1.** n. Personne méfiante, qui craint le risque, l'imprévu: *Quel timoré! Il refuse de faire cette excursion avec nous.* **2.** adj. Qui est méfiant, qui craint le risque, l'imprévu: *Elle est si timorée qu'elle refuse de s'éloigner de chez elle.* SYN. indécis, inquiet, timide. ANT. courageux, entreprenant, téméraire.

tin n.m. Pièce de bois qui soutient la partie inférieure d'un navire en construction ou en réparation: *Les charpentiers s'affairent à réparer le bateau dont la quille repose sur des tins.* HOM. tain, teint, thym.

tintamarre n.m. Tapage, vacarme: *Le tintamarre des avertisseurs est désagréable à entendre.* SYN. bruit, charivari, tumulte. ANT. calme, silence.

tintement n.m. Son clair et aigu: *Je reconnais le tintement du carillon de la basilique.* ⁄⁄ *Tintement d'oreilles:* Bourdonnement d'oreilles donnant l'impression d'un son aigu. ☞ tinter.

tinter v. **1.** Produire un son clair et aigu: *Marianne fait tinter ses pièces de monnaie dans sa main.* **2.** Sonner lentement, par coups espacés, en parlant d'une cloche dont le battant ne frappe qu'un côté: *Après la cérémonie, les cloches tintaient.* HOM. teinté, teinter. ☞ tintement.

tip ☞ sect. anglicismes et canadianismes.

tipi n.m. (amérind.) Tente en forme de cône recouverte d'écorce ou de peaux d'animaux: *Le tipi était l'habitation de certaines tribus amérindiennes.*

tique n.f. Parasite qui se fixe sur la peau de certains animaux comme le chien, le bœuf et le mouton, et parfois sur les êtres humains, où il suce le sang : *La tique peut mesurer jusqu'à un centimètre.* HOM. tic.

tiquer v. Faire un mouvement involontaire par lequel on manifeste de la contrariété ou de la désapprobation : *Lorsque mes parents ont vu ma tenue vestimentaire, ils ont tiqué.*

tir n.m. **1.** Fait de lancer un projectile, à l'aide d'une arme, vers un objectif précis ; trajectoire de ce projectile : *Le tir à l'arc est une discipline olympique.* **2.** Action de lancer un ballon vers le but, au football : *La joueuse a fait un tir au but précis.* HOM. tire. ⁄⁄ *Tir au pigeon :* Dispositif, pour s'exercer au tir des oiseaux au vol, qui utilise des pigeons vivants ou des pigeons d'argile. ☞ tirer.

tirage n.m. **1.** Fait de tirer pour allonger, pour déplacer, pour actionner un mécanisme : *Les autobus sont munis d'un cordon de tirage qui fait tinter une sonnette.* **2.** Circulation de l'air qui est attiré par le feu et qui permet à la fumée de monter dans la cheminée : *Il est important de bien régler le tirage de la cheminée.* ☞ tirer. ▲ **tirage** n.m. **1.** Quantité d'exemplaires imprimés en une seule fois : *C'est un journal à grand tirage.* **2.** Opération par laquelle on reproduit une photo sur papier à partir de l'épreuve négative : *La photographe a terminé le tirage de mes photos.* ☞ tirer. ▲ **tirage** n.m. Fait de tirer au sort, au hasard un ou plusieurs numéros : *Le tirage du gros lot aura lieu samedi soir.* ☞ tirer.

tiraillement n.m. **1.** Fait d'hésiter entre des idées, des sentiments contradictoires ; difficultés qui proviennent d'intérêts opposés : *Il y a des tiraillements dans notre équipe, chacun tient à son idée.* SYN. conflit, désaccord. **2.** Sensation de douleurs légères, crampes : *Claudine a des tiraillements d'estomac.* ☞ tirer.

tirailler v. **1.** Tirer, pas très fort, dans tous les sens : *Mon petit frère veut que je joue avec lui, il me tiraille par le bras.* SYN. bousculer. **2.** Hésiter entre des possibilités ou des solutions contradictoires : *Je suis tiraillée entre deux activités : dois-je lire ou aller me promener ?* ☞ tirer. ▲ **tirailler** v. Tirer des projectiles de façon irrégulière, en diverses directions, avec une arme à feu : *J'entends des chasseurs tirailler au loin.* ☞ tirer. **se tirailler** v.pron. Se disputer : *Des enfants se tiraillaient dans le parc.*

tirailleur n.m. Soldat isolé, chargé de tirer à volonté sur l'ennemi : *Les tirailleurs poursuivent l'ennemi en tirant çà et là.* ☞ tirer.

tirant n.m. **1.** Cordon qui sert à ouvrir et à fermer un sac, une bourse : *Mon sac de plage se ferme à l'aide d'un tirant.* **2.** Ganse fixée à la partie supérieure d'une botte, d'une chaussure, pour aider à les mettre : *Les bottes d'équitation sont munies de deux tirants.* HOM. tyran. ⁄⁄ *Tirant d'air :* Hauteur libre d'un pont ; hauteur totale des structures d'un navire qu'il faut connaître pour le passage sous les ponts. *Tirant d'eau :* Distance verticale entre la ligne de flottaison et la quille d'un navire ; quantité d'eau que déplace un bateau. ☞ tirer.

tire n.f. Au Canada, friandise, confiserie faite avec de la mélasse ou du sirop d'érable qu'on fait épaissir : *Pour faire de la tire d'érable, on fait bouillir du sirop qu'on refroidit ensuite rapidement.* HOM. tir.

tiré, ée adj. **1.** Qui a été tiré, ajusté : *Ses cheveux, bien tirés, étaient retenus par un élastique.* **2.** Qui est allongé, marqué par la fatigue : *Je dors mal depuis quelque temps et j'ai les traits tirés.* HOM. tirer. ☞ tirer.

tire-bouchon n.m. Instrument formé d'une vis de métal, surmontée d'un manche et qui sert à ouvrir des bouteilles : *J'ai ouvert la bouteille de vin à l'aide d'un tire-bouchon.* ⁄⁄ *En tire-bouchon :* En forme d'hélice, de spirale. **R.** Au pluriel, *tire-bouchons*. ☞ boucher (v.).

à **tire-d'aile** loc.adv. De façon rapide, en battant des ailes vite et sans arrêt : *Les oiseaux se sont envolés à tire-d'aile.*

tirelire n.f. Récipient percé d'une fente par laquelle on introduit l'argent que l'on veut économiser : *La tirelire de Patrick a la forme d'une maison.*

tirer v. **1.** Amener vers soi ou éloigner de soi l'extrémité de quelque chose pour le tendre ou l'étirer : *André tire la corde pour bien attacher le colis.* SYN. allonger, distendre. ANT. détendre, relâcher. **2.** Faire bouger, déplacer quelque chose qui est placé derrière : *Les chevaux peuvent tirer de lourdes charges.* SYN. remorquer, remuer, traîner. ANT. pousser, repousser. **3.** Faire bouger sur le côté pour fermer ou pour ouvrir : *Carole tire les rideaux avant d'aller au lit.* **4.** Faire bouger vers soi, tout en restant immobile, en exerçant une pression, une force : *Voudrais-tu tirer la porte ?* ANT. pousser. **5.** Exercer une force, une pression sur quelque chose pour étendre ou amener vers soi : *J'ai tant tiré sur le fil qu'il s'est cassé.* **6.** Ressembler à quelque chose, s'en rapprocher : *Ce gris tire un peu sur le vert.* **7.** Approcher de quelque chose dans le temps : *Le film tire à sa fin.* ☞ tirage, tiraillement, tirailler, tirant, tiré, tirette. ▲ **tirer** v. **1.** Tracer : *Jacynthe a tiré un trait au bas de sa feuille.* **2.** Imprimer : *On a tiré trente mille exemplaires de cette revue.* **3.** Reproduire sur du papier spécial, par tirage: *Le photographe se prépare à tirer les photos.* ☞ tirage. ▲ **tirer** v. **1.** Extraire, faire sortir quelque chose d'un endroit où il est: *Il a tiré une pièce de monnaie de sa poche.* ANT. enfoncer, entrer. **2.** Obtenir un produit, une substance à partir d'une matière première: *Le caoutchouc est fabriqué avec le latex que l'on tire de l'hévéa.* SYN. extraire. **3.** Obtenir des paroles, des renseignements de quelqu'un: *On voulait savoir ce qui s'était exactement passé, mais on n'a rien pu tirer d'elle.* **4.** Choisir, dans un jeu de hasard: *Lors du tirage, on a tiré mon numéro.* **5.** Prendre, dégager d'un ensemble pour utiliser: *Cette auteure a tiré son sujet de roman d'un fait vécu.* SYN. emprunter, puiser. **6.** Délivrer, faire sortir quelqu'un d'un lieu, d'un état: *Qui aurait pu nous tirer de cette situation dangereuse?* ∥ *Tirer au sort:* S'en remettre au sort, au hasard, selon une méthode convenue, pour effectuer un choix. *Tirer les cartes:* Dire la bonne aventure à l'aide de cartes, de tarots. *Tirer parti de:* Profiter de. *Tirer quelque chose au clair:* Expliquer, chercher à comprendre quelque chose d'obscur. *Tirer quelqu'un du lit:* Forcer quelqu'un à se lever. ☞ tirage, tireur. ▲ **tirer** v. **1.** Lancer un projectile avec une arme: *La chasseuse s'entraîne à tirer sur des pigeons d'argile.* **2.** Envoyer au loin en utilisant une arme; envoyer un projectile de façon à atteindre, à abattre une personne ou un animal: *Le canon a tiré six coups.* **3.** Lancer un ballon, au football, vers le but: *Ce joueur de football réussit souvent à tirer le ballon au but.* HOM. tiré. ∥ *Tirer à bout portant:* Tirer un coup de feu en étant très près. *Tirer au vol:* Tirer sur un oiseau pendant qu'il vole. ☞ tir, tirailler, tirailleur, tireur. se **tirer** v.pron. **1.** Échapper, sortir d'un lieu où l'on est retenu, d'une situation pénible: *Je devais me tirer de ce fossé le plus vite possible.* **2.** pop. Partir, s'enfuir: *Tire-toi avant que les autres arrivent.* ∥ *S'en tirer:* En réchapper, en sortir indemne. **tiré, ée** p.p. et adj. **1.** Qui a été imprimé: *J'ai un exemplaire mal tiré: je vais l'échanger.* **2.** Qui a été envoyé au loin, en parlant d'un projectile: *Les coups tirés à intervalles réguliers avaient pour but d'effrayer les corneilles et de les éloigner du champ.* **3.** Qui a été pris d'un ensemble: *Le thème principal de ce livre, tiré d'un événement récent, a été bien développé.*

tiret n.m. **1.** Signe de ponctuation utilisé dans un dialogue pour annoncer un changement d'interlocuteur: *Le tiret est un petit trait horizontal qui ressemble au signe de la soustraction.* **2.** Trait que l'on emploie à la place des virgules ou des parenthèses pour mettre en relief un bout de phrase: *Les tirets attirent l'attention du lecteur, mais il ne faut pas en abuser.*

tirette n.f. Petite tablette que l'on peut rentrer ou sortir de certains meubles: *Cette table à tirette est très utile.* ☞ tirer.

tireur, euse n. Personne qui peut prédire l'avenir en se servant de cartes: *Un tireur de cartes est aussi appelé «cartomancien».* ☞ tirer. ▲ **tireur, euse** n. Personne qui utilise une arme à feu: *Le tireur a touché la cible en plein centre.* ∥ *Tireur d'élite:* Tireur remarquable. ☞ tirer.

tiroir n.m. Compartiment que l'on peut glisser dans un meuble: *Mes vêtements sont bien rangés dans les tiroirs.* ☞ tiroir-caisse.

tiroir-caisse n.m. Tiroir qui contient la caisse d'un commerçant, qui s'ouvre automatiquement quand une vente est enregistrée: *Le caissier ouvre le tiroir-caisse en appuyant sur un bouton.* **R.** Au pluriel, *tiroirs-caisses.* ☞ tiroir.

tisane n.f. Boisson de plantes médicinales, préparée par infusion, par macération: *Avant de me coucher, je bois une tisane de tilleul.*

tison n.m. Reste d'un morceau de bois brûlé en partie mais encore rouge: *Le feu n'est pas complètement éteint, il y a encore des tisons.* ☞ tisonner, tisonnier.

tisonner v. Remuer les tisons pour raviver un feu: *Lorsqu'on tisonne un feu, la cendre tombe et la flamme renaît.* ☞ tison.

tisonnier n.m. Longue tige de fer utilisée pour remuer le bois qui brûle: *On remue les braises avec un tisonnier.* ☞ tison.

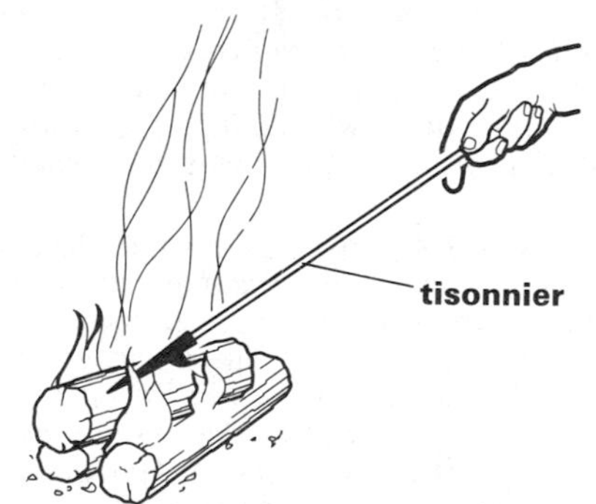

tissage n.m. Action de tisser; suite d'opérations qui consistent à entrelacer des fils pour fabriquer du tissu: *Le tissage de ce tissu a demandé plusieurs heures de travail.* ☞ tisser.

tisser v. **1.** Fabriquer des tissus en entrelaçant des fils sur un métier: *Je sais tisser un napperon.* **2.** Construire, former comme un tissage: *L'araignée tisse sa toile.* ☞ retisser, tissage, tisserand, tisseur.

tisserand, ande n. Personne qui fabrique des tissus sur métier à tisser: *Les tisserands sont des artisans qui travaillent sur des métiers à bras.* ☞ tisser.

tisseur, euse n. Personne qui tisse sur un métier à tisser: *Cette tisseuse de tapis est très habile.* ☞ tisser.

tissu n.m. **1.** Matériau souple fait d'un assemblage de fils entrelacés: *Le tissu de ta robe est de très grande qualité.* SYN. étoffe. **2.** fig. Suite continue de choses désagréables: *Son histoire est un tissu de mensonges.* **3.** Ensemble des cellules semblables d'un organisme qui remplissent une même fonction: *Le tissu osseux est formé de cellules osseuses.* ☞ tissu-éponge.

tissu-éponge n.m. Tissu bouclé qui absorbe l'eau: *On fait des peignoirs de bain confortables avec du tissu-éponge.* **R.** Au pluriel, *tissus-éponges*. ☞ tissu.

titre n.m. **1.** Nom qui désigne un rang ou une fonction: *Elle porte le titre de directrice commerciale.* **2.** Qualité de champion, de vainqueur: *Mon frère Timothée a remporté le titre lors des compétitions.* **3.** Appellation d'une personne qui a un titre honorifique ou à qui on veut marquer du respect: *«Son Éminence» est un titre d'honneur que l'on réserve aux cardinaux.* ☞ titulaire. ▲ **titre** n.m. Document qui prouve un droit ou un acte juridique: *Mes parents ont fini de payer la maison, ils ont les titres de propriété.* ⁄⁄ *À juste titre:* Avec raison. ☞ titulaire. ▲ **titre** n.m. **1.** Nom donné à une œuvre littéraire, à une chanson, à un film, à une émission de radio, de télévision: *Le titre d'un livre nous informe un peu sur son contenu.* **2.** Phrase mise en évidence pour présenter un article de journal: *Un gros titre, en première page du journal, annonçait la victoire de notre équipe.* ☞ sous-titre, sous-titrer, titrer. à **titre de** loc.prép. En tant que, comme: *Tu fais partie de l'équipe à titre de capitaine.* au même **titre que** loc.conj. De la même façon que, aussi bien que: *Je peux donner ces explications au même titre que lui.*

titrer v. Donner un titre, intituler: *On titrera notre prochain numéro de journal: «Vive les vacances!».* ☞ titre.

titubant, ante adj. Qui marche en allant à droite et à gauche: *Après ce tour de manège, les enfants étaient étourdis et titubants.* SYN. chancelant, vacillant. ☞ tituber.

tituber v. Marcher de travers, en allant à droite et à gauche: *Après le coup qu'il a reçu sur la tête, il titubait tellement il était étourdi.* SYN. chanceler, vaciller. ☞ titubant.

titulaire n. et adj. **1.** n. Personne qui exerce une fonction, une charge pour laquelle elle a été nommée: *Le titulaire de ce poste est malade; une suppléante le remplace.* ANT. auxiliaire, suppléant. **2.** n. Personne qui possède de façon juridique un diplôme, une autorisation ou un droit: *Les titulaires de permis de conduire doivent renouveler celui-ci périodiquement.* **3.** adj. Qui exerce une fonction, une charge de façon permanente: *Notre professeure titulaire est secondée par un assistant.* ANT. auxiliaire, suppléant. **4.** adj. Qui possède de façon juridique un diplôme, une autorisation ou un droit: *Ma sœur est titulaire d'un diplôme en graphisme.* ☞ titre.

toast n.m. (angl.) Tranche de pain grillé: *Avant d'aller à l'école, Sabrina mange deux toasts avec du beurre d'arachide.* SYN. rôtie. ▲ **toast** n.m. (angl.) Courte allocution proposant de boire à la santé de quelqu'un, au succès d'une entreprise; fait de boire en l'honneur de quelqu'un ou de quelque chose: *Lucie a gagné le concours d'orthographe; j'ai prononcé un toast en son honneur.* ⁄⁄ *Porter un toast:* Boire à la santé de quelqu'un, au succès d'une entreprise, etc.

toasté ☞ sect. anglicismes et canadianismes.

toboggan n.m. **1.** Traîneau bas à patins métalliques: *Le toboggan est utilisé pour la compétition olympique.* **2.** Piste en pente utilisée pour glisser, pour jouer: *Au parc aquatique, il y a plusieurs toboggans.* **3.** Au Canada, traîneau sans patins fait de planches dont la partie avant est recourbée et qu'on utilise pour glisser: *Les enfants ont beaucoup de plaisir à glisser en toboggan.*

toc n.m. et interj. **1.** Imitation d'objets précieux: *Ce collier semble être de perles, c'est tout simplement du toc.* SYN. camelote. **2.** Mot qui imite le bruit des petits coups qu'on fait en frappant: *Toc, toc, toc! On frappe à la porte.* HOM. toque.

tocsin n.m. Sonnerie de cloche répétée et prolongée qui donne l'alarme: *Autrefois, lorsqu'un incendie se déclarait, on sonnait le tocsin.*

toge n.f. **1.** Grande étoffe sans coutures dont les Romains se drapaient: *Dans l'Antiquité, la toge était un vêtement d'apparat.* **2.** Robe de cérémonie propre à quelques professions: *Les avocats portent la toge.*

togolais, aise n. et adj. **1.** n. Personne qui est du Togo: *Un Togolais, une Togolaise.* **2.** adj. Qui est du Togo: *L'économie togolaise est* *centrée surtout sur l'agriculture et l'élevage.* **R.** On met la majuscule à *togolais* et à *togolaise* lorsqu'il s'agit du nom.

toi pron.pers. Pronom personnel de la deuxième personne du singulier, qui désigne la personne à qui l'on parle, sujet, complément ou attribut: *Toi seul peux m'aider, j'ai confiance en toi, car c'est toi mon meilleur ami.* HOM. toit. ⁄⁄ *Toi-même:* Pronom qui sert à renforcer le pronom personnel «toi». **R.** *Toi* devient *t'* devant *en* ou *y*.

toile n.f. **1.** Tissu simple très résistant: *La toile est faite de fils de coton, de lin ou de chanvre.* **2.** Pièce de tissu tendue sur un cadre et préparée pour être peinte; tableau peint sur cette toile: *Des toiles de Suzor Côté sont exposées au musée des Beaux-Arts.* ⁄⁄ *Toile cirée:* Pièce de toile vernie servant de nappe ou de revêtement. ▲ **toile** n.f. Entrelacement de fils faits par une araignée: *Grâce à sa toile, l'araignée attrape des insectes.*

toilettage n.m. Fait d'apporter les soins nécessaires à l'entretien du pelage d'un animal domestique: *C'est la vétérinaire qui fait le toilettage de mon chien.* ☞ toilette.

toilette n.f. **1.** Ensemble des soins de propreté du corps: *Je fais ma toilette tous les jours.* **2.** plur. Cabinet d'aisances: *Les toilettes de ce restaurant sont très propres.* ⁄⁄ *Cabinet de toilette:* Pièce où est installé ce qu'il faut pour se laver; salle de bains. ☞ toilettage. ▲ **toilette** n.f. Tenue vestimentaire: *Quelle toilette élégante tu portes!* SYN. habillement.

toise n.f. Instrument gradué qui sert à mesurer la taille d'une personne: *L'infirmière nous passe à la toise tous les ans.*

toiser v. Regarder avec mépris, avec dédain: *Il la toisa sans prononcer une parole.* SYN. dévisager.

toison n.f. **1.** Pelage du mouton et de plusieurs autres animaux: *La toison des moutons est bouclée.* **2.** Chevelure fournie ou ayant l'apparence de la laine: *Rachel a une belle toison brune.*

toit n.m. **1.** Couverture d'une maison, d'un édifice: *Le toit protège les bâtiments contre les intempéries.* SYN. toiture. **2.** Partie supérieure d'un véhicule: *Nous attachons nos skis sur le toit de la voiture.* **3.** Abri, maison où l'on peut vivre: *Il m'a fait plaisir de les recevoir sous mon toit.* SYN. demeure, domicile, logement. HOM. toi. ⁄⁄ *Toit ouvrant:* Partie mobile, transparente ou non, d'un toit d'automobile qui permet une ouverture partielle. ☞ toiture.

toiture n.f. Couverture d'un édifice et ce qui la soutient: *Les ouvriers refont la toiture de la maison car les poutres sont pourries.* SYN. toit. ☞ toit.

tôle n.f. Feuille de fer ou d'acier que l'on obtient par laminage: *La tôle de ce véhicule est mince.* **R.** Ne pas oublier l'accent: *ô*.

tolérable adj. **1.** Qui peut être excusé, admis: *Ces retards fréquents ne sont plus tolérables.* SYN. excusable. ANT. intolérable. **2.** Qui peut être supporté: *Cette chaleur est difficilement tolérable.* SYN. endurable, supportable. ANT. insupportable, intolérable. ☞ tolérer.

tolérance n.f. **1.** Attitude par laquelle on accepte la manière de penser ou d'agir chez les autres: *Les personnes qui ont l'esprit ouvert font souvent preuve de tolérance.* SYN. compréhension, indulgence. ANT. intolérance. **2.** Permission accordée en certaines circonstances: *Sortir à cette heure n'est pas habituel, c'est une tolérance.* ANT. défense. **3.** Aptitude de l'organisme à supporter sans mauvaise réaction des doses d'un médicament, d'une substance donnée ou d'un facteur physique externe: *Le vétérinaire observe la tolérance du chien à ce traitement.* ⁄⁄ *Tolérance grammaticale:* Liberté de ne pas appliquer la règle grammaticale stricte, en certains cas. ☞ tolérer.

tolérant, ante adj. Qui est indulgent, compréhensif: *Mon professeur est tolérant, il comprendra.* ANT. intolérant. ☞ tolérer.

tolérer v. **1.** Accepter, permettre une chose qu'on pourrait empêcher: *Mes parents préfèrent laisser notre saint-bernard dehors, mais ils le tolèrent parfois dans la maison.* SYN. autoriser. ANT. défendre, interdire. **2.** Excuser quelque chose qu'on désapprouve: *Ses parents ne tolèrent pas ses escapades.* SYN. pardonner. ANT. réprimer. **3.** Supporter, endurer patiemment ce que l'on trouve désagréable: *Je ne peux plus tolérer ce bruit.* **4.** Supporter un médicament, une substance ou un facteur physique externe sans mauvaise réaction, en parlant de l'organisme: *Mon frère est allergique à la pénicilline: il ne la tolère pas.* ☞ intolérable, intolérance, intolérant, tolérable, tolérance, tolérant.

tollé n.m. Clameur collective de protestation, de colère et d'indignation: *La décision de suspendre cette joueuse provoqua un tollé général.* SYN. huée. ANT. acclamation.

tomahawk n.m. (amérind.) Hache de guerre des Amérindiens, faite d'une pierre fixée solidement à un manche de bois: *J'ai vu plusieurs tomahawks à cette exposition portant sur la culture amérindienne.* **R.** Les lettres *awk* se prononcent *oc*. (*Voir l'illustration à la page suivante.*)

tomate n.f. Plante annuelle cultivée pour ses fruits rouges de forme arrondie; ce fruit, consommé comme légume: *Vers la fin de juillet, nous mangeons les tomates de notre jardin.* ⁄⁄ *Être rouge comme une tomate:* Être très rouge. *Jus de tomate:* Jus extrait de la tomate.

tombal, ale, aux adj. Qui se rapporte à la tombe, aux tombes: *Dans un cimetière, les noms des défunts sont inscrits sur des pierres tombales.* **R.** Aussi, au pluriel, *tombals.* ☞ tombe.

tombant, ante adj. Qui tombe, qui pend vers le bas: *Le saule pleureur se reconnaît à ses longues branches tombantes.* ⁄⁄ *À la nuit tombante:* Au crépuscule. ☞ tomber.

tombe n.f. Endroit, fosse où l'on enterre une personne décédée: *Chaque année, nous allons prier sur la tombe de grand-maman.* SYN. sépulture. **R.** N'a pas le sens de *cercueil.* ☞ tombal.

tombeau, eaux n.m. Monument érigé à l'endroit où est enterrée une personne décédée: *Ils ont érigé un tombeau en marbre à la mémoire de cette grande femme.* **à tombeau ouvert** loc.adv. À une vitesse si grande qu'on risque un accident mortel: *Une voiture roulant à tombeau ouvert est passée sur le boulevard.*

tombée n.f. Mouvement de choses qui tombent; manière dont un objet tombe, pend vers le sol: *Une tombée de confettis a accueilli les nouveaux mariés à leur sortie de l'église.* HOM. tomber. ⁄⁄ *La tombée du jour, de la nuit:* Moment de la journée où il commence à faire noir. ☞ tomber.

tomber v. **1.** Être entraîné par terre en perdant son équilibre, faire une chute: *Jacques est tombé en faisant du ski.* SYN. choir, chuter. ANT. relever. **2.** Mourir, être tué: *Plusieurs soldats sont tombés au champ d'honneur.* **3.** S'écrouler, s'affaisser: *Cette vieille maison tombe en ruine.* **4.** Se calmer, perdre de son intensité: *Au lendemain de la dispute, sa colère était tombée.* SYN. s'apaiser. **5.** Être entraîné rapidement vers le sol, d'un lieu élevé à un lieu bas: *Le film montre l'avion en flammes qui tombe.* **6.** Descendre vers le sol, en parlant de précipitations atmosphériques: *La neige tombe depuis deux jours.* ANT. monter, remonter. **7.** Se détacher, ne plus être tenu: *À l'automne, les feuilles tombent.* **8.** Baisser, diminuer, d'une façon mesurable: *Sa température est tombée de un degré.* ANT. monter. **9.** Pendre vers le bas tout en restant suspendu: *J'aime bien ce manteau qui tombe jusqu'aux genoux.* ⁄⁄ *Laisser tomber:* Laisser échapper. *Tomber de sommeil:* Être fatigué au point de ne plus pouvoir se tenir debout. ☞ retombant, retombée, retomber, tombant, tombée, tomber. ▲ **tomber** v. **1.** Devenir subitement: *Tu risque de tomber malade si tu prends froid.* **2.** Arriver, se produire: *Mon anniversaire tombe un lundi cette année.* HOM. tombée. ⁄⁄ *Tomber bien, tomber mal:* Arriver à propos, arriver mal à propos. *Tomber en panne:* Cesser de fonctionner. **R.** Se conjugue avec l'auxiliaire *être.* ☞ retomber.

tombereau, eaux n.m. **1.** Genre de caisse sur deux roues qui sert au transport de matériaux et qu'on décharge en la faisant basculer: *La fermière transporte la terre dans un tombereau.* **2.** Wagon de chemin de fer, non recouvert, à parois élevées, servant au transport de marchandises: *Ce convoi comptait plusieurs tombereaux remplis de pierre concassée.*

tombola n.f. Activité au cours de laquelle les gens peuvent gagner différents objets par tirage: *Les scouts et les guides de notre paroisse préparent leur tombola annuelle.*

tome n.m. Partie d'un ouvrage publié en plus d'un volume: *Cette encyclopédie en huit tomes est très utile pour mes recherches.*

tom-pouce n.m.invar. Homme de très petite taille: *Un tom-pouce à la mine sympathique m'aborda au coin de la rue.* SYN. nain. ANT. géant.

ton n.m. **1.** Hauteur, timbre, intensité de la voix: *À l'adolescence, la voix du garçon mue et prend un ton plus grave.* **2.** Façon de parler qui, par son intensité et sa vitesse, indique l'état des sentiments: *Quand ma mère nous parle sur ce ton sec, c'est qu'elle est sérieuse.* SYN. intonation. **3.** Manière d'exprimer par écrit: *Sa lettre a un ton amical.* SYN. forme, style. **4.** Nuance, intensité d'une couleur: *J'aime beaucoup les tons pastel.* HOM. thon. ⁄⁄ *De bon ton:* Qui indique des manières jugées raffinées. *Donner le ton:* Indiquer la note. *Répéter sur tous les tons:* Répéter de toutes les façons. ☞ détonner, tonalité.

ton, ta, tes adj.poss. Qui est à toi ; qui se rapporte à toi : *N'oublie pas ton écharpe et ta tuque.* HOM. thon. **R.** *Ta* devient *ton* devant un mot commençant par une voyelle ou un *h* muet.

tonalité n.f. **1.** Ensemble des caractères des sons émis par une voix, un appareil : *Ton baladeur a vraiment une très riche tonalité.* **2.** Bruit entendu au téléphone indiquant que la ligne est disponible : *Avant de composer un numéro, il faut attendre la tonalité.* ☞ ton.

tondeuse n.f. Instrument formé de deux lames, qui font un mouvement de va-et-vient, qui sert à tondre les cheveux d'une personne, les poils d'un animal : *Le mouvement de la tondeuse sur ma nuque me chatouillait.* ⁄⁄ *Tondeuse à gazon:* Petite faucheuse rotative pour couper le gazon. ☞ tondre.

tondre v. **1.** Couper très court les cheveux d'une personne, les poils d'un animal : *Il est temps de tondre le mouton.* SYN. raser. **2.** Couper à ras ; couper de façon à égaliser : *Nous avons fini de tondre le gazon et la haie.* ☞ retondre, tondeuse, tondu, tonte.

tondu, ue adj. Qui sont coupés très courts, en parlant des cheveux, des poils, de l'herbe, etc. : *Un caniche fraîchement tondu arrive à l'exposition.* ☞ tondre.

tonifiant n.m. Remède qui stimule les forces de l'organisme : *Tous les matins, grand-mère prend son tonifiant.* ☞ tonus.

tonifiant, ante adj. Qui stimule comme un tonique, qui rend plus fort : *La potion magique est tonifiante pour les gens du village d'Astérix.* SYN. fortifiant, stimulant, vivifiant. ☞ tonus.

tonifier v. Rendre plus fort, donner de la vigueur physique : *Une bonne douche nous tonifie après une dure journée.* SYN. fortifier, stimuler, vivifier. ANT. affaiblir. ☞ tonus.

tonique n.f. Première note de la gamme du ton dans lequel est composé un morceau de musique : *La tonique est le son principal d'un morceau de musique.* ☞ ton.

tonique n.m. et adj. **1.** n.m. Médicament qui aide l'organisme à reprendre des forces : *Le médecin m'a prescrit un bon tonique pour surmonter cette fatigue.* SYN. fortifiant. **2.** adj. Qui donne des forces à l'organisme, qui fortifie : *Cette boisson tonique a très bon goût.* SYN. fortifiant, remontant, stimulant, vivifiant. **3.** adj.fig. Qui stimule le moral, rend plus vif : *Les applaudissements sont toniques pour cette athlète.* ☞ tonus.

tonnage n.m. Volume de marchandise que peut transporter un navire : *Ce gros navire a sûrement un très fort tonnage.* ☞ tonneau.

tonnant, ante adj. Qui est bruyant, comme le tonnerre : *Les feux d'artifice tonnants faisaient vibrer toutes les vitrines des alentours.* SYN. retentissant. ⁄⁄ *Voix tonnante:* Voix forte et éclatante. ☞ tonnerre.

tonne n.f. **1.** Unité de mesure de masse valant mille kilogrammes : *Le Canada exporte plusieurs milliers de tonnes de fer chaque année.* **2.** Mesure de poids des véhicules : *Au printemps, cette route est interdite aux véhicules de plus de cinq tonnes.* **3.** Très grande quantité de choses : *Ils ont reçu une tonne de cadeaux à leur mariage.*

tonneau, eaux n.m. Unité de volume servant à déterminer la capacité, le tonnage des navires : *Ce navire jauge cinquante tonneaux.* ☞ tonnage. ▲ **tonneau, eaux** n.m. Contenant cylindrique, en bois, habituellement plus large au centre : *Le vin est conservé dans des tonneaux.* SYN. baril, barrique. ☞ tonnelet. ▲ **tonneau, eaux** n.m. **1.** Mouvement d'acrobatie aérienne : tour complet d'un avion sur son côté : *Au cours de ce spectacle aérien, les vrilles et les tonneaux se succédaient.* **2.** Accident d'une voiture qui fait un tour complet sur son côté : *La voiture a fait plusieurs tonneaux avant de quitter la route.*

tonnelet n.m. Petit tonneau : *Sur les images, les chiens saint-bernard sont souvent présentés avec un tonnelet au cou.* ☞ tonneau.

tonner v. **1.** Éclater, en parlant du tonnerre : *On entendait tonner au loin.* **2.** Faire un bruit ressemblant au tonnerre : *Les pièces pyrotechniques tonnaient dans la nuit lors de cette fête.* SYN. résonner, retentir. **3.** Parler très fort pour exprimer sa colère : *Elle tonnait contre ce règlement injuste.* SYN. crier, fulminer. ☞ tonnerre.

tonnerre n.m. **1.** Bruit de la foudre que l'on perçoit plus ou moins longtemps après l'éclair : *Ce coup de tonnerre m'a fait sursauter.* **2.** vx et litt. Foudre : *Le tonnerre tombe ordinairement sur les endroits élevés.* **3.** Bruit très fort : *Cette grande nouvelle a déclenché un tonnerre d'applaudissements.* SYN. tempête. ⁄⁄ *Du tonnerre:* Expression familière qui exprime l'admiration. ☞ tonnant, tonner.

tonsure n.f. Petit cercle rasé au sommet de la tête des membres de certaines communautés religieuses : *Quelques moines portent encore la tonsure.*

tonte n.f. Action de tondre, de couper : *J'ai réservé mon après-midi pour la tonte du gazon.* ☞ tondre.

tonus n.m. Énergie, grande vitalité : *Cette tisane a donné du tonus à Sylvie.* SYN. dynamisme, vigueur. ANT. indolence, mollesse. **R.** Le *s* se prononce. ☞ tonifiant, tonifier, tonique.

topaze n.f. Pierre précieuse, transparente, de couleur jaune: *Une magnifique topaze ornait son pendentif.*

topographe n. Personne spécialisée en topographie, qui s'occupe d'établir scientifiquement des plans et des cartes représentant la forme et les reliefs d'un terrain: *Ces cartes de notre région ont été tracées par une topographe.* **R.** Les lettres *ph* se prononcent *f.* ☞ topographie.

topographie n.f. **1.** Technique qui consiste à tracer le relief d'une région sur un plan ou sur une carte: *La topographie des Laurentides nous montre bien ses montagnes et ses nombreux lacs.* **2.** Relief d'un terrain: *Avant de construire une autoroute, on étudie soigneusement la topographie de la région.* **R.** Les lettres *ph* se prononcent *f.* ☞ topographe, topographique.

topographique adj. Qui concerne la topographie: *Une carte topographique nous informe sur le relief du terrain d'une région.* **R.** Les lettres *ph* se prononcent *f.* ☞ topographie.

toponyme n.m. Nom de lieu: *« Rimouski » et « boulevard René-Lévesque » sont des toponymes.* ☞ toponymie.

toponymie n.f. Ensemble des noms de lieux d'une région et étude de leur origine: *La toponymie d'une ville nous renseigne souvent sur son histoire.* ☞ toponyme.

toquade n.f.fam. Goût très vif et un peu étrange, souvent passager, pour quelqu'un ou quelque chose: *Le camping d'hiver est sa nouvelle toquade.* SYN. caprice, engouement, manie. ☞ se toquer.

toque n.f. Coiffure sans bords, de forme cylindrique plus ou moins haute: *La chef cuisinière porte souvent une toque.* HOM. toc.

toqué, ée n. et adj.fam. **1.** n. Personne quelque peu étrange, bizarre: *Seule cette bande de toqués pouvait avoir une idée si farfelue.* SYN. cinglé. **2.** adj. Qui est quelque peu étrange, bizarre: *Ne te soucie pas de ce qu'il te dit, il est un peu toqué.* SYN. cinglé, timbré. ⫽ *Toqué de:* Amoureux fou de.

se **toquer** v.pron.fam. Avoir une envie vive et soudaine pour quelqu'un ou quelque chose: *Elle s'est toquée de ce chanteur de jazz: elle collectionne ses disques et lit tout ce qui s'écrit sur lui.* SYN. s'amouracher, s'engouer. ☞ toquade.

torche n.f. Flambeau fait d'un bâton de bois enduit de résine: *Torche à la main, les aventurières exploraient les cavernes.* ⫽ *Torche électrique:* Lampe électrique de poche.

torcher v.fam. **1.** Essuyer pour nettoyer: *Les dégâts ont été rapidement torchés.* **2.** fig. Exécuter vite et mal: *On m'a reproché d'avoir torché mon travail.* SYN. bâcler.

torchon n.m. **1.** Linge pour essuyer: *Prends ce torchon et essuie la table, s'il te plaît.* **2.** fig. et fam. Texte, devoir mal présenté; journal, publication sans valeur: *Cet article est un vrai torchon.*

tordant, ante adj.fam. Qui est très drôle: *Ce film était tordant.* SYN. amusant, comique, marrant. ANT. grave, sérieux, triste. ☞ tordre.

tordeuse n.f. Papillon dont la chenille s'attaque aux feuilles de certains arbres: *Les tordeuses peuvent faire de grands ravages dans les forêts.*

tordre v. **1.** Serrer une chose sur elle-même en la tournant en sens contraire par les deux extrémités: *Mon chandail était tellement mouillé que j'ai dû le tordre.* **2.** Plier quelque chose de rigide: *L'ouragan a tordu les rails du chemin de fer.* SYN. courber. ANT. redresser. **3.** Soumettre de façon plus ou moins violente un membre, une partie du corps, à une sorte de rotation: *Elle me tordait le bras pour que je lui rende son livre.* **4.** Donner à quelqu'un la sensation d'une crampe, d'une contraction au niveau d'un organe: *La faim lui tordait l'estomac.* ⫽ *Tordre le cou:* Tuer, étrangler. ☞ détordre, retordre, tordant, tordu, tors, torsion. se **tordre** v.pron. **1.** Se plier en deux sous l'effet d'une douleur, d'une émotion: *Le film était si drôle que nous nous tordions de rire.* **2.** Plier brutalement une articulation: *J'ai dû me tordre la cheville en tombant dans l'escalier.*

tordu, ue adj. **1.** Qui est de travers, qui n'est pas droit: *Ces arbres aux troncs tordus donnaient un air cauchemardesque à la forêt.* SYN. tors. **2.** fig. Qui est un peu bizarre, extravagant, mal tourné: *On peut s'attendre à tout d'un esprit aussi tordu.* ☞ tordre.

toréador n.m.vx (esp.) Nom donné parfois aux personnes qui, dans une corrida, affrontent le taureau: *On ne dit pas « toréador » mais plutôt « torero ».* SYN. matador, torero. ☞ torero.

torero n.m. (esp.) Chacune des personnes qui, dans une corrida, combattent le taureau: *Le torero chargé de la mise à mort du taureau est le matador.* SYN. matador, picador. **R.** Le *e* se prononce *é.* ☞ toréador.

tornade n.f. Coup de vent très violent et tourbillonnant, qui passe rapidement: *Ce village a été dévasté par une tornade.* SYN. cyclone, ouragan.

torpeur n.f. État d'une personne à demi endormie, dont la sensibilité et l'activité du corps et de l'esprit sont ralenties, réduites: *Je sentais une agréable torpeur m'envahir.* SYN. engourdissement, léthargie, somnolence. ANT. animation, vigueur.

torpillage n.m. Action d'attaquer et de détruire à l'aide de torpilles: *Ce navire a coulé à la suite du torpillage qu'il a subi.* **R.** Les lettres *ill* se prononcent comme dans *famille*. ☞ torpille.

torpille n.f. Poisson au corps plat, semblable à la raie, capable de produire des décharges électriques pour paralyser ses proies: *Les décharges électriques des torpilles ne sont pas dangereuses pour les êtres humains.* ▲ **torpille** n.f. Engin explosif à moteur, utilisé par les navires et les sous-marins, qui se déplace sous l'eau: *Le navire a été gravement endommagé par une torpille.* **R.** Les lettres *ill* se prononcent comme dans *famille*. ☞ torpillage, torpiller.

torpiller v. **1.** Attaquer pour détruire à l'aide de torpilles: *Le sous-marin a torpillé la corvette ennemie et l'a fait couler.* **2.** fig. Faire échouer par des manœuvres sournoises: *J'ignore encore qui a torpillé notre projet.* **R.** Les lettres *ill* se prononcent comme dans *famille*. ☞ torpille.

torréfaction n.f. Action de torréfier, de faire griller certaines matières pour les dessécher ou en faire apparaître les arômes: *La torréfaction est une étape importante dans la préparation du tabac, du café, du cacao.* ☞ torréfier.

torréfier v. Faire griller pour dessécher ou dégager les arômes: *Il faut torréfier les feuilles de tabac avant de les hacher.* ☞ torréfaction. **torréfié, ée** p.p. et adj. Qui a été soumis à la torréfaction, qui a été grillé: *Ce café torréfié est délicieux.*

torrent n.m. **1.** Cours d'eau en pente, au courant rapide et irrégulier: *Le torrent qui passe près de la maison a été à sec tout l'été.* **2.** fig. Grande quantité, écoulement abondant: *La triste nouvelle a été accueillie par des torrents de larmes.* SYN. déluge, flot. ⁄⁄ *Pleuvoir à torrents:* Pleuvoir très fort. ☞ torrentiel.

torrentiel, elle adj. Qui tombe à torrents, qui coule à flot: *Cette pluie torrentielle a inondé le jardin.* SYN. diluvien. ☞ torrent.

torride adj. Qui est excessivement chaud: *Ces journées torrides nuisent aux cultures.* SYN. brûlant. ANT. froid, glacial.

tors, torse adj. **1.** Qui a été tordu, tourné en torsade: *La chaîne de cette étoffe est faite de fil de soie torse.* **2.** Qui est déformé, difforme: *Son pantalon ajusté faisait ressortir ses jambes torses et arquées.* HOM. tort. ☞ tordre.

torsade n.f. Rouleau de fils ou cordons tournés en spirale qui sert de décoration: *Des torsades retiennent les rideaux du salon.* ⁄⁄ *Torsade de cheveux:* Cheveux longs réunis et tordus ensemble. ☞ torsader.

torsader v. Enrouler en torsade: *Elle a torsadé ses longs cheveux.* ☞ torsade. **torsadé, ée** p.p. et adj. Qui est tourné en torsade, qui forme une torsade: *Une rangée de colonnes torsadées soutiennent le portique de cette église.*

torse n.m. **1.** Partie du corps allant du cou à la taille: *Il travaille le torse nu, exposé aux chauds rayons du soleil.* SYN. buste, poitrine. **2.** Sculpture représentant un être humain sans tête et sans membres: *Plusieurs torses grecs sont exposés au musée.*

torsion n.f. Action de tordre, déformation produite sur quelque chose que l'on soumet à deux mouvements de rotation en sens contraire: *Son poignet est fragile, la moindre petite torsion lui fait mal.* ☞ tordre.

tort n.m. Conduite qui constitue une erreur; action blâmable: *Une personne sincère et honnête sait reconnaître ses torts.* ANT. raison. HOM. tors. ⁄⁄ *Avoir tort:* Ne pas avoir raison, être dans l'erreur. *Donner tort à:* Déclarer que quelqu'un a tort. *Être dans son tort:* Ne pas être dans son droit, être en faute. *Faire du tort:* Nuire, causer un dommage. **à tort** loc.adv. En se trompant, pour de mauvaises ou de fausses raisons: *C'est à tort qu'on a cru que la terre était plate.* **à tort et à travers** loc.adv. À la légère, sans discernement: *Tu dépenses à tort et à travers.* **à tort ou à raison** loc.adv. Sans motifs ou avec des motifs valables: *On nous considère, à tort ou à raison, comme des révolutionnaires.*

torticolis n.m. Douleur dans le cou qui s'accompagne d'une inclinaison anormale de la tête et d'une difficulté à la bouger: *J'ai attrapé un torticolis en me retournant trop vite.*

tortillement n.m. Action de tortiller; mouvement de ce qui remue en ondulant: *As-tu déjà remarqué les tortillements d'une chenille?* **R.** Les lettres *ill* se prononcent comme dans *famille*. ☞ tortiller.

tortiller v. Retourner plusieurs fois une chose sur elle-même en la tordant: *Il tortillait distraitement sa cravate.* ANT. détortiller. ☞ détortiller, tortillement. ▲ **tortiller** v. Bouger en ondulant: *La mouffette s'avançait en* *tortillant de l'arrière-train.* SYN. balancer. **se tortiller** v.pron. Se tourner sur soi-même d'un côté et de l'autre: *Elle se tortillait d'impatience sur sa chaise.* **R.** Les lettres *ill* se prononcent comme dans *famille*.

tortionnaire n.m. Personne qui fait subir des souffrances physiques à quelqu'un pour lui faire avouer quelque chose qu'il refuse de révéler: *Le tortionnaire semblait insensible aux cris de sa victime.*

tortue n.f. Reptile à quatre pattes dont le corps est recouvert d'une épaisse carapace: *La tortue est reconnue pour sa lenteur.*

tortueux, euse adj. **1.** Qui est plein de détours, de courbes: *Ce chemin tortueux est très dangereux l'hiver.* SYN. sinueux. ANT. direct, droit. **2.** fig. Qui n'est pas franc, qui manque de loyauté: *Tes manœuvres tortueuses ne me feront pas accepter ton projet.* ANT. direct, franc, net.

torturant, ante adj. Qui fait souffrir l'esprit: *Cet accident me laisse un souvenir torturant.* SYN. angoissant, désolant, douloureux. ANT. apaisant, calmant, réconfortant. ☞ torture.

torture n.f. **1.** Souffrance physique que l'on fait subir à une personne pour lui faire avouer ce qu'elle refuse de révéler: *Plusieurs personnes sont mortes à la suite des tortures qu'elles ont subies.* SYN. supplice. **2.** Très grande souffrance physique ou morale: *Cette rage de dents est une véritable torture.* SYN. martyre, tourment. ☞ torturant, torturer.

torturer v. **1.** Faire subir des tortures, des souffrances physiques à quelqu'un: *Il existe, encore de nos jours, des pays où l'on torture les prisonniers.* **2.** Faire souffrir, tourmenter: *L'immense culpabilité que je ressens me torture sans répit.* ☞ torture. **se torturer** v.pron. Se creuser l'esprit: *Je me torture le cerveau pour trouver la solution de cette énigme.*

tôt adv. **1.** Avant le moment habituel: *Je me suis levée plus tôt car j'avais un devoir à terminer.* ANT. tard. **2.** Avant le moment convenu; avant le moment dont on parle: *Vous arrivez plus tôt que prévu.* ANT. tard. **3.** Au début d'une portion déterminée de temps, au début de la journée: *J'ai commencé tôt à travailler.* ANT. tard. HOM. taux. ⁄⁄ *Au plus tôt:* Dans un délai aussi court que possible. *Avoir tôt fait de:* Avoir vite fait de. *Le plus tôt possible:* Dès que ce sera possible. *Pas de si tôt:* Pas avant longtemps. **R.** Ne pas oublier l'accent: *ô*.

total, aux n.m. Quantité entière; somme de tous les éléments de quelque chose: *J'ai fait le total de mes dépenses.* ANT. partie. ⁄⁄ *Au total:* En tout.

total, ale, aux adj. **1.** Qui compte tout, qui englobe tout: *Notre équipe a mérité tous les points; c'est une victoire totale.* SYN. complet, entier, général. ANT. incomplet, partiel. **2.** Qui est complet, qui n'est réduit par rien: *Je lui fais une confiance totale.* SYN. absolu, entier, parfait. ANT. partiel. **3.** Qui est considéré dans son entier, dans la somme de tous ses éléments: *La hauteur totale de la maison n'excède pas trente pieds.* ANT. partiel. ☞ totalement, totaliser, totalité.

totalement adv. Entièrement, complètement, tout à fait: *Martin était totalement rassuré à la suite de cette explication.* SYN. absolument. ANT. partiellement. ☞ total.

totaliser v. **1.** Avoir au total, compter en tout: *Il faut totaliser au moins soixante points dans cette épreuve pour se qualifier.* **2.** Faire le total, additionner: *Nous avons totalisé les contributions: notre objectif est atteint.* ANT. soustraire. ☞ total.

totalitaire adj. Qui est absolu, qui n'admet pas d'opposition et tend même à supprimer les libertés de la société, en parlant d'un régime politique: *Cuba est un pays totalitaire.*

totalité n.f. Réunion de tous les éléments d'un ensemble, d'un tout: *Elle a légué la totalité de sa fortune à une œuvre de charité.* SYN. total. ANT. fraction, partie. ☞ total. **en totalité** loc.adv. Au complet, en bloc: *Les étudiants sont décidés à manifester, en totalité.*

totem n.m. (amérind.) Animal ou plante considéré comme l'ancêtre et le protecteur d'un clan; représentation particulière de cet animal ou de cette plante qui symbolise un groupe: *Le totem d'un clan est objet de tabous et d'obligations particulières.* **R.** Le *m* se prononce.

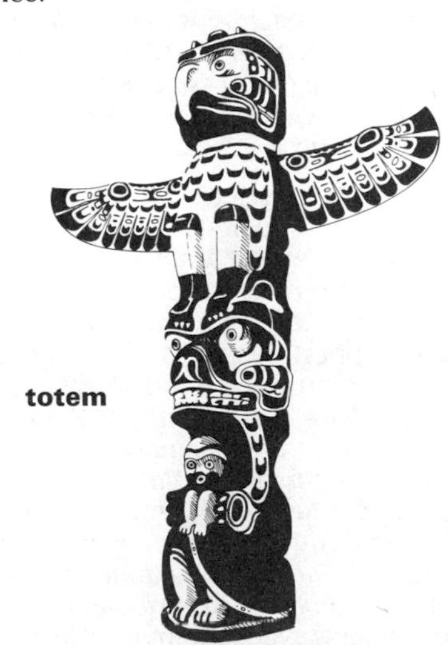

totem

toucan n.m. Oiseau grimpeur caractérisé par son gros bec multicolore allongé et légèrement recourbé vers le bas: *On retrouve le toucan dans les régions montagneuses de l'Amérique du Sud.*

touchant, ante adj. Qui suscite des émotions, qui attendrit: *Maman a été émue par ces paroles très touchantes.* SYN. bouleversant, émouvant. ANT. froid, indifférent, révoltant. ☞ toucher.

touche n.f. Chacun des leviers qui composent un clavier de piano, d'une machine à écrire, etc., sur lesquels on appuie les doigts: *Le clavier d'un piano comporte des touches blanches et des touches noires.* ▲ **touche** n.f. **1.** Façon particulière d'appliquer de la couleur: *Je peins le ciel en appliquant du bleu par petites touches.* **2.** fig. Contraste que fait une couleur avec les autres couleurs: *Ces tentures d'une teinte vive mettent une touche de gaieté dans cette pièce grise.* ▲ **touche** n.f. **1.** Chacune des limites de côté d'un terrain de football ou de soccer: *Le ballon est sorti en touche: il y aura reprise du jeu.* **2.** Action du poisson qui mord à l'hameçon: *Le pêcheur a une touche.* **3.** Fait de toucher l'adversaire, à l'escrime; coup porté: *Elle a gagné par trois touches à deux.* ☞ toucher.

touche-à-tout n.m.invar. **1.** Personne qui veut toujours toucher à tout: *Ce petit touche-à-tout est d'une curiosité sans limites.* **2.** fig. Personne qui s'intéresse à toutes sortes de choses ou qui aime faire plusieurs choses en même temps: *Catherine est un touche-à-tout, elle a des connaissances superficielles sur un grand nombre de sujets.* ☞ toucher.

toucher n.m. **1.** Un des cinq sens, celui qui procure une sensation par contact de la main, de la peau: *Le toucher nous permet de percevoir la texture des objets qui nous entourent.* **2.** Impression que produit quelque chose que l'on touche: *Les poils de mon chat sont soyeux et doux au toucher.*

toucher v. **1.** Entrer en contact physique avec quelqu'un ou quelque chose: *Il me toucha doucement l'épaule et me demanda de le suivre.* SYN. effleurer, palper, tâter. **2.** Atteindre: *Gilles a touché la cible du premier coup.* SYN. frapper, heurter. **3.** Entrer en possession, recevoir une somme d'argent: *Lisette touche un salaire raisonnable.* SYN. gagner, percevoir. **4.** Susciter une émotion, attendrir: *Merci de votre sympathie, cela m'a beaucoup touché.* SYN. émouvoir. ANT. mécontenter. **5.** Dire: *J'aimerais que tu lui en touches un mot.* **6.** Concerner: *Cette nouvelle touche particulièrement les élèves de la sixième année.* **7.** Être en contact avec quelque chose, être proche: *La branche de l'érable touche le toit de notre maison.* ☞ touchant, touche, touche-à-tout. ▲ **toucher** v. **1.** Poser la main sur quelque chose pour prendre, pour utiliser: *On nous a demandé de ne pas toucher aux objets exposés.* **2.** Aborder un sujet: *Nous avons oublié de toucher à cette question lors de la réunion.* **3.** S'en prendre à quelque chose pour corriger, pour apporter des modifications: *Je ne connais personne qui oserait toucher à cette loi.* **4.** Atteindre, approcher d'un lieu, d'un moment: *L'année scolaire touche à sa fin; les élèves font déjà des projets de vacances.* **5.** Avoir un certain caractère: *Son goût pour la propreté touche à la manie.* **se toucher** v.pron. **1.** Être en contact, être très près l'un de l'autre: *Nos maisons se touchent.* **2.** Avoir des points de ressemblance, être en rapport étroit: *La plupart de nos goûts se touchent.*

touffe n.f. Ensemble de poils, de brins, de petits végétaux qui sont naturellement réunis les uns près des autres: *Quelques touffes d'herbe poussaient çà et là sur cette terre aride.* SYN. bouquet, épi. ☞ touffu.

touffu, ue adj. **1.** Qui est épais, fourni: *Cette plante touffue est en santé.* SYN. dense, dru. ANT. clairsemé. **2.** fig. Qui contient trop d'éléments complexes, trop de détails: *Ce texte est intéressant quoique touffu et parfois difficile à comprendre.* SYN. chargé. ANT. concis, simple. ☞ touffe.

toujours adv. **1.** Éternellement: *Cette situation pénible pourra-t-elle durer toujours?* SYN. perpétuellement. ANT. jamais. **2.** Constamment, sans cesse: *J'ai toujours dit que cela devait arriver.* SYN. constamment. ANT. jamais. **3.** Chaque fois: *Mon chien aboie toujours quand quelqu'un frappe à la porte.* ANT. exceptionnellement, jamais, parfois. **4.** En toute occasion, en tout temps: *Ces enfants sont toujours prêts à rendre service.* ANT. exceptionnellement, jamais, parfois. **5.** Généralement, tout le temps: *Je me lève toujours à 7 heures quand je vais à l'école.* SYN. invariablement. ANT. jamais. **6.** De tout temps: *J'ai toujours aimé lire.* **7.** Encore maintenant: *J'ai passé l'après-midi à réparer ce tuyau et il fuit toujours.* ∥ *Comme toujours:* Comme d'habitude. *Depuis toujours:* De tout temps. *Pour toujours:* Sans fin, à jamais. *Presque toujours:* Très souvent, ordinairement.

touladi n.m. Au Canada, grande truite d'eau douce: *Regardez, nous avons pris deux magnifiques touladis.*

toundra n.f. (russe) Grande plaine de la région arctique dont la végétation est clairsemée à cause de l'été qui y est très court: *Le sol* *de la toundra reste gelé en profondeur une grande partie de l'année.* **R.** Le *n* se prononce.

toune ☞ sect. anglicismes et canadianismes.

toupet n.m. **1.** Touffe de cheveux tombant sur le front: *Je vais me faire couper le toupet, il me tombe dans les yeux.* SYN. houppe. **2.** fig. et fam. Audace, effronterie: *Tu veux encore m'emprunter de l'argent? Quel toupet!* SYN. aplomb, culot. **R.** Le *t* final ne se prononce pas.

toupie n.f. **1.** Jouet de forme conique qu'on fait tenir en équilibre sur sa pointe en le faisant tourner sur lui-même: *Ma toupie a tourné plus longtemps que la tienne.* **2.** Outil rotatif qui permet de faire des moulures ou des entailles dans une pièce de bois: *Le motif décoratif dans cette porte a été fait à l'aide d'une toupie.*

tour n.m. Machine munie d'un plateau tournant qui permet de travailler, de façonner un objet: *C'est à l'aide d'un tour que ce potier donne forme à sa poterie.* ☞ tourner, tourneur. ▲ **tour** n.m. **1.** Limite d'un corps, d'un lieu circulaire: *Depuis un an, mon tour de taille n'a pas changé.* SYN. circonférence. **2.** Courbe fermée qui limite une surface: *J'ai colorié en bleu le tour de mon dessin.* SYN. bordure, contour. ▲ **tour** n.m. **1.** Mouvement d'un corps, d'un objet sur lui-même: *À chaque tour de roue, un bruit étrange se faisait entendre.* **2.** Parcours où l'on revient au point de départ: *Il revient d'un tour du monde.* **3.** Circuit accompli par un coureur sur une longueur de piste: *La pilote a parcouru son premier tour en deux secondes de moins que son précédent record.* ⁄⁄ *À tour de bras:* De toute la force du bras. *En un tour de main:* Très vite. *Faire le tour de quelque chose:* Aller autour d'un lieu, d'un espace. *Faire un tour:* Faire une petite sortie, une promenade. *Tour de rein:* Faux mouvement, torsion dans la région postérieure du tronc. ☞ tourner. ▲ **tour** n.m. **1.** Mouvement difficile à exécuter que l'on montre au public pour l'étonner: *Les tours d'adresse du magicien ont surpris l'assistance.* **2.** Action malicieuse destinée à tromper quelqu'un: *Rosanne adore jouer des tours.* SYN. blague, farce, plaisanterie. **3.** Manière dont quelque chose évolue: *Le film prend un tour dramatique.* SYN. allure, direction, forme, tournure. ⁄⁄ *Tour de force:* Action difficile accomplie avec une adresse remarquable. *Tour de phrase:* Manière de s'exprimer en arrangeant les mots. ☞ tourner. ▲ **tour** n.m. Rang successif: *C'était à mon tour de laver la vaisselle.* ⁄⁄ *Tour de garde:* Ordre dans lequel des militaires, des médecins, etc., prennent leur service. **tour à tour** loc.adv. En alternant une chose puis une autre; l'un après l'autre: *Nous avons lu ce texte à voix haute tour à tour.*

tour n.f. **1.** Construction étroite érigée en hauteur: *En 1989, la tour du Canadien National à Toronto est la plus haute tour de télécommunications au monde.* **2.** Immeuble d'habitation élevé, construction en hauteur: *J'habite au vingtième étage d'une tour.* SYN. gratte-ciel. **3.** Pièce du jeu d'échecs: *La tour se déplace en ligne droite, horizontalement ou verticalement.* ⁄⁄ *Tour de contrôle:* Bâtiment qui domine un aérodrome d'où l'on surveille et dirige les envols et les atterrissages. ☞ tourelle.

tourbe n.f. Matière végétale partiellement décomposée qui sert de combustible. *On utilise la tourbe pour faciliter la transplantation d'arbustes.* ☞ tourbière.

tourbière n.f. Endroit d'où l'on extrait la tourbe: *Ce marécage est devenu une tourbière.* ☞ tourbe.

tourbillon n.m. **1.** Vent fort qui souffle en tournoyant: *Un tourbillon de vent souleva les feuilles.* **2.** Mouvement tournant et rapide d'un liquide ou de matières entraînées par l'air: *Remarque le tourbillon que fait l'eau de ton bain en s'écoulant dans le drain.* **3.** fig. et litt. Ce qui entraîne dans un mouvement auquel on ne peut résister: *Le tourbillon des activités quotidiennes l'absorbe de nouveau.* **R.** Les lettres *ill* se prononcent comme dans *famille.* ☞ tourbillonnant, tourbillonnement, tourbillonner.

tourbillonnant, ante adj. Qui tourne rapidement, qui fait des tourbillons: *Des rapides tourbillonnants nous bloquaient le passage.* SYN. tournoyant. **R.** Les lettres *ill* se prononcent comme dans *famille.* ☞ tourbillon.

tourbillonnement n.m. Mouvement de ce qui tourbillonne: *Le ballon fut emporté par le tourbillonnement rapide des eaux.* **R.** Les lettres *ill* se prononcent comme dans *famille.* ☞ tourbillon.

tourbillonner v. **1.** Tourner rapidement, faire des tourbillons: *Les flocons de neige tourbillonnent dans le ciel.* SYN. tournoyer. **2.** fig. Être agité, secoué par un mouvement irrésistible: *Des idées folles tourbillonnaient dans sa tête et l'empêchaient de trouver le sommeil.* **R.** Les lettres *ill* se prononcent comme dans *famille.* ☞ tourbillon.

tourelle n.f. **1.** Petite tour: *Il y a une horloge au sommet de cette tourelle.* **2.** Abri, souvent mobile, qui contient certaines armes, sur un engin blindé, un navire: *De sa tourelle, la soldate fait feu sur tout ce qui bouge.* ☞ tour (n.f.).

tourisme n.m. Fait de voyager pour son plaisir, de visiter un lieu où l'on ne vit pas habituellement: *Le tourisme nous permet d'entrer en contact avec des gens de culture différente.* ⁄⁄ *Voiture de tourisme:* Voiture pour usage personnel et privé. ☞ touriste, touristique.

touriste n. Personne qui voyage par plaisir, en visitant: *De nombreux touristes visitent les installations olympiques.* ⁄⁄ *Classe touriste:* En bateau, en avion, classe intermédiaire. ☞ tourisme.

touristique adj. **1.** Qui se rapporte aux déplacements des touristes: *Ce guide touristique me sera très utile.* **2.** Qui attire les touristes: *Charlevoix est une des très belles régions touristiques du Québec.* ☞ tourisme.

tourmaline n.f. Pierre précieuse: *La tourmaline est parfois incolore mais le plus souvent noire, verte, violette ou rouge.*

tourment n.m.litt. **1.** Douleur physique ou morale très vive: *Seule la mort mettra fin à ses tourments.* SYN. supplice, torture. ANT. consolation, délice. **2.** Grande inquiétude, préoccupation: *Son retard m'a causé beaucoup de tourments.* SYN. angoisse, anxiété, souci. ANT. calme, paix, quiétude, repos. ☞ tourmenté, tourmenter.

tourmente n.f.litt. Tempête soudaine et violente: *Elles ont perdu leur chemin dans la tourmente.* SYN. orage, ouragan.

tourmenté, ée adj. **1.** Qui est très inquiet, qui se fait beaucoup de soucis: *Depuis cet échec, son esprit est tourmenté.* SYN. anxieux. ANT. calme, serein. **2.** Qui est très agité: *La mer tourmentée se déchaînait.* ANT. calme, tranquille. HOM. tourmenter. ☞ tourment.

tourmenter v. **1.** Causer des souffrances physiques ou morales: *Il faut aimer les animaux et ne pas les tourmenter.* SYN. maltraiter, martyriser, torturer. **2.** Causer du souci, de l'inquiétude: *Par ses fugues répétées, cette adolescente tourmente ses parents.* SYN. préoccuper, tracasser. ANT. apaiser, calmer. HOM. tourmenté. ☞ tourment. **se tourmenter** v.pron. S'inquiéter, se faire beaucoup de souci: *Pierre se tourmente pour la moindre chose.*

tournage n.m. Action de tourner un film, de réaliser les images d'un scénario: *Le tournage de cette scène se fera à l'extérieur.* ☞ tourner.

tournailler v. **1.** Aller et venir sur place, sans but: *Le chien n'arrête pas de tournailler dans le jardin.* **2.** Tourner autour de quelqu'un ou de quelque chose d'une façon insistante: *Quand les enfants tournaillent comme ça autour de moi, c'est qu'ils ont quelque chose à demander.*

tournant n.m. **1.** Courbe, virage accentué d'une route; endroit où une rivière fait un coude: *Plusieurs accidents surviennent dans ce tournant dangereux.* **2.** fig. Moment important où ce qui évolue prend une nouvelle direction: *La Seconde Guerre mondiale a été un tournant dans l'histoire.* ☞ tourner.

tournant, ante adj. Qui tourne, qui pivote: *L'accès à certains édifices se fait par des portes tournantes.* ⁄⁄ *Grève tournante:* Qui touche successivement différents secteurs de production. ☞ tourner.

tourne-disque n.m. Appareil composé d'un plateau rotatif et d'un bras muni d'une tête de lecture qui permet l'audition des disques: *Mon tourne-disque est défectueux; le plateau ne tourne plus.* SYN. électrophone. **R.** Au pluriel, *tourne-disques*.

tournedos n.m. Tranche ronde et généralement épaisse de filet de bœuf, dont on fait une grillade: *Les tournedos de ce restaurant sont tout simplement délicieux.*

tournée n.f. **1.** Déplacement fait selon un parcours précis dans le but de visiter, de distribuer quelque chose ou de faire une inspection: *La gardienne de nuit fait sa tournée à toutes les heures.* **2.** Voyage effectué par un artiste, une compagnie théâtrale, qui donne des spectacles à divers endroits: *Ce chanteur fait une tournée d'un mois en province.* **3.** fam. Ensemble des consommations offertes par une personne dans un café, un bistrot: *C'est moi qui paie la tournée.* HOM. tourner. ⁄⁄ *Faire la tournée de:* Visiter tour à tour.

en un **tournemain** loc.adv. Facilement, en un instant, en un tour de main: *Ma mère est capable de te réparer cela en un tournemain.*

tourner v. **1.** Donner un mouvement circulaire à quelque chose; agiter, remuer: *Voudrais-tu tourner la sauce?* **2.** Faire bouger autour d'un axe: *Je dois tourner la poignée vers la droite pour ouvrir la porte.* **3.** Mettre à l'envers: *La fermière tourne le foin pour le faire sécher.* SYN. retourner. **4.** Exécuter un mouvement de rotation: *La Terre tourne sur elle-même.* **5.** Évoluer en décrivant une courbe, un cercle; évoluer sans s'éloigner: *L'abeille tournait autour de ma tête.* **6.** Fonctionner, en parlant de mécanismes dont les pièces ont des mouvements de rotation: *Le moteur de cette voiture tourne d'une façon régulière.* ☞ demi-tour, tour, tournailler, tournant, tournis, tournoiement, tournoyant, tournoyer.
▲ **tourner** v. **1.** Diriger, orienter: *Cette plante tourne ses feuilles vers le soleil.* **2.**

Prendre une nouvelle direction : *À cette intersection, le camion a tourné à gauche.* ☞ tournant. ▲ **tourner** v. Façonner à l'aide d'un tour, d'un outil rotatif qui permet de mouler, de travailler les objets : *Le menuisier tourne les pattes d'une chaise.* ☞ tour (n.m.). ▲ **tourner** v. Exprimer sa pensée, ses idées par un certain agencement des mots : *Quelle drôle de façon de tourner les phrases !* ☞ tour, tournure. ▲ **tourner** v. Évoluer d'une certaine façon, bonne ou mauvaise, se transformer : *La situation tourne en sa faveur.* ☞ tour, tournure. ▲ **tourner** v. Faire un film, réaliser les images d'un scénario : *On s'apprête à tourner une scène importante.* HOM. tournée. ☞ tournage. se **tourner** v.pron. **1.** Se diriger, aller dans une direction : *À son arrivée, tous les regards se tournèrent vers lui.* **2.** Se retourner, changer de position : *Il se tourne sans cesse dans son lit.* **3.** fig. Se diriger, s'engager : *Elle s'est tournée vers la politique.* **tourné, ée** p.p. et adj. Qui est arrangé selon un certain style, qui est fait d'une certaine manière : *Ce compliment bien tourné m'a fait plaisir.* // *Avoir l'esprit mal tourné :* Avoir l'esprit disposé à prendre les choses en mauvaise part ou à les interpréter de manière indécente.

tournesol n.m. Plante caractérisée par ses grandes fleurs jaunes qui se tournent toujours vers le soleil : *Je raffole des graines de tournesol.*

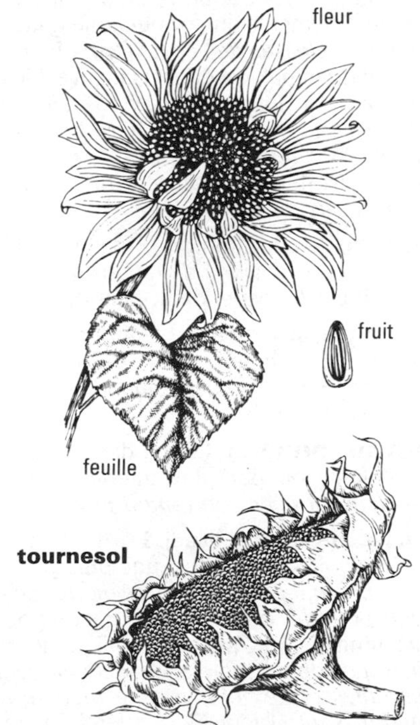

tourneur, euse n. Personne qui travaille sur un tour : *Ces belles pièces ont été fabriquées par une tourneuse.* ☞ tour (n.m.).

tournevis n.m. Outil en acier muni d'un manche dont l'extrémité est formée de façon à s'adapter à la tête d'une vis, qui sert à visser ou dévisser des vis : *Le coffre à outils renferme toute une panoplie de tournevis.* **R.** Le *s* se prononce.

tourniquet n.m. **1.** Barrière pivotante qui ne laisse passer qu'une personne à la fois : *On doit passer par les tourniquets pour avoir accès au métro.* **2.** Cylindre métallique rotatif à plusieurs faces, qui sert de présentoir : *Le tourniquet était chargé de montres de toutes sortes.* **3.** Dispositif d'arrosage que la force de l'eau fait tourner : *La pelouse est bien arrosée grâce à ce tourniquet.* **R.** Le *t* final ne se prononce pas.

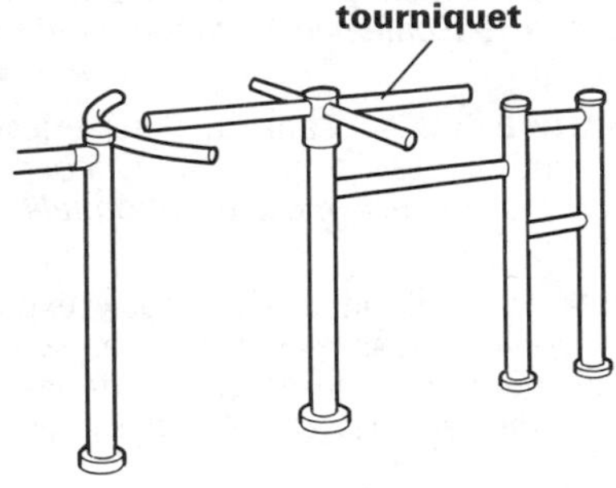

tournis n.m. **1.** Maladie qui atteint les bêtes à cornes qui se mettent alors à tourner en rond : *Le tournis atteint surtout les jeunes moutons.* **2.** fig. et fam. Vertige : *Je n'ose pas regarder en bas, ça me donne le tournis.* **R.** Le *s* ne se prononce pas. ☞ tourner.

tournoi n.m. Compétition qui se déroule en plusieurs étapes : *Alexandre a gagné le tournoi d'échecs de notre école.*

tournoiement n.m. Action de tournoyer, de tourner sur soi-même ou en spirale ; mouvement de ce qui tournoie : *Le tournoiement de ce manège m'étourdit.* **R.** Le *e* de la deuxième syllabe ne se prononce pas. ☞ tourner.

tournoyant, ante adj. Qui tournoie, qui se déplace en faisant des cercles : *La valse entraînait les couples de danseurs dans un mouvement tournoyant.* ☞ tourner.

tournoyer v. **1.** Tourner sur soi, bouger en décrivant des cercles, des spirales : *Le vent faisait tournoyer les feuilles.* SYN. tourbillonner. **2.** Se déplacer sans s'éloigner en décrivant des cercles : *Les oiseaux tournoyaient autour de l'abreuvoir.* ☞ tourner.

tournoiement
tournoyer

tournure n.f. Manière d'exprimer la pensée par la forme et la construction d'une phrase: *Cette tournure de phrase est très originale.* ☞ tourner. ▲ **tournure** n.f. **1.** Apparence d'une chose: *Quelques petits bibelots et quelques plantes ont suffi à donner à cette pièce une autre tournure.* **2.** fig. Façon dont quelque chose évolue: *Cette affaire prend une tournure inquiétante.* SYN. tour. ∥ *Tournure d'esprit:* Manière de juger les choses. ☞ tourner.

tourtereau, eaux n.m. **1.** Jeune tourterelle: *Bientôt de jolis tourtereaux sortiront de ces œufs.* **2.** plur.fig. Jeunes gens amoureux: *Voyez ces tourtereaux qui se tiennent par la main.* ☞ tourterelle.

tourterelle n.f. Oiseau ressemblant au pigeon mais de taille plus petite: *J'aime bien entendre le roucoulement de la tourterelle.* ☞ tourtereau.

tourtière n.f. Au Canada, pâtisserie de forme ronde à base de porc: *Au Québec, la tourtière est un des mets traditionnels du temps des Fêtes.*

tousser v. Avoir un accès de toux, expirer de l'air contenu dans les poumons en faisant un bruit qui part de la gorge: *La fumée de cigarette me fait tousser.* SYN. toussoter. ☞ toux.

tousseur, euse n. Personne qui tousse souvent: *Ce tousseur devrait cesser de fumer.* ☞ toux.

toussotement n.m. Petite toux: *Il a manifesté son doute par quelques toussotements.* ☞ toux.

toussoter v. Tousser doucement, sans faire trop de bruit: *Elle toussota deux ou trois coups pour signaler sa présence.* ☞ toux.

tout, toute, tous, toutes adj. **1.** Qui est complet, entier: *J'ai travaillé toute la journée à ce projet.* **2.** S'emploie pour signifier qu'il s'agit de la totalité des éléments, sans exception: *Tous les élèves ont compris les explications.* ANT. aucun, nul. **3.** S'emploie pour exprimer la régularité de quelque chose, à la place de «chaque»: *Tous les hivers, mes parents vont dans le Sud.* **4.** N'importe quel: *À tout âge, on se doit de respecter les autres.* HOM. toux.

tout, tous, toutes pron.indéf. **1.** Sert à désigner l'ensemble des choses: *Tout est en ordre dans la classe.* **2.** Sert à désigner l'ensemble des gens dont on parle: *Beaucoup de personnes avaient été invitées: toutes sont venues.* HOM. toux. **R.** Au masculin pluriel, le *s* se prononce. après **tout** loc.adv. En définitive: *Pourquoi nous disputer comme ça? Après tout, nous sommes des amis.* en **tout** loc.adv. Au total: *Combien est-ce que je vous dois en tout?*

tout adv. Complètement, entièrement: *Elle était tout excitée et toute nerveuse à l'idée de ce voyage.* SYN. absolument. HOM. toux. **R.** Lorsqu'il est placé devant un adjectif féminin commençant par une consonne ou un *h* aspiré, l'adverbe *tout* s'accorde en genre et en nombre avec l'adjectif. **tout à coup** loc.adv. Soudainement, brusquement: *Tout à coup il entendit frapper à la porte.* SYN. subitement. ANT. progressivement. **tout à fait** loc.adv. Entièrement: *Elle a tout à fait raison.* SYN. absolument, complètement. ANT. aucunement, nullement. **tout à l'heure** loc.adv. **1.** Il y a un instant, un peu auparavant: *Tout à l'heure il pleuvait; maintenant il fait soleil.* SYN. tantôt. ANT. maintenant. **2.** Dans quelques instants, un peu plus tard: *Je ferai mon devoir tout à l'heure.* ANT. immédiatement. **tout de suite** loc.adv. Immédiatement: *Nous partons tout de suite.* SYN. maintenant. ANT. tantôt. **tout d'un coup** loc.adv. Soudainement, brusquement: *Il s'est levé tout d'un coup et il est parti.* SYN. subitement. ANT. progressivement.

tout n.m. **1.** Ensemble des choses dont on parle: *La chemise, le pantalon et le gilet, je vous vends le tout pour trente dollars.* **2.** Ensemble d'éléments qui forment une unité: *Les différentes classes de l'école forment un tout.* **3.** Point principal, essentiel; ce qui est le plus important: *On nous a dit qu'en cas d'incendie, le tout est de rester calme.* HOM. toux. **R.** Le pluriel est rarement employé. pas du **tout** loc.adv. Nullement: *Cette chaleur ne me convient pas du tout.*

toutefois adv. Pourtant, malgré cela: *Si toutefois vous décidez de ne pas venir, avertissez-moi.* SYN. cependant, néanmoins.

toute-puissance n.f. Autorité absolue, pouvoir sans limites: *Dieu, dans sa toute-puissance a créé l'univers, selon les chrétiens.* ☞ puissant.

toutou, ous n.m. Chien, dans le langage des enfants ou par plaisanterie: *Sébastien joue souvent avec son toutou Fido.*

tout-puissant n. et adj. **1.** n. Personne qui a un pouvoir sans limites, une puissance absolue: *Les tout-puissants de ce monde se sont réunis pour discuter.* **2.** adj. Qui a un pouvoir sans limites, une puissance absolue: *Certaines personnes rêvent de devenir toutes-puissantes et de gouverner le monde.* ∥ *Le Tout-Puissant:* Dieu. **R.** Au féminin, *toute-*

puissante. Au pluriel, *tout-puissants*, *toutes-puissantes*. ☞ puissant.

toux n.f. Expiration brusque et bruyante de l'air contenu dans les poumons causée par une irritation des voies respiratoires: *Cette toux persistante m'inquiète.* HOM. tout. ☞ antitussif, tousser, tousseur, toussotement, toussoter.

toxicologie n.f. Science qui étudie les poisons: *La toxicologie s'intéresse à la détection des poisons, à leurs effets et à leurs antidotes.* ☞ toxique.

toxicologue n. Personne qui étudie les poisons, leurs effets sur l'organisme: *Cette toxicologue étudie l'impact de l'abus de médicaments sur l'organisme humain.* **R.** Ne pas oublier le *u* après le *g*. ☞ toxique.

toxicomane n. et adj. **1.** n. Personne qui souffre de toxicomanie, d'une habitude et d'une dépendance à des drogues, des stupéfiants: *Ce toxicomane suit une cure de désintoxication.* **2.** adj. Qui souffre de toxicomanie, d'une habitude et d'une dépendance à des drogues, des stupéfiants: *Cet hôpital accueille et aide les personnes toxicomanes.* ☞ toxique.

toxicomanie n.f. Habitude de consommer des produits toxiques, des drogues qui conduisent à un état de dépendance: *La toxicomanie est un fléau difficile à enrayer.* ☞ toxique.

toxine n.f. Substance toxique que produisent des bactéries, qui va dans le sang et qui provoque la production d'anticorps: *L'élimination des toxines se fait par le foie.*

toxique n.m. et adj. **1.** n.m. Poison: *On manipule les toxiques avec beaucoup de prudence.* **2.** adj. Qui contient du poison, qui agit comme un poison: *Les herbicides sont des produits toxiques.* ☞ désintoxication, désintoxiquer, intoxication, intoxiqué, intoxiquer, toxicologie, toxicologue, toxicomane, toxicomanie.

trac n.m. Crainte ou angoisse irraisonnée que l'on ressent avant de paraître, de s'exprimer en public, avant de subir une épreuve: *Une fois sur scène, le trac de la comédienne s'est évanoui.* ANT. assurance.

tracas n.m. Inquiétude passagère causée surtout par des ennuis matériels: *Tous ces tracas me nuisent dans mon travail.* SYN. difficulté, souci. **R.** S'emploie surtout au pluriel. ☞ tracasser.

tracasser v. Tourmenter de façon agaçante, donner du souci: *Les pannes répétées de la photocopieuse tracassent mon patron.* SYN. inquiéter, préoccuper. ANT. rassurer. ☞ tracas, tracasserie, tracassier. se **tracasser** v.pron. S'inquiéter: *Elle se tracasse pour cet examen qu'elle n'a pas eu le temps de préparer.*

tracasserie n.f. Difficulté, ennui causé à quelqu'un pour des raisons de peu d'importance: *Après bien des tracasseries administratives, j'ai enfin obtenu le document que je voulais.* ☞ tracasser.

tracassier, ière n. et adj. **1.** n. Personne qui s'agite pour des choses sans importance, qui crée des difficultés pour des riens: *Elle dit que son patron est un vrai tracassier.* **2.** adj. Qui s'agite pour des choses sans importance, qui crée des difficultés pour des riens: *Cette locataire tracassière déménage enfin en juillet prochain.* ☞ tracasser.

trace n.f. **1.** Empreinte, suite d'empreintes qui marque le passage de quelqu'un ou de quelque chose: *Nous pourrons les retrouver en suivant les traces laissées par la jeep.* SYN. piste. **2.** Marque, reste que laisse une action, un événement: *Des traces de freinage étaient visibles sur l'asphalte.* **3.** Ce qui reste d'une chose passée: *On peut encore trouver çà et là des traces de cette civilisation disparue.* **4.** Quantité minime: *L'analyse du contenu de cette bouteille a permis de déceler des traces d'arsenic.* ⁄⁄ *Marcher sur les traces de quelqu'un:* Suivre l'exemple de quelqu'un.

tracé n.m. Ensemble des traits formant un plan, un dessin; contours d'un dessin, d'une écriture: *En suivant le tracé sur la carte, vous retrouverez votre chemin.* HOM. tracer. ☞ tracer.

tracer v. **1.** Indiquer un chemin en faisant une trace; ouvrir une route: *La guide traçait un sentier dans la jungle tropicale.* SYN. frayer. **2.** Dessiner en faisant des traits: *Il est conseillé de tracer son itinéraire avant de partir en voyage.* SYN. esquisser, marquer. **3.** Écrire: *Quelqu'un a tracé des inscriptions sur le mur.* HOM. tracé. **R.** Ne pas oublier la cédille devant *a* et *o*. ☞ retracer, tracé.

trachée n.f. Organe respiratoire qui va du larynx jusqu'au début des bronches: *L'air doit passer par la trachée avant d'atteindre les poumons.* (*Voir l'illustration à la page suivante.*)

tract n.m. Feuille, brochure par laquelle on veut faire connaître des idées, une doctrine politique, religieuse, etc.: *À ma sortie du métro, on m'a remis un tract annonçant une réunion devant porter sur des problèmes écologiques.* **R.** Le *t* final se prononce.

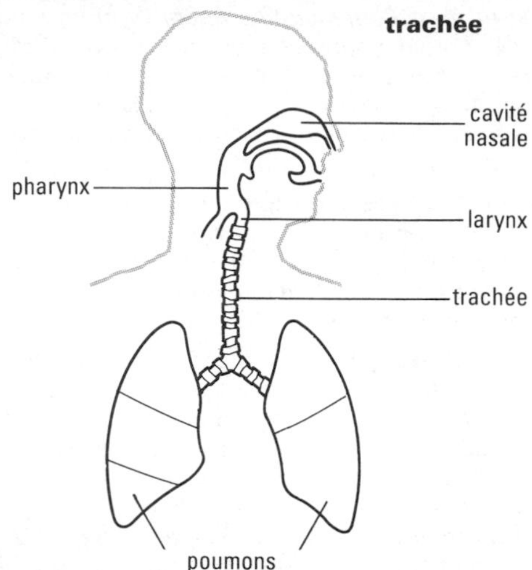

tracter v. Tirer au moyen d'un tracteur, d'un camion, d'une auto, d'un remonte-pente: *On a tracté cette nouvelle machine agricole jusqu'à la ferme.* ☞ traction.

tracteur n.m. Véhicule à moteur utilisé pour tirer des remorques ou des machines agricoles: *Le tracteur remorquait une charrette chargée de foin.*

traction n.f. **1.** Action de tirer, de traîner; force qui permet de tirer: *De plus en plus, la traction mécanique tend à remplacer la traction animale.* ANT. poussée. **2.** Exercice de gymnastique qui consiste à soulever le poids de son corps avec ses bras: *Mélanie fait des tractions pour développer ses biceps.* ⁄⁄ *Traction avant:* Voiture dont le moteur fait tourner les roues avant. ☞ tracter.

tradition n.f. Coutume, façon de vivre, habitude qui se transmet de génération en génération: *La bénédiction paternelle donnée le premier janvier est une tradition qui se perd peu à peu.* ☞ traditionnel, traditionnellement.

traditionnel, elle adj. Qui est lié à des traditions, à des habitudes: *Au réveillon de Noël, nous mangeons la dinde traditionnelle.* SYN. légendaire, rituel. ANT. nouveau, rare. ☞ tradition.

traditionnellement adv. D'une manière traditionnelle, habituelle: *La Saint-Jean-Baptiste se célèbre traditionnellement le 24 juin.* SYN. habituellement. ANT. exceptionnellement. ☞ tradition.

traducteur, trice n. Personne qui traduit des textes ou des discours: *Cette traductrice maîtrise trois langues.* ☞ traduire.

traduction n.f. **1.** Action, façon de traduire: *La traduction de ce film laisse à désirer.* **2.** Ouvrage qui donne dans une autre langue l'équivalent de l'original: *Le livre que je lis présentement est une traduction.* ☞ traduire.

traduire v. **1.** Écrire ou dire dans une autre langue un texte ou un discours: *On a traduit ce roman en six langues.* **2.** Exprimer, montrer par le langage ou par une autre façon: *Cette chanson traduit merveilleusement mon état d'âme.* SYN. exprimer, interpréter. ANT. déguiser, voiler. **3.** Manifester, laisser apparaître un rapport, un enchaînement: *L'apparition de nombreux groupes écologiques traduit une volonté grandissante de préserver notre environnement.* SYN. indiquer, révéler. ANT. cacher. ☞ intraduisible, traducteur, traduction, traduisible. ▲ **traduire** v. Appeler, faire passer devant un tribunal: *Ce citoyen a été traduit en justice à la suite d'une enquête.* se **traduire** v.pron. Se manifester: *Une grande frayeur se traduisait dans son regard.* ANT. se cacher.
traduit, uite p.p. et adj. Qui est dans une langue autre que celle de l'original, en parlant d'un texte, d'un discours: *Cet ouvrage traduit de l'allemand respecte les idées de l'auteur.*

traduisible adj. Qui peut être traduit, exprimé dans une autre langue: *Les calembours sont difficilement traduisibles.* ANT. intraduisible. ☞ traduire.

trafic n.m. Mouvement, circulation des voitures, des trains, des navires, des avions: *Une simple crevaison a suffi à arrêter tout le trafic sur l'autoroute.* ▲ **trafic** n.m. Commerce plus ou moins clandestin, interdit par la loi: *Le trafic des stupéfiants est sévèrement puni par la loi.* ☞ trafiquant, trafiquer.

trafiquant, ante n. Personne qui se livre au trafic, à un commerce illégal: *La justice aura raison un jour de cette trafiquante d'armes.* **R.** Aussi, *trafiqueur, trafiqueuse.* ☞ trafic.

trafiquer v. **1.** Faire du trafic, se livrer à un commerce clandestin et illégal: *Ils trafiquaient des défenses d'éléphants, s'exposant ainsi à des représailles judiciaires.* **2.** pop. Falsifier, transformer une marchandise par diverses manipulations en vue de tromper: *On a trafiqué le compteur de cette voiture pour faire croire qu'elle a peu roulé.* **3.** pop. Faire quelque chose de plus ou moins mystérieux: *Qu'est-ce que tu trafiques au fond de l'armoire?* ☞ trafic

trafic trafi**q**uant trafi**q**uer

tragédie n.f. **1.** Œuvre dramatique en vers dans laquelle les personnages vivent des passions et des conflits intérieurs intenses dont le spectacle est propre à nous émouvoir: *Les tragédies de Corneille sont encore appréciées de nos jours.* **2.** fig. Fait, événement tragique, terrible: *La surdité de Beethoven fut sûrement une grande tragédie dans sa vie de compositeur.* ☞ tragique, tragiquement.

tragique n.m. et adj. **1.** n.m. Personne qui écrit des tragédies: *Corneille et Racine sont les plus grands tragiques français.* **2.** n.m. Caractère de ce qui est terrible, dramatique: *J'ai évalué avec calme le tragique de la situation.* ANT. comique. **3.** adj. Qui se rapporte à la tragédie: *Cette pièce tragique a connu un grand succès.* ANT. comique. **4.** adj. Qui provoque une émotion intense par son caractère terrible, dramatique: *Le film se termine de façon tragique.* SYN. effroyable, émouvant. ANT. comique. ⫽ *Prendre une chose au tragique:* Considérer une chose d'une façon trop sérieuse, s'alarmer à l'excès. ☞ tragédie.

tragiquement adv. D'une manière tragique, dramatique: *Cette fille pleine d'avenir est morte tragiquement.* ☞ tragédie.

trahir v. **1.** Abandonner quelqu'un ou quelque chose, cesser de lui être fidèle: *Je ne trahirai pas ta confiance.* SYN. tromper. ANT. respecter. **2.** Abandonner brusquement, lâcher: *Ses forces l'ont trahi.* ANT. seconder, soutenir. **3.** Livrer, dénoncer: *Elle connaît les responsables de cet acte de vandalisme, mais elle ne les trahira pas.* ANT. protéger. **4.** Divulguer, révéler ce qui doit rester caché: *Un toussotement a trahi sa présence.* ANT. dissimuler. **5.** Laisser paraître ce qu'on ne veut pas montrer: *Son regard trahissait sa colère.* SYN. indiquer, manifester, révéler. ANT. cacher, dissimuler. **6.** Exprimer plus ou moins fidèlement: *Le tableau trahit le caractère passionné de cette artiste.* SYN. traduire. ☞ trahison, traître, traîtrise. se **trahir** v.pron. **1.** Laisser apparaître ce qu'on voulait cacher: *Je refusais de parler, de peur de me trahir.* **2.** Se manifester: *Son chagrin se trahissait par le tremblement de sa voix.*

trahison n.f. **1.** Action de trahir, de manquer de fidélité, de manquer à une promesse: *Elle soupçonne son associé de trahison: il aurait révélé le secret de cette fabrication à des concurrents.* SYN. traîtrise. **2.** Crime d'une personne qui trahit son pays, en passant à l'ennemi, en nuisant à la sécurité de l'État: *La trahison est punie de mort dans certains pays.* SYN. défection. ANT. fidélité. ⫽ *Haute trahison:* Crime qui consiste en une entente avec une puissance étrangère ou ennemie, dans le but de nuire à sa patrie. ☞ trahir.

train n.m. **1.** Ensemble des wagons que traîne une locomotive, qui constituent un convoi ferroviaire: *Un interminable train de marchandises vient de quitter la gare.* **2.** Moyen de transport par chemin de fer: *Je voyage toujours par le train.* **3.** Suite de véhicules, de choses qui progressent l'une derrière l'autre: *Un train de bateaux traînés par un remorqueur descendait la rivière.* **4.** Succession, série: *Un train de mesures pour enrayer l'inflation viennent d'être adoptées.* ▲ **train** n.m. **1.** Partie qui supporte le corps d'un véhicule et à laquelle sont attachées les roues: *L'accident a complètement démoli le train arrière de la voiture.* **2.** Partie de devant ou de derrière du corps des quadrupèdes: *Mon chat, assis sur son train de derrière, épiait les allées et venues des oiseaux.* ⫽ *Train d'atterrissage:* Partie d'un avion qui comprend les roues et les dispositifs qui lui permettent de se poser et de rouler sur le sol. ☞ arrière-train. ▲ **train** n.m. **1.** Manière d'avancer, allure, vitesse de la marche, de la course: *Nous marchions d'un train rapide.* **2.** Vitesse d'un processus, manière d'évoluer de quelque chose: *Du train où vont les recherches, on devrait trouver un médicament contre ce virus.* **3.** fam. Bruit, tapage: *Le marteau-piqueur fait beaucoup de train.* ⫽ *Aller à fond de train:* Aller à toute vitesse. *Aller bon train:* Aller vite, être actif. *Train de vie:* Manière de vivre des gens en rapport avec leurs revenus et les dépenses de la vie courante. ☞ train-train. en **train** loc.adv. **1.** En mouvement, en action ou en bonne disposition: *Cette tisane devrait me mettre en train.* **2.** En voie d'exécution ou en cours: *J'ai hâte de terminer ce travail en train depuis longtemps.* ⫽ *Mise en train:* Début d'exécution. en **train de** loc.prép. Sert à exprimer le déroulement actuel d'une action: *Je ne peux pas aller jouer, je suis en train d'étudier.*

traînant, ante adj. **1.** Qui traîne, qui pend jusqu'à terre: *Ces tentures traînantes sont toujours sales.* **2.** Qui est lente et monotone, en parlant de la voix: *Je récitais mes leçons d'une voix traînante.* ANT. rapide. **R.** Ne pas oublier l'accent: *î.* ☞ traîner.

traînard, arde n. **1.** Personne qui marche trop lentement par rapport à un groupe, qui reste en arrière: *Ce traînard retarde le groupe dans sa visite.* **2.** Personne qui agit avec lenteur, qui est lente dans son travail: *Quelle traînarde! Elle remet toujours ses devoirs en retard.* SYN. lambin. **R.** Ne pas oublier l'accent: *î.* ☞ traîner.

traînasser v. **1.** Prendre son temps, agir avec beaucoup de lenteur: *Le marché n'est pas encore conclu; le client traînasse.* SYN. lambiner. **2.** Errer, aller sans but: *Elle a traî-*

nassé dans le parc toute la journée. **3.** Avoir un débit, un accent lent, en parlant de la voix: *Les voix qui traînassaient en récitant les prières créaient une espèce de murmure confus.* **R.** Aussi, *traînailler*. Ne pas oublier l'accent: *î*. ☞ traîner.

traîne n.f. Bas d'un vêtement qui traîne à terre: *Cette robe de mariée à traîne est magnifique.* ☞ traîner. à la **traîne** loc.adv. **1.** En désordre: *Je dois ranger ces vêtements qui sont à la traîne sur mon lit.* **2.** En arrière d'un groupe qui marche: *Il y a toujours quelques enfants qui restent à la traîne lors des promenades en groupe.* **R.** Ne pas oublier l'accent: *î*.

traîneau, eaux n.m. Véhicule à patins qui glisse sur la neige: *Les enfants adorent les descentes en traîneau.* SYN. luge. **R.** Ne pas oublier l'accent: *î*. ☞ traîner.

traînée n.f. Trace laissée derrière un objet: *Des traînées de sang ont conduit à la découverte du cadavre.* HOM. traîner. **R.** Ne pas oublier l'accent: *î*.

traîner v. **1.** Tirer derrière soi; déplacer une personne, une chose en tirant par terre: *Cette boîte était trop lourde pour être portée, j'ai dû la traîner.* ANT. pousser, soulever. **2.** Emporter, avoir partout avec soi: *Partout où il va, il traîne sa sœur.* **3.** Amener de force: *Nous avons dû la traîner chez la médecin.* **4.** Supporter quelque chose de désagréable qui dure: *Je traîne cette mauvaise toux depuis longtemps.* ⁄⁄ *Traîner la jambe, la patte:* Avoir de la difficulté à marcher. *Traîner les pieds:* Marcher sans soulever les pieds du sol. ☞ traîneau. ▲ **traîner** v. Tomber, pendre jusqu'à terre: *Prends garde, tes lacets traînent par terre.* ☞ traînant, traîne. ▲ **traîner** v. **1.** S'attarder, aller très lentement: *Les enfants traînent toujours en revenant de l'école.* SYN. lambiner. ANT. courir, se dépêcher. **2.** Se prolonger, durer longtemps: *Les participantes sont fatiguées de cette discussion qui traîne.* SYN. s'éterniser. **3.** Être en désordre, être laissé sans être rangé: *J'ai jeté tous les papiers qui traînaient sur la table.* **4.** Produire des sons lents et bas, en parlant de la voix: *Sa voix traîne en lisant son texte.* **5.** péj. Errer, aller sans but; rester longtemps en un lieu: *Il a traîné toute la soirée au centre commercial.* SYN. traînasser, vagabonder. HOM. traînée. ☞ traînant, traînard, traînasser, traînerie, traîne-savates. se **traîner** v.pron. **1.** Avancer avec peine: *Fiévreux et faible, il se traînait du fauteuil au lit.* **2.** Se déplacer à plat ventre ou à genoux, ramper: *Mon petit frère aime bien se traîner par terre.* **R.** Ne pas oublier l'accent: *î*.

traînerie n.f. Retard, longueur: *J'ai dû remettre mon voyage à plus tard à cause des traîneries de l'administration.* **R.** N'a pas le sens de *désordre, objet à la traîne*. ☞ traîner.

traîne-savates n.invar.fam. Personne oisive qui passe son temps à traîner: *Le traîne-savates ne trouve rien d'autre à faire que de se plaindre de son sort.* **R.** Aussi, *traîne-semelles*. Ne pas oublier l'accent: *î*. ☞ traîner.

train-train n.m.invar. Déroulement régulier, sans imprévu, des occupations, des habitudes: *Les vacances sont finies; nous reprenons notre train-train.* SYN. routine. **R.** Aussi, *traintrain*. ☞ train.

traire v. Presser le pis de la femelle de certains animaux domestiques pour en tirer le lait: *Dans les grandes fermes laitières, on trait les vaches mécaniquement.* ⁄⁄ *Machine à traire:* Machine qui effectue automatiquement la traite. ☞ traite, trayeuse, trayon.

trait n.m. **1.** Élément caractéristique d'une personne ou d'une chose: *Mes parents ont de nombreux traits communs.* **2.** Action qui est le signe d'un sentiment, d'une qualité: *Ce don est un véritable trait de générosité.* ⁄⁄ *Avoir trait à:* Avoir rapport à. *Trait de génie:* Idée remarquable et soudaine. *Trait d'esprit:* Expression spirituelle. ▲ **trait** n.m. **1.** Petite ligne tracée sur une surface quelconque: *Je dois souligner d'un trait rouge les verbes du texte.* **2.** Corde qui sert à tirer une voiture, une charge; se dit de l'animal qui est attelé à cette corde: *Le cheval de trait est moins svelte, moins élancé que le cheval de selle.* **3.** Manière de boire: *J'ai bu mon verre de lait à longs traits.* **4.** Rayon: *Un trait de lumière s'infiltrait par les rideaux entrouverts.* **5.** plur. Aspect général du visage: *Ses traits tirés trahissaient son état d'épuisement extrême.* HOM. très. ⁄⁄ *Trait de scie:* Marque laissée par le passage d'une scie sur une pièce de bois. *Trait pour trait:* Exactement.

traitant, ante adj. Qui traite, qui soigne: *Cette lotion traitante est très chère.* ⁄⁄ *Médecin traitant:* Médecin qui suit régulièrement un malade. ☞ traiter.

trait d'union n.m. **1.** Petit trait horizontal qui sert à unir les parties de certains mots composés ou à joindre le verbe et le pronom qui le suit: *Dans le mot «arc-en-ciel», il ne faut pas oublier les deux traits d'union.* **2.** fig. Intermédiaire entre deux personnes, deux choses: *L'éditeur est le trait d'union entre l'auteur et la maison d'édition.* **R.** Au pluriel, *traits d'union*.

traite n.f. Action de traire, de tirer le lait: *À la ferme de mes grands-parents, la traite se fait le matin et le soir.* ☞ traire. ▲ **traite** n.f. **1.** Lettre de créance signée par le créancier et son débiteur où l'on retrouve les conditions d'un prêt: *Je dois payer une traite à ma banque dans trois mois.* **2.** Transport, commerce de produits et, particulièrement, échange, trafic d'esclaves pratiqué par certains pays du XVe au XIXe siècle: *La traite des Noirs est interdite depuis le XIXe siècle.* ☞ traiter. ▲ **traite** n.f. Distance parcourue en un seul temps, sans arrêt: *Marilou parcourt dix kilomètres d'une seule traite.*

traité n.m. **1.** Volume qui étudie un sujet dans son ensemble; ouvrage spécialisé: *Ce traité de philosophie a inspiré plusieurs penseurs.* **2.** Entente signée entre des pays pour garantir des droits, établir des règles: *C'est par un traité signé par la France en 1763 que le Canada devint une colonie britannique.* SYN. accord, convention, pacte. HOM. traiter. ☞ traiter.

traitement n.m. **1.** Ensemble des moyens utilisés pour prévenir ou guérir une maladie: *L'insuline est utilisée dans le traitement du diabète.* SYN. cure, thérapie. **2.** Manière de se conduire avec quelqu'un: *Pendant les vacances, je jouis d'un traitement de faveur: je peux me coucher plus tard que mes frères et mes sœurs.* **3.** Opération qui permet de modifier une substance: *Cette usine de traitement de l'eau est une des plus modernes au monde.* **4.** Manipulation de l'information selon un programme, effectuée par des moyens mécaniques: *L'ordinateur permet de procéder au traitement des données en un temps très court.* **5.** plur. Coups: *Ce chien a subi de mauvais traitements.* ⫽ *Traitement de texte:* Ensemble des techniques informatiques appliquées à des travaux de dactylographie. ☞ traiter. ▲ **traitement** n.m. Salaire relié à certains emplois: *Grâce à sa promotion, cette fonctionnaire a obtenu une augmentation de traitement.*

traiter v. **1.** Agir d'une certaine façon envers les autres: *Mon patron me traite comme sa fille.* SYN. accueillir. **2.** litt. Recevoir à sa table: *Il nous a traitées somptueusement.* **3.** Soigner, soumettre à un traitement médical: *Son médecin doit traiter immédiatement cette infection.* **4.** Appeler, donner un qualificatif à quelqu'un: *Je n'aime pas qu'on me traite d'imbécile.* **5.** Soumettre une substance à différentes opérations en vue de la transformer: *On traite les eaux usées avant de les rejeter dans la rivière.* ☞ intraitable, maltraiter, traitant, traitement, traiteur. ▲ **traiter** v. Examiner, aborder, développer un sujet, une question: *On ne doit pas traiter à la légère la question de l'environnement.* ☞ traité. ▲ **traiter** v. **1.** Régler une affaire: *On a traité ce marché à la satisfaction de tous.* SYN. négocier. **2.** Entrer en pourparlers en vue de négocier: *Ces ouvriers ne sont pas syndiqués; ils traitent directement avec leur employeure.* HOM. traité. ☞ traite, traité. **traité, ée** p.p. et adj. Qui a subi des opérations de transformation: *Cette clôture en bois traité est garantie pour vingt-cinq ans.*

traiteur n.m. Personne dont le métier est de préparer des repas sur commande et de les livrer à domicile: *Maman a utilisé les services d'un traiteur pour la fête de famille.* **R.** L'O.L.F. recommande *traiteuse* comme féminin de *traiteur.* ☞ traiter.

traître, traîtresse n. et adj. **1.** n. Personne qui trahit son pays, ses amis, ses associés: *Cette traîtresse sera jugée en cour martiale.* **2.** adj. Qui est déloyal envers sa patrie ou envers un individu: *Ce soldat traître est passé à l'ennemi.* SYN. infidèle. ANT. fidèle, loyal. **3.** adj. Qui trompe, qui est dangereux sans le paraître: *Méfie-toi de ce vin; il est traître.* ⫽ *Pas un traître mot:* Pas un seul mot. **R.** Ne pas oublier l'accent: *î.* ☞ trahir.

traîtrise n.f. Manière d'agir sournoise, déloyale: *Nous détenons la preuve de ton impardonnable traîtrise.* SYN. déloyauté, fourberie. ANT. droiture, fidélité, loyauté. **R.** Ne pas oublier l'accent: *î.* ☞ trahir.

trajectoire n.f. Ligne décrite par un corps en mouvement, de son point de départ à son point d'arrivée: *Un ordinateur calcule la trajectoire de la fusée.*

trajet n.m. Chemin à parcourir d'un lieu à un autre; action de parcourir ce chemin: *Alain fait le trajet de chez lui à l'école en bicyclette.* SYN. parcours, route.

tralala n.m.fam. Activité à grand déploiement; luxe voyant: *Lors de ce souper, les hôtes avaient sorti la verrerie de cristal, les chandeliers en argent et tout le tralala.*

trâlée ☞ sect. anglicismes et canadianismes.

tram n.m. Abréviation de «tramway»: *Et si nous prenions le tram pour aller chez Louisette?* HOM. trame. ☞ tramway.

trame n.f. Ensemble des fils passés dans le sens de la largeur pour former un tissu: *Le tapis du salon est usé jusqu'à la trame.* ▲ **trame** n.f. Ensemble de détails qui constitue le fond d'événements marquants; déroulement des événements: *Les aventures qu'elle a vécues en voyage forment la trame de son récit.* HOM. tram.

tramer v. Comploter, manigancer: *Quel mauvais tour êtes-vous en train de tramer?* SYN. combiner. se **tramer** v.pron. Se préparer en secret, se combiner: *Il se trame quelque chose dans mon dos.* **R.** S'emploie à la forme impersonnelle ou passive.

trampoline n.m. Appareil de gymnastique formé d'une grande toile tendue sur des ressorts qui sert à faire des sauts; sport pratiqué sur cet appareil: *Cette semaine, les enfants feront du trampoline lors de leur cours d'éducation physique.*

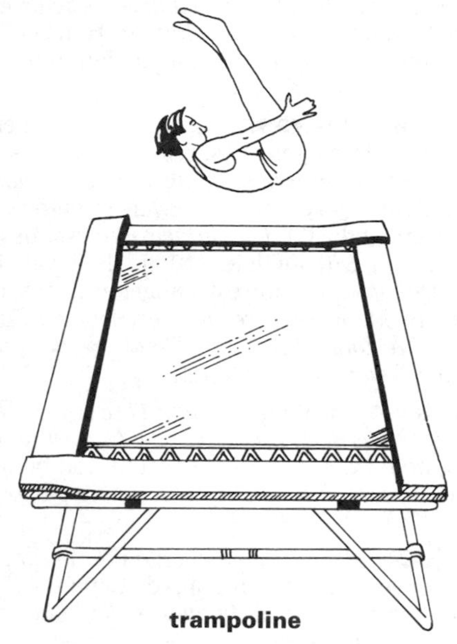

trampoline

tramway n.m. (angl.) Moyen de transport public fonctionnant sur des rails, utilisé surtout dans les villes; voiture qui circule sur ces rails: *À Montréal, les autobus et le métro ont remplacé les tramways.* **R.** Se prononce à l'anglaise. ☞ tram.

tranchant n.m. Côté mince, celui avec lequel on coupe, d'un instrument coupant: *Le tranchant de ce couteau a besoin d'être aiguisé.* ☞ trancher.

tranchant, ante adj. **1.** Qui est dur et mince, qui peut couper: *Les ciseaux, couteaux, haches et sabres sont des instruments tranchants.* ANT. contondant. **2.** fig. Qui est catégorique, cassant: *Son ton tranchant n'incitait pas à la réplique.* SYN. autoritaire, sec. ANT. doux, nuancé. ☞ trancher.

tranche n.f. **1.** Morceau coupé mince, sur la largeur, d'un produit comestible: *J'ai pris une deuxième tranche de ce délicieux rôti.* **2.** Surface unie que présente l'épaisseur des feuillets d'un livre: *J'ai acheté un livre doré sur tranches.* **3.** Bord mince: *La tranche de la table était peinte d'une couleur contrastante.* **4.** Pourtour d'une pièce de monnaie: *La pièce a roulé sur sa tranche très longtemps.* ☞ trancher. ▲ **tranche** n.f. **1.** Division d'un ensemble: *On doit me verser la somme en plusieurs tranches.* **2.** Série de chiffres consécutifs: *La façon habituelle de noter les nombres est de les diviser par tranches de trois.*

tranchée n.f. Fossé étroit creusé dans le sol: *Mon oncle Arthur a creusé une tranchée autour du jardin.* SYN. cavité, sillon. HOM. trancher.

trancher v. **1.** Partager en une ou plusieurs parties au moyen d'un instrument coupant: *Ce fil de fer tranche bien le fromage.* SYN. couper. ANT. joindre, lier, unir. **2.** fig. Mettre fin à une discussion, terminer en trouvant une solution: *Laissons donc la directrice trancher cette difficulté.* **3.** Faire contraste: *Le blanc de ses vêtements tranche sur son teint hâlé.* SYN. contraster, se détacher, ressortir. **4.** Décider d'une façon catégorique: *Le tribunal tranchera après avoir entendu les témoins.* HOM. tranchée. ☞ tranchant, tranche.

tranquille adj. **1.** Qui est calme, paisible: *J'aime bien me promener dans ce parc tranquille.* SYN. immobile, silencieux. ANT. agité, bruyant. **2.** Qui se fait de façon régulière, sans précipitation: *Elle venait vers moi d'un pas tranquille.* ANT. agité. **3.** Qui est porté au calme, qui ne ressent pas le besoin de bruit, de mouvement: *Nos voisins sont des gens bien tranquilles.* SYN. paisible. **4.** Qui est temporairement au repos, qui ne s'agite pas: *Les enfants ont été tranquilles toute la soirée: ils ont fait un casse-tête.* SYN. sage. ANT. agité, bruyant, turbulent. **5.** Qui éprouve un sentiment de paix, de sérénité: *Je ne serai pas tranquille tant qu'ils ne seront pas rentrés.* SYN. serein. ANT. anxieux, inquiet. **6.** fam. Qui est assuré quant à la réalité d'une chose en question: *La mouffette ne reviendra pas de sitôt, je suis tranquille.* **R.** Les deux *l* se prononcent comme un seul *l*. ☞ tranquillement, tranquillisant, tranquilliser, tranquillité.

tranquillement adv. **1.** D'une manière calme, paisible: *Elle regardait tranquillement la télévision quand l'incendie a débuté.* SYN. calmement, paisiblement. **2.** Froidement, sans inquiétude: *Elle parle tranquillement de sa maladie incurable.* **R.** Les deux *l* se prononcent comme un seul *l*. ☞ tranquille.

tranquillisant n.m. Médicament destiné à combattre l'angoisse, à calmer: *Cette médecin hésite à prescrire des tranquillisants à ses patients.* SYN. calmant. **R.** Les deux *l* se prononcent comme un seul *l*. ☞ tranquille.

tranquillisant, ante adj. Qui rassure: *Toutes ces histoires de crimes que racontent les journaux, ce n'est pas très tranquillisant.*

SYN. rassurant. ANT. inquiétant. **R.** Les deux *l* se prononcent comme un seul *l*. ☞ tranquille.

tranquilliser v. Calmer, rassurer: *Ce que tu m'apprends là me tranquillise; je me faisais du souci à son sujet.* ANT. alarmer, angoisser, effrayer, inquiéter. ☞ tranquille. se **tranquilliser** v.pron. Se rassurer, se calmer: *Tranquillise-toi, ton examen n'est que dans trois jours.* ANT. s'affoler, s'alarmer, s'effrayer. **R.** Les deux *l* se prononcent comme un seul *l*.

tranquillité n.f. **1.** État stable, calme, de quelqu'un ou de quelque chose: *Ces fêtardes troublaient la tranquillité publique.* ANT. agitation, désordre, trouble. **2.** Quiétude, sérénité: *Je n'arrive pas à retrouver ma tranquillité après cette émotion.* SYN. calme, paix, repos. ANT. agitation, angoisse, inquiétude. **R.** Les deux *l* se prononcent comme un seul *l*. ☞ tranquille.

transaction n.f. Concession réciproque, compromis: *Cette transaction valait mieux qu'un procès.* ☞ transiger. ▲ **transaction** n.f. Opération commerciale entre un vendeur et un acheteur: *Nous devons payer une taxe sur cette transaction.* **R.** Le *s* se prononce *z*.

transatlantique n.m. et adj. **1.** n.m. Paquebot qui assure la traversée de l'Atlantique, entre l'Amérique et l'Europe: *Je rêve de faire une croisière sur un transatlantique.* **2.** adj. Qui traverse l'océan Atlantique: *Un câble transatlantique assure certaines communications entre les continents.* **R.** Le *s* se prononce *z*. ☞ atlantique.

transcanadien, ienne adj. Qui traverse le Canada, de l'océan Atlantique à l'océan Pacifique: *Nous prendrons la route transcanadienne pour nous rendre à Winnipeg.*

transcription n.f. **1.** Action de transcrire, de copier exactement; résultat de cette action: *J'ai consacré plusieurs mois à la transcription de ce manuscrit.* SYN. copie. **2.** Action de noter des mots d'une langue dans un autre alphabet: *La transcription phonétique d'un mot nous indique la façon de prononcer ce mot.* ☞ transcrire.

transcrire v. Reproduire un texte, des paroles, de façon exacte ou suivant un autre mode d'expression: *Son travail consiste à déchiffrer et à transcrire les messages écrits en code.* SYN. copier. ☞ retranscrire, transcription.

transe n.f. **1.** Crainte, inquiétude extrême: *Les concurrentes éprouvent des transes indescriptibles dans l'attente de la décision du jury.* **2.** État de conscience qu'on attribue au médium entrant en contact avec les esprits: *Au cours de la séance de spiritisme, le médium est entré en transe et s'est mis à proférer des paroles inintelligibles.* **3.** État d'exaltation, d'excitation d'une personne; manifestations extérieures de cet état: *Dès qu'on abordait ce sujet, mon père s'agitait, entrait en transe.*

transférer v. **1.** Transporter, faire changer de lieu en suivant certaines formalités: *Le directeur a été transféré au bureau de Montréal.* **2.** Faire passer une somme d'un compte à un autre: *Ces capitaux ont été transférés dans un compte en Suisse.* ☞ transfert.

transfert n.m. **1.** Transport, déplacement d'un lieu à un autre: *Le transfert du prisonnier aura lieu demain matin.* **2.** Changement de club sportif pour un joueur professionnel: *Le transfert de ce joueur de hockey a mécontenté ses admirateurs.* ☞ transférer.

transfiguration n.f. Changement de l'expression du visage qui revêt un aspect éclatant, inhabituel: *L'amour a provoqué chez ces adolescents une vraie transfiguration.* ☞ transfigurer.

transfigurer v. Donner à l'expression du visage un aspect éclatant, inhabituel: *La naissance de l'enfant a transfiguré le jeune couple.* SYN. embellir. ☞ transfiguration.

transformable adj. Qui peut être transformé, prendre une autre forme: *Ce divan est transformable en un lit deux places.* ☞ transformer.

transformateur n.m. Appareil qui sert à modifier la tension, l'intensité d'un courant électrique: *Le feu a éclaté dans un transformateur au moment de l'orage.* ☞ transformer.

transformation n.f. **1.** Action de transformer, de donner un autre aspect, une autre forme; opération qui permet de transformer: *Dans cette usine, on effectue la transformation du minerai de fer en acier.* ANT. maintien. **2.** Changement, passage d'une forme à une autre: *J'ai eu la chance de pouvoir observer la transformation de la chrysalide en papillon.* **3.** Aménagement, modification: *On a fait des transformations dans notre sous-sol.* ☞ transformer.

transformer v. **1.** Donner un autre aspect, une autre forme: *Ce revêtement extérieur en aluminium transforme la maison.* SYN. changer, modifier. ANT. maintenir. **2.** Faire prendre un certain aspect, une certaine forme: *On a longtemps rêvé de découvrir une substance qui permettrait de transformer tous les métaux en or.* SYN. changer, métamorphoser. ☞ transformable, transformateur, transformation. se **transformer** v.pron. **1.** Devenir différent en prenant un certain aspect, une certaine forme, une certaine nature: *L'amitié se trans-*

forme parfois en amour profond et durable. SYN. changer, évoluer. **2.** Changer de forme, d'aspect : *Au printemps, la nature s'éveille et se transforme.* SYN. se métamorphoser.

transfuser v. Faire passer le sang d'une personne dans le corps d'une autre : *On a dû lui transfuser du sang à cause d'une hémorragie.* ☞ transfusion. **transfusé, ée** p.p. et adj. Qu'on a fait passer dans le corps d'une autre personne, en parlant du sang : *Le sang transfusé lui a sauvé la vie.*

transfusion n.f. Injection de sang humain qui va de la veine d'une personne qui le donne à une personne qui le reçoit, ou par goutte à goutte de sang prélevé à l'avance : *On fait rarement des transfusions de bras à bras ; on utilise du sang mis en réserve.* ☞ transfuser.

transgresser v. Désobéir, contrevenir à une loi, à un ordre, à une règle : *Les personnes qui transgressent les lois s'exposent à des sanctions.* SYN. violer. ANT. obéir, observer, respecter. ☞ transgression.

transgression n.f. Action de transgresser, de ne pas respecter une loi, un ordre, une règle : *La transgression du code grammatical est fréquente en poésie.* SYN. violation. ANT. obéissance, respect. ☞ transgresser.

transi, ie adj. Qui est engourdi, transpercé par le froid ou paralysé par une émotion vive : *Nous sommes revenues transies de notre journée de pêche sur glace.* **R.** Le *s* se prononce *z*.

transiger v. Céder, faire des concessions : *Les élèves doivent remettre leurs devoirs au moment prévu ; l'instituteur ne transige pas sur ce point.* ANT. s'entêter. **R.** Le *s* se prononce *z*. ☞ intransigeance, intransigeant, transaction.

transistor n.m. **1.** Dispositif électronique utilisé pour modifier ou interrompre des courants électriques : *Nous avons dû faire remplacer quelques transistors sur notre téléviseur.* **2.** Poste de radio portatif : *Partout où elle va, Martine apporte son transistor.* **R.** Les lettres *sis* se prononcent *ziss*.

transit n.m. **1.** Situation du voyageur qui fait une escale sans franchir les postes de douane : *Les voyageurs sont restés plusieurs heures en transit.* **2.** Situation d'une marchandise qui ne fait que passer par un lieu et qui ne paye pas de droits de douane : *Les marchandises sont restées une semaine dans ce port de transit.* **R.** Les lettres *sit* se prononcent *zitt*. ☞ transiter.

transiter v. **1.** Faire passer en transit, en parlant d'une marchandise : *Les marchandises transitent par Montréal avant d'être livrées aux États-Unis.* **2.** Être en transit dans un lieu : *Les voyageurs ont transité par Toronto.* **R.** Le *s* se prononce *z*. ☞ transit.

transitif, ive adj. Qui a, qui peut avoir, un complément d'objet direct ou indirect, en parlant d'un verbe : *« Raconter » est un verbe transitif parce que son complément répond à la question « quoi ».* ANT. intransitif. **R.** Le *s* se prononce *z*. ☞ intransitif.

transition n.f. **1.** Manière de lier les idées, les parties, dans un discours, dans un texte : *Par une transition très habile, la conférencière est passée de la question des pluies acides à celle de l'inflation.* **2.** Passage graduel d'un état à un autre : *Le comédien passait du rire aux larmes sans transition.* **3.** État intermédiaire : *L'adolescence est une transition entre l'enfance et l'âge adulte.* **R.** Le *s* se prononce *z*. ☞ transitoire.

transitoire adj. **1.** Qui est provisoire : *La situation que j'occupe est transitoire.* SYN. temporaire. ANT. durable, permanent. **2.** Qui est passager, qui ne dure pas : *La chrysalide est un stade transitoire entre la chenille et le papillon.* ANT. durable, permanent. **R.** Le *s* se prononce *z*. ☞ transition.

translation n.f. Mouvement, déplacement d'un corps, d'une figure où les positions d'une même droite restent parallèles : *Nous aborderons maintenant l'étude de la translation des figures géométriques.*

translation

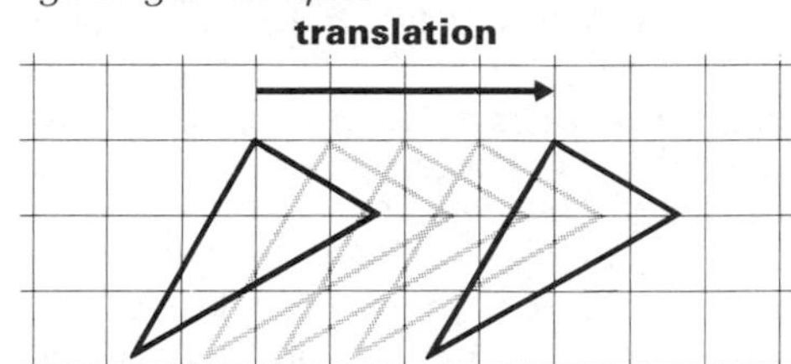

translucide adj. Qui laisse passer la lumière sans permettre de distinguer les objets : *Les vitres des salles de bains sont habituellement translucides.* SYN. diaphane. ANT. opaque.

transmetteur n.m. Appareil utilisé pour transmettre des signaux : *Le transmetteur a fonctionné sans arrêt toute la journée.* ☞ transmettre.

transmettre v. **1.** Faire passer d'une personne à une autre par voie légale : *Le directeur démissionnaire transmet ses pouvoirs à sa remplaçante.* SYN. déléguer, léguer. ANT. garder. **2.** Laisser à ses descendants : *C'est une tradition qu'on transmet de père en fils depuis des siècles.* SYN. léguer. ANT. hériter. **3.** Faire parvenir, communiquer : *On m'a transmis ton* *message.* **4.** Conduire, propager: *La plupart des métaux transmettent la chaleur.* **5.** Faire passer un germe, une maladie, d'un organisme à un autre: *Certains insectes peuvent transmettre des microbes.* ☞ intransmissible, retransmettre, retransmission, transmetteur, transmissible, transmission. se **transmettre** v.pron. Se propager, passer d'un endroit à un autre: *Certaines maladies se transmettent sexuellement.* **transmis, ise** p.p. et adj. Qui est laissé à ses descendants: *Ce procédé transmis de génération en génération est encore utilisé.*

transmissible adj. Qui peut être transmis, qu'on peut faire passer d'une personne à une autre: *De nombreux caractères biologiques sont transmissibles d'une génération à l'autre.* ANT. intransmissible. ⁄⁄ *Maladie transmissible:* Maladie contagieuse. ☞ transmettre.

transmission n.f. **1.** Action de transmettre, de faire passer d'une personne à une autre: *L'ensemble des députés étaient présents lors de la transmission des pouvoirs.* **2.** Action de communiquer, de faire connaître: *Je me charge de la transmission de ton message.* **3.** Communication du mouvement entre divers organes: *Il faut remplacer cette courroie de transmission.* **4.** Organe d'un véhicule automobile qui sert à communiquer la puissance du moteur aux roues motrices: *J'ai acheté une voiture à transmission automatique.* **5.** plur. Ensemble des moyens mis en œuvre pour transmettre des informations, assurer des liaisons: *Cette militaire travaille dans le service des transmissions.* ⁄⁄ *Transmission de pensée:* Télépathie. ☞ transmettre.

transparaître v. **1.** Paraître au travers de quelque chose: *Son extrême paleur transparaît au travers de son fard.* SYN. apparaître, paraître. **2.** fig. Se montrer, être visible: *Son ennui transparaît dans son attitude.* SYN. apparaître. **R.** Ne pas oublier l'accent devant le *t*: *î.* ☞ transparent.

transparence n.f. Qualité d'un corps qui laisse passer la lumière et qui permet de distinguer nettement les objets qui sont derrière: *La transparence de l'eau de ce ruisseau permet de voir les poissons.* SYN. limpidité. ANT. opacité. ☞ transparent.

transparent, ente adj. **1.** Qui laisse passer la lumière et permet de voir nettement les objets qui sont derrière: *J'ai calqué ce dessin à l'aide d'un papier transparent.* SYN. limpide. ANT. opaque, trouble. **2.** Qui se laisse pénétrer, qui laisse voir ses sentiments: *C'est une personne si transparente qu'on peut lire dans sa pensée.* ☞ transparaître, transparence.

transpercer v. **1.** Percer complètement: *Une balle lui a transpercé le poumon.* **2.** Traverser, passer au travers de quelque chose: *La pluie a transpercé tous mes vêtements.* **3.** fig. Faire souffrir: *Votre indifférence me transperce le cœur.* **R.** Ne pas oublier la cédille devant *a* et *o*.

transpiration n.f. **1.** Évacuation de la sueur par les pores de la peau: *La chaleur et l'effort causent souvent la transpiration.* **2.** Sueur: *Son gilet était humide de transpiration.* ⁄⁄ *Être en transpiration:* Être couvert de sueur. ☞ transpirer.

transpirer v. **1.** Éliminer de la sueur par les pores de la peau: *Cette chaleur torride nous fait transpirer à grosses gouttes.* SYN. suer. **2.** fig. Finir par être connu: *Notre projet d'évasion a transpiré.* ☞ transpiration.

transplantation n.f. **1.** Action de sortir de terre une plante, un arbre, pour replanter ailleurs: *Pour donner un meilleur résultat, la transplantation doit se faire par une journée sombre.* **2.** Opération médicale qui consiste à greffer un organe provenant d'un donneur sur une autre personne: *Cette transplantation cardiaque est une réussite.* **3.** fig. Déplacement de personnes, d'animaux, d'un lieu à un autre: *Chez certaines espèces animales, la transplantation nuit parfois à la reproduction.* ☞ transplanter.

transplanter v. **1.** Sortir de terre pour planter dans un autre endroit: *Cette jardinière transplante les plants de tomates dans un sillon peu profond.* SYN. repiquer, replanter. **2.** Greffer un organe: *On vient de lui transplanter un rein.* **3.** fig. Faire passer dans un autre pays, dans un autre lieu: *Ces oiseaux qu'on a transplantés s'adaptent bien.* ☞ transplantation. se **transplanter** v.pron. S'en aller dans un autre pays, dans un autre lieu: *Cette famille d'origine rurale s'est transplantée à la ville.* **transplanté, ée** p.p. et adj. **1.** Qui a été greffé, en parlant d'un organe: *Le cœur transplanté fonctionne normalement.* **2.** Qui est passé d'un pays, d'un lieu à un autre: *Cette coutume transplantée se transmet de génération en génération.*

transport n.m.litt. Sentiment vif: *L'entrée sur scène de l'artiste fut saluée avec des transports d'enthousiasme.* SYN. élan, emportement. ANT. apathie, indifférence. ☞ transporter. ▲ **transport** n.m. **1.** Fait ou manière de déplacer, de porter d'un lieu dans un autre, sur une distance assez longue: *Le transport de cette marchandise s'est fait par train.* **2.** plur. Ensemble des divers moyens de déplacement des personnes et des marchandises: *La ministre des Transports vient de soumettre un* *projet de loi portant sur les mesures de sécurité des transports aériens.* ⁄⁄ *Transports en commun:* Déplacement des voyageurs dans des véhicules publics. ☞ transporter.

transportable adj. Qu'il est possible de transporter: *Ce malade est transportable en ambulance seulement.* ANT. intransportable. ☞ transporter.

transporter v.litt. Agiter vivement: *Son succès inattendu l'a transportée de joie.* SYN. enthousiasmer, ravir. ANT. ennuyer, refroidir. ☞ transport. ▲ **transporter** v. **1.** Porter d'un lieu à un autre: *Ce camion transporte des matières explosives.* **2.** Conduire, porter en imagination: *Les images me transportaient dans la jungle tropicale.* ☞ intransportable, transport, transportable, transporteur. **se transporter** v.pron. Aller soi-même à un endroit: *Les policiers se sont transportés sur les lieux du crime.* **transporté, ée** p.p. et adj. Qui a été porté d'un lieu à un autre: *Les marchandises transportées par avion sont arrivées à temps.*

transporteur n.m. **1.** Personne qui assure le déplacement de personnes ou de choses par un contrat de transport; entrepreneur de transports: *J'ai confié les caisses à ce transporteur routier.* **2.** Appareil destiné à transporter des marchandises d'un point à un autre: *On a placé les bagages sur un transporteur automatique.* ☞ transporter.

transposer v. **1.** Changer l'ordre, mettre une chose à une place autre que celle qu'elle occupe: *Pour obtenir la phrase exacte, vous devez transposer les mots.* SYN. intervertir. **2.** Modifier la forme ou le contenu en passant dans un autre domaine: *On a transposé ce roman d'aventures dans un film.* ☞ transposition. ▲ **transposer** v. Faire passer, interpréter une pièce musicale dans un autre ton: *Il a fallu transposer cette chanson pour que tous les enfants puissent chanter.* ☞ transposition.

transposition n.f. **1.** Déplacement dans l'ordre des lettres d'un mot, ou dans l'ordre des mots d'une phrase: *La transposition des lettres de certains mots crée des anagrammes: par exemple, ravi et vrai.* **2.** Fait de faire passer dans un autre domaine: *La transposition de la réalité dans ce roman lui donne plus de vraisemblance.* **3.** Fait de modifier le ton d'une pièce musicale; pièce qui a été transposée: *Cette transposition pour ténor n'altère pas la qualité de l'œuvre.* ☞ transposer.

transsexuel, elle n. et adj. **1.** n. Personne qui éprouve le sentiment intense d'appartenir au sexe opposé et qui désire changer de sexe: *L'histoire de cette transsexuelle est très émouvante.* **2.** adj. Qui a le sentiment intense d'appartenir au sexe opposé et qui désire changer de sexe: *Les personnes transsexuelles ont formé une association où elles se retrouvent pour discuter.* ☞ sexe.

transvaser v. Verser d'un récipient à un autre: *Je transvase le jus de ce contenant métallique dans une bouteille en verre.* SYN. transvider.

transversal, ale, aux adj. Qui traverse, qui coupe perpendiculairement: *La voiture s'est engagée sur une transversale.*

transvider v. Faire passer dans un autre récipient: *J'ai transvidé la farine du sac à la boîte.* SYN. transvaser.

trapèze n.m. Figure géométrique à quatre côtés dont deux sont parallèles et inégaux: *J'ai appris à calculer l'aire d'un trapèze.* ⁄⁄ *Trapèze isocèle:* Trapèze dont les deux côtés non parallèles sont égaux. ▲ **trapèze** n.m. Ensemble de gymnastique acrobatique composé d'une barre horizontale suspendue à ses extrémités par deux cordes: *Ces exercices au trapèze sont stupéfiants.* ⁄⁄ *Trapèze volant:* Exercice où l'on saute d'un trapèze à l'autre en se balançant. ☞ trapéziste.

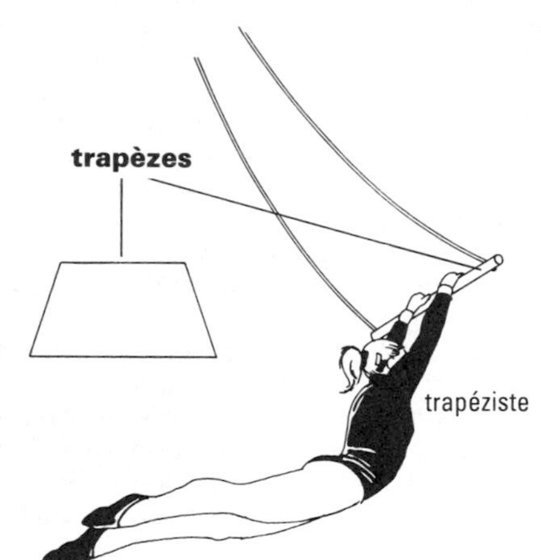

trapéziste n. Personne qui fait des acrobaties au trapèze. *Au cirque, j'ai pu admirer une trapéziste d'une agilité incroyable.* ☞ trapèze.

trapèze trapéziste

trappe n.f. **1.** Ouverture dans un plancher munie d'un panneau que l'on peut ouvrir ou fermer et par laquelle on se rend à la cave ou au grenier: *Nos maisons modernes ne possèdent pas de trappe.* **2.** Piège formé d'un trou recouvert de branchages ou d'une bascule, qui fonctionne quand l'animal marche dessus: *L'ours pris dans la trappe grognait et s'agitait.* ☞ trappeur.

trappeur n.m. Personne qui chasse les animaux à fourrure, au nord des États-Unis et au Canada: *Les trappeurs font le commerce de la fourrure.* **R.** L'O.L.F. recommande *trappeuse* comme féminin de *trappeur.* ☞ trappe.

trapu, ue adj. Qui est petit et large, qui donne souvent une impression de robustesse: *Cet homme trapu possède une force peu commune.* ANT. élancé.

traquenard n.m. **1.** Piège pour prendre les animaux nuisibles: *Un rat était pris au traquenard.* **2.** fig. Piège tendu à quelqu'un ou difficulté qui se présente comme un piège: *Le monde des affaires est rempli de traquenards.*

traquer v. **1.** Poursuivre, pousser le gibier vers un point précis: *Le chevreuil qu'on avait traqué était coincé au bord d'un ravin.* **2.** Poursuivre quelqu'un, serrer de près: *Toute cette organisation avait pour but de traquer ces quelques trafiquantes.* SYN. harceler, pourchasser. **traqué, ée** p.p. et adj. **1.** Qui a été rabattu vers un point précis, en parlant du gibier: *La bête traquée jetait autour d'elle des regards affolés.* **2.** Qui est poursuivi: *L'actrice traquée par les journalistes s'est barricadée chez elle.*

traumatiser v. Causer un traumatisme, un choc violent: *Cet accident l'a traumatisée.* ☞ traumatisme.

traumatisme n.m. **1.** Ensemble de troubles provoqués dans l'organisme par un coup, une blessure: *Un coup violent sur la tête peut entraîner un traumatisme crânien.* **2.** Dérangement, trouble causé par une émotion vive; choc très violent causé par une émotion: *Le divorce des parents peut parfois être un traumatisme pour les enfants.* ☞ traumatiser.

travail, aux n.m. **1.** Activité manuelle ou intellectuelle exécutée dans le but de parvenir à un résultat: *Ce travail intellectuel m'épuise.* **2.** Façon de travailler un matériau en particulier: *Le travail du bois demande plus que de l'habileté manuelle.* **3.** Ensemble des activités menées dans le domaine intellectuel: *Cette recherche médicale a exigé beaucoup de travail.* **4.** Activité qui procure un revenu: *Ce travail est bien rémunéré.* SYN. emploi, gagne-pain. ANT. chômage, loisir, vacances. **5.** Façon dont une activité a été exécutée: *Cette correctrice accomplit un travail soigné.* **6.** Opérations qui exigent des efforts physiques et l'utilisation d'un équipement particulier: *Dans une maison, il y a toujours des travaux ménagers à faire.* **7.** Activités nécessaires à l'entretien général d'une ville, d'un pont, d'une route: *Les travaux publics coûtent très cher.* // *C'est du travail d'amateur:* C'est du travail non soigné, mal fait. *Se mettre au travail:* Commencer à travailler. *Travail à mi-temps, à plein temps:* Travail dont la longueur équivaut à la moitié de la durée normale du travail; travail qui correspond à une semaine normale de travail. *Travail au noir:* Travail fait illégalement. *Travail de longue haleine:* Travail qui demande beaucoup de temps. *Travaux forcés:* Gros travaux exécutés auparavant par des prisonniers dans un bagne. ☞ retravailler, travailler, travailleur. ▲ **travail, aux** n.m. Action progressive qui résulte d'un élément, d'un phénomène naturel: *C'est le travail de l'érosion qui a fait éclater ces roches.* ☞ travailler.

travailler v. **1.** Exercer une activité, effectuer un travail: *Ma maquette va être superbe; j'y travaille depuis tellement longtemps.* **2.** Exercer une activité professionnelle: *Gilles travaille pour une compagnie d'assurances.* **3.** Façonner, modeler un matériau: *La cultivatrice travaille la terre pour qu'elle produise.* **4.** Soumettre quelque chose à un travail intellectuel en vue de l'améliorer: *L'auteure travaillait son texte pour le rendre plus limpide.* SYN. fignoler. **5.** Chercher, par la pratique, l'étude, à acquérir des connaissances ou à se perfectionner: *Il travaille sans relâche ce morceau de violon.* **6.** Agir: *Ce délai travaille contre moi.* ☞ travail. ▲ **travailler** v. Préoccuper, causer du souci: *L'examen que j'aurai demain me travaille tellement que j'ai du mal à m'endormir.* SYN. tourmenter, tracasser. ▲ **travailler** v. Se déformer sous l'effet d'une force: *Les planchers de la maison ont travaillé, ils craquent, ils gondolent.* ☞ travail.

travailleur, euse n. et adj. **1.** n. Personne qui travaille, qui exerce une profession: *Les travailleurs de cette usine sont syndiqués.* SYN. ouvrier, salarié. ANT. chômeur. **2.** adj. Qui se sent bien dans le travail, qui aime le travail: *Cet étudiant travailleur réussira ses examens.* SYN. acharné, appliqué, studieux. ANT. nonchalant, oisif, paresseux. ☞ travail.

travée n.f. Espace compris entre deux points d'appui dans un ouvrage de construction: *La travée centrale de ce pont s'est usée avec le temps.*

travers n.m. Défaut minime qui fait qu'on ne réagit pas toujours de la bonne manière: *À part quelques travers, c'est un voisin charmant.* SYN. imperfection. ANT. qualité. **à tort et à travers** loc.adv. Sans raison, sans réfléchir: *Arrête de parler à tort et à travers.* **à travers** loc.prép. En traversant, de part en part d'un lieu ou d'une surface: *Pour se rendre chez Zoé, elle a marché à travers bois.* **au travers de** loc.prép. En passant d'un bout à l'autre, de part en part: *Ne t'en fais pas, tu passeras bien au travers de ce problème.* **de travers** loc.adv. **1.** Dans une position oblique, qui n'est pas droite: *Sa cravate est tout de travers.* **2.** fig. Avec malveillance: *À chaque fois que je te rencontre, tu me regardes de travers.* **en travers** loc.adv. Dans le sens de la largeur, d'un côté à l'autre: *Alex s'est endormi en travers de mon lit.*

traversable adj. Qui peut être traversé, où il est possible de passer d'un bord à l'autre: *Cette rivière est traversable en chaloupe.* ☞ traverser.

traverse n.f. Pièces de bois ou de fer placées en travers de la voie ferrée: *Les traverses brisées sur la voie ferrée ont été remplacées.* ⁄⁄ *Chemin de traverse:* Chemin plus court, raccourci.

traversée n.f. Opération qui consiste à traverser d'un bout à l'autre un lieu, un espace: *Nous avons fait la traversée de l'Atlantique en bateau.* HOM. traverser. ☞ traverser.

traverser v. **1.** Passer d'un bord à l'autre: *Regarde de chaque côté avant de traverser la rue.* SYN. franchir. **2.** S'ouvrir un chemin à travers un rassemblement de personnes: *J'ai dû traverser la foule pour te rejoindre.* **3.** S'allonger au travers de quelque chose: *La route traversait la forêt.* **4.** Passer à travers, d'un bout à l'autre d'un espace de temps: *Les pyramides d'Égypte ont traversé les siècles.* **5.** Passer à travers quelque chose, de part en part: *L'encre du crayon feutre a traversé la feuille et a taché le pupitre.* **6.** Passer par une situation, vivre une période: *Maude a traversé bien des épreuves mais elle s'en est toujours sortie.* HOM. traversée. ⁄⁄ *Traverser l'esprit:* Passer rapidement à l'esprit. ☞ retraverser, traversable, traversée, traversier (n.).

traversier n.m. Au Canada, navire qui transporte des passagers, des véhicules, d'une rive à l'autre d'un cours d'eau: *De Québec, j'ai pris le traversier pour aller à Lévis.* SYN. bac. ☞ traverser.

traversier, ière adj. Qui est en travers: *Cette route traversière m'évite un détour.* ⁄⁄ *Flûte traversière:* Instrument à vent de la famille des bois, qu'on appelle ainsi car on la tient en travers.

traversin n.m. Coussin long et en forme de cylindre qui tient toute la largeur à la tête du lit: *Nicole a un traversin à la tête de son lit.*

travesti n.m. **1.** Acteur qui joue un rôle féminin: *Dans cette comédie, les travestis m'ont fait rire aux larmes.* **2.** Homosexuel fardé comme une femme: *Ce travesti ressemble à une femme à s'y méprendre.* ☞ se travestir. ▲ **travesti** n.m. Déguisement en un personnage: *Sous son travesti, Alice était méconnaissable.* ☞ se travestir.

travesti, ie adj. Qui est déguisé, costumé: *Les invités travestis ont participé à un concours pour déterminer le plus beau costume.* ☞ se travestir.

se **travestir** v.pron. (it.) Se déguiser: *Elles se sont travesties pour le bal costumé.* ☞ travesti, travestissement.

travestissement n.m. Manière de se travestir, de se déguiser: *Le travestissement de Kevin est très drôle.* SYN. déguisement. ☞ se travestir.

trayeuse n.f. Appareil servant à traire les vaches: *La trayeuse est très utilisée de nos jours par les producteurs de lait.* ☞ traire.

trayon n.m. Mamelon d'une vache, d'une chèvre: *La vache a quatre trayons.* ☞ traire.

trébuchant, ante adj. Qui trébuche, chancelle, hésite: *Cette personne a une démarche trébuchante.* ☞ trébucher.

trébucher v. **1.** Faire un faux pas, perdre l'équilibre en heurtant quelque chose: *J'ai trébuché dans l'escalier.* **2.** fig. Rencontrer une difficulté, hésiter: *En lisant l'adresse à ses parents, Denise a trébuché sur quelques mots.* ☞ trébuchant.

trèfle n.m. Plante fourragère aux feuilles composées de trois éléments: *Charles s'amuse à chercher un trèfle à quatre feuilles.* ▲ **trèfle** n.m. Série marquée par un trèfle noir, dans un jeu de cartes: *Je joue le roi de trèfle et je gagne!*

treillage n.m. Assemblage de lattes entrecroisées pour former une clôture ou un support pour la vigne grimpante: *Mon voisin s'est fait un treillage à l'arrière de sa maison.*

treillis n.m. Entrecroisement de lattes en bois ou en métal qui sert de clôture: *Brigitte pose une clôture en treillis autour de son terrain.* ▲ **treillis** n.m. **1.** Toile résistante: *J'ai acheté un pantalon de treillis.* **2.** Vêtement militaire pour l'exercice ou le combat: *Vite soldat, mettez votre treillis!*

treize n.m.invar. **1.** Nombre qui suit douze: *Douze plus un égalent treize.* **2.** Treizième jour du mois: *Notre prochaine rencontre sera le treize.*

treize adj.num.invar. **1.** Dix plus trois: *Nicole a treize ans.* **2.** Treizième: *Lisez la page treize.* ☞ treizième.

treizième n. et adj.num. **1.** n. Personne, animal ou chose qui occupe le treizième rang: *Elle est la treizième à se présenter.* **2.** n. Partie d'un tout divisé en treize parties égales: *Un treizième de trente-neuf est trois.* **3.** adj.num. Qui vient après le douzième: *Cette chanson est au treizième rang du palmarès.* **R.** Lorsqu'il s'agit de la partie d'un tout, le nom est masculin. ☞ treize.

tréma n.m. Signe formé de deux points que l'on met sur les voyelles «e», «i», «u», pour indiquer de prononcer séparément la voyelle qui précède: *N'oublie pas le tréma sur le mot «Noël»!*

tremblant, ante adj. **1.** Qui tremble, grelotte: *La marche sous la pluie l'a rendue tremblante.* SYN. transi, tremblotant. **2.** Qui manque de solidité: *Je refuse de monter cet échafaudage tremblant.* ☞ trembler. ▲ **tremblant, ante** adj. Qui a peur: *Tremblant, il n'osait pas s'avancer au bord du précipice.* ☞ trembler.

tremble n.m. Peuplier dont les feuilles tremblent, s'agitent au moindre vent: *On se sert du tremble pour faire de la pâte à papier.*

tremblement n.m. **1.** Secousses qui agitent une chose: *Le tremblement des vitres de la maison est provoqué par les vibrations d'un marteau-piqueur.* ANT. immobilité **2.** Agitation involontaire du corps: *De légers tremblements agitaient ses mains.* ⁄⁄ *Tremblement de terre:* Secousse terrestre. ☞ trembler.

trembler v. **1.** Être agité par une suite de petits mouvements involontaires: *En voyant ce feu dans la nuit, j'ai tremblé de peur.* SYN. frissonner, grelotter. **2.** Vibrer faiblement: *Le feuillage tremble sous l'action du vent.* SYN. remuer, trembloter. **3.** Être ébranlé: *Le séisme a fait trembler la maison.* **4.** Ressentir une forte émotion: *Elle tremble à l'idée de traverser ce gouffre sur un simple pont de cordes.* SYN. frémir. ⁄⁄ *Trembler comme une feuille:* Trembler beaucoup. ☞ tremblant, tremblement, tremblotant, tremblote, trembloter.

tremblotant, ante adj. Qui tremble légèrement: *Sa voix est devenue tremblotante.* SYN. tremblant. ANT. assuré, ferme. ☞ trembler.

tremblote n.f.fam. Tremblement causé par le froid, la fièvre, la peur: *Le froid me donnait la tremblote.* ⁄⁄ *Avoir la tremblote:* Avoir froid ou peur. ☞ trembler.

trembloter v. Trembler un peu, légèrement: *Sous le coup de l'émotion, sa voix tremblotait.* ☞ trembler.

tremolo n.m. (it.) Tremblement dans la voix, causé par une grande émotion: *Il exprimait son désarroi avec des tremolos dans la voix.* ▲ **tremolo** n.m. (it.) Répétition rapprochée et rapide d'un son sur un instrument à cordes: *La violoniste produisait des tremolos langoureux avec son instrument.* **R.** Aussi, *trémolo*. Le *e* se prononce *é*.

trémoussement n.m. Tortillement: *Ses trémoussements d'impatience exprimaient sa nervosité.* ☞ se trémousser.

se **trémousser** v.pron. Remuer son corps en tous sens, s'agiter: *En attendant le passage de la parade, les enfants se trémoussent sur le trottoir.* SYN. gigoter, se tortiller. ANT. se reposer. ☞ trémoussement.

trempage n.m. Action de tremper une chose dans un liquide: *Le trempage des bas tachés permet un meilleur lavage.* ☞ tremper.

trempe n.f. Qualité obtenue par un métal qui a été immergé dans un bain froid: *Lucie a acheté une arme de bonne trempe.* ☞ tremper. ▲ **trempe** n.f. Caractère, force devant les épreuves: *Une femme de sa trempe ne se décourage jamais.* SYN. résistance, valeur. ANT. faiblesse.

tremper v. **1.** Mouiller, plonger dans un liquide: *La pluie a trempé mon manteau.* SYN. imbiber, imprégner. ANT. sécher. **2.** Rester plongé dans un liquide quelque temps: *Rémi a fait tremper son jean avant de le laver.* **3.** fig. Être complice dans une affaire malhonnête: *Elle a trempé dans ce crime.* SYN. participer. ☞ retremper, trempage, trempette. ▲ **tremper** v. Plonger un métal dans un bain froid: *L'ouvrier a trempé l'acier.* ☞ trempage, trempe. se **tremper** v.pron. Se mouiller: *On s'est à peine trempé car il faisait trop froid.*

trempette n.f. Opération qui consiste à plonger du pain, des légumes, des fruits dans une sauce préparée, avant de les manger: *J'aime commencer un repas par une trempette.* ☞ tremper.

tremplin n.m. **1.** Planche élastique sur laquelle une personne prend un élan pour sauter: *La plongeuse s'élance du tremplin le plus haut.* **2.** fig. Moyen qui facilite l'atteinte d'un objectif: *Votre aide a été un véritable tremplin pour mon entreprise.*

trentaine n.f. Groupe de trente unités ou quantité voisine de trente: *Cet homme a une trentaine d'années.* ☞ trente.

trente n.m.invar. **1.** Nombre qui suit vingt-neuf: *Vingt plus dix égalent trente.* **2.** Trentième jour du mois: *Rendez-vous à la gare le trente.*

trente adj.num.invar. **1.** Trois fois dix: *À la réunion familiale, on était trente personnes.* **2.** Trentième: *J'ai bien répondu jusqu'au numéro trente, mais après j'ai fait quelques erreurs.* ☞ trentaine, trentième.

trentième n. et adj.num. **1.** n. Personne, animal ou chose qui occupe le trentième rang: *Vanessa est la trentième sur la liste.* **2.** n. Partie d'un tout divisé en trente parties égales: *Un trentième de soixante est deux.* **3.** adj.num. Qui vient après le vingt-neuvième: *Ce coureur est le trentième participant.* **R.** Lorsqu'il s'agit de la partie d'un tout, le nom est masculin. ☞ trente.

trépas n.m.litt. Mot employé pour désigner la mort: *Son trépas attrista tous ses proches.* SYN. décès. ANT. naissance. ⫽ *Passer de vie à trépas:* Mourir. ☞ trépasser.

trépasser v. Mourir: *Le vieil homme attendit l'hiver pour trépasser.* SYN. décéder. ☞ trépas.

trépidant, ante adj. **1.** Qui est agité par des tremblements saccadés: *Cette voiture trépidante a besoin de réparations.* **2.** fig. Qui est occupé, agité parce que très pressé: *Cette jeune femme de carrière mène une vie trépidante.* ANT. calme. ☞ trépider.

trépidation n.f. **1.** Agitation continue et saccadée: *La trépidation du train me donne mal au cœur.* SYN. oscillation, vibration. **2.** fig. Animation, agitation: *La trépidation des villes ne plaît pas à tous.* ANT. calme, quiétude, tranquillité. ☞ trépider.

trépider v. Être agité de petites secousses, de tremblements saccadés: *Le plancher trépide au passage du train.* ☞ trépidant, trépidation.

trépied n.m. **1.** Support à trois pieds: *Papa a oublié d'apporter le trépied de son appareil photo.* **2.** Meuble à trois pieds: *On a déposé un pot de fleurs sur le trépied en rotin.*

trépignement n.m. Mouvement qui consiste à frapper les pieds contre le sol sous le coup d'une émotion: *Avec un trépignement d'impatience, elle me dit qu'elle en avait assez d'attendre.* ☞ trépigner.

trépigner v. Frapper vivement les pieds contre le sol sous le coup d'une émotion: *Gaétan trépignait de joie après avoir gagné le concours.* ☞ trépignement.

très adv. Extrêmement: *Anabelle est très riche.* ANT. pas, peu. HOM. trait.

trésor n.m. **1.** Ensemble d'objets précieux qu'on conserve soigneusement une fois amassés: *On a trouvé un coffre contenant un trésor caché sous le plancher.* **2.** Ensemble d'objets de grande valeur comme les peintures et les sculptures: *Pierre n'a pas terminé de découvrir tous les trésors de la France.* **3.** Mot d'affection: *Allez, mon trésor, va mettre ton pyjama.* ▲ **Trésor** n.m. L'État, dans l'exercice de ses compétences financières: *Le Trésor public n'est pas d'accord avec cet arrangement.* ⫽ *Bons du Trésor:* Emprunts à court terme émis par le Trésor. **R.** S'écrit avec une majuscule dans ce sens. ☞ trésorerie, trésorier.

trésorerie n.f. **1.** Administration des finances publiques: *Le ministre Drouin est en charge de la trésorerie de l'État.* **2.** Ressources, fonds, capitaux dont dispose une entreprise pour bien fonctionner: *Cette entreprise a des difficultés de trésorerie.* ☞ Trésor.

trésorier, ière n. Personne qui s'occupe de gérer les finances d'une entreprise, d'un organisme: *Ève est trésorière de son club de golf.* ☞ Trésor.

tressage n.m. Action de tresser, d'entrelacer des brins pour en faire une tresse: *Le tressage de la paille n'a plus de secret pour ma grand-mère.* SYN. nattage. ☞ tresse.

tressaillement n.m. Secousse des muscles du corps qui se produit sous l'effet d'une émotion forte: *Dès qu'elle apprit la nouvelle, un tressaillement parcourut son corps.* SYN. frémissement, frisson, tremblement. ☞ tressaillir.

tressaillir v. Sursauter, avoir un mouvement brusque et involontaire: *Olivier tressaillit de joie en voyant son chien sain et sauf.* SYN. frémir. ☞ tressaillement.

tresse n.f. **1.** Assemblage de trois longues mèches de cheveux entrelacées: *J'ai fait une tresse française à Claudine.* SYN. natte. **2.** Cordon obtenu par entrelacement de brins de fils: *Chaque automne, j'achète une tresse d'ails.* ☞ tressage, tresser.

tresser v. **1.** Entrelacer des brins, des fils, des cheveux pour en faire une tresse: *J'aime tresser les cheveux de Vanessa.* SYN. natter. **2.** Confectionner un objet en entrelaçant des fils, des brins: *Guillaume a tressé une couronne de fleurs.* ☞ tresse.

tréteau, eaux n.m. Support de bois à quatre pieds: *La table repose sur des tréteaux de bois.*

treuil n.m. Appareil composé d'un cylindre horizontal, autour duquel s'enroule une grosse corde qui permet de lever des fardeaux: *Il faut réparer le treuil de la grue.* (*Voir l'illustration à la page suivante.*)

trêve n.f. **1.** Arrêt temporaire des combats après entente entre les partis: *Pour le jour de Noël, ces deux pays en guerre ont accepté de faire la trêve.* SYN. cessation, interruption, suspension. ANT. continuité, prolongement. **2.** fig. Répit au cours d'une situation pénible, dangereuse: *Je suis fatigué de nos querelles; si tu veux, Robert, accordons-nous une trêve!* **R.** Ne pas oublier l'accent: *ê*. **sans trêve** loc.adv. Sans arrêt, sans répit: *Sans trêve, je continuais à débattre mon point de vue.* **trêve de** loc.prép. Assez de: *Trêve de rêves, il faut maintenant passer à l'action!*

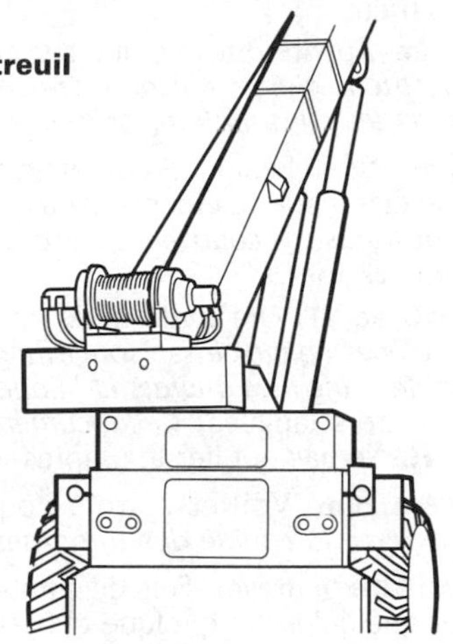

tri n.m. Opération qui consiste à trier, à choisir certains éléments parmi d'autres: *À l'épicerie, Anne fait le tri des plus beaux citrons.* SYN. choix, triage. ANT. mélange. ☞ trier.

triage n.m. Opération qui consiste à choisir dans un ensemble ou à répartir les objets de l'ensemble: *Mon père fait le triage du linge à laver.* SYN. choix, tri. ANT. mélange. ⁄⁄ *Gare de triage:* Gare qui sépare et regroupe des wagons pour former des convois. ☞ trier.

triangle n.m. Figure géométrique qui a trois côtés et trois angles: *Le triangle isocèle a deux côtés égaux.* ⁄⁄ *Triangle équilatéral:* Triangle qui a trois côtés égaux. *Triangle rectangle:* Triangle qui a un angle droit. ☞ triangulaire. ▲ **triangle** n.m. Instrument de musique à percussion fait d'une tige d'acier recourbée en triangle et sur lequel on frappe avec une baguette: *Les élèves jouent du triangle pendant le cours de musique.*

triangulaire adj. Qui a la forme d'un triangle, d'un polygone à trois côtés: *Ce bateau a une voile triangulaire.* ⁄⁄ *Pyramide triangulaire:* Pyramide dont la base est un triangle. ☞ triangle.

tribord n.m. Côté droit d'une embarcation quand on regarde vers l'avant: *Voulez-vous une cabine à tribord ou à bâbord?* ANT. bâbord. ☞ bâbord.

tribu n.f. **1.** Groupe de personnes qui ont la même origine, les mêmes coutumes et qui vivent ensemble sous l'autorité d'un même chef: *Avant l'arrivée des Européens, plusieurs tribus amérindiennes peuplaient le Canada.* SYN. clan, peuplade. **2.** fig. Groupe nombreux: *Toute la tribu a enfin quitté le quartier.*

tribunal, aux n.m. **1.** Endroit où l'on rend la justice: *Pierre a été convoqué au tribunal.* **2.** Un ou plusieurs magistrats ayant la responsabilité de juger: *Le tribunal a acquitté l'accusé.*

tribune n.f. **1.** Plate-forme élevée sur laquelle monte un orateur pour parler à une assemblée: *L'oratrice s'installe sur la tribune.* **2.** Rubrique de journal ou émission de radio ou de télévision qui permet de s'adresser au public: *Ma mère a écrit un article qui paraîtra dans la tribune libre du journal.* ▲ **tribune** n.f. **1.** Ensemble de gradins d'où l'on regarde des spectacles, des épreuves sportives: *Les sièges de la tribune ne sont pas confortables.* SYN. estrade. **2.** Galerie surélevée réservée à certaines catégories de personnes: *La tribune des journalistes est inaccessible au public.* **3.** Galerie réservée au public dans une grande salle, une église: *Il est impressionnant de voir s'entasser les gens dans les tribunes lors des grands débats politiques.*

tributaire adj. Qui est dépendant de quelqu'un, de quelque chose: *Les bébés sont tributaires d'un adulte pour leur survie.* ANT. autonome, indépendant.

tricentenaire n.m. et adj. **1.** n.m. Troisième centenaire: *Cette ville fête son tricentenaire.* **2.** adj. Qui a trois cents ans: *Cet arbre majestueux est tricentenaire.* ☞ cent.

triceps n.m. Muscle formé à l'une de ses extrémités par trois parties se rattachant chacune à des points différents: *Dans les bras des humains, on trouve des triceps.* **R.** Les lettres *ps* se prononcent.

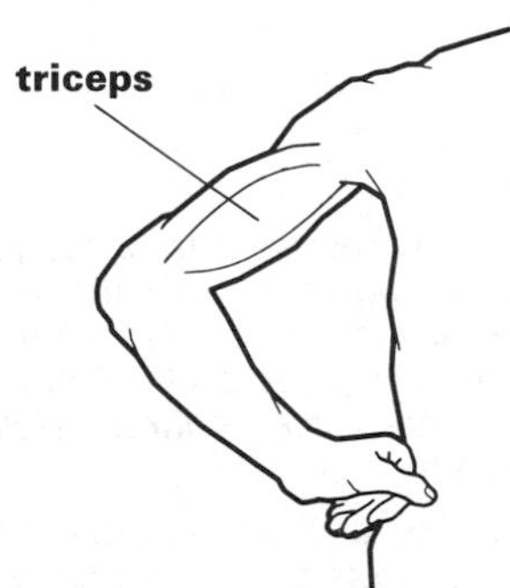

triche n.f.fam. Tromperie, fait de tricher: *Arrêtons ce jeu, ce n'est que de la triche!* ☞ tricher.

tricher v. **1.** Ne pas respecter les règles d'un jeu pour gagner: *Je ne joue plus aux cartes avec Léa, elle triche.* SYN. tromper. **2.** Ne pas respecter certaines règles ou conventions en faisant semblant de le faire: *Claude a triché pendant l'examen de mathématiques.* ☞ triche, tricherie, tricheur.

tricherie n.f. Tromperie: *Il a gagné par tricherie!* SYN. duperie, mensonge. ANT. droiture, vérité. ☞ tricher.

tricheur, euse n. et adj. **1.** n. Personne qui triche, qui ne respecte pas les règles d'un jeu: *Elle a copié sur son voisin, c'est une tricheuse!* **2.** adj. Qui triche, qui ne respecte pas les règles d'un jeu: *Cet enfant tricheur sème la chicane au jeu de ballon.* ☞ tricher.

tricolore adj. Qui a trois couleurs ou qui porte les trois couleurs, le bleu, le blanc et le rouge, adoptées par les Français: *Le drapeau français est tricolore.* ☞ couleur.

tricot n.m. **1.** Opération qui consiste à tricoter, à former des mailles avec une matière textile et des aiguilles: *Le tricot est mon passe-temps préféré.* **2.** Tissu fait avec cette étoffe: *J'ai reçu en cadeau un tricot en jersey.* **3.** Vêtement en tricot: *Claude porte souvent de beaux tricots.* ☞ tricoter.

tricotage n.m. Façon de tricoter, de former des mailles avec une matière textile et des aiguilles: *Le tricotage des bas se fait de plus en plus à la machine.* ☞ tricoter.

tricoter v. Former des mailles avec une matière textile et des aiguilles afin de faire une étoffe souple: *Pour se désennuyer, André tricote des pantoufles.* ☞ tricot, tricotage, tricoteur.

tricoteur, euse n. Personne qui fait du tricot, qui forme des mailles avec une matière textile et des aiguilles afin de faire une étoffe souple: *J'ai déjà été une excellente tricoteuse.* ☞ tricoter.

tricycle n.m. Vélo d'enfant à trois roues, dont deux à l'arrière: *Amélie a reçu un tricycle pour son deuxième anniversaire.* ☞ cycle.

trident n.m. **1.** Fourche à trois pointes utilisée comme harpon pour prendre les poissons: *On pêche le mérou à l'aide d'un trident.* **2.** Bêche, fourche à trois dents utilisée en agriculture: *Pour bêcher le jardin, Hélène se sert d'un trident.*

triennal, ale, aux adj. **1.** Qui s'étend sur une période de trois ans: *L'école subira des réparations selon un plan triennal.* **2.** Qui a lieu tous les trois ans: *La rencontre triennale de tous ces marchands a eu lieu cette année.*

trier v. **1.** Choisir certains éléments parmi d'autres: *Nous avons cueilli des fraises, puis nous les avons triées pour préparer le dessert.* SYN. sélectionner. ANT. mélanger. **2.** Classer des éléments, des objets selon certains critères: *Je dois trier les papiers qui sont sur mon bureau.* SYN. répartir. ANT. mêler. ⁄⁄ *Trier sur le volet:* Sélectionner avec le plus grand soin. ☞ tri, triage, trieur.

trieur n.m. Appareil mécanique servant au triage: *Le trieur classe mécaniquement les lettres selon leur destination.* ☞ trier.

trieur, euse n. Personne qui est chargée de trier, de classer des éléments: *Nous avons engagé une trieuse de courrier, elle le classe et le distribue.* ☞ trier.

trilingue adj. **1.** Qui parle trois langues: *Plusieurs élèves de ma classe sont trilingues: ils parlent le français, l'anglais et l'italien.* **2.** Qui est en trois langues: *Ce document est trilingue.* **R.** Ne pas oublier le *u* après le *g*.

trimaran n.m. Voilier à trois coques: *Claude a gagné la course des trimarans.*

trimballage n.m.fam. Fait de trimballer, de traîner quelqu'un ou quelque chose avec difficulté: *Ces boîtes sont tellement lourdes que ça ne facilite pas leur trimballage.* **R.** Aussi, *trimbalage*, *trimballement* ou *trimbalement.* ☞ trimballer.

trimballer v.fam. Traîner, emporter partout avec soi: *Mathieu trimballe partout son ourson.* SYN. transporter. **R.** Aussi, *trimbaler.* ☞ trimballage. **se trimballer** v.pron.fam. Se déplacer: *Il a fallu que je me trimballe toute la journée avec les enfants.*

trimer v.fam. Travailler avec effort, se donner beaucoup de peine: *Ces ouvrières triment du matin au soir.*

trimestre n.m. Période de trois mois: *Il y a quatre trimestres dans une année.* ☞ trimestriel.

trimestriel, ielle adj. **1.** Qui revient tous les trois mois: *Je me suis abonné à une revue trimestrielle.* **2.** Qui dure trois mois: *L'année dernière, je me suis inscrite à un cours trimestriel.* ☞ trimestre.

tringle n.f. Barre métallique de forme ronde servant de support à des rideaux, des vêtements: *Nous suspendons les rideaux sur la tringle.*

trinquer v. Cogner légèrement son verre contre celui de quelqu'un avant de boire: *Nous avons trinqué au succès de maman.*

trio n.m. (it.) **1.** Composition musicale pour trois instruments ou trois voix: *Elle a composé un trio pour le spectacle de musique.* **2.** Ensemble de trois musiciens: *Le spectacle* *donné par ce trio de jazz était magnifique!* **3.** Groupe de trois personnes: *Richard, Denise et Huguette forment un joyeux trio.*

triomphal, ale, aux adj. **1.** Qui constitue une grande réussite: *Aux dernières élections, cette politicienne a remporté une victoire triomphale.* SYN. éclatant, retentissant. **2.** Qui se fait avec éclat: *À son arrivée, on lui réservait un accueil triomphal.* ANT. discret, humble. **R.** Les lettres *ph* se prononcent *f.* ☞ triomphe.

triomphalement adv. **1.** D'une manière triomphale, avec des honneurs et des acclamations: *L'équipe a été reçue triomphalement.* ANT. discrètement, humblement. **2.** D'une manière triomphante, avec joie: *Il est entré triomphalement dans le salon pour nous annoncer qu'il avait gagné le concours.* **R.** Les lettres *ph* se prononcent *f.* ☞ triomphe.

triomphant, ante adj. **1.** Qui a remporté une éclatante victoire: *Il sort triomphant de cet affrontement.* SYN. victorieux. ANT. vaincu. **2.** Qui exprime une joie éclatante: *Elle a annoncé sa nomination d'un air triomphant.* SYN. content, heureux, radieux. ANT. sombre, triste. **R.** Les lettres *ph* se prononcent *f.* ☞ triomphe.

triomphateur, trice n. Personne qui remporte une victoire éclatante: *Ils sont les triomphateurs de la journée des olympiades.* SYN. vainqueur. ANT. vaincu. **R.** Les lettres *ph* se prononcent *f.* ☞ triomphe.

triomphe n.m. **1.** Grand succès, victoire éclatante: *Dans ce tournoi, nous avons assisté au triomphe des équipes canadiennes.* SYN. réussite. ANT. déconfiture, défaite, échec. **2.** Approbation du public: *Lors de son spectacle, il a remporté un vrai triomphe.* SYN. succès. **3.** Satisfaction, joie: *L'équipe poussa un cri de triomphe.* ⁄⁄ *Porter quelqu'un en triomphe:* Faire honneur à quelqu'un en le hissant au-dessus de la foule. **R.** Les lettres *ph* se prononcent *f.* ☞ triomphal, triomphalement, triomphant, triomphateur, triompher.

triompher v. **1.** Remporter un succès, une victoire: *L'équipe québécoise a triomphé lors de cette compétition.* SYN. battre, dominer, gagner, vaincre. ANT. échouer, perdre. **2.** Jubiler, être fier d'avoir obtenu un succès: *Laurence triomphait d'avoir pu obtenir ce prix.* **3.** Être l'objet des acclamations du public: *Ce chanteur a triomphé à l'auditorium.* **R.** Les lettres *ph* se prononcent *f.* ☞ triomphe.

trionyx n.m. Tortue carnivore d'eau douce qui vit dans les régions chaudes, comme le Congo et le Sénégal: *Le trionyx est un animal très féroce.*

tripes n.f.plur. Estomac et entrailles de certains animaux, comme le bœuf et le porc, qu'on peut préparer pour être mangés: *Mon père prépare des tripes pour le souper.* ▲ **tripes** n.f.plur. Partie profonde, intime de soi, qui touche aux sentiments: *Cette chanteuse me donne des frissons, elle chante avec ses tripes.* ⁄⁄ *Ça vous prend aux tripes:* C'est très émouvant.

triple n.m. et adj. **1.** n.m. Quantité trois fois supérieure à une autre: *Dix-huit est le triple de six.* **2.** adj. Qui vaut trois fois plus ou qui est répété trois fois: *La portion d'huile dans la vinaigrette est triple par rapport à celle du vinaigre.* ☞ triplement, tripler, triplés.

triplement adv. Pour trois raisons, de trois manières: *Vous avez triplement raison.* ☞ triple.

tripler v. **1.** Rendre trois fois plus grand ou trois fois plus nombreux: *Il faudra tripler la mise.* **2.** Devenir trois fois plus grand ou trois fois plus nombreux: *Le prix de ces articles de luxe a presque triplé en cinq ans.* HOM. triplés. ☞ triple.

triplés, ées n.plur. Groupe de trois enfants nés d'une même grossesse: *Pierre, Paula et Marie sont des triplés.* HOM. tripler. **R.** Aussi, *triplets.* ☞ triple.

triplex n.m. (améric.) Au Canada, maison comprenant trois logements superposés, généralement pourvus d'entrées distinctes: *Mes parents ont acheté un triplex à Montréal.*

triporteur n.m. Tricycle muni d'une caisse pour transporter les marchandises: *La fillette livre la marchandise de l'épicier avec un triporteur.* **R.** Aussi, *tri-porteur* et, au pluriel, *tri-porteurs*.

tripoter v. **1.** Toucher sans arrêt, manipuler avec plus ou moins de soin: *À force de tripoter ces fruits, on risque de les meurtrir.* SYN. palper, tâter. **2.** fig. Faire des opérations malhonnêtes: *Elle a tripoté dans plusieurs affaires de contrebande.*

triste adj. **1.** Qui éprouve du chagrin, de la tristesse: *Fanny est triste à l'idée de quitter son village.* SYN. peiné. ANT. heureux, joyeux. **2.** Qui évoque, qui répand la tristesse: *Que le ciel est triste aujourd'hui.* SYN. sombre. ANT. radieux. **3.** Qui fait souffrir, qui fait de la peine: *On lui a appris une bien triste nouvelle.* SYN. amer, désolant, pénible. ANT. réconfortant, réjouissant. ☞ attristant, attrister, tristement, tristesse. ▲ **triste** adj. Qui est méprisable: *C'est un bien triste personnage.* SYN. lamentable, pitoyable.

tristement adv. De manière triste, pénible: *Ils se sont quittés tristement.* SYN. mélancoliquement. ANT. gaiement, joyeusement. ☞ triste.

tristesse n.f. **1.** Chagrin, peine que l'on éprouve : *Martine a ressenti une grande tristesse à la mort de son père.* SYN. abattement, douleur. ANT. allégresse, gaieté, joie. **2.** Caractère d'une chose triste : *La tristesse de cette chanson me rend nostalgique.* ☞ triste.

triton n.m. Divinité de la mer représentée avec un corps d'homme barbu et une queue de poisson : *Neptune et ses tritons sont des personnages de la mythologie.* ▲ **triton** n.m. **1.** Amphibien à queue aplatie vivant dans les mares et les étangs : *Le triton ressemble un peu à la salamandre.* **2.** Mollusque marin de grande taille : *La coquille du triton servait de trompette aux Romains.*

triturer v. **1.** Réduire quelque chose en parcelles en écrasant par pression et frottement. *Les dents triturent les aliments.* SYN. broyer, moudre. **2.** Manier en tordant dans tous les sens : *Il était tellement gêné qu'il restait là, sans parler, en triturant sa casquette qu'il tenait dans ses mains.*

trivial, ale, aux adj. Qui est vulgaire, contraire aux bons usages : *Ces plaisanteries triviales ne sont guère appréciées.* SYN. bas, choquant, grossier. ANT. distingué, noble. ☞ trivialité.

trivialité n.f. Caractère de ce qui est vulgaire, grossier : *Mes parents ont été choqués par la trivialité de ses propos.* ANT. noblesse. ☞ trivial.

troc n.m. Échange d'un objet contre un autre sans utiliser d'argent : *Maryse et Éric ont fait un troc, elle lui a échangé des livres contre des disques.* **R.** Le *c* se prononce. ☞ troquer.

troène n.m. Arbuste à feuilles vert sombre, à fleurs blanches, cultivé pour former des haies : *Dans le jardin, nous avons une haie de troènes.*

troglodyte n.m. Personne qui habite une caverne, une grotte ou une demeure creusée dans la roche : *Les troglodytes, assemblés autour du feu, mangeaient leur repas.* ▲ **troglodyte** n.m. Petit oiseau qui niche dans les arbres, les buissons : *Le troglodyte fait partie de la famille des passereaux.*

trognon n.m. Partie centrale d'un fruit, d'un légume dont on a enlevé la partie comestible : *J'ai mis à la poubelle le trognon de pomme.*

troïka n.f. (russe) Traîneau russe tiré par trois chevaux de front : *La troïka filait rapidement sur la neige.* **R.** Ne pas oublier le tréma : *ï.*

trois n.m.invar. **1.** Nombre qui suit deux : *Deux plus un égalent trois.* **2.** Carte à jouer portant le nombre trois : *J'ai une paire de trois dans mon jeu.* **3.** Troisième jour du mois : *Nous irons à la pêche le trois.* **4.** Chiffre représentant le nombre trois : *Tu fais de beaux trois.*

trois adj.num.invar. **1.** Deux plus un : *Il y a maintenant trois jours que j'attends une réponse.* **2.** Troisième : *Reprenez vos manuels à la page trois.* ☞ troisième, troisièmement.

troisième n. et adj.num. **1.** n. Personne, animal ou chose qui occupe le troisième rang : *André est le troisième au concours oratoire.* **2.** adj.num. Qui vient après le deuxième : *Nous sommes placées dans la troisième rangée.* ☞ trois.

troisièmement adv. En troisième lieu, dans une énumération : *Deuxièmement, mettez le beurre, troisièmement, ajoutez les œufs.* ☞ trois.

trolleybus n.m. Autobus fonctionnant à l'électricité qu'il capte sur des câbles aériens au moyen d'une perche : *Dans les années cinquante, il y avait des trolleybus à Montréal.* **R.** Les lettres *ey* se prononcent *è*. Le *s* se prononce.

trombe n.f. (it.) **1.** Colonne d'eau ou de nuages qui tourbillonne sous l'effet d'un vent violent : *On peut voir une trombe lors d'un cyclone tropical.* **2.** fig. Mouvement rapide : *Une voiture passa en trombe près de moi.* ⁄⁄ *Trombe d'eau :* Pluie torrentielle.

trombone n.m. (it.) **1.** Instrument de musique à vent de la catégorie des cuivres : *Cette musicienne joue du trombone.* **2.** Personne qui joue du trombone : *En plus d'être trompettiste, je suis trombone.* SYN. tromboniste. ☞ tromboniste. ▲ **trombone** n.m. (it.) Petite agrafe servant à réunir des papiers ensemble : *Les lettres étaient attachées ensemble avec un trombone.*

tromboniste n. Personne qui joue du trombone, instrument de musique à vent de la catégorie des cuivres : *Marc est tromboniste dans l'orchestre du collège.* SYN. trombone. ☞ trombone.

trompe n.f. Instrument de musique à vent à l'origine de la trompette et du cor de chasse : *Elle a soufflé dans sa trompe.* ▲ **trompe** n.f. **1.** Toute partie de la bouche ou du nez qui est allongée en tube, comme chez l'éléphant, le moustique, le papillon : *L'éléphant se sert de sa trompe pour saisir sa nourriture.* **2.** Nom donné à certains conduits du corps : *La trompe d'Eustache est un conduit entre la bouche et le tympan de l'oreille.* ⁄⁄ *Trompe de Fallope :* Conduit faisant communiquer les ovaires avec l'utérus chez la femme.

trompe-l'œil n.m.invar. **1.** Peinture visant à donner à distance l'illusion de la réalité: *Cette fenêtre sur ce mur de brique est peinte en trompe-l'œil.* **2.** fig. Apparence trompeuse: *Sa prise de position n'est que du trompe-l'œil.* SYN. façade. ANT. réalité. ☞ tromper.

tromper v. **1.** Induire quelqu'un en erreur en usant de mensonge: *La vendeuse nous a trompés avec son beau discours.* SYN. duper, leurrer, rouler. ANT. renseigner. **2.** Être infidèle à quelqu'un: *Elle a trompé son époux avec Robert.* **3.** Échapper à l'attention de quelqu'un: *Elle a trompé la vigilance de ses gardiens.* SYN. déjouer. **4.** Induire en erreur: *Les illusions d'optique trompent notre perception visuelle.* **5.** Décevoir, ne pas répondre à ce qu'on attend ou souhaite: *Ce spectacle a trompé nos attentes.* ANT. combler, satisfaire. **6.** Donner une satisfaction illusoire ou momentanée à un besoin: *Les boissons gazeuses trompent la soif.* ☞ détromper, trompe-l'œil, tromperie, trompeur. **se tromper** v.pron. **1.** Commettre une erreur: *Je me suis trompé dans mes calculs.* **2.** Prendre une chose, une personne pour une autre: *Je suis en retard, je me suis trompé d'adresse.* **3.** Se mentir: *Tu te trompes toi-même en te disant que tu n'aimes pas Nancy.*

tromperie n.f. Fait de tromper, d'induire en erreur: *La tromperie n'est jamais appréciée.* SYN. mensonge, tricherie. ANT. droiture, vérité. ☞ tromper.

trompette n.f. Instrument de musique à vent de la catégorie des cuivres: *Maxime joue de la trompette.* ☞ trompettiste.

trompette n.m. Personne qui joue de la trompette: *Ce groupe de jazz a un excellent trompette.* SYN. trompettiste.

trompettiste n. Personne qui joue de la trompette, instrument de musique à vent de la catégorie des cuivres: *Béatrice est une excellente trompettiste de jazz.* SYN. trompette. ☞ trompette.

trompeur, euse n. et adj. **1.** n. Personne qui trompe, qui induit en erreur: *Vous ne devez pas le croire; il est un grand trompeur.* SYN. fraudeur, menteur. **2.** adj. Qui trompe, qui induit en erreur: *Il faut se méfier de la publicité trompeuse.* SYN. frauduleux. ANT. franc, sincère, vrai. ☞ tromper.

tronc n.m. **1.** Partie de l'arbre comprise entre les racines et les branches: *Le tronc des arbres est recouvert d'écorce.* **2.** Partie du corps humain, sans la tête, les bras et les jambes: *La partie supérieure du tronc est le torse et la partie inférieure, le bassin.* ▲ **tronc** n.m. Boîte percée d'une fente servant à recevoir des offrandes dans une église: *À l'arrière de l'église, il y a un tronc pour les bonnes œuvres.*

tronçon n.m. **1.** Morceau d'un objet plus long que large qui a été coupé ou cassé: *Nous débitons le bois en tronçons.* SYN. fragment. **2.** Partie d'une route, d'un chemin de fer, d'un tout: *On annonce la construction d'un nouveau tronçon d'autoroute.* SYN. section. **R.** Ne pas oublier la cédille. ☞ tronçonnage, tronçonner, tronçonneuse.

tronçonnage n.m. Action de tronçonner, de couper en morceaux, en fragments: *Le tronçonnage du bois se fait à la scie.* **R.** Ne pas oublier la cédille. ☞ tronçon.

tronçonner v. Couper en morceaux, en fragments: *Tronçonner un arbre n'est pas si difficile lorsqu'on dispose d'un équipement adéquat.* **R.** Ne pas oublier la cédille. ☞ tronçon.

tronçonneuse n.f. Scie à moteur servant à couper le bois, le métal en tronçons: *Le bûcheron utilise la tronçonneuse.* **R.** Ne pas oublier la cédille. ☞ tronçon.

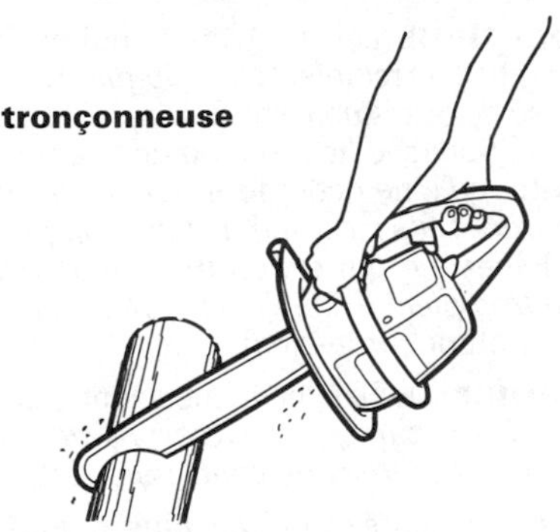
tronçonneuse

trône n.m. **1.** Siège de cérémonie, très somptueux sur lequel prend place un souverain: *La reine est assise sur son trône.* **2.** Symbole de pouvoir, de puissance: *Les prétendants au trône sont nombreux.* SYN. royauté. ⁄⁄ *Monter sur le trône:* Devenir roi. *Perdre son trône:* Être détrôné, dépossédé du trône. **R.** Ne pas oublier l'accent: ô. ☞ détrôner, trôner.

trôner v. **1.** Occuper la place d'honneur: *La présidente trônait dans son fauteuil.* **2.** péj. Faire l'important: *Ce prétentieux trône dans toutes les réunions où il se présente.* **R.** Ne pas oublier l'accent: ô. ☞ trône.

tronquer v. Supprimer, retrancher une partie importante de quelque chose: *Si l'on tronque ce texte, il n'aura plus la même signification.*

trop adv. D'une manière excessive, plus qu'il ne faut: *Ce manteau est trop cher.* HOM. trot. ⁄⁄ *C'en est trop:* C'est suffisant, cela dépasse les bornes. *De trop:* Superflu. *En trop:* En excès. *Être de trop:* Déranger, ne pas être accepté. *Trop peu:* Pas assez.

trophée n.m. **1.** Objet que l'on reçoit à la suite d'une victoire au cours d'une épreuve, surtout sportive, et que l'on conserve en souvenir: *Le vainqueur de la course reçoit le trophée.* SYN. prix, récompense. **2.** Partie d'un animal, tué à la chasse: *La tête empaillée de l'orignal abattu devient le trophée de la chasseuse.* **R.** Les lettres *ph* se prononcent *f.*

tropical, ale, aux adj. Qui concerne les régions avoisinant les tropiques, pays constamment chauds: *L'ananas et la mangue sont des fruits tropicaux.* ☞ tropique.

tropique n.m. **1.** Chacun des deux cercles imaginaires, parallèles à l'équateur, qui font le tour de la Terre: *Le tropique du Cancer est situé au nord de l'équateur, le tropique du Capricorne est au sud.* **2.** plur. Région située près des tropiques: *J'irai en vacances sous les tropiques.* ☞ subtropical, tropical.

trop-plein n.m. **1.** Quantité qui excède la capacité d'un récipient: *Le trop-plein du réservoir se déverse sur le sol.* **2.** Dispositif permettant au liquide d'un réservoir de s'écouler afin d'éviter qu'il ne déborde: *Pour éviter qu'il ne déborde, l'évier est muni d'un trop-plein.* **3.** fig. Excès, ce qui est en trop: *Je dépensais mon trop-plein d'énergie en jouant au tennis.* **R.** Au pluriel, *trop-pleins.*

troquer v. Échanger un bien contre un autre bien: *Léon a troqué ses crayons de couleur contre des timbres de collection.* ☞ troc.

trot n.m. Allure du cheval, plus rapide que le pas, mais plus lente que le galop: *Ces enfants préfèrent le trop au galop.* HOM. trop. ☞ trotter. au **trot** loc.adv. Vivement, d'un bon pas: *J'y vais au trot, ça ne devrait pas prendre trop de temps.*

trotte n.f.fam. Distance assez longue à parcourir: *Me rendre chez toi, ça fait une trotte.* ⁄⁄ *Tout d'une trotte:* Sans arrêt. ☞ trotter.

trotter v. **1.** Aller au trot, en faisant référence à l'allure du cheval: *Le cheval trottait.* **2.** fig. Préoccuper, obséder: *Cet air me trotte dans la tête depuis ce matin.* **3.** fam. Marcher vite à petits pas: *Il trotte du matin au soir, vaquant à ses occupations.* ☞ trot, trotte, trotteur, trottinement, trottiner.

trotteur, euse n. Cheval, jument qui sont dressés pour la course au trot, course à grande vitesse: *Le cheval de Patrice est un trotteur.* ☞ trotter.

trotteuse n.f. Aiguille des secondes dans une montre, une horloge: *La trotteuse fait le tour de l'horloge soixante fois dans une heure.*

trottinement n.m. Fait de trottiner, de marcher vite à petits pas: *Le trottinement de ce jeune enfant est beau à voir.* ☞ trotter.

trottiner v. **1.** Avoir un trot très court, en parlant du cheval, de l'âne: *L'âne trottine sur la route de campagne.* **2.** Marcher vite et à petits pas courts: *La fillette trottine pour suivre son papa.* ☞ trotter.

trottinette n.f. Jouet d'enfant composé d'une planche montée sur deux roues et d'un guidon: *Shella a reçu une trottinette pour son anniversaire.*

trottoir n.m. Partie surélevée sur le côté d'une rue, réservée aux piétons: *Je me promène sur le trottoir.* ⁄⁄ *Trottoir roulant:* Tapis roulant pour les piétons.

trou n.m. **1.** Creux, enfoncement de la surface extérieure de quelque chose: *Au printemps, les routes sont pleines de trous.* SYN. cavité, crevasse. **2.** Endroit où un objet est percé: *Elle a un trou dans son bas.* ⁄⁄ *Trou de la serrure:* Ouverture dans laquelle on introduit la clé. *Trou d'une aiguille:* Chas, ouverture dans laquelle on passe le fil. ☞ trouée, trouer. ▲ **trou** n.m. **1.** Abri naturel ou creusé: *Le mulot court se réfugier dans son trou.* **2.** Petit village perdu, retiré: *Je vivais dans un trou isolé et tranquille.* ⁄⁄ *N'être jamais sorti de son trou:* Ne rien connaître du monde.

troublant, ante adj. **1.** Qui cause du trouble, qui rend perplexe: *Nous avons été témoins de faits troublants.* SYN. bouleversant, inquiétant. ANT. apaisant, calmant, rassurant. **2.** Qui suscite le désir, l'amour: *Son regard troublant m'attirait.* ☞ trouble (n.).

trouble n.m. **1.** Désordre, agitation: *J'ai profité du trouble qui régnait parmi les invités pour m'esquiver.* **2.** Gêne, embarras, grande émotion causés par l'inquiétude, la peur ou une situation inconfortable: *La mort de sa sœur le jetait dans le trouble.* SYN. confusion. ANT. apaisement, calme. **3.** Émotion causée par le désir amoureux: *Sa grâce et sa pureté éveillaient en moi un grand trouble.* **4.** Dérèglement du fonctionnement d'un organe: *Depuis quelque temps, mon frère a des troubles de la digestion.* **5.** plur. Agitation sociale violente: *Le vandalisme, les agressions, les meurtres, le vol et le pillage sont des troubles sociaux.* ☞ troublant, trouble-fête, troubler.

trouble adj. **1.** Qui n'est pas clair, pas transparent: *L'eau du lac est trouble.* ANT. clair, limpide. **2.** fig. Qui laisse penser qu'il y a quelque chose de mal, de suspect: *Il y a quel-*

que chose de trouble dans sa conduite. SYN. équivoque, louche. ANT. franc, sincère. ⁄⁄ *Avoir la vue trouble:* Voir les objets d'une manière confuse. ☞ troubler.

trouble-fête n.invar. Personne qui vient troubler la joie des autres et les empêche de s'amuser: *Ce trouble-fête a gâché notre soirée.* ☞ trouble (n.).

troubler v. **1.** Inquiéter, causer de l'embarras: *Cette histoire me trouble.* SYN. bouleverser, perturber. ANT. apaiser, calmer. **2.** Interrompre le cours de quelque chose: *Son arrivée a troublé la réunion.* SYN. déranger, désorganiser. ANT. arranger. **3.** Priver quelqu'un de sa lucidité: *L'alcool peut troubler l'esprit.* **4.** Émouvoir tendrement: *Sa beauté me troublait le cœur.* ☞ trouble (n.). ▲ **troubler** v. Altérer la limpidité de quelque chose, rendre moins clair: *Les enfants troublent l'eau en courant.* SYN. brouiller. ANT. éclaircir. ☞ trouble (adj.). se **troubler** v.pron. S'embarrasser, perdre son sang-froid: *La conférencière se troubla.*

trouée n.f. Large ouverture qui permet de passer: *Nous cherchons une trouée pour sortir de la forêt.* SYN. passage, percée. HOM. trouer. ☞ trou.

trouer v. Faire un trou dans quelque chose: *Elle a troué son pantalon.* SYN. percer. ANT. raccommoder. HOM. trouée. ☞ trou.

trouille n.f.pop. Peur: *Les chauves-souris me donnent la trouille.*

troupe n.f. **1.** Groupe, bande de personnes ou d'animaux: *La troupe d'écoliers défile dans les rues.* **2.** Groupe d'artistes ou de comédiens qui présentent un spectacle: *Une troupe joue au théâtre ce soir.* **3.** Groupe de militaires: *La troupe monte la garde devant le palais présidentiel.* ☞ s'attrouper.

troupeau, eaux n.m. Ensemble d'animaux sauvages ou domestiques d'une même espèce qui vivent ensemble: *Un troupeau d'éléphants parcourt la savane.*

trousse n.f. Étui dont les compartiments servent à ranger des objets: *J'ai rangé mes articles de toilette dans ma trousse.* ☞ trousseau.

trousseau, eaux n.m. Ensemble des vêtements, du linge et des accessoires que l'on emporte en quittant le domicile familial: *Ma grand-mère a encore les belles nappes brodées de son trousseau.* ▲ **trousseau, eaux** n.m. Ensemble de clés réunies par un anneau ou attachées à un porte-clés: *Je crois que j'ai égaré mon trousseau de clés.* ☞ trousse.

trouvable adj. Que l'on peut trouver, découvrir: *J'ai échappé ma clé dans le fossé; est-elle trouvable?* ANT. introuvable. ☞ trouver.

trouvaille n.f. **1.** Découverte agréable: *En fouillant le grenier, j'ai fait des trouvailles.* **2.** Création originale, intéressante: *Ce slogan publicitaire est une trouvaille.* ☞ trouver.

trouver v. **1.** Apercevoir, découvrir un animal ou une chose et le prendre: *J'ai trouvé un chaton.* **2.** Découvrir, rencontrer ce que l'on cherche: *Je t'ai enfin trouvé!* **3.** Se procurer: *J'ai trouvé un travail qui me plaît.* **4.** Découvrir par un effort de l'intelligence ou de l'imagination: *As-tu trouvé la solution à ton problème?* **5.** Voir quelqu'un ou quelque chose dans un certain état: *J'ai trouvé la maison déserte en rentrant.* **6.** fig. Éprouver un sentiment: *J'ai trouvé de l'agrément à faire ce travail.* ☞ introuvable, trouvable, trouvaille. ▲ **trouver** v. **1.** Juger, penser: *Je trouve que tu te vantes.* **2.** Croire que quelqu'un ou quelque chose a tel défaut ou telle qualité: *Je trouve cette comédienne très intelligente.* se **trouver** v.pron. **1.** Être dans une certaine situation, un certain état: *Je me trouve dans l'impossibilité de te voir.* **2.** Être situé à tel endroit: *Où se trouve le musée?* **3.** Se sentir: *Ils se sont trouvés mal.*

truand n.m. Voleur, malfaiteur: *Je fais partie d'une bande de truands.*

truc n.m.fam. (provenç.) Savoir-faire, habileté à réussir quelque chose: *Il connaît plusieurs trucs de magie.* SYN. astuce, tour. ☞ truquage, truquer, truqueur. ▲ **truc** n.m.fam. (provenç.) Mot employé quand on ne sait pas ou qu'on oublie le nom de quelque chose: *Passe-moi ce truc.*

truck ☞ sect. anglicismes et canadianismes.

truelle n.f. Outil, sorte de spatule dont se sert le plâtrier pour étendre le plâtre ou le maçon pour étendre le mortier sur les joints: *La truelle se compose d'une large lame en acier et d'un manche.*

truffe n.f. **1.** Champignon qui pousse à la base du chêne: *Les truffes sont très recherchées.* **2.** Friandise au goût délicat à base de chocolat: *Achète des caramels et quelques truffes.* ☞ truffer. ▲ **truffe** n.f. Extrémité du museau du chien et du chat: *La truffe d'un chien en santé est froide et humide.*

truffer v. **1.** Garnir de champignons appelés «truffes» ou de morceaux de truffes: *Le cuisinier truffe le poulet.* **2.** fig. Remplir, garnir abondamment: *Son texte est truffé d'erreurs.* SYN. bourrer. ☞ truffe.

truie n.f. Mammifère domestique omnivore, au corps épais, à la tête allongée terminée par un groin, dont le mâle est le verrat et le petit, le porcelet. *La truie est la femelle du porc mâle, le verrat.* ∥ *Être sale comme une truie*: Être très sale.

truite n.f. Poisson semblable au saumon dont la chair délicate est très appréciée: *La pêcheuse a attrapé une truite vigoureuse.*

truité, ée adj. Qui a le pelage marqué de taches brunes ou noires: *Un chien truité errait près du bois.*

truquage n.m. **1.** Emploi de moyens qui ont pour but de tromper: *Julie pense qu'il y a eu un truquage dans le comptage des votes.* **2.** Moyen employé au cinéma ou au théâtre pour créer des effets de mise en scène: *Dans ce film, le truquage est réussi: on se croirait à l'intérieur du volcan.* **R.** Aussi, *trucage*. ☞ truc.

truquer v. Transformer habilement quelque chose dans le but de tricher ou de faire un tour de magie: *La magicienne a truqué ses cartes avant d'effectuer un tour de magie.* SYN. falsifier. ☞ truc.

truqueur, euse n. **1.** Personne qui utilise des procédés pour tricher: *Ce vendeur est un habile truqueur.* **2.** Personne qui, au cinéma ou à la télévision, fait des truquages, des effets de mise en scène: *Tania est une truqueuse réputée.* ☞ truc.

trust n.m. (anglo-améric.) Entreprise, compagnie très puissante qui peut contrôler les ventes d'un produit et leur prix: *Ce trust contrôle des produits qui sont connus partout dans le monde.* **R.** Se prononce à l'anglaise. ☞ truster.

truster v. S'emparer d'un produit pour en contrôler les ventes: *Certains pays producteurs de pétrole ont tenté de truster ce produit pour en faire monter les prix.* **R.** Se prononce à l'anglaise. N'a pas le sens de *faire confiance*. ☞ trust.

tsar n.m. (russe) Titre que l'on donnait aux souverains de Russie et de Bulgarie: *La Russie a été gouvernée par les tsars jusqu'à la révolution en 1917.* **R.** Aussi, *tzar*. Au féminin, *tsarine* ou *tzarine*. Le *t* se prononce *t* ou *d*. ☞ tsarévitch, tsarine.

tsarévitch n.m. (russe) Fils aîné du tsar de Russie: *À la mort du tsar, le tsarévitch lui succéda.* **R.** Aussi, *tzarévitch*. Le *t* se prononce *t* ou *d*. ☞ tsar.

tsarine n.f. **1.** Titre que portait la femme du tsar, souverain de Russie et de Bulgarie: *La tsarine accompagnait son mari dans toutes les occasions officielles.* **2.** Impératrice de Russie: *Catherine II a été une grande tsarine.* **R.** Aussi, *tzarine*. Le *t* se prononce *t* ou *d*. ☞ tsar.

tsé-tsé n.f.invar. Mouche d'Afrique dont plusieurs espèces propagent des maladies aux humains et aux animaux: *La tsé-tsé donne la maladie du sommeil aux humains.*

tsigane n. et adj. (hongr.) **1.** n. Personne qui est issue d'un peuple venu de l'Inde qui mène une existence nomade: *Un Tsigane, une Tsigane.* **2.** adj. Qui est issu d'un peuple venu de l'Inde qui mène une existence nomade: *Les violonistes tsiganes jouaient des airs tristes.* **R.** Aussi, *tzigane*. On met la majuscule à *tsigane* lorsque le nom désigne une personne.

tsigane n.m. (hongr.) Langue parlée par les Tsiganes, peuple nomade venu de l'Inde: *Le tsigane est composé de mots empruntés au grec et à diverses langues européennes.* **R.** Aussi, *tzigane*.

tu pron.pers. Pronom personnel de la deuxième personne du singulier, sujet: *Viens-tu avec moi?* ☞ tutoiement, tutoyer.

Avec **tu**, aux *temps simples*, les verbes se terminent par:
es: tu aimes
s: tu finis
as: tu as
x: tu veux
ds: tu prends

tuant, ante adj.fam. Qui est pénible, très fatigant: *Laver le plancher par une telle chaleur, c'est tuant!* SYN. épuisant, éreintant, exténuant. ANT. plaisant, reposant. ☞ tuer.

tuba n.m. Instrument de musique à vent en métal qui comporte trois pistons: *Le tuba produit des sons graves.* ▲ **tuba** n.m. Tube qui permet de respirer la tête sous l'eau: *Attention de ne pas faire entrer d'eau dans ton tuba!*

tube n.m. **1.** Tuyau ou appareil de forme cylindrique ouvert à une extrémité ou aux deux: *En chimie, on utilise des tubes en verre pour faire des expériences.* **2.** Organe, conduit naturel: *Le tube digestif est l'ensemble des canaux par lesquels passent les aliments dans le corps.* **3.** Petit étui de forme allongée fermé par un bouchon, contenant une substance pâteuse: *La colle sort du tube par une simple pression des doigts.* ☞ tubulaire, tubulure. ▲ **tube** n.m.fam. Chanson très populaire: *Tout de suite, cette chanson a été un tube.* à pleins **tubes** loc.adv.fam. Très rapidement: *J'ai roulé à pleins tubes jusque chez toi.*

tubercule n.m. Masse qui se retrouve sur la racine ou la tige de certaines plantes: *Voici un exemple de tubercule: la pomme de terre.*

tuberculeux, euse n. et adj. **1.** n. Personne atteinte de la tuberculose, d'une maladie contagieuse qui atteint surtout les poumons: *Cette tuberculeuse tousse beaucoup.* **2.** adj. Qui est atteint de la tuberculose: *Mon arrière-grand-père était tuberculeux.* ☞ tuberculose.

tuberculose n.f. Maladie contagieuse qui atteint surtout les poumons: *Au début du XXe siècle, un vaccin a été mis au point pour prévenir la tuberculose.* ☞ antituberculeux, tuberculeux.

tubulaire adj. Qui a la forme d'un tube ou qui est fait de plusieurs tubes en métal: *Cette sculpture moderne est constituée d'un montage tubulaire.* ☞ tube.

tubulure n.f. Tube métallique faisant partie d'un ensemble en forme de tube: *Chaque tubulure est soudée à une autre pour former un ensemble cylindrique.* ☞ tube.

tue-mouches adj.invar. Se dit d'un papier enduit de colle et d'une substance mortelle, sur lequel les mouches viennent se coller et meurent: *Au chalet, les papiers tue-mouches sont indispensables.* ☞ tuer.

tuer v. **1.** Faire mourir quelqu'un de manière violente: *Il l'a tuée de sang froid.* SYN. abattre, assassiner. ANT. sauver. **2.** Faire mourir un animal volontairement, en particulier à la chasse: *Je ne pourrais jamais tuer un innocent chevreuil.* ANT. épargner. **3.** Détruire, causer la mort: *Le cancer tue des milliers de personnes.* **4.** fig. Faire disparaître, faire cesser quelque chose: *Tes mensonges finiront par tuer l'affection que j'avais pour toi.* **5.** fam. Épuiser, user la résistance physique ou morale de quelqu'un: *Ces inquiétudes le tuent.* SYN. exténuer, fatiguer. ANT. fortifier, reposer. ☞ s'entretuer, tuant, tue-mouches, tuerie, tueur. se **tuer** v.pron. **1.** Se suicider, être la cause de sa propre mort ou être victime d'un accident mortel: *Il s'est tué en faisant du parachutisme.* **2.** fig. S'user, s'épuiser de fatigue: *Depuis qu'il a ce nouveau poste, Michel se tue au travail.* **3.** Se donner tout le mal possible: *Mireille se tue à lui expliquer la multiplication.*

tuerie n.f. Massacre en masse: *Les guerres modernes sont des tueries de plus en plus monstrueuses.* **R.** Le *e* de la première syllabe ne se prononce pas. ☞ tuer.

à **tue-tête** loc.adv. D'une voix puissante qui étourdit: *Dans l'autobus, les enfants chantaient à tue-tête.*

tueur, euse n. Personne qui tue, qui commet un meurtre: *Dans ce film, la tueuse est masquée.* SYN. assassin, meurtrier. ⁄⁄ *Tueur à gages:* Personne payée pour tuer des gens. ☞ tuer.

tuile n.f. **1.** Plaque, morceau taillé dans le verre, le ciment, la terre cuite servant à couvrir un édifice: *La chute de l'arbre a brisé quelques tuiles.* **2.** fam. Événement désagréable et inattendu que l'on compare à une tuile qui nous tomberait sur la tête: *J'ai raté mon examen: ça, c'est une tuile!* SYN. malchance. **R.** N'a pas le sens de *carreau* (de céramique).

tulipe n.f. (turc) Plante vivace à bulbe dont la belle grande fleur en forme de vase a des couleurs magnifiques: *Quel plaisir de voir apparaître les tulipes en mai!*

tulle n.m. Tissu léger et transparent fait de petites mailles: *Le voile de la mariée est en tulle.*

tuméfier v. Causer une enflure à une partie du corps: *Ta cheville est tuméfiée à cause de cette chute.* SYN. boursoufler, gonfler. ANT. dégongler, désenfler.

tumeur n.f. Augmentation de volume d'un organe, d'un tissu causée par une multiplication de cellules: *Certaines tumeurs sont cancéreuses.* SYN. excroissance, gonflement.

tumulte n.m. Agitation, désordre et bruit que produisent des personnes ou des groupes: *Le tumulte de la ville est parfois étourdissant.* SYN. tapage, vacarme. ANT. calme, ordre, silence, tranquillité. ☞ tumultueux.

tumultueux, euse adj. Qui est désordonné et agité: *La présidente et le secrétaire de la compagnie ont eu une discussion tumultueuse.* SYN. orageux. ANT. calme, silencieux, tranquille. ☞ tumulte.

tunique n.f. Vêtement droit plus ou moins long qui se porte sur une jupe ou un pantalon: *Les couleurs de sa tunique s'agençaient bien avec celle de son pantalon.* (*Voir l'illustration à la page suivante.*)

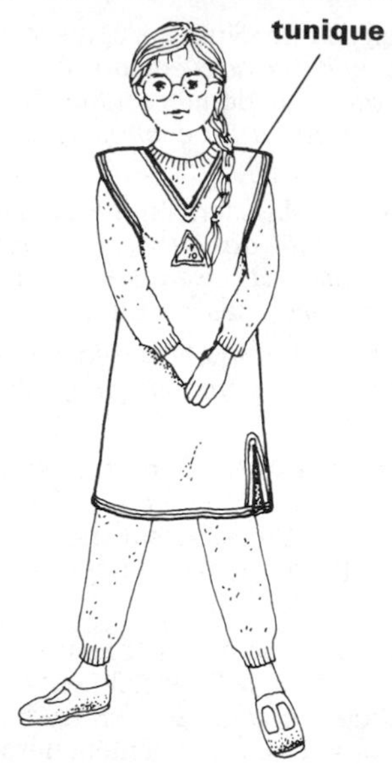

tunnel n.m. (angl.) **1.** Passage souterrain destiné à l'installation d'une route ou d'une voie ferrée: *Un tunnel routier relie l'île de Montréal à la rive sud du Saint-Laurent.* **2.** fig. Période difficile: *Nos ennuis sont terminés, nous voyons enfin la lumière au bout du tunnel.*

tupi n.m. et adj. **1.** n.m. Langue indienne parlée au Brésil et au Paraguay: *Le français, le portugais et l'espagnol ont emprunté plusieurs mots au tupi.* **2.** adj. Qui est d'un groupe ethnique du Brésil et du Paraguay: *Le groupe tupi, nombreux au XVIe siècle, n'a plus que de rares descendants.*

tuque n.f. Au Canada, bonnet chaud, habituellement en laine, souvent surmonté d'un pompon: *J'ai mis ma tuque pour aller jouer dehors.*

turban n.m. (turc) Coiffure faite d'une longue bande de tissu enroulée autour de la tête: *Un fakir qui portait un turban marchait sur des charbons ardents.*

turbine n.f. Moteur composé d'une roue qui fonctionne par la pression de l'eau, d'un gaz ou de la vapeur: *D'énormes turbines fonctionnent dans les centrales hydroélectriques du Nord québécois.* ☞ turbomoteur, turboréacteur.

turbomoteur n.m. Moteur dont l'élément essentiel est une turbine à gaz: *Certaines automobiles sont équipées d'un turbomoteur.* ☞ turbine.

turboréacteur n.m. Moteur à réaction dont l'élément principal est une turbine à gaz: *La pilote fait vrombir les turboréacteurs de l'avion.* ☞ turbine.

turbot n.m. Poisson de mer dont la chair est très appréciée: *Le turbot peut atteindre une longueur de quatre-vingts centimètres.*

turbulence n.f. Caractère d'une personne qui est portée à s'agiter: *Les spectateurs de la pièce de théâtre n'ont guère apprécié la turbulence de ces enfants.* ☞ turbulent.
▲ **turbulence** n.f. Agitation dans l'air ou dans l'eau: *L'avion traverse une zone de turbulence: attachez vos ceintures!*

turbulent, ente adj. Qui est porté à s'agiter, à faire du bruit: *C'est une enfant turbulente.* SYN. dissipé, tapageur. ANT. calme, paisible, sage, tranquille. ☞ turbulence.

turc n. et adj. **1.** n. Personne qui est de la Turquie: *Un Turc, une Turque.* **2.** adj. Qui est de la Turquie: *La monnaie de la Turquie est la livre turque.* **R.** Au féminin, *turque*. On met la majuscule à *turc* et à *turque* lorsque le nom désigne une personne.

turc n.m. Langue parlée en Turquie: *Le turc est la langue officielle en Turquie.*

turdidés n.m.plur. Famille d'oiseaux passereaux comme la grive et le rouge-gorge: *Le rossignol fait partie des turdidés.* **R.** S'écrit au singulier lorsqu'il désigne un oiseau appartenant à cette famille.

turista n.f.fam. (esp.) Maux de ventre accompagnés de diarrhées: *Mon père souffrait de la turista à son retour du Mexique.* **R.** La lettre *u* se prononce *ou*.

turlupiner v.fam. Agacer, tourmenter: *Cette mauvaise nouvelle ne cesse de me turlupiner.* SYN. inquiéter, préoccuper, troubler. ANT. apaiser, calmer, rassurer.

turquoise n.f. et adj.invar. **1.** n.f. Pierre précieuse de couleur bleu tirant sur le vert: *Elle porte une magnifique turquoise à son cou.* **2.** adj.invar. Qui est de la couleur de la turquoise: *Il portait une cravate turquoise.*

tutelle n.f. Surveillance exercée par un tuteur, personne chargée de la protection d'une personne mineure: *Cet orphelin est placé sous la tutelle de sa marraine.* ANT. autonomie, indépendance. ☞ tuteur.

tuteur n.m. Tige de bois ou de métal destinée à soutenir une plante: *Ce petit érable est exposé au vent; installe-lui un tuteur.*

tuteur, trice n. Personne chargée de la protection et de la surveillance d'une personne mineure qui n'est pas son enfant: *Sur cette fiche, il faut inscrire le nom des parents ou du tuteur.* ☞ tutelle.

tutoiement n.m. Fait de tutoyer, d'employer la deuxième personne du singulier lorsqu'on s'adresse à quelqu'un: *Le tutoiement est généralement utilisé en famille et entre amis.* ANT. vouvoiement. **R.** Le *e* de la deuxième syllabe ne se prononce pas. ☞ tu.

tutoyer v. S'adresser à quelqu'un à la deuxième personne du singulier: *Je t'en prie, tutoyons-nous.* ANT. vouvoyer. ☞ tu.

tutoi**e**ment tutoyer

tutu n.m. Jupe de voile très courte portée par les danseuses de ballet: *Les ballerines en tutu et les danseurs en collant firent leur entrée sur scène.* ⁄⁄ *Tutu romantique:* Tutu qui descend jusqu'aux genoux.

tuyau, aux n.m. Conduit de forme circulaire servant à faire passer un liquide: *Le tuyau d'échappement de l'automobile est percé.* ☞ tuyauterie. ▲ **tuyau, aux** n.m.fam. Renseignement confidentiel: *J'ai obtenu un bon tuyau sur la prochaine course.* SYN. indication, information.

tuyauterie n.f. Ensemble des tuyaux d'une installation: *Toute la tuyauterie de cette bâtisse est à remplacer.* ☞ tuyau.

tweed n.m. (angl.) Tissu épais en laine de deux ou plusieurs couleurs: *Regarde la belle veste de tweed.* **R.** Se prononce à l'anglaise.

twist n.m. (angl.) Danse d'origine américaine où les jambes et le bassin font de rapides mouvements de rotation: *Le twist était très populaire dans les années soixante.* **R.** Se prononce à l'anglaise.

tympan n.m. Membrane mince située dans l'oreille, que le moindre bruit fait vibrer: *Le tympan est une membrane très fragile.*

type n.m. **1.** Personne ou chose qui sert de modèle pour comparer les autres de son espèce: *On ne fabrique plus ce type d'ordinateur.* SYN. genre. **2.** Ensemble des traits caractéristiques d'une famille, d'un groupe, d'une race: *Denis est le type même de l'infirmier efficace et dévoué.* SYN. personnification, symbole. ☞ typique, typiquement. ▲ **type** n.m. Individu quelconque: *Un type m'a abordé pour me demander son chemin.*

typhoïde n.f. et adj. **1.** n.f. Maladie contagieuse qui cause des troubles nerveux, des maux d'intestin et de fortes fièvres: *La typhoïde a beaucoup affaibli le malade.* **2.** adj. Qui est causée par cette maladie: *La fièvre typhoïde est répandue dans plusieurs pays tropicaux.* **R.** Ne pas oublier le tréma: *ï*. Les lettres *ph* se prononcent *f*.

typhon n.m. Cyclone très violent en Extrême-Orient: *Il y a des typhons dans les régions voisines de l'océan Indien.* **R.** Les lettres *ph* se prononcent *f*.

typhus n.m. Maladie dont une des caractéristiques est la fièvre accompagnée de rougeurs sur la peau: *Le typhus peut s'attaquer aux chiens et aux chats.* **R.** Les lettres *ph* se prononcent *f*. Le *s* se prononce.

typique adj. **1.** Qui caractérise bien, qui est un exemple: *Les violents maux de tête sont typiques de la migraine.* **2.** Qui représente bien un groupe d'animaux ou de végétaux: *L'habitude de mastiquer longuement les aliments est typique des ruminants.* SYN. caractéristique. ☞ type.

typiquement adv. D'une manière typique, caractéristique: *Il parle avec un accent typiquement gaspésien.* ☞ type.

typographe n. Personne qui compose des textes destinés à l'impression à l'aide de caractères en relief: *La typographe a procédé à la mise en pages de ce texte.* **R.** Aussi, *typo*. Les lettres *ph* se prononcent *f*. ☞ typographie.

typographie n.f. **1.** Procédé permettant de reproduire un texte au moyen de caractères en relief: *De nos jours, la photocomposition remplace souvent la typographie.* **2.** Manière dont un texte est imprimé: *La typographie de cette revue est très originale.* **R.** Aussi, *typo*. Les lettres *ph* se prononcent *f*. ☞ typographe, typographique.

typographique adj. Qui se rapporte à la typographie, à ce procédé qui permet de reproduire un texte au moyen de caractères en relief: *La composition typographique est un travail minutieux.* **R.** Les lettres *ph* se prononcent *f*. ☞ typographie.

tyran n.m. **1.** Personne qui a le pouvoir et l'exerce de façon injuste et cruelle: *Un tyran maintient ce peuple dans la pauvreté et la misère.* SYN. despote, dictateur, oppresseur. ANT. libérateur, protecteur. **2.** fig. Personne autoritaire: *Mélanie est un vrai tyran, elle nous oblige à faire ses quatre volontés.* ☞ tyrannie, tyrannique, tyranniser. ▲ **tyran** n.m. Petit oiseau d'Amérique qui est très agressif envers les autres oiseaux: *Le tyran fait partie de la famille des passereaux.*

tyrannie n.f. **1.** Gouvernement d'un tyran qui ne respecte pas les libertés individuelles de ceux qu'il terrorise: *Ce peuple se révolte contre la tyrannie de sa présidente.* SYN. despotisme, dictature, oppression. **2.** Abus de pouvoir: *Il exerce une tyrannie révoltante sur tous ses proches.* **3.** Puissance qu'exercent certaines choses ou idées sur les humains: *La* *tyrannie de la mode lui fait dépenser des sommes folles.* SYN. influence. ☞ tyran.

tyrannique adj. **1.** Qui tient de la tyrannie, d'un gouvernement qui ne respecte pas les libertés individuelles : *Ce pays vit sous un régime tyrannique.* SYN. arbitraire, oppressif. ANT. doux, humain. **2.** Qui est autoritaire et injuste : *Ma patronne est tyrannique.* **3.** Qui est trop exigeant : *Il faut s'opposer à cette mesure tyrannique.* ☞ tyran.

tyranniser v. **1.** Exercer une trop grande autorité, soumettre, persécuter : *Cet enfant tyrannise tous ses camarades.* SYN. assujettir, opprimer. ANT. protéger. **2.** Contraindre : *Élise se laisse tyranniser par son travail.* ☞ tyran.

tyrannosaure n.m. Grand reptile, carnivore et bipède : *Le tyrannosaure mesurait quinze mètres environ.*

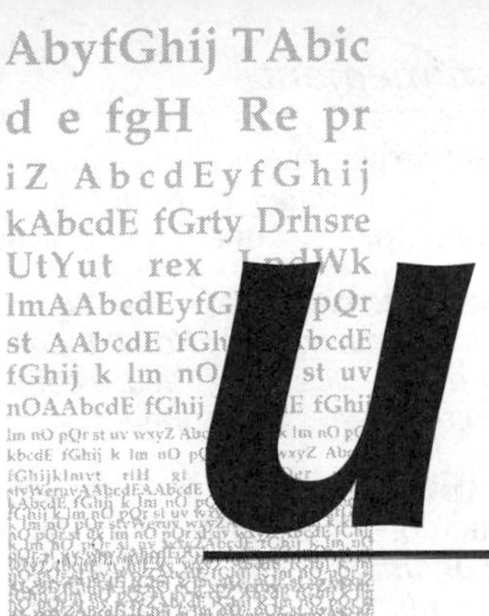

u n.m.invar. Vingt et unième lettre de l'alphabet: *La lettre « u » est la cinquième voyelle de l'alphabet.*

ukrainien, ienne n. et adj. **1.** n. Personne qui est de l'Ukraine: *Un Ukrainien, une Ukrainienne.* **2.** adj. Qui est de l'Ukraine: *La culture ukrainienne m'intéresse beaucoup.* **R.** On met la majuscule à *ukrainien* et à *ukrainienne* lorsque le nom désigne une personne.

ukrainien n.m. Langue parlée en Ukraine: *L'ukrainien est une langue slave.*

ulcère n.m. Plaie de la peau ou d'une muqueuse, qui a tendance à ne pas se cicatriser: *Il souffre d'ulcères à l'estomac.* ☞ ulcérer.

ulcérer v. **1.** Produire un ulcère: *Cette blessure est en train d'ulcérer.* **2.** fig. Irriter profondément: *Tes critiques l'ont ulcéré.* SYN. blesser, chagriner. ANT. consoler, soulager. ☞ ulcère.

ulcère ulcérer

ultérieur, eure adj. Qui arrivera plus tard: *La réunion a été reportée à une date ultérieure.* SYN. postérieur. ANT. antérieur. ☞ ultérieurement.

ultérieurement adv. Après, plus tard: *Nous reviendrons ultérieurement sur ce sujet.* SYN. ensuite. ANT. antérieurement, avant. ☞ ultérieur.

ultimatum n.m. (lat.) Dernière proposition dont le rejet peut entraîner la guerre: *Ce pays a lancé un ultimatum à l'État voisin.* SYN. avertissement, ordre. ANT. arrangement, entente. **R.** Les lettres *um* se prononcent *omm*.

ultime adj. Qui est au dernier degré, à l'extrême limite: *Nous ferons un ultime effort.* SYN. final, suprême. ANT. initial, premier.

ultramoderne adj. Qui est très moderne: *Notre école possède un laboratoire ultramoderne.* ☞ moderne.

ultra-son n.m. Vibration acoustique trop élevée pour être perçue par l'oreille: *Les chauves-souris émettent des ultra-sons.* **R.** Au pluriel, *ultra-sons*. Aussi, *ultrason*. ☞ son.

ultra-violet, ette adj. Qui est d'une longueur d'onde située entre celle de la lumière visible et celle des rayons X, en parlant d'une radiation: *Le Soleil émet des radiations ultra-violettes.* **R.** Au pluriel, *ultra-violets*. Aussi, *ultraviolet*.

un n.m.invar. **1.** Nombre qui est le premier de tous les nombres: *Un plus un égalent deux.* **2.** Chiffre représentant le nombre un: *Ton un est trop penché.* **R.** Devant *un*, on ne fait pas l'élision.

un, une adj.num. et adj. **1.** adj.num. Deux moins un: *La Terre ne possède qu'un satellite, la Lune.* **2.** adj.num. Premier: *La table des matières se trouve à la page un.* **3.** adj. Qui est unique, simple et qui ne peut être divisé: *Notre amitié est une et forte.* ⁄⁄ *Un à un:* Un seul à la fois. *Un par un:* Un seul à la fois. ☞ une, unième, unièmement.

un, une, des art.indéf. **1.** Se place devant un nom désignant une personne, un animal ou une chose que l'on désigne d'une façon indéterminée: *J'ai vu un lièvre, une marmotte et des hérissons.* **2.** Se place devant un nom propre pour désigner une personne portant ce nom: *Dans ma classe, il y a une Tremblay qui vient de l'Abitibi.*

un, une, uns, unes pron.indéf. **1.** S'emploie pour désigner une personne parmi d'autres personnes: *Un de mes amis m'a aidé à faire mon devoir.* **2.** S'emploie pour désigner une chose parmi d'autres choses: *J'ai écouté une de mes cassettes.* ⁄⁄ *L'un et l'autre:* Tous deux. *L'un l'autre:* Mutuellement. *L'un ou l'autre:* Un seul des deux. *Ni l'un ni l'autre:* Aucun des deux. *Pas un:* Aucun. *Plus d'un:* Plusieurs.

unanime adj. **1.** Qui exprime un commun accord: *Leur choix a été unanime.* SYN. universel. **2.** plur. Dont l'opinion est la même, en parlant de personnes : *Les élèves ont été unanimes à approuver ce projet de sortie.* ANT. contradictoire. ☞ unanimement, unanimité.

unanimement adv. De façon unanime, d'un commun accord : *Nous avons unanimement décidé de donner deux représentations de notre pièce.* ☞ unanime.

unanimité n.f. Accord complet entre tous les membres d'un groupe : *Ta proposition a fait l'unanimité.* ANT. discorde, partage. ⫽ *À l'unanimité :* Avec l'accord de tous. ☞ unanime.

unau, aus n.m. (tupi) Mammifère arboricole d'Amérique tropicale, qui se pend aux branches et se déplace avec des mouvements lents : *L'unau est une variété de paresseux.*

unau

une n.f. Première page d'un quotidien : *Cet événement a fait la une de tous les journaux.* ☞ un.

uni, unie adj. **1.** Qui est lié, en union : *Leurs cœurs sont unis par l'amour.* SYN. intime. **2.** Qui constitue un tout, une unité : *Nous présenterons un front uni et nous gagnerons.* **3.** Qui est en bonne entente : *Notre famille est très unie.* **4.** Qui est joint, réuni : *Je me tiens le corps droit et les talons unis.* ☞ unir. ▲ **uni, unie** adj. **1.** Qui est plan, sans inégalité : *La glace est reluisante et unie.* SYN. lisse. ANT. inégal, raboteux. **2.** Qui est d'une seule couleur : *J'ai acheté une chemise à carreaux et un pantalon uni.* ANT. bigarré.

unième adj.num. Qui vient en premier, immédiatement après une dizaine, une centaine ou un millier : *Cette année, l'été commence le vingt et unième jour de juin.* ⫽ *Pour la mille et unième fois :* Encore une fois après de nombreuses fois. ☞ un.

unièmement adv. En première position, immédiatement après une dizaine, une centaine ou un millier : *Quarante et unièmement, visser le dernier boulon.* ☞ un.

unification n.f. Action d'unifier, de rendre unique, uniforme ou de s'unifier : *Ce parti politique travaille à l'unification du pays.* ANT. séparation. ☞ unifier.

unifier v. **1.** Faire de plusieurs éléments une seule et même chose : *On parle d'unifier ces territoires pour en faire une seule province.* ANT. désunir, séparer. **2.** Rendre semblable les éléments rassemblés : *Ces programmes seront unifiés pour mieux répondre aux besoins de la population.* ☞ réunification, réunifier, unification. **s'unifier** v.pron. Devenir uni : *Ce peuple doit s'unifier pour sauvegarder sa langue.* ANT. s'opposer.

unifolié, ée adj. Qui n'a qu'une seule feuille : *Le drapeau canadien est unifolié.* ☞ feuille.

uniforme n.m. et adj. **1.** n.m. Costume identique, obligatoire pour un groupe de personnes faisant une même activité : *La factrice porte un uniforme.* **2.** adj. Qui présente des éléments tous semblables : *Les chapitres de ce livre sont uniformes.* SYN. homogène. ANT. divers. **3.** adj. Qui est sans changement : *Elle ne veut pas avoir une vie uniforme et sans défi.* SYN. monotone. **4.** adj. Qui a la même forme, la même apparence : *Les maisons de ce quartier sont uniformes.* SYN. identique, pareil. ANT. différent, distinct. ☞ uniformément, uniformisation, uniformiser, uniformité.

uniformément adv. **1.** De façon uniforme, homogène : *Les problèmes sont uniformément répartis dans ce cahier d'exercices.* **2.** Régulièrement, sans variation : *Les jours se suivaient uniformément.* **3.** De manière identique : *La foule est uniformément vêtue de noir.* ☞ uniforme.

uniformisation n.f. Action de rendre uniforme ou résultat de cette action : *Les manuels scolaires se ressemblent à cause de l'uniformisation des programmes d'études.* ☞ uniforme.

uniformiser v. Rendre uniforme, semblable : *Des spécialistes ont uniformisé le vocabulaire des mathématiques.* ☞ uniforme.

uniformité n.f. État de ce qui est uniforme, de ce qui ne varie pas : *L'uniformité du ciel gris me rend mélancolique.* SYN. régularité. ANT. diversité, variété. ☞ uniforme.

unijambiste n. et adj. **1.** n. Personne qui n'a qu'une jambe : *Terry Fox était un unijambiste héroïque.* **2.** adj. Qui n'a qu'une jambe :

Cette coureuse unijambiste participe aux Jeux olympiques pour les personnes handicapées. ☞ jambe.

unijambiste

unilatéral, ale, aux adj. **1.** Qui ne se fait que d'un côté : *Dans ma rue, le stationnement est unilatéral du lundi au vendredi.* **2.** Qui n'est fait ou décidé que par une seule partie, indépendamment de l'autre : *Le conseil scolaire a pris une décision unilatérale.* ☞ latéral.

unilatéralement adv. De façon unilatérale, sans tenir compte de l'autre partie : *La présidente a unilatéralement décidé de convoquer l'assemblée générale.* ☞ latéral.

unilingue n. et adj. **1.** n. Personne qui parle une seule langue : *Dans mon quartier, il y a beaucoup d'unilingues anglophones.* SYN. monolingue. **2.** adj. Qui parle une seule langue : *Mon amie chilienne était unilingue lorsqu'elle est arrivée au Canada.* **3.** adj. Qui est écrit en une seule langue : *J'ai un dictionnaire unilingue anglais.* **R.** Ne pas oublier le *u* après le *g*.

union n.f. **1.** Association de plusieurs personnes, combinaison de plusieurs choses : *L'union de nos efforts nous mènera à la victoire.* ANT. dispersion, séparation. **2.** Vie conjugale, mariage : *Leur union a duré quarante ans.* SYN. liaison. ANT. divorce, mésentente. **3.** Bonne entente entre des personnes, des groupes de personnes : *L'union règne dans notre classe.* SYN. accord, amitié, fraternité, harmonie. ANT. désaccord, discorde, dissension. ⁄⁄ *L'union fait la force :* L'entente, l'harmonie sur le plan des idées et dans l'action engendrent la force. *Union libre :* Concubinage. ☞ unir. ▲ **union** n.f. Ensemble de personnes unies, de groupes associés : *Ma mère est membre actif d'une union ouvrière.* SYN. groupement, ligue, parti. ☞ unir.

unique adj. **1.** Qui est seul : *Mon ami est fils unique.* **2.** Qui est sans égal, exceptionnel : *Notre centre d'architecture est unique au monde.* SYN. extraordinaire, incomparable, remarquable. ANT. commun, fréquent, habituel, ordinaire. ☞ uniquement.

uniquement adv. **1.** Seulement : *Je voulais uniquement lui parler.* **2.** De façon à exclure toutes les autres personnes ou choses : *Tu penses uniquement à l'argent.* ☞ unique.

unir v. **1.** Mettre ensemble, joindre l'un à l'autre : *Unissons nos forces et nous réussirons.* **2.** Lier par les liens du mariage : *Le prêtre les a unis dans cette chapelle.* SYN. marier. ANT. séparer. **3.** Associer par un lien politique : *Cette organisation a pour but d'unir les nations.* SYN. liguer. ANT. disperser. **4.** Relier par un moyen de communication : *Ce satellite unit le Canada et l'Europe.* SYN. joindre. ANT. disjoindre. ☞ désuni, désunion, désunir, uni, union. **s'unir** v.pron. **1.** Former un tout avec d'autres personnes : *Unissons-nous dans la joie et l'amitié.* **2.** S'attacher par les liens du mariage : *Mes parents se sont unis dans cette église.* **3.** S'associer à quelqu'un, établir des liens avec quelqu'un : *Cette école s'est unie avec la nôtre.* **4.** Former un tout, en parlant des choses : *Ces rivières s'unissent avant de se jeter dans le fleuve.*

unisexe adj. Qui convient aux hommes et aux femmes, en parlant d'un vêtement, d'une coiffure : *Ce chandail est unisexe.* ☞ sexe.

unisson n.m. **1.** Son unique émis par plusieurs voix ou plusieurs instruments : *Le chœur entonnait l'unisson.* **2.** fig. Accord, harmonie de pensées, de sentiments : *Notre équipe travaille à l'unisson.* ⁄⁄ *À l'unisson :* En accord parfait.

unitaire adj. Qui est relatif à l'unité, à un seul objet : *Le prix unitaire de ces pommes est de vingt cents.* ☞ unité.

unité n.f. **1.** Qualité de ce qui est unique : *Ce peuple constitue une unité.* ANT. diversité. **2.** Qualité de ce qui forme un tout harmonieux : *Cette activité contribuera à accroître l'unité à l'intérieur de l'école.* SYN. accord. ANT. désaccord. **3.** Cohérence interne, uniformité : *Ta composition manque d'unité.* SYN. régularité. ANT. déséquilibre. ▲ **unité** n.f. **1.** Exemplaire d'un produit fabriqué en série : *J'ai commandé trois unités de cet appareil.* **2.** Formation militaire : *Cette unité a été envoyée au front.* SYN.

troupe. **3.** Chiffre qui est à la droite des dizaines dans un nombre: *Dans deux cent trente-quatre, l'unité est quatre.* **4.** Grandeur déterminée servant à mesurer les autres grandeurs de même catégorie: *Le mètre est une unité de mesure de longueur.* ☞ unitaire.

univers n.m. **1.** Ensemble de tout ce qui existe: *Autrefois, on croyait que la Terre était le centre de l'univers.* SYN. création, espace. **2.** Humanité entière: *Sa renommée a fait le tour de l'univers.* SYN. monde, terre. **3.** fig. Milieu particulier à une personne: *Son petit village est son univers.* SYN. domaine.

universalisation n.f. Action de rendre une chose universelle ou résultat de cette action: *L'universalisation des soins médicaux est nécessaire.* ☞ universel.

universel, elle adj. **1.** Qui concerne le monde entier: *L'Exposition universelle de Montréal a eu lieu en 1967.* SYN. mondial. ANT. local. **2.** Qui s'applique à tous les cas: *Avant, on croyait qu'il existait un remède universel.* SYN. général. ANT. particulier. **3.** Qui vaut pour tout ce qui existe: *Le respect de la vie est une valeur universelle.* SYN. absolu. ANT. restreint. **4.** Qui a des connaissances dans tous les domaines: *Ce savant est un esprit universel.* SYN. encyclopédique. ⁄⁄ *Donneur universel:* Personne qui peut donner son sang à d'autres personnes de groupes sanguins différents. *Receveur universel:* Personne qui peut recevoir le sang d'autres personnes, quel que soit leur groupe sanguin. ☞ universalisation, universellement.

universellement adv. De façon universelle: *Cette cantatrice est connue universellement.* ☞ universel.

universitaire n. et adj. **1.** n. Personne qui enseigne dans une université: *Cette universitaire enseigne l'astronomie aux États-Unis.* **2.** adj. Qui est relatif à l'enseignement supérieur: *Ma mère possède un diplôme universitaire en administration.* ☞ université.

université n.f. Établissement d'enseignement supérieur: *Mon frère étudie en droit à l'université.* ☞ universitaire.

univoque adj. **1.** Qui signifie toujours la même chose: *Le mot « non » est univoque.* **2.** Qui est en relation avec un seul élément dans un autre ensemble, en parlant d'un élément dans un premier ensemble: *Il existe une correspondance univoque entre ces éléments.*

uraète n.m. Grand aigle d'Australie, au plumage brun-noir: *L'uraète se nourrit de moutons, de kangourous et de lapins.*

uranium n.m. Métal radioactif naturel, présent dans plusieurs minerais: *L'uranium est utilisé comme combustible dans les réacteurs nucléaires.* **R.** Les lettres *um* se prononcent *omm.*

urbain, aine adj. Qui est de la ville ou fait partie de la ville: *Les transports urbains ont été paralysés par la tempête de neige.* ANT. rural. ☞ interurbain, urbanisation, urbaniser, urbanisme, urbaniste.

urbanisation n.f. Action de concentrer la population dans les villes ou résultat de cette action: *L'urbanisation des zones rurales doit être contrôlée.* ☞ urbain.

urbaniser v. Donner un caractère urbain à un endroit: *La Société d'aménagement de l'Outaouais projette d'urbaniser ce site.* ☞ urbain. **s'urbaniser** v.pron. Se transformer en zone urbaine: *Cette région s'est rapidement urbanisée.* **urbanisé, ée** p.p. et adj. Qui a un caractère urbain: *Nous vivons dans une région urbanisée.*

urbanisme n.m. Étude de tout ce qui concerne la construction et l'aménagement des zones urbaines: *Le service d'urbanisme de notre ville a aménagé un espace vert près de notre école.* ☞ urbain.

urbaniste n. Personne qui étudie et aménage les zones urbaines: *Cette urbaniste nous a expliqué le projet d'aménagement du canal Lachine.* ☞ urbain.

urètre n.m. Canal qui amène l'urine de la vessie à l'extérieur: *Chez l'homme, le sperme et l'urine passent par l'urètre.*

urgence n.f. **1.** Caractère de ce qui est pressant: *Vu l'urgence du problème, la réunion aura lieu ce soir.* **2.** Obligation, nécessité d'agir rapidement: *C'est une urgence, il faut se hâter.* **3.** Service des cas urgents, dans un hôpital: *Il est entré à l'urgence à cause d'une crise d'asthme.* ☞ urgent. **d'urgence** loc.adv. De façon rapide, sans délai: *Ce télégramme est à expédier d'urgence.*

urgent, ente adj. Qui ne peut pas être remis à plus tard: *J'avais un besoin urgent d'aller aux toilettes.* SYN. pressant. ☞ urgence.

urinaire adj. Qui se rapporte à l'urine, à sa production et à son élimination: *L'appareil urinaire comprend les reins, la vessie et l'urètre.* ☞ urine.

urine n.f. Liquide qui s'accumule dans la vessie et qui est évacué par l'urètre: *L'urine est extraite du sang par les reins.* ☞ urinaire, uriner, urinoir, urologie, urologue.

uriner v. Évacuer son urine: *Ma petite sœur a uriné dans son lit cette nuit.* ☞ urine.

urinoir n.m. Dispositif dans lequel les hommes urinent, dans les toilettes publiques:

Il n'y a pas d'urinoirs dans les toilettes pour femmes. ☞ urine.

urne n.f. **1.** Vase décoratif à flancs arrondis: *J'ai mis les fleurs dans une urne.* SYN. récipient. **2.** Boîte où l'on dépose les bulletins de vote: *Nous avons vidé les urnes pour le dépouillement du scrutin.*

urologie n.f. Partie de la médecine qui traite des maladies des voies urinaires: *Le malade a été transféré au service d'urologie.* ☞ urine.

urologue n. Personne qui est spécialiste de l'urologie: *Ma tante, qui est urologue, travaille dans cet hôpital.* **R.** Ne pas oublier le *u* après le *g*. ☞ urine.

ursidés n.m.plur. Famille de mammifères, dont l'ours est le principal représentant: *Les ursidés sont plantigrades et carnivores.* **R.** S'écrit au singulier lorsqu'il désigne un animal appartenant à cette famille.

urticaire n.f. Éruption passagère de petits boutons, souvent due à une réaction allergique: *Quand elle mange des tomates, elle fait de l'urticaire.*

urubu n.m. (tupi) Petit vautour noir d'Amérique tropicale: *L'urubu est commun dans les endroits habités.*

uruguayen, enne n. et adj. **1.** n. Personne qui est de l'Uruguay: *Un Uruguayen, une Uruguayenne.* **2.** adj. Qui est de l'Uruguay: *L'artisanat uruguayen est très coloré.* **R.** On met la majuscule à *uruguayen* et à *uruguayenne* lorsqu'il s'agit du nom. Les lettres *gua* se prononcent *gwè*.

urus n.m. Mammifère ongulé sauvage, de grande taille, qui ressemble au bœuf: *L'urus est un animal en voie d'extinction.* **R.** Le *s* se prononce.

us n.m.plur. Usages, habitudes d'un peuple: *Il est difficile de comprendre les us de chaque peuple.* ∥ *Les us et coutumes:* Les usages traditionnels. **R.** Le *s* se prononce.

usage n.m. Pratique habituelle dans une société: *Les Amérindiens tiennent à conserver leurs usages traditionnels.* SYN. coutume, habitude, tradition. ∥ *D'usage:* Conforme aux règles de la société. ▲ **usage** n.m. **1.** Action de se servir d'une chose: *L'usage du tabac est interdit dans l'école.* SYN. consommation. **2.** Emploi que l'on peut faire d'une chose: *Ce canif a trois lames qui servent à divers usages.* **3.** Ensemble des règles ou des caractéristiques d'emploi des éléments du langage: *Cette expression est contraire au bon usage.* ∥ *À l'usage de quelqu'un:* Destiné à être utilisé par quelqu'un. *En usage:* Qui est encore utilisé. *Faire usage de quelque chose:* Utiliser quelque chose. *Hors d'usage:* Qui ne fonctionne plus. ☞ user.

usagé, ée adj. Qui a beaucoup servi: *Ma mère a un sac usagé, mais toujours beau.* HOM. usager. **R.** N'a pas le sens de *d'occasion*.

usager n.m. **1.** Personne qui utilise un service public: *Les usagers du métro ont été surpris par la grève.* SYN. utilisateur. **2.** Personne qui emploie une langue: *Plusieurs usagers du français ont reçu un formulaire unilingue anglais.* HOM. usagé. **R.** L'O.L.F. recommande *usagère* comme féminin de *usager*. ☞ user.

usant, ante adj. Qui fatigue beaucoup: *Son travail est usant.* ☞ user.

usé, ée adj. **1.** Qui est détérioré par l'usure: *Pour peindre, j'ai mis des vêtements usés.* SYN. défraîchi, vieux. ANT. neuf. **2.** Qui est devenu banal, sans intérêt: *Il répète sans cesse ses blagues usées.* **3.** Qui a perdu ses forces, sa santé: *Cette mère de quatre enfants est usée.* SYN. épuisé. HOM. user. ☞ user.

user v. **1.** Détériorer par l'usure: *J'ai usé les pneus de ma bicyclette en freinant.* SYN. abîmer. **2.** Affaiblir lentement: *Tu uses tes yeux en lisant sans un bon éclairage.* **3.** Supprimer les forces, la santé de quelqu'un: *L'alcool l'use.* ☞ inusable, usant, usé, usure. **s'user** v.pron. **1.** Se détériorer par l'usure: *Mon jean s'est usé aux genoux.* **2.** S'affaiblir avec le temps: *Notre amour ne s'use pas malgré les années.* **3.** Perdre ses forces, sa santé: *Je m'use au travail.* ▲ **user** v. **1.** litt. Se servir de quelque chose: *Il a gagné en usant de la ruse.* **2.** Utiliser quelque chose pour obtenir un effet: *J'use de la télévision pour savoir ce qui se passe, mais je n'en abuse pas.* HOM. usé. ☞ usage, usager.

usine n.f. Établissement où sont fabriqués des objets, des produits: *Mon père travaille à l'usine de pâte à papier.* SYN. atelier, fabrique, manufacture. ☞ usiner.

usiner v. **1.** Façonner une pièce avec une machine-outil: *Ces pièces ont été usinées par ma sœur.* **2.** Fabriquer dans une usine: *Cette entreprise projette d'usiner des bicyclettes.* ☞ usine.

usité, ée adj. Qui est employé, en parlant d'un mot, d'une expression: *Le plus-que-parfait du subjonctif est peu usité.* ☞ inusité.

ustensile n.m. Objet servant aux usages domestiques: *J'ai lavé les ustensiles de cuisine.*

usuel, elle adj. Dont on se sert couramment: *Ce dictionnaire ne contient que des mots usuels.* SYN. commun, courant, fréquent, habituel. ANT. exceptionnel, inusité, rare.

usure n.f. **1.** Détérioration due à un usage prolongé: *J'ai failli avoir un accident à cause de l'usure des freins de mon automobile.* **2.** Diminution de la santé: *L'usure de ses forces l'oblige à se reposer.* ☞ user. ▲ **usure** n.f. Fait de demander un taux d'intérêt trop élevé: *Un tel taux d'intérêt, c'est de l'usure!* SYN. exploitation, vol. ANT. honnêteté, probité. ☞ usurier.

usurier, ière n. Personne qui prête de l'argent en demandant trop d'intérêt: *Cette société de crédit est une clique d'usuriers.* ☞ usure.

usurpateur, trice n. Personne qui s'empare illégalement d'un pouvoir, d'un bien: *Le trône était occupé par une usurpatrice.* ☞ usurper.

usurpation n.f. Action de s'emparer illégalement de quelque chose ou résultat de cette action: *Il s'est élevé contre l'usurpation du poste qu'on lui avait promis.* ☞ usurper.

usurper v. S'emparer illégalement d'un pouvoir, d'un bien en utilisant la violence ou la ruse: *Il a usurpé son titre en trichant lors des éliminatoires.* SYN. accaparer, s'approprier, saisir. ANT. abandonner, céder, rendre. ☞ usurpateur, usurpation. **usurpé, ée** p.p. et adj. Qui est obtenu de façon illégale: *Sa réputation usurpée l'oblige à mentir sans cesse.*

ut n.m.invar.vx Note de musique: *« Ut » est la première note de la gamme.* SYN. do. HOM. hutte. **R.** Le *t* se prononce.

utérin, ine adj. **1.** Dont la mère est la même mais le père différent, en parlant de frères et de sœurs: *Mon demi-frère est mon frère utérin.* ANT. consanguin. **2.** Qui se rapporte à l'utérus: *Elle a été hospitalisée pour une hémorragie utérine.* ☞ utérus.

utérus n.m. (lat.) Organe destiné à contenir l'œuf fécondé jusqu'au terme de la grossesse, chez la femme: *Le bébé est dans l'utérus de maman.* **R.** Le *s* se prononce. ☞ utérin.

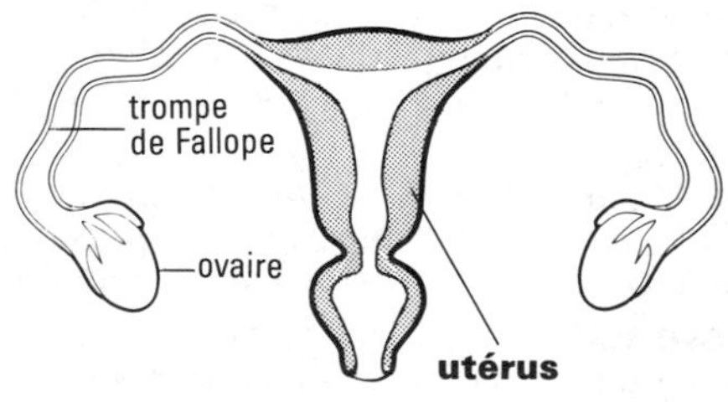

utile n.m. et adj. **1.** n.m. Ce qui sert à quelque chose: *Cette rencontre joint l'utile à l'agréable.* **2.** adj. Qui sert à quelque chose, qui rend service à quelqu'un: *Ce livre est utile à consulter quand tu fais un travail.* SYN. avantageux, commode. ANT. inutile, nuisible, superflu. **3.** adj. Dont l'activité peut être mise au service de quelqu'un: *Je cherche à me rendre utile pour aider mes parents.* SYN. précieux. ⁄⁄ *En temps utile*: Au moment opportun. ☞ inutile, inutilement, inutilité, utilement, utilitaire, utilité.

utilement adv. De façon utile: *J'ai trouvé un moyen d'employer utilement les vieux journaux.* ANT. inutilement. ☞ utile.

utilisable adj. Qui peut être utilisé: *Ton crayon n'est plus utilisable.* ANT. inutilisable. ☞ utiliser.

utilisateur, trice n. Personne qui fait usage d'un appareil, d'un service: *Les utilisateurs du gaz naturel sont satisfaits de ce produit.* ☞ utiliser.

utilisation n.f. Action d'utiliser, d'employer quelque chose: *Nous avons fait un travail sur l'utilisation de l'électricité dans les industries.* ☞ utiliser.

utiliser v. **1.** Se servir de quelque chose: *J'ai déplacé cette pierre en utilisant un levier.* SYN. employer. **2.** Rendre utile ce qui ne l'était pas nécessairement: *J'utilise les restes, je ne les jette pas.* ☞ inutilisable, inutilisé, utilisable, utilisateur, utilisation.

utilitaire adj. Qui a pour but d'être utile: *Les véhicules utilitaires sont les camions, les autobus, les voitures de pompiers, etc.* SYN. pratique. ANT. inutile. ☞ utile.

utilité n.f. **1.** Qualité de ce qui est utile, avantageux pour quelqu'un ou quelque chose: *En camping, ce canif nous sera d'une grande utilité.* SYN. secours. ANT. inefficacité, inutilité. **2.** Intérêt, bien de quelqu'un: *J'ai une automobile pour mon utilité personnelle.* ☞ utile.

utopie n.f. Projet, idée qui ne tient pas compte de la réalité: *Un monde harmonieux sans guerre ni violence est encore une utopie.* SYN. chimère, illusion, rêve. ☞ utopique, utopiste.

utopique adj. Qui est une utopie, qui ne tient pas compte de la réalité: *Ton projet d'école sans études est utopique.* SYN. chimérique, illusoire, impossible, irréalisable. ANT. possible, pratique, raisonnable, réalisable. ☞ utopie.

utopiste n. Personne qui rêve, qui croit à des choses irréalisables: *Cette utopiste rêve d'une école où l'on n'apprendrait que ce qui nous plaît.* ☞ utopie.

U turn ☞ sect. anglicismes et canadianismes.

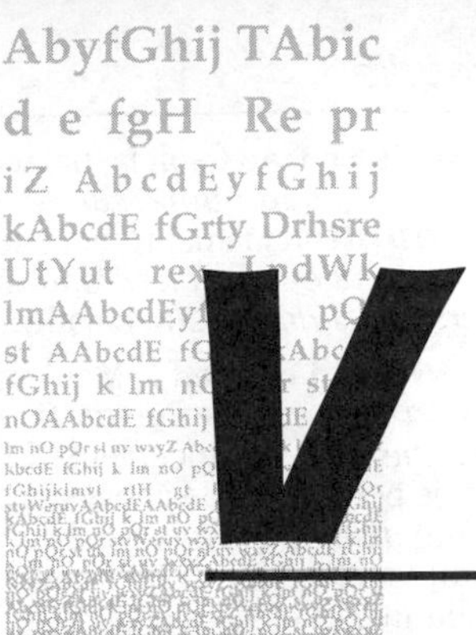

v n.m.invar. **1.** Vingt-deuxième lettre de l'alphabet: *La lettre «v» est la dix-septième consonne de l'alphabet.* **2.** Chiffre romain valant cinq: *V représente le nombre cinq.* **R.** On met la majuscule lorsqu'il s'agit du chiffre romain.

va! interj. Expression servant à encourager ou à menacer: *Ne t'en fais pas, va! Tout ira bien.*

vacance n.f. Poste inoccupé, sans titulaire: *Depuis sa démission, il y a une vacance au service des commandes.* ANT. travail. HOM. vacances. ☞ vacant.

vacances n.f.plur. **1.** Période estivale pendant laquelle les écoles sont fermées: *J'ai hâte aux vacances.* SYN. congé, relâche. ANT. rentrée. **2.** Période pendant laquelle des salariés cessent de travailler pour prendre du repos: *Maman prendra ses vacances en août.* SYN. loisir. HOM. vacance. ☞ vacancier.

vacancier, ière n. Personne qui est en vacances dans un lieu autre que celui où elle réside: *Les vacanciers ont envahi les plages de la Gaspésie.* ☞ vacances.

vacant, ante adj. **1.** Qui est inoccupé: *Nous avons trouvé des places vacantes dans le métro.* SYN. disponible, libre. ANT. occupé, rempli. **2.** Qui n'a pas de titulaire: *Il y a plusieurs postes vacants dans cette entreprise.* SYN. inoccupé, ouvert, vide. ☞ vacance.

vacarme n.m. (néerl.) Bruit tumultueux: *Des élèves faisaient du vacarme dans le vestiaire.* SYN. chahut, tapage. ANT. murmure, silence.

vaccin n.m. Liquide microbien qu'on inocule à une personne afin de l'immuniser: *Ma petite sœur est allée à la clinique pour recevoir un vaccin.* **R.** Les lettres *cc* se prononcent *ks*. ☞ revacciner, vaccination, vacciner.

vaccination n.f. Action de vacciner: *La vaccination est une arme efficace contre les épidémies.* **R.** Les lettres *cc* se prononcent *ks*. ☞ vaccin.

vacciner v. Administrer un vaccin à une personne ou un animal: *J'ai été vacciné contre la diphtérie, la coqueluche et le tétanos.* SYN. immuniser. **R.** Les lettres *cc* se prononcent *ks*. ☞ vaccin.

vache n.f. **1.** Mammifère ruminant de la famille des bovidés, dont le mâle est le taureau et le petit, le veau: *La vache nous donne du lait.* **2.** Peau de cet animal: *Ce fauteuil est en vache.* ☞ vachette.

vachement adv.fam. Beaucoup, très: *C'est vachement intéressant!* SYN. drôlement, rudement.

vacherie n.f.pop. Parole ou action méchante: *Tu as dit des vacheries à son sujet.* ANT. gentillesse.

vacherin n.m. **1.** Pâtisserie à la meringue et à la crème: *Pour le dessert, il y aura des vacherins.* **2.** Fromage fabriqué en Suisse et dans le Jura français: *Le vacherin ressemble un peu au gruyère.*

vachette n.f. Jeune vache: *Une vachette est sortie du pâturage.* ☞ vache.

vacillant, ante adj. Qui vacille, qui est instable: *J'ai les jambes vacillantes.* SYN. chancelant, tremblant. ANT. ferme, immobile, solide. **R.** Les lettres *ill* se prononcent comme dans *famille*. ☞ vaciller.

vacillement n.m. Mouvement de ce qui vacille, de ce qui est instable: *Le vacillement de la flamme faisait bouger les ombres sur les murs.* **R.** Les lettres *ill* se prononcent comme dans *famille*. ☞ vaciller.

vaciller v. **1.** Pencher d'un côté et de l'autre et risquer de tomber: *J'avais le vertige et je vacillais sur mes jambes.* SYN. chanceler, trembler. ANT. immobiliser. **2.** Trembler au risque de s'éteindre: *La flamme de sa dernière bougie vacillait.* SYN. trembloter. **3.** fig. Devenir incertain: *Sa mémoire vacille.* SYN. hésiter. **R.** Les lettres *ill* se prononcent comme dans *famille*. ☞ vacillant, vacillement.

vadrouille n.f. Au Canada, balai à franges: *J'ai passé la vadrouille sur le plancher.* ▲ **vadrouille** n.f.fam. Promenade sans but précis: *Nous avons fait une grande vadrouille à travers les champs.* SYN. balade.

va-et-vient n.m.invar. **1.** Mouvement alternatif: *Mon chat est fasciné par le va-et-vient du pendule.* SYN. balancement. **2.** Allées et venues de personnes, de choses: *Ce terminus est animé d'un va-et-vient continuel.* **3.** Paire d'interrupteurs montés en circuit et permettant d'allumer et d'éteindre de deux endroits: *L'électronicien a installé un va-et-vient dans l'escalier.*

vagabond, onde n. et adj. **1.** n. Personne qui n'a pas de domicile fixe et qui erre à l'aventure: *Ces vagabonds voyagent en se cachant dans les trains de marchandises.* SYN. clochard, rôdeur. **2.** adj. Qui mène une vie errante: *Dans ces campagnes, il y a beaucoup de chiens vagabonds.* **3.** adj.fig. Qui est en changement continuel: *Ces élèves ont l'imagination vagabonde.* SYN. débridé, désordonné, fantaisiste. ANT. discipliné, retenu. ☞ vagabondage, vagabonder.

vagabondage n.m. **1.** Fait de vagabonder: *Elle a été arrêtée pour vagabondage.* **2.** fig. État de l'esprit qui vagabonde: *Ce rêveur aime laisser libre cours aux vagabondages de son imagination.* ☞ vagabond.

vagabonder v. **1.** Errer çà et là, sans but précis: *Elle a fait l'école buissonnière et est allée vagabonder.* **2.** fig. Passer d'un sujet à l'autre continuellement: *Durant les cours de français, son esprit se met à vagabonder.* ☞ vagabond.

vagin n.m. Organe génital interne de la femme, formé d'un canal qui relie la vulve à l'utérus: *Au moment de la menstruation, les pertes sont évacuées par le vagin.* ☞ vaginite.

vaginite n.f. Inflammation de la muqueuse du vagin, organe génital interne de la femme: *Le port de vêtements trop serrés peut provoquer une vaginite.* ☞ vagin.

vagir v. Pousser de faibles cris, le plus souvent en parlant d'un bébé: *La petite vagissait dans son berceau.* ☞ vagissant, vagissement.

vagissant, ante adj. Qui vagit, qui pousse de faibles cris: *Un bébé vagissant s'agitait dans les bras de son oncle.* ☞ vagir.

vagissement n.m. Cri faible poussé le plus souvent par un bébé ou un jeune animal: *J'ai entendu les vagissements de bébé dans sa couchette.* ☞ vagir.

vague n.m. et adj. **1.** n.m. Ce qui n'est pas défini; ce qui n'est pas distinct: *Elle regardait dans le vague.* **2.** adj. Qui est imprécis, indéterminé: *J'ai aperçu une forme vague dans le brouillard.* **R.** Ne pas oublier le *u* après le *g*. ☞ vaguement.

vague n.f. (scand.) **1.** Ondulation de la surface de l'eau: *Une vague a renversé le canoë.* SYN. flot, houle. **2.** fig. Phénomène qui se propage soudainement: *Il y a eu de grandes vagues de chaleur en juillet.* **3.** fig. Mouvement de masse de plusieurs personnes ou plusieurs choses: *Le Canada a accueilli plusieurs vagues de réfugiés.* ⁄⁄ *La nouvelle vague:* La nouvelle génération. **R.** Ne pas oublier le *u* après le *g*. ☞ vaguelette.

vague adj. Qui n'est ni cultivé ni construit, en parlant d'un terrain: *Les enfants sont allés jouer dans les terrains vagues.* SYN. inculte, vacant. ANT. cultivé. **R.** Ne pas oublier le *u* après le *g*.

vaguelette n.f. Petite vague: *La surface du lac n'était troublée que par quelques vaguelettes.* **R.** Ne pas oublier le *u* après le *g*. ☞ vague (n.f.).

vaguement adv. De façon vague, imprécise: *Il m'a vaguement laissé entendre qu'il n'était pas du même avis que moi.* ANT. distinctement, nettement. **R.** Ne pas oublier le *u* après le *g*. ☞ vague (n.m. et adj.).

vaguer v.litt. Errer ici et là: *Laisse vaguer ton imagination.* **R.** Ne pas oublier le *u* après le *g*.

vaillamment adv. Avec vaillance, courageusement: *Vous avez vaillamment triomphé de vos épreuves.* SYN. bravement. ☞ vaillant.

vaillance n.f. Courage devant les difficultés, les épreuves: *Elles ont fait preuve d'une grande vaillance dans ces moments difficiles.* SYN. audace, bravoure. ANT. faiblesse, lâcheté. ☞ vaillant.

vaillant, ante adj. Qui est plein de bravoure dans la lutte, le travail: *À la classe de neige, notre équipe a été la plus vaillante.* SYN. audacieux, courageux, valeureux. ANT. faible, lâche. ☞ vaillamment, vaillance.

vain, vaine adj. Qui est sans résultat ou sans fondement: *Tous nos efforts ont été vains.* SYN. inefficace, inutile. ANT. efficace, important, utile. HOM. vin, vingt. ⁄⁄ *En vain:* Inutilement. ☞ vainement, vanité.

vaincre v. **1.** Remporter la victoire: *Les Canadiens ont vaincu les Américains à la bataille de Châteauguay.* SYN. battre, écraser. ANT. capituler. **2.** Venir à bout de quelque chose: *Nous avons vaincu tous les obstacles.* SYN. dominer, maîtriser, surmonter. ANT. céder. ☞ invaincu, invincible, invinciblement, vaincu, vainqueur.

vaincu, ue n. et adj. **1.** n. Personne qui a subi une défaite: *Les vaincus se sont rendus sans condition.* SYN. perdant. ANT. gagnant, vainqueur. **2.** adj. Qui a subi une défaite: *Sa rivale vaincue a reçu un prix de consolation.* SYN. battu, écrasé. ANT. résistant, victorieux. ☞ vaincre.

vainement adv. En vain, inutilement: *J'ai vainement essayé de le raisonner.* ☞ vain.

vainqueur n.m. et adj. **1.** n.m. Personne qui a remporté une victoire: *Les vainqueurs des éliminatoires ont été acclamés par la foule.* SYN. champion, gagnant. ANT. vaincu. **2.** adj. Qui a une attitude victorieuse: *La joueuse affichait un air vainqueur avant même la fin du match.* SYN. triomphant. ☞ vaincre.

vaincu vainqueur

vaisseau, eaux n.m. **1.** litt. Grand navire: *Émile Nelligan a composé un poème qui parle d'un vaisseau d'or.* SYN. bateau. **2.** Canal dans lequel circule le sang ou la lymphe: *La main est sillonnée de nombreux petits vaisseaux sanguins.* ⫽ *Vaisseau spatial:* Astronef.

vaisselier n.m. Meuble où l'on range la vaisselle: *Dans la salle à manger, il y a un vaisselier antique.* **R.** S'écrit avec un seul *l.* ☞ vaisselle.

vaisselle n.f. Ensemble des pièces et des accessoires qui servent à manger: *Notre service de vaisselle est incassable.* ☞ vaisselier.

vaisselier vaisselle

val, vaux n.m. Petite vallée: *Ce petit village est situé au creux d'un val.* ⫽ *Par monts et par vaux:* De tous côtés. **R.** Aussi, au pluriel, *vals.* ☞ vallée, vallon, valonné, valonnement.

valable adj. **1.** Qui est réglementaire: *Ma carte d'abonnement est encore valable pour une semaine.* SYN. valide. ANT. invalide, périmé. **2.** Qui est fondé, admissible: *Ton examen est valable.* SYN. acceptable, recevable. ANT. contestable. **3.** Qui a une certaine valeur: *Ta composition française est valable.* ANT. nul. ☞ valoir.

valet n.m. Domestique: *La maîtresse de maison était accompagnée de ses valets.* SYN. serviteur. ▲ **valet** n.m. Carte à jouer qui occupe le rang entre le dix et la dame: *J'ai gagné grâce à mon valet de carreau.*

valeur n.f. **1.** Somme en argent, à laquelle correspond une chose qui peut être achetée ou vendue: *Cette vieille montre en or a une grande valeur.* SYN. coût, prix. **2.** Importance qu'on attache à une chose: *Les souvenirs de mon voyage ont pour moi une grande valeur.* SYN. intérêt. ANT. inutilité, nullité. **3.** Ensemble des qualités qui font qu'une personne est digne d'être aimée: *La valeur d'une personne dépend de la grandeur de son cœur.* SYN. mérite. ANT. médiocrité. ☞ valoir.

valeureux, euse adj.litt. Qui a de la bravoure, de la vaillance: *Cette femme valeureuse m'a sauvée de la noyade.* ☞ valoir.

validation n.f. Action de valider, de rendre légal: *La validation des billets de loterie est obligatoire.* ANT. annulation. ☞ valide.

valide adj. Qui est en bonne santé: *Des femmes valides défrichaient la terre.* SYN. robuste. ANT. impotent, invalide, malade. ☞ invalide, invalidité. ▲ **valide** adj. Qui remplit les exigences de la loi: *Ta carte d'abonnement n'est plus valide.* SYN. valable. ANT. nul, périmé. ☞ invalidation, invalider, validation, valider, validité.

valider v. Rendre valide, légaliser: *J'ai fait valider mon passeport.* SYN. accepter, homologuer, régulariser. ANT. annuler, invalider. ☞ valide.

validité n.f. Caractère de ce qui est valide, légal: *Tu devrais t'assurer de la validité de ton permis de pêche.* ANT. invalidité, nullité. ☞ valide.

valise n.f. Bagage à main pour le voyage: *Fais tes valises, nous partons demain.* **R.** N'a pas le sens de *coffre* (de voiture).

vallée n.f. Creux allongé occupé souvent par un cours d'eau ou un lac: *Nous avons traversé une vallée immense.* ☞ val.

vallon n.m. (it.) Petite vallée: *Le ruisseau coule au creux d'un vallon.* ☞ val.

vallonné, ée adj. Qui est parcouru de vallons: *Cette région est très vallonnée.* ☞ val.

vallonnement n.m. Aspect, relief de ce qui est vallonné: *Le vallonnement de ce terrain a été causé par des glaciers.* ☞ val.

valoir v. **1.** Avoir un prix déterminé: *Ce micro-ordinateur vaut deux mille dollars.* SYN. coûter. **2.** Être équivalent à autre chose: *Une noire pointée vaut trois croches.* SYN. égaler. ANT. amoindrir, diminuer. **3.** Être valable, s'appliquer: *Les règlements valent pour tout le monde.* **4.** Mériter, justifier: *Ce paysage vaut le détour.* **5.** Avoir pour conséquence, faire obtenir: *Sa curiosité lui a valu de vifs reproches.* SYN. attirer. ⫽ *Il vaut mieux:* Il est préférable. *Vaille que vaille:* Tant bien que mal. *Valoir la peine:* Mériter qu'on prenne la peine. ☞ dévalorisation, dévaloriser, revalorisation, revaloriser, valable, valeur, valeureux, valorisation, valoriser. se **valoir** v.pron. Avoir la même valeur: *Les deux méthodes se valent.* SYN. s'équivaloir.

valorisation n.f. Action de mettre en valeur, d'augmenter le prix de l'intérêt: *Le gouvernement a mis sur pied un programme de valorisation des régions touristiques.* ☞ valoir.

valoriser v. **1.** Accroître la valeur, augmenter le prix: *Je valorise mon capital en le déposant dans un compte d'épargne.* ANT. dévaloriser. **2.** Augmenter l'estime, le mérite de quelqu'un: *Sa victoire aux jeux d'hiver l'a valorisé aux yeux de tous.* ☞ valoir. se **valoriser** v.pron. Se donner de la valeur, de l'importance: *Elle cherche à se valoriser.*

valse n.f. (all.) **1.** Danse à trois temps: *Notre spectacle de danse débute par une valse.* **2.** Pièce musicale composée sur un rythme de valse: *Les valses de Johann Strauss sont célèbres.* ☞ valser, valseur.

valser v. Danser la valse: *Elles ont valsé sur un air d'accordéon.* ☞ valse.

valseur, euse n. Personne qui danse la valse: *Papa et maman sont de bons valseurs.* ☞ valse.

valve n.f. **1.** Appareil servant à régler le débit d'un liquide dans une canalisation: *Les plombiers ont fermé les valves pour faire une réparation.* **2.** Soupape d'une chambre à air: *Pour gonfler le pneu, raccorde bien la pompe à la valve.*

vampire n.m. (all.) **1.** Mort qui, selon une croyance populaire, se lève la nuit pour sucer le sang des vivants: *Selon la légende, on ne peut tuer un vampire qu'en plantant un pieu dans son cœur pendant son sommeil.* **2.** Chauve-souris insectivore d'Amérique tropicale: *Le vampire suce parfois le sang des animaux pendant leur sommeil.*

vandale n. Personne qui détruit ou détériore volontairement quelque chose: *Des vandales ont cassé des vitres de notre école.* SYN. destructeur, dévastateur. ANT. constructeur, créateur. ☞ vandalisme.

vandalisme n.m. Destruction ou détérioration volontaire de quelque chose: *Des manifestants ont commis des actes de vandalisme.* ☞ vandale.

vanesse n.f. Papillon diurne très coloré, dont il existe plusieurs espèces: *De tous les papillons de ma collection, ce sont les vanesses que je préfère.*

vanille n.f. (esp.) Fruit du vanillier ou extrait de ce fruit: *J'aime beaucoup le yogourt à la vanille.* **R.** Les lettres *ill* se prononcent comme dans *famille.* ☞ vanillé, vanillier.

vanillé, ée adj. Qui est aromatisé à la vanille: *La tarte aux fraises est recouverte de crème vanillée.* **R.** Les lettres *ill* se prononcent comme dans *famille.* ☞ vanille.

vanillier n.m. Plante grimpante tropicale, de la famille des orchidées, qui produit la vanille: *Le vanillier est une liane qu'on cultive en grand nombre dans les régions chaudes et humides.* **R.** Les lettres *ill* se prononcent comme dans *famille.* ☞ vanille.

vanité n.f. Défaut d'une personne orgueilleuse, satisfaite d'elle-même: *Par vanité, tu n'as pas voulu admettre tes torts.* SYN. complaisance, fatuité, suffisance. ANT. modestie, simplicité. ⁄⁄ *Tirer vanité de:* S'enorgueillir de. **R.** N'a pas le sens de *coiffeuse.* ☞ vaniteusement, vaniteux. ▲ **vanité** n.f.litt. Caractère de ce qui est vain, sans résultat: *La vanité de mes efforts me décourage.* SYN. inutilité. ANT. utilité. ☞ vain.

vaniteusement adv. Avec vanité, suffisance: *Elle a répondu vaniteusement que son charme n'avait pas d'égal.* ☞ vanité.

vaniteux, euse n. et adj. **1.** n. Personne qui est remplie de vanité, de suffisance: *Cette vaniteuse affirme qu'elle ne fait jamais d'erreurs.* SYN. arrogant, orgueilleux, pédant. **2.** adj. Qui est rempli de vanité, de suffisance: *Sa beauté le rend vaniteux.* SYN. prétentieux, suffisant. ANT. humble, modeste, simple. ☞ vanité.

vanne n.f. Panneau mobile d'une écluse, d'un barrage: *Les vannes de l'écluse sont ouvertes.*

vanneau, eaux n.m. Oiseau échassier de la taille du pigeon: *Les vanneaux portent une huppe noire.*

vanner v. Secouer des grains dans un crible en osier: *On vanne les grains pour les séparer de la paille.*

vannerie n.f. **1.** Industrie des objets tressés avec de l'osier ou du rotin: *Ma grande sœur travaille dans la vannerie.* **2.** Ensemble des objets fabriqués en osier, en rotin: *J'ai acheté cette corbeille au rayon de la vannerie.* ☞ vannier.

vannier n.m. Personne qui tresse des corbeilles, des paniers, ou autres objets, en osier ou en rotin: *Ces vanniers travaillent avec art.* ☞ vannerie.

vantail, aux n.m. Panneau mobile d'une porte, d'une fenêtre: *Dans la salle à manger, il y a une armoire à double vantail.*

vantard, arde n. et adj. **1.** n. Personne qui a tendance à se vanter, à exagérer sa valeur: *Ce vantard se croit meilleur que tout le monde.* SYN. fanfaron. **2.** adj. Qui a tendance à se vanter, à exagérer sa valeur: *Cette sportive est devenue vantarde à cause de ses succès.* SYN. orgueilleux. ANT. humble, modeste, timide. ☞ vanter.

vantardise n.f. **1.** Défaut du vantard, de celui qui a tendance à exagérer sa valeur: *Sa vantardise est bien connue.* SYN. fanfaronnade. ANT. modestie. **2.** Propos du vantard, paroles orgueilleuses: *Ses vantardises continuelles m'agacent.* ☞ vanter.

vanter v. Louer exagérément les mérites de quelqu'un: *Le voisin ne cesse de vanter ses enfants.* SYN. exalter, flatter. ANT. abaisser, dénigrer. HOM. venter. ☞ vantard, vantardise. **se vanter** v.pron. **1.** Exagérer ses mérites: *Elle se vante sans cesse.* SYN. se glorifier. ANT. s'humilier. **2.** Tirer vanité de quelque chose: *Il se vante d'avoir de bonnes notes en mathématiques.*

va-nu-pieds n.invar.fam. Misérable, mendiant: *Une va-nu-pieds errait dans notre quartier.*

vapeur n.f. **1.** Eau à l'état gazeux: *La vapeur sort de la bouilloire.* **2.** Substance devenue gazeuse par évaporation: *Ne respire pas les vapeurs de l'essence.* **3.** Gouttelettes d'eau suspendues dans l'air: *Il y a de la vapeur dans la salle de bain.* ⁄⁄ *À toute vapeur:* À toute vitesse. *Pomme-vapeur:* Pomme de terre cuite à la vapeur. ☞ vaporeux, vaporisateur, vaporisation, vaporiser.

vaporeux, euse adj. **1.** Qui est voilé par des vapeurs, de la brume: *L'éclat vaporeux de la lune répandait une faible clarté.* **2.** Qui a l'aspect de la vapeur: *Elle portait sur sa tête un voile vaporeux.* SYN. léger, transparent. ANT. épais, opaque. ☞ vapeur.

vaporisateur n.m. Petit instrument servant à pulvériser un parfum, un médicament, un produit d'entretien: *Ce flacon de parfum est muni d'un vaporisateur.* ☞ vapeur.

vaporisation n.f. Action de vaporiser, de pulvériser: *La vaporisation de ce médicament dans la bouche soulage l'asthme.* ☞ vapeur.

vaporiser v. Projeter en fines gouttelettes: *J'ai vaporisé du nettoyant à vitres dans la fenêtre.* ☞ vapeur.

vaquer v. S'occuper de quelque chose: *Je n'ai pas le temps, je dois vaquer à mes affaires.* SYN. s'appliquer. ANT. s'abstenir, négliger, omettre.

varan n.m. (arabe) Grand lézard d'Afrique, d'Asie et d'Australie: *Le varan adulte a une longueur de deux à trois mètres.*

varech n.m. (scand.) Ensemble des algues récoltées sur le littoral: *Le varech est utilisé comme engrais.* **R.** Les lettres *ch* se prononcent *k*.

vareuse n.f. Veste de sport assez ample: *Il portait une vareuse à carreaux.* SYN. blouse.

variable n.f. et adj. **1.** n.f. Terme ou symbole auquel on peut donner plusieurs valeurs, en mathématiques: *Pour réussir cet exercice de mathématiques, il faut tenir compte des variables proposées.* **2.** adj. Qui varie ou peut varier: *Nous aurons du temps variable aujourd'hui.* SYN. changeant, incertain. ANT. constant, invariable. **3.** adj. Qui s'accorde en genre et en nombre: *Ce mot est variable.* ANT. invariable. **4.** adj. Qui est conçu pour se modifier, s'adapter: *Le foyer des lunettes de ces jumelles est très variable.* ☞ varier.

variante n.f. Forme qui diffère légèrement de la forme habituelle: *Ce jeu est une variante du jeu de dominos.* ☞ varier.

variation n.f. **1.** Changement d'aspect ou de degré: *Il y a eu de brusques variations de température.* SYN. caprice, saute. ANT. uniformité. **2.** plur. Suite de transformations: *Ce mot a subi de nombreuses variations orthographiques au cours de l'histoire.* SYN. changement, évolution, modification. ANT. constance. ☞ varier.

varice n.f. Dilatation permanente d'un vaisseau, d'une veine: *Grand-maman a des varices aux jambes.*

varicelle n.f. Maladie contagieuse se manifestant par des boutons et des démangeaisons: *Plusieurs enfants de ma classe ont eu la varicelle.*

varié, ée adj. **1.** Qui présente des éléments distincts, de la diversité: *Ce magasin offre un choix varié d'appareils d'éclairage.* SYN. divers, multiple. ANT. unique. **2.** Qui sont très différents entre eux: *Ce menu se compose de desserts variés.* ANT. monotone, pareil, uniforme. HOM. varier. ☞ varier.

varier v. **1.** Se présenter sous diverses formes: *Les habitudes alimentaires varient selon les climats.* SYN. changer, se modifier. ANT. maintenir. **2.** Présenter des différences: *Les prix varient d'un magasin à l'autre.* SYN. différer. **3.** Rendre divers: *Il est bon de varier son alimentation.* SYN. diversifier. ANT. unifier, uniformiser. HOM. varié. ☞ invariable, invariablement, variable, variante, variation, varié, variété.

variété n.f. **1.** Ensemble formé d'éléments divers : *Sa collection compte une grande variété de minéraux.* SYN. classification, collection, espèce. **2.** Chacune des catégories qui composent une espèce : *Au marché, plusieurs variétés de pommes nous sont offertes.* SYN. sorte. **3.** plur. Attractions variées, telles que danse, chant, composant un spectacle : *Nous préparons un spectacle de variétés pour la fin de l'année.* ☞ varier.

variole n.f. Maladie contagieuse grave, qui se manifeste par des boutons : *La variole peut être mortelle.* ☞ antivariolique.

varlope n.f. (néerl.) Grand rabot : *J'ai aminci la planche avec une varlope.* ☞ varloper.

varloper v. Travailler à la varlope : *Il faudra varloper cette porte qui ne ferme pas.* ☞ varlope.

vase n.f. Boue qui se forme au fond de l'eau : *Nos pieds enfonçaient dans la vase au bord du lac.* ☞ vaseux.

vase n.m. **1.** Récipient orné servant à des usages nobles ou sacrés : *Les Grecs conservaient l'huile d'olive dans des vases.* SYN. amphore, urne. **2.** Récipient de forme et de couleur variables : *J'ai mis des roses dans un vase en porcelaine.* SYN. cruche, pot. ⫽ *En vase clos :* Sans communication avec l'extérieur.

vasectomie n.f. Opération chirurgicale permettant de rendre l'homme stérile : *À quarante ans, il a décidé de se faire faire une vasectomie.*

vaseline n.f. (all.) Graisse incolore utilisée en parfumerie et en pharmacie : *La vaseline provient du pétrole.*

vaseux, euse adj. **1.** Qui contient de la vase : *Nous avons marché dans le sable vaseux de la grève.* SYN. boueux, marécageux. ANT. clair, limpide. **2.** fig. Qui est obscur, embrouillé, confus : *Ses raisonnements étaient vaseux.* SYN. imprécis, vague. ANT. net, précis. ☞ vase (n.f.).

vasistas n.m. (all.) Petit vantail vitré qu'on peut ouvrir dans une porte ou une fenêtre : *La porte du secrétariat est munie d'un vasistas.* **R.** Le *s* final se prononce.

vasque n.f. (it.) **1.** Bassin d'une fontaine : *Il est interdit de se baigner dans la vasque.* **2.** Large coupe décorative, le plus souvent au centre d'une table : *La table était ornée d'une vasque en céramique.*

vaste adj. **1.** Qui a une grande étendue : *Du haut du mont, on aperçoit la vaste plaine de la Montérégie.* SYN. grand, immense, spacieux. ANT. limité, restreint. **2.** Qui a une grande envergure : *Tu entreprends de trop vastes projets.* SYN. considérable, important. ANT. petit. **3.** Qui est en grande quantité : *Une vaste foule a assisté au feu d'artifice.* SYN. nombreux.

va-tout n.m.invar. Coup où l'on risque tout son argent, aux cartes à jouer : *En comptant sur la chance, il a tenté son va-tout.* ⫽ *Jouer son va-tout :* Risquer le tout pour le tout.

vaudeville n.m. Comédie légère, fertile en quiproquos et en intrigues : *Notre troupe de théâtre présentera un vaudeville désopilant.* **R.** Les deux *l* se prononcent comme un seul *l*.

vaudou, ous n.m. et adj.invar. **1.** n.m. Culte d'origine africaine qui allie des rites magiques et des croyances chrétiennes : *Le vaudou se pratique beaucoup en Haïti.* **2.** adj.invar. Qui est relatif au vaudou : *Les pratiques vaudou contiennent parfois des éléments de sorcellerie.*

vaurien, enne n. Personne qui manque de principes moraux, de scrupules : *Il se tient avec une vaurienne.* SYN. chenapan, garnement, sacripant. ANT. gentilhomme.

vaurien n.m. Voilier à une place conçu pour la régate et la promenade : *Mon vaurien a une jolie voile rouge.*

vautour n.m. Oiseau rapace diurne vivant dans les montagnes et se nourrissant de charognes : *Les vautours se sont rassemblés autour des restes d'un cheval mort.*

se **vautrer** v.pron. **1.** S'étendre avec nonchalance, paresseusement : *Les porcs aiment se vautrer dans la boue.* SYN. s'allonger, se rouler, se traîner. **2.** fig. Se complaire : *Ces élèves se vautrent dans la paresse.*

à la **va-vite** loc.adv. Rapidement, avec hâte : *Elle m'a expliqué ces notions à la va-vite.* ANT. lentement.

veau, veaux n.m. **1.** Petit du taureau et de la vache pendant sa première année : *Les veaux ont de grands yeux humides.* **2.** Chair de cet animal : *La cuisine italienne apprête le veau de différentes manières.* **3.** Peau de cet animal : *Mes chaussures sont en veau.*

vécu n.m. Ensemble des expériences de vie : *Il nous a parlé de son vécu dans son pays natal.* ☞ vivre.

vécu, ue adj. Qui est vraiment arrivé : *C'est une histoire vécue.* SYN. réel, vrai. ANT. imaginaire. ☞ vivre.

vedette n.f. (it.) Personne très connue dans le monde du spectacle : *Édith Butler et Clémence Desrochers sont deux vedettes.* SYN. célébrité, personnage. ▲ **vedette** n.f. Petite embarcation à moteur, très rapide : *Les vedettes de la police ont entouré le navire des trafiquants.*

végétal, aux n.m. Tout être vivant appartenant au règne des plantes (herbe, arbre, algue, champignon, mousse) : *La plupart des végétaux sont des plantes vertes.*

végétal, ale, aux adj. **1.** Qui se rapporte aux plantes : *La vie végétale est réduite dans les déserts.* **2.** Qui est extrait des plantes : *Le tournesol fournit une huile végétale très appréciée.* **3.** Qui est composé de plantes : *Son alimentation est essentiellement végétale.* ☞ végétarien, végétation, végéter.

végétarien, enne n. et adj. **1.** n. Personne qui ne mange aucune viande : *Les végétariens peuvent manger des œufs et du fromage.* **2.** adj. Qui ne mange pas de viande : *Elle est végétarienne depuis deux ans.* **3.** adj. Qui exclut les viandes : *Son alimentation est principalement végétarienne.* ⫽ *Restaurant végétarien:* Restaurant qui ne sert pas de mets contenant de la viande. ☞ végétal.

végétation n.f. **1.** Ensemble des végétaux d'une région : *La végétation est réduite dans la toundra québécoise.* **2.** plur. Développement excessif des replis des muqueuses du nez : *Il a été opéré des végétations.* ☞ végétal.

végéter v. **1.** Croître avec difficulté, en parlant des plantes : *À cause du temps frais, les aubergines végètent cette année.* SYN. s'étioler. **2.** Être inactive, vivre médiocrement, en parlant d'une personne : *Depuis que je suis en chômage, je végète.* SYN. languir. ANT. réussir. **3.** Avoir une activité réduite, en parlant des choses : *Ses affaires végètent depuis quelque temps.* SYN. croupir. ANT. progresser. ☞ végétal.

véhémence n.f. Mouvement violent, impétueux des sentiments : *Elles discutaient avec véhémence de la situation politique.* SYN. ardeur, emportement, fougue. ANT. calme, froideur. ☞ véhément.

véhément, ente adj. Qui s'exprime avec force, emportement : *Cet homme est un orateur véhément.* SYN. ardent, enflammé, passionné. ANT. faible, froid. ☞ véhémence.

véhicule n.m. **1.** Engin servant à transporter des personnes ou des choses : *Les voitures, les camions, les autobus, sont des véhicules.* **2.** fig. Façon de transmettre, de communiquer : *La langue est le véhicule de la pensée.* ☞ véhiculer.

véhiculer v. **1.** Transporter au moyen d'un véhicule : *L'autobus nous véhicule tous les jours de la maison à l'école.* SYN. conduire, promener. **2.** fig. Constituer un véhicule pour transmettre quelque chose : *Ce message publicitaire véhicule des valeurs modernes.* ☞ véhicule.

veille n.f. Jour qui précède celui dont on parle : *La veille de son examen, elle s'était couchée très tard.* SYN. hier. ANT. lendemain. ☞ avant-veille. à la **veille de** loc.prép. Juste avant, sur le point : *Il était à la veille de partir en voyage lorsqu'il tomba malade.* ▲ **veille** n.f. **1.** État d'une personne qui reste éveillée : *J'étais sur le point de m'endormir, entre la veille et le sommeil.* ANT. sommeil. **2.** Action de veiller : *J'ai passé de longues veilles à étudier.* ☞ veiller.

veillée n.f. **1.** Temps qui s'écoule entre le repas du soir et l'heure du coucher : *J'ai passé la veillée à lire des contes.* SYN. soirée. ANT. matinée. **2.** Action de veiller un malade, un mort : *Nous nous sommes relayés pour la veillée auprès de grand-maman.* HOM. veiller. ☞ veiller.

veiller v. **1.** Rester éveillé : *Nous avons veillé jusqu'au matin.* ANT. dormir. **2.** Être au chevet de quelqu'un : *Maman a veillé ma petite sœur malade.* SYN. soigner. ANT. négliger. **3.** Exercer une surveillance : *Notre chien est toujours là qui veille.* SYN. protéger. ANT. quitter. ☞ veille, veillée, veilleur, veilleuse. ▲ **veiller** v. **1.** Être attentif à quelque chose : *J'ai veillé à ce qu'il n'oublie rien.* SYN. s'occuper. **2.** Prendre soin de quelqu'un ou de quelque chose : *Papa m'a chargé de veiller sur mon petit frère.* SYN. protéger, surveiller. HOM. veillée.

veilleur n.m. Gardien de nuit : *Le veilleur effectuait sa tournée.* SYN. surveillant. ☞ veiller.

veilleuse n.f. Petite lampe de nuit : *Avec une veilleuse, ces enfants ont moins peur la nuit.* ☞ veiller.

veinard, arde n. et adj.fam. **1.** n. Personne qui a de la chance : *Cette veinarde gagne toujours aux cartes.* SYN. chanceux. **2.** adj. Qui a de la chance : *Tu es veinard à ce jeu.* ☞ veine.

veine n.f. Vaisseau qui ramène le sang vers le cœur : *Je me suis coupé une veine en travaillant.* ☞ intraveineux. ▲ **veine** n.f. Mince filon d'un minéral : *Nous avons trouvé une veine de quartz dans ce territoire.* ☞ veiné. ▲ **veine** n.f. **1.** Inspiration poétique, artistique : *Elle se sentait en veine.* SYN. verve. **2.** fam. Chance : *Tu as de la veine.* ANT. malchance. ☞ veinard.

veiné, ée adj. Qui présente des veines, en parlant du bois et de certaines pierres : *Le comptoir est en marbre blanc veiné de gris.* SYN. bigarré, strié. ANT. uni. ☞ veine.

vêlage n.m. Action de vêler, de mettre bas, en parlant de la vache : *Cette vache a eu un vêlage difficile.* **R.** Aussi, *vêlement.* Ne pas oublier l'accent : *ê.* ☞ vêler.

velcro n.m. Système de fermeture constitué de deux rubans qui s'agrippent par contact: *Mes chaussures de sport sont munies de sangles à velcro.*

vêler v. Mettre bas, mettre au monde des petits, en parlant de la vache: *Notre vache a vêlé cette nuit.* **R.** Ne pas oublier l'accent: *ê.* ☞ vêlage.

véliplanchiste n. Personne qui pratique la planche à voile: *La véliplanchiste a fait le tour du lac en quelques minutes.*

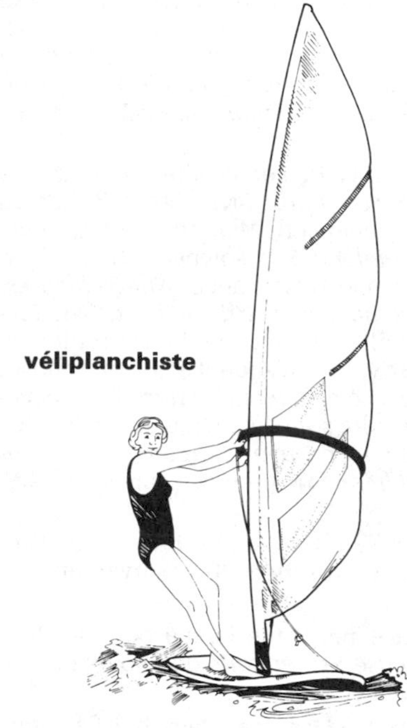
véliplanchiste

velléitaire n. et adj. **1.** n. Personne qui manque de volonté, de persévérance: *Les velléitaires ne réussissent jamais grand-chose.* **2.** adj. Qui manque de volonté, de persévérance: *Il se sent velléitaire depuis quelque temps.* ☞ velléité.

velléité n.f. Volonté hésitante, intention sans résultat: *Ses velléités n'ont abouti à rien.* SYN. fantaisie, intention, tentative. ANT. détermination, précision, résolution. ☞ velléitaire.

vélo n.m.fam. Bicyclette: *Au printemps, je sors mon vélo.* ☞ vélodrome, vélomoteur.

vélocité n.f. **1.** Vitesse dans le jeu d'un instrument de musique: *Elle fait des exercices de vélocité au violon.* SYN. agilité, souplesse. ANT. lourdeur, maladresse. **2.** litt. Grande vitesse: *Sa pensée a la vélocité de l'aigle.* SYN. promptitude, rapidité, vivacité. ANT. inertie, lenteur, ralentissement.

vélodrome n.m. Piste entourée de gradins, couverte ou non, servant aux courses cyclistes: *Chaque soir, je vais m'entraîner au vélodrome.* ☞ vélo.

vélomoteur n.m. Motocyclette légère: *Ma sœur va au collège en vélomoteur.* ☞ vélo.

velours n.m. **1.** Étoffe recouverte de poils fins très serrés: *Elle portait une robe de velours.* **2.** Qualité de ce qui a la douceur de cette étoffe: *Cet homme a des yeux de velours.* ☞ velouté.

velouté n.m. **1.** Qualité de ce qui est doux au toucher: *Cette crème hydratante restaure le velouté de la peau.* **2.** Potage onctueux: *Nous avons dégusté un velouté de chou-fleur.* ☞ velours.

velouté, ée adj. **1.** Qui a la douceur, l'aspect du velours: *La pêche a une pelure veloutée.* SYN. duveté, lisse. ANT. rude, rugueux. **2.** Qui est doux au goût: *Cette crème pâtissière est veloutée.* SYN. onctueux. ☞ velours.

velu, ue adj. Qui est couvert de poils: *Papa a la poitrine velue.* SYN. poilu.

vendable adj. Qui peut être vendu, cédé contre de l'argent: *Ta bicyclette est encore très vendable.* ANT. invendable. ☞ vendre.

vendange n.f. **1.** Récolte du raisin dont on fera le vin: *On fait la vendange en automne.* **2.** plur. Période pendant laquelle on fait la récolte du raisin: *Elle est allée en France durant les vendanges.* ☞ vendanger, vendangeur.

vendanger v. **1.** Récolter le raisin de la vigne: *Nous vendangerons ces vignes dès demain.* **2.** Faire la vendange, cueillir les raisins et les transporter: *Nous serons nombreux pour vendanger.* ☞ vendange.

vélodrome

vendangeur, euse n. Personne qui fait la vendange: *Cette vigneronne française emploie de nombreux vendangeurs québécois.* ☞ vendange.

vendeur, euse n. **1.** Personne qui a pour profession de vendre, de céder quelque chose contre de l'argent: *La vendeuse m'a aidé à bien choisir mes skis.* SYN. commerçant, détaillant, fournisseur, marchand. ANT. acheteur, acquéreur, client. **2.** Personne qui cède quelque chose contre de l'argent: *Le vendeur et l'acheteur de cette maison se sont mis d'accord.* ☞ vendre.

vendre v. **1.** Céder un bien en échange d'une somme d'argent: *Maman a vendu sa voiture.* ANT. acheter, acquérir. **2.** Trahir par intérêt: *L'accusée a vendu ses complices.* SYN. dénoncer, livrer. ANT. aider, cacher, sauver. ☞ invendable, invendu, revendre, revente, vendable, vendeur, vendu, vente. **se vendre** v.pron. Être en vente, être vendu, cédé contre une somme d'argent: *Ces bottes se vendent trente dollars la paire.* ☞ vendre.

vendredi n.m. Jour de la semaine qui précède le samedi et qui suit le jeudi: *Vive le vendredi, dernière journée d'école!* ⁄⁄ *Vendredi saint:* Jour anniversaire de la mort de Jésus.

vendu, ue n. et adj. **1.** n. Personne qui a trahi par intérêt: *Cette vendue récolta de l'argent en échange d'informations secrètes.* **2.** adj. Qui est cédé pour un certain prix: *La maison que nous voulions acheter est déjà vendue.* ☞ vendre.

vénéneux, euse adj. Qui contient un poison, en parlant d'une plante: *Certaines amanites sont des champignons très vénéneux.* SYN. destructeur, nocif, toxique. ANT. bon, sain. **R.** Ne pas confondre avec *venimeux*.

vénérable adj. Qui est digne d'être vénéré, respecté: *Les traditions anciennes sont vénérables.* SYN. respectable. ANT. méprisable. ⁄⁄ *Un âge vénérable:* Un âge avancé. *Un lieu vénérable:* Un lieu sacré. ☞ vénérer.

vénération n.f. **1.** Respect religieux: *Il a une grande vénération pour Bouddha.* **2.** Admiration profonde: *J'éprouve une véritable vénération pour ma grand-mère.* SYN. révérence. ANT. mépris. ☞ vénérer.

vénérer v. **1.** Considérer avec un respect religieux: *Certains peuples vénèrent plusieurs dieux.* SYN. aimer, estimer. ANT. dédaigner, délaisser, repousser. **2.** Éprouver un attachement respectueux pour quelqu'un ou quelque chose: *Elle vénère les grandes écrivaines d'autrefois.* SYN. honorer, respecter. ANT. déprécier, mépriser. ☞ vénérable, vénération.

vénérien, enne adj.vx Qui est relatif aux rapports sexuels: *Le condom est un moyen recommandé pour éviter les maladies vénériennes.*

vengeance n.f. Action de se venger, de se faire justice en châtiant: *Ma vengeance sera terrible.* SYN. revanche. ANT. indulgence, miséricorde, oubli, pardon. ⁄⁄ *Par vengeance:* Par désir de se venger. **R.** Ne pas oublier le *e* après le *g*. ☞ venger.

venger v. Punir une offense en châtiant celui qui l'a commise: *Nous vengerons cet affront.* ANT. oublier, pardonner. ☞ vengeance, vengeur. **se venger** v.pron. Obtenir pour soi la réparation d'une offense: *Elle s'est vengée cruellement.*

vengeur, geresse n. et adj. **1.** n. Personne qui venge, qui punit un affront: *Les vengeurs ont repoussé l'ennemi avec fougue.* **2.** adj. Qui est animé par le désir de venger: *Ce chef militaire était le bras vengeur de la patrie.* **R.** Le féminin est rarement employé. ☞ venger.

venimeux, euse adj. **1.** Qui peut injecter du venin, en parlant d'un animal: *Le scorpion est venimeux.* ANT. inoffensif. **2.** fig. Qui est méchant, plein de fiel: *Il a écrit un article venimeux pour le journal de l'école.* SYN. haineux, malveillant. ANT. bienveillant, louangeur. **R.** Ne pas confondre avec *vénéneux*. ☞ venin.

venin n.m. **1.** Poison produit par certains animaux: *Le venin du cobra peut être mortel.* **2.** fig. Haine, méchanceté: *Ses paroles étaient pleines de venin.* ☞ venimeux.

venir v. **1.** Se transporter jusqu'à un lieu: *Viens chez moi après l'école.* SYN. accourir. ANT. partir. **2.** Se déplacer pour arriver quelque part: *Je viendrai te chercher demain.* SYN. se rendre. **3.** Se produire, survenir: *Il faut prendre les choses comme elles viennent.* SYN. arriver. **4.** Pousser, se développer: *Ces fleurs viennent par grappes.* SYN. apparaître, se produire. **5.** Couler, jaillir: *L'eau vient goutte à goutte parce que le tuyau est gelé.* **R.** N'a pas le sens de *être offert*, *être présenté*, en parlant d'un produit. ☞ venu, venue. ▲ **venir** v. **1.** Aller vers quelqu'un ou quelque chose: *Il est venu à moi en souriant.* **2.** Être conçu, apparaître à l'esprit: *Cette idée ne m'était jamais venue à l'esprit.* **3.** Parvenir à quelque chose: *Il est venu à savoir la vérité.* **4.** Arriver, survenir, en parlant d'une chose: *Le pain vint à manquer.* ⁄⁄ *En venir à:* Finir par faire, après une évolution. *Venir à bout de:* Réussir. ☞ venu, venue. ▲ **venir** v. **1.** Provenir d'un lieu: *Elle vient du Laos.* **2.** Avoir pour origine: *Le mot «banderole» vient de l'italien.* **3.** Être l'effet de quelque chose, découler : *Son échec vient de sa paresse.* **4.** Avoir accompli à l'instant même : *Elle vient de partir.* ☞ venu, venue.

vent n.m. **1.** Déplacement de l'atmosphère sous l'effet de causes naturelles : *Le vent était glacial.* SYN. air, brise. **2.** Déplacement d'air : *Il se faisait du vent avec un éventail.* // *À tout vent :* En tous sens. *Aux quatre vents :* Dans toutes les directions. ☞ venter, venteux.

vente n.f. **1.** Action de vendre : *Notre vente de macarons nous a rapporté plus de trois cents dollars.* ANT. achat, acquisition. **2.** Commerce, profession de la personne qui vend : *Ma mère travaille dans la vente.* // *En vente :* Destiné à être vendu. *Vente aux enchères :* Vente au plus offrant. *Vente de charité :* Vente faite au bénéfice d'une œuvre de bienfaisance. **R.** N'a pas le sens de *solde*, *vente au rabais*. ☞ vendre.

venter v. Faire du vent, déplacer de l'air, en parlant de l'atmosphère : *Il vente trop fort pour faire de la planche à voile.* HOM. vanter. **R.** Ne s'emploie qu'à la troisième personne du singulier. ☞ vent.

venteux, euse adj. Qui est sujet au vent, dans un endroit de déplacement d'air : *Le sommet du mont Orford est presque toujours très venteux.* ☞ vent.

ventilateur n.m. Appareil de ventilation, de renouvellement d'air : *J'ai fait partir le ventilateur pour aérer ma chambre.* ☞ ventiler.

ventilateur

ventilation n.f. Action de ventiler, d'aérer : *La ventilation est insuffisante dans cette pièce.* SYN. aération. ☞ ventiler.

ventiler v. Produire un courant d'air, renouveler l'air : *Notre gymnase était mal ventilé.* SYN. aérer. ☞ ventilateur, ventilation.

ventouse n.f. **1.** Rondelle de caoutchouc qui adhère à une surface plane par la pression de l'air : *Les flèches de mon jeu de tir à l'arc sont munies de ventouses.* **2.** Organe de succion de certains animaux tels que la pieuvre, la sangsue : *Les mouches marchent au plafond grâce aux ventouses de leurs pattes.*

ventral, ale, aux adj. Qui se rapporte au ventre : *La truite a des nageoires ventrales.* ☞ ventre.

ventre n.m. **1.** Partie du corps qui contient l'intestin : *Elle m'a donné un coup de poing dans le ventre.* SYN. abdomen. **2.** litt. et pop. Utérus, siège de la gestation : *J'aimerais parfois retourner dans le ventre de ma mère.* // *À plat ventre :* Allongé sur le ventre. *Ventre à terre :* Très vite. ☞ bas-ventre, ventral.

ventricule n.m. Chacune des deux cavités du cœur : *Les ventricules sont séparés par une cloison.*

ventriloque n. et adj. **1.** n. Personne qui peut parler sans remuer les lèvres : *Le ventriloque faisait parler sa marionnette.* **2.** adj. Qui peut parler sans remuer les lèvres : *Elle est ventriloque.*

venu, ue n. et adj. **1.** n. S'emploie, précédé de l'adjectif « premier », pour signifier « n'importe qui » : *Il ne faut pas parler au premier venu.* **2.** n. S'emploie, précédé de l'adjectif « nouveau », pour signifier « personne arrivée récemment » : *Cette élève est une nouvelle venue.* **3.** n. S'emploie, précédé de l'adjectif « dernier », pour signifier « personne arrivée la dernière » : *Ces enseignants ne sont pas les derniers venus.* **4.** adj. Qui vient, qui se présente : *Elle entra dans le premier café venu.* **5.** adj. S'emploie, précédé de l'un des adverbes « bien » ou « mal », pour signifier « bien, mal développé » ou « bien, mal produit » : *Cette œuvre est bien venue.* **6.** adj. S'emploie, précédé de l'un des adverbes « bien » ou « mal », pour signifier « bien, mal reçu » : *Ces personnes sont bien venues.* HOM. venue. // *Être mal venu de :* Être mal placé pour. ☞ venir.

venue n.f. Action de venir, arrivée : *Sa venue était attendue depuis longtemps.* HOM. venu. // *Allées et venues :* Déplacements. ☞ venir.

ver n.m. Petit animal invertébré, au corps allongé et mou, sans pattes : *J'ai mis un ver à mon hameçon.* HOM. verre, vers, vert. // *Ver à soie :* Chenille du bombyx, du mûrier, qui produit la soie. *Ver de terre :* Lombric terrestre. *Ver luisant :* Autre nom de la luciole. *Ver solitaire :* Parasite de l'être humain, aussi appelé « ténia ». ☞ véreux, vermifuge, vermisseau, vermivore.

véracité n.f. Qualité de ce qui est vrai : *La véracité de son témoignage nous a convaincus.* SYN. authenticité, justesse. ANT. fausseté, tromperie.

véranda n.f. (port.) Galerie ou balcon couvert et vitré : *Les plantes poussent bien dans la véranda.*

verbal, ale, aux adj. Qui est propre aux verbes, qui est relatif aux mots d'état ou d'action : *« Avoir chaud » est une locution verbale.* ☞ verbe. ▲ **verbal, ale, aux** adj. **1.** Qui se fait de vive voix : *Nous avons conclu une entente verbale.* SYN. oral. ANT. écrit. **2.** Qui s'exprime par des mots : *La violence verbale dégénère facilement en violence physique.* ☞ verbe.

verbalement adv. **1.** De façon verbale, de vive voix : *Je lui ai donné verbalement mon accord.* **2.** Par des mots : *Bébé a commencé à s'exprimer verbalement.* ☞ verbe.

verbe n.m. Mot qui, dans une phrase, exprime une action, un état : *Dans « je t'aime », le mot « aime » est un verbe.* ☞ verbal. ▲ **verbe** n.m. Expression de la pensée au moyen du langage : *Ce poème exploite la magie du verbe.* SYN. parole. ☞ verbal, verbalement.

verbiage n.m. Abondance de paroles vides de sens ou inutiles : *Les déclarations de ces politiciens ne sont que du verbiage.* SYN. bavardage. ANT. discrétion, retenue.

verdâtre adj. Qui tire sur le vert : *L'eau de la rivière est verdâtre.* SYN. olivâtre. **R.** Ne pas oublier l'accent *â*. ☞ vert.

verdeur n.f. **1.** Manque de maturité d'un fruit : *Ces pommes sont acides à cause de leur verdeur.* ANT. maturité. **2.** Vigueur de la jeunesse : *Ma grand-mère est pleine de verdeur.* SYN. fraîcheur. ANT. faiblesse, vieillesse. **3.** Caractère osé, un peu trop libre : *La verdeur de son langage scandalise les gens.* ☞ vert.

verdict n.m. **1.** Déclaration par laquelle le jury se prononce sur la culpabilité de l'accusé : *Le jury a prononcé un verdict de culpabilité.* SYN. jugement, sentence. **2.** fig. Jugement rendu par une autorité quelconque : *Le verdict des groupes de pression a été sévère à l'égard du gouvernement.* **R.** Le *t* peut se prononcer ou non.

verdier n.m. Oiseau des bois et des champs, à plumage vert : *Le verdier est à peine plus gros que le moineau.*

verdir v. Devenir vert : *Les arbres ont verdi dès la première semaine de mai.* ☞ vert.

verdoiement n.m. Fait de verdoyer, de devenir vert, en parlant de la végétation : *Le verdoiement de la forêt est apaisant.* **R.** Le *e* de la deuxième syllabe ne se prononce pas. ☞ vert.

verdoyant, ante adj. Qui verdoie, qui est verte, en parlant de la végétation : *Nous avons marché à travers les champs verdoyants.* ☞ vert.

verdoyer v.litt. Être pleine de verdure, être verte, en parlant de la végétation : *De ce point, nous avons une belle vue sur la campagne qui verdoie.* ☞ vert.

verdoi**e**ment verdo**y**er

verdure n.f. **1.** Couleur verte de la végétation : *J'aime la verdure des pins.* **2.** Végétation qui présente beaucoup de vert : *Cette haie forme un bel écran de verdure.* SYN. feuillage. **3.** Plante potagère verte que l'on mange en salade : *J'ai ajouté un peu de verdure dans la salade.* ☞ vert.

véreux, euse adj. **1.** Qui est envahi par les vers : *Ces pommes sont véreuses.* **2.** fig. Qui est très malhonnête : *Cette financière véreuse a perdu son procès.* SYN. immoral, méchant. ANT. bon, consciencieux, honnête. ☞ ver.

verge n.f. Pénis : *Mon frère protège sa verge avec un support athlétique quand il joue au base-ball.* ▲ **verge** n.f. **1.** Petite baguette souple : *Elle était contre l'utilisation de la verge comme moyen de punition.* **2.** Au Canada, nom désignant une unité de mesure de longueur valant environ neuf dixièmes de mètre : *Je viens d'acheter trois verges de tissu.*

verger n.m. Lieu planté d'arbres fruitiers : *Nous nous sommes promenés dans les vergers en fleurs.*

verglacé, ée adj. Qui est couvert de verglas, de glace : *Hier, les rues étaient verglacées.* ☞ verglas.

verglas n.m. Mince couche de glace résultant de la congélation de la pluie : *Le pare-brise était couvert de verglas.* **R.** Le *s* ne se prononce pas. ☞ verglacé.

vergla**cé** vergla**s**

sans **vergogne** loc.adv. Sans scrupule, de façon impudique, sans honte : *Elle ment sans vergogne.*

véridique adj. **1.** litt. Qui dit la vérité : *Ce témoin est véridique.* SYN. franc, sincère. **2.** Qui est conforme à la vérité : *Ce reportage est véridique.* SYN. authentique, exact. ANT. faux, inexact.

vérifiable adj. Qui peut être vérifié, confirmé : *Cette hypothèse est difficilement vérifiable.* ☞ vérifier.

vérification n.f. Action de vérifier, de chercher à contrôler l'exactitude d'une chose : *La policière lui a demandé son permis de conduire pour une vérification.* SYN. contrôle, examen. ☞ vérifier.

vérifier v. **1.** Examiner si une chose est exacte : *Il faudrait vérifier cette hypothèse.*

SYN. contrôler, inspecter. **2.** S'assurer qu'une chose est telle qu'elle doit être : *As-tu vérifié si tu as tout ce qu'il te faut?* **3.** Être le signe qu'une chose est fondée : *Son attitude vérifie mes soupçons.* SYN. confirmer, justifier. ☞ invérifiable, vérifiable, vérification. se **vérifier** v.pron. Se révéler juste, se confirmer : *Mes suppositions se vérifient.*

vérin n.m. Appareil de levage pour soulever ou abaisser de lourds fardeaux : *La benne du camion est soulevée par un vérin.*

véritable adj. **1.** Qui existe réellement : *Son récit est véritable.* SYN. réel, vrai. ANT. faux, inexact. **2.** Qui n'est pas imité : *Mon sac est en cuir véritable.* SYN. authentique. ANT. apparent. **3.** Qui mérite son nom : *C'est un véritable génie.* ☞ véritablement.

véritablement adv. De manière véritable, réellement : *Elle m'a véritablement fait de la peine.* SYN. vraiment. ☞ véritable.

vérité n.f. **1.** Ensemble des connaissances considérées comme exactes, justes : *La vérité reste parfois une énigme.* ANT. fausseté. **2.** Connaissance, affirmation conforme à la réalité : *Ce qu'elle t'a dit est la vérité.* ANT. apparence, mensonge. **3.** Idée ou proposition qui s'impose à l'esprit, qui est universellement acceptée : *Ce livre de contes enseigne beaucoup de grandes vérités.* SYN. principe. en **vérité** loc.adv. Assurément, à vrai dire : *En vérité, il ne s'est pas blessé gravement.*

vermeil n.m. Argent recouvert d'une dorure rougeâtre : *Je lui ai offert un plat en vermeil.*

vermeil, eille adj.litt. Qui est d'un rouge vif : *C'était un petit garçon aux lèvres vermeilles.*

vermicelle n.m. (it.) Pâte à potage en forme de filament très mince : *J'ai mis des vermicelles dans la soupe.*

vermifuge n.m. et adj. **1.** n.m. Remède provoquant l'évacuation des vers intestinaux : *Le médecin lui a fait prendre un vermifuge.* **2.** adj. Qui élimine ou expulse les vers intestinaux, en parlant d'un remède : *Cette tisane est vermifuge.* ☞ ver.

vermillon n.m. et adj.invar. **1.** n.m. Couleur d'un rouge vif tirant sur l'orangé : *La couleur dominante de ce tableau est le vermillon.* **2.** adj.invar. Qui est d'un rouge vif tirant sur l'orangé : *Ces tulipes sont vermillon.* **R.** Les lettres *ill* se prononcent comme dans *famille*.

vermine n.f. **1.** Ensemble des parasites externes, tels que poux et puces, de l'être humain et des animaux : *Nos animaux ont attrapé de la vermine.* **2.** fig. et péj. Ensemble d'individus méprisables, nuisibles à la société : *Cette vermine se réunissait pour préparer des mauvais coups.*

vermisseau, eaux n.m. Petit ver ou larve ressemblant à un ver : *Le cadavre de l'oiseau était rongé par les vermisseaux.* ☞ ver.

vermivore adj. Qui se nourrit de vers : *Cet oiseau est vermivore.* ☞ ver.

vermoulu, ue adj. Qui est mangé par les vers, en parlant du bois : *Ce tronc d'arbre vermoulu ne pourra pas servir à grand-chose.*

verni, ie adj. **1.** Qui est recouvert de vernis : *Le chat a égratigné le guéridon verni.* **2.** fig. et fam. Qui a de la chance : *Elles sont vernies : elles partent en voyage.* SYN. veinard. ANT. malchanceux. HOM. vernis. ☞ vernis.

vernir v. Recouvrir de vernis, d'enduit résineux : *J'ai verni ma cabane d'oiseaux.* ☞ vernis.

vernis n.m. **1.** Solution résineuse qu'on applique sur une surface pour la protéger et l'embellir : *Le vernis de cette table est très résistant.* **2.** fig. Aspect extérieur d'une chose, d'une personne : *Ses manières polies ne sont qu'un vernis qui recouvre son insolence.* SYN. apparence, dehors. HOM. verni. **R.** Le *s* ne se prononce pas. ☞ revernir, verni, vernir, vernissage.

vernissage n.m. **1.** Action de vernir un tableau, une planche de gravure, etc. : *Pour redonner une belle apparence à ce meuble, il faudra un bon vernissage.* **2.** Jour d'ouverture d'une exposition d'art : *J'ai été invité au vernissage des dernières œuvres de cette artiste.* ☞ vernis.

vérole n.f.vx Toute maladie qui provoque une éruption et laisse des cicatrices : *La vérole marque souvent le visage des personnes atteintes.* ⁄⁄ *Petite vérole :* Variole.

verrat n.m. Mammifère domestique omnivore, au corps épais, à la tête allongée terminée par un groin, dont la femelle est la truie et le petit, le porcelet : *Le verrat est le porc mâle non castré qu'on emploie pour la reproduction.*

verre n.m. **1.** Substance dure, cassante et transparente, à base de sable : *Ce beurre d'arachide se vend en bocaux de verre.* **2.** Récipient pour boire : *Les verres en plastique sont incassables.* **3.** Contenu d'un verre : *J'ai bu trois verres de lait.* **4.** Boisson alcoolisée : *Elle a pris un verre de trop, c'est son copain qui conduira la voiture.* **5.** plur.fam. Lunettes : *Je dois porter des verres pour lire.* HOM. ver, vers, vert. ⁄⁄ *Papier de verre :* Papier à poncer. *Verres de contact :* Lentilles cornéennes. ☞ verrerie, verrier, verrière, verroterie.

verrerie n.f. **1.** Usine où l'on fabrique le verre: *Elle travaille à la verrerie.* **2.** Objets en verre: *La verrerie est en solde dans ce grand magasin.* ☞ verre.

verrier n.m. Personne qui fabrique le verre ou des objets en verre: *Ce vitrail a été créé par un verrier renommé.* ☞ verre.

verrière n.f. Grande surface vitrée: *Nous avons fait poser une verrière sur le toit de la maison.* ☞ verre.

verroterie n.f. Bijoux et bibelots de verre: *J'ai acheté ce collier au rayon de la verroterie.* ☞ verre.

verrou, ous n.m. Serrure formée d'une tige de fer coulissante: *Il faudrait poser un nouveau verrou à la porte du hangar.* ∥ *Mettre quelqu'un sous les verrous:* Mettre quelqu'un en prison. ☞ déverrouillage, déverrouiller, verrouillage, verrouiller.

verrouillage n.m. **1.** Manière dont une porte ou une fenêtre est verrouillée, fermée avec une serrure: *La porte du garage est à verrouillage automatique.* **2.** Action de verrouiller, de fermer une porte ou une fenêtre: *Le verrouillage de toutes les issues de la maison a été vérifié avant de partir en voyage.* ☞ verrou.

verrouiller v. Fermer au moyen d'un verrou, d'une serrure: *As-tu bien verrouillé la porte de la clôture?* ANT. ouvrir. ☞ verrou.

verrue n.f. Petite excroissance de l'épiderme: *J'ai une verrue sous le pied.*

vers n.m. Assemblage de mots dans un poème: *Dans mon poème, les vers riment deux à deux en alternance.* HOM. ver, verre, vert.

vers prép. **1.** En direction de quelque chose ou de quelqu'un: *Aujourd'hui, le vent souffle vers l'ouest.* **2.** À peu près, en parlant d'un moment, d'une époque: *Elle est rentrée vers 11 heures.* HOM. ver, verre, vert.

versant n.m. Chacune des deux pentes d'une montagne, d'une colline, d'une vallée: *Nous avons escaladé le versant nord de cette montagne.* SYN. côte.

versatile adj. Qui change facilement d'opinion, qui manque de constance: *Il est trop versatile pour terminer les travaux qu'il entreprend.* SYN. capricieux, incertain, inconstant. ANT. entêté, obstiné, persévérant. **R.** N'a pas le sens de *polyvalent*. ☞ versatilité.

versatilité n.f. Caractère de ce qui est versatile: *Sa candidature a été refusée à cause de la versatilité de son caractère.* SYN. changement, inconstance, indécision, indétermination. ANT. entêtement, obstination, opiniâtreté, persévérance. ☞ versatile.

à verse loc.adv. Abondamment, en parlant de la pluie: *Il pleut à verse.*

versé, ée adj. Qui est expérimenté: *Ma grand-mère est versée dans les sciences naturelles.* HOM. verser.

versement n.m. Action de verser une somme d'argent, ou somme versée: *Le congélateur a été payé en douze versements.* ☞ verser.

verser v. **1.** Faire couler: *J'ai versé un peu de crème dans mon café.* **2.** Remettre de l'argent à titre de paiement ou de subvention: *Pour devenir membre, il faut verser une cotisation de cinq dollars.* SYN. payer. ANT. percevoir. ☞ reverser, versement, verseur.

▲ **verser** v. **1.** Tomber sur le côté, en parlant d'un véhicule: *La voiture a versé dans le fossé.* SYN. basculer. ANT. redresser. **2.** Évaluer, avoir tendance: *Il verse de plus en plus dans la paresse.* HOM. versé.

verset n.m. Chacune des divisions numérotées d'un texte sacré: *Nous avons lu à haute voix un verset de ce texte sacré.*

verseur adj.m. Qui sert à verser, à faire couler, en parlant d'un bec ou d'un bouchon: *Ce bec verseur est très pratique.* ☞ verser.

version n.f. **1.** Traduction d'un texte écrit en langue étrangère: *De nombreux films américains sont traduits en version française.* **2.** Chacun des états successifs d'un texte: *Il existe plusieurs versions de ce livre.* **3.** Manière de rapporter des faits: *Les versions des deux témoins se contredisent.*

verso n.m. (lat.) Revers d'une feuille de papier: *J'ai continué ma lettre au verso.* SYN. dos. ANT. endroit, recto.

vert n.m. Couleur verte, intermédiaire entre le bleu et le jaune: *Le feuillage de cet arbre est d'un beau vert.* HOM. ver, verre, vers.

vert, verte adj. **1.** Qui est de la couleur de l'herbe, d'une couleur intermédiaire entre le bleu et le jaune: *Il a les yeux verts.* **2.** Qui contient de la sève, en parlant du bois: *Ce bois de foyer est encore vert.* ANT. sec. **3.** Qui a encore de la vigueur: *Mon grand-père est encore vert malgré ses soixante-quinze ans.* SYN. alerte, vaillant, vigoureux. ANT. faible, malade. **4.** Qui ne sont pas mûrs, en parlant des fruits, des céréales: *Ces tomates sont vertes, il ne faut pas les cueillir.* ANT. mûr. HOM. ver, verre, vers. ☞ reverdir, verdâtre, verdeur, verdir, verdoiement, verdoyant, verdoyer, verdure.

vert-de-gris n.m.invar. et adj.invar. **1.** n.m.invar. Dépôt verdâtre qui se forme sur le cuivre: *Le toit de cette église est couvert de vert-de-gris.* **2.** adj.invar. Qui est d'un vert grisâtre: *La statue du parc est vert-de-gris.*

vertébral, ale, aux adj. Qui se rapporte aux vertèbres: *Il s'est blessé à la colonne vertébrale.* ☞ vertèbre.

vertèbre n.f. Chacun des os superposés qui forment la colonne vertébrale: *Le corps humain compte vingt-quatre vertèbres.* ☞ invertébré, invertébrés, vertébral, vertébré, vertébrés.

vertébral vertèbre

vertébré, ée adj. Qui a des vertèbres, un squelette, en parlant d'un animal: *Les chiens et les chats sont des animaux vertébrés.* ANT. invertébré. ☞ vertèbre.

vertébrés n.m.plur. Embranchement du règne animal qui regroupe les animaux ayant une colonne vertébrale, un squelette: *Les mammifères, les oiseaux, les reptiles et les amphibiens sont des vertébrés.* ANT. invertébrés. **R.** S'écrit au singulier lorsqu'il désigne un animal appartenant à cet embranchement. ☞ vertèbre.

vertement adv. De façon sévère, avec rudesse: *La directrice l'a vertement réprimandée.*

vertical, ale, aux adj. Qui suit la direction de la pesanteur, perpendiculaire à l'horizon: *Ce poteau n'est pas très vertical.* ANT. horizontal. ☞ verticale, verticalement.

verticale n.f. Droite verticale, perpendiculaire à l'horizon: *J'ai tracé une verticale sur ma planche à dessin.* ⫽ *À la verticale:* Dans la direction de la verticale. ☞ vertical.

verticalement adv. En suivant la verticale, la direction de la pesanteur: *L'hélicoptère décolle verticalement.* ANT. horizontalement. ☞ vertical.

vertige n.m. **1.** Impression selon laquelle les objets tournoient autour de soi: *Elle a parfois des vertiges.* SYN. étourdissement. **2.** Malaise causé par la peur de tomber dans le vide: *En haut de l'échelle, j'ai eu le vertige.* **3.** fig. Égarement de l'esprit: *Cet acteur est troublé par le vertige de la gloire.* SYN. folie, ivresse. ☞ vertigineux.

vertigineux, euse adj. **1.** Qui donne le vertige: *Ces falaises s'élèvent à une hauteur vertigineuse.* SYN. étourdissant. **2.** fig. Qui est très grand: *Le prix de l'or a subi une hausse vertigineuse.* SYN. excessif, renversant. ANT. ordinaire. ☞ vertige.

vertu n.f. **1.** Disposition qui porte à accomplir des actes moraux, à faire le bien: *Le courage est une grande vertu.* SYN. qualité. ANT. défaut, vice. **2.** Qualité qui rend propre à engendrer certains effets: *Elle étudie les vertus curatives des plantes.* SYN. pouvoir, propriété. ☞ vertueux. en **vertu de** loc.prép. Conformément à une décision, à une loi ou un principe: *En vertu de la loi, il a été condamné.*

vertueux, euse adj. **1.** vx Qui a des qualités morales: *Cet élève vertueux deviendra quelqu'un de grand.* SYN. consciencieux, méritant. ANT. corrompu, immoral. **2.** Qui correspond au bien: *Elle se distingue par sa conduite vertueuse.* SYN. édifiant, honnête, méritoire. ANT. mauvais, vicieux. ☞ vertu.

verve n.f. Imagination créatrice et fantaisie dans l'expression: *Cette romancière écrit avec verve et humour.* SYN. esprit, inspiration. ANT. platitude. ⫽ *Être en verve:* Être plus brillant, plus spirituel que d'habitude.

verveine n.f. Plante ornementale dont une variété a des vertus calmantes: *J'ai pris une tisane de verveine avant de me coucher.*

vésicule n.f. Organe en forme de sac: *La vésicule biliaire est située sous le foie.*

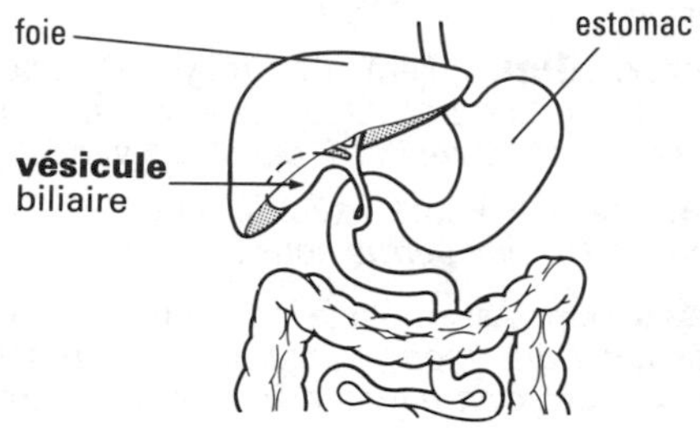

vessie n.f. Poche abdominale où s'accumule l'urine avant d'être évacuée: *Son hernie est due à une descente de la vessie.*

veste n.f. Vêtement à manches, ouvert sur le devant, qui se porte sur une chemise, un tricot, un corsage: *J'ai boutonné ma veste pour avoir moins froid.* SYN. veston. ☞ veston.

vestiaire n.m. **1.** Lieu où l'on dépose les manteaux, les chapeaux, les parapluies, à l'entrée d'un établissement public: *J'ai laissé mon écharpe au vestiaire.* **2.** Partie d'un stade, d'une piscine, d'une salle de sports où l'on peut se changer: *Il y avait de la gaieté dans le vestiaire des joueurs.*

vestibule n.m. Pièce d'entrée d'un immeuble ou d'une maison: *Mes amies m'attendent dans le vestibule.*

vestige n.m. Reste d'une chose détruite, ou d'une chose du passé, disparue: *Nous avons* *visité les vestiges d'un fort construit par les premiers colons.* **R.** S'emploie surtout au pluriel.

vestimentaire adj. Qui se rapporte aux vêtements, à tout ce qui sert à recouvrir le corps : *Je garde une partie de mon allocation pour mes dépenses vestimentaires.* ☞ vêtement.

veston n.m. Veste qui fait partie d'un complet d'homme : *Ma cravate va bien avec mon veston.* ☞ veste.

vêtement n.m. Tout ce qui sert à couvrir le corps tout en le protégeant ou en l'ornant : *J'ai une préférence pour les vêtements de coton.* SYN. costume, habit, tenue. **R.** Ne pas oublier l'accent : *ê*. ☞ sous-vêtement, vestimentaire.

vestimentaire vêtement

vétéran n.m. **1.** Ancien combattant : *Les vétérans ont encore le souvenir des horreurs de la guerre.* SYN. soldat. **2.** Personne très expérimentée dans un domaine : *Ce professeur de musique est un vétéran de l'enseignement.* ANT. apprenti.

vétérinaire n. et adj. **1.** n. Personne qui pratique la médecine des animaux : *L'éleveur a fait venir le vétérinaire.* **2.** adj. Qui se rapporte aux soins des animaux : *Il étudie en médecine vétérinaire.*

vétille n.f. Chose insignifiante, sans importance : *Ne t'en fais pas avec ces vétilles.* SYN. bagatelle, détail, insignifiance, rien. ANT. importance. **R.** Les lettres *ill* se prononcent comme dans *famille*.

vêtir v.litt. Couvrir de vêtements, habiller : *Elle m'a vêtu chaudement.* SYN. revêtir. ANT. déshabiller, dévêtir. ☞ dévêtir, vêtu. **se vêtir** v.pron. Mettre des vêtements, s'habiller : *Elle s'était vêtue en blanc.* ANT. se déshabiller. **R.** Ne pas oublier l'accent : *ê*.

veto n.m.invar. (lat.) Opposition à une décision : *Ce conseil scolaire nous a opposé son veto.* SYN. refus. ANT. assentiment.

vêtu, ue adj. Qui porte un vêtement, qui est habillé : *Il était chaudement vêtu.* ANT. nu. **R.** Ne pas oublier l'accent : *ê*. ☞ vêtir.

vétuste adj. Qui est vieux et détérioré par le temps : *Le gouvernement a établi un programme de rénovation des habitations vétustes.* ANT. neuf. ☞ vétusté.

vétusté n.f. État de ce qui est vétuste, vieux : *Ces avions ont été remplacés à cause de leur vétusté.* ☞ vétuste.

veuf, veuve n. et adj. **1.** n. Personne qui a perdu son conjoint, dont le conjoint est décédé : *Cette veuve vit avec ses deux enfants.* **2.** adj. Qui a perdu son conjoint, dont le conjoint est décédé : *Mon père est veuf depuis trois ans.* ☞ veuvage.

veuvage n.m. État d'une personne dont le conjoint est mort, et qui ne s'est pas remariée : *Son veuvage s'est déroulé dans la sérénité.* ☞ veuf.

vexant, ante adj. Qui vexe, qui blesse l'amour-propre : *Ta remarque était vexante.* SYN. humiliant, irritant. ☞ vexer.

vexation n.f. Blessure d'amour-propre : *Elle lui a fait subir de nombreuses vexations.* SYN. humiliation, insulte. ☞ vexer.

vexatoire adj. Qui a le caractère de la vexation, qui blesse l'amour-propre : *Il nous a humiliés par des manœuvres vexatoires.* SYN. insultant, irritant. ANT. plaisant, sympathique. ☞ vexer.

vexer v. Blesser dans son amour-propre : *Ta remarque l'a vexée.* SYN. froisser, humilier, mortifier, offenser. ANT. charmer, flatter. ☞ vexant, vexation, vexatoire. **se vexer** v.pron. Se froisser, être blessé : *Ne te vexe pas pour si peu.* SYN. se fâcher.

via prép. (lat.) En passant par un endroit : *Nous sommes allés de Montréal à Québec via Trois-Rivières.* **R.** N'a pas le sens de *au moyen de*, *par l'intermédiaire de*.

viabilité n.f. État d'une voie de circulation où l'on peut rouler : *La viabilité de l'autoroute a été réduite à cause de la tempête.* ▲ **viabilité** n.f. **1.** État d'un organisme apte à vivre, à subsister : *La jeune mère a été assurée de la viabilité de son nouveau-né.* **2.** État de ce qui peut réussir, se développer : *On doute de la viabilité de cette entreprise.* ☞ viable.

viable adj. **1.** Qui peut vivre, subsister : *Grâce aux soins de la vétérinaire, mon petit chien est maintenant viable.* **2.** Qui peut réussir, se développer : *L'enseignant nous a dit que notre projet était viable.* ☞ viabilité.

viaduc n.m. Pont d'une grande longueur qui sert au passage d'une route ou d'une voie ferrée : *Ce viaduc permet de passer au-dessus du fleuve.*

viager, ère adj. Qui doit durer pendant la vie d'une personne et cesser à sa mort : *Elle a vendu sa maison moyennant une rente viagère.*

viande n.f. Chair des animaux qui sert à la nourriture : *Il ne mange pas beaucoup de viande.* ⁄⁄ *Viande blanche :* Chair du veau, du porc, du lapin, de la volaille. *Viande rouge :* Chair du bœuf, du mouton, du cheval.

vibrant, ante adj. **1.** Qui vibre, qui oscille: *L'harmonica est muni de lames vibrantes.* SYN. résonnant, sonore. ANT. sourd. **2.** fig. Qui émeut vivement: *Elle a prononcé un discours vibrant.* SYN. chaleureux, touchant. ANT. froid, tiède. ☞ vibrer.

vibration n.f. **1.** Mouvement d'oscillation rapide: *Le pincement de la corde produit une vibration.* **2.** Mouvement périodique d'un système physique: *Ces vibrations sonores ont une grande amplitude.* **3.** Impression de tremblement: *Elle avait des vibrations dans la voix.* ☞ vibrer.

vibrer v. **1.** Produire ou subir des vibrations, des impressions de tremblement: *Les vitres vibrent lorsque les camions passent.* **2.** Avoir une sonorité tremblée, en parlant de la voix: *Sa voix vibrait d'émotion.* **3.** fig. Être touché, ému: *Son discours a fait vibrer l'auditoire.* ☞ vibrant, vibration.

vibrisse n.f. Poil tactile du museau des chats, des souris: *Mon chat a de longues vibrisses.*

vibrisses

vicaire n.m. Prêtre adjoint à un curé: *Le vicaire a célébré la messe dimanche dernier.*

vice n.m. **1.** litt. Disposition habituelle au mal: *Elle se complaît dans le vice.* SYN. débauche, immoralité. ANT. innocence, vertu. **2.** Mauvais penchant: *La paresse est un vice.* SYN. faiblesse. ANT. perfection. ☞ vicieux.
▲ **vice** n.m. Défaut qui altère sérieusement une chose: *Cette maison a un vice de construction.* SYN. défectuosité. ANT. qualité. HOM. vis. ☞ vicié, vicier, vicieux.

vice-présidence n.f. Fonction de vice-président, de personne qui seconde un président: *Il a été élu à la vice-présidence.* **R.** Au pluriel, *vice-présidences.* ☞ présider.

vice-président, ente n. Personne chargée de seconder et de suppléer le président: *La vice-présidente a fait un bref exposé de la situation.* **R.** Au pluriel, *vice-présidents* ou *vice-présidentes.* ☞ présider.

vice versa loc.adv. Réciproquement, inversement: *Je l'ai aidé à faire son devoir, et vice versa.* **R.** Aussi, *vice-versa.*

vicié, ée adj. Qui est impur, pollué: *Elle est tombée malade à cause de l'air vicié de l'usine.* ANT. pur, sain. HOM. vicier. ☞ vice.

vicier v. **1.** litt. Gâter la pureté de quelque chose: *La fumée de ces usines vicie l'air.* SYN. corrompre, empoisonner, polluer. ANT. purifier. **2.** Entacher d'un défaut qui rend nul: *Les élections ont été viciées par des irrégularités.* SYN. dénaturer, gâter. HOM. vicié. ☞ vice.

vicieux, euse n. et adj. **1.** n. Personne qui a des goûts pervers en matière de sexualité: *Je me méfie de ce vicieux.* SYN. corrompu. **2.** adj. Qui a des vices sexuels: *Ce chien est vicieux.* **3.** adj. Qui est marqué par le vice, la dépravation sexuelle: *Elle a un regard vicieux.* **4.** adj. Qui comporte une défectuosité, une irrégularité: *Cette expression est vicieuse.* SYN. défectueux, incorrect. ⁄⁄ *Cercle vicieux:* Raisonnement qui tourne en rond. ☞ vice.

victime n.f. **1.** Personne tuée ou blessée: *L'accident n'a pas fait de victimes.* **2.** Personne qui souffre des agissements d'autrui, d'un état de choses ou de ses propres agissements: *Il est victime de calomnies.*

victoire n.f. **1.** Succès militaire: *À la dernière guerre mondiale, les pays alliés ont remporté la victoire.* ANT. défaite, insuccès. **2.** Succès, avantage dans une compétition: *La victoire de notre équipe était plus visible.* ANT. échec, revers. ⁄⁄ *Crier victoire:* Célébrer sa réussite. ☞ victorieusement, victorieux.

victorieusement adv. De façon victorieuse, avec succès: *Marchons victorieusement vers la gloire.* ☞ victoire.

victorieux, euse adj. **1.** Qui a remporté une victoire: *L'armée victorieuse a défilé dans les rues.* SYN. triomphant, vainqueur. ANT. vaincu. **2.** Qui l'a emporté sur un concurrent: *Cette athlète victorieuse a été acclamée par la foule.* SYN. gagnant. ANT. défait, perdant. ☞ victoire.

victuailles n.f.plur. Provisions alimentaires: *Nous avons assez de victuailles pour trois jours de camping.* SYN. vivres.

vidange n.f. **1.** Action de vider un réservoir, une fosse d'aisances: *La garagiste a fait la vidange d'huile.* **2.** plur. Immondices, matières qui sont enlevées, vidées: *Les égoutiers ont évacué les vidanges qui bouchaient la canalisation.* ☞ vidanger.

vidanger v. **1.** Effectuer la vidange, vider un réservoir ou une fosse d'aisances: *Il faudrait vidanger le réservoir à mazout.* **2.** Évacuer par une vidange, en vidant le réservoir ou la fosse d'aisances : *J'ai fait vidanger l'huile à moteur de mon automobile.* ☞ vidange.

vide n.m. **1.** Espace qui ne contient pas d'air : *Ces bocaux sont scellés sous vide.* **2.** Espace assez vaste où rien ne peut servir d'appui : *J'ai failli tomber dans le vide.* **3.** Espace vague, imprécis : *Elle regardait dans le vide.* **4.** Caractère de ce qui manque d'intérêt : *Il s'attriste sur le vide de son existence.* ANT. utilité, valeur. **5.** Sentiment de privation : *Son départ a laissé un grand vide.* SYN. solitude. ANT. compagnie. **6.** Absence de ce qu'il devrait y avoir : *Ce que tu viens de dire est d'un vide complet.* à **vide** loc.adv. Sans rien contenir : *Cette voiture part à vide.*

vide adj. **1.** Qui ne contient rien : *La bouteille est vide.* ANT. comble. **2.** Qui est inoccupé : *Le local d'arts plastiques est vide.* SYN. disponible, inhabité, libre. ANT. habité, occupé. **3.** Qui ne contient que très peu d'occupants : *Il a prononcé son discours devant une salle vide.* ANT. rempli. **4.** Qui manque d'intérêt : *Sa vie est vide et monotone.* SYN. insignifiant, inutile. ANT. important. **5.** Qui est dépourvu de contenu, d'idées, de sentiments : *Ses phrases sont vides de sens.* ANT. sensé. **6.** Qui fait ressentir l'absence de quelqu'un : *La maison est vide depuis que les enfants sont partis.* **7.** Qui n'est pas recouvert : *C'était une grande chambre aux murs vides.* SYN. nu. ⁄⁄ *Ensemble vide :* Qui ne contient aucun élément. ☞ vide-ordures, vide-poches, vide-pomme, vider.

vidéaste n. Personne qui réalise des films en vidéo : *La profession de vidéaste est assez récente.* ☞ vidéo.

vidéo n.f. et adj.invar. **1.** n.f. Ensemble des techniques vidéo, permettant l'enregistrement simultané de l'image et du son : *L'avènement de la vidéo a eu un grand impact sur l'industrie cinématographique.* **2.** adj.invar. Qui se rapporte à l'enregistrement et à la reproduction d'images sur un écran cathodique : *J'ai commandé la cassette vidéo du film que nous devons commenter.* ☞ vidéaste, vidéocassette, vidéoclip.

vidéocassette n.f. Cassette servant à l'enregistrement et à la reproduction d'une émission de télévision ou d'un film : *J'ai enregistré ce film sur une vidéocassette.* ☞ vidéo.

vidéoclip n.m. Court film vidéo présentant une chanson : *Le dernier vidéoclip de cette chanteuse est très artistique.* **R.** Aussi, *clip*. ☞ vidéo.

vide-ordures n.m.invar. Conduit vertical où l'on peut jeter des ordures ménagères : *Notre immeuble est pourvu d'un vide-ordures.* ☞ vide.

vide-poches n.m.invar. Petit compartiment, coupe ou corbeille, où l'on dépose de menus articles : *J'ai mis ma clé et mon coupe-ongles dans le vide-poches.* ☞ vide.

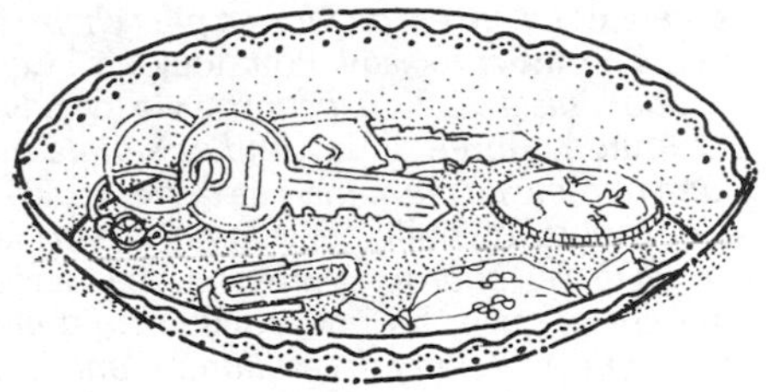

vide-poches

vide-pomme n.m. Petit couteau servant à extraire le cœur des pommes : *J'ai préparé les pommes pour le dessert avec mon vide-pomme.* **R.** Au pluriel, *vide-pommes*. ☞ vide.

vider v. **1.** Rendre vide, ôter le contenu : *J'ai vidé ma tirelire.* ANT. emplir. **2.** Ôter les entrailles d'un poisson ou d'une volaille : *Je sais comment vider les truites.* **3.** fam. Épuiser les forces de quelqu'un : *Ce travail nous a complètement vidés.* **4.** Enlever d'un lieu, d'un contenant : *La chimiste a vidé l'éprouvette dans un bocal.* SYN. transvider. **5.** Faire évacuer : *À cause d'une panne d'électricité, les ouvreuses ont dû vider la salle de spectacle.* SYN. débarrasser. ANT. remplir. **6.** litt. Faire en sorte qu'une chose soit réglée : *Ils ont décidé de vider cette vieille querelle.* ⁄⁄ *Vider les lieux :* Partir, quitter la place. ☞ vide. ▲ **vider** v. **1.** Débarrasser de quelque chose : *Les déménageurs ont d'abord vidé la maison de ses meubles.* **2.** Enlever d'un contenant : *J'ai vidé l'eau de ma gourde.* SYN. retirer, verser. ANT. remplir. ☞ vide. se **vider** v.pron. **1.** Devenir vide, se désemplir : *Au son de la cloche, la classe s'est vidée en quelques secondes.* **2.** S'écouler : *Les eaux usées se vident dans le fleuve.*

vie n.f. **1.** Fait de vivre, d'exister : *Les naufragés ont failli perdre la vie.* ANT. mort. **2.** Espace de temps qui s'écoule entre la naissance et la mort : *Elle a mené une vie bien remplie.* **3.** Vigueur, entrain : *Ces enfants sont pleins de vie.* SYN. vitalité. **4.** Ensemble des phénomènes propres aux organismes, animaux et végétaux : *Elle a beaucoup étudié la vie animale.* **5.** Ensemble des activités et des événements qui ont marqué l'existence d'une personne : *Elle a raconté sa vie dans un livre émouvant.* SYN. autobiographie, biographie. **6.** Aspect de l'existence d'une personne : *Il attache beaucoup d'importance à sa vie intérieure.* **7.** Ensemble de faits, de phénomènes propres à une société dans un domaine donné: *La vie économique du Canada est au ralenti.* **8.** Manière de vivre, de mener son existence: *Il mène une vie solitaire.* **9.** Ensemble des moyens matériels nécessaires à l'existence: *La vie est de plus en plus chère.* à la **vie, à la mort** loc.adv. Pour toujours: *Ces gens sont unis à la vie, à la mort.* à **vie** loc.adv. Pour toute la durée de la vie: *Les sénateurs étaient nommés à vie.* jamais de la **vie** loc.adv. À aucun moment, nullement: *Jamais de la vie je n'irai à cet endroit.* ▲ **vie** n.f. Existence d'une chose qui subit une évolution: *La vie d'une étoile peut durer dix milliards d'années.*

vieillard n.m. **1.** Homme très âgé: *Ce vieillard joue à la pétanque plusieurs fois par semaine.* **2.** plur. Ensemble des personnes âgées: *Les vieillards sont bien traités dans ce centre d'accueil.* **R.** Au féminin, *vieille.* ☞ vieux.

vieille n.f. Poisson à tête ridée, aussi appelé «labre»: *Hier, j'ai pêché deux vieilles près des côtes rocheuses.*

vieillerie n.f. Objet usé, ancien: *Elle a décidé de se débarrasser de toutes ses vieilleries.* ANT. nouveauté. ☞ vieux.

vieillesse n.f. **1.** Dernière période de la vie humaine: *Elle a eu une vieillesse paisible et heureuse.* ANT. enfance, jeunesse. **2.** Fait d'être vieux: *Sa vieillesse ne l'empêche pas de faire un jardin chaque année.* SYN. âge, ancienneté. **3.** Ensemble des personnes âgées: *Le gouvernement coupe les subventions à ce programme d'aide à la vieillesse.* ⁄⁄ *Mourir de vieillesse:* Mourir par le simple fait d'être très vieux. ☞ vieux.

vieilli, ie adj. **1.** Qui a pris de l'âge, marqué par l'âge: *Je l'ai trouvé très vieilli.* ANT. alerte. **2.** Qui tombe en désuétude, qui n'est plus en usage: *Le mot «aéroplane» est vieilli.* SYN. démodé, désuet. ANT. actuel, nouveau. ☞ vieux.

vieillir v. **1.** Devenir vieux: *Elle a beaucoup vieilli depuis qu'elle a été malade.* SYN. décliner, rider. ANT. rajeunir. **2.** Tomber en désuétude, devenir démodé: *Les modes vieillissent vite.* SYN. changer. **3.** Faire paraître vieux: *Sa coiffure la vieillit.* SYN. désavantager. ANT. rafraîchir. **4.** Acquérir de la qualité avec le temps: *Le parmesan est un fromage qu'on fait vieillir pendant plusieurs années.* ☞ vieux. se **vieillir** v.pron. **1.** Se faire paraître vieux: *Il a mis de fausses moustaches pour se vieillir.* **2.** Se dire plus âgé qu'on ne l'est réellement: *Elle s'est vieillie de deux ans pour pouvoir entrer dans cette salle de cinéma.*

vieillissant, ante adj. **1.** Qui vieillit, qui perd de sa force, de sa vogue: *Ce système de pensée est vieillissant.* **2.** Qui devient vieux, âgé: *La population du Québec est vieillissante.* ☞ vieux.

vieillissement n.m. **1.** Fait de devenir vieux: *On assiste présentement au vieillissement de la population canadienne.* **2.** Fait de se démoder: *Cette théorie a encore de nombreux partisans malgré son vieillissement.* ☞ vieux.

vieillot, otte adj. Qui est démodé, qui a l'air vieux: *Tu as des idées vieillottes.* SYN. désuet. ☞ vieux.

vierge n.f. et adj. **1.** n.f.vx Fille qui n'a jamais eu de relations sexuelles: *Chez ce peuple, les femmes initiaient les jeunes vierges au monde adulte.* **2.** n.f. Marie, mère de Jésus: *Les catholiques prient la Vierge.* **3.** adj. Qui n'a jamais eu de relations sexuelles: *À vingt ans, René n'était plus vierge.* SYN. chaste, innocent. ANT. impudique, vicieux. **4.** adj. Qui n'a jamais servi: *J'ai enregistré mon émission sur une vidéocassette vierge.* SYN. intact. **5.** adj. Qui n'est mélangé à rien d'autre: *Son complet est en pure laine vierge.* **6.** adj. Qui n'est pas exploité: *Le Canada possède d'immenses terres vierges.* SYN. inculte, inexploré. ⁄⁄ *Forêt vierge:* Forêt impénétrable. *Vierge de:* Qui n'est pas sali par. **R.** S'écrit avec une majuscule lorsqu'il s'agit de la mère de Jésus. ☞ virginal, virginité.

vietnamien, ienne n. et adj. **1.** n. Personne qui est du Viêt Nam: *Un Vietnamien, une Vietnamienne.* **2.** adj. Qui est du Viêt Nam: *J'aime beaucoup la cuisine vietnamienne.* **R.** On met la majuscule à *vietnamien* et à *vietnamienne* lorsque le nom désigne une personne.

vietnamien n.m. Langue parlée principalement au Viêt Nam: *Le vietnamien est une langue à monosyllabes.*

vieux, vieille n. et adj. **1.** n. Personne âgée: *Dans l'autobus, j'ai offert ma place à une petite vieille.* SYN. vieillard. ANT. adolescent, enfant. **2.** n.fam. Terme affectueux: *Comment vas-tu, mon vieux?* **3.** adj. Qui est avancé en âge: *Mon arrière-grand-mère est très vieille.* ANT. jeune. **4.** adj. Qui est d'un âge supérieur ou inférieur à celui d'une autre personne: *Tu es plus vieille que moi de six mois.* SYN. âgé. **5.** adj. Qui est depuis longtemps ce qu'il est: *Lui et moi sommes de vieux copains.* **6.** adj. Qui existe depuis longtemps: *Elle habite dans une vieille maison.* ANT. moderne, nouveau. **7.** adj. Qui a existé autrefois: *Nous avons dansé comme dans le bon vieux temps.* ANT. récent. ⁄⁄ *Vieux de:* Qui date de. *Vieux jeu:* Démodé. **R.** *Vieux* s'écrit *vieil* devant un nom masculin singulier commençant par une voyelle ou un *h* muet. ☞ vieillard, vieillerie, vieillesse, vieilli, vieillir, vieillissant, vieillissement, vieillot.

vif n.m. **1.** Chair à nu: *Ma plaie est au vif.* **2.** Ce qu'il y a de plus important, de plus intéressant: *Après une brève introduction, vous avez abordé le vif du sujet.*

vif, vive adj. **1.** Qui est à l'état vivant: *Elle a été brûlée vive.* ANT. mort. **2.** Qui n'a plus de peau: *J'ai mis du peroxyde sur la chair vive de ma blessure.* ▲ **vif, vive** adj. **1.** Qui a de l'agilité, de la vigueur: *Elle marchait à pas vifs et légers.* SYN. alerte, allègre. ANT. lourd, nonchalant. **2.** Qui est prompt dans ses réactions, ses opérations: *Ces enfants ont une imagination vive.* SYN. ardent, pétillant. ANT. borné, lent. **3.** Qui est emporté, d'une ardeur excessive: *La discussion a été vive.* SYN. intense, soutenu. ANT. faible. **4.** Qui est prononcé, intense: *Elle nous a causé une vive surprise.* **5.** Qui est exprimé avec violence: *Il m'a fait de vifs reproches.* **6.** Qui est éclatant, lumineux: *Ces fraises sont d'un rouge vif.* SYN. voyant. **7.** Qui est très coupant: *Je me suis coupé sur les arêtes vives d'un silex.* **8.** Qui saisit, qui surprend: *Le froid était vif.* ☞ aviver, vivacité, vivement.

vigie n.f. (port.) Matelot placé en observation à bord d'un navire: *Du haut de son mât, la vigie avait aperçu une île.* SYN. sentinelle.

vigie

vigilance n.f. Surveillance attentive: *Le joueur marqua un point en trompant la vigilance de la gardienne de but.* ANT. distraction, étourderie. ☞ vigilant.

vigilant, ante adj. Qui est plein de vigilance, qui est attentif: *Ce piéton vigilant traverse la rue au moment opportun.* SYN. prudent, réfléchi. ANT. endormi, étourdi. ☞ vigilance.

vigne n.f. **1.** Arbrisseau grimpant qui produit le raisin: *Nous avons planté un pied de vigne dans le jardin.* **2.** Terrain planté de vignes: *La vigne a beaucoup produit cette année.* ☞ vigneron, vignoble.

vigneron, onne n. Personne qui cultive la vigne et produit du vin: *La vigneronne nous a fait visiter ses caves à vin.* SYN. viticulteur. ☞ vigne.

vignette n.f. **1.** Petit motif ornemental d'un livre, d'une feuille de papier, d'un tissu: *Dans chacun des contes de ce livre, la première lettre est décorée d'une vignette.* **2.** Timbre attestant le paiement d'un droit, d'une taxe, ou d'un médicament: *Les paquets de cigarettes portent une vignette.*

vignoble n.m. **1.** Plantation de vignes: *Nous avons visité les vignobles de cette région.* **2.** Ensemble des vignes d'un pays, d'une région: *Le vignoble québécois produit quelques vins fort honorables.* ☞ vigne.

vigogne n.f. (esp.) **1.** Petit lama des Andes, à la belle fourrure lisse: *La vigogne a un pelage fin et laineux.* **2.** Laine de cet animal: *Elle s'est acheté un manteau en vigogne.*

vigoureusement adv. Avec vigueur, avec force: *Je l'ai secoué vigoureusement pour la réveiller.* SYN. énergiquement. ANT. faiblement, mollement. ☞ vigueur.

vigoureux, euse adj. **1.** Qui est plein de vigueur, de force: *Ce vieux cheval est encore vigoureux.* SYN. robuste, solide. ANT. faible, frêle. **2.** Qui s'exprime avec force: *Cette écrivaine a un style vigoureux.* SYN. énergique, ferme. ANT. hésitant, incertain. ☞ vigueur.

vigueur n.f. **1.** Force physique: *Elle lui a serré la main avec vigueur.* SYN. fermeté. ANT. mollesse. **2.** Activité intellectuelle qui se manifeste avec puissance, fermeté: *La vigueur de sa réponse nous a étonnés.* SYN. ardeur, énergie, puissance. ANT. faiblesse. ∥ *En vigueur:* En application, en usage. **R.** Ne pas oublier le *u* après le *g*. ☞ vigoureusement, vigoureux.

viking adj. Qui est relatif aux Vikings, guerriers, marchands et navigateurs scandinaves: *L'époque viking a duré du VIIIe au XIe siècle.*

vil, vile adj.litt. Qui inspire le mépris : *C'était un vil personnage.* SYN. ignoble, infâme, méprisable. ANT. estimable, noble. HOM. ville. ∥ *À vil prix :* Très bon marché. ☞ avilir, avilissant.

vilain, aine n. et adj. **1.** n. Enfant qui agit mal : *Ce vilain a fait un mauvais coup.* **2.** adj. Qui a une mauvaise conduite : *Elle a été très vilaine avec moi.* ANT. gentil, sage. **3.** adj. Qui est désagréable à voir : *J'ai de vilaines dents.* SYN. disgracieux, laid. ANT. agréable, beau. **4.** adj. Qui est grossier, moralement laid : *Elle lui a dit un vilain mot.* SYN. méchant. ANT. honnête. **5.** adj. Qui est désagréable, en parlant du temps : *Il fait un vilain temps.* SYN. détestable, insupportable. ANT. plaisant. **6.** adj. Qui a quelque chose d'inquiétant : *Elle a une vilaine toux.*

vilebrequin n.m. Outil servant à faire des trous : *J'ai fixé une grosse mèche à mon vilebrequin.*

villa n.f. (it.) Maison de campagne avec jardin : *L'ami de ma mère a une villa au bord de la mer.* **R.** Les deux *l* se prononcent comme un seul *l*.

village n.m. Agglomération rurale, petite ville : *Pendant les vacances, nous avons traversé plusieurs villages pittoresques.* ANT. cité, ville. **R.** Les deux *l* se prononcent comme un seul *l*. ☞ villageois.

villageois, oise n. et adj. **1.** n. Habitant d'un village, d'une petite agglomération : *Les villageois ont organisé une épluchette.* **2.** adj. Qui se rapporte à un village, à une petite agglomération ou à ses habitants : *Cette coutume villageoise remonte au XVIIe siècle.* ANT. urbain. **R.** Ne pas oublier le *e* après le *g*. Les deux *l* se prononcent comme un seul *l*. ☞ village.

ville n.f. **1.** Agglomération importante : *Chicoutimi est la principale ville du Saguenay — Lac-Saint-Jean.* SYN. municipalité. ANT. campagne. **2.** Population d'une agglomération urbaine : *Toute la ville est au courant de la nouvelle.* HOM. vil. **R.** Les deux *l* se prononcent comme un seul *l*.

villégiature n.f. (it.) **1.** Séjour de repos à la campagne, à la montagne, à la mer : *Au mois de juillet, beaucoup de citadins partent en villégiature.* SYN. vacances. **2.** Endroit où l'on fait un séjour de repos, où l'on prend des vacances : *La région des Laurentides est un endroit de villégiature très apprécié.* **R.** Les deux *l* se prononcent comme un seul *l*.

vin n.m. **1.** Boisson alcoolisée obtenue par la fermentation du raisin : *Ce vin blanc a un goût fruité.* **2.** Boisson alcoolisée obtenue par la fermentation d'un produit végétal : *Au Québec, on fabrique du vin de bleuets.* HOM. vain, vingt. ☞ vinicole.

vinaigre n.m. Liquide provenant de vin ou d'alcool fermenté, et qui est utilisé comme condiment : *J'ai mis du vinaigre à l'ail dans la salade.* ☞ vinaigrer, vinaigrette, vinaigrier.

vinaigrer v. Assaisonner avec du vinaigre, avec du vin ou de l'alcool fermenté : *Ces betteraves ont été légèrement vinaigrées.* ☞ vinaigre.

vinaigrette n.f. Sauce à base d'huile et de vinaigre : *Cette vinaigrette convient spécialement à la salade de chou.* ☞ vinaigre.

vinaigrier n.m. **1.** Personne qui fabrique ou vend du vinaigre, un condiment fait à base de vin ou d'alcool fermenté : *Il faut aller se réapprovisionner chez le vinaigrier.* **2.** Flacon à vinaigre : *J'ai rempli le vinaigrier.* ☞ vinaigre.

vindicatif, ive adj. Qui est porté à se venger : *C'est un garçon bagarreur et vindicatif.* SYN. haineux, rancunier, vengeur. ANT. indulgent, patient.

vingt n.m. **1.** Nombre qui suit dix-neuf : *Deux fois dix égalent vingt.* **2.** Vingtième jour du mois : *Les réunions auront lieu le vingt de chaque mois.* HOM. vain, vin.

vingt adj.num. **1.** Dix-neuf plus un : *Mon frère aura bientôt vingt ans.* **2.** Un grand nombre : *Cela fait vingt fois que tu me répètes la même chose.* **3.** Vingtième : *En dix minutes, j'ai lu jusqu'à la page vingt.* ☞ vingtaine, vingtième.

vingtaine n.f. Groupe de vingt unités ou quantité voisine de vingt : *Il reviendra dans une vingtaine de jours.* ☞ vingt.

vingtième n. et adj.num. **1.** n. Personne, animal ou chose qui occupe le vingtième rang : *Tu es la vingtième que j'attrape avec cette question piège.* **2.** n. Partie d'un tout divisé en vingt parties égales : *Le vingtième de cent est cinq.* **3.** adj.num. Qui vient après le dix-neuvième : *Le vingtième siècle s'achève.* **R.** Lorsqu'il s'agit de la partie d'un tout, le nom est masculin. ☞ vingt.

vinicole adj. Qui se rapporte à la production du vin, d'une boisson faite de raisin fermenté : *Une entreprise vinicole s'est établie à Dolbeau.* SYN. viticole. ☞ vin.

vinyle n.m. Matière synthétique servant à la fabrication de matière plastique, de textile : *Le sol de la cuisine est recouvert de carreaux de vinyle.*

viol n.m. **1.** Acte de violence par lequel une personne en force une autre à avoir des relations sexuelles : *Le viol est un délit criminel.* **2.** Action de pénétrer dans un lieu interdit ou sacré : *Elle a été arrêtée pour viol de sépulture.* SYN. profanation. ☞ violer.

violacé, ée adj. D'une couleur tirant sur le violet, entre le rouge et le bleu : *Cet arbre donne des lilas violacés.* ☞ violet.

violation n.f. **1.** Action de transgresser une loi : *La vente de ce produit constitue une violation de la loi.* SYN. atteinte, contravention, infraction. ANT. observance, respect. **2.** Action de pénétrer de force dans un lieu : *Elle a été condamnée pour violation de domicile.* SYN. profanation. ☞ violer.

violemment adv. Avec violence, brutalement : *Elles se sont disputées violemment.* ANT. doucement, légèrement. **R.** Les lettres *emment* se prononcent *amment.* ☞ violent.

violence n.f. **1.** Grande brutalité dans le comportement : *Dans cette émission de télévision, on assiste à une scène de violence toutes les dix secondes.* SYN. agressivité, colère. ANT. calme, douceur. **2.** Expression sociale de la force brutale : *Ces mesures visent à remédier à la violence dans les villes.* ANT. non-violence, paix. **3.** Outrance dans les propos : *Elle lui a répondu avec violence.* SYN. énergie, fureur, vivacité. ANT. lenteur. **4.** Force brutale d'une chose, d'un phénomène : *On annonce une tempête d'une rare violence.* SYN. déchaînement, impétuosité. **5.** Caractère de ce qui produit des effets brutaux : *Il maîtrise mal la violence de ses sentiments.* SYN. puissance. ☞ violent.

violent, ente n. et adj. **1.** n. Personne qui est emportée, brutale : *C'est un violent, il devra apprendre à se contrôler.* **2.** adj. Qui agit ou s'exprime avec emportement, brutalité : *Elle devient violente quand on la contrarie.* SYN. coléreux, irascible. ANT. calme, doux. **3.** adj. Qui a une grande intensité : *Il a fait une violente colère.* SYN. déchaîné, épouvantable, terrible. ANT. faible, léger. **4.** adj. Qui exige de l'énergie : *Durant ta convalescence, tu dois éviter les jeux violents.* SYN. brusque, rude. ☞ non-violence, non-violent, violemment, violence.

violer v. **1.** Porter atteinte à ce qu'on doit respecter : *La conductrice a violé la loi en dépassant la limite de vitesse permise.* SYN. enfreindre, transgresser. ANT. respecter. **2.** Pénétrer dans un lieu interdit ou sacré : *Des pilleurs ont violé le tombeau de ce pharaon.* SYN. profaner. ANT. consacrer. **3.** Commettre un viol sur quelqu'un, l'obliger à avoir une relation sexuelle : *Il a essayé de la violer, elle l'a bousculé et s'est enfuie.* ☞ viol, violation, violeur.

violet n.m. Couleur violette, faite d'un mélange de bleu et de rouge : *Le violet de tes rideaux va bien avec ton décor.*

violet, ette adj. Qui est d'une couleur intermédiaire entre le rouge et le bleu : *Ces prunes violettes sont délicieuses.* ☞ violacé.

violette n.f. Plante à fleurs violettes ou blanches, parfois très odorantes : *Les violettes poussent tôt au printemps.*

violeur, euse n. Personne qui a commis un viol, qui a obligé une personne à avoir une relation sexuelle : *Le violeur a été condamné à cinq ans de prison.* ☞ violer.

violon n.m. **1.** Instrument de musique à quatre cordes que l'on fait vibrer avec un archet : *Il joue merveilleusement du violon.* **2.** Musicien qui joue du violon : *Elle est premier violon dans l'orchestre symphonique.* ⁄⁄ *Violon d'Ingres :* Activité artistique qu'on exerce par plaisir. ☞ violoneux, violoniste.

violoncelle n.m. (it.) Instrument de musique à quatre cordes, semblable au violon, mais beaucoup plus gros : *J'aime le son grave du violoncelle.* ☞ violoncelliste.

violoncelliste n. Personne qui joue du violoncelle : *Il faut dix violoncellistes pour jouer cette symphonie.* ☞ violoncelle.

violoneux n.m. **1.** Violoniste de village, jouant surtout de la musique folklorique : *Le violoneux a joué une gigue endiablée.* **2.** fam. Violoniste médiocre : *Ce violoneux était terriblement ennuyeux.* ☞ violon.

violoniste n. Personne qui joue du violon, d'un instrument de musique à quatre cordes que l'on frotte avec un archet : *Cette violoniste québécoise a connu un vif succès à l'étranger.* ☞ violon.

viorne n.f. Arbrisseau à fleurs blanches dont on cultive plusieurs espèces ornementales comme l'obier et le laurier : *L'obier et le pimbina sont des viornes.*

vipère n.f. Serpent venimeux de petite taille : *Le venin de la vipère peut être mortel.*

vipérine n.f. Plante velue à nombreuses fleurs bleues réparties le long de la tige : *La vipérine a la propriété de soulager les maux de tête.*

virage n.m. **1.** Mouvement d'un véhicule qui change de direction : *Il a fait un virage brusque et a dérapé.* **2.** Endroit où une route décrit une courbe : *Ce virage est dangereux.* **3.** fig. Changement d'orientation d'un parti, d'un mouvement : *Les jeunes de ce parti ont amorcé un virage idéologique.* ☞ virer.

virage en U ☞ sect. anglicismes et canadianismes.

viral, ale, aux adj. Qui est provoqué par un virus : *Elle a attrapé une maladie virale.* ☞ virus.

virement n.m. Transfert de fonds d'un compte à un autre : *J'ai fait un virement à l'aide du guichet automatique.* ☞ virer.

virer v. **1.** Tourner sur soi : *Elle virait en dansant avec son partenaire.* SYN. pirouetter. **2.** Avancer en changeant de direction : *La voiture a viré brusquement.* ☞ virage. ▲ **virer** v. Faire passer des fonds d'un compte à un autre : *Je voudrais virer dix dollars à mon compte d'épargne stable.* ☞ virement. ▲ **virer** v.fam. Congédier : *Cette salariée a été virée après deux ans.* ▲ **virer** v. Changer d'aspect ou de caractère : *Les feux de circulation ont viré au rouge.*

virevolte n.f. **1.** Tour rapide que fait une personne sur elle-même : *Le danseur faisait des virevoltes gracieuses.* **2.** Changement d'opinion : *Ses virevoltes continuelles commencent à m'agacer.* SYN. volte-face. ☞ virevolter.

virevolter v. Tourner rapidement sur soi : *Les hirondelles virevoltent au-dessus de la remise.* ☞ virevolte.

virginal, ale, aux adj.litt. **1.** Qui a quelque chose de pur : *Cette poétesse a chanté la candeur virginale de l'enfance.* **2.** Qui est immaculé, d'un blanc éclatant : *Les champs étaient recouverts d'une neige virginale.* ☞ vierge.

virginité n.f. État d'une personne vierge, qui n'a pas eu de rapports sexuels : *Elle songeait au moment où elle perdrait sa virginité.* SYN. chasteté, innocence, pureté. ANT. débauche, impureté, vice. ☞ vierge.

virgule n.f. **1.** Signe de ponctuation qui sert à séparer divers éléments d'une phrase : *On met une virgule entre les termes d'une énumération.* **2.** Signe qui précède la décimale : *Nous venons d'apprendre à effectuer des opérations avec des virgules.*

viril, ile adj. **1.** Qui est propre à l'homme, par opposition à la femme : *La voix virile de ce chanteur a contribué à son succès.* **2.** Qui a l'air mâle : *C'était un homme viril.* SYN. brave, courageux, résolu. ANT. hésitant, lâche, peureux. **3.** Qui a des qualités traditionnellement considérées comme masculines : *C'est une femme forte et virile.* SYN. énergique. ☞ virilement, virilité.

virilement adv. D'une manière virile, énergique : *Asseyons-nous et discutons virilement.* ☞ viril.

virilité n.f. **1.** Ensemble des caractères physiques et sexuels de l'homme : *Il remet en question sa virilité.* **2.** Ensemble des qualités morales généralement attribuées à l'homme : *Ce roman d'aventures exalte le courage et la virilité.* SYN. énergie, fermeté, force. ANT. faiblesse, impuissance, peur. ☞ viril.

virtuel, elle adj. Qui est en puissance, à l'état de possibilité : *Notre gymnase a été choisi comme lieu virtuel d'une exposition.* ANT. actuel, réel. ☞ virtuellement.

virtuellement adv. **1.** De façon virtuelle, en puissance : *Notre projet est virtuellement accepté.* **2.** Selon toute probabilité, vraisemblablement : *Notre école sera virtuellement rénovée l'an prochain.* **R.** Les deux *l* se prononcent comme un seul *l*. ☞ virtuel.

virtuose n. (it.) Artiste extrêmement doué et habile : *Liszt était un grand virtuose du piano.* ☞ virtuosité.

virtuosité n.f. Grande habileté artistique : *Cette cantatrice est devenue célèbre par sa virtuosité phénoménale.* ☞ virtuose.

virulence n.f. Caractère de ce qui est virulent, violent : *La virulence de son discours a indisposé l'auditoire.* ☞ virulent.

virulent, ente adj. Qui est plein de violence, de mordant : *Ce film est une satire virulente de la vie moderne.* ☞ virulence.

virus n.m. (lat.) **1.** Organisme microscopique qui cause des maladies : *J'ai attrapé le virus de la grippe.* **2.** fig. Ce qui est contagieux sur le plan moral : *Le virus de la contestation s'est développé à l'intérieur de l'école.* **R.** Le *s* se prononce. ☞ antiviral, viral.

vis n.f. Tige métallique de fixation, qu'on enfonce en tournant : *J'ai fixé cette tablette au moyen de vis.* HOM. vice. ∥ *Escalier à vis :* Escalier tournant. **R.** Le *s* se prononce. ☞ dévissage, dévisser, revisser, visser.

visa n.m. (lat.) **1.** Formule, papier ou carte portant un sceau, une signature qui le rend valide : *Ce film controversé a obtenu son visa.* **2.** Cachet exigé dans un passeport pour entrer dans certains pays : *Il faut un visa pour aller dans de nombreux pays.* ☞ viser.

visage n.m. **1.** Partie de la tête où se trouvent les yeux, le nez et la bouche : *Ma petite sœur a le visage plein de sauce à spaghetti.* SYN. face, figure. **2.** Expression de la face d'une personne : *Son visage était triste.* SYN. air, physionomie. **3.** fig. Aspect particulier d'une chose : *Ce caricaturiste nous montre le vrai visage de la politique.* SYN. image.

vis-à-vis n.m.invar. **1.** Personne qui est placée en face d'une autre : *Durant ce repas, j'ai beaucoup parlé avec mon vis-à-vis.* **2.** Entretien entre deux personnes qui se font face :

Notre vis-à-vis a été long mais profitable. **vis-à-vis de** loc.prép. **1.** En face de : *Il était assis vis-à-vis de moi.* **2.** En comparaison : *Mes résultats sont peu enviables vis-à-vis des siens.* **3.** fam. À l'égard de : *Tu as mal agi vis-à-vis de ta sœur.*

viscère n.m. Tout organe qui se trouve dans la tête, le thorax et l'abdomen : *J'ai gardé les viscères de la dinde pour préparer la farce.*

viscose n.f. Cellulose servant à la fabrication des textiles synthétiques : *Ma chemise est en viscose et en polyester.*

visée n.f. **1.** Action de diriger une arme, le regard ou un appareil vers un objectif : *La visée de cette étoile au télescope demande de la patience.* **2.** plur.fig. Ce que l'on se propose d'atteindre : *La nouvelle présidente de l'école a des visées ambitieuses.* SYN. désir, dessein, intention. HOM. viser. ☞ viser.

viser v. **1.** Diriger une arme, un objet vers une cible : *Il a visé le but, mais la rondelle a ricoché.* SYN. braquer, pointer. ANT. manquer, rater. **2.** Tenter d'atteindre, avoir en vue : *Elle a décidé de se présenter aux élections et de viser la présidence.* SYN. ambitionner, convoiter, désirer. ANT. dédaigner, refuser, renoncer. **3.** S'appliquer, concerner : *Cette décision vise tous les élèves.* ☞ visée, viseur. ▲ **viser** v. Marquer d'un visa, d'un sceau légal : *Mon passeport a été visé à l'ambassade de France.* HOM. visée. ☞ visa.

viseur n.m. Dispositif optique servant à viser, à cadrer : *J'ai réglé le viseur de la caméra.* ☞ viser.

visibilité n.f. **1.** Qualité de ce qui est visible, voyant : *Ce lettrage augmente la visibilité de nos affiches.* ANT. invisibilité. **2.** Possibilité de bien voir à distance : *La visibilité est réduite à cause de la poudrerie.* ☞ voir.

visible n.m. et adj. **1.** n.m. Ensemble du monde perceptible par la vue : *La science étudie le visible et l'invisible.* **2.** adj. Qui peut être vu, perçu : *La planète Vénus est visible à l'œil nu.* SYN. observable. ANT. invisible. **3.** adj. Qui se manifeste avec évidence : *Son embarras était visible.* SYN. apparent, manifeste. ANT. caché, obscur. ☞ voir.

visiblement adv. D'une manière évidente : *Visiblement, il n'était pas intéressé.* ANT. invisiblement. ☞ voir.

visière n.f. Partie avant d'une casquette, qui fait saillie pour protéger le front et les yeux : *Ma visière me protège un peu du soleil.*

vision n.f. **1.** Perception par les yeux : *Elle a des troubles de la vision.* SYN. vue. **2.** Action de voir en esprit : *Sa vision de l'avenir est plutôt optimiste.* SYN. conception, perception. **3.** Action de regarder quelque chose : *La vision de ce film m'a donné un mal de tête.* ▲ **vision** n.f. **1.** Perception surnaturelle : *Cette grande mystique a eu de nombreuses visions de la fin du monde.* SYN. révélation. **2.** Représentation imaginaire : *Il n'y a pas de fantômes ici, tu as eu des visions.* SYN. hallucination. ☞ visionnaire.

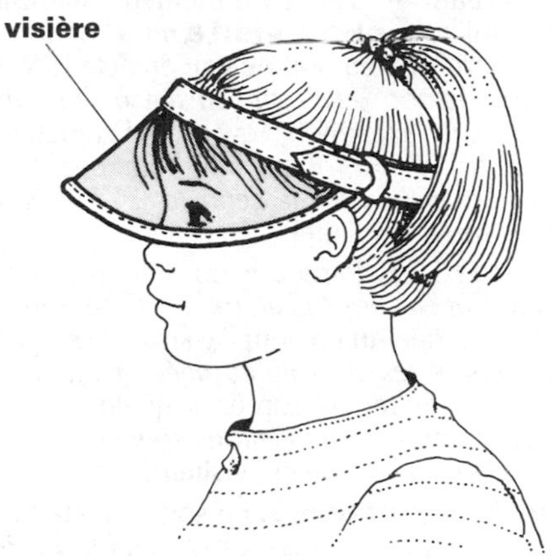

visionnaire n. et adj. **1.** n. Personne qui a ou croit avoir des visions, des révélations surnaturelles : *Cette vieille femme était une grande visionnaire.* **2.** n. Personne qui a des idées folles, extravagantes : *Ce poète est un visionnaire inquiétant.* SYN. halluciné, illuminé. **3.** n. Personne qui a une intuition juste de l'avenir : *Jules Verne était un visionnaire.* **4.** adj. Qui a l'intuition de l'avenir : *Judith Jasmin était une journaliste visionnaire.* ☞ vision.

visionner v. **1.** Examiner un film sur le plan technique : *Nous avons visionné notre film vidéo pour vérifier si l'éclairage était approprié.* **2.** Voir des photos ou des films au moyen d'un appareil de visualisation : *Nous allons visionner nos photos de vacances.* ☞ visionneuse.

visionneuse n.f. Appareil servant à visionner un film, des diapositives : *La visionneuse est en marche.* ☞ visionner.

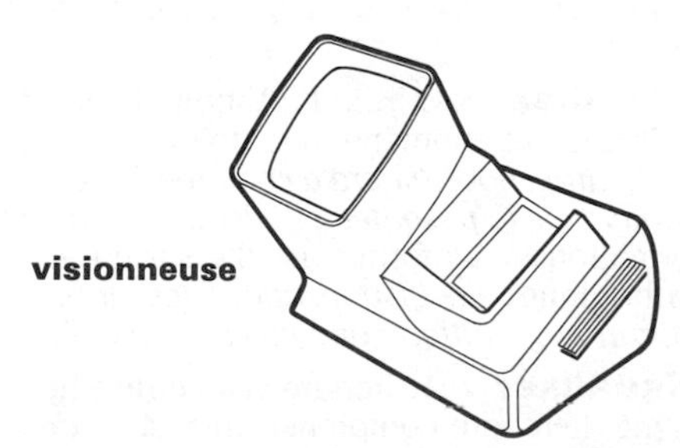

visite n.f. **1.** Fait d'aller voir quelqu'un: *J'ai fait une courte visite chez mon amie.* **2.** fam. Des visiteurs, des personnes que l'on reçoit: *Nous avons reçu de la visite inattendue.* **3.** Fait d'aller voir un malade, un client: *Cette sage-femme fait des visites à domicile.* ⁄⁄ *Carte de visite:* Petit carton imprimé pour identifier une personne à des fins publicitaires. *Droit de visite:* Droit d'un parent qui n'a pas la garde de son enfant de passer un moment déterminé avec lui. ☞ visiter. ▲ **visite** n.f. **1.** Action de parcourir un lieu pour le voir en détail: *Notre visite au zoo de Saint-Félicien a été captivante.* SYN. excursion, voyage. **2.** Examen médical à l'hôpital, dans une clinique: *À ma dernière visite chez le dentiste, je n'avais aucune carie.* ☞ visiter.

visiter v. **1.** Parcourir un lieu en l'examinant: *Cet été, nous visiterons la Côte-Nord.* **2.** Aller voir quelqu'un pour l'assister, le soigner: *Elle visite les personnes âgées chaque semaine.* **3.** Se rendre auprès de quelqu'un pour le rencontrer: *Nous visitons souvent nos anciens voisins.* ☞ visite, visiteur.

visiteur, euse n. **1.** Personne qui fait une visite: *Notre visiteuse arrive enfin!* **2.** Personne qui visite les malades, les prisonniers: *Les visiteurs sont admis seulement le dimanche.* **3.** Personne qui visite un lieu, un site touristique: *Cette année, les visiteurs ont été nombreux à ce musée.* SYN. touriste, voyageur. ☞ visiter.

vison n.m. **1.** Petit mammifère carnassier d'Amérique du Nord, élevé pour sa fourrure: *Le vison est voisin du putois, de la belette et de la martre.* **2.** Fourrure de cet animal: *Dans la vitrine, j'ai vu un magnifique vison.*

visqueux, euse adj. **1.** Qui est épais et gluant: *Cette peinture est visqueuse.* SYN. collant. **2.** Qui a une surface recouverte d'une couche gluante: *Le crapaud a une peau visqueuse.* **3.** fig. et péj. Qui répugne par ses manières serviles, sa bassesse: *Sa voix visqueuse m'indispose.*

visser v. Fixer avec des vis, avec des tiges métalliques de fixation: *J'ai vissé le tableau d'affichage avec quatre vis.* SYN. attacher, immobiliser, river. ANT. détacher, dévisser, séparer. ☞ vis.

visualisation n.f. **1.** Action de rendre visible un phénomène, une notion: *Cette visualisation nous aidera à comprendre le phénomène de la pesanteur.* **2.** Présentation d'informations sous forme visuelle sur un écran cathodique: *La visualisation des données fournit le graphique que voici.* ☞ visuel.

visualiser v. **1.** Rendre visible un phénomène, le rendre compréhensible: *À l'aide de ce colorant, on peut visualiser le mouvement de la sève dans la plante.* **2.** Se représenter mentalement quelque chose: *Ce schéma permet de visualiser la notion d'intensité sonore.* **3.** Représenter les informations d'un ordinateur sous une forme graphique à l'écran: *Cette commande sert à visualiser les données fournies.* ☞ visuel.

visuel n.m. Écran de visualisation: *Ce micro-ordinateur est muni d'un visuel en couleurs.*

visuel, elle n. et adj. **1.** n. Personne chez qui le sens de la vue prédomine: *Les visuels observent les choses différemment des auditifs.* **2.** adj. Qui se rapporte à la vue: *Les oiseaux ont un champ visuel très large.* ⁄⁄ *Mémoire visuelle:* Mémoire des images perçues par la vue. ☞ visualisation, visualiser, visuellement.

visuellement adv. De façon visuelle, par la vue: *Ce graphique permet de représenter visuellement la proportion de garçons et de filles de l'école.* ☞ visuel.

vital, ale, aux adj. **1.** Qui se rapporte à la vie: *Nous avons étudié les fonctions vitales des plantes.* SYN. essentiel, fondamental, principal. **2.** Qui est essentiel à la vie, à l'existence: *La production hydroélectrique est vitale pour le Québec.* SYN. indispensable, primordial. ANT. secondaire. **3.** Qui est d'une importance extrême: *Nous touchons là à un problème vital.* ☞ revitaliser, vitalité.

vitalité n.f. Caractère de ce qui a de l'énergie, du dynamisme: *Ces enfants sont d'une vitalité débordante.* SYN. entrain, force, vigueur. ANT. faiblesse, langueur. ☞ vital.

vitamine n.f. (angl.) Substance indispensable à la croissance et au fonctionnement de l'organisme: *Je prends des vitamines tous les jours.* ☞ vitaminé.

vitaminé, ée adj. Qui contient des vitamines, des substances indispensables à l'organisme: *Ce jus de pomme est vitaminé.* ☞ vitamine.

vite adj. et adv. **1.** adj. Qui agit, se déplace avec rapidité: *Cet enfant est vite et actif.* SYN. agile, alerte. ANT. lent. **2.** adv. Avec rapidité: *Tu parles trop vite.* SYN. précipitamment. ANT. lentement, nonchalamment. **3.** adv. En peu de temps: *Ils ont vite découvert notre cachette.* SYN. rapidement. ANT. posément. ⁄⁄ *Au plus vite:* Sans tarder. *Faire vite:* Se hâter. ☞ vitesse.

vitesse n.f. **1.** Fait de franchir une certaine distance en peu de temps: *Nous avons organisé une course de vitesse.* **2.** Fait d'accomplir rapidement quelque chose: *Elles sont parties* *en vitesse.* SYN. hâte, promptitude. ANT. lenteur. **3.** Rapport entre une distance parcourue et le temps mis à la parcourir: *Nos bicyclettes roulaient à une vitesse de trente kilomètres à l'heure.* SYN. allure. **4.** Chacune des combinaisons d'engrenage d'une boîte de vitesses: *Nous roulions en quatrième vitesse.* ⁄⁄ *À toute vitesse:* Très rapidement. *En vitesse:* Au plus vite. ☞ vite.

viticole adj. Qui est relatif à la viticulture, à la culture de la vigne: *J'habite dans une région viticole.* ☞ viticulteur, viticulture.

viticulteur, trice n. Personne qui cultive la vigne: *Cette viticultrice produit de très bons vins.* SYN. vigneron. ☞ viticole.

viticulture n.f. Culture de la vigne: *La viticulture est possible dans certaines régions du Québec.* ☞ viticole.

vitrage n.m. **1.** Fait de garnir de vitres: *Les travaux de vitrage seront terminés demain.* **2.** Ensemble de vitres: *Le vitrage de la véranda est très résistant.* **3.** Rideau translucide qui couvre une fenêtre: *J'ai posé un vitrage léger à la fenêtre de ma chambre.* ☞ vitre.

vitrail, aux n.m. Panneau décoratif composé de pièces de verre coloré: *Les vitraux de cette basilique sont magnifiques.*

vitre n.f. **1.** Chacun des panneaux de verre d'une fenêtre ou d'une porte: *Elle a cassé une vitre avec une balle de neige.* **2.** Chacun des panneaux de verre d'un véhicule: *Lève un peu ta vitre, je reçois trop d'air.* ☞ vitrage, vitré, vitrer, vitrerie, vitrier.

vitré, ée adj. Qui est garni de vitres: *La salle de séjour est très claire grâce à une large porte vitrée.* SYN. transparent. ANT. sombre, voilé. HOM. vitrer. ⁄⁄ *Corps vitré:* Masse transparente qui remplit le globe de l'œil. ☞ vitre.

vitrer v. Garnir de vitres: *Nous avons vitré le balcon pour en faire une véranda.* HOM. vitré. ☞ vitre.

vitrerie n.f. Lieu où l'on fabrique, façonne et vend des vitres: *J'ai téléphoné à la vitrerie pour faire remplacer la vitrine.* ☞ vitre.

vitreux, euse adj. **1.** Qui a l'aspect du verre: *Ce vase en porcelaine vitreuse est beau.* **2.** Qui contient du verre: *Cette roche vitreuse est riche en quartz.* **3.** Qui est terne, voilé: *Il a un regard vitreux à cause de sa grippe.* SYN. éteint. ANT. brillant, clair, vif.

vitrier n.m. Personne qui fabrique, vend ou pose des vitres: *Le vitrier a posé une vitrine neuve.* ☞ vitre.

vitrifier v. **1.** Transformer en verre, par fusion: *La chaleur du météorite a vitrifié le sable.* **2.** Recouvrir d'une matière plastique transparente et dure: *Ce parquet a été vitrifié avec un bon vernis.*

vitrine n.f. **1.** Partie d'un magasin où les marchandises sont exposées derrière une vitre: *Durant le temps des Fêtes, les vitrines des grands magasins sont magnifiquement décorées.* **2.** Vitrage devant un magasin: *Les enfants se collaient le nez sur la vitrine.* **3.** Petite armoire vitrée où l'on expose des bibelots, des objets de collection: *J'ai exposé mes minéraux dans une vitrine.*

vitriol n.m. Acide concentré et très corrosif: *La laborantine manipule avec précaution l'éprouvette de vitriol.*

vivable adj. **1.** Qui peut être supporté: *Cette situation n'est pas vivable.* ANT. invivable. **2.** Qui a bon caractère: *Ma sœur est vivable malgré ses principes.* **3.** Qui est convenable, en parlant d'un endroit: *Ce logement est très vivable.* ☞ vivre.

vivace n.m.invar., adj.invar. et adv. (it.) **1.** n.m.invar. Mouvement musical rapide, vif: *Cette symphonie se termine par un vivace trépidant.* **2.** adj.invar. Qui a un rythme rapide, vif: *Le troisième mouvement de ce concerto est vivace.* **3.** adv. De façon rapide, vive, en parlant d'un rythme: *Ce mouvement se joue vivace.* **R.** Se prononce *vivatché.*

vivace adj. **1.** Qui a de la résistance, qui peut vivre longtemps: *Le chiendent est une mauvaise herbe très vivace.* SYN. durable, robuste. ANT. frêle. **2.** fig. Qui se maintient avec ténacité: *Les préjugés raciaux sont vivaces.* SYN. persistant, tenace. ANT. changeant, éphémère. ⁄⁄ *Plante vivace:* Plante qui repousse chaque année.

vivacité n.f. **1.** Caractère de ce qui est plein d'entrain: *La vivacité de ces enfants est inépuisable.* SYN. activité, ardeur, exubérance. ANT. apathie, indolence, lenteur. **2.** Caractère de ce qui est intense: *Ton dessin est remarquable par la vivacité des couleurs.* SYN. éclat, fraîcheur. **3.** Caractère emporté, violent: *Elle discutait avec une vivacité inhabituelle.* SYN. fougue. ANT. nonchalance. ⁄⁄ *Vivacité d'esprit:* Rapidité à comprendre. ☞ vif.

vivant n.m. **1.** Personne qui est en vie: *Dans ce film d'horreur, les vampires combattaient les vivants.* ANT. mort. **2.** Ensemble de tout ce qui vit: *L'écologie étudie les rapports entre le vivant et le milieu.* ⁄⁄ *Bon vivant:* Personne qui aime vivre et avoir du plaisir avec les autres. *De son vivant:* Pendant sa vie. ☞ vivre.

vivant, ante adj. **1.** Qui est en vie: *Son cœur bat, il est vivant.* ANT. défunt, mort. **2.** Qui est plein de vie: *Notre classe est très* *vivante.* SYN. remuant. ANT. endormi. **3.** Qui est doué de vie : *La pollution menace les êtres vivants.* SYN. animé. ANT. inanimé. **4.** Qui a de l'animation : *Les rues du centre de la ville sont très vivantes durant les Fêtes.* **5.** fig. Qui est animé d'une sorte de vie : *Ces souvenirs sont encore vivants en moi.* SYN. vivace. ☞ vivre.

vivarium n.m. (lat.) Cage vitrée dans laquelle on garde de petits animaux vivants : *J'ai quatre araignées dans mon vivarium.* **R.** Les lettres *um* se prononcent *omm.*

vive ! interj. Mot servant à exprimer sa satisfaction ou à acclamer quelqu'un : *Vive les vacances !* **R.** Devant un nom pluriel, peut s'accorder ou non.

vivement adv. **1.** De façon rapide, vive : *Elle a vivement accepté mon invitation.* SYN. promptement, rapidement. ANT. doucement, lentement. **2.** De manière emportée, un peu coléreuse : *Il a vivement répliqué que cela ne me regardait pas.* **3.** De façon intense, profonde : *Ce spectacle m'a vivement ému.* SYN. fortement. ANT. faiblement. ☞ vif.

vivier n.m. Étang aménagé où sont élevés et conservés des poissons ou des crustacés : *Ce vivier est rempli de truites arc-en-ciel.*

vivifiant, ante adj. Qui vivifie, revigore : *Cette baignade à la mer a été vivifiante.* SYN. exaltant, fortifiant, stimulant. ANT. étouffant. ☞ vivifier.

vivifier v. **1.** Donner de la vie à quelqu'un : *L'air pur de la campagne me vivifie.* ANT. déprimer. **2.** fig. Redonner de la vigueur à quelque chose : *Ces photographies vivifient mes souvenirs.* ☞ vivifiant.

vivipare n. et adj. **1.** n. Animal dont les petits naissent déjà formés, et non dans un œuf : *Tous les mammifères sont des vivipares, sauf les ornithorynques et les échidnés.* **2.** adj. Qui naît complètement formé, et non dans un œuf, en parlant du petit d'un animal : *Les chats sont vivipares.*

vivisection n.f. Dissection d'animaux vivants, pratiquée dans un but expérimental : *Cet anesthésique permet de pratiquer des vivisections sans faire souffrir les animaux.*

vivoir n.m. Au Canada, salle de séjour : *Après le repas, nous sommes passés au vivoir.*

vivoter v. **1.** Vivre difficilement, avec de petits moyens : *Depuis qu'elle est en chômage, elle vivote.* **2.** Fonctionner au ralenti : *Son entreprise vivote depuis quelque temps.* ☞ vivre.

vivre v. **1.** Être en vie : *Mes grands-parents vivent toujours.* SYN. exister. ANT. mourir. **2.** Avoir une certaine durée de vie : *Il a vécu quatre-vingts ans.* **3.** Résider habituellement à un endroit : *Elle vit maintenant à Trois-Rivières.* **4.** Passer sa vie d'une certaine façon : *Elle vit seule depuis qu'elle est veuve.* SYN. être. **5.** Avoir les moyens de subsister : *On travaille pour vivre.* **6.** Profiter de l'existence : *Elle a vécu pleinement.* ⁄⁄ *Savoir vivre :* Agir correctement avec les gens. ☞ invivable, vivable, vivant, vivoter, vivres, vivrier. ▲ **vivre** v. **1.** Ressentir par une expérience réelle : *Il vit le grand amour.* SYN. éprouver. **2.** Traduire en actes : *Nous vivons notre amitié en nous entraidant.* **3.** Traverser une situation qui dure un certain temps : *Ils ont vécu des moments difficiles.* ⁄⁄ *Vivre sa vie :* Jouir librement de l'existence. ☞ vécu.

vivres n.m.plur. Tout ce qui sert à se nourrir : *Dans ce pays en guerre, la population manque de vivres.* SYN. nourriture, provisions. ☞ vivre.

vivrier, ière adj. Qui fournit les aliments nécessaires à la population : *Les cultures vivrières sont insuffisantes dans ces pays en développement.* ☞ vivre.

vlan ! interj. Mot imitant le son d'un coup ou un bruit violent : *Vlan ! elle claqua la porte.* **R.** Aussi, *v'lan.*

vocable n.m. Mot qui désigne un objet, une notion : *Le vocable « micro-ordinateur » est assez récent.* SYN. appellation, nom.

vocabulaire n.m. **1.** Ensemble des mots d'une langue : *Le vocabulaire de la langue française est riche et nuancé.* **2.** Ensemble des mots employés par une personne : *Il a un vocabulaire très étendu.* SYN. langage. **3.** Dictionnaire spécialisé dans un domaine : *L'Office de la langue française a publié un vocabulaire de l'acériculture.* **4.** Ensemble des termes d'un domaine : *Le terme « didacticiel » appartient au vocabulaire de l'informatique.*

vocal, ale, aux adj. Qui est relatif à la voix : *La voix est produite par la vibration des cordes vocales.* ☞ voix.

vocalise n.f. Suite de notes chantées sur une seule voyelle : *Son professeur de chant lui demande de faire des vocalises tous les jours.*

vocation n.f. **1.** Mouvement intérieur par lequel une personne se sent appelée par Dieu : *Il sent en lui la vocation.* **2.** Penchant pour une profession, une activité : *Elle a la vocation du théâtre.* SYN. attirance, goût. **3.** Destination naturelle d'un peuple, d'un pays, d'une région : *Le gouvernement veut préserver la vocation touristique de cette région.* SYN. mission, rôle.

vocifération n.f. Parole dite en criant et avec colère : *Il poussait des vociférations contre tout le monde.* ☞ vociférer.

vociférer v. **1.** Parler en criant et avec colère: *Il s'est mis à vociférer contre nous.* SYN. hurler. ANT. patienter, taire. **2.** Dire quelque chose en vociférant: *Elle vociférait des injures.* SYN. crier. ☞ vocifération.

vodka n.f. (russe) Eau-de-vie de blé, de seigle ou d'orge: *Elle va au bar et se commande une vodka.*

vœu, vœux n.m. **1.** Engagement religieux: *Ces contemplatifs font vœu de pauvreté.* SYN. serment. **2.** Promesse faite à soi-même: *Il a fait le vœu de cesser de fumer.* SYN. engagement, résolution. ANT. refus. **3.** Souhait que s'accomplisse une chose: *Je forme des vœux pour la réussite de son entreprise.*

vogue n.f. Faveur momentanée de la part du public pour quelqu'un ou quelque chose: *La vogue de ces jupes la laisse indifférente.* SYN. mode, popularité, renommée. ANT. impopularité, oubli. ⁄⁄ *En vogue:* À la mode. **R.** Ne pas oublier le *u* après le *g*.

voguer v.litt. Avancer sur l'eau: *Les voiliers voguaient doucement, bercés par les vagues.* SYN. naviguer. **R.** Ne pas oublier le *u* après le *g*.

voici prép. **1.** Indique une personne, une chose proche, par rapport à une autre qui est plus éloignée: *Voici mon frère et voilà ma sœur.* **2.** Indique ce dont il va être question: *Voici l'explication de ce phénomène.* **3.** Indique une chose qui commence à se produire: *Voici enfin les vacances.* ☞ revoici.

voie n.f. **1.** Parcours qui mène d'un endroit à un autre: *Je lui ai indiqué la voie à suivre pour venir chez moi.* **2.** Parcours aménagé permettant la circulation: *Les voies de communication ont été fermées à l'occasion du défilé.* SYN. route. **3.** Partie d'une route de la largeur d'un véhicule: *Cette autoroute a trois voies.* **4.** Conduit permettant le passage d'une substance: *J'ai les voies respiratoires congestionnées.* ⁄⁄ *Voie de desserte:* Voie parallèle à une autre et qui permet de prendre ou de quitter la voie principale. *Voie ferrée:* Double ligne de rails formant un chemin pour les trains. *Voie lactée:* Galaxie où se trouve notre système solaire. *Voie navigable:* Fleuve ou canal. ☞ voirie. ▲ **voie** n.f. **1.** Direction suivie pour atteindre un but: *Nous sommes dans la bonne voie.* SYN. chemin. **2.** Moyen employé pour atteindre un but: *Elle a agi par des voies détournées.* SYN. dessein, manière. **3.** plur.litt. Desseins providentiels: *Les voies du destin sont imprévisibles.* HOM. voix. ⁄⁄ *Voie de fait:* Acte de violence.

voilà prép. **1.** Indique une personne, une chose éloignée, par rapport à une autre qui est plus proche: *Voici mon chat et voilà mon chien.* **2.** Indique ce dont il a été question: *Voilà donc pourquoi il ne m'a rien dit.* **3.** Indique une période de temps: *Voilà quinze jours que je ne l'ai pas vu à l'école.* **R.** Ne pas oublier l'accent: *à*. ☞ revoilà.

voilage n.m. Rideau en tissu léger: *Ce voilage produit un bel effet dans le salon.* ☞ voile (n.m.).

voile n.m. **1.** Pièce d'étoffe servant à recouvrir, à cacher: *Des voiles couvraient les tableaux.* **2.** Pièce d'étoffe légère et diaphane servant à couvrir la tête, le visage: *La mariée portait un voile de dentelle.* **3.** Tissu léger et fin: *Je me suis fait des rideaux avec du voile de coton.* **4.** Ce qui cache quelque chose: *L'inspectrice a levé le voile de cette énigme policière.* **5.** Ce qui fait paraître plus flou, plus sombre: *Un voile de brume flottait sur le port.* ☞ dévoilement, dévoiler, voilage, voilé, voiler, voilette.

voile n.f. **1.** Pièce de toile fixée au mât d'un bateau pour recevoir l'action du vent: *Hissons les voiles.* **2.** Pratique et sport du bateau à voiles: *Nous avons fait de la voile aux Îles-de-la-Madeleine.* ⁄⁄ *Faire voile vers un endroit:* Naviguer vers un endroit. *Vol à voile:* Manœuvre des planeurs. ☞ voilier, voilure.

voilé, ée adj. **1.** Qui est recouvert d'un voile: *Des femmes musulmanes ont le visage voilé dans les lieux publics.* SYN. caché. ANT. découvert. **2.** fig. Qui est obscur, difficile à comprendre: *Dans ce conte, l'acteur s'exprime parfois en termes voilés.* SYN. incompréhensible. ANT. clair, net. **3.** Qui manque de netteté, d'éclat: *Le jour s'est levé sous un ciel voilé.* ANT. pur. **4.** Dont le timbre n'est pas clair et net, en parlant de la voix: *Elle parlait d'une voix voilée.* ANT. sonore. ☞ voile (n.m.). ▲ **voilé, ée** adj. Se dit d'une roue, d'une pièce qui est déformée, tordue: *Ta roue arrière est voilée.* HOM. voiler.

voiler v. **1.** Couvrir d'un voile: *La sculpteuse a voilé ses œuvres pour les protéger de la poussière.* SYN. cacher. ANT. découvrir, dévoiler. **2.** fig. Dissimuler: *Il a tenté de voiler la vérité.* SYN. atténuer, déguiser. **3.** Rendre moins clair, moins net: *Le brouillard voile les montagnes.* HOM. voilé. ☞ voile (n.m.). **se voiler** v.pron. **1.** Porter le voile: *Aujourd'hui, la plupart des religieuses ne se voilent plus.* **2.** Perdre son éclat: *Le ciel se voile; le temps va se rafraîchir.* **3.** Perdre sa sonorité, sa netteté, en parlant de la voix: *Sa voix s'est voilée sous l'effet de l'émotion.* **4.** Se déformer, se tordre, en parlant d'une roue, d'une pièce: *La roue avant de ma bicyclette s'est voilée.*

voilette n.f. Petit voile servant de garniture à un chapeau et pouvant recouvrir le visage: *Elle avait relevé sa voilette.* ☞ voile (n.m.).

voilier n.m. Bateau à voiles: *Le voilier filait à toute allure.* ☞ voile (n.f.).

voilure n.f. **1.** Ensemble des voiles d'un bateau: *Ce bateau a une voilure neuve.* **2.** Ensemble des surfaces portantes d'un avion: *Cet avion a une large voilure.* ☞ voile (n.f.).

voir v. **1.** Percevoir par les yeux: *J'ai vu un écureuil sur le balcon.* SYN. apercevoir, distinguer. **2.** Être témoin de quelque chose: *Nous avons vu comment l'accident est arrivé.* **3.** Regarder attentivement: *Voyez la figure dans votre manuel.* **4.** Rendre visite à quelqu'un: *Nous sommes allés voir ma grand-mère.* **5.** Faire la visite d'un endroit: *Nous avons vu un site archéologique à Québec.* SYN. parcourir. **6.** Imaginer: *Je vois déjà la tête qu'elle fera.* **7.** Percevoir par l'esprit: *Je n'y vois pas d'inconvénient.* **8.** Saisir par l'intelligence: *Je vois ce que tu veux dire.* SYN. discerner, percevoir. **9.** Faire une constatation: *Je vois que nous ne sommes pas du même avis.* SYN. noter. **10.** Se faire une opinion sur quelque chose: *Allons voir les choses de près.* SYN. vérifier. HOM. voire. ⁄ *Faire voir:* Montrer. *Laisser voir:* Ne pas cacher. *Voir à quelque chose:* Veiller à quelque chose. *Voir le jour:* Venir au monde. ☞ invisibilité, invisible, invisiblement, revoir, revue, visibilité, visible, visiblement, voyance, voyant, vu, vue. se **voir** v.pron. **1.** S'imaginer soi-même: *Je me vois déjà faire de grandes découvertes archéologiques.* **2.** Se rencontrer: *Ils se sont vus mais ils ont fait semblant de ne pas se reconnaître.* **3.** Se fréquenter: *Nous nous voyons une fois par semaine.* **4.** Être visible: *Ton affiche se voit de loin.* **5.** Se produire: *Les brusques écarts de température se voient couramment dans cette région.*

voire adv. Vraiment, et même: *Ce film était banal, voire ennuyeux.* HOM. voir.

voirie n.f. **1.** Service gouvernemental chargé de l'entretien des voies de communication: *La voirie a entrepris la réfection de cette route.* **2.** Ensemble du réseau des voies de communication: *Dans cette ville, la voirie est bien entretenue.* ☞ voie.

voisin, ine n. et adj. **1.** n. Personne qui habite à proximité: *La voisine m'a redonné ma balle.* **2.** adj. Qui habite juste à côté ou tout près: *Elle et moi sommes voisins.* **3.** adj. Qui est proche: *La maison voisine semble inhabitée.* ANT. éloigné, lointain. **4.** adj. Qui présente une ressemblance avec une autre chose: *Le vison est voisin de l'hermine.* SYN. semblable. ANT. différent, opposé. ☞ avoisinant, avoisiner, voisinage, voisiner.

voisinage n.m. **1.** Ensemble des voisins: *Tout le voisinage est maintenant au courant.* SYN. entourage. **2.** Relation de voisin à voisin: *Nous vivons en bon voisinage avec eux.* **3.** Espace qui se trouve à proximité: *Je l'ai cherchée dans tout le voisinage.* ☞ voisin.

voisiner v. **1.** vx Fréquenter ses voisins: *Je ne voisine pas beaucoup.* **2.** Être placé près de quelqu'un ou de quelque chose: *Dans la vitrine, des ustensiles voisinaient avec des jouets.* ☞ voisin.

voiture n.f. **1.** Véhicule monté sur roues et mû par la force animale: *Nous avons fait une promenade en voiture à cheval.* **2.** Véhicule automobile: *Maman a acheté une voiture neuve.* **3.** Véhicule roulant sur des rails et servant au transport des voyageurs: *Nous avons trouvé une place dans la dernière voiture du train.* ☞ voiturette.

voiturette n.f. Voiture petite et légère que l'on pousse ou tire: *Les enfants s'amusent beaucoup avec leur voiturette.* ☞ voiture.

voix n.f. **1.** Ensemble des sons produits par les cordes vocales: *Cette chanteuse a une belle voix.* **2.** fig. Appel, avertissement qu'une personne ressent en elle: *Écoute la voix de ta conscience.* SYN. suggestion. **3.** vx Expression de l'opinion: *Ce journal reflète bien la voix du peuple.* **4.** Avis favorable, dans une élection: *Ce candidat a recueilli la majorité des voix.* SYN. suffrage, vote. **5.** Forme que prend le verbe selon que l'action est accomplie ou subie par le sujet: *Ce verbe est à la voix passive.* HOM. voie. ☞ à mi-voix, vocal.

vol n.m. **1.** Déplacement dans l'air au moyen d'ailes: *L'hirondelle a un vol gracieux.* **2.** Déplacement dans l'air d'un engin: *La vitesse de vol de l'avion a été réduite à cause d'une tempête.* **3.** Distance parcourue par des oiseaux, des insectes: *Le vol migrateur des oies sauvages est étudié par les scientifiques.* **4.** Groupe d'oiseaux, d'insectes qui volent ensemble: *Nous avons vu un vol de bernaches.* ☞ envol, s'envoler, revoler, volant, volée, voler, voleter. au **vol** loc.adv. Très vite, au passage: *J'ai attrapé mon petit frère au vol, avant qu'il se cache.* à **vol d'oiseau** loc.adv. Directement, en ligne droite: *Nous avons parcouru cent kilomètres à vol d'oiseau.* ▲ **vol** n.m. **1.** Action de prendre sans autorisation le bien d'autrui: *Il y a eu un vol à main armée à la banque.* SYN. cambriolage. **2.** Fait de prendre, d'exiger plus que ce qui est dû: *Trente dollars pour cette tuque, c'est du vol!* SYN. escroquerie. ⁄ *Vol à la tire:* Vol qui se fait en tirant quelque chose du sac ou de la poche de quelqu'un. ☞ antivol, revoler, voler, voleur.

volage adj. Qui est peu fidèle, inconstant: *Cet homme est volage.* SYN. changeant, frivole, infidèle, léger. ANT. constant, persévérant.

volaille n.f. **1.** Oiseau de basse-cour: *Les poules et les dindes sont des volailles.* **2.** Chair des oiseaux de basse-cour: *À Pâques, nous mangeons de la volaille.* **3.** Ensemble des oiseaux élevés pour leurs œufs ou leur chair: *N'oublie pas de nourrir la volaille.*

volant n.m. **1.** Morceau de liège garni de plumes que des joueurs se renvoient avec une raquette: *Le volant a touché au filet.* **2.** Bande d'étoffe légère qui garnit un vêtement en formant des plis: *Elle porte une robe à volants étagés.* ▲ **volant** n.m. Dispositif circulaire servant à diriger un véhicule: *Tourne le volant à droite.*

volant, ante adj. **1.** Qui est capable de voler: *Cette légende parle d'un cheval volant.* **2.** Qui peut facilement être déplacé: *Un pont volant enjambe le ruisseau.* ⁄⁄ *Feuille volante:* Feuille de papier détachée. *Soucoupe volante:* Objet spatial inconnu. ☞ vol.

volatil, ile adj. Qui passe facilement à l'état de vapeur: *Ce solvant est très volatil.* HOM. volatile. ☞ se volatiliser.

volatile n.m. Oiseau domestique: *Des volatiles ont sauté la clôture de la basse-cour.* HOM. volatil.

se **volatiliser** v.pron. **1.** Se transformer en vapeur: *Le diluant s'est volatilisé parce que le pot n'était pas refermé.* SYN. s'évaporer. **2.** fig. S'éclipser, disparaître: *Les lapins cachés dans le chapeau de la magicienne se sont volatilisés.* ☞ volatil.

vol-au-vent n.m.invar. Pâte feuilletée ronde, garnie de sauce à la viande, au poisson: *Nous avons dégusté des vol-au-vent au saumon.*

volcan n.m. (it.) Montagne qui crache de la cendre, de la lave en fusion et des gaz: *Le Vésuve est un volcan célèbre d'Italie.* ☞ volcanique, volcanologie, volcanologue.

volcanique adj. Qui est relatif aux volcans: *Cette ville a été détruite par une éruption volcanique.* ☞ volcan.

volcanologie n.f. Étude des volcans: *Je m'intéresse beaucoup à la volcanologie.* ☞ volcan.

volcanologue n. Personne qui étudie les volcans: *Cette volcanologue a exploré le cratère d'un volcan éteint.* **R.** Ne pas oublier le *u* après le *g.* ☞ volcan.

volée n.f. **1.** Essor, envol: *L'oiseau prend son envol.* **2.** Groupe d'oiseaux qui volent ensemble: *Une volée de corneilles a traversé le ciel.* **3.** Groupe de personnes: *Une volée d'enfants joue dans la cour.* ⁄⁄ *De haute volée:* De haut rang. ☞ vol. ▲ **volée** n.f. **1.** Déplacement rapide de projectiles: *Nous avons été attaqués par une volée de boules de neige.* **2.** Suite de coups: *Le chien a reçu une volée.* HOM. voler. ⁄⁄ *À toute volée:* Avec force.

voler v. **1.** Se déplacer dans l'air: *Ces avions peuvent voler à grande altitude.* SYN. monter. **2.** Être projeté dans l'air: *La flèche volait à toute vitesse.* **3.** vx Aller très vite: *Nous avons volé à son secours.* SYN. accourir. ☞ vol. ▲ **voler** v. **1.** S'approprier sans autorisation ce qui appartient à autrui: *Quelqu'un m'a volé mon taille-crayon.* SYN. dérober, s'emparer. ANT. céder, donner, offrir. **2.** Commettre un vol: *Les personnes qui se feront prendre à voler devront payer une amende.* SYN. cambrioler, dévaliser, piller. ANT. remettre, rendre, restituer. HOM. volée. ☞ vol. **volé, ée** p.p. et adj. **1.** Qui a été pris sans permission: *Les bijoux volés n'ont pas été retrouvés.* **2.** Qui a été victime d'un vol: *Les personnes volées ont porté plainte.*

volet n.m. Panneau de bois ou de métal qui ferme une fenêtre: *Les volets du chalet sont fermés pour l'hiver.*

voleter v. Voler légèrement en tous sens: *Un papillon voletait autour du bouquet de fleurs.* **R.** Ne pas oublier de doubler le *t* devant un *e* muet. ☞ vol.

voleur, euse n. et adj. **1.** n. Personne qui a commis un vol: *Les voleurs ont été arrêtés quelques heures après le cambriolage.* SYN. cambrioleur, malfaiteur. ANT. bienfaiteur. **2.** adj. Qui a l'habitude de commettre des vols: *Cette gamine est très voleuse.* ANT. honnête. ⁄⁄ *Voleur à la tire:* Personne qui dérobe quelque chose en le tirant du sac ou de la poche de quelqu'un. ☞ vol.

volière n.f. Grande cage où l'on garde des oiseaux: *Elle possède une volière remplie d'oiseaux de paradis.*

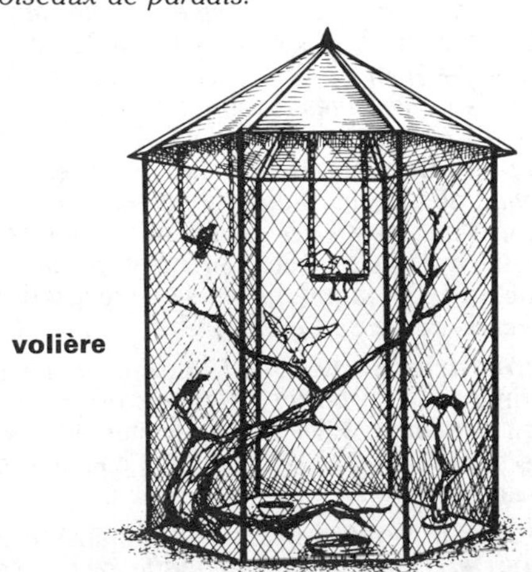

volière

volley-ball n.m. (angl.) Sport d'équipe où les joueurs cherchent à faire tomber le ballon dans le camp opposé : *Le volley-ball oppose deux équipes de six joueurs.* **R.** Au pluriel, *volley-balls*. Les lettres *ey* se prononcent *é*. ☞ volleyeur.

volleyeur, euse n. Personne qui joue au volley-ball : *Mon amie est une excellente volleyeuse.* ☞ volley-ball.

volontaire n., n.m. et adj. **1.** n. Personne qui accepte bénévolement d'accomplir une tâche : *On demande des volontaires pour ranger le matériel.* **2.** n.m. Soldat qui s'engage dans l'armée de son plein gré : *Dans l'armée canadienne, il y avait peu de volontaires lors de la dernière guerre.* **3.** adj. Qui est fait librement : *Ce geste était volontaire.* SYN. délibéré, intentionnel, voulu. ANT. imposé, involontaire, obligatoire. **4.** adj. Qui manifeste une volonté ferme : *Elle a un regard volontaire.* SYN. décidé, énergique. ANT. irrésolu. **5.** adj. Qui fait preuve de volonté : *C'est un enfant intelligent et volontaire.* SYN. obstiné, opiniâtre, tenace. ANT. obéissant, soumis. **6.** adj. péj. Qui n'agit que selon son gré : *Cette fille volontaire n'en fait toujours qu'à sa tête.* ☞ volonté.

volontairement adv. De façon intentionnelle, volontaire : *J'ai volontairement évité d'aborder cette question délicate.* ANT. involontairement. ☞ volonté.

volonté n.f. **1.** Faculté de vouloir qu'une chose soit ou ne soit pas : *Ce grand sportif exerce sa volonté pour mieux maîtriser ses réflexes.* SYN. détermination, exigence. **2.** Intention soutenue de faire ou de ne pas faire quelque chose : *Ils ont agi contre la volonté de la présidente.* SYN. autorité, décision, initiative. ANT. indolence, peur. **3.** Détermination, énergie dans la façon d'agir et de penser : *Cette fille handicapée a une volonté de fer.* SYN. caractère, courage. ANT. faiblesse, lâcheté. **4.** plur. Caprice, fantaisie : *Il obéit à toutes les volontés de son ami.* // *Bonne volonté :* Disposition à bien faire. *Dernières volontés :* Dernières demandes de quelqu'un avant de mourir. *Mauvaise volonté :* Disposition à mal faire. ☞ involontaire, involontairement, volontaire, volontairement. à **volonté** loc.adv. De façon libre, sans restriction : *Prends du dessert à volonté.*

volontiers adv. **1.** De façon spontanée, de bon gré : *Je prendrais volontiers un verre de lait.* SYN. bien. **2.** De manière naturelle : *Il est volontiers agressif.* SYN. habituellement, ordinairement. ANT. nullement.

volt n.m. Unité de mesure du courant électrique : *La cuisinière fonctionne sur un circuit de deux cent vingt volts.* **R.** Le *t* se prononce. ☞ voltage.

voltage n.m. Tension électrique : *Il y a eu une baisse de voltage.* ☞ volt.

volte-face n.f.invar. (it.) **1.** Action de se retourner pour faire dos à quelqu'un : *Elle a fait volte-face et a refusé de me parler.* **2.** fig. Revirement subit d'attitude : *Ses volte-face continuelles me déconcertent.* SYN. changement.

voltige n.f. **1.** Exercice d'acrobatie au trapèze : *Ces trapézistes font des voltiges périlleuses.* **2.** fig. Entreprise risquée, difficile : *Tu fais de la haute voltige en entreprenant ce projet.*

voltiger v. (it.) **1.** Voler çà et là, en parlant des insectes, des petits oiseaux : *Les abeilles voltigeaient autour du pommier.* **2.** fig. Flotter au vent : *Je regardais voltiger les flocons de neige.*

volubile adj. Qui parle beaucoup, rapidement et aisément : *C'est un causeur volubile et intarissable.* SYN. bavard, loquace. ANT. silencieux. ☞ volubilité.

volubilité n.f. Abondance, aisance, rapidité dans la parole : *Les enfants m'ont raconté leur aventure avec volubilité.* SYN. facilité. ANT. retenue. ☞ volubile.

volume n.m. **1.** Figure géométrique à trois dimensions : *Le cube et le cylindre sont des volumes.* **2.** Espace qu'occupe un corps : *Le volume de cette boîte est de cinquante centimètres cubes.* SYN. dimension. **3.** Force, intensité d'un son : *Baisse un peu le volume du téléviseur.* ☞ volumineux. ▲ **volume** n.m. Livre relié : *Sa bibliothèque était remplie de volumes magnifiques.* SYN. bouquin, ouvrage.

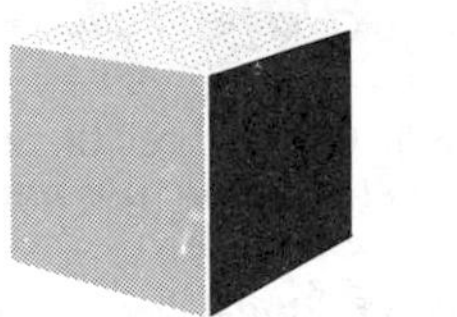

volume

volumineux, euse adj. Qui occupe une grande place : *Tu as reçu un colis volumineux en provenance des États-Unis.* SYN. énorme, immense, imposant. ANT. menu, minime, minuscule. ☞ volume.

volupté n.f. **1.** Plaisir des sens : *Cette baignade nous a remplis de volupté.* SYN. ivresse, jouissance. **2.** Satisfaction intellectuelle, artistique : *Elle savoure cette musique avec volupté.* SYN. délectation, joie. ☞ voluptueux, voluptueusement.

voluptueusement adv. De façon voluptueuse, plaisante: *Elle se réveilla et s'étira voluptueusement.* ☞ volupté.

voluptueux, euse n. et adj. **1.** n. Personne qui recherche la volupté, le plaisir: *Ce voluptueux déguste les mets que je lui présente.* **2.** adj. Qui inspire la volupté: *Ce chanteur a une voix voluptueuse.* SYN. agréable. ANT. désagréable. **3.** adj. Qui procure du plaisir: *Elle se laissait aller à des rêveries voluptueuses.* SYN. caressant. ANT. pudique. ☞ volupté.

volute n.f. (it.) Forme enroulée en spirale: *Des volutes de fumée flottaient dans la pièce.*

vomi n.m.fam. Vomissure: *Ça sent le vomi dans cette pièce.* ☞ vomir.

vomir v. **1.** Rejeter par la bouche: *Il a vomi son dernier repas.* SYN. rendre, restituer. ANT. absorber, manger. **2.** fig. Rejeter avec répugnance: *Je vomis la lâcheté et l'hypocrisie.* ANT. vanter. **3.** litt. Projeter au dehors: *Le volcan vomissait une lave écumante.* SYN. lancer. ANT. retenir. ☞ vomi, vomissement, vomissure. **vomi, ie** p.p. et adj. Qui a été projeté au dehors: *Les vapeurs vomies par le volcan obscurcissent le ciel.*

vomissement n.m. **1.** Action de vomir: *À forte dose, ce médicament provoque des vomissements.* **2.** Matière vomie: *Elle a des vomissements de sang.* ☞ vomir.

vomissure n.f. Matière vomie: *Il y avait de la vomissure partout sur le plancher.* SYN. vomi. ☞ vomir.

vorace adj. **1.** Qui mange avec avidité: *Le grizzli est un animal vorace.* **2.** Qui exige beaucoup de nourriture: *J'ai un appétit vorace.* **3.** fig. Qui est insatiable: *Cette élève est d'une curiosité vorace.* ☞ voracement, voracité.

voracement adv. De façon avide, gloutonne: *Il se jeta voracement sur le plateau de pâtisseries.* ☞ vorace.

voracité n.f. Avidité à manger: *La voracité des loups est proverbiale.* ANT. frugalité. ☞ vorace.

votant, ante n. Personne qui vote, qui a le droit de vote: *Les votants ont été nombreux lors de l'élection.* ☞ vote.

vote n.m. (angl.) **1.** Opinion exprimée en faveur d'un candidat, d'une proposition, d'une loi: *Ce candidat a recueilli de nombreux votes.* **2.** Opération par laquelle des personnes expriment leur opinion lors d'une élection: *Nous avons procédé au vote pour élire la présidente de la classe.* **3.** Manière d'exprimer son choix, son opinion: *Un vote à main levée a eu lieu.* ☞ revoter, votant, voter.

voter v. **1.** Exprimer son opinion dans une élection: *J'ai voté pour cette candidate.* **2.** Décider par un vote: *Le nouveau règlement a été voté lors de la dernière réunion.* ☞ vote.

votre, vos adj.poss. Qui est à vous; qui se rapporte à vous: *N'oubliez pas d'écrire votre nom sur la feuille.*

vôtre n.m. **1.** Contribution, collaboration: *Mettez-y du vôtre.* **2.** plur. Parents et amis: *Transmettez mes amitiés aux vôtres.* **R.** Ne pas oublier l'accent: *ô*.

le **vôtre, la vôtre, les vôtres** pron.poss. Pronom possessif de la deuxième personne du pluriel, qui désigne l'objet ou l'être appartenant ou se rapportant aux personnes auxquelles on s'adresse; à la personne à laquelle on s'adresse au pluriel de politesse: *Mes parents ont rencontré les vôtres au centre commercial.* **R.** Ne pas oublier l'accent: *ô*.

vouer v. **1.** Engager d'une manière solennelle: *Je lui ai voué une amitié inconditionnelle.* **2.** Employer avec constance et zèle: *Elle a décidé de vouer sa vie à la recherche scientifique.* **3.** Avoir une destination déterminée: *Son projet est voué à l'échec.* se **vouer** v.pron. Se consacrer à quelque chose, à quelqu'un: *Il s'est voué à ses enfants.* **voué, ée** p.p. et adj. Qui est destiné à une activité, à un état: *Ce parc voué à la récréation sera agrandi bientôt.*

vouloir v. **1.** Avoir la volonté de faire quelque chose: *Je voudrais te parler quelques instants.* **2.** Désirer obtenir quelque chose: *Elle voudrait un autre morceau de gâteau.* **3.** Faire preuve de volonté: *Pour y arriver, il te suffira de le vouloir.* **4.** Donner pour vrai: *Cette légende veut que les Amérindiens soient nés du mariage entre une déesse et un bison.* **5.** Exiger en échange de quelque chose: *Combien veux-tu pour ta vieille bicyclette?* **6.** Consentir à faire quelque chose: *Veuillez bien me suivre.* ☞ voulu.

voulu, ue adj. **1.** Qui est exigé par les règles, les circonstances: *Elle est arrivée au moment voulu.* **2.** Qui est fait délibérément, volontairement: *C'était voulu.* ☞ vouloir.

vous pron.pers. **1.** Pronom personnel de la deuxième personne du pluriel, sujet ou complément d'objet direct ou indirect: *Vous avez tous compris ma question?* **2.** Pronom personnel de la deuxième personne du pluriel, ayant un sens singulier, sujet ou complément d'objet direct ou indirect: *Comment allez-vous, monsieur Roy?* ☞ vouvoiement, vouvoyer.

Avec **vous**, aux *temps simples*, les verbes se terminent par **ez**, sauf: vous *dites*, vous *êtes*, vous *faites*.

voûte n.f. **1.** Ouvrage de maçonnerie en forme d'arc: *Cette église a des voûtes en ogive.* **2.** Région supérieure, en forme de voûte: *Nous nous sommes reposées en regardant la voûte des arbres.* // *Clé de voûte:* Élément essentiel d'un système. *En voûte:* En forme de voûte. *Voûte étoilée:* Ciel nocturne. **R.** Ne pas oublier l'accent: *û*. N'a pas le sens de *chambre forte*. ☞ voûté, voûter.

voûté, ée adj. **1.** Qui est couvert d'une voûte: *Cette galerie voûtée nous abritera pendant l'orage.* **2.** Qui est courbé: *Mon grand-père a le dos voûté.* HOM. voûter. ☞ voûte.

voûter v. Couvrir d'une voûte: *Les tunnels du métro sont voûtés.* ☞ voûte. **se voûter** v.pron. Devenir courbé: *Cette grande fille s'est voûtée avec l'âge.* **R.** Ne pas oublier l'accent: *û*.

vouvoiement n.m. Action de vouvoyer: *Ils en sont encore au vouvoiement.* **R.** Le *e* de la deuxième syllabe ne se prononce pas. ☞ vous.

vouvoyer v. Parler à une personne en employant le «vous» de politesse: *Je vouvoie mes grands-parents.* ☞ vous.

vouvoi**e**ment
vouvo**y**er

voyage n.m. **1.** Déplacement pour se rendre en un lieu assez éloigné: *Nous avons fait un voyage à Vancouver.* **2.** Aller et retour d'un lieu à un autre: *Le déménagement a exigé plusieurs voyages.* ☞ voyageage, voyager, voyageur, voyagiste.

voyageage n.m. Au Canada, allées et venues: *Notre changement de local a demandé beaucoup de voyageage.* **R.** Aussi, *voyagement*. Ne pas oublier le *e* après le *g*: voyageage. ☞ voyage.

voyager v. **1.** Faire un voyage: *Pour aller à Ottawa, nous avons voyagé en train.* **2.** Faire des voyages: *Ma tante a voyagé autour du monde.* **3.** Être transporté: *Ces verres se sont cassés en voyageant.* ☞ voyage.

voyageur, euse n. **1.** Personne qui voyage: *Mes parents sont de grands voyageurs.* **2.** Passager d'un moyen de transport public: *Les voyageurs sont priés de monter dans le train.* ☞ voyage.

voyagiste n. Personne qui commercialise des voyages pour les touristes: *Pour organiser notre voyage, nous avons fait appel à un voyagiste.* ☞ voyage.

voyance n.f. Faculté de voir dans le passé ou l'avenir: *Cette mystique avait le don de voyance.* ☞ voir.

voyant n.m. Témoin lumineux: *Ce voyant s'allume automatiquement lorsqu'il n'y a presque plus d'essence.*

voyant, ante n. et adj. **1.** n. Personne qui jouit du sens de la vue: *Les voyants ont une ouïe moins développée que ceux qui ne voient pas.* **2.** n. Personne qui a le don de voyance: *Cette voyante a prédit des inondations.* **3.** n. Personne qui pratique la divination, qui dit avoir une vision surnaturelle du passé et de l'avenir: *Ce voyant prétend pouvoir lire l'avenir dans les cartes.* SYN. chiromancien. **4.** adj. Qui jouit du sens de la vue: *Le formulaire demande si l'on est voyant ou non voyant.* ANT. aveugle. **5.** adj. Qui attire l'œil: *Notre affiche n'est pas assez voyante.* ☞ voir.

voyelle n.f. **1.** Son de la voix: *Les voyelles de la langue française sont «a», «e», «i», «o», «u», «ou», «eu», «an», «in», etc.* **2.** Lettre représentant un son de la voix: *L'alphabet français a six voyelles: «a», «e», «i», «o», «u», «y».*

voyou, ous n.m. et adj. **1.** n.m. Garçon malfaisant qui traîne dans les rues: *Il recherchait la compagnie des petits voyous du quartier.* **2.** adj. Qui est propre aux voyous: *Cette fille a un air voyou.*

en **vrac** loc.adv. (néerl.) **1.** Sans emballage: *Cette épicerie vend des aliments en vrac.* **2.** De façon désordonnée: *Il a déposé ses effets scolaires en vrac sur son lit.*

vrai n.m. et adv. **1.** n.m. Ce qui est authentique, véritable: *Il est difficile de distinguer le vrai du faux dans son témoignage.* ANT. faux. **2.** adv. Conformément à la vérité: *Elles disent vrai.* à **vrai dire** loc.adv. De façon sincère: *À vrai dire, je ne l'aime pas beaucoup.*

vrai, vraie adj. **1.** Qui est conforme à la vérité: *Ce que je te dis là est vrai.* ANT. faux, mensonger. **2.** Qui est réel, véritable: *Ces pâtisseries contiennent de vraies fraises.* ☞ vraiment.

vraiment adv. D'une manière réelle, indiscutable: *J'ai vraiment aimé ce cours.* SYN. effectivement, véritablement. ☞ vrai.

vraisemblable adj. Qui semble vrai, authentique: *Ses explications me paraissent vraisemblables.* ANT. invraisemblable. **R.** Le *s* se prononce *ss*. ☞ invraisemblable, invraisemblablement, invraisemblance, vraisemblablement, vraisemblance.

vraisemblablement adv. Probablement: *Elle a vraisemblablement été retardée par la tempête.* ANT. invraisemblablement. **R.** Le *s* se prononce *ss.* ☞ vraisemblable.

vraisemblance n.f. Caractère de ce qui ressemble à la vérité: *Son récit manque de vraisemblance.* ANT. invraisemblance. **R.** Le *s* se prononce *ss.* ☞ vraisemblable.

vrille n.f. **1.** Organe de fixation des plantes grimpantes: *Les vrilles de la vigne s'enroulent autour du tuteur.* **2.** Petit outil servant à faire des trous: *J'ai troué ce madrier avec une vrille.* **3.** Spirale que décrit un avion, un escalier: *L'avion descendait en vrille.* **R.** Les lettres *ill* se prononcent comme dans *famille.* ☞ vriller.

vriller v. **1.** Faire un trou à l'aide d'une vrille: *J'ai vrillé toutes ces planches moi-même avant de les visser.* **2.** Se mouvoir en décrivant une spirale: *L'avion se mit à descendre en vrillant.* **R.** Les lettres *ill* se prononcent comme dans *famille.* ☞ vrille.

vrombir v. Produire un bruit de vibration: *Les moteurs vrombissaient à la ligne de départ de la piste de course.* ☞ vrombissement.

vrombissement n.m. Bruit de ce qui vrombit: *La voiture démarra dans un vrombissement assourdissant.* ☞ vrombir.

vroum! interj. Mot qui imite un bruit de moteur: *Vroum! la voiture est passée en trombe.* **R.** Aussi, *vroom.*

vu prép. En considérant quelque chose: *Vu la difficulté de l'examen, vous avez droit à vos livres.* HOM. vue. **vu que** loc.conj. Étant donné: *Vu que tu es malade, je reviendrai demain.*

vu, vue adj. Qui est perçu par le regard: *Ce sont là des choses vues et entendues.* HOM. vue. ⁄⁄ *Bien vu:* Bien considéré par les gens. *Mal vu:* Mal considéré par les gens. *Ni vu ni connu:* Sans que personne ne le sache. ☞ voir.

vue n.f. **1.** Sens par lequel on perçoit la lumière, les couleurs, les formes: *J'ai perdu la vue à la suite de cet accident.* **2.** Faculté de voir: *Ma grand-mère a une vue excellente pour son âge.* **3.** Fait de voir, de regarder: *J'ai faim à la vue de ce gâteau.* ☞ voir. **à perte de vue** loc.adv. Très loin: *Il y a des fleurs à perte de vue.* **à vue de nez** loc.adv.fam. Environ: *À vue de nez, tu dois avoir onze ans.* **à vue d'œil** loc.adv. De façon rapide et visible: *Les enfants grandissent à vue d'œil.* **de vue** loc.adv. De façon superficielle: *Nous nous connaissons de vue.* ▲ **vue** n.f. **1.** Étendue qui se présente au regard: *Du haut de cette falaise, on a une vue superbe sur la mer.* **2.** Angle selon lequel on voit une personne, une chose: *Tourne-toi pour que je puisse avoir une vue de profil de toi.* **3.** Perception visuelle d'une chose: *Je ne supporte pas la vue du sang.* **4.** Perception mentale d'une chose: *J'ai une vue pessimiste de l'avenir.* **5.** plur. Ce qu'on projette de faire: *Il est dans ses vues de suivre des cours de piano.* HOM. vu. ☞ voir. **en vue de** loc.prép. Dans l'intention de faire quelque chose: *J'économise en vue de m'acheter une bicyclette.*

vulgaire adj. **1.** Qui appartient à la langue courante: *Le nom vulgaire du pétunia est «saint-joseph».* **2.** Qui est ordinaire, banal: *Une vulgaire araignée lui fait peur.* ☞ vulgairement, vulgarisateur, vulgarisation, vulgariser. ▲ **vulgaire** adj.péj. **1.** Qui manque de grandeur, de distinction: *Cette chaîne de télévision ne présente que des émissions vulgaires.* **2.** Qui manque d'éducation, de politesse: *Je la trouve parfois très vulgaire dans sa façon de parler.* ☞ vulgairement, vulgarité.

vulgairement adv. **1.** Couramment, communément: *La grande bardane est vulgairement appelée «rhubarbe du diable».* **2.** péj. De façon grossière: *Cet homme s'exprime vulgairement.* ☞ vulgaire.

vulgarisateur, trice n. Personne qui fait de la vulgarisation scientifique: *Fernand Seguin était un grand vulgarisateur.* ☞ vulgaire.

vulgarisation n.f. Action de mettre des connaissances scientifiques à la portée du grand public: *Elle a écrit un remarquable ouvrage de vulgarisation sur la physique.* ☞ vulgaire.

vulgariser v. Mettre des connaissances scientifiques à la portée d'un grand nombre de personnes: *Ce petit ouvrage vulgarise les théories de la relativité.* ☞ vulgaire.

vulgarité n.f.péj. **1.** Défaut d'une personne, d'une chose grossière, triviale: *La vulgarité de ses gestes me mettait mal à l'aise.* ANT. délicatesse, distinction. **2.** plur. Paroles grossières: *Elle ne tolérait pas d'entendre des vulgarités dans sa maison.* ☞ vulgaire.

vulnérabilité n.f. Caractère de ce qui est vulnérable, fragile: *La fatigue augmente la vulnérabilité à la maladie.* ☞ vulnérable.

vulnérable adj. **1.** Qui peut être blessé, atteint: *Sa sensibilité le rend très vulnérable.* ANT. invulnérable. **2.** Qui peut être attaqué: *Notre fort n'est vulnérable que du côté droit.* **3.** Qui présente des faiblesses: *Son argumentation est très vulnérable.* ☞ invulnérable, vulnérabilité.

vulve n.f. Partie externe des organes génitaux féminins: *Le clitoris, les petites et grandes lèvres font partie de la vulve.*

w n.m.invar. Vingt-troisième lettre de l'alphabet : *La lettre « w » est la dix-huitième consonne de l'alphabet.*

wagon n.m. (angl.) **1.** Véhicule sur rails tiré par une locomotive : *Ce train a de nouveaux wagons modernes.* **2.** Voiture du métro : *Les passagers s'entassaient dans les wagons.* **R.** La lettre *w* se prononce *v*. ☞ wagon-citerne, wagon-lit, wagonnet, wagon-restaurant.

wagon-citerne n.m. Voiture d'un train réservée au transport des liquides : *Lors de l'accident ferroviaire, les wagons-citernes qui contenaient du pétrole se sont enflammés.* **R.** Au pluriel, *wagons-citernes*. La lettre *w* se prononce *v*. ☞ wagon.

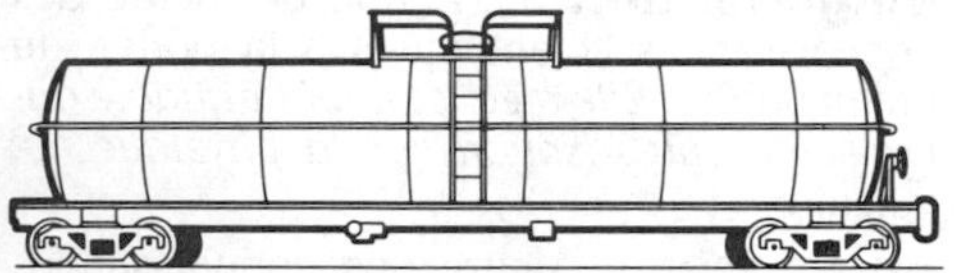

wagon-citerne

wagon-lit n.m. Voiture d'un train munie de couchettes pour permettre aux voyageurs de passer la nuit : *Le voyageur se repose dans un wagon-lit.* **R.** Aussi, *voiture-lit*. Au pluriel, *wagons-lits*. La lettre *w* se prononce *v*. ☞ wagon.

wagonnet n.m. Petit wagon utilisé dans les mines pour transporter le minerai, les pierres ou la terre : *Le wagonnet est déjà rempli et il est prêt à remonter à la surface.* **R.** La lettre *w* se prononce *v*. ☞ wagon.

wagon-restaurant n.m. Voiture d'un train aménagée en restaurant : *Elle a pris son dîner dans le wagon-restaurant.* **R.** Aussi, *voiture-restaurant*. Au pluriel, *wagons-restaurants*. ☞ wagon.

walkie-talkie ☞ sect. anglicismes et canadianismes.

walkman ☞ sect. anglicismes et canadianismes.

wallaby n.m. (austr.) Petit kangourou herbivore originaire de l'Australie : *Il y a sept genres de wallabies.* **R.** Aussi, *wallabi*. Au pluriel, *wallabies*.

wapiti n.m. (amérind.) Grand cerf d'Amérique du Nord et d'Asie, au pelage gris blanchâtre et fauve : *Le wapiti est plus gros que le cerf commun et ses bois peuvent atteindre 1,80 mètre d'envergure.* **R.** Signifie *daim blanc*.

watcher ☞ sect. anglicismes et canadianismes.

water-polo n.m. (angl.) Jeu de ballon qui se joue dans l'eau et qui oppose deux équipes de sept nageurs : *Le joueur de water-polo a marqué un but.* **R.** Au pluriel, *water-polos*.

watt n.m. (n. du sc.) Unité de mesure de la puissance électrique : *J'ai vissé une ampoule de cent watts dans la lampe.* HOM. ouate.

week-end n.m. (angl.) Congé de fin de semaine comprenant le samedi et le dimanche : *Je vais passer le week-end chez mes grands-parents.* **R.** Au pluriel, *week-ends*. L'O.L.F. recommande *fin de semaine*. ◇ fin de semaine.

western n.m. (angl.) Film d'action se rapportant à la conquête de l'ouest des États-Unis : *Les westerns racontent des histoires de cow-boys.* **R.** Se prononce à l'anglaise.

whisky n.m. (angl.) Eau-de-vie à base de grains fabriquée surtout en Écosse, en Irlande et en Amérique du Nord : *Voulez-vous un verre de whisky?* **R.** Au pluriel, *whiskies*.

wigwam n.m. (anglo-améric.) Hutte des Indiens de l'Amérique du Nord : *De nos jours, la plupart des Amérindiens vivent dans des maisons et non dans des wigwams.* ◇ tipi.

wiper ☞ sect. anglicismes et canadianismes.

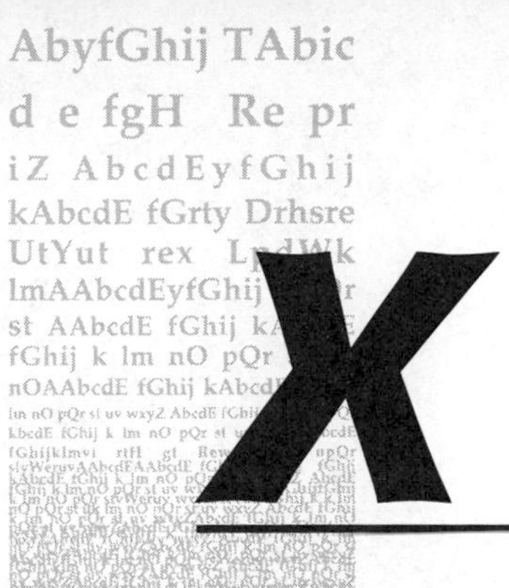

x n.m.invar. **1.** Vingt-quatrième lettre de l'alphabet: *La lettre «x» est la dix-neuvième consonne de l'alphabet.* **2.** Symbole utilisé en mathématique pour désigner une valeur inconnue; toute chose ou personne inconnue: *Peux-tu trouver la valeur de x dans x + 4 = 12?* **3.** Un des symboles utilisés en mathématique pour représenter la position d'un point sur un plan: *La première des coordonnées d'un plan cartésien se situe sur l'axe des x.* **4.** Chiffre romain valant dix: *Dans le système de numération romain, vingt s'écrit avec deux X.* ⁄⁄ *Rayons X:* Rayonnement servant à photographier la structure interne d'un corps. **R.** On met la majuscule lorsqu'il s'agit du chiffre romain.

xénon n.m. Gaz inerte que l'on retrouve en quantité infime dans l'air: *Le xénon est utilisé dans les lampes à incandescence.* **R.** Le *x* se prononce *gz*.

xénophile n. et adj. **1.** n. Personne qui a de la sympathie pour les étrangers: *Paula est une xénophile.* ANT. xénophobe. **2.** adj. Qui adopte une attitude sympathique envers les étrangers: *Son esprit xénophile le porte à voyager.* ANT. xénophobe. **R.** Le *x* se prononce *gz.* ☞ xénophilie.

xénophilie n.f. Sympathie pour les étrangers: *La xénophilie est très appréciée par les nouveaux arrivants.* ANT. xénophobie. **R.** Le *x* se prononce *gz.* ☞ xénophile.

xénophobe n. et adj. **1.** n. Personne qui n'aime pas les étrangers: *Elle est une xénophobe reconnue.* ANT. xénophile. **2.** adj. Qui déteste les étrangers: *Son esprit xénophobe l'empêche de voyager.* ANT. xénophile. **R.** Le *x* se prononce *gz.* ☞ xénophobie.

xénophobie n.f. Hostilité à l'égard des étrangers: *Sa xénophobie l'empêche même de fréquenter les restaurants étrangers.* ANT. xénophilie. **R.** Le *x* se prononce *gz.* ☞ xénophobe.

xérus n.m. Rongeur d'Afrique et d'Asie, voisin de l'écureuil: *Les poils du xérus sont durs et épineux.* **R.** Le *x* se prononce *gz*. Le *s* se prononce.

xylophone n.m. Instrument à percussion formé de lames de bois ou de métal de longueurs différentes: *Pour produire les sons, on frappe les lames du xylophone à l'aide de deux petits maillets.* **R.** Le *x* se prononce *gz*.

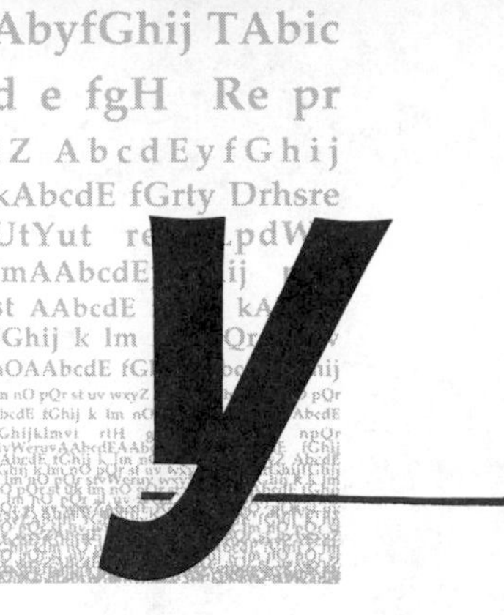

y n.m.invar. **1.** Vingt-cinquième lettre de l'alphabet : *La lettre « y » est la sixième voyelle de l'alphabet.* **2.** Symbole utilisé en mathématique pour désigner une deuxième inconnue : *J'ai trouvé la valeur de y dans x + y = 17.* **3.** Un des symboles utilisés en mathématique pour représenter la position d'un point sur un plan : *Déplacez maintenant votre point le long de l'axe des y.*

y adv. et pron. **1.** adv. En cet endroit, en ce lieu : *C'est un endroit dangereux; on ne peut y aller.* **2.** pron. À lui, à elle, à eux, à elles : *C'est un drôle d'individu; ne vous y fiez pas.* **3.** pron. À cela : *Ton histoire est tellement étrange qu'il est difficile d'y croire.* HOM. hi ! ⁄ *Ça y est :* C'est accompli, c'est terminé. *Il y a, il y avait :* Il existe, il existait.

n'y	peut être utilisé avec *pas, point, plus, jamais* ou *rien.*
ni	est souvent suivi d'un autre *ni.*

yacht n.m. (néerl.) Navire de plaisance à voiles ou à moteur : *J'ai participé à une course de yachts.* ⁄ *Yacht à glace :* Voilier à patins utilisé pour se déplacer sur la glace. **R.** Se prononce comme dans *coyote.* ☞ yachting.

yachting n.m. (angl.) Pratique de la navigation de plaisance : *Mon amie fait du yachting durant l'été.* **R.** Se prononce à l'anglaise. ☞ yacht.

yack n.m. (angl.) Gros bœuf domestique au corps massif, aux longues cornes recourbées vers l'arrière, qui vit au Tibet : *Le yack est un animal à long pelage soyeux.* **R.** Aussi, *yak.*

yankee n. et adj. (anglo-améric.) **1.** n. Nom donné aux habitants des États-Unis par les autres Américains : *Les Mexicains ont combattu les yankees.* **2.** adj. Qui est des États-Unis : *Les capitaux yankees en Amérique du Sud sont parfois à l'origine des problèmes politiques.* **R.** Les deux *e* se prononcent *i.*

yaourtière n.f. Appareil servant à préparer le yaourt ou yogourt : *J'ai acheté cette yaourtière en solde.*

yen n.m. (jap.) Unité monétaire du Japon : *Le yen a une grande valeur sur les marchés monétaires.* HOM. hyène. **R.** Le *n* se prononce.

yeux n.m.plur. Pluriel de « œil », organe de la vue : *Mes parents ont les yeux bruns.* **R.** Se prononce *zieu* lorsqu'on fait la liaison.

yoga n.m. (sanscrit) Discipline spirituelle et corporelle qui vise à libérer le corps de ses contraintes : *Ma sœur pratique le yoga.* ☞ yogi.

yogi n.m. Personne qui pratique le yoga : *Le yogi médite dans le calme et le silence.* ☞ yoga.

yogourt n.m. (bulg.) Lait caillé par un produit spécial : *J'adore le yogourt aux fraises.* **R.** Aussi, *yaourt* ou *yoghourt.*

yougoslave n. et adj. **1.** n. Personne qui est de la Yougoslavie : *Un Yougoslave, une Yougoslave.* **2.** adj. Qui est de la Yougoslavie : *Belgrade est la capitale yougoslave.* **R.** On met la majuscule à *yougoslave* lorsqu'il s'agit du nom.

youyou, ous n.m. (chinois) Petit canot court et large utilisé pour faire la navette entre les bateaux et le quai : *On utilise souvent des youyous pour vider les bateaux.*

yo-yo n.m.invar. (nom déposé) Jouet en forme de disque que l'on fait monter et descendre le long d'un fil enroulé sur son axe : *Les enfants jouent au yo-yo.*

yucca n.m. Plante à tige ligneuse qui porte des fleurs en forme de clochettes rosées ou blanches : *Le yucca est une plante ornementale qui ressemble à l'aloès.* **R.** Le *u* se prononce *ou.*

yucca

Z

z n.m.invar. Vingt-sixième et dernière lettre de l'alphabet : *La lettre « z » est la vingtième consonne de l'alphabet.* ⁄⁄ *De a à z :* D'un bout à l'autre, entièrement.

zaïrois, oise n. et adj. **1.** n. Personne qui est du Zaïre : *Un Zaïrois, une Zaïroise.* **2.** adj. Qui est du Zaïre : *On m'a fait goûter à du café zaïrois.* **R.** On met la majuscule à *zaïrois* et à *zaïroise* lorsqu'il s'agit du nom. Ne pas oublier le tréma : *ï*.

zèbre n.m. **1.** Animal d'Afrique à pelage rayé de noir et de blanc qui ressemble à un âne : *Il y a des zèbres au zoo.* **2.** fam. Personnage bizarre : *C'est un drôle de zèbre.* ⁄⁄ *Courir comme un zèbre :* Courir vite. ☞ zébrer, zébrure.

zébrer v. **1.** Marquer de raies, de lignes sinueuses qui rappellent celles du pelage du zèbre : *La couturière a zébré cette couverture.* **2.** Marquer de raies quelconques : *Des éclairs zèbrent le ciel.* ☞ zèbre.

zébrure n.f. **1.** Marque en forme de rayure : *Le fouet laisse des zébrures sur le corps.* **2.** Rayure sur le pelage des animaux : *Le tigre a des zébrures jaunes et noires.* ☞ zèbre.

zèbre zébrer zébrure

zébu n.m. (tibét.) Grand bœuf domestique de l'Inde et de l'Afrique ayant une bosse graisseuse au-dessus de l'épaule : *Le zébu est un ruminant à très longues cornes.*

zèle n.m. **1.** Ardeur pour servir la cause de Dieu : *J'ai remarqué le zèle de cette religieuse.* SYN. ferveur. **2.** Énergie que l'on met au service d'une cause, d'une personne, d'un travail : *Ils ont fait leur travail avec beaucoup de zèle.* SYN. ardeur. ANT. négligence. ⁄⁄ *Faire du zèle :* Montrer un zèle exagéré, inhabituel. *Grève du zèle :* Application méticuleuse des consignes en vue de bloquer des activités. ☞ zélé.

zélé, ée adj. Qui est plein de zèle : *C'est un secrétaire zélé.* SYN. dévoué. ANT. négligent. ☞ zèle.

zèle zélé

zénith n.m. **1.** Point de la sphère céleste juste au-dessus de la personne qui regarde : *Quelle est cette étoile qui apparaît au zénith ?* **2.** fig. Point culminant, sommet : *Cette femme est au zénith de sa carrière.* SYN. apogée.

zéro n.m. **1.** Nombre représentant un ensemble vide, une valeur ou une grandeur numérique nulle : *Dix moins dix égalent zéro.* **2.** fam. Néant, rien : *Après sa faillite, elle est repartie de zéro.* **3.** fam. Aucun : *Notre équipe a gagné par cinq à zéro.* **4.** Point de départ d'une mesure : *Le thermomètre indique 10 °C au-dessous de zéro.* **5.** Note la plus basse qu'on peut obtenir : *Cet élève collectionne les zéros.* **6.** Chiffre représentant le nombre zéro : *Le zéro ressemble à la lettre « o ».*

zeste n.m. Morceau d'écorce venant du citron ou de l'orange qui sert à parfumer un gâteau, un liquide : *Cette recette demande des zestes d'orange.*

zézaiement n.m. Défaut de prononciation qui consiste à prononcer les « j » comme des « z » et les « ch » comme des « s » : *François fait des exercices pour corriger son zézaiement.* **R.** Ne pas oublier le *e* après le *i*. ☞ zézayer.

zézayer v. Prononcer les « j » comme des « z » et les « ch » comme des « s » : *La plupart des jeunes enfants zézayent.* ☞ zézaiement.

zézaiement zézayer

zibeline n.f. **1.** Petit mammifère de la Sibérie et du Japon, au corps long et mince, à la queue courte : *La zibeline ressemble à la martre.* **2.** Fourrure de cet animal : *Ma voisine a un manteau de zibeline.*

zigzag n.m. **1.** Ligne brisée formant des angles aigus: *L'éclair dans le ciel fait un zigzag.* **2.** Mouvement qui suit une ligne sinueuse: *Les zigzags des cyclistes énervent les automobilistes.* ☞ zigzaguer.

zigzaguer v. Aller de travers, faire des zigzags: *L'auto zigzaguait sur la route glacée.* **R.** Ne pas oublier le *u* après le *g* : zigzaguer. ☞ zigzag.

zinc n.m. **1.** Métal dur de couleur blanc bleuâtre qui sert à faire des toitures, des tuyaux, des gouttières: *De larges plaques de zinc recouvrent cette toiture.* **2.** fam. Avion: *La pilote conduit un vieux zinc.*

zinnia n.m. (n. du sc.) Plante ornementale originaire du Mexique, cultivée pour ses fleurs de couleurs vives: *De magnifiques zinnias égayaient le jardin.*

zipper ☞ sect. anglicismes et canadianismes.

zircon n.m. Pierre transparente utilisée en bijouterie: *Un énorme zircon ornait sa bague.*

zizanie n.f. **1.** Plante qui ressemble au riz: *La zizanie est une céréale exotique.* **2.** fam. Mésentente, discorde: *Certaines personnes semblent semer la zizanie partout où elles passent.* SYN. dispute. ANT. entente.

zodiaque n.m. Zone de la sphère céleste dans laquelle on voit le Soleil se déplacer au cours d'une année; cette zone, divisée en douze parties égales: *Les zodiaques tirent leur nom des constellations.*

zombi n.m. (créole) **1.** Dans la croyance populaire des Antilles, sorte de revenant, de fantôme: *On m'a raconté une histoire de zombis qui m'a fait dresser les cheveux sur la tête.* **2.** fam. Personne qui a un air absent: *Il marche comme un zombi.* **R.** Aussi, *zombie*.

zona n.m. Maladie due à un virus qui se caractérise par des éruptions et des douleurs intenses: *Le zona suit le trajet des nerfs sensitifs.*

zonage n.m. En urbanisme, répartition d'un territoire en zones: *Certaines provinces ont des lois sur le zonage agricole.* ☞ zone.

zone n.f. **1.** Étendue de terrain, espace d'une région défini par certaines caractéristiques: *Je vis dans une zone résidentielle.* SYN. surface. **2.** En géographie, espace délimité auquel correspond un type de climat: *Nous vivons dans une zone tempérée.* SYN. région. **3.** Environnement particulier: *Les automobilistes doivent ralentir dans une zone scolaire.* SYN. secteur. **4.** Partie d'une surface quelconque: *Je ressens une douleur dans la zone supérieure du dos.* ☞ zonage.

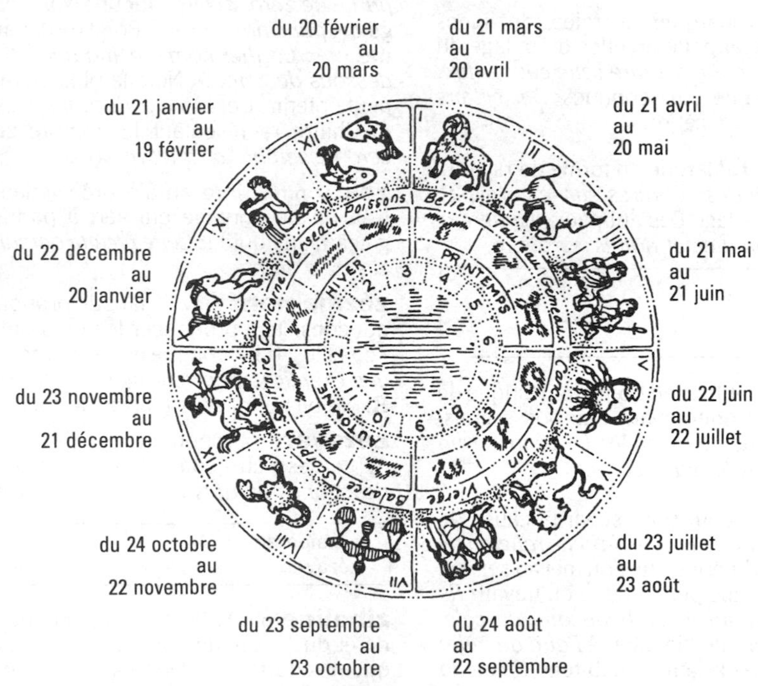

zodiaque

zonure n.m. Sorte de lézard d'Afrique recouvert d'écailles épineuses: *Le zonure a une queue à anneaux.*

zoo n.m. Grand espace, parc public où se trouve une collection d'animaux; abréviation de jardin zoologique: *As-tu visité le zoo de Granby?* **R.** Les deux *o* se prononcent.

zoologie n.f. Partie des sciences naturelles qui étudie les animaux: *Ce jeune homme étudie la zoologie.* **R.** Les deux *o* se prononcent. ☞ zoologique, zoologiste.

zoologique adj. Qui concerne la zoologie, les animaux: *La classification zoologique fait partie de son travail.* ✐ *Jardin, parc zoologique:* Zoo. **R.** Les deux *o* se prononcent. ☞ zoologie.

zoologiste n. Spécialiste de la zoologie, l'étude des animaux: *C'est une zoologiste réputée.* **R.** Aussi, *zoologue*. Les deux *o* se prononcent. ☞ zoologie.

zorille n.f. (esp.) Mammifère d'Afrique, voisin de la belette, dont la fourrure est recherchée: *La zorille est un animal malodorant.*

zut! interj.fam. Mot qui exprime le dépit, le refus: *Zut! j'ai manqué l'autobus!*

EXPRESSIONS PARTICULIÈRES

A

AGNEAU **Doux comme un agneau :** Très doux.

AIGLE **Un regard d'aigle :** Un regard très perçant, très profond.

AIGUILLE **Chercher une aiguille dans une botte de foin :** Chercher une chose presque impossible à trouver.

AILE **Battre de l'aile :** Fonctionner avec peine.

La peur donne des ailes : La peur donne de l'énergie, de la rapidité.

Voler de ses propres ailes : Être capable d'agir sans aide extérieure.

AIMER **Qui aime bien châtie bien :** Corriger quelqu'un de ses défauts, c'est lui témoigner l'intérêt qu'on lui porte.

AIR **Être dans l'air :** Être en préparation, commencer à être senti.

L'air et la chanson : L'apparence et la réalité.

Libre comme l'air : Complètement libre, sans contrainte.

Parler en l'air : Parler de façon peu réaliste.

Paroles, promesses en l'air : Paroles, promesses peu sérieuses.

Se donner des airs, des grands airs : Avoir des manières affectées, faire l'important.

Vivre de l'air du temps : N'avoir aucune ressource.

ALLER **Aller à la va comme je te pousse :** Aller n'importe comment.

ÂME **Rendre l'âme :** Mourir.

AMENDE **Faire amende honorable :** Reconnaître ses torts, demander pardon.

AMOUR **Filer le parfait amour :** Se donner l'un à l'autre des témoignages d'un amour partagé.

AN **Bon an, mal an :** En faisant la moyenne des années.

S'en moquer, s'en ficher comme de l'an quarante : S'en moquer complètement.

ÂNE **Têtu comme un âne :** Attaché à ses idées, avoir la tête dure.

ANGE **Comme un ange :** À la perfection.

Être aux anges : Être ravi, très heureux.

Patience d'ange : Patience à toute épreuve, exemplaire.

ANGLAIS, AISE **Filer à l'anglaise :** Partir sans dire au revoir, sans se faire remarquer.

ANGLE **Arrondir les angles :** Atténuer les oppositions, les causes de dispute.

Voir les choses sous un certain angle : Voir les choses sous un point de vue particulier, un aspect différent.

ANGUILLE **Il y a anguille sous roche :** Il y a quelque chose de caché ; l'affaire n'est pas claire.

APPARENCE **Ne pas se fier aux apparences :** Ne pas se contenter de l'aspect extérieur des choses.

A

APPELER **Appeler les choses par leur nom :** Ne pas affaiblir par des mots ce que l'on a à dire ; parler avec franchise.

APPÉTIT **Avoir bon appétit :** Rechercher les places, l'argent, etc., avec avidité.

Couper l'appétit : Dégoûter.

Demeurer sur son appétit : Ne pas se rassasier ; limiter ses désirs.

L'appétit vient en mangeant : Plus on a de succès, de biens, plus on en veut.

Ouvrir l'appétit : Donner le goût.

Se mettre en appétit : Se donner l'envie de faire ou d'avoir quelque chose.

ARBRE **Mettre le doigt entre l'arbre et l'écorce :** S'immiscer dans une affaire où il y a des intérêts contradictoires.

ARGENT **En avoir pour son argent :** Avoir une chose, un plaisir en proportion de la dépense ou de l'effort.

Jeter l'argent par les fenêtres : Être très dépensier.

L'argent n'a pas d'odeur : L'argent gagné de manière malhonnête ou honteuse ne trahit pas sa provenance.

L'argent ne fait pas le bonheur : Le bien suprême n'est pas la richesse.

Prendre quelque chose pour argent comptant : Être crédule, croire naïvement ce qui est dit.

ARME **Avec armes et bagages :** Avec tout ce dont on a besoin.

Déposer, rendre les armes : Cesser le combat, s'avouer vaincu.

Passer l'arme à gauche : Mourir.

ARRACHEUR **Mentir comme un arracheur de dents :** Mentir effrontément.

ASCENSEUR **Renvoyer l'ascenseur :** Répondre à un acte par un acte de même nature.

ASSIETTE **Ne pas être dans son assiette :** Ne pas être dans son état normal, ne pas se sentir bien physiquement.

ATTENDRE **Attendre son heure :** Attendre jusqu'à ce que l'occasion soit favorable.

AUTRUCHE **Faire l'autruche :** Refuser de voir la réalité.

AVOCAT **Avocat du diable :** Personne qui défend une mauvaise cause ou dont les arguments sont mauvais.

AVRIL **En avril, ne te découvre pas d'un fil :** Sois prudent en ne te découvrant pas trop rapidement.

B

BABINES **Se lécher les babines :** Se régaler à l'avance.

BAGUETTE **D'un coup de baguette :** D'une façon magique.

Mener à la baguette : Mener avec autorité.

BAIGNER **Baigner dans l'huile :** Aller très bien, ne poser aucun problème.

BAIN **Bain de foule :** Fait de se mêler à la foule, en parlant d'un personnage éminent.

B

Être dans le bain: Être pleinement engagé dans une situation compromettante.

Mettre dans le même bain: Juger de la même façon.

BALAI **Maigre comme un manche à balai:** Très maigre.

BALANCE **Faire pencher la balance:** Avoir l'avantage.

BALLE **Renvoyer la balle:** Répliquer par un argument aussi fort.

Saisir la balle au bond: Saisir rapidement une occasion favorable.

BALLUCHON **Faire son balluchon:** S'en aller, plier bagages.

BAN **Mettre quelqu'un au ban de la société:** Déclarer quelqu'un indigne, attirer sur lui le mépris des autres.

BANANE **Peau de banane:** Procédé déloyal destiné à faire tomber quelqu'un.

BANC **Être au banc des accusés:** Être dans une situation d'accusation.

Sur les bancs de l'école: Pendant le temps de la scolarité.

BARBE **À la barbe de quelqu'un:** Devant quelqu'un, à sa vue, ouvertement.

Faire la barbe à quelqu'un: Se moquer ouvertement de quelqu'un, le narguer.

Rire dans sa barbe: Rire en se cachant, ne pas exprimer ouvertement sa gaieté.

BARQUE **Bien ou mal conduire sa barque:** S'occuper bien ou mal de ses affaires.

Mener la barque: Être le patron.

BARRE **Avoir barre sur quelqu'un:** Avoir l'avantage sur quelqu'un.

BARRIÈRE **Être de l'autre côté de la barrière:** Être dans l'autre camp, parmi ceux qui appartiennent à un autre camp.

BARRICADE **Être de l'autre côté de la barricade:** Être dans le camp opposé.

BARRIQUE **Être gros, plein comme une barrique:** Être gros, plein de nourriture ou de boisson.

BAS **Bas de laine:** Économies que l'on cache chez soi.

Être bien bas: Être très malade.

BATAILLE **Avoir les cheveux, la barbe en bataille:** Avoir les cheveux, la barbe en désordre.

BATEAU **Mener quelqu'un en bateau:** Tromper quelqu'un.

Monter un bateau à quelqu'un: Tromper quelqu'un, le mystifier.

BÂTON **Bâton de vieillesse:** Personne qui est le soutien d'un vieillard.

Mettre des bâtons dans les roues: Susciter des obstacles, des difficultés.

Parler à bâtons rompus: Parler avec de nombreuses interruptions, de manière peu suivie.

BATTRE **Battre en retraite:** Reculer devant un adversaire.

BATTU **Se tenir pour battu:** S'avouer vaincu.

B

BAUME	**Mettre du baume dans le cœur; sur la plaie:** Consoler, réconforter.
BEAU, BELLE	**C'est trop beau pour être vrai:** Se dit pour mettre en doute un événement agréable et inattendu.
	En apprendre de belles: Apprendre des choses défavorables, scandaleuses sur quelqu'un.
BEC	**Avoir le bec fin:** Aimer bien manger, bien boire.
	Boucher, fermer, clouer le bec à quelqu'un: Faire taire quelqu'un.
	Prise de bec: Dispute, échange violent de paroles.
	Rester le bec dans l'eau: Être déçu, ne rien obtenir.
BÊTE	**Chercher la petite bête:** Chercher méticuleusement des erreurs.
	Être la bête noire de quelqu'un: Inspirer de l'horreur à quelqu'un.
BEURRE	**Œil au beurre noir:** Œil meurtri, noirci par un coup.
BIEN	**Bien mal acquis ne profite jamais:** Si on vole quelqu'un, on est puni d'une manière quelconque.
	Mener quelque chose à bien: Réussir quelque chose.
BIENFAIT	**Un bienfait n'est jamais perdu:** On est toujours récompensé du bien fait à autrui.
BIÈRE	**C'est de la petite bière:** C'est une chose sans importance.
BILE	**Échauffer la bile à quelqu'un:** Irriter quelqu'un, le mettre en colère.
	Se faire de la bile: S'inquiéter.
BLOC	**Être gonflé à bloc:** Être plein de confiance en soi.
BŒUF	**Être fort comme un bœuf:** Être très fort.
	Travailler comme un bœuf: Travailler très fort.
BOIS	**Toucher du bois:** Conserver un espoir, une chance de réussir.
BOND	**Faire faux bond à quelqu'un:** Ne pas se présenter à un rendez-vous.
BONHEUR	**Le malheur des uns fait le bonheur des autres:** Ce qui nuit à certaines personnes est parfois un bienfait pour d'autres.
BOSSE	**Avoir la bosse des mathématiques:** Avoir de la facilité en mathématiques.
BOUC	**Bouc émissaire:** Personne qu'on tient responsable des fautes commises par d'autres.
BOUCHE	**Avoir la bouche pâteuse:** Avoir la bouche épaisse.
	Enlever le pain de la bouche à quelqu'un: Priver quelqu'un du nécessaire.
	Faire la fine bouche: Faire le difficile.
	Fermer la bouche à quelqu'un: Faire taire quelqu'un.
	Ouvrir la bouche: Prendre la parole.
BOUCLIER	**Levée de boucliers:** Protestation générale.
BOUT	**Joindre les deux bouts:** Boucler son budget.
BRAS	**À bras ouverts:** Avec une grande cordialité.

B

Avoir le bras long: Avoir de l'influence.
Avoir quelqu'un sur les bras: Avoir quelqu'un à sa charge.
Baisser les bras: Renoncer.
Couper bras et jambes à quelqu'un: Décourager quelqu'un.
Le bras droit de quelqu'un: Le principal assistant de quelqu'un.
Se croiser les bras: Ne rien faire.

BREBIS **Brebis galeuse:** Personne rejetée par les autres.
BRIDE **À bride abattue:** À toute vitesse.
BUT **De but en blanc:** Directement, sans détour.
BUTTE **Être en butte à:** Être exposé à une action hostile.

C

CADAVRE **Cadavre ambulant:** Personne pâle et maigre.
CADEAU **Ne pas faire de cadeau:** Être dur envers quelqu'un à qui l'on rend coup pour coup.
CADET **C'est le cadet de mes soucis:** C'est le dernier, le moindre de mes soucis.
CADRAN **Faire le tour du cadran:** Dormir douze heures d'affilée.
CALICE **Boire le calice jusqu'à la lie:** Supporter une épreuve pénible jusqu'au bout.
CALUMET **Fumer le calumet de la paix:** Faire la paix, se réconcilier.
CALVAIRE **Gravir son calvaire:** Subir une épreuve longue et douloureuse.
CANARD **Froid de canard:** Froid très vif.
Lancer des canards: Lancer une fausse nouvelle.
CAP **Dépasser un cap:** Franchir une limite difficile.
CAPE **Rire sous cape:** Rire en cachette.
CAQUET **Rabattre le caquet à quelqu'un:** Faire taire quelqu'un.
CARCASSE **Traîner sa carcasse:** Se déplacer avec peine et douleur.
CARÊME **Face de carême:** Face triste et pâle.
CAROTTE **Les carottes sont cuites:** Tout est fini, perdu.
CARPE **Bâiller comme une carpe:** Bâiller fortement et à plusieurs reprises.
Être muet comme une carpe: S'abstenir de toute parole.
CARREAU **Être sur le carreau:** Être à terre, assommé ou tué.
CARROSSE **Rouler carrosse:** Être assez riche pour posséder une voiture.
CARTE **Brouiller les cartes:** Compliquer volontairement les choses, semer la confusion.
Donner carte blanche à quelqu'un: Laisser quelqu'un libre d'agir à sa guise.
Jouer cartes sur table: Ne rien cacher, agir en toute franchise.

C	
	Jouer sa dernière carte : Tenter sa dernière chance.
	Tirer les cartes à quelqu'un : Prédire l'avenir de quelqu'un avec un jeu de cartes.
CATHOLIQUE	**Ce n'est pas très catholique :** C'est douteux.
CAUSE	**Avoir gain de cause :** Obtenir ce que l'on voulait.
	En connaissance de cause : En connaissant les faits.
	En désespoir de cause : Comme dernière ressource.
CAVALIER	**Faire cavalier seul :** Agir seul ; se mettre à l'écart.
CEINTURE	**Se serrer la ceinture :** Se priver de nourriture ; se passer de quelque chose.
CENDRE	**Couver sous la cendre :** Se préparer secrètement à agir, à apparaître au grand jour.
	Remuer les cendres : Évoquer des souvenirs anciens, le plus souvent tristes.
	Renaître de ses cendres : Reprendre une vie nouvelle.
CERVELLE	**Cervelle d'oiseau :** Personne irréfléchie.
	Se brûler la cervelle : Se tuer d'une balle dans la tête.
CHAIR	**Avoir la chair de poule :** Avoir des frissons, sous l'effet du froid, de la peur.
	Être bien en chair : Être dodu, gras.
CHAISE	**Entre deux chaises :** Dans une situation délicate, difficile.
CHANDELLE	**Brûler la chandelle par les deux bouts :** Gaspiller sa santé, son avoir.
	Devoir une fière chandelle à quelqu'un : Avoir des obligations envers quelqu'un qui nous a rendu un grand service.
	Économies de bouts de chandelles : Économies ridicules.
	Le jeu n'en vaut pas la chandelle : Cela ne vaut pas la peine.
	Voir trente-six chandelles : Avoir un éblouissement à la suite d'un coup sur la tête.
CHANGE	**Donner le change à quelqu'un :** Tromper quelqu'un, lui faire prendre une chose pour une autre.
CHANSON	**C'est toujours la même chanson :** C'est toujours la même chose, les mêmes propos.
CHAPEAU	**Tirer, lever son chapeau :** Marquer son admiration.
CHARBON	**Être sur des charbons ardents :** Être impatient et inquiet.
CHARITÉ	**Charité bien ordonnée commence par soi-même :** Il faut s'assurer de son propre bien-être avant d'aider les autres.
CHARME	**Se porter comme un charme :** Avoir une santé parfaite, se porter bien.
CHARRETIER	**Jurer comme un charretier :** Dire des jurons grossiers.
CHARRUE	**Mettre la charrue devant les bœufs :** Commencer par la fin, par où l'on devrait finir.

C

CHASSE **Qui va à la chasse perd sa place:** La personne qui abandonne une situation risque de ne pas la retrouver au retour.

CHAT **Appeler un chat un chat:** Appeler les choses par leur nom.

Avoir un chat dans la gorge: Être enroué.

Chat échaudé craint l'eau froide: Garder un mauvais souvenir d'une expérience et ne pas vouloir la recommencer.

Jouer au chat et à la souris avec quelqu'un: Laisser croire à quelqu'un qu'on le laisse s'échapper alors qu'on est sûr de le vaincre.

Il n'y a pas de quoi fouetter un chat: Ce n'est pas une faute grave.

Il n'y a pas un chat: Il n'y a personne.

Quand le chat n'est pas là, les souris dansent: Quand le patron est absent, les employés en profitent.

CHÂTEAU **Bâtir des châteaux en Espagne:** Échafauder des projets irréalisables.

CHAUD **Avoir chaud:** Échapper de justesse à un danger, avoir peur.

Ne faire ni chaud ni froid: Être indifférent à quelqu'un.

CHAUFFER **Montrer de quel bois on se chauffe:** Montrer de quoi on est capable.

CHAUFFEUR **Chauffeur du dimanche:** Personne qui conduit mal.

CHAUSSURE **Trouver chaussure à son pied:** Trouver ce qui convient, ce dont on a besoin.

CHEMIN **Faire son chemin dans la vie:** Réussir.

Ne pas y aller par quatre chemins: Aller droit au but, agir sans détour.

Tous les chemins mènent à Rome: Il est possible d'arriver au même résultat par des moyens différents.

CHEMISE **Changer d'idée comme on change de chemise:** Changer constamment d'idée.

CHEVAL, CHEVAUX **Cheval de bataille:** Argument, sujet préféré, sur lequel on revient sans cesse.

Être à cheval sur les principes: Être sévère, strict.

Monter sur ses grands chevaux: S'emporter, se mettre en colère.

CHEVEU **À un cheveu près:** À très peu de chose près.

Avoir mal aux cheveux: Avoir mal à la tête pour avoir trop bu.

Cela arrive comme un cheveu sur la soupe: Cela arrive au mauvais moment.

Couper les cheveux en quatre: Être très pointilleux, s'arrêter à des détails.

Être tiré par les cheveux: Être amené d'une manière peu logique, en parlant d'un argument.

Faire dresser les cheveux sur la tête: Faire peur, horreur.

C

Saisir l'occasion aux cheveux : Saisir l'occasion au bon moment.
S'arracher les cheveux : Être au désespoir.
Se prendre aux cheveux : Se quereller.

CHEVILLE **Ne pas arriver à la cheville de quelqu'un :** Être inférieur à quelqu'un.

CHÈVRE **Ménager la chèvre et le chou :** Ne pas prendre position, agir de façon à contenter chacun des adversaires en présence.

CHIEN **Caractère de chien :** Caractère difficile.
Chien qui aboie ne mord pas : Ceux qui menacent ne sont pas les plus dangereux.
Crever, mourir comme un chien : Mourir sans pain, sans secours, abandonné.
Entre chien et loup : Au crépuscule.
Être malade comme un chien : Être très malade.
Recevoir quelqu'un comme un chien dans un jeu de quilles : Recevoir quelqu'un très mal.
Se donner un mal de chien : Se donner beaucoup de mal, rencontrer bien des difficultés.
Temps de chien : Très mauvais temps.
Traiter quelqu'un comme un chien : Traiter quelqu'un sans pitié, très mal.
Un chien regarde bien un évêque : Toute personne peut en regarder une autre, peu importe le rang social.
Vie de chien : Vie misérable, difficile.

CHIGNON **Se crêper le chignon :** Se disputer, se battre entre femmes.

CHOSE **Chose promise, chose due :** On est obligé de faire ce qu'on a promis.

CHOU **Feuille de chou :** Journal de peu de valeur.

CHRONIQUE **Défrayer la chronique :** Faire parler de soi, souvent en mal.

CIEL **Aide-toi, le ciel t'aidera :** Il est insensé de s'en remettre à Dieu si l'on n'a pas tout fait d'abord pour réussir.
Être au septième ciel : Être dans le ravissement.
Remuer ciel et terre : Employer tous les moyens.
Tomber du ciel : Arriver à l'improviste et au bon moment ; être surpris.

CITRON **Presser quelqu'un comme un citron :** Tirer de quelqu'un tout ce qu'on peut tirer.

CLAIR **Clair comme le cristal, comme de l'eau de roche, comme le jour :** Évident, sans équivoque.

CLAQUE **En avoir sa claque :** En avoir assez, par-dessus la tête.
Tête à claques : Visage déplaisant.

CLÉ **Prendre la clé des champs :** S'enfuir, reprendre sa liberté.

CLIQUE **Prendre ses cliques et ses claques :** S'en aller rapidement en emportant tout ce que l'on possède.

C

CLOCHE **N'entendre qu'un son de cloche:** Ne connaître qu'un avis, qu'une seule version des événements.
Sonner les cloches à quelqu'un: Réprimander quelqu'un sévèrement.

CLOU **Maigre comme un clou:** Très maigre, décharné.
Ne pas valoir un clou: N'avoir aucune valeur.
River son clou à quelqu'un: Faire taire quelqu'un.

COCHON **Tour de cochon:** Farce de mauvais goût, mauvais tour.

COCON **S'enfermer, se retirer dans son cocon:** S'isoler.

CŒUR **À cœur joie:** De gaieté de cœur, avec plaisir.
Aller droit au cœur: Toucher.
Avoir du cœur à l'ouvrage: Travailler avec ardeur.
Avoir du cœur au ventre: Avoir du courage.
Avoir le cœur au bord des lèvres: Avoir envie de vomir.
Avoir le cœur gros: Être très triste.
Avoir le cœur sur la main: Être toujours prêt à aider, être généreux.
Avoir un cœur d'or: Être bon, généreux.
En avoir gros sur le cœur: Être accablé.
En avoir le cœur net: S'informer de quelque chose avec précision, de façon à être fixé.
Être de tout cœur avec quelqu'un: Partager les émotions de quelqu'un.
Faire contre mauvaise fortune bon cœur: Supporter sa malchance avec courage.
Ne pas porter quelqu'un dans son cœur: Ne pas aimer quelqu'un.
Parler à cœur ouvert: Parler avec une grande sincérité.
Prendre une chose à cœur: S'intéresser beaucoup à quelque chose.

COIN **En boucher un coin à quelqu'un:** Étonner, épater quelqu'un.

COLLET **Collet monté:** Personne qui manque de naturel, qui se scandalise facilement.
Prendre quelqu'un au collet: Arrêter quelqu'un de force pour lui faire des reproches.

COLLIER **Coup de collier:** Effort intense mais momentané.
Reprendre le collier: Recommencer à travailler après un congé.

COMMANDE **Tenir les commandes:** Diriger, contrôler.

COMPAGNIE **Fausser compagnie à quelqu'un:** Quitter brusquement quelqu'un sans le prévenir.

COMPAS **Avoir le compas dans l'œil:** Mesurer à vue d'œil, sans se servir d'instrument.

COMPOTE **Avoir les membres en compote:** Avoir les membres meurtris.

COMPTE **Avoir son compte:** Être à bout de forces; être ivre.
Être loin du compte: Se tromper de beaucoup.

C

Les bons comptes font les bons amis: La sincérité, l'honnêteté s'impose entre amis.
Règlement de comptes: Explication violente entre des adversaires.
S'en tirer à bon compte: S'en tirer sans trop de dommage.
Travailler à son compte: Être autonome, être son propre patron.
Un laissé pour compte: Personne abandonnée de tous.

COMPTE-GOUTTES **Donner, rendre au compte-gouttes:** Donner, rendre avec une économie exagérée.

COMPTER **Compter sur quelqu'un:** S'appuyer sur quelqu'un, s'y fier.

CONSENTIR **Qui ne dit mot consent:** Dire «oui» par son silence.

COQ **Être comme un coq en pâte:** Être dorloté, choyé.
Passer du coq à l'âne: Passer sans transition d'un sujet à un autre.

COQUILLE **Rester dans sa coquille:** Se replier sur soi.

CORDE **Avoir plus d'une corde à son arc:** Avoir plusieurs moyens pour arriver à ses fins.
Être sur la corde raide: Être dans une situation délicate.
Se mettre la corde au cou: Se marier, en parlant d'un homme.

CORDONNIER **Les cordonniers sont toujours les plus mal chaussés:** On manque souvent des choses que l'on pourrait avoir avec beaucoup de facilité.

COTON **Élever dans du coton:** Protéger de façon exagérée.
Filer un mauvais coton: Être en mauvaise forme physique ou psychologique.

COUDE **Jouer des coudes:** Faire son chemin.
Lever le coude: Boire, s'enivrer.

COULEUR **Couleur locale:** Traits caractéristiques.
Haut en couleur: Très coloré.

COUP **Coup de théâtre:** Changement brusque et imprévu.

COURIR **Rien ne sert de courir, il faut partir à point:** Il est inutile de se presser si l'on n'a pas pris un défi au sérieux.

COUSU **Cousu main:** Cousu à la main.
Être cousu d'or: Être très riche.

COUTEAU **Enfoncer, retourner le couteau, le fer dans la plaie:** Faire souffrir quelqu'un en insistant sur quelque chose qui lui déplaît.
Être à couteaux tirés: Être dans une situation de mésentente.

COUTURE **Battre à plates coutures:** Remporter une victoire décisive.

COUVERTURE **Tirer la couverture à soi:** Chercher à obtenir la meilleure part ou la plus grosse part d'une chose, se donner le mérite d'une chose.

CRACHOIR **Tenir le crachoir:** Parler longtemps.

C

CRAVATE **Se jeter un verre derrière la cravate :** Boire.

CRÉMAILLÈRE **Pendre la crémaillère :** Célébrer par une réception l'installation dans un nouveau logement.

CREUSER **Se creuser la tête, la cervelle :** S'efforcer de comprendre, de raisonner.

CRI **Jeter des hauts cris :** Protester fortement.

CRIER **Sans crier gare :** Brusquement, sans avertissement.

CROCHET **Vivre aux crochets de quelqu'un :** Vivre aux frais de quelqu'un.

CROCODILE **Larmes de crocodile :** Larmes peu sincères, pour émouvoir les autres.

CROISIÈRE **Vitesse de croisière :** Rythme normal, après une certaine période d'entraînement.

CROIX **Faire une croix sur :** Renoncer définitivement à.

Porter sa croix : Supporter des épreuves avec résignation.

CROQUE-MORT **Avoir une figure de croque-mort :** Avoir un air triste, comme à un enterrement.

CROÛTE **Casser la croûte :** Manger.

Gagner sa croûte : Travailler, gagner sa vie.

CUILLER **Ne pas y aller avec le dos de la cuiller :** Agir sans ménagement.

CUIRASSE **Le défaut de la cuirasse :** Le point faible, sensible.

CULOTTE **Porter la culotte :** Dominer son conjoint, en parlant d'une femme.

CYGNE **Le chant du cygne :** Dernière œuvre d'un créateur.

D

DÉ **Coup de dés :** Affaire laissée au hasard.

Les dés en sont jetés ; les dés sont jetés : Le sort est fixé.

DEBOUT **Tenir debout :** Etre logique, vraisemblable.

DÉLUGE **Après le déluge :** Je me désintéresse de ce qui arrivera.

Dater d'avant le déluge : Dater de très longtemps, être très ancien.

Remonter au déluge : Remonter à des circonstances très lointaines.

DEMAIN **Ne remettons pas à demain ce que nous pouvons faire le jour même :** Agissons le plus tôt possible.

DENT **Armé jusqu'aux dents :** Très bien armé.

Avoir la dent dure : Avoir la critique très sévère.

Avoir les dents longues : Être ambitieux.

Avoir une dent contre quelqu'un : En vouloir à quelqu'un, lui garder rancune.

Claquer des dents : Trembler de froid, de peur.

Être sur les dents : Être fébrile, nerveux.

Grincer des dents : Montrer de l'agacement.

Montrer les dents : Être menaçant.

Mordre à belles dents : Manger avidement, dévorer.

D

Murmurer, parler entre ses dents: Parler bas et de façon indistincte.

N'avoir rien à se mettre sous la dent: N'avoir rien à manger.

Se casser les dents sur quelque chose: Ne pas venir à bout de quelque chose.

DÉSERT **Prêcher dans le désert:** Parler ou écrire inutilement sans réussir à retenir l'attention.

DETTE **Être criblé de dettes:** Être accablé de dettes.

Qui paie ses dettes s'enrichit: On est plus riche si on ne doit pas d'argent.

DEUIL **Faire son deuil de quelque chose:** Se résigner à être privé de quelque chose.

DIABLE **Au diable vauvert:** Très loin, on ne sait où, nulle part.

Faire le diable à quatre: Faire beaucoup de bruit, s'agiter.

Se démener comme un diable dans un bénitier, dans l'eau bénite: S'agiter, faire un désordre pour obtenir ou empêcher quelque chose.

Tirer le diable par la queue: Avoir de la difficulté à trouver de quoi vivre.

DICTIONNAIRE **Un dictionnaire vivant:** Une personne qui sait tout.

DINDON **Être le dindon de la farce:** Être la victime d'une plaisanterie.

DIRE **Ne pas l'envoyer dire à quelqu'un:** Dire franchement à quelqu'un ce qu'on pense.

Ne pas se le faire dire deux fois: Faire quelque chose avec plaisir ou empressement.

Trouver à dire, à redire: Critiquer.

DISTANCE **Garder ses distances avec quelqu'un:** Éviter la familiarité avec quelqu'un.

DOIGT **Être comme les deux doigts de la main:** Être intimement liés, en parfait accord.

Mettre le doigt sur quelque chose: Trouver ce qu'on cherchait.

Savoir quelque chose sur le bout du doigt: Savoir quelque chose par cœur, parfaitement.

Se mettre le doigt dans l'œil: Se tromper.

Toucher du doigt: Comprendre clairement.

DORMIR **Dormir debout:** Être très fatigué, avoir sommeil.

Histoire à dormir debout: Histoire invraisemblable, récit ennuyeux.

Laisser dormir quelque chose: Ne pas s'occuper de quelque chose.

Qui dort, dîne: En dormant, on oublie la faim.

DOS **Avoir bon dos:** Supporter la responsabilité d'une faute dont on n'est pas coupable.

En avoir plein le dos: En avoir assez.

D

Mettre quelque chose sur le dos de quelqu'un: Tenir quelqu'un responsable de quelque chose.
Se laisser manger la laine sur le dos: Se laisser exploiter.
Se mettre quelqu'un à dos: Perdre l'amitié, l'estime de quelqu'un.
Tourner le dos à quelqu'un: Abandonner quelqu'un, le mépriser, l'ignorer.

DOUX **Filer doux:** Obéir sans résister.

DRAP **Être dans de beaux draps:** Être dans une situation ennuyeuse, fâcheuse.

DUR **Dur à cuire:** Personne qui n'a peur de rien.
Être dur d'oreille: Être un peu sourd.

E

EAU **Avoir l'eau à la bouche:** Se régaler à l'avance, saliver d'envie; avoir très envie de quelque chose.
C'est comme l'eau et le feu: Ce sont deux choses ou deux personnes complètement opposées.
Mettre de l'eau dans son vin: Être moins absolu, réduire ses exigences.
Nager entre deux eaux: Ménager des gens qui s'opposent.

ÉCHAPPER **L'échapper belle:** Échapper de justesse à un danger.

ÉCHASSE **Être monté sur des échasses:** Avoir de longues jambes; faire l'important.

ÉCHAUFFER **Échauffer les oreilles à quelqu'un:** Énerver quelqu'un, l'agacer.

ÉCHELLE **Échelle sociale:** Hiérarchie sociale.

ÉCHINE **Courber, plier l'échine:** Se soumettre.

ÉCOLE **Faire école:** Avoir des adeptes, des disciples.
Faire l'école buissonnière: Flâner, se promener plutôt que d'aller en classe.

ÉCRAN **Crever l'écran:** Faire un effet remarquable, avoir de la présence et surpasser ses partenaires.

ÉLÉPHANT **Avoir une mémoire d'éléphant:** Être rancunier, se souvenir du mal qu'on nous a fait.
Comme un éléphant dans un magasin de porcelaine: Sans délicatesse, avec lourdeur.
Une mémoire d'éléphant: Une mémoire exceptionnelle.

ENCRE **Faire couler beaucoup d'encre:** Être l'objet de nombreux articles.

ENFANCE **L'enfance de l'art:** Chose facile à faire.

ENFER **L'enfer est pavé de bonnes intentions:** Beaucoup de bonnes intentions ne sont pas réalisées ou n'aboutissent qu'à un résultat médiocre.
Rouler un train d'enfer: Rouler très vite, dangereusement.

ENFONCER **Enfoncer une porte ouverte:** S'efforcer de démontrer une chose évidente.

E

ENSEIGNE **Être logé à la même enseigne:** Avoir les mêmes ennuis, les mêmes inconvénients que quelqu'un.

ÉPAULE **Donner un coup d'épaule à quelqu'un:** Aider quelqu'un.

ÉPAULETTE **Avoir gagné ses épaulettes:** Avoir acquis des mérites qui donnent droit à l'admiration, à l'estime.

ÉPINE **Être sur les épines:** Être dans une situation difficile.

Tirer à quelqu'un une épine du pied: Délivrer quelqu'un d'un ennui, d'un souci.

ÉPINGLE **Tiré à quatre épingles:** Très bien habillé.

Tirer son épingle du jeu: Se retirer à temps d'une affaire qui devient mauvaise.

ÉPONGE **Boire comme une éponge:** Prendre beaucoup de boisson alcoolique.

Passer l'éponge: Oublier, pardonner.

Presser l'éponge: Obliger quelqu'un à rendre tout ce qui ne lui appartient pas.

ÉPOQUE **Faire époque:** Laisser un souvenir inoubliable.

ERGOT **Monter sur ses ergots:** Menacer, prendre une attitude hautaine et menaçante.

ESTOMAC **Avoir l'estomac dans les talons:** Avoir très faim.

Avoir un estomac d'autruche: Tout digérer.

ÉTAU **Être pris comme dans un étau:** Être dans une situation difficile.

ÉTOFFE **Avoir de l'étoffe:** Avoir des qualités.

ÉTOILE **Être né sous une bonne étoile:** Avoir de la chance, réussir dans ce que l'on fait.

ÉTRIER **Avoir le pied à l'étrier:** Être dans une bonne situation pour réussir.

Mettre à quelqu'un le pied à l'étrier: Aider quelqu'un à réussir.

F

FACE **Faire face à quelque chose:** Affronter quelque chose.

Perdre la face: Perdre le respect des autres en tolérant une atteinte à sa réputation.

Sauver la face: Conserver sa dignité.

Se voiler la face: Être horrifié, dégoûté.

FACILE **Avoir la vie facile:** Avoir une vie agréable, sans souci.

Facile comme bonjour: Très facile.

FAIBLE **Avoir un faible pour quelque chose:** Avoir un penchant pour quelque chose.

Prendre quelqu'un par son point faible: Faire agir quelqu'un en flattant ses goûts.

FAIM **Crever de faim:** Manquer du nécessaire.

Ne pas manger à sa faim: Ne pas manger selon ses besoins.

Rester sur sa faim: Ne pas être comblé, satisfait.

F

FAIRE	**Bien faire et laisser dire :** Agir selon sa conscience sans se préoccuper des commentaires.
FAIT	**Aller droit au fait :** Affronter directement la situation, le problème ; aller à l'essentiel.
	Mettre quelqu'un devant le fait accompli : Obliger quelqu'un à accepter une chose faite.
	Prendre quelqu'un sur le fait : Surprendre quelqu'un au moment où il fait quelque chose.
FAMINE	**Crier famine :** Se plaindre de ses maigres ressources.
FAUTE	**Faute avouée est à demi pardonnée :** On pardonne plus facilement à celui qui reconnaît ses torts.
FÉE	**Avoir des doigts de fée :** Être extrêmement habile dans les travaux délicats.
FEMME	**Ce que femme veut, Dieu le veut :** Rien ne peut faire céder la volonté féminine.
FER	**Avoir une volonté de fer :** Être inébranlable.
	Battre le fer quand il est chaud : Profiter d'une situation sans tarder.
	Les quatre fers en l'air : À la renverse, par terre.
FESSE	**Avoir chaud aux fesses :** Avoir peur.
	Serrer les fesses : Avoir peur.
FÊTE	**Ce n'est pas tous les jours fête :** Il y a des moments désagréables, pénibles.
	Être à la fête : Éprouver une grande satisfaction, être heureux.
	Faire fête à quelqu'un : Accueillir quelqu'un chaleureusement.
	Faire la fête : Mener une vie de plaisir.
	Ne pas être à la fête : Être dans une situation pénible.
	Se faire une fête de quelque chose : Se réjouir de quelque chose.
FEU	**Avoir le feu au derrière :** Se précipiter, être pressé.
	Avoir le feu sacré : Avoir l'enthousiasme.
	Donner le feu vert : Donner l'autorisation, la permission.
	Être entre deux feux : Se trouver entre deux dangers aussi menaçants l'un que l'autre.
	Être tout feu tout flamme : Être enthousiaste et confiant.
	Faire mourir à petit feu : Faire mourir lentement et cruellement.
	Feu de paille : Ce qui est violent et passager.
	Il n'y a pas le feu : Soyez patients.
	Jouer avec le feu : Prendre un danger à la légère.
	Mettre le feu aux poudres : Entraîner des réactions violentes.
	Ne pas faire long feu : Ne pas durer longtemps.
FEUILLE	**Trembler comme une feuille :** Trembler de peur.
FIGURE	**Faire triste, piètre figure :** Ne pas se montrer à la hauteur des circonstances.

F

FIL **Au fil des jours:** Tout au long des jours.
Cousu de fil blanc: Facile à démasquer.
De fil en aiguille: Petit à petit.
Donner du fil à retordre à quelqu'un: Créer des embarras, des difficultés à quelqu'un.
Ne tenir qu'à un fil: Être fragile.

FIN **Jouer au plus fin:** Chercher à tromper quelqu'un en usant de ruse.
Mettre fin à ses jours: Se suicider.
Qui veut la fin veut les moyens: Quand on veut arriver à un résultat, on prend tous les moyens nécessaires pour réussir.
Toucher à sa fin: Être sur le point de se terminer.

FINIR **Tout est bien qui finit bien:** Une fin heureuse vient corriger les événements désagréables.

FLANC **Prêter le flanc à:** S'exposer à, donner prise à.
Tirer au flanc: Être paresseux, fainéant.

FLEUR **Être fleur bleue:** Être très sentimental.
Faire une fleur à quelqu'un: Accorder une faveur à quelqu'un.
Sensibilité à fleur de peau: Sensibilité qui réagit à la plus petite excitation.

FOIS **Une fois n'est pas coutume:** Un acte inhabituel, exceptionnel n'engage à rien.

FOND **À fond de train:** À toute vitesse.
Fond de train: Chose sans valeur.
Gratter les fonds de tiroir: Ramasser tout l'argent qu'on a de disponible.

FONTAINE **Il ne faut pas dire: fontaine, je ne boirai pas de ton eau:** Il ne faut pas jurer que l'on ne fera pas telle chose.

FORÇAT **Travailler comme un forçat:** Travailler très dur.

FORGER **C'est en forgeant qu'on devient forgeron:** L'habileté ne vient qu'avec la pratique.

FOU, FOLLE **La folle du logis:** L'imagination.

FOUDRE **Coup de foudre:** Amour subit et immédiat pour une autre personne.

FOUDROYER **Foudroyer quelqu'un du regard:** Lancer un regard chargé de colère à quelqu'un.

FOUET **De plein fouet:** De force et avec violence.

FOULÉE **Rester dans la foulée de quelqu'un:** Suivre quelqu'un en gardant la même allure.

FOURCHETTE **Avoir un bon coup de fourchette:** Avoir un gros appétit.
Être une bonne fourchette: Avoir un bon appétit.

FOURMI **Avoir des fourmis dans les jambes:** Avoir des picotements en raison d'une mauvaise circulation du sang.

FOURRER **Coup fourré:** Coup bas, hypocrite.

FREIN **Mettre un frein à quelque chose:** Mettre un obstacle à quelque chose.

F

	Ronger son frein: Contenir difficilement son impatience, sa peine, sa colère.
	Sans frein: Sans limites.
FRÈRE	**Partager en frères:** Partager également.
	Se ressembler comme des frères: Se ressembler beaucoup.
FROID	**Donner froid dans le dos:** Causer une grande peur.
	Être en froid avec quelqu'un: Être en mauvais termes avec quelqu'un, être fâché contre quelqu'un.
	Jeter un froid: Provoquer un malaise, une gêne.
	Ne pas avoir froid aux yeux: Ne pas avoir peur; être courageux.
FRONT	**Avoir le front de:** Avoir l'audace de.
	Faire front: Affronter, résister.
FUMÉE	**Il n'y a pas de fumée sans feu:** Il doit y avoir quelque chose de vrai dans le bruit qui court.
FUREUR	**Faire fureur:** Avoir beaucoup de succès.
FUSIL	**Changer son fusil d'épaule:** Changer d'opinion, de projet, d'activité.

G

GARÇON	**Enterrer sa vie de garçon:** Passer une dernière soirée de célibataire avec les amis avant de se marier.
GARDE	**Monter la garde:** Assurer un service de garde.
	Se tenir sur ses gardes: Être vigilant, être aux aguets.
GÂTEAU	**Avoir sa part du gâteau:** Tirer avantage d'une affaire intéressante.
GÉANT	**Aller à pas de géant:** Faire des progrès.
GENOU	**Demander à genoux:** Demander quelque chose avec insistance en s'humiliant.
	Être à genoux devant quelqu'un: Être en adoration devant quelqu'un.
	Être sur les genoux: Être très fatigué.
GIBIER	**Gibier de potence:** Criminel qui mérite d'être pendu.
GILET	**Pleurer dans le gilet de quelqu'un:** Se plaindre, chercher une consolation auprès de quelqu'un.
GLACE	**Briser la glace:** Dissiper, faire disparaître la gêne.
	Être de glace: Être insensible.
GOMME	**À la gomme:** Sans valeur.
GOND	**Sortir de ses gonds:** Être en colère.
GORGE	**Avoir le cœur dans la gorge:** Avoir le cœur serré par l'angoisse.
	Avoir le couteau sous la gorge: Être obligé à faire quelque chose par la violence, la menace.
	Faire des gorges chaudes: Faire des plaisanteries malveillantes.
	Faire rentrer les paroles dans la gorge: Obliger quelqu'un par la menace à nier ce qu'il avait dit.

G
Mettre à quelqu'un le couteau sous la gorge : Menacer quelqu'un.
Prendre quelqu'un à la gorge : Faire pression sur quelqu'un par la violence, la menace.
Rire à gorge déployée : Rire fort, sans se retenir.

GOÛT **Au goût du jour :** À la mode.
Des goûts et des couleurs, on ne discute pas : Chacun est libre d'avoir ses goûts et ses opinions.

GOUTTE **N'y comprendre goutte :** Ne rien y comprendre.
Se ressembler comme deux gouttes d'eau : Être semblables, trait pour trait.

GRÂCE **Être dans les bonnes grâces de quelqu'un :** Obtenir des faveurs de quelqu'un.
Faire à quelqu'un la grâce de : Avoir l'amabilité de.
Faire grâce à quelqu'un de quelque chose : Dispenser quelqu'un de quelque chose.
Trouver grâce aux yeux de quelqu'un : Plaire à quelqu'un, gagner sa bienveillance.

GRAIN **Mettre son grain de sel :** Participer à une conversation.
Veiller au grain : Être aux aguets, être prudent.

GRAINE **Casser la graine :** Manger.
Mauvaise graine : Enfant dont on ne présage rien de bon.

GRAPPIN **Mettre le grappin sur quelqu'un ou sur quelque chose :** Accaparer quelqu'un, s'approprier quelque chose.

GRÉ **Bon gré, mal gré :** Volontairement ou de force, qu'on le veuille ou non.
De gré à gré : D'un commun accord.
De gré ou de force : Volontairement ou de force.
Savoir gré à quelqu'un de quelque chose : Être reconnaissant à quelqu'un de quelque chose.

GRIPPE **Prendre en grippe :** Éprouver de l'aversion pour quelqu'un ou quelque chose.

GUERRE **De bonne guerre :** Sans hypocrisie, loyalement.
En sortir avec les honneurs de la guerre : Sortir d'une situation difficile en triomphant.
Guerre froide : État de tension entre des pays ou des personnes.

GUEULE **Faire la gueule :** Bouder.
Se casser la gueule : Échouer, tomber.

H

HABIT **L'habit ne fait pas le moine :** On ne doit pas juger les gens d'après leur apparence.

HACHE **Enterrer la hache de guerre :** Faire la paix.

HALEINE **À perdre haleine :** Jusqu'à essoufflement.
De longue haleine : À long terme, après des efforts soutenus.
D'une seule haleine : Sans s'arrêter.

H

	Tenir quelqu'un en haleine: Tenir quelqu'un en état d'attente.
HAMEÇON	**Mordre à l'hameçon:** Se laisser prendre à un piège sans voir la ruse.
HAUT, HAUTE	**La tête haute:** Avec fierté.
	Tomber de haut: Être vraiment très surpris.
HERBE	**Couper l'herbe sous le pied à quelqu'un:** Obtenir quelque chose à la place de quelqu'un.
	En herbe: Encore jeune, mais plein de promesses.
HEURE	**À la bonne heure!** C'est parfait!
HIRONDELLE	**Une hirondelle ne fait pas le printemps:** Un seul élément ne suffit pas pour tirer une conclusion générale.
HISTOIRE	**C'est toujours la même histoire:** Les mêmes incidents se reproduisent chaque fois.
	Faire des histoires: Donner une grande importance à des insignifiances.
HOMME	**Comme un seul homme:** Avec un ensemble parfait.
	D'homme à homme: Franchement, sans intermédiaire.
HONNEUR	**Faire à quelqu'un les honneurs de la maison:** Accueillir quelqu'un chaleureusement, lui faire visiter les lieux.
	Se faire un point d'honneur de quelque chose: Faire de quelque chose une question d'honneur.
HORIZON	**Faire un tour d'horizon:** Examiner tous les aspects d'une question.
HORS	**Hors de soi:** En colère.
HUILE	**Faire tache d'huile:** Se propager d'une façon continue, en parlant d'un phénomène.
	Jeter de l'huile sur le feu: Aggraver, attiser une discussion, une querelle.

I

I	**Droit comme un I:** Très droit.
ICI	**Je vois cela d'ici:** J'imagine très bien la chose.
IDÉE	**Idée fixe:** Idée qui s'impose sans cesse à l'esprit.
	Idées noires: Pensées tristes.
	N'avoir pas la moindre idée de: N'avoir aucune notion de, être tout à fait ignorant de.
	Perdre le fil de ses idées: Perdre la suite de ses idées.
	Se faire des idées: Se faire des illusions, s'imaginer quelque chose.
IMAGE	**Sage comme une image:** Calme, tranquille.
IMPOSSIBLE	**À l'impossible nul n'est tenu:** On ne peut exiger de personne des choses impossibles à faire.
INSCRIRE	**S'inscrire en faux contre quelque chose:** Contester la vérité, l'exactitude de quelque chose.

J

JAIS **Noir comme du jais:** D'un noir profond et brillant.

JAMBE **À toutes jambes:** Très vite.

Avoir les jambes coupées: Ne plus avoir de forces; être étonné.

Ça lui fait une belle jambe: Cela ne lui apporte aucun avantage.

Être dans les jambes de quelqu'un: Être trop près de quelqu'un, le gêner.

Prendre ses jambes à son cou: S'enfuir rapidement.

JAUNE **Rire jaune:** Rire sans en avoir envie.

JAUNISSE **En faire une jaunisse:** Être contrarié, en devenir malade.

JETER **Jeter un mauvais sort sur quelqu'un:** Diriger un mauvais sort sur quelqu'un.

JETON **Un faux jeton:** Un hypocrite.

JEU **Avoir beau jeu:** Être en bonne situation pour réussir.

Entrer dans le jeu: Participer à.

Être vieux jeu: Être démodé.

Faire le jeu de quelqu'un: Servir involontairement le jeu de quelqu'un.

Jouer gros jeu: Courir beaucoup de risques.

JEUDI **La semaine des quatre jeudis:** Jamais.

JEUNESSE **Il faut que jeunesse se passe:** Il faut excuser les erreurs du jeune âge.

Les voyages forment la jeunesse: Les voyages font acquérir des connaissances.

Si jeunesse savait, si vieillesse pouvait: Les jeunes n'ont pas l'expérience des vieux, les vieux n'ont pas la vigueur des jeunes.

JOUG **Secouer le joug:** Se révolter.

JOUR **À chaque jour suffit sa peine:** Il y a assez de soucis quotidiens pour s'en faire avec l'avenir.

Donner le jour: Donner naissance.

Être comme le jour et la nuit: Être très différents, opposés.

Les jours se suivent et ne se ressemblent pas: Les circonstances varient.

Percer à jour: Découvrir les intentions.

Voir le jour: Naître; sortir d'un état.

JUPE **Être dans les jupes de sa mère:** S'accrocher à sa mère.

JUPON **Courir le jupon:** Courir les filles ou les femmes.

JURER **Il ne faut jurer de rien:** C'est imprudent de répondre de ce qu'on fera ou de ce qui arrivera.

Ne jurer que par quelqu'un: Imiter, admirer quelqu'un.

JUSTE **Dormir du sommeil du juste:** Dormir d'un sommeil paisible que rien ne trouble.

JUSTICE **Se faire justice:** Se venger sans l'aide des tribunaux.

L

LAISSE **Tenir quelqu'un en laisse :** Ne pas laisser de liberté à quelqu'un.

LANGUE **Avaler sa langue :** Garder silence.
Avoir la langue bien pendue : Être bavard.
Avoir la langue trop longue : Ne pas garder un secret.
Avoir un mot sur le bout de la langue : Avoir un souvenir vague d'un mot.
Donner sa langue au chat : S'avouer incapable de trouver une solution.
Langue de vipère ; mauvaise langue : Personne qui dit du mal des autres.
Ne pas avoir sa langue dans sa poche : Parler avec facilité et franchise, être bavard.
Se mordre la langue : Regretter d'avoir dit quelque chose.
Tenir sa langue : Garder un secret, se retenir de parler.
Tirer la langue : Manquer de quelque chose que l'on désire, avoir soif.

LANTERNE **Éclairer la lanterne de quelqu'un :** Fournir à quelqu'un les explications d'un fait.

LARD **Faire du lard :** Prendre du poids parce qu'on est inactif.

LARGE **Ne pas en mener large :** Ne pas être à l'aise, être dans une situation critique.
Prendre le large : S'éloigner, s'enfuir.

LARME **Avoir toujours la larme à l'œil :** Avoir tendance à être triste, à avoir envie de pleurer.

LATIN **Y perdre son latin :** Ne rien comprendre à quelque chose.

LAURIER **S'endormir sur ses lauriers :** Se satisfaire d'un premier succès et ne plus faire d'effort.

LEÇON **Faire la leçon à quelqu'un :** Réprimander, gronder quelqu'un, lui dicter sa conduite.

LÉGER, ÈRE **À la légère :** Sans réfléchir.

LENDEMAIN **Du jour au lendemain :** En peu de temps, brusquement.

LETTRE **À la lettre, au pied de la lettre :** De manière très précise, sans aucune liberté.
Passer comme une lettre à la poste : Facilement.
Rester lettre morte : Être inutile, sans valeur.

LÈVRE **Du bout des lèvres :** Avec réticence.
Être suspendu aux lèvres de quelqu'un : Écouter quelqu'un avec une très grande attention.
Manger du bout des lèvres : Manger sans appétit.
Se mordre les lèvres : Regretter d'avoir dit quelque chose ; s'empêcher de rire.

LÉZARD **Être paresseux comme un lézard :** Être inactif, fainéant.
Faire le lézard : Se chauffer paresseusement au soleil.

LIEU **En haut lieu :** Au sommet de l'organisation sociale.
Vider les lieux : Partir vite, vider la place.

LIEUE **Être à cent lieues de :** Être très éloigné.

L

LIÈVRE	**Courir deux lièvres à la fois :** Viser deux objectifs, s'adonner à deux activités différentes avec le risque d'échouer dans les deux cas.
	Mémoire de lièvre : Mémoire très faible.
LIGNE	**Garder la ligne :** Être mince.
	Lire entre les lignes : Deviner ce qui n'est pas dit expressément.
	Sur toute la ligne : Entièrement, complètement.
LINGE	**Laver son linge sale en famille :** Ne pas se disputer devant les étrangers.
LION	**La part du lion :** La plus grosse part que prend le plus fort.
	Manger du lion : Faire preuve d'une force extraordinaire.
LIPPE	**Faire la lippe :** Bouder.
LOCOMOTIVE	**Fumer comme une locomotive :** Fumer beaucoup.
LOGE	**Être aux premières loges :** Être bien placé.
LOIN	**Aller loin dans la vie :** Avoir un bel avenir.
	Mener loin : Avoir de sérieuses conséquences.
	Revenir de loin : Relever d'une grave maladie.
LONG	**De long en large :** Avec beaucoup de détails.
	En savoir long : Savoir beaucoup de choses.
LONGUEUR	**Traîner en longueur :** Durer très longtemps, s'éterniser.
LOUP	**À pas de loup :** Avec précaution.
	Avoir une faim de loup : Avoir une faim extrême.
	Hurler avec les loups : Être injuste, comme ceux avec qui on se trouve, pour ne pas leur déplaire.
	Se jeter dans la gueule du loup : S'exposer naïvement à un danger qu'on pouvait éviter.
LOUPE	**À la loupe :** Avec une grande minutie.
LUMIÈRE	**Faire toute la lumière :** Trouver les explications nécessaires.
LUNE	**Être dans la lune :** Être distrait.
	Lune de miel : Période de bonne entente.
	Promettre la lune : Promettre l'impossible.
LUXE	**Ce n'est pas du luxe :** C'est une dépense nécessaire.
	Se payer le luxe de : Se permettre de faire une chose malgré les conséquences que cela peut entraîner.
LYNX	**Avoir des yeux de lynx :** Avoir une très bonne vue.

M

MÂCHER	**Mâcher le travail à quelqu'un :** Préparer le travail à quelqu'un de façon à lui faciliter la tâche.
	Ne pas mâcher ses mots : Dire ce que l'on pense avec une franchise brutale.
MACHINE	**Faire machine arrière :** Reculer, renoncer.
MÂCHOIRE	**Rire à se décrocher la mâchoire :** Rire très fort.
MADELEINE	**Pleurer comme une Madeleine :** Pleurer abondamment.

M

MAILLE **Avoir maille à partir avec quelqu'un:** Avoir un différend avec quelqu'un.

MAIN **Applaudir des deux mains:** Approuver sans hésiter.
Avoir la haute main sur quelque chose: Avoir tous les pouvoirs.
Avoir la main ferme: Avoir de l'autorité.
Avoir la main heureuse: Réussir.
Avoir les mains dans les poches: Ne rien faire.
Avoir les mains libres: Avoir la liberté d'action.
Avoir les mains liées: Ne pas pouvoir agir librement.
Avoir sous la main: Avoir à sa disposition.
Coup de main: Aide momentanée.
De longue main: Depuis longtemps.
De main de maître: Avec excellence.
Demander la main de quelqu'un: Demander en mariage.
De première main: De la main de celui qui a fabriqué l'objet.
De seconde main: D'occasion.
Donner sa main à quelqu'un: Épouser quelqu'un.
En mettre sa main au feu: Affirmer avec énergie, en être sûr.
En venir aux mains: Commencer à se battre.
Être en bonnes mains: Être sous la surveillance d'une personne compétente.
Être pris la main dans le sac: Être pris en flagrant délit.
Faire main basse sur: Prendre, voler.
Forcer la main à quelqu'un: Contraindre quelqu'un.
Grand comme la main: Très petit.
Haut la main: Facilement.
Mettre la dernière main à quelque chose: Terminer quelque chose.
Mettre la main à la pâte: Aider personnellement.
Mettre la main sur quelque chose: Trouver quelque chose.
Ne pas y aller de main morte: Frapper violemment.
Remettre en mains propres: Remettre directement à la personne concernée.
Se faire la main: S'exercer à un travail réclamant du savoir-faire.
Se laver les mains, s'en laver les mains: Se désintéresser de quelque chose, ne pas en prendre la responsabilité.
Une main de fer dans un gant de velours: Une autorité ferme sous une apparence de douceur.

MAIN-FORTE **Prêter main-forte:** Apporter son aide à quelqu'un.

MAÎTRE **Être maître de soi:** Se contrôler, se maîtriser.
Être son maître: Être indépendant.

M

Le temps est un grand maître: Le temps donne de l'expérience.
Passer maître dans quelque chose: Devenir très adroit à quelque chose.
Se rendre maître de quelque chose: S'emparer de quelque chose, pouvoir le maîtriser.
Trouver son maître: Rencontrer quelqu'un qui est supérieur à soi.

MAL, MAUX **Aux grands maux les grands remèdes:** Il faut avoir recours à un traitement énergique quand le mal est grave.
De mal en pis: De plus en plus mal.
Entre deux maux, il faut choisir le moindre: Entre deux maux, il faut choisir le moins pénible.
Il n'y a pas de mal: Ce n'est pas grave.
Mal tourner: Se gâter, mal se terminer.
Se trouver mal: S'évanouir.

MALHEUR **À quelque chose malheur est bon:** Tout événement pénible comporte des compensations.
Jouer de malheur: Ne pas avoir de chance.
Un malheur ne vient jamais seul: Il est rare qu'une seule épreuve arrive.

MALIN **Malin comme un singe:** Astucieux.

MANCHE **Avoir quelqu'un dans sa manche:** Disposer de quelqu'un à son gré.
Branler dans le manche: Hésiter beaucoup.
Retrousser ses manches: Se mettre courageusement au travail.
Une autre paire de manches: Une chose tout à fait différente.

MANCHOT **Ne pas être manchot:** Être débrouillard, adroit.

MANQUER **Il ne manquait plus que ça:** C'est le comble.

MANTEAU **Sous le manteau:** Clandestinement.

MARBRE **Rester de marbre:** Rester impassible.

MARCHÉ **Faire bon marché de quelque chose:** Faire peu de cas de quelque chose.
Par-dessus le marché: En plus.
S'en tirer à bon marché: S'en tirer à bon compte.

MARGE **En marge de:** En dehors de.

MARGUERITE **Effeuiller la marguerite:** Détacher, par superstition, les pétales d'une marguerite pour savoir si on est aimé.

MARMOTTE **Dormir comme une marmotte:** Dormir profondément.

MARTEAU **Être entre l'enclume et le marteau:** Se trouver entre deux partis opposés.

MARTYR **Jouer les martyrs:** Faire semblant de supporter de grandes souffrances.

MASSE **Tomber, s'écrouler, s'affaisser comme une masse:** Tomber, s'écrouler, s'affaisser de tout son poids.

MASSUE **Coup de massue:** Événement catastrophique et imprévu.

M

MATIN	**Du matin au soir:** Toute la journée, sans discontinuité.
MÈCHE	**Être de mèche avec quelqu'un:** Être d'accord, complice avec quelqu'un. **Éventer, découvrir la mèche:** Trouver, découvrir le secret d'un complot. **Vendre la mèche:** Révéler le secret d'une affaire.
MÉDAILLE	**Le revers de la médaille:** L'aspect ennuyeux d'une chose.
MEMBRE	**Trembler de tous ses membres:** Trembler de peur.
MÉMOIRE	**Avoir la mémoire courte:** Oublier facilement, ne pas se rappeler quelque chose. **Rafraîchir la mémoire de quelqu'un:** Rappeler à quelqu'un un souvenir oublié.
MÉNAGE	**Faire bon ménage avec quelqu'un:** Bien s'entendre avec quelqu'un.
MENTIR	**A beau mentir qui vient de loin:** Il est facile d'être cru quand personne ne peut vérifier ce que l'on dit.
MER	**La mer à boire:** Une entreprise longue et difficile.
MERCENAIRE	**Travailler comme un mercenaire:** Travailler beaucoup et dans des conditions difficiles.
MERCI	**Être à la merci de:** Dépendre entièrement de quelqu'un ou de quelque chose.
MERVEILLE	**Faire merveille:** Obtenir des résultats remarquables. **La huitième merveille du monde:** Quelque chose de remarquable.
MESURE	**Dans la mesure du possible:** Jusqu'à un certain point. **Être en mesure de:** Être en état de.
MÉTIER	**À chacun son métier et les vaches seront bien gardées:** Que chacun s'occupe de ses affaires et tout ira pour le mieux. **Il n'y a pas de sot métier:** Tous les métiers sont utiles et respectables.
MIDI	**Chercher midi à quatorze heures:** Chercher des problèmes là où il n'y en a pas.
MIEL	**Être tout sucre tout miel:** Être d'une douceur inhabituelle, souvent hypocrite.
MINE	**Avoir bonne mine:** Avoir l'air en santé. **Avoir mauvaise mine:** Avoir l'air malade. **Faire mine de:** Faire semblant de. **Mine de rien:** Sans en avoir l'air. **Ne pas payer de mine:** Ne pas avoir une bonne apparence.
MIRACLE	**Accomplir des miracles:** Obtenir des résultats remarquables. **Crier au miracle:** Manifester une grande admiration. **Croire aux miracles:** Être optimiste.
MONDE	**C'est le monde à l'envers:** C'est inhabituel. **Le monde est petit:** Toute rencontre peut se produire. **Pour rien au monde:** En aucun cas.

M

Tout est pour le mieux dans le meilleur des mondes possibles: La vie est belle.

MONT **Promettre monts et merveilles:** Promettre des choses merveilleuses mais souvent irréalisables.

MONTAGNE **Faire une montagne de quelque chose:** Donner une importance exagérée à une chose.

Soulever des montagnes: Venir à bout de très grosses difficultés.

MONTRE **Course contre la montre:** Action devant être accomplie rapidement.

Faire montre de: Manifester.

Montre en main: Avec précision.

MORS **Prendre le mors aux dents:** S'emballer, se laisser emporter.

MORT **À l'article de la mort:** À l'agonie.

Faire le mort: Rester rigoureusement immobile.

La mort dans l'âme: Contre son gré.

Mourir de sa belle mort: Mourir de mort naturelle.

Plus mort que vif: Paralysé par la peur.

MOT **À mots couverts:** En termes voilés.

Avoir des mots avec quelqu'un: Se quereller avec quelqu'un.

Avoir le dernier mot: L'emporter dans une discussion.

Avoir son mot à dire: Être en droit de donner son opinion.

En toucher un mot à quelqu'un: Mentionner brièvement quelque chose à quelqu'un.

Entre deux mots: Brièvement.

Manger ses mots: Prononcer indistinctement.

Ne pas avoir dit son dernier mot: Ne pas avoir terminé, être encore capable d'intervenir.

Prendre quelqu'un au mot: Accepter immédiatement ce que quelqu'un propose.

Sans mot dire: En silence.

Se donner le mot: Se mettre d'accord avec quelqu'un.

Un mot plus haut que l'autre: D'un ton égal, sans colère.

MOUCHE **Faire mouche:** Atteindre son but.

Il ne ferait pas de mal à une mouche: Il est incapable de faire du tort à qui que ce soit.

On ne prend pas les mouches avec du vinaigre: On n'obtient rien de personne par la force.

Prendre la mouche: Se mettre en colère pour un rien.

Quelle mouche l'a piqué? Pourquoi se fâche-t-il?

Tomber, crever, mourir comme des mouches: Mourir en grand nombre.

Une fine mouche: Une personne habile et rusée.

MOULIN **Moulin à paroles:** Personne qui parle sans arrêt.

M

	Se battre contre des moulins à vent: Se battre contre des obstacles imaginaires.
MOURIR	**Mourir à la tâche:** Mourir à force de travail.
MOUTARDE	**La moutarde lui monte au nez:** L'impatience, la colère le gagne.
MOUTON	**Revenir à ses moutons:** Revenir à son sujet.
MOUVEMENT	**Avoir un bon mouvement:** Se montrer généreux.
MOYEN	**Employer les grands moyens:** Prendre des mesures très énergiques.
	Les moyens du bord: Moyens limités mais dont on dispose immédiatement.
MULE	**Être têtu comme une mule:** Être entêté, obstiné.
	Tête de mule: Personne qui tient à ses idées.
MULET	**Chargé comme un mulet:** Lourdement chargé.
MUR	**Être au pied du mur:** Être obligé d'agir.
	Les murs ont des oreilles: On risque d'être épié, surveillé.
	Mettre quelqu'un au pied du mur: Contraindre quelqu'un à faire quelque chose.
MÛR	**Après mûre réflexion:** Après avoir longuement réfléchi.
MUSÉE	**Musée des horreurs:** Ensemble de choses très laides.
MUSIQUE	**Connaître la musique:** Savoir de quoi il s'agit.
MYSTÈRE	**Faire un mystère de quelque chose:** Tenir quelque chose secret et refuser d'en parler.

N

NATURE	**Contre nature:** Qui s'oppose à l'ordre naturel des choses.
	Payer en nature: Payer avec des objets réels et non avec de l'argent.
	Seconde nature: Caractère acquis, non inné.
NATUREL	**Chassez le naturel, il revient au galop:** Il est difficile de se défaire totalement de ses tendances naturelles.
NÉ	**Ne pas être né d'hier:** Avoir de l'expérience.
NÈGRE	**Travailler comme un nègre:** Travailler très fort et sans relâche.
NEIGE	**Faire boule de neige:** Prendre des proportions de plus en plus grandes.
	Fondre comme neige au soleil: Disparaître peu à peu.
NERF	**Avoir du nerf:** Avoir de l'énergie.
	Avoir les nerfs à fleur de peau: Être irritable.
	Avoir les nerfs en boule: Être irritable.
	Crise de nerfs: Cris, pleurs, lamentations agitées.
	Être à bout de nerfs: Être épuisé, surexcité.
	Être sur les nerfs: Être dans un état de grande tension.
	Taper sur les nerfs: Agacer, énerver.
	Un paquet de nerfs: Une personne très nerveuse.
NEZ	**À plein nez:** Très fort.

N

Au nez de quelqu'un : Devant quelqu'un, ouvertement.
Avoir du nez : Être perspicace.
Avoir un verre dans le nez : Être un peu ivre.
Fourrer son nez dans : Être indiscret.
Fourrer son nez partout : Être curieux, vouloir tout savoir.
Le nez au vent : En flânant.
Mener quelqu'un par le bout du nez : Avoir une grande influence sur quelqu'un.
Mettre le nez dehors : Sortir.
Montrer le bout de son nez : Se montrer, sortir.
Ne pas regarder plus loin que le bout de son nez : Manquer de clairvoyance.
Passer sous le nez de quelqu'un : Échapper à quelqu'un.
Regarder quelqu'un sous le nez : Regarder quelqu'un de très près, de façon indiscrète.
Se casser le nez : Échouer.

NOBLESSE **Noblesse oblige :** Tout personnage bien considéré doit se conduire comme son rang l'exige.

NOCE **En justes noces :** Légitimement.
Faire la noce : Avoir une vie frivole.

NOIR **Broyer du noir :** Être déprimé.
Être dans le noir : Ne rien comprendre à quelque chose.
Voir les choses en noir : Considérer les choses avec pessimisme.

NOM **Se faire un nom :** Devenir célèbre.
Traiter quelqu'un de tous les noms : Injurier quelqu'un.

NOMBRIL **Se prendre pour le nombril du monde :** Se croire une personne très importante.

NORD **Perdre le nord :** Perdre la tête, s'affoler.

NOTE **Chanter toujours sur la même note :** Répéter sans cesse la même chose.
Donner la note : Donner l'exemple à suivre.
Être dans la note : Être dans le style.
Fausse note : Élément qui ne convient pas à un ensemble.
Forcer la note : Exagérer.
Prendre note : Noter avec soin pour ne pas oublier.

NOUVEAU **Il n'y a rien de nouveau sous le soleil :** Aucun fait remarquable à signaler.
Tout nouveau, tout beau : Ce qui est nouveau est apprécié sur le moment puis délaissé ensuite.

NOUVELLE **Pas de nouvelles, bonnes nouvelles :** Quand on ne reçoit pas de nouvelles de quelqu'un, on peut supposer que rien ne lui est arrivé.
Vous aurez de mes nouvelles : Je me vengerai.
Vous m'en direz des nouvelles : Vous en serez satisfait.

NOYER **Noyer son chagrin dans l'alcool :** Boire pour oublier sa peine.

N

Se noyer dans un verre d'eau: Être incapable de faire face à la moindre difficulté.

NUAGE **Bonheur sans nuage:** Bonheur parfait.

Être dans les nuages: Être distrait.

Nuage de lait: Petite quantité de lait.

NUES **Porter quelqu'un aux nues:** Manifester un grand enthousiasme pour quelqu'un.

Tomber des nues: Être extrêmement surpris.

NUIT **La nuit porte conseil:** Il est conseillé de réfléchir le temps d'une nuit avant de prendre une décision importante.

O

OCCASION **L'occasion fait le larron:** Les circonstances peuvent amener à commettre des actes imprévus.

Sauter sur l'occasion: Tirer parti d'une occasion sans attendre.

ŒIL, YEUX **Accepter quelque chose les yeux fermés:** Accepter quelque chose en toute confiance.

Avoir les yeux plus grands que la panse: Être incapable de manger autant qu'on le voulait.

Avoir l'œil sur quelqu'un: Surveiller quelqu'un.

Coup d'œil: Regard rapide.

Coûter les yeux de la tête: Être hors de prix.

Crever les yeux, sauter aux yeux: Être évident.

Entre quatre yeux: Entre deux personnes, sans témoins.

Faire de l'œil à quelqu'un: Jeter à quelqu'un des regards amoureux.

Faire les gros yeux à quelqu'un: Regarder quelqu'un sévèrement.

Faire les yeux doux à quelqu'un: Regarder quelqu'un avec amour, avec douceur.

Fermer les yeux à quelqu'un: Assister quelqu'un au moment de sa mort.

Fermer les yeux sur quelque chose: Faire semblant de ne pas voir quelque chose.

L'œil du maître: La surveillance attentive du maître à qui rien n'échappe.

Manger des yeux: Regarder avidement.

Ne dormir que d'un œil: Dormir légèrement.

Ne pas avoir les yeux dans sa poche: Être très observateur, indiscret.

Ne pas fermer l'œil de la nuit: Ne pas dormir.

Ouvrir l'œil: Être vigilant, attentif.

Pour les beaux yeux de quelqu'un: Pour faire plaisir à quelqu'un.

S'arracher le blanc des yeux: Se disputer avec violence.

Sous les yeux de quelqu'un: En présence de quelqu'un.

Tourner de l'œil: S'évanouir.

O

Voir les choses d'un bon œil: Être favorable à quelque chose.
Voir les choses d'un mauvais œil: Être défavorable à quelque chose.

ŒILLÈRE **Avoir des œillères:** Être étroit d'esprit.

ŒUF **Marcher sur des œufs:** Avoir une démarche mal assurée.
Mettre tous ses œufs dans le même panier: Mettre toutes ses ressources dans une même entreprise.

OFFENSE **Il n'y a pas d'offense:** Ce n'est rien, il n'y a pas de mal.

OFFICE **Faire office de:** Tenir lieu de.

OGRE **Manger comme un ogre:** Manger beaucoup, gloutonnement.

OIGNON **Aux petits oignons:** Très bien, parfait.
En rang d'oignons: Sur une seule ligne, à la suite.
S'occuper de ses oignons: S'occuper de ses affaires.

OISEAU **À vol d'oiseau:** En ligne droite.
Être comme l'oiseau sur la branche: Être dans une situation précaire.
L'oiseau s'est envolé: Celui qu'on recherchait s'est enfui.
Manger comme un oiseau: Manger très peu.
Petit à petit, l'oiseau fait son nid: Les choses se font progressivement.

OISIVETÉ **L'oisiveté est la mère de tous les vices:** N'avoir rien à faire, c'est s'exposer à toutes les tentations.

OMBRAGE **Porter ombrage à quelqu'un:** Causer à quelqu'un l'inquiétude d'être éclipsé.
Prendre ombrage de quelque chose: Éprouver de la peine, du dépit, de la jalousie de quelque chose.

OMBRE **Avoir peur de son ombre:** Être de nature craintive.
Être l'ombre de quelqu'un: Suivre quelqu'un partout.
Il n'y a pas l'ombre d'un doute: La chose est absolument certaine.
Mettre quelqu'un à l'ombre: Mettre quelqu'un en prison.
Rester dans l'ombre: Ne pas être connu, passer inaperçu.
Une ombre au tableau: Déception, obstacle qui empêche que tout aille bien.

OMELETTE **On ne fait pas d'omelette sans casser des œufs:** On ne parvient pas à un résultat sans effort, ni sacrifices.

ONDE **Être sur la même longueur d'onde:** Se comprendre, en parlant de deux personnes.

ONGLE **Jusqu'au bout des ongles:** Complètement.

OR **De l'or en barre:** Une valeur sûre.
Pour tout l'or du monde: À aucun prix, jamais.
Tout ce qui brille n'est pas d'or: Il ne faut pas se laisser influencer par des apparences flatteuses.
Un public en or: Un très bon public.

O

ORAGE **Il y a de l'orage dans l'air:** Il y a une tension qui annonce une querelle.

OREILLE **Avoir l'oreille basse:** Être humilié, penaud.

Avoir l'oreille de quelqu'un: Être écouté de quelqu'un.

Avoir l'oreille fine: Percevoir les sons les plus faibles.

Casser les oreilles à quelqu'un: Ennuyer quelqu'un par ses propos.

Dormir sur ses deux oreilles: Dormir profondément et tranquillement.

Entrer par une oreille et sortir par l'autre: Entendre quelque chose et l'oublier tout de suite.

Faire la sourde oreille à: Feindre de ne pas entendre.

Frotter, tirer les oreilles de quelqu'un: Punir quelqu'un.

Montrer le bout de l'oreille: Montrer son vrai caractère.

N'écouter que d'une oreille: Écouter distraitement.

Prêter l'oreille: Écouter.

Rebattre les oreilles à quelqu'un: Fatiguer quelqu'un par ses paroles.

Se faire tirer l'oreille: Se faire prier.

OS **Être trempé jusqu'aux os:** Être complètement trempé, glacé.

OUBLIETTES **Mettre aux oubliettes:** Laisser de côté.

OUI **Pour un oui, pour un non:** À tout propos, sans raison.

OURS **Il ne faut pas vendre la peau de l'ours avant de l'avoir tué:** Il ne faut pas disposer d'une chose avant de l'avoir en main.

Ours mal léché: Personnage grossier, mal élevé.

Tourner comme un ours en cage: Marcher de long en large dans une chambre.

OUVERTURE **Ouverture d'esprit:** Aptitude à saisir, capacité d'adaptation.

P

PAGE **Être à la page:** Être à la mode.

Tourner la page: Oublier ce qui vient de se passer.

PAILLE **Être sur la paille:** Être ruiné.

Homme de paille: Homme qui n'agit pas en son nom personnel.

Tirer à la courte paille: Tirer au sort des brins de paille dont l'un est plus court que les autres.

PAIN **Avoir du pain sur la planche:** Avoir beaucoup de travail à faire.

Gagner son pain à la sueur de son front: Gagner sa vie en travaillant fort.

PAIRE **Les deux font la paire:** Ces deux personnes s'entendent très bien.

PANNEAU **Tomber dans le panneau:** Se faire prendre au piège.

PAON **Être vaniteux comme un paon:** Étaler ses talents avec l'intention d'être remarqué.

P

PARADIS **Il ne l'emportera pas en paradis :** On n'oublie pas le mal que quelqu'un nous a fait et on se vengera.

PARLER **Trouver à qui parler :** Trouver quelqu'un qui ne se laisse pas faire.

Tu parles ! Ce n'est pas vrai !

PAROLE **Couper la parole :** Interrompre.

Donner sa parole d'honneur : Promettre.

La parole est d'argent mais le silence est d'or : La parole est bonne et utile mais le silence peut être plus précieux.

Prendre la parole : Commencer à parler.

PART **À part :** Séparé du reste.

De la part de : Provenant de.

De part et d'autre : De chaque côté.

Faire part de quelque chose à quelqu'un : Annoncer quelque chose à quelqu'un.

PARTI **Parti pris :** Idée toute faite.

Prendre son parti de quelque chose : Accepter quelque chose.

Tirer parti de : Tirer des avantages de.

PARTIE **Avoir affaire à forte partie :** Avoir un adversaire redoutable.

PAS **À deux pas :** Tout près.

De ce pas : Immédiatement.

Faire les cent pas : Aller et venir.

Il n'y a que le premier pas qui coûte : C'est le début de l'action qui est le plus difficile.

Mauvais pas : Mauvaise situation.

Pas à pas : Peu à peu, avec prudence.

Revenir sur ses pas : Revenir en arrière.

PASSE **Être dans une bonne passe :** Être dans une période de chance.

Être dans une mauvaise passe : Avoir des ennuis.

Être en passe de : Être sur le point de.

PASSOIRE **Avoir la mémoire comme une passoire :** Avoir des trous de mémoire.

PATATE **En avoir gros sur la patate :** En avoir gros sur le cœur.

PÂTE **Bonne pâte :** Personne à caractère facile.

Pâte molle : Personne indécise, sans volonté.

PATIENCE **Perdre patience :** Devenir agressif, intolérant.

Prendre son mal en patience : Attendre calmement.

PATIN **Accrocher ses patins :** Prendre sa retraite.

Être vite sur ses patins : Avoir l'esprit vif.

PATTE **Pattes de mouche :** Écriture petite et peu lisible.

Traîner la patte, la jambe : Marcher péniblement.

PEAU **Attraper quelqu'un par la peau des fesses :** Attraper quelqu'un quand il s'en va.

N'avoir que la peau sur les os : Être très maigre.

P

PÉDALE **Perdre les pédales:** Ne plus supporter une situation, s'affoler.

PEIGNE **Passer au peigne fin:** Examiner attentivement.

PELLE **À la pelle:** En grande quantité.

PÈRE **Tel père, tel fils:** Le fils agit souvent comme son père.

PÉRIL **À péril de:** Au risque de.

PERTE **À perte de vue:** Aussi loin qu'on puisse voir.

PÉTRIN **Être dans un pétrin:** Être dans une situation compliquée, d'où il est difficile de sortir.

PIC **Couler à pic:** Échouer brusquement.
Tomber à pic: Arriver au bon moment.

PIE **Trouver la pie, l'oiseau au nid:** Trouver quelqu'un chez lui.

PIED **Avoir bon pied, bon œil:** Être en bonne santé.
Avoir les deux pieds dans la même bottine, le même soulier: Être incapable d'agir.
Avoir un pied dans la tombe: Être sur le point de mourir.
Casser les pieds à quelqu'un: Embêter quelqu'un, l'ennuyer.
De pied ferme: Sans avoir peur.
Être aux pieds de quelqu'un: Être soumis à quelqu'un.
Faire des pieds et des mains: Demander avec insistance, revenir à la charge, employer tous les moyens.
Fouler aux pieds: Traiter avec mépris.
Lâcher pied: Reculer, céder.
Ne plus remettre les pieds dans, chez: Ne plus retourner dans, chez.
Partir du mauvais pied: Mal commencer.
Perdre pied: Ne plus pouvoir comprendre une explication.
Sauter à pieds joints: Se lancer sur une occasion.
Se mettre les pieds dans les plats: Aborder un sujet dont il vaudrait mieux ne pas parler.

PIERRE **Faire d'une pierre deux coups:** À partir d'un seul moyen, obtenir deux résultats.
Jeter la pierre à quelqu'un: Accuser quelqu'un, le blâmer.
Malheureux comme une pierre: Très malheureux.

PIGNON **Avoir pignon sur rue:** Avoir la propriété d'une maison.

PILE **Arrêter pile:** Arrêter brusquement.
Tomber pile: Arriver juste au bon moment.

PINSON **Gai comme un pinson:** Être d'une humeur joyeuse.

PIPE **Casser sa pipe:** Mourir.

PLUIE **Parler de la pluie et du beau temps:** Avoir une conversation insignifiante, n'avoir rien à se dire.

PLOMB **Avoir du plomb dans l'aile:** Être menacé dans sa santé, sa prospérité.
Avoir du plomb dans la tête: Être calme, raisonnable.
Sommeil de plomb: Sommeil très profond.

P

PLUME **Vivre de sa plume:** Être écrivain.
Y laisser des plumes: Sortir diminué d'une lutte quelconque.

POCHE **C'est dans la poche:** La réussite est assurée.
Connaître comme sa poche: Connaître à fond.
Faire les poches de quelqu'un: Fouiller les vêtements de quelqu'un, le plus souvent pour le voler.
Mettre quelqu'un dans sa poche: Utiliser quelqu'un à son avantage.
Se remplir les poches: S'enrichir malhonnêtement.

POIDS **Au poids de l'or:** À un prix très élevé.
Avoir deux poids et deux mesures: Juger de façon différente dans des cas analogues.
Ne pas faire le poids: Ne pas avoir les capacités, les forces requises.
Poids mort: Personne ou chose qui n'est qu'un fardeau sans utilité.

POIL **Au poil:** Avec précision.
Être de mauvais poil: Être de mauvaise humeur.
Reprendre du poil de la bête: Se ressaisir.

POING **Dormir à poings fermés:** Dormir très profondément.
Pieds et poings liés: Dans une totale impossibilité d'agir.

POINT **Être mal en point:** Être malade ou être en mauvais état.
Faire le point: Étudier la situation par rapport aux faits.
Le point du jour: Le moment où le jour apparaît.
Mettre les points sur les i: Insister pour bien faire comprendre, expliquer clairement.

POINTE **Décocher des pointes à quelqu'un:** Railler quelqu'un.
Pousser sa pointe: Poursuivre sa route, son chemin jusqu'à un endroit non prévu dans l'itinéraire.

POISSON **Comme un poisson dans l'eau:** À l'aise.
Nager comme un poisson: Nager à la perfection.
Poisson d'avril: Plaisanterie que l'on fait le premier avril.

POIVRE **Poivre et sel:** Mêlés de noir et de gris ou de blanc, en parlant des cheveux.

POMME **Haut comme trois pommes:** Très petit.
Tomber dans les pommes: S'évanouir.

PONT **Couper les ponts:** Interrompre toute relation.

PORT **Arriver à bon port:** Arriver à destination en bon état.

PORTE **Claquer la porte au nez de quelqu'un:** Mettre quelqu'un dehors, lui refuser l'entrée.
Écouter aux portes: Chercher à surprendre des secrets.
Enfoncer une porte ouverte: Faire de grands efforts pour surmonter une difficulté qui n'existe pas.
Entrer par la grande porte: Accéder directement à un haut poste, par la voie la plus honorable.
Entrer par une porte et sortir par l'autre: Passer rapidement avant de s'enfuir.

P

Frapper à la bonne porte: S'adresser au bon endroit ou à la bonne personne.
Mettre quelqu'un à la porte: Renvoyer quelqu'un, le chasser.
Prendre la porte: Sortir, quitter.
Trouver une porte de sortie: Trouver un moyen de résoudre une difficulté.

PORTÉE **À portée de la main:** À une distance suffisamment courte pour qu'une chose soit facilement accessible.

POSTURE **Être en bonne, mauvaise posture:** Être dans une situation favorable, défavorable pour agir.

POT **Dans les petits pots les bons onguents:** À une petite taille peuvent correspondre de grandes qualités.
Découvrir le pot aux roses: Découvrir le secret, la réalité.
Tourner autour du pot: Hésiter.

POUCE **Donner le coup de pouce:** Mettre la dernière main à un ouvrage.
Manger sur le pouce: Manger rapidement, ordinairement debout et sans assiette.
Ne pas avancer d'un pouce: Rester immobile.
Se mordre les pouces de quelque chose: Regretter beaucoup quelque chose.
Se tourner les pouces: Ne rien faire.

POUDRE **Jeter de la poudre aux yeux:** Chercher à éblouir.
Ne pas avoir inventé la poudre: Ne pas être très intelligent.
Prendre la poudre d'escampette: S'enfuir.

POULE **Mère poule:** Mère qui protège trop ses enfants.
Quand les poules auront des dents: Jamais.

POULS **Tâter le pouls de quelqu'un:** Chercher à connaître les intentions de quelqu'un.

POUMON **Avoir de bons poumons:** Avoir une voix forte.
Crier à pleins poumons: Crier avec force.

POUSSIÈRE **Mordre la poussière:** Subir un échec, être vaincu.
Tomber en poussière: Être détruit.

POUVOIR **N'en pouvoir plus:** Être à bout de forces.
On ne peut plus: Extrêmement.
Qui peut le plus peut le moins: La personne qui est capable d'accomplir un travail difficile doit pouvoir accomplir facilement une tâche moins dure.

PRÉCAUTION **Prendre ses précautions:** Prendre des dispositions par mesure de prudence.

PRÉCIPICE **Marcher au bord du précipice:** Être, d'une façon plus ou moins consciente, dans une situation dangereuse.

PRENDRE **Ça ne prend pas:** Ta tromperie n'a pas d'effet.

P

C'est à prendre ou à laisser: Il faut accepter la situation telle qu'elle est ou renoncer.

C'est toujours ça de pris: Ce gain est peu important mais assuré.

On ne m'y prendra plus: Je ne me laisserai plus tromper.

Prendre sur soi: Ne pas se laisser aller à une impulsion.

Se laisser prendre: Se laisser convaincre.

PRINCE	**Bon prince:** Personne d'un caractère généreux.
	Habillé comme un prince: Bien vêtu.
PROBLÈME	**C'est ton problème:** Cela te concerne.
	Y a pas de problème: La chose est facile.
PROCÈS	**Faire le procès de quelqu'un:** Critiquer quelqu'un.
	Sans autre forme de procès: Sans plus attendre.
PROIE	**Être en proie à:** Être tourmenté par.
	Être la proie de: Être détruit par.
	Lâcher la proie pour l'ombre: Abandonner un avantage certain pour un espoir incertain.
PROPHÈTE	**Nul n'est prophète en son pays:** Il est plus facile d'être apprécié à l'étranger que dans son pays.
PROPORTION	**Toutes proportions gardées:** En tenant compte des différences entre ce que l'on compare.
PRUDENCE	**La prudence du serpent:** L'habileté pour tromper.
	Prudence est mère de sûreté: Quand on est prudent et prévoyant, on évite le danger.
PRUNE	**Pour des prunes:** Pour très peu de choses.
PRUNELLE	**Tenir à quelque chose comme à la prunelle de ses yeux:** Tenir beaucoup à quelque chose.
PUCE	**Mettre la puce à l'oreille:** Intriguer, éveiller la méfiance.
	Secouer les puces à quelqu'un: Faire de sérieuses remontrances à quelqu'un.
PUNIR	**Être puni par où on a péché:** Subir les conséquences désagréables d'un acte condamnable.
PUTOIS	**Crier comme un putois:** Crier, protester très fort.

Q

QUATRE	**Se mettre en quatre:** Faire tout son possible, se donner beaucoup de mal.
QUERELLE	**Chercher querelle à quelqu'un:** Provoquer quelqu'un, l'attaquer.
QUESTION	**Hors de question:** Qui ne peut être envisagé.
QUEUE	**Faire la queue:** Attendre en file.
	Finir en queue de poisson: Se terminer sans donner les résultats espérés.
	Pas la queue d'un: Pas un seul.
	Sans queue ni tête: Sans début ni fin compréhensibles.
	S'en aller la queue basse: S'en aller honteusement après un échec.

Q

QUITTE **En être quitte pour:** S'en tirer en ne subissant qu'un petit inconvénient.

R

RACINE **Prendre racine:** Demeurer longtemps, s'installer.

RAGE **Être fou de rage:** Être dans une violente colère.

RAILLERIE **Entendre raillerie:** Supporter aimablement les plaisanteries.

RAISIN **Les raisins sont trop verts:** La chose n'est pas assez bien pour la personne dont il est question.

RAISON **La raison du plus fort est toujours la meilleure:** La personne qui a le plus d'arguments l'emporte toujours.

RAMPE **Passer la rampe:** Produire une bonne réaction sur un public, un auditoire.

RARE **Se faire rare:** Ne pas se manifester souvent.

RASOIR **Couper comme un rasoir:** Être très tranchant.

RAT **Rat de bibliothèque:** Personne qui aime lire et qui se rend souvent dans les bibliothèques.

RATE **Dilater sa rate:** Distraire, faire rire.

RATER **Ne pas en rater une:** Faire toutes les erreurs possibles.

REGARDER **Regarder les choses en face:** Être réaliste.
Y regarder à deux fois: Considérer avec prudence.
Y regarder de près: Examiner les plus petits détails.

RÈGLE **En règle générale:** Dans la majorité des cas.
Être en règle avec soi-même: Être en paix avec sa conscience.
La règle du jeu: Les conditions que l'on doit respecter dans une situation déterminée.
Règle d'or: Principes qu'on doit toujours suivre.
Se faire une règle de: Se faire un devoir de.

REIN **Casser les reins à quelqu'un:** Ruiner quelqu'un.

RENARD **Un fin renard:** Une personne fine et rusée.

RÉVÉRENCE **Tirer sa révérence:** En avoir assez, quitter et abandonner un projet.

REVERS **Le revers de la médaille:** L'aspect ennuyeux d'une chose.

RHUME **Prendre quelque chose pour son rhume:** Recevoir de violents reproches.

RIDEAU **Grimper aux rideaux:** Manifester une grande joie.

RIEN **On n'a rien pour rien:** Rien ne s'obtient gratuitement; il faut toujours payer pour avoir quelque chose.

RIRE **À mourir de rire:** Très drôle.

ROND **Tourner en rond:** Ne pas avancer, ne pas évoluer.
Tourner rond: Bien fonctionner.

ROSE **Il n'y a pas de roses sans épines:** Pour arriver au succès, il faut travailler fort.

R

ROUE **La cinquième roue du carrosse, de la charrette:** Une personne inutile dans une activité.

ROUGE **Voir rouge:** Être aveuglé par la colère.

ROULETTE **Aller comme sur des roulettes:** Aller parfaitement.

ROUTE **Faire fausse route:** Se tromper dans les moyens à employer pour réussir quelque chose.

RUBIS **Payer rubis sur l'ongle:** Payer comptant et au complet.

S

SAC **Vider son sac:** Dire ce qu'on a sur le cœur.

SANG **Glacer le sang dans les veines:** Occasionner une émotion très forte.

SÉANCE **Séance tenante:** Tout de suite, ici même.

SECOUSSE **Par secousses:** D'une manière irrégulière.

SEMELLE **Ne pas céder d'une semelle:** Rester sur ses positions.
Ne pas quitter quelqu'un d'une semelle: Suivre quelqu'un partout.

SENTIER **Les sentiers battus:** La voie de la facilité, les moyens connus.

SERVIR **On n'est jamais si bien servi que par soi-même:** Il est préférable de faire les choses soi-même plutôt que de compter sur les autres.

SOLEIL **Le soleil brille, luit pour tout le monde:** Il y a des choses dont tout le monde peut profiter.

SOU **De quatre sous:** Sans valeur.
Être près de ses sous: Être économe.
Ne pas avoir un sou vaillant: Être très pauvre.

SOUCHE **Dormir comme une souche:** Dormir profondément.

SOUFFLE **Avoir le souffle coupé:** Être très étonné.

SOULIER **Être dans ses petits souliers:** Être mal à l'aise.

SOUPIR **Rendre le dernier soupir:** Mourir.

SUEUR **Avoir des sueurs froides:** Avoir très peur.

T

TABAC **Passer à tabac:** Rouer de coups.

TABLIER **Rendre son tablier:** Démissionner d'une fonction.

TAILLE **De taille:** Très important, considérable.
Être de taille à: Être capable de.

TANT **Tant bien que mal:** Avec difficulté, mais effectivement.

TAPIS **Dérouler le tapis rouge:** Réserver un accueil chaleureux à quelqu'un.

TARD **Mieux vaut tard que jamais:** Il vaut mieux agir tard que de ne pas agir du tout.
Sur le tard: À un âge avancé, à une heure avancée.

TAS **Sur le tas:** Sur le lieu même du travail.

TAUPE **Myope comme une taupe:** Avoir la vue très courte, être très myope.

T

TAUREAU **Prendre le taureau par les cornes:** Faire face à une difficulté avec détermination.

TEMPÊTE **Une tempête dans un verre d'eau:** Beaucoup d'agitation pour rien.

TEMPS **Le temps c'est de l'argent:** Le temps est précieux, il ne faut pas le perdre.

Trouver le temps long: S'ennuyer, devenir impatient.

Tuer le temps: Faire n'importe quoi pour écouler le temps.

TENIR **Qu'à cela ne tienne:** Peu importe.

Savoir à quoi s'en tenir: Être fixé.

TERME **Être en bons, mauvais termes avec quelqu'un:** Avoir de bonnes, de mauvaises relations avec quelqu'un.

TERRAIN **Sur le terrain:** Sur les lieux de l'action.

Tâter le terrain: S'informer de l'état des choses avant de prendre une décision.

Terrain d'entente: Compromis, base sur laquelle deux personnes s'entendent.

TERRE **Terre à terre:** Réaliste, matérialiste.

Vouloir rentrer sous terre: Éprouver de la honte.

TÊTE **À tête reposée:** Calmement, en prenant le temps de réfléchir.

À tue-tête: D'une voix très forte.

Avoir la tête sur les épaules: Avoir du bon sens, être équilibré.

Casser la tête à quelqu'un: Fatiguer quelqu'un, l'ennuyer, le tracasser.

Coup de tête: Décision irréfléchie.

En avoir par-dessus la tête: En avoir assez.

Faire la tête: Bouder.

Faire sa mauvaise tête: Refuser d'obéir.

Faire tourner la tête de quelqu'un: Distraire quelqu'un, l'émouvoir.

Foncer tête baissée sur: Foncer sans réfléchir, avec violence.

Jeter quelque chose à la tête de quelqu'un: Dire quelque chose à quelqu'un, comme un reproche.

Monter la tête à quelqu'un: Exciter la colère de quelqu'un.

Ne plus savoir où donner de la tête: Être très occupé.

Perdre la tête: Perdre la raison, devenir fou.

Se cogner la tête contre les murs: Faire beaucoup d'efforts, des efforts désespérés.

Tête de cochon, de mule: Personne entêtée, qui a mauvais caractère.

Tête de lard: Personne qui a mauvais caractère.

Tête de linotte: Personne étourdie.

TOIT **Crier quelque chose sur les toits:** Dire quelque chose partout, le répandre.

T

TOMBE **Il doit se retourner dans sa tombe:** Une personne décédée n'en reviendrait pas de ce qu'on dit d'elle ou de ce qu'on fait de ses œuvres.
Muet comme la tombe: Capable de garder un secret.

TOMBEAU **Rouler à tombeau ouvert:** Rouler à très grande vitesse, dangereusement.

TORCHON **Le torchon brûle:** Il y a mésentente, l'atmosphère est à la chicane.

TORT **À tort:** Injustement, faussement.
À tort et à travers: N'importe comment.
À tort ou à raison: Avec ou sans motif valable.

TORTUE **Aller à pas de tortue:** Aller très lentement.

TÔT **Tôt ou tard:** Un jour ou l'autre.

TOUCHE **Avoir la touche:** Plaire à quelqu'un.

TOUPET **Avoir du toupet:** Avoir de l'audace.

TOUR **En un tour de main:** Avec habileté.
Faire le tour de quelque chose: Examiner quelque chose complètement.

TOURNANT **Rattraper quelqu'un au tournant:** Se venger de quelqu'un, le moment venu.

TOURNÉE **Payer la tournée générale:** Offrir une consommation à tout le monde.

TOURNER **Tourner en ridicule:** Rendre ridicule, se moquer.

TOUT **Risquer le tout pour le tout:** Prendre le risque de tout perdre.

TRACE **Marcher sur les traces de quelqu'un:** Suivre l'exemple de quelqu'un.

TRAIN **Suivre son train:** Avoir son rythme, évoluer normalement.

TRAÎNÉE **Se répandre comme une traînée de poudre:** Se propager très rapidement, de proche en proche.

TRAÎTRE **Pas un traître mot:** Pas un seul mot.

TRANCHANT **À double tranchant:** Qui peut se retourner contre soi.

TRAVERS **Regarder quelqu'un de travers:** Regarder quelqu'un avec animosité, avec méchanceté.

TREMPETTE **Faire trempette:** Se baigner à moitié et peu longtemps.

TRENTE ET UN **Être sur son trente et un:** Porter ses plus beaux vêtements.

TROTTOIR **Faire le trottoir:** Se livrer à la prostitution.

TROU **Être au trou:** Être en prison.
Faire son trou: Se faire une place, réussir.
Trou de mémoire: Oubli.

TROUSSE **Avoir quelqu'un à ses trousses:** Avoir quelqu'un à sa poursuite.

U

UN, UNE **C'est tout un:** C'est la même chose.
Faire la une des journaux: Être un événement dont on parle en première page des journaux.

U

Ne faire ni un ni deux: Ne pas hésiter avant d'agir.
Ne faire qu'un avec quelqu'un: Être profondément uni à quelqu'un.

UNION **L'union fait la force:** On est plus fort lorsqu'on est uni, en accord.

URNE **Aller aux urnes:** Voter.

USURE **Avoir quelqu'un à l'usure:** Prendre avantage sur quelqu'un en venant peu à peu à bout de ses forces.

V

VACHE **Le plancher des vaches:** La terre.
Les vaches grasses: Période d'abondance.
Les vaches maigres: Période de disette.
Manger de la vache enragée: Être pauvre et avoir de la misère.
Parler français comme une vache espagnole: Très mal parler le français.
Vache à lait: Personne qu'on exploite.

VAGUE **Être dans le creux de la vague:** Être au plus bas de son succès, de sa réussite.
Vague à l'âme: Mélancolie, tristesse.

VEAU **Adorer le veau d'or:** Avoir le culte de l'argent.
Pleurer comme un veau: Pleurer sans retenue.
Tuer le veau gras: Se réjouir de quelque chose en faisant un grand festin.

VENIR **Tout vient à point à qui sait attendre:** Tout finit par arriver avec de la patience et du temps.
Voir venir les événements: Attendre l'évolution d'une situation.
Voir venir quelqu'un: Deviner les intentions de quelqu'un.

VENT **Aller plus vite que le vent:** Aller très vite.
Avoir vent de: Avoir connaissance de, apprendre.
Contre vents et marées: Malgré tous les obstacles.
Dans le vent: À la dernière mode.
En coup de vent: Rapidement.
Le vent tourne: Les choses changent.
Ouvert aux quatre vents: Ouvert de tous les côtés.
Quel bon vent vous amène? Quelle est la cause de votre visite?
Qui sème le vent récolte la tempête: Celui qui cause des problèmes ne doit pas s'étonner de ce qui en résulte.

VENTRE **Courir ventre à terre:** Courir à toute vitesse.
Être à plat ventre devant quelqu'un: S'humilier devant quelqu'un.
Prendre du ventre: Devenir gros.

V

Ventre affamé n'a pas d'oreilles: Il est difficile d'être écouté par quelqu'un qui a très faim.

VER **Tirer les vers du nez à quelqu'un:** Faire parler quelqu'un.

VÉRITÉ **À la vérité:** Il faut dire que.

Dire à quelqu'un ses quatre vérités: Dire à quelqu'un ce qu'on pense de lui avec une franchise brutale.

La vérité sort de la bouche des enfants: Les enfants disent spontanément des choses que leurs proches cachent.

Toute vérité n'est pas bonne à dire: Il vaut mieux parfois ne pas dire la vérité pour ne pas blesser.

VERRE **Qui casse les verres les paie:** Les gens qui causent des dommages doivent les réparer.

VIDE **Faire le vide autour de quelqu'un:** Abandonner quelqu'un à sa solitude.

Parler dans le vide: Parler sans être écouté.

VIE **Avoir la vie dure:** Résister à la maladie.

Entre la vie et la mort: Dans un état de santé critique.

Faire la vie: Mener une vie dissipée.

Gagner sa vie: Assurer sa subsistance en travaillant.

La grande vie: Une vie très agréable et confortable.

Mener la vie dure à quelqu'un: Rendre la vie pénible à quelqu'un.

Prendre la vie comme elle vient: Supporter tout ce qui arrive.

Refaire sa vie: Se remarier.

Tant qu'il y a de la vie, il y a de l'espoir: On peut toujours espérer malgré de grands obstacles.

Une question de vie ou de mort: Question très grave.

Vivre sa vie: Mener la vie qu'on a choisie sans se soucier de ce que les autres en pensent.

VIEUX **C'est vieux comme le monde:** Rien de nouveau.

VIF **Être dans le vif du sujet:** Aller directement à l'essentiel.

Piquer au vif: Irriter profondément.

Prendre quelqu'un sur le vif: Surprendre quelqu'un qui se croyait à l'abri des indiscrets.

VIN **Cuver son vin:** Dissiper son ébriété en dormant.

Être entre deux vins: Être un peu ivre.

VINAIGRE **Tourner au vinaigre:** Mal tourner, s'envenimer.

VIOLENCE **Faire violence à quelqu'un:** Faire agir quelqu'un contre sa volonté.

Se faire violence: Aller volontairement contre son plaisir.

VIRAGE **Prendre un nouveau virage:** Changer d'orientation, de plan.

VIS **Serrer la vis à quelqu'un:** Traiter quelqu'un avec sévérité, sans indulgence.

VISAGE **À visage découvert:** Franchement.

VISER **Viser haut:** Avoir des projets ambitieux.

V

VIVRE **Couper les vivres à quelqu'un:** Enlever à quelqu'un ses moyens de subsistance.
Être facile à vivre: Être d'un caractère accommodant.
Qui vivra verra: Seul l'avenir permettra de juger.
Vivre aux dépens de quelqu'un: Vivre en faisant supporter la dépense à quelqu'un d'autre.

VOIE **Être en bonne voie:** Être sur le chemin du succès.

VOILÀ **En voilà assez:** Cela suffit.
Nous y voilà: Nous abordons enfin la question.

VOIR **Avoir assez vu quelqu'un:** Ne plus pouvoir supporter quelqu'un.
C'est à voir: Ce n'est pas sûr.
Ni vu, ni connu: Personne n'apprendra.
On aura tout vu: C'est incroyable.
Pour voir: Pour se faire une idée.

VOIX **Crier à pleine voix:** Crier très fort.
De vive voix: Oralement.

VOLER **Il ne l'a pas volé:** Il l'a bien mérité.
On entendrait une mouche voler: Le silence est absolu.

VOULOIR **En vouloir à quelqu'un:** Avoir du ressentiment contre quelqu'un.
S'en vouloir de: Se reprocher de.
Vouloir, c'est pouvoir: La détermination est la meilleure chance de succès.

VU **Au vu et au su de tous:** À la connaissance de tout le monde.
C'est du déjà vu: Ce n'est pas original.

VUE **À la vue de tous:** À la connaissance de tout le monde, ouvertement.
En mettre plein la vue à quelqu'un: Impressionner vivement quelqu'un.
Perdre quelqu'un de vue: Cesser d'entretenir des relations avec quelqu'un.

a

Abbott (sir John Joseph Caldwell), avocat et homme politique, né à Saint-André-d'Argenteuil (Québec) en 1821 et mort à Montréal en 1893. Admis au barreau en 1847, sir John Abbott enseigne à l'Université McGill à partir de 1853. De 1855 à 1880, il sera doyen de la faculté de droit. Entre 1860 et 1874, il est député provincial conservateur puis député fédéral. En 1887, il est nommé au Sénat et est ministre sans portefeuille. De 1887 à 1889, il est maire de Montréal et, de juin 1891 à novembre 1892, il est premier ministre du Canada.

Abel, personnage biblique, second fils d'Adam et d'Ève. Selon la Bible, il fut tué par son frère Caïn, qui était jaloux parce que Dieu préférait les sacrifices d'Abel.

Abénaquis, nation autochtone de l'Amérique du Nord. Ce groupe appartenant à la famille algonquienne vivait en nomade sur le territoire qui a formé, depuis, le Nouveau-Brunswick au Canada, et l'État du Maine aux États-Unis. À l'époque de la colonie, vers le milieu du XVIIe siècle, cette nation autochtone fut évangélisée par des religieux français. Les Abénaquis furent de fidèles alliés de la France contre les Anglais et s'assimilèrent à la population canadienne-française par la suite. En 1986, on comptait au Québec 319 Abénaquis dans les réserves indiennes de Wôlinak et d'Odanak. Odanak est situé à 32 km à l'est de Sorel, à proximité de Pierreville et de l'embouchure de la rivière Saint-François. Wôlinak est situé à 20 km à l'est de Trois-Rivières. L'artisanat constitue la principale activité économique de ces deux groupes. *Abénaquis* est un mot qui signifie «pays qui est à l'est».

Aberdeen (Ishbel Maria Gordon, marquise **d'**), épouse du 1er marquis d'Aberdeen, née à Londres en 1857 et morte à Aberdeen, en Écosse, en 1939. Elle épouse en 1877 lord John Campbell, marquis d'Aberdeen. Elle l'accompagne au Canada où il est gouverneur général de 1893 à 1898. Lady Aberdeen joue un rôle important dans les crises politiques que traverse son époux. Plus important encore est son travail dans les organisations féminines. Elle est convaincue que les femmes représentent un potentiel énorme et inexploité. Elle contribue à la formation de l'aile canadienne du Conseil national des femmes et crée l'Association des infirmières de l'Ordre de Victoria.

ANC/PA-30258

Village **abénaquis**, Pierreville, Québec, vers 1916

Aberdeen (John Campbell Hamilton Gordon, 1er marquis **d'**), homme politique, né à Édimbourg, en Écosse, en 1847 et mort à Tarland, en Écosse, en 1934. En 1886, il est nommé lord lieutenant d'Écosse. De 1893 à 1898, il occupe le poste de gouverneur général du Canada. Champion des droits sociaux, il consacre, en étroite collaboration avec lady Aberdeen, une bonne partie de son mandat de gouverneur du Canada à travailler pour les bonnes œuvres. Dans leurs *Mémoires*, les Aberdeen relatent leur vie au Canada.

Abidjan, principale ville de la Côte d'Ivoire. Située sur le golfe de Guinée, Abidjan fut la capitale du pays jusqu'en 1983. Elle compte environ 2,5 millions d'Abidjanais et d'Abidjanaises. La ville possède un port actif, construit en 1950, qui a contribué à l'essor du pays, ainsi qu'un aéroport et une université. Les principales activités économiques sont la transformation du café et du cacao, la pêche industrielle, la construction et la métallurgie légère.

Abitibi (lac), lac du Canada qui chevauche la frontière de l'Ontario et du Québec. Le lac Abitibi, d'une superficie de 932 km^2, est situé au nord-ouest de Rouyn-Noranda, dans l'Abitibi – Témiscamingue. La région est couverte d'une forêt dense qui alimente une industrie de pâtes et papiers. En 1686, le lac Abitibi servait de poste de traite de fourrures. Son nom, qui vient d'un mot algonquin signifiant «eau à mi-chemin», avait été choisi à cause de l'emplacement du lac à mi-chemin entre la baie d'Hudson et la rivière des Outaouais.

Abitibi – Témiscamingue, région administrative du Québec. Située dans le nord-ouest du Québec, près de la frontière de l'Ontario et au sud de la baie James, l'Abitibi – Témiscamingue est une région minière et forestière. Son sol argileux est attribuable à la présence d'anciens lacs glaciaires (lac Abitibi et lac Témiscamingue). La région se caractérise par des montagnes usées et des plaines où l'on pratique l'agriculture. Le climat froid et humide favorise la croissance de forêts d'épinettes, de sapins et de feuillus. Les principales villes de la région sont Amos, La Sarre, Rouyn-Noranda, Senneterre et Val-d'Or. L'Abitibi – Témiscamingue compte quelque 155 000 habitants. L'agriculture et l'exploitation des mines d'or, de cuivre et de zinc sont les principales activités économiques. La région possède des industries, notamment des scieries. L'Abitibi – Témiscamingue est le paradis des pêcheurs et des chasseurs.

Abraham, personnage biblique, probablement né à Our en Palestine. Il a vécu au XIXe siècle avant Jésus-Christ. La Bible raconte l'histoire d'Abraham et de ses descendants: l'un d'entre eux, Jacob, reçut le surnom d'Israël et serait l'ancêtre de tous les Juifs; un autre, Ismaël, est considéré comme l'ancêtre de tous les Arabes. Abraham serait donc à la fois le père du peuple juif, des musulmans et des chrétiens.

Abraham (plaines d'), plateau dominant le fleuve Saint-Laurent, sur la rive gauche, près de la ville de Québec. Ces vastes terrains furent accordés au pilote royal Abraham Martin en 1635. C'est à cet endroit qu'eut lieu, le 13 septembre 1759, le combat décisif qui marqua la fin de l'administration française au Canada. Ce fut la dernière bataille livrée par le marquis de Montcalm, qui y perdit la vie, comme son vainqueur, le général James Wolfe. En 1908, pour commémorer et protéger ce lieu historique, on a créé le Parc national des Champs-de-Bataille. Cet îlot de verdure est devenu un magnifique jardin public.

Académie canadienne-française, société littéraire fondée en 1944 par un groupe de 16 écrivains canadiens d'expression française. L'Académie canadienne-française s'est donné pour mission de servir et de défendre la langue et la culture françaises au Canada. Composée de 24 membres, l'Académie encourage les manifestations littéraires françaises. Chaque année, elle décerne sa médaille à un écrivain pour l'ensemble de son œuvre et attribue aussi le prix du roman de l'Académie (grâce à l'appui de la brasserie Molson). De plus, elle organise chaque année un colloque des écrivains sur des thèmes variés. Pour en être membre, il faut être citoyen canadien et avoir publié au moins deux ouvrages importants.

Académie française. Inaugurée en janvier 1635, l'Académie française, composée de 40 membres, voit à conserver et à perfectionner la langue française. Ces gens de lettres se réunissent pour s'occuper de littérature, de sciences, de beaux-arts, etc. Leur occupation principale est la rédaction et la mise à jour du *Dictionnaire de la langue française*, dont la première édition parut en 1694. Elle publia également une grammaire en 1932. L'Académie française décerne également de nombreux prix prestigieux. Jusqu'à la venue de Marguerite Yourcenar (1980), cette académie ne se composait que de membres masculins.

Acadie, région côtière de l'Atlantique, découverte par l'explorateur italien Giovanni da Verrazano, vers 1524. C'est à lui que revient le choix de l'appellation «Nouvelle-France». Émerveillé par la beauté de la végétation, le navigateur utilisa le nom «Arcadie» (contrée de la Grèce ancienne) pour désigner le littoral de la baie de Fundy, d'où le nom «Acadie», par déformation. L'Acadie englobait à l'époque ce qui est aujourd'hui la Nouvelle-Écosse, le Nouveau-Brunswick et l'Île-du-Prince-Édouard. Foyer de la première colonie française en Amérique, cette région sera le théâtre de nombreux combats et passera successivement aux mains des Français et des Anglais (1632, traité de Saint-Germain-en-Laye; 1697, traité de Ryswick; 1713, traité d'Utrecht; 1748, traité d'Aix-la-Chapelle; 1763, traité de Paris). C'est par le traité d'Utrecht, signé en 1713, que les Français cèdent l'Acadie aux Britanniques. Durant cette période, les Français peupleront l'île Saint-Jean (Île-du-Prince-Édouard) et l'île Royale (île du Cap-Breton). Sur l'île Saint-Jean, ils établiront des centres agricoles et pratiqueront la pêche près de l'île Royale; en 1713, ils y construiront Louisbourg, imposante forteresse. Aujourd'hui, l'Acadie comprend la Nouvelle-Écosse et une partie du Nouveau-Brunswick et elle est connue pour son riche folklore. Cette région étant dotée d'un climat maritime et d'une végétation mixte, son économie repose sur les industries de la pêche et des pâtes et papiers. L'agriculture n'y a pas une place importante, sauf dans le nord-ouest du Nouveau-Brunswick, où l'on cultive les pommes de terre. Les mines de charbon, de cuivre et de zinc ainsi que les tourbières sont également une source d'emplois pour les Acadiens et Acadiennes.

Acadiens, groupe ethnique canadien-français habitant l'Acadie, région de la côte est de l'Atlantique située dans les provinces maritimes. Dès 1604, des colons français viennent s'établir près de la baie de Fundy. Agriculteurs et pêcheurs, ces Français, devenus Acadiens, connaîtront une existence troublée par les guerres et les traités qui les feront passer sous la domination britannique à plusieurs reprises. En 1713, l'Acadie passe à l'Angleterre et devient la Nouvelle-Écosse. Devant le refus des Acadiens de prêter le serment d'allégeance inconditionnelle à la mère patrie, le gouverneur de la Nouvelle-Écosse ordonne leur déportation, qui durera de 1755 à 1762, vers le Québec, l'Angleterre et les colonies anglaises. Quelque 10 000 Acadiens et Acadiennes sont déportés; plusieurs se réfugient en Louisiane, aux États-Unis. Certains retournent dans leur région, mais trouvent leurs terres occupées par les Loyalistes, colons américains émigrés en Nouvelle-Écosse. Ils doivent donc s'installer près des côtes de l'Atlantique et deviennent pêcheurs. En petit nombre au sein d'une colonie anglaise, les Acadiens conserveront leurs traditions, centrées sur l'Église, la famille et l'école. D'année en année, ils résisteront à l'assimilation en instituant des organismes en vue de promouvoir et de diffuser la culture et la langue françaises. Le folklore fut pendant longtemps leur seul outil de communication sur le plan culturel. Les Acadiens ont fondé, en 1903, une compagnie d'assurances, établi des coopératives et des caisses populaires. Plusieurs d'entre eux se signalent dans le commerce, la vie politique et dans les professions libérales. Depuis 1969, les Acadiens ont des lois sur les langues officielles. Aujourd'hui, plusieurs artistes portent le flambeau de la culture acadienne. Pensons, entre autres, à Édith Butler, interprète et compositrice, à Antonine Maillet, célèbre auteure de *La Sagouine*, qui a obtenu le prix Goncourt en 1979 grâce à *Pélagie la Charrette*.

Accomodation, premier bateau à vapeur inauguré à Montréal, le 19 août 1809. Ses moteurs provenaient des Forges de Saint-Maurice, près de Trois-Rivières. L'*Accomodation* fonctionnait à moteur, et à voile en cas de panne. Il mesurait environ 26 m de long. Il a été le premier bateau à vapeur à circuler au Canada. John Molson et ses associés l'ont acheté en 1810. Son premier voyage de Montréal à Québec a duré 36 heures. Son exploitation s'est soldée par des pertes. Le bateau a été démoli.

ANC/C-111285

L'***Accomodation***

Accra, capitale du Ghana. Située au sud du pays, sur les côtes du golfe de Guinée, Accra est une ville portuaire de 800 000 habitants. Centre commercial, la ville a connu un essor rapide grâce à l'exportation du cacao, du manganèse et de l'or. La ville possède une université et une raffinerie de pétrole.

Açores (les), archipel portugais de l'océan Atlantique. D'une superficie de 2 247 km², l'archipel, d'origine volcanique, est formé de neuf îles et est situé à 1 200 km à l'ouest du Portugal. La capitale est Ponta Delgada, située sur l'île de São Miguel qui figure, avec Pico et Terceira, parmi les principales îles de l'archipel. Le climat sur ces îles volcaniques et montagneuses est de type méditerranéen. Les Açores comptent quelque 244 000 Açoréens et Açoréennes. L'économie de l'archipel est presque exclusivement agricole: agrumes, ananas, maïs, ignames, tabac et thé sont les principaux produits. La pêche et le tourisme jouent aussi un rôle économique important. On trouve dans les îles de Santa Maria et de Terceira des bases aériennes américaines installées en 1972. L'archipel fut exploré au XIVe siècle par des navigateurs italiens. Au XVe siècle, les Açores étaient sous la domination portugaise. L'archipel a obtenu son autonomie en 1980.

Acte constitutionnel, loi adoptée par le Parlement britannique le 10 juin 1791 et entrée en vigueur le 26 décembre 1791. L'Acte constitutionnel, qui a reçu l'approbation royale, amende l'Acte de Québec adopté en 1774. Il divise la colonie en deux provinces: le Bas-Canada (Québec) et le Haut-Canada (Ontario). L'administration politique, qui est la même dans chacune des provinces, est confiée à un gouverneur général aidé par un lieutenant-gouverneur et une chambre d'assemblée élue par le peuple. Cependant, le roi se réserve un droit de veto (refus). Cette constitution a suscité beaucoup de mécontentement. Elle a été remplacée en 1838 par un conseil spécial.

Acte de l'Amérique du Nord britannique, loi adoptée le 29 mars 1867 par le Parlement britannique qui établit la Confédération canadienne. En 1981, on lui donna le nom de Loi constitutionnelle de 1867. L'Acte de l'Amérique du Nord britannique (A.A.N.B.) unit le Haut-Canada et le Bas-Canada à la Nouvelle-Écosse et au Nouveau-Brunswick, formant ainsi un «dominion» appelé Canada. L'A.A.N.B. établit un État fédéral avec un système parlementaire qui imite celui de la Grande-Bretagne. Désormais, certains pouvoirs seront exercés sur l'avis d'un premier ministre fédéral. L'A.A.N.B., qui permet aux provinces d'unir leurs intérêts tout en préservant leur autonomie, établit le partage des pouvoirs entre un gouvernement central et les gouvernements provinciaux. Œuvre de sir John A. Macdonald, qui sera le premier chef de gouvernement de la fédération, la Constitution de 1867 s'inspire de celle adoptée par le Parlement britannique et assure une certaine souplesse, favorisant ainsi une évolution vers une plus grande autonomie. En 1981, à la suite d'une décision de la Cour suprême et de difficiles compromis obtenus auprès des premiers ministres provinciaux, Pierre Elliott Trudeau, alors premier ministre du Canada, décide d'adopter une charte des droits et libertés et de rapatrier unilatéralement la Constitution en l'assortissant d'une formule d'amendement. Le 17 avril 1982, son projet devient réalité: la reine Élisabeth II donne son assentiment à la loi constitutionnelle.

Acte de Québec, loi anglaise votée en 1774, modifiant le gouvernement de la province de Québec. Mis en application en 1775, l'Acte de Québec a été adopté dans le but de s'assurer la fidélité des Canadiens en cas de révolte en Nouvelle-Angleterre (États-Unis). Par l'Acte de Québec, le Parlement favorise le Québec en triplant sa superficie. Ses frontières sont étendues pour y inclure le Labrador, l'île d'Anticosti et les îles de la Madeleine, le territoire amérindien au sud des Grands Lacs et la vallée de l'Ohio. À la suite de l'adoption de l'Acte de Québec, la province de Québec est dirigée par un gouverneur assisté d'un conseil de 17 à 23 membres nommés. On n'institue pas d'assemblée élective. Quant aux lois, on adopte le droit civil français et le droit pénal anglais. La liberté de religion est garantie. L'Acte de Québec, qui fut en grande partie formulé par le gouverneur Guy Carleton, était une tentative de régler certains problèmes engendrés par la Proclamation royale de 1763. En 1783, l'arrivée des Loyalistes dans la colonie diminuera l'efficacité de l'Acte de Québec.

Acte d'Union, loi anglaise adoptée en 1840, modifiant les structures politiques canadiennes. Entré en vigueur en 1841, l'Acte d'Union réunit le Haut-Canada (Ontario) et le Bas-Canada (Québec) sous le nom de Province du Canada ou Canada-Uni. Cette réunification s'est faite à la suite d'une recommandation du gouverneur Durham. L'Union de 1841 prône l'institution d'un Parlement unique où les deux provinces auront un nombre égal de représentants, même si dans les faits la population du Bas-Canada est de 50 % supérieure à celle du Haut-Canada. La loi prévoit également une réglementation de la dette et l'établissement d'une liste civile (salaires et dépenses administratives de l'exécutif) permanente. L'Acte d'Union met fin à l'usage du français comme langue officielle au Parlement et abolit les établissements d'enseignement et de droit civil canadiens-français. Malgré de nombreuses oppositions, le Haut-Canada et le Bas-Canada se conforment aux dispositions de la loi. Pendant 15 ans, plusieurs articles seront annulés. Toutefois, l'unification du pays ne se réalisera qu'avec la promulgation de l'Acte de l'Amérique du Nord britannique en 1867.

Actes des apôtres, un des livres canoniques du Nouveau Testament, attribué à l'évangéliste saint Luc. L'ouvrage, écrit en grec probablement entre 89 et 90, relate l'histoire du christianisme depuis l'ascension du Christ jusqu'à l'arrivée de saint Paul à Rome. Selon l'auteur, c'est par l'action de l'Esprit Saint que le message chrétien est devenu universel.

Adam, personnage biblique. Premier homme façonné par Dieu avec de la glaise, il vécut avec Ève, sa compagne, dans le Paradis terrestre. Chassé de l'Éden pour avoir mangé des fruits de l'arbre de la science du bien et du mal, il fut condamné par Dieu au travail et à la mort. Il est le père de Caïn, d'Abel et de Seth.

'Adan ☞ **Aden**.

Addis-Abéba, capitale de l'Éthiopie. Cette ville, la plus haute d'Afrique, est située au centre du pays, dans une région montagneuse, à 2 500 m d'altitude. Fondée en 1887, Addis-Abéba est la principale ville industrielle de l'Éthiopie. Sa population atteint plus de 1,2 million d'habitants. La ville possède des musées, des industries textiles et alimentaires. Elle est reliée au port de Djibouti par voie ferrée. En 1963, Addis-Abéba est devenue le siège de l'Organisation de l'unité africaine.

Aden [*'Adan*], capitale du Yémen démocratique. Située près de l'entrée de la mer Rouge, sur le golfe d'Aden, la ville possède un important port de commerce. Aden compte près de 285 000 habitants. Les raffineries de pétrole et l'artisanat figurent parmi les principales industries de la ville.

Adriatique (mer), partie de la Méditerranée comprise entre l'Italie, la Yougoslavie et l'Albanie. La mer Adriatique couvre une superficie de 131 500 km². C'est une mer chaude, à forte salinité et à faibles marées. Le Pô, principal fleuve de l'Italie, est tributaire de l'Adriatique. Les côtes de l'Adriatique forment une importante région touristique. Les stations balnéaires y sont nombreuses, notamment sur le littoral bas de l'Italie ainsi que sur la côte de la Yougoslavie. La côte italienne est rectiligne et régulière, tandis que la côte yougoslave est découpée et présente de nombreuses îles rocheuses. Les villes italiennes de Brindisi, de Bari, de Venise et de Trieste s'ouvrent sur la mer Adriatique. Du côté yougoslave, on trouve les villes de Dubrovnik et de Split.

Afghanistan, État de l'Asie centrale. L'Afghanistan est limité par le Pakistan, la Chine, l'U.R.S.S. et l'Iran. Sa superficie atteint 650 000 km². Kaboul en est la capitale. C'est un pays très aride (souvent moins de 250 mm de pluie), dominé par une chaîne de montagnes, isolé et sans influence maritime. On y trouve aussi une zone désertique. Les fleuves Hilmand Rud, Amou-daria et Harï Rud sont les principaux cours d'eau. Les rigueurs du climat, propice à une végétation de steppe (herbes courtes), entraînent des écarts de température importants (été: 49 °C au sud, hiver: – 26 °C en montagne). L'Afghanistan compte environ 18 millions d'habitants. Les deux tiers de la population se composent d'Afghans et d'Afghanes et le tiers de Persans et de Persanes. La plupart des habitants parlent le pachto ou le dari et pratiquent la religion de l'islam. La monnaie est l'afghãni. Dans le nord du pays, on élève des moutons caraculs pour l'astrakan qu'ils fournissent. Sur les bords de l'Amoudaria, la culture du coton s'est développée. Dans les autres régions, on cultive surtout des fruits, des légumes et des céréales. Le soussol renferme des richesses peu exploitées, faute de moyens de transport. Les industries textiles et les cimenteries sont les seules industries importantes. Les productions artisanales sont très réputées. L'État a connu plusieurs invasions au cours de l'histoire. En 1979, à la suite de conflits politiques, l'U.R.S.S. intervient militairement et occupe le territoire. Depuis 1988, à la suite d'un accord entre les Américains et les Soviétiques, l'U.R.S.S. s'est mise à retirer lentement son armée. L'occupation soviétique a provoqué l'émigration d'environ 3 millions de personnes.

Afrique, un des six continents. Limitée au nord par la mer Méditerranée, au nord-est par la mer Rouge, au sud et à l'est par l'océan Indien et à l'ouest par l'océan Atlantique, elle est rattachée à l'Asie par l'isthme de Suez. Sa superficie est de 30 310 000 km². Le continent africain compte 47 pays dont 14 n'ont aucune ouverture sur la mer. L'Afrique est constituée de plaines en bordure des océans et de plateaux dans le Centre-Nord. Au nord-ouest s'élève la chaîne de l'Atlas; un grand escarpement, le Drakensberg, domine dans le Sud. Le mont Cameroun (4 070 m) et le Kilimandjaro (5 895 m) sont les plus hauts sommets du continent. Le réseau hydrographique de l'Afrique comprend quatre grands fleuves: le Nil, le Niger, le Zaïre et le Zambèze. Le lac Victoria, situé en Afrique équatoriale, est considéré comme une mer intérieure; sa superficie atteint 68 100 km². Le continent africain est le plus chaud de tous. Le Centre et l'Est sont soumis à des climats équatoriaux et tropicaux et le Nord à un climat méditerranéen. On note la présence de forêts denses et de savanes à l'équateur et de zones de brousse et de steppe dans le Sud. Deux régions sont soumises à un climat désertique: au nord, le Sahara et au sud, le Kalahari. L'Afrique compte 553 millions d'habitants (Africains et Africaines). Les langues africaines comprennent les langues soudanaises, nilotiques et les langues bantoues, parlées de l'équateur au Cap. Les deux tiers de la population africaine sont animistes et l'autre tiers pratique les religions du christianisme et de l'islam. La population africaine, qui s'accroît très vite, se caractérise par sa grande jeunesse: plus de la moitié de la population a moins de 15 ans. Sur le plan économique, les activités touchent, entre autres, au développement des cultures commerciales: millet, manioc, maïs, riz, hévéa, coton, arachide, café, cacao, canne à sucre et certains fruits tropicaux. L'économie africaine repose également sur l'extraction des matières premières et l'exploitation des gisements d'or, de diamant, de bauxite, de pétrole et de gaz naturel.

Afrique du Nord, partie du continent africain. Trois pays arabes, situés au nord-ouest de l'Afrique entre le Sahara, la Méditerranée, l'océan Atlantique et le désert de Libye, en font partie: le Maroc, la Tunisie et l'Algérie. Ils forment un ensemble géographique, ethnique, culturel et religieux appelé le Maghreb.

Afrique du Sud, État d'Afrique. Située à l'extrémité sud du continent africain, l'Afrique du Sud est limitée par la Namibie, le Botswana, le Zimbabwe, le Mozambique et le Swaziland. Elle est baignée à l'ouest par l'océan Atlantique et à l'est par l'océan Indien. Cet État de 1 221 000 km² est constitué de quatre provinces. Sa capitale administrative est Pretoria et sa capitale législative est Le Cap. Le relief du pays est dans l'ensemble plat et monotone: des plateaux ravinés au centre entourés par des chaînes montagneuses plus ou moins élevées que bordent des plaines côtières. Le climat varie selon la latitude: tropical au nord, méditerranéen au sud. La végétation est luxuriante dans les régions humides et composée d'arbustes et de buissons dans les zones plus sèches. Les fleuves Limpopo et Orange sont les principaux cours d'eau. L'Afrique du Sud compte quelque 34 millions d'habitants (Sud-Africains et Sud-Africaines). La population se compose de 70 % de Noirs (Bantous) et de 30 % de Blancs, de métis et d'Asiatiques. Les langues officielles sont l'anglais et l'afrikaans, mais on y parle aussi d'autres langues africaines. Le protestantisme est la religion majoritaire. Le rand est la monnaie utilisée. L'Afrique du Sud est l'État le plus développé d'Afrique du point de vue économique. L'agriculture (blé, maïs, vigne et canne à sucre) et l'élevage satisfont la majeure partie des besoins de la population. L'Afrique du Sud possède d'importants gisements de minerais précieux ou rares: or, diamants, titane, chrome, manganèse. Elle est le premier producteur de diamants du monde. La pêche y est en plein essor et le secteur industriel est bien développé. L'Afrique du Sud fut peuplée très tôt et occupée par différents peuples. Au cours du XVIIe siècle, l'esclavage s'y développe. En 1814, le pays passe sous domination britannique. On abolit l'esclavage en 1834. L'Afrique du Sud obtient son indépendance en 1931 et la République sud-africaine est proclamée en 1961. Elle est dominée par une minorité de Blancs qui imposent une politique de ségrégation raciale, l'apartheid, qui vise à maintenir cette domination sur les Noirs.

Agniers ☞ **Mohawks**.

Ahuntsic (François), Amérindien mort au Québec en 1625. François Ahuntsic, un Huron converti, fut jeté dans la rivière des Prairies avec le père Nicolas Viel, un récollet missionnaire. Les deux périrent. L'endroit s'appelle depuis «Sault-au-Récollet». Un quartier du nord-est de l'île de Montréal porte son nom. *Ahuntsic* est un mot cri qui signifie «vieux vêtement».

Ailleboust de Coulonge (Louis **d'**), ingénieur, né en France en 1612 et mort à Montréal en 1660. Cet ingénieur militaire fut gouverneur de la Nouvelle-France de 1648 à 1651.

Aix-la-Chapelle, ville de la République fédérale d'Allemagne. Située près des frontières belges et hollandaises, Aix-la-Chapelle compte 240 000 habitants. La ville abrite une université, une station thermale et d'importants monuments anciens. Deux traités y furent signés. Le plus important, celui de 1668, conclut la paix entre l'Espagne et Louis XIV. Celui de 1748 mit un terme à la guerre de la Succession d'Autriche.

Akulivik, municipalité de village nordique. Situé dans la province de Québec, à l'est de la baie d'Hudson et à l'embouchure de la rivière Illukotat, ce village inuit a une superficie de 558 km². On y dénombre 310 Akulivimiut. Leur langue est l'inuktitut. La chasse, la pêche, le piégeage et la sculpture font partie des activités des habitants du village.

Akwesasne, réserve indienne du Canada située au Québec. Anciennement appelée Saint-Régis, la réserve d'Akwesasne, dont le nom signifie «là où la perdrix bat des ailes», fut fondée en 1747; elle est située à 60 km au sud-ouest de Salaberry-de-Valleyfield (Québec), en face de la ville de Cornwall (Ontario), près de la frontière américaine. La population de la réserve comprend quelque 3 395 Mohawks appelés Akwesashronon. On y trouve une église érigée en 1795 et une importante fabrique de crosses de hockey en bois de noyer blanc. L'agriculture, l'artisanat et le travail dans le secteur de la construction spécialisée constituent les principales activités économiques de la population d'Akwesasne.

Alarie (Pierrette), chanteuse soprano et professeure de chant classique, née à Montréal en 1921. Après avoir étudié de longues années avec des professeurs célèbres et passé avec succès des auditions, Pierrette Alarie se produit au *Metropolitan* de New York en 1945. Elle chante sur les grandes scènes européennes et nord-américaines, parfois en soliste, parfois avec son mari, Léopold Simoneau, lui aussi chanteur classique. Pierrette Alarie et son époux ont remporté de nombreux prix et ont fondé la compagnie d'opéra de chambre *Canada Opera Piccola* en 1978 et le Centre lyrique de formation professionnelle en 1982. Pierrette Alarie a été reçue officière de l'Ordre du Canada en 1967.

PHOTO LA PRESSE/PIERRE CÔTÉ

Pierrette **Alarie**

Alaska, État des États-Unis. Situé au nord-ouest du continent américain, l'Alaska est limité par le détroit et la mer de Béring, la mer de Beaufort, les Territoires du Nord-Ouest, la Colombie-Britannique et le golfe de l'Alaska. Cet État occupe une superficie de 1 530 000 km². Sa capitale est Juneau. Le relief comprend une chaîne de montagnes (Brooks) qui sépare les plaines du Nord de la région du Centre, drainée par le fleuve Yukon. Au sud, la chaîne de l'Alaska, dont le sommet est le mont McKinley (6 194 m), est en partie volcanique. L'Alaska compte 407 000 habitants qui vivent sur la côte, au climat doux et océanique. Par contre, à l'intérieur des terres, le climat est continental et très froid l'hiver. Les principales ressources sont la pêche, l'agriculture (légumes et baies), l'entretien et l'exploitation des forêts, le commerce et l'industrie des fourrures, l'extraction des hydrocarbures (pétrole, charbon et gaz naturel) et le tourisme.

Albanel (Charles), explorateur et missionnaire jésuite, né en France en 1616 et mort au Canada en 1696. En 1671-1672, il fit un voyage d'exploration à la baie d'Hudson. Il remonta alors la rivière Saguenay, traversa les lacs Mistassini et Nemiscau et descendit la rivière de Rupert. Il effectua ce long parcours pour vérifier si cette baie était ce qu'on appelait «la mer du Nord».

Albanel (lac), lac du Canada. Le lac Albanel, d'une superficie de 445 km², est situé sur le territoire du Nouveau-Québec, près de Baie-James. Le lac Albanel a été nommé ainsi pour rappeler le père Charles Albanel, qui a exploré la région en 1672.

Albani (Marie Louise Cécile Emma **Lajeunesse**, dite), chanteuse soprano née à Chambly en 1847 et morte à Londres en 1930. Emma Lajeunesse est initiée très tôt à la musique par ses parents qui sont ses professeurs. En 1868, elle va étudier à Paris et à Milan les techniques du chant. Elle effectuera des tournées dans les principales capitales d'Europe et d'Amérique (Paris, Londres, Turin, Florence, New York, etc.). Albani fut la première Québécoise à s'illustrer sur la scène internationale de l'opéra. Elle fut la cantatrice la plus célèbre de son époque. En 1878, elle s'établit à Londres; en 1896, elle fait ses adieux à la scène. Elle prendra sa retraite définitive en 1911 et vivra par la suite dans l'obscurité et même le dénuement.

Albanie, État de la péninsule des Balkans, limité au sud-est par la Grèce, au nord et à l'est par la Yougoslavie, et à l'ouest par la mer Adriatique. L'Albanie s'étend sur une superficie de 29 000 km². Sa capitale est Tirana. Les chaînes Dinariques, souvent forestières, occupent l'ensemble du pays, à l'exception de la partie centrale, où s'étendent des plaines et des collines. Le réseau hydrographique de l'Albanie comprend de nombreux cours d'eau, dont les fleuves Drin, Erzen, Mat, Seman, Shkumbi et Vjosa, et les lacs Ohrid, Prespa et Shkodar. Le climat est méditerranéen à tendance continentale dans l'intérieur. L'Albanie compte 3 millions d'habitants (Albanais et Albanaises). La langue officielle est l'albanais. Officiellement, le pays est athée, mais les religions musulmane, orthodoxe et catholique sont pratiquées. La monnaie utilisée est le lek. En Albanie, on cultive du maïs, du blé, des arbres fruitiers et du tabac. L'extraction minière (pétrole, chrome) et l'élevage demeurent également les fondements de l'économie.

Albany (rivière), rivière du Canada qui prend sa source au nord-ouest de l'Ontario. La rivière Albany, d'une longueur de 982 km, se jette dans la baie James. Elle servait autrefois de route à la traite des fourrures.

Albert (mont), mont des Appalaches, situé dans la région ouest de la Gaspésie, au Québec. Le sommet Albert Nord a 1 083 m d'altitude, tandis que celui d'Albert Sud atteint 1 151 m. Le mont Albert est, pour la ville de Sainte-Anne-des-Monts, un site touristique intéressant, à cause des excursions et des ascensions qu'on peut y faire. Le nom de ce mont fut choisi en l'honneur du prince Albert, époux de la reine Victoria.

Alberta, province du Canada. Située au centre-ouest du Canada, entre la Colombie-Britannique, à l'ouest, et la Saskatchewan, à

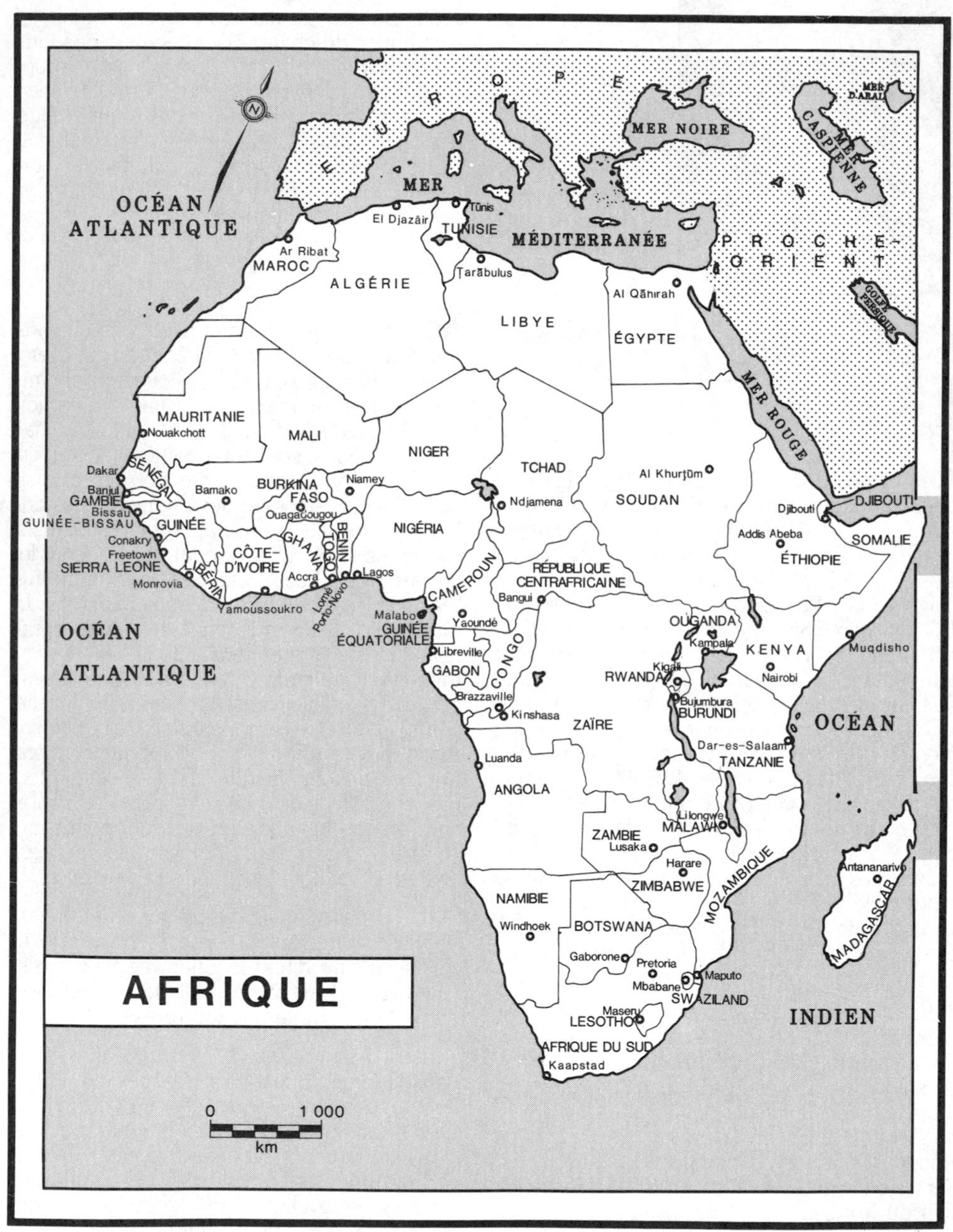
AFRIQUE
EUROPE
MER NOIRE
MER D'ARAL
MER CASPIENNE
MER MÉDITERRANÉE
PROCHE-ORIENT
GOLFE PERSIQUE
MER ROUGE
OCÉAN ATLANTIQUE
OCÉAN INDIEN
MAROC
Ar Ribat
ALGÉRIE
El Djazâir
TUNISIE
Tûnis
Tarābulus
LIBYE
ÉGYPTE
Al Qāhırah
MAURITANIE
Nouakchott
MALI
NIGER
TCHAD
SOUDAN
Al Khurṭūm
SÉNÉGAL
Dakar
Banjul
GAMBIE
Bissau
GUINÉE-BISSAU
GUINÉE
Conakry
Freetown
SIERRA LEONE
LIBÉRIA
Monrovia
Bamako
BURKINA FASO
Ouagadougou
Niamey
CÔTE-D'IVOIRE
Yamoussoukro
GHANA
Accra
TOGO
Lomé
BENIN
Porto-Novo
NIGÉRIA
Lagos
Ndjamena
CAMEROUN
Yaoundé
Malabo
GUINÉE ÉQUATORIALE
Libreville
GABON
CONGO
Brazzaville
Kinshasa
RÉPUBLIQUE CENTRAFRICAINE
Bangui
ZAÏRE
DJIBOUTI
Djibouti
SOMALIE
Muqdisho
ÉTHIOPIE
Addis Abeba
OUGANDA
Kampala
KENYA
Nairobi
RWANDA
Kigali
BURUNDI
Bujumbura
TANZANIE
Dar-es-Salaam
ANGOLA
Luanda
ZAMBIE
Lusaka
MALAWI
Lilongwe
MOZAMBIQUE
Maputo
ZIMBABWE
Harare
NAMIBIE
Windhoek
BOTSWANA
Gaborone
Pretoria
Mbabane
SWAZILAND
LESOTHO
Maseru
AFRIQUE DU SUD
Kaapstad
MADAGASCAR
Antananarivo
0
1 000
km

l'est, l'Alberta couvre une superficie de 661 000 km². La capitale provinciale est Edmonton. Les villes principales sont Calgary, Lethbridge et Medicine Hat. Dans le sud-ouest de la province, on trouve le parc national de Banff, le plus fréquenté des parcs nationaux canadiens. Les montagnes Rocheuses occupent la partie sud de la frontière occidentale. La prairie s'étend, en forme d'arc, au sud-ouest et le long de la frontière de la Saskatchewan. Une partie du sud de la province est drainée jusqu'à la baie d'Hudson par les rivières Saskatchewan Nord et Saskatchewan Sud. Au nord, les rivières Athabaska, Hay et de la Paix coulent jusqu'à l'océan Arctique en traversant le fleuve Mackenzie. Le lac Clair et le Petit lac des Esclaves sont les deux principaux lacs. La forêt boréale couvre la moitié nord de la province. Le centre de l'Alberta présente une végétation formée de trembles et d'herbes hautes. Dans la région des prairies, on trouve des zones d'herbes courtes et d'herbes mixtes. Les conifères dominent dans les régions moins élevées des Rocheuses. La province est située dans une zone climatique tempérée septentrionale: les hivers y sont froids et les étés, frais et courts. L'Alberta compte 2 366 000 habitants (Albertains et Albertaines), anglophones à plus de 90 %. La culture du blé, de l'orge, de la betterave à sucre et du lin ainsi que l'élevage de bovins jouent un rôle économique important. L'exploitation de richesses énergétiques (pétrole, gaz naturel, charbon) s'y ajoute. Les industries alimentaires, métallurgiques et pétrolières sont aussi un secteur important de l'économie de la province de même que le tourisme. Les parcs nationaux de Banff et de Jasper, le célèbre *Stampede* de Calgary, une foire agricole et un rodéo, et le festival du Klondike d'Edmonton attirent chaque année des centaines de milliers de visiteurs. C'est à Calgary qu'ont eu lieu les Jeux olympiques d'hiver de 1988. L'Alberta, ainsi nommée pour rappeler le prince Albert, époux de la reine Victoria, constituait une partie des territoires de la Compagnie de la baie d'Hudson. Elle est entrée dans la Confédération canadienne en 1905. La devise de la province est «Forte et libre» et sa fleur emblématique est la rose sauvage.

Aldrin (Edwin), astronaute et officier américain, né dans l'État du New Jersey (États-Unis), en 1930. Il a été le deuxième homme, après Neil Armstrong, à poser le pied sur la Lune lors de l'expédition d'Apollo XI, en 1969.

Alexander (Harold George, 1er comte de Tunis), officier britannique et gouverneur général, né à Londres en 1891 et mort à Slough (Angleterre) en 1969. En 1937, il devient le plus jeune major général de l'armée anglaise. Durant la Deuxième Guerre mondiale, il accède au poste de commandant des forces alliées en Italie et en Méditerranée. De 1946 à 1952, il est gouverneur général du Canada. Il fut le dernier gouverneur général à venir de l'Angleterre. À son retour en Angleterre, il occupe, de 1952 à 1954, le poste de ministre de la Défense dans le cabinet de Churchill.

Alexandre le Grand, conquérant et roi de Macédoine, né en Macédoine (péninsule des Balkans) en 356 avant Jésus-Christ et mort à Babylone (Asie occidentale) en 323 avant Jésus-Christ. Une jeunesse studieuse prépare Alexandre à occuper le trône. Rude guerrier, habile général et remarquable organisateur, déjà, à l'âge de 16 ans, il dirige le royaume en l'absence de son père, parti en guerre. À l'âge de 20 ans, à la suite de l'assassinat de son père, il devient roi de Macédoine. Il raffermit le pouvoir de son père et étend son empire en Orient, jusqu'à la frontière de l'Inde. Il soumet l'armée perse et s'empare de l'Égypte, organise le royaume de la Macédoine et adopte les principes de souveraineté des pharaons. Alexandre le Grand meurt à 32 ans, emporté par une crise de malaria. Sous son règne, qui dura 13 ans, les ports sont agrandis, de nouvelles routes commerciales sont ouvertes, de nouvelles cultures sont expérimentées (vigne, olivier), les industries sont renouvelées, la connaissance du monde progresse et se précise, la géographie et les sciences naturelles s'enrichissent. Après sa mort, l'empire qu'il avait créé ne survécut pas et fut partagé entre ses généraux.

Alexandrie, ville d'Égypte. Située à l'extrémité nord-ouest du delta du Nil, Alexandrie, fondée par Alexandre le Grand vers l'an 332 avant Jésus-Christ, est la seconde ville et le principal port d'Égypte. Sa population atteint plus de 2,7 millions d'Alexandrins et d'Alexandrines. Port actif sur la Méditerranée, la ville possède une université, des industries textiles (coton), chimiques, alimentaires (conserveries) et de constructions mécaniques et navales. La région fut célèbre par un phare d'une hauteur de 180 m construit sur l'île de Pharos, voisine de la ville, et qui éclairait sa rade. L'île et le phare furent détruits en 1375 par un tremblement de terre. Le phare d'Alexandrie figure parmi les Sept Merveilles du monde. Alexandrie a été l'un des principaux foyers de la civilisation grecque. Son musée et sa bibliothèque, la plus célèbre de l'Antiquité, ont attiré les savants et les lettrés grecs. L'Église d'Alexandrie a joué un rôle majeur dans le développement du christianisme.

Alger [*El Djazâir*], capitale de l'Algérie. Située sur la Méditerranée, à mi-distance entre les extrémités de l'Afrique du Nord, Alger est le premier port d'Algérie. La ville compte environ 2,6 millions d'Algérois et d'Algéroises. Alger possède une université, un musée, des mosquées relatant l'histoire de l'Antiquité classique et musulmane. On y trouve aussi des industries chimiques et de transformation. La ville exporte principalement des produits agricoles.

Algérie, État de l'Afrique du Nord. L'Algérie, située entre le Maroc à l'ouest et la Tunisie à l'est, est également limitée par la Méditerranée, la Libye, le Niger et le Mali. Sa superficie atteint 2 380 000 km². Alger en est la capitale. L'Algérie forme une région de plateaux et de montagnes; le désert du Sahara occupe la majeure partie du pays. La chaîne de montagnes Atlas couvre le Nord, zone méditerranéenne, qui comprend aussi des baies, des golfes et des oasis alimentées par les précipitations. Au sud s'étend le désert du Sahara, tandis qu'au centre les plaines et les plateaux occupent le territoire. La côte algérienne, très échancrée, présente de nombreux golfes et baies: les golfes d'Oran, de Béjaïa, de Skikda et d'Annaba et les baies d'Alger et de Sidi-Ferruch. Sur les côtes, où règne un climat méditerranéen, de fortes précipitations (parfois 1 000 mm par an) favorisent la croissance de forêts de chênes-lièges, mais les précipitations diminuent vers l'intérieur où une steppe semi-aride recouvre les plaines. Au sud, un climat chaud et sec domine la vaste étendue désertique du Sahara. L'Algérie compte 23 millions d'habitants (Algériens et Algériennes). L'arabe est la langue officielle, mais on y parle aussi le berbère et le français. L'islam est la religion d'État. Le dinar algérien est la monnaie utilisée. L'Algérie est un pays jeune; plus de la moitié de la population a moins de vingt ans. L'économie de l'Algérie repose principalement sur l'exploitation du sous-sol, riche en phosphates et en gaz naturel, en fer, en plomb et en zinc. Les agrumes, le vin et les dattes sont les principales exportations agricoles. La culture de blé, d'avoine, d'orge et d'olives est destinée à la consommation locale. Devenue colonie française au cours du XIXe siècle, l'Algérie a obtenu son indépendance en 1962. Le pays est aujourd'hui une république démocratique et populaire dirigée par un président.

Algonquiens ou **Algonkiens**, groupe linguistique amérindien d'Amérique du Nord. Ce groupe linguistique comprend 8 des 10 nations amérindiennes: les Abénaquis, les Algonquins, les Attikameks, les Cris, les Malécites, les Micmacs, les Montagnais et les Naskapis. Ces nations habitaient principalement la vallée de la rivière des Outaouais, le nord du lac Huron et les environs du lac Supérieur. Ils vivaient surtout de chasse et de pêche, de piégeage d'animaux à fourrure, parlaient la même langue et partageaient le même mode d'habitat et la même forme d'organisation sociale.

Micmacs près de Halifax, Nouvelle-Écosse, en 1812

Algonquins, nation autochtone de l'Amérique du Nord. Le nom *Algonquins* désigne un groupe d'Amérindiens qui appartiennent à la famille algonquienne et qui vivent le long de la rivière des Outaouais et de ses affluents. Les Algonquins sont connus des Européens depuis 1603, alors qu'ils sont les alliés des Français, des Montagnais et des Hurons contre les Iroquois dans le conflit de la traite des fourrures. Les Algonquins sont des chasseurs qui vivent en bandes. Ils s'adonnent aussi à la pêche et au jardinage. Ils pratiquent l'artisanat et travaillent dans des entreprises de construction spécialisée et de foresterie. La population algonquine s'élève à environ 4 600 personnes. Au Québec, en 1986, il y avait 3 088 Algonquins qui se répartissaient dans 9 réserves concentrées dans la région de l'Abitibi – Témiscamingue et près de Pontiac.

Allard (Louis-Paul), avocat, animateur et journaliste canadien, né à Lac-Mégantic, au Québec, en 1945. Après avoir effectué des études en droit à l'Université de Sherbrooke, puis suivi un cours en publicité à l'université de Boston (États-Unis), Louis-Paul Allard oriente sa carrière comme animateur et journaliste à la radio et à la télévision, tantôt à Sherbrooke, tantôt à Montréal. Louis-Paul Allard a deux chevaux de bataille: la justice et l'environnement. Depuis 1973, il exerce les fonctions de directeur du service de l'information de la Commission des services juridiques du Québec. Concepteur d'émissions juridiques de radio et de télévision, il a écrit et produit plus de 200 scénarios consacrés à la vulgarisation du droit. En ce qui concerne l'environnement, il devient, en 1984, président fondateur de la corporation À court d'eau puis, en 1986, président de la Fondation québécoise en environnement. Son engagement dans ces deux domaines lui a valu des titres honorifiques. En janvier 1989, il reçoit la médaille d'argent du Conseil d'administration de la Société nationale des Québécois pour son travail relatif à la protection de l'environnement.

Louis-Paul **Allard**

Allemagne (République fédérale d') [R.F.A.], État d'Europe centrale. D'une superficie de 248 000 km², la République fédérale d'Allemagne est limitée au nord par le Danemark, la mer du Nord et la mer Baltique, à l'est par la République démocratique allemande et la Tchécoslovaquie, au sud par l'Autriche et la Suisse et à l'ouest par la France, le Luxembourg, la Belgique et les Pays-Bas. L'État fut formé en 1949 après le partage de l'Allemagne, dont elle constitue les parties ouest et sud. La République fédérale d'Allemagne, appelée aussi Allemagne de l'Ouest, est formée de dix États fédérés et de Berlin-Ouest, qui a un statut particulier. Sa capitale est Bonn. Hambourg, Munich, Francfort et Cologne comptent parmi les villes importantes de la R.F.A. Le pays se divise en trois grandes régions naturelles : les plaines du Nord, où l'on trouve des ports de mer importants, les montagnes et les vallées étroites du Centre et le plateau bavarois du Sud. Les principaux fleuves de la R.F.A. sont l'Elbe, le Rhin et le Danube. Le pays jouit d'un climat océanique au nord et d'un climat continental tempéré au centre. La R.F.A. compte environ 61,5 millions d'habitants (Allemands et Allemandes). L'allemand est la langue officielle du pays. Les principales religions sont le protestantisme et le catholicisme. La monnaie utilisée est le mark. À cause des mouvements de migration de l'Est vers l'Ouest, la population s'accroît rapidement. La R.F.A. constitue la quatrième puissance économique du monde et la première d'Europe (en excluant l'U.R.S.S.). Le secteur industriel produit surtout pour l'exportation : les constructions mécaniques (dont l'automobile) et électriques, et la chimie viennent en tête. L'industrie lourde occupe une place fondamentale : le pays se place au premier rang européen et au quatrième rang mondial pour la production d'acier. La richesse considérable du sous-sol (houille, pétrole, gaz naturel, lignite, fer) a facilité l'implantation des industries. L'agriculture est le secteur le moins favorisé et ne suffit pas aux besoins de la population. Les principales productions agricoles sont le seigle, les pommes de terre, le blé, la betterave à sucre et le tabac. La R.F.A. est une démocratie parlementaire gouvernée par un président et un premier ministre (appelé chancelier).

allemande (République démocratique) [R.D.A.], État d'Europe centrale. D'une superficie de 108 000 km², la République démocratique allemande (R.D.A.), appelée aussi Allemagne de l'Est, est limitée au nord par la mer Baltique, à l'est par la Pologne, au sud par la Tchécoslovaquie et à l'ouest par la République fédérale d'Allemagne. L'État fut formé en 1949 par la division de l'Allemagne, dont elle constitue la partie est. Sa capitale est Berlin-Est. Le relief est formé de plaines et de montagnes. Les principaux cours d'eau sont l'Elbe et l'Oder. La végétation est dominée par les landes, les prairies, les feuillus au nord et les conifères au sud. Le climat est de type continental. La R.D.A. compte environ 16,7 millions d'habitants (Allemands et Allemandes). L'allemand est la langue officielle. La principale religion est le protestantisme. La monnaie utilisée est le mark de la R.D.A. La R.D.A. est le pays le plus industrialisé et le plus développé des États socialistes de l'Europe de l'Est. Les industries de constructions mécaniques et électriques, les industries chimiques, textiles et alimentaires ainsi que l'extraction du lignite (une roche d'origine organique) fournissent du travail à la moitié de la population. Les cultures de blé, d'orge, de betterave et de pomme de terre ainsi que l'élevage de bovins et de porcins jouent un rôle important mais insuffisant. La R.D.A. était dirigée depuis 1946 par un parti politique unique de type socialiste. À la suite de l'ouverture du Mur de Berlin, le 10 novembre 1989, elle s'achemine sur la voie de la démocratie et des élections libres.

Alma, ville du Canada. Située dans la province de Québec, en amont de la rivière Saguenay, à l'est du lac Saint-Jean, à 230 km au nord de Québec, la ville d'Alma a été instituée en 1917. Elle compte quelque 26 000 Almatois et Almatoises. Alma a connu un développement rapide grâce à l'industrie du bois de sciage, qui s'y implante en 1860. La construction d'une centrale hydroélectrique, terminée en 1926, favorise l'établissement d'alumineries et d'une papeterie. Dans les années cinquante, Alma se caractérise comme centre de services du Saguenay — Lac-Saint-Jean. On y trouve des centres professionnels, des centres éducatifs, des commerces, un collège, un hôpital et plusieurs organismes régionaux. Les Caisses d'entraide ont vu le jour dans cette ville. Alma est aussi le lieu de départ de croisières sur le lac Saint-Jean.

Alpes, chaîne de montagnes d'Europe. Les Alpes constituent le plus grand massif montagneux européen. Elles s'étendent, sur leur largeur, de la mer Méditerranée au Danube et sont partagées entre la France, l'Italie, la Suisse, la République fédérale d'Allemagne, l'Autriche et la Yougoslavie. Le mont Blanc, près de la frontière italienne, en est le sommet le plus élevé (4 807 m). Les Alpes donnent naissance à de nombreux fleuves ou les alimentent: Pô, Adige, Rhône, Rhin, Isère. L'élevage bovin pour les produits laitiers, l'électrométallurgie et l'électrochimie sont les principales activités économiques dans les vallées. Les villes les plus importantes sont Grenoble et Innsbruck. En altitude et en bordure des lacs, on trouve des stations d'été ou de sports d'hiver qui attirent de nombreux touristes et sportifs.

Al Qāhirah ☞ **Caire (Le)**.

Amazone, fleuve d'Amérique du Sud. D'une longueur d'environ 6 400 km, dont 3 100 km navigables au Brésil, l'Amazone est le premier fleuve du monde par la superficie de son bassin et par son débit, et le deuxième, après le Nil, par sa longueur. Prenant sa source dans les Andes, le fleuve draine le Pérou, le Brésil, traverse la forêt amazonienne et se jette dans l'océan Atlantique. Plusieurs cours d'eau viennent augmenter le débit de l'Amazone.

Amazonie, région forestière d'Amérique du Sud. L'Amazonie est un vaste bassin couvert de forêts, drainé par le fleuve Amazone et ses affluents. D'une superficie de plus de 6 000 000 de km^2, l'Amazonie s'étend des Andes, à l'ouest, jusqu'à l'océan Atlantique, à l'est. Elle occupe une partie de la Bolivie, du Pérou, de la Colombie et plus des deux cinquièmes du territoire brésilien. L'Amazonie est située sous l'équateur; son climat chaud et humide en fait le domaine d'une forêt dense, hostile à la vie humaine, d'où son surnom d'«enfer vert». L'Amazonie reste une des régions les plus inexplorées du monde où les vies animale et végétale se renouvellent constamment. Les principales productions agricoles de cette zone sont le manioc, le riz et le maïs. On y fait l'élevage du bœuf et l'on y pratique l'exploitation forestière. En 1966, des recherches ont révélé que le sous-sol recelait de fabuleuses richesses (fer, manganèse, étain, pétrole) que le Brésil entend exploiter: la construction de routes transamazoniennes s'effectue dans ce but, non sans dommages pour l'équilibre écologique et sans inquiétudes pour les populations indiennes qui vivent dans cette région. La forêt amazonienne représente une des principales sources d'oxygène de la planète; sa destruction porterait atteinte à l'équilibre planétaire.

Amérindiens, ensemble des Indiens d'Amérique. *Amérindiens* est le terme qui désigne les Indiens de l'Amérique du Nord (en excluant les Inuit du nord du Canada et de l'Arctique), de l'Amérique centrale et de l'Amérique du Sud. Au Québec, les Amérindiens se répartissent en dix grandes nations: Abénaquis, Algonquins, Attikameks, Cris, Hurons, Malécites, Micmacs, Mohawks, Montagnais et Naskapis. En 1986, on comptait 38 741 Amérindiens.

Amérique, un des six continents du monde. D'une superficie de 42 millions de km^2, l'Amérique est bordée à l'ouest par l'océan Pacifique et à l'est par l'océan Atlantique. Le continent s'étend sur 18 000 km depuis l'océan Arctique jusqu'à l'Antarctique. Il est formé de l'Amérique du Nord et de l'Amérique du Sud, reliées par l'Amérique centrale. L'Amérique présente différents types de relief: l'Ouest est occupé par un massif montagneux continu, les Rocheuses et la cordillère des Andes. Le centre de l'Amérique du Nord et de l'Amérique du Sud est caractérisé par de grandes plaines drainées par les principaux fleuves (Mississippi, Orénoque, Amazone, Paraguay et Panama). À l'est, on trouve des montagnes et des terrains anciens érodés: les Appalaches, le bouclier canadien, le massif des Guyanes, le plateau brésilien et le plateau de Patagonie. L'Amérique centrale est formée de montagnes jeunes et d'un vaste plateau, le Yucatán. Le climat et la végétation varient selon la latitude. L'Amérique du Nord est située entre une zone froide et une zone tempérée. Entre le nord et le sud, la végétation passe de la toundra à la forêt de conifères, à laquelle succèdent les pinèdes et les steppes. L'Amérique centrale et une partie de l'Amérique du Sud sont situées dans une zone tropicale. En Amérique du Sud, la forêt tropicale et la savane caractérisent la végétation. L'Amérique compte quelque 670 millions d'habitants. C'est en 1492 que Christophe Colomb, qui débarque dans les Bahamas, ouvre la porte du Nouveau Monde à la conquête européenne. Différentes conquêtes entraînent le partage de l'Amérique latine, en 1494, entre Portugais et Espagnols. En Amérique du Nord, la domination européenne est plus tardive; entre 1534 et 1541, les Français, avec Jacques Cartier, se fixent à Terre-Neuve et en Nouvelle-France. En 1620, les Anglais arrivent en Nouvelle-Angleterre. Des luttes pour la possession de ces régions marquent les débuts de la colonisation.

Amérique centrale, partie la plus étroite de l'Amérique. D'une superficie de près de 785 000 km², l'Amérique centrale est bordée à l'est par la mer des Caraïbes et à l'ouest par l'océan Pacifique. Cette partie du continent américain est composée de sept pays: le Bélize, le Costa Rica, le Guatemala, le Honduras, le Nicaragua, le Panama et le Salvador. On lui rattache parfois les Antilles, qui séparent l'océan Atlantique de la mer des Caraïbes. L'Amérique centrale est constituée de montagnes jeunes et volcaniques. Un vaste plateau, le Yucatán, occupe une partie du territoire. Les tremblements de terre sont fréquents dans cette partie de l'Amérique. Le climat et la végétation sont de type équatorial et tropical: forêts denses, savanes, steppes et bruyères. De nombreux cours d'eau drainent l'Amérique centrale: le Motagua (Guatemala), le rio Coco et le rio San Juan (Nicaragua), l'Ulúa (Honduras), le Lempa (Salvador). Le lac de Nicaragua est le lac le plus important. L'Amérique centrale compte quelque 60,6 millions d'habitants. La population se compose de Blancs, de Noirs, de métis et d'Amérindiens dans des proportions variant selon les États. Les religions catholique et protestante sont pratiquées, mais le catholicisme est prédominant. Parmi les langues parlées sur cette partie du continent figurent l'espagnol, l'anglais, le créole, le français et plusieurs langues indiennes. Les principales ressources sont le coton, le café, le sucre, le bois dur, les mines d'or et d'argent. On y fait aussi l'élevage du bœuf.

Amérique du Nord, partie nord du continent américain. D'une superficie de près de 21,5 millions de km², l'Amérique du Nord est limitée au nord par l'océan Arctique, au sud par le golfe du Mexique, à l'est par l'océan Atlantique et à l'ouest par l'océan Pacifique. Elle comprend le Canada, les États-Unis et la plus grande partie du Mexique. Le relief se compose d'un ancien massif usé (bouclier canadien), d'une vieille chaîne de montagnes (Appalaches), de montagnes plus jeunes (Rocheuses), de plaines, de hautes terres semées de lacs, de falaises, de plages et de grands estuaires. Les plus hauts sommets de l'Amérique du Nord sont le mont McKinley, en Alaska (6 914 m), le mont Logan, au Yukon (6 050 m), et le mont Orizaba, au Mexique (5 700 m). Parmi les fleuves les plus importants, on trouve, au Canada, le Mackenzie, le Saint-Laurent et le Yukon; aux États-Unis, le Missouri, le Mississippi et le Colorado; au Mexique, le principal cours d'eau est le rio Grande. Le climat et la végétation varient suivant la latitude et la proximité de l'océan. Du sud au nord, le climat est tropical, continental, arctique et polaire. La végétation est diversifiée: forêt tropicale, désert, steppes, prairies, forêts boréales et toundra se succèdent. L'Amérique du Nord compte quelque 345 millions d'habitants, dits Nord-Américains et Nord-Américaines. La diversité des groupes ethniques qui peuplent ce territoire entraîne une diversité de religions et de langues parlées. Les pays ont néanmoins une ou des langues officielles: l'espagnol au Mexique, l'anglais aux États-Unis, le français et l'anglais au Canada. Ces pays ont un type d'économie qui leur est propre et qui est lié aux richesses et aux capacités du territoire. Les productions agricoles (céréales, fruits, légumes, élevage, produits laitiers et produits forestiers) y jouent un rôle important, tout comme l'exploitation des ressources minières (or, cuivre, charbon, fer, pétrole, uranium) et le secteur industriel.

Amérique du Sud, partie sud du continent américain. D'une superficie de 17,7 millions de km², l'Amérique du Sud est située au sud de l'isthme de Panama entre l'océan Atlantique à l'est et l'océan Pacifique à l'ouest. Cette masse continentale comprend 13 États: Argentine, Bolivie, Brésil, Chili, Colombie, Équateur, Guyana, Guyane française, Paraguay, Pérou, Suriname, Uruguay et Venezuela. Le relief présente une grande diversité. La cordillère des Andes borde la côte ouest. L'Aconcagua (6 959 m) en Argentine et le Huascarán (6 768 m) au Pérou sont les principaux points culminants de ces jeunes montagnes. Au centre s'étendent de grandes plaines drainées par de puissants réseaux fluviaux. À l'est, le massif des Guyanes et le plateau brésilien sont d'altitude moyenne et de formation ancienne. De nombreux cours d'eau drainent l'Amérique du Sud. Ce sont le fleuve Amazone et son affluent, la rivière Madeira, les fleuves Paraná, São Francisco, Orénoque, le Tocantins et son affluent, la rivière Araguaia. Le climat chaud, dans les deux tiers du territoire, s'accompagne d'une végétation variée: forêt dense, savane, steppe, prairie et désert. L'Amérique du Sud compte près de 270,5 millions d'habitants, appelés Sud-Américains et Sud-Américaines. La population se compose d'Amérindiens, de Noirs, de métis, de Blancs et de créoles. L'espagnol est la langue officielle des États, sauf du Brésil (portugais), de la Guyana (anglais), du Suriname (néerlandais) et de la Guyane française (français), qui est un département français d'outre-mer. Des langues indiennes sont également parlées, dont le guarani, qui est la langue usuelle du Paraguay. La religion catholique est la religion la plus répandue. L'économie de l'Amérique du Sud se fonde surtout sur l'agriculture (manioc, canne à sucre, céréales, coton, café) et sur l'exploitation de la forêt et des richesses du sous-sol (pétrole, bauxite, cuivre).

Amherst (Jeffrey), officier de l'armée britannique, né en Angleterre en 1717 et mort également en Angleterre en 1797. En 1758, Amherst dirige une expédition contre Louisbourg, dont il obtient la reddition après un long siège. Il organise, en 1760, une campagne au cours de laquelle Montréal capitule. Cette capitulation marque la fin du Régime français au Canada. Amherst est le dernier conquérant du Canada au cours de la guerre de Sept Ans. C'est lui qui acheva la conquête du Canada. De 1760 à 1763, il est gouverneur général du Canada, le premier sous le Régime anglais. Amherst est reçu chevalier en 1761. Il retourne en Angleterre en 1763 et reçoit le titre de baron en 1776.

Amman, ville du Moyen-Orient, capitale de la Jordanie. Située dans le nord-ouest de la Jordanie, au pied d'une montagne, Amman est le principal centre commercial et industriel du pays. On y trouve des industries alimentaires et textiles, des savonneries, une manufacture de tabac et une raffinerie de pétrole. La ville, qui est aussi un centre culturel, compte 750 000 habitants. Elle abrite des musées et un théâtre romain.

Amos, ville du Canada. Située dans la province de Québec, à 75 km au nord-ouest de Rouyn-Noranda, dans la région de l'Abitibi – Témiscamingue, la ville d'Amos est la première ville de l'Abitibi. Fondée en 1914 et instituée ville en 1925, elle doit sa naissance à sa position privilégiée au cœur de l'Abitibi, à la jonction du chemin de fer Transcontinental et de la rivière Harricana, et joue le rôle de capitale de cette nouvelle région de colonisation du Québec. Amos compte 9 260 Amossois et Amossoises. Elle abrite des scieries, qui ont contribué à son essor, et une papeterie. Située dans une riche région agricole qui s'étend le long de la rivière Harricana, la ville doit son nom à Alice Amos, épouse de sir Lomer Gouin, premier ministre du Québec au moment de la fondation de la municipalité.

Ampère (André Marie), physicien français, né près de Lyon en 1775 et mort à Marseille en 1836. Dès son enfance, André Marie Ampère manifesta un goût très vif pour les sciences exactes. Plus tard, ses travaux l'amenèrent à aborder les problèmes du domaine de l'électricité. Il inventa le premier télégraphe électrique et contribua au développement des mathématiques, de la chimie et de la philosophie. On donna son nom à une unité de mesure d'intensité de courant électrique.

Amsterdam, capitale des Pays-Bas. Amsterdam est un très important port de commerce du pays. Construite sur un réseau de canaux, on la nomme la «Venise du Nord». La ville compte quelque 730 000 Amstellodamois et Amstellodamoises (ou Amstellodamiens). Grande ville d'art et un des principaux centres touristiques d'Europe, la ville possède de nombreux monuments et quartiers anciens et des musées. Centre financier et intellectuel (université, édition), Amsterdam est aussi un centre industriel: constructions navales, industries alimentaires, textiles, chimiques, mécaniques, électriques, entreprise de taille des diamants, raffinerie de pétrole. On y trouve également un aéroport international.

Ancienne-Lorette ☞ **L'Ancienne-Lorette**.

Andersen (Hans Christian), écrivain né à Odense, au Danemark, en 1805 et mort à Copenhague en 1875. Auteur de récits de voyage, de pièces de théâtre, de romans, Hans Christian Andersen devint célèbre surtout par ses *Contes*. Il écrivit 154 contes inspirés de récits populaires, de l'histoire, de la vie quotidienne et de sa propre vie. Voici quelques titres: *Le vilain petit canard*, *La bergère et le ramoneur*, *Les cygnes sauvages*, *Les habits neufs de l'empereur*, *La petite sirène*, *La petite marchande d'allumettes*...

Andes (cordillère des), chaîne de montagnes d'Amérique du Sud. Parsemée de volcans actifs, la cordillère des Andes couvre près du tiers de l'Amérique du Sud. Constituée de montagnes jeunes, elle s'étend du nord au sud, en bordure de l'océan Pacifique, sur près de 8 000 km, du Venezuela à la Terre de Feu. Le point culminant des Andes est l'Aconcagua (6 959 m), en Argentine. Les Andes déclinent vers le sud et ne forment plus en Patagonie, une région de l'Argentine, que d'étroits plateaux arides longés par un chapelet d'îles. Le climat des Andes varie du climat équatorial au climat tempéré. Les plateaux intérieurs et les bassins sont les domaines des cultures de canne à sucre, de café, de fruits, de céréales et de pommes de terre et de l'élevage (ovins, bovins). On y trouve de grandes richesses minérales qui sont peu exploitées en raison du manque de voies de communication.

Andorre (principauté d'), principauté des

Pyrénées. Située à la frontière de la France et de l'Espagne, la principauté d'Andorre est, depuis 1607, sous la responsabilité de ces deux pays. Elle est dirigée conjointement par le président de la République française et par l'évêque d'Urgel (Espagne). Sa capitale est Andorre-la-Vieille. La principauté d'Andorre, d'une superficie de 465 km², compte environ 40 000 habitants (Andorrans et Andorranes). La langue officielle est le catalan, mais on y parle aussi français et espagnol. La monnaie utilisée est le franc français et la peseta espagnole. La principauté vit de l'élevage et surtout du tourisme.

André (frère), né Alfred **Bessette**, conseiller religieux et fondateur de l'oratoire Saint-Joseph (Montréal), né à Saint-Grégoire d'Iberville, au Québec, en 1845 et mort à Montréal en 1937. Homme simple, analphabète, il exécute les tâches les plus modestes dans la congrégation des frères de Sainte-Croix, son ordre religieux. Des milliers de personnes attribuent leur guérison miraculeuse à son intervention et à celle de son patron, saint Joseph. En 1904, ses admirateurs l'aident à construire un petit oratoire en l'honneur de saint Joseph sur le mont Royal. Entre 1924 et 1955, une magnifique basilique est construite sur l'emplacement du petit oratoire. Cette basilique est unique à Montréal et au Canada. Elle attire chaque année un demi-million de visiteurs. Le frère André est devenu le personnage religieux le plus populaire du Québec au XXe siècle et il a été béatifié le 23 mai 1982. Le cinéaste Jean-Claude Labrecque raconte la vie du célèbre guérisseur dans son film intitulé *Le frère André* (1987).

ANOM/P97

Le frère **André**

André Grasset (saint), prêtre canadien, né à Montréal en 1758 et mort en France en 1792. De père français et de mère canadienne-française, André Grasset quitte la Nouvelle-France en 1764. Au moment où la Révolution française éclate, André Grasset est chanoine de l'église métropolitaine de Sens. Les révolutionnaires avaient déclaré que les prêtres relevaient désormais de l'État et non plus du pape. André Grasset est au nombre des prêtres qui sont enfermés et exécutés parce qu'ils ont refusé de prêter le serment d'allégeance à l'État. L'Église a qualifié ces prêtres de martyrs et les a déclarés bienheureux. André Grasset a été canonisé en 1926. On a donné son nom à un collège de Montréal pour perpétuer sa mémoire.

Anfousse (Ginette), auteure canadienne, née en 1944. Après des études à l'École des beaux-arts, Ginette Anfousse connaît le succès dès la publication de ses premiers albums *Mon ami Pichou* (1976), qui ont été distribués en Europe et traduits en anglais. Plusieurs de ses albums s'adressent aux tout-petits, notamment *La cachette* (1976), *La varicelle* et *La chicane* (1978), ces deux derniers titres lui valant le prix du Conseil des Arts du Canada en 1978, *L'hiver et le bonhomme sept-heures* (1980), *Le savon* (1980). Elle a écrit, pour les adolescents, *La quête d'un loup pour Rose* ainsi que *Une nuit au pays des malices* (1982), pour lesquels elle a obtenu en 1983 un autre prix du Conseil des Arts du Canada. Elle a aussi écrit *Les catastrophes de Rosalie* (prix Fleury-Mesplet et prix Québec-Wallonie-Bruxelles, 1987) et *Le héros de Rosalie* (1988).

PHOTO LUCIEN LISABELLE

Ginette **Anfousse**

Angleterre, région de la Grande-Bretagne. Limitée par l'Écosse et le pays de Galles, baignée par la mer du Nord, le pas de Calais, la Manche et la mer d'Irlande, l'Angleterre est la plus étendue (131 760 km²) des régions de la Grande-Bretagne. Londres en est la capitale. La chaîne Pennine constitue la charpente de l'Angleterre. Le Sud-Ouest est formé de plaines. Au nord, les monts Cheviot tracent la limite entre l'Angleterre et l'Écosse. La Tamise, qui se jette dans la mer du Nord, est le principal fleuve. Le climat, de type océanique, est tempéré et humide. Un brouillard dense s'étend sur la région, surtout en hiver. La végétation se présente sous diverses formes: forêts appauvries par le déboisement, landes avec marécages et bruyères, et plaines. L'Angleterre est la région la plus peuplée de la Grande-Bretagne; elle compte environ 48 millions d'habitants (Anglais et Anglaises). La langue officielle est l'anglais. Les religions protestante et catholique sont les plus importantes. La monnaie utilisée est la livre sterling. La région est favorable à l'agriculture et surtout à l'élevage. Des ressources en fer et en charbon ont favorisé l'industrie et ont permis à l'Angleterre d'être la première puissance mondiale au XIXe siècle. L'Angleterre a un secteur industriel très développé dans lequel l'industrie textile joue un rôle fondamental.

Angola, État de l'Afrique équatoriale. D'une superficie de 1 246 700 km², l'Angola est baignée à l'ouest par l'océan Atlantique et limitée par le Zaïre, la Zambie et la Namibie. Sa capitale est Luanda. Le relief est constitué d'un grand plateau qui s'abaisse vers la côte. Au nord, une étroite plaine côtière se prolonge par le désert du Namib. De nombreuses rivières descendent du plateau. Le fleuve Zambèze est le principal cours d'eau du pays. L'Angola jouit d'un climat tropical chaud marqué par un courant froid et des vents secs. L'État compte 8 millions d'habitants (Angolais et Angolaises). La langue officielle est le portugais, mais on y parle aussi des langues du groupe bantou. On y pratique les religions catholique et animiste. La monnaie utilisée est le kwanza. L'économie de l'Angola repose surtout sur la culture du café et sur l'exploitation du sous-sol (diamant, pétrole). L'Angola devenait possession portugaise en 1484 et obtenait son indépendance en 1975. Un président dirige cette république populaire de type socialiste.

Anjou, ville du Canada. Situé dans le secteur est de l'île de Montréal, au Québec, Anjou est borné par Montréal-Est et Saint-Léonard. La ville, qui compte 36 900 Angevins et Angevines, fut constituée en 1956. Elle fait partie de la Communauté urbaine de Montréal. Anjou, dont le nom rappelle une région de la France, possède un important parc industriel. Les activités industrielles se répartissent dans de nombreux secteurs: alimentation, textiles, meubles, matériel de transport, produits d'imprimerie et produits électriques.

Ankara, capitale de la Turquie. Déjà cité importante au XVIe siècle avant Jésus-Christ, la ville compte aujourd'hui quelque 2,2 millions d'habitants. Ankara possède un aéroport international, des musées, deux universités et de nouveaux quartiers qui sont dominés par la vieille ville, où se trouvent des ruines de l'époque romaine. Le rôle d'Ankara est essentiellement politique et administratif.

Annapolis (vallée de l'), vallée du Canada située à l'ouest de la Nouvelle-Écosse. Elle longe la baie de Fundy et s'étend sur 154 km. Une des principales villes de la vallée est Kentville, siège d'une station expérimentale d'Agriculture Canada. Les rivières Annapolis et Cornwallis drainent la vallée. L'élévation du niveau de la mer a favorisé le développement de marais salants à chaque extrémité de la vallée. Ces marais furent le centre de la colonie française d'Acadie, de la fondation de Port-Royal jusqu'au milieu du XVIIIe siècle. Dans le centre de la vallée, les sols bien irrigués et protégés du gel printanier ont favorisé le développement de la pomoculture et de l'industrie laitière.

Anne-Marie Rivier (bienheureuse), née Marie **Rivier**, religieuse et fondatrice française, née à Montpezat, France, en 1768 et morte à Bourg-Saint-Andéol, France, en 1838. Marie Rivier consacra sa vie à la prière et à l'instruction des enfants. Tenace et courageuse, elle regroupa quelques compagnes à qui elle apprit l'art d'enseigner. Elle fonda en 1804 la congrégation des sœurs de la Présentation de Marie, vouée à la protection des jeunes filles et à leur instruction ainsi qu'à l'aide aux vieillards. En 1858, la maison provinciale fut transférée à Saint-Hyacinthe, au Québec. Par la suite, des établissements s'implantent au Canada et aux États-Unis. La maison mère se trouve à Castelgondolfo, en Italie. Sœur Anne-Marie fut béatifiée en 1982.

Antananarivo (autrefois Tananarive), capitale de Madagascar. Situé au centre de cette république insulaire de l'océan Indien, Antananarivo est érigé sur un plateau, à une altitude de 1 200 m à 1 500 m. La ville, qui compte 550 000 habitants, est un centre commercial et administratif; elle possède une université ainsi que des industries agricoles et mécaniques.

Antarctique ou **Antartide**, un des six continents presque entièrement centré sur le pôle Sud. D'une superficie d'environ 14 millions de km², l'Antarctique est ceinturée par l'océan Antarctique. Le continent est formé de montagnes recouvertes en permanence d'une calotte de glace dont l'épaisseur peut dépasser 2 000 m. L'Antarctique possède le climat le plus froid et le plus venteux du globe. L'extrême rigueur du climat, dont la moyenne annuelle est de -60 °C, explique la pauvreté de la flore (champignons et lichens) et de la faune (pingouins et manchots vivant sur les blocs de glace qui entourent le continent). L'Antarctique a été le but de nombreuses expéditions au cours du XIXe siècle. Plusieurs pays y possèdent maintenant des terres. En 1959, ces pays signèrent un traité destiné à promouvoir une recherche scientifique commune. L'homme n'est présent que dans quelques stations scientifiques récemment créées.

Antarctique ou **Austral** (océan), nom donné à l'océan qui entoure le continent antarctique, au sud des océans Indien, Atlantique et Pacifique, dont il forme la réunion. L'océan Antarctique est considéré comme la meilleure région du monde pour la chasse aux baleines.

Anticosti (île d'), île du Canada, située au Québec à l'entrée du golfe du Saint-Laurent, au nord-est de la Gaspésie. D'une superficie de 8 400 km², plus grande que l'île du Prince-Édouard, l'île d'Anticosti ne possède qu'un seul village, Port-Menier, et sa population n'est que de 335 Anticostiens et Anticostiennes. L'île fut découverte en 1534 par Jacques Cartier, qui lui donna le nom de «île de l'Assomption». Son rivage est dominé par des falaises abruptes et plusieurs de ses rivières passent par de profonds canyons. L'extrémité est de l'île est un énorme marécage. Elle est entourée de récifs dangereux qui lui ont valu le surnom de «tombeau du golfe»; de nombreux navires s'y sont échoués avant l'installation des phares. L'île possède une grande richesse faunique: 100 000 cerfs de Virginie à queue blanche des plus remarquables. La chasse au cerf constitue l'attraction principale de l'île. L'origine du nom de celle-ci est incertaine: certains disent que ce nom dérive du mot amérindien *naticosti*, qui signifie «où les ours sont chassés»; d'autres croient qu'il vient des mots espagnols *anti* (avant) et *costa* (côte).

Antilles, archipel de l'Amérique centrale. D'une superficie de près de 240 000 km², les Antilles s'étendent du golfe du Mexique au Venezuela, séparant la mer des Caraïbes de l'océan Atlantique. L'archipel se divise en Grandes Antilles, qui comprennent Cuba, Haïti, la République dominicaine, Porto Rico, la Jamaïque et les îles Caïmanes, et en Petites Antilles, comprenant la Guadeloupe et ses dépendances, la Martinique, la Barbade, la Dominique, Antigua et Barbuda, la Grenade, Sainte-Lucie, Saint-Vincent et les Grenadines, la Trinité et Tobago, les îles Vierges et Curaçao. L'archipel montagneux, d'origine volcanique, jouit d'un climat chaud et humide. La végétation est luxuriante. Les Antilles comptent environ 35 millions d'Antillais et d'Antillaises. Les principales langues parlées sont, selon l'État, l'anglais, l'espagnol, le créole et le français (Haïti). La Jamaïque possède l'un des plus importants gisements de bauxite du monde. L'économie repose principalement sur l'agriculture: la canne à sucre, dont on exporte les produits (sucre et rhum), les fruits tropicaux (bananes, ananas), le tabac, le café et le cacao. Le tourisme joue un rôle économique important. Les Antilles furent découvertes par Christophe Colomb en 1492. Elles furent colonisées d'abord par les Espagnols puis par les Français, les Anglais et les Hollandais. Elles furent au XVIIIe siècle un centre de la traite des Noirs. Quelques îles ont obtenu leur indépendance: les autres dépendent de la France, de la Grande-Bretagne, des Pays-Bas et des États-Unis.

Antilles (mer des) ☞ **Caraïbes** (mer des).

Antoine Daniel (saint), missionnaire jésuite né à Dieppe en 1601 et mort en Nouvelle-France en 1648. Antoine Daniel, entré dans les ordres en 1621, est l'un des huit martyrs canadiens canonisés ensemble en 1930. Le père Daniel est arrivé en Nouvelle-France en 1632. En 1641, il était responsable de deux missions: Saint-Jean-Baptiste et Saint-Joseph. Le 4 juillet 1648, alors qu'il célébrait la messe, les Iroquois attaquèrent le village de 2 000 habitants. Le père Daniel aida ses paroissiens à s'enfuir et fut capturé par les Iroquois, qui le torturèrent et le brûlèrent au pied de son autel.

Anvers, ville de Belgique et centre administratif de la province du même nom. Situé près de la Hollande, à 88 km de la mer du Nord, sur l'Escaut (fleuve), Anvers est l'un des plus grands ports européens, le quatrième du monde. Anvers compte 497 000 Anversois et Anversoises. La ville abrite de nombreux monuments et musées, un important jardin zoologique et une majestueuse cathédrale gothique où l'on peut admirer des peintures de Rubens. Son développement économique repose sur l'industrie textile, la taille de diamants, la métallurgie, la construction automobile et le raffinage du pétrole.

Apennin ou **Apennins**, chaîne de montagnes, située en Italie. Cette chaîne s'étend sur environ 1 300 km, de la ville de Gênes jusqu'à la pointe de la botte italienne. Dans cette région, on trouve de nombreux villages et villes. Le mont Gran Sasso se dresse à 2 914 m. Il fait partie de la région montagneuse du centre de l'Italie qu'on appelle les Abruzzes. Cette partie des Apennins, formée de quatre provinces, compte plus de 1,2 million d'habitants. Cette grande région est reconnue non seulement pour ses récoltes de blé et de maïs, mais aussi pour son huile d'olive et surtout son raisin.

Apollo, programme spatial américain. Ce programme d'exploration de la Lune, né en 1961, fut réalisé entre 1969 et 1972. C'est lors du vol Apollo XI, en 1969, qu'eut lieu le premier atterrissage sur la Lune. Neil Armstrong, Edwin Aldrin et Michael Collins se trouvaient à bord du vaisseau. La mission Apollo XVII mit fin à ce programme en 1972.

Appalaches (Les) ☞ **Canada.**

Aquino (Corazón, dite **Cory**), femme politique philippine, née à Manille en 1933. À la suite de l'assassinat de son mari, Benigno Aquino, en 1983, elle prend la relève et devient chef du parti de l'opposition. Elle remporte l'élection du 25 février 1986, remplace le dictateur Ferdinand Marcos et devient la première présidente du gouvernement des Philippines.

Arabie, péninsule de l'extrémité sud-ouest de l'Asie. D'une superficie de 3 millions de km², l'Arabie est limitée par la mer d'Oman, la mer Rouge, le golfe Persique et, au nord, par la Jordanie et l'Iraq. Les États arabiques sont: l'Arabie saoudite, Bahreïn, les Émirats arabes unis, le Koweït, l'Oman, le Qatar, la République arabe du Yémen (Yémen du Nord) et la République démocratique populaire du Yémen (Yémen du Sud). L'ouest de la péninsule est occupé par une montagne. Le reste de la péninsule est formé de plateaux, de plaines et d'une région désertique peu habitée. Le climat méditerranéen domine l'ensemble et l'aridité estivale tourne souvent à l'aridité permanente: peu de précipitations, sauf dans les hauteurs sud-ouest du Yémen. L'Arabie compte environ 20 millions d'habitants, appelés Arabes. La langue parlée est l'arabe et l'on pratique la religion musulmane. La monnaie utilisée est, selon les États, le dinar, le dirham ou le riyal. Grâce à l'irrigation, on cultive les dattes, les céréales et les légumes. On fait l'élevage des chèvres et des moutons. L'économie de l'Arabie repose essentiellement sur l'exploitation du pétrole. Les États de l'Arabie font partie de l'O.P.E.P. (Organisation des pays exportateurs de pétrole).

Arabie saoudite, État du sud-ouest de l'Asie. D'une superficie d'environ 2 150 000 km², l'Arabie saoudite est limitée par la Jordanie, l'Iraq, le Koweït, le golfe Persique, le Qatar, les Émirats arabes unis, les deux Yémens, l'Oman et la mer Rouge. Riyâd est la capitale. Berceau de l'islam, l'Arabie saoudite abrite deux villes saintes: Médine et La Mecque. Le relief est formé de montagnes à l'ouest et d'une plaine côtière qui s'incline vers le golfe Persique. Le Centre est occupé par un vaste plateau qui sépare deux immenses déserts recouverts de dunes. Dans l'ensemble du pays, le climat est chaud et sec, ce qui explique l'étendue des zones désertiques. L'Arabie saoudite compte environ 11,5 millions d'habitants. Les personnes originaires de cet État sont des Saoudiens et des Saoudiennes. La langue officielle est l'arabe et la religion pratiquée est l'islam. La monnaie utilisée est le riyal. La mise en place de systèmes d'irrigation a permis d'étendre les cultures hors des oasis, où l'on cultive surtout les dattes, produit d'exportation. L'agriculture, l'élevage (moutons, chèvres, volailles), la pêche de perles, l'artisanat (poterie, tapis) et certaines industries assurent quelques ressources économiques, mais la richesse de l'Arabie saoudite vient du pétrole. L'État joue un rôle de médiateur dans l'O.P.E.P. (Organisation des pays exportateurs de pétrole).

Arcand (Denys), cinéaste et scénariste canadien, né à Deschambault en 1941. Denys Arcand amorce sa carrière à l'Office national du film en 1963 et réalise quelques documentaires, dont *On est au coton* (1969). Il réalise pour la télévision la célèbre série sur Duplessis: *Duplessis et après...* Poursuivant sa carrière dans le secteur privé, il compte à son actif plusieurs longs métrages de fiction importants: *Gina*, *La maudite galette*, *Réjeanne Padovani*, *Le crime d'Ovide Plouffe* (réalisation des deux derniers épisodes), *Le déclin de l'empire américain* et *Jésus de Montréal*. Denys Arcand écrit lui-même les scénarios de ses films et compose des personnages qui illustrent bien les divers courants de pensée de sa génération. Récemment, *Le déclin de l'empire américain* représentait le Canada dans la course aux Oscars. Ce film obtenait également en 1986 le prix de la critique québécoise et de nombreuses autres distinctions internationales. *Jésus de Montréal* (1989) lui a valu, entre autres, en 1989, le prix du public au Festival international de Chicago, le grand prix du Festival du cinéma en Abitibi – Témiscamingue (prix Hydro-Québec), le prix œcuménique et le prix du Jury au Festival de Cannes. Enfin, en novembre 1989, le ministère des Affaires culturelles du Québec décernait à Denys Arcand le prix Albert-Tessier pour l'ensemble de son œuvre.

Denys **Arcand**

B. CARRIÈRE/PUBLIPHOTO

Arctique (archipel), ensemble des îles du Canada, entre le nord du continent et le Groenland. L'archipel Arctique canadien comprend la terre de Banks, les îles de la Reine-Élisabeth et l'île Victoria. Ces îles sont en grande partie couvertes de glace.

Arctique, vaste région continentale et insulaire du pôle Nord. La région englobe le nord de l'Amérique, de l'Europe et de la Sibérie, le Groenland, le Svalbard (archipel) et l'archipel Arctique canadien. Le climat est froid et les vents sont violents. Le sol y est gelé en permanence. La végétation est pauvre (mousses, lichens). En été, la région se couvre de fleurs. On y trouve une faune terrestre assez riche (rennes, loups, renards, caribous et bœufs musqués), des oiseaux et des insectes en grand nombre, des phoques et des morses. La faune marine est également abondante. Les populations qui vivent dans cette région sont très dispersées. Ces populations comprennent les Inuit (au nord de l'Amérique), les Aléoutiens (dans les îles Aléoutiennes), les Lapons (dans les pays scandinaves) et les Tchauktches (en Sibérie). Ces peuples vivent de chasse et de pêche, mais ils tendent à se fixer et à pratiquer l'élevage. La découverte des régions arctiques commença au XVIe siècle. En 1728, Béring découvrit le détroit qui porte son nom; ce détroit fut franchi pour la première fois en 1906. L'Arctique renferme des ressources minières considérables. Toutefois, l'extraction des combustibles fossiles (houille, pétrole) demeure sans succès. Cette région sert de base de recherches pour les Russes, les Américains et les Canadiens.

Arctique (océan), océan du pôle Nord, le plus petit de tous, situé entre l'Asie, l'Amérique et l'Europe. C'est une mer de glace, de banquises et d'icebergs, qui comprend, entre autres, la mer de Béring, la mer du Groenland et la mer de Beaufort. L'océan Arctique a une superficie de 1 400 000 km². Plusieurs expéditions scientifiques ont été organisées en Arctique pour scruter les fonds marins et en découvrir la faune et la flore.

Argentine, État d'Amérique du Sud. L'Argentine, d'une superficie de 2,7 millions de km², est limitée par la Bolivie, le Paraguay, le Brésil, l'Uruguay, l'Atlantique et le Chili. Sa capitale est Buenos Aires. La Terre de Feu constitue la pointe ou l'extrémité du pays. Une chaîne de montagnes, les Andes, dont le point culminant est l'Aconcagua, des plaines, des pampas et des plateaux (Patagonie) couvrent le pays. Les cours d'eau importants sont le Paraná, l'Uruguay et le rio de La Plata. Le climat est froid en Patagonie, tandis qu'il devient subtropical dans les autres régions. Les deux tiers du territoire sont très arides. La steppe et la brousse s'étendent sur près de 1 850 000 km² et font de l'Argentine un pays semi-désertique. L'État compte 31,5 millions d'habitants (Argentins et Argentines). La majorité de la population est d'origine européenne (espagnole et italienne); elle se compose pour le reste de métis et d'Indiens qui sont en voie d'extinction. La langue officielle est l'espagnol. Près de 90 % de la population est catholique. La monnaie utilisée est l'austral. L'économie argentine repose sur les produits de l'agriculture et de l'élevage (céréales, soja, vin, viande, peaux, laine). Le pays exporte des grains, des viandes, des produits agricoles et laitiers et de la laine. L'Argentine fut sous la domination espagnole dès le début du XVIe siècle. En 1816, l'indépendance est proclamée. La République argentine, qui a connu plusieurs années de dictature militaire, est aujourd'hui une démocratie dirigée par un président.

Arménie (République socialiste soviétique d'), république fédérée de l'U.R.S.S. D'une superficie de 29 800 km², elle est la plus petite république de l'U.R.S.S. Erevan est la capitale de cette république qui est entièrement située sur de hauts plateaux, au sud du Caucase. L'Alaghez (4 095 m), un massif volcanique, domine le lac Sevan et la ville d'Erevan. L'Araxe, une rivière qui prend sa source en Turquie, sert de frontière entre l'Arménie soviétique et la Turquie. Le climat est froid en général, sauf dans la plaine d'Ararat où il est chaud et sec. La République arménienne compte 3,3 millions d'habitants, en majorité des Arméniens et des Arméniennes. La langue parlée est l'arménien et l'on pratique les religions catholique, protestante et celle de l'Église nationale apostolique d'Arménie. Céréales, betterave à sucre, tabac, coton, cultures maraîchères, élevage (ovins, bovins) constituent des ressources importantes. Le pays compte peu de terres arables et son économie agricole est concentrée dans deux vallées et la plaine d'Ararat, où le climat permet la culture irriguée de la vigne et des arbres fruitiers. L'aménagement hydroélectrique du lac Sevan a entraîné un essor économique important. Le sous-sol est riche: cuivre, plomb, bauxite, manganèse, marbre. L'Arménie compte aussi des industries de transformation ainsi que des industries alimentaires et textiles. En 1988, un violent tremblement de terre a fait près de 30 000 victimes dans cette région du globe.

Armstrong (Neil), astronaute américain, né en Ohio, aux États-Unis, en 1930. Il fut le premier homme à poser le pied sur la Lune,

OCÉAN ATLANTIQUE
REVENDICATION DE LA GRANDE-BRETAGNE
REVENDICATION ARGENTINE
REVENDICATION CHILIENNE
TERRITOIRE DE LA NORVÈGE
ÎLES FALKLAND
AMÉRIQUE DU SUD
OCÉAN INDIEN
TERRE DE LA REINE MAUD
TERRITOIRE ANTARCTIQUE AUSTRALIEN
TERRITOIRE NON REVENDIQUÉ
DÉPENDANCE DE ROSS
TERRE ADÉLIE
OCÉAN PACIFIQUE
TERRES AUSTRALES ET ANTARCTIQUES FRANÇAISES
TERRITOIRE DE LA NOUVELLE-ZÉLANDE
TERRITOIRE ANTARCTIQUE AUSTRALIEN
0 1200
km
ANTARCTIQUE
NOUVELLE-ZÉLANDE
AUSTRALIE
PROJECTION AZIMUTHALE

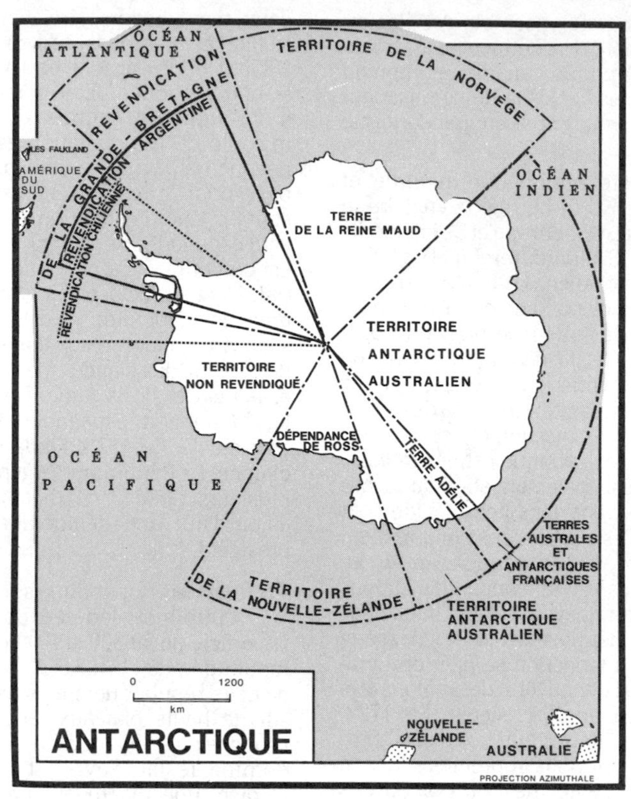

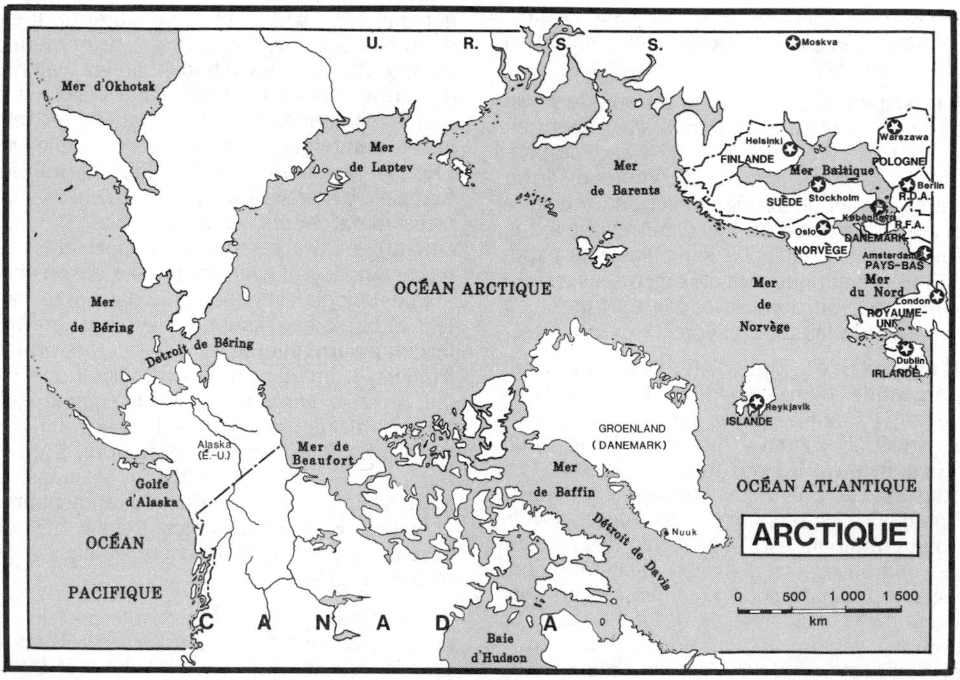

U. R. S. S.
Moskva
Mer d'Okhotsk
Mer de Laptev
Mer de Barents
Helsinki
FINLANDE
Warszawa
POLOGNE
Mer Baltique
Berlin
R.D.A.
SUÈDE
Stockholm
København
R.F.A.
Oslo
DANEMARK
NORVÈGE
Amsterdam
PAYS-BAS
OCÉAN ARCTIQUE
Mer de Béring
Détroit de Béring
Mer de Norvège
Mer du Nord
London
ROYAUME-UNI
Dublin
IRLANDE
Reykjavik
ISLANDE
GROENLAND (DANEMARK)
Alaska (É.-U.)
Mer de Beaufort
Mer de Baffin
Golfe d'Alaska
OCÉAN ATLANTIQUE
Détroit de Davis
Nuuk
ARCTIQUE
OCÉAN PACIFIQUE
0 500 1 000 1 500
km
C A N A D A
Baie d'Hudson

le 21 juillet 1969, lors de la mission Apollo XI. Il avait comme compagnons Edwin Aldrin et Michael Collins. Le monde entier surveillait à la télévision ce moment historique et entendit Armstrong déclarer: «C'est un petit pas pour un homme, mais quel bond pour l'humanité!»

Ar Ribat ☞ **Rabat**.

Arthabaska, ville du Canada. Arthabaska est une ville du Québec, située sur la rivière Nicolet, au sud-est de Victoriaville. La ville, fondée en 1838, s'étend aux pieds des Appalaches et est dominée par le mont Saint-Michel. Elle compte 7 200 Arthabaskiens et Arthabaskiennes. Ses premières industries sont la potasse et les produits de l'érable. L'industrie laitière et la transformation du bois représentent aujourd'hui les principales activités économiques de la région. Arthabaska porte le titre de «capitale des Bois-Francs», région ainsi nommée à cause de ses arbres qui fournissent du bois dur (orme, érable, merisier). Le nom d'Arthabaska est formé de deux mots de la langue algonquine qui signifient «là où il y a des joncs et des roseaux». Le peintre et sculpteur Marc-Aurèle Suzor-Coté est né dans cette ville. Sir Wilfrid Laurier, premier ministre du Canada de 1896 à 1911, y a débuté comme avocat en 1867. Sa maison d'été est devenue un musée.

Asbestos, ville du Canada. Cette ville du Québec est située à 63 km au nord de Sherbrooke, dans la région de l'Estrie. La ville d'Asbestos a été fondée en 1876. D'une population de 6 960 Asbestriens et Asbestriennes, Asbestos est une ville minière et possède la plus grande mine d'amiante à ciel ouvert du monde. On la surnomme la «capitale de l'or blanc». L'industrie de l'amiante, à laquelle s'ajoutent les industries de bois d'œuvre et d'équipements électriques, contribue à faire d'Asbestos un pôle important du comté de Richmond. Asbestos fut le lieu, en 1949, d'un événement marquant dans l'histoire du monde syndical au Québec: 5 000 ouvriers des mines déclenchèrent une grève qui dura 120 jours ouvrables.

Asie, un des six continents du monde. L'Asie, d'une superficie de 44 millions de km², est bordée au nord de la Sibérie par l'océan Arctique, à l'est par l'océan Pacifique et au sud par l'océan Indien. Le continent asiatique est séparé de l'Amérique par le détroit de Béring, de l'Europe par les monts de l'Oural, de l'Afrique par la mer Rouge et du continent australien par la mer de Timor. Le continent comprend les archipels du Japon, de l'Indonésie et l'archipel malais. C'est le plus étendu et le plus peuplé des continents. Avec l'Europe qui le prolonge, il forme l'Eurasie. On trouve plusieurs grandes villes sur ce continent, dont Ankara, Bombay, Bangkok, Calcutta, Hanoï, Manille, Pékin, Séoul, Shanghai, Téhéran et Tokyo. Le relief de l'Asie est accidenté et se compose de plaines et de plateaux (Sibérie) et de hautes chaînes de montagnes (Caucase, Himālaya); il se découpe, au sud, en vastes péninsules (Arabie, Inde, Indochine). Plusieurs fleuves drainent le continent: le Yang-Tsê Kiang, le Mékong, l'Indus, le Gange, l'Euphrate et le Tigre. À la limite de l'Europe et de l'Asie s'étend la mer Caspienne. L'Asie possède toutes les nuances climatiques; continental au nord et au centre, le climat est tropical au sud avec interférence de la mousson. La végétation est extrêmement diversifiée (presque toutes les espèces de plantes se retrouvent en Asie) et dépend du climat et de l'altitude: toundra, grandes forêts de conifères, steppes herbeuses, forêts tropicales et forêt subtropicale humide dans le sud de la Chine. L'Asie compte quelque 2,9 milliards d'habitants, des Asiatiques (ou Asiates), soit plus de la moitié de la population du globe. On y trouve plusieurs grands groupes humains, et à peu près toutes les grandes religions du monde y sont pratiquées. Sauf au Japon, l'agriculture est la principale activité: riz, thé, caoutchouc, jute, coton, blé, soja et élevage. Le sous-sol contient d'immenses richesses, qui sont bien exploitées en certaines régions (pétrole, houille, fer, étain).

Assemblée des premières nations, organisation politique nationale fondée en 1980 et représentant les peuples amérindiens du Canada. Cette assemblée fondée par des chefs d'une majorité de bandes est déclarée seule et unique voix des peuples amérindiens dans la loi sur les Amérindiens. L'Assemblée est constituée d'un chef national nommé pour trois ans et chargé de diriger le travail de l'Assemblée. Il est entouré de six chefs régionaux adjoints. La principale bataille de l'Assemblée est l'insertion, dans la Constitution, du droit à un gouvernement autonome pour les Amérindiens.

Assemblée législative, institution parlementaire du Québec, constituée par l'Acte de l'Amérique du Nord britannique en 1867. Cette assemblée étudiait et adoptait les lois de la province de Québec. Elle comptait 65 membres en 1867. Elle garda ce nom jusqu'en 1968 où elle prit celui d'Assemblée nationale.

Assemblée nationale, institution parlementaire du Québec. L'Assemblée nationale est formée de l'ensemble des députés élus par le peuple. Elle discute et vote les lois et exerce un contrôle sur l'action du gouvernement. L'Assemblée nationale est passée de 108 membres en 1970 à 125 en 1989; le mandat de ceux-ci

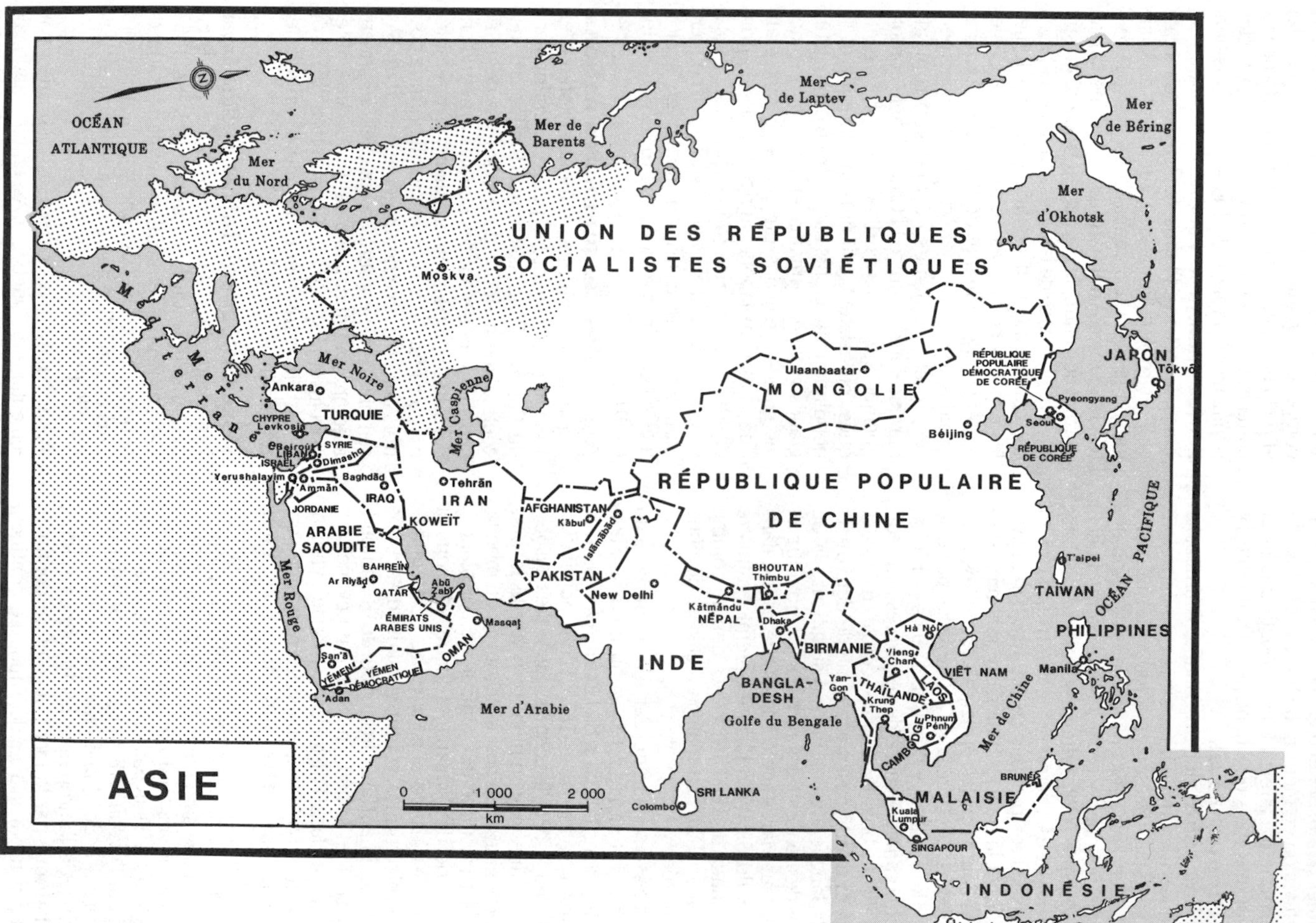
OCÉAN ATLANTIQUE
Mer du Nord
Mer de Barents
Mer de Laptev
Mer de Béring
Mer d'Okhotsk
Mer Méditerranée
Mer Noire
Mer Caspienne
Mer Rouge
Mer d'Arabie
Golfe du Bengale
Mer de Chine
OCÉAN PACIFIQUE
UNION DES RÉPUBLIQUES SOCIALISTES SOVIÉTIQUES
Moskva
MONGOLIE
Ulaanbaatar
RÉPUBLIQUE POPULAIRE DE CHINE
Béijing
RÉPUBLIQUE POPULAIRE DÉMOCRATIQUE DE CORÉE
Pyeongyang
RÉPUBLIQUE DE CORÉE
Seoul
JAPON
Tōkyō
TAIWAN
T'aipei
PHILIPPINES
Manila
TURQUIE
Ankara
CHYPRE
Levkosia
SYRIE
Dimashq
LIBAN
Beyrouth
ISRAËL
Yerushalayim
JORDANIE
Ammān
IRAQ
Baghdād
IRAN
Tehrān
KOWEÏT
ARABIE SAOUDITE
Ar Riyāḍ
BAHREÏN
QATAR
ÉMIRATS ARABES UNIS
Abū Ẓaby
OMAN
Masqaṭ
YÉMEN
Ṣan'ā
YÉMEN DÉMOCRATIQUE
'Adan
AFGHANISTAN
Kābul
PAKISTAN
Islāmābād
INDE
New Delhi
NÉPAL
Kātmāndu
BHOUTAN
Thimbu
BANGLA-DESH
Dhaka
BIRMANIE
Yan-Gon
THAÏLANDE
Krung Thep
LAOS
Vieng Chan
VIÊT NAM
Hà Nôi
CAMBODGE
Phnum Penh
MALAISIE
Kuala Lumpur
SINGAPOUR
BRUNÉI
INDONÉSIE
Jakarta
SRI LANKA
Colombo
0
1 000
2 000
km
ASIE

a une durée maximale de cinq ans. Le nom d'Assemblée nationale fut donné à l'Assemblée législative en 1968.

Assomption [*Asunción*], capitale du Paraguay. Située au confluent du Paraguay et du Pilcomayo, près de la frontière de l'Argentine, Assomption, fondée en 1537 par les Espagnols, compte 600 000 habitants. La ville, qui est un port fluvial actif, possède une université, des industries textiles et des conserveries de viande.

Asunción ☞ **Assomption**.

Athabasca (lac), lac du Canada partagé entre l'Alberta et la Saskatchewan. Il reçoit ses eaux des rivières de la Paix et Athabaska et donne naissance à la rivière des Esclaves, qui se déverse dans le Grand lac des Esclaves, dans les Territoires du Nord-Ouest. D'une superficie de près de 8 000 km², le lac Athabasca arrive au quatrième rang des lacs canadiens pour son étendue. Il a été un carrefour pour le commerce des fourrures et demeure encore un centre de commerce. Sur ses rives, on trouve une ville importante pour son uranium (Uranium City).

Athabasca (rivière), rivière du Canada, d'une longueur de 1 230 km, qui prend sa source dans les Rocheuses, dans le glacier du Columbia, traverse le parc national de Jasper et se déverse dans le lac Athabasca. Ses principaux affluents sont la rivière Pembina et la Petite rivière des Esclaves. La région qui environne la rivière contient des dépôts de sable bitumineux qui renferment une très grande réserve de pétrole.

Athènes [*Athína*], capitale de la Grèce. Située au sud de la Grèce, en bordure de la Méditerranée, Athènes compte 886 000 Athéniens et Athéniennes. La ville renferme de célèbres monuments et sites de l'Antiquité (Parthénon, Acropole) et de riches musées qui en font un des grands centres touristiques du monde (trois millions de visiteurs chaque année). La ville antique était bâtie autour de l'Acropole, citadelle transformée en centre religieux dominant la ville d'une centaine de mètres. Athènes forme, avec son port, le Pirée, le principal centre industriel du pays. Elle est aussi un important centre administratif et culturel (université). Athènes était déjà prospère dès le Xe siècle avant Jésus-Christ. Elle fut le berceau des institutions démocratiques et le foyer de la civilisation classique: sciences, philosophie, histoire, théâtre. Malgré une période de déclin, Athènes conserva son prestige culturel. En 1896, elle a été le siège des premiers Jeux olympiques modernes.

Athína ☞ **Athènes**.

Athlone (Alexander George Cambridge, comte **d'**), administrateur et militaire, né à Londres en 1874 et mort au même endroit en 1957. Il est le deuxième membre de la famille royale, après le duc de Connaught, à devenir gouverneur général du Canada. Son épouse, la princesse Alice, est la petite-fille de la reine Victoria. Retraité militaire après la Première Guerre mondiale, il s'intéresse à la recherche en éducation et en médecine et est gouverneur de l'Afrique du Sud de 1923 à 1930. À la fin de sa carrière, il occupe le poste de gouverneur général du Canada de 1940 à 1946.

Atlantique (océan), océan qui s'étend sur 14 000 km de long et qui sépare l'Amérique de l'Europe et de l'Afrique. Il est limité au nord par l'océan Arctique et au sud par l'océan Antarctique. Sa superficie totale est d'environ 106 millions de km². De l'océan Atlantique émergent les îles Britanniques, les Antilles, Terre-Neuve et des îles volcaniques (les Açores, l'Islande, Sainte-Hélène...). Les eaux de l'Atlantique sont chaudes et salées. Deux courants marins viennent réchauffer ou refroidir les côtes canadiennes: celui du Gulf Stream et le courant du Labrador. L'Atlantique est le plus fréquenté des océans. Ses eaux sont très poissonneuses, particulièrement près des côtes de Terre-Neuve et du Canada, des côtes nord-ouest et sud-ouest de l'Afrique et dans la mer du Nord, où l'on se livre à la pêche industrielle. L'océan Atlantique renferme de grandes réserves de pétrole.

Attikameks, nation autochtone d'Amérique du Nord. Les Attikameks, autrefois nommés Têtes-de-Boule, forment l'une des huit nations amérindiennes du groupe linguistique algonquien. Ce peuple a survécu aux épidémies lors du contact avec les Européens et aux guerres iroquoises violentes au milieu du XVIIe siècle. À la fin du XVIIIe siècle et au début du XIXe siècle, les Attikameks de la Mauricie vivent de chasse, de pêche, de cueillette de fruits sauvages et de trappe autour des postes de traite établis sur leurs territoires. Depuis 1975, ils se sont associés aux Montagnais pour former le Conseil attikamek-montagnais. La garantie d'une autonomie culturelle traditionnelle, le droit à l'autonomie politique et la reconnaissance des droits territoriaux sont les principaux aspects des négociations engagées avec le gouvernement du Québec. Au Québec, en 1986, on comptait 2 829 Attikameks qui se répartissaient dans trois réserves: Manouane, à 72 km au nord de Saint-Michel-des-Saints; Obedjiwan, à 143 km au sud de Chibougamau; Weymontachie, à 100 km au nord-ouest de La Tuque. Leur principale activité est la foresterie.

Aupaluk, municipalité de village nordique.

Situé dans la région du Nord-du-Québec, à l'ouest de la baie d'Ungava, Aupaluk est le village d'un territoire inuit d'une superficie totale de 630 km², divisé en quatre blocs. Le village compte 114 Aupalumiut qui parlent inuktitut et vivent principalement de la chasse et de la pêche.

Australie, État d'Océanie. L'Australie, d'une superficie de 7 632 000 km² (cinq fois la superficie de la province de Québec), est la plus grande île du monde. Elle est limitée à l'ouest et au sud par l'océan Indien, à l'est par l'océan Pacifique et au nord par la mer de Timor, qui la sépare de l'Indonésie. Canberra en est la capitale. Le pays est formé d'un vaste plateau à l'ouest, de plaines au centre et, à l'est, d'une chaîne montagneuse, la Cordillère australienne. Sauf en bordure est et sud, le pays est désertique. Dans l'ensemble, le climat est chaud et aride, mais il est de type méditerranéen au sud-ouest et tempéré au sud-est. Les principaux cours d'eau sont le fleuve Murray et la rivière Darling, son affluent. L'Australie compte 16,2 millions d'habitants (Australiens et Australiennes). Plus de 80 % de la population, formée en majorité de Blancs, se concentre dans les centres urbains situés dans la zone de climat tempéré. La langue officielle est l'anglais. On y pratique les religions catholique ou protestante. La monnaie utilisée est le dollar australien. L'Australie est un pays en voie d'industrialisation. Malgré le développement rapide des industries (métallurgie, constructions navales, aéronautiques, automobiles), l'économie australienne repose encore principalement sur l'élevage : le pays possède le premier troupeau ovin du monde. Le blé est la plus importante des plantes cultivées ; viennent ensuite l'orge, l'avoine et le riz. L'Australie est l'un des grands producteurs de canne à sucre. La culture de la vigne joue aussi un rôle important. Le sous-sol recèle d'énormes ressources : bauxite, plomb, zinc, charbon, pétrole, gaz naturel. Le continent australien, peuplé par des tribus aborigènes d'origine incertaine, fut découvert par les Hollandais en 1605 et colonisé par les Anglais à partir de 1770. L'Australie est gouvernée par un premier ministre ; un gouverneur général représente la reine d'Angleterre dans le pays.

Autriche, État d'Europe centrale. D'une superficie de 83 500 km², l'Autriche est formée de neuf provinces et limitée par la Tchécoslovaquie, la République fédérale d'Allemagne, la Suisse, le Liechtenstein, l'Italie, la Yougoslavie et la Hongrie. Vienne en est la capitale. L'Autriche est un pays de montagnes : les Alpes et les Préalpes s'étendent sur près des trois quarts du pays au sud et au centre. Des plaines et des bassins, qui bordent le Danube, ainsi que des collines occupent le Nord et le Nord-Est. L'Autriche est un pays de tourisme et le paradis des skieurs (stations d'été et de sports d'hiver à Innsbruck, siège des Jeux olympiques d'hiver de 1964 et de 1976, et à Saint-Anton, dans la province du Tyrol). Le pays est drainé par de nombreux cours d'eau, dont le Danube. L'Autriche jouit d'un climat de montagne et d'un climat continental. Le vent chaud accélère la fonte des neiges et occasionne souvent des avalanches. L'Autriche compte environ 7,5 millions d'habitants (Autrichiens et Autrichiennes). L'allemand est la langue officielle. La religion catholique est la principale religion. La monnaie utilisée est le schilling. L'élevage de bovins et l'exploitation de la forêt jouent un rôle important dans l'économie autrichienne. Les cultures sont variées : blé, orge, maïs, betterave à sucre, vigne. Le pays bénéficie d'importantes ressources hydroélectriques qui répondent aux besoins d'une industrie diversifiée. Le sous-sol renferme du fer, du cuivre, du zinc, du graphite et du pétrole. La République d'Autriche est gouvernée par un président et un premier ministre (appelé chancelier).

Aylmer (Matthew Whitworth-Aylmer, 6e baron **d'**), administrateur colonial britannique, né en 1775 et mort à Londres en 1850. En 1830, après une brillante carrière militaire, lord Aylmer est nommé gouverneur général du Canada. À cette époque, il y a un grand malaise au Canada entre les francophones et les anglophones. Le pays ne jouit pas pleinement du régime parlementaire. Sa tentative de conciliation ayant échoué, Aylmer fut destitué en 1835.

Aylmer, ville du Canada. Situé dans la province de Québec, sur la rive nord de la rivière des Outaouais, à 10 km au sud-ouest de la ville de Hull, Aylmer compte 26 695 Aylmeriens et Aylmeriennes. Cette ville fondée en 1827 et constituée en 1847 porte le nom de lord Matthew Aylmer, qui fut gouverneur général du Canada de 1830 à 1835. La fabrication de matériel de télécommunication donne de l'importance à cette ville. Aylmer est aussi le paradis des golfeurs (six terrains) et le site de la piste de course Connaught. C'est la ville la plus bilingue de la région de la capitale nationale.

Ayotte (Léo), peintre canadien, né à Sainte-Flore en 1909 et mort en 1977. Il est l'un des peintres québécois les plus connus et aimés. Élève brillant, mais turbulent, il obtient son baccalauréat au Séminaire de Nicolet. Même sans diplôme de l'École des beaux-arts, Léo Ayotte nous a légué une œuvre gigantesque qui reflète sa franchise, sa droiture, sa force, sa sensibilité et son humanisme. Il s'est tenu plutôt loin des courants de la peinture moderne.

Aztèques, ancien peuple du Mexique. Les Aztèques arrivèrent dans la vallée de Mexico au début du XIVe siècle, y fondèrent leur capitale, Tenochtitlán (Mexico), et soumirent une grande partie du Mexique. La religion demeure le fondement de l'organisation et de la vie sociale des Aztèques. Leur art et leurs rites religieux témoignent encore de nos jours du rayonnement intellectuel de leur civilisation. Les Espagnols conquirent l'empire aztèque vers 1524.

b

Bach (Jean-Sébastien), musicien et compositeur allemand, né à Eisenach, Allemagne, en 1685 et mort à Leipzig, Allemagne, en 1750. Originaire d'une famille de musiciens, il en est le plus illustre. D'abord organiste puis chef d'orchestre, il laissa des œuvres de musique religieuse, vocale et instrumentale. Encore aujourd'hui, la richesse et l'harmonie de son œuvre sont une source d'inspiration pour les musiques modernes. Passions, cantates, concertos, messes, fugues, dont le *Clavier bien tempéré* et l'*Art de la fugue*, ne représentent qu'une infime partie de son œuvre.

Back (Frédéric), cinéaste d'animation, graphiste et enseignant, né à Sarrebruck, Allemagne, en 1924. Après ses études à l'École des beaux-arts de Rennes (France), il immigre au Canada en 1948. Employé à la société Radio-Canada à Montréal en 1952, il y travaille pour des séries télévisées et collabore à des émissions éducatives, musicales et scientifiques, créant des maquettes, des décors et concevant des films d'animation. Jardinier et aimant la nature, il réalise des courts métrages sur le thème de la défense de l'environnement. En 1982, il reçoit un Oscar pour son film intitulé *Crac*. En 1988, il est reconnu mondialement grâce au film d'animation *L'homme qui plantait des arbres*, qui lui valut 22 prix dont son deuxième Oscar.

D. AUCLAIR/PUBLIPHOTO

Frédéric **Back**

Baden-Powell (Robert Stephenson Smyth, baron **de**), général anglais, né à Londres en 1857 et mort à Niéry, Kenya, en 1941. Lord Baden-Powell fit une carrière militaire en Inde, en Afghanistan et en Afrique du Sud. En 1908, il fonde le scoutisme et, en 1920, il est nommé chef scout du monde. Son épouse s'occupe de la formation des guides, mouvement féminin de scoutisme, et devient à son tour chef scout du monde.

Baffin (baie ou mer de), baie du Canada, située entre le Groenland et l'île de Baffin, au nord-est du Canada. Plusieurs détroits relient la baie de Baffin à l'océan Arctique au nord. Le détroit de Davis la relie à la mer du Labrador au sud. Toute l'année, des icebergs qui se détachent des glaciers du Groenland occupent cette baie, d'une superficie de 690 000 km^2. De novembre à juillet, elle est recouverte par les banquises. Des phoques, des morses, des baleines et des bélugas hivernent dans la baie et on y pêche la morue et le hareng.

Baffin (île de), île de l'archipel Arctique canadien. L'île de Baffin, d'une superficie de quelque 476 000 km^2, est située au nord de la baie d'Hudson et est séparée du nord du Québec par le détroit d'Hudson et du Groenland par le détroit de Davis et la baie de Baffin. La principale agglomération de l'île est Frobisher Bay, qui compte une population, composée d'Inuit et de Blancs, d'environ 2 500 habitants. L'île de Baffin est la plus grande île du Canada et la cinquième du monde. Son relief est formé d'une crête montagneuse, de plateaux, de terres basses et d'une grande plaine. Des péninsules et des fjords découpent l'île, qui jouit d'un climat arctique polaire. Mousses et lichens couvrent le sol gelé en permanence. Des milliers d'oiseaux nidifient dans cette île, où l'on trouve une réserve zoologique. Les principales ressources du sous-sol sont le plomb, le zinc et l'argent, qu'on extrait en quantités importantes des mines de Nanisivik.

Baghdad ou **Bagdad**, capitale de l'Iraq. Située sur la rive gauche du Tigre, Baghdad, fondée en 762, fut la métropole de l'Islam jusqu'à sa destruction en 1258. Aujourd'hui, la ville est un centre commercial et administratif important de 3 205 000 habitants. Son développement économique s'appuie sur les industries alimentaires, textiles, mécaniques et métallurgiques et surtout sur le raffinage du pétrole. Baghdad possède des musées, des universités ainsi que des monuments et une mosquée du XVIe siècle, qui sont les seuls vestiges d'une civilisation brillante.

Bagot (sir Charles), administrateur britannique, né à Staffordshire, Angleterre, en 1781 et mort à Kingston, Ontario, en 1843. Il étudie à Rugby et à Oxford et il est élu au Parlement britannique en 1807. Il arrive en janvier 1841 à Kingston comme gouverneur général du Canada, fonction qu'il exercera de 1841 à 1843. C'est sous son administration que fut créé le poste de premier ministre.

Bahamas (îles), archipel de l'Atlantique. D'une superficie de 11 400 km^2, cet archipel est situé au sud-est de la Floride, au nord des Grandes Antilles. Il est formé de 700 îles ou îlots, dont une vingtaine sont habités en permanence. Nassau est la capitale des Bahamas. Dans l'ensemble, le relief des îles est plat. Le climat y est très doux et l'ensoleillement important. Les forêts couvrent près du tiers du territoire. La population des Bahamas, composée principalement de Noirs, est de 250 000 habitants. La langue officielle est l'anglais, mais on y parle aussi créole. La monnaie utilisée est le dollar des Bahamas. Les ressources de l'économie sont faibles : agriculture et élevage, qui suffisent à peine aux besoins de la population, pêche et exploitation du sel marin. Le tourisme joue un rôle fondamental ; il constitue la moitié du budget national et de l'emploi. Les Bahamas furent découvertes par Christophe Colomb en 1492. Elles devinrent une colonie britannique en 1783 et obtinrent leur indépendance en 1973.

Baie-Comeau, ville du Canada. Située dans la région administrative de la Côte-Nord, au Québec, sur la rive nord de l'estuaire du Saint-Laurent, à l'embouchure de la rivière Manicouagan, cette ville est dotée d'un port de mer en eau profonde. Construite en 1937, Baie-Comeau compte 26 245 Baie-Comiens et Baie-Comiennes. La construction d'une route et l'aménagement hydroélectrique des rivières aux Outardes et Manicouagan ont favorisé l'essor de la ville et de la région. Baie-Comeau, située dans une région où les ressources forestières sont immenses, est une ville industrielle : aluminerie, papeterie et silos à grains sont ses principales industries. La ville possède un musée historique qui renferme une collection d'objets amérindiens. Elle porte le nom de Napoléon-Alexandre Comeau, naturaliste célèbre de la région. Baie-Comeau est la ville natale de Brian Mulroney, premier ministre du Canada (1984).

Baie-James, municipalité du Nord-du-Québec. D'une superficie de 333 170 km^2, Baie-James est la plus grande municipalité du territoire du Nouveau-Québec. Elle compte 2 869 habitants. Le projet d'aménagement hydroélectrique de la baie James a donné naissance à cette nouvelle municipalité en 1972.

Baie-James (projet de la), ensemble des barrages et centrales hydroélectriques construits le long de la Grande Rivière, dans la région du Nord-du-Québec, sur la côte est de la baie James. La construction de ce gigantesque chantier de production d'hydroélectricité, d'une valeur de 15 milliards de dollars, fut annoncée en 1971 par Robert Bourassa, premier ministre du Québec. Son aménagement a nécessité le détournement des rivières Opinaca, Eastmain et Caniapiscau vers des réservoirs artificiels construits le long de la Grande Rivière. La centrale souterraine LG-Deux, inaugurée en 1979, est la plus grande du monde et la plus puissante en Amérique du Nord. Celle de LG-Trois fut mise en service en 1982 et celle de LG-Quatre en 1984.

Baie-Saint-Paul, ville du Canada. Située dans la région de Québec, au Québec, sur la rive nord du fleuve Saint-Laurent, en face de l'île aux Coudres, la ville fut fondée en 1678, lorsque Noël Simard, dit Lombrette, quitta la Côte-de-Beaupré pour s'établir aux abords de la rivière du Gouffre qui baigne la baie Saint-Paul. La ville compte 3 925 Baie-Saint-Paulois et Baie-Saint-Pauloises. Baie-Saint-Paul, située dans une région touristique, est surnommée « le paradis des artistes » ; ces derniers y viennent afin d'immortaliser sur leur toile la beauté de ce coin de pays.

Baïkal, lac d'U.R.S.S. Ce grand lac de Sibérie, d'une superficie de 31 500 km^2, est le plus profond du monde. Il est couvert de glace cinq mois par année. Le chemin de fer transsibérien le contourne au sud. Les monts Baïkal, chaîne de montagnes, le surplombent à l'ouest. Ses eaux contiennent une grande variété de poissons et des espèces animales anciennes qui ne se trouvent pas ailleurs.

Baillargé (famille). Succession de sculpteurs, d'architectes et de peintres ayant œuvré au Québec aux XVIIIe et XIXe siècles. Les plus célèbres sont Jean, François, Thomas et Charles. Jean (France 1726-Québec 1805) se signale par la conception des décors intérieurs des églises de Québec et des environs (chaires, bancs, clochers). François (Québec 1759-1830), fils de Jean, se distingue par la conception et l'exécution d'intérieurs d'églises et réalise des pièces ornementales, des retables d'églises, des tableaux religieux, des figures de proue, etc. Thomas (Québec 1791-1859), fils de François, est considéré comme le plus grand architecte d'églises du Canada français. On lui doit, entre autres, les églises de l'Islet, Saint-Ambroise-de-la-Jeune-Lorette, Saint-Joachim-de-Montmorency et Baie-Saint-Paul. Charles (Québec 1826-1906), neveu de Thomas, a conçu 180 édifices, dont la salle de concert de Québec, l'Université Laval, l'église Sainte-Marie-de-Beauce et la prison de Québec. Il a écrit plus de 250 ouvrages et articles.

Baléares (îles), archipel espagnol de la Méditerranée. D'une superficie de 5 000 km², l'archipel comprend cinq îles importantes: Majorque, Minorque, Ibiza, Formentera et Cabrera. Situées à l'est de l'Espagne et du golfe de Valence, les îles Baléares constituent une région et une province de l'Espagne. Palma de Majorque est la capitale de l'archipel. Le relief des îles est accidenté et leurs côtes sont découpées. Le climat y est doux. Les îles Baléares comptent 685 000 habitants (Baléares). Le tourisme est la principale ressource économique de l'archipel, qui compte de nombreuses stations balnéaires. La culture de fruits et de légumes y est une activité économique importante.

Baleine (rivière à la), rivière du Canada, située au nord-est du Nouveau-Québec. D'une longueur de 428 km, cette rivière se jette dans la baie d'Ungava.

Balkans (péninsule des), péninsule du sud-est de l'Europe. D'une superficie de 550 000 km², la péninsule balkanique est limitée au nord par le Danube et son affluent, la Save, et est baignée par la mer Noire et la Méditerranée. Elle englobe presque toute la Yougoslavie, l'Albanie, la Grèce, la Bulgarie et la Turquie d'Europe. Elle est constituée essentiellement de montagnes (Alpes dinariques, chaînes de l'Albanie, du Pinde, monts Rhodope et Balkan) et de plaines à l'est. Le climat est méditerranéen sur les côtes, alpin en montagne et continental à l'intérieur. La péninsule des Balkans compte quelque 50 millions d'habitants d'ethnies, de langues et de religions différentes. La population se concentre dans les vallées et les bassins intérieurs. L'économie, en voie de développement, est centrée sur l'agriculture (blé, vigne, oliviers, fruits et légumes) et l'exploitation du sous-sol.

Baltique (mer), mer de l'Atlantique, en Europe du Nord. Cette masse d'eau, peu salée, peu profonde et sans marées notables, baigne la Finlande, la Suède, le Danemark, l'Allemagne, la Pologne et l'U.R.S.S. Elle communique avec la mer du Nord par de minces détroits. Ceux-ci favorisent la navigation. Le trafic maritime y est intense.

Banff (parc national fédéral de), parc national du Canada, le premier et le plus fréquenté des parcs nationaux canadiens. Créé en 1885, le parc national de Banff est situé dans les Rocheuses, à l'ouest de Calgary. Des sommets imposants et des glaciers au haut des montagnes façonnent ce territoire de 6 640 km². Prairies fleuries, nombreux lacs, chutes, larges vallées, forêts de conifères habitées par plusieurs gros animaux, tels le couguar, le loup, l'orignal, l'ours noir et le grizzli, en font l'un des lieux de villégiature les plus attrayants du pays. Des terrains de camping, des pistes de ski, des sentiers de randonnée pédestre (1 100 km) s'étendent autour de la ville de Banff.

Bangkok [*Krung Thep*], capitale de la Thaïlande. Située près du golfe du Siam, à l'embouchure du Ménam, la ville de Bangkok est le seul port important du pays. Elle a été surnommée la Venise orientale à cause des nombreux canaux qui la quadrillent. Bangkok compte quelque 5 150 000 habitants. C'est le centre culturel du pays (universités renommées, éditions des journaux, etc.). La ville, une cité royale fondée en 1772, possède de nombreux monuments du XVIIIe siècle et plusieurs centaines de temples bouddhiques du XIXe siècle. Bangkok joue un rôle économique primordial: presque toutes les industries de la Thaïlande y sont concentrées (rizeries, scieries, industrie légère).

Bangladesh, État d'Asie. D'une superficie de 143 000 km², cet État est bordé par le golfe du Bengale, la Birmanie et l'Inde. Sa capitale est Dhaka. L'essentiel du pays correspond à une vaste plaine engendrée par le Gange et le Brahmapoutre, des fleuves de l'Asie, et bordée à l'est et au nord-est par des plateaux et des collines. Le climat subtropical subit les effets de la mousson: saison humide de mai à octobre, sèche de novembre à avril. La saison froide est courte et peu prononcée. Le pays est recouvert d'une végétation tropicale luxuriante. Le Bangladesh compte 101,5 millions d'habitants. Le pays, qui est l'un des plus pauvres du monde, souffre de surpeuplement: sa population augmente de trois millions d'habitants par année. La langue officielle est le bengali, mais on parle aussi urdu et anglais. L'islam est la religion d'État. La monnaie utilisée est le taka. Les principales productions agricoles du pays sont le riz, la canne à sucre et le jute, dont il est un des grands producteurs du monde. Ce pays, fréquemment éprouvé par des catastrophes (inondations, famines en 1972, etc.), survit grâce à l'aide internationale. Le Bangladesh, dirigé par un président, vit sous un régime autoritaire.

Banting (sir Frederick Grant), médecin et biologiste canadien, né à Alliston, Ontario, en 1891 et mort près de Musgrave Harbour, Terre-Neuve, en 1941. En 1923, il reçoit avec un autre biologiste le prix Nobel de médecine pour la découverte de l'insuline, traitement efficace contre le diabète. Il est le premier Canadien à obtenir cette distinction et le premier professeur en recherche médicale à l'université de Toronto. Il est fait Chevalier en 1934 et meurt dans un accident d'avion en 1941.

Barbel (Marie-Anne), femme d'affaires de la Nouvelle-France, née à Québec en 1704 et morte au même endroit en 1793. Mariée à Louis Fornel, marchand et entrepreneur, elle donne naissance à quatorze enfants dont sept atteindront l'âge adulte. À la mort de son mari, elle prend en main la direction des affaires et devient une des plus importantes entrepreneuses de son époque. Non seulement elle a géré d'importantes propriétés, mais elle s'est occupée de la chasse aux phoques et a fondé un atelier de poterie.

Barcelone, ville d'Espagne. Port important sur la Méditerranée et capitale de la Catalogne, une région de l'Espagne, Barcelone compte 1 755 000 Barcelonais et Barcelonaises. Premier centre industriel du pays, son économie repose surtout sur l'industrie textile (coton, laine, textiles synthétiques) et l'industrie métallurgique (construction automobile). La ville possède de nombreux édifices gothiques datant surtout du XIVe siècle et des musées, dont celui de l'Art de Catalogne.

Barnard (Christian), médecin et chirurgien sud-africain, né à Beaufort West, Afrique du Sud, en 1922. Après des études aux États-Unis, Christian Barnard réalisa la première transplantation cardiaque en 1967, dans un hôpital du Cap.

Barrette (Joseph-Antonio), homme politique canadien, né à Joliette en 1899 et mort à Montréal en 1968. Antonio Barrette est élu député de l'Union nationale au cours de l'élection de 1936, qui porte ce parti au pouvoir avec son chef Maurice Duplessis. Réélu aux six élections suivantes, il occupe le poste de ministre du Travail de 1944 à 1960. En janvier 1960, à la suite de la mort de Paul Sauvé, le successeur de Maurice Duplessis, il est choisi chef de l'Union nationale et devient premier ministre du Québec. Son administration, de janvier à juin 1960, a été terne. En septembre 1960, il démissionne comme député et chef de l'Union nationale et termine sa carrière comme ambassadeur du Canada en Grèce (1963-1966). Il publie ses *Mémoires* en 1966.

Bas-Canada, division territoriale de la province de Québec qui correspond au sud du Québec actuel. Le Bas-Canada est l'une des deux provinces britanniques créées en 1791 par l'Acte constitutionnel, qui divise le territoire de la province de Québec, conformément à l'Acte de Québec de 1774, en deux colonies : le Bas-Canada et le Haut-Canada (le sud de l'Ontario actuel). Le Bas-Canada a alors pour limites l'océan Atlantique, la rivière des Outaouais, les colonies américaines et la terre de Rupert (baie James). Cette division devait permettre aux deux peuples du pays (anglophones et francophones) d'évoluer selon leurs coutumes, de s'administrer par des lois appropriées et de conserver leurs traditions et leur religion. L'Acte d'Union de 1840 met fin à cette division en réunissant le Haut-Canada et le Bas-Canada sous le nom de Canada-Uni.

Baskatong (réservoir). D'une superficie d'environ 350 km², le réservoir Baskatong est situé au sud de la réserve faunique La Vérendrye, dans la région de l'Outaouais, au Québec. Le réservoir est créé à cause de la construction d'un important barrage hydroélectrique. Le mot *Baskatong*, d'origine algonquine, signifierait soit «endroit où l'eau se trouve resserrée par du sable et de l'herbe», soit «gonflement ou monticule de glace».

Basques, habitants du Pays basque, une région formée sur les deux versants des Pyrénées occidentales par des provinces d'Espagne et une région de la France. L'origine ethnique des Basques demeure encore incertaine; leur civilisation est ancienne et toujours vivante. Ils ont une riche littérature orale et un artisanat original. Leur langue est le basque. Pêcheurs et marins réputés, les Basques viennent, vers 1525-1530, pêcher la morue sur les bancs de Terre-Neuve et poursuivre les grands cétacés (baleines) dans les régions voisines du fleuve Saint-Laurent et de la rivière Saguenay. Les Basques ont laissé des traces de leur présence sur les rives du Québec : sur l'île aux Basques, à l'est de Rivière-du-Loup, on a retrouvé des fourneaux de pierre utilisés pour la préparation de l'huile de baleine. Plusieurs noms de lieux témoignent aussi de leur passage (Mingan, Port-au-Choix, Port-au-Port) et le mot *orignal*, qui désigne l'élan du Canada.

Bas-Saint-Laurent, région administrative du Québec. Limitée par le fleuve Saint-Laurent au nord et le Nouveau-Brunswick au sud, la région du Bas-Saint-Laurent s'étend sur quelque 300 km en direction du nord-est à partir de La Pocatière. Les principales villes de la région sont Rivière-du-Loup, Matane, Mont-Joli et Rimouski, qui en est la capitale administrative. Plusieurs rivières arrosent ce territoire, dont la rivière Matapédia et la rivière Rimouski. L'exploitation de la forêt, la pêche et l'industrie du bois sont les principaux secteurs d'activité. Le tourisme constitue un apport économique important.

Batiscan (rivière), rivière du Canada, qui prend sa source dans les Laurentides, au Québec. Une centaine de lacs se déversent dans cette rivière qui est longue de 177 km. Elle traverse les comtés de Portneuf et de Champlain pour se jeter dans le fleuve Saint-Laurent, en aval de Trois-Rivières. Le nom de cette rivière rappelle celui d'un chef algonquin qui vivait dans cette région au temps de Samuel de Champlain.

Bauer (Steve), coureur cycliste canadien, né à Fenwick, Ontario, en 1959. Steve Bauer a longtemps joué au hockey et au base-ball avant de se tourner vers le cyclisme. Il participe d'abord au Championnat du monde sur route de 1984, en Espagne. Il se classe en troisième position, meilleure performance jamais réussie par un débutant. Aux Jeux olympiques de Los Angeles, en 1984 également, Bauer termine deuxième et décroche une médaille d'argent. En 1985, lors de son premier Tour de France, il se classe au dixième rang. Le 31 juillet 1988, il mérite une étonnante quatrième place lors du 75e Tour de France. Une semaine plus tard, il terminait en première position au Grand Prix des Amériques à Montréal.

P. ROUSSEL/PUBLIPHOTO

Steve **Bauer**

Beaconsfield, ville du Canada. Située dans la partie ouest de l'île de Montréal, au Québec, la ville de Beaconsfield est limitée par le lac Saint-Louis et les villes de Pointe-Claire, de Kirkland et de Baie-d'Urfé. C'est une ville résidentielle de 19 800 habitants. Constituée en 1910, la ville a été ainsi nommée en mémoire du premier ministre d'Angleterre, Benjamin Disraéli, élevé au rang de comte de Beaconsfield par la reine Victoria en 1876.

Beaubien (Justine Lacoste-), bienfaitrice canadienne et fondatrice de l'hôpital Sainte-Justine, née à Montréal en 1877 et morte en 1967. Épouse de Louis de Gaspé Beaubien, avocat et banquier, Justine Lacoste-Beaubien répond à l'appel d'Irma Levasseur, première femme médecin du Québec, pour discuter d'un projet de construction d'un hôpital pour enfants. En 1907, Justine Lacoste-Beaubien fonde l'hôpital Sainte-Justine, à Montréal, en mémoire de sainte Justine, morte martyre. Une école d'infirmières y est créée; l'hôpital est affilié à l'Université de Montréal. Justine Lacoste-Beaubien a été la présidente fondatrice de cet hôpital de 1907 à 1967.

Beauchemin (Yves), romancier canadien né en Abitibi en 1941. Auteur renommé, Yves Beauchemin amorce une carrière d'enseignant, puis entre au service de Radio-Québec à titre de conseiller musical et collabore au journal *Le Devoir* et à de nombreuses revues, notamment *Liberté, Actualité* et *Sept-Jours*. En 1974, Yves Beauchemin publie *L'enfirouapé*, pour lequel il obtient le prix France-Québec en 1975; en 1981 paraît *Le matou*, roman vendu à plus d'un million d'exemplaires, traduit en une dizaine de langues et adapté pour la télévision et le cinéma. En 1986, il publie son journal *Du sommet d'un arbre* et enfin, en 1989, un troisième roman, *Juliette Pomerleau*.

Beaufort (mer de), partie de l'océan Arctique, au nord de l'Alaska et du Canada. Cette mer, d'une superficie de 450 000 km², baigne l'archipel Arctique. Ses eaux sont froides et peu salées. On y trouve plusieurs espèces animales, dont le phoque et la baleine, qui jouent un rôle important dans l'économie de la région. La mer de Beaufort est considérée comme la région la plus riche en pétrole et en gaz de l'Arctique canadien.

Beauharnois (Charles de La Boische, marquis **de**), officier de marine et administrateur français, né à La Chaussaye, France, en 1670 et mort à Paris en 1749. Gouverneur de la Nouvelle-France de 1726 à 1747, il réussit, non sans difficulté, à freiner l'expansion des colonies britanniques qui menaçaient l'Empire français en Amérique du Nord. Il assura la défense de la colonie le long du fleuve Saint-Laurent. Il encouragea La Vérendrye dans ses voyages d'exploration vers les montagnes Rocheuses. Il fut un gouverneur courageux, sage et habile.

Beauharnois, ville du Canada. Située sur la rive sud du fleuve Saint-Laurent, au Québec, à une vingtaine de kilomètres au sud-ouest de Montréal, entre les lacs Saint-François et Saint-Louis, la ville de Beauharnois fut fondée en 1729. Elle est établie dans l'ancienne seigneurie concédée en 1664 au marquis de Beauharnois, gouverneur de la Nouvelle-France pendant 21 ans. C'est une ville industrielle de 6 500 Beauharlinois et Beauharlinoises. Son développement économique repose sur les industries de papier, d'aluminium et une fonderie. On y trouve aussi une centrale hydroélectrique, la troisième du Québec par son importance.

Beauport, ville du Canada, située dans la banlieue est de la ville de Québec. Les limites de Beauport résultent de la fusion, en 1976, de Giffard, Courville, Montmorency, Villeneuve et Beauport. Cette ville de 62 900 Beauportois et Beauportoises se distingue par son grand hôpital psychiatrique, l'hôpital Robert Giffard. C'est à Beauport que la Compagnie de la Nouvelle-France concéda à Robert Giffard la première seigneurie en 1634.

Beauport (lac), lac du Canada, situé au Québec, au nord de la ville de Québec. Son nom vient de la concession seigneuriale de Beauport. Centre de ski très animé, la région du lac Beauport est aussi un centre de villégiature très apprécié et recherché.

Bécancour, ville du Canada. Située sur la rive sud du fleuve Saint-Laurent, au Québec, en bordure de la rivière du même nom, près de Nicolet, la ville de Bécancour est née de la fusion de plusieurs municipalités, en 1965. Elle compte 10 500 Bécancourois et Bécancouroises et fait partie de la région administrative Mauricie–Bois-Francs. Elle a connu un essor formidable depuis l'établissement d'une industrie d'aluminium.

Bécancour, réserve indienne ☞ **Wôlinak**.

Bécancour (rivière), rivière du Canada qui prend sa source dans le comté de Mégantic, au Québec, pour se jeter 60 km plus loin dans le fleuve Saint-Laurent. Une ville en bordure de la rivière porte le même nom.

Beethoven (Ludwig **van**), musicien et compositeur allemand, né à Bonn en 1770 et mort à Vienne en 1827. Beethoven reçut très jeune une éducation musicale sévère de son père. À 7 ans, il donna son premier concert à Cologne et, dès l'âge de 11 ans, il entreprit, accompagné de son père, une tournée en Hollande. À 17 ans, Beethoven quitta Bonn pour aller vivre à Vienne, où il rencontra Mozart. Il dut revenir à Bonn pour avoir la charge de l'éducation de ses deux jeunes frères. Le musicien allemand ne cessa pas de composer et s'inscrivit à l'université en 1789. En 1793, il retourna à Vienne. Beethoven étonnait ses admirateurs par l'originalité et la fougue de ses créations. De 1796 à 1798, il fit une tournée comme pianiste et ce fut un triomphe. Beethoven connut un premier amour malheureux et l'épreuve d'une surdité qui s'aggrava jusqu'à devenir complète (1819). Grâce à une volonté et à une énergie indomptable, il continua de composer. C'est à cette époque qu'il écrivit son plus grand chef-d'œuvre: la *Neuvième Symphonie*, qui contient l'*Hymne à la joie*. Beethoven meurt le 26 mars 1827 laissant une œuvre immense: 137 numéros d'opus et 205 numéros d'œuvres non classées.

Ludwig van **Beethoven**

EXPLORER/PUBLIPHOTO

Bégin (Monique), sociologue et femme politique canadienne, née à Rome en 1936. Née d'un père canadien et d'une mère belge, Monique Bégin vit en France, au Portugal puis au Canada. Après des études à l'Université de Montréal et à la Sorbonne, à Paris, elle devient enseignante, puis se dirige dans le domaine de la recherche et de la gestion. De 1967 à 1970, elle est secrétaire générale de la Commission royale d'enquête sur la situation de la femme au Canada et elle est directrice de la recherche. Elle est l'une des fondatrices et la première vice-présidente de la Fédération des femmes du Québec. Sa carrière politique commence aux élections fédérales de 1972, alors qu'elle est élue députée libérale dans le gouvernement de Pierre Elliott Trudeau, en même temps que Jeanne Sauvé et Albanie Morin; ces trois femmes sont les trois premières québécoises à siéger à la Chambre des communes. Réélue en 1974, 1979 et 1980, elle sera assermentée ministre du Revenu national en 1976 et ministre de la Santé nationale et du Bien-être en 1977. Elle quitte la vie politique en 1984 et retourne à l'enseignement universitaire. Reconnaissant l'intérêt qu'elle porte à la condition féminine, l'Université d'Ottawa la nomme première titulaire de la Chaire conjointe en études des femmes des universités d'Ottawa et de Carleton.

Bégon (Élisabeth), écrivaine née à Montréal en 1696 et morte à Rochefort, France, en 1755. Née Isabelle Rocbert de la Morandière, elle épouse en 1718 Michel Bégon de la Picardière et se fait connaître sous le nom d'Élisabeth Bégon. Sa correspondance, publiée à Québec en 1935, nous renseigne sur la vie du XVIIIe siècle.

Bégon de la Picardière (Michel), administrateur français, né à Blois, France, en 1667 et mort à la Picardière, France, en 1747. Bégon de la Picardière est intendant de la Nouvelle-France de 1712 à 1726. Pendant son mandat, il veut assurer le développement de la colonie et redresser l'économie alors en difficulté. En 1720, il pose la première pierre des fortifications de Québec. Une administration fort contestée, un conflit d'intérêt personnel et des soupçons de détournement de fonds provoquent son rappel en France. Il est remplacé par Claude-Thomas Dupuy.

Beijing ☞ **Pékin**.

Beiroût ☞ **Beyrouth**.

Belfast, capitale de l'Irlande du Nord. Située sur la baie de Belfast, la ville moderne, fondée au XVIIe siècle, est le premier port de l'Irlande du Nord. Belfast, qui compte 325 000 habitants, est le principal centre urbain et industriel du pays : industries textiles, mécaniques, aéronautiques, alimentaires, raffineries de pétrole. Depuis 1969, la ville est déchirée par les affrontements entre les protestants et les catholiques.

Belgique, État de l'Europe occidentale. D'une superficie de 30 500 km², la Belgique est située sur la mer du Nord entre les Pays-Bas, le Luxembourg, la République fédérale d'Allemagne et la France. Bruxelles en est la capitale. La Belgique, qui est formée de neuf provinces, compte plusieurs villes importantes : Anvers, Gand, Bruges, Charleroi et Liège. Le relief est plat et de basse altitude. Il se relève quelque peu vers le sud-est où les plaines littorales font place à une région de collines. Puis s'étendent des plateaux. La région des Ardennes est un massif de grès et de schistes découpé par les vallées profondes de la Meuse et de ses affluents. Plusieurs autres cours d'eau drainent le pays, dont l'Escaut et l'Yser. Le climat océanique, doux et humide, permet une végétation qui se présente sous la forme de prairies, de pâturages et d'arbres. La Belgique compte 9,9 millions d'habitants (Belges). Les langues officielles sont le néerlandais, le français et l'allemand. La religion catholique est majoritaire. La monnaie utilisée est le franc belge. L'économie du pays est essentiellement industrielle et commerciale. L'agriculture (céréales, betterave) est intensive et l'élevage (bovin, porcin, chevalin) occupe une place importante. La forêt, qui couvre 20 % du territoire, est exploitée (bois d'œuvre). La Belgique est l'un des premiers producteurs européens de métaux rares. Le pays est dirigé par un roi et un gouvernement élu.

Belgrade [*Beograd*], capitale de la Yougoslavie. Située au confluent de la Save et du Danube, la ville est un port fluvial très actif. D'une population de 1,4 million d'habitants, Belgrade est un centre commercial et industriel important (industries métallurgiques, textiles, alimentaires, chimiques). La ville possède une université et des musées.

Béliveau (Jean), hockeyeur canadien, né à Trois-Rivières en 1931. Célèbre joueur de hockey du club Canadien de Montréal de 1953 à 1971, Jean Béliveau atteint des records quant aux buts comptés et aux points marqués (507 buts et 1 219 points en 18 saisons et 1 125 matchs). Il prend sa retraite en 1970-1971 et est nommé vice-président du club Canadien. En 1969, il est décoré de l'Ordre du Canada.

Jean **Béliveau**

PHOTO RÉJEAN MELOCHE

Bélize, État d'Amérique centrale, autrefois appelé Honduras britannique. Le Bélize est un État situé sur la mer des Antilles entre le Guatemala et le Mexique. La capitale est Belmopan. D'une superficie de 23 000 km², ce pays est recouvert au nord de terres basses et marécageuses et au sud de collines et de montagnes où règne une riche végétation forestière. Un climat tropical permet la croissance d'une forêt dense. Le Bélize compte 200 000 habitants. La langue officielle est l'anglais, mais on y parle aussi l'espagnol et des langues indiennes. Le protestantisme et le catholicisme sont les principales religions. La monnaie utilisée est le dollar de Bélize. Le pays possède peu de terres cultivables. Bananes, canne à sucre, maïs et riz sont les principales productions agricoles. Les agrumes, les produits de la pêche et les bois tropicaux provenant de l'exploitation de la forêt constituent l'essentiel des exportations. Colonie britannique de 1862 à 1964 (Honduras britannique), le pays devient le Bélize en 1973 et obtient son indépendance en 1981. Il est dirigé par un premier ministre et un gouvernement élus; un gouverneur y représente la reine.

Bell (Alexander Graham), physicien et inventeur américain d'origine britannique, né à Édimbourg, Écosse, en 1847 et mort en Nouvelle-Écosse en 1922. En 1870, il arrive au Canada et s'installe en Ontario. Son travail d'enseignant dans une école de sourds aux États-Unis le conduit à l'invention du téléphone (1874-1876). En 1876, il fonde aux États-Unis sa compagnie de téléphone (Bell). Par la suite, il fera des recherches scientifiques (aéronef à vapeur, poumon d'acier, cellule photoélectrique), dont certaines joueront un rôle important dans la naissance de l'aviation au Canada.

EDIMEDIA/PUBLIPHOTO

Alexander Graham **Bell**

Bell (John Kim), musicien amérindien né à Kahnawake (anciennement Caughnawaga) en 1954. Premier chef d'orchestre symphonique d'origine amérindienne en Amérique du Nord, John Kim Bell participe comme pianiste et chef d'orchestre à plus de 30 spectacles à Broadway et en tournée. Il fonde en 1985 la *Canadian Native Arts Foundation*, qui vise à sensibiliser les Amérindiens aux possibilités de faire carrière dans les arts et à financer leurs études. Engagé sur le plan social, il participe activement aux campagnes de lutte contre l'alcool et les drogues dans les réserves amérindiennes.

Bellefeuille, ville du Canada. Située dans la région des Laurentides, au Québec, non loin de la ville de Saint-Jérôme, Bellefeuille, une municipalité de paroisse, a été instituée en 1855. Elle compte 7 697 Bellefeuillois et Bellefeuilloises.

Belle Isle (détroit de), détroit situé à l'est du Canada. Ce bras de mer d'une largeur de 20 km sépare le nord de l'île de Terre-Neuve et le Labrador. Il relie le golfe du Saint-Laurent à l'océan Atlantique. C'est le navigateur Jean Fonteneau (dit Alfonse) qui nomma ce détroit en 1542.

Belœil, ville du Canada. Située dans la province de Québec, à l'est de Montréal, sur les rives de la rivière Richelieu, la ville fait partie de la région administrative de la Montérégie. C'est en 1735 qu'un premier habitant s'installa à Belœil, qui reçut son titre de ville en 1903. Belœil est une ville résidentielle abritant 17 960 Belœillois et Belœilloises. On y trouve une fabrique de meubles.

Bengale, région orientale de l'Inde. D'une superficie de 250 000 km², cette région est située dans le nord-est de la péninsule indienne et correspond au vaste delta engendré par le Gange et le Brahmapoutre, au sud de l'Himālaya. Depuis 1947, la région est partagée en deux pays: le Bengale occidental (capitale: Calcutta), qui appartient à l'Inde, et le Pakistan oriental (capitale: Dhaka), connu aujourd'hui sous le nom de Bangladesh. Le relief est constitué de plaines marécageuses, drainées par plusieurs rivières qui se déversent dans le golfe du Bengale. Le climat est de type tropical, bien arrosé par la mousson. Le Bengale est une des régions les plus peuplées d'Asie, environ 155 millions d'habitants (Bengalais et Bengalaises), dont 54,5 millions dans le Bengale occidental, qui a une superficie de 88 000 km². La langue dominante est le bengali. Du côté du Bengale occidental, la religion hindoue est majoritaire, tandis qu'on trouve plus de musulmans du côté du Bangladesh. La monnaie utilisée est le taka. L'économie de la région est fondée sur les cultures du riz et du jute.

Bénin, État de l'Afrique occidentale anciennement appelé Dahomey. Baigné au sud par le golfe de Bénin et limité par le Togo, le Nigéria, le Burkina Faso et le Niger, le pays a une superficie de 113 000 km². Porto-Novo en est la capitale. Le Bénin se compose de plusieurs régions naturelles: une zone forestière, des plateaux qui s'étendent sur la majeure partie du pays, un système montagneux et des plaines du bassin du Niger. Au Sud, équatorial et forestier, s'oppose le Nord, tropical et couvert de savanes. Le Bénin compte 4 millions d'habitants (Béninois et Béninoises). La langue officielle est le français, mais on y parle plusieurs langues africaines. La religion animiste est majoritaire. La monnaie utilisée est le franc C.F.A. L'économie est surtout agricole. Le manioc est la base de l'alimentation. L'huile de palme, le coton et l'arachide sont les principaux produits d'exportation. Colonie française à la fin du XIXe siècle, le Bénin devient république indépendante en 1960. Il est devenu, en 1975, la République populaire du Bénin. Ce pays vit sous un régime militaire de type marxiste-léniniste.

Bennett (Richard Bedford, vicomte **de**), homme d'affaires et politicien canadien, né à Hopewell Hill, Nouveau-Brunswick, en 1870 et mort à Mickleham, Angleterre, en 1947. Richard Bennett commence sa carrière politique en 1898 alors qu'il est élu député conservateur à l'Assemblée des Territoires du Nord-Ouest. Député fédéral conservateur en 1911, il sera ministre de la Justice en 1921, ministre des Finances en 1926 et chef du Parti conservateur de 1927 à 1938. Il gagne les élections de 1930 et devient le 11e premier ministre du Canada. En 1935, son gouvernement est défait par les libéraux. Chef de l'opposition jusqu'en 1938, il quitte ensuite le Canada et s'installe en Angleterre où il obtient un vicomté en 1941.

Beograd ☞ **Belgrade**.

Bergeronnes (rivière) ☞ **Grandes Bergeronnes**.

Béring ou **Behring** (détroit de), détroit qui sépare l'Alaska de l'U.R.S.S. Ce bras de mer relie l'océan Arctique à l'océan Pacifique. Il fut découvert en 1728 par Vitus Bering (1681-1741), un navigateur danois.

Béring ou **Behring** (mer de), partie nord de l'océan Pacifique, entre l'Asie et l'Amérique. Elle communique avec l'océan Arctique par le détroit de Béring.

Berlin, ville d'Allemagne. La ville est divisée en deux parties distinctes depuis 1945 : Berlin-Ouest, qui se rattache à la République fédérale d'Allemagne, et Berlin-Est, la capitale de la République démocratique allemande. En 1961, la R.D.A. a fait construire un mur entre les deux villes pour empêcher l'émigration des habitants de l'Est vers l'Ouest. Ce mur, appelé Mur de Berlin, est ouvert depuis le 10 novembre 1989 et peut désormais être franchi librement. **Berlin-Ouest**, d'une superficie de 480 km², compte 1,9 million de Berlinois et Berlinoises. C'est un grand centre technologique et industriel, spécialisé dans la construction mécanique, l'électrotechnique, l'édition et les arts graphiques. C'est aussi un centre culturel (université, musées, orchestre). La ville fut très endommagée au cours de la Deuxième Guerre mondiale. Elle a été reconstruite suivant les plans d'une architecture très moderne. **Berlin-Est**, d'une superficie de 400 km², compte 1,2 million de Berlinois et Berlinoises. C'est un important centre industriel (sidérurgie et métallurgie, mécanique, constructions électriques, industries chimiques et alimentaires). La ville possède une université, des théâtres et de riches musées. Plusieurs monuments et édifices anciens ont échappé aux bombardements de la Deuxième Guerre mondiale et sont regroupés dans un quartier. Les édifices modernes y sont de plus en plus nombreux.

Bermudes (îles), archipel britannique de l'océan Atlantique. Situé à l'est des États-Unis et au nord-est des Antilles, cet archipel de 53 km² est composé de 300 îles formées de coraux. La capitale des Bermudes est Hamilton, sur la Grande Bermude, île la plus importante de l'archipel, qui compte 70 000 habitants, en majorité des Noirs et des mulâtres. L'anglais est la langue officielle. Baignées par le Gulf Stream, les Bermudes bénéficient d'un climat doux et d'une riche végétation. L'économie s'appuie sur la culture des tomates, des betteraves, du café, des bananes, du tabac, sur la pêche (langoustes), mais surtout sur le tourisme. Découvertes par les Espagnols, les Bermudes deviennent une colonie britannique en 1612.

Bern ☞ **Berne**.

Berne [*Bern*], capitale fédérale de la Suisse. Devenue capitale fédérale en 1848, la ville compte 145 000 Bernois et Bernoises. Siège de bureaux internationaux (notamment l'Union postale universelle), elle possède une université et un aéroport. On peut y admirer des monuments anciens et des musées. Cette capitale est également un important centre industriel : industrie alimentaire (chocolat), mécanique, textile et chimique.

Bernier (Joseph-Elzéar), navigateur et explorateur canadien, né à L'Islet, Québec, en 1852 et mort à Lévis en 1934. Dès l'âge de 12 ans, il apprend à naviguer et quitte l'école à 14 ans pour travailler comme mousse sur le navire de son père. Trois ans plus tard, il devient capitaine de son propre navire, transportant le bois de construction de Québec en Angleterre. Pendant 25 ans, il dirige des bateaux à voile partout dans le monde. Bernier fut le commandant de plus de 100 navires et traversa l'Atlantique 269 fois. Ses trois rapports sur ses expéditions dans les îles de l'Arctique et le détroit d'Hudson sont devenus des classiques du genre.

Bernières, ville du Canada. Située sur la rive sud du fleuve Saint-Laurent, la municipalité de Bernières fut érigée en 1912. Ce territoire municipal compte 6 110 Berniérois et Berniéroises. Son nom rappelle le chanoine Henri de Bernières, qui vécut au pays de 1635 à 1700.

Bertrand (Jean-Jacques), homme politique canadien, né à Sainte-Agathe-des-Monts, Québec, en 1916 et mort à Montréal en 1973. Jean-Jacques Bertrand commence sa carrière politique en 1948 alors qu'il est élu député de l'Union nationale. À la mort de Daniel Johnson en 1968, il est choisi chef de l'Union nationale et devient premier ministre du Québec. Son gouvernement, qui se terminera en 1970, affronte les premières manifestations de la crise linguistique au Québec. Pour résoudre la question, il crée la commission Gendron et propose la loi 63 qui garantit le libre accès aux écoles, selon le choix des parents. Jean-Jacques Bertrand fut un ardent défenseur des droits du Québec.

Bessborough (Vere Brabazon Ponsonby, 1er comte **de**), homme politique britannique, né à Londres en 1880 et mort à Stanstead, Angleterre, en 1956. Il fut le seul homme d'affaires britannique en vue à être nommé gouverneur général du Canada. Il occupa ce poste de 1931 à 1935. Bessborough et sa femme Roberte de Neuflize, de nationalité française, ont été des comédiens amateurs enthousiastes. Ils favorisèrent le développement du théâtre amateur au Canada en créant le *Dominion Drama Festival*.

Bethléem, ville de Jordanie. Située au sud de Jérusalem, la ville compte 24 000 habitants. On y trouve une basilique construite au IVe siècle. Bethléem est le lieu de naissance de Jésus, selon les Évangiles.

Bethune (Henry Norman), médecin canadien, né à Gravenhurst, Ontario, en 1890 et mort à Huang Shiko, Chine, en 1939. Il interrompt ses études médicales à Toronto pour devenir professeur au Frontier College (1911-1912) et servir en 1915 comme brancardier pendant la Première Guerre mondiale. Atteint de tuberculose pulmonaire, il s'en sort et se consacre aux victimes de tuberculose et à la chirurgie thoracique aux hôpitaux Royal Victoria, à Montréal, et du Sacré-Cœur, à Cartierville. Il invente ou redessine 12 instruments médicaux. Il réalise la première ablation d'un poumon au Canada. Il organise en 1936, lors de la guerre civile en Espagne, un service mobile de transfusion sanguine. Bethune quitte le pays en 1938 pour se rendre en Chine, où il travaille comme chirurgien militaire. Pour la République populaire de Chine, le nom de Bethune est presque synonyme de Canada. Mao Tsé-toung a écrit à sa mémoire *In Memory of Norman Bethune*, ouvrage qui témoigne de son sens des responsabilités et de son dévouement.

ANC/PA-114789

Dr Norman **Bethune**, novembre 1917

Betsiamites, réserve indienne, située au Québec, sur la rive nord du fleuve Saint-Laurent, entre Baie-Comeau et Tadoussac. Ce village montagnais compte 2 000 Montagnais et Montagnaises. Ils dirigent une exploitation forestière et une scierie. La chasse, la pêche, le piégeage et l'artisanat font aussi partie de leurs activités. Les touristes peuvent s'adonner à la chasse et à la pêche sur leur territoire avec la permission du chef. *Betsiamites* est un mot montagnais qui signifie « là où il y a des lamproies ».

Betsiamites (Petite rivière), rivière du Canada. Cette rivière traverse les régions du Saguenay – Lac-Saint-Jean et de la Côte-Nord, au Québec, pour venir se jeter, 440 km plus loin, dans le fleuve Saint-Laurent, non loin de Baie-Comeau.

Beyrouth [*Beiroût*], capitale du Liban. Située en bordure de la Méditerranée, la ville compte 1 100 000 habitants, soit près du tiers de la population du pays. Grand centre culturel et financier, Beyrouth possède trois universités, un aéroport international et un important musée archéologique. À partir de 1975, la ville est ravagée par les divers conflits qui sévissent au Liban.

Bhutto (Benazir), femme politique pakistanaise, née en 1953. Fille d'Alî Bhutto, premier ministre du Pakistan de 1973 à 1977, renversé, condamné à mort et exécuté en 1979, Benazir Bhutto fut emprisonnée plusieurs fois, assignée à sa résidence et dut s'exiler. De retour au Pakistan en 1985, elle prend la tête du Parti populaire pakistanais en décembre 1988 et est élue chef du nouveau gouvernement. Elle est la première femme à diriger un État à 95 % musulman. Le lendemain de son élection, elle déclarait : « Toute loi fondée sur la discrimination sera abolie. »

Benazir **Bhutto**

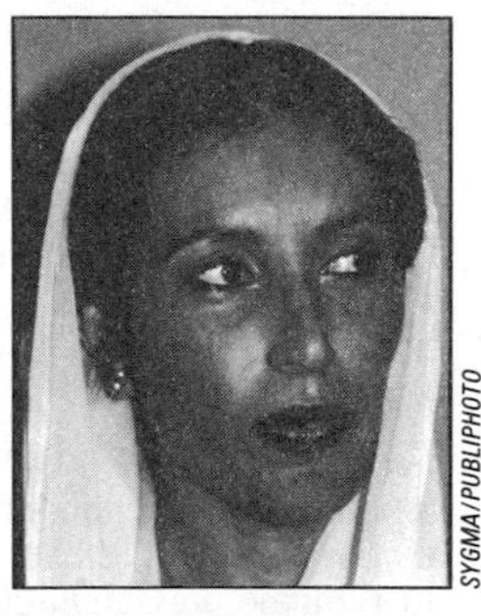

SYGMA/PUBLIPHOTO

Bible, recueil de textes sacrés juifs et chrétiens constitué par l'Ancien Testament et le Nouveau Testament. L'Ancien Testament (ou Bible juive), écrit presque entièrement en hébreu, est composé de trois parties: la Loi, les Prophètes, les Écrits. Ces textes se rapportent à l'histoire et à la religion du peuple juif. Les premiers écrits datent de l'an 1000 avant Jésus-Christ. Le Nouveau Testament, écrit en grec, comprend les quatre Évangiles, les Actes des apôtres, les Épîtres et l'Apocalypse. Écrit au cours des deux premiers siècles de notre ère, il porte sur la vie et l'œuvre de Jésus et des apôtres. Au IVe siècle, saint Jérôme a donné une version latine de la Bible, qui est devenue la version officielle de l'Église d'Occident.

Bienville (lac), lac du Canada. Situé dans la région du Nord-du-Québec, le lac Bienville, de forme allongée et d'une superficie de 1 248 km², se déverse, à l'ouest, dans la Grande rivière de la Baleine, qui se jette dans la baie d'Hudson. Son nom rappelle Jean-Baptiste Le Moyne de Bienville (1680-1767), qui accompagna son frère Pierre Le Moyne d'Iberville à la baie d'Hudson.

Bigot (François), administrateur, né en France en 1703 et mort en Suisse en 1778. En mai 1739, Bigot accède au poste de commissaire ordonnateur de Louisbourg, en Nouvelle-France. Il remet en ordre la comptabilité et supervise l'administration de la colonie. En 1745, après la prise de Louisbourg, il retourne en France où il espérait sans doute obtenir un poste. Il doit cependant revenir au Canada en 1748 comme commis à l'administration des ports et des colonies. Rappelé en France en 1754 pour répondre à des accusations de favoritisme dans l'octroi des contrats de fournitures au gouvernement, Bigot fournit, semble-t-il, des explications satisfaisantes, puisqu'on le nomme de nouveau intendant au Canada en 1755. Il est intendant de la Nouvelle-France de 1748 à 1760. Au cours de la guerre de Sept Ans, étant donné l'augmentation des dépenses du roi de France au Canada, Bigot et ses associés sont soupçonnés d'avoir détourné une grande partie de ces fonds. À la suite d'un retentissant procès à Paris, Bigot est condamné à remettre à la Couronne de France 1,5 million de livres. Peu de temps après sa sentence, il part pour Neuchâtel (Suisse) et change son nom pour celui de François Bar. Il meurt à Neuchâtel le 12 janvier 1778.

Birmanie, État de l'Asie du Sud-Est. D'une superficie de 678 000 km², la Birmanie est limitée par la Chine, le Laos, la Thaïlande, le golfe du Bengale, le Bangladesh et l'Inde. Rangoun en est la capitale. Le territoire est formé d'une plaine littorale, parsemée d'îles, de quelques chaînes de montagnes, dont le point le plus élevé est Pakokku, de vallées et de plateaux. L'Irrawaddy est le fleuve le plus important. Navigable sur 1 600 km, il se jette dans le golfe du Bengale. Le climat varie selon les régions: il est tropical sur les côtes chaudes et humides (mousson) et tempéré dans les montagnes du Nord et de l'Est, où les hivers sont très secs. La Birmanie compte quelque 37,5 millions d'habitants (Birmans et Birmanes). La langue officielle est le birman, mais on y parle aussi anglais et quelques dialectes. La principale religion est le bouddhisme. La monnaie utilisée est le kyat. La Birmanie est un grand producteur de riz. Les autres cultures (coton, arachide, thé, hévéa) sont secondaires. La forêt (teck, bambou) est exploitée dans les régions montagneuses en vue de l'exportation. Le sous-sol est riche: pétrole, jade, rubis, plomb, zinc. Ancienne colonie anglaise, la Birmanie accède à l'indépendance en 1948. La Birmanie est une république socialiste qui vit sous un régime militaire.

Birmingham, ville de Grande-Bretagne. Située dans le nord-ouest de l'Angleterre, cette ville d'un million d'habitants est la deuxième ville de Grande-Bretagne pour la population. C'est l'un des plus grands centres industriels d'Europe. Les industries y sont très diversifiées: métallurgie, fabriques d'armes et d'appareils électriques, produits chimiques, verreries, chocolateries. Birmingham s'impose aussi comme centre culturel: université, musées et bibliothèque consacrée à Shakespeare.

Bizier (Hélène-Andrée), historienne canadienne, née à Saint-Éphrem, Québec, en 1947. Historienne de profession, Hélène-Andrée Bizier est chroniqueuse radiophonique, coauteure de la série *Nos racines* et collaboratrice pour plusieurs revues québécoises. Elle est également l'auteure de nombreux ouvrages, dont deux relatent *La petite histoire du crime au Québec*.

Black Lake, ville du Canada. Située au Québec, sur la rive sud du fleuve Saint-Laurent, à 10 km au sud-ouest de Thetford Mines, la ville fut fondée en 1886. Elle compte 4 825 Black-Lakiens et Black-Lakiennes. À 1,6 km de Black Lake, on peut voir une mine d'amiante à ciel ouvert. L'appellation vient de la couleur du lac, aujourd'hui asséché, près duquel la ville s'étend.

Blainville, ville du Canada. Située au nord de la rivière des Mille Îles, dans la région des Laurentides, au Québec, à une quinzaine de kilomètres au sud de Saint-Jérôme, Blainville devient une ville en 1855. C'est une ville résidentielle qui compte quelque 16 000 Blainvillois et Blainvilloises. On y trouve un centre d'essais pour les véhicules automobiles

(Transports Canada) et une usine de destruction de produits chimiques toxiques.

Blais (Marie-Claire), écrivaine canadienne, née à Québec en 1939. De milieu ouvrier, instruite par des religieuses catholiques, Marie-Claire Blais suit des cours de littérature française à l'Université Laval. Son œuvre compte de nombreux romans, traductions, poésies, pièces de théâtre et scénarios pour la télévision et la radio. Certains de ses ouvrages ont été traduits en anglais, en espagnol et en italien. *Une saison dans la vie d'Emmanuel*, roman écrit en 1965, considéré comme son chef-d'œuvre et traduit en 13 langues, lui vaut les prix France-Canada et Médicis. Elle remporte le prix du gouverneur général à deux reprises (*Les manuscrits de Pauline Archange*, 1968; *Le sourd dans la ville*, 1979) et le prix David en 1982. Elle compte parmi les meilleurs auteurs du Québec contemporain.

Blanc (mont), sommet le plus élevé de l'Europe occidentale, dans les Alpes françaises. Situé dans le massif du Mont-Blanc, près de la frontière italienne, le mont Blanc atteint 4 807 m. Il fut gravi pour la première fois en 1786 par le Dr Paccard et le guide Balmat.

Blanches (montagnes), monts du Canada. Située dans la région de l'Estrie, au Québec, cette chaîne de montagnes culmine au mont Gosford (1 186 m).

Bleu (fleuve) ☞ **Yang-Tsê Kiang**.

Bloc populaire canadien, parti politique fédéral et provincial québécois. Créé en septembre 1942 en réaction contre la Loi sur le système de recrutement militaire du gouvernement canadien (conscription), le mouvement, inspiré par Henri Bourassa, regroupait surtout des nationalistes canadiens-français. Des trente-cinq candidats québécois du Bloc populaire aux élections fédérales de 1945, deux seront élus. Le parti cesse d'exister le 30 avril 1949. Il prônait l'indépendance et la neutralité du Canada, l'autonomie provinciale, l'égalité entre francophones et anglophones et différentes réformes sociales. René Hamel (plus tard ministre et juge), André Laurendeau (journaliste) et Jean Drapeau (plus tard maire de Montréal) ont dirigé le mouvement.

Blondin (Esther), en religion **mère Marie-Anne**, religieuse, née à Terrebonne, au Québec, en 1809 et morte à Lachine, au Québec, en 1890. Éduquée et instruite par les sœurs de la Congrégation Notre-Dame à Terrebonne, mère Marie-Anne enseigne à Vaudreuil de 1833 à 1848. En 1848, elle fonde la communauté des sœurs de Sainte-Anne, à Vaudreuil, dont le but est l'enseignement dans les milieux ruraux. De 1864 à 1890, elle accomplira diverses tâches de service au couvent de Lachine. Sa cause de béatification est actuellement en cours à Rome.

Bogota, capitale de la Colombie. Fondée par les Espagnols en 1538, la ville est située sur un vaste plateau de la cordillère des Andes, à 2 600 m d'altitude, au cœur d'une riche région agricole. Elle compte 4 486 000 habitants. Cette métropole administrative et culturelle possède un aéroport international, une université, des monuments de l'époque coloniale et un musée (Musée de l'or). C'est aussi un centre commercial et industriel (industries textiles, alimentaires et pneumatiques).

Bois (lac des), lac du Canada, à la frontière de l'Ontario, des États-Unis et du Manitoba. Situé au sud-ouest de l'Ontario, le lac des Bois a une superficie de 4 349 km², dont 3 149 km² en territoire canadien. Il se déverse au nord-ouest dans la rivière Winnipeg. Il faisait partie de la principale route de la traite des fourrures. Près de 2 000 autochtones demeurent actuellement dans de nombreuses réserves autour du lac. Son panorama suscite une activité touristique intense. Au début d'août, les voiliers du Canada, de la Grande-Bretagne et des États-Unis prennent part aux régates du lac des Bois: une course de sept jours autour du lac avec départ à Kenora.

Boisbriand, ville du Canada. Située au Québec et bordée au sud par la rivière des Mille Îles, la ville, instituée en 1946, est limitée par les villes de Saint-Eustache, Sainte-Thérèse et Rosemère. C'est une ville résidentielle de 14 360 Boisbriannais et Boisbriannaises. On y trouve une usine de construction automobile.

Bois-des-Filion, ville du Canada. Située au Québec, la ville de Bois-des-Filion est bordée au sud par la rivière des Mille Îles et limitée par les villes de Terrebonne et de Lorraine. Instituée en 1949, c'est maintenant une ville résidentielle abritant 4 935 Filionois et Filionoises.

Boky (Colette), née Colette **Giroux**, cantatrice canadienne, née à Montréal en 1935. Douée d'une belle voix de soprano et d'une grande maîtrise de ses émotions, Colette Boky s'est imposée sur la scène lyrique grâce à son professionnalisme. Ayant conquis la faveur du public, elle est en demande tant au Canada qu'à l'étranger. Sa carrière a commencé au Canada en 1961 dans *Les noces de Figaro* de Mozart puis en Europe, en 1964, dans *L'apothicaire* de Haydn. Elle a obtenu plusieurs distinctions: premier prix d'Europe en 1962, deuxième prix à Genève, prix Calixa-Lavallée en 1971 et prix Denise-Pelletier en 1986. Madame Boky enseigne l'art vocal à l'Université du Québec à Montréal.

Bolduc (Mary **Travers**, dite **la**), auteure, compositrice et interprète de ses chansons, née à Newport, Québec, en 1894 et morte en 1941. Issue d'une famille nombreuse et sans grands moyens financiers, elle rencontre, en 1914, Édouard Bolduc, un ouvrier qui joue du violon. De leur mariage naîtront 13 enfants. Vers 1928, elle participe aux *Soirées du bon vieux temps* en accompagnant au violon, à la bombarde et à l'harmonica des chanteurs aussi célèbres qu'Ovila Légaré. Il écrira pour elle le grand succès *C'est le temps du jour de l'An*. Son premier disque, *La cuisinière*, vendu à plus de 10 000 exemplaires, est le point de départ de sa carrière. Madame Bolduc, avec son célèbre «turlutage», est une figure importante du folklore québécois.

Bolivie, État de l'Amérique du Sud. D'une superficie de 1,1 million de km², la Bolivie est bordée par le Brésil, le Paraguay, l'Argentine, le Chili et le Pérou. La Paz est la capitale, siège du gouvernement, et Sucre est la capitale constitutionnelle. Le territoire est formé d'une vaste plaine et de plateaux drainés par les affluents de l'Amazone et du Paraguay. Des montagnes, les Andes, enserrent un haut plateau, l'Altiplano (4 000 m), sur lequel s'étendent une partie du lac Titicaca et le lac Poopo. Le climat est tropical, mais subit d'importantes variations suivant l'altitude, d'où de grands contrastes de végétation. Le pays compte quelque 6,2 millions d'habitants (Boliviens et Boliviennes). La population est composée d'Indiens (55 %), de métis, de Blancs et de créoles. La langue officielle du pays est l'espagnol, mais on y parle quelques langues indiennes. La principale religion est le catholicisme. La monnaie utilisée est le boliviano. L'exploitation du sous-sol (étain, argent, cuivre, zinc, pétrole) constitue la base de l'économie bolivienne. On cultive le riz, les agrumes, la canne à sucre, le café, le coton et le caoutchouc, qui sont des produits d'exportation. Autrefois rattachée à l'Empire inca, la Bolivie devint espagnole en 1538 et obtint son indépendance en 1825. Entre 1964 et 1982, le pays connaît plusieurs soulèvements militaires. En 1982, le pouvoir civil est rétabli. Un président et un gouvernement élus dirigent la République de Bolivie.

Bombardier (Joseph-Armand), mécanicien garagiste et inventeur canadien, né à Valcourt, Québec, en 1908 et mort à Sherbrooke en 1964. Joseph-Armand Bombardier, qui ne possède aucun diplôme, sera détenteur de plus de 40 brevets au cours de sa vie. De 1926 à 1936, obsédé par l'idée d'un véhicule tout terrain, aussi efficace en sol mou que sur la neige, il construira divers engins. En 1937, il vend son premier véhicule à chenilles. En 1947, Bombardier construit un véhicule pour 12 passagers, qui sera surtout utile aux militaires. En 1959, avec son fils Germain, il met au point un nouveau véhicule: la motoneige «Ski-Doo». Celle-ci transforme la vie sociale d'une génération; les Inuit et les gens de l'Arctique l'utilisent comme moyen de transport, les sportifs l'adoptent comme véhicule de compétition lors d'épreuves de course et d'autres en font un véhicule de promenade. En 1942, Bombardier fonde une entreprise manufacturière, Bombardier inc., qui fabrique et vend des produits de transport et de récréation à travers le monde. En 1986, la compagnie Bombardier achète Canadair, la plus importante entreprise aéronautique du pays. La compagnie Bombardier gère 17 usines, notamment au Québec, en Autriche, en Belgique et aux États-Unis.

Bombay, ville de l'Inde. Située sur l'océan Indien, Bombay est le premier port et la deuxième ville de l'Inde. La ville, qui compte 8,2 millions d'habitants, a commencé à se développer au XVIIe siècle. Le centre de la ville offre des parcs et des espaces verts qui en font une agréable cité résidentielle moderne, tandis que, en périphérie, il s'est créé une zone de bidonvilles à cause de la surpopulation et de l'afflux des ruraux. Bombay est le premier centre textile de l'Inde. On y trouve aussi des industries chimiques, mécaniques et des raffineries de pétrole. La ville possède une université, un aéroport international, des musées et des bâtiments anciens.

Bonaparte (Napoléon) ☞ **Napoléon Ier**.

Bonaventure (île), île canadienne du golfe du Saint-Laurent. Située en Gaspésie, au Québec, l'île a la forme d'une immense baleine venue respirer à la surface. Elle est entourée de falaises; les plus abruptes (90 m) se trouvent sur la rive ouest, autour de la pointe à Margaulx. En 1971, le gouvernement québécois se porte acquéreur de l'île et en fait un parc. C'est l'habitat naturel de la faune ailée. Les fous de Bassan (appelés margaulx par Jacques Cartier) y sont au nombre de 50 000. On y voit d'autres oiseaux marins (tels que les pétrels, les goélands argentés, les marmettes, etc.) et plus de 80 espèces d'oiseaux terrestres. L'origine du nom de l'île est incertaine. Certains pensent qu'elle fut nommée ainsi par Jacques Cartier le 15 juillet 1534, fête de saint Bonaventure. D'autres expliquent l'appellation par le fait que les pêcheurs européens, attirés par l'abondance du poisson dans les environs, y faisaient une «bonne aventure».

Bonn, capitale de la République fédérale d'Allemagne. Située près du Rhin, Bonn est avant tout une ville résidentielle et administrative. Centre culturel et scientifique, elle possède des musées, une université célèbre, un observatoire et abrite la maison natale de Beethoven. On y trouve aussi des monuments anciens. Bonn compte 293 000 habitants.

Bonne-Espérance (cap de), cap du sud de l'Afrique du Sud. Situé tout près de la capitale législative d'Afrique du Sud, Le Cap, le cap de Bonne-Espérance a été découvert en 1487 par Bartolomeu Dias, navigateur portugais, et doublé en 1497 par Vasco de Gama, navigateur portugais, alors qu'il cherchait la route des Indes. Ce cap s'appelait autrefois cap des Tempêtes à cause des grandes difficultés que posait la navigation dans cette région.

Bordeaux, ville de France. Ville du sud-ouest de la France située sur la Garonne, à 557 km de Paris. Cette métropole économique compte 211 197 Bordelais et Bordelaises. Important port de commerce, Bordeaux importe des produits tropicaux et expédie les fameux vins de Bordeaux. On y trouve aussi des industries mécaniques (aéronautique), alimentaires et chimiques. Des monuments médiévaux, de beaux ensembles classiques (place de la Bourse, Grand-Théâtre) et d'importants musées attirent les touristes.

Borden (sir Robert Laird), homme politique et avocat canadien, né à Grand-Pré, Nouvelle-Écosse, en 1854 et mort à Ottawa en 1937. Chef du Parti conservateur, il est premier ministre du Canada de 1911 à 1920. C'est lui qui gouvernait le pays pendant la Première Guerre mondiale. En 1917, il fait voter le service militaire obligatoire et lève les premiers impôts. C'est sous son gouvernement que certaines femmes (les mères, les épouses et les sœurs des soldats) obtiennent le droit de vote aux élections fédérales. Borden a nationalisé le chemin de fer (CN) et a prôné l'adhésion à la Société des Nations.

Borduas (Paul-Émile), professeur et peintre canadien, né à Saint-Hilaire, Québec, en 1905 et mort à Paris en 1960. Paul-Émile Borduas a subi deux influences majeures : celle d'Ozias Leduc, qui fut son premier maître, son guide et son ami, et celle des surréalistes. Après avoir étudié à l'École des beaux-arts de Montréal puis dans des ateliers d'art à Paris, Paul-Émile Borduas enseigne le dessin dans des écoles de Montréal. Peu à peu, sa peinture évolue et passe d'une peinture académique à une peinture abstraite. Son exposition en 1942 le fait remarquer et un groupe se forme autour de lui. Il se fait le défenseur de l'automatisme, un mouvement qui libère le geste et exalte l'imagination créatrice, et publie, en 1948, le *Refus global*, un manifeste dans lequel il critique l'art conformiste. Le groupe des Automatistes se dissout et Borduas décide de s'exiler à New York en 1953. En 1955, il s'installe à Paris. Il meurt subitement dans son atelier de Paris le 22 février 1960, laissant sur son chevalet une dernière toile. Le Canada lui rendra l'hommage d'une rétrospective et, quelque dix ans plus tard, le Grand Palais de Paris présentera une exposition intitulée *Borduas et les Automatistes*.

Paul-Émile **Borduas**

O.N.F.

Bosphore (le), détroit qui sépare l'Europe de l'Asie. D'une longueur de 30 km et d'une largeur de 550 m à 3 000 m, ce détroit relie la mer Noire et la mer de Marmara. Autrefois le détroit se nommait détroit de Constantinople. Depuis 1973, un pont routier franchit le détroit.

Botswana, État d'Afrique australe. D'une superficie de 600 372 km², le Botswana occupe le centre de la partie sud de l'Afrique. Il est entouré du Zimbabwe, de l'Afrique du Sud et de la Namibie. Sa capitale est Gaborone. Le Botswana est constitué en grande partie par le désert du Kalahari. C'est un territoire aride au climat subtropical, où la végétation dominante est la savane sèche à buissons épineux. Son cours d'eau principal est le fleuve Limpopo. La population s'élève à plus de 1,2 million d'habitants (Botswanais et Botswanaises). La langue officielle est l'anglais et la religion dominante est le protestantisme. La monnaie utilisée est le pula. L'économie du pays repose sur l'agriculture et surtout sur l'élevage. L'aridité du climat nuit à l'agriculture, qui se pratique uniquement dans la bande orientale, couvrant seulement 5 % du territoire. Les principales cultures sont le sorgho, le millet, le maïs et les agrumes. L'élevage de bovins demeure l'activité principale. L'exploitation minière joue toutefois un rôle essentiel pour atténuer les difficultés économiques du pays. On y extrait principalement le nickel, le diamant, le cuivre, l'or, le manganèse et le charbon. Anciennement sous domination britannique, le Botswana est devenu indépendant en 1966. Le pays est aujourd'hui dirigé par un président.

Boucher (Pierre), militaire, administrateur et seigneur français, né à Mortagne, France, en 1622 et mort à Boucherville en 1717. Pierre Boucher, sieur de Grosbois, arrive en Nouvelle-France en 1635. Homme à l'intelligence remarquable et d'une grande bravoure, il occupa le poste de gouverneur de Trois-Rivières de 1654 à 1657 puis devint seigneur de Boucherville. C'est en 1664 que Pierre Boucher acquit sa renommée en publiant un ouvrage sur le Canada: *Histoire véritable et naturelle des mœurs et productions du pays de la Nouvelle-France, vulgairement dite le Canada*. Il fut tour à tour officier, interprète, linguiste, écrivain, juge royal, gouverneur et agent auprès des nations amérindiennes. Il avait épousé une Huronne, Marie-Madeleine Crestienne, qui mourut en donnant naissance à un enfant. De son second mariage avec Jeanne Crevier, il aura 15 enfants. Les Boucher forment l'une des plus illustres familles du Canada. Pierre Boucher fut anobli par le roi de France Louis XIV en 1707. Le centre hospitalier Pierre-Boucher à Longueuil a été nommé ainsi en sa mémoire.

Boucherville (sir Charles-Eugène Boucher **de**), homme politique canadien, né à Montréal en 1822 et mort dans la même ville en 1915. Boucher de Boucherville fut premier ministre du Québec de 1874 à 1876 et de 1891 à 1892. Durant son mandat, il entreprit une réforme électorale et remplaça le ministère de l'Éducation par un «surintendant» à l'éducation (nommé par le gouverneur). Il a été le seul premier ministre du Québec à avoir été démis de ses fonctions par un lieutenant-gouverneur. Réélu en 1891, il choisit de démissionner plutôt que de faire face à sir Adolphe Chapleau, le nouveau lieutenant-gouverneur et un adversaire politique.

Boucherville, ville du Canada. Ville du Québec sur la rive sud du Saint-Laurent, en face de Montréal. Fondée en 1668, Boucherville est l'une des plus vieilles localités du Québec; outre son caractère historique, Boucherville conserve sa vocation résidentielle, industrielle et de villégiature. Dans le Saint-Laurent se côtoient les quatorze îles, dites percées, une moitié au nord et l'autre au sud de la ville. Celle-ci compte 31 100 Bouchervillois et Bouchervilloises. Ville natale de Louis-Hippolyte Lafontaine, homme politique canadien, Boucherville doit son nom à Pierre Boucher, seigneur et officier français, qui en fit la seigneurie la plus prospère de la colonie.

Bouddha, nom donné au fondateur du bouddhisme, Siddharta Gautama, prince indien, né vers 536 avant Jésus-Christ et mort vers 480 avant Jésus-Christ. À l'âge de 29 ans, le prince quitta le palais royal et partit à la recherche de la Vérité. Un jour, assis sous un figuier, il reçut l'Éveil et devint Bouddha. Pendant près de 40 ans, il prêcha sa doctrine à travers l'Inde du Nord-Est. Ses enseignements sur le renoncement et la compassion envers tous les êtres allaient bouleverser l'Asie tout entière et la vie de six cents millions de personnes. Il reste pour l'Asie le plus grand maître à penser.

Boudreau (Nicole), journaliste canadienne, née à Noranda, Québec, en 1949. Après avoir obtenu un baccalauréat ès arts, elle se spécialise en journalisme et exerce son métier à la pige, tant pour la presse électronique que pour la presse écrite. Tout en exerçant sa profession, elle milite au sein de divers organismes, dont la Société Saint-Jean-Baptiste de Montréal (S.S.J.B.). En mars 1986, elle est élue présidente de la S.S.J.B. Elle est la première femme à détenir ce titre. En mars 1989, elle ne renouvelle pas son mandat et quitte la S.S.J.B.

Nicole **Boudreau**

P. ROUSSEL/PUBLIPHOTO

Boullé (Hélène), épouse de Samuel de Champlain, née à Paris en 1598 et morte dans la même ville en 1654. Hélène Boullé épousa Champlain en 1610, alors qu'elle avait à peine 12 ans. Elle l'accompagna en Nouvelle-France de 1620 à 1624. Elle retourna ensuite en France pour s'occuper des intérêts de son mari jusqu'à la mort de ce dernier en 1635. En 1645, elle entre au monastère des Ursulines de Paris sous le nom de sœur Hélène de Saint-Augustin. L'île Sainte-Hélène, près de Montréal, fut ainsi appelée pour commémorer son nom.

Bourassa (Henri), journaliste et homme politique canadien, né à Montréal en 1868 et mort dans la même ville en 1952. Henri Bourassa est le petit-fils de Louis-Joseph Papineau, héros populaire de la rébellion de 1837. Sa carrière politique commence en 1890 alors qu'il est élu maire de Montebello (Québec). Élu député libéral fédéral de Labelle en 1896, en 1900 et en 1904, il démissionne en 1907 pour protester contre l'intervention du Canada dans la guerre sud-africaine. De 1908 à 1912, il est député nationaliste provincial. En 1910, il fonde le quotidien *Le Devoir*, qu'il dirigera jusqu'en 1932. Il revient occuper un siège à la Chambre des communes en 1925 jusqu'à sa défaite en 1935. Il fut le défenseur du nationalisme canadien et de la religion catholique.

Bourassa (Robert), homme politique canadien, né à Montréal en 1933. Admis au Barreau du Québec en 1957, il obtient, en 1959, une maîtrise en sciences économiques et politiques de l'université Oxford. Entre 1960 et 1966, il est successivement conseiller fiscal, professeur aux universités d'Ottawa, Laval et de Montréal, ainsi que directeur de recherche sur la fiscalité. Il est élu député aux élections provinciales de 1966. Malgré son jeune âge, il est choisi chef du Parti libéral en janvier 1970, succédant ainsi à Jean Lesage. En 1970, il devient premier ministre du Québec, le plus jeune de l'histoire de la province. Dès son arrivée au pouvoir, il est aux prises avec la Crise d'octobre. En 1973, son parti remporte de nouveau le pouvoir avec la plus forte majorité jamais obtenue au Québec. Battu par le Parti québécois en 1976, il abandonne la direction du Parti libéral, mais y revient en 1982. Il conduit de nouveau son parti à la victoire aux élections de 1985 et de 1989. Le méga-projet de construction des centrales hydroélectriques de la Baie-James, amorcé au cours de son premier mandat, est encore au cœur de l'actualité.

P. ROUSSEL/PUBLIPHOTO

Robert **Bourassa**

Bourgault (les frères), sculpteurs canadiens. La famille Bourgault demeure encore aujourd'hui dans la municipalité de Saint-Jean-Port-Joli. La tradition de la sculpture sur bois, qui apparaît vers 1936, a été établie par les frères Bourgault. Grâce à eux, ce village porte le surnom populaire de capitale de l'artisanat. Jean-Julien Bourgault, l'un des membres de cette famille, fit de son village un lieu réputé pour la sculpture sur bois. Médard Bourgault (1897-1967) fonda une école de sculpture en Gaspésie.

A. LANDRY/ANQM/P97

Jean-Julien **Bourgault**

A. LANDRY/ANQM/P97/27/8423

André **Bourgault**

Bourgeoys (Marguerite) ☞ **Marguerite Bourgeoys** (sainte).

Bourget (Ignace), évêque de Montréal, né à Lévis en 1799 et mort près de Montréal en 1885. Après des études classiques au petit séminaire de Québec, Ignace Bourget enseigne au séminaire de Nicolet. Il est ordonné prêtre en 1822. En 1840, il succède à Mgr Lartigue et devient le deuxième évêque de Montréal. Il fait entreprendre la construction de la cathédrale Marie-Reine-du-Monde sur le modèle de Saint-Pierre de Rome. Il fonde le collège de Rigaud en 1850 et contribue à l'établissement de l'Université Laval en 1852. Bon administrateur et travailleur dynamique et autoritaire, il participe à la fondation de 75 paroisses, publie quelque 300 lettres pastorales et favorise l'expansion des collèges classiques et des communautés religieuses. Il exerce une forte influence sur la population de son diocèse. Son zèle suscite une vive réaction de la part de ceux qui réclament la séparation de l'Église et de l'État. Fatigué et déçu de n'avoir pu obtenir une université indépendante à Montréal, il démissionne comme évêque en 1876. Un monument est érigé en sa mémoire devant la cathédrale Marie-Reine-du-Monde à Montréal.

ANQM/P54/13/63

Mgr Ignace **Bourget**

Bowell (sir Mackenzie), homme politique britannique, né à Rickinghall, Angleterre, en 1823 et mort à Belleville, Ontario, en 1917. Il fut député conservateur de 1867 à 1892 et premier ministre du Canada de 1894 à 1896. En se retirant de la politique active, il fut admis au Sénat, où il dirigea l'opposition de 1896 à 1906.

Braille (Louis), inventeur français, né à Couperay, France, en 1809 et mort à Paris en 1852. Aveugle dès l'âge de trois ans, il devint professeur dans une école pour aveugles en 1828 et inventa pour ses élèves un système d'écriture en points saillants, le braille.

Brasilia, capitale du Brésil. Située dans le centre du pays, sur un plateau désertique, le plateau de Goiás, à 1 200 m d'altitude, Brasilia est une ville nouvelle qui se caractérise par son architecture. Conçue par l'urbaniste L. Costa et l'architecte O. Niemeyer, la ville, vue à vol d'oiseau, présente la forme d'un avion. Brasilia est une ville à caractère administratif qui abrite quelque 765 000 habitants. Elle comprend de vastes espaces verts et des monuments très modernes. Elle possède une université et un aéroport.

Brazzaville, capitale du Congo. Située dans le sud du pays, sur la rive droite du Zaïre, la ville compte 480 000 habitants. Un chemin de fer la relie à l'océan Atlantique. Brazzaville possède une université et un aéroport international. C'est un port fluvial et un centre commercial important. On y trouve des industries alimentaires et de constructions métalliques.

Brébeuf (Jean **de**) ☞ **Jean de Brébeuf** (saint).

Brésil, État de l'Amérique du Sud. D'une superficie de 8 500 000 km², le Brésil est le cinquième pays du monde pour sa superficie, après l'U.R.S.S., le Canada, la Chine et les États-Unis. Il est limité par l'océan Atlantique, l'Uruguay, le Paraguay, la Bolivie, le Pérou, la Colombie, l'Argentine, le Venezuela, la Guyana, le Suriname et la Guyane française. Brasilia en est la capitale. Les principales villes sont Rio de Janeiro et São Paulo. Le territoire est couvert au nord par l'immense plaine de l'Amazonie, qui s'étend d'est en ouest et se caractérise par des forêts denses et un climat équatorial. Succédant à cette vaste région presque inhabitée, le plateau brésilien occupe le Centre-Ouest. Un climat tropical, favorisant une végétation de savane, règne dans cette partie du pays également peu peuplée. Des reliefs montagneux façonnent l'Est où le climat est tropical, chaud et humide. Le Brésil possède de grands fleuves, dont l'Amazone, le Paraná, le São Francisco et le Tocantins. Le pays compte 141,5 millions d'habitants (Brésiliens et Brésiliennes). La population se compose de Blancs, de Noirs, de métis et d'Indiens. La langue officielle est le portugais. Le catholicisme est la religion majoritaire. La monnaie utilisée est le cruzado. Le Brésil a connu un essor économique depuis 1960. Le pays se classe parmi les premiers producteurs pour le café, le sucre, le cacao, le maïs, le fer, le manganèse et la bauxite. L'élevage bovin est aussi développé. Le secteur industriel progresse considérablement. Possession portugaise dès 1500, le Brésil proclame son indépendance en 1822. Depuis 1985, après 20 ans de régime militaire, le pays est dirigé par un président civil et un gouvernement élus.

Briand (Jean-Olivier), évêque de Québec, né en France en 1715 et mort à Québec en 1794. Succédant à Mgr Henri-Marie Dubreil de Pontbriand en 1760, Jean-Olivier Briand devient le septième évêque de l'archidiocèse de Québec. Le pays passant sous domination anglaise en cette même année, il a lutté longuement et avec tact pour se faire reconnaître et accepter comme évêque de Québec par le gouvernement anglais. Il a encouragé la population à se soumettre au nouveau gouvernement et a exercé une certaine influence sur les Canadiens qui se sont dissociés de la cause de l'indépendance des États-Unis. Il a démissionné comme évêque de Québec en 1784.

Brind'Amour (Yvette), comédienne et metteure en scène canadienne, née à Montréal en 1918. Figure artistique québécoise connue, choisie miss cinéma-radio-télévision en 1943, Yvette Brind'Amour fonde le théâtre du Rideau Vert, à Montréal, en 1948. Directrice artistique de ce premier théâtre permanent du Canada français, elle a pour but de rejoindre tous les publics en offrant un programme varié. Récipiendaire de nombreux prix, elle a reçu, entre autres, le prix Victor-Morin (1964), prix décerné par la Société Saint-Jean-Baptiste de Montréal, l'Ordre national du Québec (1985) et le prix Molson (1987). L'Université de Montréal lui a décerné un doctorat honorifique en 1988. (*Voir la photo à la page suivante.*)

Britanniques (îles), archipel situé entre l'océan Atlantique et la mer du Nord, dans le nord-ouest de l'Europe. Cet ensemble est formé par la Grande-Bretagne (Angleterre, Écosse, pays de Galles), l'Irlande (Ulster ou Irlande du Nord et Eire ou Irlande du Sud) et par de nombreuses petites îles. Il est séparé du continent européen par la Manche et le pas de Calais.

Brome (mont), mont du Canada. Ce mont fait partie des collines Montérégiennes. La plus élevée de ces collines, le mont Brome se dresse sur une hauteur de 553 m. Au pied de ce mont s'étend un centre de villégiature fort reconnu pour ses activités sportives : ski alpin, golf, équitation (site des compétitions équestres des Jeux olympiques de 1976).

D. AUCLAIR/PUBLIPHOTO

Yvette **Brind'Amour**

P. ROUSSEL/PUBLIPHOTO

Naomi **Bronstein**

Bronstein (Naomi), humaniste et bienfaitrice d'origine juive, née en 1946, surnommée « la dame aux mille enfants ». Mère de 13 enfants, dont 8 sont adoptés, Naomi Bronstein s'applique depuis 1969 à aider des centaines d'enfants venus des quatre coins du monde, soit pour les loger ou pour les faire soigner. Elle n'a que 23 ans, en 1969, lorsqu'elle s'occupe des enfants victimes de la guerre du Viêt Nam. Durant 6 ans, à la vice-présidence du groupe « Families for Children », elle trouve des foyers à plus de 600 enfants. Entre 1975 et 1982, elle crée, d'abord à Phnom-Penh (Cambodge), puis à Guatemala, des maisons pour les orphelins et les déshérités. En outre, à partir de 1979, elle fait soigner aux États-Unis pas moins de 300 enfants originaires de Thaïlande, du Bangladesh, de Sri Lanka, d'Éthiopie, des Antilles ou d'Amérique centrale, atteints de maladies graves. En 1981, elle rentre au Canada, où elle poursuit son œuvre en dirigeant avec son mari l'organisme « Heal the Children ». Pour ces gestes humanitaires, Naomi Bronstein a reçu de nombreux honneurs et décorations, dont l'Ordre du Canada.

Brossard, ville du Canada. Située au Québec, sur la rive sud du fleuve Saint-Laurent, Brossard est une ville de la banlieue de Montréal. Elle est baignée par le fleuve Saint-Laurent et limitée par les villes de La Prairie, Saint-Hubert, Greenfield Park, Carignan et Saint-Lambert. Fondée en 1958, la ville compte quelque 57 500 Brossardois et Brossardoises. Le pont Champlain, reliant Montréal et la rive sud, inauguré en 1962, a grandement contribué au développement de la ville. Brossard est une ville résidentielle. C'est aussi un centre commercial et industriel prospère (industries alimentaires, cimenterie).

Brouillet (Chrystine), écrivaine canadienne, née en 1958. Depuis 1982, Chrystine Brouillet écrit des dramatiques pour la radio et des romans policiers qui gagnent sans cesse de nouveaux adeptes. Chrystine Brouillet, qui vit maintenant dans la banlieue Les Lilas, au nord-est de Paris, s'illustre autant en France qu'au Québec. En 1985, son roman *Le complot* remporte le prix Alvine-Bélisle (prix du meilleur livre jeunesse). Auteure prolifique, elle a également publié *Chère voisine* (prix Robert-Cliche, récompense destinée à un premier roman) (1982), *Coups de foudre* (1983), *Le poison dans l'eau* (1987), *Le caméléon* (1988), *La montagne noire* (1988), *Connaissez-vous les icebergs?* (1988) et *Un jeu dangereux* (1989).

Brûlé (Étienne), explorateur français, né près de Paris vers 1591 et mort en Nouvelle-France en 1633. Interprète en langue huronne, Étienne Brûlé arrive avec Champlain à Québec en 1608. Il est probablement le premier Blanc à vivre parmi les Indiens et à traverser en canot les rapides de Lachine, près de Montréal. Au cours de ses expéditions, il fut aussi sans doute le premier à voir les grands lacs Huron, Érié, Ontario et Supérieur en se rendant jusqu'en Pennsylvanie, aux États-Unis. Authentique coureur des bois, il était d'esprit aventureux et indépendant. En 1633, il fut assassiné par les Hurons avec lesquels il avait vécu pendant 20 ans.

Bruneau (Charles), porte-parole officiel de Leucan, né à Montréal en 1976 et mort en 1988. Fils de Pierre Bruneau, présentateur des nouvelles à la télévision (Télé-Métropole) et président de Leucan. Atteint de leucémie dès l'âge de trois ans, Charles Bruneau aura une vie marquée par la souffrance, la perte graduelle de ses forces et un combat permanent contre la maladie. Pendant cinq ans, il a porté bien haut l'étendard de Leucan (organisme destiné à la recherche et au soutien des petits malades atteints de cancer et de leucémie) en diffusant son message d'espoir: « Quand je serai grand, je serai... guéri. Pour la vie! » Il meurt à l'âge de 12 ans en « champion » et demeure une source d'inspiration et d'espoir pour tous les enfants qui souffrent de cancer. C'est en son honneur qu'on créa en 1989 le Centre de cancérologie pédiatrique Charles-Bruneau.

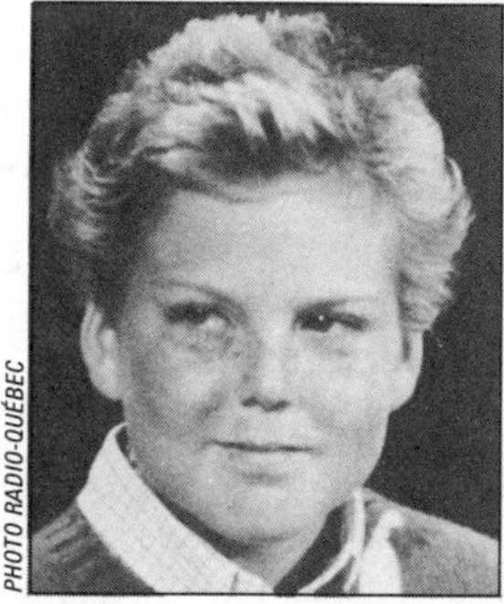
PHOTO RADIO-QUÉBEC

Charles **Bruneau**

Bruneau (Lucie), bienfaitrice canadienne, née en 1877 et morte en 1950. Son talent, son esprit de charité et sa disponibilité l'incitent à s'occuper des infirmes et des handicapés, à leur apporter une assistance morale et matérielle sans distinction de sexe, d'âge, de race, de religion et de la nature de la déficience physique. En 1926, elle institue l'École des enfants infirmes de l'hôpital Sainte-Justine (aujourd'hui Victor-Doré). En 1930, son réseau s'enrichit d'une colonie de vacances, le Camp des Grillons. En 1933, les Établissements Notre-Dame prennent en charge les enfants épileptiques. En 1940, Lucie Bruneau fonde des ateliers d'apprentissage et une école professionnelle pour les métiers. Le 1er avril 1969, on inaugurait à Montréal la Maison Lucie-Bruneau, où l'on aide les handicapés à réintégrer un milieu social normal.

Bruxelles, capitale de la Belgique. Siège d'institutions européennes et de l'O.T.A.N. (Organisation du Traité de l'Atlantique Nord), Bruxelles est un grand centre administratif, politique et culturel. La ville, qui compte 137 000 Bruxellois et Bruxelloises, se distingue par ses monuments et édifices anciens et ses riches musées. Elle est également un centre économique important, le premier du pays. On y trouve des industries de confection, de constructions mécaniques, des imprimeries et des industries textiles. Bruxelles a été le site de l'Exposition universelle de 1958.

Bucarest [*Bucureşti*], capitale de la Roumanie. Avec ses deux millions d'habitants, elle présente diverses particularités: immenses boulevards, restaurants, édifices publics et de vastes espaces verts. Les architectures ancienne et moderne se côtoient. Églises, palais royal et musées contrastent avec les immeubles en hauteur du centre-ville. La ville, qui s'est développée surtout après la Deuxième Guerre mondiale, est le principal centre industriel de la Roumanie. On y trouve principalement des industries métallurgiques, de constructions mécaniques, des raffineries et des industries du cuir.

Buckingham, ville du Canada. Située au Québec, dans la région de l'Outaouais, la ville, fondée en 1836, fut la première colonie en bordure de la rivière du Lièvre. Buckingham compte 8 800 Buckinois et Buckinoises. Elle fut longtemps le centre d'une importante industrie minière: phosphates, micas, feldspath et graphite. De nos jours, on y trouve encore des industries importantes: papier et produits chimiques.

Bucureşti ☞ **Bucarest.**

Budapest, capitale de la Hongrie. Formée de l'union de deux villes situées sur les deux rives du Danube, Buda sur la rive droite et Pest sur la rive gauche, Budapest s'impose comme une ville industrielle et touristique de premier plan. Sa population est d'environ deux millions d'habitants. Budapest est le plus grand centre industriel de la Hongrie: sidérurgies, matériel de transport, textiles, bois et papier, etc. Elle est également une importante ville sur le plan culturel et est au centre des réseaux ferroviaire et routier du pays. Elle regroupe toutes les facultés d'enseignement supérieur.

Buenos Aires, capitale de l'Argentine. Ville portuaire située à l'embouchure du rio de La Plata, Buenos Aires compte 3,5 millions d'habitants. Buenos Aires est à la fois un centre intellectuel et une métropole économique. Après São Paulo, Buenos Aires est la deuxième ville industrielle de l'Amérique du Sud. Son développement économique est fondé principalement sur l'industrie de l'automobile, les produits chimiques, les textiles, les produits alimentaires et les produits pétroliers. Cette ville est l'une des plus importantes escales maritimes du monde.

Buissonneau (Paul), comédien et metteur en scène canadien, né en France le 24 décembre 1926. Au Québec depuis 1950, Paul Buissonneau a fondé la troupe de théâtre ambulant *La Roulotte* au Service des loisirs de la ville de Montréal et l'a dirigée durant 28 ans (1952-1980). Il a également conquis le public des jeunes grâce à son personnage Picolo, qu'il a créé à Radio-Canada en 1956 et interprété jusqu'en 1977. Cofondateur du théâtre Le Quat'Sous en 1955, Paul Buissonneau a également assuré la direction artistique de ce théâtre de 1956 à 1984. Durant son mandat au

Quat'Sous, il a participé à la production de 51 pièces étrangères, de 84 créations québécoises et de 15 adaptations québécoises en tant que metteur en scène, décorateur, costumier et comédien. En 1988, il a interprété douze rôles lors du spectacle de Serge Lama à la Place des Arts. Paul Buissonneau siège maintenant au conseil d'administration du Quat'Sous.

Bujold (Geneviève), comédienne canadienne, née à Montréal en 1942. De 1961 à 1965, Geneviève Bujold joue quelques rôles où elle incarne l'adolescente québécoise caractéristique. Dès qu'elle fut choisie pour jouer dans le film français *La guerre est finie* (1965), sa carrière a pris une tournure nettement internationale en France, en Angleterre et surtout aux États-Unis. La star tient son premier rôle important dans le film canadien *Entre la mer et l'eau douce* et sera la vedette de *Kamouraska* (1973). Elle s'impose dans plusieurs autres films grâce à son talent, sa personnalité et sa présence. Depuis une douzaine d'années, Geneviève Bujold travaille aux États-Unis, où elle poursuit sa carrière au cinéma, à la télévision et au théâtre.

Bulgarie, État du sud-est de l'Europe. D'une superficie de 110 910 km², la Bulgarie est située à l'est de la péninsule des Balkans et est bordée par la mer Noire, la Turquie, la Grèce, la Yougoslavie et la Roumanie. Sofia en est la capitale. Des montagnes (le massif du Rhodope et la chaîne du Balkan), des plateaux et des plaines limités par le Danube forment les principales parties du relief. Les affluents du Danube (Iskar) et le Marica, qui se continue en Turquie, constituent les principaux cours d'eau. Le climat est continental dans le Nord et en montagnes, et présente des influences méditerranéennes dans la partie centrale. La Bulgarie compte 8,9 millions d'habitants (Bulgares). La langue officielle est le bulgare. La religion orthodoxe est majoritaire. La monnaie utilisée est le lev. Le pays connaît de profondes transformations économiques, mais le secteur agricole demeure prépondérant: céréales, coton, tabac, tournesol, betterave à sucre, élevage. Tabac, fruits, roses et vins sont les principaux produits d'exportation. L'aménagement des plages de la mer Noire favorise le développement du tourisme. Proclamé république populaire en 1946, le pays a été dominé par le Parti communiste jusqu'au 11 novembre 1989.

Burkina Faso État d'Afrique, anciennement appelé Haute-Volta. D'une superficie de 275 000 km², le Burkina Faso est situé dans le nord-ouest du continent africain et est limité par le Mali, le Niger, le Bénin, le Togo, le Ghana et la Côte d'Ivoire. Sa capitale est Ouagadougou. Le pays forme un vaste plateau drainé par les trois Volta (la Volta blanche, la Volta rouge et la Volta noire). La savane couvre le Sud, au climat tropical, tandis que la steppe couvre le Nord, plus sec. Le Burkina Faso compte 6,9 millions d'habitants. La langue officielle est le français, mais on parle aussi des dialectes africains (moré, dioula). La religion animiste est majoritaire. La monnaie utilisée est le franc C.F.A. Le Burkina Faso est un pays pauvre aux terres généralement arides. Son économie se fonde sur l'agriculture (canne à sucre, mil, maïs, riz, sorgho) et surtout sur l'élevage ovin. Les nombreuses sécheresses nuisent à l'économie. À la fin du XIXe siècle, le pays fut englobé dans les colonies françaises. Devenu indépendant en 1960, il prend le nom de Burkina Faso en 1984. En 1987, un coup d'État portait un militaire au pouvoir.

Burundi, État d'Afrique centrale. D'une superficie de 27 830 km², le Burundi peut aussi être considéré comme un État d'Afrique orientale, à cause de sa situation. Il est limité par le Rwanda, la Tanzanie et le Zaïre. Sa capitale est Bujumbura. Proche de l'équateur, le Burundi est un pays de plateaux situé au nord-est du lac Tanganyika. Son climat équatorial est tempéré par l'altitude, qui est rarement inférieure à 1 000 m. L'économie du pays est essentiellement agricole. Les principales ressources sont les bananes, le café, le thé, le coton et l'élevage des bovins et des chèvres. On y cultive aussi le manioc et le maïs pour l'alimentation de la population. Celle-ci s'élève à près de 5,2 millions d'habitants (Burundais et Burundaises). Les langues officielles sont le français et le kirundi. La religion dominante est le catholicisme. La monnaie utilisée est le franc burundais. Le Burundi est l'un des rares États africains à avoir existé tel quel avant la colonisation. Sous domination allemande à partir de 1890, puis sous tutelle belge après 1916, le Burundi est devenu indépendant en 1962. Le pays est aujourd'hui dirigé par un président et un gouvernement militaires.

Butler (Édith), chanteuse acadienne, auteure, compositrice et interprète, née à Paquetville, Nouveau-Brunswick, en 1942. Au début de sa carrière, elle chante le répertoire folklorique acadien en s'accompagnant à la guitare. Depuis 1973, elle compose sa propre musique, qui est un mariage de folklore et de rock'n roll fringant. Elle s'accompagne à plusieurs instruments qu'elle fabrique souvent elle-même. En 1970, elle se fait entendre à l'Exposition internationale d'Osaka. Édith Butler est la cofondatrice des Éditions de l'Arcadie; par ses activités, elle encourage la création artistique et littéraire de la femme. Elle a reçu le prix de l'Académie Charles Cros de Paris (1984), fut décorée de l'Ordre du mérite de la culture française par le Sénat canadien (1971) et fut reçue officière de l'Ordre du Canada (1975) et chevalière de l'Ordre de la Pléiade (1978).

Byng of Vimy (Julian Hedworth George, vicomte **de**), militaire et administrateur britannique, né en Angleterre en 1862 et mort dans le même pays en 1935. Homme remarquable par son esprit volontaire et sa bonne volonté, il fut nommé commandant de l'armée canadienne en 1916 et dirigea l'attaque de Vimy en 1917. Gouverneur général du Canada de 1921 à 1926, il fut relevé de ses fonctions à la suite d'un conflit portant sur les moyens juridiques de dissoudre le Parlement. Il quitte le pays en 1927. Sa femme, auteure d'un ouvrage sur le Canada, intitulé *Up the stream of time*, a fait don en 1925 du trophée «lady-Byng» à la Ligue nationale de hockey. Ce trophée est accordé au joueur qui a fait preuve, au cours de la saison, d'esprit sportif et d'excellence au jeu.

Cabot (Jean), explorateur, né en Italie en 1451 et mort en Angleterre en 1501. Marin expérimenté, au service du roi Henri VII d'Angleterre, il voulait trouver la route maritime vers l'ouest jusqu'aux Indes. Au cours de ses explorations, il découvrit les côtes de Terre-Neuve, du Labrador et de la Floride, qu'il prit pour les côtes d'Asie. Il aurait pris possession de ces terres au nom du roi d'Angleterre. Certains le considèrent comme le découvreur du Canada.

ANC/C-9000

Jean **Cabot**

Cabot (détroit de). Bras de mer de 110 km de largeur, le détroit de Cabot est situé à l'est du Canada, entre le sud-ouest de Terre-Neuve et l'île du Cap-Breton (Nouvelle-Écosse). Il relie le golfe du Saint-Laurent à l'océan Atlantique. Il a eu une importance stratégique dans l'histoire militaire et commerciale du pays. Son appellation commémore le nom de l'explorateur Jean Cabot.

Caïn, personnage biblique. Fils aîné d'Adam et Ève. Selon la Bible, Caïn tua son frère Abel parce que Dieu avait préféré le sacrifice de celui-ci. Il fut condamné par Dieu à une vie errante.

Caire (**Le**) [*Al Qāhirah*], capitale de l'Égypte. Situé près du Nil, Le Caire est la ville la plus importante de l'Afrique et du monde arabe, et constitue un carrefour entre l'Orient et l'Occident. Ses nombreuses mosquées (200), ses marchés publics animés et ses vieux quartiers religieux en font une ville des plus intéressantes. Le Caire, avec ses 13 millions d'habitants, des Cairotes, s'impose sur plusieurs plans : industriel, commercial, politique et intellectuel. Il est devenu le centre religieux du monde arabe, la métropole du monde musulman. Les pyramides et le Sphinx de Gizeh se trouvent à proximité du Caire, la ville aux minarets.

Calais (pas de), détroit qui sépare la France de l'Angleterre et unit la mer du Nord à la Manche. Il a une longueur de 185 km et une largeur de 31 km. Il relie deux ports de mer : du côté français, le port de Calais et du côté anglais, Douvres. Il est l'un des passages maritimes les plus fréquentés du globe.

Calgary, ville du Canada. Deuxième ville en importance de l'Alberta, située dans le sud-ouest de la province, Calgary compte 636 100 Calgariens et Calgariennes. Important centre de transport, la ville est aussi le centre financier de l'Ouest canadien et le centre administratif de l'industrie du pétrole et du gaz naturel. Cette industrie constitue, avec l'élevage du bétail et l'agriculture pratiqués dans la région, la base de l'économie calgarienne. Calgary abrite un aéroport international, une université, des musées et un jardin zoologique. Au sud s'étend le parc provincial Fish Creek, l'un des parcs urbains les plus grands du monde. Le parc du Stampede, où se tient le célèbre événement du même nom, contribue à la renommée de la ville. Calgary a été l'hôte des Jeux olympiques d'hiver de 1988.

Californie, État des États-Unis. Située à l'ouest des États-Unis, à la frontière du Mexique, sur la côte du Pacifique, la Californie, avec ses 23 668 000 habitants (Californiens et Californiennes), est aujourd'hui l'État le plus peuplé des États-Unis. La capitale de la Californie est Sacramento. Parmi les autres villes importantes, citons San Francisco et Los Angeles, qui regroupent plus de la moitié de la population. Les principales industries sont les conserveries, la construction aéronautique et l'électronique. La Californie possède aussi une industrie cinématographique de renommée mondiale (à Hollywood) et d'importantes universités. Cet État est l'un des premiers producteurs de fruits du monde; on y fait aussi la culture des légumes et du coton, et de l'élevage. La Californie fut colonisée par les Espagnols à partir de 1760 et est devenue un État américain en 1850. La découverte de l'or, vers 1850, a déclenché son développement économique.

Callières (Louis Hector **de**), gouverneur, né en France en 1648 et mort à Québec en 1703. Gouverneur de Montréal en 1684, puis gouverneur de la Nouvelle-France de 1698 à 1703, Callières a mis fin aux guerres entre les Iroquois et d'autres nations amérindiennes amies des Français. Il a réussi à négocier avec eux un traité de paix, en 1701, qui allait faciliter le commerce des fourrures.

Calvin (Jean **Cauvin**, dit), réformateur religieux français, né à Noyon en 1509 et mort à Genève en 1564. L'un des fondateurs, après Luther, du protestantisme, Calvin publia en 1536 l'*Institution de la religion chrétienne*, livre dans lequel il ramène la religion à la simplicité chrétienne primitive. Les seuls sacrements admis sont le baptême et l'eucharistie. Le calvinisme se répandit en France, en Suisse, en Hollande, en Angleterre, en Écosse et au Canada.

Cambodge, État de l'Indochine. D'une superficie de 180 000 km², le Cambodge est situé sur le golfe de Thaïlande et est limité par la Thaïlande, le Laos et le Viêt Nam. Sa capitale est Phnom-Penh. Le territoire peut se diviser en deux grandes régions: celle de l'eau et celle des montagnes. Une vaste cuvette centrale, occupée par le lac Toulé Sap, est drainée par le fleuve Mékong. Cette région est soumise à l'inondation annuelle. Tout autour s'étendent des plateaux et des montagnes qui occupent le quart du pays et qui sont recouverts de forêts ou de savanes. Dans l'ensemble, le climat est chaud et humide. Le Cambodge compte 6,2 millions d'habitants (Cambodgiens et Cambodgiennes). La population est composée essentiellement de Khmers, un groupe d'origine hindoue. La langue officielle est le khmer (cambodgien). La principale religion est le bouddhisme. La monnaie utilisée est le riel. La principale ressource du pays est la culture du riz pratiquée sur les rives du fleuve Mékong où se concentre la population. La production industrielle est très faible. Depuis 1970, le Cambodge fait face à des conflits politiques qui ont ruiné son économie. Depuis 1984, l'armée vietnamienne occupe le pays.

Cambridge, ville de l'Angleterre. Ville du sud-est de l'Angleterre, Cambridge est située sur la rivière Cam, à 75 km de Londres, la capitale de l'Angleterre. La principale activité industrielle de cette ville de 110 000 habitants est la transformation des produits agricoles de la région. Cambridge est célèbre pour son université fondée au XIIIe siècle et considérée comme l'une des plus prestigieuses d'Angleterre.

Cameroun, État de l'Afrique. Le Cameroun, d'une superficie de 475 000 km², est limité par le golfe de Guinée, la Guinée équatoriale, le Gabon, le Congo, la République centrafricaine, le Tchad et le lac du même nom, et le Nigéria. La ville de Yaoundé en est la capitale. Son territoire est formé de vastes plateaux de steppes et de savanes, d'un massif volcanique (mont Cameroun) et d'une plaine à végétation luxuriante. Les savanes (700 mm de précipitations annuelles) s'étendent du nord au sud et font place à la forêt, irriguée par les fleuves côtiers, dont la Sanaga, qui est le plus important. Le climat tropical est humide près des côtes et plus sec vers le centre du pays. Le Cameroun compte quelque 11 millions d'habitants (Camerounais et Camerounaises). Les langues officielles sont le français et l'anglais; parmi les religions pratiquées, les principales sont les religions chrétienne, musulmane et animiste. La monnaie utilisée est le franc C.F.A. L'économie du Cameroun est surtout agricole. Les principales ressources du pays sont le mil, le sorgho, les bananes, le cacao, l'hévéa, le pétrole, le caoutchouc, le café et le coton.

Cana, ville de Palestine. L'Évangile rapporte que c'est à Cana, ville de Galilée, région du nord de la Palestine, que Jésus fit son premier miracle. Invité à des noces au cours desquelles on manqua de vin, Jésus prit de l'eau et la changea en vin.

Canada, État de l'Amérique du Nord. D'une superficie de 9,9 millions de km², le Canada est, par son étendue, au deuxième rang mondial après l'U.R.S.S. Il comprend dix provinces et deux territoires: les provinces de l'Atlantique (Nouveau-Brunswick, Nouvelle-Écosse, Île-du-Prince-Édouard et Terre-Neuve), les provinces de l'Est (Québec et Ontario), les provinces des Prairies (Manitoba, Saskatchewan et Alberta), la province du Pacifique (Colombie-Britannique), les Territoires du Nord-Ouest et le Yukon. Le Canada est limité par l'océan Arctique, l'océan Atlantique, les États-Unis, l'océan Pacifique et l'Alaska. La capitale du

Canada est Ottawa et ses villes principales sont Toronto, Montréal et Vancouver. Le Canada peut se diviser en sept grandes régions géographiques: la cordillère de l'Ouest, les plaines intérieures, le bouclier canadien, les basses-terres de la baie d'Hudson et de l'Arctique, les basses-terres du Saint-Laurent et des Grands Lacs, les Appalaches et les Inuitiennes. La région de la **cordillère de l'Ouest**, qui recouvre presque entièrement la Colombie-Britannique, comprend des plateaux, des vallées, des glaciers et surtout trois chaînes de montagnes: la chaîne insulaire, la chaîne côtière et les majestueuses montagnes Rocheuses. La chaîne insulaire comprend principalement l'archipel de la Reine-Charlotte et l'île de Vancouver. La chaîne côtière est dominée par le plus haut sommet du Canada, le mont Logan (6 500 m). Enfin, la chaîne des Rocheuses contient plusieurs sommets de plus de 3 000 m, notamment les monts Robson, Columbia et Assiniboine. On y trouve également les grands parcs nationaux de Banff et de Jasper. Les plateaux de cette région sont séparés par de nombreuses vallées dont la plus célèbre est la vallée fruitière d'Okanagan, très productive en pommes, en pêches, en poires et en cerises. De longs fleuves sillonnent la région de la cordillère de l'Ouest: le Fraser (1 360 km), le Columbia (1 989 km) et le Yukon (3 166 km). Le climat de cette région est adouci par la présence du Pacifique: les étés ne sont pas trop chauds et les hivers sont doux. Sur le versant des montagnes, les précipitations sont abondantes, surtout en hiver. Sa forêt, la plus luxuriante du Canada, se compose notamment de diverses espèces d'arbres géants (sapins de Douglas, épinettes de Sitka, thuyas géants, etc.). Les **plaines intérieures** s'étendent au centre du pays. Elles sont limitées par les plaines de l'Ouest, l'Arctique et le bouclier canadien. C'est une vaste étendue de terres plates, composée d'une haute prairie, d'une moyenne prairie et d'une basse prairie. La haute prairie, qui recouvre presque entièrement l'Alberta, est ondulée et accidentée. On y pratique l'élevage et l'agriculture et on y exploite le pétrole des sables bitumineux dans la région du lac Athabasca. La moyenne prairie, principalement située en Saskatchewan, a un relief moins accidenté que la haute prairie. C'est la plus agricole des trois prairies. Quant à la basse prairie, presque entièrement située au Manitoba, c'est la moins étendue et la plus plane. Plusieurs grands lacs baignent la limite entre les plaines intérieures et le bouclier canadien: le Grand lac de l'Ours (31 792 km^2) et le Grand lac des Esclaves (29 186 km^2) dans les Territoires du Nord-Ouest, le lac Athabasca (8 080 km^2) en Alberta et en Saskatchewan et le lac Winnipeg (24 614 km^2) au Manitoba. Le nord-ouest de la région est drainé par le plus long cours d'eau du Canada, le fleuve Mackenzie (4 240 km). Le nord des plaines intérieures est soumis aux rigueurs du climat subarctique: on y trouve des sols gelés en permanence et une forêt boréale qui fait place à la toundra près de l'Arctique. Le Sud jouit d'un climat continental sec: le sol y est fertile et on y trouve environ 80 % des terres agricoles du Canada. On y pratique la culture des céréales, notamment celle du blé. Le **bouclier canadien** recouvre presque tout le Québec et l'Ontario, la moitié nord du Manitoba et de la Saskatchewan et la majeure partie des Territoires du Nord-Ouest. C'est la région géographique canadienne la plus étendue. Elle est limitée par l'océan Arctique et les basses-terres de la baie d'Hudson et de l'Arctique, l'océan Atlantique et les basses-terres du Saint-Laurent, les Grands Lacs et les basses-terres des Grands Lacs, et les plaines intérieures. Le bouclier canadien forme un vaste plateau où s'élèvent de hautes collines, notamment le massif des Laurentides, dont le sommet le plus élevé est le mont Raoul-Blanchard (1 160 m), et les monts Torngat. La région est parsemée de plusieurs milliers de lacs qui ont été formés lors du retrait des glaciers il y a quelque dix mille ans. Le climat subarctique qui y règne se caractérise par des hivers longs et froids et des étés courts et frais. La végétation du bouclier canadien passe de la forêt mixte au sud à la forêt de conifères plus au nord, puis à la toundra à partir de la baie James. Le sous-sol renferme d'immenses réserves de minerais (fer, cuivre, nickel, or, etc.). Les **basses-terres de la baie d'Hudson et de l'Arctique** s'étendent autour de la baie d'Hudson et de la baie James jusqu'au bouclier canadien et recouvrent une grande partie de l'archipel qui baigne dans l'océan Arctique. Les basses-terres longent le littoral nord-ouest du Québec, le nord de l'Ontario et le nord-est du Manitoba. C'est une région de plaines et de plateaux peu élevés. On y trouve des marécages et de nombreux étangs. Le climat y est froid: les hivers sont longs et les températures dépassent rarement 7 °C pendant l'été. Les précipitations sont rares. La végétation dominante est la toundra (lichens, mousses et arbrisseaux). Dans la majeure partie de cette région, les sols sont gelés en permanence. Autour de la baie d'Hudson, les basses-terres sont traversées par plusieurs fleuves et rivières qui prennent leur source dans le bouclier canadien, notamment la Grande Rivière, la rivière Eastmain, la rivière Rupert, la rivière Albany, le fleuve Nelson et le fleuve Churchill. Cet ensemble de cours d'eau forme un bassin hydrographique au potentiel hydroélectrique important dont une partie est déjà aménagée, entre autres la Grande Rivière et la rivière Eastmain. Les **basses-terres du Saint-Laurent et des Grands Lacs** se composent principalement de la plaine laurentienne au Québec, encaissée entre le bouclier canadien et les Appalaches le long du fleuve Saint-Laurent, et de la péninsule du Niagara en Ontario, entourée des lacs Huron, Érié et Ontario. C'est une région au relief plat, à l'exception des collines montérégiennes et de l'escarpement des chutes Niagara. On y trouve la plus importante voie de communication fluviale du pays: la voie maritime du Saint-Laurent, qui relie les Grands Lacs à l'océan Atlantique. Le climat y est moins rigoureux que dans le bouclier canadien. La végétation comprend une forêt de feuillus au sud de l'Ontario et une forêt mixte dans la région du Saint-Laurent. Les sols sont favorables à l'agriculture, qui y est prospère. C'est la région géographique canadienne la plus peuplée et la plus industrialisée. Elle compte plusieurs grandes villes, dont les métropoles de Toronto et de Montréal et les centres urbains de Windsor, à la pointe sud de la région, d'Ottawa, au centre, et de Québec, à la limite nord. La région des **Appalaches** est formée d'une chaîne de montagnes qui couvre le sud-est du Québec et l'ensemble des provinces de l'Atlantique. À cause de la proximité de la mer, les hivers sont moins froids qu'à l'intérieur des terres, mais les étés sont plus frais en raison de l'altitude. La chaîne des Appalaches se compose de monts relativement peu élevés, bordés à l'est par le plateau du Piedmont et à l'ouest par le plateau des Appalaches. Elle se prolonge à Terre-Neuve par la chaîne Long. Son sommet québécois le plus élevé est le mont Jacques-Cartier, en Gaspésie, qui s'élève à 1 268 m. Au Nouveau-Brunswick, la chaîne des Appalaches culmine au mont Carleton, à une altitude de 900 m. Les précipitations, relativement abondantes, contribuent à la croissance d'une forêt mixte. Les sols sont fertiles et favorisent la croissance de la pomme de terre. La beauté des paysages et la douceur du climat attirent dans la région bon nombre de touristes et d'amateurs de sports de plein air. Située à l'extrême nord du Canada, la région des **Inuitiennes** se caractérise par une chaîne de montagnes soumise à un climat très rigoureux qui empêche toute agriculture. Elle comprend l'île d'Ellesmere et l'archipel de la Reine-Élisabeth. L'ensemble forme un désert polaire, couvert de glace, qui reçoit très peu de précipitations. Les étés y sont très courts et froids, et le sol y est gelé en permanence. La végétation se limite à la toundra. C'est une région inhabitée où la présence humaine se limite principalement à des postes d'observation scientifique et à des bases militaires. Le sous-sol recèle d'importants gisements miniers très peu exploités, notamment de l'uranium. La population du Canada s'élève à 26 millions d'habitants (Canadiens et Canadiennes). Les langues officielles sont l'anglais et le français. Les religions dominantes sont le catholicisme et le protestantisme. La monnaie utilisée est le dollar canadien. Les francophones représentent 30 % de la population canadienne et sont établis principalement au Québec, où ils forment 80 % de la population. On trouve d'importantes minorités francophones au Nouveau-Brunswick et dans l'est de l'Ontario. L'économie du Canada repose principalement sur la culture du blé et l'élevage de bovins. Mais le pays possède également d'importantes ressources minières, énergétiques et forestières. Il est au premier rang mondial pour la production de l'uranium, du nickel, du zinc et du papier journal. Il arrive au troisième rang pour le gaz naturel, le plomb et l'aluminium, et au quatrième rang pour l'électricité, le cuivre et l'or. Il occupe le sixième rang pour la production du blé et le septième pour celle du fer. Enfin, il se classe au dixième rang pour la production du pétrole. Le tiers du territoire canadien est couvert de forêts qui donnent lieu à deux grandes industries: le bois et les pâtes et papiers. L'industrie de la pêche maritime constitue également une activité économique importante: le Canada se classe parmi les douze premiers pays producteurs de poisson. Les principales exportations canadiennes sont la machinerie, les céréales, l'hydroélectricité, les produits alimentaires, la pâte de bois et le papier. Le Canada, d'abord habité uniquement par des tribus indiennes et les Inuit, est découvert par Jacques Cartier en 1534. En 1604, le sieur de Monts fonde Port-Royal, premier établissement français en Amérique, sur la baie de Fundy en Acadie. Quatre ans plus tard, Samuel de Champlain fonde Québec. Afin d'assurer le peuplement de la colonie, le cardinal de Richelieu crée en 1627 la Compagnie des Cent-Associés, à laquelle il accorde la Nouvelle-France et l'Acadie. En 1634, Laviolette fonde Trois-Rivières et, en 1642, Maisonneuve fonde Ville-Marie, qui deviendra Montréal. Québec est alors le centre de la colonie. En 1664, Louis XIV fonde la Compagnie des Indes occidentales, chargée d'assurer le développement de la Nouvelle-France. De 1665 à 1672, l'intendant Jean Talon favorise le peuplement des deux rives du Saint-Laurent et développe l'agriculture, la pêche et l'artisanat. De 1671 à 1682, les explorations progressent: le Saguenay en

1671, le lac Supérieur en 1672, le Mississippi en 1673 par Jolliet et Marquette. En 1682, Cavelier de La Salle prend possession de la Louisiane. En 1690, à Québec, Frontenac repousse les Anglais. Au traité d'Utrecht, en 1713, la France perd la baie d'Hudson, l'Acadie et Terre-Neuve. En 1743, La Vérendrye et ses fils étendent le territoire français jusqu'aux montagnes Rocheuses. En 1755, les Anglais déportent plus de 6 000 Acadiens dans les colonies anglaises de la Nouvelle-Angleterre. En 1759, ils prennent Québec après avoir défait les troupes de Montcalm aux plaines d'Abraham. S'emparant de Montréal l'année suivante, ils deviennent maîtres de la Nouvelle-France par le traité de Paris, signé en 1763. Le Canada est désormais une colonie britannique et il le restera jusqu'en 1867. En 1774, l'Acte de Québec fixe les nouvelles frontières de la province de Québec. Au traité de Versailles, en 1783, l'Angleterre reconnaît l'indépendance des États-Unis, ce qui entraîne l'arrivée de Loyalistes au Canada. Le Nouveau-Brunswick est créé en 1784. En 1791, l'Acte constitutionnel sépare la province de Québec en deux : le Bas-Canada (le Québec actuel) et le Haut-Canada (aujourd'hui l'Ontario). Par suite de la rébellion des Patriotes en 1837, l'Angleterre adopte l'Acte d'Union en 1840, qui réunit le Haut et le Bas-Canada sous un même gouvernement. La Confédération du Canada est créée en 1867 par l'Acte de l'Amérique du Nord britannique, qui réunit le Québec, l'Ontario, la Nouvelle-Écosse et le Nouveau-Brunswick. Le Canada est désormais un État indépendant, membre du Commonwealth. En 1870, après le soulèvement des Métis, le Manitoba se joint à la Confédération canadienne. La Colombie-Britannique en fait autant en 1871 et l'Île-du-Prince-Édouard en 1873. Le Canadien Pacifique est terminé en 1885 et le Canadien National en 1896. En 1905, l'Alberta et la Saskatchewan entrent à leur tour dans la Confédération. En 1914 et en 1939, le Canada prend part à la guerre aux côtés des Alliés. Entre-temps, les femmes obtiennent le droit de vote en 1921. En 1949, Terre-Neuve entre dans la Confédération, complétant ainsi le Canada que nous connaissons aujourd'hui. En 1980, lors d'un référendum, les Québécois refusent le projet d'indépendance présenté par le Parti québécois. Deux ans plus tard, le Canada devient pleinement souverain en obtenant le rapatriement de sa Constitution. En 1988, le Canada signe avec les États-Unis un accord de libre-échange, entré en vigueur le 1er janvier 1989.

Canada-Uni ou **Province du Canada**. Canada-Uni est le nom donné à la réunion du Bas-Canada (Québec) et du Haut-Canada (Ontario) à la suite d'un accord, l'Acte d'Union, signé en 1840. Chacune des provinces compte alors un nombre égal de représentants, soit 42. Le Canada-Uni se transforma ensuite, en 1867, en une confédération.

Canadien National, société des chemins de fer nationaux. Depuis plus d'un siècle, le Canadien National dessert les 10 provinces canadiennes et les Territoires du Nord-Ouest grâce à un réseau ferroviaire de 52 000 km. Cette entreprise gouvernementale s'affirme également dans d'autres secteurs économiques : hôtellerie, communications, exploitation gazière et pétrolière, etc.

Canadien Pacifique ltée, société de transport du Canada. Au deuxième rang des sociétés canadiennes, Canadien Pacifique ltée exerce ses activités dans le domaine des liaisons ferroviaires, du transport aérien et routier, des communications télégraphiques, des messageries, de la navigation et de l'hôtellerie. En 1967, la société a formé, avec le Canadien National, les Télécommunications CNCP. En 1871, la construction d'une voie ferrée transcanadienne constitue un enjeu politique majeur : l'entrée de la Colombie-Britannique dans la Confédération se fait sous la promesse que sera parachevé le chemin de fer qui a déjà atteint les Prairies. Le contrat est octroyé à un groupe canadien et la société du chemin de fer du Canadien Pacifique est constituée en 1881. La ligne atteint enfin la côte du Pacifique et le dernier crampon est posé le 7 novembre 1885. Le premier train quitte Montréal le 28 juin 1886 et arrive à Port Moody, en Colombie-Britannique, le 4 juillet. Le chemin de fer qui relie le Canada d'est en ouest a grandement contribué à la colonisation et au développement des provinces de l'Ouest.

Canaries (îles), archipel espagnol de l'océan Atlantique. Situé à l'ouest du Maroc, cet archipel, dont la superficie atteint 7 300 km², est composé de treize îles volcaniques et accueille une population de 1 445 000 habitants (Canariens et Canariennes). Les villes principales de l'archipel sont Las Palmas et Santa Cruz de Tenerife. Le climat y est chaud et sec en été. Le tourisme et la culture de la vigne, des fruits et des légumes (pommes de terre, tomates, bananes) constituent les principales ressources de l'archipel.

Canaveral (cap), anciennement cap Kennedy, cap de l'État de la Floride, aux États-Unis, face à l'océan Atlantique. Cap Canaveral est une base américaine de lancement d'engins spatiaux.

Canberra, capitale de l'Australie. Située au sud-est de l'Australie, cette ville de 245 000 habitants, inaugurée en 1927, a été conçue par un architecte américain. Centre commercial, politique, administratif, Canberra possède une galerie d'art et une université. Elle abrite également de nombreux établissements industriels et de recherche scientifique.

Candiac, ville du Canada. Candiac est une ville de la province de Québec qui fut instituée en 1957. Elle est située sur la rive sud du fleuve Saint-Laurent, à environ 15 km de Montréal. Près de 8 700 Candiacois et Candiacoises vivent sur un territoire de 16 km². Candiac est doté d'un parc industriel où se concentrent des imprimeries, des minoteries, des papeteries et une industrie pharmaceutique. Son nom rappelle le château de Candiac, près de Nîmes, en France, où est né le marquis de Montcalm.

Caniapiscau (réservoir). Lac artificiel qui s'étend sur 4 285 km² et qui contient 53,8 milliards de mètres cubes d'eau. Il appartient au complexe hydroélectrique La Grande, situé dans la région du Nouveau-Québec, à 460 km au sud de la baie d'Ungava. Créé par le détournement d'une partie des eaux de la rivière Caniapiscau vers le complexe La Grande, il a mis deux ans à se remplir. Ses eaux, emprisonnées par deux barrages et quarante et une digues, alimentent trois centrales hydroélectriques du complexe La Grande.

Cantons-de-l'Est ☞ **Estrie**.

Caouette (Joseph David Réal), homme politique canadien, né en Abitibi en 1917 et mort à Ottawa en 1976. Réal Caouette fut chef du parti du Crédit social, pour l'aile du Québec, à partir de 1961. En 1963, il rompt avec le fondateur de ce parti (Robert Thompson) et devient chef du Ralliement créditiste, rassemblant autour de lui 12 parlementaires québécois. En 1971, il refait l'unité du parti et devient le chef national du Crédit social jusqu'en 1976. Réal Caouette a fait sept mandats en tant que député fédéral. Son dynamisme et ses envolées oratoires ont fait de lui une figure politique majeure au pays.

LA PRESSE

Réal **Caouette**

Cap (**Le**), capitale législative de l'Afrique du Sud. Le Cap est une ville portuaire et un centre industriel et ferroviaire situé dans le sud-ouest du pays, près du cap de Bonne-Espérance. On trouve dans cette ville de 1,5 million d'habitants des industries alimentaires et textiles ainsi qu'une raffinerie de pétrole. C'est dans un hôpital du Cap que le docteur Christian Barnard tenta, en 1967, la première greffe du cœur.

Cap-Breton (île du), île de la côte est du Canada. Située à l'entrée du golfe du Saint-Laurent et au nord de la Nouvelle-Écosse, l'île du Cap-Breton fut découverte par Jean Cabot en 1497. L'île du Cap-Breton, qui compte près de 175 000 habitants, appartient à la Nouvelle-Écosse depuis 1820. Ses principales villes, Sydney et Glace Bay, sont reconnues pour leurs industries minières (fer, charbon, houille), leurs aciéries, leur raffinerie et leur usine de pâtes et papiers. Cette région est un paradis pour les pêcheurs et les touristes amateurs de beaux paysages.

Cap-de-la-Madeleine, ville du Canada. Cap-de-la-Madeleine est une ville du Québec, située sur la rive nord du fleuve Saint-Laurent, près de la rivière Saint-Maurice, en face de Trois-Rivières. Le nom de la ville, fondée en 1640, rappelle l'abbé Jacques de La Ferté de la Madeleine. Malgré ses industries de papier, de textile et d'aluminium, Cap-de-la-Madeleine, avec ses 34 000 Madelinois et Madelinoises, devient de plus en plus une banlieue résidentielle de Trois-Rivières. On trouve à Cap-de-la-Madeleine le sanctuaire Notre-Dame-du-Cap, qui est un lieu de pèlerinage.

Capharnaüm, ville de Palestine. Capharnaüm est une ville située en Galilée, région du nord de la Palestine, sur les rives du lac de Tibériade. C'est dans cette ville que, selon les Évangiles, Jésus s'adonne à la prédication avant de se diriger vers Jérusalem.

Cap-Rouge, ville du Canada. Cap-Rouge est une ville de la province de Québec, située sur la rive nord du fleuve Saint-Laurent, à quelques kilomètres à l'ouest de la ville de Québec. Cap-Rouge, ainsi nommé à cause de la couleur des roches d'un cap voisin, devint une municipalité en 1872. On y compte 9 500 Carougeois et Carougeoises.

Cap-Saint-Georges, ville du Canada. Ville de la province de Terre-Neuve, Cap-Saint-Georges est situé au sud-ouest de l'île de Terre-Neuve et fait partie du district bilingue de Port-au-Port. Cap-Saint-Georges est un centre de vie francophone de 14 070 habitants.

Caracas, capitale du Venezuela. Caracas est située près de la mer des Caraïbes, à environ 900 m d'altitude. Elle fut fondée en 1567. Plus de 2 millions d'habitants vivent dans cette ville d'une superficie de 1 930 km². Caracas possède un port et un aéroport. La ville connaît une grande expansion économique grâce à l'industrie pétrolière.

Caraïbes (mer des) ou **mer des Antilles**, mer qui dépend de l'océan Atlantique. D'une superficie de 2 500 000 km², la mer des Caraïbes est située entre l'Amérique centrale, l'Amérique du Sud et l'arc des Antilles. Elle était reconnue aux XVᵉ et XVIᵉ siècles pour être le lieu d'activités de piraterie.

Cariboo (monts), système montagneux situé à l'ouest du Canada, en Colombie-Britannique. Les monts Cariboo entourent le lac Brown et la plus grande partie du parc provincial Wells-Grey, tous deux renommés pour leurs attraits touristiques.

Carignan-Salières (régiment de), corps de troupe français. Corps militaire composé de 1 200 soldats français envoyés par Louis XIV en Nouvelle-France en 1665 pour mettre fin aux guerres avec les Iroquois. Lorsque le régiment est rappelé en France en 1668, environ 400 hommes et officiers choisissent de s'établir en Nouvelle-France. Ils renforcent la défense et le génie militaire de la colonie tout en contribuant à son économie. Carignan, ville de la vallée du Richelieu, perpétue le souvenir de ce régiment. En outre, plusieurs officiers ont laissé leur nom à des villes du Québec: Berthier, Chambly, Contrecœur, La Durantaye, Lavaltrie, Sorel (Saurel), Saint-Ours, Varennes et Verchères.

Carillon (fort). Le fort Carillon fut construit en 1756 par les Français en Nouvelle-France. Situé à l'extrémité sud du lac Champlain, il fut le lieu, en 1758, de la bataille de Carillon, au cours de laquelle Montcalm remporta la dernière grande victoire française contre les Anglais. Ce site porte maintenant le nom de Ticonderoga, dans l'État de New York.

Carle (Gilles), cinéaste canadien, né à Maniwaki en 1929. Scénariste et réalisateur prolifique, Gilles Carle a réalisé des courts métrages, des films de fiction, des séries pour la télévision, des messages publicitaires, des documentaires, une comédie musicale, etc. Ses principales réalisations sont: *La vie heureuse de Léopold Z* (1965); *Le viol d'une jeune fille douce* (1968); *Les mâles* (1970); *La vraie nature de Bernadette* (1972); *La mort d'un bûcheron* (1974); *Fantastica* (1980); *Les Plouffe* (1981); *Maria Chapdelaine* (1983); *Le crime d'Ovide Plouffe* (1984).

Carleton (Guy), baron de Dorchester, administrateur et militaire britannique, né en Irlande en 1724 et mort en Angleterre en 1808. Guy Carleton fut gouverneur du Canada de 1768 à 1778 et de 1786 à 1796. Au cours de son administration comme gouverneur général, il appuie l'adoption de l'Acte de Québec (1774) et le maintien du Code civil français. Carleton a repoussé l'invasion américaine en 1775-1776.

Carpates ou **Karpates**, chaîne de montagnes de l'Europe centrale. Les Carpates s'étendent en arc de cercle sur la Tchécoslovaquie, la Pologne, l'U.R.S.S. et surtout la Roumanie. Ces montagnes boisées de 2 655 m d'altitude sont moins élevées que les Alpes. De nombreux fleuves irriguent les Carpates et l'on y pratique l'élevage.

Cartier (sir George-Étienne), avocat et homme politique canadien, né à Québec en 1814 et mort en Angleterre en 1873. Il participe, avec les patriotes, à la rébellion de 1837. Il doit s'exiler aux États-Unis, mais revient à Montréal en 1838 pour y pratiquer le droit. Très actif politiquement, il devient premier ministre avec John A. Macdonald, lors de la création, par l'Acte d'Union, de 1857 à 1862, des parlements du Canada-Uni. Il se fait le promoteur des chemins de fer et du choix d'Ottawa comme capitale fédérale. Au cours de son mandat, il met sur pied le projet de la confédération. Sa réalisation la plus marquante a été de rallier les Canadiens français à la Confédération canadienne. En 1868, la reine Victoria lui donne le titre de baronnet du Royaume-Uni. Un monument du parc Jeanne-Mance, situé au pied du Mont-Royal (Montréal), évoque son souvenir. Sa maison, dans le Vieux-Montréal, a été transformée en musée.

sir Georges-Étienne **Cartier**

ANQM/P-54

Cartier (Jacques), marin et explorateur français, né à Saint-Malo en 1494 et mort en France vers 1557. Envoyé par François Iᵉʳ, roi de France, à la recherche d'une route vers l'Asie,

Jacques Cartier atteignit Terre-Neuve et les côtes du Labrador en 1534 et en prit possession au nom de François Ier. Au cours d'un deuxième voyage, en 1535, il remonta le fleuve Saint-Laurent et en établit la carte, ce qui permit de démontrer la possibilité de venir s'installer sur ces terres. L'explorateur, qui fit un troisième voyage en 1541, conclut aussi des alliances avec les Amérindiens. Jacques Cartier est considéré comme le découvreur du Canada parce qu'il a ouvert la voie aux futures explorations en Amérique. Il a nommé plusieurs endroits et cours d'eau, dont le fleuve Saint-Laurent.

Casablanca, ville du Maroc. Située sur l'Atlantique, Casablanca est le principal port et la plus grande ville du Maroc. Avec ses 2,5 millions d'habitants, elle est considérée comme la métropole économique et commerciale du pays, à cause de l'exportation de phosphates qu'on y fait.

Cascapédia (rivière), rivière du Canada. La rivière Cascapédia prend sa source en Gaspésie et se jette dans la baie des Chaleurs, près de New-Richmond. D'origine micmaque, le mot *Cascapédia* signifie «forts courants».

Casgrain (Marie Claire Kirkland-) ☞ **Kirkland-Casgrain** (Marie Claire).

Casgrain (Marie Thérèse Forget-), femme politique canadienne, née à Montréal en 1896 et morte en 1981. Dès les années vingt, Thérèse Casgrain commence à s'occuper des questions sociales et politiques de l'heure. L'émission (*Fémina*) qu'elle anime à la radio la fait connaître partout au Canada français. Elle fut une figure dominante dans le mouvement féministe au Québec: en 1921, elle participe à la fondation du Comité provincial pour le suffrage féminin qu'elle présidera à compter de 1928 et qu'elle nommera, en 1929, la Ligue des droits de la femme. Les causes pour lesquelles Thérèse Casgrain s'est dévouée sont nombreuses: l'éducation des adultes, les victimes de la guerre du Viêt Nam et le statut des Amérindiennes. Elle fonde la Fédération des œuvres de charité canadienne-française et, en 1960, devient une fondatrice de la Ligue des droits de l'homme. En 1966, elle fonde la Fédération des femmes du Québec. Elle a lutté sans relâche pour les droits des femmes au Québec. En 1970, elle est nommée sénatrice. Pour souligner son action, le gouvernement a créé, en 1982, le prix Thérèse-Casgrain.

Caspienne (mer). Mer fermée aux confins de l'Europe (U.R.S.S.) et de l'Asie (Iran), la Caspienne est le plus grand lac salé du monde (436 000 km²). La mer Caspienne favorise le développement économique de la région grâce à la pêche de l'esturgeon (production du caviar) et à l'exploitation du pétrole et du gaz naturel sur ses rives.

Caucase, chaîne de montagnes de l'U.R.S.S. Situé au sud de l'U.R.S.S., le Caucase s'étend sur 1 250 km entre la mer Noire et la Caspienne. C'est une haute barrière où l'altitude descend très rarement au-dessous de 2 000 m. Cette chaîne de montagnes est dominée par de puissants volcans. La région du Caucase a été un refuge de populations et constitue encore une véritable mosaïque ethnique.

Caughnawaga ☞ **Kahnawake**.

Celsius (Anders), astronome et physicien suédois, né en 1701 et mort en 1744. Celsius créa en 1742 une échelle de thermomètre divisée en cent parties, selon laquelle le point de congélation de l'eau se situe à 0° et son point d'ébullition, à 100°. Les travaux de Celsius portèrent également sur le calendrier, les satellites de Saturne et l'éclat lumineux des étoiles.

Cène. Dernier repas que Jésus a pris avec ses apôtres, la veille de la Passion. C'est lors de ce repas que Jésus a institué l'eucharistie en partageant le pain et le vin avec ses apôtres.

centrafricaine (République), État de l'Afrique centrale. La République centrafricaine, d'une superficie de 623 000 km², est limitée par le Tchad, le Zaïre, le Congo, le Soudan et le Cameroun. Bangui est la capitale de cet État. Le pays est formé d'un vaste plateau couvert de savanes. Deux cours d'eau drainent ce territoire au climat chaud et humide: le Chari et l'Oubangui. La République centrafricaine compte 2,8 millions d'habitants (Centrafricains et Centrafricaines). La langue officielle du pays est le français. Parmi les religions pratiquées, les principales sont les religions chrétienne et animiste. La monnaie

M. PONOMAREFF/PPI

Thérèse **Casgrain**

utilisée est le franc C.F.A. L'économie du pays se fonde surtout sur l'agriculture et l'élevage, qui représentent 80 % de la production. Les principales ressources du pays sont le maïs, le manioc, le sorgho, les ignames et l'arachide. Le sous-sol renferme des diamants et de l'uranium. La République centrafricaine est un pays exportateur de café, de coton, de tabac, de diamants, de bois et d'ivoire.

César (Jules), général et homme d'État romain, né en 101 avant Jésus-Christ et mort en 44 avant Jésus-Christ. Né à Rome en Italie, César conquiert les Gaules (58-51) et installe Cléopâtre sur le trône d'Égypte. Il défait le tout-puissant Pompée (maître de Rome), gouverne en souverain en Italie et réforme les institutions de l'État sans cesser de favoriser le peuple. Une conspiration se forme contre lui et il est assassiné. Ses ouvrages sur la guerre, *Commentaires de la guerre des Gaules* et *De la guerre civile*, témoignent éloquemment de ses talents d'orateur et d'écrivain.

Ceylan ☞ **Sri Lanka**.

Cézanne (Paul), peintre français, né à Aix-en-Provence, en France, en 1839 et mort dans la même ville en 1906. Les portraits et les figures, les natures mortes, les paysages de Provence, les baigneurs et les baigneuses représentent les thèmes majeurs de l'œuvre de Paul Cézanne. Il exposa avec ses amis les impressionnistes. Cézanne exerça une influence capitale sur les artistes de son époque et les principaux courants du XXe siècle (fauvisme, cubisme et art abstrait). Il avait été surnommé «le Dieu de la peinture» et Picasso affirmait qu'il avait été son seul et unique maître.

Chabanel (Noël) ☞ **Noël Chabanel** (saint).

Chagall (Marc), peintre et graveur français, né en Russie en 1887 et mort en France, en 1985. À 23 ans, Chagall s'installe à Paris où il connaît la célébrité. La Seconde Guerre mondiale l'oblige à s'exiler aux États-Unis où ses expositions obtiennent beaucoup de succès. En 1944, il revient en France pour y terminer son œuvre. Il meurt à 97 ans. Ce géant de la peinture moderne a subi les influences du cubisme et du fauvisme tout en faisant preuve d'une grande liberté et d'originalité dans l'agencement des formes et des couleurs. Juif errant, il s'est surtout inspiré du folklore juif, donnant à ses toiles une grande tendresse poétique. Il a construit au gré de sa fantaisie un univers où dominent les thèmes des fleurs, des paysages, des oiseaux et des amoureux. Personnages et objets se côtoient dans l'espace de ses toiles, selon un ordre magique qui défie tous les critères de vraisemblance. À l'approche de la guerre, Chagall s'oriente vers des thèmes plus dramatiques et ses tableaux traduisent sa profonde angoisse. En 1964, il a conçu une véritable splendeur: le plafond de l'Opéra de Paris. En 1988, le Musée des beaux-arts de Montréal consacrait une exposition exceptionnelle à l'œuvre de ce grand peintre.

Marc **Chagall**

SYGMA/PUBLIPHOTO

Chaleurs (baie des), baie du Canada. Située entre la Gaspésie et le nord du Nouveau-Brunswick, la baie des Chaleurs est formée par le golfe du Saint-Laurent dont elle est la plus grande baie. Cartier l'explora en 1534 et remarqua que le climat y était plus chaud que dans le reste du golfe du Saint-Laurent, d'où le nom de baie des Chaleurs.

Challenger, navette spatiale américaine. Navette spatiale munie d'un bras mécanique articulé de fabrication canadienne, qui est, après *Columbia*, le deuxième des quatre «camions de l'espace» commandés par la N.A.S.A. Son premier vol eut lieu le 4 avril 1983. Elle effectua neuf voyages fructueux avant le dramatique départ de 1986. Au cours de ces neuf vols, on enregistra plusieurs premières: première femme américaine à bord (2e vol, juin 1983); premier Noir américain à bord (3e vol, août 1983); deux astronautes marchent dans l'espace sans être reliés à la navette et premier retour au cap Canaveral en Floride (4e vol, février 1984); réparation d'un satellite dans l'espace interplanétaire (5e vol, avril 1984); sept astronautes à bord, dont le Canadien Marc Garneau et deux femmes (6e vol, octobre 1984); laboratoire *Spacelab* à bord plus 2 singes et 24 rats (7e vol, avril 1985); on frôle la catastrophe lorsqu'un des moteurs arrête pendant 5 minutes 45 secondes (8e vol, août 1985); premier vol pour le compte d'un gouvernement étranger, l'Allemagne (9e vol, novembre 1985). Lors du 10e vol, en janvier 1986, 75 secondes après le décollage, une explosion détruit la navette et entraîne la mort des sept occupants, dont une femme civile.

Chambly, ville du Canada. Chambly est une ville de la province de Québec, située sur la rive ouest de la rivière Richelieu à une vingtaine de kilomètres de Montréal. Son nom rappelle Jacques de Chambly, capitaine du régiment de Carignan qui y bâtit un fort en 1665 et y reçut la seigneurie en concession. Fondé en 1672 et devenu ville en 1848, Chambly compte aujourd'hui 12 400 Chamblyens et Chamblyennes.

Chambre d'assemblée du Bas-Canada, organisme gouvernemental créé par l'Acte constitutionnel de 1791. La Chambre d'assemblée du Bas-Canada était composée de cinquante députés élus par les Canadiens pour une période de quatre ans. Elle discutait des projets de règlements, imposait les taxes et proposait des lois pour améliorer le bien-être des citoyens. Par l'Acte d'Union de 1840, la Chambre d'assemblée du Bas-Canada (Québec) fut unie à celle du Haut-Canada (Ontario). Les Chambres siégèrent ensemble jusqu'à la création de la Confédération canadienne en 1867 (Canada).

Chambre des communes, nom donné à l'ensemble des députés du Parlement fédéral canadien. En 1988, la Chambre des communes compte 295 députés élus, représentant chacun une circonscription du pays. La Chambre des communes se divise en deux parties: le parti au pouvoir et l'opposition. Les travaux de la Chambre des communes, dirigés par un orateur ou un président, se font dans les deux langues officielles: le français et l'anglais. Les Communes assurent le maintien du gouvernement pendant quatre ou cinq ans et veillent à ce que celui-ci contribue au bien de tous les Canadiens, en exigeant que les ministres rendent compte de leurs actes, de leurs projets de loi et de leurs politiques.

ANC/PA-51834

La **Chambre des communes**

Champigny (Jean Bochard **de**), intendant de la Nouvelle-France, né en France en 1645 et mort en 1720. En 1686, Champigny quitte la France pour exercer les fonctions d'intendant de la Nouvelle-France (Canada). Pendant 16 ans, il s'occupe de la sécurité intérieure, veille à la prospérité économique du pays et assure l'application de la loi et le maintien de l'ordre. En 1688, il fit établir par le Conseil souverain une nouvelle institution destinée à secourir les pauvres. Des bureaux à cet effet furent créés dans les villes de Québec, Trois-Rivières et Montréal; le curé de la paroisse et trois administrateurs les dirigeaient. L'intendant encouragea la culture du chanvre et du lin, l'élevage du mouton, l'industrie de la pêche et l'exploitation forestière. En 1699, Champigny établit les premières archives canadiennes afin de conserver toutes les ordonnances et proclamations royales. Champigny est considéré à juste titre comme le premier archiviste du Canada.

Champlain (Samuel **de**), cartographe et explorateur, né en France vers 1567 et mort à Québec en 1635. Champlain a fondé la ville de Québec en 1608, et a été le premier gouverneur de la Nouvelle-France (de 1612 à 1629 et de 1633 à 1635). Il a hérité du surnom de «Père de la Nouvelle-France» parce qu'il a été le premier à organiser la nouvelle colonie et à explorer la vallée du Saint-Laurent. Champlain a laissé une œuvre écrite importante constituée de récits de voyage et de cartes qui rassemblent les connaissances de l'époque sur l'Amérique du Nord. Il a donné son nom au lac Champlain et à la rivière Champlain. Un monument a été érigé à sa mémoire sur la terrasse Dufferin à Québec.

Samuel de **Champlain**

EDIMEDIA/PUBLIPHOTO

Champlain (rivière). Cours d'eau du Canada, la rivière Champlain est située dans la province de Québec, à l'est de Trois-Rivières. Elle passe au nord de Cap-de-la-Madeleine pour se jeter dans le fleuve Saint-Laurent, près de la ville appelée Champlain.

Chapleau (Joseph Adolphe), journaliste et homme politique canadien, né en 1840 et mort en 1898. Professeur en droit criminel et en droit international, Chapleau a été un des propriétaires des journaux *Le Colonisateur* et *La Presse*. Sa carrière politique commence en 1867, alors qu'il est élu sous la bannière du Parti conservateur dans la circonscription de

Terrebonne. De 1879 à 1882, il est premier ministre de la province de Québec. De 1882 à 1892, il est député à Ottawa. En 1892, il est nommé lieutenant-gouverneur de la province de Québec.

Chaplin (Charles Spencer, dit **Charlie**), acteur et cinéaste britannique, né à Londres en 1889 et mort en Suisse en 1977. Son personnage de Charlot, vagabond comique affichant une tenue originale, devient rapidement célèbre dans le monde entier. Après avoir passé vingt ans aux États-Unis, sa patrie d'adoption, Chaplin rentre en Angleterre. Interprète de ses films, il en fut également le scénariste, le réalisateur et le producteur. L'œuvre de Chaplin, appréciée et reconnue mondialement, demeure attentive aux remous de la société moderne et témoigne de sa lutte incessante pour la dignité et la liberté humaines. Parmi ses œuvres marquantes, mentionnons, entre autres, *La ruée vers l'or* (1925), *Les lumières de la ville* (1931), *Les temps modernes* (1935), *Le dictateur* (1940) et *Monsieur Verdoux* (1947).

Chaput-Rolland (Solange), journaliste et femme politique canadienne, née à Montréal en 1919. Critique littéraire pour plusieurs journaux, éditorialiste et animatrice d'émissions d'affaires publiques, Solange Chaput-Rolland a fondé et dirigé un journal mensuel (*Points de vue*). Elle a écrit de nombreux ouvrages dont: *Mon pays, Québec ou Canada* (1966) et *Québec année zéro* (1968). Son livre *Dear Enemies* (*Chers ennemis*), sur les relations entre francophones et anglophones, la fait connaître au Canada anglais. En 1977, elle est désignée à la Commission Pépin-Robarts sur l'unité canadienne. En 1979, elle est élue députée pour le Parti libéral, siège qu'elle occupe jusqu'en 1981. Solange Chaput-Rolland a remporté plusieurs prix pour ses éditoriaux. En 1975, le gouverneur général du Canada lui octroyait la médaille d'officier de l'Ordre du Canada. Solange Chaput-Rolland fut nommée au Sénat en 1988, suivant la recommandation du premier ministre du Québec, Robert Bourassa.

Charbonneau (Joseph), archevêque canadien, né en Ontario en 1892 et mort en Colombie-Britannique en 1959. Archevêque de Montréal depuis 1940, Joseph Charbonneau prend position en faveur des ouvriers, lors de la grève de l'amiante à Asbestos en 1949, et s'oppose aux mesures antisyndicales de Maurice Duplessis, alors premier ministre du Québec. En 1950, à la suite de son assistance aux grévistes de l'amiante, Mgr Charbonneau se voit obligé de donner sa démission à l'archevêché.

Charlebois (Robert), compositeur et chanteur canadien, né à Montréal en 1944. Son premier disque, en 1966, représente un événement et une innovation dans la chanson québécoise. Charlebois n'hésite pas à utiliser le «joual» dans ses textes et fait appel à des rythmes de rock. Parmi ses grands succès, soulignons *Lindberg, Les ailes d'un ange, Conception, Ordinaire* et *I'm a frog*.

Charlemagne, ville du Canada située sur la rive nord du fleuve Saint-Laurent à l'embouchure de la rivière L'Assomption. Charlemagne compte 5 100 Charlemagnois et Charlemagnoises. Le nom de la ville, fondée en 1906, rappelle Romuald Charlemagne Laurier, qui fut député fédéral au début du siècle.

Charles II, roi d'Angleterre, d'Écosse et d'Irlande, né à Londres en 1630 et mort au même endroit en 1685. Son alliance avec la France pour s'assurer les subsides de Louis XIV le conduisit à des guerres contre la Hollande. Sa tolérance à l'égard des catholiques lui valut l'opposition du Parlement britannique.

Charlesbourg, ville du Canada. Ville de la province de Québec située au nord de la ville de Québec, Charlesbourg fut fondé par l'intendant Jean Talon en 1659. Celui-ci expérimente, à cet endroit, une nouvelle façon de diviser les terres afin d'organiser un système de défense contre les attaques iroquoises. En 1666, Talon entreprend de former trois villages dans le voisinage de Québec. Les nouveaux villages, Bourg-Royal, Bourg-la-Reine et Bourg-Talon, ont une forme carrée et les terres concédées ressemblent à des pointes triangulaires. Charlesbourg recevra le 1er janvier 1855 son statut de ville. Depuis le 1er janvier 1976, la ville de Charlesbourg regroupe les anciennes municipalités de Charlesbourg-Est, d'Orsainville et de Notre-Dame-des-Laurentides, et compte quelque 70 000 Charlesbourgeois et Charlesbourgeoises.

Charles Garnier (saint), missionnaire jésuite, né en France en 1606 et mort en Nouvelle-France en 1649. Charles Garnier fut envoyé en Nouvelle-France en 1635 pour convertir les Hurons. Il resta parmi eux pendant treize ans et fonda une mission dans la bourgade de Saint-Jean. Le jésuite français y trouva la mort, massacré par les Iroquois qui détruisirent la Huronie. Son corps fut retrouvé meurtri de coups de hache et criblé de balles. Charles Garnier est l'un des saints martyrs canadiens qui furent canonisés en 1930.

Charlevoix, région du Québec. Située sur

la rive nord du fleuve Saint-Laurent, la région de Charlevoix s'étend des Caps, au nord-est de la ville de Québec, jusqu'à Baie-Sainte-Catherine, près de l'embouchure de la rivière Saguenay. La région est réputée pour la splendeur de ses paysages qui sont une source d'inspiration pour les artistes et qui provoquent l'émerveillement des touristes. L'agriculture, l'exploitation forestière et le tourisme figurent parmi les principales ressources économiques des Charlevoisiens et des Charlevoisiennes. La région de Charlevoix doit son nom au père François-Xavier de Charlevoix, jésuite qui explora le Saint-Laurent et le Mississippi et qui fut le premier historien de la Nouvelle-France.

Charlottetown, ville du Canada, capitale de l'Île-du-Prince-Édouard. Ville portuaire de 17 063 habitants, Charlottetown a été, en 1864, le siège de la conférence qui a préparé l'avènement de la Confédération canadienne. Charlottetown est un centre commercial et possède des industries textiles et alimentaires ainsi qu'une université. Son port est particulièrement actif dans l'exportation de pommes de terre et l'importation de pétrole.

Charny, ville du Canada. Situé dans la province de Québec, à 8 km de la ville de Québec, sur la rive sud du fleuve Saint-Laurent, Charny compte 8 300 Charniens et Charniennes. Important centre ferroviaire, la ville, instituée en 1903, tire son nom de M. Charny-Lauzon, seigneur de Lauzon. Attrait touristique: la rivière Chaudière y fait une chute un peu en amont de son embouchure.

Charpentier (Yvette), syndicaliste canadienne, née au début du XXe siècle et morte dans les années 70. Pionnière de l'organisation du syndicalisme féminin au Québec au cours des années trente et quarante, elle lutte pour améliorer le sort des ouvrières dans l'industrie du vêtement. Elle fit partie de l'Union internationale des ouvriers du vêtement pour dames (U.I.O.V.D.) où elle occupa un poste de direction.

Chartrand (Simone Monet-), auteure canadienne, née en 1920. Pendant quarante ans, Simone Chartrand a mené une vie active en participant à toutes les luttes sociales et politiques. Elle a maintenant terminé sa carrière, mais, par l'écriture, elle demeure une femme d'action. Elle se raconte dans *Ma vie comme rivière*.

Châteauguay, ville du Canada. Située dans la province de Québec, sur la rive sud du fleuve Saint-Laurent, près de la réserve de Kahnawake, à l'embouchure de la rivière Châteauguay, cette ville regroupe quelque 38 000 Châteauguois et Châteauguoises. Dès 1636, les Jésuites y aménagent une chapelle, mais ce n'est qu'en 1736 que Châteauguay devient une paroisse. En 1673, Châteauguay fait partie de la seigneurie accordée à Charles Lemoyne, seigneur de Longueuil. Il nomme ce village en souvenir d'une commune du même nom, située en France. Cette région fut le lieu d'une célèbre bataille où, en 1813, Salaberry vaincut le général américain Hampton le long de la rivière Châteauguay. En 1855, Châteauguay prend le titre de municipalité, puis en 1975, à la suite d'une fusion et d'une annexion, la ville adopte comme désignation officielle le nom qu'elle porte actuellement.

Châteauguay (rivière), rivière du Canada et des États-Unis. La rivière Châteauguay prend sa source dans l'État de New York, aux États-Unis, traverse la ville de Châteauguay, dans la province de Québec, et se jette dans le fleuve Saint-Laurent. C'est sur les rives de cette rivière que les Canadiens repoussèrent les Américains en 1813.

Chats (lac des), lac du Canada. Situé dans la région de l'Outaouais au Québec, le lac des Chats est formé par l'élargissement de la rivière des Outaouais. Certains disent que la présence de nombreux chats sauvages dans ses environs lui aurait valu ce nom de lac des Chats, tandis que d'autres croient que les rochers qui égratignaient les canots, comme l'auraient fait les griffes d'un chat, sont à l'origine de cette appellation.

Chaudière (rivière), rivière du Canada. Située au sud de la province de Québec, la rivière Chaudière prend sa source dans le lac Mégantic et se jette dans le fleuve Saint-Laurent, près de la ville de Québec. Elle doit son nom aux eaux de ses chutes qui rappellent celles d'une chaudière surchauffée.

Chaudière – Appalaches, région administrative du Québec. Située sur la rive sud du fleuve Saint-Laurent, la région englobe l'Islet, Montmagny, Bellechasse, Les Etchemins, Les Chutes-de-la-Chaudière, Lotbinière, La Nouvelle-Beauce, L'Amiante, Robert-Cliche, Beauce-Sartigan et Desjardins. La population de cette région s'élève à 356 768 habitants. Les principales villes sont Saint-Jean-Port-Joli, Montmagny, Saint-Lazarre, Sainte-Marie, Saint-Georges, Beauceville, Pintendre et Black Lake. Le développement économique de cette région repose sur l'agriculture, l'exploitation forestière et la transformation du bois, l'industrie minière (amiante) et le tourisme.

Chauveau (Pierre Joseph Olivier), homme politique et écrivain canadien, né en 1820 et mort en 1890. De 1855 à 1867, Chauveau a été surintendant de l'Instruction publique et a aidé à promouvoir l'éducation au Québec. Premier ministre du Québec de 1867 à 1873, puis sénateur, il a occupé le poste de doyen de faculté à l'Université Laval de 1884 à 1890. Apprécié comme conférencier et écrivain, Pierre Chauveau a siégé en même temps que son fils Alexandre en 1872.

Chénier (Jean Olivier), médecin et patriote canadien, né en 1806 et mort en 1837. Chénier a exercé sa profession dans le comté de Deux-Montagnes. Il a participé à toutes les manifestations qui ont précédé les combats des patriotes (1837). Chef incontesté de l'insurrection dans la région de Deux-Montagnes, il est mort les armes à la main. Un monument à sa mémoire s'élève au square Viger à Montréal.

Chibougamau, ville du Canada. Situé au nord de la province de Québec, dans la région du Nord-du-Québec, Chibougamau, institué en 1952, est aujourd'hui une ville moderne et industrielle de 9 900 Chibougamois et Chibougamoises. Entourée de lacs et de rivières, la région de Chibougamau est un paradis pour les pêcheurs. Mot d'origine montagnaise, *Chibougamau* signifie «lieu de rencontre des eaux».

Chicago, ville des États-Unis. Situé au nord-est de l'État de l'Illinois, Chicago est une ville portuaire importante sur les Grands Lacs. Son aéroport est le premier en importance du monde. Chicago, qui a une population de 7,9 millions d'habitants, se classe au troisième rang des villes américaines. Ses industries sont diversifiées: métallurgie, construction navale, céréales, industries chimiques. La ville est un modèle d'architecture et possède de grands musées ainsi qu'une université.

Chic-Chocs (monts), monts du Canada. Situés au Québec, les monts Chic-Chocs s'élèvent à l'extrémité nord-ouest de la péninsule gaspésienne. Ils font partie des monts Notre-Dame, chaîne de montagnes qui prolonge les Appalaches. Mot d'origine micmaque, *Chic-Chocs* signifie «rochers escarpés».

Chicoutimi, ville du Canada. Situé dans la province de Québec, au nord de la ville de Québec, de part et d'autre de la rivière Saguenay, Chicoutimi est la capitale de la région du Saguenay – Lac-Saint-Jean. La ville compte quelque 61 000 Chicoutimiens et Chicoutimiennes. Fondé en 1842, Chicoutimi prend de l'importance grâce au développement du commerce du bois. Encore aujourd'hui, les industries du bois et du papier sont parmi les principales de la ville, avec les industries textiles. Chicoutimi vient des mots amérindiens *eshko-timiou* qui signifient «jusqu'où c'est profond».

Chili, État de l'Amérique du Sud. Le Chili, d'une superficie de 756 945 km², est situé en bordure du Pacifique et est limité par le Pérou, la Bolivie et l'Argentine. Santiago est la capitale du Chili. Le relief du Chili est impressionnant à cause de ses chaînes de montagnes (la cordillère des Andes), de ses forêts et de son désert. Le climat, dans l'ensemble, demeure tempéré. Parmi les cours d'eau qui traversent le pays, notons le fleuve Bío Bío qui prend sa source dans les Andes et se déverse dans le Pacifique. Le Chili compte près de 12 millions d'habitants (Chiliens et Chiliennes). L'espagnol est la langue officielle et la religion catholique est la principale religion du Chili. La monnaie utilisée est le peso. L'économie chilienne repose sur l'élevage des bovins et des ovins, la culture du blé, les vignobles et l'exploitation du bois et des ressources minières (cuivre et sodium). Le cuivre, le papier, les produits de la pêche et les vins font partie des principales exportations. En 1973, un coup d'État militaire dirigé par le général Pinochet instaure un régime autoritaire qui fait face à une contestation grandissante.

Chine, État d'Asie orientale. Limitée par l'océan Pacifique, la Corée du Nord, l'U.R.S.S., la Mongolie, l'Afghanistan, le Pakistan, l'Inde, le Népal, la Birmanie, le Laos et le Viêt Nam, la Chine est le pays le plus peuplé du monde. Son territoire, d'une superficie de 9,6 millions de km², est le troisième du monde par son étendue. La Chine comprend 22 provinces et cinq régions autonomes. Pékin est la capitale chinoise et, avec Shanghaï et Tianjin, compte parmi les grandes métropoles mondiales. Le territoire de la Chine est constitué par une plaine fertile, des massifs montagneux, des régions désertiques et des plateaux du Tibet et de la Mongolie. Cinq mille rivières et de nombreux fleuves, dont le Huang He et le Yang-Tsê Kiang, drainent ce pays. Les climats continental, subtropical et de montagne expliquent la végétation diversifiée. Dans les régions occidentales règne une végétation de type désertique, tandis que le nord-est du pays est couvert par la taïga et une forêt de conifères. Enfin, on trouve une végétation de région tempérée, subtropicale et tropicale (figuier, cocotier, bananier) dans le Sud-Est. La Chine compte quelque 1,1 milliard d'habitants (Chinois et Chinoises). La langue officielle est le mandarin, mais on trouve huit dialectes avec de nombreuses variantes; les minorités nationales parlent et écrivent leur propre langue. Officiellement, la Chine est un pays athée, mais plusieurs Chinois pratiquent le bouddhisme. La monnaie utilisée est le yuan. L'agriculture demeure le fondement de l'économie chinoise. Le pays se classe au premier rang dans plusieurs productions agricoles telles que le blé, le coton, le riz et dans l'élevage des porcins. L'artisanat (porcelaine, broderie, vannerie, etc.) occupe aussi une place importante dans les productions du pays. La Chine exporte principalement des textiles et des produits agricoles. L'histoire de la Chine est marquée par de nombreux bouleversements politiques. En 1949, Mao Tsé-toung conduit les communistes à la victoire et fonde la République populaire de Chine. Il en sera le président de 1954 à 1959. La Chine, qui est dirigée par un président, vit dans un régime communiste.

Chiriaeff (Ludmilla), professeure de danse, née en Russie en 1924. Ludmilla Chiriaeff a grandement contribué au développement de la danse au Québec et au Canada. Arrivée au Québec en 1952, elle fonde Les Ballets Chiriaeff, puis elle transforme cette troupe en compagnie permanente: Les Grands Ballets canadiens. Ludmilla Chiriaeff dirige depuis 1975 l'École supérieure de danse du Québec, établissement dont elle est également la fondatrice. Plusieurs prix lui ont été décernés: médaille de l'Ordre du Canada, en 1969, doctorats honorifiques des universités de Montréal et McGill en 1982-1983, et de l'Université du Québec en 1988.

D. AUCLAIR/PUBLIPHOTO

Ludmilla **Chiriaeff**

Chopin (Frédéric), pianiste et compositeur polonais, né près de Varsovie en 1810 et mort à Paris en 1849. Dès son enfance, Chopin étonna par ses aptitudes musicales précoces. Ses compositions (mazurkas, valses, polonaises, préludes) ont révolutionné l'art du piano. Il n'écrivit pas moins de 135 pièces pour clavier. Sa musique présente un caractère romantique, souvent mélancolique. Il mourut à Paris à l'âge de 39 ans.

Christ, figure centrale de la religion chrétienne. Il est identifié au Messie par les chrétiens, au Fils de Dieu annoncé par Jean-Baptiste. Il a souffert sur la croix et il est mort pour le salut des hommes. Pour la religion chrétienne, il est Jésus ou Jésus-Christ. Chez les juifs, ce nom désignait une personne consacrée par une onction sainte et destinée à une quelconque fonction sacrée.

Churchill (sir Winston Leonard Spencer), homme politique britannique, né à Blenheim Palace, Angleterre, en 1874 et mort à Londres en 1965. Churchill commence sa carrière comme correspondant de guerre à Cuba (1895), en Inde (1896) et en Égypte (1898). Élu député conservateur en Angleterre en 1900, il devient par la suite plusieurs fois ministre, pour finalement occuper le poste de premier ministre de 1940 à 1945 et de 1951 à 1955. Il a joué un rôle primordial pendant la Seconde Guerre mondiale tant par sa détermination que par son animation des troupes. Ses nombreux ouvrages littéraires lui ont valu le prix Nobel de littérature en 1953. C'est lui qui, le premier, fit le geste symbolique de la «Victoire» (index et majeur formant le «V» de *victoire*).

Churchill (chutes), chutes du Canada. Les chutes Churchill sont situées dans l'est du Canada, au Labrador, sur le fleuve Churchill. Depuis la signature d'un contrat entre les gouvernements de Terre-Neuve et du Québec, et l'installation de lignes de transport d'électricité, Hydro-Québec tire des chutes Churchill une énergie hydroélectrique considérable. Cette production permet à la société d'État de réaliser, au chapitre des ventes, des bénéfices substantiels.

Churchill (fleuve), fleuve du Canada. D'une longueur de 1 000 km, le fleuve Churchill est le plus long cours d'eau du Labrador. Prenant naissance à la rivière Ashuanipi, il tombe en une chute de 75 m, appelée chutes Churchill, puis se jette dans l'Atlantique.

Chypre, État insulaire de la Méditerranée. Située au sud de la Turquie asiatique, l'île de Chypre, d'une superficie de 9 250 km², est la plus vaste île de la Méditerranée. La capitale est Nicosie. Le territoire de l'île est constitué d'une plaine centrale dominée, au nord et au sud, par deux chaînes de montagnes. Le climat méditerranéen subit les variations dues à l'altitude. La république de Chypre compte 680 000 habitants (Chypriotes ou Cypriotes).

Les langues officielles de cet État sont le grec et le turc; la principale religion est le christianisme orthodoxe. La monnaie utilisée est la livre cypriote. L'agriculture (agrumes, vigne, céréales) est la principale ressource économique de l'île qui possède aussi certaines richesses minérales (cuivre). En 1925, l'île de Chypre devient une colonie britannique; l'indépendance est accordée en 1960. De violents conflits opposent la population cypriote, composée de Grecs (80 %) et de Turcs, conflits qui ont conduit à la partition de Chypre en 1974. Un président dirige cette république.

Cinq-Nations (Ligue iroquoise des), confédération ou union des cinq grandes nations iroquoises (Mohawks, Oneidas, Onondagas, Cayugas et Sénécas) fondée au XVe siècle. Les Iroquois luttèrent contre les Français, alliés des Hurons, jusqu'en 1701. Les cinq nations possédaient une civilisation assez avancée et étaient remarquablement organisées. Elles s'étaient regroupées pour conclure une alliance politique et commerciale. Un représentant de chacune des nations siégeait au conseil qui se réunissait régulièrement.

Clark (Charles Joseph), homme politique canadien, né en 1939. Chef du Parti conservateur du Canada, Joe Clark devient en 1979 le 16e premier ministre du Canada, soit le plus jeune et le premier natif de l'Ouest (Alberta). Après avoir perdu le pouvoir en 1980, il poursuit son action au sein du parti et occupe depuis 1985 le poste de secrétaire d'État aux Affaires extérieures au sein du gouvernement conservateur de Brian Mulroney.

Cléopâtre, reine égyptienne, née en 69 avant Jésus-Christ et morte en 30 avant Jésus-Christ. Cléopâtre VII était la plus célèbre d'une lignée de reines égyptiennes du même nom. Sa beauté et son intelligence ont séduit Jules César qui l'installa à Rome pour régner sur la Méditerranée orientale. Après la mort de César (44 avant Jésus-Christ), elle épousa Antoine. Ne pouvant supporter la défaite militaire d'Antoine, Cléopâtre se suicida en se faisant mordre par un serpent (aspic).

Closse (Lambert), sergent-major français, né en 1618 et mort en 1662. Arrivé en Nouvelle-France en 1647, Lambert Closse fut nommé sergent-major par Paul de Chomedey de Maisonneuve. Héroïque, il mérita le titre de sauveur de Montréal durant les années de guerre contre les Iroquois. Lambert Closse fut tué par des Iroquois qui attaquaient Ville-Marie.

Coaticook, ville du Canada. Située dans la province de Québec, à environ 145 km au sud-est de Montréal, dans la région de l'Estrie, cette ville de 6 200 Coaticookois et Caoticookoises a été fondée en 1864. Ce centre agricole porte le surnom de perle de l'Estrie. Son nom est une déformation de *Koakitchou*, mot abénaquis signifiant «rivière de la terre des pins». La rivière Coaticook traverse la ville et s'engouffre dans des gorges profondes.

Colborne (sir John), militaire et administrateur britannique, né en Angleterre en 1778 et mort en 1863. En 1836, John Colborne est nommé commandant en chef des forces armées britanniques des deux Canadas. Administrateur du Bas-Canada en 1837 et gouverneur général du Canada en 1838 et en 1839, il dirigea les troupes qui écrasèrent les deux rébellions, soit celle de 1837 et celle de 1838. En 1839, Colborne retourne en Grande-Bretagne où il est nommé à la Chambre des lords. L'ancien commandant a été surnommé par les Canadiens français «le vieux Brûlot».

Cologne, ville de la République fédérale d'Allemagne. Située sur le Rhin, Cologne, centre industriel et commercial, compte 1 million d'habitants. Son rayonnement culturel est considérable: d'importantes églises, des cathédrales gothiques et de nombreux musées en témoignent. Cologne fut presque entièrement détruite par les bombardements aériens pendant la Seconde Guerre mondiale.

Colomb (Christophe), navigateur, né en Italie en 1451 et mort en Espagne en 1506. Christophe Colomb émigre en Espagne et, en 1492, il obtient des souverains d'Espagne, trois navires (les caravelles Santa Maria, Pinta et Niña) pour découvrir une route commerciale vers la Chine et les Indes. Il atteignit des îles, probablement les Bahamas, Cuba et Haïti. Au cours de trois autres voyages (1493, 1498 et 1502), il explora les côtes de l'Amérique centrale puis celles de l'Amérique du Sud. Ses démêlés avec les Indiens, des erreurs d'administration et la traite des esclaves lui ont fait perdre l'appui des souverains et son titre de vice-roi des Indes. Colomb était persuadé qu'il avait atteint les Indes. Il est mort misérable sans savoir qu'il avait découvert un nouveau continent.

Colombie, État de l'Amérique du Sud. D'une superficie de 1 138 914 km^2, la Colombie est limitée par l'océan Pacifique, l'isthme de Panama, la mer des Caraïbes, le Venezuela, le Brésil, le Pérou et l'Équateur. Sa capitale est Bogota. La cordillère des Andes traverse les plaines orientales, couvertes de savanes au nord et de la forêt amazonienne au sud. Les affluents de l'Orénoque et de l'Amazone sont les principaux cours d'eau de ce pays. Le climat, tropical et humide dans les plaines orientales, devient tempéré en altitude. La population s'élève à 30,3 millions d'habitants

(Colombiens et Colombiennes), en majorité des métis vivant dans les Andes. La langue officielle est l'espagnol et la religion dominante est le catholicisme. La monnaie utilisée est le peso colombien. L'économie colombienne est liée à l'agriculture, aux cultures tropicales (café, cacao, canne à sucre, bananes et coton), aux cultures vivrières (blé, maïs, orge, riz et pommes de terre) et à l'élevage des bovins, des ovins et des porcins. Le sous-sol contient de nombreux minerais : émeraudes, or, platine, charbon et pétrole. Le secteur industriel, axé sur les produits textiles, chimiques et sidérurgiques, commence à se développer. Depuis quelques années, la Colombie est aux prises avec le problème de la drogue. Les trafiquants colombiens, très puissants, défient la loi et font de la Colombie le plus grand producteur mondial de marijuana et l'un des plus grands producteurs de cocaïne : 80 % de la cocaïne consommée aux États-Unis provient de la Colombie. Ancienne colonie espagnole, le pays est devenu indépendant en 1819. La Colombie est aujourd'hui dirigée par un président.

Colombie-Britannique, province du Canada. Située à l'ouest du Canada, sur la côte du Pacifique, la Colombie-Britannique, d'une superficie de 948 596 km^2, est limitée par le Yukon, les États-Unis et l'Alberta. La province comprend les îles de la Reine-Charlotte et l'île de Vancouver. La capitale provinciale est Victoria et les principales villes sont Vancouver, New Westminster, Kamloops, Prince George, Prince Rupert et Kelowna. Les fleuves Fraser et Columbia, les deux plus importants cours d'eau, drainent ce territoire montagneux. Le centre de la province est constitué de deux plateaux et de plusieurs zones montagneuses. À l'est s'élèvent les Rocheuses. Sur la côte, le climat est humide et doux alors qu'à l'intérieur, le climat est continental (hivers très froids et étés très chauds). Les conifères de la côte de la province sont les plus imposants du Canada. La Colombie-Britannique compte quelque 3 millions d'habitants, en majorité anglophones, concentrés dans les centres urbains. L'exploitation de la forêt est la principale ressource économique de la province ; la pêche y est aussi très active. On exploite également le fer, le zinc, le plomb et le cuivre. On y retrouve des réserves de pétrole et de gaz naturel et on produit de l'électricité. Le tourisme joue un rôle économique important. Le nom de cette province, créée en 1858, a été choisi à cause de la nationalité britannique des premiers colons. La Colombie-Britannique est entrée dans la Confédération canadienne en 1871. La devise de la province est *Splendeur incontestée* et sa fleur emblématique est le cornouiller de Nuttall.

Colombo ou **Kolamba**, capitale de Sri Lanka. Port commercial important, situé sur la côte ouest de l'île de Sri Lanka, cette ville de 620 000 habitants jouit d'un climat tropical chaud. L'agriculture demeure la principale ressource : riz, caoutchouc et surtout thé.

Columbia (monts), chaîne de montagnes du Canada. Cette chaîne de montagnes de 608 km de long et 256 km de large domine le paysage de la Colombie-Britannique, à l'ouest du Canada. Les monts Columbia forment un système montagneux de quatre chaînes parallèles aux Rocheuses. Le mont Sir Sandford est le pic le plus élevé (3 522 m).

Columbia, fleuve de l'Amérique du Nord. Ce fleuve de 2 000 km, dont 748 km au Canada, prend sa source dans le lac Columbia, au sud-est de la Colombie-Britannique. Il coule vers le nord-ouest puis tourne pour se diriger vers le sud, traverse la frontière américaine et l'État de Washington et se jette dans l'océan Pacifique, en Orégon aux États-Unis. Étant donné le fort débit du Columbia, on y a aménagé plusieurs barrages pour produire de l'électricité. Ces barrages ont sérieusement entravé la remontée du saumon dans le Columbia qui constituait l'une des plus vastes frayères du monde. Ce fleuve doit son nom à un marchand de Boston, le capitaine Robert Gray, qui lui a donné le nom de son navire : *Le Columbia*.

Columbia, navette spatiale américaine. Premier engin spatial réutilisable pouvant décoller comme une fusée et atterrir comme un avion. *Columbia* effectua quatre vols, de 1981 à 1984, en vue de récupérer et de réparer des satellites en panne et d'en expérimenter de nouveaux. Les astronautes firent également des essais à l'aide du laboratoire *Spacelab*, logé dans les soutes de la navette.

Commonwealth, organisation politique rassemblant les États souverains fidèles à la Couronne britannique. Le Commonwealth est une association fondée en 1931 regroupant la Grande-Bretagne et la plupart de ses anciennes colonies. En 1971, 48 pays indépendants en faisaient partie. Tous ces pays s'engagent, selon une déclaration de principe, à promouvoir la paix mondiale, l'harmonie sociale, l'égalité raciale et le développement économique. Le fonds du Commonwealth pour la coopération technique représente actuellement la principale aide aux pays en voie de développement. Le Commonwealth élabore également des programmes à l'intention des jeunes : bourses d'études, jeux du Commonwealth, etc.

Compagnie de la baie d'Hudson. La Compagnie de la baie d'Hudson est la plus ancienne compagnie commerciale du monde anglophone. En 1670, le Parlement anglais accorda à la compagnie une charte proposée par Des Groseillers et Radisson. La compagnie joua un rôle capital dans la colonisation du nord du Canada. Son siège social, autrefois situé à Londres, est maintenant établi à Winnipeg depuis 1970. Il s'agit de la plus grande entreprise de vente au détail du Canada. La Compagnie de la baie d'Hudson est aussi l'une des plus grandes compagnies de traite de fourrures du monde.

Compagnie de la Nouvelle-France, dite **Compagnie des Cent-Associés**. Fondée en 1627, la Compagnie de la Nouvelle-France vise à assurer la colonisation française en Nouvelle-France. Composée de 100 associés, elle doit administrer tout le territoire en envoyant 4 000 colons au cours des quinze premières années de son existence. Cette compagnie détient le monopole de la traite des fourrures et celui du commerce. En 1628, les Anglais capturent la flotte de la compagnie. La compagnie ne s'en remettra jamais. En 1645, elle est obligée de sous-louer ses droits et obligations au Canada, à la Compagnie des habitants. En principe, la Compagnie des Cent-Associés devait céder son monopole à tous les habitants de la colonie mais, en pratique, seuls quelques-uns parmi les plus riches détiendront le monopole de la traite des fourrures en Amérique du Nord, sauf en Acadie.

Compagnie des habitants ou **Communauté des habitants**, compagnie formée par des marchands coloniaux qui détiennent le monopole de la traite des fourrures en Nouvelle-France. Vers 1652, cette entreprise éprouve de sérieuses difficultés financières. Le Conseil de Québec déclare alors la traite ouverte à tous les habitants. La compagnie cesse d'exister en 1664.

Compagnie du Nord-Ouest, compagnie de traite des fourrures. La Compagnie du Nord-Ouest est constituée en 1783 pour mieux concurrencer la Compagnie de la baie d'Hudson. En 1821, une loi du Parlement fusionna les deux entreprises qui conservèrent le nom de Compagnie de la baie d'Hudson.

Conakry ou **Konakry**, capitale de la Guinée. Située en Afrique, en bordure de l'océan Atlantique, cette ville possède un port bien équipé et est exportatrice de minerais de fer et de bauxite. Conakry compte 763 000 habitants.

Conan (Félicité **Angers**, dite **Laure**), auteure canadienne, née à La Malbaie en 1845 et décédée à Québec en 1924. Félicité Angers, de son nom de plume Laure Conan, fut la première romancière canadienne-française. S'inspirant des thèmes de la famille, de la patrie et de la religion, elle a écrit *Un amour vrai* (1878-1879) et *Angéline de Montbrun* (1881-1882), *L'obscure souffrance* (1919) et *La vaine foi* (1921). Influencée par l'*Histoire du Canada* de François-Xavier Garneau, elle a également écrit trois romans historiques : *À l'œuvre et à l'épreuve* (1891), *L'oublié* (1900) et *La sève immortelle* (1925).

Concorde, avion commercial. Le Concorde, avion supersonique, ressemble à un oiseau élancé, au nez allongé. Cette réalisation franco-britannique est le fruit de 13 années de préparations et de recherches. Les six exemplaires de cet avion, mis en service en 1976, peuvent traverser l'Atlantique en moins de quatre heures. La vitesse du Concorde (2 200 km/h) dépasse celle du son. Le supersonique est venu effectuer un vol d'essai à Montréal lors de l'inauguration de l'aéroport de Mirabel.

L. LABELLE/PUBLIPHOTO

Le Concorde

Confédération du Canada. Créée par l'Acte de l'Amérique du Nord britannique, qui entra en vigueur le 1er juillet 1867, la Confédération du Canada réunit alors quatre provinces canadiennes : le Nouveau-Brunswick, la Nouvelle-Écosse, l'Ontario et le Québec. Y adhérèrent ensuite le Manitoba (1870), la Colombie-Britannique (1871), l'Île-du-Prince-Édouard (1873), la Saskatchewan et l'Alberta (1905), et enfin Terre-Neuve (1949). Trente-quatre hommes politiques canadiens dont Georges-Étienne Cartier, appelés les pères de la Confédération, ont soutenu cette union. Au Canada, on célèbre chaque année, le 1er juillet, la Confédération canadienne, qui est une fête nationale.

Confucius, en chinois **Kongzi** ou **Kong-fou-tseu**, philosophe chinois, né vers 551 avant Jésus-Christ et mort en 479 avant Jésus-Christ. Sa philosophie consiste à apprendre à l'homme à vivre en harmonie avec sa nature (vertu, bonté, humanité) et avec le monde autour de lui. Selon Confucius, le respect des autres constitue l'un des moyens de mettre en application les principes de son enseignement. Sa philosophie a donné naissance au confucianisme (doctrine religieuse). Confucius a certes exercé une grande influence sur la civilisation chinoise. Cependant, depuis l'instauration de la république populaire, sa philosophie a été vivement contestée et même rejetée par les autorités du Parti communiste.

Congo, État de l'Afrique. Traversé par l'équateur et limité par la République centrafricaine, le Cameroun, le Gabon, l'océan Atlantique et le Zaïre, le Congo occupe une superficie de 342 000 km². Brazzaville est la capitale du pays. C'est une région de plateaux, de forêts luxuriantes et de savanes, arrosée de nombreux cours d'eau dont le fleuve Zaïre. Le climat y est équatorial et tropical. Le Congo compte près de 1,8 million d'habitants (Congolais et Congolaises). La langue officielle est le français. Les religions animiste et catholique sont les plus importantes. Le franc C.F.A. est la monnaie utilisée. La principale richesse du Congo est la forêt. La culture du manioc, du maïs et du mil et l'exportation de café, d'arachides et de cacao sont à la base de l'économie du pays avec le pétrole qui vient au premier rang des exportations. Colonie française fondée en 1891, le Congo a accédé à l'indépendance complète en 1960. En 1969, le pays a pris le nom de République populaire du Congo. Cette république est dirigée par un président.

Congo, fleuve ☞ **Zaïre**.

Congo-Kinshasa ☞ **Zaïre**.

Connaught and **Strathearn** (Arthur William Patrick Albert, 1er duc **de**), militaire britannique, né en Angleterre en 1850 et mort en 1942. Troisième fils de la reine Victoria d'Angleterre, le duc de Connaught fut gouverneur général du Canada de 1911 à 1916. Il occupa le poste de commandant en chef de la milice canadienne durant la Première Guerre mondiale.

Conquête (guerre de la), nom donné à la guerre de Sept Ans, au terme de laquelle la Nouvelle-France devint une colonie anglaise. Le traité de Paris, signé le 10 février 1763, consacra la cession du Canada à l'Angleterre.

Conseil exécutif, organisme gouvernemental. Au Québec, le Conseil exécutif est formé et gouverné par le premier ministre. Il comprend les membres élus qui sont invités par le premier ministre à diriger les principaux ministères. Son rôle est de dicter les politiques et les priorités du gouvernement, de présenter et d'adopter les lois. Il a également pour fonction d'exécuter et d'administrer les politiques du gouvernement et de gérer le budget.

Conseil législatif, organisme gouvernemental. Le Conseil législatif a la responsabilité d'étudier et d'approuver les lois. Il est composé de personnes non élues, mais désignées par le gouvernement. Au Canada, on l'appelle le Sénat et ses membres sont nommés à vie par le gouvernement. De 1867 à 1968, le Québec a eu un Conseil législatif, l'équivalent du Sénat canadien.

Conseil privé de Londres, nom désignant le Conseil privé de la reine pour le Canada. Cet organisme a été créé par la loi constitutionnelle de 1867 pour conseiller la Couronne. Son comité judiciaire fut, jusqu'en 1949, le plus haut tribunal du Canada. Depuis ce temps, la Cour suprême du Canada est devenue le tribunal de dernière instance.

Conseil souverain, organisme gouvernemental. Créé au début de la Nouvelle-France, le Conseil souverain veillait à l'administration civile, judiciaire et criminelle. Cet organisme était composé du gouverneur, de l'évêque, de l'intendant et de cinq conseillers. Le Conseil souverain est devenu en 1703 le Conseil supérieur. Il agissait comme tribunal d'appel pour les causes civiles et criminelles.

Contrecœur, ville du Canada. Situé dans la province de Québec, sur la rive sud du fleuve Saint-Laurent, entre Boucherville et Sorel, Contrecœur est une ville historique et un endroit de villégiature. On y dénombre aujourd'hui 5 600 Contrecœurois et Contrecœuroises. La ville fut érigée en 1855 et son nom rappelle le sieur Antoine Pecaudy de Contrecœur à qui la seigneurie fut concédée en 1668.

Copenhague [*København*], capitale du Danemark. Située sur la côte est de l'île Sjaelland, île du Danemark dans la Baltique, Copenhague est le principal port et aéroport du Danemark. Cette ville de 482 000 habitants possède une université, de nombreux musées et regroupe des châteaux, des palais, des églises et des résidences royales typiques. C'est aussi un grand centre industriel où l'on trouve des usines de construction de navires, de moteurs, des grandes brasseries et des industries de luxe (porcelaine, argenterie). Centre industriel, commercial et portuaire essentiel de l'Europe du Nord, Copenhague est un carrefour entre l'Europe et les pays scandinaves.

Copernic (Nicolas), astronome polonais, né en 1473 et mort en 1543. Considéré comme le père de l'astronomie moderne, Copernic avança l'hypothèse du mouvement de la Terre et des autres planètes autour du Soleil. Cette théorie a mis fin à la vision d'un monde centré sur la Terre et a permis un progrès scientifique important.

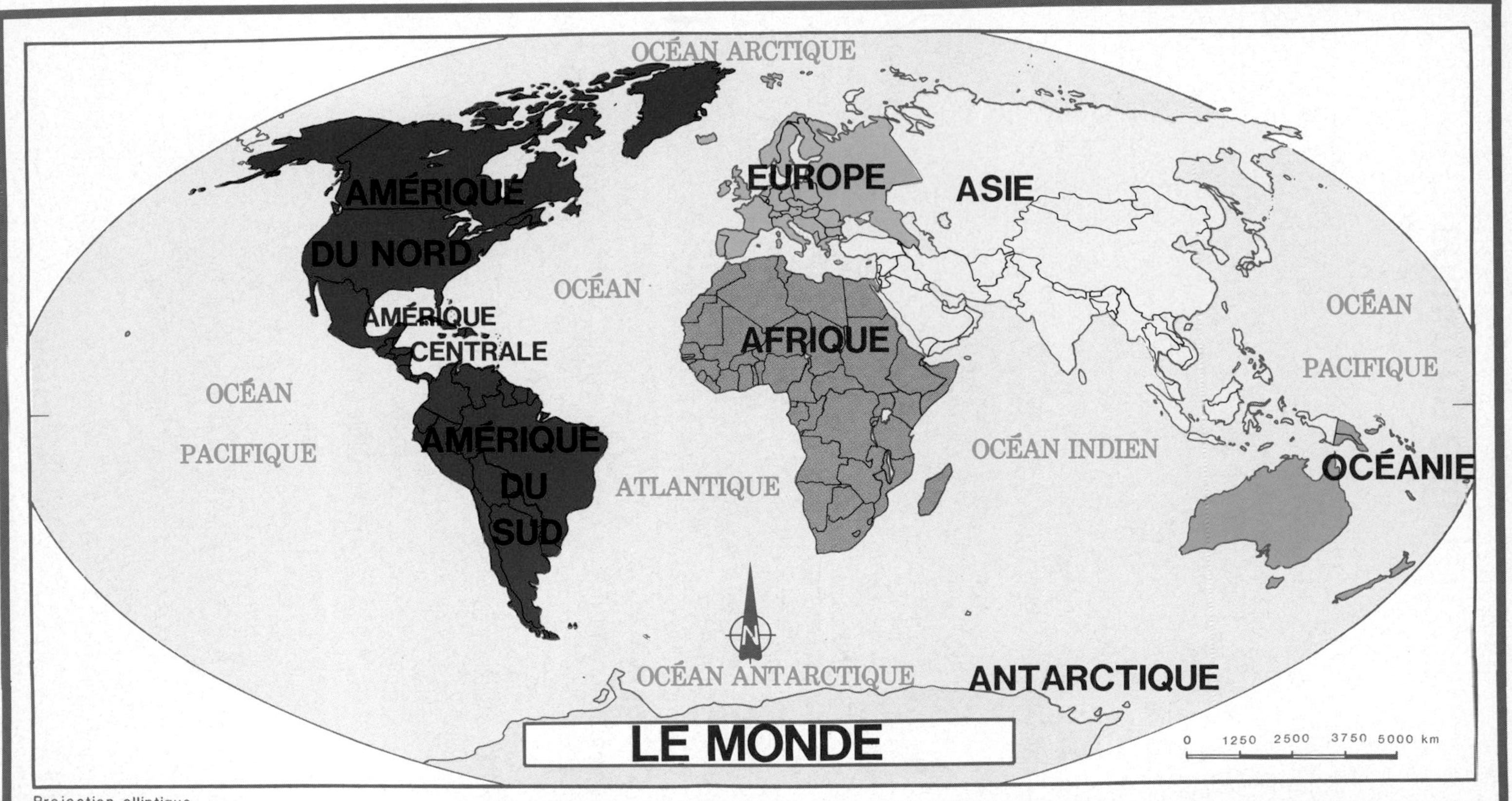
LE MONDE
OCÉAN ARCTIQUE
AMÉRIQUE DU NORD
AMÉRIQUE CENTRALE
AMÉRIQUE DU SUD
EUROPE
ASIE
AFRIQUE
OCÉANIE
ANTARCTIQUE
OCÉAN PACIFIQUE
OCÉAN ATLANTIQUE
OCÉAN INDIEN
OCÉAN PACIFIQUE
OCÉAN ANTARCTIQUE
N
0 1250 2500 3750 5000 km
Projection elliptique

Ligne du temps

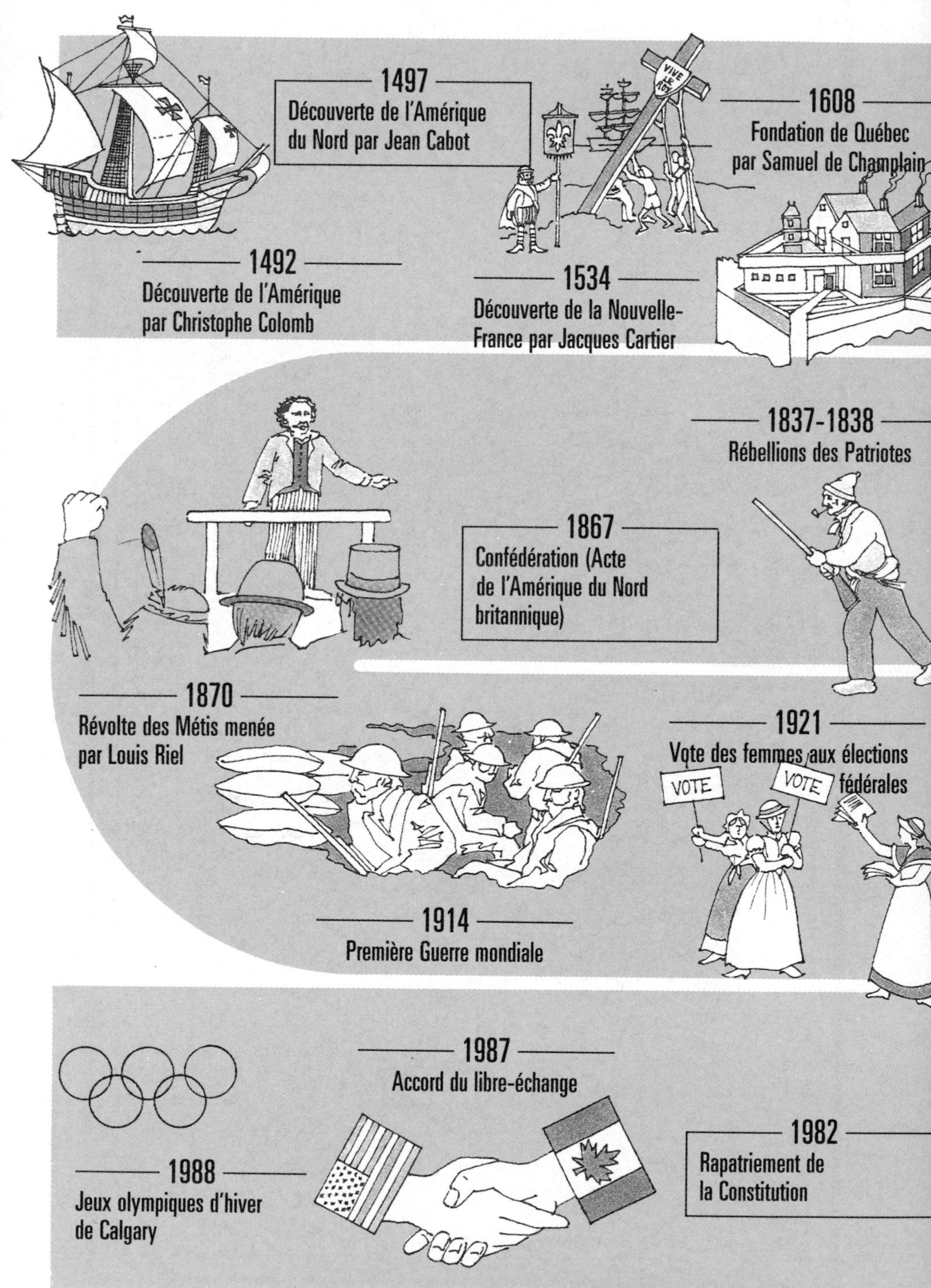

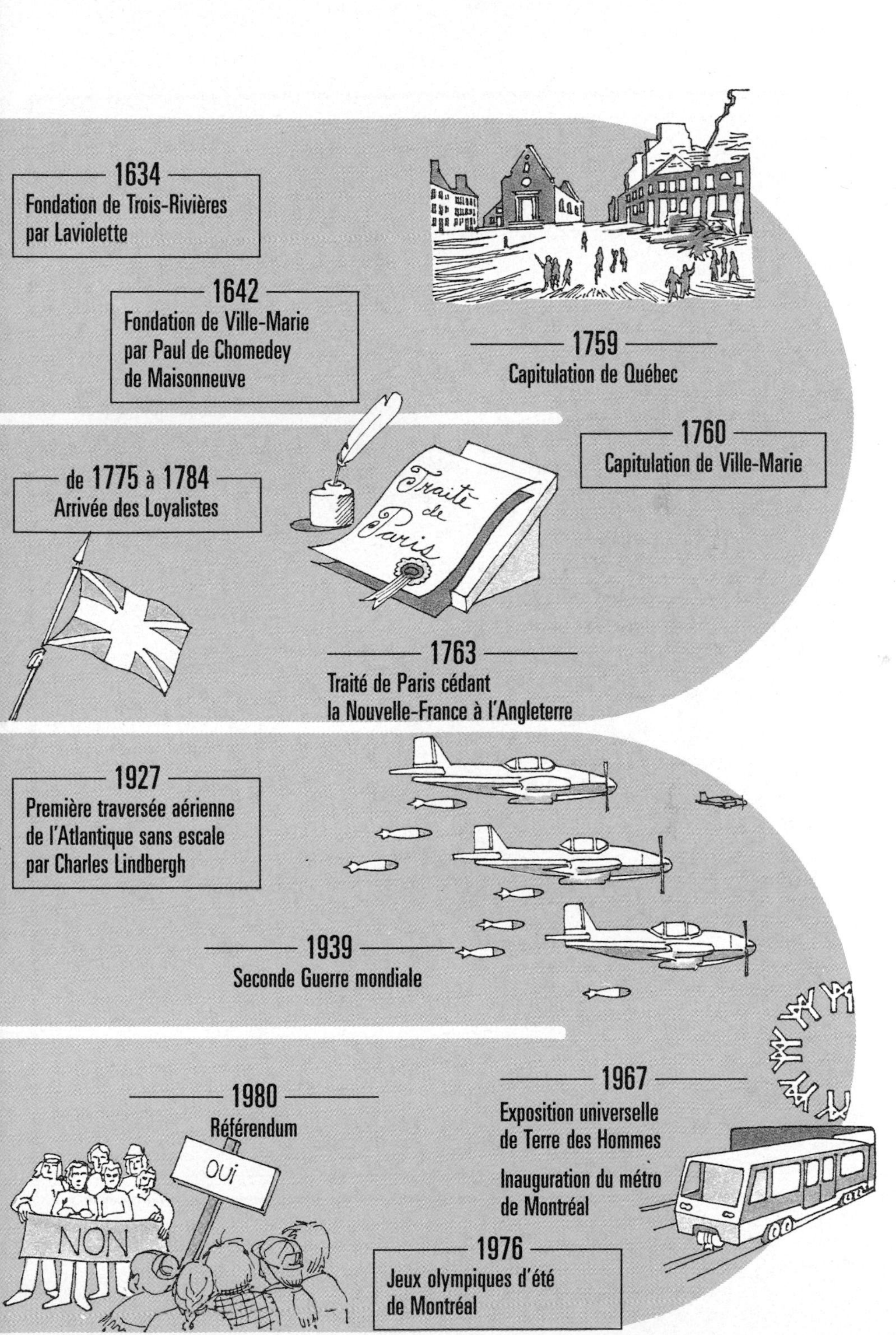
1634
Fondation de Trois-Rivières par Laviolette
1642
Fondation de Ville-Marie par Paul de Chomedey de Maisonneuve
1759
Capitulation de Québec
1760
Capitulation de Ville-Marie
de 1775 à 1784
Arrivée des Loyalistes
Traité de Paris
1763
Traité de Paris cédant la Nouvelle-France à l'Angleterre
1927
Première traversée aérienne de l'Atlantique sans escale par Charles Lindbergh
1939
Seconde Guerre mondiale
1967
Exposition universelle de Terre des Hommes
Inauguration du métro de Montréal
1980
Référendum
OUI
NON
1976
Jeux olympiques d'été de Montréal

LE CANADA
U.R.S.S.
OCÉAN ARCTIQUE
ISLANDE
GROENLAND
(Danemark)
ALASKA
(États-Unis)
MER DE
BEAUFORT
BAIE
DE
BAFFIN
TERRITOIRE
DU YUKON
Whitehorse
Yellowknife
TERRITOIRES DU NORD-OUEST
MER DU
LABRADOR
COLOMBIE-
BRITANNIQUE
ALBERTA
BAIE
D'HUDSON
TERRE-NEUVE
St John's
QUÉBEC
Baie
James
OCÉAN
PACIFIQUE
Victoria
Vancouver
Edmonton
Calgary
MANITOBA
Saskatoon
SASKATCHEWAN
Regina
Winnipeg
ONTARIO
Thunder
Bay
Fleuve Saint-Laurent
ÎLE-DU-
PRINCE-
ÉDOUARD
Charlottetown
NOUVELLE-
ÉCOSSE
NOUVEAU-
BRUNSWICK
Halifax
Québec
Trois-Rivières
Fredericton
Montréal
Ottawa
Toronto
Lac
Supérieur
Lac Michigan
Lac
Huron
Lac
Ontario
Lac Érié
OCÉAN
ATLANTIQUE
0
1 000
km
ÉTATS-UNIS

Coran, livre sacré des musulmans qui contient les révélations transmises à Mahomet par l'archange Gabriel. Son contenu se compare à l'Ancien Testament (Bible). Il est écrit en arabe, se compose de 114 chapitres et constitue la base de la civilisation musulmane.

Corbeil (Claude), chanteur classique canadien, né à Rimouski en 1940. Claude Corbeil a fait ses études au Conservatoire de musique du Québec. Sa carrière internationale a commencé en 1965. Il s'est produit en Europe et aux États-Unis. Il a fait une tournée de concerts et de cours de maître en Chine en 1982. Il mène une carrière très active et donne de nombreux concerts. On peut l'entendre régulièrement à la radio et à la télévision.

Corée du Nord, État de l'Asie orientale. Située à l'extrémité est du continent asiatique, la Corée du Nord est bornée par l'U.R.S.S., la Chine, la mer Jaune, la mer du Japon et la Corée du Sud. Pyongyang est la capitale de ce pays de 120 500 km². C'est une région montagneuse, surtout près de la mer du Japon. Deux grands fleuves, le Yalu (800 km) et le Tumen (500 km), drainent le pays et délimitent la frontière avec la Mandchourie (Chine du Nord-Est). Le climat est rude et on enregistre de fortes précipitations en juillet et en août. La Corée du Nord compte quelque 21 millions d'habitants (Coréens et Coréennes). On y parle le coréen. Le bouddhisme et le confucianisme sont les religions dominantes de la Corée du Nord. La monnaie utilisée est le won. Les principales ressources du pays sont le riz, le maïs, le soja, le coton, le lin, le chanvre, le tabac et le ginseng. L'élevage, la pêche et les forêts sont aussi un apport économique important. La présence de fer, de charbon, de zinc et de plomb a favorisé le développement de l'industrie lourde (sidérurgie, chimie). La Corée du Nord, qui est l'un des pays les plus industrialisés d'Asie, exporte des minerais et des produits agricoles et chimiques. En 1948, la Corée du Nord a été constituée République démocratique populaire de Corée. Elle est aujourd'hui dirigée par un président.

Corée du Sud, État de l'Asie orientale. Située à l'extrémité est du continent asiatique, la Corée du Sud est limitée par la mer Jaune, la mer du Japon, la Corée du Nord et le détroit de Corée. Séoul est la capitale de ce pays de 99 000 km². C'est une région de collines et de plaines. Les côtes sont échancrées et possèdent plusieurs baies. Les principaux cours d'eau sont le Naktong, le Kum et le Han. Le climat continental y est moins rigoureux qu'en Corée du Nord. La Corée du Sud compte 43 millions d'habitants (Coréens et Coréennes). Le coréen est la langue du pays. Parmi les religions pratiquées, les principales sont le bouddhisme, le confucianisme et le christianisme. La monnaie utilisée est le won. L'agriculture occupe 40 % de la population active. La culture du riz prédomine. Les principales industries sont orientées vers le textile, la construction de navires et d'équipement électronique. La République de Corée a été fondée en 1948. Un président dirige ce pays. Séoul, la capitale de la Corée du Sud, a été le siège des Jeux olympiques d'été en 1988.

Corneille (Pierre), poète et dramaturge, né en France en 1606 et mort en 1684. Se passionnant très jeune pour le théâtre et la poésie, Corneille écrivit quelques comédies, une tragicomédie, *le Cid*, qui le rendit célèbre, puis des tragédies, notamment *Horace*, *Cinna* et *Polyeucte*. Corneille est le créateur de l'art classique au théâtre. Ses héros éprouvent des sentiments nobles et généreux. Son œuvre, écrite en vers, s'impose par sa qualité poétique et sa rigueur.

Corse, île française de la Méditerranée. La Corse, d'une superficie de 8 700 km², est située dans la mer Méditerranée, au sud de la France et à l'ouest de l'Italie. La mer Tyrrhénienne la sépare de la péninsule italienne. Elle est divisée en deux départements : la Corse-du-Sud, ayant Ajaccio comme centre administratif, et la Haute-Corse, ayant Bastia comme centre administratif. C'est une île montagneuse et ses côtes comprennent de nombreux golfes, caps et îles. Elle jouit d'un climat méditerranéen influencé par les mers et par les variations de l'altitude. La forêt s'y est dégradée en maquis (arbustes, buissons touffus). La Corse compte près de 240 000 habitants (Corses). La monnaie utilisée est le franc français. Le français est la langue officielle. L'économie de cette région française repose sur le tourisme, l'élevage des ovins, les vignes, les fruits et la culture des légumes. Cette île a vu naître Napoléon Bonaparte.

Cosgrove (Stanley Morel), peintre canadien, né à Montréal en 1911. D'origine irlan-

Stanley Morel
Cosgrove

RADIO-QUÉBEC

daise et canadienne-française, Cosgrove étudie à l'École des beaux-arts de Montréal, où il enseignera plus tard, et à l'Association des arts de Montréal. Des bourses des gouvernements provincial et fédéral lui permettent de poursuivre ses études à New York, à Mexico et en France. Depuis 1958, il se consacre à la peinture et participe à plusieurs expositions. En 1951, ce très grand dessinateur et habile coloriste devient membre de l'Académie royale des arts du Canada.

Costa Rica, État de l'Amérique centrale. Situé entre le Nicaragua et le Panama, le Costa Rica, d'une superficie de 51 000 km², est baigné par l'océan Pacifique et la mer des Caraïbes. Sa capitale est San José. C'est un territoire en partie forestier, montagneux en bordure du Pacifique et formé de plaines en bordure de la mer des Caraïbes. Le Costa Rica compte plus de 500 volcans. Le climat est tropical et humide dans les plaines côtières, surtout de l'est, et tempéré à l'intérieur des terres. La population du Costa Rica est d'environ 2,8 millions d'habitants (Costaricains et Costaricaines, ou Costariciens et Costariciennes). La population, composée de Blancs, en majorité, et d'Indiens, parle espagnol, anglais ou créole. La religion catholique est la principale religion du pays. La monnaie utilisée est le colón. Les industries alimentaires prédominent et on exporte du café, du cacao, de la canne à sucre, des bananes, des produits laitiers et du bois précieux. Les cultures de maïs, de riz et de haricots suffisent aux besoins de la population. Le Costa Rica fut découvert par Christophe Colomb en 1502 et colonisé par les Espagnols au cours du XVIe siècle. Il obtint son indépendance en 1821. Le pays est dirigé par un président.

Côte d'Azur, partie orientale du littoral français. Située sur la Méditerranée, la Côte d'Azur bénéficie d'un climat très doux en hiver, chaud et ensoleillé en été. C'est la plus importante région touristique française, comprenant de nombreuses stations balnéaires dont les principales sont Cannes, Nice, Antibes et Saint-Tropez.

Côte d'Ivoire, État de l'Afrique occidentale. Située au nord du golfe de Guinée, la Côte d'Ivoire, d'une superficie de 322 000 km², est comprise à l'intérieur d'un fer à cheval entre le Libéria, la Guinée, le Mali, le Burkina Faso et le Ghana. Depuis 1983, Yamoussoukro est la capitale du pays. Le relief comporte une partie littorale où s'allonge une côte basse et sablonneuse et un plateau de savanes qui lui succède vers le nord et l'ouest. Les fleuves Sassandra et Comoé, et les lacs de Kossou et de Buyo sont les principaux éléments hydrographiques de la Côte d'Ivoire. Le climat est subéquatorial et le territoire est recouvert de forêts et de plantations. La Côte d'Ivoire compte environ 10 millions d'habitants (Ivoiriens et Ivoiriennes). Outre quelques dialectes, on y parle le français qui est la langue officielle du pays. On y pratique les religions animiste, islamique et catholique. La monnaie utilisée est le franc C.F.A. La Côte d'Ivoire produit et exporte du café, des fruits tropicaux, du cacao, du manioc et du bois d'acajou. Le tourisme constitue un apport économique important. Les industries se concentrent dans la ville d'Abidjan, important centre touristique. La Côte d'Ivoire est devenue une colonie française en 1893. Elle a obtenu son indépendance en 1960. La Côte d'Ivoire est une république dirigée par un président.

Côte-Nord, région administrative du Québec. Située à l'est de la province de Québec, en bordure du fleuve Saint-Laurent, la région, qui comprend l'archipel de Mingan et l'île d'Anticosti, s'étend de la rive nord de la rivière Saguenay jusqu'à la frontière du Labrador. La Côte-Nord couvre une superficie de 253 940 km², soit près de 17 % de la superficie du Québec. De nombreuses rivières drainent la région, dont la rivière Manicouagan. Au nord de la municipalité de Côte-Nord-du-Golfe-Saint-Laurent, couvrant le littoral labradorien jusqu'à Blanc-Sablon, la région prend le nom de Basse-Côte-Nord. La ville de Sept-Îles, le principal port de la région, est la métropole de la Côte-Nord. Les villes importantes sont Baie-Comeau, Port-Cartier et Tadoussac. La région a connu une expansion dans les années 1950 grâce au chemin de fer et à la construction de complexes hydroélectriques, dont celui de Manic-Outardes. L'économie de la Côte-Nord se fonde sur l'exploitation du sous-sol (fer, cuivre), sur la pêche, le tourisme et sur la production d'électricité.

Côte-Nord-du-Golfe-Saint-Laurent, municipalité du Canada. Située dans la province de Québec, sur la côte nord du golfe du Saint-Laurent, la municipalité s'étend sur une superficie de 5 233 km². Instituée en 1963, elle compte environ 5 200 Golfiens et Golfiennes.

Côte-Saint-Luc, ville du Canada. Située dans la partie ouest de l'île de Montréal, au Québec, Côte-Saint-Luc est bornée par Lachine, Saint-Laurent, Mont-Royal et Hampstead. Instituée en 1903, cette ville résidentielle compte environ 28 700 habitants.

Côté (Denis), auteur canadien, né à Québec en 1954. Denis Côté a publié dix livres, dont neuf romans, en plus de quelques nouvelles dans des revues et des ouvrages collectifs. Il a écrit également des nouvelles pour les adultes et collaboré à diverses revues dont *Nuit blanche, Lurelu* et *L'année de la science-fiction et du fantastique québécois*. Ses ouvrages lui ont valu plusieurs distinctions littéraires. Il a remporté en 1983 le prix du Conseil des arts du Canada pour son roman *Hockeyeur cybernétique*. En 1984, il a reçu le grand prix de la science-fiction et du fantastique québécois pour deux romans : *Hockeyeur cybernétique* et *Les parallèles célestes*. Enfin, en 1984, on lui accorde le prix Boréal, récompense attribuée à l'écrivain de l'année dans le domaine de la science-fiction en 1983. Les thèmes que Denis Côté aborde dans ses ouvrages sont surtout l'environnement, l'amitié et les problèmes sociaux. Quelques titres ont été traduits en d'autres langues.

Coté (Marc-Aurèle Suzor-) ☞ **Suzor-Coté** (Marc-Aurèle).

Coubertin (Pierre **de**), initiateur des Jeux olympiques modernes, né à Paris en 1863 et mort à Genève en 1937. Pédagogue, Pierre de Coubertin entreprit dès 1887 la réforme de l'éducation des adolescents, convaincu qu'il fallait accorder une plus grande place à l'éducation physique dans la formation de l'individu. Il est surtout connu pour avoir renouvelé les Jeux olympiques. En 1896, il créait le Comité international olympique qu'il dirigera jusqu'en 1925. Les premiers Jeux olympiques modernes eurent lieu à Athènes en 1896. Pierre de Coubertin est l'auteur de la devise de ces jeux : « Plus loin, plus haut, plus fort. »

Coudres (île aux), île du Canada, située dans le fleuve Saint-Laurent. L'île aux Coudres, d'une superficie de 30 km², appartient à la région administrative de Québec. Située à 60 km en aval de la ville de Québec, elle est constituée de deux crêtes réunies par une terrasse. Quelque 1 500 Coudriens et Coudriennes se répartissent dans trois paroisses : Saint-Bernard-sur-Mer, La Baleine et Saint-Louis. La pêche et le tourisme sont les principales ressources de l'île. C'est Jacques Cartier qui, en 1535, a donné ce nom à l'île en raison de l'abondance des coudriers.

Cour suprême du Canada. Tribunal de dernière instance au Canada, la Cour suprême fut créée par le Parlement fédéral en 1875. La Cour suprême est composée du juge en chef et de huit juges nommés par le gouverneur général en conseil. Cette cour rend des jugements et donne des avis au gouvernement fédéral et aux gouvernements provinciaux.

Cousteau (Jacques-Yves), officier de marine, océanographe et cinéaste français, né en 1910. Avec Émile Gagnon, Jacques-Yves Cousteau a inventé un scaphandre autonome automatique, une caméra sous-marine et une sorte d'« île flottante » servant aux observations en milieu marin. Il effectue des croisières de recherches à bord de *La Calypso*, un navire conçu pour étudier le milieu marin. Cousteau a réalisé plusieurs films documentaires sur la vie sous-marine ainsi que des ouvrages sur ses plongées et ses recherches.

Jacques-Yves **Cousteau**

P. HATTENBERGER/PUBLIPHOTO

Cowansville, ville du Canada. Ville de la province de Québec, Cowansville est située sur la rive sud du fleuve Saint-Laurent, à 85 km au sud-est de Montréal et à 20 km de la frontière américaine, dans la région de l'Estrie. Cowansville est une ville industrielle de 12 400 Cowansvillois et Cowansvilloises ; on y produit, entre autres, des plastiques, des textiles, des skis, des meubles et des chaussures. Un pénitencier fédéral, l'Institut de Cowansville, s'élève dans cette ville. Fondée en 1796, c'est en 1839 que Cowansville reçoit son nom, en l'honneur de Peter Cowan, son premier commerçant et maître de poste.

Craig (sir James Henry), militaire et administrateur, né à Gibraltar en 1748 et mort à Londres en 1812. De 1807 à 1811, Craig fut gouverneur du Canada et le premier gouverneur à se mêler des conflits sociopolitiques du Bas-Canada. Rusé et intransigeant, il a utilisé son prestige pour influer sur le résultat des élections de 1809 et de 1810. Il a même emprisonné sans procès les chefs du Parti canadien.

Crédit social, doctrine économique. Cette doctrine économique, née en Angleterre à la fin du XIXe siècle, pose comme principe que les ressources naturelles d'un pays doivent servir à l'établissement de son système monétaire. Elle demeure le fondement du Crédit social, parti politique qui s'est implanté dans l'Ouest du Canada vers 1930. Dirigés par William Aberhart, les créditistes prirent le pouvoir en Alberta en 1935. Au Québec, sous la direction de Réal Caouette, un groupe dissident, appelé le Ralliement des créditistes, remporta

26 sièges aux élections de 1962. Au début des années 80, le Crédit social disparaît en tant que force politique viable.

Crémazie (Claude Joseph Olivier, dit **Octave**), poète canadien, né à Québec en 1827 et mort en Europe en 1879. Ce poète est considéré comme le père de la poésie canadienne-française. Il a su faire vibrer la corde patriotique et s'imposer comme le chef de file du romantisme canadien. Après avoir écrit *Le vieux soldat canadien* (1855) et *Le drapeau de Carillon* (1858), il se vit proclamé «barde national».

ANQM / P54 / 14 / 153

Octave **Crémazie**

Crète, île grecque de la Méditerranée. La Crète, d'une superficie de 8 300 km², est une île allongée et l'une des plus grandes de la Méditerranée. Iráklion ou Hêraklion en est la capitale. On y cultive le blé, la vigne, les agrumes et les oliviers. Le climat, de type méditerranéen, est chaud et sec. L'île compte quelque 520 000 habitants (Crétois et Crétoises). Les ruines antiques, qui attirent de nombreux touristes, témoignent du passage de grandes civilisations. En 1908, la Crète proclame son union avec la Grèce, union qui entrera en vigueur en 1913.

Cris, nation autochtone de l'Amérique du Nord. Les Français les appelèrent Kiristinon, puis Cris. Les Cris occupaient un grand territoire, de l'Alberta jusqu'au Québec. Habiles chasseurs, les Cris furent les principaux fournisseurs de fourrures des compagnies de traite. Au Québec, 6 705 Cris se concentrent surtout dans les régions du Nouveau-Québec, de l'Abitibi et du lac Mistassini (Whapmagoostui, Chisasibi, Eastmain, Nemiscau, Waskaganish, Mistassini, Wemindji, Waswanipi). Le piégeage, la construction, l'artisanat et la foresterie constituent leurs principales activités. La majorité des Cris ont gardé leur langue, le cri, qui appartient à la famille linguistique algonquienne. Ils parlent également l'anglais et le français.

Crise d'octobre, période d'agitation sociopolitique de l'histoire du Québec. Elle commence le 5 octobre 1970 avec l'enlèvement du diplomate britannique, James Cross, par des membres d'un groupe indépendantiste clandestin, le Front de libération du Québec (F.L.Q.). Le 10 octobre, le ministre québécois de la Justice offre aux ravisseurs un sauf-conduit à l'étranger en échange de la libération de leur otage. Le même jour, une autre cellule du F.L.Q. kidnappe le ministre québécois du Travail et de l'Immigration, Pierre Laporte. Le 15 octobre, le gouvernement québécois demande l'aide des Forces armées canadiennes pour épauler la police provinciale. Le lendemain, le gouvernement décrète la Loi sur les mesures de guerre. Par la suite, le F.L.Q. est neutralisé et l'armée occupe la ville de Montréal. Les libertés civiles sont suspendues et des centaines de personnes sont arrêtées et détenues sans motif sérieux. Le 17 octobre, le cadavre de Pierre Laporte est découvert dans une voiture près de l'aéroport de Saint-Hubert. Au début de décembre, James Cross est libéré. Quatre semaines plus tard, les membres du deuxième groupe du F.L.Q. sont arrêtés, jugés et accusés d'enlèvement et de meurtre. Les règlements d'urgence en vertu des mesures de guerre sont remplacés en décembre 1970 par d'autres semblables, en vertu de la Loi sur l'ordre public, qui demeurent en vigueur jusqu'au 30 avril 1971. À la suite d'enquêtes sur certaines activités de la Gendarmerie royale du Canada, il a été démontré que l'application de la loi sur les mesures de guerre a donné lieu à des abus de pouvoir et porté atteinte aux libertés individuelles.

Croix-Rouge, organisation internationale à caractère humanitaire. Créée en 1863 par Henri Dunant pour secourir les blessés et les victimes de la guerre, la Croix-Rouge a son quartier général à Genève en Suisse et son emblème est une croix rouge sur fond blanc. Le chirurgien et major George Sterling Ryerson fonda la Croix-Rouge canadienne en 1896. Elle a établi son siège social à Toronto et supervise le Service des transfusions sanguines, fondé en 1947.

ANC / C-11295

Cri

Cuba, État de l'Amérique centrale. Cuba, la plus grande île des Antilles, est situé au sud de la Floride. L'île est baignée par l'océan Atlantique, la mer des Caraïbes et le golfe du Mexique. La Havane est la capitale de cet État de 114 000 km². Le sud-est de l'île est montagneux; le reste du pays est formé de plaines et de plateaux calcaires. Il y a peu de cours d'eau : le principal, le rio Canto, a une longueur de 240 km. Le climat est tropical et humide. Cuba compte près de 10,5 millions d'habitants (Cubains et Cubaines). L'espagnol est la langue officielle du pays et la principale religion est la religion catholique. La monnaie utilisée est le peso. Les produits à la base de l'économie cubaine sont le sucre de canne, le riz, les oranges, le tabac, les produits de la mer, le cobalt et le nickel. Cuba devint une colonie espagnole en 1511 et obtint son indépendance en 1901. La République de Cuba, qui a connu plusieurs coups d'État, est dirigée par un président et vit sous un régime socialiste.

Cupidon, dieu de l'Amour dans la mythologie romaine. Cupidon est représenté sous la forme d'un petit ange souriant, tenant un arc dont les flèches transpercent les cœurs.

Curie (Marie), physicienne française d'origine polonaise, née à Varsovie en 1867 et morte en France en 1934. Née Sklodowska, elle épousa Pierre Curie en 1895. Fortement intéressée par le phénomène de la radioactivité, Marie Curie entreprit, avec son mari, des recherches qui les menèrent à la découverte du polonium et du radium (1898). Marie Curie fut la première femme qui enseigna à la Sorbonne, un établissement d'enseignement supérieur à Paris. En 1903, elle et son mari reçurent le prix Nobel de physique; Marie Curie reçut le prix Nobel de chimie en 1911.

Curie (Pierre), physicien français, né à Paris en 1859 et mort dans la même ville en 1906. Pierre Curie mena des travaux sur le magnétisme et sur la formation des cristaux. Il fit des recherches, avec sa femme Marie, sur la radioactivité et ils reçurent ensemble le prix Nobel de physique en 1903.

Cyr (Louis), homme canadien le plus fort de tous les temps, né à Saint-Cyprien-de-Napierville en 1863 et mort à Saint-Jean-de-Matha en 1912. Bûcheron puis policier, Louis Cyr (165 kg) participa à des compétitions qui prirent l'allure de défis : soulever d'un seul doigt 250 kg, porter sur son dos 1 860 kg et, d'une main, lever 124 kg au-dessus de sa tête. Vainqueur de nombreux championnats, il attira les foules et devint une légende. Cyr s'est produit en tournée avec des cirques de 1894 à 1899.

A. LANDRY/ANQM/P97/3/857

Louis **Cyr**

Dahomey ☞ **Bénin**.

Dakar, capitale du Sénégal. Située sur l'Atlantique, dans la presqu'île du cap Vert, la ville de Dakar fut fondée en 1862. Dakar, qui compte plus de 1 million de Dakarois et de Dakaroises, est un important port de commerce et de pêche, une escale aérienne et un centre ferroviaire. La ville possède une université, une raffinerie de pétrole, des usines de fabrication d'huile d'arachide et de traitement du thon. Le tourisme y joue un rôle économique important.

Dalhousie (George Ramsay, 9e comte **de**), militaire et administrateur britannique, né en Écosse en 1770 et mort dans le même pays en 1838. À la suite d'une longue carrière militaire, Dalhousie devient lieutenant-gouverneur de la Nouvelle-Écosse en 1816. En 1820, il est nommé gouverneur général du Canada, poste qu'il occupera jusqu'en 1828. Dalhousie préconise la nomination des curés par le gouvernement et la disparition de la langue française au Bas-Canada. Il a fondé en 1818 le collège Dalhousie, devenu l'université Dalhousie, et la Société littéraire et historique du Québec. Une ville du Nouveau-Brunswick rappelle son souvenir.

Dali (Salvador), peintre, graveur et écrivain espagnol, né en 1904 et mort en 1989. À partir de 1929, installé à Paris, Dali devient le plus étonnant créateur surréaliste en peignant l'inconscient, ses rêves et ses fantasmes. Sa femme Gala fut l'amour de sa vie et sa source d'inspiration. Dernier des trois grands peintres espagnols qui ont marqué le XXe siècle, Dali meurt d'un arrêt cardiaque à l'âge de 84 ans. Excentrique, original et provocateur, il laisse derrière lui une œuvre impressionnante.

Damas [*Dimashq*], capitale de la Syrie. Située au sud de la Syrie, près de la frontière libanaise, dans une oasis, la Ghutah, Damas est la capitale du pays depuis 1946. Ville principale de la Syrie, Damas compte plus de 1 million d'habitants (Damascènes). Elle est un centre commercial et industriel important où se concentrent les industries du sucre, des huiles, des textiles et du tabac. La ville possède une centrale thermique. Damas est l'une des villes saintes de l'Islam.

Danemark, État de l'Europe du Nord. Ce pays plat de 43 000 km² est formé de la péninsule du Jutland et d'un archipel entre la mer du Nord et la Baltique. Copenhague est la capitale. Le climat, influencé par la mer, est frais et tempéré. Le Danemark présente deux types de relief: des plaines de sable et de gravier au sud-ouest et au centre-ouest du Jutland et, pour le reste de la péninsule et de l'archipel, des terres fertiles arrosées par de nombreux cours d'eau. Le plus long est le Guden A. De profonds golfes bordent les côtes découpées de la péninsule. Le Danemark compte 5 130 000 habitants (Danois et Danoises). La langue officielle est le danois et la religion luthérienne est la principale religion du pays. La monnaie utilisée est la couronne danoise. L'élevage du bœuf et du porc y est très important. Les céréales cultivées sont destinées principalement au bétail. Le Danemark est le premier exportateur mondial de viandes et de ses dérivés. Le pays possède d'importantes industries alimentaires, métallurgiques, mécaniques, chimiques, des aéroports internationaux et des ports bien équipés. Depuis 1901, le Danemark est une monarchie parlementaire. Le pays, membre de l'O.T.A.N. depuis 1949, est actuellement dirigé par une reine.

Daniel (Antoine) ☞ **Antoine Daniel** (saint).

Dansereau (Pierre), écologiste et éducateur canadien, né à Montréal en 1911. Pierre Dansereau a fait des études à l'Institut agricole d'Oka (Québec) et à Genève (Suisse). Il a travaillé de 1929 à 1959 au Jardin botanique de Montréal. Il a ensuite été directeur adjoint du Jardin botanique de New York. Il a aussi enseigné à l'université du Michigan puis à l'université de Columbia (États-Unis) pendant plusieurs années. Pierre Dansereau devient doyen de la Faculté des sciences de l'Université de Montréal en 1955. Ses préoccupations écologiques lui ont valu une renommée internationale. Auteur de nombreux livres et lauréat du prix Molson en 1975 et du prix Killam en 1983, Pierre Dansereau enseigne maintenant à l'Université du Québec à Montréal.

M. FAUGÈRE/PUBLIPHOTO

Pierre **Dansereau**

Danube (le), fleuve de l'Europe centrale. D'une longueur de 2 850 km, le Danube est le deuxième fleuve de l'Europe après la Volga. Cette importante voie de communication prend sa source en Allemagne et se jette dans la mer Noire. Le Danube traverse l'Autriche, la Tchécoslovaquie, la Hongrie et la Yougoslavie, formant par endroits une frontière entre la Roumanie et la Bulgarie d'une part, la Bulgarie et l'U.R.S.S. d'autre part. Le Danube est utilisé pour la navigation, pour la production d'hydroélectricité et pour l'irrigation.

Dar-es-Salam [*Dar-es-Salaam*], capitale de la Tanzanie. Cette ville portuaire de la Tanzanie située sur l'océan Indien compte 757 000 habitants. Dar-es-Salam regroupe des industries alimentaires et textiles, une raffinerie, une cimenterie et une manufacture de tabac. La ville exporte du coton, du café, du maïs et du plomb.

Darwin (Charles), naturaliste et biologiste britannique, né en Angleterre en 1809 et mort dans le même pays en 1882. Darwin élabora une théorie de l'évolution. Après s'être dirigé vers la médecine, puis la prêtrise, il opte finalement pour l'histoire naturelle. Le naturaliste s'embarque, en 1831, sur le navire scientifique *Beagle*. Il voyage durant cinq ans pour observer la variabilité des espèces animales et végétales. De retour en Angleterre, Darwin poursuit ses recherches et publie en 1859 *De l'origine des espèces au moyen de la sélection naturelle*, ouvrage par lequel il fait connaître sa doctrine de l'évolution des espèces et de la sélection naturelle qui maintient, selon lui, l'équilibre entre une espèce et son milieu. La théorie de Darwin, appelée le darwinisme, fut appuyée par de nombreux savants, mais fut fortement combattue dans les milieux conservateurs et religieux. Darwin a continué à écrire et à étudier jusqu'à sa mort, en 1882.

Daumont de Saint-Lusson (Simon François), explorateur, né en France vers 1643 et mort vers 1677. En 1670, l'intendant Jean Talon le charge d'explorer la région du lac Supérieur pour y découvrir des mines de cuivre. L'année suivante, Daumont de Saint-Lusson prend possession de la région des Grands Lacs au nom du roi de France. De plus, il soumet à l'autorité du roi les quatorze nations amérindiennes qui y vivaient à cette époque.

Davaugour (Pierre Dubois, baron), administrateur, né en France et mort en Hongrie en 1664. Pierre Dubois Davaugour a été gouverneur de la Nouvelle-France de 1661 à 1663. Au cours de son mandat, il insista sur le besoin de renforts pour protéger la colonie contre les Iroquois. Il fut en conflit avec Mgr Laval, premier évêque de Québec, qui combattit la distribution d'eau-de-vie aux Amérindiens. En effet, Dubois Davaugour avait aboli les restrictions sur le commerce de l'alcool, ce qui lui valut d'être rappelé en France.

Daveluy (Paule), romancière canadienne, née en 1919 à Ville-Marie (Témiscamingue). Paule Daveluy a écrit de nombreux romans pour les jeunes, dont *L'été enchanté* et *Drôle d'automne*, qui ont obtenu des prix littéraires. Ses romans plaisent par le style simple et par la description précise des paysages. Cette écrivaine, membre de la Société des écrivains canadiens, a fondé Communication Jeunesse.

David (Louis Joseph Athanase), homme politique canadien, né à Montréal en 1882 et mort en 1953. Député provincial libéral de 1916 à 1939, Athanase David sera nommé sénateur en 1940. Athanase David a favorisé les lettres et les arts au Québec. Il est le créateur d'un prix littéraire, le prix Athanase-David, établi en 1923.

David (Paul), fondateur de l'Institut de cardiologie de Montréal, né à Montréal en 1919. Fils d'Athanase David, homme politique canadien, Paul David obtient un doctorat en médecine à l'Université de Montréal en 1944 et se spécialise en cardiologie aux États-Unis et à Paris. C'est à l'Institut de cardiologie de Montréal, qu'il a fondé en 1954 et dont il sera le directeur jusqu'en 1984, que son équipe pratique, le 31 mai 1968, la première greffe cardiaque effectuée au Canada. En 1984, le docteur David prend sa retraite. L'année suivante, il est nommé sénateur.

INSTITUT DE CARDIOLOGIE DE MONTRÉAL

Paul **David**

Davis (John), explorateur anglais, né à Sandridge, en Angleterre, en 1550 et mort près de Singapour en 1605. Comme les autres navigateurs, Davis cherche un raccourci pour atteindre les îles aux épices en Extrême-Orient. Il fit trois voyages (1585, 1586 et 1587) dans les régions arctiques du Canada, à la recherche d'un passage vers l'Asie. Il découvrit un détroit auquel il a laissé son nom. Sa découverte a conduit Hudson dans la baie qui porte maintenant son nom.

Delson, ville du Canada. Situé dans la province de Québec, sur la rive sud du fleuve Saint-Laurent, à une quinzaine de kilomètres au sud de Montréal, Delson fut institué en 1918. Cette ville résidentielle de quelque 5 100 Delsonniens et Delsonniennes tire son nom de la compagnie de chemin de fer Delaware (Del) and Hudson (son), qui y rejoignait le réseau ferroviaire du Canadien Pacifique. Au début du siècle, Delson fut un important centre ferroviaire.

Denonville (Jacques René de Brisay, marquis **de**), gouverneur de la Nouvelle-France, né en France en 1642 et mort en 1710. Denonville a été gouverneur de la Nouvelle-France de 1685 à 1689, alors que la colonie était en conflit avec les Iroquois et les Anglais. Il éleva le fort Niagara et réussit à imposer aux Iroquois ses conditions de paix en 1687. Cependant, son ordre de brûler des villages amérindiens et d'envoyer des Iroquois prisonniers aux galères (en France) avait attisé leur désir de vengeance. L'hostilité des Iroquois se manifesta par le massacre de Lachine en 1689. Denonville fut rappelé en France et Frontenac revint au pays.

Descartes (René), philosophe, mathématicien et physicien français, né à La Haye en 1596 et mort à Stockholm en 1650. On lui doit la création de la géométrie analytique ; sa physique mécaniste et sa théorie des animaux-machines forment les bases de la science moderne. Sa philosophie se fonde sur la logique de l'idée claire et précise. Il ne voulait se fier qu'à la raison («Je pense, donc je suis») pour établir sa méthode de pensée. Ses œuvres principales sont: *Les passions de l'âme*, *Discours de la méthode* et *Méditations métaphysiques*.

Deschamps (Yvon), acteur, fantaisiste et comédien canadien, né à Montréal en 1935. Yvon Deschamps est particulièrement connu pour ses monologues politiques et satiriques, souvent présentés à guichet fermé. Il est le cofondateur avec Paul Buissonneau du Théâtre de Quat'sous. Il a aussi joué dans des films. Yvon Deschamps est engagé dans différents mouvements sociaux; il est, entre autres, le porte-parole d'Oxfam, association à but non lucratif qui recueille des fonds pour combattre la famine dans les pays en voie de développement.

Des Groseilliers (Médard Chouart), coureur des bois et explorateur, né en France en 1618 et mort en 1696. Arrivé au Canada en 1641, Des Groseilliers devient coureur des bois et trafiquant clandestin de fourrures. La seule exportation de la Nouvelle-France sont alors les fourrures. Comme les Indiens, effrayés par les Iroquois, ne viennent plus les porter aux postes, Des Groseilliers décide d'aller les chercher avec son beau-frère, Pierre-Esprit Radisson. Cela l'amène à explorer les régions du lac Huron (1646), du lac Supérieur (de 1650 à 1662), de la partie nord du Mississippi (1658) et de la baie d'Hudson (1662). Ces explorations importantes permettront ensuite à la France de réclamer ces territoires. Cependant, ses démêlés avec les autorités françaises le font passer au service des Anglais. Il fonde pour eux la Compagnie de la baie d'Hudson, qui existe encore et connaît une grande prospérité.

Desjardins (Alphonse), journaliste, et homme d'affaires canadien, né à Lévis, au Québec, en 1854 et mort au même endroit en 1920. Modeste sténographe à l'Assemblée législative à Québec puis à la Chambre des communes à Ottawa, Alphonse Desjardins veut améliorer le sort des classes laborieuses, assurer l'émancipation économique de ses compatriotes et ralentir l'exode des Canadiens français aux États-Unis. C'est au cours d'un débat sur l'usure, tenu à la Chambre des communes, qu'il a l'idée de fonder une société coopérative dans le secteur bancaire. Le 6 décembre 1900, Desjardins fonde la première caisse populaire à Lévis. Outre qu'il gère la Caisse de Lévis, il participe à la fondation de 205 autres caisses au Québec, au Canada et aux États-Unis. Desjardins consacre les quatre dernières années de sa vie à réfléchir aux moyens d'assurer la protection et la survie de son entreprise. Ses succès lui valent une réputation internationale. Le mouvement Desjardins poursuit son œuvre et manifeste beaucoup de dynamisme.

MOUVEMENT DESJARDINS

Alphonse **Desjardins**

Desportes (Hélène), premier enfant blanc de la Nouvelle-France, née à Québec vers 1620 et morte en 1675. Elle est la mère de Germain Morin, premier Canadien de naissance à devenir prêtre.

Desrochers (Clémence), comédienne, auteure et monologuiste canadienne, née à Sherbrooke en 1933. Après des études en pédagogie à Sherbrooke et à Montréal, Clémence Desrochers n'enseignera qu'une année (1952-1953) à l'école Saint-Pascal-Baylon à Montréal. De 1954 à 1957, Clémence Desrochers étudie au Conservatoire d'art dramatique avec Paul Buissonneau. Elle commence ensuite une fulgurante carrière et joue dans de nombreux téléromans. Elle écrit des textes pour des émissions pour enfants (*La boîte à surprise*), participe à plusieurs émissions télévisées et organise des spectacles dans lesquels elle présente ses monologues et ses chansons: *Les girls* (1969), *C'est pas une revue, c't'un show* (1971), *Mon dernier show* (1977), *Les retrouvailles de Clémence* (1980), *J'ai show* (1989). Clémence Desrochers, portraitiste de la femme québécoise, demeure une comique tendre qui sait émouvoir par sa sincérité, sa lucidité et sa générosité teintées d'humour.

Deux-Montagnes, ville du Canada. Ville de la province de Québec, située au nord-ouest de Montréal, à l'extrémité est du lac des Deux Montagnes, Deux-Montagnes est une ville résidentielle qui fut instituée en 1921. Elle compte environ 10 300 habitants (Deux-Montagnais et Deux-Montagnaises). Située dans une région agricole, cette ville portait autrefois le nom de Saint-Eustache-sur-le-Lac.

Devonshire (Victor Christian William Cavendish, duc **de**), administrateur et homme politique britannique, né à Londres en 1868 et mort en 1938. En 1891, Devonshire entre à la Chambre des communes britannique où il est le plus jeune député. Il accède à la dignité de duc en 1938. Considéré comme l'un des plus grands propriétaires terriens de la Grande-Bretagne, il s'intéresse particulièrement à l'agriculture canadienne. Cet administrateur occupe le poste de gouverneur général du Canada de 1916 à 1921.

Dhaka ou **Dacca**, capitale du Bangladesh. Située sur le delta du Gange, la ville de Dhaka compte 3 460 000 habitants. Elle possède un aéroport international et une université. On y trouve de nombreux monuments et plus de 700 mosquées. L'économie de la ville repose principalement sur l'industrie textile.

Diamant (cap), cap situé à Québec sur le fleuve Saint-Laurent. Il supporte la citadelle construite pour défendre la ville. Son nom vient du fait que Jacques Cartier, lors de son troisième voyage, croyait y avoir découvert des diamants.

Dickens (Charles), romancier anglais, né à Portsmouth en 1812 et mort à Rochester en 1870. Fils d'un modeste employé, Charles Dickens devient, dès l'âge de douze ans, ouvrier dans une fabrique de cirage. Il poursuit ses études et travaille pour un notaire. Puis en 1831, il entre au *Morning Herald* comme sténographe-reporter. Charles Dickens puise dans ses souvenirs de jeunesse les idées qui feront de lui un écrivain réaliste et social. Il se fera le défenseur des enfants malheureux et des misérables. À la fois sensibles et humoristiques, ses romans dénoncent les abus et les laideurs sociales de son époque. Ses principaux ouvrages sont *Les aventures de M. Pickwick* (1837), *Oliver Twist* (1838), *Contes de Noël* (1843) et *David Copperfield* (1849-1850).

Diefenbaker (John George), avocat et homme politique canadien, né en Ontario en 1895 et mort en Saskatchewan en 1979. Après avoir étudié dans différentes écoles des Prairies, John Diefenbaker obtient sa maîtrise en sciences politiques de l'université de la Saskatchewan en 1916. En 1919, il est admis au barreau de la Saskatchewan et ouvre sa première étude à Wakaw (Saskatchewan). En 1924, il s'installe à Prince-Albert (Saskatchewan). En mars 1940, John Diefenbaker réussit à se faire élire à la Chambre des communes. Son expérience d'avocat l'aide à se faire reconnaître comme un critique avisé. Le 21 juin 1959, il est élu premier ministre du Canada dans un gouvernement conservateur. Il gardera ce titre jusqu'en 1963. L'ère Diefenbaker est marquée par sa forte personnalité. La justice sociale inspire sa politique et plusieurs des programmes de son parti sont destinés à aider les pauvres. L'ancien chef conservateur croyait fermement à l'unité du Canada et voulait que tous les Canadiens bénéficient des mêmes droits aux chapitres de la langue, de la race et de la religion. Il légua sa maison d'Ottawa à la nation à la condition qu'on en fasse un centre illustrant le développement de l'Ouest. Ses objets personnels et ses documents présentant un intérêt historique furent confiés au Centre Diefenbaker de l'université de la Saskatchewan.

Dieppe, ville de France. Située sur la Manche, au nord-ouest de la France, Dieppe est l'un des plus importants ports de voyageurs du pays. C'est aussi un port de commerce et un port de pêche. Centre administratif de 36 480 Dieppois et Dieppoises, la ville possède un château du XVe siècle et des églises anciennes. Au cours de la Deuxième Guerre mondiale, Dieppe fut le lieu d'un important combat : un raid anglo-canadien y fut repoussé par les Allemands le 19 août 1942. Le raid mené sur Dieppe visait à évaluer les défenses de l'armée allemande sur le continent et la capacité des Alliés de lancer des attaques amphibies. Près de 5 000 soldats canadiens et 1 100 soldats britanniques tentèrent un débarquement sur la plage de Dieppe. L'opération fut un désastre. Le raid ne dura que neuf heures, mais plus de 900 soldats canadiens furent tués et 1 300, faits prisonniers. Deux Canadiens reçurent la Croix Victoria. Dieppe fut libérée le 2 septembre 1944 par la 1re armée canadienne.

Diesel (Rudolf), ingénieur allemand, né à Paris en 1858 et mort en 1913. Diesel est l'inventeur du moteur à combustion interne, consommant des huiles lourdes. En 1897, le premier moteur Diesel fonctionne après quelques spectaculaires explosions. Rudolf Diesel disparut en mer en 1913, au cours d'une traversée.

Dimashq ☞ **Damas.**

Dion (Céline), chanteuse populaire canadienne, née à Charlemagne en 1968. Membre d'une famille de 14 enfants, Céline Dion chante depuis l'âge de 5 ans. Elle a remporté de nombreux prix et trophées dont 15 Félix, une médaille d'or aux olympiades Eurovision et la médaille d'or de la chanson populaire de Tokyo en 1982. Céline Dion est la marraine et le porte-parole officiel de l'Association québécoise de la fibrose kystique, association qui recueille des fonds pour la recherche sur la fibrose kystique.

Discovery, navette spatiale américaine. L'objectif principal de *Discovery*, lancée après *Columbia* et *Challenger*, consistait à mettre des satellites de communication en orbite. *Discovery* effectue plusieurs missions entre novembre 1984 et janvier 1986, date à laquelle l'explosion de la navette *Challenger* met en veilleuse le programme spatial. Ce n'est que le 30 septembre 1988 que la N.A.S.A. reprend les expériences avec *Discovery*. Le 13 mars 1989, les astronautes accomplissent une troisième mission avec Discovery.

SYGMA/PUBLIPHOTO

Discovery

Disney (Walter Elias, dit **Walt**), cinéaste et producteur américain de dessins animés, né à Chicago en 1901 et mort à Burbank, en Californie, en 1966. Dessinateur publicitaire et caricaturiste, Walt Disney s'intéressa dès 1921 à la technique du dessin animé. Ce producteur est le créateur de petits personnages aussi célèbres que la souris Mickey, le canard Donald, le chien Pluto, l'éléphant Dumbo et le faon Bambi. De 1928 à 1939, Disney produisit 400 courts métrages. Il imposa son style à la fois réaliste et féerique dans plusieurs films de fiction : *Blanche-Neige et les sept nains*, *Pinocchio*, *Fantasia*, *Dumbo*, *Bambi*, *Alice au pays des merveilles*, *La belle au bois dormant*, *Les 101 dalmatiens*, *Merlin l'enchanteur*. On lui doit aussi plusieurs documentaires sur les animaux. Disney fut le créateur des parcs d'attractions de Disneyland, en Californie, et de Disneyworld, en Floride. Ses successeurs continuent à produire des films sous son nom.

Djibouti, État de l'Afrique orientale. Cette république de 23 000 km², située sur l'océan Indien, est limitée par l'Éthiopie et la Somalie. Djibouti est aussi le nom de la capitale de cet État. Territoire aride, le climat du pays est torride et la végétation très éparse. En 1978, une violente éruption volcanique à l'ouest de la capitale a donné naissance au volcan Ardoukala. Le pays compte 350 000 habitants (Djiboutiens et Djiboutiennes). La langue officielle est l'arabe, mais on y parle aussi des langues nationales et le français. La principale religion est l'islam. La monnaie utilisée est le franc djiboutien. La population de Djibouti vit surtout de l'élevage des ovins. L'économie du pays dépend principalement du port de la capitale. Établi colonie française en 1886, le pays obtint son indépendance en 1977 à la suite d'un référendum. La République de Djibouti est dirigée par un président.

Dolbeau, ville du Canada. Cette ville de la province de Québec est située dans la région du Saguenay – Lac-Saint-Jean, au confluent de trois rivières: la Mistassini, la Mistassibi et la rivière aux Rats. Fondé en 1926, Dolbeau compte aujourd'hui près de 9 000 Dolbiens et Dolbiennes. La ville a pris son essor en 1927, au moment où la société Domtar y installa une importante fabrique de papier journal. Terminus des chemins de fer nationaux, Dolbeau est le point d'expédition des bleuets cueillis dans la région. La ville est le principal centre de services du secteur nord du lac Saint-Jean et possède un observatoire astronomique. Son nom rappelle Jean Dolbeau, religieux récollet qui accompagna Samuel de Champlain en Nouvelle-France.

Dollard des Ormeaux (Adam), militaire, né en France en 1635 et mort à Long-Sault, en Ontario, en 1660. Arrivé à Montréal en 1657 et commandant de la garnison du fort de Ville-Marie (Montréal), Dollard des Ormeaux fut massacré avec sa troupe par les Iroquois, à Long-Sault, sur la rivière des Outaouais. À la tête de 17 Français, il avait quitté Montréal à la fin d'avril 1660 et avait préparé une embuscade dans le but d'attaquer des Iroquois revenant de la chasse par la rivière des Outaouais. Se joignirent à sa troupe, 44 Hurons et Algonquins. Ils furent surpris par les Iroquois, plus nombreux que prévu, et se réfugièrent dans un vieux fortin abandonné. Ils subirent un siège d'une semaine, les quelque 300 Iroquois attendant du renfort. Les Hurons désertèrent puis un baril de poudre explosa à l'intérieur du fort, ce qui mit fin au siège. Les survivants furent torturés et mangés selon les rites iroquois.

Dollard-des-Ormeaux, ville du Canada. Ville de la province de Québec, Dollard-des-Ormeaux est une ville résidentielle située dans la partie ouest de l'île de Montréal. Institué en 1924, Dollard-des-Ormeaux compte 42 000 habitants. Son nom rappelle Dollard des Ormeaux, militaire français surnommé le «héros du Long-Sault».

dominicaine (République), État d'Amérique centrale. Cet État des Grandes Antilles, situé entre l'océan Atlantique et la mer des Caraïbes, occupe la partie est de l'île d'Haïti et couvre une superficie de 48 400 km^2. Sa capitale est Saint-Domingue. À l'ouest, le paysage est plutôt montagneux et à l'est, surtout formé de plaines et de collines. Une forêt tropicale couvre le littoral et une forêt de pins domine sur les versants. La savane s'étend sur les plaines de l'intérieur. La République dominicaine jouit d'un climat tropical qui attire les touristes. La population composée de mulâtres, de Blancs et de Noirs atteint quelque 6 millions d'habitants (Dominicains et Dominicaines). L'espagnol est la langue officielle et la religion catholique est la principale religion. La monnaie utilisée est le peso dominicain. La culture de la canne à sucre est à la base de l'économie dominicaine. On cultive également du riz, du café, du cacao et du tabac. Les ressources minières sont abondantes (nickel surtout), mais peu exploitées. Découverte en 1492 par Christophe Colomb, l'île d'Haïti fut partagée entre la France et l'Espagne en 1697. En 1844, l'indépendance devint effective et la République dominicaine fut proclamée. Le pays, souvent troublé par les dictatures et les coups d'État, est dirigé par un président.

Donnacona, chef iroquois, de la bourgade de Stadaconé, mort en France vers 1539. En 1534, Donnacona fait la rencontre de Jacques Cartier. Celui-ci amène les deux fils de Donnacona, Taignoagny et Damagaya, en France en promettant de les ramener l'année suivante lors du prochain voyage. Ils renseignent Cartier sur l'existence d'un grand fleuve et sur les richesses d'un pays mystérieux, le royaume du Saguenay. Au cours du voyage suivant (1536), Cartier réussit à convaincre Donnacona et neuf autres Iroquois de l'accompagner en France, afin de rencontrer le roi et de lui confirmer que la région du Saguenay recèle une grande quantité d'or, de rubis et d'autres richesses. Donnacona y mourut bientôt. Aucun des Iroquois ne revint au pays.

Donnacona, ville du Canada. Ville de la province de Québec, Donnacona est une ville industrielle située sur la rive nord du fleuve Saint-Laurent, à environ 35 km à l'ouest de la ville de Québec, au confluent de la rivière Jacques-Cartier et du fleuve Saint-Laurent. Fondée en 1915, la ville compte environ 5 700 Donnaconiens et Donnaconiennes, et possède une importante papeterie (Domtar). Son nom rappelle le chef iroquois Donnacona.

Dorion, ville du Canada. Située dans la province de Québec, à environ 25 km au sud-ouest de Montréal, la ville de Dorion se trouve en bordure de la rivière des Outaouais, en face de l'île Perrot. Située dans une région agricole fertile, la ville, fondée en 1891, compte aujourd'hui près de 5 800 Dorionnais et Dorionnaises. Son nom rappelle sir Antoine Aimé Dorion (1818-1891), avocat et homme politique canadien, chef du Parti libéral pendant 20 ans.

Dorval, ville du Canada. Ville de la province de Québec, située dans la partie ouest de l'île de Montréal, Dorval a été institué en 1892. Sa population s'élève à environ 18 000 Dorvalois et Dorvaloises. Un aéroport international, qui figure parmi les plus importants du Canada, couvre une grande partie de son territoire.

Drapeau (Jean), avocat et homme politique canadien, né à Montréal en 1916. Jean Drapeau a fait ses études aux écoles Jean-de-Brébeuf et Le Plateau. En 1937, il obtenait une licence en sciences sociales, économiques et politiques de l'Université de Montréal. Il devenait bachelier en droit en 1941 et, en janvier 1943, il était inscrit au barreau de Montréal. Me Drapeau s'est d'abord consacré à la pratique du droit tout en s'occupant activement de politique. Il s'est toujours distingué en droit pénal, corporatif et commercial. En 1954, Jean Drapeau était élu maire de Montréal pour un premier mandat, à l'âge de 38 ans. Avec un groupe de conseillers municipaux, il fondait le Parti civique de Montréal en 1960. Son parti et lui sont élus sans interruption à toutes les élections municipales tenues entre 1962 et 1982. Montréal lui doit d'importantes réalisations: la Place des Arts, le métro, l'Exposition universelle de 1967, les Jeux olympiques d'été de 1976 et, en 1980, les premières Floralies internationales en Amérique du Nord. En 1967, Jean Drapeau a reçu la plus haute décoration canadienne, celle de Compagnon de l'Ordre du Canada. Le président de la République française lui a attribué l'insigne de Commandeur de l'Ordre de la légion d'honneur en 1984. Jean Drapeau a mis fin à sa carrière politique en 1986.

LA PRESSE

Jean **Drapeau**

Drummond (sir Gordon), militaire et administrateur britannique, né à Québec en 1771 et mort à Londres en 1854. Engagé dans l'armée anglaise, Gordon Drummond devient rapidement lieutenant-général. Après sa carrière militaire, il est nommé administrateur du Haut-Canada de 1813 à 1815 et du Bas-Canada de 1815 à 1816. Drummond a donné son nom à la ville de Drummondville.

Drummondville, ville du Canada. Ville de la province de Québec, située sur la rivière Saint-François, à 100 km à l'est de Montréal, Drummondville fut fondée en 1815 par le major général écossais Hériot, qui lui donna le nom de sir Drummond, administrateur du Bas-Canada. La ville compte environ 36 000 Drummondvillois et Drummondvilloises. On y trouve un parc industriel diversifié et des sites pittoresques, dont le Village québécois d'antan. Drummondville est aussi le lieu du Festival international de folklore.

Dubé (Marcel), dramaturge canadien, né à Montréal en 1930. Marcel Dubé a fait ses études classiques chez les Jésuites, au collège Sainte-Marie (1943-1951). Dès 1950, il fonde une troupe de théâtre, la Jeune Scène, pour laquelle il crée *Bal triste* (1951). Son apport à la littérature québécoise est considérable: 30 pièces pour la scène, 20 téléthéâtres, des téléromans, des traductions, des adaptations, des poèmes, des essais, etc. Dans son œuvre, Marcel Dubé a prêté vie à des personnages tourmentés, enclins à se remettre en question et à lutter pour surmonter leurs conflits intérieurs. Son œuvre lui a valu de nombreux prix. Il a été membre du Conseil de la langue française entre 1977-1979, puis directeur général de la Corporation du comité organisateur des rencontres francophones du Québec. Notons parmi ses œuvres principales: *Zone*, *Le temps des lilas*, *Un simple soldat*, *Le naufrage*, *Florence*.

D. AUCLAIR/PUBLIPHOTO

Marcel **Dubé**

Dublin, capitale de la République d'Irlande. Situé sur la côte est de l'Irlande, en bordure de la mer d'Irlande, Dublin est le principal port du pays. Fondée au IXe siècle par des pirates norvégiens, la ville compte aujourd'hui environ

526 000 habitants. La ville possède de riches musées, quelques constructions anciennes et une université. L'activité industrielle y est importante et diversifiée: distillerie, brasseries, usines de tabac, tissage et industries métallurgiques.

Duceppe (Jean), homme de théâtre canadien, né en 1924 à Montréal. Jean Duceppe a consacré sa vie au théâtre. Dès l'âge de 18 ans, il monte sur les planches et côtoie pendant plus de 45 ans les plus grands comédiens du Québec. Il participe à la création de la plupart des pièces de Marcel Dubé et remporte, à titre de comédien, un succès considérable dans de nombreux téléthéâtres et téléromans, notamment *Les Plouffe* et *Rue des pignons*. Jean Duceppe fonde sa propre troupe, La Compagnie Jean Duceppe, établie au Théâtre Port-Royal de la Place des Arts depuis 1973. Il se distingue, entre autres, dans les rôles titres de trois pièces très importantes: *La mort d'un commis-voyageur*, *Charbonneau et le chef* et *Le gardien*. Enfin, son interprétation remarquable du personnage principal dans *Mon oncle Antoine*, film tourné par Claude Jutra en 1970, lui vaut le prix du meilleur comédien de l'année au Festival du cinéma canadien en octobre 1971.

D. AUCLAIR/PUBLIPHOTO

Jean **Duceppe**

Duchesneau de la Doussinière et d'Ambault (Jacques), administrateur, né en France vers 1650 et mort dans le même pays en 1696. Intendant de la Nouvelle-France de 1675 à 1682, Duchesneau succéda à Jean Talon et s'opposa en plusieurs circonstances au gouverneur Louis de Buade de Frontenac, à propos de préséance et de juridiction. Il appuya Mgr Laval dans sa lutte contre la vente d'alcool aux Amérindiens. Duchesneau et Frontenac furent rappelés en France, leurs querelles nuisant à la colonie.

Dufferin (Frederick Temple Blackwood, 1er marquis **de**), diplomate et administrateur, né en Italie en 1826 et mort en Irlande en 1902. Le marquis de Dufferin occupa le poste de gouverneur général du Canada de 1872 à 1878. La Cour suprême du Canada fut créée durant son mandat. Ce fut le premier gouverneur général à faire de la citadelle de Québec la résidence du représentant royal d'Angleterre. Il contribua ainsi à la sauvegarde des remparts français à Québec. C'est en son honneur qu'on donna son nom à la terrasse Dufferin à Québec.

Dufresne (Diane), chanteuse et comédienne canadienne, née à Montréal en 1944. En 1972, Diane Dufresne connaît un grand succès grâce à la chanson *J'ai rencontré l'homme de ma vie*. En 1973, elle donne un premier spectacle à l'Olympia de Paris, récidive en 1978 et fait sensation. En 1979, elle reçoit le prix «Jeune chanson» de l'Association française des échanges musicaux. Cette même année, elle fait partie de la distribution de l'opéra rock *Starmania*, conçu par Luc Plamondon. Diane Dufresne s'est imposée autant au Québec qu'en Europe par son professionnalisme, la qualité de ses interprétations et de sa présence sur scène, l'extravagance de ses costumes et l'art de communiquer avec son public.

Dumouchel (Albert), graveur et peintre canadien, né à Bellerive, au Québec, en 1916 et mort à Saint-Antoine-sur-Richelieu, au Québec, en 1971. Issu d'une famille passionnée de musique, Dumouchel s'adonne d'abord au violon et au piano, attiré par la carrière de musicien. À 20 ans, il s'oriente plutôt vers la peinture et la gravure. En 1942, Albert Dumouchel est responsable de l'atelier d'art à l'École des arts graphiques de Montréal. En 1955, il obtient une bourse qui lui permet de découvrir l'Europe et participe à des expositions internationales. En 1960, Albert Dumouchel dirige les ateliers des estampes à l'École des beaux-arts de Montréal. Son œuvre suscite l'intérêt et l'admiration du grand public dans de nombreux pays.

Dunant (Henri), philanthrope, né en Suisse en 1828 et mort en 1910. Dunant fonda le mouvement de la Croix-Rouge en organisant l'aide aux blessés de guerre. Son œuvre aboutit à la signature de la première convention de Genève (1864) sur les blessés et les prisonniers de guerre. Il reçut le prix Nobel de la paix en 1901.

Dunlop (John Boyd), ingénieur et vétérinaire écossais, né en 1840 et mort en 1921. Dunlop inventa en 1888 le premier pneumatique pour roue de véhicule.

Dunlop (William), journaliste et homme politique, né en Écosse en 1792 et mort au Québec en 1848. Installé au Canada en 1813 en qualité de médecin militaire, William Dunlop se rend en Inde quelques années plus tard pour diriger un journal. Il revient en 1836, travaille à la défense des droits des colons et entreprend des démarches afin d'attirer des immigrants au Canada. Plusieurs historiens canadiens ont écrit des biographies sur ce personnage original surnommé « le tigre ».

Dunn (Thomas), administrateur et homme de droit, né à Durham, en Angleterre, en 1729, et mort à Québec en 1818. Thomas Dunn a été membre du premier conseil en 1764. Douze ans plus tard, il devient membre du Conseil législatif. Il occupe le poste d'administrateur du Bas-Canada de 1805 à 1807.

Duplessis (Maurice Le Noblet), homme politique canadien, né à Trois-Rivières en 1890 et mort à Schefferville, au Québec, en 1959. Avocat à Trois-Rivières, Duplessis, surnommé « le chef », gagne en 1927 la première de neuf élections provinciales consécutives. Chef du Parti conservateur en 1933 et fondateur de l'Union nationale en 1935, il sera premier ministre du Québec de 1936 à 1939, puis de 1944 à 1959. Maurice Duplessis se fit un grand défenseur de l'autonomie de la province de Québec. Sous sa direction, de grands travaux de construction de routes, d'écoles et d'hôpitaux sont réalisés. Il fera aussi étendre l'électricité aux régions rurales et adopter le drapeau québécois. Duplessis a suscité de multiples controverses. Plusieurs lui ont reproché son attitude antisyndicale, son mépris des libertés civiles et son favoritisme. Des monuments ont été érigés en son honneur à Québec et à Trois-Rivières.

ANC/PA-87257

Maurice **Duplessis**

Dupuy (Claude Thomas), avocat et administrateur, né à Paris en 1678 et mort près de Rennes, en France, en 1738. Issu d'une famille bourgeoise, Dupuy devint avocat au parlement de Paris. Il occupa le poste d'intendant de la Nouvelle-France de 1725 à 1728. Durant son séjour dans la colonie, il accomplit des actions irréfléchies contre les autorités ecclésiastiques, notamment lors des funérailles de Mgr de Saint-Vallier. La France le rappela en 1728. Dupuy disait : « La colonie du Canada n'est bonne qu'en autant qu'elle peut être utile au royaume. »

Duquesne (Michel-Ange de Menneville, marquis **de**), officier de marine et administrateur, né à Toulon, France, vers 1700 et mort à Antony, France, en 1778. Le marquis de Duquesne entre très jeune dans la marine et combat au cours de la guerre de la succession d'Autriche. Gouverneur général de la Nouvelle-France de 1752 à 1755, il a pour mission de protéger la vallée de l'Ohio, où la souveraineté française est menacée par les commerçants britanniques. Il fait construire quelques forts dans cette région.

Durham (John George Lambton, 1er comte **de**), diplomate, administrateur et homme politique britannique, né en Angleterre en 1792 et mort en 1840. Après avoir occupé une fonction militaire et politique en Grande-Bretagne et avoir été ambassadeur britannique en Russie, lord Durham arrive au Canada en 1838 avec le titre de gouverneur général. Il a pour tâche de préparer un rapport sur les rébellions de 1837. Cinq mois plus tard, à la suite d'une mésentente avec le gouvernement britannique, il démissionne et retourne en Angleterre, où il termine son célèbre rapport. L'administrateur y recommande l'union des deux Canadas, l'assimilation des Canadiens français et propose le principe d'un gouvernement responsable, forme de gouvernement qui sera accordée quelque dix ans plus tard. Le rapport Durham a joué un rôle important dans la fondation d'une nation canadienne et a abouti à la Confédération canadienne. Le rapport, et en particulier cette déclaration au sujet des Canadiens français : « Ce peuple est sans histoire ni littérature », a stimulé le nationalisme des Canadiens français pendant longtemps.

Durocher (Eulalie) en religion mère Marie-Rose, fondatrice des sœurs des Saints Noms de Jésus et de Marie, née à Saint-Antoine-sur-Richelieu, au Québec, en 1811, et morte à Longueuil en 1849. Avec l'aide d'un missionnaire des Oblats de Marie-Immaculée, Eulalie Durocher établit pour les jeunes filles la première congrégation canadienne vouée au culte de Marie. En octobre 1843, avec deux compagnes, elle ouvre à Longueuil la première maison de la Congrégation des sœurs des Saints Noms de Jésus et de Marie, destinée à l'éducation chrétienne des jeunes filles. Mère Marie-Rose ne vécut que six ans avec sa communauté.

Aujourd'hui, les sœurs des Saints Noms de Jésus et de Marie œuvrent au Canada, aux États-Unis, en Afrique, au Brésil, au Pérou et en Haïti. Mère Marie-Rose fut déclarée vénérable le 13 juillet 1979 et proclamée bienheureuse le 23 mai 1982 par le pape Jean-Paul II.

Dutoit (Charles), directeur artistique de l'Orchestre symphonique de Montréal (O.S.M.), né à Lausanne, en Suisse, en 1936. Dans sa ville natale, Charles Dutoit étudie le violon, l'alto, le piano et les percussions, puis remporte un prix d'orchestration en 1958 au Conservatoire de Genève. De 1963 à 1977, Dutoit dirige les plus grands orchestres. De passage à Montréal, à l'occasion d'une tournée, il se retrouve à la tête de l'O.S.M., à titre de chef invité. En septembre de la même année, il devient le directeur artistique de l'O.S.M. Depuis plus de 10 ans, Charles Dutoit préside les destinées de l'Orchestre et, grâce à la qualité de ses interprétations, contribue largement à sa renommée sur toutes les scènes du monde.

D. ALIX/PUBLIPHOTO

Charles **Dutoit**

Duvernay (Ludger), journaliste, homme politique et fondateur de la Société Saint-Jean-Baptiste, né à Verchères, au Québec, en 1799 et mort à Montréal en 1852. Ludger Duvernay, imprimeur et éditeur, achète en 1827 le journal *La Minerve*. Il en fait le premier grand journal de langue française de Montréal. En 1834, Duvernay participe à la fondation de la société secrète *Aide-toi, le ciel t'aidera* et en devient le président. Le 24 juin 1834, il fonde la Société Saint-Jean-Baptiste. Ludger Duvernay cherche à éveiller le sentiment nationaliste parmi ses compatriotes et veut les encourager à défendre leur héritage culturel et linguistique. Duvernay est élu député en 1837, mais il ne siégera que quelques jours. Ayant combattu avec les patriotes, il doit se réfugier aux États-Unis en 1838. De retour à Montréal en 1842, il reprend les rênes de *La Minerve*. En 1851, il est élu président de la Société Saint-Jean-Baptiste de Montréal. Ludger Duvernay fut l'une des grandes figures canadiennes du XIXe siècle. Un prix littéraire, le prix Duvernay, décerné par la Société Saint-Jean-Baptiste de Montréal, rappelle son souvenir.

Ludger **Duvernay**

ANC/PA-74130

D'Youville (monts), monts du Canada. Situés au nord du Québec, dans la péninsule d'Ungava, les monts d'Youville sont peu élevés. Leur point culminant ne dépasse pas 371 m.

Eastmain (rivière), rivière du Canada, au Québec. D'une longueur de 760 km, la rivière Eastmain prend naissance dans la région du Nord-du-Québec, coule dans une région où les chutes de neige sont abondantes, traverse une pente abrupte et entre dans l'étroite plaine côtière de la baie James. Sur ses 65 derniers kilomètres, une dénivellation de 125 m, ponctuée de rapides et de chutes, a favorisé l'aménagement hydroélectrique de la Baie-James.

Eau Claire (lac à l'), lac du Canada situé au Québec. D'une superficie de 1 383 km², ce lac est situé dans le nord-ouest du Québec. Il a probablement été créé par la chute d'un météorite.

Écosse, partie nord de la Grande-Bretagne. D'une superficie de 78 772 km², l'Écosse est bornée par l'Atlantique, la mer du Nord, l'Angleterre, le canal du Nord et la mer des Hébrides. Sa capitale est Édimbourg et sa principale ville est Glasgow. Le territoire écossais est constitué de hautes-terres trouées de lacs intérieurs (appelés lochs), de basses-terres, de montagnes (monts Cheviot) et de nombreux fjords et baies. La Sprey, la Clyde, le Tay et le loch Ness figurent parmi les cours d'eau et les lacs importants de l'Écosse. Le climat, océanique et pluvieux, est adouci par la présence du Gulf Stream. La population est de 5,3 millions d'habitants (Écossais et Écossaises). La langue officielle est l'anglais et la principale religion est le protestantisme. La monnaie utilisée est la livre sterling. Les *Lowlands* constituent une zone fertile propice à la culture de l'orge, du blé et des pommes de terre. La pêche et l'élevage se pratiquent surtout dans les *Highlands*. Le tourisme constitue également une ressource économique importante.

Édimbourg [*Edinburgh*], capitale de l'Écosse. Fondée au VIIe siècle par le roi Edwin, à qui elle doit son nom, la ville d'Édimbourg se développe autour d'une abbaye fondée en 1128. C'est une ville historique, administrative, intellectuelle et artistique. Elle possède une université fondée en 1582, des musées, des galeries d'art, des monuments, des palais et un aéroport. Sa population s'élève à plus de 463 900 habitants (Édimbourgeois et Édimbourgeoises). Édimbourg possède des industries de construction navale, mécanique et électrique, des brasseries et des distilleries de whisky, ainsi que des manufactures de caoutchouc synthétique.

Edinburgh ☞ **Édimbourg**.

Edison (Thomas), inventeur américain, né à Milan, Ohio, en 1847 et mort à West Orange, New Jersey, en 1931. Thomas Edison est l'auteur de plusieurs inventions importantes, notamment le télégraphe (1864), le phonographe (1877), le microtéléphone (1877), la lampe à incandescence (1878) et l'effet Edison (1883), base du fonctionnement des tubes électroniques.

Edmonton, ville du Canada, capitale de l'Alberta. Située sur la rive nord de la rivière Saskatchewan, la ville d'Edmonton tire son nom d'un fort construit dans cette région par la Compagnie de la baie d'Hudson en 1795. Sa population s'élève à environ 574 000 habitants. Fondée en 1892, cette ville occupe une superficie de 679,5 km². Important centre pétrolier par ses puits et ses raffineries, Edmonton possède également une industrie alimentaire florissante. Grand centre ferroviaire, cette ville occupe une position clé dans le réseau transcontinental de transport de marchandises du Canadien National.

Égypte, État d'Afrique. D'une superficie de 1,1 million de km², ce pays nord-africain est borné par la Méditerranée, la Libye, le Soudan, la mer Rouge et Israël. Sa capitale est Le Caire. Le relief est formé d'une étroite vallée (la vallée du Nil) et d'une immense zone désertique (le désert de Libye). Le Nil, le plus long fleuve du monde, franchit les régions désertiques de l'Égypte et coule dans une vallée étroite et fertile avant de se jeter, au nord du Caire, dans la Méditerranée. Ce fleuve est le nerf de l'économie égyptienne : ses crues abondantes inondent périodiquement les terres et sont redistribuées par d'imposants barrages. Le climat est très chaud et sec dans les déserts, et tempéré sur les bords de la Méditerranée. L'Égypte est l'État le plus peuplé du monde arabe. Sa population est de 51,9 millions d'habitants (Égyptiens et Égyptiennes). La langue officielle est l'arabe et la principale religion est l'islam. La monnaie utilisée est la livre égyptienne. Les principales ressources du pays sont le coton, le blé, les haricots, les lentilles, les oignons, l'élevage des chèvres et des moutons. Le sous-sol contient du pétrole, du gaz naturel et du fer. Le règne des pharaons a marqué la civilisation égyptienne et a contribué à la formation d'une religion, fondée sur la manifestation de nombreuses divinités. Celles-ci jouaient un rôle capital dans l'explication des phénomènes naturels. L'Égypte est célèbre par ses pyramides, une des plus grandes merveilles du monde, par ses temples antiques et par ses énormes statues, dont la plus remarquable est le Sphinx. Le pays est dirigé par un gouvernement élu.

Eiffel (Alexandre Gustave), ingénieur français, né à Dijon en 1832 et mort à Paris en 1923. Cet ingénieur français a fait construire plusieurs ouvrages d'art, dont le plus célèbre, la tour Eiffel, rend hommage à son génie créateur. Entièrement métallique et haute de 300 m, cette tour commémore l'Exposition universelle qui eut lieu à Paris en 1889.

Einstein (Albert), physicien allemand, né à Ulm, Allemagne, en 1879 et mort à Princeton, États-Unis, en 1955. Diplômé de l'Institut polytechnique de Zurich en 1896, Einstein jeta les bases de la théorie de la relativité en 1905; cette théorie constituait la clé de la transformation de la matière en énergie. En 1921, le physicien allemand reçut le prix Nobel de physique. En octobre 1933, il s'installa aux États-Unis et fut naturalisé américain en 1940. Engagé sur le plan social, Einstein mena plusieurs campagnes en faveur de la paix dans le monde et lutta contre l'utilisation militaire de l'énergie nucléaire.

Eire ☞ **Irlande**.

El Djazâir ☞ **Alger**.

Elgin (James Bruce, comte **d'**), administrateur britannique, né à Londres en 1811 et mort en Inde en 1863. Lord Elgin, gendre de lord Durham, fut gouverneur général du Canada de 1846 à 1854. Il se montra favorable aux demandes des Canadiens français et permit la formation d'un premier gouvernement responsable. Il quitta le Canada en 1854, fut chargé d'une mission en Chine (1857-1861) et nommé vice-roi de l'empire des Indes en 1862.

Élisabeth II, reine du Royaume-Uni de Grande-Bretagne et d'Irlande du Nord et chef du Commonwealth, née à Londres en 1926. Élisabeth II accède au trône le 6 février 1952 et devient chef du Commonwealth. Symbole de la monarchie, la reine exerce peu d'influence sur la vie politique, le pouvoir étant détenu par le premier ministre.

Émirats arabes unis, État de la péninsule d'Arabie, regroupant sept émirats. D'une superficie de 83 600 km², les Émirats arabes unis sont situés en Asie, près du golfe Persique, et ils sont délimités par l'Arabie saoudite, l'Oman et le golfe arabo-persique. La capitale est Aboû Dabî. Le pays est constitué de plaines désertiques et de montagnes (monts Hajar). Le climat est chaud et humide; l'hiver y est doux avec de rares précipitations. La population est de 1,5 million d'habitants (Arabes). La langue officielle est l'arabe et la principale religion est l'islam. La monnaie utilisée est le dirham. En plus du pétrole, dont les Émirats arabes unis sont un important producteur, les principales richesses sont le gaz naturel, les produits de la mer et les fruits. On y pratique aussi l'élevage des moutons, des chameaux et des chèvres.

Épaule (lac à l'), lac du Canada. Le lac à l'Épaule est situé au Québec, à l'entrée de la réserve faunique des Laurentides. Le Conseil des ministres du Québec tient parfois des réunions importantes à cet endroit. L'expression *tenir un lac à l'épaule* signifie, pour le gouvernement, « convoquer et tenir une réunion très importante dans un lieu retiré ».

Épiphanie, fête catholique. L'Épiphanie rappelle la visite des Rois mages venus adorer Jésus; cette fête est aussi appelée jour ou fête des Rois. On célèbre l'Épiphanie le 6 janvier en mangeant la galette des Rois, dans laquelle sont dissimulés deux fèves ou pois qui détermineront le roi et la reine de la fête.

Équateur, république d'Amérique du Sud. D'une superficie de 270 670 km², ce pays est situé entre la Colombie et le Pérou sur le Pacifique. Sa capitale est Quito. Le relief est constitué de plateaux dominés par des volcans (les Andes), d'une plaine côtière large et humide et d'une forêt dense traversée par plusieurs rivières. Le climat est chaud et humide sur la côte et doux sur les plateaux. La population de l'Équateur est de 10,2 millions d'habitants (Équatoriens et Équatoriennes). La langue officielle est l'espagnol et la principale religion est le catholicisme. La monnaie utilisée est le sucre. L'Équateur est le premier producteur mondial de bananes. Il est aussi un grand producteur de cacao, de café et de sucre, mais sa principale exportation est le pétrole. Ses principales cultures vivrières sont le riz et le maïs. Le pays est dirigé par un gouvernement élu.

Érié (lac), lac des États-Unis et du Canada. Le lac Érié est l'un des cinq Grands Lacs qui se déversent dans le fleuve Saint-Laurent. Situé entre les lacs Huron et Ontario, le lac Érié, d'une superficie de 25 667 km^2, arrose la province d'Ontario, une partie de l'État de New York, de la Pennsylvanie, de l'Ohio et du Michigan. Le lac Érié fut partiellement exploré en 1640 par le père Brébeuf.

Érik le Rouge, explorateur norvégien, né en Norvège vers 940 et mort vers 1010. Eirikr Thorvaldsso, dit Érik le Rouge, explora pendant trois ans la côte du Groenland et, en 985, fonda deux colonies. Son fils fut probablement le premier Européen à mettre le pied sur le sol de l'Amérique du Nord.

Esclaves (Grand lac des), lac du Canada. Ce lac du Canada est situé dans les Territoires du Nord-Ouest, près de la frontière de l'Alberta. D'une superficie de 28 570 km^2, il est le cinquième en importance en Amérique du Nord et le douzième au monde. Le Grand lac des Esclaves est un immense réservoir pour de nombreux cours d'eau et rivières qui débordent du haut du bouclier. Il a été ainsi nommé par un explorateur anglais qui lui a donné le nom des Indiens Slavery. Il a été traversé pour la première fois à l'hiver de 1771.

Espagne, État d'Europe. D'une superficie de 504 750 km^2, ce pays forme, avec le Portugal, une péninsule bordée par l'océan Atlantique, le détroit de Gibraltar, la Méditerranée, les Pyrénées et le golfe de Gascogne. Madrid est sa capitale. Le territoire espagnol comprend un immense plateau, des chaînes de montagnes (notamment les Pyrénées) et des îles (Baléares et Canaries). Les principaux cours d'eau sont l'Ebre et le Dauro. L'Espagne jouit de trois types de climats: méditerranéen, atlantique et continental. La population compte 39 millions d'habitants (Espagnols et Espagnoles). La langue officielle nationale est l'espagnol et les langues officielles régionales sont le basque, le catalan, le galicien et le valencien. La religion principale est le catholicisme. La monnaie utilisée est le peseta. Les Espagnols cultivent des céréales, des fruits, des légumes, des amandes et des olives. Ils pêchent le poisson et exploitent le coton, le liège, le charbon, le plomb et le mercure. Ils sont également renommés pour la qualité de leurs vins et de leurs chaussures. Le pays est dirigé par un roi et un gouvernement élu.

Esprit saint, personne de la Sainte-Trinité. L'Esprit saint, ou Saint-Esprit, est souvent représenté sous la forme de symboles: l'eau, le vent, le feu et le souffle de vie. L'Esprit saint est un don que Dieu fait aux croyants pour les aider à vivre et à grandir dans leur foi chrétienne.

Estrie (autrefois Cantons-de-l'Est), région administrative du Québec. L'Estrie est limitée par les régions de la Montérégie, de Mauricie – Bois-Francs et de Chaudière-Appalaches, et par les États-Unis. Les principales villes de cette région sont Windsor, Asbestos (amiante), Magog (station touristique), Coaticook (festival du lait) et Lac-Mégantic (observatoire astronomique). Les mines (amiante, cuivre, granit), la forêt et les érablières, les pâtes et papiers, les textiles, les produits laitiers, l'élevage et le tourisme d'été et d'hiver (centres de ski, centres équestres et golf) figurent parmi les principales industries de l'Estrie.

États-Unis d'Amérique, république fédérale d'Amérique du Nord. D'une superficie de 9,4 millions de km^2, les États-Unis comptent 50 États, soit 48 États situés entre le Canada et le Mexique, plus 2 États extérieurs, l'Alaska et Hawaï. Le district fédéral de Columbia, Porto Rico, la zone du canal de Panama et diverses îles du Pacifique appartiennent également aux États-Unis. Ce pays est bordé par le Canada, le Mexique, le golfe du Mexique, l'océan Atlantique et l'océan Pacifique. Sa capitale est Washington. New York, Chicago, Los Angeles, Philadelphie, Houston, Detroit et Dallas comptent parmi les principales villes de ce pays. Les États-Unis se divisent en trois zones principales: les plaines côtières, le Centre et l'Ouest. Les plaines côtières de l'Atlantique s'étendent de New York à la Floride. Les hivers y sont froids et brumeux, surtout au nord, et les étés, chauds et orageux. Le climat est généralement chaud et humide dans la plaine de la Floride. Les terres forment une zone propice à la culture du tabac, du coton et de l'arachide. Les montagnes (les Appalaches et les Adirondacks) occupent la majeure partie de cette zone. Les fleuves Hudson, Delaware et Potomac se jettent dans l'Atlantique en traversant les plaines côtières. Le centre du pays, situé entre les Appalaches et les Rocheuses, comprend principalement la région des Grands Lacs et les plaines du Mississippi et du Missouri, lesquelles se prolongent vers la côte du golfe du Mexique, basse et marécageuse. Toute cette région, appelée le Midwest, drainée par le fleuve Mississippi, se prête bien à la culture du maïs et du blé. Le Centre-Est possède un climat continental humide, froid en hiver et frais en été. Le nord des plaines centrales est soumis à un climat tempéré et humide; les hivers y sont froids et les étés, chauds et humides. L'Ouest est dominé par un vaste ensemble montagneux, les Rocheuses. La chaîne des Cascades et la Sierra Nevada, à l'ouest, les Rocheuses, à l'est, encadrent une série de hauts plateaux (Grand Bassin, Colorado) marqués par de profonds fossés (Vallée de la Mort, Grand Canyon du Colorado). Sur la côte du golfe du Mexique, le climat est subtropical, tandis que la côte du Pacifique connaît un climat océanique au nord et méditerranéen au sud, en Californie. Les fleuves Mississippi, Columbia, Colorado et Hudson, et les rivières Missouri et Ohio sont les principaux cours d'eau de ce vaste pays. La population des États-Unis est de 246,3 millions d'habitants (Américains et Américaines). La langue officielle est l'anglais et les principales religions sont le catholicisme et le protestantisme. La monnaie utilisée est le dollar américain. L'économie américaine repose principalement sur l'agriculture (blé, maïs, canne à sucre) et l'exploitation de nombreuses ressources minérales et énergétiques (charbon, hydrocarbures, minéraux, énergie hydroélectrique, etc.). La production industrielle est très diversifiée: produits alimentaires, vêtements, métaux, produits pétroliers et matériel de transport. Les États-Unis forment la plus grande puissance économique du monde. Ancienne colonie anglaise, les États-Unis ont proclamé leur indépendance en 1776. Le pays est aujourd'hui dirigé par un gouvernement élu.

Etchemin (lac), lac du Canada. Situé au Québec dans la région Chaudière-Appalaches, sur la rive sud du fleuve Saint-Laurent, le lac Etchemin est une destination touristique bien connue.

Etchemin (rivière), rivière du Canada, au Québec. Cette rivière prend sa source dans le lac Etchemin et traverse la région Chaudière-Appalaches, pour se jeter dans le fleuve Saint-Laurent.

Éthiopie, État d'Afrique. D'une superficie de 1 221 900 km², l'Éthiopie est bornée par la mer Rouge, le Soudan, le Djibouti, la Somalie et le Kenya. Sa capitale est Addis-Abéba. Son territoire est formé principalement de hauts plateaux (les plateaux éthiopien et somalien). Les principaux fleuves sont l'Abbaï, l'Ouabi Chebeli et le Djouba. Le plus grand lac est le lac Tana. Le climat est tempéré dans les plateaux et plus chaud dans le reste du pays. La population de l'Éthiopie compte 47,8 millions d'habitants (Éthiopiens et Éthiopiennes). La langue officielle est l'amharique, mais on parle aussi le somali et l'italien. Les principales religions sont la religion chrétienne orthodoxe (copte), le judaïsme et l'islam. La monnaie utilisée est le birr. L'Éthiopie a connu ces dernières années une famine qui a fait un grand nombre de victimes. Le maïs, le tabac, le coton, les fruits et les légumes, le café et l'élevage du bovin sont les principales ressources de ce pays. Anciennement dirigé par un empereur, le pays est actuellement gouverné par un chef militaire.

Etna, volcan d'Europe. L'Etna est un volcan actif situé au nord-est de la Sicile, grande île italienne de la Méditerranée. Ce volcan se dresse à une altitude de 3 345 m. C'est le plus haut volcan actif de l'Europe. Sa dernière éruption importante remonte à 1979.

Euclide, mathématicien et géomètre grec de l'Antiquité, né vers 323 avant Jésus-Christ et mort en 283. Il est l'auteur des *Éléments*, ouvrage qui traite à la fois de géométrie et d'arithmétique, et qui se distingue par la clarté et l'exactitude de ses démonstrations.

Europe, un des six continents. D'une superficie de 10,5 millions de km², l'Europe est limitée par l'océan Atlantique, l'océan Arctique, la Méditerranée, la mer Noire, la mer Caspienne, l'Oural et le Caucase. Le continent comprend 33 États et se divise en 2 unités distinctes: l'Europe de l'Ouest, libérale, et l'Europe de l'Est, socialiste, à l'intérieur desquelles coexistent des États fortement industrialisés (Allemagne fédérale, Belgique, France, Grande-Bretagne, Tchécoslovaquie, U.R.S.S.) et des États demeurés ruraux (Albanie, Bulgarie, Grèce, Portugal, Yougoslavie). Le territoire est constitué de plaines, de plateaux et de montagnes (les Pyrénées, les Alpes, les Apennins, les Carpates, le Caucase et l'Oural). Le Tage, la Garonne, la Seine, le Danube, le Rhin, le Dniepr et la Volga figurent au nombre des cours d'eau importants. Les climats polaire, tempéré et méditerranéen se succèdent du nord au sud. La langue, la religion et la monnaie des quelque 695 millions d'Européens et d'Européennes diffèrent selon les pays et les régions. L'économie des pays de l'Ouest repose sur l'industrialisation. L'Europe de l'Est présente un relief de plaine propice aux cultures céréalières et aux cultures commerciales (vigne, agrumes, olives, coton et tabac). Le fer, l'acier, les produits chimiques, les vêtements, les automobiles, les produits ménagers et alimentaires contribuent de façon importante à la croissance des pays de l'Est.

Évangile, partie de l'Écriture sainte, ensemble des quatre livres de la Bible (Nouveau Testament) où sont rapportés la vie et l'enseignement de Jésus. Les trois premiers évangiles, ceux de Matthieu, de Marc et de Luc,

Reykjavik
ISLANDE
EUROPE
0
500
1 000
km
OCÉAN
ATLANTIQUE
IRLANDE
Dublin
ROYAUME-UNI
London
Mer
du Nord
NORVÈGE
Oslo
SUÈDE
Stockholm
FINLANDE
Helsinki
Mer
Baltique
DANEMARK
København
PAYS-BAS
Amsterdam
Bruxelles
BELGIQUE
R.F.A.
Bonn
Berlin
R.D.A.
POLOGNE
Warszawa
Moskva
UNION DES RÉPUBLIQUES
SOCIALISTES SOVIÉTIQUES
Paris
Luxembourg
LUXEMBOURG
Praha
TCHÉCOSLOVAQUIE
Wien
Golfe de
Gascogne
FRANCE
Bern
AUTRICHE
SUISSE
Budapest
HONGRIE
ROUMANIE
Mer
d'Azov
Mer Caspienne
ITALIE
PORTUGAL
ESPAGNE
ANDORRE
Lisboa
Madrid
Beograd
București
YOUGOSLAVIE
Mer Adriatique
Mer Noire
Sofija
BULGARIE
Roma
Tirana
ALBANIE
Mer
Tyrrhénienne
Mer Méditerranée
Mer Égée
GRÈCE
Athína

ont été écrits entre les années 70 et 80. Le quatrième, celui de Jean, a été écrit vers l'an 100.

Ève, personnage biblique. Première femme et mère du genre humain selon la Bible, Ève fut créée par Dieu, d'une côte d'Adam. Séduite par le démon déguisé sous les traits d'un serpent, elle cueillit le fruit de l'arbre de la science du bien et du mal, fut chassée du paradis et condamnée à enfanter dans la douleur. Elle mit au monde Caïn, Abel et Seth.

Everest (mont), montagne la plus élevée du monde. Situé dans le massif de l'Himālaya, à la frontière du Népal et du Tibet, le mont Everest s'élève à 8 848 m d'altitude. Un Néo-Zélandais, accompagné d'un sherpa (guide des montagnes népalaises), fut la première personne à atteindre le sommet, en 1953.

Extrême-Orient, ensemble des pays de l'Asie orientale. D'une superficie de 11,7 millions de km^2, l'Extrême-Orient comprend: l'Insulinde (Indonésie et Philippines), l'Indochine (Birmanie, Laos, Thaïlande, Cambodge, Viêt Nam et Malaisie) et la partie est de l'U.R.S.S., les deux Corées, le Japon, la Chine, la Mongolie, Taiwan, Hong-Kong et Macao. Le relief montagneux est impressionnant (le Pamir, l'Himālaya avec l'Everest, le Kunlun ou Kouen-Louen). Plusieurs fleuves importants, dont le Yang-Tsê-Kiang et le Huang-Huo, parcourent ce territoire peuplé de péninsules, de baies, d'îles et d'archipels. Du nord au sud se côtoient les climats polaire, subarctique, tempéré, tropical et équatorial. Avec sa population de plus de 1,7 milliard d'habitants (sans compter la population de la partie est de l'U.R.S.S.), l'Extrême-Orient forme une des parties les plus peuplées du globe. Plaines et vallées procurent quantité de riz, tandis que les régions septentrionales produisent du blé et d'autres céréales.

Fahrenheit (Daniel Gabriel), physicien allemand, né à Dantzig, Allemagne, en 1686 et mort à la Haye, Pays-Bas, en 1736. Fahrenheit se consacra dès son jeune âge à la fabrication d'appareils de physique. Il apprit à souffler le verre et construisit surtout des aréomètres et des thermomètres à alcool. En 1715, le physicien allemand remplaça l'alcool par du mercure et donna ainsi au thermomètre sa forme définitive. Il imagina pour son thermomètre une échelle de température appelée échelle Fahrenheit. Dans cette graduation, l'eau gèle à 32 °F et bout à 212 °F. L'échelle Fahrenheit ne fait pas partie du Système international d'unités, qui a adopté l'échelle Celsius.

Farnham, ville du Canada. Située au Québec, sur la rive sud du Saint-Laurent, cette ville agricole et industrielle est traversée par la rivière Yamaska. Les premières tentatives de colonisation remontent à 1800. En 1817, deux moulins, l'un à scie et l'autre à farine, y furent construits. La paroisse ne fut cependant érigée qu'en 1851. Sa population actuelle s'élève à environ 6 100 Farnhamiens et Farnhamiennes. L'économie de la région repose sur la production des textiles et du linoléum, et la vente de produits agricoles. Près de Farnham, un important camp militaire a été aménagé pour l'entraînement des soldats de réserve.

Fermont, ville du Canada. Située au Québec, au sud du Labrador, dans la région de la Côte-Nord, cette ville fut érigée en 1974. Fermont est une ville de mineurs; construite pour le Nord, elle est protégée par un mur destiné à couper les vents violents du Labrador. Elle donne l'exemple d'une bonne planification urbaine. Sa population s'élève à environ 3 600 Fermontois et Fermontoises.

Ferron (Marcelle), artiste peintre, née à Louiseville, au Québec, en 1924. À 17 ans, Marcelle Ferron veut devenir architecte, mais elle opte pour l'École des beaux-arts à Québec. Son désir de liberté l'incite à s'affranchir de l'art conventionnel. Elle subit l'influence de Borduas et entre dans le groupe des automatistes. Exilée à Paris avec ses trois enfants (de 1953 à 1966), elle vit de son art. Très curieuse et d'une vitalité surprenante, Marcelle Ferron demeure l'une des figures dominantes des arts visuels au Québec (peinture, verrière, dessin). Elle a reçu le prix Paul-Émile-Borduas en 1983.

Marcelle **Ferron**

LA PRESSE

Feuilles (lac aux), lac du Canada. Situé au Québec, dans la région du Nord-du-Québec, au sud-ouest de la baie d'Ungava, ce lac à marées a une superficie de 453 km^2.

Feuilles (rivière aux), rivière du Canada. Située dans la région du Nord-du-Québec, cette rivière prend sa source dans le lac Minto, coule vers Tasiujaq sur 480 km de longueur et se jette dans la baie d'Ungava.

Filles du roi, jeunes femmes destinées à la colonisation de la Nouvelle-France. De 1663 à 1673, environ 1 000 Françaises, orphelines, mendiantes ou bourgeoises possédant des extraits de baptême et des certificats de bonne conduite décernés par Louis XIV, et bénéficiant de sa protection, débarquèrent en Nouvelle-France. Elles furent reçues à Québec par Anne Gasnier-Bourdon et logées dans un bâtiment que l'intendant Talon avait fait construire. À Ville-Marie, Marguerite Bourgeoys et ses compagnes les accueillirent à l'Ouvroir, établissement situé dans Pointe-Saint-Charles. Munies d'un trousseau, elles y apprirent la vie de future épouse de colon.

Fils de la liberté, nom donné aux membres d'une ancienne association fondée à Montréal par de jeunes patriotes. En 1837, les Fils de la liberté réclamaient le respect des droits des Canadiens français. Leur association comprenait deux sections: une section civile et une autre à caractère militaire. Les Fils de la liberté s'opposèrent aux membres du *Doric Club*, association loyaliste.

Finlande, pays d'Europe. D'une superficie de 338 142 km², la Finlande est bornée par le golfe de Finlande, le golfe de Botnie, la Suède, la Norvège et l'U.R.S.S. Sa capitale est Helsinki. La Finlande se présente comme un vaste plateau bordé par des côtes déchiquetées en de nombreuses îles. Le territoire est parsemé de quelque 60 000 lacs et traversé de fleuves courts et entrecoupés de chutes. Le climat est continental dans la partie sud et plus froid au nord; les jours sont longs en été et courts en hiver. La forêt (conifères, bouleaux, chênes, ormes, érables) couvre presque les deux tiers du pays. La population de la Finlande est de 5 millions d'habitants (Finlandais et Finlandaises). On y parle surtout le finnois et le suédois, et la principale religion est le luthéranisme. La monnaie utilisée est le mark finlandais. Dans la région de la Laponie, les Lapons et les Lapones vivent de l'élevage des rennes. Les Finlandais cultivent les pommes de terre et l'orge, font l'élevage du bovin, vivent des produits de la pêche et construisent des navires. Les grandes forêts sont exploitées pour le bois et les pâtes et papiers. Le pays est dirigé par un gouvernement élu.

Fitzbach-Roy (Marie-Josephte), en religion, **sœur Marie du Sacré-Cœur**, bienfaitrice québécoise, née à Saint-Vallier en 1806 et morte à Québec en 1885. En 1850, Mgr Turgeon, évêque de Québec, fonde l'Asile du Bon-Pasteur et en confie la direction à Marie Fitzbach-Roy, alors veuve. Avec la communauté laïque des sœurs servantes du Cœur Immaculé de Marie, elle s'occupe de ce refuge pour ex-prisonnières, dont le but est de venir en aide aux filles repentantes. Elle entre ensuite en religion et fonde, en 1856, la communauté des sœurs du Bon-Pasteur de Québec.

Fleming (sir Alexander), médecin et bactériologiste anglais, né à Darvel en 1881 et mort à Londres en 1955. Alexander Fleming a découvert la pénicilline en 1928, mais ce n'est que vers 1940 que celle-ci fut utilisée comme antibiotique. Il a reçu le prix Nobel de médecine en 1945.

sir Alexander **Fleming**

Fleurimont, ville du Canada. Érigée en 1937, cette ville de l'Estrie est située au Québec, en banlieue de Sherbrooke. Sa population s'élève à environ 12 500 Fleurimontois et Fleurimontoises.

Florence, ville d'Italie. Capitale régionale de la Toscane, Florence compte 448 000 Florentins et Florentines. Dès le XIIIe siècle, Florence était une des villes les plus dynamiques de l'Italie. La ville est aujourd'hui célèbre par son école de peinture et de sculpture. Les très nombreux monuments du Moyen Âge et de la Renaissance (églises, palais et musées) en font un centre touristique réputé.

Floride, État des États-Unis d'Amérique. D'une superficie de 151 940 km², la péninsule de la Floride, située au sud du pays, est bornée par le golfe du Mexique, l'Atlantique, le détroit de Floride et la Géorgie. Sa capitale est Tallahassee. Le territoire de la Floride est constitué d'une plaine, d'une région marécageuse (Everglades) et de nombreux lacs, le plus important étant le lac Okeechobee. Le climat subtropical est ensoleillé et doux. La population est de 12 millions d'habitants. La langue officielle est l'anglais, mais on parle aussi l'espagnol. Les principales religions sont le protestantisme et le catholicisme. La monnaie utilisée est le dollar américain. L'économie de la région repose sur la pêche et la culture des agrumes et des légumes. Les installations de Cap Canaveral ont contribué à l'établissement et au développement d'industries électroniques. Le tourisme demeure également une industrie très prospère. Fort Lauderdale, Miami, Tampa, Cap Canaveral et les Everglades attirent un grand nombre de touristes.

Flynn (Edmund James), homme de loi, né à Gaspé en 1847 et mort à Québec en 1927. Flynn fut premier ministre du Québec en 1896-1897. D'allégeance conservatrice, son gouvernement fit adopter une loi interdisant la saisie de bestiaux des colons.

Ford (Henry), industriel américain, né à Wayne County, Michigan, en 1863 et mort à Dearborn, Michigan, en 1947. Ce pionnier de l'industrie automobile américaine fonda l'une des plus puissantes entreprises du monde. En 1913, aux États-Unis, Henry Ford inaugura les chaînes de montage et mit au point la standardisation des pièces principales, ce qui permit de produire rapidement des automobiles peu coûteuses. Entre 1908 et 1927, le «Model T» fut vendu à 15 millions d'exemplaires.

Forestville, ville du Canada. Cette ville est située au Québec, dans la région de la Côte-Nord. Sa population actuelle s'élève à 4 200 Forestvillois et Forestvilloises. La fondation du premier village remonte à 1844, alors qu'Edward Slevin y ouvrit une scierie et des chantiers. Le nom de la ville rappelle Grand William Forest, qui y a longtemps géré les intérêts de la compagnie Price. Forestville utilise un procédé unique au monde pour le chargement du bois: les billots sont poussés sur un convoyeur par l'action de jets d'eau lancés par des pompes.

Forges du Saint-Maurice, première industrie sidérurgique en Nouvelle-France. Située à Trois-Rivières, cette fonderie, fondée en 1730, fonctionna durant 150 ans. À la fine pointe de la technologie, les Forges du Saint-Maurice employaient plus de 100 artisans spécialisés et 400 ouvriers. On y produisait des articles en fer forgé, des clous pour ferrer les chevaux, des socs de charrue, des outils, des ancres de navire, des haches, des marmites, des casseroles et des poêles. Depuis 1973, les Forges sont devenues un parc national historique qui fait l'objet de fouilles archéologiques.

Forillon (parc national de), parc situé au Québec, à l'extrémité nord-est de la péninsule gaspésienne. D'une superficie de 240 km², il occupe la plus grande partie de la petite presqu'île de Forillon. Le parc Forillon est aménagé depuis 1971. On peut y admirer plusieurs centaines d'oiseaux de mer et y observer les mouvements des baleines et des phoques. Le nom du parc vient de *pharillon* (petit phare), nom donné du temps de Champlain. Lieu de prédilection pour les touristes et les amateurs de camping, Forillon essaie de promouvoir le thème de l'harmonie de l'être humain avec la nature.

Formose ☞ **Taiwan**.

Forrester (Maureen), cantatrice canadienne, née à Montréal en 1930. Maureen Forrester a étudié le piano et a fait partie de chorales d'églises. Elle s'est produite avec l'Orchestre symphonique de Montréal à la radio et à la télévision et a fait des tournées avec les Jeunesses musicales au Québec et en Ontario. Très en demande, la cantatrice s'est produite avec de grands orchestres et a donné des concerts sur toutes les scènes du monde. En 1983, Maureen Forrester a été nommée présidente du Conseil des Arts. Récipiendaire de l'Ordre du Canada en 1967 et lauréate du prix Molson en 1971, Maureen Forrester a également obtenu de nombreuses autres distinctions nationales et internationales.

Maureen **Forrester**

H.H. KHATCHERIAN/PPI

Fort-Chimo ☞ **Kuujjuaq**.

Fortin (Marc-Aurèle), peintre et graveur, né à Sainte-Rose, au Québec, en 1888 et mort en 1970. Marc-Aurèle Fortin étudie d'abord la peinture à Montréal. À partir de la trentaine, il commence à peindre des paysages québécois: les grands ormes, les maisons rustiques, les villages, le port de Montréal et le quartier Hochelaga. En 1933, il va vivre un an en France grâce à l'héritage de son père. Au retour, il met au point sa «manière noire». Le milieu des arts commence à le reconnaître au début des années 40. Marc-Aurèle Fortin s'établit ensuite dans Charlevoix, puis en Gaspésie et au Saguenay pour peindre ses tableaux. Atteint de diabète, il se fait amputer les deux jambes. Il cesse de peindre vers 1963 et meurt aveugle en 1970. Marc-Aurèle Fortin acquiert la notoriété après sa mort vers 1976. Un ouvrage sur sa vie et son œuvre est publié en 1983 et, la même année, un musée est inauguré à sa mémoire dans le Vieux-Montréal. (*Voir la photo à la page suivante.*)

Fort-Rupert ☞ **Waskaganish**.

Foulon (anse au), anse du Québec. Petite baie du Saint-Laurent, l'anse au Foulon est située aux pieds des plaines d'Abraham, à Québec. Dans la nuit du 13 septembre 1759, l'armée anglaise du général James Wolfe y débarqua. Au début du XVIIIe siècle, un moulin construit à cet endroit pour la pré-

Marc-Aurèle **Fortin**

paration des étoffes de laine (le foulage) serait à l'origine du nom donné à cette anse.

Fox (Terry), athlète canadien, né à Winnipeg, au Manitoba, en 1958 et mort en 1981. Au cours de ses études secondaires, Terry Fox est sélectionné, malgré sa petite taille, dans l'équipe de basket-ball de son école. À la fin de ses études secondaires, il est nommé, avec son ami Doug Alward, le meilleur athlète de l'année. Passionné de sport, Terry choisit d'étudier en kinésithérapie à l'Université Simon Fraser de Colombie-Britannique. Au début de 1977, l'athlète manitobain, souffrant d'une douleur persistante au genou droit, consulte un spécialiste. Il apprend qu'il est atteint d'un cancer des os qui nécessite l'amputation de sa jambe droite. En avril 1980, Terry entreprend le «Marathon de l'espoir» et traverse à pied le Canada d'est en ouest dans le but d'amasser des fonds pour lutter contre le cancer. Il commence sa course le 12 avril 1980 à Saint-Jean de Terre-Neuve, mais doit l'interrompre le 1er septembre à Thunder Bay, en Ontario, car le cancer atteint ses poumons. Admiré pour son courage, il émeut tout le pays et recueille près de deux millions de dollars. Terry Fox meurt dans un établissement hospitalier le 28 juin 1981. Après son décès, les Canadiens, touchés par sa force de caractère, donnent 23 millions de dollars à la fondation Terry-Fox. Terry Fox fut le plus jeune Canadien à être décoré de l'Ordre du Canada, la plus haute distinction du pays. Un timbre fut également émis à son effigie. Chaque année, de nombreux Canadiens continuent le Marathon de l'espoir de Terry Fox afin de recueillir des fonds pour la recherche sur le cancer.

France, État d'Europe. D'une superficie de 547 000 km^2, la France est bornée par la mer du Nord, la Manche, le golfe de Gascogne, qui s'ouvre sur l'Atlantique, les Pyrénées, la Méditerranée, la Belgique, le Luxembourg, l'Allemagne, la Suisse et l'Italie. La France possède de nombreuses îles: la Corse en Méditerranée, Saint-Pierre et Miquelon près de Terre-Neuve, au Canada, la Martinique et la Guadeloupe dans la mer des Caraïbes, et la Réunion dans l'océan Indien. Sa capitale est Paris. Le relief de la France est formé de côtes, de bassins, de montagnes érodées (Massif central, Vosges, Massif armoricain) et de montagnes plus récentes (Alpes, Jura et Pyrénées). Les cours d'eau importants sont le Rhône, la Seine, la Loire et la Garonne. La France connaît les climats méditerranéen, continental et maritime, et le climat de montagne. La population est de 56 millions d'habitants (Français et Françaises). La langue officielle est le français mais il y existe aussi des langues régionales, notamment le breton, le catalan, l'occitan, le basque, l'alsacien et le flamand. La principale religion est le catholicisme. La monnaie utilisée est le franc français. Les Français cultivent le blé, le maïs, l'avoine et la vigne. Ils pratiquent l'élevage du bœuf, du mouton et du porc. Ils exploitent les mines de fer, de charbon et d'uranium. La France est une grande puissance économique grâce à ses sidérurgies, à ses industries d'aluminium, à ses usines d'automobiles, d'avions et de textiles ainsi qu'à ses usines nucléaires. L'industrie touristique occupe une place importante dans l'économie française. Le pays est dirigé par un gouvernement élu.

Terry **Fox**

PPI

Francfort, ville d'Allemagne de l'Ouest. La ville de Francfort, située sur la rivière Main, compte 629 000 habitants. C'est un centre industriel et financier important. On peut y visiter des maisons gothiques restaurées et de nombreux et importants musées. Chaque année Francfort est le siège de l'Exposition internationale du livre.

François Ier, roi de France, né à Cognac en 1494 et mort à Rambouillet en 1547. François Ier accède au trône de France en 1515. Il veut alors que son pays se bâtisse un empire colonial et profite des richesses du Nouveau

Monde. En 1524, Verrazano fait un voyage d'exploration pour la France. Dix ans plus tard, François Ier finance les voyages de Jacques Cartier. Celui-ci prendra possession du Canada au nom du roi de France.

François d'Assise (saint), né François **Bernardone**, fondateur de l'ordre des Franciscains, né à Assise, Italie, en 1182 et mort en 1226. Fils d'un riche marchand, François, après une jeunesse oisive, se convertit au Christ, quitte sa famille et se fait ermite puis prédicateur. Sa pauvreté évangélique lui vaut le surnom de *il Poverello* («le petit pauvre») et lui attire de nombreux disciples, avec lesquels il fonde un ordre, les Franciscains, voué à la pauvreté et à la prédication de l'Évangile. On dit de saint François qu'il était l'ami des animaux et qu'il savait leur parler. On célèbre sa fête le 4 octobre.

Franklin (Benjamin), philosophe, homme politique et physicien américain, né à Boston, Massachusetts, en 1706 et mort à Philadelphie, Pennsylvanie, en 1790. Autodidacte et écrivain, Benjamin Franklin a publié des articles de journaux, un almanach, des ouvrages sur les sciences, des pamphlets et ses Mémoires. Il s'est fait également le promoteur de l'indépendance américaine et a incité le Canada à participer à la révolution des États-Unis. Député au premier Congrès (1774), il obtint l'aide de l'armée française en 1780. Il corrigea la Déclaration d'indépendance rédigée par Jefferson et rédigea lui-même la Constitution fédérale en 1787. Ses *Écrits sur l'électricité et la météorologie* traitent du rôle des isolants. Inventeur du paratonnerre (1752), Franklin a aussi découvert les caractéristiques électriques de la foudre.

ANQM/P-97

Benjamin **Franklin**

Frappier (Armand), médecin et microbiologiste, né à Salaberry-de-Valleyfield, au Québec, en 1904. Après des études à l'Université de Montréal, aux États-Unis et à l'institut Pasteur de Paris, Armand Frappier devient bientôt un pionnier du domaine de la microbiologie au Québec. En 1927, il met sur pied les laboratoires de l'hôpital Saint-Luc. Il étudie le mécanisme de l'infection et celui de la résistance et contribue, par des programmes de vaccination, à faire connaître et à promouvoir le vaccin contre la tuberculose. En 1938, il fonde l'Institut de microbiologie et d'hygiène de Montréal, devenu depuis 1975 l'institut Armand-Frappier (rattaché à l'Université du Québec). En 1945, Armand Frappier crée la première école d'hygiène du monde, devenue aujourd'hui le Département de médecine sociale et préventive de l'Université de Montréal. Invité partout à donner des conférences sur la lutte contre la tuberculose, le médecin québécois a été honoré par de nombreuses sociétés médicales et scientifiques de par le monde. Depuis qu'il a pris sa retraite, en 1974, Armand Frappier demeure actif à l'Institut, au service des archives et à titre de consultant et de professeur émérite de l'Université de Montréal. Compagnon de l'Ordre du Canada, grand officier de l'ordre national du Québec, officier de l'ordre de l'Empire britannique, il a reçu en 1983 une médaille d'or de la fondation Jean-Louis-Lévesque et un prix de 100 000 $ pour la fondation Armand-Frappier.

D. AUCLAIR/PUBLI PHOTO

Armand **Frappier**

Fraser (fleuve), fleuve du Canada, en Colombie-Britannique. Long de 1 368 km, ce fleuve prend sa source dans les montagnes Rocheuses, coule dans des gorges profondes et se jette dans le Pacifique, près de Vancouver. Son nom rappelle Simon Fraser, qui explora le fleuve en 1808.

Fredericton, ville du Canada, capitale du Nouveau-Brunswick. La ville de Fredericton est située au sud-est du Nouveau-Brunswick, au confluent des rivières Saint-Jean et Nastwaak. Elle a été construite sur un terrain plat qui se prêtait bien à la navigation fluviale. Sa population s'élève à environ 44 350 habitants.

L'Université du Nouveau-Brunswick y est établie. Centre administratif et commercial, Fredericton mise sur les industries du bois, des matières plastiques et de la chaussure pour assurer son développement économique. Le climat est de type maritime, assez pluvieux, même en été. Fredericton tire son nom de Frederik, fils de George III, roi d'Angleterre.

Freud (Sigmund), médecin autrichien, neurologue et psychiatre, né à Freiberg, Tchécoslovaquie, en 1856 et mort à Londres en 1939. Fondateur de la psychanalyse, Freud a publié un grand nombre d'ouvrages où il a exposé ses théories: *La science des rêves* (1990), *Le moi et le soi* (1923), *Malaise dans la civilisation* (1930), *L'interprétation des rêves* (1900), etc. En 1938, Freud quitte l'Autriche, chassé par le régime nazi, et s'établit à Londres, où il meurt en 1939.

Frontenac (Louis de Buade, comte **de**), administrateur français, né à Saint-Germain-en-Laye, France, en 1622 et mort à Québec en 1698. Frontenac fut gouverneur de la Nouvelle-France de 1672 à 1682 et de 1689 à 1698. Il s'intéressa au commerce des fourrures, fit construire le fort Frontenac et encouragea les voyages d'exploration. Son objectif consistait à accroître les possibilités du marché des fourrures. Ses méthodes de gestion autoritaires causèrent son rappel en France en 1682. Il revint comme gouverneur de 1689 à 1698. L'administrateur français s'est illustré comme le défenseur de la Nouvelle-France en repoussant les attaques des Iroquois et des colonies anglaises. On lui attribue cette phrase célèbre à l'adresse des Anglais: «Je vous répondrai par la bouche de mes canons.» Frontenac est mort à Québec et a été enterré à l'église des Récollets. Le château Frontenac, à Québec, a été ainsi nommé en son honneur.

Louis de Buade, comte de **Frontenac**

ANC/C-7183

Fundy (baie de), baie du Canada. Cette baie de l'Atlantique est située à l'est du Canada, entre la Nouvelle-Écosse et le Nouveau-Brunswick. La baie de Fundy connaît les plus hautes marées du monde. Celles-ci peuvent atteindre jusqu'à 15 m.

Fundy (parc de), parc national du Canada. Le parc national de Fundy est situé au sud-est du Nouveau-Brunswick sur le bord de la baie de Fundy. Ce centre de la nature de 206 km^2 permet de contempler des marées spectaculaires du haut de falaises de grès qui atteignent jusqu'à 60 m de hauteur.

g

Gabon, État d'Afrique équatoriale. D'une superficie de 267 667 km², le Gabon est limité par le Cameroun, la Guinée équatoriale, l'océan Atlantique et le Congo. Sa capitale est Libreville. Son territoire est formé d'un massif montagneux, d'un plateau et d'une plaine côtière. Le Gabon et l'Ogooué sont les deux cours d'eau les plus importants. Le climat équatorial humide, aux précipitations abondantes, contribue à la formation d'une forêt dense (forêt vierge). La population du Gabon compte quelque 1,1 million d'habitants (Gabonais et Gabonaises). La langue officielle est le français. La monnaie utilisée est le franc C.F.A. Les principales richesses naturelles sont le cacao, le café, les bananes, le manioc, l'huile de palme, le maïs, le bois, l'uranium, le fer et le manganèse. Ancienne colonie française devenue indépendante en 1960, le pays est aujourd'hui dirigé par un président.

Gaboury (Marie-Anne), pionnière, née à Maskinongé, au Québec, en 1780 et morte à Saint-Boniface, au Manitoba, en 1874. Épouse de Jean-Baptiste Lagemodière, trafiquant de fourrures, et grand-mère de Louis Riel, Marie-Anne Gaboury fut la première femme blanche à s'établir dans l'Ouest canadien.

Gabriel Lalemant (saint), missionnaire jésuite, né à Paris en 1610 et mort en Nouvelle-France en 1649. Gabriel Lalemant est l'un des huit martyrs canadiens inhumés à Québec et canonisés en 1930. Le 20 septembre 1646, Gabriel Lalemant arrive à Québec où il séjourne jusqu'en 1648. Au début de cette même année, il est envoyé à Sainte-Marie-des-Hurons pour y étudier la langue huronne et, l'année suivante, il remplace le père Chabanel à la mission Saint-Louis. Le 16 mars 1649, la mission Saint-Louis est attaquée par une armée de 1 000 Iroquois et les pères Jean de Brébeuf et Gabriel Lalemant sont faits prisonniers. Tous deux meurent, Brébeuf le 16 mars 1649 et Lalemant le lendemain, des suites des tortures infligées par les Iroquois.

Gagnon (Cécile), auteure et illustratrice, née à Québec en 1936. Après avoir étudié les arts graphiques au Québec, aux États-Unis et à Paris, Cécile Gagnon travaille comme illustratrice pour des journaux, des magazines et des maisons d'édition avant d'écrire et d'illustrer elle-même des albums pour enfants. Elle publie une quarantaine de titres et remporte plusieurs prix qui confirment son talent. Elle est membre fondateur de Communication-Jeunesse et rédactrice des *Cahiers Passe-Partout* et *Coulicou*. Elle assume la direction de quelques revues, dont *Lurelu*. Depuis de nombreuses années, Cécile Gagnon participe à des rencontres littéraires avec les jeunes, tant au Québec qu'en Ontario et au Nouveau-Brunswick.

Gagnon (Clarence), graveur et peintre, né à Montréal en 1881 et mort dans la même ville en 1942. Très jeune, Clarence Gagnon montre des dispositions pour la peinture et l'art en général. Il passe des heures à imiter les œuvres de Gustave Doré. Après avoir terminé ses études au Plateau, il fait ses premières armes à Baie-Saint-Paul ; Charlevoix demeurera toujours son lieu de prédilection. C'est dans cette magnifique région qu'il peindra des tableaux évoquant la vie rurale du Québec. De 1922 à 1936, le peintre québécois vit à Paris et y illustre le livre *Le grand silence blanc*. Le succès est si grand qu'on lui demande également d'illustrer *Maria Chapdelaine*, de Louis Hémon. Clarence Gagnon a produit plus de 55 gravures, dont les originaux ont été exposés un peu partout au Canada et aux États-Unis. En 1938, l'Université de Montréal lui a conféré un doctorat honorifique. Clarence Gagnon a reçu, au cours de sa carrière, nombre de distinctions et de décorations. Ses œuvres, diffusées dans le monde entier, suscitent encore l'intérêt et l'admiration du grand public.

Galápagos (îles), archipel de l'océan Pacifique. D'une superficie de 7 888 km², ces îles sont situées à l'ouest de l'Équateur, qui les a annexées en 1832. Les 6 000 habitants de l'archipel vivent principalement de la pêche et de la culture du café et de la canne à sucre. Les tortues géantes et les iguanes (lézards de grande taille) y attirent de nombreux touristes. L'île la plus peuplée est San Cristóbal.

Galilée (Galileo **Galilei**, dit), physicien et astronome italien, né à Pise en 1564 et mort à Arcetri en 1642. Fondateur de la mécanique moderne et de la méthode expérimentale, Galilée a découvert les lois de la chute des corps et de la composition des vitesses, et a énoncé le principe de l'inertie. Inventeur de l'un des premiers microscopes, il a aussi créé une lunette astronomique pour observer le Soleil, Jupiter et Saturne. Ce savant a posé les bases de l'astronomie moderne.

Galles (pays de), région de l'ouest de la Grande-Bretagne. Située à l'ouest de l'Angleterre, cette région d'une superficie de 20 800 km² compte environ 2,8 millions d'habitants (Gallois et Galloises). La langue officielle est l'anglais et la monnaie utilisée est la livre sterling. Sa capitale est Cardiff. Cette région de hauts plateaux, au climat océanique, vit de l'élevage ovin et exploite des raffineries de pétrole et des industries de charbon (extraction).

Gambie, État d'Afrique occidentale. D'une superficie de 11 300 km², la Gambie est le plus petit État africain indépendant. Son territoire, presque entièrement entouré par l'État du Sénégal, est couvert de savanes et de forêts fluviales, dominées par un climat tropical. Le fleuve Gambie arrose le pays en suivant l'axe est-ouest. La capitale, Banjul, est un port qui s'ouvre sur l'Atlantique. La population est d'environ 812 000 habitants (Gambiens et Gambiennes). La langue officielle est l'anglais et la monnaie utilisée est le dalasi. L'arachide constitue la principale ressource économique de la Gambie. Ancienne colonie anglaise devenue indépendante en 1965, le pays forme une confédération avec le Sénégal depuis 1981 et est dirigé par un président.

Gamelin (mère), née Émilie **Tavernier**, fondatrice de la communauté des sœurs de la Providence, née à Montréal en 1800 et morte en 1851. En 1823, Émilie Tavernier épouse Jean-Baptiste Gamelin. De leur union naissent trois fils. En peu de temps, elle perd son mari et ses fils. Quoique laïque, elle consacre sa vie au service des déshérités dans un Montréal populeux, pauvre et éprouvé par les épidémies. En 1844, Mgr Bourget accorde le statut canonique aux sœurs de la Providence. Émilie Tavernier, devenue mère Gamelin, continue de porter secours aux personnes âgées, aux abandonnés, aux handicapés, aux prisonniers, aux orphelins et aux immigrants. Mère Gamelin a été inhumée dans le caveau de la maison mère des sœurs de la Providence à Montréal. Elle a été la première Canadienne française à fonder une communauté religieuse au Bas-Canada après la Conquête.

Gāndhi (Indira), femme politique indienne, née à Allāhābād en 1917 et morte à Delhi en 1984. Fille d'un ex-chef d'État (Nehru), Indira Gāndhi est la première femme indienne à accéder au poste de présidente du parti du Congrès (1959) et à devenir premier ministre de l'Inde (1966 à 1977 – 1980 à 1984). Elle fut assassinée par deux de ses gardes du corps. Son fils Rajiv, né en 1946, lui a succédé.

Gāndhi (Mohandas Karamchand), philosophe et homme politique indien, né à Purbandar en 1869 et mort à Delhi en 1948. Gāndhi a réussi à obtenir l'indépendance de l'Inde, par rapport à la Grande-Bretagne, en employant la résistance passive et des moyens non violents. Surnommé le Mahātma, ce qui signifie « la grande âme », le philosophe indien s'est également fait le défenseur de l'égalité des droits entre les hommes. Gāndhi a été assassiné en 1948 par un extrémiste indien.

Gange, fleuve de l'Inde. Le Gange prend sa source dans l'Himālaya, draine la région nord de l'Inde, reçoit les eaux de plusieurs affluents et se déverse dans le golfe du Bengale en formant un immense delta près du Pakistan. En aval du fleuve, des rizières ont été aménagées. La production hydroélectrique et les possibilités d'irrigation de ce fleuve en font un cours d'eau de première importance. Le Gange, fleuve sacré, fait l'objet de nombreux pèlerinages, car les hindous attribuent à ses eaux un pouvoir purificateur.

Garakontie, Garakonké ou **Harakontie**, chef iroquois, baptisé sous le nom de Daniel. Il fut l'un des principaux négociateurs de l'entente de paix entre les Français et les Indiens. Garakontie a su protéger les intérêts de son peuple sans devenir un instrument de la politique française. Il s'est distingué par son intégrité et sa patience ainsi que par son intelligence, son éloquence et son habileté politique. Garakontie est mort en 1677.

Garneau (François-Xavier), historien canadien, né à Québec en 1809 et mort dans la même ville en 1866. Notaire à Québec, François-Xavier Garneau fut indigné par les Anglais qui traitaient les Canadiens français de « peuple sans histoire et sans littérature ». Il écrivit entre 1845 et 1852 une *Histoire du Canada* qu'il révisa et mit à jour lui-même à plusieurs reprises et qui est devenue un classique du genre.

Garneau (Marc), astronaute canadien, né à Québec en 1949. Il a reçu sa formation militaire au Québec, en Ontario et en Angleterre. Titulaire d'un doctorat en génie électrique, Marc Garneau devient officier de marine des Forces armées canadiennes. En 1983, il est choisi comme membre du groupe des six premiers astronautes canadiens. En mars 1984, il apprend qu'il sera le premier Canadien à participer à une mission spatiale américaine. Le 5 octobre 1984, il monte à bord de la navette spatiale *Challenger* pour un vol historique de huit jours.

P. ROUSSEL/PUBLIPHOTO

Garnier (Charles) ☞ **Charles Garnier** (saint).

Garonne, fleuve d'Europe. Ce fleuve du nord de l'Espagne et du sud-ouest de la France, issu des Pyrénées, descend vers l'océan Atlantique dans une vallée propice à la culture du blé, des légumes, de la vigne et du maïs, et se déverse dans la Gironde. La Garonne possède des crues importantes alimentées par les pluies océaniques et la fonte des neiges. D'une longueur de 575 km, ce fleuve dépose sur ses berges et sur son delta une terre limoneuse très fertile.

Gascon (Jean), comédien et metteur en scène, né à Montréal en 1921 et mort en 1988. Au cours de ses études au collège Sainte-Marie, Jean Gascon fait la connaissance de Jean-Louis Roux. Après avoir passé plusieurs années en France pour perfectionner son art, il revient à Montréal fonder le théâtre du Nouveau Monde avec Jean-Louis Roux. Ces deux comédiens mettent sur pied l'école du T.N.M., qui devient l'École nationale de théâtre en 1956. Jean Gascon en est le directeur jusqu'en 1966. En 1958, sa compagnie effectue une grande tournée aux États-Unis et au Canada. De 1968 à 1974, Jean Gascon exerce les fonctions de directeur artistique du Festival de Stratford et, en 1977, il occupe le poste de directeur du Centre national des arts d'Ottawa. En plus de l'insigne de compagnon de l'ordre du Canada, il obtient plusieurs distinctions, dont le prix Victor-Morin et le prix Molson.

Gaspé, ville du Canada. Située au Québec, au fond de la baie de Gaspé, dans laquelle se jettent les rivières Dartmouth, York et Saint-Jean, Gaspé occupe la pointe de la péninsule gaspésienne dans la région de la Gaspésie, où accosta Jacques Cartier en 1534. Une croix en granite commémore le débarquement du découvreur du Canada. Née de la fusion, en 1970, de douze localités environnantes, la ville de Gaspé est aujourd'hui l'une des plus grandes municipalités du Québec. Son économie reposa pendant de nombreuses années sur la pêche à la morue et au saumon, mais, de nos jours, le commerce, le tourisme et la foresterie y prennent un essor considérable. Environ 17 350 Gaspésiens et Gaspésiennes habitent cette ville portuaire.

Gaspé (baie de), baie du Canada située dans le golfe du Saint-Laurent à l'extrémité est de la péninsule gaspésienne. Cartier y débarqua en 1534 et trouva la région occupée par des Amérindiens appartenant à la famille iroquoienne. *Gaspé* vient d'un mot micmac qui signifie « le bout du monde ».

Gaspésie, région du Québec. La Gaspésie forme une péninsule située entre le golfe du Saint-Laurent et la baie des Chaleurs. La pêche a longtemps été la principale ressource économique de la région. Les ressources forestières et minières n'ont été exploitées qu'au XXe siècle. Le tourisme constitue actuellement une source importante d'emplois. Les touristes viennent en grand nombre y admirer le rocher Percé, les fous de Bassan de l'île Bonaventure, le parc provincial de la Gaspésie et le parc national de Forillon. La Gaspésie fait partie de la région administrative Gaspésie – Îles-de-la-Madeleine.

Gaspésie (parc de conservation de la), parc du Québec. Situé dans la région de la Gaspésie, dans les Appalaches, ce parc, d'une superficie de 1 289 km^2, a été créé par le gouvernement du Québec en 1937 pour offrir un lieu d'activités sportives à la population et aux touristes tout en protégeant la forêt, la flore et la faune. C'est une région accidentée, formée de vallées et de sommets atteignant 1 268 m. On y trouve le mont Jacques-Cartier, qui est le plus haut sommet de l'est du Canada. De nombreuses rivières, où abondent la truite mouchetée et le saumon, y font la joie des pêcheurs. Le caribou, l'orignal, le chevreuil et l'ours noir vivent sur ce territoire. Le mont Albert demeure le rendez-vous des naturalistes. La randonnée pédestre, la randonnée en véhicule automobile et le ski de randonnée figurent parmi les principales activités offertes par ce parc provincial. La région renferme des gisements miniers.

Gatineau, ville du Canada. Située au Québec sur la rive nord de la rivière des Outaouais, à l'embouchure de la rivière Gatineau, cette ville du sud-ouest du Québec compte environ 81 250 Gatinois et Gatinoises. Établie en 1926, cette ville s'est développée grâce à la construction d'une usine de pâtes et papiers, en 1927. Encore aujourd'hui, l'industrie du bois y est florissante.

Gatineau, rivière du Canada. Située au Québec, dans la région de l'Outaouais, la rivière Gatineau se jette dans la rivière des Outaouais, à l'est de Hull. C'est autour de cette rivière et de la rivière des Outaouais qu'a commencé la colonisation de la région. Les Algonquins utilisaient ces eaux fluviales pour se rendre à Trois-Rivières, qui était alors un poste de traite. La Gatineau est une rivière de flottage du bois. Son nom vient de Nicolas Gatineau, dit Duplessis, qui fit la traite des fourrures dans cette région au XVIIe siècle.

Gaudreault (Laure), institutrice, syndicaliste et journaliste québécoise, née à La Malbaie en 1889 et morte à Clermont en 1975. Laure Gaudreault enseigne d'abord dans les écoles de rang de plusieurs villages québécois. Vers 1930, par des articles de journaux auxquels elle collabore, elle sensibilise ses lecteurs aux pénibles conditions de travail des institutrices rurales. Dès 1936, Laure Gaudreault pose les bases du syndicalisme enseignant au Québec. Militante infatigable, elle sera de toutes les luttes pour améliorer le salaire et les conditions de travail des enseignants et enseignantes. De 1946 à 1965, elle accède au poste de vice-présidente de son syndicat. Aujourd'hui, cette association porte le nom de Centrale de l'enseignement du Québec (C.E.Q.). Le nom de Laure Gaudreault fut associé au premier comité de la condition féminine de la C.E.Q. C'est pour honorer la mémoire de Laure Gaudreault qu'on a donné son nom à un foyer d'accueil pour les retraités de l'enseignement.

Gauguin (Paul), peintre français, né à Paris en 1848 et mort en Polynésie en 1903. Issu de l'école impressionniste et ami des symbolistes, Paul Gauguin subit l'influence de Van Gogh avant d'affirmer son propre style, original, coloré, soutenu par la simplicité des dessins. Il s'établit à Tahiti et plus tard aux îles Marquises, où il élabore la majeure partie de son œuvre, marquée par la recherche d'une magie symboliste et l'expression d'un ordre spirituel proche de l'univers primitif des Polynésiens.

Gaulle (Charles **de**), général et homme d'État français, né à Lille en 1890 et mort à Colombey-les-Deux-Églises en 1970. De Gaulle se distingue au cours de la Première Guerre mondiale en rédigeant *Discorde chez l'ennemi*, publié en 1924. Au cours de la Seconde Guerre mondiale, le général se retire en Angleterre lorsque les Allemands envahissent la France. Le 18 juin 1940, c'est de Londres qu'il lance son appel désormais célèbre où il invite tous les Français à se rallier pour résister à l'ennemi. Le leader de la Résistance française dirige également le gouvernement provisoire à Alger, puis à Paris (1944-1946). Le général abandonne le pouvoir et fonde le Rassemblement du peuple en 1947. En 1953, de Gaulle se retire de la vie politique; il y revient en 1959 pour assumer les fonctions de président de la République française jusqu'en 1969. Charles de Gaulle a écrit plusieurs ouvrages de réflexion politique et de stratégie militaire. Ses *Mémoires de guerre* témoignent de ses grandes qualités d'écrivain. Le général de Gaulle demeure une figure prestigieuse qui a marqué pendant trente ans la vie politique française. En 1967, du haut du balcon de l'hôtel de ville de Montréal, son «Vive le Québec libre!» a ravivé la flamme nationaliste.

Gauthier (Bertrand), auteur québécois, né à Montréal en 1945. Président fondateur des Éditions La courte échelle, Bertrand Gauthier a publié plusieurs livres pour les jeunes, entre autres, *La course à l'amour*, les séries *Ani Croche*, *Les jumeaux Bulle* et les albums *Zunik*. Bertrand Gauthier présente aux jeunes des héros qui leur ressemblent et sait capter leur attention. Avec *Je suis Unik*, il a remporté en 1984 le prix Alvine-Bélisle, destiné au meilleur livre jeunesse, et le prix Québec-Wallonie-Bruxelles en 1985. En 1980, il a également reçu le prix du Conseil des Arts pour *Hébert Luée*. Bertrand Gauthier a aussi publié deux romans pour adultes: *Les amantures* et *Le beau rôle*.

Gauvreau (Marcelle), écrivaine et conférencière québécoise, née à Rimouski en 1907 et morte en 1968. À l'école, Marcelle Gauvreau est une élève appliquée qui excelle en histoire, en sciences naturelles et en littérature. Devenue titulaire d'un baccalauréat, d'une maîtrise en sciences et d'un diplôme en bibliothéconomie, elle fonde en 1935 l'École de l'éveil. Sa pédagogie axée sur la participation et l'animation permet aux jeunes de 3 à 6 ans de s'initier au monde de la faune et de la flore. De 1937 à 1944, elle publie cinq cahiers dans la série «Bibliothèque des jeunes naturalistes» et, de 1938 à 1953, elle rédige chaque samedi une chronique publiée dans *Le Devoir* et intitulée «La boîte aux questions». En 1961, elle obtient la médaille de l'Association canadienne des bibliothèques pour son livre *Plantes vagabondes*. À titre de réviseure-correctrice, elle participe à l'élaboration de *La flore laurentienne*, du frère Marie-Victorin, botaniste reconnu. Ensuite, Marcelle Gauvreau occupe les postes de secrétaire de la section enseignement du Jardin botanique de Montréal et de présidente de la Société canadienne d'histoire naturelle. En 1972, les autorités scolaires de Laval donnent son nom à une école secondaire de Fabreville afin de perpétuer sa mémoire.

Gélinas (Gratien), comédien, metteur en scène et auteur, né à Saint-Tite, Québec, en 1909. Gratien Gélinas fait ses premières armes à la radio en 1937 en créant le personnage de Fridolin, vedette de sa revue annuelle *Les fridolinades*, qui tiendra l'affiche de 1938 à 1946. Ses pièces *Ti-Coq* et *Bousille et les justes* lui permettent de se hisser au rang des grands dramaturges. En 1957, il fonde le théâtre de la Comédie canadienne, qu'il administre jusqu'en 1972. En 1969, il est nommé président de la Société de développement de l'industrie cinématographique canadienne (1969-1978). En 1987, Gratien Gélinas crée une nouvelle pièce qu'il interprète avec sa femme, Huguette Oligny: *La passion de Narcisse Mondoux*. Gratien Gélinas, par ses réalisations et ses talents multiples de comédien, d'auteur, de metteur en scène, de directeur et de producteur, a contribué de façon significative à l'évolution du théâtre au Québec.

Généreux (Georgiana), bienfaitrice québécoise, née à Montréal en 1864 et morte dans la même ville en 1932. En 1897, avec sa sœur Léontine, Georgiana Généreux forme le projet d'un hôpital pour les cancéreux et les malades incurables. Une amie, Aglaée Laberge, s'engage aussi dans ce projet qu'approuve Mgr Bruchési. Le projet se concrétise en 1898, et l'hôpital du Sacré-Cœur, à Cartierville, est fondé. Georgiana Généreux se dévoue pour ses malades pendant de nombreuses années, jusqu'à ce que les sœurs de la Providence assurent la relève. Elle est emportée par le diabète le 9 juin 1932.

Gênes, ville d'Italie. Située en Italie du Nord, sur le golfe de Gênes et la Méditerranée, cette ville portuaire est le troisième centre industriel d'Italie grâce à ses chantiers navals, à ses raffineries et à ses industries de pétrochimie et de métallurgie lourde. Environ 763 000 Génois et Génoises y habitent. Ses nombreux monuments, tels que la cathédrale du XIe siècle et les palais Bianco et San Giorgio, suscitent l'intérêt des touristes.

Genève, ville de Suisse. Plusieurs organismes internationaux ont leur siège social dans cette ville, notamment l'Organisation mondiale de la santé (O.M.S.), l'Organisation des Nations Unies pour l'Europe (O.N.U.), l'Organisation internationale du travail (O.I.T.), la Croix-Rouge, l'Organisation météorologique mondiale (O.M.M.) et l'Union internationale des télécommunications (U.I.T.). Genève est aussi un important centre industriel où l'on trouve, entre autres, des entreprises de bijouterie, d'horlogerie et de mécanique de précision. Cette ville située à l'ouest du lac Léman abrite une population d'environ 156 000 Genevois et Genevoises.

George III, roi de Grande-Bretagne et d'Irlande, né à Londres en 1738 et mort à Windsor en 1820. Sous son règne, la Nouvelle-France est cédée définitivement à la Grande-Bretagne par le traité de Paris. À la même époque, l'Acte de Québec et l'Acte constitutionnel entrent en vigueur.

Gérin-Lajoie (Marie), née **Lacoste**, auteure, éducatrice et féministe, née à Montréal en 1867 et morte dans la même ville en 1945. Fille de magistrat et juriste autodidacte, Marie Lacoste prend très tôt conscience de situations d'inégalité et travaille à leur amélioration. En 1907, elle élabore le projet de regrouper les francophones au sein d'une association et, pour ce faire, elle crée la Fédération nationale Saint-Jean-Baptiste. Elle collabore avec le Conseil canadien des femmes et mène des campagnes de sensibilisation à la condition féminine en donnant des conférences et en rédigeant des ouvrages sur les lois civiles et leurs implications pour les femmes. En 1929, elle témoigne devant la commission Dorion et multiplie ses interventions pour faire modifier le Code civil du Québec et donner une impulsion nouvelle au mouvement féministe, en lutte contre les préjugés tenaces d'une société conservatrice. Elle était la sœur de Justine Lacoste, fondatrice de l'hôpital Sainte-Justine, et la mère de Marie Gérin-

Marie **Gérin-Lajoie**

STUDIO ALLARD/ANQM/P244/108906

Lajoie, fondatrice de l'institut Notre-Dame du Bon-Conseil de Montréal.

Gérin-Lajoie (Marie), fondatrice de l'institut Notre-Dame du Bon-Conseil de Montréal, née à Montréal en 1890 et morte dans la même ville en 1971. Journaliste et conférencière, cette femme d'action a été la première bachelière de l'Université de Montréal. En 1921, à l'inauguration des Semaines sociales, elle donne une conférence sur le syndicalisme. Deux ans plus tard, elle fonde l'institut Notre-Dame du Bon-Conseil, établissement dirigé par une communauté religieuse à vocation sociale. Ce groupement religieux est né de l'action solidaire de religieuses et de laïques. Marie Gérin-Lajoie a contribué à réformer la société.

Gervais (Lizette), animatrice, née à Montréal en 1932 et morte en 1986. C'est en 1959, à la station CKCH de Hull, que Lizette Gervais fait son entrée dans les médias à titre d'annonceure-présentatrice. L'année suivante, elle entre au service de Radio-Canada; elle devient par la suite la première lectrice de nouvelles à CBF-MA. Puis, de 1969 à 1974, elle anime, avec Jacques Morency, *Studio 10*, émission d'affaires publiques diffusée par Télé-Métropole. Enfin, de 1976 à 1980, elle anime à CBF-MA, avec Andréanne Lafond, la grande émission à succès *La vie quotidienne*. La carrière de Lizette Gervais comporte également un volet social. Préoccupée par les problèmes de la communauté québécoise, elle milite activement au sein d'organismes sociaux et préside de nombreuses campagnes de souscription. Elle fonde et dirige, en 1971, l'Association des parents adoptifs. En 1980, elle accède à la présidence de l'Office des services de garde à l'enfance et, de 1982 à 1986, elle assume, à titre de coordonnatrice, la direction du Secrétariat à l'adoption. Pour honorer la mémoire de l'animatrice et récompenser l'excellence dans le domaine de la radio-télévision, le prix Lizette-Gervais est attribué depuis 1986 aux diplômés en communication qui se distinguent par leurs talents pour l'animation et l'interview.

Ghana, État d'Afrique occidentale. D'une superficie de 238 537 km^2, le Ghana est limité par le golfe de Guinée, la Côte d'Ivoire, le Togo et le Burkina Faso. Accra, ville portuaire, est la capitale. Le pays est formé de côtes basses, d'une région de plaines et d'un plateau. La Volta, qui reçoit plusieurs affluents, est le cours d'eau le plus important du pays. Le climat est tropical et le territoire est recouvert, selon les régions, par la brousse, la savane et les acacias. La population compte environ 14 millions d'habitants (Ghanéens et Ghanéennes). La langue officielle est l'anglais. On y pratique principalement les religions chrétienne et animiste. La monnaie utilisée est le cédi. L'économie du Ghana, l'une des plus développées d'Afrique occidentale, repose sur l'exploitation de ressources diversifiées: le cacao, le manioc, le sorgho, les bananes, l'or et la bauxite. Ancienne colonie anglaise devenue indépendante en 1957, le Ghana, anciennement appelé la Côte d'Or, est aujourd'hui dirigé par un chef militaire.

Gibraltar, territoire britannique. Situé à l'extrémité sud de l'Espagne, sur le détroit de Gibraltar, ce territoire célèbre par son fameux rocher compte 26 000 habitants. Une puissante base aéronavale y contrôle l'entrée de la Méditerranée. Encore aujourd'hui, le territoire de Gibraltar est revendiqué par l'Espagne.

Gibraltar (détroit de), passage étroit entre l'Europe et l'Afrique. Ce détroit sépare l'Espagne du Maroc et permet de passer de l'océan Atlantique à la Méditerranée. Il est encadré par deux massifs appelés les colonnes d'Hercule. Cette voie commerciale est un carrefour stratégique de grande importance qui abrite de nombreux ports de mer, notamment Tanger, du côté africain, et Gibraltar, du côté espagnol.

Glacier (parc national de), parc national du Canada. Situé au sud-est de la Colombie-Britannique, le parc de Glacier attire les touristes par ses glaciers qui glissent des monts Selkirk et Purcell. Créé en 1886, le parc est accessible par la route Transcanadienne et le chemin de fer.

Glenn (John H.), astronaute américain, né en Ohio, aux États-Unis, en 1921. John Glenn monta à bord du navire spatial *Friendship 7* le 20 février 1962. Cette capsule, lancée de Cap Canaveral, en Floride, fit trois fois le tour de la planète. Glenn revint après 4 heures et 55 minutes en déclarant qu'il avait pris plaisir à son voyage et qu'il n'avait ressenti aucun malaise. Il fut le premier Américain à accomplir cet exploit.

Godbout (Adélard), agronome et homme politique, né à Saint-Éloi, Québec, en 1892 et mort à Montréal en 1956. Cet ancien chef du Parti libéral a été premier ministre du Québec en 1936 et de 1939 à 1944. Son gouvernement a adopté des lois importantes sur l'instruction obligatoire et le droit de vote pour les femmes. Adélard Godbout a participé à la création de la Commission hydroélectrique du Québec (Hydro-Québec). *(Voir la photo à la page suivante.)*

Gorbatchev (Mikhaïl), homme politique soviétique, né en Russie en 1931. Premier secrétaire d'État de l'Union soviétique de 1970

A. ROY/ANC/PA-47139

Adélard **Godbout**

à 1978, Gorbatchev devient, à la mort de Tchernenko en 1985, secrétaire général du Parti communiste. Sous son administration, des espoirs de réformes et de nouvelles libertés naissent dans le pays. Pour plusieurs Soviétiques, Gorbatchev semble être l'homme du changement, celui qui donnera une énergie nouvelle à l'U.R.S.S. et lui permettra de s'ouvrir aux nations occidentales. En 1988, il signait avec Ronald Reagan, alors président des États-Unis, un accord limitant l'utilisation des armes nucléaires.

Goscinny (René), auteur de bandes dessinées, né à Paris en 1926 et mort dans la même ville en 1977. Goscinny a passé son enfance en Argentine. En 1949, il travaille dans une agence de publicité à Buenos Aires et, l'année suivante, il entre au service d'une maison de commerce à New York. Invité par le créateur de *Lucky Luke* à écrire les scénarios de cette bande dessinée, Goscinny amorce alors sa carrière d'auteur de B.D. Il crée par la suite *Iznogoud* puis, en 1959, *Astérix*, qui connaît bientôt un immense succès. Toujours en 1959, il fonde la revue *Pilote*, après avoir travaillé pour *Spirou* et *Tintin*. Son œuvre, aux scénarios habilement construits et empreints d'un humour où se côtoient la franche gaieté et la satire des mœurs, s'impose comme l'un des sommets de l'art de la bande dessinée.

Gosford (lord Archibald), homme politique britannique, né en Angleterre en 1776 et mort en Irlande en 1849. Gouverneur général du Bas-Canada de 1835 à 1837, Gosford a également été chargé, par les autorités britanniques, de faire une enquête sur la situation au Bas-Canada. En adoptant une attitude de «conciliation sans concession» vis-à-vis des Patriotes, il ne réussit à plaire ni aux anglophones ni aux francophones. Par la suite, Gosford s'opposa à l'adoption de l'Acte d'Union.

Gouin (Lomer), homme politique canadien, né à Grondines, Québec, en 1861 et mort à Québec en 1929. D'allégeance libérale, Lomer Gouin fut premier ministre du Québec de 1905 à 1920. De plus, il a été ministre fédéral sous le gouvernement King et lieutenant-gouverneur du Québec en 1929.

Gouin (réservoir), réservoir du Canada situé au Québec. D'une superficie de 1 570 km², le réservoir Gouin est le troisième lac en importance au Québec. Situé dans la région Mauricie – Bois-Francs, il a été créé en 1918 pour régulariser le débit de la rivière Saint-Maurice. Plusieurs barrages hydroélectriques ont été aménagés sur cette rivière. C'est pour honorer la mémoire de Lomer Gouin, ancien premier ministre du Québec de 1905 à 1920, que ce réservoir a été ainsi nommé.

Goupil (René) ☞ **René Goupil** (saint).

Granby, ville du Canada. Située au Québec dans la région de la Montérégie, sur les rives de la rivière Yamaska, Granby fut érigé en 1859. Cette ville compte environ 38 500 Granbyens et Granbyennes. Centre industriel et commercial, Granby mise sur des ressources diversifiées: la gastronomie, les meubles, les textiles, les matières plastiques, les produits électriques, le ciment et la transformation du lait. Surnommée «la princesse de l'Estrie», la ville de Granby est surtout célèbre par son jardin zoologique, qui comprend plus de 350 espèces provenant de tous les continents, et par son Festival de la chanson, qui réunit chaque année un grand nombre d'auteurs et d'interprètes.

Grande-Bretagne et **Irlande du Nord** (Royaume-Uni de), État insulaire d'Europe occidentale. D'une superficie de 244 119 km², le Royaume-Uni, aussi appelé Grande-Bretagne, comprend la Grande-Bretagne proprement dite (Angleterre, pays de Galles et Écosse) et l'Irlande du Nord. La capitale est Londres. Le territoire est constitué de côtes échancrées bordées de plusieurs îles et îlots, de plateaux troués de vallées glaciaires, de chaînes de montagnes (Pennine et Cumberland) et de monts (Cambriens). Le climat est océanique, tantôt doux, tantôt humide. Les précipitations sont abondantes. Les landes et les tourbières occupent une vaste superficie mais la région de Londres, plus ensoleillée et fertile, favorise la croissance des forêts de feuillus. La Tamise et le Tay sont les deux principaux cours d'eau du pays. La population est d'environ 57 millions d'habitants (Britanniques). La langue officielle est l'anglais et les principales religions sont le protestantisme et le catholicisme. La monnaie utilisée est la livre sterling. L'économie du pays est fondée sur l'exploitation des hydrocarbures, des sidérurgies et des industries chimiques, mécaniques et textiles. L'agriculture, qui occupe une place secondaire, se concentre dans le Sud-Est. On y cultive le blé, l'orge et le houblon, et on y pratique la pêche et l'élevage du bovin. Le pays est dirigé par une reine et un gouvernement élu.

Grande Rivière (la), rivière du Canada, dans la région du Nord-du-Québec. La Grande Rivière prend sa source dans le lac Naococane, situé au centre-ouest de la province, et se jette dans la baie James. En 1972, le gouvernement du Québec décide d'utiliser cette rivière pour produire de l'électricité. On y aménage le complexe hydroélectrique La Grande, l'un des plus importants au monde. Les rivières Eastmain et Caniapiscau ont partiellement été détournées afin de permettre la construction de trois barrages.

Grandes Bergeronnes (rivière des), rivière du Canada, dans la région du Saguenay, au Québec. La rivière des Grandes Bergeronnes se jette dans le fleuve Saint-Laurent, entre Tadoussac et Les Escoumins. L'origine du nom est incertaine: la rivière fut ainsi nommée soit pour souligner la présence dans son voisinage d'oiseaux appelés bergeronnettes ou pour perpétuer le souvenir du géographe et historien français Pierre Bergeron, qui a vécu au début du XVIIe siècle.

Grand-Mère, ville du Canada. Grand-Mère est située au cœur du Québec dans la région Mauricie – Bois-Francs. En amont de Shawinigan, sur la rivière Saint-Maurice, elle compte une population d'environ 14 580 Grand-Mérois et Grand-Méroises. Ville industrielle (bois, électricité, papier, textile, chaussures) très jeune et très dynamique dans une région montagneuse et boisée, Grand-Mère doit son nom à un rocher qui était appelé *Kokomis* (grand-mère) par les Amérindiens parce qu'il ressemblait à une vieille femme. Ce rocher a été transporté pierre par pierre et reconstitué pour devenir le centre d'attraction du parc de la ville.

Grand-Pré, ville du Canada, ancien village d'Acadie. Grand-Pré est situé dans la baie de Fundy en Nouvelle-Écosse. En 1755, au début de la guerre de la Conquête, la plupart des habitants de Grand-Pré furent déportés. Par la suite, plusieurs Acadiens sont revenus vivre dans cette région. Depuis 1961, Grand-Pré est devenu un lieu historique national qui rappelle la vie acadienne d'avant le «Grand Dérangement».

Grantham-Ouest, municipalité du Canada. La municipalité de Grantham-Ouest est située au Québec, sur la rive sud du Saint-Laurent, à l'ouest de Drummondville. Érigée en 1936, elle compte aujourd'hui environ 5 430 habitants (Granthamiens et Granthamiennes).

Grasset de Saint-Sauveur (André) ☞ **André Grasset** (saint).

Gravelbourg, ville du Canada. La ville de Gravelbourg est située en Saskatchewan, à l'ouest de Regina. Érigée en 1916, la ville compte aujourd'hui environ 1 305 habitants. Elle a été fondée en 1906 par des Canadiens français qui y émigrèrent sous la conduite du père Louis-Pierre Gravel, d'où le nom de cette ville. De nos jours, Gravelbourg est un centre francophone important dans l'Ouest canadien.

Grèce, État du sud-est de l'Europe. D'une superficie de 131 986 km^2, la Grèce est limitée par l'Albanie, la Yougoslavie, la Bulgarie, la Turquie, la mer Égée, la mer Méditerranée et la mer Ionienne. La capitale est Athènes. Le relief est constitué à 70 % de montagnes; le sommet culminant est le mont Olympe. Le territoire, qui se compose également d'étroites vallées et de plaines côtières, présente un littoral très découpé et souvent accidenté. De nombreux golfes pénètrent les côtes échancrées. L'Aliakmon est le principal cours d'eau. Le territoire forme une péninsule entourée de nombreuses îles (437, dont 154 sont habitées). Les côtes et le sud du pays, couverts par les forêts de chênes, sont soumis à un climat méditerranéen. Cependant, le climat continental règne dans les montagnes du Nord, où les hivers se font plus rigoureux. La population compte quelque 10 millions d'habitants (Grecs et Grecques). La langue officielle est le grec et la principale religion est celle de l'Église chrétienne orthodoxe. La monnaie utilisée est le drachme. L'économie grecque repose sur des ressources diversifiées, notamment le blé, le coton, la betterave à sucre, les olives, les fruits, les légumes, le fer, le plomb et le pétrole. Elle repose également sur la marine marchande et, grâce à ses temples antiques, à son climat méditerranéen et à ses îles, sur le tourisme. Dirigé par les militaires de 1967 à 1974, le pays est aujourd'hui administré par un gouvernement élu.

Greenfield Park, ville du Canada. Greenfield Park est situé au Québec, près de Montréal, sur la rive sud du Saint-Laurent et fut érigé en 1911. La ville est entourée par Brossard, Saint-Hubert et Longueuil. La population actuelle s'élève à 18 290 habitants.

Grégoire Ier (saint), dit **Grégoire le Grand**, pape, né à Rome vers 540 et mort en 604. Pape de 590 à 604, saint Grégoire fit de Rome le centre de la chrétienté. On lui doit la liturgie de la messe et le rite grégorien. Il réorganisa aussi le chant d'église, nommé chant grégorien.

Grégoire (Paul), cardinal canadien, né en 1911. Ordonné prêtre en 1937, Mgr Grégoire devient, en 1968, archevêque du plus grand diocèse du Canada, Montréal, succédant ainsi au cardinal Paul-Émile Léger. Il pratique son sacerdoce dans la cathédrale Marie-Reine-du-Monde. En 1986, on soulignait son 25e anniversaire d'ordination épiscopale. En 1988, Paul Grégoire, âgé de 76 ans, est nommé cardinal pendant qu'il attend du Vatican son autorisation de retraite.

M. PONOMAREFF/PPI

Mgr Paul **Grégoire**

Grégoire XIII, né Ugo **Boncompagni**, pape et réformateur du calendrier, né à Bologne, Italie, en 1502 et mort à Rome en 1585. Grégoire XIII fut pape de 1572 à 1585. Pour remédier au problème du décalage des saisons, avec l'aide de savants, il réforma le calendrier et proposa de supprimer trois années bissextiles tous les 400 ans. Il détermina que les années bissextiles sont celles qui sont divisibles par 4 et divisibles par 400 quand elles se terminent par 00. Les saisons se décalent peu, à raison d'un jour tous les 3 000 ans; il en résulte une plus grande régularité dans le début et la fin des saisons. Le plus grand inconvénient de ce calendrier est que les jours se décalent d'un mois à l'autre, d'une année à l'autre. Ce calendrier, appelé le calendrier grégorien, est maintenant utilisé à l'échelle mondiale.

Gretzky (Wayne), joueur de hockey, né à Brantford, Ontario, en 1961. Dès l'âge de 17 ans, Gretzky fait partie de la Ligue nationale de hockey. Jusqu'en 1987, il joue pour l'équipe des Oilers d'Edmonton (Alberta) et, depuis 1988, il porte les couleurs des Kings de Los Angeles. Gretzky est un joueur de centre exceptionnel qui a déjà établi de nombreux records. En 1985-1986, l'athlète affichant le numéro 99 a amassé 215 points, soit le plus grand nombre de points obtenus durant une saison. Cette même année, il obtenait 163 mentions d'aide et marquait 92 buts, record inégalé qui sera très difficile à dépasser. Wayne Gretzky est considéré par la plupart des spécialistes comme le meilleur joueur de hockey du monde.

S. FOURNIER/PUBLIPHOTO

Wayne **Gretzky**

Grey (Albert Henry George, comte), administrateur anglais, né à Londres en 1851 et mort à Howick, Angleterre, en 1917. Gouverneur du Canada de 1904 à 1911, Albert Grey voulait renforcer les relations entre le Canada et l'empire britannique. Il a agi comme médiateur dans les relations canado-américaines en essayant d'expliquer à l'Angleterre et aux États-Unis la position du Canada. Malgré ses efforts, Grey n'a pas réussi à rallier Terre-Neuve à la Confédération. La coupe Grey (football) a été ainsi nommée en son honneur.

Greysolon Dulhut (Daniel), explorateur français, né à Saint-Germain-Laval, France, vers 1635 et mort à Montréal en 1710. Son intérêt pour la traite des fourrures l'amena, en 1679, à prendre possession de la région du lac Supérieur au nom du roi de France, Louis XIV. En 1680, il fit un voyage d'exploration dans le haut Mississippi. Par la suite, il s'efforça de convaincre les Amérindiens de ne pas vendre leurs fourrures aux postes anglais établis à la baie d'Hudson.

Grignon (Claude-Henri), romancier, journaliste et critique, né à Sainte-Adèle, Québec, en 1894 et mort en 1976. Claude-Henri Grignon est surtout connu pour son roman *Un homme et son péché*, dont le personnage principal est Séraphin Poudrier, symbole de l'avarice. Cette œuvre, tirée à 250 000 exemplaires et parue en 1933, a fait l'objet d'une série radiophonique de 1939 à 1962 et d'une série télévisée (*Les belles histoires des pays d'en haut*) de

1956 à 1970; celle-ci a été reprise en 1972 et 1977. Le roman a été traduit en anglais et a fait l'objet de deux films. Claude-Henri Grignon a aussi été connu sous le pseudonyme de Valdombre par ses critiques dans la revue *Les pamphlets de Valdombre*. Il est devenu membre de la Société royale du Canada en 1962.

Claude-Henri **Grignon**

LA PRESSE

Grimm (Jakob et Wilhelm), écrivains allemands. Jakob Grimm est né en 1785 et est mort en 1863. Son frère Wilhelm, né en 1786, est mort en 1859. Professeurs à l'Université de Berlin, les deux frères Grimm se consacrèrent également à l'écriture. Leurs *Contes d'enfants et du foyer* sont empreints de romantisme et de poésie. On leur doit aussi des ouvrages sur les langues, les sciences, la philosophie et l'histoire allemande.

Groenland, île de l'océan Atlantique. D'une superficie de 2 186 000 km², cette île appartenant au Danemark est située au nord-est de l'Amérique, près du Canada. Le Groenland est en grande partie recouvert de glace; son climat est polaire et l'hiver y règne de six à neuf mois selon les régions. La capitale est Nuuk. La population est d'environ 55 000 habitants (Groenlandais et Groenlandaises). Les langues principales sont le groenlandais et le danois. La monnaie utilisée est la couronne danoise. On y pratique la pêche et l'élevage de moutons et de rennes.

Grossman (Agnès), pianiste et chef d'orchestre, née à Vienne, en Autriche. Elle a donné de nombreux concerts en Europe, au Japon, aux États-Unis et au Canada. En 1972, elle reçoit le prix d'interprétation Mozart à Vienne. En 1973, un accident à la main droite met fin à sa carrière de pianiste. Agnès Grossman s'oriente alors vers la direction d'orchestre et de chœur, et se produit à Vienne, à Ottawa, à Montréal, à Toronto et à Calgary. Elle est directrice musicale de l'Orchestre métropolitain de Montréal et du *Toronto Chamber Players*.

Groulx (Lionel), prêtre, écrivain et historien québécois, né à Vaudreuil en 1878 et mort dans la même ville en 1967. Ordonné prêtre en 1903, Lionel Groulx rédige un cours d'histoire du Canada qu'il donne à l'Université de Montréal de 1915 à 1949. Auteur de nombreux ouvrages d'histoire, il fonde la Ligue des droits du français en 1913 et la revue *L'Action française* en 1920. Le chanoine Groulx a voulu aider les Canadiens français à prendre conscience de leur identité. Créateur de l'Institut de l'histoire de l'Amérique française, il donne des conférences à la radio, pose le problème de la survivance française et s'intéresse à l'idée d'un État autonome pour le Canada français. Lionel Groulx s'est opposé à Maurice Duplessis et s'est enthousiasmé pour la Révolution tranquille. Il a été toute sa vie, et même après sa mort, un symbole de ralliement pour les nationalistes. Deux semaines avant son décès, lors de l'Exposition universelle de 1967, il discute encore d'histoire au pavillon de la Jeunesse. L'abbé Lionel Groulx est reconnu comme l'un des principaux penseurs et chefs de file du mouvement nationaliste canadien-français.

Groulx (monts), chaîne de montagnes du Canada, située au Québec. S'étendant dans les Laurentides, cette chaîne est la quatrième en importance au Québec. Le mont Veyrier est son point culminant (1 104 m). À la suite du décès du chanoine Lionel Groulx en 1967, la Commission de géographie honora cet historien en attribuant son nom à ce massif.

Guadeloupe, groupe d'îles des Antilles. D'une superficie de 1 709 km², ce département français d'outre-mer est formé de deux îles principales, Basse-Terre et Grande-Terre, séparées par un bras de mer, la rivière Salée. Basse-Terre est une île de type volcanique, recouverte de forêts très denses, tandis que Grande-Terre est un plateau de faible altitude. Le climat est chaud et les pluies sont abondantes. Ces îles ont connu de fréquents cyclones au cours des dernières années. La population est d'environ 338 000 habitants (Guadeloupéens et Guadeloupéennes). La langue officielle est le français et la monnaie utilisée est le franc français. Les Guadeloupéens vivent principalement de la production de rhum, de canne à sucre, de bananes, d'ananas, de café, de cacao et de vanille. Le tourisme joue un rôle important dans leur économie.

Guatemala, État d'Amérique centrale. D'une superficie de 108 890 km², le Guatemala est situé au sud-est du Mexique. Son territoire est limité par le Mexique, le Bélize, la mer des Caraïbes, le Honduras, le Salvador et l'océan

Pacifique. La capitale est Guatemala. Ce pays est formé de montagnes, en partie volcaniques, et de bas plateaux. Le climat tropical, chaud et humide, varie selon l'altitude. Une forêt dense, des hauts plateaux et des savanes couvrent le territoire. Les fleuves Motagua et Usumacinta sont les principaux cours d'eau du Guatemala. La population compte 8,7 millions d'habitants (Guatémaltèques). La langue officielle est l'espagnol et la principale religion est le catholicisme. La monnaie utilisée est le quetzal. Le café constitue la base des exportations; on cultive également la banane, la canne à sucre et le tabac. Ancienne colonie espagnole, le pays est devenu indépendant en 1821. Après de nombreuses années de dictature et de régime militaire, le Guatemala est dirigé, depuis 1985, par un président élu.

Guatemala, capitale du Guatemala. Cette ville de 1 300 000 habitants est un centre universitaire, administratif et commercial (exportation de café, de sucre, etc.). Guatemala constitue le centre économique le plus important du pays (manufactures de coton et de tabac, brasseries). Située sur une ligne de séismes dans les hauts plateaux de la Cordillère centrale, à une altitude de quelque 1 500 m, la ville de Guatemala fut presque entièrement détruite par un tremblement de terre, en 1917.

Guerre mondiale (Première), conflit armé. De 1914 à 1918, la Première Guerre mondiale opposa l'Allemagne et l'Autriche-Hongrie à la France, à l'Angleterre et à la Russie. La Turquie et la Bulgarie soutenaient l'Allemagne, alors que la Serbie, la Belgique, le Japon, l'Italie, la Roumanie, le Portugal, la Grèce, la Chine, les États-Unis et plusieurs autres pays se rangeaient du côté de la France, de l'Angleterre et de la Russie. Déclenchée au mois d'août 1914, cette guerre se termina par la défaite de l'Allemagne et de l'Autriche-Hongrie, celle-ci ayant forcé les Allemands à demander l'armistice, signée le 11 novembre 1918. Au total, la Première Guerre mondiale fit périr environ 18 500 000 personnes, soit environ 8 500 000 soldats et 10 000 000 de civils. Les soldats canadiens participèrent à plusieurs batailles importantes. Au début, quoique peu nombreux, les Canadiens s'engagèrent librement dans cette guerre. En 1917, le gouvernement canadien imposa la conscription, c'est-à-dire le service militaire obligatoire.

Guerre mondiale (Seconde), conflit armé. De 1939 à 1945, la Seconde Guerre mondiale opposa les Alliés, c'est-à-dire l'Angleterre, la France, la Pologne, l'U.R.S.S., les États-Unis et la Chine, aux pays de l'Axe, soit l'Italie, le Japon, la Hongrie, la Roumanie et la Bulgarie. Déclenchée le 1er septembre 1939 lors de l'envahissement de la Pologne par les forces allemandes, cette guerre se termina par la capitulation de l'Allemagne en mai 1945 et par celle du Japon en août de la même année. Environ six millions de Juifs furent exterminés lors de ce conflit. Les pertes humaines se seraient élevées à 60 000 000. Les villes de Hiroshima et de Nagasaki, au Japon, furent bombardées par les Américains les 6 et 9 août 1945 et furent presque totalement détruites par la bombe atomique. Les soldats canadiens participèrent à plusieurs batailles, surtout en France et en Italie. À la fin de 1944, le gouvernement canadien imposa la conscription, soit le service militaire obligatoire.

Guèvremont (Germaine Grignon-), journaliste et auteure canadienne, née à Saint-Jérôme en 1893 et morte à Montréal en 1968. Après des études à Sainte-Scholastique, à Saint-Jérôme, à Lachine et à Toronto, Germaine Guèvremont s'installe à Sorel avec son mari, Hyacinthe Guèvremont, et ses enfants. Elle se lance alors dans le journalisme et collabore à plusieurs journaux. En 1942, elle publie un recueil de contes rustiques, *En pleine terre*, et commence *Le survenant*, son œuvre majeure. *Marie-Didace*, second volet de cette œuvre, paraît en 1947 et est adapté pour la radio (1951) et la télévision (1954). Germaine Guèvremont, lauréate de plusieurs prix pour son œuvre littéraire, est admise à la Société royale du Canada le 14 avril 1961.

Guimond (Olivier), comédien et mime, né à Montréal en 1914 et mort en 1971. Ce spécialiste du vaudeville, fils de deux artistes, dont

THÉÂTRE DES VARIÉTÉS INC.

Olivier **Guimond**

Olivier Guimond père (*Ti-Zoune*), ne tarda pas à devenir le comique numéro un du Québec. Il a joué à la télévision dans les séries *Cré Basile, Le zoo du capitaine Bonhomme* et *La branche d'Olivier*. On l'a souvent comparé à Charlie Chaplin à cause de sa souplesse et de son sens inné du comique.

Guinée, État d'Afrique occidentale. D'une superficie de 245 860 km², la Guinée est située à l'ouest du continent africain. La capitale est Conakry. Le territoire est limité par la Guinée-Bissau, le Sénégal, le Mali, la Côte d'Ivoire, le Libéria, la Sierra Leone et l'océan Atlantique. Le pays se divise en quatre régions principales: la basse Guinée, «pays des rivières du Sud», la moyenne Guinée, la haute Guinée orientale, plateau recouvert par une forêt claire, et la Guinée forestière, au sud-est. Le Konkouré et le Niger sont les principaux cours d'eau de la Guinée. Le climat est de type tropical humide. La population compte environ 5 millions d'habitants (Guinéens et Guinéennes). La langue officielle est le français et les principales religions sont l'islam et l'animisme. La monnaie utilisée est le franc guinéen. L'économie repose sur de nombreuses richesses naturelles, notamment le riz, les bananes, les plantations de palmiers, le mil, le manioc, le fer, le diamant et la bauxite (principal produit d'exportation). Ancienne colonie française, la Guinée est devenue indépendante en 1958. Elle est aujourd'hui dirigée par un chef militaire.

Guinée-Bissau, État d'Afrique occidentale, autrefois Guinée portugaise. D'une superficie de 36 120 km², la Guinée-Bissau est située à l'ouest du continent africain, au sud du Sénégal. La capitale est Bissau. Le territoire est limité par le Sénégal, la Guinée et l'océan Atlantique. Le pays est constitué de plaines marécageuses et de plateaux. Le climat et la végétation sont ceux de la zone tropicale humide. On y dénombre environ 945 000 habitants. La langue officielle est le portugais et la monnaie utilisée est le peso guinéen. L'économie de la Guinée-Bissau repose sur l'agriculture, les cultures vivrières (riz, maïs) et les produits d'exportation, dont l'arachide. Ancienne colonie portugaise, le pays est indépendant depuis 1974 et est aujourd'hui dirigé par un chef militaire.

Guinée équatoriale, État d'Afrique occidentale, autrefois Guinée espagnole. D'une superficie de 28 050 km², la Guinée équatoriale est située dans le golfe de Guinée. Elle est limitée par le Cameroun, le Gabon et l'océan Atlantique. Le territoire est constitué d'un ensemble de terres aplanies par l'érosion et recouvertes d'une forêt dense. La Guinée équatoriale comprend aussi diverses îles, dont Bioco et Pagalu. La capitale est Malabo. La population est d'environ 420 000 habitants. La langue officielle est l'espagnol et la monnaie utilisée est le franc C.F.A. L'économie repose essentiellement sur trois produits: le café, le cacao et le bois. Ancienne colonie espagnole, le pays est indépendant depuis 1968 et est dirigé par un chef militaire depuis 1979.

Guinée espagnole ☞ **Guinée équatoriale**.

Guinée portugaise ☞ **Guinée-Bissau**.

Gulf Stream, courant marin de l'océan Atlantique. Ce courant chaud résulte de la fusion du courant des Caraïbes et de celui de la Floride. Ces eaux venues du golfe du Mexique remontent jusqu'au sud de Terre-Neuve et viennent adoucir considérablement les climats littoraux de l'Europe occidentale.

Gutenberg (Johannes **Gensfleisch**, dit), imprimeur allemand, né à Mayence, Allemagne, vers 1394-1399 et mort dans la même ville en 1468. Gutenberg inventa la presse à imprimer en 1434 et mit au point, en 1440, la typographie, procédé d'imprimerie à caractères métalliques mobiles. Il imprima en 1448, avec l'aide d'un associé, la célèbre Bible latine «à quarante-deux lignes».

Guyana, État d'Amérique du Sud, autrefois Guyane britannique. La Guyana est située au nord-est de l'Amérique du Sud et est limitée par l'océan Atlantique, le Suriname, le Brésil et le Venezuela. La capitale est Georgetown. La population, d'environ 1 million d'habitants (Guyanais et Guyanaises), vit sur un territoire de 214 970 km². Cette population est formée essentiellement d'Indiens d'origine asiatique et de Noirs africains. Le territoire, bien arrosé par le fleuve Essequibo et ses affluents, s'étend sur une étroite plaine côtière et s'élève sur un plateau intérieur où domine un massif montagneux. Le climat équatorial explique la grande expansion de la forêt dense qui couvre près des deux tiers du pays. La langue officielle est l'anglais et la monnaie utilisée est le dollar de Guyana. L'économie guyanaise repose sur la production agricole (canne à sucre, café, bananes, agrumes et riz) et sur l'exploitation minière (bauxite, manganèse, or et diamant). La Guyana est le troisième producteur mondial de bauxite. Ancienne colonie hollandaise puis anglaise, le pays est indépendant depuis 1966 et est dirigé par un président et un gouvernement élus.

Guyane britannique ☞ **Guyana**.

Guyane française, département français d'outre-mer, en Amérique du Sud. La Guyane française est située au nord-est de l'Amérique du Sud et est limitée par l'océan Atlantique, le Suriname et le Brésil. La capitale est Cayenne. La population, d'environ 88 000 habitants (Guyanais et Guyanaises), vit sur un territoire de 91 000 km^2. Un climat équatorial règne sur ce territoire recouvert en grande partie d'une forêt dense. Une base de lancement de fusées et de satellites est installée à Kourou. La langue officielle est le français et la monnaie utilisée est le franc français.

Guyart (Marie) ☞ **Marie de l'Incarnation** (bienheureuse).

Haïti, État d'Amérique centrale. D'une superficie de 27 750 km², la République d'Haïti occupe la partie occidentale de l'île d'Hispaniola (aussi appelée île d'Haïti), située entre l'Atlantique et la mer des Caraïbes. La partie orientale de cette île est occupée par la République dominicaine. La capitale d'Haïti est Port-au-Prince. Le pays est constitué de montagnes et de basses-terres. Les principaux cours d'eau sont le golfe de Gonaïves et la Grande Rivière du Nord. Haïti jouit d'un climat tropical, tempéré par l'altitude et la présence de l'Atlantique. Les pluies sont abondantes et la végétation se compose de forêts sur les versants des montagnes et de savanes dans les plaines. La population est de 5,5 millions d'habitants (Haïtiens et Haïtiennes). La langue officielle est le français, mais on parle aussi le créole. Les principales religions sont le catholicisme et le vaudou. La monnaie utilisée est la gourde. Ce pays est l'un des plus pauvres d'Amérique latine. Il fait face à des problèmes de sous-développement et demeure dépendant des États-Unis. Son économie repose sur diverses ressources naturelles (café, bananes, coton, canne à sucre et bauxite). Ancienne colonie espagnole puis française, la République d'Haïti devint indépendante en 1825. Dirigé par un dictateur de 1957 à 1986, le pays est aujourd'hui gouverné par un chef militaire.

Haldimand (Frederick), militaire et administrateur colonial, né à Yverdon, Suisse, en 1718 et mort dans la même ville en 1791. Haldimand a été lieutenant-gouverneur militaire du district de Trois-Rivières, de 1762 à 1764. Il a également occupé le poste de gouverneur général de la province de Québec en 1778 et 1779.

Halifax, ville du Canada, capitale de la Nouvelle-Écosse. Situé sur les bords de l'Atlantique, Halifax fut érigé autour de sa forteresse en 1749 pour servir de base navale et militaire. Halifax joua un rôle très important lors de l'attaque de 1758 contre l'Acadie et aussi durant la guerre de 1812-1814 contre les États-Unis. Cette ville compte environ 113 600 habitants (Haligoniens et Haligoniennes). Le port de Halifax, principal port de mer de l'est du Canada, demeure ouvert au trafic maritime durant toute l'année. La fertile vallée d'Annapolis se spécialise dans la culture de la pomme. La région de Halifax exporte du bois, des denrées agricoles et des produits de la pêche (morue, crustacés et mollusques). La capitale de la Nouvelle-Écosse est également le terminus des chemins de fer nationaux. Le tourisme représente l'une des ressources importantes de son économie.

Halloween, fête populaire. Le mot *Halloween* date du Moyen Âge et provient de l'ancien anglais «All Hallow's Eve», qui signifie «soirée de tous les saints». Ce sont les Irlandais qui, à la fin du XIXe siècle, ont popularisé cette fête en Amérique du Nord. On croyait que le soir de l'Halloween les esprits des morts revenaient sur terre visiter leurs anciennes demeures et que les sorcières, les fées, les lutins et les démons rôdaient librement. On allumait des feux pour les chasser ou on évidait des navets dans lesquels on introduisait des chandelles. La lueur de la flamme à travers les formes découpées faisait fuir les mauvais esprits. Cette fête coïncidait avec la fin des récoltes. Autrefois, hommes, femmes et enfants se costumaient et se maquillaient. Ils frappaient aux portes, imitant la quête des esprits. On offrait aux «quêteux» des pommes et des noix, présages d'une bonne récolte. De nos jours, la citrouille, fruit que l'on récolte en grande quantité, a remplacé le navet. Chez les Amérindiens, elle était considérée comme un fruit magique que seul le sorcier pouvait utiliser, car elle possédait des propriétés médicinales. On célèbre cette fête le 31 octobre.

Hambourg, ville de la République fédérale d'Allemagne. D'une superficie de 753 km², cette ville d'Allemagne de l'Ouest est la deuxième ville du pays. On y dénombre 1,6 million d'habitants (Hambourgeois et Hambourgeoises). Situé au fond de l'estuaire de l'Elbe, Hambourg constitue le principal débouché maritime de l'Allemagne fédérale et demeure l'un des plus grands ports européens. Les industries de la métallurgie, de la chimie et de l'agro-alimentaire y sont très développées.

Hamilton, ville du Canada. La ville de Hamilton est située en Ontario, à l'extrémité ouest du lac Ontario. Sa population s'élève à environ 306 700 habitants. La région de Hamilton fut d'abord explorée par Cavelier de La Salle, puis colonisée par les Loyalistes américains en 1778. Hamilton est le premier centre de l'acier au Canada. On y fabrique des automobiles, de la machinerie lourde et des appareils électriques. La culture fruitière y est florissante. Hamilton est l'un des ports les plus importants de la région des Grands Lacs. George Hamilton contribua à la fondation de la ville au début de 1810, et c'est en son honneur que la ville porte son nom.

Hampstead, ville du Canada. La ville de Hampstead est située au Québec, dans la partie ouest de l'île de Montréal. Elle s'étend au nord du quartier Notre-Dame-de-Grâce entre Côte-Saint-Luc et l'autoroute Décarie. Au nord, elle est limitée par l'hippodrome *Blue Bonnets*. Érigé en 1914, Hampstead compte environ 7 450 habitants.

Haendel ou **Händel** (Georg Friedrich), compositeur allemand naturalisé anglais, né en Allemagne en 1685 et mort à Londres en 1759. Très apprécié par l'élite intellectuelle de Londres, Haendel s'installa à la cour d'Angleterre pour y perfectionner son art. Il nous a légué une œuvre très diversifiée: opéras, cantates, sonates, concertos et surtout oratorios. *Le Messie*, oratorio qu'il a composé en 1742, est considéré comme le chef-d'œuvre du genre. La musique de Haendel, empreinte de grandeur et de lyrisme, présente une synthèse originale des styles italien, français, germanique et anglais.

Hanoï [*Hà Nội*], capitale du Viêt Nam. Hanoï est situé sur le fleuve Rouge à la tête du delta du Tonkin. Sa population s'élève à 2,6 millions d'habitants. La capitale du Viêt Nam est un centre industriel, commercial et culturel. L'agriculture occupe une place prépondérante dans l'économie de la région, et le riz, le thé et le caoutchouc demeurent les produits de base. On peut y admirer de nombreux monuments et y visiter de riches musées.

Hanovre, ville de la République fédérale d'Allemagne. La ville de Hanovre est située dans le nord du pays. Capitale de la Basse-Saxe, sur la Leine, Hanovre compte environ 535 000 habitants (Hanovriens et Hanovriennes). C'est un centre commercial et industriel très actif; on y présente de nombreuses foires internationales.

Harare, capitale du Zimbabwe, anciennement appelée Salisbury. La ville de Harare est située à 1 470 m d'altitude. Elle compte environ 656 000 habitants. Son économie est fondée sur la culture du maïs, du coton et du tabac, et sur l'extraction du chrome et de l'amiante.

Harricana (rivière), rivière du Canada, qui coule dans la région de l'Abitibi-Témiscamingue. Cette rivière prend sa source dans le lac Obalski, près de Val-d'Or. Elle coule sur 533 km et se jette au sud de la baie James. Son nom signifie «rivière au biscuit» dans la langue algonquine.

Haut-Canada, région du Canada sous le Régime anglais. Le Haut-Canada correspondait au territoire délimité par la rivière des Outaouais, les Grands Lacs et la terre de Rupert. C'est ce que nous appelons aujourd'hui l'Ontario. Au début des années 1700, les Français revendiquent ce territoire pour la traite des fourrures. Par le traité de Paris, signé en 1763, la France cède ce territoire aux Anglais. Les Loyalistes s'y installent en 1783 et poussent le Parlement britannique à voter l'Acte constitutionnel (1791), par lequel sont créés le Haut-Canada et le Bas-Canada. En 1840, l'Acte d'Union unit le Bas-Canada et le Haut-Canada. En 1867, l'Acte de l'Amérique du Nord britannique donne naissance au Canada, qui regroupe le Québec, l'Ontario, la Nouvelle-Écosse et le Nouveau-Brunswick, en établissant le pacte de la Confédération.

Haute-Volta ☞ **Burkina Faso**.

Havane (**La**) [*La Habana*], capitale de Cuba. Cette ville portuaire est la métropole économique de Cuba et la plus grande ville des Antilles. Sa population s'élève à environ 2 millions d'habitants (Havanais et Havanaises). L'agro-alimentaire constitue son industrie dominante. La culture du tabac représente une importante source de revenus.

Hawaii ou **Hawaï** (îles), archipel volcanique de la Polynésie. Ce groupe d'îles est situé dans l'océan Pacifique. En 1959, Hawaii devient le 50e État des États-Unis. L'ensemble des îles s'étend sur une superficie de 16 600 km². La population se chiffre à 965 000 Hawaiiens et Hawaiiennes. Sa capitale est Honolulu, située dans l'île Oahu. Le climat est frais à cause de la grande altitude et le degré d'ensoleillement est élevé. Les îles produisent de la canne à sucre, du café et des ananas. L'archipel demeure un centre touristique très fréquenté. L'île d'Hawaii, la plus grande, couvre une superficie de 10 400 km² et sa population compte 92 000 habitants.

Haydn (Joseph), compositeur autrichien, né à Rohrau en 1732 et mort à Vienne en 1809. Joseph Haydn mena une carrière musicale très féconde. Ses dons exceptionnels lui permirent d'entrer au service de la famille Esterhazy. Il vécut à la cour de ces princes et y composa des opéras, des symphonies, des sonates, des concertos et un très grand nombre de pièces de musique religieuse qui furent très vite connus dans toute l'Europe. Haydn a donné à la sonate ainsi qu'à la symphonie leur forme définitive. Il a exercé une profonde influence sur Beethoven et Mozart, notamment dans le domaine de la musique instrumentale. Son langage musical témoigne d'une grande perfection formelle faite de rigueur, de clarté et d'élégance. Ses deux oratorios, *La création* (1798) et *Les saisons* (1801), sont considérés comme ses chefs-d'œuvre.

Haye (**La**) [*Den Haag*], ville des Pays-Bas. Située près de la mer du Nord, La Haye, centre administratif et diplomatique, est le siège du gouvernement néerlandais et de la Cour de justice internationale. Sa population s'élève à 443 000 habitants (Haguenois et Haguenoises). On peut y admirer de nombreux monuments datant du XIIIe au XIXe siècle et des musées, dont le musée royal de peinture du Mauritshuis (palais du XVIIe siècle). La Haye bénéficie d'un climat doux et humide. Son économie repose sur les produits pharmaceutiques, les matières plastiques, l'artisanat artistique, l'ébénisterie et le tourisme.

Head (Edmund Walker), administrateur, né à Wiarton Place, Angleterre, en 1805 et mort à Londres en 1868. Head fit ses études à Oxford, où il obtint une licence en grec et en latin de l'Oriel College. Écrivain, rédacteur et traducteur, il rédigea des articles sur le droit, le gouvernement, la langue et la philosophie. Administrateur compétent, Edmund Head devint gouverneur en chef du Canada-Uni de 1854 à 1861. Ensuite, il occupa le poste de gouverneur de la Compagnie de la baie d'Hudson de 1863 à 1868.

Hébert (Anne), fille des premiers colons Louis Hébert et Marie Rollet, née en France et morte à Québec en 1619. À son arrivée au pays, en 1617, Anne Hébert se voit obligée de travailler pour la Compagnie de traite de fourrures sans toucher de salaire, la Compagnie ayant modifié le contrat de son père. Elle fut la première femme blanche à se marier en Nouvelle-France. En 1618, Anne Hébert épouse Étienne Jonquet; elle meurt l'année suivante lors d'un accouchement.

Hébert (Anne), poétesse, dramaturge et romancière québécoise, née à Sainte-Catherine-de-la-Jacques-Cartier, Québec, en 1916. En 1942, Anne Hébert publie un premier recueil de poèmes, *Les songes en équilibre*. Puis, en 1950, elle fait paraître un recueil de nouvelles, *Le torrent*. Un premier roman, publié en 1958, *Les chambres de bois*, reçoit un chaleureux accueil de la part du public et des critiques. En 1970, Anne Hébert obtient le prix des Libraires pour son roman *Kamouraska*, que Claude Jutra adaptera à l'écran en 1973. Enfin, son roman *Les fous de Bassan* remporte en 1982 le prix Fémina. Son œuvre en prose évoque la lutte d'êtres qui poursuivent leur quête d'absolu tout en cherchant à dépasser les limites de leur monde intérieur.

Hébert (Diane), née au Québec en 1957. Dès l'âge de six ans, Diane Hébert est opérée par les docteurs Grondin et Lepage, cardiologues à l'Institut de cardiologie de Montréal. Le 26 novembre 1985, elle devenait la première Québécoise à subir une transplantation triple (cœur-poumons) après deux ans et demi d'attente. Depuis lors, cette femme est devenue un exemple de courage, de détermination et de désir de vivre pour tous les grands malades. Diane Hébert donne maintenant des conférences et travaille pour les associations de dons d'organes.

Anne **Hébert**

G. SCHACHMES/SYGMA/PUBLIPHOTO

P. ROUSSEL/PUBLIPHOTO

Diane **Hébert**

Hébert (Louis), premier colon de la Nouvelle-France, né en France en 1575 et mort à Québec en 1627. Louis Hébert a fait deux séjours en Acadie avant d'obtenir un contrat de la Compagnie de traite de fourrures, qui l'engage comme apothicaire par l'entremise de Champlain. Il vient s'établir à Québec, en 1617, avec sa femme, Marie Rollet, et leurs enfants: Anne, Guillemette et Guillaume. Louis Hébert arrive avec une provision de grains et réussit à défricher, à cultiver et à vivre des produits de sa terre. Mais la Compagnie refuse de le payer pour le forcer à abandonner l'agriculture. Hébert fait alors tous ses travaux agricoles avec des outils manuels. Il est inhumé à Québec dans le caveau de la chapelle des Récollets et un monument perpétue sa mémoire.

Helsinki, capitale de la Finlande. Helsinki est une ville portuaire située sur le golfe de Finlande et la mer Baltique. On y dénombre environ 484 000 habitants. Centre industriel très actif, Helsinki mise sur la construction de navires, l'imprimerie, la fabrication de porcelaine et les raffineries de sucre pour assurer son développement économique. La ville possède des musées, des monuments, un aéroport et un réseau ferroviaire souterrain.

Hennepin (Louis), missionnaire récollet, né en Belgique en 1640 et mort en France en 1705. Louis Hennepin est arrivé au Canada en 1675 et a effectué de multiples expéditions avec des explorateurs. Fait prisonnier par les Iroquois, il est remis en liberté et il retourne en France, où il rédige, en 1883, un ouvrage sur ses expéditions au Canada. Cependant, ses écrits manquent d'honnêteté: il s'approprie les découvertes d'autres explorateurs pour accroître sa popularité en France, où ses livres sont très appréciés. Au Canada, il est interdit de séjour et son nom tombe dans l'oubli.

Henri II, roi de France, né à Saint-Germain-en-Laye en 1519 et mort à Paris en 1559. Henri II fut roi de France de 1547 à 1559. Il succéda à son père, François Ier, qui a encouragé Jacques Cartier à explorer le Canada. C'est sous le règne d'Henri II qu'est mort le découvreur du Canada.

Henri IV, roi de France, né à Paris en 1553 et mort à Paris en 1610. Henri IV fut roi de France de 1589 à 1610. Par l'édit de Nantes, il rétablit la paix en France entre les catholiques et les protestants. Il autorisa des essais de colonisation en Nouvelle-France. Sous son règne, Champlain fonda Québec en 1608. Henri IV reconnut les talents de géographe de Champlain et lui attribua le titre de «géographe royal».

Henri VIII, roi d'Angleterre, né à Greenwich en 1491 et mort à Westminster en 1547. Henri VIII fut roi d'Angleterre de 1509 à 1547. Ardent catholique, il rompt avec Rome en 1534 lorsque le pape lui refuse l'annulation de son mariage. Il fonde ensuite la religion anglicane et se proclame chef de l'Église d'Angleterre par l'Acte de suprématie, interdisant ainsi la pratique du catholicisme. Cette loi était encore en vigueur au moment de la conquête de la Nouvelle-France par les Anglais, ce qui eut pour effet d'y interdire, en principe, la pratique de la religion catholique. Ainsi, à la mort de Mgr de Pontbriand, en 1760, l'Angleterre s'oppose à la nomination d'un autre évêque. Jusqu'en 1778, les catholiques sont exclus de l'administration, de l'armée, de la marine et des professions libérales.

Henry (Alexander), explorateur, né au New Jersey, États-Unis, en 1739 et mort à Montréal en 1824. S'étant établi au Québec comme marchand, Henry approvisionne l'armée britannique. Après 1763, il est l'un des premiers trafiquants «indépendants» à s'adonner à la traite dans le Nord-Ouest. Ses Mémoires, *Travels and Adventures in Canada and the Indian Territories* (1809), constituent un classique de la littérature canadienne.

Hergé (Georges **Rémi**, dit), créateur de bandes dessinées, né à Etterbeek, Belgique, en 1907 et mort à Bruxelles en 1983. Dès 1929, Hergé s'imposa, grâce à ses *Aventures de Tintin et Milou*, comme l'un des maîtres de la bande dessinée. Ses ouvrages ont été traduits dans plus de 20 langues et lus partout à travers le monde. Les *Aventures de Tintin et Milou* ont également été portées à l'écran sous la forme de films et de longs métrages d'animation. Hergé a également créé d'autres bandes dessinées, dont les plus connues sont *Jo, Zette et Jocko* et *Quick et Flupke*.

Himālaya, chaîne de montagnes asiatique. Cette chaîne de montagnes, la plus haute du monde, est située en Asie entre l'Inde et la Chine. Elle s'étend sur 2 800 km et son point culminant est l'Everest, qui se dresse à 8 848 m. Les vallées de ce pays de neiges éternelles sont propices à l'élevage de chèvres, de yacks et de moutons, et à la culture du riz, de l'orge, du maïs et de la pomme de terre. L'Himālaya forme une importante barrière climatique et géographique.

Hirohito, empereur du Japon, né à Tokyo en 1901 et mort dans la même ville en 1989. Hirohito accède au trône en 1926 et déclare la guerre aux États-Unis en 1941 en attaquant Pearl Harbour, île américaine du Pacifique. À la suite des bombardements des villes de Hiroshima et de Nagasaki en 1945, Hirohito doit capituler. Il était considéré comme un dieu par une grande partie du peuple japonais. *(Voir la photo à la page suivante.)*

Hiroshima, ville du Japon. Cette ville portuaire fut presque complètement détruite par la première bombe atomique lancée par

J.-P. LAFFONT/SYGMA/PUBLI PHOTO

Hirohito

l'aviation américaine le 6 août 1945. Environ 150 000 Japonais y périrent.

Hitler (Adolf), homme politique allemand, né à Braunau, Autriche, en 1889 et mort à Berlin en 1945. En 1920, Hitler crée le Parti national socialiste des ouvriers allemands. Ses talents oratoires lui permettent d'électriser les foules et d'imposer ses aspirations de démagogue. En 1933, il accède au poste de chancelier de l'Allemagne et dirige son parti à la tête du gouvernement. Enfin, devenu officiellement le *Führer* (maître absolu), appuyé par une armée reconstituée et forte, il annexe l'Autriche et la Tchécoslovaquie, et envahit la Pologne, déclenchant ainsi la Seconde Guerre mondiale en 1939. Sa politique dictatoriale visait à exterminer les Juifs et à promouvoir l'émergence d'une race supérieure, la race aryenne. C'est dans son livre *Mein Kampf* qu'Hitler a élaboré son idéologie du nazisme. Il s'est suicidé à Berlin le 30 avril 1945 lors de la chute du IIIe Reich.

Hochelaga (archipel d'), groupe d'îles de la région de Montréal, dont les principales sont l'île de Montréal, l'île Jésus et l'île Perrot. Ce nom d'archipel a été proposé initialement par le frère Marie-Victorin. L'appellation a été officialisée en 1985 par la Commission de toponymie.

Hochelaga, village iroquois situé sur l'emplacement actuel de Montréal. Jacques Cartier y fut reçu en 1535 lors de son deuxième voyage. Il donna le nom de mont Royal à la montagne qui dominait le village. En 1603, lorsque les Français retournèrent dans cette région, les habitants d'Hochelaga s'étaient dispersés. En 1610, Champlain y bâtit un petit fort qu'il nomma Place-Royale.

Hô Chi Minh-Ville, ville du Viêt Nam, anciennement appelée Saigon. Située dans le delta du Mékong à près de 80 km de la mer, cette ville d'aspect européen devint le refuge des Vietnamiens qui fuyaient la guerre. Le port, appelé Saigon, s'ouvre sur la mer de Chine au sud. Hô Chi Minh-Ville abrite une population de 3,6 millions d'habitants. On y exploite l'hévéa et les plantations de riz.

Hocquart (Gilles), administrateur, né à Mortagne, France, en 1694 et mort à Paris en 1783. Comme son père, Gilles Hocquart entre dans la marine. Affecté à Rochefort de 1722 à 1729, il devient intendant en titre en 1731 et y demeure jusqu'en 1748. Hocquart travaille alors à augmenter les bénéfices commerciaux de la France tout en réduisant les dépenses. Il tente également d'encourager diverses entreprises canadiennes, dont les Forges du Saint-Maurice, et la construction navale. En 1740, il est parvenu à redresser considérablement l'économie de la Nouvelle-France. Avec Jean Talon, Hocquart est considéré comme l'un des meilleurs administrateurs de la Nouvelle-France.

Hollande, région des Pays-Bas. La Hollande est la région la plus riche et la plus peuplée des Pays-Bas. Située à l'ouest des Pays-Bas, elle comprend deux provinces: la Hollande-Septentrionale, dont la plus grande ville est Amsterdam, et la Hollande-Méridionale, qui abrite Rotterdam, sa plus grande ville. La Hollande compte près de 5,5 millions d'habitants (Hollandais et Hollandaises). Le climat humide favorise la culture de la tulipe, qui y est en honneur, et les variétés s'y comptent par milliers. La lutte constante contre l'invasion de la mer et les inondations fluviales a contribué à la construction de digues et à l'assèchement des terres marécageuses.

Honduras, État d'Amérique centrale. Situé sur la mer des Antilles, le Honduras couvre une superficie de 112 090 km^2. Sa capitale est Tegucigalpa. Le pays, couvert de montagnes et de forêts (conifères et palmiers), bénéficie d'un climat chaud et humide. Le cours d'eau le plus important est l'Ulua. La population s'élève à 4,8 millions d'habitants (Honduriens et Honduriennes). La langue officielle est l'espagnol et la principale religion est le catholicisme. La monnaie utilisée est le lempira. Le taux de natalité du Honduras compte parmi les plus élevés du monde. L'économie repose sur l'agriculture, principalement sur la culture de la banane (plus d'un million de tonnes par année), du café et de la canne à sucre. Ancienne colonie espagnole, le Honduras est devenu indépendant en 1821. Après plus de quarante ans de dictature et de régime militaire, le pays est dirigé par un président depuis 1981.

Honduras britannique ☞ **Bélize**.

Hong-Kong, colonie britannique de la baie de Canton, en Chine. La colonie de Hong-Kong se compose des «nouveaux territoires» (péninsule), de petites îles et de l'île de Hong-Kong. D'une superficie de 1 067 km², Hong-Kong est situé au sud-est de l'Asie. Cette région, baignée par la mer de Chine, est l'une des plus densément peuplées du monde. Sa capitale est Victoria. Le relief est formé de collines et d'un littoral découpé. Le pays est soumis à un climat subtropical accompagné de mousson. La population s'élève à 5,7 millions d'habitants. Les langues officielles sont le chinois et l'anglais. La monnaie utilisée est le dollar de Hong-Kong. L'économie de Hong-Kong repose sur l'élevage du porc, la culture des fruits et légumes, les produits de la pêche et l'exportation de vêtements et de matériel électronique. Selon un accord conclu en 1984 entre les Anglais et les Chinois, la colonie de Hong-Kong appartiendra de nouveau à la Chine en 1997.

Hongrie, pays d'Europe centrale. D'une superficie de 93 032 km², la Hongrie est limitée par la Tchécoslovaquie, l'Autriche, la Yougoslavie, la Roumanie et l'U.R.S.S. Sa capitale est Budapest. Le territoire comprend une région montagneuse et des régions de plaines. Les cours d'eau importants sont le Danube et le Tisza. Le climat continental comporte des écarts de température marqués. Une végétation de steppe et une zone forestière recouvrent la presque totalité du pays. Le pays compte 11 millions d'habitants (Hongrois et Hongroises). La langue officielle est le hongrois et les principales religions sont le catholicisme et le protestantisme. La monnaie utilisée est le forint. L'économie de la Hongrie repose sur le blé, le maïs, le coton, la vigne, l'élevage du porc, la bauxite, le lignite et le gaz naturel. Sous régime communiste depuis 1949, le pays est aujourd'hui dirigé par un président.

Honguedo (détroit d'), détroit du Saint-Laurent. Le détroit d'Honguedo est situé entre la péninsule de la Gaspésie et l'île d'Anticosti. À l'époque de Jacques Cartier, le mot *Honguedo* désignait l'établissement de Gaspé et les monts Notre-Dame. La Commission de géographie a officialisé le nom en 1934, lors du 400e anniversaire de la présence de Cartier dans le golfe du Saint-Laurent.

Honolulu, capitale des îles Hawaii. Honolulu est situé dans l'île Oahu. Avec ses 763 000 habitants, c'est la ville la plus peuplée de l'archipel. Port de mer sur le Pacifique, cette ville exporte de la canne à sucre et des ananas. Centre touristique fréquenté, Honolulu jouit d'un climat tempéré dans un cadre très pittoresque.

Horn (cap), cap de l'extrême-sud de l'Amérique du Sud. Ce cap situé à l'extrémité sud de la Terre de Feu, au Chili, s'avance dans la mer au sud du détroit de Magellan.

Hospitalières de Dieppe, communauté religieuse. Dès leur arrivée en Nouvelle-France, le 1er août 1639, les Hospitalières du monastère de Dieppe, en France, s'établissent à l'Hôtel-Dieu de Québec. Elles bénéficient de l'aide du seigneur de Beauport, médecin du roi, et, de 1639 à 1642, de celle d'un jeune chirurgien du nom de René Goupil.

Hospitalières de Saint-Joseph, communauté religieuse. Cette congrégation fut fondée en France, en 1639, par Jérôme Le Royer de La Dauversière afin d'établir un hôpital à Ville-Marie (Montréal). Dès 1645, on entreprend la construction du premier Hôtel-Dieu de Montréal. Les Hospitalières débarquent le 7 septembre 1659 et se voient confier l'administration de l'hôpital. Leur fondatrice, Jeanne Mance, ne peut plus suffire à la tâche à cause de son piètre état de santé. Les religieuses assumèrent leur rôle hospitalier avec beaucoup de dévouement.

Houang-Ho ou **Huang He**, fleuve de Chine, surnommé le fleuve **Jaune**. Second fleuve de la Chine après le Yang-Tsê-Kiang, le Houang-Ho prend naissance au Tibet et se jette dans la mer Jaune. On le nomme fleuve Jaune à cause des débris limoneux qu'il charrie. Ces dépôts de limon forment une plaine triangulaire appelée delta. Des installations hydroélectriques ont été aménagées sur le cours du fleuve Jaune afin d'en régulariser les crues.

Houde (Camillien), homme politique, né à Montréal en 1889 et mort dans la même ville en 1958. La carrière politique de Camillien Houde s'amorce en 1923 lorsqu'il est élu député conservateur du comté de Montréal–Saint-Louis aux élections provinciales. De

Camillien **Houde**

NAKASH / ANQM / P66/25

1929 à 1932, il dirige les troupes du Parti conservateur sur la scène provinciale. Par la suite, il remporte sept victoires aux élections municipales et occupe le poste de maire de Montréal de 1928 à 1932, de 1934 à 1936, de 1938 à 1940, de 1944 à 1947 et de 1950 à 1954. Surnommé «Monsieur Montréal», Camillien Houde fut arrêté durant la Seconde Guerre mondiale par la Gendarmerie royale du Canada pour s'être prononcé ouvertement contre la conscription, service militaire obligatoire. De 1940 à 1944, il fut interné dans un camp de dissidents en Ontario. Lors de sa libération, Camillien Houde fut accueilli à Montréal par 50 000 admirateurs.

Houston, ville des États-Unis. Fondée en 1836, cette ville du Texas d'environ 1,6 million d'habitants est le quatrième port des États-Unis en importance. Celui-ci est relié par un canal au golfe du Mexique. Houston demeure un important centre industriel; les industries de pétrochimie, d'acier, d'alimentation, de métallurgie, de textiles et de bois de construction contribuent à son développement. Houston abrite également la N.A.S.A., organisme gouvernemental de recherches spatiales et aéronautiques.

Hudson (Henry), explorateur et navigateur anglais, né vers 1550 et mort en mer en 1611. En 1607 et 1608, Hudson tente de découvrir un passage maritime vers l'Asie par les mers arctiques. En 1609, l'explorateur anglais remonte la rivière Hudson, située dans l'État de New York, et, en 1610, naviguant sur le *Discovery*, il pénètre dans le détroit et la baie qui portent son nom. Au printemps de 1611, son équipage se révolte et l'abandonne en pleine mer avec son fils.

Hudson (baie d'), mer intérieure du Canada. Limitée par les plateaux du bouclier canadien, la baie d'Hudson est alimentée par de nombreuses rivières et reliée à l'océan Atlantique par le détroit d'Hudson. Elle est bordée par les Territoires du Nord-Ouest, le Manitoba, l'Ontario et le Québec. La baie d'Hudson a joué un rôle important au début de la colonie, car les explorateurs devaient y pénétrer pour avoir accès aux territoires riches en fourrures. Elle doit son nom à Henry Hudson, qui la découvrit en 1610.

Hudson (détroit d'), bras de mer séparant l'océan Atlantique de la baie d'Hudson. Ce détroit est situé au nord-est du Canada, entre l'île de Baffin et la péninsule d'Ungava. Martin Frobisher y pénétra par erreur en 1578, mais c'est Henry Hudson qui lui donna son nom en 1610.

Hull, ville du Canada. Située au Québec, dans la région de l'Outaouais, au confluent de la rivière Gatineau, la ville de Hull est reliée à Ottawa par un pont construit au pied de la chute des Chaudières. Cette ville d'environ 58 700 Hullois et Hulloises possède une importante fabrique d'allumettes, une école technique, une industrie du bois et de ses sous-produits, et un musée national important, le Musée canadien des civilisations.

Huron (lac), lac du Canada. D'une superficie de 59 800 km², il est le deuxième lac en importance parmi les cinq Grands Lacs et le cinquième sur le plan mondial. Situé au sud de l'Ontario, à l'est des lacs Supérieur et Michigan et à l'ouest des lacs Ontario et Érié, il est partagé entre le Canada et les États-Unis.

Hurons, nation autochtone. Apparentés par la langue aux Mohawks, les Hurons vivaient dans la péninsule géorgienne (Ontario actuel). En 1609, sur l'initiative de Samuel de Champlain, les Hurons concluent une alliance militaire et commerciale avec les Français et luttèrent contre les Iroquois. En 1649, les Iroquois vainquirent les Hurons, qui se dispersèrent dans l'Oklahoma et dans la région de Québec. Aujourd'hui, le principal établissement huron au Québec est situé à Wendake.

Hydro-Québec, société d'État québécoise. Hydro-Québec est l'une des plus grandes entreprises de services d'électricité du monde. En 1944, le gouvernement d'Adélard Godbout crée la Commission hydroélectrique du Québec. Au début des années soixante, l'entreprise amorce un tournant décisif quand

René Lévesque, alors ministre des Richesses naturelles dans le gouvernement libéral de Jean Lesage, nationalise le secteur de l'électricité. Vers 1940, huit sociétés desservent le Québec, mais les usagers se plaignent de la médiocrité du service et des tarifs élevés. Soucieux de corriger la situation, le gouvernement crée Hydro-Québec pour répondre efficacement aux besoins de la population. Par la suite, la société d'État entreprend, vers les années cinquante, la construction d'un vaste complexe hydroélectrique (Bersimis Un et Deux, Outardes Deux, Trois et Quatre, et Manic Deux, Trois et Quatre). En 1967, l'entreprise québécoise crée un institut de recherche dans le domaine du transport de l'énergie électrique. En 1973, Hydro-Québec lance le projet de la Baie-James. La phase I des travaux (LG Deux, Trois et Quatre) est terminée en 1984. Commencées au début du siècle, les ventes d'électricité s'intensifient avec les voisins du Sud. Le 26 avril 1989, Hydro-Québec signe avec le N.Y.P.A. (*New York Power Authority*) le plus important contrat de vente d'électricité de son histoire : un contrat de 21 ans, évalué à quelque 17 milliards de dollars.

Océan Arctique
Mer de Beaufort
GROENLAND
(Danemark)
Nuuk
ALASKA
(ÉTATS-UNIS)
TERRITOIRE DU YUKON
TERRITOIRES DU NORD-OUEST
COLOMBIE-BRITANNIQUE
ALBERTA
CANADA
MANITOBA
SASKATCHEWAN
ONTARIO
QUÉBEC
Baie d'Hudson
Mer du Labrador
TERRE-NEUVE
ÎLE-DU-PRINCE-ÉDOUARD
NOUVELLE-ÉCOSSE
NOUVEAU-BRUNSWICK
Ottawa
WASHINGTON
OREGON
IDAHO
MONTANA
DAKOTA-NORD
DAKOTA-SUD
MINNESOTA
WYOMING
NEVADA
CALIFORNIE
UTAH
COLORADO
ARIZONA
NOUVEAU-MEXIQUE
NEBRASKA
KANSAS
OKLAHOMA
TEXAS
IOWA
MISSOURI
ARKANSAS
LOUISIANE
WISCONSIN
MICHIGAN
ILLINOIS
INDIANA
OHIO
KENTUCKY
TENNESSEE
MISSISSIPPI
ALABAMA
GÉORGIE
FLORIDE
CAROLINE DU SUD
CAROLINE DU NORD
VIRGINIE
VIRGINIE OCCIDENTALE
MARYLAND
DELAWARE
PENNSYLVANIE
NEW JERSEY
NEW YORK
CONNECTICUT
RHODE ISLAND
MASSACHUSETTS
VERMONT
NEW HAMPSHIRE
MAINE
ÉTATS-UNIS
Washington
Océan Atlantique
Océan Pacifique
Golfe du Mexique
MEXIQUE
México
BAHAMAS
Nassau
La Habana
CUBA
PORTO RICO
San Juan
Port-au-Prince
HAÏTI
Santo Domingo
RÉPUBLIQUE DOMINICAINE
Kingston
JAMAÏQUE
Belmopan
BELIZE
HONDURAS
Guatemala
Tegucigalpa
GUATEMALA
San Salvador
SALVADOR
Managua
NICARAGUA
San José
COSTA RICA
Panamá
PANAMA
0 500 1 000 1 500
km
N
Équateur
AMÉRIQUE DU NORD ET AMÉRIQUE CENTRALE

Le cycle de l'eau

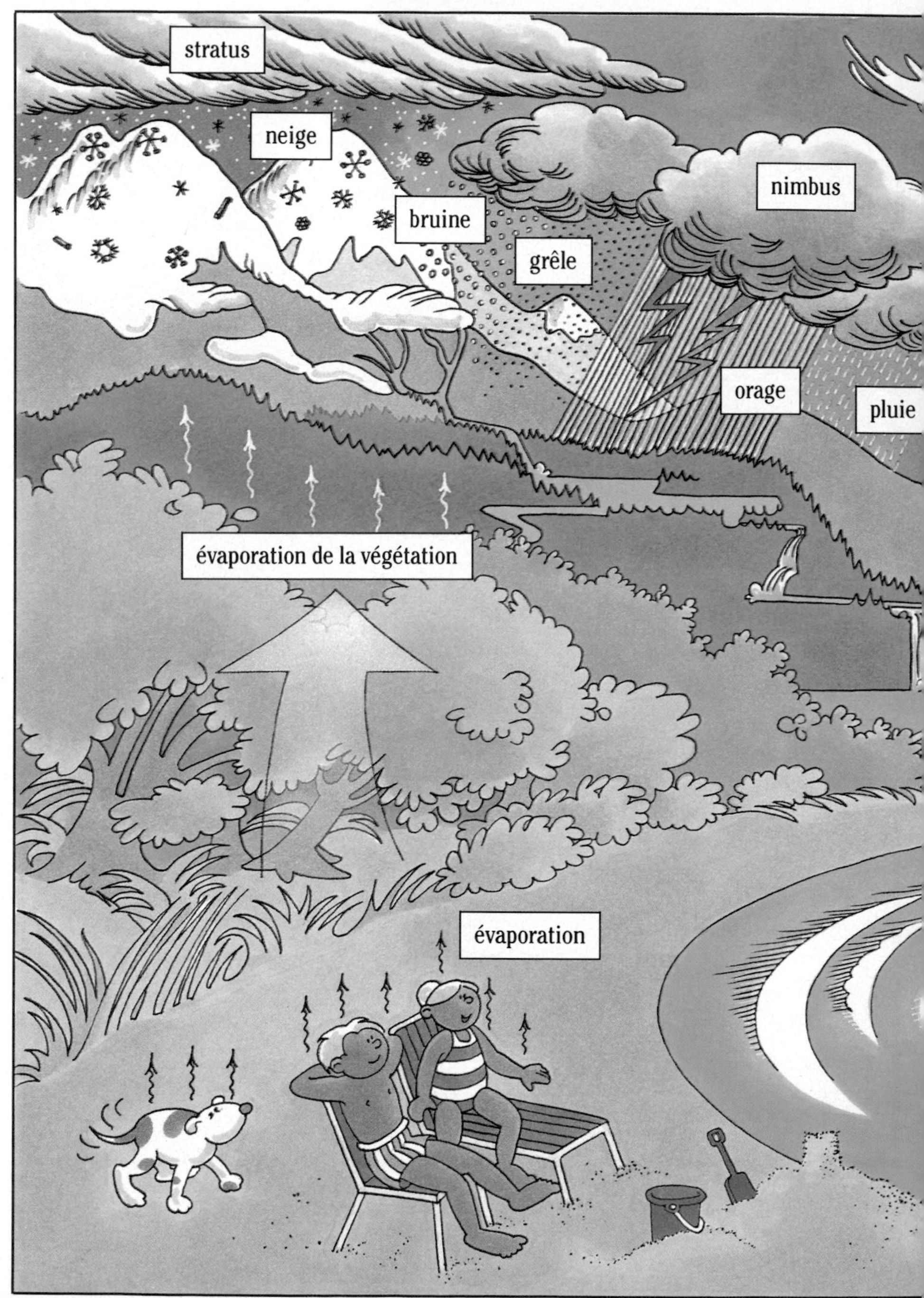

condensation: nuages
cirrus
cumulus
évaporation de l'eau

AMÉRIQUE DU SUD
Caracas
VENEZUELA
Georgetown
SURINAME
Paramaribo
Cayenne
GUYANA
GUYANE
Bogotá
COLOMBIE
Quito
ÉQUATEUR
PÉROU
BRÉSIL
Lima
BOLIVIE
La Paz
Sucre
Brasília
PARAGUAY
Asunción
OCÉAN
PACIFIQUE
CHILI
ARGENTINE
Santiago
URUGUAY
Buenos Aires
Montevideo
OCÉAN
ATLANTIQUE
N
0
1 000
km

Ibérique (péninsule), partie sud-ouest de l'Europe, partagée entre le Portugal à l'ouest et l'Espagne à l'est.

Iberville (Pierre Le Moyne **d'**), militaire et explorateur, né à Ville-Marie (Montréal) en 1661 et mort à La Havane en 1706. Fils de Charles Le Moyne, Pierre Le Moyne d'Iberville participe aux expéditions menées contre les Anglais, s'attaque aux forts anglais de la baie d'Hudson et s'empare des fourrures. En 1697, à bord de son navire, Le *Pélican*, d'Iberville coule deux vaisseaux anglais et en met un troisième en déroute. Il commande des expéditions en Louisiane, en Nouvelle-Angleterre, à Terre-Neuve et aux Antilles. En 1699, il fonde la colonie de la Louisiane (Biloxi et Mobile) et en devient le premier gouverneur. Téméraire et cruel, l'explorateur massacre, pille et brûle les colonies anglaises sur son passage. Pierre Le Moyne d'Iberville meurt de la fièvre jaune à La Havane en 1706. Son audace et sa bravoure lui valurent la croix de Saint-Louis.

Iberville, ville du Canada. Iberville est située au Québec, en face de Saint-Jean, sur la rive est de la rivière Richelieu. Sa population s'élève à environ 8 550 Ibervillois et Ibervilloises. Érigée sous le nom de Christieville en 1843, elle prit son nom actuel en 1854. Cette nouvelle appellation avait pour but de rendre hommage à Pierre Le Moyne d'Iberville, militaire et explorateur. Il y a 90 ans, quelques familles de la ville obtinrent un permis exclusif pour la pêche à l'anguille. L'une d'elles détient encore ce privilège. La pêche se pratique de juin à septembre à l'aide d'un immense treillis en bois, installé dans le lit de la rivière. L'anguille est vendue aux spécialistes de la fine cuisine. Cette ville possède de nombreuses industries : bois, produits laitiers, artisanat et produits chimiques.

Île d'Orléans (chenal de l'), partie du fleuve Saint-Laurent. Ce chenal est situé à l'est de la ville de Québec entre la rive nord du fleuve et l'île d'Orléans, face à la côte de Beaupré.

Île-du-Prince-Édouard, province du Canada. L'Île-du-Prince-Édouard est située à l'est du Canada dans le golfe du Saint-Laurent. Avec ses 225 km de long sur environ 25 km de large, elle est la plus petite province canadienne. Sa superficie (5 637 km^2) représente 0,1 % du territoire canadien. L'Île-du-Prince-Édouard compte près de 126 700 habitants. Sa capitale est Charlottetown. Autrefois, sous le Régime français, elle s'appelait île Saint-Jean. Le nom d'Île-du-Prince-Édouard remonte à 1798 et fut attribué en l'honneur du prince Édouard, duc de Kent. L'Île-du-Prince-Édouard fait partie de la Confédération canadienne depuis 1873. Dans ce pays où la mer se marie agréablement avec les terres agricoles, les forêts sont peu abondantes, mais les industries de la pomme de terre et de la pêche y sont florissantes. L'Île-du-Prince-Édouard accueille beaucoup de touristes, étant donné la douceur de son climat et ses nombreuses plages. La devise de l'Île-du-Prince-Édouard est « Le petit sous la protection du grand » ; le sabot de la Vierge est sa fleur emblématique.

Île-du-Prince-Édouard (parc national de l'), parc du Canada. Ce parc national du Canada est situé sur le versant nord de l'Île-du-Prince-Édouard. Créé en 1937, il est l'un des plus petits du Canada (20 km^2). Il offre les plus belles plages du pays sur un littoral long de 40 km. Un cordon de dunes sépare la haute mer des lagunes, refuge de 210 espèces d'oiseaux sédentaires et migrateurs.

Îles du Saint-Laurent (parc national des), parc du Canada. Ce parc national du Canada est situé sur les rives du fleuve Saint-Laurent dans le sud-est de l'Ontario. Créé en 1914, ce groupement d'îles occupe une superficie de 4 km^2. Ce parc comprend 98 îles pittoresques.

Illinois, nation autochtone de l'Amérique du Nord. Les Illinois, alliés des Français, vivaient dans la région du fleuve Mississippi et de la rivière des Illinois. Louis Jolliet et le père Marquette rencontrèrent ces Amérindiens lors de l'exploration du Mississippi en 1673. Cavelier de La Salle bâtit des forts dans cette région à la suite des découvertes de Jolliet et de Marquette.

Incarnation (Marie **Guyart**, en religion **mère Marie de l'**) ☞ **Marie de l'Incarnation** (bienheureuse).

Incas, peuple qui fonda et gouverna un puissant empire au Pérou. Les Incas exploitaient des mines d'or et élevaient des temples. Leur souverain, chef militaire et religieux, était vénéré comme le fils du dieu Soleil. Ils étaient remarquablement organisés en ce qui concerne les routes, les forteresses et les centres d'approvisionnement. Cette brillante civilisation fut anéantie par les Espagnols au XVIe siècle.

Inde, État de l'Asie méridionale. D'une superficie de 3 287 590 km², l'Inde est bornée par la mer d'Oman, le Pakistan, la Chine, le Népal, le Bangladesh, le golfe du Bengale et l'océan Indien. Sa capitale est New Delhi. Bombay et Calcutta sont des villes importantes. Le relief est formé de l'ensemble montagneux de l'Himālaya, de la plaine du Gange et de plateaux: Dekkan, Malwa et Chota Nagpur. Le Brahmapoutra et le Gange sont les deux principaux fleuves de l'Inde. Les terres sont couvertes, selon les régions, par la savane, les forêts tropicales et les steppes à épineux. Le climat est tropical et le pays subit l'effet de la mousson. La population de l'Inde s'élève à 797 millions d'habitants (Indiens et Indiennes). Le pays est au deuxième rang mondial pour la population. On y dénombre 15 langues officielles (bengali, hindi, sanskrit, tamoul, etc.), sans compter l'anglais, ni les nombreux dialectes, dont le nombre est évalué à près de 5 000. Les deux principales religions sont l'hindouisme et l'islam. La monnaie utilisée est la roupie. L'économie indienne repose sur les produits agricoles (riz, canne à sucre, céréales, thé, coton et jute) et l'exploitation de minerais (fer, cuivre, bauxite, charbon, diamants et pierres précieuses). Le charbon constitue la principale source d'énergie et contribue à la production électrique. La situation économique de l'Inde demeure inquiétante en raison de l'explosion démographique, de l'analphabétisme, du risque de famine, du gigantisme des villes et du déficit de la balance commerciale. Anciennement sous domination britannique, l'Inde est devenue indépendante en 1947. Le pays est aujourd'hui dirigé par un gouvernement élu.

Indépendance américaine (guerre de l'), conflit armé. Ce conflit, qui éclata en 1775, opposa à l'Angleterre les colonies anglaises de l'Amérique du Nord. Les Américains avaient décidé de devenir indépendants de la Grande-Bretagne. Cette guerre dura jusqu'en 1782. Le traité de Paris, signé en 1783, reconnut officiellement l'indépendance des États-Unis. Durant ce conflit, des insurgés américains avaient envahi la province de Québec dans l'espoir de s'en emparer.

Indien (océan), océan situé entre l'Asie, l'Afrique, l'Indonésie et l'Australie. D'une superficie de 75 millions de km², l'océan Indien est le troisième en importance après le Pacifique et l'Atlantique. C'est dans cet océan que prend naissance le phénomène de la mousson. De cet océan émergent plusieurs îles; la plus importante est l'île de Madagascar.

Indochine, région du sud-est de l'Asie. Cette région forme une péninsule comprenant la Birmanie, la Thaïlande, le Laos, le Cambodge, la Malaisie et le Viêt Nam. La péninsule se trouve limitée par la Chine, l'Inde, le golfe du Bengale, le détroit de Malacca et la mer de Chine. Ses principaux cours d'eau sont le fleuve Rouge, le Mékong, le Ménam et l'Irawady.

Indonésie, État du sud-est de l'Asie. D'une superficie de 1 913 000 km², ce pays, formé de 13 000 îles et de la partie ouest de la Nouvelle-Guinée, est situé entre l'océan Indien, la mer de Chine et l'océan Pacifique. Les îles les plus importantes sont Java, Sumatra, Bornéo et Célèbes. Jakarta, située dans l'île de Java, est la capitale. L'archipel est constitué de hautes-terres, de massifs montagneux, de volcans et de plaines étendues où coulent des rivières. Les côtes de l'archipel sont baignées par l'océan Indien, la mer de Java, la mer de Célèbes, la mer de Timor et l'océan Pacifique. Une forêt équatoriale s'étend sur le pays, soumis à un climat tropical humide et à l'influence des moussons. La population s'élève à environ 175 millions d'habitants (Indonésiens et Indonésiennes). La langue officielle est l'indonésien, mais on y parle en tout 200 langues et dialectes régionaux. La principale religion est l'islam. La monnaie utilisée est la roupie. Les principales ressources économiques sont le manioc, le riz, le soja, le caoutchouc, le café, le tabac, l'arachide, les produits de la pêche et le pétrole. Anciennement sous domination néerlandaise, l'Indonésie est indépendante depuis 1945. Le pays est aujourd'hui dirigé par des chefs militaires.

Indy (Vincent **d'**), compositeur et chef d'orchestre, né à Paris en 1851 et mort dans la même ville en 1931. Né d'une famille de musiciens, Vincent d'Indy possédait une impressionnante culture musicale. Il participa à l'essor de la Société nationale de musique et fonda, avec deux collaborateurs, la Schola Cantorum, où il donna un célèbre cours de composition. Chef d'orchestre, Vincent d'Indy s'est produit en Europe, en Russie et aux États-Unis. Ces tournées lui ont valu d'être nommé professeur de direction au Conservatoire de Paris. Son œuvre musicale est abondante et comprend notamment des opéras, des symphonies et de la musique de chambre. Plusieurs de ses élèves ont connu la célébrité. À Montréal, l'école de musique Vincent-d'Indy est un établissement réputé qui honore sa mémoire. *L'étranger*, drame symbolique, et la *Légende de saint Christophe*, opéra, forment les œuvres maîtresses de ce compositeur.

Inuit (au singulier, **Inuk**), nom que se donnent les autochtones des régions nordiques du Canada, du Groenland et de l'Alaska. Ces autochtones étaient anciennement connus sous le nom d'Esquimaux, appellation amérindienne péjorative. En 1981, on dénombrait plus de 25 390 Inuit au Canada. Actuellement, près de 6 000 Inuit vivent dans une quinzaine de villages du Nouveau-Québec et parlent l'inuktitut. Ils font partie du groupe linguistique eskimo-aléoute. Les Inuit préfèrent ne pas être classés sous le vocable *Amérindiens*, trop proche du terme *Indien*, qui désigne un groupe distinct. En 1988, la Commission de toponymie du Québec a officialisé le terme *Nunavik* pour désigner l'ensemble des territoires inuit du Québec.

ANC/C-1441

Makamu et sa femme Oomna.
Dessin par le capitaine G.F. Lyon, gravure par Edw. Finden.

Inukjuak, municipalité de village nordique. Le village d'Inukjuak est situé dans la région du Nord-du-Québec, sur le bord de la baie d'Hudson, à l'embouchure de la rivière Innuksuac. On y dénombre 778 habitants (Inukjuamiuq) qui vivent en majorité de chasse et de pêche et pratiquent diverses activités : sculpture, gravure, piégeage et vannerie. Sur la baie d'Hudson, Povungnituk et Inukjuak sont deux centres de sculpture sur stéatite (pierre à savon).

Inukpuk (Johnny), sculpteur inuit, né à Inukjuak, Québec, en 1911. Les sculptures inuit de Johnny Inukpuk représentent, par leurs personnages ronds et sereins, une vie remplie d'amour et d'abondance. Les œuvres de ce sculpteur sont exposées à Ottawa, à Winnipeg, à Toronto et à Montréal. En 1978, cet artiste a été élu membre de l'Académie royale des arts du Canada.

Iran, État de l'Asie occidentale. Situé dans la partie ouest de l'Asie, l'Iran est limité par l'U.R.S.S., la mer Caspienne, l'Afghanistan, le Pakistan, le golfe d'Oman, le golfe Persique, l'Iraq et la Turquie. Sur un territoire de 1 648 000 km² vivent 53 millions d'habitants (Iraniens et Iraniennes). La langue officielle est le farsi (persan) et la principale religion est l'islam. La monnaie utilisée est le rial. La capitale est Téhéran et les villes principales sont Ispahan et Chiraz. C'est un pays de hautes plaines steppiques et désertiques, entourées de montagnes. Cependant, les plaines côtières de la mer Caspienne présentent une végétation verdoyante. Le fleuve Karun est le seul fleuve navigable de l'Iran. Le climat iranien est aride, de type continental. Les écarts de température sont considérables : les étés sont chauds, parfois torrides, et les hivers sont froids. La plupart des Iraniens tirent leur subsistance de l'élevage (bovins, ovins et chèvres) et de l'agriculture (céréales, coton, fruits). L'un des premiers producteurs de pétrole au monde, l'Iran est aussi reconnu pour ses tapis et son caviar. Depuis plus de dix ans, ce pays occupe une place prépondérante sur la scène internationale. Rappelons qu'en 1979 son chef spirituel et politique, l'imam Khomeyni, a lancé ses « étudiants » à l'assaut de l'ambassade des États-Unis à Téhéran. La prise d'otages a duré 444 jours. Des Canadiens de l'ambassade du Canada à Téhéran ont joué un rôle important dans la libération des otages. En 1989, Khomeyni offrait une rançon de quatre milliards de dollars à l'éventuel assassin de Salman Rushdie, auteur d'un livre jugé sacrilège, *Les versets sataniques*. Anciennement dirigé par un souverain (shah), le pays est aujourd'hui sous l'autorité d'un chef religieux.

Iraq ou **Irak**, État de l'Asie occidentale. Ce pays du Moyen-Orient est limité par la Syrie, la Turquie, l'Iran, le Golfe Persique, le Koweït, l'Arabie saoudite et la Jordanie. Sa population s'élève à 17,6 millions d'habitants (Iraqiens et Iraqiennes) vivant sur un territoire de 434 924 km². La langue officielle est l'arabe, mais on y emploie également l'anglais. La principale religion est l'islam. La monnaie utilisée est le dinar. La capitale est Baghdad. Le pays occupe la majeure partie de la Mésopotamie. Son relief est monotone, généralement semi-désertique, avec des étés torrides. L'Iraq est le premier producteur de dattes du monde. Son économie repose sur la production de pétrole. Le conflit avec l'Iran, qui a causé des milliers de morts, a perturbé l'exportation et l'exploitation de cette ressource économique essentielle. Anciennement dominé par les Britanniques, l'Iraq est devenu indépendant en 1958. Le pays est aujourd'hui dirigé par un gouvernement militaire.

Irlande, île de l'Europe occidentale. D'une superficie de 84 000 km^2, cette île, la plus occidentale des îles de l'archipel britannique, est baignée par l'Atlantique, la mer d'Irlande, le canal Saint-George, la mer Celtique et le canal du Nord. L'Irlande se divise en deux parties: l'Irlande du Nord (Ulster), rattachée au Royaume-Uni, et la République d'Irlande (Eire), l'État libre d'Irlande.

Irlande (République d'), État de l'Europe occidentale. D'une superficie de 70 280 km^2, l'Irlande (Eire) est limitée par l'Atlantique, la mer Celtique, la mer d'Irlande et l'Irlande du Nord (Ulster). Sa capitale est Dublin. Le pays est formé de plaines marquées par les empreintes glaciaires, de petits systèmes montagneux (monts Kerry) et de côtes escarpées. Les cours d'eau importants sont le Shannon et ses affluents, qui se jettent dans l'océan Atlantique. Le climat océanique produit une humidité constante. La population s'élève à 3,5 millions d'habitants (Irlandais et Irlandaises). Les langues officielles sont l'anglais et l'irlandais. La principale religion est le catholicisme. La monnaie utilisée est la livre irlandaise. La vie économique repose sur l'élevage (bœuf, porc et mouton), la culture des céréales et le développement des ressources hydrauliques et des industries mécanique, textile et touristique. Anciennement dominée par l'Angleterre, l'Irlande a été reconnue indépendante en 1921. Elle est aujourd'hui dirigée par un gouvernement élu.

Irlande du Nord, partie du Royaume-Uni dans le nord-est de l'île d'Irlande. D'une superficie de 14 121 km^2, l'Irlande du Nord, aussi appelée Ulster, est limitée par l'Atlantique, le canal du Nord, la mer d'Irlande et la République d'Irlande (Eire). Sa capitale est Belfast. Le pays est quelque peu relevé sur ses extrémités (monts Mourne). La rivière Bonn est un cours d'eau important qui se déverse dans le canal du Nord, et le plus grand lac est le Lough Neagh. Le climat tempéré, qui subit l'influence océanique, explique l'humidité et le brouillard de l'Irlande du Nord. On y dénombre 1,6 million d'habitants (Irlandais et Irlandaises). La langue officielle est l'anglais et les principales religions sont le protestantisme et le catholicisme. La monnaie utilisée est la livre sterling. Les Irlandais tirent leur subsistance de l'agriculture (pomme de terre, avoine, seigle et lin) et de l'élevage (porcins, bovins et ovins). L'économie repose également sur la construction navale, l'industrie alimentaire, les produits de la pêche et le tourisme. Au cours des vingt dernières années, l'Irlande du Nord a été secouée par de violentes manifestations opposant deux communautés: les protestants, majoritaires aux deux tiers et farouches défenseurs de leurs privilèges politiques et économiques, et la minorité catholique, luttant pour obtenir la reconnaissance de ses droits.

Iroquoiens, groupe linguistique amérindien de l'Amérique du Nord. Ce groupe linguistique comprend 2 des 10 nations amérindiennes: les Mohawks et les Hurons. Les membres de ces nations habitaient la région du Saint-Laurent; ils étaient sédentaires et vivaient de l'agriculture.

Iroquois, nation autochtone de l'Amérique du Nord. L'origine des Iroquois remonterait à l'an 500 avant Jésus-Christ. Au XVe siècle, les villages iroquois s'unissent pour former la confédération des cinq nations, ou «Ligue iroquoise des Cinq-Nations». Ennemis jurés des Français et des Hurons, ils exterminent partiellement ces derniers en 1649 en détruisant deux de leurs villages. Fidèles alliés des Anglais de la Nouvelle-Angleterre, ils soutiennent les Britanniques et les Loyalistes lors de la révolution américaine (1777).

Isaac Jogues (saint), missionnaire jésuite français, né à Orléans, France, en 1607 et mort en Nouvelle-France en 1646. Isaac Jogues est l'un des huit martyrs canadiens, mis à mort entre 1642 et 1649 et canonisés ensemble en 1930. Arrivé en Nouvelle-France en 1636, Isaac Jogues se consacre à l'évangélisation des Hurons. En 1642, il est capturé et mutilé par les Iroquois. Il retourne en France et, après quelques mois, il revient au Canada (1644). En 1646, il s'engage pour une mission de paix auprès des Iroquois. Il est assassiné par les Iroquois la même année.

Islande, république d'Europe située dans l'Atlantique Nord. D'une superficie de 103 000 km^2, l'île d'Islande, dont le nom signifie «pays de feu et de glace», est située au sud-est du Groenland et au sud du cercle arctique. Sa capitale est Reykjavik. La République d'Islande forme, avec la Norvège, le Danemark et la Suède, l'ensemble des pays scandinaves. Son territoire est constitué de nombreux volcans, de glaciers, de plateaux et de côtes échancrées par des baies et des fjords. Un de ses volcans, l'Helgafell, a connu une éruption en 1973. De nombreuses rivières, au cours rapide et impétueux, présentent un potentiel hydroélectrique considérable. Cette île volcanique, soumise à un climat froid et humide, possède également des sources d'eau chaude (géothermie) qui représentent une ressource économique appréciable. Le pays compte environ 249 000 habitants (Islandais et Islandaises). On y parle l'islandais et on y pratique principalement la religion luthérienne. La monnaie utilisée est la couronne islandaise. Les Islandais vivent des produits de la mer et de l'élevage du mouton, et exploitent les industries du textile et de l'alimentation. Le pays est dirigé par un gouvernement élu.

Israël, État d'Asie situé au Proche-Orient. D'une superficie de 20 770 km², ce pays est limité par le Liban, la Syrie, la Jordanie, la mer Rouge, l'Égypte et la Méditerranée. Jérusalem est sa capitale. Le territoire israélien comprend quatre types de reliefs : la côte méditerranéenne, formée de plages et de dunes ; un ensemble montagneux constitué des chaînes de Judée, de Samarie et de Galilée ; un plateau montagneux où s'étend la vallée du Jourdain; le désert de Néguey, couvrant la moitié du pays. Les éléments hydrographiques importants sont le Jourdain, le lac de Tibériade et la mer Morte. Le pays bénéficie d'un climat méditerranéen à l'ouest et d'une végétation riche en arbres et en fleurs, particulièrement dans la vallée du Jourdain. La population s'élève à 4,4 millions d'habitants (Israéliens et Israéliennes). Les langues officielles sont l'hébreu et l'arabe. La principale religion est le judaïsme. La monnaie utilisée est le shekel. L'économie israélienne repose sur la production agricole (agrumes, blé, raisin, olives), l'élevage (bovins, ovins, chèvres, vaches laitières et chameaux) et l'exploitation des ressources minérales (pétrole, cuivre, brome, chrome et soufre). En Israël, le développement des ressources économiques est en partie assuré par les kibboutzim, exploitations agricoles collectives. Le pays est dirigé par un gouvernement élu.

Italie, État d'Europe. D'une superficie de 301 225 km², la péninsule italienne est limitée par la France, la Suisse, l'Autriche, la Yougoslavie, la mer Adriatique et la Méditerranée. La Sicile et la Sardaigne appartiennent à l'Italie. Rome est la capitale. Milan, Naples, Tarente, Trieste et Turin sont des villes importantes. Le relief est formé de montagnes (les Apennins et les Alpes) et de plaines littorales. Les cours d'eau importants sont le Pô et l'Adège. Le climat est continental au nord et méditerranéen en bordure du littoral. La population s'élève à 58 millions d'habitants (Italiens et Italiennes). La langue officielle est l'italien et la principale religion est le catholicisme. La monnaie utilisée est la lire. L'économie de l'Italie repose sur l'agriculture (céréales, légumes, fruits, vigne et huile d'olive), l'élevage des ovins et des bovins, la production d'électricité, l'exploitation de minerais (fer, potasse, bauxite, plomb, zinc, soufre et marbre) et l'exportation d'automobiles, de vêtements, de chaussures et de produits alimentaires. Le pays est dirigé par un gouvernement élu.

Ivujivik, municipalité de village nordique. Ivujivik est le village le plus nordique du Québec. Il occupe une région située à la limite de la baie et du détroit d'Hudson. Ses 210 habitants (Ivujivimmiuq) vivent sur la rive ouest du havre d'Ivujivik. Le paysage de cette région est caractérisé par la taïga à perte de vue, des tourbières fleuries et des rivières tumultueuses.

j

Jacob, personnage biblique. Dernier patriarche biblique et fils d'Isaac et de Rébecca, Jacob reçut le nom d'Israël et eut douze fils qui seraient les ancêtres des douze tribus d'Israël.

Jacques-Cartier (détroit de), détroit du golfe du Saint-Laurent, entre l'île d'Anticosti et la rive nord, à la hauteur de Havre-Saint-Pierre, au Québec.

Jacques-Cartier (mont), montagne du Canada. Situé au Québec, dans le parc de la Gaspésie, près de la ville de Murdochville, le mont Jacques-Cartier s'élève à 1 268 m dans les monts McGerrigle de la chaîne des Chic-Chocs. Il a été ainsi nommé en l'honneur de Jacques Cartier, découvreur du Canada.

Jacques-Cartier (parc de conservation de la), parc du Québec. Situé au nord-ouest de la ville de Québec, dans la réserve faunique des Laurentides, le parc occupe une superficie de 670 km². Créé pour protéger ce site naturel, il est accessible au public. On y pratique la chasse, la pêche, le ski de randonnée et l'escalade.

Jacques-Cartier (rivière), rivière du Canada qui prend sa source dans les Laurentides, au Québec. Elle traverse une partie du parc de conservation de la Jacques-Cartier, dans la région de Québec, et se jette dans le fleuve Saint-Laurent près de Donnacona, en amont de Québec. La rivière Jacques-Cartier présente des obstacles des plus difficiles pour le canot-kayak.

Jakarta ou **Djakarta**, capitale de l'Indonésie. Située sur la côte nord-ouest de l'île de Java, Jakarta est baignée par la mer de Java. Bâtie en 1619 par les Hollandais, qui la nommèrent Batavia, Jakarta est le plus grand port de l'Indonésie. La ville, de plus de 7,6 millions d'habitants, possède un aéroport international, des universités et un musée archéologique. On y trouve aussi de nouvelles industries : métallurgiques, pneumatiques, chimiques et textiles.

Jamaïque, île et État des Grandes Antilles. D'une superficie de 11 400 km², la Jamaïque est située dans la mer des Caraïbes au sud de Cuba et à l'ouest de l'île d'Haïti. Sa capitale est Kingston. Un ensemble montagneux (les montagnes Bleues) traverse l'île d'ouest en est. Le climat est tropical avec des pluies plus abondantes au nord qu'au sud. Une forêt de type équatorial couvre les versants montagneux. La Jamaïque compte 2,3 millions d'habitants (Jamaïcains et Jamaïcaines). La langue officielle est l'anglais, mais on y parle aussi espagnol. Le protestantisme est la religion dominante. La monnaie utilisée est le dollar jamaïcain. D'importantes plantations de canne à sucre et de bananes s'étendent sur les plaines côtières. Les ressources du sous-sol sont importantes ; la Jamaïque est le troisième producteur mondial de bauxite. Le tourisme constitue un secteur important de l'économie. Possession espagnole puis colonie anglaise, la Jamaïque forme un État indépendant, membre du Commonwealth, depuis 1962. Un premier ministre et un gouvernement élus dirigent l'État.

James (Thomas), explorateur anglais, né à Bristol, Angleterre, en 1593 et mort vers 1635. En 1631, Thomas James explore la baie d'Hudson. La seule exploration indépendante de James est celle de la côte ouest de la baie à laquelle il donne son nom. Il est le premier Européen à passer délibérément l'hiver dans le Nord.

Janssoone (Frédéric), prêtre franciscain, né en France en 1838 et mort à Trois-Rivières en 1916. Frédéric Janssoone, de l'ordre des Pères franciscains, est arrivé à Trois-Rivières en 1888. Célèbre prédicateur, il y a exercé son ministère jusqu'à sa mort. Il a été béatifié le 25 septembre 1988.

Japon, État et archipel de l'Asie orientale. Situé à l'est du continent asiatique, le Japon est baigné par la mer du Japon et l'océan Pacifique. D'une superficie de 373 000 km², l'archipel est formé de cinq îles importantes et d'un chapelet d'îles et d'îlots. Sa capitale est Tokyo. Kobé, Kyoto, Nagoya, Osaka et Yokohama constituent les villes principales. Les montagnes (souvent des volcans) occupent les trois quarts du territoire, tandis que les plaines ne couvrent que 15 % de la surface. Le pays est sujet aux séismes, glissements de terrain, typhons et éruptions volcaniques. Des fleuves nombreux et courts drainent le territoire. Les lacs, surtout d'origine volcanique, sont innombrables; le lac Biwa est le plus vaste. Le Japon connaît un climat de mousson. En hiver, les vents froids et secs s'humidifient en traversant la mer du Japon et apportent des chutes de neige, surtout au nord-est de l'archipel. En été, la mousson apporte chaleur et humidité. On trouve au Japon une grande diversité de végétation: au nord, des forêts de bouleaux et de conifères, au sud, une végétation subtropicale et au centre, une forêt tempérée (chêne, hêtre, érable, pin). Le Japon compte 121 millions d'habitants (Japonais et Japonaises). La langue officielle du pays est le japonais. Les religions pratiquées sont le shintoïsme et le bouddhisme. La monnaie utilisée est le yen. Le Japon est actuellement la troisième puissance économique mondiale. Depuis 1955, il occupe le premier rang dans le domaine de la construction navale et le deuxième pour ce qui est de la production d'acier brut. La pêche occupe aussi une place primordiale dans l'économie japonaise. L'empire nippon fait figure de chef de file mondial en matière de production d'automobiles, de motos, de téléviseurs, de magnétoscopes et d'appareils photographiques. Il s'impose également dans les secteurs de pointe: robotique, électronique, optique, pétrochimie, textiles de synthèse et construction aéronautique. Le monde entier se rappelle les bombardements atomiques de Hiroshima et de Nagasaki, qui ont causé la mort de milliers de personnes et obligé le Japon à signer un armistice en août 1945. Le Japon, qui vit sous le régime de la monarchie constitutionnelle, s'est mis à l'heure de la démocratie. L'empereur Hirohito meurt en janvier 1989 à l'âge de 89 ans.

Jasmin (Judith), journaliste et commentatrice canadienne, née en 1916 et morte à Montréal en 1972. Judith Jasmin entreprend sa carrière de journaliste en collaborant aux périodiques *Regards du Québec* et *Amérique française*. Pendant la Seconde Guerre mondiale, elle réalise de nombreuses émissions radiophoniques destinées aux auditeurs d'outre-mer. De 1953 à 1966, Madame Jasmin anime plusieurs émissions d'information à la télévision de Radio-Canada, dont *Reportages, Conférence de presse, Carrefour* et *Premier plan*. En 1966, elle est correspondante de Radio-Canada à l'O.N.U., à New York. C'est à Montréal que Judith Jasmin terminera sa carrière.

Judith **Jasmin**

A. LE COZ/ANQM/P143

Jasper (parc national fédéral de), parc national du Canada. D'une superficie de 10 878 km², le parc de Jasper est situé au sud de l'Alberta, sur le versant est des Rocheuses. Établi en 1907, ce parc national constitue l'un des plus beaux sites touristiques de l'Alberta. Les espèces animales les plus diverses forment la principale attraction: orignal, cerf du Canada, cerf-mulet, ours noir, coyote, mouflon, ours grizzli, chèvre de montagne, aigle doré, lagopède et grand corbeau. Par la route panoramique qui longe le glacier Columbia, on peut accéder au magnifique décor de pics enneigés, de sources minérales, de rivières et de lacs glaciaires. Jasper attire chaque année près de deux millions de visiteurs.

Jaune (fleuve) ☞ **Huang He**.

Java, île d'Indonésie. D'une superficie de 132 000 km², l'île de Java est baignée par la mer de Java et l'océan Indien. L'île, formée de plaines et de plateaux, est dominée par une chaîne de volcans dont 14 dépassent 3 000 m d'altitude. On y trouve près de 35 volcans actifs, soit le tiers des volcans actifs du monde. L'île jouit d'un climat équatorial. Java compte 100 millions d'habitants (Javanais et Javanaises). C'est l'un des endroits les plus peuplés du monde. L'île a des sols très fertiles sur lesquels on cultive surtout le riz, la canne à sucre et le tabac. Les quelques industries sont concentrées dans les grandes villes.

Jean Baptiste (saint) ou **le Baptiste**, prophète juif, surnommé le Précurseur, mort vers 28. Considéré par les Évangiles comme le précurseur du christianisme, Jean Baptiste est le fils de Zacharie et d'Élisabeth (cousine de Marie, mère de Jésus). Il baptisa Jésus-Christ dans le Jourdain et le désigna au peuple comme le Messie. Il fut décapité. Sa fête est célébrée le 24 juin. En 1834, ce jour est devenu la fête patronale et nationale des Canadiens français.

Jean de Brébeuf (saint), missionnaire jésuite français, né à Condé-sur-Vire, France, en 1593 et mort à Saint-Louis, Canada, en 1649. Jean de Brébeuf est l'un des huit martyrs canadiens, mis à mort entre 1642 et 1649, canonisés ensemble en 1930 et proclamés patrons du Canada par le pape Pie XII en 1940. Jean de Brébeuf arrive en Nouvelle-France en avril 1625 comme missionnaire auprès des Montagnais. En 1626, il s'achemine vers le pays des Hurons. Trois ans plus tard, les jésuites sont rappelés en France. Jean de Brébeuf revient au Canada en 1633 pour s'occuper des missions huronnes. En 1640, à la suite d'une épidémie dévastatrice de petite vérole, les Hurons se soulèvent contre Brébeuf et ses compagnons, les molestent et endommagent leur mission. Jean de Brébeuf reprend son poste auprès des Hurons en 1644 jusqu'au jour où il est fait prisonnier des Iroquois avec le père Gabriel Lalemant. Conduits à Saint-Ignace, ils subiront l'un des martyres les plus atroces de l'histoire du christianisme au Canada. Linguiste accompli, Jean de Brébeuf a surveillé la rédaction d'une grammaire et d'un dictionnaire hurons. Il fut l'un des auteurs des *Relations des jésuites*, documents envoyés annuellement à Paris, au siège social de la Compagnie de Jésus, dans lesquels sont consignées ses observations de voyageur et de missionnaire. Jean de Brébeuf, surnommé « le géant des missions huronnes », a marqué l'histoire de son temps par sa grandeur d'âme et sa générosité.

Jean de La Lande (saint), missionnaire français né à Dieppe vers 1620 et mort en Nouvelle-France en 1646. Jean de La Lande est l'un des huit martyrs canadiens inhumés à Québec et canonisés en 1930. Laïc au service des jésuites (appelé alors « le donné »), Jean de La Lande arrive au pays en 1642. Il est envoyé avec le père Isaac Jogues comme ambassadeur de la paix chez les Iroquois. Les missionnaires y sont martyrisés et meurent à la suite de tortures indescriptibles.

Jean-Paul II, né Karol **Wojtyla**, pape, né à Wadowice, Pologne, en 1920. Devenu prêtre en 1946, puis archevêque de Cracovie en 1964, Karol Wojtyla est élu pape en octobre 1978. Il succède à Jean-Paul Ier (1912-1978). Il est le premier pape non italien depuis 1523. Ses nombreux voyages pastoraux à travers le monde (dont un au Canada en septembre 1984) et sa vigoureuse personnalité en font une figure connue. Jean-Paul II a été victime d'un attentat en 1981.

Jean-Paul II

FABIAN/SYGMA/PUBLIPHOTO

Jersey (île de), île faisant partie des îles anglo-normandes, un archipel britannique de la Manche. Située à 20 km des côtes françaises, l'île de Jersey, d'une superficie de 116 km^2, est la plus grande des îles anglo-normandes. Elle est aussi la plus peuplée : 77 000 habitants. Saint-Hélier en est le centre administratif. La culture des fleurs et des légumes, l'élevage bovin et le tourisme comptent parmi les principales ressources de l'île. Les immigrants venus de cette île nous ont légué plusieurs noms de familles : Day, Duval, Langlois, Le Brun, Morin, Rénaud, etc.

Jérusalem [*Yerushalayim*], capitale de l'État d'Israël. Ville sainte et lieu de pèlerinage pour les chrétiens, les juifs et les musulmans, Jérusalem fut proclamée « capitale éternelle » d'Israël par le Parlement en 1980. La ville se situe à la frontière d'Israël et de la Jordanie. Elle compte 415 000 habitants et possède une université et un aéroport. Les quartiers modernes sont animés par des activités industrielles variées : industries alimentaires, textiles, chimiques et mécaniques. Ville historique, Jérusalem connaît une importante activité touristique liée aux pèlerinages et aux visites des lieux saints : le mur des Lamentations, le chemin du Calvaire, le saint sépulcre, la salle de la Cène, le mont des Oliviers, le jardin de Gethsémani ainsi que les nombreuses églises, mosquées et synagogues. La ville, qui a fait face à de multiples conflits et affrontements au cours de son histoire, est le siège du Parlement israélien.

Jésuites ☞ **Jésus** (Compagnie de ou Société de).

Jésus ou **Jésus-Christ**, fondateur de la religion chrétienne, fils de Dieu et Messie annoncé par les prophètes, né à Bethléem vers l'an 4 avant notre ère. Emmené en Égypte pour échapper au massacre d'Hérode, Jésus revient s'établir à Nazareth où il passe sa jeunesse avec Joseph et Marie, sa mère. À l'âge de 30 ans, après s'être fait baptiser par Jean Baptiste, Jésus commence sa vie de prédication. Les Évangiles livrent son message d'amour qui annonce l'avènement du Royaume de Dieu. En l'an 29, Jésus arrive à Jérusalem où il sera arrêté et condamné à mourir sur la croix. Il ressuscitera trois jours plus tard. Pâques rappelle cet événement. Les 12 apôtres, disciples de Jésus, poursuivront sa mission en répandant son enseignement dans tous les pays du monde.

Jésus (Compagnie de ou Société de), ordre religieux fondé en 1534 par saint Ignace de Loyola. Les membres de la Compagnie de Jésus, les jésuites, se consacrent principalement à la propagation de la foi et à l'enseignement. Ils ont étendu leur action un peu partout dans le monde. Des missionnaires jésuites français sont arrivés en Nouvelle-France pour la première fois en 1625 dans l'intention de convertir les Amérindiens. L'œuvre missionnaire des jésuites auprès des Hurons et le martyre de huit d'entre eux entre 1642 et 1649 sont une tranche importante de l'histoire de la colonie.

Jésus (île), île canadienne de l'archipel d'Hochelaga. D'une superficie de 24 540 km^2, l'île Jésus est située au nord de Montréal entre la rivière des Prairies et la rivière des Mille Îles. Elle est la deuxième île de l'archipel d'Hochelaga. En 1636, les pères jésuites en obtiennent la concession. L'île Jésus devient seigneurie en 1689. Depuis 1965, où furent annexées différentes municipalités, l'île Jésus ne compte qu'une seule ville: Laval.

Jetté (Rosalie Cadron-), fondatrice des sœurs de Miséricorde, née à Lavaltrie en 1794 et morte à Montréal en 1864. Originaire de la région de Lanaudière, Rosalie Cadron-Jetté fonde, en 1848, à la demande de Mgr Bourget, évêque de Montréal, la communauté des sœurs de Miséricorde, dont le but est de prêter secours aux mères célibataires et de soigner les enfants abandonnés. De nos jours, à Montréal, l'école Rosalie-Jetté accueille des adolescentes, mères célibataires, désireuses de poursuivre leurs études secondaires. La communauté des sœurs de Miséricorde dirige également des centres d'hébergement, des centres de jour et des centres éducatifs destinés à venir en aide aux femmes en difficulté non seulement au moment de la grossesse, mais, plus tard, dans l'éducation des enfants.

Jogues (Isaac) ☞ **Isaac Jogues** (saint).

Johannesburg, ville de l'Afrique du Sud. Situé près de Pretoria, Johannesburg compte 1 566 000 habitants. Considéré comme la plus grande ville de l'Afrique du Sud et son principal centre industriel, Johannesburg possède d'importantes entreprises sidérurgiques et les plus riches mines d'or du monde. Cette puissance économique est cependant menacée par les tensions raciales, liées au pouvoir exercé sans partage réel par la minorité blanche. Étant donné la politique de ségrégation raciale, l'apartheid, des conflits violents persistent dans cette région africaine.

Johnson (Daniel), avocat et homme politique canadien, né à Danville, Québec, en 1915 et mort au barrage de Manic 5 en 1968. Daniel Johnson a été élu député de l'Union nationale à l'élection provinciale partielle de 1946 et réélu aux élections de 1948, 1952, 1956, 1960, 1962 et 1966. En 1956, Daniel Johnson est nommé ministre des Ressources hydrauliques et, en 1961, il devient chef de l'Union nationale; de 1966 à 1968, il est premier ministre du Québec. Daniel Johnson a créé l'Université du Québec et Radio-Québec. Il a jeté les bases du régime d'assurance-maladie et a développé la collaboration technique et culturelle franco-québécoise. Défenseur des intérêts québécois sur le plan des relations fédérales-provinciales, il a exposé sa pensée politique dans *Égalité ou indépendance* (1965). Il est le père de Pierre-Marc Johnson, ancien premier ministre péquiste du Québec, et de Daniel Johnson, député libéral depuis 1981 et ministre dans le cabinet de Robert Bourassa depuis 1985.

Johnson (Pierre-Marc), avocat, médecin et homme politique canadien, né à Montréal en 1946. Il est le fils de Daniel Johnson, premier ministre du Québec de 1966 à 1968. Pierre-Marc Johnson est diplômé en sciences politiques (1967), en droit (1970) et en médecine (1975). Député péquiste à partir de 1976, il est nommé ministre du Travail et de la Main-d'œuvre (1977), ministre des Consommateurs, des Coopératives et des Institutions financières (1980), ministre des Affaires sociales (1982) et ministre de la Justice (1984). Succédant à René Lévesque, il prend la direction du Parti québécois en septembre 1985 et est premier ministre du Québec jusqu'à la défaite de son parti en décembre 1985. Réélu dans le comté d'Anjou en 1985, Pierre-Marc Johnson siège comme chef de l'opposition à l'Assemblée nationale jusqu'à sa démission en novembre 1987.

Joliette, ville du Canada. Située au Québec, au nord-est de Montréal, dans la région de Lanaudière, la ville fut fondée en 1823 par

Barthélemy Joliette (1789-1850), descendant de Louis Jolliet, un des découvreurs du Mississippi. D'abord appelée L'Industrie, elle prit le nom de son fondateur en 1863. Elle compte 16 845 Joliettains et Joliettaines (1986). La ville possède un collège, fondé par Barthélemy Joliette en 1846, un évêché et un musée d'art. Joliette est située dans une région agricole où l'on cultive, entre autres, le tabac. C'est un centre régional de services et un centre industriel : industries alimentaires, industries textiles, papeterie, cimenterie, aciérie.

Jolliet ou **Joliet** (Louis), explorateur, né à Québec en 1645 et mort à l'île d'Anticosti en 1700. Louis Jolliet a été cartographe, professeur au Collège des jésuites de Québec, organiste, commerçant, explorateur, hydrographe du roi et seigneur de l'île de Mingan et de l'île d'Anticosti. Il est surtout connu pour ses explorations, qui avaient pour but de développer le commerce des fourrures et d'agrandir le territoire de la Nouvelle-France. Il a mené plusieurs expéditions vers l'ouest et a exploré la région des Grands Lacs, de la baie d'Hudson et des côtes du Labrador. Avec le père Marquette, il a découvert le fleuve Mississippi (1673) et a reconnu les cours du Wisconsin et de l'Illinois. Son apport en tant que géographe a été remarquable, car ses cartes ont servi à la navigation dans le fleuve et le golfe. Louis Jolliet a connu de son vivant une renommée internationale.

Joly de Lotbinière (Henri Gustave), avocat et homme politique, né à Épernay, France, en 1829 et mort à Québec en 1908. Arrivé au Canada en 1846, Gustave Joly de Lotbinière entre en politique active en 1861. Chef du Parti libéral du Québec en 1867, il devient premier ministre du Québec en 1878. N'ayant pas la majorité parlementaire, son gouvernement est battu en Chambre en 1879. Réélu député provincial en 1881, Gustave Joly de Lotbinière passe à la politique fédérale en 1896. De 1900 à 1906, il est lieutenant-gouverneur de la Colombie-Britannique.

Jonquière, ville du Canada. Située au Québec, dans la région du Saguenay – Lac-Saint-Jean, à l'ouest de Chicoutimi et aux confluents des rivières Saguenay et aux Sables, la paroisse de Jonquière fut fondée en 1848. La ville actuelle, qui compte quelque 58 460 Jonquiérois et Jonquiéroises, est le résultat de la fusion des municipalités de Jonquière, d'Arvida et de Kénogami, et de la paroisse de Jonquière. Centre industriel, la ville devient, en 1912, le plus important centre de production de papier journal du Canada. Elle est le siège de la papeterie Price. La modernisation et l'aménagement d'une centrale hydroélectrique en font aussi l'un des plus grands centres de production d'aluminium du monde. L'aluminerie Alcan, fondée en 1926, s'y est établie. C'est la deuxième aluminerie au monde, en taille et en importance, après les usines de l'Union soviétique. Après 1960, le caractère industriel de la ville se modifie : les services s'y développent et le commerce prend de l'essor. Le nom de la ville rappelle Jacques-Pierre Taffanel, marquis de la Jonquière, gouverneur de la Nouvelle-France de 1749 à 1752.

Jordanie, État de l'Asie occidentale. D'une superficie de 97 700 km², la Jordanie est située entre Israël, la Syrie, l'Iraq et l'Arabie saoudite. Sa capitale est Amman. Le territoire se compose de deux régions : à l'ouest, la dépression du Ghor, drainée par le Jourdain, et à l'est, les plateaux désertiques de Transjordanie. Le climat est méditerranéen dans la vallée du Jourdain et aride dans l'Est et le Sud. La Jordanie compte 3,6 millions d'habitants (Jordaniens et Jordaniennes). La population, composée d'Arabes, comprend une forte proportion de réfugiés palestiniens. La langue officielle est l'arabe. La religion de l'islam est majoritaire. La monnaie utilisée est le dinar jordanien. Les cultures se concentrent en bordure du Jourdain. Les principales ressources du sous-sol sont la potasse et le phosphate. Le pays est très endetté et dépend de l'aide des pays arabes. Devenue royaume indépendant en 1946, la Jordanie est dirigée à la fois par un roi et un Parlement.

Joseph (saint), personnage biblique. Époux de la Vierge Marie et père nourricier de Jésus, Joseph exerçait le métier de charpentier selon l'Évangile. On célèbre la fête de saint Joseph le 19 mars. Ce saint est aussi honoré le 1er mai comme patron des travailleurs.

Jourdain, fleuve de Palestine. Le Jourdain prend sa source au Liban, traverse le lac de Tibériade pour aller se jeter dans la mer Morte. Il sépare Israël de la Syrie et de la Jordanie. Selon l'Évangile, Jésus fut baptisé par Jean Baptiste dans le Jourdain.

Judée, région du sud de la Palestine. Située entre la mer Morte et la Méditerranée, la Judée est un territoire administré par Israël depuis la guerre des Six Jours (1967). Dans l'Antiquité, la Judée formait le cœur du pays juif. Le nom de Judée (royaume de Juda) s'applique aussi à toute la Palestine.

Julien (Pauline), auteure compositrice, chanteuse et comédienne, née à Trois-Rivières en 1928. Pauline Julien amorce sa carrière de chanteuse à Paris vers 1957. En 1962, elle enregistre son premier microsillon et, en 1964, elle remporte le deuxième prix du Festival international de la chanson à Sopot, en Pologne. En 1968, Pauline Julien commence à écrire certains textes de ses chansons ; en 1970, elle remporte le grand prix du disque de l'Académie Charles Cros de Paris pour son microsillon *Suite québécoise*. Pauline Julien reçoit, en 1974, le prix de musique Calixa-Lavallée.

Jupiter, planète du système solaire. Constituée d'hélium et d'hydrogène, Jupiter est la cinquième des planètes du système solaire ; elle en est également la plus grosse et la plus massive. Son diamètre vaut 11,2 fois celui de la Terre et sa masse est 317 fois plus grande que celle de la Terre. Jupiter est la planète qui scintille le plus après Vénus. Ce phénomène s'explique par le fait que Jupiter réfléchit 42 % des rayons solaires. L'observation de la planète nous permet de déceler des zones ou des bandes plus sombres et parallèles à l'équateur. Étant donné sa très grande distance du Soleil, cette planète connaît des températures de – 140 °C à – 150 °C. Sur Jupiter, l'observateur serait témoin d'orages et d'une intense activité météorologique. Cette planète possède 16 lunes ou satellites connus.

Jura, chaîne de montagnes d'Europe. Le Jura est situé en France et en Suisse et se prolonge en Allemagne fédérale. Le Jura franco-suisse comprend un secteur oriental plissé et plus élevé au sud qu'au nord. Son secteur occidental s'étend comme une table au-dessus des plaines de la Saône. Dans cette région, l'abondance des précipitations favorise l'extension des forêts et des prairies. L'exploitation forestière et les produits laitiers (fromages) en constituent les principales ressources. Le Jura allemand est formé d'un plateau calcaire au climat rude.

Jutra (Claude), réalisateur et scénariste canadien, né à Montréal en 1930 et mort en 1986. Passionné de cinéma, Claude Jutra réalise deux films au cours de son adolescence. On lui doit également le premier téléthéâtre diffusé à Radio-Canada. À partir de 1954, Claude Jutra réalise des documentaires à l'Office national du film, dont plusieurs lui valent des prix. Ses qualités de monteur de film sont manifestes. En 1971, il réalise *Mon oncle Antoine*, qui est salué en 1984 comme le meilleur film canadien de tous les temps et pour lequel il remporte huit prix. En 1973, Claude Jutra tourne *Kamouraska*, adaptation du roman d'Anne Hébert mettant en vedette Geneviève Bujold. On a donné son nom à une salle de projection de la cinémathèque québécoise ainsi qu'à une bourse remise chaque année à un jeune cinéaste.

Kaapstad ☞ **Cap (Le)**.

Kaboul [*Kābul*], capitale de l'Afghanistan. La ville de Kaboul est située sur les rives de la rivière du même nom. Elle compte 1 036 000 habitants. C'est une ville universitaire et administrative et un centre d'artisanat (tapis, soieries, cuirs).

Kābul ☞ **Kaboul**.

Kadhafi (Muammar al-) homme politique libyen, né à Syrte, Libye, en 1942. Président du Conseil de la révolution de 1969 à 1977, Kadhafi prône un socialisme arabe fondé sur l'islam. En 1979, il abandonne ses fonctions officielles, mais demeure le véritable chef de l'État.

Kahnawake (autrefois Caughnawaga), réserve indienne. Situé sur la rive sud du lac Saint-Louis, à 10 km au sud-ouest de Montréal, le village mohawk est fondé dans la seigneurie du Sault-Saint-Louis, concédée aux jésuites pour le bénéfice des Iroquois entre 1680 et 1762. La réserve compte aujourd'hui quelque 5 000 Kahnawakeronons. Ils administrent eux-mêmes leurs établissements, notamment l'hôpital de la réserve, inauguré en 1986, et l'école secondaire. Kahnawake possède également sa propre radio qui diffuse en langue mohawk. Le musée Kateri Tekakwita se trouve dans cette réserve. *Kahnawake* (qui se prononce Kahnawagué) est un mot iroquois qui signifie «il y a des rapides».

Kain (Karen), ballerine, née à Hamilton, Ontario, en 1951. Diplômée de l'École nationale de ballet en 1969, Karen Kain interprète, dès sa deuxième saison au Ballet national du Canada, la reine des cygnes dans *Le Lac des cygnes*. En 1973, elle remporte la médaille d'argent des ballerines au concours international de ballet de Moscou. Karen Kain a suscité l'admiration d'un vaste public à l'échelle mondiale, tant pour l'interprétation d'œuvres classiques que pour l'interprétation d'œuvres contemporaines. Karen Kain a créé des rôles de premier plan au cinéma, dont *Giselle* et *La fille mal gardée*, et elle s'est distinguée par son travail assidu, sa technique raffinée, son élégance et sa grâce.

Kampala, capitale de l'Ouganda. La ville de Kampala est située sur le bord du lac Victoria. Sa population s'élève à 550 000 habitants. La ville est un centre commercial et possède une université. Marché agricole, la ville de Kampala est reliée par voie ferrée au port de Mombasa, au Kenya.

Kananginak (Pootoogook), sculpteur et lithographe inuit né en 1935 sur l'île de Baffin. Le sculpteur s'établit à Cape Dorset, dans les Territoires du Nord-Ouest, en 1957 et devient très réputé, travaillant avec divers matériaux, dont la soie. Ses œuvres représentent des paysages naturels dans un style original. Sa sœur Naspatchie et son frère Paulassie poursuivent également avec succès une carrière artistique.

Kanesatake, établissement amérindien du Canada. Situé au Québec, sur la rive nord du fleuve Saint-Laurent, à 53 km à l'ouest de Montréal, Kanesatake est un village mohawk de 760 habitants (1988). Les langues parlées sont le mohawk et l'anglais. L'artisanat (sculpture sur bois et vannerie), la construction et le travail de ferme constituent les principales activités économiques.

Kangirsuk, municipalité de village nordique. Kangirsuk, village inuit, est situé dans la région du Nord-du-Québec, sur la côte ouest de la baie d'Ungava, à l'embouchure de la rivière Arnaud (bassin Payne). Quelque 308 Kangirsukmiut y sont installés. La langue parlée est l'inuktitut. Les produits de la chasse et de la pêche et le tourisme constituent les principales ressources du village.

Karpates ☞ **Carpates**.

Keller (Helen), auteure et conférencière américaine, née en 1880 et morte en 1968. À 19 mois, Helen Keller souffre d'une congestion cérébrale qui la rend aveugle, sourde et muette. En 1887, aidée d'Ann Sullivan, qui utilise un langage des doigts, elle saisit le mot eau et comprend que toutes les choses portent un nom. Après des études dans une école pour aveugles et à l'université, Helen Keller rédige des articles pour les journaux, publie des ouvrages, apporte son aide aux sourds et aux aveugles et donne des conférences aux États-Unis, au Canada et en Europe.

ANC/C-68861

Helen **Keller** et son éducatrice, Ann Sullivan (5 octobre 1898)

Kempt (sir James), militaire et administrateur britannique, né à Édimbourg vers 1765 et mort à Londres en 1854. James Kempt fut successivement nommé lieutenant en août 1794, officier supérieur en 1796, lieutenant-colonel en 1799 et colonel en 1809. En 1814, il commandait une brigade chargée de renforcer l'armée britannique dans le Haut-Canada et le Bas-Canada. Il servit dans le district de Montréal, sur la frontière du Niagara et à Kingston, et il fut rappelé en Europe pour participer à la bataille de Waterloo. De retour au Canada, Kempt occupe le poste de lieutenant-gouverneur de la Nouvelle-Écosse de 1820 à 1828 et, à partir de 1828, il exerce les fonctions d'administrateur du Haut-Canada jusqu'en 1830. Pendant sa brève administration, il agit comme médiateur pour diminuer les tensions existant entre le gouvernement Dalhousie et le Parti patriote, dirigé par Louis-Joseph Papineau. Il démissionne le 20 octobre 1830, fier d'avoir préservé l'harmonie et la bonne entente dans le Bas-Canada, et regagne l'Angleterre pour s'occuper de politique intérieure et d'administration militaire. En décembre 1834, James Kempt se retire de la vie publique; il meurt le 20 décembre 1854.

Kennedy (John Fitzgerald), homme politique américain, né en 1917 dans l'État du Massachusetts, aux États-Unis, et mort dans l'État du Texas en 1963. Élu à la présidence des États-Unis en 1960, John F. Kennedy instaure un style de gestion dynamique et propose une plus grande ouverture vers le Marché commun européen afin de stimuler la croissance économique. Promoteur d'une nouvelle frontière, il s'attaque aux problèmes de justice sociale, épouse la cause des Noirs en matière d'égalité des droits et lance un programme de conquête de l'espace. Partisan de la coexistence pacifique, le président américain adopte une attitude ferme face à l'U.R.S.S., qui installe des missiles à Cuba, intervient en Amérique latine et conclut une entente sur les essais nucléaires. Cependant, c'est sous son régime que s'amorce l'intervention américaine au Viêt Nam. En 1963, John F. Kennedy est assassiné à Dallas par Lee Harvey Oswald.

PUBLIPHOTO

John Fitzgerald **Kennedy**

Kennedy (cap) ☞ **Canaveral** (cap).

Kénogami, lac du Canada. Situé au Québec, dans la région du Saguenay – Lac-Saint-Jean, au sud de la ville de Jonquière, le lac Kénogami est emprisonné dans une vallée profonde, à 157 m au-dessous du niveau de la mer. Il est riche en éperlans, qui sont maintenant acclimatés à l'eau douce et qui auraient une chair plus délicate que celle des éperlans d'eau salée. *Kénogami* est un mot d'origine crie signifiant «lac en long».

Kenya, État de l'Afrique orientale. D'une superficie de 583 000 km^2, le Kenya est situé sur l'océan Indien, dans la partie orientale du continent. Il est borné par la Somalie, l'Éthiopie, le Soudan, l'Ouganda et la Tanzanie. Sa capitale est Nairobi. À l'est, une région de plaines s'étend jusqu'à l'océan Indien, tandis que l'Ouest présente une zone de plateaux montagneux marqués de hauts reliefs volcaniques tels que le mont Kenya (5 194 m), au centre du pays. Le lac Rodolphe couvre une partie du Nord. Le pays est soumis à un climat équatorial nuancé par l'altitude des hauts plateaux. La savane et la steppe règnent sur une partie du Nord-Est. Le Kenya compte

20 millions d'habitants (Kényans et Kényanes). L'anglais et le swahili sont les langues officielles, mais on y parle d'autres langues du groupe bantou. L'animisme est la religion dominante. La monnaie utilisée est le shilling kényan. L'économie du Kenya se fonde sur l'agriculture malgré le développement important des manufactures. Le café et le thé sont les principaux produits d'exportation. Dans la plaine côtière, on cultive le maïs, le coton, la canne à sucre et les bananes. Le tourisme est une ressource importante et est favorisé par le climat, les beautés naturelles et les réserves d'animaux. Le Kenya est le pays des safaris. Ancienne colonie anglaise, le Kenya devient indépendant en 1963. Un président dirige cette république où est instauré depuis 1982 un système de parti unique.

Khartoum [*Al Khurṭum*], capitale du Soudan. Située au confluent du Nil Blanc et du Nil Bleu, la ville de Khartoum est un centre industriel et commercial réputé pour son architecture et son réseau de communications. Elle compte 600 000 habitants. Son économie repose sur les textiles, les produits alimentaires et l'industrie pharmaceutique. La ville de Khartoum est considérée comme l'une des villes les plus chaudes du monde : 31 °C en janvier et 40 °C en juin.

Khéops, roi d'Égypte vers 2600 avant Jésus-Christ. Second pharaon de la IVe dynastie, Khéops fit élever la plus grande des trois pyramides de Gizeh en Égypte.

Khomeyni (Rubollāh), chef religieux (ayatollah) et homme politique iranien, né en 1902 et mort en 1989. L'ayatollah Khomeyni prend la direction de la communauté chiite d'Iran en 1902. Partisan d'une application stricte des principes islamiques, le chef spirituel dénonce la politique d'occidentalisation du shah d'Iran et quitte le pays. Son autorité et son prestige étant demeurés intacts, Khomeyni revient triomphant à Téhéran en 1979, instaure la république islamique et impose son autorité spirituelle et politique jusqu'à sa mort. En 1989, il met à prix la tête de Salmon Rushdie, auteur de l'ouvrage *Les versets sataniques*.

Kilimandjaro ☞ **Uhuru** (pic).

King (Martin Luther), pasteur noir américain né dans l'État de Géorgie, aux États-Unis, en 1929 et mort dans l'État du Tennessee en 1968. Martin Luther King a lutté en faveur des droits civiques des Noirs, suivant ainsi les traces de son grand-père maternel et de son père, tous deux pasteurs. Il recommandait la non-violence dans l'action pour l'intégration des Noirs dans la société américaine. Martin Luther King a obtenu le prix Nobel de la paix en 1964. Il fut assassiné en avril 1968.

King (William Lyon Mackenzie), né à Berlin, Ontario, en 1874 et mort à Ottawa, Ontario, en 1950. Diplômé de l'Université de Toronto en 1895, Mackenzie King effectue des études en économie à Chicago et à Harvard. En 1918, il livre les grandes lignes de sa théorie sur l'économie dans son ouvrage intitulé *Industry and Humanity*. De 1919 à 1948, il occupe le poste de chef du Parti libéral, puis assume les fonctions de premier ministre pendant 22 ans. En septembre 1939, la Grande-Bretagne et l'Allemagne entrent en guerre. L'armée canadienne se voit donc dans l'obligation de soutenir les troupes britanniques. Le gouvernement canadien impose la conscription, service militaire obligatoire. La production industrielle canadienne est donc touchée par la guerre et les Canadiens connaissent une crise économique. En 1940, Mackenzie King instaure les programmes d'assurance-chômage, d'allocations familiales et d'assurance-maladie afin d'apaiser les craintes des Canadiens. En 1948, il démissionne de son poste de premier ministre et Louis Saint-Laurent lui succède.

Kinshasa, capitale du Zaïre. Située au carrefour des voies de transport, la ville de Kinshasa est un centre administratif, commercial et industriel qui compte 3,5 millions d'habitants. Son développement économique est fondé sur les produits alimentaires, le bois et les industries textiles. Jusqu'en 1966, la ville s'appelait Léopoldville.

Kirkland, ville du Canada. Située dans la partie ouest de l'île de Montréal, au Québec, entre Pierrefonds et Beaconsfield, la ville de Kirkland a été instituée en mars 1961. Ses origines remontent à 1722 alors que la municipalité de Saint-Joachim-de-Pointe-Claire, dont elle est issue, est créée. Kirkland est une ville à caractère résidentiel de 13 380 habitants Elle assure son développement économique grâce à une industrie pharmaceutique et à des

Martin Luther **King**

J.-P. LAFFONT/SYGMA/PUBLIPHOTO

entreprises spécialisées en informatique et en électronique. La ville est séparée par la route Transcanadienne. Son nom rappelle Charles-Aimé Kirkland (1896-1961), ministre dans le gouvernement Lesage.

Kirkland-Casgrain (Claire), femme politique canadienne, née dans l'État du Massachusetts, États-Unis, en 1924. Claire Kirkland-Casgrain a fait ses études à l'Université McGill, à Montréal. En 1947, elle reçoit du gouvernement français une médaille d'excellence en littérature française. Elle devient avocate en 1952. Elle entre en politique sous la bannière du Parti libéral et est élue députée à l'Assemblée nationale du Québec en 1961, devenant ainsi la première femme du Québec à exercer cette fonction. Réélue en 1962, en 1966 et en 1970, elle reste la seule femme à occuper un poste de député dans le cabinet provincial. Dès 1962, Claire Kirkland-Casgrain est promue ministre ; elle dirigera différents ministères jusqu'en 1973, année au cours de laquelle elle se retire de la vie politique. Par la suite, elle est nommée juge à la Cour provinciale. Femme dynamique, Claire Kirkland-Casgrain se préoccupera, au cours de sa carrière, de la défense des droits des femmes : dès son entrée en politique, elle met sur pied un projet de loi visant à modifier le statut légal de la femme mariée. Elle sera également fondatrice et présidente de la section canadienne de l'Alliance internationale des femmes. En 1985, elle obtient la distinction de chevalier de l'ordre national du Québec.

D. AUCLAIR/PUBLIPHOTO

Claire **Kirkland-Casgrain**

Kitchener, ville du Canada. Ville de l'Ontario, Kitchener est situé dans le sud-ouest de la province, entre London et Toronto. Fondée vers 1807 par des immigrants allemands, la ville porte même le nom de Berlin avant 1916. C'est durant la Première Guerre mondiale que la ville est rebaptisée en l'honneur de lord Kitchener, maréchal britannique. Sa population s'élève à 150 600 habitants et compte plus de 45 % de citoyens d'origine britannique. Important centre d'activités économiques, Kitchener se signale par ses nombreuses industries : produits électriques, matériel de transport, conditionnement de la viande, matières plastiques, produits chimiques et exploitation de l'acier, du pétrole et du charbon. Elle est la patrie de William Lyon Mackenzie King, premier ministre du Canada pendant 22 ans.

Klondike, région du Territoire du Yukon, dans le nord-ouest du Canada. Le district, qui environne la rivière Klondike, affluent du fleuve Yukon, est devenu célèbre à la suite de la découverte de riches gisements d'or en 1896.

Koch (Robert), médecin et chercheur allemand, né à Clausthal, Allemagne, en 1843 et mort à Baden-Baden, Allemagne, en 1910. Robert Koch a effectué d'importantes recherches sur la tuberculose et a identifié en 1882 le bacille responsable de cette maladie (bacille de Koch). Il a également mis au point la tuberculine, substance composée de bacilles tuberculeux, injectée aux sujets atteints de tuberculose. Robert Koch a obtenu le prix Nobel de médecine en 1905.

Robert **Koch**

EDIMEDIA/PUBLIPHOTO

Koksoak (rivière), rivière du Canada. Située dans la région du Nord-du-Québec, la rivière Koksoak est le dernier bras d'un réseau qui draine une vaste région de 133 000 km². Née de la fusion des rivières Caniapiscau et aux Mélèzes, la rivière Koksoak coule vers le nord, au-delà de Kuujjuaq, sur une distance de 145 km et se jette dans la baie d'Ungava. La rivière Koksoak a une largeur de plus de 1 600 m à son embouchure. Son nom vient probablement d'une traduction d'un mot inuit signifiant « grande rivière ».

Kondiaronk, surnommé le Rat, chef huron, né vers 1649 et mort à Montréal en 1701. Dès 1682, Kondiaronk se signale aux yeux des Français par ses talents d'orateur. Cependant, il cause beaucoup d'ennuis aux habitants de la colonie. Par exemple, au cours des dix années de guerre entre les Cinq-Nations et les Français, Kondiaronk multiplie les intrigues et les trahisons. Il se réconcilie par la suite avec les Français. En 1699, les Iroquois amorcent des négociations de paix avec les Français. Kondiaronk assiste à toutes les séances. C'est au cours d'une de ces séances que «le Rat» tombe malade, frappé d'une violente fièvre. Il a quand même la force de faire un vibrant plaidoyer en faveur de la paix. Il meurt le soir même et le traité de paix est signé à Montréal quelques jours plus tard.

Koweït, État d'Arabie. D'une superficie de 18 000 km², le Koweït est situé sur la côte du golfe Persique, entre l'Iraq et l'Arabie saoudite. Koweït en est la capitale. Le pays, plat et désertique, jouit d'un climat très chaud et sec. Les températures peuvent atteindre 45 °C en été. Le Koweït ne possède aucun cours d'eau. Le pays compte 1,9 million d'habitants (Koweïtiens et Koweïtiennes). L'arabe est la langue officielle. On y pratique la religion de l'islam. La monnaie utilisée est le dinar koweïtien. L'exploitation du pétrole a transformé l'économie du Koweït, autrefois fondée sur l'agriculture et l'industrie des perles. Le pays se classe parmi les premiers producteurs de pétrole et est l'un des États les plus riches du Moyen-Orient. Un cheikh dirige le pays, qui est indépendant depuis 1961.

Kremlin (le), ancienne forteresse de Moscou. Le Kremlin de Moscou, ancienne résidence des tsars, est situé au centre de la ville. Entouré de murailles, il renferme des palais, des églises, la cathédrale de l'Assomption où les tsars étaient couronnés et une cloche de 165 000 kg. De nos jours, le Kremlin est le siège central du gouvernement de l'U.R.S.S.

Krieghoff (Cornelius David), peintre, né à Amsterdam en 1815 et mort à Chicago en 1872. Cornelius Krieghoff s'installe d'abord aux États-Unis vers 1835 puis, en 1840, au Québec. Peintre, musicien et coureur de bois, il a exploré une bonne partie du Québec en canot. Son œuvre représente la vie traditionnelle au siècle dernier: habitants, Amérindiens, scènes rurales et paysages magnifiquement rendus par le choix de couleurs vives. À l'occasion du 100e anniversaire de la mort du peintre, le ministère des Postes du Canada a émis un timbre représentant l'une de ses toiles. Les musées conservent plusieurs de ses tableaux.

Krung Thep ☞ **Bangkok**.

Kuala Lumpur, capitale de la Malaisie. Située sur la côte ouest de la péninsule malaise, au sud du continent asiatique, la ville compte 938 000 habitants et est un centre commercial et industriel; on y trouve des industries de l'étain et du caoutchouc. La ville possède des universités et présente des contrastes frappants d'architecture orientale et moderne.

Kuujjuaq (autrefois Fort-Chimo), municipalité de village nordique. Situé au sud de la baie d'Ungava, sur la rive nord de la rivière Koksoak, dans la région du Nord-du-Québec, le village inuit fut institué en 1979. Il compte 1 066 Kuujjuamiut (1988). On y parle l'inuktitut et l'anglais.

Kuujjuarapik, municipalité de village nordique. Situé sur la côte est de la baie d'Hudson, à l'embouchure de la Grande rivière de la Baleine, dans la région du Nord-du-Québec, le village inuit compte 416 Kuujjuarapimiut qui parlent l'inuktitut et l'anglais.

La Baie, ville du Canada. La Baie est située dans la région du Saguenay – Lac-Saint-Jean, au Québec, sur la rive droite de la rivière Saguenay en aval de Chicoutimi. La ville voit le jour à la suite de la fusion de trois villes: Bagotville, Port-Alfred et Grande-Baie. Cette ville industrielle située sur la baie des Ha! Ha! compte 20 700 Baieriverains et Baieriveraines. Elle possède la première église de pierre du Saguenay, un aéroport civil, une importante papeterie et une base des Forces armées canadiennes. Elle garde ouvertes toute l'année ses modernes installations portuaires.

La Barre (Joseph-Antoine Le Febvre **de**), administrateur français, né en France en 1622 et mort dans le même pays en 1688. C'est dans la marine royale que La Barre assume les fonctions de capitaine de vaisseau et met à l'épreuve ses qualités de marin et d'administrateur. En mai 1682, le roi Louis XIV le nomme gouverneur général de la Nouvelle-France pour succéder à Frontenac. La Barre tente en vain de faire la guerre aux Iroquois victorieux des autres tribus; il essaie également d'empêcher les Amérindiens de se livrer à la traite des fourrures avec les Anglais, mais il échoue de nouveau. Enfin, il est rappelé en France par le roi et quitte la Nouvelle-France en août 1685.

Labelle (François Xavier Antoine), prêtre catholique et colonisateur, né à Sainte-Rose (Laval) en 1833 et mort à Québec en 1891. Après des études élémentaires à Sainte-Rose, Antoine Labelle entre au petit séminaire de Sainte-Thérèse à l'âge de 11 ans et est ordonné prêtre le 1er juin 1856. Curé de Saint-Jérôme en 1868, il fonde plusieurs paroisses de colonisation dans les Laurentides et effectue des démarches visant à relier cette région à Montréal par un chemin de fer. Surnommé «le roi du Nord» et «l'apôtre de la colonisation», il consacre ses énergies au développement agricole, minier, manufacturier et commercial de la région des Laurentides. En mai 1888, le curé Labelle occupe le poste de sous-ministre de l'Agriculture et de la Colonisation dans le gouvernement d'Honoré Mercier.

J. BÉLANGER/ANQM/P54/14/213

Antoine **Labelle**

Laberge (Aglaée), bienfaitrice canadienne, née à Saint-Thomas-de-Montmagny vers 1857 et morte à une date inconnue. Aglaée Laberge se joint à Georgiana et Léontine Généreux dans leur projet d'un hôpital destiné aux cancéreux et aux malades incurables. En 1898, elle participe avec elles à la fondation de l'hôpital du Sacré-Cœur à Cartierville. Les trois femmes y travaillent plusieurs années, puis cèdent leur place aux sœurs de la Providence.

Laberge (Louis), président de la Fédération des travailleurs et travailleuses du Québec (F.T.Q.), né à Sainte-Martine, Québec, en 1924. Louis Laberge manifeste de l'intérêt pour le syndicalisme dès son premier emploi. Mécanicien en aéronautique à l'usine Canadair de Saint-Laurent, il est élu délégué syndical en 1946. Deux ans plus tard, il exerce les fonctions d'agent d'affaires de l'Association internationale des machinistes. En 1956, il devient président du Conseil des métiers et du travail de Montréal, poste qu'il occupe pendant sept ans. Enfin, en 1964, il est élu président de la F.T.Q. Parmi les réalisations de Louis Laberge, citons le programme Corvée-Habitation, créateur de plus de 40 000 emplois, et le Fonds de solidarité de la F.T.Q. Établi en 1983, ce fonds est une institution financière qui fournit du capital de développement aux petites et moyennes entreprises (P.M.E.) québécoises en vue de conserver et de créer des emplois. En 1988, le premier ministre du Québec, Robert Bourassa, remet à Louis Laberge la distinction de l'ordre du Québec pour souligner son apport à la collectivité.

Labrador, partie continentale de la province de Terre-Neuve. Péninsule d'une superficie de 292 200 km², le Labrador est situé dans le nord-est de la province de Québec, au nord de l'île de Terre-Neuve, dont il est séparé par le détroit de Belle Isle. Sa côte, baignée par l'océan Atlantique, s'étend sur 1 125 km et est découpée de fjords, de baies et de bras de mer. L'histoire du Labrador est marquée par des conflits frontaliers; le territoire est finalement cédé à Terre-Neuve en 1927 par une décision du tribunal, décision contestée par le gouvernement du Québec. Le Labrador fait partie du bouclier canadien. La majeure partie du littoral et du Nord est constituée de roche nue et de toundra. Les monts Torngat s'élèvent dans le Nord. Les terres intérieures recèlent de précieuses réserves forestières. Le climat du Labrador est rigoureux; les glaces obstruent les ports de décembre à mai. Le territoire compte quelque 31 000 habitants (Labradoriens et Labradoriennes), dont 11 500 à Labrador City, la plus importante ville. Le sous-sol renferme d'immenses gisements de minerai de fer, du nickel, de l'amiante, du cuivre et de l'uranium. Une puissante centrale hydroélectrique, Churchill Falls, a été aménagée sur les chutes Churchill. Le Québec et le Nouveau-Brunswick s'y approvisionnent en électricité. Le Labrador abrite, à Goose Bay, une base militaire aérienne qui eut une importance stratégique au cours de la Seconde Guerre mondiale. Récemment, un projet visant à l'établissement d'un centre d'entraînement de vols tactiques de l'O.T.A.N. a soulevé l'opposition des Amérindiens de la région, soucieux de préserver leur mode de vie et leur territoire.

Labrador (mer du), partie de l'océan Atlantique, située entre le Groenland et la côte du Labrador. Le nord et l'ouest de la mer du Labrador sont couverts de glace de décembre à juin. Ces banquises sont le territoire du phoque du Groenland et du phoque à capuchon. La mer du Labrador est aussi le milieu nourricier du saumon de l'Atlantique et de plusieurs espèces de mammifères marins. On y pratique la pêche à la morue et à la crevette.

Lachenaie, ville du Canada. Lachenaie est située au Québec, sur la rive nord du fleuve Saint-Laurent, en aval de Montréal, près de Terrebonne. Instituée en 1855, la ville compte 10 000 Lachenois et Lachenoises. La ville est construite dans une région de bonnes terres agricoles. Elle doit son nom à Charles Aubert de La Chesnaye, qui avait acheté la concession de Pierre Le Gardeur de Repentigny.

Lachine, ville du Canada. Lachine est une ville du Québec située au sud de l'île de Montréal, entre les villes de LaSalle et de Dorval, en bordure du lac Saint-Louis. Fondée en 1669 et instituée en 1909, Lachine compte 34 900 Lachinois et Lachinoises. Cette ville à caractère résidentiel fait partie de la Communauté urbaine de Montréal. Elle possède de nombreuses industries : métallurgie de transformation, appareillage électrique et électronique, et un musée. C'est de cet endroit que, en 1669, Cavelier de La Salle s'engagea vers l'intérieur du pays, croyant se diriger vers la Chine. Le 5 août 1689, durant la guerre franco-iroquoise, quelque 1 500 guerriers attaquent le petit village, tuent et capturent près de 100 colons. Lachine fut, pendant plusieurs années, un centre important de la traite des fourrures au Canada.

Lachute, ville du Canada. Située au Québec, la ville est construite en bordure de la rivière du Nord, dans les Laurentides, au nord de Montréal. Les premières familles qui s'y établirent étaient originaires de l'État du Vermont, aux États-Unis (1796). Ville depuis 1885, Lachute s'est développée grâce aux industries de papeteries et de textiles. Son économie tend à se diversifier de plus en plus. Lachute compte 12 000 Lachutois et Lachutoises. Elle doit son nom à un endroit appelé « La chute », situé au pied des rapides qui barrent la rivière du Nord.

Lac-Mégantic, ville du Canada. Lac-Mégantic est situé au Québec dans la région de l'Estrie, à l'est de Sherbrooke, près de la frontière américaine du Maine. Cette ville commerciale et industrielle, érigée en 1907 sur la rive nord-est du lac Mégantic, compte plus de 5 700 Méganticois et Méganticoises. Elle est également un lieu de prédilection pour les amateurs de chasse et de pêche. *Mégantic* signifie, dans la langue crie, « gros arbre » ou « gros bois » ; en abénaquis, sa signification est « lieu où il y a du poisson ».

Lacoursière (Jacques), historien canadien, né en 1932. Après des études en histoire, Jacques Lacoursière participe en 1962 au lancement de la revue *Le Boréal Express*. Passionné d'histoire, il écrit entre 1979 et 1981, en collaboration avec d'autres auteurs, *Nos racines, L'histoire vivante des Québécois*, publié en 144 fascicules, et une *Histoire du*

Québec en 15 volumes, vendue en anglais et en français. On fait régulièrement appel à ses services pour des séries télévisées ou des articles de revues se rapportant à l'histoire.

Lac-Saint-Charles, municipalité du Canada. La municipalité de Lac-Saint-Charles est située dans la province de Québec, au nord de la ville de Québec, près de Charlesbourg. Sa population s'élève à 6 400 habitants. Instituée en 1947, cette municipalité rappelle le nom de Charles des Boues, protecteur des récollets. Le lac Saint-Charles baigne cette région.

Lac-Saint-Jean, région du Québec. La région du Lac-Saint-Jean entoure le grand lac du même nom situé à l'ouest de Chicoutimi. On associe toujours cette région au Saguenay, puisque celui-ci prend sa source dans la mer intérieure qu'est le lac Saint-Jean. Plusieurs localités entourent le lac Saint-Jean, dont Alma, Dolbeau, Mistassini, Roberval et Saint-Félicien. Les habitants de la région du Lac-Saint-Jean sont appelés Jeannois et Jeannoises. La région a été ouverte à la colonisation vers 1849. Au début du XIXe siècle, l'exploitation forestière occupe le premier rang des activités économiques. Encore aujourd'hui, le bois et l'agriculture, notamment la culture du bleuet, jouent un rôle important sur le plan économique. Le tourisme constitue également une bonne source de revenu. La pêche sportive (ouananiche, doré) attire de nombreux amateurs et les vacanciers apprécient les plages de la région. Celle-ci possède aussi des sites intéressants : jardin zoologique de Saint-Félicien, musée Louis-Hémon de Péribonka, site historique de Val-Jalbert, parc et village-fantôme. En outre, un événement sportif majeur, la Traversée du lac Saint-Jean, attire chaque année un grand nombre de spectateurs.

Lac Saint-Pierre (archipel du), archipel canadien du lac Saint-Pierre. Situé au Québec, au nord de Sorel, l'archipel est formé d'une centaine d'îles, dont les principales sont l'île Dupas et l'île de Grâce. Ces îles prennent des noms différents selon leur localisation : du côté de la rive sud du fleuve Saint-Laurent, on trouve les îles de Sorel ; du côté nord, les îles de Berthier. Saint-Ignace-de-Loyola est une localité importante de l'archipel.

Lac-Simon, réserve indienne. Lac-Simon est un village algonquin situé dans la région de l'Abitibi-Témiscamingue, au Québec, à 32 km au sud-est de la ville de Val-d'Or, sur la rive ouest du lac Simon. La réserve compte 478 Amérindiens. Les langues utilisées sont l'algonquin, le français et l'anglais. La foresterie est la principale activité économique.

La Dauversière (Jérôme Le Royer **de**), organisateur d'œuvres de charité, né en France en 1597 et mort dans le même pays en 1659. Bien qu'il n'ait jamais séjourné en Nouvelle-France, il a fondé la Société de Notre-Dame de Montréal et est responsable de la fondation de Montréal et de son Hôtel-Dieu.

Laflamme (Rosanne), marathonienne handicapée, née à Saint-François-de-la-Rivière-du-Sud, au Québec, en 1937. Le 18 juillet 1940, à l'âge de 3 ans, Rosanne Laflamme est victime d'un accident dans la ferme de ses parents. Elle perd le bras droit et trois doigts de sa main gauche, et ses jambes sont sectionnées sous les genoux. À l'âge de 34 ans, elle s'initie à diverses activités sportives : ski, natation, athlétisme, tir à l'arc, volley-ball. En 1971, Rosanne participe à une compétition aux Jeux olympiques provinciaux pour handicapés de Laval et elle y remporte le prix de la meilleure athlète. En 1975, aux Jeux internationaux pour handicapés, elle remporte la médaille d'or au lancer du poids, la médaille d'argent au lancer du javelot, la médaille de bronze en natation et le titre d'athlète par excellence des Jeux. Rosanne a donné des conférences aux États-Unis et en Australie, a écrit un livre autobiographique et tourné trois films pour la télévision : *Défi*, *Jouer prudemment* et *Malgré tout*. En mai 1981, elle entre au service de l'Institut de recherche en santé et sécurité au travail. Rosanne est présidente fondatrice du Carrefour des skieurs handicapés du Québec. En septembre 1989, la société Les Coopérants la nomme sportive de l'année.

Laflèche (Louis-François), évêque catholique, né à Sainte-Anne-de-la-Pérade, Québec, en 1818 et mort à Trois-Rivières en 1898. Prêtre, missionnaire à la terre de Rupert de 1844 à 1856, il exerce ensuite les fonctions de professeur et d'administrateur au Collège de Nicolet jusqu'en 1861. Évêque de Trois-Rivières de 1870 à 1898, il gagne l'estime de ses diocésains par son affabilité et la qualité de ses prédications. Mgr Laflèche laisse de nombreux ouvrages qui exerceront longtemps une grande influence sur les milieux nationalistes et catholiques du Québec.

La Fontaine (Jean **de**), poète français né à Château-Thierry, France, en 1621 et mort à Paris en 1695. La Fontaine est un écrivain fécond et original, auteur de nombreux poèmes, contes et livrets d'opéra. Cependant, c'est par ses *Fables*, qui prêtent la voix au monde animal, que La Fontaine conquiert la faveur du public. Ses *Fables*, qui parurent de 1668 à

1694, se fondent sur une vision pessimiste de la réalité.

Lafontaine (sir Louis-Hippolyte), avocat et homme politique canadien, né à Boucherville en 1807 et mort à Montréal en 1864. Admis au barreau en 1828, Lafontaine obtient rapidement une importante clientèle et acquiert une excellente réputation grâce à ses talents d'orateur. En 1830, il entre en politique active en se faisant élire à l'Assemblée du Bas-Canada. Partisan de Louis-Joseph Papineau, il l'accompagne aux assemblées les plus houleuses. Il s'oppose cependant à l'appel aux armes de 1837 et se rend à Londres afin de négocier une solution constitutionnelle aux problèmes du Bas-Canada. Arrêté en novembre 1838, il est relâché le 13 décembre sans aucun procès et devient le chef des réformateurs canadiens-français modérés. Après l'Acte d'Union de 1841, il s'associe avec Robert Baldwin pour réaliser l'unification des réformateurs du Haut-Canada et du Bas-Canada (1842-1848). Au Parlement, Louis-Hippolyte Lafontaine défend les droits de la langue française et obtient que la clause de l'Acte d'Union prohibant l'usage officiel du français soit retirée. Il lutte aussi pour faire reconnaître la responsabilité ministérielle et devient le chef du premier ministère parlementaire canadien. On lui doit, entre autres, la création de l'Université Laval (1852) et la réforme des institutions municipales et judiciaires. En 1851, Lafontaine démissionne et, en 1853, il est nommé juge en chef du Canada. L'année suivante, la reine Victoria lui accorde le titre de baron et le pape Pie IX, celui de chevalier papal. Grâce à ses nombreuses réformes législatives, Louis-Hippolyte Lafontaine a contribué à l'établissement d'une démocratie parlementaire.

ANQM/P54/14/122

sir Louis-Hippolyte **Lafontaine**

La Galissonnière (Roland Michel Barrin, marquis **de**), marin français, né à Rochefort, France, en 1693 et mort à Nemours, France, en 1756. Gouverneur de la Nouvelle-France de 1747 à 1749, il améliora le système défensif du pays et réclama à la France des colons, des soldats et des armes. En plus d'une carrière militaire, il s'intéressa, durant toute sa vie, à la botanique, à l'hydrographie et à l'astronomie.

Lagos, ancienne capitale du Nigéria. Située sur la côte ouest du Nigéria, la ville compte 4,5 millions d'habitants. Principal port du pays, Lagos est un centre commercial et industriel où s'implantent de nombreuses cimenteries, brasseries, huileries et savonneries. On y exporte aussi des produits agricoles : cacao, choux, arachides et coton.

La Habana ☞ **Havane (La)**.

La Havane ☞ **Havane (La)**.

La Haye ☞ **Haye (La)**.

La Jonquière (Pierre Jacques de Taffanel, marquis **de**), marin et administrateur français, né près de Graulhet, France, en 1685 et mort à Québec en 1752. Gouverneur général du Canada de 1749 à 1752, alors que la France et l'Angleterre sont en paix, le marquis de La Jonquière ne songe qu'à se préparer à un prochain conflit armé en renforçant ses troupes et en fortifiant ses positions sur les Grands Lacs. Au cours de son mandat, il a amélioré les relations avec les Amérindiens.

La Lande (Jean **de**) ☞ **Jean de La Lande** (saint).

Lalemant (Gabriel) ☞ **Gabriel Lalemant** (saint).

Laliberté (Alfred), sculpteur, peintre et auteur canadien, né à Sainte-Élisabeth-de-Warwick, Québec, en 1878 et mort à Montréal en 1953. Dès 1896, Alfred Laliberté s'inscrit aux cours de modelage et de dessin de l'École des arts et manufactures de Montréal. En 1902, il s'embarque pour Paris où il étudie à l'École des beaux-arts. De retour à Montréal, il est nommé professeur et expose pour la première fois à *l'Art Association*. Récipiendaire de nombreuses distinctions au pays et à l'étranger, Laliberté entre en 1919 à l'Académie royale des arts du Canada. Son œuvre comprend, entre autres, quelque 925 sculptures en bronze, marbre, plâtre et bois : bustes, statues de personnages historiques (Baldwin, Brébeuf) et monuments publics (Laurier, Louis Hébert). De plus, il a sculpté 200 petits bronzes illustrant les légendes, coutumes et métiers du terroir. Comme peintre, il a réalisé 500 toiles de moindre intérêt. Son œuvre célèbre les grandeurs de l'histoire nationale et son attachement profond aux valeurs du terroir. Alfred Laliberté est également l'auteur de *Mes souvenirs*, trois manuscrits publiés en 1978.

Laliberté (Guy), président-fondateur du Cirque du soleil, né à Québec en 1960. Guy Laliberté grandit à Saint-Bruno, près de Montréal. À la fin des années 70, il se fait amuseur public, exécute des tours de magie et joue de l'accordéon sur les places publiques du Québec. En 1979, Laliberté fonde avec d'autres une troupe de théâtre: Les Échassiers de Baie-Saint-Paul puis, en 1982 et 1983, il organise des fêtes foraines. En 1984, la fête se transporte à Québec lors du 450e anniversaire de la ville; c'est là qu'est fondé le «Cirque du soleil», cirque de tradition européenne à une seule piste. On y voit des jongleurs, des clowns, des échassiers, des funambules, des musiciens et des acrobates, mais pas d'animaux. En août 1986, Guy Laliberté est élu personnalité de la semaine par le journal *La Presse*. En avril 1988, le Cirque du soleil reçoit une distinction du *Journalism Academy* de Los Angeles.

La Mecque ☞ **Mecque (La)**.

Lamothe (Antoine Laumet **Cadillac**, dit **de**), commerçant de fourrures, officier militaire et fondateur de Detroit, États-Unis, né en France en 1658 et mort dans le même pays en 1730. D'origine obscure, il se donne le noble titre de «de Lamothe Cadillac», qu'il réussit à faire valoir, et obtient fortune et positions de commandement. Après avoir servi un corsaire, pratiqué le commerce et s'être querellé avec le gouverneur en Acadie (1683-1691), il arrive à Québec en 1691 et occupe différentes positions dans l'armée. De 1693 à 1697, il est commandant de Michilimakinac, un fort français situé à la rencontre des lacs Huron et Michigan, où il se révèle fort adroit dans la traite des fourrures. En 1701, il établit une colonie à Detroit dans l'intention de freiner l'expansion anglaise et de contrôler lui-même les transactions avec les nations de l'Ouest. Gouverneur de la Louisiane de 1710 à 1716, il retourne en France en 1718 et finit sa vie comme gouverneur de Castelsarrasin.

Lanaudière, région administrative du Québec. D'une superficie de 15 500 km², la région de Lanaudière est située entre la région des Laurentides et la région Mauricie – Bois-Francs et est bornée au sud par le fleuve Saint-Laurent. Sa capitale régionale est Joliette. Lanaudière offre un paysage varié, riche en lacs, en rivières et en forêts, et constitue un lieu de prédilection pour les fervents de la chasse et de la pêche. La réserve de Mastigouche ne constitue qu'une partie du territoire de cette région. La plaine agricole produit du tabac, des pommes de terre et d'autres légumes. Les industries du bois et du papier, du vêtement et de l'alimentation se concentrent dans les grandes agglomérations. Le long du chemin du Roy, on trouve des maisons anciennes et de vieilles églises. Depuis quelques années, des milliers d'adeptes de l'opéra et de la musique classique et populaire se donnent rendez-vous au Festival de Lanaudière.

L'Ancienne-Lorette, ville du Canada. Située dans la province de Québec, à près de 10 km au nord-ouest du pont de Québec, L'Ancienne-Lorette a été instituée en 1948. La ville compte 13 750 Lorettains et Lorettaines. Elle se distingue par son aéroport qui dessert toute la région de Québec.

La Nouvelle-Orléans ☞ **Nouvelle-Orléans (La)**.

Lansdowne (Henry Charles Keith Petty Fitzmaurice, marquis **de**), homme politique né à Londres en 1845 et mort à Clonmel, Irlande, en 1927. Le marquis de Lansdowne exerce les fonctions de gouverneur général du Canada de 1883 à 1888. Gouverneur modèle, il remplit son mandat sans incident, même pendant la rébellion du Nord-Ouest (1884-1885), qui entraîne l'exécution de Louis Riel. Il devient ensuite gouverneur des Indes (1888-1893), ministre de la Guerre puis ministre des Affaires étrangères de Grande-Bretagne (1900-1905). À Ottawa, le parc où évolue l'équipe de football locale porte son nom.

Laos, État de l'Asie du Sud-Est. D'une superficie de 236 800 km², le Laos est borné par la Chine, le Viêt Nam, le Cambodge, la Thaïlande et la Birmanie. À l'ouest, le fleuve Mékong sert de frontière avec la Thaïlande. Vientiane est la capitale. Le relief se compose de montagnes (cordillère annamitique), de vallées et de hautes-terres qui s'adoucissent vers l'ouest. La forêt couvre tout le pays. Celui-ci est soumis à un climat de type tropical, chaud et humide, et subit l'influence de la mousson l'été. Le Laos compte 4,3 millions d'habitants (Laotiens et Laotiennes). La langue officielle est le lao (ou laotien), mais on parle aussi des dialectes, ainsi que le français et l'anglais. La principale religion est le bouddhisme. La monnaie utilisée est le kip. L'économie laotienne repose principalement sur la culture du riz. Le maïs, le tabac, le coton, le café, la canne à sucre et le pavot sont les autres productions. L'élevage des volailles et des porcs est important. Le Laos exporte du bois et de l'étain. Royaume fondé en 1353, le Laos passe sous la protection française en 1893 et accède à l'indépendance en 1953. En 1975, la monarchie est abolie et une république socialiste est instaurée.

La Paz ☞ **Paz (La)**.

La Pêche (anciennement Wakefield), municipalité du Canada. La Pêche est située au Québec, dans la région de l'Outaouais, au nord de Hull, en bordure du parc de la Gatineau. Fondée en 1847, elle porte d'abord le nom de Wakefield. Beaucoup de ses colons viennent de la région de York, en Angleterre. Ce pittoresque village blotti dans les collines compte 5 400 habitants et constitue un centre de villégiature et de sports d'hiver.

La Plaine, municipalité du Canada. La Plaine est située au Québec, à environ 15 km au nord de Terrebonne, dans la région de Lanaudière. Instituée en 1922, la ville est construite dans une région agricole (fraises) et compte près de 6 000 Plainois et Plainoises.

Lapointe (Jean), comédien, chanteur, monologuiste canadien, né à Price, Québec, en 1935. Jean Lapointe commence sa carrière dès l'âge de 17 ans. Vers le milieu des années 50, il forme, avec Jérôme Lemay, le célèbre duo des Jérolas, qui connaîtra une carrière fructueuse. En 1975, Jean Lapointe entreprend une carrière individuelle. Artiste aux talents multiples, il triomphe notamment dans la série télévisée «Duplessis». Humaniste, il a fondé la maison Jean-Lapointe pour la réhabilitation d'alcooliques.

Lapointe (Renaude), journaliste et femme politique, née à Disraëli, Québec, en 1912. Renaude Lapointe est la première Canadienne française à accéder à la fonction de présidente du Sénat en 1974. Elle occupe ce poste à la suite d'une fructueuse carrière de journaliste au *Soleil*, à *La Presse* et au *Nouveau Journal*. C'est d'ailleurs à *La Presse* qu'elle devient, en 1965, la première femme éditorialiste. Correspondante des magazines américains *Time* et *Life*, elle publie *L'Histoire bouleversante de Mgr Charbonneau*. Pionnière dans un domaine jusque-là réservé aux hommes, elle obtient les plus hauts témoignages de reconnaissance journalistique et politique. Depuis qu'elle a pris sa retraite, en 1987, Renaude Lapointe habite Ottawa et continue à militer au sein de nombreuses associations à caractère culturel et social.

Laponie, région de l'Europe du Nord. Située au nord de l'Europe, la Laponie est limitée par l'océan Arctique, l'océan Atlantique et la mer Blanche, et couvre le nord de la Norvège, de la Suède et de la Finlande ainsi qu'une partie de l'U.R.S.S. L'ouest de la région est montagneux et couvert de glace tandis que la partie est, moins élevée, est une surface couverte de lacs et de marais. La végétation se limite à la toundra (lichens, mousse et bouleaux nains) et, dans les régions les moins élevées, à des pins et épicéas. Le climat est rigoureux (−20 °C en janvier) et les cours d'eau sont emprisonnés par les glaces de novembre à mai. La région compte 45 000 habitants (Lapons et Lapones). L'exploitation de la forêt et des mines de fer, l'élevage du renne et la pêche sont les principales activités.

La Prairie, ville du Canada. La ville de La Prairie est située au Québec, sur la rive sud du fleuve Saint-Laurent, entre les villes de Brossard et de Candiac. Le territoire appartient d'abord aux jésuites (1647) et ce n'est que 20 ans plus tard que des colons viennent l'occuper. Instituée en 1846, la ville porte alors le nom de La Prairie-de-la-Magdeleine. D'une superficie de 44 km^2, La Prairie abrite de nombreux commerces et entreprises, dont les plus importantes briqueteries du Québec. «Le Vieux-Fort» est un site archéologique. C'est à La Prairie que débuta, en 1836, la construction du premier chemin de fer au Canada. La Prairie compte 11 000 habitants.

La Salle (René Robert Cavelier **de**), explorateur, né à Rouen, France, en 1643 et mort en Louisiane en 1687. Ancien jésuite, Cavelier de La Salle arrive en Nouvelle-France où il obtient une seigneurie. À partir de 1669, il commence ses expéditions. En 1673, il se joint au groupe du gouverneur général Frontenac et obtient des lettres de noblesse. Il reçoit la mission d'explorer les grandes plaines centrales. En 1678, il entreprend l'établissement d'une chaîne de comptoirs de traite et, en 1682, il descend le Mississippi jusqu'à son embouchure avec un petit groupe de Français et quelques guides amérindiens. Le 9 avril, il prend possession de toute la région (Louisiane) au nom de Louis XIV. Il retourne en France et demande au roi la permission d'établir un camp de base à l'embouchure du rio Grande en prévision de la conquête du Mexique. Pour convaincre le roi de la pertinence de son projet, il falsifie les données géographiques sur le Mississippi.

Renaude **Lapointe**

ANC/C-89577

L'expédition est difficile et désastreuse: méfiance et discorde conduisent à l'assassinat de La Salle.

Cavelier de **La Salle**

LaSalle, ville du Canada. LaSalle est située au Québec, dans la partie sud de l'île de Montréal, en bordure du fleuve Saint-Laurent et entre les villes de Verdun et de Lachine. Fondée en 1668 au moment où Robert Cavelier de La Salle y construit un poste fortifié, elle est instituée en 1912. Sa population s'élève à 75 600 LaSallois et LaSalloises. LaSalle adhère à la Communauté urbaine de Montréal en 1959. Elle possède des industries alimentaires et des usines de produits chimiques et pharmaceutiques.

La Sarre, ville du Canada. Située au Québec, au nord-est du lac Abitibi et près de la frontière de l'Ontario, La Sarre compte 8 622 Lasarrois et Lasarroises. La rivière La Sarre traverse la ville, qui se trouve au cœur d'une région agricole fertile. L'industrie forestière et les usines de transformation du bois assurent le développement économique de la ville. On y trouve une des plus grosses entreprises de bois de sciage de l'est du Canada. Fondée en 1917, La Sarre fut l'un des premiers centres de colonisation agricole à voir le jour en Abitibi.

L'Assomption, ville du Canada. Située au nord-est de Montréal, près de la ville de Le Gardeur, L'Assomption compte 5 300 Assomptionnistes. Fondée en 1717, la ville, qui est presque entièrement entourée par la rivière L'Assomption, conserve plusieurs constructions anciennes. Quelques industries (fabrication d'appareils ménagers) contribuent au développement économique de cette ville à caractère résidentiel.

L'Assomption (rivière), rivière du Canada, qui prend naissance dans les Laurentides, au Québec, et se jette dans le fleuve Saint-Laurent près de Repentigny.

La Tuque, ville du Canada. La Tuque est située au Québec, en bordure de la rivière Saint-Maurice, à 110 km au nord de Trois-Rivières. Fondée en 1877 et instituée en 1911, la ville compte 10 700 Latuquois et Latuquoises. À l'origine, poste de traite, La Tuque devient un centre important de commerce du bois vers 1908. Son développement économique repose sur l'industrie du bois et la rivière Saint-Maurice. C'est dans une usine de La Tuque que l'on trouve la plus grosse machine à papier kraft du monde. Cette machine produit quotidiennement 700 tonnes de papier. La ville doit son nom à un rocher en forme de tuque. À l'arrivée des pionniers, ce rocher surplombait une cascade.

Laurendeau (André), journaliste, écrivain et homme politique canadien, né à Montréal en 1912 et mort à Ottawa en 1968. Après des études à Montréal et à Paris, André Laurendeau se lance en politique et se fait élire en 1944 député et représentant d'un nouveau parti à tendance nationaliste, le Bloc populaire, dont il devient le chef provincial. Il affirme ainsi son opposition à la conscription imposée par le gouvernement fédéral de Mackenzie King. Il quitte le parti en 1947 et devient rédacteur à l'*Action nationale* (1948-1954). En 1958, il devient rédacteur en chef du journal *Le Devoir* et se préoccupe du nationalisme canadien-français et des relations entre Québec et Ottawa. En 1963, il accepte de coprésider la Commission royale d'enquête sur le bilinguisme et le biculturalisme. André Laurendeau fut l'un des intellectuels les plus influents de son époque.

Laurendeau (Martin), joueur de tennis, né à Montréal en 1964. Martin Laurendeau a réalisé en 1988 l'exploit de se rendre jusqu'aux huitièmes de finale des Internationaux des États-Unis, ce qui représente la meilleure performance canadienne depuis 1968.

Laurentides (**Les**), ensemble montagneux du Canada. Situées au Québec, les Laurentides s'étendent le long de la rive nord du fleuve Saint-Laurent sur 550 km, entre la rivière Gatineau et la rivière Saguenay. Elles font partie du plateau laurentien et correspondent à la bordure sud-est du bouclier canadien. Les Laurentides représentent l'un des plus vieux systèmes montagneux du globe. Autrefois très hauts, les sommets ont été arrondis au cours de millions d'années par l'érosion et les glaciers. Les Laurentides atteignent leur hauteur maximale au nord de la ville de Québec, dans la réserve faunique des Laurentides (1 200 m): mont Raoul-Blanchard (1 166 m), mont Bleu (1 052 m) et mont des Conscrits (1 066 m). Au nord de Montréal, le mont Tremblant (968 m) et le mont Sir-Wilfrid (783 m) sont les points culminants. Plusieurs rivières drainent le massif des Laurentides : la rivière du Nord, les rivières Saint-Maurice, Montmorency et Jacques-Cartier. La forêt boréale (épinettes, sapins, bouleaux blancs) en couvre une grande partie. La frange sud des Laurentides, qui correspond à la région du même nom, est parsemée de localités qui sont devenues des lieux de villégiature et des stations de sports d'hiver.

Laurentides, région administrative du Québec. D'une façon générale, on entend par région des Laurentides la zone montagneuse située entre la région de l'Outaouais et la région de Lanaudière. Les principales villes de cette région, dont les habitants se nomment Laurentiens et Laurentiennes, sont Saint-Jérôme, Saint-Sauveur-des-Monts, Sainte-Agathe-des-Monts, Saint-Donat et Mont-Tremblant. Les Laurentides, qui attirent beaucoup de vacanciers, sont riches en lacs et en rivières aux eaux poissonneuses. Les nombreux monts, dont le mont Tremblant, en font une région de sports d'hiver très fréquentée. On y trouve aussi des sites intéressants à visiter.

Laurentides (réserve faunique des), parc provincial du Québec. Située au nord de la ville de Québec, entre les rivières Saguenay et Saint-Maurice, la réserve faunique des Laurentides fut créée en 1894, dans le but de protéger la forêt et la faune. L'utilisation des ressources y est réglementée. D'une superficie de près de 12 000 km², ce parc est l'un des plus grands du Québec. On y trouve de nombreux lacs et rivières, dont le lac et la rivière Jacques-Cartier, la rivière aux Écorces et la rivière Chicoutimi. La réserve faunique des Laurentides accueille les amateurs de pêche et de chasse ; on peut y pratiquer le camping et le canotage. Elle est traversée par une route qui part de la ville de Québec et mène dans la région du Lac-Saint-Jean.

Laurier (sir Wilfrid), avocat et homme politique canadien, né à Saint-Lin, Québec, en 1841 et mort à Ottawa en 1919. Chef du Parti libéral du Canada de 1887 à 1919 et premier ministre du Canada de 1896 à 1911, Wilfrid Laurier s'impose comme un ardent défenseur de l'unité nationale. Sous son mandat, on assiste à de grandes réalisations, entre autres, la mise en service du Transcontinental, la création des provinces de la Saskatchewan et de l'Alberta, le développement de l'Ouest canadien, l'application de la loi de l'observance du dimanche et l'établissement des systèmes de pension de vieillesse. Figure prestigieuse de la scène politique fédérale, sir Wilfrid Laurier demeure l'un de nos plus grands orateurs parlementaires ; il a été le premier Canadien français à assumer les fonctions de premier ministre. Sa vie politique, très féconde en projets et en réalisations, s'est étendue sur une période de 45 ans. On peut visiter à Saint-Lin la maison natale de sir Wilfrid Laurier.

sir Wilfrid **Laurier**

ANC/C-14323

Lauson (Jean **de**), administrateur français, né en 1584 et mort à Paris en 1666. Ayant déjà des liens étroits avec la colonie, intendant de la Compagnie de la Nouvelle-France depuis 1627, Jean de Lauson est nommé gouverneur de la Nouvelle-France en janvier 1651. Il arrive à Québec en octobre 1651 et use de ses vastes pouvoirs pour s'enrichir et enrichir sa famille. En 1654, il parvient à monopoliser la traite des fourrures et, plus tard, s'empare d'un lot de fourrures détenues par Des Groseilliers, abus qui lui mérite quelques difficultés avec les colons. En 1656, il confie l'administration de la colonie à son fils Charles et rentre en France.

Lauzon, ville du Canada. Lauzon est situé au Québec, sur la rive sud du fleuve Saint-Laurent, à quelques kilomètres au nord de la ville de Lévis. Cette ville de 13 600 Lauzonnois et Lauzonnoises fut fondée en 1647. Lauzon possède d'importants chantiers navals. Son nom rappelle Jean de Lauson, gouverneur de la Nouvelle-France de 1651 à 1656.*

Laval (François-Xavier de Montmorency), évêque catholique, né à Montigny-sur-Avre, France, en 1623 et mort à Québec en 1708. Consacré vicaire général du pape en 1658, François de Montmorency Laval arrive à Québec en 1659 et fonde le premier diocèse du

* Récemment, Lauzon a fusionné avec Lévis pour former la ville de Lévis-Lauzon.

Québec. En 1663, il fonde le Grand Séminaire de Québec, collège théologique qui regroupe tous les prêtres séculiers. En 1685, il démissionne de ses fonctions d'évêque en faveur de Jean-Baptiste de La Croix de Saint-Vallier. Homme pieux et charitable, il s'est dévoué pour les malades et le diocèse et a combattu sans répit le commerce de l'alcool avec les Amérindiens. Son œuvre a eu une grande influence et a permis de consacrer l'Église catholique comme église nationale du Canada français. Mgr Laval a été déclaré vénérable en 1891.

ANQM/P54/14/183

Mgr **Laval**

Laval, ville du Canada. Située au Québec, Laval couvre toute l'île Jésus, dans l'archipel d'Hochelaga. Elle est limitée au nord par la rivière des Mille Îles et au sud par la rivière des Prairies. La ville a été instituée en 1965, à la suite de la fusion des différentes villes de l'île Jésus. Elle se divise en secteurs : ceux de Laval-Ouest, Fabreville, Sainte-Rose et Auteuil s'échelonnent sur la rive nord, ceux de Chomedey, Laval-des-Rapides, Duvernay et Saint-Vincent-de-Paul le long de la rive sud, Pont-Viau et Vimont au centre, Laval-sur-le-Lac à l'extrémité ouest et, à l'opposé, Saint-François. La population de Laval s'élève à 284 000 Lavallois et Lavalloises. Ville résidentielle, Laval est aussi un centre commercial et industriel diversifié. La ville abrite quelques musées et lieux historiques.

Lavallée (Calixa Paquet-), compositeur et pianiste, né à Verchères, Québec, en 1842 et mort dans l'État du Massachusetts, États-Unis, en 1891. Pianiste, organiste, compositeur et chef d'orchestre, il monte, à Québec et à Montréal, le premier opéra présenté au Canada (1876-1878). Calixa Lavallée donne des concerts au Canada, aux États-Unis et en Amérique du Sud. Il travaille aux États-Unis et compose la musique de l'hymne national canadien *Ô Canada* en 1880 (paroles de A.-B. Routhier). Président des maîtres de musique des États-Unis en 1887, il participe à leur congrès international en 1889, à Londres.

La Vérendrye (Pierre Gaultier de Varennes **de**), explorateur canadien, né à Trois-Rivières en 1685 et mort à Montréal en 1749. Après avoir mené une carrière militaire active en Europe et avoir exercé le métier d'agriculteur au Canada, La Vérendrye décide de rejoindre son frère, commandant des postes de la rive nord du lac Supérieur, auquel il succède en 1728. En 1731, il demande et reçoit un monopole de trois ans sur la traite des fourrures de la région. Associé avec un certain nombre de marchands, il établit des comptoirs de fourrures du lac Supérieur jusqu'au lac Winnipeg, ce qui lui permet d'explorer l'intérieur du pays jusqu'aux Rocheuses, que ses fils Louis-Joseph et François atteignent. Au cours de ces expéditions, il recueille des informations sur la région et sur les autochtones. Ces notes font mention de deux rivières menant vers l'ouest : la Saskatchewan et le Missouri. Cherchant la route de la légendaire mer de l'Ouest, il part sur la rivière Missouri en 1738. Il revient épuisé et laisse à ses fils le soin de poursuivre l'exploration vers le sud-ouest. Ces derniers s'y dirigent en 1742-1743 et rapportent la preuve que la mer n'est pas dans cette direction. Il meurt avant d'avoir pu entreprendre l'expédition qu'il projetait en Saskatchewan, mais après avoir reçu le plus grand honneur de sa carrière : la Croix de Saint-Louis.

ANC/C-6896

La Vérendrye

Laviolette (sieur **de**), militaire français. Commis principal de la Compagnie de la Nouvelle-France, le sieur de Laviolette est chargé par Champlain d'établir un poste de traite de fourrures à l'embouchure de la rivière Saint-Maurice, à l'endroit appelé Trois-Rivières. Il y érige une habitation fortifiée. Parce qu'il a été le premier commandant de cet établissement (1634-1636), Laviolette est considéré comme le fondateur de Trois-Rivières.

Lavoie-Roux (Thérèse), femme politique canadienne, née à Rivière-du-Loup en 1928. Première femme à présider les destinées de la C.E.C.M., travailleuse sociale et professeure, Thérèse Lavoie-Roux étudie à l'Université de Montréal, à l'université McGill ainsi qu'aux États-Unis. Elle est bachelière ès arts et détient une maîtrise en service social. De 1951 à 1960, Thérèse Lavoie-Roux cumule les fonctions de travailleuse sociale et de professeure-thérapeute au Montreal Children's Hospital. De 1960 à 1969, elle enseigne à l'Université de Montréal et est chargée de cours dans plusieurs établissements d'enseignement. De 1969 à 1976, elle est élue commissaire et vice-présidente de la Commission des écoles catholiques de Montréal (C.E.C.M.), vice-présidente du Conseil scolaire de l'île-de-Montréal (1973) et présidente de la C.E.C.M. (1970-1976). Élue députée aux élections de 1976 et de 1981 pour le Parti libéral du Québec dans la circonscription de L'Acadie, elle devient le porte-parole de l'opposition officielle en matière d'affaires sociales et de condition féminine. Réélue en 1985, Thérèse Lavoie-Roux assume le portefeuille de ministre de la Santé et des Services sociaux et est nommée responsable de la politique familiale et de l'Office des personnes handicapées. Elle a également été présidente de la Commission des affaires sociales. Thérèse Lavoie-Roux a siégé à de nombreux conseils d'administration et est membre de diverses associations professionnelles. Depuis 1972, elle est honorée par différents groupes de toutes les sphères de la société québécoise. En août 1989, Thérèse Lavoie-Roux présentait sa démission à Robert Bourassa et lui signifiait sa décision de se retirer de la politique.

Lazare (saint), personnage biblique. Ami de Jésus, frère de Marthe et de Marie, Lazare est ressuscité par Jésus à la veille de la Passion. Seul Jean relate cet événement dans l'Évangile. Une légende a fait de Lazare le premier évêque de Marseille. Sa fête est célébrée le 17 décembre.

Le Ber (Jeanne), femme pieuse et recluse, née à Montréal en 1662 et morte au même endroit en 1714. Jeanne Le Ber, qui appartient aux deux plus riches familles de Montréal et dont le parrain et la marraine sont Maisonneuve et Jeanne Mance, étudie chez les Ursulines de Québec où elle s'adonne à la prière et à la méditation. Jeanne Le Ber subit l'influence de Marguerite Bourgeoys et, indécise face à la vocation religieuse, choisit de vivre retirée tout en vaquant à ses affaires et en recevant des visiteurs. À partir de 1695, elle vécut dans un petit appartement attenant à la chapelle des sœurs de la Congrégation de Notre-Dame de Montréal, à qui elle laissa tous ses biens à sa mort.

Le Caire ☞ **Caire (Le)**.

Le Cap ☞ **Cap (Le)**.

Leclerc (Félix), chanteur et compositeur québécois, né à La Tuque en 1914 et mort à l'île d'Orléans en 1988. Félix Leclerc, auteur-compositeur, interprète, poète, romancier, comédien et dramaturge, est le sixième d'une famille de 11 enfants. Après des études à l'université d'Ottawa, Félix Leclerc devient, en 1934, annonceur à la radio. Il fait ses débuts comme chansonnier en 1939. Au cours des années 1940, il se signale comme écrivain, poète et conteur et publie *Adagio, Allégro, Andante* et, en 1946, *Pieds nus dans l'aube*, son premier roman. En 1948, il fonde, en collaboration avec ses deux beaux-frères, la troupe de théâtre V.L.M. (Vien, Leclerc, Mauffette) et présente sa première pièce, *Le p'tit bonheur*. Ensuite, Leclerc travaille comme comédien avec la troupe des Compagnons de Saint-Laurent. En 1950, il se rend en France où il triomphe avec ses chansons : *Notre sentier, Le train du Nord, Bozo, Moi, mes souliers, Le p'tit bonheur, L'hymne au printemps*, etc. Après un séjour de plusieurs années en France, il revient au Québec et s'installe à Saint-Pierre, sur l'île d'Orléans, où il s'adonne à l'écriture. Il s'intéresse à la politique à la suite des événements d'octobre 1970 et écrit une chanson sur le sujet : *L'alouette en colère*. Félix Leclerc, chansonnier, a renouvelé la chanson québécoise et surtout il a ouvert la voie à une nouvelle chanson. Il s'est aussi illustré comme l'un des plus brillants porte-parole du Québec. Il est le père du prix « Félix », attribué aux artistes de la chanson au gala annuel de l'A.D.I.S.Q. Il a obtenu de nombreuses distinctions, notamment le prix Charles Cros en 1951, 1958 et 1973 et la médaille d'argent du Mouvement national des Québécois en 1985. Il a été reçu officier de l'Ordre du Canada (1971) et chevalier de la Légion d'honneur (1986).

Félix **Leclerc**

M. PONOMAREFF/PPI

Leclerc-Hamilton (Caroline), bienfaitrice canadienne, née à Montréal en 1859 et morte en 1945. Devant l'absence d'aide aux mères nécessiteuses, Caroline Leclerc-Hamilton démarre, en 1912, l'Assistance maternelle, affiliée à la Saint-Vincent-de-Paul et à l'hôpital Sainte-Justine. Cette organisation avait pour but de venir en aide aux mères de familles pauvres.

Leduc (Ozias), peintre canadien, né à Saint-Hilaire, Québec, en 1864 et mort à Saint-Hyacinthe en 1955. Après avoir été l'assistant de peintres d'origine italienne, qui l'initient au métier de peintre muraliste, Ozias Leduc expose, en 1891, au Salon du printemps de l'*Art Association* de Montréal et, en 1892, y remporte le premier prix dans la catégorie des moins de trente ans. Il prend ensuite la direction de nombreux chantiers en tant que décorateur d'églises. Il décore 31 églises et chapelles au Québec, en Nouvelle-Écosse et dans l'est des États-Unis. En 1897, Ozias Leduc se rend à Paris pour étudier et parfaire ses connaissances en peinture. On lui doit plusieurs natures mortes, dont l'une des plus connues est *Nature morte au livre ouvert* (1894, Musée des beaux-arts de Montréal). *L'heure mauve* (1921, Musée des beaux-arts de Montréal), *Le petit liseur* (1894, Galerie nationale du Canada) et *L'Immaculée Conception* (esquisse datant de 1922, Ottawa) sont considérés comme les œuvres majeures de l'artiste. Dans son village de Saint-Hilaire, on le surnommait « peintre d'églises ». Il a favorisé le développement de la carrière de Paul-Émile Borduas.

ANQM/P50/4

Ozias **Leduc**

Le Gardeur, ville du Canada. Située au Québec, près de la rivière L'Assomption, au nord-est de Montréal, la ville de Le Gardeur compte 9 200 Le Gardeurois et Le Gardeuroises. Appelé Saint-Paul-l'Ermite de 1857 à 1978, son territoire appartenait à l'origine à la seigneurie Le Gardeur de Repentigny.

Legault (Émile), metteur en scène et dramaturge canadien, né à Saint-Laurent en 1906 et mort à Montréal en 1983. Ordonné prêtre en 1930, le père Legault débute dans l'enseignement et fonde, en 1937, une troupe de jeunes acteurs au Collège Saint-Laurent. Cette troupe, les Compagnons de Saint-Laurent, qui se produit de 1937 à 1952, a joué un rôle important dans la formation de comédiens québécois. Elle est celle qui a le plus marqué l'histoire du théâtre au Québec. Après la dissolution de la troupe, ce « père des artistes » se tourne vers la composition de textes de théâtre sur des sujets religieux et vers la rédaction d'articles sur les arts d'interprétation.

LA PRESSE

Émile **Legault**

Léger (Jules), ambassadeur et gouverneur général du Canada, né à Saint-Anicet, Québec, en 1913 et mort à Ottawa en 1980. Jules Léger est le frère du cardinal Paul-Émile Léger. Après des études à l'Université de Montréal et à la Sorbonne, Jules Léger fait ses premières armes dans le journalisme. En 1940, il entre au ministère des Affaires extérieures et poursuit une brillante carrière diplomatique à titre d'ambassadeur du Canada à Mexico, à Rome, à Paris et à Bruxelles. De 1968 à 1972, il occupe le poste de sous-secrétaire d'État et met en œuvre les stratégies de la politique étrangère et les programmes de bilinguisme et de multiculturalisme. Le 14 janvier 1974, il est asser-

Y. KARSH/PA-164223

Jules **Léger**

menté gouverneur général et exerce ces fonctions jusqu'en janvier 1979. Artisan de l'unité canadienne, Jules Léger fut un homme respecté et apprécié pour sa dignité, sa gentillesse et son courage.

Léger (Paul-Émile), cardinal de l'Église catholique romaine, né à Valleyfield, Québec, en 1904. Ordonné prêtre à Montréal en 1929, Paul-Émile Léger entreprend une carrière ecclésiastique en France (1930-1933) puis au Japon (1933-1939). Revenu à Valleyfield à cause de la guerre, il exerce la fonction de vicaire général du diocèse (1940-1947), puis est nommé curé et recteur du Collège canadien à Rome (1947-1950). Le 16 mai 1950, Paul-Émile Léger est consacré archevêque à Rome et, le 2 février 1951, il prend possession du siège épiscopal de Montréal. La population montréalaise reconnaît rapidement ses qualités d'homme d'action dans la réalisation de projets concrets : fondation du Foyer de charité pour vieillards malades et sans famille, de l'hôpital Saint-Charles-Borromée pour malades chroniques et de la Porte du ciel pour jeunes délinquants, femmes âgées et orphelins. Il est nommé cardinal le 12 janvier 1953. En 1967, il démissionne comme archevêque de Montréal et s'engage à titre de missionnaire auprès des lépreux et des enfants handicapés du Cameroun. Le gouvernement africain le nomme Commandeur de l'Ordre de la valeur et du mérite de la République du Cameroun. En janvier 1989, il reçoit la Grande Croix de l'Ordre militaire et hospitalier de Saint-Lazare de Jérusalem, décoration prestigieuse attribuée par l'Ordre de bienfaisance afin de souligner son grand dévouement envers les lépreux. Depuis son retour à Montréal en 1979, le cardinal Léger recueille des fonds pour soutenir les œuvres qu'il a contribué à mettre sur pied.

LA PRESSE

Mgr Paul-Émile **Léger**

Lemelin (Roger), romancier et scénariste canadien, né à Québec en 1919. Roger Lemelin a été éditeur du quotidien montréalais *La Presse*. Il s'est surtout fait connaître dans les années cinquante avec la série télévisée *Les Plouffe*, présentée aux réseaux français et anglais de Radio-Canada. Il a publié *Au pied de la pente douce* (1944), *Les Plouffe* (1948), *Pierre le magnifique* (1952) et *Le crime d'Ovide Plouffe* (1982), qui fut porté à l'écran en 1984. Par des descriptions savoureuses, des intrigues parfois complexes et des personnages exubérants et pleins de verve, Roger Lemelin a su traduire un certain réalisme social. Il est chevalier de la Légion d'honneur française.

Roger **Lemelin**

D. AUCLAIR/PUBLIPHOTO

Lemieux (Jean-Paul), peintre et illustrateur canadien, né à Québec en 1904. Jean-Paul Lemieux étudie à Montréal au Collège Loyola, à l'atelier de Suzor-Côté et à l'École des beaux-arts. Après un séjour à Paris (1929) et en Californie, il enseigne jusqu'en 1965 tout en poursuivant son œuvre. De 1930 à 1955, Lemieux peint surtout des paysages et des portraits. À partir de 1955, son style se fait plus dépouillé et mystérieux, ce qui le conduira sur le chemin du succès et de la gloire. On trouve les tableaux de Lemieux un peu partout dans le monde, sans doute grâce à l'exposition rétrospective de 1967 au Canada, en Europe et en

Jean-Paul **Lemieux**

R. CHIASSON/PUBLIPHOTO

Russie. Depuis qu'il a pris sa retraite, en 1965, Lemieux vit à l'île aux Coudres, profitant de la solitude inspiratrice qu'offre cette île.

Le Moyne (Charles), colonisateur, né en 1625 et mort en 1685. Originaire de Dieppe et négociant de Ville-Marie (Montréal), Charles Le Moyne est le père de la famille la plus illustre de la Nouvelle-France. Il est le père de Charles Le Moyne de Longueuil (1656-1729) et de Pierre Le Moyne d'Iberville (1661-1706), qui furent de célèbres administrateurs coloniaux. En 1657, Charles Le Moyne fonde la ville de Longueuil, qu'il nomme Nouvelle-Longueuil en souvenir de sa Normandie natale.

LeMoyne, ville du Canada. Située au Québec, en banlieue de Montréal, sur la rive sud du fleuve Saint-Laurent, LeMoyne est limitée par Longueuil, Saint-Lambert et Greenfield Park. Instituée en 1949, la ville, à caractère résidentiel, compte 5 600 Lemoynois et Lemoynoises. Son nom rappelle Charles Le Moyne.

Lénine (Vladimir Ilitch **Oulianov**, dit), homme politique et révolutionnaire russe, fondateur de l'État soviétique, né en U.R.S.S. en 1870 et mort en 1924. C'est en exil que Lénine prépare la révolution russe en créant le parti bolchevique, parti fort et centralisé. La révolution d'Octobre de 1917, la première révolution socialiste de l'histoire, renverse le régime bourgeois et instaure la dictature du prolétariat. En 1917, Lénine, instigateur de cet événement, est élu président du Conseil des commissaires du peuple dans le nouveau gouvernement bolchevique. Il fait adopter les décrets sur la paix et sur la terre, qui abolissent le droit de propriété des grands seigneurs, et lutte pour libérer la classe ouvrière et paysanne. La guerre civile ayant épuisé le pays, Lénine doit faire adopter une nouvelle politique économique (N.E.P.). Le père de la révolution russe jette les bases du marxisme et préside à la création de l'U.R.S.S. (1922) en réalisant l'union des peuples soviétiques en un seul État. Jusqu'à sa mort, Lénine a travaillé à l'édification du socialisme pour redonner aux ouvriers le sens de la dignité.

Leningrad, ville de l'U.R.S.S. Située au nord-ouest de l'U.R.S.S., sur la mer Baltique, au fond du golfe de Finlande, Leningrad, anciennement Saint-Petersbourg, est la deuxième ville du pays et son premier port maritime et fluvial. Elle couvre une superficie de 85 900 km^2 et sa population atteint 5 millions d'habitants. Leningrad joue un rôle culturel et touristique de première importance. L'Académie des beaux-arts, l'université, fondée en 1819, les nombreux musées, dont l'Ermitage, et les bibliothèques sont autant de foyers d'intense activité intellectuelle. Cette ville possède également de magnifiques monuments, des ensembles architecturaux remarquables et des édifices baroques construits par des architectes italiens et français. Leningrad est aussi le plus grand centre industriel du pays. Environ 60 % de la population active travaille dans des secteurs très diversifiés : industrie de l'armement, métallurgie de transformation, matériel ferroviaire, matériel pour l'agriculture et l'exploitation forestière, raffineries de pétroles importés, industrie pétrochimique, moteurs électriques, turbines et générateurs, textiles, industries alimentaires et chantiers navals. Surnommée parfois la Venise du Nord en raison de ses nombreux canaux et de ses 500 ponts, Leningrad offre l'un des plus riches potentiels touristiques de l'U.R.S.S.

Léonard de Vinci, peintre, sculpteur, ingénieur, architecte et savant italien, né à Vinci, Italie, en 1452 et mort au château de Cloux, en France, en 1519. Dès 1472, Léonard affirme ses talents de peintre à l'atelier de son maître, Verrocchio, où il s'initie également à la sculpture et à l'art décoratif. Cependant, passionné par la recherche intellectuelle, s'intéressant à toutes les branches de l'art et de la science, il accumule un savoir imposant qu'il décide de mettre au service des princes en 1480. Il travaille alors successivement pour des princes italiens et français, principalement à titre d'ingénieur militaire et d'organisateur de fêtes, avant d'entrer, en 1516, au service du roi de France François Ier. Mais la grande renommée actuelle de Léonard de Vinci lui vient surtout de ses tableaux, dont les plus célèbres sont *La Vierge aux rochers* (1483), *La Cène* (1495-1497) et *La Joconde* (1503-1507), véritables chefs-d'œuvre de l'art pictural de tous les temps. Minutieux observateur des phénomènes naturels, de Vinci a également laissé de nombreuses études sur les végétaux, les animaux, la mécanique, l'hydraulique, l'architecture, les mathématiques, l'optique, etc., accompagnées de dessins qui témoignent de la puissance de pénétration de son esprit scientifique universel.

Lesage (Jean), avocat et homme politique canadien, né à Montréal en 1912 et mort à Québec en 1980. Admis au barreau en 1934, Jean Lesage commence sa carrière politique sur la scène fédérale en 1945 alors qu'il est élu député libéral dans la circonscription Montmagny-L'Islet. Il est réélu en 1949, 1953, 1957 et 1958. Ministre des Ressources et du Développement économique et ministre du Nord canadien et des Ressources nationales en 1953, il abandonne la politique fédérale en 1958 et devient le chef du Parti libéral du Québec. Premier ministre du Québec de 1960 à 1966, Jean Lesage est considéré comme le père de la Révolution tranquille. Son gouvernement réalise de nombreuses réformes, notamment la création d'un ministère des Affaires culturelles et d'un ministère de l'Éducation, la mise sur pied de la Société générale de financement et la nationalisation de l'électricité. Défait en 1966, il occupe le poste de chef de l'opposition jusqu'en 1970, année au cours de laquelle il abandonne la vie politique. En souvenir de cet homme illustre, la portion québécoise de l'autoroute Transcanadienne se nomme, depuis l'été 1988, autoroute Jean-Lesage.

D. CAMERON/ANC/PA-108147

Jean **Lesage**

Lesiège (Alexandre), champion d'échecs canadien, né à Longueuil en 1975. Alexandre Lesiège, enfant unique, a appris à jouer aux échecs avec sa mère dès l'âge de cinq ans. À neuf ans, il fréquente assidûment le fameux club montréalais « Le spécialiste des échecs » où il rencontre les grands noms des échecs. Alexandre a participé à quelques championnats mondiaux juniors, notamment en Roumanie, où il termine dixième. Sa grande ambition est de devenir le champion mondial des échecs.

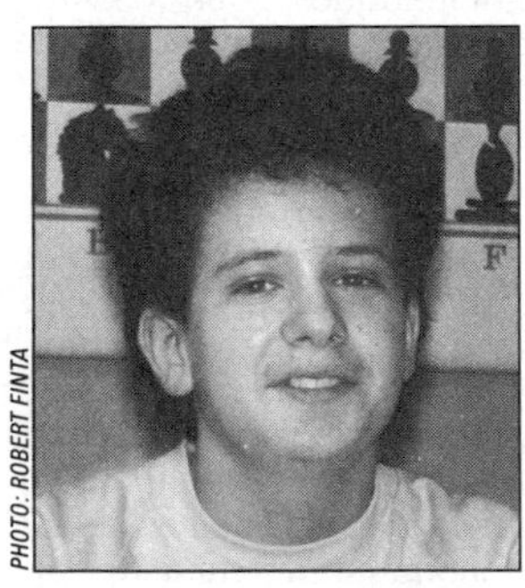
PHOTO: ROBERT FINTA

Alexandre **Lesiège**

Lesotho, État de l'Afrique australe. Enfermé dans la République d'Afrique du Sud, le Lesotho a une superficie de 30 355 km². Sa capitale est Maseru. Formé d'un plateau volcanique découpé par le fleuve Orange et ses affluents, le Lesotho est un pays montagneux. Le climat de type tempéré favorise la prairie. Le Lesotho compte 1,5 million d'habitants. L'anglais et le sotho sont les langues officielles, mais des langues bantoues sont aussi employées. Le christianisme est la religion majoritaire. La monnaie utilisée est le maloti. L'élevage des ovins, des chèvres angoras et des bovins constitue la principale ressource du pays qui exporte du bétail, de la laine et du cuir. À l'exception de l'extraction des diamants, l'industrie est inexistante. Passant sous la protection britannique en 1884, le pays, alors appelé Basutoland, obtient son indépendance en 1966 et prend le nom de Lesotho. Un roi dirige le pays.

Levasseur (Irma), médecin, née à Québec en 1878 et morte en 1964. Irma Levasseur fut la première femme médecin du Québec. Diplômée d'une université américaine, elle ouvre d'abord un cabinet à New York, le Collège des médecins et chirurgiens du Québec n'admettant aucune femme dans ses rangs. L'adoption d'une nouvelle loi, en 1903, lui permet de venir pratiquer au Québec. En 1907, elle forme le projet d'un hôpital pour enfants à Montréal, projet qui se concrétise l'année suivante grâce à Justine Lacoste-Beaubien, fondatrice de l'hôpital Sainte-Justine. En 1923, de retour d'un séjour en Turquie comme médecin volontaire, elle fonde avec deux collègues un hôpital pour enfants qui deviendra l'hôpital de l'Enfant-Jésus, à Québec.

Lévesque (René), journaliste et homme politique canadien, né à New Carlisle, Québec, en 1922 et mort à Montréal en 1987. Journaliste de carrière, René Lévesque adhère au Parti libéral du Québec et est élu député dans la circonscription de Montréal-Laurier en 1960. Il est réélu en 1962 et en 1966. Il fait alors partie du gouvernement Lesage et y exerce les fonctions de ministre des Travaux publics et des Ressources hydrauliques (1960-1961), de ministre des Richesses naturelles (1961-1965) et de ministre de la Famille et du Bien-être social (1965-1966). De plus en plus critique face aux positions de son parti sur la question constitutionnelle, il quitte le Parti libéral et fonde, en 1967, le mouvement Souveraineté-Association puis, en 1968, le Parti québécois, de tendance indépendantiste, dont il devient le président. Le 15 novembre 1976, à la suite de la victoire de son parti et de sa victoire personnelle dans le comté de Taillon, il devient le vingt-troisième premier ministre du Québec. En 1977, lors d'une visite officielle en France, il est reçu grand officier de la Légion d'honneur. Son gouvernement adopte plusieurs mesures importantes: l'assurance-automobile, le zonage agricole, l'abolition des caisses électorales et la loi 101 déclarant le français langue officielle du Québec. Le 10 mai 1980, lors du référendum sur la souveraineté-association du Québec, René Lévesque essuie une défaite importante, obtenant seulement 40 % du vote. Il démissionne de son poste de premier ministre et de député en juin 1985 et publie ses Mémoires en 1986. Il meurt le 1er novembre 1987. René Lévesque reste une personnalité marquante de la politique québécoise et canadienne.

A. CORNU/PUBLIPHOTO

René **Lévesque**

Lévis (François Gaston, duc **de**), militaire français, né à Ajac, France, en 1720 et mort à Arras, France, en 1787. Nommé général de brigade et commandant en second des troupes régulières du Canada, Lévis commande, durant les campagnes de 1756, de 1757 et de 1758, la défense de la voie d'accès au lac Champlain; il se joint à Montcalm pour l'attaque victorieuse du fort William Henry et repousse les attaques contre le fort Carillon. Il remplace Montcalm en 1760 et tente de reprendre Québec contre James Murray. Il défend Montréal contre les troupes anglaises, mais il doit capituler face à trois armées britanniques (1760). En 1783, il est promu maréchal, grade le plus élevé en France et, en 1784, il devient duc.

Lévis, ville du Canada. Situé au Québec, face à la ville de Québec, Lévis, fondé en 1861, domine le fleuve Saint-Laurent. La ville compte 18 300 Lévisiens et Lévisiennes. Port et centre industriel, Lévis possède un quai en eau profonde qui peut accueillir de grands pétroliers. Des rues en pente bordées de vieilles maisons pittoresques caractérisent la ville, qui est reliée à Québec par un traversier. Lévis est la ville natale du fondateur des caisses populaires, Alphonse Desjardins. Le nom de la ville rappelle le souvenir de François Gaston, duc de Lévis.*

Leyrac (Monique), née Monique **Tremblay**, chanteuse et comédienne canadienne, née à Montréal en 1928. Monique Leyrac fait ses débuts de comédienne à la radio en 1943. Elle participe au film *Act of the Heart*, et, au théâtre, elle interprète le rôle de Sarah Bernhardt. En 1965, elle remporte le grand prix du Festival international de la chanson à Sopot, en Pologne, en interprétant *Mon pays* de Gilles Vigneault et le grand prix du Festival de la chanson à Ostende, en Belgique. En 1968, Monique Leyrac est reçue officier de l'ordre du Canada et, en 1978, elle reçoit le prix de musique Calixa-Lavallée.

Liban, État de l'Asie occidentale. D'une superficie de 10 400 km², le Liban borde la Méditerranée, entre la Syrie et Israël. Sa capitale est Beyrouth. Le pays comprend une étroite plaine côtière, le massif du Mont-Liban, la plaine aride de la Bekaa et le massif de l'Anti-Liban, un plateau désertique, prolongé par le massif de l'Hermon où le Jourdain prend sa source. De nombreux autres fleuves arrosent le Liban; le Litani et l'Oronte sont les plus importants. Le pays jouit d'un climat méditerranéen: hivers doux et pluvieux, étés chauds et secs. La végétation est méditerranéenne sur la plaine côtière, et les versants du mont Liban sont couverts de forêts de pins et de cultures fruitières. Le Liban compte 3 160 000 habitants (Libanais et Libanaises). Les communautés chrétiennes et les communautés musulmanes y sont à peu près en nombre égal. La langue officielle est l'arabe, mais le français et l'anglais y sont largement parlés. La monnaie utilisée est la livre libanaise. Les exportations portent sur les fruits et légumes, l'huile d'olive, le bétail, les boissons et le tabac. Administré par la France à partir de 1919 et devenu indépendant en 1943, le pays vit, depuis 1975, en état de guerre (raids israéliens, attentats de l'Organisation pour la libération de la Palestine, interventions de l'armée syrienne).

Libéria, État de l'Afrique occidentale. D'une superficie de 110 000 km², le Libéria est bordé par l'Atlantique et est limité par la Sierra Leone, la Guinée et la Côte d'Ivoire. Sa capitale est Monrovia. Le territoire est formé d'un plateau recouvert d'une forêt dense qui s'incline sur une plaine côtière et qui est arrosé par de nombreux fleuves (Cess, St. John, Moro, Mano). Le climat très humide passe d'un type équatorial au sud-est à un type tropical à l'ouest. Le pays compte 2,2 millions d'habitants (Libériens et Libériennes). La langue offi-

* Récemment, Lévis a fusionné avec Lauzon pour former la ville de Lévis-Lauzon.

cielle est l'anglais, et la principale religion est l'animisme. La monnaie utilisée est le dollar libérien. Le Libéria jouit d'une situation économique favorable grâce à ses ressources naturelles et à sa flotte marchande, qui est la première du monde. On y pratique plusieurs cultures (ananas, manioc, riz, café, agrumes, hévéas). Le sous-sol recèle des mines de fer, de diamant et d'or. Le Libéria, qui est la plus ancienne république africaine (proclamée en 1847) vit sous un régime politique autoritaire et est dirigé par un président élu.

Libreville, capitale du Gabon. Située sur la rive droite de l'estuaire du Gabon, Libreville est un port qui s'ouvre sur l'océan Atlantique. La ville, qui compte 257 000 Librevillois et Librevilloises, est un important centre d'exportation et de traitement des bois tropicaux.

Libye, État du nord de l'Afrique. D'une superficie de 1 760 000 km², la Libye est située sur la Méditerranée, entre l'Égypte, le Soudan, le Tchad, le Niger, l'Algérie et la Tunisie. Sa capitale est Tripoli. Pays désertique et de faible altitude, la Libye est constituée de côtes uniformes et de plateaux. L'une des parties les plus arides du désert du Sahara occupe les neuf dixièmes du territoire de la Libye. La plaine côtière et les oasis Fezzan et Koufra sont les seules zones agricoles. Le climat est de type méditerranéen dans le Nord et désertique dans le Sud (35 à 45 °C à l'ombre en été). Le pays compte 4 millions d'habitants (Libyens et Libyennes). La langue officielle est l'arabe, mais le berbère, l'anglais et l'italien sont aussi employés. La principale religion est l'islam. La monnaie utilisée est le dinar libyen. L'économie, autrefois fondée sur l'élevage (ovins, chameaux) et sur l'agriculture (blé, orge, palmier-dattier, fruits), a été transformée par la découverte, en 1959, de riches gisements de pétrole et par leur exploitation. Ancienne colonie italienne, la Libye devient indépendante en 1951. En 1969, un coup d'État militaire fait du colonel Kadhafi le chef du pays, qui est une république de type socialiste.

Liechtenstein, État de l'Europe centrale. D'une superficie de 160 km², cette principauté est située entre l'Autriche et la Suisse. Sa capitale est Vaduz. Le pays est formé en majeure partie par l'extrémité des Alpes et par une plaine qui s'étend le long de la rive droite du Rhin, fleuve qui sépare le pays de la Suisse. Dans l'ensemble, le climat est rude et pluvieux. Le Liechtenstein compte 26 000 habitants. La langue officielle est l'allemand, et la religion majoritaire est le catholicisme. La monnaie utilisée est le franc suisse. L'économie du Liechtenstein dépend essentiellement de l'agriculture (blé, fruits et vigne), de l'industrie textile (coton), du travail du cuir et de l'émission de timbres-poste. Le tourisme représente également une ressource importante. Depuis 1921, cet État est lié économiquement à la Suisse, qui dirige sa diplomatie.

Lille, ville de France. Située au nord de Paris, en bordure de la Deûle, Lille compte 175 000 habitants (Lillois et Lilloises). Centre administratif et commercial important, la ville possède des églises et des maisons anciennes, un musée d'art et une université. On y trouve aussi des industries alimentaires (brasseries, biscuiteries, chocolateries, sucreries, minoteries et distilleries) et des industries textiles de tradition ancienne (tissage du coton, du lin, du jute et bonneterie).

Lima, capitale du Pérou. Située près de la côte du Pacifique, la ville de Lima compte 4,6 millions d'habitants. Fondée en 1535, elle est devenue la métropole administrative, commerciale, industrielle et économique du pays. Elle possède des musées, une université et des monuments des XVIIe et XVIIIe siècles.

Lincoln (Abraham), homme politique américain, né dans l'État du Kentucky, États-Unis, en 1809 et mort à Washington en 1865. Abraham Lincoln, un républicain, commence sa carrière politique en 1834. Son élection à la présidence des États-Unis en 1860 provoqua la guerre de Sécession, une guerre civile qui dura près de cinq ans. En 1863, Lincoln abolit l'esclavage dans tous les États-Unis. Réélu en 1864, il est assassiné par un acteur sudiste fanatique le 14 avril 1865.

Abraham **Lincoln**

EDIMEDIA/PUBLIPHOTO

Lindbergh (Charles), aviateur américain, né dans l'État du Michigan, États-Unis, en 1902 et mort dans les îles Hawaï en 1974. Ingénieur et pilote postal, Lindbergh accomplit le premier vol transatlantique (New York – Paris) sans escale, à bord d'un petit avion à moteur unique. Ce vol, effectué le 20 mai 1927, avait duré 33 heures 30 minutes. Auteur de plusieurs livres, Lindbergh a reçu le prix Pulitzer en 1954 pour son autobiographie *The Spirit of Saint Louis* (nom de son avion). Il a exercé les fonctions de conseiller technique auprès de compagnies d'aviation et a ensuite entrepris une deuxième carrière en se consacrant à la conservation de la faune et de la flore à Hawaï.

SYGMA/PUBLIPHOTO

Charles **Lindbergh**

Lisboa ☞ **Lisbonne**.

Lisbonne [*Lisboa*], capitale du Portugal. Située à l'embouchure du Tage, Lisbonne est le principal centre commercial et industriel du pays (industries mécaniques, métallurgiques, textiles, chimiques, raffineries de pétrole). Son port assure une grande part du trafic maritime national et exporte du vin, du liège, de la résine et des conserves de sardines. La ville compte 807 000 Lisbonnins et Lisbonnines. On y trouve une université, des châteaux, des bibliothèques et de nombreux musées.

Liszt (Franz), pianiste et compositeur, né en Hongrie en 1811 et mort en Allemagne en 1886. Franz Liszt reçoit ses premières leçons de piano de son père, musicien amateur. À 9 ans, il donne des concerts dans son pays natal. Grâce à une bourse accordée par des aristocrates hongrois, il s'installe avec son père à Vienne en 1821. Il suit des cours de piano et de composition avec les grands maîtres de l'époque. En 1825, son opéra en un acte, *Don Sanche*, est présenté à l'Opéra. Jusqu'en 1827, Liszt se produit en France, en Angleterre et en Suisse. Comme chef d'orchestre, il dirige en Allemagne les premières représentations de nombreux opéras. En 1871, il obtient en Hongrie le titre de conseiller royal. Liszt s'est imposé comme pianiste et il a innové sur le plan de l'harmonie. Génie de la composition, il a laissé des œuvres marquantes et a frayé la voie aux musiciens modernes. Parmi ces œuvres, mentionnons, entre autres, les poèmes symphoniques, la *Messe hongroise*, le *Requiem* et les *Rhapsodies hongroises*.

Logan (mont), montagne du Canada. Le mont Logan fait partie de la chaîne Saint-Élias, au Yukon, à la frontière de l'Alaska. Considéré comme le point culminant du Canada, ce mont atteint 5 950 m. Après le mont McKinley, c'est la plus haute montagne de l'Amérique du Nord. Aperçu pour la première fois en 1890, il reçoit son appellation de sir William Edmond Logan, géologue et premier directeur de la Commission géologique du Canada. Son sommet fut atteint pour la première fois le 23 juin 1925 par une équipe de huit alpinistes. L'ascension avait duré 42 jours.

Loire (la), fleuve de France. Avec ses 1 012 km, la Loire est le plus long fleuve de France. Elle prend naissance à 1 408 m d'altitude dans l'est du Massif central, décrit une vaste boucle, dont Orléans constitue le sommet, coule dans une vallée élargie, le Val de Loire, et se jette dans l'océan Atlantique. Le bassin de la Loire couvre une superficie de 115 120 km^2, soit environ le cinquième de la France. La navigation n'est active qu'en aval de Nantes. En amont, les eaux du fleuve servent au refroidissement de centrales nucléaires.

London, ville du Canada. Situé en Ontario, au nord-ouest du lac Érié, entre Toronto et Windsor, London fut fondé en 1793 et érigé en municipalité en 1855. La ville compte 269 000 Londoniens et Londoniennes. Au cœur d'une région agricole, London est un centre commercial, financier et éducatif. On y trouve des industries diverses : fabrication de matériel de transport et électrique, industries alimentaires et industries du tabac et de transformation du bois.

London ☞ **Londres**.

Londres [*London*], capitale du Royaume-Uni de Grande-Bretagne et d'Irlande du Nord. Située au sud-est de l'Angleterre, sur la Tamise, Londres est la première ville d'Europe et la troisième du monde, après New York et Tokyo. C'est aussi le principal port britannique et le troisième du monde; les constructions mécaniques, les produits chimiques et les textiles constituent l'essentiel des exportations. La ville compte 6,7 millions de Londoniens et de Londoniennes. Importante métropole politique, financière et culturelle, Londres est aussi un centre industriel diversifié. Elle joue un rôle de premier plan dans presque toutes les branches de l'industrie, avionnerie, chimie, savonnerie, cimenterie, édition, imprimerie, presse, automobiles, produits pharmaceutiques et raffineries de pétrole. Carrefour de communications (autoroutes, voies ferrées et aéroport), Londres possède de nombreux attraits touristiques: la Tour de Londres, l'abbaye de Westminster, la cathédrale Saint-Paul et de riches musées.

Longueuil (Charles Le Moyne, premier baron **de**), militaire et colonisateur, né à Soulanges, Québec, en 1656 et mort à Montréal en 1729. Fils aîné de Charles Le Moyne, un négociant originaire de Dieppe, il est le seul Canadien d'origine à recevoir le titre de baron en Nouvelle-France. Ce titre lui est conféré en 1700 en reconnaissance de sa carrière militaire, de sa diplomatie auprès des Iroquois et de son remarquable travail dans le développement de la seigneurie de Longueuil. Après avoir été gouverneur de Trois-Rivières (1720) et de Montréal (1724), il est gouverneur intérimaire de la Nouvelle-France (1725-1726), à la suite de la mort de Vaudreuil.

Longueuil (Charles Le Moyne, baron **de**), militaire et administrateur, né à Longueuil en 1687 et mort à Montréal en 1755. Très jeune, Charles Le Moyne de Longueuil apprend le métier des armes en France. Excellent officier, il devient tour à tour lieutenant, capitaine puis commandant du fort Niagara. À la mort de son père, en juin 1729, il hérite du titre de baron de Longueuil. En avril 1733, il accède au poste de major des troupes du gouvernement de Montréal. En reconnaissance de ses 31 ans de loyaux services, le roi de France lui confère le titre de chevalier de l'ordre de Saint-Louis en 1734. Nommé gouverneur de Montréal en mai 1749, Charles Le Moyne de Longueuil assume, dès le 25 mars 1752, à la demande de l'intendant Bigot, l'administration de la Nouvelle-France pendant quatre mois à la suite du décès du gouverneur général La Jonquière.

Longueuil, ville du Canada. Située sur la rive sud du fleuve Saint-Laurent, en face de Montréal, la ville de Longueuil est la quatrième ville du Québec. Elle fut fondée en 1657 par Charles Le Moyne qui la nomma Nouvelle-Longueuil en souvenir de sa Normandie natale. Érigée en municipalité en 1848, la ville de Longueuil compte 125 400 Longueuillois et Longueuilloises. Les limites actuelles de la ville résultent de sa fusion, en 1961, avec Montréal-Sud et, en 1969, avec la cité de Jacques-Cartier. La ville abrite deux parcs industriels où se concentrent plus de 250 entreprises des secteurs secondaires (vêtements, jouets, meubles) et tertiaires. Sa principale industrie est l'avionnerie (Pratt et Whitney), qui emploie quelque 10 000 personnes. Longueuil possède des sites historiques, dont une église datant de 1883 (la cathédrale Saint-Antoine-de-Padoue), la maison Labadie (appelée aussi maison de la Fabrique), qui fut, en 1843, la résidence de la communauté des sœurs des Saints Noms de Jésus et de Marie, et un musée historique de l'électricité. La ville de Longueuil est jumelée à Lafayette, ville de la Louisiane, aux États-Unis.

Lorne (John Douglas Sutherland Campbell, marquis **de**) administrateur britannique né à Londres en 1845 et mort en Angleterre en 1914. Le marquis de Lorne, aussi 9e duc d'Argyll, fut gouverneur général du Canada de 1878 à 1883. Son influence s'est exercée pour rallier la Colombie-Britannique à la Confédération. Avec l'aide de sa femme, la princesse Louise (4e fille de la reine Victoria), il fut un fervent protecteur des arts et de la littérature. Lorne a fondé la Société royale du Canada et l'Académie royale des arts du Canada. Il a écrit quelques ouvrages en prose et en vers.

Lorraine, ville du Canada. Lorraine est située au Québec, au nord de la rivière des Mille Îles entre Rosemère et Bois-des-Filion. Érigée en municipalité en 1960, la ville compte 7 300 Lorrains et Lorraines. En 1988, Fondia, une fondation française pour la défense et l'illustration de l'art de vivre, a attribué à Lorraine le premier prix international de l'art de vivre. Cette distinction, accordée pour la première fois à l'extérieur de la France, souligne la qualité de vie exceptionnelle dont bénéficient les Lorrains et les Lorraines. Lorraine met l'accent sur la réalisation d'un plan d'urbanisme innovateur fondé sur l'aménagement de nombreux espaces verts (32 parcs et 3 000 000 d'arbres) et le développement harmonieux de quartiers résidentiels. La valeur moyenne des habitations (2 300) s'élève à 200 000 $. Il n'y a aucune industrie à Lorraine.

Loretteville, ville du Canada. Située dans la province de Québec, au nord-ouest de la ville de Québec, Loretteville fut instituée en 1904. Elle compte 14 300 Lorettevillois et Lorettevilloises.

Los Angeles, ville des États-Unis. Situé dans l'État de Californie, en bordure du Pacifique, Los Angeles compte près de 3 millions d'habitants et près de 10 millions dans l'aire métropolitaine, ce qui en fait la deuxième ville des États-Unis pour la population. La population de Los Angeles est composée d'importantes minorités ethniques. Centre commercial et culturel (universités, musées), la ville, sillonnée d'autoroutes, est aussi un centre industriel de premier plan qui connaît des problèmes sérieux de pollution. L'industrie cinématographique et l'industrie aéronautique ont joué un grand rôle dans le développement de la ville de même que la découverte et l'exploitation de pétrole dans la région. Hollywood, un quartier de Los Angeles, est

est mondialement reconnu comme la capitale du cinéma américain. La ville a été le siège des Jeux olympiques en 1932 et en 1984.

Louis XIII le Juste, roi de France, né à Fontainebleau, France, en 1601 et mort à Saint-Germain-en-Laye, France, en 1643. Louis XIII règne de 1610 à 1643. L'action politique de ce roi se confond avec celle de son ministre; cependant, celui-ci ne prend aucune décision sans le consentement du roi. C'est sous le règne de Louis XIII que fut fondée la Compagnie de la Nouvelle-France, qui se donnait comme mission de coloniser la Nouvelle-France.

Louis XIV le Grand, roi de France, né à Saint-Germain-en-Laye, France, en 1638 et mort à Versailles, France, en 1715. Louis XIV règne de 1643 à 1715. Il prend vraiment le pouvoir en 1661 à la mort de Mazarin et affirme sa décision de gouverner par lui-même. C'est le début de la monarchie absolue. Louis XIV s'assure les services de grands ministres pour développer la richesse publique et mettre de l'ordre dans les finances royales. Le roi dirige lui-même les affaires de son royaume avec assiduité et donne l'impression d'un être au-dessus de la condition humaine par l'idée très haute qu'il se fait des droits et des devoirs de la royauté. Surnommé le Roi-Soleil, il s'installe définitivement à Versailles en 1672. Son règne marque pour la France une ère de prestige et de rayonnement culturel. L'ambition de Louis XIV est d'imposer à l'extérieur la prédominance française, ce qui le conduit à une suite de guerres. Sous son règne, la Nouvelle-France se développe rapidement.

Louis XV le Bien-Aimé, né à Versailles, France, en 1710 et mort au même endroit en 1774. Louis XV n'a que 5 ans lorsqu'il est nommé roi de France et ce n'est qu'à compter de 1743, à l'âge de 33 ans, qu'il gouverne par lui-même. Soumis à l'influence de ses favoris et de ses maîtresses, il ne remplit pas les devoirs de sa charge et assume mal la direction de son royaume. Son règne est marqué par de grandes guerres: la guerre de Succession de Pologne, la guerre de Succession d'Autriche et la guerre de Sept Ans (1756-1763) qui conduit à la perte des possessions françaises de l'Inde et du Canada (traité de Paris, 1763). Les dernières années de son règne sont marquées par un redressement intérieur et par le renforcement de l'alliance autrichienne. Malgré un manque de fermeté dans la conduite des affaires de l'État, la France connaît, sous son règne, une grande prospérité.

Louis XVI, roi de France, né à Versailles, France, en 1754 et mort à Paris en 1793. Louis XVI est nommé roi de France en 1774. Animé du désir sincère de travailler au bonheur de ses sujets, mais de caractère faible et sans idées fermes, il se montre indécis et plein de contradictions. Faisant face à une situation financière difficile, le gouvernement demande de l'argent à la nation et convoque à cet effet les États généraux. L'opinion populaire, irritée par l'attitude de Louis XVI que l'on soupçonne de traiter secrètement avec les souverains ennemis de la Révolution, provoque la révolte du 10 août 1792. Louis XVI est déchu, emprisonné, jugé coupable de trahison et décapité.

Louisbourg, ville fortifiée du XVIIIe siècle, capitale de la colonie française de l'île Royale (île du Cap-Breton) en Nouvelle-Écosse. En 1713, les Français fondent Louisbourg qui devient une ville et un port de mer importants. Surnommé le Gibraltar d'Amérique, Louisbourg avait la réputation d'être imprenable. Tour à tour, la ville tombe aux mains des Anglais et des Français. En 1748, les Anglais en deviennent les maîtres. Après deux mois de siège et de bombardements, la forteresse est presque détruite. Elle devient un site national historique en 1936 et le gouvernement canadien entreprend sa restauration en 1961. Il a fallu une vingtaine d'années pour reconstruire la forteresse et ses environs. Chaque année, Louisbourg attire de nombreux touristes. Des soldats en costume d'époque guident et animent les visites. La ville moderne, qui est un petit port de pêche, s'est développée à l'autre extrémité du port.

Louisiane, État des États-Unis. D'une superficie de 125 700 km^2, la Louisiane est située sur le golfe du Mexique et est limitée par les États du Texas, du Mississippi et de l'Arkansas. Baton Rouge est la capitale et La Nouvelle-Orléans est la ville principale. Le territoire comprend une plaine côtière et quelques zones de collines. Le climat est semi-tropical. La Louisiane compte 4,2 millions d'habitants (Louisianais et Louisianaises). L'anglais est la langue officielle, mais près de un demi-million de Louisianais et de Louisianaises, descendants des Acadiens déportés entre 1755 et 1785, ont le français pour langue maternelle. Ces descendants d'Acadiens, appelés Cajuns (ou Cadjins), se concentrent au sud dans la région de Lafayette, ville jumelée à Longueuil, au Québec. L'agriculture joue un grand rôle dans l'économie de l'État. La Louisiane est le premier producteur de riz des États-Unis. Le coton, la canne à sucre, le maïs et les patates douces figurent aussi parmi les productions agricoles. La pêche en mer et l'exploitation du sous-sol (pétrole, gaz naturel, soufre) sont des ressources importantes. Les industries dépendent du pétrole, des produits agricoles et du bois. Déjà explorée par les Espagnols, la région de la Louisiane fut visitée par Cavelier de La Salle en 1682, qui la nomma ainsi en l'honneur du roi de France Louis XIV. Cette région devint colonie française en 1731; l'Ouest de la Louisiane fut cédé à l'Espagne en 1762 et l'Est fut cédé à l'Angleterre en 1763. L'Espagne rendit sa partie à la France en 1800 et, en 1803, Napoléon Bonaparte vendit la Louisiane au gouvernement américain. Cette région devint le 18e État des États-Unis en 1812.

Louis-Zéphirin Moreau (bienheureux), évêque, né en 1824 et mort en 1901. Ordonné prêtre en 1846, Louis-Zéphirin Moreau occupe successivement les postes suivants: secrétaire adjoint et chapelain de la cathédrale de Montréal, secrétaire de Mgr Prince, aumônier de religieuses, curé de la cathédrale puis procureur et administrateur du diocèse. En 1866, il est délégué et vicaire général à Rome, puis évêque de Saint-Hyacinthe de 1876 à 1901. Mgr Moreau a été béatifié en 1987.

Loup (rivière du), rivière du Canada située au Québec. La rivière du Loup prend sa source dans les terres au sud de la ville de Rivière-du-Loup et se jette dans le fleuve Saint-Laurent. À son embouchure, on a érigé la ville de Rivière-du-Loup.

Loup Marin (lac au), lac du Canada. Situé au Québec, le lac au Loup Marin a une superficie de 578 km² et se trouve à l'ouest de la ville de Baie-Comeau, dans la région de la Côte-Nord.

Loyalistes, colons américains de diverses origines ethniques qui restèrent fidèles à la Couronne britannique durant la guerre de l'Indépendance américaine (1775 à 1783). Plusieurs ont servi la Grande-Bretagne dans des corps d'armée. D'autres ont vécu cette période dans des forts comme celui de New York ou dans des camps de réfugiés comme celui de Sorel. De 80 000 à 100 000 ont fini par s'enfuir; près de la moitié a immigré au Canada. Les principales vagues d'immigration de Loyalistes au Canada ont eu lieu en 1783 et 1784. Plus de 30 000 Loyalistes se sont installés dans les Maritimes, sur les côtes de la Nouvelle-Écosse et à l'Île-du-Prince-Édouard. Pour faire face à cet afflux d'immigrants, l'île du Cap-Breton et le Nouveau-Brunswick furent fondés (1784). Environ 2 000 Loyalistes s'établirent au Québec, notamment près de la baie des Chaleurs, en Gaspésie, et dans la région de l'Estrie. Près de 7 500 s'établirent en Ontario. Les Loyalistes ont longtemps exercé une influence considérable au pays. Ils ont contribué à la mise en place des institutions religieuses, sociales et politiques et du système d'enseignement.

Luanda, capitale de l'Angola. Située sur l'océan Atlantique, la ville de Luanda est une ville portuaire de 700 000 habitants. Centre commercial et administratif, Luanda possède quelques industries (sucrerie, manufacture de tabac) et une raffinerie de pétrole.

Lumière (les frères), inventeurs du cinématographe (1895). **Auguste Lumière**, biologiste et industriel français, né en 1862 et mort en 1954. **Louis Lumière**, chimiste et industriel français, né en 1864 et mort en 1948. Les frères Lumière, inventeurs du cinématographe, un appareil capable de reproduire le mouvement par une suite de photographies, et auteurs de travaux qui ont permis d'améliorer la technique photographique, ont aussi mis au point, en 1903, la plaque autochrome, premier procédé commercial de la photo en couleurs.

SYGMA/PUBLIPHOTO

Auguste et Louis **Lumière**

Lune, satellite de la Terre. Considérée comme le seul satellite de la Terre, la Lune, d'un diamètre de 3 500 km, est le plus gros satellite du système solaire et est 50 fois plus petite que notre planète. Tournant autour de la Terre en 27 jours 7 heures 43 minutes, à une distance de 384 400 km, elle présente toujours la même face à la Terre. La Lune, astre éteint, est visible parce qu'elle réfléchit les rayons du Soleil. On appelle phases de la Lune les différents aspects qu'elle présente à la Terre: nouvelle lune, premier quartier, pleine lune et dernier quartier constituent ces phases. Son relief est formé de cratères, de mers sans eau et de chaînes de montagnes. Des météores et des volcans seraient à l'origine des cratères et des mers. La Lune est soumise à d'énormes écarts de température: +100 °C dans les régions exposées au Soleil, −150 °C sur sa face non éclairée. Sur ce satellite, où il n'y a ni air, ni son, ni eau, la pesanteur des objets équivaut à un sixième de la pesanteur qu'ils ont sur la Terre. Le phénomène terrestre des marées est dû à l'attraction de la Lune, combinée avec celle du Soleil. Le phénomène de l'éclipse de la Lune se produit lorsque la Terre s'interpose entre la Lune et le Soleil. La Lune ne reçoit alors plus les rayons du Soleil et n'est plus visible. La Lune a été atteinte pour la première fois par un engin soviétique en 1960; en 1969, un homme (Armstrong) y débarquait.

Lusaka, capitale de la Zambie. Lusaka est un centre commercial et administratif situé à 1 300 m d'altitude au sud de la Zambie. Le développement économique de Lusaka, dont la population atteint 691 000 habitants, est fondé sur les industries textiles et alimentaires, les imprimeries et une cimenterie.

Luther (Martin), réformateur religieux allemand, né à Eisleben, Allemagne, en 1483 et mort au même endroit en 1546. Martin Luther est, avec Calvin, l'un des fondateurs du protestantisme. Devenu moine augustin en 1507, il est envoyé à Rome en 1511, y dénonce le faste du pontificat, critique la hiérarchie romaine et s'oppose au trafic des indulgences. Il traduit la Bible en allemand et, après avoir été excommunié, il organise l'Église luthérienne, qui prêche le salut par la foi et un retour à l'Église primitive, n'admettant d'autre autorité que celle de la Bible.

Luxembourg, État de l'Europe occidentale. D'une superficie de 2 586 km^2, le Luxembourg est limité par la France, la Belgique et l'Allemagne fédérale. La capitale est Luxembourg. Au nord, les sols sont pauvres et recouverts de forêts et de prairies. Au sud, les sols sont fertiles et le climat est moins rude. Le Luxembourg compte 365 000 habitants (Luxembourgeois et Luxembourgeoises). La langue officielle est le français. On y parle aussi l'allemand ainsi qu'un dialecte germanique. La religion catholique est dominante. Les monnaies utilisées sont le franc luxembourgeois et le franc belge. L'industrie lourde est le fondement de l'économie du Luxembourg. La présence de fer a favorisé la métallurgie et la sidérurgie. L'agriculture est pauvre et se concentre au sud (céréales, fruits, fleurs, vigne et tabac). Le grand-duché de Luxembourg est une monarchie où le souverain est un grand-duc. Celui-ci nomme le président du gouvernement pour cinq ans. Le Luxembourg a adhéré à l'O.T.A.N. en 1949.

Luxembourg, capitale du grand-duché de Luxembourg. Ancienne ville fortifiée, Luxembourg a conservé des vestiges de son passé. La ville, qui compte 79 000 habitants, est le siège d'institutions internationales. Centre politique et commercial du pays, Luxembourg est aussi un centre intellectuel et un centre industriel (métallurgie, chimie, textile, industries alimentaires et industries du cuir).

Lyon, ville de France. Lyon est située au confluent du Rhône et de la Saône dans le centre-est de la France. C'est une ville culturelle qui possède une université, de nombreux musées, églises, monuments, théâtres, hôtels anciens et maisons gothiques. Elle regroupe environ 418 000 Lyonnais et Lyonnaises. C'est aussi un centre commercial et bancaire important et un nœud ferroviaire, routier, fluvial et aérien. Les scieries, les papeteries, les imprimeries et les industries textiles, alimentaires, chimiques, métallurgiques, pharmaceutiques, électriques et mécaniques en font l'une des villes les plus prospères de France. Une foire internationale s'y tient chaque année. Lyon est la ville par excellence de la gastronomie en Europe.

Macdonald (sir John Alexander), avocat et homme politique écossais, né à Glasgow, Écosse, en 1815 et mort à Ottawa, Canada, en 1891. Macdonald est l'artisan de l'Acte de l'Amérique du Nord britannique et de l'union des provinces qui ont formé le Canada. On le considère comme l'un des pères de la Confédération canadienne. Il en a dirigé le premier cabinet et s'est efforcé, comme nationaliste, de conserver les liens avec l'Angleterre. Le gouvernement de Macdonald a dirigé le pays pendant 50 ans et la pensée de ce pionnier exerce encore une influence sur les hommes politiques actuels. Parmi ses nombreuses réalisations, mentionnons la construction d'une voie ferrée reliant toutes les parties du Canada, l'adoption de tarifs protectionnistes et la colonisation par l'immigration.

Mach (Ernst), physicien et philosophe autrichien, né en Tchécoslovaquie en 1838 et mort en Allemagne en 1916. Ernst Mach a étudié le rôle de la vitesse du son en aérodynamique et élaboré une critique de la mécanique conçue par Newton. Sa philosophie des sciences repose sur l'idée que les seuls faits véritables sont ceux qu'on peut dégager de l'analyse expérimentale. Cette position eut une influence considérable sur la pensée d'Einstein.

Mackenzie (sir Alexander), marchand de fourrures et explorateur écossais, né en Écosse en 1764 et mort en Angleterre en 1820. Venu au Canada en 1779 après un séjour de 5 ans à New York, Alexander Mackenzie travaille pour une compagnie de fourrures qui s'associe à la Compagnie du Nord-Ouest en 1787. L'explorateur écossais se rend au lac Athabaska puis au Grand lac des Esclaves et, de là, atteint le premier l'océan Arctique en suivant le fleuve qui porte son nom. Au cours d'une autre expédition, il franchit les montagnes Rocheuses et parvient jusqu'à l'océan Pacifique à pied. Enfin, il retourne en Angleterre, où il écrit *Voyages*, récit de ses explorations.

Mackenzie (Alexander), journaliste et homme d'État, né en Écosse en 1822 et mort à Toronto en 1892. Arrivé au Canada en 1842, Alexander Mackenzie assume d'abord les fonctions de rédacteur en chef du journal *Lambton Shield*. En 1861, il commence une carrière politique sur la scène provinciale. Optant ensuite pour l'arène fédérale, il est chef du Parti libéral de 1873 à 1880 et premier ministre du Canada de 1873 à 1878. On lui doit l'adoption du vote secret, la création de la Cour suprême et la fondation du collège militaire de Kingston.

Mackenzie (fleuve), fleuve du Canada. Situé dans les Territoires du Nord-Ouest, le fleuve Mackenzie prend sa source dans le Grand lac des Esclaves, au nord de l'Alberta, et se jette dans la mer de Beaufort, à l'est du Yukon. C'est le plus long fleuve du Canada (4 241 km) et le deuxième en importance en Amérique du Nord. Son nom lui vient de l'explorateur écossais Alexander Mackenzie, qui le découvrit en 1789.

Mackenzie King (William Lyon) ☞ **King** (William Lyon Mackenzie).

Madagascar, État de l'océan Indien. D'une superficie de 587 040 km², l'île de Madagascar est séparée de l'Afrique par le canal de Mozambique. Elle est la cinquième île en étendue après l'Australie, le Groenland, la Nouvelle-Guinée et Bornéo. Sa capitale est Antananarivo. Le relief de l'île est constitué de plateaux élevés, de massifs volcaniques, de collines et d'une plaine littorale. Les cours d'eau importants sont le fleuve Betsiboka et ses affluents. Le climat est tropical sur la côte est, tempéré sur les plateaux et subdésertique au sud. Il subit l'influence de la mousson et de l'alizé du sud-est. La population s'élève à 11,2 millions d'habitants (Malgaches). La langue officielle est le malgache, mais on y parle aussi le français. Les principales religions sont le catholicisme, le protestantisme et les cultes animistes. La monnaie utilisée est le franc malgache. L'économie malgache est centrée sur les cultures vivrières (manioc, riz), l'élevage de bovins (zébus) et l'exportation du tabac, du riz, du café, de la vanille, du girofle, de la canne à sucre et des produits de la mer. Ancien territoire français d'outre-mer, Madagascar est devenu un État indépendant en 1958. Le pays est aujourd'hui dirigé par un président.

Madeleine (îles de la), archipel du Canada formé d'une dizaine d'îles reliées par des dunes et situé au Québec, au milieu du golfe du Saint-Laurent entre l'Île-du-Prince-Édouard et Terre-Neuve. Les Îles de la Madeleine font partie de la région administrative Gaspésie – Îles-de-la-Madeleine. Les principales îles sont l'île du Havre Aubert, l'île du Havre aux Maisons, l'île de la Grande Entrée, la Grosse Île et l'île d'Entrée. Cette dernière est isolée au large de l'île du Havre Aubert. La capitale des îles est Cap-aux-Meules. Dans ce milieu maritime, les falaises de grès rouge et gris présentent des sculptures spectaculaires. Les 300 km de plage sont entrecoupés de havres et de baies pittoresques. Le homard est une ressource importante des îles de la Madeleine. La pêche représente 45 % de l'activité économique des îles. Harengs, morues, plies, flétans, maquereaux et pétoncles sont expédiés aux quatre coins du monde. Depuis 1972, le tourisme connaît un essor constant. L'archipel a été visité par Jacques Cartier en 1534. Toutefois, c'est Samuel de Champlain qui aurait baptisé l'archipel en l'honneur de l'épouse du premier seigneur des îles, Madeleine Fontaine.

Madrid, capitale de l'Espagne. Située à grande altitude, la capitale de l'Espagne est aussi une ville administrative et industrielle. C'est un lieu privilégié pour l'établissement de grandes banques et des sièges des grandes sociétés. Madrid, qui se classe au deuxième rang des villes du pays pour ses activités manufacturières, exerce également une fonction industrielle de plus en plus importante, qui s'appuie principalement sur les industries de la mécanique, de l'aéronautique, de l'automobile et du matériel électrique. Sa population atteint 3,2 millions d'habitants (Madrilènes). La capitale joue un rôle culturel et intellectuel de premier plan. Elle abrite une université, l'un des plus riches musées d'Europe, le Prado, et des monuments du XVIIIe siècle.

Magellan (Fernand **de**), navigateur au service de l'Espagne, né au Portugal vers 1480 et mort aux Philippines en 1521. À la recherche de la route des Indes, Magellan conçoit le premier un nouvel itinéraire qui tient compte du fait que la Terre est ronde. En 1519, au service de l'Espagne, il entreprend son périple. Il longe la côte d'Afrique, puis traverse l'Atlantique. Il découvre au sud de l'Amérique le détroit qui relie l'océan Atlantique et l'océan Pacifique (détroit de Magellan). Le navigateur portugais poursuit son exploration mais est tué au cours d'un combat contre des populations indigènes des Philippines. Les quelques rescapés de son équipage terminent l'expédition et regagnent l'Espagne en 1522.

Magellan (détroit de), bras de mer. Situé entre l'extrémité sud de l'Amérique et la Terre de Feu, le détroit de Magellan relie l'océan Atlantique à l'océan Pacifique et permet d'éviter le dangereux cap Horn. On doit à Fernand de Magellan, navigateur portugais, la découverte de ce passage en 1520.

Maghreb, ensemble des pays du nord-ouest de l'Afrique. Situé entre la Méditerranée et le Sahara, le Maghreb, également appelé le Couchant, comprend le Maroc, l'Algérie et la Tunisie. Les pays arabes d'Asie, l'Égypte et la Libye constituent le Machreq, c'est-à-dire le Levant.

Magog, ville du Canada. La ville de Magog est située au Québec, dans la région de l'Estrie, au confluent de la rivière Magog et du lac Memphrémagog. *Magog* signifie, en abénaquis, «vaste étendue d'eau». Érigée en 1888, la ville de Magog compte aujourd'hui plus de 13 530 Magogois et Magogoises, en majorité francophones. Magog, qui était à l'origine un campement amérindien, doit sa fondation à des Loyalistes. L'activité économique de cette ville est étroitement liée à la compagnie *Dominion Textile*, qui procure de l'emploi à un cinquième de la population. Le développement économique de Magog repose également sur les imprimeries et les industries métallurgiques, alimentaires et textiles. Le lac Memphrémagog et le mont Orford, situés à proximité, ont fait de Magog un centre touristique des plus fréquentés.

Magog (lac), lac du Canada. Ce lac situé au Québec, dans la région de l'Estrie, au sud de la ville de Sherbrooke, est la continuation de la rivière du même nom.

Mahomet, prophète et fondateur de la religion musulmane, né à La Mecque, Arabie saoudite, vers 570 et mort à Médine, Arabie saoudite, en 632. Après 40 ans de vie prospère, Mahomet se sent appelé à devenir le prophète d'un renouveau spirituel et social de la nation arabe. Vers 610, il se met à prêcher la foi en un Dieu unique, qu'il nomme Allah, et le renoncement à une vie égoïste et facile. Son enseignement, exposé dans le *Coran*, fait de nombreux adeptes mais lui vaut aussi plusieurs ennemis, ce qui l'oblige à fuir à Médine en 622, l'an 1 de l'ère musulmane, ou hégire. En 10 ans, Mahomet instaure un État et une société nouvelle où la loi de l'islam fait place aux anciennes coutumes arabes. À la mort de Mahomet en 632, l'Arabie tout entière a adopté l'islam. L'islam est actuellement l'une des religions les plus répandues dans le monde.

Maillet (Antonine), romancière acadienne, née à Bouctouche, Nouveau-Brunswick, en 1929. Ses romans, souvent adaptés pour le théâtre, évoquent l'histoire et la vie du peuple acadien. Ce sont notamment *La sagouine* (1971) et *Pélagie la Charrette* (1979), œuvres marquantes de la littérature acadienne. La romancière acadienne a aussi écrit *Pointe-aux-coques* (1958), *Don l'Orignal* (1972), *L'Acadie pour quasiment rien* (1973), *Évangéline Deusse* (1975), *Les cordes de bois* (1977), *La gribouille* (1982) et *Le huitième jour* (1986). En 1979, Antonine Maillet remporte le prix Goncourt pour son roman *Pélagie la Charrette*.

Maisonneuve (Paul de Chomedey, sieur **de**), officier et fondateur de Ville-Marie (Montréal), né à Neuville-sur-Vanne, France, en 1612 et mort à Paris en 1676. En 1641, la Société de Notre-Dame de Montréal confie à Paul de Maisonneuve la responsabilité d'établir une colonie à Montréal. Chef d'expédition d'un groupe formé de Jeanne Mance et d'une quarantaine de soldats et de colons, Maisonneuve s'applique à défendre l'établissement exposé aux attaques iroquoises et à recruter des membres pour la colonie. Premier gouverneur de l'île de Montréal, il occupera ce poste pendant 24 ans et retournera en France quand la Nouvelle-France sera placée sous l'autorité du gouvernement royal. La place d'Armes, à Montréal, abrite la statue de Maisonneuve, et la croix du mont Royal rappelle la première croix plantée par ce pionnier.

ANC/C-5078

Paul de Chomedey, sieur de **Maisonneuve**

Maitland (sir Peregrine), militaire et administrateur civil, né à Hampshire, Angleterre, en 1777 et mort à Londres, Angleterre, en 1854. À l'âge de 15 ans, Maitland entre chez les grenadiers et est ensuite reçu chevalier en 1815. Trois ans plus tard, il est nommé lieutenant-gouverneur du Haut-Canada. De 1828 à 1834, il occupe le poste de lieutenant-gouverneur de la Nouvelle-Écosse. Nommé gouverneur du cap de Bonne-Espérance en 1844, il est jugé incompétent et remplacé.

Major (Henriette), auteure, journaliste et scénariste, née à Montréal en 1933. Henriette Major a publié environ 50 livres pour les jeunes, tant au Québec qu'en France. Elle a signé les scénarios d'une quinzaine de séries télévisées destinées au jeune public. En tant que journaliste, elle a collaboré à de nombreux magazines, dont *Perspectives* (juin 1966 – décembre 1981). Henriette Major a également donné des conférences sur la littérature jeunesse au Canada, aux États-Unis et en Europe. Directrice de la collection *Pour lire avec toi*, aux Éditions Héritage, elle a présidé à la production d'une quarantaine de titres destinés aux 8-12 ans. Parmi ses ouvrages les plus récents, mentionnons: *J'étais enfant en Nouvelle-France* (1981), *Le paradis des animaux* (1984), *Sophie, l'apprentie sorcière* (1986), *Le bout du monde, Les lutins de Noël* et *La sorcière et la princesse* (1987), et *La bicyclette* (1989).

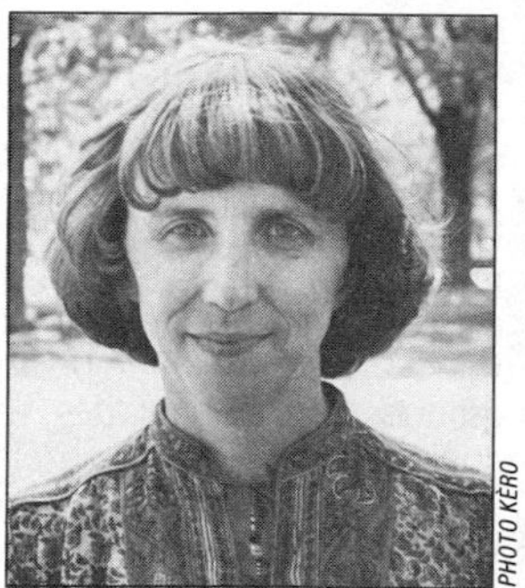
PHOTO KÉRO

Henriette **Major**

Majorque, île des Baléares. D'une superficie de 3 640 km², Majorque est la plus grande île de l'archipel espagnol des Baléares. Sa ville principale est Palma de Majorque. L'île, qui compte 530 000 habitants, est formée d'un littoral découpé, d'une plaine centrale et de deux cordons montagneux. Elle vit principalement du tourisme et de la culture des céréales, des fruits, des légumes et de l'olivier.

Malaisie, État fédéral de l'Asie du Sud-Est. D'une superficie de 329 750 km², la Malaisie est un État de l'Asie du Sud-Est formé de la péninsule malaise et d'une portion de l'île de Bornéo (la partie nord de l'île: Sarawak et Sabah). Elle touche les frontières de la

Thaïlande, de la Birmanie, de l'île de Sumatra et de l'île de Bornéo. Ce territoire baigne dans la mer de Chine méridionale. Sa capitale est Kuala Lumpur. C'est une région de montagnes moyennes (1 700 m), de côtes basses et uniformes parsemées de petites îles et d'un massif de 4 100 m, le Kinabalu. Ce pays tropical, soumis à l'influence des moussons, présente une végétation luxuriante. La jungle recouvre les endroits les plus élevés. La population s'élève à 17 millions d'habitants (Malais et Malaises). La langue officielle est le malais, mais on y parle aussi le chinois et l'anglais. L'islam est la religion dominante et le bouddhisme et l'hindouisme sont des religions minoritaires. La monnaie utilisée est le ringgit. La Malaisie est un important producteur de caoutchouc, d'étain, d'huile de palme et de bois d'œuvre. Les Malais exportent des hydrocarbures, cultivent le riz et l'ananas et exploitent les produits de la mer. Anciennement sous domination britannique, la Malaisie est devenue indépendante en 1957. Elle est aujourd'hui dirigée par un roi et un gouvernement élu.

Malécites, nation autochtone. Vivant près de Rivière-du-Loup au Québec, dans les régions de la rivière Saint-Jean au Nouveau-Brunswick et du Maine aux États-Unis, les Malécites parlent un dialecte appartenant à la famille algonquienne. De nos jours, les membres de ce groupe travaillent dans les secteurs de la papeterie, de la construction, de l'enseignement et des affaires. À Tobique, au Nouveau-Brunswick, ils dirigent des entreprises communautaires, fondement de leur développement économique.

Mali, État d'Afrique occidentale. D'une superficie de 1 240 000 km², le Mali est entouré de l'Algérie, du Niger, du Burkina Faso, de la Côte d'Ivoire, de la Guinée, du Sénégal et de la Mauritanie. Sa capitale est Bamako. Une partie du désert du Sahara occupe le nord du pays (végétation de steppes). Une zone de steppes et de savanes recouvre le Centre, tandis que la zone soudanaise, composée de savanes et de forêts, s'étend au sud, où le climat devient plus humide. Les eaux du fleuve Niger sont utilisées pour l'irrigation. La population du Mali s'élève à 8,9 millions d'habitants (Maliens et Maliennes). La langue officielle est le français et la religion dominante est l'islam. La monnaie utilisée est le franc C.F.A. La région désertique du Nord et du Centre vit de l'élevage nomade de bovins et surtout d'ovins et de chèvres. Le Sud fournit du mil, du sorgho, du riz, du coton et de l'arachide. Anciennement sous domination française, le Mali est devenu indépendant en 1960. Le pays est aujourd'hui dirigé par un chef militaire.

Malte, État de la Méditerranée. D'une superficie de 316 km², Malte est l'île principale d'un petit archipel de trois îles situé au centre de la Méditerranée entre la Sicile et l'Afrique. Sa capitale est La Valette. Le relief de l'île est formé de plateaux calcaires et de côtes hautes et rocheuses. Le pays jouit d'un climat méditerranéen. La population s'élève à 360 000 habitants (Maltais et Maltaises). Les langues officielles sont le maltais et l'anglais, mais on y parle aussi l'italien. La religion dominante est le catholicisme. La monnaie utilisée est la livre maltaise. Napoléon Bonaparte occupa l'île en 1798. La Grande-Bretagne y établit une base militaire en 1800. L'économie de l'île de Malte repose sur l'agriculture (culture des céréales, des légumes, du coton et des arbres fruitiers) et sur les industries navales, alimentaires, textiles et de confection (production de dentelle). Anciennement sous domination britannique, l'île est devenue indépendante en 1964. Le pays est aujourd'hui dirigé par un gouvernement élu.

Managua, capitale du Nicaragua. Centre administratif, commercial (café) et industriel (industries agro-alimentaires, textiles, raffinerie de pétrole), la ville possède aussi un archevêché et une université. Sa population s'élève à environ 620 000 habitants. Siège de nombreux séismes depuis sa fondation, en 1858, la ville fut presque entièrement détruite en 1972 par un tremblement de terre qui fit un très grand nombre de victimes.

Mance (Jeanne), fondatrice de l'hôpital Hôtel-Dieu de Montréal, née à Langres, France, en 1606 et morte à Ville-Marie, aujourd'hui Montréal, en 1673. Ayant reçu un don pour l'établissement d'un hôpital à Ville-Marie, Jeanne Mance arrive à Québec en 1641, accompagnée de Paul de Maisonneuve, et fonde l'hôpital Hôtel-Dieu l'année suivante. Elle fait trois voyages en France pour obtenir les ressources humaines et financières nécessaires à la fondation du premier hôpital du Canada. À son dernier voyage, elle ramène

Jeanne **Mance**

ANQM/P54/19-259

avec elle des religieuses hospitalières qui travailleront à son hôpital et en assureront l'administration. Jeanne Mance a consacré sa vie à l'assistance aux malades et à la colonie. L'Hôtel-Dieu est maintenant affilié à l'Université de Montréal.

Manche (la), bras de mer de l'Atlantique, reliant la France et l'Angleterre. D'une profondeur de 172 m, cette mer de l'Europe occidentale mesure 50 km de long sur 250 km de large. Elle est reliée à la mer du Nord par le pas de Calais. La Manche est l'une des mers les plus fréquentées du monde; plus de 335 navires y circulent chaque jour. Les principaux ports français de la Manche sont Le Havre, Dieppe et Cherbourg; les principaux ports anglais sont Southampton et Plymouth.

Manchester, ville d'Angleterre. Manchester compte une population de 449 000 habitants. C'est un grand centre industriel de la Grande-Bretagne et le premier centre mondial de l'industrie du coton. Les industries métallurgiques, mécaniques et chimiques établies en périphérie jouent également un rôle économique dominant. Siège du journal *The Guardian*, Manchester est la plus importante ville bancaire et administrative du centre de l'Angleterre.

Mandchourie, ancien nom d'une partie du nord-est de la Chine. Ce nom désignait anciennement la majeure partie de ce qui est appelé aujourd'hui la Chine du Nord-Est. On l'emploie encore aujourd'hui pour désigner cette région, dont la capitale est Shen-yang. Région très riche en blé, la Mandchourie abrite également de grands centres industriels (exploitation minière et sidérurgie) et des ports importants.

Manet (Édouard), peintre français, né à Paris en 1832 et mort en 1883. Père de l'impressionnisme et précurseur de l'art moderne, Manet prôna le naturalisme des impressions visuelles et l'audace des images. Il peignit de nombreux portraits, entre autres *Nana* (1876), des natures mortes et des scènes d'extérieur. Vers la fin de sa vie, presque paralysé, il se consacra surtout au pastel. Parmi ses œuvres les plus connues, mentionnons *Olympia* (1863), *Déjeuner sur l'herbe* (1862) et *Un bar aux Folies Bergères* (1882).

Manicouagan (réservoir), réservoir du Canada. D'une superficie de 1 942 km², Manicouagan est situé dans le sud-ouest du Québec, dans la région de la Côte-Nord, à environ 140 km de la frontière du Labrador. Il est le deuxième lac en importance au Québec. On trouve au centre du bassin circulaire une île dominée par le mont de Babel, d'une hauteur de 952 m. Ce réservoir, alimenté par les rivières Hart Jaune et Mouchalagane, se déverse dans le fleuve Saint-Laurent par la rivière Manicouagan. C'est à Manic-Cinq que l'on a construit le barrage Daniel-Johnson, situé à 40 km au sud du réservoir. Et c'est ce barrage qui a créé cet immense réservoir de la Manicouagan. La construction de Manic-Cinq s'inscrit dans un vaste projet d'exploitation de l'énergie hydroélectrique. On croit que le nom de Manicouagan, d'origine crie, signifie « lieu où l'on trouve de l'écorce » (pour construire des canots). La région du réservoir Manicouagan attire chaque année de nombreux touristes.

Manicouagan (rivière), rivière du Canada. Située au Québec, dans la région de la Côte-Nord, près de la frontière du Labrador, la rivière Manicouagan prend sa source dans les monts Otish et se jette dans le fleuve Saint-Laurent, à l'ouest de Baie-Comeau. Cette rivière draine un territoire situé dans une région sauvage et densément boisée. Elle joue un rôle important dans le transport du bois. Depuis 1967, on y a construit plusieurs centrales hydroélectriques. À Manic-Cinq, le barrage Daniel-Johnson, inauguré en 1971, produit 1 292 000 kW. La hauteur de la chute est de 149,6 m. La rivière Manicouagan est universellement connue grâce à son barrage, le plus grand au monde.

Manila ☞ **Manille**.

Manille [*Manila*], capitale des Philippines. Manille est située dans l'île de Luçon, sur la baie de Manille. Sa population s'élève à 1,6 million d'habitants. Manille est le principal centre intellectuel, commercial et industriel des Philippines. Économiquement, la région de Manille dépend surtout des industries textiles, pharmaceutiques et alimentaires (riz, maïs, canne à sucre).

Manitoba, province du Canada. D'une superficie de 650 087 km² (16 % en surface aquatique), le Manitoba est situé au centre du pays, entre la Saskatchewan et l'Ontario; il possède un littoral maritime de 650 km près de la baie d'Hudson. Sa capitale est Winnipeg. Le relief se compose de plaines et de plateaux et comprend de nombreux lacs d'origine glaciaire. Le vaste lac Winnipeg et le lac Manitoba baignent le centre-sud du territoire. Le climat est continental, les hivers très froids et les étés chauds. La population de cette province s'élève à près de 1,1 million d'habitants (Manitobains et Manitobaines), dont près de 86 % parlent l'anglais et 5,1 % le français. La religion dominante est le protestantisme. Environ 27 % de la population pratique la religion catholique. Saint-Boniface, qui fait partie de la région de

Winnipeg, est le plus important centre de culture française à l'ouest du Québec. Le Manitoba présente la plus grande diversité ethnique du pays. L'économie manitobaine est fondée sur l'agriculture (céréales, volaille, pommes de terre), l'élevage de bovins, la pêche et les ressources minières (nickel, cuivre, or et zinc) et hydroélectriques (rivières Winnipeg, Saskatchewan, Nelson et Laurie). Se concentrent autour de Winnipeg les industries alimentaires, métallurgiques, pétrolières, mécaniques et textiles. *Manitoba* signifie « détroit des esprits ». En 1870, le Manitoba a été la première province des Prairies à entrer dans la Confédération. Le crocus des prairies est la fleur emblématique du Manitoba.

Manitoba (lac), lac du Canada. D'une superficie de 4 630 km, le lac Manitoba est situé au Manitoba, à l'ouest du grand lac Winnipeg, et est l'un des trois grands lacs qui occupent la moitié sud du Manitoba. De forme irrégulière, il s'étire sur une longueur de 200 km entre des berges marécageuses. Les marais de la pointe sud du lac servent de base de recherches sur la faune aquatique. On y trouve 14 espèces de poissons, dont les plus importantes sont le corégone, le brochet, le doré et le doré noir. Les premiers commerçants français l'appelèrent lac des Prairies. Son nom actuel fait probablement allusion à l'esprit invoqué par les Amérindiens : « Manitou ».

Maniwaki, réserve indienne du Canada. Cette réserve indienne algonquine est située au Québec, à 130 km au nord de Hull, dans la région de l'Outaouais. Sa population compte 1 044 personnes qui parlent l'algonquin, l'anglais et le français. Leurs principales activités sont la foresterie, le commerce, l'artisanat et la construction spécialisée.

Maniwaki, ville du Canada. Située au Québec, dans la région de l'Outaouais, au nord-ouest de la ville de Hull, Maniwaki, capitale de la Haute-Gatineau, est un ancien poste de traite de la Compagnie de la baie d'Hudson. En 1849, les pères oblats y fondent une mission pour les Algonquins. *Maniwaki* est un nom d'origine algonquine qui signifie « terre de Marie ». Les 6 860 Maniwakiens et Maniwakiennes vivent du tourisme, de la chasse et de la pêche. Maniwaki a reçu son statut de ville en 1904.

Manouane, réserve indienne du Canada. Située au Québec, à 120 km à l'ouest de la ville de La Tuque, dans la région de Lanaudière, Manouane compte 1 174 Attikameks. Ceux-ci parlent l'attikamek et le français et travaillent dans les industries de la construction et de la foresterie.

Mao Tsé-toung, Mao Tsê-tung, Mao Tsö-tong ou **Mao Ze-dong,** homme d'État chinois, né en 1893 et mort à Pékin en 1976. À 20 ans, Mao Tsé-toung découvre la culture occidentale et dénonce la vieille culture chinoise. En 1934, au cours d'une « Longue Marche » vers le nord-ouest du pays, il gagne à sa cause de nombreux paysans des régions chinoises. Ensuite, ayant collaboré à la fondation du Parti communiste chinois, il en prend la direction et entreprend de nombreuses réformes qui touchent la vie des paysans. En 1949, il proclame à Pékin la République populaire chinoise et en est élu le président en 1954. Le Grand Timonier, comme on l'a surnommé, a incarné la révolution chinoise sur les plans culturel, social, économique et idéologique. Sa politique d'ouverture aux autres pays a permis à la Chine d'accéder au rang de premier pays du tiers monde. Toutefois, sa doctrine, exposée dans le *Petit livre rouge*, a fait l'objet de critiques après sa mort, notamment à cause des violences auxquelles elle a donné lieu.

Maputo, capitale du Mozambique. Situé dans le sud du Mozambique, sur l'océan Indien, Maputo est un centre industriel de 355 000 habitants où se concentrent des entreprises de produits alimentaires et textiles, des usines d'engrais et d'ammoniaque et des manufactures de tabac.

Marchand (Félix-Gabriel), avocat, journaliste et homme politique canadien, né à Saint-Jean en 1832 et mort à Québec en 1900. Élu député libéral à l'Assemblée législative en 1867, Félix-Gabriel Marchand devient le chef des libéraux en 1892 et mène le parti à la victoire en 1897. Les politiques qu'il préconise en tant que premier ministre du Québec de 1897 à 1900 (mainmise du gouvernement sur l'éducation, expansion industrielle, développement du potentiel hydroélectrique) forment la base des succès libéraux pendant plus d'une génération.

Marchand (Jean), chef syndical, homme politique et sénateur, né à Champlain, au Québec, en 1918 et mort en 1988. Diplômé en sciences sociales de l'Université Laval en 1942, Jean Marchand se consacre au syndicalisme. En 1947, il devient le secrétaire général de la Confédération des travailleurs catholiques du Canada (aujourd'hui la C.S.N.) et, en 1961, il en devient le président. Jean Marchand s'applique alors à obtenir pour les fonctionnaires le droit à la syndicalisation et à la grève. En 1965, il adhère au Parti libéral fédéral et occupe plusieurs postes importants au sein du gouvernement. Il remet sa démission en 1976 et est nommé par la suite sénateur. Président du Sénat dès mars 1980, Jean Marchand joue un rôle de premier plan lors du débat sur la réforme constitutionnelle en 1981. En 1983, Jean Marchand quitte le Sénat et assume la présidence de la Commission des transports du Canada.

Marconi (Guglielmo), physicien italien, né à Bologne en 1874 et mort à Rome en 1937. Travaillant aux applications de la T.S.F. (télégraphie sans fil), Marconi construit, dès 1896, un poste de transmission. En 1901, il réussit à établir la liaison entre Cornouailles (Angleterre) et Saint-Jean (Terre-Neuve). La transmission se fait en morse. Lauréat du prix Nobel (1909), Marconi est également l'inventeur d'un détecteur magnétique et de différents types d'antennes. La tour de Cabot, à Saint-Jean de Terre-Neuve, présente une exposition sur l'histoire de la communication qui met en lumière la contribution de Marconi.

Marguerite Bourgeoys (sainte), religieuse française et fondatrice de la Congrégation de Notre-Dame de Montréal, née à Troyes, France, en 1620 et morte à Montréal en 1700. Marguerite Bourgeoys arrive au Canada en 1653 avec Paul de Maisonneuve. En plus d'enseigner, elle a pour tâche de chaperonner les Filles du roi qui viennent de France pour épouser des colons. En 1658, elle ouvre une école dans une étable de l'île de Montréal. L'année suivante, elle fonde la Congrégation de Notre-Dame, qui ne sera approuvée officiellement qu'en 1670. Son but principal est l'éducation des jeunes. Marguerite Bourgeoys a consacré sa vie à promouvoir l'éducation en Nouvelle-France. Elle mourut à la suite d'une forte fièvre le 12 janvier 1700. Déclarée vénérable en 1910 et béatifiée en 1950, elle est la patronne des éducatrices québécoises. Elle fut canonisée en 1982 par le pape Jean-Paul II.

A. LANDRY/ANQM/P97

Sainte **Marguerite Bourgeoys**

Marguerite d'Youville (bienheureuse), née Marie-Marguerite **Dufrost-Lajemmerais**, fondatrice des Sœurs de la Charité de Montréal, née à Varennes en 1701 et morte à Montréal en 1771. Marguerite d'Youville était la petite-fille de Pierre Boucher. Devenue veuve en 1730, elle assume l'éducation de ses deux fils, les fait entrer au séminaire de Québec et se consacre à la prière. En 1738, elle ouvre une maison d'accueil et, en 1747, on lui confie la direction de l'Hôpital Général de Montréal. En 1755, la communauté des Sœurs de la Charité de Montréal, communément appelée communauté des Sœurs Grises, est officiellement reconnue par l'Église. Malade et affaiblie depuis des années, Marguerite d'Youville meurt en 1771. Elle a été béatifiée en 1959.

Maria, réserve indienne du Canada. La réserve de Maria est située au Québec, à 45 km à l'ouest de Bonaventure, sur la rive nord de la baie des Chaleurs. Les Micmacs de cette réserve, dont le nombre s'élève à plus de 400, parlent le micmac, l'anglais et le français, et vivent de la pêche et de l'artisanat (vannerie et articles de cuir).

Marie ou la **Vierge Marie** ou la **Sainte Vierge**, personnage biblique. Dans la religion chrétienne, Marie est la fille de saint Joachim et de sainte Anne, l'épouse de saint Joseph et la mère de Jésus. Elle donna naissance à Jésus par l'intervention de l'Esprit saint. Les chrétiens lui vouent une grande dévotion et la considèrent comme la Mère de la chrétienté. On la fête principalement le 15 août.

Marie-Catherine de Saint-Augustin (bienheureuse), née Marie-Catherine **de Longpré**, religieuse, née à Saint-Sauveur-de-Vicomte, France, en 1632 et morte à Québec, Canada, en 1668. Religieuse hospitalière arrivée en Nouvelle-France en 1648, mère Saint-Augustin venait rejoindre les Hospitalières de Québec qui œuvraient à l'Hôtel-Dieu. Très attachée à son nouveau pays, elle a mené une vie de prières et de mortifications et s'est illustrée comme une religieuse et une infirmière exemplaire. Elle a consacré toute sa vie aux soins des malades à l'hôpital de l'Hôtel-Dieu. Décédée à l'âge de 36 ans, mère Marie-Catherine de Saint-Augustin est considérée comme l'une des fondatrices de l'Église canadienne. Sa béatification, qui a eu lieu en avril 1989, coïncidait avec le 350e anniversaire de la fondation du monastère des Augustines de Québec et de l'Hôtel-Dieu de Québec.

Marie de l'Incarnation (bienheureuse), née Marie **Guyart**, fondatrice des Ursulines de Québec, née à Tours, France, en 1599 et morte à Québec, Canada, en 1672. Veuve de Claude Martin, Marie Guyart s'occupe de son fils, qui deviendra plus tard bénédictin. Quand son fils atteint l'âge de 12 ans, elle entre au couvent des Ursulines de Tours, en France, en 1631. Attirée par les missions du Canada, elle arrive au pays en 1639 avec madame de la Peltrie et trois autres ursulines, et se consacre à l'éducation des filles. Mère Marie de l'Incarnation sera supérieure de sa communauté jusqu'à sa mort. Elle a été déclarée bienheureuse le 22 juin 1980. Ses ouvrages constituent d'importants documents d'histoire de la Nouvelle-France.

Marie-Léonie Paradis (bienheureuse), née Marie Alodie Virginie **Paradis**, fondatrice des Petites Sœurs de la Sainte-Famille, née à L'Acadie, au Québec, en 1840 et morte à Sherbrooke, au Québec, en 1912. À 14 ans, sœur Paradis entre chez les Marianites de Sainte-Croix et enseigne le français dans différents collèges, notamment à New York et en Indiana. Elle est ensuite affectée au collège Saint-Joseph de Memramcook, au Nouveau-Brunswick. Instituée en 1880, la communauté des Petites Sœurs de la Sainte-Famille, dont la vocation est d'aider les prêtres, progresse rapidement. En 1896, la communauté s'établit à Sherbrooke. Mère Marie de Sainte-Léonie en demeure la supérieure jusqu'à sa mort. Elle a été béatifiée en 1984.

Marie-Victorin (frère), né Conrad **Kirouac**, botaniste et éducateur, né à Kingsey Falls, Québec, en 1885 et mort à Saint-Hyacinthe, Québec, en 1944. Ce frère des Écoles chrétiennes est devenu célèbre dans le domaine scientifique par ses travaux sur la botanique. Sa renommée s'est étendue au Canada français et parmi les botanistes d'Europe et d'Amérique. Lors de l'ouverture de la Faculté des sciences à l'Université de Montréal en 1920, il a été nommé professeur de botanique. Le frère Marie-Victorin est l'auteur de nombreux livres, dont le plus important est *La flore laurentienne*. Il a contribué à l'avancement des sciences au Québec et surtout à la création du Jardin botanique de Montréal. Il est également le fondateur de l'Institut botanique de l'Université de Montréal.

Marleau (Louise), comédienne canadienne, née à Montréal en 1947. En 1955, Louise Marleau fait ses premières armes à la télévision dans la série pour enfants *Beau temps mauvais temps*, à Radio-Canada. Par la suite, elle interprète des rôles importants dans plusieurs feuilletons télévisés, dont *Sébastien parmi les hommes* et *Les dossiers de l'agence O*. Toutefois, c'est au théâtre et au cinéma que Louise Marleau donne la pleine mesure de son talent. Ainsi, en 1976 et en 1978, elle remporte un vif succès dans deux pièces de Tennessee Williams, *Soudain l'été dernier* et *Pièce à deux*. Elle excelle également dans les rôles de Juliette (*Roméo et Juliette*, de Shakespeare) en 1971 et d'Héléna (*Oncle Vania*, d'Anton Tchékov) en 1982. Elle remporte en 1984 le prix d'interprétation de la Quinzaine internationale de théâtre de Québec pour son rôle dans *Mademoiselle Julie*, d'August Strindberg. Louise Marleau s'impose également au grand écran dans trois longs métrages qui font date dans l'histoire du cinéma québécois: *L'arrache-cœur, La femme de l'hôtel* et *Anne Trister*. *L'arrache-cœur* lui vaut le prix d'interprétation au Festival des films du monde de Montréal en 1979. Incarnant Estelle dans *La femme de l'hôtel*, Louise Marleau remporte le Hugo d'or au Festival international de Chicago en 1986 et le trophée Génie, décerné à la meilleure actrice par l'Académie canadienne du cinéma et de la télévision en 1985.

Frère **Marie-Victorin**

PHOTO JARDIN BOTANIQUE DE MONTRÉAL

Maroc, État du nord-ouest de l'Afrique. D'une superficie de 458 730 km², le Maroc est limité par l'Algérie, le Sahara espagnol, l'océan Atlantique et la Méditerranée. Sa capitale est Rabat. Parmi les autres villes importantes, citons Casablanca, Marrakech et Tanger. Le relief du Maroc comprend une plaine côtière et une série de chaînes montagneuses et parallèles: le Rif et les monts Atlas (4 165 m). L'ensemble du réseau hydrographique prend naissance dans l'Atlas et se déverse dans l'océan Atlantique. Des rivières coulent vers l'Atlantique et la Méditerranée. Les hivers sont doux et les étés, chauds et tempérés. La steppe recouvre la région aride de l'Est, tandis qu'au sud commence le désert du Sahara. La végétation de chênes verts du Nord-Ouest a été largement dégradée. La population s'élève à 24 millions d'habitants (Marocains et Marocaines). La langue officielle est l'arabe, mais on y parle aussi le berbère, le français et l'espagnol. La religion dominante est l'islam. La monnaie utilisée est le dirham. Les principales richesses du Maroc sont la culture des céréales, des agrumes, de la betterave sucrière, du coton et des olives, l'élevage des chèvres et des moutons et la pêche à la sardine. On y exploite également le fer, le cuivre et le phosphate. L'industrie du tourisme se développe dans les villes comme Marrakech, Fès, Tanger et Casablanca. Anciennement sous domination française, le Maroc est devenu indépendant en 1956. Le pays est aujourd'hui dirigé par un roi et un gouvernement élu.

Marquette (Jacques), missionnaire et explorateur, né en France en 1637 et mort sur les bords du lac Michigan, aux États-Unis, en 1675. Ce jésuite, arrivé à Québec en 1666, étudia six langues amérindiennes, s'appliqua à évangéliser les Outaouais et les Hurons de Sault-Sainte-Marie, et fonda la mission de Saint-Ignace. En 1672, son supérieur lui ordonna de se joindre à Louis Jolliet afin de mener à bien la mission d'évangélisation. Ensemble, ils découvrirent le Mississippi en 1673. Épuisé par l'expédition et malade, Marquette revint en Illinois. Sa santé étant de plus en plus compromise, il voulut rejoindre la mission de Saint-Ignace, mais n'y parvint pas et mourut pendant son voyage de retour, près du lac Michigan.

Marrakech, ville du Maroc. Située au pied du Haut Atlas, la ville de Marrakech compte 440 000 habitants. Centre commercial, elle est constituée d'une partie moderne (les villas et ses orangers) et de la vieille ville d'allure saharienne. Très peu industrialisée, elle est cependant un centre où se pratiquent d'importantes activités artisanales. Entourée de palmeraies et de remparts, elle est devenue, grâce à son site enchanteur et à ses monuments, un des lieux de prédilection du tourisme international.

Mars, planète du système solaire. Quatrième planète du système solaire, après Mercure, Vénus et la Terre, Mars est située à 228 millions de km du Soleil. Sa rotation dure 24 heures 37 minutes. D'après les nombreuses photos prises par les sondes spatiales de *Mars II* (1971), *Mariner IX* (1971) et *Viking I* et *II* (1986), la vie, telle que nous la connaissons sur la Terre, n'existe pas sur Mars. Mars présente une coloration rouge-orangé à cause de son oxyde de fer. Le sol de cette planète possède un relief semblable à celui de la Lune et laisse entrevoir de nombreux cratères et des sommets plus élevés que l'Everest. Les nombreuses dépressions s'expliquent par l'absence d'une atmosphère dense. L'absence d'ozone est attribuable aux températures extrêmes à la surface de Mars (+70 °C à −100 °C). L'atmosphère de Mars est composée essentiellement de gaz carbonique. Les vents atteignent environ 250 km/h. Mars offre les mêmes caractéristiques que la Terre, c'est-à-dire que les saisons sont inversées dans les deux hémisphères. Mars a deux petits satellites: Phobos et Deimos.

Marseille, ville de France. Située sur la côte méditerranéenne, Marseille est la seconde ville de France. Premier port de commerce français et l'un des plus grands ports passagers du monde, Marseille s'impose également comme un important centre administratif, commercial, universitaire et religieux. Sa population, qui se chiffre à 878 700 Marseillais et Marseillaises, travaille dans les industries suivantes: construction navale, mécanique et électrique, huilerie, savonnerie, briqueterie, tuilerie, raffineries de soufre, fabriques de peinture, alimentation, textiles, maroquinerie, manufactures de tabac et d'allumettes, pétrochimie et travail du cuir et des peaux. Marseille demeure le principal pôle de développement du sud de la France.

Martel (Suzanne Chouinard-), romancière canadienne, née en 1924. Sœur de Monique Corriveau, Suzanne Martel est issue d'une famille d'écrivains. Ses récits colorés s'inspirent de nombreux voyages effectués notamment en Alaska et en Orient. Spécialiste de la vie quotidienne au XVIIe siècle, Suzanne Martel donne également des conférences sur le métier d'écrivain et la littérature jeunesse. Elle a remporté de nombreux prix littéraires, dont celui du Conseil des Arts du Canada pour *Jeanne, fille du Roy* (1981), le prix de la province de Québec pour *Lis-moi la baleine* (1966) et le prix de l'Association canadienne des éditeurs de langue française (A.C.E.L.F.) pour *Quatre Montréalais en l'an 3000* (1962), publié également sous le titre *Surréal 3000* (1980).

Martinique, île des Antilles. D'une superficie de 1 100 km^2, la Martinique est située dans la mer des Caraïbes au nord de la Barbade. Elle fut découverte par Christophe Colomb en 1502 et colonisée par la France à partir de 1635. Sa ville principale est Fort-de-France. L'île est constituée au nord d'un massif volcanique, dominé par la montagne Pelée, de plaines au centre et de collines au sud. Le pays est couvert de forêts de type équatorial (un tiers du territoire) et de savanes, et bénéficie d'un climat tropical humide, marqué par l'influence des alizés. La population s'élève à 330 000 habitants (Martiniquais et Martiniquaises). On y parle principalement le français et le créole. La religion dominante est le catholicisme. La monnaie utilisée est le franc français. Depuis 1946, la Martinique est un département français d'outre-mer. Ses habitants, de citoyenneté française, travaillent surtout dans de grandes plantations de canne à sucre, de bananiers et d'ananas, et dans les sucreries et les distilleries de rhum. On y exporte le sucre, les bananes, les ananas et le rhum.

Marx (Karl), philosophe et économiste allemand, né à Trèves, Allemagne, en 1818 et mort à Londres, Angleterre, en 1883. Économiste, philosophe et homme politique, Karl Marx élabore en 1846 une théorie de l'histoire et affirme la nécessité d'une transformation radicale de la société capitaliste. Selon cette théorie, l'histoire est fondée sur la lutte entre les bourgeois et les ouvriers, qui ne peut se résoudre que par le soulèvement des ouvriers et leur accession à un pouvoir absolu. Cette transformation doit conduire au communisme, soit à l'abolition du système capitaliste. Marx a exercé une influence considérable dans les milieux politiques et philosophiques, particulièrement en Europe de l'Est. Cependant, ses écrits ont fait l'objet de nombreuses critiques depuis le début du siècle. *Le capital* (1867) demeure son œuvre majeure.

Mascouche, ville du Canada. Mascouche est située au Québec, au nord-est de l'île Jésus, près de Terrebonne. Sa population compte près de 21 300 Mascouchois et Mascouchoises. Le nom de cette ville résidentielle, érigée en 1855, signifie en amérindien «plaine unie». La rivière Mascouche coupe la ville en deux. De magnifiques maisons en pierre datant du début du XVIIe siècle longent ce cours d'eau.

Mashteuiatsh, réserve indienne du Canada, autrefois appelée Ouiatchouan. Situé au Québec, à 6 km au nord de Roberval, dans la région du Saguenay – Lac-Saint-Jean, Mashteuiatsh obtient le statut de réserve en 1856. Les Montagnais et Montagnaises qui y vivent, dont le nombre s'élève à plus de 1 550, parlent le montagnais et le français. La réserve possède une station de radio, un bureau de renseignements touristiques, une école de voile, un musée et un centre d'artisanat. Les activités principales des Montagnais sont le piégeage, le tourisme, la foresterie, l'élevage et l'artisanat (sculptures, raquettes et mocassins).

Massawippi (lac), lac du Canada. Situé au Québec, dans la région de l'Estrie, au sud de la ville de Sherbrooke, ce lac se déverse dans la rivière Massawippi qui, à son tour, se jette dans la rivière Saint-François. *Massawippi* est tiré d'un mot algonquin qui signifie «entre les eaux».

Massey (Charles Vincent), diplomate et gouverneur général du Canada, né à Toronto, en Ontario, en 1887 et mort à Londres, Angleterre, en 1967. Officier d'état-major devenu diplomate, Vincent Massey est nommé, en 1947, chancelier de l'Université de Toronto et, en 1949, président d'une commission sur les arts, les lettres et les sciences au Canada. Cette commission avait recommandé la création d'un Conseil des Arts au Canada. Vincent Massey a été le premier Canadien nommé gouverneur général du Canada (1952-1959).

Massicotte (Edmond-Joseph), peintre et illustrateur canadien, né à Montréal en 1875 et mort à Sault-au-Récollet en 1929. Ayant étudié le dessin et la peinture à Montréal, Edmond Massicotte collabore, à partir de 1892, au *Monde illustré* et à *L'Almanach du peuple*. Ses illustrations représentent des coutumes et traditions populaires du Canada français. On a publié à Montréal, en 1977, *Le gâteau des Rois*, extrait des scènes d'autrefois d'Edmond Massicotte.

Matagami, ville du Canada. La ville de Matagami est située au Québec, dans la région du Nord-du-Québec, à l'ouest de Chibougamau. Cette ville, qui se développe selon un plan d'urbanisation soigneusement étudié, doit son existence à la découverte, en 1957, de six gisements de zinc et de cuivre mêlés d'or. Érigée en 1963, elle compte aujourd'hui plus de 3 340 Matagamiens et Matagamiennes. Grâce à la construction de la route Matagami – Fort George, Matagami est considéré comme la porte d'entrée de la région de la Baie-James. Pêcheurs et chasseurs découvrent dans la région un véritable royaume naturel.

Matagami (lac), lac du Canada. Situé au Québec, dans la région du Nord-du-Québec, au nord de la ville de Témiscamingue, le lac Matagami est depuis longtemps connu et exploité. Dès 1928, on en retirait 2 720 kg de poisson pour la pêche commerciale. La rivière Nottaway, qui prend sa source dans ce lac, se déverse dans la baie James. D'origine crie, le mot *Matagami* signifie «réunion des eaux».

Matane, ville du Canada. Matane, située au Québec dans la région du Bas-Saint-Laurent, sur la rive sud du fleuve Saint-Laurent, compte plus de 13 200 Matanais et Matanaises. Dès 1795, quelques Blancs s'y établissent. L'endroit reste une bourgade de Micmacs jusqu'en 1845. Au début du XIXe siècle, elle devient un port fluvial important et près de 600 navires s'y arrêtent chaque année. Matane, érigée en 1893, doit son essor à l'industrie forestière. Un petit barrage a été construit sur la rivière Matane, qui traverse la ville. Une baie vitrée disposée dans la passe migratoire permet d'observer les saumons au cours de leur remontée. Les biologistes du ministère de l'Environnement suivent de près l'évolution de cette espèce très recherchée. Au large de Matane, on pêche la crevette. La pêche au saumon et le Festival de la crevette y attirent de nombreux touristes. En 1989, Matane a été l'hôte des Jeux du Québec.

Matimekosh, réserve indienne du Canada. Situé au Québec, à 510 km au nord de Sept-Îles, Matimekosh compte près de 500 Montagnais et Montagnaises qui parlent le montagnais et le français et vivent surtout de chasse et de pêche.

Mauricie – Bois-Francs, région administrative du Québec. Située sur la rive nord du fleuve Saint-Laurent, la région Mauricie – Bois-Francs est limitée par les régions de Québec, du Saguenay – Lac-Saint-Jean, du Nord-du-Québec, de l'Abitibi-Témiscamingue, de l'Outaouais, des Laurentides, de Lanaudière, de la Montérégie, de l'Estrie et de Chaudière-Appalaches. La région est traversée par la rivière Saint-Maurice, qui prend sa source dans le réservoir Gouin, coule sur une distance de 587 km et se jette dans le fleuve Saint-Laurent. Les principales villes de cette région administrative sont Trois-Rivières, Shawinigan, Grand-Mère, La Tuque, Drummondville et Plessisville. Le bois et l'énergie hydroélectrique constituent les principales ressources de la région, qui fournit à elle seule 25 % de la production québécoise de papier journal.

Mauritanie, État d'Afrique occidentale. D'une superficie de 1 030 700 km², la Mauritanie est située sur le bord de l'océan Atlantique et touche trois pays : le Sénégal, le Mali et l'Algérie. Sa capitale est Nouakchott. Appartenant au Sahara, la Mauritanie est un pays désertique. Sa population s'élève à 1,9 million d'habitants (Mauritaniens et Mauritaniennes). Les langues principales sont l'arabe et le français, et la religion dominante est l'islam. La monnaie utilisée est l'onguiya. Le désert est le domaine de l'élevage nomade des ovins, des chèvres et des chameaux. Les gisements de fer représentent l'essentiel des exportations. La production agricole consiste principalement en cultures vivrières (mil, sorgho, riz, maïs, dattes).

McGerrigle (monts), massif montagneux du Canada. Situés au Québec, dans le parc de la Gaspésie, les monts McGerrigle font partie des monts Chic-Chocs et en constituent le point culminant. Un troupeau de quelques dizaines de caribous y vit encore aujourd'hui. Contrairement à ceux du mont Albert, ces caribous ne quittent pas la zone des sommets durant l'été. Une flore alpine riche en herbacées pousse sur les plateaux élevés des Chic-Chocs. L'appellation de ce massif montagneux rappelle la mémoire du docteur Harold William McGerrigle, géologue du ministère des Mines et des Richesses naturelles, qui poursuivit de 1937 à 1970 des travaux géologiques en Gaspésie.

Mecque (**La**), ville d'Arabie saoudite. La Mecque, capitale religieuse de l'Islam, est située au centre-ouest de l'Arabie saoudite, près de la mer Rouge. Ville principale de la province du Hedjaz, la ville sainte de 370 000 habitants, interdite aux non-musulmans, est la patrie de Mahomet et le plus grand centre de pèlerinage de l'Islam. Pour tout musulman, le pèlerinage à La Mecque est obligatoire. La Grande Mosquée abrite la Ka'ba, où est scellée la pierre noire sacrée.

Méditerranée, mer intérieure située entre l'Afrique septentrionale, l'Europe méridionale et l'Asie occidentale. La Méditerranée débouche sur la mer Rouge par le canal de Suez, communique avec la mer Noire par les Dardanelles et le Bosphore, et s'ouvre sur l'océan Atlantique par le détroit de Gibraltar. Elle compte plusieurs mers : la mer Tyrrhénienne, la mer Ionienne, la mer Adriatique et la mer Égée. À cause de l'ensemble de ces étendues maritimes, la Méditerranée est la plus grande des mers continentales. Cette mer chaude possède un taux de salinité et d'évaporation très élevé (37 %). Ses marées sont faibles. Les côtes de la Méditerranée présentent des activités sismiques (tremblements de terre) et volcaniques majeures (l'Etna et le Vésuve). Les eaux peu poissonneuses (sardines, anchois, thons) de la Méditerranée ne permettent qu'une pêche artisanale. Cependant, cette mer joue un rôle commercial de premier plan. Des ports importants (Marseille, Gênes, Trieste) représentent pour les touristes des lieux de prédilection en raison de la douceur du climat et de la beauté des côtes.

Mégantic (lac), lac du Canada. Situé au Québec, dans la région de l'Estrie, à l'est de Sherbrooke, le lac Mégantic prend naissance à la rivière Chaudière à une douzaine de kilomètres de la frontière américaine. Ce lac, qui mesure 19,5 km de longueur sur 6,5 km de largeur, a déjà été ensemencé par le ministère du Loisir, de la Chasse et de la Pêche. On peut y faire d'excellentes prises de ouananiches.

Mégantic (mont), mont du Canada. Situé au Québec, dans l'Estrie, à l'est de Sherbrooke, le mont Mégantic fait partie de la chaîne des Appalaches. Près du village de Val-Racine, le mont Mégantic, le plus haut sommet du sud du Québec, se dresse à une hauteur de 1 100 m. De son faîte, on peut y admirer le beau panorama des régions avoisinantes. De plus, les astronomes peuvent profiter de l'observatoire du mont Mégantic pour leurs recherches scientifiques.

Meighen (Arthur), homme politique, né à Anderson, en Ontario, en 1874 et mort à

Toronto, en Ontario, en 1960. Après avoir reçu un diplôme de l'Université de Toronto, Arthur Meighen s'établit au Manitoba, où il entreprend la pratique du droit. Il exerce successivement différentes fonctions au gouvernement fédéral. Élu chef du Parti progressiste-conservateur, il occupe le poste de premier ministre du Canada en 1920 et 1921 de même qu'en 1926. En 1932, il entre au Sénat et y reste neuf ans. Par la suite, abandonnant la politique, Arthur Meighen termine sa carrière dans le monde des affaires.

Mélançon (André), réalisateur et scénariste canadien, né en 1942. Après avoir travaillé pendant cinq ans au centre Boscoville, André Mélançon tourne à l'Office national du film des longs métrages où les enfants tiennent les rôles principaux. *La guerre des tuques*, réalisé en 1984, obtient en mars 1985 le prix Golden Reel de l'Académie canadienne du cinéma et de la télévision, le Grand Prix du Festival du jeune cinéma de Laon en mai 1985 et le Grand Prix du Festival de films pour enfants de Moscou en juillet 1985. Ses deux plus grands succès sont *La guerre des tuques* et *Bach et Bottine*. *Bach et Bottine*, réalisé en 1986, remporte en juin 1987 le Grand Prix du Festival international du film pour l'enfance et la jeunesse à Alger, le deuxième prix du Festival international de Moscou en juillet 1987 et le premier prix du public au 5e Carrousel du film de Rimouski en septembre 1987.

Memphrémagog (lac), lac du Canada et des États-Unis. Le lac Memphrémagog est situé en grande partie dans l'Estrie, au sud de Magog. Une pointe d'environ 15 km pénètre dans l'État du Vermont, aux États-Unis. Cet immense lac de 51,5 km de longueur s'étend dans un somptueux décor de montagnes jusqu'aux États-Unis. Au nord-ouest du lac, le parc du Mont-Orford offre de nombreuses activités touristiques. À bord de l'*Aventure II*, on peut faire une croisière pour admirer le lac Memphrémagog, ensemencé de ouananiches. Le nom du lac, d'origine abénaquise, signifie « grande étendue d'eau ».

Mercier (Honoré), avocat et homme politique canadien, né à Iberville en 1840 et mort à Montréal en 1894. Reconnu pour ses talents oratoires et son dynamisme, Honoré Mercier regroupa les nationalistes conservateurs et libéraux et fonda le Parti national. Il était le premier homme politique québécois à soutenir l'idée que le gouvernement du Québec était le seul gouvernement national. Élu à l'Assemblée nationale en 1879, il le fut de nouveau à cinq reprises. Il occupa le poste de premier ministre du Québec de 1887 à 1891. Au chapitre de ses réalisations, mentionnons l'amélioration des moyens de communication et le versement d'indemnités aux jésuites pour la nationalisation de leurs biens. Honoré Mercier tint également une conférence interprovinciale visant à faire reconnaître le principe de l'autonomie administrative et fiscale des provinces. Il contribua à l'établissement d'une université à Montréal et mit sur pied un programme d'attribution de terres aux familles de 12 enfants. Accablé par des poursuites judiciaires attribuables à des manœuvres frauduleuses de son personnel politique, Honoré Mercier se défendit brillamment. Peu après sa réélection, il s'éteignit à l'âge de 54 ans.

Mercier (Honoré), avocat et homme politique canadien, né à Saint-Hyacinthe en 1875 et mort en 1937. Honoré Mercier fils siégea comme député de Châteauguay à l'Assemblée législative de 1907 à 1936. En 1914, il devint ministre des Mines et des Pêcheries dans le gouvernement de Lomer Gouin, son beau-frère. Enfin, en 1919, il occupa le poste de ministre des Terres et Forêts et conserva ce portefeuille jusqu'en 1936 dans le cabinet Taschereau.

Mercier, ville du Canada. Mercier est situé au Québec, sur la rive sud du fleuve Saint-Laurent en banlieue de Montréal. Érigée en 1855 au sud de Châteauguay, cette ville résidentielle compte une population de près de 7 300 habitants (Mercierois et Mercieroises). Son nom a été choisi en mémoire de l'ancien premier ministre de la province de Québec, Honoré Mercier.

Mercure, planète du système solaire. Cette planète, la plus petite de notre système solaire, est difficile à observer puisqu'elle est la plus proche du Soleil. Comme la Lune, Mercure présente toujours le même côté aux rayons solaires. En conséquence, la température de la face éclairée de la planète s'élève à 300 °C et celle de la partie obscure atteint près de −273 °C. Sa rotation sur elle-même est de 58,6 jours. La planète Mercure présente un fond jaunâtre parsemé de taches grises. Les observations de *Mariner X* ont permis de découvrir son atmosphère, composée de gaz rares et de traces d'hydrogène, et son champ magnétique. Son sol est couvert d'innombrables cratères et présente un relief de plaines et de montagnes. Mercure n'a aucun satellite.

Mermoz (Jean), aviateur français, né à Aubenton, France, en 1901 et mort dans l'Atlantique Sud en 1936. Jean Mermoz effectue en 1930 la première liaison directe France – Amérique du Sud. En 1936, il disparaît en mer au large de Dakar à bord de l'hydravion *Croix-du-Sud*.

Messie, personnage biblique. Le mot *Messie* vient de l'araméen *meschikha*, qui veut dire «sacré par le Seigneur». Chez les chrétiens, le Messie est Jésus-Christ, le sauveur des chrétiens, mais pour les juifs, le Messie est le libérateur attendu qui instaurera la royauté d'Israël.

Messier (Martine), héroïne, née en France en 1607 et morte à Montréal, Canada, en 1672. En 1650, Martine Messier arrive à Montréal. En 1652, elle se fait attaquer par trois Iroquois alors qu'elle travaille dans les champs. Blessée, elle se défend avec acharnement et réussit à faire fuir ses assaillants.

Metcalfe (Charles Theophilus, baron **de**), administrateur anglais, né à Calcutta, Inde, en 1785 et mort à Malshanger, Angleterre, en 1846. Gouverneur général du Canada de 1843 à 1845, lord Metcalfe fait rapatrier d'Australie les rebelles de 1837 et soutient financièrement nombre d'œuvres à caractère social et culturel. Son attitude de non-reconnaissance à l'égard de la responsabilité ministérielle lui cause de graves difficultés. Très malade, il démissionne en 1841 et retourne en Angleterre, laissant le pays divisé.

Métis, nom donné aux communautés issues d'unions entre Blancs et Amérindiens, qui ont formé un véritable peuple dans l'Ouest canadien. Le mot *métis* serait un vieux mot français signifiant «mêlé». Dès le XVIe siècle, des familles et des communautés métisses, issues d'unions passagères entre pêcheurs européens et femmes amérindiennes, vivent sur le littoral atlantique. C'est d'abord au Manitoba que les Métis émigrent, au début du XIXe siècle, lorsqu'ils sont délogés par des colons blancs américains. Pendant un certain temps, ils sont en majorité dans les provinces des Prairies. Luttant, sous la conduite de Louis Riel, pour protéger leurs terres, ils prennent les armes, une première fois, au Manitoba en 1870 et, une seconde fois, en Saskatchewan en 1885. Par la suite, ils tentent, par la création d'associations et d'organismes, d'exercer des pressions auprès du gouvernement canadien. En 1983, lors de la Conférence des premiers ministres du Canada, le Conseil national des Métis voit le jour et se propose de défendre les droits de ses membres.

Meulles (Jacques **de**), administrateur français, né à Poitou, France, et mort à Orléans, France, en 1703. Intendant en Nouvelle-France de 1682 à 1686, Jacques de Meulles encourage la pêche et, à court d'argent, institue la monnaie de cartes (à jouer) pour payer ses soldats et faciliter les échanges économiques. Il se rend dans le territoire des Iroquois et les attaque pour défendre la colonie. Pendant son séjour en Nouvelle-France, il se querelle à plusieurs reprises avec les gouverneurs.

Mexico, capitale du Mexique. Situé dans le Mexique central, à plus de 200 km du golfe du Mexique et à 2 250 m d'altitude, Mexico compte une population de 9,2 millions de Mexicains et de Mexicaines. Mexico est considéré comme l'un des plus grands centres culturels d'Amérique latine. Il abrite le célèbre Musée national de l'anthropologie, où se trouve la plus riche collection mondiale d'art précolombien (relatif à l'Amérique avant la venue de Christophe Colomb). La vieille ville comprend les vestiges de l'ancienne capitale aztèque. Des églises baroques et néoclassiques du XVIIIe siècle, l'Université de Mexico, dont la bibliothèque est ornée de mosaïques, et de nombreux autres monuments suscitent une forte affluence touristique. Fondée par les Aztèques vers 1345, la ville fut détruite en 1521. Depuis 1824, elle a été reconstruite selon un plan en damier. Mexico est également le plus grand centre industriel du pays (industries textiles, métallurgiques, électriques, électroniques, chimiques et alimentaires, imprimerie et édition).

Mexique, État d'Amérique centrale. D'une superficie de 1 967 183 km^2, le Mexique est situé entre les États-Unis, le Guatemala, le Bélize, l'océan Atlantique et l'océan Pacifique. Sa capitale est Mexico. Ce pays s'étend sur un ensemble de hauts plateaux et de chaînes montagneuses. Le fleuve Grande de Santiago coule sur une distance de 442 km et se jette dans le Pacifique. Le climat, aride dans le Nord, où s'étend une steppe à épineux et à cactus, devient tropical dans le Sud, où règne la forêt dense. Les températures élevées sont tempérées par l'altitude. La population s'élève à 82,7 millions d'habitants (Mexicains et Mexicaines). La langue officielle est l'espagnol, mais on y parle aussi 19 langues indiennes. La religion dominante est le catholicisme. La monnaie utilisée est le peso mexicain. Le Mexique est l'un des grands producteurs mondiaux de pétrole. L'économie mexicaine repose sur l'agriculture (maïs, haricot, fruits et légumes, tabac, coton, sésame, canne à sucre, noix de coco, bananes, café et agrumes), l'élevage de bovins, l'exploitation de ressources naturelles (fer, argent, zinc et pétrole) et le développement d'industries mécaniques et textiles. Ancienne colonie espagnole, le Mexique est devenu indépendant en 1821. Le pays est aujourd'hui dirigé par un gouvernement élu.

Mézy (Augustin de Saffray **de**), administrateur, né en France et mort à Québec vers 1665. Gouverneur de la Nouvelle-France de 1663 à

1665, Saffray de Mézy divergeait d'opinion avec Mgr Laval quant au partage du pouvoir et aux moyens d'administrer la colonie. Malgré les conflits qui se produisirent durant son mandat, il réussit à établir le gouvernement royal dans la colonie et à faire voter des lois utiles au bien-être de la collectivité.

Miami, ville des États-Unis. La ville de Miami est située sur la côte sud-est de l'État de la Floride. Sa population est de 350 000 habitants. C'est une station balnéaire qui connaît une grande activité touristique et dont le développement économique s'appuie aussi sur les industries du vêtement, de la construction, des matières plastiques et de l'électronique.

Michel-Ange (Michelangelo **Buonarroti**, dit), peintre, sculpteur, architecte et poète italien, né à Caprese en 1475 et mort à Rome en 1564. Michel-Ange adopte dès le début de sa carrière un style tumultueux marqué par le déploiement de formes souvent tourmentées. Toujours animé par la foi chrétienne, l'architecte officiel de la papauté trace des voies nouvelles aux artistes de l'époque. Il a su conférer à ses sculptures un caractère grandiose d'une puissante originalité. Parmi ses nombreuses réalisations, citons notamment la coupole de la basilique Saint-Pierre de Rome, les fresques de la chapelle Sixtine (*La création du monde, Le Jugement dernier*), des statues (*Esclaves, David, Pietà, Moïse*) et d'autres travaux d'architecture exécutés au Vatican.

Michener (Daniel Roland), homme politique canadien, né à Lacombe, Alberta, en 1900. Roland Michener termine ses études à l'Université d'Alberta en 1920 et pratique le droit à Toronto à partir de 1924. Député de l'Ontario et membre du Conseil des ministres, il est ensuite président de la Chambre des communes de 1957 à 1962, fonction qu'il exerce avec brio. Le premier ministre Pearson le nomme haut-commissaire aux Indes de 1964 à 1967. Enfin, Michener exerce les fonctions de gouverneur général du Canada de 1967 à 1974. Il effectue de fréquentes visites d'État à l'étranger et met sur pied un secrétariat des décorations.

Michigan (lac), l'un des cinq Grands Lacs. Le lac Michigan, situé entièrement en territoire américain au sud de l'Ontario, s'étend sur 57 757 km² entre les États du Michigan et du Wisconsin. L'explorateur Jean Nicolet le découvre en 1634. *Michigan* signifie « grande eau » ou « grand lac » en langue algonquine.

Micmacs, nation autochtone. Faisant autrefois partie du groupe des Algonquins, les Micmacs, aussi appelés Souriquois, s'établissent sur les côtes de la Gaspésie, du Nouveau-Brunswick, de la Nouvelle-Écosse et de l'Île-du-Prince-Édouard. Ils ont été l'un des premiers peuples rencontrés par Jacques Cartier, en 1534, et sont demeurés les alliés des Français. L'origine du nom *Micmac* demeure incertaine. Au XVIIe siècle, les Français employaient le mot *nikmaq*, « mes amis-parents », pour saluer les gens de la bande. De nos jours, 2 865 Micmacs habitent le Québec et 1 785 d'entre eux se répartissent dans trois villages de la Gaspésie: Maria, Restigouche et Gaspé. Ils y vivent d'artisanat (vannerie et articles de cuir), de pêche et de tourisme. On note également la présence de quelques réserves de cette nation à Terre-Neuve et à Boston.

ANC/C-102862

Squaw micmaque (XIXe siècle)

Mille Îles (rivière des), rivière du Canada. Située au Québec, dans la région de Montréal, au nord de l'île Jésus, la rivière des Mille Îles prend sa source à l'extrémité ouest de Laval dans le lac des Deux Montagnes, coule vers l'est en longeant l'île Jésus et se jette dans le fleuve Saint-Laurent à la pointe est de Laval. Son nom vient des nombreuses îles habitées que baigne ce cours d'eau. Elle est limitée au nord par les régions de Terrebonne et de L'Assomption.

Millet (Jean-François), peintre, dessinateur et graveur français, né à Gréville, France, en 1814 et mort à Barbizon, France, en 1875. Millet fut l'un des maîtres de l'école de Barbizon, ville où il termina ses jours. Cet artiste peignit les activités familières des paysans et donna à ses tableaux un sentiment de tristesse et de solennité. Un réalisme puissant se dégage de ses œuvres, rigoureusement peintes, notamment les compositions *Les glaneuses* (1857), *L'angélus* (1859) et *Le printemps* (1873).

Milnes (Robert Shore), administrateur anglais, né en Angleterre en 1746 et mort dans le même pays en 1837. Il occupe le poste de lieutenant-gouverneur du Bas-Canada de 1799 à 1808. Durant son séjour, il s'efforce d'améliorer les finances de la colonie et encourage l'agriculture et l'instruction. En 1805, Milnes quitte le Canada pour retourner dans son pays.

Mingan (rivière), rivière du Canada. Située au Québec, dans la région de la Côte-Nord, la rivière Mingan se jette dans le fleuve Saint-Laurent à l'est de Sept-Îles, en face de la pointe ouest de l'île d'Anticosti. Son nom, d'origine amérindienne, signifie «où il y a des loups».

Minto (Gilbert John Murray Kynynmond Elliot, 4e comte **de**), administrateur anglais, né à Londres, Angleterre, en 1845 et mort près de Howick, Écosse, en 1914. Gouverneur général du Canada de 1891 à 1904, lord Minto a tenté de rapprocher les francophones et les anglophones et de préserver le patrimoine canadien. Il a également pris des mesures visant à protéger les minorités et à encourager la pratique des sports. Les principaux événements qui ont marqué son administration sont l'envoi de militaires au Transvaal (Afrique), le règlement du litige frontalier entre l'Alaska et les États-Unis, puis la ruée vers l'or du Klondike. Son mandat a donné lieu à des controverses et à de la contestation politique. C'est en l'honneur de l'ancien gouverneur général que la coupe Minto, décernée à une équipe championne de la crosse, porte son nom.

Mirabel, ville du Canada. Mirabel est situé au Québec, au sud-ouest de Saint-Jérôme, à 55 km du centre de Montréal. C'est l'une des plus jeunes villes du Québec et aussi l'une des plus étendues. La ville fut créée en 1971 par le regroupement de 14 municipalités. L'expropriation des terres agricoles a laissé de très mauvais souvenirs aux habitants de cette région. L'ancien terroir a été démembré. Les structures régionales et les habitudes de la population ont été changées par la création de l'aéroport international de Mirabel. Inauguré en 1975, l'aéroport de Mirabel possède la plus grande superficie aéroportuaire du monde. La population de Mirabel s'élève à près de 13 900 Mirabellois et Mirabelloises.

Mississippi (fleuve), fleuve des États-Unis. Avec ses 3 779 km, le Mississippi est le plus long fleuve de l'Amérique du Nord. Il prend sa source près des Grands Lacs, dans l'État du Minnesota et coule vers le sud en passant par Saint Paul, Minneapolis, Saint Louis, Memphis et La Nouvelle-Orléans. Après ce long circuit, il se jette dans le golfe du Mexique par un vaste delta. Il fut découvert par Louis Jolliet et Jacques Marquette en 1673. Cavelier de La Salle atteignit son embouchure en 1682. Aujourd'hui, cette voie navigable joue encore un rôle économique important.

Mistassini, village cri du Canada. Le village de Mistassini est situé au Québec, dans la région du Nord-du-Québec, à 128 km au nord-est de Chibougamau. Ce village occupe un territoire anciennement habité par la bande des Mistassins. On y dénombre aujourd'hui près de 2 000 habitants. Les langues parlées sont le cri et l'anglais. Les principales activités de Mistassini sont le piégeage, le tourisme, la foresterie et l'artisanat.

Mistassini, ville du Canada. La ville de Mistassini est située au Québec sur la rivière Mistassini, au nord du lac Saint-Jean, dans la région du Saguenay – Lac-Saint-Jean. Sa fondation remonte à 1892, alors que les pères trappistes d'Oka y fondent un monastère dans la forêt. Ils y construisent un moulin à farine et une scierie. Ces activités jouent un rôle déterminant dans le développement de cette région. La population augmente avec la construction de la papeterie de Dolbeau en 1927 et l'aménagement de centrales hydro-électriques sur la rivière Péribonka. Mistassini est constitué en 1976. Sa population actuelle compte plus de 6 700 Mistassiniens et Mistassiniennes. Mistassini, capitale du bleuet, célèbre chaque année un festival, le Festival du bleuet, qui attire de nombreux touristes.

Mistassini (lac), lac du Canada. Le lac Mistassini est situé au Québec, dans la région du Nord-du-Québec, au nord-est de Chibougamau. Avec ses 2 336 km², c'est le plus grand lac naturel de la province. Une série d'îles rocheuses le divise presque en deux lacs distincts. Il est entouré d'épinettes noires et blanches, de bouleaux blancs, de peupliers, etc. Ces arbres alimentent l'industrie de la coupe du bois. Les eaux du lac Mistassini abritent des corégones, des brochets, des touladis (truites grises), etc. On y chasse le caribou, le renard, la loutre et d'autres espèces. Ce lac fut découvert par l'abbé Charles Albanel en 1672. Aujourd'hui, on y trouve encore un poste de traite, une mission de l'Église d'Angleterre et une réserve crie. *Mistassini* vient du mot cri *mista-assini*, signifiant «gros rocher».

Mohawks ou **Agniers**, nation autochtone. Ce peuple amérindien faisait autrefois partie de la ligue iroquoise des Cinq Nations. Les Agniers habitaient la vallée de la rivière Mohawk dans l'État actuel de New York. Les Anglais et les Américains les avaient surnommés Mohawks. Ce n'est qu'en 1667, après de nombreuses luttes, que les Français concluent la paix avec ce peuple. Aujourd'hui, 10 692 Mohawks vivent au Québec et 9 746 d'entre eux sont établis dans trois villages: Kanesatake (53 km à l'ouest de Montréal), Akwesasne (Saint-Régis, 60 km au sud-ouest de Valleyfield) et Kahnawake (10 km au sud-ouest de Montréal). Ils parlent le mohawk, l'anglais et le français. Les activités principales des Mohawks sont l'artisanat, la construction spécialisée et l'agriculture. Ils sont les premiers à avoir pratiqué le sport de la crosse au Canada.

ANC/C-14827

Mohawk (1804)

Moïse, personnage biblique. Libérateur et législateur des Hébreux, né en Égypte, Moïse est également le prophète et le fondateur de la religion et de la nation d'Israël. De parents juifs de la tribu de Lévi, Moïse fut placé dans un berceau d'osier et déposé sur le Nil pour échapper au massacre des enfants mâles juifs. Recueilli par la fille du pharaon, qui le fit élever au palais, il dut fuir dans le désert après avoir tué un Égyptien. Dieu lui apparut sous la forme d'un buisson ardent et lui commanda de délivrer le peuple juif, esclave en Égypte, et de le conduire en terre promise. Il reçut de Dieu les tables de la Loi (le Décalogue, ou les dix commandements), renversa le veau d'or, idole construite pendant son absence, et construisit le tabernacle, tente sous laquelle reposait l'arche d'alliance. Le prophète est habituellement représenté sous la figure d'un homme grand et barbu portant les tables de la Loi.

Moisie (rivière), rivière du Canada. La rivière Moisie est située au Québec, à l'est de Sept-Îles, dans la région de la Côte-Nord. Elle prend sa source dans les monts Severson et se jette dans le Saint-Laurent. On y trouve une belle plage et un terrain de camping très fréquenté par les touristes.

Molière (Jean-Baptiste **Poquelin**, dit), comédien, metteur en scène et auteur dramatique français, né à Paris en 1622 et mort au même endroit en 1673. Molière fait d'abord des études de droit et renonce très vite à la carrière d'avocat pour le théâtre. En 1645, il rejoint, avec des amis, une troupe de comédiens ambulants, et donne des représentations en province. L'année suivante, il devient le chef de cette troupe et la dirige de 1643 à 1658. Destinées à la Cour et au public parisien, les pièces de Molière, généralement des comédies satiriques écrites en vers, avaient pour but de divertir, tout en faisant ressortir les travers du monde bourgeois. Ses pièces les plus connues sont: *Les précieuses ridicules* (1659), *L'école des femmes* (1662), *Tartuffe* (1664), *Don Juan* (1665), *Le misanthrope* (1665), *Le médecin malgré lui* (1666), *Le bourgeois gentilhomme* (1670), *L'avare* (1668), *Les fourberies de Scapin* (1671), *Les femmes savantes* (1672) et *Le malade imaginaire* (1673). Sa passion de la vérité et son sens inné de l'observation lui ont permis de créer des personnages hauts en couleur, des caractères qui sont devenus des types universels. Molière est décédé en 1673 après la quatrième représentation de sa dernière pièce, *Le malade imaginaire*.

Monaco (principauté de), État d'Europe. Cet État, situé sur le littoral de la Méditerranée, plus précisément sur la Côte d'Azur, couvre une superficie de 1,8 km² et abrite une population de 28 000 habitants (Monégasques). La langue officielle est le français, mais on y parle aussi le monégasque. La religion dominante est le catholicisme. La monnaie utilisée est le franc français. La capitale est Monaco, qui est un grand centre touristique. Cette ville portuaire possède des casinos et un musée océanographique.

Monck (Charles Stanley, lord), juriste et administrateur anglais, né en Irlande en 1819 et mort dans le même pays en 1894. Gouverneur général du Canada-Uni de 1861 à 1867, Charles Monck a contribué à l'établissement de la Confédération canadienne et à l'application de l'Acte de l'Amérique du Nord britannique. Il a également cumulé les fonctions de gouverneur général du Canada et de gouverneur général de l'Île-du-Prince-Édouard en 1867 et en 1868.

Monet (Claude), peintre français, né à Paris, France, en 1840 et mort à Giverny, France, en 1926. Ce maître des impressionnistes peignit surtout des paysages, des portraits et des scènes d'intérieur. Monet s'applique à saisir les effets lumineux de l'eau et de l'air et à rendre les atmosphères selon les sentiments qui l'animent. Un critique d'art créa le terme *impressionniste* au cours d'une exposition présentant un tableau de Monet, *Impression,* *soleil levant* (1872). Parmi les œuvres les plus caractéristiques du peintre français, citons *Femme au jardin* (1866), *Régates à Argenteuil* et *La Seine à Argenteuil* (1874) et *Nymphéas* (1899-1926). Le musée de l'Orangerie à Paris, qui réunit une importante collection de tableaux impressionnistes, abrite les célèbres *Nymphéas*.

Mongolie, État de l'Asie centrale. La Mongolie a une superficie de 1 565 000 km² et sa capitale est Oulan-Bator. Le climat, continental, se caractérise par des étés chauds et des hivers rigoureux. L'économie du pays est dominée par l'élevage de bovins, d'ovins et de chevaux, mais plusieurs centres industriels se développent. Le sous-sol recèle du charbon, du pétrole et du fer. La population de la Mongolie est de 1,8 million d'habitants (Mongols et Mongoles). La langue officielle est le mongol et la monnaie utilisée est le tugrik. La Mongolie est une république populaire qui reste sous l'influence soviétique.

Monk (James), administrateur anglais, né à Boston, États-Unis, en 1745 et mort en Angleterre en 1826. James Monk occupa plusieurs postes dans l'administration de la justice. De 1819 à 1820, il devint administrateur du Bas-Canada.

Monrovia, capitale du Libéria. La ville de Monrovia est située sur l'océan Atlantique. Elle compte 306 000 habitants. Centre commercial et port minéralier, Monrovia possède des raffineries de pétrole, une cimenterie, des huileries, des brasseries et des usines textiles.

Montagnais, nation autochtone. À l'origine, il y a plus de 400 ans, les Montagnais vivaient sur un immense territoire qui s'étendait de la région de Québec jusqu'à l'intérieur des terres, à 600 km au nord-est de Sept-Îles. Les 9 039 Montagnais actuels parlent le montagnais, l'anglais et le français, habitent maintenant la Côte-Nord et 7 483 d'entre eux se répartissent dans neuf villages: Mashteuiatsh (Ouiatchouan), Les Escoumins, Betsiamites, Maliotenam, Matimekosh, Mingan, Natashquan, La Romaine et Pakuashipi. Leur développement économique repose sur le piégeage, la pêche, le tourisme, la foresterie, l'élevage et l'artisanat (sculptures, raquettes et mocassins). En 1978, les Montagnais créèrent un organisme destiné à promouvoir la vie culturelle et éducative de leur communauté. Il s'agit de l'Institut culturel et éducatif attikamek-montagnais (I.C.E.A.M.), qui se donne pour objectif d'évaluer les priorités et les besoins de chaque village dans les domaines éducatif et culturel. En 1983, Attikameks et Montagnais se sont regroupés pour créer un réseau de communication, la S.O.C.A.M., société de communication attikamek-montagnaise. Cet organisme produit des émissions radiophoniques et les retransmet sur les ondes des radios communautaires des villages.

ANC/C-10895

Des **Montagnais** (vers 1921)

Montcalm de Saint-Véran (Louis Joseph, marquis **de**) général, né à Candiac, France, en 1712 et mort à Québec, Canada, en 1759. Montcalm se distingua par sa lutte admirable contre les Anglais au Canada. Le général français prit le fort Oswego sur le lac Ontario en 1756, s'empara du fort William-Henry en 1757 et vainquit à Carillon, en 1758, le général anglais Abercromby. Montcalm mourut lors d'une attaque dirigée par le général anglais James Wolfe contre la ville de Québec.

Montérégie, région administrative du Québec. Située sur la rive sud du fleuve Saint-Laurent qui la baigne au nord, la Montérégie est limitée par les régions de l'Estrie et de la Mauricie – Bois-Francs, par les États-Unis et par l'Ontario. La région, qui inclut l'île Perrot, est arrosée par plusieurs rivières, dont les rivières Richelieu et Yamaska. Les collines Montérégiennes, un ensemble de monts isolés, marquent son relief. Une grande partie de la Montérégie s'étend sur les basses-terres du Saint-Laurent, dont les sols fertiles ont favorisé le développement de l'agriculture. La région abrite quelques centres de villégiature, des stations de sports d'hiver, des musées et un jardin zoologique (Granby). Les industries (alimentaires, textiles, du meuble) contribuent, avec l'agriculture et le tourisme, à la vie économique de la région.

Montérégiennes (collines), monts du Canada, situés au Québec. Les collines Montérégiennes sont un ensemble de monts isolés qui émergent de la plaine de la Montérégie. Ces collines sont au nombre de huit: les monts Brome (le plus haut, 533 m), Shefford, Saint-

Hilaire, Yamaska, Rougemont, Royal, Saint-Grégoire et Saint-Bruno. Quelques-uns de ces monts peuvent accueillir les skieurs.

Montevideo, capitale de l'Uruguay. Cette ville portuaire est située sur la rive nord du rio de La Plata. Elle compte 1 346 000 habitants, soit près de la moitié de la population du pays. Cette métropole industrielle regroupe la plupart des industries alimentaires et textiles, et exporte des viandes, des laines et des peaux.

Montgolfier (Joseph et Étienne **de**), industriels et inventeurs français. Joseph est né en 1740 et est mort en 1810. Étienne est né en 1745 et est mort en 1799. Les frères de Montgolfier sont les inventeurs des ballons à air chaud, appelés aussi montgolfières, avec lesquels ils ont fait des ascensions célèbres en 1783. Ils ont aussi fabriqué le bélier hydraulique, machine à élever l'eau. Ils ont apporté des améliorations à la technique française dans l'industrie du papier et ont inventé le papier vélin et le papier à filtrer.

Montgomery (Lucy Maud), romancière canadienne, née à Clifton, Île-du-Prince-Édouard, en 1874 et morte à Toronto, Ontario, en 1942. Lucy Maud Montgomery a d'abord collaboré à des journaux et à des revues puis a écrit un grand nombre de nouvelles et quelque vingt romans dont l'action se situe dans sa province natale, l'Île-du-Prince-Édouard. Son roman le plus populaire, *Anne of Green Gables*, traduit en 36 langues, a été porté à l'écran et a fait l'objet d'une comédie musicale. Sa maison est aujourd'hui un site historique, visité par de nombreux touristes.

Mont-Joli, ville du Canada. La ville de Mont-Joli est située au Québec, dans la région du Bas-Saint-Laurent. Fondée en 1881 et érigée sur une colline dominant le fleuve à environ 30 km au nord-est de Rimouski, cette ville compte aujourd'hui près de 6 700 Mont-Joliens et Mont-Joliennes. Important centre industriel, commercial et ferroviaire, Mont-Joli est surnommé « la porte de la Gaspésie et des Maritimes ». C'est une région de chasse à l'orignal, au cerf et au lièvre. Les amateurs de pêche y trouvent du saumon de l'Atlantique et de la truite mouchetée.

Mont-Laurier, ville du Canada. La ville de Mont-Laurier est située au Québec, à mi-chemin entre Montréal et Val-d'Or dans la grande région des Laurentides. Fondé en 1909, ce centre industriel compte une population de plus de 7 900 Lauriermontois et Lauriermontoises. C'est un paradis des pêcheurs et des chasseurs d'orignaux et de cerfs. La ville porte le nom de sir Wilfrid Laurier, premier francophone à devenir premier ministre du Canada.

Montmagny (Charles Huault **de**), administrateur français, gouverneur de la Nouvelle-France, né en France en 1583 et mort aux Antilles vers 1653. Montmagny, successeur de Champlain, a été gouverneur de la Nouvelle-France de 1636 à 1648. Il fit construire des forts sur la rivière Richelieu, notamment le fort Richelieu à Sorel, pour organiser la défense militaire. Il réussit à négocier un traité de paix avec les Iroquois, fit bâtir le château Saint-Louis et élabora le plan de la haute ville de Québec et des fortifications. Rappelé en France, il fut, dès son arrivée, nommé gouverneur de Saint-Christophe aux Antilles et y trouva la mort vers 1653.

Montmagny, ville du Canada. La ville de Montmagny est située au Québec, dans la région de Chaudière-Appalaches, sur la rive sud du fleuve Saint-Laurent. Construite des deux côtés de la rivière du Vieux Moulin, elle fut fondée en 1678. Aujourd'hui, près de 12 000 Magnymontois et Magnymontoises y habitent. Important centre industriel et commercial, la ville produit des appareils ménagers, des meubles et des vêtements de motoneige, et possède aussi un chantier naval spécialisé dans la construction d'embarcations de plaisance. Elle porte le nom du deuxième gouverneur de la Nouvelle-France, Charles Huault de Montmagny.

Montmorency (rivière), rivière du Canada. Située au Québec, cette rivière prend sa source dans le parc provincial des Laurentides, au nord de Québec, et parcourt 100 km avant d'atteindre le Saint-Laurent. Elle termine sa course d'une façon spectaculaire en tombant d'une hauteur de 84 m dans les eaux du fleuve, au nord de l'île d'Orléans. C'est la plus haute chute d'eau du Québec et la neuvième au Canada. La chute Montmorency a 30 m de plus que les chutes du Niagara. C'est Samuel de Champlain qui, en 1603, a ainsi nommé cette chute en l'honneur de Charles de Montmorency, vice-roi de la Nouvelle-France. La rivière est surtout connue par sa chute, qui n'a jamais cessé d'être une attraction touristique.

Mont-Orford (parc du), parc de récréation du Québec. Le parc de récréation du Mont-Orford est situé dans la région de l'Estrie à l'ouest de Sherbrooke. Le plus beau mont de cette région, le mont Orford, se dresse à 792 m dans le secteur sud de ce grand parc. Créé en 1938, le parc s'étend sur un territoire de 58 km^2. Le cerf y trouve un abri, et de très nombreuses espèces d'oiseaux y nichent. Avec ses 30 km de pentes, la station de ski du mont Orford est l'une des plus importantes du Québec. Le parc abrite le Centre d'art des Jeunesses musicales du Canada. Durant l'été, des professeurs et de grands artistes y donnent des cours, des concerts et des récitals.

Montréal (île de). Située au Québec, au cœur de l'archipel d'Hochelaga, au milieu du fleuve Saint-Laurent, l'île de Montréal s'est développée grâce à sa situation exceptionnelle au confluent de trois cours d'eau: le Saint-Laurent, l'Outaouais et le Richelieu. Elle est la deuxième grande île du Saint-Laurent, la première étant l'île d'Anticosti. Elle est également la plus grande île de l'archipel d'Hochelaga, avec ses 48 km de long sur 16 km de large. Abritant près du quart de la population du Québec, elle regroupe, entre autres, les municipalités suivantes: Senneville, Sainte-Anne-de-Bellevue, Pointe-Claire, Dorval, Beaconsfield, Saint-Laurent, Lachine, LaSalle, Outremont, Verdun, Westmount, Montréal, Montréal-Nord, Saint-Léonard et Anjou.

Montréal, ville du Canada. Située dans le sud-ouest du Québec, la ville de Montréal se dresse sur l'île du même nom, dominée par le mont Royal. Elle occupe une position stratégique sur l'un des plus grands fleuves du monde, le Saint-Laurent. Plus de 1 015 500 Montréalais et Montréalaises y habitent. À l'origine, au XVIe siècle, Montréal était un important village iroquois nommé Hochelaga. Jacques Cartier y fut accueilli en 1535. Un groupe de Français, réunis au sein de la Société de Notre-Dame de Montréal, s'y établit en permanence. Leur but premier était d'évangéliser et de convertir les Amérindiens. Ils nommèrent Paul de Chomedey, sieur de Maisonneuve, à la tête du premier groupe qui s'installa à Montréal en 1642. On donna le nom de Ville-Marie au village, et Maisonneuve en devint officiellement le fondateur et le premier gouverneur. Montréal acquit son statut de ville en 1832, et élut son premier maire (Jacques Viger) en 1833. Le port de Montréal, situé à l'entrée de la voie maritime du Saint-Laurent (1959), est le deuxième port en importance en Amérique et le plus grand port intérieur du Canada, à 1 600 km de la mer. Deux aéroports internationaux desservent Montréal. Dorval reçoit les vols en provenance du Canada et des États-Unis, et Mirabel, tous les vols internationaux. Montréal est un centre financier et commercial des plus actifs. Ses industries sont très diversifiées: aliments, boissons, tabac, textile, vêtement, bois, meubles, papier, imprimerie et activités connexes, fabrication de machines, matériel de transport, produits électriques, caoutchouc, produits de plastique, pétrole, chimie, aéronautique, pharmaceutique, etc. Montréal fut le site d'événements internationaux: l'Exposition universelle de 1967 (Expo 1967), les Jeux olympiques d'été de 1976 et les Floralies internationales de 1980. Montréal est également un important centre universitaire, le plus grand centre francophone en Amérique du Nord, un centre de compétitions sportives et un centre touristique. Depuis 1970, la ville fait partie de la Communauté urbaine de Montréal. Certains quartiers pittoresques de Montréal se distinguent par leurs maisons anciennes à deux ou trois étages et leurs escaliers en colimaçon. Montréal est doté depuis 1966 d'un métro relié aux grands magasins, aux boutiques, aux hôtels, aux restaurants et aux salles de spectacle par l'un des plus grands réseaux piétonniers souterrains du monde.

Montréal, région administrative du Québec. Située dans le sud-ouest de la province de Québec, la région de Montréal englobe toutes les municipalités de l'île de Montréal. C'est la région administrative la plus peuplée du Québec. Un port (Montréal), un aéroport (Dorval) et un réseau routier développé favorisent sa croissance économique, fondée sur un secteur industriel diversifié, le commerce et le tourisme.

Montréal-Nord, ville du Canada. La ville de Montréal-Nord est située au Québec, dans la partie nord-est de l'île de Montréal. Membre de la C.U.M. (Communauté urbaine de Montréal), elle obtint son statut de municipalité en 1915. Ses 90 300 habitants vivent sur un territoire de 11 km^2 et travaillent dans les industries de l'alimentation, des communications et du transport.

Montréal-Ouest, ville du Canada. Fondée en 1897, cette ville résidentielle, située au Québec, au centre-sud de l'île de Montréal, à la limite ouest de la ville de Montréal, s'étend sur 1,63 km^2 et compte une population de près de 5 400 habitants.

Mont-Royal, ville résidentielle située au centre de l'île de Montréal. Mont-Royal a obtenu son statut de municipalité en 1912. Sa population compte près de 18 350 habitants (Montérégiens et Montérégiennes).

Mont-Saint-Hilaire, ville du Canada. Mont-Saint-Hilaire est situé au Québec, sur la rive est de la rivière Richelieu, au pied du mont Saint-Hilaire. Érigée en 1912, la ville compte près de 10 600 Hilairemontais et Hilairemontaises. Construite dans une région de vergers et d'érablières, elle exploite tous les produits de la pomme et de l'érable.

Mont-Saint-Hilaire (réserve de la biosphère du), première réserve de la biosphère du Québec. Créée par l'Unesco en 1978, cette réserve couvre la majeure partie de la montagne. Cette reconnaissance internationale lui a été accordée pour la qualité de sa faune. Attirant de nombreux visiteurs, ce centre de conservation de la nature est sous la responsabilité de l'Université McGill.

Mont-Tremblant (parc de récréation du), parc récréatif du Québec. Le parc du Mont-Tremblant est situé dans la région des Laurentides. Son territoire de 2 564 km² s'étend au nord du village de Mont-Tremblant entre le parc Papineau-Labelle et la rivière Mastigouche. Il compte 985 lacs, 7 rivières et de nombreux ruisseaux et cascades. Le réseau hydrographique du parc présente de multiples avantages en ce qui concerne les activités récréatives. Les plus hauts sommets atteignent 850 m. Une route de 160 km, grimpante et sinueuse, offre aux visiteurs toutes les beautés de la nature. Les amateurs de plein air peuvent y pratiquer leurs activités préférées: la chasse, la pêche, le ski, le camping, etc.

Moose (rivière), rivière du Canada. Située dans le nord-est de l'Ontario, la rivière Moose naît de la jonction des rivières Matagami et Missinaibi et se jette dans la baie James.

Moreau (Basile), prêtre, né en France en 1799 et mort au Canada en 1873. Prêtre français, supérieur, en 1835, des frères de Saint-Joseph du Mans et fondateur, en 1837, des communautés des sœurs, des frères et des prêtres de Sainte-Croix, Basile Moreau se consacre à la diffusion de l'Évangile et à la dévotion à Jésus, Marie et Joseph. La Congrégation de Sainte-Croix s'établit au Canada dès 1847. Le frère André, fondateur de l'oratoire Saint-Joseph de Montréal, faisait partie de cette congrégation.

Moreau (Mgr Louis-Zéphirin) ☞ **Louis-Zéphirin Moreau** (bienheureux).

Morin (Marie), religieuse, née à Québec en 1649 et morte à Montréal en 1730. À l'âge de onze ans, Marie Morin entre au noviciat de l'Hôtel-Dieu. À seize ans, elle prononce ses vœux et devient ainsi la première religieuse canadienne de Ville-Marie (Montréal). Élue supérieure de l'Hôtel-Dieu à deux reprises, elle devient également assistante et maîtresse des novices, puis se voit confier les tâches d'économe. Elle vit dans une grande pauvreté et connaît de dures épreuves: deux incendies ravagent l'Hôtel-Dieu, l'un en 1695 et l'autre en 1721. En 1697, Marie Morin commence à rédiger ses *Mémoires*, qu'elle termine le 16 septembre 1725. Elle meurt à quatre-vingt-un ans après avoir consacré soixante-sept ans de sa vie à son hôpital.

Morse (Samuel Finley Breese), inventeur américain, né au Massachusetts, États-Unis, en 1791 et mort à New York, États-Unis, en 1872. On lui doit l'invention du télégraphe électrique appelé morse. Après avoir consacré plusieurs années d'efforts à la mise au point de son appareil, il en a fait les premiers essais en 1837, mais le gouvernement ne s'y intéresse pas. Ce n'est qu'en 1840 qu'il obtient son brevet et, trois ans plus tard, une ligne entre Washington et Baltimore lui permet de faire fonctionner son système de télégraphie. Morse exerçait aussi le métier de peintre et fonda une association de peinture.

Morte (mer), mer intérieure du Moyen-Orient. Située sur la frontière entre Israël et la Jordanie, la mer Morte reçoit ses eaux du Jourdain et s'ouvre sur la mer Rouge. Son taux de salinité est extrêmement élevé (30 %). Aucune vie n'y est possible, mais les environs recèlent d'importants gisements de potasse, de brome et de magnésium.

Moscou [*Moskva*], capitale de l'U.R.S.S. Cette ville est située au centre-ouest du pays dans la plaine russe sur la Moskova. Au centre de la capitale, le Kremlin, siège du Soviet suprême et du Parti communiste de l'U.R.S.S., forme un ensemble de bâtiments administratifs et de monuments historiques. Moscou est le principal centre intellectuel et scientifique du pays. Sa population s'élève à plus de 8,4 millions de Moscovites. C'est aussi un grand port fluvial et le siège de l'Académie des sciences de l'U.R.S.S. Son développement économique est fondé sur les industries de construction mécanique, d'équipements électriques et électroniques, les industries chimiques (teinture, caoutchouc synthétique, médicaments, parfums) et les industries textiles et alimentaires. La place Rouge, en bordure du Kremlin, abrite le mausolée de Lénine.

Moskva ☞ **Moscou**.

Mousseau (Joseph-Alfred), avocat et homme politique, né à Berthierville, au Québec, en 1838 et mort à Montréal en 1886. Journaliste, Joseph-Alfred Mousseau participe à la fondation du *Colonisateur* en 1862 et de *L'Opinion publique* en 1870. Député de Bagot à Ottawa (1874-1882), il exerce également les fonctions de secrétaire d'État (1880) et de président du Conseil exécutif (1880-1882). Il quitte ce poste et est élu député de Jacques-Cartier à Québec. En 1882, il occupe les postes de premier ministre et de procureur général pour une période de deux ans. Il est nommé juge à la Cour supérieure en 1884 et meurt subitement en 1886.

Moyen-Orient, ensemble formé par l'Égypte et les pays d'Asie occidentale. Désigné aussi sous le nom de Proche-Orient, le Moyen-Orient comprend plusieurs nations d'Asie du Sud-Ouest, notamment l'ensemble des pays riverains de la Méditerranée orientale. Les plus importants sont la Turquie, le Liban, la Syrie, Israël, la Jordanie, l'Égypte, la Libye, les pays de la péninsule arabique, l'Iraq et l'Iran. La population du Moyen-Orient est en majorité musulmane. Le christianisme occupe une place importante à Chypre et au Liban. La population d'Israël est presque entièrement juive. La coexistence des populations islamiques et judaïques y est à l'origine de violents conflits. Le Moyen-Orient constitue la deuxième région du monde du point de vue de la production de pétrole.

Mozambique, État du sud-est de l'Afrique. D'une superficie de 785 000 km², le Mozambique est situé au sud de l'Afrique orientale, entre la Tanzanie, l'océan Indien, le Swaziland, l'Afrique du Sud, le Zimbabwe et la Zambie. Sa capitale est Maputo. Le pays est constitué d'une plaine côtière et de plateaux intérieurs s'inclinant du nord au sud. Les fleuves les plus importants sont le Zambèze et le Limpopo. Le climat tropical comporte une saison sèche et permet la croissance de la savane, qui couvre l'ensemble du territoire. La population s'élève à 14,7 millions d'habitants (Mozambicains et Mozambicaines). La langue officielle est le portugais. Les principales religions sont le catholicisme et les cultes animistes. La monnaie utilisée est le metical. L'économie du Mozambique est liée essentiellement à l'agriculture, particulièrement aux cultures vivrières (blé, riz, maïs, manioc, arachide) et aux cultures d'exportation (coton, bananes, noix de cajou, canne à sucre et thé). Ancienne colonie portugaise, le Mozambique est devenu indépendant en 1975. Le pays est aujourd'hui dirigé par un président.

Mozart (Wolfgang Amadeus), compositeur autrichien, né à Salzbourg, Autriche, en 1756 et mort à Vienne, Autriche, en 1791. Mozart manifeste dès l'âge de 5 ans des dons exceptionnels pour la composition et la musique. Accompagné de son père et de sa sœur, l'enfant prodige entreprend des tournées en Europe et conquiert vite la faveur des souverains. À la fin de sa vie, le virtuose autrichien laisse une œuvre immense: 13 opéras, dont *Les noces de Figaro* (1786) et *La flûte enchantée* (1791), 15 messes (*Requiem*) et 41 symphonies, sans compter des sonates, des concertos pour le piano et des œuvres de musique de chambre. Mozart demeure l'un des plus grands musiciens de tous les temps. Il a non seulement réussi la synthèse des courants de la musique européenne, mais il a également su traduire avec élégance les tourments et les passions de l'âme humaine.

Mulroney (Brian), homme politique canadien, né à Baie-Comeau en 1939. Fils d'immigrants irlandais, Brian Mulroney poursuit ses études universitaires en Nouvelle-Écosse, où il étudie les sciences politiques, se joint au Parti conservateur du campus et devient premier ministre du parlement des universités de l'Atlantique. Parfaitement bilingue, il retourne au Québec en 1961 et fait ses études de droit à l'Université Laval. Ensuite, il travaille pour un important cabinet d'avocats de Montréal et se spécialise en droit du travail. Brian Mulroney a été président de l'*Iron Ore* de 1977 à 1983. En septembre 1984, il devient le 18e premier ministre du Canada. Aux élections de 1988, il est élu pour un deuxième mandat et le Parti conservateur obtient la majorité des voix.

Brian **Mulroney**

ZIMBEL/PUBLIPHOTO

Munich, ville d'Allemagne, capitale de la Bavière. La ville de Munich est située en Allemagne méridionale, sur l'Isar, au centre du plateau bavarois. Centre financier, commercial et culturel, elle conserve un ensemble remarquable de monuments, abrite également de nombreux musées et l'une des plus importantes universités d'Allemagne fédérale (R.F.A.). Munich, qui est au troisième rang des villes d'Allemagne, présente un large éventail d'activités industrielles: construction mécanique et électrique, produits chimiques, matériel de précision et optique, porcelaine, imprimerie, édition, industrie du cinéma et brasseries. En outre, la ville demeure réputée pour ses carnavals, ses fêtes (fête de la bière) et la beauté de ses environs. Munich a été l'hôte des Jeux olympiques en 1972.

Murdochville, ville du Canada. Murdochville est située au Québec, en Gaspésie. Érigée en 1963, cette ville minière de plus de 2 300 Murdochvillois et Murdochvilloises occupe le centre de la péninsule gaspésienne. À partir de 1952, l'exploitation des mines de cuivre marque la fondation de cette ville. Le nom de Murdochville vient de James Murdoch, l'un des présidents de la compagnie Les mines Noranda inc. Murdochville est un centre d'extraction du minerai de cuivre, dont le port de Gaspé permet l'exportation.

Murray (James), officier et administrateur, né à Ballencrieff, Écosse, en 1721 ou 1722 et mort à Beauport House, Angleterre, en 1794. Après la bataille des Plaines d'Abraham, Murray conserve le commandement de la ville de Québec. En 1760, il est nommé gouverneur du district de Québec et, de 1763 à 1768, il occupe le poste de gouverneur de la province de Québec. Il prend le parti des cultivateurs francophones contre les commerçants anglais nouvellement débarqués. Par suite de l'opposition des commerçants, il est rappelé en Angleterre en 1768.

Mussolini (Benito), homme politique italien, né en Italie en 1883 et mort dans le même pays en 1945. En 1919, après la Première Guerre mondiale, Mussolini fonde les Faisceaux italiens de combat, groupe fasciste dont il sera le chef. Nommé premier ministre en 1922, pleins pouvoirs en main, il exerce sur l'Italie une véritable dictature dès 1925. Après avoir envahi l'Éthiopie et l'Albanie, il engage l'Italie dans la Seconde Guerre mondiale aux côtés de l'Allemagne. Après sa démission en 1943, il est arrêté, puis délivré par les Allemands. Il tente alors d'organiser une république sociale italienne dans le nord de l'Italie. Lors de la défaite de l'Allemagne, le *Duce* (le Guide), ainsi qu'on l'avait surnommé, tente de fuir vers l'Italie, mais il est arrêté par des partisans communistes, qui l'exécutent le 28 avril 1945.

Nagasaki, ville du Japon. Grand port du Japon, Nagasaki compte 450 000 habitants. La ville, qui abrite de très importants chantiers de constructions navales et des monuments anciens, fut en grande partie détruite le 9 août 1945 par la seconde bombe atomique lancée sur le Japon par les Américains. L'explosion causa la mort de 20 000 personnes et fit 50 000 blessés.

Nahanni (parc national de la), parc national du Canada. D'une superficie de 4 700 km², le parc national de la Nahanni, créé en 1972, est situé dans le sud-ouest des Territoires du Nord-Ouest. Il comprend des montagnes, des rivières et des sources d'eau chaude qui se répartissent de part et d'autre de la rivière Nahanni Sud, qui serpente sur plus de 320 km dans le parc. On y trouve une flore et une faune très variées. L'Unesco a inscrit le parc sur la liste du patrimoine mondial.

Nahanni Sud, rivière du Canada. Située dans les Territoires du Nord-Ouest, près de la frontière du Yukon, la rivière Nahanni Sud prend sa source dans les monts Selwyn, traverse les monts Mackenzie, serpente dans le parc de la Nahanni et se jette dans la rivière Liard, après avoir parcouru quelque 560 km.

Nairobi, capitale du Kenya. Nairobi est situé dans le sud-ouest du pays à 1 660 m d'altitude, dans une région montagneuse et volcanique. La ville compte 1 104 000 habitants. Important carrefour économique, Nairobi est un centre commercial, administratif et industriel (industries alimentaires, mécaniques et du bois). La ville possède une université et un aéroport. Une réserve d'animaux à proximité de la ville attire de nombreux touristes.

Namibie, territoire de l'Afrique australe, dépendant de la République d'Afrique du Sud. D'une superficie de 825 000 km², la Namibie est baignée à l'ouest par l'océan Atlantique et est limitée par l'Angola, la Zambie, le Botswana et l'Afrique du Sud. La capitale est Windhoek. Le pays est formé d'un vaste plateau qui retombe sur le désert côtier du Namib. Le climat est aride. La Namibie compte 1 040 000 habitants. L'anglais et l'afrikaans sont les langues officielles, mais l'allemand et le bantou sont aussi employés. Les religions animiste, catholique et protestante sont pratiquées. La monnaie utilisée est le rand sud-africain. L'élevage (moutons karakul, bœufs, chèvres) ainsi que la pêche favorisent les industries alimentaires. Le pays exporte de l'astrakan. Le sous-sol recèle d'énormes richesses (diamant, uranium, cuivre, plomb, cadmium). Colonie allemande en 1883, la région fut conquise par les Sud-Africains en 1915. L'Afrique du Sud maintient sa tutelle sur ce territoire, malgré l'opposition de l'O.N.U.

Naococane (lac), lac du Canada. D'une superficie de 353 km², le lac Naococane est situé au centre de la province de Québec, dans la région du Nord-du-Québec, à l'est de la baie James et au sud de la Grande Rivière.

Naples, ville d'Italie. Ville portuaire située au fond du golfe du même nom, dans le sud de l'Italie, Naples est la troisième ville en importance au pays. Le Vésuve, un volcan actif, se dresse à 8 km au sud-est de la ville. Naples compte 1 206 000 Napolitains et Napolitaines. L'industrie y est très développée : aciéries, cimenteries, raffineries de pétrole, industries chimiques, mécaniques, textiles et alimentaires. Centre culturel et touristique, la ville possède une université, des monuments anciens et des musées.

Napoléon Ier (Napoléon **Bonaparte**, couronné sous le nom de), empereur des Français, né à Ajaccio, Corse, en 1769 et mort à Sainte-Hélène (une île britannique du sud de l'Atlantique) en 1821. Il fait des études militaires en France. Nommé commandant d'armée, il se révèle fin stratège et acquiert aussi les qualités d'un chef d'État. Il est également reconnu pour son intelligence vive, son imagination créatrice et son extraordinaire capacité de travail. Il combat en Italie, en Autriche, en Égypte, en Syrie et en Russie. En 1804, Bonaparte se fait proclamer empereur des Français, sous le nom de Napoléon Ier, et, en 1805, roi d'Italie. En mars 1796, il avait épousé Joséphine de Beauharnais, qui ne put lui donner d'héritiers. En 1809, il répudie Joséphine et épouse, l'année suivante, Marie-Louise d'Autriche, qui lui donnera en 1811 un fils qui deviendra le roi de Rome (Napoléon II). Durant son règne, il modernise et améliore l'enseignement, l'urbanisation et l'économie; il s'occupe aussi des beaux-arts et de la littérature. Il donne une base juridique à la société par la création du code Napoléon (encore en vigueur). Napoléon Ier perdit sa dernière bataille contre les Anglais, à Waterloo, le 18 juin 1815. Prisonnier des Anglais, Napoléon fut déporté sur l'île Sainte-Hélène où il mourut, six ans plus tard, loin des siens.

Naskapis, nation autochtone du Canada. D'origine incertaine, les Naskapis habitent depuis longtemps les régions du nord de la province de Québec et du Labrador. Les missionnaires français du XVIIe siècle font mention de ce groupe amérindien dans leurs écrits. À la fin du XIXe siècle, le terme *Naskapi* se rapporte à un groupe non christianisé du Nord, appelé *Mushuau Innuts* en amérindien, ce qui signifie «peuple de la toundra». Actuellement, au Québec, 392 Naskapis vivent dans la réserve de Kawawachikamach, à 15 km au nord de Schefferville. Ils parlent naskapi et anglais et vivent surtout de chasse et de pêche. Au début des années 1970, ils se sont dotés d'organismes les représentant auprès des gouvernements afin de régler des revendications territoriales. À la suite de la signature de la Convention de la Baie-James et du Nord québécois, et de la Convention du Nord-Est québécois, les Naskapis de Schefferville obtiennent en 1978 leur territoire actuel avec des droits exclusifs de chasse et de pêche.

Natashquan (rivière), rivière du Canada qui prend sa source au Labrador. Après un parcours de quelque 145 km, la rivière Natashquan se jette dans le golfe du Saint-Laurent, en face de l'île d'Anticosti, dans la région de la Côte-Nord, au Québec. Le village de Natashquan, patrie du chansonnier québécois Gilles Vigneault, se trouve à son embouchure. Sous le Régime français, un poste de traite et de pêche avait été établi près de la rivière. *Natashquan* est un mot cri qui signifie «aller chercher l'ours». Ce nom fut donné à la rivière pour évoquer une chasse à l'ours mémorable dans la région.

Nautilus, premier sous-marin atomique construit par les États-Unis en 1954. Le *Nautilus* a fait un voyage de 95 000 km sans ravitaillement en 1958. Il a traversé le pôle Nord sous la calotte glaciaire sans remonter une seule fois à la surface. Son nom rend hommage au roman de Jules Verne, *Vingt mille lieues sous les mers*, dont le héros, le capitaine Nemo, accomplit cet exploit à bord d'un Nautilus fictif.

CANAPRESS PHOTO SERVICE

Le *Nautilus*

Nazareth, ville d'Israël en Galilée. Situé au nord de Jérusalem, Nazareth est le lieu où Jésus vécut après avoir fui de Bethléem. Il y vécut avec Marie, sa mère, et Joseph, son père nourricier, jusqu'à son baptême par Jean Baptiste à l'âge de 30 ans. Cette ville compte actuellement 39 400 Nazaréens et Nazaréennes. C'est un centre de tourisme et de pèlerinage.

Nelligan (Émile), poète canadien, né à Montréal en 1879 et mort au même endroit en 1941. Nelligan est l'un des plus célèbres poètes canadiens-français. Composée alors qu'il n'avait pas encore 20 ans, son œuvre poétique, de style romantique et symboliste, est marquée par un goût du morbide et un refus de la réalité. *La romance du vin, Soir d'hiver* et *Le vaisseau d'or* lui ont valu une grande renommée. Hospitalisé à vingt ans pour une maladie nerveuse, le poète demeure interné jusqu'à la fin de ses jours.

Nelson (Wolfred), médecin et homme politique canadien, né à Montréal en 1792 et mort en 1863. Chirurgien-major à l'hôpital militaire, Nelson est élu à la Chambre d'Assemblée en 1827, puis démissionne de son poste en 1830. En 1837, il prend la tête des Patriotes lors de la bataille de Saint-Denis. Fait prisonnier, il est exilé aux Bermudes en 1838. De retour en 1842, il exerce la médecine à Montréal et est député de 1844 à 1851, puis maire de Montréal de 1854 à 1856.

Nelson (fleuve), fleuve du Canada. Situé dans la province du Manitoba, le fleuve Nelson prend sa source dans le lac Playgreen à la pointe nord-ouest du lac Winnipeg. Il parcourt ensuite 644 km en direction du nord-est et traverse de nombreux lacs avant d'atteindre la baie d'Hudson. Étant donné sa forte inclinaison et son imposant débit, le fleuve Nelson est exploité pour la production d'hydroélectricité.

Népal, État d'Asie. D'une superficie de 141 000 km², le Népal est limité par l'Inde et le Tibet. Sa capitale est Katmandou. Le relief du Népal se caractérise au nord par une plaine traversée par des montagnes (chaînes de l'Himālaya, 8 000 m). Le Centre est sillonné de larges vallées et de grandes rivières descendant vers le fleuve Gange. Le climat tropical est très humide dans l'Est et plus sec dans l'Ouest. Le Népal compte 15,8 millions d'habitants (Népalais et Népalaises). La langue officielle est le népali et les principales religions, l'hindouisme et le bouddhisme. La monnaie utilisée est la roupie népalaise. L'agriculture (riz, blé, maïs) et l'élevage (buffles, yacks, chèvres, moutons) sont importants. Le sous-sol, qui recèle du plomb, du cuivre et de l'argent, est inexploité. Le Népal possède des industries de transformation du jute et de matériel agricole, et exporte des produits alimentaires et des bois rares. Le tourisme est très actif. Le Népal est une monarchie constitutionnelle constituant un royaume indépendant.

Neptune, planète du système solaire. À partir du Soleil, Neptune est la huitième planète du système solaire. Neptune fut découverte en 1846. Elle est si éloignée de la Terre qu'il est impossible de l'observer à l'œil nu. Il lui faut 15 heures 48 minutes pour accomplir une rotation sur elle-même. L'atmosphère de Neptune est comparable à celle d'Uranus et comporte des températures de −210 °C. On lui connaît deux satellites: Triton et Néréide.

Néron, empereur romain, né en 37 et mort en 68. Néron amorce son règne avec douceur, mais bientôt il se livre à un despotisme marqué par la folie. Il fait mourir sa femme et sa mère, persécute les chrétiens et fait incendier la ville de Rome. Renversé par une révolte militaire, il est proclamé ennemi public et se donne la mort.

Neuflize (Roberte **de**), cofondatrice du *Dominion Festival Drama*. Elle était mariée à lord Bessborough, gouverneur général du Canada de 1931 à 1935. Tous deux comédiens amateurs, ils ont encouragé le développement du théâtre amateur au Canada en fondant ensemble ce festival.

New Delhi, capitale de l'Inde. Construite au sud de la vieille ville de Delhi, la ville de New Delhi fut inaugurée en 1931. Important centre administratif, elle abrite le siège du gouvernement de l'Inde et les principaux ministères. La ville, qui ne cesse de se développer, compte 300 000 habitants. La croissance économique de New Delhi repose sur les industries chimiques et textiles, sur l'industrie du caoutchouc et sur l'artisanat.

Newton (sir Isaac), physicien, mathématicien, astronome et penseur anglais, né à Woolsthorpe, Angleterre, en 1642 et mort à Londres en 1727. Professeur de mathématiques à Cambridge, Newton découvre l'attraction terrestre en 1665 en voyant tomber une pomme à ses pieds; il étend ce phénomène à la Lune, au Soleil et aux planètes. Ses travaux portent, entre autres, sur l'optique, la lumière et les couleurs. Il fait la démonstration, à l'aide du «disque de Newton», que la lumière blanche est composée de plusieurs couleurs. En 1671, il invente le télescope. Il contribue à l'avancement des mathématiques en établissant les bases du calcul différentiel et intégral. Auteur de nombreux ouvrages, Newton rédige en 1687 son œuvre maîtresse: *Principes mathématiques de philosophie naturelle*.

New York, ville des États-Unis. Situé dans l'État de New York, à l'embouchure de l'Hudson, sur l'océan Atlantique, New York est la plus grande ville des États-Unis. La ville compte 7 millions de New-Yorkais et de New-Yorkaises. New York comprend de nombreuses petites îles dont celle dite de la Liberté, où se trouve la célèbre statue de la Liberté. La ville est formée de cinq districts: Manhattan, Queens, Brooklyn, Richmond et Bronx. Parmi les quartiers célèbres de New York, mentionnons, entre autres, le quartier financier autour de *Wall Street*, avec les bâtiments les plus hauts du monde, le quartier chinois (*Chinatown*), le quartier intellectuel et artistique de *Greenwich Village* et le quartier noir de *Harlem*. Le long des principales avenues, on trouve l'*Empire State Building*, le *Madison Square Garden*, le *Rockfeller Center*, la *cathédrale St. Patrick* et le *Lincoln Center* près de *Central Park*. New York possède les plus grands musées des États-Unis et quelques constructions d'architecture ancienne. New York est la capitale financière de l'Occident et le principal centre commercial des États-Unis. C'est aussi un foyer culturel et une métropole industrielle: plus de 35 000 entreprises emploient près de 1 million de personnes. New York est le siège de l'Organisation des Nations Unies (O.N.U.).

Niagara (péninsule du), presqu'île du Canada. Située dans le sud de l'Ontario, entre les lacs Ontario et Érié et la rivière Niagara, qui sert de frontière avec les États-Unis, cette région bénéficie du meilleur climat et des meilleurs sols du Canada. Ceux-ci, sablonneux et argileux, favorisent la culture des fruits. La plupart des fruits tendres et des vignes y sont cultivés. L'est de la presqu'île est traversé par la rivière Niagara, qui coule vers le nord et engendre les spectaculaires chutes du Niagara. Du côté américain, la chute a une hauteur de 64 m et une largeur de 305 m; la chute canadienne, en forme de fer à cheval, a une hauteur de 54 m et une largeur de 675 m. Ces chutes sont les premières du monde par leur volume. Plusieurs villes sont construites sur la péninsule du Niagara, dont la ville de Niagara Falls, qui doit son nom aux chutes. On y trouve un parc provincial et un musée historique. La région est une attraction touristique de premier plan. *Niagara* est un mot amérindien qui signifie «tonnerre des eaux».

Niamey, capitale du Niger. Bâtie dans une vallée, la ville est située dans le sud-ouest du pays, en bordure du Niger. Niamey compte 360 000 habitants. Son développement économique repose sur un complexe textile et l'exportation de bétail et de viande.

Nicaragua, État de l'Amérique centrale. D'une superficie de 148 000 km^2, le Nicaragua est situé entre la mer des Caraïbes et l'océan Pacifique et est limité par le Honduras et le Costa Rica. Sa capitale est Managua. L'intérieur du pays est montagneux et baigné par les lacs Nicaragua (8 400 km^2) et Managua. La plaine côtière des Caraïbes est couverte de forêts denses favorisées par des pluies fréquentes. Le climat tropical est tempéré par l'altitude. Le Nicaragua compte 3,1 millions d'habitants (Nicaraguayens et Nicaraguayennes). La langue officielle du pays est l'espagnol, mais l'anglais, le créole et des langues indiennes sont employés. Le catholicisme est la religion dominante. La monnaie utilisée est le córdoba. On trouve au Nicaragua de grandes exploitations agricoles. Le café et le coton sont les produits de base de l'économie. Les richesses minérales (or, argent, cuivre) sont peu exploitées. Ancienne colonie espagnole, le pays devint indépendant en 1821. Après un siècle de troubles et de guerres civiles, le pays fut soumis à la dictature. En 1987, il signe avec quatre pays d'Amérique centrale un accord visant à rétablir la paix dans la région. Un président élu dirige ce pays.

Nicolet (Jean), interprète et explorateur français, né à Cherbourg, France, en 1598 et mort à Sillery, Québec, en 1642. Venu en Nouvelle-France en 1618, Jean Nicolet s'engage comme interprète pour la Compagnie des marchands, fait de longs séjours chez différentes nations amérindiennes et conclut des alliances qui facilitent le commerce des fourrures. Il découvre le lac Michigan en 1634 et entre au service de la Compagnie des Cent-Associés comme commis. Il se noie en face de Sillery en faisant route vers Trois-Rivières. La ville de Nicolet lui doit son nom.

Nicolet (rivière), rivière du Canada. Située au Québec, la rivière Nicolet prend sa source dans le lac Nicolet, à 70 km à l'est de Drummondville, et se jette à l'extrémité est du lac Saint Pierre. La ville de Nicolet, qui doit son nom à l'explorateur Jean Nicolet, est située à son embouchure.

Niger, État de l'Afrique occidentale. Le Niger est borné par l'Algérie, la Libye, le Tchad, le Nigéria, le Bénin, le Burkina Faso et le Mali. Niamey est la capitale. D'une superficie de 1 267 000 km^2, le pays est formé de plateaux désertiques et de massifs qui séparent deux grands bassins: le bassin du Tchad et celui du Niger. Son climat est l'un des plus chauds du monde. Le Niger compte 6,5 millions d'habitants (Nigériens et Nigériennes). La langue officielle est le français, mais plusieurs langues africaines sont employées. La religion dominante est l'islam. La monnaie utilisée est le franc C.F.A. L'économie du Niger repose sur l'agriculture (arachide, coton et tabac), la pêche et l'élevage. Le sous-sol recèle de l'uranium. Colonie française au début du XXe siècle, le Niger devint indépendant en 1960.

Niger (le), fleuve de l'Afrique occidentale. Le Niger, long de 4 200 km, est l'un des principaux fleuves d'Afrique, après le Nil et le Zaïre. Le Niger traverse le Mali, se dirige vers le Niger, draine le Nigéria et débouche dans le golfe de Guinée. À son embouchure, il forme un immense delta de marais. Son importance économique constitue un atout pour l'Afrique occidentale. Sur son parcours, on a découvert du pétrole et construit des centrales hydroélectriques; ses eaux servent à irriguer les terres avoisinantes. Le Niger possède des eaux poissonneuses et représente une voie commerciale de premier plan en Afrique occidentale.

Nigéria, État d'Afrique occidentale. D'une superficie de 924 000 km^2, le Nigéria est borné par le Bénin, le Niger, le Cameroun et le Tchad et baigné au sud par le golfe de Guinée. Sa capitale est Abuja. Le relief se compose de plateaux, de basses-terres et de plaines côtières marécageuses. Le fleuve Niger et son affluent, le Bénoué, drainent le Nigéria. Le climat, de type subéquatorial, explique la diversité de la végétation (steppe, savane, forêt). Le Nigéria est le pays le plus peuplé d'Afrique. Il compte 91,2 millions d'habitants (Nigérians et

Nigérianes). L'anglais est la langue officielle, mais 200 langues sont employées. Les religions pratiquées sont l'islam, le christianisme et l'animisme. La monnaie utilisée est le naira. L'économie du pays repose sur l'agriculture (cacao, caoutchouc, arachide), l'élevage et l'exploitation du pétrole, qui est la richesse essentielle du Nigéria et la base des exportations. Ancienne colonie anglaise, le Nigéria est indépendant et membre du Commonwealth depuis 1960. Depuis 1985, un militaire contrôle le pays où les partis politiques sont interdits.

Nightingale (Florence), infirmière britannique, née à Florence, Italie, en 1820 et morte à Londres, Angleterre, en 1910. En 1853, elle fonde un hôpital pour dames invalides à Londres et organise ensuite les hôpitaux militaires pendant la guerre de Crimée (1854-1855), la guerre de Sécession et la guerre franco-allemande. Enfin, elle reçoit l'Ordre du Mérite en 1907 pour ses réalisations et sa contribution à la formation des infirmières.

Nil (le), principal fleuve d'Afrique, d'une longueur de 6 700 km. Son bassin couvre la Tanzanie, le Kenya, le Rwanda, le Burundi, le Congo, le Soudan, l'Éthiopie et l'Égypte. Prenant naissance dans le Burundi, il porte le nom de Kagera. Il sort ensuite du lac Victoria (Nil Victoria), puis traverse d'autres lacs et prend le nom de Nil Blanc. Il traverse l'Égypte et se jette dans la Méditerranée, au nord du Caire. En Égypte, il creuse une vallée fertile grâce au limon de la crue estivale. De grands barrages sur le Nil ont développé l'irrigation.

Nobel (Alfred), industriel et chimiste suédois, né à Stockholm, Suède, en 1833 et mort à San Remo, Italie, en 1896. Alfred Nobel a consacré toute sa vie à l'étude des poudres et des explosifs. Il a inventé la dynamite en 1866. Avec sa fortune, il a fondé, par testament, des prix annuels destinés à récompenser les bienfaiteurs de l'humanité. Ces prix, qui sont décernés depuis 1901, touchent les domaines de la physique, de la chimie, de la physiologie et de la médecine, de la littérature, de la paix et, depuis 1969, des sciences économiques.

Noël, fête religieuse que les chrétiens célèbrent le 25 décembre pour rappeler la naissance du Christ.

Noël Chabanel (saint), missionnaire jésuite français, né en 1613 et mort en 1649. Noël Chabanel est l'un des huit martyrs canadiens canonisés en 1930. Il a travaillé à évangéliser les Amérindiens. Le père Chabanel, tué par un Huron, avait été désigné responsable de la mission Sainte-Marie-des-Hurons.

Noire (mer), mer intérieure entre l'Europe et l'Asie. Comprise entre l'U.R.S.S., la Roumanie, la Bulgarie et la Turquie, la mer Noire, d'une superficie de 435 000 km², communique avec la Méditerranée à travers la mer de Marmara par les détroits du Bosphore et des Dardanelles. Ses nombreux affluents, dont le Danube, rendent ses eaux peu salées. La mer Noire abrite de nombreux ports de commerce et des stations balnéaires et touristiques.

Noix (île aux), île de la rivière Richelieu. D'une longueur d'environ 800 m, l'île aux Noix, au Québec, est située entre la ville de Saint-Jean-sur-Richelieu et la frontière américaine. Elle doit son nom à Champlain, qui la découvre en 1609. Elle devient rapidement un lieu stratégique sur la route reliant le Québec aux États-Unis et un fort y est construit. Entre 1819 et 1829, les Anglais y construisent un autre fort, le fort Lennox, qui servira par la suite de pénitencier. La Direction des parcs nationaux et des lieux historiques en fait l'acquisition en 1921. Aujourd'hui, les touristes se rendent à l'île aux Noix pour admirer son paysage et visiter le fort Lennox et son musée historique et militaire.

Nominingue (lac), lac du Canada. Ce lac du Québec est situé au sud-est de Mont-Laurier, à quelques kilomètres de la réserve faunique de Papineau-Labelle. Le lac Nominingue donne naissance à la rivière Rouge et, à son extrémité sud, au Petit lac Nominingue.

Nord (mer du), mer formée par l'océan Atlantique. La mer du Nord est bordée par la Grande-Bretagne, la France, la Belgique, la Norvège, les Pays-Bas, l'Allemagne et le Danemark. D'une superficie de 570 000 km², elle est reliée à la Manche par le pas de Calais et s'ouvre sur l'Atlantique. À l'est, elle communique avec la mer Baltique. La pêche est largement pratiquée dans ses eaux poissonneuses. La mer du Nord recèle d'immenses réserves de pétrole et de gaz naturel.

Nord (rivière du), rivière du Canada. La rivière du Nord, longue de 113 km, prend sa source un peu au nord de la ville de Sainte-Agathe-des-Monts, dans la région des Laurentides au Québec. Elle s'écoule vers le sud, traverse la ville de Saint-Jérôme où elle prend la direction ouest, atteint la ville de Lachute et se jette enfin dans la rivière des Outaouais.

Nord-du-Québec, région administrative du Québec. Baignée au nord par le détroit d'Hudson et la baie d'Ungava, à l'ouest par la baie d'Hudson et la baie James, la région du Nord-du-Québec est limitée à l'est par le Labrador, au sud par les régions de l'Abitibi-Témiscamingue, du Saguenay – Lac-Saint-Jean, de la Mauricie – Bois-Francs et de la Côte-

Nord. Cette vaste région comprend la municipalité de Baie-James et les villes de Chapais, Chibougamau, Lebel-sur-Quévillon et Matagami. Elle abrite en outre des villages cris, des villages nordiques et un village naskapi. Les monts Otish y dominent (1 128 m). Du sud au nord, on rencontre trois zones de végétation: la forêt dense au sud, la taïga (épinettes) au centre et une végétation de toundra au nord. Le sous-sol de la région est riche en minerais (fer, amiante, nickel et cuivre). Parsemé de lacs et arrosé par de nombreuses rivières, le territoire est le site du grand complexe hydroélectrique La Grande.

Northumberland (détroit de), bras de mer qui sépare l'Île-du-Prince-Édouard du Nouveau-Brunswick et de la Nouvelle-Écosse, à l'est du Canada. D'une largeur de 4 à 17 km, il s'étend sur 225 km et communique avec le golfe du Saint-Laurent. Peu profond, il est caractérisé par de fortes marées, des eaux agitées et une grande concentration de limon et d'argile en suspension. Ses eaux, chaudes en été, favorisent l'activité touristique et l'industrie de la pêche aux crustacés et aux poissons.

Norvège, État de l'Europe du Nord. D'une superficie de 325 000 km², la Norvège est limitée par la mer de Norvège, la mer du Nord, l'U.R.S.S., la Finlande et la Suède. Sa capitale est Oslo. Le relief est composé de plateaux et de montagnes, et est parsemé d'innombrables lacs et de profondes vallées découpées par des côtes accidentées, formant ainsi les fjords. Le plus important cours d'eau est le fleuve Glama. La végétation est caractérisée par les pâturages et les forêts de conifères du Sud et du Sud-Ouest, les bouleaux et les saules dans les régions plus élevées et, à l'extrême nord, par la toundra. La Norvège compte 4 146 000 habitants (Norvégiens et Norvégiennes). Le norvégien est la langue officielle. La religion luthérienne est majoritaire. La monnaie utilisée est la couronne norvégienne. L'économie du pays est fondée sur l'industrie du bois, la culture de la pomme de terre, l'élevage de rennes, de bovins, d'ovins et d'animaux à fourrure (renards, visons), la pêche (hareng, anchois, sardine, maquereau et morue), le tourisme et les ressources pétrolières. La production d'électricité est importante et alimente les industries métallurgiques. La Norvège est le premier exportateur européen d'aluminium. Elle possède la troisième flotte de commerce du monde. L'un des pays d'origine des Vikings, la Norvège fut sous la domination du Danemark, puis de la Suède. Indépendante depuis 1905, la Norvège est dirigée par un roi et un gouvernement élu.

Notre-Dame (monts), chaîne de montagnes du Canada. Située dans l'est du Québec, cette chaîne de montagnes domine une partie de la péninsule gaspésienne. Prolongement des Appalaches, les monts Notre-Dame comprennent les monts McGerrigle et Chic-Chocs. Le mont Jacques-Cartier (1 268 m) est le point culminant.

Notre-Dame-des-Prairies, municipalité de paroisse du Canada. Située au Québec, sur la rive nord du fleuve Saint-Laurent près de la ville de Joliette, Notre-Dame-des-Prairies compte 5 800 Prairiquois et Prairiquoises.

Nottaway (rivière), rivière du Canada. Cette rivière du Nord-du-Québec est située à l'ouest de Chibougamau. Elle prend sa source dans le lac Matagami, coule vers le nord et parcourt 776 km avant de se jeter dans la baie de Rupert au sud-est de la baie James. Un poste de traite était établi à son embouchure à l'époque des colonies. Le nom de cette puissante rivière est d'origine amérindienne et se traduit par «l'ennemi» ou «rivière de l'ennemi».

Nouveau-Brunswick, province du Canada. D'une superficie de 73 436 km², le Nouveau-Brunswick est situé à l'est du pays. Il est borné par la province de Québec et les États-Unis (État du Maine), et est baigné par le golfe du Saint-Laurent, la baie des Chaleurs et la baie de Fundy. Il est séparé de l'Île-du-Prince-Édouard par le détroit de Northumberland et est rattaché, au sud-est, à la Nouvelle-Écosse. Le Nouveau-Brunswick est la plus grande des provinces maritimes canadiennes. Sa capitale est Fredericton et ses principales villes sont Saint-Jean et Moncton. La chaîne des Appalaches traverse la partie nord-ouest de la province. Vers le centre, on trouve une plaine favorable à la culture des pommes de terre. Le climat du Nouveau-Brunswick est de type continental. La forêt couvre près de 80 % du territoire (épinettes, sapins, érables rouges et érables à sucre, peupliers, bouleaux). Le Nouveau-Brunswick a un réseau étendu de rivières, les principales étant les rivières Saint-Jean et Miramichi. Le lac le plus important est le lac Grand. Le Nouveau-Brunswick compte 718 500 habitants (Néo-Brunswickois et Néo-Brunswickoises). La population est composée de 68 % d'anglophones et de 31 % de francophones. La forêt est la principale ressource de la province, favorisant autant les industries de coupe et de transformation du bois que les activités de tourisme (chasse et pêche). Au second rang vient l'exploitation du sous-sol (potasse, charbon, or). L'agriculture (importante production de pommes de terre) et la pêche commerciale sont aussi d'importantes ressources, liées à l'industrie de transformation alimentaire. Découverte par Jean Cabot (1497), puis par Jacques Cartier (1534), la région fut cédée aux Anglais par la France en 1713 et incluse dans la Nouvelle-Écosse. Elle devint une province indépendante en 1784. Le Nouveau-Brunswick a été l'une des quatre premières provinces (avec le Québec, l'Ontario et la Nouvelle-Écosse) à faire son entrée dans la Confédération en 1867. La devise du Nouveau-Brunswick est «L'espoir m'est redonné» et sa fleur emblématique est la violette.

Nouveau Parti démocratique, parti politique canadien. Fondé à Ottawa en 1961, le Nouveau Parti démocratique préconise des mesures sociales: soins de santé, pensions de vieillesse, assurance-chômage et autres programmes du même genre. Il favorise également la formation de syndicats, la planification de l'économie par le gouvernement et la propriété publique: sociétés de la Couronne, coopératives, etc. Le Nouveau Parti démocratique est présent tant sur la scène fédérale que sur la scène provinciale. Au niveau fédéral, il est considéré comme le troisième parti en importance au Canada.

Nouveau-Québec (cratère du), cratère météorique. Situé au Québec, dans la péninsule d'Ungava, près de la source de la rivière de Povungnituk, le cratère fut découvert en 1943. Les géologues croient que le trou, d'un diamètre de 3,5 km et d'une circonférence de 11 km, a été causé par la chute d'un météorite. Les Inuit le nomment *Pingualuk*, ce qui signifie «le grand bouton éruptif».

Nouvelle-Calédonie, île de l'Océanie. Située dans l'océan Pacifique, à l'est de l'Australie, la Nouvelle-Calédonie s'étire sur 400 km de long. Elle a une superficie de 16 750 km² (19 200 km² avec ses dépendances). Son centre administratif est Nouméa. Le relief de l'île est formé d'une longue arête montagneuse qui culmine au mont Panié (1 650 m). Il descend en gradins vers l'ouest, tandis que vers l'est les côtes sont abruptes. Le climat subtropical et humide favorise, à l'est, une végétation luxuriante (cocotiers, lianes, fleurs éclatantes), tandis que le versant ouest, plus sec, est le domaine de la savane. Les rivières sont courtes et régulières. La Nouvelle-Calédonie est un territoire français d'outre-mer depuis 1853. Elle compte 145 400 habitants (Néo-Calédoniens et Néo-Calédoniennes). Son économie repose principalement sur l'exploitation du nickel, dont elle est le troisième producteur mondial.

Nouvelle-Écosse, province du Canada. Province maritime située sur l'Atlantique et rattachée au nord-ouest au Nouveau-Brunswick, la Nouvelle-Écosse a une superficie de 55 490 km² et comprend la péninsule de la Nouvelle-Écosse et l'île du Cap-Breton. La Nouvelle-Écosse compte quelque 3 800 îles côtières. Sa capitale est Halifax et les villes principales sont Dartmouth et Sydney. La péninsule se caractérise par ses hautes-terres coupées par de grandes plaines. Une chaîne rocheuse occupe une partie du Nord, parallèlement aux montagnes du Sud. La côte atlantique est très accidentée: bras de mer, baies, îles et anses. Le climat, qui subit l'influence de l'océan, est froid et humide, mais plus doux dans les régions côtières. La forêt couvre près de 78 % de la superficie de la province. Dans les régions marécageuses et les terrains rocheux, on trouve des mousses, des lichens, des fougères, des broussailles, etc. Les fleurs sauvages et les plantes herbacées (canneberges, bleuets, verges d'or) y poussent en abondance. La Nouvelle-Écosse compte 886 800 habitants (Néo-Écossais et Néo-Écossaises). La population se compose de 96 % d'anglophones et de 3 % de francophones. L'exploitation de la forêt et l'industrie du bois et de la pâte à papier ont toujours été importantes pour l'économie de la province. Celle-ci vient au second rang canadien, après la Colombie-Britannique, pour la valeur des pêches. L'industrie laitière, l'agriculture et l'élevage (bétail et poules) jouent un rôle important. Le tourisme est aussi un apport économique de premier plan, favorisé par les nombreux lieux historiques (forteresse de Louisbourg dans l'île du Cap-Breton). Probablement atteinte par les Scandinaves vers le XIe siècle, la région fut découverte par Jean Cabot en 1497. En 1604, les Français y fondèrent Port-Royal. Ils furent chassés par les Anglais en 1613. La région reçoit le nom de *Nova Scotia* en 1621. Après 1667, la Compagnie de la Nouvelle-France peut de nouveau y installer des colons; ceux-ci forment la souche des Acadiens d'aujourd'hui. Les luttes entre Français et Anglais aboutissent au traité d'Utrecht, et la région est cédée à l'Angleterre en 1713. Les colons d'origine française furent déportés en 1755. En 1783, la région fut peuplée par les Loyalistes, ce qui entraîna la formation des colonies du Nouveau-Brunswick et du Cap-Breton, qui faisaient partie de la Nouvelle-Écosse. Celle-ci fit son entrée dans la Confédération en 1867, avec le Québec, l'Ontario et le Nouveau-Brunswick. La devise de la Nouvelle-Écosse est «L'un protège, l'autre vainc» et sa fleur emblématique est la primevère.

Nouvelle-France, nom donné aux possessions françaises en Amérique du Nord depuis l'époque des grandes découvertes au début du XVIe siècle jusqu'au traité de Paris en 1763. C'est à partir de cette date que la France cède définitivement le reste de ses possessions à l'Angleterre, sauf la Louisiane. C'est également la fin du pouvoir politique de la France en Amérique, mais non de la présence française. Ses limites territoriales s'étendaient alors de Terre-Neuve jusqu'au nord de la Floride et comprenaient Terre-Neuve, l'Acadie, les rives du Labrador, la région des Grands Lacs, l'embouchure du Mississippi, la vallée du Saint-Laurent, la Louisiane, vendue par Bonaparte aux États-Unis en 1803, ainsi que quelques postes de traite dans l'Ouest canadien.

Nouvelle-Guinée, île de l'océan Pacifique. D'une superficie de 800 000 km², la Nouvelle-Guinée est la plus grande île du monde après l'Australie et le Groenland. Située au nord de l'Australie, elle fait partie de l'Océanie. Sa partie occidentale est sous la dépendance de l'Indonésie, tandis que sa partie orientale constitue, avec quelques îles voisines, la Papouasie–Nouvelle-Guinée, qui est un État indépendant. Très montagneuse, l'île est surtout forestière et connaît un climat de type équatorial. Elle possède des volcans actifs et subit de fréquents tremblements de terre. La Nouvelle-Guinée compte 3 millions d'habitants. Sa population appartient à divers groupes raciaux. Le pidgin mélanésien, l'anglais et quelque 700 langues locales sont employés. L'économie de la Nouvelle-Guinée dépend essentiellement de l'agriculture de subsistance (patates douces, ignames et bananes), de quelques industries manufacturières, scieries et industries alimentaires.

Nouvelle-Orléans (La), en anglais, New Orleans, ville des États-Unis. La Nouvelle-Orléans est située en Louisiane sur le fleuve Mississippi. Cette ville portuaire est la principale ville de la Louisiane. Sa population s'élève à plus de 550 000 habitants. Fondée par les Français en 1718, elle fut vendue avec la Louisiane aux États-Unis en 1803. Aujourd'hui, c'est un grand centre industriel et commercial qui abrite, entre autres, des raffineries de pétrole. Cette ville touristique conserve de nombreux témoignages de son passé français et espagnol et est le berceau de la musique de jazz.

Nouvelle-Zélande, État insulaire d'Océanie. La Nouvelle-Zélande est formée de deux îles principales situées dans l'océan Pacifique, au sud-est de l'Australie. Sa capitale est Wellington et Auckland est une des villes principales. Les côtes des deux îles sont très découpées. L'ensemble présente un relief accidenté, où les rares plaines s'étendent entre les massifs montagneux. Les volcans sont nombreux et les séismes fréquents. Le climat de type océanique est tempéré, les vents sont violents et les pluies, abondantes en toute saison. Les rivières sont courtes et les lacs, nombreux et profonds. La Nouvelle-Zélande compte 3,3 millions d'habitants (Néo-Zélandais et Néo-Zélandaises). La population se compose d'Européens (90 %) en majorité d'origine britannique et de Maoris (10 %). L'anglais est la langue officielle, mais le maori est employé. La religion protestante est majoritaire. La monnaie utilisée est le dollar néo-zélandais. La population, très urbanisée, doit son niveau de vie élevé à l'élevage de bovins et surtout d'ovins, et aux industries agricoles. L'industrialisation repose sur l'importance du potentiel hydroélectrique. Colonie anglaise jusqu'en 1907, la Nouvelle-Zélande fait partie du Commonwealth depuis 1931. La reine Élisabeth II, représentée par un gouverneur, est le chef de l'État. Le pays est dirigé par un gouvernement élu.

O

Obedjiwan, réserve indienne du Canada. Obedjiwan est un village attikamek situé au Québec, dans la région Mauricie – Bois-Francs, à 143 km au sud de Chibougamau, sur la rive nord du réservoir Gouin. Il compte 1 092 Attikameks qui parlent attikamek et français. Les principales activités économiques sont la construction, la foresterie et les services (école primaire, centre de santé, épicerie, magasin de la baie d'Hudson). Le taux de chômage est élevé.

Océanie, un des six continents. D'une superficie de près de 9 millions de km^2, l'Océanie comprend le continent australien et diverses îles situées dans l'océan Pacifique, entre l'Asie à l'ouest et l'Amérique à l'est. Les îles de l'Océanie sont, pour la plupart, d'origine volcanique. Les climats équatorial et tropical couvrent l'ensemble de la région. Seules l'Australie du Sud et la Nouvelle-Zélande connaissent les climats subtropical et tempéré. L'Océanie compte 28 millions d'habitants (Océaniens et Océaniennes). Les deux seuls pays à connaître un essor industriel sont la Nouvelle-Zélande et l'Australie. Les autres îles ont un genre de vie traditionnel fondé sur la cueillette, la pêche et le cocotier, genre de vie modifié dans de nombreuses îles par le développement des plantations (ananas, bananes) et l'exploitation des mines (phosphates, cuivre, nickel). Le tourisme, qui se développe localement en Australie et en Nouvelle-Zélande, est une industrie prospère, particulièrement à Hawaï et à Tahiti.

Odanak, réserve indienne du Canada. Odanak est un village abénaquis situé sur la rivière Saint-François, au Québec, à 32 km à l'est de Sorel. On y compte 187 Abénaquis qui s'expriment surtout en français et en anglais. Le territoire, qu'ils occupent depuis 1700, couvre une partie des seigneuries de Saint-François-du-Lac et de Pierreville. Odanak est doté d'un centre communautaire, d'une église catholique, d'une chapelle anglicane, d'un centre d'artisanat et de l'un des plus importants musées amérindiens du Québec. L'artisanat constitue l'activité économique dominante à Odanak. Les Abénaquis fabriquent des paniers tressés en frêne, des vêtements de cuir, des masques de maïs, des sculptures, des raquettes et d'autres objets. La vannerie est l'une des spécialités de leur artisanat.

Office de la langue française, organisme du gouvernement du Québec. L'Office de la langue française (O.L.F.) a pour mission d'appliquer la politique linguistique définie par la Charte de la langue française. Cette politique vise essentiellement à faire du français la langue des communications, du travail et des affaires dans les entreprises et à assurer un soutien linguistique et terminologique à cette francisation. Pour réaliser sa mission, l'O.L.F. a créé une banque de terminologie (B.T.Q.) qui compte trois millions de termes couvrant tous les domaines. Ce fichier informatisé sert à la recherche terminologique et permet aux linguistes et aux terminologues de répondre aux demandes des usagers. Depuis sa création en 1962, l'O.L.F. a produit 244 publications diffusées par les Publications du Québec. L'Office offre au personnel de secrétariat des séances de perfectionnement en français dans toutes les régions du Québec et il offre aux entreprises un service d'abonnement à la B.T.Q. Il décerne également des certificats de francisation aux entreprises qui suivent les programmes de francisation selon l'échéancier établi et veille au respect des règlements touchant l'étiquetage, l'affichage et la publicité commerciale. L'organisme québécois a également la responsabilité d'administrer les examens de français que doivent passer les candidats et les candidates à un ordre professionnel. Enfin, l'Office gère un programme de coopération internationale et collabore avec plusieurs organismes internationaux sur le plan de la production et de la diffusion linguistiques et terminologiques. Organisme essentiel à la survie et à l'implantation du français au Québec, l'O.L.F. compte, à l'heure actuelle, 300 employés permanents, dont 15 linguistes et 60 terminologues.

Office national du film, organisme chargé de promouvoir la création et la culture cinématographiques canadiennes. Créé le 2 mai 1939 à Ottawa par la Loi nationale sur le film, l'Office national du film (O.N.F.) a pour mission de participer à la création d'un cinéma canadien et de le diffuser dans tout le pays et à l'étranger. Cette société d'État, école de formation pour beaucoup de jeunes cinéastes, produit et distribue des documentaires et des films d'animation et de fiction. Bon nombre de ses productions ont remporté des prix internationaux.

Oka (établissement amérindien) ☞ **Kanesatake**.

Olier (Jean-Jacques), prêtre français, né à Paris en 1608 et mort dans la même ville en 1657. Ordonné prêtre en 1633 puis nommé curé de la paroisse de Saint-Sulpice (1642-1652), il réforme sa paroisse et crée un séminaire (1645) pour lequel il fonde la compagnie des prêtres de Saint-Sulpice (sulpiciens). Avec La Dauversière, il crée la Société de Notre-Dame de Montréal, qui envoie des colons et des sulpiciens au Canada. Il est aussi l'auteur de quelques ouvrages religieux, dont les *Lettres spirituelles*, publiées en 1672.

Ontario, province du Canada. Situé entre le Québec et le Manitoba, l'Ontario est baigné par la baie d'Hudson, les Grands Lacs et le fleuve Saint-Laurent. C'est la deuxième province en superficie (1 068 580 km²) après le Québec. La capitale est Toronto. L'Ontario abrite plusieurs villes importantes, dont Ottawa, la capitale fédérale, Hamilton, London, Windsor, St. Catharines, Kitchener, Oshawa et Sudbury. Les deux tiers de son territoire font partie du bouclier canadien. Une région de basses-terres borde la baie d'Hudson et la baie James. Le sud-est de la province est une plaine surélevée marquée par l'escarpement du Niagara. À l'ouest s'étend une succession de collines. La végétation varie du nord au sud; à l'extrême nord, de minuscules saules et des épinettes noires sont remplacés par des forêts d'épinettes, de trembles et de pins gris. Une forêt mixte couvre le sud de la province. L'Ontario, qui compte 9 569 500 habitants (Ontariens et Ontariennes), est la province la plus peuplée et la plus riche du Canada. Produisant environ 40 % du revenu national, cette province constitue la première région économique du pays. C'est aussi la première province manufacturière du Canada: industries de construction automobile, de matériel de transport et de produits chimiques, et technologie de pointe. L'agriculture occupe une place importante dans l'économie. L'Ontario se classe au deuxième rang, après la Saskatchewan, quant aux produits agricoles. Les principales cultures sont celles des fourrages, du maïs, des graines mixtes, du blé d'hiver et de l'orge. On trouve également de nombreuses fermes bovines et laitières. L'exploitation de la forêt et des mines (nickel, uranium, cuivre, or, zinc, fer) joue aussi un rôle majeur. Le tourisme est favorisé par de nombreux centres d'attraction. Les premiers Européens à explorer la région de l'Ontario, entre 1613 et 1615, sont Étienne Brûlé, Samuel de Champlain et Henry Hudson. Plusieurs établissements français et postes de traite des fourrures y sont installés au XVIIIe siècle. La région est cédée à l'Angleterre en 1763 et la colonisation débute avec l'arrivée des Loyalistes en 1783 et 1784. En 1791, l'Acte constitutionnel crée le Haut-Canada. En 1867, l'Acte de l'Amérique du Nord britannique donne à la région le statut de province de l'Ontario. La devise de cette province est: «Fidèle elle a commencé, fidèle elle demeure». Sa fleur emblématique est le trille à grande fleur.

Ontario (lac), lac du Canada et des États-Unis. D'une superficie de 19 300 km², dont 10 000 km² au Canada, le lac Ontario est le plus petit et le plus oriental des Grands Lacs. Il sépare le Canada des États-Unis et reçoit l'eau des autres Grands Lacs par la rivière Niagara. Il communique avec le lac Érié par les chutes du Niagara et se déverse dans le fleuve Saint-Laurent. La fertilité des sols, l'accès à l'océan par la voie maritime du Saint-Laurent et l'accès aux ports des autres Grands Lacs ont favorisé le peuplement et la croissance de la région du lac Ontario. Toutefois, le développement industriel et agricole est responsable de la dégradation de la qualité de l'eau du lac. C'est en 1615 qu'Étienne Brûlé découvre le lac. Celui-ci reçoit son nom des Européens en 1641 et apparaît sur les cartes de l'Amérique du Nord dès 1656.

O.N.U., sigle de l'Organisation des Nations Unies. Créée en 1945, cette organisation internationale, qui a son siège à New York, compte 159 États. Son but est de maintenir la paix et la sécurité internationales, d'établir des relations amicales fondées sur le respect et l'égalité des peuples, de résoudre des problèmes économiques, sociaux et humains ainsi que de promouvoir le respect des droits et des libertés de chacun.

Oppenheimer (Robert), physicien américain, né à New York en 1904 et mort à Princeton, États-Unis, en 1967. Ses travaux sur l'énergie de l'atome annoncent une grande révolution scientifique. Il joua un grand rôle dans les recherches nucléaires. Vers 1943, il élabora, avec une équipe de physiciens, la première bombe nucléaire. Il est également l'auteur d'ouvrages sur le rôle de la science dans le monde contemporain.

Orff (Carl), compositeur allemand, né à Munich en 1895 et mort dans la même ville en 1982. Carl Orff amorce sa carrière musicale comme chef d'orchestre dans un ensemble de musique de chambre. Auteur de la célèbre cantate *Carmina burana*, qui fut présentée pour la première fois en 1937, Orff s'est surtout fait connaître par sa méthode d'enseignement musical, fondée sur le rythme.

Orford (mont), mont du Canada. Faisant partie de la chaîne des Appalaches, le mont Orford est situé au Québec, au sud-ouest de la ville de Sherbrooke, dans la région de l'Estrie. Haut de 880 m, il est l'un des centres de ski les plus populaires de cette région. À sa base s'étend le parc de récréation du Mont-Orford, inauguré en 1938.

Orléans (île d'), île du fleuve Saint-Laurent. Située en aval de la ville de Québec, l'île d'Orléans a une superficie de 190 km². Elle compte 7 330 Orléanais et Orléanaises qui se répartissent dans six localités: Sainte-Famille, Sainte-Pétronille, Saint-François, Saint-Jean, Saint-Laurent et Saint-Pierre. Autrefois appelée Minigo, déformation de *ouindigo*, mot algonquin signifiant «ensorcelé», elle reçut de Jacques Cartier le nom d'île de Bacchus en 1535, à cause des vignes sauvages qu'on y trouvait. Cartier la rebaptisa île d'Orléans en 1536, en l'honneur du duc d'Orléans, fils de François Ier, roi de France. L'île prit le nom d'île Sainte-Marie lorsque les Hurons s'y établirent, de 1650 à 1657. En 1661, la paroisse Sainte-Famille y fut fondée et, en 1669, on construisit la première église de l'île. Celle-ci reprit le nom d'île d'Orléans en 1725. En 1970, le gouvernement québécois a classé l'île d'Orléans arrondissement historique.

Oshawa, ville du Canada. Située sur la rive nord du lac Ontario, à l'est de Toronto, la ville d'Oshawa fut fondée en 1795 et constituée en municipalité en 1924. Elle compte 123 650 habitants. La qualité de son port et son réseau routier contribuent à son développement industriel (manufactures d'instruments aratoires, industrie de l'automobile). Le nom de la ville est d'origine amérindienne et signifie «traverse de cours d'eau».

Oslo, capitale de la Norvège. Oslo est situé dans le sud-est du pays au fond d'un golfe. Port actif, Oslo est aussi un centre administratif, commercial, industriel et culturel de 460 000 habitants. On y trouve une importante université, deux aéroports, des musées et une cathédrale du XVIIe siècle. Oslo possède également d'importants chantiers navals.

O.T.A.N., sigle de l'Organisation du traité de l'Atlantique Nord, organisation fondée en 1949 à Washington, États-Unis. Ce traité d'alliance fut signé par la Belgique, le Canada, le Danemark, les États-Unis, la France, la Grande-Bretagne, l'Islande, l'Italie, le Luxembourg, la Norvège, les Pays-Bas et le Portugal. La Grèce, la Turquie, la République fédérale d'Allemagne et l'Espagne les rejoignent plus tard. Le but de l'O.T.A.N., qui a son siège à Bruxelles, est de «sauvegarder la paix et la sécurité et de développer la stabilité et le bien-être dans la région de l'Atlantique Nord». Elle assure aux Européens l'alliance des États-Unis contre toute agression. C'est le premier pacte militaire auquel le Canada adhère en temps de paix.

Otish (monts), monts du Canada. Les monts Otish se situent dans le Territoire-du-Nouveau-Québec. Ils culminent à 1 128 m. Autrefois appelés monts Marie-Victorin, ils tiennent leur nom actuel d'un mot montagnais qui signifie «petite montagne».

Ottawa, capitale fédérale du Canada. La ville d'Ottawa est située en Ontario, sur la rivière des Outaouais, à laquelle elle est reliée par le canal Rideau. La ville compte 300 800 habitants. Centre politique et administratif, elle abrite les édifices parlementaires canadiens, des résidences et des ambassades. Ottawa possède aussi une université, des galeries d'art et des musées (Musée canadien des civilisations, Musée des beaux-arts du Canada) qui en font un centre culturel et touristique. Le développement industriel de la ville repose sur des industries chimiques, alimentaires, métallurgiques, électriques et forestières. Le secteur de l'édition et de l'imprimerie connaît aussi un essor appréciable. D'abord appelée Bytown du nom de son fondateur, le lieutenant-colonel John By, la ville est choisie en 1857, par la reine Victoria, comme capitale de la province du Canada. Elle devient la capitale fédérale lorsque le Canada devient un pays en 1867.

Ouareau (lac), lac du Canada. Le lac Ouareau est situé au Québec, dans la région de Lanaudière, au sud-est de Saint-Donat. Son nom est tiré d'un mot algonquin signifiant «au lointain». Dominés par le mont La Réserve, le lac Ouareau et ses environs sont un centre de villégiature et une station de sports d'hiver très fréquentés.

Ouelle (rivière), rivière du Canada. La rivière Ouelle est située au Québec sur la rive sud du fleuve Saint-Laurent, au sud-ouest de Rivière-du-Loup. Elle prend sa source dans les terres à l'est de L'Islet. Elle coule ensuite en direction du nord et se jette dans le fleuve Saint-Laurent, en aval de Saint-Jean-Port-Joli, dans le comté de Kamouraska. La municipalité de Rivière-Ouelle est construite à son embouchure. Le nom de cette rivière rappelle probablement Louis Houel, compagnon de Samuel de Champlain.

Ouganda, État de l'Afrique orientale. D'une superficie de 237 000 km², l'Ouganda est compris entre le Soudan, le Kenya, la Tanzanie, le Rwanda et le Zaïre. La capitale est Kampala. Situé au nord du lac Victoria, le pays est formé de hauts plateaux couverts de savanes, qui se relèvent à l'ouest (mont Ruwenzori, 5 120 m d'altitude) et à l'est. Parsemé de lacs et de marécages, il est drainé par le Nil (Nil Victoria). Le climat de type équatorial varie avec l'altitude. L'Ouganda compte 14,7 millions d'habitants (Ougandais et Ougandaises). L'anglais et le swahili sont les langues officielles. Le christianisme est la religion dominante. La monnaie utilisée est le shilling ougandais. L'agriculture est, avec l'élevage bovin, la base de l'économie. L'Ouganda exporte du café, du coton, de la canne à sucre et du thé. Le sous-sol contient du cuivre et des phosphates. Les industries (métallurgie, industries alimentaires et textiles) se concentrent dans les grandes villes. Sous la protection britannique à partir de 1890, l'Ouganda devient indépendant en 1962. Troublé par de nombreux coups d'État, le pays, dirigé par un président, est toujours en proie à la guerre civile.

Ouiatchouan ☞ **Mashteuiatsh**.

Ouimet (Alphonse), ingénieur de recherche et président de Radio-Canada, né à Montréal en 1908. Reconnu comme le «père» de la télévision canadienne, Alphonse Ouimet conçoit le premier téléviseur au Canada en 1932. Il participe aux progrès de la télévision en mettant sur pied le réseau de Radio-Canada. En 1958, il devient le président du service de télévision de tout le Canada dans les deux langues. Il a fait sa marque dans le domaine des médias (radio, télévision, satellites) pendant 50 ans. De nombreux prix lui ont été décernés pour souligner sa contribution dans ce domaine.

Ouimet (Gédéon), avocat et homme politique canadien, né à Sainte-Rose (Laval) en 1823 et mort à Saint-Hilaire en 1905. Gédéon Ouimet amorce sa carrière politique comme député des circonscriptions de Beauharnois (1857-1861) et de Deux-Montagnes (1867-1876). Il occupe le poste de procureur général dans le cabinet Chauveau de 1867 à 1873. Premier ministre du Québec de février 1873 à septembre 1874 (Parti conservateur), Gédéon Ouimet fut le deuxième premier ministre du Québec sous la Confédération.

Oural, chaîne de montagnes de l'U.R.S.S. L'Oural s'étend du nord au sud de l'océan Arctique à la mer Caspienne. Il forme la limite entre l'Europe et l'Asie. L'Oural est riche en fer, cuivre, chrome, nickel, manganèse, magnésium, or, platine et métaux rares. Un fleuve du même nom prend naissance au sud et se déverse dans la mer Caspienne après avoir parcouru 2 500 km.

Ours (Grand lac de l'), lac du Canada. Situé dans les Territoires du Nord-Ouest, le Grand lac de l'Ours a une superficie de 31 153 km². Il est le huitième lac du monde pour sa superficie, le quatrième en Amérique du Nord. Il représente l'une des plus importantes réserves d'eau douce du monde. D'une longueur de 320 km et d'une largeur de 175 km, il est parsemé d'îles et son contour se découpe en cinq grandes baies. Gelé huit mois par année, le Grand lac de l'Ours s'étend dans une région sauvage. Ses eaux sont riches en poissons et on y trouve même certaines espèces rares. La pêche commerciale y est interdite. Adopté en 1902, le nom de ce lac évoque probablement le fait que les ours sont nombreux dans la région. Certains expliquent cette désignation par le fait que la constellation d'étoiles la Grande Ourse se reflète dans les eaux du lac.

Alphonse **Ouimet**

P.-H. TALBOT/LA PRESSE

Outaouais, nation autochtone de l'Amérique du Nord. Les Outaouais, «ou ceux qui font le commerce», sont un peuple amérindien appartenant à la famille algonquienne; autrefois, ils vivaient surtout dans la région de la rivière des Outaouais. Leur économie reposait sur l'agriculture, la pêche, la chasse et le commerce. Ils entretenaient des liens étroits avec leurs voisins, les Hurons. Après la destruction de la Huronie par les Iroquois au milieu du

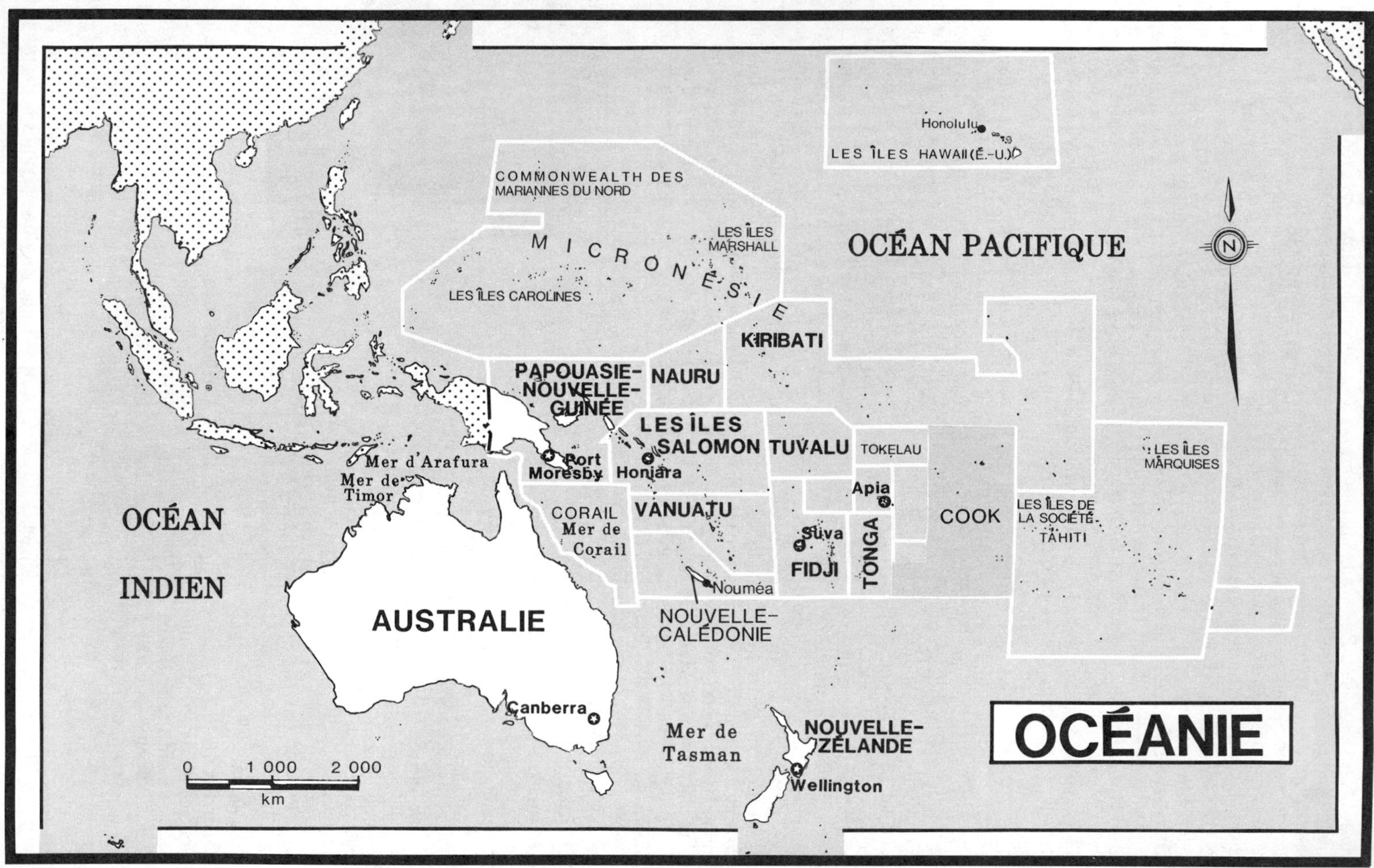

OCÉANIE
OCÉAN PACIFIQUE
LES ÎLES HAWAII (É.-U.)
Honolulu
COMMONWEALTH DES MARIANNES DU NORD
M I C R O N É S I E
LES ÎLES MARSHALL
LES ÎLES CAROLINES
KIRIBATI
NAURU
PAPOUASIE-NOUVELLE-GUINÉE
Port Moresby
LES ÎLES SALOMON
Honiara
TUVALU
TOKELAU
Apia
TONGA
FIDJI
Suva
VANUATU
NOUVELLE-CALÉDONIE
Nouméa
COOK
LES ÎLES DE LA SOCIÉTÉ
TAHITI
LES ÎLES MARQUISES
CORAIL
Mer de Corail
Mer d'Arafura
Mer de Timor
AUSTRALIE
Canberra
Mer de Tasman
NOUVELLE-ZÉLANDE
Wellington
OCÉAN INDIEN
0
1 000
2 000
km

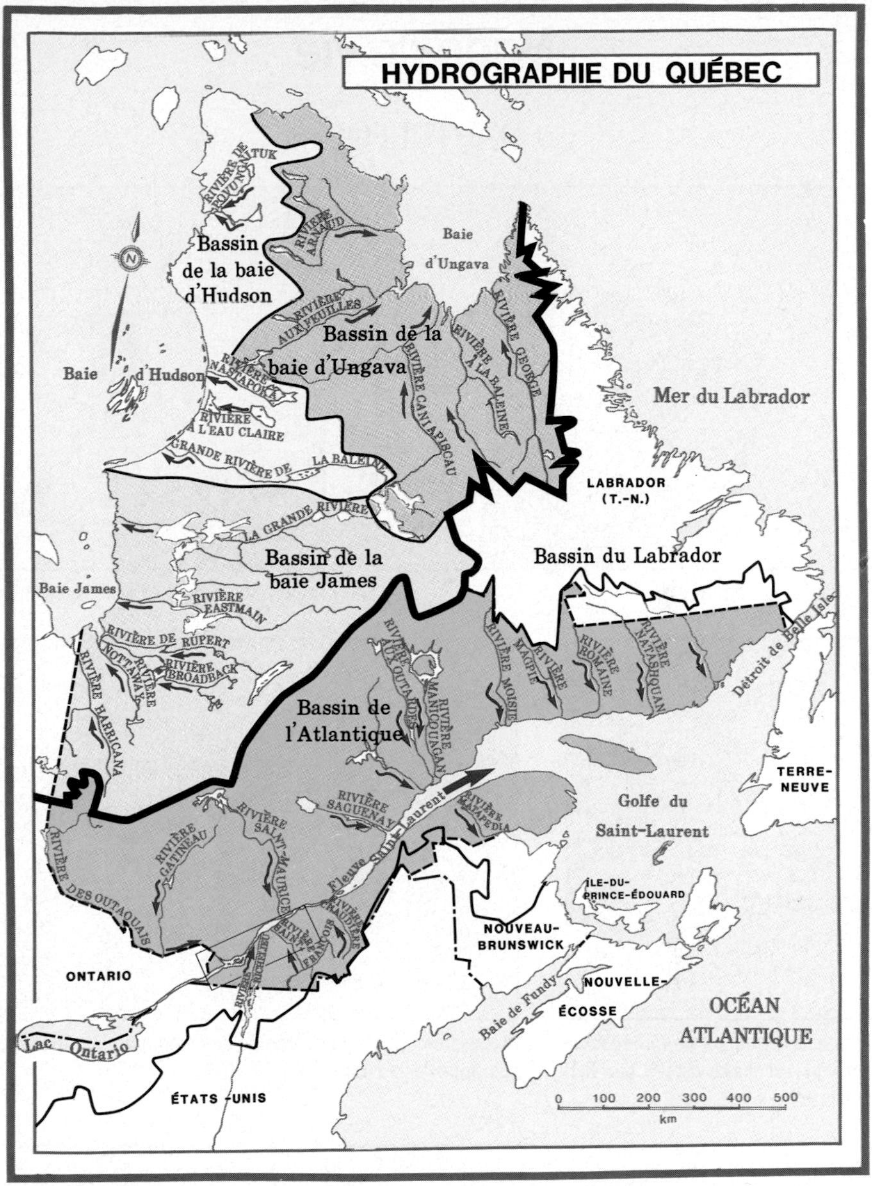

HYDROGRAPHIE DU QUÉBEC

Bassin de la baie d'Hudson

Bassin de la baie d'Ungava

Bassin de la baie James

Bassin du Labrador

Bassin de l'Atlantique

Baie d'Hudson

Baie d'Ungava

Baie James

Mer du Labrador

Golfe du Saint-Laurent

Détroit de Belle Isle

Baie de Fundy

OCÉAN ATLANTIQUE

LABRADOR (T.-N.)

TERRE-NEUVE

ÎLE-DU-PRINCE-ÉDOUARD

NOUVEAU-BRUNSWICK

NOUVELLE-ÉCOSSE

ONTARIO

ÉTATS-UNIS

Lac Ontario

Rivière de Povungnituk

Rivière Arnaud

Rivière aux Feuilles

Rivière Nastapoka

Rivière à l'Eau Claire

Grande Rivière de la Baleine

La Grande Rivière

Rivière Caniapiscau

Rivière à la Baleine

Rivière George

Rivière Eastmain

Rivière de Rupert

Rivière Nottaway

Rivière Broadback

Rivière Harricana

Rivière aux Outardes

Rivière Manicouagan

Rivière Moisie

Rivière Magpie

Rivière Romaine

Rivière Natashquan

Rivière Saguenay

Rivière Matapédia

Fleuve Saint-Laurent

Rivière Saint-Maurice

Rivière Gatineau

Rivière des Outaouais

Rivière Chaudière

Rivière Saint-François

Rivière Richelieu

0 100 200 300 400 500

km

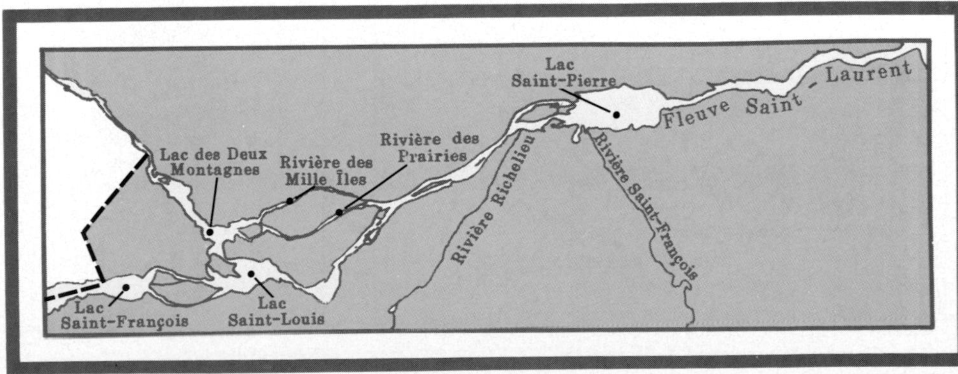

Mode de vie

D'AUTREFOIS

ANC/PA-138024

Inuk chassant avec un arc

ANC/C-122387

Indien sur raquettes rechargeant un fusil

ANC/C-14309

Les travaux de jadis. Une Canadienne tissant sur un vieux métier par E.J. Massicotte

EDIMEDIA-PUBLIPHOTO/
Galerie Nationale du Canada

Procession catholique romaine des Montagnais et des Naskapis des Sept-Îles (1861)

ANC/C-14312

La fenaison au Canada par E.J. Massicotte

ANC/C-5746

Coureur des bois

Mode de vie

D'AUJOURD'HUI

PUBLIPHOTO/J.P. Danvoye

Mode de transport remplaçant le traîneau à chiens

PUBLIPHOTO/A. Cornu

Inuit exerçant divers métiers de la construction

PUBLIPHOTO/J.P. Danvoye

École du village nordique de Salluit

PUBLIPHOTO/D. Auclair

Dispensaire de la réserve crie Waswanipi

Union des producteurs agricoles

Ferme moderne

Union des producteurs agricoles

Nouvelle technologie agricole

ÉTABLISSEMENTS AMÉRINDIENS ET INUIT DU QUÉBEC
Inuit
Abénaquis
Algonquins
Attikameks
Cris
Hurons-Wendat
Malécites
Micmacs
Mohawks
Montagnais
Naskapis
Ivujivik
Salluit
Kangiqsujuaq
Akulivik
Quaqtaq
Povungnituk
Kangirsuk
Aupaluk
Inukjuak
Tasiujaq
Kuujjuaq
Kangiqsualujjuaq
Baie d'Ungava
Baie d'Hudson
Mer du Labrador
Umiujaq
Kuujjuarapik
Whapmagoostui
Kawawachikamach
Matimekosh
LABRADOR (T.-N.)
Chisasibi
Wemindji
Baie James
Eastmain
Waskaganish
Nemiscau
Pakuashipi (Saint-Augustin)
La Romaine
Détroit de Belle Isle
Sept-Îles Maliotenam
Mingan
Natashquan
Mistassini
Waswanipi
Pikogan
Betsiamites
Mashteuiatsh (Pointe-Bleue)
TERRE-NEUVE
Gaspé
Lac-Simon
Obedjiwan
Les Escoumins
Golfe du Saint-Laurent
Winneway
Grand-Lac-Victoria
Weymontachie
Cacouna
Maria
Témiscamingue
Wolf Lake
Lac-Rapide
Restigouche
Kebaowek
Manouane
Wendake
Fleuve Saint-Laurent
Whitworth
ÎLE-DU-PRINCE-ÉDOUARD
Maniwaki
Wôlinak
NOUVEAU-BRUNSWICK
Kanesatake
Odanak
ONTARIO
Kahnawake
Akwesasne
NOUVELLE-ÉCOSSE
OCÉAN ATLANTIQUE
Baie de Fundy
Lac Ontario
ÉTATS-UNIS
0 100 200 300 400 500
km

XVIIe siècle, les Outaouais s'enfuirent vers l'ouest. Ils appuyèrent les Français dans les luttes pour la possession du Nord-Est américain. Après la défaite des Français, ils organisèrent un soulèvement de tous les Indiens contre les Anglais qui menaçaient de s'emparer d'une partie de leurs terres. On estime que 3 000 Outaouais vivaient en Ontario au cours des années 1970 et que nombre d'entre eux travaillent maintenant à Sudbury et à Toronto.

Outaouais, région administrative du Québec. Située entre les régions des Laurentides et de l'Abitibi-Témiscamingue et l'Ontario, la région de l'Outaouais comprend la Vallée-de-la-Gatineau, Pontiac, la communauté régionale de l'Outaouais et Papineau. Hull est la capitale régionale et les principales villes sont Gracefield, Campbell's Bay et Papineauville. Le développement économique de la région est lié à l'industrie du bois, aux industries minières (fer, cuivre et nickel), alimentaires, textiles et électriques et à la production manufacturière. La majeure partie des entreprises se trouve dans les régions de Hull et de Labelle.

Outaouais (rivière des), rivière du Canada. D'une longueur de 1 270 km, la rivière des Outaouais est la plus longue rivière du Québec et le principal affluent du fleuve Saint-Laurent. Elle sépare le Québec de l'Ontario sur la majeure partie de son parcours. La rivière des Outaouais prend sa source dans une chaîne de lacs des hautes Laurentides, traverse de nombreux lacs et réservoirs et coule lentement dans le lac Témiscamingue. La rivière débouche dans le lac des Deux Montagnes d'où elle gagne le fleuve Saint-Laurent par la rivière des Prairies et la rivière des Mille Îles. Pendant plusieurs centaines d'années, la rivière des Outaouais constitue la principale route vers l'Ouest. Les Outaouais, à qui la rivière doit son nom, en sont les premiers maîtres. Vers 1610, Étienne Brûlé aurait navigué sur cette rivière. En 1613, c'est au tour de Champlain d'emprunter la rivière qui servira par la suite au transport des fourrures.

Outardes (rivière aux), rivière du Canada. La rivière aux Outardes prend sa source dans les monts Otish (lac Plétipi), au Québec, traverse la région de la Côte-Nord sur environ 450 km et se jette dans le fleuve Saint-Laurent, à quelques kilomètres en amont de Baie-Comeau. La rivière alimente plusieurs centrales hydroélectriques importantes.

Outremont, ville du Canada. Outremont est situé au Québec, sur l'île de Montréal, au nord-est du mont Royal, d'où son nom, dérivé de l'expression « Outre le mont ». D'abord connue sous le nom de Côte-Sainte-Catherine, autrefois centre agricole, la ville devient à partir de 1900 un élégant quartier résidentiel. Traversé de sa célèbre rue Laurier, Outremont exerce une forte attraction par son cachet cosmopolite et son réseau étendu d'espaces verts. La ville compte 23 080 Outremontais et Outremontaises.

Oxfam, organisme humanitaire à but non lucratif. Oxfam, qui a vu le jour en 1942 en Grande-Bretagne, intervient dans plus de 18 pays en Afrique, en Asie et en Amérique du Sud. Les projets de cet organisme visent à améliorer les conditions de vie des pays désireux de se prendre en main. Oxfam Québec, fondé en 1973, est l'un des sept Oxfam répartis un peu partout dans le monde. Yvon Deschamps en est le porte-parole.

Pacifique (océan). L'océan Pacifique est la plus grande masse d'eau de la terre. Il est limité par les Amériques, l'Asie, l'Australie et l'Antarctique. Il communique avec l'océan Arctique par le détroit de Béring. L'océan Pacifique, le plus grand des océans, couvre le tiers de la planète. Il représente à lui seul la moitié de la superficie des océans et s'étend sur 180 millions de km². Découvert par un Espagnol en 1513, il fut traversé pour la première fois en 1520 par Magellan, qui lui donna son nom actuel.

Paganini (Niccolo), violoniste italien, né à Gênes, Italie, en 1782 et mort à Nice, France, en 1840. Enfant prodige, Paganini donna des représentations dès l'âge de 9 ans et parcourut le monde dès sa quinzième année. Il est l'auteur de 24 Caprices (1820) et de nombreux concertos pour violon. Sa prodigieuse virtuosité lui valut des succès éclatants.

Pagé (Lorraine), syndicaliste québécoise, née à Montréal en 1947. Lorraine Pagé a été la première femme à diriger une centrale syndicale au Québec. Elle a enseigné pendant 17 ans tout en militant au sein de la C.E.Q. et du syndicat de l'Alliance des professeurs et professeures de Montréal. Première femme à accéder à la présidence de ce syndicat le 5 juin 1985, Lorraine Pagé démissionne en juin 1988 et devient présidente de la Centrale de l'enseignement du Québec (C.E.Q.). En 1985 et 1988, elle est nommée personnalité de la semaine du journal *La Presse*. En 1987, elle reçoit le prix Chomedey-de-Maisonneuve de la société Saint-Jean-Baptiste, à titre de personnalité de la scène montréalaise.

Paix (rivière de la), rivière du Canada. Cette rivière, située dans les provinces de l'Ouest, prend sa source dans les montagnes Rocheuses en Colombie-Britannique et coule dans une vallée fertile sur une longueur de 1 923 km avant de se jeter dans le fleuve Mackenzie. Elle est l'un des principaux affluents du plus long fleuve du Canada. Elle atteint par endroits plus de 11 km de largeur. Jusqu'en 1826, elle demeura une importante voie de transport des marchandises. De 1968 à 1980, on y construisit des centrales hydroélectriques. La plus grande de ces centrales se classe au troisième rang au Canada.

Lorraine **Pagé**

C.E.Q.

Pakistan, État d'Asie méridionale. Le Pakistan est situé au sud du continent asiatique sur le bord de la mer d'Oman. Il est limité par l'Iran, l'Afghanistan, la Chine, l'Inde et la mer d'Oman. Sa superficie est de 803 943 km². Le relief est constitué principalement d'une plaine alluviale arrosée par l'Indus et ses affluents, d'un plateau érodé et d'un désert irrigué, parcouru par une chaîne montagneuse. La steppe est la végétation prédominante. Le pays demeure soumis à un climat subdésertique et subit les effets atténués de la mousson. La population s'élève à 105,4 millions d'habitants (Pakistanais et Pakistanaises). La langue officielle est l'ourdou, mais on y parle aussi l'anglais. La religion dominante est l'islam. La monnaie utilisée est la roupie pakistanaise. La capitale est Islamabad. Les plaines, bien irriguées, fournissent du blé, du riz et du coton (principal produit d'exportation). Le Pakistan possède des ressources abondantes en gaz naturel et en hydroélectricité, et son industrie du textile et de l'artisanat se développe rapidement. Jusqu'en 1947, le territoire pakistanais était une région à majorité musulmane appartenant à l'Inde. Devenu un pays indépendant le 15 août 1947, le Pakistan est aujourd'hui dirigé par un gouvernement élu.

Palestine, région du Proche-Orient. La Palestine est une région limitée par le Liban au nord, la mer Morte au sud, la Méditerranée à l'ouest et le désert de Syrie à l'est, où coule le Jourdain. Terre sainte de la Bible, la Palestine a vu naître les plus grands prophètes, dont Moïse, mais surtout Jésus-Christ, qui est venu y accomplir sa mission. La Palestine a toujours été le théâtre de conflits entre Juifs et Arabes. En 1948, l'O.N.U. a décidé de partager la Palestine en deux États: un État juif, Israël, et un État arabe, la Jordanie.

Panama, État d'Amérique centrale. Le Panama forme le lien entre l'Amérique centrale et l'Amérique du Sud. Il est limité par le Costa Rica, l'océan Atlantique, la Colombie et le Pacifique. La superficie du Panama est de 77 080 km^2. Le canal de Panama relie l'océan Atlantique et l'océan Pacifique. Le pays tire l'essentiel de ses revenus des péages exigés pour utiliser le canal. Son relief est constitué de montagnes le long des côtes. La forêt couvre l'ensemble des versants montagneux. Les palmiers dominent les plaines côtières. Le climat tropical devient tempéré à l'intérieur en raison de l'altitude. Le pays compte une population de 2,3 millions d'habitants (Panaméens et Panaméennes). La langue officielle est l'espagnol et la religion dominante est le catholicisme. La monnaie utilisée est le balboa. La capitale porte le même nom que le pays. La population métisse cultive les terres fertiles de la côte du Pacifique et travaille dans les grandes plantations de bananiers, de canne à sucre et de café, propriétés d'entreprises américaines. Les Panaméens élèvent des bovins et des porcins dans les prairies et pratiquent la pêche côtière et la pêche de haute mer. L'exportation des bananes demeure le revenu le plus important après le canal. Ancienne colonie espagnole, le Panama est devenu une république indépendante en 1903.

Panama, capitale de la République du Panama. Ville portuaire située sur le Pacifique, au fond du golfe de Panama, Panama compte 589 000 habitants. Important centre commercial et industriel (industries alimentaires, brasseries, industries du tabac, cimenteries), la ville, fondée en 1519, conserve des traces de la colonisation espagnole.

Papineau (Julie), née Julie **Bruneau**, patriote québécoise, née en 1796 et morte à Montebello en 1862. Julie Bruneau épousa Louis-Joseph Papineau le 29 avril 1818. Celui-ci était alors avocat, député, orateur aux Communes du Bas-Canada et devint plus tard le chef des Patriotes. Sensibilisée aux luttes que menait son mari, elle n'hésitait pas à lui prodiguer des conseils. Consciente de la situation d'infériorité des Canadiens français, elle appuya son mari lors de la Rébellion de 1837. Julie Papineau s'éteignit subitement en 1862, laissant le souvenir d'une grande patriote.

Papineau (Louis-Joseph), avocat, homme politique et orateur canadien, né à Montréal en 1786 et mort à Montebello en 1871. Député de Chambly de 1808 à 1814, Louis-Joseph Papineau devient président de la Chambre d'Assemblée de 1815 à 1823. Délégué à Londres en 1823 afin de présenter la pétition des Canadiens français hostiles à l'union au Haut-Canada (Ontario), il s'oppose aux gouverneurs qui accordent des concessions contraires aux intérêts des Canadiens français. Orateur très éloquent, il gagne le soutien de grandes assemblées populaires. Ayant soulevé les Patriotes, il se montre indécis quant à son rôle et, devinant le risque d'un échec, il se réfugie aux États-Unis puis en France (1837). À son retour (1845), il se fait réélire à la Chambre, mais il perd son prestige. Il se retire en 1854 dans sa seigneurie de la Petite-Nation à Montebello.

Louis-Joseph **Papineau**

ANQM/P54/18-231

Pâque, fête juive. La Pâque commémore la sortie d'Égypte du peuple hébreu sous la conduite de Moïse, sa libération et sa naissance en tant que peuple. Cette célébration a lieu au printemps et s'ouvre par un repas rituel, pris en famille.

Pâques, fête chrétienne. Pâques rappelle la résurrection de Jésus-Christ. Cette fête annuelle, fixée au premier dimanche après la pleine lune de l'équinoxe du printemps, est donc célébrée entre le 22 mars et le 25 avril.

Pâques (île de), île du Pacifique. L'île de Pâques, d'origine volcanique, est située à l'ouest du Chili. Son territoire de 162,5 km^2

appartient à l'État du Chili. Sa population compte environ 2 000 habitants. Cette île contient des vestiges archéologiques. Ses mégalithes (statues géantes) et ses monuments témoignent d'une civilisation inconnue.

Paradis (Marie Alodie Virginie), en religion **sœur Marie-Léonie Paradis** ☞ **Marie-Léonie Paradis** (bienheureuse).

Paraguay, État d'Amérique du Sud. D'une superficie de 406 752 km², le Paraguay est borné par la Bolivie, le Brésil et l'Argentine. Sa capitale est Assomption. Le relief est constitué à l'est d'une zone de plateaux limitée par le fleuve Paraná et, à l'ouest, de la vaste plaine alluviale du Chaco. Le climat tropical est humide à l'est et s'assèche à l'ouest. La végétation passe de la savane à la steppe. Le fleuve Paraná forme la frontière entre le Brésil et le Paraguay, puis entre l'Argentine et le Paraguay. Le pays compte une population de 3,6 millions d'habitants (Paraguayens et Paraguayennes). La langue officielle est l'espagnol, mais on y parle aussi le guarani. La religion dominante est le catholicisme. La monnaie utilisée est le guarani. La population tire sa subsistance de l'exportation de la viande, de l'élevage des bovins et de la culture de la canne à sucre, du soja, du coton, du riz, des céréales et du tabac. Ancienne colonie espagnole, le Paraguay est devenu indépendant en 1813. Le pays est aujourd'hui dirigé par un chef militaire.

Paré (Roger), illustrateur-auteur canadien, né à Ville-Marie au Québec en 1929. Après avoir conçu pendant 25 ans les images de *La boîte à surprises*, de *Bobino* et d'autres émissions de Radio-Canada, Roger Paré se lance dans l'illustration d'albums, entre autres les populaires livres-jeux, où les gros animaux doux, tendres et joyeux remplissent l'image. Il obtient en 1979 le prix du Conseil des Arts pour les illustrations d'*Une fenêtre dans ma tête*. En 1987, on lui décerne une seconde fois cette importante distinction pour le livre-jeu *L'alphabet*. Ses livres sont traduits en anglais et en langues étrangères et sont diffusés en Amérique et en Europe.

Parent (Madeleine), syndicaliste canadienne, née à Montréal en 1918. Madeleine Parent a participé activement à l'organisation des travailleurs non syndiqués. Elle a lutté contre ceux qui craignaient la syndicalisation des ouvriers. En 1947, elle est accusée de conspiration à la suite d'une grève; en 1952, elle est remerciée par le syndicat à la suite d'une fausse accusation d'allégeance communiste. Malgré ses difficultés, elle fonde deux syndicats : le Syndicat canadien des ouvriers du textile et de la chimie en 1952 et la Confédération des syndicats canadiens en 1969. Au cours des années 1970, elle dirige des grèves afin d'améliorer les conditions de travail des ouvriers.

Parent (Simon-Napoléon), avocat, homme d'affaires et homme politique canadien, né à Beauport en 1855 et mort à Montréal en 1920. Député à l'Assemblée législative et maire de Québec, Simon Parent s'est fait le promoteur d'idées innovatrices touchant la planification urbaine, le développement économique et l'exploitation forestière et hydraulique du Québec. Premier ministre du Québec de 1900 à 1905, Simon-Napoléon Parent a été le fondateur et le président de la Compagnie du pont de Québec (1897-1905), puis il a occupé le poste de directeur de la commission chargée d'aménager le Transcontinental (1905-1911). De 1911 à sa mort, il a assumé la présidence de la Commission des eaux courantes du Québec.

Parents Anonymes du Québec, organisme à but non lucratif. Parents Anonymes du Québec fut fondé en 1981 pour aider les parents aux prises avec des difficultés d'ordre familial. L'humoriste Claude Meunier est le porte-parole officiel de cet organisme.

Parents Secours, organisme à but non lucratif. Fondé en 1976 à Sainte-Thérèse, cet organisme provincial a pour mission de promouvoir la sécurité et la prévention chez les jeunes. Les affiches de Parents Secours montrent un adulte qui tient un enfant par la main. Les familles qui apposent ces affiches à leur fenêtre signifient ainsi qu'elles sont prêtes à accueillir les enfants qui ont besoin d'aide.

Paris, capitale de la France. Situé sur la Seine, Paris, surnommé la Ville lumière, est aussi la capitale de l'Île-de-France, l'une des 22 régions du pays. Constitué de 20 arrondissements, Paris compte près de 2,2 millions de Parisiens et de Parisiennes. Avec la banlieue, sa population atteint 8,5 millions d'habitants. La ville seule couvre une superficie de 105 km². Paris est le siège du gouvernement et d'organismes internationaux. La ville possède de nombreux monuments historiques (Arc de triomphe, tour Eiffel, Notre-Dame de Paris, etc.) et de grands musées, le plus célèbre étant le Louvre. Le patrimoine culturel et historique de Paris est extrêmement riche. Nombre de quartiers en témoignent. Citons, entre autres, le Marais (la place des Vosges et de somptueux hôtels du XVIe et du XVIIe siècle), la butte Montmartre et le Quartier latin (la Sorbonne et le Collège de France). Point d'intersection de grands réseaux routiers et ferroviaires, Paris bénéficie également des services d'aéroports internationaux. La ville connaît une vie économique très intense en raison de la forte concentration d'industries chimiques, métallurgiques, alimentaires, mécaniques et électroniques. Le secteur tertiaire y est fortement représenté, notamment les banques, les compagnies d'assurances et l'administration publique et privée. La capitale est également l'emplacement privilégié des industries fines : habillement, parfums, textiles et entreprises à caractère culturel (impression, édition, théâtre et cinéma). Principal port fluvial de la France, Paris demeure encore aujourd'hui le principal centre politique, financier, administratif, culturel et artistique du pays.

Paris (traités de), ententes signées à Paris. Huit traités furent signés à Paris, dont celui de 1763, intéressant la France, l'Angleterre et l'Espagne, qui met fin à la guerre de Sept Ans et marque l'abandon de l'empire colonial français en Amérique. La France cède alors à l'Angleterre le Canada, l'île Royale (île du Cap-Breton), les territoires à l'est du Mississippi, plusieurs Antilles, le Sénégal et les possessions de l'Inde ; l'Espagne reçoit la Louisiane. La France conserve ses droits de pêche et reçoit l'archipel de Saint-Pierre et Miquelon. Grâce à cette entente, la Grande-Bretagne acquiert un vaste empire. Elle ouvre la vallée du Saint-Laurent à la colonisation anglaise. Ce traité a été rédigé en français, langue diplomatique de l'époque.

Parlement, assemblée chargée d'exercer le pouvoir législatif. Cette assemblée prépare, modifie et fait voter les lois. Au Canada, le Parlement se compose de la Chambre des communes, du Sénat et de la Couronne, représentée par le gouverneur général. Au Québec, l'Assemblée nationale forme le Parlement depuis 1968.

Parthénon, temple grec. Temple de la déesse Athéna, le Parthénon a été bâti au Ve siècle avant Jésus-Christ sur le sommet de l'Acropole, à Athènes, en Grèce. Le prestigieux monument en marbre représente la perfection et l'équilibre de l'architecture de la Grèce antique. Le Parthénon a été endommagé par des bombardements en 1687.

Parti canadien, ancien parti politique canadien-français. Fondé au début du XIXe siècle, le Parti canadien se donne pour objectif d'accroître le pouvoir des Canadiens français dans le domaine politique. *Le Canadien*, journal du parti, paraît à Québec en 1806. En 1826, le nationalisme canadien-français prend de l'ampleur et le Parti canadien devient le Parti patriote.

Parti communiste du Canada, parti politique canadien. Le Parti communiste du Canada a été fondé en 1921 à Guelph, en Ontario. Les membres de ce parti suivent les règles et les principes imposés par la doctrine du communisme. Ce parti a été inauguré à Toronto, en 1922, sous le nom de Parti ouvrier. Il a acquis le statut de parti politique en 1924 et a adopté le nom de Parti communiste du Canada. Lors de la crise économique de 1929, le Parti a connu une certaine popularité. Interdit pendant la guerre de 1939-1945, il s'est transformé, pour un certain temps, en Parti ouvrier-progressiste et a retrouvé, après la guerre, sa liberté d'action.

Parti conservateur du Canada, parti politique canadien fondé en 1854. C'est John A. MacDonald, l'un des artisans de la création du Canada, qui a façonné ce parti alors appelé Parti libéral-conservateur. Les membres de ce parti préconisaient l'adhésion à la Confédération et une politique nationale de développement économique. Vers 1870, ce parti abandonne l'étiquette de Parti libéral-conservateur pour celle de Parti conservateur. En 1942, il adopte le nom de Parti progressiste-conservateur et entreprend alors des réformes rendues nécessaires par la guerre.

Parti libéral du Canada, parti politique canadien. Le Parti libéral du Canada a dominé la scène politique fédérale au cours du XXe siècle. Après la Confédération, le Parti du Bas-Canada (Québec) s'allie aux réformistes du Haut-Canada (Ontario) pour jeter les bases du Parti libéral du Canada. Élus pour la première fois en 1873, les libéraux d'Alexander Mackenzie forment le premier gouvernement libéral de la fédération.

Parti libéral du Québec (P.L.Q.), parti politique québécois. Les origines du Parti libéral du Québec remontent à la seconde moitié du XIXe siècle. Ses fondateurs comptaient parmi les premiers réformateurs qui réclamaient un gouvernement responsable. Ce groupe de parlementaires s'est porté sans cesse à la défense des droits des Canadiens français et a plaidé en faveur de la survivance de la nation et de la sauvegarde de sa culture. Le P.L.Q. se veut le champion des libertés et des droits de la personne. Il possède une structure indépendante de celle du Parti libéral du Canada.

Parti québécois (P.Q.), parti politique nationaliste. Le Parti québécois est né en 1968 de la fusion de deux mouvements : le Mouvement Souveraineté-Association (M.S.A.) et le Rassemblement pour l'indépendance nationale (R.I.N.). Le M.S.A. a été mis sur pied en 1967 par des militants libéraux qui avaient décidé de quitter le Parti libéral. Ils avaient à leur tête René Lévesque, l'ex-ministre des Ressources naturelles, parrain de la nationalisation de l'électricité dans le gouvernement de Jean Lesage. Après 1968, le Parti québécois est devenu le lieu de rassemblement de tous les mouvements à tendance indépendantiste au Québec. Le parti de René Lévesque a exercé le pouvoir de 1976 à 1985. Les principales réalisations de ce parti sont la loi 101, la loi sur le zonage agricole (protection du sol québécois), la loi sur l'assurance-automobile, la loi sur le financement des partis politiques et l'établissement de nouvelles réformes traitant du droit de la famille.

Pascal (Blaise), savant, penseur et écrivain français, né en 1623 à Clermont-Ferrand, France, et mort à Paris, France, en 1662. Très jeune, Blaise Pascal se livre à des expériences scientifiques. Il reprend les travaux de Galilée sur la pesanteur de l'air, fonde le calcul des probabilités et invente une machine arithmétique, ancêtre de nos machines à calculer. En 1654, il décide de se consacrer à la religion chrétienne. On lui doit de nombreux ouvrages scientifiques et religieux, dont les célèbres *Pensées*, son œuvre maîtresse.

Pasteur (Louis), chimiste et biologiste français, né à Dole, France, en 1822 et mort à Villeneuve-l'Étang, France, en 1895. Créateur de la biologie, Pasteur a découvert que la fermentation était causée par des microbes. Il a démontré que les maladies contagieuses étaient aussi attribuables à des microbes. Le chercheur a mis au point une méthode pour détruire les microorganismes (pasteurisation) et a créé, en 1885, un vaccin préventif contre la rage. L'Institut Pasteur, fondé en 1888, est non seulement un grand centre de sérums et de vaccins, mais aussi un établissement scientifique renommé qui poursuit son œuvre de recherche et d'enseignement.

SYGMA/PUBLIPHOTO

Louis **Pasteur**

Patriotes, nom donné, à partir de 1827, aux francophones et à une minorité d'anglophones qui adhérèrent au Parti canadien, dirigé par Louis-Joseph Papineau. On y distinguait aussi, parmi les chefs célèbres, Jean-Olivier Chénier et Wolfred Nelson. Ce parti, surtout dirigé par les membres des professions libérales, trouva des appuis auprès d'agriculteurs, de journaliers et d'artisans. Majoritaires à la Chambre d'assemblée élue du Bas-Canada (Québec), les Patriotes réclamaient le droit de se gouverner eux-mêmes. En 1834, ils exposèrent leurs principales revendications à la Grande-Bretagne, qui les rejeta. Ce refus provoqua un mouvement populaire qui aboutit à la Rébellion de 1837 au Bas-Canada.

Paul (saint), né à Tarse entre l'an 5 et l'an 15 de notre ère et mort à Rome vers 62-64. Pharisien converti à la suite d'une vision du Christ sur le chemin de Damas, Paul devint disciple de Jésus et exerça son activité missionnaire au cours de trois grands voyages en Asie mineure, en Grèce et en Macédoine (46 à 58). Surnommé l'apôtre des gentils (païens), saint Paul écrivit des lettres aux communautés qu'il avait fondées durant ses voyages; ces lettres, recueillies dans le Nouveau Testament, sont appelées les épîtres de saint Paul. La tradition en a retenu quatorze. Selon la tradition, saint Paul aurait été décapité à Rome sous l'empereur Néron. Sa fête est célébrée le 30 juin.

Payette (Lise), animatrice, écrivaine et femme politique québécoise, née à Montréal en 1931. Lise Payette amorce sa carrière d'animatrice à la radio de Rouyn-Noranda, puis travaille à Trois-Rivières et à Montréal. Elle vit six ans à Paris. À son retour, elle connaît une grande popularité grâce à l'émission radiodiffusée de Radio-Canada *Place aux femmes* puis à l'émission d'entrevues à la télévision *Appelez-moi Lise*. Lise Payette a été présidente des fêtes de la Saint-Jean-Baptiste, députée péquiste en 1976, ministre de la Consommation, des Coopératives et des Institutions financières et responsable des dossiers de la condition féminine et de l'assurance-automobile. Elle a quitté la vie politique après la défaite référendaire de 1980. Depuis, elle se consacre à l'écriture de téléromans, notam-

Lise **Payette**

M. PONOMAREFF/PPI

ment *La bonne aventure, Des dames de cœur* et *Un signe de feu*, qui remportent un succès considérable auprès du public québécois.

Payne (lac), lac du Canada situé au Québec. Ce lac du Nord-du-Québec est situé au centre de la péninsule d'Ungava. Sa superficie atteint 534 km².

Pays-Bas (royaume des), État du nord-ouest de l'Europe. Le royaume des Pays-Bas est limité par la mer du Nord, la République fédérale d'Allemagne et la Belgique. Près de la moitié de son territoire a été arraché à la mer. Ces terres se situent au-dessous du niveau de la mer, d'où le nom de Pays-Bas, et sont composées d'îles et d'une plaine alluviale. Le relief est extrêmement plat. La capitale est Amsterdam. La Haye et Rotterdam sont deux villes importantes. Les principaux cours d'eau sont le Rhin, la Meuse et l'Escaut. D'une superficie de 40 844 km², les Pays-Bas comptent une population de 14,6 millions d'habitants (Néerlandais et Néerlandaises). La langue officielle est le néerlandais, mais on y parle aussi le frison. Les religions dominantes sont le catholicisme et le protestantisme. La monnaie utilisée est le florin. L'économie des Pays-Bas repose principalement sur les industries métallurgiques, électrotechniques, chimiques et alimentaires, l'agriculture (tomates en serre, betteraves, pommes de terre et céréales), l'horticulture (culture des tulipes) et l'élevage de volailles et de vaches laitières. Le tourisme connaît un essor constant en raison des richesses artistiques d'Amsterdam et de nombreuses autres villes. Le pays est dirigé par une reine et un gouvernement élu.

Pearl Harbor, base navale américaine à Hawaï. L'attaque surprise de Pearl Harbor, en décembre 1941, par l'aviation japonaise fut le point de départ de la guerre entre le Japon et les États-Unis. Lors de cette attaque, les avions japonais coulèrent 13 navires de la flotte américaine.

Pearson (Lester Bowles), diplomate et homme politique canadien, né à Toronto en 1897 et mort à Ottawa en 1972. Lester Pearson a exercé une influence sur la politique étrangère du Canada pendant l'après-guerre. Son projet de créer une force de l'O.N.U. pour le maintien de la paix, lors du conflit du canal de Suez (Égypte), lui a valu le prix Nobel de la paix en 1957. Il a travaillé à reconstruire le Parti libéral et, à titre de premier ministre du Canada de 1963 à 1968, il a favorisé le maintien de l'unité nationale. On lui doit diverses réalisations, notamment l'adoption du drapeau canadien (1965), le régime de retraite, le système d'assurance-maladie et l'unification des forces armées.

Paz (**La**), capitale de la Bolivie. Située à l'est du lac Titicaca, à 3 700 m d'altitude, La Paz est la capitale la plus haute du monde. La ville compte 881 000 habitants. On y trouve un musée d'art national et une université. Le développement économique de la ville repose sur l'exportation du plomb et de l'argent et sur les industries de l'alimentation, des textiles, des peaux, des cuirs et du tabac.

Peaux-Rouges, Indiens d'Amérique. On désignait du nom de Peaux-Rouges les Indiens de l'Amérique du Nord et de l'Amérique centrale qui s'enduisaient le corps de terre rouge ou du suc de certains fruits. Leur peau prenait ainsi une teinte naturelle d'un jaune un peu ocre.

Pékin [*Bèijing*], capitale de la République populaire de Chine. D'une superficie de 17 000 km², la ville de Pékin est située dans le nord-est du pays. Au nord de la ville, la cité impériale, enclose de murs et contenant la cité interdite, quartier autrefois réservé à la famille impériale, suscite un afflux constant de touristes. Pékin demeure un centre administratif, culturel, industriel, commercial et universitaire. La ville abrite une population de près de 10 millions d'habitants, qui travaillent dans les industries textiles, ferroviaires, mécaniques et métallurgiques. En 1989, les étudiants chinois manifestèrent leur désaccord face aux politiques communistes du gouvernement et occupèrent la place Tiènamen à Pékin. Cette tentative d'instaurer un dialogue démocratique fut durement réprimée.

Pellan (Alfred), peintre québécois, né à Québec en 1906 et mort en 1988. Diplômé de l'École des beaux-arts de Québec à 19 ans et lauréat d'une bourse du gouvernement du Québec, Alfred Pellan part pour Paris, où il continue à étudier et à parfaire son art. Au cours des années 40, il revient au Canada et expose à Québec et à Montréal, où il devient professeur à l'École des beaux-arts. Il séjourne à Paris de 1952 à 1955, expose 181 œuvres au Musée national d'art moderne et devient ainsi le premier Canadien à bénéficier de cet honneur. En 1960, la Galerie nationale du Canada présente une rétrospective de son œuvre; 12 ans plus tard, une autre exposition lui est consacrée à Montréal, à Québec et à Ottawa. Les tableaux de Pellan s'inspirent de l'ambiance surréaliste et de visions fantaisistes; elles témoignent d'une solide formation technique et d'un esprit débordant d'imagination. Artiste aux multiples talents, Pellan s'est exprimé non seulement par la peinture, mais aussi par d'autres moyens: vitraux, murales, décors et costumes de théâtre.

Pelletier (Denise), comédienne, née à Saint-Jovite, au Québec, en 1925 et morte en 1976. Après des études en art dramatique, Denise Pelletier débute au théâtre avec les Compagnons de Saint-Laurent. En 1951, elle fait partie de la troupe du Théâtre du Nouveau Monde, avec laquelle elle effectuera une tournée européenne en 1971. Denise Pelletier s'est illustrée dans des séries à la radio (*Un homme et son péché*, 1939), au théâtre (1951-1974), à la télévision, grâce aux téléromans (*La famille Plouffe, Côte de sable, De 9 à 5*), et dans des téléthéâtres. Le 24 mai 1976, Denise Pelletier s'éteint au cours d'une opération à cœur ouvert. Le théâtre Denise-Pelletier, à Montréal, honore la mémoire de la comédienne et contribue à l'évolution du théâtre en diffusant des pièces appartenant au répertoire international.

R. ST-JEAN/LA PRESSE

Denise **Pelletier**

Pelletier (Wilfrid), chef d'orchestre, pianiste et administrateur québécois, né à Montréal en 1896 et mort à New York en 1982. Wilfrid Pelletier a joué un rôle primordial dans l'évolution de la musique symphonique et du théâtre lyrique au Québec. Après un séjour à Paris, où il travaille avec les grands noms de la musique, il devient chef d'orchestre du *Metropolitan Opera* de New York. En 1935, de retour à Montréal, Wilfrid Pelletier assume la direction de l'Orchestre symphonique de Montréal. Parmi ses nombreuses réalisations, mentionnons la création des Matinées symphoniques pour la jeunesse (1935), des Festivals de Montréal (1936), du Conservatoire de musique du Québec à Montréal (1942), de la Société de musique contemporaine du Québec (1966). Nommé président national des Jeunesses musicales du Canada (1967-1969), Wilfrid Pelletier a également été le lauréat de nombreux prix soulignant sa contribution à la vie musicale québécoise.

Peltrie (Marie Madeleine de Chauvigny), cofondatrice du monastère des Ursulines de Québec, née en France en 1603 et morte à Québec en 1671. Au printemps de 1642, Marie Peltrie vient, avec Jeanne Mance et le sieur de Maisonneuve, s'installer à Ville-Marie. Elle avait auparavant fondé, avec mère Marie de l'Incarnation, le monastère des Ursulines de Québec, où elle vécut et où elle fut inhumée.

Pentecôte, fête chrétienne. La Pentecôte est célébrée le septième dimanche après Pâques. Cette fête rappelle la descente du Saint-Esprit sur les apôtres, conformément à la promesse de Jésus.

Percé, ville du Canada. Percé est situé au Québec sur les bords du golfe du Saint-Laurent, à l'extrémité est de la péninsule de Gaspé, dans la région de la Gaspésie – Îles-de-la-Madeleine. Dès 1673, des pêcheurs européens trouvent refuge dans la baie de Percé. En 1534, Jacques Cartier y accoste. Le nom de cette ville lui vient du rocher qui domine le paysage, le rocher Percé. Érigé en 1855, Percé compte près de 4 700 Percéens et Percéennes. La pêche et le tourisme y sont des activités économiques très importantes. Percé est l'un des centres touristiques les plus importants du Québec: le rocher Percé, la réserve ornithologique (oiseaux) de l'île Bonaventure et le pic de l'Aurore forment les principaux attraits de cette région.

Percé (rocher), rocher de la Gaspésie, au Québec. Le rocher Percé est une formation rocheuse située en Gaspésie, près de Percé, localité qui a pris son nom. Ce bloc de calcaire a des dimensions exceptionnelles: 510 m de long, 100 m de large et 70 m de haut. Son nom lui viendrait des trous que la mer a percés dans la roche. Cette énorme falaise qui contient des millions de fossiles est l'une des principales attractions touristiques du Québec et de tout le Canada. C'est aussi une importante réserve ornithologique (oiseaux).

Péribonka (rivière), rivière du Canada. Située au Québec dans le Saguenay – Lac-

ANC/C-52024

Wilfrid **Pelletier**

Saint-Jean, la Péribonka prend sa source au nord-est du lac Saint-Jean dans les monts Otish, coule sur une distance de 480 km et se jette dans le lac Saint-Jean. Elle forme le principal affluent de ce lac. Son nom, d'origine montagnaise, signifie «là où le sable se déplace». On y a aménagé des installations électriques.

Pérou, État d'Amérique du Sud. D'une superficie de 1 285 216 km^2, le Pérou est borné par l'Équateur, la Colombie, le Brésil, la Bolivie, le Chili et l'océan Pacifique. Sa capitale est Lima. Le relief présente une plaine (Amazonie) à l'est, un massif montagneux (cordillère des Andes) au centre et un littoral à l'ouest. Les principaux cours d'eau sont le fleuve Amazone et ses affluents. L'altitude tempère le climat tropical à la saison sèche. La végétation naturelle est la steppe. La population du Pérou, en majorité des Indiens et des métis, s'élève à 21,2 millions d'habitants (Péruviens et Péruviennes). Les langues officielles sont l'espagnol et le quechua. La religion dominante est le catholicisme. La monnaie utilisée est l'inti. L'agriculture, qui occupe la moitié de la population active, est centrée sur la production des denrées suivantes: coton, canne à sucre, riz, céréales, pomme de terre, café, cacao, bananes et coca (premier producteur avec la Bolivie). La pêche et l'élevage de moutons, de lamas et d'alpagas se développent constamment. Les richesses minières sont considérables: fer, cuivre, plomb, zinc, tungstène et pétrole. Les principaux produits exportés sont le coton, les produits alimentaires et les hydrocarbures. Depuis 1980, le pays est dirigé par un gouvernement démocratique.

Perrault (Charles), écrivain français, né à Paris en 1628 et mort dans la même ville en 1703. Cet avocat, fils d'avocat, publia sous le nom de son fils de 10 ans *Les contes de ma mère L'oye*, appelés aussi *Histoires ou Contes du temps passé* (1697). Cette œuvre marque une date importante puisqu'elle inaugure le genre littéraire des contes de fées. Parmi ses contes les plus célèbres, il convient de citer *La belle au bois dormant, Le petit chaperon rouge, Barbe-Bleue, Le chat botté, Cendrillon, Riquet à la houppe, Le petit poucet* et *Peau d'âne*.

Perrot (île), île de la région de Montréal. L'île Perrot est située en face de Sainte-Anne-de-Bellevue. Son nom lui vient de François-Marie Perrot, qui en reçut la concession en 1672 et qui l'utilisa pour le trafic des fourrures. En 1703, l'île est presque totalement défrichée. On y construit un manoir et un moulin à vent. Ce domaine est alors appelé Pointe-du-Moulin. De nos jours, le territoire de l'île Perrot est divisé en cinq agglomérations distinctes: L'Île-Perrot, Terrasse-Vaudreuil, Pincourt, Notre-Dame-de-l'Île-Perrot et Pointe-du-Moulin.

Persique (golfe), golfe de l'océan Indien. Situé entre l'Arabie et l'Iran, le golfe Persique, parfois appelé golfe Arabo-Persique, recèle les plus importants gisements pétroliers du monde.

Philadelphie, ville des États-Unis. Située en Pennsylvanie dans le nord-est des États-Unis, au sud de la ville de New York, Philadelphie s'étend le long de la rivière Delaware. Sa population s'élève à près de 1,7 million d'habitants (près de 5 millions avec la banlieue). Dotée d'une université et d'importants musées, cette ville doit sa célébrité à son quartier ancien et à ses monuments. Troisième port des États-Unis, Philadelphie est également un important centre culturel, économique et financier. Son développement économique repose sur les industries métallurgiques, textiles, chimiques et alimentaires.

Philippines, État de l'Asie du Sud-Est. Les Philippines sont constituées d'un archipel baigné par la mer de Chine méridionale, l'océan Pacifique et par les mers de Célèbes et de Sulu. La capitale est Manille. Le territoire des Philippines, d'une superficie de 300 000 km^2, est formé de 7 606 îles et îlots souvent montagneux et volcaniques. Les deux plus grandes îles, Luçon et Mindanao, se partagent les deux tiers de la superficie et de la population totales. Le relief est tourmenté et les côtes découpées sont bordées de récifs de corail. Les lacs de Boy et de Lanao sont les principales étendues d'eau. La végétation est exubérante: la forêt couvre 60 % du territoire et fait place, par endroits, à la savane et aux zones herbeuses. Le climat est tropical. La chaleur est constante et les pluies sont abondantes. Le Nord subit de fréquents cyclones. La population s'élève à 58,7 millions d'habitants (Philippins et Philippines). La langue officielle est le tagalog, mais on y parle aussi l'anglais. La religion dominante est le catholicisme. La monnaie utilisée est le peso philippin. L'économie philippine repose en grande partie sur l'agriculture (riz, café, maïs, canne à sucre, tabac), l'élevage des buffles, des bœufs et des porcs, l'exploitation des ressources hydroélectriques et minières (or, argent, cuivre, chrome, fer, manganèse) et le développement d'industries chimiques et d'industries de transformation de produits agricoles. Anciennement sous domination espagnole puis américaine, les Philippines sont devenues un État indépendant en 1946. Le pays est aujourd'hui dirigé par un gouvernement élu.

Phnom-Penh [*Phnum Pénh*], capitale du Cambodge. Située au confluent du Mékong et du Tonlé Sap, Phnom-Penh est une vaste ville moderne bâtie autour d'une petite colline. Elle compte 400 000 habitants. Principal port fluvial du pays, la ville est aussi un centre commercial, administratif et industriel. Elle abrite un palais du XIXe siècle.

Phnum Pénh ☞ **Phnom-Penh**.

Picasso (Pablo), peintre, dessinateur, céramiste, graveur et sculpteur espagnol, né à Malaga, Espagne, en 1881 et mort à Mougins, France, en 1973. Picasso fait sa première exposition à l'âge de seize ans. Installé à Paris en 1904, il participe à la création d'un style révolutionnaire: le cubisme. Il devient rapidement l'un des artistes les plus célèbres de son temps. Les différentes étapes de son évolution nous font découvrir la diversité et la richesse de ses talents: périodes bleue et rose (*Autoportrait*, 1901, *Célestine*, 1903), cubisme (*Les demoiselles d'Avignon*, 1907), surréalisme (*Crucifixion*, 1930), abstraction (1925-1936) et expressionnisme (*Guernica*, 1937). Outre des centaines de toiles, Picasso a réalisé des pièces de céramique, des collages, des sculptures, des décors de ballets et des murales. Les musées Picasso à Paris et à Barcelone abritent nombre de ses chefs-d'œuvre.

Pickering, ville du Canada. Cette petite ville de 48 959 habitants, en banlieue de Toronto, abrite une importante centrale nucléaire.

Pierrefonds, ville du Canada. Cette ville prospère de quelque 40 000 habitants (Pétrifontains et Pétrifontaines) est située au Québec, au nord de Montréal. Fondé en 1958, Pierrefonds couvre le territoire de l'ancienne paroisse de Sainte-Geneviève. Depuis 1965, Pierrefonds est jumelé à la ville du même nom en France et a adopté la même devise: «Qui veut peut.»

Pincourt, ville du Canada. Pincourt est situé au Québec dans la partie ouest de l'île Perrot, à l'ouest de l'île de Montréal. Plus de 9 000 Pincourtois et Pincourtoises y habitent. Inaugurée en 1950, la ville doit son nom aux «pins courts» qui poussaient à cet endroit.

Pinochet Ugarte (Augusto), homme d'État chilien, né à Valparaiso, Chili, en 1915. Promu général en 1970, Pinochet devient par la suite chef des forces armées du Chili. En 1973, il s'empare du pouvoir, abolit la Constitution, instaure un régime dictatorial et impose une politique d'austérité économique. Nommé président de la République en 1974, il décrète une loi constitutionnelle qui lui assure le pouvoir jusqu'en 1990. Cependant, à partir de 1983, face à la dégradation de l'économie du Chili, un mouvement contestataire se forme et réclame la destitution du général Pinochet.

Pipmuacan (réservoir), réservoir du Canada. D'une superficie de 979 km², ce réservoir est situé au Québec dans la région du Saguenay – Lac-Saint-Jean.

Plamondon (Luc), parolier, né à Saint-Raymond, au Québec, en 1942. Créateur de l'opéra rock *Starmania*, Luc Plamondon est également l'auteur des chansons de nombreux artistes québécois et français, dont Ginette Reno, Robert Charlebois, Diane Dufresne, Monique Leyrac, et plusieurs autres. En 1981, il fonde la Société professionnelle des auteurs et compositeurs du Québec, organisme qui défend les droits des auteurs.

Plante (Raymond), auteur québécois, né au Québec en 1947. Depuis 1973, Raymond Plante a écrit quelque 1 000 textes pour la section jeunesse de Radio-Canada. Il a collaboré aux émissions *Minute Moumoute!* et *Pop Citrouille* et a rédigé les scénarios de *La boîte à lettres*, d'*Une fenêtre dans ma tête*, de *L'ingénieux don Quichotte*, de *Minibus* et de *Miniquiz*. À titre de dramaturge, il a signé trois téléthéâtres et participé aux scénarios de la série *Du tac au tac*. Raymond Plante s'est également illustré comme parolier en composant plus de 400 chansons. Auteur de 17 livres, il a conquis le public des jeunes grâce à des albums et à des romans jeunesse, comme *La machine à beauté*, *Le record de Philibert Dupont* et *Le roi de rien*, et à des romans pour adolescents, dont la série des «Raisins»: *Le dernier des raisins* (1986), *Le raisin devient banane* (1989), etc. Nombre de ses ouvrages, traduits en anglais, en espagnol et en catalan, ont été couronnés par des prix littéraires, dont celui du Conseil des Arts.

Platon, philosophe grec né et mort à Athènes, qui vécut de 427 à 347 avant Jésus-Christ. Disciple de Socrate, il fonda vers 387 une école nommée Académie, où il enseigna. Sa méthode d'enseignement, la dialectique, visait à aider ses disciples à découvrir en eux-mêmes les idées qu'ils avaient déjà sans le savoir et à les faire progresser vers un but ultime: une existence où le beau, le juste et le bien seraient les seules vérités. Il avait aussi imaginé la création d'une cité idéale où régnerait l'ordre de justice qu'assureraient les philosophes.

Pleau (Jean-Christian), champion du monde du Concours d'orthographe de langue française, catégorie junior, né en 1967. Jean-

Christian Pleau a participé au championnat mondial d'orthographe de langue française à l'automne 1988. Ce jeune Québécois, originaire de la ville d'Outremont, a étudié la littérature française à l'Université de Montréal. Pour lui, la dictée est un jeu, une compétition sportive.

LA PRESSE

Jean-Christian **Pleau**

Plessis (Mgr Joseph-Octave), évêque québécois, né à Montréal en 1763 et mort à Québec en 1825. Joseph-Octave Plessis est nommé évêque coadjuteur en 1801 puis évêque de Québec en 1807. Il devient le premier archevêque de Québec en 1809. Il a lutté contre la tentative d'établir un système protestant et a réussi à protéger les droits et libertés de l'Église catholique. Il a participé également à la fondation des séminaires de Nicolet et de Saint-Hyacinthe.

Plessisville, ville du Canada. Érigée en 1855, Plessisville est située au Québec au nord-est de Victoriaville et compte plus de 7 000 Plessisvillois et Plessisvilloises. Cette région agricole et forestière donne d'excellents produits de l'érable. C'est à juste titre qu'on l'a surnommée la «capitale de l'érable». Le nom de Plessisville rappelle le premier archevêque de Québec, Joseph-Octave Plessis.

Pluton, planète du système solaire. Dernière planète connue du système solaire, Pluton fut découverte en 1930, mais, dès 1915, certains mathématiciens en avaient pressenti l'existence. Son diamètre équivaut environ à la moitié du diamètre terrestre. Formée de glace et de roches, Pluton aurait le même volume que la Lune. Sa rotation serait de 6 jours 3 heures et 18 minutes. On a longtemps pensé que Pluton était un satellite de Neptune. La planète possède un seul satellite, nommé Charon.

Pointe-Claire, ville du Canada. Située au Québec dans la partie sud-ouest de l'île de Montréal, à l'ouest de Dorval, Pointe-Claire s'étend sur le bord du lac Saint-Louis. On y dénombre plus de 26 000 Pointe-Clairais et Pointe-Clairaises. Fondée en 1713, cette ville était à l'origine un centre agricole. Elle s'industrialisa après la Seconde Guerre mondiale. Aujourd'hui, elle possède des usines de production d'appareils électriques, d'articles ménagers et d'articles en plastique.

Pointe-du-Lac, ville du Canada. Située au Québec dans la région Mauricie – Bois-Francs, sur la rive nord du fleuve Saint-Laurent, Pointe-du-Lac est érigée à la pointe est du lac Saint-Pierre. Elle compte plus de 5 500 Pointe-du-Laquois et Pointe-du-Laquoises.

Pointe Pelée (parc national de la), parc national du Canada. Situé dans le sud-ouest de l'Ontario, ce parc s'allonge en forme de pointe dans le lac Érié au sud de Leamington. Cette longue presqu'île de 17 km est le point le plus méridional du Canada. La plus grande partie du parc, formée de marais, fourmille de reptiles et d'amphibiens, notamment d'espèces rares, comme la couleuvre fauve et la tortue tachetée. Pointe Pelée a la réputation d'être le plus beau centre ornithologique du Canada. On peut y observer plus d'une centaine d'espèces le même jour. Son milieu à l'équilibre fragile ne permet d'y pratiquer que certaines activités : randonnée pédestre, canotage, natation et observation des oiseaux.

Polo (Marco), marchand italien, né à Venise en 1254 et mort dans la même ville en 1324. Marco Polo devient un grand explorateur à partir de 1271, lorsqu'il pénètre dans l'empire chinois, pour lequel il travaillera durant 16 ans. Il traverse toute l'Asie par la Mongolie et parvient à Pékin en compagnie de son père et de son oncle. De retour à Venise, Marco Polo relate ses voyages dans *Le livre des merveilles du monde*, sorte d'encyclopédie géographique.

Pologne, État d'Europe centrale. Située sur la mer Baltique, la Pologne est bornée par la République démocratique allemande, la Tchécoslovaquie et l'U.R.S.S. Sa superficie est de 312 677 km². Sa capitale est Varsovie. Des côtes basses et sablonneuses, échancrées par les golfes de Gdansk et de Szczecin, occupent la partie nord, tandis qu'au centre une grande plaine est coupée par des vallées. Le Sud est constitué par une zone montagneuse. La Vistule est le principal fleuve de la Pologne. Le pays est soumis à un climat continental aux hivers rigoureux et aux étés chauds et orageux. La population s'élève à 37,8 millions d'habitants (Polonais et Polonaises). La langue officielle est le polonais et la religion dominante est le catholicisme. La monnaie utilisée est le zloty. L'économie polonaise dépend principalement de l'agriculture (pomme de terre, seigle, avoine, orge, blé, lin, chanvre, tabac, etc.), de la production minière (houille, acier, fonte, cuivre, plomb, zinc, nickel, sel gemme et soufre), de l'élevage (chevaux, bovins et porcins), de l'exploitation forestière, de la pêche et des industries chimiques et textiles. La Pologne connaît actuellement une grave crise économique. Le niveau de vie de la population demeure inférieur à celui des pays d'Europe occidentale. Dominée pendant de nombreuses années par des puissances étrangères (Allemagne, Autriche et Russie), la Pologne est encore assujettie à une puissance étrangère, l'U.R.S.S., depuis la Seconde Guerre mondiale.

Polynésie, ensemble d'îles du Pacifique. Cette partie de l'Océanie comprend un vaste ensemble d'îles, notamment les îles Marquises, les îles Hawaï, les îles Samoa, Tahiti, l'île de Pâques, etc. Les Polynésiens et Polynésiennes vivent principalement de la culture des cocotiers, des orangers et de l'ananas, de la pêche d'huîtres perlières et du tourisme.

Pontbriand (Mgr Henri-Marie Dubreuil **de**), né à Vannes, France, en 1708 et mort à Montréal en 1760. Évêque de Québec de 1741 à 1760, Mgr Pontbriand s'efforça, durant cette période, de restaurer le pouvoir de l'Église.

Pontiac, chef de la nation amérindienne des Outaouais, né en Ohio en 1720 et mort en Illinois en 1769. Fils d'un père outaouais et d'une mère ojibway, Pontiac reçut son nom d'un soldat français. Par son éloquence, son audace et ses ruses, il réussit à soulever plusieurs peuples amérindiens contre les Anglais, qui furent chassés de leurs forts. Cependant, il signa la paix d'Oswego en 1766 après une lutte courageuse mais inégale. Il mourut assassiné, près de Saint-Louis, par un Illinois à la solde d'un marchand anglais. Les vengeurs de Pontiac firent ensuite la guerre à la nation illinoise, qui fut presque anéantie.

Port-au-Port, péninsule de l'île de Terre-Neuve. Cette péninsule est située au sud-ouest de Terre-Neuve sur le golfe du Saint-Laurent. Une côte rocheuse de 130 km s'étend sur cette presqu'île de forme triangulaire. Au sud, la péninsule est constituée d'un plateau et de collines et, au nord, de terres basses en pente douce. Sa population se compose d'un mélange d'ethnies. Cette région compte la plus forte proportion de villages français de l'île de Terre-Neuve. Seul district bilingue de la province, Port-au-Port est aussi un important centre de vie francophone. Son économie est fondée sur la pêche, l'exploitation forestière et l'extraction de pierre à chaux. Le parc provincial Piccadilly Head, situé sur la côte nord-est, constitue un point d'attraction pour les touristes.

Port-au-Prince, capitale de la République d'Haïti. Fondée en 1749, la ville compte aujourd'hui une population d'environ 685 000 habitants. Port-au-Prince est le port d'exportation le plus important du pays, de même qu'un centre commercial et industriel (sucreries et distilleries de rhum) de premier plan. La ville a connu de nombreux tremblements de terre au cours de son histoire.

Port-Cartier, ville du Canada. Située au Québec sur la rive nord du fleuve Saint-Laurent, à l'ouest de Sept-Îles, cette ville portuaire, fondée en 1959, compte aujourd'hui près de 7 000 Portcartois et Portcartoises. Depuis 1954, le minerai de fer des mines du Nouveau-Québec et du Labrador était acheminé vers Sept-Îles et Port-Cartier. Port-Cartier est maintenant un important port d'exportation du minerai de fer. Jusqu'en 1979, la société Rayonier y exploitait une usine de pâtes et papiers.

Portneuf (rivière), rivière du Canada. La rivière Portneuf, située dans la région de Québec, prend sa source dans les terres de la rive nord du fleuve Saint-Laurent, à environ 40 km à l'ouest de la ville de Québec. Elle coule vers le sud et se jette dans le Saint-Laurent près de la ville de Portneuf. Cette rivière arrose la réserve Portneuf, dont la superficie atteint 620 km^2.

Porto Rico, île des Antilles. Située dans l'océan Atlantique, à l'est d'Haïti, cette île de 8 971 km^2 a pour capitale San Juan, l'une des plus vieilles villes espagnoles d'Amérique. Ce pays, qui jouit d'un climat tropical chaud et humide, comprend une chaîne de montagnes au centre, des plaines côtières, une forêt luxuriante et une savane. La population s'élève à 3,6 millions d'habitants (Portoricains et Portoricaines). La langue officielle est l'espagnol, mais on y parle aussi l'anglais. La religion dominante est le catholicisme. La monnaie utilisée est le dollar. Porto Rico connaît une forte émigration vers les États-Unis. Le pays produit de la canne à sucre, du rhum, du café, du tabac et des fruits. Le développement industriel est axé sur les raffineries de pétrole, les aciéries, les chantiers navals, les cimenteries et les fabriques de vêtements et de chaussures. L'île constitue un site idéal pour les touristes. Anciennement sous domination espagnole, Porto Rico est occupé par les Américains en 1898. En 1917, les Portoricains deviennent officiellement citoyens américains. En 1952, l'île reçoit le statut d'État libre associé aux États-Unis. Le pays est aujourd'hui dirigé par un gouvernement élu.

Port-Royal, ancien établissement français de Nouvelle-France. Situé en Nouvelle-Écosse dans la baie de Fundy, cet établissement comprenait des bâtiments groupés autour d'une cour centrale. Son potager fut le premier jardin expérimental d'Amérique du Nord. François Gravé, sieur du Pont, et Samuel de Champlain en furent les fondateurs. C'est à Port-Royal qu'eut lieu la première représentation théâtrale au Canada. En 1654, les Anglais prirent Port-Royal qui comptait, au moment de la Conquête, 350 habitants. Le gouvernement fédéral a entrepris la reconstruction de l'établissement en 1938-1939 et en a fait un parc national historique dès 1940. Aujourd'hui, Port-Royal demeure un lieu historique très fréquenté.

Portugal, État du sud-ouest de l'Europe. D'une superficie de 92 082 km², le Portugal est limité par l'Atlantique et l'Espagne. Sa capitale est Lisbonne. Le relief comprend des plateaux qui diminuent jusqu'à la mer, des chaînes de montagnes culminant à près de 2 000 m, des plaines et des vallées. Le réseau hydrographique est principalement formé de la Minho, du Douro et du Tage. Le climat est océanique sur la côte, continental à haute altitude et subtropical au sud. La végétation se compose de forêts de chênes-lièges et de diverses autres espèces. La population s'élève à 10,4 millions d'habitants (Portugais et Portugaises). La langue officielle est le portugais et la religion dominante est le catholicisme. La monnaie utilisée est l'escudo. L'agriculture portugaise est centrée sur la culture des olives, de la vigne et des fruits et légumes. La forêt demeure une ressource essentielle; le Portugal est le premier producteur mondial de liège. La pêche (thon, morue et sardines) occupe également une place importante dans l'économie. Les principales ressources minières sont le cuivre, le fer, l'étain et le tungstène. Le textile, l'alimentation (vins de Porto) et l'artisanat (dentelle et céramique) constituent les secteurs industriels les plus développés. Le tourisme connaît une progression constante. Malgré son entrée récente dans la Communauté économique européenne, le Portugal demeure l'un des pays d'Europe les moins développés. Le pays est aujourd'hui dirigé par un gouvernement élu.

Poste-de-la-Baleine ☞ **Whapmagoostui**.

Poulin (Stéphane), illustrateur-auteur québécois, né en 1961. Ce Montréalais passionné de dessin a remporté entre 1983 et 1986 une dizaine de prix pour l'excellence de ses travaux, dont celui du meilleur illustrateur francophone, attribué par le Conseil des Arts du Canada. Ses dessins pleins d'humour et de fantaisie agrémentent la lecture des romans pour la jeunesse. À son actif, mentionnons, entre autres, les illustrations des romans de Raymond Plante: *Le record de Philibert Dupont, Minibus* et *Le dernier des raisins*.

Povungnituk, village inuit du Nord-du-Québec. Ce village situé sur la côte est de la baie d'Hudson compte une population de 927 habitants, appelés Puvirniturmiuq, dont les langues sont l'inuktitut et l'anglais. Leurs principales activités sont la chasse, la traite des fourrures, la gravure et la sculpture. Charlie Sugnapik, originaire de Povungnituk, fut le premier Inuk élu à la Société des sculpteurs du Canada (1958).

Prague [*Praha*], capitale de la Tchécoslovaquie. Prague est située au nord-ouest de la Tchécoslovaquie sur la Vltava. Sa population s'élève à près de 1,2 million d'habitants (Pragois et Pragoises). Métropole historique et intellectuelle de la Tchécoslovaquie, Prague est aussi un centre commercial et industriel. Elle possède des industries diversifiées: alimentation, chaussure, construction, mécanique, textile et chimie. La capitale doit une bonne part de sa célébrité à ses quartiers historiques où abondent les palais, les monuments anciens, gothiques et baroques, et les musées, dont celui de la riche Galerie nationale.

Praha ☞ **Prague**.

Prairies (rivière des), rivière du Canada. Située au Québec dans la région de Montréal, la rivière des Prairies prend sa source dans le lac des Deux Montagnes, coule vers l'est en séparant l'île de Montréal de l'île Jésus et se jette dans le fleuve Saint-Laurent à l'extrémité est de l'île de Montréal.

Prescott (Robert), soldat et administrateur anglais, né à Lancashire, Angleterre, en 1725 et mort à Rose Green, Angleterre, en 1816. En 1796, Robert Prescott fut nommé lieutenant-gouverneur du Bas-Canada, puis administrateur et gouverneur. Il occupa ce poste officiellement jusqu'en 1807, même après avoir quitté la colonie en 1799. Il eut à faire face aux ennuis causés par la loi des chemins et la distribution des terres. Il fit rechercher les résistants qui poussaient les Canadiens à se rebeller, puis il refusa la fondation de nouvelles paroisses. Son rappel en Angleterre s'explique partiellement par son opposition aux membres du Conseil exécutif, qu'il accusait de vouloir s'emparer des terres. Prescott a fait figure de protecteur des Ursulines, chez qui sa fille aînée étudiait le français.

Pretoria, capitale administrative de l'Afrique du Sud. Située au nord-est du pays, Pretoria, seule grande ville à majorité blanche en

Afrique du Sud, compte plus de 528 000 habitants. C'est un centre universitaire et industriel.

Prevost (sir George), militaire et administrateur, né à New York en 1767 et mort à Londres en 1816. En 1808, George Prevost est nommé lieutenant-gouverneur de la Nouvelle-Écosse et, en 1811, il est nommé gouverneur en chef et commandant des forces armées de l'Amérique du Nord britannique. Il a assumé les fonctions de gouverneur général du Canada de 1811 à 1815.

Prévost, ville du Canada. Cette ville du Québec, érigée en 1909 et située à une vingtaine de kilomètres de Saint-Jérôme, compte plus de 5 000 Prévostois et Prévostoises.

Proclamation royale, document britannique. Première constitution canadienne, la Proclamation royale, émise le 7 octobre 1763 par le roi George III, établit les frontières des territoires acquis par l'Angleterre lors du traité de Paris. Par cette proclamation, la province de Québec est limitée à une infime partie de la Nouvelle-France. De plus, les structures militaires en vigueur depuis 1760 font place à des structures civiles. Un gouverneur et un conseil reçoivent la mission d'administrer le Québec. Cependant, toutes les dispositions de la Proclamation ne se sont pas réalisées. Cette proclamation a eu pour effet de réduire les privilèges des treize colonies. Après plusieurs années de dégradation, la Proclamation de 1763 fut remplacée par l'Acte de Québec de 1774.

Pyeongyang ☞ **Pyongyang**.

Pyongyang [*Pyeongyang*], capitale de la Corée du Nord. Située à l'ouest du pays, sur le fleuve Daedong, Pyongyang compte 1,7 million d'habitants. La ville possède une importante université, des musées et des monuments anciens. Centre de communications du pays, c'est aussi un centre industriel (industries textiles, alimentaires, électriques et chimiques, sidérurgies, cimenteries).

pyramides, édifices égyptiens. Construits au temps de l'ancienne Égypte, ces monuments demeurent encore très mystérieux de nos jours. Les pyramides servaient de tombeaux aux pharaons et aux personnages égyptiens importants. On les nommait «demeures d'éternité», car on croyait que les morts entraient dans une nouvelle vie et devaient continuer à se nourrir, à s'occuper et à se distraire. Les plus célèbres de ces monuments sont ceux de Khéops et de Mykérinos.

FIORE/PUBLIPHOTO

La **pyramide** de Djoser

Pyrénées, chaîne de montagnes européenne. Située au sud-ouest de l'Europe, cette chaîne montagneuse sépare la France de l'Espagne et s'étend sur plus de 500 km d'ouest en est et sur 140 km du nord au sud. Les pics d'Aneto (3 404 m) et de Vignemale (3 298 m) forment les points culminants de la chaîne. Celle-ci n'a jamais constitué une barrière humaine infranchissable. Les Basques et les Catalans peuplent les deux versants.

Quaqtaq, municipalité de village nordique. Situé sur la côte ouest de la baie d'Ungava, sur la péninsule d'Ungava, dans le territoire du Nord-du-Québec, Quaqtaq est un village inuit de 175 Quaqtamiut qui parlent l'inuktitut et l'anglais. Le piégeage et l'artisanat sont les principales activités.

Québec, province du Canada. D'une superficie de 1 540 680 km², la province de Québec est la plus grande province du Canada. Le Québec a des frontières communes avec l'Ontario, le Nouveau-Brunswick, le Labrador, le Maine, le New Hampshire, le Vermont et l'État de New York. Il est baigné par la baie d'Hudson, le détroit d'Hudson et le golfe du Saint-Laurent. La ville de Québec est la capitale. Parmi les villes importantes figurent Chicoutimi, Hull, Laval, Montréal, Sherbrooke et Trois-Rivières. Le territoire se compose de trois grandes régions géographiques : celle du bouclier canadien comprend le système montagneux des Laurentides et s'étend au Nouveau-Québec, à l'extrême nord; le plateau laurentien est un vaste plateau où lacs, rivières et forêts abondent; la vallée du Saint-Laurent et ses basses-terres est la région la plus fertile, la plus développée et la plus peuplée; la zone des Appalaches couvre l'Estrie, le sud de l'estuaire du Saint-Laurent et se prolonge en Gaspésie (monts Notre-Dame). Le fleuve Saint-Laurent et ses principaux affluents (les rivières Richelieu, Yamaska, Chaudière et Saint-François au sud; les rivières Saint-Maurice, Saguenay et des Outaouais au nord) arrosent le Québec. Le climat du Québec est rude et irrégulier : au nord et au nord-ouest, les hivers sont longs et rigoureux, les étés chauds et courts. Plus on descend vers le sud, plus les étés s'allongent. Au nord, où le sol est gelé en permanence, s'étend la toundra arctique (mousses et lichens). La taïga avec forêt boréale (sapins et épinettes) lui succède. La forêt tempérée (érables, merisiers, hêtres et chênes) domine dans les vallées de l'Outaouais et du Saint-Laurent, dans les Appalaches et dans la région du Lac-Saint-Jean. Le Québec compte 6 688 700 habitants (Québécois et Québécoises) et se classe deuxième au Canada pour la population. C'est la seule province canadienne à majorité francophone (82,5 %). L'économie québécoise repose sur d'immenses richesses minières : cuivre, zinc, or, titane et amiante, dont le Québec est le premier producteur mondial, et sur l'exploitation de la forêt. Le secteur industriel, favorisé par la puissance hydroélectrique considérable du Québec, est très diversifié : l'industrie du bois et de la pâte à papier compte parmi les plus importantes industries avec la métallurgie de l'aluminium, l'électrochimie et la chimie du pétrole. Les cultures de tabac, de fruits et légumes, de fourrage et de céréales, l'élevage (vaches laitières, porcs), la pêche et le tourisme jouent aussi un rôle économique important. En 1534, Jacques Cartier découvre la Nouvelle-France et Samuel de Champlain en entreprend la colonisation en fondant la ville de Québec en 1608. Prise par Wolfe (1759), la Nouvelle-France devient colonie anglaise par le traité de Paris (1763). L'Acte constitutionnel de 1791 lui donna le nom de Bas-Canada. Les années 1837 et 1838 sont marquées par la rébellion des Patriotes, un groupe de francophones dirigés par Louis-Joseph Papineau, qui se révoltent contre la domination britannique. En 1840, le Bas-Canada est réuni au Haut-Canada (Ontario) par l'Acte d'Union, qui proclame l'anglais comme seule langue officielle. En 1867, le Québec retrouve son statut de province et fait son entrée dans la Confédération. Le français redevient une des langues officielles. De 1867 à 1936, la vie politique québécoise est marquée par les divisions entre les libéraux et les conservateurs, qui se succèdent au pouvoir. En 1936, Maurice Duplessis, chef conservateur, cofondateur de l'Union nationale, devient premier ministre. Défait en 1939, son parti reprend le pouvoir en 1944 et le conserve jusqu'en 1960. Le retour des libéraux au pouvoir donne lieu à la Révolution tranquille, une période d'industrialisation et de réforme des institutions. En 1966 commence une période de troubles politiques et sociaux qui atteint son point culminant en 1970 avec la Crise d'octobre. René Lévesque, fondateur du Parti québécois, prend le pouvoir en 1976. L'année suivante, la loi 101 proclame le français comme seule langue officielle du Québec. En 1980, le projet de souveraineté-association est rejeté par référendum. Les libéraux reprennent le pouvoir en 1985. La devise du Québec est «Je me souviens»; la fleur de lis et le harfang des neiges sont les emblèmes de la province.

Québec, ville du Canada, capitale de la province de Québec. La ville de Québec est située sur la rive nord du fleuve Saint-Laurent, au confluent de la rivière Saint-Charles, à 290 km à l'est de Montréal. Un promontoire de 98 m, le cap Diamant, domine la ville; il a servi, au XVIIIe siècle, à des travaux de fortifications. Québec est une des rares villes fortifiées de l'Amérique du Nord. La ville compte 164 580 Québécois et Québécoises. La population atteint 603 270 habitants avec la région métropolitaine, qui comprend les municipalités de Sainte-Foy, de Charlesbourg, de Beauport, de Lévis-Lauzon et de Loretteville. Siège administratif du seul gouvernement francophone de l'Amérique du Nord, Québec est aussi un centre commercial, grâce à son port actif. La ville possède une importante université, des musées et des édifices anciens. Ses rues pittoresques attirent de nombreux touristes. En 1535, Jacques Cartier visita le site où il trouva un important village iroquois, Stadaconé. En 1608, Champlain fonda la ville de Québec, qui fut prise par les Anglais en 1759. Québec, qui est la ville la plus ancienne du Canada, fut le berceau de la civilisation française en Amérique.

Québec, région administrative du Québec. La région administrative de Québec, située sur la rive nord du fleuve Saint-Laurent, englobe Portneuf, La Jacques-Cartier, L'Île-d'Orléans, La Côte-de-Beaupré, la Communauté urbaine de Québec, la région de Charlevoix et l'île aux Coudres. La ville de Québec en est la capitale régionale, et les principales villes sont Cap-Santé, Sainte-Foy, Lac-Beauport, Château-Richer, Baie-Saint-Paul et Sainte-Famille. Le développement économique de cette région repose sur l'agriculture, l'exploitation de la forêt et le tourisme.

Quilico (Gino), chanteur baryton, né à New York en 1955. Fils du baryton Louis Quilico et d'une pianiste concertiste, Gino Quilico étudie la musique à Toronto et fait ses débuts à Montréal et à Toronto à l'âge de 22 ans. De 1977 à 1979, il chante au Canada et aux États-Unis puis, en 1980, il tente sa chance à Paris. Depuis, il a fait toutes les grandes scènes d'Europe et d'Amérique et a enregistré une dizaine d'opéras. En 1988, il amorce une carrière cinématographique en participant au film-opéra *La bohème* de Puccini. Il se produit ensuite au *Metropolitan Opera* de New York. Il dit avoir eu la chance, dans sa jeunesse, de compter sur le meilleur professeur: son père, Louis Quilico.

Gino **Quilico**

J. PIMENTEL/PUBLIPHOTO

Quilico (Louis), chanteur baryton et professeur de chant, né à Montréal en 1925. Louis Quilico est le père de Gino Quilico. Après des études à Rome (1947-1948), à Montréal (1948-1952) et à New York (1952-1955), il fait ses débuts sur la scène canadienne en 1954 avec l'*Opera Guild* de Montréal. Bien qu'il se soit produit à New York en 1955, il doit attendre jusqu'en 1973 pour chanter avec le *Metropolitan Opera*. Louis Quilico a interprété de grands rôles pour d'importantes compagnies d'opéra tant en Europe qu'en Amérique du Nord. Depuis 1970, il forme plusieurs jeunes chanteurs à l'Université de Toronto, où il est professeur, et à l'Université McGill depuis 1987. En 1975, Louis Quilico reçoit le titre de Compagnon de l'ordre du Canada. En 1982, lors des cérémonies entourant l'adoption de la nou-

Louis **Quilico**

P. ROUSSEL/PUBLIPHOTO

velle Constitution canadienne, le baryton chante en compagnie de son fils Gino devant la reine Élisabeth II.

Quintana (Carmen Gloria), militante chilienne, née au Chili en 1967. Victime des soldats du dictateur militaire Pinochet, Carmen Quintana fut arrosée d'essence et brûlée vive. Mis au courant de cette tragédie, le mouvement «Développement et paix» fournit l'argent nécessaire à sa venue au Québec (1986). Après plusieurs opérations au Centre des grands brûlés de l'Hôtel-Dieu de Montréal, Carmen Quintana retourne au Chili en 1987, où elle rencontre le pape Jean-Paul II alors en visite dans ce pays. Accueillie en héroïne par les Chiliens, Carmen Quintana incarne le courage et l'espoir dans la lutte contre le totalitarisme. Le Québec la considère comme sa «fille adoptive». Elle vit au Chili depuis 1988.

Quinze (lac des), lac du Canada. Le lac des Quinze est situé dans la région de l'Abitibi-Témiscamingue, au Québec, au sud de Rouyn-Noranda et à l'est du lac Témiscamingue. Les rapides des Quinze y prennent leur source et se déversent dans le lac Témiscamingue.

Quito, capitale de l'Équateur. Située au nord du pays, la ville est bâtie à 2 850 m d'altitude, sur les pentes du volcan Pichincha. Quito compte 1 110 000 habitants. C'est un centre administratif, intellectuel, commercial et industriel (industries textiles et alimentaires). La ville possède une université, de beaux monuments, de nombreux édifices religieux de style colonial espagnol (XVIe, XVIIe et XVIIIe siècle) et des musées.

r

Rabat [*Ar Ribat*], capitale du Maroc. Cette ville portuaire est située sur l'Atlantique à l'embouchure du Bou Regreg. Sa population s'élève à 520 000 habitants. Rabat est un centre administratif, commercial et industriel qui abrite de nombreux musées, des monuments du XIIe au XVIIIe siècle et de remarquables remparts aux portes fortifiées.

Racine (Jean), poète dramatique français, né à La Ferté-Milon, France, en 1639 et mort à Paris, France, en 1699. Jean Racine reçut une forte culture grecque. Dès 1664, Racine présenta sa première pièce à Paris : *La Thébaïde*. Un peu plus tard, il recueillit un triomphe grâce à *Andromaque* (1667), puis il fit représenter *Les plaideurs* (1668), *Britannicus* (1669), *Bérénice* (1670), *Bajazet* (1672), *Mithridate* (1673), *Iphigénie* (1674) et *Phèdre* (1677). Racine inventa des personnages complexes, ambivalents, souvent dominés par la passion et dont les conflits reposent sur les relations entre père et fils et les rivalités amoureuses. Le poète, dont l'œuvre s'inspire du théâtre grec, est considéré comme le créateur de la tragédie française.

Radisson (Pierre-Esprit), explorateur et coureur de bois français, né à Paris en 1635 et mort à Londres en 1710. Pierre-Esprit Radisson connaissait bien le mode de vie des Indiens et les diverses régions de l'Amérique du Nord. Avec son beau-frère, Médard Chouart des Groseilliers, il explora les environs des lacs Supérieur et Michigan (1659). N'ayant aucun permis pour la traite des fourrures, les deux explorateurs se rendirent en Angleterre pour faire financer leur voyage à la baie d'Hudson. Fondateur de la Compagnie de la baie d'Hudson, Radisson a servi d'interprète et de guide aux explorateurs et aux marchands anglais. À cause de certaines mésententes, il travailla tantôt pour les Français tantôt pour les Anglais. Considéré comme un traître, Radisson dut quitter la Nouvelle-France. Il s'installa alors à Londres, où il y termina ses jours.

Radisson, hameau du Canada. Radisson est situé au Québec près de la baie James, à l'est du village de Chisasibi. Ce hameau a été construit vers 1973 lors des travaux de la Baie-James. C'est pour honorer la mémoire de Pierre-Esprit Radisson, explorateur français, que le village porte ce nom. Aujourd'hui, Radisson est devenu le centre des services administratifs du Nord québécois.

Ramadan, neuvième mois du calendrier musulman, consacré au jeûne. Durant ce mois, les musulmans s'astreignent au jeûne du lever au coucher du soleil.

Ramezay (Claude **de**), officier et administrateur français, né à La Gesse, France, en 1659 et mort à Québec en 1724. Officier de la marine, Claude de Ramezay arrive au Canada en 1685. Gouverneur de Trois-Rivières, puis commandant des troupes canadiennes, il devient gouverneur de la Nouvelle-France. Il pratiqua la traite des fourrures et l'exploitation forestière. Montréal lui doit le magnifique château de Ramezay, datant de 1705.

Ramezay (Louise **de**), aristocrate et femme d'affaires canadienne, née à Montréal en 1705 et morte à Chambly en 1776. Propriétaire d'une tannerie à Montréal, Louise de Ramezay administra également un moulin à farine et des scieries.

Rangoun [*Yan-Gon*], capitale de la Birmanie. Située au sud du pays près de l'embouchure de l'Irawady, la ville de Rangoun compte 2,4 millions d'habitants. Principal centre économique du pays, elle abrite plusieurs musées et la célèbre pagode Shwe Dagon. On y fait de nombreux pèlerinages bouddhistes. La population de Rangoun tire sa subsistance de l'artisanat (soie, laque), des industries alimentaires et des industries du bois, et de l'exportation du riz, du bois, des minerais (plomb, zinc), du coton et du tabac.

Raphaël (Raffaello **Sanzio**, dit), peintre italien, né à Urbin, Italie, en 1483 et mort à Rome, Italie, en 1520. Après sa formation,

Raphaël travailla à Pérouse, à Florence et à Rome, et assimila les influences de Michel-Ange et de Léonard de Vinci. Vers 1508, il devint le peintre officiel de la papauté. On lui doit notamment la décoration des trois *Stanze* du Vatican (pièces de l'appartement du pape Jules II), considérée comme son œuvre majeure. Il conçut également la décoration des loges du Vatican et exécuta nombre de portraits et de tableaux d'autels. Des toiles remarquables, comme *La Madone du grand-duc*, *La Madone à la chaise*, *La belle jardinière*, *La Madone du Belvédère* et *La Madone au chardonneret*, empreintes de noblesse et de tendresse, évoquent la beauté féminine. L'art du peintre italien, inspiré de l'équilibre classique, allie la richesse des coloris, l'ampleur des espaces et l'harmonie des formes.

Raudot (Jacques), juriste et administrateur français, né en France en 1658 et mort à Paris, France, en 1728. Jacques Raudot fut intendant de la Nouvelle-France, conjointement avec son fils Antoine, de 1705 à 1711. Ils accomplirent des réformes dans les domaines de la justice, de l'enseignement et de l'agriculture, et améliorèrent les conditions de vie dans la colonie.

Ravel (Maurice), musicien et compositeur français, né à Ciboure, France, en 1875 et mort à Paris, France, en 1937. Maurice Ravel entre au Conservatoire de Paris en 1889. Dès ses premières œuvres, il s'affirme par l'originalité de son style et manifeste de grandes qualités : finesse et précision de la ligne mélodique, maîtrise de la forme, goût pour l'exotisme et la féerie, richesse de l'orchestration et équilibre des harmonies. Parmi les compositeurs modernes, Ravel s'inscrit dans le courant du classicisme français. Son œuvre puise, entre autres, aux sources de la musique russe et du folklore espagnol. Le musicien français a acquis une notoriété mondiale grâce à son *Boléro* (1928), au *Concerto en sol* et au *Concerto pour la main gauche*. Parmi ses principales œuvres, citons *Jeux d'eau*, *Miroirs*, *Sonatine*, *Gaspard de la nuit*, *Sonate pour violon et violoncelle*, à la mémoire de Debussy, et *Ma mère l'Oye* (ballet).

Reagan (Ronald Wilson), homme d'État américain, né à Tampico, Illinois, en 1911. D'abord acteur de cinéma, Ronald Reagan entre en politique en 1962 et devient gouverneur de la Californie en 1966. Il se lance ensuite dans la course à la présidence et exerce les fonctions de président des États-Unis de 1980 à 1988. Il préconise le renforcement de l'économie et de la défense nationale ainsi que le retour aux valeurs morales traditionnelles. Sur le plan de la politique étrangère, il vise l'équilibre des forces en Europe. En 1988, il signe avec Mikhaïl Gorbatchev, le chef de l'U.R.S.S., un accord limitant l'utilisation des armes nucléaires.

Rébellion de 1837, soulèvement patriotique de l'histoire du Canada. La Rébellion de 1837 touche à la fois le Haut et le Bas-Canada. Le Bas-Canada connaît deux mouvements d'agitation populaire. Ceux-ci prennent naissance au cours des années 1830. La crise économique et l'accroissement de la tension entre la majorité canadienne-française et la minorité britannique sont à l'origine de la Rébellion. Son véritable déclencheur est le refus de la Grande-Bretagne d'abandonner sa mainmise sur tous les revenus provinciaux et de réorganiser l'appareil gouvernemental. Entre-temps, Louis-Joseph Papineau et d'autres chefs du parti des Patriotes en viennent à perdre leurs illusions à l'égard de l'empire. En 1834, l'Assemblée énonce ses revendications sous forme de 92 résolutions. Le Parlement britannique répond en 1837 en votant les résolutions Russell, qui refusent les principales demandes de l'Assemblée. L'agitation des Patriotes s'accroît. Plusieurs de leurs dirigeants sont arrêtés et d'autres se réfugient à la campagne. Mal organisés et mal équipés, les rebelles sont facilement écrasés à Saint-Charles et de façon définitive à Saint-Eustache. Au dernier endroit, les Patriotes résistent héroïquement, sous le commandement de Chénier. En 1838, le docteur Robert Nelson et le docteur Cyrille Côté dirigent un second soulèvement. Comme le premier, celui-ci est aussi facilement réprimé. On exécute alors 12 Patriotes et 58 autres sont déportés en Australie.

Récollets, ancien ordre religieux. La congrégation des Récollets, issue de l'ordre des frères mineurs de Saint-François d'Assise, a été fondée en Espagne en 1584. Arrivés au Canada en 1615, les Récollets furent les premiers missionnaires au pays. En 1629, les Anglais les forcèrent à partir. De retour en 1669 à la demande de Talon, ils exercèrent leur ministère dans les forts, les paroisses et les maisons religieuses. En 1796, leurs propriétés désaffectées servirent de lieux de culte protestant et de prisons d'État. Leur dernier supérieur mourut en 1800 et le dernier récollet, en 1813. En 1624, ils avaient nommé saint Joseph patron du Canada.

Red Deer (rivière), rivière du Canada. Située en Alberta, la rivière Red Deer prend sa source dans les montagnes Rocheuses du parc national de Banff, coule sur une distance de 740 km et se jette dans la rivière Saskatchewan. Son bassin couvre 44 500 km^2. Sur 300 km, elle est bordée d'impressionnantes terres nues, riches en fossiles de dinosaures. Cette rivière approvisionne en eau la ville de Red Deer à des fins industrielles et agricoles.

Regina, ville du Canada, capitale de la Saskatchewan. Elle est située au sud-est de la province. Érigée dans une prairie, elle occupe un territoire de 110,6 km². On y dénombre plus de 175 000 habitants. Près de la moitié sont d'origine britannique. Regina est entourée de riches plaines céréalières. Elle abrite la plus grande coopérative de céréales du monde. Depuis 1882, le centre de formation de la Gendarmerie royale du Canada est établi dans cette ville. L'économie de Regina s'appuie sur les secteurs industriels suivants: ciment, papier, acier, charbon, pétrole, plastique et produits chimiques. Regina possède une université et un orchestre symphonique des plus réputés. Son équipe de la Ligue canadienne de football est la fierté de la province.

Reine-Charlotte (archipel de la), archipel du Canada. L'archipel de la Reine-Charlotte est situé près des côtes de la Colombie-Britannique, au nord de l'île de Vancouver. Formé d'environ 150 îles, il occupe une superficie de 9 033 km². Son aire est presque entièrement constituée des deux principales îles: Graham et Moresby, qui s'étendent sur 8 969 km². Les études archéologiques ont démontré que l'archipel est habité par l'être humain depuis au moins 6 000 ans. L'explorateur espagnol Juan Pérez a été le premier à découvrir ces îles en 1774. Le capitaine Georges Dixon lui donna le nom de son navire, le *Queen Charlotte*, en 1787. Sa population actuelle compte environ 5 700 habitants. L'archipel est un immense royaume naturel. Des géologues, des biologistes et des récréologues y viennent pour étudier et admirer le paysage accidenté. On peut y voir des sommets de 1 200 m, des fjords spectaculaires, des colonies d'oiseaux marins et d'otaries. Les forêts abondent en cèdres et en immenses épinettes de Sitka. Tous les mammifères terrestres indigènes qui y vivent sont propres à ces îles. On y trouve également trois espèces d'oiseaux particulières. L'archipel abrite plus d'un demimillion de couples d'oiseaux marins nicheurs. On y trouve aussi l'un des sites du patrimoine mondial de l'U.N.E.S.C.O. Le parc provincial de Naikoon est aménagé dans l'île Moresby. Cette région unique attire un nombre croissant de touristes.

Reine-Charlotte (bassin), vaste étendue d'eau du Canada. Le bassin Reine-Charlotte est situé dans l'océan Pacifique à l'ouest des côtes de la Colombie-Britannique, entre le nord de l'île de Vancouver et le sud de l'archipel de la Reine-Charlotte.

Reine-Élisabeth (archipel de la), archipel du Canada. L'archipel est situé dans les Territoires du Nord-Ouest. Les îles forment au nord du pays un triangle dont le sommet est l'île d'Ellesmere et dont la base se compose des îles Devon, Cornwallis, Bathurst, Melville et Prince Patrick. Le détroit de Parry et l'océan Arctique entourent l'archipel. La superficie totale de celui-ci s'élève à environ 425 000 km². Son aire est à peu près égale à celle d'une province des Prairies. Environ 20 % de sa surface est couverte de glace. Les îles principales sont Ellesmere (196 236 km²) et Devon (55 247 km²). Étant donné l'érosion, les îles sont recouvertes de montagnes plissées. Dans les îles situées à l'est se dressent des montagnes de 2 600 m. Depuis fort longtemps, les Inuit connaissent et habitent les îles de la Reine-Élisabeth. Cette région, qui renferme des stations de recherche et de météorologie inhabitées, recèle des gisements de pétrole et de gaz naturel. C'est en 1953 que l'archipel a été ainsi nommé, en l'honneur de la reine Élisabeth II.

Rembrandt (Rembrandt Harmenszoon **Van Rijn**, dit), peintre, dessinateur et graveur hollandais, né à Leyde, Pays-Bas, en 1606 et mort à Amsterdam, Pays-Bas, en 1669. C'est à Leyde et à Amsterdam que Rembrandt s'initia à la peinture et étudia les effets d'éclairage. Le peintre hollandais est d'ailleurs reconnu pour sa science du clair-obscur. Accédant très tôt à la richesse et à la célébrité, Rembrandt exécuta plus de 700 toiles, dont une soixantaine de portraits et des milliers de dessins. Dans ses portraits, il s'attacha à traduire les sentiments intérieurs et à faire ressortir les nuances expressives. Parmi ses œuvres, citons *Le samaritain, Les pèlerins d'Emmaüs, La leçon d'anatomie, L'adoration des bergers, La mise au tombeau, La Résurrection, L'Ascension, Portrait de l'artiste par lui-même.*

Rémy de Courcelle (Daniel **de**), sieur de Montigny, officier et administrateur français, né en France en 1626 et mort en 1698. Gouverneur de la Nouvelle-France de 1665 à 1672, Rémy de Courcelle mène des expéditions contre les Iroquois pour mettre fin à leurs attaques et fait construire des forts sur le Richelieu, notamment à Sorel et à Chambly. En 1691, malade, il demande son rappel en France.

Renaud (Bernadette), écrivaine et scénariste canadienne, née dans l'Estrie en 1945. Bernadette Renaud s'est distinguée par ses ouvrages destinés aux jeunes (des albums, des contes, une pièce de théâtre, des romans, des textes scolaires, un roman de science-fiction et des scénarios d'émissions de télévision et de films). Elle remporte le prix du Conseil des Arts et le prix de l'A.S.T.E.D. pour son album *Émilie, la baignoire à pattes* (1977). *La révolte de la courtepointe*, conte publié en 1978, obtient la même année la mention d'excellence de l'A.C.E.L.F. On lui doit également des romans empreints de fraîcheur et de fantaisie: *Le chat de l'oratoire, Florent, le tireur de sonnettes, Les dix ans de Stanislas, Le rapt du père Noël* et *La dépression de l'ordinateur*. Elle a notamment rédigé à l'intention des jeunes un ouvrage fort utile décrivant les principales étapes de la fabrication d'un livre: *Comment on fait un livre*, publié en 1983. Membre de l'Union des écrivains et de la Société de gestion des droits d'auteur, madame Renaud a occupé le poste de vice-présidente de Communication-Jeunesse.

LINDA GIARD PHOTOGRAPHE

Bernadette **Renaud**

René Goupil (saint), chirurgien français, né à Anjou, France, en 1607 et mort en Nouvelle-France en 1642. Laïc au service des jésuites, il accompagna le père Jogues chez les Hurons. Il fut fait prisonnier et esclave par les Iroquois et gardé en captivité. René Goupil fut tué d'un coup de hache pour avoir fait le signe de la croix sur le front du petit-fils de son maître. Il est l'un des saints martyrs canadiens canonisés en 1930.

Reno (Ginette), chanteuse canadienne, née à Montréal en 1946. Ginette Reno commence à chanter à l'âge de 14 ans et enregistre son premier 45 tours en 1962. En 1964, elle est nommée «Découverte de l'année» au Gala des artistes et, en 1967, elle chante à l'Olympia de Paris. En 1968, elle remporte trois prix au Festival du disque, dont celui de la chanteuse la plus populaire. Le 24 juin 1975, à l'occasion des fêtes de la Saint-Jean, elle interprète *Plus haut* au sommet de la montagne devant des milliers de personnes réunies sur le mont Royal. En 1980, au gala de l'Adisq, elle se voit attribuer quatre trophées, dont celui de l'interprète de l'année. En 1980 et 1981, elle remporte la «Rose d'or», honneur décerné par le Salon de la femme à l'artiste la plus aimée du public. En 1989, l'Adisq l'honore encore une fois en lui décernant trois prix, dont celui du microsillon de l'année dans le domaine de la chanson populaire.

Repentigny, ville du Canada. Située au Québec, la ville de Repentigny est érigée sur la rive nord du fleuve Saint-Laurent, à l'est de l'île de Montréal. Inaugurée vers 1855, elle compte aujourd'hui plus de 40 775 habitants. (Repentignois et Repentignoises). En 1647, ce territoire avait été concédé au seigneur Pierre Le Gardeur de Repentigny.

Restigouche, réserve indienne du Canada. Restigouche est située dans la région de la Gaspésie à 118 km au sud-ouest de Bonaventure, au fond de la baie des Chaleurs. Érigée à l'embouchure de la rivière Ristigouche, cette réserve compte 896 habitants, de la nation des Micmacs. C'est à Restigouche qu'a eu lieu la dernière bataille entre les Français et les Britanniques pour la possession du Canada. Le gouvernement du Canada y a aménagé un centre d'interprétation. En micmac, *restigouche* signifie «rivière divisée comme une main». Les principales activités des Micmacs qui y résident sont la foresterie, le tourisme et l'artisanat (vannerie et articles de cuir).

Révolution tranquille (la), période de l'histoire québécoise (1960-1966). L'expression désigne une période de changements rapides survenus au Québec dans les années soixante. Aux élections provinciales de 1960, les libéraux mettent fin au règne de l'Union nationale, au pouvoir depuis 1944. L'avènement de la Révolution tranquille coïncide avec la mort du premier ministre Maurice Duplessis. En deux ans, le gouvernement de Jean Lesage apporte d'importants changements. Il abaisse l'âge du droit de vote de 21 à 18 ans, institue une commission d'enquête sur l'éducation, présidée par Mgr Alphonse-Marie Parent, et crée le ministère de l'Éducation. Dans le domaine de l'économie, la plus grande réalisation est la nationalisation de l'électricité. Plusieurs autres événements marquent cette période. Le sentiment nationaliste des Canadiens français prend beaucoup d'ampleur. Les disputes entre les gouvernements fédéral et provinciaux entraînent une augmentation du nombre de groupes séparatistes. La Révolution tranquille demeure, encore aujourd'hui, un moment important de l'histoire du Québec.

Rhin (le), fleuve de l'Europe occidentale. Le Rhin prend sa source dans les Alpes suisses et traverse l'Allemagne de l'Ouest et les Pays-Bas avant de se jeter dans la mer du Nord. Il parcourt une distance de 1 320 km. Il borde l'est de la France et forme la frontière avec l'Allemagne. Le rôle économique de ce fleuve est considérable. C'est la plus importante artère navigable de l'Europe de l'Ouest. Le fleuve est jalonné de ports actifs dont le plus important est Rotterdam. Il alimente des centrales hydroélectriques et fournit l'eau de refroidissement aux centrales nucléaires. Ce grand fleuve est considéré comme le « poumon de l'Europe ».

Rhodes, île grecque. L'île de Rhodes est située au sud de la mer Égée près de la Turquie. D'une superficie de 1 400 km², elle compte 67 000 habitants (Rhodaniens et Rhodaniennes). L'île demeure un centre touristique important où l'on peut voir des ruines antiques.

Rhodésie du Nord ☞ **Zambie**.

Rhodésie du Sud ☞ **Zimbabwe**.

Rhône (le), fleuve d'Europe. Situé en Suisse et en France, le Rhône prend sa source dans les Alpes suisses à 1 750 m d'altitude, traverse le lac Léman et entre en France. Il poursuit sa course, franchit le Jura, passe à Lyon et se jette dans la Méditerranée par un vaste delta. Il parcourt une distance de 812 km, dont 522 en France. Le Rhône est le plus puissant des fleuves français et le plus important des fleuves européens. La rapidité de son cours a posé des problèmes difficiles à la navigation. Les centrales hydrauliques du Rhône sont les plus productives de France. Outre qu'il alimente les canaux d'irrigation des plaines du Languedoc, le Rhône fournit de l'eau de refroidissement à plusieurs centrales nucléaires.

Richard (Maurice), hockeyeur canadien, né à Montréal en 1921. À 18 ans, Maurice Richard joue pour le Paquette, club junior de Montréal. Au cours de la saison 1938-1939, le club enregistre 144 points et il en totalise à lui seul 133. En 1940, il rejoint les rangs du Canadien senior et, en 1942, l'entraîneur des Canadiens l'invite à faire partie de son équipe. Maurice Richard se fait remarquer pour la vitesse à laquelle il patine. C'est pour cette raison qu'on le surnomme le *Rocket*. Au cours de sa carrière avec le Canadien de Montréal, il a marqué 544 buts en saison régulière. En 1960, il prend sa retraite. Un an à peine après avoir quitté la scène sportive, il est admis au Temple de la renommée. Journaliste sportif, Maurice Richard rédige une chronique quotidienne dans le tabloïd *Sports* de *La Presse*.

Richelieu (rivière), rivière du Canada. La rivière Richelieu est située au sud de l'île de Montréal dans la Montérégie. Elle prend sa source dans le lac Champlain et se jette dans le fleuve Saint-Laurent à la hauteur de Sorel. Cette rivière de 171 km fut, dès le début de la colonie, la route naturelle empruntée par les Indiens, les Anglais et les Américains. En 1609, elle fut explorée par Samuel de Champlain et, en 1642, elle reçut le nom de Richelieu en l'honneur du cardinal de Richelieu, fondateur de la Compagnie de la Nouvelle-France. Sous le Régime français, on construisit plusieurs forts le long de cette importante voie d'eau. On y trouve des vestiges des forts Chambly, Île-aux-Noix et Carillon. Lors de la Rébellion de 1837, beaucoup d'événements se produisirent le long du Richelieu. Cette rivière a joué un rôle éminent dans l'histoire de la Nouvelle-France et des colonies anglaises de la Nouvelle-Angleterre. Elle baigne la vallée du Richelieu, surnommée la « vallée-jardin ». On peut y admirer la beauté de ses paysages, surtout à l'automne.

Maurice **Richard**

M. PONOMAREFF/PPI

Richmond et de Lennox (Charles Lennox, duc **de**), militaire et administrateur britannique, né en Angleterre en 1764 et mort au Canada en 1819. Gouverneur du Canada en 1818-1819, Charles Lennox se rend impopulaire au Canada en s'opposant à la Chambre d'assemblée sur une question de budget. Il succombe à la suite d'une morsure de renardeau et est inhumé à Québec.

Richter (Jeremias Benjamin), chimiste allemand, né à Hirschberg, Pologne, en 1762 et mort à Berlin, Allemagne, en 1807. Benjamin Richter isola l'indium (métal blanc) et découvrit la loi des nombres proportionnels, d'où le nom d'échelle de Richter, numérotée de 1 à 9 et mesurant la force des tremblements de terre.

Riel (Louis), chef métis, né à Saint-Boniface, au Manitoba, en 1844 et mort à Regina, en Saskatchewan, en 1885. Élevé à Saint-Boniface, Louis Riel se prépare d'abord à la prêtrise au Petit Séminaire de Montréal. En 1865, il étudie le droit. En 1869, il dirige la révolte des Métis du Manitoba. Ceux-ci protestent contre la façon dont les arpenteurs du gouvernement fédéral divisent les terres, sans tenir compte de leur occupation. À la suite de quelques batailles plus ou moins violentes, le gouvernement fédéral consent à réserver 1,4 million d'acres aux Métis et impose le bilinguisme aux services administratifs de la nouvelle province. Riel fait son entrée en politique fédérale en 1873. Deux ans après, le gouvernement efface les condamnations contre Riel, mais le bannit pour cinq ans des « dominions de Sa Majesté ». Vers 1878, Riel part pour la région du haut Missouri, où il se livre au commerce. Il devient citoyen américain et épouse une Métisse, Marguerite Monet, dite Bellehumeur. En 1883, il devient professeur. En 1885, Riel prend la tête du soulèvement des Métis de la Saskatchewan, qui veulent faire reconnaître leurs droits. On assiste à plusieurs engagements armés. Accusé de haute trahison, Riel est pendu à Regina le 16 novembre 1885. Aujourd'hui encore, le rôle et les initiatives de Riel suscitent maints débats politiques, surtout au Québec et au Manitoba.

H. LARIN/ANOM/P74

Louis **Riel**

Rimouski, ville du Canada. Capitale régionale du Bas-Saint-Laurent, la ville de Rimouski est située au Québec sur la rive sud du Saint-Laurent entre Rivière-du-Loup et Matane. Sa population compte plus de 29 670 habitants (Rimouskois et Rimouskoises). Le port de Rimouski, le plus important entre Lévis et Gaspé, est ouvert toute l'année à la navigation. Rimouski possède la seule école de marine qui donne des cours en français et en anglais. La population tire sa subsistance de l'industrie du bois et de l'alimentation. La ville de Rimouski abrite une université et un centre administratif. Son nom, d'origine amérindienne, signifie « terre de l'orignal ».

Rio de Janeiro, ville du Brésil. Rio de Janeiro est situé au sud-est du pays sur l'océan Atlantique. Ce grand port, établi sur la baie de Guanabara, est dominé par des montagnes aux pointes abruptes. Deuxième grande ville du Brésil, Rio de Janeiro est également la capitale de l'État de Rio de Janeiro. Sa population s'élève à plus de 5 millions d'habitants (plus de 9 millions avec l'agglomération). Rio de Janeiro est le deuxième port en importance du pays et le deuxième centre industriel. Important centre touristique, la ville possède de très beaux sites naturels : la plage de Copacabana, le lac Rodrigo de Freitas, etc. Elle abrite l'archevêché, l'université et de nombreux musées. Il s'y tient tous les ans un carnaval célèbre.

Riopelle (Jean-Paul), peintre, sculpteur et graveur canadien, né à Montréal en 1923. Riopelle s'allie à Borduas pour fonder le groupe Automatisme vers 1948. Le mouvement surréaliste exerce sur le peintre montréalais une profonde influence. Désormais, l'art de Riopelle se fonde sur la spontanéité et l'impulsion du geste créateur. Évoluant vers un style non figuratif, Riopelle compose ses tableaux par une multitude de touches colorées à texture dense, étalées à la spatule, qui gardent l'empreinte de l'instrument qui les a produites. En 1962, il obtient le prix de l'U.N.E.S.C.O. et expose ses œuvres à Ottawa, à Montréal, à Toronto et à Washington. En 1974, il se construit un immense atelier dans une grange, au cœur des Laurentides. En 1981, il expose à Paris, au Québec, au Mexique et au Venezuela. Parmi les représentants canadiens de l'art non figuratif, Riopelle demeure celui qui est le plus réputé sur le plan international.

Ristigouche (rivière), rivière du Canada. La rivière Ristigouche prend sa source dans les hautes-terres du Nouveau-Brunswick, où elle s'appelle Petite rivière Ristigouche. Elle est alimentée d'affluents en provenance de la Gaspésie. Vers Restigouche et Campbelton, elle commence à former un large estuaire, puis, à la hauteur de Dalhousie, elle se jette dans la baie des Chaleurs. Son parcours est de 200 km. La rivière Ristigouche est renommée pour le frai du saumon de l'Atlantique, qui se produit dans ses eaux.

Rivier (Marie) ☞ **Anne-Marie Rivier** (bienheureuse).

Rivière-du-Loup, ville du Canada. Cette ville est située au Québec dans la région du Bas-Saint-Laurent, sur la rive sud du Saint-Laurent. Sa population s'élève à plus de 13 320 habitants (Louperivois et Louperivoises). À l'origine un poste de traite, la ville doit son développement à la voie ferrée qui, dès 1860, la relie à Montréal et au Haut-Canada. Fondée en 1683, elle prend le nom de Fraserville en l'honneur d'Alexander Fraser. C'est en 1919 qu'elle adopte le nom de Rivière-du-Loup. Aujourd'hui, cette ville est un centre ferroviaire et routier important. La forêt alimente ses scieries et ses usines de pâtes et papiers. En 1971, Rivière-du-Loup fut l'hôte des premiers jeux d'été du Québec.

Riyad [*Ar Riyāḍ*], capitale de l'Arabie saoudite. Située dans le centre-est du pays, au milieu d'une oasis aux pluies abondantes, la ville de Riyad compte une population d'environ 1 million d'habitants. C'est un important centre commercial et administratif.

Roback (Léa), ouvrière et syndicaliste canadienne, née à Montréal au début du siècle. Léa Roback est issue d'une famille juive dont le père était polonais. En 1925, elle se rend étudier en France, puis séjourne en Allemagne en 1929, où elle est témoin de l'attitude hostile des Allemands envers le peuple juif. De retour à Montréal, Léa Roback ouvre la première librairie marxiste et s'intéresse à la politique. Elle s'engage par la suite dans l'organisation des ouvrières du vêtement, puis devient animatrice de quartier, auprès des jeunes, dans le quartier Rosemont de Montréal. En 1942, Léa Roback devient agente syndicale, à la R.C.A. Victor, dans le quartier Saint-Henri à Montréal.

Roberval (Jean-François de La Roque, sieur **de**), colonisateur français, né à Carcassonne, France, en 1500 et mort à Paris en 1561. En 1540, le roi François Ier le nomme lieutenant général du Canada et lui confie la mission de fonder une colonie catholique et d'y construire des églises et des villes fortifiées. Au moment où commence l'expédition de Roberval (avril 1542), Jacques Cartier est déjà en route vers le Canada (mai 1541). Les deux explorateurs se rencontrent à Saint-Jean (Terre-Neuve), mais Cartier décide de retourner en France malgré les ordres de Roberval. L'expédition est pénible pour Roberval et le moral des colons est affecté par le froid, la famine, la maladie et les querelles. Après avoir exploré la région d'Hochelaga (Montréal) au cours de l'été 1543, les survivants décident d'abandonner la colonie et de retourner en France. L'échec de cette expédition ruine Roberval. Fidèle à sa foi protestante, l'ancien lieutenant général est tué lors d'une escarmouche au coin du cimetière des Innocents à Paris, une nuit de l'année 1561. Roberval est l'une des premières victimes des guerres de Religion en France.

Roberval, ville du Canada. La ville de Roberval est située au Québec dans la région du Saguenay – Lac-Saint-Jean. Inaugurée en 1859, la ville de Roberval est construite sur la rive sud-ouest du lac Saint-Jean et compte près de 11 450 habitants (Robervalois et Robervaloises). Ce centre de villégiature possède quelques scieries et une industrie de la pêche florissante. C'est aussi un centre de services pour la région environnante. Depuis 1955, la ville organise chaque année la prestigieuse Traversée internationale du lac Saint-Jean.

Rocheuses (montagnes), chaîne de montagnes. Cet ensemble montagneux, situé à l'ouest du Canada et des États-Unis, s'étend sur 1 200 km. Il chevauche la frontière de l'Alberta et de la Colombie-Britannique. Les Rocheuses furent découvertes en 1743 par les fils de La Vérendrye. Ce vaste ensemble montagneux abrite plusieurs parcs nationaux, dont les plus célèbres sont ceux de Banff et de Jasper. De magnifiques monts s'élèvent à plus de 3 050 m. Les plus hauts pics sont les monts Robson (3 954 m) et Columbia (3 747 m). Le sous-sol des Rocheuses recèle du charbon et du gaz naturel. Les collines qui bordent les Rocheuses en Alberta constituent une région d'élevage. Les Rocheuses sont renommées pour leurs versants rocheux nus et imposants. Elles attirent tous les ans plus de trois millions de touristes. Le parc de Banff et le lac Louise demeurent les centres de villégiature les plus fréquentés.

Rock Forest, ville du Canada. Rock Forest est situé au Québec dans la région de l'Estrie, au sud-ouest de la ville de Sherbrooke. Construite sur le bord de la rivière Magog, cette ville compte plus de 12 200 habitants (Forestois et Forestoises). Son nom est dû à la présence de hauts rochers couverts d'arbres.

Rollet (Marie), pionnière de la Nouvelle-France, née en France et morte à Québec en 1647. Avec son mari, Louis Hébert, Marie Rollet arriva à Québec en 1617. Elle fut la première femme à fonder une famille en Nouvelle-France. À Québec, un monument est érigé à sa mémoire.

Romaine (rivière), rivière du Canada. La rivière Romaine coule au Québec dans la région de la Côte-Nord, à la frontière du Labrador. À sa source, la Romaine traverse le lac Brûlé et coule vers le sud sur une distance de 496 km. Les 35 derniers kilomètres s'étendent dans un vaste delta et longent les rives où est situé Havre-Saint-Pierre. La Romaine se jette dans le Saint-Laurent à la hauteur de l'île d'Anticosti. Son nom de Romaine vient de la déformation française du mot montagnais *uramen*, qui signifie «ocre rouge».

Roma ☞ **Rome**.

Rome [*Roma*], capitale de l'Italie. Rome est située sur le Tibre, au centre-ouest du pays. Autrefois le centre d'un vaste empire, la ville a été fondée, croit-on, en 733 avant Jésus-

Christ. Au IIIe siècle de notre ère, elle possédait 1 000 000 d'habitants, ce qui en faisait la plus grande ville du monde. Aujourd'hui, elle compte 2,9 millions de Romains et de Romaines. Cette ville administrative et touristique de première importance recèle de nombreux vestiges antiques (arènes, amphithéâtres, monuments, temples, etc.). Le Colisée et les ruines du Forum nous rappellent l'Empire romain. La Cité du Vatican contient la basilique Saint-Pierre, la plus grande église du monde. Capitale de la chrétienté, Rome abrite de nombreux et très riches musées (musée du Vatican, Galerie nationale, Galerie nationale d'art moderne, musées du Capitole, Musée national romain, etc.). Près des deux tiers de la population active travaillent dans le secteur tertiaire (administration, services, commerce, banques, assurances) et le tiers seulement dans l'industrie (bâtiment, mécanique, papeterie, imprimerie, textile et vêtement, alimentation, travail artisanal du bois, pétrochimie). L'industrie cinématographique occupe une place primordiale dans le développement de la capitale. Le tourisme connaît un essor considérable, étant donné les richesses artistiques et archéologiques et le décor prestigieux de la ville.

Roosevelt (Anna Eleonor), humaniste américaine, née aux États-Unis en 1884 et morte en 1962. Femme de Franklin Delano Roosevelt, Eleonor Roosevelt seconda son mari dans son travail d'avocat, dans sa carrière politique puis dans l'exercice de ses fonctions à la présidence des États-Unis (1933-1944). Jouissant d'une renommée mondiale, elle contribua, au sein des Nations Unies, à la création de l'U.N.I.C.E.F. et à la promulgation de la Déclaration universelle des droits de l'homme. Eleonor Roosevelt se signala également comme une grande bienfaitrice: elle créa une école pour les enfants pauvres, dirigea une usine pour les hommes sans emploi et défendit les droits des Noirs.

Roosevelt (Franklin Delano), avocat et homme politique américain, né à Hyde Park, New York, en 1882 et mort à Warm Springs, Géorgie, en 1945. Gouverneur de l'État de New York, Franklin Roosevelt remplit quatre mandats comme président des États-Unis de 1933 à 1945. Sous son administration, le pays connut la crise de 1929 et la Seconde Guerre mondiale. Il élabora un audacieux programme de redressement économique pour surmonter la crise et prépara son pays à intervenir dans la Seconde Guerre mondiale. L'attaque de Pearl Harbor en décembre 1941 décida les États-Unis à soutenir les Alliés. L'ancien président américain joua un rôle diplomatique important lors du deuxième conflit mondial. Réélu en 1944, il mourut en avril 1945 d'une crise cardiaque, un mois avant la capitulation allemande.

Rosemère, ville du Canada. Rosemère est située au Québec sur la rive nord de la rivière des Mille Îles, à l'est de Boisbriand et au sud de Sainte-Thérèse. Fondée en 1947, Rosemère compte aujourd'hui plus de 8 670 habitants (Rosemèrois et Rosemèroiscs).

Ross (John Jones), médecin et homme politique canadien, né à Québec en 1819 et mort en 1897. Premier ministre du Québec de 1884 à 1887, John Jones Ross se montre indifférent à l'égard de Louis Riel. Cette attitude l'oblige à démissionner en janvier 1887 et à céder sa place à Honoré Mercier et à son Parti national. John Macdonald, premier ministre du Canada, nomme alors Ross sénateur en 1887. Ross occupera le poste de président du Sénat de 1891 à 1896.

Rossini (Gioacchino), compositeur italien, né à Pesaro, Italie, en 1792 et mort à Paris, France, en 1868. Né de parents musiciens, Rossini reçoit très tôt une formation musicale en chant, en piano et en composition. Les opéras qu'il présente dans les théâtres de Venise, de Rome et de Milan remportent un succès éclatant. Grâce à son *Barbier de Séville* (1816), il devient le compositeur le plus populaire de son époque. En 1824, il dirige le Théâtre italien de Paris et est ensuite nommé premier compositeur du roi et inspecteur général du chant en France. Ses opéras et sa musique instrumentale (hymnes, cantates, pièces symphoniques et musique de chambre pour piano) respirent la gaieté et l'humour. Rossini est l'auteur de nombreux opéras, dont *Moïse* (1827), *Guillaume Tell* (1829), *L'échelle de soie* (1812), *L'Italienne à Alger* (1813) et *La pie voleuse* (1817).

Rotterdam, ville des Pays-Bas. Située dans le delta du Rhin, la ville de Rotterdam est reliée par un canal à la mer du Nord. Sa population compte plus de 554 000 habitants. Importante ville industrielle, Rotterdam est le plus grand port du monde. Les nombreuses industries liées au port, comme la construction navale et la pétrochimie, sont très florissantes. Rotterdam, qui possède un riche musée, met constamment en valeur son potentiel touristique.

Rouge (mer), mer située au Moyen-Orient. Autrefois appelée golfe de l'océan Indien, golfe Arabique ou mer Érythrée, la mer Rouge coule entre l'Égypte et l'Arabie et est reliée à la mer Méditerranée par le canal de Suez.

Rougemont (mont), mont du Canada. L'une des huit collines Montérégiennes, le mont Rougemont est situé au Québec sur la rive sud du fleuve Saint-Laurent, à l'est de la ville de Chambly. Son altitude est de 396 m. La région du mont Rougemont est une des plus importantes au Québec pour la culture de la pomme.

Roumanie, État de l'Europe orientale. Située au sud-est du continent européen, la Roumanie est limitée par l'U.R.S.S., la mer Noire, la Bulgarie, la Yougoslavie et la Hongrie. Sa capitale est Bucarest. Les Alpes de Transylvanie et la chaîne des Carpates, couvertes d'épaisses forêts, forment un demi-cercle au centre du pays. Des plaines couvrent l'Est et le Sud. Le Danube baigne la Roumanie et la sépare en partie de la Bulgarie. Le climat est de type continental. Le pays compte plus de 23 millions d'habitants (Roumains et Roumaines). La langue officielle est le roumain, mais on y parle aussi le hongrois. La religion dominante est le christianisme orthodoxe. La monnaie utilisée est le leu. L'économie roumaine est centrée sur l'agriculture (blé, maïs, betterave), les ressources énergétiques (gaz, pétrole, lignite et hydroélectricité) et les industries métallurgiques, pétrochimiques et textiles. Le tourisme se développe près de la mer Noire. Cependant, le pays connaît un niveau d'endettement très élevé. La productivité demeure faible et entraîne la stagnation de l'économie. Sous régime communiste depuis 1947, le pays a été dirigé de façon dictatoriale par le président Nicolae Ceaucescu, qui a été renversé et exécuté en décembre 1989.

Rousselot (Victor), sulpicien, né à Cholet, France, en 1823 et mort à Montréal en 1889. Venu au Canada en 1854, Victor Rousselot participe à la fondation de l'Institut Nazareth de Montréal, établissement destiné à l'éducation des aveugles, créé en 1861. Rousselot a été curé de l'église Notre-Dame de Montréal de 1866 à 1882. Aujourd'hui, l'établissement pour aveugles porte le nom d'Institut Nazareth et Louis-Braille et est situé à Longueuil.

Routhier (sir Adolphe-Basile), magistrat et écrivain canadien, né en 1839 et mort en 1920. A.-B. Routhier, juge à la Cour supérieure pendant 50 ans, a exercé ses talents littéraires dans divers domaines: poésie, journalisme, roman, philosophie et art oratoire. Il est l'auteur des paroles de notre hymne national, *Ô Canada*, composé en 1880 et mis en musique par Calixa Lavallée.

Roux (Jean-Louis), auteur, comédien et metteur en scène canadien, né à Montréal en 1923. Lauréat d'une bourse d'études du gouvernement français, Jean-Louis Roux se rend à Paris de 1947 à 1950 pour y suivre des cours d'art dramatique et donner des représentations. De retour au Canada, il s'associe à Jean Gascon, à Robert Gadouas, à Georges Groulx et à Guy Hoffman pour fonder, le 1er août 1951, le Théâtre du Nouveau Monde, dont il assure la direction artistique de 1966 à 1982. Il se produit au théâtre et à la télévision, écrit et adapte de nombreux textes dramatiques. Jean-Louis Roux est reconnu comme l'un des spécialistes de la traduction et de l'adaptation des pièces de Shakespeare. Devenu président de la Société des auteurs et du Centre du théâtre canadien, Jean-Louis Roux reçoit en 1969 le prix Victor-Morin, attribué par la Société Saint-Jean-Baptiste à une personnalité qui a participé à l'évolution du théâtre au Québec. En 1986, à l'occasion de son 35e anniversaire, le T.N.M. instituait le prix Gascon-Roux pour récompenser le travail d'artistes qui se distinguent chaque année dans les domaines de l'interprétation féminine, de l'interprétation masculine, de la mise en scène et de la scénographie.

Jean-Louis **Roux**

LA PRESSE

Rouyn-Noranda, ville du Canada. Située au Québec, au nord-ouest de Val-d'Or, la ville de Rouyn-Noranda, qui compte 26 170 habitants, est la capitale administrative de l'Abitibi-Témiscamingue. Elle a été créée le 5 juillet 1986 par la fusion de Rouyn et de Noranda, deux villes dépendant de l'exploitation de mines d'or et de cuivre. En 1973, on a construit à cet endroit une fonderie de cuivre qui demeure l'une des plus importantes de l'Amérique du Nord. Le nom *Rouyn* rappelle le sieur de Rouyn, officier de l'armée française, tandis que l'appellation *Noranda* vient des mots *North* et *Canada*. Aujourd'hui, cinq mines sont toujours en activité. L'économie de la ville repose aussi sur le secteur des services.

Rowan (William), administrateur britannique, né en Irlande en 1789 et mort à Bath, Angleterre, en 1879. Durant l'absence du gouverneur Elgin, Rowan a été administrateur du Bas-Canada de 1853 à 1854.

Roxboro, ville du Canada. Roxboro est situé au Québec, au nord-ouest de l'île de Montréal. Érigée en 1914 le long de la rivière des Prairies, la ville est limitée par Pierrefonds et Dollard-des-Ormeaux. Elle compte plus de 6 135 habitants.

Roy (Gabrielle), femme de lettres canadienne, née à Saint-Boniface, au Manitoba, en 1909 et morte à Québec en 1983. Gabrielle Roy a été la première femme admise à la Société royale du Canada. Après avoir séjourné en France et en Angleterre de 1937 à 1939, elle revient au pays et s'installe à Montréal, où elle devient journaliste. Elle écrit alors l'un de ses grands succès, *Bonheur d'occasion* (1945), qui décrit la vie d'une famille dans le quartier Saint-Henri (Montréal) au début de la guerre. Elle retourne ensuite en France, où elle écrit *La petite poule d'eau* (1950), roman illustré par le peintre Jean-Paul Lemieux. De retour à Québec, elle poursuit son œuvre et publie plusieurs livres qui seront presque tous traduits en anglais: *Rue Deschambault* (1955), *La montagne secrète* (1961), *Un jardin au bout du monde* (1975), *Ces enfants de ma vie* (prix du gouverneur général, 1978), etc. Gabrielle Roy a remporté de nombreux prix littéraires, notamment le prix Femina pour *Bonheur d'occasion*. Sa dernière œuvre, *La détresse et l'enchantement*, qui est une autobiographie, retrace les trente premières années de sa vie.

Roy (Louise), présidente de la S.T.C.U.M., née à Québec en 1947. Louise Roy est la première femme à occuper le poste de présidente-directrice générale de la Société de transport de la Communauté urbaine de Montréal. Détentrice d'une maîtrise en sciences et d'un doctorat en sociologie urbaine, Louise Roy a travaillé à l'Office de planification et de développement du Québec avant d'entrer au service du Comité de transport de la région de Montréal en tant que directrice de projets. En 1981, elle devient conseillère technique auprès du ministre des Transports. En 1983, elle est nommée directrice des études et de la planification au ministère des Transports du Québec et, en 1985, elle accède à la présidence de la S.T.C.U.M. Louise Roy est aussi l'auteure de plusieurs publications sur le transport urbain au Québec. Elle a obtenu plusieurs prix honorifiques, dont celui de Femme de l'année dans le domaine de l'administration en 1986.

Roy (Maurice), cardinal canadien, né à Québec en 1905. Maurice Roy est nommé évêque de Trois-Rivières en 1946 et archevêque de Québec en 1947. De 1956 à 1981, il porte le titre de primat du Canada et devient ainsi l'une des personnalités ecclésiastiques les plus importantes du pays. En 1965, le pape l'élève au rang de cardinal de Québec.

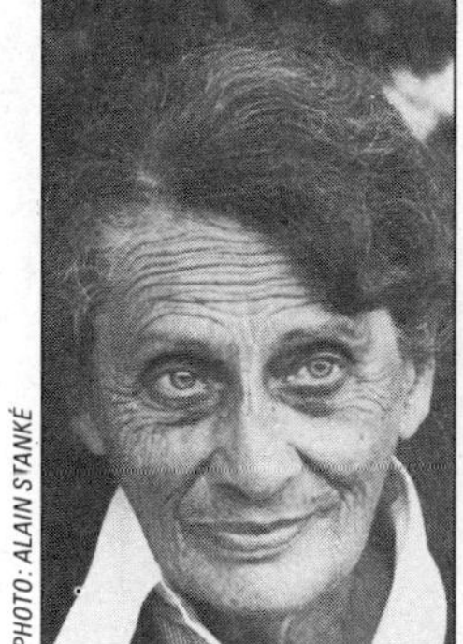
PHOTO: ALAIN STANKÉ

Gabrielle **Roy**

PUBLIPHOTO

Louise **Roy**

Royal (mont), l'une des collines Montérégiennes. Situé sur l'île de Montréal, le mont Royal domine le paysage avec ses 234 m de hauteur. Lors de son deuxième voyage au Canada, Jacques Cartier donna à ce mont rocheux et boisé son appellation actuelle (Royal) en l'honneur de François Ier, roi de France en 1535. Sur ses pentes les plus élevées se nichent les villes de Westmount et d'Outremont. Au sommet, on trouve un parc de verdure avec un étang artificiel et un cimetière.

Royaume-Uni, ensemble formé par la Grande-Bretagne et l'Irlande du Nord. D'une superficie de 244 119 km², le Royaume-Uni se compose de l'Angleterre, du Pays de Galles, de l'Écosse et de l'Irlande du Nord. Cet ensemble est limité par l'Atlantique, la mer du Nord, la Manche et la République d'Irlande. Les autres

CANAPRESS PHOTO SERVICE

Mgr Maurice **Roy**

villes importantes sont Liverpool, Glasgow, Manchester et Birmingham.

Rubens (Pierre-Paul), peintre et dessinateur flamand, né à Siegen, Allemagne, en 1577 et mort à Anvers, Belgique, en 1640. Formé au contact des grands maîtres italiens, Rubens exécuta des portraits d'aristocrates, des paysages, des scènes de la vie familiale et des tableaux pour les églises et les cours européennes. Parmi ses chefs-d'œuvre, il convient de citer: *La transfiguration et le baptême du Christ*, *Portrait de l'artiste et de sa femme*, *Descente de croix*, *Martyre de sainte Ursule*, *Les trois Grâces*, *Le jardin d'amour* et *Enlèvement des filles de Leucippe*.

Rupert (terre de), nom anciennement donné à la partie nord-ouest du Canada. La terre de Rupert comprenait toute la région du bassin de la baie d'Hudson. C'est le roi Charles II d'Angleterre qui donna à la Compagnie de la baie d'Hudson, en 1670, cette grande partie de l'Amérique du Nord. En 1869, le Canada acheta ce territoire. Le nom de Rupert fut choisi en l'honneur du prince Rupert, cousin du roi et premier gouverneur de la Compagnie de la baie d'Hudson.

Russie, ancien État de l'Europe orientale. Aujourd'hui, la Russie est l'une des quinze républiques de l'U.R.S.S. Elle est située à la fois en Europe et en Asie. Cette région s'étend de la Baltique au Pacifique et de l'océan Arctique aux frontières de la Chine et de la Mongolie. De nos jours, cette région porte le nom de République soviétique fédérative socialiste de Russie.

Rwanda, État de l'Afrique centrale. D'une superficie de 26 340 km^2, le Rwanda peut aussi être considéré, à cause de sa situation, comme un État de l'Afrique orientale. Il est entouré par l'Ouganda, la Tanzanie, le Burundi et le Zaïre. Sa capitale est Kigali. Le Rwanda est un pays de hauts plateaux où domine la crête Congo-Nil, dont le point culminant est le mont Karisimbi, qui s'élève à 4 507 m. À l'est s'étendent les basses-terres, dont l'altitude varie entre 1 300 et 1 500 m. Le climat subéquatorial qui y règne est tempéré par l'altitude. La principale étendue d'eau est le lac Kivu, qui sépare le Rwanda du Zaïre. La population s'élève à près de 6,8 millions d'habitants (Rwandais et Rwandaises). Les langues officielles sont le français et le kinyarwanda. La religion dominante est le catholicisme. La monnaie utilisée est le franc rwandais. L'économie repose essentiellement sur l'agriculture, qui est principalement vivrière: patates douces, haricots, bananes. Les cultures d'exportation les plus importantes sont le café, le thé et le coton. L'élevage joue également un rôle essentiel pour la subsistance de la population. L'exploitation des gisements d'étain et du potentiel hydroélectrique contribue à soutenir l'économie du pays. Anciennement sous domination allemande puis belge, le Rwanda est devenu indépendant en 1962. Le pays est aujourd'hui dirigé par un chef militaire et un parti politique unique.

S

Sable (île de), île du Canada. L'île est située à l'est du pays, à 300 km au large des côtes de la Nouvelle-Écosse dans l'océan Atlantique. En forme de croissant, elle mesure 38 km de long sur 1,5 km au point le plus large. Au cours de l'histoire, cette île a reçu la visite de marins naufragés, de détenus et de pirates. Vers 1873, des phares gardés y ont été installés. Depuis les années 1960, les seuls habitants de l'île sont les membres du personnel de la station météorologique et maritime du gouvernement canadien. Des écologistes et des géologues y font des séjours. La faune naturelle de l'île comprend des insectes terrestres, des oiseaux et des phoques. L'île tire son nom de sa constitution sablonneuse.

Sablonnière (Marcel **de la**), jésuite, né à Montréal en 1918. Dès 1946, le père de la Sablonnière commence son œuvre en fondant la ligue intercollégiale de hockey. En 1951, il accède au poste de directeur général du centre Immaculée-Conception, ce qui marque le début d'une longue période d'engagement (40 ans). La liste des réalisations du père de la Sablonnière est impressionnante: Auberge du p'tit bonheur (1962), Camp Jeune-Air, Foyer du skieur, Gîte familial (maisons visant à promouvoir l'activité physique). Il a été également le fondateur de l'Association canadienne des centres de loisirs, l'organisateur des salons Camping Famille et Ski pour tous, le dirigeant de la Confédération des sports du Québec et le vice-président de l'Association olympique canadienne.

Marcel de la **Sablonnière**

LA PRESSE

Saguenay (rivière), rivière du Canada. La rivière Saguenay est située au Québec dans la région du Saguenay – Lac-Saint-Jean. Elle prend sa source dans le lac Saint-Jean et se jette dans le fleuve Saint-Laurent à la hauteur de Tadoussac. Elle se déverse du lac Saint-Jean par deux chenaux qui se rejoignent à 10 km du lac, près d'Alma. Elle coule le long d'une profonde entaille d'une largeur de 1 500 m et d'une profondeur de 240 m. Cette rivière est bordée de falaises abruptes s'élevant à 460 m. Le Saguenay inférieur est un fjord creusé par les glaciers il y a 10 000 ans. Les marées déferlent encore jusqu'à Chicoutimi, montant et descendant de six mètres. Les eaux profondes du Saguenay constituent le milieu de reproduction du béluga. Ses eaux regorgent, près du fleuve Saint-Laurent, de capelans, de crevettes, de bélugas, de rorquals communs et à bosse et même de baleines bleues. L'énorme puissance de la rivière et de ses affluents fait de la vallée du Saguenay l'un des centres industriels du Québec. Le spectaculaire panorama de cette rivière attire les touristes depuis les années 1850.

Saguenay – Lac-Saint-Jean, région administrative du Québec. Le Saguenay – Lac-Saint-Jean est situé au centre du Québec. Il couvre une superficie de 105 971 km^2, ce qui représente 7 % de celle du Québec. Sa capitale régionale est Chicoutimi. Ses villes principales sont Alma, La Baie, Roberval et Chibougamau. Son territoire est arrosé par le vaste lac Saint-Jean et la tumultueuse rivière Saguenay. L'économie de cette région repose sur l'agriculture, l'industrie du bois et de l'aluminium, et le potentiel hydroélectrique. Dans la plaine entourant le lac Saint-Jean, on fabrique du fromage et on récolte des bleuets. Cette région constitue un centre de villégiature qui attire de nombreux touristes.

Sahara (le), désert. Le Sahara est le plus vaste désert chaud du monde. Situé en Afrique du Nord, il couvre une superficie de 8,4 millions de km². Son territoire comprend les 11 États du nord de l'Afrique compris entre l'Atlantique et la mer Rouge. Dans ce désert, il tombe moins de 100 mm d'eau par année. La sécheresse extrême du climat rend les cultures impossibles en dehors des oasis. Seul le Nil traverse ce désert. Le relief du Sahara présente, au centre et à l'est, de grands massifs en partie volcaniques et, au nord, des dunes. Dans de nombreuses autres régions s'étendent de vastes plaines et des plateaux couverts de pierres. Environ un million et demi de personnes vivent au Sahara. La population est regroupée autour des oasis, à l'exception des nomades qui traversent le désert avec leurs troupeaux de chameaux. Le sous-sol saharien recèle des gisements de pétrole et de gaz naturel. Au cours des périodes glaciaires, le Sahara était une prairie fertile où l'homme chassait l'éléphant, le buffle et l'hippopotame. Le Sahara a commencé à se transformer en désert vers l'an 2000 avant Jésus-Christ.

Saigon ☞ **Hô Chi Minh-Ville**.

Saint-Albert, ville du Canada. Saint-Albert est situé en Alberta, en banlieue nord-ouest de la ville d'Edmonton. Cette ville résidentielle compte une population de 31 996 habitants. Son nom rappelle le père Albert Lacombe, qui y fonda une mission en 1861. Cette mission devint le siège principal des Oblats et la résidence de l'évêque. On y trouve encore aujourd'hui les bâtiments de ce passé missionnaire. Saint-Albert demeure un centre de vie francophone.

Saint-Antoine, ville du Canada. Située au Québec, au sud de Saint-Jérôme, la ville de Saint-Antoine a été érigée en 1956. Sa population compte 7 691 habitants (Antoniens et Antoniennes).

Saint-Athanase, ville du Canada. La municipalité de Saint-Athanase est située au Québec, sur la rive sud du fleuve Saint-Laurent, au sud-est de Rivière-du-Loup. Érigée en 1855, la ville compte actuellement une population de 5 715 habitants (Athanasois et Athanasoises).

Saint-Augustin (mère Marie-Catherine **de**) ☞ **Marie-Catherine de Saint-Augustin** (bienheureuse).

Saint-Augustin (lac), lac du Canada. Le lac Saint-Augustin est situé au Québec. Sur la rive nord du Saint-Laurent, il baigne les terres qui se trouvent à l'ouest de la ville de Sainte-Foy. Il mesure un peu plus de 2 km de long sur 0,5 km de large.

Saint-Augustin-de-Desmaures, ville du Canada. Saint-Augustin-de-Desmaures est situé au Québec, sur la rive nord du Saint-Laurent. Érigée à l'ouest de Québec, la ville compte une population de plus de 9 000 habitants (Augustinois et Augustinoises).

Saint-Basile-le-Grand, ville du Canada. Saint-Basile-le-Grand est situé au Québec, sur la rive sud du fleuve Saint-Laurent, non loin de Beloeil. Érigée en 1871, cette ville compte une population de plus de 8 800 habitants (Grandbasilois et Grandbasiloises). Elle fit la manchette des journaux, en 1988, lors de l'incendie d'un entrepôt de produits toxiques.

Saint-Boniface, ville du Canada. Saint-Boniface est situé au Manitoba, sur les rives des rivières Rouge et Seine, près de Winnipeg. Sa population s'élève à plus de 44 000 habitants. Son territoire fut d'abord occupé par les coureurs de bois. Une mission catholique, fondée à Saint-Boniface en 1818, a joué un rôle dans l'histoire religieuse, politique et culturelle du Canada. Elle fut la paroisse mère de nombreux établissements francophones du Canada. Aujourd'hui, Saint-Boniface demeure l'une des plus importantes communautés francophones à l'extérieur du Québec.

Saint-Bruno (mont), mont du Canada situé au Québec. Le mont Saint-Bruno, l'une des huit collines Montérégiennes, est situé dans la région de Montréal sur la rive sud du fleuve Saint-Laurent. Il occupe le centre de la ville de Saint-Bruno et mesure 218 m de hauteur. Cette colline est baignée par cinq lacs. Une partie de son territoire est devenue un parc provincial qui abrite un centre de ski alpin et de ski de fond. C'est un endroit de villégiature très fréquenté.

Saint-Bruno-de-Montarville, ville du Canada. Saint-Bruno-de-Montarville est situé au Québec, sur la rive sud du fleuve Saint-Laurent, à l'est de Longueuil et au sud de Saint-Hubert. Cette ville plutôt résidentielle compte plus de 23 000 habitants (Montarvillois et Montarvilloises).

Saint-Charles (rivière), rivière du Canada. Située au Québec, la rivière Saint-Charles prend sa source dans le lac Saint-Charles au nord-ouest de la ville de Québec, coule vers le sud, s'élargit en entrant dans la ville de Québec et se jette dans le fleuve Saint-Laurent. Jacques Cartier l'avait nommée rivière Sainte-Croix en 1535. Plus tard, elle prit le nom de Saint-Charles en l'honneur de Charles de Boves, protecteur des récollets.

Saint-Charles-Borromée, ville du Canada. Érigée en 1855, la municipalité de Saint-Charles-Borromée est située au Québec, dans la région de Joliette, sur la rive nord du fleuve Saint-Laurent. Sa population s'élève à 8 450 habitants (Charlois et Charloises). Son nom rappelle celui du patron de Charlotte de Lanaudière, épouse de Barthélemy Joliette.

Saint-Charles-sur-Richelieu, village du Canada. Érigé en 1924, ce village est situé au Québec, sur la rivière Richelieu, au nord de la ville de Saint-Hyacinthe. Sa population s'élève à 440 habitants (Charlerivains et Charlerivaines). Dans le passé, Saint-Charles-sur-Richelieu a connu une activité florissante liée au transport fluvial. Il a joué un rôle important dans la Rébellion de 1837. Les Patriotes y subirent la défaite contre les troupes anglaises. Aujourd'hui, ce petit village redevenu agricole vit surtout de l'industrie laitière.

Saint-Constant, ville du Canada. Érigée en 1855, la ville de Saint-Constant est située au Québec, sur la rive sud du fleuve Saint-Laurent, à l'est de la ville de Châteauguay. Sa population compte plus de 12 500 habitants (Constantins et Constantines). Cette ville possède un musée ferroviaire où sont exposées des locomotives à vapeur. Saint-Constant est une ville plutôt résidentielle.

Saint-David-de-l'Auberivière, ville du Canada. Saint-David-de-l'Auberivière est situé dans la région de Chaudière – Appalaches sur la rive sud du fleuve Saint-Laurent. Érigée en 1876, la ville compte aujourd'hui plus de 5 700 habitants (Davidois et Davidoises). Le nom de cette ville évoque le souvenir de deux ancêtres de la région: David Déziel, curé de Lévis, et François-Louis Pourroy de Lauberivière, évêque de Québec.

Saint-Denis, village du Canada. Saint-Denis est situé au Québec, sur la rivière Richelieu, à 30 km au nord de la ville de Saint-Hyacinthe. On y dénombre plus de 1 000 habitants (Dionysiens et Dionysiennes). Érigé en 1855, Saint-Denis possède un riche passé historique. En 1837, il a été un centre d'activité des Patriotes. Aujourd'hui, cette municipalité est redevenue un centre agricole où l'on exploite des industries laitières. Ce village tient son nom de la seigneurie de Saint-Denis, concédée en 1694.

Saint-Domingue [*Santo Domingo*], capitale de la République dominicaine, située sur la côte méridionale de l'île d'Haïti. Centre administratif, commercial, industriel (industries textile et agro-alimentaire) et universitaire, cette ville est aussi dotée d'un port très actif qui assure la majeure partie du commerce extérieur du pays. Fondée en 1496 par les Espagnols, la ville de Saint-Domingue compte aujourd'hui une population d'environ 1 318 000 habitants.

Sainte-Anne (mont), mont du Canada situé au Québec. Le mont Sainte-Anne fait partie de la chaîne des Laurentides. Situé dans un parc provincial à 40 km à l'est de Québec, il s'élève à 815 m. Son sommet aplati domine la rive nord du fleuve Saint-Laurent. La station de ski du mont Sainte-Anne est connue internationalement. Depuis 1971, les épreuves de la Coupe du monde s'y déroulent. Les amateurs de ski alpin disposent de plus de 50 km de pistes douces et abruptes. La station compte des pistes de ski de randonnée et une piste de raquette de 10 km. Un téléphérique permet à longueur d'année d'accéder au sommet, qui offre un panorama exceptionnel sur le fleuve, ses îles et la rivière Sainte-Anne. Durant l'été, le parc constitue un agréable lieu de récréation. Ce grand centre de villégiature, ouvert toute l'année, attire de nombreux touristes canadiens et américains.

Sainte-Anne (rivière), rivière du Canada située au Québec. La rivière Sainte-Anne prend sa source dans les Laurentides à l'ouest de la ville de Québec, coule vers le sud et se jette dans le fleuve Saint-Laurent à la hauteur de La Pérade. Le village de Sainte-Anne-de-la-Pérade se trouve à son embouchure. C'est un centre de pêche aux poulamons («petits poissons des chenaux»). Au printemps, cette région reçoit de nombreux amateurs de pêche.

Sainte-Anne-de-Beaupré, ville du Canada. Sainte-Anne-de-Beaupré est située au Québec, à 35 km à l'est de la ville de Québec, sur la rive nord du fleuve. Sa population s'élève à 3 160 habitants. Cette municipalité est connue mondialement grâce au sanctuaire de Sainte-Anne-de-Beaupré. Ce lieu de pèlerinage attire annuellement plus d'un million de visiteurs. La basilique actuelle, de style roman, date de 1926. Ce centre de dévotion pour catholiques renferme de nombreux trésors artistiques.

Sainte-Anne-des-Monts, ville du Canada. Sainte-Anne-des-Monts est située au Québec dans la péninsule de Gaspé. Érigée en 1855, à l'est de Matane, elle compte plus de 6 000 habitants. (Annemontois et Annemontoises). La population vit surtout de l'industrie du bois et de la pêche.

Sainte-Anne-des-Plaines, ville du Canada. Sainte-Anne-des-Plaines est située au Québec, sur la rive nord du fleuve Saint-Laurent, au nord de Laval. Érigée en 1855, elle compte aujourd'hui plus de 8 900 habitants. Le développement de la région repose sur l'agriculture.

Sainte-Anne-Marie (mère), née Marie-Avéline **Bengle**, religieuse, née à Saint-Pauld'Abbotsford, au Québec, en 1861 et morte en 1937. Membre de la Congrégation de Notre-Dame, mère Sainte-Anne-Marie a été l'une des fondatrices de deux établissements d'enseignement supérieur pour les femmes: l'Institut pédagogique et le Collège Marguerite-Bourgeoys de Montréal.

Sainte-Catherine, ville du Canada. Sainte-Catherine est située au Québec, sur la rive sud du fleuve Saint-Laurent, au sud-ouest de Longueuil. Érigée en 1937, Sainte-Catherine compte aujourd'hui plus de 7 000 habitants (Sainte-Catherinois et Sainte-Catherinoises). De 1696 à 1719, elle abritait la mission de Kahnawake.

Sainte-Claire (lac), lac du Canada. D'une superficie de 1 114 km², le lac Sainte-Claire est situé au sud du lac Huron. Il est relié au lac Huron par la rivière Saint Clair et se déverse dans le lac Érié par la rivière Detroit. Presque rond, il mesure 42 km de long et 38 km dans sa partie la plus large. Les terres qui l'entourent sont parmi les plus fertiles de l'Amérique du Nord. Avec la rivière Saint Clair, il constitue une voie de transport importante pour le trafic maritime. Le lac est aussi un centre récréatif important. On y trouve la plus grande concentration d'embarcations et de ports de la région des Grands Lacs.

Sainte-Foy, ville du Canada. Sainte-Foy est située au Québec, en banlieue ouest de la ville de Québec. Érigée en 1855, elle compte aujourd'hui une population de 69 615 habitants (Fidéens et Fidéennes). Sainte-Foy abrite le vaste campus de l'Université Laval, la plus ancienne université de langue française en Amérique du Nord.

Sainte-Hélène (île), île du Canada. L'île Sainte-Hélène est située au Québec, dans le fleuve Saint-Laurent, en face de la ville de Montréal. C'est Samuel de Champlain qui nomma ainsi cette île, en 1611, en hommage à sa jeune épouse, Hélène Boullé. Le premier concessionnaire de l'île fut François de Lauson en 1635. Il la céda à Charles Le Moyne en 1665. La famille Le Moyne, de Longueuil, fut propriétaire de l'île jusqu'en 1818; elle la vendit au gouvernement britannique, qui y fit construire un fort et une poudrière. En 1870, l'île devint propriété du gouvernement canadien; elle fut réaménagée en parc public et inaugurée le 25 juin 1874. La Ville de Montréal l'acheta en 1908 et, par la suite, y entreprit d'importants travaux d'aménagement pour l'Exposition universelle de Montréal en 1967. Le parc d'attractions de La Ronde est situé à l'extrémité est de l'île Sainte-Hélène.

Sainte-Julie, ville du Canada. Sainte-Julie est une ville résidentielle située au Québec, sur la rive sud du fleuve Saint-Laurent, à l'est de Boucherville. Érigée en 1855, elle compte plus de 15 500 habitants. C'est une région de terres agricoles.

Sainte-Julienne, ville du Canada. Sainte-Julienne est située au Québec, dans la région de Lanaudière, entre Saint-Jérôme et Joliette, au sud de Rawdon. Érigée en 1855, elle compte aujourd'hui plus de 4 900 habitants (Juliennois et Juliennoises).

Saint-Élie (massif de), massif montagneux du Canada. Ce massif montagneux est situé à l'extrémité ouest du Canada. Il chevauche la frontière du Canada et des États-Unis, dans l'État de l'Alaska. Ce massif comprend les plus hauts sommets du Canada: le mont Logan se dresse à une altitude de 5 951 m, le mont Saint Elias à 5 489 m et le mont Lucania à 5 226 m.

Sainte-Marie, ville du Canada. Sainte-Marie est située au Québec, dans la région Chaudière – Appalaches, sur la rive sud du Saint-Laurent. Elle s'étend sur le bord de la rivière Chaudière. Sa population compte plus de 9 500 habitants (Mariverains et Mariveraines). Le développement de la ville est centré sur les industries alimentaires et textiles et sur la fabrication des charpentes métalliques et des meubles.

Sainte-Marthe-sur-le-Lac, ville du Canada. Sainte-Marthe-sur-le-Lac est située au Québec, sur le bord du lac des Deux Montagnes, en face de l'île Bizard. Érigée en 1960, cette ville est aujourd'hui un centre de villégiature comptant plus de 6 100 habitants (Marthelacquois et Marthelacquoises).

Saint-Émile, village du Canada. Saint-Émile est situé au Québec, sur la rive nord du fleuve Saint-Laurent, entre Charlesbourg et Loretteville. Érigé en 1929, le village compte aujourd'hui plus de 5 500 habitants (Émilois et Émiloises).

Sainte-Sophie, ville du Canada. La municipalité de Sainte-Sophie est située au Québec à l'est de Saint-Jérôme. Cet ancien village agricole, érigé en 1855, compte aujourd'hui plus de 6 300 habitants (Sophiens et Sophiennes).

Sainte-Thérèse, ville du Canada. Sainte-Thérèse est située au Québec, au nord de Laval, entre Boisbriand et Rosemère. Érigée en 1849, Sainte-Thérèse compte aujourd'hui plus de 19 300 habitants (Térésiens et Térésiennes). Autrefois, Sainte-Thérèse était un important centre religieux. Aujourd'hui, c'est une ville industrielle en plein essor. Son usine de montage d'automobiles est l'une des plus modernes du monde.

Saint-Étienne-de-Lauzon, ville du Canada. Saint-Étienne-de-Lauzon est situé au

Québec, dans la région Chaudière – Appalaches, sur la rive sud du fleuve Saint-Laurent. Érigée en 1860, la ville compte aujourd'hui plus de 5 700 habitants (Stéphanois et Stéphanoises).

Sainte-Trinité (la), les trois personnes divines. Chez les chrétiens, la Sainte-Trinité est le mystère de l'union de trois personnes distinctes ne formant qu'un seul Dieu: Père, Fils et Saint-Esprit. On célèbre ce mystère par une fête qui a lieu le premier dimanche après la Pentecôte.

Saint-Eustache, ville du Canada. Saint-Eustache est situé au Québec, dans la région des Laurentides, sur la rive nord de la rivière des Mille Îles. Érigé en 1855, Saint-Eustache compte aujourd'hui environ 32 225 habitants (Eustachois et Eustachoises). Cet ancien village s'est transformé en une importante municipalité de banlieue. Sa vocation est avant tout résidentielle. C'est aussi un important centre de services régional. La moitié de son territoire est consacrée à l'agriculture. Le moulin de la rivière du Chêne et l'église paroissiale demeurent les principaux témoins de l'histoire locale et régionale. Réfugiés dans l'église, les Patriotes de 1837 y subirent la défaite contre les soldats anglais. Le nom de Saint-Eustache honore la mémoire d'Eustache Lambert, sieur Du Mont et seigneur des Mille-Îles.

Saint-Exupéry (Antoine **de**), aviateur et écrivain français, né à Lyon en 1900 et disparu dans une mission aérienne en 1944. Comme pilote militaire et pilote d'essai, Antoine de Saint-Exupéry accomplit des missions importantes, notamment en Argentine et lors de la Seconde Guerre mondiale. Dans ses romans, Saint-Exupéry exalte le sens du devoir, le courage, la solidarité et les vertus d'amour et d'amitié. Ses principales œuvres sont *Courrier-Sud* (1927), *Vol de nuit* (1931), *Terre des hommes* (1939), *Pilote de guerre* (1942), *Le petit prince* (1943) et *Citadelle* (1948).

Saint-Félicien, ville du Canada. Saint-Félicien est situé au Québec, dans la région du Saguenay – Lac-Saint-Jean, sur la rive ouest du lac Saint-Jean. Érigée en 1882, cette ville agricole, commerciale et industrielle compte aujourd'hui plus de 9 300 habitants (Félicinois et Félicinoises). Elle possède une usine de pâtes et papiers depuis 1978. Son zoo, fondé en 1960, demeure une attraction régionale importante.

Saint-François (lac), lac du Canada. Situé au Québec dans la région de la Montérégie, le lac Saint-François est en amont de l'île de Montréal et est formé par un élargissement du fleuve Saint-Laurent. Il alimente le canal de Beauharnois.

Saint-Georges, ville du Canada. Située au Québec, au confluent des rivières Chaudière et Famine, la métropole de la Beauce compte une population de 11 720 habitants (Georgiens et Georgiennes). Saint-Georges est un centre industriel important. L'industrie laitière y est florissante. Sa principale activité économique est la transformation du bois: scieries, maisons préfabriquées, portes et fenêtres, meubles.

Saint-Georges-Ouest, ville du Canada. Situé au Québec, dans la Beauce, sur la rivière Chaudière, Saint-Georges-Ouest formait anciennement la partie ouest de la ville de Saint-Georges. Érigée en 1943, cette ville compte aujourd'hui plus de 6 300 habitants et possède une usine de machinerie lourde.

Saint-Grégoire (mont), mont du Canada. Situé au Québec, dans la région de la Montérégie, sur la rive sud du fleuve Saint-Laurent, le mont Saint-Grégoire est l'une des huit collines Montérégiennes. Il a une hauteur de 265 m.

Saint-Hilaire (mont), mont du Canada. Situé au Québec sur le bord de la rivière Richelieu, du côté droit de la rive, le mont Saint-Hilaire est l'une des huit collines Montérégiennes. Il se dresse sur une hauteur de 411 m et abrite à son sommet le lac Hertel. Cet ancien volcan possède un centre de conservation de la nature qui attire beaucoup de visiteurs.

Saint-Hubert, ville du Canada. Saint-Hubert est situé au Québec, sur la rive sud du fleuve Saint-Laurent, entre Longueuil et Saint-Bruno-de-Montarville. Érigé en 1860, Saint-Hubert compte aujourd'hui plus de 66 200 habitants (Hubertins et Hubertines). Cette ville abrite un aéroport de type militaire. En 1989, Saint-Hubert est devenu le siège de l'Agence spatiale canadienne.

Saint-Hyacinthe, ville du Canada. Saint-Hyacinthe est situé au Québec dans la plaine du Saint-Laurent, sur la rivière Yamaska, à environ 45 km à l'est de Montréal. Érigée en 1849, la ville compte aujourd'hui plus de 38 600 habitants (Maskoutains et Maskoutaines). Cette ville est le centre d'une des meilleures régions agricoles du Québec. On y trouve aussi des filatures et une fabrique d'orgues, la maison Casavant, fondée en 1880. Le sud-ouest de la ville abrite l'Institut de technologie agricole de même que l'École de médecine vétérinaire. Le nom de Saint-Hyacinthe rappelle le souvenir d'Hyacinthe-Simon Delorme, qui est devenu seigneur de l'endroit en 1753.

Saint-Jean (Idola), née Idola **Serre**, professeure et féministe, née à Montréal en 1875 et morte en 1945. Idola Saint-Jean a revendiqué pour les femmes de meilleures conditions de travail et le droit de vote. Voulant donner un souffle nouveau à la politique québécoise, elle a pris une part active aux campagnes électorales de 1921, de 1925 et de 1926. Elle a fondé en 1925 l'Alliance canadienne pour le vote des femmes du Québec et, en 1931, un journal appelé *La Sphère féminine*. Elle a également écrit des ouvrages et donné des conférences. Cette féministe, reconnue au Canada, jouissait également d'une réputation internationale. Elle a fait sa marque dans de nombreuses œuvres sociales et politiques.

GARCIA STUDIO/ANC/C-68508

Idola **Saint-Jean**

Saint-Jean [*Saint John's*], ville du Canada, capitale de Terre-Neuve. Saint-Jean est situé sur la rive nord de la baie de Fundy, au sud-est de l'île. On pénètre dans son port, à l'intérieur des terres, par une passe longue et étroite. Ce port est protégé par les hautes collines sur lesquelles la ville est bâtie. Saint-Jean, qui est la ville la plus importante de la province, compte plus de 92 200 habitants. Son développement est dû surtout aux Loyalistes, qui y sont arrivés après 1783. Son économie repose sur la fonction publique fédérale, provinciale et municipale et sur les industries alimentaires, notamment la transformation des produits de la pêche. On y exploite aussi les produits de la forêt. Saint-Jean abrite un centre ferroviaire et son port de mer est ouvert toute l'année. Les régates de la ville sont reconnues comme l'événement sportif le plus ancien de l'Amérique du Nord. Il s'agit d'une course à avirons de plus de 2,6 km qui se fait dans de longues embarcations de six rameurs. La première course aurait eu lieu en 1818 sur le lac Quidi Vidi, situé au nord du port. Pendant les régates se tient un joyeux carnaval, qui attire un grand nombre de touristes.

Saint-Jean, en anglais Saint John, ville du Canada. Saint-Jean est situé au Nouveau-Brunswick, sur la rivière Saint-Jean, à l'embouchure de la baie de Fundy. C'est la ville la plus importante du Nouveau-Brunswick. Avec la banlieue, sa population se chiffre à plus de 76 300 habitants. Ce centre portuaire possède plusieurs industries. L'exploitation de la forêt alimente les usines de fabrication de meubles et l'industrie de pâtes et papiers. On y fabrique aussi des produits en plastique, des sous-produits du pétrole et du charbon et des produits chimiques. Saint-Jean possède un centre ferroviaire et un port de mer ouvert toute l'année. La ville doit son développement à l'arrivée de Loyalistes après 1783.

Saint-Jean (lac), lac du Canada. Le lac Saint-Jean est situé au Québec, dans la région du Saguenay – Lac-Saint-Jean. D'une superficie de 1 350 km² et d'une profondeur moyenne de 63 m, le lac reçoit ses eaux de dizaines de rivières. Plusieurs localités l'entourent, dont Alma, Dolbeau, Mistassini, Roberval et Saint-Félicien. L'économie de la région était essentiellement agricole et forestière jusqu'en 1940. Aujourd'hui, l'industrie laitière et l'élevage y jouent encore un rôle prédominant. Le lac Saint-Jean constitue aussi un centre de villégiature remarquable. La pêche sportive, notamment la pêche à la ouananiche et au doré, attire annuellement des milliers d'amateurs. De plus, de nombreux vacanciers viennent profiter des plages qui bordent le lac. Depuis 1955, on peut assister, chaque année, à la Traversée internationale du lac Saint-Jean à la nage. Cet événement est l'attrait touristique le plus important de la région.

Saint-Jean (rivière), rivière du Canada située au Nouveau-Brunswick. Coulant dans l'est du pays, la rivière Saint-Jean est la plus importante rivière du Nouveau-Brunswick. Elle prend sa source dans les Appalaches, aux États-Unis, coule à travers les forêts jusqu'à Edmundston et, passé Fredericton, elle s'élargit progressivement et traverse une très belle vallée. À l'approche de la ville de Saint-Jean, elle entre dans un lac étroit, le Long Reach, et se jette dans la baie de Fundy à 673 km de son point de départ. Elle fut découverte par Samuel de Champlain le 24 juin 1608. Elle reçut le nom de Saint-Jean en l'honneur du saint dont on célébrait la fête ce jour-là.

Saint-Jean-Chrysostome, ville du Canada. Saint-Jean-Chrysostome est situé au Québec, dans la région de Chaudière – Appalaches, sur la rive sud du fleuve Saint-Laurent. Érigée en 1855, la ville compte aujourd'hui environ 8 795 habitants. La paroisse a été fondée en 1828 en souvenir de John Caldwell, dixième propriétaire de la seigneurie de Lauzon.

Saint-Jean-sur-Richelieu, ville du Canada. Saint-Jean-sur-Richelieu est situé au Québec, sur la rive gauche de la rivière Richelieu, à environ 40 km au sud-est de Montréal. Érigée en 1848, la ville compte aujourd'hui plus de 34 700 habitants (Johannais et Johannaises). Au XVIIe siècle, c'était un poste de traite important. En 1830, on y établit le terminus de la première ligne de chemin de fer au Canada. Actuellement, c'est une ville industrielle et un grand marché agricole, qui regroupe plus d'une centaine d'entreprises dans divers domaines: produits électriques, machines à coudre, textiles, produits chimiques et métallurgiques. Cette ville héberge le premier collège militaire bilingue du Canada. Depuis quelques années, elle est le théâtre d'un événement unique au Québec: le Festival des montgolfières du Haut-Richelieu.

Saint-Jean-Vianney, petit village du Canada situé au Québec. Cette petite municipalité du Saguenay – Lac-Saint-Jean subit le 4 mai 1972 un important glissement de terrain causé par une rivière souterraine. On enregistra environ 45 morts et d'importants dégâts. Un pont en aluminium, le seul au Québec, attire la curiosité des touristes en visite dans cette région.

Saint-Jérôme, ville du Canada. Saint-Jérôme est situé au Québec, dans les Laurentides, à 40 km au nord-ouest de Montréal. Érigée en 1856, la ville s'étend sur les rives de la rivière du Nord. Sa population compte environ 23 315 habitants (Jérômiens et Jérômiennes). Saint-Jérôme constitue le pôle de développement des Laurentides. La ville possède des industries de papier et de caoutchouc. Depuis 1822, la société de papier Rolland y exploite la plus ancienne fabrique de papier fin du pays. Sa situation géographique a valu à Saint-Jérôme le nom de «porte des Laurentides». Cette région s'est développée grâce aux initiatives du curé Antoine Labelle entre 1868 et 1891. On peut voir le monument de bronze du légendaire Antoine Labelle dans le parc situé en face de la cathédrale. Saint-Jérôme demeure une véritable métropole régionale.

Saint John ☞ **Saint-Jean** (Nouveau-Brunswick).

Saint John's ☞ **Saint-Jean** (Terre-Neuve).

Saint-Lambert, ville du Canada. Saint-Lambert est situé au Québec sur la rive sud du fleuve Saint-Laurent, en face de Montréal, près du pont Victoria. Érigée en 1857, la ville compte aujourd'hui plus de 20 030 habitants (Lambertois et Lambertoises). Ainsi nommée en l'honneur de Lambert Closse, major de Ville-Marie (Montréal), cette ville abrite des industries diversifiées: machineries électriques, produits métalliques, etc. Saint-Lambert constitue l'entrée de la voie maritime du Saint-Laurent, où sont aménagées des écluses géantes. Cette ville est le siège de l'Institut international de musique du Canada.

Saint-Laurent (Louis Stephen), homme politique canadien, né à Compton en 1882 et mort à Québec en 1973. En 1905, Louis Saint-Laurent est admis au barreau de la province de Québec. De 1914 à 1941, il enseigne le droit commercial à l'Université Laval, à Québec. Éminent avocat, il occupe le poste de conseiller auprès de la Commission royale sur les relations entre les gouvernements fédéral et provinciaux, poste qui lui ouvre les portes du monde de la politique. Le 4 décembre 1941, à la demande de Mackenzie King, il accepte le portefeuille de ministre de la Justice; il se présente par la suite comme candidat dans une élection partielle sous la bannière du Parti libéral. Le 4 février 1942, il remporte l'élection partielle et, en juin 1945, le gouvernement King est réélu. Devenu premier ministre en 1948, Louis Saint-Laurent contribue à la prospérité de l'économie: le pays connaît une augmentation de la productivité et une baisse du chômage. Parmi ses réalisations, soulignons la canalisation du Saint-Laurent et la construction d'un gazoduc transcanadien. Louis Saint-Laurent s'est retiré de la vie politique en 1957.

Louis Stephen **Saint-Laurent**

B. ET J. NEWTON/ANC/C-8099

Saint-Laurent, ville du Canada. Situé au Québec, au centre de l'île de Montréal, Saint-Laurent se trouve au carrefour de tous les grands axes de communication. La première paroisse de Saint-Laurent est fondée en 1720 et le premier conseil municipal est élu en 1855. En 1893, une partie du territoire de la paroisse est constituée en corporation municipale. Le territoire de Saint-Laurent est alors divisé en deux: la ville et la paroisse de Saint-Laurent. En 1954, la ville annexe la paroisse. Autrefois centre agricole, Saint-Laurent est aujourd'hui une ville moderne, dynamique. Plus de 4 400 entreprises témoignent de sa vitalité économique. Centre de techniques de pointe et deuxième ville industrielle du Québec, Saint-Laurent offre un large éventail d'activités: avionnerie, alimentation, textiles, appareils électroniques et produits pharmaceutiques. Sa population s'élève à 67 000 Laurentiens et Laurentiennes.

Saint-Laurent, fleuve du Canada. Le fleuve Saint-Laurent prend sa source dans le lac Ontario, coule en direction nord-est, en aval de Montréal et de Québec, vers le golfe du Saint-Laurent, et se jette dans l'océan Atlantique. Ce fleuve, le plus puissant du Canada, reçoit de nombreux affluents tant sur son versant nord que sur son versant sud. Il s'est appelé autrefois la Grande rivière, la rivière d'Hochelaga, la rivière du Canada et la rivière des Algonquins. C'est Jacques Cartier qui lui donna son nom actuel lorsqu'il en fit la remontée le 17 août 1535, jour de la fête de Saint-Laurent. Ce fleuve, qui était la route des explorateurs, a joué un rôle déterminant dans l'histoire du Canada.

Saint-Laurent (golfe du), vaste mer intérieure de l'est du Canada. Le golfe du Saint-Laurent est formé par l'élargissement du fleuve Saint-Laurent et est relié à l'océan Atlantique par le détroit de Belle Isle au nord et le détroit de Cabot au sud. Il est bordé par la Côte-Nord au nord, par l'Île-du-Prince-Édouard et l'île du Cap-Breton au sud, par l'île de Terre-Neuve à l'est et par le Nouveau-Brunswick et la Gaspésie à l'ouest.

Saint-Laurent (voie maritime du), ensemble de voies navigables reliant les cinq Grands Lacs et le fleuve Saint-Laurent à l'océan Atlantique. L'ensemble de canaux et d'écluses de la voie maritime du Saint-Laurent permet aux navires de franchir une dénivellation de 183 m entre l'océan Atlantique et le lac Supérieur. Projet réalisé conjointement par les gouvernements canadien et américain, cette voie navigable contribue au développement économique des deux pays. La voie maritime du Saint-Laurent fut ouverte le 1er avril 1959, mais l'inauguration officielle a eu lieu le 26 juin 1959 en présence de John Diefenbaker (premier ministre du Canada), de Dwight Eisenhower, président des États-Unis, et de la reine Élisabeth II d'Angleterre.

Saint-Léonard, ville du Canada. Saint-Léonard est situé au Québec dans la partie est de l'île de Montréal. La ville est bornée au nord par Montréal-Nord, au sud par Rosemont, à l'ouest par Saint-Michel et à l'est par Anjou. Érigée en 1886, elle compte actuellement plus de 75 940 habitants (Léonardois et Léonardoises). Plusieurs d'entre eux sont d'origine italienne. Saint-Léonard aurait ainsi été baptisé en mémoire d'un sulpicien du nom de Léonard Chaigneau, mort à Montréal en 1711. Cette ville possède de nombreuses manufactures ainsi que des cavernes, visitées par un nombre croissant de spéléologues amateurs.

Saint-Lin, ville du Canada. Surnommé «ville des Laurentides», Saint-Lin est situé au Québec dans la région de Lanaudière, à l'est de la ville de Saint-Jérôme, près de la rivière de l'Achigan. Érigée en 1855, la ville compte aujourd'hui près de 5 400 habitants. (Saint-Linois et Saint-Linoises). Autrefois, cette région exploitait la forêt. Au début du XXe siècle, l'agriculture devint sa principale activité. Le village de Saint-Lin est le lieu de naissance de sir Wilfrid Laurier, premier ministre du Canada de 1896 à 1911 et premier francophone à gouverner le pays. On peut y visiter le musée de Laurier, installé dans la maison d'époque où il a passé son enfance.

Saint-Louis (lac), lac du Canada. Le lac Saint-Louis est situé au Québec, au sud-ouest de l'île de Montréal. Il est formé par l'élargissement du fleuve Saint-Laurent entre le pont Mercier à l'est et l'île Perrot à l'ouest. Au sud-ouest du lac s'étendent les îles de la Paix, un ensemble d'îlots, de battures et de marécages qui abritent de nombreuses espèces d'oiseaux. C'est à Samuel de Champlain que cette étendue d'eau doit son appellation.

Saint-Louis-de-France, ville du Canada. Saint-Louis-de-France est situé au Québec dans la région Mauricie – Bois-Francs. Érigée en 1904 au nord de Cap-de-la-Madeleine, la ville s'étend entre les rivières Champlain et Saint-Maurice et compte plus de 5 575 habitants (Louisfranciens et Louisfranciennes). C'est une localité résidentielle et un centre de villégiature.

Saint-Luc, ville du Canada. Saint-Luc est situé au Québec, dans la Montérégie, au nord de la ville de Saint-Jean-sur-Richelieu. Érigée en 1855, la ville compte aujourd'hui plus de 10 950 habitants (Luçois et Luçoises). Saint-Luc est une région agricole où l'on cultive surtout des légumes.

Saint-Marin, État indépendant d'Europe. Ce tout petit pays, enclavé dans le nord de l'Italie, d'une superficie de 61 km^2, est situé à l'est de Florence. Sa population s'élève à plus de 21 000 habitants (Saint-Marinais et Saint-Marinaises). La langue officielle est l'italien et la religion dominante est le catholicisme. La monnaie utilisée est la lire. La capitale de l'État porte le même nom: Saint-Marin. Issu d'une communauté chrétienne fondée au IVe siècle par l'ermite saint Marin, le pays se plaça en 1862 sous la protection de l'Italie. Il est aujourd'hui dirigé par deux capitaines-régents élus tous les six mois.

Saint-Maurice (rivière), rivière du Canada. La rivière Saint-Maurice est située au Québec dans la région Mauricie – Bois-Francs. Prenant sa source dans le réservoir Gouin, à 200 km à l'ouest du lac Saint-Jean, elle coule vers le sud, avant de se jeter dans le Saint-Laurent à 563 km de son point de départ. À son embouchure, à Trois-Rivières, elle forme un delta. Le cours d'eau est aménagé pour alimenter les centrales hydroélectriques. Le long du haut Saint-Maurice, les Attikameks vivent dans les villages de Manouane, de Weymontachie et d'Obedjiwan. Cette rivière fut découverte par Jacques Cartier en 1535. Son nom a été adopté en 1668 en l'honneur de Maurice Poulin de La Fontaine, seigneur de la région.

Saint-Nicéphore, ville du Canada. La municipalité de Saint-Nicéphore est située au Québec, au sud de Drummondville. Cette banlieue résidentielle de Drummondville, fondée en 1855, compte plus de 6 537 habitants (Nicéphorois et Nicéphoroises). Elle a été ainsi nommée en l'honneur du premier curé de la paroisse, Nicéphore Lessard.

Saint-Nicolas, ville du Canada. Saint-Nicolas est situé au Québec, sur la rive sud du Saint-Laurent, au sud-ouest de la ville de Québec. Bâtie sur une falaise, cette localité, inaugurée en 1855, fut d'abord une mission abénaquise avant de se transformer en village agricole. C'est aujourd'hui une banlieue résidentielle abritant plus de 6 123 habitants (Nicolois et Nicoloises).

Saint-Ours, ville du Canada. Saint-Ours est situé au Québec, sur la rive droite de la rivière Richelieu, au nord-est de Contrecœur. Fondée en 1855, la ville compte aujourd'hui 622 habitants. C'est la paroisse la plus ancienne de la région de la Montérégie. La ville s'appelle ainsi en l'honneur de Pierre de Saint-Ours, officier du régiment de Carignan, à qui a été concédée une seigneurie de la région en 1672. C'est à Saint-Ours qu'a pris naissance la Rébellion de 1837.

Saint-Pierre, ville du Canada. Saint-Pierre est situé au Québec, au centre-sud de l'île de Montréal, entre les villes de Lachine et de Montréal-Ouest, sur la rive nord du canal de Lachine. Fondée en 1874, la ville compte aujourd'hui 4 944 habitants (Pierrois et Pierroises).

Saint-Pierre (lac), lac du Canada situé au Québec. Le lac Saint-Pierre est formé par l'élargissement du fleuve Saint-Laurent. Situé dans la région Mauricie – Bois-Francs entre les villes de Sorel et de Nicolet, cette masse d'eau mesure 40 km de long sur 15 km de large. Son nom a été choisi par Samuel de Champlain en 1609. Les rivières Richelieu et Saint-Maurice s'y jettent par des deltas sablonneux. Le lac est fréquenté par de nombreux oiseaux, notamment des canards, des bécasses et divers passereaux. Au début, les terres riveraines étaient consacrées à l'agriculture. De nos jours, les habitants de la région pratiquent surtout l'élevage laitier.

Saint-Pierre et Miquelon, archipel français de l'océan Atlantique. D'une superficie de 243 km², Saint-Pierre et Miquelon est situé dans le golfe du Saint-Laurent au sud-ouest de Terre-Neuve. C'est le seul département français en Amérique du Nord. Il est formé de l'île Saint-Pierre, qui compte 5 415 habitants, et des îles Miquelon, dont la population s'élève à 626 habitants, pour une population totale de 6 041 habitants (Saint-Pierrais et Saint-Pierraises). La capitale est Saint-Pierre, la plus petite des îles. La langue officielle est le français et la religion dominante est le catholicisme. La monnaie utilisée est le franc français. À part quelques ifs et genévriers, rien ne pousse sur le sol mince de ces îles, formées de roche volcanique. Pour la France, l'archipel constitue un poste situé à proximité du plus important territoire de pêche en Amérique du Nord. Les chalutiers français rapportent annuellement 20 000 tonnes de morue du golfe du Saint-Laurent. Le 31 mars 1989, la France et le Canada signaient un accord mettant fin à un litige vieux de trois ans sur les droits de pêche au large de Terre-Neuve et de Saint-Pierre et Miquelon.

Saint-Raphaël-de-l'Île-Bizard, ville du Canada. Saint-Raphaël-de-l'Île-Bizard est situé au Québec, dans la région de Montréal, sur l'île Bizard. Érigée en 1855, cette municipalité de paroisse compte aujourd'hui plus de 8 500 habitants (Bizardiens et Bizardiennes).

Saint-Régis ☞ **Akwesasne**.

Saint-Rémi, ville du Canada. Saint-Rémi est situé au Québec dans une région agricole, sur la rive sud du fleuve Saint-Laurent, au sud-est de la ville de Châteauguay. Érigée en 1855, la ville compte aujourd'hui plus de 5 200 habitants (Saint-Rémois et Saint-Rémoises).

Saint-Romuald, ville du Canada. Saint-Romuald est situé au Québec, dans la région Chaudière – Appalaches, sur la rive sud du fleuve Saint-Laurent. Sa population s'élève à

9 953 habitants (Romualdiens et Romualdiennes). Cette petite ville résidentielle, bâtie sur deux niveaux, au bord du fleuve, offre un panorama superbe sur Québec. L'église, qui date de 1855, domine une grande partie de la ville. On y a érigé des statues du sculpteur Lauréat Vallière, qui naquit et vécut à Saint-Romuald. À l'est de la ville coule la rivière Etchemin. Autrefois, on appelait cette ville Saint-Romuald-d'Etchemin.

Saint-Saëns (Camille), compositeur, pianiste et organiste français, né à Paris en 1835 et mort en Algérie en 1921. Camille Saint-Saëns mena de front des carrières de compositeur, de chef d'orchestre et d'interprète et se produisit dans des concerts donnés à travers le monde. Saint-Saëns collabora à la fondation de la Société nationale de musique (1871). On lui doit des ballets, des opéras, de la musique de scène, des compositions religieuses (*Messe solennelle, Requiem*, etc.), trois symphonies, de la musique de chambre, des mélodies, des poèmes symphoniques, un opéra-oratorio (*Samson et Dalila*) et des pièces pittoresques (*Le carnaval des animaux*).

Saint-Siège (États du) ou **États de l'Église** ou **États pontificaux**, territoires appartenant à la papauté. De 756 à 1870, les États du Saint-Siège étaient constitués par la partie centrale de l'Italie. En 1870, Rome, le dernier territoire appartenant encore à l'Église, fut annexé à l'Italie: les États du Saint-Siège n'existaient plus. En 1929, le Vatican devient État souverain. C'est maintenant le seul État appartenant à la papauté.

Saint-Vallier (Jean-Baptiste de La Croix de Chevrières **de**), né à Grenoble, en France, en 1653 et mort à Québec en 1727. De 1688 à 1727, Jean-Baptiste de Saint-Vallier assume les fonctions d'évêque de Québec, succédant à Mgr de Laval. Mgr de Saint-Vallier combat l'ivrognerie, le blasphème et l'immoralité, et encourage la pratique religieuse, les vertus de la famille et les missions en Louisiane, en Acadie et dans la région de l'Illinois. Cependant, plusieurs querelles l'opposent aux divers corps religieux ainsi qu'au gouverneur Frontenac. Les jésuites dénoncent deux de ses ouvrages, *Cathéchisme* (1702) et *Rituel* (1703), les jugeant hérétiques. Lorsque l'évêque est capturé et emprisonné en Angleterre (1704-1709), personne ne s'empresse de le libérer. De retour au Canada en août 1713, Jean-Baptiste de Saint-Vallier quitte l'évêché pour s'établir à l'Hôpital général, dont il est le fondateur. Il y vit dans l'austérité durant les 14 dernières années de sa vie, léguant sa fortune aux démunis.

Sakami (lac), lac du Canada. Le lac Sakami est situé au Québec, dans la région du Nord-du-Québec. Cette étendue d'eau de 593 km^2 baigne la région qui se trouve à l'est de Radisson.

Salaberry (Charles-Michel d'Irumberry **de**), militaire et héros canadien, né à Beauport, au Québec, en 1778 et mort à Chambly, au Québec, en 1829. Devant la menace d'une seconde invasion américaine, le gouverneur du Canada confie à Salaberry la mission de former un groupe d'élite: les Voltigeurs canadiens, composés de 300 Canadiens français et de 150 Indiens. À la tête de ce corps militaire, qu'il sut diriger adroitement, Salaberry gagna la bataille de Châteauguay, en 1813, en repoussant avec ses 450 hommes une armée américaine composée de 7 400 soldats. Il sauva ainsi le Canada de l'invasion américaine. En 1818, il fut invité à siéger au Conseil législatif.

Salaberry-de-Valleyfield, ville du Canada. Salaberry-de-Valleyfield est situé au Québec, au sud-ouest de Montréal, à l'extrémité est du lac Saint-François. La ville est bornée au sud par le canal de Beauharnois et au nord par un bras du fleuve Saint-Laurent. Érigée en 1874, elle compte aujourd'hui plus de 27 900 habitants (Campivallensiens et Campivallensiennes). Cette ville est le centre industriel de la région. Son développement est axé sur les usines de textiles, de pneus et d'affinage du zinc. Salaberry-de-Valleyfield abrite la cathédrale Sainte-Cécile, de style gothique. Les régates de Valleyfield, qui se déroulent à la mi-juillet de chaque année, attirent les meilleurs coureurs du Canada et des États-Unis. De nombreux touristes fréquentent cette magnifique région.

Salisbury ☞ **Harare**.

Salluit, village inuit du Canada. Situé dans la région du Nord-du-Québec, sur les rives du détroit d'Hudson, face à la pointe est de l'île de Baffin, Salluit compte 663 habitants (Sallumikq). Ceux-ci parlent l'inuktitut et l'anglais et vivent des produits de la sculpture et du piégeage. Salluit est également un centre de production d'émissions de radio et de télévision.

Salomon (îles), État d'Océanie. D'une superficie de 29 785 km^2, les îles Salomon sont situées dans l'océan Pacifique, à l'est de la Papouasie – Nouvelle-Guinée. L'archipel comprend, entre autres, les îles de Santa Cruz, de Bougainville, de Buka, de Guadalcanal, de San Cristobal, de Santa Isabel et de Malaita. Sa capitale est Honiara. Les îles Salomon sont des îles volcaniques accidentées où le climat équatorial très humide favorise une végétation de forêt dense. La population compte 300 000 habitants. La langue officielle est l'anglais, et la monnaie utilisée est le dollar des Salomon. L'économie est basée sur la culture du cacao et du coprah (4/5 des exportations), l'exploitation du bois et les plantations de cocotiers. Découvert en 1568, l'archipel fut tour à tour sous domination espagnole, britannique, allemande et australienne. Lors de la Seconde Guerre mondiale, l'île de Guadalcanal fut occupée par les Japonais, qui en furent chassés par les Américains en février 1943. Le groupe d'îles a obtenu son indépendance et est devenu membre du Commonwealth en 1978. Un premier ministre dirige le pays.

Salvador ou **El Salvador**, État de l'Amérique centrale. Situé au nord-ouest du continent près de l'océan Pacifique, le Salvador comprend une plaine côtière et un plateau fertile dominé par une chaîne volcanique. Son territoire s'étend sur 21 040 km². Le Lempa est le seul cours d'eau important. Le climat est chaud sur le littoral et tempéré sur le plateau et dans la vallée du Lempa. La population compte 5,1 millions d'habitants (Salvadoriens et Salvadoriennes). La langue officielle est l'espagnol et la religion dominante est le catholicisme. La monnaie utilisée est le colon. La capitale est San Salvador. Le Salvador est non seulement le plus petit pays de l'Amérique centrale, mais aussi le plus densément peuplé. La population travaille surtout dans les plantations de canne à sucre et de café (60 % de la main-d'œuvre). Les autres ressources économiques sont le coton, les cultures vivrières (maïs, riz, haricots, fruits et légumes) et les industries (sucre, produits laitiers, textiles, tissus de coton, insecticides, colorants, cimenteries, aciéries, tourisme, barrages hydroélectriques). Ancienne colonie espagnole rattachée au Guatemala puis au Mexique, le Salvador est devenu un État indépendant en 1841. Après neuf ans de guerre civile, le pays est aujourd'hui dirigé par un président élu.

Samaritain (le bon), personnage biblique. Selon une parabole de l'Évangile, le bon Samaritain est le modèle de la charité chrétienne. Ce personnage était originaire de la Samarie, région de la Palestine située entre la Galilée et la Judée.

Sanche (Guy), comédien, né à Hull en 1936 et mort en 1988. Guy Sanche incarna le grand frère de plusieurs générations d'enfants pendant plus d'un quart de siècle (27 ans) à la télévision de Radio-Canada. C'est en 1957 que l'émission *Bobino* fut diffusée pour la première fois, avec Guy Sanche dans le rôle titre. Chaque jour, à seize heures, Bobino venait partager ses découvertes et sa bonne humeur avec ses fameux «tout-petits». Bientôt Bobinette, petite sœur de Bobino et marionnette espiègle, vint se joindre à lui. Guy Sanche est mort d'un cancer à 52 ans.

RADIO-CANADA

Guy **Sanche**

Sand (Aurore **Dupin**, baronne Dudevant, dite **George**), écrivaine française, née à Paris en 1804 et morte à Nohant en 1876. Dans ses œuvres teintées de romantisme (*Indiana*, 1832, et *Lélia*, 1833), la quête de l'amour et du bonheur personnel occupe une place primordiale. George Sand a plaidé pour un renouveau social dans des œuvres humanitaires comme *Le compagnon du tour de France* (1840) et *Consuelo* (1842-1843). Elle a écrit une centaine d'ouvrages, dont les romans champêtres *La mare au diable* (1846), *La petite Fadette* (1849) et *Les maîtres sonneurs* (1853). George Sand a aussi écrit des pièces de théâtre et une longue autobiographie, *Histoire de ma vie* (1854). Elle a adopté un nom de plume masculin parce qu'à l'époque l'écriture était réservée aux hommes.

San Francisco, ville des États-Unis. Située à l'extrémité ouest du pays, la ville de San Francisco est un port de mer important sur le Pacifique. Son emplacement sur la baie de San Francisco en fait une ville pittoresque. La zone urbaine forme, avec la banlieue, une immense agglomération. San Francisco est un centre commercial, financier, culturel et touristique. Sa renommée tient à son climat doux et frais, à ses activités culturelles, au Golden Gate, aux tramways et à son célèbre quartier chinois. San Francisco compte près de 680 000 habitants (3,2 millions avec la banlieue). Elle possède deux grandes universités: Berkeley et Palo Alto. Détruite par un tremblement de terre en 1906, la ville fut rapidement reconstruite. En 1989, la ville a de nouveau été fortement secouée par un tremblement de terre.

San Salvador, capitale du Salvador. Située au pied du volcan San Salvador et à moins de 50 km de l'océan Pacifique, la ville compte environ un million d'habitants. San Salvador est le plus important centre intellectuel et économique du pays. On y trouve une université et des industries textiles et alimentaires. Fondée en 1528, la ville fut plusieurs fois ravagée par des tremblements de terre.

Santiago, capitale du Chili. Situé au pied de la cordillère des Andes en Amérique du Sud, Santiago est un centre culturel, économique, politique et industriel. Avec une population de 3,6 millions d'habitants, Santiago représente le tiers de la population chilienne. Son développement s'appuie sur les industries de transformation: bois, cuir, industries textiles, chimiques, mécaniques et conservation des viandes.

Santo Domingo ☞ **Saint-Domingue**.

São Paulo, ville du Brésil. Situé au centre-est du pays, près de l'océan Atlantique, São Paulo est un centre culturel et scientifique, et la métropole commerciale, économique et industrielle du Brésil. La ville compte 8,5 millions d'habitants. Ce grand centre industriel abrite des usines de textile, de métallurgie, de construction mécanique et électrique, de chimie et d'alimentation. C'est également la capitale mondiale de la production du café.

Sargasses (mer des), vaste zone de l'océan Atlantique. La mer des Sargasses est située au nord-est des Antilles. Sa surface est recouverte d'algues, d'où son nom. La sargasse est une algue brune flottante.

Saskatchewan, province du Canada. Située au centre du pays entre le Manitoba et l'Alberta, la Saskatchewan est bornée au sud par les États-Unis et au nord par les Territoires du Nord-Ouest. Sa capitale est Regina. Les autres villes importantes sont Saskatoon, Moose Jaw et Prince Albert. Le bouclier canadien, qui recouvre le nord de la province, comporte un relief accidenté et de nombreux lacs. Une zone sablonneuse occupe le sud du lac Athabasca. La «ceinture céréalière», partie méridionale du bouclier, fait de cette province le plus grand producteur de blé du Canada et l'un des plus grands producteurs de blé du monde. Le Sud et le Centre forment une partie de la plaine continentale (les Prairies). Quatre grands bassins drainent la province: ceux du Mackenzie et de la rivière Churchill au nord et ceux des rivières Saskatchewan et Assiniboine au sud. La province est soumise à un climat continental, très froid en hiver (−20 °C) et assez chaud en été. La Saskatchewan compte plus de 1 009 600 habitants, principalement d'expression anglaise. Seulement 1 % sont d'expression française (Fransaskois et Fransaskoises). L'économie de cette province s'appuie sur la culture des céréales (blé, orge, seigle et avoine fournissent 40 % du revenu), l'élevage des bovins, les forêts, les ressources minières (lignite, pétrole, or, argent, zinc, gaz naturel, potasse, uranium, cuivre) et l'énergie hydroélectrique (barrage Gardiner). La Saskatchewan est entrée dans la Confédération en 1905. Sa fleur emblématique est le lis rouge de l'Ouest.

Saskatchewan (rivière), rivière du Canada. La rivière Saskatchewan prend naissance au confluent de la rivière Saskatchewan-Nord (1 287 km) et de la rivière Saskatchewan Sud (1 392 km), à environ 50 km à l'est de Prince Albert. Elle coule vers l'est jusqu'aux lacs Tobin et Cumberland, puis atteint le Manitoba. Elle se jette dans le lac des Cèdres, pénètre dans les eaux du lac Winnipeg, à Grand Rapids, et va se jeter dans la baie d'Hudson par la rivière Nelson. La rivière Saskatchewan parcourt une distance de 1 939 km. Son système fluvial est plus important que celui du fleuve Saint-Laurent et draine une grande partie des Prairies.

Saskatoon, ville du Canada. Saskatoon est situé en Saskatchewan au nord-ouest de la capitale, Regina. C'est la deuxième ville de la province en importance. Érigée au cœur d'une région boisée au relief ondulé, cette ville est traversée par la rivière Saskatchewan-Sud. Fondée en 1883, elle compte plus de 115 200 habitants avec la banlieue et dessert une population de 500 000 personnes. C'est un centre de services bancaires, de services éducatifs et de services de santé, et une région prospère sur le plan de l'élevage et des cultures céréalières. Saskatoon, qui abrite des centres de recherche, est une ville cosmopolite comptant une population en grande part d'origine ukrainienne. D'un côté de la rivière s'élève le musée de la culture ukrainienne et, de l'autre, le musée d'art et d'artisanat ukrainien. Chaque année, en juillet, il s'y tient une importante foire industrielle et commerciale.

Saturne, planète du système solaire. Saturne est la sixième planète du système solaire. Située à 1 430 millions de km du Soleil, cette planète a une rotation de 10 heures 40 minutes. Son volume représente 744 fois celui de la Terre. Elle apparaît comme une énorme masse de gaz composée d'hydrogène, d'hélium, de méthane et d'ammoniac. Ce qui fait le principal intérêt de Saturne, c'est l'ensemble des anneaux composés de particules de glace qui entourent la planète. Grâce aux sondes spatiales américaines *Voyager 1* et *2*, on possède maintenant de précieux renseignements sur l'atmosphère, les satellites et les anneaux de Saturne. Étant très éloignée du Soleil, cette planète possède une température très basse, soit environ −155 °C. On lui connaît maintenant plus d'une vingtaine de satellites. L'atmosphère de Saturne est très agitée et comporte des vents et ouragans très violents pouvant atteindre près de 1 400 km/h. Pour bien distinguer les anneaux de Saturne, il faut avoir une lunette qui grossit 40 fois. Les trois teintes des anneaux de Saturne nous indiquent leurs trois parties: partie extérieure (bleutée), partie centrale (blanchâtre) et partie intérieure (plus sombre).

Sault-Sainte-Marie, ville du Canada. La ville de Sault-Sainte-Marie est située près des rapides de la rivière Sainte-Marie entre les lacs Supérieur et Huron, en Ontario. Sa population se chiffre à plus de 80 900 habitants. Elle est la deuxième ville productrice d'acier du Canada. Les forêts de la région alimentent deux compagnies de pâtes et papiers. Une compagnie d'aviation rassemble la plus grande flotte d'avions-citernes au monde pour la lutte contre les incendies de forêt. Nœud de communications est-ouest, cette ville est devenue un important centre régional de services fédéraux et provinciaux, de loisir et de tourisme.

Sault Ste. Marie ☞ **Sault-Sainte-Marie**

Sauvé (Jeanne Benoît-), gouverneur général du Canada de 1984 à 1990, née en 1922 à Prud'homme, en Saskatchewan. De par ses fonctions politiques importantes, Jeanne Sauvé a été amenée, à maintes reprises, à parcourir le Canada et le monde entier. Toutefois, c'est à titre de journaliste qu'elle a fait d'abord sa marque. Elle a participé à des mouvements sociaux, culturels et politiques. Élue députée libérale à Ottawa en 1972, elle a dirigé plusieurs ministères importants et a été la première femme à prendre la parole à la Chambre des communes. En janvier 1984, elle fut la première femme à être gouverneur général du Canada.

B. CARRIÈRE/PUBLIPHOTO

Jeanne **Sauvé**

Sauvé (Paul), avocat, officier et homme politique canadien, né à Saint-Benoît en 1907 et mort à Saint-Eustache en 1960. Paul Sauvé fut l'un des fondateurs de l'Union nationale. Élu à six reprises sous les couleurs de ce parti, il collabora avec Maurice Duplessis et lui succéda à la tête du parti et comme premier ministre le 11 septembre 1959. Il mourut 100 jours après sa prise de pouvoir. Malgré ce court laps de temps, il amorça des réformes et régla des dossiers importants (assurance-hospitalisation, subventions aux universités, etc.). Paul Sauvé contribua à la mise en place de changements politiques et sociaux significatifs au Québec.

LA PRESSE

Paul **Sauvé**

Scandinavie, région de l'Europe du Nord. Au sens strict, la Scandinavie comprend la Norvège, la Suède, le Danemark et l'Islande. Au sens large, elle englobe également la Finlande. Ces pays possèdent des traits communs, notamment des conditions naturelles rudes, des activités maritimes, la présence de la forêt et une faible population.

Schreyer (Edward), professeur, homme politique et diplomate, né à Beauséjour, au Manitoba, en 1935. À 22 ans, Edward Schreyer devient député du Manitoba (1958-1965). Il siège ensuite comme député fédéral à Ottawa (1965-1969). Retournant à la politique provinciale en 1969, il est élu premier ministre du Manitoba et occupe de nouveau ce poste en 1973. En 1977, son parti est défait. Par la suite, Edward Schreyer est nommé gouverneur général et commandant en chef du Canada de 1979 à 1984. Enfin, en 1984, il obtient un poste de diplomate en Australie.

Schubert (Franz), compositeur autrichien, né à Vienne en 1797 et mort dans la même ville en 1828. Franz Schubert manifesta très tôt un goût pour la musique. Dès l'âge de 13 ans, il fit partie d'un quatuor familial et écrivit ses premières compositions. Le compositeur viennois a laissé une œuvre abondante: des opéras, des messes, des symphonies, dont la *Symphonie en si mineur*, dite *Inachevée*, et la *Grande symphonie en ut majeur*, son chef-d'œuvre, de la musique de chambre, dont 16 quatuors, un *Quintette en la majeur*, dit *La Truite*, des sonates pour violon et piano, de nombreuses danses (menuets, valses, marches, polonaises, etc.) et plus de 600 lieder (mélodies vocales) évoquant la nature, l'amour et la mort. Musicien classique par la forme, Schubert s'affirme comme le poète de l'invisible et du fantastique.

Schumann (Robert), pianiste et compositeur allemand, né à Zwickau en 1810 et mort à Endenich, en Allemagne, en 1856. Au cours de ses premières années de création, Schumann composa surtout des pièces pour le piano, notamment *Carnaval*, *Première sonate*, *Fantaisie en ut majeur*, *Novelettes* et *Seconde sonate*. Ensuite, il s'intéressa à la musique vocale et composa des lieder (mélodies vocales), dont *Les amours du poète* et *L'amour et la vie d'une femme*. Il composa également des pièces pour musique de chambre (sonates de violon, quatuors, quintettes, etc.), quatre symphonies et des concertos pour piano. Schumann créa des mélodies tendres et tourmentées et s'imposa comme le maître du lied et de la dissonance.

Schweitzer (Albert), médecin, philosophe, théologien, écrivain et musicien, né à Kaysersberg, en France, en 1875 et mort à Lambaréné, au Gabon, en 1965. Homme cultivé et humaniste soucieux d'améliorer la vie de ses semblables, Albert Schweitzer a fondé au Gabon une clinique chirurgicale et un hôpital pour lépreux. Il est retourné régulièrement en Europe pour y donner des conférences et des concerts, dont les recettes servaient à financer l'hôpital. Il a écrit *À l'orée de la forêt vierge* (1922), *Ma vie et mes pensées* (1960) et *Philosophie de la civilisation* (1965). Il a reçu le prix Nobel de la paix en 1952.

Seguin (Fernand), biologiste et biochimiste canadien, né à Montréal en 1922 et mort en 1988. Professeur à l'Université de Montréal (1945-1948) et animateur à la télévision et à la radio, ce maître de la communication est reconnu comme l'un des grands vulgarisateurs scientifiques de notre époque. De 1952 à 1975, Fernand Seguin a animé des centaines d'émissions scientifiques, tant à la radio qu'à la télévision. Il a réalisé également, à la télévision, une série de treize émissions portant sur le corps humain. Il a publié nombre d'ouvrages, dont *Entretiens sur la vie* (1952), *Le sel de la science* (1980), *La bombe et l'orchidée* (1987) et *Le cristal et la chimère* (1988). Il a reçu plusieurs honneurs tout au long de sa carrière, dont la médaille Sandford-Fleming, décernée en mars 1988 par l'Institut royal du Canada.

Fernand **Seguin**

PHOTO RADIO-QUÉBEC

Ségur (Sophie Rostopchine, comtesse **de**), écrivaine française d'origine russe, née à Saint-Pétersbourg, en Russie, en 1799 et morte à Paris, en France, en 1874. La comtesse de Ségur, qui écrivait essentiellement pour ses petits-enfants, a composé un grand nombre de récits qui ont vite acquis une grande renommée et qui sont encore, aujourd'hui, très prisés par les enfants. Ses œuvres principales sont *Les petites filles modèles* (1858), *Les Mémoires d'un âne* (1860), *Les malheurs de Sophie* (1864), *L'auberge de l'Ange Gardien* (1864), *Un bon petit diable* (1865), *Jean qui grogne et Jean qui rit* (1865) et *Le général Dourakine* (1866).

Seine, fleuve de France. Prenant sa source au nord-est du pays, la Seine traverse la province de Champagne puis celle de Troyes, longe la côte de l'Île-de-France et passe dans la région de Paris et de Rouen. Elle rejoint la Manche par un vaste estuaire, sur lequel est établi Le Havre. Elle mesure 776 km de longueur. Sur ses rives se sont développées de grandes villes, des ports et d'importantes zones industrielles, comme Paris et Rouen. La Seine demeure une voie navigable utilisée essentiellement entre la Manche et Paris.

Selkirk (chaîne), ensemble montagneux du Canada. Située au sud-est de la Colombie-Britannique, la chaîne Selkirk est bordée à l'ouest par le Columbia et par la vallée du lac Kootenay. On y exploite encore quelques petites mines d'argent. On y trouve deux centres de fabrication de produits du bois: Nelson et Castlegar.

Sénat, l'un des deux corps législatifs formant le Parlement du Canada. Le Sénat est aussi appelé la Chambre haute. Contrairement aux députés élus par le peuple, les membres du Sénat sont nommés par le gouverneur général sur proposition du premier ministre. Le Sénat est formé de 104 personnes qui représentent toutes les provinces. Jusqu'à 1965, les sénateurs étaient nommés à vie, mais depuis ce temps l'âge limite a été fixé à 75 ans. Le Sénat fut créé par la loi constitutionnelle de 1867 pour défendre les intérêts des régions, assurer un deuxième examen des projets de loi et protéger les droits des minorités. Depuis quelques années, le gouvernement envisage de réformer cette institution et d'amender la Constitution canadienne.

Sénégal, État de l'Afrique occidentale. D'une superficie de 196 200 km², le Sénégal est situé à l'ouest du continent sur le bord de l'océan Atlantique. Il est borné par le fleuve Sénégal, la Mauritanie, le Mali, la Guinée, la Guinée-Bissau et l'océan Atlantique. Sa capitale est Dakar. Le territoire plat est formé d'une plaine sablonneuse. La végétation se compose surtout de savanes et de brousses. Le climat tropical chaud ne comporte qu'une seule saison des pluies. La population, concentrée dans l'ouest du pays, atteint 6,9 millions d'habitants (Sénégalais et Sénégalaises). La langue officielle est le français et la religion dominante est l'islam. La monnaie utilisée est le franc C.F.A. L'économie sénégalaise repose essentiellement sur l'arachide (90 % des exportations), la pêche industrielle et artisanale, les cultures vivrières (maïs, manioc, patate et haricots) et l'industrie des phosphates. Ancienne colonie française, le Sénégal est devenu indépendant en 1960. Le pays, dirigé aujourd'hui par un président, forme avec la Gambie, depuis 1982, la Confédération de Sénégambie.

Séoul, capitale de la Corée du Sud. Située au nord-ouest du pays à 60 km de la mer de Chine, Séoul compte une population de 8,4 millions d'habitants (Coréens et Coréennes). C'est un centre administratif et industriel. Son économie est centrée sur les industries du textile, de la construction navale et de la construction mécanique. L'exportation se fait vers le Japon et surtout les États-Unis. Séoul a été l'hôte des XXIIes Jeux olympiques en 1988.

Sept-Îles, ville du Canada. La ville de Sept-Îles est située au Québec, dans la région de la Côte-Nord à 230 km au nord-est de Baie-Comeau. Érigée en 1951, la ville compte 25 637 habitants (Septiliens et Septiliennes). En 1535, Jacques Cartier lui donne son nom actuel à cause des sept îles qui en protègent l'accès. Bien avant lui, le site a été fréquenté par les Montagnais et les pêcheurs basques. En 1679, Louis Jolliet y installe un poste de traite et de pêche. À partir des années 50, l'exploitation des richesses minières provoque une croissance accélérée de la ville. Sept-Îles possède actuellement l'un des plus importants ports de mer du Canada. On y trouve une usine de transformation du minerai de fer en provenance de Schefferville. Le vieux poste, reconstitué à la suite de fouilles archéologiques, abrite le musée de Sept-Îles. Métropole de la Côte-Nord, Sept-Îles est également le principal centre minier de la région.

Sernine (Daniel), écrivain québécois, né à Montréal en 1955. Daniel Sernine a écrit depuis 1975 quelque 57 contes et nouvelles à base de fantastique et de science-fiction dans diverses publications, tant au Québec qu'en Europe. Il a également participé à une dizaine de collectifs et fait paraître 17 livres. Daniel Sernine a obtenu de nombreuses distinctions littéraires, notamment le prix Dagon 1977 pour *Exode 5*, meilleure nouvelle québécoise de science-fiction, le prix Solaris 1982 pour *Coin des vertes prairies*, meilleure nouvelle francophone de science-fiction, et le prix Casper 1986 pour *Yadjine et la mort*, meilleure nouvelle canadienne de science-fiction. Enfin, son roman pour adolescents *Le Cercle violet* lui a valu le prix du Conseil des Arts en 1984. Daniel Sernine fait partie du comité de rédaction des revues *Solaris* et *Lurelu* et collabore aux périodiques *Vidéo-Presse* et *L'Année de la science-fiction et du fantastique québécois*.

Seth, personnage biblique. Troisième fils d'Adam et d'Ève, Seth est considéré comme l'ancêtre des Asiatiques.

Severson (monts), ensemble montagneux du Canada. Les monts Severson sont situés au Québec, près de Fermont. Le mont Wright, haut de 917 m, est son point culminant.

Sévigny (Thérèse), secrétaire générale adjointe à l'information aux Nations Unies (O.N.U.) depuis mars 1987, née à Sherbrooke en 1934. Titulaire d'une maîtrise en communications de l'Université Laval, Thérèse Sévi-

CANAPPESS PHOTO SERVICE

Thérèse **Sévigny**

gny poursuivit des études de doctorat à l'Université de Montréal. À 18 ans, elle est journaliste au journal *La Tribune*, de Sherbrooke. Thérèse Sévigny acquiert ensuite son expérience surtout dans l'entreprise privée, notamment chez Steinberg, où elle s'intègre à l'équipe de marketing, et auprès de l'agence de publicité B.C.P., où elle assume les fonctions de présidente. Avant d'entrer au service de l'O.N.U., Thérèse Sévigny occupait un poste important à la Direction des communications de Radio-Canada, à Ottawa.

Séville, ville d'Espagne. Située dans le sud-ouest de l'Espagne, Séville est le principal port du pays et un centre touristique, commercial et administratif. Son développement s'appuie sur les industries textiles et métallurgiques. Séville est au centre d'une région riche en produits de culture (céréales, fruits, huile d'olive, vignes, etc.). Les minéraux de cuivre, de plomb et de zinc sont à la base des industries métallurgiques. L'attrait touristique de cette ville espagnole s'explique principalement par ses monuments, ses cathédrales, ses musées et ses minarets. Séville est aussi renommée pour la pittoresque forteresse de l'Alcazar. La population de Séville s'élève à près de 655 000 habitants (Sévillans et Sévillanes).

Seychelles, État de l'océan Indien. D'une superficie totale de 480 km^2, l'archipel des Seychelles se compose de 86 îles situées au nord-est de Madagascar. La capitale, Victoria, se trouve dans l'île Mahé, la plus étendue et la plus peuplée. L'archipel, d'origine volcanique et corallienne, jouit d'un climat tropical favorable au tourisme. La population s'élève à 67 000 habitants (Seychellois et Seychelloises). Les langues officielles sont l'anglais, le créole et le français. La religion dominante est le catholicisme. La monnaie utilisée est la roupie seychelloise. La population tire sa subsistance de l'agriculture, principalement de la noix de coco, du blé, des épices et de la vanille. Le tourisme demeure la principale ressource économique de l'archipel. Ancienne colonie portugaise puis française, les Seychelles passèrent sous domination britannique en 1814. Depuis 1976, elles forment un État indépendant dirigé par un président.

Shakespeare (William), poète dramatique anglais, né à Stratford-sur-Avon, en Angleterre, en 1564 et mort dans la même ville en 1616. Shakespeare fait ses débuts de comédien et de poète dramatique au sein d'une troupe itinérante. La production de Shakespeare comporte trois grandes périodes. De 1590 à 1601, il écrit des drames historiques et des comédies légères, dont *Richard III*, *La mégère apprivoisée*, *Roméo et Juliette*, *Le songe d'une nuit d'été*, *Jules César*, *Le marchand de Venise*. Ensuite, de 1601 à 1608, il produit de grandes tragédies, notamment *Hamlet*, *Tout est bien qui finit bien*, *Antoine et Cléopâtre*, *Macbeth*, *Othello*. Enfin, de 1608 à 1613, il écrit des pièces romanesques: *Périclès*, *Henri VIII* et *La tempête*. Shakespeare s'est imposé par la diversité et l'immensité de son œuvre, et par sa grande maîtrise de la construction dramatique.

Shanghai ou **Chang-hai**, ville de Chine. Shanghai est située au centre-est du pays, à l'embouchure du Yang-Tsê-Kiang, le plus long fleuve de la Chine. Premier port du pays sur la mer de Chine, cette ville chinoise compte près de 12 millions d'habitants. Shanghai est le premier centre industriel du pays. Son développement est axé sur les industries chimiques, métallurgiques, électriques, textiles et alimentaires. Le port de Shanghai assure plus de 50 % du commerce maritime international.

Shawinigan, ville du Canada. Shawinigan est situé au Québec, à 30 km au nord-ouest de Trois-Rivières, sur les bords de la rivière Saint-Maurice. À cet endroit, la rivière forme des chutes importantes, hautes de 50 m. Cette ville industrielle de la région Mauricie – Bois-Francs compte 21 470 habitants (Shawiniganais et Shawiniganaises). Aménagées en 1899, les chutes Shawinigan ont donné naissance à la ville du même nom. L'électricité à bon marché y attira ensuite les premières usines d'aluminium, de papier et de produits chimiques. Cette ville de l'électricité est le berceau de l'industrie chimique québécoise. Depuis les années 60, elle connaît toutefois un déclin industriel marqué. Les anciennes industries ont réduit ou cessé leurs activités. Cependant, les chutes produisent encore de l'électricité et, au printemps, à la crue des eaux, elles sont d'une grande beauté. On peut visiter les centrales hydroélectriques entre les mois de juin et de septembre. *Shawinigan* signifie «portage anguleux».

Shawinigan-Sud, ville du Canada. Shawinigan-Sud est situé au Québec dans la région Mauricie – Bois-Francs, au sud de Shawinigan, près de la rivière Saint-Maurice. Érigée en 1912, cette ville résidentielle compte aujourd'hui plus de 11 400 habitants (Shawiniganais et Shawiniganaises).

Shediac, ville du Canada. Shediac est situé au sud-est du Nouveau-Brunswick, sur le détroit de Northumberland, à l'est de Moncton. Érigée en 1903, la ville compte aujourd'hui 7 898 habitants. Les Acadiens et les Acadiennes développèrent cette région au milieu des années 1700 et les immigrants anglais s'y installèrent après 1785. À partir du XIXe siècle, la prospérité de la ville reposa sur l'exportation de madriers et de planches en Angleterre et sur la construction navale. La pêche, particulièrement celle au homard, demeure la principale source de revenus de nombreux habitants. Depuis 1948, le Festival du homard de Shediac attire, chaque année, de nombreux visiteurs. Surnommé la «capitale mondiale du homard», Shediac est devenu un lieu de villégiature populaire grâce à ses plages, qui sont parmi les plus belles de la province. Le tourisme constitue son industrie la plus importante.

Shefford (mont), mont du Canada situé au Québec. Le mont Shefford fait partie des collines Montérégiennes. Situé dans la Montérégie, à l'est de la ville de Granby, il s'élève à 518 m et abrite un centre de ski. Son nom nous vient d'une ville d'Angleterre.

Sherbrooke (sir John Coape), général et administrateur anglais, né en Angleterre en 1764 et mort dans le même pays en 1830. Lieutenant-gouverneur en Nouvelle-Écosse de 1811 à 1816, puis gouverneur général du Canada de 1816 à 1818, Sherbrooke se montra habile et perspicace et réussit à rallier les Canadiens français à sa cause. Les Québécois lui ont rendu hommage en donnant son nom à une rue importante de Montréal, à un comté du Québec ainsi qu'à la ville la plus importante de l'Estrie.

Sherbrooke, ville du Canada. Située au Québec dans la région de l'Estrie à 160 km à l'est de Montréal, Sherbrooke s'étend sur des collines boisées au confluent des rivières Magog et Saint-François. Un lac situé en pleine ville ainsi qu'une montagne et des pentes de ski offrent aux habitants de nombreux lieux de loisirs. Sherbrooke ressemble à une cuvette dont les côtés sont recouverts de quartiers résidentiels. Sa population s'élève à plus de 74 400 habitants (Sherbrookois et Sherbrookoises). La proportion des francophones atteint aujourd'hui près de 95 %. L'industrie de la ville repose encore en grande partie sur l'alimentation, le textile, et la machinerie (vêtements, produits de métal, caoutchouc et plastique). Sherbrooke abrite plus de 150 manufactures. Depuis 1908, elle possède son propre réseau de distribution de l'électricité, alimenté par plusieurs barrages hydroélectriques. Sherbrooke possède, depuis 1954, une université qui regroupe neuf facultés, une école de formation des maîtres de même qu'un centre sportif. Plusieurs hôpitaux, dont l'Hôtel-Dieu, desservent la population locale. Sherbrooke connaît une vie culturelle intense grâce au centre culturel de l'université, à son orchestre symphonique et à plusieurs troupes de théâtre. On y trouve un musée des sciences naturelles datant de 1879 et un musée des beaux-arts inauguré en 1982. Sherbrooke, surnommée la «reine de l'Estrie», demeure un grand centre industriel et la métropole de la région. Elle doit son nom à John Coape Sherbrooke, gouverneur général du Canada de 1816 à 1818.

Shippagan, ville du Canada. Située au Nouveau-Brunswick près de l'entrée sud de la baie des Chaleurs, la ville de Shippagan compte plus de 8 400 habitants. Important foyer de vie acadienne, cette ville de pêcheurs possède aussi un centre ostréicole (élevage des huîtres) près de tourbières exploitées industriellement. Shippagan est aussi un important port de pêche au crabe des neiges.

Sibérie, partie septentrionale de l'Asie, appartenant à l'U.R.S.S. Située au nord-est de l'Asie, la Sibérie est comprise entre les monts Oural, l'océan Arctique, l'océan Pacifique et les chaînes de l'Asie centrale. Sa superficie est de 12,5 millions de km². Des plateaux recouvrent la région entre les fleuves Iénisséï et Léna. La partie occidentale est basse et marécageuse et la zone orientale est montagneuse. Les villes principales sont Novosibirsk, Omsk, Irkoutsk et Vladivostok. On y dénombre environ 25 millions d'habitants. Du fait de la rigueur du climat, la Sibérie est une région à maigre végétation : toundra, taïga et steppe. Le chemin de fer Transsibérien traverse cet immense territoire. La Sibérie possède des ressources minières considérables : fer, or, cuivre, gaz naturel et surtout charbon du Kouzbass. Les immenses forêts fournissent le bois et la pâte à papier. Cette région abrite aussi des industries d'acier et d'aluminium.

Sicile, île de la Méditerranée. D'une superficie de 25 708 km², la Sicile est située à la pointe sud-ouest de la péninsule italienne et baigne dans la mer Tyrrhénienne. Sa capitale est Palerme. Le relief sicilien est constitué d'un massif montagneux partiellement volcanique (Etna) au nord, de collines au centre et au sud et de quelques petites plaines sur le littoral. La Salso et le Simeto drainent cette région peu arrosée, au climat méditerranéen. Les hivers sont doux et les étés chauds. La Sicile compte plus de 5 millions d'habitants (Siciliens et Siciliennes). L'économie de cette île repose sur l'exploitation du pétrole, l'arboriculture, le tourisme, les cultures fruitières (oranges, citrons et mandarines) et maraîchères (aubergines, fenouil, tomates).

Sierra Leone, État de l'Afrique occidentale. D'une superficie de 71 740 km², la Sierra Leone est limitée par la Guinée, le Libéria et l'océan Atlantique. Sa capitale est Freetown.

Le pays est formé d'un plateau traversé de vallées, longé à l'ouest par une côte basse et marécageuse et dominé à l'est par des massifs où culmine le pic Bintimane (1 948 m), point le plus élevé de l'Afrique occidentale. L'ensemble est baigné par de nombreuses rivières, surtout au sud. Le pays est soumis à un climat tropical humide. La population s'élève à près de 4 millions d'habitants (Sierra-Léonais et Sierra-Léonaises). La langue officielle est l'anglais et la religion dominante est l'islam. La monnaie utilisée est le leone. La population tire sa subsistance de l'agriculture; les principales cultures vivrières sont le riz, l'arachide, le mil et le manioc. Les principaux produits d'exportation sont le café, le cacao et le gingembre. Les autres ressources importantes sont les diamants, le fer, la bauxite, le chrome, l'industrie de la pêche et l'hydroélectricité. Ancienne colonie portugaise puis britannique, la Sierra Leone est devenue indépendante en 1961. Le pays est aujourd'hui dirigé par un président et un parti politique unique.

Sillery, ville du Canada. Sillery est situé au Québec, à l'ouest de la ville de Québec. Érigée en 1856, en haut de la falaise, cette ville résidentielle compte aujourd'hui plus de 12 700 habitants (Sillerois et Silleroises). Sillery a été la première réserve indienne du Canada. La ville a été fondée par un noble français, Noël Brûlart de Sillery. Bon nombre de communautés religieuses y résident encore. La célèbre maison des jésuites a été transformée en musée.

Simard (René), chanteur canadien, né à Chicoutimi en 1961. À 9 ans, René Simard remporte un concours organisé par une station de télévision de Québec et, quelques semaines plus tard, il enregistre son premier disque, *L'oiseau*. À 11 ans, il participe à un film autobiographique, *Un enfant comme les autres*. À 14 ans, il triomphe à Tokyo lors du Festival international de la chanson et il reçoit le trophée du meilleur vocaliste. En 1979, il enregistre une chanson pour l'Unicef avec sa sœur Nathalie, alors âgée de 9 ans. Depuis le début de sa carrière, René Simard a enregistré quelque 46 microsillons, dont 26 ont été couronnés disques d'or. Avec sa sœur Nathalie, il forme le duo totalisant le plus grand nombre de disques d'or, soit 35 jusqu'à ce jour.

Simoneau (Léopold), ténor canadien, professeur et administrateur, né à Saint-Flavien, au Québec, en 1918. Léopold Simoneau est reconnu mondialement comme le spécialiste de l'interprétation des œuvres de Mozart. Il débute en 1941 aux Variétés lyriques, se produit à plusieurs reprises aux côtés de son épouse, Pierrette Alarie, et donne ses dernières représentations en 1970. Nommé adjoint à la Direction du ministère des Affaires culturelles du Québec, il est reçu en 1971 officier de l'ordre du Canada; en 1972, il reçoit la médaille du Conseil canadien de la musique. Léopold Simoneau a participé à la création de l'Opéra du Québec en 1971 et a enseigné également au *Banff Centre School of Fine Art*.

Sinaï, péninsule d'Égypte. Le Sinaï est une péninsule montagneuse et désertique d'Égypte dont le plus haut sommet s'élève à 2 641 m. C'est là que Moïse reçut la révélation de l'alliance éternelle de Dieu avec Israël. Les commandements de Dieu furent alors gravés sur la pierre et devinrent les tables de la Loi.

Singapour, État de l'Asie du Sud-Est. D'une superficie de 618 km^2, Singapour est une île située en Indochine au sud de la péninsule malaise. Son relief comprend une zone centrale granitique et une côte escarpée. La zone centrale est couverte de forêts denses. Le climat est équatorial, humide et chaud. La population s'élève à 2,6 millions d'habitants, dont 1,5 million de Chinois. Les langues officielles sont l'anglais, le chinois, le malais et le tamoul. La religion dominante est le taoïsme. La monnaie utilisée est le dollar de Singapour. Base navale et port important, Singapour est également un centre financier. Son économie repose sur l'agriculture (légumes, fruits, noix de coco, manioc, tabac, poivre), l'élevage du porc et de la volaille, la pêche et les industries (équipement industriel, produits chimiques et pharmaceutiques, chantier naval, pétrole, caoutchouc, filatures de coton, confiseries et conserveries d'ananas). L'île fut acquise par l'Angleterre en 1818 et occupée par les Japonais de 1942 à 1945; elle devint une république indépendante en 1965. Le pays est aujourd'hui dirigé par un gouvernement élu.

Sioux-Dakotas, nation amérindienne. Peuple amérindien appartenant à la famille algonquienne, les Sioux-Dakotas vivaient dans les grandes plaines de l'ouest de l'Amérique du Nord, entre le Missouri et le Mississippi. Ils vivaient de culture et de chasse. De nos jours, les Sioux-Dakotas du Canada sont devenus fermiers, éleveurs, producteurs de récoltes spécialisées, ouvriers agricoles, menuisiers et petits exploitants de ressources naturelles. En 1982, près de 2 500 Sioux-Dakotas vivaient dans neuf réserves indiennes. Une grande majorité d'entre eux est établie dans le sud de la Saskatchewan.

Smallwood, lac artificiel du Canada. Situé dans le Labrador terre-neuvien près de la frontière du Québec, le lac Smallwood a été aménagé au cours des années 60 pour la production d'énergie hydroélectrique, lors de la construction d'un barrage aux chutes Churchill. Les lacs Michikamau et Lobstick sont les plus grands parmi les centaines de lacs qui ont été réunis pour former le réservoir actuel. D'une superficie de 6 527 km², le lac Smallwood arrive au dixième rang des étendues d'eau douce du Canada. Le réservoir porte le nom du plus ancien premier ministre de Terre-Neuve, Joseph R. Smallwood.

Socrate, philosophe grec, né vers 470 et mort en 399 avant Jésus-Christ. Socrate est considéré comme le père de la philosophie. Sa méthode consistait à ne jamais rien tenir pour acquis, mais, au contraire, à remettre toujours les choses en question afin de progresser en direction de la vérité. C'est son principal disciple, Platon, qui a transmis à la postérité l'enseignement de ce maître à penser. La philosophie de Socrate fut jugée inacceptable par les Athéniens de son époque, qui le condamnèrent à boire la ciguë, un poison violent.

Sœurs (île des), île du Canada. Situé au Québec dans la région de Montréal, ce centre résidentiel baigne dans le fleuve Saint-Laurent au sud de Verdun. L'île était autrefois habitée par une communauté de religieuses, d'où son nom actuel. Elle fait aujourd'hui partie de la ville de Verdun.

Sofia [*Sofija*], capitale de la Bulgarie. Sofia est située à l'ouest de la Bulgarie dans une plaine fertile au pied d'un massif. Sa population compte près de 1,2 million d'habitants. Centre administratif et culturel, Sofia représente également le premier centre industriel du pays. Son développement s'appuie sur les industries suivantes: sidérurgie, métallurgie, électrométallurgie, constructions mécaniques (montage d'automobiles), chimie (caoutchouc synthétique, produits pharmaceutiques), textiles et alimentation. Les principaux produits d'exportation sont le blé, le maïs, le tabac, les fruits, les roses et les vins.

Sofija ☞ **Sofia**.

Somalie, État de l'Afrique du Nord-Est. Située au nord-est du continent africain, la Somalie est bornée par l'océan Indien, le Kenya, l'Éthiopie et le Djibouti. Sa capitale est Muqdisho. Le pays, constitué principalement de plaines et de bas plateaux, est semi-aride, sauf au sud. Sa superficie est de 637 660 km². Le climat chaud comporte peu d'écarts de température et de précipitations. La steppe et la savane forment les principaux types de végétation. La Somalie compte 7,1 millions d'habitants (Somaliens et Somaliennes). La langue officielle est le somali, mais on y parle aussi l'italien et l'anglais. La religion dominante est l'islam. La monnaie utilisée est le shilling somali. Les principales ressources de ce pays sont la pêche, l'élevage (bovins, chèvres, ovins et chameaux), les cultures vivrières (maïs, millet et haricots) et les cultures commerciales (bananes, canne à sucre et coton). Anciennement sous domination britannique et italienne, la Somalie est devenue un pays indépendant en 1960. Elle est aujourd'hui dirigée par un chef militaire et un parti politique unique.

Sorel, ville du Canada. La ville de Sorel est située au Québec sur la rive sud du fleuve Saint-Laurent, à l'embouchure de la rivière Richelieu, à 76 km au nord-est de Montréal. Fondée en 1848, elle compte aujourd'hui plus de 19 500 habitants (Sorelois et Soreloises). Jacques Cartier visite la région en 1535. Pour protéger l'entrée du Saint-Laurent, Champlain érige un comptoir à l'entrée du Richelieu. En 1642, on y construit un fort. Trente ans plus tard, l'endroit est concédé en seigneurie à Pierre de Saurel, capitaine du régiment de Carignan, d'où le nom actuel de la ville. Celle-ci est la quatrième ville canadienne par ordre d'ancienneté. Durant la Seconde Guerre mondiale, elle fut un important centre de fabrication d'armement, en particulier de cargos de 10 000 tonnes. Aujourd'hui, ses principales activités sont la construction navale et l'industrie lourde. Elle abrite aussi des usines de textiles, de matières plastiques, de béton et de métallurgie légère. Le port de Sorel s'ouvre directement sur le Saint-Laurent. Il est équipé d'élévateurs à céréales, de services d'arrimage et d'autres installations modernes. La région de Sorel est un important centre de navigation de plaisance. Les croisières dans les îles de Sorel sont très renommées.

Soudan, État de l'Afrique orientale. D'une superficie de 2 505 813 km², le Soudan est limité par l'Égypte, la mer Rouge, l'Éthiopie, le Kenya, l'Ouganda, le Zaïre, la République centrafricaine, le Tchad et la Libye. Sa capitale est Khartoum. Le Soudan est le plus vaste pays d'Afrique. Son territoire est formé au nord-est du désert de Nubie, à l'ouest d'un ensemble de plaines et de bas plateaux (cuvette du haut Nil) et, au centre, de la zone marécageuse de Bahr-el-Ghazal et de la plaine de Gezireh. Le Nil bleu et le Nil blanc confluent à Khartoum pour y former le Nil. Le climat est tropical et désertique. Le centre du pays est couvert d'une steppe à épineux et le Sud, d'une végétation de savane. La population s'élève à 23,5 millions d'habitants (Soudanais et Soudanaises). La langue officielle est l'arabe, mais on y parle aussi l'anglais. La religion dominante est l'islam. La monnaie utilisée est la livre soudanaise. Les principales richesses du pays sont les hydrocarbures, le blé, l'élevage et l'arachide. On y exploite également le coton et les céréales. Anciennement sous domination égyptienne puis britannique, le Soudan est devenu indépendant en 1956. Depuis juin 1989, le pays est dirigé par des chefs militaires.

Soulières (Robert), écrivain canadien, né à Montréal en 1950. Robert Soulières a écrit quatorze contes, deux nouvelles, un photo-roman et cinq romans jeunesse. Deux de ses ouvrages, les romans *Le visiteur du soir* et *Casse-tête chinois*, lui ont valu respectivement le prix Alvine-Bélisle en 1981 et celui du Conseil des Arts du Canada en 1985. L'écrivain montréalais traite sur un ton humoristique, réaliste ou fantaisiste les thèmes de l'amour et de l'amitié. Il écrit autant pour les tout-petits que pour les adolescents. Robert Soulières a été pendant six ans le maître d'œuvre de la revue *Lurelu*, seule publication entièrement consacrée à la littérature pour la jeunesse.

Soyouz, vaisseau spatial soviétique. La principale mission de *Soyouz* est de servir de lien entre la Terre et la station spatiale soviétique *Saliout*, mise en orbite en avril 1982. Plusieurs missions ont été effectuées par *Soyouz*, entre autres: mission accomplie conjointement avec les États-Unis (*Apollo*), en 1975; étude des conditions de vie dans l'espace (huit jours), en 1976; installation d'un satellite de communication, en 1982; expérience visant à vérifier si le yoga peut combattre le mal de l'espace, en 1984; réparation de la station *Saliout 7*, en 1985.

Sphinx, monument égyptien antique. Situé près des pyramides de Gizeh, le Sphinx représente un lion à tête de pharaon. Ce monstre mythologique était chargé de garder les monuments funéraires. Symbole de puissance et de protection, il constituait l'incarnation du roi ou du dieu Soleil. Ce monument d'une hauteur de 20 m et d'une longueur de 57 m, qui semble avoir été taillé à même le roc, abrite un petit temple.

Sri Lanka, État de l'Asie méridionale. D'une superficie de 65 610 km², Sri Lanka est une île située au sud-est de l'Inde et baignée par le golfe de Bengale et l'océan Indien. Avant 1972, cette île portait le nom de Ceylan. Sa capitale est Colombo. Le relief de l'île est constitué de plateaux et de collines entourant un massif montagneux central. Le principal cours d'eau est le Mahawali. Le climat tropical, chaud et humide, est marqué par la mousson. La population s'élève à 16,7 millions d'habitants (Sri Lankais et Sri Lankaises). Les langues officielles sont le cingalais et le tamoul, mais on y parle aussi l'anglais. La religion dominante est le bouddhisme. La monnaie utilisée est la roupie sri-lankaise. L'économie de Sri Lanka s'appuie sur l'agriculture (riz, thé, manioc, millet, patates douces et caoutchouc), qui est sa principale ressource, l'exportation de pierres précieuses et d'épices et la culture du cocotier (huile de coco, bois de construction, pâte à papier, etc.). Sri Lanka est le deuxième producteur mondial de thé. Ancienne colonie portugaise, hollandaise puis britannique, Sri Lanka est devenu un État indépendant en 1948, comme membre du Commonwealth. En 1972, l'île se retire du Commonwealth et devient la République socialiste démocratique de Sri Lanka. Le pays est aujourd'hui dirigé par un président et un gouvernement élu.

Stadaconé, ancien village iroquois du Canada. Stadaconé était situé sur l'emplacement actuel de la ville de Québec. À l'époque de Jacques Cartier, la ville de Québec portait ce nom. On y comptait alors environ 500 habitants.

Staline (Joseph), homme politique russe, né à Gori, en U.R.S.S., en 1879 et mort à Moscou en 1953. Staline fut le chef de l'État soviétique et le secrétaire du Parti communiste de l'U.R.S.S. pendant trente ans. De 1929 à sa mort, il régna en maître absolu, ce qui lui permit d'imposer ses idées politiques et d'éliminer ses opposants par toutes sortes de moyens: procès truqués, torture, exécutions et déportations. Il fit fusiller 35 000 officiers de l'armée rouge et instaura un régime de terreur dont le bilan s'élève à 1 million de fusillés et à 9 millions de personnes internées dans les prisons et les camps de concentration. En 1946, il imposa le régime communiste dans les pays de l'Europe orientale. En 1948, sa politique de la « guerre froide » entraîna la séparation de l'Europe en deux. Trois ans après sa mort, ses crimes furent condamnés publiquement par son successeur à la tête du Parti communiste.

Stalingrad ☞ voir **Volvograd**.

Stanley (Frederick Arthur), baron de Preston et comte de Derby, homme politique anglais, né à Londres en 1841 et mort à Holwood, en Angleterre, en 1908. Gouverneur général du Canada de 1888 à 1893, Frederick Arthur Stanley s'est montré timide et prudent dans l'administration des affaires du pays. Il a fait don, en 1893, de la coupe Stanley, qui honore les vainqueurs de la Ligue nationale de hockey.

Stockholm, capitale de la Suède. Située sur la côte sud-est du pays, la ville de Stockholm est construite sur des îles et des presqu'îles du lac Malaren et de la mer Bal-

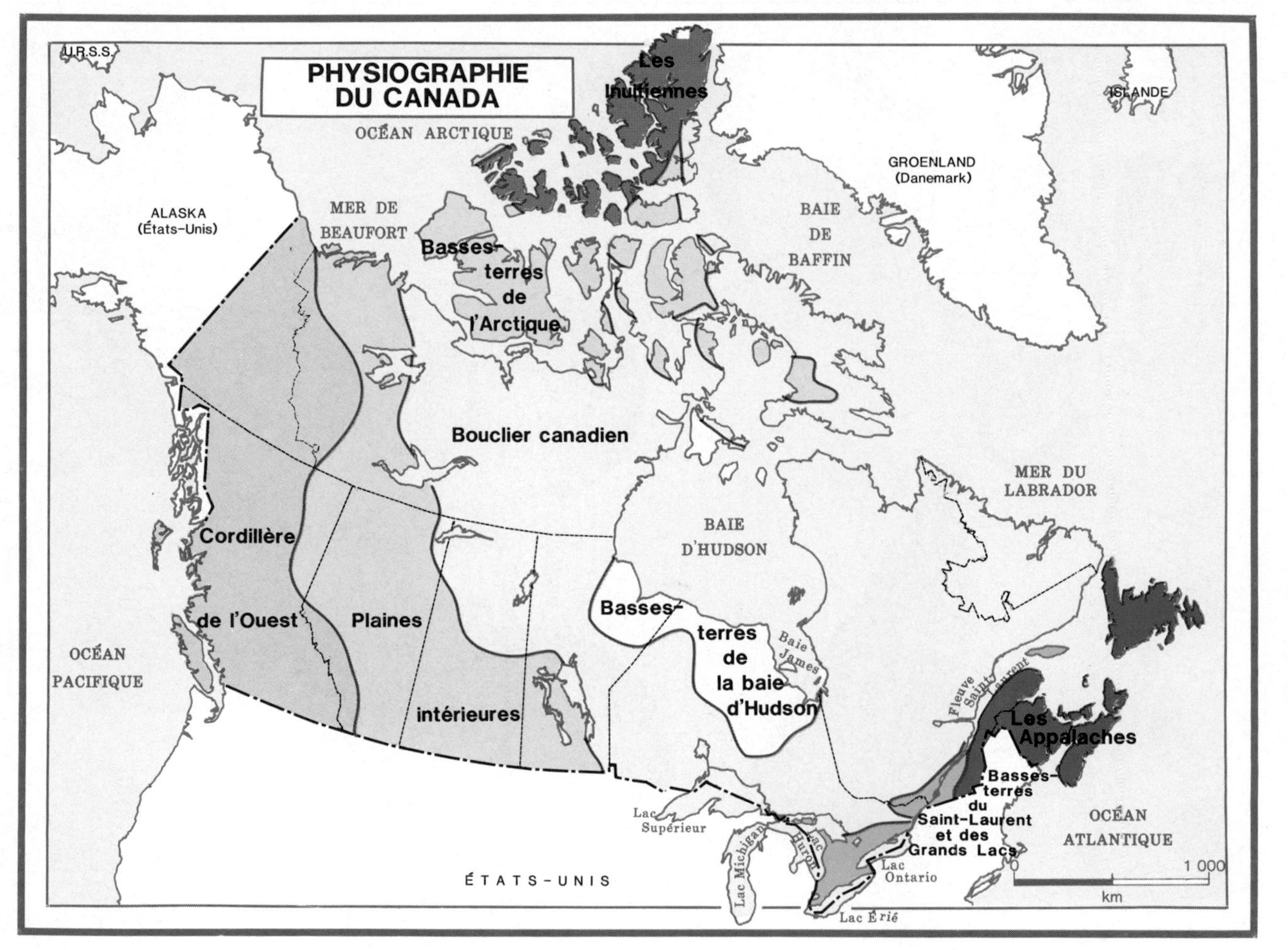
PHYSIOGRAPHIE DU CANADA
U.R.S.S.
ALASKA (États-Unis)
OCÉAN ARCTIQUE
MER DE BEAUFORT
Les Inuitiennes
ISLANDE
GROENLAND (Danemark)
BAIE DE BAFFIN
Basses-terres de l'Arctique
Bouclier canadien
MER DU LABRADOR
BAIE D'HUDSON
Cordillère de l'Ouest
Plaines intérieures
Basses-terres de la baie d'Hudson
Baie James
OCÉAN PACIFIQUE
Fleuve Saint-Laurent
Les Appalaches
Basses-terres du Saint-Laurent et des Grands Lacs
OCÉAN ATLANTIQUE
Lac Supérieur
Lac Michigan
Lac Huron
Lac Ontario
Lac Érié
ÉTATS-UNIS
0
1 000
km

Énergie

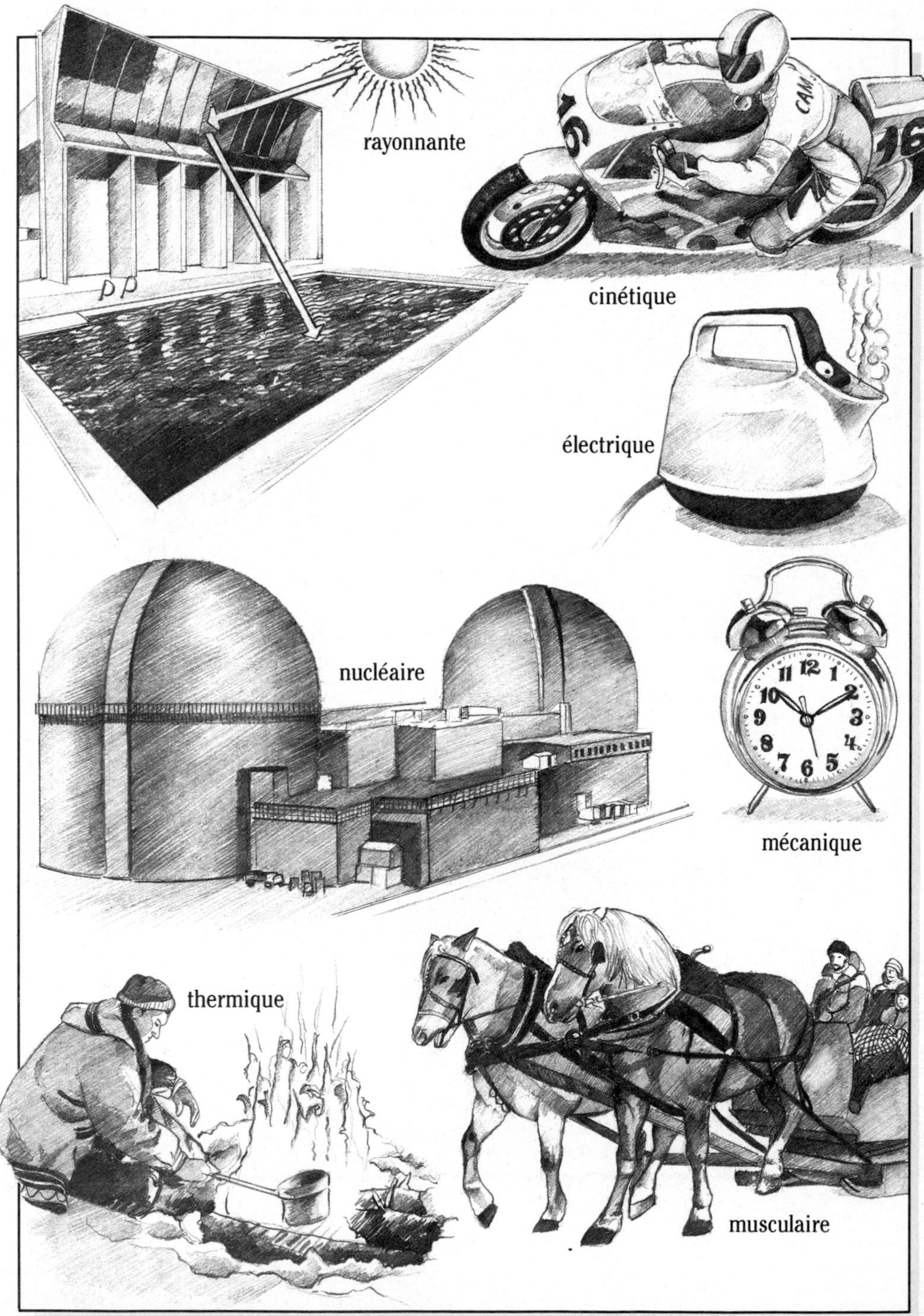
rayonnante
cinétique
électrique
nucléaire
mécanique
thermique
musculaire

Sources d'énergie

eau

air

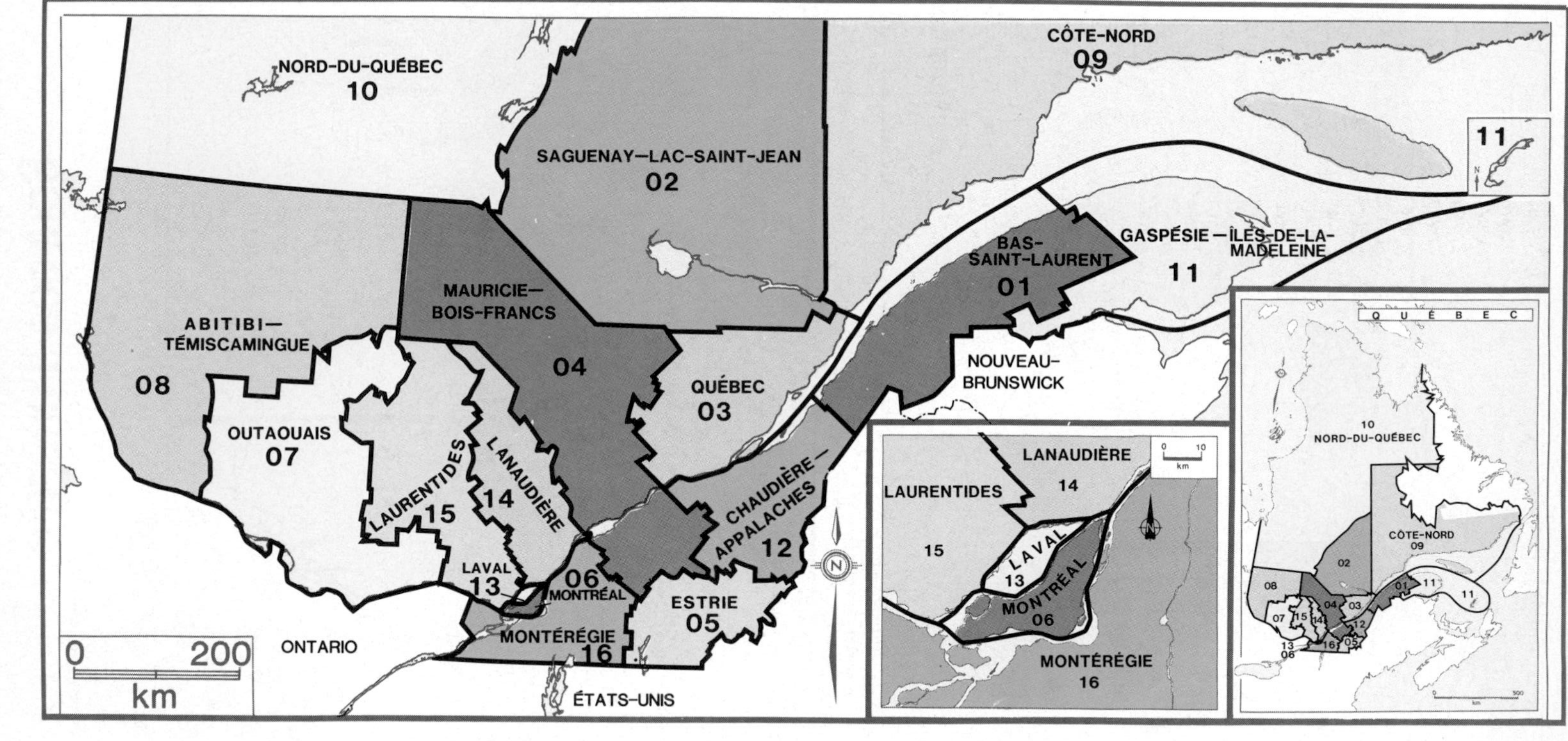

RÉGIONS ADMINISTRATIVES DU QUÉBEC

tique. Elle compte 651 000 habitants. Port de commerce important, Stockholm est aussi un centre administratif, commercial, culturel et industriel. Ses principaux secteurs industriels sont la construction mécanique, l'appareillage électrique et électronique (téléphones, réfrigérateurs, etc.), les industries textiles, la sidérurgie, les raffineries de pétrole et les industries du cuir et du caoutchouc. Lieu de résidence du roi, Stockholm possède de nombreux musées. C'est la ville natale du fondateur des prix Nobel, Alfred Nobel.

Strauss (Johann II), compositeur autrichien, né à Vienne, en Autriche, en 1825 et mort dans la même ville en 1899. Fils de Johann Strauss, qui était directeur des bals de la Cour, il est l'auteur de valses célèbres, dont *Le beau Danube bleu* et *La valse de l'Empereur* (1869). Surnommé «prince de la valse», Johann Strauss a conquis la faveur du public et a acquis une renommée mondiale.

Stromboli, île de la mer Tyrrhénienne. L'île de Stromboli est l'une des îles Éoliennes de la mer Tyrrhénienne, au nord de la Sicile. Son volcan encore actif s'élève à 926 m. Les vignobles de la région donnent un vin réputé.

Sucre, capitale constitutionnelle de la Bolivie. Située dans les Andes, à 2 795 m d'altitude, Sucre compte 80 000 habitants. La ville possède une université, une cathédrale du XVIIe siècle et quelques industries (cimenteries, tabac, raffineries de pétrole).

Sudbury, ville du Canada. Située dans le nord-est de l'Ontario à 390 km au nord de Toronto, la ville de Sudbury doit son existence à l'exploitation des gisements de cuivre et surtout de nickel. Le cœur de la ville est arrosé par le lac Ramsey. Sudbury abrite plus de 88 700 habitants; c'est un centre de la vie francophone en Ontario. Première ville minière du pays, Sudbury demeure un important producteur de nickel et de cuivre. Depuis la fondation, en 1960, de l'Université Laurentienne et, en 1966, du Cambrian College, la vie culturelle de Sudbury s'est grandement développée. La ville est maintenant dotée d'un orchestre symphonique et de trois grands musées.

Suède, État de l'Europe septentrionale. Située à l'est de la péninsule scandinave, la Suède est baignée par la mer Baltique et limitée par la Finlande et la Norvège. Sa capitale est Stockholm. La superficie du pays est de 449 750 km². Le relief est constitué de montagnes peu élevées (Alpes scandinaves) au nord, d'un vaste plateau comportant quelques collines à l'est et de plaines et de plateaux dans les régions centrale et méridionale. La Suède possède de nombreux cours d'eau et de grands lacs. La végétation se compose de la toundra au nord et de forêts (conifères, bouleaux, chênes et hêtres) couvrant la moitié du pays. La Suède connaît un climat continental nuancé par l'altitude. Dans le Sud, le climat se fait plus clément. La population se chiffre à 8,4 millions d'habitants (Suédois et Suédoises). La langue officielle est le suédois et la religion dominante est le protestantisme. La monnaie utilisée est la couronne suédoise. L'économie de la Suède repose sur le bois (pâte à papier, bois d'œuvre), qui est une ressource essentielle, les minerais (cuivre, plomb, zinc, or, argent, manganèse, etc.), les ressources hydrauliques, le tourisme, les industries (bois, pâte à papier, métallurgie, mécanique, matériel électrique, appareils électroménagers, avions, automobiles, construction navale, chimie, textile, cuir et caoutchouc). Le développement de la Suède dépend aussi, dans une large mesure, de ses exportations, principalement des produits tirés des industries mécaniques et des matières premières industrielles. Étant neutre en politique extérieure depuis plus de 150 ans, la Suède joue un rôle important dans les affaires internationales. Le pays est dirigé par un roi et un gouvernement élu.

Suez (canal de), canal maritime égyptien. Situé en Égypte, le canal de Suez a été creusé pour relier la Méditerranée à la mer Rouge. Il a été inauguré en 1869. D'une longueur totale de 195 km, il abrège considérablement la distance entre l'Europe et l'Asie, car il permet aux navires de passer de l'une à l'autre sans avoir à contourner l'Afrique. À la suite de la guerre israélo-arabe de 1967, il a été fermé à la navigation jusqu'en 1975 en raison des travaux de déblaiement.

Suez (isthme de), bande de terre resserrée entre la mer Rouge et la mer Méditerranée, réunissant l'Europe et l'Asie.

Suisse, État d'Europe. Située au cœur du continent européen, la Suisse est bornée par l'Allemagne, l'Autriche, l'Italie et la France. Sa capitale est Berne. Les autres grandes villes sont Zurich, Genève, Lausanne et Bâle. La superficie du pays est de 41 293 km². C'est un État montagneux, aux deux tiers recouvert par les Alpes et le Jura. Le cinquième de son territoire est couvert de paysages de crêtes, de vallées, de chutes et de lacs. Son principal cours d'eau est le Rhône, fleuve qui traverse aussi la France, et son lac le plus important est le lac Léman. La Suisse connaît un climat continental très variable. Les hivers sont rigoureux et neigeux, et les étés, chauds et orageux. La population s'élève à plus de 6,5 millions d'habitants (Suisses et Suissesses), répartis en plusieurs groupes linguistiques : 69 % sont de langue allemande, 18 % de langue française et 12 % de langue italienne. Les langues officielles sont l'allemand, le français, l'italien et le romanche. Les religions dominantes sont le protestantisme et le catholicisme. La monnaie utilisée est le franc suisse. La Suisse a développé une industrie de transformation de qualité, notamment dans l'alimentation, les chemins de fer, le textile, la mécanique, les produits pharmaceutiques, les produits chimiques, l'horlogerie, la mécanique de précision (matériel optique et photographique) et le travail du bois. L'industrie mécanique et l'appareillage de précision, de réputation mondiale, jouent un rôle de premier plan dans l'économie suisse. L'actuelle prospérité du pays est liée à la tradition commerciale et à la neutralité politique. Ces deux conditions favorisent une très importante activité financière et bancaire. Le déficit commercial est comblé en grande partie par le tourisme. La Suisse est le siège de plusieurs organisations internationales. Elle est dirigée par un gouvernement élu.

Supérieur (lac), l'un des Grands Lacs du Canada. Situé au sud de l'Ontario, le lac Supérieur est la plus vaste étendue d'eau douce du monde (84 500 km²). En territoire canadien, son aire atteint 28 749 km². Le lac Supérieur est alimenté par quelque 200 cours d'eau. Il se déverse dans le lac Huron par la rivière Sainte-Marie. On y trouve deux grandes îles, l'île Royale, parc national américain, et l'île Michipicopen, en eaux canadiennes. Le lac Supérieur est vaste, isolé, profond et froid. Il est bordé au nord de falaises abruptes. À la baie d'Agawa, l'activité volcanique a formé l'une des plus belles plages de cailloux du monde. Les rochers de la région du lac Supérieur contiennent des minerais de fer, d'argent et de cuivre. Récemment, on a découvert de l'or. Étienne Brûlé aurait été le premier Européen à apercevoir le lac en 1623. Pendant 100 ans, la région du lac Supérieur a été un important centre de traite des fourrures. De nos jours, la ville de Thunder Bay, qui fait partie de cette région, est la deuxième ville portuaire au Canada pour le transport de marchandises.

Suriname, État du nord de l'Amérique du Sud. D'une superficie de 163 270 km², le Suriname est borné par l'océan Atlantique, la Guyane française, le Brésil et la Guyana. Le relief du pays, anciennement appelé Guyane hollandaise, est formé, à l'extrémité orientale, du massif des Guyanes et, au nord, d'une plaine marécageuse. La capitale est Paramaribo. Une forêt dense contenant un bois précieux recouvre les deux tiers du territoire, soumis à un climat équatorial. La population, composée de créoles, d'Indiens et d'immigrés pakistanais et indonésiens, compte plus de 392 000 habitants. La langue officielle est le néerlandais et les religions dominantes sont l'hindouisme et le catholicisme. La monnaie utilisée est le florin. La bauxite représente la principale richesse du pays (deuxième producteur mondial). L'économie du Suriname est également liée aux cultures tropicales (canne à sucre, riz, café, bananes, agrumes, noix de coco, cacao), à l'exploitation de raffineries de sucre et de distilleries de rhum, et à l'industrie de l'aluminium. Ancienne colonie hollandaise, le Suriname est devenu indépendant en 1975. Le pays est aujourd'hui dirigé par un président élu.

Suzor-Coté (Marc-Aurèle), peintre, sculpteur et décorateur d'églises, né à Arthabasca, au Québec, en 1869, et mort à Daytona Beach, en Floride, en 1937. Dès son adolescence, Suzor-Coté manifeste des aptitudes spéciales pour les beaux-arts et, en 1887, il commence à participer aux travaux de décoration d'églises. Il obtient également de nombreuses commandes de Wilfrid Laurier, premier ministre du Canada. En 1891, il va étudier à Paris. Il expose pour la première fois au Salon des artistes français en 1894. Jusqu'en 1912, il partagera son temps entre le Canada, les États-Unis et l'Europe. À compter de 1912, il travaille à Arthabasca et à Montréal. Suzor-Coté est passé maître dans l'art de représenter les personnages typiquement canadiens, les scènes rurales, les événements historiques et les paysages d'hiver. Il a également excellé dans la sculpture.

Swaziland, État de l'Afrique australe. D'une superficie de 17 360 km², le Swaziland est enclavé dans l'Afrique du Sud et est limité à l'est par le Mozambique. Sa capitale est Mbabane. D'ouest en est, le pays se divise en quatre régions géographiques : le Highveld, formé de hauts plateaux s'élevant à environ 1 300 m; le Middleveld, constitué de plateaux moins élevés s'élevant à une hauteur moyenne de 700 m, qui regroupe près de la moitié de la population; le Lowveld, d'une altitude moyenne de 200 m; le mont Lembobo, d'une hauteur de 600 m. Le climat, subtropical, est tempéré à l'ouest par l'altitude. La population du Swaziland s'élève à 737 000 habitants (Swazilandais et Swazilandaises). La langue officielle est l'anglais, mais on y parle aussi le swazi. La religion dominante est le protestantisme. La monnaie utilisée est le lilangeni. L'économie du pays repose sur l'agriculture (agrumes, coton, canne à sucre, maïs et riz), l'élevage (bovins et chèvres), les plantations forestières (pins et eucalyptus) et l'exploitation minière (amiante et charbon). Anciennement sous la protection de la Grande-Bretagne, le Swaziland est devenu indépendant en 1968. Le pays est aujourd'hui dirigé par un roi.

Sydenham (sir Charles Edward Poulett Thomson, lord), administrateur, né à Wimbledon, en Angleterre, en 1799 et mort à Kingston, en Ontario, en 1841. Gouverneur du Canada de 1839 à 1841, Sydenham eut pour mission de faire accepter les recommandations de lord Durham ainsi que l'Acte d'union. L'ancien gouverneur entra en conflit avec Lafontaine, le représentant des Canadiens français. L'union du Haut-Canada (Ontario) et du Bas-Canada (Québec) se réalisa sous son administration.

Sydney, ville d'Australie. Principal port exportateur d'Australie, Sydney, ville de 3 millions d'habitants, exporte de la viande congelée, du blé et de la farine, de la laine et des peaux de mouton. Sydney constitue le premier marché mondial de la laine. Son développement est aussi axé sur la construction navale, le matériel ferroviaire, le pétrole et les industries chimiques, électriques, alimentaires et textiles.

Syrie, État de l'Asie occidentale. D'une superficie de 185 180 km², la Syrie est située au centre-ouest du continent asiatique, sur la mer Méditerranée. Elle est bornée par la Turquie, l'Iraq, la Jordanie, Israël, le Liban et la mer Méditerranée. Une barrière montagneuse longe la frontière sud-ouest. Elle sépare l'étroite plaine littorale, au climat méditerranéen, des plateaux de l'est, désertiques. La Syrie est en majeure partie semi-désertique. Ses deux principaux fleuves sont l'Euphrate et l'Oronte. Sa population s'élève à plus de 11,3 millions d'habitants (Syriens et Syriennes). La langue officielle est l'arabe et la religion dominante est l'islam. La monnaie utilisée est la livre syrienne. La capitale du pays est Damas. Les vallées de la Syrie sont des régions de culture du coton. On y fait aussi la culture du blé, du riz, des fruits et légumes, de l'orge, du tabac, de la vigne et de l'olivier. L'élevage (ovins, chèvres, bovins, volailles, chevaux, chameaux) demeure la ressource essentielle de la Syrie. Le pays est actuellement dirigé par des chefs militaires.

t

Tadoussac, village du Canada. Situé au Québec, au confluent de la rivière Saguenay et du fleuve Saint-Laurent, à 210 km au nord-est de la ville de Québec, Tadoussac fut fondé en 1634. Ce village de 840 Tadoussaciens et Tadoussaciennes se développe depuis le XIXe siècle grâce à l'exploitation forestière et au tourisme. Il abrite une habitation (reconstruite) datant de 1600 et une des plus vieilles chapelles en bois d'Amérique du Nord (1647). Avant l'arrivée des Européens, Tadoussac représentait déjà un important carrefour commercial pour les peuples amérindiens. Jacques Cartier visita les lieux en 1535. En 1603, Champlain y conclut le premier traité liant les Européens et les Amérindiens. Tadoussac devint un important centre de traite des fourrures au XVIIe siècle.

Tage (le), fleuve du sud-ouest de l'Europe. Le Tage, long de 1 120 km, dont 275 km au Portugal, est le plus long fleuve de la péninsule Ibérique. Il prend naissance en Espagne, traverse le Portugal et se jette dans l'océan Atlantique par un estuaire sur lequel est établie la ville de Lisbonne. Des aménagements hydroélectriques sont en cours.

Tahiti, île principale de la Polynésie française. D'une superficie de 1 042 km², l'île de Tahiti, située dans l'océan Pacifique Sud, est la plus grande des îles de la Polynésie française. La ville principale est Papeete, la capitale de la Polynésie française. L'île, formée par deux volcans éteints accolés, est entourée d'un récif de corail. Elle jouit d'un climat tropical aux températures presque constantes (25 °C). Tahiti compte 115 820 habitants (Tahitiens et Tahitiennes). La population, qui se concentre sur l'étroite plaine côtière, se livre à la culture et à la pêche. Le tourisme et, depuis 1964, la présence du Centre d'expérimentation du Pacifique (à Papeete) lui procurent de nouvelles ressources.

Taillon (sir Louis-Olivier), avocat et homme politique canadien, né à Terrebonne en 1840 et mort à Montréal en 1923. Élu député conservateur pour la première fois en 1875, réélu en 1878 et 1881, puis en 1884 et 1886 lors d'élections partielles, sir Louis-Olivier Taillon fut premier ministre du Québec durant quatre jours, du 25 au 29 janvier 1887, à la suite de la démission de John Jones Ross. Il a dû démissionner à son tour, son gouvernement étant défait par Honoré Mercier, à cause de l'affaire Louis Riel. Chef de l'opposition de 1881 à 1890, il fut de nouveau premier ministre du Québec de 1892 à 1896. Il fut ensuite candidat conservateur aux élections fédérales de 1896 et de 1900, mais ne fut pas élu.

Taiwan, anciennement Formose, État insulaire de l'Asie orientale. Province de la Chine, l'île de Taiwan, d'une superficie de 36 000 km², est située dans l'océan Pacifique, à 150 km au sud-est de la Chine continentale. Sa capitale est Taipei. Très montagneuse, l'île est traversée en son centre par une cordillère qui occupe la moitié est du territoire. Le versant ouest s'abaisse en gradins jusqu'à une plaine côtière fertile qui constitue la zone la plus peuplée. Le climat tropical de mousson (températures élevées, précipitations abondantes) favorise le foisonnement de la végétation. Une forêt dense couvre 60 % de la surface du pays. Taiwan compte 19,2 millions d'habitants (Taiwanais et Taiwanaises). La langue officielle est le chinois. Le bouddhisme et le confucianisme sont les principales religions. Le nouveau dollar de Taiwan est la monnaie utilisée. L'agriculture (riz, canne à sucre, patate douce, thé et fruits) et la pêche en haute mer occupent une place importante dans l'économie de l'île. Toutefois, l'industrie (textiles, matériel électrique et électronique, plastique, jouets) est devenue le secteur principal. Le tourisme est en plein essor. Occupée par les Portugais (qui la nommèrent *Formosa*, « la Belle »), puis par les Hollandais, l'île fut intégrée à l'empire de Chine en 1683. En 1949, elle servit de refuge aux nationalistes qui quittèrent la Chine continentale à la suite de la victoire communiste. Ils fondèrent une république chinoise indépendante. Un président dirige cet État où règne un régime autoritaire.

Talirunili (Joe), sculpteur et lithographe inuit, né en 1906 et mort en 1976. Artiste aux talents multiples (sculpture, gravure et dessin), Talirunili vécut à Povungnituk, au Québec. Ses œuvres figurent dans les catalogues d'œuvres inuit importantes et ont été exposées à Montréal, à Ottawa, à Sudbury et à Winnipeg. En 1978, il eut l'honneur de voir l'une de ses sculptures, *Migration*, reproduite sur le timbre canadien de 14 cents.

Talmud, recueil de commentaires sur la loi de Moïse, code moral et religieux qui régit la vie quotidienne des juifs. Constitué de deux parties, le Talmud est l'ouvrage le plus important du judaïsme après la Torah. *Talmud* est un mot hébreu qui signifie «étude».

Talon (Jean), administrateur français, né à Châlons-sur-Marne, France, en 1625 et mort en France en 1694. Premier intendant en Nouvelle-France de 1665 à 1668 et de 1670 à 1672, Jean Talon avait pour mission d'administrer la justice, la police et les finances. Il s'était proposé d'aider les colons à parvenir à l'autosuffisance en stimulant, entre autres, le commerce et l'exportation. En outre, il a tenté de mener la colonie vers la prospérité et l'autonomie. Enfin, Jean Talon a fondé trois villages et encouragé les nouveaux colons et les soldats démobilisés à s'y établir. Il retourne en France en 1672 et, en 1681, est nommé secrétaire du cabinet du roi.

ANQM/P54/72

Jean **Talon**

Tamise (la), fleuve de Grande-Bretagne. D'une longueur de 338 km, la Tamise est le principal fleuve d'Angleterre. Née dans le sud de l'Angleterre, elle serpente vers la mer du Nord, arrose plusieurs villes avant d'atteindre Londres, qu'elle traverse, et se jette enfin dans la mer du Nord par un large estuaire. Son puissant débit permet un trafic maritime intense et fait de Londres le premier port commercial d'Angleterre et le troisième du monde. La vallée de la Tamise est très industrialisée.

Tanger, ville du Maroc. Situé sur le détroit de Gibraltar, Tanger est un des principaux ports du pays. Le tourisme y est très actif. La ville, qui compte 312 000 habitants, fut déclarée ville internationale en 1923. Occupée par les Espagnols de 1940 à 1945, elle fut rendue au Maroc en 1956.

Tanobe (Miyuki), peintre d'origine japonaise, née en 1937. Établie au Québec depuis 1971, après des études en art à Tokyo et à Paris, cette artiste se distingue par des tableaux représentant des scènes québécoises. Douée du sens des détails, elle peint magnifiquement et applique ses couleurs selon une technique japonaise, le nihonga. Elle a illustré *Les gens de mon pays* de Gilles Vigneault et *Bonheur d'occasion* de Gabrielle Roy.

Tanzanie, pays d'Afrique orientale. D'une superficie de 940 000 km², la Tanzanie est située sur l'océan Indien. Sept États partagent sa frontière (Zaïre, Burundi, Rwanda, Ouganda, Kenya, Mozambique et Malawi). La Tanzanie comprend aussi les îles de Zanzibar et de Pemba. Sa capitale est Dar-es-Salam. La partie continentale est formée d'une plaine côtière. Cette plaine est limitée par un vaste plateau dominé par de hauts massifs volcaniques. Cet État possède le plus haut sommet d'Afrique, le mont Kilimandjaro (ou pic Uhuru), et des parcs nationaux renommés. Les lacs Victoria et Tanganyika sont les principales étendues d'eau. Le climat tropical est nuancé par l'altitude. La Tanzanie compte 21,7 millions d'habitants (Tanzaniens et Tanzaniennes). Le swahili et l'anglais sont les langues officielles. Le shilling tanzanien est la monnaie utilisée. L'économie de la Tanzanie repose sur les cultures (café, thé, canne à sucre, maïs, manioc et sorgho), le coton (principal produit d'exportation), le tourisme et les gisements de minerais (diamant, plomb, zinc, étain, cuivre et mica). La Tanzanie proclama son indépendance en 1961, et la République de Tanzanie fut créée en 1964. Un président la dirige.

Ṭarābulus ☞ **Tripoli**.

Taschereau (Elzéar Alexandre), cardinal canadien, né à Sainte-Marie, au Québec, en 1820 et mort à Québec en 1899. Il a participé à la fondation de l'Université Laval (1852) et a cumulé les fonctions de recteur et de supérieur du Séminaire de Québec (1860). En 1869, il est désigné comme conseiller au concile et, en 1870, il est nommé archevêque de Québec. Ce prélat a joué un rôle important dans l'évolution de l'Église catholique au Québec. En 1886, il est devenu le premier cardinal canadien.

Taschereau (Louis-Alexandre), avocat et homme politique canadien, né à Québec en 1867 et mort dans la même ville en 1952. Député libéral à l'Assemblée législative de 1900 à 1936, Louis-Alexandre Taschereau occupa le poste de premier ministre du Québec de 1920 à 1936. Partisan de l'autonomie provinciale, il fut responsable de l'adoption de la loi des accidents de travail, de la loi des boissons alcooliques et de la loi de l'assistance publique. Il fut décoré grand-croix de la Légion d'honneur en 1934. Il fut contraint de démissionner en 1936.

Louis-Alexandre **Taschereau**

ANC/PA-74624

Mgr Elzéar Alexandre **Taschereau**

ANQM/P54/14/208

Tchad, État de l'Afrique centrale. D'une superficie de 1 284 000 km², le Tchad est situé au centre du continent africain, à l'est du lac Tchad. La Libye, le Niger, le Cameroun, la République centrafricaine, le Nigéria et le Soudan partagent ses frontières. Ndjamena est la capitale du Tchad. Dans l'ensemble, le relief du pays épouse la forme d'une cuvette sédimentaire. Le nord du Tchad, recouvert par le Sahara, est partiellement montagneux et volcanique. Le Chari et le Logone sont les deux principaux fleuves du pays. Ils se jettent dans le lac Tchad. Plus de la moitié de la population vit dans les vallées de ces deux cours d'eau. Le pays comprend trois zones climatiques: désertique au nord, sahélienne (steppe) au centre et tropicale (savane) au sud. Le Tchad compte 5,2 millions d'habitants (Tchadiens et Tchadiennes). Le français est la langue officielle, mais l'arabe et des langues africaines sont aussi employés. L'animisme et l'islam sont les principales religions. Le franc C.F.A. est la monnaie utilisée. Les principales ressources du pays sont l'agriculture, l'élevage et la pêche. Le coton fournit 80 % des exportations. Colonie française en 1900, le Tchad devient indépendant en 1960. Un président dirige l'État.

Tchaïkovski (Petr Ilitch), compositeur russe, né à Votkinsk, Russie, en 1840 et mort à Saint-Pétersbourg, Russie, en 1893. Tchaïkovski mène de front ses activités d'enseignant au Conservatoire de Moscou, de chef d'orchestre et de compositeur. Son œuvre s'inspire de l'art vocal italien et du romantisme allemand. Celle-ci comprend des pièces pour piano, six symphonies dont la *Pathétique*, des opéras (*Eugène Onéguine*, *La dame de pique*) et des ballets (*Le lac des cygnes* et *Casse-Noisette*). Tchaïkovski demeure le compositeur russe le plus connu du monde occidental.

Tchécoslovaquie, pays d'Europe centrale. La Tchécoslovaquie est située au centre du continent européen. La Pologne, la République démocratique allemande, la République fédérale d'Allemagne, l'Autriche, la Hongrie et l'U.R.S.S. partagent ses frontières. Prague est la capitale. D'ouest en est s'étend un système de plateaux entourés de massifs peu élevés (1 500 m au maximum). La partie ouest du pays est traversée par l'Elbe, qui se jette dans la mer du Nord. Le Danube arrose une petite région au sud du pays. La végétation forestière recouvre près du tiers du territoire (conifères et feuillus). Le climat de type continental devient plus rigoureux dans les montagnes. La Tchécoslovaquie compte 15,5 millions d'habitants appelés Tchécoslovaques. Ceux-ci ont deux langues officielles, le tchèque et le slovaque. La religion catholique est majoritaire. La monnaie utilisée est la couronne tchécoslovaque. L'économie tchécoslovaque s'appuie sur les cultures céréalières (blé, orge et seigle), l'élevage (ovins, bovins, chevaux), la forêt (bois d'œuvre, papier, pâte de bois), les ressources minières (charbon, lignite, fer, uranium, graphite, plomb, cuivre, tungstène) et les industries (sidérurgie, constructions mécaniques, produits chimiques, textiles, alimentaires, cuir, cristallerie et porcelaine). Intégrée au bloc soviétique depuis 1948, la Tchécoslovaquie est entrée dans une ère de libéralisation vers la fin de 1989.

Téhéran [*Tehrān*], capitale de l'Iran. Situé au centre-nord du pays, au sud de la mer Caspienne, Téhéran est érigé dans une région montagneuse. On y dénombre 5 734 000 habitants. Téhéran est un centre administratif, commercial et industriel. La ville abrite un aéroport, trois universités, des musées et quelques monuments anciens du début du XIXe siècle (palais, mosquée).

Tehrān ☞ **Téhéran**.

Tekakwitha (Kateri), amérindienne née en 1656 et morte en 1680. Née d'un père iroquois et d'une mère algonquine, elle grandit dans le pays mohawk. Convertie au christianisme, elle reçoit le baptême en 1676. Persécutée par son entourage, elle quitte son village natal pour rejoindre la mission Saint-François-Xavier à Kahnawake. Le 22 juin 1980 elle devient la première amérindienne à être béatifiée.

Tel-Aviv, ville d'Israël. Située sur la côte est de la Méditerranée, Tel-Aviv, fondée en 1909, est la principale ville d'Israël. En 1948, elle fusionne avec Jaffa. C'est une ville commerciale et un centre industriel, financier et culturel de 400 000 habitants. Les industries chimiques, métallurgiques, mécaniques, alimentaires et textiles assurent son développement économique. Tel-Aviv est le centre de la presse et le plus grand centre culturel d'Israël (universités, théâtres, opéra, musées d'art). Son nom est un mot hébreu qui signifie «colline du printemps».

Témiscamingue, réserve indienne du Canada. Situé au Québec, au nord de la rivière des Outaouais, à 34 km au nord de Ville-Marie, dans la région de l'Abitibi-Témiscamingue, Témiscamingue est un village algonquin de 409 Timiskaminginis (terme qui signifie «hommes du lac profond»). Les langues parlées sont l'algonquin, l'anglais et le français. Les activités principales sont l'artisanat, la fabrication de bijoux, le travail sur peaux et la foresterie.

Témiscamingue (lac), lac du Canada. D'une superficie de 313 km², dont environ 162 km² au Québec, le lac Témiscamingue chevauche la frontière du Québec et de l'Ontario et appartient à ces deux provinces. Des falaises, qui font partie des Laurentides, longent ses rives est et sud-est. La rivière des Outaouais, qui traverse le lac, a servi de route aux voyageurs qui faisaient la traite des fourrures. Son nom dérive d'un mot algonquin qui signifie «dans l'eau profonde».

Témiscouata, région du Canada. Situé au Québec, le Témiscouata fait partie de la région administrative du Bas-Saint-Laurent. Il couvre la région du lac Témiscouata et Cabano en est la ville principale. Les habitants de la région se nomment Témiscouatains et Témiscouataines.

Témiscouata (lac), lac du Canada. Situé au Québec, à l'est de Rivière-du-Loup, à une vingtaine de kilomètres de la frontière du Nouveau-Brunswick, le lac Témiscouata est un lac étroit mais long de quelque 35 km. La ville de Cabano est érigée sur sa rive ouest. Le lac donne naissance à la rivière des Trois Pistoles, qui se jette dans le fleuve Saint-Laurent, et à la rivière Madawaska, qui se jette dans la rivière Saint-Jean (Nouveau-Brunswick). Il doit son nom à un mot micmac qui signifie «profond partout».

Teresa (Agnes Gonxha **Bajaxhiu**, dite **mère**), religieuse indienne d'origine yougoslave, née à Skopje, Yougoslavie, en 1910. Créatrice de plusieurs organismes destinés aux miséreux et aux malades de Calcutta et fondatrice de la Congrégation des missionnaires de la Charité (1950), mère Teresa parcourt le monde depuis 39 ans pour soulager la misère des plus démunis. Elle jouit en Inde d'une immense popularité. Son action lui a valu le prix Nobel de la paix en 1979.

Mère **Teresa**

J.L. ATLAN/SYGMA/PUBLIPHOTO

Terre (la), planète du système solaire, habitée par l'espèce humaine. Située entre Vénus et Mars, la Terre est la troisième planète du système solaire dans l'ordre croissant des distances au Soleil et la sixième par sa grandeur. La Terre a la forme d'un globe à peu près sphérique; son diamètre varie de 12 713 km (aux pôles), à 12 756 km (à l'équateur). Elle tourne sur elle-même en 23 heures 56 minutes, d'où l'alternance du jour et de la nuit. Elle tourne autour du Soleil en 365 jours et un quart, à une distance moyenne de 149,6 millions de km. Au cours de sa révolution, la Terre ne se présente pas toujours au Soleil sous le même angle, d'où le phénomène des saisons. Composée de plusieurs couches (l'écorce terrestre ou croûte, le manteau, le noyau et la graine), la Terre est entourée d'une atmosphère d'environ 1 000 km d'épaisseur. Les étendues d'eau recouvrent plus des deux tiers de sa surface. On estime que la formation de la Terre s'est achevée il y a 4,6 milliards d'années et qu'elle aurait la même origine que le reste du système solaire. La sphère terrestre est formée de l'atmosphère (couche de gaz formée d'oxygène, d'azote et de vapeurs d'eau), de l'hydrosphère (étendues d'eau), de la lithosphère (croûte terrestre) et de la biosphère (vie végétale, animale et humaine). La Terre possède un satellite naturel, la Lune, ainsi que plusieurs satellites artificiels.

Terrebonne, ville du Canada. Située au Québec, sur la rive nord de la rivière des Mille Îles, Terrebonne est bornée par les villes de Bois-des-Filion, Lorraine, Sainte-Anne-des-Plaines, La Plaine, Mascouche et Lachenaie. Les limites actuelles de la ville résultent de la fusion, en 1985, de la paroisse de Saint-Louis-de-Terrebonne et de la ville de Terrebonne. Elle compte 37 500 Terrebonniens et Terrebonniennes. Bâtie dans une région de verdure, la ville, à vocation résidentielle, possède trois parcs industriels où se concentrent des industries liées à la transformation du bois, à la construction, à l'alimentation et à la haute technologie. L'origine de la ville remonte à 1673, alors que la seigneurie de Terrebonne est créée. L'emplacement stratégique de l'île des Moulins, comprise dans la seigneurie, fit de celle-ci un haut lieu industriel et commercial. L'île des Moulins constitue aujourd'hui un des plus importants sites historiques du Québec. Le Vieux-Terrebonne abrite plusieurs constructions anciennes (XIXe siècle) dont le château Masson (maintenant l'école secondaire Saint-Sacrement).

Terre-Neuve, province du Canada. Située dans l'est du Canada, Terre-Neuve est formée de l'île de Terre-Neuve (112 300 km^2), baignée par l'océan Atlantique, et d'une partie continentale, le Labrador (292 200 km^2), au nord-est de la province de Québec. Le détroit de Belle Isle sépare le nord de l'île de la côte du Labrador. Saint John's (Saint-Jean) est la capitale, et Corner Brook (sur l'île) et Labrador City (au Labrador) sont les principales villes. Le Labrador se découpe en trois régions : une côte montagneuse (monts Torngat), à la végétation pauvre et marquée de fjords profonds au nord, la côte sud, longeant une plage accidentée et aride, et, enfin, l'intérieur, formé d'un plateau couvert de forêts et traversé de cours d'eau, dont le fleuve Churchill. L'île de Terre-Neuve appartient au prolongement du système des Appalaches. L'île se prolonge au sud-est par la presqu'île d'Avalon. Le climat varie : maritime dans le sud de l'île et continental dans l'intérieur du Labrador. Terre-Neuve compte 570 000 habitants (Terre-Neuviens et Terre-Neuviennes). La population se compose de 99,3 % d'anglophones et de 0,3 % de francophones. L'économie de la province repose essentiellement sur ses ressources naturelles : la pêche (morue, sole, saumon, turbot, poissons de surface, homard et crabe), les ressources minières (cuivre, plomb, zinc, fer, amiante) et la forêt. L'industrie est directement liée à l'utilisation et à la transformation de ces matières premières. Découverte par Jean Cabot en 1497, l'île est déclarée possession anglaise en 1583 et est cédée à la Grande-Bretagne par le traité d'Utrecht (1713). Rattachée au Labrador en 1927, Terre-Neuve fit son entrée dans la Confédération en 1949, devenant ainsi la dixième province canadienne. Sa devise est « Recherchez d'abord le Royaume de Dieu » et sa fleur emblématique est la sarracénie pourpre.

Territoires du Nord-Ouest, partie septentrionale du Canada. D'une superficie de 3 379 684 km^2, les Territoires du Nord-Ouest occupent 34,1 % du territoire canadien et constituent la plus grande subdivision politique du Canada. Les Territoires du Nord-Ouest sont bornés à l'est par la baie d'Hudson, à l'ouest par le Yukon et au sud par la Colombie-Britannique, l'Alberta, la Saskatchewan et le Manitoba. Yellowknife est la capitale et Inuvik, Fort Smith, Hay River, Frobisher Bay et Fort Simpson sont les villes principales. Les Territoires du Nord-Ouest se divisent en trois grandes régions : l'archipel Arctique, le continent arctique et la vallée du Mackenzie. Les îles de l'archipel sont pour la plupart couvertes d'une couche de glace permanente. Le continent arctique forme une partie du bouclier canadien, bordé par des montagnes et découpé de fjords au nord. Des buissons et quelques arbres rabougris composent l'essentiel de la végétation de cette région. La vallée du Mackenzie, baignée par le fleuve Mackenzie et ses affluents, consiste en basses-terres parsemées de lacs. C'est une zone de forêt boréale où croissent l'épicéa, le pin, le bouleau, le mélèze et le peuplier. Dans l'ensemble, le climat est toujours très rigoureux et continental. Les Territoires du Nord-Ouest comptent 53 300 habitants. Les autochtones représentent 52 % de la population, constituée d'Inuit en majeure partie. Parmi les habitants, 63,6 % parlent l'anglais, 1,4 % le français et 35 % une autre langue. L'exploitation du riche sous-sol (or, uranium, charbon, cuivre, zinc, plomb, pétrole) est, depuis les années 1930, la principale activité économique de la région. La chasse, la pêche, le piégeage et l'exploitation de la forêt sont également importants et le tourisme se développe de plus en plus. Déjà connue des Vikings, cette région fut l'objet d'explorations à partir de 1576.

Test (serment du), promesse solennelle que devaient faire tous ceux qui voulaient occuper un poste au sein de la fonction publique, sous le Régime anglais. Cette obligation résultait de la Proclamation royale de 1763, qui limitait les pouvoirs politiques des treize colonies. Les catholiques ne pouvaient prêter le serment du Test à moins de renier leur religion. L'obligation de prêter ce serment a été abolie par l'Acte de Québec de 1774.

Thaïlande, État de l'Asie du Sud-Est. D'une superficie de 514 000 km², la Thaïlande est limitée par la Birmanie, le Laos, le Cambodge et la Malaisie. Elle est baignée par la mer d'Andaman et le golfe de Thaïlande. Bangkok est la capitale. Le territoire est centré sur la vaste plaine du Ménam, partie vitale du pays, ouverte au sud sur le golfe de Thaïlande. Elle est bordée à l'est par un plateau et à l'ouest par un ensemble de chaînes montagneuses peu élevées. Le climat, régulièrement chaud, est dominé par la mousson pluvieuse d'été. La Thaïlande compte 57,2 millions d'habitants (Thaïlandais et Thaïlandaises). La population se compose majoritairement de Thaïs (80 %), peuple venu de la Chine du Sud au XIIIe siècle, de Chinois et d'Indiens. La langue officielle est le thaï, mais on parle aussi chinois et anglais. Le bouddhisme est la principale religion. Le baht (ou tical) est la monnaie utilisée. L'économie du pays est fondée sur l'agriculture (riz, tabac, maïs, canne à sucre), l'élevage, la pêche, la production de caoutchouc, les mines d'étain. Le secteur industriel reste limité (alimentation, textile, montage automobile). Le tourisme, en essor, contribue au revenu du pays. Le premier royaume de Siam fut fondé en 1220, après l'arrivée des peuples thaïs. Le Siam devint la Thaïlande en 1939. En 1976, l'armée prend le pouvoir. Un roi est à la tête de l'État et un premier ministre élu dirige le gouvernement.

Thatcher (Margaret), femme politique britannique, née à Grantham, Angleterre, en 1925. Députée du Parti conservateur dès 1959, Margaret Thatcher est élue chef du Parti conservateur le 11 février 1975. Le 3 mai 1979, elle devient la première femme à accéder au poste de premier ministre en Grande-Bretagne. Défendant les intérêts britanniques avec fermeté et ne supportant pas les demi-mesures, elle mène une politique intransigeante. On l'a appelée la « dame de fer ». Réélue en 1983 et en 1987, elle est le premier chef du gouvernement britannique, depuis 1945, à obtenir un troisième mandat.

Thériault (Yves), écrivain canadien, né à Québec en 1916 et mort à Rawdon, Québec, en 1983. Yves Thériault, fils de menuisier, quitte l'école à l'âge de 15 ans et exerce plusieurs métiers avant de décider de vivre de sa plume en 1945. Il pratique toutes les formes d'écriture et est l'un des premiers Québécois à gagner sa vie comme écrivain. Son roman *Agaguk*, publié en 1958 et traduit en une dizaine de langues, le rendra célèbre et lui vaudra de nombreux prix, dont le prix David en 1979. L'originalité de l'œuvre de Thériault tient surtout à l'élan vigoureux de son style et à ses récits animés d'un souffle poétique, où l'homme affronte les forces de la nature et du destin dans un climat de violence et de passion. Ses principaux ouvrages sont: *La fille laide*, *Le dompteur d'ours*, *Les temps du carcajou*, *Aaron* et *Agaguk*.

Thetford Mines, ville du Canada. Située au Québec, sur la rivière Bécancour dans les Appalaches, à 197 km au nord-est de la ville de Sherbrooke, Thetford Mines est une ville minière de 18 560 Thetfordois et Thetfordoises. Fondée en 1802, la ville doit son développement à la découverte de l'amiante en 1876. Surnommée la « capitale de l'amiante » et la « cité de l'or blanc », elle est le plus important centre de production d'amiante et possède la plus grande mine d'amiante à ciel ouvert du monde. En plus des industries d'extraction et de purification du minerai, la ville a développé d'autres secteurs d'activités (production de roulottes, de motoneiges et de machinerie minière). Elle abrite également un musée minéralogique et minier. Elle doit son nom à une ville homonyme dans le comté de Norfolk en Angleterre.

Thompson (David), explorateur anglais, né à Londres en 1770 et mort à Longueuil en 1857. En 1794, David Thompson entre au service de la Compagnie de la baie d'Hudson comme apprenti. Il consacre ensuite la plus grande partie de sa vie à l'étude de la géographie et de la cartographie. Il s'appuie sur ses propres explorations et observations pour dresser des cartes. Il est considéré comme le premier Blanc à avoir descendu le fleuve Columbia sur toute sa longueur. Sa réalisation majeure reste la préparation de cartes à partir de ses expéditions dans l'ouest du Canada. Le récit de ses explorations constitue le plus beau témoignage qu'il ait laissé aux Canadiens.

Thompson (sir John Sparrow David), juriste et homme politique canadien, né à Halifax en 1845 et mort à Londres en 1894. Il fait ses débuts en politique sur la scène municipale en 1871. Député conservateur et ministre de la Justice en 1885, il devient le quatrième premier ministre du Canada en 1892. Chef compétent, il est assermenté comme membre du Conseil privé impérial, mais il meurt subitement en 1894.

Thunder Bay, ville du Canada. Située dans l'ouest de l'Ontario, sur la rive nord-ouest du lac Supérieur, la ville de Thunder Bay compte

112 270 habitants. Elle fut constituée en 1970, à la suite de la fusion des villes de Fort William et de Port Arthur et de cantons voisins. Thunder Bay possède un aéroport, une université et un musée historique, et est un centre commercial et industriel. Son économie repose sur l'extraction, le traitement et le transport des ressources naturelles. Son industrie la plus importante est l'industrie forestière. Son port sur le lac Supérieur exporte des produits forestiers, du charbon, du minerai de fer, de la potasse, du soufre et surtout du grain. Thunder Bay est l'un des plus grands ports du monde pour le grain, et son installation de manutention du grain est la plus grande du monde. Thunder Bay a été l'hôte des Jeux d'hiver en 1976, du Championnat du patinage artistique canadien en 1980 et des Jeux d'été du Canada en 1981.

Tibériade (lac de) ou **lac de Génésareth**, lac d'Israël. D'une superficie de 200 km², le lac de Tibériade, aussi appelé mer de Galilée, est situé dans le nord de l'État d'Israël, aux frontières de la Syrie. Il est relié à la mer Morte par le Jourdain et permet l'irrigation de la région. Une ville du même nom est construite sur sa rive ouest (25 000 habitants).

Tibet, région autonome de la Chine. D'une superficie de 1 221 000 km², le Tibet s'étend dans le sud-ouest de la Chine, au nord de l'Himālaya. Sa capitale est Lhassa. Le Tibet est formé de hauts plateaux désertiques dominés par les puissantes chaînes de montagnes de l'Asie centrale. Plus de la moitié de la région atteint 3 500 m d'altitude. Son climat est très froid et sec, sauf dans le Sud, couvert par de grandes étendues de forêts vierges contrastant avec les régions désertiques du Nord. Grand foyer du bouddhisme, le Tibet compte 1 892 000 habitants (Tibétains et Tibétaines). La population, qui se concentre dans les vallées, vit surtout de l'élevage de moutons, de chèvres et de yacks. L'agriculture et l'artisanat comptent également parmi les ressources.

Tirana, capitale de l'Albanie. Érigée au centre du pays, dans une région de plaines et de collines, Tirana compte 206 000 habitants. Principal centre commercial et industriel du pays (industries alimentaires, textiles, verreries), la ville abrite une université et un musée d'archéologie.

Titanic, paquebot transatlantique britannique. Ce transatlantique géant coula, lors de son premier voyage, après avoir heurté un iceberg au sud de Terre-Neuve. Le naufrage, survenu dans la nuit du 14 au 15 avril 1912, fit 1 695 victimes. Son épave, localisée en 1985 par 4 000 m de fond, a été visitée en 1986-1987.

Togo, État de l'Afrique occidentale. D'une superficie de 56 600 km², le Togo est baigné par le golfe de Guinée et est limité par le Ghana, le Burkina Faso et le Bénin. Sa capitale est Lomé. Formant une bande étroite, le pays correspond à un plateau traversé par les monts du Togo. La côte, basse et sablonneuse, est d'accès difficile. Le climat tropical varie en fonction de la latitude. La savane prédomine dans le Nord et la forêt dans le Sud. De nombreux cours d'eau (Mono, Ogou, Oti) arrosent le pays. Le Togo compte trois millions d'habitants (Togolais et Togolaises). Le français est la langue officielle, mais quelques langues africaines sont employées. L'animisme est la religion majoritaire. Le franc C.F.A. est la monnaie utilisée. L'économie du Togo repose essentiellement sur l'agriculture et l'élevage. Le Togo exporte du cacao, du café, du coton, de l'huile de palme et surtout des phosphates, dont la production est l'une des plus importantes du monde. Partagé entre Français et Anglais en 1922, le Togo français devint indépendant en 1960. Un président gouverne la République du Togo et dirige le parti unique.

Tokyo, capitale du Japon. Situé sur la baie de Tokyo, sur l'île de Honshu, Tokyo est un port érigé au fond d'une baie de l'océan Pacifique. Il compte près de 8,3 millions d'habitants, ce qui en fait la plus grande ville du monde. La grande densité de population (20 millions d'habitants avec l'agglomération) pose un sérieux problème de transport. Tokyo est un grand centre administratif, culturel, commercial et industriel. On y dénombre plus de 200 000 entreprises dans tous les domaines de l'activité industrielle (électronique, photo, raffineries de pétrole, aciéries, automobiles, etc.). Cette ville abrite de beaux jardins paysagers. On peut y visiter de nombreux musées dont le riche musée national. Tokyo possède un centre olympique et d'autres édifices remarquables. À moitié détruite par un tremblement de terre en 1923, la ville fut très éprouvée par les bombardements américains (1945). Tokyo a été le siège des Jeux olympiques d'été de 1964.

Torah, nom donné, dans le judaïsme, aux cinq premiers livres de la Bible, qui contiennent les lois et les enseignements de Moïse. Ces lois sont écrites dans un rouleau sacré fait de parchemin et fixé sur deux baguettes. La lecture de la Torah a généralement lieu le samedi dans les synagogues sous la direction des rabbins. Le mot *Torah* désigne aussi l'ensemble de la Loi juive.

Torngat (monts), monts du Canada. Ils dominent une partie du Nord-du-Québec, à l'est de la rivière Koksoak, et une partie du Labrador. Ils atteignent 1 738 m d'altitude au mont Caubvick, pic le plus élevé de Terre-Neuve et du Québec. D'autres sommets élevés, dont le mont D'Iberville (1 652 m), font partie du Québec. Les hautes chaînes sont découpées abruptement par des fjords profonds et des lacs. Dans les vallées abritées et basses croissent des buissons de saules; au-dessus de 300 m, les rocs sont désertiques. La faune est arctique et les caribous nombreux. Des recherches ont permis d'y découvrir des roches datant de 3,6 milliards d'années, les plus anciennes que l'on connaisse en Amérique du Nord. *Torngat* est un mot qui dérive de l'inuktitut et qui signifie «maison des esprits».

Toronto, ville du Canada, capitale de l'Ontario depuis 1867. La ville de Toronto est située dans le sud de la province, sur le lac Ontario. Elle compte 612 300 Torontois et Torontoises. L'agglomération torontoise, qui englobe Toronto, North York, Scarborough, York, Etobicoke et East York, compte près de 3 millions d'habitants, ce qui la classe au premier rang des agglomérations canadiennes. Toronto possède de magnifiques constructions anciennes (XIXe siècle) ; de plus, son hôtel de ville, achevé en 1965, est un des bâtiments modernes les plus remarquables d'Amérique du Nord. Principal centre culturel urbain du Canada anglais, Toronto regroupe de grandes universités, des musées, des bibliothèques réputées et les meilleurs centres de recherche médicale et scientifique du Canada. Centre national financier, Toronto est aussi un centre commercial et industriel. Nommée York en 1793, la ville devint la capitale du Haut-Canada en 1796 et reçut le nom de Toronto en 1834.

Toussaint, fête religieuse catholique. La Toussaint est célébrée le 1er novembre, en l'honneur de tous les saints. La fête est célébrée à Rome annuellement depuis l'an 731.

Tracy, ville du Canada. Située sur la rive sud du fleuve Saint-Laurent, à environ 10 km au sud de Sorel, la ville de Tracy compte plus de 12 500 Traciens et Traciennes. Ville à caractère résidentiel, Tracy abrite des industries navales, des industries de pièces d'artillerie, des fonderies ainsi qu'une importante centrale thermoélectrique. Le nom de la ville rappelle Alexandre de Prouville de Tracy, commandant du régiment de Carignan-Salières.

Transcanadienne, autoroute du Canada. D'une longueur de 7 821 km, l'autoroute Transcanadienne est la plus longue route nationale du monde. Elle relie St. John's (Terre-Neuve) à Victoria (Colombie-Britannique). Sa construction, entreprise en 1950, fut terminée en 1970 et a coûté plus de un milliard de dollars. Au Québec, le tunnel Louis-Hippolyte-Lafontaine, sous le fleuve Saint-Laurent, fait partie de la voie d'entrée à Montréal. Ce tronçon de l'autoroute, d'un peu plus de un kilomètre, a coûté 75 millions de dollars.

Tremblay (Michel), écrivain canadien, né à Montréal en 1942. Michel Tremblay étudie à l'Institut des arts graphiques et écrit sa première pièce, *Le train*, en 1959, laquelle remporte en 1964 le premier prix du Concours des jeunes auteurs de Radio-Canada. Ainsi commence une longue carrière consacrée à l'écriture. Auteur de comédies musicales (*Demain matin, Montréal m'attend*), écrivain prolifique, traducteur et adaptateur d'auteurs américains, scénariste (*Il était une fois dans l'Est*), parolier pour Renée Claude et Pauline Julien et dramaturge, Michel Tremblay a su bâtir une œuvre attachante et originale en illustrant dans ses pièces et ses romans les préoccupations et les drames de personnages issus de divers quartiers de Montréal (Plateau Mont-Royal, Outremont, «Main»). Parmi ses nombreuses pièces, signalons *Les belles-sœurs* (1970), *En pièces détachées* (1969), *La duchesse de Langeais* (1969), *Hosanna* (1973), *À toi pour toujours, ta Marie-Lou* (1971), *Albertine, en cinq temps* (1984), *L'impromptu d'Outremont* (1980), *Ste Carmen de la Main* (1976), *Damnée Manon, sacrée Sandra* (1977) et *Le vrai monde?* (1987). Auteur d'une dizaine de romans, dont *Le cœur découvert*, publié aux Éditions Léméac en 1986, et les «Chroniques du plateau Mont-Royal» (*La grosse femme d'à côté est enceinte* (1978), *Thérèse et Pierrette à l'école des Saints-Anges* (1986), *La duchesse et le roturier* (1988), *Des nouvelles d'Édouard* (1978) et *Le premier quartier de la lune* (1989)), Michel Tremblay a remporté une vingtaine de distinctions littéraires, notamment le prix Athanase-David 1988 pour l'ensemble de son œuvre et le Grand Prix du livre de Montréal 1989 pour son dernier roman, *Le premier quartier de la lune* (1989).

Trinité et Tobago, État des Antilles. Située dans l'océan Atlantique, près du Venezuela, la Trinité et Tobago est formée de deux îles: Trinité (4 828 km^2) et Tobago (300 km^2). La capitale est Port d'Espagne, sur l'île de la Trinité. Trinité, la plus importante de ces îles montagneuses, est constituée d'une chaîne de faible altitude et d'une plaine marquée de collines aux versants couverts de forêts. Le pays est soumis à un climat tropical humide. Trinité et Tobago compte environ 1,2 million d'habitants. L'anglais est la langue officielle, mais l'espagnol et le créole sont employés. Le christianisme est majoritaire. Le dollar de la Trinité et Tobago est la monnaie utilisée. L'économie du pays repose sur quelques ressources agricoles (canne à sucre, cacao), la pêche et le tourisme auxquels s'ajoutent les ressources minières (pétrole, gaz naturel), qui ont permis l'implantation d'industries: raffineries, industries chimiques, cimenteries, industries alimentaires. Découvertes en 1498, les deux îles deviennent britanniques en 1802. L'État devient indépendant en 1962 et, en 1976, la République est proclamée. Un premier ministre élu dirige le gouvernement.

Tripoli [*Ţarābulus*], capitale de la Libye. Ville portuaire sur la Méditerranée, située dans le nord-ouest du pays, au centre d'une oasis, Tripoli compte 980 000 habitants. Centre administratif et commercial, la ville abrite une université et des vestiges romains (arc de triomphe de Marc Aurèle, empereur et philosophe romain, né en 121 et mort en 180).

Tripoli, ville du Liban. Ville portuaire sur la Méditerranée, au nord de Beyrouth, Tripoli compte 240 000 habitants. La ville possède un important marché agricole, des industries (industries alimentaires, textiles, tanneries, aciérie, raffinerie de pétrole) et conserve des vestiges du passé.

Trois-Rivières, ville du Canada. Ville portuaire située au Québec, sur la rive nord du fleuve Saint-Laurent, entre Québec et Montréal, Trois-Rivières compte 50 120 Trifluviens et Trifluviennes. Capitale et principal centre culturel de la région Mauricie – Bois-Francs, la ville s'étend sur la rive droite de l'embouchure de la rivière Saint-Maurice, qui est partagée en trois bras par les îles du delta, d'où le nom de la ville. Elle abrite une branche de l'université du Québec, des sites historiques (constructions datant du Régime français, parc national des Forges du Saint-Maurice) et des musées. Appelée «capitale mondiale du papier» vers 1930, la ville ajoute à cette industrie des industries de l'alimentation, du vêtement et d'appareils électriques. Fondé en 1634 par le sieur de Laviolette et institué en municipalité en 1846, Trois-Rivières fut éprouvé par un violent incendie (1908) qui ravagea la majeure partie de la vieille ville.

Trois-Rivières-Ouest, ville du Canada. Située au Québec, sur la rive nord du fleuve Saint-Laurent, la ville de Trois-Rivières-Ouest est limitée au nord et à l'est par Trois-Rivières et à l'ouest par la municipalité de Pointe-du-Lac. Elle est reliée à la rive sud par le pont Laviolette. À vocation surtout résidentielle, la ville compte 15 540 Ouestrifluviens et Ouestrifluviennes.

Trudeau (Pierre Elliott), homme politique canadien, né à Montréal en 1919. Pierre Elliott Trudeau étudia le droit et les sciences politiques à Montréal, Paris, Harvard et Londres. Au cours des années 1950, il consacre ses énergies à combattre le gouvernement de Maurice Duplessis et à réclamer des changements sociaux et politiques. Député libéral fédéral en 1965, ministre de la Justice en 1967, il est élu chef du Parti libéral du Canada en 1968 et devient le quinzième premier ministre du Canada. Il quittera ses fonctions en 1984. Pierre Elliott Trudeau est resté en fonction plus longtemps que tout autre chef contemporain du monde occidental. Le bilinguisme officiel, le rapatriement de la Constitution et la Charte canadienne des droits et libertés comptent parmi ses principales réalisations.

Pierre Elliott **Trudeau**

P. ROUSSEL/PUBLIPHOTO

Tunis, capitale de la Tunisie. Située dans le nord-est du pays, au fond du golfe de Tunis, formé par la Méditerranée, la ville compte 774 000 Tunisois et Tunisoises. Elle est desservie par un port et un aéroport. Centre artisanal, commercial et financier, Tunis abrite une université et des monuments anciens.

Tunisie, État d'Afrique du Nord. D'une superficie de 164 000 km², la Tunisie s'ouvre sur la Méditerranée et est limitée par l'Algérie et la Libye. Tunis est la capitale. Dans l'ensemble, la Tunisie est un pays plat sauf dans le Nord-Ouest, recouvert de montagnes (Tell, Atlas). Le Centre et le Sud sont formés de plateaux et de plaines steppiques et désertiques. Le Nord, au climat méditerranéen, s'oppose au Sud, au climat désertique. La Tunisie compte 7,2 millions d'habitants (Tunisiens et Tunisiennes). L'arabe est la langue officielle, mais le français et le berbère sont aussi employés. L'islam est la religion dominante. Le dinar tunisien est la monnaie utilisée. L'économie tunisienne est essentiellement agricole. Les principales productions sont le blé, l'orge, les agrumes, les arbres fruitiers, les oliveraies et l'élevage dans la steppe. Les industries traitent, pour la plupart, les produits agricoles et n'ont qu'une importance secondaire, mis à part les industries exploitant les richesses minérales (phosphates et pétrole). L'histoire de la Tunisie commence dès le IXe siècle avant Jésus-Christ. Sous protection française en 1881, la Tunisie accède à l'indépendance en 1956. La République est proclamée en 1957.

Tupper (sir Charles), diplomate et homme politique canadien, né à Amherst, Nouvelle-Écosse, en 1821 et mort à Bexleyheath, Angleterre, en 1915. Dernier survivant des pères de la Confédération, sir Charles Tupper fait ses débuts en politique comme conservateur sur la scène provinciale en 1855. Élu à la Chambre des communes en 1867, plusieurs fois ministre, il devient premier ministre du Canada en mai 1896. En juin, Tupper et le Parti conservateur subissent une défaite électorale. Il remet sa démission après avoir occupé le poste de premier ministre pendant seulement dix semaines. Chef de l'opposition jusqu'en 1900, Tupper reste un personnage important de la politique canadienne.

Turner (John Napier), avocat et homme politique canadien, né à Richmond, Angleterre, en 1929. Après la mort de son père, il vient au Canada avec sa mère d'origine canadienne. Il étudie le droit en Colombie-Britannique, à Oxford et à Paris puis, en 1954, commence à pratiquer au Québec. Élu député libéral à la Chambre des communes en 1962 et réélu au cours des élections suivantes, il occupe différents ministères, dont celui de la Justice (1968-1972) et celui des Finances (1972-1975) dans le cabinet de Trudeau. Élu à la tête du Parti libéral en 1984, il devient premier ministre du Canada. Son parti étant défait aux élections de 1984, il devient le chef de l'opposition dans le nouveau Parlement.

Turquie, État de l'Asie occidentale. D'une superficie de 780 000 km², la Turquie englobe l'extrémité sud-est de la péninsule des Balkans et comporte une petite partie européenne. Elle est limitée par la Bulgarie, la Grèce, la Syrie, l'Iraq, l'Iran et l'U.R.S.S. Elle est baignée par la mer Égée, la Méditerranée et la mer Noire. Ankara est la capitale de la Turquie. La ville principale est Istanbul. Le relief du pays se compose de plateaux et de montagnes. Il est bordé par de larges plaines côtières. Le climat est doux sur la côte sud et humide sur la côte nord. À l'intérieur, les hivers sont froids et les étés tièdes et secs; ce climat limite la végétation à quelques steppes, tandis que les versants des montagnes sont couverts de forêts. Les plus grands fleuves (Kizil, Irmak, Sakarya) ne se prêtent pas à la navigation. La Turquie compte 48 millions d'habitants (Turcs et Turques). Le turc est la langue officielle et la religion dominante est l'islam. La livre turque est la monnaie utilisée. L'économie de la Turquie repose sur l'agriculture (céréales, oliviers, figuiers, vigne, tabac, noisetiers, agrumes et coton), sur l'élevage (bovin et surtout ovin) et sur la pêche. Le charbon et le lignite sont abondants. La Turquie est le premier producteur d'hydroélectricité du Moyen-Orient. Les minerais sont diversifiés : fer, chrome, cuivre, soufre, manganèse, plomb, zinc. La production de chrome est l'une des premières du monde. L'industrie reste peu développée (sidérurgie, industries textiles et alimentaires). Membre de l'O.T.A.N. depuis 1952, la République turque est dirigée par un président et un gouvernement élus.

Tweedsmuir (John Buchan, baron **de**), écrivain et administrateur britannique, né à Perth, Écosse, en 1875 et mort à Montréal en 1940. Écrivain prolifique (biographies historiques, romans policiers, poésie), John Buchan fut aussi administrateur en Afrique du Sud, journaliste, avocat et directeur littéraire. Gouverneur général du Canada de 1935 à 1940, il fut le premier gouverneur général à visiter l'Arctique. Il institua, en 1937, les prix littéraires du gouverneur général.

Uhuru (pic), massif volcanique de l'Afrique, anciennement connu sous le nom de mont Kilimandjaro. Situé dans le nord-est de la Tanzanie, près de la frontière du Kenya, le pic Uhuru se dresse à 5 963 m. Il forme le point culminant du continent africain.

Ulster ☞ **Irlande du Nord**.

Unesco, sigle de *United Nations Educational, Scientific and Cultural Organization*, l'Organisation des Nations Unies pour l'éducation, la science et la culture. Constituée en 1946, cette organisation a pour but de maintenir la paix et d'assurer le respect des droits fondamentaux en favorisant la communication et la collaboration entre les pays par l'éducation, la science et la culture. L'Unesco a son siège à Paris.

Ungava (baie d'), vaste bassin d'eau du Canada. La baie d'Ungava est située à l'extrémité nord du Québec près du Labrador. Son embouchure, d'environ 265 km de largeur, s'ouvre dans le détroit d'Hudson. À son extrémité sud-ouest s'étend la baie aux Feuilles, connue pour les grandes variations de ses marées. Dans le secteur nord-ouest, l'île Akpatok est remarquable par ses falaises côtières et sa grande plate-forme érodée par la mer. En été, on peut remarquer la présence de l'ours polaire et du morse sur cette île. De novembre à juin, les eaux de la baie d'Ungava sont presque gelées. Elles sont l'habitat naturel du phoque et de l'omble arctique, espèces chassées et pêchées par la population inuit locale.

Ungava (péninsule d'), grande presqu'île du Canada. Située dans le nord de la province de Québec, la péninsule d'Ungava est arrosée à l'ouest par les eaux de la baie d'Hudson, au nord par le détroit d'Hudson et à l'est par la baie d'Ungava. Elle fut peuplée pendant des siècles le long de la bordure côtière par des communautés inuit. Son intérieur est formé d'un vaste plateau inhabité et sans arbres et son sous-sol est riche en minéraux (amiante, nickel, cuivre, uranium et minerai de fer). Ces ressources demeurent presque inexploitées, étant donné leur faible valeur sur le marché mondial et le coût élevé de leur extraction.

Unicef, sigle de *United Nations International Children's Emergency Fund*, Fonds des Nations Unies pour l'enfance, organisme à but humanitaire institué en 1946 pour promouvoir l'aide aux enfants du tiers monde. Le siège de l'Unicef est établi à New York. Lors de l'Halloween, les enfants du Québec contribuent à recueillir des fonds pour cet organisme.

Union nationale, parti politique du Québec. Préconisant, au départ, des réformes socio-économiques et politiques, ce parti dirigé par Maurice Duplessis remporta l'élection de 1936, mais fut défait par le Parti libéral en 1939. L'Union nationale fut de nouveau au pouvoir de 1944 à 1960. Duplessis fut le chef incontesté de ce parti jusqu'à sa mort en 1959. L'Union nationale perdit l'élection de 1960, puis reprit le pouvoir en 1966. La mort de son chef, Daniel Johnson, en 1968, lui donna un dur coup. Dirigée par Jean-Jacques Bertrand, l'Union nationale fut défaite en 1970 par le Parti libéral. À partir des années 1970, elle n'a jamais recueilli plus de 20 % des suffrages. Elle a complètement disparu de la scène politique québécoise en 1988, faute de ressources et de membres.

Uranus, septième planète du système solaire. Située à une distance de 2 880 millions de km du Soleil, la planète Uranus tourne autour de celui-ci dans le sens contraire des autres planètes. Découverte en 1781 par William Herschel, elle est mieux connue depuis janvier 1986 grâce à la sonde américaine *Voyager 2*. La planète est entourée de 11 anneaux très sombres et d'au moins 15 satellites, dont les plus gros sont Miranda, Ariel, Umbriel, Titania et Obéron.

U.R.S.S. ou **Union des républiques socialistes soviétiques**, État d'Europe et d'Asie. Avec sa superficie de 22 402 220 km², l'U.R.S.S. est le plus vaste pays du monde. Son territoire se divise en 15 républiques. L'U.R.S.S. est limitée par l'océan Arctique, la mer de Béring, la mer d'Okhotsk, la Chine, la Mongolie, l'Afghanistan, l'Iran, la mer Caspienne, la Turquie, la mer Noire, la Roumanie, la Hongrie, la Tchécoslovaquie, la Pologne, la mer Baltique, la Finlande et la Norvège. Le relief du pays se compose de plaines basses à l'ouest, de plateaux et de chaînes montagneuses à l'est, d'une plaine au sud et du vaste plateau de la Sibérie au nord-est. Moscou est la capitale. Les autres villes importantes sont Leningrad, Kiev et Tachkent. La partie européenne de l'U.R.S.S. ne représente que le quart de la superficie du pays mais regroupe 70 % de la population. C'est là que se trouvent les terres les plus fertiles, spécialement les plaines de l'Ukraine. La partie asiatique est moins développée du fait des conditions climatiques. Dans l'ensemble, le climat est continental et les hivers sont rigoureux. La végétation est des plus variées: du nord au sud se succèdent la toundra, la taïga, les feuillus et les steppes herbacées et semi-désertiques. Les principaux fleuves du pays sont la Volga, le Dniepr, le Dniestr, le Don, l'Ob, le Denisser, le Lena et l'Amour. L'U.R.S.S. compte près de 284 millions d'habitants (Soviétiques), dont environ 50 % sont des Russes. On y parle 113 langues officielles, dont la principale est le russe (52 % de la population). La religion traditionnellement dominante est le christianisme orthodoxe, réprimé depuis la révolution d'octobre 1917, mais qui semble actuellement ressurgir. La monnaie utilisée est le rouble. L'U.R.S.S. est la deuxième puissance économique mondiale après les États-Unis. Elle possède d'énormes richesses naturelles et se situe au premier rang dans le monde pour la production du pétrole, du gaz naturel, du fer, de l'acier, du manganèse, du plomb, de l'avoine, de l'orge, de la pomme de terre et du sucre. Dans les domaines de l'électronique, de la chimie, des plastiques et des automobiles, la situation de l'U.R.S.S. est moins brillante. Par contre, le secteur des industries lourdes (acier, aluminium et machines diverses), des turbines, des camions et des tracteurs est bien développé. Les terres agricoles, appartenant soit à l'État soit aux villages, fournissent une très bonne production d'avoine, d'orge, de pommes de terre, de blé, de betterave à sucre, de coton, de seigle et de vin. On y pratique aussi l'élevage de bovins, de moutons et de porcs. L'industrie de la pêche est très florissante; elle occupe le deuxième rang après le Pérou. C'est l'U.R.S.S. qui a ouvert l'ère spatiale en lançant le premier satellite artificiel, *Spoutnik*, en octobre 1957. L'U.R.S.S. attire de plus en plus de touristes grâce à la diversité de ses paysages et aux vestiges de son riche passé. Ancien empire dirigé par un tsar, l'U.R.S.S. est gouvernée depuis la révolution de 1917 par un parti politique unique, le Parti communiste d'Union soviétique.

Ursulines, congrégation de religieuses placée sous le patronage de sainte Ursule. Le monastère des Ursulines de Québec a été fondé en 1639 par Mme de la Peltrie et mère Marie de l'Incarnation, qui en a été la supérieure de 1639 jusqu'à sa mort en 1672. La mission des Ursulines consistait à instruire les Amérindiennes et les Françaises. L'œuvre des religieuses a pris un grand essor avec les années et le mouvement d'expansion, amorcé par le départ de quelques religieuses vers Trois-Rivières en 1697, s'est poursuivi. Les Ursulines possèdent des établissements non seulement au Québec mais également au Japon, aux Philippines et au Pérou. La maison mère de la communauté est située à Québec.

Uruguay, État d'Amérique du Sud. Situé entre le Brésil, l'océan Atlantique et l'Argentine, l'Uruguay est recouvert de plaines. Il s'agit du plus petit État d'Amérique du Sud. Ses principaux fleuves sont le rio Uruguay, le rio Negro et le rio de la Plata. Le climat y est tempéré et comporte des influences océaniques. Les précipitations annuelles (1 490 mm) favorisent la croissance de la prairie, qui couvre tout le territoire. La population compte plus de 3 millions d'habitants (Uruguayens et Uruguayennes). La langue officielle est l'espagnol et la religion dominante est le catholicisme. La monnaie utilisée est le peso uruguayen. Montevideo, la capitale, regroupe près de la moitié de la population. L'économie du pays est essentiellement fondée sur l'élevage des bovins et des ovins. Les industries traitent les laines, les peaux et la viande. L'agriculture est centrée sur les cultures d'agrumes, de canne à sucre, de riz et de produits maraîchers. L'hydroélectricité constitue la seule source d'énergie. L'Uruguay exporte notamment de la viande, de la laine et des textiles. Ancienne colonie espagnole puis portugaise, l'Uruguay est devenu indépendant en 1828. Le pays est aujourd'hui dirigé par un gouvernement élu.

U.S.A. ☞ **États-Unis**.

Utrecht (traités d'), suite de traités signés entre 1713 et 1715 par la France et l'Angleterre, qui mettent fin à la guerre de la Succession d'Espagne. Par celui de 1713, la France cède à l'Angleterre Terre-Neuve, l'Acadie et la totalité des terres entourant la baie d'Hudson, mais conserve l'île du Cap-Breton ainsi que l'île Saint-Jean.

V

Val-Bélair, ville du Canada. Situé au Québec, au nord-ouest de la ville de Québec, Val-Bélair a vu le jour en 1973 grâce à la fusion des municipalités de Val-Saint-Michel et de Bélair. La ville compte plus de 13 100 habitants (Bélairois et Bélairoises).

Val-d'Or, ville du Canada. Val-d'Or est situé au Québec, dans la région de l'Abitibi-Témiscamingue, au sud-est de Rouyn-Noranda. Érigée en 1934, la ville compte aujourd'hui 22 252 habitants (Valdoriens et Valdoriennes). Elle doit sa naissance à la découverte d'une douzaine de mines d'or dans les environs. Son nom demeure lié à la ruée vers l'or au milieu des années 1930. Encore aujourd'hui, son économie repose en grande partie sur deux des mines d'or les plus riches du Québec. En plus de l'or, on y exploite des mines d'argent, de cuivre et de zinc. Val-d'Or possède également des industries du bois.

Valentin (saint), prêtre et martyr romain, décapité en l'an 270. Une légende raconte que ce prêtre romain aurait reçu un message d'amour à la veille de sa mort, d'où l'origine, sans doute, de la fête de la Saint-Valentin, fête des amoureux, le 14 février.

Val-Jalbert, site historique du Québec. Val-Jalbert est situé à l'est de Roberval, au bord du lac Saint-Jean, dans la région du Saguenay – Lac-Saint-Jean. Le village prit naissance avec la construction, par Damase Jalbert, d'une usine de pâte à papier au pied de la chute de la rivière Ouiatchouane, au début du XXe siècle. En 1927, l'usine fermait ses portes à cause de la concurrence, et le village fut abandonné vers 1930. Le gouvernement québécois acheta l'emplacement en 1949. Aujourd'hui, Val-Jalbert est devenu un site historique. Son musée contient des pièces importantes du patrimoine industriel et urbain du Canada. Le village fantôme de Val-Jalbert attire, chaque année, des milliers de visiteurs.

Valparaiso, ville du Chili. Principal port du Chili, Valparaiso est situé au centre du pays sur l'océan Pacifique, près de Santiago. Érigée au pied d'une chaîne côtière, la ville bénéficie d'un climat méditerranéen. Deuxième ville du Chili en importance, elle compte 280 000 habitants (plus de 600 000 dans l'agglomération). Valparaiso comprend un vaste complexe industriel (industries pétrolières, alimentaires, mécaniques, cuir, pêche et tabac).

Vancouver, ville du Canada. Situé dans la partie sud-ouest de la Colombie-Britannique, sur l'océan Pacifique, Vancouver est la première ville de cette province. Son territoire s'étend sur une péninsule arrosée par plusieurs voies navigables. La passe de Burrard, le détroit de Georgia et le fleuve Fraser en font un important port de haute mer. L'océan Pacifique à proximité, les régions sauvages et les Rocheuses qui se profilent en toile de fond donnent à Vancouver un caractère pittoresque. Sa population s'élève à 431 147 habitants. En 1951, la population se composait de 75 % de citoyens d'origine britannique. Au début des années 80, 40 % des enfants du primaire parlaient une langue maternelle différente de l'anglais. Premier centre portuaire du Canada, Vancouver vient en tête des ports canadiens pour le tonnage. Dès l'ouverture du canal de Panama (1914), la ville est devenue un port d'exportation de céréales et de bois. Troisième ville du Canada, après Toronto et Montréal, Vancouver doit son développement surtout au bois et au papier, à la sidérurgie, aux raffineries de pétrole, à l'hydroélectricité et aux industries chimiques et alimentaires. La ville compte 138 parcs, dont le plus important est le parc Stanley. Hôte de l'Exposition universelle de 1986, Vancouver demeure l'une des villes les plus fréquentées par les touristes canadiens.

Vancouver (chaîne de l'île de), chaîne de montagnes du Canada. Située à l'ouest du pays dans l'île de Vancouver, cette chaîne, dont le nom véritable est chaîne Côtière, est la continuation des montagnes côtières des États-Unis. Elle traverse l'île d'une extrémité à l'autre. Les pics s'élèvent en moyenne à 1 000 m, mais les sommets les plus élevés dépassent les 2 000 m: ce sont les monts Elkhorn (2 194 m) et Colonel-Foster (2 133 m).

Vancouver (île de), île du Canada. Située en Colombie-Britannique, dans l'océan Pacifique, elle est la plus grande île de la côte ouest de l'Amérique du Nord. Elle mesure environ 460 km de longueur sur près de 80 km de largeur. Elle est séparée du reste du Canada par les détroits de Georgia, de la Reine-Charlotte et de Johnstone. Le détroit de Juan de Fuca la sépare des États-Unis. Sa côte ouest est découpée par plusieurs baies. Les plus longues sont les baies Alberni et Muchalat. L'intérieur de l'île est densément boisé et montagneux. L'île de Vancouver abrite la capitale de la Colombie-Britannique: Victoria. C'est l'explorateur anglais James Cook qui a découvert l'île en 1778. L'économie de l'île repose sur le tourisme, l'agriculture (produits laitiers, fruits et légumes) et les ressources minières et forestières.

Van Gogh (Vincent Willem), peintre hollandais, né à Groot-Zundert, Pays-Bas, et mort à Auvers-sur-Oise, France, en 1890. Van Gogh exécuta des dessins, des aquarelles, des paysages, des natures mortes et des scènes de la vie paysanne. Influencé par les impressionnistes, il adopta dès lors des couleurs intenses et des formes simples. Il s'attacha également à décrire les passions humaines avec éclat et véhémence. Victime d'hallucinations, il dut être interné et se donna la mort d'un coup de pistolet en 1890. Considéré comme l'un des précurseurs du fauvisme et de l'expressionnisme, Van Gogh obtint un très vif succès auprès du public du XXe siècle. Parmi ses principales toiles, citons *Les tournesols*, *L'Arlésienne*, *La nuit étoilée*, *La chambre*, *L'église d'Auvers*, *Le pont de Langlois* et des autoportraits.

Vanier (Georges Philias), diplomate, administrateur et homme d'État canadien, né à Montréal en 1888 et mort à Ottawa en 1967. Georges Vanier fut le premier Canadien français à occuper le poste de gouverneur général (de 1959 à 1967). Général, avocat, diplomate et administrateur, il a été ministre dans le cabinet fédéral (1939), ambassadeur du Canada auprès du Comité français de libération à Alger (1944), délégué du Canada à la Conférence de la paix (1946) et colonel du Royal 22e régiment (1958). Il est l'auteur de *Paroles de guerre* (1944) et de *Un Canadien parle aux Français* (1944).

Vanier (Jean), chef spirituel et éducateur canadien, né à Genève, Suisse, en 1928. Fils de Georges Philias Vanier, Jean Vanier a étudié la philosophie et la théologie en France. Directeur de retraites spirituelles et auteur de plusieurs ouvrages, Jean Vanier est également le fondateur de résidences pour personnes handicapées. La première, nommée L'Arche, fut fondée en France en 1964. On compte maintenant 17 de ces résidences au Canada, 9 en France, 6 aux États-Unis et plusieurs autres dans le monde.

Vanier, ville du Canada. Vanier est situé au Québec, près de la ville de Québec. Érigée en 1916, la ville compte plus de 18 425 habitants (Vaniérois et Vaniéroises). Cette ville a été ainsi nommée en l'honneur de Georges Vanier, qui fut gouverneur général du Canada de 1959 à 1967.

ANC/PA-164221

Georges Philias **Vanier**

R. MAILLOUX/LA PRESSE

Jean **Vanier**

Varennes, ville du Canada. Varennes est située au Québec, sur la rive sud du fleuve Saint-Laurent au nord-est de Longueuil. Érigée en 1855, elle compte aujourd'hui plus de 10 485 habitants (Varennois et Varennoises). En 1672, cette ancienne seigneurie fut concédée à René Gaultier, qui avait épousé la fille de Pierre Boucher. Varennes est une ville à vocation industrielle. Les industries chimiques forment la base de son développement. Dans la région avoisinante, on cultive encore, sur une large échelle, la betterave sucrière, le soya et le maïs.

Varsovie [*Warszawa*], capitale de la Pologne. Varsovie est située au centre-est de la Pologne sur la Vistule, principal fleuve du pays. Elle compte 1 649 000 habitants. Varsovie est la métropole politique, culturelle, commerciale et industrielle de la Pologne. La ville a dû être reconstruite en grande partie après la Seconde Guerre mondiale. Elle possède de nombreuses industries: métallurgie, automobiles, construction mécanique, matériel électrique, textiles, alimentation, produits pharmaceutiques et imprimerie.

Vatican (État de la Cité du), État indépendant d'Europe. L'État souverain du Vatican est le plus petit du monde. Située dans la ville de Rome, la Cité du Vatican compte plus de 750 habitants et s'étend sur un territoire de 44 hectares. Le Vatican, c'est l'État du pape, la capitale de la religion catholique. Il comprend une douzaine d'édifices, dont la basilique Saint-Pierre, la plus vaste basilique de la chrétienté. Il abrite aussi un ensemble de chapelles, de palais, de musées et de bibliothèques. Il faut ajouter à ce domaine la résidence d'été des papes, située à l'extérieur de Rome (Castel Gandolfo). Le Vatican possède son drapeau, ses forces armées, sa poste, sa radio, son imprimerie et un quotidien, *L'Osservatore romano*, imprimé en diverses langues. La Cité du Vatican attire, chaque année, de nombreux pèlerins et touristes.

A. LANDRY/ANQM/P97

Le Vatican

Vaudreuil (Philippe de Rigaud, marquis **de**), officier et administrateur français, né en France en 1643 et mort à Québec en 1725. Militaire arrivé au pays en 1687, Philippe de Rigaud occupa différents postes sous le Régime français. Gouverneur général du Canada de 1703 à 1725, il fut contraint de céder l'Acadie et Terre-Neuve aux Anglais par le traité d'Utrecht, signé en 1713. Il engagea des pourparlers avec les Anglais et les Amérindiens pour établir la paix et assurer une meilleure prospérité dans la colonie.

Vaudreuil (Pierre de Rigaud de Cavagnal, marquis **de**), officier et administrateur canadien, né à Québec en 1698 et mort à Paris en 1778. Fils de Philippe de Rigaud, Pierre de Rigaud fur le dernier gouverneur général de la Nouvelle-France de 1742 à 1755 et le premier Canadien français à occuper ce poste. Gouverneur de Trois-Rivières puis de la Louisiane, il se brouilla avec les chefs militaires et ordonna la capitulation de Montréal en 1760. C'est sous son administration que la Nouvelle-France fut conquise par l'Angleterre.

Vaudreuil, ville du Canada. Vaudreuil est situé au Québec, dans la région de la Montérégie, sur le bord du lac des Deux Montagnes. Érigée en 1855, la ville compte plus de 8 250 habitants (Vaudreuillois et Vaudreuilloises). Son territoire fut concédé en seigneurie en 1702. C'est Philippe de Rigaud, chevalier de Vaudreuil, qui en devint propriétaire. Vaudreuil est une ville à vocation industrielle et commerciale.

Vélasquez (Diego Rodriguez da Silva y **Velázquez**, en français), peintre espagnol, né à Séville, Espagne, en 1599 et mort à Madrid, Espagne, en 1660. Dès l'âge de 19 ans, Vélasquez signe son premier chef-d'œuvre: *La vieille cuisinière aux œufs* (1618). Ce tableau traduit un souci de réalisme et d'exactitude, l'une des principales caractéristiques du peintre espagnol. En 40 ans, Vélasquez a exécuté environ 90 tableaux qui s'inspirent de personnages royaux, de la religion et de la mythologie. *Las Meninas* et *Las Hilanderas* sont considérés comme les œuvres maîtresses de Vélasquez. À l'âge de 24 ans, Vélasquez est nommé peintre officiel de la cour et exerce son métier à l'Alcazar de Madrid. Comme peintre de la cour, Vélasquez s'intéresse aux bouffons du roi et aux nains qui amusent les courtisans. Influencé par les grands maîtres de l'époque, Vélasquez se rend en Italie et explore les thèmes bibliques et mythologiques. Parmi ses principaux chefs-d'œuvre, citons *L'adoration des Mages* (1619), *Le dîner à Emmaüs* (1620), *Mère Jerónima de la Fuente* (1620), *Le manteau de Joseph* (1630) et *Les fileuses* (1657).

Venezuela, État d'Amérique du Sud. D'une

superficie de 912 050 km², le Venezuela est bordé par la mer des Caraïbes, l'océan Atlantique, la Guyana, le Brésil et la Colombie. Sa capitale est Caracas. Le pays comprend quatre régions principales : le littoral, où s'étendent la côte Atlantique à l'est et la côte des Caraïbes au nord; un système montagneux, constitué de la cordillère de Mérida; les plaines centrales, couvertes de savanes, qui occupent près du tiers du territoire et correspondent au bassin de l'Orénoque; le massif guyanais, situé au sud-est de l'Orénoque et séparant le pays du Brésil. L'Orénoque et ses affluents baignent une grande partie du territoire. La population s'élève à 18,7 millions d'habitants (Vénézuéliens et Vénézuéliennes), concentrés près du littoral. La langue officielle est l'espagnol et la religion dominante est le catholicisme. La monnaie utilisée est le bolivar. Ce pays tropical est le cinquième producteur mondial de pétrole. Les produits agricoles (céréales, canne à sucre, café, cacao) satisfont la moitié des besoins alimentaires de la population. Le minerai de fer, le pétrole et les produits tropicaux (café, cacao et coton) constituent les principales exportations. Les produits de la pêche (poissons et perles) et le tourisme forment aussi des secteurs non négligeables de l'économie. Ancienne colonie espagnole, le Venezuela est devenu indépendant en 1830. Il est aujourd'hui dirigé par un gouvernement élu.

Venise, ville d'Italie. Située au nord-est du pays, Venise est construite sur un archipel de petites îles au milieu d'une lagune. Capitale de la Vénétie et ville principale de cette province d'Italie, Venise compte plus de 334 000 habitants (Vénitiens et Vénitiennes). Fondée en 452, Venise fut une grande puissance maritime durant tout le Moyen Âge. Aujourd'hui, cette ville, l'un des centres touristiques les plus importants du monde, est dotée de riches musées et de magnifiques monuments et ensembles architecturaux. De nombreux palais et églises du Moyen Âge et de la Renaissance se dressent sur ses rives. Au centre de la ville, la place Saint-Marc est entourée de monuments : la tour de l'Horloge, le palais des Procuraties, le campanile, la basilique Saint-Marc et le palais des Doges, abritant des chefs-d'œuvre de grands peintres. Troisième port d'Italie, Venise possède plus de 400 ponts qui enjambent quelque 200 canaux. Son développement industriel repose sur le raffinage du pétrole, la sidérurgie (acier, aluminium), la mécanique et le chrome. L'industrie de luxe (dentelle, verrerie, cristallerie et orfèvrerie) y demeure prospère. La situation actuelle de Venise paraît inquiétante. L'enfoncement du sol et la pollution représentent une sérieuse menace pour le patrimoine artistique de l'une des plus belles villes du monde.

Venne (Stéphane), musicien et compositeur canadien, né en 1941. Compositeur de musique de films, Stéphane Venne est également connu comme arrangeur et auteur de chansons. Il a notamment composé la chanson officielle de l'Expo 67 : *Un jour, un jour*. En outre, il a fondé la station de radio CIEL-MF.

Vénus, deuxième planète du système solaire. Située à 108 millions de km du Soleil entre Mercure et la Terre, Vénus est souvent appelée l'étoile du matin ou l'étoile du Berger. Après la Lune, Vénus est la planète la plus brillante du ciel nocturne. Entourée d'une épaisse atmosphère de gaz carbonique, elle met 243 jours pour tourner sur elle-même, en sens inverse des autres planètes, et elle met près de 225 jours pour faire le tour du Soleil. À l'exemple de Mercure, Vénus présente toujours le même hémisphère aux rayons du Soleil, ce qui explique sa température de 500 °C au niveau du sol. Elle possède un sol accidenté aux reliefs de plaines et de montagnes atteignant 10 000 m. La sonde spatiale *Pioneer 12* transmet depuis 12 ans des renseignements sur Vénus.

Verchères (Marie-Madeleine Jarret **de**), héroïne canadienne, née à Québec en 1678 et morte à Sainte-Anne-de-la-Pérade en 1747. À 14 ans, Marie-Madeleine Jarret défend avec trois militaires le fort de Verchères contre une attaque iroquoise. Elle donne l'illusion que le fort est bien gardé et réussit à tenir le coup jusqu'à l'arrivée de renforts. Elle épouse en 1706, à Montréal, Pierre Thomas Tarieu de la Naudière, seigneur de la Pérade.

Verdi (Giuseppe), compositeur italien, né à Roncole en 1813 et mort à Milan en 1901. Après des études à Milan, Verdi compose son premier opéra, *Oberto*, en 1839. Cependant, c'est avec *Nabucco* (1842) et *I Lombardi* (1843) qu'il gagne la faveur du public et des critiques. Par la suite, *Rigoletto* (1851) et *La Traviata* (1853) lui valent la célébrité mondiale. Verdi s'est imposé comme le maître de l'art vocal par son lyrisme, la rigueur et le raffinement de son écriture, la richesse de ses orchestrations et la rigueur dramatique qui anime la plupart de ses œuvres. Il a su incarner, dans l'Europe du XIXe siècle, l'esprit du romantisme. Citons parmi ses chefs-d'œuvre : *La Forza del destino* (1862), *Don Carlos* (1867), *Aïda* (1871), *Otello* (1887), *Falstaff* (1893) et le fameux *Requiem* (1873).

Verdun, ville du Canada. Situé au Québec, au centre-sud de l'île de Montréal, Verdun fut érigé en 1875. La ville compte aujourd'hui plus de 60 245 habitants (Verdunois et Verdunoises) et possède des industries alimentaires et métallurgiques. L'île des Sœurs appartient à la ville de Verdun.

Verkhoïansk, ville de l'U.R.S.S. Située en Sibérie orientale, cette ville est considérée comme l'un des endroits les plus froids du monde. On y a relevé des températures atteignant presque – 70 °C.

Verne (Jules), écrivain français, né à Nantes, France, en 1828 et mort à Amiens, France, en 1905. Jules Verne étudia la géographie, la physique et les mathématiques tout en s'intéressant aux problèmes scientifiques de son temps. Par ses ouvrages littéraires, dont l'un des thèmes majeurs est le voyage, il voulut sensibiliser le public au mouvement scientifique et aux travaux des savants. Père de la science-fiction, il explora dans ses œuvres les espaces aériens et interplanétaires et les abîmes terrestres. Les découvertes ou les inventions qu'il avait prévues (avion, sous-marin, dirigeable, fusée, etc.) se réalisèrent et furent même dépassées. Par la rigueur de son raisonnement et la puissance de son imagination et de son intuition, Jules Verne fait maintenant figure de visionnaire. Ses principales œuvres sont: *Cinq semaines en ballon* (1863), *Voyage au centre de la Terre* (1864), *De la Terre à la Lune* (1865), *Vingt mille lieues sous les mers* (1870), *Le tour du monde en quatre-vingts jours* (1873) et *Michel Strogoff* (1876).

Verrazano (Giovanni da), navigateur et explorateur italien, né à Val di Greve en 1485 et mort au Brésil en 1528. Au service d'un armateur qui travaille pour François Ier, Verrazano part en expédition en 1523. Il cherche un passage vers l'ouest et, en 1524, il découvre l'estuaire de l'Hudson, la future baie de New York. Au cours d'un autre voyage, les indigènes du Brésil l'attaquent et le tuent. Son frère Girolamo utilisa les renseignements qu'il avait compilés pour dresser la première carte des rives américaines.

Verreau (Richard), ténor canadien, né à Château-Richer, près de Québec, en 1926. Richard Verreau commença à chanter à l'église paroissiale, puis remporta les honneurs d'un concours de jeunes artistes de l'Orchestre symphonique de Québec. Il étudia à l'Université Laval en 1945 et obtint une bourse du gouvernement du Québec en 1949 pour aller étudier en France. Il chanta également dans plusieurs villes canadiennes, américaines et européennes. Verreau fut très souvent le soliste invité de l'O.S.M. (Orchestre symphonique de Montréal) et s'est produit à Radio-Canada et lors de l'Expo 67 à Montréal.

Versailles, ville de France. Située à 14 km au sud-ouest de Paris, Versailles compte 97 133 habitants (Versaillais et Versaillaises). La ville possède le magnifique palais royal, château construit sous Louis XIV pour abriter le roi et la cour. Il a fallu plus d'un siècle pour construire et aménager ce château de 800 m de long. Il comporte, entre autres, des centaines de pièces, la fameuse galerie des Glaces et des jardins somptueux. Versailles est devenue cité royale à partir de 1662. C'est là que furent signés en 1783 une série de traités qui mirent fin à la guerre d'Indépendance américaine, entraînant l'arrivée des Loyalistes au Canada, et, en 1919, le traité qui mit fin à la Première Guerre mondiale.

Verte (île), île du Canada. Située au Québec dans la région du Bas-Saint-Laurent, cette île baigne dans le fleuve Saint-Laurent, au nord-ouest de Rivière-du-Loup, vis-à-vis de L'Isle-Verte. Habitée toute l'année, l'île abrite aussi le plus ancien phare construit sur le fleuve; il date de 1809.

Vertes (montagnes), monts du Canada. Ce système montagneux est situé au Québec, dans la région de l'Estrie. Le sommet Rond, haut de 972 m, est son point le plus élevé.

Vésuve, volcan d'Italie. Situé à 8 km au sud-est de Naples, le Vésuve, volcan actif, s'élève à 1 270 m de hauteur. En l'an 79 après Jésus-Christ, son éruption a enseveli les villes d'Herculanum, de Pompéi et de Stabies. La dernière éruption du Vésuve remonte à 1944.

Victoria Ire, reine de Grande-Bretagne et d'Irlande et impératrice des Indes, née à Londres en 1819 et morte à l'île de Wight en 1901. Couronnée reine en 1837, à l'âge de 18 ans, Victoria régna durant 63 ans. Elle fut secondée par de grands ministres. Aujourd'hui encore, la reine Victoria jouit d'une bonne renommée en Angleterre. En 1858, elle donna à la ville de Bytown le nom d'Ottawa et la choisit comme capitale du Canada.

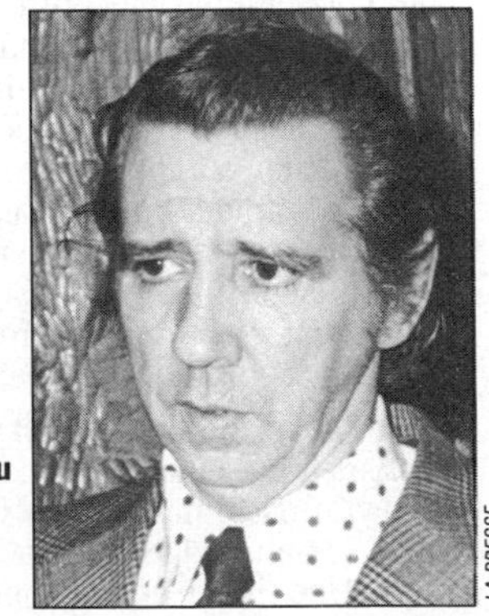

Richard **Verreau**

LA PRESSE

Victoria, ville du Canada, capitale de la Colombie-Britannique. Située sur la pointe sud de l'île de Vancouver, la ville de Victoria s'étend sur une péninsule qui donne sur les détroits de Juan de Fuca et de Haro. Sa population s'élève à 66 300 habitants. Centre administratif important et port actif, Victoria possède diverses industries: industrie du bois, construction navale et fabrication de machines, de matériel de transport et de produits électriques. La ville abrite de nombreux établissements d'enseignement et des musées. Le Musée provincial et les jardins Butchart attirent des milliers de visiteurs.

Victoria (lac), lac d'Afrique orientale. Situé au centre-est du continent africain, le lac Victoria est partagé par trois États: l'Ouganda, le Kenya et la Tanzanie. D'une superficie de 68 100 km², il est le plus grand lac de l'Afrique équatoriale et l'une des sources du principal fleuve du continent, le Nil.

Victoriaville, ville du Canada. Victoriaville est située au Québec, au sud du fleuve Saint-Laurent, sur la rivière Nicolet. Fondée en 1890, elle compte aujourd'hui plus de 21 580 habitants (Victoriavillois et Victoriavilloises). Son développement industriel demeure lié à l'exploitation du bois et du métal. S'y concentrent également les industries du meuble et du vêtement. Victoriaville est un centre de villégiature doté de nombreuses érablières. Les amateurs de plein air peuvent y pratiquer la chasse et la pêche.

Vienne [*Wien*], capitale de l'Autriche. Située dans le nord-est de l'Autriche sur les rives du Danube, cette ville commerciale, culturelle et touristique doit sa renommée à ses nombreux musées, à ses monuments anciens, à ses cathédrales et à ses églises, à ses châteaux et à ses palais. Les principales attractions de Vienne sont la place et la cathédrale Saint-Étienne, le palais du Belvédère, l'Opéra et le palais impérial. Vienne est le plus grand centre industriel d'Autriche. Son développement économique est centré sur les industries chimiques, textiles, alimentaires, la construction mécanique, les porcelaines, les verreries, les instruments de musique et le travail du cuir. La ville compte une population de 1,8 million d'habitants (Viennois et Viennoises). Aux XVIIIe et XIXe siècles, Vienne fut la capitale de la musique: les plus grands musiciens s'y illustrèrent et y composèrent leurs œuvres (Mozart, Beethoven, Schubert, Strauss, etc.).

Viêt Nam ou **Vietnam**, État de l'Asie du Sud-Est. D'une superficie de 329 565 km², le Viêt Nam est limité par la Chine, la mer de Chine, le Cambodge et le Laos. Sa capitale est Hanoï. Une chaîne de montagnes forme la frontière entre le Laos, le Cambodge et le Viêt Nam. Au sud, les plaines formées grâce aux affluents du Mékong succèdent aux plateaux du Moï, dont les altitudes varient de 750 m à 1 500 m. Le réseau hydrographique du Viêt Nam est constitué des fleuves Rouge au nord et Mékong au sud. Le climat varie selon l'altitude et les régions (climat tropical au nord et subtropical au sud). La population s'élève à plus de 64 millions d'habitants (Vietnamiens et Vietnamiennes). La langue officielle est le vietnamien, mais on y parle aussi le français, l'anglais et le russe. La religion dominante est le bouddhisme. La monnaie utilisée est le dong. Le Viêt Nam est un pays appauvri en raison des nombreux conflits qu'il a connus. Ses principales richesses sont le riz, les fruits tropicaux, la pêche, les produits forestiers (bambous et bois précieux) et les gisements miniers (charbon, zinc, étain, sel, graphite et phosphates). Le pays exporte du charbon, du thé et du café. Après le retrait des troupes américaines en 1975, la guerre du Viêt Nam, qui opposait le Nord et le Sud, s'est terminée par la victoire du Nord et la réunification du pays, qui est devenu en 1976 une république socialiste. Depuis ce temps, le Viêt Nam est dirigé par un parti politique unique: le Parti communiste vietnamien.

Viger (André), marathonien canadien, né en 1952. André Viger est reconnu comme le champion du monde des marathons en fauteuil roulant. Il a établi des records et l'a emporté dans plusieurs épreuves, dont le Championnat du monde en Angleterre, le Marathon de Boston et le Marathon de Montréal. Victime d'un accident, il vit en fauteuil roulant depuis 1973. Ses succès sportifs de même que sa réussite dans ses affaires personnelles lui ont valu plusieurs honneurs, notamment celui d'être cité en exemple par le président Ronald Reagan lors de sa visite au Canada en 1985. Le journal *La Presse* a souligné sa persévérance et son courage en le nommant Personnalité de l'année en 1986.

Viger (Jacques), journaliste et administrateur canadien, né à Montréal en 1787 et mort à Notre-Dame-de-Grâce, près de Québec, en 1858. Ce rédacteur du *Canadien* de Québec (1808-1809), auteur de quelques ouvrages, a été le premier maire de Montréal de 1833 à 1836 ainsi que le premier président de la Société Saint-Jean-Baptiste en 1834. Cofondateur de la Société historique de Montréal, Jacques Viger a accumulé et compilé des documents historiques pendant 50 ans (collection de 44 tomes).

Vigneault (Gilles), auteur-compositeur et interprète québécois, né à Natashquan, sur la

Côte-Nord, en 1928. Après des études en lettres à l'Université Laval, Gilles Vigneault fonde les Éditions de l'Arc en 1959. L'année suivante, il amorce sa carrière d'auteur-compositeur et d'interprète. Sa chanson *Mon pays*, composée en 1964, connaît un succès éclatant au pays comme à l'étranger. En 1965, Monique Leyrac remporte, grâce à *Mon pays*, le Grand Prix d'interprétation au Festival international de la chanson à Sopot, en Pologne. Vigneault s'est produit sur plusieurs grandes scènes canadiennes et européennes. Il évoque, dans ses chansons, les grands espaces, la neige et les aventures des pionniers, des bûcherons et des coureurs des bois. Il insiste particulièrement sur l'urgence de se bâtir un pays et de le nommer. Sa contribution à l'évolution culturelle du Québec demeure remarquable. De nombreuses distinctions ont couronné son œuvre, notamment le prix de musique Calixa-Lavallée (1966), le prix Denise-Pelletier (1983) et le prix de l'Académie Charles-Cros (1984).

B. CARRIERE / PUBLIPHOTO

Gilles **Vigneault**

Vikings, guerriers et navigateurs des pays scandinaves. Du VIIIe au Xe siècle de notre ère, les Vikings, également connus sous le nom de Normands, entreprirent des expéditions maritimes et fluviales de la Russie à l'Atlantique et ravagèrent l'Europe occidentale. Vers 870 après Jésus-Christ, ils découvrirent l'Islande et y fondèrent des communautés rurales. Par la suite, ils découvrirent le Groenland puis la côte atlantique de l'Amérique du Nord. C'est ainsi qu'en 986 le Groenlandais Bjarni découvrit la côte du Labrador, que le Norvégien Leif Eriksson explora quatre ans plus tard. Les Vikings visitèrent à plusieurs reprises la côte est de l'Amérique du Nord et y fondèrent des établissements, notamment à Anse-aux-Meadows, à Terre-Neuve, où l'on a découvert en 1960 les ruines d'un village viking.

Village-des-Hurons ☞ **Wendake.**

Ville-Marie ☞ **Montréal.**

Villeneuve (Gilles), coureur automobile canadien, né à Berthierville en 1950 et mort à Zolder, Belgique, en 1982. Il remporte de nombreux titres, dont ceux de champion américain (1971), de champion du Québec (1972) et de champion du Canada (1973). Il se lance ensuite dans la compétition des formules Ford. En 1974, il passe à la formule Atlantique et domine en 1976 la compétition dans cette catégorie en remportant neuf des dix courses. Ses succès attirent l'attention de Ferrari, qui lui offre de se joindre à son équipe dans le circuit mondial. Son premier triomphe au Grand Prix a lieu à Montréal en 1978. Villeneuve remporte 6 des 67 courses pour Ferrari en formule Un. Dans une collision avec une autre automobile à 350 km/h, il trouve la mort lors des qualifications du Grand Prix de Belgique en 1982. Pendant sa brève carrière, Villeneuve a été le plus rapide coureur du Canada. Le circuit du Grand Prix de Montréal porte aujourd'hui son nom afin d'honorer sa mémoire.

D. AUCLAIR / PUBLIPHOTO

Gilles **Villeneuve**

Villeneuve (Jean Marie Rodrigue), père oblat canadien, né à Montréal en 1883 et mort en Californie en 1947. Après des études en philosophie et en théologie, Jean Marie Rodrigue Villeneuve entreprend une carrière dans l'enseignement et, avec l'abbé Lionel Groulx, il participe activement au mouvement nationaliste. En 1930, il est nommé premier évêque de Gravelbourg en Saskatchewan. Deux ans plus tard, il devient le dixième archevêque et le vingtième évêque de Québec. En 1933, il est nommé cardinal. À la tête de l'Église québécoise, le quatrième cardinal du Canada continue à transmettre son enseignement au cours d'homélies, de discussions et d'allocutions, et diffuse sa pensée par des brochures et des livres. Le cardinal Villeneuve a marqué son époque en relançant l'Action catholique et la dévotion à Marie et en participant au renouveau liturgique.

Vincent de Paul (saint), prêtre français, né à Pouy en 1581 et mort à Paris en 1660.

Vincent de Paul occupa les postes d'aumônier, de précepteur, de curé et d'aumônier général des galères. Conscient de la grande misère matérielle et spirituelle qui affligeait la société de son époque, il fonda un institut missionnaire et de nombreuses œuvres de charité (Enfants trouvés, Dames de Charité, Congrégation des Filles de la Charité, 1633). La fête de saint Vincent de Paul est célébrée le 19 juillet.

Vinci (Léonard **de**) ☞ **Léonard de Vinci.**

Vivaldi (Antonio), violoniste et compositeur italien, né à Venise, Italie, en 1678 et mort à Vienne, Autriche, en 1741. Élève de son père, célèbre violoniste de Venise, Vivaldi fut nommé maître de violon et de composition, puis maître de chapelle au séminaire musical. Il effectua de nombreuses tournées dans les grandes villes d'Europe et se tailla une réputation de violoniste virtuose. Également chef d'orchestre, impresario et metteur en scène de ses propres opéras, Vivaldi tomba cependant dans l'oubli dans la première moitié du XXe siècle. Ce n'est qu'après la Seconde Guerre mondiale que l'on prit conscience de l'importance de son œuvre. Vivaldi apparaît aujourd'hui comme l'un des maîtres du concerto. Considéré également comme le précurseur de la symphonie classique, il exerça une influence considérable sur les musiciens de son temps. Son œuvre comprend 470 concertos, les plus célèbres étant l'*Estro Armonico*, *Il Cimento dell'armonia*, comprenant la suite des *Quatre saisons*, quarante-cinq opéras, deux oratorios, une centaine de cantates et sonates et une quarantaine d'œuvres de musique sacrée.

Vladivostok, ville de l'U.R.S.S. Situé à l'extrémité est de la Sibérie sur la mer du Japon, Vladivostok compte plus de 600 000 habitants. Fondé en 1860, cet important port sur la mer du Japon abrite le terminus du Transsibérien, grande voie ferrée qui le relie à Moscou. Centre industriel, Vladivostok mise sur les industries alimentaires et mécaniques, la pêche, les chantiers navals et le traitement du bois pour assurer son développement économique.

Volga, fleuve de l'U.R.S.S. La Volga est le fleuve le plus long d'Europe. Née près de la ville de Moscou, la Volga traverse la partie européenne de l'U.R.S.S. et se déverse dans la mer Caspienne par un large delta de plus de deux cents petits cours d'eau. Cette importante artère navigable, qui mesure 3 690 km de long, dessert les deux tiers du trafic fluvial soviétique. De nombreuses usines bordent les rives de la Volga et de gigantesques barrages hydroélectriques y sont aménagés.

Volgograd, ville de l'U.R.S.S. Anciennement appelée Stalingrad, la ville de Volgograd est située en Russie d'Europe sur la rive droite de la Volga. Elle compte 974 000 habitants. Centre industriel, Volgograd assure son développement grâce à la métallurgie lourde, au raffinage du pétrole, à la pétrochimie, à l'aluminium et au bois. Port sur le fleuve, la ville possède également de nombreux aménagements hydroélectriques.

Volta (Alessandro), physicien italien, né à Côme, Italie, en 1745 et mort au même endroit en 1827. Volta est connu pour ses découvertes sur l'électricité, notamment pour l'invention de la pile électrique (volt) qui porte son nom. L'appareil initial était fait d'une pile de rondelles d'argent, de drap et de zinc. Le mot *volt* désigne l'unité de force électromotrice.

Voyager, sondes spatiales américaines. Deux sondes, *Voyager 1* et *Voyager 2*, lancées en 1977 de Cap Canaveral, avaient pour but d'étudier et de photographier les faces rapprochées de Jupiter, de Saturne et des satellites de ces planètes. Conçues pour fonctionner à grande distance du Soleil, elles peuvent transmettre à la Terre des renseignements très précis grâce à un équipement perfectionné. *Voyager 1* a terminé sa mission en 1980 après avoir survolé Saturne. *Voyager 2* a pris le chemin des étoiles en 1989 après avoir approché Jupiter en 1979, Saturne en 1981, Uranus en 1986 et Neptune en 1989.

W

Wagner (Richard), compositeur et chef d'orchestre allemand, né à Leipzig, Allemagne, en 1813 et mort à Venise, Italie, en 1883. Wagner se consacra surtout au drame lyrique (opéra). Il entreprit même d'en modifier la structure en accentuant le rôle de l'orchestre et en imposant une action continue. Il fit de nombreuses tournées dans les grandes villes d'Europe. Il fit construire à Bayreuth un théâtre spécialement conçu pour y représenter ses œuvres. Ses principaux chefs-d'œuvre sont: *Tristan et Isolde* (1859), la *Tétralogie* (1852-1874), *Le vaisseau fantôme* (1841), *Tannhäuser* (1843-1845), *Lohengrin* (1845-1848) et *Parsifal* (1877-1882).

Warszawa ☞ **Varsovie**.

Washington (George), homme politique américain, né à Westmoreland, Virginie, en 1732 et mort à Mount Vernon, Virginie, en 1799. Premier président des États-Unis, George Washington représente la Virginie au Congrès de Philadelphie en 1774 et 1775. Lors de la guerre d'Indépendance, il prend la tête des forces rebelles et fait figure de héros vainqueur. En 1789, il devient le premier président de l'Union et est réélu en 1792. Durant son mandat, il a mené une politique de stabilité.

Washington, capitale des États-Unis. Situé dans le district de Columbia, à la frontière des États du Maryland et de la Virginie, Washington compte 638 000 habitants (3,5 millions avec la banlieue). La ville abrite le Capitole, siège du Congrès américain, la Maison-Blanche, résidence du président américain, et le Pentagone, siège du secrétariat à la Défense et de l'état-major de l'armée des États-Unis d'Amérique. Washington est une ville administrative, culturelle et industrielle. Le développement économique de la capitale s'appuie sur les activités politiques, administratives et immobilières, et sur le tourisme. L'électronique et la recherche spatiale et scientifique y jouent également un rôle primordial.

Waskaganish, village cri du Canada. Situé dans le nord-ouest du Québec, sur la côte est de la baie James, Waskaganish, anciennement appelé Fort-Rupert, compte 1 265 habitants. Ceux-ci parlent le cri et l'anglais et tirent leur subsistance du piégeage.

Welland (canal), canal du Canada. Construit en 1829 et réaménagé en 1850, en 1887 et en 1932, le canal Welland, d'une longueur actuelle de 44 km, permet aux navires de circuler entre les lacs Ontario et Érié. Grâce à ses huit écluses, les navires peuvent franchir la dénivellation de 99 m causée par l'escarpement du Niagara.

Wendake, réserve indienne du Canada. Anciennement appelé Village-des-Hurons, Wendake se situe à 10 km au nord-ouest de la ville de Québec. Les 839 Hurons de ce village parlent le français et vivent de l'artisanat industriel (mocassins, bottes d'hiver, canots et raquettes). Ce nom de Wendake signifie «l'endroit où vivent les Hurons».

Westminster (statut de), loi du Parlement britannique. Le statut de Westminster fut promulgué en décembre 1931. Par cette loi, le Parlement du Canada obtenait la reconnaissance officielle de son statut international. Le statut de Westminster clarifiait les pouvoirs du Parlement canadien et accordait pleine liberté juridique aux colonies. Le Canada pouvait désormais nommer ses propres représentants à l'étranger et voter des lois de portée internationale.

Westmount, ville du Canada. Fondé en 1874, Westmount est situé au Québec, sur l'île de Montréal. Sa population s'élève à plus de 20 000 habitants (Westmountais et Westmountaises). C'est une ville résidentielle à majorité anglophone. Son nom lui vient de sa situation géographique: Westmount se trouve à l'ouest du mont Royal.

Weymontachie, réserve indienne du Canada. Située au Québec, à 100 km au nord-ouest de La Tuque, dans la région Mauricie –

Bois-Francs, la réserve de Weymontachie compte 734 habitants. Les langues parlées sont l'attikamek et le français. La principale activité économique est la foresterie. Les Attikameks de Weymontachie sont les descendants des Têtes-de-Boule.

Whapmagoostui, village cri du Canada. Mieux connu sous son ancien nom de Poste-de-la-Baleine, ce village cri est situé dans la région du Nord-du-Québec (800 km au nord de Val-d'Or) sur les rives de la baie d'Hudson à l'embouchure de la rivière à la Baleine. Les 406 habitants de ce village parlent le cri et l'anglais et tirent leur subsistance de l'artisanat, du piégeage et de la construction.

Whitehorse, ville du nord-ouest du Canada. Capitale du Yukon, la ville de Whitehorse est construite du côté ouest du fleuve Yukon. À l'origine, elle servait de halte aux prospecteurs en route pour le Klondike. Comptant aujourd'hui près de 15 200 habitants, elle est devenue le centre commercial et administratif du Yukon. Le tourisme demeure sa principale source de revenus.

Whitton (Charlotte), femme politique canadienne, née à Renfrew, en Ontario, en 1896 et morte à Ottawa en 1975. Travailleuse sociale, Charlotte Whitton lutta sans relâche pour la protection des jeunes immigrants et des enfants abandonnés. Cette femme batailleuse et énergique fit sa marque surtout comme mairesse d'Ottawa. En 1950, elle occupa le poste de contrôleuse au conseil municipal d'Ottawa et fut élue mairesse de cette ville l'année suivante. Première femme au Canada à exercer ces fonctions, elle conserva son poste jusqu'en 1964. À l'origine du mouvement féministe canadien, Charlotte Whitton a été l'une des premières femmes à préconiser l'égalité des femmes en politique et au travail.

ANC/PA-145691

Charlotte **Whitton**

Wien ☞ **Vienne**.

Willingdon (Freeman Thomas, marquis **de**), administrateur anglais, né en Angleterre en 1866 et mort en 1941. Après plusieurs années de service comme homme politique et diplomate, Willingdon accède aux postes de gouverneur général et de commandant en chef du Canada (1926-1930). En 1930, il est nommé vice-roi des Indes.

Windsor, ville du Canada. La ville de Windsor est située au Québec, dans la région de l'Estrie, au nord de Sherbrooke. Érigée en 1876, elle s'est développée au confluent des rivières Saint-François et Watopeka. Elle compte aujourd'hui plus de 7 200 habitants (Windsorois et Windsoroises). Windsor demeure un centre agricole, industriel et laitier. La ville fut le siège d'une des premières papeteries de la région.

Windsor, ville du Canada. Située dans le sud-ouest de la province de l'Ontario, la ville de Windsor est la plus méridionale des villes du Canada. Elle s'étend au sud de la rivière Détroit près du lac Érié, en face de Detroit, ville américaine. Sa population s'élève à plus de 193 100 habitants. Cinquième centre manufacturier du Canada et centre commercial d'une riche région agricole, Windsor assure son développement grâce aux industries alimentaires, automobiles, pharmaceutiques et chimiques. La ville possède une école secondaire française (L'Essor) ainsi qu'une chaîne de télévision et des stations de radio qui diffusent des émissions en français. Les liens particuliers qui unissent Windsor et Detroit sont soulignés annuellement par une semaine d'activités et de manifestations communes: le *Windsor-Detroit International Freedom Festival*.

Winnipeg, ville du Canada, capitale du Manitoba. La ville de Winnipeg est située au sud-est de la province, au confluent des rivières Rouge et Assiniboine, là où le bouclier canadien cède la place aux Prairies. Surnommée la «Porte de l'Ouest», elle reçoit le statut de ville en 1873. Son emplacement stratégique fait d'elle le point d'intersection des réseaux ferroviaires transcontinentaux. Sa population s'élève à plus de 594 550 habitants. La plupart de ses citoyens d'origine slave et juive vivent au Nord, tandis que les Anglo-Saxons, qui dominent la vie politique, vivent à l'Ouest et au Sud. Winnipeg est également un centre industriel et financier important. Son développement économique repose sur les industries alimentaires (meuneries, viande et brasseries), l'industrie du vêtement et les imprimeries. Cette ville cosmopolite possède deux universités : l'Université du Manitoba et l'Université de Winnipeg.

Winnipeg (lac), lac du Canada. Situé au centre du Manitoba, le lac Winnipeg est au sixième rang des lacs d'eau douce du Canada. S'étendant du nord au sud sur une longueur de 416 km, il alimente le fleuve Nelson, qui se jette dans la baie d'Hudson. Le lac Winnipeg est contenu dans un bassin creusé dans le calcaire et l'argile par des glaciers de l'époque glaciaire. Son nom, d'origine amérindienne, signifie «eaux troubles». On croit que c'est l'explorateur anglais Henry Kelsey (1690) qui fut le premier Européen à atteindre ce lac.

Winnipeg (rivière), rivière du Canada. Baignant le sud-est du Manitoba et l'ouest de l'Ontario, la rivière Winnipeg prend sa source à l'extrémité nord du lac des Bois, coule vers le nord-ouest et se jette dans le lac du même nom. Aujourd'hui, ses eaux alimentent six centrales hydroélectriques et sont utilisées au centre de recherches nucléaires de Whiteshell.

Winnipegosis, lac du Canada. Situé dans le centre-ouest du Manitoba, le lac Winnipegosis baigne les terres comprises entre le lac Winnipeg et la frontière de la Saskatchewan. D'une longueur de 195 km, sa superficie en fait le onzième lac en importance du Canada. Son nom est formé de deux éléments : *winnipi*, mot cri signifiant «eaux troubles», et *osis*, suffixe signifiant «petit».

Wolfe (James), officier de l'armée britannique, né à Westerham, Angleterre, en 1727 ou 1728 et mort à Québec en 1759. Commandant des troupes britanniques lors de la bataille des Plaines d'Abraham le 13 septembre 1759, il y trouva la mort. Par sa victoire sur Montcalm en 1759, Wolfe fit du Canada une possession britannique.

Wôlinak, réserve indienne. Le village abénaquis de Wôlinak est situé à 20 km à l'est de Trois-Rivières dans la région Mauricie – Bois-Francs. Sa population, peu nombreuse (56 habitants), parle le français et pratique l'artisanat. *Wôlinak*, d'origine abénaquise, signifierait «la baie».

Wood Buffalo (parc), parc national du Canada. Le parc Wood Buffalo chevauche la frontière de l'Alberta et des Territoires du Nord-Ouest. D'une superficie de 44 840 km², il est le plus vaste des parcs nationaux et a été fondé en 1922 pour protéger le plus grand troupeau de bisons du monde et la seule aire de nidification de la grue blanche d'Amérique. L'orignal, le caribou, le loup, le lynx, l'hermine, l'écureuil roux et l'ours noir y sont aussi abondants. Plus d'un million de canards, d'oies et de cygnes traversent cette région pour la migration. Aujourd'hui, les descendants des Cris, des Chipewyans et des Beavers occupent encore le parc et s'adonnent à la pêche, à la chasse et au piégeage.

Wright (Wilbur et Orville), pionniers de l'aviation et constructeurs américains. Wilbur est né à Millville, en Indiana, en 1867 et est mort à Dayton, en Ohio, en 1912. Orville est né à Dayton en 1871 et est mort au même endroit en 1948. Les frères Wright construisent leur premier planeur en 1899 et effectuent leur premier vol en 1900 sur une plage de la Caroline du Nord aux États-Unis. Ils sont les premiers à expérimenter le vol mécanique d'un appareil plus lourd que l'air en adaptant un moteur à deux hélices à un planeur. Ce premier vol a lieu le 17 décembre 1903 et dure 59 secondes. En 1909, ils mettent en service une usine de fabrication d'avions.

CANAPRESS PHOTO SERVICE

Wilbur et Orville **Wright**

Yalta (conférence de), rencontre des trois grands (Churchill, Staline et Roosevelt) qui décida du sort de l'Europe, à la fin de la Seconde Guerre mondiale en 1945. L'accord signé par ces trois chefs porta, entre autres, sur la création de l'Organisation des Nations Unies, la division de l'Allemagne à la suite de sa défaite et le déplacement des frontières de la Pologne. Pour de nombreux observateurs, cette conférence fut à l'origine de la division de l'Europe en deux blocs.

Yamaska (mont), mont du Canada. Situé au Québec, dans la région de la Montérégie, sur la rive sud du fleuve Saint-Laurent, le mont Yamaska, haut de 411 m, est l'une des huit collines Montérégiennes.

Yamaska (rivière), rivière du Canada située au Québec. Traversant la Montérégie, la rivière Yamaska prend sa source dans le lac Brome. Elle coule vers l'ouest, monte vers le nord, passe dans la région de Saint-Hyacinthe et se jette dans le fleuve Saint-Laurent à l'extrémité ouest du lac Saint-Pierre. Le mot *Yamaska*, d'origine abénaquise, signifie « il y a beaucoup de joncs ».

Yamoussoukro, capitale de la Côte d'Ivoire. Nouvelle capitale de la Côte d'Ivoire depuis 1983, Yamoussoukro est situé au centre du pays. Ce centre administratif abrite 35 000 habitants. L'ancienne capitale de la Côte d'Ivoire était Abidjan.

Yan-Gon ☞ **Rangoun**.

Yang-Tsê Kiang ou **Yang-tseu-kiang** ou **Yangzi Jiang**, fleuve. Anciennement connu en français sous le nom de fleuve Bleu, le Yang-Tsê Kiang est le plus long fleuve de la Chine et le troisième en importance au monde après le Nil et l'Amazone. Né dans le Tibet et alimenté par de nombreux affluents, il possède un débit très important. Son delta, fertile et peuplé, s'étend sur une superficie de 80 000 km². Il parcourt une distance de 5 500 km avant de se jeter dans la mer de Chine, près de Shanghai. Le Yang-Tsê Kiang joue un rôle capital dans la vie économique des Chinois. Il irrigue les terres avoisinantes et constitue une source d'énergie hydroélectrique importante.

Yaoundé, capitale du Cameroun. Située à 700 m d'altitude, la ville de Yaoundé est reliée au port de Douala par voie ferrée. Sa population s'élève à 500 000 habitants. L'architecture de ses hôtels, de ses restaurants et de ses boîtes de nuit révèle l'influence des pays occidentaux. La ville abrite un archevêché, une université et des industries alimentaires.

Yellowknife, ville du Canada, capitale des Territoires du Nord-Ouest. La ville de Yellowknife est située sur la rive nord du Grand lac des Esclaves. Sa population s'élève à plus de 11 750 habitants. Elle a été fondée en 1934 au moment où s'amorçaient la ruée vers l'or et la découverte d'importants gisements miniers. Yellowknife demeure le centre commercial et administratif des Territoires du Nord-Ouest. On y trouve les gisements d'or les plus importants du Canada. Chaque année, en mars, ses habitants prennent plaisir à participer au Carnaval du caribou, qui célèbre la fin de l'hiver. En 1984, on a inauguré officiellement le théâtre Globe, le premier de la capitale.

Yémen, État du sud-ouest de l'Arabie. Aussi appelé du nom officiel de République arabe du Yémen, le Yémen est bordé par l'Arabie saoudite, le Yémen démocratique et la mer Rouge. Sa capitale est Sanaa. Le pays est formé d'une étroite plaine côtière désertique et de plateaux arides. Ses quatre régions principales sont : la plaine littorale de Tihama, aride et large de 50 km à 70 km ; les plateaux de moyenne altitude (500 m à 1 500 m) ; les plateaux du Centre, où se dressent les principales villes du pays et qui abritent la région la plus peuplée et la plus riche ; les plateaux de l'Est, où le climat devient plus doux. Dans ce petit pays de 195 000 km² vivent 7,5 millions d'habitants (Yéménites). La langue officielle est l'arabe et la religion dominante est l'islam. La monnaie utilisée est le rial (ou riyal) yéménite. Le Yémen possède peu d'industries. Les principales sont les industries alimentaires et textiles, les tanneries, les briqueteries et l'artisanat. Le pays exporte les produits suivants: le café (50 % des exportations), le coton, le cuir et les peaux, les produits alimentaires et les textiles. Après le renversement du roi du Yémen par les militaires en 1962, le pays a connu huit ans de guerre civile entre les royalistes et les républicains. Le Yémen est aujourd'hui dirigé par des chefs militaires.

Yémen démocratique ou **Yémen du Sud**, État d'Arabie. Aussi appelé du nom officiel de République démocratique populaire du Yémen, ce pays est situé dans le sud-ouest de l'Arabie sur la mer d'Oman. Il est limité par l'Arabie saoudite, l'Oman, la mer d'Oman et le Yémen. La partie nord du pays est recouverte d'un désert de sable et la majeure partie de la population se concentre sur le littoral autour de la capitale, Aden. Le seul cours d'eau important est l'Hadramaout. Le climat est désertique dans le Nord et plus chaud et humide le long des côtes. D'une superficie de 332 968 km², le Yémen démocratique compte 2,5 millions d'habitants (Sud-Yéménites). La langue officielle est l'arabe et la religion dominante est l'islam. La monnaie utilisée est le dollar yéménite. L'économie du Yémen démocratique repose sur l'agriculture (céréales, dattes, aromates), la pêche (sardines et perles), l'élevage de bovins, de chèvres et d'ovins, l'artisanat et le raffinage du pétrole. Ancienne colonie britannique, le Yémen démocratique est devenu indépendant en 1967. Le pays est aujourd'hui dirigé par un parti politique unique: le Parti socialiste yéménite.

Yerushalayim ☞ **Jérusalem**.

Y.M.C.A., sigle de *Young Men's Christian Association*, et **Y.W.C.A.**, sigle de *Young Women's Christian Association*. Associations à vocation sociale et culturelle, fréquentées par des jeunes chrétiens. Fondées en 1844 par G. Williams aux États-Unis, ces associations protestantes comprennent plus de deux millions de membres répartis dans le monde entier.

Yom Kippur ou **Yom Kippour**, fête juive. Célébrée le 21 septembre, soit dix jours après le nouvel an juif, cette fête, jour du Grand Pardon, est une journée de pénitence et de jeûne.

Yougoslavie, État d'Europe méridionale. D'une superficie de 255 804 km², la Yougoslavie est située au centre-sud du continent européen sur la Méditerranée. Sept pays partagent ses frontières: l'Italie, l'Autriche, la Hongrie, la Bulgarie, l'Albanie et la Grèce. La capitale est Belgrade. Les villes importantes sont Zagreb, Skopje et Sarajevo. L'intérieur du pays est formé de montagnes arides et de plaines fertiles dans la partie nord-est. L'ensemble de la Yougoslavie possède un climat de type continental et méditerranéen. Le pays est baigné principalement par le Danube et ses affluents. Sa population s'élève à 23,5 millions d'habitants (Yougoslaves). Les langues officielles sont le serbo-croate, le macédonien, le slovène et l'albanais. Les religions dominantes sont le christianisme orthodoxe (41 %), le catholicisme (32 %) et l'islam (12 %). La monnaie utilisée est le dinar yougoslave. L'économie de la Yougoslavie est axée sur l'agriculture (blé, céréales, betterave sucrière, plantes industrielles, pomme de terre, vigne et produits laitiers), l'élevage bovin et ovin et l'exploitation des ressources minières (bauxite, cuivre, zinc, plomb, mercure, fer, lignite et pétrole). Les principales industries sont la métallurgie et les produits chimiques, textiles et alimentaires. La pêche et le tourisme représentent également d'importantes activités économiques. Ancien État monarchique, la Yougoslavie est dirigée, depuis 1945, par un parti politique unique. La Yougoslavie a été l'hôte des Jeux olympiques d'hiver de 1984, qui se sont tenus à Sarajevo.

Young (John Baron Lisgar), administrateur anglais, né en Inde en 1807 et mort en Irlande en 1876. John Young a été gouverneur du Canada de 1868 à 1872. Durant son mandat, le Manitoba et la Colombie-Britannique sont entrés dans la Confédération.

Youngfox (Cecil), peintre canadien, né à Blind River, en Ontario, en 1942 et mort en 1987. Né de parents ojibways et métis, Cecil Youngfox est l'un des autochtones canadiens les plus renommés. Ses tableaux illustrent les traditions et les croyances de ses ancêtres.

Yourcenar (Marguerite **de Crayencour**, dite **Marguerite**), femme de lettres de nationalité française et américaine, née à Bruxelles, Belgique, en 1903 et morte à Mount Desert, Maine, aux États-Unis, en 1987. L'œuvre immense de Marguerite Yourcenar, maintenant traduite en une trentaine de langues, a très vite conquis un auditoire international grâce au roman historique *Mémoires d'Hadrien* (1951), réflexion d'un empereur sur la fin des civilisations. Animée d'une insatiable curiosité, Marguerite Yourcenar s'est aussi illustrée comme traductrice. À titre d'auteure, elle a laissé des œuvres remarquables par le style, la clarté et l'intelligence du propos et par l'art d'évoquer les mythes et les coutumes de l'Antiquité, du Moyen Âge et de la Renaissance.

Citons notamment *L'œuvre au noir* (prix Fémina, 1968), *Alexis ou le traité du vain combat* (1929), *Le coup de grâce* (1939), *Denier du rêve* (1959), *Anna Soror* (1981), *Quoi l'éternité* (1988), un recueil de poésie intitulé *Feux* (1974) et divers essais: *Sous bénéfice d'inventaire* (1962), *Souvenirs pieux* (1974) et *Archives du Nord* (1977). Marguerite Yourcenar demeure l'une des figures dominantes de la littérature mondiale du XXe siècle. Première femme élue à l'Académie française en 1980, elle propose dans ses ouvrages une sagesse et une mystique qui s'inspirent de philosophies millénaires.

J.P. LAFFONT/SYGMA PUBLIPHOTO

Marguerite **Yourcenar**

Youville (Marguerite **d'**) ☞ **Marguerite d'Youville** (bienheureuse).

Youville (monts) ☞ **D'Youville** (monts).

Yukon, territoire du Nord-Ouest canadien. Le Territoire du Yukon est situé à l'extrémité nord-ouest du pays. D'une superficie de 530 000 km², il est borné au nord par le cercle arctique et au sud par la Colombie-Britannique. Les Territoires du Nord-Ouest touchent sa frontière est et l'Alaska borde sa partie ouest. Whitehorse est la capitale du Yukon. Les autres villes importantes sont Faro, Watson Lake, Dawson City et Mayoelsa. Le Yukon est formé d'un plateau subarctique entrecoupé de très hautes montagnes (chaîne Saint Elias). Le mont Logan, haut de 6 050 m, représente le point culminant du Canada. Le réseau hydrographique du fleuve Yukon draine une grande partie du territoire. Le climat du Yukon est continental. Les hivers sont en général très froids. On y a enregistré le record canadien de basse température en 1947 (−63 °C). Le Yukon compte plus de 23 500 habitants. Les Amérindiens représentent 25 % de la population. Sir John Franklin a été le premier Blanc à atteindre le Yukon en 1852. C'est en 1896 que se déclencha la ruée vers l'or; celle-ci se poursuivit jusque vers 1906. La région de Dawson City fut le centre des activités de prospection. Le tourisme, l'hydroélectricité, les ressources forestières et minières (plomb, zinc, argent et amiante) constituent les principales richesses de ce territoire.

Yukon (fleuve), fleuve de l'Amérique du Nord. Le fleuve Yukon prend sa source dans le lac Tagish, sur la frontière nord de la Colombie-Britannique, traverse le Yukon sur une distance de 1 149 km et poursuit sa course en traversant l'Alaska avant de se jeter dans la mer de Béring à 3 185 km de son lieu de naissance. Le Yukon est le cinquième fleuve de l'Amérique du Nord du point de vue de la longueur. Au Canada, les rivières Teslin, Pelly et Stewart sont ses trois affluents principaux. Dès 1831, l'embouchure du fleuve Yukon est connue des commerçants de fourrures russes. Le Yukon est navigable trois mois par année de Whitehorse à son embouchure. Les magnifiques panoramas qui longent ce grand fleuve attirent nombre de touristes. Le mot *Yukon* vient de l'amérindien *yu-kun-ah*, signifiant «grande rivière».

Z

Zachée, personnage biblique. Ce publicain de la ville de Jéricho en Palestine, chef des percepteurs de péage, avait une fort mauvaise réputation. La Bible raconte qu'un jour il monta dans un arbre pour voir passer Jésus. Celui-ci l'interpella en lui disant qu'il irait souper chez lui le soir même.

Zaïre, État de l'Afrique centrale. D'une superficie de 2 345 410 km^2, le Zaïre, anciennement appelé Congo belge, est limité par la République centrafricaine, le Soudan, l'Ouganda, le Rwanda, le Burundi, la Tanzanie, la Zambie, l'Angola, l'océan Atlantique et le Congo. Sa capitale est Kinshasa. Le relief du Zaïre comprend le bassin du fleuve Congo et des plateaux dans la partie orientale. Le fleuve Zaïre (ancien nom du fleuve Congo) et ses affluents drainent le pays. Des lacs importants arrosent également le territoire: les lacs Tanganyika, Albert et Moero. Le pays chevauche l'équateur. Le climat est donc de type équatorial et permet la croissance d'une forêt luxuriante dans la partie centrale. Les sections nord et sud du pays jouissent d'un climat tropical et sont recouvertes de bosquets et de savanes. La population s'élève à 33,5 millions d'habitants (Zaïrois et Zaïroises). La langue officielle est le français et la religion dominante est le catholicisme. La monnaie utilisée est le zaïre. L'économie du pays repose sur l'agriculture (maïs, manioc, riz et arachide), les cultures industrielles (palmier à huile, café, coton, hévéa, thé, canne à sucre), les richesses minières (cuivre, cobalt, uranium, etc.), la production d'électricité, les industries alimentaires et les cimenteries. Ancienne colonie belge, le Zaïre est devenu indépendant en 1960. Il est aujourd'hui dirigé par un président et un parti politique unique.

Zaïre, fleuve de l'Afrique centrale. Le fleuve Zaïre prend naissance dans la région des plateaux à l'est du pays. Il possède plusieurs affluents venant des lacs Moero et Tanganyika. Sur sa rive droite, il reçoit les eaux de l'Oubangui, qui fait frontière avec la République centrafricaine et le Congo. Les eaux du fleuve baignent les villes de Kinshasa et de Brazzaville. Le deuxième fleuve d'Afrique parcourt une distance de 4 370 km. Doté d'un débit très puissant, il draine un territoire de 3,8 millions de km^2. Le Zaïre se prête à la pêche et à la navigation, et des centrales hydroélectriques y sont aménagées.

Zambèze, fleuve de l'Afrique australe. Le Zambèze prend naissance en Angola, draine la Zambie et trace la frontière entre la Zambie et le Zimbabwe. Il parcourt le Mozambique et se déverse dans l'océan Indien en formant un delta important. Il s'étend sur une distance de 2 700 km. Des barrages y sont aménagés. Il est alimenté par de fortes précipitations dans certaines régions. Sur son cours se dressent les chutes Victoria, hautes de 110 m.

Zambie, État de l'Afrique australe. D'une superficie de 752 610 km^2, la Zambie, anciennement appelée Rhodésie du Nord, est limitée par le Zaïre, la Tanzanie, le Malawi, le Mozambique, le Zimbabwe, le Botswana, la Namibie et l'Angola. Sa capitale est Lusaka. Le relief est constitué de vallées et de plateaux dont les altitudes varient entre 1 000 m et 1 500 m. Le principal cours d'eau est le fleuve Zambèze, long de 2 700 km. Les lacs les plus importants sont les lacs Moero, Tanganyika, Bangweulu et Kariba. Le climat tropical est tempéré par l'altitude. La population s'élève à 7,8 millions d'habitants (Zambiens et Zambiennes). La langue officielle est l'anglais et les religions dominantes sont le protestantisme et le catholicisme. La monnaie utilisée est le kwacha. Les principales ressources naturelles de la Zambie sont le café, le maïs, le coton et le tabac. L'exploitation du cuivre domine le secteur industriel. Les industries minières (zinc, plomb, cobalt et or) se développent également. Ancienne colonie britannique, la Zambie est devenue indépendante en 1964. Le pays est aujourd'hui dirigé par un président et un parti politique unique.

Zimbabwe, État de l'Afrique australe. D'une superficie de 390 580 km², le Zimbabwe, anciennement appelé Rhodésie du Sud, est limité par la Zambie, le Mozambique, l'Afrique du Sud et le Botswana. Sa capitale est Harare. Le pays est formé de plateaux limités au nord par la vallée du Zambèze et au sud par la vallée du Limpopo. À l'est, les montagnes culminent à 2 600 m. Les deux fleuves importants sont le Zambèze, qui forme la frontière avec la Zambie, et le Limpopo, qui draine la partie sud du pays. Le climat est subtropical, avec des températures moyennes de 14 °C en été et de 22 °C en novembre. La population s'élève à près de 8,9 millions d'habitants (Zimbabwéens et Zimbabwéennes). La langue officielle est l'anglais et la religion dominante est le protestantisme. La monnaie utilisée est le dollar du Zimbabwe. L'économie du pays est fondée sur la culture du maïs, du tabac, de la canne à sucre et du coton, et sur le développement des ressources hydroélectriques (barrage de Kariba) et des gisements miniers (amiante, cuivre et fer). Ancienne colonie britannique, le Zimbabwe est devenu indépendant en 1980. Le pays est aujourd'hui dirigé par un président.

Zurich, ville de Suisse. Situé dans le nord-est de la Suisse, Zurich compte 357 000 habitants (Zurichois et Zurichoises), en majorité de langue allemande et de religion protestante. La ville possède des édifices remarquables (cathédrale romane du XIIe siècle, église Saint-Pierre), des musées et un aéroport international. Le développement de cet important centre industriel s'appuie sur les industries textiles, mécaniques, chimiques et alimentaires. Zurich est reconnu comme le plus grand centre bancaire et financier de la Suisse.

ANNEXES

ANIMAUX

MÂLE	FEMELLE	PETIT	L'ANIMAL...
aigle	aigle	aiglon, aiglonne	glatit
âne	ânesse	ânon	brait
bouc	chèvre	chevreau	béguète, bêle
bœuf, taureau	vache	veau	meugle, beugle, mugit
canard	cane	caneton	nasille
cerf	biche	faon	brame, râle (faon)
chameau	chamelle	chamelon	blatère
chat, matou	chatte	chaton	miaule
cheval, étalon	jument	poulain	hennit
chevreuil	chevrette	chevrotin, faon	brame, râle (faon)
chien	chienne	chiot	aboie, jappe, hurle
cochon, porc, verrat	truie	porcelet, cochonnet, goret	grogne
coq	poule	poussin	chante (coq), caquette, glousse (poule), piaule (poussin)
daim	daine	faon	brame
dindon	dinde	dindonneau	glougloute
éléphant	éléphante (rare)	éléphanteau	barrit
girafe	girafe	girafeau, girafon	
jars	oie	oison	cacarde, criaille (oie)
lapin	lapine	lapereau	couine, glapit
lièvre	hase	levraut	vagit, couine
lion	lionne	lionceau	rugit
loup	louve	louveteau	hurle
mouton, bélier	brebis	agneau, agnelle	bêle (mouton, brebis), blatère (bélier)
ours	ourse	ourson	grogne
perroquet	perruche	perroquet	parle
pintade	pintade	pintadeau	criaille
pigeon	pigeonne	pigeonneau	roucoule
rat	rate, ratte	raton	couine
renard	renarde	renardeau	glapit
sanglier	laie	marcassin	grogne
singe	guenon	singe	crie, hurle
souris	souris	souriceau	chicote
tigre	tigresse	tigre	feule

PRÉFIXES*

PRÉFIXES	SENS	EXEMPLES
a-, an-	privation	analphabète, apesanteur
aéro-	air	aérogare, aéronaute
anti-	contre	antiasthmatique, antipollution
arrière-	qui est derrière; qui est plus loin dans le temps	arrière-boutique; arrière-grand-père
auto-	de soi-même	autobiographie, autoportrait
avant-	avant	avant-hier, avant-veille
bi-, bis-	deux	bilingue, bisannuel
bio-	vie	biographie, biologie
circon-	autour	circonférence, circonscrire
co-, col-, com-, con-, cor-	avec	coauteur, collaborer, compatriote, confrère, correspondre
contre-	contraire, opposé	contre-attaque, contre-indication
dé-, dés-, des-	absence, privation	déboiser, déshabiller, dessaler
déca-	dix	décagone, décalitre
déci-	dixième partie	décilitre, décimètre
démo-	peuple	démocratie, démographie
dis-	absence, privation	disparaître, dissemblable
é-, ef-, es-	éloignement, privation	ébrancher, effeuiller, essoucher
en-, em-	dans	enterrer, empocher
entre-	entre	entrecroiser, entrefilet, entrevue
eu-	bien	euphémisme, euphorie
ex-	hors de	expatrier, expulser
géo-	terre	géographie, géologue
homo-	semblable	homogène, homosexualité
hydr-, hydro-	eau	hydrater, hydrogène
hyper-	au-dessus, au-delà	hyperglycémie, hypernerveux
hypo-	au-dessous	hypoderme, hypoglycémie
in-, il-, im-, ir-	négation	inactivité, illégal, immérité, irraisonné
inter-	entre	interplanétaire, interurbain
mal-	négation	malchanceux, malhonnête
mélo-	chant, musique	mélodie, mélomane
mé-, més-	mauvais	médire, mésentente
mi-	moitié	mi-clos, mi-temps

PRÉFIXES (suite)

PRÉFIXES	SENS	EXEMPLES
micro-	petit	microbe, micro-ordinateur
mono-	seul, unique	monocorde, monogamie
moto-	moteur	motoculteur, motoneige
multi-	beaucoup, plusieurs	multicolore, multiculturalisme
non-	absence, négation	non-sens, non-violence
oct-, octo-	huit	octave, octogénaire
ortho-	droit, correct	orthographe, orthophonie
oxy-, oxyd-	acide, aigre	oxygène, oxydable
para-	à côté de; protection contre	para-médical; parapluie
péd-	enfant	pédagogie, pédiatrie
péri-	autour	périmètre, périscope
phil-, philo-	ami, aimer	philatélie, philosophie
photo-	lumière	photocopie, photographie
pisci-	poisson	pisciculture, piscivore
poly-	nombreux	polyculture, polygone
pré-	devant, en avant	préavis, préconçu
pro-	en avant	progrès, projeter
psych-, psycho-	âme	psychanalyse, psychologie
pyro-	feu	pyrogravure, pyrotechnie
quadr-, quadri-, quadru-	quatre	quadragénaire, quadrilatère, quadrupède
radio-	rayon	radioactif, radiographie
re-, ré-, r-	répétition; retour à un état antérieur	refaire, réabonner, rouvrir; revenir, régresser, rhabiller
sans-	absence, manque	sans-abri, sans-cœur
sous-	infériorité de rang, de fonction, d'ordre	sous-ensemble, sous-sol
super-	au-dessus, sur	supermarché, supersonique
sub-	sous	subdiviser, subordonner
sur-	au-dessus	surpopulation, survêtement
syn-, sym-	avec	synthèse, sympathie
télé-	au loin, à distance	téléphone, télévision
topo-	lieu	topographie, toponymie
trans-	à travers, au-delà de	transformer, transporter
tri-	trois	triangle, tricentenaire
uni-	un	unijambiste, unilingue

*Préfixes proprement dits; éléments grecs, latins ou français servant de préfixes.

SUFFIXES*

SUFFIXES	SENS	EXEMPLES
-able	possibilité	faisable, inclinable
-ade	action; collection	glissade; colonnade
-age	action ou état; collection	chômage; pelage
-aie	plantation de végétaux	chênaie, roseraie
-aille	collection (souvent péjoratif)	ferraille, mangeaille
-ailler	péjoratif	courailler, tournailler
-aine	collectif	dizaine, quinzaine
-aire	agent	commissionnaire, incendiaire
-aison	action	livraison, salaison
-al	qualité ou défaut	loyal, banal
-ance	résultat de l'action	espérance, naissance
-ard	péjoratif	nasillard, vantard
-asser	péjoratif	rêvasser, traînasser
-ateur	agent, métier	animateur, aviateur
-ation	action	fabrication, salutation
-âtre	diminutif et péjoratif	douceâtre, rougeâtre
-cide	qui tue	insecticide, homicide
-cole	qui se rapporte à la culture	agricole, vinicole
-culteur	qui cultive	motoculteur, pomiculteur
-culture	art de cultiver	agriculture, apiculture
-ée	contenu	brouettée, maisonnée
-el	qui cause	accidentel, mortel
-ement	action ou son résultat	abaissement, consentement
-erie	local; qualité ou défaut	boucherie; galanterie
-esque	qualité ou défaut	burlesque, clownesque
-esse	qualité ou défaut	gentillesse, maladresse
-et	diminutif	garçonnet, jardinet
-eté	qualité ou défaut	honnêteté, méchanceté
-ette	diminutif	fillette, maisonnette
-eur	agent	promeneur, voleur
-eux	qualité ou défaut	généreux, paresseux
-gamie	mariage, union	monogamie, polygamie
-gone	angle	décagone, polygone
-graphie	art d'écrire	biographie, dactylographie

SUFFIXES (suite)

SUFFIXES	SENS	EXEMPLES
-ien	profession	musicien, pharmacien
-ier	agent, métier; qualité ou défaut	épicier; hospitalier
-if	qualité ou défaut	attentif, oisif
-ifier	qui rend	personnifier, simplifier
-iller	diminutif et péjoratif	mordiller, sautiller
-ique	qui se rapporte à	chimique, satirique
-ise	qualité ou défaut	franchise, sottise
-iser	qui rend	américaniser, franciser
-isme	doctrine, école	communisme, idéalisme
-issement	action ou son résultat	agrandissement, mugissement
-iste	profession; adepte d'une doctrine	chimiste; calviniste
-ite	état maladif	bronchite, gastrite
-ité	qualité ou défaut	charité, cupidité
-lingue	langue	bilingue, unilingue
-logie	science	géologie, psychologie
-mane	qui a la passion de, la manie de	mélomane, pyromane
-ment	manière	fièrement, vivement
-mètre	mesure	centimètre, géomètre
-oir	instrument	arrosoir, perchoir
-oire	instrument	baignoire, rôtissoire
-onyme	nom	anonyme, antonyme
-onner	diminutif et péjoratif	chantonner, tâtonner
-ot	diminutif	bécot, îlot
-oter	péjoratif	pianoter, vivoter
-pède	qui a des pieds	bipède, quadrupède
-phone	son, voix	magnétophone, téléphone
-tion	action	production, punition
-u	qualité ou défaut	bossu, charnu
-ure	action ou son résultat	blessure, lecture
-vore	qui se nourrit	carnivore, herbivore

* Suffixes proprement dits; éléments grecs, latins ou français servant de suffixes.

NOTIONS GRAMMATICALES

NOM

Le **nom** est un mot qui sert à désigner les personnes, les animaux ou les choses.

Le **nom commun** est un mot qui désigne tous les êtres ou tous les objets d'une même espèce. Le **nom propre** est un mot qui désigne un seul être ou un seul objet en particulier. Il s'écrit avec une majuscule au début.

Le **nom concret** est un mot qui désigne un être réel ayant une existence propre alors que le **nom abstrait** est un mot qui désigne des idées, des sentiments et des états.

Le **nom simple** est formé d'un seul mot. Le **nom composé** est formé de plusieurs mots qui correspondent à une seule personne, un seul animal ou une seule chose.

Le **nom individuel** désigne une personne particulière, un animal particulier ou un objet particulier. Le **nom collectif** désigne un ensemble, une «collection» de personnes, d'animaux ou de choses.

Il y a deux **genres**: le **masculin** et le **féminin**. Les noms d'hommes et les noms devant lesquels on peut placer *un* ou *le* sont du genre masculin. Les noms de femmes et les noms devant lesquels on peut placer *une* ou *la* sont du genre féminin.

Il y a deux **nombres**: le **singulier** et le **pluriel**. Un nom est au singulier lorsqu'il désigne une seule personne, un seul animal ou une seule chose. Il est au pluriel lorsqu'il désigne plusieurs personnes, plusieurs animaux ou plusieurs choses.

DÉTERMINANTS

Les **déterminants** sont des petits mots que l'on place devant le nom pour le déterminer. Ils indiquent le genre et le nombre du nom qui les suit.

On en compte sept sortes: l'article, l'adjectif possessif, l'adjectif démonstratif, l'adjectif numéral, l'adjectif indéfini, l'adjectif exclamatif et l'adjectif interrogatif.

L'**article** est un petit mot que l'on place devant le nom pour le déterminer avec plus ou moins de précision. Il indique le genre (masculin ou féminin) et le nombre (singulier ou pluriel) du nom qui le suit. L'article s'accorde en genre et en nombre avec le nom qu'il accompagne.

L'**adjectif possessif** est un petit mot qui accompagne le nom et qui indique à qui appartiennent les êtres ou les objets dont on parle. L'adjectif possessif indique la possession et s'accorde en genre et en nombre avec le nom qu'il accompagne.

L'**adjectif démonstratif** est un petit mot qui accompagne le nom et qui montre les êtres ou les objets dont on parle. Il s'accorde en genre et en nombre avec le nom qu'il accompagne. Devant un nom masculin commençant par une voyelle ou par un *h* muet, on doit écrire *cet* au lieu de *ce*.

L'**adjectif numéral** accompagne le nom et indique le nombre ou le rang des êtres ou des objets dont on parle. Quand il indique le nombre, on l'appelle **adjectif numéral cardinal** (un, deux, trois, etc.). Quand il indique le rang ou l'ordre, on l'appelle **adjectif numéral ordinal** (premier, deuxième, etc.).

En général, les **adjectifs numéraux cardinaux** sont invariables, c'est-à-dire qu'ils s'écrivent toujours de la même façon. Il y a des exceptions: *un*, *vingt* et *cent* peuvent varier. Les **adjectifs numéraux ordinaux** s'accordent en genre et en nombre avec les noms qu'ils accompagnent. *Premier* et *second* sont les seuls adjectifs numéraux ordinaux qui changent au féminin.

Les **adjectifs numéraux composés** inférieurs à *cent* prennent un trait d'union s'ils ne sont pas réunis par *et*. On utilise *et* pour unir le mot *un* aux dizaines. On écrit *quatre-vingt-un* et *soixante et un*.

Les **adjectifs numéraux** *vingt* et *cent* prennent un *s* au pluriel quand ils sont multipliés par un autre nombre et qu'ils terminent le nombre, c'est-à-dire qu'ils ne sont pas suivis d'un autre nombre. Lorsque *vingt* et *cent* sont employés à la place de *vingtième* et de *centième*, ils sont invariables.

L'**adjectif indéfini** accompagne le nom et marque d'une façon vague une idée de quantité, de qualité, de ressemblance, de différence ou d'identité. L'adjectif indéfini s'accorde en genre et en nombre avec le nom qu'il accompagne.

Chaque et *plusieurs* sont des adjectifs indéfinis. *Chaque* ne s'emploie qu'au singulier. *Plusieurs* ne s'emploie qu'au pluriel.

L'**adjectif exclamatif** accompagne le nom et exprime l'étonnement que l'on éprouve devant l'être ou l'objet dont on parle. L'adjectif exclamatif s'accorde en genre et en nombre avec le nom qu'il accompagne. Il s'emploie dans des phrases exclamatives (celles qui se terminent par un point d'exclamation).

L'**adjectif interrogatif** accompagne le nom et sert à demander certains renseignements sur les êtres ou les objets dont on parle. L'adjectif interrogatif s'accorde en genre et en nombre avec le nom qu'il accompagne. Il s'emploie dans des phrases interrogatives (celles qui se terminent par un point d'interrogation).

ADJECTIF QUALIFICATIF

L'**adjectif qualificatif** est un mot qui indique comment sont les êtres ou les objets; il les qualifie. Il se place avant ou après le nom. L'adjectif qualificatif s'accorde en genre et en nombre avec le nom qu'il qualifie.

Formation du féminin
On forme souvent le féminin des adjectifs qualificatifs en ajoutant un *e* au masculin.

Les adjectifs qualificatifs terminés par un *e* muet au masculin ne changent pas au féminin. Les adjectifs qualificatifs terminés par *er* ou par *ier* au masculin changent leur terminaison en *ère* ou en *ière* au féminin. Les adjectifs qualificatifs terminés par *f* au masculin changent ce *f* en *ve* au féminin.

Les adjectifs qualificatifs terminés par *el* ou *eil* au masculin doublent la consonne finale avant de prendre un *e* au féminin.

Les adjectifs qualificatifs terminés par *en*, *on*, *et* ou *ot* doublent la consonne finale avant de prendre un *e* muet au féminin. Il y a quelques exceptions: complet (ète), incomplet (ète), désuet (ète), concret (ète), discret (ète), indiscret (ète), inquiet (ète), secret (ète), idiot (ote), manchot (ote), etc.

Les adjectifs qualificatifs terminés par *teur* au masculin changent leur terminaison en *trice* au féminin. Il y a quelques exceptions: flatteur (euse), menteur (euse), prometteur (euse), fureteur (euse), complimenteur (euse).

Les adjectifs qualificatifs terminés par *eur* au masculin changent leur terminaison en *euse* au féminin. Il y a quelques exceptions: intérieur (e), extérieur (e), inférieur (e), supérieur (e), majeur (e), mineur (e), antérieur (e), postérieur (e), meilleur (e), vainqueur (victorieuse).

Les adjectifs qualificatifs terminés par *eux* au masculin changent leur terminaison en *euse* au féminin. Il y a une exception: vieux (vieille).

Formation du pluriel

On forme souvent le pluriel des adjectifs qualificatifs de la même façon que le pluriel des noms.

On ajoute un *s* au singulier pour obtenir la forme plurielle.

Lorsque les mots qualifiés sont de genres différents, l'adjectif qualificatif se met au masculin pluriel.

Les adjectifs qualificatifs terminés par *s* ou *x* ne changent pas au pluriel.

Les adjectifs qualificatifs terminés par *al* au singulier changent leur terminaison en *aux* au pluriel. Il y a quelques exceptions: banal (s), fatal (s), final (s), glacial (s), natal (s), naval (s).

Trois adjectifs qualificatifs terminés par *eau* au singulier prennent un *x* au pluriel. Ce sont: nouveau, beau et jumeau.

PRONOM

Le **pronom** est un mot qui remplace un nom. On distingue six sortes de pronoms: le pronom personnel, le pronom démonstratif, le pronom interrogatif, le pronom possessif, le pronom relatif et le pronom indéfini.

Le **pronom personnel** accompagne le verbe et il désigne les êtres en indiquant la personne grammaticale: celle *qui* parle (1re personne), celle *à qui* l'on parle (2e personne), celle *de qui* l'on parle (3e personne). Les pronoms personnels peuvent être sujets ou compléments.

Le **pronom possessif** représente un nom en ajoutant une idée de possession.

Le **pronom démonstratif** désigne les êtres ou les choses en les montrant.

Le **pronom relatif** est un mot qui représente un nom ou un autre pronom. Il sert à joindre ce nom ou ce pronom à une proposition qui l'explique ou qui le détermine. Le nom ou le pronom représenté par le pronom s'appelle *antécédent*.

Le **pronom indéfini** désigne de façon vague des personnes, des animaux ou des choses. La plupart des pronoms indéfinis ne représentent aucun nom.

Le **pronom interrogatif** sert à poser des questions sur les êtres ou sur les choses. Sauf *dont* et *où*, tous les pronoms relatifs peuvent servir de pronoms interrogatifs.

VERBE Le **verbe** est un mot qui exprime l'état ou l'action.

Nombre
Le verbe peut être au **singulier** ou au **pluriel**. Cela dépend de son sujet. Le sujet, c'est la personne, l'animal dont on exprime l'état ou l'action. Parfois l'action peut être faite par plusieurs personnes, plusieurs animaux ou plusieurs choses. Si le sujet est au pluriel, le verbe se met au pluriel.

Personnes
Il y a trois **personnes** au **singulier** (*je*, *tu*, *il* ou *elle*) et trois **personnes au pluriel** (*nous*, *vous*, *ils* ou *elles*) dans le verbe conjugué, sauf à l'impératif. C'est le pronom qui accompagne le verbe qui détermine la personne du verbe.

Temps
Le **temps** du verbe indique le moment où se situe le fait dont il s'agit: au **passé**, au **présent** ou au **futur**.

Le temps **passé** indique que le fait a eu lieu avant le moment où l'on parle. Le temps **présent** indique que le fait s'accomplit ou existe au moment où l'on parle. Le temps **futur** indique que le fait se passera ou existera plus tard.

Temps simples et composés
Les **temps simples** s'expriment par un seul mot à chaque personne. Les **temps composés** s'expriment par deux ou trois mots à chaque personne. Ils sont formés de l'auxiliaire *avoir* ou de l'auxiliaire *être* et du participe passé du verbe à conjuguer.

Groupes
On compte trois **groupes** de verbes. Les verbes du **premier groupe** sont ceux qui se terminent par *er* et qui se conjuguent comme **aimer**. Les verbes du **deuxième groupe** sont ceux qui se terminent par *ir* et qui se conjuguent comme **finir**. Les verbes du **troisième groupe** sont les autres verbes qui se terminent par *ir*, les verbes qui se terminent par *oir* et les verbes qui se terminent par *re*. Pour savoir si un verbe se terminant en *ir* est du deuxième ou du troisième groupe, il suffit de le conjuguer au présent de l'indicatif avec *nous*. S'il se conjugue comme **finir** (nous finissons), c'est un verbe du deuxième groupe. Sinon, c'est un verbe du troisième groupe, comme **dormir** (nous dormons).

Mode
Le **mode** est une forme du verbe. On distingue six modes en français: l'indicatif, le conditionnel, l'impératif, le subjonctif, l'infinitif et le participe.

L'indicatif
Le **présent** de **l'indicatif** indique que le fait s'accomplit ou existe au moment où l'on parle.

L'**imparfait** de **l'indicatif** indique un fait qui est en train de se dérouler dans le passé. Il indique aussi une action passée qui a pu se répéter.

Le **futur simple** de **l'indicatif** indique que le fait aura lieu ou existera plus tard, après le moment où l'on parle.

Le **passé simple** de **l'indicatif** exprime un fait complètement achevé à un moment précis du passé. On emploie le passé simple surtout dans les récits au passé. Il est peu utilisé dans la langue parlée.

Le **passé composé** de **l'indicatif** indique un fait achevé qui a eu lieu à un moment plus ou moins précis dans le passé.

Le **plus-que-parfait** de **l'indicatif** est un temps composé. Il indique un fait qui a eu lieu avant un autre fait passé.

Le **futur antérieur** de **l'indicatif** est un temps composé. Il indique un fait qui sera accompli ou qui existera à un moment donné au futur.

Le conditionnel
Le **présent** du **conditionnel** indique un fait possible ou irréel dont la réalisation dépend d'une condition.

Le **passé** du **conditionnel** est un temps composé. Il indique qu'un fait possible ou irréel aurait eu lieu si la condition avait été réalisée.

L'impératif
Le **présent** de **l'impératif** exprime un ordre, un conseil ou un souhait. Le présent de l'impératif ne se conjugue qu'à trois personnes et le sujet n'est pas exprimé. Les verbes en *er* ne prennent pas de *s* à la deuxième personne du singulier du présent de l'impératif, sauf dans des cas particuliers.

Le subjonctif
Le **présent** du **subjonctif** exprime une supposition, un souhait, un désir, un regret ou une nécessité. Dans une phrase, des expressions telles que *il faut* et *je souhaite* amènent souvent le présent du subjonctif.

L'infinitif

Le **présent** de **l'infinitif**, c'est le nom du verbe qui n'a pas encore été conjugué. C'est sous cette forme qu'on le retrouve dans le dictionnaire. Il se termine de quatre façons: *er*, *ir*, *oir* ou *re*.

Le participe

Le **participe passé** tient à la fois du verbe et de l'adjectif. Quand il tient du verbe, le participe passé s'accompagne d'un auxiliaire pour former les temps composés des verbes. Il se termine par *é*, *i*, *u*, *s* ou *t*.

Quand il tient de l'adjectif, le participe passé s'emploie sans auxiliaire. Il s'accorde alors comme un simple adjectif qualificatif, en genre et en nombre avec le nom qu'il qualifie.

Le participe passé employé avec l'auxiliaire *avoir* s'accorde en genre et en nombre avec son complément direct si ce complément est placé avant le participe passé. Le participe passé ne change pas s'il n'y a pas de complément direct ou si le complément direct est placé après lui.

Le participe passé employé avec l'auxiliaire *être* s'accorde en genre et en nombre avec le sujet du verbe. Il s'accorde comme un adjectif qualificatif attribut.

Le **participe présent**, comme le participe passé, tient à la fois du verbe et de l'adjectif. Quand il tient du verbe, le participe présent exprime une action ou un état. Il est alors invariable. Quand il tient de l'adjectif, on l'appelle **adjectif verbal** et on doit l'accorder comme un simple adjectif qualificatif, en genre et en nombre avec le nom qu'il qualifie. Le participe présent est souvent précédé du mot *en* et se termine toujours par *ant*.

MOTS INVARIABLES

Les **mots invariables** sont des mots qui ne changent pas; ils s'écrivent toujours de la même façon. On en compte quatre sortes: l'adverbe, la préposition, la conjonction et l'interjection.

L'**adverbe** est un mot invariable qu'on emploie pour modifier le sens d'un verbe, d'un adjectif ou d'un autre adverbe.

La **préposition** est un mot invariable qui sert à introduire un complément.

La **conjonction** est un mot invariable qui sert à unir deux propositions; elle sert aussi à unir deux mots, deux groupes de mots ou deux propositions de même fonction.

L'**interjection** est un mot invariable qui sert à exprimer une attitude, une sensation, un sentiment.

SIGNES DE PONCTUATION

signe	symbole	rôle
virgule	,	• sépare les éléments semblables dans une énumération • encadre un mot ou un groupe de mots (groupe nominal) mis en apposition • sépare du reste de la phrase le complément circonstanciel placé au début de la phrase
point-virgule	;	marque une pause de moyenne durée
point	.	indique la fin d'une phrase
deux points	:	• précèdent une énumération ou une explication • annoncent une citation
point d'interrogation	?	se place à la fin d'une question
point d'exclamation	!	se met après une exclamation
points de suspension	...	indiquent que l'auteur n'a pas complété sa pensée
guillemets	« »	servent à encadrer une citation
tiret	–	marque le changement d'interlocuteur dans un dialogue

SIGNES ORTHOGRAPHIQUES

signe	symbole	rôle
accents • aigu • grave • circonflexe	 ´ ` ^	se placent sur certaines voyelles pour indiquer la prononciation correcte Ex.: **é**cole, rivi**è**re, g**â**teau
tréma	¨	se place sur **i**, **u**, **e** et indique que la voyelle doit être prononcée séparément Ex.: ego**ï**ste, aigu**ë**, No**ë**l
cédille	¸	se place sous le **c** devant **a**, **o**, **u** et indique que le **c** se prononce comme un **s** Ex.: balan**ç**oire, commer**ç**ant, re**ç**u
apostrophe	'	remplace une voyelle et évite la rencontre de deux voyelles Ex.: j'ai, l'homme, l'oiseau
trait d'union	-	sert à lier deux ou plusieurs mots Ex.: arc-en-ciel, dix-huit, grand-maman

MOTS INVARIABLES

nature	fonction	liste
adverbe	**modifie** le sens d'un verbe, d'un adjectif ou d'un autre adverbe	**manière :** ainsi, bien, comme, comment, debout, ensemble, mal, mieux, pis, plutôt, vite, volontiers, etc., et presque tous les adverbes terminés par *ment.* **lieu :** ailleurs, alentour, arrière, autour, avant, contre, dedans, dehors, derrière, dessous, dessus, devant, ici, là, loin, où, partout, près, proche, etc. **quantité :** assez, aussi, autant, autrement, beaucoup, combien, davantage, environ, fort, moins, peu, plus, presque, tant, tellement, très, trop, etc. **temps :** alors, après, après-demain, aujourd'hui, auparavant, aussitôt, autrefois, avant, avant-hier, bientôt, déjà, demain, depuis, désormais, encore, enfin, ensuite, hier, jadis, jamais, longtemps, maintenant, parfois, puis, quand, quelquefois, sitôt, soudain, souvent, tantôt, tard, tôt, toujours, etc.
préposition	sert à **introduire** un complément	à, après, avant, avec, chez, contre, dans, de, depuis, derrière, dès, devant, durant, en, entre, envers, jusqu'à, malgré, par, parmi, pour, sans, sauf, selon, sous, sur, vers, voici, voilà, etc.
conjonction	sert à **unir** deux propositions ; sert aussi à unir deux mots, deux groupes de mots ou deux propositions de même fonction	ainsi, alors, car, cependant, donc, enfin, ensuite, et, lorsque, mais, ni, or, ou, pourtant, puis, puisque, quand, que, quoique, si, sinon, toutefois, etc.
interjection	sert à **exprimer** un sentiment, une émotion, un ordre	ah ! aïe ! allô ! bah ! bravo ! chut ! hé ! hein ! hélas ! hourra ! oh ! ouais !

TABLEAU COMPARATIF

	adjectifs	pronoms
possessifs	mon, ton, son ma, ta, sa mes, tes, ses notre, votre, leur nos, vos, leurs	le mien, le tien, le sien la mienne, la tienne, la sienne les miens, les tiens, les siens les miennes, les tiennes, les siennes le nôtre, le vôtre, le leur la nôtre, la vôtre, la leur les nôtres, les vôtres, les leurs
démonstratifs	ce, cet, cette, ces	celui, celui-ci, celui-là ceux, ceux-ci, ceux-là celle, celle-ci, celle-là celles, celles-ci, celles-là ce, ceci, cela, ça
numéraux	un, deux, trois, quatre, cinq, cent, mille, etc. premier, première, deuxième, second, seconde, troisième, etc.	
indéfinis	aucun, aucune, autre, autres, certain, certaine, certains, certaines, tout, toute, tous, toutes, quelque, quelconque, quelques, même, mêmes, chaque, plusieurs	aucun, aucune, autre chose, un autre, une autre, les autres, d'autres, autrui, certains, certaines, chacun, chacune, grand-chose, le même, la même, les mêmes, l'un, l'une, les uns, les unes, nul, on, pas un, pas une, personne, plusieurs, la plupart, quelqu'un, quelqu'une, quelques-uns, quelques-unes, quiconque, quelque chose, rien, tel, telle, un tel, une telle, tout, tous, toutes, tout le monde
interrogatifs	quel? quelle? quels? quelles?	lequel? laquelle? qui? que? quoi? lesquels? lesquelles?
exclamatifs	quel! quelle! quels! quelles!	
relatifs		qui, que, quoi, dont, où lequel, duquel, auquel lesquels, desquels, auxquels laquelle, de laquelle, à laquelle lesquelles, desquelles, auxquelles
personnels		je, me, moi tu, te, toi il, elle, se, soi, le, la, lui, en, y nous vous ils, elles, les, eux, leur

TABLEAUX DE CONJUGAISONS

VERBE AVOIR

AUXILIAIRE

MODE INDICATIF

présent
j'**ai**
tu **as**
il, elle **a**
nous **avons**
vous **avez**
ils, elles **ont**

imparfait
j'av**ais**
tu av**ais**
il, elle av**ait**
nous av**ions**
vous av**iez**
ils, elles av**aient**

futur simple
j'aur**ai**
tu aur**as**
il, elle aur**a**
nous aur**ons**
vous aur**ez**
ils, elles aur**ont**

passé simple
j'e**us**
tu e**us**
il, elle e**ut**
nous e**ûmes**
vous e**ûtes**
ils, elles e**urent**

passé composé
j'ai eu
tu as eu
il, elle a eu
nous avons eu
vous avez eu
ils, elles ont eu

plus-que-parfait
j'avais eu
tu avais eu
il, elle avait eu
nous avions eu
vous aviez eu
ils, elles avaient eu

futur antérieur
j'aurai eu
tu auras eu
il, elle aura eu
nous aurons eu
vous aurez eu
ils, elles auront eu

MODE SUBJONCTIF

présent
que j'a*i***e**
que tu a*i***es**
qu'il, qu'elle a*i***t**
que nous a*y***ons**
que vous a*y***ez**
qu'ils, qu'elles a*i***ent**

MODE CONDITIONNEL*

présent
j'aur**ais**
tu aur**ais**
il, elle aur**ait**
nous aur**ions**
vous aur**iez**
ils, elles aur**aient**

passé
j'aurais eu
tu aurais eu
il, elle aurait eu
nous aurions eu
vous auriez eu
ils, elles auraient eu

MODE IMPÉRATIF

présent
a*i***e**
a*y***ons**
a*y***ez**

MODE INFINITIF

présent
avoir

passé
avoir eu

MODE PARTICIPE

présent
a*y*ant

passé
eu, eue

* Certains auteurs ne considèrent pas le *conditionnel* comme un *mode* mais comme un *temps* du futur, un futur hypothétique.

VERBE ÊTRE
AUXILIAIRE

MODE INDICATIF

présent
je **suis**
tu **es**
il, elle **est**
nous **sommes**
vous **êtes**
ils, elles **sont**

imparfait
j'ét**ais**
tu ét**ais**
il, elle ét**ait**
nous ét**ions**
vous ét**iez**
ils, elles ét**aient**

futur simple
je ser**ai**
tu ser**as**
il, elle ser**a**
nous ser**ons**
vous ser**ez**
ils, elles ser**ont**

passé simple
je f**us**
tu f**us**
il, elle f**ut**
nous f**ûmes**
vous f**ûtes**
ils, elles f**urent**

passé composé
j'ai été
tu as été
il, elle a été
nous avons été
vous avez été
ils, elles ont été

plus-que-parfait
j'avais été
tu avais été
il, elle avait été
nous avions été
vous aviez été
ils, elles avaient été

futur antérieur
j'aurai été
tu auras été
il, elle aura été
nous aurons été
vous aurez été
ils, elles auront été

MODE SUBJONCTIF

présent
que je so*i***s**
que tu so*i***s**
qu'il, qu'elle so*i***t**
que nous so*y***ons**
que vous so*y***ez**
qu'ils, qu'elles so*i***ent**

MODE CONDITIONNEL*

présent	**passé**
je ser**ais**	j'aurais été
tu ser**ais**	tu aurais été
il, elle ser**ait**	il, elle aurait été
nous ser**ions**	nous aurions été
vous ser**iez**	vous auriez été
ils, elles ser**aient**	ils, elles auraient été

MODE IMPÉRATIF

présent
so*i***s**
so*y***ons**
so*y***ez**

MODE INFINITIF

présent	**passé**
être	avoir été

MODE PARTICIPE

présent	**passé**
étant	été

*Certains auteurs ne considèrent pas le *conditionnel* comme un *mode* mais comme un *temps* du futur, un futur hypothétique.

VERBE AIMER (1er groupe)
VERBE MODÈLE

MODE INDICATIF

présent
j'aim**e**
tu aim**es**
il, elle aim**e**
nous aim**ons**
vous aim**ez**
ils, elles aim**ent**

imparfait
j'aim**ais**
tu aim**ais**
il, elle aim**ait**
nous aim**ions**
vous aim**iez**
ils, elles aim**aient**

futur simple
j'aime**rai**
tu aime**ras**
il, elle aime**ra**
nous aime**rons**
vous aime**rez**
ils, elles aime**ront**

passé simple
j'aim**ai**
tu aim**as**
il, elle aim**a**
nous aim**âmes**
vous aim**âtes**
ils, elles aim**èrent**

passé composé
j'ai aimé
tu as aimé
il, elle a aimé
nous avons aimé
vous avez aimé
ils, elles ont aimé

plus-que-parfait
j'avais aimé
tu avais aimé
il, elle avait aimé
nous avions aimé
vous aviez aimé
ils, elles avaient aimé

futur antérieur
j'aurai aimé
tu auras aimé
il, elle aura aimé
nous aurons aimé
vous aurez aimé
ils, elles auront aimé

MODE SUBJONCTIF

présent
que j'aim**e**
que tu aim**es**
qu'il, qu'elle aim**e**
que nous aim**ions**
que vous aim**iez**
qu'ils, qu'elles aim**ent**

MODE CONDITIONNEL*

présent	**passé**
j'aime**rais**	j'aurais aimé
tu aime**rais**	tu aurais aimé
il, elle aime**rait**	il, elle aurait aimé
nous aime**rions**	nous aurions aimé
vous aime**riez**	vous auriez aimé
ils, elles aime**raient**	ils, elles auraient aimé

MODE IMPÉRATIF

présent
aim**e**
aim**ons**
aim**ez**

MODE INFINITIF

présent	**passé**
aim**er**	avoir aimé

MODE PARTICIPE

présent	**passé**
aim**ant**	aim**é**, ée

* Certains auteurs ne considèrent pas le *conditionnel* comme un *mode* mais comme un *temps* du futur, un futur hypothétique.

VERBE ACHETER (1er groupe)
VERBE MODÈLE

MODE INDICATIF

présent
j'ach*è*t**e**
tu ach*è*t**es**
il, elle ach*è*t**e**
nous ach*e*t**ons**
vous ach*e*t**ez**
ils, elles ach*è*t**ent**

imparfait
j'ach*e*t**ais**
tu ach*e*t**ais**
il, elle ach*e*t**ait**
nous ach*e*t**ions**
vous ach*e*t**iez**
ils, elles ach*e*t**aient**

futur simple
j'ach*è*te**rai**
tu ach*è*te**ras**
il, elle ach*è*te**ra**
nous ach*è*te**rons**
vous ach*è*te**rez**
ils, elles ach*è*te**ront**

passé simple
j'ach*e*t**ai**
tu ach*e*t**as**
il, elle ach*e*t**a**
nous ach*e*t**âmes**
vous ach*e*t**âtes**
ils, elles ach*e*t**èrent**

passé composé
j'ai acheté
tu as acheté
il, elle a acheté
nous avons acheté
vous avez acheté
ils, elles ont acheté

plus-que-parfait
j'avais acheté
tu avais acheté
il, elle avait acheté
nous avions acheté
vous aviez acheté
ils, elles avaient acheté

futur antérieur
j'aurai acheté
tu auras acheté
il, elle aura acheté
nous aurons acheté
vous aurez acheté
ils, elles auront acheté

MODE SUBJONCTIF

présent
que j'ach*è*t**e**
que tu ach*è*t**es**
qu'il, qu'elle ach*è*t**e**
que nous ach*e*t**ions**
que vous ach*e*t**iez**
qu'ils, qu'elles ach*è*t**ent**

MODE CONDITIONNEL*

présent	**passé**
j'ach*è*te**rais**	j'aurais acheté
tu ach*è*te**rais**	tu aurais acheté
il, elle ach*è*te**rait**	il, elle aurait acheté
nous ach*è*te**rions**	nous aurions acheté
vous ach*è*te**riez**	vous auriez acheté
ils, elles ach*è*te**raient**	ils, elles auraient acheté

MODE IMPÉRATIF

présent
ach*è*t**e**
ach*e*t**ons**
ach*e*t**ez**

MODE INFINITIF

présent	**passé**
ach*e*t**er**	avoir acheté

MODE PARTICIPE

présent	**passé**
ach*e*t**ant**	achet**é**, ée

*Certains auteurs ne considèrent pas le *conditionnel* comme un *mode* mais comme un *temps* du futur, un futur hypothétique.

VERBE APPELER (1er groupe)
VERBE MODÈLE

MODE INDICATIF

présent
j'appel*l***e**
tu appel*l***es**
il, elle appel*l***e**
nous appe*l***ons**
vous appe*l***ez**
ils, elles appel*l***ent**

imparfait
j'appe*l***ais**
tu appe*l***ais**
il, elle appe*l***ait**
nous appe*l***ions**
vous appe*l***iez**
ils, elles appe*l***aient**

futur simple
j'appel*l***erai**
tu appel*l***eras**
il, elle appel*l***era**
nous appel*l***erons**
vous appel*l***erez**
ils, elles appel*l***eront**

passé simple
j'appe*l***ai**
tu appe*l***as**
il, elle appe*l***a**
nous appe*l***âmes**
vous appe*l***âtes**
ils, elles appe*l***èrent**

passé composé
j'ai appelé
tu as appelé
il, elle a appelé
nous avons appelé
vous avez appelé
ils, elles ont appelé

plus-que-parfait
j'avais appelé
tu avais appelé
il, elle avait appelé
nous avions appelé
vous aviez appelé
ils, elles avaient appelé

futur antérieur
j'aurai appelé
tu auras appelé
il, elle aura appelé
nous aurons appelé
vous aurez appelé
ils, elles auront appelé

MODE SUBJONCTIF

présent
que j'appel*l***e**
que tu appel*l***es**
qu'il, qu'elle appel*l***e**
que nous appe*l***ions**
que vous appe*l***iez**
qu'ils, qu'elles appel*l***ent**

MODE CONDITIONNEL*

présent	**passé**
j'appel*l***erais**	j'aurais appelé
tu appel*l***erais**	tu aurais appelé
il, elle appel*l***erait**	il, elle aurait appelé
nous appel*l***erions**	nous aurions appelé
vous appel*l***eriez**	vous auriez appelé
ils, elles appel*l***eraient**	ils, elles auraient appelé

MODE IMPÉRATIF

présent
appel*l***e**
appe*l***ons**
appe*l***ez**

MODE INFINITIF

présent	**passé**
appe*l***er**	avoir appelé

MODE PARTICIPE

présent	**passé**
appe*l***ant**	appel**é**, ée

*Certains auteurs ne considèrent pas le *conditionnel* comme un *mode* mais comme un *temps* du futur, un futur hypothétique.

VERBE FINIR (2e groupe)
VERBE MODÈLE

MODE INDICATIF

présent
je fini**s**
tu fini**s**
il, elle fini**t**
nous finiss**ons**
vous finiss**ez**
ils, elles finiss**ent**

imparfait
je finiss**ais**
tu finiss**ais**
il, elle finiss**ait**
nous finiss**ions**
vous finiss**iez**
ils, elles finiss**aient**

futur simple
je fini**rai**
tu fini**ras**
il, elle fini**ra**
nous fini**rons**
vous fini**rez**
ils, elles fini**ront**

passé simple
je fini**s**
tu fini**s**
il, elle fini**t**
nous fin**îmes**
vous fin**îtes**
ils, elles fin**irent**

passé composé
j'ai fini
tu as fini
il, elle a fini
nous avons fini
vous avez fini
ils, elles ont fini

plus-que-parfait
j'avais fini
tu avais fini
il, elle avait fini
nous avions fini
vous aviez fini
ils, elles avaient fini

futur antérieur
j'aurai fini
tu auras fini
il, elle aura fini
nous aurons fini
vous aurez fini
ils, elles auront fini

MODE SUBJONCTIF

présent
que je finiss**e**
que tu finiss**es**
qu'il, qu'elle finiss**e**
que nous finiss**ions**
que vous finiss**iez**
qu'ils, qu'elles fin**issent**

MODE CONDITIONNEL*

présent	**passé**
je fini**rais**	j'aurais fini
tu fini**rais**	tu aurais fini
il, elle fini**rait**	il, elle aurait fini
nous fini**rions**	nous aurions fini
vous fini**riez**	vous auriez fini
ils, elles fini**raient**	ils, elles auraient fini

MODE IMPÉRATIF

présent
fini**s**
fin**issons**
fin**issez**

MODE INFINITIF

présent	**passé**
fini**r**	avoir fini

MODE PARTICIPE

présent	**passé**
fin**issant**	fin**i**, ie

*Certains auteurs ne considèrent pas le *conditionnel* comme un *mode* mais comme un *temps* du futur, un futur hypothétique.

VERBE ALLER
VERBE IRRÉGULIER

MODE INDICATIF

présent
je v**ais**
tu v**as**
il, elle v**a**
nous all**ons**
vous all**ez**
ils, elles v**ont**

imparfait
j'all**ais**
tu all**ais**
il, elle all**ait**
nous all**ions**
vous all**iez**
ils, elles all**aient**

futur simple
j'**irai**
tu **iras**
il, elle **ira**
nous **irons**
vous **irez**
ils, elles **iront**

passé simple
j'all**ai**
tu all**as**
il, elle all**a**
nous all**âmes**
vous all**âtes**
ils, elles all**èrent**

passé composé
je suis allé
tu es allé
il est all**é**, elle est all**ée**
nous sommes all**és**
vous êtes all**és**
ils sont all**és**, elles sont all**ées**

plus-que-parfait
j'étais allé
tu étais allé
il était all**é**, elle était all**ée**
nous étions all**és**
vous étiez all**és**
ils étaient all**és**, elles étaient all**ées**

futur antérieur
je serai allé
tu seras allé
il sera all**é**, elle sera all**ée**
nous serons all**és**
vous serez all**és**
ils seront all**és**, elles seront all**ées**

MODE SUBJONCTIF

présent
que j'aill**e**
que tu aill**es**
qu'il, qu'elle aill**e**
que nous all**ions**
que vous all**iez**
qu'ils, qu'elles aill**ent**

MODE CONDITIONNEL*

présent
j'**irais**
tu **irais**
il, elle **irait**
nous **irions**
vous **iriez**
ils, elles **iraient**

passé
je serais allé
tu serais allé
il serait all**é**, elle serait all**ée**
nous serions all**és**
vous seriez all**és**
ils seraient all**és**,
elles seraient all**ées**

MODE IMPÉRATIF

présent
va
all**ons**
all**ez**

MODE INFINITIF

présent
all**er**

passé
être allé, ée

MODE PARTICIPE

présent
all**ant**

passé
all**é**, ée

*Certains auteurs ne considèrent pas le *conditionnel* comme un *mode* mais comme un *temps* du futur, un futur hypothétique.

VERBE ENVOYER (1er groupe)

IRRÉGULIER

MODE INDICATIF

présent
j'envo*i***e**
tu envo*i***es**
il, elle envo*i***e**
nous envo*y***ons**
vous envo*y***ez**
ils, elles envo*i***ent**

imparfait
j'envoy**ais**
tu envoy**ais**
il, elle envoy**ait**
nous envoy**ions**
vous envoy**iez**
ils, elles envoy**aient**

futur simple
j'enve*r***rai**
tu enve*r***ras**
il, elle enve*r***ra**
nous enve*r***rons**
vous enve*r***rez**
ils, elles enve*r***ront**

passé simple
j'envoy**ai**
tu envoy**as**
il, elle envoy**a**
nous envoy**âmes**
vous envoy**âtes**
ils, elles envoy**èrent**

passé composé
j'ai envoyé
tu as envoyé
il, elle a envoyé
nous avons envoyé
vous avez envoyé
ils, elles ont envoyé

plus-que-parfait
j'avais envoyé
tu avais envoyé
il, elle avait envoyé
nous avions envoyé
vous aviez envoyé
ils, elles avaient envoyé

futur antérieur
j'aurai envoyé
tu auras envoyé
il, elle aura envoyé
nous aurons envoyé
vous aurez envoyé
ils, elles auront envoyé

MODE SUBJONCTIF

présent
que j'envo*i***e**
que tu envo*i***es**
qu'il, qu'elle envo*i***e**
que nous envo*y***ions**
que vous envo*y***iez**
qu'ils, qu'elles envo*i***ent**

MODE CONDITIONNEL*

présent	**passé**
j'enve*r***rais**	j'aurais envoyé
tu enve*r***rais**	tu aurais envoyé
il, elle enve*r***rait**	il, elle aurait envoyé
nous enve*r***rions**	nous aurions envoyé
vous enve*r***riez**	vous auriez envoyé
ils, elles enve*r***raient**	ils, elles auraient envoyé

MODE IMPÉRATIF

présent
envo*i***e**
envo*y***ons**
envo*y***ez**

MODE INFINITIF

présent	**passé**
envo*y***er**	avoir envoyé

MODE PARTICIPE

présent	**passé**
envo*y***ant**	envoy**é**, ée

*Certains auteurs ne considèrent pas le *conditionnel* comme un *mode* mais comme un *temps* du futur, un futur hypothétique.

VERBE CONNAÎTRE (3e groupe)
IRRÉGULIER

MODE INDICATIF

présent
je connai**s**
tu connai**s**
il, elle connaî**t**
nous connaiss**ons**
vous connaiss**ez**
ils, elles connaiss**ent**

imparfait
je connaiss**ais**
tu connaiss**ais**
il, elle connaiss**ait**
nous connaiss**ions**
vous connaiss**iez**
ils, elles connaiss**aient**

futur simple
je connaît**rai**
tu connaît**ras**
il, elle connaît**ra**
nous connaît**rons**
vous connaît**rez**
ils, elles connaît**ront**

passé simple
je conn**us**
tu conn**us**
il, elle conn**ut**
nous conn**ûmes**
vous conn**ûtes**
ils, elles conn**urent**

passé composé
j'ai connu
tu as connu
il, elle a connu
nous avons connu
vous avez connu
ils, elles ont connu

plus-que-parfait
j'avais connu
tu avais connu
il, elle avait connu
nous avions connu
vous aviez connu
ils, elles avaient connu

futur antérieur
j'aurai connu
tu auras connu
il, elle aura connu
nous aurons connu
vous aurez connu
ils, elles auront connu

MODE SUBJONCTIF

présent
que je connaiss**e**
que tu connaiss**es**
qu'il, qu'elle connaisse
que nous connaiss**ions**
que vous connaiss**iez**
qu'ils, qu'elles connaiss**ent**

MODE CONDITIONNEL*

présent	**passé**
je connaît**rais**	j'aurais connu
tu connaît**rais**	tu aurais connu
il, elle connaît**rait**	il, elle aurait connu
nous connaît**rions**	nous aurions connu
vous connaît**riez**	vous auriez connu
ils, elles connaît**raient**	ils, elles auraient connu

MODE IMPÉRATIF

présent
connai**s**
connaiss**ons**
connaiss**ez**

MODE INFINITIF

présent	**passé**
connaît**re**	avoir connu

MODE PARTICIPE

présent	**passé**
connaiss**ant**	conn**u**, ue

* Certains auteurs ne considèrent pas le *conditionnel* comme un *mode* mais comme un *temps* du futur, un futur hypothétique.

VERBE COURIR (3e groupe)
IRRÉGULIER

MODE INDICATIF

présent
je cour**s**
tu cour**s**
il, elle cour**t**
nous cour**ons**
vous cour**ez**
ils, elles cour**ent**

imparfait
je cour**ais**
tu cour**ais**
il, elle cour**ait**
nous cour**ions**
vous cour**iez**
ils, elles cour**aient**

futur simple
je cour**rai**
tu cour**ras**
il, elle cour**ra**
nous cour**rons**
vous cour**rez**
ils, elles cour**ront**

passé simple
je cour**us**
tu cour**us**
il, elle cour**ut**
nous cour**ûmes**
vous cour**ûtes**
ils, elles cour**urent**

passé composé
j'ai couru
tu as couru
il, elle a couru
nous avons couru
vous avez couru
ils, elles ont couru

plus-que-parfait
j'avais couru
tu avais couru
il, elle avait couru
nous avions couru
vous aviez couru
ils, elles avaient couru

futur antérieur
j'aurai couru
tu auras couru
il, elle aura couru
nous aurons couru
vous aurez couru
ils, elles auront couru

MODE SUBJONCTIF

présent
que je cour**e**
que tu cour**es**
qu'il, qu'elle cour**e**
que nous cour**ions**
que vous cour**iez**
qu'ils, qu'elles cour**ent**

MODE CONDITIONNEL*

présent	**passé**
je cour**rais**	j'aurais couru
tu cour**rais**	tu aurais couru
il, elle cour**rait**	il, elle aurait couru
nous cour**rions**	nous aurions couru
vous cour**riez**	vous auriez couru
ils, elles cour**raient**	ils, elles auraient couru

MODE IMPÉRATIF

présent
cour**s**
cour**ons**
cour**ez**

MODE INFINITIF

présent	**passé**
cour**ir**	avoir couru

MODE PARTICIPE

présent	**passé**
cour**ant**	cour**u**, ue

* Certains auteurs ne considèrent pas le *conditionnel* comme un *mode* mais comme un *temps* du futur, un futur hypothétique.

VERBE CRAINDRE (3e groupe)
IRRÉGULIER

MODE INDICATIF

présent
je crain**s**
tu crain**s**
il, elle crain**t**
nous craig*n***ons**
vous craig*n***ez**
ils, elles craig*n***ent**

imparfait
je craig*n***ais**
tu craig*n***ais**
il, elle craig*n***ait**
nous craig*n***ions**
vous craig*n***iez**
ils, elles craig*n***aient**

futur simple
je craind**rai**
tu craind**ras**
il, elle craind**ra**
nous craind**rons**
vous craind**rez**
ils, elles craind**ront**

passé simple
je craig*n***is**
tu craig*n***is**
il, elle craig*n***it**
nous craig*n***îmes**
vous craig*n***îtes**
ils, elles craig*n***irent**

passé composé
j'ai craint
tu as craint
il, elle a craint
nous avons craint
vous avez craint
ils, elles ont craint

plus-que-parfait
j'avais craint
tu avais craint
il, elle avait craint
nous avions craint
vous aviez craint
ils, elles avaient craint

futur antérieur
j'aurai craint
tu auras craint
il, elle aura craint
nous aurons craint
vous aurez craint
ils, elles auront craint

MODE SUBJONCTIF

présent
que je craig*n***e**
que tu craig*n***es**
qu'il, qu'elle craig*n***e**
que nous craig*n***ions**
que vous craig*n***iez**
qu'ils, qu'elles craig*n***ent**

MODE CONDITIONNEL*

présent	**passé**
je craind**rais**	j'aurais craint
tu craind**rais**	tu aurais craint
il, elle craind**rait**	il, elle aurait craint
nous craind**rions**	nous aurions craint
vous craind**riez**	vous auriez craint
ils, elles craind**raient**	ils, elles auraient craint

MODE IMPÉRATIF

présent
crain**s**
craig*n***ons**
craig*n***ez**

MODE INFINITIF

présent	**passé**
craind**re**	avoir craint

MODE PARTICIPE

présent	**passé**
craig*n***ant**	crain**t**, e

*Certains auteurs ne considèrent pas le *conditionnel* comme un *mode* mais comme un *temps* du futur, un futur hypothétique.

VERBE CROIRE (3e groupe)
IRRÉGULIER

MODE INDICATIF

présent
je cro*i***s**
tu cro*i***s**
il, elle cro*i***t**
nous cro*y***ons**
vous cro*y***ez**
ils, elles cro*i***ent**

imparfait
je cro*y***ais**
tu cro*y***ais**
il, elle cro*y***ait**
nous cro*y***ions**
vous cro*y***iez**
ils, elles cro*y***aient**

futur simple
je cro*i***rai**
tu cro*i***ras**
il, elle cro*i***ra**
nous cro*i***rons**
vous cro*i***rez**
ils, elles cro*i***ront**

passé simple
je cr**us**
tu cr**us**
il, elle cr**ut**
nous cr**ûmes**
vous cr**ûtes**
ils, elles cr**urent**

passé composé
j'ai cru
tu as cru
il, elle a cru
nous avons cru
vous avez cru
ils, elles ont cru

plus-que-parfait
j'avais cru
tu avais cru
il, elle avait cru
nous avions cru
vous aviez cru
ils, elles avaient cru

futur antérieur
j'aurai cru
tu auras cru
il, elle aura cru
nous aurons cru
vous aurez cru
ils, elles auront cru

MODE SUBJONCTIF

présent
que je cro*i***e**
que tu cro*i***es**
qu'il, qu'elle cro*i***e**
que nous cro*y***ions**
que vous cro*y***iez**
qu'ils, qu'elles cro*i***ent**

MODE CONDITIONNEL*

présent
je cro*i***rais**
tu cro*i***rais**
il, elle cro*i***rait**
nous cro*i***rions**
vous cro*i***riez**
ils, elles cro*i***raient**

passé
j'aurais cru
tu aurais cru
il, elle aurait cru
nous aurions cru
vous auriez cru
ils, elles auraient cru

MODE IMPÉRATIF

présent
cro*i***s**
cro*y***ons**
cro*y***ez**

MODE INFINITIF

présent
cro*i***re**

passé
avoir cru

MODE PARTICIPE

présent
cro*y***ant**

passé
cr**u**, ue

*Certains auteurs ne considèrent pas le *conditionnel* comme un *mode* mais comme un *temps* du futur, un futur hypothétique.

VERBE CUEILLIR (3e groupe)
IRRÉGULIER

MODE INDICATIF

présent
je cueill**e**
tu cueill**es**
il, elle cueill**e**
nous cueill**ons**
vous cueill**ez**
ils, elles cueill**ent**

imparfait
je cueill**ais**
tu cueill**ais**
il, elle cueill**ait**
nous cueill**ions**
vous cueill**iez**
ils, elles cueill**aient**

futur simple
je cueille**rai**
tu cueille**ras**
il, elle cueille**ra**
nous cueille**rons**
vous cueille**rez**
ils, elles cueille**ront**

passé simple
je cueill**is**
tu cueill**is**
il, elle cueill**it**
nous cueill**îmes**
vous cueill**îtes**
ils, elles cueill**irent**

passé composé
j'ai cueilli
tu as cueilli
il, elle a cueilli
nous avons cueilli
vous avez cueilli
ils, elles ont cueilli

plus-que-parfait
j'avais cueilli
tu avais cueilli
il, elle avait cueilli
nous avions cueilli
vous aviez cueilli
ils, elles avaient cueilli

futur antérieur
j'aurai cueilli
tu auras cueilli
il, elle aura cueilli
nous aurons cueilli
vous aurez cueilli
ils, elles auront cueilli

MODE SUBJONCTIF

présent
que je cueill**e**
que tu cueill**es**
qu'il, qu'elle cueill**e**
que nous cueill**ions**
que vous cueill**iez**
qu'ils, qu'elles cueill**ent**

MODE CONDITIONNEL*

présent	**passé**
je cueille**rais**	j'aurais cueilli
tu cueille**rais**	tu aurais cueilli
il, elle cueille**rait**	il, elle aurait cueilli
nous cueille**rions**	nous aurions cueilli
vous cueille**riez**	vous auriez cueilli
ils, elles cueille**raient**	ils, elles auraient cueilli

MODE IMPÉRATIF

présent
cueill**e**
cueill**ons**
cueill**ez**

MODE INFINITIF

présent	**passé**
cueill**ir**	avoir cueilli

MODE PARTICIPE

présent	**passé**
cueill**ant**	cueill**i**, ie

* Certains auteurs ne considèrent pas le *conditionnel* comme un *mode* mais comme un *temps* du futur, un futur hypothétique.

VERBE DEVOIR (3e groupe)
VERBE IRRÉGULIER

MODE INDICATIF

présent
je dois**s**
tu doi**s**
il, elle doi**t**
nous dev**ons**
vous dev**ez**
ils, elles doiv**ent**

imparfait
je dev**ais**
tu dev**ais**
il, elle dev**ait**
nous dev**ions**
vous dev**iez**
ils, elles dev**aient**

futur simple
je dev**rai**
tu dev**ras**
il, elle dev**ra**
nous dev**rons**
vous dev**rez**
ils, elles dev**ront**

passé simple
je d**us**
tu d**us**
il, elle d**ut**
nous d**ûmes**
vous d**ûtes**
ils, elles d**urent**

passé composé
j'ai d**û**
tu as d**û**
il, elle a d**û**
nous avons d**û**
vous avez d**û**
ils, elles ont d**û**

plus-que-parfait
j'avais d**û**
tu avais d**û**
il, elle avait d**û**
nous avions d**û**
vous aviez d**û**
ils, elles avaient d**û**

futur antérieur
j'aurai d**û**
tu auras d**û**
il, elle aura d**û**
nous aurons d**û**
vous aurez d**û**
ils, elles auront d**û**

MODE SUBJONCTIF

présent
que je doiv**e**
que tu doiv**es**
qu'il, qu'elle doiv**e**
que nous dev**ions**
que vous dev**iez**
qu'ils, qu'elles doiv**ent**

MODE CONDITIONNEL*

présent	**passé**
je dev**rais**	j'aurais d**û**
tu dev**rais**	tu aurais d**û**
il, elle dev**rait**	il, elle aurait d**û**
nous dev**rions**	nous aurions d**û**
vous dev**riez**	vous auriez d**û**
ils, elles dev**raient**	ils, elles auraient d**û**

MODE IMPÉRATIF

présent
doi**s**
dev**ons**
dev**ez**

MODE INFINITIF

présent	**passé**
dev**oir**	avoir dû

MODE PARTICIPE

présent	**passé**
dev**ant**	d**û**, due, dus

*Certains auteurs ne considèrent pas le *conditionnel* comme un *mode* mais comme un *temps* du futur, un futur hypothétique.

VERBE DIRE (3e groupe)
IRRÉGULIER

MODE INDICATIF

présent
je di**s**
tu di**s**
il, elle di**t**
nous di*s***ons**
vous di**tes**
ils, elles di*s***ent**

imparfait
je dis**ais**
tu dis**ais**
il, elle dis**ait**
nous dis**ions**
vous dis**iez**
ils, elles dis**aient**

futur simple
je di**rai**
tu di**ras**
il, elle di**ra**
nous di**rons**
vous di**rez**
ils, elles di**ront**

passé simple
je d**is**
tu d**is**
il, elle d**it**
nous d**îmes**
vous d**îtes**
ils, elles d**irent**

passé composé
j'ai dit
tu as dit
il, elle a dit
nous avons dit
vous avez dit
ils, elles ont dit

plus-que-parfait
j'avais dit
tu avais dit
il, elle avait dit
nous avions dit
vous aviez dit
ils, elles avaient dit

futur antérieur
j'aurai dit
tu auras dit
il, elle aura dit
nous aurons dit
vous aurez dit
ils, elles auront dit

MODE SUBJONCTIF

présent
que je dis**e**
que tu dis**es**
qu'il, qu'elle dis**e**
que nous dis**ions**
que vous dis**iez**
qu'ils, qu'elles dis**ent**

MODE CONDITIONNEL*

présent
je di**rais**
tu di**rais**
il, elle di**rait**
nous di**rions**
vous di**riez**
ils, elles di**raient**

passé
j'aurais dit
tu aurais dit
il, elle aurait dit
nous aurions dit
vous auriez dit
ils, elles auraient dit

MODE IMPÉRATIF

présent
di**s**
di**sons**
di**tes**

MODE INFINITIF

présent
di**re**

passé
avoir dit

MODE PARTICIPE

présent
dis**ant**

passé
di**t**, e

* Certains auteurs ne considèrent pas le *conditionnel* comme un *mode* mais comme un *temps* du futur, un futur hypothétique.

VERBE DORMIR (3e groupe)
IRRÉGULIER

MODE INDICATIF

présent
je dor**s**
tu dor**s**
il, elle dor**t**
nous dorm**ons**
vous dorm**ez**
ils, elles dorm**ent**

imparfait
je dorm**ais**
tu dorm**ais**
il, elle dorm**ait**
nous dorm**ions**
vous dorm**iez**
ils, elles dorm**aient**

futur simple
je dormi**rai**
tu dormi**ras**
il, elle dormi**ra**
nous dormi**rons**
vous dormi**rez**
ils, elles dormi**ront**

passé simple
je dorm**is**
tu dorm**is**
il, elle dorm**it**
nous dorm**îmes**
vous dorm**îtes**
ils, elles dorm**irent**

passé composé
j'ai dormi
tu as dormi
il, elle a dormi
nous avons dormi
vous avez dormi
ils, elles ont dormi

plus-que-parfait
j'avais dormi
tu avais dormi
il, elle avait dormi
nous avions dormi
vous aviez dormi
ils, elles avaient dormi

futur antérieur
j'aurai dormi
tu auras dormi
il, elle aura dormi
nous aurons dormi
vous aurez dormi
ils, elles auront dormi

MODE SUBJONCTIF

présent
que je dorm**e**
que tu dorm**es**
qu'il, qu'elle dorm**e**
que nous dorm**ions**
que vous dorm**iez**
qu'ils, qu'elles dorm**ent**

MODE CONDITIONNEL*

présent	**passé**
je dormi**rais**	j'aurais dormi
tu dormi**rais**	tu aurais dormi
il, elle dormi**rait**	il, elle aurait dormi
nous dormi**rions**	nous aurions dormi
vous dormi**riez**	vous auriez dormi
ils, elles dormi**raient**	ils, elles auraient dormi

MODE IMPÉRATIF

présent
dor**s**
dorm**ons**
dorm**ez**

MODE INFINITIF

présent	**passé**
dorm**ir**	avoir dormi

MODE PARTICIPE

présent	**passé**
dorm**ant**	dorm**i**

* Certains auteurs ne considèrent pas le *conditionnel* comme un *mode* mais comme un *temps* du futur, un futur hypothétique.

VERBE ÉCRIRE (3e groupe)
IRRÉGULIER

MODE INDICATIF

présent
j'écri**s**
tu écri**s**
il, elle écri**t**
nous écriv**ons**
vous écriv**ez**
ils, elles écriv**ent**

imparfait
j'écriv**ais**
tu écriv**ais**
il, elle écriv**ait**
nous écriv**ions**
vous écriv**iez**
ils, elles écriv**aient**

futur simple
j'écri**rai**
tu écri**ras**
il, elle écri**ra**
nous écri**rons**
vous écri**rez**
ils, elles écri**ront**

passé simple
j'écriv**is**
tu écriv**is**
il, elle écriv**it**
nous écriv**îmes**
vous écriv**îtes**
ils, elles écriv**irent**

passé composé
j'ai écrit
tu as écrit
il, elle a écrit
nous avons écrit
vous avez écrit
ils, elles ont écrit

plus-que-parfait
j'avais écrit
tu avais écrit
il, elle avait écrit
nous avions écrit
vous aviez écrit
ils, elles avaient écrit

futur antérieur
j'aurai écrit
tu auras écrit
il, elle aura écrit
nous aurons écrit
vous aurez écrit
ils, elles auront écrit

MODE SUBJONCTIF

présent
que j'écriv**e**
que tu écriv**es**
qu'il, qu'elle écriv**e**
que nous écriv**ions**
que vous écriv**iez**
qu'ils, qu'elles écriv**ent**

MODE CONDITIONNEL*

présent
j'écri**rais**
tu écri**rais**
il, elle écri**rait**
nous écri**rions**
vous écri**riez**
ils, elles écri**raient**

passé
j'aurais écrit
tu aurais écrit
il, elle aurait écrit
nous aurions écrit
vous auriez écrit
ils, elles auraient écrit

MODE IMPÉRATIF

présent
écri**s**
écriv**ons**
écriv**ez**

MODE INFINITIF

présent
écrire

passé
avoir écrit

MODE PARTICIPE

présent
écriv**ant**

passé
écri**t**, e

* Certains auteurs ne considèrent pas le *conditionnel* comme un *mode* mais comme un *temps* du futur, un futur hypothétique.

VERBE FAIRE (3e groupe)
VERBE IRRÉGULIER

MODE INDICATIF

présent
je fais**s**
tu fai**s**
il, elle fai**t**
nous fais**ons**
vous fai**tes**
ils, elles **font**

imparfait
je fais**ais**
tu fais**ais**
il, elle fais**ait**
nous fais**ions**
vous fais**iez**
ils, elles fais**aient**

futur simple
je fe**rai**
tu fe**ras**
il, elle fe**ra**
nous fe**rons**
vous fe**rez**
ils, elles fe**ront**

passé simple
je f**is**
tu f**is**
il, elle f**it**
nous f**îmes**
vous f**îtes**
ils, elles f**irent**

passé composé
j'ai fait
tu as fait
il, elle a fait
nous avons fait
vous avez fait
ils, elles ont fait

plus-que-parfait
j'avais fait
tu avais fait
il, elle avait fait
nous avions fait
vous aviez fait
ils, elles avaient fait

futur antérieur
j'aurai fait
tu auras fait
il, elle aura fait
nous aurons fait
vous aurez fait
ils, elles auront fait

MODE SUBJONCTIF

présent
que je fass**e**
que tu fass**es**
qu'il, qu'elle fass**e**
que nous fass**ions**
que vous fass**iez**
qu'ils, qu'elles fass**ent**

MODE CONDITIONNEL*

présent	**passé**
je fe**rais**	j'aurais fait
tu fe**rais**	tu aurais fait
il, elle fe**rait**	il, elle aurait fait
nous fe**rions**	nous aurions fait
vous fe**riez**	vous auriez fait
ils, elles fe**raient**	ils, elles auraient fait

MODE IMPÉRATIF

présent
fai**s**
fais**ons**
fai**tes**

MODE INFINITIF

présent	**passé**
faire	avoir fait

MODE PARTICIPE

présent	**passé**
fais**ant**	fai**t**, e

*Certains auteurs ne considèrent pas le *conditionnel* comme un *mode* mais comme un *temps* du futur, un futur hypothétique.

VERBE FALLOIR (3e groupe)

VERBE IRRÉGULIER (impersonnel)

MODE INDICATIF

présent
il faut

imparfait
il fall**ait**

futur simple
il faud**ra**

passé simple
il fall**ut**

passé composé
il a fallu

plus-que-parfait
il avait fallu

futur antérieur
il aura fallu

MODE SUBJONCTIF

présent
qu'il faill**e**

MODE CONDITIONNEL*

présent
il faud**rait**

passé
il aurait fallu

MODE IMPÉRATIF

présent
pas d'impératif

MODE INFINITIF

présent
fall**oir**

MODE PARTICIPE

passé
fall**u**

*Certains auteurs ne considèrent pas le *conditionnel* comme un *mode* mais comme un *temps* du futur, un futur hypothétique.

VERBE METTRE (3e groupe)
IRRÉGULIER

MODE INDICATIF

présent
je met**s**
tu met**s**
il, elle me**t**
nous mett**ons**
vous mett**ez**
ils, elles mett**ent**

imparfait
je mett**ais**
tu mett**ais**
il, elle mett**ait**
nous mett**ions**
vous mett**iez**
ils, elles mett**aient**

futur simple
je mett**rai**
tu mett**ras**
il, elle mett**ra**
nous mett**rons**
vous mett**rez**
ils, elles mett**ront**

passé simple
je m**is**
tu m**is**
il, elle m**it**
nous m**îmes**
vous m**îtes**
ils, elles m**irent**

passé composé
j'ai mis
tu as mis
il, elle a mis
nous avons mis
vous avez mis
ils, elles ont mis

plus-que-parfait
j'avais mis
tu avais mis
il, elle avait mis
nous avions mis
vous aviez mis
ils, elles avaient mis

futur antérieur
j'aurai mis
tu auras mis
il, elle aura mis
nous aurons mis
vous aurez mis
ils, elles auront mis

MODE SUBJONCTIF

présent
que je mett**e**
que tu mett**es**
qu'il, qu'elle mett**e**
que nous mett**ions**
que vous mett**iez**
qu'ils, qu'elles mett**ent**

MODE CONDITIONNEL*

présent	**passé**
je mett**rais**	j'aurais mis
tu mett**rais**	tu aurais mis
il, elle mett**rait**	il, elle aurait mis
nous mett**rions**	nous aurions mis
vous mett**riez**	vous auriez mis
ils, elles mett**raient**	ils, elles auraient mis

MODE IMPÉRATIF

présent
met**s**
mett**ons**
mett**ez**

MODE INFINITIF

présent	**passé**
mett**re**	avoir mis

MODE PARTICIPE

présent	**passé**
mett**ant**	m**is**, e

*Certains auteurs ne considèrent pas le *conditionnel* comme un *mode* mais comme un *temps* du futur, un futur hypothétique.

VERBE MOURIR (3e groupe)
IRRÉGULIER

MODE INDICATIF

présent
je m*eur***s**
tu m*eur***s**
il, elle m*eur***t**
nous mour**ons**
vous mour**ez**
ils, elles m*eur***ent**

imparfait
je mour**ais**
tu mour**ais**
il, elle mour**ait**
nous mour**ions**
vous mour**iez**
ils, elles mour**aient**

futur simple
je mour*r***ai**
tu mour*r***as**
il, elle mour*r***a**
nous mour*r***ons**
vous mour*r***ez**
ils, elles mour*r***ont**

passé simple
je mour**us**
tu mour**us**
il, elle mour**ut**
nous mour**ûmes**
vous mour**ûtes**
ils, elles mour**urent**

passé composé
je suis mort
tu es mort
il est mort, elle est mort**e**
nous sommes mort**s**
vous êtes mort**s**
ils sont mort**s**, elles sont mort**es**

plus-que-parfait
j'étais mort
tu étais mort
il était mort, elle était mort**e**
nous étions mort**s**
vous étiez mort**s**
ils étaient mort**s**, elles étaient mort**es**

futur antérieur
je serai mort
tu seras mort
il sera mort, elle sera mort**e**
nous serons mort**s**
vous serez mort**s**
ils seront mort**s**, elles seront mort**es**

MODE SUBJONCTIF

présent
que je m*eur***e**
que tu m*eur***es**
qu'il, qu'elle m*eur***e**
que nous mour**ions**
que vous mour**iez**
qu'ils, qu'elles m*eur***ent**

MODE CONDITIONNEL*

présent
je mour*r***ais**
tu mour*r***ais**
il, elle mour*r***ait**
nous mour*r***ions**
vous mour*r***iez**
ils, elles mour*r***aient**

passé
je serais mort
tu serais mort
il serait mort,
elle serait mort**e**
nous serions mort**s**
vous seriez mort**s**
ils seraient mort**s**,
elles seraient mort**es**

MODE IMPÉRATIF

présent
meur**s**
mour**ons**
mour**ez**

MODE INFINITIF

présent
mour**ir**

passé
être mort, e

MODE PARTICIPE

présent
mour**ant**

passé
mor**t**, e

*Certains auteurs ne considèrent pas le *conditionnel* comme un *mode* mais comme un *temps* du futur, un futur hypothétique.

VERBE OFFRIR (3e groupe)
IRRÉGULIER

MODE INDICATIF

présent
j'offr**e**
tu offr**es**
il, elle offr**e**
nous offr**ons**
vous offr**ez**
ils, elles offr**ent**

imparfait
j'offr**ais**
tu offr**ais**
il, elle offr**ait**
nous offr**ions**
vous offr**iez**
ils, elles offr**aient**

futur simple
j'offrir**ai**
tu offrir**as**
il, elle offrir**a**
nous offrir**ons**
vous offrir**ez**
ils, elles offrir**ont**

passé simple
j'offr**is**
tu offr**is**
il, elle offr**it**
nous offr**îmes**
vous offr**îtes**
ils, elles offr**irent**

passé composé
j'ai offert
tu as offert
il, elle a offert
nous avons offert
vous avez offert
ils, elles ont offert

plus-que-parfait
j'avais offert
tu avais offert
il, elle avait offert
nous avions offert
vous aviez offert
ils, elles avaient offert

futur antérieur
j'aurai offert
tu auras offert
il, elle aura offert
nous aurons offert
vous aurez offert
ils, elles auront offert

MODE SUBJONCTIF

présent
que j'offr**e**
que tu offr**es**
qu'il, qu'elle offr**e**
que nous offr**ions**
que vous offr**iez**
qu'ils, qu'elles offr**ent**

MODE CONDITIONNEL*

présent	**passé**
j'offrir**ais**	j'aurais offert
tu offrir**ais**	tu aurais offert
il, elle offrir**ait**	il, elle aurait offert
nous offrir**ions**	nous aurions offert
vous offrir**iez**	vous auriez offert
ils, elles offrir**aient**	ils, elles auraient offert

MODE IMPÉRATIF

présent
offr**e**
offr**ons**
offr**ez**

MODE INFINITIF

présent	**passé**
offr**ir**	avoir offert

MODE PARTICIPE

présent	**passé**
offr**ant**	offer**t**, e

*Certains auteurs ne considèrent pas le *conditionnel* comme un *mode* mais comme un *temps* du futur, un futur hypothétique.

VERBE POUVOIR (3e groupe)
VERBE IRRÉGULIER

MODE INDICATIF

présent
je peu**x**
tu peu**x**
il, elle peu**t**
nous pouv**ons**
vous pouv**ez**
ils, elles peuv**ent**

imparfait
je pouv**ais**
tu pouv**ais**
il, elle pouv**ait**
nous pouv**ions**
vous pouv**iez**
ils, elles pouv**aient**

futur simple
je pou*r***rai**
tu pou*r***ras**
il, elle pou*r***ra**
nous pou*r***rons**
vous pou*r***rez**
ils, elles pou*r***ront**

passé simple
je p**us**
tu p**us**
il, elle p**ut**
nous p**ûmes**
vous p**ûtes**
ils, elles p**urent**

passé composé
j'ai pu
tu as pu
il, elle a pu
nous avons pu
vous avez pu
ils, elles ont pu

plus-que-parfait
j'avais pu
tu avais pu
il, elle avait pu
nous avions pu
vous aviez pu
ils, elles avaient pu

futur antérieur
j'aurai pu
tu auras pu
il, elle aura pu
nous aurons pu
vous aurez pu
ils, elles auraient pu

MODE SUBJONCTIF

présent
que je puis*s***e**
que tu puis*s***es**
qu'il, qu'elle puis*s***e**
que nous puis*s***ions**
que vous puis*s***iez**
qu'ils, qu'elles puis*s***ent**

MODE CONDITIONNEL*

présent	**passé**
je pou*r***rais**	j'aurais pu
tu pou*r***rais**	tu aurais pu
il, elle pou*r***rait**	il, elle aurait pu
nous pou*r***rions**	nous aurions pu
vous pou*r***riez**	vous auriez pu
ils, elles pou*r***raient**	ils, elles auraient pu

MODE IMPÉRATIF

présent
pas d'impératif

MODE INFINITIF

présent	**passé**
pouv**oir**	avoir pu

MODE PARTICIPE

présent	**passé**
pouv**ant**	p**u**

*Certains auteurs ne considèrent pas le *conditionnel* comme *mode* mais comme un *temps* du futur, un futur hypothétique.

VERBE PRENDRE (3e groupe)

VERBE IRRÉGULIER

MODE INDICATIF

présent
je pren**ds**
tu pren**ds**
il, elle pren**d**
nous pr*en***ons**
vous pr*en***ez**
ils, elles pr*enn***ent**

imparfait
je pr*en***ais**
tu pr*en***ais**
il, elle pr*en***ait**
nous pr*en***ions**
vous pr*en***iez**
ils, elles pr*en***aient**

futur simple
je prend**rai**
tu prend**ras**
il, elle prend**ra**
nous prend**rons**
vous prend**rez**
ils, elles prend**ront**

passé simple
je pr**is**
tu pr**is**
il, elle pr**it**
nous pr**îmes**
vous pr**îtes**
ils, elles pr**irent**

passé composé
j'ai pris
tu as pris
il, elle a pris
nous avons pris
vous avez pris
ils, elles ont pris

plus-que-parfait
j'avais pris
tu avais pris
il, elle avait pris
nous avions pris
vous aviez pris
ils, elles avaient pris

futur antérieur
j'aurai pris
tu auras pris
il, elle aura pris
nous aurons pris
vous aurez pris
ils, elles auront pris

MODE SUBJONCTIF

présent
que je pr*enn***e**
que tu pr*enn***es**
qu'il, qu'elle pr*enn***e**
que nous pr*en***ions**
que vous pr*en***iez**
qu'ils, qu'elles pr*enn***ent**

MODE CONDITIONNEL*

présent	**passé**
je prend**rais**	j'aurais pris
tu prend**rais**	tu aurais pris
il, elle prend**rait**	il, elle aurait pris
nous prend**rions**	nous aurions pris
vous prend**riez**	vous auriez pris
ils, elles prend**raient**	ils, elles auraient pris

MODE IMPÉRATIF

présent
pren**ds**
pr*en***ons**
pr*en***ez**

MODE INFINITIF

présent	**passé**
prend**re**	avoir pris

MODE PARTICIPE

présent	**passé**
pren**ant**	pri**s**, e

* Certains auteurs ne considèrent pas le *conditionnel* comme un *mode* mais comme un *temps* du futur, un futur hypothétique.

VERBE SAVOIR (3e groupe)
VERBE IRRÉGULIER

MODE INDICATIF

présent
je sai**s**
tu sai**s**
il, elle sai**t**
nous sav**ons**
vous sav**ez**
ils, elles sav**ent**

imparfait
je sav**ais**
tu sav**ais**
il, elle sav**ait**
nous sav**ions**
vous sav**iez**
ils, elles sav**aient**

futur simple
je sau**rai**
tu sau**ras**
il, elle sau**ra**
nous sau**rons**
vous sau**rez**
ils, elles sau**ront**

passé simple
je **sus**
tu **sus**
il, elle **sut**
nous **sûmes**
vous **sûtes**
ils, elles **surent**

passé composé
j'ai su
tu as su
il, elle a su
nous avons su
vous avez su
ils, elles ont su

plus-que-parfait
j'avais su
tu avais su
il, elle avait su
nous avions su
vous aviez su
ils, elles avaient su

futur antérieur
j'aurai su
tu auras su
il, elle aura su
nous aurons su
vous aurez su
ils, elles auront su

MODE SUBJONCTIF

présent
que je sa*ch***e**
que tu sa*ch***es**
qu'il, qu'elle sa*ch***e**
que nous sa*ch***ions**
que vous sa*ch***iez**
qu'ils, qu'elles sa*ch***ent**

MODE CONDITIONNEL*

présent	**passé**
je sau**rais**	j'aurais su
tu sau**rais**	tu aurais su
il, elle sau**rait**	il, elle aurait su
nous sau**rions**	nous aurions su
vous sau**riez**	vous auriez su
ils, elles sau**raient**	ils, elles auraient su

MODE IMPÉRATIF

présent
sache
sach**ons**
sach**ez**

MODE INFINITIF

présent	**passé**
sav**oir**	avoir su

MODE PARTICIPE

présent	**passé**
sach**ant**	**su**, ue

*Certains auteurs ne considèrent pas le *conditionnel* comme un *mode* mais comme un *temps* du futur, un futur hypothétique.

VERBE SORTIR (3e groupe)
IRRÉGULIER

MODE INDICATIF

présent
je sor**s**
tu sor**s**
il, elle sor**t**
nous sort**ons**
vous sort**ez**
ils, elles sort**ent**

imparfait
je sort**ais**
tu sort**ais**
il, elle sort**ait**
nous sort**ions**
vous sort**iez**
ils, elles sort**aient**

futur simple
je sorti**rai**
tu sorti**ras**
il, elle sorti**ra**
nous sorti**rons**
vous sorti**rez**
ils, elles sorti**ront**

passé simple
je sort**is**
tu sort**is**
il, elle sort**it**
nous sort**îmes**
vous sort**îtes**
ils, elles sort**irent**

passé composé
j'ai sorti
tu as sorti
il, elle a sorti
nous avons sorti
vous avez sorti
ils, elles ont sorti

plus-que-parfait
j'avais sorti
tu avais sorti
il, elle avait sorti
nous avions sorti
vous aviez sorti
ils, elles avaient sorti

futur antérieur
j'aurai sorti
tu auras sorti
il, elle aura sorti
nous aurons sorti
vous aurez sorti
ils, elles auront sorti

MODE SUBJONCTIF

présent
que je sort**e**
que tu sort**es**
qu'il, qu'elle sort**e**
que nous sort**ions**
que vous sort**iez**
qu'ils, qu'elles sort**ent**

MODE CONDITIONNEL*

présent	**passé**
je sorti**rais**	j'aurais sorti
tu sorti**rais**	tu aurais sorti
il, elle sorti**rait**	il, elle aurait sorti
nous sorti**rions**	nous aurions sorti
vous sorti**riez**	vous auriez sorti
ils, elles sorti**raient**	ils, elles auraient sorti

MODE IMPÉRATIF

présent
sor**s**
sort**ons**
sort**ez**

MODE INFINITIF

présent	**passé**
sort**ir**	avoir sorti

MODE PARTICIPE

présent	**passé**
sort**ant**	sort**i**, ie

* Certains auteurs ne considèrent pas le *conditionnel* comme un *mode* mais comme un *temps* du futur, un futur hypothétique.

VERBE SUIVRE (3e groupe)
VERBE IRRÉGULIER

MODE INDICATIF

présent
je sui**s**
tu sui**s**
il, elle sui**t**
nous suiv**ons**
vous suiv**ez**
ils, elles suiv**ent**

imparfait
je suiv**ais**
tu suiv**ais**
il, elle suiv**ait**
nous suiv**ions**
vous suiv**iez**
ils, elles suiv**aient**

futur simple
je suiv**rai**
tu suiv**ras**
il, elle suiv**ra**
nous suiv**rons**
vous suiv**rez**
ils, elles suiv**ront**

passé simple
je suiv**is**
tu suiv**is**
il, elle suiv**it**
nous suiv**îmes**
vous suiv**îtes**
ils, elles suiv**irent**

passé composé
j'ai suivi
tu as suivi
il, elle a suivi
nous avons suivi
vous avez suivi
ils, elles ont suivi

plus-que-parfait
j'avais suivi
tu avais suivi
il, elle avait suivi
nous avions suivi
vous aviez suivi
ils, elles avaient suivi

futur antérieur
j'aurai suivi
tu auras suivi
il, elle aura suivi
nous aurons suivi
vous aurez suivi
ils, elles auront suivi

MODE SUBJONCTIF

présent
que je suiv**e**
que tu suiv**es**
qu'il, qu'elle suiv**e**
que nous suiv**ions**
que vous suiv**iez**
qu'ils, qu'elles suiv**ent**

MODE CONDITIONNEL*

présent
je suiv**rais**
tu suiv**rais**
il, elle suiv**rait**
nous suiv**rions**
vous suiv**riez**
ils, elles suiv**raient**

passé
j'aurais suivi
tu aurais suivi
il, elle aurait suivi
nous aurions suivi
vous auriez suivi
ils, elles auraient suivi

MODE IMPÉRATIF

présent
sui**s**
suiv**ons**
suiv**ez**

MODE INFINITIF

présent
suiv**re**

passé
avoir suivi

MODE PARTICIPE

présent
suiv**ant**

passé
suiv**i**, ie

*Certains auteurs ne considèrent pas le *conditionnel* comme un *mode* mais comme un *temps* du futur, un futur hypothétique.

VERBE TENIR (3e groupe)
IRRÉGULIER

MODE INDICATIF

présent
je tien**s**
tu tien**s**
il, elle tien**t**
nous ten**ons**
vous ten**ez**
ils, elles tienn**ent**

imparfait
je ten**ais**
tu ten**ais**
il, elle ten**ait**
nous ten**ions**
vous ten**iez**
ils, elles ten**aient**

futur simple
je tiend**rai**
tu tiend**ras**
il, elle tiend**ra**
nous tiend**rons**
vous tiend**rez**
ils, elles tiend**ront**

passé simple
je **tins**
tu **tins**
il, elle **tint**
nous **tînmes**
vous **tîntes**
ils, elles **tinrent**

passé composé
j'ai tenu
tu as tenu
il, elle a tenu
nous avons tenu
vous avez tenu
ils, elles ont tenu

plus-que-parfait
j'avais tenu
tu avais tenu
il, elle avait tenu
nous avions tenu
vous aviez tenu
ils, elles avaient tenu

futur antérieur
j'aurai tenu
tu auras tenu
il, elle aura tenu
nous aurons tenu
vous aurez tenu
ils, elles auront tenu

MODE SUBJONCTIF

présent
que je tienn**e**
que tu tienn**es**
qu'il, qu'elle tienn**e**
que nous ten**ions**
que vous ten**iez**
qu'ils, qu'elles tienn**ent**

MODE CONDITIONNEL*

présent	**passé**
je tiend**rais**	j'aurais tenu
tu tiend**rais**	tu aurais tenu
il, elle tiend**rait**	il, elle aurait tenu
nous tiend**rions**	nous aurions tenu
vous tiend**riez**	vous auriez tenu
ils, elles tiend**raient**	ils, elles auraient tenu

MODE IMPÉRATIF

présent
tien**s**
ten**ons**
ten**ez**

MODE INFINITIF

présent	**passé**
ten**ir**	avoir tenu

MODE PARTICIPE

présent	**passé**
ten**ant**	ten**u**, ue

*Certains auteurs ne considèrent pas le *conditionnel* comme un *mode* mais comme un *temps* du futur, un futur hypothétique.

VERBE VALOIR (3e groupe)
VERBE IRRÉGULIER

MODE INDICATIF

présent
je v*au***x**
tu v*au***x**
il, elle v*au***t**
nous val**ons**
vous val**ez**
ils, elles val**ent**

imparfait
je val**ais**
tu val**ais**
il, elle val**ait**
nous val**ions**
vous val**iez**
ils, elles val**aient**

futur simple
je vaud**rai**
tu vaud**ras**
il, elle vaud**ra**
nous vaud**rons**
vous vaud**rez**
ils, elles vaud**ront**

passé simple
je val**us**
tu val**us**
il, elle val**ut**
nous val**ûmes**
vous val**ûtes**
ils, elles val**urent**

passé composé
j'ai valu
tu as valu
il, elle a valu
nous avons valu
vous avez valu
ils, elles ont valu

plus-que-parfait
j'avais valu
tu avais valu
il, elle avait valu
nous avions valu
vous aviez valu
ils, elles avaient valu

futur antérieur
j'aurai valu
tu auras valu
il, elle aura valu
nous aurons valu
vous aurez valu
ils, elles auront valu

MODE SUBJONCTIF

présent
que je v*aill***e**
que tu v*aill***es**
qu'il, qu'elle v*aill***e**
que nous va*l***ions**
que vous va*l***iez**
qu'ils, qu'elles v*aill***ent**

MODE CONDITIONNEL*

présent	**passé**
je vaud**rais**	j'aurais valu
tu vaud**rais**	tu aurais valu
il, elle vaud**rait**	il, elle aurait valu
nous vaud**rions**	nous aurions valu
vous vaud**riez**	vous auriez valu
ils, elles vaud**raient**	ils, elles auraient valu

MODE IMPÉRATIF

présent
vau**x**
val**ons**
val**ez**

MODE INFINITIF

présent	**passé**
val**oir**	avoir valu

MODE PARTICIPE

présent	**passé**
val**ant**	val**u**, ue

*Certains auteurs ne considèrent pas le *conditionnel* comme un *mode* mais comme un *temps* du futur, un futur hypothétique.

VERBE VENIR (3e groupe)
VERBE IRRÉGULIER

MODE INDICATIF

présent
je v*ien***s**
tu v*ien***s**
il, elle v*ien***t**
nous ven**ons**
vous ven**ez**
ils, elles v*ienn***ent**

imparfait
je ven**ais**
tu ven**ais**
il, elle ven**ait**
nous ven**ions**
vous ven**iez**
ils, elles ven**aient**

futur simple
je v*ien*d**rai**
tu v*ien*d**ras**
il, elle v*ien*d**ra**
nous v*ien*d**rons**
vous v*ien*d**rez**
ils, elles v*ien*d**ront**

passé simple
je v**ins**
tu v**ins**
il, elle v**int**
nous v**înmes**
vous v**întes**
ils, elles v**inrent**

passé composé
je suis venu
tu es venu
il est venu, elle est venu**e**
nous sommes venu**s**
vous êtes venu**s**
ils sont venu**s**, elles sont venu**es**

plus-que-parfait
j'étais venu
tu étais venu
il était venu, elle était venu**e**
nous étions venu**s**
vous étiez venu**s**
ils étaient venu**s**, elles étaient venu**es**

futur antérieur
je serai venu
tu seras venu
il sera venu, elle sera venu**e**
nous serons venu**s**
vous serez venu**s**
ils seront venu**s**, elles seront venu**es**

MODE SUBJONCTIF

présent
que je v*ienn***e**
que tu v*ienn***es**
qu'il, qu'elle v*ienn***e**
que nous ven**ions**
que vous ven**iez**
qu'ils, qu'elles v*ienn***ent**

MODE CONDITIONNEL*

présent
je v*ien*d**rais**
tu v*ien*d**rais**
il, elle v*ien*d**rait**
nous v*ien*d**rions**
vous v*ien*d**riez**
ils, elles v*ien*d**raient**

passé
je serais venu
tu serais venu
il serait venu,
elle serait venu**e**
nous serions venu**s**
vous seriez venu**s**
ils seraient venu**s**,
elles seraient venu**es**

MODE IMPÉRATIF

présent
v*ien***s**
ven**ons**
ven**ez**

MODE INFINITIF

présent
ven**ir**

passé
être venu, ue

MODE PARTICIPE

présent
ven**ant**

passé
ven**u**, ue

*Certains auteurs ne considèrent pas le *conditionnel* comme un *mode* mais comme un *temps* du futur, un futur hypothétique.

VERBE VOIR (3e groupe)
VERBE IRRÉGULIER

MODE INDICATIF

présent
je vo*i***s**
tu vo*i***s**
il, elle vo*i***t**
nous vo*y***ons**
vous vo*y***ez**
ils, elles vo*i***ent**

imparfait
je voy**ais**
tu voy**ais**
il, elle voy**ait**
nous voy**ions**
vous voy**iez**
ils, elles voy**aient**

futur simple
je ve*r***rai**
tu ve*r***ras**
il, elle ve*r***ra**
nous ve*r***rons**
vous ve*r***rez**
ils, elles ve*r***ront**

passé simple
je **vis**
tu **vis**
il, elle **vit**
nous **vîmes**
vous **vîtes**
ils, elles **virent**

passé composé
j'ai vu
tu as vu
il, elle a vu
nous avons vu
vous avez vu
ils, elles ont vu

plus-que-parfait
j'avais vu
tu avais vu
il, elle avait vu
nous avions vu
vous aviez vu
ils, elles avaient vu

futur antérieur
j'aurai vu
tu auras vu
il, elle aura vu
nous aurons vu
vous aurez vu
ils, elles auront vu

MODE SUBJONCTIF

présent
que je vo*i***e**
que tu vo*i***es**
qu'il, qu'elle vo*i***e**
que nous vo*y***ions**
que vous vo*y***iez**
qu'ils, qu'elles vo*i***ent**

MODE CONDITIONNEL*

présent
je ve*r***rais**
tu ve*r***rais**
il, elle ve*r***rait**
nous ve*r***rions**
vous ve*r***riez**
ils, elles ve*r***raient**

passé
j'aurais vu
tu aurais vu
il, elle aurait vu
nous aurions vu
vous auriez vu
ils, elles auraient vu

MODE IMPÉRATIF

présent
vo*i***s**
vo*y***ons**
vo*y***ez**

MODE INFINITIF

présent
voir

passé
avoir vu

MODE PARTICIPE

présent
voy**ant**

passé
vu, ue

* Certains auteurs ne considèrent pas le *conditionnel* comme un *mode* mais comme un *temps* du futur, un futur hypothétique.

VERBE VOULOIR (3e groupe)
VERBE IRRÉGULIER

MODE INDICATIF

présent
je *veu***x**
tu *veu***x**
il, elle *veu***t**
nous voul**ons**
vous voul**ez**
ils, elles *veul***ent**

imparfait
je voul**ais**
tu voul**ais**
il, elle voul**ait**
nous voul**ions**
vous voul**iez**
ils, elles voul**aient**

futur simple
je voud**rai**
tu voud**ras**
il, elle voud**ra**
nous voud**rons**
vous voud**rez**
ils, elles voud**ront**

passé simple
je voul**us**
tu voul**us**
il, elle voul**ut**
nous voul**ûmes**
vous voul**ûtes**
ils, elles voul**urent**

passé composé
j'ai voulu
tu as voulu
il, elle a voulu
nous avons voulu
vous avez voulu
ils, elles ont voulu

plus-que-parfait
j'avais voulu
tu avais voulu
il, elle avait voulu
nous avions voulu
vous aviez voulu
ils, elles avaient voulu

futur antérieur
j'aurai voulu
tu auras voulu
il, elle aura voulu
nous aurons voulu
vous aurez voulu
ils, elles auront voulu

MODE SUBJONCTIF

présent
que je *veuill***e**
que tu *veuill***es**
qu'il, qu'elle *veuill***e**
que nous voul**ions**
que vous voul**iez**
qu'ils, qu'elles *veuill***ent**

MODE CONDITIONNEL*

présent	**passé**
je voud**rais**	j'aurais voulu
tu voud**rais**	tu aurais voulu
il, elle voud**rait**	il, elle aurait voulu
nous voud**rions**	nous aurions voulu
vous voud**riez**	vous auriez voulu
ils, elles voud**raient**	ils, elles auraient voulu

MODE IMPÉRATIF

présent
*veu***x** (*veuill***e**)
voul**ons**
voul**ez** (*veuill***ez**)

MODE INFINITIF

présent	**passé**
voul**oir**	avoir voulu

MODE PARTICIPE

présent	**passé**
voul**ant**	voul**u**, ue

*Certains auteurs ne considèrent pas le *conditionnel* comme un *mode* mais comme un *temps* du futur, un futur hypothétique.

ABRÉVIATIONS

L'abréviation consiste à écrire un mot en n'utilisant qu'une partie de ses lettres.

LES ABRÉVIATIONS COURANTES

app.	appartement	**Mme** ou **Mme**	Madame
apr.	après	**Mmes** ou **Mmes**	Mesdames
a/s de	aux soins de	**Mlle** ou **Mlle**	Mademoiselle
av.	avenue	**Mlles** ou **Mlles**	Mesdemoiselles
av.	avant	**N.B.**	notez bien
boul.	boulevard	**n^{o}**	numéro
B.P.	boîte postale	**n^{os}**	numéros
c.	cent	**p.**	page ou pages
c.-à-d.	c'est-à-dire	**P.-S.**	post-scriptum
chap.	chapitre	**qq.**	quelque, quelques
coll.	collection	**qqch.**	quelque chose
C.P.	case postale, colis postal	**qqn**	quelqu'un
cté ou **c^{té}**	comté	**s.**	siècle
etc.	et cætera	**St, Ste** ou **S^{t}, S^{te}**	Saint, Sainte
ex.	exemple	**s.v.p.**	s'il vous plaît
id.	idem (le même, la même chose)	**t.**	tome
J.-C.	Jésus-Christ	**tél.**	téléphone
M.	Monsieur	**v.** ou **V.**	voir
MM.	Messieurs	**vol.**	volume ou volumes

LES ABRÉVIATIONS DES ADJECTIFS NUMÉRAUX ORDINAUX

1er	premier	**2e**	deuxième
1ers	premiers	**3e**	troisième
1re	première	**20e**	vingtième
1res	premières	etc.	

LES SYMBOLES DES UNITÉS DE MESURE

h	heure	**mm**	millimètre
min	minute	**km**	kilomètre
s	seconde	**g**	gramme
°C	degré Celsius	**kg**	kilogramme
m	mètre	**l**	litre
cm	centimètre	**ml**	millilitre

SIGLES COURANTS*

Le sigle est une abréviation constituée par les initiales ou les premières lettres de plusieurs mots.

ACDI	Agence canadienne de développement international
ACNOR	Association canadienne de normalisation
AFNOR	Association française de normalisation
BN	Bibliothèque nationale
BNQ	Bureau de normalisation du Québec
CAC	Conseil des Arts du Canada
CCDP	Commission canadienne des droits de la personne
CEC	Conseil économique du Canada
CECM	Commission des écoles catholiques de Montréal
CECQ	Commission des écoles catholiques de Québec
CEGEP	Collège d'enseignement général et professionnel
CEQ	Centrale de l'enseignement du Québec
CLSC	Centre local de services communautaires
CNA	Centre national des arts
CRTC	Conseil de la radiodiffusion et des télécommunications canadiennes
CSM	Commission du système métrique
CSN	Confédération des syndicats nationaux
CSST	Commission de la santé et de la sécurité du travail
CUM	Communauté urbaine de Montréal
DEC	Diplôme d'études collégiales
DES	Diplôme d'études secondaires
FTQ	Fédération des travailleurs du Québec
GRC	Gendarmerie royale du Canada
HEC	Hautes études commerciales
HLM	Habitation à loyer modique
MEQ	Ministère de l'Éducation du Québec
MNC	Musées nationaux du Canada
MST	Maladie sexuellement transmissible
NAS	Numéro d'assurance sociale
NASA	*National Aeronautics and Space Administration*
NIP	Numéro d'identification personnelle
OLF	Office de la langue française
ONF	Office national du film
ONU	Organisation des Nations Unies
OTAN	Organisation du traité de l'Atlantique Nord
OVNI	Objet volant non identifié
PME	Petite et moyenne entreprise
REER	Régime enregistré d'épargne-retraite
RRQ	Régie des rentes du Québec
SAQ	Société des alcools du Québec
SIDA	Syndrome immuno-déficitaire acquis
SRC	Société Radio-Canada
STCUM	Société des transports de la communauté urbaine de Montréal
STRSM	Société des transports de la Rive-Sud de Montréal
UNESCO	*United Nations Educational, Scientific and Cultural Organization* (Organisation des Nations Unies pour l'éducation, la science et la culture)
UNICEF	*United Nations International Children's Emergency Fund* (Fonds international des Nations Unies pour le secours à l'enfance)
URSS	Union des républiques socialistes soviétiques
USA	*United States of America* (États-Unis d'Amérique)

*Plus les sigles sont courants, plus l'usage tend à omettre les points abréviatifs.

ANGLICISMES ET CANADIANISMES

FORME À ÉVITER	FORME CORRECTE
A	
abrier	**couvrir**
achalage	**dérangement**
achalant	**importun**
achalanterie	**embarras, embêtement**
achaler	**agacer, contrarier, importuner**
adon	**coïncidence, hasard**
avocado	**avocat**
B	
baloné	**mortadelle, saucisson**
balloune	**ballon, bulle**
bar à salades	**table à salades**
bargain	**bonne affaire, marché avantageux**
bebite ou bibite	**bestiole**
bine	**fève, haricot**
bloc appartements	**immeuble d'habitation, immeuble résidentiel**
bobby pin	**pince à cheveux**
brakes	**freins**
broue	**écume, mousse**
brownie	**carré au chocolat**
brûlement	**brûlure d'estomac**
bum	**voyou**
bumper	**pare-chocs**
butterscotch	**caramel écossais**
C	
calvette	**canal (de raccordement) ; ponceau**
can	**boîte de conserve**
canter	**incliner, pencher**
se canter	**se coucher**
carreauté	**à carreaux**
car wash	**lave-auto**
cashew	**noix d'acajou, noix de cajou**
catiner	**jouer à la poupée**
caucus	**réunion (en politique)**
céduler	**inscrire à l'horaire, programmer**
centre d'achats	**centre commercial**
chambranler	**branler, chanceler, tituber, vaciller**
chambreur	**locataire**

FORME À ÉVITER	FORME CORRECTE
C	
charter	**avion nolisé, vol nolisé**
cheap	**bon marché; commun; mesquin**
checker	**cocher; consigner; surveiller; vérifier**
check-up	**bilan de santé (pour une personne); inspection, vérification (pour un appareil, une voiture)**
chop	**côtelette**
chum	**ami**
clairer	**acquitter (un accusé); congédier; désencombrer; se libérer (de ses dettes)**
clutch	**embrayage**
cocoa	**cacao**
commercial	**annonce publicitaire, réclame**
contracteur	**entrepreneur**
corduroy	**velours côtelé**
cutex	**vernis (à ongles)**
D	
débalancé	**déséquilibré**
désabrier	**découvrir**
disconnecter	**débrancher**
disposable	**jetable**
drop-out	**décrocheur**
E	
écartiller	**écarter, ouvrir**
efface	**gomme (à effacer)**
s'enfarger	**s'empêtrer, trébucher**
F	
fan	**ventilateur**
flashlight	**lampe de poche**
flanellette	**finette**
flat	**crevaison**
foam	**mousse de polystyrène, styromousse**
foreman	**contremaître**
freezer	**congélateur**
fuse	**fusible**
G	
game	**match, partie**
gamique	**manigance**
garrocher	**lancer**
goal	**but**
goaler	**garder le but**
goaleur	**gardien de but**

FORME À ÉVITER	FORME CORRECTE
H	
hood	**capot (d'automobile)**
I	
input	**entrée (en informatique)**
ivressomètre	**alcootest**
J	
jack	**cric**
joke	**blague, farce, plaisanterie, tour**
jumper	**chasuble**
junk food	**aliment vide**
L	
lip sync	**synchronisation labiale**
locker	**armoire, case**
long jeu	**microsillon**
longue distance	**interurbain**
lousse	**ample, lâche; en liberté**
M	
mâchemâlo	**guimauve**
magané	**endommagé; épuisé, fatigué**
maganer	**détériorer, endommager; épuiser, fatiguer, maltraiter**
make-up	**fard, maquillage**
maller	**mettre à la poste, poster**
mean	**mesquin**
mêlant	**compliqué, embrouillé**
milk-shake	**lait fouetté, lait frappé**
mitt	**gant de base-ball**
moppe	**balai à franges, vadrouille**
muffler	**silencieux**
N	
napkin	**serviette (de table)**
O	
oregano	**origan**
ostineux	**contradicteur**
output	**sortie (en informatique)**
P	
pacemaker	**stimulateur cardiaque**
paqueté	**bondé; ivre**
partner	**associé, partenaire**
pet shop	**animalerie**

FORME À ÉVITER	FORME CORRECTE
P	
pinch	**barbiche**
pinotte	**arachide (désigne une plante ou le fruit de cette plante pris collectivement); cacahuète (désigne chacune des graines de l'arachide)**
pitcher	**envoyer, lancer**
plaster	**sparadrap**
plasticine	**pâte à modeler**
plug	**prise (de courant); fiche (de connexion)**
pluguer	**brancher**
pogner	**prendre**
poqué	**bosselé; fatigué**
porte-patio	**porte-fenêtre**
prérequis	**préalable**
previews	**annonces, bande-annonce, film-annonce**
puck	**disque, rondelle**
puncher	**perforer; pointer**
push-up	**traction**
R	
remover	**dissolvant**
renoter	**rabâcher**
robineux	**clochard, ivrogne**
ronne	**tournée (du facteur, du laitier,** etc.**)**
root beer	**racinette**
S	
scotch tape	**ruban adhésif**
scrap	**ferraille**
scrap-book	**album (de coupures de journaux, d'échantillons quelconques)**
skateboard	**planche à roulettes**
skidoo	**motoneige**
sloche	**neige boueuse**
smatte	**gentil; habile; serviable**
smoked meat	**bœuf mariné**
soda à pâte	**bicarbonate de sodium, bicarbonate de soude**
solage	**fondation**
split level	**maison à demi-niveaux**
spotlight	**projecteur**
stooler	**dénoncer**
styrofoam	**mousse de polystyrène, styromousse**
suce	**sucette, tétine**
suit	**combinaison; costume de neige**
switch	**commutateur; interrupteur**

FORME À ÉVITER	FORME CORRECTE
T	
tangerine	**mandarine**
tip	**pourboire**
toasté	**grillé**
toune	**air; chanson; ritournelle**
trâlée	**bande, ribambelle, troupe**
truck	**camion**
U	
U turn	**demi-tour**
V	
virage en U	**demi-tour**
W	
walkie-talkie	**émetteur-récepteur portatif**
walkman	**baladeur**
watcher	**guetter, surveiller**
wiper	**essuie-glace**
Z	
zipper	**fermeture à glissière**

Nos médaillés olympiques

Années	Endroits et dates	Discipline(s)	Médaillé(e)s	Médail-le(s)
HIVER 68 1 or 1 argent 1 bronze	**GRENOBLE** (France) 6 février au 18 février 10e olympiade	**Slalom géant** **Slalom spécial** **Hockey sur glace**	Nancy Greene Nancy Greene Équipe nationale	Or Argent Bronze
ÉTÉ 68 1 or 3 argent	**MEXICO** (Mexique) 11 octobre au 27 octobre 19e olympiade	**Équitation:** équipe **Natation:** – style libre – 100 m (dos) – 200 m (dos)	James Day James Elder Thomas Gayford Ralph Hutton Elaine Tanner Elaine Tanner	Or Argent Argent Argent
HIVER 72 1 argent	**SAPPORO** (Japon) 3 février au 13 février 11e olympiade	Patinage artistique	Karen Magnusen	Argent
ÉTÉ 72 2 argent 3 bronze	**MUNICH** (Allemagne) 26 août au 11 septembre 20e olympiade	**Natation:** – papillon – quatre nages – 4 × 100 m – dos **Voile**	Bruce Robertson Leslie Cliff Erik Fish William Mahony Bruce Robertson Robert Kasting Donna Marie Gurr Équipe nationale	Argent Argent Bronze Bronze Bronze
HIVER 76 1 or 1 argent 1 bronze	**INNSBRUCK** (Autriche) 4 février au 15 février 12e olympiade	**Slalom géant** **Patinage de vitesse** **Patinage artistique**	Kathy Kreiner Cathy Priestner Toller Cranston	Or Argent Bronze
ÉTÉ 76 5 argent 6 bronze	**MONTRÉAL** (Canada) 17 juillet au 1 août 21e olympiade	**Athlétisme:** saut en hauteur **Canotage:** 500 m **Sports équestres:** sauts individuels **Natation – femmes:** – 400 m (quatre nages) – 100 m (dos) – 200 m (dos) – 400 m (style libre) – 4 × 100 m (relais-style libre) – 4 × 100 m (relais-quatre nages) – 40 m (quatre nages) **Natation – hommes:** – 4 × 100 m (relais-quatre nages)	Greg Joy John Wood Michel Vaillancourt Cheryl Gibson Nancy Garapick Nancy Garapick Shannon Smith Gail Amundrud Barbara Clark Anne Jardin Becky Smith Robin Corslglia Wendy Hogg Anne Jardin Susan Sloan Becky Smith Clay Evans Graham Smith Gary MacDonald Stephen Pickell	Argent Argent Argent Argent Bronze Bronze Bronze Bronze Bronze Bronze Argent
HIVER 80 1 argent 1 bronze	**LAKE PLACID** (É.-U.) 13 février au 24 février 13e olympiade	**Patinage de vitesse** **Patinage de vitesse**	Gaétan Boucher Stephen Podborski	Argent Bronze
ÉTÉ 80	**MOSCOU** (Russie) 19 juillet au 3 août 22e olympiade	Boycottage		
HIVER 84 2 or 1 argent 1 bronze	**SARAJEVO** (Yougoslavie) 8 février au 19 février 14e olympiade	**Patinage de vitesse:** – 1000 m – 1500 m – 500 m **Patinage artistique**	 Gaétan Boucher Gaétan Boucher Gaétan Boucher Brian Orser	 Or Or Bronze Argent

Nos médaillés olympiques

Année	Endroit et date	Discipline(s)	Médaillé(e)s	Médail-le(s)
ÉTÉ 84	**LOS ANGELES** (É.-U.)	**Athlétisme – femmes:**		
10 or	28 juillet au 12 août	– 4 × 100 m (relais)	Angela Bailey	Argent
17 argent	23e olympiade		Marita Payne	
16 bronze			France Gareau	
			Angella Taylor	
		– 4 × 400 m (relais)	Charmaine Crooks	Argent
			Marita Payne	
			Molly Killingbeck	
			Jillian Richardson	
		– 3000 m	Lynn Williams	Bronze
		Athlétisme – hommes:		
		– 100 m	Ben Johnson	Bronze
		– 4 × 100 m (relais)	Ben Johnson	Bronze
			Sterling Hinds	
			Tony Sharpe	
			Desai Williams	
		Boxe:		
		– 91 kg	Willie DeWitt	Argent
		– 71 kg	Shawn O'Sullivan	Argent
		– 54 kg	Dale Walters	Bronze
		Canotage – femmes:		
		– 500 m (2 personnes)	Alexandra Barré	Argent
			Sue Holloway	
		– 500 m (4 personnes)	Alexandra Barré	Bronze
			Lucie Guay	
			Sue Holloway	
			Barbara Olmsted	
		Canotage – hommes:		
		– 500 m	Larry Cain	Or
		– 1000 m (2 personnes)	Hugh Fisher	Or
			Alwyn Morris	
		– 500 m (2 personnes)	Hugh Fisher	Bronze
			Alwyn Morris	
		Cyclisme:		
		– Route (individuel)	Steve Bauer	Argent
		– 1000 m (contre la montre)	Curt Harnett	Argent
		Plongeon – femmes: 3 m	Sylvie Bernier	Or
		Judo – hommes: 95 kg +	Mark Berger	Bronze
		Gymnastique rythmique sportive:	Lori Fung	Or
		Aviron – femmes:		
		– 4 rameurs + 1 barreur	Barbara Armbrust	Argent
			Marilyn Brain	
			Angella Schneider	
			Lesley Thompson	
			Jane Tregunno	
		– 2 rameurs (2-)	Betty Craig	Argent
			Tricia Smith	
		– en couple (2x)	Daniele Laumann	Bronze
			Silken Laumann	
		Aviron – hommes:		
		– 8 rameurs + 1 barreur	Dean Crawford	Or
			Mark Evans	
			Mike Evans	
			Blair Horn	
			Grant Main	
			Kevin Neufeld	
			Paul Steele	
			Patrick Turner	
			Brian McMahon	
		– 1 rameur	Robert Mills	Bronze
		– 4 rameurs	Bruce Ford	Bronze
			Doug Hamilton	
			Michael Hughes	
			Phil Monckton	

Nos médaillés olympiques

Années	Endroits et dates	Discipline(s)	Médaillé(e)s	Médail-le(s)
		Tir – femmes: pistolet match	Linda Thom	Or
		Natation – femmes:		
		– 200 m (brasse)	Anne Ottenbrite	Or
		– 100 m (brasse)	Anne Ottenbrite	Argent
		– 4 × 100 m (relais-quatre nages)	Anne Ottenbrite	Bronze
			Rema Abdo	
			Michelle McPherson	
			Pamela Rai	
		Natation – hommes:		
		– 200 m (quatre nages)	Alex Baumann	Or
		– 400 m (quatre nages)	Alex Baumann	Or
		– 200 m (brasse)	Victor Davis	Or
		– 100 m (brasse)	Victor Davis	Argent
		– 100 m (dos)	Mike West	Bronze
		– 200 m (dos)	Cam Henning	Bronze
		– 4 × 100 m (relais-quatre nages)	Victor Davis	Argent
			Sandy Goss	
			Tom Ponting	
			Mike West	
		Nage synchronisée:		
		– duo	Sharon Hambrook	Argent
			Kelly Kryczka	
		– solo	Carolyn Waldo	Argent
		Haltérophilie: 75 kg	Jacques Demers	Argent
		Lutte:		
		– 100 kg (style libre)	Bob Molle	Argent
		– 82 kg (style libre)	Chris Rinke	Bronze
		Voile:		
		– flying Dutchman	Terry McLaughlin	Argent
			Evert Bastet	
		– soling	Hans Fogh	Bronze
			Steve Calder	
			John Kerr	
		– finn	Terry Neilson	Bronze
HIVER 88	**CALGARY** (Canada)	**Patinage artistique**	Brian Orser	Argent
2 argent	23 février au 6 mars		Elizabeth Manley	Argent
3 bronze	15e olympiade	**Patinage:** danse	Tracy Wilson	Bronze
			Rob McCall	
		Ski alpin:		
		– descente	Karen Percy	Bronze
		– super géant	Karen Percy	Bronze
ÉTÉ 88	**SÉOUL** (Corée du Sud)	**Boxe:** 91 kg +	Lennox Lewis	Or
3 or	17 septembre au	**Nage synchronisée:**		
2 argent	2 octobre	– solo	Carolyn Waldo	Or
5 bronze	24e olympiade	– duo	Carolyn Waldo	Or
			Michelle Cameron	
		Natation – hommes: 4 × 100 m (relais – quatre nages)	Mark Tewksbury	Argent
			Tom Ponting	
			Sandy Goss	
			Victor Davis	
		Boxe: 75 kg	Egerton Marcus	Argent
		Équitation: équipe de dressage	Cindy Ishoy	Bronze
			Ashley Nicoll	
			Eva-Maria Pracht	
			Gina Smith	
		Natation – femmes: 4 × 100 m (relais – quatre nages)	Allison Higson	Bronze
			Jane Kerr	
			Andrea Nugent	
			Lori Melien	
		Athlétisme: décathlon	Dave Steen	Bronze
		Voile: flying Dutchman	Frank McLaughlin	Bronze
			John Millen	
		Boxe: 71 kg	Ray Downey	Bronze

BIBLIOGRAPHIE

PARTIE LANGUE

BÉNAC, Henri. *Dictionnaire des synonymes,* Paris, Hachette, 1975, 1026 p.

BERTRAND, J. *Dictionnaire pratique des homonymes,* Paris-Montréal, Pluriguides/Nathan/Éditions Ville-Marie, 1984, 223 p.

BRETON, Rita. *Le petit guide grammatical au primaire,* Montréal, Les Éditions HRW ltée, 1987, 187 p.

CAJOLET-LAGANIÈRE, Hélène. *Le français au bureau,* 3e édition revue et augmentée, Office de la langue française, Québec, Les Publications du Québec, 1988, 268 p.

COLPRON, Gilles. *Dictionnaire des anglicismes,* Montréal, Beauchemin, 1982, 199 p.

DAGENAIS, Gérard. *Dictionnaire des difficultés de la langue française au Canada,* 2e édition, Boucherville, Éditions françaises, 1984, 538 p.

DUPRÉ, Céline. *Vocabulaire de l'habillement,* Office de la langue française, Québec, Les Publications du Québec, 1984, 175 p.

DUPUIS, Hector. *Dictionnaire des synonymes et des antonymes,* Montréal, Fides, 1988, 606 p.

FÉLIX, Jiří. *Faune des cinq continents,* Paris, Gründ, 1984, 396 p.

Gazette officielle du Québec, Québec, 11 janvier 1986-15 octobre 1988.

Grand Larousse en 5 volumes, Paris, Larousse, 1987.

GRÉVISSE, Maurice. *Le bon usage,* 12e édition refondue par André Goosse, Paris-Gembloux, Duculot, 1986, 1768 p.

HANSE, Joseph. *Nouveau dictionnaire des difficultés du français moderne,* 2e édition mise à jour et enrichie, Paris, Duculot, 1987, 1031 p.

LAMBERT, Mark, et al. *La nouvelle encyclopédie des animaux,* Paris, Solar, 1984, 350 p.

Lexis, dictionnaire de la langue française, Paris, Larousse, 1988, 2019 p.

MAURAIS, Jacques. *Lexique des boissons gazeuses,* Office de la langue française, Québec, Éditeur officiel du Québec, 1980, 41 p.

Micro-Robert, Paris, Dictionnaires Le Robert, 1988, 1376 p.

MINISTÈRE DE L'ÉDUCATION. *Pour un genre à part entière,* Québec, Les Publications du Québec, 1988, 36 p.

OFFICE DE LA LANGUE FRANÇAISE. *Canadianismes de bon aloi,* Québec, 1969, 37 p.

OFFICE DE LA LANGUE FRANÇAISE. *Répertoire des avis linguistiques et terminologiques,* vol. 1, mai 1979-octobre 1985, 2e édition revue et augmentée incluant *L'énoncé d'une politique relative aux québécismes,* Québec, Les Publications du Québec, 1986, 179 p.

OFFICE DE LA LANGUE FRANÇAISE. *Terminologie des appareils électroménagers,* Québec, Éditeur officiel du Québec, 1974, 98 p.

OFFICE DE LA LANGUE FRANÇAISE. *Terminologie des petits appareils électroménagers,* Québec, Éditeur officiel du Québec, 1979, 83 p.

OFFICE DE LA LANGUE FRANÇAISE. *Titres et fonctions au féminin: essai d'orientation de l'usage,* Québec, 1986, 70 p.

Petit Larousse illustré 1989, Paris, Larousse, 1988, 1680 p.

RAMAT, Aurel. *Grammaire typographique,* Montréal, Aurel Ramat, 1984, 96 p.

REY, Alain et Sophie CHANTREAU. *Dictionnaire des expressions et locutions,* Paris, Dictionnaires Le Robert, 1988, 1036 p.

ROBERT, Paul. *Dictionnaire alphabétique et analogique de la langue française: Le Petit Robert 1,* Paris, Dictionnaires Le Robert, 1989, 1952 p.

THOMAS, Adolphe V. *Dictionnaire des difficultés de la langue française,* nouvelle édition revue et corrigée, Paris, Larousse, 1981, 435 p.

TROESTLER, Hubert. *Nota bene,* Québec, Office de la langue française, 1983, 75 p.

VILLA, Thérèse. *Guide de rédaction des menus,* Office de la langue française, Québec, Les Publications du Québec, 1984, 136 p.

VILLERS, Marie-Éva de. *Multidictionnaire des difficultés de la langue française,* Montréal, Éditions Québec/Amérique, 1988, 1143 p.

PARTIE NOMS PROPRES

Annuaire d'Hydro-Québec 1989, Montréal, Hydro-Québec, 1989, 313 p.

BURCHELL, S.C. *L'âge du progrès,* Time-Life International (Nederland), 1976, 192 p.

CHATELLE, Marc. *Le livre Stanké des records québécois,* Montréal, Les éditions internationales Alain Stanké, 1988, 326 p.

COLTON, Joël. *Le vingtième siècle,* coll. «Les grandes époques de l'homme», Time-Life International (Nederland), 1976, 176 p.

COMMISSION DE TOPONYMIE DU QUÉBEC. *Guide toponymique du Québec,* Québec, Commission de toponymie, 1987, 93 p.

COMMISSION DE TOPONYMIE DU QUÉBEC. *Le toponyme,* Québec, Commission de toponymie (bulletin), 1983-1989.

COMMISSION DE TOPONYMIE DU QUÉBEC. *Répertoire toponymique du Québec 1987,* Québec, Les Publications du Québec, 1987, 1900 p.

Dictonnaire encyclopédique Larousse, Paris, Larousse, 1979, 1515 p.

Dictionnaire encyclopédique universel, Montréal, Grolier, 1967, tomes 1 à 10.

DUGAS, Jean-Yves. *Répertoire des gentilés du Québec,* Québec, Commission de toponymie du Québec, 1987, 258 p.

Grand dictionnaire encyclopédique Larousse, Paris, Larousse, 1983, 10 vol.

HAMEL, Réginald, *et al. Dictionnaire pratique des auteurs québécois,* Montréal, Fides, 1976.

Histoire générale du Canada, édition française dirigée par Paul-André Linteau, Montréal, Boréal, 1988, 694 p.

Horizon Canada, Montréal, Les Éditions TransMo Inc., 1985, 120 fascicules.
La grande encyclopédie du Monde, L'épopée des hommes, la géographie, la culture, l'histoire de tous les pays, Paris, Atlas, 1985, vol.1 à 12.
L'Encyclopédie du Canada, Montréal, Les éditions internationales Alain Stanké, 1987, tomes 1 à 3.
L'état du monde, Paris-Montréal, Éditions La Découverte-Boréal, 1986, 640 p.
LEVER, Yves. *Histoire générale du cinéma au Québec,* Montréal, Boréal, 1988, 551 p.
Nos racines, l'histoire vivante des Québécois, Montréal, Les Éditions TransMo Inc., nos 1 à 41.
OFFICE DE LA LANGUE FRANÇAISE. *Rapport annuel 1987-1988,* Québec, Les Publications du Québec, 1988, 31 p.
Pays et capitales du monde, Tableau I: Pays indépendants, Tableau II: Entités secondaires, Paris, Institut géographique national, 1986, 35 p.
Pays et capitales du monde, Tableau III: Divisions administratives, fascicule no 1, Paris, Institut géographique national, 1989, 45 p.
Petit Larousse en couleurs, Paris, Larousse, 1988, 1720 p.
ROBERT, Paul. *Dictionnaire universel des noms propres, alphabétique et analogique: le Petit Robert 2,* Paris, Dictionnaires Le Robert, 1989, 1952 p.
SECRÉTARIAT AUX AFFAIRES AUTOCHTONES DU QUÉBEC. *Les autochtones au Québec,* Québec, Les Publications du Québec, 1988, 31 p.
SECRÉTARIAT AUX AFFAIRES AUTOCHTONES DU QUÉBEC. *Rencontre,* Québec, ministère des Communications (revue), septembre 1989.

REMERCIEMENTS

Pour la partie consacrée aux noms propres, nous avons consulté des personnes représentant divers organismes ou sociétés publics et privés. Nous tenons à remercier vivement toutes ces personnes qui, par leur compréhension et leur dévouement, ont contribué à nous faciliter la tâche.

INDEX DES PLANCHES

TABLE DES MATIÈRES